# ENGLISH-RUSSIAN
# DICTIONARY

# АНГЛО-РУССКИЙ СЛОВАРЬ

составил
## проф. В. К. МЮЛЛЕР

70 000 слов и выражений

New York
E. P. DUTTON & CO., INC.

# ENGLISH-RUSSIAN DICTIONARY

COMPILED BY

## Professor V. K. Müller

Seventh Edition

## NEW REVISED EDITION
## COMPLETELY RESET

70,000 words

New York
E. P. DUTTON & CO., INC.

C.2 6F-1533

*Library of Congress Catalog Card Number: 58-9590*

# PREFACE TO THE SEVENTH EDITION

The present edition of Professor V. K. Muller's *English-Russian Dictionary* is being published sixteen years after the publication of the first edition. During that time the vocabulary of modern English has acquired a considerable number of new words and expressions, some of which were incorporated into editions following the first one (2nd edition in 1947, 3rd edition in 1949, and 4th edition in 1953). In the present revision of the dictionary, its size, by comparison with the preceding edition, has been greatly increased. The additions have been introduced partly in the form of new entries, but more frequently as revisions of old ones, by means of greater differentiation in the meaning of individual words, along with an increase in illustrative material and phraseology.

Additions to the dictionary have come, principally, from the actual, present-day sociopolitical, conversational, and specialized vocabularies. The basic sources of such additions have been the best literary works of contemporary English, American, and Australian writers, published during the last decades, as well as contemporary periodicals. To expand the dictionary's general scientific vocabulary, a number of popular scientific periodicals and books were examined. Also utilized were the addenda to the latest editions of explanatory dictionaries published in England and America, as well as dictionaries of neologisms. Technical dictionaries, published in the Soviet Union and abroad, were consulted in order to make the special terminology introduced into the dictionary more precise.

The system of presenting material has been substantially revised in accordance with arrangements accepted in the Soviet Union in the field of linguistics and lexicography. Opinions and reviews of earlier editions have been taken into account.

The order in which different parts of speech are given in the present edition has been changed. In the predominant number of cases, nouns and adjectives are given first. The only exception are the small number of verbs of the type, "to be," "to get," "to give," "to go," "to make," "to take," etc., which are everywhere given before naming the parts of speech. As a rule, nouns are given before adjectives. In individual cases, however, adjectives, particularly those with characteristic suffixes, are given before nouns.

In arranging word meanings inside each entry, the order based on the historical principle, used heretofore, has given way to the following: first, the commonest and most generally used meanings are given; then, meanings arranged according to their implied sense; at the end of the entry are given the special meanings of words.

Greater use than before has been made of illustrations and examples, to differentiate the meanings and usage of words.

Entries of polysemantic verbs, numerals, pronouns, and, particularly, prepositions have been substantially revised and systematized. In the entries of nouns, the attributive sense in the last meaning is noted.

Compound words, whether or not written as one word, are shown in the dictionary much more widely. In doing this, the greater part of them are taken out of their family and given as individual entries.

In verb entries, a greater distinction is made between verbs governed by prepositions and those taking adverbs and prepositions. The latter groups are considerably expanded.

A great deal of work has been carried out in making more exact translations. The system of stylistic marks is applied more widely and consistently. Also indicated by marks is the field in which a given word is used.

Much attention was given to making the phonetic transcription of words more precise. For this, the latest lexicographic sources, as well as modern linguaphone courses, radio and cinema, were utilized.

All the spelling was checked with the 4th edition of *The Concise Oxford Dictionary,* Oxford University Press, 1956. The spelling of words which entered the English language from American literature is given according to *Webster's New Collegiate Dictionary,* 1953.

Lists of geographic and proper names given in the appendices to the dictionary were revised and made more accurate.

The list of most widely used English and American abbreviations, compiled by V. O. Bluvshtein, is presented in this edition in a revised form.

The revision and expansion of the dictionary were carried out by the editorial board consisting of E. B. Cherkasskaya, Docent of Moscow Pedagogical State Institute in charge of the English Department for Translations, and the following instructors of the faculty: Master of Philological Sciences V. L. Dashevskaya, Senior Instructor V. A. Kaplan, and Master of Philological Sciences, M. N. Klaz. Responsible editorial work was carried out by Docent E. B. Cherkasskaya.

The checking and expansion of the terminological part of the dictionary was done with the participation of S. N. Tager.

The Publishers request that all shortcomings noted as well as changes desired be sent to them at this address: E. P. Dutton & Co., Inc., Publishers, 201 Park Avenue South, New York, New York 10003

E. B. CHERKASSKAYA

*Translated by S. Ostrofsky*

# BIBLIOGRAPHY

James A. H. Murray, Henry Bradley, W. A. Craigie, C. T. Onions. The Oxford English Dictionary vols. I—XII with Supplement and Bibliography. Oxford, 1933

The Shorter Oxford English Dictionary, 3d ed. Oxford, 1955

The Concise Oxford Dictionary of Current English. Oxford, 1956

Chambers's Twentieth Century Dictionary, New Mid-Century Version. London, 1955

Henry Cecil Wyld. The Universal Dictionary of the English Language. London, 1956

Webster's New International Dictionary of the English Language. Springfield, Mass., 1956

Webster's New Collegiate Dictionary. Springfield, Mass., 1953

H. W. Horwill. A Dictionary of Modern American Usage. Oxford, 1952

Eric Partridge. A Dictionary of Slang and Unconventional English. London, 1953

William George Smith. The Oxford Dictionary of English Proverbs. Oxford, 1935

Daniel Jones. An English Pronouncing Dictionary, 11th ed. London, 1956

I. F. Henderson. A Dictionary of Scientific Terms. Fifth edition by J. H. Kenneth. New York, 1953

A. S. Hornby, E. V. Gatenby, H. Wakefield. The Advanced Learner's Dictionary of Current English. London, 1957

M. Reifer. Dictionary of New Words in English. Owen, 1957

American Pocket Medical Dictionary, 19th ed. Philadelphia and London, 1953

Paul C. Berg. A Dictionary of New Words in English, 2d ed. London, 1953

Russian-English Dictionary. Under the direction of Professor A. I. Smirnitsky, 3d edition, State Publishing House of Foreign and National Dictionaries, Moscow, 1958

V. D. Arakin, Z. S. Vygodskaya, N. N. Ilyina. English-Russian Dictionary, 3d edition, State Publishing House of Foreign and National Dictionaries, Moscow, 1955

V. O. Bluvshtein, N. N. Yershov, Y. V. Semyonov. Dictionary of English and American Abbreviations, 3d edition, State Publishing House of Foreign and National Dictionaries, Moscow, 1956

Special Dictionaries published in the U.S.S.R. during the last 25 years

# USE OF THE DICTIONARY

All English words are in alphabetical order.

Each word (as well as compound words spelled with a hyphen) with all material related to it, forms an independent word article. The compound word which is spelled as two separate words, but which represents by itself a certain terminology or single unit, is also given as an independent unit.

Words of foreign derivation which retain their spelling and sometimes pronunciation, for example, *fiance, sou* and so on, are marked showing the derivation of the word (фр. —French, нем. —German, лат. —Latin, and so forth.)

The light Roman numbers indicate homonyms. The bold Arabic numbers followed by a period indicate the different parts of speech. The separate meanings of the word are marked by a light Arabic number followed by a parenthesis. In those cases where phraseology, idiom or combination of word with preposition has several meanings, translations are marked by Russian letters followed by a parenthesis: a), б), etc.

Every key English word is supplied with a grammatical abbreviation *n, a, v* and so on (see explanation of abbreviations, page 9) and a phonetic transcription.

Special terms when necessary are supplied with conventional abbreviations, (тех., Russian for "technical," воен. Russian for "military," etc.). Conversational expressions, Americanisms, etc., in all cases are marked by conventional abbreviations (such as разг. —Russian for conversational; ам. —Russian for Americanism, etc.).

After the sign ✦ phraseological units, compounds and combinations are given which do not have direct relation to the given meanings.

Irregular forms of verbs, comparative degrees of adjectives or adverbs, plurals of nouns are given in parentheses directly after grammatical abbreviations, for example,

> go  [gou]  *v*  (went; gone)
> bad  [b æ d]  *a*  (worse; worst)
> mouse  [maus]  *n*  (pl. mice)

In the examples given above, the semicolon divides the past tense from the past participle. In the second case the semicolon divides the comparative from the superlative degrees.

If two forms of a verb are given which are separated by a comma, it means that both of them are used either as past tense or past participle, for example, dream   [dri:m]   *v*   (dreamt, dreamed)

If only one form is given that means that the past tense and past participle are alike. In addition, each of these forms is given as an independent word in its corresponding alphabetical order with a reference to the basic word.

Derived adverbs ending with -ly, participles ending with -ing and nouns ending with -ness are given only when they have different meanings or shades of meaning, or if they are often used forms. In the latter case, all meanings are not given, only the most important ones with a reference to the principal word.

In phraseological reference the basic word is represented by the first letter of the word followed by a period. Compound words, for example *half-cock, health resort,* will be marked as h.-c., h.r. Plural of the principal word in examples will be given by two letters followed by a period, for example, hh. instead of *hands.* Plural of the compound principal word will be written in full.

If the principal word in some meaning is written with a capital letter, then before this meaning the initial capital letter will be given in parentheses followed by a period, for instance:

bull   [bul]   i. n i) Russian meaning. . . 3)
(B.) astr. Russian meaning

The sign ~ represents the basic word in examples in those cases where the derived form is given, for instance,

find . . .   ~ing, ~s   must be rea   finding, finds

The sign ≅ means that the given Russian equivalent comes closest to the meaning of the English expression.

All words are given in the English spelling. The American variation is given as an independent word in its alphabetical order with reference to the English variation.

In a separate appendix are given:
1) List of geographical names
2) List of proper names
3) List of most used abbreviations accepted in England and the United States

# PHONETIC TRANSCRIPTION

Pronunciation in this dictionary is given according to
the International Phonetical System.

Ниже даются основные сведения о звуках английского языка и их буквенном изображении.

## I

### а) гласные

ɨ—долгий и
ɪ—краткий, открытый и
е—э в словах э́тот, э́кий
æ—более открытый, чем э
ɑ—долгий, глубокий а
ɔ—краткий, открытый о
ɔ—долгий о
о—закрытый, близкий к у звук о
u—краткий у со слабым округлением губ
u:—долгий у без сильного округления губ
ʌ—краткий гласный, приближающийся к русскому а в словах: вари́ть, брани́ть.

Английский гласный ʌ почти всегда стоит под ударением
ə:—долгий гласный, несколько напоминающий немецкий ö в слове höгеn, но со слабым округлением губ
ə—безударный гласный, напоминающий русский безударный гласный в словах: ну́жен, водяно́й, молото́к, ко́мната

### б) двугласные

| | |
|---|---|
| еɪ—э$^{й}$ | ɔɪ—о$^{й}$ |
| оu—о$^{у}$ | ɪə—и$^{а}$ |
| аɪ—а$^{й}$ | ɛə—э$^{а}$ |
| аu—а$^{у}$ | uə—у$^{а}$ |

### в) от звука к букве

Ниже рассматриваются случаи, когда один и тот же звук имеет несколько способов буквенного выражения

## [i:]

| e | ee | ea | ie | ei |
|---|---|---|---|---|
| he | green | read | field | receive |
| she | tree | speak | chief | perceive |
| we | keep | teach | thief | conceive |

## [a:]

| a + r | a + ss | a + st | a + sk | a + sp | a + lf | a + lm | a + nt | ea + r |
|---|---|---|---|---|---|---|---|---|
| car | class | past | ask | grasp | half | calm | plant | heart |
| farm | pass | cast | bask | clasp | calf | palm | can't | hearth |
| dark | grass | mast | task | | | | | |

## [ɔ:]

| o + r | a + ll | au | aw | augh | ough | wa + r |
|---|---|---|---|---|---|---|
| short | all | sauce | draw | taught | thought | war |
| horse | call | autumn | claw | caught | brought | warm |
| | fall | | | daughter | fought | |

## [u:]

| o | oo | ou |
|---|---|---|
| do | spoon | soup |
| who | too | group |
| move | fool | rouble |

## [ə:]

| i + r | e + r | u + r | ea + r |
|---|---|---|---|
| shirt | berth | fur | learn |
| dirt | her | turn | earn |
| birth | | burn | year |

## [ʌ]

| u | o | ou | oo |
|---|---|---|---|
| but | son | young | blood |
| gun | love | trouble | flood |
| must | some | country | |

## [au]

| ou | ow |
|---|---|
| found | how |
| round | now |
| count | down |

## [ou]

| o | oa | ow | o + ll, ld |
|---|---|---|---|
| phone | boat | know | roll |
| tone | moan | slow | bold |
| stone | road | flow | cold |

## [ɔɪ]

| oi | oy |
|---|---|
| boil | boy |
| coin | toy |

## [aɪ]

| i | y | igh | i + gn | i + ld | i + nd |
|---|---|---|---|---|---|
| nice | sky | high | sign | child | mind |
| write | fly | light | | wild | kind |
| kite | my | right | | mild | bind |

## [eɪ]

| a | ai | ay | ey | eigh |
|---|---|---|---|---|
| take | rain | day | they | eight |
| sake | plain | say | grey | freight |
| lame | pain | may | | neighbour |

|  [ɪə]  |
|---|---|
| e + re | ea + r |
| here<br>mere | ear<br>hear<br>fear |

|  [ɛə]  |
|---|---|
| a + re | e + re |
| care<br>dare<br>fare | there<br>where |

|  [uə]  |
|---|---|
| oo + r | our |
| poor | tour |

**г) от буквы к звуку**

Ниже рассматриваются случаи, когда данная буква выражает несколько звуков

## Aa

| [eɪ] | [æ] | [ɑ] | [ɔː] | [ɔ] | [ə] |
|---|---|---|---|---|---|
| make<br>plate<br>same | cat<br>bag<br>catch | farm<br>past<br>grass<br>ask | tall<br>salt<br>walk | watch<br>wash<br>what | about<br>around |

## Ee

| [iː] | [ɪ] | [əː] | [ɪə] | [ɑ] |
|---|---|---|---|---|
| he<br>meet | begin<br>behind | her<br>berth<br>serve | mere<br>here | clerk<br>sergeant |

## Ii

| [aɪ] | [ɪ] | [iː] | [əː] |
|---|---|---|---|
| fine<br>bind<br>sign | is<br>pick<br>ink | machine<br>ravine | fir<br>bird |

## Oo

| [ou] | [ɔ] | [uː] | [ʌ] | [ɔː] |
|---|---|---|---|---|
| bone<br>home | not<br>got<br>long | do<br>who<br>move | son<br>come<br>above | more<br>for<br>store |

## Yy

| [aɪ] | [ɪ] | [j] |
|------|------|------|
| sky | shaky | yes |
| my | fully | yeast |
| by | kitty | yawn |

## Uu

| [ju:] | [ʌ] | [u] |
|-------|------|------|
| tune | cut | put |
| fume | fuss | pull |
| mute | plum | full |

В словах французского происхождения, сохранивших свое произношение, следующие звуки имеют носовое произношение: ɔ̃, ã, ɔ̃:, ã:

## II

### согласные

p—п
b—б
m—м
w—звук, образующийся с положением губ, как при б, но с маленьким отверстием между губами, как при свисте
f—ф
v—в
θ (без голоса) ⎰ оба звука образуются при
ð (с голосом) ⎱ помощи языка, кончик которого помещается между передними зубами
s—с
z—з
t—т, произнесенное не у зубов, а у десен
d—д        »        »        »

n—н, произнесенное не у зубов, а у десен
l—л        »        »        »
r—звук, несколько похожий на очень твердый русский ж; произносится без вибрации кончика языка в отличие от русского р
ʃ—мягкий русский ш
ʒ—мягкий русский ж в слове вожжи
tʃ—ч
dʒ—озвонченный ч
k—к
g—г
ŋ—заднеязычный н, произнесенный задней частью спинки языка
h—простой выдох
j—й

Некоторые звуки, например, ə, d, t в транскрипции могут быть даны курсивом ə, d, t для указания факультативности их произнесения.

# СПИСОК СОКРАЩЕНИЙ

## *Английские*

*a* adjective имя прилагательное
*adv* adverb наречие
*attr.* attributive атрибутивное употребление

*cj* conjunction союз
*conj.* (pronoun) conjunctive союзное (местоимение)
*demonstr.* (pronoun) demonstrative указательное (местоимение)

*emph.* (pronoun) emphatic усилительное (местоимение)
*etc.* et cetera и так далее

*imp.* imperative повелительное (наклонение)
*impers.* impersonal безличный
*indef.* (pronoun) indefinite неопределенное (местоимение)
*inf.* infinitive неопределенная форма глагола
*int* interjection междометие
*inter.* (pronoun) interrogative вопросительное (местоимение)

*n* noun имя существительное
*num. card.* numeral cardinal количественное числительное
*num. ord.* numeral ordinal порядковое числительное

*part* particle частица
*pass.* passive страдательный (залог)

*perf.* perfect перфект
*pers.* (pronoun) personal личное (местоимение)
*pl* plural множественное число
*poss.* (pronoun) possessive притяжательное (местоимение)
*p.p.* past participle причастие прошедшего времени
*predic.* predicative предикативное употребление
*pref* prefix приставка
*prep* preposition предлог
*pres. p.* present participle причастие настоящего времени
*pres. perf.* present perfect настоящее совершенное время
*pron* pronoun местоимение

*recipr.* (pronoun) reciprocal взаимное (местоимение)
*refl.* reflexive употребляется с возвратным местоимением
*rel.* (pronoun) relative относительное (местоимение)

*sing* singular единственное число
*sl.* slang слэнг, жаргон

*v* verb глагол
*vi* verb intransitive непереходные значения глагола
*vt* verb transitive переходные значения глагола

## *Русские*

*ав.*—авиация
*австрал.*—употребительно в Австралии
*авт.*—автомобильное дело
*ак.*—акустика
*амер.*—американский; употребительно в США
*анат.*—анатомия
*англо-инд.*—англо-индийское слово или выражение
*антр.*—антропология
*араб.*—арабский (язык)
*арт.*—артиллерия
*археол.*—археология
*архит.*—архитектура
*астр.*—астрономия

*бакт.*—бактериология
*банк.*—банковское дело

*библ.*—библейское выражение
*биол.*—биология
*бирж.*—биржевое выражение
*бот.*—ботаника
*букв.*—буквально
*бухг.*—бухгалтерия
*б.ч.*—большей частью

*венг.*—венгерский (язык)
*вест.-инд.*—употребительно в Вест-Индии
*вет.*—ветеринария
*в.м.*—вместо
*воен.*—военное дело

*г.*—город
*геогр.*—география
*геод.*—геодезия

*геол.*—геология
*геом.*—геометрия
*геральд.*—геральдика
*гидр.*—гидротехника
*гл.*—глагол
*гл. обр.*—главным образом
*голл.*—голландский (язык)
*горн.*—горное дело
*грам.*—грамматика
*греч.*—греческий (язык)
*груб.*—грубое выражение

*д.*—дюйм
*дет.*—детское (выражение)
*диал.*—диалектизм
*дип.*—дипломатический термин
*дор.*—дорожное дело
*др.-греч. (ист.)*—древнегреческий (-ая история)
*др.-евр.*—древнееврейский
*др.-рим. (ист.)*—древнеримский (-ая история)

*ед. ч.*—единственное число

*ж.-д.*—железнодорожное дело
*жив.*—живопись
*ж.*—женский род

*зоол.*—зоология

*инд.*—индийский
*и пр.*—и прочее
*ирл.*—употребительно в Ирландии
*ирон.*—ироническое выражение
*иск.*—искусство
*исп.*—испанский (язык)
*исп.-ам.*—испано-американское слово или выражение
*ист.*—исторический
*ит.*—итальянский (язык)

*канц.*—канцелярское выражение
*карт.*—термин карточной игры
*кино*—кинематография
*кит.*—китайский (язык)
*книжн.*—книжный стиль
*ком.*—коммерческий термин
*кул.*—кулинария

*л.*—лицо
*-л.*—либо
*ласк.*—ласкательное выражение
*лат.*—латинский (язык)
*лес.*—лесное дело
*лингв.*—лингвистика
*лит.*—употребительно в литературоведении
*лог.*—логика

*малайск.*—малайский (язык)
*мат.*—математика
*мед.*—медицина
*метал.*—металлургия
*метеор.*—метеорология
*мех.*—механика
*мин.*—минералогия
*миф.*—мифология
*мн. ч.*—множественное число

*мор.*—морское дело
*муз.*—музыка

*нареч.*—наречие
*нем.*—немецкий (язык)
*неодобр.*—неодобрительно
*неол.*—неологизм
*непр.*—неправильно(е употребление)
*норв.*—норвежский (язык)

*обыкн.*—обыкновенно
*о-в(а)*—остров(а)
*оз.*—озеро
*ок.*—около
*опт.*—оптика
*особ.*—особенно
*отриц.*—отрицательно
*охот.*—охотничий термин

*палеонт.*—палеонтология
*парл.*—парламентское выражение
*п-в*—полуостров
*перен.*—переносное значение
*перс.*—персидский (язык)
*полигр.*—полиграфия
*полит.*—политический термин
*полит.-эк.*—политическая экономия
*польск.*—польский (язык)
*португ.*—португальский (язык)
*посл.*—пословица
*поэт.*—поэтическое выражение
*превосх. ст.*—превосходная степень
*предл.*—предложение
*презр.*—презрительно
*преим.*—преимущественно
*пренебр.*—пренебрежительно
*прибл.*—приблизительно
*прил.*—имя прилагательное
*прос.*—просодия
*противоп.*—противоположно
*психол.*—психология

*р.*—река
*радио*—радиотехника
*разг.*—разговорное слово, выражение
*распр.*—в распространенном, неточном значении
*редк.*—редко
*рез.*—резиновая промышленность
*рел.*—религия
*ритор.*—риторический
*рус.*—русский (язык)

*санскр.*—санскритский (язык)
*сев.*—употребительно на севере Англии и в Шотландии
*сканд.*—скандинавский
*см.*—смотри
*собир.*—собирательно
*сокр.*—сокращение, сокращенно
*спорт.*—физкультура и спорт
*ср.*—сравни
*сравнит. ст.*—сравнительная степень
*ср.-век.*—в средние века, средневековый
*стр.*—строительное дело
*страх.*—страховой термин
*студ.*—студенческое выражение
*сущ.*—имя существительное
*с.-х.*—сельское хозяйство

*театр.*—театральное выражение
*текст.*—текстильное дело
*тел.*—телефония, телеграфия
*телев.*—телевидение
*тех.*—техника
*тж.*—также
*топ.*—топография
*тур.*—турецкий (язык)

*уменьш.*—уменьшительная форма
*унив.*—университет, -ское (выражение)
*употр.*—употребительно, употребляется
*уст.*—устаревшее слово, выражение
*утверд.*—утвердительный

*фарм.*—фармакология
*физ.*—физика
*физиол.*—физиология
*филос.*—философия
*фин.*—финансы
*финск.*—финский (язык)
*фон.*—фонетика
*фото*—фотография

*фр.*—французский (язык)

*хим.*—химия
*хир.*—хирургия

*церк.*—церковное выражение

*шахм.*—шахматы
*школ.*—школьное выражение
*шотл.*—употребительно в Шотландии
*шутл.*—шутливо

*эвф.*—эвфемизм
*эк.*—экономика
*эл.*—электротехника
*электрон.*—электроника
*эллипт.*—эллиптический оборот
*этн.*—этнография

*южно-афр.*—употребительно в Южной Африке
*юр.*—юридическое выражение

*яп.*—японский (язык)

## АНГЛИЙСКИЙ АЛФАВИТ

| Aa | Bb | Cc | Dd | Ee | Ff | Gg | Hh | Ii |
|----|----|----|----|----|----|----|----|----|
| Jj | Kk | Ll | Mm | Nn | Oo | Pp | Qq | Rr |
| Ss | Tt | Uu | Vv | Ww | Xx | Yy | Zz | |

# A

**A, a** I [eɪ] *n* (*pl* As, A's, Aes [eɪz]) 1) 1-я буква англ. алфавита; 2) условное обозначение чего-л. первого по порядку, сортности и т. п.; 3) амер. высшая отметка за классную работу; straight A «круглое отлично»; 4) муз. ля; ◇ from A to Z с начала и до конца; в совершенстве, полностью; A1 ['eɪ'wʌn] а) 1-й класс в судовом регистре Ллойда; б) разг. первоклассный, превосходный; прекрасно, превосходно (амер. A No. 1 ['eɪ'plʌmbə'wʌn]).

**a** II [eɪ (полная форма); ə (редуцированная форма)] 1) грам. неопределённый член, артикль (a — перед согласными, кроме h немого, перед eu и перед u, когда u произносится как [ju:]; an — перед гласными; напр.: an hour, но a horse; an ulcer, но a unity; a eulogy; тж. a one); 2) = one 1, 1); it costs a penny это стоит одно пенни; 3) употр. перед few, good (или great) many, little; напр.: a few несколько, a good (или great) many очень много; a little немного и перед счётными существительными типа a dozen дюжина, a score два десятка; 4) (обыкн. после all of, many of) = the same; all of a size все одной и той же величины; 5) каждый; twice a day два раза в день; 10 roubles a dozen десять рублей дюжина; 6) некий; a Mr. Henry Green некий мистер Генри Грин.

**a-** [ə-] *pref* (из первоначального предлога on) 1) в предикативных прилагательных и в наречиях; напр.: abed в постели; alive живой; afoot пешком; ashore на берег и т. п.; 2) в выражениях типа to go abegging нищенствовать; to go a-hunting идти на охоту.

**aard-wolf** ['ɑːd,wulf] *n* зоол. земляной волк.

**ab-** [æb-] *pref* с отриц. значением не-, а-; напр.: abnormal ненормальный, анормальный.

**aba** ['ɑːbə] *араб. n* ткань из верблюжьей или козьей шерсти.

**abaca** [ɑːbɑː'kɑː] *n* абака, манильская пенька.

**abaci** ['æbəsɪ] *pl от* abacus.

**aback** [ə'bæk] *adv* назад; сзади; задом; ◇ to stand ~ from держаться на расстоянии, в стороне от; избегать; to take (all) ~ захватить врасплох; поразить, ошеломить.

**abaction** [æb'ækʃən] *n юр.* крупная кража жа или угон скота.

**abacus** ['æbəkəs] *n* (*pl* -es [-ɪz], -ci) 1) абака; счёты; 2) архит. абака, верхняя часть капители; 3) горн. лоток или корыто для промывки золота.

**Abaddon** [ə'bædən] *n* 1) ад, преисподняя; 2) разрушитель; дьявол; 3) библ. Авадон (ангел бездны).

**abaft** [ə'bɑːft] *мор.* **1.** *adv* на корме, в сторону кормы, с кормы; **2.** *prep* сзади, позади; ~ the beam позади траверза.

**abandon** [ə'bændən] **1.** *n* непринуждённость; with ~ непринуждённо; **2.** *v* 1) отказываться от; 2) покидать, оставлять; 3) *refl.* предаваться (страсти, отчаянию и т. п.; to); to ~ oneself to the idea склоняться к мысли; ~ed to despair предавшийся отчаянию.

**abandoned** [ə'bændənd] **1.** *p.p. от* abandon 2; **2.** *a* 1) заброшенный, покинутый; 2) распутный; ◇ ~ call несостоявшийся разговор по телефону.

**abandonee** [ə,bændə'niː] *n* страховщик, в пользу которого остаётся застрахованный груз или застрахованное судно в случае аварии.

**abandonment** [ə'bændənmənt] *n* 1) оставление; 2) заброшенность; 3) непринуждённость; несдержанность; 4) юр. отказ (от иска).

**abase** [ə'beɪs] *v* 1) унижать; 2) понижать (в чине и т. п.).

**abasement** [ə'beɪsmənt] *n* 1) унижение; 2) понижение (в чине и т. п.).

**abash** [ə'bæʃ] *v* (обыкн. *pass.*) смущать, конфузить; приводить в замешательство; пристыдить; лишать самообладания.

**abashment** [ə'bæʃmənt] *n* смущение, замешательство.

**abask** [ə'bɑːsk] *adv* на солнце.

**abate** [ə'beɪt] *v* 1) ослаблять, уменьшать, умерять; 2) снижать (цену, налог и т. п.); 3) делать скидку; 4) уменьшаться; ослабевать; утихать; успокаиваться (о буре, эпидемии и т. п.); 5) притуплять (остриё); стёсывать (камень); 6) юр. аннулировать, отменять, прекращать; 7) метал. отпускать (сталь).

**abatement** [ə'beɪtmənt] *n* 1) уменьшение; ослабление; смягчение; 2) снижение (цены, налога и т. п.); 3) скидка; 4) юр. аннулирование, прекращение.

**abat(t)is** [ə'bætɪ] *n* (*pl* abat(t)is [-tɪz]) засека.

**abat(t)ised** [ə'bætɪst] *a* защищённый засекой.

**abattoir** ['æbətwɑ:] *фр. n* скотобойня.

**abb** [æb] *n текст.* уток.

**abbacy** ['æbəsɪ] *n* аббатство.

**abbess** ['æbɪs] *n* настоятельница монастыря.

**abbey** ['æbɪ] *n* аббатство, монастырь.

**abbot** ['æbət] *n* аббат.

**abbreviate** [ə'bri:vɪeɪt] *v* сокращать.

**abbreviation** [ə,bri:vɪ'eɪʃən] *n* 1) сокращение; 2) аббревиатура, сокращение.

**ABC** ['eɪbi:'si:] *n* 1) алфавит, азбука; 2) основы, начатки; ABC of chemistry основы химии; 3) железнодорожный алфавитный указатель; 4) *attr.* простой, простейший; ◇ ABC Powers (Argentina, Brazil, Chile) Аргентина, Бразилия, Чили.

**ABC-book** ['eɪbi:'sibuk] *n* букварь.

**abdicate** ['æbdɪkeɪt] *v* отрекаться; слагать полномочия; отказываться (*от права на что-л. и т. п.*).

**abdication** [,æbdɪ'keɪʃən] *n* отречение (*от престола*); сложение полномочий; отказ от должности.

**abdomen** ['æbdəmen] *n* 1) *анат.* брюшная полость; живот; 2) *зоол.* брюшко (*насекомого*).

**abdominal** [æb'dɔmɪnl] *a* 1) абдоминальный, брюшной; ~ cavity брюшная полость; 2) брюхопёрый (*о рыбах*).

**abdominous** [æb'dɔmɪnəs] *a* толстый, пузатый.

**abducent** [æb'dju:sənt] *a анат.* отводящий (*о мышце*).

**abduct** [æb'dʌkt] *v* похищать, насильно или обманом увозить (*особ. женщину, ребёнка*).

**abduction** [æb'dʌkʃən] *n* 1) похищение (*женщины, ребёнка*); 2) *анат.* абдукция, отведение (*мышцы*).

**abductor** [æb'dʌktə] *n* 1) похититель; 2) *анат.* отводящая мышца, абдуктор.

**abeam** [ə'bi:m] *adv мор.* на траверзе.

**abecedarian** [,eɪbi:si'dɛərɪən] **1.** *a* 1) расположенный в алфавитном порядке; 2) азбучный, элементарный;

**2.** *n амер.* обучающий(ся) грамоте.

**abed** [ə'bed] *adv* в постели.

**Abel** ['eɪbəl] *n библ.* Авель.

**abele** [ə'bi:l] *n* тополь белый *или* серебристый.

**aberdevine** [,æbədə'vaɪn] *n* чечётка (*птица*).

**aberrance, -cy** [æ'berəns, -sɪ] *n* 1) уклонение от правильного пути; 2) *биол.* отклонение от нормы.

**aberrant** [æ'berənt] *a* 1) заблуждающийся; сбившийся с пути; 2) *биол.* отклоняющийся от нормы.

**aberration** [,æbə'reɪʃən] *n* 1) заблуждение, уклонение от правильного пути; 2) помрачение ума; 3) *аберрация; отклонение; ~ of the needle отклонение магнитной стрелки; 4) *тех.* отклонение от стандарта.

**abet** [ə'bet] *v* подстрекать, поощрять, содействовать (*чему-л. дурному*).

**abetment** [ə'betmənt] *n* подстрекательство, поощрение, содействие (*чему-л. дурному*).

**abettor** [ə'betə] *n* подстрекатель, соучастник.

**abeyance** [ə'beɪəns] *n* 1) состояние неопределённости, неизвестности; 2) временное бездействие; 3) *юр.* временная отмена (*закона, права*); ◇ in ~ а) в состоянии неизвестности, ожидания; б) без владельца (*о наследстве*); без претендента (*о наследственном титуле*); в) временно отменённый (*о законе*).

**abhor** [əb'hɔ:] *v* питать отвращение; ненавидеть.

**abhorrence** [əb'hɔrəns] *n* 1) отвращение; 2) то, что вызывает отвращение.

**abhorrent** [əb'hɔrənt] *a* 1) вызывающий отвращение, отвратительный; ненавистный; претящий (*кому-л., чему-л.; to*); 2) несовместимый (from — c).

**abidance** [ə'baɪdəns] *n* 1) соблюдение (*чего-л.*); ~ by rules соблюдение правил; 2) *уст.* пребывание.

**abide** [ə'baɪd] *v* (abode, *редк.* abided [-ɪd]) 1) оставаться верным (*кому-л., чему-л.*); придерживаться; to ~ by smth. твёрдо держаться чего-л.; 2) ждать; 3) выносить, терпеть; he cannot ~ her он её не выносит; to ~ by the circumstances мириться с обстоятельствами; 4) *уст.* пребывать; жить.

**abiding** [ə'baɪdɪŋ] **1.** *pres. p. om* abide; **2.** *a* постоянный.

**abigail** ['æbɪgeɪl] *n* служанка, горничная, камеристка.

**ability** [ə'bɪlɪtɪ] *n* 1) способность; ловкость, умение; to the best of one's abilities по мере сил, способностей; 2) *pl* дарования, особые данные; 3) *ком.* платёжеспособность; 4) *юр.* компетенция.

**abiology** [,eɪbaɪ'ɔlədʒɪ] *n* учение о неживой природе.

**abject** ['æbdʒekt] *a* 1) жалкий, презренный; низкий; ~ fear малодушный страх; 2) униженный, несчастный; ◇ in ~ poverty в крайней нищете.

**abjection** [æb'dʒekʃən] *n* 1) низость; приниженность; унижение.

**abjuration** [,æbdʒuə'reɪʃən] *n* отречение; oath of ~ *амер.* клятвенное отречение от прежнего подданства.

**abjure** [əb'dʒuə] *v* 1) отрекаться; 2) отказываться (*от требования и т. п.*); to ~ a claim отказываться от претензии, иска.

**ablactation** [,æblæk'teɪʃən] *n* отнятие (*ребёнка*) от груди.

**ablate** [æb'leɪt] *v* ампутировать.

**ablation** [æb'leɪʃən] *n* 1) *хир.* удаление; 2) *геол.* снос, размывание пород; таяние ледников.

**ablative** ['æblətɪv] *грам.* **1.** *n* творительный падеж;

**2.** *a* творительный; ~ absolute абсолютный причастный оборот.

**ablaut** ['æblaut] *n лингв.* абляут.

**ablaze** [ə'bleɪz] *a predic.* 1) в огне, в пламени; to be ~ пылать; 2) сверкающий; 3) возбуждённый; ~ with anger пылающий гневом.

**able** ['eɪbl] *a* 1) умелый, умеющий; знающий; to be ~ (*c inf.*) уметь, мочь, быть в состоянии, в силах; to be ~ to swim умéть плáвать; 2) спосóбный, талáнт-ливый.

**able-bodied** ['eɪbl'bɔdɪd] *a* крéпкий, здорóвый; гóдный (*к военной службе*); ~ seaman матрóс 1 клáсса.

**ablepsia** [ə'blepsɪə] *n редк.* слепотá.

**ablet** ['æblɪt] *n* уклéйка (*рыба*).

**ablin(g)s** ['eɪblɪnz] *adv шотл.* мóжет быть, возмóжно.

**abloom** [ə'blu:m] *a predic.* в цветý.

**ablush** [ə'blʌʃ] *a predic.* в смущéнии, покраснéв.

**ablution** [ə'blu:ʃən] *n* 1) умывáние; 2) (*обыкн. pl*) омовéние; 3) *тех.* промы́вка.

**ably** ['eɪblɪ] *adv* умéло.

**abnegate** ['æbnɪgeɪt] *v* 1) откáзывать себé в; 2) откáзываться от; 3) отрицáть.

**abnegation** [ˌæbnɪ'geɪʃən] *n* 1) отрицáние; отречéние; 2) откáз (*от чего-л.*); 3) самоотречéние; самопожéртвование.

**abnormal** [æb'nɔːməl] *a* ненормáльный, непрáвильный; анормáльный; ~ psychology психопатолóгия.

**abnormality** [ˌæbnɔː'mælɪtɪ]=abnormity.

**abnormity** [æb'nɔːmɪtɪ] *n* 1) непрáвильность, ненормáльность; 2) урóдство; 3) аномáлия.

**aboard** [ə'bɔːd] *adv, prep* 1) на кораблé, на бортý; в вагóне; 2) на корáбль, на борт; в вагóн; to go ~ a ship сесть на корáбль; 3) вдоль; to keep the land ~ идти́ вдоль бéрега (*о судне и т. п.*); ◇ all ~! а) посáдка закáнчивается! (*предупреждение об отправлении корабля, вагона и т. п.*); б) посáдка закóнчена! (*сигнал к отправлению*); to fall ~ а) столкнýться (*с другим судном*); б) *уст.* поссóриться (with, of).

**abode** I [ə'boud] *n* жили́ще, местопребывáние; to take up one's ~ посели́ться; to make one's ~ жить (*где-л.*); ◇ without ~ тóтчас, срáзу.

**abode** II [ə'boud] *past и p.p. от* abide.

**abolish** [ə'bɔlɪʃ] *v* отменя́ть, уничтожáть, упразднять (*обычаи, учреждения*).

**abolishment** [ə'bɔlɪʃmənt] *n* отмéна, уничтожéние, упразднéние.

**abolition** [ˌæbə'lɪʃən] *n* отмéна, уничтожéние (*рабства, торговли рабами и т. п.*); ~ of wage-slavery уничтожéние рáбского наёмного труда́.

**abolitionism** [ˌæbə'lɪʃənɪzəm] *n ист.* аболициони́зм (*движение в пользу освобождения негров в США*).

**A-bomb** ['eɪ'bɔm] *n* áтомная бóмба.

**abominable** [ə'bɔmɪnəbl] *a* отврати́тельный, проти́вный.

**abominate** [ə'bɔmɪneɪt] *v* 1) питáть отвращéние, ненави́деть; 2) *разг.* не люби́ть.

**abomination** [əˌbɔmɪ'neɪʃən] *n* 1) отвращéние; to hold smth. in ~ питáть отвращéние к чему́-л.; 2) что-л. отврати́тельное; мéрзость.

**aboriginal** [ˌæbə'rɪdʒənl] 1. *a* 1) исконный, коренной; тузéмный; 2) первобы́тный; мéстный (*о флоре, фауне*); ~ forests первобы́тные лесá.
2. *n* тузéмец; коренной жи́тель.

**aborigines** [ˌæbə'rɪdʒɪniːz] *n pl* тузéмцы; коренны́е жи́тели, обитáтели.

**abort** [ə'bɔːt] *v* 1) выки́дывать, преждеврéменно разреши́ться от брéмени; 2) потерпéть неудáчу; 3) *биол.* остáться недорáзвитым; стать беспло́дным.

**aborted** [ə'bɔːtɪd] 1. *p.p. от* abort;
2. *a* 1) рождённый до срóка; 2) *биол.* недорáзвитый; рудиментáрный.

**abortion** [ə'bɔːʃən] *n* 1) преждеврéменное прекращéние берéменности, вы́кидыш, абóрт; 2) урóдец; 3) неудáча; 4) *биол.* нарушéние, приостанóвка нормáльного развития.

**abortionist** [ə'bɔːʃənɪst] *n* нелегáльно рабóтающий акушéр.

**abortive** [ə'bɔːtɪv] *a* 1) преждеврéменный (*о родах*); 2) неудáвшийся, беспло́дный; an ~ scheme мертворождённый план; to render ~ сорвáть (*попытку и т. п.*); 3) *биол.* недорáзвитый.

**abought** [ə'bɔːt] *past и p.p. от* aby(e).

**abound** [ə'baund] *v* 1) находи́ться, быть в большóм коли́честве; 2) имéть в большóм коли́честве, изоби́ловать, кишéть (in, with); to ~ in courage обладáть смéлостью; the museum ~s with old pictures в музéе мнóжество стáрых карти́н.

**about** I [ə'baut] 1. *adv* 1) кругóм, вокрýг; вездé, повсю́ду; to look ~ огляну́ться вокрýг; rumours are ~ хóдят слýхи; 2) неподалёку; недалекó; he is somewhere ~ он где-то здесь; 3) приблизи́тельно, óколо, почти́; you are ~ right вы почти́ прáвы; it is ~ two o'clock тепéрь óколо двух часóв; 4) в обрáтном направлéнии; to face ~ оберну́ться; ~ face! *амер. воен.* кругóм!; ~ turn! *воен.* кругóм!; 5) *уст.* в окрýжности; a mile ~ однá ми́ля в окрýжности; ◇ ~ and ~ *амер.* óчень похóже; одинáково; to be ~ а) быть чем-л. зáнятым; б) быть на ногáх (*не в постели*) [*ср. 2* ◇]; в) присýтствовать, быть в нали́чии; Mr. Jones is not ~ господи́н Джóунз вы́шел; ~ right а) прáвильно; б) здорóво, оснóвательно;
2. *prep* 1) *в пространственном значении указывает на:* а) *расположение или движение вокруг чего-л.* вокрýг, кругóм; б) *нахождение вблизи чего-л.* óколо, близ; у; the forests ~ Tomsk леса́ под Тóмском; в) *место совершения действия* по; to walk ~ the room ходи́ть по кóмнате; 2) *во временнóм значении указывает на приблизительность* óколо; ~ nightfall к вéчеру; 3) о, об; насчёт; I'll see ~ it я позабóчусь об э́том; he went ~ his business он пошёл по свои́м делáм; 4): to have smth. ~ one имéть что-л. при себé, с собóй; I had all the documents ~ me все докумéнты бы́ли у меня́ с собóй (*или* при мне, под рукóй); ◇ to be ~ to go (to speak *etc.*) собирáться уходи́ть (говори́ть *и т. п.*) [*ср. 1* ◇]; ~ one наготóве; what are you ~? а) что вам ну́жно?; б) *редк.* что вы дéлаете?

**about** II [ə'baut] *v мор.* меня́ть курс, повора́чивать на другóй галс.

**about-sledge** [ə'baut,sledʒ] *n тех.* кувáлда; кузнéчный мóлот.

**above** [ə'bʌv] 1. *adv* 1) наверхý; вы́ше; 2) вы́ше, рáньше; as stated ~ как скáзано вы́ше; 3) навéрх; a staircase leading ~ лéстница (,веду́щая) навéрх; from ~ свéрху;

2. *prep* 1) над; ~ my head над моей головой; ~ board = above-board 2; ~ ground= above-ground 2; 2) свыше, больше; выше; ~ suspicion вне подозрений; it is ~ me это выше моего понимания; ~ measure свыше меры; 3) раньше, до (*в книге, документе и т. п.*); ◇ ~ all главным образом, в основном; больше всего;

3. *a* расположенный (написанный, упомянутый *и т. п.*) выше; the ~ facts вышеупомянутые факты;

4. *n* (the ~) вышеупомянутое.

**above-board** [ə'bʌv'bɔːd] **1.** *a predic.* честный, открытый, прямой;

2. *adv* честно, открыто.

**above-class** [ə'bʌv,klɑːs] *a* надклассовый.

**above-ground** [ə'bʌv,graund] **1.** *a* живущий;

2. *adv* в живых.

**abracadabra** [,æbrəkə'dæbrə] *n* 1) заклинание; 2) абракадабра, бессмыслица.

**abrade** [ə'breid] *v* 1) стирать; снашивать трением; 2) сдирать (*кожу*); 3) *тех.* шлифовать.

**abranchial** [əb'ræŋkiəl] *a зоол.* безжаберный.

**abranchiate** [əb'ræŋkieit] = abranchial.

**abrasion** [ə'breiʒən] *n* 1) истирание; 2) ссадина; 3) *геол.* абразия; смыв материка морской водой; 4) *тех.* шлифовка; истирание, снашивание; 5) *attr.:* ~ marks *фото* царапины (*на слое эмульсии*); 6) *attr.:* ~ testing испытание на износ.

**abrasive** [ə'breisiv] **1.** *a* 1) обдирающий; размывающий; 2) *тех.* шлифующий; ~ wear износ, вызываемый трением;

2. *n* абразивный *или* шлифовальный материал (*наждак и т. п.*).

**abreast** [ə'brest] *adv* 1) в ряд, рядом, на одной линии; four ~ по четыре в ряд; to keep ~ of (*или* with) не отставать от, идти в ногу с; 2) на уровне, в уровень; to keep ~ with the times идти в ногу с веком; 3) *мор.* на траверзе.

**abridge** [ə'bridʒ] *v* 1) сокращать; 2) ограничивать, урезывать (*права*); 3) лишать (*чего-л.*; of).

**abridg(e)ment** [ə'bridʒmənt] *n* 1) сокращение; 2) ограничение (*прав*); 3) сокращённый текст *или* издание; краткое изложение, конспект.

**abroach** [ə'brouʧ] *a predic.* открытый, откупоренный; to set a cask ~ откупоривать бочку.

**abroad** [ə'brɔːd] *adv* 1) за границей; за границу; from ~ из-за границы; 2) вне дома, вне своего жилища; the badger ventures ~ at dusk барсук выходит из норы в сумерки; 3) широко; повсюду; there is a rumour ~ ходит слух; to get ~ распространяться (*о слухах*); 4) *разг.* в заблуждении; to be all ~ a) заблуждаться; б) растеряться; смешаться, смутиться.

**abrogate** ['æbrougeit] *v* отменять, аннулировать (*закон и т. п.*).

**abrogation** [,æbrou'geiʃən] *n* отмена, аннулирование (*закона и т. п.*).

**abrupt** [ə'brʌpt] *a* 1) обрывистый, крутой; 2) внезапный; ~ discharge *эл.* мгно-

венный разряд; 3) резкий (*о движении, манере*); отрывистый (*о стиле*).

**abruption** [ə'brʌpʃən] *n* 1) разрыв, разъединение; отторжение; 2) *геол.* выход на поверхность (*пласта*).

**abruptness** [ə'brʌptnis] *n* 1) крутизна, обрывистость; 2) внезапность; 3) резкость (*движений*); отрывистость (*стиля*).

**abscess** ['æbsis] *n* 1) абсцесс, нарыв, гнойник; 2) *тех.* раковина (*в металле*).

**abscissa** [æb'sisə] *n* (*pl* -s [-z], -sae) *мат.* абсцисса.

**abscissae** [æb'sisi] *pl от* abscissa.

**abscission** [æb'siʒən] *n хир.* отнятие, ампутация.

**abscond** [əb'skɔnd] *v* скрываться (*обыкн. с чужими деньгами*); бежать, скрываться (*от суда*).

**absconder** [əb'skɔndə] *n* тот, кто скрывается, укрывается (*от суда*).

**absence** ['æbsəns] *n* 1) отсутствие; отлучка; ~ without leave *воен.* самовольная отлучка; leave of ~ отпуск; 2) недостаток, отсутствие (of—*чего-л.*); 3) рассеянность (*особ.* ~ of mind).

**absent 1.** *a* ['æbsənt] 1) отсутствующий; 2) рассеянный;

2. *v* [æb'sent] *refl.* отлучиться; отсутствовать; to ~ oneself from smth. уклоняться от чего-л.

**absentee** [,æbsən'tiː] *n* 1) отсутствующий; 2) живущий в другом месте (*особ. о помещике, живущем вне своего имения или за границей*); 3) уклоняющийся (*от чего-л.*); не участвующий (*в чём-л.*).

**absenteeism** [,æbsən'tiːizəm] *n* 1) абсентеизм (*уклонение от посещения собраний и т. п.*); 2) прогул, невыход на работу без уважительных причин.

**absentia** [æb'senʃiə] *лат. n:* in ~ в отсутствии; заочно; to be tried in ~ *юр.* быть судимым заочно.

**absently** ['æbsəntli] *adv* рассеянно.

**absent-minded** ['æbsənt'maindid] *a* рассеянный.

**absent-mindedness** ['æbsənt'maindidnis] *n* рассеянность.

**absinth(e)** ['æbsinθ] *n* 1) полынь горькая; 2) абсент, полынная водка.

**absinthium** [æb'sinθiəm] =absinth(e) 1).

**absolute** ['æbsəluːt] *a* 1) полный; безусловный, неограниченный; 2) чистый, беспримесный; ~ alcohol чистый спирт; 3) самовластный; абсолютный; ~ monarchy абсолютная монархия; 4) *грам.* абсолютный.

**absolutely** ['æbsəluːtli] *adv* 1) совершенно; 2) безусловно *и пр.* [*см.* absolute 1), 2) *и* 3)]; 3) самостоятельно, независимо; transitive verb used ~ переходный глагол без прямого дополнения; 4) *разг.* да, конечно.

**absoluteness** ['æbsəluːtnis] *n* безусловность *и пр.* [*см.* absolute 1), 2) *и* 3)].

**absolution** [,æbsə'luːʃən] *n* 1) прощение; 2) *церк.* отпущение грехов; 3) *юр.* оправдание; освобождение от наказания, обязательств *и т. п.*

**absolutism** ['æbsəluːtizəm] *n полит.* абсолютизм.

**absolutist** ['æbsəlu:tɪst] *n* сторо́нник абсолюти́зма.

**absolve** [əb'zɔlv] *v* 1) проща́ть (from— *что-л.*); 2) *церк.* отпуска́ть (*грехи*; of); 3) освобожда́ть (from— от *отве́тственности, обяза́тельств и т. п.*).

**absorb** [əb'sɔ:b] *v* 1) вса́сывать, впи́тывать, абсорби́ровать; поглоща́ть (*тж. перен.*); ~ed in thoughts погружённый в мы́сли; 2) амортизи́ровать (*толчки*).

**absorbability** [əb,sɔ:bə'bɪlɪtɪ] *n* поглоща́емость.

**absorbent** [əb'sɔ:bənt] 1. *a* вса́сывающий; ~ cotton wool гигроскопи́ческая ва́та; ~ carbon активи́рованный у́голь; 2. *n* вса́сывающее сре́дство, поглоти́тель.

**absorber** [əb'sɔ:bə] *n тех.* 1) поглоти́тель; абсо́рбер; 2) амортиза́тор.

**absorbing** [əb'sɔ:bɪŋ] 1. *pres. p. от* absorb; 2. *a* 1) вса́сывающий, впи́тывающий; ~ capacity поглоща́ющая спосо́бность; 2) увлека́тельный, захва́тывающий; 3. *n* вса́сывание; поглоще́ние.

**absorption** [əb'sɔ:pʃən] *n* 1) вса́сывание, впи́тывание; поглоще́ние; абсо́рбция; 2) погружённость (*в мысли и т. п.*); 3) *attr.*: ~ circuit *радио* поглоща́ющий ко́нтур; ~ factor коэффицие́нт поглоще́ния; ~ tower, ~ column *хим.* объёмное поглоще́ние.

**absorptive** [əb'sɔ:ptɪv] *a* впи́тывающий, вса́сывающий; поглоща́ющий; ~ power поглоти́тельная (*или* абсорби́рующая) спосо́бность.

**absorptivity** [,æbsɔ:p'tɪvɪtɪ] *n* поглоти́тельная (*или* абсорби́рующая) спосо́бность.

**abstain** [əb'steɪn] *v* возде́рживаться (from); to ~ from force возде́рживаться от примене́ния си́лы; to ~ from drinking не употребля́ть спиртны́х напи́тков.

**abstainer** [əb'steɪnə] *n* 1) непью́щий, тре́звенник (*часто* total ~); 2) воздержа́вшийся (*при голосовании*).

**abstemious** [æb'sti:mjəs] *a* 1) возде́ржанный, уме́ренный (*особ. в пище, питье*); 2) бережли́вый.

**abstention** [æb'stenʃən] *n* 1) воздержа́ние (from); 2) неуча́стие в голосова́нии.

**abstergent** [əb'stə:dʒənt] 1. *a* очища́ющий; 2. *n* очища́ющее сре́дство.

**abstersion** [əb'stə:ʃən] *n* очище́ние, промыва́ние.

**abstinence** ['æbstɪnəns] *n* 1) воздержа́ние (from); уме́ренность; 2) по́лный отка́з от употребле́ния спиртны́х напи́тков (*тж.* total ~).

**abstinent** ['æbstɪnənt] *a* 1) уме́ренный, возде́ржанный; 2) тре́звый, непью́щий.

**abstract** 1. *n* ['æbstrækt] 1) абстра́кция; отвлечённое поня́тие; in the ~ отвлечённо, абстра́ктно; теорети́чески; 2) конспе́кт; резюме́, извлече́ние (*из книги и т. п.*); 2. *a* ['æbstrækt] 1) абстра́ктный, отвлечённый; 2) тру́дный для понима́ния; 3) *разг.* теорети́ческий; 3. *v* [æb'strækt] 1) отнима́ть; 2) абстраги́ровать; 3) резюми́ровать; сумми́ровать; 4) *эвф.* похища́ть, красть.

**abstracted** [æb'stræktɪd] 1. *p. p. от* abstract 3;

2. *a* 1) погружённый в мы́сли; рассе́янный; 2) отделённый; удалённый.

**abstractedly** [æb'stræktɪdlɪ] *adv* 1) рассе́янно; 2) абстра́ктно, отвлечённо, отде́льно (from).

**abstractedness** [æb'stræktɪdnɪs] *n* 1) абстра́ктность, отвлечённость; 2) рассе́янность.

**abstraction** [æb'strækʃən] *n* 1) абстра́кция, отвлече́ние; 2) рассе́янность; 3) *эвф.* кра́жа; 4) *тех.* отво́д.

**abstractiveness** [æb'stræktɪvnɪs] *n* абстра́ктность, отвлечённость.

**abstruse** [æb'stru:s] *a* 1) тру́дный для понима́ния; непоня́тный; 2) глубо́кий.

**absurd** [əb'sə:d] *a* неле́пый, абсу́рдный; смешно́й, глу́пый.

**absurdity** [əb'sə:dɪtɪ] *n* неле́пость; глу́пость, смехотво́рность.

**abundance** [ə'bʌndəns] *n* 1) изоби́лие, избы́ток (of); бога́тство; 2) мно́жество; 3) *хим.* относи́тельное содержа́ние; ◇ ~ of the heart избы́ток чувств.

**abundant** [ə'bʌndənt] *a* оби́льный, изоби́лующий; бога́тый (in — *чем-л.*); to be ~ име́ть(ся) в изоби́лии.

**abuse** 1. *n* [ə'bju:s] 1) оскорбле́ние; брань; 2) плохо́е обраще́ние; 3) злоупотребле́ние; 4) непра́вильное употребле́ние; 2. *v* [ə'bju:z] 1) оскорбля́ть; руга́ть; поноси́ть, бесче́стить; 2) пло́хо обраща́ться (*с кем-л., чем-л.*); 3) злоупотребля́ть; 4) *уст.* вводи́ть в заблужде́ние.

**abusive** [ə'bju:sɪv] *a* оскорби́тельный; бра́нный; ~ language брань, ру́гань; руга́тельства.

**abut** [ə'bʌt] 1. *n тех.* торе́ц; упо́р; пята́; 2. *v* примыка́ть, грани́чить (*обыкн.* ~ upon); упира́ться (against).

**abutment** [ə'bʌtmənt] *n* 1) межа́, грани́ца; 2) *стр.* контрфо́рс; пята́ сво́да; береговой усто́й (*моста*); 3) *attr.* опо́рный; ~ stone *стр.* опо́рный ка́мень, пято́вый ка́мень.

**abutter** [ə'bʌtə] *n юр.* владе́лец прилега́ющего до́ма *или* уча́стка земли́.

**aby(e)** [ə'baɪ] *v* (abought) *уст.* плати́ться; искупа́ть.

**abysm** [ə'bɪzəm] *n поэт.* бе́здна, про́пасть; пучи́на.

**abysmal** [ə'bɪzməl] *a* 1) бездо́нный; глубо́кий; 2) ужа́сный; по́лный, кра́йний; ~ ignorance кра́йнее неве́жество.

**abyss** [ə'bɪs] *n* 1) бе́здна, про́пасть; пучи́на; 2) перви́чный ха́ос.

**abyssal** [ə'bɪsəl] *a геол.* глуби́нный; глубоково́дный; ~ depth наибо́лее глубо́кая часть мо́ря.

**acacia** [ə'keɪʃə] *n* ака́ция.

**academe** [,ækə'di:m] *n поэт.* колле́дж, университе́т.

**academic** [,ækə'demɪk] 1. *a* 1) академи́ческий; университе́тский; 2) академи́чный; 2. *n* 1) учёный; 2) *pl* чи́сто теорети́ческие, академи́ческие аргуме́нты и т. п.

**academical** [,ækə'demɪkəl] 1. *a* академи́ческий; университе́тский;

2. *n pl* университе́тский плащ и бере́т.

academician [ə,kædə'mɪʃən] n академик.
academy [ə'kædəmɪ] n 1) академия; the A.
а) Лондонская Академия Художеств;
б) ежегодная выставка Лондонской Академии Художеств; 2) высшее учебное заведение; (распр. тж.) среднее (частное)
учебное заведение; 3) специальное учебное заведение, школа; Military A. военное училище; riding ~ школа верховой
езды; ~ of music музыкальная школа.
academy-figure [ə'kædəmɪ'fɪgə] n жив.
акт (рисунок).
acanthi [ə'kænθaɪ] pl от acanthus.
acanthus [ə'kænθəs] n (pl -ses [-sɪz], -thi)
1) бот. акант, медвежья лапа; 2) архит.
акант (орнамент).
acarpous [ə'kɑːpəs] a бот. не имеющий
плодов.
accede [æk'siːd] v 1) вступать (to—
в должность, во владение, в организацию);
2) примыкать, присоединяться; to ~ to an
alliance примкнуть, присоединиться к союзу; 3) соглашаться (to— с чем-л.).
accelerant [æk'selərənt] n хим. катализатор; ускоритель.
accelerate [æk'seləreɪt] v ускорять(ся).
accelerating [æk'seləreɪtɪŋ] 1. pres. p. от
accelerate;
2. a ускоряющий; ~ force физ. сила
ускорения.
acceleration [æk,selə'reɪʃən] n ускорение (тж. физ.); ~ of gravity ускорение
силы тяжести.
accelerator [æk'seləreɪtə] n 1) тех. ускоритель; акселератор; 2) хим. катализатор; 3) воен. многокаморное орудие.
accent 1. n ['æksənt] 1) ударение; 2)
произношение; акцент; 3) pl поэт. речь,
язык;
2. v [æk'sent] 1) делать, ставить ударение; перен. подчёркивать, акцентировать;
2) произносить.
accentual [æk'sentjuəl] a относящийся
к ударению, тонический; ~ prosody тоническое стихосложение.
accentuate [æk'sentjueɪt] v 1) делать ударение; 2) подчёркивать, выделять; 3) ставить ударение.
accentuation [æk,sentju'eɪʃən] n 1) постановка ударения; 2) подчёркивание, выделение; 3) манера произношения.
accept [ək'sept] v 1) принимать; 2) допускать; соглашаться; признавать; 3) относиться благосклонно; 4) ком. акцептовать (вексель); ◇ to ~ persons проявлять
лицеприятие; to ~ the fact примириться
с фактом.
acceptability [ək,septə'bɪlɪtɪ] n приемлемость.
acceptable [ək'septəbl] a 1) приемлемый;
2) приятный, желанный.
acceptance [ək'septəns] n 1) принятие,
приём; 2) одобрение; 3) принятое значение
слова; 4) ком. акцепт; ~ general акцептование векселя без каких-л. оговорок; ~
qualified (или special) акцептование векселя с оговорками в отношении условий;
5) attr.: ~ flight ав. лётное приёмное испытание; ◇ ~ of persons лицеприятие.

acceptation [,æksep'teɪʃən] n принятое
значение слова или выражения.
accepted [ək'septɪd] 1. p.p. от accept;
2. a общепринятый, распространённый.
acceptor [ək'septə] n ком. акцептант.
access ['ækses] n 1) доступ; easy of ~
доступный; 2) проход; подход; 3) приступ
(гнева, болезни).
accessary [æk'sesərɪ] = accessory.
accessibility [æk,sesɪ'bɪlɪtɪ] n 1) доступность; лёгкость осмотра или ремонта; 2)
воен. удобство подхода.
accessible [æk'sesəbl] a 1) доступный
(to); достижимый; 2) поддающийся; податливый; ~ to bribery подкупной.
accession [æk'seʃən] 1. n 1) прирост;
прибавление; пополнение; 2) доступ; 3)
вступление (на престол; в должность);
4) приступ (болезни); 5) attr.: ~ catalogue
каталог новых приобретений;
2. v амер. вносить книги в каталог.
accessory [æk'sesərɪ] 1. a 1) добавочный;
вспомогательный; второстепенный; 2) юр.
соучаствующий;
2. n 1) юр. соучастник; ~ after the fact
косвенный соучастник, укрыватель; ~ before the fact прямой соучастник; 2) (the
accessories) pl принадлежности; арматура.
accidence ['æksɪdəns] n 1) грам. морфология; 2) элементы, основы какого-л.
предмета.
accident ['æksɪdənt] 1. n 1) случай;
случайность; by ~ случайно, нечаянно;
2) несчастный случай; катастрофа; авария;
to meet with an ~ потерпеть аварию, крушение; fatal ~ несчастный случай со
смертельным исходом; industrial ~ несчастный случай на производстве; 3) астр.,
геол. неровность поверхности, складка;
4) attr.: ~ insurance страхование от несчастных случаев; ~ prevention предупреждение несчастных случаев; техника безопасности; ~ rate амер. коэффициент промышленного травматизма (количество увечий на миллион отработанных человеко-часов); ◇ ~s will happen in the best regulated
families посл. ≅ в семье не без урода;
скандал в благородном семействе;
2. a полигр. акцидентный.
accidental [,æksɪ'dentl] 1. a 1) случайный; 2) второстепенный;
2. n 1) случайность; 2) несущественная
черта; случайный элемент.
accidentally [,æksɪ'dentəlɪ] adv случайно;
непредумышленно.
acclaim [ə'kleɪm] 1. v 1) шумно, бурно
аплодировать; приветствовать; 2) провозглашать;
2. n шумное приветствие.
acclamation [,æklə'meɪʃən] n 1) шумное
одобрение; carried (или voted) by ~ принято без голосования на основании единодушного шумного одобрения; 2) (обыкн.
pl) приветственные возгласы.
acclimate ['æklaɪmeɪt] = acclimatize.
acclimation [,æklaɪ'meɪʃən] == acclimatization.
acclimatization [ə,klaɪmətaɪ'zeɪʃən] n акклиматизация.

**acclimatize** [ə'klaɪmətaɪz] *v* 1) акклиматизи́ровать; 2) *refl.* акклиматизи́роваться (*тж. перен.*).

**acclivity** [ə'klɪvɪtɪ] *n* подъём.

**acclivous** [ə'klaɪvəs] *a* поднима́ющийся усту́пами.

**accolade** ['ækəleɪd] *n ист.* акколáда (*обря́д посвяще́ния в ры́цари*).

**accommodate** [ə'kɔmədeɪt] *v* 1) приспосáбливать; 2) снабжáть; to ~ smb. with a loan дать кому́-л. де́ньги взаймы́; 3) давáть пристáнище; предоставля́ть жильё, помеще́ние; расквартирóвывать (*войскá*); 4) окáзывать услу́гу; 5) примиря́ть; улáживать (*ссóру*); согласóвывать.

**accommodating** [ə'kɔmədeɪtɪŋ] 1. *pres. p.* от accomodate;

2. *a* 1) услу́жливый; любе́зный; 2) ужи́вчивый; усту́пчивый; сговóрчивый; in an ~ spirit в примири́тельном ду́хе; 3) приспосáбливающийся; 4) вмещáющий; a hall ~ 500 people зал на 500 человéк.

**accommodation** [ə,kɔmə'deɪʃən] *n* 1) помеще́ние; жильё; кварти́ра; 2) прию́т; убéжище; 3) *воен.* расквартировáние войск; 4) приспособле́ние; 5) удóбство; удóбства (*в кварти́ре и т. п.*); 6) согласовáние; соглаше́ние; компроми́сс; 7) ссу́да; 8) *физиол.* аккомодáция.

**accommodation-bill** [ə,kɔmə'deɪʃənbɪl] *n ком.* дру́жеский вéксель.

**accommodation-ladder** [ə,kɔmə'deɪʃənlædə] *n мор.* забóртный трап.

**accommodation train** [ə,kɔmə'deɪʃəntreɪn] *n амер.* мéстный пассажи́рский пóезд.

**accompaniment** [ə'kʌmpənɪmənt] *n* 1) сопровожде́ние; 2) *муз.* аккомпанемéнт.

**accompanist** [ə'kʌmpənɪst] *n* аккомпаниáтор.

**accompany** [ə'kʌmpənɪ] *v* 1) сопровождáть, сопу́тствовать; 2) *муз.* аккомпани́ровать.

**accomplice** [ə'kɔmplɪs] *n* сообщник, соучáстник (*преступле́ния*).

**accomplish** [ə'kɔmplɪʃ] *v* 1) совершáть, выполня́ть; достигáть; доводи́ть до концá, завершáть; 2) дéлать совершéнным; совершéнствовать; 3) достигáть совершéнства.

**accomplished** [ə'kɔmplɪʃt] 1. *p.p.* от accomplish;

2. *a* 1) совершённый, завершённый; an ~ fact соверши́вшийся факт; 2) закóнченный, совершéнный; ~ violinist превосхóдный скрипáч; 3) получи́вший хорóшее образовáние; воспи́танный; культу́рный; 4) изы́сканный (*о манéрах и т. п.*).

**accomplishment** [ə'kɔmplɪʃmənt] *n* 1) выполне́ние; завершéние; 2) достиже́ние; 3)*pl* образóванность; воспитáние; достóинства; 4) *pl* внéшний лоск; хорóшие манéры; 5) благоустрóйство.

**accord** [ə'kɔːd] 1. *n* 1) соглáсие; with one ~ единоду́шно; 2) соглаше́ние; 3) соотвéтствие, гармóния; 4) *муз.* аккóрд, созву́чие; ◇ of one's own ~ доброврóльно; of its own ~ самотёком;

2. *v* 1) согласóвывать(ся); соотвéтствовать, гармони́ровать; 2) предоставля́ть, жáловать; окáзывать; to ~ a hearty welcome оказáть раду́шный приём.

**accordance** [ə'kɔːdəns] *n* соглáсие, соотвéтствие; in ~ with smth. в соотвéтствии с чем-л., соглáсно чему́-л.

**accordant** [ə'kɔːdənt] *a* 1) соглáсный; созву́чный; 2) соотвéтственный.

**according** [ə'kɔːdɪŋ] *adv* 1) = accordingly; 2): ~ as (*употр. как cj*) соотвéтственно; соразмéрно; смотря́ по; you will be paid ~ as you work вам заплáтят соотвéтственно тому́, как вы бу́дете рабóтать; ~ to (*употр. как prep*) а) соглáсно, в соотвéтствии с; he came ~ to his promise он пришёл, как и обещáл; б) по утвержде́нию, по словáм, по мнéнию; ~ to him по егó словáм; ~ to TASS по сообще́нию ТАСС.

**accordingly** [ə'kɔːdɪŋlɪ] *adv* 1) соотвéтственно; 2) таки́м óбразом; поэ́тому.

**accordion** [ə'kɔːdjən] *n муз.* аккордеóн; гармóника.

**accost** [ə'kɔst] 1. *n* привéтствие; обраще́ние;

2. *v* 1) привéтствовать; обращáться (*к кому́-л.*); загивáривать (*с кем-л.*); 2) пристáвать (*к кому́-л.; особ. о проститу́тках*); 3) *мор.* причáливать.

**accouchement** [ə'kuːʃmɑːŋ] *фр. n* разреше́ние от брéмени, рóды.

**accoucheur** [,ækuː'ʃə] *фр. n* акушéр.

**accoucheuse** [,ækuː'ʃəz] *фр. n* акушéрка.

**account** [ə'kaunt] 1. *n* 1) счёт, расчёт; подсчёт; for ~ of smb. за счёт когó-л.; on ~ в счёт (*чегó-л.*) [*ср. тж.* 5) *и* ◇]; ~ current теку́щий счёт; joint ~ óбщий счёт; to keep ~s *бухг.* вести́ кни́ги; to lay (one's) ~ with smth. a) рассчи́тывать на что-л.; б) принимáть что-л. в расчёт; to settle (*или* to square) ~s with smb. a) рассчи́тываться с кем-л.; б) своди́ть счёты с кем-л.; 2) отчёт; to give an ~ of smth. давáть отчёт в чём-л.; 3) доклáд; сообще́ние; отчёт; 4) мнéние, оцéнка; by all ~s по óбщим óтзывам; to give a good ~ of oneself хорошó себя́ зарекомендовáть; 5) основáние, причи́на; on ~ of из-за, вслéдствие [*ср. тж.* 1) *и* ◇]; 6) значе́ние, вáжность; of no ~, of small ~, *амер.* по ~ незначи́тельный; to make ~ of придавáть значе́ние; 7) вы́года, пóльза; to turn to ~ испóльзовать; извлекáть вы́году; to turn a thing to ~ испóльзовать что-л. в свои́х интерéсах; 8) торгóвый балáнс; 2) *attr.*: ~ book контóрская кни́га; ◇ to leave out of ~ не принимáть во внимáние; not to hold of much ~ быть невысóкого мнéния; to take into ~ принимáть во внимáние, в расчёт; on no ~ ни в кóем слу́чае; to be called to one's ~, to go to one's ~, *амер.* to hand in one's ~ умерéть; to call to ~ призвáть к отвéту, потрéбовать объясне́ния, отчёта; the great ~ *рел.* день стрáшного судá, су́дный день; on one's own ~ на свой страх и риск; самостоя́тельно; on smb.'s ~ рáди когó-л. [*ср. тж.* 1) *и* 5)];

2. *v* 1) считáть за; рассмáтривать как; I ~ myself happy я считáю себя́ счастли́вым; 2) отчи́тываться (for—в *чём-л.*); отвечáть (for— за *что-л.*); 3) объясня́ть (for— *что-л.*); this ~s for his behaviour вот чем объясня́ется егó поведе́ние.

accountability [ə,kauntə'bılıtı] *n* 1) ответственность; 2) подотчётность.

accountable [ə'kauntəbl] *a* 1) ответственный (to — перед *кем-л.*; for — за *что-либо*); 2) подотчётный (*о лице*); 3) объяснимый.

accountant [ə'kauntənt] *n* 1) бухгалтер; 2) *юр.* ответчик.

account-general [ə'kaunt'dʒenərəl] *n* главный бухгалтер-эксперт.

accounting [ə'kauntıŋ] 1. *pres. p. от* account 2;
2. *n* 1) учёт; отчётность; 2) расчёт, балансирование; 3) *attr.:* ~ cost калькуляция; ◇ there is no ~ for tastes о вкусах не спорят.

accoutre [ə'ku:tə] *v* одевать, снаряжать, экипировать.

accoutrements [ə'ku:təmənts] *n pl воен.* личное снаряжение (*гл. обр. кожаное*).

accredit [ə'kredıt] *v* 1) уполномочивать; аккредитовать (*дипломатического представителя*); 2) приписывать (to, with); 3) доверять; (по)верить.

accredited [ə'kredıtıd] 1. *p. p. от* accredit;
2. *a* 1) аккредитованный, официально признанный; 2) общепринятый.

accrete [ə'kri:t] 1. *a бот.* сросшийся;
2. *v* 1) срастаться; 2) обрастать.

accretion [æ'kri:ʃən] *n* 1) разрастание; прирост; приращение; 2) срастание; сращение; 3) наращение; увеличение (*неорганических тел*); 4) *геол.* нанос земли.

accrue [ə'kru:] *v* 1) увеличиваться, накопляться; нарастать; ~d interest наросшие проценты; 2) выпадать на долю, доставаться (to—*кому-л.*); 3) происходить (from).

accumulate [ə'kju:mjuleıt] *v* 1) аккумулировать, накапливать; скучивать; складывать; 2) скопляться.

accumulation [ə,kju:mju'leıʃən] *n* 1) собирание; аккумуляция; 2) накопление; primitive ~ *полит.-эк.* первоначальное накопление; 3) скопление; масса, груда.

accumulative [ə'kju:mjulətıv] *a* 1) накопляющийся; ~ formation *геол.* аккумулятивные образования; 2) = cumulative.

accumulator [ə'kju:mjuleıtə] *n* 1) *эл.* аккумулятор; 2) *тех.* собирающее устройство; 3) стяжатель.

accuracy ['ækjurəsı] *n* 1) точность, правильность; ~ of fire *воен.* меткость, кучность стрельбы; 2) тщательность.

accurate ['ækjurıt] *a* 1) точный, правильный; тщательный; ~ within 0.001 mm с точностью до 0,001 мм; 3) меткий (*о стрельбе*); 4) калиброванный.

accurately ['ækjurıtlı] *adv* точно.

accurateness ['ækjurıtnıs] *n* точность и пр. [*см.* accurate].

accursed, accurst [ə'kə:sıd, ə'kə:st] *a* 1) проклятый; 2) ненавистный, отвратительный.

accusation [,ækju'zeıʃən] *n* 1) обвинение; 2) *юр.* обвинительный акт.

accusative [ə'kju:zətıv] *грам.* 1. *a* винительный;

2. *n* винительный падеж.

accusatorial [ə,kju:zə'tɔ:rıəl] *a юр.* обвинительный.

accusatory [ə'kju:zətərı] *a* 1) = accusatorial; 2) обличительный; разоблачающий.

accuse [ə'kju:z] *v* обвинять, предъявлять обвинение (of — в *чём-л.*).

accuser [ə'kju:zə] *n* обвинитель.

accustom [ə'kʌstəm] *v* приучать; to ~ oneself to smth. привыкать, приучаться к чему-л.

accustomed [ə'kʌstəmd] 1. *p.p. от* accustom;
2. *a* 1) привыкший, приученный; 2) привычный, обычный.

ace [eıs] *n* 1) очко; 2) *карт.* туз; 3) первоклассный лётчик, ас; выдающийся спортсмен *и т. п.*; the ~ of ~s *ав.* лучший ас; *перен.* лучший из лучших; ◇ within an ~ of на волосок от, чуть не; the ~ of trumps главный козырь, самый веский довод.

acerbity [ə'sə:bıtı] *n* 1) терпкость; 2) резкость, жёсткость.

acetate ['æsıtıt] *n хим.* уксуснокислая соль, ацетат.

acetic [ə'si:tık] *a* 1) уксусный; 2): ~ silk ацетатный, искусственный шёлк.

acetify [ə'setıfaı] *v хим.* окислять(ся); обращаться в уксус.

acetous ['æsıtəs] *a* уксусный; кислый.

acetylation [ə,setı'leıʃən] *n хим.* ацетилирование.

acetylene [ə'setıli:n] *n* 1) ацетилен; 2) *attr.* ацетиленовый; ~ welding ацетиленовая сварка.

ache [eık] 1. *n* боль (*особ. продолжительная, тупая*);
2. *v* 1) болеть; my head ~s у меня болит голова; 2) жаждать, страстно стремиться (к *чему-л.*).

acheless ['eıklıs] *a* безболезненный.

achievable [ə'tʃi:vəbl] *a* достижимый.

achieve [ə'tʃi:v] *v* 1) достигать, добиваться; to ~ one's purpose (*или* aim) достичь цели; 2) успешно выполнять; доводить до конца.

achievement [ə'tʃi:vmənt] *n* 1) достижение; 2) выполнение; 3) подвиг.

Achilles [ə'kıli:z] *n миф.* Ахиллес.

achromatic [,ækrou'mætık] *a* 1) ахроматический, бесцветный; лишённый окраски; 2) *мед.* страдающий дальтонизмом.

achromatism [ə'kroumətızəm] *n* ахроматизм, бесцветность.

achromatopsy [ə,kroumə'tɔpsı] *n мед.* ахроматопсия.

acid ['æsıd] 1. *n* кислота;
2. *a* 1) кислый; ~ looks кислая мина; 2) едкий, язвительный; 3) *хим.* кислотный, кислый; ~ dye кислотный краситель; ~ radical кислотный радикал; ~ salt кислая соль; ~ test проба на кислую реакцию; *перен.* серьёзное испытание; ~ value коэффициент кислотности.

acidic [ə'sıdık] *a* кислотный, кислый.

acidify [ə'sıdıfaı] *v хим.* 1) подкислять; 2) окислять(ся).

acidity [ə'sıdıtı] *n хим.* 1) кислотность; 2) едкость.

**acidize** [ˈæsɪdaɪz] *v хим.* окислять.

**acidly** [ˈæsɪdlɪ] *adv* 1) едко, с раздражением; 2) холодно, ледяным тоном.

**acid-proof** [ˈæsɪdˈpruːf] *a* кислотоупорный.

**acid-resisting** [ˈæsɪdrɪˈzɪstɪŋ] = acid-proof.

**acidulated** [əˈsɪdjuleɪtɪd] *a* 1) кисловатый; 2) недовольный, брюзгливый.

**acidulous** [əˈsɪdjuləs] *a* кисловатый, подкисленный.

**ack-ack** [ˈækˈæk] *n sl.* 1) зенитное орудие; 2) стрельба зенитной артиллерии; 3) *attr.* зенитный.

**ack emma** [ækˈemə] *sl.* 1) *см.* ante meridiem; 2) *см.* air-mechanic.

**acknowledge** [əkˈnɔlɪdʒ] *v* 1) сознавать; признавать, допускать; 2) подтверждать; to ~ the receipt подтверждать получение; 3) быть признательным (*за что-л.*); награждать (*за услугу*).

**acknowledgement** [əkˈnɔlɪdʒmənt] *n* 1) признание; 2) подтверждение; уведомление о получении; расписка; 3) благодарность; признательность; 4) официальное заявление.

**aclinal** [əˈklaɪnəl] *a* горизонтальный, без уклона.

**aclinic** [əˈklɪnɪk] *a*: ~ line магнитный экватор; аклиническая кривая.

**acme** [ˈækmɪ] *греч. n* 1) высшая точка (*чего-л.*); кульминационный пункт; ~ of perfection верх совершенства; 2) *мед.* кризис (*болезни*).

**acne** [ˈæknɪ] *n* прыщи; воспаление сальной железы.

**acock** [əˈkɔk] *adv* набекрень.

**acolyte** [ˈækəlaɪt] *n* 1) *церк.* прислужник; псаломщик; 2) служитель; помощник.

**acorn** [ˈeɪkɔːn] *n* 1) желудь; 2) *attr.* желудёвый.

**acoustic** [əˈkuːstɪk] *a* 1) акустический, звуковой; ~ mine акустическая мина; 2) *анат.* слуховой; ~ duct наружный слуховой проход.

**acoustics** [əˈkuːstɪks] *n pl* (*употр. как sing*) акустика.

**acquaint** [əˈkweɪnt] *v* 1) знакомить; to ~ oneself with smth. знакомиться с чем-л.; to get (*или* to become) ~ed with smth. познакомиться, ознакомиться с чем-л.; to be ~ed with быть знакомым с; 2) сообщать, извещать.

**acquaintance** [əˈkweɪntəns] *n* 1) знакомство; nodding (*или* bowing) ~ шапочное знакомство; speaking ~ знакомство, дающее право заговорить, официальное знакомство; to make the ~ of smb., to make smb.'s ~ познакомиться с кем-л.; to cultivate the ~ поддерживать знакомство (of — с); 2) знакомый.

**acquaintanceship** [əˈkweɪntənʃɪp] *n* знакомство.

**acquainted** [əˈkweɪntɪd] 1. *p. p. от* acquaint;

2. *a* знакомый (with).

**acquest** [æˈkwest] *n* приобретение.

**acquiesce** [ˌækwɪˈes] *v* молча *или* неохотно соглашаться (in — на *что-л.*).

**acquiescence** [ˌækwɪˈesns] *n* молчаливое *или* неохотное согласие; покорность.

**acquiescent** [ˌækwɪˈesnt] 1. *a* молчаливо соглашающийся; не протестующий, покорный;

2. *n* послушный, покорный человек.

**acquire** [əˈkwaɪə] *v* 1) приобретать; 2) достигать; овладевать (*каким-л. навыком и т. п.*).

**acquirement** [əˈkwaɪəmənt] *n* 1) приобретение; 2) овладение; 3) *pl* приобретённые знания, навыки (*в противоположность прирождённым способностям*).

**acquisition** [ˌækwɪˈzɪʃən] *n* приобретение (*тж. процесс*).

**acquisitive** [əˈkwɪzɪtɪv] *a* 1) стяжательный; 2) восприимчивый.

**acquit** [əˈkwɪt] *v* 1) оправдывать (of — в чём-л.); 2) освобождать (of, from — от *обязательства и т. п.*); 3) выполнить (*обязанность, обязательство*); выплатить долг; to ~ oneself of a promise исполнить обещание; 4) *refl.* вести себя; to ~ oneself well (ill) вести себя хорошо (плохо).

**acquittal** [əˈkwɪtl] *n* 1) *юр.* оправдание; 2) освобождение (от долга); 3) выполнение (*обязанностей и т. п.*).

**acquittance** [əˈkwɪtəns] *n* 1) освобождение от обязательства, долга; погашение долга; 2) расписка об уплате долга *и т. п.*

**acre** [ˈeɪkə] *n* 1) акр (≅ 0,4 *га*); 2) *pl* земли, владения; broad ~s обширное поместье; ◇ God's A. кладбище.

**acreage** [ˈeɪkərɪdʒ] *n* площадь земли в акрах.

**acrid** [ˈækrɪd] *a* 1) острый, едкий (*на вкус, запах*); раздражающий; 2) резкий (*о характере*); язвительный.

**acridity** [æˈkrɪdɪtɪ] *n* острота *и пр.* [*см.* acrid].

**acrimonious** [ˌækrɪˈmouniəs] *a* 1) жёлчный (*о характере*); язвительный, саркастический; 2) *уст.* едкий.

**acrimony** [ˈækrɪmənɪ] *n* 1) жёлчность (*характера*); 2) *уст.* острота, едкость.

**acrobat** [ˈækrəbæt] *n* акробат.

**acrobatic** [ˌækrəˈbætɪk] *a* акробатический.

**acrobatics** [ˌækrəˈbætɪks] *n pl* (*употр. как sing*) акробатика; aerial ~ *ав.* фигурные полёты; акробатические полёты.

**acropoleis** [əˈkrɔpəlaɪz] *pl от* acropolis.

**acropolis** [əˈkrɔpəlɪs] *n* (*pl* -ses [-sɪz], -leis) акрополь.

**across** [əˈkrɔs] 1. *adv* 1) поперёк; 2) на ту сторону; to put ~ перевозить (*на лодке, пароме*); 3) крест-накрест; with arms ~ скрестив руки; ◇ come ~! *амер.* а) признавайся!; б) раскошеливайся!;

2. *prep* сквозь, через; ~ country напрямик; по пересечённой местности; ~ lots *амер.* напрямик; to come (*или* to run) ~ наталкиваться; (*случайно*) встречаться; to get ~ smb. поссориться с кем-л.; to put it ~ smb. а) наказывать кого-л.; б) сводить счёты с кем-л.; в) вводить в заблуждение.

**acrostic** [əˈkrɔstɪk] 1. *n* акростих;

2. *a* имеющий форму акростиха.

**act** [ækt] 1. *n* 1) дело, поступок; акт;

~ of bravery подвиг; ~ of God *юр.* стихийное бедствие; caught in the (very) ~ (of committing a crime) захвачен на месте преступления; ~ of mutiny военный мятеж; 2) закон, постановление (*парламента, суда*); 3) акт, документ; ~ and deed официальный документ, обязательство; 4) акт (*часть пьесы*); 5) миниатюра, номер (*программы варьете или представления в цирке*);
2. *v* 1) действовать, поступать; вести себя; to ~ up to a promise сдержать обещание; 2) работать, действовать; the brake refused to ~ тормоз отказал; 3) влиять; действовать (on, upon); 4) *театр.* играть; to ~ the part of Othello играть роль Отелло; to ~ a part играть роль, притворяться.

**acting** ['æktɪŋ] 1. *pres. p. от* act 2; 2. *n театр.* 1) игра; 2) *attr.* приспособленный для постановки; ~ copy текст пьесы с режиссёрскими указаниями и купюрами; 3. *a* 1) исполняющий обязанности; 2) действующий.

**actinia** [æk'tɪnɪə] *лат. n* (*pl* -niae, -s [-z]) *зоол.* актиния.

**actiniae** [æk'tɪniː] *pl от* actinia.

**actinic** [æk'tɪnɪk] *a физ., хим.* актинический; ~ rays *физ.* актинические лучи (*фиолетовые и ультрафиолетовые*).

**actinism** ['æktɪnɪzəm] *n физ., хим.* светочувствительность, актинизм, актиничность.

**actinium** [æk'tɪnɪəm] *n хим.* актиний.

**action** ['ækʃən] *n* 1) действие, поступок; *полит.* акция; выступление; overt ~ against открытое выступление против; to take prompt ~ принять срочные меры; 2) *pl* поведение; 3) действие, воздействие; 4) деятельность; ~ of the heart деятельность сердца; a man of ~ энергичный человек; to put out of ~ выводить из строя; 5) обвинение, иск; судебный процесс; to bring (*или* to enter, to lay) an ~ against smb. возбудить дело против кого-л.; 6) бой; in ~ в бою; to be killed (*или* to fall) in ~ пасть в бою; 7) действие механизма; 8) *attr.*: ~ radius радиус действия (*самолёта и т. п.*); 9) *attr.* боевой; ~ spring боевая пружина; ~ stations позиции, занимаемые перед началом операции; ◇ ~s speak louder than words *посл.* ⇔ не по словам судят, а по делам.

**actionable** ['ækʃənəbl] *a юр.* дающий основания для судебного преследования.

**activable** ['æktɪvəbl] *a* поддающийся активированию.

**activate** ['æktɪveɪt] *v* 1) *хим., биол.* активировать; 2) делать радиоактивным; 3) *амер. воен.* формировать и укомплектовывать.

**activated** ['æktɪveɪtɪd] 1. *p. p. от* activate; 2. *a* активированный.

**active** ['æktɪv] 1. *a* 1) активный; живой; энергичный, деятельный; to become ~ активизироваться; 2) действующий; 3) *воен.*: ~ forces постоянная армия; ~ list список офицерского состава действительной службы; ~ service боевая служба; *амер.* действительная военная служба; 4) *грам.* действительный (*о залоге*); ~ voice действи-

тельный залог; 5) *фин.* процентный, приносящий проценты;
2. *n* = ~ voice [*см.* 1, 4)].

**activity** [æk'tɪvɪtɪ] *n* 1) деятельность; 2) активность; энергия; ~ in the world market оживление на мировом рынке.

**actor** ['æktə] *n* актёр; ◇ a bad ~ *амер.* ненадёжный человек.

**actress** ['æktrɪs] *n* актриса.

**actual** ['æktjuəl] *a* 1) фактически существующий; действительный; подлинный; ~ speed действительная скорость; собственная скорость; *ав.* путевая скорость; ~ capital действительный капитал; ~ load полезная нагрузка; in ~ fact в действительности; the ~ position фактическое, существующее положение (дел); 2) текущий, современный.

**actuality** [,æktju'ælɪtɪ] *n* 1) действительность; реальность; 2) *pl* существующие условия; факты; the ~ (*в искусстве*).

**actualize** ['æktjuəlaɪz] *v* 1) реализовать; осуществлять; 2) воссоздавать реалистически (*в искусстве*).

**actually** ['æktjuəlɪ] *adv* 1) фактически, на самом деле; 2) впрочем; 3) в настоящее время; 4) даже (если это кажется невероятным).

**actuary** ['æktjuərɪ] *n* статистик страхового общества, актуарий.

**actuate** ['æktjueɪt] *v* 1) приводить в действие; 2) побуждать; 3) *эл.* возбуждать.

**actuator** ['æktʃə,eɪtə] *n тех.* силовой привод; рукоятка привода; *эл.* соленоид.

**acuity** [ə'kjuːɪtɪ] *n* 1) острота; 2) острый характер (*болезни*).

**acumen** [ə'kjuːmen] *n* проницательность, сообразительность.

**acuminate** 1. *a* [ə'kjuːmɪnɪt] *биол.* остроконечный, заострённый;
2. *v* [ə'kjuːmɪneɪt] 1) заострять; 2) придавать остроту.

**acute** [ə'kjuːt] *a* 1) острый; ~ angle острый угол; 2) острый, сильный; ~ eyesight острое зрение; ~ pain острая боль; 3) проницательный, сообразительный; 4) пронзительный, высокий (*о звуке*).

**acuteness** [ə'kjuːtnɪs] *n* острота *и пр.* [*см.* acute].

**ad** [æd] *сокр. разг. от* advertisement.

**adage** ['ædɪdʒ] *n* пословица, поговорка, изречение.

**adagio** [ə'dɑːdʒɪou] *n* (*pl* -os [-ouz]) *муз.* адажио.

**adamant** ['ædəmənt] 1. *n* 1) алмаз; 2) что-л. твёрдое, несокрушимое; will of ~ железная воля;
2. *a* непреклонный; твёрдый, несгибаемый; ~ to entreaties непреклонный к мольбам.

**adamantine** [,ædə'mæntaɪn] 1. *n горн.* закалённая стальная дробь (*для бурения*);
2. *a* 1) имеющий свойство алмаза; очень твёрдый; 2) несокрушимый.

**adapt** [ə'dæpt] *v* 1) приспособлять, пригонять, прилаживать (to, for); 2) *refl.* приспособляться, применяться; 3) адаптировать, сокращать и упрощать; 4) переделывать; to ~ a novel инсценировать роман.

**adaptability** [əˌdæptə'bɪlɪtɪ] *n* приспособля́емость, примени́мость.

**adaptable** [ə'dæptəbl] *a* легко́ приспоса́бливаемый.

**adaptation** [ˌædæp'teɪʃən] *n* 1) адапта́ция, приспособле́ние; light ~ адапта́ция глаза; ~ to the ground *воен.* примене́ние к ме́стности; 2) переде́лка; ~ of a musical composition аранжиро́вка музыка́льного произведе́ния; 3) *биол.* адапта́ция.

**adapter** [ə'dæptə] *n* 1) тот, кто приспоса́бливает; 2) тот, кто переде́лывает, адапти́рует литерату́рное произведе́ние; 3) *тех.* ада́птер; соедини́тельное устро́йство, перехо́дник; держа́тель; 4) *воен.* гу́сеница колёсно-гу́сеничной маши́ны.

**add** [æd] *v* 1) прибавля́ть, присоединя́ть; this ~s to the expense э́то увели́чивает расхо́д; ~ed to everything else к тому́ же; в дополне́ние ко всему́; 2) *мат.* скла́дывать; ☐ ~ in включа́ть; ~ to добавля́ть, увели́чивать; ~ together, ~ up скла́дывать, подсчи́тывать, подыто́живать; находи́ть су́мму; ◇ to ~ fuel (*или* oil) to the fire (*или* to the flame) подлива́ть ма́сла в ого́нь.

**addenda** [ə'dendə] *pl от* addendum.

**addendum** [ə'dendəm] *лат. n* (*pl* -da) приложе́ние, дополне́ние (*в книге*).

**adder** I ['ædə] *n* 1) гадю́ка; 2) *амер.* уж.

**adder** II ['ædə] *n* сумми́рующее устро́йство.

**Adder's tongue** ['ædəztʌŋ] *n* па́поротник.

**addict** 1. *n* ['ædɪkt] наркома́н; cocaine ~ кокаини́ст;
2. *v* [ə'dɪkt] увлека́ться (*обыкн. дурны́м*); to ~ oneself предава́ться (to—*чему́-л.*); he is much ~ed to drink он си́льно пьёт.

**addiction** [ə'dɪkʃən] *n* скло́нность (*к чему́-л.*), па́губная привы́чка.

**adding machine** ['ædɪŋmə'ʃiːn] *n* арифмо́метр; счётная маши́на.

**Addison's disease** ['ædɪsnzdɪ'ziːz] *n мед.* бро́нзовая боле́знь.

**addition** [ə'dɪʃən] *n* 1) прибавле́ние, увеличе́ние, дополне́ние; in ~ to вдоба́вок, в дополне́ние к, кро́ме того́, к тому́ же; 2) *мат.* сложе́ние; 3) *хим.* при́месь.

**additional** [ə'dɪʃənəl] *a* доба́вочный, дополни́тельный; ~ charges накладны́е расхо́ды.

**additive** ['ædɪtɪv] *n тех.* приса́дка (*к ма́слу, к топливу*).

**addle** ['ædl] 1. *a* 1) ту́хлый, испо́рченный; ~ egg ту́хлое яйцо́, болту́н (*яйцо*); 2) пусто́й, взба́лмошный; пу́таный;
2. *v* 1) ту́хнуть, по́ртиться (*о яйце*); 2) пу́тать; to ~ one's head (*или* one's brain) забива́ть себе́ го́лову (*чем-л.*); лома́ть го́лову (*над чем-л.*).

**addle-brained** ['ædlbreɪnd] *a* 1) пустоголо́вый, безмо́зглый; 2) поме́шанный.

**addle-head** ['ædl,hed] *n* пустоголо́вый челове́к, пуста́я башка́.

**addlement** ['ædlmənt] *n* пу́таница.

**addle-pate** ['ædl,peɪt] = addle-head.

**address** [ə'dres] 1. *n* 1) обраще́ние; речь; 2) а́дрес; 3) такт, ло́вкость; 4) *pl* уха́живание; to pay one's ~es to a lady уха́живать за да́мой;

2. *v* 1) адресова́ть; направля́ть; 2) обраща́ться (*к кому-л.*), выступа́ть; to ~ a meeting выступа́ть с ре́чью на собра́нии; to ~ oneself to the audience обраща́ться к аудито́рии; 3) бра́ться, принима́ться (to—за что́-л.).

**addressee** [ˌædre'siː] *n* адреса́т.

**adduce** [ə'djuːs] *v* представля́ть, приводи́ть (*в качестве доказательства*).

**adduct** [ə'dʌkt] *a анат.* приводя́щий (коне́чность к сре́дней ли́нии те́ла).

**adduction** [ə'dʌkʃən] *n* 1) приведе́ние (*фактов, доказательств*); 2) *анат.* адду́кция, приведе́ние коне́чности к сре́дней ли́нии те́ла.

**adductor** [ə'dʌktə] *n анат.* адду́ктор, приводя́щая мы́шца.

**adenoids** ['ædɪnɔɪdz] *n pl мед.* адено́иды.

**adept** ['ædept] 1. *n* 1) знато́к, экспе́рт; 2) алхи́мик;
2. *a* све́дущий.

**adequacy** ['ædɪkwəsɪ] *n* 1) соотве́тствие, адеква́тность; 2) доста́точность; 3) соразме́рность.

**adequate** ['ædɪkwɪt] *a* 1) соотве́тствующий, адеква́тный; ~ definition то́чное определе́ние; 2) доста́точный; 3) компете́нтный; отвеча́ющий тре́бованиям.

**adequation** [ˌædɪ'kweɪʃən] *n* 1) выра́внивание; 2) эквивале́нт.

**adhere** [əd'hɪə] *v* 1) прилипа́ть, пристава́ть; 2) твёрдо держа́ться, приде́рживаться (*чего-л.*; to); 3) остава́ться ве́рным (*принципам и т. п.*; to); 3) *уст.* соглаша́ться; to ~ to a wish разделя́ть жела́ние.

**adherence** [əd'hɪərəns] *n* 1) приве́рженность; ве́рность; 2) стро́гое соблюде́ние (*правил, принципов и т. п.*); ~ to specification соблюде́ние техни́ческих усло́вий; 3) пло́тное соедине́ние; 4) *тех.* сцепле́ние.

**adherent** [əd'hɪərənt] 1. *n* приве́рженец; после́дователь;
2. *a* 1) вя́зкий, кле́йкий; 2) пло́тно прилега́ющий.

**adherer** [əd'hɪərə] = adherent 1.

**adhesion** [əd'hiːʒən] *n* 1) прилипа́ние; слипа́ние; 2) ве́рность (*принципам, партии и т. п.*); 3) согла́сие; 4) *тех.* сцепле́ние (*напр., колёс локомотива с рельсами*); тре́ние; 5) *физ.* молекуля́рное притяже́ние; 6) *мед.* спа́йка; 7) *attr. тех.* сцепно́й; ~ weight сцепно́й вес; ~ wheel фрикцио́нное, сцепно́е колесо́.

**adhesive** [əd'hiːsɪv] *a* 1) ли́пкий, кле́йкий; свя́зывающий; ~ power *тех.* си́ла сцепле́ния; ~ tape ли́пкий пла́стырь; 2) назо́йливый.

**adhesiveness** [əd'hiːsɪvnɪs] *n* 1) кле́йкость, ли́пкость; 2) *психол.* спосо́бность к ассоции́рованию.

**ad hoc** ['æd'hɔk] *лат. a* специа́льный, устро́енный для да́нной це́ли; ~ committee специа́льный комите́т.

**adieu** [ə'djuː] *фр.* 1. *int* проща́й(те)!;
2. *n* проща́ние; to make (*или* to take) one's ~ проща́ться.

**adipose** ['ædɪpous] 1. *n* живо́тный жир;
2. *a* жи́рный; жирово́й; са́льный.

**adiposity** [ˌædɪ'pɔsɪtɪ] *n* ожире́ние, ту́чность.

**adit** ['ædɪt] *n* 1) вход, прохо́д; 2) приближе́ние; 3) *горн.* што́льня, галере́я.

**adjacency** [ə'dʒeɪsənsɪ] *n* 1) сосе́дство; сме́жность; 2) *pl уст.* окре́стности.

**adjacent** [ə'dʒeɪsənt] *a* 1) примыка́ющий, сме́жный, сосе́дний (to); ~ villages близлежа́щие дере́вни; 2) *мат.* сме́жный; ~ angle сме́жный у́гол.

**adjectival** [ˌædʒek'taɪvəl] *a грам.* употреблённый в ка́честве прилага́тельного.

**adjective** ['ædʒɪktɪv] 1. *n грам.* и́мя прилага́тельное;
2. *a* 1) дополни́тельный; несамостоя́тельный, зави́симый; ~ colours дополни́тельные цвета́; 2) *грам.* име́ющий хара́ктер прилага́тельного; свя́занный с прилага́тельным.

**adjoin** [ə'dʒɔɪn] *v* 1) примыка́ть, прилега́ть, грани́чить; 2) соединя́ть, присоединя́ть.

**adjoining** [ə'dʒɔɪnɪŋ] 1. *pres. p. om* adjoin;
2. *a* прилега́ющий, примыка́ющий, сосе́дний.

**adjourn** [ə'dʒɜːn] *v* 1) отсро́чивать, откла́дывать; 2) де́лать, объявля́ть переры́в (*в рабо́те се́ссии и т. п.*); 3) закрыва́ть (*заседа́ние*); расходи́ться; 4) переходи́ть в друго́е ме́сто, переноси́ть заседа́ние в друго́е помеще́ние; to ~ to the drawing-room *разг.* перейти́ в гости́ную (*для дальне́йшей бесе́ды*).

**adjournment** [ə'dʒɜːnmənt] *n* 1) отсро́чка; 2) переры́в.

**adjudge** [ə'dʒʌdʒ] *v* 1) выноси́ть пригово́р; пригова́ривать (to — к); to ~ one guilty призна́ть кого́-л. вино́вным (of — в чём-л.); 2) присужда́ть (*пре́мию и т. п.*; to).

**adjudg(e)ment** [ə'dʒʌdʒmənt] *n* 1) суде́бное реше́ние; вынесе́ние пригово́ра; 2) присужде́ние (*пре́мии и т. п.*).

**adjudicate** [ə'dʒuːdɪkeɪt] *v* суди́ть; выноси́ть реше́ние (on, upon).

**adjunct** ['ædʒʌŋkt] *n* 1) помо́щник; адъю́нкт; 2) приложе́ние, дополне́ние (to); прида́ток; случа́йное сво́йство; 3) *грам.* определе́ние, обстоя́тельственное сло́во.

**adjunct professor** ['ædʒʌŋktprə'fesə] *n амер.* адъю́нкт-профе́ссор.

**adjuration** [ˌædʒuə'reɪʃən] *n* 1) мольба́, заклина́ние; 2) кля́тва.

**adjure** [ə'dʒuə] *v* 1) моли́ть, заклина́ть; 2) приводи́ть к прися́ге.

**adjust** [ə'dʒʌst] *v* 1) приводи́ть в поря́док; 2) ула́живать (*спор и т. п.*); 3) приспоса́бливать, пригоня́ть, прила́живать; 4) регули́ровать; устана́вливать; выверя́ть.

**adjustable** [ə'dʒʌstəbl] *a* регули́руемый, приспособля́емый; передвижно́й; ~ bookshelf подвижна́я по́лка в кни́жном шкафу́; ~ screw-wrench, ~ spanner раздвижно́й га́ечный ключ.

**adjusted** [ə'dʒʌstɪd] 1. *p.p. om* adjust;
2. *a* урегули́рованный, устано́вленный; вы́веренный; ~ fire *воен.* прице́льный ого́нь.

**adjuster** [ə'dʒʌstə] *n тех.* 1) монта́жник, сбо́рщик; устано́вщик; 2) регулиро́вщик;

3) натяжно́е приспособле́ние; натяжно́й болт (*тж.* ~ bolt).

**adjusting** [ə'dʒʌstɪŋ] 1. *pres. p. om* adjust;
2. *a тех.* 1) регули́рующий; устано́вочный; ~ device устано́вочное *или* регули́рующее приспособле́ние; ~ tool отве́с для вы́верки; 2) сбо́рочный; ~ shop сбо́рочная мастерска́я; сбо́рочный, монта́жный цех.

**adjustment** [ə'dʒʌstmənt] *n* 1) регули́рование, приспособле́ние; 2) устано́вка, сбо́рка; регулиро́вка, приго́нка; 3) *воен.* корректиро́вка; ~ in direction корректиро́вка направле́ния; ~ in range корректиро́вка да́льности; ~ of sight устано́вка прице́ла; 4) *attr.:* ~ fire *воен.* пристре́лка.

**adjutage** ['ædʒuːtɪdʒ] *n* наса́дка, наставна́я труба́; труба́ для вы́пуска воды́.

**adjutancy** ['ædʒutənsɪ] *n* зва́ние, до́лжность адъюта́нта.

**adjutant** ['ædʒutənt] *n* 1) ста́рший адъюта́нт; нача́льник строево́го отде́ла; 2) помо́щник; 3) *зоол.* инди́йский зоба́стый а́ист.

**adjutant-bird** ['ædʒutəntbɜːd]=adjutant 3).

**adjuvant** ['ædʒuvənt] 1. *n* помо́щник;
2. *a* поле́зный.

**admeasure** [æd'meʒə] *v* отмеря́ть, устана́вливать преде́лы, грани́цы.

**administer** [əd'mɪnɪstə] *v* 1) управля́ть; вести́ (*дела́*); 2) снабжа́ть; ока́зывать по́мощь; 3) отправля́ть (*правосу́дие*); налага́ть (*наказа́ние*); 4): to ~ an oath to smb., to ~ smb. to an oath приводи́ть кого́-л. к прися́ге; 5) назнача́ть, дава́ть (*лека́рство*); ◇ to ~ a shock наноси́ть уда́р.

**administrate** [əd'mɪnɪstreɪt] *v амер.* управля́ть; контроли́ровать.

**administration** [əd,mɪnɪs'treɪʃən] *n* 1) управле́ние (*дела́ми*); 2) администра́ция; 3) министе́рство; 4) прави́тельство; 5) отправле́ние (*правосу́дия*); 6) назначе́ние, приём (*лека́рств*).

**administrative** [əd'mɪnɪstrətɪv] *a* 1) администрати́вный; администрати́вно-хозя́йственный; ~ troops *воен.* администрати́вно-снабже́нческие ча́сти; 2) исполни́тельный (*о вла́сти*).

**administrator** [əd'mɪnɪstreɪtə] *n* 1) управля́ющий, администра́тор; 2) лицо́, выполня́ющее официа́льные обя́занности (*судья́ и т. п.*); 3) *юр.* опеку́н.

**administratrices** [əd'mɪnɪstreɪtrɪsiːz] *pl om* administratrix.

**administratrix** [əd'mɪnɪstreɪtrɪks] *n* (*pl* -es [-ɪz], -ices) же́нщина-администра́тор.

**admirable** ['ædmərəbl] *a* замеча́тельный, восхити́тельный, превосхо́дный.

**admiral** ['ædmərəl] *n* 1) адмира́л; A. of the Fleet, *амер.* A. of the Navy адмира́л фло́та; 2) флагманский кора́бль.

**admiralty** ['ædmərəltɪ] *n* 1) адмиралте́йство, морско́е министе́рство (*в А́нглии*); First Lord of the A. пе́рвый лорд адмиралте́йства (*в А́нглии*); 2) *attr.:* ~ mile, ~ knot англи́йская ми́ля (= *1853,248 м*).

**admiration** [ˌædmə'reɪʃən] *n* 1) восхище́ние; восто́рг; note of ~ восклица́тельный знак; 2) предме́т восто́рга.

**admire** [əd'maɪə] *v* 1) восхища́ться; приходи́ть в восто́рг; любова́ться; 2) *амер.*

*разг.* о́чень жела́ть (*сделать что-л.*); I should ~ to know я о́чень хоте́л бы знать.

**admirer** [əd'maɪərə] *n* покло́нник, обожа́тель.

**admissible** [əd'mɪsəbl] *a* 1) допусти́мый, прие́млемый; 2) име́ющий пра́во быть при́нятым.

**admission** [əd'mɪʃən] *n* 1) до́ступ; вход; ~ by ticket вход по биле́там; 2) приня́тие; допуще́ние; 3) призна́ние (*чего-л. правильным, верным и т. п.*); 4) *тех.* впуск; поступле́ние (*пара в цилиндр*); отсе́чка (*воды, воздуха*); 5) *attr.* вступи́тельный; ~ fee а) вступи́тельный взнос; б) входна́я пла́та; 6) *attr. тех.*: ~ space объём наполне́ния; ~ stroke ход вса́сывания; ~ valve впускно́й клапан.

**admit** [əd'mɪt] *v* 1) допуска́ть; принима́ть; to be ~ted to the bar получи́ть пра́во адвока́тской пра́ктики в суде́; 2) впуска́ть; 3) позволя́ть (of); the question ~s of no delay вопро́с не те́рпит отлага́тельств; 4) допуска́ть, соглаша́ться; this, I ~, is true допуска́ю, что э́то ве́рно; 5) вмеща́ть (*о помещении*).

**admittance** [əd'mɪtəns] *n* 1) до́ступ, вход; 2) разреше́ние на вход; по ~! вход воспрещён! (*надпись*); 3) *эл.* по́лная проводи́мость.

**admittedly** [əd'mɪtɪdlɪ] *adv* 1) по о́бщему призна́нию *или* согла́сию; 2) предположи́тельно.

**admix** [əd'mɪks] *v* приме́шивать(ся); сме́шивать(ся).

**admixture** [əd'mɪkstʃə] *n* при́месь.

**admonish** [əd'mɔnɪʃ] *v* 1) увещева́ть, сове́товать; 2) предостерега́ть (of); 3) напомина́ть (of); 4) де́лать замеча́ние, указа́ние, вы́говор.

**admonishment** [əd'mɔnɪʃmənt] = admonition.

**admonition** [,ædmə'nɪʃən] *n* 1) увеща́ние; 2) предостереже́ние; 3) замеча́ние, указа́ние.

**admonitory** [əd'mɔnɪtərɪ] *a* 1) увещева́ющий; 2) предостерега́ющий.

**ado** [ə'duː] *n* 1) суета́, хло́поты; without more (*или* further) ~ без дальне́йших церемо́ний; 2) затрудне́ние; with much ~ с больши́ми затрудне́ниями; ◇ much ~ about nothing мно́го шу́ма из ничего́.

**adobe** [ə'doubɪ] *n* 1) кирпи́ч возду́шной су́шки, необожжённый кирпи́ч, сыре́ц, сама́н; 2) сама́нная *или* глиноби́тная постро́йка.

**adolescence** [,ædou'lesns] *n* ю́ность.

**adolescent** [,ædou'lesnt] **1.** *a* 1) ю́ношеский; ю́ный; 2) *геол.*: ~ river молода́я река́;
2. *n* ю́ноша; де́вушка; подро́сток.

**Adonis** [ə'dounɪs] *n* 1) *миф.* Адо́нис; 2) краса́вец.

**adopt** [ə'dɔpt] *v* 1) усыновля́ть; 2) принима́ть; усва́ивать; присва́ивать (*идеи и т. п.*); to ~ another course of action перемени́ть та́ктику; to ~ the attitude заня́ть определённую пози́цию (*в чём-л.*); 3) *лингв.* заи́мствовать; 4) выбира́ть, брать по вы́бору.

**adoptee** [,ædɔp'tiː] *n* усыновлённый, приёмыш.

**adoption** [ə'dɔpʃən] *n* 1) усыновле́ние; 2) приня́тие; усвое́ние; присвое́ние (*идей и т. п.*); 3) вы́бор; 4) *лингв.* заи́мствова-ние.

**adoptive** [ə'dɔptɪv] *a* 1) приёмный, усыновлённый; 2) восприи́мчивый, скло́нный к усвое́нию.

**adorable** [ə'dɔːrəbl] *a* 1) обожа́емый; 2) *разг.* преле́стный, восхити́тельный.

**adoration** [,ædɔː'reɪʃən] *n* обожа́ние; поклоне́ние.

**adore** [ə'dɔː] *v* обожа́ть; поклоня́ться.

**adorer** [ə'dɔːrə] *n* покло́нник, обожа́тель.

**adorn** [ə'dɔːn] *v* украша́ть.

**adornment** [ə'dɔːnmənt] *n* украше́ние.

**adown** [ə'daun] *поэт. см.* down III, 1.

**adrenal** [æd'riːnəl] *анат.* 1. *a* надпо́чечный;
2. *n* надпо́чечная железа́, надпо́чечник.

**adrenalin** [ə'drenəlɪn] *n* адренали́н.

**adrift** [ə'drɪft] *a predic.* по тече́нию; по во́ле волн; по во́ле слу́чая; to cut ~ пусти́ть по тече́нию; he cut himself ~ from his relatives он порва́л со свои́ми родны́ми; to go ~ дрейфова́ть; to turn ~ а) вы́гнать и́з дому; оста́вить на произво́л судьбы́; б) уво́лить со слу́жбы.

**adroit** [ə'drɔɪt] *a* 1) ло́вкий, прово́рный; иску́сный; 2) нахо́дчивый.

**adroitness** [ə'drɔɪtnɪs] *n* 1) ло́вкость, прово́рство; иску́сность; 2) нахо́дчивость.

**adscititious** [,ædsɪ'tɪʃəs] *a* дополни́тельный, доба́вочный; ~ evidence дополни́тельное показа́ние.

**adsorb** [æd'sɔːb] *v хим.* адсорби́ровать.

**adsorbent** [æd'sɔːbənt] *n хим.* адсорбе́нт, адсорби́рующее вещество́.

**adsorption** [æd'sɔːpʃən] *n хим.* адсо́рбция.

**adulate** ['ædjuleɪt] *v* низкопокло́нничать; льстить, уго́дничать.

**adulation** [,ædju'leɪʃən] *n* низкопокло́нство; ни́зкая лесть.

**adulatory** ['ædjuleɪtərɪ] *a* льсти́вый; уго́дливый.

**adult** ['ædʌlt] **1.** *n* взро́слый, совершенноле́тний, зре́лый челове́к;
2. *a* взро́слый, совершенноле́тний, зре́лый.

**adulterant** [ə'dʌltərənt] *n* при́месь.

**adulterate** [ə'dʌltəreɪt] **1.** *v* фальсифици́ровать; подме́шивать; ~d milk разба́вленное молоко́; ~d facts подтасо́ванные фа́кты;
2. *a* 1) фальсифици́рованный; 2) вино́вный в прелюбодея́нии; 3) внебра́чный; «незаконнорождённый».

**adulteration** [ə,dʌltə'reɪʃən] *n* фальсифика́ция, подде́лка; подме́шивание.

**adulterer** [ə'dʌltərə] *n* наруша́ющий супру́жескую ве́рность.

**adulteress** [ə'dʌltərɪs] *n* наруша́ющая супру́жескую ве́рность.

**adultery** [ə'dʌltərɪ] *n* адюльте́р, наруше́ние супру́жеской ве́рности, прелюбодея́ние.

**adumbrate** ['ædʌmbreɪt] *v* 1) бе́гло наброса́ть; дать о́бщее представле́ние; описать в общих чертах; 2) предвещать, предзнаменовать; 3) затемнять, бросать тень.

**adumbration** [ˌædʌm'breiʃən] *n* 1) набросок, эскиз; 2) смутное представление; 3) затемнение, тень.

**adust** [ə'dʌst] *a* 1) выжженный, сожжённый солнцем; ссохшийся от зноя; 2) загорелый; 3) жёлчный; мрачный, угрюмый.

**ad valorem** ['ædvə'lɔːrem] *лат.* **1.** *a* соответствующий стоимости; ~ duties пошлины, взимаемые соответственно стоимости товара; **2.** *adv* соответственно стоимости.

**advance** [əd'vɑːns] **1.** *n* 1) продвижение; 2) *воен.* наступление; 3) успех, прогресс; улучшение; 4) предварение; упреждение (*тж. тех.*); in ~ вперёд, заранее; in ~ of smth. а) впереди чего-л.; б) раньше чего-л.; to be in ~ а) опередить, обогнать; б) идти вперёд, спешить (*о часах*); 5) продвижение (*по службе*); 6) повышение (*цен и т. п.*); 7) ссуда; аванс; 8) эл. опережение по фазе; 9) *attr.* авансовый; ~ notes *ком.* авансовые тратты; ◇ to make ~s делать авансы, предложения; идти навстречу (*в чём-л.*);
**2.** *v* 1) подвигаться вперёд; 2) *воен.* наступать; 3) делать успехи, развиваться; 4) продвигать(ся) (*по службе*); 5) повышать(ся) (*в цене*); the bank has ~d the rate of discount to 5% банк повысил процент учёта до пяти; 6) выдвигать (*предложение, возражение*); 7) платить авансом; 8) ссужать деньги.

**advanced** [əd'vɑːnst] **1.** *p. p. от* advance 2;
**2.** *a* 1) выдвинутый вперёд; 2) передовой; ~ ideas передовые идеи; 3) успевающий (*об ученике*); 4) продвинутый, повышенного типа; ~ studies занятия *или* курс повышенного типа; ◇ ~ in years престарелый.

**advance-guard** [əd'vɑːnsgɑːd] *n* авангард.

**advancement** [əd'vɑːnsmənt] *n* 1) продвижение; 2) успех, прогресс.

**advantage** [əd'vɑːntɪdʒ] **1.** *n* 1) преимущество (of, over— над); благоприятное положение; to gain an ~ over smb. взять над кем-л. верх; to have the ~ of smb. иметь преимущество перед кем-л.; to take ~ of smb. обмануть, перехитрить кого-л.; to take ~ of smth. воспользоваться чем-л.; to take smb. at ~ захватить кого-л. врасплох; 2) выгода, польза; to ~ выгодно, хорошо; в выгодном свете;
**2.** *v* давать преимущество, благоприятствовать, помогать, продвигать; приносить выгоду, пользу.

**advantageous** [ˌædvən'teidʒəs] *a* благоприятный; выгодный; полезный.

**advent** ['ædvənt] *n* 1) приход, прибытие; 2) (A.) *рел.* пришествие; 3) (A.) *церк.* рождественский пост.

**adventitious** [ˌædven'tiʃəs] *a* 1) добавочный; 2) случайный; побочный.

**adventure** [əd'ventʃə] **1.** *n* 1) приключение; 2) рискованное предприятие; риск; авантюра; 3) событие, переживание; 4) *уст.* горное предприятие; рудник;
**2.** *v* 1) рисковать; to ~ one's life рисковать жизнью; 2) отваживаться; рискнуть сказать *или* сделать (*что-л.*).

**adventurer** [əd'ventʃərə] *n* искатель приключений, авантюрист.

**adventuress** [əd'ventʃəris] *n* искательница приключений, авантюристка.

**adventurous** [əd'ventʃərəs] *a* 1) безрассудно смелый; 2) предприимчивый; 3) опасный, рискованный.

**adverb** ['ædvəːb] *n грам.* наречие.

**adverbial** [əd'vəːbjəl] *a грам.* наречный.

**adversary** ['ædvəsəri] *n* противник, враг (*чего-л.*); соперник.

**adversative** [əd'vəːsətiv] *a* 1) выражающий противоположность (*о словах, терминах*); 2) *грам.* противительный.

**adverse** ['ædvəːs] *a* 1) враждебный; 2) неблагоприятный; вредный; ~ winds противные ветры; it is ~ to their interests это противоречит их интересам; 3) лежащий на(против).

**adversity** [əd'vəːsiti] *n* 1) напасти, несчастья, бедствия; 2) неблагоприятная обстановка.

**advert** [əd'vəːt] *v* ссылаться; упоминать; обращаться (*к чему-л.*); касаться; to ~ to other matters касаться других вопросов.

**advertence, -cy** [əd'vəːtəns, -si] *n* внимательное отношение, внимание.

**advertise** ['ædvətaiz] *v* 1) помещать объявление, рекламировать; to ~ for smth. делать объявление о чём-л. (*в печатном органе*); 2) искать по объявлению; 3) извещать, объявлять.

**advertisement** [əd'vəːtismənt] *n* 1) объявление; реклама; анонс; 2) *attr.* рекламный; ~ column столбец *или* отдел объявлений в газете.

**advertiser** ['ædvətaizə] *n* 1) лицо, помещающее объявление; 2) газета с объявлениями.

**advertize** ['ædvətaiz] = advertise.

**advice** [əd'vais] *n* 1) совет; 2) консультация (*юриста, врача*); 3) извещение; 4) (*обыкн. pl*) сообщение; 5) (*обыкн. pl*) *ком.* авизо (*тж.* letter of ~); 6) *уст.* мнение, суждение; 7) *attr.*: ~ boat *уст.* посыльное судно.

**advisable** [əd'vaizəbl] *a* 1) рекомендуемый; целесообразный; желательный; 2) благоразумный.

**advise** [əd'vaiz] *v* 1) советовать; to ~ with smb. on (*или* about) smth. советоваться с кем-л. о чём-л.; 2) консультировать; 3) извещать, сообщать.

**advised** [əd'vaizd] **1.** *p.p. от* advise;
**2.** *a* 1) осведомлённый; 2) обдуманный, намеренный; 3) осторожный; рассудительный.

**advisedly** [əd'vaizidli] *adv* 1) намеренно; 2) благоразумно.

**adviser** [əd'vaizə] *n* советник; консультант; legal ~ юрисконсульт; medical ~ врач.

**advisory** [əd'vaizəri] *a* совещательный; консультативный.

**advocacy** ['ædvəkəsi] *n* 1) защита; 2) пропаганда (*какой-л. меры, взглядов и т. п.*).

**advocate 1.** *n* ['ædvəkɪt] 1) защи́тник; сторо́нник (*мнения*); 2) адвока́т (*особ. в Шотландии*); Lord A. *шотл.* генера́льный прокуро́р;
2. *v* ['ædvəkeɪt] отста́ивать; подде́рживать, пропаганди́ровать (*какую-л. меру, взгляды и т. п.*); to ~ peace вы́ступить в защи́ту ми́ра.

**adynamia** [,ædɪ'neɪmɪə] *n* сла́бость, поте́ря сил; физи́ческая простра́ция.

**adz(e)** [ædz] **1.** *n тех.* тесло́; струг, ско́бель;
2. *v* теса́ть, строга́ть, обтёсывать.

**aegis** ['iːʤɪs] *n* 1) эги́да; 2) защи́та.

**aegrotat** [iː'groutæt] *n* спра́вка о боле́зни (*англ. студента, отсутствующего на экзамене*).

**Aeneas** [iː'niːæs] *n миф.* Эне́й.

**Aeolian** [iː'ouljən] *a*: ~ harp Эо́лова а́рфа.

**aeon** ['iːən] *n* 1) ве́чность; 2) *геол.* э́ра.

**aerate** ['eɪəreɪt] *v* 1) прове́тривать, вентили́ровать; 2) газ́ировать.

**aerated water** ['eɪəreɪtɪd'wɔːtə] *n* газиро́ванная вода́.

**aeration** [,eɪə'reɪʃən] *n* 1) прове́тривание, вентили́рование; ~ of the soil аэра́ция по́чвы; 2) газ́ирование.

**aerial** ['eɪərɪəl] **1.** *a* 1) возду́шный, эфи́рный; ~ acrobatics вы́сший пилота́ж; ~ ambulance санита́рный самолёт; ~ camera аэрофотоаппара́т; ~ gunner авиапулемётчик; ~ machine-gun авиапулемёт; ~ photography аэрофотосъёмка; ~ survey аэросъёмка; ~ mapping то́чная вертика́льная аэрофотосъёмка; ~ mine возду́шная ми́на; ~ navigation аэронавига́ция; ~ railway, ~ ropeway подвесна́я кана́тная доро́га; ~ reconnaissance аэроразве́дка; ~ sickness возду́шная боле́знь; ~ system радиосе́ть; ~ wire анте́нна; 2) надзе́мный; 3) нереа́льный;
2. *n* анте́нна.

**aerie** ['eərɪ] *n* 1) орли́ное гнездо́ (*тж. перен. о доме на неприступной скале*); 2) вы́водок (*в гнезде хищной птицы*).

**aeriform** ['eərɪˌfɔːm] *a* 1) возду́шный, газообра́зный; ~ body газообра́зное те́ло; 2) нереа́льный.

**aerify** ['eərɪfaɪ] *v* 1) превраща́ть в газообра́зное состоя́ние; 2) газ́ировать.

**aerobatics** ['eərou'bætɪks] *n pl* (*употр. как sing*) вы́сший пилота́ж, фигу́рные полёты.

**aerobiology** ['eəroubaɪ'ɔləʤɪ] *n* аэробиоло́гия.

**aerobomb** ['eəroubɔm] *n* авиабо́мба.

**aerocamera** [,eərou'kæmərə] *n* аэрофотоаппара́т.

**aerocarrier** ['eərou'kærɪə] *n* авиано́сец.

**aerodonetics** [,eəroudə'netɪks] *n pl* (*употр. как sing*) тео́рия планери́зма, тео́рия паре́ния.

**aerodrome** ['eərədroum] *n* аэродро́м.

**aerodynamic(al)** ['eəroudaɪ'næmɪk(əl)] *a* аэродинами́ческий.

**aerodynamics** ['eəroudaɪ'næmɪks] *n pl* (*употр. как sing*) аэродина́мика.

**aerodyne** ['eəroudaɪn] *n* лета́тельный аппара́т тяжеле́е во́здуха.

**aeroembolism** [,eərou'embəlɪzəm] *n* кессо́нная боле́знь.

**aero-engine** ['eərou'enʤɪn] *n* авиацио́нный мото́р, авиамото́р.

**aerofoil** ['eərouˌfɔɪl] *n ав.* несу́щая пове́рхность; про́филь (крыла́); крыло́, ду́жка.

**aerogram** ['eərouˌgræm] *n* радиогра́мма.

**aerogun** ['eərouˌgʌn] *n* авиапу́шка; авиапулемёт.

**aerojet** ['eərou'ʤet] *a* возду́шно-реакти́вный.

**aerolite** ['eərəlaɪt] *n* аэроли́т, ка́менный метеори́т.

**aerology** [eə'rɔləʤɪ] *n* аэроло́гия.

**aeromechanics** [,eərouɪ'kænɪks] *n pl* (*употр. как sing*) аэромеха́ника.

**aerometer** [eə'rɔmɪtə] *n* аэроме́тр.

**aeronaut** ['eərənɔːt] *n* воздухопла́ватель, аэрона́вт.

**aeronautic(al)** [,eərə'nɔːtɪk(əl)] *a* воздухопла́вательный; авиацио́нный.

**aeronautics** [,eərə'nɔːtɪks] *n pl* (*употр. как sing*) аэрона́втика.

**aeronavigation** ['eərouˌnævɪ'geɪʃn] *n* аэронавига́ция.

**aerophone** ['eərəfoun] *n* звукоусили́тель; усили́тель звуковы́х волн.

**aerophore** ['eərəfɔː] *n* аэрофо́р (*прибор, снабжающий воздухом водолазов, рабочих в шахтах и т. п.*).

**aeroplane** ['eərəpleɪn] *n* 1) самолёт, аэропла́н; 2) *attr.*: ~ carrier авиано́сец; ~ shed анга́р.

**aeroport** ['eərəpɔːt] *n* аэропо́рт.

**aerostat** ['eəroustæt] *n* аэроста́т; возду́шный шар.

**aerostatics** [,eərou'stætɪks] *n pl* (*употр. как sing*) 1) аэроста́тика; 2) воздухоплава́ние.

**aerostation** [,eərou'steɪʃən] *n* воздухоплава́ние.

**aerotechnics** [,eərou'teknɪks] *n pl* (*употр. как sing*) авиате́хника.

**aery** ['eərɪ] == aerie.

**Aesop** ['iːsɔp] *n* Эзо́п.

**aesthete** ['iːsθiːt] *n* эсте́т.

**aesthetic** [iːs'θetɪk] *a* эстети́ческий.

**aesthetics** [iːs'θetɪks] *n pl* (*употр. как sing*) эсте́тика.

**aestho-physiology** ['iːsθouˌfɪzɪ'ɔləʤɪ] *n* физиоло́гия о́рганов чувств.

**aetiology** [,iːtɪ'ɔləʤɪ] *n* этиоло́гия, уче́ние о причи́нах (*особ. болезней*).

**afar** [ə'fɑː] *adv* 1) вдалеке́ (*обыкн.* ~ off); 2) и́здали, издалека́ (*тж.* from ~).

**affability** [,æfə'bɪlɪtɪ] *n* приве́тливость; любе́зность, ве́жливость.

**affable** ['æfəbl] *a* приве́тливый; любе́зный, ве́жливый.

**affair** [ə'fɛə] *n* 1) де́ло; it is an ~ of a few days э́то вопро́с не́скольких дней; it is my ~ э́то моё де́ло; mind your own ~s *разг.* не су́йтесь не в своё де́ло; an ~ of honour a) де́ло че́сти; б) дуэ́ль; 2) *pl* дела́, заня́тия; a man of ~s делово́й челове́к; 3) *разг.* «исто́рия», «вещь», «шту́ка»; 4) любо́вная связь; to have an ~ with smb. быть в связи́ с кем-л.; 5) *воен.* де́ло, сты́чка.

affect I [ə'fekt] v 1) действовать (*на кого-л.*); воздействовать; влиять; 2) трогать, волновать; the news ~ed him известие взволновало его; 3) задевать, затрагивать; to ~ the interest затрагивать интересы; to ~ the character порочить репутацию; 4) поражать (*о болезни*); ~ed by cold простуженный.

affect II [ə'fekt] v 1) притворяться, делать для вида, прикидываться; to ~ ignorance отделываться незнанием; прикидываться незнающим; 2) любить (*что-л.*).

affectation [,æfek'teɪʃən] n 1) показная любовь (*к чему-л.*); 2) аффектация, жеманство; 3) искусственность (*языка, стиля*).

affected I [ə'fektɪd] 1. *p. p. от* affect I; 2. *a* 1) тронутый; задетый; 2) поражённый болезнью.

affected II [ə'fektɪd] 1. *p.p. от* affect II; 2. *a* аффектированный, притворный; жеманный.

affection [ə'fekʃən] n 1) (*часто pl*) привязанность, любовь (towards); the object of his ~s предмет его любви; 2) болезнь; mental ~ психическое заболевание, душевная болезнь.

affectionate [ə'fekʃnɪt] a любящий; нежный; an ~ farewell нежное прощание.

affective [ə'fektɪv] a эмоциональный.

afferent ['æfərənt] a центростремительный; ~ nerves центростремительные (*или* чувствительные) нервы.

affiance [ə'faɪəns] 1. n 1) доверие (in, on — к); 2) обручение;
2. v давать обещание (*при обручении*); they were ~d они были обручены.

affiant [ə'faɪənt] n юр. свидетель, дающий показание под присягой.

affidavit [,æfɪ'deɪvɪt] n юр. письменное показание под присягой; to swear (*или to* make) an ~ давать показания под присягой; to take an ~ а) снимать показания; б) *распр.* давать показания.

affiliate [ə'fɪlɪeɪt] v 1) принимать в члены; 2) присоединять как филиал (with, to); 3) присоединяться (with—к); 4) устанавливать связи (*культурные и т. п.*); 5) юр. усыновлять; 6) юр. устанавливать отцовство; *перен.* устанавливать авторство.

affiliated societies [ə'fɪlɪeɪtɪdsə'saɪətɪz] n pl филиалы.

affiliation [ə,fɪlɪ'eɪʃən] n 1) приём в члены *и пр.* [*см.* affiliate); 2) *attr.:* ~ fee вступительный взнос.

affinage [ə'fɪnɪdʒ] n *тех.* рафинирование, очистка.

affined [ə'faɪnd] a родственный (*в каком-л. отношении*); сродный.

affinity [ə'fɪnɪtɪ] n 1) свойство; 2) родственность, близость; родовое сходство (with, between); linguistic ~ языковое родство; 3) привлекательность; 4) влечение; 5) *хим.* сродство.

affirm [ə'fəːm] v 1) утверждать; 2) подтверждать.

affirmation [,æfəː'meɪʃən] n 1) утверждение; 2) подтверждение.

affirmative [ə'fəːmətɪv] 1. *a* утвердительный;

2. n: to answer in the ~ отвечать утвердительно.

affix 1. n ['æfɪks] 1) прибавление, придаток; 2) *грам.* аффикс;
2. v [ə'fɪks] 1) прикреплять (to, on, upon); 2) присоединять; 3) поставить (*подпись*); приложить (*печать*); to ~ a stamp приклеить марку.

afflatus [ə'fleɪtəs] n 1) вдохновение; 2) божественное откровение.

afflict [ə'flɪkt] v огорчать; причинять боль, страдание; беспокоить, тревожить; to be ~ed with the gout страдать подагрой.

affliction [ə'flɪkʃən] n 1) горе, несчастье; бедствие; the bread of ~ горький хлеб; 2) огорчение, печаль.

affluence ['æfluəns] n 1) изобилие; 2) богатство; 3) наплыв, приток; стечение.

affluent ['æfluənt] n 1) приток (*реки*); 2) *гидр.* подпор (*реки*).
2. а 1) изобильный; 2) богатый; 3) приливающий; притекающий.

afflux ['æflʌks] n 1) прилив, приток; 2) *мед.* прилив (*крови*).

afford [ə'fɔːd] v 1) (быть в состоянии) позволить себе (*часто* can ~ *или* be able to ~); I can't ~ it это мне не по карману; she can ~ to buy a motor-car она может купить себе автомашину; I cannot ~ the time мне некогда; 2) давать, предоставлять; приносить (*урожай, доход и т. п.*); доставлять (*удовольствие, радость*); the district ~s minerals в этом районе имеются полезные ископаемые; to ~ a basis служить опорой; to ~ cover давать укрытие; to ~ ground for давать основания для; предоставлять возможность *и т. п.*

afforest [æ'fɔrɪst] v засадить лесом, облесить.

afforestation [æ,fɔrɪs'teɪʃən] n лесонасаждение; облесение.

affranchise [ə'fræntʃaɪz] v делать свободным, освобождать (*от рабства, обета и т. п.*).

affray [ə'freɪ] 1. n нарушение общественного спокойствия, скандал, драка;
2. v уст. пугать.

affreightment [ə'freɪtmənt] n *мор.* зафрахтование.

affricate ['æfrɪkɪt] n *фон.* аффриката.

affright [ə'fraɪt] *уст.* 1. n испуг;
2. v пугать.

affront [ə'frʌnt] 1. n (публичное) оскорбление; to put an ~ upon smb., to offer an ~ to smb. нанести оскорбление кому-л.;
2. v 1) оскорблять; 2) смотреть в лицо (*опасности и т. п.*); бросать вызов.

affusion [ə'fjuːʒən] n 1) обливание; 2) опускание в купель.

Afghan ['æfgæn] 1. а афганский;
2. n 1) афганец; афганка; 2) афганский язык; 3) (а.) *амер.* вязаный шерстяной платок.

afghani [æf'gænɪ] n афгани (*денежная единица Афганистана*).

afield [ə'fiːld] adv 1) в поле; на поле; 2) на войне; на войну; ◇ far ~ вдалеке.

afire [ə'faɪə] 1. a predic. в огне; to set ~ поджигать;

**2.** *adv* в огонь; в огне.

**aflame** [ə'fleɪm] *a predic.*, *adv* в огне.

**aflat** [ə'flæt] *adv* горизонтально; плоско.

**afloat** [ə'flout] *a predic.*, *adv* 1) на воде; на плаву; 2) в море; 3) на службе в военном флоте; 4) в полном разгаре (*деятельности*); 5) в ходу; various rumours were ~ ходили разные слухи.

**afoot** [ə'fut] *a predic.* пешком; в движении; ◇ to be ~ готовиться, затеваться.

**afore** [ə'fɔː] *мор. см.* before.

**afore-** [ə'fɔː-] *pref* прежде-, выше-; aforesaid, aforementioned вышеупомянутый, вышеизложенный, вышесказанный.

**aforecited** [ə'fɔːsaɪtɪd] *a* вышеприведённый, вышеуказанный.

**aforegoing** [ə'fɔːɡouɪŋ] *a* предшествующий.

**aforenamed** [ə'fɔːneɪmd] *a* вышеназванный.

**aforethought** [ə'fɔːθɔːt] *a* преднамеренный, умышленный.

**aforetime** [ə'fɔːtaɪm] *adv* прежде, встарь, в былое время.

**afraid** [ə'freɪd] *a predic.* испуганный; to be ~ of smth. бояться чего-л.; I am ~ to wake him, I am ~ of waking him я не решаюсь его будить; I am ~ that I shall wake him боюсь, как бы я его не разбудил; to make ~ пугать; I'm ~ I'm late *разг.* я, кажется, опоздал.

**afreet** ['æfrɪt] *n миф.* африт (*могучий злой дух, демон*).

**afresh** [ə'freʃ] *adv* снова, сызнова.

**African** [ə'frɪkən] 1. *a* африканский; 2. *n* африканец; африканка.

**Afrikan(d)er** [ˌæfrɪ'kæn(d)ə] *n* уроженец Южной Африки европейского происхождения (*особ.* голландец), африкандер.

**afrit** ['æfrɪt] = afreet.

**aft** [ɑːft] *adv мор.* в кормовой части; в корме, на корме; по направлению к корме; fore and ~ во всю длину; от носа к корме; after ['ɑːftə] 1. *prep* 1) *указывает на местонахождение позади данного предмета или движение вдогонку* за, позади; my name comes ~ yours моя фамилия стоит за вашей; she entered ~ her sister она вошла за своей сестрой; 2) *указывает на последовательную смену явлений или промежуток времени, после которого произошло или произойдёт действие* после, за, через, спустя; day ~ day день за днём; she will come ~ supper она придёт после ужина; they met ~ ten years они встретились через десять лет; ~ his arrival после его приезда; 3) *указывает на сходство с чем-л. или подражание чему-л.* по, с, согласно; ~ the same pattern по тому же образцу; an etching ~ Gainsborough гравюра с (*картины или рисунка*) Гейнсборо; ~ the latest fashion по последней моде; the boy takes ~ his father сын во всём похож на отца; each acted ~ his kind каждый действовал по-своему; 4) *указывает на внимание, заботу о ком-л.* о, за; to look ~ smb. смотреть за кем-л.; to ask (*или* to inquire) ~ smb. спрашивать, справляться о ком-л.; 5) *выражает уступительность* несмотря на; ~ all my trouble he has learnt nothing несмотря на все мои

старания, он ничему не научился; ◇ ~ all в конце концов; ~ a manner не очень хорошо, неважно; what is he ~ что ему нужно?; куда он гнёт?;

**2.** *cj* после того как; soon ~ he arrived he began to work at school вскоре после того, как он приехал, он стал работать в школе;

**3.** *adv* 1) сзади, позади; 2) позднее; потом, затем; впоследствии; soon ~ вскоре после этого;

**4.** *a* 1) задний; the ~ part of the ship кормовая часть корабля; 2) последующий; in ~ years в будущем.

**afterbirth** ['ɑːftəbəθ] *n анат.* послед, детское место.

**afterburning** ['ɑːftəˌbəːnɪŋ] *n тех.* дожигание топлива.

**afterclap** ['ɑːftəˌklæp] *n* неожиданно последовавшее (неприятное) событие.

**aftercrop** ['ɑːftəkrɔp] *n с.-х.* второй урожай; второй укос, отава.

**afterdamp** ['ɑːftəˌdæmp] *n горн.* удушливый газ; газовая смесь, образующаяся после взрыва рудничного газа.

**after-effect** ['ɑːftərɪˌfekt] *n* последствие; результат, выявившийся позднее.

**after-game** ['ɑːftəˌɡeɪm] *n* 1) попытка отыграться; 2) средства, пущенные в ход позднее.

**afterglow** ['ɑːftəɡlou] *n* 1) вечерняя заря; 2) приятное чувство, оставшееся после чего-л.

**after-grass** ['ɑːftəˌɡrɑːs] *n* отава, второй укос.

**afterimage** ['ɑːftərˌɪmɪdʒ] *n* остаточное изображение (*на экране электронно-лучевой трубки*).

**after-life** ['ɑːftəˌlaɪf] *n* 1) загробная жизнь; 2) вторая половина жизни; годы зрелости; последующие годы жизни.

**afterlight** ['ɑːftəˌlaɪt] *n* 1) *театр.* задний свет; 2) то, что становится ясным позднее.

**aftermath** ['ɑːftəmæθ] *n* 1) = after-grass; 2) последствия.

**aftermost** ['ɑːftəˌmoust] *a* самый задний; последний.

**afternoon** ['ɑːftə'nuːn] *n* время после полудня; послеобеденное время; in the ~ после полудня, днём; ◇ good ~! добрый день! (*при встрече во второй половине дня*); до свидания! (*при расставании во второй половине дня*); in the ~ of one's life на склоне лет; ~ farmer бездельник, лентяй.

**afterpeak** ['ɑːftəpiːk] *n мор.* ахтерпик.

**afterpiece** ['ɑːftəpiːs] *n* дивертисмент; пьеска, даваемая в заключение представления *или* концерта.

**aftershock** ['ɑːftəˌʃɔk] *n геол.* толчок после основного землетрясения.

**aftertaste** ['ɑːftəˌteɪst] *n* вкус, остающийся во рту после еды, курения *и т. п.*

**afterthought** ['ɑːftəˌθɔːt] *n* 1) мысль, пришедшая в голову слишком поздно; he had the ~ ему это только потом пришло в голову; 2) раздумье.

**afterwards** ['ɑːftəwədz] 1. *adv* впоследствии, потом, позже;

**2.** *n редк.* 1) бу́дущее; 2) бу́дущая жизнь, загро́бная жизнь.

**again** [ə'gen] *adv* 1) сно́ва, опя́ть; to be oneself ~ опра́виться по́сле боле́зни; 2) с друго́й стороны́; же; these ~ are more expensive но э́ти, с друго́й стороны́, доро́же; 3) кро́ме того́, к тому́ же; ◇ as much ~ ещё сто́лько же; ~ and ~ сно́ва и сно́ва, то и де́ло; now and ~ иногда́; вре́мя от вре́мени; time and ~ неоднокра́тно, то и де́ло, ча́сто; half as high ~ as smb., half ~ smb.'s height в полтора́ ра́за вы́ше, чем кто-л.; half ~ his size гора́здо крупне́е его́.

**against** [ə'genst] *prep* 1) *указывает на противоположное направление или положение* про́тив; he went ~ the wind он шёл про́тив ве́тра; ~ the hair (*или* the grain) про́тив волокна́ *или* ше́рсти; *перен.* про́тив ше́рсти; 2) *указывает на опору, фон, препятствие* о, об, по, на, к; ~ a dark background на тёмном фо́не; she leaned ~ the fence она́ прислони́лась к забо́ру; a ladder standing ~ the wall ле́стница, прислонённая к стене́; to knock ~ a stone споткну́ться о ка́мень; 3) *указывает на непосредственное соседство* ря́дом, у; the house ~ the cinema дом ря́дом с кино́; 4) *указывает на столкновение или соприкосновение* на, с; to run ~ a rock наскочи́ть на скалу́; he ran ~ his brother он столкну́лся со свои́м бра́том; 5) *указывает на определённый срок* к, на; ~ the end of the month к концу́ ме́сяца; 6) *указывает на противодействие, несогласие с чем-л.* про́тив; she did it ~ my will она́ сде́лала э́то про́тив мое́й во́ли; to struggle ~ difficulties боро́ться с тру́дностями; 7) *указывает на подготовку к чему-л.* на, про; a rainy day про чёрный день; to store up food ~ winter запасти́сь пи́щей на́ зиму; they took insurance policy ~ their children's education они́ застрахова́лись, чтобы обеспе́чить свои́м де́тям образова́ние; ◇ to be up ~ (it) стоя́ть пе́ред зада́чей; встре́тить тру́дности; to talk ~ time a) говори́ть с це́лью заде́ржки (*напр., ради обструкции*) *или* с це́лью вы́играть вре́мя; б) уложи́ться в устано́вленное вре́мя (*об ораторе*); to run ~ time стара́ться побы́ть устано́вленный реко́рд; to work ~ time стара́ться ко́нчить рабо́ту к определённому вре́мени; to tell a story ~ smb. рассказа́ть про кого́-л., наговори́ть на кого́-л.

**agamic** [ə'gæmɪk] *a биол.* беспо́лый.

**agape** [ə'geɪp] *a predic.* рази́нув рот.

**agaric** ['ægərɪk] *n бот.* пласти́нчатый гриб.

**agate** ['ægət] *n* 1) *мин.* ага́т; 2) *амер. полигр.* шрифт разме́ром в $5\frac{1}{2}$ пу́нктов.

**agave** [ə'geɪvi] *n бот.* ага́ва.

**agaze** [ə'geɪz] *a predic.* в изумле́нии.

**age** [eɪdʒ] **1.** *n* 1) во́зраст; ~ of discretion во́зраст, с кото́рого челове́к счита́ется отве́тственным за свои́ посту́пки (*14 лет*); awkward ~ перехо́дный во́зраст; middle ~ пожило́й во́зраст; сре́дний во́зраст; to be (*или* to act) one's ~ вести́ себя́ соотве́тственно во́зрасту, разу́мно; this wine lacks ~ э́то вино́ недоста́точно вы́держано; ~ of

stand *лес.* во́зраст насажде́ния; 2) совершенноле́тие (*тж.* full ~); to be of ~ быть совершенноле́тним; to be under ~ быть несовершенноле́тним; to come of ~ дости́чь совершенноле́тия; 3) ста́рость; the infirmities of ~ ста́рческие не́мощи; 4) поколе́ние; 5) век; пери́од, эпо́ха (*тж. геол.*); Middle Ages сре́дние века́; Ice A. леднико́вый пери́од; ~ of fishes дево́н; 6) (*часто pl*) *разг.* до́лгий срок; I have not seen you for ~s я не ви́дел вас це́лую ве́чность; ◇ to bear one's ~ well хорошо́ вы́глядеть для своего́ во́зраста; каза́ться моло́же свои́х лет;

**2.** *v* 1) старе́ть; 2) ста́рить; 3) *тех.* подверга́ть старе́нию.

**aged 1.** [eɪdʒd] *p.p. от* age 2; **2.** *a* 1) ['eɪdʒɪd] ста́рый; пожило́й; соста́рившийся; 2) [eɪdʒd] дости́гший тако́го-то во́зраста; ~ ten десяти́ лет; 3) [eɪdʒd] ста́рческий; ◇ carefully ~ steaks хорошо́ зажа́ренные отбивны́е.

**3.** *n* (the ~) *pl собир.* старики́.

**ageing** ['eɪdʒɪŋ] **1.** *pres. p. от* age 2; **2.** *n* 1) старе́ние; 2) вызрева́ние, созрева́ние.

**ageless** ['eɪdʒlɪs] *a* нестаре́ющий; ве́чный.

**agelong** ['eɪdʒlɔŋ] *a* о́чень до́лгий, ве́чный.

**agency** ['eɪdʒənsɪ] *n* 1) де́йствие; де́ятельность; 2) сре́дство, посре́дство; соде́йствие, посре́дничество; by the ~, through the ~ посре́дством; 3) аге́нтство; 4) о́рган (*учреждение, организация*); 5) си́ла, фа́ктор.

**agenda** [ə'dʒendə] *n pl* (*иногда употр. как sing*) 1) пове́стка дня; 2) па́мятная кни́жка.

**agent** ['eɪdʒənt] *n* 1) де́ятель; 2) аге́нт, представи́тель, посре́дник, дове́ренное лицо́; forwarding ~ экспеди́тор; station ~ *амер.* нача́льник ста́нции; ticket ~ *амер.* касси́р биле́тной ка́ссы; road ~ *амер.* разбо́йник с большо́й доро́ги; 3) *pl* агенту́ра; 4) де́йствующая си́ла; фа́ктор; вещество́; chemical ~ хими́ческое вещество́, реакти́в; physical ~ физи́ческое те́ло.

**age-old** ['eɪdʒould] *a* вихрово́й; о́чень да́вний.

**agglomerate 1.** *n* [ə'glɔmərɪt] *тех.* агломера́т;

**2.** *v* [ə'glɔməreɪt] собира́ть(ся); скопля́ть(ся) (*в кучу, в массу*).

**agglomeration** [ə,glɔmə'reɪʃən] *n* 1) нака́пливание; скопле́ние; 2) *тех.* агломера́ция; спека́ние, слипа́ние.

**agglutinate 1.** *v* [ə'glu:tɪneɪt] 1) скле́ивать; 2) превраща́ть(ся) в клей;

**2.** *a* [ə'glu:tɪnɪt] 1) скле́енный; 2) *лингв.* агглютинати́вный.

**agglutination** [ə,glu:tɪ'neɪʃən] *n* 1) скле́ивание; 2) *лингв.* агглютина́ция.

**agglutinative** [ə'glu:tɪnətɪv] *a* 1) скле́ивающий; 2) *лингв.* агглютинати́вный.

**aggrandize** [ə'grændaɪz] *v* 1) увели́чивать (*мощь, благосостояние*); 2) возвели́чивать; 3) повыша́ть (*в ранге и т. п.*); 4) преувели́чивать; приукра́шивать.

**aggrandizement** [ə'grændɪzmənt] *n* 1) увеличе́ние; расшире́ние; 2) повыше́ние.
**aggravate** ['ægrəveɪt] *v* 1) отягча́ть, усугубля́ть; ухудша́ть; 2) *разг.* раздража́ть, надоеда́ть; огорча́ть.
**aggravating** ['ægrəveɪtɪŋ] 1. *pres. p. om* aggravate;
2. *a* ухудша́ющий *и пр.* [*см.* aggravate]; ~ circumstances *юр.* отягча́ющие вину́ обстоя́тельства.
**aggravation** [,ægrə'veɪʃən] *n* ухудше́ние *и пр.* [*см.* aggravate].
**aggregate** 1. *n* ['ægrɪgɪt] 1) совоку́пность; in the ~ в совоку́пности; 2) агрега́т;
2. *a* ['ægrɪgɪt] 1) со́бранный вме́сте; о́бщий; весь; ~ membership о́бщее число́ чле́нов; the ~ forces совоку́пные си́лы; ~ capacity *тех.* по́лная мо́щность; 2) *бот.* состоя́щий из отде́льных расте́ний; 3) *зоол.* состоя́щий из отде́льных органи́змов; 4) *геол.* состоя́щий из отде́льных минера́лов;
3. *v* ['ægrɪgeɪt] 1) собира́ть в одно́ це́лое; собира́ться; 2) приобща́ть (to — к *организа́ции*); 3) *разг.* равня́ться, составля́ть в о́бщем (*су́мму*).
**aggregation** [,ægrɪ'geɪʃən] *n* 1) собира́ние; 2) агрега́т; 3) скопле́ние; ма́сса; конгломера́т; 4) си́ла сцепле́ния.
**aggression** [ə'greʃən] *n* 1) нападе́ние, агре́ссия; war ~ агресси́вная война́; 2) вызыва́ющее поведе́ние.
**aggressive** [ə'gresɪv] *a* 1) напада́ющий; агресси́вный; 2) *амер.* энерги́чный, насто́йчивый.
**aggressiveness** [ə'gresɪvnɪs] *n* 1) агресси́вность; 2) вызыва́ющий о́браз де́йствий, вызыва́ющее поведе́ние.
**aggressor** [ə'gresə] *n* 1) агре́ссор; 2) напада́ющая сторона́; зачи́нщик.
**aggrieve** [ə'griːv] *v* обижа́ть; огорча́ть; удруча́ть.
**aghast** [ə'gɑːst] *a predic.* поражённый у́жасом; ошеломлённый.
**agile** ['ædʒaɪl] *a* прово́рный; бы́стрый, живо́й, подвижно́й (*тж. перен.*); ~ mind живо́й ум.
**agility** [ə'dʒɪlɪtɪ] *n* прово́рство, быстрота́, жи́вость, ло́вкость.
**aging** ['eɪdʒɪŋ] = ageing.
**agio** ['ædʒɪou] *n* (*pl* -os[-ouz]) *фин.* 1) а́жио, лаж; 2) биржева́я игра́.
**agiotage** ['ædʒətɪdʒ] *n* 1) ажиота́ж; 2) биржева́я игра́, спекуля́ция.
**agist** [ə'dʒɪst] *v* 1) брать чужо́й скот на вы́гон; 2) облага́ть владе́льцев луго́в и па́стбищ осо́бым нало́гом.
**agitate** I ['ædʒɪteɪt] *v* агити́ровать.
**agitate** II ['ædʒɪteɪt] *v* 1) волнова́ть; возбужда́ть; 2) трясти́; взба́лтывать; 3) *тех.* переме́шивать.
**agitated** I ['ædʒɪteɪtɪd] 1. *p. p. om* agitate II;
2. *a* взволно́ванный, возбуждённый.
**agitated** II ['ædʒɪteɪtɪd] *p. p. om* agitate II.
**agitation** I [,ædʒɪ'teɪʃən] *n* агита́ция; outdoor ~ агита́ция вне парла́мента.
**agitation** II [,ædʒɪ'teɪʃən] *n* 1) волне́ние,

трево́га; 2) *тех.* колеба́ние; переме́шивание.
**agitator** I ['ædʒɪteɪtə] *n* агита́тор.
**agitator** II ['ædʒɪteɪtə] *n* *тех.* меша́лка.
**aglet** ['æglət] *n* 1) аксельба́нт; 2) металли́ческий наконе́чник шнурка́; 3) *бот.* серёжка (*фо́рма соцве́тия*).
**aglow** [ə'glou] *a predic.* 1) пыла́ющий; раскалённый докрасна́; 2) возбуждённый; all ~ with delight (exercise) раскрасне́вшись от удово́льствия (упражне́ний, прогу́лки).
**agnail** ['ægneɪl] *n* заусе́ница; ногтое́да, панари́ций.
**agnate** ['ægneɪt] 1. *n* ро́дственник по мужско́й ли́нии;
2. *a* 1) ро́дственный по отцу́; име́ющий о́бщих пре́дков по мужско́й ли́нии; 2) бли́зкий, ро́дственный.
**agnation** [æg'neɪʃən] *n* родство́ по отцу́.
**agnomen** [æg'noumen] *n* (*pl* -mina) *распр.* про́звище.
**agnomina** [æg'noumɪnə] *pl om* agnomen.
**agnostic** [æg'nɔstɪk] 1. *n* агно́стик;
2. *a* агности́ческий.
**agnosticism** [æg'nɔstɪsɪzəm] *n* агности́цизм.
**ago** [ə'gou] *adv* тому́ наза́д; long ~ давно́; not long ~, a while ~ неда́вно.
**agog** [ə'gɔg] 1. *a predic.* в напряжённом ожида́нии, в возбужде́нии; to be ~ (on, upon, about, with) быть без ума́ (от); вози́ться (с *кем-л., чем-л.*);
2. *adv* в напряжённом ожида́нии, в возбужде́нии; to set smb.'s curiosity ~ возбужда́ть чьё-л. любопы́тство.
**a-going** [ə'gouɪŋ] *a predic., adv* в движе́нии; to set ~ пусти́ть в ход.
**agonic** [ə'gɔnɪk] *a* не образу́ющий угла́; ~ line ли́ния нулево́го магни́тного склоне́ния.
**agonistic** [,ægə'nɪstɪk] *a* 1) атлети́ческий; 2) уча́ствующий в спорти́вном состяза́нии; 3) полеми́ческий.
**agonize** ['ægənaɪz] *v* 1) агонизи́ровать, быть в аго́нии, си́льно му́читься; 2) му́чить; 3) прилага́ть отча́янные уси́лия, стра́стно боро́ться (after).
**agonizing** ['ægənaɪzɪŋ] 1. *pres. p. om* agonize;
2. *a* мучи́тельный, стра́шный; ~ suspense мучи́тельная неизве́стность.
**agony** ['ægənɪ] *n* 1) аго́ния; сильне́йшая боль; ~ of death, mortal ~ предсме́ртная аго́ния; 2) страда́ние (*душе́вное или физи́ческое*); 3) взрыв, внеза́пное проявле́ние (*чу́вства*); 4) си́льная борьба́; 5) *attr.*: ~ wagon *разг.* сани́тарная пово́зка, сани́тарная маши́на; ~ column *разг.* газе́тный столбе́ц с объявле́ниями о ро́зыске пропа́вших родны́х *и т. п.*
**agoraphobia** [,ægərə'foubɪə] *n* 1) *мед.* боя́знь простра́нства, агорафо́бия; 2) боя́знь, стра́хи.
**agrarian** [ə'grɛərɪən] 1. *a* 1) агра́рный; ~ laws земе́льные зако́ны; 2) *бот.* дикораст́ущий;
2. *n* 1) кру́пный землевладе́лец, агра́рий; 2) сторо́нник агра́рных рефо́рм.

**agree** [ə'griː] *v* 1) соглашáться (with— с кем-л.; to— с чем-л., на что-л.); 2) услáвливаться (on, upon— о чём-л.); договáриваться (about); ~d! решенó! по рукáм!; 3) соотвéтствовать, гармонѝровать, быть схóдным; 4) сходѝться во взглядах; уживáться (тж. ~ together, ~ with); they ~ well онѝ хорошó лáдят; 5) быть по душé; 6) быть полéзным или прийтным; быть подходящим; wine doesn't ~ with me винó мне врéдно; 7) согласóвывать, приводѝть в порядок (счета и т. п.); 8) грам. согласóвываться; ◇ we ~ to differ мы отказáлись от попыток убедѝть друг дрýга.

**agreeable** [ə'griəbl] 1. *a* 1) прийтный; мѝлый; to make oneself ~ старáться понрáвиться, угодѝть; 2) разг. выражáющий соглáсие, охóтно готóвый (сделать что-л.); 3) соотвéтствующий (to); 4) приéмлемый; 2. *adv* = agreeably.

**agreeably** [ə'griəblɪ] *adv* 1) приятно; ~ surprised приятно удивлён(ный); 2) соотвéтственно.

**agreement** [ə'griːmənt] *n* 1) (взаѝмное) соглáсие; ~ of opinion единомыслие; to come to an ~ прийтѝ к соглашéнию; 2) договóр; соглашéние; collective ~ коллектѝвный договóр; ~ by piece сдéльная плáта; 3) грам. согласовáние.

**agricultural** [,ægrɪ'kʌltʃərəl] *a* сéльскохозяйственный, земледéльческий; ~ engineering агротéхника; ~ chemistry агрохѝмия.

**agriculturalist** [,ægrɪ'kʌltʃurəlɪst] = agriculturist.

**agriculture** ['ægrɪkʌltʃə] *n* сéльское хозяйство; земледéлие; агронóмия; Board of A. министéрство земледéлия (в Англии).

**agriculturist** [,ægrɪ'kʌltʃərɪst] *n* 1) агронóм; 2) земледéлец.

**agrimony** ['ægrɪmənɪ] *n* бот. репéйник.

**agrimotor** ['ægrɪ,moutə] *n* с.-х. трáктор.

**agrobiological** [,ægroubaɪə'lɔdʒɪkəl] *a* агробиологѝческий.

**agrobiologist** [,ægroubaɪ'ɔlədʒɪst] *n* агробиóлог.

**agrobiology** [,ægroubaɪ'ɔlədʒɪ] *n* агробиолóгия.

**agronomic(al)** [,ægrə'nɔmɪk(əl)] *a* агрономѝческий.

**agronomics** [,ægrə'nɔmɪks] *n pl* (употр. как sing) агронóмия.

**agronomist** [əg'rɔnəmɪst] *n* агронóм.

**agronomy** [ə'grɔnəmɪ] *n* 1) = agronomics; 2) сéльское хозяйство, земледéлие.

**agrostology** [,ægrə'stɔlədʒɪ] *n* учéние о трáвах.

**agrotype** [,ægrou'taɪp] *n* агротѝп, сорт пóчвы, используемый для сельскохозяйственных цéлей.

**aground** [ə'graund] 1. *a predic.* 1) мор. сидящий на мелѝ; 2) в затруднéнии; 3) без средств;
2. *adv* мор. на мелѝ; to go (или to run, to strike) ~ сесть на мель.

**ague** ['eɪgjuː] *n* пароксѝзм малярѝи; лихорáдочный озноб.

**ague-cake** ['eɪgjuːkeɪk] *n* увеличéние селезёнки при хронѝческой малярѝи.

**ague-spleen** ['eɪgjuː,spliːn] *n* мед. малярѝйная (увеличенная) селезёнка.

**aguish** ['eɪgjuːʃ] *a* 1) малярѝйный; подвéрженный малярѝи; 2) перемежáющийся.

**ah** [ɑː] *int* ax!, a!

**aha** [ɑː'hɑː] *int* агá!

**ahead** [ə'hed] 1. *a predic.* вперёд, впередѝ; to be (или to get) ~ of smb. опередѝть когó-л.,
2. *adv* вперёд; впередѝ; full speed ~! пóлный (ход) вперёд!; to go ~ устремляться вперёд; идтѝ впередѝ (на состязании); go ~! а) вперёд!; б) продолжáйте!

**aheap** [ə'hiːp] *adv* в кýче.

**ahem** [ə'hem] *int* «гм».

**ahorse(back)** [ə'hɔːs(,bæk)] *a predic.* верхóм.

**ahoy** [ə'hɔɪ] *int* мор.: ship ~! на кораблé!, на сýдне! (оклик); all hands ~! аврáл!

**aid** [eɪd] 1. *n* 1) пóмощь; first ~ station пункт пéрвой пóмощи; 2) помóщник; 3) *pl* ист. сбóры, налóги; 4) *pl* воен. вспомогáтельные войскá; 5) *pl* вспомогáтельные срéдства; пособѝя; training ~s учéбные пособѝя; (audio-)visual ~s наглядные посóбия; ◇ ~s and appliances приспособлéния, материáльные срéдства;
2. *v* помогáть; способствовать.

**aide-de-camp** ['eɪddə'kɑːŋ] *фр. n* (*pl* aides-de-camp) адъютáнт.

**aide-memoire** ['eɪd,memwɑː] *фр. n* пáмятная запѝска.

**aides-de-camp** ['eɪdzdə'kɑːŋ] *pl от* aide-de-camp.

**aid man** ['eɪdmæn] *n* амер. санитáр.

**aiglet** ['æglət] = aglet.

**aigrette** ['eɪgret] *n* 1) султáн, плюмáж; эгрéт; 2) бéлая цáпля; 3) тех. пучóк лучéй.

**aiguille** ['eɪgwiːl] *фр. n* 1) гóрный пик, остроконéчная вершѝна; 2) иглá.

**ail** [eɪl] 1. *v* 1) болéть, беспокóить; причинять страдáние; what ~s you? что вас беспокóит?; 2) чýвствовать недомогáние;
2. *n редк.* нездорóвье.

**aileron** ['eɪlərən] *n* (обыкн. *pl*) ав. 1) элерóн; 2) *attr.*: ~ angle ýгол отклонéния элеро́на.

**ailing** ['eɪlɪŋ] 1. *pres. p. от* ail 1;
2. *n* нездорóвье, недомогáние;
3. *a* больнóй, нездорóвый.

**ailment** ['eɪlmənt] *n* нездорóвье.

**aim** [eɪm] 1. *n* 1) цель, намéрение; 2) прицéл; to take ~ прицéливаться; 3) прицéливание;
2. *v* 1) домогáться, стремѝться (at); цéлить(ся), прицéливаться (at); 3) имéть в видý; to ~ high мéтить высóко.

**aiming** ['eɪmɪŋ] 1. *pres.p. от* aim 2;
2. *n* прицéливание, наводка;
3. *a* прицéльный; ~ circle воен. буссóль; ~ fire прицéльный огóнь.

**aimless** ['eɪmlɪs] *a* бесцéльный.

**ain't** [eɪnt] *сокр.* 1) разг. = are not; 2) диал. = am not, is not; have not.

**air** [ɛə] 1. *n* 1) вóздух; атмосфéра; dead ~, stale ~ спёртый, зáтхлый вóздух; to take the ~ прогуляться (ср. тж. ◇); 2) дуновéние, ветерóк; 3) внéшний вид; выражéние лицá; with a triumphant ~ с торжествующим видом; 4) *pl* аффектация, важничанье; to give oneself ~s, to put on ~s важничать, держаться высокомерно; 5) песня; ария; мелодия; ◇ to be in the ~ a) «висеть в воздухе»; находиться в неопределённом положении; б) носиться в воздухе; *воен.* rumours are in the ~ носятся слухи; в) *воен.* быть не защищённым с флангов; to melt (*или* to vanish) into thin ~ скрыться из виду, бесследно исчезнуть; on the ~ по радио; they were off the ~ они кончили радиопередачу; to beat the ~ ≅ толочь воду в ступе; заниматься бесполезным делом; попусту стараться; to give a person the ~ *амер. sl.* уволить кого-л. со службы; hot ~ *разг.* болтовня, хвастовство; to take ~ получить огласку [*ср. тж.* 1)]; to tread (*или* to walk) upon ~ ≅ ног под собой не чуять; ликовать, радоваться;

2. *а* 1) воздушный; авиационный, самолётный; ~ fleet воздушный флот; ~ superiority, ~ supremacy превосходство в воздухе; ~ warfare война в воздухе, воздушная война; ~ fight воздушный бой; 2) пневматический;

3. *v* 1) проветривать; вентилировать; 2) сушить (*бельё*); 3) выставлять напоказ; обнародовать.

**air arm** ['ɛɑːm] *n* военно-воздушные силы.

**air-balloon** ['ɛəbə‚luːn] *n* воздушный шар, аэростат.

**air-barrage** ['ɛə‚bærɑːʒ] *n* воздушное заграждение (*аэростатами*).

**air-base** ['ɛəbeɪs] *n* авиабаза.

**air beacon** ['ɛə'biːkən] *n* авиамаяк.

**air-bed** ['ɛəbed] *n* (резиновый) надувной матрац.

**air-bladder** ['ɛə‚blædə] *n* плавательный пузырь.

**air-blast** ['ɛəblɑːst] 1. *n* 1) порыв воздуха; воздушная струя; 2) дутьё; 2. *v* нагнетать воздух.

**air-boat** ['ɛə‚bout] *n* лодочный гидросамолёт, летающая лодка.

**airborne** ['ɛəbɔːn] *a* 1) переносимый *или* перевозимый по воздуху; 2) *воен.* воздушнодесантный; 3) *predic.* оторвавшийся от земли; находящийся в воздухе; to become ~ оторваться от земли; all planes are ~ все самолёты в воздухе.

**air-brake** ['ɛəbreɪk] *n* *тех.* пневматический тормоз.

**air-brick** ['ɛə‚brɪk] *n* 1) кирпич воздушной сушки, сырец, саман; 2) пустотелый кирпич.

**air-bridge** ['ɛə‚brɪdʒ] *n* воздушный мост.

**air-brush** ['ɛə‚brʌʃ] *n* распылитель краски, краскопульт.

**air-cell** ['ɛəsel] *n* *анат.* лёгочная альвеола.

**air-chamber** ['ɛə‚tʃeɪmbə] *n* 1) воздушная камера; 2) *мор.* воздушный ящик.

**air chief-marshal** ['ɛə'tʃiːf‚mɑːʃəl] *n* главный маршал авиации.

**air-commodore** ['ɛə'kɔmədɔː] *n* бригадный генерал авиации (*в Англии*).

**air-condition** ['ɛəkən‚dɪʃən] *v* кондиционировать воздух.

**air-conditioned** ['ɛəkən'dɪʃənd] 1. *p.p. от* air-condition;
2. *а* с кондиционированным воздухом.

**air-conditioning** ['ɛəkən'dɪʃənɪŋ] 1. *pres. p. от* air-condition;
2. *n* кондиционирование воздуха.

**air-cooled** ['ɛəkuːld] *a* с воздушным охлаждением.

**air-cooling** ['ɛə‚kuːlɪŋ] *n* воздушное охлаждение.

**aircraft** ['ɛəkrɑːft] *n* 1) летательный аппарат; самолёт; 2) *собир.* самолёты; авиация; 3) *attr.* авиационный, авиа-; ~ observer лётчик-наблюдатель; ~ personnel личный состав воздушных сил.

**aircraft carrier** ['ɛəkrɑːft‚kærɪə] *n* авианосец.

**aircraftman** ['ɛəkrɑːftmən] *n* рядовой авиации (*в Англии*).

**air crew** ['ɛə‚kruː] *n* экипаж самолёта *или* дирижабля.

**air-cushion** ['ɛə‚kuʃɪn] *n* 1) надувная подушка; 2) *тех.* демпфер.

**air-defence** ['ɛədɪ‚fens] *n* противовоздушная оборона, ПВО.

**air-driven** ['ɛə‚drɪvn] *a* пневматический.

**airdrome** ['ɛədroum] *n* *амер.* аэродром.

**Airedale** ['ɛədeɪl] *n* эрдельтерьер (*порода собак*).

**air-exhauster** ['ɛərɪg‚zɔːstə] *n* вытяжной вентилятор.

**airfield** ['ɛəfiːld] *n* аэродром.

**air fire** ['ɛəfaɪə] *n* стрельба *или* бомбардировка с самолёта.

**airfoil** ['ɛəfɔɪl] = aerofoil.

**air-frame** ['ɛə‚freɪm] *n* остов (*или* каркас) самолёта.

**air-freighter** ['ɛə‚freɪtə] *n* грузовой самолёт.

**air-furnace** ['ɛə‚fəːnɪs] *n* 1) топка с естественной тягой; 2) отражательная печь.

**air-gap** ['ɛəgæp] *n* 1) зазор, просвет; 2) *эл.* воздушный зазор, междужелезное пространство; 3) *радио* искровой промежуток.

**air-gas** ['ɛəgæs] *n* карбюрированный воздух, горючая смесь.

**air-gauge** ['ɛəgeɪdʒ] *n* манометр.

**air-gun** ['ɛəgʌn] *n* 1) духовое ружьё; 2) *тех.* пульверизатор.

**air-hammer** ['ɛə‚hæmə] *n* пневматический молот.

**air hardening** ['ɛə‚hɑːdnɪŋ] *n* *метал.* воздушная закалка.

**air-highway** ['ɛə‚haɪweɪ] *n* воздушная трасса.

**air hoist** ['ɛəhɔɪst] *n* пневматический подъёмник.

**air-hole** ['ɛəhoul] *n* 1) отдушина; 2) полынья (*на реке*); 3) *ав.* воздушная яма, воздушный мешок.

**air-hostess** ['ɛə‚houstɪs] *n* стюардесса на самолёте, бортпроводница.

**airily** ['ɛərɪlɪ] *adv* 1) воздушно, легко, грациозно; 2) легкомысленно, беззаботно.

**airing** ['ɛərɪŋ] 1. *pres.p. от* air 3;
2. *n* 1) проветривание, вентиляция; аэрация; 2) прогулка.

**air-jacket** ['ɛə‚dʒækɪt] *n* надувной спасательный нагрудник.

**airless** ['ɛəlɪs] *a* 1) безветренный; душный; 2) безвоздушный.

**air-lighthouse** ['ɛə'laɪthaus] = air beacon.

**airline** ['ɛəlaɪn] *n ав.* авиалиния.

**air liner** ['ɛə‚laɪnə] *n* рейсовый самолёт, пассажирский самолёт.

**air-lock** ['ɛəlɔk] *n* 1) *тех.* воздушная пробка; 2) тамбур газоубежища.

**air log** ['ɛəlɔg] *n амер. воен.* альтиметр.

**air mail** ['ɛəmeɪl] *n* воздушная почта, авиапочта.

**airman** ['ɛəmæn] *n* 1) лётчик; 2) авиационный механик.

**airmanship** ['ɛəmənʃɪp] *n* лётное искусство.

**air map** ['ɛəmæp] *n* аэронавигационная карта.

**air-marshal** ['ɛə‚mɑːʃəl] *n* маршал авиации.

**air-mechanic** ['ɛəmɪ‚kænɪk] *n* бортмеханик.

**air-minded** ['ɛə‚maɪndɪd] *a* разбирающийся в вопросах авиации.

**air-monger** ['ɛə‚mʌŋgə] *n* фантазёр.

**airphoto** ['ɛə‚foutou] *n* аэрофотоснимок.

**air-photography** ['ɛəfə'tɔgrəfɪ] *n* аэрофотосъёмка.

**airplane** ['ɛəpleɪn] *n* 1) самолёт, аэроплан; 2) *attr.:* ~ observer *амер.* лётчик-наблюдатель.

**air-pocket** ['ɛə‚pɔkɪt] *n* 1) *ав.* воздушная яма; 2) *метал.* раковина, газовый пузырь.

**air power** ['ɛərauə] *n* могущество в воздухе, воздушная мощь.

**air-powered** ['ɛə‚pauəd] *a* пневматический.

**air-proof** ['ɛəpruːf] = air-tight.

**air-quenching** ['ɛə‚kwenʧɪŋ] = air hardening.

**air raid** ['ɛəreɪd] *n* воздушный налёт.

**air-raid** ['ɛəreɪd] *a* воздушный, авиационный; ~ alarm, ~ alert воздушная тревога; A. precautions гражданская ПВО; ~ relief помощь населению, пострадавшему от воздушной бомбардировки; ~ shelter бомбоубежище.

**air-route** ['ɛəruːt] *n* авиалиния, воздушная трасса.

**air scout** ['ɛə‚skaut] *n* воздушный разведчик.

**air scouting** ['ɛə‚skautɪŋ] *n* наблюдение за небом.

**airscrew** ['ɛəskruː] *n* воздушный винт, пропеллер.

**air sentry** ['ɛə‚sentrɪ] *n воен.* наблюдатель за воздухом.

**air-shaft** ['ɛəʃɑːft] *n* вентиляционная шахта.

**airshed** ['ɛəʃed] *n* ангар.

**airship** ['ɛəʃɪp] *n* дирижабль, воздушный корабль.

**airship tender** ['ɛəʃɪp'tendə] *n мор.* плавучая база аэростатов.

**air show** [‚ɛə'ʃou] *n* радиопостановка.

**airsick** ['ɛəsɪk] *a* страдающий воздушной болезнью.

**airsickness** ['ɛə‚sɪknɪs] *n* воздушная болезнь.

**air speed** ['ɛəspiːd] *n ав.* воздушная скорость, скорость самолёта.

**air-speed indicator** ['ɛə‚spiːd'ɪndɪkeɪtə] *n ав.* указатель (воздушной) скорости.

**air-speed meter** ['ɛə‚spiːd'miːtə] = air-speed indicator.

**air spraying** ['ɛəspreɪŋ] *n* разбрызгивание с воздуха.

**Air Staff** ['ɛəstɑːf] *n* штаб военно-воздушных сил.

**air-stop** ['ɛəstɔp] *n* станция *или* посадочная площадка для пассажирских геликоптеров.

**air strip** ['ɛəstrɪp] *n* взлётно-посадочная площадка; полевой аэродром.

**air target** ['ɛə‚tɑːgɪt] *n* воздушная цель.

**air-tight** ['ɛə'taɪt] *a* непроницаемый для воздуха, герметический.

**air-to-air** ['ɛətə'ɛə] *n* 1) пересадка с одного самолёта на другой; 2) *attr.:* ~ (guided) missile (управляемый) снаряд класса «воздух-воздух».

**air-to-ground** ['ɛətə'graund] *a:* ~ (guided) missile (управляемый) снаряд класса «воздух-земля».

**air-torpedo** ['ɛətɔ‚piːdou] *n* авиаторпеда.

**air-track** ['ɛətræk] = airway 1).

**air trial** ['ɛətraɪəl] *n* испытание самолёта в воздухе.

**air-unit** ['ɛə‚juːnɪt] *n* авиационная часть.

**air vice-marshal** ['ɛə'vaɪs‚mɑːʃəl] *n* вице-маршал авиации.

**airway** ['ɛəweɪ] *n* 1) воздушная линия, воздушная трасса, авиалиния; 2) *горн.* вентиляционная выработка, вентиляционный штрек.

**airwoman** ['ɛə‚wumən] *n* женщина-лётчик.

**airworthiness** ['ɛə‚wəːðɪnɪs] *n* пригодность к полёту.

**airworthy** ['ɛə‚wəːðɪ] *a* годный к полёту (*о самолёте*).

**airy** ['ɛərɪ] *a* 1) воздушный, лёгкий; грациозный; 2) весёлый; 3) пустой, легкомысленный.

**aisle** [aɪl] *n* 1) боковой неф корабля, храма; придел; 2) крыло здания, флигель; 3) проход (*между рядами в театре, вагоне и т. п.*); 4) *тех.* пролёт цеха.

**ait** [eɪt] *n уст.* островок (*особ.* речной).

**aitchbone** ['eɪʧboun] *n* 1) крестцовая кость; 2) огузок.

**ajar I** [ə'dʒɑː] *a predic.* приоткрытый.

**ajar II** [ə'dʒɑː] *adv* в разладе.

**Ajax** ['eɪdʒæks] *n* Аякс.

**ajog** [ə'dʒɔg] *adv* мелкой рысью.

**a-kimbo** [ə'kɪmbou] **1.** *a predic.* подбоченившийся;

**2.** *adv* подбоченясь, руки в боки.

**akin** [ə'kɪn] *a predic.* сродни; сродный, близкий, родственный; похожий, такой же как; pity is ~ to love жалость сродни любви.

**alabaster** ['æləbɑːstə] *n* алебастр, гипс.

**alack** [ə'læk] *int уст.* увы.

**alacrity** [ə'lækrɪtɪ] *n* живость, готовность; рвение.

**alar** ['eɪlə] *a* 1) крылатый; 2) крыловидный.

**alarm** [ə'lɑːm] 1. *n* 1) боева́я трево́га, сигна́л трево́ги; air-raid ~ возду́шная трево́га; false ~ ло́жная трево́га; ~ for instruction учéбная трево́га; ~ of gas хими́ческая трево́га; to give (*или* to sound) the ~ подня́ть трево́гу; 2) смяте́ние, страх; to take ~ встрево́житься; 3) *attr.* сигна́льный, трево́жный; ~ bell наба́т, набáтный ко́локол, сигна́льный звоно́к; ~ blast трево́жный свисто́к, гудо́к;
2. *v* 1) подня́ть трево́гу; 2) встрево́жить, взволнова́ть.

**alarm-clock** [ə'lɑːm'klɔk] *n* буди́льник.

**alarmist** [ə'lɑːmɪst] *n* паникёр, алармист; распространи́тель трево́жных слу́хов.

**alarm-post** [ə'lɑːmpoust] *n* ме́сто сбо́ра войск при трево́ге.

**alarum** [ə'lɛərəm] *n* 1) *поэт. см.* alarm 1; 2) звон буди́льника; 3) механи́зм боя́ в буди́льнике; буди́льник; ◇ ~s and excursions волне́ние, движе́ние и шум.

**alas** [ə'lɑːs] *int* увы́!

**alb** [ælb] *n церк.* стиха́рь.

**Albanian** [æl'beɪnjən] 1. *a* алба́нский;
2. *n* 1) алба́нец; алба́нка; 2) алба́нский язы́к.

**albatross** ['ælbətrɔs] *n* альбатро́с.

**albeit** [ɔːl'biːt] *cj уст.* хотя́; he tried, ~ without success он пыта́лся, хотя́ и безуспе́шно.

**albert** ['ælbət] *n* род цепо́чки для часо́в.

**albescent** [æl'besənt] *a* станово́щийся бе́лым, беле́ющий.

**albinism** ['ælbɪnɪzəm] *n* отсу́тствие пигме́нта в ко́же.

**albino** [æl'biːnou] *n* (*pl* -os [-ouz]) альбино́с.

**Albion** ['ælbjən] *n поэт.* Альбио́н, Англия.

**albugo** [æl'bjuːgou] *n мед.* бельмо́.

**album** ['ælbəm] *n* 1) альбо́м; 2) кни́га авто́графов изве́стных актёров, спортсме́нов *и т. п.*

**albumen** ['ælbjumɪn] *n* 1) (яи́чный) бело́к; 2) *хим., биол.* альбуми́н, бело́к; белко́вое вещество́.

**albumin** ['ælbjumɪn] *n хим.* 1) альбуми́н; 2) *attr.*: ~ test про́ба на бело́к.

**albuminoid** [æl'bjuːmɪnɔid] 1. *a* белкови́дный;
2. *n pl* альбумино́иды.

**albuminous** [æl'bjuːmɪnəs] *a* белко́вый.

**alburnum** [æl'bəːnəm] *n* забо́лонь.

**alchemic(al)** [æl'kemɪk(əl)] *a* алхими́ческий.

**alchemist** ['ælkɪmɪst] *n* алхи́мик.

**alchemy** ['ælkɪmɪ] *n* алхи́мия.

**alcohol** ['ælkəhɔl] *n* 1) алкого́ль, спирт; wood ~ древе́сный спирт; 2) спиртны́е напи́тки; he does not touch ~ он спиртно́го в рот не берёт; 3) *attr.* спиртово́й; ~ thermometer спиртово́й термо́метр.

**alcoholic** [ælkə'hɔlɪk] 1. *a* алкого́льный; алкоголи́ческий;
2. *n* алкого́лик.

**alcoholism** ['ælkəhɔlɪzəm] *n* алкоголи́зм.

**alcoholometer** [ælkəhɔ'lɔmɪtə] *n* спирто́мер.

**Alcoran** [ælkɔ'rɑːn] *n* кора́н.

**alcove** ['ælkouv] *n* 1) алько́в, ни́ша; 2) бесе́дка.

**alder** ['ɔːldə] *n* ольха́.

**alderman** ['ɔːldəmən] *n* ольдерме́н, член городско́го управле́ния, член сове́та гра́фства.

**aldermanry** ['ɔːldəmənrɪ] *n* 1) зва́ние ольдерме́на; 2) райо́н городско́го управле́ния.

**ale** [eɪl] *n* эль, пи́во; Adam's ~ *шутл.* вода́.

**aleak** [ə'liːk] *a predic.*: the vessel is ~ су́дно име́ет течь.

**aleatory** ['eɪlɪətərɪ] *a уст.* случа́йный.

**alee** [ə'liː] *adv, a predic. мор.* 1) под ве́тром; 2) в подве́тренную сто́рону.

**ale-house** ['eɪlhaus] *n* пивна́я.

**alembic** [ə'lembɪk] *n* 1) *уст.* перего́нный куб; 2): through the ~ of fancy сквозь при́зму воображе́ния.

**alert** [ə'ləːt] 1. *n* трево́га, сигна́л трево́ги; (to be) on the ~ (быть) насторо́же, нагото́ве;
2. *a* 1) бди́тельный, настороже́нный; 2) живо́й, прово́рный;
3. *v* 1) привести́ в состоя́ние гото́вности; 2) сде́лать бди́тельным.

**alertness** [ə'ləːtnɪs] *n* 1) бди́тельность, насторо́женность; 2) жи́вость, прово́рство.

**ale-wife** ['eɪlwaɪf] *n* 1) содержа́тельница пивно́й; 2) вид америка́нской сéльди.

**Alexandrine** [ælɪg'zændraɪn] 1. *n* алекса́ндрийский стих;
2. *a* александри́йский.

**alexandrite** [ælɪg'zændraɪt] *n мин.* алекса́ндрит.

**alfalfa** [æl'fælfə] *n бот.* люце́рна.

**alfresco** [æl'freskou] 1. *a* происходя́щий на откры́том во́здухе; ~ lunch за́втрак на откры́том во́здухе.
2. *adv* на откры́том во́здухе.

**alga** ['ælgə] *n* (*pl* -ae) морска́я во́доросль.

**algae** ['ældʒiː] *pl om* alga.

**algebra** ['ældʒɪbrə] *n* а́лгебра.

**algebraic(al)** [ældʒɪ'breɪk(əl)] *a* алгебра́ический.

**algebraist** [ældʒɪ'breɪɪst] *n* алгебраи́ст, специали́ст по а́лгебре.

**Algerian** [æl'dʒɪərɪən] 1. *a* алжи́рский;
2. *n* алжи́рец; алжи́рка.

**Algerine** [ældʒə'riːn] = Algerian.

**alias** ['eɪlɪæs] 1. *n* вы́мышленное и́мя, про́звище, кли́чка;
2. *adv* ина́че (называ́емый); Lewis ~ Smith Лью́ис, он же Смит.

**alibi** ['ælɪbaɪ] 1. *n юр.* 1) а́либи;
2. *v* предста́вить а́либи.

**alidad, alidade** ['ælɪdæd, -deɪd] *n mex.* алида́да.

**alien** ['eɪljən] 1. *n* чужестра́нец; иностра́нец; прожива́ющий в да́нной стране́ по́дданный друго́го госуда́рства;
2. *a* 1) иностра́нный; 2) чу́ждый, несво́йственный (to, from); it's ~ to my thoughts э́то чу́ждо мне;
3. *v поэт., юр.* отчужда́ть.

**alienable** ['eɪljənəbl] *a* отчужда́емый.

**alienate** ['eɪljəneɪt] *v* 1) отчужда́ть (*тж юр.*); 2) отвраща́ть (from); заставля́ть отверну́ться; my sister ~d me by her behaviour поведе́ние сестры́ оттолкну́ло меня́ от неё.

**alienation** [,eɪljə'neɪʃən] *n* 1) отдале́ние, отчужде́ние; ~ of affections охлажде́ние (чувств); 2) *юр.* отчужде́ние; 3) *мед.* умопомеша́тельство (*обыкн.* mental ~).

**alienee** [,eɪljə'niː] *n* тот, в чью по́льзу отчужда́ется иму́щество.

**alien-enemy** ['eɪljən,enɪmɪ] *n* прожива́ющий в стране́ по́дданный враждéбного госуда́рства.

**alienism** ['eɪljənɪzəm] *n* 1) положе́ние иностра́нца в чужо́й стране́; 2) психиатри́я.

**alienist** ['eɪljənɪst] *n* психиа́тр.

**aliform** ['æhfɔːm] *a* крылообра́зный.

**alight** I [ə'laɪt] *v* 1) сходи́ть, выса́живаться (out of, from—из, с; at—y); спе́шиваться (from); 2) спуска́ться, сади́ться (*о птицах, насекомых*; on, upon); 3) *ав.* приземля́ться.

**alight** II [ə'laɪt] *a predic.* 1) зажжённый; в огне́; 2) освещённый.

**alighting** [ə'laɪtɪŋ] 1. *pres. p. om* alight I; 2. *n av.* 1) поса́дка, приземле́ние, спуск; 2) *attr.* поса́дочный; ~ gear поса́дочное устро́йство самолёта.

**align** [ə'laɪn] *v* 1) выстра́ивать в ли́нию, ста́вить в ряд; выра́внивать; to ~ the sights (of rifle) and bull's-eye прице́ливаться в я́блоко мише́ни; to ~ the track *ж.-д.* рихтова́ть путь; 2) равня́ться; стро́иться; 3) *тех.* спрямля́ть, устана́вливать (с о́сью).

**aligning** [ə'laɪnɪŋ] 1. *pres.p. om* align; 2. *n* = alignment.

**alignment** [ə'laɪnmənt] *n* 1) выра́внивание, регулиро́вка, вы́верка; ~ of forces размежева́ние сил; 2) *топогр.* визи́рование че́рез не́сколько то́чек; 3) *воен.* равне́ние, ли́ния стро́я; 4) створ; горизонта́льная прое́кция.

**alike** [ə'laɪk] 1. *a predic.* одина́ковый; похо́жий, подо́бный; 2. *adv* то́чно так же, подо́бно, одина́ково.

**aliment** ['ælɪmənt] 1. *n* 1) пи́ща; содержа́ние (*кого-л.*); материа́льная и мора́льная подде́ржка; 2. *v* содержа́ть (*кого-л.*); подде́рживать.

**alimentary** [,ælɪ'mentərɪ] *a* 1) пищево́й, пита́тельный; ~ products пищевы́е проду́кты; 2) пита́ющий; 3): ~ canal, ~ tract пищевари́тельный тракт.

**alimentation** [,ælɪmen'teɪʃən] *n* 1) пита́ние, кормле́ние; 2) содержа́ние (*кого-л.*).

**alimony** ['ælɪmənɪ] *n* 1) алиме́нты; 2) пита́ние; 3) содержа́ние.

**aline** [ə'laɪn] *v* = align.

**aliped** ['ælɪped] 1. *a* крылоно́гий; 2. *n* крылоно́гое живо́тное (*напр., лету́чая мышь*).

**aliquant** ['ælɪkwənt] *a мат.* некра́тный.

**aliquot** ['ælɪkwɔt] *a мат.* кра́тный.

**alive** [ə'laɪv] *a predic.* 1) живо́й; в живы́х; no man ~ никто́ на све́те; any man ~ любо́й челове́к, кто́-нибудь; 2) живо́й, бо́дрый; 3) чу́ткий (*к чему-л.*), я́сно понима́ющий (*что-л.*); to be fully ~ to smth. я́сно понима́ть что-л.; are you ~ to what is going on? вы осознаёте, что происхо́дит?;

4) киша́щий (with); the river was ~ with boats река́ была́ запру́жена́ ло́дками; 5) де́йствующий, рабо́тающий, на ходу́; to keep ~ подде́рживать (*огонь, интере́с и т. п.*); 6) *эл.* (находя́щийся) под напряже́нием; ◇ ~ and kicking жив и здоро́в; по́лон жи́зни; look ~! живе́й!; man ~! *выраже́ние удивле́ния*: man ~! I am glad to see you! бо́же мой, как я рад вас ви́деть!

**alizarin(e)** [ə'lɪzərɪn] *n хим.* ализари́н.

**alkalescence** [,ælkə'lesns] *n хим.* сла́бая щёлочность.

**alkalescent** [,ælkə'lesnt] *a хим.* слабо́ щелочно́й.

**alkali** ['ælkəlaɪ] *n* (*pl* -s, -es [-z]) 1) *хим.* щёлочь; 2) *амер.* солончако́вая по́чва; 3) ме́стность, изоби́лующая солончака́ми; 4) *attr.*: ~ soils солончаки́.

**alkalimetric** [,ælkəlɪ'metrɪk] *a хим.* алкалиметри́ческий.

**alkalimetry** [,ælkə'lɪmɪtrɪ] *n хим.* алкалиме́трия.

**alkaline** ['ælkəlaɪn] *a хим.* щелочно́й.

**alkaloid** ['ælkələɪd] *n хим.* алкало́ид.

**all** [ɔːl] *pron. indef.* 1. *как прил.* 1) весь, вся, всё, все; ~ day весь день; ~ the time всё вре́мя; 2) вся́кий, всевозмо́жный; in ~ respects во всех отноше́ниях; beyond ~ doubt вне вся́кого сомне́ния; ◇ ~ in *разг.* уста́лый, изму́ченный; ~ and sundry а) ка́ждый и вся́кий; б) все вме́сте и ка́ждый в отде́льности;

2. *как нареч.* всеце́ло, вполне́; соверше́нно; the pin was ~ gold була́вка была́ цели́ком из зо́лота; ◇ ~ alone а) в по́лном одино́честве; б) без вся́кой по́мощи, самостоя́тельно; ~ over а) повсю́ду, круго́м; ~ over the world по всему́ све́ту; б) соверше́нно, по́лностью; she is her mother ~ over она́ вы́литая мать [*ср. тж.* 3 ◇]; ~ around круго́м, со всех сторо́н; ~ round a) = around; б) = all-round; ~ along всё вре́мя; ~ at once соверше́нно внеза́пно; ~ the more so тем бо́лее; ~ the rage (о́чень) в мо́де;

3. *как сущ.* 1) все, всё; ~ agree все согла́сны; ~ is well всё в поря́дке; 2) це́лое; 3) всё иму́щество; they lost their ~ in the fire при пожа́ре поги́бло всё их иму́щество; ◇ after ~ в конце́ концо́в; ~ told всё без исключе́ния; in ~ по́лностью, всего́; a dozen in ~ всего́ дю́жина; ~ but почти́, едва́ не; at ~ вообще́, совсе́м; not at ~ а) ниско́лько, ничу́ть; б) пожа́луйста, не́ за что; once for ~ навсегда́; once (соверше́нно) безразли́чно; it is ~ over with him он челове́к ко́нченый [*ср. тж.* 2◇]; he is not quite ~ there он не в своём уме́; у него́ не все до́ма.

**Allah** ['ælə] *n* Алла́х.

**all-around** ['ɔːləraund] *n спорт.* многобо́рье.

**allay** [ə'leɪ] *v* 1) успока́ивать (*волне́ние, подозре́ние, боль*); 2) уменьша́ть, ослабля́ть.

**all-clear** [ɔːl'klɪə] *n* сигна́л отбо́я возду́шной трево́ги.

**allegation** [,ælе'geɪʃən] *n* 1) заявле́ние (*особ. перед судо́м, трибуна́лом*); 2) голосло́вное утвержде́ние.

**allege** [ə'ledʒ] *v* 1) ссыла́ться (*в оправда́ние, в доказа́тельство*); to ~ illness ссыла́ться на боле́знь; 2) утвержда́ть (*особ. без основа́ния*); ~d deserter подозрева́емый в дезерти́рстве; 3) припи́сывать; delays ~d to be due to... заде́ржки, я́кобы вы́званные...

**allegiance** [ə'liːdʒəns] *n* 1) ве́рность, пре́данность; лоя́льность; 2) *ист.* васса́льная зави́симость.

**allegoric(al)** [ˌæle'gɔrik(əl)] *a* аллегори́ческий, иносказа́тельный.

**allegorize** ['æligəraiz] *v* изобража́ть, выска́зываться, толкова́ть аллегори́чески.

**allegory** ['æligəri] *n* аллего́рия; эмбле́ма.

**alleluia** [ˌæli'luːjə] = halleluiah.

**all-embracing** ['ɔːlim'breisiŋ] *a* всеобъе́млющий.

**allergic** [ə'lədʒik] *a* 1) *физиол.* аллерги́ческий; 2) *predic. разг.* не переноси́щий (*вида, прису́тствия*); не выноси́щий, пита́ющий отвраще́ние.

**allergy** ['ælədʒi] *n физиол.* аллерги́я; повы́шенная чувстви́тельность.

**alleviate** [ə'liːvieit] *v* облегча́ть (*боль, страда́ния*); смягча́ть.

**alleviation** [əˌliːvi'eiʃən] *n* облегче́ние; смягче́ние.

**alley I** ['æli] *n* 1) алле́я; 2) у́зкая у́лица *или* переу́лок; 3) прохо́д ме́жду ряда́ми; 4) кегельба́н; ◇ it was up your ~ э́то бы́ло по ва́шей ли́нии.

**alley II** ['æli] = ally II.

**alleyway** ['æliˌwei] *n амер.* = alley I, 2) и 3).

**All Fools' day** ['ɔːl'fuːlzdei] *n см.* fool I, 1, 1).

**all-honoured** ['ɔːlˌɔnəd] *a* все́ми почита́емый.

**alliance** [ə'laiəns] *n* 1) сою́з; алья́нс; Holy A. *ист.* Свяще́нный Сою́з (*1815 г.*); 2) бра́чный сою́з; 3) родство́; 4) *уст.* сою́зники.

**allied** [ə'laid] 1. *p.p. от* ally I, 2;
2. *a* 1) ро́дственный, бли́зкий; ~ sciences сме́жные о́бласти нау́ки; 2) сою́зный; 3) сою́знический.

**alligation** [ˌæli'geiʃən] *n* сплав; смеше́ние.

**alligator** ['æligeitə] *n* 1) *зоол.* аллига́тор; 2) *тех.* щеко́вая камнедроби́лка; 3) *attr.* из крокоди́ловой ко́жи, под крокоди́лову ко́жу; ~ bag портфе́ль из крокоди́ловой ко́жи; 4) *attr. тех.*: ~ shears механи́ческие но́жницы.

**all-in-all** ['ɔːlin'ɔːl] 1. *n* всё (*для кого́-л.*), предме́т любви́, обожа́ния;
2. *a* о́чень ва́жный, реша́ющий;
3. *adv* 1) целико́м, по́лностью; 2) в це́лом, в о́бщем.

**alliteration** [əˌlitə'reiʃən] *n* аллитера́ция.

**all-metal** ['ɔːl'metl] *a* цельнометалли́ческий.

**allocate** ['æləkeit] *v* 1) размеща́ть, распределя́ть, назнача́ть (to); ассигнова́ть; *амер.* резерви́ровать, брони́ровать (*креди́ты, снабже́ние и т. п.*); 2) локализи́ровать.

**allocation** [ˌælə'keiʃən] *n* размеще́ние и пр. [*см.* allocate].

**allocution** [ˌælou'kjuːʃən] *n* речь, обраще́ние (*в торже́ственных слу́чаях*).

**allodial** [ə'loudjəl] *a ист.* аллодиа́льный, свобо́дный от ле́нных пови́нностей.

**allodium** [ə'loudjəm] *n ист.* алло́д, земля́, находя́щаяся в по́лной со́бственности и свобо́дная от ле́нных пови́нностей.

**allogamy** [ə'lɔgəmi] *n бот.* аллога́мия, чужеопыле́ние.

**allopath** ['æloupæθ] *n* аллопа́т.

**allopathy** [ə'lɔpəθi] *n* аллопа́тия.

**allot** [ə'lɔt] *v* 1) распределя́ть (по жре́бию); раздава́ть, наделя́ть; предназнача́ть; to ~ a task возлага́ть зада́чу; to ~ credits предоставля́ть креди́ты; 2) *воен.* вводи́ть в соста́в; придава́ть.

**allotment** [ə'lɔtmənt] *n* 1) распределе́ние; перечисле́ние (фо́ндов); ~ of billets отво́д кварти́р; 2) до́ля, часть; 3) небольшо́й уча́сток, отведённый под огоро́д; наде́л; 4) *воен.* введе́ние в соста́в; прида́ча; 5) *амер. воен.* вы́плата по аттеста́ту (*семье́*).

**allottee** [əlɔ'tiː] *n* получа́ющий земе́льный уча́сток; ме́лкий аренда́тор.

**all-out** ['ɔːl'aut] 1. *a* 1) по́лный; тота́льный; с примене́нием всех сил и ресу́рсов; 2) иду́щий напроло́м; реши́тельный; ~ attack реши́тельное наступле́ние;
2. *adv* 1) изо всех сил: все́ми сре́дствами; to go ~ боро́ться изо всех сил; 2) сполна́, вполне́, по́лностью.

**all-overish** [ˌɔːl'ouvəriʃ] *a разг.* чу́вствующий недомога́ние.

**all-overishness** [ˌɔːl'ouvəriʃnis] *n* о́бщее недомога́ние.

**allow** [ə'lau] *v* 1) позволя́ть, разреша́ть; smoking is not ~ed кури́ть воспреща́ется; 2) предоставля́ть, де́лать возмо́жным; this gate ~s access to the garden че́рез э́ти воро́та мо́жно пройти́ в сад; 3) допуска́ть; признава́ть; I ~ that I was wrong признаю́, что был непра́в; I cannot ~ of such an excuse не могу́ приня́ть тако́го извине́ния; 4) принима́ть во внима́ние, учи́тывать, де́лать ски́дку, де́лать попра́вку (for — на что-л.); you must ~ for some mistakes вы должны́ уче́сть не́которые оши́бки; 5) дава́ть, регуля́рно выпла́чивать; I ~ him £ сло́ва я даю́ ему́ по 100 фу́нтов сте́рлингов в год; 6) *амер.* заявля́ть, утвержда́ть; ◇ ~ me! разреши́те!; we have ~ed for twenty people мы бы́ли гото́вы встре́тить, приня́ть два́дцать челове́к.

**allowable** [ə'lauəbl] *a* 1) допусти́мый; 2) дозво́ленный; 3) зако́нный.

**allowance** [ə'lauəns] 1. *n* 1) разреше́ние, позволе́ние; 2) допуще́ние; приня́тие; 3) приня́тие в расчёт, во внима́ние; make ~ for his age прими́те во внима́ние его́ во́зраст; 4) ски́дка; 5) но́рма вы́дачи; паёк; at по ~ неограни́ченно; ~ of ammunition боево́й компле́кт, запа́с боеприпа́сов; 6) (годово́е, ме́сячное и т. п.) содержа́ние; карма́нные де́ньги; family ~ посо́бие многосеме́йным; 7) *pl* дово́льствие; 8) *тех.* при́пуск; до́пуск; 9) *спорт.* фо́ра;
2. *v* назнача́ть, выдава́ть стро́го ограни́ченный паёк, содержа́ние.

**allowedly** [ə'lauɪdlɪ] *adv* 1) дозволенным образом; 2) по общему признанию.

**alloy** 1. *n* ['ælɔɪ] 1) сплав; 2) примесь, лигатура; 3) проба (*драгоценного металла*); 4) [ə'lɔɪ] примесь (*чего-л. дурного к хорошему*); happiness without ~ ничем не омрачённое счастье; 5) *attr.* легированный; ~ steel легированная сталь; ~ treated steel малолегированная сталь.
2. *v* [ə'lɔɪ] 1) сплавлять (*металлы*); 2) подмешивать.

**all-powerful** [ɔːl'pauəful] *a* всемогущий.

**all-purpose** ['ɔːl'pəːpəs] *a* универсальный, многоцелевой.

**all-red-line** ['ɔːl'redlaɪn] *n уст.* британская имперская телеграфная линия; британский имперский торговый тракт.

**all-red-route** ['ɔːl'redruːt] = all-red-line.

**all right** ['ɔːl'raɪt] 1. *a predic.* в порядке; вполне удовлетворительный; he is ~ он чувствует себя хорошо; everything is ~ with your plan ваш план прошёл хорошо, всё обстоит благополучно с вашим планом;
2. *adv* вполне удовлетворительно, приемлемо; как нужно;
3. *int* хорошо!, ладно!, согласен!

**all-round** ['ɔːl'raund] *a* многосторонний, всесторонний; круговой; ~ man разносторонний человек; ~ price цена, включающая накладные расходы.

**All-Russian** ['ɔːl'rʌʃən] *a* всероссийский.

**allseed** ['ɔːl,siːd] *n бот.* многосемянное растение.

**allspice** ['ɔːlspaɪs] *n бот.* пимент, ямайский перец, душистый перец.

**all-steel** ['ɔːl'stiːl] *a* цельностальной.

**allude** [ə'luːd] *v* 1) упоминать; ссылаться (to — на); 2) намекать (to — на).

**All-Union** ['ɔːl'juːnjən] *a* всесоюзный.

**all-up** ['ɔːl,ʌp] *n ав.* общий вес (самолёта, экипажа, пассажиров, груза *и т. п.*) в воздухе, полный полётный вес.

**allure** [ə'ljuə] *v* 1) заманивать, завлекать; привлекать; 2) очаровывать, пленять.

**allurement** [ə'ljuəmənt] *n* 1) обольщение; 2) приманка, привлекательность.

**alluring** [ə'ljuərɪŋ] 1. *pres. p. от* allure;
2. *a* 1) соблазнительный; ~ prospects заманчивые перспективы; 2) очаровательный.

**allusion** [ə'luːʒən] *n* 1) упоминание; ссылка (to); 2) намёк (to).

**allusive** [ə'luːsɪv] *a* 1) заключающий в себе ссылку (to—на); 2) заключающий в себе намёк (to— на); иносказательный; 3) *геральд.*: ~ arms символический герб.

**alluvia** [ə'luːvjə] *pl от* alluvium.

**alluvial** [ə'luːvjəl] *a геол.* наносный, аллювиальный; ~ deposit *горн.* россыпь; ~ gold *горн.* россыпное золото.

**alluvion** [ə'luːvjən] *n* 1) нанос, наносная земля, намыв; 2) = alluvium.

**alluvium** [ə'luːvjəm] *n* (*pl* -via, -s [-z]) *геол.* 1) аллювий, аллювиальные формации; наносные образования; 2) *attr.*: ~ period четвертичный период, четвертичная система.

**all-wool** ['ɔːl'wul] *a* чистошерстяной.

**ally** I 1. *n* ['ælaɪ] союзник; ~ of moment временный союзник;
2. *v* [ə'laɪ] соединять; to ~ oneself вступать в союз, соединяться (*договором, браком*; to, with); to be allied to быть тесно связанным с, иметь общие черты с; Norwegian is nearly allied to Danish норвежский язык близок к датскому.

**ally** II ['ælɪ] *n* мраморный шарик (*для детской игры*); ◇ to give smb. a fair show for an ~ честно поступать в отношении кого-л.; дать кому-л. возможность отыграться.

**almanac** ['ɔːlmənæk] *n* календарь, альманах.

**almighty** [ɔːl'maɪtɪ] 1. *a* 1) всемогущий; 2) *разг.* очень сильный; ужасный; we had an ~ row у нас произошёл ужасный скандал;
2. *n*: the A. (всемогущий) бог;
3. *adv разг.* ужасно.

**almond** ['ɑːmənd] *n* 1) миндаль; 2) *анат.* миндалевидная железа, миндалина; 3) *attr.* миндальный.

**almond-eyed** ['ɑːmənd'aɪd] *a* с миндалевидным разрезом глаз.

**almond-shaped** ['ɑːmənd,ʃeɪpt] *a* миндалевидный.

**almoner** ['ɑːmənə] *n* раздающий милостыню; Hereditary Grand A., Lord High A. ведающий раздачей милостыни при английском дворе.

**almonry** ['ɑːmənrɪ] *n* место раздачи милостыни [*см.* almoner].

**almost** ['ɔːlmoust] *adv* почти; едва не.

**alms** [ɑːmz] *n* (*pl* без измен., обыкн. *употр. как sing*) милостыня.

**alms-deed** ['ɑːmz,diːd] *n* благотворительный акт.

**alms-house** ['ɑːmzhaus] *n* богадельня.

**almsman** ['ɑːmzmən] *n* живущий подаянием, нищий.

**alodial** [ə'loudjəl] = allodial.

**alodium** [ə'loudjəm] = allodium.

**aloe** ['ælou] *n* 1) *бот.* алоэ; American ~ столетник; 2) *pl* сабур (*слабительное*).

**aloft** [ə'lɔft] *adv* 1) наверху; на высоте; 2) *мор.* наверху, на марсе, на реях; ◇ to go ~ *разг.* умереть.

**alone** [ə'loun] 1. *a predic.* один, одинокий; he can do it ~ он может это сделать сам, без чужой помощи; ◇ to let (*или* to leave) ~ оставить в покое; let ~ не говоря уже о;
2. *adv* только, исключительно; he ~ can do it только он может это сделать.

**along** [ə'lɔŋ] 1. *adv* 1) вперёд; 2) по всей линии; 3) с собой; come ~! идём (вместе)!; he brought his instruments ~ он принёс с собой инструменты; □ ~ with вместе; ◇ all ~ всё время; I knew it all ~ я это знал с самого начала; (all) ~ of *разг.* вследствие; из-за; it happened all ~ of your carelessness это произошло по вашей небрежности; right ~ *амер.* всегда; непрерывно; постоянно;
2. *prep* вдоль, по; ~ the river вдоль реки; ~ the road по дороге; ~ the strike *геол.* по простиранию.

**along-shore** [ə'lɔŋ'ʃɔː] *adv* вдоль бéрега.
**alongside** [ə'lɔŋ'saɪd] *adv* 1) бок ó бок; рýдом; 2) *мор.* борт ó борт; у бóрта; у стéнки; 3): ~ of (*употр. как prep*) сбóку от, рýдом с.
**aloof** [ə'luːf] 1. *a predic.* находýщийся поодаль, в сторонé;
2. *adv* поодаль, в сторонé; to hold (*или* to keep, to stand) ~ (from) держáться в сторонé (от); чуждáться.
**aloofness** [ə'luːfnɪs] *n* отчуждённость; равнодýшие.
**aloud** [ə'laud] *adv* 1) грóмко, вслух; 2) *разг.* сúльно, замéтно; ощутúмо; it reeks ~ ужáсно вонýет. С
**alp** [ælp] *n* 1) гóрная вершúна; 2) гóрное пáстбище в Швейцáрии.
**alpaca** [æl'pækə] *n* 1) *зоол.* альпакá; 2) шерсть альпакá; 3) ткань из шéрсти альпакá.
**alpenstock** ['ælpɪnstɔk] *n спорт.* альпеншóк.
**alpha** ['ælfə] *n* 1) áльфа (*первая буква греческого алфавита*); 2) *астр.* глáвная звездá созвéздия; ◇ A. and Omega áльфа и омéга, начáло и конéц; основнóе, глáвное; ~ plus *разг.* превосхóдный.
**alphabet** ['ælfəbɪt] *n* алфавúт; áзбука.
**alphabetic** [,ælfə'betɪk] *a* 1) алфавúтный; 2) áзбучный.
**alphabetical** [,ælfə'betɪkəl]=alphabetic 1).
**alphabetically** [,ælfə'betɪkəlɪ] *adv* в алфавúтном порýдке.
**alphabetize** ['ælfəbetaɪz] *v* располагáть в алфавúтном порýдке.
**alpha rays** ['ælfə,reɪz] *n pl физ.* áльфа-лучú.
**Alpine** ['ælpaɪn] *a* альпúйский.
**Alpinist** ['ælpɪnɪst] *n* альпинúст.
**already** [ɔl'redɪ] *adv* ужé.
**Alsatian** [æl'seɪʃjən] 1. *a* эльзáсский; 2. *n* 1) эльзáсец; 2) *ист.* должникóв (*от* Alsatia — *название района в квартале* White Friars *в Лондоне, где в* XVI—XVII *вв. находили себе убежище должники и преступники*); 3) восточноевропéйская овчáрка.
**also** ['ɔːlsou] *adv* тóже, тáкже, к томý же; ◇ ~ ran *разг.* неудáчливый учáстник состязáния, неудáчник.
**alt** [ælt] *n*: in ~ *муз.* на октáву вýше; *перен.* в приподнятом настроéнии.
**altar** ['ɔːltə] *n* 1) престóл, алтáрь, жéртвенник; to lead to the ~ вестú к алтарю, женúться; 2) (A.) *астр.* Алтáрь, Жéртвенник (*созвездие южного неба*); 3) *тех.* боровкóвый порóг.
**altar-cloth** ['ɔːltəklɔθ] *n церк.* напрестóльная пеленá.
**altar-piece** ['ɔːltəpiːs] *n церк.* запрестóльный óбраз.
**alter** ['ɔːltə] *v* 1) изменýть(ся); менýть (-ся); переделывать; to ~ one's mind передýмать, перерешúть; принýть другóе решéние; 2) *амер., австрал.* холостúть, кастрúровать (*скот*).
**alterable** ['ɔːltərəbl] *a* изменýемый.
**alteration** [,ɔːltə'reɪʃən] *n* 1) изменéние; перемéна; переделка, перестрóйка; 2) деформáция; 3) *геол.* изменéние порóд по

сложéнию и состáву; метаморфúческое вытеснéние.
**alterative** ['ɔːltərətɪv] 1. *a* вызывáющий изменéние, перемéну;
2. *n мед.* срéдство, повышáющее обмéн вещéств.
**altercate** ['ɔːltəːkeɪt] *v* препирáться, ссóриться (with).
**altercation** [,ɔːltə'keɪʃən] *n* перебрáнка, ссóра.
**alternate** 1. *n* [ɔl'təːnɪt] *амер.* замéститель;
2. *a* [ɔl'təːnɪt] 1) переménный, перемежáющийся, чередýющийся; they served ~ shifts онú рабóтали посмéнно; on ~ days чéрез день; ~ angle *мат.* противолежáщий ýгол; ~ angles *мат.* внýтренние нáкрест лежáщие углы; 2) *амер.* запáсный; дополнúтельный; ~ design вариáнт проéкта, вариáнтный проéкт;
3. *v* ['ɔːltəneɪt] чередовáть(ся); сменýть друг дрýга.
**alternating** ['ɔːltəneɪtɪŋ] 1. *pres.p.* *от* alternate 3;
2. *a* переménный, перемежáющийся; ~ current *эл.* переménный ток; ~ motion *тех.* возврáтно-поступáтельное движéние.
**alternation** [,ɔːltə'neɪʃən] *n* чередовáние; ~ of day and night сméна дня и нóчи.
**alternative** [ɔl'təːnətɪv] 1. *n* альтернатúва, выбор; there is no other ~ but... нет другóго выбора крóме...;
2. *a* 1) взаимоисключáющий, альтернатúвный; these two plans are not necessarily ~ éти два плáна отнюдь не исключáют друг дрýга; 2) переménно дéйствующий, переménный.
**alternator** [,ɔːltə'neɪtə] *n эл.* альтернáтор.
**although** [ɔl'ðou] *cj* хотý, éсли бы дáже; несмотрý на то, что.
**altigraph** ['æltɪɡrɑːf] *n ав.* альтигрáф, прибóр, регистрúрующий высотý.
**altimeter** ['æltɪmiːtə] *n* альтúметр, высотомéр.
**altisonant** [æl'tɪsənənt] *a* грóмкий, шýмный.
**altitude** ['æltɪtjuːd] *n* 1) высотá; высотá над ýровнем мóря; to grab for ~ *ав.* старáться набрáть высотý; *перен. разг.* сúльно рассердúться, рассвирепéть; to lose ~ *ав.* терýть высотý; 2) *pl* высóкие местá, высóты; in those ~s the air is thin на éтих высотáх вóздух разрежён; 3) (*обыкн. pl*) возвышенность; *перен.* высóкое положéние; 4) *attr.* *ав.* высóтный; ~ control высóтное управлéние, высóтный коррéктор; руль высоты; ~ correction попрáвка на высотý; ~ flight высóтный полёт; ~ gauge, ~ measurer альтúметр, высотомéр.
**alto** ['æltou] *n* (*pl* -os [-ouz]) 1) альт (*голос и струнный инструмент*); 2) контрáльто.
**alto-cumulus** [,æltə'kjuːmjuləs] *n метеор.* высококучевые облакá.
**altogether** [,ɔːltə'ɡeðə] 1. *adv* 1) вполнé, всецéло; ~ bad совершéнно негóдный; 2) в óбщем, в цéлом; 3) всегó; ◇ for ~ навсегдá;

**2.** *n* 1): an ~ цéлое; the ~ *разг.* обнажённая модéль; in the ~ *разг.* в обнажённом вúде (*о модели художника*); 2) *attr.*: ~ coal *горн.* несортирóванный, рядовóй ýголь.

**alto-relievo** ['æltouɡɪ'liːvou] *n* (*pl* -os [-ouz]) *иск.* горельéф.

**alto-stratus** ['æltou'streɪtəs] *n* *метеор.* высокослóйстые облакá.

**altruism** ['æltruɪzəm] *n* альтруúзм.

**altruist** ['æltruɪst] *n* альтруúст.

**altruistic** [ˌæltru'ɪstɪk] *a* альтруистúческий.

**alum** ['æləm] *n* 1) квасцы́; 2) *attr.*: ~ 'earth = alumina.

**alumina** [ə'ljuːmɪnə] *n* óкись алюмúния, глинозём.

**aluminium** [ˌælju'mɪnjəm] *n* алюмúний.

**aluminium sulphate** [æljuː'mɪnjəm'sʌlfeɪt] *n* сернокúслый алюмúний, глинозём.

**aluminous** [ə'ljuːmɪnəs] *a* глинозёмный; квасцóвый.

**aluminum** [ə'ljuminəm] *амер.* = aluminium.

**alumna** [ə'lʌmnə] *лат.* (*pl* -nae) *ж.* к alumnus.

**alumnae** [ə'lʌmniː] *pl* *от* alumna.

**alumni** [ə'lʌmnaɪ] *pl* *от* alumnus.

**alumnus** [ə'lʌmnəs] *лат.* *n* (*pl* -ni) бы́вший питóмец (*школы или университета*).

**alveolar** [æl'vɪələ] *a* *анат.*, *фон.* альвеоля́рный; ~ abscess *мед.* флюс.

**alveolate** [æl'viːəlɪt] *a* альвеоля́рный (*имеющий ячеистое строение*).

**alveoli** [æl'vɪəlaɪ] *pl* *от* alveolus.

**alveolus** [æl'vɪələs] *n* (*pl* -li) *анат.* альвеóла, ячéя.

**always** ['ɔːlwəz] *adv* всегдá.

**am** [æm (*полная форма*), əm, m (*редуцированные формы*)] *l л. ед. ч. настоящего времени гл.* to be.

**amadou** ['æməduː] *n* трут.

**amain** [ə'meɪn] *adv* *уст.*, *поэт.* 1) бы́стро; сломя́ гóлову; 2) с разгóна, по инéрции; 3) сúльно, изо всéх сил.

**amalgam** [ə'mælɡəm] *n* 1) амальгáма; 2) смесь.

**amalgamate** [ə'mælɡəmeɪt] *v* 1) соединя́ть(ся) со ртýтью; амальгамúровать; 2) соединя́ть(ся); объединя́ть(ся); сливáться.

**amalgamated** [ə'mælɡəmeɪtɪd] 1. *p.p.* *от* amalgamate;

2. *a* соединённый, объединённый.

**amalgamation** [əˌmælɡə'meɪʃən] *n* 1) амальгамáция, амальгамúрование; 2) смешéние; 3) слия́ние, объединéние (*учреждений, организаций и т. п.*).

**amanuenses** [əˌmænju'ensiːz] *pl* *от* amanuensis.

**amanuensis** [əˌmænju'ensɪs] *лат.* *n* (*pl* -ses) лúчный секретáрь, пúшущий под диктóвку.

**amaranth** ['æmərænθ] *n* 1) *бот.* щирúца, амарáнт; 2) пурпýрный цвет.

**amaranthine** [ˌæmə'rænθaɪn] *a* 1) неувядáющий; 2) пурпýрный.

**amass** [ə'mæs] *v* собирáть; накопля́ть, копúть.

**amassment** [ə'mæsmənt] *n* 1) собирáние; 2) кýча, грýда.

**amateur** ['æmətə] *n* 1) любúтель, дилетáнт; 2) *attr.* любúтельский; ~ theatricals любúтельский спектáкль; ~ art худóжественная самодéятельность.

**amateurish** [ˌæmə'tɜːrɪʃ] *a* 1) непрофессионáльный, дилетáнтский; 2) неумéлый; an ~ attempt нелóвкая попы́тка.

**amative** ['æmətɪv] *a* 1) влюбчивый; 2) любóвный.

**amatol** ['æmətɔl] *n* аматóл (*взрывчатое вещество*).

**amatory** ['æmətərɪ] *a* 1) любóвный; 2) любя́щий.

**amaze** [ə'meɪz] 1. *v* изумля́ть, поражáть; 2. *n* *поэт.* *см.* amazement.

**amazement** [ə'meɪzmənt] *n* изумлéние; удивлéние.

**amazing** [ə'meɪzɪŋ] 1. *pres. p.* *от* amaze 1;

2. *a* удивúтельный, изумúтельный, поразúтельный.

**Amazon** ['æməzən] *n* амазóнка.

**ambages** [æm'beɪdʒiːz] *n* *pl* 1) обиняки́, околúчности; 2) оття́жки, проволóчки.

**ambassador** [æm'bæsədə] *n* 1) посóл; ~ extraordinary and plenipotentiary чрезвычáйный и полномóчный посóл; ~ at large посóл, полномóчия котóрого не ограничены территóрией определённого госудáрства; 2) послáнец, вéстник; представúтель; to act as smb.'s ~ представля́ть когó-л.; he acted as director's ~ at the negotiations на переговóрах он представля́л дирéктора.

**ambassadorial** [æmˌbæsə'dɔːrɪəl] *a* посóльский.

**ambassadress** [æm'bæsədrɪs] *n* 1) женá послá; 2) жéнщина-посóл; 3) послáнница, вéстница; представúтельница.

**amber** ['æmbə] *n* 1) янтáрь; окаменéлая смолá; 2) *attr.* янтáрный; жёлтый (*о сигнале уличного движения*)

**ambergris** ['æmbəɡriːs] *n* сéрая áмбра.

**ambidexter** ['æmbɪ'dekstə] 1. *n* 1) человéк, владéющий одинáково свобóдно обéими рукáми; 2) двулúчный человéк; двурýшник;

2. *a* 1) владéющий одинáково свобóдно обéими рукáми; 2) двулúчный; двурýшнический.

**ambidexterity** ['æmbɪdeks'terɪtɪ] *n* 1) одинáковое владéние обéими рукáми; 2) двулúчность; двурýшничество.

**ambidext(e)rous** ['æmbɪ'dekstrəs] = ambidexter 2.

**ambient** ['æmbɪənt] *a* окружáющий, обтекáющий.

**ambiguity** [ˌæmbɪ'ɡjuːtɪ] *n* 1) двусмы́сленность; 2) неопределённость, нея́сность.

**ambiguous** [æm'bɪɡjuəs] *a* 1) двусмы́сленный; 2) сомнúтельный; неопределённый, нея́сный.

**ambit** ['æmbɪt] *n* 1) окружéние, окрéстность; 2) грани́цы; *перен.* сфéра; within the ~ of в предéлах; 3) *архит.* откры́тое прострáнство вокрýг здáния.

**ambition** [æm'bɪʃən] *n* 1) честолю́бие, амбúция; 2) стремлéние, цель, предмéт желáний; it is his ~ to become a writer егó мечтá стать писáтелем.

**ambitious** [æm'bi∫əs] *a* 1) честолюби́вый; 2) стремя́щийся, жа́ждущий (of); ~ of power властолюби́вый; 3) претенцио́зный.

**amble** ['æmbl] 1. *n* 1) и́ноходь; 2) лёгкая похо́дка;

2. *v* 1) идти́ и́ноходью; 2) е́хать на иноходце; 3) идти́ ме́лкими шага́ми *или* лёгкой похо́дкой.

**ambler** ['æmblə] *n* иноходец.

**ambrosia** [æm'brouzjə] *n* 1) *миф.*, *перен* амбро́зия, пи́ща бого́в; 2) перга́.

**ambulance** ['æmbjuləns] *n* 1) полево́й го́спиталь; санита́рный отря́д; 2) кры́тая санита́рная пово́зка; 3) автомоби́ль, каре́та ско́рой по́мощи; 4) *attr.* санита́рный; ~ airplane санита́рный самолёт; ~ airdrome *амер.* эвакуацио́нный аэродро́м; ~ car автомоби́ль ско́рой по́мощи; ~ train санита́рный по́езд; ~ transport *мор.* тра́нспортное су́дно, перевозя́щее ра́неных и больны́х.

**ambulance-chaser** ['æmbjuləns,t∫eɪsə] *n амер. разг.* юри́ст, веду́щий дела́ лиц, пострада́вших от у́личного *или* железнодоро́жного тра́нспорта.

**ambulant** ['æmbjulənt] *a мед.* 1) перемежа́ющийся (*о боли*); 2) переходя́щий с одного́ ме́ста на друго́е (*о болезни*); ~ erysipelas блужда́ющая ро́жа; 3) не тре́бующий посте́льного режи́ма (*о болезни*); 4) предполага́ющий уси́лие самого́ больно́го (*о лечении*).

**ambulatory** ['æmbjulətərɪ] 1. *a* 1) амбулато́рный (*о больном*); 2) передвижно́й; вре́менный; 3) стра́нствующий;

2. *n* 1) галере́я для прогу́лок; кры́тая вну́тренняя галере́я монастыря́; 2) стра́нствующий челове́к; 3) амбулато́рный больно́й.

**ambuscade** [,æmbəs'keɪd] 1. *n* заса́да; 2. *v* 1) находи́ться, сиде́ть в заса́де; 2) устра́ивать заса́ду.

**ambush** ['æmbu∫] 1. *n* заса́да; to make (*или* to lay) an ~ устра́ивать заса́ду; to lie in ~ сиде́ть в заса́де; 2. *v* 1) = ambuscade 2; 2) напада́ть из заса́ды.

**ameer** [ə'mɪə] *араб. n* эми́р.

**ameliorate** [ə'miːljəreɪt] *v* улучша́ть(ся).

**amelioration** [ə,miːljə'reɪ∫ən] *n* 1) улучше́ние; 2) мелиора́ция.

**ameliorative** [ə'miːljərətɪv] *a* 1) мелиорати́вный; 2) улучша́ющий(ся).

**amen** ['ɑː'men] *int* ами́нь; да бу́дет так!; ◇ to say ~ to smth. соглаша́ться с чем-л.; одобря́ть что-л.

**amenability** [ə,miːnə'bɪlɪtɪ] *n* 1) отве́тственность; подсу́дность; 2) подве́рженность (*заболеваниям*); 3) податливость.

**amenable** [ə'miːnəbl] *a* 1) отве́тственный; подсу́дный; ~ to law отве́тственный пе́ред зако́ном; 2) послу́шный, сгово́рчивый; пода́тливый; ~ to discipline подчиня́ющийся дисципли́не; 3) поддаю́щийся; ~ to flattery па́дкий на лесть; 4) подве́рженный (*заболеваниям*).

**amenably** [ə'miːnəblɪ] *adv* согла́сно, в соотве́тствии; ~ to the rules согла́сно пра́вилам.

**amend** [ə'mend] *v* 1) улучша́ть(ся); исправля́ть(ся); 2) вноси́ть попра́вки (*в законопроект, предложение и т. п.*).

**amendable** [ə'mendəbl] *a* исправи́мый.

**amendment** [ə'mendmənt] *n* 1) исправле́ние (*недостатков*); освобожде́ние (*от пороков и т. п.*); 2) попра́вка (*к резолюции, законопроекту*); 3) *уст.* улучше́ние (*в ходе болезни*).

**amends** [ə'mendz] *n pl* компенса́ция, возмеще́ние; to make ~ for smth. компенси́ровать что-л., возмеща́ть убы́тки.

**amenity** [ə'miːnɪtɪ] *n* 1) прия́тность; мя́гкость; любе́зность; ве́жливое обхожде́ние; 2) *pl* удо́бства; 3) *pl* удово́льствия; amenities of home life пре́лести семе́йной жи́зни.

**amenta** [ə'mentə] *pl от* amentum.

**amentia** [eɪ'men∫ɪə] *n* слабоу́мие.

**amentum** [ə'mentəm] *лат. n* (*pl* -ta)= catkin.

**amerce** [ə'məːs] *v* 1) штрафова́ть; 2) нака́зывать (with—*чем-л.*).

**amercement** [ə'məːsmənt] *n* 1) наложе́ние штра́фа (*особ. по усмотрению штрафующего*); 2) де́нежный штраф; 3) наказа́ние.

**American** [ə'merɪkən] 1. *a* америка́нский;

2. *n* америка́нец; америка́нка.

**Americanism** [ə'merɪkənɪzəm] *n* американи́зм.

**Americanize** [ə'merɪkənaɪz] *v* 1) американизи́ровать; 2) употребля́ть американи́змы.

**American tiger** [ə'merɪkən'taɪgə] *n* ягуа́р.

**americium** [,æmə'rɪsɪəm] *n хим.* америций, радиоакти́вный ура́новый элеме́нт.

**amethyst** ['æmɪθɪst] *n* амети́ст.

**amethystine** [,æmɪ'θɪstaɪn] *a* амети́стовый.

**amiability** [,eɪmjə'bɪlɪtɪ] *n* 1) дружелю́бие; любе́зность; 2) привлека́тельность; 3) добро́ду́шие.

**amiable** ['eɪmjəbl] *a* 1) дружелю́бный; любе́зный; 2) доброду́шный; 3) привлека́тельный, ми́лый.

**amianthus** [,æmɪ'ænθəs] *n мин.* го́рный лён.

**amicability** [,æmɪkə'bɪlɪtɪ] *n* дружелю́бие.

**amicable** ['æmɪkəbl] *a* 1) дру́жеский, дружелю́бный; 2) полюбо́вный.

**amid** [ə'mɪd] *prep* среди́, посреди́, ме́жду; ~ cries of welcome среди́ приве́тственных во́згласов.

**amides** ['æmaɪdz] *n pl хим.* ами́ды, ами́до-гру́ппа, ами́но-гру́ппа.

**amidin** ['æmɪdɪn] *n хим.* амиди́н.

**amidol** ['æmɪdɔl] *n хим.*, *фото* амидо́л.

**amidships** [ə'mɪd∫ɪps] *adv* 1) *мор.* в середи́не корабля́; 2) *ав.* у ми́деля.

**amidst** [ə'mɪdst] = amid.

**amildar** ['æmɪldɑː] *n англо-инд.* податно́й инспе́ктор.

**amines** ['æmaɪnz] = amides.

**amir** [ə'mɪə] = ameer.

**amiss** [ə'mɪs] 1. *a predic.* 1) плохо́й; непра́вильный, неве́рный; not ~ неду́рно; 2) несвоевре́менный; ◇ there is something

~ with him с ним что́-то нела́дно; what's ~? в чём де́ло?;

**2.** *adv* 1) пло́хо; непра́вильно, неве́рно; нела́дно; to do (*или* to deal) ~ ошиба́ться; поступа́ть ду́рно; to take ~ толкова́ть в дурну́ю сто́рону; обижа́ться; 2) некста́ти; несвоевре́менно; to come ~ прийти́ не во́время, некста́ти; ◇ nothing comes ~ to him он ничего́ не пропу́стит, он со всем спра́вится.

**amity** ['æmɪtɪ] *n* дру́жеские *или* ми́рные отноше́ния.

**ammeter** ['æmɪtə] *n* эл. амперме́тр.

**ammonal** ['æmənəl] *n* аммона́л (*взрывчатое вещество*).

**ammonia** [ə'mounjə] *n* 1) хим. аммиа́к; liquid ~ нашаты́рный спирт; 2) разг. нашаты́рный спирт.

**ammoniac** [ə'mounɪæk] *a* хим. аммиа́чный.

**ammonite** ['æmənaɪt] *n палеонт.* аммони́т.

**ammonium** [ə'mounjəm] *n хим.* 1) аммо́ний; 2) *attr.*: ~ chloride нашаты́рный спирт, хло́ристый аммо́ний.

**ammunition** [,æmju'nɪʃən] **1.** *n* 1) боевы́е припа́сы, боеприпа́сы; снаря́ды, патро́ны; подрывны́е сре́дства; *мор.* боезапа́с; 2) *attr.* артиллери́йский, снаря́дный; ~ belt *амер.* патро́нная ле́нта, патронта́ш; ~ box а) я́щик с патро́нами; б) коро́бка для пулемётной ле́нты; в) ни́ша для огнеприпа́сов (*в окопе и т. п.*); ~ depot артиллери́йский склад, огнескла́д; ~ establishment склад боеприпа́сов; ~ factory снаря́дный заво́д; пороховой заво́д; ~ hoist *мор.* элева́тор, подъёмник для снаря́дов; ◇ ~ boots *воен.* казённые сапоги́; ~ leg *разг.* деревя́нная нога́, проте́з;

**2.** *v* снабжа́ть боевы́ми припа́сами.

**amnesia** [æm'nɪzjə] *n* поте́ря па́мяти.

**amnesty** ['æmnestɪ] **1.** *n* 1) созна́тельное попусти́тельство; 2) амни́стия;

**2.** *v* амнисти́ровать.

**amoeba** [ə'miːbə] *n* (*pl* -ae) *зоол.* амёба.

**amoebae** [ə'miːbiː] *pl от* amoeba.

**amok** [ə'mɔk] = amuck.

**among, amongst** [ə'mʌŋ, ə'mʌŋst] *prep* среди́, ме́жду; из числа́; из среды́; they quarrelled ~ themselves они́ пересори́лись; he is numbered ~ the dead его́ счита́ют уби́тым; one ~ a thousand оди́н из ты́сячи; ~ the ancient Greeks у дре́вних гре́ков.

**amoral** [æ'mɔrəl] *a* амора́льный.

**amorous** ['æmərəs] *a* 1) влю́бчивый; 2) влюблённый (of); 3) любо́вный; аму́рный; she gave him an ~ look она́ посмотре́ла на него́ влюблённо; ~ songs любо́вные пе́сни.

**amorousness** ['æmərəsnɪs] *n* 1) влю́бчивость; 2) влюблённость.

**amorphous** [ə'mɔːfəs] *a* 1) бесфо́рменный, амо́рфный; 2) некристалли́ческий.

**amortization** [ə,mɔːtɪ'zeɪʃən] *n* 1) погаше́ние (до́лга); амортиза́ция; 2) отчужде́ние иму́щества.

**amortize** [ə'mɔːtaɪz] *v* 1) погаша́ть (долг); амортизи́ровать; 2) отчужда́ть иму́щество.

**amount** [ə'maunt] **1.** *n* 1) коли́чество; a large ~ of work мно́го рабо́ты; 2) су́мма, итог; what is the ~ of this? ско́лько э́то составля́ет?; 3) значи́тельность, ва́жность;

**2.** *v* 1) доходи́ть (*до какого-л. количества*), составля́ть (*су́мму*); равня́ться; the bill ~s to £ 40 счёт составля́ет су́мму в 40 фу́нтов сте́рлингов; 2) быть ра́вным, равнозна́чащим; this ~s to a refusal э́то равноси́льно отка́зу; to ~ to very little, not to ~ to much быть незначи́тельным, не име́ть большо́го значе́ния; what, after all, does it ~ to? что, в конце́ концо́в, э́то означа́ет?

**amour** [ə'muə] *n* любо́вь; любо́вная связь, интри́га.

**amourette** [,æmu'ret] *n* любо́вная интри́жка.

**amour-propre** ['æmuə'prɔpr] *фр. n* самолю́бие.

**amperage** [æm'pɛərɪdʒ] *n* эл. си́ла то́ка (в ампе́рах).

**ampere** ['æmpɛə] *n* физ. ампе́р.

**ampere meter** ['æmpɛə,miːtə] *n* амперме́тр.

**ampere turn** ['æmpɛə,tɜːn] *n* ампе́р-вито́к.

**ampersand** ['æmpəsænd] *n* знак & (=and).

**Amphibia** [æm'fɪbɪə] *n pl зоол.* амфи́бии; земново́дные.

**amphibian** [æm'fɪbɪən] **1.** *a* 1) земново́дный; 2): ~ tank танк-амфи́бия;

**2.** *n* 1) *зоол.* амфи́бия; 2) *ав.* самолёт-амфи́бия; 3) *воен.* танк-амфи́бия.

**amphibious** [æm'fɪbɪəs] *a* 1) земново́дный; 2) *воен.* деса́нтный; ~ operation (комби́нированная) деса́нтная опера́ция; ~ tank танк-амфи́бия.

**amphibology** [,æmfɪ'bɔlədʒɪ] *n* двусмы́сленное выраже́ние.

**amphitheatre** ['æmfɪ,θɪətə] *n* амфитеа́тр.

**amphora** ['æmfərə] *греч. n* (*pl* -гае) а́мфора.

**amphorae** ['æmfəriː] *pl от* amphora.

**ample** ['æmpl] *a* 1) доста́точный, оби́льный; 2) просто́рный; обши́рный; 3) простра́нный.

**amplification** [,æmplɪfɪ'keɪʃən] *n* 1) увеличе́ние; расшире́ние; the subject requires ~ вопро́с тре́бует разрабо́тки; 2) преувеличе́ние; 3) распростране́ние (*мы́сли или выраже́ния*); 4) *эл., радио* усиле́ние; 5) *attr.*: ~ factor *радио* коэффицие́нт усиле́ния.

**amplifier** ['æmplɪfaɪə] *n* 1) *эл., радио* усили́тель; 2) ли́нза позади́ объекти́ва микроско́па.

**amplify** ['æmplɪfaɪ] *v* 1) расширя́ть(ся); 2) распространя́ть(ся); 3) преувели́чивать; 4) *радио* усили́вать.

**amplitude** ['æmplɪtjuːd] *n* 1) *физ., астр.* амплиту́да; 2) полнота́; оби́лие; 3) широта́, разма́х (*мы́сли*); 4) широта́, просто́р; 5) да́льность де́йствия, ра́диус де́йствия.

**amplitude modulation** ['æmplɪtjuːd,mɔdju'leɪʃn] *n радио* амплиту́дная модуля́ция.

**amply** ['æmplɪ] *adv* 1) оби́льно; по́лно, доста́точно; 2) простра́нно.

**ampoule, ampule** ['æmpuːl, 'æmpjuːl] *n* а́мпула.

**amputate** ['æmpjuteɪt] *v* отнима́ть, ампути́ровать.

**amputation** [,æmpju'teɪʃən] *n* ампута́ция.

amputee [,æmpju'tiː] *n амер.* человек с ампутированной ногой *или* рукой.

amuck [ə'mʌk] *малайск. adv*: to run ~ а) обезуметь; быть вне себя, неистовствовать; б) в ярости набрасываться на всякого встречного.

amulet ['æmjulɪt] *n* амулет.

amuse [ə'mjuːz] *v* забавлять; развлекать; you ~ me вы меня смешите.

amusement [ə'mjuːzmənt] *n* развлечение, увеселение, забава, веселье.

amusing [ə'mjuːzɪŋ] 1. *pres. p. om* amuse; 2. *a* забавный, смешной; занимательный, занятный.

amyloid ['æmɪlɔɪd] 1. *n* амилоид; 2. *a* крахмалистый, крахмальный.

an I [æn (*полная форма*); ən, n (*редуцированные формы*)] *грам. неопределённый член, артикль см.* a II.

an II [æn] *cj уст.* если.

ana ['ɑːnə] *n* 1) сборник воспоминаний, высказываний, изречений; 2) *pl* анекдоты, рассказы о каком-л. лице.

anabaptist [,ænə'bæptɪst] *n* анабаптист.

anachronism [ə'nækrənɪzəm] *n* анахронизм.

anaconda [,ænə'kɔndə] *n* 1) анаконда (*змея*); 2) любая большая змея, которая душит свою жертву.

anacreontic [,ænækrɪ'ɔntɪk] *a лит.* анакреонтический.

anaemia [ə'niːmjə] *n мед.* анемия, малокровие.

anaemic [ə'niːmɪk] *a мед.* анемичный, малокровный.

anaerobia [ænɛə'roubɪə] *n pl биол.* анаэробы.

anaesthesia [,ænɪs'θiːzjə] *n* анестезия, обезболивание.

anaesthetic [,ænɪs'θetɪk] 1. *a* анестезирующий; обезболивающий; 2. *n* анестезирующее средство, наркотик.

anaesthetize [æ'niːsθɪtaɪz] *v* анестезировать, обезболивать.

anagram ['ænəgræm] *n* анаграмма.

anal ['eɪnəl] *a анат.* заднепроходный.

analects ['ænəlekts] *n pl* литературный сборник.

analgesic [,ænæl'dʒesɪk] 1. *a* болеутоляющий; 2. *n* болеутоляющее средство.

analogical [,ænə'lɔdʒɪkəl] *a* 1) аналогический, основанный на аналогии; 2) фигуральный, метонимический.

analogous [ə'næləgəs] *a* аналогичный; сходный.

analogy [ə'nælədʒɪ] *n* аналогия; сходство; by ~ with, on the ~ of по аналогии с.

analyse ['ænəlaɪz] *v* 1) анализировать; 2) *хим.* разлагать; 3) *грам.* разбирать (*предложение*).

analyses [ə'næləsiːz] *pl om* analysis.

analysis [ə'næləsɪs] *n (pl* -ses) 1) анализ; 2) *хим.* разложение; 3) *грам.* разбор; sentence ~ синтаксический разбор; 4) психоанализ; ◇ in the last ~ в конечном счёте.

analyst ['ænəlɪst] *n* 1) аналитик; 2) лаборант-химик; 3) специалист по психо-

анализу; психиатр, пользующийся методом психоанализа.

analytic(al) [,ænə'lɪtɪk(əl)] *a* аналитический.

anamnesis [,ænæm'niːsɪs] *n* 1) припоминание; 2) *мед.* анамнез.

anamorphosis [,ænə'mxfəsɪs] *n* искажённое изображение предмета.

ananas [ə'nɑːnəs] *n* ананас.

anapaest ['ænəpiːst] *n лит.* анапест.

anarchic(al) [æ'nɑːkɪk(əl)] *a* анархический.

anarchism ['ænəkɪzəm] *n* анархизм.

anarchist ['ænəkɪst] *n* анархист.

anarchy ['ænəkɪ] *n* анархия.

anastomoses [,ænəstə'mousiːz] *pl om* anastomosis.

anastomosis [,ænəstə'mousɪs] *n (pl* -ses) *анат., бот.* анастомоз.

anathema [ə'næθɪmə] *n* 1) анафема, отлучение от церкви; 2) проклятие.

anathematize [ə'næθɪmətaɪz] *v* 1) предавать анафеме; 2) проклинать.

anatomic(al) [,ænə'tɔmɪk(əl)] *a* анатомический.

anatomist [ə'nætəmɪst] *n* 1) анатом; 2) критик, аналитик.

anatomize [ə'nætəmaɪz] *v* 1) анатомировать; 2) анализировать; подвергать критическому разбору.

anatomy [ə'nætəmɪ] *n* 1) анатомия; 2) анатомирование; 3) анализ, критический разбор; 4) *разг.* скелет, «кожа да кости».

anbury ['ænbərɪ] *n вет.* фурункул, чирей, веред; 2) кила (*болезнь капусты*).

ancestor ['ænsɪstə] *n* предок, прародитель.

ancestral [æn'sestrəl] *a* наследственный, родовой.

ancestry ['ænsɪstrɪ] *n* 1) предки; 2) происхождение.

anchor ['æŋkə] 1. *n* 1) якорь; at ~ на якоре; to be (*или* to lie, to ride) at ~ стоять на якоре; to cast (*или* to drop) ~ бросить якорь; to come to (*или* to) ~ бросить якорь, стать на якорь; to let go the ~ отдать якорь; to weigh ~ сниматься с якоря; *перен.* возобновлять прерванную работу; the ~ comes home якорь не держит, судно дрейфует; *перен.* предприятие терпит неудачу; 2) якорь спасения, символ надежды; one's sheet ~ верное прибежище, главная надежда; 3) *тех.* железная связь, анкер; 4) *attr.*: ~ ice донный лёд; ◇ to lay an ~ to windward принимать необходимые меры предосторожности;
2. *v* 1) ставить на якорь; 2) бросить якорь, стать на якорь; 3) скреплять, закреплять; to ~ a tent to the ground закрепить палатку; 4) осесть, остепениться; ◇ to ~ one's hope (in, on) возлагать надежды (на).

anchorage ['æŋkərɪdʒ] *n* 1) якорная стоянка; 2) стоянка на якоре; 3) *мор.* портовый сбор; 4) закрепление, укрепление; 5) опора, якорь спасения; нечто надёжное; 6) *тех.* жёсткое закрепление.

anchoress ['æŋkərɪs] *n* отшельница, затворница.

anchoret, anchorite ['æŋkərət, -raɪt] *n* затворник, отшельник, анахорет.

**anchovy** ['æntʃəvɪ] *n* анчоус, хамса (*рыба*).
**anchylosis** [,æŋkaɪ'lousɪs] *n мед., вет.* анкилоз.
**ancient** I ['eɪnʃənt] **1.** *a* 1) древний; старинный, старый; 2) античный;
   **2.** *n* 1) (the ~s) *pl* а) древние народы; б) античные писатели; 2) старец, старейшина.
**ancient** II ['eɪnʃənt] *n уст.* 1) знамя; 2) знаменосец; 3) прапорщик.
**ancillary** [æn'sɪlərɪ] *a* подчинённый, служебный, вспомогательный.
**ancle** ['æŋkl] = ankle.
**and** [ænd (*полная форма*); ənd, ən, nd, n (*редуцированные формы*)] *cj* 1) *соединительный союз* и; boys ~ girls мальчики и девочки; 2) *в сложных словах*: four ~ twenty двадцать четыре; a hundred ~ twenty сто двадцать; give-and-take policy политика взаимных уступок; 3) *противительный союз* а, но; I shall go ~ you stay here я пойду, а ты оставайся здесь; there are books ~ books есть книги и книги; 4) *вместо частицы* to *между глаголами*: try ~ do it постарайтесь это сделать; come ~ see приходите посмотреть; ◇ miles ~ miles очень долго, бесконечно.
**andante** [æn'dæntɪ] *ит. adv, n муз.* анданте.
**andiron** ['ændaɪən] *n* железная подставка для дров в камине.
**androgyne** [æn'drɔdʒɪn] *n* гермафродит.
**androgynous** [æn'drɔdʒɪnəs] *a* 1) двуполый; 2) соединяющий в себе противоположные свойства.
**Andromache** [æn'drɔməkɪ] *n* Андромаха.
**anecdote** ['ænɪkdout] *n* 1) эпизод; 2) анекдот; 3) *pl* подробности о частной жизни (*обыкн. какого-л. исторического лица*).
**anecdotic** [,ænek'dɔtɪk] *a* анекдотичный.
**anemograph** [ə'neməgrɑːf] *n метеор.* анемограф, самопишущий ветромер.
**anemometer** [,ænɪ'mɔmɪtə] *n метеор.* анемометр.
**anemone** [ə'nemənɪ] *n бот.* анемон, ветреница.
**anemoscope** [ə'neməskoup] *n метеор.* анемоскоп (*прибор для указания направления ветра*).
**anent** [ə'nent] *prep уст. шотл.* касательно, относительно.
**aneroid** ['ænərɔɪd] *n* барометр-анероид.
**aneroidograph** [,ænə'rɔɪdəgrɑːf] *n* самопишущий барометр-анероид.
**anesthesia** [,ænɪs'θiːzjə] = anaesthesia.
**anesthetic** [,ænɪs'θetɪk] = anaesthetic.
**aneurism** ['ænjuərɪzəm] *n мед.* аневризм.
**anew** [ə'njuː] *adv* 1) снова; 2) заново; по-новому.
**anfractuous** [æn'fræktjuəs] *a* 1) извилистый; кривой; спиральный; 2) запутанный, сложный.
**angary** ['æŋgərɪ] *n* право воюющей стороны на захват, использование *или* разрушение (с компенсацией) имущества нейтрального государства.
**angel** ['eɪndʒəl] **1.** *n* 1) ангел; 2) *ист.*

золотая монета; 3) *разг.* театральный меценат; 4) *разг.* поддерживающий предприятие в финансовом отношении; поддерживающий какое-л. политическое мероприятие; ◇ to rush in where ~s fear to tread вмешиваться глупо и самонадеянно в чужие дела;
   **2.** *v разг.* поддерживать (*какое-л. предприятие*).
**angelic** [æn'dʒelɪk] *a* ангельский.
**angelica** [æn'dʒelɪkə] *n бот.* дудник.
**anger** ['æŋgə] **1.** *n* гнев;
   **2.** *v* вызывать гнев; сердить, раздражать.
**Angevin** ['ændʒɪvɪn] *a ист.* анжуйский.
**angina** [æn'dʒaɪnə] *n* ангина; ~ pectoris грудная жаба.
**angle** I ['æŋgl] **1.** *n* 1) угол; ~ of bank *ав.* угол крена; угол виража; ~ of dip угол магнитного наклонения, магнитная широта; ~ of dive *ав.* угол пикирования; ~ of drift *ав.* угол сноса; ~ of roll *ав., мор.* угол крена; ~ of site *топ., воен.* угол места цели; ~ of slope угол откоса, угол наклона; ~ of view угол изображения; ~ of lag угол отставания; угол запаздывания, угол замедления; solid ~ пространственный угол; 2) точка зрения; to look at the question from all ~s рассматривать вопрос со всех точек зрения; to get (*или* to use) a new ~ on smth. *разг.* усвоить новую точку зрения на что-л.; 3) положение, ситуация; сторона (*вопроса, дела и т. п.*); 4) угольник; 5) *attr.* угловой; ~ bar, ~ iron угловое железо; ~ brace угловая связь, раскос; ~ bracket консоль, кронштейн;
   **2.** *v* искажать (*рассказ, события*).
**angle** II ['æŋgl] **1.** *n* рыболовный крючок;
   **2.** *v* удить рыбу; *перен.* закидывать удочку; to ~ for a compliment напрашиваться на комплимент.
**angler** ['æŋglə] *n* 1) рыболов; 2) *зоол.* морской чёрт.
**angleworm** ['æŋgl,wəːm] *n* червяк, насаживаемый на рыболовный крючок как приманка.
**Anglican** ['æŋglɪkən] **1.** *a* 1) англиканский; 2) *амер.* английский;
   **2.** *n* лицо англиканского вероисповедания.
**Anglicism** ['æŋglɪsɪzəm] *n* 1) англицизм; 2) английский обычай; английская привычка *и т. п.*
**anglicist** ['æŋglɪsɪst] *n* англист.
**Anglicize** ['æŋglɪsaɪz] *v* англизировать.
**anglistics** [æŋ'glɪstɪks] *n pl* (*употр. как sing*) англистика.
**anglomania** ['æŋglou'meɪnjə] *n* англомания.
**anglophobia** [,æŋglou'foubjə] *n* англофобия.
**Anglo-Saxon** ['æŋglou'sæksən] **1.** *a* англосаксонский; ~ alphabet азбука из 23 букв (*без j, q, w, существовавшая в Англии до середины XVII в.*);
   **2.** *n* 1) англосакс; 2) англосаксонский, древнеанглийский язык.

**angola** [æŋ'goulə] = angora.

**angora** [æŋ'gɔːrə] n 1) ангóрская кóшка (тж. ~ cat); 2) ангóрская козá (тж. ~ goat); 3) ткань из шéрсти ангóрской козы́.

**angrily** ['æŋgrɪlɪ] adv гнéвно, сердúто.

**angry** ['æŋgrɪ] a 1) сердúтый, раздражённый; разгнéванный; to be ~ with smb. сердúться на когó-л.; to get ~ at smth. рассердúться из-за чегó-л.; to make smb. ~ рассердúть когó-л.; 2) воспалённый (о ране, язве и т. п.).

**Ångström unit** ['ɔŋstrəm,juːnɪt] n радио áнгстрем.

**anguine** ['æŋgwɪn] a змеевúдный.

**anguish** ['æŋgwɪʃ] n мýка, боль; ~ of body and mind физúческие и душéвные страдáния.

**angular** ['æŋgjulə] a 1) угóльный, углóвóй; ~ point вершúна угла́; ~ motion углóвóе движéние; ~ velocity углóвáя скóрость; 2) угловáтый, нелóвкий; 3) худóй, костля́вый; 4) сварлúвый; 5) чóпорный.

**angularity** [,æŋgju'lærɪtɪ] n 1) угловáтость; 2) худобá, костля́вость; 3) сварлúвость; 4) чóпорность.

**anhydride** [æn'haɪdraɪd] n хим. ангидрúд.

**anhydrite** [æn'haɪdraɪt] n мин. ангидрúт.

**anhydrous** [æn'haɪdrəs] a хим. безвóдный.

**anigh** [ə'naɪ] 1. adv вблизú, блúзко; 2. prep вблизú, близ, óколо.

**anil** ['ænɪl] n индúго (кустарник и краска).

**anile** ['eɪnaɪl] a 1) старýшечий; 2) слабоýмный.

**aniline** ['ænɪliːn] n хим. 1) анилúн; 2) attr. анилúновый; ~ dye анилúновый красúтель; синтетúческий красúтель.

**anility** [æ'nɪlɪtɪ] n 1) стáрость, дря́хлость; 2) стáрческое слабоýмие.

**animadversion** [,ænɪmæd'vɔːʃən] n порицáние, крúтика.

**animadvert** [,ænɪmæd'vɔːt] v критиковáть, порицáть (on, upon).

**animal** ['ænɪməl] 1. n живóтное; 2. a живóтный; скóтский; ~ black живóтный ýголь; ~ bones костянáя мукá (удобрение); ~ breeding, ~ husbandry животновóдство; ~ traction кóнная тя́га; вью́чные перевóзки; ◇ ~ spirits жизнерáдостность, бóдрость.

**animalcule** [,ænɪ'mæɪkjuːl] n микроскопúческое живóтное.

**animalism** ['ænɪməlɪzəm] n 1) чýвственность; 2) филос. анималúзм.

**animate** 1. a ['ænɪmɪt] 1) живóй; 2) оживлённый; воодушевлённый; 2. v ['ænɪmeɪt] 1) оживúть, вдохнýть жизнь; 2) оживля́ть; воодушевля́ть; вдохновля́ть.

**animated** ['ænɪmeɪtɪd] 1. p.p. от animate 2; 2. a оживлённый; воодушевлённый; an ~ discussion оживлённая дискýссия; ◇ ~ cartoon(s) мультипликáция.

**animation** [,ænɪ'meɪʃən] n воодушевлéние; жúвость; оживлéние.

**animism** ['ænɪmɪzəm] n филос. анимúзм.

**animosity** [,ænɪ'mɔsɪtɪ] n враждéбность, злóба.

**animus** ['ænɪməs] лат. n 1) предубеждé-

ние; враждéбность; 2) юр. побуждéние, намéрение.

**anise** ['ænɪs] n анúс (растение из сем. зонтичных).

**aniseed** ['ænɪsiːd] n анúс (семена).

**anker** ['æŋkə] n áнкер (мера жидкости).

**ankle** ['æŋkl] n лоды́жка.

**ankle-joint** ['æŋkl'dʒɔɪnt] n анат. Ахиллéсово сухожúлие.

**anklet** ['æŋklɪt] n 1) ножнóй браслéт; 2) pl шаровáры (спортúвного тúпа), стя́нутые у лоды́жек.

**anna** ['ænə] n áнна (индийская монета = 1/16 рупии).

**annalist** ['ænəlɪst] n 1) хроникéр; 2) летопúсец.

**annals** ['ænlz] n pl аннáлы, лéтописи.

**anneal** [ə'niːl] v 1) тех. отжигáть; прокáливать; 2) обжигáть (стекло, керамические изделия); 3) перен. закаля́ть.

**annealing** [ə'niːlɪŋ] 1. pres. p. от anneal; 2. n тех. óтжиг.

**Annelida** [ə'nelɪdə] n pl зоол. кóльчатые чéрви, кольчецы́.

**annex** I [ə'neks] v 1) присоединя́ть; аннексúровать; 2) прилагáть; дéлать приложéние (к книге и т. п.).

**annex** II ['æneks] n 1) прибавлéние, приложéние, дополнéние; 2) пристрóйка, крылó, флúгель.

**annexation** ['ænek'seɪʃən] n присоединéние; аннéксия.

**annexe** ['æneks] = annex II.

**annihilate** [ə'naɪəleɪt] v 1) уничтожáть, истребля́ть; 2) отменя́ть; упраздня́ть.

**annihilation** [ə,naɪə'leɪʃən] n 1) уничтожéние, истреблéние; 2) отмéна; упразднéние.

**anniversary** [,ænɪ'vɔːsərɪ] 1. n годовщúна; юбилéй; 2. a ежегóдный; годовóй.

**Anno Domini** ['ænou'dɔmɪnaɪ] лат. 1. adv христиáнской э́ры, нóвой э́ры; 1940 AD 1940 год нáшей э́ры; 2. n разг. стáрость; ~ is the trouble стáрость — вот бедá.

**annotate** ['ænouteɪt] v 1) аннотúровать; 2) снабжáть примечáниями.

**annotation** [,ænou'teɪʃən] n 1) аннотáция; 2) примечáние.

**announce** [ə'nauns] v 1) объявля́ть; давáть знать; заявля́ть; извещáть; 2) публиковáть; 3) доклáдывать (о посетителях, гостях).

**announcement** [ə'naunsmənt] n объявлéние, сообщéние; извещéние.

**announcer** [ə'naunsə] n 1) объявля́ющий прогрáмму; 2) радио дúктор; 3) вéстник.

**annoy** [ə'nɔɪ] 1. v досаждáть; докучáть, надоедáть, раздражáть; 2. n уст., поэт. досáда, неприя́тность.

**annoyance** [ə'nɔɪəns] n 1) досáда; раздражéние; неприя́тность; 2) надоедáние, приставáние.

**annoyed** [ə'nɔɪd] 1. p.p. от annoy 1; 2. a раздражённый, раздосáдованный.

**annoying** [ə'nɔɪɪŋ] 1. pres.p. от annoy 1; 2. a раздражáющий; досáдный; how ~ какáя досáда.

**annual** ['ænjuəl] 1. *a* ежегодный; годовой; ~ income годовой доход; ~ ring (*или* zone) годичный слой (*в древесине*); 2. *n* 1) ежегодник (*книга*); 2) иллюстрированный рождественский сборник (*подарок к рождеству*); 3) однолетнее растение.

**annually** ['ænjuəlɪ] *adv* ежегодно.

**annuitant** [ə'njuɪtənt] *n* получающий ежегодную ренту.

**annuity** [ə'njuɪtɪ] *n* ежегодная рента; life ~ пожизненная рента.

**annul** [ə'nʌl] *v* аннулировать; отменять; уничтожать.

**annular** ['ænjulə] *a* кольцеобразный, кольцевой.

**annulate** ['ænjuleit] *a* кольчатый.

**annulet** ['ænjulet] *n* 1) колечко; 2) *архит.* поясок колонны.

**annulment** [ə'nʌlmənt] *n* аннулирование; отмена; уничтожение.

**annunciate** [ə'nʌnʃieit] *v* возвещать; объявлять.

**annunciation** [ə,nʌnsɪ'eiʃən] *n* 1) возвещение; объявление; 2) (A.) *рел.* благовещение.

**annunciator** [ə'nʌnʃieitə] *n* электрический сигнальный нумератор.

**anode** ['ænoud] *n эл.* анод.

**anodyne** ['ænoudain] 1. *n* болеутоляющее, успокаивающее средство; 2. *a* болеутоляющий, успокаивающий.

**anoint** [ə'nɔint] *v* 1) намазывать, смазывать (*рану и т. п.*); 2) *рел.* помазывать.

**anointment** [ə'nɔintmənt] *n* 1) смазывание (*раны и т. п.*); 2) *рел.* помазание.

**anomalistic** [ə,nɔmə'listik] *a астр.* аномалистический.

**anomalous** [ə'nɔmələs] *a* неправильный, аномальный, ненормальный.

**anomaly** [ə'nɔməli] *n* аномалия.

**anon** [ə'nɔn] *adv* 1) скоро, вскоре; see you ~! *шутл.* пока!; 2) *уст.* тотчас; сейчас; ever and ~ время от времени; то и дело.

**anonym** ['ænəpɪm] *n* 1) аноним; 2) псевдоним.

**anonymity** [,ænə'nɪmɪtɪ] *n* анонимность.

**anonymous** [ə'nɔnɪməs] *a* анонимный, безымянный.

**anopheles** [ə'nɔfɪliːz] *n* анофелес, малярийный комар (*тж.* ~ mosquito).

**anorganic** [,ænɔ'gænɪk] *a* неорганический.

**anosmia** [æ'nɔsmɪə] *n* потеря обоняния.

**another** [ə'nʌðə] *pron. indef.* 1) ещё один; ~ cup of tea? хотите ещё чашку чаю?; 2) другой; отличный; I don't like this book, give me ~ one мне не нравится эта книга, дайте мне другую; ~ place *парл.* другая палата; 3) новый, ещё один похожий; ~ Shakespeare новый, новоявленный Шекспир; ◇ (taken) one with ~ а) вместе (взятый); б) (взятый) в среднем.

**anourous** [æ'nuːrəs] *a зоол.* бесхвостый.

**anoxaemia, anoxia** [,ænɔk'siːmɪə,ə'n-ɔksɪə] *n* недостаток кислорода в крови; кислородное голодание.

**anserine** ['ænsərain] *a* 1) гусиный; 2) глупый.

**answer** ['ɑːnsə] 1. *n* 1) ответ; to know all the ~s иметь на всё готовый ответ; быстро реагировать; 2) возражение; 3) *мат.* решение (*задачи*); 4) *юр.* защита; 2. *v* 1) отвечать, откликаться; to ~ the door (*или* the bell) открыть дверь (*на звонок, на стук и т. п.*); to ~ the phone подойти к телефону; to ~ a call а) ответить по телефону; б) откликнуться на зов; to ~ the name of... откликаться на *какое-л.* имя; 2) соответствовать; подходить; to ~ the description (purpose) соответствовать описанию (цели); 3) исполнять, удовлетворять; to ~ the helm *мор.* слушаться руля; 4) ручаться (for — за *кого-л.*); 5) возражать (to — на *обвинение*); 6) удаваться; иметь успех; the experiment has not ~ed at all опыт не удался; 7) реагировать (to); 8) служить (*в качестве или взамен чего-л.*); a piece of paper on the table ~ed for a table-cloth вместо скатерти на столе лежал лист бумаги; ☐ ~ back дерзить.

**answerable** ['ɑːnsərəbl] *a* 1): such a question is not ~ на такой вопрос невозможно ответить; 2) ответственный; you are ~ to him for it вы отвечаете перед ним за это; 3) соответственный; to be not ~ to smth. не соответствовать чему-л.; the results were not ~ to our hopes результаты не оправдали наших надежд.

**an't** [ɑːnt] *сокр.* 1) *разг.* = am not, are not; 2) *диал.* = is not; has not.

**ant** [ænt] *n* муравей; white ~ термит.

**antacid** ['ænt'æsid] *мед.* 1. *n* нейтрализующее кислоту средство; 2. *a* нейтрализующий кислоту.

**Antaeus** [æn'tiːəs] *n миф.* Антей.

**antagonism** [æn'tægənɪzəm] *n* 1) антагонизм, вражда; 2) сопротивление (to, against).

**antagonist** [æn'tægənɪst] *n* 1) антагонист; соперник; противник; 2) *attr.* антагонистический.

**antagonistic** [æn,tægə'nɪstɪk] *a* 1) антагонистический; враждебный; 2) противодействующий.

**antagonize** [æn'tægənaiz] *v* 1) противодействовать; 2) вызывать антагонизм, вражду; 3) *амер.* бороться, сопротивляться.

**antarctic** [ænt'ɑːktɪk] *a* антарктический, южнополярный; A. Circle Южный полярный круг.

**ant-bear** ['ænt'bɛə] *n* муравьед.

**ante-** ['æntɪ-] *pref* служит для выражения предшествования во времени или пространстве до-; пред-; antediluvian допотопный; anteprandial предобеденный.

**ant-eater** ['ænt,iːtə] = ant-bear.

**ante-bellum** ['æntɪ'beləm] *a* 1) довоенный; 2) *амер. ист.* до гражданской войны в США.

**antecedence** [,æntɪ'siːdəns] *n* 1) предшествование; 2) первенство; приоритет; 3) *астр.* обратное движение (планеты).

**antecedent** [,æntɪ'siːdənt] 1. *n* 1) предшествующее; 2) *pl* прошлая жизнь, прошлое; his ~s его прошлое; 3) *мат.* первый член пропорции; ~ of ratio предыдущий член отношения;

**2.** *a* 1) предше́ствующий (to), предыду́щий; 2) априо́рный.

**antechamber** [ˈæntɪˌʧeɪmbə] *n* пере́дняя, прихо́жая, вестибю́ль.

**antedate** [ˈæntɪˈdeɪt] **1.** *n* да́та, поста́вленная за́дним число́м (*особ. в письме*);
**2.** *v* 1) дати́ровать бо́лее ра́нним (*или* за́дним) число́м; 2) предвосхища́ть; 3) предше́ствовать.

**antediluvian** [ˈæntɪdɪˈluːvjən] **1.** *a* допото́пный;
**2.** *n* 1) глубо́кий стари́к; 2) старомо́дный челове́к.

**antelope** [ˈæntɪloup] *n* антило́па.

**antemeridian** [ˈæntɪməˈrɪdɪən] *a* дополу́денный, у́тренний.

**ante meridiem** [ˈæntɪməˈrɪdɪem] *adv* до полу́дня.

**antenatal** [ˈæntɪˈneɪtl] *a* относя́щийся к утро́бной жи́зни; до рожде́ния.

**antenna** [ænˈtenə] *n* (*pl* -nae) 1) *зоол.* щу́пальце, у́сик; 2) *радио* анте́нна.

**antennae** [ænˈteniː] *pl от* antenna.

**antenuptial** [ˈæntɪˈnʌpʃəl] *a* добра́чный.

**antepenultimate** [ˈæntɪpɪˈnʌltɪmɪt] *a* тре́тий от конца́ (*о слоге*).

**anteprandial** [ˈæntɪˈprændjəl] *a* предобе́денный.

**anterior** [ænˈtɪərɪə] *a* 1) пере́дний; 2) предше́ствующий.

**anteriority** [ænˌtɪərɪˈɔrɪti] *n* пе́рвенство; старшинство́.

**anteriorly** [ænˈtɪərɪəlɪ] *adv* ра́ньше.

**ante-room** [ˈæntɪrum] *n* пере́дняя, приёмная.

**ant-fly** [ˈæntflaɪ] *n* лету́чий мураве́й.

**ant-heap** [ˈæntˈhiːp] = ant-hill.

**anthem** [ˈænθəm] **1.** *n* 1) гимн; торже́ственная песнь; national ~ госуда́рственный гимн; 2) *церк.* пе́ние, церко́вный хора́л.
**2.** *v* *поэт.* петь ги́мны; воспева́ть.

**anther** [ˈænθə] *n* *бот.* пы́льник.

**ant-hill** [ˈænthɪl] *n* мураве́йник.

**anthologist** [ænˈθɔlədʒɪst] *n* состави́тель антоло́гии.

**anthology** [ænˈθɔlədʒɪ] *n* антоло́гия.

**Anthony's fire** [ˈæntənɪzˈfaɪə] *n* *уст.* анто́нов ого́нь.

**anthracene** [ˈænθrəsiːn] *n* *хим.* антраце́н.

**anthracides** [ˈænθrəsaɪdz] *n* *pl собир.* *горн.* то́пливо (*уголь, торф и антрацит*).

**anthracite** [ˈænθrəsaɪt] *n* антраци́т.

**anthrax** [ˈænθræks] *n* *мед.* 1) карбу́нкул; 2) сиби́рская я́зва.

**anthropoid** [ˈænθrəpɔɪd] **1.** *n* антропо́ид, человекообра́зная обезья́на;
**2.** *a* человекообра́зный.

**anthropologist** [ˌænθrəˈpɔlədʒɪst] *n* антропо́лог.

**anthropology** [ˌænθrəˈpɔlədʒɪ] *n* антрополо́гия.

**anthropometry** [ˌænθrəˈpɔmɪtrɪ] *n* антропоме́трия.

**anthropomorphism** [ˌænθrəpəˈmɔːfɪzəm] *n* антропоморфи́зм.

**anthropophagi** [ˌænθrəˈpɔfəgaɪ] *n* *pl* людое́ды.

**anthropophagy** [ˌænθrəˈpɔfədʒɪ] *n* людое́дство.

**anti-** [ˈæntɪ-] *pref* противо-, анти-.

**anti-aircraft** [ˈæntɪˈsəkrɑːft] **1.** *n* зени́тная артилле́рия и пулемёты;
**2.** *a* противовозду́шный, зени́тный.

**antiaircrafter** [ˈæntɪˈsəkrɑːftə] *n* *амер. воен.* зени́тчик.

**antibiosis** [ˌæntɪbaɪˈousɪs] *n* *биол.* антибио́з.

**antibiotic** [ˈæntɪbaɪˈɔtɪk] **1.** *n* антибио́тик;
**2.** *a* антибиоти́ческий; ~ treatment лече́ние антибио́тиком.

**antibody** [ˈæntɪˌbɔdɪ] *n* *физиол.* антите́ло.

**antic** [ˈæntɪk] **1.** *n* 1) гроте́ск; 2) *pl* ужи́мки, ша́лости; 3) *уст.* шут, фигля́р;
**2.** *a* *уст.* гроте́скный; шутовско́й.

**anticentre** [ˈæntɪˌsentə] *n* *геол.* антипо́д эпице́нтра (землетрясе́ния).

**antichrist** [ˈæntɪkraɪst] *n* анти́христ.

**anticipant** [ænˈtɪsɪpənt] **1.** *n* тот, кто ожида́ет *и пр.* [*см.* anticipate];
**2.** *a* ожида́ющий, предчу́вствующий.

**anticipate** [ænˈtɪsɪpeɪt] *v* 1) ожида́ть, предви́деть, предвкуша́ть, предчу́вствовать; 2) ускоря́ть, приближа́ть (*наступление чего-л.*); to ~ a disaster ускори́ть катастро́фу; 3) предупрежда́ть, предвосхища́ть; to ~ smb.'s wishes предупрежда́ть чьи-л. жела́ния; 4) де́лать (*что-л.*), говори́ть (*о чём-л.*) *и т. п.* ра́ньше вре́мени; забега́ть вперёд; to ~ payment *ком.* уплати́ть ра́ньше сро́ка; 5) испо́льзовать, истра́тить зара́нее; 6) *тех.* упрежда́ть, опережа́ть.

**anticipation** [ænˌtɪsɪˈpeɪʃən] *n* ожида́ние *и пр.* [*см.* anticipate]; by ~ зара́нее; вперёд; in ~ of smth. в ожида́нии чего́-л.; в предви́дении чего́-л.; thanking you in ~ зара́нее благода́рный (*в письме*).

**anticipatory** [ænˈtɪsɪpeɪtərɪ] *a* 1) предвари́тельный; предупрежда́ющий; 2) преждевре́менный; 3) *грам.* вводя́щий, предваря́ющий.

**anticlerical** [ˈæntɪˈklerɪkl] *a* антиклерика́льный.

**anticlimax** [ˈæntɪˈklaɪmæks] *n* 1) паде́ние напряже́ния; реа́кция, упа́док; 2) *прос.* сниже́ние (сти́ля).

**anticlinal** [ˌæntɪˈklaɪnəl] *a* *геол.* антиклина́льный.

**anticline** [ˈæntɪklaɪn] *n* *геол.* антиклина́ль, антиклина́льная скла́дка, седло́, седлови́на.

**anticlockwise** [ˈæntɪˈklɔkwaɪz] *adv* про́тив часово́й стре́лки.

**anticyclone** [ˈæntɪˈsaɪkloun] *n* антицикло́н.

**antidazzle** [ˈæntɪdæzl] *a* *авт.* неослепля́ющий (*о све́те фар*).

**antidotal** [ˌæntɪdoutl] *a* противоя́дный; ~ treatment *мед.* примене́ние противоя́дия.

**antidote** [ˈæntɪdout] *n* противоя́дие.

**anti-fascist** [ˈæntɪˈfæʃɪst] **1.** *n* антифаши́ст;
**2.** *a* антифаши́стский.

**antifebrile** [ˈæntɪˈfiːbraɪl] *a* противолихора́дочный.

**antifreeze** [ˈæntɪˈfriːz] *n* *авт.* антифри́з.

**antifriction** [ˌæntɪˈfrɪkʃən] *a* *тех.* антифрикцио́нный.

**antigen** ['æntɪdʒən] *n физиол.* антигéн.

**anti-icer** ['æntɪ'aɪsə] *n ав.* антиобледенѝтель.

**anti-imperialistic** ['æntɪɪm,pɪərɪə'lɪstɪk] *a* антиимпериалистѝческий.

**antijamming** ['æntɪ'dʒæmɪŋ] *радио* 1. *n* устранéние помéх;
2. *a* помехоустóйчивый.

**antiknock** ['æntɪ'nɔk] *n авт., ав.* антидетонациóнное срéдство.

**antilogous** [æn'tɪləgəs] *a* противоречѝвый.

**antilogy** [æn'tɪlədʒɪ] *n* противорéчие.

**antimacassar** ['æntɪmə'kæsə] *n* салфéточка (*на спинке мякой мебели, на столе*).

**antimech(anized)** ['æntɪ'mek(ənaɪzd)] *a амер.* противотáнковый.

**anti-missile** ['æntɪ'mɪsaɪl] *a* противоракéтный.

**antimony** ['æntɪmənɪ] *n хим.* сурьмá.

**antinomy** [æn'tɪnəmɪ] *n* 1) противорéчие в закóне, законодáтельстве; антинóмия; 2) парадóкс.

**antipathetic** [æn,tɪpə'θetɪk] *a* антипатѝчный, внушáющий отвращéние.

**antipathy** [æn'tɪpəθɪ] *n* антипáтия, отвращéние.

**antipersonnel** [,æntɪ,pɜːsə'nel] *a воен.* противопехóтный; оскóлочный.

**antiphlogistic** ['æntɪflou'dʒɪstɪk] *a* противовоспалѝтельный.

**antipodal** [æn'tɪpədl] *a* 1) относя́щийся к антипóдам, живу́щий *или* располóженный в противополóжном полушáрии; 2) диаметрáльно противополóжный.

**antipodes** [æn'tɪpədiːz] *n pl* 1) антипóды, жѝтели *или* стрáны противополóжных полушáрий; 2) противополóжности, антипóды.

**antipoison** ['æntɪ'pɔɪzn] *n* 1) противоя́дие; 2) *attr.* противоя́дный.

**antipole** ['æntɪ,poul] *n* 1) противополóжный пóлюс; 2) диаметрáльная противополóжность.

**antipyretic** ['æntɪpaɪ'retɪk] 1. *a* жаропонижáющий;
2. *n* жаропонижáющее срéдство.

**antipyrin(e)** [,æntɪ'paɪərɪn] *n фарм.* антипирѝн.

**antiquarian** [,æntɪ'kwɛərɪən] 1. *a* 1) антиквáрный; 2) археологѝческий;
2. *n* 1) собирáтель, любѝтель дрéвностей, антиквáр; 2) археóлог.

**antiquary** ['æntɪkwərɪ] *n* 1) собирáтель дрéвностей, антиквáр; 2) *амер.* торгóвец антиквáрными вещáми; 3) археóлог.

**antiquated** ['æntɪkweɪtɪd] *a* 1) устарéлый; 2) старомóдный.

**antique** [æn'tiːk] 1. *a* 1) дрéвняя *или* старѝнная вещь; антиквáрная вещь; 2) произведéние дрéвнего (*особ.* антѝчного) искýсства; 3) (the ~) дрéвнее (*особ.* антѝчное) искýсство; антѝчный стиль; drawing from the ~ рисовáние с антѝчных модéлей; lover of the ~ любѝтель старины́; 4) *полигр.* антѝква (*шрифт*);
2. *a* 1) дрéвний; старѝнный; 2) антѝчный; 3) старомóдный.

**antiquity** [æn'tɪkwɪtɪ] *n* 1) дрéвность;

старинá; high ~ глубóкая дрéвность; 2) классѝческая дрéвность, антѝчность; the nations of ~ нарóды дрéвности; 3) (*обыкн. pl*) дрéвности.

**antirrhinum** [,æntɪ'raɪnəm] *n бот.* львѝный зев.

**antiscorbutic** ['æntɪskɔː'bjuːtɪk] 1. *a* противоцингóтный;
2. *n* противоцингóтное срéдство.

**anti-Semite** [,æntɪ'semɪt] *n* антисемѝт.

**anti-Semitic** [,æntɪsɪ'mɪtɪk] *a* антисемѝтский.

**anti-Semitism** [,æntɪ'semɪtɪzəm] *n* антисемитѝзм.

**antiseptic** [,æntɪ'septɪk] 1. *a* антисептѝческий, противогнѝлостный;
2. *n* антисептѝческое срéдство.

**antiskid** ['æntɪ'skɪd] *a тех.* нескользя́щий.

**antisocial** ['æntɪ'souʃəl] *a* 1) антиобщéственный; 2) необщѝтельный.

**anti-submarine** ['æntɪ'sʌbməriːn] *a мор.* противолóдочный; ~ bomb (*сокр. а.* s.bomb) глубѝнная бóмба.

**anti-tank** [,æntɪ'tæŋk] *a* противотáнковый.

**antitheses** [æn'tɪθɪsiːz] *pl om* antithesis.

**antithesis** [æn'tɪθɪsɪs] *n* (*pl* -ses) 1) антитéза, противоположéние; 2) контрáст, пóлная противополóжность.

**antithetic** [,æntɪ'θetɪk] *a* антитетѝческий.

**antitoxic** ['æntɪ'tɔksɪk] *a* противоя́дный, антитоксѝческий.

**antitoxin** ['æntɪ'tɔksɪn] *n* противоя́дие, антитоксѝн.

**anti-trade** ['æntɪ'treɪd] *n* антипассáт (*ветер*).

**antitrust** [,æntɪ'trʌst] *a* напрáвленный прóтив трéстов, монопóлий *и т. п.*, антитрéстовский.

**antityphoid** [,æntɪ'taɪfɔɪd] *a* противотифóзный.

**antiviral** [,æntɪ'vaɪrəl] *a* противовѝрусный.

**antiwar** ['æntɪ'wɔː] *a* антивоéнный.

**antler** ['æntlə] *n* олéний рог; отрóсток олéньего рóга.

**antonym** ['æntənɪm] *n* антóним.

**anurous** [ə'njuːrəs] = anourous.

**anus** ['eɪnəs] *n анат.* зáдний прохóд.

**anvil** ['ænvɪl] *n* наковáльня; ◇ оп (*или* upon) the ~ в рабóте; в процéссе рассмотрéния, обсуждéния; ~ chorus *амер.* хор недовóльных, протестýющих, злóбствующих; ~ gang — does not fear the hammer *посл.* харóшая наковáльня не бойтся мóлота.

**anxiety** [æŋ'zaɪətɪ] *n* 1) беспокóйство, тревóга; 2) опасéние, забóта; 3) страстное желáние (for — чего-л.; *тж.* с *inf.*).

**anxious** ['æŋkʃəs] *a* 1) озабóченный, беспокóящийся (for, about — о); to be (*или* to feel) ~ about беспокóиться о; 2) тревóжный, беспокóйный (о деле, времени); 3) сѝльно желáющий (for — чего-л.; *тж.* inf.); to be ~ for success стремѝться к успéху; I am ~ to see him мне óчень хóчется повидáть егó; ◇ to be on the ~ seat (*или* bench) *амер.* сидéть как на игóлках, мýчиться неизвéстностью.

**anxiously** ['æŋkʃəslɪ] *adv* 1) с тревóгой, с волнéнием; 2) óчень, сúльно.

**any** ['enɪ] **1.** *pron. indef.* 1) какóй-нибудь, скóлько-нибудь (*в вопр. предл.*); никакóй (*в отриц. предл.*); can you find ~ excuse? мóжете ли вы найтú какóе-л. извинéние, оправдáние?; have you ~ money? есть ли у вас дéньги?; I did not find any mistakes я не нашёл никакúх ошúбок; 2) всякий, любóй (*в утверд. предл.*); you can get it in ~ shop э́то мóжно достáть в любóм магазúне; in ~ case во всякому слýчае; at ~ time в любóе врéмя; 3) he had little money if ~ éсли у негó и бы́ли дéньги, то óчень немнóго, у негó почтú нé было дéнег; **2.** *adv* 1) нискóлько; скóлько-нибудь (*при сравнит. ст.*); they are not ~ the worse for it онú нискóлько от э́того не пострадáли; 2) вообщé; вóвсе; совсéм; it did not matter ~ э́то не имéло никакóго значéния.

**anybody** ['enɪˌbɒdɪ] **1.** *pron. indef* 1) ктó-нибудь (*в вопр. предл.*); никтó (*в отриц. предл.*); I haven't seen ~ я никогó не вúдел; 2) любóй (*в утверд. предл.*); **2.** *n разг.* вáжное, значúтельное лицó; is he ~? он какóе-нибудь вáжное лицó?

**anyhow** ['enɪhau] *adv* 1) каким бы то ни́ было óбразом; так úли инáче (*в утверд. предл.*); никáк (*в отриц. предл.*); I could not get in ~ я никáк не мог войтú; 2) во всякому слýчае; что бы то нú было; you won't be late ~ во всякому слýчае, вы не опоздáете; 3) кáк-нибудь; кóе-кáк; to do one's work ~ рабóтать кóе-кáк; ◊ to feel ~ чýвствовать себя расстрóенным, больны́м.

**anyone** ['enɪwʌn] *pron. indef.* 1) ктó-нибудь (*в вопр. предл.*); никтó (*в отриц. предл.*); 2) любóй, всякий (*в утверд. предл.*).

**anything** ['enɪθɪŋ] *pron. indef.* 1) чтó-нибудь (*в вопр. предл.*); ничтó (*в отриц. предл.*); have you lost ~? вы чтó-нибудь потеряли?; he hasn't found ~ он ничегó не нашёл; is he ~ like his father? есть у негó чтó-нибудь óбщее с отцóм?, он хоть чéм-нибудь похóж на отцá?; 2) что угóдно, всё (*в утверд. предл.*); take ~ you like возьмúте всё, что вам нрáвится; ~ but a coward он всё что угóдно, тóлько не трус; б) далекó не; it is ~ but clear э́то далекó не ясно; ◊ like ~ *разг.* а) сúльно, стремúтельно, изо всéх сил; чрезвычáйно; б) ужáсно; he ran like ~ он бежáл изо всéх сил; if ~ пожáлуй, éсли хотúте; if ~ he has little changed пожáлуй, он совсéм не изменúлся.

**anyway** ['enɪweɪ]= anyhow.

**anywhere** ['enɪwɛə] *adv* 1) гдé-нибудь, кудá-нибудь (*в вопр. предл.*); никудá (*в отриц. предл.*); I don't want to go ~ мне никудá не хóчется идтú; 2) где угóдно, вездé, кудá угóдно (*в утверд. предл.*); you can get it in ~ вы мóжете всю́ду э́то достáть; ◊ ~ from... to... *амер.* в пределáх, от... до...; the paper's circulation is ~ from 50 to 100 thousand тирáж газéты колéблется от 50 до 100 ты́сяч.

**anywise** ['enɪwaɪz] *adv* каким-нибудь óбразом; в какóй-либо стéпени.

**aorta** [eɪ'ɔːtə] *n анат.* аóрта.

**aortic** [eɪ'ɔːtɪk] *a анат.* аортáльный; ~ arches дуги аóрты.

**apace** [ə'peɪs] *adv* бы́стро; ◊ ill news comes ~ *посл.* худы́е вéсти не лежáт на мéсте.

**apanage** ['æpənɪdʒ] = appanage.

**apart** [ə'pɑːt] *adv* 1) в сторонé, отдéльно; to set ~ отложúть; to stand ~ стоять в сторонé, особнякóм; joking ~ шýтки в стóрону; без шýток; 2) врозь, пóрознь; в отдéльности; ☐ ~ from не говоря ужé о, крóме, не считая; ◊ to take ~ разбирáть на чáсти; to grow ~ отдаляться друг от дрýга.

**apartheid** [ə'pɑːthaɪd] *n южно-афр.* апартéид, рáсовая изоляция.

**apartment** [ə'pɑːtmənt] *n* 1) кóмната; *pl* квартúра; 2) *амер.* квартúра; walk-up ~ квартúра в дóме без лúфта; 3) *attr.*: ~ house *амер.* многоквартúрный дом.

**apartness** [ə'pɑːtnɪs] *n* обосóбленность.

**apathetic(al)** [ˌæpə'θetɪk(əl)] *a* равнодýшный, безразлúчный, апатúчный.

**apathy** ['æpəθɪ] *n* апáтия, безразлúчие.

**apatite** ['æpətaɪt] *n мин.* апатúт.

**ape** [eɪp] **1.** *n* 1) (человекообрáзная) обезьяна; 2) обезьяна, подражáтель; to act (*или* to play) the ~ а) обезьянничать, передрáзнивать; б) глýпо вестú себя; валять дуракá, кривляться; **2.** *v* подражáть, обезьянничать.

**apeak** [ə'piːk] *adv* 1) *мор.* вертикáльно, отвéсно, (о)панéр; 2) *тех.* торчкóм, «на попá».

**aperient** [ə'pɪərɪənt] *мед.* **1.** *n* слабúтельное; **2.** *a* слабúтельный, послабляющий.

**aperture** ['æpətjuə] *n* 1) отвéрстие; сквáжина; щель; 2) *стр.* проём; пролёт; ~ of a door двернóй проём; 3) *опт.* апертýра.

**apery** ['eɪpərɪ] *n* 1) обезьянничанье, подражáние; 2) обезьяний питóмник.

**apex** ['eɪpeks] *n* (*pl* -xes [-ksɪz], apices) 1) верхýшка, вершúна; 2) *стр.* конёк кры́ши; 3) *горн.* приёмная площáдка уклона, брéмсберг; 4) *attr.*: ~ stone ключевóй *или* замыкáющий кáмень.

**aphasia** [æ'feɪzjə] *n мед.* афáзия.

**aphelion** [æ'fiːljən] *n астр.* афéлий.

**aphides** ['eɪfɪdiːz] *pl от* aphis.

**aphis** ['eɪfɪs] *n* (*pl* aphides) тля.

**aphonia** [æ'founjə] *n мед.* пóлная потéря гóлоса.

**aphorism** ['æfərɪzəm] *n* афорúзм, крáткое изречéние.

**aphoristic** [ˌæfə'rɪstɪk] *a* афористúческий.

**aphrodisiac** [ˌæfrou'dɪzɪæk] **1.** *a* 1) сладострáстный; 2) возбуждáющий; обольстúтельный; **2.** *n* срéдство, усúливающее половóе чýвство.

**Aphrodite** [ˌæfro'daɪtɪ] *n миф.* Афродúта.

**aphtha** ['æfθə] *n* (*pl* -ae) 1) молóчница (*детская болезнь*); 2) ящур (*болезнь скота*); 3) *pl* áфты, бéлые крýглые язвочки во ртý.

**aphthae** ['æfθɪ] *pl от* aphtha.

**aphyllous** [ə'fɪləs] *a* *бот.* не имеющий листьев, безлист(вен)ный.

**apian** ['eɪpjən] *a* пчелиный.

**apiarian** [,eɪpɪ'eərɪən] 1. *a* пчеловодческий;
2. *n* = apiarist.

**apiarist** ['eɪpjərɪst] *n* пчеловод.

**apiary** ['eɪpjərɪ] *n* пчельник, пасека.

**apical** ['æpɪkəl] *a* 1) верхушечный, вершинный; 2) *геол.* апикальный, верхушечный, вершинный.

**apices** ['eɪpɪsi:z] *pl от* apex.

**apiculture** ['eɪpɪkʌltʃə] *n* пчеловодство.

**apiece** [ə'pi:s] *adv* 1) за штуку; поштучно; 2) за каждого, с головы; на каждого; they had five roubles ~ у каждого из них было по пяти рублей.

**apis** ['eɪpɪs] *n* пчела.

**apish** ['eɪpɪʃ] *a* 1) обезьяний; 2) обезьянничающий; 3) глупый.

**a-plenty** [ə'plentɪ] *adv* *амер.* в изобилии, в избытке.

**aplomb** ['æplɔ:ŋ] *фр.* *n* апломб.

**apocalypse** [ə'pɔkəlɪps] *n* апокалипсис.

**apocarpous** [,æpə'kɑ:pəs] *a* *бот.* апокарпный, раздельный.

**apocope** [ə'pɔkəpɪ] *греч.* *n* *лингв.* апокопа, отпадение последнего слога *или* звука в слове.

**apocrypha** [ə'pɔkrɪfə] *n* *pl* апокрифические книги.

**apocryphal** [ə'pɔkrɪfəl] *a* 1) апокрифический; 2) недостоверный.

**apogee** [ə'pɔudʒi:] *n* апогей (*тж. астр.*).

**Apollo** [ə'pɔlou] *n* 1) *миф.* Аполлон; 2) красавец.

**apologetic(al)** [ə,pɔlə'dʒetɪk(əl)] *a* 1) извиняющийся; he was very ~ он очень извинялся; 2) примирительный; he spoke in an ~ tone он говорил примирительным тоном; 3) защитительный, апологетический.

**apologetics** [ə,pɔlə'dʒetɪks] *n pl* (*употр. как sing*) апологетика.

**apologist** [ə'pɔlədʒɪst] *n* апологет, защитник.

**apologize** [ə'pɔlədʒaɪz] *v* 1) извиняться (for — в чём-л., to — перед кем-л.); приносить официальные извинения; 2) *уст.* оправдываться.

**apologue** ['æpəlɔg] *n* нравоучительная басня.

**apology** [ə'pɔlədʒɪ] *n* 1) извинение; to make (*или* to offer) an (*или* one's) ~ принести извинение, извиниться; 2) защита; оправдание; 3) *разг.* нечто второразрядное, второсортное; an ~ for a painting картина, с позволения сказать; a mere ~ for a dinner отвратительный обед; какой же это обед?

**apophthegm** ['æpɔuθem] *n* краткое изречение.

**apoplectic** [,æpə'plektɪk] *a* апоплексический.

**apoplexy** ['æpəpleksɪ] *n* удар, паралич.

**apostasy** [ə'pɔstəsɪ] *n* отступничество (*от своих принципов и т. п.*); измена (*делу, партии*).

**apostate** [ə'pɔstɪt] 1. *n* отступник; изменник;

2. *a* отступнический.

**apostatize** [ə'pɔstətaɪz] *v* отступаться (*от своих принципов и т. п.*).

**a posteriori** ['eɪpɔs,terɪ'ɔːгаɪ] *лат.* 1. *a* апостериорный;
2. *adv* апостериори.

**apostle** [ə'pɔsl] *n* 1) апостол; 2) поборник.

**apostolic(al)** [,æpəs'tɔlɪk(əl)] *a* 1) апостольский; 2) папский.

**apostrophe** I [ə'pɔstrəfɪ] *n* *ритор.* апострофа, обращение (*в речи, поэме и т. п.*).

**apostrophe** II [ə'pɔstrəfɪ] *n* апостроф (знак ').

**apostrophize** I [ə'pɔstrəfaɪz] *v* *ритор.* обращаться (*к кому-л. или чему-л. в речи, поэме и т. п.*).

**apostrophize** II [ə'pɔstrəfaɪz] *v* ставить знак апострофа.

**apothecary** [ə'pɔθɪkərɪ] *n* 1) *уст., амер.* аптекарь; 2) *уст.* лекарь.

**apothegm** ['æpəuθem] = apophthegm.

**apotheoses** [ə,pɔθɪ'ousi:z] *pl от* apotheosis.

**apotheosis** [ə,pɔθɪ'ousɪs] *n* (*pl* -oses) 1) прославление; апофеоз; 2) обожествление; *церк.* канонизация.

**appal** [ə'pɔːl] *v* пугать; устрашать.

**appalling** [ə'pɔːlɪŋ] 1. *pres. p. от* appal;
2. *a* ужасный; отталкивающий; плачевный.

**appallingly** [ə'pɔːlɪŋlɪ] *adv* ужасно; плачевно.

**appanage** ['æpənɪdʒ] *n* 1) цивильный лист; 2) удел; апанаж; 3) атрибут, свойство.

**apparatus** [,æpə'reɪtəs] *n* (*pl* -uses [-əsɪz], *тж. без измен.*) 1) прибор, инструмент; аппарат, аппаратура; машина; 2) гимнастический снаряд; 3) *собир.* органы; the degestive ~ органы пищеварения.

**apparatus house** [,æpə'reɪtəs,haus] *n* 1) аппаратная; 2) аппаратный цех.

**apparel** [ə'pærəl] 1. *n* 1) *уст.* платье, одежда; 2) *церк.* украшение на облачении; 3) *уст.* снаряжение;
2. *v* 1) одевать; украшать; 2) *уст.* снаряжать.

**apparent** [ə'pærənt] *a* 1) видимый; ~ to the naked eye видимый невооружённым глазом; to become ~ обнаруживаться, выявляться; 2) явный; очевидный, несомненный; ~ noon *астр.* истинный полдень; ~ time *астр.* истинное время; 3) кажущийся; 4) *юр.* бесспорный.

**apparently** [ə'pærəntlɪ] *adv* 1) явно, очевидно; 2) по-видимому.

**apparition** [,æpə'rɪʃən] *n* 1) появление (*особ.* неожиданное); 2) видение; призрак, привидение; 3) *астр.* видимость.

**apparitor** [ə'pærɪtə] *n* 1) чиновник в гражданском *или* церковном суде; ≈ судебный пристав; 2) университетский педель.

**appeal** [ə'pi:l] 1. *n* 1) призыв, обращение (to — к); 2) воззвание; World Peace Council's A. Обращение Всемирного Совета Мира; 3) просьба, мольба (for — о); ~ for pardon просьба о помиловании; 4) привлекательность; to make an ~ to smb. привлекать кого-л. к себе, действовать притягáтельно на когó-л.; to have ~ быть привлекáтельным, нрáвиться; 5) влечéние; 6) *юр.* апелля́ция; прáво апелля́ции; Court of A. апелляциóнный суд;

2. *v* 1) апелли́ровать, обращáться, прибегáть, взывáть (to — к); to ~ to the fact ссылáться на факт; to ~ to reason апелли́ровать к здрáвому смы́слу; to ~ to arms прибегáть к орýжию; 2) привлекáть, притя́гивать; нрáвиться; these pictures do not ~ to me э́ти карти́ны не трóгают меня́; 3) *юр.* пюдавáть апелляциóнную жáлобу; ◇ to ~ to the country распусти́ть парлáмент и назнáчить нóвые вы́боры; to ~ from Philip drunk to Philip sober ≅ проси́ть об откáзе от необдýманного решéния.

**appealable** [ə'piːləbl] *a* могýщий быть обжáлованным, подлежáщий обжáлованию.

**appealing** [ə'piːliŋ] 1. *pres. p. om* appeal 2; 2. *a* 1) трóгательный; 2) привлекáтельный.

**appear** [ə'piə] *v* 1) покáзываться; появля́ться; 3) проявля́ться; выступáть на сцéне; to ~ in the character of Othello игрáть роль Отéлло; 4) выступáть (официáльно, публи́чно); to ~ for the defendant выступáть в судé в кáчестве защи́тника обвиня́емого; 5) предстáть (*перед судóм*); 6) выходи́ть, издавáться; появля́ться (*в печáти*); 7) казáться; strange as it may ~ как бы стрáнно ни показáлось; you ~ to forget вы, по-ви́димому, забывáете; 8) я́вствовать; it ~s from this из э́того я́вствует.

**appearance** [ə'piərəns] *n* 1) появлéние; to put in an ~ появи́ться ненадóлго (*на собрáнии, вéчере и т. п.*); to make an (*или* one's) ~ покáзываться, появля́ться; 2) (внéшний) вид, нарýжность; 3) ви́димость; to all ~(s) судя́ по всемý; по-ви́димому; 4) выступлéние; her first ~ was a success её дебю́т прошёл с успéхом; 5) вы́ход из печáти; 6) явлéние (*обыкн. загáдочное*); фенóмен; 7) при́зрак; ◇ to keep up (*или* to save) ~s соблюдáть прили́чия.

**appeasable** [ə'piːzəbl] *a* поклáдистый, совóрчивый.

**appease** [ə'piːz] *v* 1) успокáивать; умиротворя́ть; 2) ублажáть, потакáть; 3) облегчáть (*боль, гóре*); 4) утоля́ть.

**appeasement** [ə'piːzmənt] *n* умиротворéние *и пр.* [*см.* appease].

**appellant** [ə'pelənt] 1. *n* апелля́нт; 2. *a* 1) апелли́рующий, жáлующийся; 2) *юр.* апелляциóнный.

**appellate** [ə'pelit] *a* апелляциóнный; ~ court *амер.* апелляциóнный суд.

**appellation** [ˌæpe'leiʃən] *n* и́мя, назвáние.

**appellative** [ə'pelətiv] 1. *n* 1) и́мя, назвáние; 2) *грам.* и́мя (существи́тельное) нарицáтельное;
2. *a грам.* нарицáтельный.

**appellee** [ˌæpe'liː] *n* отвéтчик, обвиня́емый.

**append** [ə'pend] *v* 1) привéшивать; присоединя́ть; 2) прибавля́ть; прилагáть (*что-л. к письмý, кни́ге и т. п.*).

**appendage** [ə'pendidʒ] *n* 1) придáток; привéсок; 2) приложéние.

**appendant** [ə'pendənt] 1. *n* придáток; привéсок;
2. *a* 1) принадлежáщий (*о прáве и т. п.:* to); 2) *рéдк.* прикреплённый; привéшенный (to).

**appendices** [ə'pendisiːz] *pl om* appendix.

**appendicitis** [əˌpendi'saitis] *n мед.* аппендици́т.

**appendix** [ə'pendiks] *n* (*pl* -ices) 1) добавлéние; 2) приложéние (*содержáщее библиогрáфию, статисти́ческие таблицы, примечáния и т. п.*); 3) придáток; 4) *анат.* червеобрáзный отрóсток, аппéндикс; 5) аппéндикс (*аэростáта*).

**apperception** [ˌæpə'sepʃən] *n психол.* апперцéпция.

**appertain** [ˌæpə'tein] *v* принадлежáть; относи́ться (to — к *чемý-л.*).

**appetence, -cy** ['æpitəns, -si] *n* 1) желáние (of, for, after); 2) влечéние (*особ. половóе*; for).

**appetite** ['æpitait] *a* 1) аппети́т; 2) инстинкти́вная потрéбность (*в пи́ще, питьé и т. п.*); sexual ~ половóе влечéние; 3) охóта, склóнность; an ~ for reading склóнность к чтéнию; ◇ ~ comes with eating *посл.* аппети́т прихóдит во врéмя еды́.

**appetizer** ['æpitaizə] *n* 1) что-л., возбуждáющее аппети́т, придаю́щее вкус; 2) *амер.* закýска.

**appetizing** ['æpitaiziŋ] *a* аппети́тный, вызывáющий аппети́т; вкýсный; привлекáтельный.

**applaud** [ə'plɔːd] *v* 1) аплоди́ровать; 2) одобря́ть; he ~ed my decision он одóбрил моё решéние.

**applause** [ə'plɔːz] *n* 1) аплодисмéнты; рукоплескáния; there was loud ~ for the actor актёру грóмко аплоди́ровали; 2) одобрéние.

**apple** ['æpl] *n* 1) я́блоко; 2) я́блоня; ◇ ~ of discord я́блоко раздóра; ~ of the eye а) зрачóк; б) зени́ца óка; Adam's ~ адáмово я́блоко, кады́к; the rotten ~ injures its neighbours *посл.* ≅ парши́вая овцá всё стáдо пóртит.

**apple-cart** ['æplkɑːt] *n* телéжка с я́блоками; ◇ to upset smb.'s ~ расстрáивать чьи-л. плáны.

**apple dumpling** ['æplˌdʌmpliŋ] *n* я́блоко, запечённое в тéсте.

**apple-grub** ['æplgrʌb] *n* 1) червь; 2) червотóчина.

**apple-jack** ['æplˌdʒek] *n амер.* я́блочная вóдка.

**apple-pie** ['æpl'pai] *n* я́блочный пирóг; ◇ ~ order образцóвый, пóлный поря́док; ~ bed кровáть, застéленная таки́м óбразом, что невозмóжно вы́тянуть нóги (*продéлка, распространённая в англи́йских шкóльных интернáтах*).

**apple-quince** ['æplkwins] = quince.

**apple sauce** ['æpl'sɔːs] *n разг.* 1) лесть; 2) чепухá, ерундá.

**apple-tree** ['æpltriː] *n* я́блоня.

**appliance** [ə'plaiəns] *n* 1) приспособлéние, прибóр; 2) электроприбóр; domestic electric ~s бытовы́е электроприбо́ры; 3) *редк.* примене́ние; 4) *attr.:* ~ load *эл.* бытова́я нагру́зка.

**applicable** [ˈæplɪkəbl] *a* примени́мый, приго́дный, подходя́щий (to).

**applicant** [ˈæplɪkənt] *n* 1) проси́тель; 2) претенде́нт, кандида́т.

**application** [ˌæplɪˈkeɪʃən] *n* 1) заявле́ние; проше́ние; to put in an ~ пода́ть заявле́ние; 2) примене́ние; примени́мость; 3) прикла́дывание (*горчи́чника, пла́стыря и т. п.*); 4) употребле́ние (*лека́рства*); 5) прилежа́ние, рве́ние (*тж.* ~ to work).

**application blank** [ˌæplɪˈkeɪʃənˈblæŋk] *n* анке́та поступа́ющего на рабо́ту.

**application form** [ˌæplɪˈkeɪʃənˈfɔːm] *n* = application blank.

**applied** [əˈplaɪd] 1. *р. р. от* apply; 2. *a* прикладно́й.

**appliqué** [æˈpliːkeɪ] *фр. n* аппликация.

**apply** [əˈplaɪ] *v* 1) обраща́ться (for — за *рабо́той, по́мощью, спра́вкой, разреше́нием и т. п.*; to — к *кому́-л.*); 2) прилага́ть; 3) применя́ть; употребля́ть; to ~ brakes тормози́ть; 4) прикла́дывать; 5) *refl.* занима́ться (*чем-л.*), направля́ть своё внима́ние (*на что-л.*); 6) каса́ться, относи́ться; быть прие́млемым; this rule applies to all э́то пра́вило отно́сится ко всем; ◇ to ~ the undertakings выполня́ть обяза́тельства.

**appoint** [əˈpɔɪnt] *v* 1) назнача́ть, определя́ть; to ~ to a professorship назна́чить профе́ссором; he was ~ed manager его́ назна́чили управля́ющим; 2) предпи́сывать; 3) устра́ивать, приводи́ть в поря́док; 4) снаряжа́ть; обору́довать.

**appointed** [əˈpɔɪntɪd] 1. *р.р. от* appoint; 2. *a* 1) назна́ченный, определённый; to come at the ~ time прийти́ в назна́ченное вре́мя; 2) обору́дованный; well (badly) ~ хорошо́ (пло́хо) обору́дованный.

**appointee** [əpɔɪnˈtiː] *n* получи́вший назначе́ние.

**appointive** [əˈpɔɪntɪv] *a амер.* замеща́емый по назначе́нию, а не по вы́борам (*о до́лжности*).

**appointment** [əˈpɔɪntmənt] *n* 1) назначе́ние, определе́ние (*на до́лжность*); 2) ме́сто, до́лжность; to hold an ~ занима́ть до́лжность; 3) свида́ние, усло́вленная встре́ча; we made an ~ for tomorrow мы усло́вились встре́титься за́втра; to keep (to break) an ~ прийти́ (не прийти́) в назна́ченное вре́мя *или* ме́сто; 4) *pl* обору́дование; обстано́вка, ме́бель.

**apportion** [əˈpɔːʃən] *v* распределя́ть, разделя́ть, дели́ть (*соразме́рно, пропорциона́льно*); to ~ one's time распределя́ть своё вре́мя.

**apportionment** [əˈpɔːʃənmənt] *n* пропорциона́льное распределе́ние.

**apposite** [ˈæpəzɪt] *a* подходя́щий, уме́стный; уда́чный; an ~ remark уме́стное замеча́ние.

**apposition** [ˌæpəˈzɪʃən] *n* 1) присоедине́ние, прикла́дывание; ~ of seal приложе́ние печа́ти; 2) *грам.* приложе́ние.

**appraisal** [əˈpreɪzəl] *n* оце́нка.

**appraise** [əˈpreɪz] *v* оце́нивать, расце́нивать.

**appraisement** [əˈpreɪzmənt] *n* оце́нка.

**appraiser** [əˈpreɪzə] *n* оце́нщик; такса́тор.

**appreciable** [əˈpriːʃəbl] *a* 1) заме́тный, ощути́мый; 2) поддаю́щийся оце́нке.

**appreciate** [əˈpriːʃɪeɪt] *v* 1) оце́нивать; 2) (высоко́) цени́ть; I ~ your kindness я ценю́ ва́шу доброту́; 3) понима́ть; I ~ your difficulty я понима́ю, как вам тру́дно; я понима́ю, в чём ва́ша тру́дность; 4) принима́ть во внима́ние; to ~ the necessity учи́тывать, принима́ть во внима́ние необходи́мость; 5) ощуща́ть; различа́ть; to ~ colours различа́ть цвета́; 6) повыша́ть(ся) в це́нности.

**appreciation** [əˌpriːʃɪˈeɪʃən] *n* 1) оце́нка; 2) высо́кая оце́нка; 3) понима́ние; has an ~ of art она́ хорошо́ понима́ет иску́сство; 4) определе́ние, различе́ние; 5) благоприя́тный о́тзыв; положи́тельная реце́нзия; 6) повыше́ние це́нности; ~ of capital повыше́ние сто́имости капита́ла.

**apprehend** [ˌæprɪˈhend] *v* 1) понима́ть, схва́тывать; 2) предчу́вствовать (*что-л. дурно́е*), ожида́ть (*несча́стья*), опаса́ться; to ~ danger боя́ться опа́сности; 3) заде́рживать, аресто́вывать.

**apprehensible** [ˌæprɪˈhensəbl] *a* поня́тный, постижи́мый.

**apprehension** [ˌæprɪˈhenʃən] *n* 1) понима́ние; спосо́бность схва́тывать; quick of ~ бы́стро схва́тывающий; dull of ~ ту́го сообража́ющий; 2) представле́ние, мне́ние; 3) (*ча́сто pl*) опасе́ние; мра́чное предчу́вствие; to be under ~ of one's life опаса́ться за свою́ жизнь; 4) задержа́ние, аре́ст; 5) *уст.* восприя́тие.

**apprehensive** [ˌæprɪˈhensɪv] *a* 1) поня́тливый, сообрази́тельный; 2) воспринима́ющий; 3) по́лный стра́ха, трево́ги, предчу́вствий.

**apprentice** [əˈprentɪs] 1. *n* 1) учени́к, подмасте́рье; to bind smb. ~ отда́ть кого́-л. в уче́ние (ремеслу́); 2) новичо́к; начина́ющий;
2. *v* отдава́ть в уче́ние; to ~ smb. (to a tailor, a shoemaker, *etc.*) отда́ть кого́-л. в уче́ние (к портно́му, сапо́жнику *и т. п.*).

**apprenticeship** [əˈprentɪʃɪp] *n* 1) уче́ние, учени́чество; articles of ~ усло́вия догово́ра ме́жду ученико́м и хозя́ином; 2) срок уче́ния (*в старину́ 7 лет*).

**apprise I** [əˈpraɪz] *v* извеща́ть, информи́ровать; to ~ smb. of smth. информи́ровать кого́-л. о чём-л.

**apprise II** [əˈpraɪz] *v уст.* оце́нивать, расце́нивать.

**apprize I, II** [əˈpraɪz] = aprise I *u* II.

**appro** [ˈæˈprou] *n* (*сокр. от* approbation, approval): on ~ эк. на про́бу (*с пра́вом возвраще́ния това́ра обра́тно*).

**approach** [əˈproutʃ] 1. *n* 1) приближе́ние; some ~ to truth не́что бли́зкое, приближа́ющееся к и́стине; 2) подхо́д, подхо́д; 3) *перен.* подхо́д; 4) *pl* ава́нсы; попы́тки; 5) (*обыкн. pl*) *воен.* апро́ш; по́дступ; 6) *ав.* захо́д на поса́дку, вы́ход на аэродро́м;

instrument ~ вывод самолёта по приборам; 7) *attr.*: ~ road подъездной путь;

2. *v* 1) приближаться, подходить; 2) приближаться, быть почти равным, похожим; 3) делать предложения, начинать переговоры; I ~ed him on the matter я обратился к нему по этому вопросу; he ~ed me for information он обратился ко мне за сведениями.

**approachable** [ə'prout∫əbl] *a* 1) доступный; достижимый; 2) охотно идущий навстречу (*предложениям и т. п.*).

**approbate** ['æproubeıt] *v амер.* 1) одобрять; 2) санкционировать.

**approbation** [,æprə'beı∫ən] *n* 1) одобрение; on ~ *см.* appro; 2) санкция, согласие; by ~ с согласия.

**approbatory** [ə'proubətrı] *a* одобрительный.

**appropriate** 1. *a* [ə'prouprııt] 1) подходящий, соответствующий (to, for); 2) свойственный, присущий (to);

2. *v* [ə'prouprıeıt] 1) присваивать; 2) предназначать; 3) ассигновать.

**appropriation** [ə,prouprı'eı∫ən] *n* 1) присвоение; 2) назначение, ассигнование (*на определённую цель*); ◇ A. Bill финансовый законопроект.

**appropriation-in-aid** [ə,prouprı'eı∫ənın'eıd] *n* дотация, субсидия.

**approval** [ə'pru:vəl] *n* 1) одобрение; благоприятное мнение; he gave his ~ to our plan он одобрил наш план; to meet with ~ получить одобрение; on ~ *см.* appro; 2) утверждение; санкция; 3) рассмотрение; to submit for ~ представить на рассмотрение, для оценки.

**approve** [ə'pru:v] *v* 1) одобрять (of); 2) утверждать (*особ. о постановлении*); санкционировать; 3) *refl.* показывать, проявлять себя; he ~d himself a good pianist он показал себя хорошим пианистом.

**approved** [ə'pru:vd] 1. *p.p. от* approve; 2. *a:* ~ school государственная школа для малолетних правонарушителей.

**approvingly** [ə'pru:vıŋlı] *adv* одобрительно.

**approximate** 1. *a* [ə'prɔksımıt] 1) находящийся близко; близкий (to — к); 2) приблизительный; ~ value *мат.* приближённое значение;

2. *v* [ə'prɔksımeıt] 1) приближать(ся); почти соответствовать; 2) приблизительно равнять.

**approximately** [ə'prɔksımıtlı] *adv* приблизительно, приближённо, почти; highly ~ весьма приблизительно.

**approximation** [ə,prɔksı'meı∫ən] *n* 1) приближение; 2) приблизительная *или* очень близкая сумма, цифра *и т. п.*; приближённое значение.

**approximative** [ə'prɔksımətıv] *a* приблизительный; приближённый.

**appurtenance** [ə'pə:tınəns] *n* 1) принадлежность; 2) придаток;

**appurtenant** [ə'pə:tınənt] 1. *n* 1) принадлежность; 2) придаток;

2. *a* принадлежащий, относящийся.

**apricot** ['eıprıkɔt] *n* 1) абрикос; 2) абрикосовое дерево; 3) абрикосовый цвет.

**April** ['eıprəl] *n* 1) апрель; 2) *attr.* апрельский; ~ weather то дождь, то солнце; *перен.* то смех, то слёзы; ◇ ~ fool человек, одураченный 1 апреля; ~ fish первоапрельская шутка.

**a priori** ['eıpraı'ɔ:raı] *лат.* 1. *a* априорный;

2. *adv* априори.

**apriority** [,eıpraı'ɔrıtı] *n* априорность.

**apron** ['eıprən] *n* 1) передник, фартук; 2) полость (*в экипаже*); 3) *театр.* авансцена; 4) *ав.* настил *или* площадка перед ангаром; 5) *гидр.* порог, водобой; 6) *тех.* козырёк, фартук.

**apron-string** ['eıprənstrıŋ] *n* завязка передника; ◇ to be tied (*или* to be pinned) to one's wife's ~s ⇄ быть под каблуком у жены.

**apropos** ['æprəpou] *фр.* 1. *a* своевременный, подходящий, уместный;

2. *adv* 1) кстати, между прочим; 2) относительно, по поводу; ~ of this по поводу этого.

**apse** [æps] *n архит.* апсида.

**apsides** [æp'saıdi:z] *pl от* apsis.

**apsis** ['æpsıs] *n (pl* apsides) *астр.* апсида.

**apt** [æpt] *a* 1) подходящий; an ~ quotation удачная цитата; 2) склонный, подверженный (*c inf.*); ~ to take fire легковоспламеняющийся; 3) способный (at — к); 4) *predic.* вероятный, возможный; склонный; he is ~ to succeed он, вероятно, будет иметь успех.

**apterous** ['æptərəs] *a зоол.* бескрылый.

**aptitude** ['æptıtju:d] *n* 1) склонность (for); 2) способность.

**aptness** ['æptnıs] *n* 1) уместность; 2) =aptitude.

**apyrous** [eı'paırəs] *a* несгораемый; огнеупорный.

**aquafortis** ['ækwə'fɔ:tıs] *n* концентрированная азотная кислота.

**aquafortist** ['ækwə'fɔ:tıst] *n* офортист.

**aqualung** ['ækwə,lʌŋ] *n* акваланг (*аппарат для питания водолаза, пловца и т. д. кислородом под водой*).

**aquamarine** [,ækwəmə'ri:n] *n* 1) *мин.* аквамарин; 2) зеленовато-голубой цвет;

2. *a* 1) аквамариновый; 2) зеленовато-голубой.

**aquaplane** ['ækwə,pleın] 1. *n* акваплан; 2. *v* кататься на акваплане.

**aqua regia** ['ækwə'ri:dʒə] *n хим.* царская водка.

**aquarelle** [,ækwə'rel] *n* акварель.

**aquarellist** [,ækwə'relıst] *n* акварелист.

**aquarium** [ə'kwɛərıəm] *n* аквариум.

**Aquarius** [ə'kwɛərıəs] *n* Водолей (*созвездие и знак зодиака*).

**aquatic** [ə'kwætık] *a* 1) водяной; 2) водный.

**aquatics** [ə'kwætıks] *n pl* водный спорт.

**aquatint** ['ækwətınt] *n иск.* акватинта.

**aquation** [ə'kweı∫ən] *n хим.* гидратация.

**aqua-vitae** ['ækwə'vaıti:] *n* водка, крепкий спиртной напиток.

**aqueduct** ['ækwıdʌkt] *n* 1) акведук, водопровод; 2) *анат.* канал, труба, проход.

**aqueous** ['eɪkwɪəs] *a* 1) водяно́й; водяни́-
стый; ~ solution во́дный раство́р; ~ chamber *анат.* пере́дняя ка́мера гла́за; 2) *геол.*
оса́дочный.

**aquifer** ['ækwɪfə] *n геол.* водоно́сный слой
*или* горизо́нт.

**aquiferous** [ə'kwɪfərəs] *a геол.* водоно́с-
ный.

**aquiline** ['ækwɪlaɪn] *a* орли́ный.

**Arab** ['ærəb] 1. *n* 1) ара́б; ара́бка;
2) ара́бская ло́шадь; ◇ street ~ беспризо́р-
ник, у́личный мальчи́шка;
2. *a* ара́бский.

**arabesque** [,ærə'besk] 1. *n* арабе́ска;
2. *a* 1) ара́бский, маврита́нский; 2) фан-
тасти́ческий, причу́дливый.

**Arabian** [ə'reɪbjən] 1. *a* ара́бский; ◇ ~
Nights' Entertainments, ~ Nights ска́зки
«Ты́сяча и одно́й но́чи»;
2. *n* ара́б; ара́бка.

**Arabic** ['ærəbɪk] 1. *a* ара́бский; ара-
ви́йский; ~ numerals ара́бские ци́фры;
2. *n* ара́бский язы́к.

**arable** ['ærəbl] 1. *a* па́хотный;
2. *n* па́хота; па́шня.

**arachnid** [ə'ræknɪd] *n* паукообра́зное на-
секо́мое.

**arachnoid** [ə'ræknɔɪd] 1. *n анат.* паути́н-
ная оболо́чка (*мозга*);
2. *a бот.* паутинообра́зный.

**Aramaic** [,ærə'meɪɪk] *n* араме́йский язы́к.

**arbalest** ['ɑːbəlest] *n ист.* арбале́т, само-
стре́л.

**arbalester** ['ɑːbə,lestə] *n ист.* арбале́тчик.

**arbiter** ['ɑːbɪtə] *n* 1) арби́тр, трете́йский
судья́; 2) верши́тель су́деб.

**arbitrage** *n* 1) ['ɑːbɪtrɪdʒ] арбитра́ж, тре-
те́йский суд; 2) [,ɑːbɪ'trɑːʒ] *эк.* арбит-
ра́ж.

**arbitral** ['ɑːbɪtrəl] *a* арбитра́жный, тре-
те́йский.

**arbitrament** [ɑː'bɪtrəmənt] *n* 1) арбитра́ж;
2) реше́ние, при́нятое арби́тром; авторите́т-
ное реше́ние.

**arbitrary** ['ɑːbɪtrərɪ] *a* 1) произво́льный;
2) капри́зный; 3) деспоти́ческий; 4) *мат.*:
~ constant произво́льная постоя́нная; ◇
~ signs and symbols усло́вные зна́ки и обо-
значе́ния.

**arbitrate** ['ɑːbɪtreɪt] *v* 1) выноси́ть тре-
те́йское реше́ние, быть трете́йским судьёй;
2) передава́ть спор трете́йскому суду́.

**arbitration** [,ɑːbɪ'treɪʃən] *n* трете́йский
суд, арбитра́ж.

**arbitrator** ['ɑːbɪtreɪtə] *n* трете́йский судья́,
арби́тр.

**arbor** I ['ɑːbɔː] *n* 1) де́рево; 2) *attr.*:
A. Day *амер.* весе́нний пра́здник древона-
сажде́ния.

**arbor** II ['ɑːbə] *n тех.* вал; ось; шпи́н-
дель; опра́вка.

**arboraceous** [,ɑːbə'reɪʃəs] *a* древови́дный;
древе́сный.

**arboreal** [ɑː'bɔːrɪəl] *a* 1) древе́сный; от-
нося́щийся к де́реву; 2) *зоол.* древе́сный,
живу́щий на дере́вьях.

**arboreous** [ɑː'bɔːrɪəs] *a* 1) леси́стый; 2)
древови́дный; 3) = arboreal 2).

**arborescent** [,ɑːbə'resnt] *a* древови́дный.

**arboreta** [,ɑːbə'riːtə] *pl от* arboretum.

**arboretum** [,ɑːbə'riːtəm] *лат. n* (*pl* -ta)
древе́сный пито́мник.

**arboriculture** ['ɑːbərɪkʌltʃə] *n* лесово́д-
ство; разведе́ние дере́вьев.

**arboriculturist** [,ɑːbərɪ'kʌltʃərɪst] *n* лесово́д.

**arborization** [,ɑːbərɪ'zeɪʃən] *n* 1) *мин.*
древови́дное образова́ние в криста́ллах,
го́рных поро́дах; 2) *анат.* древови́дное раз-
ветвле́ние не́рвных кле́ток *или* кровено́с-
ных сосу́дов.

**arbour** ['ɑːbə] *n* бесе́дка (*из зе́лени*).

**arbutus** [ɑː'bjuːtəs] *n* земляни́чное де́-
рево.

**arc** [ɑːk] 1. *n* 1) *мат.* дуга́.; ~ of fire
*воен.* се́ктор обстре́ла; 2) ра́дуга; 3) элек-
три́ческая дуга́; 4) *attr.:* дугово́й; ~ lamp
дугова́я ла́мпа;
2. *v эл.* образова́ть дугу́.

**arcade** [ɑː'keɪd] *n* 1) пасса́ж с магази́на-
ми; 2) *архит.* арка́да; сво́дчатая галере́я.

**Arcadian** [ɑː'keɪdjən] 1. *a* арка́дский;
идилли́ческий; се́льский;
2. *n* обита́тель счастли́вой Арка́дии.

**arcana** [ɑː'keɪnə] *pl от* arcanum.

**arcanum** [ɑː'keɪnəm] *n* (*pl* -na) 1) та́йна;
2) колдовско́й напи́ток, сна́добье.

**arc-boutant** [,ɑːbuː'tãːŋ] *фр. n* (*pl* arcs-
-boutants) *стр.* подпо́рная а́рка, а́рочный
контрфо́рс.

**arch** I [ɑːtʃ] 1. *n* 1) а́рка; свод; triumphal ~ триумфа́льная а́рка; 2) дуга́; проги́б;
3) ра́дуга; 4) *attr.* а́рочный; сво́дчатый; ~
bridge а́рочный мост; ~ dam а́рочная
плоти́на;
2. *v* 1) перекрыва́ть сво́дом; придава́ть
фо́рму а́рки; 2) изгиба́ть(ся) дуго́й.

**arch** II [ɑːtʃ] *a* 1) гла́вный; закля́тый;
2) хи́трый, лука́вый.

**arch-** [ɑːtʃ-] *pref* архи-: а) гла́вный, ста́р-
ший; archbishop архиепи́скоп; б) отъя́влен-
ный, са́мый большо́й; ~-liar отъя́вленный
лжец; arch-rogue архиплу́т; в) *редк.* пе́рвый,
первонача́льный; ~-founder основа́тель.

**archaeological** [,ɑːkɪə'lɔdʒɪkəl] *a* архео-
логи́ческий.

**archaeologist** [,ɑːkɪ'ɔlədʒɪst] *n* архео́лог.

**archaeology** [,ɑːkɪ'ɔlədʒɪ] *n* археоло́гия.

**archaic** [ɑː'keɪɪk] *a* архаи́ческий, уста-
ре́лый.

**archaism** ['ɑːkeɪɪzəm] *n* архаи́зм, устаре́в-
шее сло́во *или* выраже́ние.

**archaize** ['ɑːkeɪaɪz] *v* 1) подража́ть архаи́-
ческим фо́рмам; 2) употребля́ть арха-
и́змы.

**archangel** ['ɑːk,eɪndʒəl] *n* 1) арха́нгел;
2) *бот.* ду́дник тёмно-пурпу́ровый; white
~ глуха́я крапи́ва.

**archbishop** ['ɑːtʃ'bɪʃəp] *n* архиепи́скоп.

**archbishopric** [ɑːtʃ'bɪʃəprɪk] *n* архиепи́с-
копство.

**archdeacon** ['ɑːtʃ'diːkən] *n* архидиа́кон.

**archdiocese** ['ɑːtʃ'daɪəsɪs] *n* епа́рхия ар-
хиепи́скопа.

**archduchess** ['ɑːtʃ'dʌtʃɪs] *n* эрцгерцоги́ня.

**archduchy** ['ɑːtʃ'dʌtʃɪ] *n* эрцге́рцогство.

**archduke** ['ɑːtʃ'djuːk] *n* эрцге́рцог.

**Archean** [ɑː'kiːən] *a геол.* архе́йский.

**arched** [ɑːtʃt] 1. *p. p. от* arch I, 2;

**2.** *a* 1) изо́гнутый; 2) сво́дчатый; куполови́дный; 3) а́рочный; ~ girder *стр.* а́рочная ба́лка, фе́рма; ~ bridge а́рочный мост.

**arch-enemy** ['ɑːtʃ'enɪmɪ] *n* 1) закля́тый враг; 2) сатана́.

**Archeozoic** [ˌɑːkeɪə'zouɪk] *a геол.* археозо́йский.

**archer** ['ɑːtʃə] *n* 1) стрело́к из лу́ка; 2) (A.) Стреле́ц (*созвездие и знак зодиака*).

**archery** ['ɑːtʃərɪ] *n* стрельба́ из лу́ка.

**archetype** ['ɑːkɪtaɪp] *n* прототи́п.

**arch-fiend** ['ɑːtʃ'fiːnd] *n* сатана́.

**archil** ['ɑːkɪl] *n бот.* лекано́ра, рокце́лля (*лишайники*).

**Archimedean** [ˌɑːkɪ'miːdjən] *a* архиме́дов; ~ screw архиме́дов винт.

**archipelago** [ˌɑːkɪ'peligou] *n* (*pl* -os, -oes [-ouz]) 1) архипела́г; гру́ппа острово́в; 2) (A.) Эге́йское мо́ре.

**architect** ['ɑːkɪtekt] *n* 1) архите́ктор, зо́дчий; civil ~ гражда́нский архите́ктор; naval ~ корабе́льный инжене́р; 2) *перен.* творе́ц, созда́тель; ~ of one's own fortunes кузне́ц своего́ сча́стья.

**architectonic** [ˌɑːkɪtek'tɔnɪk] *a* 1) архитекту́рный, конструкти́вный; 2) относя́щийся к систематиза́ции нау́ки.

**architectonics** [ˌɑːkɪtek'tɔnɪks] *n pl* (*употр. как sing*) архитекто́ника.

**architectural** [ˌɑːkɪ'tektʃərəl] *a* архитекту́рный; ~ engineering строи́тельная те́хника.

**architecture** ['ɑːkɪtektʃə] *n* 1) архитекту́ра; зо́дчество; 2) архитекту́рный стиль; 3) построе́ние; the ~ of a speech построе́ние ре́чи.

**architrave** ['ɑːkɪtreɪv] *n архит.* архитра́в.

**archival** [ɑː'kaɪvəl] *a* архи́вный.

**archives** ['ɑːkaɪvz] *n pl* архи́в.

**archivist** ['ɑːkɪvɪst] *n* архива́риус.

**archly** ['ɑːtʃlɪ] *adv* лука́во.

**archway** ['ɑːtʃweɪ] *n* 1) а́рка; 2) прохо́д под а́ркой; сво́дчатый прохо́д.

**archwise** ['ɑːtʃwaɪz] *adv* в ви́де а́рки, дугообра́зно.

**arcing** ['ɑːsɪŋ] **1.** *pres.p. от* arc 2; **2.** *n эл.* искре́ние; образова́ние *или* горе́ние дуги́.

**arcs-boutants** [ˌɑːbuː'tɑːŋ] *pl от* arc--boutant.

**arctic** ['ɑːktɪk] **1.** *a* аркти́ческий, поля́рный, се́верный; **2.** *n* 1) (the A.) А́рктика; 2) *pl амер.* тёплые бо́ты.

**Arctic Circle** ['ɑːktɪk'sɜːkl] *n* Се́верный поля́рный круг.

**arcticize** ['ɑːktɪsaɪz] *v* приспособля́ть к рабо́те в аркти́ческих усло́виях; ~d vehicle автомаши́на, обору́дованная для рабо́ты в аркти́ческих усло́виях.

**arcuate, arcuated** ['ɑːkjueit, 'ɑːkjueitɪd] *a* аркообра́зный, дугови́дный, со́гнутый.

**ardency** ['ɑːdənsɪ] *n* жар, пы́лкость, рве́ние.

**ardent** ['ɑːdənt] *a* 1) горя́чий, пы́лкий, стра́стный, ре́вностный; ~ love горя́чая любо́вь; ~ desire стра́стное жела́ние; 2) горя́щий, пыла́ющий; ~ heat зной; ◇ ~ spirits спиртны́е напи́тки.

**ardently** ['ɑːdəntlɪ] *adv* горячо́, пы́лко.

**ardour** ['ɑːdə] *n* 1) жар, рве́ние, пыл; to damp smb.'s ~ умеря́ть чей-л. пыл; 2) си́льная жара́.

**arduous** ['ɑːdjuəs] *a* 1) тру́дный; 2) круто́й, недосту́пный; 3) энерги́чный; ре́вностный.

**are** I [ɑː (*полная форма*); ə, ər *перед гласными (редуцированные формы*)] *мн. ч. настоящего времени гл.* to be.

**are** II [ɑː] *фр. n* ар (*мера земельной площади = 100 кв. м*).

**area** ['ɛərɪə] *n* 1) пло́щадь, простра́нство; ~ under посевна́я пло́щадь; ~ of a triangle пло́щадь треуго́льника; ~ of bearing *тех.* опо́рная пове́рхность; 2) райо́н; зо́на; край; о́бласть; residential ~ жило́й райо́н; 3) *радио, телев.* зо́на; mush ~ о́бласть плохо́го радиоприёма; service ~ о́бласть уве́ренного радиоприёма; picture ~ кадр изображе́ния; 4) разма́х, сфе́ра; wide ~ of thought широ́кий кругозо́р; 5) дво́рик ни́же у́ровня у́лицы, че́рез кото́рый прохо́дят в полуподва́л.

**area sketch** ['ɛərɪə'sketʃ] *n топ.* кроки́.

**arena** [ə'riːnə] *n* 1) аре́на; 2) ме́сто де́йствия; по́ле сраже́ния.

**arenaceous** [ˌærə'neɪʃəs] *a* 1) песча́нистый; песча́ный; 2) содержа́щий песо́к; 3) *геол.* рассы́пчатый.

**aren't** [ɑːnt] *сокр. разг.* = are not.

**areometer** [ˌærɪ'ɔmɪtə] *n* арео́метр.

**Areopagus** [ˌærɪ'ɔpəgəs] *греч. n* арео́паг.

**arête** [æ'reit] *фр. n* о́стрый гре́бень горы́ (*термин альпинистов*).

**argent** ['ɑːdʒənt] **1.** *a* серебри́стый; **2.** *n уст., поэт., геральд.* 1) серебро́; 2) серебри́стость, белизна́.

**argentic** [ɑː'dʒentɪk] *a хим.* содержа́щий серебро́; ~ chloride хлори́стое серебро́.

**argentiferous** [ˌɑːdʒən'tɪfərəs] *a* среброно́сный, содержа́щий серебро́ (*о руде*).

**Argentine** ['ɑːdʒəntaɪn] **1.** *a* аргенти́нский; **2.** *n* аргенти́нец; аргенти́нка.

**argentine** ['ɑːdʒəntaɪn] *a* сере́бряный; серебри́стый.

**Argentinean** [ˌɑːdʒən'tɪnjən] *n* аргенти́нец; аргенти́нка.

**argil** ['ɑːdʒɪl] *n* гонча́рная *или* бе́лая гли́на.

**argillaceous** [ˌɑːdʒɪ'leɪʃəs] *a* гли́нистый, содержа́щий гли́ну.

**argilliferous** [ˌɑːdʒɪ'lɪfərəs] *a* содержа́щий гли́ну.

**argon** ['ɑːgɔn] *n хим.* арго́н.

**Argonaut** ['ɑːgənɔːt] *a* 1) *миф.* аргона́вт; 2) (a.) *амер.* золотоиска́тель [*ср.* forty--niner]; 3) (a.) *зоол.* кора́блик (*моллюск*).

**argosy** ['ɑːgəsɪ] *n* 1) *ист.* большо́е торго́вое су́дно; 2) *поэт.* кора́бль.

**argot** ['ɑːgou] *фр. n* арго́, жарго́н.

**argue** ['ɑːgjuː] *v* 1) спо́рить (with, against — с кем-л.; about — о чём-л.); аргументи́ровать; to ~ against выступа́ть про́тив; to ~ smth. away отде́латься, отговори́ться от чего́-л.; to ~ in favour of smth. приводи́ть до́воды в по́льзу чего́-л.; to ~ smb. out with smb. договори́ться с кем-л. о чём-л.; 2) обсужда́ть;

3) убеждать (into); разубеждать (out of); to ~ a man out of an opinion разубедить кого-л.; 4) доказывать; it ~s him (to be) an honest man это доказывает, что он честный человек.

**argufy** [ˈɑːgjuʃaɪ] v разг. спорить ради спора.

**argument** [ˈɑːgjumənt] n 1) довод, аргумент (for — в пользу чего-л.; against — против чего-л.); a strong ~ убедительный довод; a weak ~ слабый довод; 2) аргументация; 3) дискуссия, спор; a matter of ~ спорный вопрос; 4) краткое содержание (книги); 5) мат. аргумент, независимая переменная.

**argumentation** [ˌɑːgjumenˈteɪʃən] n 1) аргументация; 2) спор.

**argumentative** [ˌɑːgjuˈmentətɪv] a 1) любящий спорить; приводящий аргументацию; 2) дискуссионный, спорный; 3) изобилующий аргументацией; 4) логичный; 5) показывающий, свидетельствующий (of — o).

**Argus** [ˈɑːgəs] n 1) миф. Аргус; 2) бдительный, неусыпный страж.

**Argus-eyed** [ˈɑːgəsaɪd] a бдительный; зоркий.

**argute** [ɑːˈgjuːt] a 1) острый, проницательный; 2) пронзительный (o звуке).

**aria** [ˈɑːrɪə] n ария.

**arid** [ˈærɪd] a 1) сухой, засушливый; безводный; бесплодный (o почве); геол. аридный; ~ region засушливый район; аридная или пустынная область; 2) сухой, скучный, неинтересный.

**aridity** [æˈrɪdɪtɪ] n сухость и пр. [см. arid].

**Aries** [ˈɛərɪːz] n Овен (созвездие и знак зодиака).

**aright** [əˈraɪt] adv правильно, верно.

**aril** [ˈærɪl] n зоол. шелуха, кожура.

**arioso** [ˌɑːrɪˈouzou] ит. n, adv муз. ариозо.

**arise** [əˈraɪz] v (arose; arisen) 1) возникать, появляться; 2) проистекать, являться результатом (from — чего-л.); 3) уст., амер. доноситься (o звуках); 4) уст., амер. подниматься, вставать; 5) поэт. восставать; воскресать.

**arisen** [əˈrɪzn] p.p. om arise.

**arista** [əˈrɪstə] лат. n (pl -tae) бот. ость.

**aristae** [əˈrɪstiː] pl om arista.

**aristocracy** [ˌærɪsˈtɔkrəsɪ] n аристократия.

**aristocrat** [ˈærɪstəkræt] n аристократ.

**aristocratic** [ˌærɪstəˈkrætɪk] a аристократический.

**Aristotelian** [ˌærɪstəˈtiːljən] 1. a аристотелевский.
2. n последователь Аристотеля.

**arithmetic** 1. n [əˈrɪθmətɪk] арифметика; счёт;
2. a [ˌærɪθˈmetɪk] = arithmetical.

**arithmetical** [ˌærɪθˈmetɪkəl] a арифметический; ~ mean среднее арифметическое.

**arithmetician** [əˌrɪθməˈtɪʃən] n арифметик.

**arithmometer** [ˌærɪθˈmɔmɪtə] n арифмометр.

**ark** [ɑːk] n 1) ящик, ковчег; 2) простор. ное судно; баржа; 3) воен. сапёрная гусенич-

ная машина; ◇ Noah's ~ Ноев ковчег (тж. как название детской игрушки); to lay hands on (или to touch) the ~ осквернить.

**arm** I [ɑːm] n 1) рука (от кисти до плеча); to fold in one's ~s заключить в объятия; to fold one's ~s сидеть сложа руки; with open ~s с распростёртыми объятиями; a child in ~s младенец; 2) передняя лапа (животного); 3) рукав; ~ of river рукав реки; 4) ручка, подлокотник (кресла); 5) (большая) ветвь; 6) сила, власть; the ~ of the law сила закона; 7) тех. плечо (рычага); ручка, рукоятка; спица (колеса); стрела (крана); ~s of a balance коромысло весов; ◇ to keep at ~'s length держать на почтительном расстоянии.

**arm** II [ɑːm] 1. n 1) (обыкн. pl) оружие; small ~s стрелковое оружие; in ~s вооружённый; up in ~s готовый к борьбе, сопротивлению; б) охваченный восстанием; to be up in ~s against smb. нападать, жаловаться на кого-л.; to take up ~s, to appeal to ~s взяться за оружие; to lay down ~s сложить оружие; to ~s! к оружию!; under ~s вооружённый, под ружьём; 2) род войск; 3) pl война; 4) военная профессия; 5) pl герб (обыкн. coat of ~s).
2. v 1) вооружать(ся) (тж. перен.); to be ~ed with information располагать исчерпывающей информацией; 2) заряжать, взводить.

**armache** [ˈɑːmeɪk] n боль в руке (особ. ревматическая).

**armada** [ɑːˈmɑːdə] n армада; the Invincible A. ист. Непобедимая армада.

**armadillo** [ˌɑːməˈdɪlou] n (pl -os [-ouz]) зоол. армадилл, броненосец.

**armament** [ˈɑːməmənt] n 1) вооружение; 2) вооружённая сила; 3) оружие; боеприпасы; 4) attr.: ~ train артиллерийский транспорт; амер. поезд с боеприпасами; ~ factory, ~ works военный завод; 5) pl attr.: the ~s drive (или race) гонка вооружений.

**armature** [ˈɑːmətjuə] n 1) вооружение; броня; 2) тех. арматура; 3) эл. якорь; 4) эл. броня (кабеля); 5) зоол., бот. панцирь.

**armband** [ˈɑːmbænd] n нарукавная повязка.

**arm-chair** [ˈɑːmˈtʃɛə] n кресло (с подлокотниками).

**arme blanche** [ˌɑːməˈblɑːnʃ] фр. n 1) холодное оружие; 2) кавалерия.

**armed** [ɑːmd] 1. p.p. om arm II, 2;
2. a вооружённый; усиленный, укреплённый; ~ forces вооружённые силы; ~ attack вооружённое нападение; ~ insurrection вооружённое восстание.

**-armed** [-ɑːmd] в сложных словах означает a) имеющий столько-то рук; one-~ однорукий; б) имеющий такие-то руки; напр.: long-~ длиннорукий; cross-~ со скрещёнными руками.

**Armenian** [ɑːˈmiːnjən] 1. a армянский;
2. n 1) армянин; армянка; 2) армянский язык.

**armful** [ˈɑːmful] n охапка.

**arm-hole** [ˈɑːmhoul] n пройма.

**arm-in-arm** [ˈɑːmɪnˈɑːm] adv под руку.

**arming** ['ɑ:mɪŋ] 1. *pres. p. от* arm II, 2; 2. *n* вооружение; боевое снаряжение.

**armistice** ['ɑ:mɪstɪs] *n* прекращение военных действий; короткое перемирие.

**armless** I ['ɑ:mlɪs] *a* 1) безрукий; 2) не имеющий ветвей.

**armless** II ['ɑ:mlɪs] *a* безоружный.

**armlet** ['ɑ:mlɪt] *n* 1) нарукавник, повязка; 2) браслет, запястье; 3) небольшой морской залив; рукав реки.

**armor** ['ɑ:mə] *амер.* = armour.

**armored** ['ɑ:məd] *амер.* = armoured.

**armorial** [ɑ:'mɔ:rɪəl] 1. *a* геральдический, гербовый; 2. *n* гербовник.

**armory** ['ɑ:mərɪ] *n* 1) геральдика; 2) *амер.* = armoury; 3) *амер.* военный завод (*обыкн. государственный*); 4) *амер.* учебный манеж.

**armour** ['ɑ:mə] 1. *n* 1) вооружение; доспехи; латы; панцирь; 2) броня (*корабля, танка и т. п.*); 3) бронесилы; 4) скафандр (*водолаза*); 5) *зоол., бот.* панцирь; 6) *attr.* броневой; бронированный; 2. *v* покрывать бронёй.

**armour-bearer** ['ɑ:mə,bɛərə] *n ист.* оруженосец.

**armour-clad** ['ɑ:mə,klæd] 1. *a* броненосный, бронированный; 2. *n* броненосец.

**armoured** ['ɑ:məd] 1. *p. p. от* armour 2; 2. *a* бронированный, броненосный; (броне)танковый; ~ car броневик, бронеавтомобиль, бронемашина; ~ forces бронесилы; ~ train бронепоезд; ~ troops бронетанковые войска; ◇ ~ concrete железобетон; ~ cow *амер. воен. sl.* сгущённое молоко.

**armourer** ['ɑ:mərə] *n* 1) оружейный мастер, оружейник; 2) владелец оружейного завода; 3) заведующий оружием (*полка и т. п.*).

**armour-piercer** ['ɑ:mə,pɪəsə] *n* бронебойный снаряд.

**armour-piercing** ['ɑ:mə,pɪəsɪŋ] *a* бронебойный; ~ shell бронебойный снаряд.

**armour-plate** ['ɑ:məpleɪt] *n* броневой лист, броневая плита.

**armour-plated** ['ɑ:məpleɪtɪd] *a* бронированный, броненосный.

**armoury** ['ɑ:mərɪ] *n* склад оружия, арсенал.

**arm-pits** ['ɑ:mpɪts] *n pl* подмышки.

**arm-saw** ['ɑ:msɔ:] *n* 1) ручная пила; 2) ножовка.

**army** ['ɑ:mɪ] *n* 1) армия; the Soviet A. Советская Армия; the Red A. Красная Армия; A. in the Field действующая армия; standing ~ постоянная армия; A. at Home армия метрополии; to enter (*или* to go into, to join) the ~ вступить в армию, поступить на военную службу; 2) множество; 3) *attr.* армейский, относящийся к армии *или* принадлежащий армии; ~ command командование армией; ~ commander командующий армией; ~ headquarters штаб армии; ~ cloth сукно армейского образца; ~ exchange *амер.* военный магазин; ~ agent (*или* broker, contractor) поставщик на армию.

**army-beef** ['ɑ:mɪbɪːf] *n* мясные консервы (*для армии*).

**army-list** ['ɑ:mɪ'lɪst] *n* список офицерского состава армии.

**army-rank** ['ɑ:mɪ,ræŋk] *n* действительный воинский чин (*в отличие от временного или почётного*).

**army register** ['ɑ:mɪ'redʒɪstə] *n амер.* список офицерского состава армии.

**arnica** ['ɑ:nɪkə] *n бот., фарм.* арника.

**aroma** [ə'roumə] *n* аромат, приятный запах.

**aromatic** [,ærou'mætɪk] *a* ароматический; благовонный; ~ compound *хим.* соединение ароматического ряда; ~ series *хим.* ароматический ряд.

**arose** [ə'rouz] *past от* arise.

**around** [ə'raund] 1. *adv* 1) всюду, кругом; 2) в окружности; в обхвате; the tree measures four feet ~ дерево имеет четыре фута в обхвате; 3) *амер.* вблизи; поблизости; ~ here в этом районе; неподалёку; to hang ~ быть поблизости; to get ~, to come ~ подойти, приблизиться; 2. *prep* 1) вокруг; to walk ~ the house обойти вокруг дома; 2) по; за; около; to walk ~ the town гулять по городу; ~ the corner за углом; 3) около, приблизительно; he paid ~ a hundred roubles он заплатил около ста рублей; ◇ to get ~ to doing smth. собраться сделать что-л., собраться осуществить намерение.

**around-the-clock** [ə'raundðə'klɔk] *a* круглосуточный.

**arouse** [ə'rauz] *v* 1) будить; 2) просыпаться, пробуждаться (*тж. о чувствах, страсти и т. п.*); 3) пробуждать; вызывать, возбуждать (*чувства, страсти, энергию*); 4) раздражать (*кого-л.*).

**arquebus** ['ɑːkwɪbəs] = harquebus.

**arrack** ['ærək] *n* арак (*спиртной напиток из риса*).

**arraign** [ə'reɪn] *v* 1) привлекать к суду; обвинять; to ~ before the bar of public opinion привлечь к суду общественного мнения; 2) придираться.

**arraignment** [ə'reɪnmənt] *n* 1) привлечение к суду; обвинение; 2) придирки.

**arrange** [ə'reɪndʒ] *v* 1) приводить в порядок, располагать, классифицировать; 2) устраивать (ся); 3) сговариваться, уславливаться, договариваться; to ~ with smb. about smth. договориться с кем-л. о чём-л.; we ~d to meet at six мы условились встретиться в шесть; 4) улаживать (*спор*); приходить к соглашению; 5) принимать меры, подготавливать (for); 6) приспособлять, переделывать (*напр., роман для сцены*); 7) *муз.* аранжировать; 8) *тех.* монтировать.

**arrangement** [ə'reɪndʒmənt] *n* 1) приведение в порядок, расположение, классификация; 2) устройство; 3) соглашение; договорённость; to come to an ~ прийти к соглашению; to make ~s договариваться (*о чём-л.*); to make ~ (*что-л.*); to make ~s (with smb.) уславливаться (с кем-л.); вступать в соглашение (с кем-л.); 4) (*обыкн. pl*) приготовление, мера, мероприятие, план; 5) приспособлéние, передéлка (*для сцéны и т. п.*); 6) *распр.* приспособлéние, механи́зм; 7) *муз.* аранжиро́вка; 8) *тех.* монта́ж.

**arranger** [ə'reɪndʒə] *n муз.* аранжиро́вщик.

**arrant** ['ærənt] *a* 1) настоя́щий, су́щий; отъя́вленный; ~ nonsense су́щий вздор; 2) *уст.* стра́нствующий.

**arras** ['ærəs] *n* гобелéны; шпалéры, зáтканные фигýрами.

**array** [ə'reɪ] 1. *n* 1) боевóй порядок (*тж.* battle ~); 2) войскá; 3) мáсса, мнóжество; 4) наряд, одеяние, пышное облачéние; 5) *юр.* спи́сок присяжных заседáтелей; 6) *эл.* антéнная решётка, слóжная антéнна; 2. *v* 1) выстрáивать в боевóй поря́док; 2) выставля́ть прóтив (against); 3) одевáть (in — во *что-л.*); украшáть (in — *чем-л.*); to ~ oneself in all one's finery разодéться в пух и прах; 4) *юр.* составля́ть спи́сок присяжных заседáтелей.

**arrearage** [ə'rɪərɪdʒ] *n* 1) отстáлость, отставáние; 2) остáток; запáс; 3) *pl* долги́.

**arrears** [ə'rɪəz] *n pl* задóлженность, недóимка, долги́; to be in ~ имéть задóлженность, отставáть (*напр., в рабóте*); ~ of rent (of wages) задóлженность по квартплáте (зарплáте); ~ of work недодéланная часть рабóты.

**arrest** [ə'rest] 1. *n* 1) задержáние, арéст; наложéние арéста, запрещéние; under ~ под арéстом, под запрещéнием; ~ to the room домáшний арéст; ~ in quarters казáрменный арéст; 2) задéржка, останóвка; приостанóвка; ~ of judg(e)ment отсрóчка приговóра; 3) *тех.* аррети́р, успокои́тель (*в прибóрах*); 2. *v* 1) арестóвывать; 2) задéрживать, останáвливать; приостанáвливать; 3) прикóвывать (*взóры, внимáние*); 4) выключáть (*машину, прибóр*); тормози́ть.

**arrester** [ə'restə] *n* 1) *эл.* разря́дник; громоотвóд; lightning ~ грозовóй разря́дник; 2) *тех.* задéрживающее приспособлéние, останóв; 3) предохрани́тель.

**arresting** [ə'restɪŋ] 1. *pres. p. от* arrest 2; 2. *a* 1) привлекáющий внимáние; поражáющий; захвáтывающий; 2) задéрживающий; останáвливающий; ~ device *тех.* останáвливающий механи́зм; защёлка, упóр, собáчка.

**arrière-ban** ['æriə'bæn] *фр. n ист.* 1) призы́в вассáлов на войнý; 2) ополчéние вассáлов.

**arrière-pensée** [,æri,ɑ̃pɑ̃'sei] *фр. n* зáдняя мысль.

**arris** ['æris] *n* 1) ребрó; грéбень; óстрый край; 2) *стр.* óстрый угол.

**arrival** [ə'raɪvəl] *n* 1) прибы́тие; 2) новоприбы́вший; 3) *шутл.* новорождённый.

**arrive** [ə'raɪv] *v* 1) прибывáть (at, in); 2) достигáть (at); to ~ at a conclusion приходи́ть к заключéнию; to ~ at a decision приня́ть решéние; to ~ at an idea прийти́ к мы́сли; 3) наступáть (*о врéмени, собы́тии*); 4) добиться успéха; an actor who has ~d актёр, котóрый добился успéха, прослáвился.

**arrogance** ['ærəɡəns] *n* 1) высокомéрие, надмéнность; 2) самонадéянность.

**arrogant** ['ærəɡənt] *a* 1) высокомéрный, надмéнный; 2) самонадéянный.

**arrogate** ['æroʊɡeɪt] *v* 1) дéрзко *или* самонадéянно претендовáть, трéбовать; 2) без основáния припи́сывать; 3) присвáивать.

**arrow** ['æroʊ] *n* 1) стрелá; 2) стрéлка (*на схéмах или чертежáх*); 3) англи́йское прави́тельственное клеймó; 4) *воен. уст.* флешь; ◇ an ~ left in one's quiver неиспóльзованное срéдство.

**arrow-head** ['æroʊhed] *n* 1) наконéчник, острие́ стрелы́; 2) broad ~ = arrow 3); 3) *воен.* строй кли́на; 4) *attr.* : ~ arrow *эл.* услóвное обозначéние высóкого напряжéния.

**arrow-headed** ['æroʊ,hedɪd] *a* заострённый; клинообрáзный.

**arrowroot** ['ærəɡuːt] *n* арроурýт (*крахмáл из корнéй растéния*).

**arrowy** ['ærouɪ] *a* 1) стрелови́дный; 2) óстрый; язви́тельный.

**arsenal** ['ɑːsɪnl] *n* 1) арсенáл; цейхгáуз; 2) *перен.* орýжие.

**arsenic** *хим.* 1. *n* ['ɑːsnɪk] мышья́к; 2. *a* [ɑː'senɪk] мышьякóвый.

**arsenical** [ɑː'senɪkəl] = arsenic 2.

**arson** ['ɑːsn] *n* поджóг.

**art** I [ɑːt] *n* 1) искýсство; the Fine Arts изя́щные искýсства; Faculty of Arts отделéние гуманитáрных наýк; 2) ремеслó; industrial (*или* mechanical, useful) ~s ремёсла; 3) лóвкость; 4) (*обыкн. pl*) хи́трость; 5) умéние, знáние; 6) *attr.* худóжественный; ~ school худóжественное учи́лище; ◇ manly ~ бокс; to have (*или* to be) ~ and part in быть причáстным к *чемý-л.*, быть соучáстником в *чём-л.*; black ~ чёрная мáгия; ~ is long, life is short *посл.* жизнь коротка́, искýсство вéчно.

**art** II [ɑːt] *уст.* 2 *л. ед. ч. настоя́щего врéмени гл.* to be.

**Artemis** ['ɑːtəmɪs] *n миф.* Артеми́да.

**arterial** [ɑː'tɪərɪəl] *a* 1) *анат.* артериáльный; 2) разветвля́ющийся; ~ drainage систéма дренáжа с разветвля́ющимися канáлами; 3) магистрáльный; ~ road магистрáль, глáвная дорóга; ~ traffic движéние по глáвным ýлицам *или* дорóгам.

**arteriosclerosis** [ɑː'tɪərɪouskliə'rousɪs] *n мед.* артериосклерóз.

**artery** ['ɑːtərɪ] *n* 1) *анат.* артéрия; 2) магистрáль, глáвный путь.

**artesian** [ɑː'tiːzjən] *a* артезиáнский.

**artful** ['ɑːtful] *a* 1) лóвкий, искýсный; 2) хи́трый.

**artfulness** ['ɑːtfulnɪs] *n* 1) лóвкость; 2) хи́трость.

**arthritis** [ɑː'θraɪtɪs] *n мед.* артри́т.

**Arthurian** [ɑː'θjuərɪən] *a*: ~ romances *лит.* ромáны Артýрова ци́кла.

**artichoke** ['ɑːtɪʃouk] *n* артишóк; ◇ Yerusalem ~ земляна́я грýша.

**article** ['ɑːtɪkl] 1. *n* 1) статья́; leading ~ передовáя статья́; 2) пункт, парáграф; the Articles of War воéнно-судéбный кóдекс (*Áнглии и США*); the Thirty-nine Arti-

cles 39 дóгматов англикáнского вероисповéдания; to be under ~s быть свя́занным контрáктом; 3) предмéт, издéлие; an ~ of clothing предмéт одéжды; an ~ of food продýкт питáния; 4) предмéт торгóвли, товáр; ~s of daily necessity предмéты пéрвой необходи́мости; 5) *грам.* арти́кль, член; ◇ in the ~ of death в момéнт смéрти;
2. *v* 1) предъявля́ть пýнкты обвинéния (against — прóтив *кого-л.*, for — в *чём-л.*); 2) излагáть по пýнктам; 3) отдавáть по контрáкту в учéние.

**articular** [ɑːˈtɪkjulə] *a* суставнóй.

**articulate** 1. *a* [ɑːˈtɪkjulɪt] 1) членораздéльный; 2) я́сный, отчётливый; чётко сформули́рованный; 3) колéнчатый, суставчатый; члéнистый; 4) *тех.* шарни́рный; 5) *амер.* устáвный, дéйствующий по устáву;
2. *v* [ɑːˈtɪkjuleɪt] 1) отчётливо произноси́ть; 2) *фон.* артикули́ровать; 3) (*обыкн. p.p.*) *анат.* свя́зывать, соединя́ть(ся).

**articulation** [ɑːˌtɪkjuˈleɪʃən] *n* 1) *фон.* артикуля́ция; 2) *анат.* сочленéние; 3) *тех.* ось шарни́ра, центр шарни́ра.

**artifice** [ˈɑːtɪfɪs] *n* 1) изобретéние, вы́думка; 2) лóвкость; 3) искýсная продéлка; хи́трость.

**artificer** [ɑːˈtɪfɪsə] *n* 1) ремéсленник; 2) слéсарь; механи́к; 3) изобретáтель; 4) *воен.* тéхник (*оружейный*).

**artificial** [ˌɑːtɪˈfɪʃəl] 1. *a* 1) искýсственный; ~ butter маргари́н; ~ respiration искýсственное дыхáние; ~ atmosphere *тех.* кондициони́рованный вóздух; ~ numbers *мат.* логари́фмы; ~ year граждáнский год (*в отличие от астрономического*); 2) притвóрный;
2. *n* 1) искýсственное удобрéние; 2) *амер.* искýсственный цветóк.

**artillerist** [ɑːˈtɪlərɪst] *n* артиллери́ст.

**artillery** [ɑːˈtɪlərɪ] *n* 1) артиллéрия; accompanying ~ артиллéрия сопровождéния, артиллéрия поддéржки пехóты; ~ with the army *амер.* артиллéрия áрмии; 2) *attr.* артиллери́йский; оруди́йный; ~ board батарéйный, огневóй планшéт; ~ emplacement *амер.* орудийный окóп; ~ engagement артиллери́йский бой; ~ mount орудийная устанóвка; ~ range артиллери́йский полигóн.

**artilleryman** [ɑːˈtɪlərɪmən] *n* артиллери́ст.

**artisan** [ˌɑːtɪˈzæn] *n* ремéсленник, мастеровóй.

**artist** [ˈɑːtɪst] *n* 1) худóжник; 2) арти́ст; 3) мáстер своегó дéла.

**artiste** [ɑːˈtiːst] *n* 1) эстрáдный арти́ст; 2) арти́ст (*лицо, искусное в своей профессии; тж. шутл.*).

**artistic(al)** [ɑːˈtɪstɪk(əl)] *a* артисти́ческий, худóжественный.

**artless** [ˈɑːtlɪs] *a* 1) простóй, безыскýсственный; 2) простодýшный; 3) неискýсный.

**artlessly** [ˈɑːtlɪslɪ] *adv* 1) прóсто, безыскýсно; 2) простодýшно.

**arty** [ˈɑːtɪ] *a разг.* 1) с претéнзией на худóжественность (*о вещах*); 2) претендýющий на тóнкий (худóжественный) вкус (*о людях*).

**arum** [ˈɛərəm] *n бот.* áрум, арóнник.

**Aryan** [ˈɛərɪən] 1. *a* ари́йский;
2. *n* ари́ец; ари́йка.

**as** [æz (*полная форма*), əz, z (*редуци́рованные формы*)] 1. *pron. rel.* 1) какóй, котóрый; this is the same book as I lost э́то такáя же кни́га, как та, что я потеря́л; 2) что; he was a foreigner as they perceived from his accent он был инострáнец, что они́ замéтили по егó произношéнию;
2. *adv* 1) как; do as you are told дéлайте, как (вам) скáзано; as per order *ком.* соглáсно закáзу; 2) как напримéр; some animals, as the fox and the wolf нéкоторые живóтные, как напримéр, лисá и волк; 3) в кáчестве (*кого-л.*); to appear as Hamlet вы́ступить в рóли Гáмлета; to work as a teacher рабóтать преподавáтелем (*или в кáчестве преподавáтеля*); □ as... as... так же как; he is as tall as you are он такóго же рóста, как и вы; as far as a) так далекó; до; I will go as far as the station with you я провожý вас до стáнции; б) наскóлько; as far as I know наскóлько мне извéстно; as far back as 1920 ещё в 1920 годý; as far back as two years ago ещё два гóда томý назáд; as for me you may rely upon me что касáется меня́, то мóжете на меня́ положи́ться; as much as скóлько; as much as you like скóлько хоти́те; I thought as much я так и дýмал; ◇ as good as всё равнó что; факти́чески; the work is as good as done рабóта факти́чески закóнчена; as well тáкже; I can do it as well I я тáкже могý э́то сдéлать;
3. *cj* 1) когдá, в то врéмя как (*тж.* just as); he came in as I was speaking он вошёл, когдá я говори́л; just as I reached the door в то врéмя как я подошёл к двéри; 2) так как; I could not stay, as it was late я не мог оставáться, так как бы́ло ужé пóздно; 3) хотя́; как ни; cunning as he is he won't deceive me как он ни хитёр, меня́ он не проведёт; I was glad of his help, slight as it was я был рад егó пóмощи, хотя́ онá былá и незначи́тельна; 4) (*c inf.*): be so good as to come бýдьте любéзны, приходи́те; ◇ as if как бýдто; as it were так сказáть; as though = as if; as to, as concerning, as concerns относи́тельно, что касáется; they inquired as to the actual reason они́ освéдомились об и́стинной причи́не; as you were! *воен.* отстáвить!

**asbestine** [æzˈbestɪn] *a* асбéстовый.

**asbestos** [æzˈbestɔs] *n мин.* асбéст.

**ascend** [əˈsend] *v* 1) поднимáться, всходи́ть; 2) восходи́ть; 3) *ав.* набирáть высотý.

**ascendancy** [əˈsendənsɪ] *n* власть, домини́рующее влия́ние (over).

**ascendant** [əˈsendənt] 1. *n* 1) влия́ние, преоблáдание, власть; 2) гороскóп; 3) *редк.* прéдок; ◇ his star is in the ~ егó звездá восхóдит;
2. *a* 1) восходя́щий; 2) госпóдствующий.

**ascendency** [əˈsendənsɪ] = ascendancy.

**ascendent** [əˈsendənt] = ascendant.

**ascension** [əˈsenʃən] *n* 1) восхождéние, подъём; balloon ~ подъём на воздýшном шáре; 2) *амер.* прихóд; ~ to power прихóд к влáсти.

**ascensional** [ə'senʃənl] *a* 1) восходя́щий; ~ ventilation *горн.* восходя́щая вентиля́ция; 2) подъёмный; ~ power *ав.* подъёмная си́ла; ~ rate *ав.* ско́рость набо́ра высоты́, ско́рость подъёма.

**Ascension-day** [ə'senʃəndeɪ] *n церк.* вознесе́ние.

**Ascensiontide** [ə'senʃəntaɪd] *n церк.* вре́мя от вознесе́ния до тро́ицына дня.

**ascent** [ə'sent] *n* 1) восхожде́ние, подъём; 2) крутизна́, круто́й склон; 3) марш ле́стницы.

**ascertain** [ˌæsə'teɪn] *v* устана́вливать, удостоверя́ться, выясня́ть, убежда́ться; to ~ the situation вы́яснить обстано́вку.

**ascetic** [ə'setɪk] 1. *a* аскети́ческий; воздержанный; 2. *n* аске́т; отше́льник.

**asceticism** [ə'setɪsɪzəm] *n* аскети́зм.

**ascorbic** [əs'kɔːbɪk] *a* аскорби́новый; ~ acid аскорби́новая кислота́.

**Ascot** ['æskət] *n* Эско́т (*место скачек и самые скачки близ Виндзора*).

**ascribe** [əs'kraɪb] *v* припи́сывать.

**ascription** [əs'krɪpʃən] *n* припи́сывание.

**asepsis** [æ'sepsɪs] *n* асе́птика.

**aseptic** [æ'septɪk] 1. *a* асепти́ческий, стери́льный; противогни́лостный; 2. *n* асепти́ческое сре́дство.

**asexual** [æ'seksjuəl] *a* беспо́лый.

**ash I** [æʃ] *n* 1) (*обыкн. pl*) зола́, пе́пел; to burn to ~es сжига́ть дотла́; to lay in ~es раруша́ть, сжига́ть дотла́; 2) *pl* прах, оста́нки; to turn to dust and ~es разлете́ться в прах (*о надеждах*).

**ash II** [æʃ] *n* я́сень; mountain ~, wild ~ ряби́на.

**ashake** [ə'ʃeɪk] *a predic.* дрожа́щий.

**ashamed** [ə'ʃeɪmd] *a predic.* пристыжённый; to be ~ of smth. стыди́ться чего́-л.; to be (*или* to feel) ~ for smb. стыди́ться за кого́-л.; he was ~ to tell the truth ему́ бы́ло сты́дно сказа́ть пра́вду.

**ash-bin** ['æʃbɪn] *n* 1) = ash can; 2) *тех.* зо́льник.

**ash-box** ['æʃbɔks] *n тех.* зо́льник; поддува́ло.

**ash can** ['æʃkæn] *n амер.* 1) ведро́, у́рна *или* я́щик для му́сора; 2) *воен. sl.* глуби́нная бо́мба.

**ash-content** ['æʃ͵kɔntent] *n хим., тех.* зо́льность.

**ashen I** ['æʃn] *a* 1) пе́пельного цве́та; 2) ме́ртвенно-бле́дный; 3) пе́пельный, из пе́пла.

**ashen II** ['æʃn] *a* я́сеневый.

**ashet** ['æʃɪt] *n шотл.* большо́е блю́до.

**ash-key** ['æʃkiː] *n* се́мя я́сеня.

**ashlar, ashler** ['æʃlə] *n стр.* 1) тёсаный ка́мень (*для облицо́вки*); 2) *attr.:* ~ facing облицо́вка из тёсаного ка́мня.

**ashore** [ə'ʃɔː] *adv* к бе́регу; на бе́рег; на берегу́; to come ~, to go ~ сходи́ть на бе́рег; to run ~, to be driven ~ наскочи́ть на мель.

**ash-pan** ['æʃpæn] *n* = ash-box.

**ash-pit** ['æʃpɪt] *n* 1) = ash-box; 2) *амер. ж.-д.* смотрова́я кана́ва.

**ash-pot** ['æʃpɔt] *n* пе́пельница.

**ash-stand** ['æʃstænd] *n* = ash-tray.

**ash-tray** ['æʃtreɪ] *n* 1) пе́пельница; 2) *тех.* зо́льник.

**Ash Wednesday** ['æʃ'wenzdɪ] *n* среда́ на пе́рвой неде́ле вели́кого поста́.

**ashy** ['æʃɪ] *a* 1) пе́пельный; 2) бле́дный.

**ashy-gray** ['æʃɪ͵greɪ] = ashy.

**Asiatic** [ˌeɪʃɪ'ætɪk] 1. *a* азиа́тский; 2. *n* азиа́т; азиа́тка.

**aside** [ə'saɪd] 1. *adv* 1) в сто́рону; в стороне́; to speak ~ говори́ть в сто́рону (*об актёрах*); to take (smb.) ~ отвести́ (кого́-л.) в сто́рону; to turn ~ for a moment отвле́чься на мину́ту; 2) отде́льно; в резе́рве; to put ~ отложи́ть; □ ~ from *амер.* за исключе́нием;
2. *n* слова́, произноси́мые актёром в сто́рону.

**asinine** ['æsɪnaɪn] *a* осли́ный.

**ask** [ɑːsk] *v* 1) спра́шивать; to ~ a question задава́ть вопро́с; 2) осведомля́ться (about, after, for); to ~ after a person's health осведоми́ться о чьём-л. здоро́вье; 3) (по-) проси́ть; to ~ a favour (for help) проси́ть об одолже́нии (о по́мощи); 4) (за)проси́ть; to ~ 200 guineas for a horse запроси́ть 200 гине́й за ло́шадь; 5) приглаша́ть (*разг. тж.* ~ out); 6) тре́бовать; it ~s (for) attention э́то тре́бует внима́ния; ◇ ~ me another! *разг.* не зна́ю, не спра́шивай(те) меня́!; to ~ for (trouble) *sl.* напра́шиваться на неприя́тность, лезть на рожо́н; to ~ (a horse) the question тре́бовать (от ло́шади) после́днего уси́лия (*на состяза́нии*); they were ~ed in church их имена́ бы́ли оглашены́ в це́ркви (*о вступа́ющих в брак*).

**askance** [əs'kæns] *adv* 1) кри́во, ко́со; 2) и́скоса; с подозре́нием; to look (*или* to view, to glance) ~ at smb. смотре́ть на кого́-л. подозри́тельно, с неодобре́нием.

**askant** [əs'kænt] = askance.

**askew** [əs'kjuː] *adv* 1) кри́во, ко́со; to hang a picture ~ пове́сить карти́ну ко́со; 2) и́скоса; to look ~ at smb. не смотре́ть кому́-л. пря́мо в лицо́.

**asking** ['ɑːskɪŋ] 1. *pres. p. от* ask; 2. *n:* for the ~ сто́ит то́лько попроси́ть; to be had for the ~ получи́ть беспла́тно; получи́ть сра́зу без затра́ты уси́лий.

**aslant** [ə'slɑːnt] 1. *adv* ко́со, на́искось; 2. *prep* поперёк.

**asleep** [ə'sliːp] *a predic.* 1) спя́щий; to be ~ спать; to fall ~ засну́ть; 2) тупо́й, вя́лый; 3) затёкший (*о руке, ноге*).

**aslope** [ə'sloup] 1. *a predic.* косо́й, пока́тый; 2. *adv* ко́со, пока́то; на скло́не; на ска́те.

**a-smoke** [ə'smouk] 1. *a predic.* дымя́щийся; 2. *adv* в дыму́.

**asp I** [æsp] *n* оси́на.

**asp II** [æsp] *n* 1) а́спид; ко́бра; 2) *поэт.* ядови́тая змея́.

**asparagus** [əs'pærəgəs] *n* спа́ржа.

**aspect** ['æspekt] *n* 1) вид; my house has a southern ~ мой дом выхо́дит на ю́г; 2) взгляд; выраже́ние; he has a gentle ~ у него́ добро́душный вид; 3) аспе́кт, сторона́; to consider a question in all its ~s рассма́тривать вопро́с со всех то́чек зре́ния; 4) *грам.* вид.

**aspen** ['æspən] 1. *n* = asp I;

**2.** *a* оси́новый; to tremble like an ~ leaf дрожа́ть как оси́новый лист.

**asperity** [æs'perɪtɪ] *n* 1) шерохова́тость, неро́вность; 2) суро́вость (*кли́мата*); 3) (*обыкн. pl*) тру́дность, лише́ние; the asperities of a winter campaign тру́дности зи́мней кампа́нии; 4) ре́зкость; стро́гость; to speak with ~ говори́ть ре́зко.

**asperse** [əs'pəːs] *v* 1) обры́згивать, кропи́ть (with); 2) позо́рить, черни́ть, клевета́ть.

**aspersion** [əs'pəːʃən] *n* 1) обры́згивание (with); 2) клевета́; to cast ~s on smb. клевета́ть на кого́-л.

**asphalt** ['æsfælt] **1.** *n* асфа́льт; биту́м; **2.** *v* покрыва́ть асфа́льтом, асфальти́ровать.

**asphalt works** ['æsfæltwəːks] *n pl* (*употр. как sing и как pl*) асфальти́рование.

**asphodel** ['æsfədel] *n* 1) *бот.* асфоде́ль; 2) *поэт.* жёлтый нарци́сс.

**asphyxia** [æs'fɪksɪə] *n мед.* уду́шье.

**asphyxiant** [æs'fɪksɪənt] *n* удуша́ющее отравля́ющее вещество́.

**asphyxiate** [æs'fɪksɪeɪt] *v* вызыва́ть уду́шье; души́ть.

**asphyxy** [æs'fɪksɪ] = asphyxia.

**aspic I** ['æspɪk] *n* асп II, 2).

**aspic II** ['æspɪk] *n* заливно́е (*блю́до*).

**aspidistra** [ˌæspɪ'dɪstrə] *n* азиа́тский ла́ндыш.

**aspirant** [əs'paɪərənt] **1.** *n* кандида́т, претенде́нт (to, for, after);
**2.** *a* стремя́щийся, домога́ющийся.

**aspirate 1.** *n* ['æspərɪt] 1) придыха́тельный звук; 2) знак придыха́ния;
**2.** *v* ['æspəreɪt] 1) произноси́ть с придыха́нием; 2) *мед.* удаля́ть (*жи́дкость*) из како́й-л. по́лости.

**aspiration** [ˌæspə'reɪʃən] *n* 1) вдыха́ние; 2) стремле́ние; си́льное жела́ние; 3) *фон.* придыха́ние; 4) *мед.* удале́ние (*жи́дкости*) из по́лости; 5) *тех.* вса́сывание.

**aspirator** ['æspəreɪtə] *n* 1) аспира́тор; 2) (вытяжно́й) вентиля́тор, эксга́устер.

**aspire** [əs'paɪə] *v* 1) стреми́ться, домога́ться (to, after, at; *тж. с inf.*); 2) *уст., поэт.* поднима́ться, возвыша́ться.

**aspirin** ['æspərɪn] *n* аспири́н.

**asquint** [ə'skwɪnt] *adv* ко́со; to look ~ коси́ть (*о глаза́х*); *перен.* смотре́ть ко́со, подозри́тельно.

**ass** [æs] *n* осёл; ◇ to be an ~ for one's pains не получи́ть благода́рности за свои́ стара́ния; оста́ться в дурака́х; to make an ~ of oneself a) ста́вить себя́ в глу́пое положе́ние; б) валя́ть дурака́; to make an ~ of smb. поста́вить кого́-л. в глу́пое положе́ние; подшути́ть над кем-л.; to play (*или* to act) the ~ валя́ть дурака́.

**assagai** ['æsəgaɪ] *n* дро́тик (*у африка́нских племён*).

**assail** [ə'seɪl] *v* 1) напада́ть, атакова́ть; соверша́ть наси́лие; наступа́ть; ре́зко критикова́ть; I was ~ed with questions меня́ закида́ли вопро́сами; I was ~ed by doubts на меня́ напа́ли сомне́ния; я был охва́чен сомне́ниями; 2) с жа́ром набра́сываться (*на рабо́ту и т. п.*); реши́тельно, энерги́чно бра́ться за тру́дное де́ло.

**assailable** [ə'seɪləbl] *a* откры́тый для напаения, уязви́мый.

**assailant** [ə'seɪlənt] *n* проти́вник, напада́ющая сторона́.

**assassin** [ə'sæsɪn] *n* 1) уби́йца (*обыкн. наёмный, де́йствующий из-за угла́*); 2) террори́ст.

**assassinate** [ə'sæsɪneɪt] *v* 1) (преда́тельски) убива́ть; 2) соверша́ть террористи́ческий акт.

**assassination** [əˌsæsɪ'neɪʃən] *n* 1) (преда́тельское) уби́йство; 2) террористи́ческий акт.

**assault** [ə'sɔːlt] **1.** *n* 1) нападе́ние, ата́ка; штурм, при́ступ; ~ at (*или* of) arms во́инские упражне́ния (*ру́бка, фехтова́ние и т. п.*); to take (*или* to carry) a fortress by ~ брать кре́пость шту́рмом, при́ступом; 2) напа́дки; 3) изнаси́лование; 4) *юр.* слове́сное оскорбле́ние и угро́за физи́ческим наси́лием; ~ and battery оскорбле́ние де́йствием; 5) *воен.* вы́садка деса́нта с бо́ем; 6) *attr.* *воен.* штурмово́й; ~ party штурмово́й отря́д; ~ team штурмова́я гру́ппа; ~ gun штурмово́е ору́дие; ~ wire *амер.* полево́й про́вод;
**2.** *v* 1) атакова́ть; штурмова́ть, идти́ на при́ступ; 2) напада́ть; набра́сываться (*с угро́зами и т. п.*); 3) изнаси́ловать; 4) *юр.* грози́ть физи́ческим наси́лием.

**assaulter** [ə'sɔːltə] *n* 1) напада́ющий, атаку́ющий; 2) *юр.* напада́ющая сторона́.

**assay** [ə'seɪ] **1.** *n* 1) испыта́ние, ана́лиз; 2) опро́бование; про́ба мета́ллов; коли́чественный ана́лиз (*руд и мета́ллов*); mark of ~ проби́рное клеймо́; 3) образе́ц для ана́лиза; 4) *уст.* попы́тка;
**2.** *v* 1) про́бовать, испы́тывать (*благоро́дные мета́ллы*); 2) *уст.* пыта́ться, стара́ться.

**assayer** [ə'seɪə] *n* проби́рщик; лабора́нт-хи́мик.

**assaying** [ə'seɪɪŋ] **1.** *pres. p. от* assay 2
**2.** *n* опро́бование, установле́ние про́бы драгоце́нных мета́ллов.

**assay-number** [ə'seɪˌnʌmbə] *n* показа́тель про́бы (*драгоце́нных мета́ллов*).

**assegai** ['æsɪgaɪ] = assagai.

**assemblage** [ə'semblɪdʒ] *n* 1) собра́ние, сбор; 2) скопле́ние; гру́ппа; 3) колле́кция; 4) *тех.* монта́ж, сбо́рка, соедине́ние; 5): ~ of curves *мат.* семе́йство кривы́х.

**assemble** [ə'sembl] *v* 1) созыва́ть; 2) собира́ть(ся); 3) *тех.* монти́ровать; to ~ a watch собра́ть часы́.

**assembly** [ə'semblɪ] *n* 1) собра́ние, сбор; 2) о́бщество; ассамбле́я; 3) (A.) законода́тельное собра́ние; законода́тельный о́рган (*в не́которых шта́тах США*); 4) *тех.* сбо́рка часте́й (*механи́зма*); 5) агрега́т; 6) *воен.* сигна́л сбо́ра; сосредото́чение; 7) *attr.* сбо́рочный; ~ line сбо́рочный конве́йер; ~ shop сбо́рочный цех; 8) *attr.:* ~ room зал для ба́лов, собра́ний.

**assemblyman** [ə'semblɪmən] *n амер.* член ме́стного законода́тельного о́ргана.

**assent** [ə'sent] **1.** *n* 1) согла́сие; 2) разреше́ние, са́нкция; Royal ~ короле́вская са́нкция (*парла́ментского законопрое́кта*);

**2.** *v* 1) соглаша́ться (to — на *что-л.*, с *чем-л.*); изъявля́ть согла́сие (to); he ~ed to our proposal он согласи́лся на на́ше предложе́ние; he ~ed to receive the visitor он согласи́лся приня́ть посети́теля; 2) *уст.* разреша́ть, санкциони́ровать.

**assentation** [,æsən'teɪʃən] *n* уго́дливость, подобостра́стие.

**assert** [ə'sə:t] *v* 1) утвержда́ть; заявля́ть; 2) дока́зывать; отста́ивать, защища́ть (*свои права и т. п.*); to ~ oneself а) отста́ивать свой права́; быть напо́ристым; б) предъявля́ть чрезме́рные прете́нзии.

**assertion** [ə'sə:ʃən] *n* 1) утвержде́ние; а mere ~ голосло́вное утвержде́ние; 2) защи́та (*прав и т. п.*); 3) *мат.* формулиро́вка.

**assertive** [ə'sə:tɪv] *a* 1) утверди́тельный; 2) догмати́ческий; 3) чрезме́рно насто́йчивый, самоуве́ренный; напо́ристый.

**assess** [ə'ses] *v* 1) определя́ть су́мму нало́га, штра́фа *и т. п.*; 2) облага́ть нало́гом; штрафова́ть; 3) оце́нивать иму́щество для обложе́ния нало́гом.

**assessable** [ə'sesəbl] *a* подлежа́щий обложе́нию.

**assessment** [ə'sesmənt] *n* 1) обложе́ние; су́мма обложе́ния; 2) оце́нка; 3) аттеста́ция.

**assessor** [ə'sesə] *n* 1) экспе́рт(-консульта́нт); 2) податно́й чино́вник; 3) *амер.* суде́бный заседа́тель (*тж.* public ~).

**asset** ['æset] *n* 1) це́нное ка́чество; це́нный вклад; good health is a great ~ хоро́шее здоро́вье — большо́е бла́го; 2) (ка́ждая отде́льная) статья́ (*описи, инвентаря́*); 3) *pl юр.* иму́щество несостоя́тельного должника́, иму́щество обанкро́тившейся фи́рмы; 4) (*часто pl*) *разг.* иму́щество; 5) *pl фин.* акти́в(ы); ава́ры; ~s and liabilities акти́в и пасси́в.

**asseverate** [ə'sevəreɪt] *v* 1) категори́чески *или* кля́твенно утвержда́ть; 2) торже́ственно заявля́ть.

**asseveration** [ə,sevə'reɪʃən] *n* 1) категори́ческое утвержде́ние; 2) торже́ственное заявле́ние.

**assiduity** [,æsɪ'dju:ɪtɪ] *n* 1) усе́рдие, приле́жа́ние; 2) *pl* уха́живание.

**assiduous** [ə'sɪdjuəs] *a* усе́рдный, приле́жный; неутоми́мый.

**assiduousness** [ə'sɪdjuəsnɪs] *n* усе́рдие, прилежа́ние.

**assign** [ə'saɪn] **1.** *v* 1) назнача́ть, определя́ть (*срок, грани́цы*); 2) поруча́ть (*зада́ние, рабо́ту*); 3) назнача́ть, определя́ть на до́лжность; 4) предназнача́ть; ассигнова́ть; 5) закрепля́ть (*за кем-л.*), передава́ть (*иму́щество*); 6) припи́сывать; **2.** *n юр.* правопрее́мник.

**assignation** [,æsɪg'neɪʃən] *n* 1) назначе́ние; 2) переда́ча, переусту́пка пра́ва *или* со́бственности; 3) усло́вленная встре́ча; 4) та́йная встре́ча; 5) любо́вное свида́ние; 6) ассигна́ция.

**assignee** [,æsɪ'ni:] *n* 1) уполномо́ченный; представи́тель; 2) *юр.* правопрее́мник; ~ in bankruptcy кура́тор ко́нкурсного управле́ния по дела́м несостоя́тельного должника́.

**assignment** [ə'saɪnmənt] *n* 1) назначе́ние, до́лжность; 2) распределе́ние; (пред-)

назначе́ние; 3) зада́ние; 4) переда́ча иму́щества *или* прав; 5) докуме́нт о переда́че иму́щества *или* прав; 6) *attr.*: ~ clause усло́вие переда́чи (*иму́щества, прав*).

**assimilate** [ə'sɪmɪleɪt] *v* 1) уподобля́ть, приравнивать (to, with); 2) сра́внивать (to, with); 3) ассимили́ровать(ся); 4) поглоща́ть, усва́ивать.

**assimilation** [ə,sɪmɪ'leɪʃən] *n* 1) уподобле́ние; 2) ассимиля́ция; 3) усвое́ние.

**assist** [ə'sɪst] *v* 1) помога́ть, соде́йствовать; 2) принима́ть уча́стие (in); 3) прису́тствовать (at).

**assistance** [ə'sɪstəns] *n* по́мощь, соде́йствие; to render ~ ока́зывать по́мощь.

**assistant** [ə'sɪstənt] *n* 1) помо́щник; ассисте́нт; 2) продаве́ц, продавщи́ца (*тж.* shop ~); 3) *редк.* замести́тель.

**assize** [ə'saɪz] *n* 1) суде́бное разбира́тельство; 2) *pl* выездна́я се́ссия суда́ прися́жных; 3) *ист.* твёрдо устано́вленная цена́, ме́ра *и т. п.*

**associate 1.** *n* [ə'souʃɪɪt] 1) това́рищ, колле́га; партнёр, компаньо́н; 2) соуча́стник, сою́зник; 3) мла́дший член университе́тской корпора́ции, акаде́мии худо́жеств (*противоп.* fellow); член-корреспонде́нт (*нау́чного о́бщества*);

**2.** *a* [ə'souʃɪɪt] объединённый; свя́занный; присоединённый; ~ societies объединённые о́бщества; ~ editor *амер.* помо́щник реда́ктора; ~ professor *амер.* адъюнкт-профе́ссор;

**3.** *v* [ə'souʃɪeɪt] 1) соединя́ть, свя́зывать; 2) соединя́ться, ассоции́роваться; 3) обща́ться (with) [*ср. тж.* 4)]; 4) *refl.* присоединя́ться, вступа́ть; станови́ться партнёром (in); to ~ oneself with присоединя́ться к *чему-л.*, солидаризи́роваться с *чем-л.* [*ср. тж.* 3)].

**associated** [ə'souʃɪeɪtɪd] **1.** *p.p. от* associate 3;

**2.** *a* 1) свя́занный; объединённый; 2) де́йствующий совме́стно; взаимоде́йствующий; ~ arms *воен.* взаимоде́йствующие ро́ды войск.

**association** [ə,sousɪ'eɪʃən] *n* 1) соедине́ние; 2) о́бщество, ассоциа́ция, сою́з; 3) связь; ассоциа́ция (*иде́й*); 4) обще́ние, дру́жба, бли́зость; 5) футбо́л (*тж.* ~ football); 6) *биол.* ассоциа́ция, жи́зненное соо́бщество.

**associational** [ə,sousɪ'eɪʃənəl] *a* ассоциати́вный.

**associative** [ə'souʃɪeɪtɪv] *a* 1) ассоциати́вный; 2) связу́ющий.

**assoil** [ə'sɔɪl] *v* 1) *уст.* опра́вдывать; 2) *церк.* отпуска́ть грехи́.

**assonance** ['æsənəns] *n* 1) ассона́нс, непо́лная ри́фма (*одни́х гла́сных*); 2) созву́чие.

**assonant** ['æsənənt] *a* созву́чный.

**assort** [ə'sɔ:t] *v* 1) сортирова́ть, подбира́ть, группирова́ть; классифици́ровать; 2) снабжа́ть (*ассортиме́нтом това́ров*); 3) подходи́ть, согласова́ться, гармони́ровать (with); to ~ well (ill) with хорошо́ (пло́хо) гармони́ровать с.

**assortment** [ə'sɔ:tmənt] *n* 1) вы́бор, ассорти́мент; 2) сортиро́вка.

**assuage** [ə'sweɪdʒ] *v* 1) успокаивать (*гнев и т. п.*); смягчать (*горе, боль*); 2) утолять (*голод*).

**assuagement** [ə'sweɪdʒmənt] *n* 1) успокоéние; смягчéние; 2) болеутоляющее срéдство.

**assume** [ə'sjuːm] *v* 1) принимать на себя; присваивать себé; to ~ responsibility брать на себя отвéтственность; to ~ command принимать командование; to ~ control взять на себя управлéние (*чем-л.*); 2) принимать (*характер, форму*); his illness ~d a very grave character егó болéзнь приняла óчень серьёзный харáктер; 3) напускáть на себя; притворяться; симулировать; to ~ airs напускáть на себя вáжность, вáжничать; 4) предполагáть, допускáть; let us ~ that... допýстим, что...; 5) быть самонадéянным, высокомéрным; ◇ to ~ measures принимáть мéры; to ~ the offensive перейти в наступлéние.

**assumed** [ə'sjuːmd] 1. *p.p. от* assume; 2. *a* 1) вымышленный; an ~ name вымышленное имя; 2) притвóрный; 3) допускáемый, предполагáемый.

**assuming** [ə'sjuːmɪŋ] 1. *pres. p. от* assume; 2. *a* самонадéянный; высокомéрный.

**assumption** [ə'sʌmpʃən] *n* 1) присвоéние, принятие на себя; ~ of power присвоéние влáсти; 2) вступлéние (*в должность*); 3) притвóрство; 4) предположéние; 5) высокомéрие; 6) *церк.* успéние.

**assumptive** [ə'sʌmptɪv] *a* 1) предположительный, допускáемый; 2) самонадéянный; высокомéрный.

**assurance** [ə'ʃuərəns] *n* 1) увéрение; заверéние, гарáнтия; 2) увéренность, увéренность; to make ~ double (*или* doubly) sure для бóльшей вéрности; вдвойнé застраховáться; 3) увéренность в себé; 4) самоувéренность, самонадéянность; нáглость; he had the ~ to claim he had done it himself у негó хватило нáглости заявить, что он это сдéлал сам; 5) страховáние; 6) *attr.*: ~ factor *mex.* коэффициéнт запáса.

**assure** [ə'ʃuə] *v* 1) уверять; заверять (*кого-л.*); убеждáть; 2) *refl.* убеждáться; 3) гарантировать, обеспéчивать; 4) страховáть; to ~ one's life with (*или* in) a company застраховáть жизнь в страховóм óбществе.

**assured** [ə'ʃuəd] 1. *p.p. от* assure; 2. *a* 1) увéренный; 2) гарантированный, обеспéченный; success is ~ успéх обеспéчен; 3) застрахóванный; 4) самоувéренный; нáглый.

**assuredly** [ə'ʃuərɪdlɪ] *adv* конéчно, несомнéнно.

**assuredness** [ə'ʃuədnɪs] *n* 1) увéренность; 2) самоувéренность; нáглость.

**assurer** [ə'ʃuərə] *n* страховáтель; страхóвщик.

**ass'y** ['æsɪ] *n сокр. от* assembly.

**Assyrian** [ə'sɪrɪən] 1. *a* ассирийский; 2. *n* 1) ассириянин, ассириéц; ассирийянка; 2) ассирийский язык.

**astatic** [eɪ'stætɪk] *a физ.* астатический; ~ needle астатическая магнитная стрéлка.

**aster** ['æstə] *n* áстра.

**asteria** [æs'tɪrɪə] *n мин.* корýнд.

**asterisk** ['æstərɪsk] 1. *n* 1) звёздочка; 2) *полигр.* звёздочка, знак выноски; 2. *v полигр.* отмечáть звёздочкой.

**astern** [əs'tən] *adv мор.* 1) на кормé; за кормóй; позади; 2) назáд; full speed ~ пóлный (ход) назáд.

**asteroid** ['æstərɔɪd] 1. *n* 1) *астр.* астерóид; мáлая планéта; 2) *зоол.* морскáя звездá; 2. *a* звездообрáзный.

**asthenia** [æs'θiːnjə] *n мед.* астения, слáбость.

**asthma** ['æsmə] *n* áстма, приступы удýшья.

**asthmatic** [æs'mætɪk] 1. *a* 1) астматический; 2) страдáющий áстмой;
2. *n* астмáтик.

**astigmatism** [æs'tɪgmətɪzəm] *n мед.* астигматизм.

**astir** [ə'stə] 1. *a predic.* 1) находящийся в движéнии; 2) на ногáх, встáвший с постéли; to be early ~ быть с утрá на ногáх; 3) возбуждённый, взволнóванный; the whole town was ~ with the news весь гóрод был взволнóван нóвостью;
2. *adv* 1) в движéнии; 2) на ногáх; 3) в возбуждéнии.

**astonish** [əs'tɔnɪʃ] *v* удивлять, изумлять.

**astonishing** [əs'tɔnɪʃɪŋ] 1. *pres. p. от* astonish;
2. *a* удивительный, изумительный.

**astonishment** [əs'tɔnɪʃmənt] *n* удивлéние, изумлéние.

**astound** [əs'taund] *v* поражáть, изумлять.

**astounding** [əs'taundɪŋ] 1. *pres. p. от* astound;
2. *a* поразительный.

**astraddle** [ə'strædl] *adv, a predic.* широкó расстáвив нóги; верхóм (*тж. на стуле*).

**astragal** ['æstrəgəl] *n* 1) калёвка; 2) *архит.* облóм; астрагáл, ободóк вокрýг колóнны.

**astragalai** [əs'trægəlaɪ] *pl от* astragalus.

**astragalus** [əs'trægələs] *n* (*pl* -li) *анат.* астрагáл, тарáнная кость.

**astrakhan** [ˌæstrə'kæn] *n* 1) карáкуль; 2) *attr.* карáкулевый.

**astral** ['æstrəl] *a* звёздный, астрáльный.

**astray** [ə'streɪ] *adv*: to go ~ заблудиться; *перен.* сбиться с пути; to lead ~ сбить с пути (*тж. перен.*).

**astride** [ə'straɪd] 1. *a predic.* 1) верхóм; 2) расстáвивший нóги;
2. *adv* 1) верхóм; 2) расстáвив нóги;
3. *prep*: ~ of верхóм на.

**astringent** [əs'trɪndʒənt] 1. *a* вяжущий;
2. *n* вяжущее срéдство.

**astrolabe** ['æstrəuleɪb] *n геод.* астролябия.

**astrologer** [əs'trɔlədʒə] *n* астрóлог, звездочёт.

**astrology** [əs'trɔlədʒɪ] *n* астрология.

**astronautics** [ˌæstrə'nɔːtɪks] *n pl* (*употр. как sing*) теория межпланéтных полётов, астронáвтика.

**astronomer** [əs'trɔnəmə] *n* астронóм.

**astronomic(al)** [ˌæstrə'nɔmɪk(əl)] *a* 1) астрономический; 2) *разг.* óчень большóй.

**astronomy** [əs'trɔnəmɪ] *n* астронóмия.

**astute** [əs'tjuːt] *a* 1) хитрый; 2) проницáтельный.

**asunder** [ə'sʌndə] *adv* 1) порознь, отдельно; далеко друг от друга; to rush ~ броситься в разные стороны; 2) пополам, в куски, на части; to tear ~ разорвать на части.

**asylum** [ə'saɪləm] *n* 1) приют; убежище; 2) сумасшедший дом (*тж.* lunatic ~).

**asymmetric** [,æsɪ'metrɪk] *a* асимметричный.

**asymmetry** [æ'sɪmɪtrɪ] *n* асимметрия, нарушение симметрии.

**asynchronous** [eɪ'sɪŋkrənəs] *a* асинхронный, не совпадающий во времени.

**asyndetic** [,æsɪn'detɪk] *a грам.* бессоюзный.

**asyndeton** [æ'sɪndɪtən] *n грам.* пропуск союзов как риторическая фигура.

**at** [æt (*полная форма*); ət (*редуцированная форма*)] *prep* 1) *в пространств. значении указывает на* а) *местонахождение* в, на, у, при; at Naples в Неаполе; at a meeting на собрании; at a depth of six feet на глубине шести футов; at the window у окна; at the hospital при больнице; at home дома; б) *движение в опрсделённом направлении* в, к, на; to throw a stone at smb. бросить камнем в кого-л.; trains arrive at the terminus every half-hour поезда приходят на конечную станцию каждые полчаса; 2) *во временном значении определяет момент, время действия* в, на; at six o'clock в шесть часов; at dinner-time в обеденное время, во время обеда; at the end of the lesson в конце урока; at dawn на заре; at night ночью; at present в настоящее время, теперь; 3) *указывает на действие, занятие* за; at work a) за работой; б) в действии; at breakfast за завтраком; at one's studies за занятиями; what are you at now? a) чем вы заняты теперь?, над чем вы работаете теперь?; б) что вы затеваете?; he is at it again он снова взялся за это; 4) *указывает на состояние, положение* в, на; at anchor на якоре; at war в состоянии войны; at peace в мире; at watch на посту; at leisure на досуге; 5) *указывает на характер, способ действия; передаётся твор. падежом:* at a run бегом; at a gulp одним глотком; at a snail's pace черепашьим шагом; 6) *указывает на источник* из, в; to get information at the fountain-head получать сведения из первоисточника; to find out the address at the information-bureau узнать адрес в справочном бюро; 7) *указывает на причину:* we were sad at hearing such news мы огорчились, услышав такие новости; he was shocked at what he saw он был поражён тем, что увидел; 8) *употр. в словосочетаниях, содержащих указание на размер вознаграждения, цены* за, по; at high remuneration за большое вознаграждение; at three shillings a pound по три шиллинга за фунт; at a high price по высокой цене; ◇ at all вообще, совсем; at all events во всяком случае; at best в лучшем случае; at ease a) спокойно, не торопясь; б) *воен.* вольно!; at first сначала; at hand a) под рукой; б) в ближайшее время; at least по меньшей мере; at (the) most самое большее; at once сразу; одновременно; at one в согласии; at that притом, к тому же; at times иногда; at no time никогда, ни разу.

**at-a-boy** ['ætə,bɔɪ] *int амер. sl.* молодец!

**atabrine** ['ætəbriːn] *n фарм.* атабрин (*синтетический противомалярийный препарат*).

**atavistic** [,ætə'vɪstɪk] *a* атавистический.

**ataxy** [ə'tæksɪ] *n мед.* атаксия.

**ate** [et] *past om* eat.

**atelier** ['ætəlɪeɪ] *фр. n* 1) ателье; 2) пошивочная мастерская.

**atheism** ['eɪθɪɪzəm] *n* безбожие, атеизм.

**atheist** ['eɪθɪɪst] *n* безбожник, атеист.

**atheistic(al)** [,eɪθɪ'ɪstɪk(əl)] *a* атеистический.

**Athena** [ə'θiːnə] *n миф.* Афина.

**athenaeum** [,æθɪ'niːəm] *n* 1) литературный *или* научный клуб; the A. литературный клуб в Лондоне; 2) библиотека, читальня.

**Athene** [ə'θiːniː] = Athena.

**Athenian** [ə'θiːnjən] 1. *a* афинский; 2. *n* афинянин; афинянка.

**athirst** [ə'θɜːst] *a predic.* 1) испытывающий жажду; 2) жаждущий (for—*чего-л.*).

**athlete** ['æθliːt] *n* 1) спортсмен; 2) атлет.

**athlete's foot** ['æθliːts'fut] *n мед.* грибковое заболевание ног; окопная болезнь ног.

**athletic** [æθ'letɪk] *a* атлетический; ~ field стадион; спортивная площадка.

**athletics** [æθ'letɪks] *n pl* (*употр. тж. как sing*) атлетика; гимнастика; спорт; track and field ~ лёгкая атлетика.

**at-home** [ət'houm] *n* приём гостей в определённые дни и часы.

**athwart** [ə'θwɔːt] 1. *adv* 1) косо; поперёк; перпендикулярно; 2) против; наперекор; 2. *prep* 1) поперёк; через; to run ~ a ship врезаться в борт другого судна; to throw a bridge ~ a river перебросить мост через реку; 2) против; вопреки; ~ his plans вопреки его планам.

**atilt** [ə'tɪlt] *adv, a predic.* наперевес.

**Atlantic** [ət'læntɪk] *a* атлантический.

**Atlas** ['ætləs] *n миф.* Атлант.

**atlas I** ['ætləs] *n* 1) географический атлас; 2) *анат.* атлант (*первый шейный позвонок*); 3) *архит.* атлант (*мужская фигура, служащая для поддержания карниза, балкона и т. п.*); 4) формат бумаги (*писчей 26 д. × 33 д., чертёжной 26 д. × 36 д.*).

**atlas II** ['ætləs] *n текст.* атлас.

**atmosphere** ['ætməsfɪə] *n* 1) атмосфера; tense ~ напряжённая атмосфера; 2) *attr.* атмосферный; ~ pressure атмосферное давление.

**atmospheric(al)** [,ætməs'ferɪk(əl)] *a* атмосферный, атмосферический; метеорологический; ~ condensation атмосферные осадки; ~ pressure атмосферное давление; ~ density плотность воздуха; ~ temperature температура воздуха.

**atmospherics** [,ætməs'ferɪks] *n pl радио* атмосферные помехи.

**atoll** ['ætɒl] *n* атолл, коралловый остров.

**atom** ['ætəm] *n* 1) атом; 2) *разг.* мельчайшая частица; to break (*или* to smash) to ~s разбить вдребезги; not an ~ of evidence ни тени доказательства; 3) *attr.* атомный; ~ bomb атомная бомба; ~ fission (*или* splitting) расщепление атома.

**atomaniac** ['ætə,meɪnɪæk] *n* проповедник атомной войны́.

**atomic** [ə'tɔmɪk] *a* а́томный; ~ bomb а́томная бо́мба; ~ energy а́томная эне́ргия; ~ heat а́томная теплоёмкость; ~ number а́томное поря́дковое число́; ~ weight а́томный вес; ~ pile а́томный котёл, реа́ктор; ~ control контро́ль над произво́дством а́томной эне́ргии; ~ warfare а́томная война́.

**atomicity** [,ætə'mɪsɪtɪ] *n* а́томность, вале́нтность.

**atomism** ['ætəmɪzəm] *n* атоми́зм, атомисти́ческая тео́рия.

**atomistic** [,ætə'mɪstɪk] *a* 1) атомисти́ческий; 2) раздро́бленный; состоя́щий из мно́жества ме́лких часте́й, элеме́нтов.

**atomize** ['ætəmaɪz] *v* распыля́ть; дроби́ть.

**atomizer** ['ætəmaɪzə] *n* 1) пульвериза́тор; 2) *тех.* форсу́нка, распыли́тель, гидропу́льт.

**atom-smasher** ['ætəm'smæʃə] *n* расщепи́тель а́томного ядра́.

**atom-smashing** ['ætəm'smæʃɪŋ] *n разг.* расщепле́ние а́тома.

**atomy** I ['ætəmɪ] *n* 1) а́том; 2) ма́ленькое существо́.

**atomy** II ['ætəmɪ] *n (сокр. от* anatomy) 1) скеле́т *(анатоми́ческий препара́т);* 2) *разг.* скеле́т, ко́жа да ко́сти.

**atone** [ə'toun] *v* 1) загла́живать, искупа́ть *(вину; обыкн.* ~ for); 2) возмеща́ть *(обыкн.* ~ for); 3) *уст.* ула́живать *(ссору).*

**atonement** [ə'tounmənt] *n* 1) искупле́ние *(вины);* 2) возмеще́ние; 3) *уст.* примире́ние.

**atonic** [æ'tɔnɪk] *a* 1) *грам.* безуда́рный; 2) *мед.* ослабе́вший.

**atony** ['ætənɪ] *n мед.* атони́я.

**atop** [ə'tɔp] 1. *adv* на верши́не, наверху́; 2. *prep* пове́рх; над.

**at par** [ət'pɑː] *adv* по номина́льной сто́имости.

**atrabilious** [,ætrə'bɪljəs] *a* 1) страда́ющий разли́тием жёлчи; 2) меланхоли́ческий; жёлчный.

**atrip** [ə'trɪp] *a predic., adv:* to be ~ отдели́ться от гру́нта *(о поднима́емом я́коре).*

**atrocious** [ə'trouʃəs] *a* 1) жесто́кий, зве́рский; 2) ужа́сный.

**atrocity** [ə'trɔsɪtɪ] *n* 1) жесто́кость, зве́рство; 2) *разг.* гру́бый про́мах, гру́бая беста́ктность.

**atrophied** ['ætrəfɪd] 1. *p.p. от* atrophy 2; 2. *a* 1) атрофи́рованный; 2) истощённый, ча́хлый.

**atrophy** ['ætrəfɪ] 1. *n* 1) атрофи́я; 2) ослабле́ние, истоще́ние; 2. *v* 1) атрофи́роваться; 2) изнуря́ть.

**attaboy** ['ætə,bɔɪ] = at-a-boy.

**attach** [ə'tætʃ] *v* 1) прикрепля́ть, прикла́дывать; to ~ a seal to a document ста́вить печа́ть на докуме́нте; скрепля́ть докуме́нт печа́тью; to ~ a stamp прикле́ивать ма́рку; the responsibility that ~es to that position отве́тственность, свя́занная с э́тим положе́нием; 2) присоединя́ться; he ~ed himself to the new arrivals он присоедини́лся к вновь прибы́вшим; 3) прикомандиро́вывать; назнача́ть; to ~ a teacher to a class прикрепи́ть преподава́теля к кла́ссу; 4) привя́зывать, располага́ть к себе́; 5) *refl.* привя́зываться; 6) припи́сывать, придава́ть; to ~ importance to smth. придава́ть значе́ние чему́-л., счита́ть что-л. ва́жным; he ~ed the blame to me он свали́л вину́ на меня́; 7) *юр.* налага́ть аре́ст, запреще́ние; аресто́вывать.

**attache** [ə'tæʃeɪ] *фр. n* атташе́ посо́льства; air (military, naval) ~ авиацио́нный (вое́нный, морско́й) атташе́.

**attache case** [ə'tæʃɪkeɪs] *n* ко́жаный ручно́й чемода́нчик *(для книг, докуме́нтов).*

**attached** [ə'tætʃt] 1. *p.p. от* attach; 2. *a* 1) привя́занный; пре́данный *(кому-л.);* 2) прикомандиро́ванный; 3) прикреплённый.

**attachment** [ə'tætʃmənt] *n* 1) привя́занность, пре́данность; 2) прикрепле́ние; 3) *юр.* наложе́ние аре́ста; foreign ~ наложе́ние запреще́ния на иму́щество иностра́нца *(в Англии);* 4) *тех.* приспособле́ние, принадле́жность.

**attack** [ə'tæk] 1. *n* 1) ата́ка, наступле́ние; наступа́тельный бой, нападе́ние; 2) при́ступ боле́зни, припа́док; 3) *pl* напа́дки; 4) *attr. воен.* штурмово́й; ~ aviation *амер.* штурмова́я авиа́ция; ~ plane штурмово́й самолёт; 2. *v* 1) атакова́ть, напада́ть; 2) поража́ть *(о боле́зни);* 3) разруша́ть, разъеда́ть; acid ~s metals кислота́ разъеда́ет мета́ллы; 4) предпринима́ть; бра́ться энерги́чно *(за что-л.),* набра́сываться *(на рабо́ту и т. п.).*

**attackable** [ə'tækəbl] *a* 1) уязви́мый; 2) спо́рный.

**attain** [ə'teɪn] *v* дости́гнуть, доби́ться.

**attainability** [ə,teɪnə'bɪlɪtɪ] *n* достижи́мость.

**attainable** [ə'teɪnəbl] *a* достижи́мый.

**attainder** [ə'teɪndə] *n* присужде́ние к сме́рти *или* к изгна́нию с лише́нием гражда́нских прав за госуда́рственную изме́ну; Act *(или* Bill) of A. *ист.* парла́ментское осужде́ние вино́вного в госуда́рственной изме́не.

**attainment** [ə'teɪnmənt] *n* 1) достиже́ние; приобрете́ние; 2) *pl* зна́ния, на́выки; a man of varied ~s разносторо́нний челове́к.

**attaint** [ə'teɪnt] 1. *n* пятно́, позо́р; 2. *v* 1) присужда́ть к сме́рти *или* к изгна́нию с лише́нием гражда́нских прав [см. attainder]; 2) бесче́стить, позо́рить; 3) *уст.* поража́ть *(о боле́зни);* заража́ть.

**attar** ['ætə] *n* эфи́рное ма́сло *(из цвето́в);* ~ of roses ро́зовое ма́сло.

**attemper** [ə'tempə] *v* 1) умеря́ть, успока́ивать; 2) регули́ровать, приспособля́ть (to); 3) сме́шивать в соотве́тствующих про́порциях.

**attempt** [ə'tempt] 1. *n* 1) попы́тка; про́ба, о́пыт; 2) покуше́ние; an ~ on smb.'s life покуше́ние на чью-л. жизнь; 2. *v* 1) пыта́ться, про́бовать; бра́ться; предпринима́ть; 2) покуша́ться.

**attend** [ə'tend] *v* 1) уделя́ть внима́ние; быть внима́тельным *(к кому-л., чему-л.);*

you are not ~ing вы невнима́тельны; to ~ to smb.'s needs быть внима́тельным к чьим-л. ну́ждам; 2) забо́титься, следи́ть (to — за *чем-л.*); выполня́ть; to ~ to the education of one's children следи́ть за воспита́нием свои́х дете́й; your orders will be ~ed to ва́ши приказа́ния, зака́зы бу́дут вы́полнены; 3) ходи́ть, уха́живать (*за больны́м*); the patient was ~ed by Dr X больно́го лечи́л до́ктор X; 4) прислу́живать, обслу́живать (on, upon); 5) сопровожда́ть; сопу́тствовать; I will ~ you to the theatre я провожу́ вас до теа́тра; success ~s hard work успе́х сопу́тствует упо́рной рабо́те; 6) посеща́ть; прису́тствовать (*на ле́кциях, собра́ниях и т. п.*); I have to ~ a meeting мне на́до быть на собра́нии.

**attendance** [ə'tendəns] *n* 1) прису́тствие (at); посеще́ние; your ~ is requested ва́ше прису́тствие жела́тельно; hours of ~ служе́бные, прису́тственные часы́; 2) посеща́емость; 3) аудито́рия, пу́блика; 4) ухо́д, обслу́живание (upon); услу́ги; medical ~ враче́бный ухо́д.

**attendant** [ə'tendənt] **1.** *n* 1) сопровожда́ющее, обслу́живающее *или* прису́тствующее лицо́; 2) спу́тник; 3) слуга́, служи́тель; **2.** *a* 1) сопровожда́ющий, сопу́тствующий; ~ circumstances сопу́тствующие обстоя́тельства; 2) прису́тствующий; 3) обслу́живающий (upon).

**attention** [ə'tenʃən] *n* 1) внима́ние; внима́тельность; to attract (to call) ~ привлека́ть (обраща́ть *чьё-л.*) внима́ние; to pay ~ обраща́ть внима́ние; to compel ~ прико́вывать внима́ние; to slip smb.'s ~ ускользну́ть от чьего́-л. внима́ния; ~! *воен.* сми́рно!; to stand at ~ *воен.* стоя́ть сми́рно; 2) забо́та, забо́тливость; to show much ~ (to smb.) проявля́ть забо́ту (о ком-л.); 3) ухо́д (*за больны́м и т. п.*); 4) обслу́живание; 5) *pl* уха́живание; 6) *тех.* ухо́д (*за маши́ной*).

**attentive** [ə'tentɪv] *a* 1) внима́тельный; 2) забо́тливый; 3) ве́жливый, предупреди́тельный.

**attenuate 1.** *a* [ə'tenjuɪt] 1) исхуда́вший; худо́й, стро́йный; 2) разжижённый; **2.** *v* [ə'tenjueɪt] 1) истоща́ть; 2) ослабля́ть; смягча́ть; 3) разжижа́ть.

**attenuation** [ə,tenju'eɪʃən] *n* 1) истоще́ние; ослабле́ние; 2) уменьше́ние; 3) разжиже́ние; 4) *физ., тех.* затуха́ние; 5) *attr.*: ~ constant *радио* коэффицие́нт затуха́ния.

**attest** [ə'test] *v* 1) свиде́тельствовать; удостоверя́ть; подтвержда́ть; to ~ a signature засвиде́тельствовать по́дпись; 2) приводи́ть к прися́ге.

**attestation** [,ætes'teɪʃən] *n* 1) свиде́тельское показа́ние, подтвержде́ние; 2) засвиде́тельствование (*докуме́нта*); 3) приведе́ние к прися́ге.

**attestor** [ə'testə] *n юр.* свиде́тель.

**Attic** ['ætɪk] *a* 1) атти́ческий; класси́ческий; 2) изя́щный, остроу́мный; ◇ ~ salt атти́ческая соль, то́нкое остроу́мие.

**attic** ['ætɪk] *n* 1) манса́рда; черда́к; ве́рхний, черда́чный эта́ж (*тж.* the ~s);

2) *архит.* а́ттик, сте́нка над карни́зом, верша́ющая фаса́д; ◇ to have rats in the ~ *sl.* ≈ ви́нтиков не хвата́ет.

**atticism** ['ætɪsɪzəm] *n* изя́щество выраже́ния.

**attic-stor(e)y** ['ætɪk,stɔːrɪ] *n* черда́чный эта́ж.

**attire** [ə'taɪə] **1.** *n* 1) наря́д, пла́тье; украше́ние; 2) *охот.* оле́ньи рога́; **2.** *v* (*обыкн. pass. или refl.*) одева́ть, наряжа́ть; simply ~d про́сто оде́тый.

**attitude** ['ætɪtjuːd] *n* 1) пози́ция; отноше́ние (*к чему́-л.*); ~ of mind склад ума́; 2) по́за; оса́нка; to strike an ~ принима́ть (театра́льную) по́зу; 3) *ав.* положе́ние само́лёта в во́здухе.

**attitudinize** [,ætɪ'tjuːdɪnaɪz] *v* принима́ть (театра́льные) по́зы.

**attorney** [ə'tɜːnɪ] *n* пове́ренный, адвока́т (*зва́ние, офиц. отменённое в 1873 г.*); ~ and counsellor-at-law адвока́т; A. General генера́льный атто́рней; мини́стр юсти́ции (*в США*); district ~, circuit ~ *амер.* райо́нный прокуро́р; letter (*или* warrant) of ~ дове́ренность; power of ~ полномо́чие; by ~ по дове́ренности, че́рез пове́ренного (*не ли́чно*).

**attract** [ə'trækt] *v* 1) привлека́ть, притя́гивать; 2) пленя́ть, прельща́ть.

**attraction** [ə'trækʃən] *n* 1) притяже́ние, тяготе́ние; 2) привлека́тельность; пре́лесть; 3) прима́нка; 4) аттракцио́н.

**attractive** [ə'træktɪv] *a* привлека́тельный, притяга́тельный, зама́нчивый; ~ force си́ла притяже́ния.

**attribute 1.** *n* ['ætrɪbjuːt] 1) сво́йство; хара́ктерный при́знак, характе́рная черта́, атрибу́т; 2) *грам.* определи́тельное сло́во, определе́ние; **2.** *v* [ə'trɪbjuːt] припи́сывать (*чему́-л., кому́-л.*; to); относи́ть (*за счёт чего́-л., кого́-л.*; to).

**attribution** [,ætrɪ'bjuːʃən] *n* 1) припи́сывание; 2) власть, компете́нция.

**attributive** [ə'trɪbjutɪv] **1.** *a* атрибути́вный, определи́тельный; **2.** *n* атрибу́т; определе́ние.

**attrition** [ə'trɪʃən] *n* 1) тре́ние; 2) изна́шивание от тре́ния, истира́ние; истёртость; 3) изно́с, изнуре́ние.

**attune** [ə'tjuːn] *v* приводи́ть в созву́чие; настра́ивать (*музыка́льный инструме́нт; тж. перен.*).

**aubergine** ['oubəʒiːn] *фр. n* баклажа́н.

**auburn** ['ɔːbən] *a* кашта́нового цве́та, тёмно-ры́жего цве́та (*обыкн. о волоса́х*).

**auction** ['ɔːkʃən] **1.** *n* аукцио́н, торг; to put up to (*амер.* at) ~, to sell by (*амер.* at) ~ продава́ть с аукцио́на; **2.** *v* продава́ть с аукцио́на.

**auctioneer** [,ɔːkʃə'nɪə] **1.** *n* аукциони́ст; **2.** *v* продава́ть с аукцио́на, с молотка́.

**audacious** [ɔː'deɪʃəs] *a* 1) сме́лый, де́рзкий; 2) на́глый.

**audaciousness** [ɔː'deɪʃəsnɪs] = audacity.

**audacity** [ɔː'dæsɪtɪ] *n* 1) сме́лость; 2) на́глость.

**audibility** [,ɔːdɪ'bɪlɪtɪ] *n* слы́шимость, вня́тность.

**audible** ['ɔːdəbl] *a* слышный, внятный; слышимый.

**audibly** ['ɔːdəblɪ] *adv* громко, внятно; вслух; *перен.* явно.

**audience** ['ɔːdjəns] *n* 1) аудитория, слушатели; 2) публика; зрители; 3) слушание (*дела в суде*); 4) аудиенция (of, with — у кого-л.); to give an ~ дать аудиенцию; выслушать.

**audio frequency** ['ɔːdɪou'friːkwənsɪ] *n* радио звуковая частота.

**audiograph** ['ɔːdɪougrɑːf] *n* ак. аудиограф.

**audiometer** [,ɔːdɪ'ɔmɪtə] *n* ак. аудиометр.

**audit** ['ɔːdɪt] 1. *n* проверка, ревизия бухгалтерских книг, документов и отчётности; 2. *v* проверять отчётность, ревизовать.

**audition** [ɔː'dɪʃən] 1. *n* 1) слушание, выслушивание; 2) слух, чувство слуха; 3) *театр.* проба голосов; конкурс певцов; 2. *v* слушать, выслушивать.

**auditor** ['ɔːdɪtə] *n* 1) ревизор, (финансовый) контролёр; 2) *уст.* слушатель.

**auditorial** [,ɔːdɪ'tɔːrɪəl] *a* ревизионный, контрольный.

**auditorium** [,ɔːdɪ'tɔːrɪəm] *n* зрительный зал, аудитория.

**auditory** ['ɔːdɪtərɪ] 1. *a* слуховой; 2. *n редк.* аудитория, слушатели.

**Augean** [ɔː'dʒiːən] *a*: ~ stables авгиевы конюшни.

**auger** ['ɔːgə] *n* ложечное сверло, бурав; шпек (транспортёра).

**aught** [ɔːt] 1. *n* нечто, кое-что, что-нибудь; 2. *adv* в каком-л. отношении; в какой-л. степени; for ~ I know насколько мне известно.

**augment** 1. *n* ['ɔːgmənt] *грам.* приращение, аугмент; 2. *v* [ɔːg'ment] 1) увеличивать(ся), прибавлять(ся); усиливать(ся); 2) *грам.* присоединять аугмент.

**augmentation** [,ɔːgmen'teɪʃən] *n* увеличение, прирост, приращение.

**augmentative** [ɔːg'mentətɪv] *a* 1) увеличивающийся; 2) *грам.* увеличительный (*о суффиксе*).

**augur** ['ɔːgə] 1. *n* авгур, прорицатель; 2. *v* предсказывать, предвещать; предвидеть; to ~ well служить хорошим предзнаменованием.

**augural** ['ɔːgjurəl] *a* предвещающий; зловещий.

**augury** ['ɔːgjurɪ] *n* 1) гадание; 2) предзнаменование; 3) предсказание; 4) предчувствие.

**August** ['ɔːgəst] *n* 1) август; 2) *attr.* августовский.

**august** [ɔː'gʌst] *a* величественный, высокий.

**Augustan** [ɔː'gʌstən] *a*: ~ age век (*или* эпоха) Августа; *перен.* классический век литературы и искусства.

**auk** [ɔːk] *n* гагарка (*птица*).

**aunt** [ɑːnt] *n* тётя; тётка; ◇ my ~! восклицание удивления.

**auntie** ['ɑːntɪ] *n ласк.* тётушка.

**Aunt Sally** ['ɑːnt'sælɪ] *n* 1) *народная игра, состоящая в том, чтобы с известного расстояния выбить трубку изо рта дере*-

вянной куклы; 2) мишень для нападок *или* оскорблений.

**aura** ['ɔːrə] *n* 1) дуновение; 2) эманация; 3) *мед.* аура, предвестник эпилептического припадка.

**aural** ['ɔːrəl] *a* 1) ушной; 2) слуховой; ~ impression слуховое восприятие; ~ surgeon = aurist.

**aurally** ['ɔːrəlɪ] *adv* устно, на слух.

**aureate** ['ɔːrɪɪt] *a* золотистый, позолоченный.

**aurelia** [ɔː'riːljə] *n* аурелия (*род медузы*).

**aureola, aureole** [ɔː'rɪələ, 'ɔːrɪoul] *n* ореол, сияние, венчик.

**auric** ['ɔːrɪk] *a* 1) содержащий золото; 2) *горн.* золотоносный.

**auricle** ['ɔːrɪkl] *n* 1) наружное ухо (*животных*); 2) *анат.* предсердие.

**auricula** [ə'rɪkjulə] *n* (*pl* -las [-ləz], -lae) *бот.* аврикула.

**auriculae** [ə'rɪkjuliː] *pl om* auricula.

**auricular** [ɔː'rɪkjulə] *a* 1) ушной, слуховой; 2) сказанный на ухо; тайный; 3) *анат.* относящийся к предсердию; ~ appendix сердечное ушко.

**auriferous** [ɔː'rɪfərəs] *a* золотоносный, золотосодержащий.

**auriform** ['ɔːrɪfɔːm] *a* имеющий форму уха.

**Auriga** [ɔː'raɪgə] *n астр.* Возничий (*созвездие*).

**aurist** ['ɔːrɪst] *n* специалист по ушным болезням.

**aurochs** ['ɔːrɔks] *n зоол.* зубр.

**Aurora** [ɔː'rɔːrə] *n* 1) *миф.* Аврора; 2) (a.) *поэт.* аврора, утренняя заря; ~ australis южное сияние; ~ borealis северное сияние.

**auroral** [ɔː'rɔːrəl] *a* 1) утренний; 2) сияющий; румяный; 3) вызванный северным *или* южным сиянием.

**auscultation** [,ɔːskəl'teɪʃən] *n* выслушивание (*больного*).

**auspice** ['ɔːspɪs] *n* 1) доброе предзнаменование; 2) (обыкн. *pl*) покровительство; under the ~s of smb. под чьим-л. покровительством.

**auspicious** [ɔːs'pɪʃəs] *a* благоприятный.

**Aussie** ['ɔːsɪ] *разг. см.* Australian 2.

**austere** [ɔs'tɪə] *n* 1) строгий; 2) суровый; аскетический; 3) строгий, чистый, простой (*о стиле*); 4) терпкий (*на вкус*).

**austerity** [ɔs'terɪtɪ] *n* 1) строгость; 2) суровость; аскетизм; простота; 3) терпкость.

**austral** ['ɔːstrəl] *a* южный.

**Australian** [ɔs'treɪljən] 1. *a* австралийский; 2. *n* австралиец; австралийка.

**Austrian** ['ɔstrɪən] 1. *a* австрийский; 2. *n* австриец; австрийка.

**authentic** [ɔː'θentɪk] *a* подлинный, достоверный; аутентичный.

**authentically** [ɔː'θentɪkəlɪ] *adv* подлинно, достоверно.

**authenticate** [ɔː'θentɪkeɪt] *v* удостоверять, устанавливать подлинность.

**authenticity** [,ɔːθen'tɪsɪtɪ] *n* подлинность, достоверность.

**author** ['ɔːθə] *n* 1) áвтор; писáтель; 2) творéц; создáтель; 3) винóвник; инициáтор.

**authoress** ['ɔːθərɪs] *n* писáтельница.

**authoritarian** [ɔː,θɔrɪ'tɛərɪən] 1. *a* авторитáрный;

2. *n* сторóнник авторитáрной влáсти.

**authoritative** [ɔː'θɔrɪtətɪv] *a* 1) авторитéтный; 2) повелѝтельный, влáстный.

**authority** [ɔː'θɔrɪtɪ] *n* 1) власть, полномóчие (*for*; *тж. c inf.*); сфéра компетéнции; the ~ of Parliament власть парлáмента; a man set in ~ человéк, облечённый влáстью; 2) (*обыкн.* *pl* the authorities) влáсти; to apply to the authorities обратѝться к властям; 3) авторитéт, вес, влияние, значéние; to carry ~ имéть влияние; 4) авторитéт, авторитéтный специалѝст; 5) авторитéтный истóчник (*книга, докумéнт*); 6) авторитéтное утверждéние; доказáтельство; основáние; on the ~ of the press на основáнии, по утверждéнию газéт.

**authorization** [,ɔːθərɑɪ'zeɪʃən] *n* 1) уполномóчивание; 2) сáнкция, разрешéние; óрдер.

**authorize** ['ɔːθərɑɪz] *v* 1) уполномóчивать; поручáть; 2) санкционѝровать, разрешáть; 3) опрáвдывать; объяснять; his conduct was ~d by the situation егó поведéние опрáвдывалось положéнием.

**authorized** ['ɔːθərɑɪzd] 1. *p.p.* *от* authorize; 2. *a* авторизóванный; ~ translation авторизóванный перевóд; Authorized Version английский перевóд бѝблии изд. 1611 г., прѝнятый в англикáнской цéркви.

**authorless** ['ɔːθəlɪs] *a* анонѝмный.

**authorship** ['ɔːθəʃɪp] *n* áвторство; a book of doubtful ~ книга, áвтор котóрой тóчно не устанóвлен.

**auto** ['ɔːtou] *n сокр. разг.* 1) = automatic pistol [*см.* automatic 1, 1)]; 2) *см.* automobile.

**auto-** ['ɔːtou-] *pref* авто-, само-.

**autobiographic** ['ɔːtou,bɑɪou'græfɪk] *a* автобиографѝческий.

**autobiography** [,ɔːtoubɑɪ'ɔgrəfɪ] *n* автобиогрáфия.

**autobus** ['ɔːtəbʌs] *n уст.* автóбус.

**autocar** ['ɔːtoukɑː] *n* автомобѝль.

**autochthon** [ɔː'tɔkθən] *n* (*pl* -s [-z], -es [-ɪz]) кореннóй жѝтель, обитáтель.

**autochthonal** [ɔː'tɔkθənəl] *a* коренной (*о населéнии страны*).

**autocracy** [ɔː'tɔkrəsɪ] *n* самодержáвие, автокрáтия.

**autocrat** ['ɔːtəkræt] *n* 1) самодéржец, автокрáт; 2) влáстный человéк, дéспот.

**autocratic** [,ɔːtə'krætɪk] *a* 1) самодержáвный; 2) влáстный, деспотѝческий.

**auto-da-fé** ['ɔːtoudɑː'feɪ] *португ.* *n* (*pl* autos-da-fé) *ист.* аутодафé.

**autogamous** [ɔː'tɔgəməs] *a бот.* автогáмный, самоопыляющийся.

**autogenesis** [,ɔːtou'dʒenɪsɪs] *n* автогенéз, самозарождéние.

**autogenous** [ɔː'tɔdʒɪnəs] *a* автогéнный; ~ welding автогéнная свáрка.

**autograph** ['ɔːtəgrɑːf] 1. *n* 1) автóграф; 2) оригинáл рýкописи;

2. *v* надпѝсывать автóграфы.

**autographic** [,ɔːtə'græfɪk] *a* собственнорýчно напѝсанный.

**autogravure** [,ɔːtəgrə'vjuə] *n* автогравюра.

**autogyro** [,ɔːtou'dʒɑɪərou] *n ав.* автожѝр, вертолёт.

**autointoxication** [,ɔːtouɪn,tɔksɪ'keɪʃən] *n мед.* самоотравлéние органѝзма.

**automat** ['ɔːtəmæt] *n амер.* ресторáн-автомáт.

**automata** [ɔː'tɔmətə] *pl от* automaton.

**automatic** [,ɔːtə'mætɪk] 1. *a* 1) автоматѝческий; ~ pilot автопилóт; ~ pistol самозарядный пистолéт; ~ rifle автоматѝческая винтóвка; Browning ~ rifle *амер.* ручнóй пулемёт Брáунинга; ~ rifleman ручнóй пулемётчик; ~ stoker механѝческая тóпка; ~ coupling *ж.-д.* автосцéпка; ~ fire непрерывная стрельбá; ~ telephone system автоматѝческая телефóнная стáнция; ~ train stop *ж.-д.* автостóп; ~ transmitter автоматѝческий передáтчик; 2) машинáльный;

2. *n* 1) автоматѝческий аппарáт; автомáт; 2) автоматѝческое орýжие; 3) пистолéт.

**automatical** [,ɔːtə'mætɪkəl] = automatic 1.

**automation** [,ɔːtə'meɪʃən] *n* автоматизáция.

**automatism** [ɔː'tɔmətɪzəm] *n* автоматѝзм; непроизвóльное движéние.

**automaton** [ɔː'tɔmətən] *n* (*pl* -ta, -tons [-tənz]) автомáт.

**automobile** ['ɔːtəməbiːl] 1. *n* автомобѝль; 2. *a* 1) автомобѝльный; ~ railway car *ж.-д.* автомотрѝса; ~ transportation автотрáнспорт; ~ wagon грузовóй автомобѝль, грузовѝк; 2) самодвѝжущийся.

**automobilist** [,ɔːtə'mɔbɪlɪst] *n* автомобилѝст.

**automobilization** ['ɔːtə,moubɪlɑɪ'zeɪʃən] *n* моторизáция.

**automotive** [,ɔːtə'moutɪv] *a* 1) самодвѝжущийся; 2) автомобѝльный; ~ industry автопромышленность.

**autonomist** [ɔː'tɔnəmɪst] *n* автономѝст, сторóнник автонóмии.

**autonomous** [ɔː'tɔnəməs] *a* автонóмный, самоуправляющийся.

**autonomy** [ɔː'tɔnəmɪ] *n* 1) автонóмия, самоуправлéние; 2) прáво на самоуправлéние; 3) автонóмное госудáрство; автонóмная óбласть.

**autopilot** ['ɔːtə,pɑɪlət] *n* автопилóт.

**autopsy** ['ɔːtəpsɪ] *n* вскрытие (*трупа*).

**autorifle** ['ɔːtərɑɪfl] *n амер.* ручнóй пулемёт.

**auto-road** ['ɔːto,roud] *n* автострáда.

**autos-da-fé** ['ɔːtouzdɑː'feɪ] *pl от* auto-da-fe

**autostrada** [,auto'strɑːdə] = auto-road.

**autosuggestion** ['ɔːtousə'dʒestʃən] *n* самовнушéние.

**autotruck** ['ɔːtə,trʌk] *n амер.* грузовѝк.

**autotype** ['ɔːtotɑɪp] 1. *n* автотѝпия; факсимѝльный отпечáток;

2. *v* дéлать автотѝпный снѝмок.

**autumn** ['ɔːtəm] *n* 1) óсень; 2) *attr.* осéнний.

**autumnal** [ɔː'tʌmnəl] *a* 1) осéнний; 2) цветýщий *или* зрéющий óсенью.

**auxiliary** [ɔːg'zɪljərɪ] 1. *a* 1) вспомогáтельный; 2) добáвочный; запáсный;

2. *n* 1) помо́щник; 2) *грам.* вспомога́-
тельный глаго́л; 3) *pl* иностра́нные *или*
сою́зные войска́; 4) *тех.* вспомога́тельное
устро́йство, вспомога́тельный механи́зм.

**avail** [ə'veɪl] 1. *n* по́льза; вы́года; of —
поле́зный; of no — беспо́лезный; of little
— малоприго́дный; of what — is it? кака́я
в э́том по́льза?;
2. *v* 1) быть поле́зным, вы́годным; his
efforts did not — him его́ уси́лия не помогли́
ему́; 2) *refl.*: to — oneself of по́льзоваться,
воспо́льзоваться (*случаем, предложением*).

**availability** [ə,veɪlə'bɪlɪtɪ] *n* 1) (при)го́д-
ность; 2) нали́чие.

**available** [ə'veɪləbl] *a* 1) досту́пный; име́-
ющийся в распоряже́нии, нали́чный; —
surface свобо́дное простра́нство; by all —
means все́ми досту́пными сре́дствами; all —
funds все нали́чные сре́дства; this book is
not — э́ту кни́гу нельзя́ доста́ть; to make —
предоставля́ть; 2) (при)го́дный; поле́зный;
3) действи́тельный; tickets — for one day
only биле́ты, действи́тельные то́лько на
оди́н день.

**avalanche** ['ævəlɑːnʃ] *n* 1) лави́на, сне́ж-
ный обва́л; 2) град (*пуль, ударов*); по-
то́к (*писем и т. п.*).

**avant-corps** ['ɑːvɑ̃ːŋ'kɔː] *фр. n* архит.
выступа́ющий фаса́д.

**avarice** ['ævərɪs] *n* ску́пость; жа́дность.

**avaricious** [,ævə'rɪʃəs] *a* скупо́й; жа́дный.

**avast** [ə'vɑːst] *int* мор. стой!, стоп!

**avatar** [,ævə'tɑː] *n* инд. миф. воплоще́-
ние божества́ (*преим. Вишну*).

**avaunt** [ə'vɔːnt] *int* уст., шутл. прочь!,
вон!

**ave** ['ɑːvɪ] *лат.* 1. *n* 1) проща́ние; 2) (A.)
*церк.* моли́тва богоро́дице (*тж.* A. Maria,
A. Mary);
2. *int* приве́т! (*обыкн. как прощание*).

**avenge** [ə'vendʒ] *v* мстить; to — oneself
отомсти́ть, отплати́ть за себя́ (on — кому́-л.
for — за что́-л.).

**avengeful** [ə'vendʒful] *a* мсти́тельный.

**avenger** [ə'vendʒə] *n* мсти́тель.

**avens** ['ævenz] *n* бот. гравила́т.

**avenue** ['ævɪnjuː] *n* 1) доро́га, алле́я
к до́му (*через парк, усадьбу и т. п.*); 2)
доро́га, обса́женная дере́вьями; 3) *амер.*
широ́кая у́лица, проспе́кт; 4) путь, сре́д-
ство; to — wealth (to fame) путь к бо-
га́тству (к сла́ве); to explore every —, to
leave no — unexplored испо́льзовать все
возмо́жности; 5) *воен.* по́дступ (*тж.* — of
approach).

**aver** [ə'vɜː] *v* 1) утвержда́ть; 2) *юр.*
дока́зывать.

**average** ['ævərɪdʒ] 1. *n* 1) сре́днее число́;
сре́дняя величина́; on the (*или* an) — в сре́д-
нем; to strike an — выводи́ть сре́днее чис-
ло́; below (above) the — ни́же (вы́ше)
сре́днего; 2) *ком.* убы́ток от ава́рии су́дна;
3) распределе́ние убы́тка от ава́рии ме́ж-
ду владе́льцами (*груза, судна*);
2. *a* 1) сре́дний; — output сре́дняя добы́-
ча; — rate of profit полит.-эк. сре́дняя
но́рма при́были; 2) сре́дний, обы́чный, нор-
ма́льный; — height сре́дний, норма́льный
рост;

3. *v* 1) выводи́ть сре́днее число́; 2) в сре́д-
нем равня́ться, составля́ть.

**average adjuster** ['ævərɪdʒə'dʒʌstə] *n* дис-
паше́р (*эксперт по определению убытков
при морской аварии*).

**average statement** ['ævərɪdʒ'steɪtmənt] *n*
ком. диспа́ша.

**averment** [ə'vɜːmənt] *n* 1) утвержде́ние;
2) *юр.* доказа́тельство.

**averruncator** [,ævə'rʌŋkeɪtə] *n* садо́вые
но́жницы.

**averse** [ə'vɜːs] *a* нераспо́ложенный, не-
охо́тный, пита́ющий отвраще́ние (to — к
чему́-л.); not — to a good dinner непро́чь
хорошо́ пообе́дать.

**aversion** [ə'vɜːʃən] *n* 1) отвраще́ние, ан-
типа́тия (to); 2) нео́хота; 3) предме́т от-
враще́ния; one's pet — шутл. са́мая си́ль-
ная антипа́тия.

**avert** [ə'vɜːt] *v* 1) отводи́ть (*взгляд*;
from); 2) отвлека́ть (*мысли*; from); 3) от-
враща́ть, предотвраща́ть (*удар, опасность
и т. п.*).

**avertible** [ə'vɜːtəbl] *a* предотврати́мый.

**aviary** ['eɪvjərɪ] *n* пти́чник.

**aviate** ['eɪvɪeɪt] *v* 1) лета́ть на самолёте,
дирижа́бле и т. п.; 2) управля́ть самолётом, дирижа́блем и т. п.

**aviation** [,eɪvɪ'eɪʃən] *n* 1) авиа́ция; 2)
*attr.* авиацио́нный; — engine авиацио́нный
мото́р; — gas амер. авиацио́нное горю́чее.

**aviator** ['eɪvɪeɪtə] *n* лётчик, авиа́тор, пи-
ло́т.

**aviculture** ['eɪvɪkʌltʃə] *n* птицево́дство.

**avid** ['ævɪd] *a* жа́дный, а́лчный (of, for).

**avidity** [ə'vɪdɪtɪ] *n* жа́дность, а́лчность.

**aviette** [,eɪvɪ'et] *n* ав. авие́тка, лёгкий
самолёт.

**avifauna** [,eɪvɪ'fɔːnə] *n* зоол. фа́уна птиц
(*данной местности*).

**avigate** ['ævɪgeɪt] *v* воен. води́ть самолёт по пра́вилам аэронавига́ции.

**avigation** [,ævɪ'geɪʃən] *n* 1) аэронавига́-
ция; 2) *attr.* аэронавигацио́нный; — instruments аэронавигацио́нные прибо́ры.

**aviso** [ə'vaɪzou] *n* (*pl* -os [-ouz]) 1) ком.
ави́зо; 2) *мор.* посы́льное су́дно.

**avocation** [,ævou'keɪʃən] *n* 1) (*непр.
вм.* vocation) основно́е заня́тие; призва́-
ние; 2) (*тж. pl*) побо́чное заня́тие; заня́-
тия в часы́ досу́га, развлече́ние.

**avocet** ['ævouset] *n* шилоклю́вка (*птица*).

**avoid** [ə'vɔɪd] *v* 1) избега́ть, сторони́ть-
ся; 2) уклоня́ться; 3) *юр.* уничтожа́ть, ан-
нули́ровать.

**avoidable** [ə'vɔɪdəbl] *a* то, чего́ *или* тот,
кого́ мо́жно избежа́ть.

**avoidance** [ə'vɔɪdəns] *n* 1) избежа́ние;
2) упраздне́ние, отме́на, аннули́рование;
3) вака́нсия.

**avoirdupois** [,ævədə'pɔɪz] *n* 1) англи́йская
систе́ма мер ве́са (*для всех товаров, кроме
благородных металлов, драгоценных камней
и аптекарских товаров; 1 фунт = 453,9 г;
тж.* — weight); 2) *разг.* ту́чность.

**avoset** ['ævouset] = avocet.

**avouch** [ə'vautʃ] *v* 1) уверя́ть, утвер-
жда́ть; дока́зывать; 2) руча́ться, гаранти́-
ровать; 3) признава́ться, сознава́ться.

**avow** [ə'vau] v 1) откры́то признава́ть; 2) *refl.* признава́ться.

**avowal** [ə'vauəl] n призна́ние.

**avowed** [ə'vaud] 1. *p.p. om* avow; 2. a откры́то при́знанный.

**avowedly** [ə'vauɪdlɪ] adv пря́мо, откры́то.

**avulsion** [ə'vʌlʃən] n 1) отры́в, наси́льственное разъедине́ние; 2) юр. перемеще́ние уча́стка земли́ к чужо́му владе́нию вследствие наводне́ния *или* измене́ния ру́сла реки́.

**avuncular** [ə'vʌŋkjulə] a дя́дин; ◇ ~ relation *шутл.* ростовщи́к.

**await** [ə'weɪt] v 1) ждать, ожида́ть; 2) предстоя́ть.

**awake** [ə'weɪk] 1. v (awoke; awoke, awaked [-t]) 1) буди́ть; *перен. тж.* пробужда́ть (*интерес, сознание*); to ~ smb. to the sense of duty пробуди́ть в ком-л. созна́ние до́лга; 2) просыпа́ться; *перен.* приступа́ть к де́лу; to ~ to one's danger осозна́ть опа́сность; 2. a predic. 1) бо́дрствующий; to be ~ бо́дрствовать, не спать; 2) бди́тельный, насторожённый; to be ~ to smth. я́сно понима́ть что-л.; ◇ wide ~ a) вполне́ очну́вшись от сна; б) начеку́, насторо́же; в) осмотри́тельный; в ку́рсе всего́ происходя́щего; зна́ющий, как сле́дует поступа́ть.

**awaken** [ə'weɪkən] = awake 1, *особ.* пробужда́ть (*талант, чувство и т. п.*).

**awakening** [ə'weɪknɪŋ] 1. pres.p. *om* awaken; 2. n пробужде́ние; rude ~ го́рькое разочарова́ние.

**award** [ə'wɔːd] 1. n 1) реше́ние (*судей, арбитров*); 2) присужде́ние (*награды, премии*); ~ of pension назначе́ние пе́нсии; 3) присуждённое наказа́ние *или* пре́мия; 2. v присужда́ть (*что-л.*); награжда́ть (*чем-л.*).

**aware** [ə'wɛə] a predic. сознаю́щий, зна́ющий, осведомлённый; to be ~ of (*или* that) знать, сознава́ть, отдава́ть себе́ по́лный отчёт в (*или* в том, что); he is ~ of danger, he is ~ that there is danger он сознаёт опа́сность.

**awash** [ə'wɔʃ] a predic. 1) в у́ровень с пове́рхностью воды́; 2) сми́тый водо́й; 3) кача́ющийся на волна́х.

**away** [ə'weɪ] adv 1) *обозначает отдаление от данного места* далеко́ и т.п.; ~ from home вдали́ от до́ма; he is ~ его́ нет до́ма; 2) *обозначает движение, удаление* прочь; to go ~ уходи́ть; to run ~ убега́ть; to throw ~ отбра́сывать; ~ with you! убира́йся!, прочь!; ~ with it! убери́(те) э́то прочь!; 3) *обозначает исчезновение, разрушение:* to boil ~ выкипа́ть; to waste ~, to pine ~ ча́хнуть; to make ~ with уничтожа́ть; убива́ть; устраня́ть; to pass ~ прекрати́ться; умере́ть; 4) *обозначает непрерывное действие:* he worked ~ он продолжа́л рабо́тать; □ ~ off *амер.* далеко́; ~ back *амер.* давно́, тому́ наза́д; давны́м-давно́; ◇ far and ~ a) несравне́нно, намно́го, гора́здо; б) несомне́нно; out and ~ несравне́нно, намно́го, гора́здо; right ~, straight ~ неме́дленно, то́тчас.

**awe** [ɔː] 1. n (благогове́йный) страх, тре́пет, благогове́ние; to stand in ~ of smb. боя́ться кого́-л.; испы́тывать благогове́йный тре́пет пе́ред кем-л.; to strike with ~ внуша́ть благогове́йный страх, благогове́ние; to keep (*или* to hold) in ~ держа́ть в стра́хе; 2. v внуша́ть страх, благогове́ние.

**aweary** [ə'wɪərɪ] a поэт. уста́лый, утомлённый.

**awestruck** ['ɔːstrʌk] a прони́кнутый, охва́ченный благогове́нием, благогове́йным стра́хом.

**awful** ['ɔːful] a 1) ужа́сный; 2) внуша́ющий страх, благогове́ние; 3) внуша́ющий глубо́кое уваже́ние; вели́чественный.

**awfully** adv 1) ['ɔːfulɪ] ужа́сно; 2) ['ɔːflɪ] разг. о́чень, кра́йне; чрезвыча́йно; ~ good of you о́чень ми́ло с ва́шей стороны́.

**awhile** [ə'waɪl] adv на не́которое вре́мя, ненадо́лго; wait ~ подожди́те немно́го.

**awkward** ['ɔːkwəd] a 1) неуклю́жий, нело́вкий (*о людях, движениях и т. п.*); an ~ gait неуклю́жая похо́дка; ~ squad воен. необу́ченные новобра́нцы; *перен.* новички́, нео́пытные лю́ди; 2) неудо́бный; нело́вкий, затрудни́тельный; an ~ situation нело́вкое, щекотли́вое положе́ние; 3) разг. тру́дный (*о человеке*); 4) труднопреодоли́мый.

**awkwardness** ['ɔːkwədnɪs] n неуклю́жесть, нело́вкость.

**awl** [ɔːl] n ши́ло.

**awn** [ɔːn] n ость (*колоса*).

**awning** ['ɔːnɪŋ] n наве́с, тент.

**awoke** [ə'wouk] past *и* p.p. *om* awake 1.

**awry** [ə'raɪ] 1. a predic. 1) криво́й; 2) искажённый; a face ~ with pain лицо́, искажённое бо́лью; 3) непра́вильный; 2. adv 1) ко́со, на́бок; to look ~ смотре́ть ко́со, с недове́рием; 2) непра́вильно, нехорошо́; to take ~ толкова́ть в дурну́ю сто́рону; things went ~ дела́ пошли́ скве́рно.

**ax** [æks] *диал. см.* ask.

**ax(e)** [æks] 1. n 1) топо́р; колу́н; 2) топо́р (*палача*); 3) (the ~) казнь, отсече́ние головы́; 4) ре́зкое сокраще́ние бюдже́та; уре́зывание, сниже́ние ассигнова́ний; ◇ to fit (*или* to put) the ~ in (*или* on) the helve преодоле́ть тру́дность; дости́гнуть це́ли; разреши́ть сомне́ния; to hang up one's ~ a) отойти́ от дел; б) отказа́ться от беспло́дной зате́и; to have an ~ to grind a) пресле́довать ли́чные коры́стные це́ли; б) име́ть зло́бу (*против кого-л.*); to send the ~ after the helve рискова́ть после́дним; to set the ~ to smth., to lay the ~ to the root of smth. приступи́ть к уничтоже́нию, разруше́нию чего́-л.; 2. v 1) рабо́тать топоро́м; 2) сокраща́ть (*штаты*); уре́зывать (*бюджет, ассигнования*).

**axes I** ['æksɪz] pl *om* ax(e) 1.

**axes II** ['æksiːz] pl *om* axis.

**axe-stone** ['æksstoun] n мин. нефри́т.

**axial** ['æksɪəl] a осево́й; по направле́нию оси́; ~ angle у́гол опти́ческих осе́й; ~ road воен. доро́га, перпендикуля́рная фро́нту; ~ cable ав. осева́я расчи́лка.

**axil** ['æksɪl] n бот. влага́лище (*листа*); па́зуха.

**axilla** [æk'sɪlə] *n* (*pl* -lae) 1) *анат.* подмышки; 2) *бот.* = axil.

**axillae** [æk'sɪliː] *pl om* axilla.

**axillary** [æk'sɪlərɪ] *a* 1) *анат.* подмышечный; 2) *бот.* пазушный.

**axiom** ['æksɪəm] *n* аксиома.

**axiomatic(al)** [,æksɪə'mætɪk(əl)] *a* самоочевидный, не требующий доказательства.

**axis** ['æksɪs] *n* (*pl* axes) ось.

**axle** ['æksl] *n mex.* ось.

**axle-bearing** ['æksl,bɛərɪŋ] *n mex.* букса.

**axle-box** ['ækslbɔks] *n mex.* букса, подшипниковая коробка.

**axled** ['æksld] *a* осевой.

**axle grease** ['ækslgriːs] *n* тавот, колёсная мазь.

**axle-pin** ['ækslpɪn] *n mex.* чека.

**axle-tree** ['æksltriː] *n* колёсный вал, ось.

**axunge** ['æksʌndʒ] *n уст.* сало (*обыкн.* гусиное).

**ay** [aɪ] 1. *int* да; ~, ~! *мор.* есть!;
2. *n* (*pl* ayes [aɪz]) положительный ответ; голос «за» при голосовании; the ayes have it большинство за.

**ayah** ['aɪə] *n англо-инд.* няня-туземка.

**aye** [eɪ] 1. *adv уст. поэт.* всегда; for ~, for ever and ~ навсегда;
2. = ay.

**Azerbaijanese** [,ɑːzɑː,baɪdʒə'niːz] *n* 1) азербайджанец; азербайджанка; the ~ *pl собир.* азербайджанцы; 2) азербайджанский язык.

**Azerbaijani** [,ɑːzɑːbaɪ'dʒɑːnɪ] *n* 1) азербайджанец; азербайджанка; 2) = Azerbaijanese 2).

**Azerbaijanian** [,ɑːzɑːbaɪ'dʒɑːnɪən] 1. *a* азербайджанский;
2. *n* = Azerbaijani 1).

**azimuth** ['æzɪməθ] 1. *n* азимут;
2. *a* азимутальный; ~ circle *амер.* буссоль, угломерный круг; ~ deviation *воен.* боковое отклонение; ~ finder авиационный пеленгатор.

**azoic** [ə'zouɪk] *a* 1) безжизненный; 2) *геол.* не содержащий органических остатков.

**azote** [ə'zout] *n* азот.

**azotic** [ə'zɔtɪk] *a* азотный; азотистый; ~ acid азотная кислота.

**azure** ['æʒə] 1. *n* лазурь, небо;
2. *a* голубой, лазурный; ~ stone ляпис-лазурь.

# B

**B, b** [biː] *n* (*pl* Bs, B's [biːz])1)2-я буква англ. алфавита; 2) условное обозначение чего-л., следующего за первым по порядку, сортности и т. п.; 3) муз. си; ◇ not to know B from a bull's foot не знать ни аза; B flat (*сокр. от* bug) *шутл.* клоп.

**baa** [bɑː] 1. *n* блеяние овцы;
2. *v* блеять.

**Baal** ['beɪəl] *n* (*pl* Baalim) 1) *миф.* Ваал; 2) идол.

**baa-lamb** ['bɑːlæm] *n* барашек.

**Baalim** ['beɪəlɪm] *pl om* Baal.

**babbie** ['bæbɪ] *диал. см.* baby.

**babbit(t)** ['bæbɪt] *mex.* 1. *n* баббит (*антифрикционный сплав*);
2. *v* заливать баббитом.

**babble** ['bæbl] 1. *n* 1) лепет; болтовня; 2) журчание;
2. *v* 1) лепетать; бормотать; болтать; 2) выболтать, проболтаться; 3) журчать.

**babblement** ['bæblmənt] = babble 1.

**babbler** ['bæblə] *n* болтун, говорун.

**babe** [beɪb] *n поэт. см.* baby; ◇ ~s and sucklings новички, совершенно неопытные люди; ~s in the wood наивные, доверчивые люди, простаки.

**babel** ['beɪbəl] *n* 1) постройка огромных размеров; 2) галдёж; смешение языков; вавилонское столпотворение; the tower of B. Вавилонская башня.

**baboo** ['bɑːbuː] *n англо-инд.* 1) господин (*как обращение*); 2) чиновник-индус, пишущий по-английски; 3) *attr.*: Baboo English напыщенная английская речь (чиновников-индусов).

**baboon** [bə'buːn] *n* бабуин (*обезьяна*).

**baby** ['beɪbɪ] *n* 1) ребёнок, младенец; ~'s formula детская питательная смесь; 2) детёныш (*особ. об обезьянах*); 3) *attr.* небольшой, малый; ~ elephant слонёнок; ~ grand (piano) *амер.* кабинетный рояль; ~ plane *ав.* авиетка; ~ car малолитражный автомобиль; ◇ to carry (*или* to hold) the ~ нести неприятную ответственность; to plead the ~ act уклоняться от ответственности, ссылаясь на неопытность.

**baby-farmer** ['beɪbɪ,fɑːmə] *n* человек, берущий (за плату) детей на воспитание.

**babyhood** ['beɪbɪhud] *n* младенчество.

**babyish** ['beɪbɪʃ] *a* детский, ребяческий.

**baby-minding** ['beɪbɪ,maɪndɪŋ] *n* уход за ребёнком.

**baby moon** ['beɪbɪ,muːn] *n разг.* искусственный спутник Земли.

**baby-sitter** ['beɪbɪ,sɪtə] *n амер. разг.* приходящая няня.

**baccalaureate** [,bækə'lɔːrɪɪt] *n* степень бакалавра.

**baccarat** ['bækərɑː] *n* баккара (*азартная карточная игра*).

**Bacchanal** ['bækənl] 1. *a* вакхический; разгульный;
2. *n* гуляка, кутила.

**Bacchanalia** [,bækə'neɪljə] *n* вакханалия; пьяный разгул (*в перен. значении пишется обыкн. со строчной буквы*).

**Bacchant(e)** ['bækənt] *n* вакханка.

**Bacchic** ['bækɪk] *a* вакхический.

**Bacchus** ['bækəs] *n миф.* Бахус, Вакх.

**baccy** ['bækɪ] *n* (*сокр. от* tobacco) *разг.* табачок.

**bach** [bætʃ] 1. *n сокр. от* bachelor I;
2. *v*: to ~ it а) *амер. sl.* жить самостоятельно; б) вести холостяцкий образ жизни.

**bachelor I** [ˈbæt∫ələ] n холостя́к; ◇ ~ girl одино́кая де́вушка, живу́щая самостоя́тельно.

**bachelor II** [ˈbæt∫ələ] n бакала́вр.

**bachelorhood I** [ˈbæt∫ələhud] n холоста́я жизнь.

**bachelorhood II** [ˈbæt∫ələhud] n сте́пень бакала́вра.

**bachelorship I** [ˈbæt∫ələ∫ɪp] = bachelorhood I.

**bachelorship II** [ˈbæt∫ələ∫ɪp] = bachelorhood II.

**bacilli** [bəˈsɪlaɪ] pl от bacillus.

**bacillus** [bəˈsɪləs] n (pl -li) баци́лла.

**back I** [bæk] n большо́й чан.

**back II** [bæk] **1.** n 1) спина́; to turn one's ~ upon smb. отверну́ться от кого́-л., поки́нуть кого́-л.; 2) спи́нка (стула; в одежде, выкройке); 3) гре́бень (волны, холма́); 4) за́дняя или оборо́тная сторона́, изна́нка, подкла́дка; ~ of the hand ты́льная сторона́ руки́; ~ of a ship киль су́дна; 5) корешо́к (книги); 6) обу́х; 7) горн., геол. вися́чий бок (пласта); кро́вля (забоя); пото-ло́к (выработки); 8) спорт. защи́тник (в футболе); ◇ at the ~ of one's mind подсозна́тельно; to be at the ~ of smth. быть та́йной причи́ной чего́-л.; behind one's ~ без ве́дома, за спино́й; to put one's ~ (into) рабо́тать с энтузиа́змом (над); to get (или to put, to set) smb.'s ~ up рассерди́ть кого́-л.; раздража́ть кого́-л.; to know the way one knows the ~ of one's hand ≈ знать как свой пять па́льцев;

**2.** a 1) за́дний; отдалённый; ~ entrance чёрный ход; ~ street глуха́я, отдалённая у́лица; to take a ~ seat стушева́ться, отойти́ на за́дний план; заня́ть скро́мное положе́ние; ~ vowel фон. гла́сный за́днего ря́да; ~ areas воен. тылы́, тыловы́е райо́ны; ~ elevation стр., тех. вид сза́ди, за́дний фаса́д; ~ filling стр. засы́пка, забу́тка; 2) запозда́лый; просро́ченный (о платеже); ~ pay амер. задо́лженность (по заработной плате); ~ number а) ста́рый но́мер (газеты, журнала; тж.); б) отста́лый челове́к; ~ issue); б) отста́лый челове́к; ретрогра́д; в) что-л. устаре́вшее, утра́тившее новизну́; 3) обра́тный;

**3.** v 1) подде́рживать; подкрепля́ть; субсиди́ровать; 2) служи́ть спи́нкой; 3) служи́ть фо́ном; 4) служи́ть подкла́дкой; 5) класть на подкла́дку; 6) амер. разг. носи́ть на спине́; 7) дви́гать(ся) в обра́тном направле́нии, пя́тить(ся); оса́живать; отступа́ть; идти́ за́дним хо́дом; to ~ oars (или water) таба́нить (грести́ за́дним хо́дом); 8) снабжа́ть корешко́м (книгу); 9) держа́ть пари́ (за кого́-л.); ста́вить (на ло́шадь); 10) индосси́ровать (вексель); 11) грани́чить, примыка́ть сза́ди (on, upon); 12) е́здить верхо́м; приуча́ть (лошадь) к седлу́; сади́ться в седло́; □ ~ down отступа́ться, отка́зываться от чего́-л.; ~ out уклоня́ться (of — от чего́-л.); ~ up а) подде́рживать (особ. в играх); б) тех. дава́ть за́дний ход; ◇ to ~ the wrong horse амер. сде́лать плохо́й вы́бор, просчита́ться, ошиби́ться в расчётах;

**4.** adv 1) наза́д, обра́тно; ~ home сно́ва

до́ма, на ро́дине; ~ and forth взад и вперёд; 2) тому́ наза́д; 3) указывает на ответное действие: to talk (или to answer) ~ возража́ть; to pay ~ отпла́чивать; to love ~ отвеча́ть взаи́мностью; □ ~ from а) в стороне́, вдалеке́ от; ~ from the road в стороне́ от доро́ги; б) амер. сза́ди, позади́; за (тж. ~ of); ◇ to go ~ from (или upon) one's word отказа́ться от обеща́ния.

**backache** [ˈbækeɪk] n боль в спине́, в поясни́це.

**backbasket** [ˈbæk,bɑ:skɪt] n корзи́на (носимая за спиной).

**back-bencher** [ˈbæk'bent∫ə] n парл. рядово́й член па́ртии, «заднескаме́ечник».

**backbit** [ˈbækbɪt] past от backbite.

**backbite** [ˈbækbaɪt] v (backbit; backbitten) злосло́вить за спино́й, клевета́ть.

**backbitten** [ˈbæk,bɪtn] p.p. от backbite.

**back-blocks** [ˈbækblɔks] n pl австрал. разг. ме́стность, удалённая от путе́й сообще́ния.

**back-blow** [ˈbæk,blou] n воен. отда́ча, отка́т ору́дия.

**backboard** [ˈbækbɔ:d] n 1) деревя́нная спи́нка (в лодке или повозке); 2) уст. спинодержа́тель (доска для выпрямления спины).

**backbone** [ˈbækboun] n 1) спинно́й хребе́т, позвоно́чник; 2) твёрдость хара́ктера; 3) гла́вная опо́ра; осно́ва; суть; 4) корешо́к кни́ги; ◇ to the ~ до мо́зга косте́й, наскво́зь.

**back-chat** [ˈbækt∫æt] = back-talk.

**back-cloth** [ˈbækklɔθ] n 1) театр. за́дник; 2) экра́н (для кино, проекционного фонаря и т. п.).

**back country** [ˈbæk'kʌntrɪ] n отдалённые от це́нтра райо́ны.

**back-country** [ˈbæk,kʌntrɪ] a отдалённый; ~ district отдалённый се́льский райо́н.

**backdoor** [ˈbæk'dɔ:] **1.** n чёрный ход; **2.** a та́йный, закули́сный.

**back-draught** [ˈbækdrɑ:ft] n 1) обра́тная тя́га; 2) за́дний ход (двигателя).

**backdrop** [ˈbækdrɔp] n театр. за́дник.

**backed** [bækt] **1.** p.p. от back II, 3; **2.** a име́ющий спи́нку, со спи́нкой.

**back-end** [ˈbæk,end] n 1) за́дний коне́ц; 2) коне́ц сезо́на; по́здняя о́сень.

**backer** [ˈbækə] n тот, кто подде́рживает и пр. [см. back II, 3].

**backfall** [ˈbæk,fɔ:l] n спорт. паде́ние на спину (в борьбе).

**backfiller** [ˈbæk,fɪlə] n дор. маши́на для засы́пки (траншей после укладки труб).

**back-fire** [ˈbæk'faɪə] **1.** n 1) амер. встре́чный пожа́р, устра́иваемый для прекраще́ния лесно́го пожа́ра; 2) разры́в патро́на в казённой ча́сти огнестре́льного ору́жия; 3) авт. преждевре́менный взрыв га́за в приёмном трубопрово́де или цили́ндре мото́ра;

**2.** v 1) порази́ть вы́стрелом самого́ стреля́ющего; перен. неожи́данно привести́ к обра́тным результа́там.

**backfisch** [ˈbæk,fɪ∫] нем. n де́вочка-подро́сток.

**back-formation** [ˈbækfɔ:'meɪ∫ən] n лингв. обра́тное словообразова́ние; ≈ «наро́дная этимоло́гия».

**backgammon** [bæk'gæmən] *n* триктра́к (*игра*).

**background** ['bækgraund] *n* 1) за́дний план, фон; to keep in the ~ держа́ться, остава́ться в тени́; 2) подоплёка; 3) предпосы́лка; 4) происхожде́ние; 5) подгото́вка, квалифика́ция; 6) музыка́льное *или* шумово́е сопровожде́ние.

**backhand** ['bæk'hænd] *n* уда́р сле́ва (*в теннисе*).

**backhanded** ['bæk'hændɪd] *a* 1) нанесённый ты́льной стороно́й руки́ (*об ударе*); 2) неи́скренний *или* двусмы́сленный (*о комплименте и т. п.*); 3) косо́й, с укло́ном вле́во (*о почерке*); 4) обра́тный, противополо́жный обы́чному направле́нию.

**back-haul** ['bæk,hɔ:l] *n* обра́тный транзи́т; обра́тный груз.

**backing** ['bækɪŋ] 1. *pres. p. om* back II, 3; 2. *n* 1) подде́ржка *и пр.* [*см.* back II, 3]; 2) за́дний ход; враще́ние про́тив часово́й стре́лки; 3) подкла́дка (*ткани*); 4) *стр.* закла́дка, засы́пка; ◇ ~ and filling *амер.* колеба́ние, нереши́тельность.

**backlash** ['bæk,læʃ] *n* 1) *тех.* мёртвый ход; зазо́р, люфт; 2) *ав.* скольже́ние винта́.

**backlog** ['bæklɔg] *n эк.* 1) задо́лженность (*по сдаче готовой продукции*); невы́полненные зака́зы (*товаров, материалов и т. п.*).

**backmost** ['bækmoust] *a* са́мый за́дний.

**backpage** ['bækpeɪdʒ] *n* ле́вая страни́ца (*книги*).

**backroom** ['bækrum] *n разг.* 1) секре́тный отде́л, секре́тная лаборато́рия; 2) *attr.*: ~ boys засекре́ченные сотру́дники в иссле́довательском учрежде́нии.

**back settlement** ['bæk'setlmənt] *n амер.* отдалённое поселе́ние.

**backside** ['bæk'saɪd] *n* зад; за́дняя, ты́льная сторона́.

**back-sight** ['bæk,saɪt] *n* 1) *воен.* прице́л, цели́к; 2) *геод.* обра́тное визи́рование.

**back slang** ['bækslæŋ] *n* жарго́н, в кото́ром слова́ произно́сятся в обра́тном поря́дке букв (*напр.*, gip *вм.* pig).

**back-slapping** ['bæk,slæpɪŋ] *n* (покрови́тельственное) похло́пывание по спине́.

**backslide** ['bæk'slaɪd] *v* 1) отпада́ть (*от веры*); 2) сно́ва впада́ть (*в ересь, порок и т. п.*).

**backstage** ['bæk'steɪdʒ] 1. *a* закули́сный; 2. *adv* за кули́сами.

**backstairs** ['bæk'stɛəz] *n pl* 1) чёрная ле́стница; 2) *attr.* та́йный, закули́сный; ~ influence та́йное влия́ние.

**backstay** ['bæksteɪ] *n* 1) (*обыкн. pl*) *мор.* ба́кштаг; 2) спинодержа́тель.

**backstitch** ['bækstɪʃ] *n* стро́чка (*в шитье*).

**backstroke** ['bæk,strouk] *n* 1) отве́тный уда́р; 2) пла́вание на спине́.

**backsword** ['bæk,sɔ:d] *n ист.* теса́к.

**back-talk** ['bæktɔ:k] *n разг.* де́рзкий отве́т, ре́зкое возраже́ние.

**backward** ['bækwəd] 1. *a* 1) обра́тный (*о движении*); 2) отста́лый; ~ children у́мственно *или* физи́чески отста́лые де́ти; 3) запозда́лый; *редк.* про́шлый; 4) ме́для

щий; неохо́тно де́лающий; 5) ро́бкий, засте́нчивый;
2. *adv* 1) наза́д; за́дом; 2) наоборо́т; за́дом наперёд; 3) в обра́тном направле́нии. обра́тно.

**backwardness** ['bækwədnɪs] *n* отста́лость *и пр.* [*см.* backward 1].

**backwards** ['bækwədz] = backward 2.

**backwash** ['bækwɔʃ] *n* 1) вода́, отбра́сываемая колёсами *или* винто́м парохо́да, попу́тная струя́; 2) обра́тный пото́к; 3) возмущённый пото́к (*воздуха за самолётом*).

**backwater** ['bæk,wɔ:tə] *n* 1) за́водь; запру́женная вода́; 2) *перен.* ти́хая за́водь; 3) прили́в; 4) = backwash 1).

**backwoods** ['bækwudz] *n pl* лесна́я глушь.

**backwoodsman** ['bækwudzmən] *n* обита́тель лесно́й глуши́; *перен. разг.* пэр, кото́рый о́чень ре́дко *или* во́все не посеща́ет пала́ту ло́рдов.

**bacon** ['beɪkən] *n* 1) копчёная свина́я груди́нка, беко́н; ~ and eggs яи́чница с беко́ном; 2) *разг.* чи́стый вы́игрыш, чи́стая при́быль; ◇ to save one's ~ *разг.* спаса́ть свою́ шку́ру; избега́ть поте́рь; to bring home the ~ *разг.* доби́ться успе́ха.

**bacteria** [bæk'tɪərɪə] *pl om* bacterium.

**bacteriological** [bæk,tɪərɪə'lɔdʒɪkəl] *a* бактериологи́ческий.

**bacteriologist** [bæk,tɪərɪ'ɔlədʒɪst] *n* бактерио́лог.

**bacteriology** [bæk,tɪərɪ'ɔlədʒɪ] *n* бактериоло́гия.

**bacteriolysis** [bæk,tɪərɪ'ɔlɪsɪs] *n* бактерио́лиз (*разрушение или растворение микробов специфическим антителом*).

**bacterium** [bæk'tɪərɪəm] *n* (*pl* -ria) бакте́рия.

**baculine** ['bækjulɪn] *a* па́лочный.

**bad** [bæd] 1. *a* (worse; worst) 1) дурно́й, плохо́й, скве́рный; she feels ~ она́ пло́хо себя́ чу́вствует; ~ name (for) дурна́я репута́ция; ~ coin фальши́вая *или* неполноце́нная моне́та; 2) испо́рченный; to go ~ испо́ртиться; сгнить; 3) развращённый, безнра́вственный; 4) вре́дный; beer is ~ for you пи́во вам вре́дно; 5) больно́й; ~ leg больна́я нога́; to be taken ~ заболе́ть; 6) си́льный (*о боли, холоде и т. п.*); гру́бый (*об ошибке*); ◇ ~ debt безнадёжный долг; ~ egg (*или* hat, lot) *разг.* моше́нник; непутёвый, некудышный челове́к; ~ fairy злой ге́ний; ~ man *амер.* отча́янный челове́к, головоре́з;
2. *n* 1) неуда́ча, несча́стье; to take the ~ with the good сто́йко переноси́ть превра́тности судьбы́; 2) убы́ток; to the ~ в убы́тке, в убы́ток; 3) ги́бель; разоре́ние; to go to the ~ пропа́сть, поги́бнуть; сби́ться с пути́ и́стинного; ◇ from ~ to worse всё ху́же и ху́же; ≅ из огня́ да в по́лымя.

**bad(e)** [bæd (beɪd)] *past om* bid 2.

**badge** [bædʒ] *n* 1) значо́к; кока́рда; 2) си́мвол; при́знак; знак.

**badger I** ['bædʒə] *n диал.* разно́счик, у́личный торго́вец.

**badger II** ['bædʒə] 1. *n* 1) барсу́к; to draw the ~ *охот.* вы́курить барсука́ из норы́; *перен.* заста́вить кого́-л. проговори́ться, выдать себя; 2) кисть из волоса барсука; 3) *амер. разг.* житель штата Висконсин; 2. *v* 1) травить, изводить; 2) дразнить.

**badger-baiting** ['bædʒə,beɪtɪŋ] *n* охота на барсуков.

**badger-dog** ['bædʒədɔg] *n* такса (*порода собак*).

**badger-drawing** ['bædʒə,drɔːɪŋ] = badger-baiting.

**badger-fly** ['bædʒəflaɪ] *n* искусственная муха (*рыболова*).

**Badger State** ['bædʒəsteɪt] *n* амер. разг. штат Висконсин.

**badinage** ['bædɪnɑːʒ] *фр. n* подшучивание.

**bad lands** ['bæd,lændz] *n pl амер.* бесплодные земли.

**badly** ['bædlɪ] *adv* (worse; worst) 1) дурно, плохо; 2) очень сильно; ~ wounded тяжело ранен; I want it ~ мне это очень нужно; ◇ to be ~ off быть в затруднительном положении, нуждаться.

**badminton** ['bædmɪntən] *n* 1) бадминтон (*игра*); 2) напиток из красного вина, содовой воды и сахара.

**badness** ['bædnɪs] *n* негодность *и пр.* [*см.* bad 1].

**bad-tempered** ['bæd'tempəd] *a* злой, раздражительный.

**baffle** ['bæfl] 1. *n тех.* дроссель; отражательная перегородка; глушитель; замедлитель тяги;
2. *v* 1) расстраивать, опрокидывать (*расчёты, планы*); препятствовать, мешать; to ~ pursuit ускользать от преследования; 2) ставить в тупик; сбивать с толку; 3) тщетно бороться; 4) отводить *или* изменять течение; ◇ to ~ all description не поддаваться описанию.

**baffle-board** ['bæflbɔːd] *n* 1) разделительная перегородка; 2) *радио* звукопоглощающая перегородка.

**baffle-plate** ['bæflpleɪt] = baffle 1.

**baffler** ['bæflə] *n тех.* отражательная перегородка; глушитель.

**baffle-wall** ['bæflwɔːl] = baffle-board.

**baffling** ['bæflɪŋ] 1. *pres.p. от* baffle 2;
2. *a* 1) трудный; а ~ problem трудная задача; 2) неблагоприятный; ~ winds переменные, неблагоприятные ветры.

**baffy** ['bæfɪ] *n* клюшка (*в гольфе*).

**bag I** [bæg] 1. *n* 1) мешок; сумка; чемодан; to empty the ~ опорожнить мешок, сумку; *перен.* рассказать, выложить всё; 2) ягдташ; добыча (*охотника*); to make the ~ убить дичи больше, чем другие участники охоты; 3) баллон; 4) полость (*в горной породе*); 5) *pl* мешки (*под глазами*); 6) вымя; 7) *pl* богатство; 8) *pl разг.* штаны (*тж.* pair of ~s); 9) дипломатическая почта; 10) *груб.* проститутка; ◇ ~ in the ~ ≅ дело в шляпе; дело верное; to set one's ~ (for) *амер.* заигрывать (с *кем-л.*); ~ and baggage а) со всеми пожитками; б) совершенно; в общем, в совокупности; ~ of bones ≅ кожа да кости; ~ of wind *амер. разг.* болтун, пустозвон, хвастун (*ср.* windbag); late ~ почтовый мешок для писем, полученных после установленного срока приёма почты;

whole ~ of tricks а) всяческие ухищрения; б) всё без остатка; in the bottom of the ~ в качестве крайнего средства; to give smb. the ~ to hold покинуть кого-л. в беде; улизнуть от кого-л.; to put smb. in a ~ взять верх над кем-л., одолеть кого-л.; to bear (*или* to carry) the ~ а) распоряжаться деньгами; б) быть хозяином положения; to make a (good) ~ of smth. захватить, уничтожить что-л.;
2. *v* 1) класть в мешок; 2) убить (*столько-то дичи*); 3) сбить (*самолёт*); 4) собирать (*коллекцию и т. п.*); 5) оттопыриваться; висеть мешком; надуваться (*о парусах*); 6) *часто шутл.* присваивать, брать без спроса; 7) *школ. sl.* заявлять права, кричать «чур»; I bag!, bags I! чур я!

**bag II** [bæg] *v* жать серпом.

**bagasse** [bə'gæs] *n* выжатый сахарный тростник; отжатая свекловица.

**bagatelle** [,bægə'tel] *n* 1) пустяк; безделушка; 2) род бильярда; 3) небольшое музыкальное произведение лёгкого жанра.

**bagful** ['bægful] *n* (полный) мешок (*мера*).

**baggage** ['bægɪdʒ] *n* 1) *амер.* багаж; 2) *воен.* возимое имущество, обоз; 3) *пренебрежительное название молодой женщины*: impudent ~ нахалка; 4) *шутл.* озорница, плутовка; 5) *attr.*: ~ animal вьючное животное; ~ train *воен.* вещевой обоз.

**baggage car** ['bægɪdʒkɑː] *n амер.* багажный вагон.

**baggage-check** ['bægɪdʒtʃek] *n амер.* багажная квитанция.

**baggage-man** ['bægɪdʒmæn] *n амер.* носильщик.

**baggage-room** ['bægɪdʒrum] *n амер.* камера хранения (*багажа*).

**bagged** [bægd] 1. *p.p. от* bag I, 2;
2. *a* 1) помещённый в мешок; (как) в мешке; инкапсулированный; 2) висящий мешком.

**bagger** ['bægə] *n* землечерпалка.

**bagging** ['bægɪŋ] 1. *pres.p. от* bag I, 2;
2. *n* мешковина.

**baggy** ['bægɪ] *a* мешковатый (*об одежде*); ~ skin below the eyes мешки под глазами.

**bagman** ['bægmən] *n* 1) странствующий торговец; 2) *разг.* коммивояжёр.

**bagnio** ['bɑːnjou] *ит. n* 1) *уст.* баня; 2) тюрьма для рабов (*на Востоке*); 3) публичный дом.

**bagpipe** ['bægpaɪp] *n* волынка (*музыкальный инструмент*).

**bagpiper** ['bægpaɪpə] *n* волынщик.

**bag-sleeve** ['bægsliːv] *n* широкий рукав, схваченный у запястья.

**bag-wig** ['bæg,wig] *n* парик с волосами, собранными в мешочек (*мода XVIII в.*).

**bah** [bɑː] *int* ба! (*выражает пренебрежение*).

**Bahadur** [bə'hɑːdə] *n англо-инд.* 1) господин (*при обращении по фамилии к английским чиновникам*); 2) *sl.* важный чиновник, важная персона.

**baht** [bɑːt] *n* бат (*денежная единица Таиланда*).

**baignoire** ['beɪnwɑː] *фр. n театр.* бенуар.

**bail I** [beɪl] **1.** *n* 1) зало́г, поручи́тельство; to save (*или* to surrender to) one's ~ яви́ться в суд в назна́ченный срок (*о выпущенном на пору́ки*); to forfeit one's ~ не яви́ться в суд; 2) поручи́тель; to accept (*или* to allow, to take) ~, to admit (*или* to hold, to let) to ~ вы́пустить на пору́ки; to give (*или* to offer) ~ найти́ себе́ поручи́теля; to go (*или* to be, to become) ~ for smb. поручи́ться за кого́-л.; to justify (as) ~ под прися́гой подтверди́ть кредитоспосо́бность поручи́теля; ◇ to give leg ~ *разг.* удра́ть;
**2.** *v* брать на пору́ки (*кого́-л.*; *часто* ~ out).

**bail II** [beɪl] *n* 1) барье́р ме́жду лошадьми́ (*в конюшне*); 2) ве́рхняя перекла́дина воро́т (*в крикете*).

**bail III** [beɪl] *v* вычёрпывать во́ду (*из ло́дки*; *тж.* ~ water out); to ~ out a boat вычёрпывать во́ду из ло́дки; □ ~ **out** *ав. разг.* выбра́сываться, пры́гать с парашю́том.

**bail IV** [beɪl] *n* ру́чка (*ведра́ или ча́йника*).

**bailable** ['beɪləbl] *a* допуска́ющий вы́пуск на пору́ки (*о составе преступле́ния*).

**bailee** [beɪ'liː] *n* лицо́, кото́рому пе́реданы това́ры на отве́тственное хране́ние.

**bailer** ['beɪlə] *n* 1) ковш, черпа́к; *мор.* ле́йка; 2) челове́к, вычёрпывающий во́ду из ло́дки.

**bailey** ['beɪlɪ] *n ист.* двор за́мка.

**bailie** ['beɪlɪ] *n* 1) *шотл. ист.* ба́льи, городско́й судья́; 2) = alderman.

**bailiff** ['beɪlɪf] *n* (*в Англии*) 1) суде́бный при́став, бе́йлиф; 2) управля́ющий име́нием.

**bailing I** ['beɪlɪŋ] **1.** *pres. p. от* bail III; **2.** *n горн.* 1) тарта́ние (*нефти*); 2) отка́чка воды́ (*из ша́хты*).

**bailing II** ['beɪlɪŋ] *pres. p. от* bail I, 2.

**bailiwick** ['beɪlɪwɪk] *n* о́круг *или* юрисди́кция ба́льи *или* бе́йлифа.

**bailment** ['beɪlmənt] *n* 1) освобожде́ние на пору́ки; 2) депони́рование, переда́ча иму́щества на хране́ние (*на определённых усло́виях*).

**bailor** ['beɪlə] *n* депоне́нт, лицо́, вверя́ющее това́р *или* иму́щество на хране́ние друго́му.

**bailsman** ['beɪlzmən] *n* поручи́тель.

**bairn** [beən] *n шотл.* ребёнок.

**bait** [beɪt] **1.** *n* 1) прима́нка; нажи́вка; 2) искуше́ние; 3) о́тдых и кормле́ние лоша́дей в пути́; ◇ to jump at (*или* to rise to, to swallow) the ~ попа́сться на у́дочку;
**2.** *v* 1) наса́живать нажи́вку на крючо́к; 2) прима́нивать, завлека́ть, искуша́ть; 3) корми́ть (*лошадь, особ. в пути́*); 4) получа́ть корм (*о лошади*); 5) остана́вливаться в пути́ для о́тдыха и еды́; 6) трави́ть (*соба́ками*); 7) пресле́довать насме́шками, изводи́ть, не дава́ть поко́я.

**baize** [beɪz] *n* ба́йка; green ~ зелёное сукно́.

**bake** [beɪk] *v* 1) печь(ся); 2) суши́ть на со́лнце; обжига́ть (*кирпичи́*); 3) запека́ться; затверде́ва́ть; 4) загора́ть на со́лнце.

**bakehouse** ['beɪkhaus] *n* пека́рня.

**baker** ['beɪkə] *n* пе́карь, бу́лочник; ◇ ~'s dozen чёртова дю́жина.

**baker-legged** ['beɪkəlegd] *a* кривоно́гий.

**bakery** ['beɪkərɪ] *n* 1) пека́рня; бу́лочная; 2) *редк.* хлебопече́ние.

**bakestone** ['beɪkstoun] *n* под (*печи*).

**bakhshish** ['bækʃɪʃ] = baksheesh.

**baking** ['beɪkɪŋ] **1.** *pres. p. от* bake; **2.** *a* паля́щий; ~ sun паля́щее со́лнце, паля́щий зной.

**baking-powder** ['beɪkɪŋ͵paudə] *n* пека́рный порошо́к (*заменя́ющий дро́жжи*).

**baksheesh** ['bækʃɪʃ] *перс. n* бакши́ш, взя́тка, чаевы́е.

**Balaam** ['beɪlæm] *n* 1) *библ.* Валаа́м; 2) ненадёжный, неве́рный сою́зник; 3) запасно́й материа́л для заполне́ния свобо́дного ме́ста в газе́те.

**Balaam-basket** ['beɪlæm͵bɑːskɪt] = Balaam-box.

**Balaam-box** ['beɪlæmbɔks] *n* я́щик для запасно́го материа́ла (*в реда́кции газе́ты*).

**balance** ['bæləns] **1.** *n* 1) весы́; quick (*или* Roman) ~ безме́н, пружи́нные весы́; 2) равнове́сие; ~ of forces равнове́сие сил; ~ of power полити́ческое равнове́сие (*ме́жду госуда́рствами*); to keep one's ~ сохраня́ть равнове́сие; *перен.* остава́ться споко́йным; to lose one's ~ упа́сть, потеря́ть равнове́сие; *перен.* вы́йти из себя́; to be off one's ~ потеря́ть душе́вное равнове́сие; 3) (В.) Весы́ (*созве́здие и знак зодиа́ка*); 4) противове́с; 5) ма́ятник; баланси́р (*карма́нных часо́в*); 6) *ком.* бала́нс, са́льдо (*тж.* ~ in hand); ~ of payments платёжный бала́нс; ~ of trade акти́вный бала́нс (*вне́шней торго́вли*); to strike a ~ подводи́ть бала́нс; *перен.* подводи́ть ито́ги; 7) *разг.* оста́ток; ◇ to be (*или* to tremble, to swing, to hang) in the ~ висе́ть на волоске́, быть в крити́ческом положе́нии; the ~ of advantage lies with him на его́ стороне́ значи́тельные преиму́щества; to be weighed in the ~, and found wanting не оправда́ть наде́жд; to hold the ~ распоряжа́ться; upon a fair ~ по зре́лом размышле́нии;
**2.** *v* 1) баланси́ровать; сохраня́ть равнове́сие, быть в равнове́сии; уравнове́шивать; 2) взве́шивать, обду́мывать; сопоставля́ть (with, against); 3) колеба́ться (between); 4) *ком.* подводи́ть бала́нс; to ~ one's accounts подыто́живать счета́; the accounts don't ~ счета́ не схо́дятся.

**balance-beam** ['bælənsbiːm] *n* коромы́сло (*весо́в*); баланси́р.

**balance-bridge** ['bælənsbrɪdʒ] *n* подъёмный мост.

**balanced** ['bælənst] **1.** *p. p. от* balance 2; **2.** *a* уравнове́шенный; гармони́чный; пропорциона́льный.

**balance-master** ['bæləns͵mɑːstə] *n* эквилибри́ст.

**balancer** ['bælənsə] *n* 1) эквилибри́ст, балансёр; 2) *тех.* уравни́тель, стабилиза́тор.

**balance-sheet** ['bælənsʃiːt] *n фин.* бала́нс.

**balance-step** ['bælənsstep] *n воен.* уче́бный шаг.

**balance weight** ['bæləns͵weɪt] *n* противове́с, контргру́з.

**balance-wheel** ['bælənswiːl] *n* ма́ятник (*карма́нных часо́в*).

**balas** ['bæləs] *n мин.* кра́сный спине́ль.

**balboa** [bɑːlˈbouɑː] *n* бальбоа (*денежная единица Панамы*).

**balconied** [ˈbælkənɪd] *a* с балконом, с балконами.

**balcony** [ˈbælkənɪ] *n* 1) балкон; 2) *театр.* балкон первого яруса.

**bald** [bɔːld] *a* 1) лысый; плешивый; as ~ as an egg (*или* as a billiard ball, as a coot) ≅ голый как колено, совершенно голый; 2) оголённый; лишённый растительности, перьев, меха; 3) неприкрытый (*о недостатках*); 4) неприкрашенный, простой, прямой; 5) убогий, бесцветный (*о стиле и т. п.*).

**baldachin, baldaquin** [ˈbɔːldəkɪn] *n* балдахин.

**bald-coot** [ˈbɔːldkuːt] *n* 1) лысуха (*птица*); 2) *разг.* лысый *или* плешивый человек.

**balderdash** [ˈbɔːldədæʃ] *n* 1) вздор, галиматья; 2) сквернословие.

**bald-headed** [ˈbɔːldˈhedɪd] **1.** *a* 1) лысый; плешивый; 2) с белым пятном на голове (*о животных*); **2.** *adv*: to go ~ into (*или* for) smth. *sl.* идти напролом, действовать очертя голову, безрассудно; рисковать всем.

**baldicoot** [ˈbɔːldɪkuːt] = bald-coot.

**baldly** [ˈbɔːldlɪ] *adv* 1) открыто; to put it ~ сказать напрямик, грубовато; 2) скудно, убого.

**baldness** [ˈbɔːldnɪs] *n* плешивость *и пр. [см. bald]*.

**baldric** [ˈbɔːldrɪk] *n* перевязь (*для меча, рога*).

**bale I** [beɪl] **1.** *n* 1) кипа (*товара*), тюк; cotton ~ кипа хлопка; 2) *pl* товар; **2.** *v* укладывать в тюки, увязывать в кипы.

**bale II** [beɪl] *n уст., поэт.* бедствие, зло.

**bale III** [beɪl] = bail III.

**baleen** [bəˈliːn] *n* китовый ус.

**balefire** [ˈbeɪlˌfaɪə] *n* 1) сигнальный огонь; 2) костёр.

**baleful** [ˈbeɪlful] *a поэт.* гибельный; зловещий; ~ look недобрый взгляд.

**balk** [bɔːk] **1.** *n* 1) окантованное бревно, балка; брус; 2) (the ~s) *pl* чердачное помещение; 3) невспаханная полоса земли; 4) препятствие; задержка; 5) *мор.* бимс; ◇ to make a ~ of good ground упустить удобный случай; **2.** *v* 1) препятствовать, мешать, задерживать; 2) не оправдать (*надежд*); he was ~ed of his desires его надежды не оправдались; 3) пропускать, обходить; оставлять без внимания, игнорировать; 4) отказываться (*от пищи и т. п.*); 5) уклоняться (*от исполнения долга*); упускать (*случай*); 7) артачиться, упираться; the horse ~ed at a leap лошадь заартачилась перед прыжком.

**Balkan** [ˈbɔːlkən] *a* балканский.

**balky** [ˈbɔːkɪ] *a* упрямый (*о животном*).

**ball I** [bɔːl] **1.** *n* 1) шар; клубок (*шерсти*); 2) мяч; 3) удар (*мячом*); a good ~ хороший удар; 4) бейсбол; 5) пуля; *ист.* ядро; 6) подушечка пальца; 7) *вет.* пилюля; 8) *pl разг.* чепуха; to make ~s of smth. натворить дел, напутать, привести что-л. в беспорядок; ◇ ~ and socket *тех.* шаровой шарнир; ~ of the eye глазное яблоко; ~ of

the knee коленная чашка; ~ of fortune игрушка судьбы; three (golden) ~s вывеска ростовщика, дающего деньги под заклад; to have the ~ at one's feet быть в господнем положении; иметь шансы на успех; to strike the ~ under the line потерпеть неудачу; to keep the ~ rolling a) вступать в разговор; б) приступать к чему-л.; to keep the ~ rolling, to keep up the ~ a) поддерживать разговор; б) продолжать делать что-л.; to catch (*или* to take) the ~ before the bound действовать слишком поспешно; the ~ is with you очередь за вами; to carry the ~ *амер. разг.* действовать активно; get on the ~! *амер. разг.* скорей!, живей!, пошевеливайся!; on the ~ *амер. разг.* расторопный; толковый; 2. *v* собирать(ся) в клубок; свивать(ся); ☐ ~ up *sl.* приводить в смущение; путать.

**ball II** [bɔːl] *n* бал, танцевальный вечер; to open (*или* to lead up) the ~ открывать бал; *перен.* начинать действовать, брать на себя инициативу.

**ballad** [ˈbæləd] *n лит.* баллада (*лирико-эпическая поэма народного характера, преим. относящаяся к англ. и нем. романтизму*).

**ballade** [bæˈlɑːd] *n лит.* баллада (*лирическая песнь, преим. средневековая романская*).

**ballad-monger** [ˈbælədˌmʌŋgə] *n* 1) *ист.* автор *или* продавец баллад; ?) *пренебр.* рифмоплёт.

**balladry** [ˈbælədrɪ] *n уст.* народные баллады и их стиль.

**ballast** [ˈbæləst] **1.** *n* 1) балласт; the ship is in ~ судно гружено балластом; 2) то, что придаёт устойчивость; mental ~ уравновешенность, устойчивость (*характера*); to lack ~, to have no ~ быть неустойчивым, неуравновешенным человеком; **2.** *v* 1) грузить балластом; 2) *ж.-д.* засыпать балластом; 3) придавать устойчивость (*тж. перен.*).

**ball-bearing** [ˈbɔːlˈbeərɪŋ] *n тех.* шарикоподшипник.

**ball-cartridge** [ˈbɔːlˌkɑːtrɪdʒ] *n воен.* боевой патрон.

**ballerina** [ˌbæləˈriːnə] *n* балерина, солистка балета.

**ballet** [ˈbæleɪ] *фр. n* балет.

**ballet-dancer** [ˈbælɪˌdɑːnsə] *n* артист(ка) балета; балерина.

**ballet-master** [ˈbælɪˌmɑːstə] *n* балетмейстер.

**ballistic** [bəˈlɪstɪk] *a* баллистический; intermediate range ~ missile баллистический снаряд среднего радиуса действия.

**ballistics** [bəˈlɪstɪks] *n pl* (*употр. как sing*) баллистика.

**ballon d'essai** [bɑːˈlɔːŋdeˈse] *фр. n* пробный шар.

**balloon** [bəˈluːn] **1.** *n* 1) воздушный шар; неуправляемый аэростат; ~ on bearings, observation ~ привязной наблюдательный аэростат; trial ~ пробный шар; 2) кружок, в который заключены слова изображённого на карикатуре персонажа; 3) *attr.*: ~ observation наблюдение с привязных аэростатов;

2. *v* 1) поднима́ться на возду́шном ша́ре; 2) раздува́ться.

**balloon-car** [bə'luːnkɑ] *n* гондо́ла аэроста́та.

**balloon fabric** [bə'luːn'fæbrɪk] *n* бодрю́ш, бодрю́шная мате́рия (*для оболочки аэростата*).

**balloonist** [bə'luːnɪst] *n* аэрона́вт, воздухопла́ватель.

**balloon tire** [bə'luːn'taɪə] *n* балло́н (*шина*).

**ballot I** ['bælət] **1.** *n* 1) баллотиро́вочный шар; избира́тельный бюллете́нь; tissue ~ *амер.* избира́тельный бюллете́нь на папиро́сной бума́ге; 2) баллотиро́вка; голосова́ние (*преим. тайное*); to elect (*или* to vote) by ~, to take a ~ голосова́ть; 3) коли́чество по́данных голосо́в; 4) жеребьёвка; ◇ Australian ~ та́йное голосова́ние; to cast a single ~ *амер.* созда́ть ви́димость единоду́шного голосова́ния; **2.** *v* 1) голосова́ть (for — за; against — про́тив); 2) тяну́ть жре́бий.

**ballot II** ['bælət] *n* небольша́я ки́па (*весом 70—120 фунтов*).

**ballot-box** ['bælətbɔks] *n* избира́тельная у́рна, баллотиро́вочный я́щик; to stuff the ~ *амер.* заполня́ть избира́тельную у́рну подде́льными бюллете́нями.

**ballot-paper** ['bælətpeɪpə] *n* избира́тельный бюллете́нь.

**ball-point pen** ['bɔːlpɔɪnt'pen] *n* ша́риковая ру́чка.

**ball-room** ['bɔːlrum] *n* танцева́льный зал.

**bally** ['bælɪ] *sl.* **1.** *a выражает раздражение, нетерпение, радость говорящего*: stung by a ~ wasp уку́шен прокля́той осо́й; whose ~ fault is that? кто винова́т в э́том, чёрт возьми́?; **2.** *adv* ужа́сно, стра́шно; too ~ tired чертовски уста́л.

**ballyhoo** ['bælɪhuː] *n* шуми́ха.

**ballyrag** ['bælɪræg] *v* 1) гру́бо подшу́чивать; 2) брани́ть.

**balm** [bɑːm] *n* бальза́м, болеутоля́ющее сре́дство.

**balm-cricket** ['bɑːm,krɪkɪt] *n* цика́да.

**balmy** ['bɑːmɪ] *a* 1) арома́тный; 2) мя́гкий, прия́тный (*о воздухе*), не́жный (*о ветерке*); 3) бальзами́ческий; бальзами́рующий, даю́щий бальза́м (*о дереве*); 4) цели́тельный; успокои́тельный; 5) *sl.* глу́пый; he's ~ у него́ ви́нтика в голове́ не хвата́ет [*непр. вм.* barmy 2)].

**balneology** [,bælnɪ'ɔlədʒɪ] *n мед.* бальнеоло́гия.

**baloney** [bə'lounɪ] = boloney 2).

**balsa** ['bælsə] *n* 1) ба́льза (*дерево*); 2) *мор.* плотик.

**balsam** ['bɔːlsəm] *n* 1) бальза́м; 2) *бот.* бальзами́н (садо́вый); 3) *attr.*: ~ fir пи́хта бальзами́ческая.

**balsamic** [bɔːl'sæmɪk] = balmy 1) *и* 4).

**baluster** ['bæləstə] *n* 1) баля́сина; 2) *pl* балюстра́да.

**balustrade** [,bæləs'treɪd] *n* балюстра́да.

**bam** [bæm] *sl. сокр. от* bamboozle.

**bamboo** [bæm'buː] *n* (*pl* -boos [-'buːz]) 1) бамбу́к; 2) *attr.* бамбу́ковый

**bamboozle** [bæm'buːzl] *v sl.* обма́нывать,

мистифици́ровать; to ~ smb. out of smth. обма́ном взять что-л. у кого́-л.

**ban** [bæn] **1.** *n* 1) запреще́ние; under a ~ под запре́том; 2) церко́вное прокля́тие, анафема; 3) пригово́р об изгна́нии; объявле́ние вне зако́на; the B. of the Empire объявле́ние вне зако́на; суд обще́ственного мне́ния; 4) *pl* = banns; **2.** *v* 1) налага́ть запреще́ние; 2) *уст.* проклина́ть.

**banal** [bə'nɑːl] *a* бана́льный.

**banality** [bə'nælɪtɪ] *n* бана́льность.

**banana** [bə'nɑːnə] *n* бана́н.

**band I** [bænd] **1.** *n* 1) *то, что служит связью, скрепой*: тесьма́, ле́нта; о́бод, о́бруч; поясо́к; о́колыш; faggot ~ вяза́нка хво́роста; 2) ва́лик, сте́ржень; 3) *pl* две бе́лые поло́ски, спуска́ющиеся с воротника́ (*судьи, англиканского священника*); 4) *эл.* полоса́ часто́т; 5) *attr.* ле́нточный; ~ conveyer ле́нточный транспортёр; ~ filter ле́нточный фильтр; ~ brake ле́нточный то́рмоз; **2.** *v* 1) свя́зывать; 2) *уст.* перевя́зывать.

**band II** [bænd] **1.** *n* 1) отря́д, гру́ппа люде́й; 2) орке́стр; string ~ стру́нный орке́стр; when the ~ begins to play *перен. разг.* когда́ положе́ние стано́вится серьёзным; 3) отря́д солда́т; 4) ба́нда; 5) ста́я; ◇ ~ wagon *амер. разг.* а) сторона́, одержа́вшая верх (*на выборах и т. п.*); б) ви́дное *или* удо́бное положе́ние; to be in (*или* to climb aboard, to get into) the ~ wagon примкну́ть к движе́нию, име́ющему ша́нсы на успе́х; **2.** *v* объединя́ть(ся); собира́ться (*часто* ~ together).

**bandage** ['bændɪdʒ] **1.** *n* 1) бинт; перевя́зочный материа́л; 2) банда́ж; 3) повя́зка (*на глаза*); **2.** *v* перевя́зывать, бинтова́ть.

**bandana** [bæn'dɑːnə] = bandanna.

**bandanna** [bæn'dænə] *n* цветно́й (носово́й) плато́к.

**bandar** ['bʌndə] *n англо-инд. зоол.* ре́зус.

**bandar-log** ['bʌndə,lɔg] *n англо-инд. пренебр.* весь обезья́ний род; *перен. разг.* балабо́лки.

**bandbox** ['bændbɔks] *n* карто́нка (*для шляп, лент и т. п.*); ◇ to look as if one had just come out of a ~ быть оде́тым с иго́лочки.

**bandeau** ['bændou] *фр. n* (*pl* -x) 1) ле́нта для воло́с; 2) ко́жаный *или* шёлковый обо́док, подшива́емый изнутри́ к тулье́ же́нской шля́пы.

**bandeaux** ['bændouz] *pl от* bandeau.

**banderol(e)** ['bændəroul] *n* 1) вы́мпел; 2) *иск.* легенда (*на гравюре*); 3) *архит.* скульпту́рное украше́ние в ви́де ле́нты с на́дписью.

**bandicoot** ['bændɪkuːt] *n зоол.* бандику́т.

**band-iron** ['bænd'aɪən] *n тех.* полосово́е, ши́нное обручно́е желе́зо.

**bandit** ['bændɪt] *n* (*pl* -its [ɪts], -itti) разбо́йник, банди́т.

**banditti** [bæn'dɪtiː] *pl* 1) *pl от* bandit; 2) ша́йка разбо́йников.

**bandmaster** ['bænd,mɑːstə] *n* капельме́йстер.

**bandog** ['bændɔg] *n* 1) цепна́я соба́ка; 2) англи́йский дог; ище́йка.

**bandoleer** [,bændə'lɪə] *n воен.* патронта́ш.

**bandolero** [,bɑːndə'leɪrou] *n* (*pl* -os [-ouz]) разбо́йник.

**bandolier** [,bændə'lɪə] = bandoleer.

**bandoline** ['bændəliːn] *n* фиксатуа́р.

**band-saw** ['bændsɔː] *n* ле́нточная пила́.

**bandsman** ['bændzmən] *n* оркестра́нт.

**bandstand** ['bændstænd] *n* эстра́да для орке́стра.

**bandy I** ['bændɪ] *v* 1) перекиды́ваться, обме́ниваться (*мячом; словами, комплиме́нтами и т. п.*); to ~ words перебра́ниваться; 2) обсужда́ть (*тж.* ~ about); to have one's name bandied about быть предме́том то́лков; 3) распространя́ть (*слух*).

**bandy II** ['bændɪ] *n спорт.* 1) вид игры́ в хокке́й; 2) клю́шка.

**bandy III** ['bændɪ] *n* инди́йская пово́зка.

**bandy IV** ['bændɪ] *a* криво́й, изо́гнутый (*о ногах*).

**bandy-legged** ['bændɪlegd] *a* кривоно́гий.

**bane** [beɪn] *n* 1) отра́ва; 2) *поэт.* прокля́тие; the ~ of one's life несча́стье чьей-л. жи́зни.

**baneful** ['beɪnful] *a* ги́бельный, губи́тельный.

**banewort** ['beɪn,wɔːt] *n* 1) *бот.* лю́тик жгу́чий, прыщине́ц; 2) *диал.* ядови́тое расте́ние.

**bang I** [bæŋ] **1.** *n* уда́р, стук, звук вы́стрела, взры́ва *и т. п.*; to shut the door with a ~ гро́мко хло́пнуть две́рью; ◊ to go over with a ~ проходи́ть блестя́ще, с огро́мным успе́хом (*о представле́нии, приёме, ве́чере*).

**2.** *v* 1) уда́рить(ся); сту́кнуть(ся); 2) хло́пнуть (*две́рью*); 3) с шу́мом захло́пнуться (*о две́ри; часто* ~ to); 4) гро́хнуть, ба́хнуть; the gun ~ed разда́лся вы́стрел; 5) *разг.* бить, туза́ть; 6) *разг.* превосходи́ть; перегоня́ть; □ ~ off (зря) расстре́ливать (*патро́ны*);

**3.** *adv разг.* 1) вдруг; to go ~ вы́стрелить (*о ружье́*); 2) как раз, пря́мо; the ball hit him ~ in the eye мяч попа́л ему́ пря́мо в глаз;

**4.** *int* бац!

**bang II** [bæŋ] **1.** *n* чёлка. **2.** *v* подстрига́ть во́лосы чёлкой.

**bang III** [bæŋ] *n* вы́сушенные ли́стья и сте́бли инди́йской конопли́; гаши́ш.

**bangle** ['bæŋgl] *n* брасле́т, надева́емый на запя́стье *или* щи́колотку.

**bang-up** ['bæŋg'ʌp] *a* первокла́ссный, превосхо́дный.

**banian** ['bænɪən] *n* 1) инду́с-торго́вец; 2) ма́клер; секрета́рь, управля́ющий; 3) широ́кая, свобо́дная руба́шка; хала́т; 4) = banian-tree; ◊ ~ days по́стные дни; ~ hospital ветерина́рная лече́бница.

**banian-tree** ['bænɪəntriː] *n* инди́йская смоко́вница.

**banish** ['bænɪʃ] *v* 1) изгоня́ть, высыла́ть; 2) прогоня́ть; 3) отгоня́ть (*мы́сли*).

**banishment** ['bænɪʃmənt] *n* изгна́ние, вы́сылка.

**banister** ['bænɪstə] *n* 1) = baluster; 2) *pl* пери́ла (*ле́стницы*).

**banjo** ['bændʒou] *n* (*pl* -os, -oes [ouz]) 1) *муз.* ба́нджо; 2) *тех.* коро́бка, кожу́х, ка́ртер.

**bank I** [bæŋk] **1.** *n* 1) вал, на́сыпь; 2) бе́рег (*особ. реки́*); 3) о́тмель, ба́нка; 4) нано́с; зано́с; ~ of snow снежный зано́с; сугро́б; ~ of clouds гряда́ облако́в; 5) *ав.* крен; 6) *горн.* за́лежь (*руды́, угля́ при откры́тых рабо́тах*); 7) *тех.* гру́ппа (*балло́нов, трансформа́торов и т. п.*);

**2.** *v* 1) де́лать на́сыпь; 2) образова́ть нано́сы (*о песке́, снеге́; часто* ~ up); 3) сгреба́ть (в ку́чу), нава́ливать; окружа́ть ва́лом; 4) запру́жать; 5) *ав.* де́лать вира́ж; накреня́ться; 6) игра́ть шара́ от борта́, борто́в (*на билья́рде*).

**bank II** [bæŋk] **1.** *n* 1) банк; ~ of issue эмиссио́нный банк; 2) *карт.* банк; to break the ~ сорва́ть банк; 3) ме́сто хране́ния запа́сов; blood ~ а) до́норский пункт; б) запа́сы консерви́рованной кро́ви для перелива́ния; 4) *attr.* ба́нковый, ба́нковский; ~ holiday устано́вленные *или* дополни́тельные непрису́тственные дни для англи́йских слу́жащих; ◊ you can't put it in the ~ *амер. разг.* э́то ни к чему́, от э́того то́лку ма́ло;

**2.** *v* 1) класть (*де́ньги*) в банк; держа́ть (*де́ньги*) в ба́нке; откла́дывать; 2) быть банки́ром; 3) *карт.* мета́ть банк; ◊ to ~ (up) on smb. полага́ться на кого́-л.

**bank III** [bæŋk] *n ист.* 1) скамья́ (*на гале́ре*); 2) ряд вёсел (*на гале́ре*); 3) клавиату́ра орга́на; ~ of keys *полигр.* клавиату́ра линоти́па; 4) верста́к в не́которых ремёслах.

**bankable** ['bæŋkəbl] *a фин.* учи́тываемый.

**bank-bill** ['bæŋk,bɪl] *n* 1) ве́ксель, вы́данный одни́м ба́нком на друго́й; 2) *уст.* креди́тный биле́т.

**bank-book** ['bæŋk,buk] *n фин.* ба́нковая кни́жка, лицево́й счёт.

**bank draft** ['bæŋk,drɑːft] = bank-bill 1).

**banker I** ['bæŋkə] *n* 1) банки́р; 2) *карт.* банкомёт.

**banker II** ['bæŋkə] *n* 1) су́дно, занима́ющееся ло́влей тре́ски у берего́в Ньюфаундле́нда; 2) рыба́к, занима́ющийся ло́влей тре́ски; 3) *диал.* землеко́п.

**banket** ['bæŋket] *n горн.* банке́т (*золотоно́сный конгломера́т*).

**banking I** ['bæŋkɪŋ] **1.** *pres. p. от* bank II,2; **2.** *n* ба́нковое де́ло.

**banking II** ['bæŋkɪŋ] **1.** *pres. p. от* bank I, 2; **2.** *n ав.* крен, вира́ж.

**banking-house** ['bæŋkɪŋ,haus] *n* банк.

**bank locomotive** ['bæŋk'loukə,moutɪv] *n ж.-д.* толка́ч.

**bank-note** ['bæŋknout] *n* креди́тный биле́т, банкно́та.

**bank-rate** ['bæŋkreɪt] *n* учётная ста́вка ба́нка.

**bankrupt** ['bæŋkrəpt] **1.** *n* банкро́т; *распр.* несостоя́тельный должни́к; ~ in reputation челове́к с дурно́й репута́цией;

**2.** *a* 1) несостоя́тельный; to go ~ обанкро́титься; 2) лишённый (of — чего́-л.);

**3.** *v* сде́лать банкро́том; довести́ до банкро́тства.

**bankruptcy** ['bæŋkrəptsɪ] *n* банкро́тство; несостоя́тельность; Court of ~ ко́нкурсное управле́ние; отде́л по дела́м о несостоя́тельности.

**bankseat** ['bæŋksi:t] *n* усто́й (*моста*).

**banksman** ['bæŋksmən] *n* горн. рукоя́тчик, верхо́вый рабо́чий у ша́хты, (ста́рший) рабо́чий у у́стья ша́хты.

**banner** ['bænə] **1.** *n* 1) зна́мя; флаг; стяг; *перен. тж.* си́мвол; under the ~ of Marx, Engels, Lenin под зна́менем Ма́ркса, Э́нгельса, Ле́нина; to join (*или* to follow) the ~ of... стать под знамёна...; *перен.* стать на чью-л. сто́рону; to unfurl one's ~ *перен.* заяви́ть о свое́й програ́мме; 2) *амер.* заголо́вок кру́пными бу́квами на всю полосу́, «ша́пка»; ◇ to carry the ~ *амер. ирон.* скита́ться всю ночь, не име́я приста́нища; **2.** *a* (наи)лу́чший; образцо́вый; гла́вный; ~ year реко́рдный год.

**banner-bearer** ['bænə,beərə] *n* знамено́сец.

**banner-cry** ['bænə,kraɪ] *n* боево́й клич.

**bannock** ['bænək] *n сев.* пре́сная лепе́шка.

**banns** [bænz] *n pl* оглаше́ние в це́ркви имён вступа́ющих в брак (*или* to call, to publish) the ~ оглаша́ть имена́ вступа́ющих в брак; to forbid the ~ заяви́ть проте́ст про́тив заключе́ния бра́ка.

**banquet** ['bæŋkwɪt] **1.** *n* банке́т; пир; зва́ный обе́д; ◇ ~ of brine го́рькие слёзы; **2.** *v* 1) дава́ть банке́т (*в честь кого-л.*); 2) пирова́ть.

**banqueter** ['bæŋkwɪtə] *n* уча́стник банке́та.

**banquette** [bæŋ'ket] *n* 1) на́сыпь; 2) *воен.* стрелко́вая ступе́нь; банке́т.

**banshee** [bæn'ʃiː] *n ирл., шотл. миф.* дух, сто́ны кото́рого предвеща́ют смерть.

**bantam** ['bæntəm] *n* 1) бента́мка (*мелкая порода кур*); 2) *разг.* «пету́х», задира, забия́ка; 3) *attr.*: ~ car автомоби́ль «ви́ллис».

**bantam-weight** ['bæntəm,weɪt] *n спорт.* легча́йший вес, «вес петуха́».

**banter** ['bæntə] **1.** *n* доброду́шное подшу́чивание; **2.** *v* доброду́шно подшу́чивать, подтру́нивать, поддра́знивать.

**banting** ['bæntɪŋ] *n* лече́ние ожире́ния дие́той.

**bantling** ['bæntlɪŋ] *n* 1) ребёнок; 2) *презр.* отро́дье.

**banyan** ['bænɪən] = banian.

**baobab** ['beɪəbæb] *n* баоба́б (*дерево*).

**bap** [bæp] *n шотл.* небольшо́й карава́й хле́ба.

**baptism** ['bæptɪzəm] *n* креще́ние; ~ of blood му́ченичество; *воен.* пе́рвое ране́ние; ~ of fire боево́е креще́ние.

**baptismal** [bæp'tɪzməl] *a* относя́щийся к креще́нию; ~ certificate свиде́тельство о креще́нии; ~ name и́мя, да́нное при креще́нии.

**baptist** ['bæptɪst] *n* 1) крести́тель; 2) бапти́ст.

**baptist(e)ry** ['bæptɪstərɪ] *n* баптисте́рий; купе́ль (*у баптистов*).

**baptize** [bæp'taɪz] *v* крести́ть; дава́ть и́мя.

**bar** I [bɑː] **1.** *n* 1) полоса́ (*металла*); брусо́к; ~ of gold сли́ток зо́лота; ~ of chocolate пли́тка шокола́да; ~ of soap кусо́к мы́ла; 2) болва́нка (*металла*), чу́шка (*свинца*), штык (*меди*); 3) лом (*сокр. от* crow-bar); 4) засо́в; ва́га; behind bolt and ~ под надёжным запо́ром; за решёткой; 5) заста́ва; 6) *pl* решётка; 7) прегра́да, препя́тствие; to let down the ~s устрани́ть препя́тствия, отмени́ть ограниче́ния; 8) *спорт.* пла́нка; to clear the ~ перейти́ че́рез пла́нку, взять высоту́; horizontal ~ перекла́дина; parallel ~s паралле́льные бру́сья; 9) бар, нано́с песка́ (*в устье реки*); мелково́дье, о́тмель; 10) пря́жка на о́рденской ле́нте; 11) *муз.* та́ктовая черта́; такт; 12) полоса́ (*света, краски*); **2.** *v* 1) запира́ть на засо́в; 2) прегражда́ть; all exits are ~red все вы́ходы закры́ты; 3) исключа́ть; отстраня́ть; запреща́ть; 4) *разг.* име́ть что-л. про́тив кого-л., чего-л., не люби́ть; □ ~ in запере́ть; не выпуска́ть; ~ out не впуска́ть; **3.** *prep* исключа́я, не счита́я; ~ none без исключе́ния.

**bar** II [bɑː] *n* 1) прила́вок, сто́йка; 2) бар, буфе́т, заку́сочная; небольшо́й рестора́н.

**bar** III [bɑː] *n юр.* 1) барье́р, отделя́ющий суде́й от подсуди́мых; prisoner at the ~ обвиня́емый на скамье́ подсуди́мых; 2) (the ~, the B.) адвокату́ра; to be called (*или* to go) to the B. получи́ть пра́во адвока́тской пра́ктики; to be at the B. быть адвока́том; to be called within the B. получи́ть назначе́ние на до́лжность короле́вского адвока́та; to pitch smb. over the ~ *разг.* лиша́ть кого́-л. зва́ния адвока́та *или* пра́ва адвока́тской пра́ктики; 3) суд; the ~ of conscience суд со́вести; the ~ of public opinion суд обще́ственного мне́ния.

**bar** IV [bɑː] *n физ.* бар (*единица атмосферного или акустического давления*).

**barathea** [,bærə'θiːə] *n* 1) шерстяна́я мате́рия (*иногда с при́месью шёлка или бума́ги*); 2) *воен.* ки́тель.

**barb** I [bɑːb] **1.** *n* 1) *бот.* ость; 2) *зоол.* у́сики (*некоторых рыб*); колю́чка; 3) боро́дка (*птичьего пера*); 4) зубе́ц, зазу́брина (*стрелы, копья, рыболовного крючка́*); 5) ко́лкость, ко́лкое замеча́ние; 6) *pl вет.* я́щур; **2.** *v* оснасти́ть *или* снабди́ть колю́чками *и т. п.*

**barb** II [bɑːb] *n уст.* бербери́йский конь.

**barbarian** [bɑː'beərɪən] **1.** *n* ва́рвар; **2.** *a* ва́рварский.

**barbaric** [bɑː'bærɪk] *a* гру́бый, ва́рварский; первобы́тный.

**barbarism** [bɑː'bærɪzəm] *n* 1) ва́рварство; 2) *лингв.* варвари́зм.

**barbarity** [bɑː'bærɪtɪ] *n* 1) ва́рварство; жесто́кость; бесчелове́чность; 2) гру́бость (*стиля, вкуса*).

**barbarize** ['bɑːbəraɪz] *v* 1) испещря́ть варвари́змами; 2) поверга́ть в состоя́ние ва́рварства.

**barbarous** ['bɑːbərəs] *a* 1) ва́рварский, ди́кий; 2) гру́бый, жесто́кий.

**Barbary** ['bɑːbərɪ] *a* бербери́йский.

**barbate** ['bɑːbeɪt] *a* 1) *бот.* остистый; 2) *зоол.* бородатый, усатый.

**barbecue** ['bɑːbɪkjuː] 1. *n* 1) большая рама, на которой туша жарится целиком; 2) целиком зажаренная туша; 3) *амер.* празднество, во время которого туши жарятся целиком; 4) площадка для сушки кофейных бобов;
2. *v* жарить *(тушу)* целиком.

**barbed** [bɑːbd] 1. *p. p. от* barb I, 2;
2. *a* имеющий колючки; колючий; ~ wire колючая проволока.

**barbel** ['bɑːbəl] *n* 1) усач *(рыба)*; 2) усик *(некоторых рыб)*.

**bar-bell** ['bɑːbel] *n спорт.* штанга.

**barber I** ['bɑːbə] *n* парикмахер, цирюльник; ◇ every ~ knows that ≅ это всем известно, все это знают; ~'s block колодка для париков; ~'s pole шест, окрашенный в красный и белый цвета по спирали, служащий вывеской парикмахера; ~'s itch *мед.* паразитарный сикоз.

**barber II** ['bɑːbə] *n* 1) пар над водой в морозный день; 2) сильный ветер при морозе.

**barber(r)y** ['bɑːbərɪ] *n бот.* барбарис.

**barbette** [bɑː'bet] *n воен.* барбет.

**barbican** ['bɑːbɪkən] *n ист.* барбакан, навесная башня.

**Barbizon School** ['bɑːbɪzon'skuːl] *n* Барбизонская школа живописи *(по названию деревушки близ Парижа)*, барбизонцы.

**barbola** [bɑː'boulə] *n* лепное рельефное украшение *(тж.* ~ work).

**barcarole, barcarolle** ['bɑːkəroul] *n* баркарола.

**bard I** [bɑːd] *n поэт.* бард, певец; ◇ the B. of Avon Шекспир.

**bard II** [bɑːd] *n ист.* конский доспех.

**bardic** ['bɑːdɪk] *a* относящийся к бардам; ~ poetry поэзия бардов.

**bare** [bɛə] 1. *a* 1) голый, обнажённый; ~ feet босые ноги; to lay ~ раскрыть, обнаружить; разоблачить; 2) пустой; лишённый (of—*чего-л.*); бедный; 3) поношенный; 4) неприкрашенный, простой; 5) едва достаточный; a ~ majority очень незначительное большинство; at the ~ mention of при одном упоминании о; to believe smth. on smb.'s ~ word верить кому-л. на слово; 6) малейший; ~ possibility малейшая возможность; 7) *эл.* неизолированный; ◇ (as) ~ as the palm of one's hand ≅ хоть шаром покати, совершенно пустой; in one's ~ skin голый;
2. *v* обнажать; раскрывать; to ~ one's head снимать шляпу.

**bareback** ['bɛəbæk] 1. *a* неосёдланный;
2. *adv* без седла; на неосёдланной лошади.

**barebacked** ['bɛəbækt] = bareback 1.

**barefaced** ['bɛəfeɪst] *a* 1) с открытым лицом *(без маски, без бороды)*; 2) бесстыдный.

**barefoot** ['bɛəfut] 1. *a* босой;
2. *adv* босиком.

**barefooted** ['bɛə'futɪd] *a* босой, босоногий.

**bare-headed** ['bɛə'hedɪd] *a* с непокрытой головой.

**barelegged** ['bɛə'legd] *a* с голыми ногами.

**barely** ['bɛəlɪ] *adv* 1) только, просто; 2) едва, лишь; 3) *редк.* прямо, открыто.

**barenecked** ['bɛə'nekt] *a* с открытой шеей; декольтированный.

**bareness** ['bɛənɪs] *n* 1) неприкрытость, нагота; 2) бедность, скудность.

**baresark** ['bɛəsɑːk] = berserk(er).

**bargain** ['bɑːgɪn] 1. *n* 1) (торговая) сделка; to make *(или* to strike, to close) a ~ заключить сделку; прийти к соглашению; a good (bad, hard, losing) ~ выгодная (невыгодная) сделка; to drive a hard ~ много запрашивать; торговаться; to bind a ~ дать задаток; to be off (with) one's ~ аннулировать сделку; 2) (a ~) выгодная покупка; дёшево купленная вещь; to buy at a ~ покупать по дешёвке; ◇ into the ~ в придачу, к тому же; to make the best of a bad ~ не падать духом в беде; that's a ~! по рукам!; дело решённое!; a ~ is a ~ уговор дороже денег; wet *или* Dutch ~ сделка, сопровождаемая выпивкой;
2. *v* торговаться; ~ away уступить за вознаграждение; ~ for ожидать; быть готовым к *чему-л.*; this is more than I ~ed for этого я не ожидал, это неприятный сюрприз.

**bargainer** ['bɑːgɪnə] *n* 1) торговец; 2) торгующийся.

**bargain-sale** ['bɑːgɪnseɪl] *n* 1) дешёвка; 2) распродажа.

**barge** [bɑːdʒ] 1. *n* 1) баржа; барка; 2) двухпалубная баржа для экскурсий; 3) *мор.* адмиральский катер; 4) *амер.* омнибус, автобус для экскурсий; 5) *архит.* выступ дымовой трубы над фронтонной стеной;
2. *v разг.*: to ~ about неуклюже трястись верхом на лошади; to ~ into *(или* against) smth., smb. натолкнуться на что-л., на кого-л.; ☐ ~ in вторгаться.

**bargee** [bɑː'dʒiː] *n* 1) лодочник с баржи; 2) грубиян; ◇ lucky ~ *разг.* счастливчик; to swear like a ~ ругаться как извозчик.

**bargeman** ['bɑːdʒmən] = bargee 1).

**barge-pole** ['bɑːdʒpoul] *n* шест для отпихивания баржи; ◇ not fit to be touched with a ~ ≅ такой (грязный, противный *и т. п.*), что страшно прикоснуться.

**barie** ['bɑːrɪ] = bar IV.

**baring** ['bɛərɪŋ] 1. *pres. p. от* bare 2;
2. *n горн.* обнажение *или* вскрытие пласта.

**baritone** ['bærɪtoun] = barytone.

**barium** ['bɛərɪəm] *n хим.* барий.

**bark I** [bɑːk] 1. *n* 1) кора *(дерева)*; 2) хина *(тж.* Jesuit's ~, Peruvian ~, China ~); 3) *sl.* кожа; 4) *attr.*: ~ grafting *бот.* прививка под кору; ~ mill дробилка для коры; ◇ a man with the ~ on неотёсанный человек; to come *(или* to go) between the ~ and the tree ≅ вмешиваться в чужие *(особ.* семейные) дела; становиться между мужем и женой *и т. п.*; to take the ~ off smth. обесценивать что-л., лишать что-л. привлекательности, показывать что-л. без прикрас;
2. *v* 1) сдирать кору, ошкуривать *(дерево)*; 2) *разг.* сдирать кожу; 3) дубить.

**bark II** [bɑːk] 1. *n* 1) лай; 2) звук выстрела; 3) *разг.* кашель; ◇ his ~ is worse than his bite он бо́льше брани́тся, чем на са́мом де́ле се́рдится;

2. *v* 1) ла́ять (at — на); 2) *разг.* ря́вкать; 3) *разг.* ка́шлять; ◇ to ~ up the wrong tree *амер.* напа́сть на ло́жный след; ошиби́ться.

**bark III** [bɑːk] *n* барк (*парусное трёхмачтовое судно*).

**barkeeper** [ˈbɑːˌkiːpə] *n* 1) *амер.* буфе́тчик; ба́рмен; 2) сто́рож при заста́ве.

**barken** [ˈbɑːkən] *v* дуби́ть коро́й.

**barker I** [ˈbɑːkə] *n* око́рщик.

**barker II** [ˈbɑːkə] *n* 1) крику́н; 2) аукциони́ст; 3) зазыва́ла; 4) *разг.* огнестре́льное ору́жие, *особ.* револьве́р; ◇ great ~s are no biters ≅ не бо́йся соба́ки, кото́рая ла́ет.

**barkery** [ˈbɑːkəri] *n* дуби́льный заво́д.

**barking I** [ˈbɑːkiŋ] 1. *pres. p. om* bark I, 2;

2. *n* 1) око́рка; 2) дубле́ние коро́й.

**barking II** [ˈbɑːkiŋ] 1. *pres. p. om* bark II, 2;

2. *n* лай;

3. *a* ла́ющий; ◇ ~ iron *sl.* револьве́р.

**bark-pit** [ˈbɑːkpit] *n* дуби́льный чан.

**barley** [ˈbɑːli] *n* 1) ячме́нь; 2) *attr.* ячме́нный; ~ sugar ячме́нный са́хар; ◇ to cry ~ проси́ть пощады *или* переми́рия.

**barley-broth** [ˈbɑːliˌbrɔθ] *n* кре́пкое пи́во.

**barleycorn** [ˈbɑːlikɔːn] *n* 1) ячме́нное зерно́; 2) *уст.* треть дю́йма; ◇ John B. Джон Ячме́нное Зерно́, олицетворе́ние ви́ски, пи́ва и други́х спиртны́х и солодо́вых напи́тков.

**barley-water** [ˈbɑːliˌwɔːtə] *n* ячме́нный отва́р.

**barling** [ˈbɑːliŋ] *n* жердь, шест.

**barlow** [ˈbɑːlou] *n* *амер.* большо́й складно́й карма́нный нож (*тж.* ~ knife).

**barm** [bɑːm] *n* (пивны́е) дро́жжи; заква́ска.

**barmaid** [ˈbɑːmeid] *n* буфе́тчица.

**barman** [ˈbɑːmən] *n* буфе́тчик, ба́рмен.

**barmy** [ˈbɑːmi] *a* 1) пе́нистый; броди́льный; 2) *разг.* спя́тивший (*тж.* ~ on the crumpet); to go ~ спя́тить.

**barn** [bɑːn] *n* 1) амба́р; (сенно́й) сара́й; гумно́; 2) некраси́вое зда́ние, «сара́й»; 3) *амер.* коню́шня, коро́вник; 4) *амер.* трамва́йный парк.

**barnacle I** [ˈbɑːnəkl] *n* 1) кляп; кля́пцы (*на морду неспокойной лошади*); 2) *pl разг.* очки́.

**barnacle II** [ˈbɑːnəkl] *n* 1) каза́рка белощёкая (*птица*); 2) морска́я у́точка (*ракообразное*); 3) *разг.* неотвя́зный челове́к.

**barn-door** [ˈbɑːnˈdɔː] 1. *n* воро́та амба́ра; ◇ as big as a ~ о́чень больши́х разме́ров; not to be able to hit a ~ быть о́чень плохи́м стрелко́м;

2. *a*: ~ fowl дома́шняя пти́ца.

**barn-owl** [ˈbɑːnˌaul] *n* сипу́ха (*птица*).

**barnstorm** [ˈbɑːnstɔːm] *v* *амер. разг.* 1) игра́ть в сара́е, в случа́йном помеще́нии (*о странствующем актёре*); 2) выступа́ть с ре́чами во вре́мя предвы́борной кампа́нии (*в маленьких городках*).

**barn-stormer** [ˈbɑːn, stɔːmə] *n* стра́нствующий *или* посре́дственный актёр.

**barodynamics** [ˌbærouˈdaiˈnæmiks] *n pl* (*употр. как sing*) бародина́мика.

**barograph** [ˈbærougrɑːf] *n* баро́граф, самопи́шущий баро́метр.

**barometer** [bəˈrɔmitə] *n* баро́метр.

**barometric(al)** [ˌbɑːrəˈmetrik(əl)] *a* барометри́ческий.

**baron** [ˈbærən] *n* 1) баро́н; 2) магна́т; ◇ ~ of beef то́лстый филе́й.

**baronage** [ˈbærənidʒ] *n* 1) баро́ны, сосло́вие баро́нов *или* пэ́ров; 2) ти́тул баро́на.

**baroness** [ˈbærənis] *n* бароне́сса.

**baronet** [ˈbærənit] 1. *n* бароне́т (*титул*); 2. *v* дава́ть ти́тул бароне́та.

**baronetcy** [ˈbærənitsi] *n* ти́тул бароне́та.

**baronial** [bəˈrounjəl] *a* баро́нский.

**barony** [ˈbærəni] *n* 1) владе́ния баро́на; 2) ти́тул баро́на.

**baroque** [bəˈrouk] 1. *n* (the ~) баро́кко; 2. *a* причу́дливый.

**baroscope** [ˈbærəskoup] *n* бароско́п.

**barouche** [bəˈruːʃ] *n* ландо́, четырёхме́стная коля́ска.

**barque** [bɑːk] = bark III.

**barrack** [ˈbærək] 1. *n* 1) бара́к; 2) *pl* каза́рмы;

2. *v* 1) размеща́ть в бара́ках, каза́рмах; 2) *разг.* гро́мко высме́ивать (*участников крикетного матча*).

**barracoon** [ˌbærəˈkuːn] *n* ла́герь для пле́нных *или* заключённых (*с бараками временного типа*).

**barrage** [ˈbærɑːʒ] *n* 1) загражде́ние; 2) плоти́на; запру́да; 3) *воен.* загради́тельный ого́нь, огнево́й вал (*тж.* ~ fire); 4) *ав., мор.* загражде́ние, барра́ж; 5) *attr.*: ~ balloon аэроста́т загражде́ния.

**barrator** [ˈbærətə] *n* 1) сутя́га, кля́узник; 2) *мор. юр.* капита́н *или* кома́нда су́дна, причини́вшие су́дну умы́шленный вред [*см.* barratry 2)].

**barratry** [ˈbærətri] *n* 1) сутя́жничество, кля́узничество; 2) *мор. юр.* бара́трия (*преступная небрежность или умышленный вред, причинённый судну или грузу капитаном или командой*).

**barrel** [ˈbærəl] 1. *n* 1) бо́чка, бочо́нок; 2) ба́ррель (*мера жидкости: англ. = 163,65 л, амер. = 119 л; для нефти = 159 л; мера веса ≅ 89 кг*); 3) ствол, ду́ло (*оружия*); 4) ту́ловище (*лошади, коровы*); 5) *амер. разг.* де́ньги для финанси́рования како́й-л. кампа́нии; 6) *тех.* цили́ндр, бараба́н, вал; 7) *анат.* бараба́нная по́лость (*уха*); ◇ ~ house, ~ shop *амер. sl.* тракти́р, каба́к; пивна́я; to have smb. over the ~ *амер.* заста́ть кого́-л. враспло́х; to holler down a rain ~ «крича́ть в пусту́ю бо́чку»; занима́ться пустозво́нством; to sit on a ~ of gunpowder сиде́ть на бо́чке с по́рохом, ≅ ходи́ть по кра́ю про́пасти;

2. *v* разлива́ть по бочо́нкам.

**barrel-bulk** [ˈbærəlˌbʌlk] *n* объёмный ба́ррель (≅ 142 л).

**barrel-head** [ˈbærəlˌhed] *n* дно бо́чки.

**barrel-organ** [ˈbærəlˌɔːgən] *n* шарма́нка.

**barrel-roll** [ˈbærəlˌroul] *n* *ав.* бо́чка (*фигура высшего пилотажа*).

**barrel-scraping** [ˈbærəlˌskreipiŋ] *n* *разг.* собира́ние после́дних ресу́рсов; ≅ «под метёлку».

**barren** ['bærən] **1.** *a* 1) бесплодный; неплодородный; тóщий (*о земле*); 2) бессодержáтельный; бéдный, скýчный; ~ of interest (of ideas) лишённый интерéса (мыслей);
**2.** *n* (*обыкн. pl*) бесплóдная земля, пýстошь.
**barrenness** ['bærənnɪs] *n* бесплóдие *и пр.* [*см.* barren 1].
**barret** ['bærət] *n* берéт.
**barricade** [,bærɪ'keɪd] **1.** *n* 1) баррикáда; 2) преграда;
**2.** *v* баррикадировать.
**barrier** ['bærɪə] **1.** *n* 1) барьéр; застáва; шлагбáум; 2) преграда, препятствие, помéха;
**2.** *v* огреждáть, заграждáть (*обыкн.* ~ off, ~ in).
**barring I** ['bɑːrɪŋ] *prep* за исключéнием.
**barring II** ['bɑːrɪŋ] *n* 1) *тех.* пуск в ход машины; 2) *горн.* креплéние крóвли, шáхтная крепь.
**barring III** ['bɑːrɪŋ] *pres. p. от* bar I, 2.
**barrister** ['bærɪstə] *n* адвокáт; revising ~ *парл.* лицó, проверяющее избирáтельные списки.
**barrister-at-law** ['bærɪstərət'lɔː] (*pl* barristers-) = barrister.
**barristers-at-law** ['bærɪstəzət'lɔː] *pl от* barrister-at-law.
**barrow I** ['bærou] *n* кургáн, холм.
**barrow II** ['bærou] *n* 1) тáчка; ручнáя телéжка; 2) носилки; 3) *attr.:* ~ truck двухколёсная телéжка.
**bartender** ['bɑː,tendə] *n амер.* буфéтчик.
**barter** ['bɑːtə] **1.** *n* товарообмéн, меновáя торгóвля;
**2.** *v* 1) менять, обмéнивать; вести меновýю торгóвлю; 2) торговáться; □ ~ away продáть по óчень низкой ценé; *перен.* променять (*свободу, положение и т. п.*) на что-л. мéнее цéнное.
**bartizan** ['bɑːtɪzæn] *n ист.* сторожевáя бáшенка.
**barton** ['bɑːtn] *n* 1) усáдьба; двор усáдьбы *или* фéрмы; 2) часть сдáнной в арéнду усáдьбы, остающаяся в распоряжéнии владéльца.
**barwood** ['bɑː,wud] *n бот.* бáфия яркая.
**barytone** ['bærɪtoun] *n* баритóн.
**barytron** ['bærɪtrɔn] *n физ.* мезóн.
**basal** ['beɪsl] *a* лежáщий в оснóве, оснóвной.
**basalt** ['bæsɔːlt] *n мин.* базáльт.
**basaltic** [bə'sɔːltɪk] *a мин.* базáльтовый.
**bascule** ['bæskjuːl] *n* подъёмное крылó *или* фéрма (*моста*).
**bascule-bridge** ['bæskjuːl,brɪdʒ] *n* подъёмный мост.
**bascule-door** ['bæskjuːl,dɔː] *n* подъёмные ворóта.
**base I** [beɪs] *a* 1) низкий; низменный; пóдлый; 2) неблагорóдный, простóй, окисляющийся (*о металлах*); of ~ alloy низкопрóбный; 3) *юр.* услóвный, неокончáтельно устанóвленный; ◇ ~ coin неполноцéнная *или* фальшивая монéта; ~ Latin вульгáрная латынь.
**base II** [beɪs] **1.** *n* 1) оснóва, основáние;

бáзис; 2) бáза; опóрный пункт; 3) «дом» (*в играх*); игрá в бáры (*тж.* prisoner's ~); 4) *спорт.* мéсто стáрта; 5) поднóжие (*горы*); 6) *архит.* пьедестáл, цóколь; фундáмент; 7) *хим.* основáние; 8) *грам.* кóрень (*слова*); 9) *полигр.* нóжка литеры; колóдка для клишé; фацéтная доскá; ◇ to be off one's ~ *амер. разг.* а) быть не в своём умé; б) нелéпо заблуждáться (about — в чём-л.); to change one's ~ *амер. разг.* отступáть, удирáть; to get to first ~ *амер. разг.* сдéлать пéрвые шаги (*в каком-л. деле*);
**2.** *v* 1) заклáдывать основáние; 2) базировать, оснóвывать.
**base III** [beɪs] *уст.* = bass III.
**baseball** ['beɪsbɔːl] *n спорт.* бейсбóл.
**baseboard** ['beɪsbɔːd] *n стр.* плинтус.
**base-court** ['beɪskɔːt] *n* зáдний двор.
**base frequency** ['beɪs'friːkwənsɪ] *n физ.* оснóвная частотá.
**baseless** ['beɪslɪs] *a* 1) необоснóванный; 2) не обеспéченный бáзой.
**basely** ['beɪslɪ] *adv* низко, бесчéстно.
**basement** ['beɪsmənt] *n* 1) основáние, фундáмент; 2) подвáл; (полу)подвáльный этáж.
**bases** ['beɪsiːz] *pl от* basis.
**bash** [bæʃ] *разг.* **1.** *n* удáр; to have a ~ at it пытáться, покушáться;
**2.** *v* бить; сильно ударять; to ~ one's head against a tree удáриться головóй о дéрево.
**bashaw** [bə'ʃɔː] *тур. n* пашá.
**basher** ['bæʃə] *n амер. sl.* убийца.
**bashful** ['bæʃful] *a* застéнчивый, рóбкий.
**bashfully** ['bæʃfulɪ] *adv* застéнчиво, смущённо, рóбко.
**bashfulness** ['bæʃfulnɪs] *n* застéнчивость, рóбость.
**basic** ['beɪsɪk] *a* 1) оснóвнóй; ~ principles оснóвные принципы; ~ industry а) оснóвная óтрасль промышленности; б) тяжёлая промышленность; ~ stock *эк.* оснóвной капитáл; 2) *хим.* оснóвный.
**basically** ['beɪsɪkəlɪ] *adv* в своéй оснóве; по существý, в основнóм.
**Basic English** ['beɪsɪk'ɪŋglɪʃ] *n* (*сокр. от* British American Scientific International Commercial*) систéма обучéния английскому языкý, оснóванная на искýсственном ограничéнии его словáрного состáва (до 850 слов).
**basicity** [bə'sɪsɪtɪ] *n хим.* валéнтность, оснóвность.
**basic slag** ['beɪsɪk,slæg] *n* тóмасшлак (*удобрение*).
**basil I** ['bæzl] *n бот.* базилик.
**basil II** ['bæzl] *n* дублёная овчина.
**basil III** ['bæzl] **1.** *n* грань; скóшенный край;
**2.** *v* точить; гранить.
**basilica** [bə'zɪlɪkə] *n* базилика.
**basilisk** ['bæzɪlɪsk] *n* 1) *миф.* василиск; 2) род ящерицы; 3) *ист.* василиск (*название пушки XVI—XVII вв.*).
**basin** ['beɪsn] *n* 1) таз, чáшка, миска; 2) бассéйн, резервуáр; водоём; 3) бассéйн (*реки; каменноугольный*); 4) мáленькая бýхта.

**basinet** ['bæsɪnet] *n* стальной шлем.

**basis** ['beɪsɪs] *n* (*pl* bases) 1) основание, базис; on this ~ исходя из этого; on a good and neighbourly ~ на основе добрососедских отношений; 2) база.

**bask** [bɑːsk] *v* 1) греться (*на солнце, у огня*; in); 2) наслаждаться (*покоем, счастьем*; in).

**basket** ['bɑːskɪt] 1. *n* 1) корзина; 2) кузов; 3) *ист.* наружные места (*в почтовом дилижансе*); 4) *attr.*: ~ dinner, ~ lunch, ~ picnic *амер.* пикник; ◇ to be left in the ~ остаться за бортом; to give the ~ отказать (*сватающемуся*); to have (*или* to put) all one's eggs in one ~ рисковать всем, поставить всё на карту; the pick of the ~ самое отборное; like a ~ of chips *амер. шутл.* очень мило, приятно;

2. *v* 1) бросать в корзину для ненужных бумаг; 2) оплетать проволокой.

**basket-ball** ['bɑːskɪtbɔːl] *n спорт.* баскетбол.

**basket-fish** ['bɑːskɪtfɪʃ] *n зоол.* морская звезда.

**basketful** ['bɑːskɪtful] *n* полная корзина чего-л.

**basket-hilt** ['bɑːskɪt'hɪlt] *n* эфес с чашкой.

**basket-osier** ['bɑːskɪt,ouʒə] *n* пурпурная ива; прутовидная ива.

**basketry** ['bɑːskɪtrɪ] *n* плетёные изделия.

**basket-work** ['bɑːskɪtwəːk] = basketry.

**basnet** ['bæsnɪt] = basinet.

**bason** ['beɪsn] 1. *n* верстак для обработки фетра;

2. *v* обрабатывать фетр.

**Basque** [bæsk] 1. *n* 1) баск; 2) баскский язык;

2. *a* баскский.

**basque** [bæsk] *n* 1) баска (*род лифа*); 2) облицовка.

**bas-relief** ['bæsrɪ,liːf] *n* барельеф.

**bass** I [bæs] *n* окунь.

**bass** II [bæs] *n* 1) американская липа; 2) = bast.

**bass** III [beɪs] 1. *n* бас;

2. *a* басовый, низкий; ~ clef басовый ключ; ~ drum турецкий барабан.

**basset** I ['bæsɪt] *n* такса (*порода собак*).

**basset** II ['bæsɪt] *n геол.* выход пластов.

**basset** III ['bæsɪt] *n* карточная игра, напоминающая фараон.

**bassinet(te)** [,bæsɪ'net] *n* плетёная колыбель с верхом.

**basso** ['bæsou] *n* (*pl* -os [-ouz]) *муз.* бас.

**bassoon** [bə'suːn] *n* фагот.

**basso-relievo** ['bæsourɪ,liːvou] = bas-relief.

**bass-relief** ['bæsrɪ,liːf] = bas-relief.

**bass-viol** ['beɪs'vaɪəl] *n* виолончель.

**bass-wood** ['bæswud] *n* американская липа.

**bast** [bæst] *n* 1) лыко, луб, лубяное волокно; мочало; рогожа; 2) *attr.* лубяной; ~ mat циновка из луба, рогожа.

**bastard** ['bæstəd] 1. *n* 1) внебрачный, побочный ребёнок; 2) *груб.* ублюдок; 3) помесь, метис, гибрид; 4) бастр (*сахар низкого качества*);

2. *a* 1) внебрачный, незаконнорождённый; ~ slip а) побочный ребёнок; б) от-

росток от корня дерева; 2) поддельный, притворный; ~ good nature кажущееся добродушие; 3) худшего качества; неправильной формы; необычного размера; ~ French ломаный французский язык.

**bastardize** ['bæstədaɪz] *v* объявлять незаконнорождённым.

**bastardy** ['bæstədɪ] *n* рождение ребёнка вне брака.

**baste** I [beɪst] *v* сшивать на живую нитку, смётывать.

**baste** II [beɪst] *v* поливать жиром (*жаркое*) во время жарения.

**baste** III [beɪst] *v* 1) бить, колотить; 2) закидывать вопросами, критическими замечаниями.

**bastille** [bæs'tiːl] *фр. n* тюрьма, крепость; the B. *ист.* Бастилия.

**bastinado** [,bæstɪ'neɪdou] 1. *n* (*pl* -oes [-ouz]) палочные удары (*особ. по пяткам; наказание на Востоке*);

2. *v* бить палками (*особ. по пяткам*).

**basting** I ['beɪstɪŋ] 1. *pres. p. om* baste I;

2. *n* 1) намётка; 2) *attr.*: ~ thread нитка для намётки.

**basting** II, III ['beɪstɪŋ] *pres. p. om* baste II *и* III.

**bastion** ['bæstɪən] *n воен.* бастион.

**bat** I [bæt] *n* летучая мышь; ◇ to have ~s in one's belfry *разг.* быть ненормальным; to go ~s сходить с ума; like a ~ out of hell очень быстро, со всех ног; blind as a ~ совершенно слепой.

**bat** II [bæt] 1. *n* 1) дубина; било (*для льна*); бита (*в крикете*); лапта; *редк.* ракета (*для тенниса*); 2) = batsman; a good ~ хороший крикетист; 3) *sl.* резкий удар; 4) *разг.* шаг, темп; to go full ~ идти быстро; ◇ off one's own ~ без посторонней помощи, самостоятельно; right off the ~ *амер.* сразу; без промедления; to come to ~ *амер. sl.* столкнуться с трудной задачей, тяжёлым испытанием;

2. *v* бить палкой, битой.

**bat** III [bæt] *v амер.*: to ~ one's eyes мигать, моргать; not to ~ an eyelid и глазом не моргнуть; never ~ted an eyelid не сомкнул глаз.

**bat** IV [bæt] *n амер. sl.* гулянка, кутёж; to go on a ~ гулять, кутить.

**bat** V [bæt] *n* (the ~) *англо-инд. разг.* язык, устная речь; to sling the ~ говорить на иностранном языке.

**bat** VI [bæt] *n воен.* управляемый снаряд.

**batata** [bɑ'tɑːtə] *n бот.* батат, сладкий картофель.

**bat-blind** ['bætblaɪnd] *a* совершенно слепой.

**batch** [bætʃ] *n* 1) количество хлеба, выпекаемого за один раз; 2) пачка, кучка; 3) *стр.* замес бетона; ◇ of the same ~ того же сорта.

**batcher** ['bætʃə] *n тех.* бункер; питатель, дозатор.

**batching** ['bætʃɪŋ] *n* замочка льна *или* джута.

**bate** I [beɪt] *v* (*сокр. om* abate) 1) убавлять, уменьшать; with ~d breath затаив дыхание; 2) слабеть; his energy has not ~d его энергия не ослабла; 3) притуплять; to ~ one's curiosity до некоторой степени удовлетворить любопытство.

**bate II** [beɪt] **1.** *n* раствор для смягчения кожи после дубления;

**2.** *v* погружать (*кожу*) в раствор для смягчения.

**bate III** [beɪt] *n sl.* ярость, гнев, бешенство; to get in a ~ приходить в ярость.

**bat-eyed** ['bæt'aɪd] *a* 1) туповатый; 2) ненаблюдательный.

**batfowl** ['bæt,faul] *v* ловить птиц ночью, ослепляя их огнём и сбивая палкой.

**bath** [bɑːθ, *pl* bɑːðz] **1.** *n* 1) ванна; 2) купание (*в ванне*); to take (*или* to have) a ~ принять ванну; 3) (*обыкн. pl*) баня; купальное заведение; swimming ~s бассейн для плавания; 4) *тех.* ванна; hypo ~ *фото* гипосульфитная ванна; ◇ Order of the B. орден Бани;

**2.** *v* мыть, купать.

**Bath brick** ['bɑːθbrɪk] *n* состав для чистки металлических изделий.

**Bath chair** ['bɑːθ'tʃeə] *n* кресло на колёсах для больных.

**bathe** [beɪð] **1.** *n* купание; to have a ~ выкупаться; принять ванну;

**2.** *v* 1) купать(ся); окунать(ся); to ~ one's hands in blood обагрить руки кровью; 2) мыть, обмывать (*тело*); промывать (*глаза*); 3) омывать (*берега — о реке, озере*); 4) заливать (*о свете*).

**bather** ['beɪðə] *n* 1) купающийся; 2) купальщик; купальщица.

**bath-house** ['bɑːθ,haus] *n* 1) баня; 2) купальня.

**bathing** ['beɪðɪŋ] **1.** *pres. p. от* bathe 2; **2.** *n* купание.

**bathing-box** ['beɪðɪŋbɔks] *n* кабина для купающихся.

**bathing-costume** ['beɪðɪŋ,kɔstjuːm] *n* купальный костюм.

**bathing-machine** ['beɪðɪŋmə,ʃiːn] *n* кабина на колёсах для раздевания купающихся.

**bathing-place** ['beɪðɪŋpleɪs] *n* морской курорт.

**bathometer** [bə'θɔmɪtə] *n* батометр.

**bathos** ['beɪθɔs] *n* 1) глубина; бездна; the ~ of stupidity верх глупости; 2) *лит.* переход от высокого к комическому (*о стиле*).

**bath-robe** ['bɑːθroub] *n* купальный халат.

**bath-room** ['bɑːθrum] *n* ванная (комната).

**bath-tub** ['bɑːθtʌb] *n* ванна.

**bathymetry** [bə'θɪmɪtrɪ] *n* измерение глубины (*моря*).

**bathysphere** ['bæθɪsfɪə] *n* батисфера (*снаряд для погружения в глубины моря*).

**batik** ['bætɪk] *n текст.* 1) батик; 2) *attr.*: ~ printing батиковая набивка.

**bating** ['beɪtɪŋ] *prep* за исключением.

**batiste** [bæ'tiːst] *n* батист.

**batman** ['bætmən] *n воен.* денщик, вестовой, ординарец.

**baton** ['bætən] **1.** *n* 1) жезл; 2) дирижёрская палочка; 3) *спорт.* эстафетная палочка; to pass the ~ передать эстафету; 4) полицейская дубинка;

**2.** *v* бить дубинкой (*о полицейском*).

**batsman** ['bætsmən] *n* отбивающий, бьющий (*в крикете, бейсболе*).

**batta** ['bætə] *n* англо-инд. дополнительное денежное довольствие, выплачиваемое офицерам и солдатам, находящимся на фронте.

**battalion** [bə'tæljən] *n* батальон; *амер. тж.* артиллерийский дивизион.

**battels** ['bætlz] *n pl* отчёт о суммах, израсходованных на содержание колледжа (*в Оксфорде*).

**batten I** ['bætn] **1.** *n* 1) доска (*не шире 7 дюймов*); рейка; дранка; 2) *attr.* дощатый; ~ wall дощатая перегородка;

**2.** *v* 1) скреплять (поперечными) рейками; заколачивать досками; 2) *мор.* задраивать (*обыкн.* ~ down).

**batten II** ['bætn] *v* 1) откармливаться, жиреть; 2) преуспевать за счёт других; 3) утучняться (*о почве*).

**batter I** ['bætə] **1.** *n* 1) взбитое тесто; 2) мятая глина; густая липкая грязь; 3) *воен.* сильный артиллерийский обстрел; ураганный огонь; 4) *полигр.* сбитый шрифт;

**2.** *v* 1) сильно бить, колотить, дубасить; долбить (*тж.* ~ about, ~ down); to ~ at the door сильно стучать в дверь; 2) подвергать суровой критике; громить; 3) плющить (*металл*); месить *или* мять (*глину*); 4) разрушать; пробивать бреши (*артиллерийским огнём*); 5) *полигр.* сбивать (*шрифт*).

**batter II** ['bætə] *архит.* **1.** *n* уступ, уклон (*стены*);

**2.** *v* отклоняться.

**batter III** ['bætə] = batsman.

**battered** ['bætəd] **1.** *p. p. от* batter I, 2; **2.** *a* 1) избитый, разбитый; 2) изношенный, потрёпанный; 3) мятый.

**battering-ram** ['bætərɪŋræm] *n ист.* таран, стенобитное орудие.

**battering-train** ['bætərɪŋtreɪn] *n воен. ист.* осадный парк.

**battery** ['bætərɪ] *n* 1) *воен.* батарея; дивизион (*лёгкой артиллерии*); *мор.* артиллерия корабля; 2) *эл.* батарея; гальванический элемент; 3) *юр.* побои, оскорбление действием; ◇ cooking ~ кухонная посуда; to turn a man's ~ against himself побить противника его же оружием; to mask one's batteries скрывать свои намерения.

**batting** ['bætɪŋ] *n* ватин.

**battle** ['bætl] **1.** *n* 1) битва, сражение; бой; pitched ~ тщательно подготовленное сражение; 2) борьба; to fight a losing ~ вести борьбу, обречённую на неудачу; 3) *attr.* боевой; ~ alarm боевая тревога; ~ honour боевое отличие; ~ royal драка, общая свалка; шумная ссора; half the ~ залог успеха, победы; the ~ of the books учёная дискуссия; to fight one's ~s over again снова переживать прошлое; to come unscathed out of the ~ ≅ выйти сухим из воды; general's (soldier's) ~ бой, исход которого решает умелое командование (солдатская доблесть); above the ~ беспристрастный, стоящий в стороне от схватки; to fight smb.'s ~s for him лезть в драку за кого-л.;

2. *v* сражáться, борóться (for — за *кого-л.*, *что-л.*; with, against — с *кем-л., чем-л.*).

**battle-array** [ˈbætləˈreɪ] *n* боевóй поря́док.

**battle-axe** [ˈbætlæks] *n* ист. 1) боевóй топóр; 2) алебáрда.

**battlecraft** [ˈbætlkrɑːft] *n* боевóе мастерствó.

**battle-cruiser** [ˈbætlˌkruːzə] *n* линéйный крéйсер.

**battle-cry** [ˈbætlkraɪ] *n* 1) боевóй клич; 2) лóзунг.

**battledore** [ˈbætldɔː] *n* 1) валёк; скáлка; 2) ракéта (*в волане*); ~ and shuttle-cock игрá в волáн.

**battle dress** [ˈbætldres] *n воен.* похóдная фóрма.

**battle-field** [ˈbætlfiːld] *n* пóле сражéния, пóле бóя.

**battle-fleet** [ˈbætlfliːt] *n* линéйный флот.

**battle-grey** [ˈbætlgreɪ] *a* защи́тного цвéта.

**battle-ground** [ˈbætlgraund] *n* 1) райóн бóя, сражéния; теáтр воéнных дéйствий; 2) предмéт спóра.

**battlement** [ˈbætlmənt] *n* (*часто pl*) 1) зубчáтая стенá; зубцы́ (*стен, башен*); 2) зубчáтые верхýшки гор.

**battle-order** [ˈbætlˌɔːdə] *n воен.* 1) боевóй порядок; 2) боевóй прикáз; 3) похóдная фóрма.

**battle-piece** [ˈbætlpiːs] *n жив.* батáльная карти́на.

**battle-plane** [ˈbætlˌpleɪn] *n ав.* штурмовóй самолёт, истреби́тель.

**battle-seasoned** [ˈbætlˌsiːznd] *a* 1) закалённый в боя́х; 2) боеспосóбный.

**battle-ship** [ˈbætlʃɪp] *n* линéйный корáбль, линкóр.

**battle-tried** [ˈbætltraɪd] *a* имéющий боевóй óпыт; обстрéлянный.

**battle-wagon** [ˈbætlˌwægən] *n амер. мор. разг.* линкóр.

**battue** [bæˈtuː] *фр. n* 1) облáва (*на охоте*); 2) тщáтельный óбыск; 3) резня́, бóйня.

**batty** [ˈbætɪ] *a разг.* сумасшéдший.

**bauble** [ˈbɔːbl] *n* игрýшка, безделýшка; пустя́к; ◇ fool's ~ жéзл шутá (*с ослиными ушами*).

**baubling** [ˈbɔːblɪŋ] *a* пустя́чный.

**baulk** [bɔːk] = balk.

**baulky** [ˈbɔːkɪ] = balky.

**bauxite** [ˈbɔːksaɪt] *n мин.* бокси́т, алюми́ниевая рудá.

**bawbee** [bɔːˈbiː] *n шотл. разг.* полпéнни.

**bawd** [bɔːd] *n уст.* 1) свóдня; содержáтельница публи́чного дóма; 2) непристóйности.

**bawdry** [ˈbɔːdrɪ] *n* 1) свóдничество; 2) сквернослóвие.

**bawdy** [ˈbɔːdɪ] 1. *a* непристóйный; 2. *n* сквернослóвие.

**bawdy-house** [ˈbɔːdɪhaus] *n* дом терпи́мости, публи́чный дом.

**bawl** [bɔːl] 1. *n* крик; 2. *v* 1) кричáть, орáть (at — на *кого-л.*); to ~ and squall горлáнить; □ ~ out кричáть, выкри́кивать; to ~ out abuse ругáться; to ~ out smb. накричáть на когó-л.

**bawn** [bɔːn] *n* 1) двор зáмка; 2) загóн для скотá.

**bay I** [beɪ] *n* зали́в, бýхта, губá.

**bay II** [beɪ] *n* 1) *стр.* пролёт (*между колоннами*); пролёт мостá; панéль; 2) ни́ша; глубóкий вы́ступ кóмнаты с окнóм, «фонáрь»; 3) железнодорóжная платфóрма; 4) судовóй лазарéт.

**bay III** [beɪ] 1. *n* лай; ◇ at ~ в безвы́ходном положéнии; to bring (*или* to drive) to ~ а) *охот.* загнáть (*зверя*); б) приперéть к стенé; в) *воен.* застáвить (*противника*) приня́ть бой; to hold (*или* to keep) smb. at ~ держáть когó-л. в стрáхе, не подпускáть; to stand at ~, to turn to ~ отчáянно защищáться; 2. *v* 1) лáять; 2) преслéдовать, трави́ть; загоня́ть (*зверя*).

**bay IV** [beɪ] 1. *a* гнедóй; 2. *n* гнедáя лóшадь.

**bay V** [beɪ] *n* 1) лавр, лáвровое дéрево; 2) *pl* лáвры; лáвровый венóк; 3) *attr.*: ~ rum лавров́и́шневая водá.

**bayadère** [ˌbɑːjəˈdɪə] *фр. n* 1) баядéрка; 2) полосáтая матéрия.

**bayonet** [ˈbeɪənɪt] 1. *n* 1) штык; to charge with the ~ брóситься в штыќи; at the point of the ~ си́лой ор́ужия; на штыќах; 2) *attr.* штыковóй; ~ fighting штыковóй бой; 2. *v* колóть штыкóм; □ ~ into застáвить си́лой, прину́дить.

**bayou** [ˈbaɪuː] *n* заболóченный рукáв реки́, óзера *или* морскóго зали́ва (*на юге США*).

**bay-salt** [ˈbeɪˈsɔːlt] *n* осáдочная морскáя *или* озёрная соль.

**bay window** [ˈbeɪˈwɪndou] *n стр.* фонáрь.

**baywood** [ˈbeɪˌwud] *n* махагóниевое дéрево.

**baza(a)r** [bəˈzɑː] *n* 1) востóчный базáр, ры́нок; 2) большóй магази́н; Christmas ~ базáр ёлочных украшéний; 3) благотвори́тельный базáр.

**bazooka** [bəˈzuːkə] *n амер. разг.* реакти́вное противотáнковое ружьё.

**bdellium** [ˈdelɪəm] *n* бдéллий (*род ароматической смолы*).

**be** [biː] *v* (*sing* was, *pl* were; been) 1) быть, существовáть; 2) жить, находи́ться; бывáть; where are my books? где мои́ кни́ги?; are you often in town? чáсто ли вы бывáете в гóроде?; 3) происходи́ть, случáться; 4) стóить; how much is it? скóлько э́то стóит?; 5) *в составном именном сказуемом является глаголом-связкой:* he is a teacher он учи́тель; I am cold мне хóлодно; 6) *как вспомогательный глагол служит:* а) *для образования длительной формы:* I am reading я читáю; б) *для образования пассива:* such questions are settled by the committee подóбные вопрóсы разрешáются комитéтом; 7) *как модальный глагол с последующим инфинитивом означает долженствование, возможность, намерение:* I am to inform you я дóлжен вас извести́ть; he is to be there now он дóлжен быть там сейчáс; □ be about а) собирáться (*с inf.*); he is about to go он собирáется уходи́ть; б) быть зáнятым чем-л.; в) быть на ногáх, встать; be at намеревáться; what would you be at? каковы́ вáши намéрения?; be away a) отсутствовать; б) = be off; be back вернуться; be for a) стоять за *кого-л., что-л.*; б) отправляться в; be in a) прийти, прибыть (*о поезде, пароходе и т. п.*); наступить (*о времени года*); б) поспеть (*о фруктах*); в) быть дома; г) прийти к власти (*о политической партии*); д): be in on smth. участвовать в чём-л.; be off уходить; the train is off поезд ушёл; be on a) происходить; б) идти (*о спектакле*); what is on at the Bolshoi theatre today? что идёт в Большом театре сегодня?; be out не быть дома, в комнате *и т. п.*; be up a) закончиться; б) встать, подняться; в) повыситься в цене; г) произойти; д): be up to smth. замышлять что-л.; ◇ how are you? здравствуйте!, как вы поживаете?; to be going собираться (*с inf. часто придаёт значение будущего времени*: the clock is going to strike часы́ сейчас будут бить); to let be оставлять в покое; to be oneself a) прийти в себя; б) быть самим собой; to be of (a group, class, *etc.*) быть одним из (группы, класса *и т. п.*); they knew he was not of them они распознали в нём чужого; to be in smb. быть свойственным, характерным для кого-л.; it is not in him to do such a thing это не в его натуре; на него это непохоже; I've been there *разг.* всё это уже известно; you've been (and gone) and done it *разг.* ≃ ну и наделали вы дел.

be- [bɪ-] *pref* 1) *присоединяется к переходным глаголам со значением:* а) кругом, вокруг; *напр.*: beset, besiege окружить, осадить, обложить (*город, крепость*); б) полностью, целиком; *напр.*: besmear запачкать, замарать, засалить; bescorch опалять, обжигать; 2) *в сочетании с прилагательными и существительными образует переходные глаголы с соответствующим значением; напр.*: belittle умалять, уменьшать, принижать; bedim затемнить, затуманивать; 3) *образует переходные глаголы со значением подвергнуть действию, покрыть, обработать так, как указывает значение существительного или прилагательного; напр.*: becloud заволакивать, покрывать тучами; beguile обмануть; bespangle осыпать блёстками.

beach [biːtʃ] 1. *n* пляж, отлогий морской берег, взморье; отмель; берег моря между линиями прилива и отлива; to hit the ~ пристать к берегу, высадиться; ◇ to be on the ~ a) разориться; оказаться в тяжёлом положении, на мели; б) *мор. sl.* быть в отставке;
2. *v* 1) посадить на мель; 2) вытаскивать на берег.

beach-comber ['biːtʃ,koumə] *n* 1) океанская волна, набегающая на берег; 2) *sl.* обитатель островов Тихого океана, живущий добыванием жемчуга и случайной работой.

beach-head ['biːtʃhed] *n воен.* береговой плацдарм (при высадке десанта); предмостное укрепление.

Beach-la-mar ['biːtʃlə'maː] *n* английский жаргон на островах Полинезии.

beach-mariner ['biːtʃ'mærɪnə] *n шутл.* сухопутный моряк.

beach-master ['biːtʃ,maːstə] *n* военно-морской комендант пункта высадки.

beacon ['biːkən] 1. *n* 1) маяк; бакен; буй; 2) сигнальный огонь; 3) сигнальная башня; 4) предостережение; 5) радиомаяк; 6) *attr.*: ~ fire, ~ light сигнальный огонь;
2. *v* 1) освещать сигнальными огнями, бакенами; 2) светить, указывать путь; служить маяком.

beaconage ['biːkənɪdʒ] *n* сбор за содержание бакенов и маяков.

bead [biːd] 1. *n* 1) шарик, бусина; бисерина; 2) *pl* бусы; бисер; 3) *pl* чётки; to tell one's ~s читать молитвы (перебирая чётки); 4) капля; 5) пузырёк (*воздуха*); 6) *воен.* мушка; to draw a ~ on прицеливаться; 7) *тех.* борт, отогнутый край, заплечик, реборда, буртик; 8) *архит.* капельки (*украшения по краю фронтона*); ◇ to pray without one's ~s просчитаться;
2. *v* 1) нанизывать (*бусы*); the houses are ~ed along the river дома тесно стоят (*букв.* нанизаны как бусы) вдоль реки; 2) украшать бусами; 3) вышивать бисером; 4) *уст.* читать молитвы; 5) *тех.* отгибать борт; расчеканивать.

beaded ['biːdɪd] 1. *p.p. от* bead 2;
2. *a* 1) нанизанный (*о бусах или перен. как бусы*); 2) похожий на бусы, бисер, капельки.

beadle ['biːdl] *n* 1) университетский педель; 2) церковный сторож; 3) *уст.* курьер при суде.

beadledom ['biːdldəm] *n* нелепый формализм; канцелярщина.

bead-roll ['biːd,roul] *n* 1) список, перечень; 2) родословная; 3) чётки; 4) *уст.* поминальный список.

beadsman ['biːdzmən] *n* 1) призреваемый в богадельне; 2) *уст.* богомолец.

beady ['biːdɪ] *a* 1) похожий на бусинку, маленький и блестящий (*о глазах*); 2) покрытый капельками.

beagle ['biːgl] *n* 1) гончая (*собака*); a pack of ~s стая гончих; 2) сыщик.

beagling ['biːglɪŋ] *n* охота с гончими.

beak [biːk] *n* 1) клюв; 2) что-л., напоминающее клюв (крючковатый нос, носик сосуда, выступ на носу старинного корабля *и т. п.*); 3) *разг.* судья; 4) *sl.* учитель, директор (*школы*); 5) *архит.* слезник.

beaked [biːkt] *a* 1) имеющий клюв; 2) выступающий (*о мысе, скале*).

beaker ['biːkə] *n* 1) кубок, чаша; 2) лабораторный стакан; мензурка.

beam [biːm] 1. *n* 1) луч, пучок лучей; 2) сияние; сияющий вид; сияющая улыбка; 3) балка; брус, перекладина; 4) ткацкий навой; 5) *уст.* дышло; 6) *тех.* балансир (*тж.* walking ~, working ~); коромысло (*весов*); to kick (*или* to strike) the ~ оказаться легче, подняться до предела (*о чаше весов*); потерпеть поражение; 7) *мор.* бимс, ширина (*судна*); on the ~ на траверзе; 8) *с.-х.* грядиль (*плуга*); 9) радиосигнал (*для самолёта*); 10) радиус действия (*микрофона, громкоговорителя*); 11) *attr.*: ~ sea боковая волна; ~ aerial *радио* лучевая антéнна; ◇ ~ in one's eye «бревнó в сóбственном глазý», большóй недостáток; to be on the ~ быть на прáвильном путú; to be off the ~ сбúться с путú; to be off one's ~ *амер. груб.* рехнýться; to tip (*или* to turn) the ~ решúть исхóд дéла; to be on one's ~ ends a) *мор.* лежáть на бокý (*о судне*); б) быть в опáсности, в безвы́ходном положéнии;

2. *v* 1) сия́ть; светúть; 2) смотрéть с сия́ющей улы́бкой; 3) испускáть лучú, излучáть; 4) определя́ть местонахождéние самолёта с пóмощью радáра; 5) передавáть (радиопередáчу) для определённой страны́.

**beamer** ['biːmə] *n текст.* навивáльщик основы́, сновáльщик.

**beam thread** ['biːm,θred] *n текст.* оснóвная нить.

**beam wireless** ['biːm,waɪəlɪs] *n радио* лучевáя *или* прожéкторная радиосвя́зь.

**bean** [biːn] *n* 1) боб; kidney ~, French ~ фасóль; horse ~s кóнские бобы́; 2) *sl.* головá, башкá; 3) *sl.* монéта (*особ. золотáя*); not to have a ~ не имéть ни грошá; not worth a ~ ≅ грошá лóманого не стóит; ◇ full of ~s а) горя́чий (*о лóшади*); б) живóй, энергúчный; в припóднятом настроéнии; like ~s во всю прыть; to give smb. ~s *разг.* а) вздуть, наказáть когó-л.; б) побúть когó-л. (*в состязáнии*); to get ~s *разг.* быть накáзанным, избúтым; a hill of ~s *амер.* пустякú; old ~ *sl.* старинá, дружúще; to spill the ~s а) вы́дать секрéт, проболтáться; б) расстрóить (*чьи-л.*) плáны; в) попáсть в глупóе положéние, в бедý; every ~ has its black *посл.*≅и на сóлнце есть пя́тна; he found the ~ in the cake емý посчастлúвилось, повезлó; to know ~s, to know how many ~s make five знать что к чемý; быть себé на умé.

**beanery** ['biːnərɪ] *n амер. разг.* закýсочная.

**bean-feast** ['biːnfiːst] *n* 1) прáзднество; 2) традициóнный обéд, устрáиваемый хозя́ином для слýжащих раз в год.

**beano** ['biːnou] *n* (*pl* -os [-ouz]) *sl.* = bean-feast.

**bean-pod** ['biːnpɔd] *n* бобóвый стручóк.

**bear** I [bɛə] **1.** *n* 1) медвéдь; 2) грýбый, невоспúтанный человéк; to play the ~ вестú себя́ грýбо; 3) *бирж.* спекуля́нт, игрáющий на понижéние; 4) *астр.*: Great (Little) В. Большáя (Мáлая) Медвéдица; 5) двероробúвнóй пресс, медвéдка; 6) *метал.* козёл; 7) *мор. разг.* швáбра (*для мытья́ палубы*); 8) *attr.*: ~ pool *бирж.* объединéние спекуля́нтов, игрáющих на понижéние; ◇ cross (*или* sulky, surly) as a ~ ≅ зол как чёрт; bridled ~ юнéц, путешéствующий с гувернёром; to take a ~ by the tooth бесцéльно подвергáть себя́ опáсности; to sell the ~'s skin before one has caught the ~ делúть шкýру неубúтого медвéдя; had it been a ~ it would have bitten you ≅ вы ошúблись, обдáлись; (оказáлось) не так стрáшно, как вы дýмали.

**2.** *v бирж.* игрáть на понижéние.

**bear** II [bɛə] *v* (bore; borne) 1) носúть; нестú; переносúть; перевозúть; 2) вы́держивать; нестú груз, тя́жесть; поддéрживать; подпирáть; will the ice ~ today? достáточно ли крéпок лёд сегóдня?; 3) (*p.p.* born) рождáть, производúть; to ~ children рожáть детéй; to ~ fruit приносúть плоды́; born in 1919 рождéния 1919 гóда; 4) питáть, имéть (*чýвство*); 5) терпéть, выносúть; I can't ~ him я егó не выношý; 6) *refl.* держáться; вестú себя́; 7) опирáться (*on*); 8) простирáться; □ ~ away уноси́ть (*приз, кýбок и т. п.*); вы́йти победúтелем; б): to be borne away быть захвáченным, увлечённым; ~ down а) преодолевáть; б) *мор.* подходúть по вéтру; в) устремля́ться (*upon* — к); набрáсываться, нападáть (*upon* — на *когó-л.*); г) влия́ть; ~ in: to be borne in on smb. становúться я́сным, поня́тным комý-л.; ~ off отклоня́ться; ~ on касáться, имéть отношéние к *чемý-л.*; ~ out подтверждáть; подкрепля́ть; поддéрживать; ~ up а) поддéрживать; подбадривать; б) держáться стóйко; в) *мор.* спускáться (*по вéтру*); г): to ~ up for взять направлéние на; ~ upon = ~ on; ~ with относúться терпелúво к *чемý-л.*; мирúться с *чем-л.*; ◇ to ~ arms а) носúть орýжие; служúть в áрмии; to ~ arms against smb. подня́ть орýжие на когó-л., восстáть прóтив когó-л.; б) имéть *или* носúть герб; to ~ company составля́ть компáнию, сопровождáть; б) ухáживать; to ~ comparison выдéрживать сравнéние; to ~ a hand учáствовать; помогáть; to ~ hard on smb. подавля́ть когó-л.; to ~ in mind пóмнить; имéть в видý; to ~ a part принимáть учáстие; to ~ a resemblance быть похóжим, имéть схóдство; to ~ to the right *etc.* принимáть впрáво *и т. п.*; to ~ the signature имéть пóдпись; быть подпúсанным; to ~ testimony, to ~ witness свидéтельствовать, показáния.

**bearable** ['bɛərəbl] *a* снóсный, терпúмый.

**bear-baiting** ['bɛə,beɪtɪŋ] *n* трáвля медвéдя.

**beard** [bɪəd] **1.** *n* 1) бородá; to laugh in one's ~ смея́ться укрáдкой; to speak in one's ~ бормотáть; 2) ость (*колоса*); 3) кóнчик вязáльного крючкá; 4) зубéц; зазýбрина (*устрицы*); ◇ to laugh at smb.'s ~ смея́ться в лицó комý-л.; б) пытáться одурáчить когó-л.; to pluck (*или* to take) by the ~ решúтельно нападáть;

**2.** *v* 1) брать за бóроду; 2) смéло выступáть прóтив; to ~ the lion in his den смéло подходúть к опáсному *или* стрáшному человéку; 3) снимáть края́ доскú *или* брýса.

**bearded** ['bɪədɪd] **1.** *p.p. от* beard; **2.** *a* 1) бородáтый; 2) *бот.* остúстый;

**beardless** ['bɪədlɪs] *a* безбородый; *перен.* юношеский.

**bearer** ['bɛərə] *n* 1) тот, кто нóсит *и пр.* [*см.* bear II]; 2) носúльщик; 3) подáтель (*письмá*); предъявúтель (*чéка*); 4) плодоносящее растéние; this tree is a good (poor) ~ это дéрево принóсит хорóший (плохóй) урожáй; 5) *тех.* опóра; подýшка.

**bearer company** ['bɛərə,kʌmprənɪ] *n воен.* носúлочная рабóта.

**beargarden** ['bɛə,gɑːdn] *n* 1) медвéжий садóк; 2) шýмное сбóрище, «базáр».

**bearing** ['bɛərɪŋ] **1.** *pres.p. от* bear II;

**2.** *n* 1) ноше́ние; 2) произведе́ние на свет; 3) плодоноше́ние; 4) поведе́ние; мане́ра держа́ть себя́; 5) терпе́ние; beyond (*или* past) all ~ нестерпи́мый; нестерпи́мо; 6) отноше́ние; to consider a question in all its ~s рассма́тривать вопро́с со всех сторо́н; this has no ~ on the question э́то не име́ет никако́го отноше́ния к де́лу, вопро́су; 7) значе́ние; the precise ~ of the word то́чное значе́ние сло́ва; 8) *pl* деви́з (*на гербе*); 9) *тех.* подши́пник; roller ~ ро́ликовый подши́пник; 10) *тех.* опо́ра; то́чка опо́ры; 11) *pl мор., ав., воен.* пе́ленг, румб; а́зимут; to lose one's ~s потеря́ть ориентиро́вку; заблуди́ться; *перен.* растеря́ться; to take one's ~s ориенти́роваться, определя́ть положе́ние;

**3.** *a* 1) несу́щий; 2) рожда́ющий, порожда́ющий; ◊ ~ finger пеленга́тор; ~ capacity грузоподъёмность; допусти́мая нагру́зка.

**bearing II** ['bεərɪŋ] *pres. p. от* bear I, 2.

**bearish** ['bεərɪʃ] *a* 1) медве́жий; 2) гру́бый; 3) *бирж.* понижа́тельный.

**bearleader** ['bεə,li:də] *n* 1) вожа́к (медве́дя); 2) *разг.* гуверне́р, путеше́ствующий с бога́тым молоды́м челове́ком.

**bear's-grease** ['bεəz,gri:s] *n* пома́да (*для волос*).

**bearskin** ['bεəskɪn] *n* 1) медве́жья шку́ра; 2) то́лстый шерстяно́й материа́л для шуб; 3) медве́жья ша́пка (*английских гвардейцев*).

**beast** [bi:st] *n* 1) зверь, живо́тное; скоти́на; ~ of burden вью́чное живо́тное; ~ of prey хи́щный зверь; to make a ~ of oneself безобра́зно вести́ себя́; 2) *собир.* отгу́льный скот.

**beastliness** ['bi:stlɪnɪs] *n* 1) сви́нство, ско́тство; 2) га́дость.

**beastly** ['bi:stlɪ] **1.** *a* 1) живо́тный, гру́бый; непристо́йный; 2) *разг.* ужа́сный, проти́вный; ~ weather отврати́тельная пого́да;

**2.** *adv разг.* (*служит для усиления отрицательного признака*) отврати́тельно, ужа́сно; it is ~ wet ужа́сно сы́ро, мо́кро.

**beat** [bi:t] **1.** *n* 1) уда́р; бой (*барабана*); бие́ние (*сердца*); 2) колеба́ние (*маятника*); 3) такт; отбива́ние та́кта; 4) ритм, разме́р; the measured ~ of the waves разме́ренный плеск волн; 5) дозо́р, обхо́д; райо́н (*обхода*); to be on the ~ соверша́ть обхо́д; обходи́ть дозо́ром; to be off (*или* out of) one's ~ быть вне привы́чной сфе́ры де́ятельности *или* компете́нции; 6) *амер. sl.* газе́тная сенса́ция; 7) *амер. sl.* безде́льник; 8) *разг.* что-л. превосходя́щее; I've never seen his ~ он бесподо́бен; 9) *физ.* бие́ние, пульса́ция звуковы́х *или* световы́х волн; 10) *охот.* ме́сто обла́вы;

**2.** *v* (beat; beat, beaten) 1) бить, ударя́ть, колоти́ть; to ~ the breast бить себя́ в грудь; 2) выбива́ть (*дробь на барабане*); отбива́ть (*котлету*); взбива́ть (*тесто, яйца*); отбива́ть (*часы*); толо́чь (*в порошок*; *тж.* ~ small); выкола́чивать (*ковёр, одежду, ме́бель и т. п.*); 3) би́ться (*о сердце*); разбива́ться (*как волны о скалы*); хлеста́ть, стуча́ться (*как дождь в окна*); 4) побива́ть, побежда́ть; the team was ~en at soccer кома́нда потерпе́ла пораже́ние в футбо́ле; 5) превосходи́ть; it ~s everything I ever

heard э́то превосхо́дит всё когда́-л. слы́шанное мно́ю; to ~ smth. hollow превзойти́, затми́ть что-л.; it ~s the band (*или* all, anything, creation, my grandmother, the devil, hell, the world) э́то превосхо́дит всё; э́то невероя́тно; 6) надува́ть; моше́нничать; обходи́ть (*закон и т. п.*); 7) *охот.* обры́скать (*лес*); 8) *мор.* лави́ровать, боро́ться с встре́чным ве́тром, тече́нием; □ ~ about: to ~ about the bush ходи́ть вокру́г да о́коло; подходи́ть к де́лу осторо́жно, издалека́; tell me straight what you want without ~ing about the bush говори́те пря́мо, без обиняко́в, что вы хоти́те; ~ back отбива́ть, отража́ть; ~ **down** а) сбива́ть (*цену*); б) сломи́ть (*сопротивление, оппозицию*); ~ **in** проломи́ть; раздави́ть; ~ **into** вбива́ть, вкола́чивать; ~ **off** = ~ back; ~ **out** выбива́ть, кова́ть (*металл*); to ~ out the meaning разъясня́ть значе́ние; to be ~en out *амер.* быть в изнеможе́нии; ~ **up** а) взбива́ть (*яйца и т. п.*); б) вербова́ть (*рекрутов*); в) избива́ть; обходи́ться со зве́рской жесто́костью; г): ~ up the quarters of посеща́ть; д) *мор.* продвига́ться про́тив ве́тра, про́тив тече́ния; ◊ to ~ smth. hollow (*или* all to pieces, to nothing, to ribbands, to smithereens, to sticks) разби́ть кого́-л. наголову; to ~ it *амер.* удира́ть; ~ it! *амер.* прочь!, вон!; to ~ goose хло́пать себя́ по бока́м, что́бы согре́ться; to ~ the air (*или* the wind) занима́ться бесполе́зным де́лом; по́пусту стара́ться; to ~ one's brains (*или* head) with (*или* about) a thing лома́ть себе́ над чем-л. го́лову; to ~ one's way *амер.* пробира́ться; that ~s me не могу́ э́того пости́чь; э́то вы́ше моего́ понима́ния; can you ~ it? мо́жете ли вы себе́ предста́вить что-л. подо́бное!

**beatax** ['bi:tæks] *n* моты́га, оку́чник.

**beaten** ['bi:tn] **1.** *p. p. от* beat 2;

**2.** *a* 1) би́тый, побеждённый, разби́тый; 2) изби́тый, бана́льный; 3) утомлённый; изму́ченный; 4) проторённый; ~ path (*или* track) а) прое́зжая доро́га; б) проторённая доро́жка; рути́на; off the ~ track в стороне́ от большо́й доро́ги; *перен.* в малоизве́стных, малоизу́ченных областя́х; 5) ко́ваный; 6) *воен.* поража́емый; ~ area обстре́ливаемый райо́н.

**beater** ['bi:tə] *n* 1) тот, кто бьёт; 2) *охот.* заго́нщик; 3) колоту́шка; пест(ик); 4) *текст.* трепа́ло, би́ло; 5) *с.-х.* цеп; би́тер (*комбайна*).

**beatific(al)** [,bi:ə'tɪfɪk(əl)] *a* блаже́нный; даю́щий блаже́нство.

**beatify** [bi:'ætɪfaɪ] *v* 1) де́лать счастли́вым; 2) *церк.* канонизи́ровать.

**beating** ['bi:tɪŋ] **1.** *pres. p. от* beat 2; **2.** *n* 1) битьё, по́рка; 2) пораже́ние; 3) бие́ние (*сердца*); 4) взма́хивание (*крыльями*).

**beatitude** [bi:'ætɪtju:d] *n* блаже́нство.

**beau** [bou] *фр.* **1.** *n* (*pl* beaux) щёголь, франт; (да́мский) кавале́р;

**2.** *a:* ~ ideal идеа́л, образе́ц соверше́нства.

**beauteous** ['bju:tjəs] *a поэт.* прекра́сный, краси́вый.

**beautician** [bju:'tɪʃən] *n* космети́чка.

**beauticraft** ['bjuːtɪkrɑːft] *n* косме́тика.

**beautiful** ['bjuːtəful] *a* 1) краси́вый, прекра́сный; 2) превосхо́дный.

**beautify** ['bjuːtɪfaɪ] *v* украша́ть.

**beauty** ['bjuːtɪ] *n* 1) красота́; 2) краса́вица; 3) пре́лесть (*часто ирон.*); that's the ~ of it в э́том-то вся пре́лесть; you are a ~ хоро́ш ты, не́чего сказа́ть!; ◇ ~ is in the eye of the gazer (*или* the beholder) ≅ не по хоро́шу мил, а по́ милу хоро́ш; ~ is but skin deep нару́жность обма́нчива; нельзя́ суди́ть по нару́жности.

**beauty parlour** ['bjuːtɪ,pɑːlə] *n* косметический кабине́т; институ́т красоты́.

**beauty-sleep** ['bjuːtɪsliːp] *n* ра́нний сон (*до полуночи*).

**beauty-spot** ['bjuːtɪspɔt] *n* му́шка (*на лице*).

**beaux** [bouz] *pl от* beau 1.

**beaver** I ['biːvə] *n* 1) бобр; 2) бобёр, бобро́вый мех; 3) касто́ровая шля́па.

**beaver** II ['biːvə] *n* 1) *ист.* забра́ло; 2) *sl.* борода́; 3) *sl.* борода́ч.

**beaver-rat** ['biːvəræt] *n зоол.* онда́тра.

**beaverteen** ['biːvətiːn] *n* хлопчатобума́жная ворси́стая диагона́ль.

**becalm** [bɪ'kɑːm] *v* 1) успока́ивать; 2) заштилева́ть (*о судне*).

**becalmed** [bɪ'kɑːmd] 1. *p. p. от* becalm; 2. *а мор.* заштиле́вший (*о судне*); сти́хший (*о ветре*).

**became** [bɪ'keɪm] *past от* become.

**because** [bɪ'kɔz] *cj* 1) потому́ что; так как; 2): ~ of (*употр. как предлог*) из-за, всле́дствие.

**bechamel** [,beɪʃɑ'mel] *n* со́ус бешаме́ль.

**beck** I [bek] 1. *n* киво́к; приве́тствие руко́й; ◇ to be at smb.'s ~ and call быть всеце́ло в чьём-л. распоряже́нии; 2. *v* мани́ть; кива́ть; де́лать зна́ки (*рукой*).

**beck** II [bek] *n сев.* руче́й.

**beckon** ['bekən] *v* мани́ть, кива́ть; де́лать знак (*рукой*).

**becloud** [bɪ'klaud] *v* затемня́ть; заволáкивать; затума́нивать (*зрение, рассудок*).

**become** [bɪ'kʌm] *v* (became; become) 1) *употр. как глагол-связка* де́латься, станови́ться; he became a teacher он стал учи́телем; it became cold ста́ло хо́лодно; 2) случа́ться (of); what has ~ of him? что с ним ста́лось?; куда́ он дева́лся?; 3) годи́ться, прили́чествовать; 4) быть к лицу́; this dress ~s you well э́то пла́тье вам о́чень идёт.

**becoming** [bɪ'kʌmɪŋ] 1. *pres. p. от* become; 2. *а* 1) прили́чествующий, подоба́ющий; 2) (иду́щий) к лицу́ (*о платье*); 3. *n филос.* становле́ние.

**bed** [bed] 1. *n* 1) посте́ль, крова́ть, ло́же; ~ of straw соло́менный тюфя́к; to make the ~ стлать посте́ль; to go to ~ ложи́ться спать; to take to one's ~ слечь в посте́ль; to keep to one's ~ хвора́ть; лежа́ть в посте́ли; to leave one's ~ вы́здороветь, встать с посте́ли; 2) клу́мба; гряда́; гря́дка; 3) дно (*моря, реки́*); *поэт.* моги́ла; the ~ of honour моги́ла па́вшего в бою́; to put to ~ with a shovel хорони́ть; 5) *геол.* пласт, слой; залега́ние; 6) *ж.-д.* балла́стный слой; полотно́; 7) *стр.* основа́ние (*для фундамента*);

8) *тех.* стани́на; *воен. уст.* стано́к морти́ры; ◇ as you make your ~, so you must lie upon it *посл.* ≅ что посе́ешь, то и пожнёшь; ~ of roses (*или* flowers) лёгкая жизнь; a ~ of thorns неприя́тное, тру́дное положе́ние; to go to ~ in one's boots *груб.* быть мертве́цки пья́ным; to die in one's ~ умере́ть со́бственной сме́ртью; to be brought to ~ (of a boy) роди́ть, разреши́ться от бре́мени (ма́льчиком); to go to ~ with the lamb and rise with the lark ≅ ложи́ться спозара́нку и встава́ть с петуха́ми; early to ~ and early to rise makes a man healthy, wealthy and wise *посл.* кто ра́но ложи́тся и ра́но встаёт, здоро́вье, бога́тство и ум наживёт; to get out of ~ on the wrong side ≅ встать с ле́вой ноги́; быть в плохо́м настрое́нии; ~ and board кварти́ра и стол, пансио́н; 2. *v* 1) класть в посте́ль; 2) ложи́ться в посте́ль; 3) стлать подсти́лку (*для лоша́ди*); 4) сажа́ть, выса́живать в гря́дки (*обыкн.* ~ out); 5) класть на надлежа́щее основа́ние (*кирпич на слой извёстки и т. п.*); настила́ть; □ ~ down *амер.* располага́ть (*скот*) на ночле́г.

**bedabble** [bɪ'dæbl] *v* замочи́ть; забры́згать.

**bedaub** [bɪ'dɔːb] *v* запа́чкать, зама́зать

**bed-bug** ['bedbʌg] = bug 1.

**bedchamber** ['bed,tʃeɪmbə] *n уст.* спа́льня; Gentleman of the King's B. камерге́р

**bed-clothes** ['bedklouðz] *n pl* посте́льное бельё.

**bedder** ['bedə] *n* 1) расте́ние, выса́живае́мое в грунт; 2) *унив. sl.* спа́льня.

**bedding** ['bedɪŋ] 1. *pres.p. от* bed 2; 2. *n* 1) посте́льные принадле́жности; 2) подсти́лка для скота́; 3) основа́ние, ло́же: фунда́мент; 4) *геол.* напласто́вание, наслое́ние; залега́ние;

**bede** [biːd] *n* кайла́ (*горняка*).

**bedeck** [bɪ'dek] *v* украша́ть.

**bedel(l)** [be'del] = beadle 1).

**bedevil** [bɪ'devl] *v* 1) терза́ть, му́чить; 2) околдова́ть; «навести́ по́рчу»; 3) сбива́ть с то́лку.

**bedew** [bɪ'djuː] *v* покрыва́ть росо́й; обры́згивать.

**bedfast** ['bedfɑːst] *a* прико́ванный к посте́ли (*болезнью*).

**bedfellow** ['bedfelou] *n* 1) *уст.* муж; жена́; 2) спя́щий на одно́й крова́ти с това́рищем; ◇ a strange ~ случа́йный знако́мый

**bed-foot** ['bedfut] *n* сторона́ посте́ли, про тивополо́жная изголо́вью.

**bedgown** ['bed,gaun] *n* же́нская ночна́я руба́шка.

**bed-ground** ['bedgraund] *n амер.* ме́сто ночле́га скота́.

**bed-head** ['bedhed] *n* изголо́вье.

**bedight** [bɪ'daɪt] *v уст., поэт* одева́ть, покрыва́ть (*обыкн. употр. в форме p. p.* bedight, ~ed оде́тый, покры́тый).

**bedim** [bɪ'dɪm] *v* затемня́ть; затума́нивать.

**bedizen** [bɪ'daɪzn] *v* я́рко, пёстро украша́ть, наряжа́ть(ся).

**bedlam** ['bedləm] *n* дом умалишённых: *перен.* бедла́м, сумасше́дший дом.

**bedlamite** ['bedləmaɪt] **1.** *n* сумасшéдший (человéк);
**2.** *a* сумасшéдший.

**bedouin** ['beduɪn] *n* (*pl* -s [-z] *или без измен.*) бедуúн.

**bedpan** ['bedpæn] *n* подкладнóе сýдно.

**bedpost** ['bedpoust] *n* стóлбик кровáти; ◇ between you and me and the ~ стрóго конфиденциáльно; мéжду нáми.

**bedraggle** [bɪ'drægl] *v* запáчкать.

**bedrid(den)** ['bed,rɪd(n)] *a* 1) прикóванный к постéли болéзнью; 2) бессúльный; bedrid argument слáбый дóвод.

**bed-rock** ['bed'rɔk] *n* 1) *геол.* коренная подстилáющая порóда, бéдрок; пóчва (*залежи*); 2) основнúе прúнципы; to get down to ~ добрáться до сýти дéла.

**bedroom** ['bedrum] *n* спáльня; single (double) ~ кóмната с однóй (двумя) кровáтью (кровáтями).

**bed-side** ['bedsaɪd] *n*: to sit (*или* to watch) at (*или* by) a person's ~ ухáживать за больнúм; to have a good ~ manner умéть подойтú к больнóму (*о враче*); to keep books at one's ~ держáть кнúги у кровáти.

**bed-sitting-room** ['bed'sɪtɪŋ,rum] *n* однокóмнатная квартúра.

**bedsore** ['bedsɔː] *n* прóлежень.

**bed-spread** ['bedspred] *n* постéльное покрывáло.

**bedstead** ['bedsted] *n* кровáть.

**bedtick** ['bedtɪk] *n* мешóк (*тюфяка*).

**bedtime** ['bedtaɪm] *n* врéмя ложúться спать.

**bee** [biː] *n* 1) пчелá; *перен.* трудолюбúвый человéк; 2) *амер.* встрéча сосéдей, друзéй *и т. п.* для совмéстной рабóты и взаимопóмощи (*тж.* для спортúвных соревновáний и гуля́нья); ◇ to have a ~ in one's bonnet *разг.* а) быть с причýдой; б) быть помéшанным на чём-л.

**bee-bread** ['biː,bred] *n* пергá.

**beech** [biːtʃ] **1.** *n* бук, бýковое дéрево;
**2.** *a* = beechen.

**beechen** ['biːtʃən] *a* бýковый.

**beechnut** ['biːtʃnʌt] *n бот.* бýковый орéшек.

**beef** [biːf] **1.** *n* (*pl* beeves, *амер.* ~s [-s]) 1) говядина; horse ~ конúна; 2) *уст.* бык; корóва; 3) тýша; 4) *разг.* тýша (*о человеке*); 5) сúла, энéргия; 6) *sl.* жáлоба;
**2.** *v sl.* жáловаться.

**beefeater** ['biːf,iːtə] *n* 1) любúтель мя́са; 2) лейб-гвардéец (*при английском дворé*).

**beefsteak** ['biːf'steɪk] *n* бифштéкс.

**beef tea** ['biːf'tiː] *n* крéпкий, «бутúлочный» бульóн.

**beef-witted** ['biːf'wɪtɪd] *a* глýпый, тупоýмный.

**beefy** ['biːfɪ] *a* мясúстый; крéпкий, мýскулистый.

**bee-garden** ['biː,ɡɑːdn] *n* пáсека, пчéльник.

**beehive** ['biːhaɪv] *n* ýлей.

**bee-keeping** ['biː,kiːpɪŋ] *n* пчеловóдство.

**bee-line** ['biːlaɪn] *n* прямáя (воздýшная) лúния.

**Beelzebub** [biː'elzɪbʌb] *n миф.* Вельзевýл.

**bee-master** ['biː,mɑːstə] *n* пчеловóд.

**been** [biːn (*полная форма*); bɪn (*редуцированная форма*)] *p. p. от* be.

**beer** I [bɪə] *n* пúво; small ~ слáбое пúво; *перен.* пустякú; ◇ ~ and skittles прáздные развлечéния; to be in ~ *разг.* быть вúпивши; to think no small ~ of oneself быть о себé высóкого мнéния; ~ chaser *sl.* «прицéп» (*стакан пива вслед за виски*).

**beer** II [bɪə] *n текст.* ход (*основы*).

**beerhouse** ['bɪəhaus] *n* пивнáя.

**beery** ['bɪərɪ] *a* 1) пивнóй; отдающий пúвом; 2) подвúпивший.

**beestings** ['biːstɪŋz] *n pl* молокó новотéльной корóвы, молóзиво.

**beeswax** ['biːzwæks] **1.** *n* воск;
**2.** *v* натирáть вóском.

**beeswing** ['biːzwɪŋ] *n* 1) налёт на стáром, вúдержанном винé (*особ. на портвéйне*); 2) стáрое винó.

**beet** [biːt] *n* свёкла; white ~ сáхарная свёкла.

**beetle** I ['biːtl] **1.** *n* жук; Colorado ~ колорáдский жук; blind as a ~, ~ blind совершéнно слепóй;
**2.** *v sl.* 1) спешúть, торопúть(ся); 2) уходúть, отправля́ться (*тж.* ~ off, ~ away).

**beetle** II ['biːtl] **1.** *n тех.* трамбóвка; бáба; кувáлда; three-man ~ трамбóвка, трéбующая трóих рабóчих; ◇ between the ~ and the block ≈ мéжду мóлотом и наковáльней; в безвúходном положéнии;
**2.** *v* 1) трамбовáть; 2) дробúть (*камни*).

**beetle** III ['biːtl] **1.** *a* навúсший; выступáющий;
**2.** *v* выступáть; нависáть.

**beetle-browed** ['biːtl,braud] *a* 1) с навúсшими бровя́ми; 2) угрю́мый; мрáчный; насýпленный.

**beetle-crusher** ['biːtl,krʌʃə] *n шутл.* 1) сапожúще; 2) ножúща.

**beetle-head** ['biːtlhed] *n* болвáн.

**beetling** I ['biːtlɪŋ] **1.** *pres. p. от* beetle III, 2;
**2.** *a* навúсший; ~ cliffs (brows) навúсшие скáлы (брóви).

**beetling** II, III ['biːtlɪŋ] *pres. p. от* beetle I, 2 *и* II, 2.

**beetroot** ['biːtruːt] *n* свекловúца.

**beeves** [biːvz] *pl от* beef.

**befall** [bɪ'fɔːl] *v* (befell; befallen) случáться, приключáться, происходúть; a strange fate befell him стрáнная судьбá егó постúгла.

**befallen** [bɪ'fɔːlən] *p.p. от* befall.

**befell** [bɪ'fel] *past от* befall.

**befit** [bɪ'fɪt] *v* подходúть, прилúчествовать (*кому-л.*).

**befog** [bɪ'fɔɡ] *v* затумáнивать.

**befool** [bɪ'fuːl] *v* одурáчивать, обмáнывать.

**before** [bɪ'fɔː] **1.** *adv* 1) впередú; вперёд; 2) рáньше, прéжде, ужé; I have heard it ~ это ужé слúшал; ~ long скóро, вскóре; long ~ задóлго до; ~ now дáвнее, до сих пор;
**2.** *prep* 1) пéред; he stood ~ us он стоя́л пéред нáми; 2) пéред лицóм, в присýтствии; to appear ~ the Court предстáть пéред судóм; 3) до; the day ~ yesterday третьего дня; Chaucer lived ~ Shakespeare Чóсер жил до Шекспúра; 4) впередú; your whole life is ~ you вся вáша жизнь впередú; 5) вúше;

бо́льше; to be ~ others in class быть (по успе́хам) впереди́ свои́х однокла́ссников; I love him ~ myself я люблю́ его́ бо́льше самого́ себя́; 6) скоре́е чем; he would die ~ lying он скоре́е умрёт, чем солжёт;

3. *cj* 1) пре́жде чем; he arrived ~ I expected him он прие́хал ра́ньше, чем я ожида́л.

**beforehand** [bɪ'fɔːhænd] *adv* 1) зара́нее, вперёд; заблаговре́менно; to be ~ with smb. предупреди́ть, опереди́ть кого́-л.; 2) *(часто как прил.)* преждевре́менно; you are rather ~ in your conclusions вы де́лаете сли́шком поспе́шные вы́воды; ◊ to be ~ with the world быть при деньга́х.

**before-mentioned** [bɪ'fɔː͵menʃǝnd] *a* вышеупомя́нутый.

**befoul** [bɪ'faul] *v* па́чкать; оскверня́ть.

**befriend** [bɪ'frend] *v* относи́ться дру́жески; помога́ть.

**befringe** [bɪ'frɪndʒ] *v* отде́лывать бахромо́й, окаймля́ть.

**befuddle** [bɪ'fʌdl] *v* одурма́нивать.

**beg** [beg] *v* 1) проси́ть, умоля́ть (of — кого́-л.; for — о чём-л., чего́-л.); to ~ leave проси́ть разреше́ния; to ~ pardon проси́ть извине́ния, проще́ния; 2) ни́щенствовать; проси́ть подая́ния; 3) служи́ть, стоя́ть на за́дних ла́пах (о собаке); 4) (в официа́льном обраще́нии, в письме́): to ~ to do smth. взять на себя́ сме́лость, позво́лить себе́ что-л. сде́лать; I ~ to differ позво́лю себе́ не согласи́ться; I ~ to enclose при сём прилага́ю; we ~ to inform you извеща́ем вас; ◊ to ~ the question счита́ть спо́рный вопро́с решённым, не тре́бующим доказа́тельств; to ~ smb. off доби́ться чьего́-л. проще́ния, смягче́ния наказа́ния.

**begad** [bɪ'gæd] *int разг.* кляну́сь не́бом!

**began** [bɪ'gæn] *past от* begin.

**beget** [bɪ'get] *v* (begot; begotten) 1) рожда́ть, производи́ть; 2) порожда́ть.

**begetter** [bɪ'getǝ] *n* 1) оте́ц; породи́вший; вино́вник; вдохнови́тель.

**beggar** ['begǝ] 1. *n* 1) ни́щий; 2) *разг. см.* fellow; insolent ~ наха́л; poor ~ бедня́га; dull ~ ску́чный, ну́дный челове́к; stubborn ~ упря́мец; little ~s малыши́ (о де́тях и живо́тных); ◊ ~s must (или should) be no choosers *посл.* бедняка́м не прихо́дится выбира́ть; the ~ may sing before the thief *посл.* ≅ го́лый разбо́я не бои́тся; a ~ on horseback вы́скочка; set a ~ on horseback and he'll ride to the devil *посл.* ≅ посади́ свинью́ за стол, она́ и но́ги на стол; to know smth. (smb.) as well as a ~ knows his bag ≅ знать что-л. (кого́-л.) как свои́ пять па́льцев;

2. *v* 1) доводи́ть до нищеты́, разоря́ть; to ~ oneself разори́ться; 2) превосходи́ть; it ~s all description э́то не поддаётся описа́нию.

**beggarly** ['begǝlɪ] 1. *a* бе́дный; ни́щенский; жа́лкий; ~ hovel жа́лкая лачу́га;

2. *adv* 1) ни́щенски; 2) умоля́юще.

**beggary** ['begǝrɪ] *n* 1) кра́йняя нужда́; нищета́; 2) ни́щенство; 3) *собир.* ни́щие.

**begging** ['begɪŋ] 1. *pres. p. от* beg;

2. *n* ни́щенство; to go (a-) ~ а) ни́щенствовать; б) не име́ть спро́са, ры́нка; в) быть вака́нтным (о до́лжности);

3. *a* ни́щенствующий.

**begin** [bɪ'gɪn] *v* (began; begun) начина́ть (-ся); she began weeping (или to weep) она́ запла́кала; to ~ at the beginning начина́ть с са́мого нача́ла; to ~ at the wrong end начина́ть не с того́ конца́; to ~ on (или upon) smth. бра́ться за что-л.; б) брать нача́ло от чего́-л.; to ~ over начина́ть сы́знова; ◊ well begun is half done *посл.* хоро́шее нача́ло полде́ла откача́ло; to ~ with пре́жде всего́, во-пе́рвых.

**beginner** [bɪ'gɪnǝ] *n* 1) тот, кто начина́ет; 2) новичо́к; начина́ющий.

**beginning** [bɪ'gɪnɪŋ] 1. *pres. p. от* begin; 2. *n* 1) нача́ло; 2) то́чка отправле́ния; 3) исто́чник; происхожде́ние; ◊ a good ~ is half the battle, a good ~ makes a good ending *посл.* ≅ хоро́шее нача́ло полде́ла откача́ло; a bad ~ makes a bad ending *посл.* ≅ что посе́ешь, то и пожнёшь; in every ~ think of the end *посл.* начина́я де́ло, ду́май о конце́.

**begird** [bɪ'gǝːd] *v* (begirt) опоя́сывать; окружа́ть.

**begirt** [bɪ'gǝːt] *past и p.p. от* begird.

**begone** [bɪ'gɔn] *int* убира́йся!

**begot** [bɪ'gɔt] *past от* beget.

**begotten** [bɪ'gɔtn] *p.p. от* beget.

**begrime** [bɪ'graɪm] *v* па́чкать, покрыва́ть са́жей, ко́потью; ~d with dust запылённый.

**begrudge** [bɪ'grʌdʒ] *a* 1) зави́довать; 2) жале́ть (что-л.), скупи́ться.

**beguile** [bɪ'gaɪl] *v* 1) обма́нывать; to ~ a man into doing smth. обма́ном заста́вить кого́-л. сде́лать что-л.; 2) занима́ть, развлека́ть; 3) отвлека́ть чьё-л. внима́ние; 4) корота́ть, проводи́ть вре́мя.

**beguilement** [bɪ'gaɪlmǝnt] *n* 1) обма́н; 2) развлече́ние, заня́тие (за кото́рым бы́стро прохо́дит вре́мя).

**begum** ['beɪgǝm] *n* бегу́ма (зна́тная да́ма в И́ндии).

**begun** [bɪ'gʌn] *p.p. от* begin.

**behalf** [bɪ'hɑːf] *n*: in ~ of для, ра́ди, в по́льзу; in my (his, her) ~ в мои́х (его́, её) интере́сах; on ~ of my friends от и́мени мои́х друзе́й; on my ~ от моего́ и́мени.

**behave** [bɪ'heɪv] *v* 1) поступа́ть, вести́ себя́; to ~ oneself вести́ себя́ как сле́дует; ~ yourself! веди́те себя́ прили́чно!; 2) рабо́тать (о маши́не).

**behaviour** [bɪ'heɪvjǝ] *n* 1) поведе́ние, мане́ры; to be on one's best ~ стара́ться вести́ себя́ как мо́жно лу́чше; to put smb. on his good ~ дать челове́ку возмо́жность испра́виться; 2) *тех.* режи́м (рабо́ты).

**behaviourism** [bɪ'heɪvjǝrɪzǝm] *n психол.* бихевиори́зм.

**behead** [bɪ'hed] *v* отруба́ть го́лову, обезгла́вливать.

**beheading** [bɪ'hedɪŋ] 1. *pres.p. от* behead; 2. *n* отсече́ние головы́.

**beheld** [bɪ'held] *past и p. p. от* behold 1.

**behemoth** [bɪ'hiːmɔθ] *n библ.* бегемо́т; *перен.* чу́дище.

**behest** [bɪ'hest] *n поэт.* приказа́ние, повеле́ние.

**behind** [bɪ'haɪnd] 1. *adv* сза́ди, позади́; по́сле; to leave ~ оста́вить по́сле себя́; to be ~ запа́здывать; to fall ~ отстава́ть;

**2.** *prep* 1) за, сзади, позади; после; ~ the house за домом, позади дома; ~ the back за спиной, тайком; ~ the scenes за кулисами; ~ time с опозданием; ~ the times отсталый; устарелый; there is more ~ it тут что-то ещё кроется; 2) ниже (*по качеству и т.п.*); he is ~ other boys of his class он отстаёт от своих одноклассников (*по успехам, развитию*);

**3.** *n разг.* зад.

**behindhand** [bɪ'haɪndhænd] **1.** *a predic.* 1) отсталый; запоздавший; he is ~ in his schoolwork он отстаёт в занятиях; 2) задолжавший, в долгу; he is ~ with his rent он задолжал за квартиру;

**2.** *adv:* to be wise ~ соображать медленно; ≈ задним умом крепок.

**behold** [bɪ'hould] **1.** *v* (beheld) 1) видеть, замечать; 2) смотреть, созерцать;

**2.** *int* смотри!, вот!

**beholden** [bɪ'houldən] *a predic.* обязанный, признательный (to — *кому-л.*, for — *за что-л.*).

**beholder** [bɪ'houldə] *n* зритель; очевидец.

**behoof** [bɪ'hu:f] *n* польза, выгода, интерес (*употр. тк. в выражении:* in, on *или* for my, your, his, *etc.* ~).

**behoove, behove** [bɪ'hu:v, bɪ'houv] *v* следовать, надлежать; it ~s you to go вам следует пойти.

**beige** [beɪʒ] *фр. n* 1) материя из некрашеной шерсти; 2) цвет беж.

**being** ['bi:ɪŋ] **1.** *pres.p. om* be; ~ that так как;

**2.** *n* 1) бытие, существование, жизнь; social ~ determines consciousness *филос.* бытие определяет сознание; in ~ живущий; существующий; to call into ~ вызвать к жизни, создать; 2) существо, человек; human ~s люди; 3) существо, суть; плоть и кровь; to the very roots of one's ~ до мозга костей;

**3.** *a* существующий, настоящий; for the time ~ a) в данное время; б) на некоторое время.

**belabour** [bɪ'leɪbə] *v* бить, колотить; трепать.

**belaid** [bɪ'leɪd] *past u p.p. om* belay 1.

**belated** [bɪ'leɪtɪd] *a* 1) запоздалый, поздний; 2) застигнутый ночью, темнотой.

**belaud** [bɪ'lɔ:d] *v* восхвалять, превозносить.

**belay** [bɪ'leɪ] **1.** *v* (belayed, belaid) *мор.* закреплять, обносить;

**2.** *int sl.* стоп!, довольно!

**belch** [beltʃ] **1.** *n* 1) отрыжка; 2) столб (*огня, дыма*);

**2.** *v* 1) рыгать; 2) изрыгать (*ругательства; тж.* ~ forth, ~ out); 3) извергать (*лаву*); выбрасывать (*огонь, дым*).

**belcher** ['beltʃə] *n* пёстрое кашне, пёстрый шарф.

**beldam(e)** ['beldəm] *n* старая карга, ведьма.

**beleaguer** [bɪ'li:gə] *v* осаждать.

**belemnite** ['beləmnaɪt] *n* белемнит (*вымерший морской моллюск*).

**belfry** ['belfrɪ] *n* колокольня; башня.

**Belgian** ['beldʒən] **1.** *a* бельгийский;

**2.** *n* бельгиец; бельгийка.

**Belial** ['bi:ljəl] *n* дьявол; дух зла; a man of ~ негодяй.

**belie** [bɪ'laɪ] *v* 1) оболгать, оклеветать; 2) давать неверное представление (*о чём-л.*); 3) изобличать; 4) опровергать; противоречить; his looks ~ his words его вид противоречит его словам; 5) не оправдывать (*надежд*).

**belief** [bɪ'li:f] *n* 1) вера; доверие (in); beyond ~ невероятно; it staggers ~ этому трудно поверить; 2) убеждение, мнение; to the best of my ~ насколько мне известно; 3) верование.

**believable** [bɪ'li:vəbl] *a* вероятный, правдоподобный.

**believe** [bɪ'li:v] *v* 1) верить; we soon ~ what we desire мы охотно принимаем желаемое за действительное; 2) доверять; I ~ you я вам верю, доверяю; I ~ in you я в вас верю; 3) придавать большое значение; I ~ in early rising я считаю очень полезным вставать рано; 4) думать, полагать; I ~ so кажется так, по-моему так; да (*в ответе*); I ~ not думаю, что нет; едва ли; ◇ you'd better ~ it *амер. разг.* можете быть уверены; to make ~ делать вид, притворяться.

**believer** [bɪ'li:və] *n* верующий; true ~ правоверный.

**belike** [bɪ'laɪk] *adv уст.* вероятно, быть может.

**belittle** [bɪ'lɪtl] *v* умалять, преуменьшать; принижать.

**bell I** [bel] **1.** *n* 1) колокол; колокольчик; 2) звонок; бубенчик; 3) раструб, расширение; 4) *бот.* чашечка (*некоторых растений*); 5) *мор.* рында (*колокол*); склянка; to strike the ~s бить склянки; 6) *геол.* купол, нависшая порода; 7) конус (*домны*); ◇ to bear the ~ — быть вожаком, первенствовать; to bear (*или* to carry) away the ~ получить на состязании приз; to lose the ~ потерпеть поражение в состязании; to bear the cap·and ~s разыгрывать роль шута; within the sound of Bow ~s в Лондоне; ~, book and candle *ист.* отлучение от церкви; by (*или* with) ~, book and candle *разг.* окончательно, бесповоротно; to crack the ~ проболтаться; допустить бестактность; to ring the ~ *разг.* иметь успех, получать хорошие результаты; to ring one's own ~ заниматься саморекламой;

**2.** *v* снабжать колоколами, колокольчиками; ◇ to ~ the cat брать на себя ответственность в рискованном предприятии.

**bell II** [bel] **1.** *n* крик, рёв оленя (*во время течки*);

**2.** *v* кричать, мычать.

**belladonna** [,belə'dɔnə] *n бот., фарм.* красавка, белладонна.

**bell-bottomed** ['belbɔtəmd] *a:* ~ trousers брюки-клёш.

**bell-boy** ['belbɔɪ] *n* коридорный, посыльный (*в гостинице*).

**bell-buoy** ['belbɔɪ] *n мор.* бакен с колоколом.

**belle** [bel] *n* краса́вица; the ~ of the ball цари́ца ба́ла.

**belled** I [beld] **1.** *p. p. om* bell I, 2; **2.** *a* 1) снабжённый *или* уве́шанный колокола́ми; 2) расши́ренный, име́ющий раструб, с растру́бом; 3) име́ющий фо́рму колоко́льчика (*о цветке*).

**belled** II [beld] *p.p. om* bell II, 2.

**belles-lettres** [′bel′letr] *фр. n pl* худо́жественная литерату́ра, беллетри́стика.

**bell-flower** [′belflauə] *n бот.* колоко́льчик.

**bell-glass** [′belglɑːs] *n* стекля́нный колпа́к.

**bell-hop** [′belhɔp] *амер.* = bell-boy.

**bellicose** [′belɪkous] *a* 1) вои́нственный; 2) драчли́вый, задо́рный.

**bellicosity** [,belɪ′kɔsɪtɪ] *n* 1) вои́нственность; 2) драчли́вость, задо́р.

**belligerency** [bɪ′lɪdʒərənsɪ] *n* состоя́ние войны́.

**belligerent** [bɪ′lɪdʒərənt] **1.** *n* вою́ющая сторона́; **2.** *a* находя́щийся в состоя́нии войны́; ~ powers вою́ющие держа́вы.

**bellman** [′belmən] *n ист.* 1) глаша́тай; 2) ночно́й сто́рож.

**bellow** [′belou] **1.** *n* 1) мыча́ние; 2) рёв (*бури, моря*); **2.** *v* 1) мыча́ть; реве́ть; ора́ть; 2) бушева́ть; греме́ть; громыха́ть.

**bellows** [′belouz] *n pl* воздуходу́вные мехи́, кузне́чные мехи́; a pair of ~ ручны́е раздува́льные мехи́.

**bell-punch** [′bel,pʌntʃ] *n* компо́стер (*кондуктора автобусов и трамваев*).

**bell-push** [′bel,puʃ] *n* кно́пка звонка́.

**bell-wether** [′bel,weðə] *n* бара́н-вожа́к с бубе́нчиком (*в стаде*).

**belly** [′belɪ] **1.** *n* 1) живо́т, брю́хо; pot ~ то́лстый живо́т; 2) желу́док; 3) ве́рхняя де́ка стру́нного инструме́нта; 4) *геол.* утолще́ние, разду́тие пласта́ *или* жи́лы; 5) *мор.* «пу́зо» па́руса; ◇ the ~ has no ears, hungry bellies have no ears *посл.* ≋ соловья́ ба́снями не ко́рмят; when the ~ is full, the bones would be at rest *посл.* ≋ по сы́тому брю́ху хоть обу́хом; **2.** *v* 1) надува́ть(ся) (*обыкн.* ~ out); sails ~ out паруса́ наполня́ются; 2) ползти́ на животе́; лежа́ть распласта́вшись.

**belly-ache** [′belɪeɪk] **1.** *n разг.* боль в животе́; **2.** *v sl.* ворча́ть, жа́ловаться, хны́кать.

**belly-band** [′belɪbænd] *n* подпру́га.

**bellyful** [′belɪful] *n* доста́точное коли́чество (*чего-л.*); сы́тость; пресыще́ние; to get a ~ of smth. пресы́титься чем-л.

**belly-land** [′belɪlænd] *v ав. разг.* сде́лать поса́дку с у́бранным шасси́.

**belly-landing** [′belɪ,lændɪŋ] **1.** *pres. p. om* belly-land; **2.** *n ав. разг.* поса́дка с у́бранным шасси́.

**belly-pinched** [′belɪ,pɪntʃt] *a* изголода́вшийся.

**belong** [bɪ′lɔŋ] *v* 1) принадлежа́ть (to); 2) относи́ться (to — к *чему-л.*); быть свя́занным (to, with, among — с *кем-л., чем-л.*); 3) быть ро́дом из; происходи́ть; I ~ here а) я ро́дом из э́тих мест; б) моё ме́сто здесь;

4) находи́ться, помеща́ться; the book ~s on that shelf э́та кни́га с той по́лки; ▢ ~ together гармони́ровать, подходи́ть друг к дру́гу.

**belongings** [bɪ′lɔŋɪŋz] *n pl* 1) принадле́жности; ве́щи, пожи́тки; 2) пристро́йки, слу́жбы.

**beloved** [bɪ′lʌvd] **1.** *a* возлю́бленный, люби́мый; **2.** *n* возлю́бленный, люби́мый (челове́к); возлю́бленная, люби́мая.

**below** [bɪ′lou] **1.** *adv* ни́же, внизу́, as it will be said ~ как бу́дет ска́зано ни́же; **2.** *prep* 1) ни́же, под; ~ zero ни́же нуля́; 2) ни́же (*о качестве, положении и т. п.*); to be ~ smb. in intelligence быть ни́же кого́-л. по у́мственному разви́тию; ~ the average ни́же сре́днего; ~ par ни́же номина́ла; *перен.* нева́жно; I feel ~ par я себя́ пло́хо чу́вствую.

**belt** [belt] **1.** *n* 1) по́яс, реме́нь; портупе́я; 2) по́яс, зо́на; shelter ~ полезащи́тная лесна́я полоса́; 3) у́зкий проли́в; 4) *тех.* приводно́й реме́нь (*тж.* driving ~); 5) *воен.* патро́нная ле́нта; 6) *мор.* бронево́й по́яс; 7) *архит.* обло́м; ◇ ~ of fire *воен.* огнева́я заве́са; to hit (*или* to strike, to tackle) below the ~ а) *спорт.* нанести́ уда́р ни́же по́яса; б) нанести́ преда́тельский уда́р; to hold the ~ быть чемпио́ном по бо́ксу; **2.** *v* 1) подпоя́сывать; опоя́сывать; 2) поро́ть ремнём.

**beltane** [′beltein] *n* пра́здник костро́в (*1 мая старого стиля в Ирландии*).

**belted** [′beltɪd] **1.** *p.p. om* belt 2; **2.** *a* 1) опоя́санный; 2) име́ющий ремённый привод.

**belting** [′beltɪŋ] **1.** *pres.p. om* belt 2; **2.** *n* 1) ремённая переда́ча, приводно́й реме́нь; 2) по́рка (ремнём).

**belt-line** [′beltlaɪn] *n амер.* кольцева́я трамва́йная ли́ния.

**belt-saw** [′beltsɔː] *n* ле́нточная пила́.

**belvedere** [′belvɪdɪə] *n стр.* бельведе́р.

**bemoan** [bɪ′moun] *v* опла́кивать.

**bemuse** [bɪ′mjuːz] *v* ошеломля́ть; смуща́ть.

**ben** [ben] *n шотл.* втора́я ко́мната в небольшо́м двухко́мнатном до́ме; far ~ во вну́тренних поко́ях; but and ~ пе́рвая и втора́я ко́мнаты, *т. е.* весь дом [*ср.* but II]; ◇ to be far ~ with smb. быть в бли́зких отноше́ниях с кем-л.

**bench** [bentʃ] **1.** *n* 1) скамья́; 2) ме́сто (*в парламенте*); 3) ме́сто судьи́; суд; *собир.* су́дьи; to be raised to the ~ получи́ть ме́сто судьи́; 4) верста́к, стано́к; 5) *геол.* терра́са, усту́п; 6) *стр.* карни́з; 7) *мор.* ба́нка; 8) вы́ставка (*собак*); **2.** *v* выставля́ть на вы́ставке (*преим.* собак).

**bencher** [′bentʃə] *n* 1) старшина́ юриди́ческой корпора́ции; 2) *уст.* судья́; о́льдермен.

**bench-mark** [′bentʃmɑːk] *n* отме́тка у́ровня, отме́тка высоты́.

**bench-show** [′bentʃʃou] *n* вы́ставка живо́тных (*преим. собак*).

**bench-vice** [′bentʃvaɪs] *n тех.* стулово́й тиски́.

**bench-warmer** ['benʧ,wɔːmə] *n sl.* бездо́мный безрабо́тный.

**bench-warrant** ['benʧ'wɔːrənt] *n* о́рдер на аре́ст (*выданный судьёй*).

**bend** [bend] **1.** *n* 1) сгиб, изги́б; 2) изги́б доро́ги; излу́чина реки́; 3) *мор.* у́зел; *pl* шпанго́уты; 4) *тех.* коле́но; отво́д; 5) (the ~s) *pl амер. разг.* кессо́нная боле́знь; ◇ above one's ~ *амер.* не по си́лам, не по спосо́бностям; on the ~ нече́стным путём;
**2.** *v* (bent) 1) сгиба́ть(ся); ▪ гну́ть(ся), изгиба́ть(ся); trees ~ before the wind дере́вья гну́тся от ве́тра; to ~ the knee преклоня́ть коле́на; моли́ться; to ~ one's neck гнуть ше́ю, покоря́ться; 2) напряга́ть (*мысли, внимание и т. п.*; to); 3) направля́ть (*взоры, шаги и т. п.*); 4) покоря́ть (-ся); 5) вяза́ть, привя́зывать (*трос, паруса*); ◇ to ~ one's brows хму́рить бро́ви.

**bender** ['bendə] *n sl.* 1) моне́та в 6 пе́нсов; 2) кутёж; to go on a ~ закути́ть, загуля́ть; to be on a ~ быть пья́ным.

**beneath** [bɪ'niːθ] **1.** *adv* внизу́;
**2.** *prep* под, ни́же; ~ our (very) eyes (пря́мо) на на́ших глаза́х; ~ criticism ни́же вся́кой кри́тики; to be ~ notice (contempt) не заслу́живать внима́ния (да́же презре́ния); to marry ~ one жени́ться на ком-л. *или* вы́йти за́муж за кого́-л., занима́ющего бо́лее ни́зкое положе́ние в о́бществе.

**benedick** ['benɪdɪk] *n* упо́рный холостя́к, наконе́ц жени́вшийся (*по имени героя комедии Шекспира «Много шума из ничего»*).

**Benedictine** *n* 1) [,benɪ'dɪktɪn] бенедикти́нец (*монах*); 2) [,benɪ'dɪktɪn] ликёр бенедикти́н.

**benediction** [,benɪ'dɪkʃən] *n* благослове́ние.

**benedictory** [,benɪ'dɪktərɪ] *a* благословля́ющий.

**benefaction** [,benɪ'fækʃən] *n* 1) благодея́ние, ми́лость; 2) поже́ртвование.

**benefactor** ['benɪfæktə] *n* 1) благоде́тель; 2) же́ртвователь.

**benefactress** ['benɪfæktrɪs] *n* 1) благоде́тельница; 2) же́ртвовательница.

**benefication** [,benɪfɪ'keɪʃən] *n* горн. обогаще́ние.

**benefice** ['benɪfɪs] *n* бенефи́ций, прихо́д.

**beneficence** [bɪ'nefɪsəns] *n* 1) благотвори́тельность; 2) благодея́ние.

**beneficent** [bɪ'nefɪsənt] *a* благоде́тельный; благотво́рный.

**beneficial** [,benɪ'fɪʃəl] *a* 1) благотво́рный; 2) целе́бный; 3) вы́годный, поле́зный.

**beneficiary** [,benɪ'fɪʃərɪ] *n* 1) *ист.* владе́лец бенефи́ции *или* фео́да; 2) лицо́, по́льзующееся поже́ртвованиями *или* благодея́ниями; 3) (вы́сшее) должностно́е лицо́; 4) *амер.* иждиве́нец военнослу́жащего, име́ющий пра́во на получе́ние шестиме́сячного окла́да после́днего в слу́чае его́ сме́рти.

**benefit** ['benɪfɪt] **1.** *n* 1) вы́года; по́льза; при́быль; to the ~ на бла́го; to be denied the ~s не по́льзоваться преиму́ществами; for your special ~ ра́ди вас; to give smb. the ~ of one's experience (knowledge *etc.*) подели́ться с кем-л. свои́м о́пытом (зна́ниями *и т. п.*); to reap the ~ of smth. пожина́ть плоды́ чего́-л.; 2) *театр.* бенефи́с

(*тж.* ~ night); 3) пе́нсия, (страхово́е) посо́бие; unemployment ~ посо́бие по безрабо́тице; medical ~ посо́бие по боле́зни; ◇ to give smb. the ~ of the doubt оправда́ть кого́-л. за недоста́точностью ули́к; ~ of clergy *ист.* неподсу́дность духове́нства све́тскому суду́; to take the ~ *амер.* объяви́ть себя́ банкро́том (*эллиптически вм.* to take the ~ of the bankruptcy laws);
**2.** *v* 1) помога́ть, приноси́ть по́льзу; 2) извлека́ть по́льзу, вы́году (by — из *чего-л.*).

**benefit-society** ['benɪfɪtsə'saɪətɪ] *n* о́бщество *или* ка́сса взаимопо́мощи.

**benevolence** [bɪ'nevələns] *n* 1) благожела́тельность; 2) ще́дрость, благотвори́тельность; 3) *ист.* побо́ры с населе́ния под ви́дом доброво́льного поже́ртвования.

**benevolent** [bɪ'nevələnt] *a* 1) благожела́тельный; 2) благотвори́тельный.

**Bengal** [beŋ'gɔːl] *a* бенга́льский; ~ tiger бенга́льский тигр.

**Bengalee** [beŋ'gɔːliː] **1.** *n* 1) бенга́лец; бенга́лка; 2) бенга́льский язы́к;
**2.** *a* бенга́льский.

**Bengali** [beŋ'gɔːlɪ] = Bengalee.

**Bengal light** ['beŋgɔːl'laɪt] *n* бенга́льский ого́нь.

**benighted** [bɪ'naɪtɪd] *a* 1) засти́гнутый но́чью; 2) погружённый во мрак (*невеже́ства и т. п.*).

**benign** [bɪ'naɪn] *a* 1) до́брый, ми́лостивый; 2) мя́гкий (*о климате*); плодоно́сный (*о почве*); 3) *мед.* в лёгкой фо́рме (*о болезни*); доброка́чественный (*об опухоли*).

**benignant** [bɪ'nɪgnənt] = benign.

**benignity** [bɪ'nɪgnɪtɪ] *n* доброта́.

**benison** ['benɪzn] *n уст.* благослове́ние.

**Benjamin** ['benʤəmɪn] *n* мла́дший сын, люби́мый ребёнок, ба́ловень; ~'s mess изря́дная до́ля.

**benjamin** ['benʤəmɪn] = benzoin.

**bent I** [bent] **1.** *n* 1) скло́нность, накло́нность; to follow one's ~ сле́довать своему́ влече́нию, вку́сам; to the top of one's ~ вво́лю, вдо́воль; 2) *редк.* изги́б; склон холма́; *стр.* ра́мный усто́й;
**2.** *a* изо́гнутый; ~ lever коле́нчатый рыча́г.

**bent II** [bent] *n* 1) *бот.* полеви́ца (*тж.* ~ grass); 2) луг, по́ле; ◇ to flee (*или* to go, to take) to the ~ удра́ть (*спасаясь от опасности, кредиторов*).

**bent III** [bent] *past и p. p. от* bend 2.

**Benthamism** ['benθəmɪzəm] *n* уче́ние Бента́ма, утилитари́зм.

**Benthamite** ['benθəmaɪt] *n* утилитари́ст.

**benthos** ['benθɔs] *n* бе́нтос (*флора и фауна морского дна*).

**benumb** [bɪ'nʌm] *v* 1) приводи́ть в оцепене́ние; 2) притупля́ть (*чувства*); парализова́ть (*энергию*).

**benumbed** [bɪ'nʌmd] **1.** *p. p. от* benumb; **2.** *a* 1) окочене́вший от хо́лода; 2) притуплённый (*о чувствах*); оцепене́лый.

**benzedrine** ['benzədriːn] *n* бензедри́н, фенами́н (*стимулирующее средство*).

**benzene** ['benziːn] *n* бензо́л.

**benzine** ['benziːn] **1.** *n* бензи́н; ◇ ~ board *амер. воен. sl.* аттестацио́нная коми́ссия;
**2.** *v* чи́стить бензи́ном.

**benzoin** ['benzouɪn] *n* бензо́йная смола́, ро́сный ла́дан.

**benzol(e)** ['benzɔl] *n* бензо́л.

**benzyl** ['benzɪl] *n хим.* бензи́л.

**bequeath** [bɪ'kwiːð] *v* 1) завеща́ть (*движимость*); 2) передава́ть пото́мству.

**bequest** [bɪ'kwest] *n* 1) насле́дство; посме́ртный дар; 2) оставле́ние насле́дства.

**berate** [bɪ'reɪt] *v амер.* руга́ть, брани́ть.

**Berber** ['bəːbə] 1. *n* бербе́р; 2. *a* бербе́рский.

**berberis** ['bəːbərɪs] *n бот.* барбари́с.

**bere** [bɪə] *n бот.* ячме́нь.

**bereave** [bɪ'riːv] *v* (bereaved [-d], bereft) лиша́ть, отнима́ть (of); an accident bereft the father of his child в результа́те несча́стного слу́чая оте́ц лиши́лся ребёнка.

**bereavement** [bɪ'riːvmənt] *n* тяжёлая утра́та.

**bereft** [bɪ'reft] *past и p.p. om* bereave.

**beret** ['bereɪ] *n* бере́т.

**berg** [bəːg] *n* а́йсберг, ледяна́я гора́.

**berhyme** [bɪ'raɪm] = berime.

**beriberi** ['berɪ'berɪ] *n* бе́ри-бе́ри, авитамино́з.

**berime** [bɪ'raɪm] *v* воспева́ть в стиха́х.

**Berlin** [bəː'lɪn] *n* 1) стари́нная доро́жная каре́та; 2) *авт.* берли́н (*тип кузова*); [*см. тж. Список географических названий*].

**bernicle goose** ['bəːnɪklguːs] = barnacle II, 1.

**berry** ['berɪ] 1. *n* 1) я́года; 2) и́кринка; 3) зёрнышко икры́; 3) зерно́ (*пшеницы, ржи и т. п.*); 4) *амер. sl.* до́ллар; 2. *v* 1) приноси́ть я́годы; 2) собира́ть я́годы.

**berserk(er)** ['bəːsəːk(ə)] *n* 1) *ист.* берсе́ркер, древнескандина́вский ви́тязь; 2) нейстовый челове́к.

**berth** I [bəːθ] 1. *n* 1) ко́йка (*на пароходе и т. п.*); *ж.-д.* спа́льное ме́сто; ме́сто (*в дилижансе и т. п.*); 2) я́корная стоя́нка; ме́сто прича́ла; building ~ *мор.* ста́пель; covered ~ *мор.* до́к, до́льность; a good ~ вы́годная до́лжность; ◇ to give a wide ~ to обходи́ть (*что-л.*), избега́ть (*кого-л., чего-л.*);
2. *v* 1) ста́вить (*судно*) на я́корь; 2) предоставля́ть спа́льное ме́сто, ко́йку; 3) предоставля́ть ме́сто, до́лжность.

**berth** II [bəːθ] *v* покрыва́ть *или* обшива́ть до́сками.

**bertha** ['bəːθə] *n* бе́рта, кружевно́й воротни́к.

**berthing place** ['bəːθɪŋpleɪs] *n* ме́сто вы́садки, при́стань.

**beryl** ['berɪl] *n мин.* берри́л.

**beryllium** [be'rɪljəm] *n хим.* берри́ллий.

**beseech** [bɪ'siːtʃ] *v* (besought) проси́ть, умоля́ть, упра́шивать.

**beseeching** [bɪ'siːtʃɪŋ] 1. *pres. p. om* beseech;
2. *a* моля́щий (*о взгляде, тоне*).

**beseem** [bɪ'siːm] *v* приличе́ствовать, подоба́ть; it ill ~s you to complain вам не подоба́ет жа́ловаться.

**beset** [bɪ'set] *v* (beset) 1) окружа́ть; осажда́ть (*тж. перен.*); to ~ with questions осажда́ть вопро́сами; 2) занима́ть, прегражда́ть (*дорогу*).

**besetting** [bɪ'setɪŋ] 1. *pres. p. om* beset;

2. *a* постоя́нно пресле́дующий; ~ sin гла́вный поро́к, гла́вное искуше́ние.

**beshrew** [bɪ'ʃruː] *v уст.* проклина́ть; ~ me! чёрт меня́ побери́!

**beside** [bɪ'saɪd] *prep* 1) ря́дом с; о́коло, близ; ~ the river у реки́; 2) по сравне́нию с; she seems dull ~ her sister по сравне́нию со свое́й сестро́й она́ ка́жется неинтере́сной; 3) ми́мо; ~ the mark, ~ the question ми́мо це́ли, некста́ти, не по существу́; ~ the purpose нецелесообра́зно; 4) *редк.* кро́ме, поми́мо; ◇ ~ oneself вне себя́.

**besides** [bɪ'saɪdz] 1. *adv* кро́ме того́, сверх того́;
2. *prep* кро́ме.

**besiege** [bɪ'siːdʒ] *v* 1) *воен.* осажда́ть; обложи́ть, окружи́ть; 2) осажда́ть (*просьбами, вопросами*).

**besieger** [bɪ'siːdʒə] *n* осажда́ющая сторона́.

**beslaver, beslobber** [bɪ'slævə, bɪ'slɔbə] *v* 1) заслюня́вить, замусо́лить; 2) чрезме́рно льстить.

**besmear** [bɪ'smɪə] *v* запа́чкать, замара́ть, заса́лить.

**besmirch** [bɪ'sməːtʃ] *v* 1) запа́чкать; 2) очерни́ть, запятна́ть.

**besom** ['biːzəm] *n* 1) метла́, ве́ник; 2) *шотл. разг.* черто́вка, карга́; ◇ to jump the ~ пожени́ться без бра́чного обря́да [*см. тж.* to marry over the broom-stick];
2. *v* мести́ (*тж.* ~ away, ~ out).

**besot** [bɪ'sɔt] *v* де́лать глу́пым, одуре́лым; одурма́нивать.

**besought** [bɪ'sɔːt] *past и p.p. om* beseech.

**bespangle** [bɪ'spæŋgl] *v* осыпа́ть блёстками; the ~d sky усе́янное звёздами не́бо.

**bespatter** [bɪ'spætə] *v* 1) забры́згивать гря́зью; 2) черни́ть (*кого-л.*).

**bespeak** [bɪ'spiːk] *v* (bespoke; bespoke, bespoken) 1) зака́зывать зара́нее; заруча́ться (*чем-л.*); 2) огова́ривать, обусло́вливать; 3) обнару́живать, пока́зывать; 4) *поэт.* обраща́ться (*к кому-л.*).

**bespectacled** [bɪ'spektəkld] *a* нося́щий очки́, в очка́х.

**bespoke** [bɪ'spouk] 1. *past и p.p. om* bespeak;
2. *a:* ~ department отде́л зака́зов; ~ boots башмаки́ на зака́з; ~ bootmaker сапо́жник, рабо́тающий на зака́з.

**bespoken** [bɪ'spoukən] *p. p. om* bespeak.

**bespread** [bɪ'spred] *v* (bespread) устила́ть, покрыва́ть.

**besprent** [bɪ'sprent] *a поэт.* 1) обры́зганный; 2) усы́панный.

**besprinkle** [bɪ'sprɪŋkl] *v* кропи́ть, обры́згивать; осыпа́ть.

**Bessemer** ['besɪmə] *a:* ~ process *метал.* бессе́меровский проце́сс.

**best** [best] 1. *a* (*превосх. ст. от* good 1 *и* well II, 2) 1) лу́чший; 2) бо́льший; the ~ part of the week бо́льшая часть неде́ли; 3) *усиливает значение существительного:* ~ liar отъя́вленный лжец; ~ thrashing здоро́вая по́рка;
2. *n* что-л. са́мое лу́чшее, вы́сшая сте́пень (*чего-л.*); at ~ в лу́чшем слу́чае; to do (*или* to try) one's ~ (*или* one's level ~) a) сде́лать всё от себя́ зави́сящее; б) прояви́ть

ма́ксимум эне́ргии; ◇ Sunday ~ пра́здничное пла́тье; *шутл.* лу́чшее пла́тье *или* костю́м; bad is the ~ впереди́ ничего́ хоро́шего не бу́дет; to be at one's ~ быть на высоте́; быть в уда́ре; to get (*или* to have) the ~ of it победи́ть, взять верх (*в споре и т. п.*); to give ~ призна́ть превосхо́дство (*кого-л.*), быть побеждённым; to have the ~ of the bargain быть в наибо́лее вы́годном положе́нии; to make the ~ of smth. а) испо́льзовать наилу́чшим о́бразом что-л.; б) мири́ться с чем-л.; to make the ~ of it (*или* of a bad bargain, business, job) му́жественно переноси́ть затрудне́ния, несча́стье; не уныва́ть в беде́; to make the ~ of one's way идти́ как мо́жно скоре́е, спеши́ть; to send one's ~ передава́ть, посыла́ть приве́т; all the ~ всего́ хоро́шего; to the ~ of one's ability по ме́ре сил, спосо́бностей; to the ~ of my belief наско́лько мне изве́стно; the ~ is the enemy of the good *посл.* лу́чшее — враг хоро́шего; if you cannot have the ~, make the ~ of what you have *посл.* е́сли не име́ешь лу́чшего, испо́льзуй наилу́чшим о́бразом то, что име́ешь;

**3.** *adv* (*превосх. ст. от* well II,1) лу́чше всего́; бо́льше всего́; the ~ hated man са́мый ненави́стный челове́к; you had ~ confess вам лу́чше всего́ созна́ться; he is ~ forgotten о нём лу́чше не вспомина́ть.

**4.** *v разг.* взять верх (*над кем-л.*); провести́, перехитри́ть.

**bestead** I [bɪ'sted] *v* (besteaded [-ɪd]; bested, bestead) помога́ть; быть поле́зным.

**bestead** II [bɪ'sted] *a уст.* окружённый; ~ by enemies (with dangers) окружённый врага́ми (опа́сностями); ill (well) ~ в тяжёлом (хоро́шем) положе́нии.

**bested** I [bɪ'sted] = bestead II.

**bested** II [bɪ'sted] *p.p. от* bestead I.

**best girl** ['best'gɜːl] *n разг.* возлю́бленная; неве́ста.

**bestial** ['bestjəl] *a* ско́тский, живо́тный; гру́бый; чу́вственный; развра́тный.

**bestiality** [ˌbestɪ'ælɪtɪ] *n* скотство́ *и пр.* [*см.* bestial].

**bestir** [bɪ'stɜː] *v refl.* встряхну́ться; энерги́чно взя́ться; ~ yourself! пошеве́ливайся!

**best looker** ['best'lukə] *n амер. разг.* краси́вый челове́к.

**best man** ['best'mæn] *n* ша́фер.

**bestow** [bɪ'stou] *v* 1) помеща́ть; 2) *разг.* приюти́ть; 3) дава́ть, дарова́ть, награжда́ть (on, upon); to ~ honours воздава́ть по́чести.

**bestowal** [bɪ'stouəl] *n* дар; награжде́ние.

**bestrew** [bɪ'struː] *v* (bestrewed[-d]; bestrewed, bestrewn) усыпа́ть; 3) разбра́сывать.

**bestrewn** [bɪ'struːn] *p.p. от* bestrew.

**bestridden** [bɪ'strɪdn] *p.p. от* bestride.

**bestride** [bɪ'straɪd] *v* (bestrode; bestridden) 1) сади́ться *или* сиде́ть верхо́м; 2) стоя́ть, расста́вив но́ги; 3) переки́нуться (*о мосте, радуге*); 4) защища́ть.

**bestrode** [bɪ'stroud] *past от* bestride.

**best seller** ['best'selə] *n* 1) хо́дкая кни́га; 2) а́втор хо́дкой кни́ги.

**bet** [bet] **1.** *n* 1) пари́; an even ~ пари́ с ра́вными ша́нсами; to make a ~ заключи́ть пари́; to lose a ~ проигра́ть пари́; проспо́рить; to win a ~ вы́играть пари́; 2) челове́к, предме́т *и т. п.*, по по́воду кото́рого заключа́ется пари́; 3) ста́вка (*в пари*); ◇ one's best ~ ≅ де́ло ве́рное, вы́игрышное.

**2.** *v* (bet, betted[-ɪd]) держа́ть пари́, би́ться об закла́д; to ~ on (against) держа́ть пари́ за (про́тив); ◇ you ~! коне́чно; ещё бы!; бу́дьте уве́рены!; to ~ one's shirt рискова́ть всем; I'll ~ my life (*или* my bottom dollar, a cookie, my boots, my hat) ≅ даю́ го́лову на отсече́ние.

**beta** ['biːtə] *n* втора́я бу́ква гре́ческого алфави́та; ◇ ~ plus немно́го лу́чше второ́го со́рта.

**betake** [bɪ'teɪk] *v* (betook; betaken) *refl.* 1) прибега́ть (to — к чему́-л.); 2) отправля́ться (to); ◇ to ~ oneself to one's heels удира́ть, улепётывать.

**betaken** [bɪ'teɪkən] *p.p. от* betake.

**beta rays** ['biːtəreɪz] *n pl физ.* бе́та-лучи́, бе́та-излуче́ние.

**betatron** ['biːtətrən] *n физ.* бетатро́н.

**betel** ['biːtəl] *n бот.* бе́тель.

**bethel** ['beθəl] *n* секта́нтская моле́льня (*в Англии*).

**bethink** [bɪ'θɪŋk] *v* (bethought) *refl.* вспо́мнить, поду́мать (of); заду́мать (to).

**bethought** [bɪ'θɔːt, bə'θɔːt] *past и p. p. от* bethink.

**betid** [bɪ'tɪd] *past и p.p. от* betide.

**betide** [bɪ'taɪd] *v* (betid) (*тк. сосл. накл. 3 л. ед. ч.*) постига́ть, случа́ться; whatever ~ что бы ни случи́лось; woe ~ him who... го́ре тому́, кто...

**betimes** [bɪ'taɪmz] *adv* 1) своевре́менно; 2) ра́но; 3) бы́стро.

**betoken** [bɪ'toukən] *v* 1) означа́ть; 2) предвеща́ть.

**betony** ['betənɪ] *n бот.* бу́квица.

**betook** [bɪ'tuk] *past от* betake.

**betray** [bɪ'treɪ] *v* 1) предава́ть, изменя́ть; 2) выдава́ть; his voice ~ed him го́лос его́ вы́дал; 3) не опра́вдывать (*наде́жд, дове́рия*); подводи́ть; 4) обма́нывать, соблазня́ть.

**betrayal** [bɪ'treɪəl] *n* преда́тельство, изме́на.

**betrayer** [bɪ'treɪə] *n* преда́тель, изме́нник.

**betroth** [bɪ'trouð] *v* обручи́ть, помо́лвить.

**betrothal** [bɪ'trouðəl] *n* помо́лвка, обруче́ние.

**betrothed** [bɪ'trouðd] **1.** *p. p. от* betroth; **2.** *a* обручённый, помо́лвленный.

**better** I ['betə] *n* держа́щий пари́ [*см.* bet 2].

**better** II ['betə] **1.** *a* (*сравнит. ст. от* good 1 *и* well II, 2) 1) лу́чший; 2) *predic.* чу́вствующий себя́ лу́чше; I am ~ я чу́вствую себя́ лу́чше, мне лу́чше; ◇ the ~ part большинство́; the ~ *разг.* дража́йшая полови́на, жена́; ~ sort *разг.* выдаю́щиеся лю́ди; to be ~ off быть бога́че; to be ~ than one's word сде́лать бо́льше обе́щанного; for ~ for worse что́ бы ни случи́лось; на го́ре и ра́дость; the ~ hand преиму́щество, переве́с, превосхо́дство; no ~ than a fool про́сто дура́к;

2. *n*: one's ~s вышестоя́щие ли́ца; ◊ to get the ~ of smb. получи́ть преиму́щество над кем-л., взять верх, победи́ть;

3. *adv* (*сравнит. ст. от* well II, 1) лу́чше; бо́льше; to think ~ of smth. a) перемени́ть мне́ние о чём-л.; переду́мать; б) быть бо́лее высо́кого мне́ния; ◊ all the ~, so much the ~ тем лу́чше; never ~ *разг.* как нельзя́ лу́чше; you'd be all the ~ (for) вам не меша́ло бы...; none the ~ (for) ничу́ть не лу́чше; you had ~ go вам бы лу́чше пойти́; you'd ~ believe it *амер. разг.* мо́жете быть уве́рены; twice as long and ~ бо́лее чем вдво́е длинне́е; I know ~ меня́ не проведёшь;

4. *v* 1) улучша́ть(ся); поправля́ть(ся); исправля́ть(ся); to ~ oneself получи́ть повыше́ние (по слу́жбе); 2) превзойти́, превы́сить.

**bettering house** ['betərɪŋ͵haus] *n* исправи́тельный дом.

**betterment** ['betəmənt] *n* 1) улучше́ние, исправле́ние; 2) мелиора́ция.

**betting** ['betɪŋ] 1. *pres.p. от* bet 2; 2. *n* пари́.

**bettor** ['betə] = better I.

**between** [bɪ'twɪːn] 1. *prep* ме́жду; ◊ ~ the cup and the lip a morsel may slip *посл.* ≅ не ра́дуйся ра́ньше вре́мени; ~ the devil and the deep sea в безвы́ходном положе́нии; ме́жду двух огне́й; ~ hay and grass ни то ни сё; ни ры́ба ни мя́со; ~ ourselves, ~ you and me (and the bedpost) ме́жду на́ми, конфиденциа́льно; ~ times, ~ whiles в промежу́тках; ~ this and then на досу́ге; ме́жду де́лом; ~ wind and water в наибо́лее уязви́мом ме́сте;

2. *adv* ме́жду; ◊ visits are far ~ посеще́ния ре́дки.

**between girl** [bɪ'twɪːn͵gəːl] = between-maid.

**between-maid** [bɪ'twɪːn͵meɪd] *n* прислу́га, помога́ющая по́вару и го́рничной.

**between servant** [bɪ'twɪːn͵səːvənt] = between-maid.

**betwixt** [bɪ'twɪkst] *уст., поэт. см.* between; ~ and between ни то ни сё.

**bevel** ['bevəl] 1. *n тех.* скос; заостре́ние; накло́н; фа́ска; ма́лка;

2. *a* косо́й; косоуго́льный;

3. *v* 1) ска́шивать; обтёсывать; де́лать фа́ску; 2) криви́ться, коси́ться.

**bevel-gear** ['bevəlgɪə] *n тех.* кони́ческая зубча́тая *или* фрикцио́нная переда́ча.

**bevel pinion** ['bevəl'pɪnjən] *n тех.* кони́ческая шестерня́.

**beverage** ['bevərɪdʒ] *n* напи́ток.

**bevy** ['bevɪ] *n* 1) ста́я (*особ. о перепёлках и жа́воронках*); ста́до (*косуль*); 2) о́бщество, собра́ние (*преим. же́нщин*).

**bewail** [bɪ'weɪl] *v* опла́кивать, скорбе́ть.

**beware** [bɪ'wɛə] *v* бере́чься, остерега́ться (*обыкн. в imp. с* of); ~ of dogs! остерега́йтесь соба́к!; ~ lest you provoke him смотри́те, не раздража́йте его́.

**bewilder** [bɪ'wɪldə] *v* смуща́ть, ста́вить в тупи́к; сбива́ть с то́лку.

**bewilderment** [bɪ'wɪldəmənt] *n* 1) смуще́ние, замеша́тельство; 2) пу́таница.

**bewitch** [bɪ'wɪtʃ] *v* заколдо́вывать; очаро́вывать.

**bewitchment** [bɪ'wɪtʃmənt] *n* 1) колдовство́; 2) очарова́ние.

**bewray** [bɪ'reɪ] *v* 1) нево́льно выдава́ть; 2) *уст.* разглаша́ть (*та́йну*).

**bey** [beɪ] *тур. n* бей.

**beyond** [bɪ'jɔnd] 1. *adv* вдали́; на расстоя́нии;

2. *prep* 1) по ту сто́рону; за; 2) по́зже; ~ the appointed hour по́зже назна́ченного ча́са; 3) вне; сверх, вы́ше; ~ belief невероя́тно; ~ compare вне сравне́ния; ~ expression невырази́мо; ~ hope безнадёжно; ~ measure чрезме́рно; ~ one's depth сли́шком тру́дно; it is ~ me э́то вы́ше моего́ понима́ния;

3. *n* (the ~) загро́бная жизнь; ◊ the back of ~ са́мый отдалённый уголо́к ми́ра, глушь.

**bezant** ['bezənt] *n* 1) византи́н (*золота́я византи́йская моне́та*); 2) *архит.* орна́мент в ви́де ря́да ди́сков.

**bezel** ['bezl] *n* 1) косо́й край ле́звия стаме́ски; 2) гнездо́ (*ка́мня в перстне́ или в часа́х*); 3) фасе́т; 4) желобо́к, в кото́рый вправля́ется стекло́ часо́в.

**bhang** [bæŋ] = bang III.

**bi-** [baɪ-] *pref* дву(х)-; *напр.*: bicameral двухпала́тный; bi-monthly a) выходя́щий раз в два ме́сяца; б) выходя́щий два ра́за в ме́сяц.

**bias** ['baɪəs] 1. *n* 1) укло́н, накло́н, склон, пока́тость; 2) коса́я ли́ния в тка́ни; to cut on the ~ крои́ть по косо́й ли́нии; 3) пристра́стие (in favour of, towards — в по́льзу *кого́-л.*); ко́свенное влия́ние; 4) *радио* сме́щение;

2. *adv* ко́со, по диагона́ли;

3. *v* склоня́ть; ока́зывать влия́ние (*обы́кн. плохо́е*); внуша́ть предубежде́ние; to be ~(s)ed against smb. име́ть предубежде́ние про́тив кого́-л.

**bib I** [bɪb] *n* де́тский нагру́дник; ◊ best ~ and tucker лу́чшее пла́тье.

**bib II** [bɪb] *v* мно́го пить, выпива́ть.

**bibb** [bɪb] *n* затво́р; заты́чка, про́бка; кран.

**bibber** ['bɪbə] *n* пья́ница.

**Bible** ['baɪbl] *n* би́блия.

**biblical** ['bɪblɪkəl] *a* библе́йский.

**bibliofilm** ['bɪblɪɔfɪlm] *n* плёнка для микрофи́льмов.

**bibliographer** [͵bɪblɪ'ɔgrəfə] *n* библио́граф.

**bibliographic(al)** [͵bɪblɪou'græfɪk(əl)] *a* библиографи́ческий.

**bibliography** [͵bɪblɪ'ɔgrəfɪ] *n* библиогра́фия.

**bibliomania** [͵bɪblɪou'meɪnjə] *n* библиома́ния.

**bibliomaniac** [͵bɪblɪou'meɪnɪæk] *n* библиома́н.

**bibliophile** ['bɪblɪoufaɪl] *n* библиофи́л.

**bibulous** ['bɪbjuləs] *a* 1) впи́тывающий вла́гу; 2) пья́нствующий.

**bicameral** [baɪ'kæmərəl] *a* двухпала́тный.

**bicarbonate** [baɪ'kɑːbənɪt] *a хим.* двууглеки́слый.

**bice** [baɪs] *n* блéдно-си́няя крáска *или* -ний цвет.

**bicentenary** [ˌbaɪsenˈtiːnərɪ] **1.** *n* двухсотлéтняя годовщи́на, двухсотлéтие; **2.** *a* двухсотлéтний.

**bicentennial** [ˌbaɪsenˈtenjəl] **1.** *a* двухсотлéтний; повторя́ющийся кáждые 200 лет; **2.** *n* двухсотлéтняя годовщи́на, двухсотлéтие.

**bicephalous** [baɪˈsefələs] *a* двуглáвый.

**biceps** [ˈbaɪseps] *n анат.* би́цепс, двуглáвая мы́шца.

**bichloride** [ˈbaɪˈklɔːraɪd] *n хим.* двухлóристый состáв; ~ of mercury сулемá.

**bichromate** [ˈbaɪˈkroumɪt] *n хим.* двухромовоки́слая соль.

**bicker** [ˈbɪkə] **1.** *n* 1) перебрáнка; 2) потасóвка; 3) журчáние, лёгкий шум; **2.** *v* 1) спóрить, пререкáться; 2) дрáться; 3) журчáть (*о воде*); стучáть (*о дожде*); 4) колыхáться (*о пламени*).

**biconcave** [baɪˈkɔnkeɪv] *a опт.* двояковóгнутый.

**biconvex** [baɪˈkɔnveks] *a опт.* двояковы́пуклый.

**bicuspid** [baɪˈkʌspɪd] *анат.* **1.** *n* оди́н из мáлых коренны́х зубóв; **2.** *a* 1) двузу́бчатый; 2) двуствóрчатый (*клапан*).

**bicycle** [ˈbaɪsɪkl] **1.** *n* велосипéд; **2.** *v* éздить на велосипéде.

**bicycler** [ˈbaɪsɪklə] *амер.* = bicyclist.

**bicycling** [ˈbaɪsɪklɪŋ] **1.** *pres.p. om* bicycle 2; **2.** *n* ездá на велосипéде.

**bicyclist** [ˈbaɪsɪklɪst] *n* велосипеди́ст.

**bid** [bɪd] **1.** *n* 1) предложéние цены́ (*обыкн. на аукционе*); зая́вка (*на торгах*); 2) предлагáемая ценá; 3) *разг.* приглашéние; 4) претéнзия, домогáтельство; **2.** *v* (bad(e), bid; bidden, bid) 1) прикáзывать; do as you are ~den дéлай(те), как прикáзано; 2) предлагáть цéну (*обыкн. на аукционе*; for); 3) приглашáть (*гостей*); 4) *уст.* проси́ть; ▭ ~ **against**, ~ **in**, ~ **up** набавля́ть цéну; ◇ to ~ fair сули́ть, обещáть, казáться вероя́тным, предвещáть; to ~ farewell (*или* good-bye) прощáться; to ~ welcome привéтствовать.

**biddable** [ˈbɪdəbl] *a* послу́шный.

**bidden** [ˈbɪdn] *p. p. om* bid 2.

**bidder** [ˈbɪdə] *n* 1) выступáющий на торгáх; покупщи́к; the highest (*или* the best) ~ лицó, предложи́вшее наивы́сшую цéну (*на торгах*); 2) приглашáющий.

**bidding** [ˈbɪdɪŋ] **1.** *pres.p. om* bid 2; **2.** *n* 1) предложéние цены́; 2) торги́; 3) приказáние; 4) приглашéние.

**bide** [baɪd] *v* (bode, bided) *уст.* = abide; to ~ one's time ждать благоприя́тного слу́чая, выжидáть.

**biennial** [baɪˈenɪəl] **1.** *a* двухлéтний, двухгоди́чный; случáющийся раз в два гóда; **2.** *n* двухлéтнее растéние.

**bier** [bɪə] *n* 1) похорóнные дрóги *или* носи́лки; 2) *перен.* моги́ла, смерть; 3) гроб.

**biff** [bɪf] *амер. sl.* **1.** *n* си́льный удáр; **2.** *v* ударя́ть.

**biffin** [ˈbɪfɪn] *n* тёмно-крáсное я́блоко для печéния *или* вáрки.

**bifid** [ˈbaɪfɪd] *a* разделённый нáдвое; расщеплённый.

**bifocal** [ˈbaɪˈfoukəl] **1.** *a* двухфóкусный; **2.** *n pl* очки́ с двухфóкусными стёклами.

**bifoliate** [ˌbaɪˈfoulɪeɪt] *a* двули́стный.

**bifurcate** **1.** *a* [ˈbaɪfəːkɪt] раздвóенный; **2.** *v* [ˈbaɪfəːkeɪt] раздвáивать(ся), разветвля́ть(ся).

**bifurcation** [ˌbaɪfəːˈkeɪʃən] *n* раздвоéние, разветвлéние, бифуркáция.

**big I** [bɪg] **1.** *a* 1) большóй, кру́пный; ~ repair капитáльный ремóнт; ~ game кру́пный зверь; 2) высóкий; ширóкий; 3) грóмкий; ~ noise а) си́льный шум; *перен.* хвастовствó; б) *амер. sl.* хозя́ин, шеф; 4) взрóслый; 5) берéменная (*тж.* ~ with child); 6) разду́тый; напóлненный (with); ~ with news пóлный новостéй; 7) вáжный, значи́тельный; to look ~ принимáть вáжный вид; 8) хвастли́вый; ~ talk хвастовствó; ~ mouth *амер.* хвастли́вый болту́н; to talk ~ хвáстаться; 9) великоду́шный; that's ~ of you э́то великоду́шно с вáшей стороны́; ◇ ~ head *амер.* самомнéние, вáжничанье; ~ bug, ~ shot вáжная персóна; «ши́шка»; ~ gun а) *воен.* тяжёлое ору́дие; б) = ~ bug; too ~ for one's boots *разг.* самонадéянный; **2.** *adv разг.* хвастли́во, с вáжным ви́дом.

**big II** [bɪg] = bigg.

**bigamist** [ˈbɪgəmɪst] *n* двоежéнец; двуму́жница.

**bigamy** [ˈbɪgəmɪ] *n* бигáмия; двоежёнство; двоему́жие.

**bigaroon** [ˌbɪgəˈruːn] *n* бигарó (*сорт вишни*).

**Big Ben** [ˈbɪgˈben] *n* Большóй Бен (*часы на здании английского парламента*).

**bigg** [bɪg] *n с.-х.* четырёхря́дный ячмéнь.

**biggin** [ˈbɪgɪn] *n* капюшóн.

**big-horn** [ˈbɪgˌhɔːn] *n* снéжный барáн, чубу́к.

**big house** [ˈbɪgˈhaus] *n амер. sl.* кáторжная тюрьмá.

**bight** [baɪt] *n* 1) бу́хта; 2) излу́чина (*реки*); 3) *мор.* шлаг (трóса), бу́хта трóса.

**bigness** [ˈbɪgnɪs] *n* величинá, высотá *и пр.* [*см.* big I, 1].

**bigot** [ˈbɪgət] *n* 1) слепóй привéрженец; 2) изувéр, фанáтик.

**bigoted** [ˈbɪgətɪd] *a* фанати́ческий; нетерпи́мый.

**bigotry** [ˈbɪgətry] *n* слепáя привéрженность (*к чему-л.*); фанати́зм.

**big top** [ˈbɪgˈtɔp] *n разг.* 1) ку́пол ци́рка; 2) цирк.

**big tree** [ˈbɪgˌtriː] *n амер. бот.* секвóйя.

**bigwig** [ˈbɪgwɪg] *n sl.* вáжная персóна, «ши́шка».

**bijou** [ˈbiːʒuː] *фр.* **1.** *n* (*pl* -oux) безделу́шка; драгоцéнная вещь; **2.** *a* мáленький и изя́щный.

**bijoux** [ˈbiːʒuːz] *pl om* bijou.

**bike** [baɪk] *сокр. разг. om* bicycle.

**bilabial** [baɪˈleɪbjəl] *a фон.* билабиáльный.

**bilabiate** [baɪˈleɪbɪeɪt] *a бот.* двугу́бый.

**bilateral** [baɪˈlætərəl] *a* двусторóнний.

**bilberry** [ˈbɪlbərɪ] *n* черни́ка.

**bilbo** ['bɪlbou] *n* 1) (bilboes) *pl* ножны́е кандалы́; 2) (*pl* -os [-ouz]) *уст.* испа́нский клино́к.

**bile** [baɪl] *n* 1) жёлчь; 2) раздражи́тельность; жёлчность.

**bile-duct** ['baɪldʌkt] *n анат.* жёлчный прото́к.

**bilge** [bɪldʒ] 1. *n* 1) дни́ще (*судна*); скула́; 2) трю́мная вода́ (*тж.* ~ water); 3) сре́дняя, наибо́лее широ́кая часть бо́чки; 4) *разг.* ерунда́, чепуха́; 5) *тех.* стрела́ проги́ба; 6) *attr.* трю́мный; ~ pump трю́мная по́мпа;
2. *v* проби́ть дни́ще.

**biliary** ['bɪljərɪ] *a* 1) относя́щийся к пе́чени; 2) = bilious 2).

**bilingual** [baɪ'lɪŋgwəl] *a* 1) двуязы́чный; 2) говоря́щий на двух языка́х.

**bilious** ['bɪljəs] *a* 1) жёлчный; 2) страда́ющий от разли́тия жёлчи; 3) раздражи́тельный.

**bilk** [bɪlk] 1. *n* = bilker;
2. *v* обма́нывать; уклоня́ться от упла́ты (*долгов*).

**bilker** ['bɪlkə] *n* жу́лик, моше́нник.

**bill I** [bɪl] 1. *n* 1) клюв; 2) у́зкий мыс; 3) козырёк (*фура́жки*); 4) носо́к я́коря;
2. *v* целова́ться клю́виками (*о голуба́х*); to ~ and coo ласка́ться.

**bill II** [bɪl] 1. *n* 1) законопрое́кт, билль; to pass (to throw out) the ~ приня́ть (отклони́ть) законопрое́кт; 2) спи́сок; инвента́рь; докуме́нт; ~ of credit аккредити́в; ~ of entry тамо́женная деклара́ция; ~ of fare меню́; ~ of health каранти́нное свиде́тельство; ~ of lading накладна́я, коносаме́нт; ~ of parcels факту́ра; накладна́я; ~ of sale ку́пчая, закладна́я; 3) програ́мма (*концерта и т. п.*); 4) счёт; padded ~s разду́тые счета́; ~ of costs счёт адвока́та (*или* пове́ренного) клие́нту за веде́ние де́ла; omnibus ~ счёт по ра́зным статья́м; to run up a ~ име́ть счёт (*у портно́го, в магази́не и т. п.*); 5) ве́ксель, тра́тта (*тж.* ~ of exchange); short ~ краткосро́чный ве́ксель; 6) афи́ша; рекла́ма, рекла́мный листо́к; 7) *амер.* банкно́та; a five dollar ~ биле́т в пять до́лларов; 8) *юр.* иск; to find a true ~ передава́ть де́ло в суд; to ignore the ~ прекраща́ть де́ло; ◇ B. of Rights a) *ист.* «Билль о права́х» (*в Англии*); б) пе́рвые де́сять попра́вок к конститу́ции США; G. I. Bill (of Rights) *амер.* льго́та для демобилизо́ванных; butcher's ~ *sl.* спи́сок уби́тых на войне́; to fill the ~ *амер.* удовлетвори́ть потре́бности, сде́лать всё, что ну́жно;
2. *v* 1) объявля́ть в афи́шах; раскле́ивать афи́ши; 2) *амер.* объявля́ть, обеща́ть.

**bill III** [bɪl] *n* 1) *уст.* алеба́рда; 2) садо́вые но́жницы; 3) топо́р(ик), сека́ч.

**billboard** ['bɪlbɔːd] *n амер.* доска́ для объявле́ний, афи́ш.

**bill-broker** ['bɪl,broukə] *n* биржево́й ма́клер (*по векселя́м*).

**bill-discounter** ['bɪldɪs,kauntə] *n* диско́нтёр.

**billet I** ['bɪlɪt] 1. *n* 1) о́рдер на посто́й; 2) помеще́ние для посто́я; 3) размеще́ние по кварти́рам; 4) *разг.* назначе́ние, ме́сто, до́лжность;
2. *v* расквартиро́вывать (*войска*).

**billet II** ['bɪlɪt] *n* 1) поле́но, чурба́н; пла́шка; 2) то́лстая па́лка; 3) *метал.* загото́вка, би́ллет, суту́нка.

**billfold** ['bɪlfould] *n амер.* бума́жник.

**billhead** ['bɪlhed] *n* бланк для факту́р.

**billhook** ['bɪlhuk] = bill III, 2).

**billiard** ['bɪljəd] *a* билья́рдный; ~ cue кий; ~ room билья́рдная.

**billiard-ball** ['bɪljədbɔːl] *n* билья́рдный шар.

**billiard-marker** ['bɪljəd,mɑːkə] *n* маркёр.

**billiards** ['bɪljədz] *n pl* билья́рд.

**billingsgate** ['bɪlɪŋzgɪt] *n* площадна́я брань (*по назва́нию большо́го ры́бного ры́нка в Ло́ндоне*); to talk ~ руга́ться, как торго́вка на база́ре.

**billion** ['bɪljən] *num. card., n* 1) биллио́н (1 000 000 000 000); 2) *амер.* миллиа́рд (1 000 000 000).

**billionaire** [,bɪljə'nɛə] *n амер.* миллиарде́р.

**Bill Jim** ['bɪl'dʒɪm] *n* Билл Джим (*про́звище австрали́йского солда́та*).

**billon** ['bɪlən] *n* биллон, низкопро́бное зо́лото *или* серебро́.

**billot** ['bɪlət] *n* 1) сли́ток зо́лота *или* серебра́ (*предназна́ченный для чека́нки моне́ты*); 2) брусо́к, полоса́.

**billow** ['bɪlou] 1. *n* 1) больша́я волна́, вал; 2) *перен.* лави́на; 3) *поэт.* мо́ре;
2. *v* вздыма́ться, волнова́ться.

**billowy** ['bɪloʊɪ] *a* 1) вздыма́ющийся (*о волна́х*); 2) волни́стый, пересечённый (*о ме́стности*).

**bill-poster** ['bɪl,poustə] *n* раскле́йщик афи́ш.

**bill-sticker** ['bɪl,stɪkə] = bill-poster.

**billy I** ['bɪlɪ] *n* 1) (полице́йская) дуби́нка; 2) *сев.* това́рищ, прия́тель; 3) *австрал.* жестяно́й похо́дный котело́к.

**billyboy** ['bɪlɪbɔɪ] *n мор.* биллибо́й, кабота́жное па́русное су́дно.

**billy-goat** ['bɪlɪgout] *n* козёл.

**biltong** ['bɪltɔŋ] *n* прови́ленное мя́со, наре́занное у́зкими поло́сками.

**bimestrial** [baɪ'mestrɪəl] *a* 1) двухме́сячный; 2) = bi-monthly.

**bimetallic** [,baɪmɪ'tælɪk] *a* биметалли́ческий.

**bimetallism** [baɪ'metəlɪzəm] *n эк.* биметалли́зм.

**bi-monthly** ['baɪ'mʌnθlɪ] 1. *a* 1) выходя́щий раз в два ме́сяца; 2) выходя́щий два ра́за в ме́сяц;
2. *adv* 1) раз в два ме́сяца; 2) два ра́за в ме́сяц;
3. *n* журна́л, выходя́щий раз в два ме́сяца.

**bin** [bɪn] *n* 1) за́кром, ларь; бу́нкер; 2) му́сорное ведро́; 3) мешо́к *или* корзи́на для сбо́ра хме́ля.

**binary** ['baɪnərɪ] *a* двойно́й, сдво́енный.

**bind** [baɪnd] *v* (bound) 1) вяза́ть; свя́зывать; 2) зажима́ть; 3) привя́зывать; 4) заде́рживать, ограни́чивать; 5) переплета́ть (*кни́гу*); 6) обя́зывать; to ~ oneself взять на себя обязáтельство, обязáться; to be bound to take an action быть вы́нужденным что-л. предприня́ть *или* вы́ступить; to be bound to be defeated бы́ть обречённым на пораже́ние; 7) затвердевáть (*о снеге, грязи, глине и т. п.*); 8) скрепля́ть; to ~ the loose sand закрепля́ть пески́; 9) вызывáть запо́р; ☐ ~ over (*с inf.*) обя́зывать; to ~ over to appear обя́зывать я́вкой в суд; to ~ over to keep the peace обя́зывать соблюдáть обще́ственное спокойствие; ~ up а) перевя́зывать (*раны*); б) переплетáть в о́бщий переплёт; в) свя́зывать; this problem is bound up with many others э́та пробле́ма свя́зана со мно́гими други́ми; ◇ to be bound apprentice бы́ть о́тданным в уче́ние (*ремеслу*).

**binder** ['baɪndə] *n* 1) переплётчик; 2) свя́зующее вещество́ (*клей, цемент и т. п.*); свя́зывающая маши́на (*сноповязалка и т.п.*); 3) *стр.* тычо́к.

**bindery** ['baɪndərɪ] *n* переплётная мастерскáя.

**binding** ['baɪndɪŋ] **1.** *pres. p. om* bind; **2.** *n* 1) переплёт; 2) обши́вка; око́вка; связь; 3) *эл.* срáщивание (*проводов*); 4) *спорт.* крепле́ние; **3.** *а* 1) свя́зу́ющий; вя́жущий; ~ power вя́жущая спосо́бность; 2) ограничи́тельный, сде́рживающий; 3) обя́зывающий; обязáтельный; in a ~ form в фо́рме обязáтельства.

**bindle stiff** ['bɪndlstɪf] *n амер. sl.* бродя́га.

**bindweed** ['baɪndwiːd] *n бот.* вьюнóк.

**bine** [baɪn] *n бот.* побе́г; сте́бель ползу́чего расте́ния (*особ. хмеля*).

**binge** [bɪndʒ] *n амер. разг.* кутёж, вы́пивка.

**bingo** ['bɪŋgou] *n* вид азáртной игры́ (*напоминающей лото*).

**binnacle** ['bɪnəkl] *n мор.* нактóуз (*ящик для судового компаса*).

**binocular** [bɪ'nɔkjulə] *а* бинокуля́рный.

**binoculars** [bɪ'nɔkjuləz] *n pl* бинóкль.

**binomial** [baɪ'noumjəl] *n мат.* бинóм, двучле́н; B. theorem бинóм Нью́тона.

**binominal** [ˌbaɪ'nɔminəl] *а* име́ющий два назвáния; ~ system *зоол., бот.* систе́ма классификáции по рóду и ви́ду.

**bint** [bɪnt] *n sl.* де́вушка.

**biochemist** ['baɪou'kemɪst] *n* биохи́мик.

**biochemistry** ['baɪou'kemɪstrɪ] *n* биохи́мия.

**biogenesis** ['baɪou'dʒenɪsɪs] *n* биогéнезис.

**biographer** [baɪ'ɔgrəfə] *n* биóграф.

**biographic(al)** [ˌbaɪou'græfɪk(əl)] *а* биографи́ческий.

**biography** [baɪ'ɔgrəfɪ] *n* биогрáфия.

**biologic** [ˌbaɪə'lɔdʒɪk] = biological.

**biological** [ˌbaɪə'lɔdʒɪkəl] *а* биологи́ческий; ~ warfare бактериологи́ческая войнá.

**biologist** [baɪ'ɔlədʒɪst] *n* биóлог.

**biology** [baɪ'ɔlədʒɪ] *n* биолóгия.

**biolysis** [baɪ'ɔlɪsɪs] *n биол.* распáд органи́ческого веществá.

**biophysics** ['baɪou'fɪzɪks] *n pl* (*употр. как sing*) биофи́зика.

**bioplasm, bioplast** ['baɪou,plæzm, 'baɪou,plæst] *n* биоплáзма, протоплáзма.

**biosynthesis** ['baɪou'sɪnθɪsɪs] *n* биоси́нтез.

**biota** [baɪ'outə] *n* флóра и фáуна дáнного райóна.

**bipartisan** [baɪ'pɑːtizən] *а* двухпарти́йный.

**bipartite** [baɪ'pɑːtaɪt] *а* 1) двусторо́нний (*о соглашении и т. п.*); 2) состоя́щий из двух частéй; 3) *бот.* разделённый на две чáсти, двураздéльный.

**biped** ['baɪped] **1.** *n* двунóгое (живóтное); **2.** *а* = bipedal.

**bipedal** ['baɪ,pedl] *а* двунóгий.

**bipetalous** [baɪ'petələs] *а* двухлепесткóвый.

**biplane** ['baɪpleɪn] *n* биплáн.

**bipod** ['baɪpɔd] *n воен.* сóшка, двунóга.

**bipolar** [baɪ'poulə] *а эл.* двухпóлюсный.

**biquadratic** [ˌbaɪkwɔ'drætɪk] *мат.* **1.** *а* биквадрáтный; **2.** *n* биквадрáт; биквадрáтное уравнéние.

**birch** [bəːtʃ] **1.** *n* 1) берёза; 2) рóзга; 3) *attr.* берёзовый; **2.** *v* сечь рóзгой.

**birchen** ['bəːtʃən] *а* берёзовый; сдéланный из берёзы.

**birch-rod** ['bəːtʃrɔd] = birch 1, 2).

**bird** [bəːd] *n* 1) пти́ца; птáшка; 2) *разг.* пáрень, человéк; a gay (queer) ~ весельчáк (чудáк); ◇ ~ of Jove орёл; ~ of Juno павли́н; to do smth. like a ~ дéлать что-л. охóтно; to get the ~ быть уво́ленным; быть освистанным; a ~ in the bush нéчто нереáльное; a ~ in the hand нéчто реáльное; a ~ in the hand is worth two in the bush *посл.* ≅ не сули журавля́ в нéбе, дай сини́цу в рýки; ~s of a feather ≅ одногó пóля я́года; оди́н другóго стóит; ~s of a feather flock together *посл.* ≅ рыбáк рыбакá ви́дит издалекá; an old ~ ≅ стрéляный воробéй; an old ~ is not caught with chaff *посл.* стáрого воробья́ на мяки́не не провéдёшь; an early ~ рáнняя птáшка; (it is) the early ~ (that) catches the worm *посл.* ктó-то мне сказáл; to make a ~ (of) попáсть (в *цель*), порази́ть.

**bird-cage** ['bəːdkeɪdʒ] *n* клéтка (*для птиц*).

**bird-call** ['bəːdkɔːl] *n* 1) звук, издавáемый пти́цей; 2) вáбик.

**bird-catcher** ['bəːd,kætʃə] *n* птицелóв.

**bird-fancier** ['bəːd,fænsɪə] *n* 1) люби́тель птиц, птицевóд; 2) продавéц птиц.

**birdie** ['bəːdɪ] *n* (*уменьш. от* bird) пти́чка, птáшка.

**bird-lime** ['bəːdlaɪm] *n* пти́чий клей.

**bird-nest** ['bəːdnest] = bird's nest.

**bird-nesting** ['bəːdnestɪŋ] = bird's-nesting.

**bird of passage** ['bəːdəv'pæsɪdʒ] *n* перелётная пти́ца.

**bird of prey** ['bəːdəv'preɪ] *n* хи́щная пти́ца.

**bird-seed** ['bəːdsiːd] *n* пти́чий корм.

**bird's-eye** ['bəːdzaɪ] *n бот.* первоцвéт (*мучни́стый*).

**bird's-eye view** ['bəːdzaɪ'vjuː] *n* 1) вид с пти́чьего полёта; 2) óбщая перспекти́ва.

**bird's nest** ['bəːdznest] *n* 1) пти́чье гнездó; 2) лáсточкино гнездó (*китайское лакомство*).

**bird's-nesting** ['bəːdznestɪŋ] *n* охóта за пти́чьими гнёздами.

**birth** [bəːθ] *n* 1) рожде́ние; an artist by ~ худо́жник по призва́нию; to give ~ to роди́ть, произвести́ на свет [*ср. тж.* 3)]; new (*или* second) ~ второ́е рожде́ние, возрожде́ние; 2) ро́ды; two at a ~ дво́йня; 3) нача́ло, исто́чник; to give ~ to дать нача́ло (*чему-л.*) [*ср. тж.* 1)].

**birth-control** [ˈbəːθkən,troul] *n* 1) регули́рование рожда́емости; 2) противозача́точные ме́ры.

**birthday** [ˈbəːθdeɪ] *n* 1) день рожде́ния; 2) *attr.*: ~ cake торт ко дню рожде́ния; ◇ ~ suit *шутл.* ко́жа.

**birth-mark** [ˈbəːθmɑːk] *n* ро́динка, роди́мое пятно́.

**birth-place** [ˈbəːθpleɪs] *n* ме́сто рожде́ния, ро́дина.

**birth-rate** [ˈbəːθreɪt] *n* рожда́емость; коэффицие́нт рожда́емости.

**birthright** [ˈbəːθraɪt] *n* 1) пра́во перворо́дства; 2) пра́во в си́лу рожде́ния (*в определённой семье и т. п.*).

**bis** [bɪs] *ut. adv* ещё раз, вторично, бис.

**biscuit** [ˈbɪskɪt] *n* 1) сухо́е пече́нье; ship's ~ суха́рь; 2) бискви́тный, неглазиро́ванный фарфо́р; 3) све́тло-кори́чневый цвет; 4) *attr.* све́тло-кори́чневый.

**bisect** [baɪˈsekt] *v* разреза́ть, дели́ть попола́м.

**bisection** [baɪˈsekʃən] *n* деле́ние попола́м.

**bisector** [baɪˈsektə] *n мат.* биссектри́са.

**bisectrices** [baɪˈsektrɪsɪz] *pl от* bisectrix.

**bisectrix** [baɪˈsektrɪks] *n* (*pl* -trices) = bisector.

**bisexual** [baɪˈseksjuəl] *a* двупо́лый.

**bishop** [ˈbɪʃəp] *n* 1) епи́скоп; 2) *шахм.* слон; 3) би́шоф (*напиток из вина и фруктового сока*); ◇ the ~ has played the cook *букв.* епи́скоп был тут по́варом (*говорится о подгоре́вшем блюде*).

**bishopric** [ˈbɪʃəprɪk] *n* 1) сан епи́скопа; 2) епа́рхия.

**bismuth** [ˈbɪzməθ] *n хим.* ви́смут.

**bison** [ˈbaɪsn] *n* бизо́н.

**bisque** I [bɪsk] = biscuit 2).

**bisque** II [bɪsk] *n* 1) ра́ковый суп; 2) суп из пти́цы *или* кро́лика; 3) тома́тный суп-пюре́.

**bissextile** [bɪˈsekstaɪl] **1.** *a* високо́сный; the ~ day 29 февраля́; **2.** *n* високо́сный год.

**bistort** [ˈbɪstɔːt] *n бот.* горле́ц.

**bistoury** [ˈbɪstʊrɪ] *n* бистури́ (*хирургический нож*).

**bistre** [ˈbɪstə] *n* бистр (*тёмно-кори́чневая краска*).

**bit** I [bɪt] *n* 1) кусо́чек; части́ца, небольшо́е коли́чество; a ~ немно́го; every ~ совершенно; not a ~ ничу́ть; ~ by ~ постепе́нно; wait a ~ подожди́те мину́ту; he is a ~ of a coward он трусова́т; 2) ме́лкая моне́та; short ~ *амер.* моне́та в 10 це́нтов; long ~ моне́та в 15 це́нтов; two ~s *амер.* моне́та в 25 це́нтов; ◇ to give smb. a ~ of one's mind вы́сказаться напрями́к, открове́нно; to do one's ~ внести́ свою́ ле́пту; де́лать своё де́ло, исполня́ть свой долг; ~s and pieces оста́тки, обре́зки, хлам; to get a ~ on *разг.* быть навеселе́; he (she) is a ~

long in the tooth он (она́) уже́ не ребёнок; to take a ~ of doing тре́бовать затра́ты уси́лий.

**bit** II [bɪt] **1.** *n* 1) удила́; мундштук; to draw ~ натяну́ть пово́дья, во́жжи; to take the ~ between one's teeth закуси́ть удила́; 2) ре́жущий край инструме́нта; ле́звие; 3) бур, пёрка, сверло́; 4) боро́дка (*ключа*); желе́зка руба́нка; **2.** *v* 1) взну́здывать; 2) обу́здывать, сде́рживать.

**bit** III [bɪt] *past и p. p. от* bite 2.

**bit** IV [bɪt] *n* знак в двои́чной систе́ме (*в вычисли́тельных маши́нах*).

**bitbrace** [ˈbɪtbreɪs] *n тех.* коловоро́т.

**bitch** [bɪtʃ] *n* 1) су́ка; 2) *в назва́ниях живо́тных означа́ет са́мку*: ~ wolf волчи́ца; 3) *груб.* су́ка.

**bite** [baɪt] **1.** *n* 1) уку́с; след уку́са; 3) клёв (*рыбы*); 4) кусо́к (*пищи*); without ~ or sup не е́вши, не пи́вши; 5) за́втрак, лёгкая заку́ска; to have a ~ перекуси́ть, закуси́ть; 6) острота́, е́дкость; 7) травле́ние (*при гравиро́вке*); 8) *мед.* прику́с; 9) *тех.* зажа́тие, сцепле́ние;

**2.** *v* (bit; bit, bitten) 1) куса́ть(ся); жа́лить; 2) клева́ть (*о рыбе*); 3) коло́ть, руби́ть (*са́блей*); 4) жечь (*о перце, горчи́це и т. п.*); 5) щипа́ть, поби́ть (*о моро́зе*); 6) трави́ть, разъеда́ть (*о кисло́тах; обыкн.* ~ in); 7) язви́ть, коло́ть; 8) приня́ть, ухвати́ться (*за предложе́ние*); 9) (*pass.*) попада́ться, поддава́ться обма́ну; 10) *тех.* сцепля́ться; the wheels will not ~ колёса скользя́т; the brake will not ~ то́рмоз не берёт; □ ~ off отку́сывать; ◇ to ~ off more than one can chew взя́ться за непоси́льное де́ло; переоцени́ть свои́ си́лы; to ~ the dust (*или* the ground, the sand) a) быть уби́тым; б) па́дать ниц; быть пове́ргнутым в прах; быть побеждённым; to ~ one's thumb at smb. *уст.* вы́сказать своё презре́ние кому́-л.

**biter** [ˈbaɪtə] *n* 1) тот, кто куса́ет; 2) куса́ющееся живо́тное; ◇ the ~ bit ≅ попа́лся, кото́рый куса́лся.

**biting** [ˈbaɪtɪŋ] **1.** *pres.p. от* bite 2; **2.** *a* 1) о́стрый, е́дкий; 2) язви́тельный, ре́зкий.

**bitt** [bɪt] *мор.* **1.** *n* би́тенг; *pl* кне́хты; **2.** *v* обнести́ (трос) на би́тенг.

**bitten** [ˈbɪtn] *p. p. от* bite 2; ◇ once twice shy *посл.* ≅ обжёгшись на молоке́, бу́дешь дуть и на́ во́ду; пу́ганая воро́на куста́ бои́тся.

**bitter** I [ˈbɪtə] **1.** *a* 1) го́рький; ~ as gall (*или* wormwood) го́рький как полы́нь; 2) го́рький, мучи́тельный; 3) ре́зкий (*о слова́х*); е́дкий (*о замеча́нии*); 4) ре́зкий, си́льный (*о ве́тре*); 5) ожесточённый; ~ enemy злейший враг; ◇ to the ~ end до са́мого конца́; that which is ~ to endure may be sweet to remember ≅ иногда́ быва́ет прия́тно вспо́мнить то, что бы́ло тяжело́ пережива́ть;

**2.** *adv* 1) го́рько; 2) ре́зко, жесто́ко; 3) *употребля́ется для усиле́ния прилага́тельного* о́чень, ужа́сно; it was ~ cold бы́ло о́чень хо́лодно;

**3.** *n* 1) го́речь; 2) стака́н го́рького пи́ва.

**bitter** II [ˈbɪtə] *n мор.* шлаг на би́тенге.

**bitter earth** [ˈbɪtərˈəːθ] *n* хим. магнезия.

**bitterend** [ˈbɪtərend] *a* не идущий на компромисс, стойкий, принципиальный.

**bitterish** [ˈbɪtərɪʃ] *a* горьковатый.

**bitterly** [ˈbɪtəlɪ] *adv* горько *и пр.* [*см.* bitter I, 1].

**bittern** I [ˈbɪtəːn] *n* выпь-бугай (*птица*).

**bittern** II [ˈbɪtəːn] *n* маточный раствор (*в солеварнях*).

**bitterness** [ˈbɪtənɪs] *n* горечь *и пр.* [*см.* bitter I, 1].

**bitters** [ˈbɪtəz] *n pl* 1) горькая настойка; 2) горькое лекарство; ◇ to get one's ~ *амер. ирон.* получить по заслугам.

**bitter salt** [ˈbɪtəˈsɔːlt] *n мед.* горькая соль.

**bitumen** [ˈbɪtjumɪn] *n* битум; асфальт.

**bituminous** [bɪˈtjuːmɪnəs] *a* битумный, битуминозный; ~ concrete битумный бетон, асфальтобетон.

**bivalve** [ˈbaɪvælv] 1. *n зоол.* двустворчатый моллюск;
2. *a* двустворчатый.

**bivouac** [ˈbɪvuæk] 1. *n* бивак; to go into ~ располагаться биваком;
2. *v* располагаться, стоять биваком.

**bivouac-area** [ˈbɪvuækˈɛərɪə] *n* бивачный район.

**bivvy** [ˈbɪvɪ] *n* (*сокр. от* bivouac) *sl.* 1) бивак; 2) палатка.

**bi-weekly** [ˈbaɪˈwiːklɪ] 1. *a* 1) выходящий раз в две недели; 2) выходящий два раза в неделю;
2. *adv* 1) раз в две недели; 2) два раза в неделю;
3. *n* журнал (издание), выходящий(-ее) раз в две недели.

**bizarre** [bɪˈzɑː] *фр. a* странный, причудливый, эксцентричный.

**blab** [blæb] 1. *n* 1) болтун; 2) болтовня;
2. *v* болтать (*о чём-л.*); разбалтывать.

**blabber** [ˈblæbə] *n* болтун; сплетник.

**black** [blæk] 1. *a* 1) чёрный; ~ art чёрная магия; ~ character = black letter; 2) тёмный; 3) мрачный, унылый; безнадёжный; things look ~ положение кажется безнадёжным; 4) сердитый, злой; ~ looks злые взгляды; to look ~ выглядеть мрачным, хмуриться; 5) дурной; he is not so ~ as he is painted он не так плох, как его изображают; 6) темнокожий; смуглый; 7) грязный (*о руках, белье*); ◇ ~ as ink а) чёрный как сажа; б) мрачный, безрадостный; B. Belt Чёрный пояс, южные районы США, где преобладает негритянское население; the B. Country чёрная страна, каменноугольный и железообрабатывающий район Стаффордшира и Уоркшира; ~ as hell (*или* night, pitch, my hat) тьма кромешная; ~ as sin (*или* thunder, thundercloud) мрачнее тучи; ~ and blue в синяках; to beat ~ and blue избить до синяков, живого места не оставить; ~ eye а) подбитый глаз; б) *разг.* стыд, срам; ~ and tan чёрный с рыжими подпалинами; B. and Tans *ист.* английские карательные отряды в Ирландии после первой мировой войны, участвовавшие в подавлении восстания шинфейнеров; ~ dog ≅ зелёная тоска; дурное настроение; уныние; ~ gang *мор.*

*sl.* кочегары; ~ hand gang *sl.* шайка бандитов; ~ in the face багровый (*от раздражения или напряжения*); to know ~ from white понимать что к чему, быть себе на уме;
2. *n* 1) чёрный цвет, чернота; to swear ~ is white называть чёрное белым, заведомо говорить неправду; 2) чёрная краска, чернь; Berlin ~ чёрный лак для металла; 3) чернокожий; 4) чёрное пятно; 5) платье чёрного цвета; траурное платье;
3. *v* 1) окрашивать чёрной краской; 2) ваксить; to ~ boots чистить сапоги ваксой; 3) *перен.* чернить; ☐ ~ out а) вымарывать, замазывать текст чёрной краской (*о цензоре*); не пропускать, запрещать; б) маскировать; затемнять; выключать свет; в) *амер.* засекречивать; г) на мгновение терять сознание (*о лётчике при внезапном повороте и т. п.*); д) заглушать (*радиопередачу*).

**blackamoor** [ˈblækəmuə] *n* негр; арап.

**black and white** [ˈblækændˈwaɪt] *n* 1) рисунок пером; 2) in ~ в письменной форме; to put down in ~ написать чёрным по белому; напечатать; 3) чёрно-белый фильм.

**black ball** [ˈblækbɔːl] *n* 1) чёрный шар (*при баллотировке*); 2) род ваксы.

**black-ball** [ˈblækbɔːl] *v* забаллотировать.

**black-beetle** [ˈblækˈbiːtl] *n* чёрный таракан.

**blackberry** [ˈblækbərɪ] *n* 1) куманика; 2) *сев.* чёрная смородина.

**blackbird** [ˈblækbəːd] *n* чёрный дрозд.

**black-board** [ˈblækbɔːd] *n* классная доска.

**black book** [ˈblækbuk] = black list; ◇ to be in smb.'s ~ быть у кого-л. в немилости.

**black cap** [ˈblækkæp] *n* 1) судейская шапочка, надеваемая при произнесении смертного приговора; 2) чёрная малина.

**blackcap** [ˈblækkæp] *n* славка-черноголовка (*птица*).

**black-chalk** [ˈblækˈtʃɔːk] *n мин.* чёрный мел, чёрный чертящий сланец.

**black-cock** [ˈblækkɔk] *n* тетерев.

**black-currant** [ˈblækˈkʌrənt] *n* чёрная смородина.

**Black Death** [ˈblækˈdeθ] *n ист.* «чёрная смерть» (*чума в Европе в 1348—49 гг.*)

**black draught** [ˈblækˈdrɑːft] *n* слабительное (*из александрийского листа*).

**black earth** [ˈblækˈəːθ] *n* чернозём.

**blacken** [ˈblækən] *v* 1) чернить; пачкать; 2) чернеть; загорать.

**black-face** [ˈblækfeɪs] *n амер. разг.* негр; to appear in ~ *театр.* выступать в роли негра.

**black friar** [ˈblækˈfraɪə] *n* доминиканец (*монах*).

**blackguard** [ˈblægɑːd] 1. *n* подлец, мерзавец;
2. *a* мерзкий;
3. *v* ругаться.

**blackguardism** [ˈblægɑːdɪzəm] *n* 1) подлое поведение; 2) сквернословие; брань.

**blackguardly** [ˈblægɑːdlɪ] 1. *a* = blackguard 2;
2. *adv* мерзко.

**black-head** [ˈblækhed] *n* 1) угорь (*на лице*); 2) чернеть морская (*птица*).

**black-hearted** ['blæk'hɑːtɪd] *a* дурно́й; злой.

**blacking** ['blækɪŋ] 1. *pres. p. от* black 3; 2. *n* 1) ва́кса; 2) *тех.* припы́л.

**blacking-out** ['blækɪŋaut] *n* 1) = black-out 1; 2) выма́рывание (цензором) те́кста.

**blackish** ['blækɪʃ] *a* чернова́тый.

**black jack** ['blækdʒæk] *n* 1) кувши́н для пи́ва *и т. п.*; 2) пира́тский флаг; 3) *амер. sl.* дуби́нка; 4) *мин.* тёмная разнови́дность ци́нковой обма́нки.

**black-jack** ['blækdʒæk] *v амер. sl.* избива́ть дуби́нкой.

**black-lead** ['blæk'led] *n мин.* графи́т.

**blackleg** ['blækleg] *n* 1) шу́лер, плут; 2) штрейкбре́хер.

**black letter** ['blæk'letə] *n* стари́нный англи́йский готи́ческий шрифт.

**black-letter** ['blæk'letə] *a* старопеча́тный, со стари́нным готи́ческим шри́фтом; ~ book старопеча́тная кни́га.

**black list** ['blæklɪst] *n* чёрный спи́сок.

**black-list** ['blæklɪst] *v* вноси́ть в чёрный спи́сок.

**black-listing** ['blæklɪstɪŋ] 1. *pres. p. от* black-list; 2. *n* занесе́ние в чёрный спи́сок.

**blackmail** ['blækmeɪl] 1. *n* шанта́ж; вымога́тельство; 2. *v* шантажи́ровать; вымога́ть де́ньги.

**blackmailer** ['blæk,meɪlə] *n* шантажи́ст.

**Black Maria** ['blækmə'raɪə] *n* тюре́мная каре́та.

**black market** ['blæk'mɑːkɪt] *n* чёрный ры́нок.

**black marketeer** ['blæk,mɑːkə'tɪə] *n* торгу́ющий на чёрном ры́нке, спекуля́нт.

**black monk** ['blæk'mʌŋk] *n* бенедикти́нец (*монах*).

**blackness** ['blæknɪs] *n* чернота́; темнота́; мра́чность.

**black-out** ['blækaut] 1. *n* 1) *театр.* выключе́ние све́та в зри́тельном за́ле и на сце́не; 2) затемне́ние (*в связи с противовозду́шной оборо́ной*); 3) вре́менное отсу́тствие электри́ческого освеще́ния (*всле́дствие ава́рии и т.п.*); 4) затемне́ние созна́ния; прова́л па́мяти; 5) *ав.* вре́менная слепота́ (*лётчика при внеза́пном поворо́те и т. п.*); 6) *амер.* засекре́ченность; 2. *a* 1) затемнённый; 2) *амер.* засекре́ченный.

**black pudding** ['blæk,pudɪŋ] *n* кровяна́я колбаса́.

**black sheep** ['blækʃiːp] *n* негодя́й.

**blacksmith** ['blæksmɪθ] *n* кузне́ц.

**blackstrap** ['blækstræp] *n* дешёвый портве́йн *или* ром, сме́шанный с па́токой.

**blackthorn** ['blækθɔːn] *n бот.* сли́ва колю́чая, тёрн.

**blacky** ['blækɪ] *a* чернова́тый.

**bladder** ['blædə] *n* 1) анат. пузы́рь; 2) пузы́рь; ка́мера; football ~ футбо́льная ка́мера; 3) пустоме́ля.

**bladdery** ['blædərɪ] *a* 1) пузы́рчатый; 2) пусто́й, по́лый.

**blade** [bleɪd] *n* 1) лист, были́нка; 2) ло́пасть, лопа́тка; 3) ле́звие; клино́к; полотни́ще (*пилы́*); 4) крыло́ (*семафо́ра*); перо́

(*руля́*); 5) *разг.* па́рень; a jolly old ~ весельча́к.

**blaeberry** ['bleɪbərɪ] *n сев.* черни́ка.

**blague** [blɑːg] *фр. n* хвастовство́, пуска́ние пы́ли в глаза́.

**blah** [blɑː] *n амер. разг.* чепуха́, вздор.

**blain** [bleɪn] *n* пу́стула; чи́рей, нары́в.

**blame** [bleɪm] 1. *n* 1) порица́ние; упрёк; 2) отве́тственность; to bear the ~, to take the ~ upon oneself приня́ть на себя́ вину́; to lay the ~ on (*или upon*) smb., to lay the ~ at smb.'s door возложи́ть вину́ на кого́-л.; to lay the ~ at the right door (*или on the right shoulders*) обвини́ть того́, кого́ сле́дует; to shift the ~ on smb. свали́ть вину́ на кого́-л.; 2. *v* порица́ть; счита́ть вино́вным; he is to ~ for it он винова́т в э́том; she ~d it on him она́ счита́ла его́ вино́вным (в э́том).

**blameful** ['bleɪmful] *a* 1) = blameworthy; 2) *редк.* скло́нный осужда́ть други́х.

**blameless** ['bleɪmlɪs] *a* безупре́чный.

**blameworthy** ['bleɪm,wəːðɪ] *a* заслу́живающий порица́ния.

**blanch** [blɑːntʃ] *v* 1) бели́ть, отбе́ливать; 2) бледне́ть (*от стра́ха и т.п.*); 3) обесцве́чивать (*растения*); 4) обва́ривать и снима́ть шелуху́; бланши́ровать (*минда́ль*); 5) луди́ть; 6) чи́стить до бле́ска (*металл*); ☐ ~ over обеля́ть, выгора́живать.

**blancmange** [blə'mɒnʒ] *фр. n* бланманже́.

**bland** [blænd] *a* 1) ве́жливый; ла́сковый; 2) мя́гкий (*тж. о климате*); 3) сла́бый; успока́ивающий (*о лека́рстве*).

**blandish** ['blændɪʃ] *v* 1) ла́ской *или* ле́стью угова́ривать; 2) льстить.

**blandishment** ['blændɪʃmənt] *n* (*обыкн. pl*) 1) угова́ривание, упра́шивание; 2) льсти́вая речь.

**blandly** ['blændlɪ] *adv* ве́жливо, ла́сково, мя́гко.

**blank** [blæŋk] 1. *a* 1) пусто́й; чи́стый, неиспи́санный (*о бума́ге*); незапо́лненный (*о бла́нке, докуме́нте*); 2) незастро́енный (*о ме́сте*); 3) холосто́й (*о патро́не, заря́де*); 4) лишённый содержа́ния; бессодержа́тельный; his memory is ~ on the subject он ничего́ не по́мнит об э́том; ~ look бессмы́сленный взгляд; 5) озада́ченный, смущённый; to look ~ каза́ться озада́ченным; 6) по́лный; чисте́йший; ~ silence абсолю́тное молча́ние; ~ despair по́лное отча́яние; 7) сплошно́й; ~ wall глуха́я стена́; ~ window ло́жное, слепо́е окно́; 8) *амер.* NN, N-ский, Х *и т. п.* (*о чём-л., о не подлежа́щем огла́ше́нию*); the B. Pursuit Squadron N-ская истреби́тельная эскадри́лья; ◇ ~ side сла́бая сторона́; ~ verse бе́лый стих (*обыкн. пятисто́пный ямб*); to give a ~ cheque предоста́вить свобо́ду де́йствий, дать карт-бла́нш;

2. *n* 1) пусто́е, свобо́дное ме́сто; 2) бланк; 3) тире́ (*вместо пропу́щенного или нецензу́рного сло́ва*); 4) пусто́й лотере́йный биле́т; to draw a ~ вы́нуть пусто́й биле́т; *перен.* потерпе́ть неуда́чу; 5) пустота́ (*душе́вная*); my mind is a complete ~ я ничего́ не по́мню; 6) *воен.* бе́лое я́блоко мише́ни; 7) цель; 8) *тех.* загото́вка; болва́нка;

**3.** *v амер.* наносить крупное поражение; обыгрывать «всухую».

**blanket** ['blæŋkit] **1.** *n* 1) шерстяное одеяло; 2) попона, чепрак; 3) *геол.* нанос; поверхностный слой; отложение; покров; ◇ born on the wrong side of the ~ рождённый вне брака, незаконнорождённый; California ~s «калифорнийские одеяла» (*газеты, которыми укрываются ночующие в парке безработные*); to put a wet ~ on smb., to throw a wet ~ over smb. охлаждать чей-л. пыл; to play the wet ~ расхолаживать; a wet ~ человек, действующий расхолаживающе на других; что-л., действующее расхолаживающе;
**2.** *a* 1) общий, полный, всеобъёмлющий, всеохватывающий; без особых оговорок *или* указаний; огульный; 2): ~ sheet *амер.* газетный лист большого формата;
**3.** *v* 1) покрывать (одеялом); 2) подбрасывать на одеяле; 3) охватывать, включать в себя; 4) заглушать (*шум; радиопередачу — о мощной радиостанции*); 5) оставлять в тени; замять (*вопрос и т. п.*); 6) забрасывать (*бомбами*); задымлять; 7) *мор.* отнять ветер.

**blankly** ['blæŋkli] *adv* 1) безучастно; тупо, невыразительно; 2) беспомощно; 3) прямо, решительно; 4) крайне.

**blankness** ['blæŋknis] *n* 1) пустота; 2) смущение.

**blare** [blɛə] **1.** *n* звуки труб; рёв;
**2.** *v* громко трубить.

**blarney** ['blɑːni] **1.** *n* лесть;
**2.** *v* обманывать лестью; льстить.

**blaspheme** [blæs'fiːm] *v* поносить; богохульствовать.

**blasphemous** ['blæsfiməs] *a* богохульный.

**blasphemy** ['blæsfimi] *n* богохульство.

**blast** [blɑːst] **1.** *n* 1) сильный порыв ветра; 2) поток воздуха; 3) звук (*духового инструмента*); 4) взрыв; 5) заряд (*для взрыва*); 6) пагубное влияние; 7) вредитель, болезнь (*растений*); 8) *тех.* форсированная тяга; дутьё; to be in (*или* at) full ~ работать полным ходом; to be out of ~ не работать; стоять (*о доменной печи*); 9) воздуходувка;
**2.** *v* 1) взрывать; 2) вредить (*растениям и т.п.*); 3) разрушать (*планы, надежды*); 4) *тех.* дуть, продувать; 5) проклинать.

**blasted** ['blɑːstid] **1.** *p.p. от* blast 2;
**2.** *a* 1) разрушенный; 2) проклятый.

**blastema** [blæs'tiːmə] *n* 1) *биол.* протоплазма; образующее вещество яйца; 2) *бот.* почка; росток, побег растения.

**blast-furnace** ['blɑːst,fəːnis] *n* домна, доменная печь.

**blasting** ['blɑːstiŋ] **1.** *pres. p. от* blast 2;
**2.** *a* 1) губительный; 2) взрывчатый, подрывной; ~ cartridge подрывная шашка; ~ oil нитроглицерин (*взрывчатое вещество*);
**3.** *n* 1) порча, гибель; 2) подрывные работы; паление шпуров; 3) дутьё; 4) *радио* дребезжание (*громкоговорителя*).

**blastoderm** ['blæstoudəm] *n биол.* зародышевая оболочка.

**blast wave** ['blɑːstweiv] *n* взрывная волна.

**blatancy** ['bleitənsi] *n* крикливость *и пр.* [*см.* blatant].

**blatant** ['bleitənt] *a* 1) крикливый; 2) ужасный, вопиющий; 3) очевидный, явный; a ~ lie явная ложь.

**blather** ['blæðə] = blether.

**blatherskite** ['blæðəskait] = bletherskate.

**blaze I** [bleiz] **1.** *n* 1) пламя; in a ~ в огне; 2) яркий свет *или* цвет; ~ of publicity полная гласность; 3) блеск, великолепие; 4) вспышка (*огня, страсти*); 5) *pl* ад; go to ~s! убирайтесь к чёрту!; like ~s с яростью; неистово;
**2.** *v* 1) гореть ярким пламенем; 2) сиять, сверкать; 3) *перен.* кипеть; he was blazing with fury он кипел от гнева; □ ~ away а) *воен.* поддерживать беспрерывный огонь (at); б) быстро *или* горячо говорить, выпаливать; в) работать с увлечением (at); ~ away! валяй!, жарь!; ~ up вспыхнуть.

**blaze II** [bleiz] **1.** *n* 1) белая звёздочка (*на лбу животного*); 2) метка, клеймо (*на дереве*);
**2.** *v* клеймить (*деревья*); делать значки (*на чём-л.*); отмечать (*дорогу*) зарубками; to ~ the trail прокладывать путь в лесу, делая зарубки на деревьях; *перен.* прокладывать путь.

**blaze III** [bleiz] *v* разглашать (*часто* ~ abroad).

**blazer** ['bleizə] *n* 1) яркая спортивная куртка; 2) *sl.* возмутительная ложь.

**blazing I** ['bleiziŋ] **1.** *pres.p. от* blaze I, 2;
**2.** *a* 1) ярко горящий; 2) явный, заведомый; ~ scent *охот.* горячий след.

**blazing II** ['bleiziŋ] *pres.p. от* blaze II, 2 *и* III.

**blazon** ['bleizn] **1.** *n* 1) герб; эмблема; 2) прославление;
**2.** *v* 1) украшать геральдическими знаками; 2) объявлять, оповещать, широко разглашать (*часто* ~ forth, ~ out, ~ abroad).

**blazonry** ['bleiznri] *n* 1) гербы; 2) геральдика.

**bleach** [bliːtʃ] **1.** *n* 1) отбеливающее вещество; хлорная известь; 2) отбеливание;
**2.** *v* белить; отбеливать(ся); обесцвечивать; 2) побелеть.

**bleacher** ['bliːtʃə] *n* 1) отбельщик; 2) белильный бак; 3) (*обыкн. pl*) *амер. спорт.* места на открытой трибуне.

**bleaching powder** ['bliːtʃiŋ,paudə] *n* белильная (*или* хлорная) известь.

**bleak I** [bliːk] *a* 1) открытый, незащищённый от ветра; 2) холодный; суровый по климату; 3) лишённый растительности; 4) унылый; мрачный (*о выражении лица*); 5) бесцветный, бледный.

**bleak II** [bliːk] *n* уклейка (*рыба*).

**bleakness** ['bliːknis] *n* оголённость (*местности*) *и пр.* [*см.* bleak I].

**blear** [bliə] **1.** *a* затуманенный; неясный; смутный;
**2.** *v* затуманивать (*взор, полированную поверхность и т. п.*); to ~ the eyes туманить взор; *перен.* сбивать с толку.

**blear-eyed** ['bliəraid] *a* 1) с затуманенными глазами; 2) непроницательный, недальновидный; 3) туповатый.

**bleat** [bliːt] **1.** *n* блеяние; мычание (*телёнка*);

2. *v* 1) блеять; мычать (*о телёнке*); 2) говорить глупости.

**bleb** [bleb] *n* 1) волдырь; 2) пузырёк воздуха (*в воде, стекле*); раковина (*в металле*).

**bled** [bled] *past и p. p. om* bleed.

**bleed** [bliːd] 1. *v* (bled) 1) кровоточить; истекать кровью; my heart ~s сердце кровью обливается; 2) проливать кровь; 3) пускать кровь; 4) сочиться (*о деревьях*); 5) продувать; спускать (*воду*); опоражнивать (*бак и т. п.*); 6) вымогать деньги; 7) подвергаться вымогательству; 8) *полигр.* обрезать страницу в край (*не оставляя полей*); ◇ to ~ white а) обескровить; б) обобрать до нитки; выкачать деньги;
2. *а полигр.* напечатанный в край страницы, без полей.

**bleeder** ['bliːdə] *n* 1) тот, кто производит кровопускание; 2) вымогатель; 3) *мед.* гемофилик; 4) *тех.* предохранительный клапан (*на трубопроводе*); кран для спуска воды.

**bleeding** ['bliːdɪŋ] 1. *pres. p. om* bleed 1; 2. *n* 1) кровотечение; 2) кровопускание;
3. *а* 1) обливающийся, истекающий кровью; 2) обескровленный, обессиленный; 3) полный жалости, сострадания.

**blemish** ['blemiʃ] 1. *n* 1) недостаток; 2) пятно, позор;
2. *v* 1) портить, вредить; 2) пятнать; позорить.

**blench I** [blentʃ] *v* 1) уклоняться; отступать (*перед чем-л.*); 2) закрывать глаза на что-л.

**blench II** [blentʃ] *v* белить, отбеливать.

**blend** [blend] 1. *n* 1) смесь; 2) переход одного цвета *или* одного оттенка в другой;
2. *v* (blended [-id], blent) 1) смешивать (-ся); изготовлять смесь; oil and water will never ~ масло с водой не смешивается; 2) сочетаться, гармонировать; 3) незаметно переходить из оттенка в оттенок (*о красках*); 4) стираться (*о различиях*).

**blende** [blend] *n мин.* цинковая обманка.

**Blenheim** ['blenim] *n* 1) порода спаньеля; 2): ~ Orange блёним (*сорт золотистых яблок*).

**blent** [blent] *past и p. p. om* blend 2.

**bless** [bles] *v* (blessed [-t], blest) 1) благословлять; освящать; to ~ one's stars *уст.* креститься; to ~ one's stars благодарить судьбу; 2) славословить; 3) делать счастливым, осчастливливать; 4) *ирон.* проклинать; ◇ to ~ the mark а) с позволения сказать; б) боже сохрани (*чтобы*); ~ me, (*или* my soul), ~ my (*или* your) heart, God ~ me (*или* you), I'm blest *выражение удивления, негодования*; I haven't a penny to ~ myself with у меня нет ни гроша за душой.

**blessed** 1. [blest] *p.p. om* bless;
2. *а* ['blesid] 1) счастливый, блаженный; 2) *ирон.* проклятый.

**blessedness** ['blesidnis] *n* счастье, блаженство; single ~ *шутл.* безбрачие, холостая жизнь.

**blessing** ['blesiŋ] 1. *pres.p. om* bless;
2. *n* 1) благословение; 2) благо, благодеяние; 3) блаженство, счастье; 4) молитва

(*до или после еды*); ◇ а ~ in disguise ≅ не было бы счастья, да несчастье помогло; нет худа без добра; неприятность, оказавшаяся благодетельной.

**blest** [blest] 1. *past и p.p. om* bless; 2. *а поэт. см.* blessed.

**blether** ['bleðə] 1. *n* болтовня, вздор; 2. *v* болтать вздор; трещать.

**bletherskate** ['bleðəskeit] *n разг.* болтун.

**blew I, II** [bluː] *past om* blow II, 2 и III, 2.

**blewit** ['bluːit] *n* рядовка (*гриб*).

**blight** [blait] 1. *n* 1) болезнь растений (*выражающаяся в завядании их и опадании листьев без гниения*); 2) насекомые-паразиты на растениях; 3) душная атмосфера; 4) то, что портит удовольствие, разрушает планы и т. п.; 5) упадок; гибель; 6) уныние; разочарование;
2. *v* 1) приносить вред (*растениям*); 2) разбивать (*надежды и т. п.*); отравлять (*удовольствие*).

**blighter** ['blaitə] *n* 1) губитель; 2) *sl.* неприятный, нудный человек.

**Blighty** ['blaiti] *воен. sl.* 1. *n* Англия, родина; ◇ а ~ one ранение, обеспечивающее отправку на родину;
2. *adv* в Англию, на родину.

**blimey** ['blaimi] *int сокр.* чтоб мне провалиться!, иди ты!

**blimp** [blimp] *n разг.* 1) малый дирижабль мягкой системы, дозорный дирижабль; 2) толстый, неуклюжий человек, увалень; 3) крайний консерватор, «твердолобый».

**blind** [blaind] 1. *а* 1) слепой; ~ of an eye слепой на один глаз; ~ flying *ав.* слепой полёт, полёт по приборам; to be ~ to smth. не быть в состоянии оценить что-л.; 2) слепо напечатанный; неясный; ~ hand нечёткий почерк; ~ path еле заметная тропинка; ~ letter письмо без адреса *или* с неполным, нечётким адресом; 3) действующий вслепую, безрассудно; to go it ~ играть втёмную; действовать вслепую, безрассудно; 4) слепой, не выходящий на поверхность (*о шахте, жиле*); 5) глухой, сплошной (*о стене и т. п.*); 6) *sl.* пьяный (*тж.* ~ drunk); ~ to the world вдребезги пьяный; ◇ ~ date *амер. sl.* свидание с незнакомым человеком; ~ lantern ~ pig, ~ tiger *амер. sl. см.* speak-easy; ~ shell неразорвавшийся *или* незаряженный снаряд; the ~ side (of a person) (чья-л.) слабая струнка, (чьё-л.) слабое место; ~ spot а) мёртвая точка; б) область, в которой данное лицо плохо разбирается; в) *радио* зона молчания; ~ man's мурки; to apply (*или* to turn) the ~ eye закрывать глаза (*на что-л.*);
2. *n* 1) (the ~) *pl собир.* слепые; 2) штора; маркиза; жалюзи (*тж.* Venetian ~); ставень; 3) нагла́зник; *pl* шоры; 4) предлог, отговорка; отвод глаз, обман; 5) *опт.* диафрагма, бленда;
3. *v* 1) ослеплять; слепить; 2) затемнять, затмевать; 3) *воен.* блиндировать; 4) *опт.* диафрагмировать.

**blindage** ['blaindidʒ] *n* блиндаж.

**blind alley** ['blaind'æli] *n* тупик; *перен.* безвыходное положение.

**blind-alley** ['blaɪnd'ælɪ] *a* бесперспекти́вный; безвы́ходный; ~ employment, ~ occupation бесперспекти́вная рабо́та.

**blind coal** ['blaɪnd,koul] *n* антраци́т.

**blinders** ['blaɪndəz] *n pl* шо́ры.

**blindfold** ['blaɪndfould] 1. *a* 1) с завя́занными глаза́ми; 2) де́йствующий вслепу́ю; безрассу́дный; не ду́мающий; 2. *adv* с завя́занными глаза́ми; to know one's way ~ хорошо́ знать доро́гу, быть в состоя́нии найти́ хоть с завя́занными глаза́ми; 3. *v* завя́зывать глаза́ (*тж. перен.*).

**blind gut** ['blaɪndgʌt] *n анат.* слепа́я кишка́.

**blindly** ['blaɪndlɪ] *adv* 1) сле́по, безрассу́дно; 2) как слепо́й.

**blind-man's-buff** ['blaɪndmænz'bʌf] *n* жму́рки.

**blind man's holiday** ['blaɪndmænz'hɔlədɪ] *n* су́мерки.

**blindness** ['blaɪndnɪs] *n* 1) слепота́; 2) ослепле́ние; безрассу́дство.

**blind-worm** ['blaɪndwəːm] *n зоол.* веретёница ло́мкая.

**blink** [blɪŋk] 1. *n* 1) мерца́ние; 2) миг; in a ~ в оди́н миг; 3) о́тблеск льда (*на горизо́нте*); ◇ on the ~ *амер. sl.* а) в плохо́м состоя́нии, не в поря́дке; б) при после́днем издыха́нии; 2. *v* 1) мига́ть; щу́риться; 2) мерца́ть; 3) закрыва́ть глаза́ (at — на *что-л.*).

**blinker** ['blɪŋkə] *n* 1) *pl* нагла́зники, шо́ры; to be (*или* to run) in ~s *перен.* име́ть шо́ры на глаза́х; 2) *pl sl.* глаза́; 3) *амер. воен.* светосигна́льный аппара́т.

**blinking** ['blɪŋkɪŋ] 1. *pres.p. от* blink 2; 2. *a sl.* по́лный, соверше́нный.

**blirt** [bləːt] 1. *n* 1) плач, рыда́ния; 2) внеза́пный поры́в ве́тра *или* дождя́; 2. *v* разрыда́ться.

**bliss** [blɪs] *n* блаже́нство, сча́стье.

**blissful** ['blɪsful] *a* блаже́нный, счастли́вый.

**blister** ['blɪstə] 1. *n* 1) волды́рь, водяно́й пузы́рь; 2) вытяжно́й пла́стырь; му́шка; 3) *тех.* ра́ковина (*в металле*); плена́ (*в листовом железе*); 2. *v* 1) вызыва́ть пузыри́; 2) покрыва́ться волдыря́ми, пузыря́ми; 3) *разг.* му́чить, надоеда́ть; 4) ста́вить му́шку.

**blister-beetle** ['blɪstəbiːtl] = blister-fly.

**blister-fly** ['blɪstəflaɪ] *n* шпа́нская му́шка, шпа́нка.

**blister gas** ['blɪstəgæs] *n* ко́жно-нарывно́е отравля́ющее вещество́.

**blithe** [blaɪð] *a* (*обыкн. поэт.*) весёлый, жизнера́достный; счастли́вый.

**blither** ['blɪðə] *диал.* = blether.

**blithering** ['blɪðərɪŋ] 1. *pres. p. от* blither; 2. *a разг.* 1) болтли́вый; 2) соверше́нный, зако́нченный; 3) презре́нный.

**blithesome** ['blaɪðsəm] = blithe.

**blitz** [blɪts] *нем. разг.* 1. *n* 1) = blitzkrieg; 2) внеза́пное нападе́ние, *особ.* масси́рованная бомбардиро́вка, бомбёжка; 2. *v* разгроми́ть, разбомби́ть.

**blitzkrieg** ['blɪtskriːg] *нем. n* молниено́сная война́, бли́цкриг.

**blizzard** ['blɪzəd] *n* снёжная бу́ря, бура́н.

**bloat** I [blout] *v* раздува́ться, пу́хнуть (*обыкн.* ~ out).

**bloat** II [blout] *v* копти́ть (*ры́бу*).

**bloated** I ['bloutɪd] 1. *p. p. от* bloat I; 2. *a* жи́рный, обрю́згший; разду́тый (*тж. перен.*); ~ aristocrat «ду́тый аристокра́т», надме́нный, наду́тый челове́к; ~ armaments непоме́рно разду́тые вооруже́ния.

**bloated** II ['bloutɪd] 1. *p. p. от* bloat II; 2. *a* копчёный.

**bloater** ['bloutə] *n* копчёная ры́ба, *особ.* сельдь.

**blob** [blɔb] 1. *n* 1) ка́пля; 2) ма́ленький ша́рик (*земли, глины и т. п.*); 3) *sl.* нуль (*при счёте в крике́те*); ◇ on the ~ *sl.* у́стно, на слова́х; 2. *v* де́лать кля́ксу.

**blobber-lipped** ['blɔbəlɪpt] *a* толстогу́бый.

**bloc** [blɔk] *фр. n полит.* блок, объедине́ние.

**block** [blɔk] 1. *n* 1) чурба́н, коло́да; 2) тупи́ца; «ка́мень», чёрствый, жесто́кий челове́к; 3) глы́ба (*камня*); блок (*для стро́йки*); 4) кварта́л (*го́рода*); жили́щный масси́в; 5) гру́ппа, ма́сса одноро́дных предме́тов; in ~ гурто́м, чо́хом; 6) пла́ха; the ~ казнь на пла́хе; 7) деревя́нная печа́тная фо́рма; 8) болва́н, фо́рма (*для шляп*); 9) блокно́т; 10) ку́бик (*концентра́та*); 11) ша́шка (*подрывна́я, дымова́я*); 12) прегра́да; зато́р (*движе́ния*); 13) *ж.-д.* блокиро́вка; блокпо́ст; 14) *тех.* блок, шкив; 15) *горн.* цели́к; 2. *v* 1) прегражда́ть; заде́рживать; блоки́ровать (*обыкн.* ~ up); to ~ the access закры́ть до́ступ; 2) *парл.* заде́рживать (*прохожде́ние законопрое́кта*); 3) набра́сывать вчерне́ (*обыкн.* ~ in, ~ out); 4) *фин.* блоки́ровать, заде́рживать, замора́живать.

**blockade** [blɔ'keɪd] 1. *n* 1) блока́да; to raise (to run) the ~ снять (прорва́ть) блока́ду; 2) *амер.* зато́р (*движе́ния*); 2. *v* блоки́ровать.

**block-and-fall** ['blɔkənd'fɔːl] *n мор.* го́рдень.

**block-buster** ['blɔk,bʌstə] *n разг.* фуга́сная авиабо́мба кру́пного кали́бра.

**blocked** [blɔkt] 1. *p.p. от* block 2; 2. *a фин.* заморо́женный, блоки́рованный; ~ accounts блоки́рованные счета́.

**blockhead** ['blɔkhed] *n* болва́н.

**blockhouse** ['blɔkhaus] *n* 1) блокга́уз; 2) *стр.* сруб.

**blocking** ['blɔkɪŋ] 1. *pres. p. от* block 2; 2. *n* 1) *ж.-д.* блокиро́вочная систе́ма, блокиро́вка; 2) *эл.* запира́ние, блокиро́вка.

**blockish** ['blɔkɪʃ] *a* тупо́й, глу́пый.

**block letter** ['blɔk,letə] *n* прописна́я печа́тная бу́ква.

**block printing** ['blɔk,prɪntɪŋ] *n* ксилогра́фия.

**block-signal** ['blɔk,sɪgnəl] *n ж.-д.* блок-сигна́л; жезл.

**block system** ['blɔk,sɪstəm] = blocking 2, 1).

**bloke** [blouk] *n* 1) *разг.* па́рень; ≅ «тип»; 2) (the ~) *мор. sl.* команди́р.

**blond(e)** [blɔnd] *a* белоку́рый, све́тлый.

**blonde** [blɔnd] *n* блонди́нка.

**blood** [blʌd] **1.** *n* 1) кровь; to let one's ~ пусти́ть кровь; 2) род, происхожде́ние; 3) родство́; родови́тость; full ~ чистокро́вная ло́шадь; high ~ аристократи́ческое происхожде́ние; it runs in his ~ э́то у него́ в крови́, в роду́; 4) де́нди, све́тский челове́к; 5) уби́йство, кровопроли́тие; 6) темпера́мент, стра́стность; состоя́ние, настрое́ние; bad ~ враждёбность; cold ~ хладнокро́вие; hot ~ горя́чность, вспы́льчивость; to make smb.'s ~ boil (creep) приводи́ть кого́-л. в бе́шенство (в содрога́ние); his ~ is up он раздражён; 7) сок (*плодов, растений*); ◇ Nelson's ~ *мор. sl.* ром; ~ is thicker than water ≈ кровь не вода́; you cannot take (*или* get) ~ from (*или* out of) a stone ≈ его́, её не разжа́лобишь;
**2.** *v* 1) пуска́ть кровь; 2) *охот.* приуча́ть соба́ку к крови́.

**bloodcurdling** ['blʌdkəːdlɪŋ] *a* чудо́вищный, вызыва́ющий у́жас; ~ sight зре́лище, от кото́рого кровь сты́нет в жи́лах.

**blooded** ['blʌdɪd] **1.** *p. p. от* blood 2; **2.** *a* 1) чистокро́вный (*о лошади*); 2) окрова́вленный; 3) *воен.* понёсший поте́ри, осла́бленный поте́рями.

**blood feud** ['blʌd,fjuːd] *n* родова́я вражда́; кро́вная месть.

**blood group** ['blʌdgruːp] *n* гру́ппа кро́ви.

**blood-guilty** ['blʌd,gɪltɪ] *a* вино́вный в уби́йстве *или* в чьей-л. сме́рти.

**blood-heat** ['blʌdhiːt] *n* норма́льная температу́ра те́ла.

**blood-horse** ['blʌdhɔːs] *n* чистокро́вная ло́шадь.

**bloodhound** ['blʌdhaund] *n* 1) ище́йка; 2) сы́щик; 3) *амер. sl.* репортёр.

**bloodiness** ['blʌdɪnɪs] *n* кровожа́дность.

**bloodless** ['blʌdlɪs] *a* 1) бескро́вный; 2) истощённый; бле́дный; 3) безжи́зненный, вя́лый.

**blood-letting** ['blʌd,letɪŋ] *n* кровопуска́ние.

**blood orange** ['blʌd,ɔrɪndʒ] *n* королёк (*сорт апельсина*).

**blood-poisoning** ['blʌd,pɔɪznɪŋ] *n* зараже́ние кро́ви.

**blood pressure** ['blʌd'preʃə] *n* кровяно́е давле́ние.

**blood-pudding** ['blʌd,pudɪŋ] = black pudding.

**bloodshed(ding)** ['blʌd,ʃed(ɪŋ)] *n* кровопроли́тие.

**bloodshot** ['blʌdʃɔt] *a* нали́тый кро́вью (*о глазах*).

**blood-stained** ['blʌdsteɪnd] *a* 1) запа́чканный кро́вью; 2) запя́тнанный кро́вью, вино́вный в уби́йстве.

**bloodstone** ['blʌdstoun] *n мин.* гелиотро́п, крова́вик.

**blood-sucker** ['blʌd,sʌkə] *n* 1) пия́вка; 2) кровопи́йца, эксплуата́тор; парази́т.

**blood test** ['blʌd'test] *n* ана́лиз кро́ви, иссле́дование кро́ви.

**blood-thirsty** ['blʌd,θəːstɪ] *a* кровожа́дный.

**blood transfusion** ['blʌdtrænsfjuːʒən] *n мед.* перелива́ние кро́ви.

**blood-vessel** ['blʌd,vesl] *n* кровено́сный сосу́д.

**bloodworm** ['blʌdwəːm] *n* кра́сный дождево́й червь.

**bloody** ['blʌdɪ] **1.** *a* 1) окрова́вленный; крова́вый; ~ flux *уст.* дизентери́я; 2) уби́йственный; кровожа́дный; 3) *груб.* прокля́тый; ◇ to wave the ~ shirt *амер.* натра́вливать одного́ на друго́го; разжига́ть стра́сти;
**2.** *adv вульг.* чорто́вски, о́чень;
**3.** *v* окрова́вить.

**bloody-minded** ['blʌdɪ,maɪndɪd] *a* жесто́кий; кровожа́дный.

**bloom I** [bluːm] **1.** *n* 1) цвет, цвете́ние; in ~ в цвету́; 2) цвету́щая часть расте́ния; 3) расцве́т; to take the ~ off smth. испо́ртить, загуби́ть что-л. в са́мом расцве́те; 4) румя́нец; 5) пушо́к (*на плодах*);
**2.** *v* цвести́; расцвета́ть (*тж. перен.*).

**bloom II** [bluːm] *n тех.* кри́ца, стальна́я болва́нка, блюм.

**bloomer** ['bluːmə] *n разг.* гру́бая оши́бка; про́мах.

**bloomers** ['bluːməz] *n pl* же́нский спорти́вный костю́м; же́нские спорти́вные брю́ки.

**bloomery** ['bluːmərɪ] *n тех. уст.* кри́чный горн.

**blooming I** ['bluːmɪŋ] **1.** *pres. p. от* blooming I, 2;
**2.** *a* 1) цвету́щий; 2) *эвф. см.* bloody 1, 3); a ~ fool наби́тый дура́к.

**blooming II** ['bluːmɪŋ] *n тех.* блю́минг.

**blooming III** ['bluːmɪŋ] *n телев.* расплыва́ние изображе́ния.

**bloomy** ['bluːmɪ] *a* цвету́щий.

**blossom** ['blɔsəm] **1.** *n* 1) цвет, цвете́ние (*преим. на плодо́вых дере́вьях*); 2) расцве́т;
**2.** *v* цвести́; распуска́ться; расцвета́ть.

**blot** [blɔt] **1.** *n* 1) пятно́; 2) кля́кса, пома́рка; 3) пятно́, позо́р, бесче́стье; ◇ a ~ on the landscape ≈ ло́жка дёгтя в бо́чке мёда;
**2.** *v* 1) па́чкать; 2) пятна́ть; бесче́стить; to ~ one's copy-book *разг.* замара́ть свою́ репута́цию, соверши́ть беста́ктный посту́пок; 3) промока́ть (*пропускно́й бума́гой*)· 4) грунтова́ть, окра́шивать; □ ~ out а) вычёркивать; стира́ть; б) *перен.* загла́живать; в) уничтожа́ть; a cloud has ~ted out the moon ту́ча закры́ла луну́.

**blotch** [blɔtʃ] **1.** *n* 1) прыщ; 2) пятно́, кля́кса; 3) *sl. см.* blotting-paper;
**2.** *v* покрыва́ть пя́тнами, кля́ксами.

**blotchy** ['blɔtʃɪ] *a* покры́тый пя́тнами, кля́ксами.

**blotter** ['blɔtə] *n* 1) писа́ка; 2) промока́тельная бума́га; 3) *амер.* кни́га за́писей; 4) *амер. ком.* мемориа́л; торго́вая кни́га.

**blottesque** [blɔ'tesk] *a* 1) напи́санный густы́ми мазка́ми (*о картине*); 2) опи́санный гру́быми штриха́ми.

**blotting-pad** ['blɔtɪŋpæd] *n* бюва́р.

**blotting-paper** ['blɔtɪŋ,peɪpə] *n* промока́тельная бума́га.

**blotto** ['blɔtou] *a sl.* пья́ный, одурма́ненный.

**blouse** [blauz] *n* 1) рабóчая блýза; 2) блýзка; 3) гимнастёрка.

**blow** I [blou] *n* 1) удáр; at a ~, at one ~ однúм удáром; срáзу; to come to ~s вступúть в бой, в дрáку, дойтú до рукопáшной; to deal (*или* to strike, to deliver) a ~ наносúть удáр; to strike a ~ for помогáть; to strike a ~ against противодéйствовать; 2) несчáстье, удáр (*судьбы*).

**blow** II [blou] **1.** *n* 1) дуновéние; to get a ~ подышáть свéжим вóздухом; 2) хвастовствó; 3) *тех.* дутьё; колúчество метáлла, перерабáтываемого зарáз (*при бессемеровании*); 4) клáдка яúц (*мухами*); **2.** *v* (blew; blown) 1) дуть, вéять; 2) развевáть; гнать (*о ветре*); 3) раздувáть (*огонь, мехи; тж. перен.*); выдувáть (*стеклянные изделия*); продувáть (*трубку и т. п.*); пускáть (*пузыри*); 4) взрывáть (*обыкн.* ~ up); 5) пыхтéть, тяжелó дышáть; 6) игрáть (*на духовом инструменте*); 7) звучáть (*о трубе*); 8) свистéть, гудéть; 9) *разг.* хвастáть; 10) класть яúца (*о мухах*); 11) *амер. sl.* транжúрить (*деньги; тж.* ~ off); 12) *sl.* проклинáть; I'll be ~ed if I know провалúться мне на мéсте, éсли я знáю; □ ~ about, ~ abroad распространять (*слух, известие*); ~ in a) задýть, пустúть (*доменную печь*); б) (внезáпно) появúться; влетéть; ~ off a) *тех.* продувáть; to ~ off steam выпустить пар; *перен.* дать выход избытку энéргии; разрядúться; б) *амер. sl.* мотáть, транжúрить (*деньги*); ~ out a) задувáть, гасúть, тушúть (*свечу, керосиновую лампу и т. п.*); б) выдуть (*доменную печь*); в) лóпнуть (*о шине и т. п.*); ~ over миновáть, проходúть (*о грозе, кризисе и т. п.*); ~ up a) раздувáть; б) взрывáть; в) взлетáть на вóздух (*при взрыве*); г) *фото* увелúчивать; д) *разг.* бранúть, ругáть; е) выходúть из себя; ~ upon a) лишáть свéжести, интерéса; б) ронять во мнéнии; в) наговáривать; доносúть; ◇ to ~ out one's brains пустúть пýлю в лоб; ~ high, ~ low что бы ни случúлось, во что бы то ни стáло; to ~ hot and cold колебáться, постоянно менять тóчку зрéния; to ~ the gaff (*или* the gab) *sl.* выдать секрéт; проболтáться; to ~ one's nose сморкáться; to ~ one's own trumpet, to ~ one's own horn хвáстать; занимáться самореклáмой.

**blow** III [blou] **1.** *n* цвет, цветéние; **2.** *v* (blew; blown) цвестú.

**blowball** ['blouboːl] *n* одувáнчик.

**blower** ['blouə] *n* 1) тот, кто дýет; тот, кто раздувáет (*мехи и т. п.*); 2) трубáч; 3) *амер.* хвастýн; 4) *тех.* воздуходýвка; вентилятор; 5) *горн.* выделéние гáза (*в руднике*); 6) щель, чéрез котóрую выделяется газ.

**blowfly** ['blouflaɪ] *n* мясная мýха.

**blowhole** ['blouhoul] *n* 1) пузырь, рáковина (*в металле*); 2) дыхало (*у кита*); 3) вентилятор (*в туннеле*).

**blowing** I ['blouɪŋ] **1.** *pres. p. om* blow II, 2;

**2.** *n* 1) дутьё; 2) просáчивание, утéчка (*газа, пара*).

**blowing** II ['blouɪŋ] *pres. p. om* blow III, 2.

**blowing engine** ['blouɪŋ'endʒɪn] *n* воздуходýвная машúна.

**blowing machine** ['blouɪŋməˈʃiːn] = blowing engine.

**blowing-up** ['blouɪŋʌp] *n* 1) взрыв; 2) *sl.* нагоняй.

**blowlamp** ['bloulæmp] *n* паяльная лáмпа.

**blown** I [bloun] *p. p. om* blow III, 2.

**blown** II [bloun] **1.** *p. p. om* blow II, 2; **2.** *a* запыхáвшийся, éле переводящий дыхáние.

**blow-off** ['blouˈɔf] *n* 1) выпуск (*пара и т. п.*); 2) хвастýн.

**blow-out** ['blouˈaut] *n* 1) разрыв (*шины и т. п.*); 2) прорыв (*плотины, дамбы и т. п.*); 3) *разг.* кутёж, шýмное весéлье; 4) *амер.* вспышка гнéва; ссóра; 5) *амер. sl.* большóе событие; 6) *эл.* искрогасúтель, искротушúтель.

**blowpipe** ['bloupaɪp] *n* паяльная трýбка.

**blowtorch** ['bloutɔːʃ] = blowlamp.

**blow-up** ['blouˈʌp] *n* 1) = blow-out 4) *и* 5); 2) взрыв; 3) нагоняй, выговор; 4) = blow-out 3).

**blowy** ['blouɪ] *a* вéтреный (*о погоде*).

**blowzy** ['blauzɪ] *a* 1) тóлстый и краснощёкий; 2) растрёпанный, неряшливый (*о женщине*).

**blub** [blʌb] *школ. sl. сокр. om* blubber II, 2.

**blubber** I ['blʌbə] *n* 1) вóрвань; 2) медýза (*разновидность*).

**blubber** II ['blʌbə] **1.** *n* плач, рёв; **2.** *v* грóмко плáкать, рыдáть; ревéть.

**blubber** III ['blʌbə] *a* тóлстый, выпячивающийся (*о губах*).

**blubbered** ['blʌbəd] **1.** *p.p. om* blubber II, 2; **2.** *a* заплáканный; ~ face заплáканное лицó.

**bluchers** ['bluːtʃəz] *n pl* старомóдные мужскúе ботúнки на шнуркáх.

**bludgeon** ['blʌdʒən] **1.** *n* дубúнка, кистéнь; **2.** *v* бить дубúнкой.

**blue** [bluː] **1.** *a* 1) голубóй; лазýрный; сúний; dark (*или* Navy) ~ сúний; 2) посинéвший; с кровоподтёками; 3) испýганный; унылый, подáвленный; to look ~ имéть унылый вид; things look ~ делá плóхи; ~ study (мрáчное) раздýмье, размышлéние; ~ fear (*или* funk) *разг.* испýг, пáника, замешáтельство; 4) непристóйный, скабрёзный; to make (*или* to turn) the air ~ сквернослóвить, ругáться; 5) относящийся к пáртии тóри, торúйский; ◇ ~ blood a) аристократúческое происхождéние, «голубáя кровь»; б) венóзная кровь; ~ devils a) унынье; б) бéлая горячка; ~ laws *амер.* пуритáнские закóны (*закрытие театров по воскресеньям, запрещение продажи спиртных напитков*); ~ sky law *амер.* закóн, регулúрующий выпуск и продáжу áкций и цéнных бумáг; ~ water открытое мóре; to drink till all's ~ допúться до бéлой горячки; once in a ~ moon óчень рéдко;

**2.** *n* 1) сúний цвет; Oxford ~ тёмно-сúний цвет; Cambridge ~ свéтло-голубóй; 2) сúняя кра́ска; голуба́я кра́ска; си́нька; Paris ~ пари́жская лазу́рь; Berlin ~ берли́нская лазу́рь; 3) (the ~) не́бо; out of the ~ соверше́нно неожи́данно; как гром с я́сного не́ба; 4) (the ~) мо́ре; 5) консерва́тор; 6) *разг. см.* bluestocking; 7) (the ~s) *pl* меланхо́лия, хандра́; to have the ~s быть в плохо́м настрое́нии, хандри́ть; to give smb. the ~s наводи́ть тоску́ на кого́-л.; ◇ to cry the ~s *амер. sl.* прибедня́ться; the B. and the Grey «си́ние и се́рые» (*северная и южная армии в американской гражданской войне 1861—1865 гг.*); Dark (*или* Oxford) Blues оксфо́рдские студе́нты; Light (*или* Cambridge) Blues ке́мбриджские студе́нты (*на спортивных состязаниях*); the men (*или* the gentlemen, the boys) in ~ а) полице́йские; б) матро́сы; в) америка́нские федера́льные войска́; 3. *v* 1) окра́шивать в си́ний цвет; подси́нивать (*бельё*); 2) ворони́ть (*сталь*); 3) *sl.* транжи́рить.

**Bluebeard** ['blu:bɪəd] *n* Си́няя Борода́ (*сказочный персонаж*).

**bluebell** ['blu:bel] *n* сев. колоко́льчик; проле́ска (*в Англии*).

**blue-book** ['blu:buk] *n* 1) Си́няя кни́га (*официальный отчёт англ. парл. комиссии или тайного совета*); 2) *разг.* спи́сок лиц, занима́ющих госуда́рственные до́лжности в США; 3) *амер.* путеводи́тель для автомоби́листов.

**bluebottle** ['blu:ˌbɔtl] *n* 1) *бот.* василёк (си́ний); 2) *зоол.* мясна́я му́ха (си́няя).

**blue coat** ['blu:kout] *n* 1) солда́т; 2) матро́с; 3) полице́йский.

**blue disease** ['blu:dɪ'zi:z] *n мед.* 1) синю́ха, цианоз; 2) лихора́дка Скали́стых гор.

**blueing** ['blu:ɪŋ] 1. *pres. p. от* blue 3; 2. *n* 1) вороне́ние (*стали*); 2) *амер.* си́нька.

**bluejacket** ['blu:ˌdʒækɪt] *n разг.* матро́с вое́нно-морско́го фло́та.

**blue-pencil** ['blu:'pensl] *v* редакти́ровать; сокраща́ть, вычёркивать.

**Blue Peter** ['blu:'pi:tə] *n мор.* флаг отплы́тия.

**blue print** ['blu:'prɪnt] *n* 1) светопи́сная си́няя ко́пия, «си́нька»; 2) наме́тка, прое́кт, план.

**blueprint** ['blu:'prɪnt] *v* плани́ровать, намеча́ть.

**blue ribbon** ['blu:'rɪbən] *см.* ribbon ◇.

**blues** [blu:z] *n* блюз (*медленный танец*).

**bluestocking** ['blu:ˌstɔkɪŋ] *n ирон.* учёная же́нщина, «си́ний чуло́к»; педа́нтка.

**blue-stone** ['blu:stoun] *n* ме́дный купоро́с.

**bluet** ['blu:ɪt] *n бот.* василёк (си́ний).

**bluetit** ['blu:tɪt] *n* лазо́ревка (*птица*).

**blue vitriol** ['blu:'vɪtrɪəl] *n* ме́дный купоро́с.

**blue-water school** ['blu:ˌwɔtə'sku:l] *n* вое́нные специали́сты, счита́вшие си́льный флот доста́точной защи́той Англии.

**bluff I** [blʌf] 1. *a* 1) отве́сный, круто́й; обры́вистый; 2) ре́зкий, прямо́й; грубова́то-доброду́шный;
2. *n* отве́сный бе́рег; обры́в, утёс.

**bluff II** [blʌf] 1. *n* обма́н, запу́гивание, блеф; to call the ~ не поддава́ться запу́гиванию;
2. *v* запу́гивать; обма́нывать, сохраня́я при э́том уве́ренный, споко́йный вид.

**bluffy** ['blʌfɪ] *a* 1) ре́зкий, прямо́й; грубова́то-доброду́шный; 2) отве́сный, круто́й; обры́вистый.

**bluing** ['blu:ɪŋ] = blueing.

**bluish** ['blu:ɪʃ] *a* голубова́тый, синева́тый.

**blunder** ['blʌndə] 1. *n* гру́бая оши́бка;
2. *v* 1) дви́гаться о́щупью; спотыка́ться (about, along, against, into); 2) гру́бо ошиба́ться; 3) пло́хо справля́ться (*с чем-л.*); испо́ртить; напу́тать; □ ~ away to ~ away one's chance пропусти́ть удо́бный слу́чай; ~ out сболтну́ть, сказа́ть глу́пость; ~ upon случа́йно натолкну́ться на *что-л.*

**blunderbuss** ['blʌndəbʌs] *n ист.* мушке́тон (*короткоствольное ружьё с раструбом*).

**blunderhead** ['blʌndəhed] *n* болва́н, дура́к.

**blundering** ['blʌndərɪŋ] 1. *pres. p. от* blunder 2;
2. *a* 1) нело́вкий, неуме́лый; 2) оши́бочный.

**blunge** [blʌndʒ] *v* мять гли́ну; переме́шивать гли́ну с водо́й.

**blunt** [blʌnt] 1. *a* 1) тупо́й; ~ angle тупо́й у́гол; сре́занный у́гол; 2) непоня́тливый, тупова́тый; 3) грубова́тый; 4) прямо́й, ре́зкий;
2. *n* 1) коро́ткая и то́лстая иго́лка; 2) *sl.* (нали́чные) де́ньги;
3. *v* притупля́ть.

**blur** [blə:] 1. *n* 1) пятно́, кля́кса; 2) расплы́вшееся пятно́; не́ясные очерта́ния; 3) пятно́, поро́к;
2. *v* 1) замара́ть, запа́чкать; наде́лать кля́кс; 2) сде́лать не́ясным; затума́нить; затемни́ть (*сознание и т. п.*); 3) запятна́ть (*репутацию*); □ ~ out стере́ть, изгла́дить.

**blurb** [blə:b] *n* изда́тельское рекла́мное объявле́ние; рекла́ма.

**blurt** [blə:t] *v* сболтну́ть, вы́палить (*обыкн.* ~ out).

**blush** [blʌʃ] 1. *n* 1) кра́ска стыда́, смуще́ния; to put to the ~ заста́вить покрасне́ть; to spare smb.'s ~es щади́ть чью-л. скро́мность, стыдли́вость; 2) взгляд; at (the) first ~ на пе́рвый взгляд; с пе́рвого взгля́да;
2. *v* красне́ть от смуще́ния, стыда́ (at, for); to ~ like a rose зарде́ться как ма́ков цвет; to ~ like a black (*или* blue) dog отлича́ться бессты́дством.

**blushful** ['blʌʃful] *a* 1) засте́нчивый; стыдли́вый; 2) румя́ный, кра́сный.

**blushing** ['blʌʃɪŋ] 1. *pres. p. от* blush 2;
2. *a* = blushful.

**bluster** ['blʌstə] 1. *n* 1) рёв бу́ри; 2) шум, пусты́е угро́зы, хвастовство́;
2. *v* 1) бушева́ть; реве́ть (*о буре*); 2) шуме́ть, хва́статься, грози́ться (at); 3) нейстовствовать.

**blusterer** ['blʌstərə] *n* забия́ка; хвасту́н.

**blusterous, blustery** ['blʌstərəs, -rɪ] *a* 1) бу́рный, бу́йный; 2) шумли́вый, хвастли́вый.

**bo** [bou] *int восклицание, употребляющееся, чтобы испугать или удивить:* can't say bo! to a goose ≈ о́чень ро́бок; и му́хи не оби́дит.

**boa** ['bouə] *n* 1) *зоол.* боа́; уда́в; 2) боа́, горже́тка.

**Boanerges** [,bouə'nədʒiːz] *n* крикли́вый пропове́дник *или* ора́тор.

**boar** [bɔː] *n* хряк; wild ~ каба́н, ди́кая свинья́.

**board I** [bɔːd] **1.** *n* 1) доска́; bed of ~s на́ры; 2) стол, *особ.* обе́денный; groaning ~ стол, уста́вленный я́ствами; 3) пита́ние, харчи́, стол; ~ and lodging кварти́ра и стол; пансио́н; 4) по́лка; 5) *pl* подмо́стки, сце́на; to be (to go) on the ~s быть (стать) актёром; 6) (пло́тный) карто́н; 7) кры́шка переплёта; 8) борт (*судна*); on ~ на корабле́, на парохо́де, на борту́; *амер. тж.* в ваго́не (*железнодоро́жном, трамва́йном*); to come (*или* to go) on ~ сесть на кора́бль; to go by the ~ па́дать за́ борт; *перен.* быть вы́брошенным за́ борт; 9) *горн.* широ́кая вы́работка в у́гольном пласте́; 10) *мор.* галс; to make ~s лави́ровать; ◇ to sweep the ~ а) *карт.* забра́ть все ста́вки; б) завладе́ть всем;
**2.** *v* 1) настила́ть пол; обшива́ть до́сками; 2) столова́ться (with — у *кого́-л.*); 3) предоставля́ть пита́ние (*жильцу́ и т. п.*); 4) *амер.* содержа́ть лошаде́й за пла́ту; 5) сесть на кора́бль; *амер. тж.* сесть в ваго́н (*железнодоро́жный, трамва́йный*); 6) сцепи́ться борта́ми (*о корабля́х*); брать на аборда́ж; 7) *мор.* лави́ровать.

**board II** [bɔːd] *n* правле́ние; сове́т; колле́гия; департа́мент; министе́рство; B. of Directors правле́ние; B. of Education а) *уст.* министе́рство просвеще́ния; б) *амер.* (ме́стный) отде́л наро́дного образова́ния; B. of Health отде́л здравоохране́ния; B. of Trade а) министе́рство торго́вли (*в А́нглии*); б) торго́вая пала́та (*в США*).

**boarder** ['bɔːdə] *n* 1) пансионе́р; нахле́бник; 2) пансионе́р (*в шко́ле*); 3) пассажи́р (*на корабле́*).

**board foot** ['bɔːdfut] *n амер.* бо́рдсовый *или* досково́й фут (= $^1/_{12}$ *фт$^3$*).

**boarding-house** ['bɔːdiŋhaus] *n* пансио́н; меблиро́ванные ко́мнаты со столо́м.

**boarding-school** ['bɔːdiŋskuːl] *n* 1) пансио́н, закры́тое уче́бное заведе́ние; 2) шко́ла-интерна́т.

**boarding-ship** ['bɔːdiŋʃip] *n воен. мор.* досмо́тровое су́дно.

**boarding stable** ['bɔːdiŋ'steibl] *n амер.* пла́тная коню́шня; за́стричий двор.

**bbard meeting** ['bɔːd,miːtiŋ] *n* заседа́ние правле́ния.

**board-room** ['bɔːdrum] *n* помеще́ние конто́ры, правле́ния *и т. п.*

**board-wages** ['bɔːd'weidʒiz] *n* 1) столо́вые, харчевы́е (де́ньги); 2) зарпла́та, включа́ющая сто́имость кварти́ры и стола́.

**board-walk** ['bɔːdwɔːk] *n* доща́тый насти́л для прогу́лок на пля́же.

**boar-spear** ['bɔːspiə] *n* рога́тина.

**boast I** [boust] **1.** *n* 1) хвастовство́; 2) предме́т го́рдости; to make ~ of smth.

хва́стать(ся) чем-л.; ◇ great ~, small roast *посл.* ≈ похвальбы́ мно́го, то́лку ма́ло;
**2.** *v* 1) хва́стать(ся) (of, about; that); not much to ~ of не́чем похва́стать(ся); 2) горди́ться.

**boast II** [boust] *v* обтёсывать ка́мень вчерне́.

**boaster I** ['boustə] *n* хвасту́н.

**boaster II** ['boustə] *n* 1) пазови́к, зуби́ло (*каме́нщика*), ска́рпель; 2) кру́пный резе́ц (*скульпто́ра*).

**boastful** ['boustful] *a* хвастли́вый.

**boat** [bout] **1.** *n* ло́дка; шлю́пка; су́дно; миноно́сец; подво́дная ло́дка; to take ~ сесть на су́дно; to be in the same ~ *перен.* быть в одина́ковых усло́виях, в одина́ковом положе́нии с кем-л.; to sail in the same ~ *перен.* де́йствовать сообща́; to sail one's own ~ де́йствовать самостоя́тельно, идти́ свои́м путём;
**2.** *v* 1) ката́ться на ло́дке; 2) перевози́ть в ло́дке.

**boat-fly** ['boutflai] = boatman 2).

**boatful** ['boutful] *n* 1) пассажи́ры и кома́нда су́дна; 2) ло́дка, напо́лненная до отка́за.

**boat-hook** ['bouthuk] *n* баго́р; *мор.* отпо́рный крюк.

**boat-house** ['bouthaus] *n* наве́с, сара́й для ло́док.

**boating** ['boutiŋ] **1.** *pres. p. от* boat 2; **2.** *n* ло́дочный спорт.

**boatman** ['boutmən] *n* 1) ло́дочник; 2) *зоол.* гребля́к, водяно́й клоп.

**boat-race** ['boutreis] *n* состяза́ния по гре́бле.

**boatswain** ['bousn] *n* бо́цман.

**boat-swing** ['boutswiŋ] *n* каче́ли.

**boat-tailed** ['boutteild] *a* обтека́емой фо́рмы.

**boat train** ['bout trein] *n* по́езд, согласо́ванный с парохо́дным расписа́нием.

**bob I** [bɔb] **1.** *n* 1) подве́сок, приве́сок; висю́лька; 2) ма́ятник; ги́ря *или* ча́шка (*ма́ятника*); груз отве́са; 3) хвост (*игру́шечного зме́я*); поплаво́к; черви́к на крючке́; 4) = bob-sleigh; 5) завито́к (*во́лос*); пари́к с коро́ткими завитка́ми; ко́ротко подстри́женные во́лосы (*у же́нщин*); 6) подстри́женный хвост (*ло́шади или соба́ки*); 7) припе́в; to bear a ~ хо́ром подхвати́ть припе́в; 8) насме́шка, проде́лка; to give smb. the ~ обману́ть кого́-л.; ≈ пойма́ть на у́дочку, одура́чить; 9) ре́зкое движе́ние, толчо́к; приседа́ние; 10) *мор.* баланси́р; ◇ dry ~ уча́щийся — люби́тель спо́рта (не во́дного); wet ~ уча́щийся — люби́тель во́дного спо́рта; light ~s *ист.* лёгкая пехо́та;
**2.** *v* 1) кача́ться; 2) подска́кивать, подпры́гивать (*тж.* ~ up and down); to ~ up like a cork воспря́нуть ду́хом; 3) сту́кать(ся); 4) неуклю́же приседа́ть; 5) ко́ротко стри́чься (*о же́нщине*); 6) лови́ть (*угре́й*) на черве́й; 7) лови́ть губа́ми (*вися́щие ви́шни в игре́*); □ ~ in, ~ into входи́ть.

**bob II** [bɔb] *n* (*pl без изме́н.*) *разг.* ши́ллинг.

**bobber** ['bɔbə] *n* поплавóк.

**bobbery** ['bɔbərɪ] 1. *n* шум, гам;
2. *a*: ~ pack смéшанная свóра собáк
(*для охóты на шакáлов*).

**bobbin** ['bɔbɪn] *n* 1) катýшка; 2) коклюшка; 3) веретенó, цéвка; шпýлька; 4)
*эл.* бобúна, катýшка зажигáния.

**bobbin-reel** ['bɔbɪnri:l] *n текст.* мотовúло.

**bobbish** ['bɔbɪʃ] *a sl.* оживлённый, весёлый (*особ.* pretty ~).

**bobby** ['bɔbɪ] *n разг.* полисмéн.

**bobby pin** ['bɔbɪpɪn] *n* закóлка.

**bobby-sox** ['bɔbɪsɔks] *n pl* корóтенькие
носóчки.

**bobby-soxer** ['bɔbɪˌsɔksə] *n амер. разг.*
дéвочка-подрóсток.

**bobcat** ['bɔbkæt] *n* американская рысь.

**bobolink** ['bɔbəlɪŋk] *n* рúсовый трупиáл
(*птúца*).

**bob-sled** ['bɔbsled] = bob-sleigh.

**bob-sleigh** ['bɔbsleɪ] *n* 1) бóбслей (*сáни
с рулём для катáния с гор*); 2) сáнки для
перевóзки лéса, подвязываемые под концы
брёвен.

**bobtail** ['bɔbteɪl] *n* 1) обрéзанный хвост;
2) лóшадь *или* собáка с обрéзанным хвостóм.

**bock** [bɔk] *n* 1) крéпкое тёмное пúво
(*немéцкое*); 2) *разг.* стакáн пúва.

**bode** I [boud] *v* 1) предвещáть; сулúть;
2) предчýвствовать.

**bode** II [boud] *past и p. p. от* bide.

**bodeful** ['boudful] *a* грóзный, зловéщий;
предвещáющий несчáстье.

**bodega** [bou'di:gə] *n* вúнный погребóк.

**bodice** ['bɔdɪs] *n* корсáж; лиф (*плáтья*)

**bodiless** ['bɔdɪlɪs] *a* бестелéсный.

**bodily** ['bɔdɪlɪ] 1. *a* телéсный, физúческий; ~ fear физúческий страх;
2. *adv* 1) лúчно, сóбственной персóной;
he came ~ он явúлся сам, лúчно; 2) целикóм; *тех.* в сóбранном вúде.

**bodkin** ['bɔdkɪn] *n* 1) шúло; 2) длúнная
шпúлька для волóс; 3) *уст.* кинжáл; ◇
to sit (to travel) ~ сидéть (éхать) втúснутым мéжду двумя сосéдями; to walk ~ идтú
под руку с двумя дáмами (*о мужчúне*).

**Bodleian** [bɔd'li:ən] *a*: the ~ (library)
Библиотéка úмени Бодлéя (*при Оксфóрдском университéте*).

**body** ['bɔdɪ] 1. *n* 1) тéло; heavenly ~
небéсное тéло, небéсное светúло; to keep
~ and soul together поддéрживать существовáние; 2) *разг.* человéк; a poor ~ бедняк [*ср.* somebody, nobody *и др.*]; 3) труп;
4) тýловище; 5) глáвная, основнáя часть
(*чегó-л.*); кóрпус, óстов, кýзов; глáвный
корáбль (*цéркви*); ствол (*дéрева*); ствóльная корóбка (*винтóвки*); стакáн (*снаряда*);
станúна (*станкá*); лиф (*тж.* ~ of a dress);
~ of a book глáвная часть кнúги (*без
предислóвия, примечáний и т. п.*); ~ of
the order текст прикáза; the main ~ *воен.*
глáвные сúлы (*войск*); ядрó (*отряда и
т. п.*); 6) грýппа людéй; ~ of electors избирáтели; 7) вóинская часть; ~ of cavalry
кавалерúйский отряд; ~ of troops
отряд войск, войсковóе соединéние; 8)

корпорáция; организáция; ~ politic госудáрство; autonomous bodies óрганы самоуправлéния; diplomatic ~ дипломатúческий кóрпус; legislative ~ законодáтельный óрган; learned ~ учёное óбщество;
in a ~ в пóлном состáве; 9) мáсса; большинствó; a great ~ of facts мáсса фáктов;
10) консистéнция, сравнúтельная плóтность (*жúдкости*); крóющая спосóбность
(*крáски*); 11) перегóнный куб, ретóрта;
12) *ав.* фюзеляж;
2. *v* придавáть фóрму; воплощáть (*обыкн.*
~ forth).

**body-cloth** ['bɔdɪˌklɔθ] *n* попóна.

**body-colour** ['bɔdɪˌkʌlə] *n жив.* кóрпусная крáска; телéсный цвет.

**body-guard** ['bɔdɪgɑːd] *n* 1) лúчная охрáна; эскóрт; 2) телохранúтель.

**body-snatcher** ['bɔdɪˌsnætʃə] *n* 1) похитúтель трýпов [*см.* resurrectionist]; 2)
*амер.* снáйпер; 3) *амер.* подрядчик, перемáнивающий рабóчих; 4) *амер.* репортёр,
освещáющий дéятельность выдающихся
лиц.

**bodywork** ['bɔdɪwəːk] *n* кýзов.

**Boeotian** [bɪ'ouʃjən] 1. *a* грýбый, тупóй;
2. *n* тупúца, невéжда.

**Boer** ['bouə] *n* бур. (*голлáндский поселéнец в Южной Африке*).

**boffin** ['bɔfɪn] *n sl.* учёный, исслéдователь.

**bog** [bɔg] 1. *n* болóто, трясúна;
2. *v*: to be ~ged увязнуть (*в болóте*).

**bog-berry** ['bɔgbərɪ] *n* клюква.

**bogey** ['bougɪ] = bogie.

**boggard, boggart** ['bɔgəd, 'bɔgət] *n диал.*
1) привидéние, прúзрак; 2) пýгало.

**boggle** ['bɔgl] *v* 1) пугáться; 2) колебáться, останáвливаться (at, about, over—
пéред чем-л.); 3) дéлать (*что-л.*) неумéло,
пóртить; 4) лукáвить, лицемéрить; увúливать.

**boggy** ['bɔgɪ] *a* болóтистый.

**boghead** ['bɔghed] *n* битуминóзный кáменный ýголь.

**bogie** ['bougɪ] *n* 1) телéжка; карéтка;
2) *ж.-д.* двухóсная телéжка (*паровóза*);
3) = bogy 1), 2) *и* 3).

**bogle** ['bɔgl] *n* 1) привидéние; 2) пýгало.

**bog oak** ['bɔg'ouk] *n* морёный дуб.

**bog-trotter** ['bɔgˌtrɔtə] *n* 1) обитáтель
болóт; 2) *шутл.* ирлáндец.

**bogus** ['bougəs] *a амер.* поддéльный,
фиктúвный; ~ prisoner мнúмый заключённый, осведомúтель.

**bogy** ['bougɪ] *n* 1) домовóй; 2) привидéние; 3) пýгало; 4) = bogie 1) *и* 2).

**boh** [bou] = bo.

**Bohemia** [bou'hi:mjə] *n* богéма [*см.
тж. Список географических названий*].

**Bohemian** [bou'hi:mjən] 1. *a* 1) богéмский; 2) богéмный;
2. *n* 1) богéмец; 2) представúтель богéмы.

**boil** I [bɔɪl] 1. *n* кипéние, тóчка кипéния; to bring to the ~ доводúть до кипéния; to keep on (*или* at) the ~ держáть
на тóчке кипéния;
2. *v* 1) кипятúть(ся), варúть(ся); 2)
кипéть; бурлúть; to make smb.'s blood ~

довести кого́-л. до бе́шенства; 3) серди́ться; кипяти́ться; ☐ ~ away выкипа́ть; ~ down ува́ривать(ся), выпа́ривать(ся), сгуща́ть(ся); *перен.* сокраща́ть(ся), сжима́ть(ся); ~ over перекипа́ть, уходи́ть че́рез край; *перен.* кипе́ть негодова́нием.

**boil II** [bɔil] *n* фуру́нкул, нары́в.

**boiled** [bɔild] 1. *p.p. om* boil I, 2;
2. *a* варёный, кипячёный; ~ dinner *амер.* блю́до из мя́са и овоще́й, тушёных в большо́м котле́, подве́шенном над огнём; ~ linseed oil оли́фа; ~ shirt a) *sl.* крахма́льная руба́шка; б) *амер. sl.* вы́лощенный челове́к.

**boiler** ['bɔilə] *n* 1) (парово́й) котёл; 2) кипяти́льник; куб *или* бак для кипяче́ния; 3) *амер. sl.* парово́з; 4) о́вощи, го́дные для ва́рки; ◇ to burst one's ~ *амер.* дожи́ть, дойти́ до беды́, пло́хо ко́нчить; to burst smb.'s ~ довести́ кого́-л. до беды́.

**boiler factory** ['bɔilə'fæktəɹi] *n амер. разг.* шу́мное сбо́рище, «база́р».

**boiler-house** ['bɔiləhaus] *n* коте́льная.

**boiler-plate** ['bɔiləpleit] *n* коте́льное желе́зо; коте́льный лист.

**boiler-room** ['bɔiləɹum] *n* коте́льное отделе́ние, коте́льная.

**boiling** ['bɔiliŋ] 1. *pres. p. om* boil I, 2;
2. *n* 1) кипе́ние; 2) кипяче́ние; ◇ the whole ~ *sl.* вся компа́ния;
3. *a* кипя́щий.

**boiling heat** ['bɔiliŋhìt] *n* температу́ра кипе́ния.

**boiling-point** ['bɔiliŋpɔint] *n* то́чка кипе́ния (*тж. перен.*).

**boisterous** ['bɔistərəs] *a* 1) нейстовый, бу́рный; 2) шумли́вый.

**boko** ['boukou] *n sl.* нос.

**bold** [bould] *a* 1) сме́лый; I make ~ to say осме́люсь сказа́ть; 2) на́глый, бессты́дный; as ~ as brass на́глый, де́рзкий; to make ~ with позволя́ть себе́ во́льности с; 3) самоуве́ренный; 4) отчётливый (*почерк, шрифт*); подчёркнутый, рельéфный; 5) круто́й, обры́вистый.

**bold-faced** ['bouldfeist] *a* 1) на́глый; 2) жи́рный (*о шрифте*).

**boldly** ['bouldli] *adv* 1) сме́ло; 2) на́гло.

**bole I** [boul] *n* ствол.

**bole II** [boul] *n* бо́люс, бол, желéзистая известко́вая гли́на.

**bolero** *n* 1) [bə'lɛərou] болеро́ (*испа́нский танец*); 2) ['bɔlərou] коро́ткая ку́рточка с рукава́ми *или* без рукаво́в.

**boletus** [bou'litəs] *n* мохови́к (*гриб*); edible ~ борови́к, бе́лый гриб.

**bolide** ['boulid] *n астр.* боли́д.

**bolivar** ['bɔlivə] *n* болива́р (*денежная единица Венесуэлы*).

**Bolivian** [bə'liviən] 1. *a* боливи́йский;
2. *n* боливи́ец; боливи́йка.

**boliviano** [bɔ,li:'vjɑːnou] *n* (*pl* -s [-ouz]) боливиа́но (*денежная единица Боливии*).

**boll** [boul] *n бот.* семенна́я коро́бочка.

**bollard** ['bɔləd] *n мор.* пал, ту́мба.

**bologna** [bə'lounjə] = Bologna-sausage.

**Bologna-sausage** [bə'lounjə'sɔsidʒ] *n* боло́нская (копчёная) колбаса́.

**bolometer** [bou'lɔmitə] *n* боло́метр (*прибор для измерения лучистой энергии*).

**boloney** [bə'louni] *n* 1) = Bologna-sausage; 2) *амер. sl.* чепуха́, вздор, ерунда́.

**bolsa** ['boulsɑ:] *n* 1) обме́н; 2) би́ржа.

**Bolshevik** ['bɔlʃivik] 1. *n* большеви́к;
2. *a* большеви́стский.

**Bolshevism** ['bɔlʃivizəm] *n* большеви́зм.

**Bolshevist** ['bɔlʃivist] 1. *n* большеви́к;
2. *a* большеви́стский.

**bolster** ['boulstə] 1. *n* 1) ва́лик под поду́шкой; 2) брус, попере́чина; 3) *тех.* подкла́дка; вту́лка, ше́йка; 4) ва́га; 5) бу́фер;
2. *v* 1) подпира́ть (*подушку*) ва́ликом; 2) подде́рживать (*человека или дело, не стоящих поддержки; тж.* ~ up); 3) подстрека́ть; 4) *школ.* броса́ться поду́шками.

**bolt I** [boult] 1. *n* 1) стрела́; 2) мо́лния; уда́р гро́ма; a ~ from the blue гром среди́ я́сного не́ба; по́лная неожи́данность; 3) засо́в; задви́жка; шкво́рень; язы́к (*замка́*); скользя́щий затво́р (*оружия*); behind ~ and bar под надёжным запо́ром; за решёткой; 4) болт; 5) бе́гство; to make (*или* to do) a ~ бро́ситься, помча́ться (*for*); удра́ть (to); 6) *амер. разг.* отхо́д от свое́й па́ртии, при́нципов *и т. п.*; 7) бы́строе прогла́тывание пи́щи; 8) вяза́нка (*хво́роста*); 9) кусо́к, руло́н (*холста, шёлковой материи*);
2. *v* 1) скрепля́ть болта́ми, сбо́лчивать; 2) запира́ть на засо́в; 3) нести́сь стрело́й, убега́ть; удира́ть; 4) понести́ (*о лошади*); 5) глота́ть не разжёвывая; 6) *амер. разг.* отходи́ть от свое́й па́ртии *или* не подде́рживать её кандида́та;
3. *adv*: ~ upright пря́мо; как стрела́.

**bolt II** [boult] 1. *n* си́то, гро́хот;
2. *v* просе́ивать сквозь си́то; грохоти́ть, отсе́ивать (*тж.* ~ out); to ~ to the bran *перен.* внима́тельно расслéдовать, рассма́тривать.

**bolter I** ['boultə] *n* 1) *амер. разг.* отщепе́нец, отколо́вшийся от па́ртии; 2) норови́стая ло́шадь; 3) *австрал.* скрыва́ющийся от правосу́дия.

**bolter II** ['boultə] *n* си́то, решето́.

**bolting I** ['boultiŋ] 1. *pres. p. om* bolt I, 2;
2. *n* 1) крепле́ние болта́ми; 2) запира́ние засо́вом.

**bolting II** ['boultiŋ] 1. *pres. p. om* bolt II, 2;
2. *n* просе́ивание; отсе́ивание.

**bolus** ['boulas] *n* 1) больша́я пилю́ля; 2) ша́рик.

**bomb** [bɔm] 1. *n* бо́мба; ми́на (*миномёта*); ручна́я грана́та; flying (*или* winged) ~ самолёт-снаря́д; ◇ to throw a ~ into вы́звать сенса́цию, наде́лать перепо́лох;
2. *v* бомбардирова́ть, сбра́сывать бо́мбы; ☐ ~ up *ав.* грузи́ть(ся) бо́мбами.

**bombard** 1. *n* ['bɔmbɑːd] *ист.* бомба́рда;
2. *v* [bɔm'bɑːd] 1) бомбардирова́ть; 2) *разг.* засыпа́ть, донима́ть (*вопроса́ми*); 3) *физ.* бомбардирова́ть; 4) *физ.* облуча́ть части́цами.

**bombardier** [ˌbɔmbə'dɪə] *n* бомбарди́р; у́нтер-офице́р артилле́рии.

**bombardment** [bɔm'bɑːdmənt] *n* бомбарди-ро́вка; preliminary ~ артиллери́йская подгото́вка.

**bombardon** [bɔm'bɑːdn] *n* бомбардо́н (*муз. духовой инструмент*).

**bombasine** ['bɔmbəsiːn] *n текст.* бом-бази́н, бумазе́я.

**bombast** ['bɔmbæst] *n* напы́щенность.

**bombastic** [bɔm'bæstɪk] *a* напы́щенный.

**bombazine** ['bɔmbəziːn] = bombasine.

**bomb carrier** ['bɔm'kærɪə] *n ав.* бом-бодержа́тель.

**bomb-destroy** ['bɔmdɪ'strɔɪ] *v* бомби́ть, уничтожа́ть бо́мбами.

**bomb dropper** ['bɔm'drɔpə] *n ав.* бом-босбра́сыватель.

**bomber** ['bɔmə] *n* 1) *воен.* бомбомета́-тель; гранатомётчик; 2) *ав.* бомбардиро́в-щик.

**bombing** ['bɔmɪŋ] 1. *pres. p. om* bomb 2; 2. *n* бомбомета́ние; бомбардиро́вка; ме-та́ние ручны́х грана́т.

**bombing machine** ['bɔmɪŋmə,ʃiːn] = bomber 2).

**bombing plane** ['bɔmɪŋpleɪn] = bomber 2).

**bomb-load** ['bɔmloud] *n* бо́мбовая на-гру́зка.

**bomb-proof** ['bɔmpruːf] *воен.* 1. *a* непро-бива́емый бо́мбами; 2. *n* бомбоукры́тие.

**bombshelter** ['bɔm,ʃeltə] *n* бомбоубе́-жище.

**bomb-sight** ['bɔmsaɪt] *n ав.* прице́л для бомбомета́ния, авиаприце́л.

**bomb-thrower** ['bɔm'θrouə] *n* 1) бомбо-мёт; 2) гранатомётчик.

**bona fide** ['bounə'faɪdɪ] *лат.* 1. *a* добро-со́вестный; настоя́щий; 2. *adv* добросо́вестно.

**bona fides** ['bounə'faɪdɪz] *лат. n* че́стное наме́рение; добросо́вестность.

**bonanza** [bou'nænzə] 1. *n* 1) процвета́-ние; (неожи́данная) уда́ча; дохо́дное пред-прия́тие, «золото́е дно»; 2) *горн.* бона́нца (*скопление богатой руды в жиле или за-лежи*); 2. *a* процвета́ющий; a ~ farm дохо́дное, процвета́ющее хозя́йство.

**bon-bon** ['bɔnbɔn] *фр. n* конфе́та.

**bond I** [bɔnd] 1. *n* 1) связь, у́зы; 2) *pl* око́вы; *перен.* тюре́мное заключе́ние; in ~s в тюрьме́; 3) соедине́ние; 4) сде́ржи-вающая си́ла; 5) долгово́е обяза́тельство; to stand ~ for smb. поручи́ться за кого́-л.; 6) (*обыкн. pl*) *фин.* облига́ция; бо́ны; 7) тамо́женная закладна́я; 8) *шотл.* закладна́я; 9) *стр.* перевя́зка (*кирпичной кладки*); 2. *v* 1) свя́зывать; 2) закла́дывать иму́-щество; 3) подпи́сывать обяза́тельства; 4) *фин.* выпуска́ть бо́ны; 5) оставля́ть това́ры на тамо́жне до упла́ты по́шлины; 6) *стр.* сцепля́ть, свя́зывать (*кирпичную кладку*).

**bond II** [bɔnd] *уст.* 1. *n* крепостно́й (крестья́нин); 2. *a* крепостно́й.

**bondage** ['bɔndɪdʒ] *n* 1) ра́бство; кре-постно́е состоя́ние; 2) зави́симость.

**bondager** ['bɔndɪdʒə] *n сев.* ба́рщинник; батра́к; батра́чка.

**bonded** ['bɔndɪd] 1. *p. p. om* bond I, 2; 2. *a* 1) обеспе́ченный бо́нами (*о долге*); 2) храня́щийся на тамо́женных скла́дах; 3): ~ warehouse пакга́уз при тамо́жне для хране́ния не очи́щенных от по́шлины то-ва́ров.

**bonder** ['bɔndə] = bond-stone.

**bondholder** ['bɔnd,houldə] *n* держа́тель облига́ций, бон.

**bondmaid** ['bɔndmeɪd] *n* крепостна́я же́нщина; раба́.

**bondman** ['bɔndmən] *n* крепостно́й, вил-ла́н; раб.

**bondservant** ['bɔnd,səːvənt] *n* раб.

**bondservice** ['bɔnd,səːvɪs] *n* ра́бство; кре-постна́я зави́симость.

**bondslave** ['bɔndsleɪv] *n* раб.

**bondsman** ['bɔndzmən] *n* 1) = bondman; 2) поручи́тель.

**bond-stone** ['bɔndstoun] *n стр.* тычо́к.

**bondwoman** ['bɔnd,wumən] = bondmaid.

**bone** [boun] 1. *n* 1) кость; to the ~ на-скво́зь; drenched to the ~ наскво́зь про-мо́кший; frozen to the ~ продро́гший до косте́й; 2) *pl* скеле́т; костя́к; 3) *pl* чело-ве́к [*ср.* lazy-bones]; те́ло; оста́нки; 4) что-л., сде́ланное из кости; 5) *pl* (игра́ль-ные) ко́сти; кастанье́ты; трещо́тки; кок-лю́шки; 6) кито́вый ус; 7) = bone-spavin; 8) *амер. sl.* до́ллар; ◇ the ~ of contention ≅ я́блоко раздо́ра; to cast (in) a ~ between се́ять рознь, вражду́; to cut (costs *etc.*) to the ~ сни́зить (це́ны *и т. п.*) до ми́ни-мума; to feel in one's ~s быть соверше́нно уве́ренным; to make no ~s about (*или* of) не колеба́ться, не сомнева́ться; не боя́ться; to make old ~s *разг.* дожи́ть до глубо́кой ста́рости; on one's ~s *sl.* в тяжёлом поло-же́нии, на мели́; to have a ~ to pick with smb. име́ть счёты с кем-л.; skin and ~, a bag of ~s ≅ ко́жа да ко́сти; the devil's ~s *разг.* игра́льные ко́сти; to have a ~ in one's (*или* the) arm (*или* leg) *шутл.* быть уста́лым, быть не в состоя́нии дви́нуть па́льцем, подня́ться, идти́ да́льше; to have a ~ in one's (*или* the) throat *шутл.* быть не в состоя́нии сказа́ть ни сло́ва; keep the ~s green сохраня́ть хоро́шее здоро́вье; the nearer the ~ the sweeter the flesh (*или* the meat) *посл.* ≅ оста́тки — сла́дки; what is bred in the ~ will not go out of the flesh *посл.* ≅ горба́того моги́ла испра́вит; 2. *v* 1) снима́ть мя́со с косте́й; 2) удобря́ть костяно́й муко́й; 3) *sl.* красть; □ ~ up *амер.* зубри́ть, долби́ть; повторя́ть.

**bone-black** ['bounblæk] *n* костяно́й у́голь.

**bone-coal** ['bounkoul] *n* сланцева́тый *или* гли́нистый у́голь.

**boned** [bound] 1. *p. p. om* bone 2; 2. *a* 1) име́ющий *такой-то* костя́к; 2) очи́щенный от косте́й.

**bone-dry** ['boun'draɪ] *a* 1) соверше́нно вы́сохший; 2) *амер.* сухо́й, запреща́ю-щий прода́жу спиртны́х напи́тков (*о за-коне*).

**bonedust** ['boundʌst] *n* костяна́я мука́ (*удобрение*).

**bone-head** ['bounhed] *n sl.* дурáк, тупи́ца.

**bone-meal** ['bounmi:l] = bonedust.

**boner** ['bounə] *n sl.* прóмах; глýпая оши́бка.

**bone-setter** ['boun,setə] *n* костопрáв.

**bone-shaker** ['boun,ʃeɪkə] *n разг.* плохóй, стáрый велосипéд.

**bone-spavin** ['boun'spævɪn] *n* кóстный шпат (*болезнь лошадей*).

**bonfire** ['bɔn,faɪə] *n* костёр; to make a ~ (of) сжигáть (на кострé), уничтожáть; разрушáть.

**Boniface** ['bɔnɪfeɪs] *n* трактирщик.

**bon mot** [,bɔ̃'mou] *фр. n* (*pl* bons mots) остроýмное выражéние, острóта.

**bonne** [bɔn] *фр. n* бóнна.

**bonnet** ['bɔnɪt] **1.** *n* 1) дáмская шля́па (*без полей*), кáпор; дéтский чéпчик; мужскáя шотлáндская шáпочка; to vail the ~ почти́тельно снимáть шля́пу; 2) *разг.* соóбщник (*мошенника и т. п.*); 3) *тех.* капóт (*двигателя*); кожýх, (по)кры́шка; сéтка; ◇ to fill smb.'s ~ заня́ть чьё-л. мéсто; быть рáвным комý-л. во всех отношéниях;
2. *v* 1) надéть *или* нахлобýчить (*кому-л.*) шля́пу; 2) туши́ть (*огонь*).

**bonny** ['bɔnɪ] *a сев.* 1) краси́вый (*гл. обр. о девушке*); 2) здорóвый (на вид); 3) хорóший.

**bonny-clabber** ['bɔnɪ,klæbə] *n ирл.* простоквáша.

**bons mots** [,bɔ̃'mouz] *pl от* bon mot.

**bonus** ['bounəs] *n* 1) прéмия; тантьéма; 2) *attr.*: ~ job сдéльная рабóта.

**bony** ['bounɪ] *a* 1) кости́стый; 2) костля́вый.

**bonze** [bɔnz] *n* бóнза.

**boo** [bu:] **1.** *int восклицание неодобрения*;
2. *v* 1) произнести́ неодобри́тельное восклицáние; освистáть; 2) прогоня́ть; to ~ a dog out вы́гнать собáку.

**boob** [bu:b] *n амер.* простáк.

**booby** ['bu:bɪ] *n* 1) болвáн, дурáк; 2) олýша (*морская птица*).

**booby trap** ['bu:bɪtræp] *n воен.* ми́на-сюрпри́з; ловýшка.

**booby-trap** ['bu:bɪtræp] *v воен.* стáвить подрывны́е ловýшки.

**boodle** ['bu:dl] *n* 1) толпá, сбóрище; 2) вóрох; 3) *амер.* взя́тка; 4) кáрточная игрá.

**boogie-woogie, boogy-woogy** ['bu:gɪ,wu:gɪ] *n* бýги-вýги (*танец*).

**booh** [bu:] = boo.

**book** [buk] **1.** *n* 1) кни́га; том; 2) (the B.)ʹ би́блия; 3) либрéтто; текст (*оперы и т. п.*); 4) зáпись заключáемых пари́; 5) *карт.* (пéрвые) шесть взя́ток однóй из сторóн (*в висте*); 6) *attr.* кни́жный; ~ learning кни́жные, теорети́ческие знáния; ◇ to read smb. like a ~ прекрáсно понимáть когó-л., ви́деть наскво́зь; to speak by the ~ говори́ть (*о чём-л.*) на основáнии тóчной информáции; to be on the ~s числи́ться в спи́ске; to be in smb.'s good (bad, black) ~s быть у когó-л. на хорóшем (плохóм) счетý; to bring to ~ призвáть

к отвéту; to know a thing like a ~ ⪰ знать что-л. как свой пять пáльцев; without ~ по пáмяти; to suit smb.'s ~ совпадáть с чьи́ми-л. плáнами, подходи́ть комý-л.; to take a leaf out of another's ~ слéдовать чьемý-л. примéру, подражáть комý-л.;
2. *v* 1) заноси́ть в кни́гу; (за)регистри́ровать; 2) закáзывать, брать билéт (*железнодорожный и т. п.*); 3) принимáть закáзы на билéты; all the seats are ~ed (up) все местá прóданы; 4) приглашáть; ангажи́ровать (*актёра, оратора*); I shall ~ you for Friday evening прошý (*или* жду) вас в пя́тницу вéчером; ◇ I'm ~ed я попáлся.

**bookbinder** ['buk,baɪndə] *n* переплётчик.

**bookbinding** ['buk,baɪndɪŋ] *n* переплётное дéло.

**bookcase** ['bukkeɪs] *n* кни́жный шкаф, этажéрка.

**book-club** ['bukklʌb] *n* клуб люби́телей книг.

**booked** [bukt] **1.** *p. p. от* book 2;
2. *a* 1) закáзанный; 2) зáнятый.

**book-holder** ['buk,houldə] *n театр.* суфлёр.

**book house** ['bukhaus] *n* кни́жное издáтельство.

**book-hunter** ['buk,hʌntə] *n* коллекционéр рéдких книг.

**bookie** ['bukɪ] *n разг.*ʹ букмéкер (*на скачках*).

**booking-clerk** ['bukɪŋ,klɑ:k] *n* касси́р билéтной, багáжной *или* театрáльной кáссы.

**booking-office** ['bukɪŋ,ɔfɪs] *n* 1) билéтная кáсса (*железнодорожная, театральная*); 2) контóра (*гостиницы*).

**bookish** ['bukɪʃ] *a* 1) кни́жный; 2) учёный; 3) педанти́чный.

**book-keeper** ['buk,ki:pə] *n* бухгáлтер, счетовóд.

**book-keeping** ['buk,ki:pɪŋ] *n* бухгалтéрия; счетовóдство.

**book-learning** ['buk,lə:nɪŋ] *n* кни́жные знáния; кни́жность.

**bookless** ['buklɪs] *a* 1) необразóванный; 2) не имéющий книг.

**booklet** ['buklɪt] *n* брошю́ра, кни́жечка.

**booklover** ['buk,lʌvə] *n* люби́тель книг.

**book-maker** ['buk,meɪkə] *n* 1) компиля́тор; 2) букмéкер (*на скачках*).

**bookman** ['bukmən] *n* 1) учёный; 2) *разг.* продавéц книг.

**book-mark(er)** ['bukmɑ:k(ə)] *n* заклáдка (*в книге*).

**bookmobile** ['bukmoubi:l] *n* грузови́к— передвижнáя библиотéка.

**book-plate** ['bukpleɪt] *n* экслибрис.

**bookseller** ['buk,selə] *n* продавéц книг; second-hand ~ букини́ст.

**bookselling** ['buk,selɪŋ] *n* кни́жная торгóвля.

**bookshelf** ['bukʃelf] *n* кни́жная пóлка.

**bookshop** ['bukʃɔp] *n* кни́жный магази́н.

**bookstall** ['bukstɔ:l] *n* кни́жный киóск.

**bookstand** ['bukstænd] *n* кни́жный шкаф, стеллáж *или* стенд.

**bookstore** ['bukstɔ:] *n амер.* кни́жный магази́н.

**book-work** ['bukwǝːk] *n* 1) рабо́та над кни́гой; 2) *полигр.* кни́жная проду́кция.

**bookworm** ['bukwǝːm] *n* кни́жный червь (*тж. перен. о человеке*).

**boom** I [buːm] *n* 1) *мор.* утле́гарь; 2) *мор.* плаву́чий бон, загражде́ние (*в виде брёвен или цепи*); 3) *тех.* стрела́, вы́лет (*крана*); уко́сина; 4) *ав.* лонжеро́н хвостово́й фе́рмы; 5) *стр.* по́яс (*арки*).

**boom** II [buːm] **1.** *n* 1) гул (*выстрела, грома и т. п.*); 2) жужжа́ние, гуде́ние; 3) крик вы́пи; 4) бум (*в торговле и промышленности*); 5) шуми́ха, шу́мная рекла́ма. **2.** *v* 1) греме́ть; 2) жужжа́ть, гуде́ть; 3) ора́ть, реве́ть; крича́ть (*о выпи*); 4) производи́ть шум, сенса́цию; станови́ться изве́стным; 5) бы́стро расти́ (*о цене, спросе*); 6) реклами́ровать, создава́ть шуми́ху (*вокруг человека, товара и т. п.*).

**boom city** ['buːm,sɪtɪ] *n амер.* бы́стро вы́росший *или* расту́щий го́род.

**boomer** ['buːmǝ] *n* саме́ц кенгуру́.

**boomerang** ['buːmǝræŋ] *n* бумера́нг.

**boomster** ['buːmstǝ] *n амер. sl.* спекуля́нт.

**boom town** ['buːm,taun] = boom city.

**boon** I [buːn] *n* 1) бла́го, благодея́ние; дар; преиму́щество, удо́бство; 2) *уст.* про́сьба.

**boon** II [buːn] *a* 1) *уст., поэт.* ще́дрый (*о природе*); прия́тный, благотво́рный (*о климате и т. п.*); 2) доброжела́тельный, прия́тный; ~ companion весёлый собуты́льник.

**boon** III [buːn] *n* 1) сердцеви́на (*дерева*); 2) *текст.* костра́, костри́ка.

**boor** [buǝ] *n* гру́бый, невоспи́танный челове́к.

**boorish** ['buǝrɪʃ] *a* невоспи́танный, гру́бый.

**boose** [buːz] = booze.

**boost** [buːst] **1.** *n* 1) *разг.* реклами́рование, подде́ржка; 2) повыше́ние (*в цене*); рост (*популярности*); 3) *эл.* доба́вочное напряже́ние. **2.** *v* 1) поднима́ть; помога́ть подня́ться; 2) реклами́ровать, горячо́ подде́рживать; 3) повыша́ть (*цену*); спосо́бствовать ро́сту популя́рности; 4) = boom II, 2, 5); 5) *эл.* повыша́ть напряже́ние; 6) *тех.* повыша́ть давле́ние; форси́ровать (*мотор*); рабо́тать на по́лном дро́сселе; уси́ливать давле́ние.

**booster** ['buːstǝ] *n* 1) помо́щник; 2) *эл.* побуди́тель; усили́тель; 3) *ж.-д.* бу́стер.

**boot** I [buːt] **1.** *n* 1) боти́нок; high ~, riding ~ сапо́г; *pl спорт.* бу́тсы; 2) *ист.* коло́дки (*орудие пытки*); 4) фа́ртук (*экипажа*); 5) отделе́ние для багажа́ (*в автомобиле, в карете*); 6) обёртка (*початка кукурузы*); ◇ ~ and saddle! «сади́сь!» (*сигнал — в кавалерии*); *амер.* «седла́й!»; the ~ is on the other leg отве́тственность лежи́т на друго́м; to die in one's ~s умере́ть скоропости́жной *или* наси́льственной сме́ртью; б) умере́ть на своём посту́; to get the (order of the) ~ быть уво́ленным; to have one's heart in one's ~s тру́сить; ≅ «душа́ в пя́тки ушла́»; to be in smb.'s ~s быть на чьём-л.

ме́сте, быть в чьей-л. шку́ре; like old ~s *sl.* энерги́чно, стреми́тельно, изо всех сил; to move (*или* to start) one's ~s *разг.* уходи́ть, отправля́ться; seven-league ~s сапоги́-скорохо́ды, семими́льные сапоги́. **2.** *v* 1) надева́ть боти́нки; 2) уда́рить сапого́м; 3) *разг.* увольня́ть; □ ~ out, ~ round выгоня́ть.

**boot** II [buːt] **1.** *n уст.* вы́года, по́льза; to ~ в прида́чу; **2.** *v уст.* помога́ть; what ~s it? кака́я от э́того по́льза?; it ~s not э́то бесполе́зно.

**boot** III [buːt] *n амер. воен. разг.* 1) нович́о́к; 2) *attr.*: ~ camp уче́бный ла́герь новобра́нцев.

**bootblack** ['buːtblæk] *n преим. амер.* чи́стильщик сапо́г.

**bootee** ['buːtiː] *n* 1) да́мский боти́нок; 2) де́тский вя́заный башмачо́к.

**Boötes** [bou'outiːz] *n* Волопа́с (*созвездие*).

**booth** [buːð] *n* бу́дка; кио́ск; пала́тка; кабина; балага́н (*на ярмарке*).

**bootjack** ['buːtdʒæk] *n* 1) приспособле́ние для снима́ния сапо́г; 2) *горн.* лови́льный крюк.

**bootlace** ['buːtleɪs] *n* шнуро́к для боти́нок.

**bootleg** ['buːtleg] **1.** *n* 1) голени́ще; 2) *тех.* кожу́х; 3) *горн.* невзорва́вшийся шпур; 4) *текст.* солда́т (*в мюле*); 5) спиртны́е напи́тки, продава́емые та́йно; 6) *attr. амер.* контраба́ндный. **2.** *v амер. разг.* 1) та́йно торгова́ть контраба́ндными *или* самого́нными спиртны́ми напи́тками; 2) та́йно продава́ть.

**bootlegger** ['buːt,legǝ] *n амер.* 1) торго́вец контраба́ндными *или* самого́нными спиртны́ми напи́тками; 2) *sl.* торго́вец поде́ржанными автомоби́лями.

**bootless** I ['buːtlɪs] *a* без башмако́в, без сапо́г; босоно́гий.

**bootless** II ['buːtlɪs] *a* бесполе́зный; ~ effort бесполе́зное уси́лие.

**bootlicker** ['buːt,lɪkǝ] *n* подхали́м.

**bootmaker** ['buːt,meɪkǝ] *n* сапо́жник.

**boots** [buːts] *n* коридо́рный, слуга́ (*в гостинице*).

**boot-top** ['buːttɔp] *n* голени́ще.

**boot-tree** ['buːttriː] *n* сапо́жная коло́дка.

**booty** ['buːtɪ] *n* награ́бленное добро́, добы́ча; ◇ to play ~ наме́ренно прои́грывать, завлека́я нео́пытного игрока́; помога́ть вы́игрышу соо́бщника.

**booze** [buːz] *разг.* **1.** *n* 1) вы́пивка; 2) попо́йка; to be on the ~ пья́нствовать; **2.** *v* пья́нствовать.

**boozy** ['buːzɪ] *a разг.* 1) пья́ный; 2) лю́бящий вы́пить.

**bo-peep** [bou'piːp] *n* игра́ в пря́тки (*с ребёнком*); to play ~ игра́ть в пря́тки (*тж. перен.*).

**bora** I ['bourǝ] *n* холо́дный се́веро-восто́чный ве́тер (*в Адриатике*).

**bora** II ['bourǝ] *n* разно́счик-мусульма́нин (*в Индии*).

**boracic acid** [bo'ræsɪk'æsɪd] *n* бо́рная кислота́.

**borage** ['bɔrɪdʒ] *n бот.* огуре́чник апте́чный.

**borax** ['bɔːræks] *n* 1) *хим.* бура́; 2) *attr.*: ~ soap бо́рное мы́ло.

**Bordeaux** [bɔː'dou] *фр. n* бордо́ (*вино*).

**border** ['bɔːdə] 1. *n* 1) грани́ца; the B. грани́ца ме́жду А́нглией и Шотла́ндией; 2) край; кайма́, бордю́р; фриз;
2. *v* 1) грани́чить (on, upon — с); 2) походи́ть, быть похо́жим (upon — на); 3) обшива́ть, окаймля́ть.

**borderer** ['bɔːdərə] *n* жи́тель пограни́чной полосы́.

**borderland** ['bɔːdələænd] *n* 1) пограни́чная о́бласть; пограни́чная полоса́; 2) промежу́точная о́бласть (*в нау́ке*); 3) что-л. неопределённое, промежу́точное; не́что сре́днее.

**borderless** ['bɔːdəlis] *a* не име́ющий грани́ц; бесконе́чный.

**border line** ['bɔːdəlain] *n* грани́ца, демаркацио́нная ли́ния.

**border-line** ['bɔːdəlain] *a* пограни́чный; *перен.* находя́щийся на гра́ни.

**bore** I [bɔː] 1. *n* 1) вы́сверленное отве́рстие, дыра́; 2) *воен., тех.* кана́л ствола́; 3) диа́метр кана́ла, кали́бр; 4) ску́чное заня́тие; 5) ску́чный челове́к;
2. *v* 1) сверли́ть; раста́чивать; бура́вить; бури́ть; 2) с трудо́м пробива́ть себе́ путь; 3) надоеда́ть; he ~s me to death он мне до́ смерти надое́л.

**bore** II [bɔː] *n* си́льное прили́вное тече́ние (*в у́зких у́стьях рек*).

**bore** III [bɔː] *past от* bear II.

**boreal** ['bɔːriəl] *a* се́верный.

**Boreas** ['bɔːriæs] *n поэт.* Боре́й, се́верный ве́тер.

**borecole** ['bɔː‚koul] *n* капу́ста кормова́я, бра́ункольь.

**bored** [bɔːd] 1. *p. p. от* bore I, 2;
2. *a* скуча́ющий; I am ~ мне надое́ло, мне ску́чно.

**boredom** ['bɔːdəm] *n* ску́ка.

**bore hole** ['bɔːhoul] *n* бурова́я сква́жина; шпур.

**borer** ['bɔːrə] *n* 1) бура́в, бур; сверло́; 2) бури́льщик, сверли́льщик; 3) древото́чец (*червь*).

**boric** ['bɔːrik] *a хим.* бо́рный.

**boring** ['bɔːriŋ] 1. *pres. p. от* bore I, 2;
2. *n* 1) буре́ние; сверле́ние; 2) бурова́я сква́жина; отве́рстие; 3) надоеда́ние; 4) *pl* стру́жка.
3. *a* 1) сверля́щий; 2) надое́дливый.

**boring machine** ['bɔːriŋmə'ʃiːn] *n* бурова́я маши́на.

**boring mill** ['bɔːriŋmil] *n* сверли́льный стано́к.

**boring rig** ['bɔːriŋrig] *n* бурова́я вы́шка.

**born** [bɔːn] 1. *p. p. от* bear II, 3);
2. *a* прирождённый; a poet ~ прирождённый поэ́т; ◇ in all one's ~ days за всю свою́ жизнь.

**borne** [bɔːn] *p. p. от* bear II.

**borné** [‚bɔː'nei] *фр. a* ограни́ченный, с у́зким кругозо́ром.

**boron** ['bɔːrɔn] *n хим.* бор.

**borough** ['bʌrə] *n* 1) небольшо́й го́род; municipal ~ го́род, име́ющий самоуправле́ние [*ср. тж.* 2)]; Parliamentary ~ го́род, предста́вленный в англи́йском парла́менте; close (*или* pocket) ~ го́род *или* о́круг, в кото́ром вы́боры факти́чески нахо́дятся под контро́лем одного́ лица́; rotten ~ *ист.* гнило́е месте́чко; 2) *амер.* оди́н из пяти́ райо́нов Нью-Йо́рка (*тж.* municipal ~); 3) *амер. редк.* городо́к, дере́вня.

**borough-English** ['bʌrə'ingliʃ] *n юр.* перехо́д недви́жимости к мла́дшему, а не к ста́ршему сы́ну.

**borrow** ['bɔrou] *v* 1) занима́ть, брать на вре́мя (of, from — у *кого-л.*); 2) займствовать.

**borrowing** ['bɔrouiŋ] 1. *pres. p. от* borrow;
2. *n* 1) ода́лживание; he who likes ~ dislikes paying тот, кто лю́бит брать взаймы́, не лю́бит отдава́ть; 2) займствование.

**borsch** [bɔːʃ] *рус. n* борщ.

**Borstal** ['bɔːstl] *a* ~ system систе́ма наказа́ния несовершенноле́тних престу́пников, по кото́рой срок заключе́ния зави́сит от поведе́ния при отбыва́нии.

**borzoi** ['bɔːzɔi] *рус. n* борза́я (*поро́да соба́к*).

**bos** [bɔs] *sl.* 1. *n* 1) про́мах; неуда́чная дога́дка; 2) пу́таница;
2. *v* 1) промахну́ться; ошиби́ться; 2) напу́тать.

**boscage** ['bɔskidʒ] *n поэт.* ро́ща; подле́сок; куста́рник.

**bosh** I [bɔʃ] 1. *n sl.* вздор; (глу́пая) болтовня́;
2. *int* вздор!, глу́пости!;
3. *v* *школ. sl.* дразни́ть; дура́чить.

**bosh** II [bɔʃ] *n тех.* 1) коры́то, ва́нна для охлажде́ния инструме́нта; 2) *pl* запле́чики до́менной пе́чи.

**bosk** [bɔsk] *n поэт.* ро́щица.

**boskage** ['bɔskidʒ] = boscage.

**bosket** ['bɔskit] = bosk.

**bosky** ['bɔski] *a* поро́сший ле́сом *или* куста́рником.

**bosom** ['buzəm] 1. *n* 1) грудь; па́зуха; to put in one's ~ положи́ть за па́зуху; 2) ло́но; не́дра; in the ~ of one's family в кругу́ семьи́; the ~ of the sea морски́е глуби́ны; 3) се́рдце, душа́; 4) *амер.* мани́шка; ◇ to take to one's ~ а) жени́ться, взять в жёны; б) прибли́зить к себе́, сде́лать свои́м дру́гом;
2. *v* 1) храни́ть в та́йне; 2) *уст.* пря́тать (за па́зуху); a house ~ed in trees дом, скры́тый дере́вьями.

**bosom-friend** ['buzəmfrend] *n* закады́чный друг.

**bosquet** ['bɔskit] = bosk.

**boss** I [bɔs] *разг.* 1. *n* 1) хозя́ин; предприни́матель; босс; 2) *амер.* руководи́тель ме́стной полити́ческой организа́ции; 3) деся́тник; 4) *горн.* штейгер;
2. *v* быть хозя́ином; распоряжа́ться; ◇ to ~ the show хозя́йничать, распоряжа́ться все́м.

**boss** II [bɔs] 1. *n* 1) ши́шка; 2) *тех.* бобы́шка, утолще́ние, вы́ступ, прили́в; ла́пка; упо́р, распо́рка; 3) *геол.* ку́пол, шток; 4) *архит.* релье́фное украше́ние; 5) сту́пица колеса́; вту́лка колеса́;

**2.** *v* 1) де́лать вы́пуклые украше́ния; 2) обта́чивать сту́пицу; 3) *sl.* промахну́ться, испо́ртить де́ло.

**boss III** [bɔs] = bos.

**bossy** ['bɔsɪ] *a* 1) вы́пуклый; 2) шишкова́тый.

**Boston, boston** ['bɔstən] *n* 1) вид ва́льса; 2) *амер.* ка́рточная игра́, напомина́ющая вист.

**bot** [bɔt] = bott.

**botanical** [bə'tænɪkəl] *a* ботани́ческий.

**botanist** ['bɔtənɪst] *n* бота́ник.

**botanize** ['bɔtənaɪz] *v* ботанизи́ровать.

**Botany** ['bɔtənɪ] *n сокр. от* Botany Bay.

**botany** ['bɔtənɪ] *n* бота́ника.

**Botany Bay** ['bɔtənɪ'beɪ] *n* ссы́лка, ка́торга (*от назва́ния бу́хты в Но́вом Ю́жном Уэ́льсе, служи́вшей ме́стом ссы́лки*).

**botch** [bɔtʃ] **1.** *n* 1) запла́та; 2) пло́хо сде́ланная рабо́та;
**2.** *v* 1) неуме́ло лата́ть; 2) по́ртить рабо́ту.

**botcher** ['bɔtʃə] *n* плохо́й рабо́тник.

**bot-fly** ['bɔtflaɪ] *n* о́вод.

**both** [bouθ] **1.** *pron. indef.* о́ба; they are ~ doctors, ~ of them are doctors о́ба они́ врачи́; ~ are busy о́ба они́ за́няты;
**2.** *adv, cj:* ~... and... как..., так и...; и... и...; и к тому́ же; he speaks ~ English and French он говори́т и по-англи́йски и по-францу́зски; he is ~ tired and hungry он уста́л и к тому́ же го́лоден.

**bother** ['bɔðə] **1.** *n* беспоко́йство, хло́поты; исто́чник беспоко́йства;
**2.** *v* 1) надоеда́ть; беспоко́ить; 2) беспоко́иться, волнова́ться (about); 3) суети́ться; ◇ oh, ~ it! *разг.* чёрт возьми́!

**botheration** [,bɔðə'reɪʃən] **1.** *n* = bother 1;
**2.** *int* кака́я доса́да!

**bothersome** ['bɔðəsəm] *a* надое́дливый; беспоко́йный.

**bothy** ['bɔθɪ] *n шотл.* 1) хиба́рка; 2) (бара́чное) помеще́ние для рабо́чих (*на фе́рме, на стро́йке*).

**bo-tree** ['bou,triː] *n* свяще́нное де́рево (*у будди́стов Инди́и*).

**bott** [bɔt] *n вет.* кише́чная глиста́.

**bottle I** ['bɔtl] **1.** *n* 1) буты́лка, буты́ль; флако́н; hot-water ~ гре́лка; 2) рожо́к (*для гру́дных дете́й*); to bring up on the ~ вска́рмливать ребёнка на рожке́; to know smb. from his ~ up знать кого́-л. с пелёнок; 3) вино́; to be fond of the ~ люби́ть вы́пить; to pass the ~ round передава́ть буты́лку вкругову́ю; to flee from the ~ избега́ть спиртны́х напи́тков; over a ~ за буты́лкой вина́; to take to the ~ запи́ть, пристрасти́ться к вину́; 4) *тех.* опо́ка; ◇ black ~ *амер.* яд;
**2.** *v* 1) храни́ть в буты́лках; 2) *sl.* пойма́ть (на ме́сте преступле́ния); □ ~ off разлива́ть в буты́лки; ~ up сде́рживать, скрыва́ть (*оби́ду и т. п.*).

**bottle II** ['bɔtl] **1.** *n* сноп; оха́пка се́на; ◇ to look for a needle in a ~ of hay иска́ть иго́лку в сто́ге се́на, занима́ться безнаде́жным де́лом;
**2.** *v* вяза́ть в снопы́.

**bottle-baby** ['bɔtl,beɪbɪ] *n* вско́рмленный на рожке́ ребёнок.

**bottle-glass** ['bɔtlglɑːs] *n* буты́лочное стекло́.

**bottle-green** ['bɔtlgriːn] *a* тёмно-зелёный, буты́лочного цве́та.

**bottle-holder** ['bɔtl,houldə] *n* 1) обслу́живающий боксёра (*во вре́мя состяза́ния*); 2) помо́щник, сторо́нник.

**bottle neck** ['bɔtlnek] *n* го́рлышко буты́лки.

**bottle-neck** ['bɔtlnek] *n* 1) у́зкий прохо́д; 2) *перен.* у́зкое ме́сто.

**bottle-screw** ['bɔtlskruː] *n* што́пор.

**bottle-washer** ['bɔtl,wɔʃə] *n* 1) посу́дник, мо́ющий буты́лки; 2) *шутл.* слу́жащий для ме́лких поруче́ний; ◇ head cook and ~ *ирон.* и ста́рший по́вар и судомо́йка; ≅ и швец, и жнец и в ду́ду игре́ц.

**bottom** ['bɔtəm] **1.** *n* 1) дно, дни́ще; низ, ни́жняя часть (*чего́-л.*); ~ up вверх дном; to have no ~ быть без дна, не име́ть дна; *перен.* быть неистощи́мым, неисчерпа́емым; 2) дно (*мо́ря, реки́ и т. п.*); to go to the ~ пойти́ ко дну; to send to the ~ потопи́ть; to touch ~ косну́ться дна; *перен.* добра́ться до су́ти де́ла; 3) грунт; по́чва; подстила́ющая поро́да; 4) основа́ние, фунда́мент; 5) *груб.* зад, за́дняя часть; 6) осно́ва, суть; to get (down) to (*или* at) the ~ of добра́ться до су́ти де́ла; good at (the) ~ по существу́ хоро́ший; 7) причи́на; to be at the ~ of smth. быть причи́ной *или* зачи́нщиком чего́-л.; 8) сиде́нье, се́тка (*сту́ла*); 9) под (*пе́чи*); 10) подво́дная часть корабля́; 11) су́дно (*торго́вое*); 12) (*обыкн. pl*) ни́зменность, доли́на (*реки́*); 13) запа́с жи́зненных сил, выно́сливость; 14) оса́док, подо́нки; 15) *тех.* грундбу́кса; ◇ there's no ~ to it э́тому конца́ не ви́дно; from the ~ of the heart от всей души́; to knock the ~ out of an argument опрове́ргнуть аргуме́нт; выбить по́чву из-под ног; to stand on one's own ~ быть незави́симым, стоя́ть на свои́х нога́х;
**2.** *a* 1) ни́жний; ни́зкий; после́дний; ~ price кра́йняя цена́; ~ rung ни́жняя ступе́нька (*приставно́й ле́стницы*); one's ~ dollar после́дний до́ллар; 2) основно́й;
**3.** *v* 1) (*обыкн. pass.*) стро́ить, осно́вывать (on, upon — на); 2) осно́вываться; 3) приде́лывать дно; 4) каса́ться дна; измеря́ть глубину́; 5) доиска́ться причи́ны; вполне́ поня́ть.

**bottom drawer** ['bɔtəmdrɔː] *n* я́щик в комо́де, в кото́ром храни́тся прида́ное неве́сты.

**bottom-land** ['bɔtəmlænd] *n* по́йма; доли́на.

**bottomless** ['bɔtəmlɪs] *a* 1) бездо́нный; неизмери́мый; 2) непостижи́мый; 3) не име́ющий сиде́нья (*о сту́ле*).

**bottommost** ['bɔtəmmoust] *a* са́мый ни́жний.

**bottomry** ['bɔtəmrɪ] **1.** *n мор.* бодмере́я, ссу́да под зало́г су́дна *или* гру́за;
**2.** *v* получа́ть ссу́ду под зало́г су́дна.

**botulism** ['bɔtjulɪzəm] *n мед.* ботули́зм.

**boudoir** ['bu:dwɑ:] *фр.* *n* будуа́р.

**bough** [bau] *n* сук.

**bough-pot** ['baupɔt] *n* 1) ва́за, горшо́к для цвето́в; 2) буке́т цвето́в.

**bought** [bɔ:t] *past* и *p.p.* *от* buy 1.

**bougie** ['bu:ʒi:] *n* 1) восково́вая свеча́; 2) *мед.* буж, расшири́тель.

**bouillon** ['bu:jɔ:ŋ] *фр.* *n* 1) бульо́н, суп; 2) пы́шные скла́дки.

**boulder** ['bouldə] *n* 1) валу́н; 2) га́лька.

**Boule** ['bu:li:] *n* 1) законода́тельный сове́т в дре́вней Гре́ции; 2) законода́тельные о́рганы в Гре́ции.

**boulevard** ['bu:lvɑ:] *фр.* *n* 1) бульва́р; 2) *амер.* широ́кая, обса́женная дере́вьями у́лица.

**boulter** ['boultə] *n* дли́нная ле́са с не́сколькими крючка́ми.

**bounce** [bauns] **1.** *n* 1) глухо́й, внеза́пный уда́р; 2) прыжо́к; отско́к; with a ~ одни́м скачко́м; 3) упру́гость; 4) хвастовство́; преувеличе́ния; 5) *амер.* *sl.* увольне́ние; 6) прыжо́к самолёта при поса́дке; **2.** *v* 1) подпры́гивать; отска́кивать; to ~ into (out of) the room влета́ть в ко́мнату (выска́кивать из ко́мнаты); 2) хва́стать; 3) обма́ном *или* запу́гиванием заста́вить (*сделать что-л.*); 4) *амер.* *sl.* увольня́ть; 5) *ав.* подпры́гивать при поса́дке, «козли́ть»; **3.** *adv* вдруг; внеза́пно и шу́мно.

**bouncer** ['baunsə] *n* 1) тот, кто подпры́гивает, подска́кивает; 2) хвасту́н; лгун; 3) хвастовство́; ложь, фальшь; 4) челове́к *или* вещь кру́пных разме́ров; 5) *амер.* *sl.* ≅ вышиба́ла.

**bouncing** ['baunsɪŋ] **1.** *pres.* *p.* *от* bounce 2; **2.** *a* 1) здоро́вый, ро́слый, кру́пный, по́лный; 2) хвастли́вый, чва́нный; **3.** *n* 1) подпры́гивание автомоби́ля; 2) прыжо́к самолёта при поса́дке, «козлы́».

**bound I** [baund] **1.** *n* 1) грани́ца, преде́л; 2) (*обыкн.* *pl*) ограниче́ние; to put (*или* to set) ~s ограни́чивать (to — *что-л.*); **2.** *v* 1) ограни́чивать; сде́рживать; 3) грани́чить; служи́ть грани́цей.

**bound II** [baund] **1.** *n* 1) прыжо́к, скачо́к; a ~ forward бы́строе движе́ние вперёд; to advance by leaps and ~s продвига́ться вперёд с большо́й быстрото́й; 2) отско́к (*мяча*); 3) *поэт.* си́льный уда́р се́рдца; **2.** *v* 1) пры́гать, скака́ть; бы́стро бежа́ть; 2) отска́кивать (*о мяче и т. п.*).

**bound III** [baund] **1.** *past* и *p.* *p.* *от* bind; **2.** *a* 1) свя́занный; ~ up with smb., smth. те́сно свя́занный с кем-л., чем-л.; 2) обя́занный; вы́нужденный; ~ to military service военнообя́занный; 3) непреме́нный, обяза́тельный; he is ~ to succeed ему́ обеспе́чен успе́х; 4) уве́ренный; реши́вшийся (*на что-л.*); 5) переплетённый, в переплёте; 6) страда́ющий запо́ром.

**bound IV** [baund] *a* гото́вый (*особ.* к *отправлению*); направля́ющийся (for); the ship is ~ for Leningrad су́дно направля́ется в Ленингра́д; homeward ~ возвраща́ющийся на ро́дину; outward ~ гото́вый к

вы́ходу в мо́ре, отправля́ющийся за грани́цу (*о судне*).

**boundary** ['baundərɪ] *n* 1) грани́ца, межа́; 2) *attr.* пограни́чный; ~ lights *ав.* пограни́чные огни́.

**bounden** ['baundən] *уст.* *p.* *p.* *от* bind; ◇ in ~ duty по до́лгу, по чу́вству до́лга.

**bounder** ['baundə] *n* *sl.* невоспи́танный шумли́вый челове́к.

**boundless** ['baundlɪs] *a* безграни́чный, беспреде́льный.

**bounteous** ['bauntɪəs] *a* 1) ще́дрый (*о людях*); 2) доста́точный, оби́льный.

**bountiful** ['bauntɪful] = bounteous.

**bounty** ['bauntɪ] *n* 1) ще́дрость; 2) ще́дрый пода́рок; 3) прави́тельственная пре́мия для поощре́ния промы́шленности, торго́вли и се́льского хозя́йства; 4) *воен.* пре́мия при доброво́льном поступле́нии на слу́жбу.

**bouquet** ['bukeɪ] *n* 1) буке́т; to hand smb. a ~ for, to throw ~s at smb. *амер.* *разг.* восхваля́ть кого́-л., расточа́ть комплиме́нты кому́-л.; 2) буке́т, арома́т (*вина*).

**bourbon** ['buəbən] *n* 1) реакционе́р; 2) сорт ви́ски (*кукурузного или пшеничного*; *тж.* ~ whisky).

**bourdon** ['buədn] *n* басо́вый реги́стр орга́на *или* фисгармо́нии; басо́вая тру́бка волы́нки.

**bourgeois I** ['buəʒwɑ:] *фр.* **1.** *n* 1) буржуа́; 2) *ист.* горожа́нин; **2.** *a* буржуа́зный.

**bourgeois II** [bə:'dʒɔɪs] *n* *полигр.* бо́ргес.

**bourgeoisie** [,buəʒwɑ:'zi:] *фр.* *n* буржуази́я.

**bourgeon** ['bə:dʒən] = burgeon.

**bourn I** [buən] *n* руче́й.

**bourn II** [buən] *n* 1) грани́ца; 2) цель; 3) *поэт.* о́бласть, сфе́ра.

**bourne** [buən] = bourn II.

**bourse** [buəs] *фр.* *n* пари́жская фо́ндовая би́ржа.

**bouse** [bu:z] = booze.

**bout** [baut] *n* 1) раз, черёд; круг; что-л., вы́полненное за оди́н раз, в оди́н присе́ст; кругооборо́т; зае́зд; this ~ на э́тот раз; 2) схва́тка (*в борьбе*); ~ with the gloves бокс; 3) припа́док (*болезни, кашля*); 4) запо́й.

**bout II** [baut] = bolt II.

**bovine** ['bouvaɪn] *a* 1) бычачий, бы́чий; 2) тяжелове́сный, меди́тельный; тупо́й.

**bow I** [bau] **1.** *n* покло́н; to make one's ~ откла́няться; удали́ться; to take a ~ раскла́ниваться (*на аплодисме́нты*); **2.** *v* 1) гну́ть(ся), сгиба́ть(ся) (*часто* ~ down); ~ed down by care согну́вшийся под бре́менем забо́т; 2) кла́няться; to ~ and scrape раболе́пствовать; to ~ one's thanks поклони́ться в знак благода́рности; he was ~ed out of the room его́ с покло́нами проводи́ли из ко́мнаты; 3) подчиня́ться; to ~ to the inevitable покоря́ться неизбе́жному; 4) преклоня́ться; to ~ before authority преклоня́ться пе́ред авторите́том.

**bow II** [bou] **1.** *n* 1) лук, самостре́л; 2) дуга́; 3) ра́дуга; 4) смычо́к; 5) бант; 6) *стр.* а́рка; 7) *эл.* токоприёмная дуга́, бугель (*трамвая*); ◇ to draw a (*или* the) long ~ преувеличивать, рассказывать небылицы; draw not your ~ till your arrow is fixed *посл.* ≈ семь раз отмерь, один раз отрежь; не следует поступать поспешно, не подготовившись;

2. *v* владеть смычком.

**bow** III [bau] *n* нос (*корабля, дирижабля*).

**bow-compass(es)** ['bou,kʌmpəs(ɪz)] *n* (*pl*) кронциркуль.

**bowdlerize** ['baudləraɪz] *v* выбрасывать (*из книги и т. п.*) всё нежелательное, одиозное.

**bowel** ['bauəl] *n* (*обыкн. pl*) 1) кишка (*мед. тж. sing*); to have the ~s open *мед.* иметь стул; to evacuate the ~s *мед.* очищать желудок; 2) внутренности; 3) недра; 4) сострадание; to have no ~s быть безжалостным; ◇ to get one's ~s in an uproar раздражаться, поднимать шум.

**bower** I ['bauə] *n* 1) беседка; 2) *поэт.* жилище; 3) *уст.* будуар.

**bower** II ['bauə] *n мор.* становой якорь; best ~ плехт (*правый*); small ~ левый становой якорь.

**bower** III ['bauə] *n карт.* козырной валет (*тж.* right ~); left ~ валет одноцветной с козырем масти.

**bower-anchor** ['bauə,æŋkə] = bower II.

**bowery** I ['bauərɪ] *a* обсаженный деревьями, кустами; тенистый.

**bowery** II ['bauərɪ] *n амер.* хутор, ферма.

**bowie-knife** ['bouɪ'naɪf] *n амер.* длинный охотничий нож.

**bowk** [bauk] *n горн.* бадья (*для подъёма угля*).

**bow-knot** ['bounɒt] = bow II, 1, 5).

**bowl** I ['boul] *n* 1) кубок, чаша; the ~ пир, веселье; the flowing ~ спиртные напитки; 2) чашка; 3) ваза (*для цветов*); 4) чашеобразная часть (*чего-л.*); углубление (*ложки, подсвечника, чашки весов, резервуара фонтана*); 5) *тех.* тигель; резервуар.

**bowl** II [boul] **1.** *n* 1) шар; 2) *pl* игра в шары; 3) *pl* диал. кегли; 4) *тех.* ролик, блок;

2. *v* 1) играть в шары; 2) катить (*шар, обруч*); 3) катиться; 4) *спорт.* подавать мяч (*в крикете*), метать мяч (*в бейсболе*); □ ~ along идти, ехать *или* катиться быстро; ~ off выйти из игры; ~ out выбить из строя; ~ over сбить; *перен.* привести в замешательство.

**bowlder** ['bouldə] = boulder.

**bow-legged** ['boulegd] *a* кривоногий.

**bowler** I ['boulə] *n* котелок (*мужская шляпа*); battle ~ *воен. sl.* стальной шлем.

**bowler** II ['boulə] *n* игрок, подающий мяч (*в крикете*) *или* мечущий мяч (*в бейсболе*).

**bowler hat** ['bouləhæt] *n* штафирка (*презрительная кличка невоенного*).

**bowline** ['boulɪn] *n мор.* булинь; беседочный узел.

**bowling** ['boulɪŋ] **1.** *pres. p. от* bowl II, 2; 2. *n* игра в шары.

**bowling-alley** ['boulɪŋ'ælɪ] *n* 1) = bowling-green; 2) кегельбан.

**bowling-green** ['boulɪŋgriːn] *n* лужайка для игры в шары.

**bowman** I ['boumən] *n* стрелок (*из лука*), лучник.

**bowman** II ['baumən] *n мор.* баковый гребец (*ближайший к носу*).

**bowpot** ['baupɒt] = bough-pot.

**bow-saw** ['bousɔː] *n* лучковая пила.

**bowse** [bauz] *v мор.* выбирать, тянуть, обтягивать (*снасти*).

**bowshot** ['bouʃɒt] *n* дальность полёта стрелы.

**bowsprit** ['bousprɪt] *n мор.* бушприт.

**bow-string** ['boustrɪŋ] *n* тетива.

**bow window** ['bou'wɪndou] *n* 1) *архит.* окно с выступом, эркер; 2) *sl.* большой живот.

**bow-wow** ['bau'wau] **1.** *n* 1) собачий лай; 2) *детск.* собака; ◇ the (big) ~ style догматический стиль;

2. *int* гав-гав!

**box** I [bɒks] **1.** *n* 1) коробка, ящик, сундук (*тж.* эллиптически = snuff-~, letter-~, sentry-~ *и др.*); ~ of dominoes *sl.* пианино, рояль; the eternity ~ *амер. sl.* гроб; 2) рождественский подарок (*обычно в ящике*); 3) ящик под сиденьем кучера; козлы; 4) *театр.* ложа; 5) стойло; 6) маленькое отделение с перегородкой (*в харчевне*); 7) домик (*особ. охотничий*); 8) рудничная угольная вагонетка; 9) *тех.* букса; втулка; вкладыш (*подшипника*); опока; ◇ to be in the wrong ~ быть в неловком положении; to be in a (tight) ~ быть в трудном положении; to be in the same ~ быть в одинаковом положении (*с кем-л.*); to be in one's thinking ~ серьёзно думать;

2. *v* 1) запирать, класть в ящик *или* коробку; 2) подавать (*документ*) в суд; 3) *лес.* подсачивать (*дерево*); □ ~ off отделять перегородкой; ~ up а) втискивать, запихивать; б) неумелыми действиями портить, путать дело; вносить беспорядок; ◇ to ~ the compass *мор.* называть все румбы компаса; *перен.* совершить полный круг; кончить, где начал.

**box** II [bɒks] **1.** *n* 1) удар; ~ on the ear пощёчина; 2) бокс;

2. *v* 1) бить кулаком; I ~ed his ear я ему дал пощёчину; 2) боксировать.

**box** III [bɒks] *n бот.* самшит вечнозелёный.

**boxcalf** ['bɒkskɑːf] *n* бокс, хромовая телячья кожа.

**boxcar** ['bɒkskɑː] *n амер.* товарный вагон.

**box-couch** ['bɒks'kautʃ] *n* тахта с ящиком (*для постели*).

**boxen** ['bɒksən] *a* из букса, из самшита.

**Boxer** ['bɒksə] *n* участник так наз. боксёрского восстания в Китае в 1900—1901 гг.

**boxer** ['bɒksə] *n* 1) *спорт.* боксёр; 2) боксёр (*порода собаки*).

**boxing** I ['bɒksɪŋ] **1.** *pres. p. от* box II, 2; 2. *n* бокс.

**boxing** II ['bɒksɪŋ] **1.** *pres. p. от* box I, 2; 2. *n* 1) упаковка (*в ящик*); 2) фанера, материал для ящиков, футляров; 3) тара, футляр.

box — 124 — bra

**Boxing-day** ['bɔksɪŋdeɪ] *n* день на свя́тках, когда́, по англи́йскому обы́чаю, слу́ги, письмоно́сцы, посы́льные получа́ют пода́рки.

**boxing-gloves** ['bɔksɪŋglʌvz] *n pl* боксёрские перча́тки.

**box-keeper** ['bɔks,kiːpə] *n* капельди́нер при ло́жах.

**box-office** ['bɔks,ɔfɪs] *n* театра́льная ка́сса.

**box-pleat** ['bɔksplɪːt] *n* бантова́я скла́дка.

**box-seat** ['bɔkssɪːt] *n* 1) сиде́нье на ко́злах; 2) ме́сто в ло́же.

**box-up** ['bɔksʌp] *n sl.* пу́таница, неразбери́ха, беспоря́док.

**boxwood** ['bɔkswud] *n* букс, самши́т; древеси́на бу́кса, самши́та.

**boy** [bɔɪ] *n* 1) ма́льчик; шко́льник; па́рень; молодо́й челове́к; сын; 2) бой (*слуга-туземец на Востоке*); 3) *мор.* ю́нга; 4) (the ~) *sl.* шампа́нское; ◇ big ~, my ~ а) *разг.* бра́тец, дружи́ще, старина́; б) *амер. sl.* хозя́ин, заправи́ла; в) *воен. sl.* тяжёлое ору́дие; pansy ~ *sl.* педера́ст.

**boycott** ['bɔɪkət] 1. *n* бойко́т;
2. *v* бой코ти́ровать.

**boyhood** ['bɔɪhud] *n* о́трочество.

**boyish** ['bɔɪɪʃ] *a* о́троческий; мальчи́шеский; живо́й.

**boyishness** ['bɔɪʃnɪs] *n* ребя́чество.

**boy scout** ['bɔɪ'skaut] *n* бойска́ут.

**bozo** ['bouzou] *n амер. sl.* субъе́кт, «тип».

**bra** [brɑː] *разг. см.* brassière.

**brabble** ['bræbl] *уст.* 1. *n* пререка́ния, ссо́ра;
2. *v* пререка́ться, ссо́риться из-за пустяко́в.

**brace** [breɪs] 1. *n* 1) связь; скоба́, скре́па; подпо́рка; распо́рка; оття́жка; 2) па́ра (*особ. о дичи*); they are a ~ ≅ (они́) два сапога́ па́ра; 3) сво́ра (*ремень*); 4) *pl* подтя́жки; 5) фигу́рная ско́бка; 6) *тех.* коловоро́т; ~ and bit пёрка; 7) *мор.* брас;
2. *v* 1) свя́зывать, скрепля́ть; подпира́ть, подкрепля́ть; обхва́тывать; 2) укрепля́ть (*нервы*); to ~ one's energies взять себя́ в ру́ки; 3) *мор.* брасо́пить (*реи*); □ ~ up подба́дривать.

**bracelet** ['breɪslɪt] *n* 1) брасле́т; 2) *pl разг.* нару́чники.

**bracer** ['breɪsə] *n* 1) скрепле́ние, связь; скоба́; 2) нарука́вник; 3) укрепля́ющее сре́дство; 4) *sl.* живи́тельная вла́га.

**brach** [bræʧ] *n уст.* су́ка.

**bracing** ['breɪsɪŋ] 1. *pres. p. от* brace 2.
2. *a* бодря́щий (*о воздухе*), укрепля́ющий;
3. *n* крепле́ние, связь; расча́лка; сто́йка, обрешётка.

**brack I** [bræk] *n* брак, изъя́н (*в ткани*; *тж. перен.*).

**brack II** [bræk] *редк.* 1. *n* сортиро́вка, брако́вка (*товаров*);
2. *v* сортирова́ть, бракова́ть (*товары*).

**bracken** ['brækən] *n* орля́к (*папоротник*).

**bracket** ['brækɪt] 1. *n* 1) ско́бка; 2) кронште́йн, консо́ль; бра; 3) гру́ппа, ру́брика;

4) га́зовый рожо́к; 5) *воен.* ви́лка (*при стрельбе*);
2. *v* 1) заключа́ть в ско́бки; 2) упомина́ть, ста́вить наряду́ (*с кем-л., с чем-л.*); don't ~ me with him не ста́вьте меня́ на одну́ до́ску с ним; 3) *воен.* захва́тывать в ви́лку.

**brackish** ['brækɪʃ] *a* солонова́тый (*о воде*).

**bract** [brækt] *n бот.* прицве́тник.

**brad** [bræd] *n* гвоздь без шля́пки, штифтик.

**bradawl** ['brædɔːl] *n* ши́ло.

**bradbury** ['brædbərɪ] *n уст. sl.* банкно́т (*в 1 фунт сте́рлингов или 10 шиллингов*).

**brae** [breɪ] *n* круто́й бе́рег реки́; склон холма́.

**brag** [bræg] 1. *n* 1) хвастовство́; 2) хвасту́н; 3) ка́рточная игра́ ти́па по́кера;
2. *v* хва́статься;
3. *a* 1) *уст.* сме́лый, хра́брый, до́блестный; 2) *уст.* хвастли́вый; 3) *амер.* первокла́ссный.

**braggadocio** [,brægə'douʧɪou] *n* 1) бахва́льство; 2) хвасту́н.

**braggart** ['brægət] *n* хвасту́н.

**braggery** ['brægərɪ] *n* хвастовство́.

**Brahma** ['brɑːmə] *n рел.* Бра́ма.

**brahma(pootra)** [,brɑːmə('puːtrə)] *n* бра́ма(пу́тра) (*порода кур*).

**brahmin** ['brɑːmɪn] *n* брами́н.

**braid** [breɪd] 1. *n* 1) шнуро́к; тесьма́; галу́н; 2) коса́ (*волос*);
2. *v* 1) плести́; 2) обшива́ть тесьмо́й, шнурко́м; 3) заплета́ть, завя́зывать ле́нтой (*волосы*); 4) *тех.* оплета́ть, обма́тывать (*провод*).

**brail** [breɪl] *n* 1) *мор.* ги́тов (*снасть для убо́рки паруса́*); 2) пу́ты для со́кола.

**braille** [breɪl] *n* 1) шрифт Бра́йля (*для слепы́х*); 2) систе́ма чте́ния и письма́ (*по вы́пуклым то́чкам*) для слепы́х.

**brain** [breɪn] 1. *n* 1) мозг; disease of the ~ боле́знь мо́зга; dish of ~s мозги́ (*блюдо*); 2) рассу́док; ум; 3) *pl разг.* у́мственные спосо́бности; 4) *sl.* электро́нная счётная маши́на; ◇ to beat (*или* to cudgel, to puzzle, to rack, to ransack) one's ~s about (*или* with) smth. лома́ть себе́ го́лову над чем-л.; to crack one's ~(s) спяти́ть, свихну́ться; to have one's ~s on ice *разг.* сохраня́ть ледяно́е споко́йствие; to have smth. on the ~ стра́стно увлека́ться чем-л.; an idle ~ is the devil's workshop *посл.* ≅ пра́здность ума́ — мать всех поро́ков; to make smb.'s ~ reel порази́ть кого́-л.; to pick (*или* to suck) smb.'s ~s испо́льзовать чужи́е мы́сли; to turn smb.'s ~ а) вскружи́ть кому́-л. го́лову; б) сбить кого́-л. с то́лку;
2. *v* размозжи́ть го́лову.

**brain-fag** ['breɪnfæg] *n* не́рвное истоще́ние; переутомле́ние мо́зга.

**brain fever** ['breɪn'fiːvə] *n* 1) воспале́ние мо́зга; 2) боле́знь, осложнённая мозговы́ми явле́ниями.

**brainless** ['breɪnlɪs] *a* глу́пый, безмо́зглый.

**brain-pan** ['breɪn,pæn] *n* черепна́я коро́бка.

**brain-sick** ['breɪnsɪk] *a* помешанный, сумасшедший.

**brain-storm** ['breɪnstɔːm] *n разг.* буйный припадок; душевное потрясение.

**brain trust** ['breɪn'trʌst] *n амер.* мозговой трест.

**brain-tunic** ['breɪn'tjuːnɪk] *n* мозговая оболочка.

**brain wave** ['breɪnweɪv] *n разг.* счастливая мысль, осенившая идея.

**brainy** ['breɪnɪ] *a* мозговитый, умный, способный; остроумный.

**braird** [brɛəd] **1.** *n* первые ростки, всходы;
**2.** *v* давать первые ростки; всходить (*о траве, посевах*).

**braise** [breɪz] **1.** *n* тушёное мясо;
**2.** *v* тушить (*мясо*).

**braize** [breɪz] *n метал.* коксовая мелочь, угольная пыль.

**brake I** [breɪk] **1.** *n* тормоз;
**2.** *v* тормозить.

**brake II** [breɪk] **1.** *n* 1) мяло, трепало (*для льна, пеньки*); 2) тестомешалка; 3) большая борона;
**2.** *v* 1) мять, трепать (*лён, пеньку*); 2) месить (*тесто*); 3) разбивать комья (*бороной*).

**brake III** [breɪk] *n бот.* орляк обыкновенный.

**brake IV** [breɪk] *n* чаща, кустарник.

**brake V** [breɪk] = break II.

**brake action** ['breɪk‚ækʃən] *n* торможение.

**brakeband** ['breɪkbænd] *n тех.* тормозная лента.

**brakesman** ['breɪksmən] *n* 1) тормозной кондуктор; 2) *горн.* машинист шахтной подъёмной машины.

**brake-van** ['breɪkvæn] *n* тормозной вагон.

**braky** ['breɪkɪ] *a* заросший кустарником или папоротником.

**bramble** ['bræmbl] *n бот.* ежевика.

**bran** [bræn] *n* отруби; высевки.

**brancard** ['bræŋkəd] *n* подстилка для лошади.

**branch** [brɑːntʃ] **1.** *n* 1) ветвь; ветка; 2) отрасль; *воен.* род войск *или* службы; 3) филиал, отделение; 4) линия (*родства*); 5) рукав (*реки*); ручеёк; 6) отрог (*горной цепи*); 7) ответвление (*дороги*); 8) *тех.* тройник, отвод; 9) *attr.* филиальный; вспомогательный; ~ establishment; ~ office филиальное отделение; 10) *attr.* ответвляющийся, боковой; ~ line железнодорожная ветка; ~ track *ж.-д.* маневровый путь, боковой путь; ~ pipe *тех.* патрубок;
**2.** *v* 1) раскидывать ветви; 2) разветвляться; расширяться; отходить (*обыкн.* ~ out, ~ off, ~ forth).

**branchia, branchiae** ['bræŋkɪə, 'bræŋkɪiː] *n pl зоол.* жабры.

**branchial, branchiate** ['bræŋkɪəl, 'bræŋkɪeɪt] *a* жаберный; жабровидный.

**branchless** ['brɑːntʃlɪs] *a* 1) без сучьев; 2) без ответвлений (*о дороге, трубопроводе и т. п.*).

**branchy** ['brɑːntʃɪ] *a* 1) ветвистый; 2) разветвлённый.

**brand** [brænd] **1.** *n* 1) головня; головёшка; 2) раскалённое железо; 3) выжженное клеймо; тавро; фабричное клеймо, фабричная марка; 4) клеймо, печать позора; 5) сорт, качество; of the best ~ высшей марки; 6) *поэт.* факел; 7) *поэт.* меч; 8) *бот.* головня; ◇ a ~ from the burning (*или* the fire) человек, спасённый от грозившей ему опасности;
**2.** *v* 1) выжигать клеймо; 2) отпечатываться в памяти, производить впечатление; it is ~ed on my memory это врезалось мне в память; 3) клеймить, позорить.

**brandish** ['brændɪʃ] *v* махать, размахивать (*мечом, палкой*).

**brandling** ['brændlɪŋ] *n* 1) дождевой червь; 2) *диал.* молодой лосось.

**brand-new** ['brænd'njuː] *a* совершенно новый; «с иголочки».

**brandy** ['brændɪ] *n* коньяк, бренди.

**brandy pawnee** ['brændɪ'pɔːniː] *n англо-инд.* бренди с водой.

**bran-new** ['bræn'njuː] = brand-new.

**brant** [brænt] = brent(-goose).

**brash I** [bræʃ] **1.** *n* груда обломков;
**2.** *a преим. амер.* 1) хрупкий, ломкий; 2) *разг.* дерзкий, нахальный, наглый.

**brash II** [bræʃ] *n* 1) изжога, кислая отрыжка; 2) лёгкий приступ тошноты; 3) внезапный ливень.

**brass** [brɑːs] **1.** *n* 1) латунь, жёлтая медь; red ~ томпак; 2) (the ~) духовые инструменты, «медь»; double in ~ *амер. sl.* а) играющий на двух духовых инструментах; б) зарабатывающий в двух местах; в) способный, разносторонний; 3) медная мемориальная доска; 4) *разг.* деньги; 5) *разг.* бесстыдство; 6) *тех.* вкладыш;
**2.** *a* медный, латунный; ~ plate дощечка на двери; ◇ I don't care a ~ farthing мне безразлично, наплевать; to come (*или* to get) down to (the) ~ tacks (*или* nails) добраться до сути дела; to part ~ rags with smb. *мор. sl.* порвать дружбу с кем-л.

**brassard** [bræ'sɑːd] *n* нарукавная повязка.

**brass band** ['brɑːs'bænd] *n* духовой оркестр.

**brass hat** ['brɑːs'hæt] *n воен. sl.* штабной офицер; высокий чин.

**brassière** ['bræsɪəə] *фр. n* бюстгальтер, лифчик.

**brass knuckles** ['brɑːs'nʌklz] *n pl* кастет.

**brass works** ['brɑːswɜːks] *n* медеплавильный завод.

**brassy** ['brɑːsɪ] **1.** *a* 1) латунный, медный; 2) металлический (*о звуке*); 3) бесстыдный;
**2.** *n* клюшка с медным наконечником (*для игры в гольф*).

**brat** [bræt] *n* 1) *пренебр.* ребёнок; отродье; 2) *горн.* тонкий пласт угля, смешанного с пиритом.

**brattice** ['brætɪs] *n горн.* перемычка, вентиляционная перегородка; вентиляционный щит (*в шахтах*); костровая крепь.

**brattle** ['brætl] *преим. шотл.* 1. *n* грóхот; тóпот;

2. *v* грохотáть; топотáть.

**bravado** [brə'vɑːdou] *n* (*pl* -oes, -os [-ouz]) хвастовствó, бравáда, напускнáя хрáбрость.

**brave** [breɪv] 1. *a* 1) хрáбрый, смéлый; 2) превосхóдный, прекрáсный; 3) *уст.*, *книжн.* нарядный; ◇ none but the ~ deserve the fair *посл.*≈ смéлость городá берёт;

2. *n* индéйский вóин;

3. *v* 1) хрáбро встречáть (*опасность и т. п.*); 2) бравировать; бросáть вызов; to ~ it out вести себя вызывáюще.

**bravery** ['breɪvərɪ] *n* 1) хрáбрость, мýжество; 2) великолéпие, нарядность; показнáя рóскошь.

**bravo** I ['brɑː'vou] *um. n* (*pl* -oes, -os [-ouz]) бандит, наёмный убийца.

**bravo** II ['brɑː'vou] *int* брáво!

**brawl** [brɔːl] 1. *n* 1) шýмная ссóра; ýличный скандáл; 2) журчáние;

2. *v* 1) ссóриться, кричáть, скандáлить; 2) журчáть.

**brawler** ['brɔːlə] *n* скандалист; крикýн.

**brawn** [brɔːn] *n* 1) мýскулы; мýскульная сила; 2) просóленная *или* консервированная свинина.

**brawny** ['brɔːnɪ] *a* сильный, мýскулистый.

**bray** I [breɪ] *v* толóчь.

**bray** II [breɪ] 1. *n* 1) крик ослá; 2) неприятный, рéзкий звук;

2. *v* 1) кричáть (*об осле*); 2) издавáть неприятный звук.

**braze** I [breɪz] *v* 1) паять твёрдым припóем из мéди и цинка; 2) дéлать твёрдым.

**braze** II [breɪz] *v* бронзировáть.

**brazen** ['breɪzn] 1. *a* 1) мéдный; брóнзовый; 2) бесстыдный;

2. *v* нáгло вести себя; проявить бесстыдство (*обыкн.* ~ out)..

**brazen-faced** ['breɪznfeɪst] *a* нáглый, бесстыдный.

**brazier** I ['breɪzjə] *n* жарóвня.

**brazier** II ['breɪzjə] *n* мéдник.

**brazil** ['bræzɪl] *n мин.* сéрный колчедáн, пирит.

**Brazilian** [brə'zɪljən] 1. *a* бразильский; 2. *n* бразилец; бразилиáнка.

**brazil-nut** [brə'zɪl'nʌt] *n* американский (*или* бразильский) орéх.

**brazil-wood** [brə'zɪl'wud] *n* бразильское дéрево, фернамбýк.

**brazing** I ['breɪzɪŋ] 1. *pres. p. от* braze I; 2. *n* 1) пáйка твёрдым припóем; 2) *attr.*: ~ spelter твёрдый припóй; ~ torch паяльная лáмпа.

**brazing** II ['breɪzɪŋ] *pres. p. от* braze II.

**breach** [briːtʃ] 1. *n* 1) пролóм, отвéрстие; брешь; 2) разрыв (*отношений*); 3) нарушéние (*закона, обязательства*); ~ of faith измéна; ~ of justice несправедливость; ~ of order нарушéние реглáмента; ~ of prison бéгство из тюрьмы; ~ of privilege нарушéние прав парлáмента; ~ of the peace нарушéние общéственного порядка; ~ of promise нарушéние обещáния (*особ.* жениться); 4) интервáл; 5) *мор.* волны, раз-

бивáющиеся о корáбль; clean ~ волнá, сносящая мáчты *и т. п.* с корабля; clear ~ волнá, перекативщаяся чéрез сýдно, не разбившись; ◇ to heal the ~ положить конéц дóлгой ссóре; to stand in the ~ *воен.* принять на себя глáвный удáр (*тж. перен.*); without a ~ of continuity непрерывно;

2. *v* 1) пробивáть брешь, пролáмывать; 2) выскочить из воды (*о ките*).

**bread** [bred] 1. *n* 1) хлеб; *перен.* кусóк хлéба, срéдства к существовáнию; daily ~ хлеб насýщный; to make one's ~ зарабáтывать на жизнь; to take the ~ out of smb.'s mouth отбивáть хлеб у когó-л.; ~ and butter хлеб с мáслом, бутербрóд; to have one's ~ buttered for life быть материáльно обеспéченным на всю жизнь; ~ buttered on both sides благополýчие, обеспéченность; 2) пища; ~ and cheese простáя *или* скýдная пища; ◇ all ~ is not baked in one oven ≈ лю́ди рáзные бывáют; to eat smb.'s ~ and salt быть чьим-л. гóстем; to break ~ with smb. пóльзоваться чьим-л. гостеприимством; to eat the ~ of affliction ≈ хлебнýть гóря; half a loaf is better than no ~ *посл.* ≈ на безрыбье и рак рыба; to know on which side one's ~ is buttered ≈ быть себé на умé; to quarrel with one's ~ and butter ≈ дéйствовать вопреки своéй выгоде;

2. *v* обвáливать в сухаря́х, панировáть.

**bread-and-butter** ['bredənd'bʌtə] *a* 1) дéтский, юный, юношеский; ~ miss дéвочка шкóльного вóзраста; 2) повседнéвный, прозаический; ◇ ~ letter письмó, в котóром выражáется благодáрность за гостеприимство.

**bread-and-buttery** ['bredənd'bʌtərɪ] *a* юный.

**bread-basket** ['bred,bɑːskɪt] *n* 1) корзина для хлéба; 2) глáвный зерновóй райóн; 3) *sl.* желýдок.

**bread-crumb** ['bredkrʌm] *n* 1) хлéбный мякиш; 2) *pl* крóшки хлéба.

**bread-line** ['bredlaɪn] *n амер.* óчередь безрабóтных за благотворительной пóмощью.

**bread-stuffs** ['bredstʌfs] *n pl* 1) зернó; 2) мукá.

**breadth** [bredθ] *n* 1) ширинá; 2) полóтнище; 3) широтá (*кругозора, взглядов*); широкий размáх; ◇ to a hair's ~ тóчь-в-тóчь, тóчно.

**breadthways** ['bredθweɪz] *adv* в ширинý.

**breadthwise** ['bredθwaɪz] = breadthways.

**bread-ticket** ['bred,tɪkɪt] *n* хлéбная кáрточка.

**bread-winner** ['bred,wɪnə] *n* кормилец (семьи́).

**break** I [breɪk] 1. *n* 1) отвéрстие; трéщина; 2) прорыв; 3) перерыв; пáуза; перемéна (*в школе*); 4): ~ of day рассвéт; by the ~ of day на рассвéте; 5) *тел.* тирé-многотóчие; 6) *амер.* раскóл; разрыв (*отношений*); to make a ~ with smb. порвáть с кем-л.; 7) обмóлвка; ошибка; to make a bad ~ а) сдéлать ошибку, лóжный шаг; б) проговориться, обмóлвиться; в) обанкрóтиться; 8) *амер.* внезáпное падéние цен; 9) *диал.*

большóе коли́чество (*чего-л.*); 10) *разг.* шанс, возмóжность; to get the ~s испóльзовать благоприя́тные обстоя́тельства; имéть успéх; ◇ ~ in the clouds луч надéжды;

**2.** *v* (broke; broken) 1) ломáть(ся), разбивáть(ся); разрушáть(ся); рвáть(ся), разрывáть(ся); взлáмывать; 2) рассéиваться, расходи́ться, расступáться; 3) прерывáть (*сон, молчание, путешествие*); 4) распечáтывать (*письмо*); откýпоривать (*бутылку, бочку*); 5) проклáдывать (*дорогу*); 6) размéнивать (*деньги*); 7) разоря́ть(ся); 8) разрóзнивать (*коллекцию и т. п.*); 9) сломи́ть (*сопротивление, волю*); подорвáть (*силы, здоровье, могущество*); ослáбить; to ~ a fall ослáбить си́лу падéния; 10) ослабéть; 11) порывáть (*отношения; with — с кем-л., с чем-л.*); 12) нарушáть (*обещание, закон, правило*); 13): day is ~ing, day ~s (рас)светáет; 14) (*о голосе*) ломáться; прерывáться (*от волнения*); 15) приучáть (*лошадь к поводьям*; to); дрессировáть, обучáть; 16) избавля́ть(ся), отучáть (of — от *привычки и т. п.*); 17) разжáловать; 18) вскрывáться (*о реке; о нарыве*); 19) вы́рваться, сорвáться; a cry broke from his lips крик вы́рвался из егó уст; 20) поби́ть (*рекорд*); 21) *эл.* прерывáть (*ток*); размыкáть (*цепь*); 22) *текст.* мять, трепáть; ☐ ~ away а) убежáть, вы́рваться (*из тюрьмы и т. п.*); б) покóнчить (from — с); в) отдели́ться, отпáсть; ~ down а) разбивáть, толóчь; б) разрушáть (-ся); в) сломи́ть (*сопротивление*); г) ухудшáться, сдавáть (*о здоровье*); д) разбирáть (*на части*); дели́ть, подразделя́ть, расчленя́ть; классифици́ровать; е) распадáться (*на части*); ж) анализи́ровать; з) провали́ться; потерпéть неудáчу; и) не вы́держать, потеря́ть самооблáдание; ~ forth а) вы́рваться; прорвáться; б) разрази́ться; to ~ forth into tears расплáкаться; ~ in а) влáмываться, врывáться; б) вмешáться (*в разговор*); прервáть (*разговор*); в) дрессировáть; укрощáть; · объезжáть (*лошадей*); дисциплини́ровать; ~ into а) влáмываться; б) разрази́ться (*смехом, слезами*); to ~ into a run побежáть; в): to ~ into smb.'s time отня́ть у когó-л. врéмя; г) прервáть (*разговор*); ~ off а) отлáмывать; б) внезáпно прекращáть, обрывáть (*разговор, дружбу, знакомство и т. п.*); to ~ off action (*или* combat, the fight) *воен.* вы́йти из бóя; ~ out а) вылáмывать; б) убежáть (*из тюрьмы*); в) вспы́хивать (*о пожаре, войне, эпидемии и т. п.*); ͵г) разрази́ться; he broke out laughing он расхохотáлся; д) появля́ться; a rash broke out on his body у негó вы́ступила сыпь; ~ through прорвáться; ~ up а) разбивáть (*на мелкие куски*); б) сдавáть; в) расходи́ться (*о собрании, компании и т. п.*); г) закрывáться на кани́кулы; д) распускáть (*учеников на каникулы*); е) расформирóвывать; ж) меня́ться (*о погоде*); ◇ to ~ the back (*или* the neck) of smth. a) уничтóжить, погуби́ть что-л.; б) сломи́ть сопротивлéние чего-л.; сдолéть сáмую трýдную часть чего-л.;

to ~ a butterfly on the wheel *см.* wheel 1 ◇; to ~ the ice *см.* ice 1, 1); to ~ the ground, to ~ fresh (*или* new) ground a) распáхивать цели́ну; б) проклáдывать нóвые пути́; начинáть нóвое дéло; дéлать пéрвые шаги́ в чём-л.; в) *воен.* начáть рытьё окóпов; to ~ a lance with smb. «ломáть кóпья», спóрить с кем-л.; to ~ the news осторóжно сообщáть (неприя́тную) нóвость; to ~ cover вы́брать-ся, вы́йти из укры́тия; to ~ bank *карт.* сорвáть банк; to ~ loose a) вы́рваться на свобóду; б) сорвáться с цéпи; to ~ even остáться при свои́х (*в игре*); who ~s, pays *посл.* ≅ сам завари́л кáшу, сам и расхлёбывай; to ~ a secret раскры́ть тáйну.

**break II** [breɪk] *n* откры́тый экипáж с двумя́ продóльными скамья́ми.

**breakable** ['breɪkəbl] **1.** *a* лóмкий, хрýпкий;

**2.** *n pl* хрýпкие предмéты (*посуда и т. п.*).

**breakage** ['breɪkɪʤ] *n* 1) лóмка; полóмка; авáрия; 2) полóманные предмéты; 3) компенсáция за повреждённые товáры; 4) *горн.* отбóйка (*породы, руды*); разби́вка (*породы*); 5) *текст.* обры́вность ни́тей.

**break-down** ['breɪkdaun] *n* 1) пóлный упáдок сил, здорóвья; nervous ~ нéрвное расстрóйство; 2) распáд, развáл; 3) полóмка механи́зма, маши́ны; авáрия; 4) шýмный, стреми́тельный тáнец; 5) разбóрка (*на части*); распределéние; расчленéние; делéние на категóрии; классификáция; 6) анáлиз; 7) схéма организáции; 8) *эл.* пробóй (*диэлектрика*); 9) *воен.* проры́в; 10) *attr.*: ~ gang аварий́ная комáнда.

**breaker I** ['breɪkə] *n* 1) тот, кто разбивáет, дроби́т (*камни*); 2) наруши́тель (*закона и т. п.*); 3) отбóйщик; 4) *тех.* дроби́лка; 6) *эл.* выключáтель; прерывáтель; 7) *текст.* мя́ло, трепáлка; 8) *гидр.* ледорéз; бык (*моста*); ◇ ~s aheadǃ вперед́и опáсностьǃ береги́сьǃ

**breaker II** ['breɪkə] *n* небольшóй бочóнок.

**breakfast** ['brekfəst] **1.** *n* ýтренний зáвтрак; ~ laugh before you'll cry before supper *посл.* ≅ рáно птáшечка запéла, как бы кóшечка не съéла;

**2.** *v* зáвтракать.

**breaking** ['breɪkɪŋ] **1.** *pres. p. от* break I, 2;

**2.** *n* 1) лóмка, полóмка; 2) дроблéние; 3) *амер.* подъём цели́ны́; взмёт земли́; 4) удáр волн; 5) прорыв́ плоти́ны; 6) начáло, наступлéние; ~ of September начáло сентября́; 7) *эл.* размыкáние; 8) *горн.* отбóйка; 9) *текст.* трепáние; 10) *attr.*: ~ point *мех.* предéльное напряжéние; ~ strength *тех.* прóчность на разры́в; ~ test прóба на излóм.

**breakneck** ['breɪknek] *a* опáсный; at ~ pace (*или* speed) сломя́ гóлову, с головокружи́тельной быстротóй.

**breakstone** ['breɪkstoun] *n* щéбень.

**break-through** ['breɪk'θru:] *n воен.* проры́в.

**break-up** ['breɪk'ʌp] *n* 1) развáл; разрýха; распáд; 2) закры́тие шкóлы (*на кани́кулы*).

**breakwater** ['breɪk,wɔːtə] *n* волнолом, волнорез; мол.

**bream** I [briːm] *n* лещ.

**bream** II [briːm] *v* очищать (*подводную часть корабля*).

**breast** [brest] 1. *n* 1) грудь; 2) грудная железа; 3) совесть, душа; 4) *стр.* часть стены от подоконника до пола; 5) отвал (*плуга*); 6) *горн.* камера, забой; ◇ to make a clean ~ of it чистосердечно сознаться в чём-л.;
2. *v* стать грудью (*против чего-л.*); противиться, восставать.

**breast-band** ['brestbænd] *n* шлейка (*в упряжи*).

**breastbone** ['brestboun] *n* грудная кость; грудина.

**breast-high** ['brest'haɪ] *a* 1) доходящий до груди; 2) погружённый по грудь.

**breast-pin** ['brestpɪn] *n* булавка для галстука.

**breastplate** ['brestpleɪt] *n* 1) нагрудник (*кирасы*); 2) нагрудный знак; 3) грудной ремень, подпёрсье (*в сбруе*); 4) щит (*черепахи*).

**breast-stroke** ['breststrouk] *n* *спорт.* брасс.

**breastwork** ['brestwəːk] *n* *воен.* наносный бруствер.

**breath** [breθ] *n* 1) дыхание; вздох; to be out of ~ запыхаться, задыхаться; to bate (*или* to catch, to hold) one's ~ затаить дыхание; to take ~ передохнуть; перевести дух; to draw ~ дышать; жить; to draw the first ~ родиться, появиться на свет; to draw one's last ~ испустить дух, умереть; short of ~ страдающий одышкой; all in a (*или* one) ~, all in the same ~ единым духом; below (*или* under) one's ~ тихо, шёпотом; second ~ *спорт.* второе дыхание; *перен.* новый прилив энергии; 2) жизнь; 3) дуновение; 4) *attr. фон.*: ~ consonant глухой согласный; ◇ to take smb.'s ~ away удивить, поразить кого-л.; to waste (*или* to spend) ~ говорить на ветер, напрасно тратить слова.

**breathe** [briːð] *v* 1) дышать; вздохнуть, перевести дух; to ~ again, to ~ freely свободно вздохнуть; to ~ one's last испустить последний вздох, умереть; 2) жить, существовать; a better fellow does not ~ лучше него нет человека; 3) дать передохнуть; 4) издавать приятный запах; 5) дуть слегка (*о ветре*); 6) говорить (тихо); not to ~ a word не проронить ни звука, держать в секрете; 7) выражать *что-л.*, дышать *чем-л.* (*о лице, наружности*); ◇ to ~ (a) new life into вдохнуть новую жизнь (в *кого-л.*, во *что-л.*); to ~ upon марать репутацию; to ~ a vein пустить кровь.

**breather** ['briːðə] *n* 1) живое существо; 2) упражнение дыхания; 3) короткая передышка; 4) респиратор; 5) *тех.* сапун.

**breathing** ['briːðɪŋ] 1. *pres. p. om* breathe; 2. *n* 1) дыхание; 2) лёгкое дуновение; 3) *фон.* придыхание;
3. *a* (словно) живой, дышащий жизнью (*о статуе и т. п.*).

**breathing mask** ['briːðɪŋmɑːsk] *n* противогаз.

**breathing-space** ['briːðɪŋspeɪs] *n* передышка.

**breathless** ['breθlɪs] *a* 1) запыхавшийся; задыхающийся; 2) затаивший дыхание; ~ attention напряжённое внимание; 3) бездыханный; 4) безветренный; неподвижный (*о воздухе, воде и т. п.*).

**breccia** ['bretʃɪə] *n* брекчия (*горная порода*).

**bred** [bred] 1. *past и p. p. om* breed 2; 2. *a*: ~ in the bone врождённый.

**breech** [briːtʃ] *n* *воен.* казённая часть (*орудия; тж.* ~ end).

**breech-block** ['briːtʃblɔk] *n* *воен.* затвор (*орудия*).

**breeches** ['brɪtʃɪz] *n pl* штаны, бриджи; ◇ ~ part мужская роль, исполняемая женщиной; to wear the ~ а) обладать мужским характером (*о женщине*); б) держать мужа под башмаком.

**breech-loader** ['briːtʃ,loudə] *n* *воен.* орудие, заряжающееся с казённой части.

**breech-sight** ['briːtʃsaɪt] *n* *воен.* прицел.

**breed** [briːd] 1. *n* 1) порода, племя; 2) потомство, поколение;
2. *v* (bred) 1) выводить, разводить (*животных*); 2) высиживать (*птенцов*); 3) воспитывать; вскармливать; 4) размножаться; to ~ true давать породистый приплод; 5) порождать; вызывать; ◇ to ~ in and in заключать браки между родственниками.

**breeder** ['briːdə] *n* 1) тот, кто разводит животных; cattle ~ скотовод; sheep ~ овцевод; 2) производитель (*о животном*).

**breeding** ['briːdɪŋ] 1. *pres. p. om* breed 2; 2. *n* 1) разведение (*животных*); cattle ~ скотоводство; sheep ~ овцеводство; 2) хорошие манеры, воспитанность.

**breeze** I [briːz] 1. *n* 1) лёгкий ветерок, бриз; *мор.* ветер; 2) *разг.* ссора, перебранка; 3) новость; слух; ◇ to fan the ~s *амер.* ≅ заниматься бесплодным делом;
2. *v* 1) веять, продувать; 2) *амер.* влетать (*куда-л.*); быстро проноситься; ◻ ~ up крепчать (*о ветре*).

**breeze** II [briːz] *n* овод, слепень.

**breeze** III [briːz] *n* каменноугольный мусор; угольная пыль; штыб.

**breezy** ['briːzɪ] *a* 1) свежий, прохладный; 2) живой, весёлый.

**brekker** ['brekə] *n* *унив. sl.* завтрак.

**brent(-goose)** ['brent('guːs)] *n* *зоол.* чёрная казарка.

**brer** [brɑː] *n* *диал.* (*сокр. om* brother) братец.

**brethren** ['breðrɪn] *n* (*pl om* brother) собратья; братия.

**breve** [briːv] *n* 1) *полигр.* значок краткости над гласными (ă); 2) *ист.* папское бреве (*послание*).

**brevet** ['brevɪt] 1. *n* 1) грамота; патент; 2) *воен.* патент на следующий чин с сохранением прежнего оклада; 3) *ав.* пилотское свидетельство;
2. *v* присваивать следующее звание с сохранением прежнего оклада содержания.

**breviary** ['briːvjərɪ] *n* 1) сокраще́ние; сокращённое изложе́ние, конспе́кт; 2) *церк.* тре́бник.

**brevier** [brə'vɪə] *n полигр.* пети́т.

**brevity** ['brevɪtɪ] *n* кра́ткость.

**brew** [bruː] *v* 1) вари́ть (*пиво*); 2) сме́шивать; приготовля́ть (*пунш*); зава́ривать (*чай*); 3) замышля́ть (*мятеж, восстание*); затева́ть (*ссору и т. п.*); 4) назрева́ть, надвига́ться; a storm is ~ing гроза́ собира́ется; ◇ drink as you have ~ed ≅ что посе́ешь, то и пожнёшь.

**brewage** ['bruːɪdʒ] *n* 1) ва́рка (*пива и т. п.*); 2) ва́рево.

**brewer** ['bruːə] *n* пивова́р.

**brewery** ['bruərɪ] *n* пивова́ренный заво́д.

**brewing** ['bruːɪŋ] 1. *pres. p. от* brew; 2. *n* 1) пивоваре́ние; 2) коли́чество пи́ва, кото́рое ва́рится за оди́н раз; 3) *мор.* скопле́ние грозовы́х туч.

**Brewster Sessions** ['bruːstə'seʃənz] *n назва́ние инста́нции в А́нглии, выдаю́щей пате́нты на пра́во торго́вли спиртны́ми напи́тками.*

**briar** I, II ['braɪə]=brier I *и* II.

**bribable** ['braɪbəbl] *a* подку́пный.

**bribe** [braɪb] 1. *n* взя́тка, по́дкуп; 2. *v* подкупа́ть; дава́ть, предлага́ть взя́тку.

**briber** ['braɪbə] *n* тот, кто даёт взя́тку, взяткода́тель.

**bribery** ['braɪbərɪ] *n* взя́точничество.

**bribetaker** ['braɪb,teɪkə] *n* взя́точник; взяткополуча́тель.

**bric-à-brac** ['brɪkəbræk] *фр. n* безделу́шки; стари́нные ве́щи.

**brick** [brɪk] 1. *n* 1) кирпи́ч; кли́нкер; 2) брусо́к (*мы́ла, ча́я и т. п.*); box of ~s де́тские ку́бики; 3) *разг.* сла́вный па́рень, молодчи́на; ◇ to drop a ~ сде́лать ля́псус, допусти́ть беста́ктность; to have a ~ in one's hat *sl.* быть пья́ным; like a hundred (*или* a thousand) of ~s *разг.* с огро́мной си́лой; like a cat on hot ~s ≅ как на горя́чих у́гольях; to make ~s without straw *библ.* рабо́тать, не име́я ну́жного материа́ла; зате́вать безнадёжное де́ло; 2. *a* кирпи́чный; to run one's head against a ~ wall прошиба́ть лбом сте́ну, добива́ться невозмо́жного; 3. *v* класть кирпичи́; облицо́вывать *или* мости́ть кирпичо́м; □ ~ in, ~ up закла́дывать кирпича́ми.

**brick-bat** ['brɪkbæt] *n* обло́мок кирпича́.

**brick-field** ['brɪkfiːld] *n* кирпи́чный заво́д.

**brick-kiln** ['brɪkkɪln] *n* печь для обжига́ния кирпича́.

**bricklayer** ['brɪk,leɪə] *n* ка́менщик.

**bricklaying** ['brɪk,leɪɪŋ] *n* кла́дка кирпича́.

**brickwork** ['brɪkwəːk] *n* кирпи́чная кла́дка.

**brickyard** ['brɪkjɑːd] *n* кирпи́чный заво́д.

**bridal** ['braɪdl] 1. *n* сва́дебный пир, сва́дьба; 2. *a* сва́дебный.

**bride** [braɪd] *n* неве́ста; новобра́чная; ◇ the ~ of the sea «неве́ста мо́ря», Вене́ция.

**bridecake** ['braɪdkeɪk] *n* сва́дебный пиро́г.

**bridegroom** ['braɪdgrum] *n* жени́х; новобра́чный.

**bridesmaid** ['braɪdzmeɪd] *n* подру́жка неве́сты.

**bridesman** ['braɪdzmən] *n* ша́фер, дру́жка (*на сва́дьбе*).

**bridewell** ['braɪdwəl] *n* исправи́тельный дом, тюрьма́.

**bridge** I [brɪdʒ] 1. *n* 1) мост; мо́стик, перемы́чка; ~ of boats, pontoon ~ понто́нный, плашко́утный мост; raft ~ наплавно́й мост; gold (*или* silver) ~ *перен.* путь к почётному отступле́нию; 2) капита́нский мо́стик; 3) перено́сица; 4) кобы́лка (*скри́пки, гита́ры и т. п.*); 5) поро́г то́пки; 6) *эл.* паралле́льное соедине́ние, шунт; 2. *v* 1) соединя́ть мосто́м; наводи́ть мост, стро́ить мост; перекрыва́ть; 2) преодолева́ть препя́тствия, выходи́ть из затрудне́ния; to ~ over the difficulties преодоле́ть тру́дности; ◇ to ~ a gap ликвиди́ровать разры́в.

**bridge** II [brɪdʒ] *n* бридж (*ка́рточная игра́*).

**bridge-head** ['brɪdʒhed] *n воен.* (предмо́стный) плацда́рм; предмо́стная пози́ция; предмо́стное укрепле́ние; плацда́рм на террито́рии проти́вника, уде́рживаемый до подхо́да основны́х сил.

**bridle** ['braɪdl] 1. *n* 1) узда́, узде́чка; to give a horse the ~ отда́ть по́вод; *перен.* предоста́вить по́лную свобо́ду; to put a ~ on сде́рживать, обу́здывать; to turn ~ поверну́ть наза́д; 2) узде́чка (*аэроста́та*); 3) *мор.* бри́дель; 2. *v* 1) взну́здывать; 2) обу́здывать, сде́рживать; □ ~ up задира́ть нос.

**bridle-hand** ['braɪdlhænd] *n* ле́вая рука́ вса́дника.

**bridle-path** ['braɪdlpɑːθ] *n* (го́рная) вью́чная, верхова́я тропа́.

**bridle-rein** ['braɪdlreɪn] *n* по́вод.

**brief** [briːf] 1. *a* 1) коро́ткий, недо́лгий; 2) кра́ткий, сжа́тый; 2. *n* 1) сво́дка, резюме́; 2) *юр.* кра́ткое изложе́ние де́ла, соста́вленное для защи́тника; to have plenty of ~s име́ть большу́ю пра́ктику (*об адвока́те*); to take a ~ принима́ть на себя́ веде́ние де́ла в суде́; to throw down one's ~ отка́зываться от дальне́йшего веде́ния де́ла; 3) *ав.* инстру́кция, дава́емая лётчику пе́ред боевы́м вы́летом; 4) па́пское бре́ве; ◇ in ~ вкра́тце, в немно́гих слова́х; 3. *v* 1) резюми́ровать, составля́ть кра́ткое изложе́ние; 2) поруча́ть (адвока́ту) веде́ние де́ла в суде́; 3) *ав.* инструкти́ровать (лётчиков пе́ред боевы́м вы́летом).

**brief-bag** ['briːfbæg] *n* ко́жаный чемода́нчик.

**brief-case** ['briːfkeɪs] *n* 1) = brief-bag; 2) портфе́ль.

**briefing** ['briːfɪŋ] 1. *pres. p. от* brief 3; 2. *n* инструкта́ж.

**briefless** ['briːflɪs] *a* не име́ющий пра́ктики (*об адвока́те*).

**briefly** ['briːflɪ] *adv* кра́тко, сжа́то.

**briefness** ['briːfnɪs] *n* кра́ткость, сжа́тость.

**brier I** ['braɪə] n 1) бот. эрика (род вереска); 2) курительная трубка, сделанная из корня эрики.

**brier II** ['braɪə] n шиповник.

**briery** ['braɪərɪ] a колючий.

**brig** [brɪg] n 1) бриг, двухмачтовое судно; 2) амер. помещение для арестованных на военном корабле.

**brigade** [brɪ'geɪd] 1. n 1) бригада; 2) команда, отряд; fire ~ пожарная команда; 3) attr. бригадный; ~ major начальник штаба бригады;
2. v формировать бригаду.

**brigadier** [ˌbrɪgə'dɪə] n 1) бригадир; 2) бригадный генерал; 3) командир бригады.

**brigand** ['brɪgənd] n разбойник, бандит.

**brigandage** ['brɪgəndɪdʒ] n разбой, бандитизм.

**bright** [braɪt] 1. a 1) яркий, светлый; ~ colours яркие цвета; 2) блестящий; 3) ясный (о звуке); 4) светлый; прозрачный (о жидкости); 5) полированный; 6) способный, смышлёный; живой, расторопный; 7) весёлый; ◇ to look on the ~ side (of things) оптимистически смотреть на вещи;
2. adv ярко; блестяще.

**brighten** ['braɪtn] v 1) очищать, полировать (металл); придавать блеск; 2) проясняться; улучшать(ся) (о перспективах и т. п.).

**brightness** ['braɪtnɪs] n яркость и т. д. [см. bright 1].

**Bright's disease** ['braɪtsdɪ'ziːz] n мед. острый или хронический нефрит.

**brill** [brɪl] n камбала-ромб (рыба).

**brilliance, -cy** ['brɪljəns, -sɪ] n яркость; блеск; великолепие.

**brilliant** ['brɪljənt] 1. n 1) бриллиант; 2) диамант (мелкий шрифт в четыре пункта);
2. a 1) блестящий, сверкающий; 2) блестящий, выдающийся.

**brim** [brɪm] 1. n 1) край; 2) поля (шляпы);
2. v наполнять(ся) до краёв; □ ~ over переливаться через край (тж. перен.); he ~s over with health он пышет здоровьем.

**brimful** ['brɪm'ful] a полный до краёв.

**brimmer** ['brɪmə] n полный бокал, кубок.

**brimstone** ['brɪmstən] n уст. сера.

**brindled** ['brɪndld] a пёстрый, полосатый.

**brine** [braɪn] 1. n 1) морская вода; 2) рассол; рапа, соляной раствор; 3) поэт. море, океан; 4) поэт. слёзы;
2. v солить, засаливать.

**brine pit** ['braɪnpɪt] n солеварня.

**bring** [brɪŋ] v (brought) 1) приносить, доставлять, приводить, привозить; to ~ into fashion (или vogue) вводить в моду; 2) влечь за собой, причинять; доводить (to — до); to ~ to a close (или a conclusion, an end) доводить до конца, завершить; to ~ to a fixed proportion установить определённое соотношение; 3) заставлять, убеждать; □ ~ about a) осуществлять; б) вызывать; ~ back а) приносить обратно; б) вспоминать; ~ down а) снижать (цены); б) сбивать (самолёт); в) подстрелить (пти-

цу); г) унижать; ~ forth производить, рождать; ~ forward а) выдвигать (предложение); б) делать перенос (счёта) на следующую страницу; ~ in а) вводить; б) приносить (доход); в) вносить (законопроект, предложение); to ~ in guilty выносить обвинительный приговор; ~ into: to ~ into action а) вводить в бой, в дело; б) приводить в действие; to ~ into being вводить в действие; to ~ into play приводить в действие; to ~ into step синхронизировать; ~ off а) спасать; б) (успешно) завершать; ~ on навлекать, вызывать; ~ out а) высказывать (мнение и т. п.); выявлять; б) опубликовывать; ставить (пьесу); в) вывозить (девушку в свет); г) воен. снять с фронта, отвести в тыл; ~ over переубедить; привлечь на свою сторону; ~ round а) приводить в себя; б) переубеждать; ~ through а) провести через (какие-л. трудности); б) вылечить; в) подготовить к экзаменам; ~ to а) приводить в сознание; б) мор. остановить(ся) (о судне); в) амер. с.-х. приводить в хорошее состояние (землю); ~ together свести вместе (спорящих, враждующих); ~ under подчинять; ~ up а) приводить, приносить наверх; б) вскармливать, воспитывать; в) поднимать (вопрос); заводить (разговор); г) делать известным; д) привлекать к суду; е) разг. вырвать, стошнить; ж) мор. поставить или стать на якорь; ◇ to ~ down fire воен. открыть огонь, накрыть огнём; to ~ down the house вызвать бурные аплодисменты в театре, на собрании; to ~ to a head обострять; to ~ to book призвать к ответу; to ~ to life привести в чувство; to ~ to light выявлять, выяснять (что-л.); выводить на чистую воду; to ~ to terms приводить к соглашению; to ~ to bear influence употреблять влияние; to ~ to pass совершать, осуществлять; to ~ up to date а) ставить в известность; вводить в курс дела; б) модернизировать.

**brink** [brɪŋk] n 1) край (обрыва, пропасти); on the ~ of the grave на краю могилы; on the ~ of ruin на грани разорения; 2) берег (обыкн. обрывистый, крутой).

**briny** ['braɪnɪ] 1. a солёный;
2. n sl. море.

**briquette** [brɪ'ket] n брикет.

**brise-bise** ['briːz'biːz] n занавеска (на нижней части окна).

**brisk** [brɪsk] 1. a 1) живой, оживлённый; проворный; 2) свежий (о ветре); 3) шипучий (о напитках);
2. v оживлять(ся) (обыкн. ~ up); □ ~ about быстро двигаться.

**brisket** ['brɪskɪt] n грудинка.

**bristle** ['brɪsl] 1. n щетина; to set up one's ~s ощетиниться, рассердиться;
2. v 1) ощетиниться; 2) подниматься дыбом; 3) рассердиться; рассвирепеть; ◇ to ~ with difficulties (quotations) изобиловать трудностями (цитатами).

**bristly** ['brɪslɪ] a щетинистый; жёсткий; колючий.

**Bristol board** ['brɪstlbɔːd] n бристольский картон.

**Britannia** [brɪ'tænjə] *n поэт.* Великобритания (*тж. олицетворение Великобритании в виде женской фигуры на монетах и т. п.*).

**Britannia metal** [brɪ'tænjə,metl] *n* британский металл (*сплав олова, меди, сурьмы, иногда цинка*).

**Britannic** [brɪ'tænɪk] *a* британский (*в дипломатическом титуле короля или царствующей королевы*).

**briticism** ['brɪtɪsɪzəm] *n* англицизм; идиома, типичная для англичан, но не употребляемая в США.

**British** ['brɪtɪʃ] 1. *a* (велико)британский; английский; ◇ ~ warm короткая военная шинель;
2. *n* (the ~) *pl собир.* англичане, британцы.

**Britisher** ['brɪtɪʃə] *n амер. разг.* британец, англичанин.

**britishism** ['brɪtɪʃɪzəm] = briticism.

**Briton** ['brɪtn] *n* 1) древний бритт; 2) британец, англичанин; North ~ шотландец.

**brittle** ['brɪtl] *a* хрупкий, ломкий.

**britzka** ['brɪtskə] *рус. n* бричка.

**broach** [brouʧ] 1. *n* 1) вертел; 2) шпиль церкви; 3) *тех.* развёртка, сверло, рейбор, протяжка.
2. *v* 1) делать прокол, отверстие; почать (*бочку вина*); 2) огласить; начать обсуждать (*вопрос*); to ~ a subject поднять разговор о чём-л.; открыть дискуссию; 3) *тех.* развёртывать, протягивать, прошивать отверстие; 4) обтёсывать (*камень*); 5) *горн.* начать разработку (*шахты и т. п.*).

**broad** [brɔːd] 1. *a* 1) широкий; 2) обширный; просторный; 3) широкий, свободный, терпимый; 4) общий, в общих чертах; 5) ясный, простой, ясно выраженный; in ~ daylight средь бела дня; ~ hint ясный намёк; ~ Scotch резкий шотландский акцент; 6) грубый, неприличный; a ~ joke грубая шутка; 7) главный, основной; 8) *фон.* открытый (*звук*); ◇ it is as ~ as it is long ≅ то же на то же выходит; что в лоб, что по лбу;
2. *adv* 1) широко; 2) свободно, открыто; 3) вполне; ~ awake вполне очнувшись от сна *или* проснувшись; 4) с резким акцентом;
3. *n* 1) широкая часть (*спины, спинки*); 2) *амер. груб.* дёвка.

**broad arrow** ['brɔːd'ærou] *n* английское правительственное клеймо.

**broad-brim** ['brɔːdbrɪm] *n* 1) широкополая шляпа; 2) *разг.* квакер.

**broadcast** ['brɔːdkɑːst] 1. *n* = broadcasting;
2. *a* 1) радиовещательный; ~ appeal обращение по радио; 2) посеянный взразброс, разбросанный, рассеянный;
3. *v* 1) передавать по радио; вести радиопередачу; вещать; 2) распространять; 3) разбрасывать (*семена и т. п.*).

**broadcaster** ['brɔːdkɑːstə] *n* диктор.

**broadcasting** ['brɔːdkɑːstɪŋ] *n* радиопередача, радиовещание, трансляция.

**broadcloth** ['brɔːdklɔθ] *n* 1) тонкое чёрное

сукно двойной ширины; 2) бумажная ткань ворсовой отделки.

**broaden** ['brɔːdn] *v* расширять(ся).

**broad-gauge** ['brɔːdgeɪdʒ] *a* 1) ширококолейный; 2) широких взглядов.

**broadly** ['brɔːdlɪ] *adv* широко *и т. д.* [*см.* broad 1]; ~ speaking вообще говоря; в общих чертах.

**broadminded** ['brɔːd'maɪndɪd] *a* с широкими взглядами, с широким кругозором.

**broadness** ['brɔːdnɪs] *n* грубость (*речи, шутки*).

**broad-pennant** ['brɔːd,penənt] *n мор.* брейд-вымпел.

**broadsheet** ['brɔːdʃiːt] *n* большой лист бумаги с печатным текстом на одной стороне; листовка; плакат.

**broadside** ['brɔːdsaɪd] *n* 1) борт (*корабля*); 2) орудия одного борта; бортовой залп; to give a ~ *мор.* дать бортовой залп; 3) град брани, упрёков *и т. п.*; to give smb. a ~ обрушиться на кого-л.; 4)=broadsheet.

**broadsword** ['brɔːdsɔːd] *n* палаш.

**broadways** ['brɔːdweɪz] *adv* вширь, в ширину, поперёк.

**broadwise** ['brɔːdwaɪz] = broadways.

**brocade** [brə'keɪd] *n* парча.

**brocaded** [brə'keɪdɪd] *a* парчовый.

**brochure** ['brouʃjuə] *n* брошюра.

**brock** [brɔk] *n* барсук.

**brocket** ['brɔkɪt] *n* двухгодовалый олень.

**brogue I** [broug] *n* грубый башмак.

**brogue II** [broug] *n* провинциальный (*особ.* ирландский) акцент.

**broidery** ['brɔɪdərɪ] = embroidery.

**broil I** [brɔɪl] *n* шум, ссора.

**broil II** [brɔɪl] 1. *n* 1) жар; 2) жареное мясо;
2. *v* 1) жарить(ся) на огне; 2) *разг.* жариться на солнце; 3) гореть, бурно переживать; to ~ with impatience гореть нетерпением.

**broiler I** ['brɔɪlə] *n* очень жаркий день.

**broiler II** ['brɔɪlə] *n* зачинщик ссор, задира.

**broke** [brouk] 1. *past от* break I, 2;
2. *уст. р. р. от* break I, 2;
3. *a* 1) разорённый; 2) *уст.* распаханный.

**broken** ['broukən] 1. *р. р. от* break I, 2;
2. *a* 1) разбитый; ~ stone щебень; 2) нарушенный (*о законе, обещании*); 3) разорённый, разорившийся; 4) ломаный (*о языке*); 5) прерывистый (*о голосе, сне*); 6) выезженный (*о лошади*); 7) неустойчивый, переменчивый (*о погоде*); ◇ ~ bread, ~ meat остатки пищи; ~ spirits уныние; ~ tea спитой чай; ~ ground а) пересечённая местность; б) вспаханная земля; ~ money мелкие деньги, мелочь; ~ numbers дроби; ~ water неспокойное море.

**broken-bellied** ['broukən'belɪd] *a* страдающий грыжей.

**broken-down** ['broukən'daun] *a* 1) надломленный; 2) разорившийся; 3) полома́нный; потерпевший аварию.

**broken-hearted** ['broukən'hɑːtɪd] *a* убитый горем; с разбитым сердцем.

**brokenly** ['broukənlı] *adv* 1) урывками; 2) судорожно; отрывисто.

**broken wind** ['broukənwınd] *n* одышка, запал (*у лошади*).

**broker** ['broukə] *n* 1) маклер, комиссионер; 2) торговец подержанными вещами; 3) оценщик; 4) лицо, производящее продажу описанного имущества.

**brokerage** ['broukərıdʒ] *n* 1) маклерство; 2) комиссионное вознаграждение.

**broking** ['broukıŋ] *n* маклерство, посредничество.

**brolly** ['brɔlı] *n sl.* 1) (*сокр. от* umbrella) зонтик; 2) парашют; 3) *attr.*: ~ hop прыжок с парашютом.

**bromide** ['broumaıd] *n* 1) *хим.* бромид, бромистое соединение; 2) *pl* снотворное; 3) заурядный, банальный человек; 4) избитая, стереотипная фраза, банальность.

**bromine** ['broumiːn] *n хим.* бром.

**bronchi, bronchia** ['brɔŋkaı, 'brɔŋkıə] *n pl анат.* бронхи.

**bronchial** ['brɔŋkjəl] *a* бронхиальный.

**bronchitis** [brɔŋ'kaıtıs] *n* бронхит.

**broncho** ['brɔŋkou] = bronco.

**bronchocele** ['brɔŋkousiːl] *n мед.* зоб.

**bronco** ['brɔŋkou] *n* (*pl* -os [-ouz]) *амер.* полудикая лошадь.

**bronze** [brɔnz] **1.** *n* 1) бронза; 2) изделия из бронзы; 3) порошок для бронзировки;
2. *a* бронзовый;
3. *v* 1) бронзировать; 2) загорать на солнце.

**brooch** [broutʃ] *n* брошь.

**brood I** [bruːd] **1.** *n* 1) выводок; *пренебр.* семья; дети; 2) стая; толпа; куча;
2. *v* 1) сидеть на яйцах; 2) размышлять (*особ. грустно*; on, over — над); вынашивать (*в уме, в душе*); 3) нависать (*об облаках, тьме и т. п.*); 4) тяготить (*о заботах*).

**brood II** [bruːd] *n геол.* пустая порода.

**brooder** ['bruːdə] *n* 1) человек, постоянно погружённый в раздумье (*обыкн. мрачное*); 2) брудер (*аппарат для выращивания цыплят, выведенных в инкубаторе*).

**brood-hen** ['bruːdhen] *n* наседка.

**brood-mare** ['bruːdmɛə] *n* племенная кобыла, конематка.

**broody** ['bruːdı] *n* клуша, наседка.

**brook I** [bruk] *v* терпеть, выносить (*в отриц. предложениях*); the matter ~s no delay дело не терпит отлагательства.

**brook II** [bruk] *n* ручей.

**brooklet** ['bruklıt] *n* ручеёк.

**broom 1.** *n* 1) [brum] метла, веник; a new ~ «новая метла», новое начальство; 2) [bruːm] *бот.* ракитник.
2. *v* [brum] мести, подметать.

**broom-stick** ['brumstık] *n* метловище;
◇ to marry over the ~ повенчать(ся) вокруг ракитового куста.

**broth** [brɔθ] *n* суп, похлёбка, мясной отвар, бульон; Scotch ~ перловый суп; ◇ a ~ of a boy *ирл.* славный парень, молодец.

**brothel** ['brɔθl] *n* публичный дом.

**brother** ['brʌðə] *n* (*pl* brothers [-z]; *см. тж.* brethren) 1) брат; ~ german родной брат; ~s uterine единоутробные братья;

sworn ~s названые братья, побратимы; 2) собрат; коллега; ~ in arms собрат по оружию; ~ of the brush собрат по кисти (*художник*); ~ of the quill собрат по перу (*писатель*); 3) земляк; ◇ Brother Jonathan янки (*прозвище американцев*).

**brotherhood** ['brʌðəhud] *n* 1) братство; 2) братские, дружеские отношения; 3) люди одной профессии; 4) *амер.* профсоюз железнодорожников.

**brother-in-law** ['brʌðərınlɔː] *n* (*pl* brothers-in-law) зять (*муж сестры*); шурин; свояк; деверь.

**brotherly** ['brʌðəlı] **1.** *a* братский;
2. *adv* по-братски.

**brothers-in-law** ['brʌðəzınlɔː] *pl от* brother-in-law.

**brougham** ['bruːəm] *n* 1) двухместная карета, запряжённая в одну лошадь; 2) *тип* автомобильного кузова.

**brought** [brɔːt] *past и p. p. от* bring.

**brow I** [brau] *n* 1) бровь; to knit (*или to* bend) the (*или* one's) ~s хмурить брови, (на)хмуриться; насупиться; 2) *поэт.* лоб, чело; 3) выражение лица; вид, наружность; 4) выступ (*скалы и т. п.*); кромка, край (*горы, холма*).

**brow II** [brau] *n мор.* мостки, сходни.

**brow-ague** ['brau,eıgjuː] *n* мигрень.

**browbeat** ['braubiːt] *v* запугивать, застращивать; обращаться надменно.

**brown** [braun] **1.** *a* 1) коричневый; бурый; ~ bread хлеб из непросеянной муки; ~ paper грубая обёрточная бумага; ~ powder бурый дымный порох; 2) смуглый; загорелый; 3) карий (*о глазах*); 4) *текст.* суровый, небелёный; ◇ ~ study (мрачное) раздумье, размышление; ~ sugar бастр, жёлтый сахарный песок; ~ ware глиняная посуда;
2. *n* 1) коричневый цвет; коричневая краска; 2) *sl.* медяк;
3. *v* 1) делать(ся) тёмным, коричневым; загорать; 2) воронить (*металл*); 3) *pass. sl.*: I'm ~ed off with it мне это осточертело.

**brown coal** ['braunkoul] *n* лигнит, бурый уголь.

**brownie I** ['braunı] *n* тип фотографического аппарата.

**brownie II** ['braunı] *n* домовой.

**brownie III** ['braunı] *n* член младшей ветви организации girl guides [*см.* girl].

**browning I** ['braunıŋ] *n* браунинг.

**browning II** ['braunıŋ] **1.** *pres. p. от* brown 3;
2. *n* глазуровка, полив гончарных изделий.

**brownout** ['braunaut] *n* 1) *амер.* уменьшение освещения улиц и витрин (*для экономии электроэнергии*); 2) частичное затемнение.

**browse** [brauz] **1.** *n* 1) молодые побеги; 2) ощипывание молодых побегов;
2. *v* 1) объедать, ощипывать листья, молодые побеги (on); 2) *распр.* пастись (on); 3) читать, заниматься беспорядочно.

**Bruin** ['bruːın] *n* Мишка (*прозвище медведя в фольклоре*).

**bruise** [bruːz] **1.** *n* синяк, кровоподтёк; ушиб; контузия;
**2.** *v* 1) подставлять синяки; ушибать; контузить; 2) толочь; 3) нестись сломя голову (*тж.* ~ along).
**bruiser** [ˈbruːzə] *n* 1) профессиональный борец, боксёр; 2) прибор для шлифовки оптических стёкол.
**bruit** [bruːt] *уст.* **1.** *n* молва, слух;
**2.** *v* распускать слух; it is ~ed about (*или* abroad) that ходят слухи, что.
**brumal** [ˈbruːməl] *a* зимний.
**brumby** [ˈbrʌmbɪ] *n австрал. разг.* необъезженная лошадь.
**brume** [bruːm] *n* туман, мгла; дымка; испарение.
**Brummagem** [ˈbrʌmədʒəm] **1.** *n* дешёвое, низкопробное *или* поддельное изделие; *тж.* фальшивая монета (*от диал. и презр. названия г. Бирмингема, где в XVII в. чеканились фальшивые деньги*);
**2.** *a* 1) дешёвый; поддельный; 2) сделанный в Бирмингеме.
**brumous** [ˈbruːməs] *a* мглистый, туманный.
**brunch** [brʌntʃ] *n разг.* один завтрак (*заменяющий первый и второй завтрак*).
**brunette** [bruːˈnet] *n* брюнетка.
**Brunswick line** [ˈbrʌnzwɪkˈlaɪn] *n ист.* Ганноверская династия (*1714—1901 гг.*).
**brunt** [brʌnt] *n* 1) главный удар, атака; to bear the ~ принять на себя, выдержать главный удар (*неприятеля*); 2) кризис.
**brush** I [brʌʃ] **1.** *n* 1) щётка; 2) кисть; the ~ искусство художника; to give it another ~ поработать над чем-л. ещё, окончательно отделать что-л.; 3) хвост (*особ. лисий*); 4) чистка щёткой; to have a ~ почистить щёткой; 5) ссадина; 6) стычка; 7) *эл.* щётка;
**2.** *v* 1) чистить щёткой; 2) причёсывать (*волосы*); □ ~ against слегка задевать; ~ aside a) смахивать; б) отделываться, отстранять от себя; ~ away отчищать; отметать; ~ by прошмыгнуть мимо; ~ off a) удалять, устранять; б) быстро убегать; ~ up a) чистить(ся); приводить (себя) в порядок; б) освежать (*знания*); I must ~ up my French мне нужно освежить в памяти французский язык.
**brush** II [brʌʃ] *уст., амер.* **1.** *n* кустарник, заросль, чаща;
**2.** *v* обсаживать кустарником.
**brush-off** [ˈbrʌʃɔf] *n амер. разг.* отказ, непринятие ухаживания.
**brushwood** [ˈbrʌʃwud] *n* 1) заросль, кустарник; 2) хворост, валежник.
**brushy** I [ˈbrʌʃɪ] *a* 1) похожий на щётку; щетинистый; 2) грубый, шероховатый.
**brushy** II [ˈbrʌʃɪ] *a* покрытый кустарником.
**brusque** [brusk] **1.** *a* грубый, резкий; бесцеремонный;
**2.** *v* обходиться грубо (*с кем-л.*).
**brut** [brjuːt] *a* сухой (*о вине*).
**brutal** [ˈbruːtl] *a* 1) грубый; жестокий; 2) *разг.* отвратительный.
**brutality** [bruːˈtælɪtɪ] *n* грубость; жестокость;

**brutalize** [ˈbruːtəlaɪz] *v* 1) доводить до звероподобного состояния; 2) доходить до звероподобного состояния; 3) обходиться жестоко.
**brute** [bruːt] **1.** *n* 1) животное; 2) жестокий, грубый *или* глупый и тупой человек; «скотина»; 3) (the ~) (*употр. как pl*) грубые животные инстинкты;
**2.** *a* 1) грубый; животный, чувственный; 2) жестокий; 3) неразумный, бессмысленный.
**brutish** [ˈbruːtɪʃ] *a* 1) грубый; зверский; 2) чувственный; 3) тупой.
**bryology** [braɪˈɔlədʒɪ] *n* бриология, наука о мхах.
**bubal** [ˈbubəl] *n* североафриканская антилопа.
**bubble** [ˈbʌbl] **1.** *n* 1) пузырь; 2) пузырёк воздуха *или* газа (*в жидкости*); пузырёк воздуха (*в стекле*); 3) дутое предприятие, «мыльный пузырь»;
**2.** *v* 1) пузыриться; кипеть; 2) бить ключом (*тж.* ~ over, ~ up); he ~d over with fun он был неистощим на шутки; 3) журчать (*о речи*); 4) *уст.* обманывать.
**bubble-and-squeak** [ˈbʌblənˈskwiːk] *n* 1) жаркое из холодного варёного мяса с овощами; 2) пустота, тщеславие.
**bubbly** [ˈbʌblɪ] **1.** *a* 1) пенящийся (*о вине*); 2) пузыристый (*о стекле*);
**2.** *n разг.* шампанское.
**bubbly-jock** [ˈbʌblɪdʒɔk] *n* индюк.
**bubo** [ˈbjuːbou] *n* (*pl* -oes [-ouz]) *мед.* бубон.
**bubonic** [bjuːˈbɔnɪk] *a мед.* бубонный.
**bubonocele** [bjuːˈbɔnəsiːl] *n мед.* паховая грыжа.
**bubs** [bʌbz] *n pl груб.* бюст.
**buccaneer** [ˌbʌkəˈpɪə] **1.** *n* пират;
**2.** *v* заниматься морским разбоем.
**buccinator** [ˈbʌksɪneɪtə] *n* щёчный мускул, мускул трубачей.
**buck** I [bʌk] **1.** *n* 1) самец (*оленя, антилопы, зайца, кролика*); 2) брыкание; 3) денди, щёголь (*тж.* old ~; *в обращении* дружище, старина); 4) *презр.* южноамериканский индеец; 5) *амер. sl.* доллар; 6) марка в покере, указывающая чья сдача; ◇ to pass the ~ to *амер.* сваливать ответственность на *другого*;
**2.** *v* становиться на дыбы; брыкаться; □ ~ against *амер.* противиться, выступать против; ~ along трястись в экипаже; ~ off сбрасывать (*с седла*); ~ up *разг.* а) встряхнуться, оживиться, проявить энергию (*особ. в imp.*); б) спешить; ◇ much ~ed довольный, оживлённый.
**buck** II [bʌk] **1.** *n амер.* козлы для пилки дров;
**2.** *v* 1) распиливать (*деревья*) на брёвна; 2) дробить (*руду*).
**buck** III [bʌk] **1.** *n* щёлок;
**2.** *v* бучить; стирать в щёлоке.
**bucket** [ˈbʌkɪt] **1.** *n* 1) ведро; бадья; 2) черпак, ковш (*землечерпалки и т. п.*); грейфер; 3) поршень насоса; 4) подъёмная клеть, люлька; ◇ to give the ~ увольнять со службы; to kick the ~ протянуть ноги, умереть;

**2.** *v* 1) чéрпать; 2) гнать лóшадь изо всéх сил; скакáть сломя́ гóлову; 3) *спорт.* плóхо грести.

**bucket-shop** ['bʌkɪtʃɔp] *n* биржевáя контóра, в котóрой нелегáльно ведётся спекуляти́вная игрá.

**buck-eye** ['bʌkaɪ] *n* кóнский каштáн.

**buck-horn** ['bʌkhɔːn] *n* олéний рог (*как материáл*).

**bucking** I ['bʌkɪŋ] 1. *pres. p. om* buck III, 2;
**2.** *n* щелочéние; бýчение (*белья*).

**bucking** II ['bʌkɪŋ] 1. *pres. p. om* buck II, 2;
**2.** *n* дроблéние *или* измельчéние руды́.

**bucking** III ['bʌkɪŋ] *pres. p. om* buck I, 2.

**Buckingham Palace** ['bʌkɪŋəm'pælɪs] *n* Букингéмский дворéц (*лóндонская резидéнция короля́*).

**buckish** ['bʌkɪʃ] *a* щегольскóй, фатовáтый.

**buckle** ['bʌkl] 1. *n* 1) пря́жка; 2) изги́б, прогни́б (*вертикáльный*); 3) *тех.* хомýтик, скобá, стя́жка; ◇ to cut the ~ подпры́гивать, присту́кивать каблукáми (*в тáнце*);
**2.** *v* 1) застёгивать пря́жку; 2) *шутл. разг.* жени́ться; 3) приготóвиться (for); принимáться энерги́чно за дéло; 4) сгибáть; гнуть, выгибáть; 5) сгибáться (*от давлéния*); ☐ ~ up коробиться.

**buckler** ['bʌklə] 1. *n* 1) небольшóй крýглый щит; 2) *мор.* крýглый стáвень; 3) защи́та, прикры́тие;
**2.** *v* защищáть; заслоня́ть.

**bucko** ['bʌkou] *мор. sl.* 1. *n* (*pl* -oes [-ouz]) хвастýн;
**2.** *a* хвастли́вый, чванли́вый.

**buckra** ['bʌkrə] *негр. диал.* 1. *n* бéлый человéк, хозя́ин;
**2.** *a* свóйственный бéлому человéку.

**buckram** ['bʌkrəm] 1. *n* 1) клеёнка; клеёный холст; 2) чóпорность;
**2.** *a* чóпорный.

**bucksaw** ['bʌksɔ] *n* лучкóвая пилá.

**buck-shot** ['bʌkʃɔt] *n* крýпная дробь, картéчь.

**buckskin** ['bʌkskɪn] *n* 1) олéнья кóжа; 2) *pl* штаны́ из олéньей кóжи.

**buckthorn** ['bʌkθɔn] *n бот.* круши́на.

**buck-tooth** ['bʌktuːθ] *n* 1) олéний клык; 2) торчáщий зуб.

**buckwheat** ['bʌkwiːt] *n* 1) гречи́ха; 2) *attr.* грéчневый.

**bucolic** [bjuː'kɔlɪk] 1. *a* 1) буколи́ческий; 2) *шутл.* сéльский;
**2.** *n* 1) (*обыкн. pl*) букóлика; 2) буколи́ческий поэ́т; 3) *шутл.* сéльский жи́тель.

**bud** [bʌd] 1. *n* 1) пóчка; in ~ в перио́де почковáния; 2) бутóн; 3) *разг.* дéвушка-подрóсток; 4) *ласк.* крóшка *и т. п.*; 5) = buddy; ◇ to nip (*или* to check, to crush) in the ~ пресéчь в кóрне, подави́ть в зарóдыше; ~ of promise *амер.* подаю́щая надéжды дебютáнтка;
**2.** *v* 1) давáть пóчки, пускáть ростки́; 2) *бот.* прививáть глазкóм; 3) развивáться.

**Buddha** ['budə] *n* Бýдда.

**buddhism** ['budɪzəm] *n* будди́зм.

**buddhistic** [bu'dɪstɪk] *a* будди́йский.

**budding** ['bʌdɪŋ] 1. *pres. p. om* bud 2;
**2.** *a* подаю́щий надéжды; многообещáющий;
**3.** *n с.-х.* окулирóвка.

**buddy** ['bʌdɪ] *n амер. разг.* дружи́ще, прия́тель; ◇ ~ seat коля́ска мотоци́кла.

**budge** I [bʌdʒ] *v* (*в отриц. предложéниях*) 1) шевели́ться; he did not ~ an inch a) он и не шевельнýлся; б) он не уступи́л ни на йóту; 2) пошевельнýть, сдви́нуть с мéста.

**budge** II [bʌdʒ] *n* овчи́на.

**budget** ['bʌdʒɪt] 1. *n* 1) бюджéт; финáнсовая смéта; 2) запáс; a ~ of news кýча новостéй; 3) *уст.* сýмка и её содержи́мое;
**2.** *v* предусмáтривать в бюджéте, ассигновáть (for).

**budgetary** ['bʌdʒɪtərɪ] *a* бюджéтный.

**buff** [bʌf] 1. *n* 1) бýйволовая кóжа; тóлстая бычáчья кóжа; 2) кóжа человéка; in ~ нагишóм, «в чём мать роди́ла»; to strip to the ~ раздéть догола́; 3) цвет бýйволовой кóжи, тёмно-жёлтый цвет;
**2.** *a* 1) из бýйволовой кóжи; 2) цвéта бýйволовой кóжи;
**3.** *v* 1) полировáть (*кóжаным кругóм*); 2) поглощáть удáры, смягчáть толчки́.

**buffalo** ['bʌfəlou] *n* (*pl* -oes [-ouz]) 1) бýйвол, американский бизóн; 2) танк-амфи́бия; ◇ ~ bug вид платянóй мóли.

**buffer** ['bʌfə] *n* 1) *тех.* бýфер; амортизáтор, дéмпфер, глуши́тель; 2) бýфер, бýферное госудáрство (*тж.* ~ State); 3) *воен.* тóрмоз откáта; 4) *мор. sl.* помóщник бóцмана; 5) *attr.* бýферный; ~ disk *ж.-д.* бýферная тарéлка; ~ old *пренебр.* старикáшка, стáрый хрыч.

**buffet** I ['bʌfɪt] 1. *n* удáр (*рукóй; тж. перен.*);
**2.** *v* 1) наноси́ть удáры; ударя́ть; 2) борóться (*осóб. с волнáми*); 3) проти́скиваться, протáлкиваться.

**buffet** II *n* 1) ['bʌfɪt] буфéт (*для посýды*); гóрка (*для серебрá, фарфóра*); 2) ['bufeɪ] буфéт, буфéтная стóйка; ◇ ~ car a) вагóн с буфéтом; б) вагóн-ресторáн; ~ luncheon лёгкий зáвтрак.

**buffi** ['bufi] *pl om* buffo.

**buffo** ['bufou] 1. *n* (*pl* buffi) коми́ческий актёр (*в óпере, на эстрáде*);
**2.** *a* коми́ческий.

**buffoon** [bʌ'fuːn] 1. *n* шут, фигля́р, буффóн;
**2.** *a* шутовскóй;
**3.** *v* изображáть шутá, фигля́рничать.

**buffoonery** [bʌ'fuːnərɪ] *n* шутовствó; буффонáда.

**bug** [bʌg] *n* 1) клоп; 2) насекóмое; жук; 3) *амер. разг.* техни́ческий дефéкт; 4) *sl.* безýмная идéя, помешáтельство; to go ~s сойти́ с умá.

**bugaboo** ['bʌgəbuː] *n* пýгало, бýка.

**bugbear** ['bʌgbɛə] = bugaboo.

**bugger** ['bʌgə] *n* педерáст (*тж. груб. как брáнное слóво*).

**buggery** ['bʌgərɪ] *n* педерáстия.

**buggy** I ['bʌgɪ] *n* 1) лёгкая двухмéстная коля́ска с откидны́м вéрхом; кабриолéт; 2) мáленькая вагонéтка.

**buggy II** ['bʌgɪ] *a* кишащий клопами.

**bughouse** ['bʌghaus] *амер. sl.* 1. *n* сумасшедший дом;

2. *a* ненормальный, сумасшедший; to go ~ сойти с ума.

**bug-hunter** ['bʌghʌntə] *n разг.* охотник за жучками (*шутл. об энтомологе*).

**bugle I** ['bjuːgl] 1. *n* 1) охотничий рог; рожок; горн, сигнальная труба; 2) *attr.*: ~ call сигнал на горне;

2. *v* трубить в рог.

**bugle II** ['bjuːgl] *n* стеклярус; бисер.

**bugle III** ['bjuːgl] *n бот.* дубровка ползучая.

**bugler** ['bjuːglə] *n воен.* горнист, сигналист.

**buglet** ['bjuːglɪt] *n* велосипедный рожок.

**buhl** [buːl] *n* мебель стиля «буль» (*с инкрустацией из бронзы, черепахи и т. п.*).

**build** [bɪld] 1. *n* 1) конструкция; форма; стиль; 2) телосложение; 3) *текст.* образование (початка);

2. *v* (built) 1) строить, сооружать; 2) создавать; 3) вить (*гнёзда*); 4) основываться, полагаться (on); □ ~ into вделывать, вмуровывать (*в стену*); ~ up а) воздвигать; постепенно создавать, строить; б) укреплять (*здоровье*); в) закладывать кирпичом (*окно, дверь*); г) застраивать вокруг; д) монтировать (*машину*); ~ upon основывать на чём-л.; рассчитывать на что-л.

**builder** ['bɪldə] *n* 1) строитель; 2) подрядчик; 3) плотник; каменщик.

**building** ['bɪldɪŋ] 1. *pres. p. om* build 2.

2. *n* 1) здание, постройка; строение, сооружение; 2) *pl* надворные постройки, службы; 3) строительство; ~ and loan association жилищно-строительная кооперация; 4) *attr.* строительный; ~ engineer инженер-строитель; ~ yard стройплощадка.

**building-lease** ['bɪldɪŋliːs] *n* аренда земельного участка для застройки.

**building-paper** ['bɪldɪŋˌpeɪpə] *n стр.* облицовочный картон.

**building-society** ['bɪldɪŋsəˌsaɪətɪ] *n* жилищно-строительная кооперация.

**build-up** ['bɪldʌp] *n* пространные комментарии; введение (*к выступлению по радио и т. п.*).

**built** [bɪlt] *past и p. p. om* build 2.

**built-in** ['bɪltˈɪn] *a* вделанный; стенной (*о шкафе и т. п.*).

**bulb** [bʌlb] 1. *n* 1) *бот., анат.* луковица; 2) шарик (*термометра*); колба электрической лампы, электрическая лампа; 3) баллон; сосуд; 4) пузырёк; 5) выпуклость;

2. *v* расширяться в форме луковицы; □ ~ up завиваться (*о кочане капусты*).

**bulbaceous** [bʌlˈbeɪʃəs] *a* 1) луковичный; луковицеобразный; 2) выпуклый.

**bulbil** ['bʌlbɪl] *n бот.* воздушная луковичка, пазушная луковичка.

**bulbous** ['bʌlbəs]=bulbaceous.

**Bulgarian** [bʌlˈgɛərɪən] 1. *a* болгарский; 2. *n* 1) болгарин; болгарка; 2) болгарский язык.

**bulge** [bʌldʒ] 1. *n* 1) выпуклость; ~ of a curve горб кривой (*линии*); 2) (the ~)

*амер. sl.* преимущество; to have the ~ on smb. иметь преимущество перед кем-л.; 3) *разг.* вздутие цен; временное увеличение в объёме *или* в количестве; 4) *воен.* выступающая часть фронта, выступ; 5) = bilge I, 1); 6) *мор.* противоминная наделка; 7) *горн.* раздув (*жилы*); 8) *attr.*: ~ ship корабль, снабжённый противоминными наделками;

2. *v* 1) выпячиваться; выдаваться; 2) деформироваться; 3) набивать (*мешок, кошелёк*).

**bulging** ['bʌldʒɪŋ] 1. *pres. p. om* bulge 2;

2. *a* 1) разбухший; выпуклый; ~ eyes глаза навыкате; 2) выпяченный, оттопыривающийся.

**bulgy** ['bʌldʒɪ]=bulging 2.

**bulimia** [bjuːˈlɪmɪə] *n мед.* (ненормально) повышенное чувство голода; *перен.* жадность (*к чему-л.*).

**bulimy** ['bjuːlɪmɪ] = bulimia.

**bulk** [bʌlk] 1. *n* 1) объём; вместимость; 2) большие размеры; большое количество; to sell in ~ продавать гуртом; 3) основная масса, большая часть (*чего-л.*); 4) корпус (*здания и т. п.*); 5) груз (*судна*); to break ~ начинать разгрузку; to load in ~ грузить навалом; 6) *attr.*: ~ cargo насыпной *или* наливной груз; ~ buying оптовые закупки;

2. *v* 1) казаться большим, важным; 2) устанавливать вес (*груза*); 3) ссыпать, сваливать в кучу; нагромождать; □ ~ up составлять изрядную сумму; доходить (до — до).

**bulkhead** ['bʌlkhed] *n* 1) переборка (*на судне*); перемычка (*в руднике*); 2) крыша над пристройкой; 3) пристройка; 4) ларёк

**bulky** ['bʌlkɪ] *a* 1) большой, объёмистый; громоздкий; 2) грузный.

**bull I** [bul] 1. *n* 1) бык, буйвол (*тж. самец кита, слона, аллигатора и др. крупных животных*); 2) спекулянт, играющий на повышение биржевых ценностей; 3) (B.) Телец (*созвездие и знак зодиака*); 4) *sl.* шпик; полицейский; ◇ a ~ in a china shop ≅ слон в посудной лавке; «медведь»;

2. *a* 1) бычачий, бычий; 2) *бирж.* повышательный;

3. *v* 1) спекулировать на повышении биржевых цен; 2) повышаться в цене; 3) преуспевать; приобретать влияние, значение.

**bull II** [bul] *n* (папская) булла.

**bull III** [bul] *n* явная нелепость, противоречие.

**bull-baiting** ['bulˌbeɪtɪŋ] *n ист.* травля быков собаками.

**bull-calf** ['bulˈkɑːf] *n* 1) бычок; 2) простак.

**bulldog** ['buldɔg] *n* 1) бульдог; 2) *перен.* упорный, цепкий человек; 3) педель (*в старых англ. университетах*); 4) *разг.* револьвер; 5) *разг.* курительная трубка.

**bulldose, bulldoze** ['buldouz] *v* 1) разбивать крупные куски (*руды, породы*); 2) выравнивать грунт, расчищать при помощи бульдозеров; 3) *амер. разг.* шантажировать, запугивать; грозить насилием; принуждать.

**bulldozer** ['bul,douzə] *n* бульдо́зер.

**bulldozerman** ['bul,douzəmən] *n* бульдозери́ст.

**bullet** ['bulɪt] *n* 1) пу́ля; ядро́; 2) грузи́ло; 3) *pl воен. sl.* горо́х; ◇ every ~ has its billet *посл.* ≅ от судьбы́ не уйдёшь; пу́ля винова́того найдёт.

**bullet-head** ['bulɪthed] *n* 1) челове́к с кру́глой голово́й; 2) *амер.* упря́мец.

**bulletin** ['bulɪtɪn] 1. *n* 1) бюллете́нь; 2) сво́дка;
2. *v* выпуска́ть бюллете́ни.

**bullet-proof** ['bulɪtpruːf] *a* не пробива́емый пу́лями.

**bullfight** ['bulfaɪt] *n* бой быко́в.

**bullfinch** ['bulfɪntʃ] *n* 1) снеги́рь; 2) густа́я жива́я и́згородь со рвом.

**bullhead** ['bulhed] *n* 1) подка́менщик (*рыба*); 2) ржа́нка бурокры́лая (*птица*); 3) болва́н.

**bullion** ['buljən] *n* сли́ток зо́лота или серебра́; ◇ ~ dealer *sl.* меня́ла.

**bullionist** ['buljənɪst] *n* сторо́нник металли́ческого де́нежного обраще́ния.

**bullock** ['bulək] *n* вол.

**bull's-eye** ['bulzaɪ] *n* 1) кру́глое (слухово́е) окно́; 2) увеличи́тельное стекло́; 3) фона́рь с увеличи́тельным стекло́м; 4) *мор.* иллюмина́тор; 5) я́блоко мише́ни; to hit (*или* to make, to score) the ~ попада́ть в цель; 6) стари́нные карма́нные часы́, «лу́ковица»; 7) конфе́ты-драже́.

**bulltrout** ['bultraut] *n* ку́мжа, лосо́сь-тайме́нь (*рыба*).

**bully I** ['bulɪ] 1. *n* 1) задира, забия́ка; хвасту́н; 2) хулига́н; 3) сутенёр; ◇ a ~ is always a coward *посл.* задира всегда́ трус;
2. *v* задира́ть; запу́гивать.

**bully II** ['bulɪ] *a амер. разг.* первокла́ссный, великоле́пный; ◇ ~ for you! молоде́ц!, бра́во!

**bully beef** ['bulɪbiːf] *n* мясны́е консе́рвы.

**bullyrag** ['bulɪræg] = ballyrag.

**bulrush** ['bulrʌʃ] *n бот.* камы́ш (озёрный); си́тник.

**bulwark** ['bulwək] 1. *n* 1) вал; бастио́н; бо́льверк; 2) опло́т; защи́та; 3) мол; 4) (*обыкн. pl*) *мор.* фальшбо́рт;
2. *v* 1) укрепля́ть ва́лом; 2) служи́ть опло́том.

**bum** [bʌm] 1. *n* 1) *груб.* зад, за́дница; 2) *разг.* ло́дырь, безде́льник, лентя́й; to go on the ~ жить на чужо́й счёт; (*сокр. от* bum-bailiff) суде́бный при́став;
2. *a* 1) плохо́й, ни́зкого ка́чества; 2) нече́стный; досто́йный порица́ния;
3. *v* лоды́рничать, шата́ться без де́ла; жить на чужо́й счёт.

**bum-bailiff** ['bʌm,beɪlɪf] *n* суде́бный при́став.

**bumble** ['bʌmbl] *см.* beadle.

**bumble-bee** ['bʌmblbiː] *n* шмель.

**bumbledom** ['bumbldəm] *n разг.* бюрократи́зм, мелкочино́вное чва́нство (*по имени приходского сторожа в романе Диккенса «Оливер Твист»*).

**bumble-puppy** ['bʌmbl,pʌpɪ] *n* плоха́я игра́ (*в карты, в теннис*).

**bumbo** ['bʌmbou] *n* холо́дный пунш.

**bum-boat** ['bʌmbout] *n* ло́дка, доставля́ющая прови́зию на суда́.

**bumf** [bʌmf] *n sl.* 1) туале́тная бума́га; макулату́ра; 2) бума́ги, докуме́нты; 3)= paper-chase.

**bummer** ['bʌmə] *n амер.* лентя́й, ло́дырь.

**bump I** [bʌmp] 1. *n* 1) столкнове́ние; глухо́й уда́р; 2) о́пухоль; ши́шка; 3) вы́гиб, вы́пуклость, вы́пуклина; 4) ши́шка (*в френологии*); *разг.* спосо́бности; the ~ of locality спосо́бность ориенти́роваться на ме́стности; 5) *pl ав.* возду́шные возмуще́ния; возду́шные я́мы;
2. *v* 1) ударя́ть(ся); 2) толка́ть, подта́лкивать; 3) догна́ть пере́днюю ло́дку (*в гребной гонке*), уда́рив но́сом по её корме́; 4) *амер. воен. sl.* обстре́ливать; ▢ ~ off *амер. sl.* устрани́ть си́лой; уби́ть;
3. *adv* вдруг, внеза́пно; to come ~ on the floor шлёпнуться об пол.

**bump II** [bʌmp] 1. *n* крик вы́пи;
2. *v* крича́ть (*о выпи*).

**bumper** ['bʌmpə] *n* 1) бока́л, по́лный до краёв; 2) *амер. ж.-д.* бу́фер; амортиза́тор; 3) *attr.* о́чень большо́й; ~ harvest небыва́лый урожа́й.

**bumpkin** ['bʌmpkɪn] *n* неотёсанный па́рень, мужла́н.

**bumptious** ['bʌmpʃəs] *a разг.* самоуве́ренный, надме́нный.

**bumpy** ['bʌmpɪ] *a* уха́бистый, тря́ский (*о дороге*).

**bun I** [bʌn] *n* 1) сдо́бная бу́лочка с изю́мом; 2) пучо́к, у́зел (*волос*); 3) *с.-х.* костра́ конопли́; ◇ to get a ~ on *разг.* опроки́нуть рю́мочку, другу́ю; вы́пить; to take the ~ *разг.* получи́ть приз, заня́ть пе́рвое ме́сто, быть лу́чше всех; it takes the ~ *разг.* э́то превосхо́дит всё; э́то невероя́тно.

**bun II** [bʌn] *n ласк. название белки, кролика в сказках.*

**Buna** ['buːnə] *n хим.* бу́на (*вид синтетического каучука*).

**bunch** [bʌntʃ] 1. *n* 1) свя́зка, пучо́к, па́чка (*чего-л. однородного*); ~ of keys свя́зка ключе́й; ~ of grapes кисть, гроздь виногра́да; ~ of fives *sl.* пятерня́, рука́, кула́к; 2) *разг.* гру́ппа, компа́ния; he is the best of the ~ он лу́чший из них; 3) *амер.* ста́до;
2. *v* 1) образо́вывать пучки́, гро́здья; 2) сбива́ть(ся) в ку́чу; 3) собира́ть сбо́рки (*платья*).

**bunchy** ['bʌntʃɪ] *a* 1) вы́пуклый; 2) горба́тый; 3) расту́щий пучка́ми *или* гро́здьями; 4) *геол.* неравноме́рно залега́ющий.

**bunco** ['bʌŋkou] *амер.* 1. *n* (*pl* -os [-ouz]) обма́н, жу́льничество;
2. *v* 1) получа́ть с по́мощью обма́на; 2) плутова́ть в ка́ртах.

**buncombe** ['bʌŋkəm] = bunkum.

**bunco-steerer** ['bʌŋkou,stɪərə] *n амер. sl.* моше́нник; шу́лер.

**bund** [bʌnd] 1. *n* 1) на́бережная (*в Японии и в Китае*); 2) да́мба, плоти́на (*в Индии*);
2. *v* защища́ть бе́рег реки́ на́сыпью, да́мбой.

**bunder** ['bʌndə] *n англо-инд.* 1) пристань; 2) набережная; 3) порт, гавань.

**bundle** ['bʌndl] 1. *n* 1) узел, связка; вязанка; 2) пучок; 3) пакет; 4) *амер.* две стопы бумаги; 5) двадцать мотков льняной пряжи; ◇ ~ of nerves комок нервов;
2. *v* 1) связывать в узел (*часто* ~ up); собирать вещи (*перед отъездом*); 2) отсылать, спроваживать (*обыкн.* ~ away, ~ off, ~ out); I ~d him off я спровадил его, отделался от него; 3) быстро уйти, «выкатиться» (*обыкн.* ~ out, ~ off).

**bundook** ['bʌnduk] *n англо-инд.* ружьё, винтовка.

**bung** [bʌŋ] 1. *n* 1) (большая) пробка, затычка; 2) трактирщик; 3) *sl.* ложь, обман;
2. *v* 1) затыкать, закупоривать (*обыкн.* ~ up); ~ed up nose заложенный нос (*при насморке*); 2) подбить (*глаз в драке*); 3) *sl.* швырять (*камни и т. п.*); ▢ ~ off *sl.* удирать;
3. *a австрал. sl.* 1) мёртвый, умерший; 2) обанкротившийся; ◇ to go ~ a) умереть; б) обанкротиться.

**bungalow** ['bʌŋɡəlou] *n* одноэтажная дача, дом с верандой, бунгало.

**bungle** ['bʌŋɡl] 1. *n* 1) плохая работа; 2) ошибка; путаница;
2. *v* работать неумело, портить работу; делать кое-как.

**bungler** ['bʌŋɡlə] *n* плохой работник, «сапожник».

**bunion** ['bʌnjən] *n* опухоль на большом пальце ноги.

**bunk** I [bʌŋk] 1. *n* койка;
2. *v амер.* спать на койке; ложиться спать.

**bunk** II [bʌŋk] *sl.* 1. *n* бегство; to do a ~ сбежать;
2. *v* исчезнуть, убежать.

**bunk** III [bʌŋk] *амер. sl. см.* bunkum.

**bunker** ['bʌŋkə] 1. *n* 1) *мор.* угольная яма, бункер; 2) ash ~ зольник; 2) *спорт.* ямка (*на поле для гольфа*); 3) силосная яма; 4) убежище, блиндаж с крепким покрытием; 5) *attr.* бункерный; ~ coal бункерный уголь;
2. *v* 1) грузить(ся) углем, топливом; 2) *спорт.* загнать (*мяч*) в углубление; 3) попасть в углубление (*о мяче*); 4) (*обыкн. p. p.*) попасть в затруднительное положение.

**bunko** ['bʌŋkou] = bunco.

**bunkum** ['bʌŋkəm] *n* трескучие фразы; болтовня; all that talk is ~ все эти разговоры — чепуха; to talk ~ пороть чушь, нести ахинею.

**bunky** ['bʌŋkɪ] *n амер. разг.* товарищ по комнате, койке; приятель.

**bunnia** ['bænjə] *n англо-инд.* индийский торговец, лавочник.

**bunny** ['bʌnɪ] = bun II.

**bunt** I [bʌnt] *n* 1) *мор.* пузо (*паруса*); 2) мотня (*невода*).

**bunt** II [bʌnt] 1. *n* удар (*головой, рогами*); пинок, толчок;
2. *v* ударять; пихать; бодать.

**bunt** III [bʌnt] *n* головня (*болезнь злаков*).

**bunting** I ['bʌntɪŋ] *n* 1) материя для флагов; 2) *собир.* флаги; 3) *мор.* флагдук; 4) *ав.* обратный иммельман.

**bunting** II ['bʌntɪŋ] *n* овсянка (*птица*).

**bunting** III ['bʌntɪŋ] *pres. p. от* bunt II, 2.

**buoy** [bɔɪ] 1. *n* буй, бакан, бакен, буёк; веха;
2. *v* 1) ставить бакены; 2) поддерживать на поверхности (*обыкн.* ~ up); 3) поднимать на поверхность; 4) поддерживать (*энергию, надежду и т. п.*); he was ~ed up by the news известие подбодрило его.

**buoyage** ['bɔɪdʒ] *n* установка бакенов.

**buoyancy** ['bɔɪənsɪ] *n* 1) плавучесть; способность держаться на поверхности воды; 2) жизнерадостность, душевная энергия; he lacks ~ ему не хватает энергии; 3) повышательная тенденция (*на бирже*).

**buoyant** ['bɔɪənt] *a* 1) плавучий; способный держаться на поверхности; 2) жизнерадостный, бодрый; 3) *бирж.* повышательный.

**bur** [bəː] *n* 1) шип, колючка (*растения*); 2) репейник, репей; to stick like a ~ ≅ пристать как банный лист; 3) назойливый человек.

**burberry** ['bəːbərɪ] *n* 1) непромокаемая ткань; 2) пальто из непромокаемой ткани.

**burbot** ['bəːbət] *n* налим.

**burden** I ['bəːdn] 1. *n* 1) ноша, тяжесть; груз; 2) бремя; горе; a ~ of care бремя забот; 3) *мор.* тоннаж (*судна*); 4) накладные расходы; 5) *горн.* пустая порода, покрывающая руду; ◇ ~ of proof *юр.* бремя доказательства; a ~ of one's choice is not felt *посл.* ≅ своя ноша не тянет;
2. *v* 1) нагружать; 2) обременять, отягощать.

**burden** II ['bəːdn] *n* 1) припев, рефрен; 2) тема; основная мысль, суть; the ~ of these remarks суть этих замечаний.

**burdensome** ['bəːdnsəm] *a* обременительный, тягостный.

**burdock** ['bəːdɔk] *n бот.* лопушник большой.

**bureau** [bjuə'rou] *n* (*pl* -eaux, -eaus [-ouz]) 1) бюро, отдел, управление, комитет; 2) бюро, контора, письменный стол; 3) *амер.* шифоньерка.

**bureaucracy** [bjuə'rɔkrəsɪ] *n* 1) *собир.* бюрократия; 2) бюрократизм.

**bureaucrat** ['bjuəroukræt] *n* бюрократ.

**bureaucratic** [,bjuərɔkʉ'krætɪk] *a* бюрократический.

**bureaux** [bjuə'rouz] *pl от* bureau.

**burette** [bjuə'ret] *n хим.* бюретка.

**burg** [bəːg] *n амер. разг.* город.

**burgee** ['bəːdʒiː] *n мор.* треугольный флажок.

**burgeon** ['bəːdʒən] *поэт.* 1. *n* бутон; почка; росток;
2. *v* давать почки, ростки; распускаться.

**burgess** ['bəːdʒɪs] *n* 1) горожанин, гражданин муниципального города; 2) *ист.* член парламента от города с самоуправлением *или* от университета.

**burgh** ['bʌrə] *n* шотландский город (*соотв. англ.* borough).

**burgher** ['bə:gə] *n* уст. горожа́нин, бю́ргер (*в Германии и Голландии*).

**burglar** ['bə:glə] *n* вор-взло́мщик; громи́ла.

**burglarious** [bə:'glɛərɪəs] *a* воровско́й.

**burglarize** ['bə:glərɑɪz] *v* соверша́ть кра́жу со взло́мом.

**burglary** ['bə:glərɪ] *n* кра́жа со взло́мом.

**burgle** ['bə:gl] *v* шутл. 1) = burglarize; 2) быть во́ром-взло́мщиком.

**burgomaster** ['bə:gə,mɑ:stə] *n* 1) бургоми́стр (*в голландских, фламандских и германских городах*); 2) бургоми́стр (*птица*).

**burgonet** ['bə:gənɪt] *n* ист. бургу́ндский шлем (*XV—XVI вв.*).

**burgoo** [bə:'gu:] *n* мор. разг. густа́я овся́нка.

**burgundy** ['bə:gəndɪ] *n* кра́сное бургу́ндское вино́.

**burial** ['berɪəl] *n* по́хороны.

**burial-ground** ['berɪəlgraund] *n* кла́дбище.

**burial-place** ['berɪəlpleɪs] *n* ме́сто погребе́ния.

**burial-service** ['berɪəl,sə:vɪs] *n* заупоко́йная слу́жба.

**burin** ['bjuərɪn] *n* резе́ц гравёра, грабшти́хель.

**burke** [bə:k] *v* уст. 1) задуши́ть; 2) замя́ть (*дело и т. п.*); запрети́ть (*книгу*) до вы́хода в свет; сорва́ть (*прения, предложение*).

**burl** [bə:l] текст. 1. *n* у́зел на ни́тке в тка́ни;
2. *v* очища́ть суровьё от посторо́нних включе́ний и узло́в.

**burlap** ['bə:læp] *n* холст, холсти́на; дерю́га; мешкови́на, рядно́.

**burlesque** [bə:'lesk] 1. *n* бурле́ск; паро́дия; карикату́ра; *амер.* фарс.
2. *a* шу́точный;
3. *v* пароди́ровать.

**burly** ['bə:lɪ] *a* 1) доро́дный, пло́тный; 2) большо́й и си́льный.

**Burman** ['bə:mən] = Burmese.

**Burmese** [bə:'mi:z] 1. *a* бирма́нский;
2. *n* 1) бирма́нец; бирма́нка; the ~ *pl* собир. бирма́нцы; 2) бирма́нский язы́к.

**burn** I [bə:n] *n* шотл. ручей.

**burn** II [bə:n] 1. *n* 1) ожо́г; 2) клеймо́; 3) выжига́ние расти́тельности на земле́, предназна́ченной к обрабо́тке; ◇ to give smb. a ~ оки́нуть кого́-л. уничтожа́ющим взгля́дом;
2. *v* (burnt) 1) жечь, сжига́ть; прожига́ть; выжига́ть; to ~ to a crisp сжига́ть дотла́; 2) сгора́ть, горе́ть, пыла́ть (*тж. перен.*); to ~ with fever быть (как) в жару́; 3) обжига́ть, получа́ть ожо́г; 4) вызыва́ть зага́р (*о солнце*); 5) загора́ть (*о коже*); 6) подгора́ть (*о пище*); 7) обжига́ть (*кирпичи*); 8) мед. прижига́ть; 9) испо́льзовать я́дерную эне́ргию (*урана и т. п.*); ☐ ~ away а) сгора́ть; б) сжига́ть; the sun ~s away the mist со́лнце рассе́ивает тума́н; ~ down а) сжига́ть дотла́; б) догора́ть; ~ into врезаться; the spectacle of injustice burnt into his soul зре́лище несправедли́вости глубоко́ запа́ло в его́ ду́шу; ~ out а) вы́жечь; б) вы́гореть; ~ up зажи-

га́ть; сжига́ть; ◇ to ~ амер. с избы́тком, в доста́точном коли́честве; she has money to ~ ≅ у неё де́нег ку́ры не клюю́т; to ~ the candle at both ends безрассу́дно тра́тить си́лы, эне́ргию; to ~ daylight а) жечь иску́сственный свет днём; б) тра́тить си́лы зря; to ~ the midnight oil заси́живаться за рабо́той по ноча́м; to ~ one's boats сжига́ть свои́ корабли́; to ~ one's fingers обже́чься (*на чём-л.*); to ~ the water лучи́ть ры́бу; to ~ the wind (*или* the earth), амер. to ~ up the road нести́сь (во весь опо́р); his money ~s a hole in his pocket де́ньги у него́ до́лго не де́ржатся, де́ньги ему́ жгут карма́н.

**burner** ['bə:nə] *n* 1) тот, кто сжига́ет (*что-л.*); 2) горе́лка; 3) форсу́нка.

**burnet** ['bə:nɪt] *n* бот. кровохлёбка.

**burning** ['bə:nɪŋ] 1. pres. p. от burn II, 2;
2. *n* 1) горе́ние; 2) о́бжиг, обжига́ние; 3) горн. расшире́ние (*шпуров*) взры́вами;
3. *a* горя́щий; жгу́чий (*тж. перен.*); ~ bush библ. неопали́мая купина́; ~ oil кероси́н; га́рное ма́сло; ~ question жгу́чий вопро́с; ~ scent горя́чий след; ~ shame жгу́чий стыд; ~ ring воен. устано́вочное кольцо́ дистанцио́нной тру́бки.

**burning-glass** ['bə:nɪŋglɑ:s] *n* зажига́тельное стекло́.

**burnish** ['bə:nɪʃ] 1. *n* 1) полиро́вка; 2) блеск;
2. *v* 1) чи́стить, полирова́ть; врони́ть (*сталь*); 2) блесте́ть.

**burnisher** ['bə:nɪʃə] *n* 1) полиро́вщик; 2) инструме́нт для полиро́вки.

**burnous(e)** [bə:'nu:z] *n* бурну́с.

**burnt** [bə:nt] 1. past и p.p. от burn II, 2;
2. *a* жжёный, горе́лый; ~ gas отрабо́танный газ; ~ offering библ. всесожже́ние; ◇ ~ child dreads the fire посл. ≅ пу́ганая воро́на и куста́ бои́тся.

**burr** I [bə:] 1. *n* 1) шум, гро́хот (*машин и т. п.*); 2) фон. заднеязы́чное произноше́ние зву́ка г (*на севере Англии*); карта́вость;
2. *v* фон. произноси́ть г спи́нкой языка́; карта́вить.

**burr** II [bə:] = bur.

**burr** III [bə:] *n* 1) заусе́нец, грат (*на металле*); 2) треуго́льное долото́; 3) жерново́й ка́мень; 4) осело́к, точи́льный ка́мень; 5) известня́к.

**burr** IV [bə:] *n* астр. вене́ц, ве́нчик (*вокруг луны, звёзд*).

**burro** ['bə:rou] исп. *n* (*pl* -os [-ouz]) разг. о́слик.

**burrock** ['bə:rək] *n* небольша́я запру́да на реке́.

**burrow** ['bə:rou] 1. *n* 1) нора́; 2) червото́чина; 3) горн. отбро́сы, пуста́я поро́да; отва́лы;
2. *v* 1) рыть нору́, ход; 2) пря́таться в норе́; жить в норе́; 3) ры́ться (*в книгах, архивах; часто* ~ into).

**bursar** ['bə:sə] *n* 1) казначе́й (*особ. в университетах*); 2) стипендиа́т (*в шотл. университетах*),

**bursary** ['bə:sərɪ] *n* 1) канцелярия казначея (*в университетах*); 2) стипендия (*в шотландских университетах*).

**burse** [bə:s] *n* 1) кошель; 2) *уст.* биржа; 3) = bursary 2).

**burst** [bə:st] **1.** *n* 1) взрыв; ~ of applause (of laughter) взрыв аплодисментов (смеха); 2) разрыв (*снаряда*); пулемётная очередь; 3) вспышка (*пламени, энергии и т. п.*); 4) внезапное появление; 5) кутёж; he is on the ~ он закутил; C
**2.** *v* (burst) 1) лопаться; разрываться, взрываться (*о снаряде, котле*); прорываться (*о плотине; о нарыве*); to ~ open a) распахнуться; б) взломать; 2) разражаться; 3) взрывать, разрывать, разрушать; разламывать; вскрывать; rivers ~ their banks реки размывают свои берега; to ~ a blood-vessel получить *или* причинить разрыв кровеносного сосуда; □ ~ into: ~ into blossom расцвести; to ~ into flame вспыхнуть пламенем; to ~ into tears (into laughter) залиться слезами (смехом); to ~ into the room ворваться в комнату; to ~ into (*или* upon) the view внезапно появиться (*в поле зрения*); ~ out вспыхивать (*о войне, эпидемии*); to ~ out crying (laughing) = to ~ into tears (into laughter); ~ up a) взорваться; б) *разг.* потерпеть неудачу, крушение; ~ with лопаться; to ~ with envy лопнуть от зависти; to ~ with plenty ломиться от избытка; ◇ I am simply ~ing to tell you я горю нетерпением рассказать вам; to ~ one's sides надорвать живот от смеха.

**burster** ['bə:stə] *n* разрывной заряд.

**bursting** ['bə:stɪŋ] **1.** *pres. p. om* burst 2; **2.** *n* 1) взрыв, разрыв; 2) растрескивание; **3.** *a* разрывной; ~ charge = burster.

**burthen** ['bə:ðən] *поэт. см.* burden I *u* 1.

**bury** ['berɪ] *v* 1) хоронить, зарывать в землю; to have buried one's relatives потерять, похоронить близких; 2) прятать; to ~ one's face in one's hands закрыть лицо руками; to ~ one's hands in one's pockets засунуть руки в карманы; to ~ oneself in books зарыться в книги.

**bus, 'bus** [bʌs] (*сокр. om* omnibus *u* autobus) **1.** *n* 1) омнибус; автобус; 2) *эл.* шина; 3) *разг.* пассажирский самолёт; автомобиль; ◇ ~ boy, ~ girl *амер.* убирающий, -ая грязную посуду со стола в ресторане; to miss the ~ упустить возможность; потерпеть неудачу (*в чём-л.*).
**2.** *v* ехать в омнибусе, автобусе.

**busby** ['bʌzbɪ] *n* гусарский кивер, гусарская шапка.

**bush I** [buʃ] **1.** *n* 1) куст, кустарник; 2) большие пространства некультивированной земли, покрытые кустарником (*в Австралии*); 3) густые волосы; ~ of hair копна волос; 4) лисий хвост; 5) *уст.* ветка плюща (*в старой Англии служила вывеской таверны*); таверна; ◇ good wine needs no ~ посл.≅ хороший товар сам себя хвалит; to take to the ~ стать бродягой].
**2.** *v* 1) обсаживать кустарником; 2) густо разрастаться; 3) бороновать (*землю*).

**bush II** [buʃ] **1.** *n* 1) *тех.* втулка, вкладыш; гильза, букса; 2) *воен.* запальная втулка;
**2.** *v* вставлять втулку.

**bushel I** ['buʃl] *n* бушель (*мера ёмкости* ≅ 36,3 *л*); ◇ to hide one's light under a ~ *библ.* держать свет под спудом; зарывать свой талант (в землю); to measure others' corn by one's own ~ ≅ мерить на свой аршин.

**bushel II** ['buʃl] *v амер.* чинить, переделывать мужское платье.

**bushing I** ['buʃɪŋ] **1.** *pres. p. om* bush II, 2;
**2.** *n тех.* (изолирующая) втулка, вкладыш.

**bushing II** ['buʃɪŋ] *pres. p. om* bush I, 2.

**Bushman** ['buʃmən] *n* 1) бушмен (*народность в Африке*); 2) обитатель зарослей (*в Австралии*).

**bush-ranger** ['buʃ,reɪndʒə] *n австрал.* беглый преступник, скрывающийся в зарослях и живущий грабежом.

**bush-telegraph** ['buʃ,telɪgrɑːf] *n* быстрое распространение сведений, слухов и т. п.

**bush-whacker** ['buʃ,wækə] *n* 1) *амер.* житель лесной глуши; 2) *ист.* партизан (*в американской гражданской войне*); 3) резак для расчистки зарослей кустарника.

**bushy** ['buʃɪ] *a* 1) покрытый кустарником; 2) густой (*о бровях, бороде и т. п.*); 3) пушистый (*о хвосте лисицы и др. животных*).

**business I** ['bɪznɪs] *n* 1) дело, занятие; the ~ of the day (*или* meeting) повестка дня; on ~ по делу; out of ~ банкрот; man of ~ а) деловой человек; б) агент, поверенный; 2) профессия; 3) коммерческая деятельность; to set up in ~ начать торговое дело; 4) торговое предприятие, фирма; 5) (выгодная) сделка; 6) обязанность; право; to make it one's ~ считать своей обязанностью; you had no ~ to do it вы не имели основания, права это делать; 7) *пренебр.* дело, история; I am sick of the whole ~ мне вся эта история надоела; 8) *театр.* действие, игра, мимика, жесты (*не диалог*); 9) *attr.* практический, деловой; the ~ end практическая, наиболее важная сторона дела; ~ hours часы торговли *или* приёма; ~ executives «капитаны» промышленности; ◇ big ~ крупный капитал; to mean ~ говорить всерьёз, иметь серьёзные намерения; браться (*за что-л.*) серьёзно, решительно; everybody's ~ is nobody's ~ ≅ у семи нянек дитя без глазу; во всяком деле должно быть ответственное лицо; mind your own ~! не ваше дело!; занимайтесь своим делом!; to send smb. about his ~ прогонять, выпроваживать кого-л.; what is your ~ here? что вам здесь надо?; to do smb.'s ~, to do the ~ for smb. погубить, разорить кого-л.

**business II** ['bɪznɪs] *n* занятость; деловитость.

**business-like** ['bɪznɪslaɪk] *a* деловой, практичный.

**business man** ['bɪznɪsmən] *n* 1) деловой человек, коммерсант; 2) делец, бизнесмён; big business men крупные капиталисты.

**business manager** ['bıznıs‚mænıdʒə] *n* управляющий делами; коммерческий директор, заведующий коммерческой частью.

**busk I** [bʌsk] *n* планшётка (*в корсете*).

**busk II** [bʌsk] *v* 1) готовиться; 2) одеваться; 3) торопиться.

**busk III** [bʌsk] *v мор.* бороздить, рыскать.

**buskin** ['bʌskın] *n* котурн; *перен.* трагедия; to put on the ~s а) писать в трагедийном стиле; б) становиться на котурны, играть в трагедии.

**buss** [bʌs] *уст.* 1. *n* поцелуй; 2. *v* целовать.

**bust I** [bʌst] *n* 1) бюст; 2) женская грудь.

**bust II** [bʌst] 1. *n диал.* кутёж [*см. тж.* burst 1, 5)];
2. *v* 1) обанкротиться [*см. тж.* burst up]; 2) запить (*тж.* to go on the ~); 3) *амер. разг.* разжаловать, снизить в чине.

**bustard** ['bʌstəd] *n* дрофа (*птица*).

**buster** ['bʌstə] *n амер. sl.* 1) что-л. необыкновенное; 2) пирушка, кутёж.

**bustle I** ['bʌsl] 1. *n* суматоха, суета;
2. *v* 1) торопить(ся); to ~ through a crowd пробиваться через толпу; 2) суетиться (*тж.* ~ about);
3. *int* живеел

**bustle II** ['bʌsl] *n* турнюр.

**bustling** ['bʌslıŋ] 1. *pres. p. om* bustle I, 2;
2. *n* суета, суетливость;
3. *a* суетливый, шумный.

**busy I** ['bızı] 1. *a* 1) деятельный; занятой (at, in, with); ~ as a bee (*или* a beaver) очень занятой; 2) занятый; the line is ~ линия занята (*о телеграфе, телефоне*); ~ signal *тел.* сигнал «занято»; 3) оживлённый; 4) беспокойный, суетливый; ~ idleness трата энергии на пустяки.
2. *v* 1) давать работу; I have busied him for the whole day я дал ему работу на весь день; to ~ one's brains ломать себе голову; 2) *refl.* заниматься.

**busy II** ['bızı] *n sl.* сыщик.

**busy-body** ['bızı‚bɔdı] *n* 1) хлопотун; 2) человек, любящий вмешиваться в чужие дела.

**busyness** ['bıznıs] = business II.

**but I** [bʌt (*полная форма*); bət (*редуцирсванная форма*)] 1. *adv* только, лишь; I saw him ~ a moment я видел его лишь мельком; she is ~ nine years old ей только 9 лет; ◇ ~ just только что; all ~ почти; едва не; he all ~ died of his wound он едва не умер от своей раны;
2. *prep* кроме, за исключением; all ~ one passenger were drowned утонули все, кроме одного пассажира; ◇ the last ~ one предпоследний; anything ~ далеко не; всё что угодно, только не; he is anything ~ a coward он всё что угодно, только не трус;
3. *cj* 1) но, а, однако, тем не менее; fire is very useful, ~ it is dangerous огонь очень полезен, но он опасен; ~ then но с другой стороны; 2) если (бы) не; как не; чтобы не; I cannot ~ ... не могу не...; I cannot ~

agree with you не могу не согласиться с вами; what could he do ~ confess? что ему оставалось, как не сознаться?; he would have fallen ~ that I caught him он упал бы, если бы я его не подхватил; he would have fallen ~ for me он упал бы, если бы не я;
4. *pron. rel.* кто бы не; there is no one ~ knows it нет никого, кто бы этого не знал; there are few men ~ would risk all for such a prize мало найдётся таких, кто не рискнул бы всем ради подобной награды;
5. *n:* ~ me no ~ пожалуйста, без «но», без возражений.

**but II** [bʌt] *n шотл.* первая *или* рабочая комната в небольшом двухкомнатном доме.

**butadiene** [‚buːtədaı'iːn] *n хим.* бутадиен.

**butane** ['bjuːteın] *n хим.* бутан.

**butcher** ['butʃə] 1. *n* 1) мясник; ~'s meat мясо (*исключая курятину и дичь*); 2) убийца, палач; 3) *амер.* разносчик в поезде; 4) искусственная муха, на которую ловят лососёй; ◇ ~'s bill список убитых на войне;
2. *v* 1) бить (*скот*); 2) убивать; 3) портить, искажать.

**butcher-bird** ['butʃəbəːd] *n* сорокопут (*птица*).

**butcherly** ['butʃəlı] *a* жестокий, кровожадный.

**butchery** ['butʃərı] *n* 1) скотобойня; 2) бойня, резня; ◇ ~ business торговля мясом.

**butler** ['bʌtlə] *n* дворецкий, старший лакей.

**butt I** [bʌt] *n* 1) большая бочка (*для вина, пива*); 2) бочка (*как мера ёмкости* ≅ 490,96 *л*).

**butt II** [bʌt] *n* 1) стрельбищный вал; 2) *pl* стрельбище, полигон; 3) цель, мишень; 4) предмет насмешек.

**butt III** [bʌt] *n* 1) толстый конец (*чего-л.*); торец, комель (*дерева*); приклад (*ружья; тж.* the ~ of the rifle); 2) *разг.* окурок.

**butt IV** [bʌt] 1. *n* 1) удар (*головой, рогами*); 2) притык; стык; 3) петля, навес (*двери*);
2. *v* 1) ударять головой; 2) натыкаться (against, into — на); 3) бодаться; 4) высовываться, выдаваться; 5) вмешиваться (in); 6) соединять впритык.

**butt V** [bʌt] *n* камбала.

**butter** ['bʌtə] 1. *n* 1) масло; 2) лесть; ◇ he looks as if ~ would not melt in his mouth ≅ словно и воды не замутит; он кажется тихоней.
2. *v* 1) намазывать маслом; 2) льстить (*часто* ~ up); ◇ to know on which side one's bread is ~ed *см.* bread 1 ◇; fine (*или* kind, soft) words ~ no parsnips *посл.*≅ соловья баснями не кормят.

**butter-boat** ['bʌtəbout] *n* соусник.

**buttercup** ['bʌtəkʌp] *n бот.* лютик.

**butter-dish** ['bʌtədıʃ] *n* маслёнка.

**butter-fingers** ['bʌtə‚fıŋɡəz] *n pl разг.* растяпа.

**butterfly** ['bʌtəflaı] *n* 1) бабочка; 2) *спорт.* баттерфляй (*стиль плавания*).

**butterfly-nut** ['bʌtəflaınʌt] *n тех.* барашек.

**butterfly-screw** [ˈbʌtəflaɪskru:] *n тех.* винт-барашек.

**buttermilk** [ˈbʌtəmɪlk] *n* пахтанье.

**butter-nut** [ˈbʌtənʌt] *n* орех серый (*дерево и плод*).

**butter-scotch** [ˈbʌtəskɔtʃ] *n* 1) род конфет (*из масла и жжёного сахара*); 2) *attr.*: ~ colour цвет жжёного сахара, светло-коричневый цвет.

**buttery** [ˈbʌtərɪ] 1. *n* кладовая (*для провизии и напитков*); 2. *a* масляный.

**buttery-hatch** [ˈbʌtərɪˈhætʃ] *n* окошко, через которое подаются продукты из кладовой.

**butting** I [ˈbʌtɪŋ] *n* предел, граница.

**butting** II [ˈbʌtɪŋ] *pres. p. от* butt IV, 2.

**butt-joint** [ˈbʌtdʒɔɪnt] *n тех.* стык, стыковое соединение.

**buttocks** [ˈbʌtəks] *n pl* ягодицы.

**button** [ˈbʌtn] 1. *n* 1) пуговица; 2) кнопка; to press the ~ *перен.* нажать все кнопки; пустить в ход связи; 3) шишечка (*на острие рапиры*); 4) бутон; 5) молодой, неразвившийся гриб; 6) *attr.* кнопочный; ~ switch кнопочный выключатель; ◇ not to care a (brass) ~ относиться с полным равнодушием; «наплевать»; he has not all his ~s *разг.* у него винтика не хватает; 2. *v* 1) пришивать пуговицы; 2) застегивать(ся) на пуговицы; □ ~ up а) застегнуть(ся) на все пуговицы; ~ed up *воен. sl.* всё в порядке и в готовности; б) закрыть(ся), запереть(ся) (*внутри помещения*); to ~ up one's mouth *разг.* хранить молчание; to ~ up one's purse (*или* pockets) *разг.* скупиться.

**◆button-hold** [ˈbʌtnhould] = buttonhole 2, 2).

**buttonhole** [ˈbʌtnhoul] 1. *n* 1) петля; 2) цветок в петлице; бутоньерка; 2. *v* 1) прометывать петли; 2) держать за пуговицу, продолжая долго говорить.

**buttonhook** [ˈbʌtnhuk] *n* крючок для застёгивания башмаков, перчаток.

**button-on** [ˈbʌtnˈɔn] *a* пристёгивающийся (*о воротнике и т. п.*).

**buttons** [ˈbʌtnz] *n* мальчик-коридорный (*в гостинице*).

**buttress** [ˈbʌtrɪs] 1. *n* 1) *стр.* контрфорс; подпора, устой; бык; 2) опора, поддержка; 2. *v* поддерживать, служить опорой (*часто* ~ up); to ~ up by argument подкреплять доводом.

**butty** [ˈbʌtɪ] *n разг.* 1) товарищ; 2) компаньон; пайщик по подрядной работе (*обычно в шахте*).

**butyl** [ˈbjuːtɪl] *n хим.* бутил.

**butyric** [bjuˈtɪrɪk] *a хим.* масляный.

**buxom** [ˈbʌksəm] *a* миловидный; здоровый, весёлый, полный (*обыкн. о женщине*).

**buy** [baɪ] 1. *v* (bought) 1) покупать; приобретать; to ~ on tick *разг.* покупать в кредит; 2) подкупать; □ ~ in а) закупать; б) выкупать (*на аукционе*); ~ off откупаться; ~ out выкупать; ~ over подкупать, переманивать на свою сторону; ~ up скупать; ◇ to ~ over smb.'s head пере-

хватить у кого-л. покупку за более дорогую цену; to ~ a pig in a poke ≅ покупать кота в мешке; покупать что-л. заглазно; to ~ a white horse *разг.* транжирить деньги; I will not ~ that ≅ это со мной не пройдёт, я этого не допущу; 2. *n разг.* покупка; to be on the ~ производить значительные покупки.

**buyer** [ˈbaɪə] *n* покупатель; ◇ ~s over ком. спрос превышает предложение; ~s market рынок с изобилием товаров и с низкими ценами.

**buz(z)** [bʌz] *int* старо!

**buzz** I [bʌz] 1. *n* 1) жужжание; гул (*голосов*); 2) *sl.* слухи, молва; 3) *амер.* круглая пила; 2. *v* 1) жужжать, гудеть; 2) (*о самолёте*) лететь очень низко и очень близко к другому самолёту; 3) бросать, швырять; 4) нашёптывать, под шумок распространять; 5) носиться (*о слухах*); □ ~ about виться, увиваться; ~ off уходить, удаляться.

**buzz** II [bʌz] *v* осушать, выпивать бутылку, стакан до последней капли.

**buzzard** [ˈbʌzəd] *n* канюк (*птица*).

**buzz-bomb** [ˈbʌzbəm] *n* летающий снаряд.

**buzzer** [ˈbʌzə] *n* 1) гудок; 2) *эл.* зуммер, пищик; автоматический прерыватель; 3) *воен. sl.* связист.

**buzz-saw** [ˈbʌzsɔː] *n* круглая пила; ◇ to monkey with a ~ ≅ шутить *или* играть с огнём.

**by** [baɪ] 1. *prep* 1) *в пространственном значении указывает на:* а) *близость* у, при, около; a house by the river дом у реки; a path by the river тропинка вдоль берега реки; б) *прохождение мимо предмета или через определённое место* мимо; we went by the house мы прошли мимо дома; we travelled by a village мы проехали через деревню; 2) *во временном значении указывает на приближение к определённому моменту, сроку и т. п.* к; by tomorrow к завтрашнему дню; by five o'clock к пяти часам; by then к тому времени; 3) *указывает на автора; передаётся твор. или род. падежом:* a book by Tolstoy книга, написанная Толстым, книга Толстого; the book was written by a famous writer книга была написана знаменитым писателем; 4) *указывает на средство передвижения; передаётся твор. падежом:* by plane самолётом; by air mail воздушной почтой; 5) *указывает на причину, источник* через, посредством, от, по; to know by experience знать по опыту; to perish by starvation погибнуть от голода; 6) *указывает на меры веса, длины и т. п. в, на; передаётся тж. твор. падежом:* by the yard в ярдах, ярдами; by the pound в фунтах, фунтами; 7) *указывает на характер действия:* by chance случайно; by the law по закону; by chute, by gravity самотёком; 8) *указывает на соответствие, согласованность* по; согласно; by agreement по договору; by your leave с вашего разрешения; 9) *указывает на соотношение между сравниваемыми величинами* на; by two years older старше на два года; ◇ by Jove!, *уст.* by Jupiter! клянусь Юпитером!; ей-богу!; by George ≅ ей-богу!; by no means ни в коем случае; by the way кстати, между прочим; by large *амер.* вообще говоря, в общем;

**2.** *adv* 1) близко, рядом; 2) мимо; she passed by она прошла мимо; ◇ by and by вскоре.

**by-blow** ['baɪblou] *n* 1) случайный удар; *перен.* непредвиденный случай; 2) «внебрачный» ребёнок.

**bye** [baɪ] *n*: to draw (*или* to have) the ~ *спорт.* быть свободным от игры.

**bye-bye** I ['baɪbaɪ] *n разг.* бай-бай; сон; время спать.

**bye-bye** II ['baɪ'baɪ] *разг. см.* good-bye I.

**by-effect** ['baɪɪ‚fekt] *n тех.* побочное явление.

**by-election** ['baɪɪ‚lekʃən] *n* дополнительные выборы.

**Byelorussian** [‚bielə'rʌʃən] **1.** *a* белорусский;

**2.** *n* 1) белорус; белоруска; 2) белорусский язык.

**by-end** ['baɪend] *n* побочная *или* тайная цель.

**bygone** ['baɪgɔn] **1.** *a* прошлый;

**2.** *n pl* прошлое; прошлые обиды; ◇ let ~s be ~s *посл.* ≅ кто старое помянет, тому глаз вон.

**by-law** ['baɪlɔ:] *n* постановление местной власти *или* какой-л. организации.

**by-name** ['baɪneɪm] *n* прозвище.

**bypass** ['baɪpɑ:s] **1.** *n* 1) обход; 2) обходный канал; 3) обходный путь; 4) *эл.* шунт;

**2.** *v* 1) обходить; 2) окружать, окаймлять; 3) обходить, пренебрегать; не принимать во внимание; 4) *воен.* обтекать (*опорные пункты противника*).

**bypath** ['baɪpɑ:θ] *n* уединённая боковая тропа *или* дорога.

**by-pit** ['baɪpɪt] *n горн.* вентиляционная шахта.

**byplay** ['baɪpleɪ] *n* побочная (*часто немая*) сцена; эпизод (*в пьесе*).

**by-plot** ['baɪplɔt] *n* второстепенная интрига (*в пьесе*).

**by-product** ['baɪ‚prɔdəkt] *n* побочный продукт.

**byre** ['baɪə] *n* хлев.

**by-road** ['baɪroud] *n* = by-way.

**bystander** ['baɪ‚stændə] *n* свидетель, зритель.

**bystreet** ['baɪstri:t] *n* боковая улица, переулок.

**by-way** ['baɪweɪ] *n* 1) дорога второстепенного значения; менее людная дорога; 2) кратчайший путь; 3): ~s of learning менее изученные и сравнительно второстепенные области знания.

**byword** ['baɪwə:d] *n* 1) поговорка; 2) притча во языцех; олицетворение (*чего-л. дурного*); a ~ for iniquity олицетворение всяческой несправедливости.

**by-work** ['baɪwə:k] *n* побочная работа.

**Byzantine** [bɪ'zæntaɪn] **1.** *a* византийский;

**2.** *n* византиец.

**Byzantinesque** [bɪ‚zænti'nesk] *a* византийский (*о стиле*).

# C

**C, c** [si:] *n* (*pl* Cs, C's [si:z]) 1) *3-я буква англ. алфавита*; 2) *муз.* до; 3) *амер.* сто долларов; 4): C₃ a) третьестепенный, плохой (*о здоровье, качестве*); б) *воен.* негодный к военной службе.

**Caaba** ['kɑ:bɑ:] *араб. n* кааба.

**cab** I [kæb] (*сокр. от* cabriolet) **1.** *n* 1) наёмный экипаж, кеб; извозчик; to take a ~ нанять экипаж; ехать в экипаже; 2) такси;

**2.** *v разг.* ехать в экипаже *и т. п.* (*тж.* ~ it).

**cab** II [kæb] *n* (*сокр. от* cabin) будка (*на паровозе*); кабина водителя (*автомобиля*).

**cab** III [kæb] *сокр. от* cabbage III.

**cabal** [kə'bæl] **1.** *n* 1) интрига; политический манёвр; 2) политическая клика; 3) (the C.) *ист.* «кабальное» министерство (*при Карле II*);

**2.** *v* интриговать; составлять заговор.

**cabala** [kə'bɑ:lə] = cabbala.

**cabalistic** [‚kæbə'lɪstɪk] = cabbalistic.

**cabana** *исп. n* 1) [kɑ:'vɑ:njɑ:] маленький домик; 2) [kə'bɑ:nə] *амер.* кабинка для раздевания (*на пляже*).

**cabaret** ['kæbəreɪ] *фр. n* 1) кабаре, небольшой ресторан с эстрадными выступлениями; 2) эстрадное выступление в кабаре.

**cabas** ['kæbə] *n амер.* 1) рабочая корзинка; 2) сумочка.

**cabbage** I ['kæbɪdʒ] **1.** *n* 1) (кочанная) капуста; 2) *attr.* капустный;

**2.** *v* завиваться кочаном.

**cabbage** II ['kæbɪdʒ] **1.** *n* обрезки материи заказчика, остающиеся у портного;

**2.** *v* утаивать обрезки материи (*о портном*).

**cabbage** III ['kæbɪdʒ] *школ. sl.* **1.** *n* подстрочник, шпаргалка;

**2.** *v* пользоваться подстрочником, шпаргалкой.

**cabbage butterfly** ['kæbɪdʒ'bʌtəflaɪ] *n* капустница (*бабочка*).

**cabbage-head** ['kæbɪdʒ‚hed] *n* 1) кочан капусты; 2) *разг.* тупица.

**cabbage-rose** ['kæbɪdʒrouz] *n* роза столистная.

**cabbala** [kə'bɑ:lə] *n* каб(б)ала.

**cabbalistic** [‚kæbə'lɪstɪk] *a* каб(б)алистический; таинственный, мистический.

**cabby** ['kæbɪ] *n разг.* извозчик.

**cabin** ['kæbɪn] **1.** *n* 1) хижина; 2) кабина, будка; 3) каюта; салон; 4) *ав.* закрытая кабина; 5) *ж.-д.* блок-пост; 6) *attr.*: ~ class 1-й класс на океанских пароходах; ~ plane самолёт с закрытой кабиной;

**2.** *v* 1) помещать в тесную комнату, кабину *и т. п.*; 2) жить в хижине.

**cabin-boy** ['kæbɪnbɔɪ] *n* (кают-)юнга.

**cabined** ['kæbɪnd] 1. *p.p. от* cabin 2; 2. *a* стеснённый, сжатый.

**cabinet** ['kæbɪnɪt] *n* 1) кабинет; 2) кабинет министров; inner ~ английский кабинет министров в узком составе; 3) шкатулка; 4) шкаф с выдвижными ящиками; горка; 5) ящик (*радиоприёмника*); 6) *attr.* правительственный, министерский; ~ council совет министров; ~ crisis правительственный кризис; C. Minister член совета министров; 7) *attr.* кабинетный; ~ photograph кабинетная фотографическая карточка; ~ size кабинетный формат.

**cabinet-maker** ['kæbɪnɪt,meɪkə] *n* 1) столяр-краснодеревщик; 2) *шутл.* премьер-министр.

**cabinet-work** ['kæbɪnɪtwɜːk] *n* тонкая столярная работа.

**cable** ['keɪbl] 1. *n* 1) кабель; 2) канат, трос; якорная цепь; to slip the ~ *мор.* вытравить цепь; to cut (*или* to slip) one's ~ *sl.* умереть; 3) кабельтов (= *183 м*, *амер.* = *219 м*; *тж.* ~'s length); 4) телеграмма (,посланная по подводному кабелю); 5) архит. витой орнамент; 6) *attr.* канатный; ~ way канатная дорога, фуникулёр;
2. *v* 1) закреплять канатом, привязывать тросом; 2) телеграфировать (по подводному кабелю); 3) *архит.* украшать витым орнаментом.

**cablegram** ['keɪblɡræm] = cable 1, 4).

**cablese** [keɪb'liːz] *n* лаконичный «телеграфный» язык (*с пропусками вспомогательных слов; употр. корреспондентами*).

**cablet** ['keɪblɪt] *n мор.* перлинь.

**cabling** ['keɪblɪŋ] 1. *pres. p. от* cable 2; 2. *n* 1) укладка кабеля; 2) кручение, свивание (*тросов, канатов*); 3) *архит.* заполнение каннелюр колонн выпуклым профилем.

**cabman** ['kæbmən] *n* 1) извозчик; 2) шофёр такси.

**caboodle** [kə'buːdl] *n амер. sl.*: the whole ~ а) вся компания, вся орава; б) вся куча, всё хозяйство.

**caboose** [kə'buːs] *n* 1) *мор.* камбуз; 2) *амер.* служебный вагон в товарном поезде; тормозной вагон; 3) *амер.* печь на открытом воздухе.

**cabotage** ['kæbətɑːʒ] *n мор.* каботаж.

**cabre** ['keɪbə] *v ав.* кабрировать, задираться.

**cabriole** ['kæbrɪoul] *a* гнутый (*о ножке мебели*).

**cabriolet** [,kæbrɪə'leɪ] *n* 1) наёмный экипаж, кеб; 2) автомобиль; такси.

**cabstand** ['kæbstænd] *n* стоянка такси, извозчиков.

**ca'canny** [kɑː'kænɪ] *см.* canny ◇.

**cacao** [kə'kɑːou] *n* 1) какаовое дерево; 2) какао (*боб*).

**cacao-tree** [kə'kɑːou,triː] = cacao 1).

**cachalot** ['kæʃəlɔt] *n* кашалот.

**cache** [kæʃ] 1. *n* 1) тайник; тайный склад оружия; 2) запас провианта, остав-
ленный научной экспедицией в скрытом месте для обратного пути *или* для других экспедиций; 3) запас зерна *или* мёда, сделанный животным на зиму;
2. *v* прятать провиант в условленных, скрытых местах для нужд экспедиций.

**cachectic** [kə'kektɪk] *a* болезненный, худосочный.

**cachet** ['kæʃeɪ] *фр. n* 1) печать; отпечаток; 2) *мед.* облатка, капсула для приёма лекарств.

**cachexy** [kə'keksɪ] *n мед.* кахексия, худосочие.

**cacique** [kæ'siːk] *исп. n* 1) кацик (*вождь, царёк американских индейцев и племён Вест-Индии*); 2) *амер. sl.* заправила.

**cackle** ['kækl] 1. *n* 1) кудахтанье; гоготанье; 2) хихиканье; 3) болтовня; cut the ~! замолчите!
2. *v* 1) кудахтать; гоготать; 2) хихикать; 3) болтать.

**cacology** [kæ'kɔlədʒɪ] *n* плохая речь (*с ошибками, плохим произношением и т. п.*).

**cacophony** [kæ'kɔfənɪ] *n* какофония, неблагозвучие.

**cactaceous** [kæk'teɪʃəs] *a бот.* принадлежащий к семейству кактусовых; кактусовый.

**cacti** ['kæktaɪ] *pl от* cactus.

**cactus** ['kæktəs] *n* (*pl* -es [-ɪz], cacti) кактус.

**cacumen** [kə'kjuːmen] *n* вершина, верхняя точка.

**cacuminal** [kə'kjuːmɪnl] *a фон.* какуминальный, ретрофлексный.

**cad** [kæd] *n* 1) невоспитанный, грубый человек; хам; 2) = caddy I; 3) *уст.* кондуктор дилижанса.

**cadastral** [kə'dæstrəl] *a* кадастровый.

**cadastre** [kə'dæstə] *n* кадастр.

**cadaver** [kə'deɪvə] *n* труп.

**cadaveric** [kə'dævərɪk] *a* трупный.

**cadaverous** [kə'dævərəs] *a* 1) трупный; 2) смертельно бледный; he had a ~ face у него было мертвенно-бледное лицо.

**caddie** ['kædɪ] = caddy I, 2).

**caddis I** ['kædɪs] *n* 1) саржа; 2) гарусная тесьма.

**caddis II** ['kædɪs] *n зоол.* личинка веснянки (*тж.* ~ worm).

**caddis fly** ['kædɪsflaɪ] *n* веснянка, майская муха.

**caddish** ['kædɪʃ] *a* грубый, вульгарный.

**caddy I** ['kædɪ] *n* 1) мальчик, прислуживающий при игре в гольф *или* теннис; 2) *шотл.* человек, живущий случайной работой и мелкими поручениями.

**caddy II** ['kædɪ] *n* чайница.

**cade I** [keɪd] *n бот.* можжевельник.

**cade II** [keɪd] *n* бочонок.

**cade III** [keɪd] *n* 1) ягнёнок *или* жеребёнок, выкормленный искусственно; 2) любимец.

**cadence** ['keɪdəns] *n* 1) модуляция; понижение голоса; 2) *муз.* каденция; 3) ритм; 4) *воен.* мерный шаг; движение в ногу.

**cadency** ['keɪdənsɪ] *n* 1) = cadence 3); 2) младшая линия (*в генеалогии*).

**cadet** [kə'det] *n* 1) курса́нт вое́нного учи́лища; *ист.* каде́т; 2) мла́дший сын; мла́дший брат; 3) *амер.* сутенёр; сво́дник; 4) каде́т (*член русской конституционно-демократической партии нач. XX в.*); 5) *attr.* каде́тский; ~ corps каде́тский'ко́рпус.

**cadey** ['kædɪ] = cady.

**cadge** [kædʒ] *v* попроша́йничать; жить на чужо́й счёт.

**cadger I** ['kædʒə] *n* 1) разно́счик, прода́ющий по деревня́м галантере́ю и мануфакту́ру и скупа́ющий сельскохозя́йственные проду́кты; 2) попроша́йка.

**cadger II** ['kædʒə] *тех.* карма́нная маслёнка.

**cadi** ['ka:dɪ] *араб. n* ка́ди(й) (*духовное лицо у мусульман, несущее обязанности судьи*).

**cadie** ['kædɪ] = cady.

**cadmium** ['kædmɪəm] *n хим.* ка́дмий.

**cadre** [ka:dr] *n* 1) о́стов; схе́ма; 2) *воен.* ка́др(ы).

**caducity** [kə'dju:sɪtɪ] *n* 1) бре́нность; 2) дря́хлость.

**caducous** [kə'dju:kəs] *a бот.* ра́но опада́ющий (*о листьях*).

**cady** ['kædɪ] *n разг.* шля́па.

**caeca** ['si:kə] *pl от* caecum.

**caecum** ['si:kəm] *n* (*pl* caeca) *анат.* слепа́я кишка́.

**Caesar** ['si:zə] *n* 1) *ист.* Це́зарь; 2) самоде́ржец; ке́сарь; ◇ render to ~ the things that are ~'s ке́сарево ке́сарю.

**Caesarian** [,si:zə'rɪən] *a* самодержа́вный, автократи́ческий; ◇ ~ operation *мед.* ке́сарево сече́ние.

**caesium** ['si:zjəm] *n хим.* це́зий.

**caesura** [si:'zjuərə] *n* цезу́ра.

**café** ['kæfeɪ] *фр. n* 1) кафе́; 2) кофе́йня.

**cafeteria** [,kæfɪ'tɪərɪə] *n* кафете́рий, кафе́-заку́сочная.

**caffeine** ['kæfi:n] *n фарм.* кофеи́н.

**caffelite** ['kæfəlaɪt] *n* кафели́т (*пластмасса из бобов кофе*).

**caftan** ['kæftən] *n* 1) кафта́н; 2) дли́нный восто́чный хала́т.

**cage** [keɪdʒ] 1. *n* 1) кле́тка; 2) тюрьма́ военноплённых; 3) *горн.* клеть (*в шахтах*); 5) *тех.* обо́йма (*подшипника*); 6) садо́к (*для насекомых или рыб*); 2. *v* сажа́ть в кле́тку.

**cag(e)y** ['keɪdʒɪ] *a амер. разг.* укло́нчивый в отве́тах; don't be so ~ отвеча́йте пря́мо, не виля́йте.

**cahoot** [kə'hu:t] *n амер. разг.* соуча́стие, сообщничество; to go ~s дели́ть по́ровну расхо́ды и дохо́ды.

**caiman** ['keɪmən] = cayman.

**Cain** [keɪn] *n* 1) *библ.* Ка́ин; 2) братоуби́йца, преда́тель; to raise ~ подня́ть шум, устро́ить сканда́л.

**caique** [kaɪ'i:k] *n* кайк, туре́цкая шлю́пка.

**cairn** [kɛən] *n* пирами́да из камне́й (*памятник, межевой или какой-л. условный знак*); ◇ to add a stone to smb.'s ~ превозноси́ть кого́-л. по́сле сме́рти.

**cairngorm** ['kɛən'gɔ:m] *n мин.* ды́мча-

тый топа́з, жёлтая *или* ды́мчато-бу́рая разнови́дность ква́рца.

**caisson** ['keɪsən] *n* 1) *тех.* кессо́н; 2) *воен.* заря́дный я́щик; 3) *мор.* батопо́рт.

**caitiff** ['keɪtɪf] *поэт.* 1. *n* трус; негодя́й; 2. *a* трусли́вый; презре́нный.

**cajole** [kə'dʒoul] *v* льстить, обха́живать; обма́нывать; ▢ ~ into склони́ть ле́стью к чему́-л.; ~ out: to ~ smth. out of smb. вы́клянчить, вы́просить что-л. у кого́-л.

**cajolement** [kə'dʒoulmənt] *n* лесть; обма́н при по́мощи ле́сти.

**cajolery** [kə'dʒoulərɪ] = cajolement.

**cake** [keɪk] 1. *n* 1) торт, кекс, пиро́жное; лепёшка; 2) лепёшка гря́зи *или* гли́ны (*приставшей к платью*); 3) пли́тка; кусо́к, брусо́к; брике́т; ◇ ~ of soap брусо́к *или* кусо́к мы́ла; 4) жмых, маку́ха; ◇ ~s and ale весе́лье; you cannot eat your ~ and have it too *посл.* ≅ оди́н пиро́г два ра́за не съешь; нельзя́ совмести́ть несовмести́мое; to go (*или* to sell) like hot ~s раскупа́ться (*или* продава́ться) нарасхва́т; to have one's ~ baked име́ть сре́дства, состоя́ние; жить в доста́тке; my (our) ~ is dough моё (на́ше) де́ло пло́хо, не вы́горело; to take the ~ получи́ть приз, заня́ть пе́рвое ме́сто; быть лу́чше всех; that takes the ~ э́то превосхо́дит всё; вот э́то да!; 2. *v* (*обыкн. refl. или pass.*) затверде́вать, спека́ться.

**cake ice** ['keɪkaɪs] *n* са́ло (*на реке*).

**cake-walk** ['keɪkwɔ:k] *n* кекуо́к (*танец*).

**caking coal** ['keɪkɪŋkoul] *n горн.* спека́ющийся у́голь.

**calabar** [,kælə'ba:] *n* се́рый бе́личий мех.

**calabash** ['kæləbæʃ] *n* 1) горля́нка, буты́лочная ты́ква; 2) буты́лка *или* кури́тельная тру́бка из горля́нки; калья́н.

**calaber** ['kæləbə] = calabar.

**calaboose** ['kæləbu:s] *n амер. разг.* тюрьма́, куту́зка.

**calamanco** [,kælə'mæŋkou] *n текст.* каламя́нка.

**calamitous** [kə'læmɪtəs] *a* 1) па́губный; 2) бе́дственный.

**calamity** [kə'læmɪtɪ] *n* бе́дствие; ◇ ~ howler челове́к, постоя́нно предска́зывающий како́е-л. бе́дствие; ны́тик; пессими́ст.

**calamus** ['kæləməs] *n бот.* 1) а́ир тростнико́вый *или* и́рный; 2) па́льма каламус; 3) *уст.* перо́ из тростника́.

**calash** [kə'læʃ] *n* 1) коля́ска; 2) верх коля́ски.

**calcareous** [kæl'kɛərɪəs] *a* известко́вый; содержа́щий и́звесть.

**calceolaria** [,kælsɪə'lɛərɪə] *n бот.* коше́лькй.

**calces** ['kælsɪz] *pl от* calx.

**calciferol** [kæl'sɪfərɔl] *n* витами́н D.

**calcification** [,kælsɪfɪ'keɪʃən] *n* обызвествле́ние, отвердде́ние, окамене́ние; окостене́ние.

**calcify** ['kælsɪfaɪ] *v* превраща́ть(ся) в и́звесть, отвердева́ть.

**calcimine** ['kælsɪmaɪn] *n* известко́вая кра́ска.

**calcinate** ['kælsɪneɪt] = calcine.

**calcination** [ˌkælsɪ'neɪʃən] *n* 1) *тех.* кальцинирование, прокаливание, обжиг; пережигание *или* превращение в известь; 2) *перен.* очищение.

**calcine** ['kælsaɪn] *v* 1) *тех.* кальцинировать, прокаливать, обжигать; пережигать *или* превращать в известь; 2) сжигать дотла; 3) *перен.* очищать.

**calcitrant** ['kælsɪtrənt] *a тех.* огнестойкий, тугоплавкий.

**calcium** ['kælsɪəm] *n хим.* кальций.

**calculable** ['kælkjuləbl] *a* 1) поддающийся исчислению, измерению; 2) надёжный.

**calculate** ['kælkjuleɪt] *v* 1) вычислять; подсчитывать; калькулировать; 2) рассчитывать; 3) *амер.* думать, полагать.

**calculated** ['kælkjuleɪtɪd] 1. *p. p. от* calculate;
2. *a* 1) вычисленный; 2) рассчитанный; годный (for); 3) преднамеренный, (пред-) умышленный.

**calculating** ['kælkjuleɪtɪŋ] 1. *pres. p. от* calculate;
2. *a* 1) счётный; 2) расчётливый.

**calculating-machine** ['kælkjuleɪtɪŋmə'ʃiːn] *n* счётная машина; вычислительный прибор, арифмометр.

**calculation** [ˌkælkju'leɪʃən] *n* 1) вычисление; калькуляция; 2) расчёт; 3) обдумывание; 4) предположение; 5) предвидение.

**calculator** ['kælkjuleɪtə] *n* 1) вычислитель, калькулятор; 2) счётная машина; вычислительный прибор, арифмометр; счётчик (*прибор*).

**calculi** ['kælkjulaɪ] *pl от* calculus 1).

**calculus** ['kælkjuləs] *n* 1) (*pl* -li) *мед.* камень; 2) (*pl* -es [-ɪz]) *мат.* исчисление; differential ~ дифференциальное исчисление; integral ~ интегральное исчисление.

**caldron** ['kɔːldrən] = cauldron.

**Caledonia** [ˌkælɪ'dounjə] *n поэт.* Шотландия.

**Caledonian** [ˌkælɪ'dounjən] *поэт.* 1. *a* шотландский;
2. *n* шотландец; шотландка.

**calendar** ['kælɪndə] 1. *n* 1) календарь; 2) святцы; 3) опись; указатель; реестр; список; 4) *юр.* список дел, назначенных к слушанию; 5) *амер.* повестка дня; ◇ Newgate C. *ист.* книга с рассказами о преступлениях узников Ньюгейтской тюрьмы; 12
2. *v* 1) регистрировать, вносить в список; 2) составлять индекс; 3) инвентаризировать.

**calender** I ['kælɪndə] *тех.* 1. *n* каландр, каток, лощильный пресс;
2. *v* каландрировать, лощить, гладить, катать.

**calender** II ['kælɪndə] *перс.* *n* нищенствующий дервиш.

**calends** ['kælɪndz] *n pl* календы, первое число месяца (*у древних римлян*); ◇ on (*или* at) the Greek ~ шутл. никогда (*у греков календ не было*).

**calenture** ['kæləntjuə] *n уст.* тропическая лихорадка, сопровождающаяся бредом.

**calf** I [kɑːf] *n* (*pl* calves) 1) телёнок; cow in (*или* with) ~ стельная корова; 2) детёныш (*оленя, слона, кита, тюленя и т. п.*); 3) телячья кожа, опоек; bound in ~ переплетённый в телячью кожу; 4) придурковатый парень; «телёнок» (*употр. тж. в ласк. смысле*); 5) небольшая плавучая льдина; ◇ to kill the fatted ~ *библ.* заклать упитанного тельца, радостно встретить (*как блудного сына*); golden ~ золотой телец. A

**calf** II [kɑːf] *n* (*pl* calves) икра (*ноги*).

**calf-knee** ['kɑːf,niː] *n анат.* вогнутое колено.

**calflove** ['kɑːflʌv] *n* ребяческая любовь.

**calfskin** ['kɑːfskɪn] = calf I, 3).

**calf's teeth** ['kɑːvztiːθ] *n pl* молочные зубы.

**Caliban** ['kælɪbæn] *n* калибан; грубый, злобный человек (*по имени персонажа «Бури» Шекспира*).

**caliber** ['kælɪbə] *амер.* = calibre.

**calibrate** ['kælɪbreɪt] *v* 1) калибровать; градуировать; тарировать; 2) проверять, выверять; 3) *воен.* определять начальную скорость; состреливать (*орудия*).

**calibration** [ˌkælɪ'breɪʃən] *n* 1) калибрование; градуировка; тарирование; 2) *воен.* определение начальной скорости; сострелка (*орудий*).

**calibre** ['kælɪbə] *n* 1) калибр; диаметр; 2) широта ума; значительность (*человека*).

**caliche** [kɑː'liːʃeɪ] *n* самородная чилийская селитра.

**calico** ['kælɪkou] *n* (*pl* -os, -oes [-ouz]) 1) коленкор, миткаль; 2) *амер.* ситец.

**calico-ball** ['kælɪkou,bɔːl] *n* ситцевый бал.

**calico-printer** ['kælɪkou,prɪntə] *n* набойщик (*в текст. промышленности*).

**calico-printing** ['kælɪkou,prɪntɪŋ] *n* ситценабивное дело.

**calif** ['kælɪf] = caliph.

**californium** [ˌkælɪ'fɔːnɪəm] *n хим.* калифорний.

**calipash** ['kælɪpæʃ] *n* филей под щитком черепахи.

**calipee** ['kælɪpiː] = calipash.

**calipers** ['kælɪpəz] = callipers.

**caliph** ['kælɪf] *n* халиф, калиф.

**caliphate** ['kælɪfeɪt] *n* халифат.

**calisthenics** [ˌkælɪs'θenɪks] = callisthenics.

**calk** I [kɔːk] 1. *n* 1) шип (подковы); 2) *амер.* подковка (*на каблуке*);
2. *v* 1) конопатить; чеканить (*швы*); 2) подковывать на шипах; 3) *амер.* набивать подковки (*на каблуки*).

**calk** II [kɔːk] *n* негашёная известь.

**calk** III [kɔːk] *v* калькировать.

**calkin** ['kælkɪn] = calk I, 1.

**call** [kɔːl] 1. *n* 1) зов, оклик; 2) крик (*животного, птицы*); 3) призыв; сигнал; 4) вызов; телефонный вызов; one ~ was for me один раз вызывали меня; 5) перекличка; 6) призвание, влечение; 7) визит, посещение; to pay a ~ сделать визит; 8) заход (*парохода*) в порт; остановка (*поезда*) на станции; 9) приглашение;

предложе́ние (*места, кафедры и т. п.*); 10) тре́бование; спрос; тре́бование упла́ты до́лга; 11) нужда́, необходи́мость; you have no ~ to blush вам не́чего красне́ть; 12) мано́к, ду́дка (*птицелова*); ◇ ~ of duty чу́вство до́лга; at ~ нагото́ве, к услу́гам; on ~ a) по тре́бованию, по вы́зову; б) *ком.* на онко́льном счету́; within ~ побли́зости;

2. *v* 1) звать; оклика́ть; 2) называ́ть; дава́ть и́мя; 3) вызыва́ть, призыва́ть; созыва́ть; to ~ smb.'s attention to smth. обраща́ть чьё-л. внима́ние на что-л.; to ~ to mind (*или* memory, remembrance) припо́мнить, вспо́мнить; 4) буди́ть; 5) заходи́ть, навеща́ть; to ~ at a house зайти́ в дом; to ~ (up)on a person навести́ть кого́-л.; 6) счита́ть; I ~ this a good house я нахожу́, что э́то хоро́ший дом; □ ~ at остана́вливаться (*где-л.*); ~ away отзыва́ть; ~ back а) звать обра́тно; б) брать наза́д; ~ down а) навлека́ть; б) порица́ть, де́лать вы́говор; в) оспа́ривать, отводи́ть (*довод и т. п.*); ~ for а) тре́бовать; the situation ~ed for drastic measures положе́ние тре́бовало приня́тия реши́тельных мер; letters to be ~ed for пи́сьма до востре́бования; б) заходи́ть за *кем-л.*; в) предусма́тривать; ~ forth вызыва́ть, тре́бовать; this affair ~s forth all his energy э́то де́ло тре́бует всей его́ эне́ргии; ~ in а) потре́бовать наза́д (*долг*); б) изыма́ть из обраще́ния (*денежные зна́ки*); в) приглаша́ть; г) призыва́ть на вое́нную слу́жбу; ~ into: to ~ into existence (*или* being) вызыва́ть к жи́зни, создава́ть; осуществля́ть; приводи́ть в де́йствие; ~ off а) отзыва́ть; отменя́ть; прекраща́ть; откла́дывать, переноси́ть; the game was ~ed off игру́ отложи́ли; б) отвлека́ть (*внимание*); ~ on а) взыва́ть, апелли́ровать; б) приглаша́ть вы́сказаться; the chairman ~ed on the next speaker председа́тель предоста́вил сло́во сле́дующему ора́тору; в) звони́ть по телефо́ну *кому-л.*; ~ out а) вызыва́ть; to ~ out for training призыва́ть на уче́бный сбор; б) вызыва́ть на дуэ́ль; в) выкри́кивать; крича́ть; ~ over де́лать перекли́чку; ~ to: to ~ to account призва́ть к отве́ту; потре́бовать объясне́ния; to ~ to attention *воен.* скома́ндовать «сми́рно»; to ~ to order а) призва́ть к поря́дку; б) *амер.* откры́ть собра́ние; ~ up а) звать наве́рх; б) призыва́ть (*на военную службу*); в) вызыва́ть (*по телефону*); г) вызыва́ть в па́мяти; д) представля́ть на рассмотре́ние (*законопроект и т. п.*); ~ upon = ~ on; б): to be ~ed upon быть вы́нужденным; ◇ to ~ in question подверга́ть сомне́нию; to ~ names руга́ть(ся); ~ it square удовлетворя́ться, примиря́ться; to ~ smb. over the coals руга́ть кого́-л., де́лать кому́-либо вы́говор; to have nothing to ~ one's own ничего́ не име́ть, быть без средств.

**call-bell** ['kɔːlbel] *n* сигна́льный звоно́к; звоно́к для вы́зова (*коридорного; сиделки*).

**call-box** ['kɔːlbɔks] *n* телефо́нная бу́дка.

**call-boy** ['kɔːlbɔɪ] *n* 1) ма́льчик-рассы́льный; коридо́рный (*в гостинице и т. п.*);

2) *театр.* ма́льчик, приглаша́ющий актёра на сце́ну.

**caller** I ['kɔːlə] *n* 1) гость; посети́тель; 2) выклика́ющий имена́ во вре́мя перекли́чки.

**caller** II ['kælə] *a* шотл. 1) све́жий; 2) прохла́дный.

**calligraphy** [kə'lɪgrəfɪ] *n* 1) каллигра́фия; чистописа́ние; 2) по́черк.

**calling** ['kɔːlɪŋ] **1.** *pres. p. om* call 2; **2.** *n* 1) призва́ние; 2) профе́ссия.

**callipers** ['kælɪpəz] *n pl* 1) кронци́ркуль; inside ~ нутроме́р; 2) *лес.* ме́рная ви́лка.

**callisthenics** [ˌkælɪs'θenɪks] *n pl* (*употр. как sing*) пла́стика, ритми́ческая гимна́стика; физи́ческая подгото́вка; free ~ во́льные движе́ния.

**call-loan** ['kɔːlloun] *n ком.* заём с упла́той по пе́рвому тре́бованию.

**call-money** ['kɔːl'mʌnɪ] = call-loan.

**callosity** [kæ'lɔsɪtɪ] *n* 1) затверде́ние (*на коже*); мозо́ль; 2) = callousness.

**callous** ['kæləs] *a* 1) огрубе́лый, мозо́листый; 2) бессерде́чный, чёрствый.

**callousness** ['kæləsnɪs] *n* гру́бость, бессерде́чность.

**callow** ['kælou] **1.** *n* ирл. низи́на; ча́сто затопля́емый, боло́тистый луг;

2. *a* 1) неопери́вшийся; 2) нео́пытный; ~ youth зелёный юне́ц; 3) *ирл.* низи́нный, ча́сто затопля́емый.

**call slot** ['kɔːlslɔt] *n* сква́жина, в кото́рую вставля́ют ключ для вы́зова ли́фта.

**call-up** ['kɔːl,ʌp] *n* призы́в на вое́нную слу́жбу.

**callus** ['kæləs] *n* 1) *мед.* мозо́ль (*гл. обр. костная*); 2) *бот.* наплы́в.

**calm** [kɑːm] **1.** *a* 1) споко́йный; ти́хий; ми́рный; 2) безве́тренный; 3) *разг.* беззасте́нчивый;

2. *n* 1) тишина́; споко́йствие; 2) штиль, зати́шье; 3) *разг.* беззасте́нчивость, де́рзость;

3. *v* успока́ивать; умиротворя́ть; □ ~ down успока́ивать(ся), смягча́ть(ся).

**calmative** ['kælmətɪv] **1.** *a* успокойте́льный;

2. *n* успока́ивающее сре́дство.

**calmly** ['kɑːmlɪ] *adv* споко́йно, хладнокро́вно.

**calmness** ['kɑːmnɪs] *n* тишина́, споко́йствие.

**calomel** ['kæləmel] *n хим.* ка́ломель, хло́ристая ртуть.

**caloric** [kə'lɔrɪk] **1.** *n* теплота́;

2. *a* теплово́й.

**calorie** ['kælərɪ] *n* кало́рия, ма́лая кало́рия.

**calorific** [ˌkælə'rɪfɪk] *a* теплово́й; теплотво́рный, калори́ческий; ~ capacity (*или* effect, value) теплотво́рная спосо́бность, калори́йность.

**calorification** [kə,lɔrɪfɪ'keɪʃən] *n* выделе́ние теплоты́.

**calorifics** [ˌkælə'rɪfɪks] *n pl* (*употр. как sing*) теплоте́хника.

**calorimeter** [ˌkælə'rɪmɪtə] *n физ.* калори́метр.

**calory** ['kælərɪ] = calorie.

**calotte** [kə'lɔt] *n* 1) скуфейка; 2) *архит.* круглый свод; верх сфероидального купола; 3) *тех.* поверхность шарового сегмента; шаровое сочленение.

**caltrop** ['kæltrəp] *n* 1) *воен.* проволочные ежи; 2) (*обыкн. pl*) *бот.* василёк колючеголовый.

**calumet** ['kæljumet] *n* трубка мира (*у сев.-амер. индейцев*).

**calumniate** [kə'lʌmnɪeɪt] *v* клеветать; оговаривать; порочить.

**calumniation** [kə,lʌmnɪ'eɪʃən] *n* оговор; клевета.

**calumniator** [kə'lʌmnɪeɪtə] *n* клеветник.

**calumniatory** [kə'lʌmnɪ,eɪtərɪ] *a* клеветнический.

**calumnious** [kə'lʌmnɪəs] = calumniatory.

**calumny** ['kæləmnɪ] *n* клевета, клеветнические измышления.

**Calvados** [,kælvə'dous] *n* яблочная настойка.

**Calvary** ['kælvərɪ] *n* 1) *библ.* Голгофа; 2) (с.) изображение распятия.

**calve** [kɑːv] *v* 1) отелиться; родить детёныша (*о слонах, китах, тюленях и т. п.*); 2) отрываться от ледников *или* айсбергов (*о льдинах*); 3) *горн.* обрушиваться при подкопе.

**calves** I, II [kɑːvz] *pl om* calf I *и* II.

**Calvinism** ['kælvɪnɪzəm] *n* кальвинизм.

**calvish** ['kɑːvɪʃ] *a* 1) телячий; 2) глупый.

**calx** [kælks] *n* (*pl* -lces) 1) окалина; 2) зола; 3) известь.

**calyces** ['keɪlɪsiːz] *pl om* calyx.

**calyx** ['keɪlɪks] *n* (*pl* -es [-ız], calyces) 1) *бот.* чашечка (*цветка*); 2) *анат.* чашевидная полость.

**cam** [kæm] 1. *n* 1) *тех.* палец; копир, кулак, кулачок, кулачный диск, эксцентрик; шаблон; 2) поводковый патрон; 3) *горн.* рудоразборный стол;
2. *v тех.* отводить, поднимать (*кулачком*).

**camaraderie** [,kæmə'rɑːdərɪ] *фр. n* товарищество, панибратство.

**camarilla** [,kæmə'rɪlə] *исп. n* камарилья.

**camber** ['kæmbə] 1. *n* 1) выпуклость; изогнутость, кривизна; 2) *стр.* подъём (*в мостах*); 3) *тех.* бомбировка (*вала*); 4) *ав.* кривизна дужки, изогнутость крыла; ~ of arch провес *или* стрела арки, подъём, прогибы.
2. *v* выгибать; давать подъём.

**cambist** ['kæmbɪst] *n* биржевой маклер.

**cambium** ['kæmbɪəm] *n бот.* камбий.

**cambrel** ['kæmbrəl] *n* распорка для туш (*у мясников*).

**Cambria** ['kæmbrɪə] *n поэт.* Уэльс.

**Cambrian** ['kæmbrɪən] 1. *a* 1) *поэт.* уэльский; 2) *геол.* кембрийский;
2. *n* уроженец Уэльса.

**cambric** ['keɪmbrɪk] *n текст.* льняной батист.

**came** [keɪm] *past om* come.

**camel** ['kæməl] *n* 1) верблюд; Arabian ~ одногорбый верблюд; Bactrian ~ двугорбый верблюд; 2) *мор.* камель (*приспособление для подъёма судов*); ◇ the last straw to break the ~'s back ≅ последняя капля, переполняющая чашу (*терпения*).

**cameleer** [,kæmɪ'lɪə] *n* погонщик верблюдов.

**camellia** [kə'miːljə] *n* камелия.

**camelopard** *n* 1) ['kæmɪləpɑːd] *уст.* жираф(а); 2) ['kæməl'lepəd] *разг.* тощая, длинная, угловатая женщина.

**camelry** ['kæmələrɪ] *n воен.* отряд на верблюдах.

**cameo** ['kæmɪou] *n* (*pl* -os [-ouz]) камея.

**camera** ['kæmərə] *n* 1) фотографический аппарат; 2) = camera-man; 3) *телев.* камера; 4) *стр.* сводчатое покрытие *или* помещение; 5) *юр.* кабинет судьи; in ~ в кабинете судьи (*не в открытом судебном заседании*); ◇ ~ eye *амер.* хорошая зрительная память.

**camera-man** ['kæmərəmæn] *n* 1) фоторепортёр; 2) кинооператор.

**cam-gear** ['kæmgɪə] *n тех.* кулачное распределение, кулачковый механизм.

**cami-knickers** ['kæmɪ'nɪkəz] *n pl* вид женской комбинации.

**camion** [kɑːm'jɔŋ] *фр. n* 1) фургон; 2) грузовик (*особ. для перевозки орудий*).

**camisole** ['kæmɪsoul] *n* 1) *уст.* камзол; 2) нарядный лифчик.

**camlet** ['kæmlɪt] *n текст.* камлот.

**camomile** ['kæməmaɪl] *n* 1) ромашка; 2) *attr.:* ~ tea настой ромашки.

**camouflage** ['kæmuflɑːʒ] 1. *n* 1) *воен.* маскировка, камуфляж; 2) хитрость, уловка для отвода глаз;
2. *v* маскировать(ся), применять маскировку, дымовую завесу *и т. п.*

**camp** [kæmp] 1. *n* 1) лагерь; стан; ~ of instruction *воен.* учебный лагерь; 2) стоянка; бивак, место привала; ночёвка на открытом воздухе (*экскурсантов и т. п.*); to break ~ сниматься с лагеря; 2) *амер.* домик, дача (*в лесу*); ◇ in the same ~ одного образа мыслей; to take into ~ убить;
2. *v* 1) располагаться лагерем; 2) жить (*где-л.*) временно без всяких удобств; ☐ ~ out ночевать в палатках *или* на открытом воздухе.

**campaign** [kæm'peɪn] 1. *n* 1) кампания; поход; political ~ политическая кампания; press ~ кампания в печати; 2) *с.-х.* страда; 3) *attr.:* ~ biography *амер.* биография кандидата (*особ. на пост президента*), публикуемая незадолго до выборов с агитационной целью;
2. *v* 1) участвовать в походе; 2) проводить кампанию.

**campaigner** [kæm'peɪnə] *n* участник кампании; old ~ старый служака, ветеран; *перен.* бывалый человек.

**campanile** [,kæmpə'niːlɪ] *n архит.* колокольня (*отдельно стоящая*).

**campanula** [kəm'pænjulə] *n бот.* колокольчик.

**camp-bed** ['kæmp'bed] *n* походная *или* складная кровать.

**camp-chair** ['kæmp'tʃeə] *n* лёгкий складной стул.

**campeachy wood** [kæm'piːtʃɪwud] *n бот.* кампешевое дерево.

**campestral** [kæm'pestrəl] *a* полевой.

**camp-fever** ['kæmp'fiːvə] *n* тиф.

**camp-fire** ['kæmp,faɪə] *n* бива́чный костёр.

**camp-follower** ['kæmp,fɔlouə] *n* гражда́нское лицо́, сопровожда́ющее а́рмию.

**camphor** ['kæmfə] *n* камфара́.

**camphorated** ['kæmfəreɪtɪd] *a* пропи́танный камфаро́й; ~ oil камфа́рное ма́сло.

**camphoric** [kæm'fɔrɪk] *a* камфа́рный.

**campion** ['kæmpjən] *n* бот. ли́хнис.

**camp-stool** ['kæmpstuːl] = camp-chair.

**campus** ['kæmpəs] *n* амер. университе́тский или шко́льный двор или городо́к.

**cam-shaft** ['kæm,ʃɑːft] *n* тех. распредели́тельный вал, кулачко́вый ва́лик.

**camus** ['kæməs] *a* с приплю́снутым но́сом.

**camwood** ['kæmwud] *n* древеси́на осо́бого африка́нского де́рева, испо́льзуемая как краси́тель.

**can** I [kæn (*полная форма*); kən, kn (*редуцированные формы*)] *v* (could) модальный недостаточный глагол 1) мочь, быть в состоя́нии, име́ть возмо́жность; уме́ть; I ~ я могу́; I will do all I ~ я сде́лаю всё, что могу́; I ~ speak French я говорю́ (уме́ю говори́ть) по-францу́зски; I ~not я не могу́; I ~not away with this терпе́ть э́того не могу́; I ~not but я не могу́ не; 2) мочь, име́ть пра́во; you ~ go вы свобо́дны, мо́жете идти́; 3) *выражает сомнение, неуверенность, недоверие*: it can't be true! не мо́жет быть!; ~ it be true? неуже́ли?; she can't have done it! не мо́жет быть, что́бы она́ э́то сде́лала!

**can** II [kæn] **1.** *n* 1) бидо́н; 2) жестяна́я коро́бка или ба́нка; garbage ~ а) помо́йное ведро́; я́щик для му́сора; б) *sl.* лачу́га в рабо́чем посёлке; 3) ба́нка консе́рвов; 4) *амер.* стульча́к, сиде́нье в убо́рной; 5) *амер. sl.* тюрьма́; ◇ to be in the ~ быть зако́нченным и гото́вым к употребле́нию;

**2.** *v* 1) консерви́ровать (*мясо, овощи, фрукты*); 2) *амер. sl.* отде́латься (*от кого́-л.*); уво́лить; 3) *амер. sl.* посади́ть в тюрьму́; 4) *амер. sl.* останови́ть(ся).

**Canaan** ['keɪnən] *n* библ. Ханаа́н, земля́ обетова́нная.

**Canadian** [kə'neɪdjən] **1.** *a* кана́дский; **2.** *n* кана́дец; кана́дка.

**canaille** [kə'neɪl] *фр. n* пренебр. сброд, чернь.

**canal** [kə'næl] *n* 1) кана́л (*искусственный*); 2) *анат.* кана́л, прохо́д.

**canalization** [,kænəlaɪ'zeɪʃən] *n* устро́йство кана́лов; систе́ма кана́лов.

**canalize** ['kænəlaɪz] *v* 1) проводи́ть кана́лы; 2) направля́ть че́рез определённые кана́лы.

**canal-wallah** [kə'næl,wɔlə] *n англо-инд. ист.* су́дно, пла́вающее по Суэ́цкому кана́лу.

**canape** [kænə'peɪ] *фр. n* бутербро́д с анчо́усами, икро́й и т. п.

**canard** [kæ'nɑːd] *фр. n* «у́тка», ло́жный слух.

**canary** [kə'nɛərɪ] **1.** *n* 1) канаре́йка; 2) *уст.* сорт вина́;

**2.** *a* я́рко-жёлтый, канаре́ечный.

**canary-bird** [kə'nɛərɪbɑːd] = canary 1,1).

**Canasta** [kə'næstə] *n* кана́ста (*карточная игра*).

**canaster** [kə'næstə] *n* кна́стер (*сорт табака́*).

**can-buoy** ['kænbɔɪ] *n мор.* тупоконе́чный буй.

**cancan** ['kænkæn] *фр. n* канка́н (*танец*).

**cancel** ['kænsəl] **1.** *n* 1) полигр. вычёркивание (*в гранках*); 2) полигр. перепеча́тка (*листа*); перепеча́танный лист; 3) (*обыкн. pl*) компо́стер (*тж.* pair of ~s);

**2.** *v* 1) аннули́ровать; отменя́ть; to ~ debts аннули́ровать долги́; to ~ leave отменя́ть о́тпуск; ~! *воен.* отста́вить! (*команда*); 2) вычёркивать; 3) погаша́ть (*марки*); 4) *мат.* сокраща́ть дробь или уравне́ние (*тж.* ~ out); 5) своди́ть на нет.

**cancellated** ['kænse,leɪtɪd] *a* решётчатый, се́тчатый.

**cancellation** [,kænse'leɪʃən] *n* 1) аннули́рование; отме́на; 2) вычёркивание; 3) погаше́ние (*марок*); 4) *мат.* сокраще́ние.

**cancer** ['kænsə] *n* 1) *мед.* рак; 2) бич, бе́дствие; 3) (C.) Рак (*созвездие и знак зодиака*); tropic of C. тро́пик Ра́ка.

**cancerous** ['kænsərəs] *a мед.* ра́ковый.

**cancroid** ['kæŋkrɔɪd] **1.** *n* ракообра́зная о́пухоль;

**2.** *a* зоол., мед. ракообра́зный.

**candela** [kən'delɑː] *n* физ. едини́ца свече́ния.

**candelabra** [,kændɪ'lɑːbrə] *pl* от candelabrum.

**candelabrum** [,kændɪ'lɑːbrəm] *n* (*pl* -ra) канделя́бр.

**candescence** [kæn'desəns] *n* бе́лое кале́ние, нака́ливание добела́.

**candescent** [kæn'desənt] *a* раскалённый добела́; светя́щийся.

**candid** [kændɪd] *a* 1) и́скренний; прямо́й; чистосерде́чный; ~ friend ирон. челове́к, с удово́льствием говоря́щий неприя́тные ве́щи с ви́дом дру́га; 2) беспристра́стный.

**candidacy** ['kændɪdəsɪ] *n* кандидату́ра.

**candidate** ['kændɪdɪt] *n* кандида́т.

**candidature** [kændɪdɪtʃə] = candidacy.

**candid camera** ['kændɪd'kæmərə] *n* миниатю́рный фотоаппара́т для съёмок люде́й без их ве́дома.

**candied** [kændɪd] **1.** *p. p. от* candy I, 2;

**2.** *a* 1) заса́харенный; сва́ренный в са́харе; ~ fruits, ~ peel цука́ты; 2) заса́харившийся (*о мёде и т. п.*); 3) медото́чивый, льсти́вый.

**candle** ['kændl] **1.** *n* 1) свеча́; 2) междунаро́дная свеча́ (*единица силы света*); 3) га́зовая горе́лка; ◇ to hold a ~ to the devil сверну́ть с пути́ и́стинного; пота́кать, соде́йствовать заве́домо дурно́му; not fit to hold a ~ to, cannot hold (*или* show) a ~ to ≅ в подмётки не годи́тся (*кому-л.*);

**2.** *v* проверя́ть я́йца на свет.

**candlebomb** ['kændlbɔm] *n ив.* освети́тельная бо́мба.

**candle-end** ['kændlend] *n* ога́рок.

candlelight ['kændllait] n 1) свет горя́-
щей свечи́ или свече́й; иску́сственное осве-
ще́ние; 2) су́мерки, ве́чер.
Candlemas ['kændlməs] n церк. пра́зд-
ник сре́тения.
candle-power ['kændl,pauə] n эл. си́ла
све́та (в свечах); a burner of 25 ~ ла́мпочка
в 25 свече́й.
candlestick ['kændlstik] n подсве́чник.
candle-wick ['kændlwik] n 1) фити́ль;
2) амер. род вы́шивки для покрыва́ла.
can-dock ['kændɔk] n бот. жёлтая кув-
ши́нка.
candour ['kændə] n 1) и́скренность,
прямота́; 2) беспристра́стие.
candy I ['kændi] 1. n 1) ледене́ц; 2)
амер. конфе́та; конфе́ты, сла́сти;
2. v 1) вари́ть в са́харе; 2) заса́хари-
вать(ся).
candy II ['kændi] n англо-инд. ме́ра ве́са
(ок. 500 англ. фу́нтов).
candytuft ['kændɪtʌft] n бот. ибери́йка
(зо́нтичная).
cane [kein] 1. n 1) бот. камы́ш; распр.
тростни́к; 2) трость; па́лка; прут; ~ of
wax па́лочка сургуча́; 3) са́харный трост-
ни́к;
2. v 1) бить па́лкой; 2) плести́ ме́бель
из камыша́; 3) разг. вда́лбливать уро́к
(into).
cane-brake ['kein,breik] n за́росли (са-
харного) тростника́.
cane chair ['kein'tʃeə] n плетёное кре́сло
(из камыша).
cane-sugar ['kein'ʃugə] n тростнико́вый
са́хар, сахаро́за.
canicular [kə'nikjulə] a: ~ days зно́йные
дни (в июле и августе).
canine 1. a ['keinain] соба́чий; ~ madness водобоя́знь, бе́шенство; ◇ ~ appetite
(или hunger) во́лчий аппети́т;
2. n ['kænain] клык (тж. ~ tooth).
canister ['kænistə] n 1) небольша́я же-
стяна́я коро́бка (для чая, кофе и т. п.);
2) коро́бка противога́за; 3) = canister-
-shot.
canister-shot ['kænistəʃɔt] n карте́чь.
canker ['kæŋkə] 1. n 1) я́зва; червото́-
чина (тж. перен.); 2) мед. гангрено́зный
стомати́т; 3) вет. боле́знь стре́лки (у
лошадей); 4) = canker-worm;
2. v 1) разъеда́ть; 2) заража́ть; губи́ть.
cankerous ['kæŋkərəs] a 1) разъеда́ющий;
2) губи́тельный.
canker-worm ['kæŋkə,wəm] n зоол. пло-
до́вый червь.
cannabic ['kænəbik] a конопля́ный;
пенько́вый.
canned [kænd] 1. p. p. от can II, 2;
2. a 1) консерви́рованный (о продуктах);
~ goods консе́рвы; 2) sl. пья́ный; ◇ ~ musik
(lecture) амер. разг. му́зыка (ле́кция),
запи́санная на граммофо́нную пласти́нку.
cannel-coal ['kænəlkoul] n ке́ннелевый
у́голь.
cannelure ['kæniljuə] n тех. каннелю́ра;
желобо́к, вы́емка; кольцева́я кана́вка; про-
до́льный паз.
cannery ['kænəri] n консе́рвный заво́д.

cannibal ['kænibəl] 1. n 1) людое́д;
2) живо́тное, пожира́ющее себе́ подо́бных;
2. a людое́дский, канниба́льский.
cannibalism ['kænibəlizəm] n людое́д-
ство.
cannikin ['kænikin] n 1) жестя́нка; 2)
кру́жечка.
cannon I ['kænən] n 1) (pl -s [-z] и без
измен.) пу́шка, ору́дие; 2) артилле́рия;
3) = cannon-bone.
cannon II ['kænən] 1. n карамбо́ль (в
билья́рде);
2. v 1) сде́лать карамбо́ль; 2) отскочи́ть
при столкнове́нии; 3) столкну́ться (into,
against, with).
cannonade [,kænə'neid] 1. n канона́да,
оруди́йный ого́нь, пу́шечная стрельба́;
2. v обстре́ливать артиллери́йским
огнём.
cannon-ball ['kænənbɔl] n уст. пу́шеч-
ное ядро́.
cannon-bit ['kænənbit] n мундшту́к
(для лошади).
cannon-bone ['kænənboun] n берцо́вая
кость (у копытных).
cannoneer [,kænə'piə] n канони́р, артил-
лери́ст.
cannon-fodder ['kænən,fɔdə] n пу́шечное
мя́со.
cannonry ['kænənri] n редк. 1) канона́да;
2) собир. артилле́рия.
cannon-shot ['kænənʃɔt] n 1) пу́шечный
вы́стрел; пу́шечный снаря́д; 2) да́льность
пу́шечного вы́стрела.
cannot ['kænɔt] отриц. форма гл. can I.
canny ['kæni] a 1) ло́вкий; лука́вый,
хи́трый; осторо́жный; себе́ на уме́; 2)
шотл. ти́хий; ую́тный; ◇ ca'canny (сокр.
от call ~) шотл. рабо́тать ме́дленно, без
напряже́ния; проводи́ть италья́нскую за-
басто́вку.
canoe [kə'nu:] 1. n кано́э; челно́к; бай-
да́р(к)а; ◇ to paddle one's own ~ ни от
кого́ не зави́сеть; де́йствовать самостоя́-
тельно;
2. v плыть в челноке́, на байда́р(к)е.
canon I ['kænən] n 1) пра́вило; крите́-
рий; 2) церк. кано́н; 3) спи́сок произве-
де́ний какого-л. а́втора, по́длинность ко-
то́рых устано́влена; 4) католи́ческие свя́т-
цы; 5) полигр. кано́н (шрифт в 48 пунктов);
6) у́хо, кольцо́ ко́локола; 7) attr. кано-
ни́ческий; ~ law канони́ческое пра́во.
canon II ['kænən] n церк. кано́ник.
cañon ['kænjən] = canyon.
canonical [kə'nɔnikəl] 1. a канони́ческий;
2. n pl церко́вное облаче́ние.
canonization [,kænənai'zeiʃən] n кано-
низа́ция; причисле́ние к ли́ку святы́х.
canonize ['kænənaiz] v канонизи́ровать.
canonry ['kænənri] n до́лжность кано́-
ника.
canoodle [kə'nu:dl] v амер. разг. ласка́ть,
не́жить.
canopy ['kænəpi] 1. n 1) балдахи́н; по́-
лог, наве́с; тент; 2) ку́пол (парашю́та);
3) тех. нескла́дывающийся верх над
откры́той каби́ной (тра́ктора); 4) эл. ве́рх-
няя розе́тка лю́стры; ◇ ~ of heaven поэт.

небесный свод; under the ~ на земле; what under the ~ does he want? что ему в конце концов нужно?;
2. *v* покрывать балдахином, навесом.
**canorous** [kə'nɔːrəs] *a* мелодичный.
**cant** I [kænt] **1.** *n* 1) косяк; 2) скошенный, срезанный край; 3) наклон; наклонное положение; отклонение от прямой; 4) *амер.* обтёсанное бревно, брус; 5) толчок, удар;
2. *v* 1) скашивать; 2) наклонять; 3) опрокидывать(ся); перевёртывать(ся); ставить под углом; 4) кантовать.
**cant** II [kænt] **1.** *n* 1) лицемерие, ханжество; 2) плаксивый тон (*нищего*); 3) жаргон; thieves' ~ воровской жаргон;
2. *a* 1) лицемерный, ханжеский; 2) имеющий характер жаргона, принадлежащий жаргону; ~ phrase ходячее словцо, выражение;
3. *v* 1) лицемерить; быть ханжой; 2) говорить нараспев (*о нищем*); клянчить; попрошайничать; 3) употреблять жаргон; 4) сплетничать, клеветать; ругать.
**can't** [kɑːnt] *сокр. разг.* = cannot.
**Cantab** ['kæntæb] *сокр. от* Cantabrigian 2.
**cantabank** ['kæntəbæŋk] *n* бродячий певец.
**Cantabrigian** [ˌkæntə'brɪdʒɪən] **1.** *a* кембриджский;
2. *n* студент (*тж.* бывший) Кембриджского университета.
**cantaloup** ['kæntəluːp] *n* канталупа, мускусная дыня.
**cantankerous** [kən'tæŋkərəs]· *a* сварливый, придирчивый.
**cantata** [kæn'tɑːtə] *n* кантата.
**canteen** [kæn'tiːn] *n* 1) войсковая лавка; dry (wet) ~ войсковая лавка без продажи (с продажей) спиртных напитков); 2) столовая (*при заводе, учреждении и т. п.*); 3) (солдатская) фляга; 4) походный ящик с кухонными и столовыми принадлежностями.
**canter** I ['kæntə] *n* 1) лицемер, ханжа; 2) говорящий на жаргоне; 3) попрошайка.
**canter** II ['kæntə] **1.** *n* лёгкий галоп; preliminary ~ а) проездка лошади перед бегами; б) предварительный набросок; предварительная намётка; ◇ to win in a ~ легко достигнуть победы (успеха).
2. *v* ехать *или* пускать лошадь лёгким галопом.
**canterbury** ['kæntəbərɪ] *n* резная этажерка (*для нот, папок, газет и т. п.*).
**Canterbury bell** ['kæntəbərɪ,bel] *n бот.* колокольчик средний.
**canticle** ['kæntɪkl] *n* 1) песнь, гимн; 2) (Canticles) *библ.* Песнь песней.
**cantilever** ['kæntɪliːvə] *n* 1) *стр.* консоль, кронштейн; укосина; 2) *attr.:* ~ wing *ав.* свободнонесущее крыло.
**canting** I ['kæntɪŋ] **1.** *pres. p. om* cant II, 3; **2.** *a* лицемерный, неискренний, ханжеский.
**canting** II ['kæntɪŋ] *pres. p. om* cant I, 2.
**cantle** ['kæntl] *n* задняя лука седла.
**canto** ['kæntou] *n* (*pl* -os [-ouz]) песнь (*часть поэмы*).

**canton 1.** *n* ['kæntən] кантон, округ; **2.** *v* [kən'tuːn] расквартировывать (*войска*).
**cantonal** ['kæntənl] *a* кантональный.
**cantonment** [kən'tuːnmənt] *n* 1) расквартирование (*войск*); 2) военный городок; барачный городок; winter ~ зимние квартиры.
**cantrip** ['kæntrɪp] *n шотл.* 1) колдовство; 2) шутка; мистификация.
**canty** ['kɑːntɪ] *a шотл.* весёлый.
**Canuck** [kə'pʌk] *n sl.* 1) канадский француз; 2) *амер.* канадец.
**canvas** ['kænvəs] *n* 1) холст, парусина; брезент; 2) парус; *собир.* паруса, суда; 3) картина; 4) канва; ◇ under ~ а) *воен.* в палатках; б) *мор.* под парусами.
**canvass** ['kænvəs] **1.** *n* 1) обсуждение, дебатирование; 2) собирание голосов перед выборами; 3) *амер.* официальный подсчёт голосов;
2. *v* 1) обсуждать; дебатировать; 2) собирать голоса перед выборами, вербовать сторонников перед выборами; 3) собирать (*заказы, пожертвования, взносы*); the book-agent ~ed the town for subsriptions агент книжной фирмы работал по распространению подписки в городе.
**cany** ['keɪnɪ] *a* камышовый.
**canyon** ['kænjən] *n* каньон, глубокое ущелье.
**caoutchouc** ['kautʃuk] *n* каучук.
**cap** [kæp] **1.** *n* 1) кепка; фуражка; шапка; чепец; колпак; 2) шляпка (*гриба*); 3) верхушка, крышка; 4) *тех.* колпачок; головка; наконечник; насадка (*сваи*); 5) *разг.* новый обод, накладываемый на старую пневматическую шину путём вулканизации; 6) пистон, капсюль; 7) *эл.* цоколь (*электролампы*); 8) формат бумаги (*14 д.×17 д.*); ◇ ~ and bells шутовской колпак; ~ and gown берет и плащ (*одежда англ. студентов и профессоров*); ~ in hand покорно, смиренно; униженно; the ~ fits ≅ не в бровь, а в глаз; if the ~ fits, wear it ≅ если это замечание вы принимаете на свой счёт, что ж, на здоровье; to put on one's thinking (*или* considering) ~ серьёзно подумать; to set one's ~ (at, *амер.* for) заигрывать (с *кем-л.*); завлекать (*кого-л.*).
2. *v* 1) надевать *или* снимать шапку; 2) присуждать учёную степень, надевая при этом академический головной убор; 3) *спорт.* принять в состав команды; 4) покрывать, крыть; 5) вставлять капсюль, пистон, запал; 6) перекрыть, перещеголять; to ~ the climax перещеголять всех, перейти все границы; превзойти всё (*о поступках, выражениях*); to ~ a quotation отвечать на цитату ещё лучшей цитатой; to ~ verses цитировать стихи, начинающиеся с последней буквы предыдущего стиха (*в игре*); 7) довершать; to ~ the misery a fast rain began в довершение всех бед пошёл ещё проливной дождь.
**capability** [ˌkeɪpə'bɪlɪtɪ] *n* 1) способность; 2) *pl* (неиспользованные ещё) возможности.

**capable** ['keɪpəbl] *a* 1) спосо́бный; ода-рённый; 2) уме́лый; 3) поддаю́щийся (*чему-л.*), допуска́ющий (*что-л.*); ~ of improvement поддаю́щийся улучше́нию, усоверше́нствованию; ~ of explanation объясни́мый; 4) спосо́бный (of — на *что-л. дурно́е*).

**capacious** [kə'peɪʃəs] *a* 1) просто́рный, вмести́тельный; 2) широ́кий; ~ mind воспри́имчивый ум.

**capacitance** [kə'pæsɪtəns] *n эл.* ёмкость, ёмкостное сопротивле́ние.

**capacitate** [kə'pæsɪteɪt] *v* 1) де́лать спосо́б-ным; 2) де́лать правомо́чным.

**capacity** [kə'pæsɪtɪ] *n* 1) вмести́мость; filled to ~ соверше́нно по́лный; to play to ~ *теа́тр.* де́лать по́лные сбо́ры; 2) ёмкость; объём; measure of ~ ме́ра объёма; 3) спосо́бность (for — к *чему-л.*); *особ.* у́мственные спосо́бности; a mind of great ~ глубо́кий ум; 4) компете́нция; in (out of) my ~ в (вне) мое́й компете́нции; 5) *тех.* мо́щность, производи́тельность, нагру́зка; labour ~ производи́тельность труда́; carrying ~ пропускна́я спосо́бность; 6) по-ложе́ние; ка́чество; in the ~ of an engineer в ка́честве инжене́ра; in a civil ~ на гражда́нском положе́нии; I've come in the ~ of a friend я пришёл как друг; 7) *юр.* правоспосо́бность; 8) электри́ческая ём-кость; 9) *attr.*: ~ house переполненный теа́тр; ~ production норма́льная произво-ди́тельность; 10) *attr. тех.*: ~ reactance ёмкостное сопротивле́ние.

**cap-à-pie** [,kæpə'piː] *adv* с головы́ до ног; armed ~ вооружённый до зубо́в.

**caparison** [kə'pærɪsn] **1.** *n* 1) попо́на, чепра́к; 2) убо́р; украше́ние; **2.** *v* 1) покрыва́ть попо́ной, чепрако́м; 2) разукра́шивать.

**cape** I [keɪp] *n* 1) наки́дка (*с капюшо́-ном*); пелери́на; 2) капюшо́н.

**cape** II [keɪp] *n геогр.* мыс; the C. (*сокр. от* the C. of Good Hope) Мыс До́брой Наде́жды.

**caper** I ['keɪpə] *n* 1) ка́персовый куст; 2) *pl* ка́персы.

**caper** II ['keɪpə] **1.** *n* прыжо́к; ша́лость, прока́за; to cut a ~, to cut ~s пры́гать, выде́лывать антраша́; дура́читься; **2.** *v* 1) прыжки́, выде́лывать антра-ша́; дура́читься; шали́ть.

**caper** III ['keɪpə] *n ист.* ка́пер.

**capercailye, capercailzie** [,kæpə'keɪljɪ, ,kæpə'keɪlzɪ] *n* глуха́рь.

**capful** ['kæpful] *n* по́лная ша́пка (*чего-л.*); ◇ ~ of wind лёгкий поры́в ве́тра.

**capias** ['keɪpɪæs] *лат. n юр.* о́рдер на аре́ст.

**capillarity** [,kæpɪ'lærɪtɪ] *n физ.* капил-ля́рность, волосность.

**capillary** [kə'pɪlərɪ] **1.** *n* капилля́р; **2.** *a* волосной, капилля́рный.

**capital** I ['kæpɪtl] *n* капита́л; состоя́ние; floating (*или* circulating) ~ оборо́тный капита́л; industrial ~ промы́шленный ка-пита́л; to make ~ (out of smth.) нажи́ть капита́л (на чём-л.); C. and Labour труд и капита́л.

**capital** II ['kæpɪtl] **1.** *n* 1) столи́ца; 2) прописна́я бу́ква; **2.** *a* 1) гла́вный, основно́й, капита́льный; ва́жнейший; ~ stock основно́й капита́л; 2): ~ letter прописна́я бу́ква; 3) *разг.* пре-восхо́дный; ~ speech прекра́сная речь; ~ fellow чуде́сный па́рень; 4) *юр.* уголо́в-ный; кара́емый сме́ртью; ~ offence (*или* crime) уголо́вное преступле́ние; ~ sen-tence сме́ртный пригово́р; ~ punishment сме́ртная казнь, вы́сшая ме́ра наказа́ния; ◇ ~ goods сре́дства произво́дства; ~ ship лине́йный кора́бль, лине́йный кре́йсер.

**capital** III ['kæpɪtl] *n архит.* капите́ль.

**capitalism** ['kæpɪtəlɪzəm] *n* капитали́зм.

**capitalist** ['kæpɪtəlɪst] **1.** *n* капитали́ст; **2.** *a* капиталисти́ческий; ~ class класс капитали́стов.

**capitalistic** [,kæpɪtə'lɪstɪk] *a* капитали-сти́ческий.

**capitalization** [kə,pɪtəlaɪ'zeɪʃən] *n* капи-тализа́ция; превраще́ние в капита́л.

**capitalize** I ['kæpɪtəlaɪz] *v* капитализи́-ровать, превраща́ть в капита́л; ☐ ~ upon извлека́ть вы́году из *чего-л.*; нажива́ть капита́л на *чём-л.*

**capitalize** II ['kæpɪtəlaɪz] *v* печа́тать *или* писа́ть прописны́ми бу́квами.

**capitally** ['kæpɪtlɪ] *adv* 1) превосхо́дно, великоле́пно; 2) чрезвыча́йно; основа́тель-но; ◇ to punish ~ подве́ргнуть сме́ртной ка́зни.

**capitate(d)** ['kæpɪteɪt(ɪd)] *a* 1) име́ющий фо́рму головы́; 2) *бот.* голо́вчатый.

**capitation** [,kæpɪ'teɪʃən] *n* 1) исчисле́-ние, производи́мое «с головы́»; 2) *attr.* взима́емый *или* исчисля́емый «с головы́»; ~ tax поду́шная по́дать; ~ grant дота́ция, исчисленная в определённой су́мме на челове́ка.

**Capitol** ['kæpɪtl] *n* 1) *др.-рим.* Капи-то́лий; 2) зда́ние конгре́сса США; зда́ние, в кото́ром помеща́ются о́рганы госуда́р-ственной вла́сти како́го-л. шта́та.

**capitular** [kə'pɪtjulə] **1.** *n* член церко́в-ного капи́тула; **2.** *a* относя́щийся к капи́тулу.

**capitulary** [kə'pɪtjulərɪ] *n ист.* капи-туля́рий.

**capitulate** [kə'pɪtjuleɪt] *v* капитули́ро-вать, сдава́ться.

**capitulation** [kə,pɪtju'leɪʃən] *n* капи-туля́ция.

**capon** ['keɪpən] *n* 1) каплу́н; 2) трус; ◇ Norfolk ~ копчёная селёдка.

**caponier** [,kæpou'nɪə] *n воен.* капони́р.

**capote** [kə'pout] *n* 1) плащ с капюшо́-ном; 2) дли́нная шине́ль; 3) капо́т; 4) же́нская шля́пка с завя́зками; 5) откидно́й верх экипа́жа; 6) капо́т автомоби́льного мото́ра.

**caprice** [kə'priːs] *n* 1) капри́з; причу́да; 2) изме́нчивость; непостоя́нство.

**capricious** [kə'prɪʃəs] *a* капри́зный; не-постоя́нный.

**Capricorn** ['kæprɪkɔːn] *n* Козеро́г (*созвез-дие и знак зодиака*); tropic of ~ тро́пик Козеро́га.

**caprine** ['kæpraɪn] *a* козли́ный.

**capriole** ['kæprıoul] 1. *n* прыжóк (*манежной лошади*) на мéсте;
2. *v* дéлать прыжóк на мéсте (*о лошади*).

**capsicum** ['kæpsıkəm] *n* стручкóвый пéрец. nn

**capsize** [kæp'saız] *v* опрокúдывать(ся) (*о лодке, судне, телеге и т. п.*).

**capstan** ['kæpstən] *n* кабестáн, вóрот; *мор.* шпиль.

**capsule** ['kæpsjuːl] *n* 1) кáпсюль; 2) *биол.* кáпсула, оболóчка; 3) *бот.* семеннáя корóбочка; 4) *тех.* мембрáна. A

**captain** ['kæptın] 1. *n* 1) *воен.* капитáн; *амер. тж.* командúр рóты, эскадрóна, батарéи; ~ of the day дежýрный офицéр; 2) *мор.* капитáн 1 *или* 2 рáнга; командúр воéнного корабля́; капитáн торгóвого сýдна; C. of the Fleet начáльник снабжéния флóта (*в штабе флагмана*); 3) полковóдец; 4) руководúтель; 5) *спорт.* капитáн комáнды; 6) брандмéйстер, начáльник пожáрной комáнды; 7) *амер.* метрдотéль; 8) старшинá клýба; 9) *горн.* завéдующий шáхтой; штéйгер;
2. *v* 1) руководúть, вестú; 2) быть капитáном футбóльной комáнды.

**captaincy** ['kæptınsı] *n* звáние капитáна.

**captainship** ['kæptınʃıp] *n* 1) = captaincy; 2) искýсство полковóдца.

**captation** [kæp'teıʃən] *n* 1) заúскивание; 2) *горн.* каптáж (*скважины*).

**caption** ['kæpʃən] *n* 1) заголóвок (*статьи, главы*); 2) *кино* титр, нáдпись на экрáне; 3) *юр.* арéст; 4) *юр.* сопроводúтельная нáдпись *или* бумáга к докумéнту.

**captious** ['kæpʃəs] *a* придúрчивый; кáверзный.

**captivate** ['kæptıveıt] *v* пленя́ть, очарóвывать, увлекáть.

**captivating** ['kæptıveıtıŋ] 1. *pres. p. от* captivate;
2. *a* пленúтельный, очаровáтельный.

**captive** ['kæptıv] 1. *a* взя́тый в плен; to take ~ взять в плен; to hold ~ держáть в пленý;
2. *n* плéнник; плéнный.

**captive balloon** ['kæptıvbə'luːn] *n* привязнóй аэростáт.

**captivity** [kæp'tıvıtı] *n* плен; пленéние.

**captor** ['kæptə] *n* 1) взя́вший, захватúвший в плен; 2) *мор.* корáбль, захватúвший приз.

**capture** ['kæptʃə] 1. *n* 1) поúмка; захвáт; 2) добы́ча; 3) *мор.* приз.
2. *v* 1) захвáтывать сúлой; брать в плен; ~d material трофéи, трофéйное имýщество; 2) захватúть, увлéчь; to ~ the attention привлéчь внимáние, увлéчь.

**Capuchin** ['kæpjuʃın] *n* 1) капуцúн (*монах*); 2) плащ с капюшóном; 3) капуцúн (*обезьяна*).

**car** [kɑː] *n* 1) вагóн (*трамвая, амер. тж. железнодорожный*); parlor ~ *амер.* салóн-вагóн; hand ~ дрезúна; 2) телéжка; повóзка; вагонéтка; 3) автомобúль, машúна; 4) гондóла дирижáбля; 5) *амер.* кабúна лúфта; 6) *поэт.* колеснúца; 7) *attr.*: ~ fare стóимость проéзда в трамвáе.

**carabine** ['kærəbın] = carbine.

**carabineer** [ˌkærəbı'nıə] *n* *воен.* карабинéр.

**caracal** ['kærəkæl] *n* *зоол.* каракáл, рысь степнáя.

**caracole** ['kærəkoul] *n* 1) каракóль (*круговой поворот на месте лошади под всадником*); 2) *воен. ист.* изменéние направлéния кавалерúйской атáки с цéлью введéния в заблуждéние протúвника.

**carafe** [kə'rɑːf] *n* графúн.

**caramel** ['kærəmel] *n* 1) карамéль; 2) жжёный сáхар (*для подкрашивания кондитерских изделий*).

**carapace** ['kærəpeıs] *n* *зоол.* щитóк черепáхи и ракообрáзных.

**carat** ['kærət] *n* карáт (*единица веса драгоценных камней = 0,2 г*).

**caravan** [ˌkærə'væn] 1. *n* 1) каравáн; 2) фургóн; крытая цыгáнская телéга; 3) *амер.* передвижнóй дом на колёсах; дом-автоприцéп;
2. *v*: to go ~ning проводúть óтпуск, свобóдное врéмя и т. п., путешéствуя в дóме-автоприцéпе.

**caravanner** ['kærə,væпə] *n* обитáтель передвижнóго дóма-автоприцéпа.

**caravanserai** [ˌkærə'vænsəraı] *n* 1) каравáн-сарáй; 2) большáя гостúница.

**caravel** ['kærəvel] = carvel.

**caraway** ['kærəweı] *n* тмин.

**caraway-seed** ['kærəweı,siːd] *n* тмúнное сéмя; сéмя тмúна.

**carbarn** ['kɑː,bɑːn] *n* *амер.* трамвáйный парк.

**carbide** ['kɑːbaıd] *n* *хим.* карбúд.

**carbine** ['kɑːbaın] *n* карабúн.

**carbineer** [ˌkɑːbı'nıə] = carabineer.

**carbo-hydrate** ['kɑːbou'haıdreıt] *n* *хим.* углевóд.

**carbolic** [kɑː'bɔlık] 1. *a* карбóловый; ~ acid карбóловая кислотá;
2. *n* *разг.* карбóлка, карбóловая кислотá.

**carbon** ['kɑːbən] *n* 1) *хим.* углерóд; 2) *эл.* ýголь, ýгольный электрóд; 3) химúчески чúстый ýголь; 4) листóк копировáльной бумáги, копúрка; 5) *attr.* ýгольный; углерóдистый; ~ black сáжа; ~ dioxide углекислотá, углекúслый газ; ~ oil бензóл; ~ steel углерóдистая сталь.

**carbonaceous** [ˌkɑːbə'neıʃəs] *a* *хим.* углерóдистый, углерóдный; карбонáтный.

**carbonari** [ˌkɑːbo'nɑːrı] *ит. n* *собир. ист.* карбонáрии.

**carbonate** ['kɑːbənıt] *n* *хим.* карбонáт, чёрный алмáз, углекúслая соль; соль ýгольной кислоты́.

**carbonic** [kɑː'bɔnık] *a* ýгольный, углерóдный, углерóдистый; ~ acid углекислотá; ~ oxide óкись углерóда.

**carboniferous** [ˌkɑːbə'nıfərəs] *a* угленóсный; каменноугóльный (*о периоде, системе, формации*); ~ limestone известня́к каменноугóльного перúода.

**carbonite** ['kɑːbənaıt] *n* 1) естéственный кокс; 2) карбонúт (*взрывчатое вещество*).

**carbonization** [ˌkɑːbənaı'zeıʃən] *n* *тех.* 1) обýгливание; карбонизáция; 2) цементáция; 3) науглерóживание; коксовáние.

**carbonize** ['kɑːbənaɪz] *v тех.* обу́гливать; карбонизи́ровать; обжига́ть; коксова́ть.

**carbon monoxide** ['kɑːbənmɔ'nɔksaɪd] *n* уга́рный газ.

**carbon-paper** ['kɑːbən‚peɪpə] *n* копирова́льная бума́га, копи́рка.

**carborundum** [‚kɑːbə'rʌndəm] *n* карбору́нд.

**carboy** ['kɑːbɔɪ] *n* оплетённая буты́ль (*для кислот*).

**carbuncle** ['kɑːbʌŋkl] *n мед.*, *мин.* карбу́нкул.

**carburet** ['kɑːbjuret] *v хим.* карбюри́ровать, соединя́ть с углеро́дом.

**carburetter, carburet(t)or** ['kɑːbjuretə] *n тех.* карбюра́тор.

**carcajou** ['kɑːkədʒuː] *n зоол.* росома́ха.

**carcase** ['kɑːkəs] = carcass.

**carcass** ['kɑːkəs] *n* 1) ту́ша; 2) те́ло, труп (*пренебр. о мёртвом человеке; пренебр. и шутл. о живом человеке*); to save one's ~ спаса́ть свою́ шку́ру; 3) карка́с, о́стов; ко́рпус; ку́зов (*корабля*); 4) *стр.* армату́ра, констру́кция; 5) развалины, обло́мки; 6) *воен. ист.* зажига́тельное ядро́, зажига́тельный снаря́д; 7) *attr.*: ~ meat парно́е мя́со (*в отличие от консерви́рованного или солони́ны*).

**carcinoma** [‚kɑːsɪ'noumə] *n мед.* ра́ковое новообразова́ние.

**card** I [kɑːd] *n* 1) ка́рта (*игра́льная*); *pl* ка́рты; игра́ в ка́рты; 2) ка́рточка; calling ~ визи́тная ка́рточка; 3) биле́т; Party ~ парти́йный биле́т; invitation ~ пригласи́тельный биле́т; 4) карту́шка (*компаса*); 5) *амер.* объявле́ние в газе́те, публика́ция; 6) *разг.* челове́к; «тип»; a cool ~ хладнокро́вный челове́к; an odd ~, a queer ~ чуда́к; 7) *attr.*: ~ man, ~ holder *амер. разг.* член профсою́за; ◇ on the ~s возмо́жно, вероя́тно; one's best (*или* trump) ~ са́мый ве́ский до́вод; «ко́зырь»; to play the wrong ~ сде́лать непра́вильную ста́вку, просчита́ться; to have a ~ up one's sleeve име́ть ко́зырь про запа́с; to hold the ~s име́ть преиму́щество; to speak by the ~ выража́ться то́чно; that's the ~ вот э́то и́менно то, что ну́жно; house of ~s ка́рточный до́мик; to throw up one's ~s (с)пасова́ть; сда́ться, призна́ть себя́ побеждённым.

**card** II [kɑːd] *текст.* 1. *n* ка́рда, ка́рдная ле́нта; чеса́лка;
2. *v* чеса́ть, прочёсывать, кардова́ть.

**cardamom** ['kɑːdəməm] *n* кардамо́н.

**cardan** [kɑː'dæn] *тех.* 1. *n* карда́н;
2. *a*: ~ joint карда́нный, универса́льный шарни́р.

**cardboard** ['kɑːdbɔːd] *n* карто́н.

**carder** ['kɑːdə] *n текст.* 1) чеса́льщик; чеса́льщица; ворси́льщик; ворси́льщица; 2) ка́рдная маши́на.

**cardiac** ['kɑːdɪæk] 1. *n* сре́дство, возбужда́ющее серде́чную де́ятельность;
2. *a анат.* серде́чный.

**cardigan** ['kɑːdɪgən] *n* шерстяно́й дже́мпер.

**cardinal** ['kɑːdɪnl] 1. *a* 1) гла́вный, основно́й, кардина́льный; ~ point страна́

све́та; гла́вный румб; ~ winds ве́тры, ду́ющие с се́вера, за́пада *и т. д.*; 2) *грам.* коли́чественный; ~ numbers коли́чественные числи́тельные; 3) я́рко-кра́сный;
2. *n* 1) *церк.* кардина́л; 2) *грам.* коли́чественное числи́тельное; 3) кардина́л (*птица из сем. дубоно́сов*).

**cardinalate** ['kɑːdɪnəleɪt] *n* 1) сан кардина́ла; 2) колле́гия кардина́лов.

**cardiology** [‚kɑːdɪ'ɔlədʒɪ] *n мед.* кардиоло́гия, изуче́ние боле́зней се́рдца.

**carditis** [kɑː'daɪtɪs] *n мед.* карди́т.

**care** [kɛə] 1. *n* 1) забо́та; попече́ние, ухо́д; to take ~ of smb. смотре́ть за кем-л., забо́титься о ком-л.; in ~ of на попече́нии; c/o (*читается* care of) че́рез; по а́дресу; Mr White c/o Mr Jones г-ну Джо́унзу для переда́чи г-ну Уа́йту; under the ~ of a physician под наблюде́нием врача́; 2) внима́ние, осторо́жность; the work needs great ~ рабо́та тре́бует осо́бой тща́тельности; have a ~!, take ~! береги́(те)сь!; 3) подопе́чный; подопе́чная; ◇ ~ killed the cat *посл.* ≈ не рабо́та ста́рит, а забо́та;
2. *v* 1) забо́титься (for, of, about); the children are well ~d for за детьми́ прекра́сный ухо́д; 2) пита́ть интере́с, любо́вь (for); she really ~s for him она́ его́ действи́тельно лю́бит; to ~ for music интересова́ться му́зыкой; not to ~ for meat не люби́ть мя́са; I don't ~ a straw (*или* a damn, a button, a brass farthing, a fig, a feather, a whoop) мне безразли́чно, наплева́ть; 3) име́ть жела́ние (to); I don't ~ мне всё равно́; I don't ~ to go мне не хо́чется идти́; I don't ~ if I do *разг.* я не про́чь э́то сде́лать; ничего́ не име́ю про́тив.

**careen** [kə'riːn] *мор.* 1. *n* кренгова́ние, килева́ние; on the ~ на боку́; под кре́ном;
2. *v* 1) кренгова́ть, килева́ть; 2) крени́ться.

**careenage** [kə'riːnɪdʒ] *n мор.* 1) кренгова́ние; 2) ме́сто для кренгова́ния; 3) сто́имость кренгова́ния.

**career** [kə'rɪə] 1. *n* 1) карье́ра; де́ятельность; успе́х; 2) *амер.* профе́ссия диплома́та; 3) бы́строе движе́ние; карье́р; in full ~ во весь опо́р; 4) *attr. амер.*: ~ man профессиона́льный диплома́т;
2. *v* бы́стро дви́гаться; нести́сь.

**careerist** [kə'rɪərɪst] *n* карьери́ст.

**careful** ['kɛəful] *a* 1) забо́тливый, проявля́ющий забо́ту (for, of); 2) стара́тельный, аккура́тный; внима́тельный; ~ examination of the question тща́тельное обсужде́ние, рассле́дование вопро́са; 3) то́чный, аккура́тный; 4) осторо́жный.

**carefully** ['kɛəfulɪ] *adv* 1) бе́режно, внима́тельно, забо́тливо; 2) осторо́жно, с осторо́жностью.

**care-laden** ['kɛəleɪdn] *a* озабо́ченный; обременённый забо́тами.

**careless** ['kɛəlɪs] *a* 1) небре́жный; неосторо́жный; 2) легкомы́сленный; 3) беззабо́тный; ~ of danger не ду́мающий об опа́сности.

**caress** [kə'res] 1. *n* ла́ска;
2. *v* ласка́ть, гла́дить.

**caret** ['kærət] *n полигр.* знак (ʌ) для вставки (*буквы или слова*).

**care-taker** ['kɛə,teɪkə] *n* 1) лицо, присматривающее за домом, квартирой и *т. п.*; 2) сторож.

**care-worn** ['kɛəwɔːn] *a* измученный заботами, изможденный.

**carfax** ['kɑːfæks] *n* перекрёсток четырёх улиц, дорог.

**cargo** ['kɑːgou] *n* (*pl* -oes [-ouz]) 1) груз; 2) *attr.* грузовой; ~ ship, ~ boat торговое, грузовое судно; ~ tank танкер, нефтеналивное судно.

**carhop** ['kɑːhɔp] *n амер.* работники разъездного буфета, обслуживающего пассажиров автомобильного транспорта.

**cariboo, caribou** ['kærɪbuː] *n* карибу (*олень*).

**caricature** [,kærɪkə'tjuə] 1. *n* карикатура; 2. *v* изображать в карикатурном виде.

**caricaturist** [,kærɪkə'tjuərɪst] *n* карикатурист.

**carillon** [kə'rɪljən] *фр. n* 1) подбор колоколов; 2) мелодичный перезвон (*колоколов*).

**cariosity** [,kærɪ'ɔsɪtɪ] *n мед.* кариозный процесс.

**carious** ['kɛərɪəs] *a мед.* кариозный, разрушающий кость; имеющий полость (*о зубе*).

**carking** ['kɑːkɪŋ] *a уст., поэт.* гнетущий.

**carl(e)** [kɑːl] *n шотл.* 1) крестьянин; 2) *пренебр.* мужик, деревенщина; 3) *бот.* женская особь конопли, матёрка (*тж.* ~ hemp).

**car-load** ['kɑː,loud] *n* партия груза на один вагон.

**Carmagnole** [,kɑːmə'njoul] *фр. n* карманьола.

**carman** ['kɑːmən] *n* 1) вагоновожатый; 2) возчик.

**Carmelite** ['kɑːmɪlaɪt] *n* кармелит (*монах*).

**carminative** ['kɑːmɪnətɪv] *мед.* 1. *a* ветрогонный;
2. *n* ветрогонное средство.

**carmine** ['kɑːmaɪn] 1. *n* кармин;
2. *a* карминного цвета.

**carnage** ['kɑːnɪdʒ] *n* резня, кровавая бойня.

**carnal** ['kɑːnl] *a* 1) телесный, плотский; 2) чувственный; 3) половой; ~ knowledge половые сношения.

**carnality** [kɑː'nælɪtɪ] *n* чувственность, похоть.

**carnation** [kɑː'neɪʃən] 1. *n* 1) красная гвоздика; 2) разные оттенки красноватых тонов (*от бледно-розового до тёмно-красного*); 3) *уст.* телесный цвет; 4) *pl жив.* части картины, изображающие нагое тело;
2. *a* алый.

**carnival** ['kɑːnɪvəl] *n* 1) карнавал; 2) масленица (*в католических странах*).

**carnivore** ['kɑːnɪvɔː] *n зоол.* плотоядное животное.

**carnivorous** [kɑː'nɪvərəs] *a* плотоядный.

**carol** ['kærəl] 1. *n* весёлая песнь; гимн (*обыкн. рождественский*);
2. *v* воспевать; славить.

**Caroline** ['kærəlaɪn] *a* 1) каролингский; 2) относящийся к эпохе Карла I *или* Карла II в Англии.

**carom** ['kærəm] *амер.* 1. *n* карамболь; 2. *v* отскакивать.

**carotene** ['kærətiːn] = carotin.

**carotid** [kə'rɔtɪd] *n анат.* сонная артерия.

**carotin** ['kærətɪn] *n* каротин.

**carousal** [kə'rauzəl] *n* 1) пирушка, попойка; 2) *амер.* карусель.

**carouse** [kə'rauz] 1. *n* = carousal 1); 2. *v* пировать; пить за здоровье.

**carp I** [kɑːp] *n* карп; сазан.

**carp II** [kɑːp] *v* придираться, находить недостатки, критиковать.

**carping** ['kɑːpɪŋ] 1. *pres. p. от* carp II; 2. *a* придирчивый, находящий недостатки; ~ tongue злой язык.

**carpal** ['kɑːpəl] *a анат.* кистевой, запястный.

**carpel** ['kɑːpel] *n бот.* плодолистик.

**carpenter** ['kɑːpɪntə] 1. *n* плотник; ~'s bench верстак;
2. *v* плотничать.

**carpenter-ant** ['kɑːpɪntər,ɑːnt] *n* муравей-древоточец.

**carpenter-bee** ['kɑːpɪntə,biː] *n* шмель-плотник.

**carpentry** ['kɑːpɪntrɪ] *n* плотничные работы; плотничное дело.

**carper** ['kɑːpə] *n* придира.

**carpet** ['kɑːpɪt] 1. *n* 1) ковёр; 2) ковёр (*цветов, травы*); 3) *стр.* покрытие; одежда (*дороги*); 4) *тех.* защитный слой; ◇ on the ~ на обсуждении (*о вопросе*); to walk the ~ получать выговор;
2. *v* 1) устилать, покрывать коврами; 2) устилать (*цветами*); 3) вызывать для замечания, выговора.

**carpet-bag** ['kɑːpɪtbæg] *n* саквояж (*первоначально ковровый*); ◇ ~ government *амер. sl.* правительство политических проходимцев.

**carpet-bagger** ['kɑːpɪt,bægə] *n* 1) *амер.* северянин, по окончании гражданской войны игравший на юге политическую роль при помощи голосов негров; 2) *амер.* политический авантюрист; 3) политический деятель, не связанный происхождением *или* местожительством со своим избирательным округом (*в Англии*).

**carpet-knight** ['kɑːpɪtnaɪt] *n* 1) солдат, отсиживающийся в тылу; 2) салонный шаркун; 3) *ист.* рыцарь, получивший своё звание не на поле битвы, а во дворце, преклонив колена на ковре.

**carpet-rod** ['kɑːpɪtrɔd] *n* металлический прут для укрепления ковра на лестнице.

**carpet-sweeper** ['kɑːpɪt,swiːpə] *n амер.* приспособление с вращающейся щёткой для чистки ковров.

**carpi** ['kɑːpaɪ] *pl от* carpus.

**carpus** ['kɑːpəs] *n* (*pl* -pi) *анат.* запястье.

**carrack** ['kærək] *n ист.* карака (*испанское или португальское вооружённое купеческое судно*).

**carrag(h)een** ['kærə,giːn] *n* ирландский *или* жемчужный мох (*съедобные водоросли*).

**carriage** ['kærɪdʒ] *n* 1) экипа́ж, коля́ска; ~ and pair (four) экипа́ж, запряжённый па́рой (четвёркой) лошаде́й; 2) *ж.-д.* пассажи́рский ваго́н; to change ~s де́лать переса́дку; 3) вагоне́тка; 4) каре́тка (*пишущей машинки, станка*); су́ппорт; 5) шасси́; ра́ма; несу́щее устро́йство; 6) лафе́т, стано́к (*орудия*); 7) перево́зка, тра́нспорт; 8) сто́имость перево́зки, пересы́лки; ~ paid за перево́зку упла́чено; 9) выполне́ние; проведе́ние (*законопроекта, предложения*); 10) оса́нка; мане́ра себя́ держа́ть; поса́дка (*головы*); 11) *уст.* поведе́ние.

**carriageable** ['kærɪdʒəbl] *a редк.* удобопрое́зжий (*о дороге*).

**carriage-company** ['kærɪdʒ,kʌmpənɪ] *n* «и́збранное о́бщество» (*имеющее своих лошадей*).

**carriage-dog** ['kærɪdʒdɔg] *n* далма́тский пятни́стый дог.

**carriage-forward** ['kærɪdʒ'fɔːwəd] *n* сто́имость пересы́лки за счёт получа́теля.

**carriage-free** ['kærɪdʒ'friː] *n* пересы́лка беспла́тно; фра́нко-ме́сто назначе́ния.

**carriage-way** ['kærɪdʒ,weɪ] *n* прое́зжая часть доро́ги.

**carrier** ['kærɪə] *n* 1) носи́льщик; во́зчик; перево́зчик; посы́льный; перено́счик; 2) = carrier-pigeon; 3) *амер.* почтальо́н; 4) *мор.* авиано́сец; 5) тра́нспортный самолёт; 6) транспортёр; 7) бага́жник (*на мотоцикле*); 8) *мед.* бациллоноси́тель; 9) *тех.* держа́тель; кронште́йн, подпо́рка; хому́тик, держа́вка; поддержи́вающее *или* несу́щее приспособле́ние; 10) *тех.* сала́зки; ходово́й механи́зм *или* ходова́я часть; 11) *воен.* ра́ма затво́ра; 12) *attr. эл.* несу́щий (*о токе, частоте*).

**carrier-borne** ['kærɪə'bɔːn] *a:* ~ aircraft самолёты, де́йствующие с авиано́сца; ~ attack возду́шная ата́ка с авиано́сца; ~ squadron авиаотря́д авиано́сца.

**carrier-nation** ['kærɪə,neɪʃn] *n* госуда́рство, широко́ испо́льзующее свой флот для перево́зки това́ров други́х стран.

**carrier-pigeon** ['kærɪə'pɪdʒɪn] *n* почто́вый го́лубь.

**carrier-plane** ['kærɪə,pleɪn] *n* самолёт авиано́сца.

**carriole** ['kærɪoul] *n* 1) кана́дские са́ни; 2) *уст.* одноко́лка; лёгкий кры́тый одноко́нный экипа́ж.

**carrion** ['kærɪən] **1.** *n* 1) па́даль; мертвечи́на; 2) мя́со, него́дное к употребле́нию; **2.** *a* гнию́щий; отврати́тельный.

**carrion-crow** ['kærɪən'krou] *n* чёрная воро́на.

**carrot** ['kærət] *n* 1) морко́вь; 2) *pl разг.* ры́жие во́лосы; ры́жий челове́к.

**carroty** ['kærətɪ] *a* кра́сный; рыжеволо́сый.

**carrousel** ['kæruzel] *n* 1) балага́н; 2) карусе́ль.

**carry** ['kærɪ] **1.** *v* 1) везти́, перевози́ть; to ~ hay (corn) убира́ть се́но (хлеб); the wine will not ~ well э́то вино́ по́ртится от перево́зки; 2) нести́, носи́ть, переноси́ть; to ~ the war into the enemy's country

а) переноси́ть войну́ на террито́рию проти́вника; б) предъявля́ть встре́чное обвине́ние; to ~ weight а) нести́ дополни́тельный груз (*в гандикапе*); б) име́ть вес, влия́ние; 3) нести́ на себе́ тя́жесть, поддерживать (*о колоннах и т. п.*); 4) *refl.* держа́ться; вести́ себя́; to ~ oneself with dignity держа́ться с досто́инством; 5) передава́ть; 6) приноси́ть (*доход, процент*); 7) доводи́ть; to ~ to extremes доводи́ть до кра́йности; to ~ into effect приводи́ть в исполне́ние, осуществля́ть; 8) брать при́ступом (*крепость и т. п.*); 9) увлека́ть за собо́й; he carried his audience with him он увлёк (за собо́й) аудито́рию; 10) доби́ться; to ~ one's point отстоя́ть свою́ пози́цию; доби́ться своего́; 11) проводи́ть; принима́ть; the bill was carried законопрое́кт был при́нят; 12) запомина́ть; 13) влечь за собо́й; to ~ the conclusion приводи́ть к вы́воду; 14) достига́ть; доходи́ть, доноси́ться; долета́ть (*о снаряде, звуке*); попада́ть в цель; 15) продолжа́ть, удлиня́ть; 16) *амер.* торгова́ть, продава́ть; держа́ть; the store also carries hardware магази́н торгу́ет та́кже скобяны́ми изде́лиями; 17) содержа́ть; заключа́ть; the book carries many tables в кни́ге мно́го табли́ц; the hospital carries a good staff в больни́це хоро́ший персона́л; to ~ conviction убежда́ть, быть убеди́тельным; □ ~ away а) уноси́ть; б) увлека́ть; ~ back: to ~ smb. back напомина́ть кому́-л. про́шлое; ~ forward а) продвига́ть (*дело*); б) = ~ over б); ~ off а) уноси́ть; похища́ть; своди́ть в моги́лу; to ~ off a sentry *воен.* «снять», захвати́ть часово́го; б) выи́грывать (*приз*); в) скра́шивать; г) выде́рживать; though frightened he carried it off very well хотя́ он и испуга́лся, но не показа́л ви́да (*или* гла́зом не моргну́л); ~ on а) продолжа́ть; вести́ (*дело*); to ~ on hostile acts соверша́ть враждёбные де́йствия; б) *разг.* флиртова́ть (with); в) вести́ себя́ запа́льчиво; don't ~ on so! веди́ себя́ споко́йно!, не злись так!; ~ out а) доводи́ть до конца́; выполня́ть, проводи́ть; б) выноси́ть (*покойника*); ~ over а) перевози́ть; б) *бухг.* переноси́ть в другу́ю графу́, на другу́ю страни́цу, в другу́ю кни́гу; ~ through а) доводи́ть до конца́; б) помога́ть, поддёрживать; ◇ to ~ all (*или* everything) before one а) преодолева́ть все препя́тствия; б) име́ть большо́й успе́х; преуспева́ть; to ~ the day одержа́ть побе́ду; to ~ one *мат.* (держа́ть) оди́н в уме́; to ~ too far заходи́ть сли́шком далеко́; to ~ too many guns for one оказа́ться не по си́лам кому́-л.;

**2.** *n* 1) перено́ска; 2) дальнобо́йность (*орудия*); да́льность полёта (*снаряда; мяча в гольфе*); 3) *воен.* положе́ние «на плечо́»; 4) *амер.* во́лок (*лодки*).

**carryall** ['kærɪ,ɔːl] *n* 1) вещево́й мешо́к; 2) просто́рный кры́тый экипа́ж; большо́й закры́тый автомоби́ль с двумя́ продо́льными скаме́йками по бока́м.

**carryings-on** ['kærɪŋz'ɔn] *n pl разг.* фриво́льное, легкомы́сленное поведе́ние.

**carrying trade** ['kærɪŋ'treɪd] *n* перевозка товаров водным путём, фрахтовое дело.

**carry-over** ['kærɪ,ouvə] *n* пережиток.

**cart** [kɑːt] 1. *n* 1) телега; повозка; телёжка; двуколка; Whitechapel ~ лёгкая рессорная двуколка; 2) *attr.*: ~ house экипажный сарай; ◇ to put the ~ before the horse начинать не с того конца; делать что-л. шиворот-навыворот; принимать следствие за причину; in the ~ *разг.* в затруднительном положении;
2. *v* 1) ехать, везти в телеге; 2) *разг.* легко побеждать (*в игре*); превосходить.

**cartage** ['kɑːtɪdʒ] *n* 1) гужевая перевозка; 2) стоимость гужевой перевозки.

**carte blanche** ['kɑːt'blɑ̃ːnʃ] *фр. n* карт-бланш; to give ~ предоставить (*или* дать) полную свободу действий.

**cartel** [kɑː'tel] *n* 1) *эк.* картель; 2) соглашение между воюющими сторонами (*об обмене пленными, почтой и т. п.*); обмен пленными; 3) *уст.* картель, письменный вызов на дуэль.

**carter** ['kɑːtə] *n* возчик.

**Cartesian** [kɑː'tiːzjən] 1. *a* картезианский, декартовский;
2. *n* последователь Декарта.

**cartful** ['kɑːtful] *n* воз (*как мера груза*).

**Carthaginian** [,kɑːθə'dʒɪnɪən] 1. *a* карфагенский; пунический;
2. *n* карфагенянин.

**cart-horse** ['kɑːthɔːs] *n* ломовая лошадь.

**Carthusian** [kɑː'θjuːzjən] *n* картезианец (*монах*).

**cartilage** ['kɑːtɪlɪdʒ] *n* хрящ.

**cartilaginous** [,kɑːtɪ'lædʒɪnəs] *a* хрящевой; ~ fish *собир.* белая рыба.

**cart-load** ['kɑːtloud] = cartful.

**cartographer** [kɑː'tɔgrəfə] *n* картограф.

**cartographic(al)** [,kɑːtou'græfɪk(əl)] *a* картографический.

**cartography** [kɑː'tɔgrəfɪ] *n* картография, составление карт.

**cartomancy** ['kɑːtoumænsɪ] *n* гадание на картах.

**carton** ['kɑːtən] *n* 1) картонка; 2) картон; 3) белый кружок в центре мишени.

**cartoon** [kɑː'tuːn] 1. *n* 1) карикатура (*преим. политическая*); 2) *иск.* картон (*этюд для фрески и т. п.*);
2. *v* рисовать карикатуры.

**cartoonist** [kɑː'tuːnɪst] *n* карикатурист.

**cartouche** [kɑː'tuːʃ] *фр. n* 1) картуш, орнаментальный завиток (*на капители, на титуле книги*); 2) *воен.* лядунка; патронная сумка.

**cartridge** ['kɑːtrɪdʒ] *n* 1) патрон; заряд (*в картузе*); 2) катушка с фотографическими плёнками.

**cartridge-belt** ['kɑːtrɪdʒbelt] *n* 1) патронташ; 2) патронная лента.

**cartridge-box** ['kɑːtrɪdʒbɔks] *n* патронная сумка; патронный ящик.

**cartridge-case** ['kɑːtrɪdʒkeɪs] *n* патронная гильза.

**cartridge-clip** ['kɑːtrɪdʒklɪp] *n* патронная обойма.

**cartridge-paper** ['kɑːtrɪdʒ,peɪpə] *n* плотная бумага (*для рисования и для патронных гильз*).

**cartridge-pouch** ['kɑːtrɪdʒpauʃ,-puːtʃ] *n* патронная сумка.

**cart-road, cart-track** ['kɑːtroud,'kɑːttræk] *n* просёлочная дорога.

**cartulary** ['kɑːtjuːlərɪ] *n* журнал записей, реестр.

**cart-wheel** ['kɑːtwiːl] *n* 1) колесо телеги; 2) кувырканье «колесом»; to turn (*или* to throw) ~s кувыркаться «колесом»; 3) *ав.* переворот через крыло; 4) *разг.* большая монета (*напр., крона*).

**cart-wright** ['kɑːtraɪt] *n* экипажный мастер, каретник.

**caruncle** ['kærəŋkl] *n* мясистый нарост (*напр., у индюка*).

**carve** [kɑːv] *v* (carved [-d];‿carved, carven) 1) резать, вырезать (*по дереву или кости*; out, of, in, on); гравировать; высекать (*из камня*); 2) резать (*мясо за столом*); 3) делить, дробить (*обыкн.* ~ up); 4) разделывать (*тушу*); ◇ to ~ one's way пробивать себе дорогу; to ~ out a career for oneself сделать карьеру.

**carvel** ['kɑːvəl] *n ист.* каравелла (*испанский корабль XV—XVII вв.*).

**carvel-built** ['kɑːvəl,bɪlt] *a* с обшивкой вгладь (*противоп.* clinker-built).

**carven** ['kɑːvən] *поэт. и ритор. p. p. от* carve.

**carver** ['kɑːvə] *n* 1) резчик (*по дереву*); гравёр; 2) нож для нарезания мяса (*за столом*); a pair of ~s большой нож и вилка.

**carving** ['kɑːvɪŋ] 1. *pres. p. om* carve;
2. *n* 1) резьба по дереву; 2) резная работа.

**carving chisel** ['kɑːvɪŋ,tʃɪzl] *n* косое долото.

**carving-knife** ['kɑːvɪŋnaɪf] = carver 2).

**caryatid** [,kærɪ'ætɪd] *n* (*pl* -s [-z], -es [-iːz]) *архит.* кариатида.

**cascade** [kæs'keɪd] 1. *n* 1) небольшой водопад; 2) *эл.* каскад;
2. *v* ниспадать каскадом.

**case I** [keɪs] *n* 1) случай; обстоятельство; положение; дело; as the ~ stands при данном положении дел; in ~ в случае; just in ~ на всякий случай; in any ~ во всяком случае; in that ~ в таком случае; it is not the ~ это не так; to put the ~ that предположим, что...; 2) *мед.* больной, пациент; раненый; 3) *мед.* заболевание, случай; 4) *юр.* судебное дело; случай в судебной практике; прецедент; факты, доказательства, доводы; *pl* судебная практика; to state one's ~ изложить свои доводы; the ~ for the defendant факты в пользу ответчика, подсудимого; to make out one's ~ доказать свою правоту; 5) *sl.* «тип», чудак; 6) *грам.* падеж.

**case II** [keɪs] 1. *n* 1) ящик, ларец; коробка; 2) футляр, чехол; сумка; крышка (*переплёта*); корпус (*часов*); cigarette ~ портсигар; 3) *тех.* кожух; 4) *полигр.* наборная касса; lower ~ отделение со строчными литерами, цифрами и знаками препинания; upper ~ отделение с прописными буквами; 5) витрина; 6) коробка (*оконная, дверная*); 7) *воен. ист.* картечь; гильза;

**2.** *v* 1) класть в ящик; 2) вставлять в оправу; 3) обшивать, покрывать; ~d in armour одетый в броню.

**case-harden** ['keɪs,hɑːdn] *v* 1) *mex.* цементировать (*сталь*); 2) *перен.* делать нечувствительным.

**case-hardened** ['keɪs,hɑːdnd] **1.** *p.p. om* case-harden;

**2.** *a* 1) *mex.* закалённый, цементированный; 2) *перен.* нечувствительный; загрубелый.

**case-hardening** ['keɪs,hɑːdnɪŋ] **1.** *pres. p. om* case-harden;

**2.** *n mex.* цементация, поверхностная закалка.

**casein** ['keɪsɪɪn] *n хим.* казеин.

**case-knife** ['keɪsnaɪf] *n* нож в футляре.

**case-law** ['keɪslɔː] *n юр.* судебный прецедент.

**casemate** ['keɪsmeɪt] *n воен.* каземат; эскарповая галерея.

**casement** ['keɪsmənt] *n* 1) оконный переплёт с боковыми навесками, створный оконный переплёт; 2) *поэт.* окно; 3) *attr.*: ~ stay ветровой крючок.

**caseous** ['keɪsɪəs] *a* творожистый; сырный.

**case-record** ['keɪs,rekɔːd] *n* история болезни; карточка (*амбулаторная, диспансерная*).

**casern(e)** [kə'zɛːn] *фр. n* (*обыкн. pl*) казарма; барак.

**case-shot** ['keɪsʃɔt] *n ист.* картечь.

**caseworker** ['keɪs,wəːkə] *n* патронажная сестра.

**case-worm** ['keɪswəːm] *n зоол.* куколка.

**cash** I [kæʃ] **1.** *n* 1) деньги; in ~ при деньгах; short of ~, short of ~ не при деньгах; 2) наличные деньги, наличный расчёт; звонкая монета; ready ~ наличные (деньги); sold for ~ продан за наличный расчёт; ~ down за наличный расчёт; деньги на бочку; ~ on delivery наложенным платежом; с уплатой при доставке; 3) *attr.*: ~ payment наличный расчёт; ~ price цена при уплате наличными; ~ register кассовый аппарат;

**2.** *v* 1) платить наличными деньгами; 2) получать деньги по чеку; ◇ to ~ in smth. *sl.* преуспевать в чём-л.; to ~ in one checks [*см.* check ◇].

**cash** II [kæʃ] *n* (*pl без изменения*) *уст.* название китайской медной монеты.

**cash-account** ['kæʃə'kaunt] *n бухг.* счёт кассы.

**cash-book** ['kæʃbuk] *n* кассовая книга.

**cashew** [kæ'ʃuː] *n* вид дерева, растущего в Южной Америке.

**cashier** I [kæ'ʃɪə] *n* кассир.

**cashier** II [kə'ʃɪə] *v* 1) увольнять со службы; 2) упразднять.

**cashless** ['kæʃlɪs] *a* не имеющий наличных (денег).

**cashmere** [kæʃ'mɪə] *n* 1) кашемир; 2) кашемировая шаль.

**casing** ['keɪsɪŋ] **1.** *pres. p. om* case II, 2;

**2.** *n* 1) обшивка; оболочка, обивка; опалубка; покрышка; 2) *mex.* картер;

футляр; рубашка; рама; оправа; 3) *горн.* обсадные трубы.

**casino** [kə'siːnou] *n* (*pl -os [-ouz]*) 1) игорный дом, казино; 2) увеселительное заведение с рестораном.

**cask** [kɑːsk] *n* бочонок, бочка.

**casket** ['kɑːskɪt] *n* 1) шкатулка; 2) *амер.* гроб.

**casket-suit** ['kɑːskɪtsjuːt] *n амер.* погребальная одежда.

**casque** [kæsk] *n ист., поэт.* шлем.

**cassation** [kæ'seɪʃən] *n* кассация.

**cassava** [kə'sɑːvə] *n бот.* маниок, мани(х)от.

**casserole** ['kæsəroul] *фр. n* 1) кастрюля; 2) запеканка (*из овощей и мяса*).

**cassia** ['kæsɪə] *n бот.* кассия.

**cassiopeium** [,kæsɪə'piːjəm] *n хим.* кассиопий.

**cassock** ['kæsək] *n* 1) ряса; сутана; 2) священник.

**cassowary** ['kæsəwɛərɪ] *n зоол.* казуар.

**cast** [kɑːst] **1.** *n* 1) бросок; 2) бросание, метание; забрасывание (*сети, удочки, лота*); 3) расстояние, пройденное брошенным предметом; 4) риск; to stake (*или* to set, to put*) on a ~ поставить на карту, рискнуть; the last ~ последний шанс; 5) форма для отливки; 6) гипсовый слепок; 7) гипсовая повязка; 8) подсчёт; 9) *театр.* распределение ролей; состав исполнителей (*в данном спектакле*); 10) оттенок; 11) образец, образчик; 12) склад (*ума, характера*); тип; a mind of philosophic ~ философский склад ума; 13) выражение (*лица*); 14) поворот, отклонение; ~ in the eye лёгкое косоглазие;

**2.** *v* (cast) 1) бросать, кидать, швырять; метать; отбрасывать; to ~ anchor бросать якорь; to ~ the lead бросать лот; to ~ ashore выбрасывать на берег; to ~ a look (*или* a glance, an eye) (at) бросить взгляд (на); to ~ light (upon) проливать свет (на); вносить ясность (в); to ~ a net закидывать сеть; 2) терять (*зубы*); менять (*рога*); сбрасывать (*кожу*); ронять (*листья*); to ~ the coat линять (*о животных*); 3) выкинуть, родить раньше времени (*о животных*); 4) подсчитывать (*обыкн.* ~ up); 5) распределять (*роли*); to ~ actors for parts назначать актёров на определённые роли; to ~ parts to actors распределять роли между актёрами; 6) браковать (*лошадей и т. п.*); 7) *mex.* отливать, лить (*металлы*); 8) *юр.* присуждать к уплате убытков; □ ~ about обдумывать; изыскивать средства; ~ away отбрасывать; to be ~ away потерпеть крушение; ~ down свергать; разрушать; перевёртывать; б) опускать (*глаза*); в) повергать в уныние, угнетать; to be ~ down быть в унынии; ~ off а) бросать, покидать; сбрасывать (*оковы*); б) заканчивать работу; в) *мор.* отдавать (*швартовы*); отваливать; г) спускать (*собаку*); ~ out а) выгонять; б) извергать (*пищу*); в) *воен.* браковывать (*лошадей*); ~ up а) извергать; б) вскидывать (*глаза, голову*); в) подсчитывать; ◇ to ~ a vote подавать голос (*на выборах*); to ~ the blame on smb. взва́ливать вину́ на кого́-л.; to ~ smth. in smb.'s teeth брани́ть кого́-л. за что́-л.; броса́ть кому́-л. упрёк в чём-л.; to ~ lots бро́сить жре́бий; to ~ in one's lot with smb., smth. связа́ть судьбу́ с кем-л., чем-л.; to ~ a spell upon smb. очарова́ть, околдова́ть кого́-л.

**castanets** [,kæstə'nets] n pl кастанье́ты.

**castaway** ['kɑːstəweɪ] 1. n 1) потерпе́вший кораблекруше́ние; 2) па́рия; отве́рженный;

2. a отве́рженный.

**caste** [kɑːst] n 1) ка́ста; 2) ка́ста, привилегиро́ванный класс; to lose ~ потеря́ть привилегиро́ванное положе́ние.

**castellan** ['kæstələn] n кастеля́н, смотри́тель за́мка́.

**castellated** ['kæstəleɪtɪd] a 1) постро́енный в ви́де за́мка; 2) изоби́лующий за́мками; 3) тех. зазу́бренный.

**caster** I ['kɑːstə] n 1) лите́йщик; 2) воен. выбрако́ванная ло́шадь.

**caster** II ['kɑːstə] n 1) pl судо́к; 2) ро́лик, колёсико (на но́жках ме́бели).

**castigate** ['kæstɪgeɪt] v 1) нака́зывать; бить; 2) брани́ть; жесто́ко критикова́ть; 3) исправля́ть (лит. произведе́ние).

**castigation** [,kæstɪ'geɪʃən] n 1) наказа́ние; по́рка; 2) порица́ние; 3) суро́вая кри́тика; 4) исправле́ние (лит. произведе́ния).

**casting** ['kɑːstɪŋ] 1. pres. p. от cast 2; 2. n 1) тех. литьё, отли́вка (процесс и изде́лие); 2) коробле́ние (древеси́ны); 3) удале́ние вы́копанного гру́нта; 3. a лите́йный; ~ bed лите́йный двор; ~ box опо́ка; ~ form изло́жница.

**casting-net** ['kɑːstɪŋnet] n намётка (рыболо́вная снасть).

**casting-voice** ['kɑːstɪŋ'vɔɪs] = casting-vote.

**casting-vote** ['kɑːstɪŋ'vout] n го́лос, даю́щий переве́с.

**cast iron** ['kɑːst'aɪən] n чугу́н.

**cast-iron** ['kɑːst'aɪən] a 1) чугу́нный; 2) непрекло́нный, твёрдый; ~ discipline желе́зная дисципли́на.

**castle** ['kɑːsl] 1. n 1) за́мок; дворе́ц; 2) тверды́ня; убе́жище; 3) шахм. ладья́; ◇ ~s in the air (или in the sky, in Spain) возду́шные за́мки.

2. v шахм. рокирова́ть(ся).

**castle-builder** ['kɑːsl,bɪldə] n фантазёр.

**cast-off** ['kɑːst'ɔːf] a него́дный; поно́шенный, ста́ренький, второсо́ртный.

**castor** I ['kɑːstə] n 1) разг. касто́ровая шля́па; 2) уст. бобр; 3) мед. бобро́вая струя́.

**castor** II ['kɑːstə] = caster II.

**castor oil** ['kɑːstər'ɔɪl] n касто́ровое ма́сло.

**castor-oil plant** ['kɑːstər,ɔɪl'plɑːnt] n бот. клеще́ви́на.

**castor sugar** ['kɑːstə'ʃugə] n са́харная пу́дра.

**castrate** [kæs'treɪt] 1. n кастра́т;

2. v кастри́ровать, холости́ть.

**castration** [kæs'treɪʃən] n кастра́ция.

**casual** ['kæzjuəl] 1. a 1) случа́йный; 2)

непреднаме́ренный; 3) небре́жный; 4) случа́йный, нерегуля́рный; ~ labourer, ~ worker рабо́чий, не име́ющий постоя́нной рабо́ты; ~ poor челове́к, вре́менно или периоди́чески по́льзующийся благотвори́тельной по́мощью; ~ ward помеще́ние для ночле́га бе́дных, обраща́ющихся за вре́менной по́мощью в рабо́тный дом;

2. n бродя́га.

**casualize** ['kæzjuəlaɪz] v переводи́ть на непостоя́нную рабо́ту.

**casualty** ['kæzjuəltɪ] n 1) несча́стный слу́чай; ава́рия; 2) челове́к, пострада́вший от несча́стного слу́чая; 3) воен. ра́неный; уби́тый; 4) воен. подби́тая маши́на; the tank became a ~ танк был подби́т, вы́веден из стро́я; 5) pl поте́ри (на войне́); to sustain casualties понести́ поте́ри; 6) attr.: ~ rate коли́чество уби́тых и ра́неных.

**casualty clearing station** ['kæzjuəltɪ,klɪərɪŋ'steɪʃən] n эвакуацио́нный пункт.

**casualty list** ['kæzjuəltɪ,lɪst] n спи́сок уби́тых, ра́неных и пропа́вших без вести (на войне́).

**casualty ward** ['kæzjuəltɪ'wɔːd] n пала́та (в больни́це) для пострада́вших от несча́стных слу́чаев.

**casuist** ['kæzjuɪst] n казуи́ст.

**casuistic(al)** [,kæziu'ɪstɪk(əl)] a казуисти́ческий.

**casuistry** ['kæzjuɪstrɪ] n казуи́стика; игра́ слова́ми; софи́стика.

**casus belli** ['kɑːsus'beliː] лат. n по́вод для объявле́ния войны́, ка́зус бе́лли.

**cat** I [kæt] 1. n 1) кот; ко́шка; 2) зоол. семе́йство коша́чьих; 3) ко́шка (плеть); 4) разг. сварли́вая же́нщина; 5) двойно́й треножник; 6) мор. кат; ◇ barber's ~ разг. болту́н, трепло́; ~ beer амер. воен. sl. молоко́; to fight like Kilkenny ~s дра́ться до взаи́много уничтоже́ния; to lead a ~ and dog life жить как ко́шка с соба́кой; постоя́нно ссо́риться, вражлова́ть; enough to make a ~ laugh ≅ и мёртвого мо́жет рассмеши́ть; о́чень смешно́; to grin like a Cheshire ~ (постоя́нно) бессмы́сленно улыба́ться во весь рот, ухмыля́ться; ускла́биться; to let the ~ out of the bag ≅ вы́болтать секре́т; to see which way the ~ jumps; to wait for the ~ to jump ≅ выжида́ть, куда́ ве́тер поду́ет; that ~ won't jump разг. ≅ э́тот но́мер не пройдёт; to turn ~ in the pan стать перебе́жчиком; fat ~ амер. sl. лицо́, субсиди́рующее полити́ческое мероприя́тие;

2. v 1) мор. брать я́корь на кат; 2) бить пле́тью; 3) груб. изрыга́ть; блева́ть.

**cat** II [kæt] n (сокр. от caterpillar tractor) амер. разг. 1) гу́сеничный тра́ктор; 2) attr.: ~ skinner sl. тракторист.

**cataclysm** ['kætəklɪzəm] n 1) пото́п; 2) катакли́зм; полити́ческий или социа́льный переворо́т.

**catacomb** ['kætəkoum] n (ча́сто pl) подземе́лье; катако́мба; the Catacombs Ри́мские катако́мбы.

**catafalque** ['kætəfælk] n 1) катафа́лк, погреба́льная колесни́ца; 2) катафа́лк, помо́ст под балдахи́ном для гро́ба.

**Catalan** ['kætələn] **1.** *a* каталóнский; **2.** *n* 1) каталóнец; 2) каталóнский язык.

**catalepsy** ['kætəlepsɪ] *n мед.* каталéпсия; столбняк; остолбенéние.

**cataleptic** [,kætə'leptɪk] *a мед.* каталептический.

**catalog** ['kætələg] = catalogue.

**catalogue** ['kætələg] **1.** *n* 1) каталóг; прейскурáнт; card ~ кáрточный каталóг; ~ raisonné ['kætələgrezo'neɪ] систематический каталóг с крáткими объяснéниями; 2) *амер.* реéстр, списóк; проспéкт, прогрáмма, учéбный план; **2.** *v* каталогизи́ровать, вноси́ть в катало́г.

**cataloguer** ['kætə,lɔgə] *n* каталогизáтор, составитель каталóга.

**catalysis** [kə'tælɪsɪs] *n хим.* катáлиз.

**catalyst** ['kætəlɪst] *n хим.* катализáтор.

**catalyzer** ['kætə,laɪzə] = catalyst.

**catamaran** [,kætəmə'ræn] *n* 1) катамарáн *(парусный плот или две лодки, соединённые плотом)*; 2) *ав.* катамарáн *(тип гидросамолёта)*; 3) *разг.* сварли́вая жéнщина, мегéра.

**catamount** ['kætəmaunt] *n зоол.* 1) европéйская ди́кая кóшка; 2) североамерикáнская рысь.

**cataplasm** ['kætəplæzəm] *n* припáрка.

**catapult** ['kætəpʌlt] **1.** *n* 1) *ист. воен., ав.* катапýльта; 2) рогáтка; 3) *attr.:* ~ launching взлёт самолёта при пóмощи катапýльты; **2.** *v* 1) выбрáсывать катапýльтой; 2) стрелять из рогáтки.

**cataract** ['kætərækt] *n* 1) водопáд; 2) си́льный ли́вень; 3) *мед.* катарáкта; 4) *тех.* катарáкт, гидравли́ческий регулятор, тóрмоз, дéмпфер.

**catarrh** [kə'tɑ:] *n* 1) катáр; 2) простýда.

**catastrophe** [kə'tæstrəfɪ] *n* 1) катастрóфа; ги́бель; несчáстье; 2) развязка *(в драме)*; 3) *геол.* переворо́т.

**catastrophic** [,kætə'strɔfɪk] *a* катастрофи́ческий.

**catbird** ['kætbəd] *n амер.* дрозд.

**catcall** ['kætkɔ:l] **1.** *n* 1) свист, осви́стывание; 2) свистóк; **2.** *v* осви́стывать.

**catch** [kætʃ] **1.** *n* 1) поймка; захвáт; 2) улóв; добы́ча; 3) вы́года; вы́годное приобретéние; that is not much of a ~ барыш невели́к; 4) хи́трость; ловýшка; 5) перерыв *(дыхания, голоса)*; 6) *тех.* захвáтывающее, запирáющее приспособлéние; щекóлда; задви́жка; защёлка; шпингалéт; стяжнóй болт; 7) *тех.* тóрмоз, останóв, стóпор; арретир; ◇ that's the ~ в э́том-то всё дéло; **2.** *v* (caught) 1) лови́ть; поймáть; схвáтывать; to ~ hold of smth. ухвати́ться за что-л.; to ~ sight of smth. уви́деть что-л.; to ~ a glimpse of smth. уви́деть что-л. на мгновéние; 2) улови́ть; to ~ a person's meaning улови́ть, понять чью-л. мысль; to ~ the eye а) улови́ть взгляд; б) попáсться на глазá; to ~ a likeness улови́ть (и передáть) схóдство; 3) схвати́ть, зарази́ться; to ~ (a) cold простуди́ться; to ~

measles зарази́ться кóрью; paper ~es fire easily бумáга легкó воспламеняется; 4) успéть, застáть; to ~ the train поспéть к пóезду; to ~ a person in the act застáть когó-л. на мéсте преступлéния; to be caught in the rain попáсть под дождь; 5) догнáть; 6) зацепи́ть(ся); задéть; защеми́ть; завязи́ть; to ~ one's finger in a door прищеми́ть себé пáлец двéрью; the boat was caught in the reeds лóдка застряла в камышé; 7) задéрживать; 8) удáрить; попáсть; I caught him one in the eye я подстáвил емý синяк под глáзом; 9) прерывáть, перебивáть; 10) покрывáться льдом *(тж. ~ over)*; the river ~es рекá стáла; ☐ ~ at а) ухвати́ться за *что-л.;* б) обрáдоваться *чему-л.;* ~ away утащи́ть; ~ off *амер. sl.* заснýть; ~ on а) ухвати́ться за *что-л.;* б) понимáть; в) становиться мóдным; ~ up а) поднять; подхвати́ть *(тж. перен., напр., новое слово)*; б) догнáть; we had caught up on sleep нам удалóсь отоспáться; в) прервáть; г) *амер.* приготóвить лошадéй *(для путешественников)*; ◇ to ~ it разг. получи́ть нагоняй; I caught it мне достáлось, попáло; ~ me (doing that)! чтоб я э́то сдéлал? никогдá!; to ~ one's foot споткнýться; to ~ the Speaker's eye *парл.* получи́ть слóво в палáте óбщин.

**catching** ['kætʃɪŋ] **1.** *pres. p. от* catch 2; **2.** *a* 1) заразительный; 2) привлекáтельный; 3) неусто́йчивый *(о погоде)*; 4) захвáтывающий, останáвливающий, зацепляющий.

**catchment-area** ['kætʃmənt,ɛəгɪə] *n* бассéйн *(реки)*, водосбóрная плóщадь.

**catchment-basin** ['kætʃmənt,beɪsn] = catchment-area.

**catchpenny** ['kætʃ,penɪ] **1.** *n* нéчто показнóе, рассчи́танное на дешёвый успéх и привлечéние покупáтелей *(гл. обр. об изданиях)*; **2.** *a* показнóй, рассчи́танный на дешёвый успéх.

**catchpole, catchpoll** ['kætʃpoul] *n* судéбный при́став, судéбный исполни́тель.

**catchup** ['kætʃəp] = ketchup.

**catchword** ['kætʃwəd] *n* 1) мóдное словéчко; 2) слóво *или* фрáза, испóльзуемые как лóзунг; 3) *полигр.* колонти́тул в словарях и энциклопéдиях; 4) заглáвное слóво *(в словарях)*; 5) *театр.* рéплика; 6) рифмóванное слóво; 7) парóль.

**catchy** ['kætʃɪ] *a* 1) привлекáтельный; 2) легкó запоминáющийся *(о мелодии)*; 3) хитроýмный, заковы́ристый; трýдный; 4) поры́вистый *(о ветре)*.

**cate** [keɪt] *n (обыкн. pl) уст.* пи́ща *(особ. изы́сканная)*.

**catechism** ['kætɪkɪzəm] *n* 1) катехи́зис; 2) ряд вопрóсов.

**catechize** ['kætɪkaɪz] *v* 1) излагáть в фóрме вопрóсов и отвéтов; 2) допрáшивать.

**catechu** ['kætɪtʃu:] *n* дуби́льный экстрáкт.

**catechumen** [,kætɪ'kju:men] *n* 1) *церк.* новообращённый; 2) начинáющий, новичóк.

**categorical** [,kætɪ'gɔrɪkəl] *a* реши́тельный; безуслóвный; категори́ческий.

**categorize** ['kætıgəraız] v распределять по категориям.

**category** ['kætıgərı] n 1) категория; разряд; класс; 2) attr.: ~ man воен. признанный годным к этапной (гарнизонной) службе.

**catena** [kə'ti:nə] n цепь, связь, ряд.

**catenarian** [,kætı'nɛərıən] a цепной.

**catenary** [kə'ti:nərı] 1. n цепная линия; 2. a цепной; ~ suspension цепная подвеска (электрической железной дороги).

**catenate** ['kætıneıt] v сцеплять; связывать.

**catenation** [,kætı'neıʃən] n сцепление.

**cater** I ['keıtə] v 1) поставлять провизию (for); 2) обслуживать зрителя, посетителя (о театрах и т. п.); 3) стараться доставлять удовольствие, угождать (to, for).

**cater** II ['keıtə] n уст. четыре очка (в картах, костях).

**cater-cousin** ['keıtə,kʌzn] n закадычный друг; друг-приятель.

**caterer** ['keıtərə] n поставщик провизии.

**catering** ['keıtərıŋ] 1. pres.p. om cater I; 2. n 1) общественное питание; 2) attr.: the ~ trade ресторанное дело.

**caterpillar** ['kætəpılə] n 1) зоол. гусеница; 2) тех. гусеница, гусеничный ход; 3) уст. вымогатель; 4) attr. тех. гусеничный; ~ tractor гусеничный трактор; ~ ordnance гусеничная самоходная артиллерия.

**caterwaul** ['kætəwɔ:l] 1. n кошачий концерт; 2. v кричать по-кошачьи.

**catgut** ['kætgʌt] n 1) струна (для музыкальных инструментов и ракеток); 2) хир. кетгут.

**catharsis** [kə'θɑ:sıs] n 1) мед. очищение желудка; 2) лит. катарсис.

**cathartic** [kə'θɑ:tık] 1. a слабительный; 2. n слабительное (средство).

**Cathay** [kæ'θeı] n уст., поэт. Китай.

**cathead** ['kæthed] n мор. кат-балка; ист. крамбол, кран-балка.

**cathedral** [kə'θi:drəl] 1. n кафедральный собор; 2. a соборный.

**Catherine-wheel** ['kæθərınwi:l] n 1) огненное колесо (фейерверк); 2) архит. круглое окно, «роза»; 3) кувыркание «колесом».

**catheter** ['kæθıtə] n мед. катетер.

**cathode** ['kæθoud] n физ. катод.

**catholic** ['kæθəlık] 1. a 1) католический (обыкн. Roman C.); 2) церк. вселенский; 3) широкий, всеобъемлющий; 2. n католик.

**catholicism** [kə'θɒlısızəm] n католичество, католицизм.

**catholicity** [,kæθə'lısıtı] n 1) католичество; 2) широта; всеобщность; универсальность.

**catholicize** [kə'θɒlısaız] v обращать в католичество.

**cat-ice** ['kætaıs] n тонкий беловатый ледок.

**catkin** ['kætkın] n серёжка (на деревьях).

**cat-lap** ['kæt,læp] n разг. очень слабый чай, «помои».

**cat-like** ['kætlaık] a кошачий.

**catling** ['kætlıŋ] n 1) хир. межкостный нож; 2) хир. тонкий кетгут; 3) редк. кошечка.

**cat-mint** ['kætmınt] n бот. котовик кошачий, кошачья мята.

**catnap** ['kætnæp] 1. n = cat-sleep; 2. v вздремнуть, подремать; спать урывками.

**catnip** ['kætnıp] амер. = cat-mint.

**cat o'-mountain** [,kætə'mauntın] = catamount.

**cat-o'-nine-tails** ['kætə'naınteılz] n кошка (плеть).

**catoptric** [kə'tɒptrık] a физ. уст. катоптрический, отражательный.

**catoptrics** [kə'tɒptrıks] n pl (употр. как sing) физ. уст. катоптрика.

**cat-sleep** ['kætsli:p] n сон урывками.

**cat's-meat** ['kætsmi:t] n конина, покупаемая для кошек.

**cat's-paw** ['kætspɔ:] n лёгкий бриз, рябь на воде; ◇ to make a ~ of a person сделать кого-л. своим орудием.

**catsup** ['kætsəp] = ketchup.

**cat's-whisker** ['kæts'wıskə] n радио контактная пружина, «усик».

**cattish** ['kætıʃ] a 1) кошачий; 2) хитрый; злой.

**cattle** ['kætl] n 1) крупный рогатый скот; 2) презр. скоты (о людях).

**cattle-dealer** ['kætl,di:lə] n торговец скотом, скотопромышленник.

**cattle-feeder** ['kætl,fi:də] n машина для автоматического распределения и подачи корма.

**cattle-grid** ['kætlgrıd] n приспособление, препятствующее выходу скота с пастбища на дорогу.

**cattle-leader** ['kætl,li:də] n кольцо, продетое через нос животного.

**cattle-lifter** ['kætl,lıftə] n вор, угоняющий скот.

**cattleman** ['kætlmən] n 1) пастух; скотник; 2) амер. скотовод.

**cattle-pen** ['kætlpen] n загон для скота.

**cattle-plague** ['kætlpleıg] n чума рогатого скота.

**cattle-ranch** ['kætlrænʃ] n скотоводческая ферма, скотоводческое хозяйство.

**cattle-rustler** ['kætl,rʌslə] амер. = cattle-lifter.

**cattle-show** ['kætlʃou] n выставка рогатого скота.

**cattle-truck** ['kætltrʌk] n ж.-д. платформа для перевозки скота.

**catty** I ['kætı] = cattish.

**catty** II ['kætı] n мера веса в странах Дальнего Востока = 604,8 г.

**Caucasian** [kɔ:'keızjən] 1. a кавказский; 2. n кавказец.

**caucus** ['kɔ:kəs] n 1) амер. закрытое собрание партийных лидеров для предварительного обсуждения политических и организационных вопросов; 2) (в Англии презр.) политика подтасовки выборов, давления на избирателей и т. п.

caudal ['kɔːdl] a хвостатый; ~ appendage хвостовидный придаток.

caudate ['kɔːdeɪt] a хвостатый, имеющий хвост.

caudle ['kɔːdl] n горячий пряный напиток для больных (смесь вина с яйцами и сахаром).

caught [kɔːt] past и p. p. от catch 2.

caul [kɔːl] n 1) чепчик; 2) анат. водная оболочка плода; «сорочка» (у новорождённого); 3) анат. большой сальник.

cauldron ['kɔːldrən] n 1) котёл; котелок; 2) геол. котлообразный провал.

caulescent [kɔ'lesənt] a бот. стебельный (о травянистых растениях).

cauliflower ['kɔliflauə] n цветная капуста.

caulk [kɔːk] v 1) конопатить и смолить (суда); 2) затыкать, замазывать (щели в окнах); 3) = calk I, 2, 1).

caulker ['kɔːkə] n 1) конопатчик; 2) sl. глоток спиртного; 3) sl. нечто удивительное, невероятное, особ. ложь, враньё.

causal ['kɔːzəl] a причинный; каузальный.

causality [kɔ'zælɪtɪ] n причинность, причинная связь.

causation [kɔ'zeɪʃən] n 1) причинение; 2) = causality.

causative ['kɔːzətɪv] a 1) причинный; 2) грам. каузативный.

cause [kɔːz] 1. n 1) причина; 2) основание; мотив, повод (for); 3) дело; to support the ~ of the workers защищать дело рабочего класса; the ~ of peace дело мира; to make common ~ with smb. объединяться с кем-л. ради общего дела; in the ~ of science ради (или во имя) науки; in a good ~ чтобы сделать добро; 4) юр. дело, процесс; to plead a ~ защищать дело в суде;
2. v 1) быть причиной, причинять, вызывать; to ~ smb. to be informed поставить кого-л. в известность; 2) заставлять; to ~ a thing to be done велеть что-л. выполнить.

'cause [kɔːz] усл. = because.

causeless ['kɔːzlɪs] a беспричинный; необоснованный.

cause-list ['kɔːzlɪst] n список очередных судебных дел.

causer ['kɔːzə] n виновник.

causeway, causey ['kɔːzweɪ, 'kɔːzeɪ] 1. n 1) мостовая; мощёная дорожка; тротуар; 2) дамба; гать;
2. v 1) строить плотину, дамбу; 2) мостить.

caustic ['kɔːstɪk] 1. n хим. едкое вещество; каустическое средство; lunar ~ ляпис;
2. a 1) хим. едкий; каустический; ~ lime негашёная известь; ~ silver ляпис; ~ soda едкий натр; 2) едкий, язвительный, колкий; ~ tongue злой язык; ~ remarks язвительные замечания.

causticity [kɔːs'tɪsɪtɪ] n 1) едкость; 2) язвительность.

cauterization [,kɔːtərаɪ'zeɪʃən] n мед. прижигание.

cauterize ['kɔːtərаɪz] v 1) мед. прижигать; 2) делать бессердечным, чёрствым, нечувствительным.

cautery ['kɔːtərɪ] n мед. 1) прижигание; 2) прижигающее средство; 3) термокаутер (инструмент для прижигания).

caution ['kɔːʃən] 1. n 1) осторожность; предусмотрительность; предосторожность; 2) предостережение, предупреждение; ~! береги(те)сь!; 3) sl. необыкновенный человек, человек с большими странностями; странная вещь; 4) attr.: ~ position положение тихого хода;
2. v предостерегать (against).

cautionary ['kɔːʃnərɪ] a предостерегающий, предупреждающий.

caution board ['kɔːʃənbɔːd] n предупреждающая (об осторожности) надпись.

caution money ['kɔːʃən,mʌnɪ] n залог (вносимый, напр., студентами Оксфорда и Кембриджа в обеспечение возможных долгов).

cautious ['kɔːʃəs] a осторожный; предусмотрительный.

cavalcade [,kævəl'keɪd] n кавалькада, группа всадников.

cavalier [,kævə'lɪə] 1. n 1) всадник; кавалерист; 2) уст. кавалер; 3) (C.) ист. роялист (времён Карла I);
2. a 1) бесцеремонный; 2) надменный; 3) весёлый; беспечный; 4) ист. роялистский.

cavalry ['kævəlrɪ] n кавалерия, конница.

cavalryman ['kævəlrɪmən] n кавалерист.

cave [keɪv] n 1. n 1) пещера; 2) полость, впадина; 3) полит. фракция; оппозиционная или отколовшаяся от партии группа; 4) тех. зольник; 5) геол. карстовое образование;
2. v 1) выдалбливать; 2) горн. обрушивать кровлю; □ ~ in а) оседать, опускаться; б) разг. уступать, отступать, сдаваться.

caveat ['keɪvɪæt] n 1) предостережение, протест; 2) юр. заявление о приостановке судебного разбирательства; to enter (или to put in) a ~ подать заявление о приостановке судебного разбирательства.

cave-dweller ['keɪv,dwelə] n троглодит, пещерный человек (тж. перен.).

cave-man ['keɪvmæn] n = cave-dweller.

cavendish ['kævəndɪʃ] n плиточный табак, сдобренный патокой.

cavern ['kævən] n 1) пещера; 2) мед. каверна.

cavernous ['kævənəs] a 1) изобилующий пещерами; 2) мед. пещеристый; полостной; кавернозный; 3) похожий на пещеру; 4) впалый; 5) глубокий и глухой (о звучании).

caviar(e) ['kævɪɑː] n икра (употребляемая в пищу); ◇ ~ to the general слишком тонкое блюдо для грубого вкуса.

cavil ['kævɪl] 1. n придирка;
2. v придираться, находить недостатки.

caviller ['kævɪlə] n придирчивый человек.

cavity ['kævɪtɪ] n 1) впадина; полость; 2) трещина в породе.

**cavity magnetron** ['kævɪtɪ 'mægnɪtrɔn] *n* физ. магнетрон, обеспечивающий большой выход энергии.

**cavort** [kə'vɔːt] *v амер.* прыгать, скакать.

**caw** [kɔː] 1. *n* карканье;
2. *v* каркать.

**cay** [keɪ] *n* 1) коралловый риф; 2) песчаная отмель.

**cayenne** [keɪ'en] *n* красный стручковый перец.

**cayman** ['keɪmən] *n зоол.* кайман.

**cease** [siːs] 1. *v* 1) переставать, прекращать(ся); 2) приостанавливать (*часто с герундием*); to ~ talking замолчать; ~ fire! прекратить стрельбу!; to ~ payment прекратить платежи, обанкротиться;
2. *n*: without ~ непрестанно; to work without ~ работать не покладая рук.

**cease-fire** ['siːs,faɪə] *n* прекращение огня.

**ceaseless** ['siːslɪs] *a* непрерывный, непрестанный.

**cecils** ['sesɪlz] *n pl* мясные фрикадельки.

**cecity** ['siːsɪtɪ] *n* слепота.

**cedar** ['siːdə] *n* кедр.

**cede** [siːd] *v* 1) сдавать (*территорию*); 2) уступать (*в споре*).

**cedilla** [sɪ'dɪlə] *n* седиль (*орфографический знак*).

**ceil** [siːl] *v* 1) *стр.* покрывать, перекрывать; штукатурить, отделывать потолок; 2) *ав.* достигать предельной высоты.

**ceiling** ['siːlɪŋ] *n* 1) потолок; 2) перекрытие, обшивка; доска для обшивки; 3) *ав.* потолок, предельная высота; 4) *эк.* максимальная цена; максимальный выпуск продукции *и т. п.*

**celadon** ['selədɔn] *n* светлый серовато-зелёный цвет *или* цвет морской волны.

**celandine** ['seləndaɪn] *n бот.* чистотел.

**celebrant** ['selɪbrənt] *n* священник, отправляющий церковную службу.

**celebrate** ['selɪbreɪt] *v* 1) (от)праздновать; 2) прославлять; 3) отправлять церковную службу.

**celebrated** ['selɪbreɪtɪd] 1. *p. p. от* celebrate;
2. *a* знаменитый; прославленный.

**celebration** [,selɪ'breɪʃən] *n* 1) празднование; торжества; 2) прославление; 3) церковная служба.

**celebrity** [sɪ'lebrɪtɪ] *n* известность; знаменитость.

**celerity** [sɪ'lerɪtɪ] *n* быстрота.

**celery** ['selərɪ] *n бот.* сельдерей.

**celestial** [sɪ'lestjəl] 1. *a* 1) небесный; ~ map карта звёздного неба; ~ pole *астр.* полюс мира; ~ blue небесно-голубой; C. Empire *уст.* Небесная империя, Китай; 2) великолепный; 3) добродетельный, милосердный;
2. *n* 1) небожитель; 2) (C.) *уст.* китаец.

**celibacy** ['selɪbəsɪ] *n* целибат, обет безбрачия; безбрачие.

**celibatarian** [,selɪbə'teərɪən] 1. *a* безбрачный;
2. *n* холостяк.

**celibate** ['selɪbɪt] 1. *n* холостяк; человек, давший обет безбрачия;

2. *a* холостой; давший обет безбрачия.

**cell** [sel] 1. *n* 1) ячейка; 2) тюремная камера; condemned ~ камера смертников; 3) келья; 4) небольшой монастырь (*зависящий от большего*); 5) *поэт.* могила; 6) *биол.* клетка, клеточка; 7) *тех.* отсек, камера; 8) *эл.* элемент; 9) *ав.* коробка крыльев;
2. *v* 1) помещать в клетку; 2) находиться в клетке; 3) сидеть за решёткой (*в тюрьме*).

**cellar** ['selə] 1. *n* 1) подвал; 2) винный погреб; to keep a good ~ иметь хороший запас вин;
2. *v* хранить в подвале, в погребе.

**cellarage** ['selərɪdʒ] *n* 1) подвалы, погреб; 2) хранение в подвалах; 3) плата за хранение в подвалах.

**cellarer** ['selərə] *n* келарь (*эконом в монастыре*).

**cellaret** [,selə'ret] *n* погребец.

**'cellist** ['tʃelɪst] *n* (*сокр. от* violoncellist) виолончелист.

**'cello** ['tʃelou] *n* (*pl* -os [-ouz]; *сокр. от* violoncello) виолончель.

**cellophane** ['seləfeɪn] *n* целлофан; ◇ wrapped in ~ неприступный, надменный.

**cellular** ['seljulə] *a* клеточный, клеточного строения; ячеистый; ~ tissue *анат.* клетчатка.

**cellulate** ['seljuleɪt] *a* состоящий из клеток; ячеистый.

**cellule** ['seljuːl] *n* 1) *биол.* клеточка; 2) *ав.* коробка крыльев.

**celluloid** ['seljulɔɪd] *n* целлулоид.

**cellulose** ['seljulous] *n* 1) целлюлоза; клетчатка; 2) *attr.*: ~ nitrate нитроклетчатка.

**Celt** [kelt] *n* кельт.

**celt** [selt] *n археол.* каменное *или* бронзовое долото.

**Celtic** ['keltɪk] 1. *a* кельтский;
2. *n* кельтский язык.

**celticism** ['keltɪsɪzəm] *n* 1) кельтский обычай; 2) *лингв.* кельтское выражение.

**celtuce** ['seltəs] *n* гибрид сельдерея и салата.

**cembalo** ['tʃembəlou] *n* (*pl* -os [-ouz]) цимбалы.

**cement** [sɪ'ment] 1. *n* 1) цемент; 2) всякое вещество, скрепляющее подобно цементу; вяжущее вещество; 3) связь, союз;
2. *v* 1) скреплять цементом; цементировать; 2) цементироваться; 3) склеивать горячей вулканизацией; 4) соединять крепко; to ~ a friendship скреплять дружбу.

**cementation** [,siːmen'teɪʃən] *n* 1) цементирование; 2) цементация; 3) томление (*металлов*).

**cemetery** ['semɪtrɪ] *n* кладбище.

**cenotaph** ['senətɑːf] *n* кенотафий (*пустая гробница*); the C. памятник, воздвигнутый в честь погибших во время первой мировой войны (*в Лондоне*).

**cense** [sens] *v церк.* кадить ладаном.

**censer** ['sensə] *n* кадило; курильница.

**censor** ['sensə] 1. *n* 1) цензор; 2) надзиратель, следящий за дисциплиной студентов, не приписанных к определённому коллéджу (в Оксфорде); 3) уст. человéк, находящий недостáтки; крúтик;

2. *v* просмáтривать, подвергáть цензýре.

**censorial** [sen'sɔːrɪəl] *a* цéнзорский; цензýрный.

**censorious** [sen'sɔːrɪəs] *a* стрóгий; склóнный осуждáть; ~ remarks критúческие замечáния.

**censorship** ['sensəʃɪp] *n* 1) цензýра; 2) дóлжность цéнзора.

**censurable** ['senʃərəbl] *a* достóйный порицáния.

**censure** ['senʃə] 1. *n* осуждéние, порицáние; vote of ~ вóтум недовéрия;

2. *v* порицáть, осуждáть.

**census** ['sensəs] *n* пéрепись.

**census-paper** ['sensəs,peɪpə] *n* бланк, заполняемый при пéреписи.

**cent** [sent] *n* 1) цент (*0,01 доллара*); 2) сто, сóтня (*обыкн. в выражении* per ~ процéнт); ten per ~ дéсять процéнтов; ~ per ~ сто нá сто (*ростовщический процéнт*).

**cental** ['sentl] *n* англúйский квинтáл (*мера сыпучих тел, равная 100 англ. фунтам или 45,36 кг*).

**centaur** ['sentɔː] *n* 1) *миф.* кентáвр; 2) (С.) созвéздие Кентáвра.

**centenarian** [,sentɪ'neərɪən] 1. *a* столéтний;

2. *n* человéк ста (и бóлее) лет.

**centenary** [sen'tiːnərɪ] 1. *n* 1) столéтие; 2) столéтняя годовщúна; 3) день празднования столéтней годовщúны;

2. *a* столéтний.

**centennial** [sen'tenjəl] 1. *a* 1) столéтний; 2) происходящий раз в сто лет;

2. *n* = centenary 1, 2).

**center** ['sentə] *амер.* = centre.

**centering** ['sentərɪŋ] 1. *pres. p. от* centre 3;

2. *n* 1) *тех.* центрúрование; 2) *стр.* кружáло, опáлубка.

**centesimal** [sen'tesɪməl] *a* сóтый; разделённый на сто частéй; сóтенный; ~ balance сóтенные весы.

**centigrade** ['sentɪɡreɪd] *a* стоградусный; разделённый на сто грáдусов; ~ thermometer термóметр Цéльсия, термóметр со стоградусной шкалóй.

**centigram(me)** ['sentɪɡræm] *n* сантигрáмм.

**centime** ['sɑːntiːm] *фр. n* сантúм (*0,01 франка*).

**centimeter** ['sentɪ,miːtə] *амер.* = centimetre.

**centimetre** ['sentɪ,miːtə] *n* сантимéтр.

**centipede** ['sentɪpiːd] *n зоол.* многонóжка, сороконóжка.

**centner** ['sentnə] *n* цéнтнер (*50 кг; в Англии = 100 фунтам или 45,36 кг*); metric (*или* double) ~ метрúческий цéнтнер (= *100 кг или 220,46 англ. фунта*).

**central** ['sentrəl] 1. *a* 1) центрáльный; глáвный; ~ idea основнáя идéя; 2) располóженный в цéнтре *или* недалекó от цéнтра; C. Asia Срéдняя Áзия;

2. *n амер.* центрáльная телефóнная стáнция.

**centralization** [,sentrəlaɪ'zeɪʃən] *n* централизáция; сосредотóчение.

**centralize** ['sentrəlaɪz] *v* централизовáть.

**centre** ['sentə] 1. *n* 1) центр; средотóчие; середúна (*чего-л.*); ~ of attraction центр притяжéния; центр внимáния; ~ of buoyancy а) *мор.* центр величины; б) центр подъёмной сúлы аэростáта; ~ of impact *воен.* срéдняя тóчка попадáния; ~ of a wheel стýпица колесá; 2) *тех.* шаблóн, угóльник;

2. *a* центрáльный; ~ boss стýпица колесá;

3. *v* 1) помещáть(ся) в цéнтре; концентрúровать(ся); сосредотóчивать(ся) (in, on, at, round, about); to ~ one's hopes on (*или* in) smb. возлагáть все надéжды на когó-л.; the interest ~s in интерéс сосредотóчен на; the discussion ~d round one point в цéнтре обсуждéния находúлся одúн пункт; 2) *тех.* центрúровать; отмечáть кéрнером.

**centre-board** ['sentə,bɔːd] *n мор.* выдвижнóй киль.

**centreing** ['sentərɪŋ] = centering.

**centre-piece** ['sentəpiːs] *n* украшéние из серебрá, хрусталя *и т. п.* на середúне столá.

**centre-section** ['sentə,sekʃn] *n ав.* центроплáн.

**centric(al)** ['sentrɪk(əl)] *a* центрáльный.

**centrifugal** [sen'trɪfjuɡəl] 1. *a* центробéжный; ~ machine, ~ wringer центрифýга; ~ force центробéжная сúла;

2. *n* = centrifuge.

**centrifuge** ['sentrɪfjuːdʒ] *n* центрифýга.

**centring** ['sentərɪŋ] = centering.

**centripetal** [sen'trɪpɪtl] *a* центростремúтельный; ~ force центростремúтельная сúла.

**centuple** ['sentjupl] 1. *a* стокрáтный;

2. *v* увелúчивать во сто раз; умножáть нá сто.

**centuplicate** [sen'tjuːplɪkeɪt] 1. *n* сто экземпляров; in ~ в ста экземплярах;

2. *a* = centuple 1;

3. *v* = centuple 2.

**century** ['sentʃurɪ] *n* 1) столéтие; век; 2) *др.-рим.* центýрия; 3) сóтня (*чего-л.*); *разг.* сто фýнтов стéрлингов; *амер.* сто дóлларов.

**century plant** ['sentʃurɪplɑːnt] *n бот.* агáва америкáнская, столéтник.

**cephalic** [ke'fælɪk] *a анат.* головнóй; ~ index *антр.* черепнóй úндекс.

**cephalitis** ['kefəlaɪtɪs] *n мед.* энцефалúт, воспалéние головнóго мóзга.

**cephalopoda** [,sefə'lɔpədə] *n pl зоол.* головонóгие.

**ceramet** ['sɑːmet] *n тех.* металлокерáмика.

**ceramic** [sɪ'ræmɪk] *a* гончáрный; керамúческий.

**ceramics** [sɪ'ræmɪks] *n pl* (*употр. как sing*) керáмика; гончáрное произвóдство.

**ceramist** ['serəmɪst] *n* гончáр.

**cerastes** [sɪ'ræstiːz] *n зоол.* гадюка рогáтая.

**cerate** ['sɪərɪt] *n* спуск (*мазь из воска и масла*).

**cere** [sɪə] **1.** *n* зоол. восковина (*покрывающая птичий клюв*);
2. *v* уст. вощить.

**cereal** ['sɪərɪəl] **1.** *n* 1) (*обыкн. pl*) хлебный злак; 2) *амер.* каша (*особ. для завтрака*);
2. *a* хлебный, зерновой.

**cerebellum** [ˌserɪ'beləm] *n* анат. мозжечок.

**cerebral** ['serɪbrəl] **1.** *a* 1) *анат., мед.* мозговой; ~ hemispheres полушария головного мозга; ~ haemorrhage кровоизлияние в мозг; 2) *фон.* церебральный (*звук*);
2. *n фон.* церебральный звук.

**cerebration** [ˌserɪ'breɪʃən] *n* мозговая деятельность, работа мозга.

**cerebrum** ['serɪbrəm] *n анат.* головной мозг.

**cerecloth** ['sɪəklɔθ] = cerement 1).

**cerement** ['sɪəmənt] *n* 1) навощённая холстина, саван; 2) *pl* погребальные одежды.

**ceremonial** [ˌserɪ'mounjəl] **1.** *a* формальный; обрядовый;
2. *n* церемониал, обряд.

**ceremonious** [ˌserɪ'mounjəs] *a* 1) церемониальный; 2) церемонный; 3) манерный, жеманный.

**ceremony** ['serɪmənɪ] *n* 1) обряд; 2) церемония; to stand upon ~ церемониться, держаться формально, чопорно; without ~ запросто; без церемоний; 3) церемонность; формальность.

**Ceres** ['sɪəriːz] *миф., астр.* Церера.

**cerise** [sə'riːz] **1.** *n* светло-вишнёвый цвет;
2. *a* светло-вишнёвый (*о цвете*).

**cerium** ['sɪərɪəm] *n хим.* церий.

**cermet** ['səːmet] = ceramet.

**ceroplastics** ['sɪərou'plæstɪks] *n pl* (*употр. как sing*) церопластика (*художественная лепка из воска*).

**certain** ['səːtn] **1.** *a* 1) *attr.* определённый; I have no ~ abode у меня нет определённого пристанища; 2) *attr.* один, некий, некоторый; I felt a ~ joy я почувствовал некоторую радость; there was a ~ Mr Jones был некий мистер Джоунз; under ~ conditions при известных (*или* при некоторых) условиях; 3) *predic.* уверенный; to feel ~ быть уверенным; 4): to make ~ of удостовериться в; make ~ of your facts before you argue проверьте свои данные, прежде чем спорить; 5) *predic.* надёжный, верный, несомненный; the fact is ~ факт несомненен;
2. *n*: not to know for ~ не знать наверняка.

**certainly** ['səːtnlɪ] *adv* конечно, непременно; несомненно; he is ~ better today ему, несомненно, лучше сегодня; may I visit him? —Yes, ~ можно его навестить? —Да, конечно.

**certainty** ['səːtntɪ] *n* 1) несомненный факт; 2) уверенность; I know for a ~ я знаю наверняка; with ~ с уверенностью.

**certificate** **1.** *n* [sə'tɪfɪkɪt] 1) письменное удостоверение; свидетельство; сертификат; ~ of birth свидетельство о рождении; метрика; ~ of health медицинское свидетельство; 2) *амер.* свидетельство об окончании среднего учебного заведения; аттестат;
2. *v* [sə'tɪfɪkeɪt] выдавать письменное удостоверение; удостоверять.

**certificated** [sə'tɪfɪkeɪtɪd] **1.** *p. p. от* certificate 2;
2. *a* дипломированный; ~ teacher учитель, имеющий диплом.

**certification** [ˌsəːtɪfɪ'keɪʃən] *n* 1) удостоверение; 2) выдача свидетельства.

**certify** ['səːtɪfaɪ] *v* 1) удостоверять, заверять; 2) ручаться; 3) *уст.* уверять; 4) выдавать удостоверение о заболевании (*особ. о психическом расстройстве*).

**certitude** ['səːtɪtjuːd] *n* уверенность, несомненность.

**cerulean** [sɪ'ruːljən] *a* небесно-голубого цвета; лазурный.

**cerumen** [sɪ'ruːmen] *n* ушная сера.

**ceruse** ['sɪəruːs] *n* 1) (свинцовые) белила; 2) белила (*косметические*).

**cervical** ['səːvɪkəl] *a анат.* затылочный, шейный; ~ vertebrae шейные позвонки.

**cervices** ['səːvɪsiːz] *pl от* cervix.

**cervine** ['səːvaɪn] *a* олений.

**cervix** ['səːvɪks] *n* (*pl* -vices, -es [-ɪz]) *анат.* шея; ~ uteri шейка матки.

**cesium** ['siːzɪəm] = caesium.

**cess** [ses] *n* 1) *ирл.* местный налог; 2) *шотл.* поземельный налог; ◇ bad ~ to you! *ирл.* чтоб тебе пусто было!

**cessation** [se'seɪʃən] *n* 1) прекращение; 2) остановка; перерыв; ~ of arms (*или* of hostilities) прекращение военных действий, перемирие.

**cession** ['seʃən] *n* уступка, передача; ~ of rights передача прав.

**cesspit** ['sespɪt] *n* помойная яма; выгребная яма.

**cesspool** ['sespuːl] *n* выгребная яма; сточный колодец.

**cestoid** ['sestɔɪd] *n зоол.* ленточный червь.

**cetacean** [sɪ'teɪʃən] **1.** *a* китовый;
2. *n* животное из семейства китовых.

**cetaceous** [sɪ'teɪʃəs] *a* китообразный.

**cevitamic acid** [ˌsiːvaɪ'tæmɪk'æsɪd] *n фарм.* кристаллический витамин С.

**chafe** [tʃeɪf] **1.** *n* 1) ссадина; 2) раздражение; in a ~ в состоянии раздражения;
2. *v* 1) тереть, растирать; 2) натирать; тереться (*обо что-л. — о животных*); 4) раздражаться, горячиться, нервничать; 5) греть, нагревать.

**chafer** ['tʃeɪfə] *n* 1) майский жук; 2) *рез.* чефер.

**chaff** [tʃɑːf] **1.** *n* 1) мякина; 2) мелко нарезанная солома, сечка; 3) отбросы; 4) высевки; солома, сечка; 5) кострика (*отходы трепания и чесания*); 6) подшучивание, поддразнивание; болтовня; 7) *attr.* соломенный; ~ bed соломенный тюфяк; ◇ a grain of wheat in a bushel of ~ ≈ ничтожные результаты, несмотря на большие усилия; an old bird is not caught with ~ *посл.* старого воробья на мякине не проведёшь;

2. *v* 1) рубить, резать (*солому и т. п.*);
2) подшучивать, поддразнивать.

**chaff-cutter** ['tʃɑːf,kʌtə] *n* с.-х. соломорезка.

**chaffer** ['tʃæfə] 1. *n* спор (*из-за цены*);
2. *v* торговаться, выторговывать.

**chaffinch** ['tʃæfintʃ] *n* зяблик.

**chaffy** ['tʃɑːfi] *a* 1) покрытый мякиной;
2) пустой, негодный.

**chafing-dish** ['tʃeifiŋdiʃ] *n* 1) жаровня;
2) электрическая кастрюля; электрический термос.

**chafing-gear** ['tʃeifiŋgiə] *n* мор. обмотка троса для предохранения от трения.

**chagrin** ['ʃægrin] 1. *n* досада; огорчение;
2. *v* (*часто pass.*) досаждать; огорчать;
to feel ~ed (at, by) быть огорчённым *чем-л.*

**chain** [tʃein] 1. *n* 1) цепь; цепочка; a ~ of mountains горная цепь; a ~ of happenings цепь событий; ~ and buckets *mex.* нория;
2) (*обыкн. pl*) оковы, узы; 3) мерная цепь
(*тж.* Gunter's ~ = 66 *фут.* ≅ 20 *м*);
4) *attr.* цепной; ~ reaction цепная реакция; ~ armour, ~ mail кольчуга; ~ belt *mex.* цепная передача, цепной привод; ~ bridge цепной мост; ~ broadcasting *радио* одновременная передача одной программы несколькими станциями; ~ cable якорная цепь;
2. *v* 1) скреплять цепью; 2) сковывать; держать в цепях; to ~ up a dog посадить собаку на цепь; 3) привязывать; ~ed to the desk прикованный к письменному столу.

**chain-gang** ['tʃeingæŋ] *n* амер. группа каторжников в кандалах, скованных общей цепью.

**chainlet** ['tʃeinlit] *n* цепочка.

**chain-rule** ['tʃeinruːl] *n* мат. цепное правило.

**chainsmoke** [,tʃein'smouk] *v* закуривать от папиросы, непрерывно курить.

**chain-smoker** ['tʃein,smoukə] *n* заядлый курильщик.

**chain-stitch** ['tʃeinstitʃ] *n* тамбурная строчка.

**chain-stores** ['tʃeinstɔːz] *n pl* амер. однотипные магазины одной фирмы.

**chair** [tʃeə] *n* 1) стул; to take a ~ садиться; 2) кафедра; профессура; 3) председательское место; *амер.* председатель (*собрания*); to address the ~ обращаться к председателю собрания; ~!, ~! к порядку!; to take the ~ стать председателем собрания; открыть собрание *или* заседание; to be (*или* to sit) in the ~ председательствовать; to leave the ~ закрыть собрание; 4) *амер.* электрический стул; to go to the ~ быть казнённым на электрическом стуле; 5) *амер.* место свидетеля в суде; 6) *уст.* портшез; 7) ж.-д. рельсовая подушка; ◇ ~ days старость;
2. *v* 1) возводить в должность; 2) поднимать и нести на стуле (*торжествуя одержанную победу*).

**chair-bed** ['tʃeə'bed] *n* кресло-кровать.

**chair-car** ['tʃeə'kɑː] *n* амер. ж.-д. салон-вагон.

**chairman** ['tʃeəmən] *n* 1) председатель;
2) *уст.* носильщик портшеза.

**chairmanship** ['tʃeəmənʃip] *n* обязанности председателя.

**chair warmer** ['tʃeə,wɔːmə] *n* амер. *sl.* ленивец, бездельник.

**chairwoman** ['tʃeə,wumən] *n* председательница.

**chaise** [ʃeiz] *фр. n* 1) фаэтон; 2) почтовая карета.

**chalcedony** [kæl'sedəni] *n* мин. халцедон.

**chalcography** [kæl'kɔgrəfi] *n* гравирование на меди.

**Chaldean** [kæl'diːən] 1. *a* халдейский; древневавилонский;
2. *n* 1) халдей; 2) халдейский язык; 3) *уст.* астролог.

**chaldron** ['tʃɔːldrən] *n* мера угля (= *1,66 м³*).

**chalet** ['ʃælei] *фр. n* 1) шале, сельский домик (*в Швейцарии*); 2) дача в швейцарском стиле; 3) уличная уборная.

**chalice** ['tʃælis] *n* 1) *поэт* чаша, кубок;
2) *церк.* потир; 3) *бот.* чашечка (*цветка*).

**chalk** [tʃɔːk] 1. *n* 1) мел; 2) мелок (*для рисования, записи*); 3) кредит, долг; 4) счёт (*в игре*); 5) *sl.* шрам; царапина; ◇ as like as ~ and cheese ≅ похоже, как гвоздь на панихиду; ничего общего; not to know ~ from cheese не разбираться в простых вещах; абсолютно ничего не понимать в каком-л. вопросе; ~s away, by a long ~, by long ~s (на)много, значительно, гораздо; not by a long ~ отнюдь нет; далеко не; ни в коем случае; to walk the ~ а) пройти прямо по проведённой мелом черте (*в доказательство своей трезвости*); б) вести себя безупречно; to walk (*или* to stump) one's ~s *sl.* убраться, удрать;
2. *v* 1) писать, рисовать *или* натирать мелом; 2) удобрять известью; ◇ ~ out а) набрасывать; б) намечать (*для выполнения*); в) записывать (*долг*).

**chalk-stone** ['tʃɔːkstoun] *n* 1) известняк;
2) *pl мед.* подагрические утолщения на суставах.

**chalky** ['tʃɔːki] *a* 1) меловой; известковый; 2) *мед.* подагрический.

**challenge** ['tʃælindʒ] 1. *n* 1) вызов (*на состязание, дуэль и т. п.*); 2) оклик (*часового*); 3) мор. опознавательные (*сигнал*); 4) юр. отвод (*присяжных*); peremptory ~ отвод без указания причины (*в уголовных делах*);
2. *v* 1) вызывать, бросать вызов; to ~ to socialist emulation вызвать на социалистическое соревнование; 2) сомневаться, отрицать; the teacher ~d my knowledge учитель усомнился в моих знаниях; 3) оспаривать; подвергать сомнению; to ~ the accuracy of a statement оспаривать правильность утверждения; 4) требовать (*внимания, уважения и т. п.*); 5) окликать (*о часовом*) спрашивать пароль, пропуск; 6) мор. показывать опознавательные; 7) юр. давать отвод присяжным.

**challenger** ['tʃælindʒə] *n* 1) посылающий вызов; 2) претендент; 3) возражающий против чего-л., оспаривающий что-л.

**chalybeate** [kəˈlɪbɪɪt] *a* желе́зистый (*об источнике*).

**cham** [kæm] *n* 1) *уст.* хан (*только в выражении*: the Great C. of Tartary); 2) дикта́тор; the Great C. of Literature *прозвище английского писателя и критика XVIII в. С. Джонсона.*

**chamber** [ˈtʃeɪmbə] 1. *n* 1) ко́мната (*гл. обр.* спа́льня); 2) *pl* холоста́я меблиро́ванная кварти́ра; 3) *pl* конто́ра адвока́та; ка́мера судьи́; 4) пала́та (*парламента*); Lower C. ни́жняя пала́та; Star C. *ист.* Звёздная пала́та; C. of Commerce торго́вая пала́та; 5) *тех.* ка́мера; 6) *воен.* патро́нник; ка́мора; 7) *горн.* простре́л; 8) = chamber-pot; 2. *a* 1) ка́мерный; ~ concert ка́мерный концéрт; ~ music ка́мерная му́зыка; 2) *юр.*: ~ counsel юри́ст, даю́щий совéты в своéй конто́ре, но не выступа́ющий в судé; ~ practice юриди́ческая консульта́ция; 3. *v* 1) заключа́ть в ка́меру; 2) рассвéрливать, высвéрливать; 3) *горн.* расширя́ть дно сква́жины.

**chamberlain** [ˈtʃeɪmbəlɪn] *n* управля́ющий дворо́м короля́, камергéр.

**chamber-maid** [ˈtʃeɪmbəmeɪd] *n* го́рничная в гости́нице; *амер. тж.* го́рничная в ча́стном до́ме.

**chamber-pot** [ˈtʃeɪmbəpɔt] *n* ночно́й горшо́к.

**chameleon** [kəˈmiːljən] *n* хамелео́н.

**chamfer** [ˈtʃæmfə] 1. *n* 1) жёлоб; вы́емка; hollow ~ *стр.* га́лтель; 2) *тех.* ско́шенная кро́мка; фа́ска; 2. *v* 1) вынима́ть пазы́; 2) ска́шивать, стёсывать о́стрые углы́ (*ребра, кромки и т. п.*).

**chamois** [ˈʃæmwɑ] *фр.* 1. *n* 1) *зоол.* сéрна; 2) [*тж.* ˈʃæmɪ] за́мша; 2. *v* протира́ть за́мшей.

**champ** [tʃæmp] 1. *n* ча́вканье; 2. *v* 1) ча́вкать; жева́ть; 2) грызть удила́.

**champagne** [ʃæmˈpeɪn] *фр. n* шампа́нское.

**champaign** [ˈtʃæmpeɪn] *n* равни́на, откры́тое по́ле.

**champerty** [ˈtʃæmpəːtɪ] *n* (запрещённый зако́ном) догово́р с одно́й из тя́жущихся сторо́н, по кото́рому догова́ривающийся (champertor) упла́чивает судéбные издéржки, а в слу́чае вы́игрыша дéла получа́ет часть исково́й су́ммы.

**champignon** [tʃæmˈpɪnjən] *фр. n* шампиньо́н (*гриб*).

**champion** [ˈtʃæmpjən] 1. *n* 1) борéц; атлéт; 2) побо́рник, защи́тник; ~s of peace борцы́ за мир; 3) чемпио́н, победи́тель; 4) получи́вший приз (*о людях, животных, растениях*); 2. *a разг.* первокла́ссный; ~ chess-player первокла́ссный шахмати́ст; 3. *v* защища́ть; боро́ться за что-л.; to ~ a cause боро́ться за како́е-л. дéло.

**championship** [ˈtʃæmpjənʃɪp] *n* 1) *спорт.* пéрвенство, чемпиона́т; world ~ пéрвенство ми́ра; 2) зва́ние чемпио́на; 3) побо́рничество; защи́та (*кого-л. или чего-л.*).

**champlevé** [ˌʃæmpləˈveɪ] *фр. n иск.* вы́емчатая эма́ль.

**chance** [tʃɑːns] 1. *n* 1) слу́чай; случа́йность; by ~ случа́йно; on the ~ в слу́чае; 2) риск; games of ~ аза́ртные и́гры; 3) судьба́; уда́ча, сча́стье; 4) возмо́жность; вероя́тность; шанс; theory of ~s *мат.* теóрия вероя́тности; give me a (*или* another) ~! отпусти́те, прости́те меня́ на э́тот раз!; to stand a good ~ имéть хоро́шие ша́нсы; to take one's (*или* a) ~ (of) реши́ться (на *что-л.*); рискну́ть; ◇ to have an eye to the main ~ преслéдовать ли́чные (*особ.* коры́стные) цéли; 2. *a* случа́йный; 3. *v* 1) случа́ться; I ~d to be at home я случа́йно был до́ма; 2) рискну́ть; let's ~ it рискнём; □ ~ upon случа́йно наткну́ться, найти́.

**chance-comer** [ˈtʃɑːnsˈkʌmə] *n* случа́йный *или* неожи́данный посети́тель.

**chanceful** [ˈtʃɑːnsful] *a* риско́ванный, опа́сный.

**chancel** [ˈtʃɑːnsəl] *n* алта́рь.

**chancellery** [ˈtʃɑːnsələrɪ] *n* 1) зва́ние ка́нцлера; 2) канцеля́рия (*посольства, консульства*).

**chancellor** [ˈtʃɑːnsələ] *n* 1) ка́нцлер; C. of the Exchequer ка́нцлер казначéйства (*министр финансов Англии*); Lord (High) C. лорд-ка́нцлер (*глава судéбного ведомства и верховный судья Англии, председатель палаты лордов и одного из отделéний верховного суда*); 2) пéрвый секрета́рь посо́льства; 3) номина́льный прези́дент университéта (*в США действи́тельный*); 4) *шотл.* старшина́ прися́жных заседа́телей.

**chancellory** [ˈtʃɑːnsələrɪ] = chancellery.

**chance-medley** [ˈtʃɑːnsˌmedlɪ] *n юр.* непредумы́шленное уби́йство, несча́стная случа́йность.

**chancery** [ˈtʃɑːnsərɪ] *n* 1) (C.) суд лóрда-ка́нцлера; in ~ а) *юр.* на рассмотрéнии в судé лóрда-ка́нцлера; б) *спорт.* положéние, когда́ голова́ боксёра зажа́та под лéвой руко́й проти́вника; в) в безвы́ходном положéнии; в пéтле; 2) *амер.* суд сóвести; 3) архи́в.

**chancre** [ˈʃæŋkə] *n мед.* твёрдый шанкр, я́зва (*тж.* indurated ~).

**chancroid** [ˈʃæŋkrɔɪd] *n мед.* мя́гкий шанкр.

**chancy** [ˈtʃɑːnsɪ] *a* 1) риско́ванный; 2) неопределённый; 3) *разг.* счастли́вый, уда́чный.

**chandelier** [ˌʃændɪˈlɪə] *n* канделя́бр; лю́стра.

**chandler** [ˈtʃɑːndlə] *n* 1) свечно́й фабрика́нт; 2) торго́вец свеча́ми; ла́вочник, мелочно́й торго́вец.

**chandlery** [ˈtʃɑːndlərɪ] *n* 1) склад свечéй; 2) мелочно́й това́р.

**change** [tʃeɪndʒ] 1. *n* 1) перемéна; изменéние; ~ of air а) перемéна обстано́вки; б) *тех.* обмéн во́здуха; ~ of life *мед.* климактéрий; 2) замéна; 3) разнообра́зие; for a ~ для разнообра́зия; 4) смéна (*белья, платья*); 5) сда́ча; мéлкие дéньги, мéлочь; small ~ а) мéлкие дéньги, мéлочь; б) что-л. мéлкое, незначи́тельное; 6) переса́дка (*на* железной дороге, трамвае); по ~ for Oxford в Óксфорд без пересáдки; 7) нóвая фáза луны, новолýние; 8) *(обыкн. pl)* трезвóн, перезвóн колоколóв; 9): 'Change *(сокр. от* Exchange) лóндонская биржа; 10) *attr.*: ~ gear *тех.* механизм переме́ны скоростéй; ◇ to get no ~ out of smb. *разг.* ничегó не добиться от когó-л.; to ring the ~s (on) повторять, твердить на все лады однó и то же; to take the ~ on smb. *разг.* обманýть когó-л.; to take the ~ out of a person *разг.* отомстить комý-л.;

2. *v* 1) обменивать(ся); 2) менять(ся), изменять(ся); сменять, заменять; times ~ временá меняются; to ~ colour покраснéть *или* побледнéть; to ~ countenance измениться в лице; to ~ one's mind передýмать, изменить решéние; to ~ hands переходить из рук в рýки; переходить к другóму владéльцу; to ~ sides перейти на другýю стóрону *(в политике, в спóре и т. п.)*; 3) разменять; 4) переодевáться; 5) дéлать пересáдку, пересáживаться *(на другóй пóезд, трамвáй и т. п.)*; all ~! пересáдка!; 6) скисáться, прокисáть; ◇ to ~ one's note *(или* one's tune) переменить тон, заговорить по-инóму; to ~ horses in the midstream производить крýпные переме́ны в критический *или* опáсный момéнт.

**changeability** [ˌtʃeɪndʒəˈbɪlɪtɪ] *n* переме́нчивость, изме́нчивость; непостоя́нство.

**changeable** [ˈtʃeɪndʒəbl] *a* 1) непостоянный, изме́нчивый; неустóйчивый; 2) поддаю́щийся измене́нию.

**changeful** [ˈtʃeɪndʒful] *a* 1) пóлный переме́н; 2)=changeable 1).

**changeless** [ˈtʃeɪndʒlɪs] *a* неизме́нный, постоянный.

**changeling** [ˈtʃeɪndʒlɪŋ] *n* какáя-л. вещь *или* ребёнок, оставляемый эльфами взамéн похищенного *(в скáзках).*

**change-over** [ˈtʃeɪndʒˈouvə] *n* 1) переключе́ние; перенастрóйка; 2) измене́ние; перестрóйка; ~ in editors смéна редáкторов.

**channel** [ˈtʃænl] **1.** *n* 1) пролив; the English C. Ла-Мáнш; 2) канáл; рýсло; фарвáтер; протóк; 3) сток; стóчная канáва; 4) путь; истóчник; the information was received through the usual ~s информáция былá полýчена обычным путём; 5) *тех.* жёлоб; вы́емка; паз, шпунт; швéллер; 6) *рáдио* звуковóй тракт;

2. *v* 1) проводить канáл; рыть канáву; пускáть по канáлу; the river has ~led its way through the rocks рекá проложила себé путь в скáлах; 2) *стр.* дéлать вы́емки *или* пазы; калевáть; □ ~ off расходиться *(в рáзных направлéниях);* растекáться.

**chanson** [ʃɑ̃ːˈsɔ̃] *фр. n* пéсня.

**chant** [tʃɑːnt] **1.** *n* 1) *поэт.* песнь; 2) *церк.* монотóнное песнопéние; пéние псалмá;

2. *v* 1) *поэт.* петь; 2) воспевáть; to ~ the praises of smb. восхвалять *или* расхвáливать когó-л.; 3) рассказывать *или* петь монотóнно; говорить нараспéв; 4) расхвáливать при продáже лóшадь, скрывáя её недостáтки; барышничать.

**chantage** [ʃɑ̃ːŋˈtɑːʒ] *фр. n* шантáж.

**chanter** [ˈtʃɑːntə] *n* 1) рéгент церкóвного хóра; 2) трýбка волы́нки, исполняющая мелóдию; 3) лошадиный барышник; 4) завирýшка *(леснáя птица).*

**chanterelle** [ˌtʃɑːntəˈrel] *фр. n* лисичка *(гриб).*

**chantey** [ˈʃɑːntɪ] *n* хоровáя матрóсская пéсня *(котóрую поют при подъёме тяжестéй и т. п.).*

**chanticleer** [ˌtʃæntɪˈklɪə] *фр. n* шантеклéр *(петýх).*

**chantress** [ˈtʃɑːntrɪs] *n уст., поэт.* певица.

**chantry** [ˈtʃɑːntrɪ] *n церк.* 1) вклад, остáвленный на отправлéние заупокóйных месс *(по завещáтеле);* 2) часóвня.

**chanty** [ˈʃɑːntɪ] *n* = chantey.

**chaos** [ˈkeɪɔs] *n* хáос; пóлный беспорядок.

**chaotic** [keɪˈɔtɪk] *a* хаотический.

**chap I** [tʃæp] *n разг.* мáлый, пáрень; merry ~ весельчáк; nice ~ слáвный мáлый; old ~ старинá, приятель.

**chap II** [tʃæp] **1.** *n* щель, трéщина; 2. *v* 1) производить трéщину; cold weather ~s the skin кóжа трéскается от хóлода; 2) трéскаться *(особ. о рукáх на морóзе);* 3) толóчь, измельчáть.

**chap III** [tʃæp] *n (обыкн. pl)* 1) чéлюсть *(преим. у живóтных, шутл. у человéка, тогдá чáще chop);* 2) щекá.

**chaparajos** [ˌtʃɑːpɑːˈrɑːhous] *n pl исп.-ам.* кóжаные *или* меховы́е штаны́ ковбóев.

**chaparral** [ˌtʃæpəˈræl] *n амер.* 1) зáросль вечнозелёного кáрликового дýба; 2) колючий кустáрник.

**chap-book** [ˈtʃæpbuk] *n* дешёвое издáние нарóдных скáзок, предáний, баллáд.

**chape** [tʃeɪp] *n* окóвка нóжен.

**chapel** [ˈtʃæpl] *n* 1) часóвня; цéрковь *(тюрéмная, полковáя, домóвая и т. п.);* 2) капéлла; неангликáнская цéрковь; 3) пéвческая капéлла *(обыкн. придвóрная);* 4) типогрáфия; коллектив *или* собрáние типогрáфских рабóчих; to call a ~ созвáть коллектив типогрáфии на собрáние; 5) *attr.*: ~ folk нонконформисты.

**chaperon** [ˈʃæpəroun] **1.** *n* пожилáя дáма, сопровождáющая молодýю дéвушку на балы́ и пр.; компаньóнка.

2. *v* сопровождáть *(молодýю дéвушку).*

**chap-fallen** [ˈtʃæpˌfɔːlən] *a* 1) с отвислой чéлюстью; 2) уны́лый, удручённый.

**chapiter** [ˈtʃæpɪtə] *n архит.* капитéль колóнны.

**chaplain** [ˈtʃæplɪn] *n* 1) капеллáн; 2) свяще́нник.

**chaplet** [ˈtʃæplɪt] *n* 1) венóк, гирлянда, лéнта *(на голове);* 2) чётки; 3) бýсы; ожерéлье; 4) *метáл.* жеребéйка.

**chapman** [ˈtʃæpmən] *n уст.* странствующий торгóвец; коробéйник.

**chappie** [ˈtʃæpɪ] *n разг.* свéтский человéк, щёголь.

**chappy I** [ˈtʃæpɪ] *a* потрéскавшийся.

**chappy II** [ˈtʃæpɪ] *n* = chappie.

**chaps** [tʃæps] *сокр. разг. от* chaparajos.

**chapter** [ˈtʃæptə] *n* 1) главá *(книги);* to the end of the ~ до концá главы́; *перен.* до сáмого концá; ~ and verse главá и стих библии; *перен.* тóчная ссы́лка на истóчник;

2) тема, сюжет; enough on that ~ довольно об этом; 3) собрание канопиков *или* членов монашеского *или* рыцарского ордена; ◇ the ~ of accidents непредвиденное стечение обстоятельств; the ~ of possibilities возможный ход событий;

2. *v* 1) разбивать книгу на главы; 2) пробирать, бранить.

**char I** [ʧɑ:] **1.** *n редк.* 1) (*обыкн. pl*) случайная, подённая работа; 2) *pl* домашняя работа; 3) *сокр. от* charwoman;

2. *v* выполнять подённую работу; чистить, убирать (*дом*).

**char II** [ʧɑ:] **1.** *n* 1) что-л. обуглившееся; 2) *редк.* древесный уголь;

2. *v* обжигать; обугливать(ся).

**char III** [ʧɑ:] *n* 1) голец (*рыба*); 2) *амер.* ручьевая форель, пеструшка.

**char-à-banc(s)** [ˈʃærəbæŋ(z)] *фр. n* 1) шарабан; 2) автомобиль (*для экскурсий*).

**character** [ˈkærɪktə] **1.** *n* 1) характер; a man of ~ человек с (сильным) характером; a man of no ~ слабый, бесхарактерный человек; 2) репутация; 3) письменная рекомендация, характеристика; 4) фигура, личность; a public ~ общественный деятель; a bad ~ тёмная личность; 5) *лит.* образ, герой; тип; роль, действующее лицо (*в драме*); 6) *разг.* оригинал, чудак; quite a ~ оригинальный человек; 7) характерная особенность; отличительный признак; innate ~s *биол.* наследственные признаки; acquired ~ *биол.* благоприобретённый отличительный признак организма (*в отличие от наследственного*); 8) качество, свойство; 9) буква; литера; иероглиф; цифра; алфавит; письмо; Chinese ~s китайские иероглифы; Runic ~ руническое письмо; 10) *attr.* характерный; ~ actor актёр на характерных ролях; ◇ to be in ~ (with) соответствовать; to be out of ~ не соответствовать;

2. *v* 1) запечатлевать; 2) *уст.* характеризовать.

**characteristic** [ˌkærɪktəˈrɪstɪk] **1.** *a* характерный; типичный (of);

2. *n* 1) характерная черта; особенность, свойство; 2) *мат.* характеристика (*логарифма*).

**characterization** [ˌkærɪktəraɪˈzeɪʃn] *n* 1) характеристика; 2) *лит.* искусство создания характеров.

**characterize** [ˈkærɪktəraɪz] *v* 1) характеризовать, изображать; 2) отличать; служить отличительным признаком.

**characterless** [ˈkærɪktəlɪs] *a* 1) слабый, бесхарактерный; 2) не имеющий рекомендации.

**charade** [ʃəˈrɑːd] *n* шарада.

**charcoal** [ˈʧɑːkoul] **1.** *n* 1) древесный уголь; 2) рашкуль, угольный карандаш; 3) рисунок углём;

2. *v* отмечать, рисовать углём.

**charcoal-burner** [ˈʧɑːkoulˌbəːnə] *n* угольщик.

**chare** [ʧɛə] = char I.

**charge** [ʧɑʤ] **1.** *n* 1) заряд; 2) нагрузка, загрузка; бремя; 3) забота, попечение; надзор; хранение; children in ~ of a nurse дети, порученные няне; a nurse in ~ of

children няня, которой поручена забота о детях; this is left in my ~ and is not my own это оставлено мне на хранение, но это не моё; to give smb. in ~ передать кого-л. в руки полиции; 4) лицо, состоящее на попечении; her little ~s её маленькие питомцы; young ~s дети, находящиеся на чьём-л. попечении; 5) обязанности; ответственность; I am in ~ of this department этот отдел подчинён мне, я заведую этим отделом; to be in ~ *воен.* быть за старшего, командовать; 6) предписание; поручение; требование; 7) цена; *pl* расходы, издержки; at his own ~ на его собственный счёт; free of ~ бесплатно; ~s forward доставка за счёт покупателя; 8) занесение на счёт; 9) налог; 10) обвинение; to lay to smb.'s ~ обвинять кого-л.; 11) *юр.* речь судьи к присяжным; 12) *церк.* послание епископа к пастве; 13) *церк.* паства; 14) *метал.* загрузка, шихта; 15) *воен.* нападение, атака (*тж. перен. — в разговоре, споре*); сигнал к атаке; to return to the ~ возобновить атаку;

2. *v* 1) заряжать (*оружие; аккумулятор*); 2) нагружать; загружать; обременять. (*память*); насыщать; наполнять (*стакан вином при тосте*); 3) поручать, вверять; to ~ with an important mission давать важное поручение; to ~ oneself with smth. взять на себя заботу о чём-л., ответственность за что-л.; 4) назначать цену, просить (for — за что-л.); they ~d us ten dollars for it они взяли с нас за это десять долларов; what do you ~ for it? сколько вы просите за это?, сколько это стоит?; 5) записывать в долг; 6) обвинять; to ~ with murder обвинять в убийстве; 7) предписывать; требовать (*особ. о судье, епископе*); I ~ you to obey я требую, чтобы вы повиновались; 8) *юр.* напутствовать присяжных (*о судье*); 9) *воен.* атаковать (*особ. в конном строю*).

**chargeable** [ˈʧɑːʤəbl] *a* 1) заслуживающий упрёка, обвинения (with—в *чём-л.*); 2) ответственный; 3) относимый за чей-л. счёт; this is ~ to the account of... это следует отнести на счёт...; 4) подлежащий обложению, оплате.

**chargé d'affaires** [ˈʃɑːʒeɪdæˈfɛə] *фр. n* (*pl* chargés d'affaires [-dæˈfɛəz]) поверенный в делах.

**charger** [ˈʧɑːʤə] *n* 1) тот, кто нагружает; 2) заряжающий; 3) обвинитель; 4) *воен.* патронная обойма; 5) *воен.* строевая лошадь, боевой конь; 6) *уст.* большое плоское блюдо; 7) *метал.* садочная машина, шаржирмашина.

**charge-sheet** [ˈʧɑːʤʃiːt] *n юр.* список арестованных с указанием их проступков, находящийся в полицейском участке.

**chariness** [ˈʧɛərɪnɪs] *n* осторожность; заботливость; бережливость.

**chariot** [ˈʧærɪət] *поэт., ист.* **1.** *n* колесница;

2. *v* 1) везти в колеснице; 2) ехать в колеснице.

**charioteer** [ˌʧærɪəˈtɪə] **1.** *n* 1) *уст.* возница; 2) (C.) Возничий (*созвездие*);

2. *v* везти в колеснице.

**charitable** ['tʃærɪtəbl] *a* 1) благотвори́тельный; 2) милосе́рдный; ще́дрый.

**charity** ['tʃærɪtɪ] *n* 1) милосе́рдие; 2) благотвори́тельность, ми́лостыня; 3) *pl* благотвори́тельные учрежде́ния *или* дела́; ◇ ~ begins at home ≅ своя́ руба́шка бли́же к те́лу.

**charity-school** ['tʃærɪtɪˌskuːl] *n* шко́ла для бе́дных дете́й (*которая содержится на благотворительные средства*).

**charivari** ['ʃɑːrɪˈvɑːrɪ] *фр. n* шум, гам, коша́чий конце́рт.

**charlatan** ['ʃɑːlətən] *n* шарлата́н, обма́нщик; зна́харь.

**Charles's Wain** ['tʃɑːlzɪzˈweɪn] *n* Больша́я Медве́дица (*созвездие*).

**Charleston** ['tʃɑːlstən] *n* ча́рльстон (*танец*).

**Charley I** ['tʃɑːlɪ] *n* 1) *прозвище лисы в фольклоре*; 2) *амер. воен.* бу́ква «C», тре́тий.

**Charley II** ['tʃɑːlɪ] *n разг.* 1) ночно́й сто́рож; 2) боро́дка кли́нышком.

**Charlie I, II** ['tʃɑːlɪ] = Charley I, II.

**charlock** ['tʃɑːlɔk] *n бот.* горчи́ца полева́я.

**charlotte** ['ʃɑːlət] *фр. n* шарло́тка (*сладкое блюдо*).

**charm** [tʃɑːm] 1. *n* 1) обая́ние, очарова́ние; 2) (*обыкн. pl*) ча́ры; to act like a ~ де́йствовать си́льно чу́до (*о лекарстве*); 3) амуле́т; 4) брело́к;
2. *v* 1) очаро́вывать; прельща́ть; I shall be ~ed to see you я бу́ду о́чень рад вас ви́деть; 2) заколдо́вывать; заклина́ть; ~ a secret out of smb. вы́ведать та́йну у кого́-л.; 3) успока́ивать (*боль*); 4) прируча́ть (*или* заклина́ть) (*змею*).

**charmer** ['tʃɑːmə] *n* 1) *шутл., уст.* очарова́тельный, обая́тельный челове́к (*особ. о женщине*); чароде́йка, чаровни́ца; 2) волше́бник; заклина́тель змей.

**charming** ['tʃɑːmɪŋ] 1. *pres. p. от* charm 2; 2. *a* очарова́тельный, преле́стный.

**charnel-house** ['tʃɑːnlhaus] *n* склеп.

**charpoy** ['tʃɑːpɔɪ] *n англо-инд.* лёгкая крова́ть, ко́йка.

**chart** [tʃɑːt] 1. *n* 1) морска́я ка́рта; 2) ка́рта; мерка́торская ка́рта; 3) диагра́мма, схе́ма, чертёж, табли́ца; barometric ~ метеорологи́ческая табли́ца; 4) *attr.:* ~ room *мор.* штурма́нская ру́бка.
2. *v* наноси́ть на ка́рту; черти́ть ка́рту.

**charter** ['tʃɑːtə] 1. *n* 1) ха́ртия, гра́мота; The Great C. *ист.* Вели́кая ха́ртия во́льностей (*1215 г.*); The People's C. програ́мма чарти́стов (*1838 г.*); 2) пра́во, привиле́гия; 3) уста́в; 4) = charter-party; time ~ тайм-ча́ртер, догово́р на фрахтова́ние су́дна на определённый рейс; 5) сда́ча напрока́т (*автомобиля и т. п.*); 6) *attr.:* ~ member *амер.* оди́н из основа́телей како́й-л. организа́ции;
2. *v* 1) дарова́ть привиле́гию; 2) фрахтова́ть (*судно*); 3) *разг.* зака́зывать, нанима́ть.

**chartered** ['tʃɑːtəd] 1. *p. p. от* charter 2; 2. *a* 1) привилегиро́ванный; ~ accountant прися́жный бухга́лтер; 2) зафрахто́ванный; 3) *разг.* зака́занный.

**charterer** ['tʃɑːtərə] *n* фрахтова́тель; фрахто́вщик.

**Charterhouse** ['tʃɑːtəhaus] *n* дом для престаре́лых пенсионе́ров (*в Лондоне*).

**charter-party** ['tʃɑːtəˌpɑːtɪ] *n мор., ком.* фра́хтовый контра́кт, ча́ртер-па́ртия.

**chartism** ['tʃɑːtɪzəm] *n ист.* чарти́зм.

**chartist** ['tʃɑːtɪst] *n ист.* чарти́ст.

**chartreuse** [ʃɑːˈtrɜːz] *фр. n* 1) картезиа́нский монасты́рь; 2) ликёр шартре́з.

**charwoman** ['tʃɑːˌwumən] *n* подёнщица для дома́шней рабо́ты; убо́рщица.

**chary** ['tʃɛərɪ] *a* 1) осторо́жный; to be ~ of giving offence стара́ться не оби́деть; 2) сде́ржанный, скупо́й (of—на *слова и т. п.*).

**chase I** [tʃeɪs] 1. *n* 1) охо́та; ме́сто охо́ты; уча́стники охо́ты; 2) пресле́дование, пого́ня; *разг.* слёжка, тра́вля; to give ~ гна́ться, пресле́довать; in ~ of в пого́не за; 3) живо́тное, пресле́дуемое охо́тником; 4) *мор.* пресле́дуемый кора́бль; 5) террито́рия для охо́ты;
2. *v* 1) охо́титься; 2) гна́ться, пресле́довать; 3) прогоня́ть; *перен.* рассе́ивать, разгоня́ть; to ~ all fear отбро́сить вся́кий страх; 4) *разг.* запи́ть водо́й (*коньяк, спирт и т. п.*); ◇ go ~ yourself! *амер.* убира́йтесь вон!

**chase II** [tʃeɪs] 1. *n* 1) *воен.* ду́льная часть ору́дия; 2) *тех.* фальц; 3) *полигр.* ра́ма; 4) опра́ва (*драгоценного камня*);
2. *v* 1) нареза́ть (*винт*); 2) гравирова́ть (*орнамент*); 3) запечатлева́ть; the sight is ~d on my memory э́то зре́лище запечатле́лось в мое́й па́мяти.

**chaser I** ['tʃeɪsə] *n* 1) пресле́дователь; 2) *ав.* истреби́тель; 3) *мор.* морско́й охо́тник; 4) *мор.* судово́е ору́дие; 5)=chasse I; 6) *разг.* глото́к воды́ по́сле спиртно́го.

**chaser II** ['tʃeɪsə] *n* 1) гравёр (*по металлу*); чека́нщик; 2) *тех.* винторе́зная гребёнка; винторе́зная пла́шка, резьбово́й резе́ц; 3) *тех.* наре́зчик; 4) *горн.* бегу́н.

**chasing I** ['tʃeɪsɪŋ] 1. *pres. p. от* chase I, 2; 2. *n* пресле́дование, пого́ня.

**chasing II** ['tʃeɪsɪŋ] 1. *pres. p. от* chase II, 2; 2. *n* резна́я рабо́та.

**chasm** ['kæzəm] *n* 1) глубо́кая рассе́лина; глубо́кое уще́лье; 2) бе́здна, про́пасть; 3) пробе́л, разры́в; 4) глубо́кое расхожде́ние в мне́ниях, вку́сах и взгля́дах.

**chasse** [ʃɑːs] *фр. n разг.* рю́мка ликёра по́сле ко́фе.

**chasse II** [ʃɑːs] *фр. n церк.* ра́ка (с мо́щами).

**chassis** ['ʃæsɪ] *n* (*pl* chassis ['ʃæsɪz]) *тех.* шасси́; ра́ма, ходовы́е ча́сти.

**chaste** [tʃeɪst] *a* 1) целому́дренный; 2) стро́гий, чи́стый (*о стиле*); 3) просто́й.

**chasten** ['tʃeɪsn] *v* 1) кара́ть; 2) сде́рживать, дисциплини́ровать; 3) очища́ть (*литературный стиль*).

**chastise** [tʃæsˈtaɪz] *v* 1) подверга́ть наказа́нию (*особ. телесному*); 2) де́лать стро́гий вы́говор.

**chastisement** ['tʃæstɪzmənt] *n* дисциплина́рное взыска́ние; наказа́ние.

**chastity** ['tʃæstɪtɪ] *n* 1) возде́ржанность; 2) целому́дрие, де́вственность; 3) стро́гость, чистота́ (*стиля*).

**chasuble** [ˈtʃæzjubl] *n* церк. ри́за.

**chat I** [tʃæt] **1.** *n* дру́жеский разгово́р; бесе́да; болтовня́; let's have a ~ поболта́ем; **2.** *v* непринуждённо болта́ть.

**chat II** [tʃæt] *n* чека́н (*птица*).

**château** [ˈʃɑːtou] *фр. n* (*pl* châteaux) за́мок, дворе́ц.

**châteaux** [ˈʃɑːtouz] *pl om* château.

**châtelaine** [ˈʃætəleɪn] *фр. n* 1) хозя́йка за́мка; хозя́йка до́ма; 2) цепо́чка на по́ясе у же́нщины, на кото́рой но́сят ключи́, кошелёк *и т. п.*

**chatoyant** [ʃəˈtɔɪənt] *фр. a* переливчатый.

**chattel** [ˈtʃætl] *n* (*обыкн. pl*) 1) дви́жимое иму́щество (*тж.* ~s personal); ~s real недви́жимое иму́щество; goods and ~s всё иму́щество; пожи́тки; 2) *attr.*: ~ slavery system систе́ма ра́бского труда́.

**chatter** [ˈtʃætə] **1.** *n* 1) болтовня́; 2) щебета́ние; 3) журча́ние; 4) дребезжа́ние; **2.** *v* 1) болта́ть; 2) разба́лтывать (*секрет*); 3) щебета́ть; стрекота́ть (*особ. о соро́ках*); ~ like a magpie треща́ть как соро́ка; 4) журча́ть; 5) дребезжа́ть; 6) стуча́ть (*зуба́ми*); 7) дрожа́ть, вибри́ровать.

**chatterbox** [ˈtʃætəbɔks] *n* 1) болту́н(ья), пустоме́ля; 2) *амер. воен. sl.* пулемёт.

**chatterer** [ˈtʃætərə] *n* болту́н(ья).

**chatty I** [ˈtʃætɪ] *a* 1) болтли́вый; 2) *воен. sl.* вши́вый; 3) *мор. sl.* гря́зный и неря́шливый.

**chatty II** [ˈtʃætɪ] *n* англо-инд. гли́няный кувши́н.

**Chaucerian** [tʃɔːˈsɪərɪən] *a* чо́серовский.

**chauffer** [ˈtʃɔːfə] *n* небольша́я перено́сная желе́зная печь.

**chauffeur** [ˈʃoufə] *фр. n* шофёр, води́тель.

**chauvinism** [ˈʃouvɪnɪzəm] *n* шовини́зм.

**chauvinist** [ˈʃouvɪnɪst] *n* шовини́ст.

**chaw** [tʃɔː] *v груб.* жева́ть; ча́вкать; ☐ ~ up разби́ть на́голову (*врага́, проти́вника в игре́*); разби́ть вдре́безги.

**chaw-bacon** [ˈtʃɔːˌbeɪkən] *n* неотёсанный, неуклю́жий па́рень, рази́ня.

**cheap** [tʃiːp] **1.** *a* 1) дешёвый; обесце́ненный (*о валю́те*); ~ trip экску́рсия, путеше́ствие по льго́тному тари́фу; dirt ~ о́чень дешёвый; 2) плохо́й; 3) *predic.*: to feel ~ пло́хо себя́ чу́вствовать; быть не в ду́хе; чу́вствовать себя́ нело́вко, не в свое́й таре́лке; to hold smth. ~ ни в грош не ста́вить; to make oneself ~ вести́ себя́ недосто́йно; позволя́ть во́льности по отноше́нию к себе́; **2.** *adv* дёшево; to get off ~ (*или* cheaply) дёшево отде́латься; ~ and nasty дёшево да гни́ло; **3.** *n*: on the ~ *разг.* по недорого́й цене́, по дешёвке.

**cheapen** [ˈtʃiːpən] *v* 1) дешеве́ть; 2) снижа́ть це́ну; 3) *уст.* торгова́ться.

**Cheap Jack** [ˈtʃiːpdʒæk] *n* стра́нствующий разно́счик, торгу́ющий дешёвыми това́рами (*тж.* Cheap John).

**cheaply** [ˈtʃiːplɪ] *adv* 1) дёшево; 2) легко́.

**cheat** [tʃiːt] **1.** *n* 1) моше́нничество; обма́н; 2) обма́нщик, плут; ◇ topping ~ *sl.* ви́селица;

**2.** *v* 1) моше́нничать; обма́нывать; he ~ed me (out) of five dollars он наду́л меня́ на пять до́лларов; to ~ on smb. вести́ себя́ нече́стно по отноше́нию к кому́-л. (*дру́гу, партнёру, му́жу и т. п.*); 2) избежа́ть (*чего́-л.*); to ~ the gallows избежа́ть ви́селицы; 3) занима́ть (*чем-л.*); to ~ time корота́ть вре́мя; to ~ the journey корота́ть вре́мя в пути́.

**check** [tʃek] **1.** *n* 1) препя́тствие; остано́вка; заде́ржка; 2) *шахм.* шах; 3) поте́ря охо́тничьей соба́кой следа́; 4) контро́ль, прове́рка; loyalty ~ прове́рка лоя́льности (*в США*); 5) контро́льный ште́мпель; га́лочка (*значо́к*); 6) ярлы́к; бага́жная квита́нция; 7) номеро́к (*в раздева́льне*); 8) контрама́рка; корешо́к; 9) *амер.* чек [*см. тж.* cheque]; 10) *амер.* фи́шка, ма́рка (*в карт. игре́*); 11) кле́тка (*на мате́рии*); кле́тчатая ткань; 12) тре́щина, щель (*в де́реве*); 13) *attr.* контро́льный; ~ experiment контро́льный о́пыт; 14) *attr.* кле́тчатый; ◇ to keep (*или* to hold) in ~ сде́рживать; to cash (*или* to hand in, to pass in) one's ~s умере́ть;

**2.** *v* 1) остана́вливать(ся); сде́рживать; препя́тствовать; 2) *шахм.* объявля́ть шах; 3) располага́ть в ша́хматном поря́дке; 4) проверя́ть, контроли́ровать; 5) *воен.* объявля́ть вы́говор; 6) *амер.* выпи́сывать чек (upon — на чьё-л. и́мя; for — на су́мму); ☐ ~ in сдава́ть под распи́ску; регистри́ровать(ся), запи́сывать(ся); ~ out *амер.* а) отме́титься при ухо́де с рабо́ты по оконча́нии рабо́чего дня; б) уйти́ в отста́вку; в) освободи́ть но́мер в гости́нице; г) *радио* отстро́иться; ~ up проверя́ть; ~ with совпада́ть, соотве́тствовать.

**checker I** [ˈtʃekə] = chequer.

**checker II** [ˈtʃekə] *n амер. sl.* доно́счик, осведоми́тель.

**checkerboard** [ˈtʃekəbɔːd] *n* ша́хматная доска́.

**checkered** [ˈtʃekəd] *a* 1) кле́тчатый; 2) пёстрый; 3) разнообра́зный.

**checking-room** [ˈtʃekɪŋrum] = check-room.

**check-key** [ˈtʃekˌkiː] *n* ключ от англи́йского замка́.

**checkmate** [ˈtʃekˈmeɪt] **1.** *n* 1) шах и мат (*употр. тж. как int*); 2) по́лное пораже́ние; **2.** *v* 1) сде́лать шах и мат; 2) нанести́ по́лное пораже́ние; расстро́ить пла́ны; парализова́ть проти́вника.

**check-nut** [ˈtʃeknʌt] *n тех.* контрга́йка.

**check-off** [ˈtʃekˈɔːf] *n амер.* 1) удержа́ние профсою́зных чле́нских взно́сов непосре́дственно из за́работной пла́ты; 2) удержа́ние из за́работной пла́ты сто́имости поку́пок, сде́ланных в ла́вке компа́нии, кварт-пла́ты *и т. п.*; 3) *attr.*: ~ agreement соглаше́ние ме́жду профсою́зом и предпринима́телем об удержа́нии профсою́зных взно́сов из за́работной пла́ты.

**check-room** [ˈtʃekrum] *n амер.* 1) гардеро́бная; 2) ка́мера хране́ния.

**checkrow** [ˈtʃekˌrou] *n с.-х.* ша́хматный посе́в, посе́в в ша́хматном поря́дке.

**check-taker** [ˈtʃekˌteɪkə] *n* 1) *теа́тр.* биле́тёр; 2) *ж.-д.* конду́ктор.

**check-up** ['tʃek͵ʌp] *n* 1) проверка; ревизия, контроль; 2) *attr.* проверочный, ревизионный; ~ committee ревизионная комиссия.

**check-weigher** ['tʃek͵weɪə] *n тех.* контролёр, проверяющий вес.

**Cheddar** ['tʃedə] *n* чёдер (*сорт сыра*).

**cheek** [tʃiːk] 1. *n* 1) щека; 2) *разг.* наглость, самоуверенность; to have the ~ to say smth. иметь наглость сказать что-л.; 3) *тех.* бок, стойка, косяк; станина; *pl* губы тисков; 4) *геол.* бок жилы; 5) *pl мор.* чиксы (*на мачте*); ◇ ~ by jowl рядом, бок о бок; to one's own ~ всё для себя одного; with one's tongue in one's ~ неискренно; ~ brings success *посл.* ≅ смелость города берёт; 2. *v разг.* нахальничать, говорить дерзости.

**cheek-bone** ['tʃiːkboun] *n* скула.

**cheek-tooth** ['tʃiːktuːθ] *n* заднекоренной зуб.

**cheeky** ['tʃiːkɪ] *a разг.* нахальный.

**cheep** [tʃiːp] 1. *n* писк (*птенцов, мышей*); 2. *v* пищать.

**cheeper** ['tʃiːpə] *n* 1) птенец (*особ.* куропатки *или* тетерева); 2) пискун; младенец.

**cheer** [tʃɪə] 1. *n* 1) одобрительное *или* приветственное восклицание; ура!; three ~s for our visitors! да здравствуют наши гости!; words of ~ ободряющие слова; 2) *pl* аплодисменты, одобрительные возгласы; 3) настроение; to be of good (bad) ~ быть в хорошем (плохом) настроении; 4) веселье; 5) хорошее угощение; to make good ~ пировать, угощаться; 2. *v* 1) приветствовать громкими возгласами; 2) ободрять; поощрять одобрительными восклицаниями; 3) аплодировать; ▢ ~ up утешить(ся); ободрить(ся); ~ up! не унывай(те)!

**cheerful** ['tʃɪəful] *a* 1) бодрый, весёлый; 2) яркий, светлый (*о дне*).

**cheerfulness** ['tʃɪəfulnɪs] *n* бодрость, весёлость.

**cheerio** ['tʃɪərɪ'ou] *int sl.* 1) за ваше здоровье!; 2) всего хорошего!

**cheerless** ['tʃɪəlɪs] *a* унылый, мрачный, угрюмый.

**cheery** ['tʃɪərɪ] *a* весёлый, живой; радостный.

**cheese I** [tʃiːz] *n* 1) сыр; a ~ головка *или* круг сыра; Cheshire ~ честер (*сыр*); green ~ молодой сыр; ripe ~ выдержанный сыр; 2) что-л., напоминающее сыр; напр., спрессованные яблочные выжимки (*при приготовлении сидра*); 3) приседание, сделанное так, чтобы юбка образовала на полу колокол (*детская забава*); глубокий реверанс; 4) *амер. sl.* болван, тупица; ◇ big ~ *амер. sl.* важная персона, «шишка»; to get the ~ потерпеть неудачу.

**cheese II** [tʃiːz] *n*: quite the ~, that's the ~ *sl.* как раз то, что надо.

**cheese III** [tʃiːz] *v*: ~ it! *sl.* а) замолчи!, перестань!, брось!; б) беги!, удирай!

**cheese-cake** ['tʃiːzkeɪk] *n* 1) сдобная ватрушка; 2) *амер. sl.* фотография обнажённой женщины.

**cheese-cloth** ['tʃiːz͵klɔθ] *n* марля.

**cheese-mite** ['tʃiːzmaɪt] *n* сырный клещ.

**cheesemonger** ['tʃiːz͵mʌŋgə] *n* торговец молочными продуктами.

**cheese-paring** ['tʃiːz͵pɛərɪŋ] 1. *n* 1) корка сыра; 2) скупость; 3) *pl* отбросы, отходы; 2. *a* скупой.

**cheesy** ['tʃiːzɪ] *a* 1) сырный; 2) *sl.* модный, стильный.

**cheetah** ['tʃiːtə] *n зоол.* гепард.

**chef** [ʃef] *фр. n* шеф-повар, главный повар.

**chef-d'oeuvre** [ʃeɪ'dəːvr] *фр. n* (*pl* chefs-d'oeuvre) шедевр, образцовое произведение.

**chefs-d'oeuvre** [ʃeɪ'dəːvr] *pl от* chef-d'oeuvre.

**cheiromancy** ['kaɪərəmænsɪ] = chiromancy.

**cheiroptera** [kaɪ'rɔptərə] *n pl зоол.* рукокрылые.

**chela** ['kiːlə] *n* (*pl* -lae) *зоол.* клешня.

**chelae** ['kiːliː] *pl от* chela.

**chemical** ['kemɪkəl] 1. *a* химический; ~ fertilizers минеральные удобрения; ~ war gases боевые отравляющие вещества; ~ warfare химическая война; 2. *n pl* химикалии; химические препараты.

**chemise** [ʃɪ'miːz] *n* женская сорочка.

**chemisette** [͵ʃemiː'zet] *n* шемизетка.

**chemist** ['kemɪst] *n* 1) химик; 2) аптекарь; ~'s shop аптека.

**chemistry** ['kemɪstrɪ] *n* химия; agricultural ~ агрохимия; applied ~ прикладная химия.

**chemotherapy** [͵kemə'θerəpɪ] *n мед.* химиотерапия.

**chenille** [ʃə'niːl] *n* синель.

**cheque** [tʃek] 1. *n* банковый чек [*см. тж.* check 1, 9)]; to cash a ~ получить деньги по чеку; to draw a ~ выписать чек; 2. *v*: to ~ out получить по чеку.

**cheque-book** ['tʃekbuk] *n* чековая книжка.

**chequer** ['tʃekə] 1. *n* 1) *pl* шахматная доска (*как вывеска гостиницы*); 2) *pl* амер. шашки (*игра*); 3) (*обыкн. pl*) клетчатая материя; 2. *v* 1) графить в клетку; 2) размещать в шахматном порядке; 3) пестрить, разнообразить.

**chequered** ['tʃekəd] 1. *p.p. от* chequer; 2. *a* разнообразный, изменчивый; ~ fortune изменчивое счастье; ~ light and shade светотень.

**chequer-wise** ['tʃekəwaɪz] *adv* в шахматном порядке.

**cherish** ['tʃerɪʃ] *v* 1) лелеять (*надежду, мысль*); 2) хранить (*в памяти*); 3) заботливо выращивать (*растения*); 4) нежно любить (*детей*).

**cheroot** [ʃə'ruːt] *n* сорт сигар с обрезанными концами.

**cherry** ['tʃerɪ] 1. *n* 1) вишня; 2) = ~-tree; ◇ to make two bites of a ~ прилагать излишние старания к очень лёгкому делу; 2. *a* 1) вишнёвого цвета; 2) вишнёвый; ~ brandy вишнёвая наливка, вишнёвый ликёр.

**cherry-pie** ['tʃerɪ͵paɪ] *n* 1) пирог с вишнями; 2) гелиотроп.

**cherry-stone** ['ʧerɪstoun] n 1) вишнёвая ко́сточка; 2) вид съедо́бного моллю́ска.

**cherry-tree** ['ʧerɪˌtriː] n ви́шня, вишнёвое де́рево.

**chert** [ʧəːt] n мин. шерт, кремни́стый изве́стня́к, сла́нец.

**cherub** ['ʧerəb] n (pl -s[-z], -bim) херуви́м.

**cherubic** [ʧe'ruːbɪk] a с ро́зовыми щёчками; неви́нный как херуви́м; ангелоподо́бный.

**cherubim** ['ʧerəbɪm] pl от cherub.

**chervil** ['ʧəːvɪl] n бот. купы́рь садо́вый, ке́рвель.

**chess** [ʧes] n 1) ша́хматы; 2) око́нная ра́ма.

**chess-board** ['ʧesbɔːd] n ша́хматная доска́.

**chess-man** ['ʧesmæn] n ша́хматная фигу́ра.

**chess-player** ['ʧesˌpleɪə] n шахмати́ст.

**chest** [ʧest] n 1) я́щик; сунду́к; ~ of drawers комо́д; medicine ~ дома́шняя апте́чка; 2) казначе́йство; казна́; фонд; 3) грудна́я кле́тка; weak ~ сла́бые лёгкие; ◇ to get smth. off one's ~ чистосерде́чно призна́ться в чём-л.; облегчи́ть ду́шу.

**chesterfield** ['ʧestəfiːld] n 1) дли́нное пальто́ в та́лию; 2) род дива́на.

**chest-note** ['ʧestnout] n ни́зкая, грудна́я но́та.

**chestnut** ['ʧesnʌt] 1. n 1) кашта́н (тж. Spanish или Sweet ~); 2) ба́бка (лошади); 3) разг. гнеда́я ло́шадь; 4) разг. изби́тый анекдо́т; 5) pl sl. пу́ли; ◇ to put the ~s in the fire ≅ зава́рить ка́шу; to pull the ~s out of the fire for smb. таска́ть для кого́-л. кашта́ны из огня́;

2. a 1) кашта́нового цве́та; 2) гнедо́й.

**chest-trouble** ['ʧestˌtrʌbl] n хрони́ческая боле́знь лёгких.

**chest-voice** ['ʧestvɔɪs] n грудно́й, ни́зкий го́лос.

**chesty** ['ʧestɪ] a амер. самоуве́ренный, упря́мый.

**cheval-glass** [ʃə'væɡlɑːs] n высо́кое зе́ркало на но́жках, психе́.

**chevalier** [ˌʃevə'lɪə] n 1) ист. ры́царь; 2) кавале́р о́рдена; 3) кавале́р; ◇ ~ of fortune, ~ of industry авантюри́ст, моше́нник.

**chevaux de frise** [ʃə'voudə'friːz] фр. n pl 1) рога́тка; 2) торча́щие гво́зди или куски́ би́того стекла́ наверху́ стены́.

**cheviot** ['ʧevɪət] n шевио́т.

**chevron** ['ʃevrən] n 1) шевро́н; 2) стр. стропи́ло.

**chevy** ['ʧevɪ] 1. n 1) охо́та; пого́ня; 2) охо́тничий крик при пого́не за лиси́цей; 3) игра́ в ба́ры;

2. v 1) гна́ться; 2) удира́ть; 3) гоня́ть то и де́ло по поруче́ниям.

**chew** [ʧuː] 1. n 1) жва́чка; 2) таба́к для жева́ния;

2. v 1) жева́ть; to ~ the cud жева́ть жва́чку; перен. пережёвывать ста́рое; размышля́ть; 2) обду́мывать (часто ~ on, ~ upon); ◇ to ~ the fat (или the rag) ворча́ть, придира́ться, «пили́ть».

**chewing-gum** ['ʧuːɪŋɡʌm] n жева́тельная резина.

**chiaroscuro** [kɪˌɑːrəs'kuərou] ит. n 1) жив. распределе́ние светоте́ни; 2) по́льзование контра́стами (в поэзии).

**chiasmus** [kaɪ'æzməs] n хиа́зм (инверсия во второй половине фразы; напр.: he rose up and down sat she).

**chibouk, chibouque** [ʧɪ'buːk] тур. n чубу́к.

**chic** [ʃiːk] фр. 1. n шик;

2. a шика́рный, мо́дный, наря́дный; ◇ ~ sale амер. эвф. убо́рная.

**chicane** [ʃɪ'keɪn] 1. n 1) приди́рка; 2) крючкотво́рство;

2. v 1) придира́ться; 2) занима́ться крючкотво́рством.

**chicanery** [ʃɪ'keɪnərɪ] n 1) = chicane 1; 2) софи́стика.

**chick I** [ʧɪk] n 1) цыплёнок; птене́ц; 2) ребёнок.

**chick II** [ʧɪk] n англо-инд. бамбу́ковая што́ра или портье́ра.

**chickabiddy** ['ʧɪkəˌbɪdɪ] n ласк. пте́нчик, цыплёночек.

**chickadee** ['ʧɪkədiː] n зоол. га́ичка (вид синицы).

**chickaree** ['ʧɪkəriː] n америка́нская бе́лка.

**chicken** ['ʧɪkɪn] n 1) цыплёнок; птене́ц; амер. тж. ку́рица, пету́х; 2) ласк. ребёнок; (нео́пытный) юне́ц; she is no ~ она́ уже́ не ребёнок; она́ уже́ не пе́рвой мо́лодости; spring ~ желторо́тый юне́ц; 3) амер. ав. sl. истреби́тель; 4) attr. новоиспечённый; ◇ don't count your ~s before they are hatched посл. цыпля́т по о́сени считают; Mother Carey's ~ буреве́стник.

**chicken-breasted** ['ʧɪkɪnˌbrestɪd] a мед. с кури́ной гру́дью.

**chicken-hearted** ['ʧɪkɪn'hɑːtɪd] a трусли́вый, малоду́шный.

**chicken-liver** ['ʧɪkɪnˌlɪvə] n трус.

**chicken-pox** ['ʧɪkɪnpɔks] n ветряна́я о́спа, ветря́нка.

**chickling** ['ʧɪklɪŋ] n 1) цыплёнок; 2) бот. чи́на посевна́я (тж. ~ vetch).

**chick-pea** ['ʧɪkˌpiː] n ме́лкий «туре́цкий» горо́шек.

**chick-weed** ['ʧɪkwiːd] n бот. алзи́на.

**chicle** ['ʧɪkl] n амер. жва́чка, жева́тельная рези́нка.

**chicory** ['ʧɪkərɪ] n 1) цико́рий; 2) сала́т из ли́стьев цико́рия.

**chid** [ʧɪd] past и p. p. от chide.

**chidden** ['ʧɪdn] p. p. от chide.

**chide** [ʧaɪd] v (chid; chid, chidden) 1) брани́ть, упрека́ть; ворча́ть; 2) шуме́ть, реве́ть (о ветре).

**chief** [ʧiːf] 1. n 1) глава́, руководи́тель; ли́дер; нача́льник; шеф; ~ of police нача́льник поли́ции; 2) вождь (племени, клана);

2. a 1) гла́вный, руководя́щий; C. Justice председа́тель суда́; гла́вный или ста́рший судья́; 2) основно́й; важне́йший; ~ problem основна́я пробле́ма; ~ wall капита́льная стена́.

**chiefly** ['ʧiːflɪ] adv гла́вным о́бразом, осо́бенно.

**chieftain** ['ʧiːftən] n 1) вождь (клана, племени); 2) поэт. вое́нный вождь; 3) атама́н разбо́йников.

**chieftaincy, chieftainship** ['tʃiːftənsɪ, 'tʃiːftənʃɪp] *n* положе́ние *или* власть ата-ма́на, вождя́ кла́на.

**chiff-chaff** ['tʃɪftʃæf] *n* пе́ночка тень-ко́вка (*птица*).

**chiffonier** [,ʃɪfə'nɪə] *n* шифонье́рка.

**chigoe** ['tʃɪgou] *n* тропи́ческая песча́ная блоха́, откла́дывающая я́йца под ко́жу челове́ка.

**chilblain** ['tʃɪlbleɪn] *n* обмороже́ние, обмо-ро́женное ме́сто.

**child** [tʃaɪld] *n* (*pl* children) 1) ребёнок; дитя́; ча́до; сын; дочь; from a ~ с де́тства; the ~ unborn неви́нный младе́нец; to be with ~ быть бере́менной; 2) о́тпрыск, пото́мок; 3) порожде́ние; fancy's ~ порож-де́ние мечты́; 4) де́тище; 5) *attr.*: ~ welfare охра́на младе́нчества (*или* де́тства); ◊ to throw out the ~ along with the bath вме́сте с водо́й вы́плеснуть и ребёнка; a (*или* the) burnt ~ dreads the fire *посл.* ≅ пу́ганая воро́на куста́ бои́тся.

**child-bearing** ['tʃaɪld,bɛərɪŋ] *n* деторож-де́ние, ро́ды.

**childbed** ['tʃaɪldbed] *n* ро́ды; to die in ~ умере́ть от ро́дов.

**child-birth** ['tʃaɪldbəːθ] *n* 1) ро́ды; 2) рож-да́емость.

**Childermas** ['tʃɪldəmæs] *n церк.* день из-бие́ния младе́нцев (*28 декабря*).

**childhood** ['tʃaɪldhud] *n* 1) де́тство; to be in second ~ впасть в де́тство; 2) *attr.* де́тский; ~ disease де́тская боле́знь.

**childish** ['tʃaɪldɪʃ] *a* 1) де́тский; ~ sports де́тские и́гры, заба́вы; 2) ребя́ческий, не-серьёзный.

**childless** ['tʃaɪldlɪs] *a* безде́тный.

**childlike** ['tʃaɪldlaɪk] *a* просто́й, неви́н-ный, и́скренний как ребёнок.

**childly** ['tʃaɪldlɪ] *поэт.* **1.** *a* де́тский; ребя́чливый;
**2.** *adv* по-де́тски.

**childness** ['tʃaɪldnɪs] *n* де́тскость; ребя́ч-ливость.

**children** ['tʃɪldrən] *pl от* child.

**child's-play** ['tʃaɪldz'pleɪ] *n* лёгкая за-да́ча, пустяко́вое де́ло.

**Chilean** ['tʃɪlɪən] **1.** *a* чили́йский;
**2.** *n* чили́ец.

**chiliad** ['kɪlɪæd] *n* 1) ты́сяча; 2) тысяче-ле́тие.

**Chilian** ['tʃɪlɪən] = Chilean.

**chill** [tʃɪl] **1.** *n* 1) хо́лод; to take the ~ off подогре́ть; 2) просту́да, озно́б; дрожь; ~s and fever маляри́я; to catch a ~ просту-ди́ться; 3) прохла́да; *перен.* хо́лодность (*в обращении*); to cast a ~ расхола́живать; 4) *тех.* зака́лка; 5) *тех.* изло́жница.
**2.** *a* 1) неприя́тно холо́дный; 2) про-хла́дный; *перен.* расхола́живающий; 3) хо-ло́дный, бесчу́вственный; 4) *тех.* закалён-ный; ~ cast iron закалённый чугу́н; ~ mould чугу́нная изло́жница, коки́ль;
**3.** *v* 1) охлажда́ть; студи́ть; ~ed to the bone продро́гший до косте́й; 2) холоде́ть; 3) чу́вствовать озно́б; 4) приводи́ть в уны́-ние; расхола́живать; 5) *диал.* слегка́ подо-грева́ть (*жидкость*); 6) *тех.* зака́ливать; отлива́ть в изло́жницы.

**chilli** ['tʃɪlɪ] = chilly I.

**chilly I** ['tʃɪlɪ] *исп. n бот.* (кра́сный) стручко́вый пе́рец.

**chilly II** ['tʃɪlɪ] **1.** *a* 1) холо́дный; про-хла́дный (*о погоде*); 2) зя́бкий; 3) сухо́й, чо́порный;
**2.** *adv* 1) зя́бко, хо́лодно; 2) су́хо, чо́-порно.

**Chiltern Hundreds** ['tʃɪltəːn'hʌndrədz] *n pl*: to accept (*или* to apply for) the ~ сла-га́ть с себя́ полномо́чия чле́на парла́мента.

**chimb** [tʃaɪm] = chime II.

**chime I** [tʃaɪm] **1.** *n* 1) (*часто pl*) подбо́р колоколо́в; 2) перезво́н, выбива́емая коло-кола́ми мело́дия; 3) гармо́ния; му́зыка (*стиха*); 4) согла́сие; гармони́чное сочета́-ние; in ~ в гармо́нии; в согла́сии;
**2.** *v* 1) выбива́ть (*мелодию*); отбива́ть (*часы*); 2) звуча́ть согла́сно; 3) соотве́тст-вовать, гармони́ровать (in, with); 4) одно-обра́зно повторя́ть(ся) (*часто* over); ◻ ~ in вступа́ть в о́бщий разгово́р.

**chime II** [tʃaɪm] *n* 1) уто́р (*бочки*); 2) *attr.*: ~ hoop кра́йний о́бруч (*бочки*).

**chimera** [kaɪ'mɪərə] *n* химе́ра, ди́кая фанта́зия.

**chimerical** [kaɪ'merɪkəl] *a* химери́ческий, несбы́точный.

**chimney** ['tʃɪmnɪ] *n* 1) труба́ (*дымовая или вытяжная*); дымохо́д; 2) ками́н; 3) ла́м-повое стекло́; 4) отве́рстие вулка́на, кра́-тер; 5) расще́лина, по кото́рой мо́жно взобра́ться на отве́сную ска́лу; 6) *геол.* кру́то па́дающий ру́дный столб; э́оловый столб.

**chimney-cap** ['tʃɪmnɪkæp] *n* колпа́к ды-мово́й трубы́.

**chimney-corner** ['tʃɪmnɪ,kɔːnə] *n* ме́сто у ками́на.

**chimney-piece** ['tʃɪmnɪpiːs] *n* по́лка над ками́ном; ками́нная доска́.

**chimney-pot** ['tʃɪmnɪpɔt] *n* 1) = chimney--cap; 2) *attr.*: ~ hat *разг.* цили́ндр (*шляпа*).

**chimney-stack** ['tʃɪmnɪstæk] *n* о́бщий вы́ход не́скольких дымовы́х труб; дымова́я труба́.

**chimney-stalk** ['tʃɪmnɪstɔːk] *n* заводска́я труба́; дымова́я труба́.

**chimney-sweep, chimney-sweeper** ['tʃɪmnɪ-swiːp, 'tʃɪmnɪ,swiːpə] *n* трубочи́ст.

**chimpanzee** [,tʃɪmpən'ziː] *n* шимпанзе́.

**chin** [tʃɪn] **1.** *n* подборо́док; ◊ up to the ~ ≅ по го́рло, по́ уши; to take things on the ~ не па́дать ду́хом, держа́ться бо́дро;
**2.** *v* 1) *амер. sl.* болта́ть, разгова́ривать; 2) *refl. спорт.* подтяну́ться на рука́х (up).

**China** ['tʃaɪnə] *a* кита́йский.

**china** ['tʃaɪnə] **1.** *n* фарфо́р, фарфо́ровые изде́лия; egg-shell ~ то́нкий фарфо́р; ◊ to break ~ взбудора́жить, вы́звать пе-репо́лох;
**2.** *a* фарфо́ровый; ~ shop магази́н фар-фо́ровых изде́лий.

**china-clay** ['tʃaɪnə'kleɪ] *n* фарфо́ровая гли́на, каоли́н.

**china-closet** ['tʃaɪnə,klɔzɪt] *n* буфе́т.

**China ink** ['tʃaɪnəɪŋk] *n* (кита́йская) тушь.

Chinaman [ˈtʃaɪnəmən] n пренебр. китаец.

chinaman [ˈtʃaɪnəmən] n торговец фарфоровыми изделиями.

Chinatown [ˈtʃaɪnə,taun] n китайский квартал (в некитайском городе).

china-ware [ˈtʃaɪnə,wɛə] n фарфоровые изделия.

Chinawoman [ˈtʃaɪnə,wumən] n китаянка.

chinch [tʃɪntʃ] n клоп постельный; клоп-черепашка.

chinch bug [ˈtʃɪntʃˈbʌg] n амер. пшеничный клоп-черепашка.

chinchilla [tʃɪnˈtʃɪlə] n 1) зоол. шиншилла; 2) шиншилловый мех.

chin-chin [ˈtʃɪn,tʃɪn] int sl. ≅ привет! (восклицание при встрече и прощании).

chine I [tʃaɪn] n 1) спинной хребет животного; 2) филей; 3) горная гряда.

chine II [tʃaɪn] n ущелье.

Chinee [tʃaɪˈniː] n амер. разг. китаец.

Chinese [ˈtʃaɪˈniːz] 1. a китайский; ◇ ~ white китайские белила;
2. n 1) китаец; китаянка; the ~ pl собир. китайцы; 2) китайский язык.

Chink [tʃɪŋk] n презрительная кличка китайца в США.

chink I [tʃɪŋk] 1. n 1) звон, звяканье (стаканов, монет); 2) трескотня (кузнечиков); 3) sl. монеты, деньги;
2. v звенеть, звякать.

chink II [tʃɪŋk] n щель, трещина, расщелина, скважина.

chink III [tʃɪŋk] n припадок судорожного смеха.

chinkapin, chinquapin [ˈtʃɪŋkəpɪn] n амер. бот. карликовое каштановое дерево, каштан низкорослый.

chintz [tʃɪnts] n (вощёный) ситец.

chip [tʃɪp] 1. n 1) щепка, лучина; стружка; 2) обломок (камня); осколок (стекла); отбитый кусок (посуды); 3) место, где отбит кусок; изъян; 4) тонкий кусочек (сушёного яблока, поджаренного картофеля и т. п.); fish and ~s рыба с жареным картофелем; 5) фишка, марка (в играх); 6) pl деньги; монеты; to buy ~s помещать, вкладывать деньги; 7) ничего не стоящая вещь; 8) pl щебень; ◇ to hand (или to pass in) one's ~s амер. sl. a) рассчитаться; б) умереть; a ~ of the old block характером весь в отца; I don't care a ~ мне наплевать; to have (или to wear) a ~ on one's shoulder амер. быть готовым к драке; искать повода к ссоре; держаться вызывающе; dry as a ~ неинтересный; such carpenters, such ~s ≅ видно мастера по работе;
2. v 1) стругать, обтёсывать; откалывать; 2) отбивать края (посуды и т. п.); 3) откалываться, отламываться; биться; this china ~s easily этот фарфор легко бьётся; 4) пробивать яичную скорлупу (о цыплятах); 5) жарить сырой картофель ломтиками; □ ~ in разг. вмешиваться; принимать участие (в разговоре, складчине и т. п.).

chip basket [ˈtʃɪp,baːskɪt] n лёгкая корзина из стружек (для цветов, фруктов).

chipmuck, chipmunk [ˈtʃɪpmʌk, ˈtʃɪpmʌŋk] n зоол. бурундук.

Chippendale [ˈtʃɪpəndeɪl] n чиппендель (стиль англ. мебели XVIII в.).

chippie [ˈtʃɪpɪ] = chippy 2.

chippy [ˈtʃɪpɪ] 1. a 1) зазубренный (о ноже); обломанный (о краях посуды); 2) сухой (как щепка); 3) sl. раздражительный; испытывающий недомогание или тошноту (с похмелья);
2. n амер. sl. потаскушка.

chirk [tʃɜːk] амер. разг. 1. a оживлённый, весёлый;
2. v 1) развеселять; 2) оживляться (часто ~ up).

chirm [tʃɜːm] n шум (голосов); птичий щебет.

chiromancy [ˈkaɪərəmænsɪ] n хиромантия, гадание по руке.

chiropodist [kɪˈrɒpədɪst] n лицо, делающее маникюр и педикюр, мозольный оператор.

chiropody [kɪˈrɒpədɪ] n маникюр, педикюр; уход за руками и ногами.

chirp [tʃɜːp] 1. n чириканье; щебетание;
2. a амер.= chirpy;
3. v чирикать, щебетать.

chirpy [ˈtʃɜːpɪ] a живой, весёлый.

chirr [tʃɜː] 1. n стрекотня, трескотня;
2. v 1) стрекотать, трещать (о кузнечиках, сверчках); 2) шуршать (о сухом тростнике).

chirrup [ˈtʃɪrəp] 1. n щебет, щебетание;
2. v 1) щебетать; 2) sl. аплодировать (о клакёрах).

chirruper [ˈtʃɪrəpə] n sl. клакёр.

chisel [ˈtʃɪzl] 1. n тех. резец; долото, стамеска, зубило; чекан; ◇ full ~ амер. sl. во весь опор;
2. v 1) ваять; высекать (из мрамора и т. п.); 2) тех. работать зубилом, долотом, стамеской, чеканом; 3) отделывать (литературное произведение); 4) разг. надувать, обманывать; □ ~ in разг. вмешиваться; навязываться.

chiselled [ˈtʃɪzld] 1. p. p. от chisel 2;
2. a точёный; отделанный; ~ features точёные черты лица.

chit I [tʃɪt] n ребёнок, крошка; a ~ of a girl девчушка.

chit II [tʃɪt] 1. n росток;
2. v пускать ростки.

chit III [tʃɪt] n англо-инд. 1) меморандум; 2) счёт; 3) короткое письмо, записка; 4) рекомендация, отзыв, аттестат; 5) расписка; ◇ farewell ~ воен. sl. увольнительный билет.

chit-chat [ˈtʃɪttʃæt] n 1) болтовня; 2) пересуды.

chiton [ˈkaɪtən] n хитон.

chitterlings [ˈtʃɪtəlɪŋz] n pl требуха.

chitty [ˈtʃɪtɪ] = chit III.

chivalrous [ˈʃɪvəlrəs] a рыцарский, рыцарственный.

chivalry [ˈʃɪvəlrɪ] n рыцарство.

chive [tʃaɪv] n 1) (обыкн. pl) лук-резанец, лук-скорода; 2) зубок чеснока; луковичка.

chivied [ˈtʃɪvɪd] a измученный, замотавшийся.

chivy [ˈtʃɪvɪ] = chevy.

**chloral** [ˈklɔːrəl] *n* хим. хлора́л.

**chlorate** [ˈklɔːrɪt] *n* хим. хлора́т, соль хлорнова́той кислоты́.

**chloric** [ˈklɔːrɪk] *a* хим. хлорноватокислый; ~ acid хлорнова́тая кислота́.

**chloride** [ˈklɔːraɪd] хим. 1. *n* хлори́д, соль хлористоводоро́дной кислоты́; sodium ~ пова́ренная ‖ соль;
2. *a* хло́ристый.

**chlorine** [ˈklɔːriːn] 1. *n* хим. хлор;
2. *a* све́тло-зелёный.

**chloroform** [ˈklɔːrəfɔːm] 1. *n* хлорофо́рм;
2. *v* хлороформи́ровать.

**chlorophyll** [ˈklɔːrəfɪl] *n* бот. хлорофи́лл.

**chlorosis** [kləˈrousis] *n* 1) мед. хлоро́з, бле́дная немочь; 2) бот. хлоро́з, желтова́тая окра́ска (*листьев*).

**chlorous** [ˈklɔːrəs] *a* хим. хло́ристый; ~ acid хло́ристая кислота́.

**choc-ice** [ˈtʃɔkˈaɪs] *n* моро́женое эскимо́.

**chock** [tʃɔk] 1. *n* 1) клин; 2) подста́вка; подпо́рка; распо́рка; 3) тормозна́я коло́дка (*под колёса*); башма́к; 4) горн. костро́вая крепь; 5) тех. поду́шка, подши́пник; вкла́дыш, чека́, клин; 6) мор. полуклю́з;
2. *v* 1) подпира́ть (*тж.* ~ off); подкла́дывать подпо́рку; 2) горн. крепи́ть костро́вой кре́пью; □ ~ up заби́ть, загромозди́ть, заста́вить.

**chock-a-block** [ˈtʃɔkəˈblɔk] *a разг.* по́лный; битко́м наби́тый.

**chock-full** [ˈtʃɔkˈful] *a* битко́м наби́тый; перепо́лненный.

**chocolate** [ˈtʃɔkəlɪt] 1. *n* 1) шокола́д;
2) *pl* шокола́дные конфе́ты;
2. *a* шокола́дного цве́та.

**choice** [tʃɔɪs] 1. *n* 1) вы́бор, отбо́р; альтернати́ва; a wide (a poor) ~ большо́й (бе́дный) вы́бор; to make ~ of smth. выбира́ть, отбира́ть что-л.; to make (*или* to take) one’s ~ сде́лать вы́бор; take your ~ выбира́йте; I have no ~ but у меня́ нет ино́го вы́хода, кро́ме; я принуждён; 2) не́что отбо́рное; here is the ~ of the whole garden э́то лу́чшее, что есть в саду́; ◇ Hobson’s ~ отсу́тствие вы́бора; нали́чие то́лько одного́ предложе́ния, «э́то и́ли ничего́»; for ~ преиму́щественно;
2. *a* 1) отбо́рный, лу́чший; 2) *уст.* разбо́рчивый, осторо́жный; to be ~ of one’s company быть осторо́жным в знако́мствах.

**choicely** [ˈtʃɔɪslɪ] *adv* осторо́жно, с вы́бором.

**choir** [ˈkwaɪə] 1. *n* 1) хор; 2) ме́сто хо́ра (*в соборе*);
2. *v* петь хо́ром.

**choir-master** [ˈkwaɪəˌmɑːstə] *n* хормейстер.

**choke I** [tʃouk] 1. *n* 1) припа́док удушья;
2) завя́занный коне́ц (*мешка*); 3) тех. возду́шная засло́нка; дро́ссель; 4) эл. дро́ссельная кату́шка;
2. *v* 1) души́ть; 2) дави́ться (*от кашля*); задыха́ться (*от волнения, гнева*); tears ~d him слёзы души́ли его́; 3) заглуша́ть (*тж.* ~ up); to ~ a fire потуши́ть ого́нь, костёр; to ~ a plant заглуша́ть расте́ние;

4) засоря́ть, забива́ть; 5) *тех.* дросселирова́ть; заглуша́ть; □ ~ down а) с трудо́м прогла́тывать (*пищу*); б) с трудо́м подавля́ть (*слёзы, волне́ние и т. п.*); he ~d down his anger он поборо́л свой гнев; ~ in амер. разг. возде́рживаться от разгово́ра; держа́ть язы́к за зуба́ми; ~ off заста́вить отказа́ться (*от попы́тки, наме́рения*); б) устрани́ть кого́-л., отде́латься от кого́-л.; ~ up а) засоря́ть; заглуша́ть (*сорными трава́ми*); б) заноси́ть (*ре́ку песко́м*); запружа́ть; в) загроможда́ть; г) амер.= ~ in.

**choke II** [tʃouk] *n* сердцеви́на артишо́ка.

**choke-bore** [ˈtʃoukˌbɔː] *n* 1) чокбо́р (ка-нал ствола́ ружья́, суживающийся у ду́ла);
2) ружьё чокбо́р.

**choke-coil** [ˈtʃoukˌkɔɪl] *n* эл. дро́ссельная реакти́вная кату́шка.

**choke-damp** [ˈtʃoukdæmp] *n* рудни́чный газ.

**choke-full** [ˈtʃoukˈful] *a* битко́м наби́тый, по́лный.

**choker** [ˈtʃoukə] *n* 1) души́тель; 2) разг. стоя́чий воротни́к (*преим. у духовных лиц*); 3) бе́лый га́лстук (*тж.* white ~); 4) эл. дро́ссель, дро́ссельная кату́шка.

**chokidar** [ˈtʃoukɪdɑː] *n* англо-инд. сто́рож.

**choky I** [ˈtʃoukɪ] *a* 1) задыха́ющийся (*особ. от волнения*); 2) уду́шливый.

**choky II** [ˈtʃoukɪ] *n* англо-инд. 1) полице́йское отделе́ние; 2) тамо́жня; 3) *sl.* тюрьма́.

**choler** [ˈkɔlə] *n* 1) *уст.* жёлчь; 2) *поэт.* гнев.

**cholera** [ˈkɔlərə] *n* холе́ра; Asiatic ~, malignant ~ азиа́тская холе́ра; summer ~ ле́тний поно́с, холери́на.

**choleraic** [ˌkɔləˈreɪk] *a* холе́рный.

**choleric** [ˈkɔlərɪk] *a* раздражи́тельный, жёлчный; холери́ческий.

**cholerine** [ˈkɔlərɪn] *n* холери́на.

**choose** [tʃuːz] *v* (chose; chosen) 1) выбира́ть; 2) избира́ть; 3) реша́ть, реша́ться; предпочита́ть (*часто* ~ rather); 4) хоте́ть; he did not ~ to see her он не захоте́л её ви́деть; ◇ I cannot ~ but go мне необходи́мо идти́; not much (*или* nothing) to ~ between them оди́н друго́го сто́ит.

**chooser** [ˈtʃuːzə] *n* тот, кто выбира́ет.

**choos(e)y** [ˈtʃuːzɪ] *a разг.* привере́дливый, разбо́рчивый.

**chop I** [tʃɔp] 1. *n* 1) (ру́бящий) уда́р;
2) отбивна́я котле́та; mutton (pork) ~ отбивна́я бара́нья (свина́я) котле́та; 3) се́чка (*корм*).
2. *v* 1) руби́ть; 2) нареза́ть; кроши́ть; 3) отчека́нивать (*слова́*); 4) стёсывать; долби́ть, желоби́ть; □ ~ about обруба́ть [*см. тж.* chop III, 2]; ~ down сруба́ть; ~ off отруба́ть; ~ up нареза́ть, кроши́ть.

**chop II** [tʃɔp] *n* (*обыкн. pl*) че́люсть [*см. тж.* chap III, 1)]; ◇ lick one’s ~s предвкуша́ть (*особ. удово́льствие от еды́*); ~s of the Channel вход в Ла-Ма́нш из Атланти́ческого океа́на.

**chop III** [tʃɔp] 1. *n* 1) переме́на; колеба́ние; ~s and changes измене́ния; постоя́нные переме́ны; 2) обме́н; 3) лёгкое волне́ние, зыбь (*на мо́ре*); 4) *геол.* сброс;

**2.** *v* 1) обме́нивать, меня́ть; 2) меня́ться (*о ве́тре*); 3) колеба́ться; to ~ and change проявля́ть нереши́тельность, колеба́ться; меня́ть свои́ пла́ны, взгля́ды *и т. п.*; 4) обме́ниваться слова́ми; to ~ logic спо́рить, резонёрствовать; ☐ ~ about внеза́пно меня́ть направле́ние (*о ве́тре*) [*см. тж.* chop I, 2]; ~ in вме́шиваться в разгово́р; ~ round = ~ about.

**chop** IV [ʧɔp] *n* клеймо́, фабри́чная ма́рка; first- (second-)~ пе́рвый (второ́й) сорт.

**chop-chop** [ʧɔpʧɔp] *adv диал.* бы́стро--бы́стро.

**chop-house** [ʧɔphaus] *n* дешёвый рестора́н.

**chopper** I [ʧɔpə] *n* 1) нож (мясника́); коса́рь; 2) колу́н; 3) *амер.* лесору́б; 4)*амер.* билетёр, биле́тный контролёр; 5) *эл.* ти́ккер; прерыва́тель.

**chopper** II [ʧɔpə] *n англо-инд.* соло́менная кры́ша.

**chopper switch** [ʧɔpə,swiʧ] *n эл.* руби́льник.

**choppy** [ʧɔpɪ] *a* ча́сто меня́ющийся (*о ве́тре*); неспоко́йный (*о мо́ре*).

**chopsticks** [ʧɔpstɪks] *n pl* па́лочки для еды́ (*у кита́йцев, коре́йцев и япо́нцев*).

**chop suey** [ʧɔpˈsuɪ] *n* кита́йское рагу́.

**choral** [ˈkɔːrəl] *a* хорово́й.

**choral(e)** [kɔˈrɑːl] *n* хора́л.

**chord** I [kɔːd] *n* 1) *поэт.* струна́; to strike (*или* to touch) the right ~ заде́ть чувстви́тельную стру́нку; сыгра́ть на како́м-л. чу́встве; 2) *анат.* свя́зка; vocal ~s голосовы́е свя́зки; spinal ~ спинно́й мозг; 3) *мат.* хо́рда; 4) *стр.* по́яс (*фе́рмы*).

**chord** II [kɔːd] *n* 1) акко́рд; 2) га́мма кра́сок.

**chorda** [ˈkɔːdə] *n* (*pl* -dae) *анат.* 1) = chord I, 2); 2) спинна́я струна́, хо́рда.

**chordae** [ˈkɔːdiː] *pl от* chorda.

**chore** [ʧɔː] = char I.

**chorea** [kɔˈrɪə] *n мед.* хоре́я.

**choree** [ˈkɔːriː] *n прос.* хоре́й, трохе́й.

**choreographic** [,kɔrɪəˈgræfɪk] *a* хореографи́ческий.

**choreography** [,kɔrɪˈɔgrəfɪ] *n* хореогра́фия.

**choriamb** [ˈkɔrɪæmb] *n прос.* хория́мб.

**chorine** [kɔˈriːn] *n амер.* хори́стка.

**chorister** [ˈkɔrɪstə] *n* 1) хори́ст; пе́вчий; 2) *амер.* ре́гент (*хо́ра*).

**chortle** [ˈʧɔːtl] **1.** *n* 1) смех; хихи́канье; 2) ликова́ние;

**2.** *v* 1) хохота́ть; сме́яться сда́вленным сме́хом; хихи́кать; 2) гро́мко ликова́ть, торжествова́ть.

**chorus** [ˈkɔːrəs] **1.** *n* 1) хор; хорова́я гру́ппа; in ~ хо́ром; to swell the ~ присоедини́ть и свой го́лос, присоедини́ться к мне́нию большинства́; 2) кордебале́т; 3) припе́в, подхва́тываемый всем хо́ром; рефре́н; 4) музыка́льное произведе́ние для хо́ра;

**2.** *v* петь, повторя́ть хо́ром.

**chose** [ʧouz] *past от* choose.

**chosen** [ˈʧouzn] **1.** *p. p. от* choose;

**2.** *a* и́збранный.

**chough** [ʧʌf] *n* клуши́ца (*пти́ца*).

**choultry** [ˈʧaultrɪ] *n англо-инд.* 1) карава́н-сара́й; 2) колонна́да хра́ма.

**chouse** [ʧaus] *разг.* **1.** *n* моше́нничество; мистифика́ция;

**2.** *v* обма́нывать; выма́нивать.

**chow** [ʧau] *n* 1) *назва́ние кита́йской поро́ды соба́к;* 2) *амер. sl.* еда́.

**chow-chow** [ˈʧauˈʧau] *кит. n* 1) смесь; 2) марина́д; 3) кита́йское варе́нье из апельси́нной ко́рки с имбирём.

**chowder** [ˈʧaudə] *n амер.* 1) тушёная ры́ба *или* моллю́ски с гарни́ром; 2) яикни́к на морско́м берегу́.

**chrism** [ˈkrɪzəm] *n церк.* 1) еле́й; 2) пома́зание.

**Christ** [kraist] *n* Христо́с; мессия.

**christen** [ˈkrɪsn] *v* 1) крести́ть; 2) дава́ть и́мя при креще́нии; 3) дава́ть и́мя, про́звище.

**Christendom** [ˈkrɪsndəm] *n* христиа́нский мир.

**christening** [ˈkrɪsnɪŋ] **1.** *pres. p. от* christen;

**2.** *n* креще́ние.

**Christian** [ˈkrɪstjən] **1.** *a* христиа́нский; ~ name (*в отли́чие от фами́лии*);

**2.** *n* христиани́н; христиа́нка.

**Christianity** [,krɪstɪˈænɪtɪ] *n* христиа́нство.

**christianize** [ˈkrɪstjənaɪz] *v* обраща́ть в христиа́нство.

**Christmas** [ˈkrɪsməs] *n* 1) рождество́ (*сокр. тж.* Xmas); Father ~ дед-моро́з; 2) *attr.* рожде́ственский.

**Christmas-box** [ˈkrɪsməsbɔks] *n* коро́бка с рожде́ственскими пода́рками.

**Christmas-tide** [ˈkrɪsməs,taɪd] *n* свя́тки.

**Christmas-tree** [ˈkrɪsməstriː] *n* рожде́ственская ёлка.

**Christmasy** [ˈkrɪsməsɪ] *a разг.* рожде́ственский, пра́здничный.

**Christy minstrels** [ˈkrɪstɪˈmɪnstrəlz] *n pl* тру́ппа загримиро́ванных не́грами исполни́телей негритя́нских пе́сен.

**chromatic** [krəˈmætɪk] *a* 1) цветно́й; ~ printing цветна́я печа́ть; 2) *муз.* хромати́ческий; ~ scale хромати́ческая га́мма.

**chromatics** [krəˈmætɪks] *n pl* (*употр. как sing*) нау́ка о цвета́х, кра́сках.

**chrome** [kroum] *n* 1) = chromium; 2) жёлтая кра́ска; жёлтый цвет.

**chromic** [ˈkroumɪk] *a хим.* хро́мовый; ~ acid хро́мовая кислота́.

**chromium** [ˈkroumjəm] *n хим.* хром.

**chromolithograph** [ˈkroumoʊˈlɪθəɡrɑːf] *n* хромолитогра́фия.

**chromosome** [ˈkrouməsoum] *n биол.* хромосо́ма.

**chromosphere** [ˈkrouməsfɪə] *n* хромосфе́ра.

**chromotype** [ˈkroumoutaɪp] *n полигр.* хромоти́пия.

**chronic** [ˈkrɔnɪk] **1.** *a* 1) хрони́ческий; застаре́лый (*о боле́зни*); 2) постоя́нный; привы́чный; ~ doubts ве́чные сомне́ния; ~ complaints ве́чные жа́лобы; 3) *разг.* ужа́сный; something ~ не́что ужа́сное;

**2.** *n* хро́ник.

**chronicle** ['krɔnɪkl] 1. *n* хро́ника; ле́топись;
2. *v* 1) заноси́ть (*в дневник, летопись*); 2) отмеча́ть (*в прессе*); вести́ хро́нику; ◇ to ~ small beer *разг.* отмеча́ть вся́кие ме́лочи, занима́ться пустяка́ми.
**chronicler** ['krɔnɪklə] *n* 1) хроникёр; 2) летопи́сец.
**chronograph** ['krɔnəgrɑːf] *n* хроно́граф.
**chronologic(al)** [,krɔnə'lɔdʒɪk(əl)] *a* хронологи́ческий.
**chronology** [krə'nɔlədʒɪ] *n* 1) хроноло́гия; 2) хронологи́ческая табли́ца.
**chronometer** [krə'nɔmɪtə] *n* 1) хроно́метр; 2) *муз.* метроно́м.
**chrysalides** [krɪ'sælɪdiːz] *pl om* chrysalis.
**chrysalis** ['krɪsəlɪs] *n* (*pl* -es [-ɪz], -ides) *зоол.* ку́колка (*бабочки*).
**chrysanthemum** [krɪ'sænθəməm] *n* хризанте́ма.
**chryselephantine** [,krɪselɪ'fæntaɪn] *a* из зо́лота и слоно́вой ко́сти; покры́тый зо́лотом и слоно́вой ко́стью (*о статуе*).
**chrysolite** ['krɪsəlaɪt] *n мин.* хризоли́т.
**chub** [tʃʌb] *n* голо́вль (*рыба*).
**chubby** ['tʃʌbɪ] *a* круглоли́цый, полнощёкий.
**chuck** I [tʃʌk] 1. *n* 1) поле́но, чурба́н; 2) *тех.* зажимно́й патро́н, опра́вка; 3) *attr. тех.:* ~ jaw кулачо́к зажимно́го патро́на;
2. *v тех.* зажима́ть, обраба́тывать в патро́не.
**chuck** II [tʃʌk] 1. *n* 1) подёргивание (*головой*); 2) = chuck-farthing; 3) *разг.* увольне́ние; to give smb. the ~ уво́лить кого́-л.; порва́ть отноше́ния с кем-л.;
2. *v* 1) броса́ть, швыря́ть; 2) ла́сково похло́пывать, трепа́ть (under); to ~ under the chin трепа́ть по подборо́дку; □ ~ away а) тра́тить понапра́сну, теря́ть; б) упуска́ть (*возможность*); ~ out выгоня́ть; выводи́ть, выставля́ть (*беспокойного посетителя из комнаты, общественного места*); ~ up броса́ть (*дело, службу и т. п.*); ◇ ~ it! *разг.* молчи́!, переста́нь!; to ~ one's hand in сда́ться; призна́ть себя́ побеждённым; to ~ one's weight about держа́ться надме́нно.
**chuck** III [tʃʌk] 1. *n* 1) цыплёнок; 2) *ласк.* цы́почка; 3) куда́хтанье;
2. *v* 1) куда́хтать; 2) сзыва́ть дома́шнюю пти́цу; 3) понука́ть ло́шадь;
3. *int:* ~!, ~! цып цып!
**chuck** IV [tʃʌk] *n sl.* пи́ща, еда́; hard ~ *мор.* суха́рь.
**chuck-farthing** ['tʃʌk,fɑːðɪŋ] *n* игра́ в орля́нку.
**chuck-hole** ['tʃʌk houl] *n амер.* вы́боина.
**chuckle** I ['tʃʌkl] 1. *n* 1) дово́льный смех; хихи́канье; 2) ра́дость; 3) куда́хтанье;
2. *v* 1) посме́иваться; хихи́кать; 2) ра́доваться; he is chuckling at (*или* over) his success он ра́дуется своему́ успе́ху; 3) куда́хтать.
**chuckle** II ['tʃʌkl] *a* 1) большо́й (*обыкн. о голове*); 2) неуклю́жий.
**chuckle-head** ['tʃʌkl,hed] *n* болва́н.
**chuddar** ['tʃʌdə] *n англо-инд.* 1) шерстяна́я шаль; 2) покрыва́ло на мусульма́нской гробни́це.

**chuff** [tʃʌf] *n* грубия́н.
**chug** [tʃʌg] 1. *n* пыхте́ние;
2. *v* дви́гаться с пыхте́нием (*напр., о паровозе*).
**chum** [tʃʌm] *разг.* 1. *n* 1) това́рищ, прия́тель; закады́чный друг; 2) сожи́тель (*по комнате; особ. в студенческих общежитиях*); new ~ *австрал.* но́вый поселе́нец;
2. *v* 1) жить вме́сте в одно́й ко́мнате (together, with); 2) быть в дру́жбе; □ ~ in, ~ up сбли́зиться (with — с кем-л.).
**chummage** ['tʃʌmɪdʒ] *n* 1) помеще́ние двух и бо́лее челове́к в одно́й ко́мнате (*в общежитии, тюрьме*); 2) угоще́ние, кото́рое по ста́рому тюре́мному обы́чаю устра́ивал но́вый ареста́нт това́рищам по ка́мере.
**chummery** ['tʃʌmərɪ] *n* 1) сожи́тельство в одно́й ко́мнате; 2) ко́мната, занима́емая не́сколькими това́рищами.
**chummy** ['tʃʌmɪ] *a разг.* общи́тельный.
**chump** [tʃʌmp] *n* 1) коло́да, чурба́н; 2) то́лстый коне́ц (*чего-л.*); 3) филе́йная часть (*мяса*); 4) *разг.* голова́, «башка́»; to go off one's ~ сойти́ с ума́, «тро́нуться»; 5) *разг.* болва́н, дура́к.
**chunk** [tʃʌŋk] 1. *n* 1) = chump 1) *и* 2); 2) *разг.* то́лстый кусо́к; ло́моть; 3) корена́стый и по́лный челове́к; 4) корена́стая ло́шадь;
2. *v амер. разг.* 1) метну́ть, швырну́ть, запусти́ть; 2) вы́бить, вы́колотить; □ ~ up а) подбро́сить то́плива (в огонь); б) набра́ть то́плива.
**chunking** ['tʃʌŋkɪŋ] 1. *n* шум от ме́дленного движе́ния большо́й маши́ны.
2. *a* большо́й, неуклю́жий; ~ piece of beef огро́мный кусо́к мя́са.
**church** [tʃəːtʃ] 1. *n* 1) це́рковь; C. of England, Anglican C. англика́нская це́рковь; to go to ~ а) ходи́ть в це́рковь; быть на́божным; б) жени́ться; выходи́ть за́муж; to go into the C. принима́ть духо́вный сан; 2) *attr.* церко́вный.
**church-goer** ['tʃəːtʃ,gouə] *n* (челове́к, регуля́рно) посеща́ющий це́рковь.
**churchman** ['tʃəːtʃmən] *n* церко́вник.
**church-owl** ['tʃəːtʃaul] = barn owl.
**church-rate** ['tʃəːtʃreɪt] *n* ме́стный нало́г на содержа́ние це́ркви.
**church service** ['tʃəːtʃ'səːvɪs] *n* церко́вная слу́жба, богослуже́ние.
**church-text** ['tʃəːtʃtekst] *n* англи́йский чёрный готи́ческий шрифт.
**churchwarden** ['tʃəːtʃ'wɔːdn] *n* 1) церко́вный ста́роста; 2) дли́нная кури́тельная тру́бка.
**churchy** ['tʃəːtʃɪ] *a разг.* 1) пре́данный це́ркви; 2) отдаю́щий лампа́дным ма́слом; 3) еле́йный, ха́нжеский.
**churchyard** ['tʃəːtʃ'jɑːd] *n* 1) церко́вный двор; 2) кла́дбище.
**churl** [tʃəːl] *n* 1) гру́бый, ду́рно воспи́танный челове́к; 2) скря́га.
**churlish** ['tʃəːlɪʃ] *a* 1) гру́бый; 2) скупо́й; 3) упо́рный, неподатливый; 4) неблагода́рный (*о труде*); труднообраба́тываемый (*о почве*); 5) непла́вкий (*о металле*).
**churn** [tʃəːn] 1. *n* 1) маслобо́йка; 2) меша́лка; 3) *горн.* кана́тный бур;

**2.** *v* 1) сбива́ть (*масло*); 2) взба́лтывать; вспе́нивать; the wind ~ed the river to foam ве́тер вспе́нил ре́ку.

**churn-staff** ['tʃə:n͵stɑ:f] *n* мутовка.

**chut** [tʃt, ʃʃt, tʃʌt] *int выражает нетерпение* (≅ да ну же!).

**chute** [ʃu:t] *n* 1) стремни́на; круто́й скат; 2) пока́тый насти́л; 3) *тех.* спуск, лото́к, жёлоб, спускно́й жёлоб; 4) *горн.* скат.

**'chute** [ʃu:t] *n* (*сокр. от* parachute) *воен. разг.* парашю́т.

**'chutist** ['ʃu:tɪst] *n* (*сокр. от* parachutist) *воен. разг.* парашюти́ст.

**chutney** ['tʃʌtnɪ] *n* англо-инд. род остро́й пря́ной припра́вы.

**chyle** [kaɪl] *n физиол.* мле́чный сок, хи́лус.

**chyme** [kaɪm] *n физиол.* пищева́я каши́ца, хи́мус.

**cicada** [sɪ'kɑ:də] *n* цика́да.

**cicatrice** ['sɪkətrɪs] *n* шрам, рубе́ц.

**cicatrization** [͵sɪkətraɪ'zeɪʃən] *n* заживле́ние, рубцева́ние.

**cicatrize** ['sɪkətraɪz] *v* 1) заживля́ть; 2) зажива́ть, зарубцо́вываться.

**cicely** ['sɪsɪlɪ] *n бот.* жа́брица; Sweet C. вашингто́ния; ми́ррис паху́чая, испа́нский ке́рвель.

**Cicero** ['sɪsərou] *n* Цицеро́н.

**cicerone** [͵tʃɪtʃə'rouni] *ит. n* (*pl* -ni) проводни́к, гид, чичеро́не.

**ciceroni** [͵tʃɪtʃə'rouni] *pl от* cicerone.

**Ciceronian** [͵sɪsə'rounjən] *a* цицеро́новский, красноречи́вый.

**cider** ['saɪdə] *n* сидр; ◇ all talk and no ~ ≅ шу́ма мно́го, а то́лку ма́ло.

**cienaga** ['θjeɪnɑ:gɑ:] *исп. n* боло́то.

**cigaboo** [͵sɪgə'bu:] *разг. см.* cigarette.

**cigar** [sɪ'gɑ:] *n* сига́ра.

**cigarette** [͵sɪgə'ret] **1.** *n* 1) сигаре́та; папиро́са; 2) *attr.* папиро́сный; ~ case портсига́р; ~ end оку́рок;
**2.** *v* угости́ть папиро́сой.

**cigarette-holder** [͵sɪgə'ret͵houldə] *n* мундшту́к.

**cigarette-lighter** [͵sɪgə'ret͵laɪtə] *n* зажига́лка.

**cigarette-paper** [͵sɪgə'ret͵peɪpə] *n* папиро́сная бума́га.

**cigar-holder** [sɪ'gɑ:͵houldə] *n* мундшту́к.

**cilery** ['sɪləri] = cillery.

**cilia** ['sɪlɪə] *n pl* 1) *анат.* ресни́цы; 2) *бот., зоол.* ресни́чки.

**ciliary** ['sɪlɪəri] *a анат., бот.* ресни́чный, мерца́тельный.

**ciliated** ['sɪlɪ͵eɪtɪd] *a* 1) опушённый ресни́цами; 2) *бот., зоол.* снабжённый ресни́чками, ресни́тчатый.

**cilice** ['sɪlɪs] *n* ткань из во́лоса.

**cillery** ['sɪləri] *n архит.* украше́ние в ви́де ли́стьев (*на капите́ли коло́нны*).

**Cimmerian** [sɪ'mɪərɪən] *a* 1) киммери́йский; 2) тёмный, непрогля́дный (*о но́чи*).

**cinch** [sɪntʃ] *амер.* **1.** *n* 1) подпру́га; 2) *разг.* не́что надёжное, ве́рное; 3) предрешённое де́ло; 4) влия́ние; контро́ль;
**2.** *v* 1) подтя́гивать подпру́гу (*тж.* ~ up); 2) оконча́тельно реша́ть.

**cinchona** [sɪŋ'kounə] *n* 1) хи́нная кора́; хини́н; 2) хи́нное де́рево.

**cincture** ['sɪŋktʃə] **1.** *n* 1) по́яс; 2) опоя́сывание; 3) *архит.* поясо́к (*коло́нны*);
**2.** *v* опоя́сывать, окружа́ть.

**cinder** ['sɪndə] **1.** *n* 1) шлак; ока́лина; 2) прогоре́вшие, но ещё не поту́хшие у́гли; у́гольный му́сор; пе́пел; 3) (*часто pl*) *распр.* зола́; to burn to a ~ дать подгоре́ть; пережа́рить (*пи́щу*);
**2.** *v* сжига́ть, обраща́ть в пе́пел.

**cinder-box** ['sɪndəbɔks] *n тех.* зо́льник.

**Cinderella** [͵sɪndə'relə] *n* Зо́лушка.

**cinder-path** ['sɪndəpɑ:θ] *n спорт.* бегова́я (гарева́я) доро́жка.

**cinder-sifter** ['sɪndə͵sɪftə] *n* гро́хот для отсе́ивания золы́ от шла́ка.

**cinder track** ['sɪndətræk] = cinder-path.

**cine-camera** ['sɪnɪ'kæmərə] *n* киноаппара́т (*съёмочный*).

**cine-film** ['sɪnɪfɪlm] *n* киноплёнка.

**cinema** ['sɪnɪmə] *n* 1) кинемато́граф, кино́; кинотеа́тр; 2) кинофи́льм; 3) кино́, кинофи́льмы, кинематогра́фия (*тж.* the ~).

**cinema-circuit** ['sɪnɪmə'sə:kɪt] *n* кинотеа́тры, принадлежа́щие одному́ владе́льцу.

**cinemactor** [͵sɪnɪm'æktə] *n амер.* киноактёр.

**cinemactress** [͵sɪnɪm'æktrɪs] *n амер.* киноактри́са.

**cinemaddict** ['sɪnɪm͵ædɪkt] *n амер. sl.* постоя́нный посети́тель кино́; люби́тель кино́.

**cinema-goer** ['sɪnɪmə͵gouə] *n* кинозри́тель.

**cinematics** [͵sɪnɪ'mætɪks] *n pl* (*употр. как sing*) *физ.* кинема́тика.

**cinematograph** [͵sɪnɪ'mætəgrɑ:f] *n* кинемато́граф.

**cinematographic** [͵sɪnɪ͵mætə'græfɪk] *a* кинематографи́ческий.

**cinematography** [͵sɪnɪmə'tɔgrəfɪ] *n* кинематогра́фия.

**cineraria I** [͵sɪnə'rɛərɪə] *pl от* cinerarium.

**cineraria II** [͵sɪnə'rɛərɪə] *n бот.* цинера́рия, пе́пельник.

**cinerarium** [͵sɪnə'rɛərɪəm] *лат. n* (*pl* -ria) ни́ша для у́рны с пра́хом.

**cinerary** ['sɪnərərɪ] *a* пе́пельный; ~ urn у́рна с пра́хом.

**cinereous** [sɪ'nɪərɪəs] *a* пе́пельного цве́та.

**Cingalese** [͵sɪŋgə'li:z] **1.** *a* цейло́нский; **2.** *n* 1) сингале́з; 2) сингале́зский язы́к.

**cinnabar** ['sɪnəbɑ:] *n* ки́новарь.

**cinnamon** ['sɪnəmən] *n* 1) кори́ца; 2) све́тло-кори́чневый цвет.

**cinq(ue)** [sɪŋk] *n* пятёрка, пять очко́в (*в ка́ртах, домино́, игра́льных костя́х*).

**cinq(ue)foil** ['sɪŋkfɔɪl] *n* 1) *бот.* ла́пчатка (*ползу́чая*); 2) *архит.* пятили́стник (*орна́мент*).

**Cinque Ports** ['sɪŋkpɔ:ts] *n pl ист. на*зва́ние гру́ппы портовы́х городо́в (*первонача́льно пять — Dover, Sandwich, Romney, Hastings, Hythe*) *в ю́го-восто́чной Англии, по́льзовавшихся осо́быми привиле́гиями.*

**cipher** ['saɪfə] **1.** *n* 1) шифр; in ~ зашифро́ванный; 2) ара́бская ци́фра; a number of three ~s трёхзна́чное число́; 3) нуль; *перен.* ничто́жество; to stand for ~ быть по́лным ничто́жеством; 4) моногра́мма; 5) *attr.*: ~ officer шифрова́льщик (*в посо́льстве*);

**2.** *v* 1) высчи́тывать, вычисля́ть (*часто* ~ out); 2) шифрова́ть, зашифро́вывать; 3) клейми́ть усло́вным зна́ком.

**circa** ['səːkə] *лат. prep* приблизи́тельно, о́коло.

**Circassian** [səːˈkæsɪən] **1.** *a* черке́сский; **2.** *n* 1) черке́с; черке́шенка; 2) черке́сский язы́к.

**Circe** ['səːsɪ] *n миф.* Цирце́я.

**circle** ['səːkl] **1.** *n* 1) круг; окру́жность; 2) гру́ппа, круг (*людей*); ruling ~s пра́вящие круги́; 3) кружо́к; 4) сфе́ра, о́бласть; a wide ~ of interests широ́кий круг интере́сов; 5) круговоро́т; цикл; ~ of the seasons сме́на всех четырёх времён го́да; to come full ~ заверши́ть цикл; зако́нчиться у исхо́дной то́чки; 6) о́круг; 7) *театр.* я́рус; dress ~ бельэта́ж; upper ~ балко́н; parquet ~ амфитеа́тр; 8) *астр.* орби́та; 9) круг (*вокруг луны*); 10) *геогр.* круг; **2.** *v* 1) дви́гаться по кру́гу; враща́ться; the earth ~s the sun земля́ враща́ется вокру́г со́лнца; 2) окружа́ть; 3) передава́ть по кру́гу (*вино, закуску и т. п.*).

**circlet** ['səːklɪt] *n* 1) кружо́к; 2) кольцо́, брасле́т; ~ of flowers вено́к.

**circs** [səːks] *n pl* (*сокр. от* circumstances) *разг.* 1) обстоя́тельства, усло́вия; 2) материа́льное положе́ние.

**circuit** ['səːkɪt] **1.** *n* 1) круговоро́т; 2) длина́ окру́жности; ~ of the globe окру́жность земно́го ша́ра; 3) объе́зд, кругова́я пое́здка; to make (*или* to take) a ~ пойти́ обхо́дным путём; 4) о́круг (*судебный*); 5) цикл, совоку́пность опера́ций; 6) ряд зре́лищных предприя́тий под одни́м управле́нием; 7) *эл.* цепь, ко́нтур; схе́ма; broken ~, open ~ разо́мкнутая цепь; detector ~ дете́кторная схе́ма; 8) *attr.*: ~ rider *амер. ист.* свяще́нник, обслу́живавший о́чень большо́й райо́н и объезжа́вший свои́х прихожа́н верхо́м; ~ court выездна́я се́ссия суда́; ~ of action райо́н де́йствия; **2.** *v* обходи́ть вокру́г, соверша́ть круг; враща́ться.

**circuit breaker** ['səːkɪt'breɪkə] *n эл.* автомати́ческий выключа́тель; прерыва́тель.

**circuitous** [səːˈkjuɪtəs] *a* кру́жный, око́льный (*путь*).

**circular** ['səːkjulə] **1.** *a* 1) кру́глый; ~ saw кру́глая (*или* циркуля́рная) пила́; 2) кругово́й; ~ motion кругово́е движе́ние; ~ railway окружна́я желе́зная доро́га; ~ stairs винтова́я ле́стница; 3) дугово́й; ~ arc дуга́, дугово́й сегме́нт; 4) циркуля́рный; ~ letter a) циркуля́р(ное письмо́); б) = ~ note; ~ note ба́нковый аккредити́в; **2.** *n* 1) циркуля́р; 2) рекла́ма; проспе́кт.

**circularity** [ˌsəːkjuˈlærɪtɪ] *n* кругообра́зность.

**circularize** ['səːkjuləraɪz] *v* рассыла́ть циркуля́ры, рекла́мы.

**circulate** ['səːkjuleɪt] *v* 1) циркули́ровать; име́ть кругово́е движе́ние; 2) распространя́ть(ся); 3) передава́ть; 4) обраща́ться (*о деньгах*); 5) повторя́ться (*о цифре в периодической дроби*); 6) *амер.* = circularize.

**circulating** ['səːkjuleɪtɪŋ] **1.** *pres. p. от* circulate; **2.** *a* обраща́ющийся; переходя́щий; ~ capital оборо́тный капита́л; ~ decimal, ~ fraction периоди́ческая дробь; ~ library библиоте́ка с вы́дачей книг на́ дом; ~ medium де́нежный знак, моне́тная едини́ца; *собир.* сре́дства обраще́ния.

**circulation** [ˌsəːkjuˈleɪʃən] *n* 1) кругооборо́т, циркуля́ция; круговое движе́ние; 2) кровообраще́ние (*тж.* ~ of the blood); 3) де́нежное обраще́ние; ~ тира́ж (*газет, журналов*); 5) распростране́ние (*слухов и т. п.*); 6) обраще́ние; to put into ~ пусти́ть в обраще́ние; withdrawn from ~ изъя́тый из обраще́ния; ~ of commodities обраще́ние това́ров; 7) *attr.* свя́занный с распростране́нием; ~ department отде́л распростране́ния (*в газете, журнале и т. п.*); ~ manager нача́льник отде́ла распростране́ния (*газеты, журнала и т. п.*).

**circulator** ['səːkjuleɪtə] *n* распространи́тель; ~ of infection распространи́тель зара́зы.

**circulatory** ['səːkjulətərɪ] *a* циркули́рующий.

**circum-** ['səːkəm-] *в сложных словах означает* вокру́г, круго́м.

**circumambient** [ˌsəːkəmˈæmbɪənt] *a* окружа́ющий (*о воздухе, среде*); омыва́ющий.

**circumambulate** [ˌsəːkəmˈæmbjuleɪt] *v* 1) (об)ходи́ть вокру́г; 2) ходи́ть вокру́г да о́коло.

**circumaviate** [ˌsəːkəmˈeɪvɪeɪt] *v* лета́ть вокру́г; to ~ the earth соверша́ть кругосве́тный полёт.

**circumbendibus** [ˌsəːkəmˈbendɪbəs] *n шутл.* 1) око́льный путь; 2) = circumlocution.

**circumcise** ['səːkəmsaɪz] *v рел.* соверша́ть обре́зание.

**circumcision** [ˌsəːkəmˈsɪʒən] *n рел.* обре́зание.

**circumference** [səˈkʌmfərəns] *n* 1) *мат.* окру́жность; перифери́я; 2) окру́га.

**circumferential** [sə,kʌmfəˈrenʃəl] *a* относя́щийся к окру́жности; перифери́ческий.

**circumflex** ['səːkəmfleks] *n* диакрити́ческий знак над гла́сной (*в др.-греч. языке означает ударение; во франц. языке — удлинение звука вследствие исчезновения другого звука, напр.* fête *вместо прежнего* feste).

**circumfluent** [səˈkʌmfluənt] *a* омыва́ющий со всех сторо́н, обтека́ющий.

**circumfluous** [səˈkʌmfluəs] *a* 1) = circumfluent; 2) омыва́емый, окружённый водо́й.

**circumgyration** [ˌsəːkəˌdʒaɪəˈreɪʃən] *n* враще́ние (вокру́г свое́й о́си); круже́ние.

**circumjacent** [ˌsəːkəmˈdʒeɪsənt] *a* окружа́ющий, располо́женный вокру́г.

**circumlittoral** [ˌsəːkəmˈlɪtərəl] *a* прибре́жный.

**circumlocution** [ˌsəːkəmləˈkjuːʃən] *n* 1) многоречи́вость; 2) укло́нчивые ре́чи; око́личности; 3) *лингв.* иносказа́ние, парафра́з(а); ◊ C. Office учрежде́ние, где процвета́ет воло́кита, бюрократи́зм, формали́зм (*по на-*

званию бюрократического учреждения в романе Диккенса «Крошка Доррит»).

**circumlocutional** [ˌsəːkəmləˈkjuːʃənəl] *a* 1) многоречивый; 2) уклончивый.

**circumlocutory** [ˌsəːkəmˈlɔkjutərɪ] *a* 1) многословный; 2) описательный, перифрастический.

**circum-meridian** [ˌsəːkəmməˈrɪdɪən] *a астр.* близкий к меридиану (*о звезде и т. п.*).

**circumnavigate** [ˌsəːkəmˈnævɪgeɪt] *v* плавать вокруг; to ~ the globe (*или* the earth, the world) совершать кругосветное плавание.

**circumnavigation** [ˈsəːkəmˌnævɪˈgeɪʃən] *n* кругосветное плавание.

**circumnavigator** [ˌsəːkəmˈnævɪgeɪtə] *n* 1) кругосветный мореплаватель; 2) *мор.* прибор Кэрби.

**circumscribe** [ˈsəːkəmskraɪb] *v* 1) ограничивать; обозначать пределы; to ~ smb.'s power of action ограничивать чьи-л. права; 2) *геом.* описывать.

**circumscription** [ˌsəːkəmˈskrɪpʃən] *n* 1) ограничение, предел; 2) район; округ; 3) надпись (*по окружности монеты, по краям марки и т. п.*).

**circumsolar** [ˌsəːkəmˈsoulə] *a* вращающийся вокруг солнца; близкий к солнцу.

**circumspect** [ˈsəːkəmspekt] *a* осторожный, осмотрительный.

**circumspection** [ˌsəːkəmˈspekʃən] *n* осторожность, осмотрительность.

**circumspective** [ˌsəːkəmˈspektɪv] *a* 1) = circumspect; 2) осматривающий, замечающий всё кругом.

**circumstance** [ˈsəːkəmstəns] *n* 1) обстоятельство; случай; the ~ that тот факт, что; a lucky ~ счастливый случай; an unforeseen ~ непредвиденное обстоятельство; 2) *pl* обстоятельства, условия; under (*или* in) по ~s при каких условиях, никогда; under the ~s при данных обстоятельствах, в этих условиях; 3) *pl* материальное положение; in easy (reduced) ~s в хорошем (стеснённом) материальном положении; 4) подробность, деталь; to omit no essential ~ не пропустить ни одной существенной детали; 5) церемония; he was received with great ~ ему устроили пышную встречу; ◇ not a ~ to *амер.* ничто по сравнению с, не идёт ни в какое сравнение с.

**circumstanced** [ˈsəːkəmstənst] *a* поставленный в (*такие-то*) условия.

**circumstantial** [ˌsəːkəmˈstænʃəl] 1. *a* 1) подробный, обстоятельный; 2) случайный, привходящий (*об обстоятельствах*); ~ evidence косвенные, дополнительные улики; 2. *n* 1) деталь; подробность; 2) *pl* привходящий момент; difference between substantials and ~s разница между существенным и несущественным.

**circumstantiality** [ˈsəːkəmˌstænʃɪˈælɪtɪ] *n* обстоятельность.

**circumstantially** [ˌsəːkəmˈstænʃəlɪ] *adv* 1) подробно, обстоятельно; 2) не прямо, с помощью косвенных доказательств.

**circumvallate** [ˌsəːkəmˈvæleɪt] *v ист.* окружать осадными сооружениями.

**circumvallation** [ˌsəːkəmvəˈleɪʃən] *n ист.* укреплённая линия обложения.

**circumvent** [ˌsəːkəmˈvent] *v* 1) обмануть, обойти, перехитрить; 2) расстраивать, опрокидывать (*планы*).

**circumvention** [ˌsəːkəmˈvenʃən] *n* обман, хитрость.

**circumvolution** [ˌsəːkəmvəˈljuːʃən] *n* 1) вращение (*вокруг общего центра*); 2) извилина, изгиб.

**circus** [ˈsəːkəs] *n* 1) цирк; 2) круглая площадь с радиально расходящимися улицами; 3) *геол.* горный амфитеатр; цирк; 4) *attr.*: ~ floor *геол.* дно цирка.

**cirque** [səːk] *n* 1) *поэт.* амфитеатр; арена; 2) = circus 3.

**cirrhosis** [sɪˈrousɪs] *n мед.* цирроз печени.

**cirri** [ˈsɪraɪ] *pl от* cirrus.

**cirro-cumulus** [ˈsɪrouˈkjuːmjuləs] *n* перисто-кучевые облака, «барашки».

**cirro-stratus** [ˈsɪrouˈstraːtəs] *n* перисто-слоистые облака.

**cirrous** [ˈsɪrəs] *a* перистый.

**cirrus** [ˈsɪrəs] *n* (*pl* cirri) 1) перистые облака; 2) *бот., зоол.* усик.

**cisalpine** [sɪsˈælpaɪn] *a* цизальпинский (*находящийся по южную сторону Альп*).

**cisatlantic** [ˌsɪsætˈlæntɪk] *a* на европейской стороне Атлантического океана.

**cist** [sɪst] *n археол.* гробница.

**Cistercian** [sɪsˈtəːʃjən] *n* цистерцианец (*монах примыкавшего к бенедиктинцам ордена*).

**cistern** [ˈsɪstən] *n* 1) цистерна, бак, резервуар; 2) водоём.

**citadel** [ˈsɪtədl] *n* 1) крепость, цитадель; 2) твердыня; оплот; убежище.

**citation** [saɪˈteɪʃən] *n* 1) цитирование; ссылка, упоминание; цитата; 2) перечисление; ~ of facts перечисление фактов; 3) *юр.* вызов (*в суд*); 4) *амер. воен.* упоминание в приказе (*похвальное*); to get a ~ быть отмеченным в приказе.

**cite** [saɪt] *v* 1) ссылаться; цитировать; 2) вызывать (*в суд, преим. церковный*).

**cither(n)** [ˈsɪθə(n)] *n поэт., ист.* кифара, лира.

**citizen** [ˈsɪtɪzn] *n* 1) гражданин; гражданка; 2) горожанин; горожанка; 3) *амер.* штатский (человек).

**citizenship** [ˈsɪtɪznʃɪp] *n* гражданство.

**citrate** [ˈsɪtrɪt] *n хим.* соль лимонной кислоты.

**citric** [ˈsɪtrɪk] *a* лимонный.

**citrine** [sɪˈtriːn] 1. *n мин.* цитрин, золотистый топаз. 2. *a* лимонного цвета.

**citron** [ˈsɪtrən] *n* 1) цитрон, сладкий лимон; 2) лимонный цвет (*тж.* ~ colour).

**citrus** [ˈsɪtrəs] *n бот.* цитрус.

**cits** [sɪts] *n pl амер. разг.* штатская одежда.

**cittern** [ˈsɪtəːn] = cither(n).

**city** [ˈsɪtɪ] *n* 1) большой, старинный город (*в Англии*); всякий более или менее значительный город с местным самоуправлением (*в США*); 2): the C. Сити, деловой квартал в центре Лондона; финансовые и коммéрческие кругú Лóндона; 3) *attr.* горóдскóй, муниципáльный; ~ council муниципáльный совéт; ~ hall *амер.* здáние муниципалитéта, рáтуша; ~ planning планирóвка городóв; ~ water водá из (городскóго) водопровóда; 4) (С.) *attr.*: C. man финансúст, коммерсáнт, делéц; C. article статья́ в газéте по финáнсовым и коммéрческим вопрóсам; C. editor a) редáктор финáнсового отдéла газéты; б) *амер.* завéдующий репортáжем.

**city state** [ˈsɪtɪˈsteɪt] *n* *ист.* пóлис (*город-госудáрство в дрéвнем мире*).

**civet** [ˈsɪvɪt] *n* 1) *зоол.* вивéрра африкáнская; 2) цибéт (*веществó, употр. в парфюмéрии*).

**civet-cat** [ˈsɪvɪtˌkæt] = civet 1).

**civic** [ˈsɪvɪk] *a* граждáнский.

**civic-minded** [ˈsɪvɪkˈmaɪndɪd] *a* с развúтым чýвством дóлга.

**civics** [ˈsɪvɪks] *n pl* (*употр. как sing*) 1) оснóвы граждáнственности; граждáнское прáво; 2) *юр.* граждáнские делá.

**civil** [ˈsɪvl] *a* 1) граждáнский; 2) штáтский (*противоп.* воéнный); ~ engineer инженéр-стрóитель; ~ servant государственный граждáнский служащий, чинóвник; ~ service государственная граждáнская служба; С. Defence организáция противовоздýшной обороны; 3) *юр.* граждáнский (*противоп.* уголóвный); ~ case граждáнское дéло; C. Law граждáнское прáво; 4) вéжливый; воспитанный; to keep a ~ tongue (in one's head) держáться в рáмках прилúчия, быть вéжливым; ◇ ~ list цивúльный лист (*сумма на содержáние лиц королéвской семьи*).

**civilian** [sɪˈvɪljən] 1. *n* 1) штáтский (человéк); 2) *pl* граждáнское населéние; 3) лицó, состоя́щее на граждáнской слýжбе; 4) *юр.* цивилúст, специалúст по граждáнскому прáву;
2. *a* штáтский; ~ clothes штáтская одéжда; ~ population граждáнское населéние.

**civilianize** [sɪˈvɪljənaɪz] *v* распространя́ть граждáнский стáтус на военноплéнных.

**civility** [sɪˈvɪlɪtɪ] *n* любéзность, вéжливость; to exchange civilities обменя́ться любéзностями.

**civilization** [ˌsɪvɪlaɪˈzeɪʃən] *n* цивилизáция.

**civilize** [ˈsɪvɪlaɪz] *v* цивилизовáть.

**civilized** [ˈsɪvɪlaɪzd] 1. *p.p. от* civilize;
2. *a* 1) цивилизóванный; 2) воспитанный, культýрный.

**civilly** [ˈsɪvɪlɪ] *adv* вéжливо, учтúво, любéзно.

**civil-spoken** [ˈsɪvlˈspoukn] *a* учтúвый в разговóре.

**civ(v)y** [ˈsɪvɪ] *n sl.* 1) штáтский (человéк); 2) *pl воен.* штáтское; штáтская одéжда; 3) *attr.*: C. Street *воен. sl.* «граждáнка», граждáнская жизнь.

**clabber** [ˈklæbə] *ирл.* 1. *n* простоквáша;
2. *v* скисáть, свёртываться (*о молокé*).

**clack** [klæk] 1. *n* 1) треск; щёлканье; 2) шум голосóв; болтовня́; 3) погремýшка; 4) = clack-valve;

2. *v* 1) трещáть; щёлкать; 2) грóмко болтáть; 3) кудáхтать, гоготáть.

**clack-valve** [ˈklækvælv] *n тех.* откиднóй *или* створчатый клáпан.

**clad** [klæd] *past и p.p. от* clothe.

**cladmetal** [ˈklædmetl] *n* плакирóванный метáлл.

**claim** [kleɪm] 1. *n* 1) трéбование; 2) иск; претéнзия; to raise a ~ предъявúть претéнзию; to lay ~ to smth., to put smth. in a ~ предъявля́ть правá на что-л.; 3) *преим. амер. и австрал.* учáсток земли́, отведённый под разрабóтку недр; заявка на отвóд учáстка; to jump a ~ незакóнно захватúть учáсток, отведённый другóму; *перен.* незакóнно захватúть что-л., принадлежáщее другóму; to stake out a ~ отмечáть грáницы отведённого учáстка; *перен.* закрепúть своё прáво на что-л.;
2. *v* 1) трéбовать; to ~ damages трéбовать возмещéния убы́тков; to ~ attention трéбовать к себé внимáния; to ~ one's right трéбовать своегó; *перен.* взять своё; 2) претендовáть, предъявля́ть претéнзию, заявля́ть правá на что-л.; to ~ the victory настáивать на своéй побéде; 3) утверждáть, заявля́ть; 4) *юр.* возбуждáть иск о возмещéнии убы́тков (against).

**claimant** [ˈkleɪmənt] *n* 1) предъявля́ющий правá; претендéнт; 2) истéц.

**claim check** [ˈkleɪmtʃek] *n* квитáнция на получéние закáза, вещéй пóсле ремóнта *и т. п.*

**claiming race** [ˈkleɪmɪŋˌreɪs] *n* скáчки, пóсле котóрых любáя из лошадéй мóжет быть кýплена.

**clairvoyance** [klɛəˈvɔɪəns] *n* 1) яснови́дение; 2) проницáтельность.

**clairvoyant** [klɛəˈvɔɪənt] 1. *n* яснови́дец; яснови́дица;
2. *a* яснови́дящий.

**clam** [klæm] 1. *n* 1) съедóбный морскóй моллю́ск (разúнька, венéрка *и пр.*); 2) *амер. разг.* скры́тный, необщи́тельный человéк; ◇ as happy as a ~ (at high tide) ≈ рад-радёшенек; счастли́вый, довóльный;
2. *v* 1) собирáть моллю́сков; 2) лúпнуть, прилипáть; 3) *амер. разг.* быть *или* стать молчали́вым, необщи́тельным; замолчáть.

**clamant** [ˈkleɪmənt] *a* 1) шумли́вый; 2) настóйчивый; 3) вопию́щий.

**clambake** [ˈklæmˌbeɪk] *n амер.* пикни́к на морскóм берегý с приготовлéнием кýшанья из моллю́сков.

**clamber** [ˈklæmbə] 1. *n* карáбканье;
2. *v* карáбкаться, цепля́ться (*часто* ~ up).

**clambering plant** [ˈklæmbərɪŋˌplɑːnt] *n* вью́щееся растéние.

**clamminess** [ˈklæmɪnɪs] *n* клéйкость, лúпкость.

**clammy** [ˈklæmɪ] *a* 1) клéйкий, лúпкий; 2) холóдный и влáжный на óщупь.

**clamorous** [ˈklæmərəs] *a* шýмный, крикли́вый.

**clamour** [ˈklæmə] 1. *n* 1) шум, кри́ки; 2) шýмные протéсты;
2. *v* шýмно трéбовать; кричáть; □ ~ against выступáть, восставáть прóтив *чего-л.*

~ **down** заста́вить замолча́ть (*кри́ками*); ~ **for** тре́бовать; to ~ for peace тре́бовать ми́ра; ~ **out** шу́мно протестова́ть.

**clamp I** [klæmp] *тех.* 1. *n* зажи́м; хому́т, струбци́на; скоба́;
2. *v* скрепля́ть, зажима́ть; смыка́ть.

**clamp II** [klæmp] 1. *n* ку́ча (*карто́феля, прикры́того на зи́му соло́мой и землёй*); кле́тка (*кирпича́, сло́женного для обжи́га*); шта́бель (*сухо́го торфа*);
2. *v* скла́дывать в ку́чу (*обыкн.* ~ up).

**clamp III** [klæmp] 1. *n* тяжёлая по́ступь;
2. *v* тяжело́ ступа́ть.

**clam-shell** ['klæmˌʃel] *n* гре́йфер.

**clan** [klæn] *n* 1) клан, род (*в Шотла́ндии*); 2) кли́ка.

**clandestine** [klæn'destɪn] *a* та́йный, скры́тый.

**clang** [klæŋ] 1. *n* лязг, звон, ре́зкий металли́ческий звук (*ору́жия, мо́лота, колоколо́в; в поэ́зии — труб*);
2. *v* производи́ть лязг, звон, ре́зкий звук; to ~ glasses together чо́каться, звене́ть стака́нами.

**clangour** ['klæŋgə] *n* ре́зкий металли́ческий звук, лязг металли́ческих предме́тов.

**clank** [klæŋk] 1. *n* звон, лязг (*цепе́й, железа*); бряца́ние;
2. *v* греме́ть (*це́пью*); бряца́ть.

**clannish** ['klænɪʃ] *a* 1) родово́й; 2) приве́рженный к свое́му ро́ду, кла́ну; 3) ограни́ченный, обосо́бленный, за́мкнутый в своём кругу́, гру́ппе *и т. п.*

**clanship** ['klænʃɪp] *n* 1) принадле́жность *или* пре́данность свое́му кла́ну, ро́ду; 2) разделе́ние на вражде́бные гру́ппы, кружко́вщина, обосо́бленность.

**clansman** ['klænzmən] *n* член кла́на.

**clap I** [klæp] 1. *n* 1) хло́панье; хлопо́к; 2) уда́р (*грома*); 3) = clapper;
2. *v* 1) хло́пать, аплоди́ровать; the audience ~ped the singer пу́блика аплоди́ровала певцу́; 2) хло́пать (*дверя́ми, кры́льями и т. п.*); to ~ the lid of a box to захло́пнуть кры́шку сундука́; 3) похло́пать; to ~ smb. on the back похло́пывать кого́-л. по плечу́; 4) *разг.* упря́тать, упе́чь (in); to ~ in prison упе́чь в тюрьму́; 5) надвига́ть (*бы́стро или энерги́чно*); налага́ть; to ~ duties on goods облага́ть това́ры по́шлиной; to ~ a hat on one's head нахлобу́чить шля́пу; ☐ ~ on: to ~ on sails подня́ть паруса́; to ~ on smb. *разг.* подсу́нуть кому́-л.; ~ up: to ~ up (a bargain, match, peace) поспе́шно, на́спех заключи́ть (сде́лку, брак, мир); ◇ to ~ eyes on smb. *разг.* уви́деть, заме́тить кого́-л.

**clap II** [klæp] *груб.* 1. *n* три́ппер.
2. *v* зарази́ть три́ппером.

**clapboard** ['klæpbɔd] *n* 1) клёпка (*бочарная*); ко́лотый лесоматериа́л для клёпки; 2) *амер.* доска́ клинообра́зного сече́ния.

**clap-net** ['klæpˌnet] *n* сило́к для птиц.

**clapper** ['klæpə] *n* 1) язы́к (*ко́локола и шут.* — *человека*); 2) трещо́тка (*для отпу́гивания птиц*); 3) клакёр.

**clapperclaw** ['klæpəˌklɔ] *v* 1) цара́пать, рвать когтя́ми; 2) брани́ть, ре́зко критикова́ть.

**claptrap** ['klæptræp] 1. *n* трескуча́я фра́за; что-л., рассчи́танное на дешёвый эффе́кт;
2. *a* рассчи́танный на дешёвый эффе́кт, показно́й.

**claque** [klæk] *фр. n* кла́ка, гру́ппа клакёров.

**claqueur** ['klækə] *фр. n* клакёр.

**clarence** ['klærəns] *n* закры́тая четырёхме́стная каре́та.

**clarendon** ['klærəndən] *n полигр.* жи́рный шрифт.

**claret** ['klærət] *n* 1) кра́сное вино́, кларе́т; 2) цвет бордо́; 3) *sl.* кровь; to tap smb.'s ~ разби́ть кому́-л. нос в кровь.

**claret-cup** ['klærətkʌp] *n* крюшо́н из кра́сного вина́.

**clarification** [ˌklærɪfɪ'keɪʃən] *n* 1) проясне́ние; 2) очище́ние.

**clarify** ['klærɪfaɪ] *v* 1) де́лать(ся) прозра́чным (*о во́здухе, жи́дкости*); 2) де́лать(ся) я́сным (*о сти́ле, мы́сли и т. п.*); 3) вноси́ть я́сность; to ~ the disputes ула́живать спо́ры.

**clarinet** [ˌklærɪ'net] *n муз.* кларне́т.

**clarinettist** [ˌklærɪ'netɪst] *n* кларнети́ст.

**clarion** ['klærɪən] *n* 1. *n* 1) *поэт.* рожо́к, горн; 2) звук рожка́; призы́вный звук;
2. *a* гро́мкий, чи́стый (*о зву́ке*); ~ call гро́мкий призы́в.

**clarionet** [ˌklærɪə'net] = clarinet.

**clarity** ['klærɪtɪ] *n* 1) чистота́, прозра́чность; 2) я́сность.

**clary** ['klɛərɪ] *n бот.* шалфе́й муска́тный.

**clash** [klæʃ] 1. *n* 1) лязг (*ору́жия*); гул (*колоколо́в*); 2) столкнове́ние; ~ of interests столкнове́ние интере́сов; ~ of opinions расхожде́ние во взгля́дах; 3) конфли́кт;
2. *v* 1) ста́лкиваться, стука́ться, ударя́ться друг о дру́га (*осо́б. об ору́жии*); 2) ударя́ть с гро́хотом; производи́ть гул, шум, звон; звони́ть во все колокола́; 3) расходи́ться (*о взгля́дах*); 4) ста́лкиваться (*об интере́сах*); приходи́ть в столкнове́ние; 5) дисгармони́ровать; these colours ~ э́ти цвета́ не гармони́руют; 6) совпада́ть во вре́мени; our lectures ~ на́ши ле́кции совпада́ют.

**clasp** [klɑːsp] 1. *n* 1) пря́жка, застёжка; 2) пожа́тие; объя́тие, объя́тия; he gave my hand a warm ~ он тепло́ пожа́л мне ру́ку; 3) *тех.* зажи́м;
2. *v* 1) застёгивать; 2) сжима́ть, обнима́ть; to ~ in one's arms заключа́ть в объя́тия; to ~ smb.'s hand пожима́ть кому́-л. ру́ку; to ~ (one's own) hands лома́ть ру́ки в отча́янии; 3) обвива́ться (*о вью́щемся расте́нии*).

**clasp-knife** ['klɑːspˈnaɪf] *n* складно́й нож.

**clasp-pin** ['klɑːspˈpɪn] *n* безопа́сная була́вка.

**class I** [klɑːs] 1. *n* обще́ственный класс; the working ~ рабо́чий класс; the middle ~ сре́дняя буржуази́я; the upper ~ кру́пная буржуази́я; аристокра́тия; the ~es иму́щие кла́ссы;
2. *a* кла́ссовый; ~ alien претенду́ющий на принадле́жность к кла́ссу, к кото́рому на са́мом де́ле не принадлежи́т.

**class** II [klɑːs] **1.** *n* 1) класс; разря́д; гру́ппа; катего́рия; ~ of problems круг вопро́сов; 2) сорт, ка́чество; in a ~ by itself первокла́ссный; it is по ~ *разг.* э́то никуда́ не годи́тся; 3) *биол.* класс; 4) класс (*в шко́ле*); the top of the ~ пе́рвый учени́к (*в кла́ссе*); 5) вре́мя нача́ла заня́тий (*в шко́ле*); when is ~? когда́ начина́ются заня́тия?; 6) курс (*обуче́ния*); to take ~es (in) проходи́ть курс обуче́ния (*где́-л.*); 7) вы́пуск (*студе́нтов тако́го-то го́да*); 8) *унив.* отли́чие; to get (*или* to obtain) a ~ око́нчить курс с отли́чием; 9) класс (*на желе́зной доро́ге, парохо́де*); to travel third ~ е́здить в тре́тьем кла́ссе; 10) *воен.* призы́вники одного́ и того́ же го́да рожде́ния; the 1937 ~ призы́вники 1937 го́да (рожде́ния); 11) *мор.* тип корабля́;

**2.** *a* кла́ссный;

**3.** *v* 1) классифици́ровать; 2) *унив.* распределя́ть отли́чия (*в результа́те экза́менов*); Tompkins obtained a degree, but was not ~ed То́мпкинс получи́л сте́пень, но без отли́чия; 3) соста́вить себе́ мне́ние, оцени́ть; ☐ ~ with ста́вить наряду́ с.

**class-book** ['klɑːs͵buk] *n* уче́бник.

**class-consciousness** ['klɑːs'kɔnʃəsnɪs] *n* кла́ссовое созна́ние.

**class-fellow** ['klɑːs͵felou] *n* однокла́ссник, шко́льный това́рищ.

**classic** ['klæsɪk] **1.** *a* 1) класси́ческий; 2) образцо́вый;

**2.** *n* 1) кла́ссик; 2) специали́ст по анти́чной филоло́гии; 3) класси́ческое произведе́ние; 4) *pl* класси́ческие языки́; класси́ческая литерату́ра.

**classical** ['klæsɪkəl] *a* класси́ческий; ~ scholar = classic 2, 2).

**classicism** ['klæsɪsɪzəm] *n* 1) классици́зм; сле́дование класси́ческим образца́м; 2) изуче́ние класси́ческих языко́в и класси́ческой литерату́ры; 3) *лингв.* лати́нская *или* гре́ческая идио́ма.

**classicize** ['klæsɪsaɪz] *v* подража́ть класси́ческому сти́лю.

**classification** [͵klæsɪfɪ'keɪʃən] *n* классифика́ция.

**classified** ['klæsɪfaɪd] **1.** *p. p. от* classify; **2.** *a* *амер. воен.* секре́тный.

**classify** ['klæsɪfaɪ] *v* классифици́ровать.

**classless** ['klɑːslɪs] *a* бескла́ссовый; ~ society бескла́ссовое о́бщество.

**classman** ['klɑːsmæn] *n* студе́нт, вы́державший экза́мен с отли́чием.

**class-mate** ['klɑːs͵meɪt] = class-fellow.

**class-room** ['klɑːs͵rum] *n* класс, кла́ссная ко́мната.

**classy** ['klɑːsɪ] *a* *разг.* 1) первокла́ссный, отли́чный; 2) шика́рный.

**clastic** ['klæstɪk] *a* *геол.* обло́мочный.

**clatter** ['klætə] **1.** *n* 1) стук; звон (*посу́ды*); 2) гро́хот (*маши́н*); 3) болтовня́, трескотня́; гул (*голосо́в*); 4) то́пот.

**2.** *v* 1) стуча́ть; греме́ть; 2) болта́ть; ☐ ~ along то́пать; стуча́ть копы́тами (*о лоша́ди*); ~ down «загреме́ть» (*вниз по ле́стнице*).

**clause** [klɔːz] *n* 1) *грам.* предложе́ние (*явля́ющееся ча́стью сло́жного предложе́-*

*ния*); principal (subordinate) ~ гла́вное (прида́точное) предложе́ние; 2) статья́, пункт, кла́узула (*в догово́ре*); escape ~ *дип.* пункт догово́ра, предусма́тривающий отка́з от взя́того обяза́тельства; saving ~ *дип.* статья́, содержа́щая огово́рку.

**clave** [kleɪv] *past от* cleave I.

**clavichord** ['klævɪkɔːd] *n* *муз.* клавико́рды.

**clavicle** ['klævɪkl] *n* *анат.* ключи́ца.

**clavicular** [klə'vɪkjulə] *a* *анат.* ключи́чный.

**clavier** *n* 1) ['klævɪə] клавиату́ра; 2) [klə'vɪə] клави́р (*стари́нное назва́ние фортепиа́но*).

**claw** [klɔː] **1.** *n* 1) ко́готь; 2) ла́па с когтя́ми; 3) клешня́; 4) *презр.* рука́; 5) *тех.* кула́к, па́лец, вы́ступ, зубе́ц; ла́па; клещи́; ⬦ to put ~s on пока́зывать ко́гти; to draw in one's ~s присмире́ть; to cut (*или* to clip, to pare) smb.'s ~s ≅ подре́зать кому́-л. кры́лышки; обезору́жить кого́-л.;

**2.** *v* 1) цара́пать, рвать когтя́ми; когти́ть; 2) загреба́ть (*де́ньги*); 3) *уст.* льстить; ⬦ to ~ hold of smth. вцепи́ться во что-л.; to ~ off the land *мор.* держа́ться да́льше от бе́рега; ~ me and I'll ~ thee *посл.* ≅ услу́га за услу́гу.

**claw-hammer** ['klɔː͵hæmə] *n* молото́к с расще́пом для выта́скивания гвозде́й; ⬦ ~ coat *шутл.* фрак.

**clay** [kleɪ] **1.** *n* 1) гли́на, глинозём; 2) *распр.* земля́; 3) ил, ти́на; 4) те́ло, плоть; 5) *поэт.* прах; 6) гли́няная тру́бка (*тж.* ~ pipe); 7) *attr.*: ~ mill глиномя́лка; ⬦ to moisten one's ~ вы́пить, промочи́ть го́рло; ~ pigeon мише́нь (*в ти́ре*);

**2.** *v* обма́зывать гли́ной.

**clayey** ['kleɪɪ] *a* гли́нистый; ~ soil сугли́нок.

**claymore** ['kleɪmɔː] *n* стари́нный пала́ш (*шотл. го́рцев*).

**clean** [kliːn] **1.** *a* 1) чи́стый; опря́тный; ~ room чи́стая ко́мната; ~ copy белови́к; 2) чистопло́тный; 3) чи́стый, без при́меси; без поро́ков; ~ wheat пшени́ца без при́меси; ~ timber чистосо́ртный лесно́й материа́л (*без сучко́в и др. дефе́ктов*); 4) неиспи́санный (*о листе́ бума́ги, страни́це*); 5) незапя́тнанный, непоро́чный; to have a ~ record име́ть хоро́шую репута́цию; 6) хорошо́ сло́женный (*о челове́ке*); 7) ло́вкий, иску́сный; ~ stroke ло́вкий уда́р; ⬦ to have ~ hands in the matter не быть заме́шанным в како́м-л. де́ле; to make a ~ sweep of smth. соверше́нно отде́латься, изба́виться от чего́-л.; to make a ~ breast of smth. призна́ться в чём-л.;

**2.** *n* чи́стка, убо́рка; to give it a ~ почи́стить, убра́ть;

**3.** *adv* 1) по́лностью, соверше́нно; I ~ forgot to ask я соверше́нно забы́л спроси́ть; 2) на́чисто; 3) пря́мо; как раз; to hit ~ in the eye попа́сть пря́мо в глаз;

**4.** *v* 1) чи́стить; 2) очища́ть; протира́ть; сгла́живать; полирова́ть (*мета́лл*); промыва́ть (*зо́лото*); ☐ ~ down a) смета́ть *(пыль со стен и т. п.)*; б) чи́стить *(лошадь)*; ~ **out** очи́стить; *разг.* обворова́ть, «обчи́стить»; ~ **up** а) прибира́ть, приводи́ть в поря́док; б) зака́нчивать на́чатую рабо́ту; в) *амер. sl.* сорва́ть большо́й куш.

**clean-cut** [´kliːn´kʌt] *a* 1) ре́зко оче́рченный; ~ features ре́зко вы́раженные черты́; 2) я́сный, определённый; то́чный.

**clean-fingered** [´kliːn´fiŋgəd] *a* неподку́пный.

**clean-handed** [´kliːn´hændid] *a* че́стный, неви́нный.

**cleaning** [´kliːniŋ] 1. *pres. p. от* clean 4; 2. *n* 1) чи́стка, убо́рка; очи́стка; 2) *горн.* обогаще́ние; 3) *attr.:* ~ woman убо́рщица, убира́ющая гря́зную посу́ду в рестора́не.

**clean-limbed** [´kliːn´limd] *a* стро́йный *(о фигуре)*.

**cleanliness** [´klenlinis] *n* чистота́; чистопло́тность; опря́тность.

**cleanly** 1. *a* [´klenli] чистопло́тный; 2. *adv* [´klenli] чи́сто; целому́дренно.

**cleanness** [´kliːnnis] *n* чистота́.

**cleanse** [klenz] *v* 1) чи́стить *(преим. перен.)*; 2) дезинфици́ровать; 3) очища́ть желу́док *(слабительным)*.

**clean-shaven** [´kliːn´ʃeivn] *a* чи́сто вы́бритый.

**clean-up** [´kliːn´ʌp] *n разг.* 1) убо́рка; чи́стка; 2) *attr.:* ~ party *амер.* убо́рщики.

**clear** [kliə] 1. *a* 1) я́сный, све́тлый; ~ sky безо́блачное не́бо; 2) прозра́чный; 3) чи́стый *(о весе, доходе; о со́вести)*; 4) свобо́дный; ~ passage свобо́дный прохо́д; all ~ a) путь свобо́ден; б) *воен.* проти́вник не обнару́жен; в) отбо́й *(после трево́ги)*; all ~ signal сигна́л отбо́я; ~ from suspicion вне подозре́ний; ~ of debts от долго́в; ~ line *ж.-д.* перего́н *(между ста́нциями)*; 5) це́лый, по́лный; а ~ month це́лый ме́сяц; 6) я́сно слы́шный, отчётливый; 7) поня́тный, я́сный, невдусмы́сленный; 8) я́сный *(об уме)*; ◊ to get away ~ отде́латься; in ~ a) откры́тым те́кстом, в незашифро́ванном ви́де; б) *тех.* в свету́; to keep ~ of smb. остерега́ться, избега́ть кого́-л.; to see one's way ~ не име́ть затрудне́ний;

2. *adv* 1) я́сно; 2) совсе́м, целико́м *(тж. несколько усиливает знач. наре́чий away, off, through при глаго́лах)*; three feet ~ це́лых три фу́та;

3. *v* 1) очища́ть(ся); расчища́ть; to ~ the air разряди́ть атмосфе́ру; положи́ть коне́ц недоразуме́ниям; to ~ the dishes убира́ть посу́ду со стола́; to ~ the table убира́ть со стола́; to ~ one's throat отка́шливаться; 2) освобожда́ть, очища́ть; 3) станови́ться прозра́чным *(о вине)*; 4) проясня́ться; 5) рассе́ивать *(сомне́ния, подозре́ния)*; 6) опра́вдывать; 7) эвакуи́ровать; 8) распродава́ть *(товар)*; great reductions in order to ~ больша́я ски́дка с це́лью распрода́жи; 9) проходи́ть ми́мо, минова́ть; 10) не заде́ть, прое́хать *или* перескочи́ть че́рез барье́р, не заде́в его́; to ~ an obstacle взять препя́тствие; this horse can ~ 5 feet э́та ло́шадь берёт барье́р в 5 фу́тов; 11) получа́ть чи́стую при́быль; 12) упла́чивать

по́шлины, очища́ть от по́шлин; □ ~ **away** а) убира́ть со стола́; б) рассе́ивать *(сомне́ния)*; в) рассе́иваться *(о тума́не, облака́х)*; ~ **off** а) отде́лываться от *чего́-л.*; б) проясня́ться *(о пого́де)*; в) *разг.* убира́ться; just ~ off at onse! убира́йтесь неме́дленно!; ~ **out** а) очища́ть; б) *разг.* разоря́ть; в) уходи́ть, удаля́ться; ~ **up** а) прибира́ть, убира́ть; б) выясня́ть; распу́тывать *(де́ло)*; в) проясня́ться *(о пого́де)*; г) проходи́ть *(о боле́зни)*; ◊ to ~ the skirts of a person смыть позо́рное пятно́ с кого́-л.; восстанови́ть чью-л. репута́цию; to ~ the decks (for action) *мор.* пригото́виться к бо́ю *(перен.* к де́йствиям); to ~ the way подгото́вить по́чву; to ~ one's expenses покры́ть свои́ расхо́ды.

**clearance** [´kliərəns] *n* 1) очи́стка; security ~ прове́рка благонадёжности; 2) вы́рубка *(леса)*; расчи́стка под па́шню; 3) *ком.* очи́стка от тамо́женных по́шлин; 4) устране́ние препя́тствий; 5) разреше́ние *(напр., оста́вить госуда́рственную до́лжность)*; 6) произво́дство расчётов че́рез расчётную пала́ту *[см. тж.* clearing 2, 3)]; 7) холосто́й ход; 8) *тех.* зазо́р; вы́рез; вре́дное простра́нство *(в цили́ндре; тж.~* space); 9) кли́ренс *(автомоби́ля, та́нка)*; 10) *attr.:* ~ sale (дешёвая) распрода́жа; 11) *attr.:* ~ papers *ком.* докуме́нты, удостоверя́ющие очи́стку от по́шлин.

**clearcole** [´kliə‚koul] *n* клеева́я кра́ска с ме́лом *или* бели́лами для загрунто́вки зда́ния.

**clear-cut** [´kliə´kʌt] *a* я́сно оче́рченный; чёткий.

**clearing** [´kliəriŋ] 1. *pres. p. от* clear 3; 2. *n* 1) проясне́ние *и пр. [см.* clear 3]; ~ of signal отме́на сигна́ла; 2) уча́сток *(ле́са)*, расчи́щенный для обрабо́тки по́чвы; 3) кли́ринг *(систе́ма взаи́мных расчётов между ба́нками по о́бщему ито́гу)*; 4) вскры́тие *(реки́)*.

**Clearing-House** [´kliəriŋhaus] *n ком.* расчётная пала́та [см. clearing 2, 3)].

**clearing-off** [´kliəriŋ´ɔːf] *n* расчёт, распла́та.

**clearing station** [´kliəriŋ‚steiʃən] *n* эвакуацио́нный пункт.

**clearly** [´kliəli] *adv* я́сно; очеви́дно; несомне́нно; коне́чно *(в отве́те)*.

**clearness** [´kliənis] *n* я́сность *и пр. [см.* clear 1].

**clear-sighted** [´kliə´saitid] *a* проница́тельный, дальнови́дный.

**clearstarch** [´kliə‚stɑːtʃ] *v* крахма́лить.

**clearstory** [´kliəstəri] = clerestory.

**clear-way** [´kliəwei] *n* фарва́тер.

**cleat** [kliːt] *n* 1) *тех.* кле́мма, зажи́м; клин; 2) *тех.* волочи́льная доска́; 3) *тех.* шпунт, соедине́ние в шпунт; 4) пла́нка; 5) *мор.* крепи́тельная у́тка; крепи́тельная пла́нка; 6) *геол.* вертика́льный клива́ж.

**cleavage** [´kliːvidʒ] *n* 1) расщепле́ние; раска́лывание; 2) расхожде́ние, раско́л; ~ in regard to views расхожде́ние во взгля́дах; ~ of society into classes разделе́ние о́бщества на кла́ссы; 3) *геол., горн.* сло́йстость; спа́йность.

**cleave I** [kliːv] v (clave, cleaved; cleaved) 1) оставаться верным, преданным (to); 2) уст. прилипать.

**cleave II** [kliːv] v (clove, cleft; cloven, cleft) 1) раскалывать(ся) (часто ~ asunder, ~ in two); 2) рассекать (волны, воздух); 3) разрезать.

**cleaver** ['kliːvə] n 1) дровокол; 2) большой нож мясника.

**cleavers** ['kliːvəz] n бот. подмаренник цепкий.

**clef** [klef] n муз. ключ.

**cleft I** [kleft] n трещина, расселина.

**cleft II** [kleft] 1. past и p. p. от cleave II; 2. a расщеплённый; ~ palate мед. волчья пасть; ◇ in a ~ stick в безвыходном положении.

**cleg** [kleg] n овод, слепень.

**clem** [klem] v сев. 1) голодать; 2) морить голодом.

**clematis** ['klemətis] n бот. ломонос.

**clemency** ['klemənsı] n 1) милосердие; снисходительность; 2) мягкость (климата).

**clement** ['klemənt] a 1) милосердный, милостивый; 2) мягкий (о климате).

**clench** [klentʃ] 1. n 1) сжимание (кулаков); стискивание (зубов); 2) заклёпывание; 3) скоба, железный крюк; заклёпка; 4) убедительный аргумент; 2. v 1) захватывать, зажимать; 2) сжимать (кулаки), стискивать (зубы); 3) заклёпывать; 4) утверждать, окончательно решать.

**clepsydra** ['klepsɪdrə] n ист. клепсидра, водяные часы.

**clerestory** ['klɪəstərı] n архит. вертикальная грань фонаря, фонарь.

**clergy** ['kləːdʒı] n 1) духовенство; 2) разг. = clergymen; twenty ~ were present присутствовало двадцать духовных лиц.

**clergyman** ['kləːdʒımən] n священник [см. тж. clergy 2)]; ~'s week (fortnight) отпуск, включающий два (три) воскресенья.

**cleric** ['klerık] n духовное лицо, церковник.

**clerical** ['klerıkəl] 1. a 1) клерикальный; 2) канцелярский; ~ work канцелярская, конторская работа; ~ error канцелярская ошибка, описка переписчика; 2. n полит. клерикал.

**clericalism** ['klerıkəlızəm] n клерикализм.

**clericalist** ['klerıkəlıst] = clerical 2.

**clerihew** ['klerıhjuː] n комическое четверостишие.

**clerk** [klɑːk] 1. n 1) клерк, письмоводитель; конторский служащий; correspondence ~ ком. корреспондент; 2) воен. писарь; 3) чиновник; секретарь; Chief C. управляющий делами, секретарь городского управления; 4) приказчик, торговый служащий; ~ of the works производитель работ (на постройке); 5) уст. духовное лицо; образованный или грамотный человек; ◇ C. of the Weather шутл. ≅ «хозяин погоды»; метеорология; амер. шутл. начальник метеорологического отдела управления связи. 2. v служить, быть чиновником.

**clerkly** ['klɑːklı] a 1) грамотный; обладаю-

щий хорошим почерком; ~ hand хороший почерк; 2) уст. духовный, церковный.

**clerkship** ['klɑːkʃıp] n 1) должность секретаря, клерка и т. п. [см. clerk 1]; 2) хороший почерк; грамотность.

**clever** ['klevə] a 1) умный; 2) ловкий; искусный; ~ piece of work искусная работа; 3) способный, даровитый; 4) амер. разг. добродушный.

**cleverness** ['klevənıs] n 1) одарённость; 2) ловкость; искусность, умение.

**clevis** ['klevıs] n 1) вага (дышла); 2) тех. соединительная скоба, серьга; карабин.

**clew** [kluː] 1. n 1) клубок; 2) путеводная нить; след; 3) мор. шкотовый угол паруса; from ~ to earing сверху донизу; с головы до ног; насквозь; 2. v (обыкн. ~ up) 1) сматывать в клубок; 2) мор. брать (паруса) на гитовы; 3) мор. заканчивать какую-л. работу.

**clewline** ['kluːlaın] n мор. гитов.

**cliché** ['kliːʃeı] фр. n 1) полигр. клише; пластинка стереотипа; 2) штамп; избитая фраза.

**click** [klık] 1. n 1) щёлканье (затвора, щеколды); щелчок (в механизме); 2) фон. щёлкающий звук (в некоторых южноафриканских языках); 3) засечка (у лошади); 4) тех. защёлка, собачка; трещотка; 2. v 1) щёлкать; to ~ the door защёлкнуть за собой дверь; to ~ one's tongue прищёлкнуть языком; to ~ one's heels together пристукнуть каблуками; 2) разг. точно соответствовать, подходить (по характеру); ладить; 3) разг. отличаться чёткостью, слаженностью; 4) разг. иметь успех.

**click beetle** ['klık,biːtl] n зоол. жук-щелкун.

**clicker** ['klıkə] n 1) заготовщик (обуви); 2) полигр. метранпаж; 3) sl. зазывала (в магазин).

**client** ['klaıənt] n 1) клиент; 2) постоянный покупатель, заказчик.

**clientage** ['klaıəntıdʒ] n 1) клиенты, клиентура; 2) отношения патрона и клиентов.

**clientèle** [,kliːɑːnˈteıl] фр. = clientage 1).

**cliff** [klıf] n 1) крутой обрыв; 2) отвесная скала, утёс; ◇ ~ hanger sl. увлекательный рассказ, частями передающийся по радио.

**cliffsman** ['klıfsmən] n альпинист.

**climacteric** [klaıˈmæktərık] 1. n климактерий, критический возраст; критический период; 2. a климактерический; критический, опасный.

**climate** ['klaımıt] n 1) климат; 2) атмосфера; настроение; состояние общественного мнения (часто ~ of opinion).

**climatic** [klaıˈmætık] a климатический.

**climatology** [,klaımə'tɔlədʒı] n климатология.

**climax** ['klaımæks] 1. n высшая точка, кульминационный пункт; 2. v дойти или довести до кульминационного пункта.

**climb** [klaım] 1. n 1) подъём, восхождение; 2) ав. набор высоты; rate of ~ скорость подъёма; 3) attr.: ~ indicator ав. указатель вертикальной скорости;

**2.** *v* 1) поднима́ться, кара́бкаться, влеза́ть; to ~ (up) a tree влеза́ть на де́рево; to ~ to power стреми́ться к вла́сти; 2) *ав.* набира́ть высоту́; 3) ла́зить; 4) ви́ться (*о растениях*); ☐ ~ down а) слеза́ть; *перен.* па́дать; б) отступа́ть, уступа́ть (*в споре*).

**climb-down** ['klaɪm͵daun] *n* спуск; *перен.* усту́пка (*в споре*).

**climber** ['klaɪmə] *n* 1) альпини́ст; 2) *pl* монтёрские ко́гти; 3) вью́щееся расте́ние; 4) честолю́бец, карьери́ст.

**climbing-irons** ['klaɪmɪŋ͵aɪənz] *n pl* 1) = climber 2); 2) шипы́ на о́буви альпини́стов.

**clime** [klaɪm] *n поэт.* 1) кли́мат; 2) страна́.

**clinch** [klɪntʃ] **1.** *n* 1) зажи́м; скоба́; заклёпка; 2) игра́ слов, каламбу́р; 3) клинч, захва́т (*в боксе*);

**2.** *v* 1) прибива́ть гвоздём, загиба́я его́ шля́пку; заклёпывать; 2) оконча́тельно реша́ть, догова́риваться; to ~ a bargain заключи́ть, закрепи́ть сде́лку; to ~ an argument реши́ть спор; to ~ the matter реши́ть вопро́с.

**clincher** ['klɪntʃə] *n* 1) заклёпка, болт; скоба́; 2) реша́ющий до́вод; *рез.* кли́нчер.

**cling** [klɪŋ] *v* (clung) (*часто* ~ to) 1) цепля́ться; прилипа́ть; 2) держа́ться (*берега, дома и т. п.*); to ~ together держа́ться вме́сте; 3) остава́ться ве́рным (*взглядам, друзьям*); 4) льнуть; 5) облега́ть (*о платье*).

**clingstone** ['klɪŋ͵stoun] *n* пе́рсик, в кото́ром пло́хо отделя́ется ко́сточка.

**clingy** ['klɪŋɪ] *a* ли́пкий, це́пкий.

**clinic** ['klɪnɪk] *n* кли́ника.

**clinical** ['klɪnɪkəl] *a* клини́ческий; ~ record исто́рия боле́зни.

**clink I** [klɪŋk] *n* 1) звон (*тонкого металла, стекла*); 2) *шотл.* зво́нкая моне́та;

**2.** *v* звене́ть; звуча́ть; to ~ glasses звене́ть стака́нами, чо́каться.

**clink II** [klɪŋk] *n sl.* тюрьма́; *воен.* «гу́ба».

**clinker I** ['klɪŋkə] *n* 1) кли́нкер, кли́нкерный кирпи́ч; 2) шлак; 3) засты́вшая ла́ва; 4) штукату́рный гвоздь.

**clinker II** ['klɪŋkə] *n sl.* прекра́сный экземпля́р *или* образе́ц чего́-л. (*напр., прекрасная лошадь, меткий выстрел, удар и т. п.*).

**clinker-built** ['klɪŋkə͵bɪlt] *a мор.* обши́тый внакро́й (*противоп.* carvel-built).

**clinking** ['klɪŋkɪŋ] **1.** *pres. p. от* clink I, 2;

**2.** *a* 1) звеня́щий; 2) *разг.* превосхо́дный, первокла́ссный;

**3.** *adv разг.* о́чень; ~ good о́чень хоро́ший.

**clinkstone** ['klɪŋk͵stoun] *n мин.* фоноли́т, звеня́щий ка́мень, порфи́ровый сла́нец.

**clinometer** [klaɪ'nɔmɪtə] *n* 1) клиноме́тр; 2) квадра́нт.

**clip I** [klɪp] **1.** *n тех.* зажи́мные клещи́; зажи́мная скоба́; скре́пка; зажи́м; хому́тик, серьга́; ~ of cartridges патро́нная обо́йма;

**2.** *v* зажима́ть, сжима́ть, кре́пко обхва́тывать; обнима́ть.

**clip II** [klɪp] **1.** *n* 1) стри́жка; 2) настри́женная шерсть; 3) *pl шотл.* но́жницы (*для стрижки овец*); 4) *разг.* си́льный уда́р;

**2.** *v* 1) стричь (*особ. овец*); 2) обреза́ть; отреза́ть; отсека́ть; обрыва́ть, надрыва́ть (*билет в трамвае и т. п.*); to ~ the coin обреза́ть край моне́ты; 3) глота́ть, сокраща́ть (*слова*).

**clip III** [klɪp] **1.** *n* 1) *разг.* бы́страя похо́дка; at a fast ~ о́чень бы́стро; 2) *амер.* де́рзкая, наха́льная девчо́нка;

**2.** *v* бы́стро идти́, бежа́ть.

**clipper I** ['klɪpə] *n* 1) тот, кто стрижёт; 2) *pl* но́жницы; 3) *тех.* куса́чки; сека́тор.

**clipper II** ['klɪpə] *n* 1) кли́ппер (*быстроходное парусное судно; тж. летающая лодка*); 2) быстрохо́дный самолёт для да́льних (*особ. трансокеанских*) перелётов; 3) клёппер (*лошадь*); 4) *sl.* что-л. первосо́ртное.

**clippie** ['klɪpɪ] *n разг.* же́нщина-конду́ктор (*в автобусе и т. п.*).

**clipping** ['klɪpɪŋ] **1.** *pres. p. от* clip II, 2;

**2.** *n* 1) газе́тная вы́резка; 2) обре́зок; 3) обре́зывание, сре́зывание;

**3.** *a* 1) ре́жущий; ре́зкий; 2) *sl.* первокла́ссный; ◇ to come in ~ time приходи́ть как раз во́время.

**clipping room** ['klɪpɪŋ͵rum] *n кино* монта́жная.

**clique** [kli:k] *фр. n* кли́ка.

**cliqu(e)y** ['kli:kɪ] *фр. a* 1) име́ющий хара́ктер кли́ки; 2) за́мкнутый.

**clitoris** ['klɪtərɪs] *n анат.* кли́тор, похотни́к.

**clivers** ['klɪvəz] = cleavers.

**cloaca** [klou'eɪkə] *n* 1) выводно́е отве́рстие для экскреме́нтов (*у рыб и т. п.*); 2) канализацио́нная, сто́чная труба́; кана́л для сто́ка нечисто́т; *перен.* клоа́ка.

**cloak** [klouk] **1.** *n* 1) плащ; ма́нтия; 2) покро́в; ~ of snow покро́в сне́га; 3) предло́г; ма́ска; under the ~ of loyalty под ма́ской лоя́льности; ◇ C. and Sword plays (испа́нские) коме́дии плаща́ и шпа́ги;

**2.** *v* 1) покрыва́ть плащо́м; надева́ть плащ; 2) скрыва́ть, прикрыва́ть, маскирова́ть.

**cloak-room** ['kloukrum] *n* 1) гардеро́б, раздева́льня; 2) *ж.-д.* ка́мера хране́ния; 3) *амер. разг.* кулуа́ры; 4) *эвф.* убо́рная.

**clock I** [klɔk] **1.** *n* 1) часы́ (*стенные, настольные, башенные*); like a ~ пунктуа́льно; he worked the ~ round он прорабо́тал кру́глые су́тки; 2): what o'clock is it? кото́рый час; 3) пуши́стая голо́вка одува́нчика; ◇ the ~ strikes for him наста́л его́ час; to put (*или* to set) back the ~ ≅ (пыта́ться) поверну́ть наза́д колесо́ исто́рии; заде́рживать разви́тие;

**2.** *v* 1) отмеча́ть вре́мя прихо́да на рабо́ту (in) *или* ухо́да с рабо́ты (out) (*на специальных часах*); 2) *спорт.* показа́ть вре́мя; he ~ed 11.6 seconds for the 80 metres hurdles он показа́л вре́мя 11,6 секу́нды в барье́рном бе́ге на 80 ме́тров; 3) хронометри́ровать.

**clock II** [klɔk] *n* стре́лка (*чулка*).

**clock-case** ['klɔkkeɪs] *n* часово́й футля́р.

**clock-face** ['klɔkfeɪs] *n* циферблат.

**clock-glass** ['klɔkglɑːs] *n* стеклянный колпак для часов.

**clock-house** ['klɔkhaus] *n амер.* проходная (*завода, фабрики и т. п.*).

**clocking** ['klɔkɪŋ] *a*: ~ hen наседка, клуша.

**clockwise** ['klɔkwaɪz] 1. *a* движущийся по часовой стрелке;
2. *adv* по часовой стрелке.

**clock-work** ['klɔkwəːk] 1. *n* часовой механизм; like ~ с точностью часового механизма;
2. *a* 1) точный; 2) заводной; ~ toys заводные игрушки.

**clod** [klɔd] 1. *n* 1) ком, глыба; 2) прах, мёртвое тело; 3) дурень, блух;
2. *v* 1) слёживаться комьями; 2) швырять(ся) комьями.

**cloddish** ['klɔdɪʃ] *a* 1) глупый; 2) неуклюжий.

**clodhopper** ['klɔd,hɔpə] *n* неповоротливый, грубоватый, неотёсанный парень.

**clod-poll** ['klɔd,poul] = clod 1, 3).

**clog** [klɔg] 1. *n* 1) препятствие; 2) *редк.* колодка; *перен.* путы; 3) засорение; 4) башмак на деревянной подошве;
2. *v* 1) обременять, мешать, препятствовать; 2) надевать путы, спутывать (*лошадь*); 3) засорять(ся); застопоривать(ся); 4) надевать башмаки на деревянной подошве.

**cloggy** ['klɔgɪ] *a* 1) комковатый; сбивающийся в комья; 2) густой, вязкий; 3) легко засоряющийся.

**cloisonné** [,klɔɪzə'peɪ] *фр. n* клуазоне.

**cloister** ['klɔɪstə] 1. *n* 1) монастырь; 2) *архит.* крытая аркада; 3) *attr.*: ~ vault *архит.* монастырский свод;
2. *v* 1) заточать в монастырь; 2) уединяться (*часто* ~ oneself).

**cloistered** ['klɔɪstəd] 1. *p.p. от* cloister 2;
2. *a* 1) заточённый; 2) уединённый; 3) окружённый аркадами.

**cloisterer** ['klɔɪstərə] *n* монах.

**cloistral** ['klɔɪstrəl] *a* 1) монастырский; монашеский; 2) уединённый.

**cloistress** ['klɔɪstrɪs] *n* монахиня.

**cloning** ['klouпɪŋ] *n биол.* вегетативное размножение.

**clonus** ['klounəs] *n мед.* спазматические мышечные сокращения.

**clop** [klɔp] *n* звук (*шагов*); стук (*копыт*).

**close I** [klous] 1. *a* 1) закрытый; 2) уединённый; скрытый; to keep a thing ~ держать что-л. в секрете; to keep (*или* to lie) ~ прятаться; 3) замкнутый, молчаливый, скрытный; to keep oneself ~ держаться замкнуто; 4) строгий (*об аресте, изоляции*); 5) спёртый, душный; 6) близкий (*о времени и месте*); тесный; ~ contact тесный контакт; at ~ quarters в непосредственном соприкосновении (*особ. с противником*); to come to ~ quarters a) вступить в рукопашный бой; б) сцепиться в споре; to get to ~ quarters сблизиться, подойти на близкую дистанцию; ~ attack *воен.* атака с близкой дистанции; ~ column сомкну-

тая колонна; ~ order сомкнутый строй; ~ defence ближняя оборона; 7) близкий, интимный; ~ friend близкий друг; 8) пристальный (*о внимании*); тщательный; подробный; ~ investigation подробное обследование; ~ reading внимательное, медленное чтение; 9) точный; ~ translation точный перевод; 10) сжатый (*о почерке, стиле*); ~ print убористая печать; 11) без пропусков, пробелов; связный; 12) плотный; густой (*о лесе*); ~ texture плотная ткань; 13) облегающий (*об одежде*); хорошо пригнанный; точно соответствующий; ~ resemblance близкое сходство; 14) почти равный (*о шансах*); 15) скупой; he is ~ with his money он скуповат; ◇ (by) a ~ shave a) на волосок от; б) с минимальным преимуществом; ~ call *амер.* на волосок от; ~ contest упорная борьба на выборах; ~ vote почти равное деление голосов; ~ district *амер.* избирательный округ, где победа на выборах одержана незначительным большинством; ~ season время, когда запрещена охота *или* рыбная ловля;
2. *adv* 1) близко; ~ up поблизости; ~ on почти, приблизительно; there were ~ on a hundred people present присутствовало почти сто человек; 2) почти; he ran me very ~ он почти догнал меня; 3) коротко; ~ cropped гладко *или* коротко остриженный; to cut one's hair ~ коротко подстричься.

**close II** [klouz] 1. *n* 1) конец, завершение, окончание; to bring to a ~ довести до конца, завершить, закончить; to draw to a ~ a) довести до конца; б) приближаться к концу; 2) закрытие; 3) *муз.* каденция;
2. *v* 1) закрывать(ся); кончать (*торговлю, занятия*); заканчивать; заключать (*речь и т. п.*); to ~ a discussion прекратить обсуждение; 2) подходить близко; сближаться вплотную; 3) *эл.* замыкать (*цепь*); □ ~ about окутывать; окружать; ~ down a) применять репрессии; подавлять; б) *мор.* задраивать; ~ in a) приближаться; наступать; б) окружать, огораживать; в) сокращаться (*о днях*); ~ on приходить к соглашению; ~ round окружать; ~ up a) закрывать; б) ликвидировать; в) закрываться (*о ране*); г) заканчивать; д) сомкнуть ряды; ~ upon = on; ~ with a) вступать в борьбу; б) принимать предложение, заключать сделку; ◇ to ~ one's days умереть; to ~ one's eyes to smth. закрывать глаза на что-л.; to ~ a person's eye подбить глаз кому-л.; to ~ the door on smth. положить конец обсуждению чего-л.

**close III** [klous] *n* 1) огороженное место (*часто вокруг собора*); 2) школьная площадка.

**closed** [klouzd] 1. *p.p. от* close II, 2;
2. *a* 1) запертый, закрытый; ~ sea внутреннее море (*все берега которого принадлежат одному государству*); ~ work *горн.* подземные работы; ~ shop *амер.* предприятие, принимающее на работу только членов профсоюза (*на основании договора с профсоюзом*); 2) законченный; 3) *фон.* за-

кры́тый; ~ syllable закры́тый слог; 4) *эл.* под то́ком.

**close-down** ['klouz'daun] *n* остано́вка рабо́ты в связи́ с закры́тием предприя́тия.

**close-fisted** ['klous'fistid] *a* скупо́й.

**close-grained** ['klous'greind] *a* мелко-зерни́стый, мелковолокни́стый.

**close-hauled** ['klous'hɔːld] *a мор.* иду́щий в круто́й бейдеви́нд.

**close-in** ['klous'in] *a:* ~ fighting бли́жний бой; рукопа́шная схва́тка.

**closely** ['klousli] *adv* 1) внима́тельно; 2) бли́зко, те́сно.

**closely-knit** ['klousli,nit] *a* сплочённый.

**closeness** ['klousnis] *n* 1) духота́; 2) пло́тность; 3) бли́зость; 4) ску́пость; 5) уедине́ние.

**close-out** ['klous,aut] *n* распрода́жа.

**close-stool** ['klous,stuːl] *n* стульча́к; пара́ша.

**closet** ['klɔzit] 1. *n* 1) чула́н; 2) (стенно́й) шкаф; jam ~ буфе́т; bed ~ ни́ша для крова́ти; ма́ленькая спа́льня; 3) кабине́т; 4) убо́рная; 5) *attr.* кабине́тный; ~ strategist кабине́тный страте́г;
2. *v* запира́ть; to be ~ed with smb. совеща́ться с кем-л. наедине́.

**close-up** ['klous,ʌp] *n* 1) кино, телев. кру́пный план, 2) *амер.* тща́тельный осмо́тр; 3) *attr.:* ~ pictures кино ка́дры, сня́тые кру́пным пла́ном.

**closing** ['klouziŋ] 1. *pres. p. om* close II, 2;
2. *n* 1) заключе́ние, коне́ц; 2) закры́тие; запира́ние; 3) смыка́ние; 4) *эл.* замыка́ние;
3. *a* заключи́тельный; ~ speech заключи́тельное сло́во.

**closing-time** ['klouziŋtaim] *n* вре́мя закры́тия (*магазинов, учреждений и т. п.*).

**closure** ['klouʒə] 1. *n* 1) закры́тие; смыка́ние; 2) перегоро́дка; 3) *парл.* прекраще́ние пре́ний;
2. *v* закрыва́ть пре́ния.

**clot** [klɔt] 1. *n* 1) комо́к, сгу́сток; 2) *геол.* уча́сток (поро́ды); 3) сверну́вшаяся кровь; 4) *мед.* тромб; 5) *редк.* = clod 1;
2. *v* свёртываться, запека́ться (*о крови*); сгуща́ться; ство́раживаться (*о молоке*).

**cloth** [klɔθ] *n* 1) ткань; сукно́; полотно́; холст; бума́жная мате́рия; ~ of gold (silver) золота́я (сере́бряная) парча́; bound in ~ в переплёте из мате́рии; *pl* куски́ мате́рии; сорта́ су́кон, мате́рий; 3) пы́льная тря́пка; 4) ска́терть; to lay the ~ накрыва́ть на стол; 5) духо́вный сан; gentlemen of the ~ духове́нство.

**cloth-binding** ['klɔθ,baindiŋ] *n* переплёт из мате́рии.

**clothe** [klouð] *v* (clothed, clad) 1) одева́ть; to ~ oneself одева́ться; 2) облека́ть; ~d with authority облечённый вла́стью; to ~ one's thoughts in words выража́ть мы́сли слова́ми; 3) покрыва́ть; spring ~s the land with verdure весна́ покрыва́ет зе́млю зе́ленью.

**clothes** [klouðz] *n pl* пла́тье, оде́жда; бельё (*тж.* посте́льное).

**clothes-bag** ['klouðzbæg] = clothes-basket.

**clothes-basket** ['klouðz,baːskit] *n* белева́я корзи́на.

**clothes-brush** ['klouðzbrʌʃ] *n* платяна́я щётка.

**clothes-horse** ['klouðzhɔːs] *n* складна́я ра́ма для су́шки белья́.

**clothes-line** ['klouðzlain] *n* верёвка для разве́шивания и су́шки белья́.

**clothes-man** ['klouðzmæn] *n* старьёвщик.

**clothes-pin** ['klouðzpin] *n* зажи́мка для разве́шенного белья́.

**clothes-press** ['klouðz,pres] *n* комо́д для белья́.

**clothier** ['klouðiə] *n* 1) фабрика́нт су́кон; 2) торго́вец мануфакту́рой; 3) портно́й.

**clothing** ['klouðiŋ] 1. *pres. p. om* clothe;
2. *n* 1) оде́жда, пла́тье; 2) *воен.* обмундирова́ние; 3) *тех.* обши́вка.

**clotted** ['klɔtid] 1. *p.p. om* clot 2;
2. *a* сверну́вшийся, запёкшийся; ссе́вшийся; ~ cream род варенца́; ◇ ~ nonsense су́щий вздор.

**clou** [kluː] *фр. n* 1) основна́я мысль; 2) то, что нахо́дится в це́нтре внима́ния; «гвоздь програ́ммы».

**cloud** [klaud] 1. *n* 1) о́блако; ту́ча; ~s of smoke клубы́ ды́ма; ~s of dust клубы́ пы́ли; а ~ on one's happiness о́блачко, омрача́ющее чьё-л. сча́стье; 2) мно́жество, тьма, «ту́ча» (*птиц, стрел и т. п.*); 3) тёмная прожи́лка (*напр., в мра́море*); 4) пятно́; а ~ on one's reputation пятно́ на чьей-л. репута́ции; to be under a ~ of suspicion быть под подозре́нием; 5) покро́в; under ~ of night под покро́вом но́чи; 6) шерстяна́я шаль; ◇ to be (*или* to have one's head) in the ~s вита́ть в облака́х; in the ~s нереа́льный, вообража́емый; to drop from the ~s с не́ба свали́ться; а ~ on one's brow хму́рый вид; under a ~ a) в тяжёлом положе́нии; б) в неми́лости, в опа́ле; 2) под подозре́нием; every ~ has a (*или* its) silver lining *посл.* ≅ нет ху́да без добра́;
2. *v* 1) покрыва́ть(ся) облака́ми, ту́чами; 2) омрача́ть(ся); затемня́ть; мути́ть; 3) очерни́ть; запятна́ть (*репута́цию*); □ ~ over, ~ up завола́киваться.

**cloudberry** ['klaud,beri] *n бот.* моро́шка.

**cloud-burst** ['klaudbəːst] *n* ли́вень.

**cloud-capped** ['klaud,kæpt] *a* закры́тый облака́ми (*о го́рных верши́нах*).

**cloud-castle** ['klaud,kaːsl] *n* возду́шные за́мки, мечты́, фанта́зия.

**cloud-drift** ['klauddrift] *n* тече́ние облако́в, плыву́щие облака́.

**cloud-land** ['klaud,lænd] *n* ска́зочная страна́, мир грёз.

**cloudless** ['klaudlis] *a* безо́блачный, я́сный.

**cloudlet** ['klaudlit] *n* о́блачко.

**cloud-world** ['klaud'wɔːld] *n* = cloud-land.

**cloudy** ['klaudi] *a* 1) о́блачный; 2) непрозра́чный, му́тный (*о жи́дкости*); 3) пу́таный; тума́нный (*о мы́сли*); 4) затума́ненный, нея́сный (*о зре́нии, о ви́димости*); 5) с пя́тнами, прожи́лками (*о мра́море и т. п.*).

**clough** [klʌf] *n* глубо́кое уще́лье, овра́г; лощи́на; дефиле́.

**clout** [klaut] 1. *n* 1) *уст.* лоску́т, тря́пка; 2) *разг.* затре́щина; 3) *тех.* = clout-nail;

2. *v* 1) *уст.* грубо чинить *или* латать; 2) *разг.* давать затрещину.

**clout-nail** ['klautneil] *n* гвоздь с плоской шляпкой; штукатурный гвоздь.

**clove** I [klouv] *n* 1) гвоздика (*пряность*); oil of ~s гвоздичное масло; 2) гвоздичное дерево.

**clove** II [klouv] *n* зубок чесночной головки; луковичка.

**clove** III [klouv] *past om* cleave II.

**clove-gillyflower** ['klouv'dʒɪlɪ‚flauə] *n бот.* гвоздичное дерево.

**clove hitch** ['klouvhɪtʃ] 1. *n мор.* выбленочный узел;
2. *v* вязать выбленочным узлом.

**cloven** [klouvn] 1. *p.p. om* cleave II;
2. *a* раздвоенный; ~ hoof раздвоенное копыто (*у парнокопытных*); ◇ to show the ~ hoof (*или* foot) обнаруживать дьявольский характер (*дьявола обычно изображали с раздвоенным копытом*).

**clover** ['klouvə] *n* клевер; ◇ he is in ~, he lives in ~ ≅ он как сыр в масле катается; он живёт припеваючи.

**clow** [klau] *n* шлюзные ворота.

**clown** [klaun] 1. *n* 1) клоун; 2) шут (*в старинных пьесах*); 3) неотёсанный парень; невежда;
2. *v* дурачиться, изображать из себя клоуна.

**clownery** ['klaunərɪ] *n* клоунада.

**clownish** ['klaunɪʃ] *a* 1) шутовской; 2) грубый; неотёсанный.

**cloy** [klɔɪ] *v* пресыщать; too many sweets ~ the palate избыток сладостей вызывает отвращение.

**cloyment** ['klɔɪmənt] *n* пресыщение.

**club** I [klʌb] 1. *n* 1) дубинка; 2) *спорт.* клюшка; бита; 3) *pl карт.* трефы, трефовая масть;
2. *v* 1) бить (*дубинкой, прикладом*); 2) *воен.* путать строй неправильными командами.

**club** II [klʌb] 1. *n* клуб;
2. *v* 1) собираться вместе; 2) устраивать складчину (together, with).

**clubbable** ['klʌbəbl] *a* 1) достойный быть членом клуба; 2) общительный; любящий (клубное) общество.

**clubbing** I ['klʌbɪŋ] 1. *pres. p. om* club I, 2;
2. *n* избиение дубинкой.

**clubbing** II ['klʌbɪŋ] *pres. p. om* club II, 2.

**club-foot** ['klʌb'fut] 1. *n* косолапость; изуродованная ступня;
2. *a* = club-footed.

**club-footed** ['klʌb'futɪd] *a* косолапый, с изуродованной ступнёй.

**clubland** ['klʌblænd] *n* название части Лондона (*около Пикадилли*), где сосредоточены главные аристократические клубы.

**club-law** I ['klʌb'lɔ] *n* кулачное право.

**club-law** II ['klʌb'lɔ] *n* устав клуба.

**clubman** ['klʌbmən] *n* 1) член клуба; 2) *амер.* светский человек; прожигатель жизни.

**club-moss** ['klʌb'mɔs] *n бот.* плаун.

**club-shaped** ['klʌbʃeɪpt] *a* утолщённый на одном конце, в виде дубины.

**clubwoman** ['klʌb‚wumən] *n* женщина-член *или* завсегдатай клуба.

**cluck** [klʌk] 1. *n* кудахтанье, клохтанье;
2. *v* кудахтать, клохтать.

**clucking hen** ['klʌkɪŋ'hen] *n* наседка, клуша.

**clue** [kluː] *n* 1) ключ (*к разгадке чего-л.*); 2) нить (*рассказа и т. п.*); ход мыслей.

**clump** [klʌmp] 1. *n* 1) глыба, комок; 2) чурбан; 3) группа (*деревьев*); 4) двойная подошва; 5) топот (*ног*);
2. *v* 1) сажать группами; 2) ставить двойную подошву; 3) тяжело ступать.

**clump-sole** ['klʌmpsoul] = clump 1, 4).

**clumsy** ['klʌmzɪ] *a* 1) неуклюжий, неловкий; неповоротливый; 2) грубый, топорный; 3) бестактный.

**clung** [klʌŋ] *past и p. p. om* cling.

**cluster** ['klʌstə] 1. *n* 1) кисть, пучок, гроздь; куст; ~ of grapes гроздь винограда; 2) группа; ~ of spectators кучка зрителей; 3) рой (*пчёл*); 4) скопление, концентрация; 5) *attr.:* ~ switch *эл.* групповой выключатель;
2. *v* 1) расти пучками, гроздьями; roses ~ed round the house вокруг дома росли кусты роз; 2) собираться группами, тесниться; the children ~ed round their teacher дети окружили учительницу; memories of the past ~ round this spot с этим местом связываются воспоминания прошлого.

**clutch** I [klʌtʃ] 1. *n* 1) сжатие; захват; to make a ~ at smth. схватить что-л.; 2) *pl* когти, лапы; 3) *спорт.* затруднение, трудное положение; 4) *тех.* зажимное устройство; защёлка; муфта поворота, сцепление; to throw in (out) the ~ сцепить (разобщить) муфту; 5) *attr.:* ~ disc *тех.* фрикционный диск;
2. *v* схватить; зажать; ◇ to ~ at a straw хвататься за соломинку.

**clutch** II [klʌtʃ] 1. *n* 1) яйца, на которых сидит курица *или* гусыня; 2) выводок;
2. *v* высиживать (*цыплят*).

**clutter** ['klʌtə] 1. *n* 1) суматоха; 2) беспорядок; хаос; 3) шум, гам;
2. *v* 1) создавать суматоху; 2) приводить в беспорядок, загромождать вещами (*часто* ~ up); her desk was ~ed up with old papers её стол был завален старыми бумагами; собирать помехи, мешать; to ~ traffic затруднять (уличное) движение; 4) шуметь; 5) невнятно говорить.

**Clydesdale** ['klaɪdz‚deɪl] *n* клайдесдальская порода лошадей, клайдесдаль.

**clyster** ['klɪstə] *n мед.* 1) клизма; клистир; 2) *attr.:* ~ pipe клистирная трубка.

**co-** [kou-] *в сложных словах означает* общность, совместность действий, сотрудничество, взаимность *и т. п.; напр.* co-ordinate координировать, согласовывать; co-author соавтор.

**coach** [koutʃ] 1. *n* 1) карета, экипаж; 2) *ж.-д.* пассажирский вагон; 3) автобус (междугородного сообщения); 4) *ист.* почтовая карета; ◇ ~ and four (six) карета, запряжённая четвёркой (шестёркой); to drive a ~ and four (*или* six) through свести на нет, аннулировать, обойти закон (*юри-

дическое постановле́ние и т. п.), ссыла́ясь на нето́чность или нея́сность в те́ксте; найти́ лазе́йку;
2. *v* 1) е́хать в каре́те; 2) перевози́ть в каре́те.

**coach** II [koutʃ] 1. *n* 1) репети́тор (*подготавливающий к экза́менам*); 2) тре́нер; инстру́ктор;
2. *v* 1) подгота́вливать или ната́скивать к экза́мену; 2) занима́ться с репети́тором; 3) тренирова́ть, подгота́вливать к состяза́ниям; 4) *ав.* инструкти́ровать пило́та по ра́дио во вре́мя ночны́х полётов.

**coach-box** [ˈkoutʃbɔks] *n* ко́злы.

**coach-dog** [ˈkoutʃdɔg] *n* далма́тский дог, бе́лый с чёрными пя́тнами.

**coach-house** [ˈkoutʃhaus] *n* каре́тный сара́й.

**coachman** [ˈkoutʃmən] *n* 1) ку́чер; 2) иску́сственная му́ха (*употр. при рыбной ловле*).

**coaction** [kouˈækʃən] *n* 1) *редк.* совме́стное де́йствие; 2) *уст.* принужде́ние.

**coadjutor** [kouˈædʒutə] *n* коадъю́тор, помо́щник, замести́тель (*духовного лица*).

**coagulant** [kouˈægjulənt] *n хим.* сгуща́ющее вещество́, коагуля́нт.

**coagulate** [kouˈægjuleit] *v* сгуща́ться, свёртываться; коагули́ровать.

**coagulation** [kouˌægjuˈleiʃən] *n* коагуля́ция, свёртывание.

**coal** [koul] 1. *n* (ка́менный) у́голь; ◇ to call (*или* to haul) over the ~s де́лать вы́говор; дава́ть нагоня́й; to carry ~s to Newcastle де́лать что-л. бесполе́зное; везти́ това́р туда́, где его́ и без того́ мно́го (*г. Нью́касл — центр у́гольной промы́шленности*); to heap ~s of fire on smb.'s head *библ.* ≈ пристыди́ть кого́-л., возда́в добро́м за зло;
2. *v* 1) грузи́ть(ся) у́глем; 2) обу́гливаться.

**coal-bed** [ˈkoulbed] *n* у́гольный пласт.

**coal-black** [ˈkoulˈblæk] *a* чёрный как смоль.

**coal-burner** [ˈkoulˌbəːnə] *n* кора́бль, рабо́тающий на у́гле.

**coal-cutter** [ˈkoulˌkʌtə] *n* вру́бовая маши́на.

**coal-dust** [ˈkoulˈdʌst] *n* ме́лкий у́голь, у́гольная пыль.

**coaler** [ˈkoulə] *n* 1) у́гольщик (*пароход*); 2) гру́зчик у́гля.

**coalesce** [ˌkouəˈles] *v* 1) сраста́ться; 2) объединя́ться (*о лю́дях*).

**coalescence** [ˌkouəˈlesns] *n* 1) сраще́ние, соедине́ние; 2) смеше́ние; смесь; ◇ ~ of councils единоду́шие, единогла́сие.

**coal-factor** [ˈkoulˌfæktə] *n* посре́дник (*между владе́льцем ша́хты и покупа́телем у́гля*).

**coal-field** [ˈkoulfiːld] *n* каменноуго́льный бассе́йн, каменноуго́льный райо́н; месторожде́ние у́гля.

**coal-flap** [ˈkoulflæp] *n* кры́шка находя́щегося на тротуа́ре лю́ка у́гольного по́греба.

**coal-gas** [ˈkoulˈgæs] *n* каменноуго́льный газ, свети́льный газ.

**coal-heaver** [ˈkoulˌhiːvə] *n* во́зчик у́гля.

**coal-hole** [ˈkoulhoul] *n* 1) по́греб для хране́ния у́гля; 2) люк для спу́ска у́гля в по́греб.

**coaling** [ˈkoulɪŋ] 1. *pres. p. от* coal 2;
2. *n* погру́зка у́гля, бункеро́вка.

**coaling-station** [ˈkoulɪŋˌsteiʃən] *n* у́гольная ста́нция, у́гольная ба́за.

**coalite** [ˈkoulait] *n хим.* коали́т.

**coalition** [ˌkouəˈliʃən] *n* коали́ция; сою́з (*временный*).

**coalitionist** [ˌkouəˈliʃənist] *n* уча́стник коали́ции.

**coalman** [ˈkoulmæn] *n* углеко́п.

**coal-measures** [ˈkoulˌmeʒəz] *n pl геол.* каменноуго́льные пласты́; каменноуго́льная сви́та; каменноуго́льные отложе́ния.

**coal-mine** [ˈkoulmain] *n* у́гольная ша́хта, копь.

**coalmouse** [ˈkoulˌmaus] = coal-tit.

**coal-pit** [ˈkoulpit] = coal-mine.

**coal-plough machine** [ˈkoulplaumə,ʃiːn] *n* у́гольный комба́йн.

**coal-scuttle** [ˈkoulˌskʌtl] *n* ведёрко для у́гля.

**coal-seam** [ˈkoulsiːm] = coal-bed.

**coal-tar** [ˈkoulˈtɑː] *n* каменноуго́льная смола́, каменноуго́льный дёготь.

**coal-tit** [ˈkoulˈtit] *n зоол.* моско́вка.

**coal-whipper** [ˈkoulˌwipə] *n* челове́к (*тж.* маши́на), разгружа́ющий у́голь с корабля́.

**coaly** [ˈkouli] *a* 1) у́гольный, содержа́щий у́голь; 2) чёрный как у́голь; 3) чума́зый.

**coamings** [ˈkoumiŋz] *n pl мор.* ко́мингсы.

**coarse** [kɔːs] *a* 1) гру́бый (*о пи́ще, оде́жде и т. п.*); 2) кру́пный; ~ sand кру́пный песо́к; 3) необрабо́танный, необде́ланный; сыро́й (*о материа́ле*); 4) ни́зкого со́рта; 5) неве́жливый; 6) непристо́йный, вульга́рный.

**coarse-grained** [ˈkɔːsgreind] *a* 1) крупнозерни́стый; ~ wood широкосло́йная древеси́на; 2) неотёсанный, гру́бый (*о челове́ке*).

**coarsen** [ˈkɔːsn] *v* 1) де́лать гру́бым; 2) грубе́ть.

**coast** [koust] 1. *n* 1) морско́й бе́рег, побере́жье; 2) *амер.* снежные го́ры; спуск с них на са́нках; 3) *амер.* круто́й спуск на велосипе́де свобо́дным колесо́м; ◇ the ~ is clear путь свобо́ден, препя́тствий нет;
2. *v* 1) пла́вать вдоль побере́жья; 2) *амер.* ката́ться с горы́; 3) *амер.* спуска́ться на велосипе́де с горы́ свобо́дным колесо́м.

**coastal** [ˈkoustəl] *a* берегово́й; ~ traffic кабота́жное пла́вание; ~ command берегова́я охра́на; ~ submarine подво́дная ло́дка прибре́жного де́йствия;
2. *n* су́дно берегово́й охра́ны.

**coaster** [ˈkoustə] *n* 1) кабота́жное су́дно; 2) сере́бряный подно́с (*ча́сто на колёсиках*) для графи́на; 3) *амер.* тот, кто ката́ется с горы́ или е́дет под го́ру на велосипе́де.

**coastguard** [ˈkoustgɑːd] *n* берегова́я охра́на; *амер.* морска́я пограни́чная слу́жба.

**coasting** [ˈkoustiŋ] 1. *pres. p. от* coast 2;
2. *n* 1) кабота́жное судохо́дство; 2. *attr.* кабота́жный; ~ trade кабота́жная торго́вля.

coastline ['koustlaɪn] *n* береговая линия.

coast waiter ['koust‚weɪtə] *n* таможенный чиновник, надзирающий за каботажными судами.

coast warning ['koust‚wɔːnɪŋ] *n мор.* штормовой сигнал.

coastwise ['koustwaɪz] 1. *a* каботажный; 2. *adv* вдоль побережья.

coat [kout] 1. *n* 1) пиджак; мундир; френч; китель; Eton ~ короткая чёрная куртка; claw-hammer ~ фрак; morning ~ визитка; ~ and skirt женский костюм; 2) верхнее платье, пальто; to take off one's ~ снять пальто [*ср. тж.* ◇]; 3) мех, шерсть; *редк.* шубка (*животного*); оперение (*птицы*); 4) слой, покров; ~ of snow снеговой покров; ~ of paint слой краски; ~ of dust слой пыли; 5) *мед.* оболочка, плева; 6) *тех.* облицовка, обшивка; обкладка; грунт; ◇ ~ of arms гербовый щит, герб; ~ of mail кольчуга; to dust a man's ~ (for him) вздуть, отколотить кого-л.; to take off one's ~ приготовиться к драке [*ср. тж.* 2)]; to take off one's ~ to (the) work горячо взяться за работу; to turn one's ~ менять свои убеждения, взгляды; переходить на сторону противника; 2. *v* 1) покрывать (*краской и т. п.*); his tongue is ~ed у него язык обложен; 2) облицовывать.

coat-card ['koutkɑːd] = court-card.

coatee ['koutiː] *n* короткая куртка.

coating ['koutɪŋ] 1. *pres. p. от* coat 2; 2. *n* 1) слой (*краски и т. п.*); шпаклёвка, грунт; 2) *тех.* обшивка; покров; 3) материал для пальто.

co-author [kou'ɔːθə] *n* соавтор.

co-ax [kou'æks] *n воен.* спаренный пулемёт.

coax [kouks] 1. *v* 1) убеждать, уговаривать; задабривать; she ~ed the child to take the medicine она уговорила ребёнка принять лекарство; 2) добиться чего-л. с помощью уговоров, лести *и т. п.* (into, out of); he was ~ed into coming here его уговорили прийти сюда; to ~ smth. out of smb. добиться чего-л. от кого-л.; 2. *n* человек, который умеет упросить, убедить.

coaxial [kou'æksəl] *a* коаксальный, имеющий общую ось.

coaxial ['kou'æksɪəl] = coaxal.

coaxing ['kouksɪŋ] 1. *pres. p. от* coax 1; 2. *n* задабривание, уговаривание.

cob I [kɔb] 1. *n* 1) глыба, ком; 2) = cob-swan; 3) *название породы невысоких, коренастых верховых лошадей;* 4) *амер.* кочерыжка кукурузного початка; 5) крупный орех; 2. *v* 1) бросать, швырять; 2) бить; *горн.* дробить руду вручную молотком.

cob II [kɔb] *n* 1) смесь глины с соломой (*для обмазки стен*); 2) глинобитная стена.

cobalt [kə'bɔːlt] *n*) *хим.* кобальт; 2) кобальтовая синяя краска.

cobber ['kɔbə] *n австрал.* приятель.

cobble I ['kɔbl] 1. *n* 1) булыжник; 2) *pl* булыжная мостовая; 3) *pl* крупный уголь; 2. *v* мостить (*булыжником*).

cobble II ['kɔbl] 1. *n* плохо сделанная работа; 2. *v* чинить, латать (*обувь*).

cobbler ['kɔblə] *n* 1) сапожник, занимающийся починкой обуви; ~'s wax воск (*для вощения ниток*); 2) плохой мастер; 3) напиток из вина с сахаром, лимоном и льдом.

cobble-stone ['kɔblstoun] = cobble I, 1, 1).

cobbra ['kɔbrə] = cobra 2).

cobby ['kɔbɪ] *a* низкорослый, коренастый.

coble ['koubl] *n* плоскодонная рыбачья лодка.

cob-nut ['kɔbnʌt] *n* род волошского ореха.

cobra ['koubrə] *n* 1) кобра, очковая змея; 2) *австрал.* голова, череп.

cob-swan ['kɔbswɔn] *n* лебедь-самец.

cobweb ['kɔbweb] *n* 1) паутина; 2) лёгкая прозрачная ткань; 3) *pl* хитросплетения, тонкости; 4) западня; тенёта; ◇ ~ morning туманное утро; to blow away the ~s проветриться; прогуляться; he has a ~ in his throat у него горло пересохло.

cobwebby ['kɔb‚webɪ] *a* затянутый паутиной.

coca ['koukə] *n* кока (*южноамер. кустарник и его листья*).

cocaine [kə'keɪn] *n* кокаин.

cocainize [kə'keɪnaɪz] *v* впрыскивать кокаин.

cocci ['kɔksaɪ] *pl от* coccus.

coccus ['kɔkəs] *n* (*pl* cocci) *мед.* кокк.

coccyx ['kɔksɪks] *n анат.* копчик.

cochin(-china) ['kɔtʃɪn('tʃaɪnə)] *n* кохинхинка (*порода кур*).

cochineal ['kɔtʃɪniːl] *n* кошениль (*краска*).

cochlea ['kɔklɪə] *n* (*pl* -leae) *анат.* улитка (*уха*).

cochleae ['kɔkliː] *pl от* cochlea.

cochleare [‚kɔklɪ'ɛərɪ] *n мед.* ложка (*мера лекарства; в рецептах сокр.* cochle.).

cock I [kɔk] 1. *n* 1) петух; ~ of the wood тетерев, глухарь; 2) петушиный крик (*на заре*); we sat till the second ~ мы сидели до вторых петухов; 3) кран; 4) флюгер; 5) курок; at full ~ на полном взводе; 6) сторожок (*весов*); стрелка (*солнечных часов*); 7) *мор.* кубрик; 8) *ав.* сиденье лётчика; 9) вожак, коновод; ~ of the school первый коновод и драчун в школе; 10) *груб.* половой член; ◇ ~ of the walk разг. хозяин положения; главная персона (*в своём кружке, околотке*); to live like a fighting ~ жить припеваючи; old ~ дружище; that ~ won't fight ≅ этот номер не пройдёт; 2. *v* поднимать; to ~ (up) one's ears настораживать уши (*о животном*); навострить уши, насторожиться; to ~ one's hat заламывать шляпу набекрень; to ~ one's pistol взводить курок пистолета; ◇ to ~ one's eye подмигнуть; взглянуть многозначительно; to ~ one's nose задирать нос, важничать.

cock II [kɔk] 1. *n* стог; 2. *v* складывать сено в стога.

-cock [-kɔk] *в сложных названиях означает самца птиц.*

cockade [kɔ'keɪd] n кокарда.

cock-a-doodle-doo ['kɔkədu:dl'du:] n 1) кукареку́; 2) пету́х, петушо́к.

cock-a-hoop ['kɔkə'hu:p] a 1) лику́ющий; торжеству́ющий; 2) самодово́льный; хвастли́во-задо́рный; высокоме́рный.

Cockaigne [kɔ'keɪn] n ска́зочная страна́ изоби́лия и пра́здности; the land of ~ ирон. Ло́ндон и его́ окре́стности.

cockalorum [,kɔkə'lɔːrəm] n «петушо́к», самоуве́ренный молодо́й челове́к.

cock-and-bull ['kɔkənd'bul] a: ~ story неправдоподо́бная исто́рия; небыли́цы.

cockatoo [,kɔkə'tu:] n 1) какаду́ (попугай); 2) австрал. разг. ме́лкий фе́рмер.

cockatrice ['kɔkətraɪs] n васили́ск.

Cockayne [kɔ'keɪn] = Cockaigne.

cockboat ['kɔk,bout] n судова́я шлю́пка.

cockchafer ['kɔk,tʃeɪfə] n зоол. ма́йский хрущ.

cock-crow ['kɔkkrou] n вре́мя, когда́ начина́ют петь петухи́, рассве́т.

cocked [kɔkt] 1. p. p. от cock I, 2; 2. a 1) по́днятый; 2) за́дранный кве́рху.

cocked hat ['kɔkt'hæt] n 1) треуго́лка; 2) письмо́, сло́женное треуго́льником.

Cocker ['kɔkə] n: according to ~ как по Ко́керу (Ко́кер—автор уче́бника арифме́тики в XVII в.), то́чно, соверше́нно пра́вильно.

cocker I ['kɔkə] v ласка́ть, балова́ть (детей); □ ~ up потво́рствовать (in); закарм́ливать сла́достями.

cocker II ['kɔkə] n ко́кер-спанье́ль (охотничья собака).

cockerel ['kɔkərəl] n 1) петушо́к; 2) драчу́н, зади́ра.

cock-eye ['kɔkaɪ] 1. n разг. кося́щий глаз;
2. a косо́й.

cock-eyed ['kɔkaɪd] a 1) косогла́зый; 2) косо́й; 3) sl. пья́ный; 4) sl. бестолко́вый, дура́цкий.

cock-fight(ing) ['kɔk,faɪt(ɪŋ)] n петуши́ный бой.

cock-horse ['kɔk'hɔːs] 1. n 1) па́лочка-лоша́дка (детская игрушка); 2) пристяжна́я ло́шадь, впряга́емая на тру́дных подъёмах;
2. a 1) гарцу́ющий; 2) горделивый;
3. adv верхо́м.

cockiness ['kɔkɪnɪs] n самонадея́нность; де́рзость.

cockle I ['kɔkl] n 1) бот. ку́коль; 2) библ. пле́вел.

cockle II ['kɔkl] n сердцеви́дка (моллюск); ◇ to warm (или to rejoice) the ~s of one's heart ра́довать, согрева́ть се́рдце.

cockle III ['kɔkl] 1. n морщи́на, изъя́н (в бумаге, материи);
2. v 1) морщи́ниться; 2) покрыва́ться бара́шками (о море); 3) завёртывать(ся) винто́м или спира́лью.

cockle IV ['kɔkl] n 1) ко́мнатная печь; 2) печь для су́шки хме́ля.

cockle-boat ['kɔkl,bout] = cockle-shell 2).

cockle-shell ['kɔklʃel] n 1) ра́ковина; 2) «скорлу́пка», у́тлое суде́нышко, у́тлая ло́дка.

cock-loft ['kɔk,lɔft] n 1) мансарда; 2) чердак.

cockney ['kɔknɪ] n 1) ко́кни, ло́ндонец из низо́в (особ. уроженец Ист-Энда); 2) ко́кни (лондонское просторечие, преимущественно Ист-Энда); 3) амер. пренебр. горожа́нин.

cockneyfy ['kɔknɪfaɪ] v де́лать(ся) похо́жим на ко́кни *(обыкн. пренебр.).

cockneyism ['kɔknɪɪzəm] n осо́бенность ре́чи или мане́р урожёнца Ист-Э́нда; выраже́ние или акце́нт ко́кни.

cockpit ['kɔkpɪt] n 1) аре́на для петуши́ных бо́ёв; 2) перен. аре́на борьбы́; ~ of Europe уст. Бе́льгия; 3) мор. ку́брик; ко́кпит; 4) ав. каби́на в самолёте.

cockroach ['kɔkroutʃ] n тарака́н.

cockscomb ['kɔkskoum] n 1) петуши́ный гре́бень; 2) ист. дура́цкий, шутовско́й колпа́к; 3) бот. петуши́ный гребешо́к; 4) самодово́льный хлыщ, фат.

cocksfoot ['kɔks,fut] n бот. ежа́ сбо́рная.

cockshead ['kɔks,hed] n бот. эспарце́т.

cock-shot ['kɔkʃɔt] n мише́нь.

cock-shy ['kɔkʃaɪ] n 1) наро́дная игра́ (в которой бросают палку и т. п. в какой-л. предмет, достающийся в случае попадания бросившему); 2) = cock-shot.

cock sparrow [,kɔk'spærou] n 1) воробе́й-саме́ц; 2) забия́ка, зади́ра.

cock-sure ['kɔk'ʃuə] a 1) вполне́ уве́ренный; I was ~ of (или about) his horse я был уве́рен, что его́ ло́шадь вы́играет; 2) самоуве́ренный; 3) неизбе́жный (о событии).

cockswain ['kɔkswein] = coxswain.

cocksy ['kɔksɪ] a самоуве́ренный; де́рзкий; наха́льный.

cocktail ['kɔkteɪl] n 1) кокте́йль (спиртной напиток); 2) ло́шадь с подре́занным хвосто́м; скакова́я полукро́вка; 3) вы́скочка.

cocktailery ['kɔk,teɪlərɪ] n амер. кокте́йль-холл.

cocky ['kɔkɪ] = cocksy.

cocky-leeky ['kɔkɪ'liːkɪ] n шотл. кури́ный бульо́н, запра́вленный лу́ком.

coco ['koukou] n кокосовая пальма.

cocoa ['koukou] n 1) кака́о (порошок и напиток); 2) коко́совая па́льма; 3) attr. кака́овый; ~ bean боб кака́о; ~ nibs зёрна кака́о, очи́щенные от шелухи́; 4) attr.: ~ powder бу́рый по́рох.

cocoa-husks ['koukəhʌsks] = cocoa-shells.

cocoa-nut ['koukənʌt] = coco-nut.

cocoa-shells ['koukəʃelz] n какаве́лла.

coco-nut ['koukənʌt] n 1) коко́с; 2) sl. башка́; 3) разг. до́ллар; 4) attr. коко́совый; ~ fibre коко́совая моча́лка; ~ milk млечный сок в коко́совом оре́хе; ◇ that accounts for the milk in the ~ шутл. вот тепе́рь всё поня́тно.

coco-nut-tree ['koukənʌt,tri:] n коко́совая па́льма.

cocoon [kə'ku:n] n ко́кон.

cocoonery [kə'ku:nərɪ] n кокономота́льная фа́брика.

coco-palm ['koukəpɑːm] n коко́совая па́льма.

**cod I** [kɔd] n (pl без измен., редк. cods [-z]) треска́.

**cod II** [kɔd] v разг. надува́ть, обма́нывать.

**cod III** [kɔd] n стручо́к; шелуха́.

**coda** ['koudə] n муз. ко́да.

**coddle I** ['kɔdl] 1. n не́женка; 2. v 1) уха́живать (как за больны́м); ку́тать; изне́живать; 2) балова́ть.

**coddle II** ['kɔdl] v 1) обва́ривать кипятко́м, вари́ть на ме́дленном огне́; 2) диал. печь (я́блоки).

**code** [koud] 1. n 1) юр. ко́декс, свод зако́нов; civil ~ гражда́нский ко́декс; criminal ~ уголо́вный ко́декс; 2) код; Morse ~ а́збука (или код) Мо́рзе; 3) зако́ны че́сти, мора́ли; 2. v шифрова́ть по ко́ду, коди́ровать.

**codeine** ['koudiːn] n фарм. кодеи́н.

**codex** ['koudeks] лат. n (pl codices) 1) стари́нная ру́копись или сбо́рник стари́нных ру́кописей; 2) редк. ко́декс.

**cod-fish** ['kɔdfɪʃ] = cod I.

**codger** ['kɔdʒə] n разг. чуда́к; эксцентри́чный старика́шка.

**codices** ['koudɪsiːz] pl от codex.

**codicil** ['kɔdɪsɪl] n юр. дополни́тельное распоряже́ние; припи́ска (к духо́вному завеща́нию).

**codification** [,kɔdɪfɪ'keɪʃən] n кодифика́ция, сведе́ние в ко́декс.

**codify** ['kɔdɪfaɪ] v 1) составля́ть ко́декс, кодифици́ровать; 2) приводи́ть в систе́му (условные знаки, сигналы и т. п.); 2) шифрова́ть.

**codlin** ['kɔdlɪn] n 1) сорт я́блок (продолгова́той формы); 2) attr.: ~ moth зоол. я́блонная плодожо́рка (бабочка).

**codling I** ['kɔdlɪn] = codlin.

**codling II** ['kɔdlɪn] n ме́лкая треска́.

**cod-liver oil** ['kɔdlɪvər'ɔɪl] n ры́бий жир.

**co-ed, coed** ['kou'ed] n амер. (сокр. от co-educated) студе́нтка уче́бного заведе́ния для лиц обо́его по́ла.

**co-education** ['kou,edju:'keɪʃən] n совме́стное обуче́ние лиц обо́его по́ла.

**coefficient** [,kouɪ'fɪʃənt] 1. n 1) коэффицие́нт; ~ of efficiency тех. коэффицие́нт поле́зного де́йствия; 2) соде́йствующий фа́ктор; 2. a соде́йствующий.

**coenobite** ['siːnəbaɪt] n церк. мона́х; йно́к.

**coequal** [kou'iːkwəl] a ра́вный (другому).

**coerce** [kou'əːs] v 1) принужда́ть; to ~ into silence заста́вить замолча́ть, умо́лкнуть; 2) сообща́ть движе́ние.

**coercible** [kou'əːsɪbl] a 1) поддаю́щийся принужде́нию, наси́лию; 2) сжима́ющийся (о газах).

**coercion** [kou'əːʃən] n принужде́ние, наси́лие; ◇ C. Act, C. Bill зако́н о приостано́вке конституцио́нных гара́нтий.

**coercive** [kou'əːsɪv] a принуди́тельный; ~ force физ. коэрцити́вная си́ла.

**coeval** [kou'iːvəl] 1. n 1) све́рстник; 2) совреме́нник; 2. a 1) одного́ во́зраста; 2) совреме́нный.

**coexist** ['kouɪg'zɪst] v сосуществова́ть.

**coexistence** ['kouɪg'zɪstəns] n сосуществова́ние; совме́стное существова́ние.

**coexistent** ['kouɪg'zɪstənt] a сосуществу́ющий.

**coextensive** ['kouɪks'tensɪv] a одина́кового протяже́ния во вре́мени или простра́нстве.

**coffee** ['kɔfɪ] n ко́фе.

**coffee-bean** ['kɔfɪ'biːn] n кофе́йный боб.

**coffee-berry** ['kɔfɪ,berɪ] = coffee-bean.

**coffee-cup** ['kɔfɪkʌp] n ма́ленькая (кофе́йная) ча́шка.

**coffee-grinder** ['kɔfɪ'graɪndə] n 1) кофе́йная ме́льница; 2) воен. sl. пулемёт.

**coffee-grounds** ['kɔfɪgraundz] n pl кофе́йная гу́ща.

**coffee-house** ['kɔfɪhaus] n кафе́.

**coffee-mill** ['kɔfɪmɪl] n кофе́йница, кофе́йная ме́льница.

**coffee-palace** ['kɔfɪ,pælɪs] = coffee-house.

**coffee-pot** ['kɔfɪpɔt] n кофе́йник.

**coffee-room** ['kɔfɪrum] n столо́вая в гости́нице.

**coffer** ['kɔfə] 1. n 1) металли́ческий (особ. де́нежный) сунду́к; 2) pl казна́; 3) архит. кессо́н (потолка́); 4) гидр., стр. кессо́н; ка́мера; шлюз; опускно́й коло́дец; 2. v запира́ть в сунду́к.

**coffer-dam** ['kɔfədæm] n гидр. кессо́н для подво́дных рабо́т, кофердам; перемы́чка; водонепроница́емая крепь.

**coffin** ['kɔfɪn] 1. n 1) гроб; 2) фу́нтик, бума́жный паке́тик; 3) = coffin-bone; 4) мор. разг. «ста́рая кало́ша» (негодное к плаванию судно); 5) забро́шенная ша́хта; 2. v 1) класть в гроб; 2) упря́тать пода́льше (что-л.).

**coffin-bone** ['kɔfɪnboun] n копы́тная кость.

**coffin-joint** ['kɔfɪndʒɔɪnt] n зоол. вене́чный суста́в у ло́шади.

**cog I** [kɔg] n 1) зубе́ц; вы́ступ; 2) горн. костро́вая крепь; ◇ to slip a ~ допусти́ть просчёт, сде́лать оши́бку; ~ in a machine «ви́нтик», ма́ленький челове́к.

**cog II** [kɔg] n 1. n обма́н, жу́льничество; 2. v обма́нывать, жу́льничать.

**cog III** [kɔg] сканд. n небольша́я рыба́чья ло́дка.

**cogence, -cy** ['koudʒəns, -sɪ] n убеди́тельность, неоспори́мость, неопровержи́мость.

**cogent** ['koudʒənt] a убеди́тельный; неоспори́мый.

**cogged** [kɔgd] a зубча́тый.

**cogitable** ['kɔdʒɪtəbl] a мы́слимый, досту́пный понима́нию.

**cogitate** ['kɔdʒɪteɪt] v обду́мывать; размышля́ть.

**cogitation** [,kɔdʒɪ'teɪʃən] n обду́мывание; размышле́ние.

**cogitative** ['kɔdʒɪtətɪv] a 1) мысли́тельный; 2) мы́слящий, размышля́ющий.

**cognac** ['kounjæk] n конья́к.

**cognate** ['kɔgneɪt] 1. n 1) шотл. юр. ро́дственник (по материнской линии); 2) pl лингв. слова́ о́бщего происхожде́ния, одного́ ко́рня;

**2.** *a* ро́дственный; схо́дный; бли́зкий; похо́жий; ~ words слова́ одного́ ко́рня.

**cognation** [kɔg'neiʃən] *n* 1) *шотл. юр.* кро́вное родство́ (*по матери́нской ли́нии*); 2) *лингв.* родство́ (*слов*).

**cognition** [kɔg'niʃən] *n* 1) познава́тельная спосо́бность; 2) зна́ние; позна́ние.

**cognitive** ['kɔgnitiv] *a* познава́тельный.

**cognizable** ['kɔgnizəbl] *a* 1) познава́емый; 2) *юр.* подсу́дный.

**cognizance** ['kɔgnizəns] *n* 1) зна́ние; узнава́ние; to have ~ of smth. знать о чём-л.; to take ~ of smth. заме́тить что-л., обрати́ть внима́ние на что-л.; 2) компете́нция; within one's ~ в преде́лах чьей-л. компете́нции; 3) подсу́дность; 4) отличи́тельный знак; герб.

**cognizant** ['kɔgnizənt] *a* зна́ющий, осведомлённый (of—о чём-л.); осозна́вший; позна́вший.

**cognize** [kɔg'naiz] *v* 1) узнава́ть; замеча́ть, обраща́ть внима́ние; 2) *филос.* познава́ть.

**cognomen** [kɔg'noumen] *n* фами́лия; про́звище.

**cognoscente** [,kɔnjou'ʃenti] *ит. n* (*pl -nti*) знато́к (*иску́сства, литерату́ры и т. п.*).

**cognoscenti** [,kɔnjou'ʃenti:] *pl от* cognoscente.

**cognovit** [kɔg'nouvit] *лат. n юр.* призна́ние отве́тчиком свое́й непра́воты.

**cog-wheel** ['kɔgwiːl] *n тех.* зубча́тое колесо́.

**cohabit** [kou'hæbit] *v* сожи́тельствовать (*в бра́ке или вне бра́ка*).

**cohabitant** [kou'hæbitənt] *n* сожи́тель, сожи́тельница [*см.* cohabit].

**cohabitation** [,kouhæbi'teiʃən] *n* сожи́тельство [*см.* cohabit].

**coheir** ['kou'ɛə] *n* сонасле́дник.

**coheiress** ['kou'ɛəris] *n* сонасле́дница.

**cohere** [kou'hiə] *v* 1) быть сце́пленным, свя́занным, быть объединённым; 2) быть свя́зным, членоразде́льным; 3) согласова́ться.

**coherence, -cy** [kou'hiərəns, -si] *n* 1) связь, сцепле́ние; 2) свя́зность; 3) согласо́ванность.

**coherent** [kou'hiərənt] *a* 1) сце́пленный; 2) свя́зный; 3) согласо́ванный; 4) после́довательный; 5) поня́тный; я́сный.

**coherer** [kou'hiərə] *n ра́дио* когере́р.

**cohesion** [kou'hiːʒən] *n* 1) сцепле́ние; связь; 2) си́ла сцепле́ния; 3) сплочённость.

**cohesive** [kou'hiːsiv] *a* 1) спосо́бный к сцепле́нию; 2) связу́ющий.

**cohort** ['kouhɔːt] *n* 1) *др.-рим.* кого́рта; 2) (*обыкн. pl*) отря́д, во́йско.

**coif** [kɔif] *фр. v* завива́ть, причёсывать.

**coiffeur** [kwɑː'fəː] *фр. n* парикма́хер.

**coiffure** [kwɑː'fjuə] *фр. n* причёска.

**coign** [kɔin] *n архит.* вне́шний у́гол (*зда́ния*); ◇ ~ of vantage вы́годная пози́ция, удо́бный наблюда́тельный пункт.

**coil** I [kɔil] *n* 1) верёвка, сло́женная витка́ми в круг; 2) вито́к, кольцо́ (*о верёвке, змее и т. п.*); 3) про́волочная спира́ль; 4) *мор.* бу́хта (*троса*); 5) *тех.* змееви́к;

6) *эл.* кату́шка; 7) *attr.*: ~ antenna *ра́дио* ра́мочная анте́нна; ~ loading *эл.* пупиниза́ция;

**2.** *v* 1) свёртываться кольцо́м, спира́лью (*ча́сто* ~ up); извива́ться; 2) нама́тывать, обма́тывать; 3) *мор.* укла́дывать в бу́хту (*трос*).

**coil** II [kɔil] *n уст.* суета́, шум, сумато́ха.

**coil pipe** ['kɔilpaip] *n тех.* змееви́к.

**coin** [kɔin] **1.** *n* 1) моне́та; *разг.* де́ньги; false ~ фальши́вая моне́та; ро́зделка; to spin (*или* to toss up) a ~ а) игра́ть в орля́нку; б) реша́ть пари́ подбра́сыванием моне́ты; 2) *тех.* штемпель, чека́н, пуансо́н; 3) = coign; 4) *attr.*: ~ slot отве́рстие для опуска́ния моне́т (*напр., в телефо́не-автома́те*); ◇ to pay a man back in his own ~ отпла́чивать той же моне́той, отпла́чивать тем же;

**2.** *v* 1) чека́нить; выбива́ть (*меда́ль*); штампова́ть; to ~ money *разг.* де́лать де́ньги; 2) фабрикова́ть, измышля́ть; 3) создава́ть но́вые слова́, выраже́ния.

**coinage** ['kɔinidʒ] *n* 1) чека́нка моне́ты; 2) моне́тная систе́ма; 3) созда́ние но́вых слов, выраже́ний; word of modern ~ неологи́зм.

**coincide** [,kouin'said] *v* 1) совпада́ть; 2) соотве́тствовать; равня́ться.

**coincidence** [kou'insidəns] *n* 1) совпаде́ние; 2) случа́йное стече́ние обстоя́тельств.

**coincident** [kou'insidənt] *a* 1) совпада́ющий; 2) соотве́тствующий.

**coincidental** [kou,insi'dentl] *a* 1) случа́йный; 2) = coincident 1).

**coiner** ['kɔinə] *n* 1) чека́нщик (*моне́ты*); 2) фальшивомоне́тчик; 3) вы́думщик.

**coir** ['kɔiə] *n* коко́совые воло́кна, охло́пья.

**coition** [kou'iʃən] *n* совокупле́ние, со́итие.

**coke** I [kouk] **1.** *n* кокс; **2.** *v* коксова́ть.

**coke** II [kouk] *n амер. разг.* ко́ка-ко́ла (*напи́ток*).

**coke-oven** ['kouk'ʌvn] *n* ко́ксовая печь.

**coker(nut)** ['koukə(nʌt)] *n* (*непр. вм.* coco-nut) коко́совый оре́х.

**coking** ['koukiŋ] **1.** *pres. p. от* coke I, 2; **2.** *n* коксова́ние.

**col-** [kɔl-] *pref см.* com-.

**cola** ['koulə] *n* ко́ла (*тропи́ческое де́рево, семена́ кото́рого употребля́ются как тонизи́рующее сре́дство*).

**colander** ['kʌləndə] *n* дуршла́г.

**colchicum** ['kɔltʃikəm] *n бот.* безвре́менник.

**cold** [kould] **1.** *a* 1) холо́дный; to be (*или* to feel) ~ зя́бнуть, мёрзнуть; I am ~ мне хо́лодно; as ~ as ice (*или* as a stone, as a key) холо́дный как лёд (*или* ка́мень); ~ steel (*или* iron) arms холо́дное ору́жие; ~ reason холо́дный рассу́док; it makes one's blood run ~ от э́того кровь сты́нет в жи́лах; ~ brittleness *тех.* хладноло́мкость; 2) безуча́стный, равноду́шный; music leaves him ~ му́зыка его́ не волну́ет; in ~ blood хладнокро́вно, обду́манно; 3) неприве́тливый;

~ greeting холо́дный приём; сде́ржанное приве́тствие; ~ look холо́дный, надме́нный взгляд; 4) сла́бый; ~ scent едва́ заме́тный след; ~ comfort сла́бое утеше́ние; 5) *тех.* неде́йствующий; ◇ ~ war холо́дная война́; ~ feet тру́сость; ~ colours холо́дные тона́ (*голубо́й, се́рый*); ~ deck краплёные ка́рты; ~ truth жесто́кая пра́вда; to throw ~ water (on a plan, proposal, *etc.*) охлажда́ть пыл, отрезвля́ть, обескура́живать *кого-л.*; as ~ as charity a) холо́дный как лёд; б) бессерде́чный, чёрствый, бесчу́вственный;

2. *n* 1) хо́лод; to be dead with ~ промёрзнуть до косте́й; to leave out in the ~ a) выставля́ть на хо́лод; *перен.* трети́ровать, ока́зывать холо́дный приём; б) оставля́ть в дурака́х; 2) просту́да; to catch (*или* to take) ~ простуди́ться; ~ in the head на́сморк; ~ in the chest гриппо́зное состоя́ние; ◇ to be in the ~ остава́ться в одино́честве.

**cold-blooded** ['kould'blʌdɪd] *a* 1) хладнокро́вный; бесчу́вственный, равноду́шный; невозмути́мый; 2) зя́бкий; 3) *зоол.* холоднокро́вный.

**cold-bloodedness** ['kould'blʌdɪdnɪs] *n* хладнокро́вие; равноду́шие; невозмути́мость.

**cold chisel** ['kould'tʃɪzl] *n тех.* зуби́ло, чека́н.

**cold cream** ['kould'kriːm] *n* кольдкре́м.

**cold-hammer** ['kould,hæmə] *v* кова́ть вхолодну́ю.

**cold-hardening** ['kould'hɑːdnɪŋ] *n тех.* наклёп.

**cold-hearted** ['kould'hɑːtɪd] *a* бессерде́чный, чёрствый.

**coldish** ['kouldɪʃ] *a* холоднова́тый; дово́льно холо́дный.

**cold-livered** ['kould'lɪvəd] *a* бесстра́стный, невозмути́мый.

**coldly** ['kouldlɪ] *adv* хо́лодно, с холодко́м.

**coldness** ['kouldnɪs] *n* 1) хо́лод; 2) хо́лодность.

**cold pig** ['kould'pɪg] *n разг.* облива́ние водо́й спя́щего (*чтобы разбуди́ть*).

**cold-pig** ['kould'pɪg] *v* окати́ть спя́щего холо́дной водо́й (*чтобы разбуди́ть*).

**cold-short** ['kould'ʃɔːt] *a* хладноло́мкий (*о ста́ли*).

**cold shoulder** ['kould'ʃouldə] *n* холо́дный приём; to give smb. the ~ оказа́ть кому́-л. холо́дный приём, приня́ть кого́-л. хло́дно, неприве́тливо.

**cold-shoulder** ['kould'ʃouldə] *v* ока́зывать холо́дный приём.

**cold-slaw** ['kould,slɔː] = cole-slaw.

**cold-storage** ['kould,stɔːrɪdʒ] *n* 1) холоди́льник; 2) хране́ние в холоди́льнике.

**cole** [koul] *n* капу́ста (огоро́дная).

**Coleoptera** [,kɔlɪ'ɔptərə] *n pl зоол.* жесткокры́лые; жуки́.

**coleopterous** [,kɔlɪ'ɔptərəs] *a* жесткокры́лый (*о насеко́мых*).

**cole-rape** ['koul'reɪp] *n* кольра́би.

**cole-seed** ['koul,siːd] *n бот.* суре́пица.

**cole-slaw** ['koul,slɔː] *n амер.* сала́т из шинко́ванной капу́сты.

**colic** ['kɔlɪk] *n* ко́лики, ре́зкая боль.

**colicky** ['kɔlɪkɪ] *a* 1) име́ющий хара́ктер ко́лик; 2) вызыва́ющий ко́лики.

**Coliseum** [,kɔlɪ'sɪəm] *n* Колизе́й (*в Ри́ме*).

**colitis** [kɔ'laɪtɪs] *n мед.* коли́т.

**collaborate** [kə'læbəreɪt] *v* 1) сотру́дничать; 2) преда́тельски сотру́дничать (*с враго́м*).

**collaboration** [kə,læbə'reɪʃən] *n* 1) сотру́дничество; совме́стная рабо́та; 2) преда́тельское сотру́дничество; to work in ~ with the enemy сотру́дничать с враго́м.

**collaborationist** [kə,læbə'reɪʃənɪst] *n* коллаборациони́ст.

**collaborator** [kə'læbəreɪtə] *n* сотру́дник.

**collapsable** [kə'læpsəbl] = collapsible 1.

**collapse** [kə'læps] 1. *n* 1) обва́л, разруше́ние; оса́дка; 2) круше́ние; ги́бель; паде́ние; крах; прова́л; 3) ре́зкий упа́док сил, изнеможе́ние; 4) *мед.* колла́пс; 5) продо́льный изги́б;

2. *v* 1) ру́шиться, обва́ливаться; 2) терпе́ть крах (*о предприя́тии, пла́нах и т. п.*); 3) си́льно осла́беть; свали́ться от боле́зни, сла́бости; 4) па́дать ду́хом; 5) сплю́щиваться; спада́ться.

**collapsible** [kə'læpsəbl] 1. *a* 1) разбо́рный; складно́й; 2) откидно́й;

2. *n мор.* су́дно с плохо́й усто́йчивостью.

**collar** ['kɔlə] 1. *n* 1) воротни́к; воротничо́к; Eton ~ широ́кий отложно́й воротни́к; 2) ожере́лье; 3) оше́йник; to slip the ~ сбро́сить оше́йник; *перен.* сбро́сить ярмо́; 4) хому́т; to wear the ~ *перен.* наде́ть на себя́ хому́т; быть в подчине́нии; 5) *бот.* че́хлик; 6) *тех.* вту́лка, са́льник; кольцо́; о́бруч; ша́йба; фла́нец; пе́тля; 7) *горн.* отве́рстие бурово́й сква́жины; у́стье ша́хты; 8) *мор.* краг (*у шта́га*); ◇ against the ~ с больши́м напряже́нием; to be in ~ име́ть рабо́ту; out of ~ без рабо́ты, без слу́жбы; to work up to the ~ рабо́тать не поклада́я рук; to get hot under the ~ рассерди́ться, вы́йти из себя́;

2. *v* 1) схвати́ть за во́рот; 2) наде́ть хому́т (*тж. перен.*); 3) *sl.* завладе́ть; захвати́ть; 4) свёртывать в руле́т (*мя́со и т. п.*).

**collar-bone** ['kɔləboun] *n анат.* ключи́ца.

**collaret(te)** [,kɔlə'ret] *n* кружевно́й *или* мехово́й воротничо́к.

**collar pad** ['kɔləpæd] *n* подхому́тник.

**collar-work** ['kɔləwəːk] *n* тяжёлое уси́лие (*лошаде́й при подъёме в го́ру*); *перен.* тя́жкий труд.

**collate** [kɔ'leɪt] *v* 1) дета́льно слича́ть; сра́внивать; сопоставля́ть; to ~ with the original слича́ть с оригина́лом; 2) *полигр.* проверя́ть листы́ брошюру́емой кни́ги; 3) *церк.* жа́ловать бенефи́ций.

**collateral** [kɔ'lætərəl] 1. *a* 1) побо́чный; второстепе́нный; ~ reading дополни́тельное, факультати́вное чте́ние; 2) ко́свенный; ~ relationship бокова́я ли́ния (*о родстве́*); ~ security дополни́тельное обеспе́чение; 3) паралле́льный;

2. *n* 1) родство́ *или* ро́дственник по боково́й ли́нии; 2) дополни́тельное обеспе́чение.

**collation** [kɔ'leɪʃən] *n* 1) сличе́ние, сра́внивание; 2) заку́ска, лёгкий у́жин.

**colleague** ['kɔliːg] *n* сослужи́вец, колле́га.

**collect 1.** *v* [kə'lekt] 1) собира́ть; 2) коллекциони́ровать; 3) получа́ть (*де́ньги в упла́ту до́лга, нало́га и т. п.*); I'll have to ~ from you Вам придётся расплати́ться со мной; 4) комплектова́ть; 5) *разг.* заходи́ть за *кем-л., чем-л.*; he went to ~ his suitcase он пошёл за свои́м чемода́ном; 6) собира́ться, скопля́ться; 7) овладева́ть собо́й; сосредото́чиваться; to ~ one's thoughts собра́ться с мы́слями; to ~ one's faculties взять себя́ в ру́ки; 8) заключа́ть, де́лать вы́вод;
**2.** *n* ['kɔlekt] кра́ткая моли́тва (*в англика́нской и католи́ческой це́ркви*);
**3.** *a* [kə'lekt]: the telegram is sent ~ телегра́мма должна́ быть опла́чена получа́телем.

**collectanea** [,kɔlek'tɑːnjə] *лат. n pl* собра́ние заме́ток, вы́писок; смесь.

**collected** [kə'lektɪd] **1.** *p. p. от* collect 1;
**2.** *a* 1) со́бранный; сосредото́ченный; 2) хладнокро́вный, споко́йный.

**collection** [kə'lekʃən] *n* 1) собира́ние; 2) колле́кция, собра́ние; 3) скопле́ние; толпа́; 4) де́нежный сбор; *фин.* инка́ссо; 5) *pl* экза́мены в конце́ семе́стра (*в Окс-фо́рде*).

**collective** [kə'lektɪv] **1.** *a* 1) коллекти́вный; совоку́пный; ~ agreement коллекти́вный догово́р; ~ bargaining перегово́ры ме́жду предпринима́телями и профсою́зами о заключе́нии коллекти́вного догово́ра; ~ opinion о́бщее мне́ние; 2): ~ noun *грам.* и́мя существи́тельное собира́тельное;
**2.** *n* 1) коллекти́в; 2) колхо́з.

**collective farm** [kə'lektɪv,fɑːm] *n* колхо́з.

**collective farmer** [kə'lektɪv'fɑːmə] *n* колхо́зник; колхо́зница.

**collectivism** [kə'lektɪvɪzəm] *n* коллекти-ви́зм.

**collectivization** [kə,lektɪvaɪ'zeɪʃən] *n* коллективиза́ция.

**collector** [kə'lektə] *n* 1) сбо́рщик; ticket ~ контролёр, проверя́ющий биле́ты; 2) коллекционе́р, собира́тель; 3) *эл.* токо-снима́тель; щётки; 4) *тех.* колле́ктор.

**colleen** ['kɔliːn] *n ирл.* де́вушка (*тж.* bawn).

**college** ['kɔlɪdʒ] *n* 1) университе́тский колле́дж; 2) (небольшо́й) университе́т; 3) специа́льное уче́бное заведе́ние (*вое́нное, морско́е и т. п.*); 4) сре́дняя шко́ла с интерна́том; 5) корпора́ция; колле́гия; 6) *sl.* тюрьма́.

**colleger** ['kɔlɪdʒə] = collegian.

**collegian** [kə'liːdʒjən] *n* 1) член колле́джа; 2) *распр.* бы́вший студе́нт да́нного колле́джа; 3) *sl.* заключённый (*в тюрьме́*).

**collegiate** [kə'liːdʒɪɪt] **1.** *a* 1) университе́тский; академи́ческий; 2) коллегиа́льный;
**2.** *n* студе́нт колле́джа.

**collet** ['kɔlɪt] *n* 1) кольцо́; 2) обо́док; 3) растру́б; 4) коро́нка, в кото́рой закрепля́ется драгоце́нный ка́мень; 5) гнездо́ для руби́на в часово́м механи́зме; 6) *тех.* ца́нга, зажи́мная вту́лка, перехо́дный патро́н.

**collide** [kə'laɪd] *v* ста́лкиваться.

**collie** ['kɔlɪ] *n* ко́лли, шотла́ндская овча́рка.

**collier** ['kɔlɪə] *n* 1) углеко́п, шахтёр; 2) у́гольщик (*су́дно*); 3) матро́с на у́гольщике.

**colliery** ['kɔljərɪ] *n* каменноуго́льная копь.

**colligate** ['kɔlɪgeɪt] *v* свя́зывать, обобща́ть (*фа́кты*).

**collimate** ['kɔlɪmeɪt] *v геод.* визи́ровать; придава́ть паралле́льность; приводи́ть в створ.

**collision** [kə'lɪʒən] *n* 1) столкнове́ние; 2) колли́зия, противоре́чие (*интере́сов*); to be in ~ (with) находи́ться в противоре́чии (с); to come into ~ (with) вступа́ть в противоре́чие (с).

**collocate** ['kɔləkeɪt] *v* располага́ть; расстана́вливать.

**collocation** [,kɔlə'keɪʃən] *n* 1) расположе́ние; расстано́вка; 2) *лингв.* расположе́ние слов в предложе́нии; словосочета́ние.

**collocutor** [kə'lɔkjutə] *n* собесе́дник.

**collodion** [kə'loudjən] *n* коллло́дий.

**collogue** [kə'loug] *v разг.* бесе́довать инти́мно, наедине́.

**colloid** ['kɔlɔɪd] **1.** *n* колло́ид;
**2.** *a* колло́идный.

**colloidal** [kə'lɔɪdəl] *a* колло́идный.

**collop** ['kɔləp] *n* то́нкий кусо́к мя́са.

**colloquial** [kə'loukwɪəl] *a* разгово́рный; нелитерату́рный (*о ре́чи, сло́ве, сти́ле*).

**colloquialism** [kə'loukwɪəlɪzəm] *n* разгово́рное выраже́ние; разгово́рный стиль; просторе́чие.

**colloquy** ['kɔləkwɪ] **1.** *n* разгово́р, собесе́дование;
**2.** *v* говори́ть, перебра́сываться ре́пликами.

**collotype** ['kɔloutaɪp] *n* желати́нная фотопласти́нка.

**collude** [kə'luːd] *v уст.* та́йно сгова́риваться (*в уще́рб тре́тьей стороне́*).

**collusion** [kə'luːʒən] *n* сго́вор, та́йное соглаше́ние ме́жду двумя́ ка́жущимися проти́вниками (*в уще́рб тре́тьей стороне́*).

**collusive** [kə'luːsɪv] *a* ула́женный та́йным сго́вором.

**colly** ['kɔlɪ] = collie.

**collywobbles** ['kɔlɪ,wɔblz] *n pl разг., шутл.* урча́ние в животе́.

**Colombian** [kə'lɔmbɪən] **1.** *a* колумби́йский;
**2.** *n* колумби́ец.

**colon I** ['koulən] *n* двоето́чие.

**colon II** ['koulən] *n анат.* обо́дочная кишка́, то́лстая кишка́.

**colon III** [kə'loun] *n* коло́н (*де́нежная едини́ца Ко́ста-Ри́ки и Сальвадо́ра*).

**colonel** ['kəːnl] *n* 1) полко́вник; *амер. тж.* команди́р полка́; 2) *attr.*: C. Commandant шеф полка́.

**colonelcy** ['kəːnlsɪ] *n* чин, зва́ние полко́вника.

**Colonel-in-Chief** ['kəːnlɪn'tʃiːf] *n* шеф полка́ англи́йской а́рмии.

**colonial** [kə'lounjəl] **1.** *a* колониа́льный; C. Office министе́рство коло́ний (*в А́нглии*); ~ architecture (furniture) *амер.*

архитектура (мебель) периода, предшествовавшего войне за независимость;

**2.** *n* 1) житель колоний; 2) *амер.* солдат американской армии в эпоху борьбы за независимость.

**colonialism** [kə'lounɪəlɪzəm] *n* 1) колониализм; 2) колониальный налёт (*выражающийся в манерах, речи и т. п.*).

**colonist** ['kɔlənɪst] *n* колонист, поселенец.

**colonization** [,kɔlənaɪ'zeɪʃən] *n* колонизация.

**colonize** ['kɔlənaɪz] *v* 1) колонизировать, заселять (*чужую страну*); 2) поселять(ся); 3) *амер.* временно переселять избирателей в другой избирательный округ с целью незаконного вторичного голосования.

**colonizer** ['kɔlənaɪzə] *n* 1) колонизатор; 2) поселенец; колонист; 3) *амер.* избиратель, временно переселившийся в другой избирательный округ с целью незаконного вторичного голосования.

**colonnade** [,kɔlə'neɪd] *n* 1) колоннада; 2) (двойной) ряд деревьев.

**colony** ['kɔlənɪ] *n* 1) колония; 2) поселение; summer ~ *амер.* дачный посёлок.

**colophon** ['kɔləfən] *n полигр.* 1) концовка; 2) выходные сведения (*в конце старинных книг*).

**colophony** [kə'lɔfənɪ] *n* канифоль; гарпиус.

**color** ['kʌlə] *амер.* = colour.

**Colorado beetle** [,kɔlə'rɑːdou,biːtl] *n* колорадский жук.

**coloration** [,kʌlə'reɪʃən] *n* 1) окраска, раскраска, расцветка; 2) окрашивание.

**coloratura** [,kɔlərə'tuərə] *ит. муз.* 1. *n* 1) колоратура; 2) = ~ sоprano;

**2.** *а* колоратурный; ~ sоprano колоратурное сопрано.

**colorcast** ['kʌlə,kɑːst] *n амер.* цветное телевидение.

**colorific** [,kɔlə'rɪfɪk] *а* 1) красящий; 2) красочный; 3) цветистый (*о стиле*).

**colossal** [kə'lɔsl] *а* 1) колоссальный, грандиозный; громадный; 2) *разг.* великолепный, замечательный.

**Colosseum** [,kɔlə'sɪəm] = Coliseum.

**colossi** [kə'lɔsaɪ] *pl от* colossus.

**colossus** [kə'lɔsəs] *n* (*pl* colossi) колосс.

**colour** ['kʌlə] 1. *n* 1) цвет; оттенок; тон; primary (*или* simple, fundamental) ~s основные цвета; all the ~s of the rainbow все цвета радуги; out of ~ выцветший, выгоревший; without ~ а) бесцветный; *перен.* лишённый индивидуальных черт; б) неприкрытый; 2) краска; красящее вещество, пигмент; колер; to paint in bright (dark) ~s рисовать яркими (мрачными) красками; 3) свет; представление; to cast (*или* to put) a false ~ on smth. искажать, представлять что-л. в ложном свете; to come out in one's true ~s предстать в своём настоящем виде; to give some ~ of truth to smth. придавать некоторое правдоподобие чему-л.; to paint in true (false) ~s изображать правдиво (лживо); to lay on the ~s too thickly *разг.* сгущать краски; сильно преувеличивать; хватить через край;

4) румянец (*тж.* high ~ ); to gain ~ порозоветь; to lose ~ побледнеть; поблёкнуть; 5) колорит; local ~ местный колорит; 6) предлог; under ~ of smth. а) под предлогом чего-л.; б) под видом чего-л.; 7) индивидуальность, яркая личность; 8) (*обыкн. pl*) знамя; regimental ~ полковое знамя; King's (Queen's) ~ штандарт короля (королевы); to call to the ~s *воен.* призвать, мобилизовать; to come off with flying ~s а) вернуться с развевающимися знамёнами; б) добиться успеха, одержать победу; to desert the ~s *воен.* изменить своему знамени; дезертировать; to join the ~s вступать в армию; to lower (*или* to strike) one's ~s сдаваться, покоряться; with the ~s в действующей армии; 9) *pl* цветная лента; цветной значок; цветное платье; to dress in ~s одеваться в яркие цвета; 10) *муз.* оттенок, тембр; 11) *attr.* цветной; ~ bar, ~ line «цветной барьер», расовая дискриминация; ◇ to see the ~ of smb.'s money получить деньги от кого-л.; to take one's ~ from smb. подражать кому-л.; to stick to one's ~s оставаться до конца верным своим убеждениям; to nail one's ~s to the mast открыто отстаивать свои убеждения; проявлять настойчивость; не отступать; to sail under false ~s обманывать, лицемерить;

**2.** *v* 1) красить, раскрашивать; окрашивать; 2) прикрашивать; искажать; an account ~ed by prejudice тенденциозный отзыв; the facts were improperly ~ed факты были искажены; 3) принимать окраску, окрашиваться; 4) краснеть, рдеть (*о лице, о плоде; часто* ~ up).

**colourable** ['kʌlərəbl] *а* 1) поддающийся окраске; 2) благовидный; правдоподобный; ~ imitation удачная имитация.

**colouration** [,kʌlə'reɪʃən] = coloration.

**colour-blind** ['kʌləblaind] *а* страдающий дальтонизмом, не различающий цветов.

**colour-blindness** ['kʌlə,blaindnɪs] *n* дальтонизм, неспособность различать цвета.

**colour-box** ['kʌlə,bɔks] *n* ящик с красками.

**coloured** ['kʌləd] 1. *p. p. от* colour 2; 2. *а* 1) цветной; ~ print цветная гравюра; 2) раскрашенный, окрашенный; 3) красочный; 4) цветной (*о негре и т. п.*).

**colour film** *n* 1) ['kʌləfɪlm] цветной фильм; 2) ['kʌlə,fɪlm] цветная плёнка.

**colour filter** ['kʌlə,fɪltə] *n фото* светофильтр.

**colourful** ['kʌləful] *а* красочный, яркий.

**colouring** ['kʌlərɪŋ] 1. *pres. p. от* colour 2; 2. *n* 1) красящее вещество (*тж.* ~ matter); 2) колорит; 3) окраска, раскраска; protective ~ *зоол., бот.* покровительственная (*или* защитная) окраска; 4) краски (художника), манера (художника); 5) цвет (*лица, волос и т. п.*).

**colourless** ['kʌlələs] *а* бесцветный, бледный (*тж. перен.*).

**colour-man** ['kʌləmən] *n* торговец красками.

**colour-printing** ['kʌlə,prɪntɪŋ] *n* хромотипия, многокрасочная печать.

**colour-process** [ˈkʌlə͵prouses] *n* цветна́я фотогра́фия.

**colour-wash** [ˈkʌlə͵wɔʃ] **1.** *n* клеева́я кра́ска;

2. *v* кра́сить клеево́й кра́ской.

**colporteur** [ˈkɔl͵pɔːtə] *n* разно́счик книг (*особ. религио́зных*).

**Colt** [koult] *n* 1) кольт (*револьве́р или пистоле́т*); 2) *attr.*: ~ machine-gun станко́вый пулемёт Ко́льта.

**colt** [koult] **1.** *n* 1) жеребёнок; *тж.* ослёнок, верблюжо́нок; 2) *разг.* новичо́к; 3) *мор.* линёк; ◇ to cast one's ~'s teeth остепени́ться;

2. *v мор.* нака́зывать линько́м.

**colter** [ˈkoultə] *n с.-х.* предплу́жник.

**coltish** [ˈkoultɪʃ] *a* жеребя́чий, игри́вый.

**coltsfoot** [ˈkoultsfut] *n бот.* мать-и-ма́чеха.

**coluber** [ˈkɔljubə] *n зоол.* по́лоз.

**columbarium** [͵kɔləmˈbɛərɪəm] *n* 1) колумба́рий (*храни́лище урн с пра́хом*); 2) голубя́тня.

**Columbian** [kəˈlʌmbɪən] **1.** *a* 1) колумби́йский; 2) относя́щийся к Колу́мбу; 3) относя́щийся к Аме́рике;

2. *n полигр.* ке́гель в 16 пу́нктов.

**Columbine** [ˈkɔləmbaɪn] *n* коломби́на.

**columbine** [ˈkɔləmbaɪn] **1.** *n бот.* водосбо́р;

2. *a* голуби́ный; ~ simplicity голуби́ная кро́тость, неви́нность.

**column** [ˈkɔləm] *n* 1) *архит.* коло́нна; 2) *воен.* коло́нна; *амер. мор.* строй кильва́тера; close ~ со́мкнутая коло́нна; in ~ в коло́нне, в заты́лок; *амер. мор.* в строю́ кильва́тера; 3) столб(ик); ~ of mercury сто́лбик ртути́ (*в термо́метре*); ~ of smoke столб ды́ма; 4) столбе́ц (*напр., цифр*); графа́; newspaper ~ газе́тный столбе́ц; in our ~s на страни́цах на́шей газе́ты; 5) столп, подде́ржка, опо́ра; 6) *attr.*: ~ foot *архит.* ба́за коло́нны.

**columnar** [kəˈlʌmnə] *a* 1) колоннообра́зный; 2) напеча́танный столбца́ми; 3) подде́рживаемый на столба́х; 4) стебе́льчатый; 5) *геол.* сто́лбчатый.

**columned** [ˈkɔləmd] = columnar.

**columnist** [ˈkɔləmnɪst] *n* 1) обозрева́тель; 2) фельетони́ст.

**colza** [ˈkɔlzə] *n бот.* рапс.

**colza-oil** [ˈkɔlzəˈɔɪl] *n* суре́пное ма́сло.

**com-** [kɔm-] (*тж.* col-, con-, cor- — *в зави́симости от после́дующего зву́ка*) *pref* 1) *означа́ет совмести́мость или взаи́мность де́йствия; напр.*: collaborate сотру́дничать; 2) *означа́ет завершённость или полноту́ де́йствия; напр.*: conclude заверши́ть; compete соревнова́ться; corrupt по́ртить.

**coma** I [ˈkoumə] *n мед.* 1) ко́ма; 2) *attr.*: ~ vigil бред тифо́зных больны́х в бессозна́тельном состоя́нии, но с откры́тыми глаза́ми.

**coma** II [ˈkoumə] *n* (*pl* -mae) 1) *бот.* волосяны́е семенны́е прида́тки (*не́которых расте́ний*); 2) *астр.* голова́ коме́ты; 3) *фото* ко́ма, несимметри́ческая аберра́ция.

**comae** [ˈkoumiː] *pl от* coma II.

**comatose** [ˈkoumətous] *a мед.* коматó́зный, сонли́вый.

**comb** I [koum] **1.** *n* 1) гре́бень; large-(small-)toothed ~ ре́дкий (ча́стый) гре́бень; 2) скребни́ца; 3) *текст.* бёрдо, рядо́к, игла́, чеса́лка; 4) со́ты; 5) конёк (*кры́ши*); ◇ to cut the ~ of smb. сбить спесь с кого́-л.; to set up one's ~ ва́жничать, хорохо́риться;

2. *v* 1) расчёсывать; 2) *воен.* «прочёсывать» (*разве́дкой, огнём*); 3) *текст.* чеса́ть, мять, трепа́ть; 4) чи́стить скребни́цей; 5) разбива́ться (*о волна́х*); □ ~ out а) вычёсывать; б) производи́ть переосвиде́тельствование ра́нее освобождённых от вое́нной слу́жбы; в) разы́скивать; ◇ to ~ smb.'s hair for him «намы́лить го́лову» кому́-л.; дать кому́-л. нагоня́й; to ~ smb.'s hair the wrong way ≅ гла́дить кого́-л. про́тив шёрстки.

**comb** II [koum] = coomb.

**combat** [ˈkɔmbət] **1.** *n* 1) бой; single ~ единобо́рство; поеди́нок; 2) *attr.* боево́й; похо́дный; строево́й; ~ arm род войск; ~ company *амер.* а) ро́та в боево́м поря́дке; б) сапёрная ро́та; ~ liaison обеспе́чение взаимоде́йствия в бою́; ~ suit *амер. воен.* похо́дная фо́рма;

2. *v* сража́ться, боро́ться (against — про́тив *чего́-л.*; for — за *что́-л.*).

**combatant** [ˈkɔmbətənt] **1.** *n* 1) бое́ц; уча́стник сраже́ния; 2) вою́ющая сторона́; 3) побо́рник;

2. *a* 1) боево́й, строево́й; ~ forces строевы́е ча́сти; боевы́е си́лы; ~ officer строево́й офице́р; ~ value боеспосо́бность; ~ zone фронтова́я полоса́, полоса́ боевы́х де́йствий; ~ arms *амер. воен.* ро́ды войск (*в отли́чие от служб*); 2) вои́нственный.

**combat car** [ˈkɔmbətˈkɑː] *n амер. воен.* бронемаши́на; быстрохо́дный танк.

**combat fatigue** [ˈkɔmbətfəˈtiːg] *n амер. воен.* не́рвное заболева́ние (*вы́званное перенапряже́нием в бою́*).

**combative** [ˈkɔmbətɪv] *a* боево́й, вои́нственный; драчли́вый.

**combat team** [ˈkɔmbətˈtiːm] *n амер. воен.* уси́ленная часть; -ое подразделе́ние; такти́ческая гру́ппа.

**combe** [kuːm] = coomb.

**comber** [ˈkoumə] *n* 1) *текст.* чеса́льщик; 2) *текст.* гребнечеса́льная маши́на; 3) больша́я волна́.

**combination** [͵kɔmbɪˈneɪʃən] *n* 1) соедине́ние; комбина́ция; сочета́ние; in ~ в сочета́нии, во взаимоде́йствии; ~ of forces *мех.* сложе́ние сил; 2) *pl* комбинезо́н (*бельё*); 3) комбинезо́н; 4) сою́з, объедине́ние (*синдика́т, трест и т. п.*); 5) *уст.* за́говор; 6) мотоци́кл с прице́пной коля́ской; 7) *attr.*: ~ gas бога́тый не́фтью есте́ственный газ; ~ lock секре́тный замо́к; ~ laws зако́ны, напра́вленные про́тив сою́зов (*в А́нглии*).

**combination-room** [͵kɔmbɪˈneɪʃənrum] = common-room.

**combinative** [ˈkɔmbɪneɪtɪv] *a* 1) комбина́ционный; ~ sound change комбинато́рное измене́ние зву́ка; 2) скло́нный к комбина́циям.

**combinatorial** [kəm‚baɪnə'tɔːrɪəl] *a* комбинаторный, основанный на комбинировании.

**combine 1.** *n* ['kɔmbaɪn] 1) *с.-х.* комбайн; 2) синдикат, комбинат; 3) объединение;

**2.** *v* [kəm'baɪn] 1) объединять(ся); 2) комбинировать, сочетать(ся); смешивать (-ся).

**combing machine** ['koumɪŋmə'ʃiːn] *n текст.* гребнечесальная машина.

**combings** ['koumɪŋz] *n pl текст.* гребенные очёски.

**comb-out** ['koum‚aut] *n* 1) вычёсывание; 2) чистка (*служащих, членов союза и т. п.*); 3) переосвидетельствование (*ранее освобождённых от военной службы*).

**combustibility** [kəm‚bʌstə'bɪlɪtɪ] *n* горючесть, воспламеняемость.

**combustible** [kəm'bʌstəbl] **1.** *a* горючий, воспламеняемый;

**2.** *n pl* горючее; топливо.

**combustion** [kəm'bʌstʃən] *n* 1) горение; сгорание; сожжение; spontaneous ~ самовоспламенение, самовозгорание; 2) *хим.* окисление (*органич. веществ*); 3) волнение; смятение, беспорядок; 4) *attr.*: ~ chamber *тех.* камера сгорания; ~ engine двигатель внутреннего сгорания.

**come** [kʌm] *v* (came; come) 1) приходить, прибывать; приезжать; подходить; help came in the middle of the battle в разгар боя подошла помощь; one shot came after another выстрелы следовали один за другим; to ~ before the Court предстать перед судом; 2) случаться, происходить, бывать; how did it ~ that..? как это случилось, что..?; how ~s it? почему это получается?, как это выходит?; ~ what may будь что будет; 3) выпадать (*на чью-л. долю*); доставаться (*кому-л.*); it came on my head это свалилось мне на голову; ill luck came to me мне выпала неудача; this work ~s to me эта работа приходится на мою долю; 4) делаться, становиться; things will ~ right всё обойдётся, всё будет хорошо; my dreams came true мои мечты сбылись; butter will not ~ масло никак не сбивается; the knot has ~ undone узел развязался; to ~ short a) не хватить; б) не достигнуть цели; в) не оправдать ожиданий; 5) доходить, достигать; равняться; the bill ~s to 500 roubles счёт составляет 500 рублей; 6) вести своё происхождение; происходить; he ~s from London он уроженец Лондона; he ~s of a working family он из рабочей семьи; that ~s from your carelessness всё это от твоей небрежности; 7) мнить себя; корчить из себя; разыгрывать; he ~s the great man он мнит себя великим человеком; 8) *в повелительном наклонении восклицание, означающее приглашение, побуждение, а лёгкий упрёк*: ~, tell me all you know about it ну, расскажите же всё, что вы об этом знаете; ~, ~, be not so hasty! ну, ну, не будьте так опрометчивы!; □ ~ about a) происходить, случаться; б) менять направление (*о ветре*); ~ across (случайно) встретиться с *кем-л.*; натолкнуться на

*что-л.*; ~ across! *разг.* а) признавайся!; б) раскошеливайся!; ~ after а) искать, домогаться; б) следовать; в) наследовать; ~ again а) возвращаться; б) *амер. sl.* повторять сказанное; ~ along а) идти; сопровождать; ~ along! идём!; поторапливайся!; б) соглашаться; ~ asunder распадаться на части; ~ at а) нападать, набрасываться; добраться до *кого-л.*; just let me ~ at him дайте мне только добраться до него; б) получить доступ к *чему-л.*, добиться *чего-л.*; how did you ~ at the information как вы это узнали; ~ away а) уходить; б) отламываться; the handle came away in my hand ручка отломилась и осталась у меня в руках; ~ back а) возвращаться; б) вспоминаться; в) очнуться, прийти в себя; г) *спорт.* обрести прежнюю форму; д) *спорт.* отставать; е) *разг.* отвечать тем же самым, отплатить той же монетой; ~ before а) предшествовать; б) превосходить; ~ by а) проходить мимо; б) доставать, достигать; в) *амер.* заходить; ~ down а) падать (*о снеге, дожде*); б) спускаться; опускаться; в) переходить по традиции; г) приходить, приезжать; д) быть поваленным (*о дереве*); е) быть разрушенным (*о постройке*); ж) деградировать; to ~ down in the world потерять состояние, положение; опуститься; з) набрасываться, бранить (upon, on—*кого-л.*); наказывать (upon, on—*кого-л.*); и) *амер. разг.* заболеть (with—*чем-л.*); ~ for а) заходить за; б) нападать на; ~ forward а) выходить вперёд; выдвигаться; б) откликаться; в) предлагать свои услуги; ~ in а) входить; б) прибывать (*о поезде, пароходе*); в) вступать (*в должность*); приходить к власти; г) входить в моду; д) созревать; е) *амер.* жеребиться, телиться; ж) оказаться полезным, пригодиться (*тж.* ~ in useful); where do I ~ in? *разг.* чем я могу быть полезен?; какое это имеет ко мне отношение?; з) *спорт.* прийти к финишу; to ~ in first победить, прийти первым; ~ in for получить *что-л.* (*напр., свою долю и т. п.*); he came in for a lot of trouble ему здорово досталось; ~ into а) вступать в; б) получать в наследство; to ~ into one's own получить должное; в): to ~ into being (*или* existence) возникать; to ~ into the world родиться; to ~ into force вступать в силу; to ~ into notice привлечь внимание; to ~ into play начать действовать; to ~ into position *воен.* занять позицию; to ~ into sight появиться; ~ of происходить, получаться из; what will ~ of him? что из него выйдет? что с ним станется?; this is what ~s of disobedience вот результат непослушания; ~ off а) удаляться; б) отрываться (*напр., о пуговице*); в) иметь успех; удаваться, проходить с успехом; all came off satisfactorily всё сошло благополучно; .to ~ off with honour выйти с честью; г) отделываться; he came off a loser он остался в проигрыше; he came off clear он вышел сухим из воды; д) происходить, иметь место; е) *амер.* замолчать; oh, ~ off it! да перестань же!; ~ on а) появляться (*на сцене*); б) расти; в) преуспевать; делать успехи; г) наступать, нападать; д) приближаться; налететь, разразиться (*о ветре, шквале*); a storm is coming on приближается гроза; е) натыкаться, наскакивать; поражать (*о болезни*); ж) рассматриваться (*в суде*); з) возникать (*о вопросе*); и): ~ on! живей!; продолжайте!; идём! (*тж. как формула вызова*); ~ out а) выходить; to ~ out of oneself стать менее замкнутым; б) появляться (*в печати*); в) дебютировать (*на сцене, в обществе*); г) обнаруживаться; проявляться; the secret came out секрет раскрылся; д) распускаться (*о листьях, цветах*); е) забастовать; ж) выводиться, сводиться (*о пятнах*); з) выступить (with—с *заявлением, разоблачением*); и) выпалить (with); ~ over а) переезжать; приезжать; б) переходить на другую сторону; в) получать преимущество; г) охватить, овладеть; a fear came over me мной овладел страх; ~ round а) заходить ненадолго; заглянуть; a friend came round last night вчера вечером заходил знакомый; б) приходить в себя (*после обморока, болезни*); в) изменяться к лучшему; I hope things will ~ round надеюсь, всё образуется; г) менять своё мнение, соглашаться с чьей-л. точкой зрения; д) хитрить, обманывать; ~ through а) остаться в живых; б) выпутаться из неприятного положения; ~ to а) доходить до; to ~ to blows дойти до рукопашной; it came to my knowledge я узнал; to ~ to find out случайно обнаружить, узнать, выяснить; to ~ to no good испортиться; б) стоить, равняться; в) прийти в себя, очнуться (*тж. to ~ to oneself*); ~ up а) подниматься, вырастать, возникать; to ~ up for discussion стать предметом обсуждения; б) всходить ( *о растении*); в) приезжать (*из места менее значительного в более значительное в представлении говорящего; напр., из провинции в большой город, университет и т. п.*); г) предстать перед судом; д) подходить (to); е) достигать уровня, сравниваться (to); ж) нагонять (with—*кого-л.*); ~ upon а) натолкнуться, напасть неожиданно; б) предъявить требование; в) лечь бременем на чьи-л. плечи; ◇ to ~ to bat *амер. sl.* столкнуться с трудной проблемой, тяжелым испытанием; to ~ easy to smb. не представлять трудностей для кого-л.; to ~ to harm пострадать; to ~ out with one's life остаться в живых, уцелеть (*после боя и т. п.*); to ~ to a head а) созреть (*о нарыве*); б) достигнуть критической (*или решающей*) стадии; to ~ to life а) прийти в себя, очнуться (*после обморока*); б) осуществляться; to ~ to light обнаруживаться; to ~ to nothing кончаться ничем, не иметь последствий; to ~ to stay утвердиться, укорениться; it has come to stay это надолго; to ~ to the wrong shop *разг.* обратиться не по адресу; ◇ to ~ natural быть естественным; (which is) to ~ грядущий, будущий; things to ~ грядущее; in days to ~ в будущем; pleasure to ~ предвкушаемое удовольствие; ~ down with your money! раскошеливайтесь!; let'em all ~! *разг.* будь что будет!; to ~ to pass случаться, происходить; to ~ to the book приносить присягу перед исполнением обязанностей судьи; light ~ light go что досталось легко, быстро исчезает; to ~ it strong *разг.* действовать энергично; to ~ it too strong *разг.* перестараться; to ~ clean *разг.* говорить правду.

**come-about** ['kʌmə'baut] *n разг.* неожиданный поворот событий.

**come-and-go** ['kʌmənd'gou] *n* 1) движение взад и вперёд; 2) *attr.*: ~ people случайные люди, сменяющие один другого.

**come-at-able** [kʌm'ætəbl] *a* доступный.

**come-back** ['kʌmbæk] *n* 1) *разг.* возвращение (*к власти, популярности и т. п.*); 2) возражение; 3) возмездие; 4) воздаяние по заслугам.

**come-by-chance** ['kʌmbaɪ'tʃɑːns] *n разг.* 1) нечто случайное; случайная находка; 2) незаконный ребёнок.

**comedian** [kə'miːdjən] *n* 1) автор комедий; 2) актёр-комик; low ~ комик-буфф.

**comédienne** [kə,medɪ'en] *фр. n* комическая актриса.

**comedietta** [kə,miːdɪ'etə] *ит. n* лёгкая комедия.

**comedo** ['kɔmɪdou] *n* (*pl* -ones, -os [-ouz]) *мед.* угорь.

**comedones** [kɔmɪ'douniːz] *pl от* comedo.

**come-down** ['kʌmdaun] *n* 1) падение; спуск; 2) ухудшение; 3) упадок.

**comedy** ['kɔmɪdɪ] *n* комедия.

**comeliness** ['kʌmlɪnɪs] *n* миловидность.

**comely** ['kʌmlɪ] *a* миловидный; хорошенький.

**come-off** ['kʌm,ɔːf] *n* 1) завершение; 2) уловка, отговорка, отписка; 3) *амер.* неблагоприятное стечение обстоятельств.

**comer** ['kʌmə] *n* тот, кто приходит; приходящий; пришелец; who is the ~? кто пришёл?; first ~ первый пришедший; ◇ against all ~s против кого бы то ни было; for all ~s для всех желающих.

**comestible** [kə'mestɪbl] 1. *n* (*обыкн. pl*) съестные припасы; 2. *a уст.* съедобный.

**comet** ['kɔmɪt] *n* комета.

**comfit** ['kʌmfɪt] *n* 1) конфета; 2) *pl* засахаренные фрукты.

**comfort** ['kʌmfət] 1. *n* 1) утешение; успокоение, ободрение; поддержка; 2) отдых, покой; 3) комфорт; *pl* удобства. 2. *v* утешать, успокаивать.

**comfortable** ['kʌmfətəbl] 1. *a* 1) удобный; комфортабельный; уютный; 2) спокойный; довольный; to feel ~ быть спокойным, довольным; 3) *разг.* достаточный, приличный (*напр., о заработке*); 4) утешительный, успокоительный. 2. *n* = comforter 4).

**comforter** ['kʌmfətə] *n* 1) утешитель; Job's ~ плохой утешитель; 2) соска, пустышка; 3) шерстяной шарф; тёплое кашне; 4) *амер.* стёганое ватное одеяло; *sl.* газета, которой покрываются безработные, ночуя под открытым небом.

**comfortless** [ˈkʌmfətlɪs] *a* 1) неую́тный; 2) печа́льный; безуте́шный.

**comfortstation** [ˈkʌmfət͵steɪʃ(ə)n] *n амер.* обще́ственная убо́рная.

**comfrey** [ˈkʌmfrɪ] *n бот.* око́пник.

**comfy** [ˈkʌmfɪ] *разг. см.* comfortable 1.

**comic** [ˈkɔmɪk] 1. *a* 1) коми́ческий, юмористи́ческий; смешно́й; 2) комеди́йный; 2. *n* 1) кинокоме́дия; 2) (the ~) коми́зм; 3) *уст., разг. см.* comedian 2).

**comical** [ˈkɔmɪkəl] *a* смешно́й, заба́вный, поте́шный; чудно́й.

**comicality** [͵kɔmɪˈkælɪtɪ] *n* 1) коми́чность; чуда́чество; 2) что-л. смешно́е.

**comics** [ˈkɔmɪks] *n pl амер.* ко́микс, бульва́рный журна́л *или* расска́з в карти́нках.

**coming** [ˈkʌmɪŋ] 1. *pres. p. от* come; 2. *n* прие́зд, прихо́д, прибы́тие; 3. *a* 1) бу́дущий, наступа́ющий; ожида́емый; 2) многообеща́ющий, подаю́щий наде́жды (*писатель и т. п.*).

**coming-in** [ˈkʌmɪŋˈɪn] *n* ввоз (*това́ров*).

**coming-out** [ˈkʌmɪŋˈaut] *n* вы́воз (*това́ров*).

**comity** [ˈkɔmɪtɪ] *n* ве́жливость; ~ of nations взаи́мное призна́ние зако́нов и обы́чаев друго́й на́ции.

**comma** [ˈkɔmə] *n* запята́я.

**command** [kəˈmɑːnd] 1. *n* 1) кома́нда; прика́з; 2) кома́ндование; to be in ~ of a regiment кома́ндовать полко́м; under ~ of smb. под чьим-л. нача́льством; at ~ в распоряже́нии; 3) войска́, находя́щиеся под (*чьим-л.*) кома́ндованием; Fighter C. истреби́тельная авиа́ция; 4) вое́нный о́круг (*в Англии*); 5) госпо́дство; власть; ~ of the air госпо́дство в во́здухе; 6) владе́ние; ~ of one's emotions уме́ние владе́ть собо́й; he has great ~ of the language он свобо́дно владе́ет языко́м; 7) *топ.* превыше́ние; 8) *attr.* кома́ндный; находя́щийся в распоряже́нии кома́ндования; ~ post а) кома́ндный пункт; б) *амер.* штаб вое́нного подразделе́ния; ~ car маши́на команди́ра подразделе́ния; ~ airplane самолёт кома́ндования; 2. *v* 1) прика́зывать; 2) кома́ндовать, управля́ть; 3) госпо́дствовать; to ~ the seas госпо́дствовать над моря́ми; 4) владе́ть; располага́ть, име́ть в своём распоряже́нии; to ~ oneself владе́ть собо́й; to ~ a large vocabulary владе́ть больши́м запа́сом слов; to ~ the services of smb. по́льзоваться чьи́ми-л. услу́гами; yours to ~ к ва́шим услу́гам; 5) внуша́ть (*напр., уваже́ние*); 6) сто́ить; приноси́ть, дава́ть; this article ~s a good price за э́тот това́р мо́жно взять высо́кую це́ну; 7) *воен.* держа́ть под обстре́лом; ◇ the window ~ed a lovely view из окна́ открыва́лся прекра́сный вид.

**commandant** [͵kɔmənˈdænt] *n* 1) нача́льник, команди́р; 2) коменда́нт.

**commandeer** [͵kɔmənˈdɪə] *голл. v* 1) принуди́тельно набира́ть (*в а́рмию*); 2) реквизи́ровать; 3) *разг.* присва́ивать.

**commander** [kəˈmɑːndə] *n* 1) команди́р; нача́льник; кома́ндующий; ~ of the guard нача́льник карау́ла; 2) *мор.* капита́н 2-го ра́нга; ста́рший помо́щник команди́ра; 3) *тех.* трамбо́вка.

**Commander-in-Chief** [kəˈmɑːndərɪnˈtʃiːf] *n* 1) главнокома́ндующий; кома́ндующий войска́ми о́круга; 2) *мор.* кома́ндующий фло́том *или* отде́льной эска́дрой.

**command-in-chief** [kəˈmɑːndɪnˈtʃiːf] *n* гла́вное кома́ндование.

**commanding** [kəˈmɑːndɪŋ] 1. *pres. p. от* command 2; 2. *a* 1) кома́ндующий; 2) домини́рующий; ~ eminence домини́рующая высота́; 3) внуши́тельный; ~ speech внуши́тельная речь.

**commandment** [kəˈmɑːndmənt] *n* 1) прика́з; 2) за́поведь.

**commando** [kəˈmɑːndou] *n* (*pl* -os, -oes[-ouz]) *воен.* 1) диверсио́нно-деса́нтный отря́д; 2) бое́ц диверсио́нно-деса́нтного отря́да.

**commemorate** [kəˈmeməreɪt] *v* 1) пра́здновать (*годовщину*); отмеча́ть (*собы́тие*); 2) служи́ть напомина́нием.

**commemoration** [kə͵meməˈreɪʃ(ə)n] *n* 1) пра́зднование *или* ознаменова́ние (*годовщи́ны*); in ~ of в па́мять о; C. (Day) акт Оксфо́рдского университе́та с помина́нием основа́телей, присужде́нием почётных сте́пеней *и пр.*; 2) *церк.* поминове́ние.

**commemorative** [kəˈmemərətɪv] *a* па́мятный, мемориа́льный.

**commence** [kəˈmens] *v* начина́ть(ся).

**commencement** [kəˈmensmənt] *n* 1) нача́ло; 2) день присужде́ния университе́тских степене́й в Ке́мбридже, Ду́блине *и др.*; 3) акт; а́ктовый день (*в амер. уче́бных заведе́ниях*); at ~ на выпускно́м а́кте.

**commend** [kəˈmend] *v* 1) хвали́ть; рекомендова́ть; 2) *refl.* привлека́ть, прельща́ть; 3) *уст.* вверя́ть, поруча́ть; 4) *уст.* передава́ть приве́т, покло́н.

**commendable** [kəˈmendəbl] *a* похва́льный, досто́йный похвалы́.

**commendation** [͵kɔmenˈdeɪʃ(ə)n] *n* 1) похвала́; 2) *амер. воен.* объявле́ние благода́рности в прика́зе; 3) рекоменда́ция.

**commensal** [kəˈmensəl] *n* 1) сотрапе́зник; 2) *биол.* коммменса́л.

**commensurable** [kəˈmenʃərəbl] *a* 1) соизмери́мый; 2) пропорциона́льный.

**commensurate** [kəˈmenʃərɪt] *a* соотве́тственный; соразме́рный.

**comment** [ˈkɔment] 1. *n* 1) объясни́тельное примеча́ние, толкова́ние; коммента́рий; 2) замеча́ние; 2. *v* 1) комменти́ровать; толкова́ть, объясня́ть; to ~ on the book а) рецензи́ровать кни́гу; б) комменти́ровать кни́гу; 2) де́лать (крити́ческие) замеча́ния.

**commentary** [ˈkɔməntərɪ] *n* коммента́рий; running ~ а) (ра́дио)репорта́ж; б) подстро́чный коммента́рий.

**commentation** [͵kɔmənˈteɪʃ(ə)n] *n* 1) комменти́рование; толкова́ние (*те́кста*); 2) анноти́рование.

**commentator** [ˈkɔmenteɪtə] *n* 1) (ра́дио-)коммента́тор; 2) толкова́тель.

**commerce** [ˈkɔməːs] *n* 1) (опто́вая) торго́вля, комме́рция; home ~ вну́тренняя торго́вля; to have no ~ with smb. не име́ть ничего́ о́бщего с кем-л.

**commerce-destroyer** [ˈkɔmɜːsdɪsˈtrɔɪə] *n* *воен.* крейсер для борьбы с морской торговлей противника.

**commercial** [kəˈmɑːʃəl] **1.** *a* торговый, коммерческий; ~ aviation гражданская авиация; ~ law торговое право; ~ traveller коммивояжёр; ~ treaty торговый договор; ~ broadcast *амер.* коммерческая радиопередача (*оплаченная рекламодателем*); **2.** *n разг.* 1) = ~ traveller; 2) = ~ broadcast.

**commercialese** [kə,mɑːʃəˈliːz] *n* стиль коммерческих документов.

**commercialism** [kəˈmɑːʃəlɪzəm] *n* торгашеский дух.

**commercialize** [kəˈmɑːʃəlaɪz] *v* превращать в источник прибыли; ставить на коммерческую ногу.

**commination** [,kɔmɪˈneɪʃən] *n* угроза (*особ.* карами небесными).

**comminatory** [ˈkɔmɪnətərɪ] *a* угрожающий; обличительный.

**commingle** [kəˈmɪŋgl] *v* смешивать(ся).

**comminute** [ˈkɔmɪnjuːt] *v* 1) толочь, превращать в порошок; 2) дробить, делить на мелкие части (*имущество*).

**comminuted** [ˈkɔmɪnjuːtɪd] **1.** *p.p. от* comminute;
**2.** *a:* ~ fracture *мед.* осколочный перелом.

**comminution** [,kɔmɪˈnjuːʃən] *n* размельчение, раздробление.

**commiserate** [kəˈmɪzəreɪt] *v* сочувствовать, выражать соболезнование (with); to ~ a misfortune выражать соболезнование по поводу несчастья.

**commiseration** [kə,mɪzəˈreɪʃən] *n* сочувствие; соболезнование.

**commiserative** [kəˈmɪzərətɪv] *a* сочувствующий, соболезнующий.

**commissar** [,kɔmɪˈsɑː] *n* 1) комиссар; 2) *уст.* = commissary 1) и 2).

**commissariat** [,kɔmɪˈsɛərɪət] *n* 1) комиссариат; 2) интендантство; 3) продовольственное снабжение.

**commissary** [ˈkɔmɪsərɪ] *n* 1) комиссар; уполномоченный; 2) интендант; 3) *амер.* склад продовольствия и других товаров для войсковых лавок.

**commission** [kəˈmɪʃən] **1.** *n* 1) доверенность; полномочие; in ~ имеющий полномочия; I cannot go beyond my ~ я не могу превысить свои полномочия; 2) комиссия; standing ~ постоянная комиссия; interim ~ временная комиссия; 3) патент на офицерский чин *или* на звание мирового судьи; to get a ~ получить офицерский чин; to resign one's ~ подать в отставку с военной службы; 4) поручение; 5) комиссионная продажа; to have goods on ~ иметь товары на комиссии; 6) комиссионное вознаграждение; 7) совершение (*преступления и т. п.*); the ~ of murder совершение убийства; ◇ sins of ~ and omission сделаешь—плохо, не сделаешь—плохо; to come into ~ *мор.* вступать в строй после постройки *или* ремонта (*о корабле*); in ~ в исправности; в полной готовности; out of ~ в неисправности; a ship in ~ судно, готовое к плаванию);

**2.** *v* 1) назначать на должность; 2) уполномочивать; 3) поручать; давать заказ (*особ. художнику*); 4) *мор.* подготовлять корабль к плаванию, укомплектовывать личным составом; назначать командира корабля.

**commissionaire** [kə,mɪʃəˈnɛə] *n* 1) комиссионер (*при гостинице*); 2) посыльный; швейцар; the Corps of Commissionaires артель бывших военнослужащих (*основанная в Лондоне в 1859 г.*), поставляющая швейцаров, курьеров *и т. п.*

**commissioned** [kəˈmɪʃənd] **1.** *p. p. от* commission 2;
**2.** *a* 1) облечённый полномочиями; получивший поручение; 2) произведённый в офицеры; ~ officer офицер, произведённый в чин приказом короля (*в Англии*) *или* президента (*в США*); 3) укомплектованный личным составом и готовый к плаванию (*о корабле*).

**commissioner** [kəˈmɪʃnə] *n* 1) специальный уполномоченный, комиссар; High C. верховный комиссар (*в колонии или представитель британского доминиона в Англии*); 2) член комиссии; 3) член королевской парламентской комиссии.

**commissure** [ˈkɔmɪsjuə] *n* *мед.* соединение; спайка; место сочетания, сочленения.

**commit** [kəˈmɪt] *v* 1) поручать, вверять; 2) передавать законопроект в комиссию (*парламента*); 3) предавать; to ~ to flames предавать огню; to ~ a body to the ground предать тело земле; to ~ smb. for trial предавать кого-л. суду; to ~ to prison заключать в тюрьму; 4) фиксировать; to ~ to memory заучивать, запоминать; to ~ to paper, to ~ to writing записывать; 5) совершать (*преступление и т. п.*); to ~ suicide покончить жизнь самоубийством; to ~ an error совершить ошибку; to ~ a crime совершить преступление; 6) *воен.* вводить в дело; to ~ to attack бросить в атаку; to ~ to battle вводить в бой; to ~ the command *воен.* связывать свободу действий командования; to ~ oneself а) компрометировать себя; б) принимать на себя обязательство (*особ. рискованное, опасное*); связывать себя.

**commitment** [kəˈmɪtmənt] *n* 1) вручение, передача; 2) передача законопроекта в комиссию; заключение под стражу; 4) обязательство; 5) совершение (*преступления и т. п.*).

**committal** [kəˈmɪtl] *n* 1) = commitment; 2) погребение.

**committee** I [kəˈmɪtɪ] *n* 1) комитет; Soviet Peace C. Советский Комитет защиты мира; ~ of action *полит.* комитет действия; strike ~ стачечный комитет; steering ~ организационный, подготовительный комитет; 2) комиссия; credentials ~ мандатная комиссия; Joint C. междуведомственная *или* межпарламентская комиссия; C. of Ways and Means *парл.* Бюджетная комиссия; C. of the whole House *парл.* пленум, обсуждающий детали проводимого законопроекта; the House goes into C., the House resolves itself into C. *парл.* палата объявляет себя комиссией для обсуждения какого-л. вопроса; to go into ~ пойти на рассмотрение комиссии (*о законопроекте*); a check-up ~ *амер.* ревизионная комиссия; smelling ~ *амер. sl.* комиссия по расследованию; 3) *attr.*: ~ English канцелярский английский язык.

**committee** II [ˌkɔmɪˈtiː] *n юр.* опекун.

**committee-man** [kəˈmɪtɪmən] *n* член комиссии *или* комитета.

**commix** [kɔˈmɪks] *v уст., поэт.* смешивать(ся).

**commixture** [kəˈmɪkstʃə] *n* смешение; смесь.

**commode** [kəˈmoud] *n* 1) комод; 2) стульчак.

**commodious** [kəˈmoudjəs] *a* 1) просторный; 2) *редк.* удобный.

**commodity** [kəˈmɔdɪtɪ] *n* 1) предмет потребления; staple commodities главные предметы торговли; 2) (*часто pl*) товар; value of ~ товарная стоимость; 3) *редк.* удобство; 4) *attr.* товарный; ~ capital товарный капитал; ~ production товарное производство.

**commodore** [ˈkɔmədɔː] *n* 1) *мор.* коммодор (*звание капитана 1-го ранга, командующего соединением кораблей*); начальник конвоя; 2) командор яхт-клуба.

**common** [ˈkɔmən] 1. *a* 1) общий; ~ lot общий удел; ~ interests общие интересы; by ~ consent с общего согласия; to make ~ cause действовать сообща; 2) общественный, публичный; ~ land общественный выгон; 3) простой, обыкновенный; ~ honesty элементарная честность; the ~ man обыкновенный человек; ~ soldier *воен.* рядовой; ~ labour неквалифицированный труд; чёрная работа; a man of no ~ abilities человек незаурядных способностей; ~ run of people обыкновенные, заурядные люди; ~ fraction *мат.* простая дробь; 4) простой, грубый; дурно сделанный (*об одежде*); 5) ходячий, распространённый; it is ~ knowledge это общеизвестно; 6) вульгарный, банальный; ~ manners грубые манеры; 7) *мат.* общий; ~ factor общий делитель; ~ multiple общий множитель; 8) *грам.* общий; ~ gender общий род; ~ case общий падеж; ~ noun имя нарицательное; ◇ ~ or garden *разг.* обычный, известный; шаблонный, избитый; ~ council муниципальный совет; ~ law а) обычное право; б) неписаный закон; ~ logarithm *мат.* десятичный логарифм; ~ salt поваренная соль; ~ sense здравый смысл; ~ woman проститутка.

2. *n* 1) общее; обычное; in ~ совместно; to have nothing in ~ with smb. не иметь ничего общего с кем-л.; out of the ~ незаурядный, из ряда вон выходящий; nothing out of the ~ ничего особенного, так себе; 2) *ист.* народ (*т. е. третье сословие без высших сословий*); 3) общинная земля; выгон, пустырь; 4) право на общественное пользование землёй; ~ of pasturage право на общественный выгон.

**commonage** [ˈkɔmənɪdʒ] *n* 1) право на общественный выгон; 2) = commonalty.

**commonalty** [ˈkɔmənltɪ] *n ист.* общины; народ (*т. е. третье сословие без высших сословий*).

**commoner** [ˈkɔmənə] *n* 1) человек из народа (*противоп.* пэру *в Англии*); 2) *редк.* член палаты общин; 3) имеющий общинные права; 4) студент, не получающий стипендии.

**commonly** [ˈkɔmənlɪ] *adv* 1) обычно, обыкновенно; 2) дёшево, плохо.

**commonness** [ˈkɔmənnɪs] *n* 1) обычность, обыденность; 2) банальность.

**commonplace** [ˈkɔmənpleɪs] **1.** *n* общее место, банальность;
2. *a* банальный, избитый;
3. *v* 1) повторять общие места; 2) записывать в общую тетрадь.

**commonplace-book** [ˈkɔmənpleɪsˌbuk] *n* тетрадь для заметок, общая тетрадь.

**common-room** [ˈkɔmənrum] *n* профессорская (*в Оксфордском университете; тж.* senior ~ ); junior ~ зал для студентов.

**commons** [ˈkɔmənz] *n pl* 1) *ист.* третье сословие; 2) порция, рацион; short ~ скудный стол, скудное питание; ◇ House of C. палата общин; Doctors' C. ассоциация юристов по гражданским делам.

**commonweal** [ˈkɔmənwiːl] *n* 1) общее благо; 2) *уст.* = commonwealth.

**commonwealth** [ˈkɔmənwelθ] *n* 1) государство, республика; содружество, федерация; the C. of England *ист.* английская республика (*1649—60 гг.*); 2) (все)общее благосостояние; for the good of the ~ для общего блага.

**commotion** [kəˈmouʃən] *n* 1) волнение (*моря*); 2) смятение; потрясение (*нервное, душевное*); 3) суматоха, суета.

**communal** [ˈkɔmjunl] *a* 1) общинный; ~ ownership of land общинное землевладение; 2) коллективный, коммунальный, общественный; ~ kitchen общественная столовая; фабрика-кухня; 3) относящийся к религиозным общинам (*в Индии*).

**communard** [ˈkɔmjunɑːd] *фр. n* коммунар, участник Парижской коммуны 1871 г.

**commune 1.** *n* [ˈkɔmjuːn] 1) община; 2) коммуна; the C. (of Paris) Парижская коммуна.
2. *v* [kəˈmjuːn] общаться, беседовать.

**communicable** [kəˈmjuːnɪkəbl] *a* 1) поддающийся передаче; 2) передающийся, сообщающийся; ~ disease заразная болезнь; 3) *уст.* приветливый, общительный.

**communicant** [kəˈmjuːnɪkənt] **1.** *n* 1) сообщающий новости; 2) *церк.* причастник; причастница;
2. *a анат.* сообщающийся.

**communicate** [kəˈmjuːnɪkeɪt] *v* 1) сообщать; передавать (to); 2) сообщаться (with); сноситься (by); 3) *церк.* причащать(ся).

**communicating** [kəˈmjuːnɪkeɪtɪŋ] **1.** *pres. p. от* communicate;
2. *a* смежный (*о комнате*).

**communication** [kəˌmjuːnɪˈkeɪʃən] *n* 1) сообщение; коммуникация; связь; vocal ~ устное сообщение; privileged ~ сведения, не подлежащие оглашению; lines of ~ пути сообщения; 2) средство сообщения (*железная дорога, телеграф, телефон и т. п.*);

3) *pl* коммуникáции; коммуникациóнные лѝнии; 4) общéние, срéдство общéния; to be in ~ with smb. перепѝсываться с кем-л.; 5) *attr.* служáщий для сообщéния, свя̀зи; ~ trench *воен.* ход сообщéния; ~ service служба свя̀зи.

**communicative** [kə'mjuːnɪkətɪv] *a* общѝтельный, разговóрчивый.

**communicator** [kə'mjuːnɪkeɪtə] *n* 1) *тех.* коммуникáтор, передáточный механѝзм; 2) *тел.* отправѝтельный аппарáт.

**communion** [kə'mjuːnjən] *n* 1) общéние; 2) *церк.* причáстие; 3) вероисповéдание; 4) грýппа людéй одинáкового вероисповéдания.

**communion-table** [kə'mjuːnjən,teɪbl] *n* *церк.* престóл.

**communiqué** [kə'mjuːnɪkeɪ] *фр.* *n* официáльное сообщéние, коммюникé.

**communism** ['kɔmjunɪzəm] *n* коммунѝзм.

**communist** ['kɔmjunɪst] 1. *n* коммунѝст; 2. *a* коммунистѝческий; C. Party of the Soviet Union Коммунистѝческая пáртия Совéтского Союза; All-Union Lenin Young C. League Всесоюзный Лéнинский Коммунистѝческий Союз Молодёжи; Young C. League Комсомóл.

**communistic** [,kɔmju'nɪstɪk] *a* коммунистѝческий.

**communitarian** [,kɔmjuːnɪ'tɛərɪən] *n* член коммунистѝческой общѝны, коммýны.

**community** [kə'mjuːnɪtɪ] *n* 1) общѝна; 2) (the ~ ) óбщество; the interests of the ~ интерéсы óбщества; 3) óбщность; ~ of goods óбщность владéния имýществом; 4) *attr.* общéственный; ~ centre общéственное здáние, испóльзуемое для собрáний, заня̀тий со взрóслыми *и т. п.*; ~ theatre *амер.* непрофессионáльный теáтр.

**commutation** [,kɔmjuː'teɪʃən] *n* 1) замéна; ~ of rations *воен.* замéна натурáльного довóльствия дéнежным; 2) *юр.* смягчéние наказáния; 3) *воен.* дéньги, выдавáемые вмéсто вы̀дачи натýрой; 4) *эл.* коммутáция, коммутѝрование, переключéние; ◊ ~ ticket *амер.* а) сезóнный железнодорóжный билéт; б) кáрточка на определённое колѝчество обéдов в ресторáне.

**commutator** ['kɔmjuːteɪtə] *n* 1) *эл.* преобразовáтель тóка; коллéктор; коммутáтор; переключáтель; 2) владéлец сезóнного билéта.

**commute** [kə'mjuːt] *v* 1) заменя̀ть; 2) *юр.* смягчáть наказáние; 3) *эл.* переключáть (*ток*); 4) совершáть регуля̀рные поéздки (*поездом, пароходом и т. п.*).

**commuter** [kə'mjuːtə] *амер.* = commutator 2).

**compact I** ['kɔmpækt] *n* соглашéние, договóр.

**compact II** 1. *a* [kəm'pækt] 1) компáктный; плóтный; 2) сжáтый (*напр., о стиле*); 3) сплошнóй, массѝвный;
2. *n* ['kɔmpækt] = compact-mirror;
3. *v* [kəm'pækt] сжимáть, уплотня̀ть.

**compacted** [kəm'pæktɪd] 1. *p. p. от* compact II, 3;
2. *a* компáктный; плóтно упакóванный *или* улóженный.

**compact-mirror** ['kɔmpækt,mɪrə] *n* пýдреница.

**companion** [kəm'pænjən] 1. *n* 1) товáрищ; a faithful ~ вéрный друг; ~ in adversity товáрищ по несчáстью; 2) спýтник; попýтчик, случáйный сосéд (*по вагону и т. п.*); 3) компаньóн; компаньóнка; ~ in crime соучáстник преступлéния; 4) собесéдник; a poor ~ неинтерéсный собесéдник; 5) кавалéр óрдена (*низшей степени*); 6) предмéт, составля̀ющий пáру; 7) спрáвочник; gardener's ~ спрáвочник садовóда; 8) = companion-ladder; 9) *attr.* пáрный; ~ portrait пáрный портрéт;
2. *v* сопровождáть; быть компаньóном, спýтником.

**companionable** [kəm'pænjənəbl] *a* общѝтельный.

**companion-in-arms** [kəm'pænjənɪn'ɑːmz] *n* товáрищ (*или* собрáт) по орýжию.

**companion-ladder** [kəm'pænjən'lædə] *n* *мор.* сходнóй трап.

**companionship** [kəm'pænjənʃɪp] *n* 1) общéние, товáрищеские отношéния; 2) компáния; 3) бригáда набóрщиков, рабóтающих под наблюдéнием метранпáжа.

**companion-way** [kəm'pænjənweɪ] = companion-ladder.

**company** ['kʌmpənɪ] *n* 1) óбщество; компáния; to bear (*или* to keep) smb. ~ составля̀ть комý-л. компáнию, сопровождáть когó-л.; to keep ~ *разг.* ухáживать; to keep ~ with smb. общáться, встречáться с кем-л.; to keep good (bad) ~ водѝться с хорóшими (плохѝми) людьмѝ; to part ~ with smb. прекратѝть связь, знакóмство с кем-л.; 2) *ком.* товáрищество, компáния; joint-stock ~ акционéрное óбщество; John C. *шутл.* Ост-Ѝндская компáния; 3) гóсти; to receive a great deal of ~ принимáть мнóго гостéй; 4) собесéдник; he is poor (good) ~ он скýчный (интерéсный) собесéдник; 5) трýппа, ансáмбль артѝстов; stock ~ постоя̀нная трýппа; 6) экипáж (*судна*); 7) *воен.* рóта; 8) *attr. воен.* рóтный; 9) *attr.*: ~ store фабрѝчная лáвка; ~ union *амер.* компанéйский союз (*союз, организуемый предпринимателем для борьбы с профсоюзами*) ◊ present ~ excepted о присýтствующих не говоря̀т; for ~ за компáнию; a man is known by the ~ he keeps *посл.* ≅ скажѝ мне, кто твой друзья̀, и я скажý, кто ты.

**company checkers** ['kʌmpənɪ,tʃekəz] *n pl* шпѝки, донóсчики.

**company spotter** ['kʌmpənɪ,spɔtə] *n* донóсчик.

**comparable** ['kɔmpərəbl] *a* сравнѝмый; заслýживающий сравнéния.

**comparative** [kəm'pærətɪv] 1. *a* 1) сравнѝтельный; the ~ method сравнѝтельный мéтод; ~ anatomy сравнѝтельная анатóмия; 2) сравнѝтельный; относѝтельный; 3) *грам.* сравнѝтельный;
2. *n грам.* сравнѝтельная стéпень.

**comparatively** [kəm'pærətɪvlɪ] *adv* сравнѝтельно; относѝтельно.

**compare** [kəm'pɛə] 1. *v* 1) срáвнивать, сличáть (with); 2) срáвнивать, стáвить наравнé; 3) сравнѝться; выдéрживать сравнёние; not to be ~d with (*или* to) не мо́жет сравни́ться с; to ~ favourably with smth. вы́годно отлича́ться от чего́-л.; as ~d with по сравне́нию с; 4) уподобля́ть (to); ◇ to ~ notes обме́ниваться мне́ниями, впечатле́ниями;

2. *n уст., поэт.* сравне́ние; beyond ~, past ~, without ~ вне вся́кого сравне́ния.

**comparison** [kəm'pærɪsn] *n* 1) сравне́ние; to make a ~ проводи́ть сравне́ние; beyond (all) ~ вне (вся́кого) сравне́ния; in ~ with в сравне́нии с; to bear (*или* to stand) ~ with вы́держать сравне́ние с; there is no ~ between them невозмо́жно проводи́ть сравне́ние ме́жду ни́ми; degrees of ~ *грам.* сте́пени сравне́ния; 2) схо́дство.

**compartment** [kəm'pɑːtmənt] *n* 1) отделе́ние; купе́; water-tight ~ *мор.* водонепроница́емый отсе́к; to live in water-tight ~s *разг.* жить соверше́нно изоли́рованно от люде́й; 2) перегоро́дка.

**compass** ['kʌmpəs] **1.** *n* 1) окру́жность; круг; to fetch (*или* to go) a ~ идти́ кру́жным путём; де́лать крюк; 2) объём, обхва́т; диапазо́н; voice of great ~ го́лос обши́рного диапазо́на; 3) грани́ца; преде́л(ы); within the ~ of a lifetime в преде́лах челове́ческой жи́зни; beyond one's ~ за преде́лами чьих-л. возмо́жностей, чьего́-л. понима́ния; to keep one's desires within ~ сде́рживать свои́ жела́ния; 4) ко́мпас (*тж.* mariner's ~); буссо́ль; wireless ~ ра́дио(полу)ко́мпас; 5) (*часто pl*) ци́ркуль;

2. *a* 1) ко́мпасный; ~ bearing ко́мпасный пе́ленг; 2) полукру́глый; ~ window *архит.* полукру́глое окно́;

3. *v* 1) достига́ть, осуществля́ть; to ~ one's purpose дости́чь це́ли; 2) понима́ть, схва́тывать; 3) замышля́ть (*что-л. дурно́е*); 4) *уст.* обходи́ть круго́м; окружа́ть; осажда́ть.

**compassion** [kəm'pæʃən] *n* жа́лость, сострада́ние; сочу́вствие; to have (*или* to take) ~ (up)on smb. жале́ть кого́-л.; относи́ться с сострада́нием к кому́-л.

**compassionate 1.** *a* [kəm'pæʃnɪt] 1) жа́лостливый, сострада́тельный; сочу́вствующий; 2) благотвори́тельный; ~ allowance благотвори́тельное посо́бие; discharge on ~ grounds *воен.* увольне́ние по семе́йным обстоя́тельствам;

2. *v* [kəm'pæʃəneɪt] относи́ться с сострада́нием; сочу́вствовать.

**compatibility** [kəm,pætə'bɪlɪtɪ] *n* совмести́мость.

**compatible** [kəm'pætəbl] *a* 1) совмести́мый (with); 2) схо́дный.

**compatriot** [kəm'pætrɪət] *n* соотече́ственник.

**compeer** [kəm'pɪə] *n* ро́вня; това́рищ.

**compel** [kəm'pel] *v* 1) заставля́ть, принужда́ть; to ~ silence заста́вить замолча́ть; 2) подчиня́ть; to ~ attention прико́вывать внима́ние.

**compelling** [kəm'pelɪŋ] **1.** *pres. p. om* compel.

2. *a* неотрази́мый, непреодоли́мый; ~ force непреодоли́мая си́ла.

**compendency** [kəm'pendənsɪ] *n мат.* свя́зность.

**compendia** [kəm'pendɪə] *pl om* compendium.

**compendious** [kəm'pendɪəs] *a* кра́ткий, сжа́тый.

**compendium** [kæm'pendɪəm] *лат. n* (*pl dia*) компе́ндиум, кра́ткое руково́дство (*уче́бник*); конспе́кт; резюме́.

**compensate** ['kɔmpenseɪt] *v* 1) вознагражда́ть; 2) возмеща́ть (*убы́тки*); компенси́ровать (for); 3) *амер.* опла́чивать (*услу́ги*); плати́ть жа́лованье; 4) подде́рживать усто́йчивость валю́ты; 5) *тех.* баланси́ровать; ура́внивать.

**compensation** [,kɔmpen'seɪʃən] *n* 1) вознагражде́ние; 2) возмеще́ние, компенса́ция; to make ~ for smth. компенси́ровать что-л.; 3) *амер.* жа́лованье; за́работная пла́та; 4) *тех.* уравнове́шивание; ура́внивание; компенса́ция.

**compensative** [kəm'pensətɪv] *a* 1) вознагражда́ющий; 2) компенси́рующий, возмеща́ющий; 3) *тех.* ура́внивающий.

**compensator** ['kɔmpen,seɪtə] *n эл.* трансформа́тор.

**compensatory** [kəm'pensətərɪ] = compensative.

**compère** ['kɔmpɛə] *фр.* **1.** *n* конфера́нсье;

2. *v* конфери́ровать.

**compete** [kəm'piːt] *v* 1) состяза́ться, соревнова́ться; 2) конкури́ровать (with с *кем-л.*; forиз-за *чего́-л.*, ра́ди *чего́-л.*); 3) принима́ть уча́стие в спорти́вном соревнова́нии.

**competence, -cy** ['kɔmpɪtəns, -sɪ] *n* 1) спосо́бность; уме́ние; I doubt his ~ for such work (*или* to do such work) я сомнева́юсь, что у него́ есть да́нные для э́той рабо́ты; 2) компете́нтность; 3) доста́ток, хоро́шее материа́льное положе́ние; 4) *юр.* компете́нция, правомо́чность.

**competent** ['kɔmpɪtənt] *a* 1) компете́нтный; 2) *юр.* полнопра́вный; правомо́чный; 3) *юр.* подсу́дный; 4) доста́точный; ~ majority тре́буемое зако́ном большинство́.

**competition** [,kɔmpɪ'tɪʃən[ *n* 1) конкуре́нция; cut-throat ~ жесто́кая конкуре́нция; 2) состяза́ние; chess ~ ша́хматный турни́р; 3) соревнова́ние; to be in ~ with smb. соревнова́ться с кем-л.; 4) ко́нкурс; ко́нкурсный экза́мен.

**competitioner** [,kɔmpɪ'tɪʃənə] *n* 1) уча́стник состяза́ния; 2) лицо́, поступа́ющее на слу́жбу по ко́нкурсу.

**competition-wallah** [,kɔmpɪ'tɪʃən'wɔlə] *n англо-инд.* лицо́, поступа́ющее по ко́нкурсу на гражда́нскую слу́жбу.

**competitive** [kəm'petɪtɪv] *a* 1) сопе́рничающий, конкури́рующий; 2) соревну́ющийся; 3) ко́нкурсный; ~ examination ко́нкурсный экза́мен.

**competitor** [kəm'petɪtə] *n* конкуре́нт; сопе́рник.

**compilation** [,kɔmpɪ'leɪʃən] *n* 1) компиля́ция; компили́рование; 2) собира́ние (*материа́ла, фа́ктов и т. п.*).

**compile** [kəm'paɪl] v 1) компилировать; 2) составлять; to ~ a dictionary составлять словарь; 3) собирать (материал, факты и т. п.); 4) разг. накапливать.

**compiler** [kəm'paɪlə] n 1) компилятор; 2) составитель.

**complacence, -cy** [kəm'pleɪsns, -sɪ] n 1) благодушие; удовлетворённость; 2) самодовольство.

**complacent** [kəm'pleɪsnt] a 1) благодушный; удовлетворённый; 2) самодовольный.

**complain** [kəm'pleɪn] v 1) выражать недовольство (of—чем-л.); 2) подавать жалобу, жаловаться (to—кому-л.; of—на что-л.); 3) жаловаться (of—на боль и т. п.); 4) поэт. издавать жалобные звуки.

**complaint** [kəm'pleɪnt] n 1) недовольство; 2) жалоба; to lodge (или to make) a ~ against smb. подавать жалобу на кого-л.; I have no ~ to make мне не на что жаловаться; 3) болезнь, недуг.

**complaisance** [kəm'pleɪzəns] n услужливость; почтительность; вежливость, обходительность.

**complaisant** [kəm'pleɪzənt] a услужливый; почтительный; любезный; вежливый; уступчивый.

**complected** [kəm'plektɪd] a уст. запутанный, сложный.

**-complected** [-kəm'plektɪd] амер. разг. см. -complexioned.

**complement 1.** n ['kɔmplɪmənt] 1) дополнение (тж. грам.); ~ of an angle мат. дополнение до прямого угла; 2) комплект; 3) штат личного состава; личный состав военной части или корабля;
**2.** v ['kɔmplɪment] 1) дополнять, служить дополнением до целого; 2) укомплектовывать.

**complementary** [,kɔmplɪ'mentərɪ] a дополнительный, добавочный; ~ angles мат. два угла, взаимно дополняющие друг друга до 90°.

**complete** [kəm'pliːt] 1. a 1) полный; законченный; ~ set of works полное собрание сочинений; 2) совершенный; he is a ~ failure он совершенный неудачник;
**2.** adv разг. см. completely;
**3.** v 1) заканчивать, завершать; to ~ an agreement заключить соглашение; 2) комплектовать.

**completely** [kəm'pliːtlɪ] adv совершенно, полностью, вполне, всецело.

**completeness** [kəm'pliːtnɪs] n полнота; законченность, завершённость.

**completion** [kəm'pliːʃən] n 1) завершение, окончание; заключение; 2) комплект.

**completive** [kəm'pliːtɪv] a завершающий, заканчивающий.

**complex** ['kɔmpleks] 1. n комплекс;
**2.** a 1) сложный, комплексный, составной; ~ machinery сложные машины; 2) сложный, трудный; запутанный; 3) мат. комплексный; ~ number комплексное число; 4) грам.: ~ sentence сложноподчинённое предложение.

**complexion** [kəm'plekʃən] n 1) цвет лица (иногда тж. волос и глаз); 2) вид; аспект; to put a different ~ on the matter представить дело в другом свете; 3) уст. темперамент.

**-complexioned** [-kəm'plekʃənd] в сложных словах означает имеющий такой-то цвет лица; напр.: dark-~ смуглый; pale-~ бледнолицый.

**complexity** [kəm'pleksɪtɪ] n сложность; запутанность.

**compliance** [kəm'plaɪəns] n 1) согласие; in ~ with your wish в соответствии с вашим желанием; 2) податливость, уступчивость; 3) угодливость.

**compliant** [kəm'plaɪənt] a 1) податливый, уступчивый; 2) угодливый.

**complicacy** ['kɔmplɪkəsɪ] = complexity.

**complicate** ['kɔmplɪkeɪt] 1. v 1) усложнять; to ~ matters запутать дело; 2) осложняться;
**2.** a уст. = complicated 2.

**complicated** ['kɔmplɪkeɪtɪd] 1. p. p. от complicate 1;
**2.** a запутанный; сложный.

**complication** [,kɔmplɪ'keɪʃən] n 1) сложность; запутанность; 2) осложнение.

**complicative** ['kɔmplɪkeɪtɪv] a усложняющий.

**complice** ['kɔmplɪs] уст. = accomplice.

**complicity** [kəm'plɪsɪtɪ] n соучастие (в преступлении и т. п.).

**compliment 1.** n ['kɔmplɪmənt] 1) комплимент, похвала; любезность; to pay (или to make) a ~ сказать комплимент; left-handed ~ сомнительный комплимент; 2) pl поздравление; привет, поклон; ~s of the season поздравительные приветствия, пожелания (соответственно праздникам); give him my ~s передайте ему привет (от меня); with ~s с приветом (в заключение письма); 3) уст. подарок; ◊ Bristol ~ подарок, ненужный самому дарящему;
**2.** v ['kɔmplɪment] 1) приветствовать, поздравлять; to ~ smb. on smth. поздравлять кого-л. с чем-л.; 2) говорить комплименты, хвалить; льстить; 3) подарить (with—что-л.).

**complimentary** [,kɔmplɪ'mentərɪ] a 1) поздравительный; лестный; to be ~ about smb.'s work лестно отзываться о чьей-л. работе; ◊ ~ ticket пригласительный билет.

**complin(e)** ['kɔmplɪn] повечерие (в христианской церкви).

**comply** [kəm'plaɪ] v 1) уступать; соглашаться; 2) исполнять (просьбу, требование и т. п.; with); 3) подчиняться (правилам; with).

**compo** ['kɔmpou] n (pl -os [-ouz]) стр. смесь для штукатурки и лепных работ.

**component** [kəm'pounənt] 1. n 1) компонент; составная часть, составной элемент; 2) pl детали; 3) тех. узел, блок;
**2.** a составной; составляющий, слагающий.

**comport** [kəm'pɔːt] v 1) согласоваться (with—с чем-л.); 2) refl. вести себя (хорошо).

**comportment** [kəm'pɔːtmənt] n редк. поведение; манеры.

**compose** [kəm'pouz] v 1) составлять; 2) сочинять, компоновать; to ~ a picture задумать и выработать план картины; 3) писать музыку; 4) улаживать (*ссору*); 5) успокаивать; to ~ oneself успокаиваться; to ~ one's thoughts собраться с мыслями; 6) *полигр.* набирать.

**composed** [kəm'pouzd] 1. *p. p. от* compose;
2. *a* спокойный, сдержанный.

**composer** [kəm'pouzə] *n* композитор.

**composing** [kəm'pouziŋ] 1. *pres. p. от* compose;
2. *a* 1) составляющий; 2) успокаивающий *и пр.* [*см.* compose]; ~ medicine успокаивающее средство.

**composing-machine** [kəm'pouziŋmə,ʃiːn] *n полигр.* наборная машина.

**composing-room** [kəm'pouziŋruːm] *n полигр.* наборный цех.

**composing-stick** [kəm'pouziŋstik] *n полигр.* верстатка.

**composite** ['kɔmpəzit] 1. *n* 1) смесь; что-л. составное; 2) *бот.* растение семейства сложноцветных;
2. *a* 1) составной; сложный; ~ carriage *ж.-д.* комбинированный вагон; ~ style *иск.* смешанный стиль; 2) *бот.* сложноцветный.

**composition** [,kɔmpə'ziʃən] *n* 1) литературное *или* музыкальное произведение; 2) школьное сочинение; 3) структура, состав; 4) составление, образование, построение; 5) *шк.* композиция, компоновка; 6) состав (*химический*); составные части; 7) соединение, смесь, сплав; ~ of forces *физ.* сложение сил; 8) склад ума, характер; he has a touch of madness in his ~ он «тронулся», он не в своём уме; 9) соглашение; компромисс; 10) сумма, выплачиваемая несостоятельным должником кредитору; 11) *воен.* соглашение о перемирии, о прекращении военных действий; 12) *полигр.* набор; 13) *редк.* мазь, мастика; 14) *attr.*: ~ book *амер.* тетрадь для упражнений.

**composition-metal** [,kɔmpə'ziʃən,metl] *n* сплав меди с цинком; латунь.

**compositor** [kəm'pɔzitə] *n* наборщик.

**compos(mentis)** ['kɔmpɔs('mentis)] *лат. a юр.* находящийся в здравом уме и твёрдой памяти; вменяемый.

**compost** ['kɔmpɔst] 1. *n* компост, составное удобрение;
2. *v* 1) удобрять компостом; 2) готовить компост.

**composure** [kəm'pouʒə] *n* 1) спокойствие; 2) хладнокровие; самообладание.

**compote** ['kɔmpout] *фр. n* компот.

**compound** I 1. *n* ['kɔmpaund] 1) смесь; состав, соединение; 2) составное слово; 3) *тех.* компаунд (*тж.* ~ engine);
2. *a* ['kɔmpaund] составной; сложный; *грам.* сложносочинённый; ~ addition (subtraction *etc.*) сложение (вычитание *и т. д.*) именованных чисел; ~ interest сложные проценты; ◇ ~ householder арендатор дома, в арендную плату которого включаются налоги, вносимые владельцем; ~ wound ушибленная рана;
3. *v* [kəm'paund] 1) смешивать, соединять; составлять; 2) улаживать; примирять

(*интересы*); 3) приходить к компромиссу (*с кредитором*); частично погашать долг; 4) *юр.*: to ~ a felony отказываться от судебного преследования за материальное вознаграждение.

**compound** II ['kɔmpaund] *n* 1) огороженная территория фабрики *и т. п.*, включающая бараки для рабочих; 2) огороженное место (*напр., для военнопленных*); 3) посёлок негров-рабочих фермы (*в Африке*).

**comprador** [,kɔmprə'dɔː] *португ. n* компрадор (*туземец на службе европ. фирмы, являющийся посредником между ней и туземными покупателями*).

**comprehend** [,kɔmprɪ'hend] *v* 1) понимать, постигать; 2) охватывать, включать.

**comprehensible** [,kɔmprɪ'hensəbl] *a* понятный, постижимый.

**comprehension** [,kɔmprɪ'henʃən] *n* 1) понимание; понятливость; 2) охват, включение.

**comprehensive** [,kɔmprɪ'hensɪv] *a* 1) объемлющий; исчёрпывающий; 2) обширный; 3) всесторонний; ~ school общеобразовательная школа; 4) понятливый, легко схватывающий.

**compress** 1. *n* ['kɔmpres] 1) компресс; 2) *хир.* мягкая давящая повязка;
2. *v* [kəm'pres] сжимать; сдавливать.

**compressed** [kəm'prest] 1. *p. p. от* compress 2;
2. *a* сжатый.

**compressibility** [kəm,presɪ'bɪlɪtɪ] *n* сжимаемость.

**compressible** [kəm'presəbl] *a* сжимающийся.

**compression** [kəm'preʃən] *n* 1) сжатие; сдавливание; 2) *тех.* компрессия; 3) *тех.* набивка, уплотнение, прокладка; 4) *attr.*: ~ member *тех.* элемент (*конструкции*), работающий на сжатие; ~ chamber *авт.* камера сжатия *или* сгорания.

**compressor** [kəm'presə] *n тех.* компрессор.

**comprise** [kəm'praɪz] *v* 1) включать, заключать в себе, охватывать; this dictionary ~s about 60000 words в этом словаре около 60000 слов; 2) содержать; вмещать.

**compromise** ['kɔmprəmaɪz] 1. *n* компромисс;
2. *v* 1) пойти на компромисс; 2) компрометировать; подвергать риску, опасности (*репутацию и т. п.*).

**compromiser** ['kɔmprəmaɪzə] *n* примиренец, соглашатель.

**comprovincial** [,kɔmprə'vɪnʃəl] *a* того же округа.

**comptometer** [kɔmp'tɔmɪtə] *n* арифмометр, комптометр.

**comptroller** [kən'troulə] = controller.

**compulsion** [kəm'pʌlʃən] *n* принуждение; under (*или* upon) ~ вынужденный.

**compulsive** [kəm'pʌlsɪv] *a* 1) принудительный; 2) способный заставить.

**compulsory** [kəm'pʌlsərɪ] *a* принудительный; обязательный; ~ education обязательное обучение; ~ measures принудительные меры; ~ (military) service воинская повинность.

**compunction** [kəm'pʌŋkʃən] *n* 1) угрызе́ния со́вести; раска́яние; 2) сожале́ние; without ~ без сожале́ния.

**compunctious** [kəm'pʌŋkʃəs] *a* 1) укоря́ющий; 2) испы́тывающий угрызе́ния со́вести.

**computable** [kəm'pju:təbl] *a* исчисли́мый.

**computation** [,kɔmpju:'teiʃən] *n* вычисле́ние, вы́кладка; расчёт.

**compute** [kəm'pju:t] 1. *v* счита́ть, подсчи́тывать; вычисля́ть, де́лать вы́кладки; 2. *n* редк. вычисле́ние; beyond ~ неисчисли́мый.

**computer** [kəm'pju:tə] *n* 1) счётно-реша́ющее устро́йство, вычисли́тельная маши́на; счётчик; 2) тот, кто вычисля́ет.

**comrade** ['kɔmrid] *n* това́рищ.

**comrade-in-arms** ['kɔmridin'ɑ:mz] *n* (*pl* comrades-) сора́тник, това́рищ по ору́жию, боево́й това́рищ.

**comradeship** ['kɔmridʃip] *n* това́рищеские отноше́ния.

**con** I [kɔn] *v* зау́чивать наизу́сть; зубри́ть, долби́ть.

**con** II [kɔn] 1. *n* пода́ча кома́нд рулево́му; 2. *v* 1) вести́ су́дно, управля́ть корабле́м; 2) направля́ть мысль, де́йствия (*человека*).

**con** III [kɔn] *n* (*сокр. от лат.* contra): the pros and ~s до́воды за и про́тив.

**con** IV [kɔn] *n* стук.

**con-** [kɔn-] *см.* com-.

**conacre** ['kɔn,eikə] *n* сда́ча в аре́нду небольшо́го уча́стка вспа́ханной земли́ на оди́н сезо́н (*в Ирландии*).

**conation** [kou'neiʃən] *n* психол. спосо́бность к волево́му движе́нию.

**concatenate** [kɔn'kætineit] *v* сцепля́ть, свя́зывать.

**concatenation** [kɔn,kæti'neiʃən] *n* 1) сцепле́ние (*собы́тий, иде́й*); взаи́мная связь (*причи́нная*); ~ of circumstances стече́ние обстоя́тельств; 2) *тех.* каска́дное соедине́ние; цепь.

**concave** ['kɔn'keiv] 1. *a* во́гнутый; впа́лый; 2. *n* 1) впа́дина; 2) *архит.* свод; 3) небе́сный свод; 3. *v* де́лать во́гнутым.

**concavity** [kɔn'kæviti] *n* во́гнутая пове́рхность, во́гнутость.

**concavo-concave** [kɔn'keivou'kɔnkeiv] *a* двоякво́гнутый (*о ли́нзе*).

**concavo-convex** [kɔn'keivou'kɔnveks] *a* во́гнуто-вы́пуклый (*о ли́нзе*).

**conceal** [kən'si:l] *v* 1) скрыва́ть; ута́ивать, ума́лчивать; 2) маскирова́ть.

**concealer** [kən'si:lə] *n* укрыва́тель.

**concealment** [kən'si:lmənt] *n* 1) скрыва́ние, ута́ивание, сокры́тие; укрыва́тельство; 2) та́йное убе́жище; 3) маскиро́вка.

**concede** [kən'si:d] *v* 1) уступа́ть; 2) допуска́ть (*возмо́жность, пра́вильность чего́-л.*); 3) признава́ть; 4) *спорт. разг.* прои́грывать.

**conceit** [kən'si:t] 1. *n* 1) самонаде́янность; самомне́ние; тщесла́вие; чва́нство; he is full of ~ он о себе́ высо́кого мне́ния; он по́лон самодово́льства; to be ouf of ~ with smb. разочарова́ться в ком-л.; 2)

*уст.* причу́дливый о́браз (*преим. в поэ́зии* XVI—XVII *вв.*);
2. *v уст.* приду́мывать, создава́ть; a well ~ed play хорошо́ заду́манная и напи́санная пье́са.

**conceited** [kən'si:tid] **1.** *p. p. om* conceit 2; 2. *a* самодово́льный; тщесла́вный.

**conceivable** [kən'si:vəbl] *a* мы́слимый, постижи́мый; возмо́жный.

**conceivably** [kən'si:vəbli] *adv* предположи́тельно.

**conceive** [kən'si:v] *v* 1) постига́ть, понима́ть; представля́ть себе́; 2) заду́мывать; a well ~d scheme хорошо́ заду́манный план; 3) почу́вствовать, задума́ть; to ~ an affection for smb. привяза́ться к кому́-л.; to ~ a dislike for smb. невзлюби́ть кого́-л.; 4) зача́ть.

**conceiving** [kən'si:viŋ] **1.** *pres. p. om* conceive;
2. *n* зача́тие, зарожде́ние.

**concentrate** ['kɔnsentreit] **1.** *n* 1) концентра́т; 2) обогащённый проду́кт;
2. *v* 1) сосредото́чивать(ся), концентри́ровать(ся) (оn, uроn); 2) *хим.* сгуща́ть, выпа́ривать; 3) *горн.* обогаща́ть руду́.

**concentrated** ['kɔnsentreitid] **1.** *p. p. om* concentrate 2;
2. *a* 1) сосредото́ченный; концентри́рованный; 2) *хим.* сгущённый.

**concentration** [,kɔnsen'treiʃən] *n* 1) концентра́ция, сосредото́чение; сосредото́ченность; кре́пость (*раство́ра*); 2) сгуще́ние; 3) обогаще́ние руды́; 4) *attr.*: ~ camp концентрацио́нный ла́герь.

**concentre** [kɔn'sentə] *v* 1) концентри́ровать(ся); сосредото́чивать (*мы́сли и т. п.*); 2) сходи́ться в це́нтре, име́ть о́бщий центр.

**concentric** [kɔn'sentrik] *a* концентри́ческий.

**concentrically** [kɔn'sentrikəli] *adv* концентри́чески.

**concentricity** [,kɔnsən'trisiti] *n* концентри́чность.

**concept** ['kɔnsept] *n* поня́тие, иде́я; о́бщее представле́ние.

**conception** [kən'sepʃən] *n* 1) понима́ние; it is beyond my ~ э́то вы́ше моего́ понима́ния; 2) поня́тие; 3) конце́пция; 4) за́мысел; 5) *физиол.* зача́тие; оплодотворе́ние.

**conceptual** [kən'septjuəl] *a* 1) умозри́тельный; 2) схемати́ческий.

**concern** [kən'sə:n] 1. *n* 1) забо́та, беспоко́йство; огорче́ние; to feel ~ about smth. беспоко́иться о чём-л., быть озабо́ченным чем-л.; with deep ~ с больши́м огорче́нием; 2) уча́стие, интере́с; to have a ~ in a business быть уча́стником како́го-л. предприя́тия; 3) де́ло, отноше́ние, каса́тельство; it is no ~ of mine э́то не моё де́ло, э́то меня́ не каса́ется; 4) значе́ние, ва́жность; a matter of great ~ о́чень ва́жное де́ло; 5) предприя́тие, конце́рн;
2. *v* 1) каса́ться, име́ть отноше́ние; as ~s что каса́ется (до); as far as his conduct is ~ed что каса́ется его́ поведе́ния; his life is ~ed вопро́с идёт о его́ жи́зни; 2) забо́титься, беспоко́иться; to be ~ed about the

future беспокóиться о бýдущем; 3) *refl.* занимáться, интересовáться (*чем-л.*).

**concerned** [kən'sə:nd] 1. *p. p. om* concern 2;

2. *a* 1) зáнятый (*чем-л.*); свя́занный (*с чем-л.*); имéющий отношéние (*к чему-л.*); ~ parties заинтересóванные стóроны; 2) озабóченный; ~ air озабóченный вид.

**concerning** [kən'sə:nɪŋ] 1. *pres. p. om* concern 2;

2. *prep* относи́тельно, касáтельно.

**concernment** [kən'sə:nmənt] *n* 1) вáжность; a matter of ~ вáжное дéло; 2) учáстие; заинтересóванность; 3) озабóченность.

**concert** 1. *n* ['kɔnsət] 1) концéрт; 2) соглáсие, соглашéние; in ~ во взаимодéйствии; to act in ~ дéйствовать сообщá, по уговóру; 3) *attr.* концéртный; ~ grand концéртный рóяль;

2. *v* [kən'sə:t] сговáриваться, договáриваться; сообщá принимáть мéры.

**concerted** [kən'sə:tɪd] 1. *p. p. om* concert 2;

2. *a* согласóванный; to take ~ action дéйствовать согласóванно, по уговóру.

**concertina** [ˌkɔnsə'tiːnə] *n* концертúно (*шестигранная гармоника*).

**concerto** [kən'tʃəːtou] *um. n* (*pl* -os [-ouz]) концéрт (*музыкальная форма*).

**concession** [kən'seʃən] *n* 1) устýпка; a ~ to public opinion устýпка общéственному мнéнию; 2) концéссия.

**concessionaire** [kənˌseʃə'nɛə] *фр. n* концессионéр.

**concessioner** [kən'seʃənə] *амер.* = concessionaire.

**concessive** [kən'sesɪv] *a* 1) устýпчивый; примири́тельный; 2) *грам.* уступи́тельный.

**concetti** [kən'tʃetɪ] *pl om* concetto.

**concetto** [kən'tʃetou] *um. n* (*pl* -tti) = conceit 1, 2).

**conch** [kɔŋk] *n* 1) рáковина; 2) *архит.* абси́да, полукрýглый вы́ступ.

**concha** ['kɔŋkə] *n* 1) анат. ушнáя рáковина; 2) = conch 2).

**conchoid** ['kɔŋkɔɪd] *n мат.* конхóида.

**conchology** [kɔŋ'kɔlədʒɪ] *n зоол.* конхи(ли)олóгия.

**conchy** ['kɔntʃɪ] *n разг.* = conscientious objector [*см.* conscientious].

**conciliate** [kən'sɪlɪeɪt] *v* 1) примиря́ть; 2) расположи́ть к себé, снискáть довéрие, любóвь.

**conciliation** [kənˌsɪlɪ'eɪʃən] *n* примирéние; умиротворéние; court of ~ *юр.* суд примири́тельного произвóдства.

**conciliative** [kən'sɪlɪətɪv] *a* примири́тельный; умиротворя́ющий.

**conciliator** [kən'sɪlɪeɪtə] *n* 1) мировóй посрéдник; 2) миротвóрец; 3) *полит.* примирéнец.

**conciliatory** [kən'sɪlɪətərɪ] *a* 1) примири́тельный; 2) примирéнческий.

**concinnity** [kən'sɪnɪtɪ] *n* изя́щество (*литературного стиля*).

**concise** [kən'saɪs] *a* 1) крáткий; сжáтый; 2) чёткий; вырази́тельный.

**conciseness** [kən'saɪsnɪs] *n* крáткость; сжáтость.

**concision** [kən'sɪʒən] = conciseness.

**conclave** ['kɔnkleɪv] *n* 1) чáстное *или* тáйное совещáние; to sit in ~ учáствовать в тáйном совещáнии; 2) *церк.* конклáв.

**conclude** [kən'kluːd] *v* 1) заключáть; to ~ a treaty заключáть договóр; 2) закáнчивать(ся); he ~d his speech with the following remark (*или* by making the following remark) он закóнчил речь слéдующими словáми; to ~ итáк (*в конце речи*); 3) выводи́ть заключéние; дéлать вы́вод; заключáть; 4) решáть, принимáть решéние.

**conclusion** [kən'kluːʒən] *n* 1) заключéние; ~ of a treaty заключéние договóра; 2) окончáние; завершéние; in ~ в заключéние; to bring to a ~ завершáть, доводи́ть до концá; 3) исхóд, результáт; 4) умозаключéние, вы́вод; to draw a ~ дéлать вы́вод; to arrive at a ~ прийти́ к заключéнию; to jump to (*или* at) a ~ дéлать поспéшный вы́вод; foregone ~ предрешённое дéло; предвзя́тое мнéние; ◇ to try ~s прóбовать; to try ~s with smb. вступáть в состязáние с кем-л.

**conclusive** [kən'kluːsɪv] *a* 1) заключи́тельный; 2) окончáтельный, решáющий; 3) убеди́тельный; ~ evidence убеди́тельное доказáтельство.

**concoct** [kən'kɔkt] *v* 1) стря́пать; 2) придýмать (*небылицы*); состря́пать (*заговор и т. п.*); 3) состáвить; 4) *тех.* концентри́ровать, сгущáть.

**concoction** [kən'kɔkʃən] *n* 1) вáрево; стряпня́; 2) «бáсни», вы́мысел *и т. п.*; 3) составлéние; 4) *тех.* концентрáт; сгущéние.

**concomitance** [kən'kɔmɪtəns] *n* сосуществовáние; сопýтствование.

**concomitant** [kən'kɔmɪtənt] 1. *a* сопýтствующий;

2. *n* сопýтствующее обстоя́тельство.

**concord** ['kɔŋkɔːd] *n* 1) соглáсие; 2) соглашéние; договóр, конвéнция; 3) согласовáние (*тж. грам.*); 4) *муз.* гармóния.

**concordance** [kən'kɔːdəns] *n* 1) соглáсие; соответствие; in ~ with smth. в соответствии с чему́-л.; 2) алфави́тный указáтель слов *или* изречéний, встречáющихся в какóй-л. книге (*первоначально библии*) *или* у какóго-л. класси́ческого писáтеля.

**concordant** [kən'kɔːdənt] *a* 1) соглáсный; согласýющийся (with); 2) гармони́чный.

**concordat** [kən'kɔːdæt] *n* конкордáт, договóр.

**concourse** ['kɔŋkɔːs] *n* 1) стечéние нарóда, толпá; 2) скоплéние (*чего-л.*); 3) плóщадь, к которóй схóдится нéсколько ýлиц *или* аллéй; 4) *амер.* глáвный вестибю́ль вокзáла.

**concrescence** [kɔn'kresəns] *n биол.* сращéние.

**concrete** ['kɔnkriːt] 1. *n* 1) бетóн; reinforced ~, armoured ~ железобетóн; pre-stressed ~ напряжённый бетóн; 2) нéчто конкрéтное, реáльное; ◇ in the ~ реáльно практи́чески;

2. *a* 1) конкрéтный; ~ number именóванное числó; 2) бетóнный.

**3.** *v* 1) бетони́ровать; 2) [kən'kriːt] сгу-
ща́ть(ся); твердѣ́ть; сраста́ться; сра́щивать.
**concrete-mixer** ['kɔnkriːt'mɪksə] *n* бето-
номеша́лка.
**concretion** [kən'kriːʃən] *n* 1) сраще́ние;
сра́щивание; 2) сгуще́ние, оседа́ние, осажде́-
ние, коагуля́ция; 3) твёрдая сросшаяся
ма́сса; 4) *геол.* конкре́ция; 5) *мед.* ка́мни,
конкреме́нты.
**concretionary** [kɔn'kriːʃənərɪ] *a геол.* кон-
крецио́нный; стремя́щийся к сраста́нию.
**concretize** ['kɔnkriːtaɪz] *v* конкретизи́-
ровать.
**concubinage** [kɔn'kjuːbɪnɪdʒ] *n* внебра́ч-
ное сожи́тельство.
**concubine** ['kɔŋkjubaɪn] *n* нало́жница.
**concupiscence** [kən'kjuːpɪsəns] *n* 1) по-
хотли́вость; 2) стра́стное жела́ние.
**concupiscent** [kən'kjuːpɪsənt] *a* похотли́-
вый.
**concur** [kən'kəː] *v* 1) совпада́ть; 2) со-
глаша́ться; сходи́ться в мне́ниях; 3) действовать сообща́, совме́стно.
**concurrence** [kən'kʌrəns] *n* 1) совпаде́-
ние; стече́ние (*обстоятельств*); 2) согла́-
сие; увя́зка.
**concurrent** [kən'kʌrənt] **1.** *n* 1) конкуре́нт;
2) неотъе́млемая часть; фа́ктор; 3) сопу́т-
ствующее обстоя́тельство; 4) *юр.* понято́й;
**2.** *a* 1) совпада́ющий; 2) действующий
совме́стно *или* одновре́менно.
**concuss** [kən'kʌs] *v* 1) сотряса́ть, потря-
са́ть; 2) *мед.* вызыва́ть сотрясе́ние (*мозга*); 3) запу́гивать; принужда́ть (*к чему-л.*);
to ~ into smth., to ~ to do smth. понужда́ть к чему́-л.
**concussion** [kən'kʌʃən] *n* 1) сотрясе́ние;
толчо́к; 2) конту́зия; ~ of the brain сотря-
се́ние мо́зга; 3) *уст.* запу́гивание.
**condemn** [kən'dem] *v* 1) осужда́ть, пори-
ца́ть; 2) пригова́ривать, выноси́ть приго-
во́р; 3) бракова́ть; признава́ть него́дным;
4) конфискова́ть (*судно, груз*); 5) улича́ть;
his looks ~ him лицо́ выдаёт его́; 6) на́-
глухо забива́ть.
**condemnation** [ˌkɔndem'neɪʃən] *n* осуж-
де́ние, приговор.
**condemnatory** [kən'demnətərɪ] *a* осуж-
да́ющий; обвини́тельный.
**condemned** [kən'demd] **1.** *p. p. от* condemn;
**2.** *a* 1) осуждённый; приговорённый;
2): ~ cell ка́мера сме́ртника.
**condensable** [kən'densəbl] *a* 1) поддаю́-
щийся сжима́нию *или* сгуще́нию; 2) пре-
врати́мый в жи́дкое состоя́ние (*о газе*).
**condensation** [ˌkɔnden'seɪʃən] *n* 1) сгу-
ще́ние, уплотне́ние, конденса́ция; 2) сжа́-
тость (*стиля*).
**condense** [kən'dens] *v* 1) сгуща́ть(ся);
конденси́ровать; 2) сжа́то выража́ть (*мысль*).
**condensed** [kən'denst] **1.** *p. p. от* condense;
**2.** *a* конденси́рованный; сгущённый; ~
milk сгущённое молоко́.
**condenser** [kən'densə] *n* 1) конденса́-
тор; 2) *тех.* холоди́льник; 3) *эл.* конден-
са́тор; 4) *опт.* конде́нсор.
**condescend** [ˌkɔndɪ'send] *v* 1) снисходи́ть;

удоста́ивать; 2) унижа́ться (to—до *чего-л.*),
роня́ть своё досто́инство.
**condescension** [ˌkɔndɪ'senʃən] *n* 1) снис-
хожде́ние; 2) снисходи́тельность.
**condign** [kən'daɪn] *a* 1) заслу́женный
(*о наказании*); 2) досто́йный, заслу́живаю-
щий.
**condiment** ['kɔndɪmənt] *n* припра́ва.
**condition** [kən'dɪʃən] **1.** *n* 1) усло́вие;
on (*или* upon) ~ при усло́вии; 2) состоя́-
ние, положе́ние; in (out of) ~ в хоро́-
шем (плохо́м) состоя́нии (*тж. о здоровье*);
in good ~ го́дный к употребле́нию (*о пище*);
3) *pl* обстоя́тельства; under such ~s при
таки́х обстоя́тельствах; 4) обще́ственное
положе́ние; humble ~ of life скро́мное по-
ложе́ние; a man of ~ *уст.* челове́к, зани-
ма́ющий высо́кое обще́ственное положе́ние;
men of all ~s лю́ди вся́кого зва́ния; to
change one's ~ вы́йти за́муж, жени́ться;
5) *амер.* переэкзамено́вка; зачёт *или* экза́-
мен, не сда́нный в срок, «хвост»; 6) *эк.*
конди́ция.
**2.** *v* 1) ста́вить усло́вия; 2) обусло́вли-
вать; choice is ~ed by supply вы́бор обус-
ло́вливает предложе́ние; 3) испы́тывать
(*напр., степень влажности шёлка, шерсти
и т. п.*); 4) улучша́ть состоя́ние; to ~ the
team *спорт.* подгота́вливать, тренирова́ть
кома́нду; 5) улучша́ть (*породу скота*);
6) кондициони́ровать (*воздух*); 7) прини-
ма́ть ме́ры к сохране́нию (*чего-л.*) в све́-
жем состоя́нии; 8) *амер.* сдава́ть пере-
экзамено́вку; 9) *амер.* принима́ть *или* пере-
води́ть с переэкзамено́вкой.
**conditional** [kən'dɪʃənl] *a* 1) усло́вный,
обусло́вленный; ~ sale прода́жа с прину-
ди́тельным ассортиме́нтом; 2) *грам.* ус-
ло́вный; ~ sentence усло́вное предложе́-
ние; ~ mood усло́вное наклоне́ние.
**conditioned** [kən'dɪʃənd] **1.** *p. p. от* condition 2;
**2.** *a* 1) обусло́вленный; 2) кондицио́н-
ный, отвеча́ющий станда́рту; well ~ cattle
кондицио́нный скот; 3) кондициони́рован-
ный; ◇ ~ reflex усло́вный рефле́кс.
**conditioning** [kən'dɪʃnɪŋ] **1.** *pres. p.
от* condition 2;
**2.** *n* 1) ме́ры к улучше́нию физи́ческого
состоя́ния; physical ~ физи́ческая зака́л-
ка; 2) ме́ры к сохране́нию (*чего-л.*) в све́-
жем состоя́нии; 3) кондициони́рование
(*воздуха*).
**3.** *a* трениро́вочный.
**condolatory** [kən'doulətərɪ] *a* сочу́вст-
вующий, соболе́знующий.
**condole** [kən'doul] *v* сочу́вствовать, со-
боле́зновать, выража́ть соболе́знование.
**condolence** [kən'douləns] *n* (*обыкн. pl*)
соболе́знование; to present one's ~s to
smb. выража́ть своё соболе́знование кому́-л.
**condonation** [ˌkɔndou'neɪʃən] *n* проще́-
ние, забве́ние (*особ. супружеской невер-
ности*).
**condone** [kən'doun] *v* 1) проща́ть, за-
быва́ть; 2) *церк.* отпуска́ть грехи́.
**condor** ['kɔndɔː] *n зоол.* ко́ндор.
**conduce** [kən'djuːs] *v* спосо́бствовать,
вести́ (*к чему-л.*).

conducive [kən'djuːsɪv] a благоприя́тный; способствующий; ~ to smth. веду́щий к чему́-л.

conduct 1. n ['kɔndəkt] 1) поведе́ние; 2) руково́дство, веде́ние; ~ of operations *воен.* веде́ние опера́ций; 3) *иск.* подхо́д к реше́нию худо́жественной зада́чи; 4) *attr.*: ~ sheet конду́ит, лист для за́писи взыска́ний;
2. v [kən'dʌkt] 1) вести́; 2) сопровожда́ть; эскорти́ровать; 3) руководи́ть (*делом*); 4) дирижи́ровать (*оркестром, хором*); 5) *физ.* проводи́ть; служи́ть проводнико́м.

conductance [kən'dʌktəns] = conduction.

conduction [kən'dʌkʃən] n *физ.* проводи́мость.

conductive [kən'dʌktɪv] a *физ.* проводя́щий.

conductivity [,kɔndʌk'tɪvɪtɪ] n *физ., эл.* уде́льная проводи́мость; электропрово́дность.

conduct-money ['kɔndʌkt,mʌnɪ] n опла́та расхо́дов по доста́вке свиде́теля в суд.

conductor [kən'dʌktə] n 1) конду́ктор (*в Англии—трамвая, автобуса, в Америке—тж. ж.-д.*); проводни́к, вожа́тый; 2) дирижёр; 3) руководи́тель; 4) *физ.* проводни́к; 5) *эл.* про́вод; жи́ла; 6) громоотво́д.

conductress [kən'dʌktrɪs] n руководи́тельница.

conduit ['kɔndɪt] n 1) трубопрово́д; водопрово́дная труба́; акведу́к; 2) подзе́мный потайно́й ход; *перен.* кана́л; 3) [*тж.* 'kɔndjuɪt] *эл.* изоляцио́нная тру́бка; 4) *attr.*: ~ head резервуа́р.

cone [koun] 1. n 1) ко́нус; ~ of rays *физ.* пучо́к луче́й; 2) *бот.* ши́шка; ◇ ~ of ice *амер.* моро́женое в ва́фельном *или* бума́жном стака́нчике;
2. v 1) придава́ть фо́рму ко́нуса; 2) (*обыкн. pass.*): to be ~d быть обнару́женным вра́жескими прожектора́ми (*о самолёте*).

coney ['kounɪ] = cony.

confab ['kɔnfæb] *разг.* 1. n *сокр. от* confabulation;
2. v *сокр. от* confabulate.

confabulate [kən'fæbjuleɪt] v разгова́ривать, бесе́довать, болта́ть.

confabulation [kən,fæbju'leɪʃən] n болтовня́, дру́жеский разгово́р.

confection [kən'fekʃən] 1. n 1) сла́сти; 2) конфекцио́н; гото́вые принадле́жности же́нского туале́та;
2. v 1) приготовля́ть конди́терские изде́лия; 2) изготовля́ть предме́ты же́нского туале́та.

confectioner [kən'fekʃnə] n конди́тер.

confectionery [kən'fekʃnərɪ] n 1) конди́терская; 2) конди́терские изде́лия.

confederacy [kən'fedərəsɪ] n 1) конфеде́рация; ли́га; сою́з госуда́рств; 2) за́говор; 3) гру́ппа заго́рщиков.

confederate 1. n [kən'fedərɪt] 1) член конфедера́ции, сою́зник; 2) соо́бщник, соуча́стник (*преступления*); 3) конфедера́т, сторо́нник ю́жных шта́тов (*в 1860—65 гг.*; *см.* 2);
2. a [kən'fedərɪt] сою́зный, федерати́вный; the C. States of America *ист.* конфедера́ция 11 ю́жных шта́тов, отоше́дших от США в 1860—1861 гг.;
3. v [kən'fedəreɪt] объединя́ть(ся) в сою́з, составля́ть федера́цию.

confederation [kən,fedə'reɪʃən] n федера́ция, сою́з.

confer [kən'fəː] v 1) дарова́ть; присва́ивать (*звание*); присужда́ть (*степень*); to ~ a degree присужда́ть учёную сте́пень; to ~ a title on smb. дава́ть ти́тул кому́-л.; 2) обсужда́ть, совеща́ться (together, with); 3) (*imp.*) сопоста́вь, сравни́; ~ remark on the next page сравни́ замеча́ние на сле́дующей страни́це.

conferee [,kɔnfə'riː] n уча́стник перегово́ров, конфере́нции.

conference ['kɔnfərəns] n 1) конфере́нция; совеща́ние; съезд; to be in ~ быть на совеща́нии; заседа́ть; 2) *амер.* ассоциа́ция университе́тов, спорти́вных кома́нд *и т. д.* (*созданная с определённой целью*); 3) *attr.*: ~ circuit диспе́тчерская связь; ~ rates *ком.* карте́льная фра́хтовая ста́вка.

conferment [kən'fəːmənt] n присвое́ние (*звания*); присужде́ние (*степени*).

conferva [kɔn'fəːvə] n *бот.* водяно́й мох; ря́ска.

confess [kən'fes] v 1) признава́ть(ся), сознава́ться; 2) испове́довать(ся).

confessedly [kən'fesɪdlɪ] adv по ли́чному *или* о́бщему призна́нию.

confession [kən'feʃən] n 1) призна́ние (*вины, ошибки*); 2) и́споведь; 3) вероиспове́дание.

confessional [kən'feʃənl] n испове́да́льня.

confessor [kən'fesə] n духовни́к; испове́дник.

confetti [kən'fetiː] *ит.* n конфетти́.

confidant [,kɔnfɪ'dænt] n наперсник.

confidante [,kɔnfɪ'dænt] n наперсница.

confide [kən'faɪd] v 1) доверя́ть, поверя́ть (in—кому́-л.); полага́ться (in—на кого́-л.); 2) вверя́ть; поруча́ть (to); 3) признава́ться, сообща́ть по секре́ту (to).

confidence ['kɔnfɪdəns] n 1) дове́рие; to enjoy smb.'s ~ по́льзоваться чьим-л. дове́рием; to take a person into one's ~ дове́рить кому́-л. свои́ та́йны; to place ~ in a person доверя́ть кому́-л.; 2) конфиденциа́льное сообще́ние; in strict ~ стро́го конфиденциа́льно; to tell smth. in ~ сказа́ть что-л. по секре́ту; 3) уве́ренность; 4) самонаде́янность, самомне́ние; 5) *attr.*: ~ game, ~ trick получе́ние де́нег обма́нным путём (посре́дством внуше́ния же́ртве дове́рия); ~ man моше́нник, получи́вший дове́рие обма́нным путём.

confident ['kɔnfɪdənt] 1. a 1) уве́ренный (of—в *успехе и т. п.*); 2) самоуве́ренный, самонаде́янный;
2. n = confidant.

confidential [,kɔnfɪ'denʃəl] a 1) конфиденциа́льный; секре́тный; 2) доверя́ющий, довери́тельный; 3) по́льзующийся дове́рием.

confidentially [,kɔnfɪ'denʃəlɪ] adv по секре́ту, конфиденциа́льно.

configuration [kən,fɪgju'reɪʃən] n конфигура́ция; очерта́ние; фо́рма.

**confine** [kən'faɪn] *v* 1) ограни́чивать; 2) заключа́ть в тюрьму́; to ~ to barracks *воен.* держа́ть на каза́рменном положе́нии; 3): to be ~d рожа́ть; to be ~d to bed (to one's room) быть прико́ванным к посте́ли (не выходи́ть по боле́зни из ко́мнаты); 4) *refl.* приде́рживаться (*чего-л.*); to ~ oneself strictly to the subject стро́го приде́рживаться те́мы.

**confined** [kən'faɪnd] 1. *p. p. от* confine; 2. *a* 1) ограни́ченный; 2) те́сный; у́зкий; 3) заключённый; 4) *мед.* страда́ющий запо́ром.

**confinement** [kən'faɪnmənt] *n* 1) ограниче́ние; 2) тюре́мное заключе́ние; 3) ро́ды.

**confines** ['kɔnfaɪnz] *n pl* грани́цы; рубе́ж; within the ~ of smth. в преде́лах, в ра́мках чего-л.

**confirm** [kən'fɜːm] *v* 1) подтвержда́ть; 2) утвержда́ть; 3) ратифици́ровать; 4) подкрепля́ть, подде́рживать; 5) *церк.* конфирмова́ть.

**confirmation** [,kɔnfə'meɪʃən] *n* 1) подтвержде́ние; 2) утвержде́ние; 3) подкрепле́ние; 4) *церк.* конфирма́ция.

**confirmative, confirmatory** [kən'fɜːmətɪv, -tərɪ] *a* подтвержда́ющий; подкрепля́ющий.

**confirmed** [kən'fɜːmd] 1. *p. p. от* confirm; 2. *a* 1) хрони́ческий; 2) закорене́лый.

**confirmee** [,kɔnfə'miː] *n церк.* конфирма́нт.

**confiscate** ['kɔnfɪskeɪt] *v* конфискова́ть; реквизи́ровать.

**confiscation** [,kɔnfɪs'keɪʃən] *n* конфиска́ция; реквизи́ция.

**confiture** ['kɔnfɪtʃə] *n* конфитю́р, варе́нье.

**conflagration** [,kɔnflə'greɪʃən] *n* 1) большо́й пожа́р; 2) сожже́ние.

**conflate** [kən'fleɪt] *v* 1) соединя́ть, сплавля́ть; 2) объединя́ть два вариа́нта те́кста.

**conflation** [kən'fleɪʃən] *n* 1) соедине́ние; 2) объедине́ние двух вариа́нтов те́кста в оди́н.

**conflict** 1. *n* ['kɔnflɪkt] 1) конфли́кт; столкнове́ние; ~ of laws *юр.* а) коллизио́нное пра́во; ча́стное междунаро́дное пра́во; б) конфли́кт правовы́х норм; 2) противоре́чие; 2. *v* [kən'flɪkt] 1) быть в конфли́кте; 2) противоре́чить (with—*чему-л.*).

**conflicting** [kən'flɪktɪŋ] 1. *pres. p. от* conflict 2; 2. *a* противоречи́вый; ~ opinions противоречи́вые мне́ния.

**confluence** ['kɔnfluəns] *n* 1) слия́ние (*рек*); пересече́ние (*дорог*); ме́сто слия́ния; 2) стече́ние наро́да, толпа́.

**confluent** ['kɔnfluənt] 1. *a* 1) слива́ющийся; 2) *мед.* сливно́й; ~ smallpox сливна́я о́спа; 2. *n* одна́ из слива́ющихся рек; прито́к реки́.

**conflux** ['kɔnflʌks] = confluence.

**conform** [kən'fɔːm] *v* 1) сообразова́ть (ся); согласова́ться (to—с); соотве́тствовать (то—*чему-л.*); 2) приспособля́ть(ся); 3) подчиня́ться (*правилам*); 4) признава́ть авторите́т англика́нской це́ркви.

**conformable** [kən'fɔːməbl] *a* 1) соотве́тствующий; 2) подо́бный; 3) поддаю́щийся; подчиня́ющийся, послу́шный.

**conformation** [,kɔnfɔː'meɪʃən] *n* 1) устро́йство, фо́рма; структу́ра; 2) приспособле́ние (to); 3) подчине́ние (*правилам и т. п.*); 4) *воен.* релье́ф ме́стности.

**conformist** [kən'fɔːmɪst] *n* конформи́ст.

**conformity** [kən'fɔːmɪtɪ] *n* 1) соотве́тствие, согласо́ванность; 2) схо́дство; 3) подчине́ние; 4) ортодокса́льность; сле́дование до́гмам англика́нской це́ркви.

**confound** [kən'faund] *v* 1) сме́шивать, спу́тывать; 2) поража́ть, приводи́ть в смуще́ние; ста́вить в тупи́к; 3) разруша́ть (*планы, надежды*); ◇ ~ it! к чёрту!; будь оно́ про́клято!

**confounded** [kən'faundɪd] 1. *p. p. от* confound; 2. *a* 1) сме́шанный; 2) смущённый; удивлённый; 3) *разг.* отъя́вленный; he is a ~ bore он а́дски ску́чен.

**confoundedly** [kən'faundɪdlɪ] *adv разг.* чрезвыча́йно, ужа́сно, стра́шно.

**confraternity** [,kɔnfrə'tɜːnɪtɪ] *n* бра́тство.

**confrère** ['kɔnfrɛə] *фр. n* собра́т, колле́га

**confront** [kən'frʌnt] *v* 1) стоя́ть лицо́м к лицу́; 2) противостоя́ть; смотре́ть в лицо́ (*смерти, опасности*); 3) (*pass.*) быть поста́вленным пе́ред (with); he was ~ed with demands ему́ бы́ли предъя́влены тре́бования; 4) дать о́чную ста́вку; поста́вить на о́чную ста́вку (with); 5) сопоставля́ть, слича́ть.

**confrontation** [,kɔnfrʌn'teɪʃən] *n* 1) о́чная ста́вка; 2) сличе́ние, сопоставле́ние.

**Confucianism** [kən'fjuːʃjənɪzəm] *n* уче́ние Конфу́ция.

**confuse** [kən'fjuːz] *v* 1) сме́шивать, спу́тывать; 2) производи́ть беспоря́док; приводи́ть в беспоря́док; 3) (*обыкн. pass.*) приводи́ть в замеша́тельство, смуща́ть; 4) помрача́ть созна́ние.

**confused** [kən'fjuːzd] 1. *p. p. от* confuse; 2. *a* 1) смущённый; to become ~ смути́ться, спу́таться; 2) спу́танный; ~ mass беспоря́дочная ма́сса; ~ tale бессвя́зный расска́з; ~ answer тума́нный отве́т.

**confusedly** [kən'fjuːzɪdlɪ] *adv* 1) смущённо; в смуще́нии, в замеша́тельстве; 2) беспоря́дочно; в беспоря́дке.

**confusion** [kən'fjuːʒən] *n* 1) смуще́ние, замеша́тельство; 2) беспоря́док; 3) пу́таница, неразбери́ха.

**confutation** [,kɔnfjuː'teɪʃən] *n* опроверже́ние.

**confute** [kən'fjuːt] *v* опроверга́ть.

**cong** [kɔŋ] *амер. сокр. от* congress.

**congeal** [kən'dʒiːl] *v* 1) замора́живать; 2) замерза́ть, застыва́ть; 3) сгуща́ть(ся); свёртываться.

**congee** ['kɔndʒiː] = conjee.

**congelation** [,kɔndʒɪ'leɪʃən] *n* 1) замора́живание; 2) застыва́ние; point of ~ то́чка, температу́ра замерза́ния; 3) затверде́ние.

**congener** ['kɔndʒɪnə] 1. *n* 1) собра́т, соро́дич; 2) ро́дственная вещь; 2. *a* ро́дственный.

**congeneric(al)** [,kɔndʒɪ'nerɪk(l)] *a* однородный.

**congenerous** [kən'dʒenərəs] *a* родственный; однородный; несущий одинаковые функции (*с другим*).

**congenial** [kən'dʒiːnjəl] *a* 1) близкий по духу; конгениальный; 2) благоприятный; подходящий; 3) врождённый, свойственный.

**congeniality** [kən,dʒiːnɪ'ælɪtɪ] *n* конгениальность, сродство, сходство, близость.

**congenital** [kən'dʒenɪtl] *a* прирождённый, врождённый.

**conger** ['kɔŋgə] *n зоол.* морской угорь (*тж.* ~ eel).

**congeries** [kɔn'dʒɪərɪːz] *n* (*pl без измен.*) масса; куча; скопление.

**congest** [kən'dʒest] *v* 1) перегружать; переполнять; 2) скоплять(ся), накоплять(ся).

**congested** [kən'dʒestɪd] 1. *p. p. от* congest; 2. *a* 1) перенаселённый (*о районе и т. п.*); 2) *мед.* переполненный кровью (*об органах*); застойный.

**congestion** [kən'dʒestʃən] *n* 1) перенаселённость; 2) куча, груда; скопление; 3) перегруженность, затор (*уличного движения*); 4)*мед.* закупорка; застой; venous ~ закупорка вен.

**conglobate** ['kɔngloubeɪt] 1. *a* шарообразный, сферический; 2. *v* придавать *или* принимать сферическую форму.

**conglomerate** 1. *n* [kən'glɔmərɪt] 1) конгломерат; 2) *геол.* обломочная горная порода; 2. *v* [kən'glɔməreɪt] 1) собирать(ся); скопляться; 2) превращаться в слитную массу.

**conglomeration** [kən,glɔmə'reɪʃən] *n* конгломерация; накопление, скопление; сгусток.

**conglutinate** [kɔn'gluːtɪneɪt] *v редк.* склеивать(ся), слипаться; срастаться.

**congou** ['kɔŋguː] *n* сорт чёрного китайского чая.

**congratulate** [kən'grætjuleɪt] *v* поздравлять (on, upon).

**congratulation** [kən,grætju'leɪʃən] *n* (*обыкн. pl*) поздравление; a letter of ~s поздравительное письмо.

**congratulatory** [kən'grætjulətərɪ] *a* поздравительный.

**congregate** ['kɔŋgrɪgeɪt] *v* собирать(ся); скопляться, сходиться.

**congregation** [,kɔŋgrɪ'geɪʃən] *n* 1) скопление, сходка; 2) собрание университетского совета (*в Кембридже*); совет всех живущих в городе профессоров, докторов и магистров (*в Оксфорде*); 3) *церк.* прихожане; молящиеся (*в церкви*); паства; 4) *церк.* конгрегация; религиозное братство.

**Congregationalism** [,kɔŋgrɪ'geɪʃnəlɪzəm] *n* индепендентство; конгрегационализм (*требование церковного самоуправления для каждого прихода*).

**congress** ['kɔŋgres] *n* 1) конгресс; съезд; The World Peace C. Всемирный конгресс сторонников мира; to go into ~ заседать; 2) (the C.) конгресс США.

**congressional** [kɔn'greʃənl] *a* относящийся к конгрессу; C. district *амер.* избирательный округ для выборов в конгресс.

**Congressman** ['kɔŋgresmən] *n амер.* член конгресса.

**congruence** ['kɔŋgruəns] *n* 1) согласованность; 2) соответствие; 3) совпадение; 4) *мат.* конгруэнтность.

**congruent** ['kɔŋgruənt] = congruous.

**congruous** ['kɔŋgruəs] *a* 1) соответствующий; гармонирующий; подходящий; 2) *мат.* конгруэнтный; совпадающий.

**conic** ['kɔnɪk] = conical 1).

**conical** ['kɔnɪkəl] *a* 1) конический; 2) конусный, конусообразный.

**conifer** ['kounɪfə] *n* хвойное дерево.

**coniferous** [kou'nɪfərəs] *a* хвойный, шишконосный.

**coniform** ['kounɪfɔːm] = conical.

**conjectural** [kən'dʒektʃərəl] *a* предположительный.

**conjecture** [kən'dʒektʃə] 1. *n* 1) догадка, предположение; to hazard a ~ высказать догадку, сделать предположение; 2) *лингв.* конъектура; 2. *v* 1) предполагать, гадать; 2) предлагать исправление текста, конъектуру.

**conjee** ['kɔndʒiː] *n* рисовый отвар.

**conjee-house** ['kɔndʒiːhaus] *n воен. sl.* военная тюрьма.

**conjoin** [kən'dʒɔɪn] *v* соединять(ся); сочетать(ся).

**conjoint** ['kɔndʒɔɪnt] *a* соединённый, объединённый; общий, совместный; ~ action объединённые действия.

**conjugal** ['kɔndʒugəl] *a* супружеский; брачный.

**conjugality** [,kɔndʒu'gælɪtɪ] *n* супружество, состояние в браке.

**conjugate** 1. *a* ['kɔndʒugɪt] 1) соединённый; 2) *мат.* сопряжённый; ~ angles сопряжённые углы; 3) *бот.* парный (*о листьях*); 2) *лингв.* родственный по корню и по значению (*о слове*); 2. *n* ['kɔndʒugɪt] *лингв.* слово, родственное по корню *или* значению; 3. *v* ['kɔndʒugeɪt] 1) *грам.* спрягать; 2) *биол.* соединяться.

**conjugation** [,kɔndʒu'geɪʃən] *n* 1) соединение; 2) *грам.* спряжение; 3) *биол.* конъюгация.

**conjunct** [kən'dʒʌŋkt] *a* соединённый; связанный; объединённый.

**conjunction** [kən'dʒʌŋkʃən] *n* 1) соединение, связь; in ~ вместе, сообща; 2) совпадение; стечение; сочетание; 3) пересечение дорог, перекрёсток; 4) железнодорожная ветка; 5) *грам.* союз.

**conjunctiva** [,kɔndʒʌŋk'taɪvə] *n анат.* конъюнктива (*слизистая оболочка глаза*).

**conjunctive** [kən'dʒʌŋktɪv] 1. *a* 1) связывающий; ~ tissue *физиол.* соединительная ткань; 2) *грам.*: ~ mood сослагательное наклонение; ~ adverb соединительное наречие; ~ pronoun соединительное местоимение; 2. *n* = ~ mood.

**conjunctivitis** [kən,dʒʌŋktɪ'vaɪtɪs] *n мед.* конъюнктивит.

**conjuncture** [kən'dʒʌŋktʃə] *n* 1) стече́ние обстоя́тельств; 2) конъюнкту́ра.

**conjuration** [,kɔndʒuə'reiʃən] *n* заклина́ние; колдовство́.

**conjure** ['kʌndʒə] *v* 1) занима́ться ма́гией; колдова́ть; 2) вызыва́ть, заклина́ть (ду́хов) (*тж.* ~ up); 3) изгоня́ть ду́хов (*тж.* ~ away, ~ out of); to ~ smb. out of a person изгоня́ть ду́хов из кого́-л.; 4) вызыва́ть в воображе́нии (*обыкн.* ~ up); 5) пока́зывать фо́кусы; 6) [kən'dʒuə] умоля́ть, заклина́ть; ◇ a name to ~ with влия́тельное и́мя; большо́е влия́ние.

**conjurer, conjuror** ['kʌndʒərə] *n* 1) волше́бник, чароде́й; 2) фо́кусник; ◇ he is no ~ ≅ он по́роха не вы́думает.

**conk** [kɔŋk] **1.** *n sl.* 1) нос; 2) неиспра́вная рабо́та дви́гателя (*перебои, стуки*); **2.** *v* (*часто* ~ out) *sl.* 1) испо́ртиться, слома́ться (*особ. о машине*); 2) умере́ть.

**conker** ['kɔŋkə] *n* 1) ра́ковина ули́тки; 2) *pl* ко́нские кашта́ны с проде́той бечёвкой (*детская игра*).

**conn** [kɔn] = con II.

**connate** ['kɔneit] *a* 1) врождённый, прирождённый; 2) рождённый *или* возни́кший одновре́менно; 3) ро́дственный, конгениа́льный; 4) *геол.* рели́ктовый; ~ water рели́ктовая вода́ (*в пустотах пород*).

**connatural** [kə'nætʃrəl] *a* 1) врождённый; 2) однородный.

**connect** [kə'nekt] *v* 1) соединя́ть(ся); свя́зывать(ся); сочета́ть(ся); ~ed to earth *эл.* заземлённый; 2) ассоции́ровать; ста́вить в причи́нную связь; 3) быть согласо́ванным; 4) *воен.* устана́вливать непосре́дственную связь.

**connected** [kə'nektɪd] **1.** *p. p. от* connect; **2.** *a* 1) свя́занный (with — с); 2) име́ющий больши́е (ро́дственные) свя́зи; 3) свя́зный (*о рассказе и т. п.*); 4) соединённый.

**connecting-link** [kə'nektɪŋlɪŋk] *n* 1) связу́ющее звено́; 2) *тех.* кули́са, серьга́.

**connecting-rod** [kə'nektɪŋrɔd] *n тех.* шату́н, тя́га.

**connection** [kə'nekʃən] *n* 1) связь; соедине́ние; присоедине́ние; in this ~ a) в э́той связи; б) в тако́м конте́ксте; in ~ with this в связи с э́тим; to cut the ~ порва́ть вся́кую связь, порва́ть отноше́ния; 2) (*обыкн. pl*) свя́зи, знако́мства; 3) родство́; свойство́; 4) (*часто pl*) ро́дственник, сво́йственник; 5) полова́я связь; criminal ~ *юр.* внебра́чная связь; to form a ~ вступи́ть в связь; 6) сочлене́ние; 7) (*обыкн. pl*) согласо́ванность расписа́ния (*поездов, парохо́дов*); 8) клиенту́ра; покупа́тели.

**connective** [kə'nektɪv] **1.** *a* соедини́тельный; связу́ющий; ~ tissue *анат.* соедини́тельная ткань; ~ word *грам.* союзное сло́во; ~ pronoun *грам.* соедини́тельное местоиме́ние; ~ adverb *грам.* соедини́тельное наре́чие; **2.** *n грам.* соедини́тельное сло́во.

**connexion** [kə'nekʃən] = connection.

**conning tower** ['kɔnɪŋ,tauə] *n мор.* боева́я ру́бка.

**conniption** [kə'nipʃən] *n разг.* припа́док исте́рии; припа́док нейстового гне́ва (*тж.* ~ fit).

**connivance** [kə'naivəns] *n* 1) потво́рство; попусти́тельство; 2) молчали́вое согла́сие.

**connive** [kə'naiv] *v* потво́рствовать; смотре́ть сквозь па́льцы.

**connoisseur** [,kɔni'sə:] *фр. n* знато́к.

**connotate** ['kɔnouteit] = connote.

**connotation** [,kɔnou'teiʃən] *n* дополни́тельное, сопу́тствующее значе́ние; то, что подразумева́ется.

**connote** [kɔ'nout] *v* 1) име́ть дополни́тельное, второстепе́нное значе́ние (*о слове*); 2) име́ть дополни́тельное сле́дствие (*о фа́кте и т. п.*); 3) *разг.* означа́ть.

**connubial** [kə'nju:bjəl] *a* супру́жеский, бра́чный.

**conoid** ['kounɔid] **1.** *n мат.* коно́ид; усечённый ко́нус; **2.** *a* конусообра́зный.

**conquer** ['kɔŋkə] *v* 1) завоёвывать, покоря́ть, подчиня́ть; подавля́ть; 2) побежда́ть; преодолева́ть; превозмога́ть.

**conqueror** ['kɔŋkərə] *n* 1) завоева́тель; победи́тель; The C. *ист.* Вильге́льм Завоева́тель; 2) *спорт.* реша́ющая па́ртия.

**conquest** ['kɔŋkwest] *n* 1) завоева́ние, покоре́ние; побе́да; to make a ~ of smb. a) одержа́ть побе́ду над кем-л.; б) завоева́ть чью-л. привя́занность; The (Norman) C. *ист.* завоева́ние А́нглии норма́ннами (*1066 г.*); 2) завоёванная террито́рия; захва́ченное иму́щество *и т. п.*; 3) тот, чью привя́занность удало́сь завоева́ть, поко́ренное се́рдце.

**consanguine, consanguineous** [kɔn'sæŋgwin, ,kɔnsæŋ'gwiniəs] *a* единокро́вный; ро́дственный, бли́зкий.

**consanguinity** [,kɔnsæŋ'gwiniti] *n* родство́, единокро́вность, бли́зость.

**conscience** ['kɔnʃəns] *n* со́весть; good ~, clear ~ чи́стая со́весть; bad ~, evil ~ нечи́стая со́весть; for ~(') sake для успоко́ения со́вести; to have smth. on one's ~ име́ть что-л. на со́вести, чу́вствовать себя́ винова́тым в чём-л.; to get smth. off one's ~ успоко́ить свою́ со́весть в отноше́нии чего́-л.; in all ~, upon one's ~ по со́вести говоря́; коне́чно, пои́стине; to make a matter of ~ поступа́ть по со́вести; the freedom of ~ свобо́да со́вести; свобо́да вероиспове́дания; ◇ to have the ~ име́ть на́глость (*сказать, сде́лать что-л.*).

**conscienceless** ['kɔnʃənslis] *a* бессо́вестный.

**conscience-smitten** ['kɔnʃəns,smitn] *a* испы́тывающий угрызе́ния со́вести.

**conscientious** [,kɔnʃi'enʃəs] *a* 1) со́вестливый; 2) добросо́вестный; созна́тельный; че́стный (*об отношении к чему-л.*); ◇ ~ objector челове́к, отка́зывающийся от вое́нной слу́жбы по полити́ческим *или* религио́зно-эти́ческим убежде́ниям.

**conscious** ['kɔnʃəs] *a* 1) сознаю́щий; he was ~ to the last он был в созна́нии до после́дней мину́ты; 2) ощуща́ющий; ~ of pain (cold) чу́вствующий боль (хо́лод); 3) созна́тельный, здра́вый; to be ~ of smth. отдава́ть себе́ отчёт в чём-л.; with ~ superiority с созна́нием своего́ превосхо́дства; 4) созна́тельный, понима́ющий; ◇ with a ~ air засте́нчиво.

**-conscious** [-'kɔnʃəs] *в сложных словах означает* сознающий, понимающий, *напр.:* class-~ worker сознательный рабочий.

**consciousness** ['kɔnʃəsnɪs] *n* 1) сознание; to lose ~ потерять сознание; to recover (*или* to regain) ~ прийти в себя; 2) сознательность.

**conscribe** [kən'skraɪb] *v уст.* призывать (на военную службу).

**conscript 1.** *n* ['kɔnskrɪpt] призванный на военную службу, призывник, новобранец; **2.** *a* ['kɔnskrɪpt] призванный на военную службу; ◇ ~ fathers *др.-рим.* сенаторы; **3.** *v* [kən'skrɪpt] призывать на военную службу.

**conscription** [kən'skrɪpʃən] *n* 1) воинская повинность; 2) набор (в армию); ◇ ~ of wealth военный налог (*на освобождённых во время войны от военной службы*).

**consecrate** ['kɔnsɪkreɪt] **1.** *a* 1) посвящённый; 2) освящённый; **2.** *v* 1) посвящать; 2) освящать.

**consecration** [,kɔnsɪ'kreɪʃən] *n* 1) посвящение; 2) освящение.

**consecution** [,kɔnsɪ'kjuːʃən] *n* 1) последовательность; 2) следование (*событий и т. п.*).

**consecutive** [kən'sekjutɪv] *a* 1) последовательный; for the fifth ~ time пятый раз подряд; ~ reaction *хим.* последовательная ступенчатая реакция; 2) *грам.* следственный; ~ clause предложение следствия.

**consenescence** [,kɔnsɪ'nesns] *n* старение, одряхление.

**consensus** [kən'sensəs] *n* 1) согласованность; 2) согласие, единодушие.

**consent** [kən'sent] **1.** *n* 1) согласие; half--hearted ~ вынужденное согласие; to withhold one's ~ не давать согласия; by common ~, with one ~ с общего согласия; to carry the ~ of smb. быть одобренным кем-л.; получить чьё-л. согласие; 2) разрешение; silence gives ~ *посл.* молчание — знак согласия; **2.** *v* 1) соглашаться, давать согласие, уступать; 2) позволять, разрешать.

**consentaneity** [kən,sentə'niːɪtɪ] *n* 1) согласованность; 2) единодушие.

**consentaneous** [,kɔnsen'teɪnɪəs] *a* 1) согласованный, совпадающий, соответственный; 2) единодушный.

**consentient** [kən'senʃənt] *a* 1) единодушный; соглашающийся (to); 2) согласованный.

**consequence** ['kɔnsɪkwəns] *n* 1) (по-)следствие; in ~ of вследствие; в результате; to take the ~s of отвечать, нести ответственность за последствия; 2) вывод, заключение; 3) значение, важность; of по ~ несущественный, неважный; 4) влиятельность, влиятельное положение; person of ~ важное, влиятельное лицо.

**consequent** ['kɔnsɪkwənt] *a* 1) (логически) последовательный; 2) являющийся результатом (*чего-л.*); **2.** *n* 1) результат, последствие; 2) *грам.* второй член условного предложения, следствие; 2) *мат.* второй член пропорции.

**consequential** [,kɔnsɪ'kwenʃəl] *a* 1) ло-

гически вытекающий; 2) важный; 3) важничающий, полный самомнения.

**consequently** ['kɔnsɪkwəntlɪ] *adv* следовательно; поэтому; в результате.

**conservancy** [kən'sɜːvənsɪ] *n* 1) охрана рек и лесов; forest ~ лесоохранение; 2) *attr.:* ~ area заповедник.

**conservation** [,kɔnsə'veɪʃən] *n* 1) сохранение; ~ of energy *физ.* закон сохранения энергии; faculty of ~ *психол.* память; 2) = conservancy 1); 3) консервирование (*плодов*); 4) *амер.* заповедник.

**conservatism** [kən'sɜːvətɪzəm] *n* консерватизм.

**conservative** [kən'sɜːvətɪv] **1.** *a* 1) консервативный, реакционный; 2) охранительный; 3) умеренный; осторожный; ~ estimate скромный подсчёт; **2.** *n* 1) консерватор, реакционер; to go ~ стать консерватором; 2) (С.) член партии консерваторов.

**conservatoire** [kən'sɜːvətwɑː] *фр. n* консерватория.

**conservator** [kən'sɜːvətə] *n* 1) охранитель; опекун; 2) хранитель (*музея и т. п.*); 3) служащий управления охраны рек и лесов.

**conservatory** [kən'sɜːvətrɪ] *n* 1) оранжерея; 2) охрана рек и лесов; 3) *амер.* = conservatoire.

**conserve** [kən'sɜːv] **1.** *v* 1) сохранять, сберегать; to ~ one's strength беречь силы; 2) консервировать; **2.** *n* (*часто pl*) консервированные засахаренные фрукты; варенье, джем.

**consider** [kən'sɪdə] *v* 1) рассматривать, обсуждать; 2) обдумывать; 3) полагать, считать; he is ~ed a rich man он считается богачом; 4) принимать во внимание, учитывать; all things ~ed приняв всё во внимание; 5) считаться с *кем-л.*; проявлять уважение к *кому-л.*; to ~ others считаться с другими.

**considerable** [kən'sɪdərəbl] **1.** *a* 1) значительный; важный; 2) большой; ◇ I am ~ of a ham *амер.* я порядочная шляпа; **2.** *n амер. разг.* множество, много.

**considerate** [kən'sɪdərɪt] *a* внимательный к другим; деликатный, тактичный.

**consideration** [kən,sɪdə'reɪʃən] *n* 1) рассмотрение, обсуждение; under ~ на рассмотрении, рассматриваемый, обсуждаемый; to give a problem one's careful ~ тщательно обсудить вопрос; 2) соображение; to take into ~ принимать во внимание; that's a ~ это важное соображение *или* обстоятельство; in ~ of принимая во внимание; on (*или* under) no ~ ни под каким видом; budgetary ~s *фин.* бюджетные предположения; 3) внимание, предупредительность; уважение; to show great ~ for smb. быть очень предупредительным к кому-л.; accept the assurance of my highest ~ примите уверение в моём совершенном (к Вам) уважении (*в официальных письмах*); 4) возмещение, компенсация; for a ~ за вознаграждение; 5) *редк.* значительность, важность; a poet of ~ выдающийся поэт.

**considering** [kən'sɪdərɪŋ] **1.** *pres. p. от* consider:

**2.** *prep* 1) относительно; 2) учитывая, принимая во внимание.

**consign** [kən'saɪn] *v* 1) передавать; поручать; 2) (пред)назначать; 3) предавать *(земле)*; 4) *ком.* отправлять, посылать на консигнацию *(груз, товар)*; 5) вносить в депозит банка.

**consignation** [ˌkɔnsaɪ'neɪʃən] *n* 1) *ком.* отправка товаров на консигнацию; 2) внесение суммы в депозит банка.

**consignee** [ˌkɔnsaɪ'niː] *n* грузополучатель.

**consigner** [kən'saɪnə] = consignor.

**consignment** [kən'saɪnmənt] *n* 1) груз; партия товаров; 2) *ком.* консигнационная отправка товаров; 3) накладная, коносамент.

**consignor** [kən'saɪnə] *n* грузоотправитель.

**consilience** [kən'sɪlɪəns] *n* совпадение.

**consilient** [kən'sɪlɪənt] *a* совпадающий, согласный.

**consist** [kən'sɪst] **1.** *v* 1) состоять (of — из); заключаться (in—в); 2) совмещаться, совпадать (with);

**2.** *n разг.* состав.

**consistence** [kən'sɪstəns] *n* 1) консистенция; плотность; 2) степень плотности, густоты.

**consistency** [kən'sɪstənsɪ] *n* 1) = consistence; 2) последовательность, логичность; 3) постоянство; 4) согласованность.

**consistent** [kən'sɪstənt] *a* 1) последовательный, стойкий; 2) совместимый, согласующийся; ~ pattern закономерность; it is not ~ with what you said before это противоречит вашим прежним словам; 3) твёрдый, плотный.

**consistory** [kən'sɪstərɪ] *n церк.* 1) консистория; 2) коллегия кардиналов.

**consolation** [ˌkɔnsə'leɪʃən] *n* 1) утешение; 2) *attr. спорт.* утешительный; ~ prize утешительный приз; ~ race бега для лошадей, проигравших в предыдущих заездах.

**consolatory** [kən'sɔlətərɪ] *a* утешительный.

**console** I [kən'soul] *v* утешать.

**console** II ['kɔnsoul] *n архит., тех.* консоль, кронштейн.

**console-mirror** ['kɔnsoul'mɪrə] *n* трюмо.

**console radio** ['kɔnsoul'reɪdɪou] *n* радиола.

**consolidate** [kən'sɔlɪdeɪt] *v* 1) укреплять (-ся); 2) объединять(ся) *(о территориях, обществах)*; to ~ two offices слить два учреждения; 3) *воен.* закреплять(ся); 4) твердеть; затвердевать; 5) *фин.* консолидировать *(займы)*.

**consolidated** [kən'sɔlɪdeɪtɪd] **1.** *p. p. от* consolidate;

**2.** *a* 1) консолидированный; ~ annuities = consols; C. Fund государственный фонд *(из которого оплачиваются проценты по государственному долгу и некоторые другие расходы)*; 2) объединённый; сводный; ~ return сводка, сводные данные; сводное донесение; ~ ticket office *амер.* центральная билетная касса; 3) затвердевший.

**consolidation** [kənˌsɔlɪ'deɪʃən] *n* 1) консолидация; укрепление; 2) затвердевание, отвердение.

**consols** [kən'sɔlz] *n pl фин.* консоли, $2^1/_2\%$ (первоначально 3%) английская консолидированная рента.

**consonance** ['kɔnsənəns] *n* 1) созвучие, ассонанс; 2) *муз.* консонанс; 3) согласие, гармония.

**consonant** ['kɔnsənənt] **1.** *n фон.* согласный звук; *распр.* буква, обозначающая согласный звук;

**2.** *a* 1) согласный (to—с); совместимый (with); 2) созвучный; гармоничный.

**consonantal** [ˌkɔnsə'næntl] *a фон.* согласный.

**consort 1.** *n* ['kɔnsɔːt] 1) супруг(а) *(особ. о королевской семье)*; Prince C. супруг царствующей королевы *(не являющийся сам королём)*; 2) *мор.* корабль, плавающий совместно с другим;

**2.** *v* [kən'sɔːt] 1) общаться; 2) гармонировать, соответствовать.

**consortium** [kən'sɔːtjəm] *n фин.* консорциум.

**conspectus** [kən'spektəs] *лат. n* 1) обзор; 2) конспект.

**conspicuous** [kən'spɪkjuəs] *a* видный, заметный, бросающийся в глаза; to make oneself ~ обращать на себя внимание; to be ~ by one's absence блистать своим отсутствием.

**conspiracy** [kən'spɪrəsɪ] *n* 1) конспирация; 2) заговор; тайный сговор.

**conspirator** [kən'spɪrətə] *n* заговорщик.

**conspire** [kən'spaɪə] *v* устраивать заговор, тайно замышлять; сговариваться (against—против *кого-л.*); all things ~ to please him всё было для него словно по заказу, всё ему благоприятствовало.

**constable** ['kʌnstəbl] *n* 1) констебль, полицейский (чин); полисмен; Chief C. начальник полиции *(в городе, графстве)*; 2) *ист.* коннетабль; ◇ to outrun the ~ жить не по средствам, влезть в долги.

**constabulary** [kən'stæbjulərɪ] **1.** *n* полицейские силы, полиция; mounted ~ конная полиция;

**2.** *a* полицейский.

**constancy** ['kɔnstənsɪ] *n* 1) постоянство; 2) верность; твёрдость.

**constant** ['kɔnstənt] **1.** *n физ., мат.* постоянная (величина), константа; ~ of friction коэффициент трения;

**2.** *a* 1) постоянный; 2) твёрдый; верный *(идее и т. п.)*; 3) неизменный, неослабный.

**constantly** ['kɔnstəntlɪ] *adv* 1) постоянно; 2) часто, то и дело.

**constellate** ['kɔnstəleɪt] *v астр.* образовывать созвездие.

**constellation** [ˌkɔnstə'leɪʃən] *n астр.* созвездие; *перен.* плеяда.

**consternation** [ˌkɔnstə'neɪʃən] *n* ужас; испуг; оцепенение *(от страха)*.

**constipate** ['kɔnstɪpeɪt] *v мед.* вызывать запор.

**constipation** [ˌkɔnstɪ'peɪʃən] *n мед.* запор.

**constituency** [kən'stɪtjuənsɪ] *n* 1) *собир.* избиратели; to sweep a ~ получить подавляющее большинство голосов; 2) избирательный округ; 3) *собир. разг.* клиентура (*покупатели, подписчики на газету и т. п.*).

**constituent** [kən'stɪtjuənt] **1.** *n* 1) составная часть; 2) избиратель; 3) *юр.* доверитель; **2.** *a* 1) составляющий часть целого; 2) избирающий; обладающий законодательной властью; правомочный вырабатывать конституцию; ~ assembly учредительное собрание.

**constitute** ['kɔnstɪtjuːt] *v* 1) составлять; socialism ~s the first phase of communism социализм — первая фаза коммунизма; to ~ justification служить оправданием; to ~ a menace представлять угрозу; 2) основывать; учреждать; 3) назначать (*комиссию, должностное лицо*); 4) издавать *или* вводить в силу (*закон*).

**constituted** ['kɔnstɪtjuːtɪd] **1.** *p.p. от* constitute; **2.** *a*: ~ authorities законные власти.

**constitution** [,kɔnstɪ'tjuːʃən] *n* 1) конституция, основной закон; 2) учреждение, устройство, составление; 3) конституция, телосложение; склад; the ~ of one's mind склад ума; strong ~ сильный организм; 4) состав; 5) *ист.* постановление (*особ. церк.*).

**constitutional** [,kɔnstɪ'tjuːʃənl] **1.** *a* 1) конституционный; ~ government конституционный образ правления; 2) *мед.* органический, конституциональный; 3) *тех.*: ~ formula формула строения, структурная формула; **2.** *n разг.* моцион, прогулка.

**constitutionalism** [,kɔnstɪ'tjuːʃənlɪzəm] *n* 1) конституционная система правления; 2) конституционализм (*реакционное политическое течение*).

**constitutive** ['kɔnstɪtjuːtɪv] *a* 1) учредительный; 2) устанавливающий, образующий; конструктивный; 3) существенный; 4) *физ., хим.* конститутивный.

**constitutor** ['kɔnstɪtjuːtə] *n* учредитель, основатель.

**constrain** [kən'streɪn] *v* 1) принуждать, вынуждать; 2) сдерживать; сжимать; стеснять; 3) заключать в тюрьму.

**constrained** [kən'streɪnd] **1.** *p. p. от* constrain; **2.** *a* 1) вынужденный, принуждённый; 2) скованный, несвободный (*о движениях*); 3) стеснённый; 4) напряжённый; смущенный; натянутый (*о тоне, манерах*); сдавленный (*о голосе*); 5) *тех.* с принудительным движением.

**constrainedly** [kən'streɪnɪdlɪ] *adv* 1) поневоле, по принуждению; 2) стеснённо; 3) напряжённо, с усилием.

**constraint** [kən'streɪnt] *n* 1) принуждение; under ~ по принуждению; под давлением; 2) принуждённость; стеснение; 3) напряжённость; скованность; 4) тюремное заключение.

**constrict** [kən'strɪkt] *v* стягивать, сжимать, сокращать, сужать.

**constriction** [kən'strɪkʃən] *n* стягивание, сжатие, сокращение, сужение.

**constrictor** [kən'strɪktə] *n* 1) *анат.* мышца, сжимающая орган; 2) *зоол.* боа.

**constringency** [kən'strɪndʒənsɪ] *n физиол.* сжатие; стягивание.

**constringent** [kən'strɪndʒənt] *a анат.* сжимающий; стягивающий.

**construct** [kən'strʌkt] *v* 1) строить, сооружать; воздвигать; конструировать; 2) создавать; сочинять; придумывать; to ~ the plot of a novel придумать сюжет романа; 3) *грам.* составлять (*предложение*).

**construction** [kən'strʌkʃən] *n* 1) строительство, стройка; under ~ в процессе строительства; строящийся; 2) строение, здание; 3) истолкование; he puts the best (worst) ~ on everything он всё переистолковывает в лучшую (худшую) сторону; 4) *грам.* конструкция (предложения и т. п.); 5) *мат.* построение; 6) *иск.* произведение в конструктивистском стиле; 7) *attr.* строительный; ~ engineering строительная техника; ~ plant строительная площадка; ~ timber строительный лесоматериал.

**constructional** [kən'strʌkʃənl] *a* строительный, конструктивный; структурный.

**constructionism** [kən'strʌkʃənɪzəm] *n иск.* конструктивизм.

**constructive** [kən'strʌktɪv] *a* 1) конструктивный; строительный; 2) творческий, созидательный; a ~ suggestion конструктивное предложение; 3) подразумеваемый; не выраженный прямо, а выведенный путём умозаключения; ~ denial косвенный отказ; ~ crime поступок, сам по себе не заключающий состава преступления, но могущий быть истолкованным как таковой.

**constructor** [kən'strʌktə] *n* 1) конструктор; строитель; 2) *мор.* инженер-корабле-строитель.

**construe** [kən'struː] *v* 1) толковать, истолковывать; 2) делать синтаксический разбор; 3) поддаваться грамматическому разбору; 4) *грам.* управлять (*падежа и т. п.*); to depend is ~d with upon глагол depend требует после себя upon.

**consuetude** ['kɔnswɪtjuːd] *n* 1) неписаный закон; 2) дружеское общение.

**consuetudinary** [,kɔnswɪ'tjuːdɪnərɪ] **1.** *n церк.* требник; **2.** *a* обычный; ~ law *юр.* обычное право.

**consul** ['kɔnsəl] *n* консул.

**consular** ['kɔnsjulə] *a* консульский.

**consulate** ['kɔnsjulɪt] *n* 1) консульство; 2) консульское звание; срок пребывания консула в своей должности.

**consul-general** ['kɔnsəl,dʒenərəl] *n* генеральный консул.

**consulship** ['kɔnsəlʃɪp] *n* должность консула.

**consult** [kən'sʌlt] *v* 1) советоваться; консультироваться; to ~ a doctor посоветоваться с врачом; обратиться к врачу; 2) совещаться; 3) справляться; to ~ a dictionary справляться в словаре, искать нужное слово; a ~ a watch посмотреть на часы; 4) принимать во внимание; I shall ~ your interests я учту ваши интересы.

**consultant** [kən'sʌltənt] *n* консультант.

**consultation** [,kɔnsəl'teɪʃən] *n* 1) консультация; 2) совещание; to hold a ~ совещаться; 3) консилиум (врачей).

**consultative** [kən'sʌltətɪv] *a* совещательный; консультативный.

**consulting** [kən'sʌltɪŋ] **1.** *pres. p. от* consult;

2. *a* 1) консультирующий; ~ physician врач-консультант; 2) для консультаций; ~ hours приёмные часы (*врача*); ~ room кабинет врача.

**consume** [kən'sjuːm] *v* 1) потреблять; расходовать; 2) съедать; поглощать; 3) (*pass.*) быть снедаемым (with); he is ~d with envy его гложет зависть; 4) истреблять (*об огне*); 5) расточать (*состояние, время*); 6) чахнуть (*часто* ~ away).

**consumer** [kən'sjuːmə] *n* 1) потребитель; 2) *attr.* потребительский; ~ commodities, ~ goods потребительские товары.

**consummate 1.** *a* [kən'sʌmɪt] совершённый, законченный; a ~ master of his craft непревзойдённый мастер своего дела;

2. *v* ['kɔnsʌmeɪt] 1) доводить до конца, завершать; 2) совершенствовать.

**consummately** [kən'sʌmɪtlɪ] *adv* 1) полностью, совершённо; 2) в совершенстве.

**consummation** [,kɔnsʌ'meɪʃən] *n* 1) завершение (*работы*); 2) конец, смерть; 3) достижение, осуществление (*цели*); 4) совершенство.

**consumption** [kən'sʌmpʃən] *n* 1) потребление; расход; 2) чахотка, туберкулёз лёгких.

**consumptive** [kən'sʌmptɪv] **1.** *a* 1) туберкулёзный, чахоточный; 2) истощающий;

2. *n* больной туберкулёзом.

**contact 1.** *n* ['kɔntækt] 1) соприкосновение; контакт; to come into ~ a) прийти в соприкосновение; б) прийти к столкновению; to make ~ установить контакт; to make (to break) ~ эл. включать (выключать) ток; 2) *pl* амер. отношения, знакомство; 3) знакомый (*обыкн. деловой*); 4) связной; 5) *мат.* касание; 6) сцепление, связь; 7) *attr.* контактный, связывающий; ~ lenses контактные линзы (*очки*); ~ man агент (*в чьи обязанности входит установление деловых связей и т. п.*); 8) *attr.*: ~ flight *ав.* полёт с визуальной ориентацией;

2. *v* [kən'tækt] 1) быть в соприкосновении; (со)прикасаться (with); 2) приводить в соприкосновение; 3) устанавливать связь (*с кем-л. по телефону, по почте и т. п.*).

**contact-breaker** ['kɔntækt,breɪkə] *n эл.* рубильник.

**contactor** ['kɔntæktə] *n эл.* контактор, замыкатель.

**contagion** [kən'teɪdʒən] *n* 1) зараза, инфекция; 2) заразное заболевание; инфекционная болезнь; 3) вредное влияние.

**contagious** [kən'teɪdʒəs] *a* 1) заразный, инфекционный; 2) заразительный (*смех и т. п.*).

**contain** [kən'teɪn] *v* 1) содержать в себе, вмещать; 2) сдерживать; ~ your anger укроти свой гнев; to ~ the enemy сдерживать противника; 3) *refl.* сдержаться; he could not ~ himself for joy он не мог сдержать себя от радости; 4) *мат.* делиться без остатка.

**container** [kən'teɪnə] *n* 1) вместилище; сосуд; 2) стандартный ящик для перевозки товаров; контейнер; 3) резервуар; приёмник.

**contaminate** [kən'tæmɪneɪt] *v* 1) загрязнять; 2) портить; разлагать, оказывать пагубное влияние; 3) осквернять; 4) заражать; 5) делать радиоактивным (*в результате атомного взрыва*).

**contaminated** [kən'tæmɪneɪtɪd] **1.** *p.p. от* contaminate;

2. *a:* ~ ground *воен.* участок заражения.

**contamination** [kən,tæmɪ'neɪʃən] *n* 1) загрязнение; порча; 2) осквернение; 3) заражение; 4) *лингв., лит.* контаминация; 5) *attr.:* ~ meter прибор для определения наличия радиоактивных веществ.

**contango** [kən'tæŋgou] *n* (*pl* -os [-ouz]) бирж. надбавка к цене, взимаемая продавцом, за отсрочку расчёта по фондовой сделке.

**contango-day** [kən'tæŋgoudeɪ] *n бирж.* день, предшествующий кануну платежа; дата отсрочки платежа по биржевой сделке.

**contemn** [kən'tem] *v книжн.* презирать, относиться с пренебрежением, пренебрегать.

**contemplate** ['kɔntempleɪt] *v* 1) созерцать; 2) обдумывать, размышлять; 3) рассматривать; 4) предполагать, намереваться; 5) ожидать; I do not ~ any opposition from him я не ожидаю с его стороны противодействия.

**contemplation** [,kɔntem'pleɪʃən] *n* 1) созерцание; 2) размышление; 3) рассмотрение, изучение; 4) предположение; to have smth. in ~ иметь что-л. в виду; намереваться сделать что-л.; 5) ожидание.

**contemplative** ['kɔntempleɪtɪv] *a* созерцательный.

**contemporaneity** [kən,tempərə'niːɪtɪ] *n* 1) современность; 2) одновременность, совпадение (*во времени*).

**contemporaneous** [kən,tempə'reɪnjəs] *a* 1) современный; 2) одновременный.

**contemporary** [kən'tempərərɪ] **1.** *n* 1) современник; 2) сверстник; 3) издание, произведение, вышедшее в тот же период, что и другое;

2. *a* 1) современный; 2) одновременный.

**contemporize** [kən'tempəraɪz] *v* 1) приурочивать к тому же времени; 2) существовать одновременно; совпадать во времени.

**contempt** [kən'tempt] *n* 1) презрение (for — к); to fall into ~ вызывать к себе презрение; to have (*или* to hold) in ~ презирать; 2) *юр.* неуважение к власти; ~ of court оскорбление суда, неуважение к суду; ◇ in ~ of вопреки, невзирая на.

**contemptible** [kən'temptəbl] *a* презренный.

**contemptuous** [kən'temptjuəs] *a* презрительный; пренебрежительный; высокомерный.

**contemptuously** [kən'temptjuəslɪ] *adv* презрительно; с презрением.

**contend** [kən'tend] *v* 1) бороться; 2) соперничать, состязаться (with—с *кем-л.*; for — в *чём-л.*); 3) спорить; 4) утверждать, заявлять (that).

**contender** [kən'tendə] *n* 1) соперник (*на состязании, на выборах*); 2) кандидат (*на пост*).

**content I** ['kɔntent] *n* 1) (*обыкн. pl*) содержание; the ~s of a book содержание книги; table of ~s оглавление; form and ~ форма и содержание; 2) объём, вместимость, ёмкость; 3) (*обыкн. pl*) содержимое; 4) суть; the ~ of proposition, of a statement суть предложения, заявления.

**content II** [kən'tent] 1. *n* ['kɔntent] 1) довольство; чувство удовлетворения; to one's heart's ~ вволю; всласть; 2) член палаты лордов, голосующий за предложение *или* законопроект; голос «за»;
2. *a* 1) *predic.* довольный (with); 2) согласный, голосующий за (*в палате лордов*);
3. *v* 1) удовлетворять; 2) *refl.* довольствоваться (with —*чем-л.*).

**contented** [kən'tentɪd] 1. *p. p. от* content II, 3;
2. *a* довольный, удовлетворённый.

**contention** [kən'tenʃən] *n* 1) борьба, спор, ссора; раздор; 2) соревнование; 3) предмет спора; 4) утверждение, заявление.

**contentious** [kən'tenʃəs] *a* 1) спорный; 2) задорный; 3) придирчивый; сварливый.

**contentment** [kən'tentmənt] *n* удовлетворённость, довольство.

**conterminal** [kɔn'tɜːmɪnl] *a* имеющий общую границу, смежный, пограничный (to, with).

**conterminous** [kɔn'tɜːmɪnəs] *a* 1) = conterminal; 2) совпадающий.

**contest 1.** *n* ['kɔntest] 1) спор; 2) соперничество; соревнование; состязание; конкурс;
2. *v* [kən'test] 1) оспаривать, опровергать; 2) спорить, бороться (with); выступать против (against); 3) отстаивать; to ~ every inch of ground бороться за каждую пядь земли; 4) добиваться (*премии, места в парламенте и т. п.*); участвовать (*в выборах — о кандидатах*).

**contestant** [kən'testənt] *n* 1) конкурент, соперник; противник; 2) участник соревнования, состязания.

**contestation** [,kɔntes'teɪʃən] *n* 1) борьба; 2) соревнование.

**contested** [kən'testɪd] 1. *p.p. от* contest 2;
2. *a*: ~ election a) выборы, на которых выступает несколько кандидатов; б) *амер.* выборы, правильность которых оспаривается.

**context** ['kɔntekst] *n* 1) контекст; смысл; in the ~ of в смысле; all the discussions have been in the ~ of expansion of rates всё обсуждение велось в плане повышения расценок; 2) ситуация, связь, фон.

**contextual** [kɔn'tekstjuəl] *a* вытекающий из контекста.

**contexture** [kɔn'tekstʃə] *n* 1) сплетение; ткань; 2) структура, композиция.

**contiguity** [,kɔnti'gjuːɪti] *n* 1) смежность; соприкосновение; близость; 2) *психол.* ассоциация идей.

**contiguous** [kən'tɪgjuəs] *a* соприкасающийся, смежный, прилегающий; близкий.

**continence** ['kɔntɪnəns] *n* 1) сдержанность; 2) воздержание (*особ. половое*).

**continent I** ['kɔntɪnənt] *a* 1) сдержанный; 2) воздержанный; целомудренный.

**continent II** ['kɔntɪnənt] *n* 1) материк; континент; 2) (the C.) Европейский материк (*в противоп. Британским островам*); *амер.* континент Северной Америки; 3) (the C.) *амер. ист.* колонии (*в эпоху борьбы за независимость*), впоследствии образовавшие Соединённые Штаты.

**continental** [,kɔnti'nentl] 1. *a* 1) континентальный; 2) иностранный, не британский; 3) *амер. ист.* относящийся к американским колониям в эпоху борьбы за независимость;
2. *n* 1) житель европейского континента; иностранец, не англичанин; 2) *амер. ист.* солдат эпохи борьбы за независимость; 3) *амер. ист.* обесцененные бумажные деньги (*эпохи борьбы за независимость*); ◇ I don't care a ~ *амер.* мне наплевать; not worth a ~ гроша не стоит.

**contingency** [kən'tɪndʒənsɪ] *n* случайность, случай; непредвиденное обстоятельство.

**contingent** [kən'tɪndʒənt] 1. *n* 1) контингент; 2) *воен.* контингент вооружённых сил, приходящийся на каждого участника коалиции;
2. *a* случайный; возможный, условный; непредвиденный; зависящий от обстоятельств; ~ fee on curie плата врачу по излечении.

**continual** [kən'tɪnjuəl] *a* 1) постоянный, беспрерывный; 2) беспрестанный, то и дело повторяющийся.

**continuance** [kən'tɪnjuəns] *n* 1) продолжительность, длительность; длительный период; ~ in office длительное пребывание в должности; 2) продолжение; 3) *юр.* отсрочка (*в разборе судебного дела*).

**continuant** [kən'tɪnjuənt] *n* *фон.* фрикативный согласный звук.

**continuation** [kən,tɪnju'eɪʃən] *n* 1) продолжение; 2) возобновление; 3) *pl sl.* брюки; 4) *attr.*: ~ school дополнительная школа (*для пополнения образования по выходе из начальной школы*).

**continue** [kən'tɪnjuː] *v* 1) продолжать (-ся); оставаться; сохранять (ся); пребывать; to ~ smb. in office оставлять кого-л. в должности; 2) тянуться, простираться; 3) служить продолжением; 4) *юр.* отсрочить разбор судебного дела.

**continued** [kən'tɪnjuːd] 1. *p. p. от* continue;
2. *a* непрерывный; продолжающийся; ~ fraction *мат.* непрерывная дробь; to be ~ продолжение следует.

**continuity** [,kɔntɪ'njuːɪtɪ] *n* 1) непрерывность; неразрывность; целостность; 2) последовательная смена (*напр., кадров в кинофильме*); 3) преемственность; 4) *театр.* представление, передаваемое частями по радио *или* телевидению; 5) сценарий; 6) электропроводность (*цепи*).

**continuity girl** [,kɔntɪ'njuːɪtɪ'gɜːl] *n* кино монтажница.

**continuous** [kən'tɪnjuəs] 1. *a* 1) непрерывный; постоянного действия; длительный; ~ flight *ав.* беспоса́дочный перелёт; 2) сплошно́й; ~ stretch of water сплошно́е во́дное простра́нство; 3) *эл.* постоя́нный (*о токе*); ~ waves *радио* незатуха́ющие колеба́ния; 4) *грам.* дли́тельный; ~ form дли́тельная фо́рма глаго́ла;

**2.** *n* = ~ form.

**contort** [kən'tɔːt] *v* 1) искривля́ть; 2) искажа́ть.

**contortion** [kən'tɔːʃən] *n* 1) искривле́ние; 2) искаже́ние; 3) *мед.* вы́вих, искривле́ние.

**contortionist** [kən'tɔːʃnɪst] *n* 1) акроба́т, «челове́к-змея́»; 2) челове́к, искажа́ющий смысл слов *или* непра́вильно по́льзующийся и́ми.

**contour** ['kɔntuə] **1.** *n* 1) ко́нтур, очерта́ние; а́брис; 2) *топ.* горизонта́ль (*тж.* ~ line); 3) *амер.* положе́ние дел, разви́тие собы́тий; he is jubilant over the ~ of things он дово́лен положе́нием веще́й; 4) *attr.* ко́нтурный; 5) *attr.:* ~ map *топ.* ка́рта, вы́черченная в горизонта́лях; ◇ ~ fighter штурмово́й самолёт (*для бре́ющих полётов*);

**2.** *v* 1) наноси́ть ко́нтур; 2) вычёрчивать в горизонта́лях.

**contra** ['kɔntrə] *лат.* **1.** *n* не́что противополо́жное; (all) pro and ~ (все) за и про́тив [*ср.* con III];

**2.** *adv* напро́тив, наоборо́т;

**3.** *prep* про́тив.

**contra-** ['kɔntrə-] *в сло́жных слова́х означа́ет* противо-; *напр.:* contradistinction противопоста́вленность; противопоставле́ние.

**contraband** ['kɔntrəbænd] **1.** *n* 1) контраба́нда; ~ of war a) вое́нная контраба́нда; б) = 2); 2) *амер. ист.* бе́глый негр, попа́вший в расположе́ние северя́н (*во вре́мя гражда́нской войны́ 1861—65 гг.*);

**2.** *a* контраба́ндный.

**contrabandist** ['kɔntrəbændɪst] *n* контрабанди́ст.

**contrabass** ['kɔntrə'beɪs] *n муз.* контраба́с.

**contraception** [,kɔntrə'sepʃən] *n* приме́не́ние противозача́точных мер.

**contraceptive** [,kɔntrə'septɪv] **1.** *a* противозача́точный;

**2.** *n* противозача́точное сре́дство.

**contract 1.** *n* ['kɔntrækt] 1) контра́кт, догово́р; соглаше́ние; 2) бра́чный догово́р; помо́лвка, обруче́ние; 3) сезо́нный биле́т; 4) *разг.* предприя́тие (*особ. строи́тельное*); 5) *attr.* догово́рный; ~ price догово́рная цена́; ~ law *юр.* догово́рное пра́во;

**2.** *v* [kən'trækt] 1) сжима́ть(ся); сокраща́ть(ся); to ~ expenses сокраща́ть расхо́ды; to ~ efforts уменьша́ть уси́лия; to ~ muscles сокраща́ть мы́шцы; 2) хму́рить; мо́рщить; to ~ the brow (*или* the forehead) мо́рщить лоб; 3) заключа́ть догово́р, соглаше́ние; принима́ть на себя́ обяза́тельство; 4) вступа́ть (*в брак, в сою́з*); 5) заводи́ть (*дру́жбу*); завяза́ть (*знако́мство*); 6) приобрета́ть (*привы́чку*); получа́ть, подхва́тывать; to ~ a disease заболе́ть; 7) де́лать (*долги́*); 8) *тех.* дава́ть уса́дку; спека́ться; 9) *лингв.* стя́гивать [*см.* contracted 2, 5)].

**contracted** [kən'træktɪd] **1.** *p. p. от* contract 2;

**2.** *a* 1) обусло́вленный догово́ром; 2) помо́лвленный; 3) смо́рщенный; нахму́ренный; 4) у́зкий, ограни́ченный (*о взгля́дах*); су́женный; 5) *лингв.* сокращённый; стяжённый (*о сло́ве; напр.:* can't *вм.* cannot, o'er *вм.* over); ~ sentence сли́тное предложе́ние.

**contractile** [kən'træktaɪl] *a* сжима́ющий (-ся); сокраща́ющийся.

**contractility** [,kɔntræk'tɪlɪtɪ] *n* сжима́емость; сокраща́емость.

**contracting parties** [kən'træktɪŋ'pɑːtɪz] *n pl* догова́ривающиеся сто́роны.

**contraction** [kən'trækʃən] *n* 1) сжа́тие; суже́ние; стя́гивание, уплотне́ние; уменьше́ние; укоро́чение, сокраще́ние; 2) заключе́ние (*бра́ка и т. п.*); 3) приобрете́ние (*привы́чки*); 4) *тех.* уса́дка (*при тверде́нии*); 5) *лингв.* стяже́ние, стяжённая фо́рма; сокраще́ние, контракту́ра.

**contractive** [kən'træktɪv] *a* сжима́ющийся, сокраща́ющийся; способ́ный к сжа́тию, сокраще́нию.

**contractor** [kən'træktə] *n* 1) подря́дчик; builder and ~ подря́дчик-строи́тель; 2) *анат.* стя́гивающая мы́шца.

**contractual** [kən'træktjuəl] *a* догово́рный.

**contradict** [,kɔntrə'dɪkt] *v* 1) противоре́чить; 2) опроверга́ть, отрица́ть.

**contradiction** [,kɔntrə'dɪkʃən] *n* 1) противоре́чие; ~ in terms я́вное противоре́чие; 2) опроверже́ние; an official ~ of the recent rumours официа́льное опроверже́ние неда́вних слу́хов; 3) противополо́жность; контра́ст.

**contradictious** [,kɔntrə'dɪkʃəs] *a* 1) противоречи́вый; 2) лю́бящий возража́ть, противоре́чить.

**contradictor** [,kɔntrə'dɪktə] *n* 1) оппоне́нт; проти́вник; 2) спо́рщик.

**contradictory** [,kɔntrə'dɪktərɪ] **1.** *a* противоре́чащий; несовмести́мый; вну́тренне противоречи́вый;

**2.** *n* положе́ние, противоре́чащее друго́му.

**contradistinction** [,kɔntrədɪs'tɪŋkʃən] *n* 1) противополо́жность; 2) противопоставле́ние; различе́ние; in ~ to (*реже* from) в отли́чие от.

**contradistinguish** [,kɔntrədɪs'tɪŋgwɪʃ] *v* противопоставля́ть; различа́ть.

**contrail** ['kɔntreɪl] *n ав.* след инве́рсии самолёта.

**contraindication** [,kɔntrə,ɪndɪ'keɪʃən] *n мед.* противопоказа́ние.

**contralto** [kən'træltou] *ит. n* (*pl* -os [-ouz]) *муз.* контра́льто.

**contraposition** [,kɔntrəpə'zɪʃən] *n* противоположе́ние, антите́за.

**contraption** [kən'træpʃən] *n пренебр., шутл.* новоизобретённое приспособле́ние, «но́вость».

**contrapuntal** [,kɔntrə'pʌntl] *a муз.* контрапункти́ческий.

**contrapuntist** ['kɔntrəpʌntɪst] *n муз.* контрапункти́ст.

**contrariety** [,kɔntrə'raɪətɪ] *n* 1) противоре́чие, расхожде́ние; разногла́сие; 2) препя́тствие; противоде́йствие.

**contrariness** ['kɔntrərɪnɪs] *n* упрямство, своеволие.

**contrariwise** ['kɔntrərɪwaɪz] *adv* 1) наоборот; 2) в противоположном направлении; 3) с другой стороны.

**contrary** 1. *n* ['kɔntrərɪ] нечто обратное, противоположное; противоположность; on the ~ наоборот; to the ~ в обратном смысле, иначе; unless I hear to the ~ если я не услышу чего-нибудь иного, противоположного; there is no evidence to the ~ нет доказательств противного, обратного; to interpret by contraries толковать, понимать в обратном смысле;
2. *a* ['kɔntrərɪ] 1) противоположный; 2) противный (*о ветре*); неблагоприятный; ~ weather неблагоприятная погода; 3) [kən'trɛərɪ] упрямый; своевольный; капризный; ~ disposition сварливый нрав;
3. *adv* ['kɔntrərɪ] вопреки, против (to); act ~ to common sense поступать вопреки здравому смыслу.

**contrast** 1. *n* ['kɔntræst] 1) противоположность; контраст; 2) противоположение; сопоставление; in ~ with smth. а) в противоположность чему-л.; б) по сравнению с чем-л.; 3) оттёнок;
2. *v* [kən'træst] 1) противополагать; 2) сопоставлять; 3) контрастировать; these two colours ~ very well эти два цвета дают прекрасный контраст.

**contravene** [,kɔntrə'viːn] *v* 1) нарушать, преступать (*закон и т. п.*); 2) противоречить (*правилу, закону и т. п.*); идти вразрез (*с чем-л.*); 3) оспаривать, возражать.

**contravention** [,kɔntrə'venʃən] *n* нарушение (*закона и т. п.*).

**contretemps** ['kɔːntrətāːŋ] *фр. n* непредвиденное осложнение, несчастье.

**contribute** [kən'trɪbjuːt] *v* 1) содействовать, способствовать; 2) жертвовать (*деньги*; to); 3) делать вклад (*в науку и т. п.*; to); 4) отдавать (*время*); 5) сотрудничать (*в газете, журнале*; to).

**contribution** [,kɔntrɪ'bjuːʃən] *n* 1) содействие; 2) вклад (*денежный, научный и т. п.*); 3) пожертвование; взнос; 4) статья (*для газеты, журнала*); 5) сотрудничество (*в газете и т. п.*); 6) налог; контрибуция; to lay under ~ налагать контрибуцию.

**contributor** [kən'trɪbjutə] *n* 1) содействующий; помощник; 2) жертвователь; 3) (постоянный) сотрудник газеты, журнала.

**contributory** [kən'trɪbjutərɪ] *a* 1) содействующий; способствующий; ~ negligence неосторожность пострадавшего, вызвавшая несчастный случай; 2) делающий взнос, пожертвование; 3) сотрудничающий.

**contrite** ['kɔntraɪt] *a* сокрушающийся, кающийся.

**contritely** ['kɔntraɪtlɪ] *adv* покаянно, с раскаянием; с сокрушением.

**contrition** [kən'trɪʃən] *n* раскаяние.

**contrivance** [kən'traɪvəns] *n* 1) изобретательность; 2) выдумка, затея; план; 3) изобретение; 4) приспособление (*механическое*).

**contrive** [kən'traɪv] *v* 1) придумывать;

изобретать; 2) затевать; замышлять; 3) ухитряться, умудряться; 4) справляться; устраивать свои дела; ◇ to cut and ~ ухитряться сводить концы с концами.

**contriver** [kən'traɪvə] *n* 1) изобретатель; 2): good ~ хороший, экономный хозяин.

**control** [kən'troul] 1. *n* 1) управление, руководство; 2) власть; 3) надзор; контроль, проверка; регулирование; social ~ общественный контроль; to be in ~, to have ~ over управлять, контролировать; to be beyond (*или* out of) ~ выйти из подчинения; to bring under ~ подчинить; ~ of epidemics борьба с эпидемическими заболеваниями; 4) сдержанность, самообладание; 5) регулировка; 6) *радио* модуляция; 7) *pl тех.* рычаги управления; 8) (*обыкн. pl*) *радио* ручки настройки радиоприёмника; 9) участок пути, на котором транспорт должен соблюдать определённую скорость; 10) *attr.* контрольный; а ~ experiment контрольный опыт;
2. *v* 1) управлять, распоряжаться; 2) контролировать; регулировать; проверять; 3) *тех.* настраивать; 4) обусловливать; нормировать (*потребление*); 5) сдерживать (*чувства, слёзы*); ~ oneself сдерживаться, сохранять самообладание.

**control-gear** [kən'troulgɪə] *n тех.* рычаг перемены скоростей; выключающий *или* включающий механизм.

**controllable** [kən'trouləbl] *a* 1) управляемый, регулируемый; 2) поддающийся проверке, контролю; 3) поддающийся обузданию.

**controller** [kən'troulə] *n* 1) контролёр; ревизор; инспектор; 2) *тех.* контроллер; регулятор.

**controversial** [,kɔntrə'vəːʃəl] *a* 1) спорный, дискуссионный; 2) любящий полемику.

**controversialist** [,kɔntrə'vəːʃəlɪst] *n* спорщик; полемист.

**controversy** ['kɔntrəvəːsɪ] *n* 1) спор, дискуссия, полемика; without ~, beyond ~ неоспоримо, бесспорно; 2) спор, ссора.

**controvert** ['kɔntrəvəːt] *v* 1) оспаривать, полемизировать; 2) возражать, отрицать.

**contumacious** [,kɔntjuː'meɪʃəs] *a* 1) непокорный, неподчиняющийся; 2) упорный, упрямый; 3) *юр.* не являющийся на вызов суда *или* не подчиняющийся распоряжению суда.

**contumacy** ['kɔntjuməsɪ] *n* 1) неповиновение, неподчинение; 2) упорство; упрямство; 3) *юр.* неявка в суд; неподчинение постановлению суда.

**contumelious** [,kɔntjuː'miːljəs] *a* оскорбительный; дерзкий.

**contumely** ['kɔntjuːmlɪ] *n* 1) оскорбление; дерзость; 2) бесчестье.

**contuse** [kən'tjuːz] *v* 1) контузить; 2) тереть, растирать; толочь.

**contusion** [kən'tjuːʒən] *n* 1) ушиб, контузия; 2) толчение; растирание.

**conundrum** [kə'nʌndrəm] *n* загадка; головоломка.

**convalesce** [,kɔnvə'les] *v* выздоравливать.

**convalescence** [ˌkɔnvə'lesns] *n* выздорáвливание; выздоровлéние.

**convalescent** [ˌkɔnvə'lesnt] 1. *n* выздорáвливающий;
2. *a* выздорáвливающий, поправляющийся.

**convection** [kən'vekʃən] *n физ.* конвéкция.

**convenances** ['kɔ̃:ŋvɪnɑ̃:nsɪz] *фр. n pl* приличия; благопристóйность, благоприличие.

**convene** [kən'vi:n] *v* 1) созывáть *(собрáние, съезд)*; 2) вызывáть *(в суд)*; 3) собирáть (ся).

**convener** [kən'vi:nə] *n* член *(комитéта, комиссии)*, котóрому порýчено созывáть собрáния.

**convenience** [kən'vi:njəns] *n* 1) удóбство; at your ~ как *или* когдá вам бýдет удóбно; to await *(или* to suit) smb.'s ~ считáться с чьи́ми-л. удóбствами; for ~' sake для удóбства; 2) *pl* комфóрт, удóбства; a house with modern ~s дом со всéми (совремéнными) удóбствами; 3) убóрная; 4) пригóдность; 5) вы́года; for the ~ of... в интерéсах...; to make a ~ of smb. беззастéнчиво испóльзовать когó-л. в свои́х интерéсах; злоупотреблять чьим-л. влиянием, дрýжбой; marriage of ~ брак по расчёту.

**convenient** [kən'vi:njənt] *a* удóбный, подходящий; пригóдный.

**convent** ['kɔnvənt] *n* монасты́рь *(преим. жéнский)*.

**conventicle** [kən'ventɪkl] *n пренебр., ритор.* 1) сектáнтская молéльня *(в Áнглии)*; 2) *ист.* тáйное собрáние *или* молéние англи́йских пуритáн *(при Кáрле II и Иáкове II)*.

**convention** [kən'venʃən] *n* 1) собрáние, съезд; *ист.* конвéнт; 2) договóр, соглашéние, конвéнция; 3) óбщее соглáсие; 4) обы́чай; 5) услóвность.

**conventional** [kən'venʃənl] *a* 1) обуслóвленный; договорённый; ~ tariff конвенциóнные пóшлины; 2) услóвный; ~ sign услóвный знак; 3) обы́чный, общепри́нятый; традициóнный; 4) *воен.* обы́чный *(о вооружéнии—в отличие от áтомного)*; ~ weapons обы́чные ви́ды орýжия; ~ bombs бóмбы обы́чного ти́па; ~ attack *(или* aggression) нападéние с пóмощью обы́чных срéдств вооружéния; 5) *тех.* стандáртный; удовлетворяющий техни́ческим услóвиям.

**conventionalism** [kən'venʃnəlɪzəm] *n* услóвность; рути́нность.

**conventionality** [kənˌvenʃə'nælɪtɪ] *n* 1) услóвность; 2) (the conventionalities) *pl* услóвности, при́нятые в óбществе.

**conventionalize** [kən'venʃnəlaɪz] *v* 1) дéлать услóвным; 2) *иск.* изображáть услóвно, в традициóнном сти́ле.

**conventual** [kən'ventjuəl] 1. *a* монасты́рский;
2. *n* монáх; монáхиня.

**converge** [kən'və:dʒ] *v* 1) сходи́ться *(о ли́ниях, дорóгах)*; 2) своди́ть в однý тóчку; 3) *мат.* приближáться *(к предéлу)*.

**convergence** [kən'və:dʒəns] *n* 1) схождéние в однóй тóчке; 2) *мат.* сходи́мость *(бесконéчного ряда)*, конвергéнция; 3) *биол., мед.* конвергéнция.

**convergent** [kən'və:dʒənt] *a* сходя́щийся в однóй тóчке; ~ angle *мат.* ýгол конвергéнции.

**converging** [kən'və:dʒɪŋ] 1. *pres. p. от* converge;
2. *a* сходя́щийся; сосредотóченный; дви́гающийся по сходя́щимся направлéниям; ~ fire *воен.* сосредотóченный огóнь;
3. *n воен.* концентри́ческое наступлéние.

**conversable** [kən'və:səbl] *a* 1) общи́тельный; разговóрчивый; 2) интерéсный как собесéдник.

**conversance** [kən'və:səns] *n* осведомлённость (with).

**conversant** [kən'və:sənt] *a* 1) хорошó знакóмый; ~ with a subject (with a person) знакóмый с предмéтом (с человéком); 2) свéдущий; 3) относя́щийся к чемý-л.

**conversation** [ˌkɔnvə'seɪʃən] *n* 1) разговóр, бесéда; to make ~ вести́ пустóй разговóр; 2) *pl* переговóры; 3) *жив.* жáнровая карти́на *(тж.* ~ piece); ◇ criminal ~ *юр.* прелюбодéяние.

**conversational** [ˌkɔnvə'seɪʃənl] *a* 1) разговóрный; 2) разговóрчивый.

**conversationalist** [ˌkɔnvə'seɪʃnəlɪst] *n* 1) мáстер поговори́ть; 2) интерéсный собесéдник.

**conversazione** ['kɔnvəˌsætsɪ'ounɪ] *ит. n (pl* -ni) вéчер, устрáиваемый научным, литератýрным *или* артисти́ческим óбществом.

**conversazioni** ['kɔnvəˌsætsɪ'ounɪ:] *pl от* conversazione.

**converse** I 1. *v* [kən'və:s] 1) разговáривать, бесéдовать; 2) общáться, поддéрживать отношéния *(с кем-л.)*;
2. *n* ['kɔnvə:s] *уст.* 1) разговóр, бесéда; 2) общéние.

**converse** II ['kɔnvə:s] 1. *n* 1) обрáтное утверждéние, положéние *или* отношéние; 2) *мат.* обрáтная теорéма;
2. *a* обрáтный; перевёрнутый.

**conversely** ['kɔnvə:slɪ] *adv* обрáтно; наоборóт.

**conversion** [kən'və:ʃən] *n* 1) превращéние (to, into); перехóд *(из одногó состояния в другóе)*; изменéние; ~ of a solid into a liquid превращéние твёрдой мáссы в жи́дкую; 2) *метал.* передéл чугунá в сталь; 3) обращéние *(в какýю-л. вéру)*; перехóд *(в другýю вéру)*; 4) перемéна фрóнта *(перехóд из однóй пáртии в другýю и т. п.)*; 5) *юр.* присвоéние, обращéние в свою́ пóльзу *(об имýществе)*; 6) *лингв.* конвéрсия; 7) *фин.* конвéрсия; 8) перевóд *(одни́х едини́ц в другие)*; пересчёт; 9) *мат.* превращéние *(простóй дрóби в десяти́чную)*; 10) *тех.* превращéние, перерабóтка; трансформи́рование.

**convert** 1. *n* ['kɔnvə:t] 1) *рел.* новообращённый; 2) перешéдший в другóй пáртии;
2. *v* [kən'və:t] 1) превращáть; передéлывать; 2) обращáть *(на путь и́стины, в другýю вéру и т. п.)*; 3) *юр.* присвáивать, обращáть в свою́ пóльзу *(имýщество)*; 4) *фин.* конверти́ровать.

**converter** [kən'və:tə] *n* 1) *эл.* конвéртер, преобразовáтель тóка; *уст.* трансформáтор;

2) *тех.* конвéртер, ретóрта; 3) *амер.* шифровáльный прибóр.

**convertibility** [kən‿vəːtə'bılıtı] *n* 1) обратúмость, изменя́емость; 2) *фин.* обратúмость, свобóдный междунарóдный обмéн валю́ты.

**convertible** [kən'vəːtəbl] **1.** *a* 1) обратúмый, изменя́емый; заменúмый; heat is ~ into electricity теплотá мóжет быть превращенá в электрúчество; ~ terms синонúмы; ~ husbandry севооборóт; 2) откиднóй; 3) *фин.* обратúмый, конвертúруемый; ◇ ~ tank колéсно-гу́сеничный танк;
**2.** *n* автомобúль с откидны́м вéрхом.

**converting** [kən'vəːtıŋ] **1.** *pres. p. от* convert 2;
**2.** *n* 1) преобразовáние; превращéние; обращéние; 2) *метал.* бессемеровáние.

**convertiplane** [kən'vəːtəpleın] *n* модéль самолёта, котóрый мóжет функционúровать и как вертолёт.

**convex** ['kɔn'veks] *a* вы́пуклый; вы́гнутый.

**convexity** [kɔn'veksıtı] *n* вы́пуклость; вы́гнутость.

**convexo-concave** [kɔn veksou'kɔnkeıv] *a* вы́пукло-вóгнутый.

**convexo-convex** [kɔn'veksou'kɔnveks] *a* двояковы́пуклый.

**convey** [kən'veı] *v* 1) перевозúть, переправля́ть (*пассажиров, товары*); транспортúровать; 2) передавáть (*запах, звук, энергию*); 3) сообщáть (*известия*); 4) выражáть (*идею и т. п.*); it does not ~ anything to my mind э́то мне ничегó не говорúт; 5) *юр.* передавáть (*имущество или право на владение имуществом*).

**conveyance** [kən'veıəns] *n* 1) перевóзка; достáвка; 2) перевóзочные срéдства; наёмный экипáж; 3) сообщéние (*идей и т. п.*); 4) *юр.* передáча (*имущества*); 5) *юр.* докумéнт (*о передаче имущества*); 6) *горн.* транспортёр, конвéйер.

**conveyancer** [kən'veıənsə] *n юр.* нотáриус, веду́щий делá по передáче иму́щества.

**conveyancing** [kən'veıənsıŋ] *n юр.* составлéние нотариáльных áктов о передáче иму́щества.

**conveyer** [kən'veıə] *n тех.* 1) конвéйер; транспортёр; 2) *attr.*: ~ screw бесконéчный винт, винтовóй транспортёр, шнек.

**convict 1.** *n* ['kɔnvıkt] осуждённый, заключённый; кáторжник;
**2.** *v* [kən'vıkt] 1) *юр.* признавáть винóвным; выносúть приговóр; 2) привестú к сознáнию (*прсступка, вины и т. п.*).

**conviction** [kən'vık∫ən] *n* 1) *юр.* осуждéние, признáние винóвным; summary ~ приговóр, вы́несенный без учáстия присяжных; 2) убеждéние; to carry ~ убеждáть, быть убедúтельным; 3) увéренность, убеждённость (of—в; that); 4) *церк.* сознáние грехóвности.

**convince** [kən'vıns] *v* 1) убеждáть, уверя́ть; 2) доводúть до сознáния (*ошибку, проступок и т. п.*).

**convinced** [kən'vınst] **1.** *p. p. от* convince;
**2.** *a* убеждённый (of—в).

**convincing** [kən'vınsıŋ] **1.** *pres. p. от* convince.
**2.** *a* убедúтельный.

**convivial** [kən'vıvıəl] *a* 1) прáздничный; пúршественный; 2) весёлый; 3) общúтельный, компанéйский.

**conviviality** [kən,vıvı'ælıtı] *n* весёлость; прáздничное настроéние *и пр.* [*см.* convivial].

**convocation** [,kɔnvə'keı∫ən] *n* 1) созы́в; 2) собрáние; 3) (C.) совéт (*Оксфордского университета*); 4) *церк.* собóр.

**convoke** [kən'vouk] *v* собирáть, созывáть (*парламент, собрание*).

**convolute** ['kɔnvəluːt] *a бот.* свёрнутый, свитóй.

**convoluted** ['kɔnvəluːtıd] *a* 1) свёрнутый спирáлью; имéющий извúлины; 2) завúтый, изóгнутый (*о бараньих рогах и т. п.*).

**convolution** [,kɔnvə'luː∫ən] *n* 1) свёрнутость, изóгнутость; 2) оборóт (*спирали*); витóк; 3) извúлина (*мозговая*).

**convolve** [kən'vɔlv] *v* свёртывать(ся); скру́чивать(ся); сплетáть(ся).

**convolvulus** [kən'vɔlvjuləs] *лат. n бот.* вьюнóк.

**convoy** ['kɔnvɔı] **1.** *n* 1) сопровождéние; 2) *воен.* конвóй, трáнспортная колóнна с конвóем; *мор.* конвóй (*караван судов с конвоирами*); 3) погребáльная процéссия; 4) *attr.* сопровождáющий; конвóйный.
**2.** *v* сопровождáть; конвоúровать.

**convulse** [kən'vʌls] *v* 1) потрясáть; the ground was ~d земля́ дрожáла; 2) (*обыкн. pass.*) вызывáть су́дороги, конву́льсии; to be ~d кóрчиться в конву́льсиях; 3) (*обыкн. pass.*) застáвить дрожáть (*от смеха, горя и т. п.*); 4) волновáть.

**convulsion** [kən'vʌl∫ən] *n* 1) колебáние (*почвы*); ~ of nature землетрясéние; извержéние вулкáна *и т. п.*; 2) (*обыкн. pl*) су́дорога, конву́льсия; he went into ~s с ним сдéлался припáдок; 3) *pl* су́дорожный смех; 4) потрясéние (*тж. общественное*).

**convulsive** [kən'vʌlsıv] *a* су́дорожный, конвульсúвный.

**cony** ['kounı] *n* 1) крóлик; 2) крáшеная крóличья шку́рка (*промышленное названи*).

**coo** [kuː] **1.** *n* воркованье;
**2.** *v* воркóвать; говорúть воркóющим гóлосом.

**cook** [kuk] **1.** *n* кухáрка, пóвар; *мор.* кок; ◇ too many ~s spoil the broth *посл.* ⇔ у семú ня́нек дитя́ без глáзу;
**2.** *v* 1) стря́пать, приготовля́ть пúщу; жáрить(ся); варúть(ся); 2) жáриться на сóлнце; 3) поддéлывать, фабриковáть (*документ*); состря́пать («*историю*»), придýмать (*что-л. в извинение*); to ~ smb.'s goose расправиться с кем-л.; погубúть когó-л.; to ~ one's (own) goose погубúть себя́.

**cookbook** ['kuk,buk] *амер.* = cookery-book.

**cooker** ['kukə] *n* 1) плитá, печь; 2) *воен.* полевáя печь; похóдная ку́хня; 3) кастрю́ля; 4) сорт фру́ктов, гóдный для вáрки;

5) **тот, кто** подде́лывает, сочиня́ет *и т. п.* [*см.* cook 2,3)].

**cookery** ['kukərı] *n* кулина́рия; стряпня́.

**cookery-book** ['kukərıbuk] *n* пова́ренная кни́га.

**cook-galley** ['kuk'gælı] *n мор.* ка́мбуз.

**cook-general** ['kuk'dʒenərəl] *n* прислу́га, выполня́ющая обя́занности куха́рки и го́рничной.

**cook-house** ['kukhaus] *n* похо́дная *или* судова́я ку́хня; надво́рная ку́хня.

**cook-housemaid** ['kuk'hausmeid] = cook--general.

**cookie** ['kukı] *n шотл.*, *амер.* дома́шнее пече́нье.

**cook-room** ['kukrum] *n* ку́хня; *мор.* ка́мбуз.

**cook-shop** ['kukʃɔp] *n* столо́вая; харче́вня.

**cook-table** ['kuk,teibl] *n* ку́хонный стол.

**cooky** ['kukı] *n* 1) = cookie; 2) куха́рка.

**cool** [ku:l] **1.** *a* 1) прохла́дный, све́жий; нежа́ркий; to get ~ стать прохла́дным; осты́ть; 2) споко́йный, невозмути́мый; хладнокро́вный; to keep ~ сохраня́ть споко́йствие, хладнокро́вие; 3) равноду́шный, безуча́стный; сухо́й, нела́сковый, неприве́тливый; 4) де́рзкий, беззасте́нчивый, наха́льный; a ~ hand (*или* customer, fish) беззасте́нчивый челове́к; ~ cheek наха́льство; 5) *разг.* кру́глый (*о сумме*); a ~ thousand dollars кру́гленькая су́мма в ты́сячу до́лларов; a ~ twenty kilometres до́брых два́дцать киломе́тров; **2.** *n* 1) прохла́да; 2) хладнокро́вие; **3.** *v* охлажда́ть(ся); остыва́ть (*часто* ~ down).

**coolant** ['ku:lənt] *n* охлажда́ющая жи́дкость, среда́.

**cooler** ['ku:lə] *n* 1) холоди́льник; 2) ведёрко для охлажде́ния буты́лки вина́; 3) бачо́к с водо́й; 4) *воен. sl.* гауптва́хта; 5) *sl.* ареста́нтская ка́мера; тюрьма́; «холо́дная»; 6) *тех.* гради́рня.

**cool-headed** ['ku:l'hedid] *a* хладнокро́вный, споко́йный.

**coolie** ['ku:lı] *n* ку́ли (*рабочий и носильщик в Индии, Японии и некоторых других странах Азии*).

**cooling** ['ku:lıŋ] **1.** *pres. p. om* cool 3; **2.** *n* охлажде́ние.

**coolness** ['ku:lnıs] *n* 1) прохла́да; ощуще́ние холодка́; 2) хладнокро́вие; споко́йствие; 3) холодо́к (*в тоне и т. п.*); охлажде́ние (*в отношениях*).

**coom** [ku:m] *n разг.* у́гольная пыль.

**coomb** [ku:m] *n* ложби́на, овра́г; у́зкая доли́на, уще́лье.

**coon** [ku:n] *n* 1) (*сокр. от* racoon) ено́т; 2) *разг.* хи́трый па́рень (*тж.* an old ~); a gone ~ пропа́щий челове́к; 3) *разг.* негр.

**co-op** [kou'ɔp] *n* (*сокр. от* co-operative) кооперати́вный магази́н, кооперати́вное о́бщество; on the ~ на кооперати́вных нача́лах.

**coop** [ku:p] **1.** *n* 1) куря́тник; кле́тка для пти́цы; 2) ве́рша; **2.** *v* сажа́ть в куря́тник, в кле́тку; □ ~ in, ~ up а) держа́ть взаперти́; б) (*обыкн. p. p.*) набива́ть битко́м.

**cooper** ['ku:pə] **1.** *n* 1) бо́ндарь, боча́р; 2) спиртно́й напи́ток; **2.** *v* бонда́рить.

**cooperage** ['ku:pərıdʒ] *n* 1) бонда́рное ремесло́; 2) бонда́рня.

**co-operate** [kou'ɔpəreit] *v* 1) сотру́дничать; 2) соде́йствовать; спосо́бствовать; 3) коопери́роваться; объединя́ться; 4) *воен.* взаимоде́йствовать (with, in, for).

**co-operation** [kou,ɔpə'reiʃən] *n* 1) сотру́дничество; совме́стные де́йствия; 2) коопера́ция; 3) *воен.* взаимоде́йствие.

**co-operative** [kou'ɔpərətiv] **1.** *a* 1) совме́стный, объединённый, согласо́ванно де́йствующий; in a ~ spirit в ду́хе сотру́дничества; 2) кооперати́вный; **2.** *n* кооперати́в (*тж.* ~ shop).

**co-operator** [kou'ɔpəreitə] *n* 1) сотру́дник; 2) коопера́тор.

**co-opt** [kou'ɔpt] *v* коопти́ровать.

**co-optation** [,kouɔp'teiʃən] *n* коопта́ция.

**co-ordinate 1.** *a* [kou'ɔ:dnit] 1) одного́ разря́да, той же сте́пени, ра́вный; 2) одного́ ра́нга, не подчинённый; 3) *грам.* сочинённый (*о предложении*); ~ conjunction сочини́тельный сою́з; **2.** *n* [kou'ɔ:dnit] 1) что-л. координи́рованное; 2) *pl мат.* координа́ты; о́си координа́т; **3.** *v* [kou'ɔ:dineit] координи́ровать, устана́вливать пра́вильное соотноше́ние; согласо́вывать.

**co-ordination** [kou,ɔ:di'neiʃən] *n* 1) координа́ция; согласова́ние; 2) *грам.* сочине́ние.

**coot** [ku:t] *n* 1) лысу́ха (*птица*); 2) *разг.* проста́к; ◇ bald as a ~ лы́сый, плеши́вый.

**cootie** ['ku:tı] *n воен. sl.* вошь.

**cop I** [kɔp] *разг.* **1.** *n* 1) полице́йский; полисме́н, «фарао́н»; 2) по́ймка; a fair ~ по́ймка на ме́сте преступле́ния; **2.** *v* пойма́ть, заста́ть (at — на *ме́сте преступле́ния*); to ~ it *sl.* а) пойма́ть, сца́пать; б) попа́сться, попа́сть в беду́; you will ~ it тебе́ попадёт; в) уме́реть.

**cop II** [kɔp] *n* 1) верху́шка (*чего-л.*); 2) хохоло́к (*птицы*); 3) *текст.* поча́ток.

**copaiba** [kɔ'paibə] *n* копа́йский бальза́м.

**copal** ['koupəl] *n* копа́л; копа́ловая каме́дь.

**coparcenary** ['kou'pa:sinərı] *n юр.* совме́стное насле́дование; неразделённое насле́дство.

**coparcener** ['kou'pa:sinə] *n юр.* сонасле́дник.

**copartner** ['kou'pa:tnə] *n* член това́рищества; уча́стник в при́былях.

**copartnership** ['kou'pa:tnəʃip] *n* 1) сотова́рищество; 2) уча́стие в при́былях (*предприятия*).

**cope I** [koup] *v* спра́виться; совлада́ть (with).

**cope II** [koup] **1.** *n* 1) *церк.* ри́за; 2): the ~ of heaven небе́сный свод; the ~ of night покро́в но́чи; 2) небольшо́й до́мик; бу́дка; каби́на; 4) *тех.* колпа́к, кожу́х, кры́шка лите́йной фо́рмы;

**2.** *v* 1) крыть, покрыва́ть; 2) обхва́тывать; 3) покупа́ть, обме́нивать.

**copeck** ['koupek] *рус. n* копе́йка.

**coper I** ['koupə] *n* торго́вец лошадьми́, ко́нский бары́шник.

**coper II** ['koupə] *n* су́дно, та́йно снабжа́ющее рыбако́в спиртны́ми напи́тками в откры́том мо́ре.

**cope-stone** ['koupstoun] = coping-stone.

**co-pilot** ['kou'pailət] *n ав.* второ́й пило́т.

**coping I** ['koupiŋ] *pres. p. от* cope I.

**coping II** ['koupiŋ] 1. *pres. p. от* cope II, 2;

**2.** *n* 1) *стр.* перекрыва́ющий ряд кла́дки стены́; парапе́тная плита́; 2) гре́бень плоти́ны.

**coping-stone** ['koupiŋstoun] *n* 1) карни́зный ка́мень; лещадна́я плита́; 2) заверше́ние; после́днее сло́во (*нау́ки и т. п.*); it was the ~ of his misfortunes э́то бы́ло для него́ после́дним уда́ром.

**copious** ['koupjəs] *a* оби́льный; ~ writer плодови́тый писа́тель; ~ vocabulary бога́тый слова́рный запа́с.

**copper I** ['kɔpə] 1. *n* 1) медь; 2) ме́дная *или* бро́нзовая моне́та; 3) ме́дный котёл; 4) *pl* а́кции медеразраба́тывающего предприя́тия; 5) пая́льник; ◇ hot ~s су́хость го́рла с похме́лья; to cool the hot ~s опохмели́ться;

**2.** *a* ме́дный;

**3.** *v* покрыва́ть ме́дью.

**copper II** ['kɔpə] *n разг.* полице́йский, полисме́н.

**copperas** ['kɔpərəs] *n* (желе́зный) купоро́с.

**copper-bottomed** ['kɔpə'bɔtəmd] *a* 1) *мор.* обши́тый ме́дью (*о дне корабля́*); 2) кре́пкий, надёжный.

**copper-butterfly** ['kɔpə'bʌtəflai] *n* голубя́нка, а́ргус (*бабочка*).

**copperhead** ['kɔpəhed] *n* 1) щитомо́рдник (*змея́*); 2) (C.) та́йный сторо́нник южа́н (*среди́ северя́н в эпо́ху америка́нской гражда́нской войны́ 1861—65 гг.*).

**copperplate** ['kɔpəpleit] 1. *n* 1) ме́дная гравирова́льная доска́; 2) о́ттиск с неё; ◇ to write like a ~ писа́ть каллиграфи́чески;

**2.** *a* каллиграфи́ческий (*о по́черке*).

**copper-smith** ['kɔpəsmiθ] *n* ме́дник; коте́льщик.

**coppery** ['kɔpəri] *a* цве́та ме́ди.

**coppice** ['kɔpis] *n* 1) ро́щица; подле́сок; 2) лесно́й уча́сток (*для периоди́ческой вы́рубки*).

**copra** ['kɔprə] *n* ко́пра, сушёное ядро́ коко́сового оре́ха.

**copse** [kɔps] = coppice.

**Copt** [kɔpt] *n* копт.

**copter, 'copter** ['kɔptə] *сокр. от* helicopter.

**Coptic** ['kɔptik] 1. *a* ко́птский;

**2.** *n* ко́птский язы́к.

**copula** ['kɔpjulə] *n грам., анат.* свя́зка.

**copulate** ['kɔpjuleit] *v биол.* спа́риваться.

**copulation** [,kɔpju'leiʃən] *n биол.* 1) копуля́ция; 2) спа́ривание; слу́чка.

**copulative** ['kɔpjulətiv] 1. *a* 1) *биол.* детеро́дный; 2) *грам.* соедини́тельный;

**2.** *n грам.* соедини́тельный сою́з.

**copy** ['kɔpi] 1. *n* 1) экземпля́р; advance ~ сигна́льный экземпля́р; 2) ру́копись; fair~, clean ~ перепи́санная на́чисто ру́копись; rough~, foul ~ чернови́к, оригина́л; 3) ко́пия; 4) репроду́кция; 5) материа́л для статьи́, кни́ги; this makes good ~ э́то хоро́ший материа́л (*для печа́ти*); 6) образе́ц; 7) *ист. юр.* ко́пия протоко́ла манориа́льного (поме́стного) суда́, формули́рующего усло́вия аре́нды земе́льного уча́стка;

**2.** *v* 1) снима́ть ко́пию; копи́ровать; воспроизводи́ть; де́лать по шабло́ну; 2) спи́сывать; перепи́сывать; 3) подража́ть, брать за образе́ц.

**copy-book** ['kɔpibuk] *n* 1) тетра́дь; тетра́дь с про́писями; 2) тетра́дь *или* па́пка, содержа́щая ко́пии пи́сем *или* други́х докуме́нтов; ◇ ~ maxims прописны́е и́стины; ~ morality ходя́чая мора́ль.

**copyhold** ['kɔpihould] *n ист.* 1) аре́ндные права́; 2) аре́ндная земля́, копиго́льд.

**copyholder** ['kɔpihouldə] *n ист.* 1) насле́дственный *или* пожи́зненный аренда́тор поме́щичьей земли́, копиго́льдер; 2) корре́ктор-подчи́тчик; 3) *полигр.* тена́кль.

**copying pencil** ['kɔpiŋ'pensil] *n* хими́ческий каранда́ш.

**copyist** ['kɔpiist] *n* 1) перепи́счик; 2) копиро́вщик; 3) имита́тор, подража́тель.

**copy-reader** ['kɔpi,ri:də] *n амер.* 1) = copyholder 2); 2) помо́щник реда́ктора (*газе́ты*).

**copyright** ['kɔpirait] 1. *n* а́вторское пра́во; ~ reserved а́вторское пра́во сохранено́;

**2.** *a predic.* охраня́емый а́вторским пра́вом; this book is ~ на э́ту кни́гу распространя́ется а́вторское пра́во;

**3.** *v* обеспе́чивать а́вторское пра́во.

**coquet** [kou'ket] *фр. v* коке́тничать.

**coquetry** ['koukitri] *фр. n* коке́тство.

**coquette** [kou'ket] *фр. n* коке́тка.

**cor-** [kɔ:-] *см.* com-.

**coracle** ['kɔrəkl] *n* рыба́чья ло́дка, сплетённая из ивняка́ и обтя́нутая ко́жей *или* брезе́нтом (*в Ирла́ндии и Уэ́льсе*).

**coral** ['kɔrəl] 1. *n* кора́лл;

**2.** *a* 1) кора́лловый; 2) кора́ллового цве́та.

**coral-island** ['kɔrəl'ailənd] *n* кора́лловый о́стров.

**coralline** ['kɔrəlain] 1. *n* кора́лловый мох;

**2.** *a* кора́лловый.

**coral-reef** ['kɔrəlri:f] *n* кора́лловый риф.

**corbel** ['kɔ:bəl] 1. *n* 1) *архит.* поясо́к; вы́ступ; ни́ша; 2) *тех.* кронште́йн; консо́льная фе́рма;

**2.** *v тех.* расположи́ть на кронште́йне; подде́рживать кронште́йном.

**corbie** ['kɔ:bi] *n шотл.* во́рон.

**corbie-steps** ['kɔ:bisteps] *n pl архит.* ступе́нчатый фронто́н.

**cord** [kɔ:d] 1. *n* 1) верёвка, шнур(о́к); 2) то́лстая струна́; 3) *анат.* свя́зка; vocal

~s гслосовы́е свя́зки; spinal ~ спинно́й мозг; 4) ру́бчик (*на материи*); 5) *pl* брю́ки из ру́бчатого плиса [*см. тж.* corduroy 1, 2)]; 6) корд (*мера дров = 128 куб. фут. или 3,63 м³*);

2. *v* 1) свя́зывать верёвкой (*часто ~* up); 2) гоня́ть на ко́рде (*лошадь*).

**cordage** ['kɔːdɪdʒ] *n* верёвки; сна́сти, такела́ж.

**cordate** ['kɔːdeɪt] *a бот.* сердцеви́дный.

**corded** ['kɔːdɪd] 1. *p. p. от* cord 2;

2. *a* 1) перевя́занный верёвкой; 2) ру́бчатый (*о материи*).

**cordelier** [,kɔːdɪ'lɪə] *n* 1) кордельё́р (*монах-франциска́нец*); 2) кордельё́р (*член клуба «Друзей прав человека и гражданина» эпохи Французской буржуазной революции 1789 г.*); 3) маши́на для произво́дства кана́тов.

**cordial** ['kɔːdjəl] 1. *a* серде́чный; и́скренний; раду́шный, тёплый (*о приёме*); ~ dislike си́льное нерасположе́ние;

2. *n* (стимули́рующее) серде́чное сре́дство; кре́пкий (стимули́рующий) напи́ток.

**cordiality** [,kɔːdɪ'ælɪtɪ] *n* серде́чность, раду́шие.

**cordially** ['kɔːdjəlɪ] *adv* 1) серде́чно; 2) *амер.* с соверше́нным почте́нием (*форма заключе́ния письма́*).

**cordite** ['kɔːdaɪt] *n* корди́т (*бездымный нитроглицериновый порох*).

**cordoba** ['kɔːdəbɑː] *n* кордо́ба (*денежная единица Никарагуа*).

**cordon** ['kɔːdn] *n* 1) кордо́н; 2) о́рденская ле́нта (*преим. иностранная*); 3) *архит.* кордо́н (*верхний край цоколя*).

**cordon bleu** [,kɔː,dɔ̃'blɜː] *фр. n* 1) ва́жная персо́на; 2) *шутл.* первокла́ссный по́вар.

**cordovan** ['kɔːdəvən] *n* 1) дублёная козли́ная или ко́нская ко́жа (*тж.* ~ leather); 2) (С.) жи́тель г. Ко́рдовы.

**corduroy** ['kɔːdərɔɪ] 1. *n* 1) ру́бчатый плис; вельве́т; 2) *pl* пли́совые или вельве́товые штаны́; коро́ткие, застёгивающиеся на пу́говицах ни́же коле́н штаны́, бри́джи; 3) бреве́нчатая мостова́я или доро́га (*тж.* ~ road);

2. *v* стро́ить бреве́нчатую мостову́ю или доро́гу.

**cordwainer** ['kɔːdweɪnə] *n уст.* сапо́жник.

**core** [kɔː] 1. *n* 1) сердцеви́на; вну́тренность; ядро́; to the ~ наскво́зь; 2) центр, се́рдце (*чего-л.*); 3) суть; the very ~ of the subject са́мая суть де́ла; 4) *тех.* серде́чник; сте́ржень; ши́шка (формо́вочная); 5) *эл.* жи́ла ка́беля.

2. *v* выреза́ть сердцеви́ну.

**cored** [kɔːd] 1. *p. p. от* core 2;

2. *a* по́лый.

**co-religionist** [kourɪ'lɪdʒənɪst] *n* испове́дующий ту же ве́ру.

**coreopsis** [,kɔːrɪ'ɔpsɪs] *n бот.* корео́псис.

**co-respondent** ['kourɪs,pɔndənt] *n юр.* соотве́тчик (*в бракоразводном процессе*).

**corf** [kɔːf] *n* 1) садо́к; корзи́на (*для живо́й рыбы*); 2) *уст.* рудни́чная вагоне́тка.

**coriaceous** [,kɔrɪ'eɪʃəs] *a* ко́жистый; твёр-дый, как ко́жа.

**Corinthian** [kə'rɪnθɪən] 1. *a* кори́нфский; ~ order *архит.* кори́нфский о́рдер;

2. *n* 1) кори́нфянин; 2) *уст.* све́тский челове́к; бога́тый спортсме́н; кути́ла.

**cork** [kɔːk] 1. *n* 1) про́бка; 2) кора́ про́бкового ду́ба; 3) поплаво́к; like a ~ плаву́чий, держа́щийся на воде́; *перен.* бо́дрый, жизнера́достный; 4) луб;

2. *a* про́бковый; ~ jacket, ~ vest про́бковый спаса́тельный жиле́т;

3. *v* 1) затыка́ть про́бкой; 2) ма́зать жжёной про́бкой; 3) сде́рживать(ся); зата́ивать, пря́тать (*часто* ~ up). '

**corkage** ['kɔːkɪdʒ] *n* 1) заку́порка и отку́порка буты́лок; 2) дополни́тельная опла́та за отку́порку и пода́чу принесённого с собо́й вина́ (*в гостинице и т. п.*).

**corked** [kɔːkt] 1. *p. p. от* cork 3;

2. *a* 1) заку́поренный; 2) нама́занный жжёной про́бкой; 3) отдаю́щий про́бкой (*о вине*).

**corker** ['kɔːkə] *n разг.* не́что потряса́ющее (*напр., удивительный человек, неопровержимое доказательство, наглая ложь и т. п.*).

**corking** ['kɔːkɪŋ] 1. *pres. p. от* cork 3;

2. *a разг.* потряса́ющий, замеча́тельный.

**cork-screw** ['kɔːkskruː] 1. *n* што́пор;

2. *a* спира́льный, винтообра́зный; ~ spin *ав.* спуск што́пором;

3. *v* 1) дви́гаться (как) по спира́ли; 2) проти́скиваться, пробира́ться.

**cork-tree** ['kɔːktriː] *n бот.* дуб про́бковый.

**corkwood** ['kɔːkwud] *n* 1) про́бковое де́рево; 2) *уст.* древеси́на про́бкового ду́ба.

**corky** ['kɔːkɪ] *a* 1) про́бковый; 2) *разг.* живо́й, весёлый, подвижно́й; ве́треный.

**cormorant** ['kɔːmərənt] *n* 1) *зоол.* большо́й бакла́н; 2) жа́дина; обжо́ра.

**corn I** [kɔːn] 1. *n* 1) зерно́; зёрнышко; 2) *собир.* хлеба́; *особ.* пшени́ца; 3) *амер.* кукуру́за, майс (*тж.* Indian ~); 4) *амер. разг.* кукуру́зная во́дка; 5) *attr.* зерново́й; *амер.* кукуру́зный; ~ bread *амер.* хлеб из кукуру́зы, ма́йсовый хлеб; ~ failure неурожа́й;

2. *v* 1) налива́ться зерно́м (*часто* ~ up); 2) се́ять пшени́цу (*амер.* кукуру́зу); 3) *тех.* зерни́ть, гранули́ровать.

**corn II** [kɔːn] *v* соли́ть мя́со.

**corn III** [kɔːn] *n* мозо́ль (*обыкн. на ноге*); ◇ to tread on one's ~s наступи́ть на люби́мую мозо́ль, заде́ть чьи-л. чу́вства.

**corn-chandler** ['kɔːn,tʃɑːndlə] *n* ро́зничный торго́вец хле́бом и фура́жом.

**corn-cob** ['kɔːnkɔb] *n* кочеры́жка кукуру́зного поча́тка.

**corn-cockle** ['kɔːn,kɔkl] *n бот.* ку́коль посевно́й.

**corn-crake** ['kɔːnkreɪk] *n* коросте́ль (*птица*).

**corndodger** ['kɔːn'dɔdʒə] = dodger 3).

**cornea** ['kɔːnɪə] *n анат.* рогова́я оболо́чка гла́за.

**corned I** [kɔːnd] 1. *p. p. от* corn II;

2. *a* солёный; ~ beef солони́на.

**corned II** [kɔːnd] *p. p. от* corn I, 2.

**cornel** ['kɔːnel] *n бот.* кизи́л.

**cornelian** [kɔː'niːljən] *n мин.* сердоли́к.

**corneous** ['kɔːnɪəs] *a* роговой; роговидный.

**corner** ['kɔːnə] **1.** *n* 1) угол, уголок; to cut off a ~ срезать угол, пойти напрямик; round the ~ за углом; *перен.* совсем близко, рядом; to turn the ~ завернуть за угол; *перен.* выйти из трудного положения; *перен.* благополучно перенести кризис (*болезни*); 2) кант; 3) закоулок, потайной уголок; done in a ~ сделано исподтишка, потихоньку; 4) часть, район; the four ~s of the earth четыре страны света; 5) неловкое положение; затруднение; to drive into a ~ загнать в угол, припереть к стене; 6) *эк.* скупка монополистами товара со спекулятивными целями; 7) *спорт.* корнер, свободный удар от углового флага; ◇ hole and ~ transactions тайные махинации; **2.** *v* 1) (*обыкн. р. р.*) снабжать углами; 2) загонять в угол, в тупик; припереть к стене; 3) скупать товары со спекулятивными целями; to ~ the market овладеть рынком, скупая товары.

**corner-boy** ['kɔːnəbɔɪ] *ирл.*=corner-man2).

**cornered** ['kɔːnəd] **1.** *р. р. от* corner 2; **2.** *a* 1) с углами, имеющий углы; 2) в трудном положении; припёртый к стене.

**corner-man** ['kɔːnəmən] *n* 1) исполняющий комическую роль в негритянском ансамбле; 2) уличный зевака; 3) крупный (биржевой) спекулянт [*см.* corner 2,3)].

**corner-stone** ['kɔːnəstoun] *n* 1) *архит.* угловой камень; 2) краеугольный камень.

**cornet** ['kɔːnɪt] *n* 1) *муз.* корнет-а-пистон; 2) корнетист; 3) фунтик (*из бумаги*); вафля с мороженым; 4) *воен. уст.* корнет.

**cornet-à-pistons** ['kɔːnətə'pɪstənz] *фр. n* (*pl* cornets-à-pistons) *муз.* корнет, корнет-а-пистон.

**cornets-à-pistons** ['kɔːnətsə'pɪstənz] *pl от* cornet-à-pistons.

**corn-exchange** ['kɔːnɪks'tʃeɪndʒ] *n* хлебная биржа.

**corn-field** ['kɔːnfiːld] *n* поле, нива; *амер.* кукурузное поле.

**corn-flakes** ['kɔːnfleɪks] *n pl* корнфлекс.

**corn-floor** ['kɔːn,flɔː] *n* гумно; ток.

**corn-flour** ['kɔːnflauə] *n* кукурузная, рисовая (*в Шотландии* — овсяная) мука.

**corn-flower** ['kɔːnflauə] *n* василёк (синий).

**cornice** ['kɔːnɪs] *n* 1) *архит.* карниз; свес; 2) нависшая глыба (*снега*).

**cornicle** ['kɔːnɪkl] *n* рожок (*улитки*); усик (*насекомого*).

**Cornish** ['kɔːnɪʃ] **1.** *a* корнуэльский; **2.** *n* *ист.* корнский язык.

**cornopean** [kə'noupjən] = cornet 1).

**corn-pone** ['kɔːpoun] *n* *амер.* кукурузная лепёшка.

**corn-rent** ['kɔːnrent] *n* земельная аренда, уплачиваемая зерном.

**corn-stalk** ['kɔːn,stɔːk] *n* 1) *амер.* стебель кукурузы; 2) *разг.* дылда.

**cornucopia** [,kɔːnju'koupjə] *n* рог изобилия.

**corny I** ['kɔːnɪ] *a* хлебный, зерновой; хлебородный.

**corny II** ['kɔːnɪ] *a* 1) мозолистый; 2) *разг.* жёсткий; шероховатый; 3) *амер. sl.* заскорузлый, косный.

**corolla** [kə'rɔlə] *n* *бот.* венчик.

**corollary** [kə'rɔlərɪ] *n* 1) *лог.* вывод; заключение; 2) естественное следствие, результат.

**corona** [kə'rounə] *n* 1) солнечная корона (*видимая при полном затмении*); кольцо (*вокруг луны или солнца*); 2) *архит.* венец, отливина; 3) венчик цветка; 4) *эл.* корона, свечение на проводах; 5) *анат.* коронка зуба; 6) *амер.* чепрак под вьючное седло.

**coronach** ['kɔːrənək] *n* 1) похоронная песнь, похоронная музыка (*в горной Шотландии*); 2) похоронный плач, причитания (*в Ирландии*).

**coronal 1.** *n* ['kɔːrənl] *поэт.* 1) корона, венец; 2) венок; **2.** *a* [kə'rounl] венечный; коронарный; ~ suture *анат.* венечный шов.

**coronate** ['kɔːrəneɪt] *v* короновать.

**coronation** [,kɔːrə'neɪʃən] *n* 1) коронация, коронование; 2) (успешное) завершение.

**coroner** ['kɔːrənə] *n* следователь, ведущий дела о насильственной *или* скоропостижной смерти.

**coronet** ['kɔːrənɪt] *n* 1) корона (*пэров*); 2) диадема; 3) *поэт.* венок; 4) нижняя часть бабки (*у лошади*), волосень.

**corpora** ['kɔːpərə] *pl от* corpus.

**corporal I** ['kɔːpərəl] *a* телесный; ~ defects физические недостатки.

**corporal II** ['kɔːpərəl] *n* капрал; ship's ~ капрал корабельной полиции.

**corporal III** ['kɔːpərəl] *n* *церк.* антиминс.

**corporate** ['kɔːpərɪt] *a* корпоративный; общий; ~ body корпоративная организация; ~ responsibility ответственность каждого члена корпорации; ~ town город, имеющий самоуправление.

**corporation** [,kɔːpə'reɪʃən] *n* 1) корпорация; the C., municipal ~ муниципалитет; 2) *амер.* акционерное общество; banking ~ акционерный банк; 3) *разг.* большой живот.

**corporator** ['kɔːpəreɪtə] *n* член корпорации.

**corporeal** [kɔː'pɔːrɪəl] *a* 1) телесный; 2) вещественный, материальный.

**corporeality** [kɔː,pɔːrɪ'ælɪtɪ] *n* вещественность, материальность.

**corporeity** [,kɔːpɔː'riːɪtɪ] = corporeality.

**corposant** ['kɔːpəzænt] *n* явление атмосферного электричества; *особ.* свечение на концах мачт (*так наз. огни св. Эльма*).

**corps** [kɔː] *фр. n* (*pl* corps [kɔːz]) *воен.* корпус; род войск, служба.

**corps-de-ballet** [,kɔːdə,bæ'le] *фр. n* кордебалет.

**corpse** [kɔːps] *n* труп.

**corpulence** ['kɔːpjuləns] *n* дородность, тучность.

**corpulent** ['kɔːpjulənt] *a* дородный, полный, тучный, жирный.

**corpus** ['kɔːpəs] *лат. n* (*pl* -pora) 1) свод (*законов*), кодекс; ~ juris [-'dʒuərɪs] свод законов; ~ delicti [-dɪ'lɪktaɪ] *юр.* состав преступле́ния; 2) основно́й капита́л; 3) церк. ку́рия (папская).

**Corpus Christi** ['kɔːpəs'krɪstaɪ] n церк. пра́здник те́ла Христо́ва.

**corpuscle** ['kɔːpʌsl] n 1) части́ца, те́льце; корпу́скула; red (white) ~s физиол. кра́сные (бе́лые) кровяны́е ша́рики; 2) физ. а́том; электро́н.

**corpuscular** [kɔː'pʌskjulə] a корпуску́лярный; а́томный.

**corral** [kɔː'rɑːl] 1. n 1) заго́н (для скота); 2) ла́герь, окружённый обо́зными пово́зками;
2. v 1) загоня́ть в заго́н; 2) окружа́ть ла́герь пово́зками; 3) разг. присва́ивать.

**correct** [kə'rekt] 1. a 1) пра́вильный, ве́рный, то́чный; 2) корре́ктный; ◇ the ~ card sl. a) програ́мма спорти́вного состяза́ния; б) то, что на́до;
2. v 1) исправля́ть, поправля́ть, корректи́ровать; to ~ barometer reading to sea level вноси́ть в показа́ния баро́метра попра́вку на высоту́ да́нного ме́ста; 2) де́лать замеча́ние, вы́говор; нака́зывать; 3) нейтрализова́ть (вредное влияние); 4) регули́ровать; 5) пра́вить (корректуру).

**correction** [kə'rekʃən] n 1) исправле́ние, (по)пра́вка; to speak under ~ говори́ть, допуска́я возмо́жность оши́бки; 2) наказа́ние; 3) эл. корре́кция; 4) attr.: ~ factor коэффицие́нт попра́вок, попра́вочный коэффицие́нт.

**correctional** [kə'rekʃənl] a исправи́тельный; C. Institutions исправи́тельные заведе́ния, тюрьмы.

**correctitude** [kə'rektɪtjuːd] n редк. корре́ктность.

**corrective** [kə'rektɪv] 1. a 1) исправи́тельный; 2) нейтрализу́ющий (о лекарстве);
2. n 1) корректи́в; попра́вка, измене́ние; 2) мед. нейтрализу́ющее сре́дство.

**correctly** [kə'rektlɪ] adv 1) пра́вильно, ве́рно; 2) корре́ктно, ве́жливо.

**corrector** [kə'rektə] n 1) исправля́ющий; ~ of the press корре́ктор; 2) кри́тик; 3) нака́зывающий.

**correlate** ['kɔrɪleɪt] 1. n корреля́т, соотноси́тельное поня́тие;
2. v находи́ться в свя́зи, в определённом соотноше́нии, устана́вливать соотноше́ние (to, with).

**correlation** [,kɔrɪ'leɪʃən] n связь, соотноше́ние; корреля́ция.

**correlative** [kɔ'relətɪv] 1. a 1) соотноси́тельный; 2) коррелят́ивный, па́рный;
2. n 1) корреля́т; 2) грам. коррелят́ивное сло́во; сло́во, обы́чно употребля́емое в па́ре с други́м (напр. so — as, either — or).

**correspond** [,kɔrɪs'pɔnd] v 1) соотве́тствовать (with, to); согласо́вываться; 2) быть аналоги́чным (to); 3) перепи́сываться (with).

**correspondence** [,kɔrɪs'pɔndəns] n 1) соотве́тствие; 2) соотноше́ние; анало́гия; 3) корреспонде́нция, перепи́ска; пи́сьма; 4) attr.: ~ column столбе́ц в газе́те для пи́сем в реда́кцию; ~ courses зао́чные ку́рсы.

**correspondent** [,kɔrɪs'pɔndənt] 1. n корреспонде́нт;

2. a согла́сный, в согла́сии, соотве́тственный (to, with).

**corresponding** [,kɔrɪs'pɔndɪŋ] 1. pres. p. от correspond;
2. a 1) соотве́тственный; 2) веду́щий перепи́ску.

**corresponding member** [,kɔrɪs'pɔndɪŋ'membə] n член-корреспонде́нт (академии наук и т. п.).

**corridor** ['kɔrɪdɔː] n коридо́р; ◇ ~ train по́езд, состоя́щий из ваго́нов, соединённых та́мбурами.

**corrigenda** [,kɔrɪ'dʒendə] pl от corrigendum.

**corrigendum** [,kɔrɪ'dʒendəm] лат. n (pl -da) 1) опеча́тка; 2) pl спи́сок опеча́ток.

**corrigible** ['kɔrɪdʒəbl] a исправи́мый, поправи́мый.

**corroborant** [kə'rɔbərənt] 1. a подтвержда́ющий;
2. n мед. тони́ческое, укрепля́ющее сре́дство.

**corroborate** [kə'rɔbəreɪt] v подтвержда́ть; подкрепля́ть (теорию и т. п.).

**corroborative** [kə'rɔbərətɪv] 1. a укрепля́ющий; подтвержда́ющий;
2. n мед. укрепля́ющее сре́дство.

**corroboratory** [kə'rɔbərətərɪ] = corroborative 1.

**corrode** [kə'roud] v 1) разъеда́ть (тж. перен.); вытравля́ть (кислотой); 2) ржа́веть; подверга́ться де́йствию корро́зии.

**corrodent** [kə'roudənt] 1. n разъеда́ющее вещество́;
2. a разъеда́ющий; коррози́йный.

**corrosion** [kə'rouʒən] n корро́зия; ржа́вчина; разъеда́ние; окисле́ние.

**corrosive** [kə'rousɪv] 1. a е́дкий, разъеда́ющий; коррози́йный; ~ sublimate хим. сулема́;
2. n е́дкое, разъеда́ющее вещество́.

**corrugate** ['kɔrugeɪt] v 1) смо́рщивать (-ся); 2) тех. де́лать волни́стым, гофриро́ванным, рифлёным.

**corrugated** ['kɔrugeɪtɪd] 1. p. p. от corrugate;
2. a гофриро́ванный, рифлёный; ~ iron волни́стое или рифлёное желе́зо.

**corrugation** [,kɔru'geɪʃən] n 1) скла́дка, морщи́на (на лбу); 2) вы́боина (дороги); 3) тех. смо́рщивание; рифле́ние; волни́стость.

**corrupt** [kə'rʌpt] 1. a 1) испо́рченный; развращённый; 2) испо́рченный (воздух и т. п.); 3) искажённый, недостове́рный (текст); 4) прода́жный; ~ practices взя́точничество, бесче́стные приёмы; ◇ ~ in blood юр. утеря́вший гражда́нские права́ всле́дствие соверше́ния тя́жкого преступле́ния;
2. v 1) по́ртить(ся), развраща́ть(ся); 2) подкупа́ть; 3) по́ртить, гнои́ть; 4) гнить, разлага́ться; 5) искажа́ть (текст); 6) юр. лиша́ть гражда́нских прав.

**corruptibility** [kə,rʌptə'bɪlɪtɪ] n 1) прода́жность, подку́пность; 2) подве́рженность по́рче.

**corruptible** [kə'rʌptəbl] a 1) по́ртящийся; 2) подку́пный.

**corruption** [kə'rʌpʃən] *n* 1) порча; гниéние; ~ of the body разложéние трýпа; 2) извращéние; искажéние (*слова, тéкста*); 3) развращéние; 4) разложéние (*моральное*); продáжность, коррýпция.

**corsage** [kɔː'sɑːʒ] *фр. n* 1) корсáж; 2) *разг.* букéт, прикóлотый к корсáжу.

**corsair** [*'kɔːsɛə*] *n* 1) пирáт, корсáр; 2) кáпер (*судно*).

**corse** [kɔːs] *n поэт. см.* corpse.

**corselet** ['kɔːslɪt] *n* 1) *ист.* лáты; 2) корсéт.

**corset** ['kɔːsɪt] *n* корсéт.

**corslet** ['kɔːslɪt] = corselet.

**cortège** [kɔː'teɪʒ] *фр. n* кортéж, торжéственное шéствие.

**Cortes** ['kɔːtes] *n pl* кортéсы (*парламент в Испáнии, Португáлии*).

**cortex** ['kɔːteks] *n* (*pl* -tices) 1) *бот.* корá; 2) *анат.* корá головнóго мóзга.

**cortical** ['kɔːtɪkəl] *a* кóрковый.

**corticate** ['kɔːtɪkeɪt] *a* покрытый корóй; кóрковый; корковидный.

**corticated** ['kɔːtɪˌkeɪtɪd] = corticate.

**cortices** ['kɔːtɪsiːz] *pl от* cortex.

**coruscate** ['kɔrəskeɪt] *v* сверкáть; блистáть.

**coruscation** [ˌkɔrəs'keɪʃən] *n* сверкáние, блеск.

**corvée** ['kɔːveɪ] *фр. n* 1) *ист.* бáрщина; 2) тяжёлая, подневóльная рабóта.

**corvette** [kɔː'vet] *n мор.* корвéт; противолóдочный сторожевóй корáбль.

**corvine** ['kɔːvaɪn] *a* ворóний.

**Corydon** ['kɔrɪdən] *n* Коридóн (*обычное имя поселянина или пастуха в пасторали*).

**corymb** ['kɔrɪmb] *n бот.* щитóк.

**corymbose** [kə'rɪmbous] *a бот.* щитковидный.

**coryphaei** [ˌkɔrɪ'fiːaɪ] *pl от* coryphaeus.

**coryphaeus** [ˌkɔrɪ'fiːəs] *греч. n* (*pl* -phaei) корифéй.

**coryphée** [ˌkɔrɪ'feɪ] *фр. n* корифéйка (*в балéте*).

**cos** [kɔs] *n бот.* салáт ромéн (*тж.* C. lettuce).

**cosaque** [kɔ'zɑːk] *фр. n* хлопýшка с конфéтой.

**cose** [kouz] *v* удóбно, уютно расположíться, устрóиться.

**cosecant** [kou'siːkənt] *n мат.* косéканс.

**coseismal** [kou'saɪməl] *n геол.* сейсмíческая кривáя (*тж.* ~ line, ~ curve).

**cosher** I ['kɔʃə] *v* баловáть, нéжить.

**cosher** II ['kɔʃə] *v ирл.* пировáть; жить на чужóй счёт.

**cosher** III ['kɔʃə] *v разг.* болтáть, разговáривать запрóсто.

**co-signatory** ['kou'sɪgnətərɪ] *n юр.* лицó *или* госудáрство, подписывающее соглашéние вмéсте с другíми лíцами *или* госудáрствами.

**cosily** ['kouzɪlɪ] *adv* уютно.

**cosine** ['kousaɪn] *n мат.* кóсинус.

**cosiness** ['kouzɪnɪs] *n* уют, уютность.

**coslettize** ['kɔsletaɪz] *v* покрывáть антикоррозíйным состáвом.

**cosmetic** [kɔz'metɪk] 1. *a* космéтический; 2. *n* космéтика; космéтическое срéдство.

**cosmetologist** [ˌkɔzmɪ'tɔlədʒɪst] *n* космéтóлог; космéтíчка.

**cosmetology** [ˌkɔzmɪ'tɔlədʒɪ] *n* космéтика.

**cosmic** ['kɔzmɪk] *a* 1) космíческий; 2) огрóмный, всеобъéмлющий; 3) упорядоченный, организóванный.

**cosmogony** [kɔz'mɔgənɪ] *n* космогóния.

**cosmography** [kɔz'mɔgrəfɪ] *n* космогрáфия.

**cosmology** [kɔz'mɔlədʒɪ] *n* космолóгия.

**cosmopolitan** [ˌkɔzmə'pɔlɪtən] 1. *n* космополíт; 2. *a* космополитíческий.

**cosmopolitanism** [ˌkɔzmə'pɔlɪtənɪzəm] *n* космополитíзм.

**cosmopolite** [kɔz'mɔpəlaɪt] = cosmopolitan 1.

**cosmopolitism** [ˌkɔzmə'pɔlɪtɪzəm] = cosmopolitanism.

**cosmos** ['kɔzmɔs] *греч. n* 1) кóсмос, вселéнная; 2) упорядоченная системá.

**Cossack** ['kɔsæk] *рус. n* 1) казáк; 2) *attr.* казáцкий.

**cosset** ['kɔsɪt] 1. *n* 1) любíмый ягнёнок; 2) любíмец; бáловень; 2. *v* баловáть, ласкáть, нéжить.

**cost** [kɔst] 1. *n* 1) ценá, стóимость; prime ~ фабрíчная себестóимость; ~s of production издéржки производства; ~ of living прожíточный мíнимум; ~ and freight *ком.* стóимость и фрахт; ~, insurance and freight (*сокр.* с. i. f.) *ком.* стóимость, страховáние, фрахт; 2) расхóд (*врéмени*); расхóдование; 3) *pl* судéбные издéржки; 4) *attr.:* ~ price себестóимость; ~ accounting ведéние отчётности; калькуляция стóимости; ◇ at any ~, at all ~, at a ~ любóй ценóй; во чтó бы то ни стáло; at the ~ of smth. ценóю чегó-л.; at one's ~ за чей-л. счёт; to count the ~ взвéсить все обстоятельства; to know (to learn) to one's own ~ знать (узнáть) по гóрькому óпыту; 2. *v* (cost) 1) стóить, обходíться; it ~ him infinite labour это стóило ему огрóмного трудá (*тж. перен.*); it may ~ you your life это мóжет стóить вам жíзни; 2) назначáть цéну, расцéнивать (*товáр*).

**costal** ['kɔstl] *a* рéберный.

**costard** ['kʌstəd] *n названиe сóрта крýпных англíйских яблок*.

**costean** [kɔs'tiːn] *v горн.* развéдывать жíлу шýрфами.

**coster(monger)** ['kɔstə(ˌmʌŋgə)] *n* улíчный торгóвец фрýктами, овощáми, рыбой *и т. п.*

**costive** ['kɔstɪv] *a* 1) страдáющий запóром; 2) медлíтельный; не умéющий вырáзить словáми свои мысли и чýвства; 3) скуповáтый.

**costless** ['kɔstlɪs] *a* даровóй.

**costliness** ['kɔstlɪnɪs] *n* дорогáя ценá; дороговíзна.

**costly** ['kɔstlɪ] *a* 1) дорогóй, цéнный; 2) пышный, роскóшный.

**costmary** ['kɔstmɛərɪ] *n бот.* пíжма, дíкая рябíн(к)а.

**costume** ['kɔstjuːm] 1. *n* 1) одéжда, плáтье, костюм; 2) стиль в одéжде, костюм;

English ~ of the XVIII century одежда англичан XVIII века; 3) костюм (*дамский, для верховой езды и т. n.*); 4) *attr*: ~ ball костюмированный бал, бал-маскарад;
2. *v* одевать; снабжать одеждой.
**costume piece** ['kɔstjuːm'piːs] *n театр.* историческая пьеса.
**costumier** [kɔs'tjuːmɪə] *n* костюмер; торговец театральными и маскарадными костюмами.
**cosy** ['kouzɪ] 1. *a* уютный;
2. *n* стёганый чехол (*для чайника*).
**cot I** [kɔt] *n* 1) детская кроватка; 2) койка; 3) *англо-инд.* лёгкая походная кровать; 4) *attr*.: ~ case *мед.* лежачий больной.
**cot II** [kɔt] 1. *n* 1) загон, хлев; 2) *поэт.* хижина;
2. *v* загонять (овец) в овчарню.
**cot III** [kɔt] *сокр. от* cotangent.
**cotangent** ['kou'tændʒənt] *n мат.* котангенс.
**cote** [kout] *n* загон, хлев, овчарня.
**co-temporary** [kou'tempərərɪ] = contemporary.
**co-tenant** ['kou'tenənt] *n* соарендатор.
**coterie** ['koutərɪ] *n* 1) кружок (*литературный, артистический и т. n.*); 2) избранный, замкнутый круг.
**cothurni** [kou'θəːnaɪ] *pl от* cothurnus.
**cothurnus** [kou'θəːnəs] *n* (*pl* -nɪ) 1) *др.-греч.* котурн; 2) трагедия; 3) высокопарный стиль.
**co-tidal** [kou'taɪdl] *a*: ~ line котидальная линия (*соединяющая пункты одновременного прилива*).
**cotill(i)on** [kə'tɪljən] *n* котильон (*танец*).
**cottage** ['kɔtɪdʒ] *n* 1) коттедж, загородный дом; *амер.* летняя дача; 2) изба; хижина; 3) *австрал.* одноэтажный дом; 4) *attr*.: ~ cheese прессованный творог; ~ hospital небольшая сельская больница (*без живущих при ней врачей*); больница, состоящая из нескольких разбросанных коттеджей; ~ piano небольшое пианино.
**cottager** ['kɔtɪdʒə] *n* 1) живущий в хижине, коттедже; 2) батрак; крестьянин [*см. тж.* cottar]; 3) *амер.* дачник.
**cottar** ['kɔtə] *n* 1) *шотл.* батрак (*живущий при ферме*); 2) *ирл. уст.* бедняк-арендатор (*плативший ренту, установленную на публичных торгах*).
**cotter I** ['kɔtə] = cottar.
**cotter II** ['kɔtə] *n тех.* 1) клин, чека, шпонка; костыль; 2) *attr*.: ~ bolt болт с чекой; ~ key чека.
**cottier** ['kɔtɪə] = cottar 2).
**cotton I** ['kɔtn] 1. *n* 1) хлопок; хлопчатник; 2) хлопчатая бумага; бумажная ткань; 3) нитка; a needle and ~ иголка с ниткой; 4) вата (*тж.* ~ wool);
2. *a* 1) хлопковый; 2) хлопчатобумажный.
**cotton II** ['kɔtn] *v* 1) согласоваться; уживаться (together, with); 2) полюбить, привязаться (to); I can't ~ to him at all он мне совсем не по душе; ☐ ~ on a) сдружиться (to—c); б) *разг.* понимать.
**cotton-cake** ['kɔtnkeɪk] *n* хлопковый жмых.

**cotton-gin** ['kɔtndʒɪn] *n* хлопкоочистительная машина.
**cotton-grass** ['kɔtngrɑːs] *n бот.* пушица.
**cotton-lord** ['kɔtnlɔːd] *n* текстильный магнат.
**cotton-machine** ['kɔtnmə,ʃiːn] *n* бумагопрядильная машина.
**cotton mill** ['kɔtnmɪl] *n* хлопкопрядильная фабрика; хлопкоткацкая фабрика.
**cottonocracy** [,kɔtn'ɔkrəsɪ] *n* магнаты хлопковой торговли и хлопчатобумажной промышленности.
**Cottonopolis** [,kɔtn'ɔpəlɪs] *n шутл. г.* Манчестер (*как центр хлопчатобумажной промышленности*)
**cotton-picker** ['kɔtn,pɪkə] *n* 1) сборщик хлопка; 2) хлопкоуборочная машина.
**cotton-plant** ['kɔtnplɑːnt] *n* хлопчатник.
**cotton-planter** ['kɔtn,plɑːntə] *n* хлопковод.
**cotton-spinner** ['kɔtn,spɪnə] *n* 1) хлопкопрядильщик; 2) владелец бумагопрядильни.
**cotton-tail** ['kɔtnteɪl] *n* американский кролик.
**cotton waste** ['kɔtnweɪst] *n* хлопковые отбросы, угар.
**cotton weed** ['kɔtnwiːd] = cudweed.
**cotton wool** ['kɔtn'wul] *n* 1) хлопок-сырец; 2) вата.
**cottony** ['kɔtnɪ] *a* 1) хлопковый; 2) пушистый, мягкий.
**cotton yarn** ['kɔtnjɑːn] *n* хлопчатобумажная пряжа.
**cotyledon** [,kɔtɪ'liːdən] *n бот.* семядоля.
**couch I** [kautʃ] 1. *n* 1) кушетка; 2) *поэт.* ложе; 3) логовище, берлога; нора; 4) *жив.* грунт, предварительный слой (*краски, лака на холсте*);
2. *v* 1) (*тк. в р. р.*) ложиться; 2) лежать, притаиться (*о зверях*); 3) излагать, выражать, формулировать; the refusal was ~ed in polite terms отказ был облечён в вежливую форму; 4) снимать с глаза (*катаракту*); 5) взять наперевес, на руку (*копьё, пику*); 6) *с.-х.* проращивать (*семена и т.п.*).
**couch II** [kautʃ] = couch-grass.
**couch-grass** ['kautʃgrɑːs] *n бот.* пырей ползучий.
**cougar** ['kuːgə] *n зоол.* пума, кугуар.
**cough** [kɔf] 1. *n* кашель;
2. *v* кашлять; ☐ ~ down кашлем заставить замолчать (*говорящего*); ~ out отхаркивать; ~ up a) ~ out; б) сболтнуть, проболтаться, выдать (*что-л.*).
**cough-drop** ['kɔf'drɔp] *n* 1) средство от кашля; 2) что-л. крайне неприятное.
**cough-lozenge** ['kɔf'lɔzɪndʒ] *n* таблетка от кашля.
**could** [kud (*полная форма*); kəd (*редуцированная форма*)] *past от* can I.
**coulee** ['kuːlɪ] *n* 1) отвердевший поток лавы; 2) *амер.* глубокий овраг; сухое русло.
**coulisse** [kuː'liːs] *фр. n* 1) *театр.* кулиса; 2) *тех.* выемка, паз, желобок; 3) *attr*.: ~ gossip закулисные сплетни.
**couloir** ['kuːlwɑː] *фр. n* ущелье.
**coulomb** ['kuːlɔm] *n эл.* кулон.

**coulter** ['koultə] *n* резáк, нож плýга.

**council** ['kaunsl] *n* 1) совéт; World Peace C. Всемúрный Совéт Мúра; Security C. Совéт безопáсности; town ~ муниципалитéт, городскóй совéт; C. of Action комитéт дéйствия; ~ of war воéнный совéт (*тж. перен.*); 2) совещáние; ~ of physicians консúлиум врачéй; 3) церкóвный собóр; 4) *библ.* синедриóн.

**council-board** ['kaunslbɔːd] *n* 1) заседáние совéта; 2) стол, за котóрым происхóдит заседáние совéта.

**councillor** ['kaunsɪlə] *n* член совéта; совéтник.

**councilman** ['kaunslmən] *n амер.* член совéта (*особ. муниципáльного*).

**counsel** ['kaunsəl] 1. *n* 1) обсуждéние, совещáние; to take ~ with совещáться с; 2) совéт; to give good ~ дать хорóший совéт; 3) намéрение; плáны; to keep one's ~ помáлкивать; держáть в секрéте; 4) адвокáт; грýппа адвокáтов (*в каком-л. дéле, пpoцéccе*); King's (*или* Queen's) C. королéвский адвокáт (*по назначéнию правúтельства*);
2. *v* давáть совéт; рекомендовáть.

**counsellor** ['kaunslə] *n* 1) совéтник; 2) *амер., ирл.* адвокáт.

**count I** [kaunt] 1. *n* 1) счёт, подсчёт; to keep ~ вестú счёт, учёт, подсчёт; to lose ~ потеря́ть счёт; 2) сосчúтанное числó; итóг; 3) *юр.* любóй пункт обвинúтельного áкта, достáточный для возбуждéния дéла; ◇ on other ~s во всех другúх отношéниях; ~ of yarn *текст.* нóмер пря́жи;
2. *v* 1) считáть, подсчúтывать, пересчúтывать; 2) принимáть во внимáние, считáть; there are ten of us ~ing the children вмéсте с детьмú нас дéсять (человéк); 3) полагáть, считáть; 4) имéть значéние; идтú в расчёт; that does not ~ э́то не считáется, не идёт в расчёт; every little ~s вся́кий пустя́к имéет значéние; he does not ~ с ним не стóит считáться; ⬜ ~ for стóить; имéть значéние; to ~ for much (little) имéть большóе (мáлое) значéние; to ~ for nothing не идтú в счёт; не имéть никакóго значéния; ~ in включáть; ~ on рассчúтывать на *что-л.*, на *кого-л.*; ~ out a) опускáть, пропускáть; б) исключúть, не считáть, не принимáть во внимáние; в) *парл.* отложúть заседáние из-за отсýтствия квóрума; г) *амер.* производúть невéрный подсчёт избирáтелей; д) *спорт.* объявúть боксёра нокаутúрованным; ~ uроn = ~ on.

**count II** [kaunt] *n* граф (*не англúйский*).

**countenance** ['kauntɪnəns] 1. *n* 1) выражéние лицá, лицó; to change one's ~ изменúться в лицé; to keep one's ~ а) не покáзывать вúда; б) удéрживаться от смéха; 2) споко́йствие, самооблада́ние; to lose ~ потеря́ть самооблада́ние; to put smb. out of ~ смутúть кого́-л.; привестú кого́-л. в замеша́тельство; 3) сочу́вственный взгляд; проявлéние сочу́вствия; морáльная поддéржка, поощрéние; to lend (*или* to give) one's ~ оказáть морáльную поддéржку; подбодрúть;

2. *v* 1) одобря́ть, санкционúровать, разрешáть; 2) морáльно поддéрживать, поощря́ть; относúться сочу́вственно.

**counter I** ['kauntə] *n* прилáвок; стóйка; to serve behind the ~ служúть в магазúне.

**counter II** ['kauntə] *n* 1) фúшка, мáрка (*для счёта в игрáх*); 2) шáшка (*в игрé*); 3) *тех.* счётчик; индикáтор оборóтов, тахóметр.

**counter III** ['kauntə] 1. 1) протúвное, обрáтное; as a ~ to smth. в противовéс чему́-л.; 2) отражéние удáра; встрéчный удáр, нанесённый одновремéнно с парúрованием удáра протúвника; 3) зáдник (*сапогá*); 4) восьмёрка (*конькобéжная фигýра*); 5) хóлка; загрúвок; 6) *мор.* кормовóй подзóр;
2. *a* противополóжный; обрáтный; встрéчный;
3. *adv* обрáтно; в обрáтном направлéнии; напротúв;
4. *v* 1) противостоя́ть; протúвиться; противорéчить; 2) парúруя удáр, одновремéнно нанестú встрéчный удáр (*в бóксе*).

**counter-** ['kauntə-] *pref* протúво-, контр-.

**counteract** [,kauntə'rækt] *v* 1) противодéйствовать; 2) нейтрализовáть.

**counteraction** [,kauntə'rækʃən] *n* 1) противодéйствие; 2) нейтрализáция.

**counteractive** [,kauntə'ræktɪv] 1. *a* 1) противодéйствующий; 2) нейтрализýющий;
2. *n* что-л. противодéйствующее.

**counter-attack** ['kauntərə,tæk] 1. *n* контратáка, контрнаступлéние;
2. *v* контратаковáть.

**counter-attraction** ['kauntərə,trækʃən] *n* 1) обрáтное притяжéние; 2) отвлекáющее срéдство.

**counterbalance** 1. *n* ['kauntə,bæləns] противовéс;
2. *v* [,kauntə'bæləns] уравновéшивать, служúть противовéсом.

**counterblast** ['kauntəblɑːst] *n* 1) встрéчный порýв вéтра; 2) контрмéра; энергúчный протéст (*против чего-л.*); 3) контробвинéние.

**counterblow** ['kauntəblou] *n* встрéчный удáр, контрудáр.

**countercharge** ['kauntətʃɑːdʒ] 1. *n* встрéчное обвинéние;
2. *v* 1) предъявля́ть встрéчное обвинéние; 2) *воен.* идтú в контратáку; контратаковáть.

**countercheck** ['kauntə,tʃek] *n* противодéйствие; препя́тствие.

**counter-claim** ['kauntəkleim] 1. *n* встрéчный иск, контрпретéнзия;
2. *v* предъявля́ть встрéчный иск.

**counter-clockwise** ['kauntə'klɔkwaiz] *adv* прóтив (движéния) часовóй стрéлки.

**counter-espionage** ['kauntərespiə,nɑːʒ] *n* контрразвéдка.

**counterfeit** ['kauntəfit] 1. *n* 1) поддéлка; 2) обмáнщик; подставнóе лицó;
2. *a* 1) поддéльный, подлóжный; фальшúвый; 2) притвóрный;
3. *v* 1) поддéлывать; 2) притворя́ться; обмáнывать; 3) подражáть; быть похóжим.

**counterfeiter** ['kauntə͵fɪtə] *n* 1) притворщик, обманщик; 2) фальшивомонётчик; подделыватель; 3) имитатор.

**counterfoil** ['kauntəfɔɪl] *n* корешок чека, квитанции, билета *и т. п.*

**counterfort** ['kauntə͵fɔːt] *n* контрфорс, подпорка.

**counter-intelligence** ['kauntərɪn͵telɪdʒəns] *n* контрразведка.

**counter-irritant** [͵kauntər'ɪrɪtənt] *n мед.* оттягивающее *или* отвлекающее средство.

**counter-jumper** ['kauntə͵dʒʌmpə] *разг. пренебр. см.* counterman.

**counterman** ['kauntəmən] *n* продавец, приказчик.

**countermand** [͵kauntə'mɑːnd] 1. *n* контрприказ; приказ в отмену прежнего приказа;
2. *v* 1) отменять приказ(ание) *или* заказ; 2) отзывать (*лицо, воинскую часть*).

**countermarch** ['kauntə͵mɑːtʃ] 1. *n воен.* контрмарш;
2. *v* возвращаться обратно *или* в обратном порядке.

**countermark** ['kauntə͵mɑːk] *n* контрольное *или* пробирное клеймо.

**countermine** 1. *n* ['kauntə͵maɪn] контрмина;
2. *v* [͵kauntə'maɪn] 1) закладывать контрмины; 2) расстраивать происки.

**counter-offensive** ['kauntərə͵fensɪv] *n воен.* контрнаступление.

**counterpane** ['kauntəpeɪn] *n* 1) покрывало (*на кровати*); 2) стёганое одеяло.

**counterpart** ['kauntəpɑːt] *n* 1) копия; дубликат; 2) двойник; 3) что-л. (*человек или вещь*), дополняющее другое, хорошо сочетающееся с другим.

**counterplot** ['kauntəplɔt] 1. *n* контрзаговор;
2. *v* организовать контрзаговор.

**counterpoint** ['kauntəpɔɪnt] *n муз.* контрапункт.

**counterpoise** ['kauntəpɔɪz] 1. *n* 1) противовес; 2) равновесие;
2. *v* уравновешивать.

**counter-revolution** ['kauntərevə͵luːʃən] *n* контрреволюция.

**counter-revolutionary** ['kauntərevə͵luːʃnərɪ] 1. *n* контрреволюционер;
2. *a* контрреволюционный.

**counterscarp** ['kauntəskɑːp] *n воен.* контрэскарп.

**countershaft** ['kauntə͵ʃɑːft] *n тех.* контрпривод, промежуточный вал.

**countersign** ['kauntəsaɪn] 1. *n* 1) пароль; 2) скрепа, контрассигнация;
2. *v* скреплять (*документ*) подписью, ставить вторую подпись.

**countersink** ['kauntə͵sɪŋk] *тех.* 1. *n* зенковка, циковка;
2. *v* зенковать.

**countervail** ['kauntəveɪl] *v* 1) противостоять; 2) компенсировать; уравновешивать.

**countervailing duty** ['kauntəveɪlɪŋ'djuːtɪ] *n эк.* компенсационная пошлина.

**counterweigh** [͵kauntə'weɪ] *v* уравновешивать.

**counterweight** ['kauntə͵weɪt] *n* противовес, контргруз.

**counterwork** 1. *n* ['kauntə͵wəːk] противодействие;
2. *v* [͵kauntə'wəːk] противодействовать; расстраивать (*планы*).

**countess** ['kauntɪs] *n* графиня.

**counting-house** ['kauntɪŋhaus] *n* 1) контора; 2) бухгалтерия.

**counting-room** ['kauntɪŋrum] *амер.* = counting-house.

**countless** ['kauntlɪs] *a* несчётный, бесчисленный, неисчислимый.

**countrified** ['kʌntrɪfaɪd] *a* имеющий деревенский вид.

**country** ['kʌntrɪ] *n* 1) страна; 2) родина, отечество (*тж.* old ~); to leave the ~ уехать за границу; 3) деревня (*в противоположность городу*); сельская местность; in the ~ за городом; в деревне; на даче; in the open ~ на лоне природы; 4) периферия, провинция; 5) местность; территория; 6) ландшафт; 7) область, сфера; this subject is quite unknown ~ to me этот вопрос—чуждая мне область; 8) жители страны, население; 9) *attr.* сельский; деревенский; ◇ to appeal (*или* to go) to the ~ распустить парламент и назначить новые выборы.

**country cousin** ['kʌntrɪ͵kʌzn] *n* деревенский житель, провинциал, впервые увидевший город.

**country dance** ['kʌntrɪ͵dɑːns] *n* контрданс (*танец*).

**countryfolk** ['kʌntrɪfouk] *n pl* сельские жители.

**country-house** ['kʌntrɪ'haus] *n* 1) помещичий дом; 2) загородный дом, дача.

**countryman** ['kʌntrɪmən] *n* 1) соотечественник, земляк; 2) крестьянин, сельский житель.

**country party** ['kʌntrɪ'pɑːtɪ] *n* аграрная партия.

**country-seat** ['kʌntrɪ'siːt] *n* поместье; имение.

**country-side** ['kʌntrɪ'saɪd] *n* 1) сельская местность; округа; 2) местное сельское население.

**countrywoman** ['kʌntrɪ͵wumən] *n* 1) соотечественница, землячка; 2) крестьянка, сельская жительница.

**county** ['kauntɪ] *n* 1) графство (*административная единица в Англии*); округ (*в США*); 2) жители графства *или* округа; 3) *attr.* относящийся к графству *или* округу; окружной; ~ borough город с населением свыше 50 тысяч, административно выделенный в самостоятельную единицу; ~ council совет графства *или* округа; ~ court местный суд графства *или* округа; ~ town, ~ seat главный город графства *или* округа.

**coup** [kuː] *фр. n* удачный ход; удача в делах.

**coup d'état** ['kuːdeɪ'tɑː] *фр. n* государственный переворот.

**coupé** ['kuːpeɪ] *фр. n* 1) двухместная карета; 2) двухместный закрытый автомобиль; 3) *ж.-д.* двухместное купе.

**couple** ['kʌpl] 1. *n* 1) два, пара; lend me a couple of pencils дай мне пару каран-

дашей; 2) пара (*супруги; жених и невеста; танцующие*); 3) свора; 4) пара борзых на своре *или* гончих на смычке; 5) *мех.* пара сил; 6) *эл.* элемент; ◇ to hunt in ~s быть неразлучными;
2. *v* 1) соединять; 2) связывать, ассоциировать; 3) пожениться; 4) спариваться; 5) *ж.-д.* сцеплять.

**coupler** ['kʌplə] *n* 1) *тех.* сцепщик; 2) *тех.* сцепка; соединительный прибор; сцепляющая муфта; 3) *радио* устройство связи.

**couplet** ['kʌplɪt] *n* рифмованное двустишие.

**coupling** ['kʌplɪŋ] 1. *pres. p. от* couple 2; 2. *n* 1) соединение; совокупление; спаривание; 2) *тех.* муфта; сцепление; сопряжение; 3) *радио* связь.

**coupon** ['kuːrɔn] *n* 1) купон; 2) талон (*продовольственной или промтоварной карточки*).

**courage** ['kʌrɪdʒ] *n* храбрость, смелость, отвага, мужество; to muster (up) ~, to pluck (up) ~ отважиться, набраться храбрости; to lose ~ испугаться; to have the ~ of one's convictions (*или* opinions) иметь мужество поступать согласно своим убеждениям; ◇ Dutch ~ смелость во хмелю.

**courageous** [kə'reɪdʒəs] *a* смелый, отважный, храбрый.

**courier** ['kurɪə] *n* 1) курьер, нарочный; 2) агент.

**course** [kɔːs] 1. *n* 1) курс, направление; 2) ход; течение; ~ of events ход событий; in the ~ of a year в течение года; the ~ of nature естественный, нормальный порядок вещей; 3) течение (*реки*); 4) порядок; очередь, постепенность; in ~ по очереди, по порядку; in due ~ а) в должное время; б) должным образом; 5) линия поведения, действия; 6) курс (*лекций, обучения, лечения*); 7) блюдо; a dinner of three ~s обед из трёх блюд; 8) ~ of exchange валютный курс; 9) скаковой круг; 10) *стр.* горизонтальный ряд кладки; 11) *мор.* нижний прямой парус; 12) *геол.* простирание залежи; пласт (*угля*), жила; 13) *pl физиол.* менструация; ◇ a matter of ~ нечто само собой разумеющееся;
2. *v* 1) преследовать, гнаться по пятам; 2) гнаться за дичью (*о гончих*) охотиться с гончими; 3) бежать, течь; 4) *горн.* проветривать.

**courser** ['kɔːsə] *n поэт.* (боевой) конь.

**court** [kɔːt] 1. *n* 1) двор; 2) двор (*короля и т. п.*); to hold a ~ устраивать приём при дворе; 3) суд; *амер. тж.* судья, судьи; Supreme C. Верховный суд; ~ of justice суд; C. of Appeal суд второй инстанции; to be out of ~ потерять право на слушание дела; *перен.* потерять силу; this book is now out of ~ эта книга теперь устарела; 4) *амер.* правление (*предприятия*); 5) площадка для игр; корт; 6) ухаживание; to make (*или* to pay) ~ to smb. ухаживать за кем-л.;
2. *v* 1) ухаживать; искать расположения, популярности; 2) льстить; 3) добиваться; to ~ applause стремиться сорвать аплодис-

менты; 4) соблазнять (into, to, from); ◇ to ~ disaster накликать несчастье.

**court-card** ['kɔːtkɑːd] *n* фигурная карта в колоде.

**courteous** ['kɔːtjəs] *a* вежливый, учтивый, обходительный.

**courtesan** [ˌkɔːtɪ'zæn] *n* куртизанка.

**courtesy** ['kɔːtɪsɪ] *n* учтивость, обходительность, вежливость; правила вежливости, этикет; by (the) ~ of... благодаря любезности...; ◇ ~ title титул, носимый по обычаю, а не по закону (*напр.*, honourable); ~ of the port освобождение от таможенного осмотра багажа.

**courtezan** [ˌkɔːtɪ'zæn] = courtesan.

**court guide** ['kɔːtgaɪd] *n* аристократический адрес-календарь.

**court-house** ['kɔːt'haus] *n* 1) здание суда; 2) здание, в котором помещаются местные органы управления (*в графстве или округе*).

**courtier** ['kɔːtjə] *n* придворный.

**courtliness** ['kɔːtlɪnɪs] *n* 1) вежливость, учтивость; 2) изысканность; 3) льстивость.

**courtly** ['kɔːtlɪ] *a* 1) вежливый; 2) изысканный; 3) льстивый.

**court martial** ['kɔːt'mɑːʃ⁻¹] *n* (*pl* courts martial) военный суд.

**court-martial** ['kɔːt'mɑːʃəl] *v* судить военным судом.

**court plaster** ['kɔːt'plɑːstə] *n* английский пластырь.

**courtship** ['kɔːtʃɪp] *n* ухаживание.

**courts martial** ['kɔːts'mɑːʃəl] *pl от* court martial.

**courtyard** ['kɔːt'jɑːd] *n* двор.

**cousin** ['kʌzn] *n* 1) двоюродный брат, кузен; двоюродная сестра, кузина (*тж.* first ~, ~ german); second ~ троюродный брат; троюродная сестра; first ~ once removed ребёнок двоюродного брата *или* двоюродной сестры; 2) родственник; to call (*или* ~s) with smb. считать кого-л. роднёй, претендовать на родство с кем-л.; 3) титул, применяемый лицом королевского рода в обращении к другому лицу королевского рода в своей стране; ◇ ~ Betty слабоумный (человек).

**cove** I [kouv] 1. *n* 1) бухточка; убежище среди скал; 2) *стр.* свод; выкружка; 2. *v стр.* сооружать свод.

**cove** II [kouv] *n разг.* парень, малый.

**coven** ['kʌvən] *n шотл.* 1) собрание; 2) шабаш ведьм.

**covenant** ['kʌvɪnənt] 1. *n* 1) соглашение, договорённость; 2) *юр.* договор; отдельная статья договора; C. of the League of Nations *ист.* статья Версальского договора об учреждении Лиги наций; 3) *библ.* завет; the books of the Old and the New C. книги Ветхого и Нового завета; land of the C. «земля обетованная»;
2. *v* заключать соглашение.

**covenanted** ['kʌvɪnəntɪd] 1. *p. p. от* covenant 2;
2. *a* связанный договором.

**coventrate** ['kɔvəntreɪt] *v* подвергать разрушительной бомбардировке с воздуха.

**coventrize** [ˈkɔvəntraɪz] = coventrate.

**cover** [ˈkʌvə] 1. *n* 1) (по)крышка; обёртка; чехол; покрывало; футляр, колпак; 2) конверт; under the same ~ в том же конверте; 3) переплёт, крышка переплёта; to read from ~ to ~прочесть от корки до корки (*о книге*); 4) убежище, укрытие; прикрытие; under ~ в укрытии, под защитой [*ср.* 5) *и* 7)]; to take ~ укрыться; 5) ширма; предлог; отговорка; личина, маска; under ~ of friendship под личиной дружбы [*ср. тж.* 4) *и* 7)]; 6) обшивка; 7) покров; under ~ of darkness под покровом темноты [*ср. тж.* 4) *и* 5)]; 8) *ком.* гарантийный фонд; 9) прибор (*обеденный*); 10) = cover-point;

2. *v* 1) закрывать; покрывать; накрывать; прикрывать; перекрывать; to ~ a wall with paper оклеивать стену обоями; to ~ one's face with one's hands закрыть лицо руками; to ~ the retreat прикрывать отступление; to ~ one's tracks заметать свои следы; 2) укрывать, ограждать, защищать; he ~ed his friend from the blow with his own body он своим телом закрыл друга от удара; 3) скрывать; to ~ one's confusion (annoyance) чтобы скрыть (*или* не показать) своё смущение (досаду); 4) охватывать; относиться (*к чему-л.*); the book ~s the whole subject книга даёт исчерпывающие сведения по всему предмету; 5) расстилаться; распространяться; the city ~s ten square miles город занимает десять квадратных миль; 6) *амер. разг.* давать отчёт (*для прессы*); 7) разрешать, предусматривать; the circumstances are ~ed by this clause обстоятельства предусмотрены этим пунктом; 8) покрывать (*кобылу и т. п.*); 9) сидеть (*на яйцах*); 10) целиться (*из ружья и т. п.*); держать под угрозой; 11) *спорт.* пройти (*дистанцию*); ☐ ~ in a) закрыть; б) забросать землёй (*могилу*); ~ over скрыть, прикрыть; ~ up спрятать, тщательно прикрыть.

**coverage** [ˈkʌvərɪdʒ] *n* 1) охват; 2) зона действия; 3) освещение в печати, по радио *и т. п.*

**coverall(s)** [ˈkʌvərɔːl(z)] *n* (*pl*) рабочий комбинезон, спецодежда.

**cover-crop** [ˈkʌvəkrɔp] *n с.-х.* покровная культура.

**covered** [ˈkʌvəd] 1. *p. p. om* cover 2; 2. *a* 1) (за)крытый; укрытый, защищённый; 2) в шляпе; pray be ~ пожалуйста, наденьте шляпу; to remain ~ не снимать шляпы.

**cover girl** [ˈkʌvəˌgəːl] *n* хорошенькая девушка, изображение которой помещают на обложке журнала; девушка как с картинки.

**covering** [ˈkʌvərɪŋ] 1. *pres. p. om* cover 2; 2. *n* 1) покрышка, чехол; оболочка; покров; 2) обшивка; облицовка; 3) настил; кровля; 4) загрузка; 3. *a* 1) сопроводительный; ~ letter сопроводительное письмо; ~ note сопроводительная записка; 2) *воен.:* ~ party прикрытие; ~ sergeant замыкающий сержант.

**coverlet** [ˈkʌvəlɪt] *n* покрывало; одеяло.

**coverlid** [ˈkʌvəlɪd] = coverlet.

**cover-point** [ˈkʌvəˌpɔɪnt] *n спорт.* 1) защитника (*в игре в крикет*); 2) место защитника (*в игре в крикет*).

**covert** 1. *n* [ˈkʌvə] 1) убежище для дичи (*лес, чаща*); 2) *текст.* коверќ (*тж.* ~ cloth); 3) *pl* оперение.

2. *a* [ˈkʌvət] 1) скрытый, завуалированный, тайный; ~ glance взгляд украдкой; 2) *редк.* прикрытый; ◇ ~ coat короткое лёгкое пальто.

**coverture** [ˈkʌvətjuə] *n* 1) укрытие, убежище; 2) *юр.* положение замужней женщины.

**covet** [ˈkʌvɪt] *v* жаждать, домогаться (*чужого, недоступного*).

**covetous** [ˈkʌvɪtəs] *a* 1) жадный, алчный (of); 2) скупой; 3) завистливый.

**covey** I [ˈkʌvɪ] *n* 1) выводок, стая (*особ. куропаток*); to spring a ~ вспугнуть стаю; 2) *шутл.* стайка, группа (*особ. детей, женщин*).

**covey** II [ˈkouvɪ] = cove II.

**cow** I [kau] *n* 1) (*pl* -s [-z], *уст. тж.* kine) корова; 2) самка слона, кита, тюленя *и т. д.*; 3) *pl* молочный скот; ◇ when the ~s come home ≅ после дождичка в четверг.

**cow** II [kau] *n* 1) клин; тормоз; 2) *тех.* колпак, дефлектор, зонт (*дымовой трубы*).

**cow** III [kau] *v* запугивать, терроризировать; усмирять.

**coward** [ˈkauəd] 1. *n* трус; 2. *a* 1) трусливый; 2) робкий; малодушный.

**cowardice** [ˈkauədɪs] *n* 1) трусость; 2) малодушие; робость.

**cowardly** [ˈkauədlɪ] 1. *a* трусливый; малодушный; 2. *adv* трусливо.

**cow-bane** [ˈkaubeɪn] *n бот.* вех ядовитый, цикута ядовитая.

**cowberry** [ˈkaubərɪ] *n* брусника.

**cow-boy** [ˈkaubɔɪ] *n* 1) пастух; 2) *амер.* ковбой.

**cow-catcher** [ˈkauˌkætʃə] *n амер. ж.-д.* скотосбрасыватель (*на паровозе*).

**cower** [ˈkauə] *v* сжиматься, съёживаться (*от страха, холода*).

**cow-fish** [ˈkauˌfɪʃ] *n* 1) морская корова; 2) серый дельфин.

**cow-heel** [ˈkauˌhiːl] *n* говяжий студень (*из ножек*).

**cowherd** [ˈkauhəːd] *n* 1) пастух; 2) скотник.

**cow-hide** [ˈkauhaɪd] 1. *n* 1) воловья кожа; 2) плеть из воловьей кожи; 2. *v* стегать ремнём.

**cow-house** [ˈkauhaus] *n* хлев.

**cowl** I [kaul] *n* 1) ряса, сутана с капюшоном; капюшон; 2) колпак *или* зонт над дымовой трубой; 3) капот *или* кожух двигателя; 4) *ав.* обтекатель.

**cowl** II [kaul] *n* ушат, лохань с ушами.

**cowle** [kaul] *n англо-инд.* охранное свидетельство, пропуск.

**cow-leech** [ˈkauliːtʃ] *n разг.* ветеринар.

**cowlick** [ˈkauˌlɪk] *n* вихор, чуб.

**cowling** ['kaulıŋ] n ав. капо́т дви́гателя, обтека́тель.

**cowman** ['kaumən] n 1) рабо́чий на фе́рме; 2) амер. скотопромы́шленник.

**cow-pox** ['kaupɔks] n о́спа коро́в.

**cow-puncher** ['kau,pʌnʧə] n амер. разг. ковбо́й.

**cowrie, cowry** ['kaurı] n каỳри (ракови́на, заменя́ющая де́ньги в не́которых частя́х А́зии и А́фрики).

**cowshed** ['kauʃed] n хлев, коро́вник.

**cowslip** ['kauslıp] n бот. 1) первоцве́т и́стинный или апте́чный; 2) амер. калу́жница боло́тная.

**cox** [kɔks] сокр. разг. от coxswain.

**coxcomb** ['kɔkskoum] = cockscomb 4).

**coxcombical** [kɔks'koumıkəl] a фатова́тый, самодово́льный.

**coxcombry** ['kɔks,koumrı] n самодово́льство, фатовство́.

**coxswain** ['kɔkswein, 'kɔksn] n 1) старшина́ шлю́пки; 2) рулево́й.

**coxy** ['kɔksı] = cocksy.

**coy** [kɔɪ] a 1) застенчивый, скро́мный; 2) уедине́нный.

**coyote** ['kɔɪout] n зоол. лугово́й волк, койо́т.

**coyoting** ['kɔɪoutıŋ] n разг. хи́щническая разрабо́тка недр.

**cozen** ['kʌzn] v надува́ть, моро́чить.

**cozenage** ['kʌznıdʒ] n обма́н, надува́тельство.

**cozy** ['kouzı] = cosy.

**crab** I [kræb] n 1) ди́кое я́блоко; 2) ди́кая я́блоня.

**crab** II [kræb] 1. n 1) зоол. краб; 2) (С.) Рак (созве́здие и знак зодиа́ка); 3) разг. неудо́бство; неуда́ча; 4) разг. раздражи́тельный, ворчли́вый челове́к; 5) тех. лебёдка, во́рот; ◇ to catch a ~ ≅ «пойма́ть леща́»;
2. v 1) цара́пать когтя́ми (о хи́щной пти́це); 2) разг. находи́ть недоста́тки, приди́рчиво критикова́ть; 3) мор., ав. сноси́ться ве́тром.

**crab** III [kræb] n укло́н от за́данного направле́ния, крен, скос (о раке́те).

**crabbed** 1. [kræbd] p.p. от crab II, 2;
2. a ['kræbıd] 1) раздражи́тельный, ворчли́вый; 2) тру́дно понима́емый; неразбо́рчивый (о по́черке и т. h.).

**crabby** ['kræbı] a раздражи́тельный.

**crack** [kræk] 1. n 1) треск; щёлканье (хлыста́); 2) тре́щина; щель, рассе́лина; свищ; 3) уда́р; затре́щина; 4) кто-л. или что-л. замеча́тельное; 5) лома́ющийся го́лос (у ма́льчика); 6) sl. кра́жа со взло́мом; 7) sl. острота́, шу́тка; саркасти́ческое замеча́ние; ◇ in a ~ мгнове́нно;
2. a разг. великоле́пный, первокла́ссный; знамени́тый;
3. v 1) производи́ть треск, шум, вы́стрел; щёлкать (хлысто́м); 2) дава́ть тре́щину, тре́скаться; раска́лывать(ся); коло́ть, расщепля́ть; 3) лома́ться (о го́лосе); 4) тех. подверга́ть (нефть) кре́кингу; □ ~ down сломи́ть (сопротивле́ние); ~ up разг. а) превозноси́ть; реклами́ровать; б) разбива́ться (вдре́безги); разруша́ться; потерпе́ть ава́-

рию (о самолёте); вы́звать ава́рию (самолёта); в) старе́ть; слабе́ть (от ста́рости); ◇ to ~ a bottle распи́ть, «раздави́ть» буты́лку (вина́); to ~ a joke отпусти́ть шу́тку; to ~ a smile улыбну́ться; to ~ a record амер. поста́вить или поби́ть реко́рд; to ~ a window распахну́ть окно́.

**crackajack** ['krækə,dʒæk] sl. 1. n замеча́тельный, тала́нтливый челове́к;
2. a замеча́тельный, тала́нтливый.

**crack-brained** ['krækbreınd] a 1) слабоу́мный, поме́шанный; 2) бессмы́сленный, неразу́мный (о поведе́нии, посту́пке).

**cracked** [krækt] 1. p. p. от crack 3;
2. a 1) тре́снувший; 2) пошатну́вшийся (о репута́ции, креди́те); 3) вы́живший из ума́; his brains are ~ он ненорма́льный; 4) ре́зкий; надтре́снутый (о го́лосе).

**cracker** ['krækə] n 1) шути́ха, хлопу́шка-конфе́та; 2) то́нкое сухо́е пече́нье; 3) pl щипцы́ для оре́хов; 4) амер. про́звище бе́лых бедняко́в в ю́жных шта́тах США; 5) sl. ложь; 6) тех. дроби́лка; ◇ to be ~s sl. рехну́ться.

**cracking** ['krækıŋ] 1. pres. p. от crack 3;
2. n тех. кре́кинг.

**crackjack** ['krækdʒæk] n ма́стер своего́ де́ла.

**crack-jaw** ['kræk,dʒɔ] a разг. с трудо́м выгова́риваемый (о сло́ве).

**crackle** ['krækl] 1. n потре́скивание; треск; хруст;
2. v потре́скивать.

**crackling** ['kræklıŋ] 1. pres. p. от crackle 2;
2. n 1) треск; хруст; 2) поджа́ристая ко́рочка (порося́нка); 3) pl шква́рки.

**cracknel** ['kræknl] n 1) сухо́е пече́нье; 2) поджа́ристая свини́на; 3) pl шква́рки.

**cracksman** ['kræksmən] n взло́мщик.

**cracky** ['krækı] a 1) потре́скавшийся или легко́ тре́скающийся; 2) поме́шанный.

**cradle** ['kreıdl] 1. n 1) колыбе́ль, лю́лька; 2) нача́ло, исто́ки; младе́нчество; the ~ of civilization исто́ки цивилиза́ции; 3) рыча́г (телефо́на); he dropped the receiver into its ~ он положи́л тру́бку; 4) тех. ра́ма, опо́ра, поду́шка; 5) воен. лю́лька (ору́дия); 6) горн. лото́к для промы́вки золотоно́сного песка́; 7) мор. спусковы́е саля́зки;
2. v 1) кача́ть в лю́льке; убаю́кивать; 2) воспи́тывать с са́мого ра́ннего де́тства; 3) горн. промыва́ть (золото́й песо́к).

**cradling** ['kreıdlıŋ] 1. pres. p. от cradle 2;
2. 1) кача́ние в лю́льке; 2) стр. сруб, ра́ма, кружа́ло.

**craft** [krɑːft] n 1) ло́вкость, уме́ние, иску́сство; сноро́вка; 2) хи́трость, обма́н; 3) ремесло́; 4) (the С.) масо́нское бра́тство; 5) су́дно; собир. суда́ вся́кого наименова́ния; 6) самолёт(ы); 7) attr. цехово́й; ~ union а) профсою́з, организо́ванный по цехово́му при́нципу, цехово́й профсою́з; б) ист. ги́льдия.

**craft-brother** ['krɑːft,brʌðə] n 1) това́рищ по ремеслу́; 2) масо́н.

**craftily** ['krɑːftılı] adv 1) хи́тро; 2) обма́нным путём.

**craftiness** ['krɑ:ftɪnɪs] *n* хи́трость, лука́в-
ство.
**craftsman** ['krɑ:ftsmən] *n* 1) ма́стер, ре-
ме́сленник; 2) худо́жник, ма́стер.
**craftsmanship** ['krɑ:ftsmənʃɪp] *n* мастер-
ство́.
**crafty** ['krɑ:ftɪ] *a* 1) ло́вкий, иску́сный;
2) хи́трый.
**crag** [kræg] *n* скала́, утёс.
**craggy** ['krægɪ] *a* 1) скали́стый, изоби́-
лующий ска́лами; 2) круто́й, отве́сный.
**cragsman** ['krægzmən] *n* альпини́ст.
**crake** [kreɪk] *n* 1) зоол. боло́тная ку́рочка;
2) крик боло́тной ку́рочки.
**cram** [kræm] **1.** *n* 1) да́вка, толкотня́;
2) нахва́танные зна́ния; 3) зубрёжка;
4) *sl.* обма́н, мистифика́ция; 5) пи́ща для
отко́рма живо́тных и пти́цы;
**2.** *v* 1) впи́хивать, вти́скивать (into);
2) переполня́ть; the theatre was ~med
теа́тр был наби́т битко́м; 3) пи́чкать, отка́р-
мливать; 4) наеда́ться; 5) вбива́ть в го́лову;
вталко́вывать; ната́скивать к экза́мену;
6) на́спех зазу́бривать (*часто* ~ up); 7) *sl.*
лгать.
**crambo** ['kræmbou] *n* 1) игра́ в подыска́-
ние рифм; 2) *пренебр.* рифмоплётство;
3) ри́фма; ◇ dumb ~ шара́да-пантоми́ма.
**crammer** ['kræmə] *n* 1) репети́тор, на-
та́скивающий к экза́мену; 2) *sl.* ложь.
**cramp** [kræmp] **1.** *n* 1) су́дорога, спа́зма;
2) *тех.* зажи́м, скоба́; 3) *горн.* цели́к;
**2.** *v* 1) вызыва́ть су́дорогу, спа́змы; 2) свя́-
зывать, стесня́ть (*движение*); меша́ть (*развитию*); су́живать; 3) *тех.* скрепля́ть ско́бой.
**cramped** [kræmpt] **1.** *p. p. от* cramp 2;
**2.** *a* 1) сграда́ющий от су́дорог; 2) сти́с-
нутый; стеснённый (*в пространстве*); 3)
чрезме́рно сжа́тый (*о стиле*); 4) неразбо́р-
чивый (*о почерке*); 5) ограни́ченный (*об
умственных способностях*).
**cramp-fish** ['kræmp͵fɪʃ] *n* зоол. электри́-
ческий скат.
**cramp-iron** ['kræmp͵aɪən] = crampon 1).
**crampon** ['kræmpən] *n* 1) *тех.* желе́з-
ный захва́т; 2) *pl* шипы́ на подо́швах о́буви
*или* на подко́вах.
**cranage** ['kreɪnɪdʒ] *n* 1) по́льзование
подъёмным кра́ном; 2) пла́та за по́льзо-
вание кра́ном.
**cranberry** ['krænbərɪ] *n* клю́ква.
**crane** [kreɪn] **1.** *n* 1) жура́вль; 2) *тех.*
(грузо)подъёмный кран; 3) сифо́н;
**2.** *v* 1) вытя́гивать ше́ю, что́бы лу́чше
разгляде́ть (*часто* ~ out, ~ over, ~ down);
2) поднима́ть кра́ном; 3) *разг.* остана́вли-
ваться, колеба́ться пе́ред тру́дностями, опа́с-
ностью (*at*).
**crane-fly** ['kreɪnflaɪ] *n* зоол. долгоно́жка.
**crane's-bill** ['kreɪnz͵bɪl] *n* бот. гера́нь,
жура́вельник.
**crania** ['kreɪnjə] *pl от* cranium
**cranial** ['kreɪnjəl] *a* черепно́й.
**craniometry** [͵kreɪnɪ'ɔmɪtrɪ] *n* измере́ние
че́репа, краниоме́трия.
**cranium** ['kreɪnjəm] *n* (*pl* -nia) че́реп.
**crank I** [kræŋk] **1.** *n тех.* кривоши́п;
коле́но; коле́нчатый рыча́г; заводна́я ру́чка;
рукоя́тка;

**2.** *v* 1) сгиба́ть; 2) заводи́ть рукоя́тью.
**crank II** [kræŋk] **1.** *n* 1) причу́дливый
оборо́т (*речи*); 2) при́хоть, причу́да; 3) че-
лове́к с причу́дами;
**2.** *a* 1) расша́танный (*о механизме*);
2) сла́бый (*о здоровье*); 3) *мор.* ва́лкий.
**crank case** ['kræŋk͵keɪs] *n тех.* ка́ртер
коле́нчатого ва́ла.
**cranked** [kræŋkt] **1.** *p. p. от* crank I, 2;
**2.** *a* коле́нчатый, изо́гнутый.
**crankshaft** ['kræŋk͵ʃɑ:ft] *n тех.* колен-
чатый вал.
**crankweb** ['kræŋkweb] *n тех.* плечо́
кривоши́па.
**cranky** ['kræŋkɪ] *a* 1) расша́танный,
неиспра́вный (*о механизме*); 2) *разг.* сла́-
бый (*о здоровье*); 3) раздражённый, всем
недово́льный; капри́зный; с причу́дами;
4) эксцентри́чный; 5) изви́листый, по́лный
заку́лков.
**crannied** ['krænɪd] *a* потре́скавшийся.
**cranny I** ['krænɪ] *n* щель, гре́щина.
**cranny II** ['krænɪ] *n англо-инд.* слу́-
жащий-инду́с, уме́ющий писа́ть по-англи́й-
ски.
**crap** [kræp] *n* 1) *диал.* гречи́ха; 2) *разг.*
чепуха́; 3) *sl.* де́ньги; 4) *attr. sl.:* ~ shooting
аза́ртная игра́ в ко́сти; ◇ to take a ~ оправ-
ля́ться (*в уборной*).
**crape** [kreɪp] *n* 1) креп; *перен.* тра́ур;
2) тра́урная повя́зка, повя́зка из кре́па.
**craped** [kreɪpt] *a* 1) завито́й; 2) оде́тый
в тра́ур; 3) отде́ланный кре́пом.
**crappy** ['kræpɪ] *a* дрянно́й, парши́вень-
кий, пога́ненький.
**craps** [kræps] *n амер.* аза́ртная игра́
в ко́сти.
**crapulence** ['kræpjuləns] *n* 1) похме́лье;
2) пья́ный разгу́л.
**crapulent** ['kræpjulənt] *a* 1) в состоя́-
нии похме́лья; 2) предаю́щийся какому-л.
поро́ку (*распутству, пьянству, обжорст-
ву*).
**crapulous** ['kræpjuləs] = crapulent.
**crapy** ['kreɪpɪ] *a* кре́повый.
**crash I** [kræʃ] **1.** *n* 1) гро́хот; треск;
2) си́льный уда́р при паде́нии, столкнове́-
нии; 3) ава́рия, поло́мка, круше́ние; 4)
крах, банкро́тство;
**2.** *adv* с гро́хотом, с тре́ском;
**3.** *v* 1) па́дать, ру́шиться с тре́ском,
гро́хотом (*часто* ~ through, ~ down);
грохота́ть; to ~ into smth. наскочи́ть на
что-л. с тре́ском; 2) разби́ть, разру́шить;
вы́звать ава́рию; to ~ a plane сбить самолёт;
3) потерпе́ть ава́рию, круше́ние; разби́ться
при паде́нии; 4) потерпе́ть крах; 5) *амер.
sl.* прони́кнуть «за́йцем», без биле́та *или*
без приглаше́ния; to ~ a party яви́ться без
приглаше́ния; to ~ the gate пройти́ в теа́тр
(на конце́рт *и т. п.*) без биле́та; □ ~ in,
~ on *sl.* вторга́ться.
**crash II** [kræʃ] *n* суро́вое полотно́, холст.
**crash-helmet** ['kræʃ͵helmɪt] *n* шлем лётчика *или* води́теля автомаши́ны.
**crash-land** ['kræʃlænd] *v ав.* разби́ться
при поса́дке.
**crash pad** ['kræʃpæd] *n* защи́тная по-
ду́шка.

**crashproof** [ˈkræʃpruːf] *a тех.* неломающийся.

**crass** [kræs] *a* 1) грубый; 2) полнейший (*о невежестве и т. п.*).

**crassitude** [ˈkræsɪtjuːd] *n* крайняя тупость, глупость.

**cratch** [kræʧ] *n* кормушка (*особ. для кормления животных на открытом воздухе*).

**crate** [kreɪt] 1. *n* 1) упаковочная клеть или корзина; рама стекольщика; 2) *ав. sl.* самолёт;
2. *v* упаковывать в клети, корзины.

**crater** [ˈkreɪtə] *n* 1) кратер (*вулкана*); 2) воронка (*от снаряда*); 3) *археол.* кратер (*сосуд*).

**cravat** [krəˈvæt] *фр. n* галстук; шарф.

**crave** [kreɪv] *v* 1) страстно желать, жаждать (for); 2) просить, умолять; 3) требовать (*об обстоятельствах*).

**craven** [ˈkreɪvən] 1. *a* малодушный; трусливый; to cry — сдаться; струсить;
2. *n* трус.

**craving** [ˈkreɪvɪŋ] 1. *pres. p. от* crave;
2. *n* страстное желание, стремление (for).

**craw** [krɔː] *n* зоб (*у птицы*).

**crawfish** [ˈkrɔːfɪʃ] 1. *n* = crayfish;
2. *v амер. разг.* идти на попятный.

**crawl** [krɔːl] 1. *v* 1) ползать, ползти; to — about еле передвигать ноги (*о больном*); 2) пресмыкаться; 3) кишеть (*насекомыми;* with); 4) чувствовать мурашки по телу; 5) *амер. sl.* идти на попятный.
2. *n* 1) ползание, медленное движение; to go at a — ходить, двигаться медленно; 2) пресмыкательство; 3) *спорт.* «кроль» (*стиль плавания;* тж. — stroke); 4) *гидр.* затон, тоня.

**crawler** [ˈkrɔːlə] *n* 1) пресмыкающееся животное; 2) низкопоклонник; 3) медленно едущий извозчик; 4) *тех.* гусеничный ход; 5) *pl* ползунки (*одежда для ползающих детей*); 6) *attr. тех.* гусеничный.

**crawly** [ˈkrɔːlɪ] *a разг.* испытывающий ощущение мурашек по телу.

**crayfish** [ˈkreɪfɪʃ] *n* 1) речной рак; 2) лангуст(а), десятиногий морской рак.

**crayon** [ˈkreɪən] 1. *n* 1) цветной карандаш; цветной мелок; пастель; 2) рисунок цветным карандашом, пастелью; 3) *эл.* уголь в дуговой лампе; 4) *attr.* рисовальный, для рисования; — paper рисовальная бумага; ◇ — vesicant detector *воен.* карандаш-индикатор присутствия кожно-нарывного ОВ;
2. *v* рисовать цветным карандашом *или* мелком.

**craze** [kreɪz] 1. *n* 1) мания; пункт помешательства; 2) *разг.* мода, повальное увлечение (for); to be the — быть в моде, производить фурор; 3) трещина в глазури;
2. *v* 1) сводить с ума; 2) сходить с ума; 3) делать волосные трещины на глазури.

**crazy** [ˈkreɪzɪ] *a* 1) сумасшедший, безумный; 2) *разг.* помешанный (*на чём-л.*); сильно увлечённый (about); 3) шаткий; 4) покрытый трещинами (*о глазури*); 5) сделанный из кусков различной формы; — quilt лоскутное одеяло; — bone = funny-bone.

**creak** [kriːk] 1. *n* скрип;
2. *v* скрипеть.

**creaky** [ˈkriːkɪ] *a* скрипучий.

**cream** [kriːm] 1. *n* 1) сливки; крем; 2) что-л. отборное, самое лучшее; цвет (*чего-л.*); the — of the joke, of the story соль шутки, рассказа; the — of society «сливки общества»; 3) крем (*косметическое средство*); 4) пена; 5) *attr.* = cream-coloured; 6) *attr.:* — freezer мороженица; ◇ — of lime *стр.* известковое молоко;
2. *v* 1) отстаиваться; 2) пениться; 3) снимать сливки; 4) прибавлять сливки (*в чай и т. п.*).

**cream cheese** [ˈkriːmˈʧiːz] *n* сливочный сыр.

**cream-coloured** [ˈkriːmˌkʌləd] *a* кремового цвета.

**creamery** [ˈkriːmərɪ] *n* 1) маслобойня; сыроварня; 2) молочная.

**cream-laid paper** [ˈkriːmleɪdˌpeɪpə] *n* бумага верже кремового цвета.

**cream of tartar** [ˈkriːməvˈtɑːtə] *n* винный камень.

**cream-wove paper** [ˈkriːmwouvˌpeɪpə] *n* веленевая бумага кремового цвета.

**creamy** [ˈkriːmɪ] *a* 1) сливочный; жирный; 2) кремовый.

**crease** [kriːs] 1. *n* 1) складка; сгиб; загиб; отутюженная складка брюк; 2) черта, граница (*в играх*); 3) конёк (*крыши*); 4) старое русло реки.
2. *v* 1) мять(ся); this material —s easily эта материя легко мнётся; 2) утюжить складки; 3) загибать, фальцевать.

**creasy** [ˈkriːsɪ] *a* смятый, морщинистый, лежащий складками.

**create** [kriːˈeɪt] *v* 1) творить, создавать; 2) возводить в звание; he was —d a baronet он получил титул баронета; 3) вызывать (*какое-л. чувство и т. п.*); производить (*впечатление и т. п.*); 4) *разг.* суетиться, волноваться; he is always creating about nothing он всегда суетится без толку.

**creation** [kriːˈeɪʃən] *n* 1) создание; (со)творение; созидание; 2) произведение (*науки, искусства*); 3) мироздание; 4) возведение в звание.

**creative** [kriːˈeɪtɪv] *a* творческий.

**creator** [kriːˈeɪtə] *n* творец, создатель; автор.

**creature** [ˈkriːʧə] *n* 1) создание, творение; 2) живое существо; 3) тварь; 4) человек (*как эпитет жалости или нежности*); 5) креатура, ставленник; 6) *шутл.* «зелье», спиртные напитки; ◇ — of a day *зоол.* подёнка; — comforts а) земные блага; б) *воен.* мелкие предметы личного потребления (*папиросы и т. п.*).

**crèche** [kreɪʃ] *фр. n* детские ясли.

**credence** [ˈkriːdəns] *n* 1) вера, доверие; to give — to smb. поверить кому-л.; letter of — рекомендательное письмо; 2) жертвенник (*в алтаре;* тж. — table).

**credent** [ˈkriːdənt] *a* доверчивый.

**credential** [krɪˈdenʃəl] *n* 1) мандат; удостоверение личности; рекомендация; 2) *pl* верительные грамоты (*посла*); 3) *pl attr.* мандатный; —s committee мандатная комиссия.

**credibility** [ˌkredɪˈbɪlɪtɪ] n вероя́тность, правдоподо́бие.

**credible** [ˈkredəbl] a вероя́тный; заслу́живающий дове́рия.

**credit** [ˈkredɪt] 1. n 1) ве́ра; дове́рие; to give ~ to smth. пове́рить чему́-л.; 2) хоро́шая репута́ция; 3) похвала́, честь; to one's ~ к чьей-л. че́сти; the boy is a ~ to his family ма́льчик де́лает честь свое́й семье́; to do smb. ~ де́лать честь кому́-л.; 4) влия́ние; значе́ние; уваже́ние (of, for); 5) амер. зачёт; удостовере́ние о прохожде́нии како́го-л. ку́рса в уче́бном заведе́нии; 6) фин. креди́т; долг; су́мма, запи́санная на прихо́д; пра́вая сторона́ бухга́лтерской кни́ги; on ~ в долг; в креди́т; 2. v 1) ве́рить; доверя́ть; 2) припи́сывать; to ~ smb. with good intentions припи́сывать кому́-л. до́брые наме́рения; 3) фин. кредитова́ть.

**creditable** [ˈkredɪtəbl] a похва́льный, де́лающий честь (кому́-л.).

**credited** [ˈkredɪtɪd] 1. p. p. от credit 2; 2. a тех. перспекти́вный (о руднике и т. п.).

**creditor** [ˈkredɪtə] n 1) кредито́р; 2) пра́вая сторона́ бухга́лтерской кни́ги.

**credo** [ˈkriːdou] лат. n (pl -os [-ouz]) 1) церк. си́мвол ве́ры; 2) убежде́ния, кре́до.

**credulity** [krɪˈdjuːlɪtɪ] n легкове́рие, дове́рчивость.

**credulous** [ˈkredjuləs] a легкове́рный, дове́рчивый.

**creed** [kriːd] n 1) вероуче́ние; си́мвол ве́ры; 2) кре́до, убежде́ния.

**creek** [kriːk] n 1) бу́хта, зали́в; у́стье реки́; 2) амер. прито́к; руче́й.

**creel** [kriːl] n 1) корзи́на для ры́бы; 2) текст. ра́ма для кату́шек.

**creep** [kriːp] 1. v (crept) 1) по́лзать; пресмыка́ться; 2) е́ле передвига́ть но́ги (о больно́м); 3) стла́ться, ви́ться (о ползу́чих расте́ниях); 4) кра́сться, подкра́дываться (часто ~ in, ~ into, ~ up); to ~ about on tiptoe ходи́ть на цы́почках; to ~ into smb.'s favour втира́ться к кому́-л. в дове́рие; 5) содрога́ться; чу́вствовать мура́шки по те́лу; it makes my flesh (или blood) ~ меня́ моро́з по ко́же подира́ет от э́того; 6) мор. тра́лить; 7) тех. набега́ть по ине́рции (о ремне и т. п.); 2. n 1) pl разг. содрога́ние; мура́шки; 2) лазе́йка для скота́ (в изгоро́ди); 3) геол. дви́жущийся о́ползень; обва́л; 4) тех. крип, ползу́честь мета́лла; 5) мор. до́нный трал, дра́га; 6) тех. набега́ние по ине́рции.

**creeper** [ˈkriːpə] n 1) ползу́чее расте́ние; 2) пресмыка́ющееся живо́тное; 3) pl ши́пы на подо́швах; 4) тех. дра́га; ко́шка.

**creepy** [ˈkriːpɪ] a 1) вызыва́ющий мура́шки, броса́ющий в дрожь; 2) ползу́чий; 3) пресмыка́ющийся.

**creese** [kriːs] n мала́йский кинжа́л.

**cremate** [krɪˈmeɪt] v кремировать, сжига́ть тру́пы.

**cremation** [krɪˈmeɪʃən] n крема́ция.

**crematoria** [ˌkreməˈtɔːrɪə] pl от crematorium.

**crematorium** [ˌkreməˈtɔːrɪəm] n (pl -s [-z], -ria) кремато́рий.

**crematory** [ˈkremətərɪ] = crematorium.

**cremona** [krɪˈmounə] n кремо́нская скри́пка.

**crenate(d)** [ˈkriːneɪt(ɪd)] a бот. городча́тый (о листе).

**crenel(l)ated** [ˈkrenɪleɪtɪd] a зубча́тый.

**crenel(le)** [ˈkrenəl] n архит. амбразу́ра.

**creosote** [ˈkrɪəsout] n хим. креозо́т.

**crêpe** [kreɪp] фр. n креп (ткань).

**crepitate** [ˈkrepɪteɪt] v 1) хрусте́ть, потре́скивать; 2) хрипе́ть.

**crepitation** [ˌkrepɪˈteɪʃən] n 1) хруст, потре́скивание; 2) хри́пы (при пневмони́и).

**crept** [krept] past и p. p. от creep 1.

**crepuscular** [krɪˈpʌskjulə] a 1) су́меречный; ту́склый; 2) зоол. су́меречный

**crescendo** [krɪˈʃendou] ит. 1. n муз. креще́ндо; 2. adv в бу́рном те́мпе, нараста́я.

**crescent** [ˈkresnt] 1. n 1) полуме́сяц; серп луны́; после́дняя че́тверть луны́; 2) полукру́г; ◇ C. City амер. г. Но́вый Орлеа́н; 2. a 1) расту́щий, возраста́ющий; 2) име́ющий фо́рму полуме́сяца, серпови́дный.

**cress** [kres] n кресс (салат).

**cresset** [ˈkresɪt] n фа́кел, свето́ч.

**crest** [krest] 1. n 1) гребешо́к (петуха́); хохоло́к (птицы); 2) гри́ва; хо́лка; 3) гре́бень шле́ма; шлем; 4) гре́бень (волны, горы, кры́ши); on the ~ of the wave на гре́бне волны́; перен. на верши́не сла́вы; 5) конёк (кры́ши); 6) тех. пи́ка (нагру́зки); 2. v 1) служи́ть гре́бнем; уве́нчивать; 2) достига́ть верши́ны; 3) вздыма́ться (о волна́х).

**crested** [ˈkrestɪd] 1. p. p. от crest 2; 2. a снабжённый, укра́шенный гре́бнем, хохолко́м.

**crest-fallen** [ˈkrestˌfɔːlən] a упа́вший ду́хом, уны́лый; удручённый.

**cretaceous** [krɪˈteɪʃəs] a геол. меловой.

**Cretan** [ˈkriːtən] 1. a кри́тский; 2. n критя́нин.

**cretin** [ˈkretɪn] n крети́н.

**cretinism** [ˈkretɪnɪzəm] n кретини́зм.

**cretinous** [ˈkretɪnəs] a слабоу́мный, страда́ющий кретини́змом.

**cretonne** [kreˈtɔn] n текст. крето́н.

**crevasse** [krɪˈvæs] n рассе́лина в леднике́.

**crevice** [ˈkrevɪs] n 1) щель, расще́лина; 2) тре́щина, содержа́щая жи́лу.

**crew** I [kruː] n 1) судова́я кома́нда; экипа́ж (судна); 2) воен. оруди́йный или пулемётный расчёт; 3) брига́да или арте́ль рабо́чих; engine ~ парово́зная брига́да; 4) компа́ния, ша́йка.

**crew** II [kruː] past от crow I, 2.

**crew-cut** [ˈkruːkʌt] n мужска́я стри́жка, ёжик.

**crewel** [ˈkruːɪl] n 1) то́нкая шерсть (для вышива́ния); 2) вышива́ние ше́рстью.

**crib** [krɪb] 1. n 1) я́сли, корму́шка; сто́йло; 2) де́тская крова́тка (с боковы́ми *сетками*); 3) вёрша для лóвли лосóсей; 4) хи́жина; небольша́я кóмната; 5) ларь, закром; 6) *sl.* кварти́ра, дом, магази́н; to crack a ~ соверши́ть кра́жу со взлóмом; 7) *школ.* подстрóчник, шпарга́лка; 8) *разг.* плагиа́т (from); 9) *горн.* сруб крéпи; кострóвая крепь;

2. *v* 1) запира́ть, заключа́ть в тéсное помещéние; 2) *школ.* спи́сывать тайкóм; 3) *разг.* соверша́ть плагиа́т (from).

**cribbage** [ˈkrɪbɪdʒ] *n* 1) кри́бедж (*карт. игра*); 2) *разг.* плагиа́т.

**crib-biting** [ˈkrɪbˌbaɪtɪŋ] *n* *вет.* прику́ска (*у лошади*).

**cribble** [ˈkrɪbl] *n* грóхот; решетó; си́то.

**cribriform** [ˈkrɪbrɪfɔːm] *a* 1) *анат.* решётчатый; 2) *бот.* ситови́дный.

**crick** [krɪk] 1. *n* растяжéние мышц;
2. *v* растяну́ть мы́шцу.

**cricket** I [ˈkrɪkɪt] *n* сверчóк; ◇ lively (*или* merry) as a ~ жизнера́достный.

**cricket** II [ˈkrɪkɪt] *спорт.* 1. *n* кри́кет; ◇ it is not ~ *разг.* не по пра́вилам; нечéстно, ни́зко;
2. *v* игра́ть в кри́кет.

**cricket** III [ˈkrɪkɪt] *n* ни́зкий стул *или* табурéт; скамéечка для ног.

**cried** [kraɪd] *past и p.p. от* cry 2.

**crier** [ˈkraɪə] *n* 1) крику́н; 2) глаша́тай.

**cries** [kraɪz] *pl от* cry 1.

**crikey** [ˈkraɪkɪ] *int разг.* ≅ бóже мой! (*восклицание удивления*).

**crime** [kraɪm] 1. *n* преступлéние; злодея́ние; ~s against humanity преступлéния прóтив человéчности;
2. *v воен.* кара́ть за нарушéние уста́ва.

**Crimean** [kraɪˈmɪən] *a* кры́мский.

**crime-sheet** [ˈkraɪmʃiːt] *n воен.* штрафнóй спи́сок.

**criminal** [ˈkrɪmɪnl] 1. *a* престу́пный; криминáльный, уголóвный; ~ law уголóвное право; ~ action уголóвное дéло;
2. *n* престу́пник; war ~ воéнный престу́пник.

**criminalist** [ˈkrɪmɪnəlɪst] *n* криминали́ст, специали́ст по уголóвному пра́ву.

**criminality** [ˌkrɪmɪˈnælɪtɪ] *n* престу́пность; винóвность.

**criminalize** [ˈkrɪmɪnəlaɪz] *v* (*обыкн. p.p.*) *амер.* превраща́ть в престу́пников.

**criminally** [ˈkrɪmɪnəlɪ] *adv* 1) престу́пно; 2) соглáсно уголóвному пра́ву.

**criminate** [ˈkrɪmɪneɪt] *v* 1) обвиня́ть в преступлéнии; инкримини́ровать; 2) осужда́ть, порица́ть.

**crimination** [ˌkrɪmɪˈneɪʃən] *n* 1) обвинéние в преступлéнии; 2) рéзкое порица́ние.

**criminative** [ˈkrɪmɪnətɪv] *a* обвини́тельный, обличи́тельный.

**criminatory** [ˈkrɪmɪnətrɪ] *a* облича́ющий, обвиня́ющий.

**criminology** [ˌkrɪmɪˈnɔlədʒɪ] *n* криминолóгия.

**criminous** [ˈkrɪmɪnəs] *a*: ~ clerk священник-престу́пник.

**criminy** [ˈkrɪmɪnɪ] *int уст. восклица́ние, выражáющее комическое удивление.*

**crimp** I [krɪmp] 1. *n* агéнт, вербу́ющий

матрóсов и солдáт обмáнным путём; ◇ to put a ~ in (*или* into) (по)мешáть (в чём-л.), расстрóить (*чьи-л. планы*);
2. *v* вербовáть обмáнным путём.

**crimp** II [krɪmp] *v* 1) завивáть, гофрировáть; 2) надрезáть мя́со *или* ры́бу перед готóвкой.

**crimper** [ˈkrɪmpə] *n* 1) обжимáние; 2) *метал.* обжи́мные щипцы́.

**crimpy** [ˈkrɪmpɪ] *a* курчáвый; вьющийся; волни́стый.

**crimson** [ˈkrɪmzn] 1. *a* тёмно-крáсный, мали́новый;
2. *n* 1) мали́новый цвет; 2) румя́нец;
3. *v* 1) окрáшивать(ся) в мали́новый цвет; 2) краснéть.

**cringe** [krɪndʒ] 1. *n* раболéпие, низкопоклóнство;
2. *v* 1) раболéпствовать (to); 2) проявля́ть раболéпный страх; съёживаться (*от страха*).

**cringle** [ˈkrɪŋgl] *n мор.* люверс; крéнгельс.

**crinkle** [ˈkrɪŋkl] 1. *n* 1) изги́б, изви́лина; 2) склáдка, морщи́на;
2. *v* 1) извивáться; 2) мóрщить(ся); 3) завивáть (*волосы*).

**crinkum-crankum** [ˈkrɪŋkəmˈkræŋkəm] *разг.* 1. *n* что-л. óчень запу́танное, слóжное;
2. *a* изви́листый.

**crinoline** [ˈkrɪnəliːn] *n* 1) ткань из кóнского вóлоса; 2) криноли́н; 3) *мор.* противоторпéдная сеть.

**cripple** [ˈkrɪpl] 1. *n* 1) калéка, инвали́д; 2) (порóжистый) перекáт в рекé;
2. *v* 1) калéчить, урóдовать; лишáть трудоспосóбности; 2) хромáть; 3) приводи́ть в негóдность; наноси́ть вред, урóн; 4) *воен.* сломи́ть (*сопротивление*).

**crippling** [ˈkrɪplɪŋ] 1. *pres. p. от* cripple 2;
2. *n тех.* деформáция.

**crises** [ˈkraɪsiːz] *pl от* crisis.

**crisis** [ˈkraɪsɪs] *n* (*pl* crises) 1) кри́зис; economic ~ экономи́ческий кри́зис; the general ~ of capitalism óбщий кри́зис капитали́зма; 2) перелóм (*в ходе болезни*).

**crisis-ridden** [ˈkraɪsɪsˌrɪdn] *a* охвáченный кри́зисом.

**crisp** [krɪsp] 1. *a* 1) рассы́пчатый, хрустя́щий; 2) твёрдый, жёсткий; 3) свéжий, бодря́щий, живи́тельный (*о воздухе*); 4) я́сно очéрченный, чёткий (*о чертах лица*); 5) живóй (*стиль и т. п.*); 6) реши́тельный (*ответ, нрав*); 7) кудря́вый, зави́той; 8) покры́тый ря́бью;
2. *v* 1) хрустéть; 2) дéлать тéсто рассы́пчатым; 3) завивáть(ся); 4) покрывáться ря́бью; 5) *текст.* ворси́ть.

**criss-cross** [ˈkrɪskrɔs] 1. *a* 1) перекрéщивающийся; перекрéстный; 2) раздражи́тельный; ворчли́вый;
2. *n* 1) крест (*вместо подписи неграмотного*); 2) дéтская игрá в крéстики;
3. *adv* 1) крест-нáкрест; 2) вкось;
4. *v* перекрéщивать; оплетáть (крест-нáкрест).

**cristate** [ˈkrɪsteɪt] *a* хохлáтый, гребéнчатый.

**criteria** [kraɪ'tɪərɪə] pl от criterion.

**criterion** [kraɪ'tɪərɪən] n (pl -ia) крите́рий, мери́ло.

**critic** ['krɪtɪk] n кри́тик.

**critical** ['krɪtɪkəl] a 1) крити́ческий; 2) разбо́рчивый; 3) перело́мный, реша́ющий; 4) амер. дефици́тный; кра́йне необходи́мый; нормируемый; 5) риско́ванный, опа́сный; угрожа́емый; угрожа́ющий.

**criticaster** ['krɪtɪ,kæstə] n ме́лкий, плохо́й кри́тик, критика́н.

**criticism** ['krɪtɪsɪzəm] n 1) кри́тика; beneath ~ ни́же вся́кой кри́тики; destructive ~ уничтожа́ющая кри́тика: 2) крити́ческий разбо́р, крити́ческая статья́.

**criticize** ['krɪtɪsaɪz] v 1) критикова́ть; well ~d получи́вший благоприя́тный о́тзыв; 2) осужда́ть.

**critique** [krɪ'tiːk] фр. n 1) кри́тика; 2) реце́нзия; крити́ческая статья́.

**croak** [krouk] 1. n ка́рканье; ква́канье; 2. v 1) ка́ркать; ква́кать; 2) ворча́ть, брюзжа́ть; 3) накли́кать, напроро́чить беду́; 4) sl. умере́ть; 5) sl. уби́ть.

**croaker** ['kroukə] n 1) ка́ркающий; ква́кающий; 2) ворчу́н; 3) прорица́тель дурно́го.

**Croat** ['krouət] n хорва́т, кроа́т.

**Croatian** [krou'eɪʃjən] a хорва́тский, кроа́тский.

**crochet** ['krouʃeɪ] фр. 1. n 1) вышива́ние та́мбуром; 2) вяза́льный крючо́к; 2. v вышива́ть та́мбуром.

**crock** I [krɔk] n 1) гли́няный кувши́н или горшо́к; 2) черепо́к.

**crock** II [krɔk] 1. n кля́ча (тж. перен.); 2. v (обыкн. ~ up) 1) заéздить (ло́шадь); 2) разг. вы́мотать си́лы (у челове́ка).

**crocked** [krɔkt] 1. p. p. от crock II, 2; 2. a замо́танный, заéзженный, за́гнанный.

**crockery** ['krɔkərɪ] n посу́да (гли́няная, фая́нсовая).

**crocket** ['krɔkɪt] n архит. ли́ственный орна́мент.

**crocodile** ['krɔkədaɪl] n 1) крокоди́л; 2) шутл. шко́льное гуля́нье па́рами (о де́вочках); 3) attr. крокоди́ловый; ◇ ~ shears тех. рыча́жные но́жницы.

**crocodilian** [,krɔkə'dɪlɪən] a крокоди́ловый.

**crocus** ['kroukəs] n 1) бот. кро́кус, шафра́н; 2) тех. кро́кус (окись железа в порошке).

**Croesus** ['kriːsəs] n 1) миф. Крез; 2) облада́тель несме́тных бога́тств.

**croft** [krɔft] n 1) приуса́дебный уча́сток (в Англии); 2) небольша́я фе́рма (в Шотландии).

**crofter** ['krɔftə] n аренда́тор небольшо́й фе́рмы (в Шотландии).

**cromlech** ['krɔmlek] n археол. кро́млех (кельтское сооружение бронзового века).

**crone** [kroun] n стару́ха, ста́рая карга́.

**crony** ['krounɪ] n бли́зкий, закады́чный друг.

**crook** [kruk] 1. n 1) крюк; 2) по́сох; 3) поворо́т, заги́б, изги́б (реки, дороги); a ~ in the back горб на спине́; a ~ in the

nose горби́нка на носу́; 4) sl. обма́нщик, плут; on the ~ обма́нным путём; ◇ a ~ in the lot тяжёлое испыта́ние; уда́р судьбы́;
2. v сгиба́ть(ся); изгиба́ть, искривля́ть; скрю́чивать(ся); го́рбиться; ◇ to ~ the elbow sl. напи́ться, наклю́каться.

**crook-backed** ['krukbækt] a горба́тый.

**crooked** 1. [krukt] p. p. от crook 2; 2. a ['krukɪd] 1) изо́гнутый, криво́й; ~ nail тех. косты́ль; 2) искривлённый; сго́рбленный; согбе́нный; 3) непрямо́й, нече́стный; извращённый; 4) добы́тый нече́стным путём; 5) [krukt] опира́ющийся на па́лку, на клюку́.

**croon** [kruːn] 1. n ти́хое, моното́нное пе́ние; 2. v напева́ть.

**crooner** ['kruːnə] n исполни́тель или исполни́тельница сентимента́льных пе́сенок.

**crop** [krɔp] 1. n 1) урожа́й; жа́тва; ~ богáтый урожа́й; 2) хлеб на корню́; land under ~ засе́янная земля́; land out of ~ незасе́янная или невозде́ланная земля́; 3) с.-х. культу́ра (или industrial) ~s техни́ческие культу́ры; 4) зоб (у птиц); 5) кнутови́ще; 6) ко́ротко остри́женные во́лосы; Eton ~ да́мская стри́жка «под ма́льчика»; 7) оби́лие; ма́сса; 8) дублёная шку́ра; 9) горн. добы́ча (руды́); 10) attr.: ~ rotation севооборо́т;
2. v 1) собира́ть урожа́й; 2) дава́ть урожа́й; 3) подстрига́ть, обреза́ть; 4) щипа́ть, объеда́ть (траву и т. п.); ▢ ~ out геол. обнажа́ться, выходи́ть на пове́рхность (о пласте); ~ up а) неожи́данно обнару́живаться; возника́ть; б) = ~ out.

**crop-eared** ['krɔp,ɪəd] a 1) корноу́хий; с обре́занными уша́ми; 2) ко́ротко подстри́женный (о пурита́нах).

**cropper** ['krɔpə] n 1) косе́ц, жнец; 2) издо́льщик (в хлопковых районах США); 3) коси́лка, жне́йка; 4): a good (или heavy) ~ расте́ние, даю́щее хоро́ший урожа́й; a light ~ расте́ние, даю́щее небольшо́й урожа́й; 5) зоба́стый го́лубь; 6) разг. тяжёлое паде́ние; to come a ~ упа́сть с ло́шади вниз голово́й; перен. потерпе́ть крах.

**crop plants** ['krɔpplɑːnts] n pl хле́бные зла́ки.

**croppy** ['krɔpɪ] n ист. круглоголо́вый.

**croquet** ['kroukeɪ] фр. 1. n кроке́т; 2. v крокирова́ть.

**croquette** [krou'ket] фр. n кроке́ты (кушанье в виде шаров из мяса, рыбы, риса, картофеля).

**crore** [krɔː] n англо-инд. де́сять миллио́нов (рупий).

**crosier** ['krouzə] n епи́скопский по́сох.

**cross** [krɔs] 1. n 1) крест; Red C. Кра́сный Крест; 2) распя́тие; 3) (the C.) христиа́нство; 4) черта́, перечёркивающая бу́квы t, f; 5) тех. крестови́на, крест; 6) биол. гибридиза́ция, скре́щивание (пород); 7) по́месь, гибри́д (between); 8) топ. у́ккер;
2. a 1) попере́чный; пересека́ющийся; перекрёстный; 2) проти́вный (о ветре); противополо́жный; неблагоприя́тный; 3) разг. раздражённый, злой, серди́тый; he is ~ with you он серди́т на вас; ◇ as ~ as two sticks о́чень не в ду́хе; зол как чёрт;

**3.** *v* 1) скрещивать (*шпаги, руки и т. п.*); 2) пересекать; переходить (*через улицу и т. п.*); переправляться; *амер. воен. тж.* переправлять; to ~ the Channel пересечь Ла-Манш, поехать на Континент *или* с Континента в Англию; to ~ the floor of the House *парл.* перейти из одной партии в другую; to ~ smb.'s path а) встретиться с кем-л.; б) стать кому-л. поперёк дороги; 3) креститься; 4) разминуться, разойтись (*о людях, письмах*); 5) противодействовать, противоречить; препятствовать; 6) *биол., с.-х.* скрещивать(ся); □ ~ off, ~ out вычёркивать; ~ over а) переходить, пересекать, переезжать, переправляться; б) *с.-х.* скрещивать; ◇ to ~ one's mind прийти в голову; to ~ the Styx умереть.

**crossarm** ['krɔs,ɑːm] *n тех.* поперечина, поперечная балка, траверс.

**cross-armed** ['krɔs,ɑːmd] *a predic.* скрестив руки.

**cross-bar** ['krɔsbɑː] *n* 1) *тех.* поперечина, распорка; бугель, хомут; 2) *спорт.* планка (*для прыжков*); штанга (*в футболе*).

**cross-beam** ['krɔsbiːm] *n тех.* крестовина, поперечная балка, коромысло.

**cross-bench** ['krɔsbentʃ] *n* скамья в английском парламенте для беспартийных депутатов.

**crossbill** ['krɔsbil] *n* клёст (*птица*).

**cross-bones** ['krɔsbounz] *n pl* изображение двух скрещённых костей, эмблема смерти.

**cross-bow** ['krɔsbou] *n ист.* самострел; арбалет.

**cross-bred** ['krɔsbred] *a* смешанный, гибридный.

**cross-breed** ['krɔsbriːd] *n* помесь, гибрид.

**cross-country** ['krɔs'kʌntri] **1.** *n* пересечённая местность;

**2.** *a* проходящий прямиком, без дороги; вездеходный; ~ race *спорт.* кросс, бег по пересечённой местности; ~ flight *ав.* маршрутный полёт; ~ vehicle вездеход.

**cross-cut** ['krɔskʌt] *n* 1) кратчайший путь; 2) *горн.* квершлаг;

**2.** *a* поперечный.

**cross-examination** ['krɔsig,zæmi'neiʃən] *n* перекрёстный допрос.

**cross-examine** ['krɔsig'zæmin] *v* подвергать перекрёстному допросу.

**cross-eyed** ['krɔsaid] *a* косой, косоглазый.

**cross-fertilize** ['krɔs'fəːtilaiz] *v* перекрёстно опылять (*растения*).

**cross-fire** ['krɔs,faiə] *n воен.* перекрёстный огонь.

**cross-grained** ['krɔsgreind] *a* 1) свилеватый (*о древесине*); 2) упрямый, несговорчивый.

**cross-hatch** ['krɔs,hætʃ] *v* гравировать *или* штриховать перекрёстными штрихами.

**cross head** ['krɔshed] *n* 1) = cross heading; 2) *тех.* крестовина; 3) *тех.* крейцкопф, ползун.

**cross heading** ['krɔs,hediŋ] *n* подзаголовок (*в газетной статье*).

**crossing** ['krɔsiŋ] **1.** *pres. p. от* cross 3;

**2.** *n* 1) пересечение; скрещивание; скрещение; 2) перекрёсток; переход (*через* улицу); 3) переезд по воде, переправа; 4) *биол.* скрещивание; 5) *ж.-д.* переезд; пересечение двух ж.-д. линий; разъезд; 6) *горн.* кроссинг; 7) *текст.* кипер, киперная ткань; 8) *тех.* крестовина.

**cross-legged** ['krɔslegd] *a* сидящий, положив ногу на ногу *или* поджав ноги «по-турецки».

**cross-light** ['krɔs,lait] *n* 1) пересекающиеся лучи; 2) освещение предмета с различных точек зрения.

**crossly** ['krɔsli] *adv* сварливо; сердито.

**crossness** ['krɔsnis] *n* раздражительность, сварливость.

**cross-patch** ['krɔspætʃ] *n разг.* сварливый человек.

**cross-piece** ['krɔs,piːs] *n* 1) поперечина; крестовина; 2) *мор.* краспица.

**cross purpose** ['krɔs'pəːpəs] *n* 1) недоразумение, основанное на взаимном непонимании; to be at cross purposes действовать наперекор друг другу вследствие недоразумения; 2) *pl* игра-загадка.

**cross question** ['krɔs'kwestʃən] *n* вопрос, поставленный при перекрёстном допросе.

**cross-question** ['krɔs'kwestʃən] = cross-examine.

**cross-rate** ['krɔsreit] *n* валютный курс, соотношение паритетов.

**cross reference** ['krɔs'refrəns] *n* ссылка на другое место в той же книге.

**cross-road** ['krɔsroud] *n* поперечная дорога; перекрёсток; at the ~s на распутье.

**cross section** ['krɔs,sekʃən] *n* поперечное сечение, поперечный разрез, профиль.

**cross-stitch** ['krɔsstitʃ] *n* вышивка крестиками; крестик.

**cross-trees** ['krɔs,triːz] *n pl мор.* салинг.

**cross voting** ['krɔs,voutiŋ] *n* голосование против своей партии.

**cross-wind** ['krɔs,wind] *n* встречный, противный ветер.

**crosswise** ['krɔswaiz] *adv* крестообразно; крест-накрест.

**cross-word** ['krɔswəːd] *n* кроссворд.

**crotch** [krɔtʃ] *n* 1) развилина; разветвление; 2) вилы; крюк; 3) промежность.

**crotchet** ['krɔtʃit] *n* 1) крючок; крюк; 2) фантазия, причуда, каприз.

**crotcheteer** [,krɔtʃə'tiə] *n* фантазёр, человек с причудами.

**crotchety** ['krɔtʃiti] *a* причудливый; капризный.

**croton-bug** ['kroutənbʌg] *n зоол.* прусак.

**crouch** [krautʃ] *v* 1) припасть к земле (*от страха или для нападения—о животных*); 2) раболепствовать, пресмыкаться; to ~ one's back гнуть спину (*перед кем-л.*).

**croup** I [kruːp] *n* круп (*болезнь*).

**croup** II [kruːp] *n* зад, круп (*лошади*).

**croupe** [kruːp] = croup II.

**croupier** ['kruːpiə] *фр.* *n* 1) крупье, банкомёт; 2) заместитель председателя на официальном банкете.

**crow** I [krou] **1.** *n* 1) ворона; 2) пение петуха; 3) радостный крик (*младенца*); 4) *сокр. от* crow-bar; ◇ as the ~ flies, in a ~ line по прямой линии; to eat ~ подвергаться унижению; смиряться, признава́ть себя́ побеждённым; to have a ~ to pick (*или* to pluck) with smb. име́ть счёты с кем-л.;

2. *v* (crowed, crew; crowed) 1) крича́ть кукареку́; 2) издава́ть ра́достные зву́ки (*о детях*); ликова́ть; □ ~ over восторжествова́ть над *кем-л.*

**crow** II [krou] *n* лом; во́рот; щипцы́.

**crow-bar** ['krou(ba:)] *n тех.* лом, ва́га аншпуг.

**crowberry** ['kroubərı] *n бот.* толокня́нка апте́чная; вороника чёрная.

**crow-bill** ['krou,bɪl] *n* хирурги́ческие щипцы́.

**crowd** [kraud] 1. *n* 1) толпа́; he might pass in the ~ он не ху́же други́х; 2) толкотня́; да́вка; 3) мно́жество, ма́сса (*чего-л.*); 4) *разг.* компа́ния, гру́ппа люде́й; 5): ~ of sail *мор.* форси́рованные паруса́;

2. *v* 1) собира́ться толпо́й, толпи́ться; тесни́ться; набива́ться битко́м; 2) тесни́ть, вытесня́ть; 3) *амер.* ока́зывать давле́ние; торопи́ть, пристава́ть (*с чем-л.*); 4) *мор.* спеши́ть, идти́ на всех паруса́х; □ ~ into проти́скиваться, вти́скиваться; ~ out вытесня́ть; ~ through = ~ into.

**crowded** ['kraudıd] 1. *p. p. от* crowd 2; 2. *a* 1) перепо́лненный, битко́м наби́тый; ~ streets у́лицы, перепо́лненные наро́дом; 2) по́лный, наполненный; life ~ with great events жизнь, по́лная вели́ких собы́тий; 3) *амер.* прижа́тый, прити́снутый; ◇ to be ~ for time име́ть вре́мени в обре́з.

**crowfoot** ['kroufut] *n* 1) (*pl* -foots [-s]) лю́тик; 2) (*pl* -feet) *мор.* ана́путь; 3) (*pl* -feet) = crow's-foot 2); 4) (*pl* -feet) *горн.* лови́льный крюк.

**crown** [kraun] 1. *n* 1) вене́ц, коро́на; 2) (C.) коро́на, престо́л; короле́вская власть; коро́ль, короле́ва; to succeed to the ~ насле́довать престо́л; 3) (C.) госуда́рство; верхо́вная власть (*в Англии*); 4) вено́к (*цветов*); 5) вене́ц, заверше́ние; 6) кро́на, верху́шка де́рева; 7) маку́шка, те́мя, голова́; 8) тулья́ (*шляпы*); 9) коро́нка (*зуба*); 10) кро́на (*монета достоинством в 5 шиллингов*); 11) форма́т бума́ги (*амер. 15 д.* × *19 д.—писче́й; англ. 16¹/₂ д.* × *21 д.—печа́тной, 15 д.* × *19 д.—чертёжной*); 12) *архит.* шелы́га а́рки *или* сво́да; 13) *мор.* пя́тка я́коря; 14) *тех.* коро́нка, вене́ц;

2. *v* 1) венча́ть, коронова́ть; 2) вознагражда́ть; 3) возглавля́ть; 4) заверша́ть, уве́нчивать; зака́нчивать; 5) провести́ в да́мки (*шашку*); 6) поста́вить коро́нку (*на зуб*); ◇ the end ~s the work *посл.* коне́ц венча́ет де́ло.

**Crown Colony** ['kraun'kɔlənı] *n* брита́нская коло́ния, не име́ющая самоуправле́ния.

**crowned** [kraund] 1. *p. p. от* crown 2; 2. *a* 1) уве́нчанный (with); 2) зако́нченный, завершённый; 3): high (low) ~ с высо́кой (ни́зкой) тулье́й.

**crown-glass** ['kraun'glɑːs] *n* кронгла́с (*сорт стекла*).

**crown law** ['kraun'lɔː] *n* уголо́вное пра́во.

**Crown prince** ['kraun'prɪns] *n* насле́дный принц, насле́дник престо́ла, кронпри́нц.

**crown-wheel** ['kraunwiːl] *n тех.* коро́нная шестерня́, храпово́е колесо́.

**crow-quill** ['kroukwɪl] *n* 1) воро́нье перо́; 2) то́нкое стально́е перо́.

**crow's-foot** ['krouzfut] *n* (*pl* -feet) 1) *pl* морщи́нки у угла́ гла́за; 2) *воен.* про́волочные си́лки; 3) *pl ав.* гуси́ные ла́пы.

**crow's-nest** ['krouznest] *n* 1) воро́нье гнездо́; 2) *мор.* наблюда́тельный пост (*на мачте*).

**croze** [krouz] *n* утор (*в бочке*).

**crozzle** ['krɔzl] *v* обраща́ть в пе́пел.

**crucial** ['kruːʃəl] *a* 1) реша́ющий (*о моме́нте, опыте*); крити́ческий (*о перио́де*); 2) *мед.* крестообра́зный.

**crucian** ['kruːʃən] *n* кара́сь.

**cruciate** ['kruːʃıeıt] *a* крестообра́зный.

**crucible** ['kruːsıbl] *n* ти́гель; *перен.* суро́вое испыта́ние.

**cruciferous** [kruːˈsıfərəs] *a бот.* кресто-цве́тный.

**crucifix** ['kruːsıfıks] *n* распя́тие.

**crucifixion** [ˌkruːsıˈfıkʃən] *n* 1) распя́тие на кресте́; 2) му́ки, страда́ния.

**cruciform** ['kruːsıfɔːm] *a* крестообра́зный.

**crucify** ['kruːsıfaı] *v* 1) распина́ть; 2) умерщвля́ть (*плоть*); 3) му́чить.

**crude** [kruːd] *a* 1) сыро́й, незре́лый; 2) непереваренный; 3) необрабо́танный; неочи́щенный; 4) гру́бый; 5) незре́лый, непроду́манный; 6) го́лый (*о фак.тах*); 7) крича́щий (*о красках*).

**crude iron** ['kruːd,aıən] *n* чугу́н.

**crudity** ['kruːdıtı] *n* незре́лость, необрабо́танность *и пр.* [*см.* crude].

**cruel** [kruəl] *a* 1) жесто́кий; безжа́лостный, бессерде́чный; 2) мучи́тельный; ужа́сный; ~ suffering ужа́сные страда́ния; ~ war суро́вая, жесто́кая война́; ~ fate го́рькая судьби́на; ~ disease тяжёлая, мучи́тельная боле́знь.

**cruelly** ['kruəlı] *adv* 1) жесто́ко; безжа́лостно; 2) мучи́тельно.

**cruelty** ['kruəltı] *n* жесто́кость; безжа́лостность, бессерде́чие.

**cruet** ['kruːıt] *n* бутыло́чка, графи́нчик для у́ксуса *или* ма́сла.

**cruet-stand** ['kruːıtstænd] *n* судо́к.

**cruise** [kruːz] *n* 1) кре́йсерство; морско́е путеше́ствие, пла́вание;

2. *v мор.* крейси́ровать; соверша́ть ре́йсы.

**cruiser** ['kruːzə] *n мор.* кре́йсер; armoured (belted,protected) ~ *ист.* бронено́сный (бронепа́лубный) кре́йсер; ◇ ~ weight боксёр полутяжёлого ве́са.

**cruiser-carrier** ['kruːzə'kærıə] *n мор.* кре́йсер-авиано́сец.

**cruising speed** ['kruːzıŋspiːd] *n мор.* кре́йсерская ско́рость.

**cruising submarine** ['kruːzıŋ'sʌbməriːn] *n мор.* кре́йсерская подво́дная ло́дка.

**cruller** ['krʌlə] *n амер.* жа́реный пирожо́к.

**crumb** [krʌm] 1. *n* 1) (*обыкн. pl*) кро́шка (*особ. хлеба*); 2) мя́киш (*хлеба*); 3) *pl* кро́хи, крупи́цы; ~s of information обры́вки све́дений;

2. *v* 1) кроши́ть; 2) обсыпа́ть кро́шками; обва́ливать в сухаря́х; 3) смета́ть кро́шки (*со стола*).

**crumb-brush** ['krʌmbrʌʃ] *n* щётка для сметания крошек (*со стола*).

**crumble** ['krʌmbl] *v* 1) крошиться; осыпаться; обваливаться; 2) крошить, раздроблять, толочь, растирать (*в порошок*); 3) распадаться, разрушаться, .гибнуть (*часто* ~ away); his hopes have ~d to nothing егó надéжды рýхнули.

**crumbly** ['krʌmblı] *a* крошащийся, рассыпчатый, рыхлый.

**crumby** ['krʌmı] *a* 1) усыпанный крошками; 2) мягкий (*как мякиш*); 3) *амер.* дешёвый; 4) *амер.* грязный; отвратительный; мёрзкий.

**crummy** ['krʌmı] *a* 1) = crumby 1) *и* 2); 2) *разг.* пухленькая (*о женщине*); 3) *разг.* богатый, зажиточный.

**crump** [krʌmp] 1. *n* 1) сильный удар; тяжёлое падение; 2) *воен. sl.* тяжёлый фугасный снаряд; 3) звук от разрыва тяжёлого снаряда;
2. *v* 1) сильно ударять; 2) *воен. sl.* стрелять, обстреливать.

**crumpet** ['krʌmpıt] *n* 1) сдобная пышка; 2) *sl.* башка; barmy on the ~ сумасбродный, взбалмошный.

**crumple** ['krʌmpl] *v* 1) мять(ся); комкать; морщиться; съёживаться; this cloth ~s very easily эта материя очень мнётся; 2) сгибать, закручивать; 3) падать духом.

**crumpler** ['krʌmplə] *n* падение всадника вместе с лошадью.

**crunch** [krʌntʃ] 1. *n* 1) хруст; 2) скрип; треск;
2. *v* 1) грызть; хрустеть; 2) скрипеть под ногами; трещать.

**crupper** ['krʌpə] *n* 1) подхвостник (*часть сбруи*); 2) круп (*лошади*).

**crural** ['krurəl] *a* анат. бедренный.

**crusade** [kruː'seɪd] 1. *n* 1) *ист.* крестовый поход; 2) поход, кампания (*против чего-л.*);
2. *v* выступить походом; бороться (*против чего-л.*).

**crusader** [kruː'seɪdə] *n* 1) *ист.* крестоносец; 2) участник общественной кампании.

**cruse** [kruːz] *n уст.* глиняный кувшин.

**crush** [krʌʃ] 1. *n* 1) раздавливание, дробление *и пр.* [*см.* 2]; 2) давка; толкотня; 3) *разг.* шумное собрание, сборище; 4) сокрушительный удар; *воен.* разгром; 5) *sl.* увлечение, пылкая любовь; to have (got) a ~ on smb. очень любить кого-л.; 6) напиток из выжатого фруктового сока;
2. *v* 1) (раз)давить; 2) выжимать, давить (*виноград*); 3) дробить, толочь, размельчать; 4) втискивать; 5) мять(ся); 6) уничтожать, подавлять, сокрушать; ☐ ~ down а) смять; придавить; б) раздробить; в) подавить (*восстание, оппозицию*); ~ out подавить; ~ up размельчить, растолочь, смять; ◇ to ~ a bottle of wine выпить, «раздавить» бутылку (*вина*).

**crusher** ['krʌʃə] *n* 1) тот, кто *или* то, что сокрушает; 2) *sl.* полисмен; 3) *тех.* дробилка; аппарат для дробления *или* размола; бегуны.

**crush-hat** ['krʌʃhæt] *n* 1) мягкая (фетровая) шляпа; 2) шапокляк (*складной цилиндр*).

**crushing** ['krʌʃıŋ] 1. *pres. p. от* crush 2;
2. *a* сокрушительный; a ~ defeat сокрушительный удар, тяжёлое поражение; a ~ reply уничтожающий ответ.

**crush-room** ['krʌʃrum] *n театр. разг.* фойе.

**crust** [krʌst] 1. *n* 1) корка (*хлеба*); *перен.* средства к существованию; to earn one's ~ зарабатывать на кусок хлеба; 2) что-л., напоминающее корку: корка на ране, затвердевший слой снега; 3) осадок (*вина на стенках бутылки*); 4) *геол.* земная кора; поверхностные отложения; 5) *тех.* накипь (*в котле*); 6) *метал.* корка при обжиге, настыль;
2. *v* покрывать(ся) корой, коркой.

**Crustacea** [krʌs'teɪʃə] *n pl зоол.* ракообразные.

**crusted** ['krʌstıd] 1. *p. p. от* crust 2;
2. *a* 1) покрытый коркой; 2) с образовавшимся осадком (*о вине*); 3) древний; укоренившийся.

**crustily** ['krʌstılı] *adv* сварливо; с раздражением.

**crustiness** ['krʌstınıs] *n* сварливость; раздражительность.

**crusty** ['krʌstı] *a* 1) покрытый корой, коркой; твёрдый, жёсткий; 2) сварливый; раздражительный; резкий.

**crutch** [krʌtʃ] *n* 1) костыль (*обыкн. pl, тж.* a pair of ~es); *перен.* опора, поддержка; 2) раздвоенная подпорка; вилка; 3) стойка (*мотоцикла и т. п.*); 4) *мор.* кормовой брештук; уключина.

**crux** I [krʌks] *n* 1) затруднение; трудный вопрос; недоумение; the ~ of the matter суть дела; 2) (C.) созвездие Южного Креста.

**crux** II [krʌks] *n* тигель.

**cruzeiro** [kruː'zeɪrou] *n* крусейро (*денежная единица Бразилии*).

**cry** [kraɪ] 1. *n* 1) крик; 2) мольба; 3) плач; she had a good ~ она выплакалась; 4) собачий лай; 5) свора собак; 6) звук, издаваемый животным; 7) крик уличных разносчиков; 8) молва; on the ~ по слухам; 9) (боевой) клич; лозунг; the popular ~ общее мнение, «глас народа»; ◇ much ~ and little wool ≃ много шума из ничего: шума много, толку мало; far ~ а) далёкое расстояние; б) большая разница; in full ~ в бешеной погоне; в полном разгаре;
2. *v* 1) кричать; 2) восклицать; взывать; 3) плакать; to ~ bitter tears плакать горькими слезами; 4) оглашать; объявлять; 5) предлагать для продажи (*об уличном разносчике*); ☐ ~ away горько рыдать, обливаться слезами; ~ down а) осуждать; б) умалять, принижать; в) сбивать цену; г) раскритиковать; д) заглушать криками; ~ for просить, требовать себе *чего-л.*; to ~ for the moon желать невозможного; ~ off отказываться от сделки, намерения *и т. п.*, идти на попятный; ~ out а) объявлять во всеуслышание, выкликать; б) to ~ one's heart out горько рыдать; ~ up превозносить, прославлять; ◇ there's no use to ~ (*или* crying) over spilt milk *посл.*

сде́ланного, поте́рянного не воро́тишь; to ~ halves тре́бовать свою́ до́лю; to ~ shame upon smb. порица́ть, стыди́ть, поноси́ть кого́-л.; to ~ stinking fish a) хули́ть свой това́р; б) выноси́ть сор из избы́; to ~ wolf поднима́ть ло́жную трево́гу.

**cry-baby** [´kraɪˌbeɪbɪ] n пла́кса, рёва.

**crying** [´kraɪɪŋ] 1. *pres. p. om* cry 2; 2. *a* 1) крича́щий, пла́чущий; 2) вопию́щий, возмути́тельный.

**cryochemistry** [ˌkraɪou´kemɪstrɪ] n хи́мия ни́зких температу́р.

**cryolite** [´kraɪəlaɪt] n *мин.* криоли́т.

**crypt** [krɪpt] n *ист.* кри́пта, склеп, подзе́мная часо́вня.

**cryptic** [´krɪptɪk] *a* 1) зага́дочный, таи́нственный; сокрове́нный; 2) *биол., мед.* скры́тый, латéнтный.

**cryptogam** [´krɪptougæm] n *бот.* тайнобра́чное (*или* спо́ровое) расте́ние.

**cryptogamic** [ˌkrɪptou´gæmɪk] *a бот.* тайнобра́чный, спо́ровый.

**cryptogamous** [krɪp´tɔgəməs] = cryptogamic.

**cryptogram** [´krɪptougræm] n крипто́гра́мма, та́йнопись; шифро́ванный докуме́нт.

**cryptograph** [´krɪptougrɑːf] = cryptogram.

**cryptographer** [krɪp´tɔgrəfə] n шифрова́льщик.

**crystal** [´krɪstl] 1. *n* 1) хруста́ль; 2) хруста́льная посу́да; 3) криста́лл; 4) прозра́чный предме́т (*особ. поэт.* вода́, лёд, слеза́, глаз); 5) стекло́ для карма́нных и ручны́х часо́в; 6) *радио* детéкторный криста́лл; 2. *a* 1) хруста́льный; 2) кристалли́ческий; 3) чи́стый, прозра́чный, криста́льный.

**crystal-gazing** [´krɪstlˌgeɪzɪŋ] n гада́ние с зе́ркалом *или* посре́дством «маги́ческого криста́лла».

**crystalline** [´krɪstəlaɪn] = crystal 2; ~ lens *анат.* хруста́лик (*глаза*).

**crystallite** [´krɪstəlaɪt] n кристалли́т.

**crystallization** [ˌkrɪstəlaɪ´zeɪʃən] n кристаллиза́ция.

**crystallize** [´krɪstəlaɪz] v 1) кристаллизова́ть(ся); 2) вылива́ться в определённую фо́рму; 3) заса́харивать(ся) (*о фру́ктах*).

**crystallography** [ˌkrɪstə´lɔgrəfɪ] n кристаллогра́фия.

**crystalloid** [´krɪstəlɔɪd] 1. *n* кристалло́ид; 2. *a* кристалловидный.

**crystal set** [´krɪstlset] n *радио* детéкторный радиоприёмник.

**crystalware** [´krɪstlwɛə] n хруста́льные изде́лия.

**ctenoid** [´tiːnɔɪd] *a* гребневидный.

**cub** [kʌb] 1. *n* 1) *зоол.* детёныш; 2) *шутл., пренебр.* молокосо́с, юне́ц; невоспи́танный ма́льчик; unlicked ~ зелёный юне́ц; 3) *амер. разг.* новичо́к; 4) *разг.* молодо́й нео́пытный репортёр; 2. *v* 1) щени́ться; 2) охо́титься на лися́т.

**cubage** [´kjuːbɪdʒ] n кубату́ра.

**Cuban** [´kjuːbən] 1. *a* куби́нский; 2. *n* куби́нец.

**cubbing** [´kʌbɪŋ] 1. *pres. p. om* cub 2;

2. *n* охо́та на лися́т.

**cubbish** [´kʌbɪʃ] *a* 1) неуклю́жий; 2) ду́рно воспи́танный.

**cubby** [´kʌbɪ] n ую́тное месте́чко *или* жили́ще (*обыкн.* ~-hole).

**cube** [kjuːb] 1. *n* 1) *мат.* куб; the ~ of 4 is 64 4 в ку́бе равня́ется 64; 2) брусо́к (*для мостово́й*); 3) *attr.* куби́ческий; the ~ root of 64 is 4 ко́рень куби́ческий из 64 равня́ется 4; ◇ ~ sugar пилёный са́хар; 2. *v* 1) *мат.* возводи́ть в куб; 2) вычисля́ть кубату́ру, куби́ческий объём; 3) мости́ть брусча́ткой; 4): to ~ ice коло́ть лёд на ку́бики.

**cubic(al)** [´kjuːbɪk(əl)] *a* куби́ческий.

**cubicle** [´kjuːbɪkl] n небольша́я перегоро́женная спа́льня в шко́льном общежи́тии.

**cubiform** [´kjuːbɪfɔːm] *a* кубови́дный.

**cubism** [´kjuːbɪzəm] n *иск.* куби́зм.

**cubit** [´kjuːbɪt] n 1) *анат.* локтева́я кость; 2) *ист.* ло́коть (*мера длины́ 45 см*).

**cubital** [´kjuːbɪtl] *a* локтево́й.

**cuboid** [´kjuːbɔɪd] 1. *n* 1) *мат.* кубо́ид; 2) *анат.* кубови́дная кость (*плюсны ноги́*); 2. *a* име́ющий фо́рму ку́ба.

**cucking-stool** [´kʌkɪŋstuːl] n *ист.* позо́рный стул, к кото́рому привя́зывали же́нщин дурно́го поведе́ния и торго́вцев-моше́нников.

**cuckold** [´kʌkəld] 1. *n* рогоно́сец, обма́нутый муж;

2. *v* наставля́ть рога́, изменя́ть своему́ му́жу.

**cuckoo** 1. *n* [´kukuː] 1) куку́шка; 2) *разг.* глупе́ц, рази́ня, «воро́на»;

2. *a* [´kukuː] *разг.* не в своём уме́, сумасше́дший;

3. *int* [´ku´kuː] ку́-ку́!

**cuckoo clock** [´kukuːklɔk] n часы́ с куку́шкой.

**cuckoo-flower** [´kukuːˌflauə] n *бот.* 1) серде́чник лугово́й; 2) горицве́т, куку́шкин цвет.

**cuckoo-pint** [´kukuːpɪnt] n *бот.* а́рум пятни́стый.

**cucumber** [´kjuːkəmbə] n огуре́ц; ◇ cool as a ~ невозмути́мый, споко́йный, хладнокро́вный.

**cucumber-tree** [´kjuːkəmbəˌtriː] n *бот.* магно́лия длиннозаострённая, огуре́чное де́рево.

**cucurbit** [kju´kəːbɪt] n *хим.* перего́нный куб, рето́рта.

**cud** [kʌd] n жва́чка; to chew the ~ жева́ть жва́чку; *перен.* пережёвывать ста́рое, размышля́ть.

**cudbear** [´kʌdbɛə] n 1) ла́кмус; 2) лека́но́ра (*лиша́йник*).

**cuddle** [´kʌdl] 1. *n* объя́тия;

2. *v* 1) прижима́ть к себе́; обнима́ть; 2) прижима́ться (*друг к дру́гу*; *часто* ~ up, ~ together); 3) сверну́ться кала́чиком.

**cuddy** I [´kʌdɪ] n 1) небольша́я каю́та; 2) чула́н; буфе́т; 3) *уст.* каю́т-компа́ния.

**cuddy** II [´kʌdɪ] n 1) осёл; 2) дура́к; 3) *тех. разг.* домкра́т.

**cudgel** [´kʌdʒəl] 1. *n* дуби́на; to take up the ~s for a) заступа́ться за *кого́-л.*; б) отста́ивать *что́-л.*;

**2.** *v* бить па́лкой; ◇ to ~ one's brains лома́ть себе́ го́лову.

**cudweed** ['kʌd,wiːd] *n* бот. сушени́ца.

**cue I** [kjuː] *n* 1) театр. ре́плика; 2) намёк; to give smb. the ~ намекну́ть, подсказа́ть кому́-л.; to take one's ~ from smb. воспо́льзоваться чьим-л. намёком, указа́нием; 3) кино титр; 4) тел., радио сигна́л; 5) разг. настрое́ние.

**cue II** [kjuː] *n* 1) кий; 2) коси́чка; 3) хвост, о́чередь; ◇ to drop a ~ sl. умере́ть.

**cueist** ['kjuːɪst] *n* игро́к на билья́рде.

**cuff I** [kʌf] *n* манже́та; обшла́г.

**cuff II** [kʌf] **1.** *n* уда́р руко́й или кулако́м;

**2.** *v* бить руко́й; колоти́ть.

**cuff-link** ['kʌf,liŋk] *n* за́понка для манже́т.

**cuirass** [kwɪ'ræs] *n* кира́са, па́нцирь.

**cuirassier** [,kwɪrə'sɪə] *n* ист. кираси́р.

**cuisine** [kwiː'zɪːn] фр. *n* ку́хня, стол (пита́ние; поваренное иску́сство).

**cuke** [kjuːk] *n* огу́рчик, корнишо́н.

**cul-de-sac** ['kuldə'sæk] фр. *n* 1) тупи́к; глухо́й переу́лок; 2) тупи́к, безвы́ходное положе́ние; 3) анат. слепо́й мешо́к; 4) attr. тупико́вый; ~ station ж.-д. тупико́вая ста́нция.

**culinary** ['kʌlɪnərɪ] *a* 1) кулина́рный; ку́хонный; 2) го́дный для ва́рки (об овоща́х).

**cull** [kʌl] **1.** *n* (обыкн. pl) 1) отбрако́ванный нагу́льный скот; 2) амер. забрако́ванные пиломатериа́лы;

**2.** *v* 1) собира́ть (цветы); 2) отбира́ть; бракова́ть.

**cullender** ['kʌlɪndə] = colander.

**cully** ['kʌlɪ] *n* разг. 1) же́ртва обма́на; просга́к; 2) друг, това́рищ.

**culm I** [kʌlm] *n* бот. сте́бель (трав, злаков); соло́мина.

**culm II** [kʌlm] *n* геол. кульм, верши́на.

**culm III** [kʌlm] *n* у́гольная, антраци́товая пыль.

**culminate** ['kʌlmɪneit] *v* 1) достига́ть вы́сшей то́чки или сте́пени; 2) астр. кульмини́ровать; достига́ть апоге́я.

**culmination** [,kʌlmɪ'neiʃən] *n* 1) наи́высшая то́чка; кульминацио́нный пункт; 2) астр. кульмина́ция; зени́т.

**culpability** [,kʌlpə'bɪlɪtɪ] *n* вино́вность.

**culpable** ['kʌlpəbl] *a* заслу́живающий порица́ния; вино́вный, престу́пный.

**culprit** ['kʌlprɪt] *n* 1) обвиня́емый; 2 престу́пник; вино́вный.

**cult** [kʌlt] *n* 1) вероиспове́дание; 2 культ, преклоне́ние.

**cultivate** ['kʌltɪveit] *v* 1) обраба́тывать, возде́лывать; 2) с.-х. культиви́ровать (по́чву, расте́ния); 3) развива́ть, культиви́ровать; to ~ the acquaintance of smb. цени́ть, стара́ться подде́рживать знако́мство с кем-л.

**cultivated** ['kʌltɪveitɪd] **1.** p. p. om cultivate;

**2.** *a* 1) обраба́тываемый; обрабо́танный; ~ area посевна́я пло́щадь; 2) культу́рный; развито́й; 3) изощрённый.

**cultivation** [,kʌltɪ'veiʃən] *n* 1) возде́лы-

вание (земли); 2) разведе́ние, культу́ра (расте́ний, бакте́рий и т. п.); 3) разви́тие (путём упражне́ния); культиви́рование.

**cultivator** ['kʌltɪveitə] *n* 1) тот, кто культиви́рует (что-л.); 2) земледе́лец; 3) культива́тор (с.-х. ору́дие).

**cultural** ['kʌltʃərəl] *a* культу́рный; ◇ ~ features топ. сооруже́ния, постро́йки и иску́сственные насажде́ния.

**culture** ['kʌltʃə] *n* 1) культу́ра; Soviet ~ сове́тская культу́ра; 2) сельскохозя́йственная культу́ра; 3) разведе́ние, возде́лывание; ~ of vine (oysters etc.) разведе́ние виногра́дной лозы́ (у́стриц и т. д.); 4) бакт. культу́ра, выра́щивание бакте́рий; 5) отме́тки и назва́ния на топографи́ческих ка́ртах.

**cultured** ['kʌltʃəd] *a* 1) культу́рный, разви́той; 2) культиви́рованный.

**culver** ['kʌlvə] *n* диал. ди́кий го́лубь.

**culverhouse** ['kʌlvəhaus] *n* диал. голубя́тня.

**culvert** ['kʌlvət] *n* 1) ку́льверт; (водопропускна́я) труба́; дрена́жная труба́; подзе́мный кана́л; 2) горн. подзе́мная што́льня.

**cum** [kʌm] лат. prep с; ~ dividend включа́я дивиде́нд.

**cumber** ['kʌmbə] **1.** *n* затрудне́ние, стесне́ние; препя́тствие;

**2.** *v* затрудня́ть, стесня́ть; препя́тствовать.

**cumbersome** ['kʌmbəsəm] *a* 1) нескла́дный; громо́здкий; 2) тяжёлый; обремени́тельный.

**Cumbrian** ['kʌmbrɪən] **1.** *n* жи́тель Ка́мберленда;

**2.** *a* ка́мберлендский.

**cumbrous** ['kʌmbrəs] = cumbersome.

**cumin** ['kʌmɪn] = cummin.

**cummer** ['kʌmə] *n* шотл. 1) крёстная мать; 2) прия́тельница; 3) спле́тница, ку́мушка.

**cummerbund** ['kʌməbʌnd] *n* англо-инд. куша́к, по́яс.

**cummin** ['kʌmɪn] *n* тмин.

**cumshaw** ['kʌmʃɔː] *n* диал. взя́тка; чаевы́е.

**cumulate 1.** *a* ['kjuːmjulɪt] нако́пленный; со́бранный в ку́чу;

**2.** *v* ['kjuːmjuleit] нака́пливать; аккумули́ровать.

**cumulation** [,kjuːmju'leiʃən] *n* накопле́ние; скопле́ние.

**cumulative** ['kjuːmjulətɪv] *a* совоку́пный, нако́пленный; кумуляти́вный; ~ evidence юр. совоку́пность ули́к; ~ vote систе́ма вы́боров, при кото́рой ка́ждый избира́тель име́ет сто́лько голосо́в, ско́лько вы́ставлено кандида́тов и мо́жет отда́ть все свои́ голоса́ одному́ кандида́ту йли распредели́ть их по своему́ жела́нию.

**cumuli** ['kjuːmjulai] pl om cumulus.

**cumulo-nimbus** [,kjuːmjulə'nimbəs] *n* ли́вневые грозовы́е облака́.

**cumulus** ['kjuːmjuləs] *n* (pl -li) 1) кучевы́е облака́; 2) мно́жество, скопле́ние.

**cuneiform** ['kjuːniːfɔːm] **1.** *a* клинообра́зный;

**2.** *n* клинообра́зный знак (в ассири́йских на́дписях).

**cunning** ['kʌnɪŋ] 1. *n* 1) хи́трость, кова́рство; 2) ло́вкость; уме́ние;
2. *a* 1) хи́трый, кова́рный; 2) иску́сный, спосо́бный, ло́вкий; изобрета́тельный; 3) *амер. разг.* преле́стный, изя́щный, интере́сный, пика́нтный.

**cup** [kʌp] 1. *n* 1) ча́ш(к)а; ку́бок; 2) *бот.* ча́шечка (*цветка*); 3) *эл.* ю́бка (*изолятора*); 4) *тех.* манже́та, кольцо́; 5) = cupping-glass; ◇ to be in one's ~s быть навеселе́; a bitter ~ го́рькая ча́ша; the ~ of life ча́ша жи́зни; to be a ~ too low быть в пода́вленном настрое́нии; to fill up the ~ перепо́лнить ча́шу терпе́ния;
2. *v* 1) *бот.* принима́ть чашеви́дную фо́рму; 2) *мед.* ста́вить ба́нки; пуска́ть кровь.

**cup and ball** ['kʌpən'bɔːl] *n* бильбоке́ (*игра*).

**cup-bearer** ['kʌp,bɛərə] *n ист.* виноче́рпий.

**cupboard** ['kʌbəd] *n* буфе́т, шкаф; ◇ ~ love коры́стная любо́вь.

**cupel** ['kjuːpel] 1. *n* проби́рная ча́шка;
2. *v* определя́ть про́бу (*драгоценных металлов*).

**cupful** ['kʌpful] *n* по́лная ча́шка (*чего-л.*).

**Cupid** ['kjuːpɪd] *n миф.* Купидо́н.

**cupidity** [kjuːˈpɪdɪtɪ] *n* а́лчность, жа́дность; ска́редность.

**cupola** ['kjuːpələ] *n* 1) ку́пол; 2) *тех.* ва-гра́нка; 3) *воен., мор.* враща́ющаяся броне-ва́я ба́шня, бронеку́пол (*для тяжёлых орудий*).

**cupping** ['kʌpɪŋ] 1. *pres. p. от* cup 2;
2. *n* примене́ние ба́нок.

**cupping-glass** ['kʌpɪŋglɑːs] *n мед.* ба́нка.

**cupreous** ['kjuːprɪəs] *a* ме́дный; содержа́щий медь.

**cupriferous** [kjuːˈprɪfərəs] *a* ме́дистый, содержа́щий медь.

**cuprite** ['kjuːpraɪt] *n* купри́т, кра́сная ме́дная руда́.

**cuprous** ['kjuːprəs] *a хим.*: ~ chloride хло́ристая медь.

**cup-ties** ['kʌptaɪz] *n спорт.* состяза́ние на ку́бок.

**cur** [kəː] *n* 1) дворня́жка (*особ. злая, кусающаяся*); ша́вка; 2) ду́рно воспи́танный, гру́бый *или* трусли́вый челове́к.

**curability** [,kjuərəˈbɪlɪtɪ] *n* 1) излечи́мость; 2) приго́дность для· су́шки, засо́ла.

**curable** ['kjuərəbl] *a* 1) излечи́мый; 2) приго́дный для су́шки, засо́ла.

**curaçao** [,kjuərəˈsou] *n* ликёр кюрасо́.

**curacy** ['kjuərəsɪ] *n* 1) сан свяще́нника; 2) прихо́д (*церковный*).

**curare** [kjuˈrɑːrɪ] *n* кура́ре (*сильный растительный яд*).

**curassow** ['kjuːrəsou] *n зоол.* чо́кко (*птица*).

**curate** ['kjuərɪt] *n* помо́щник прихо́дского свяще́нника.

**curative** ['kjuərətɪv] 1. *a* цели́тельный, целе́бный;
2. *n* целе́бное сре́дство.

**curator** [kjuəˈreɪtə] *n* 1) храни́тель (*музея, библиотеки*); 2) член правле́ния (*в университете*); 3) *шотл. юр.* опеку́н.

**curb** [kəːb] 1. *n* 1) подгу́бный реме́нь *или* цепо́чка, «цепка» (*уздечки*); 2) узда́; обузда́ние; 3) твёрдая о́пухоль на ноге́ у ло́шади; 4) бордю́рный ка́мень; обо́чина (*тротуара*; *см. тж.* kerb); 5) нару́жный сруб коло́дца; 6) *attr.* мундшту́чный; ~ bit мундшту́чное уди́ло; ~ bridle мундшту́чная узде́чка;
2. *v* 1) надева́ть узду́ (*на лошадь*); 2) обу́здывать; 3) гнуть, сгиба́ть.

**curb roof** ['kəːb,ruːf] *n* двуска́тная кры́ша.

**curbstone** ['kəːbstoun] = kerb-stone (*см. тж.* kerb *и* curb 1, 4)]; ◇ ~ broker *амер.* ма́клер, не состоя́щий на би́рже и соверша́ющий сде́лки на у́лице.

**curcuma** ['kəːkjumə] = turmeric.

**curd** [kəːd] *n* 1) сверну́вшееся молоко́; 2) (*обыкн. pl*) творо́г.

**curdle** ['kəːdl] *v* 1) свёртываться (*о крови, молоке*); 2) засты́ть (*от ужаса*), оцепене́ть· 3): to ~ the blood ледени́ть кровь.

**curdy** ['kəːdɪ] *a* сверну́вшийся, створо́жившийся.

**cure** I [kjuə] 1. *n* 1) лека́рство; сре́дство; 2) лече́ние; курс лече́ния; 3) *церк.* попече́ние (о па́стве); 4) *тех.* вулканиза́ция (*резины*);
2. *v* 1) выле́чивать, исцеля́ть; 2) исправля́ть (*вред, зло*); 3) заготовля́ть, консерви́ровать; 4) вулканизи́ровать (*резину*).

**cure** II [kjuə] *n sl.* чуда́к.

**cure-all** ['kjuər,ɔːl] *n* панаце́я, лека́рство от всех боле́зней.

**cureless** ['kjuəlɪs] *a* неизлечи́мый.

**curette** [kjuˈret] *хир.* 1. *n* кюре́тка, о́страя ло́жечка;
2. *v* выска́бливать кюре́ткой.

**curfew** ['kəːfjuː] *n* 1) *ист.* вече́рний звон (*сигнал для гашения огней*); 2) коменда́нтский час; 3) колпачо́к (*для тушения огня*); 4) *attr.* осадный; ~ order оса́дное положе́ние.

**curio** ['kjuərɪou] *n* (*pl* -os[-ouz]) ре́дкая. антиква́рная вещь.

**curiosity** [,kjuərɪˈɔsɪtɪ] *n* 1) любопы́тство; 2) любозна́тельность; 3) (a ~) дико́вина, ре́дкость; 4) стра́нность; 5) *attr.* антиква́рный; ~ shop антиква́рный магази́н; «ла́вка дре́вностей».

**curious** ['kjuərɪəs] *a* 1) любопы́тный; 2) любозна́тельный; пытли́вый; 3) стра́нный, курьёзный; возбужда́ющий любопы́тство; 4) тща́тельный; иску́сный; a ~ inquiry тща́тельное иссле́дование; 5) изя́щный, изы́сканный.

**curiously** ['kjuərɪəslɪ] *adv* стра́нно; необыча́йно.

**curium** ['kjuːrɪəm] *n хим.* кю́рий.

**curl** [kəːl] 1. *n* 1) ло́кон; завито́к; *pl* вью́щиеся во́лосы; 2) зави́вка; 3) завито́к; спира́ль; кольцо́ (*дыма*); 4) скру́чивание (*болезнь растений*); 5) вихрь, завихре́ние; 6): ~ of the lips крива́я, презри́тельная улы́бка, усме́шка;
2. *v* 1) завива́ть(ся); ви́ться (*о волосах*); 2) ви́ться, клуби́ться (*о дыме, облаках*); 3) рябить (*водную поверхность*); 4): to ~ one's lip презри́тельно криви́ть гу́бы; □ ~ up a) скру́чивать(ся), смо́рщи-

вать(ся); б) *разг.* скрутить (*о несчастье, горе и т. п.*); в) испытать потрясение.

**curler** ['kəːlə] *n* 1) тот, кто завивает, скручивает; 2) бигуди, папильотка.

**curlew** ['kəːljuː] *n* кроншнеп (*птица*).

**curlicue** ['kəːlɪkjuː] *n* причудливый узор, причудливая завитушка.

**curling** ['kəːlɪŋ] 1. *pres. p. от* curl 2; 2. *n* 1) завивание; скручивание; 2) *название шотландской игры, в которой бросают на лёд гладко отшлифованные камни, снабжённые ручками*; 3. *a* вьющийся.

**curling-irons** ['kəːlɪŋ,aɪənz] *n pl* щипцы для завивки.

**curling-tongs** ['kəːlɪŋtɔŋz] = curling-irons.

**curl-paper** ['kəːl,peɪpə] *n* папильотка.

**curly** ['kəːlɪ] *a* 1) кудрявый, курчавый; вьющийся; волнистый; 2) изогнутый; ◇ ~ grain свилеватость, косослой (*в древесине*).

**curmudgeon** [kəːˈmʌdʒən] *n* 1) грубиян; 2) скупец, скряга.

**curmudgeonly** [kəːˈmʌdʒənlɪ] 1. *a* 1) грубый; 2) скупой; 2. *adv* 1) грубо; 2) неохотно, скупясь.

**currant** ['kʌrənt] *n* 1) коринка; 2) смородина.

**currency** ['kʌrənsɪ] *n* 1) денежное обращение; 2) валюта, деньги; 3) употребительность, распространённость; this word (this game) is in common ~ это очень распространённое слово (распространённая игра); to give ~ to smth. пускать что-л. в обращение.

**current** ['kʌrənt] 1. *n* 1) струя; поток; 2) течение; ход (*событий и т. п.*); 3) *эл.* ток; 4) *гидр.* течение, поток; ◇ against the ~ против течения; to breast the ~ идти против течения; 2. *a* 1) ходячий; находящийся в обращении; ~ coin ходячая монета; *перен.* общераспространённое мнение; to go (*или* to pass, to run) ~ быть общепринятым; 2) текущий; ~ week, ~ month, *etc.* текущая неделя, текущий месяц *и т. д.*; ~ issue текущий номер (*журнала*); 3) скорописный (*почерк*).

**curricle** ['kʌrɪkl] *n* парный двухколёсный экипаж.

**curricula** [kəˈrɪkjulə] *pl от* curriculum.

**curriculum** [kəˈrɪkjuləm] *n* (*pl* -la) курс обучения, учебный план, программа (*института, университета*).

**currier** ['kʌrɪə] *n* кожевник, кожевенный мастер.

**currish** ['kəːrɪʃ] *a* дурно воспитанный; грубый; сварливый.

**curry** I ['kʌrɪ] 1. *n* 1) кэрри (*приправа из куркумового корня, чеснока и разных пряностей*); 2) блюдо, приправленное кэрри; 2. *v* приготовлять блюда с кэрри, приправлять кэрри.

**curry** II ['kʌrɪ] *v* 1) чистить скребницей; 2) выделывать кожу; ◇ to ~ favour заискивать, подлизываться; to ~ acquaintance искать знакомства (*с кем-л.*).

**curry-comb** ['kʌrɪ,koum] *n* скребница.

**curry-powder** ['kʌrɪ,paudə] *n* пряный порошок из куркумы.

**curse** [kəːs] 1. *n* 1) проклятие; ругательство; 2) бич, бедствие; the ~ of drink пагуба, проклятие пьянства; 3) отлучение от церкви; ◇ don't care a ~ наплевать; wouldn't give a ~ гроша бы не дал (*за что-л.*); not worth a ~ никуда не годный, гроша не стоит; ~s come home to roost проклятия обрушиваются на голову проклинающего; ≅ не рой другому ямы, сам в неё попадёшь; 2. *v* 1) проклинать; ругаться; 2) кощунствовать; 3) отлучать от церкви; 4) (*обыкн. pass.*) мучить, причинять страдания.

**cursed** 1. [kəːst] *p. p. от* curse 2; 2. *a* ['kəːsɪd] 1) проклятый, окаянный; 2) отвратительный; 3. *adv* ['kəːsed] 1) чертовски; 2) = cursedly.

**cursedly** ['kəːsɪdlɪ] *adv* мерзко, отвратительно.

**cursive** ['kəːsɪv] 1. *n* 1) скоропись; 2) рукописный шрифт; 2. *a* 1) скорописный; 2) рукописный.

**cursor** ['kəːsə] *n тех.* стрелка, указатель, движок (*на шкале*).

**cursorial** [kəːˈsouriəl] *a* бегающий (*о птицах*).

**cursory** ['kəːsərɪ] *a* беглый, поверхностный.

**curst** [kəːst] = cursed 2 *и* 3.

**curt** [kəːt] *a* 1) краткий; сжатый (*о стиле*); 2) отрывисто-грубый (*об ответе*); 3) короткий.

**curtail** [kəːˈteil] *v* 1) сокращать, укорачивать, урезывать; 2) лишать.

**curtailment** [kəːˈteilmənt] *n* 1) сокращение, урезывание; 2) лишение.

**curtain** ['kəːtn] 1. *n* 1) занавеска; to draw the ~ задёрнуть занавеску; 2) занавес; to drop the ~ опустить занавес; the ~ falls (*или* drops, is dropped) занавес падает, представление окончено; the ~ rises (*или* is raised) занавес поднимается, представление начинается; to lift the ~ поднять занавес; *перен.* приподнять завесу (*над чем-л.*); behind the ~ *перен.* за кулисами, не публично; 3) *воен.* завеса; 4) *воен.* куртина; ◇ ~ lecture выговор, получаемый мужем от жены наедине; to take the ~ выходить на аплодисменты; 2. *v* занавешивать; □ ~ off отделять занавесом.

**curtain-fire** ['kəːtn,faɪə] *n воен.* огневая завеса.

**curtain-raiser** ['kəːtn,reɪzə] *n* одноактная пьеса, исполняемая в начале спектакля.

**curtilage** ['kəːtɪlɪdʒ] *n юр.* участок, прилегающий к дому.

**curtsey** ['kəːtsɪ] 1. *n* реверанс, приседание; to make (*или* to drop) a ~ присесть, сделать реверанс; 2. *v* приседать, делать реверанс.

**curtsy** ['kəːtsɪ] = curtsey.

**curvature** ['kəːvətʃə] *n* кривизна, изгиб, искривление.

**curve** [kə:v] **1.** *n* 1) кривáя (*линия*); дугá; 2) кривáя (*диаграмма*); 3) изгúб, кривизнá, закруглéние; 4) лекáло;
**2.** *v* гнуть, сгибáть; изгибáть(ся).
**curve piece** ['kə:v,pi:s] *n* стр. кружáло.
**curvet** [kə:'vet] **1.** *n* курбéт;
**2.** *v* дéлать курбéт.
**curvilinear** [,kə:vɪ'lɪnɪə] *a* криволинéйный.
**cushat** ['kʌʃət] *n* поэт. леснóй гóлубь, вáхирь.
**cushion** ['kuʃən] **1.** *n* 1) (дивáнная) подýшка; 2) борт (*билья́рда*); 3) подýшка (*для плетения кружев*); 4) тех. упрýгая проклáдка, подýшка;
**2.** *v* 1) снабжáть подýшками; подклáдывать подýшку; 2) замáлчивать, обходúть молчáнием; 3) стáвить шар к бóрту (*билья́рда*); ◇ to ~ a shock смягчúть удáр.
**cushiony** ['kuʃəni] *a* похóжий на подýшку; мя́гкий, как подýшка.
**cushy** ['kuʃi] *a* sl. лёгкий и хорошó оплáчиваемый; ~ job «тёпленькое местéчко»; ~ wound лёгкая рáна.
**cusp** [kʌsp] *n* 1) рог луны́; 2) (гóрный) выступ; мыс; 3) óстрый кóнчик зýба; 4) тóчка пересечéния (*двух кривых*).
**cuspid** ['kʌspɪd] *n* анат. клык.
**cuspidal** ['kʌspɪdəl] *a* остроконéчный.
**cuspidate(d)** ['kʌspɪdeɪt(ɪd)] *a* остроконéчный.
**cuspidor** ['kʌspɪdɔː] *n* плевáтельница.
**cuss** [kʌs] амер. sl. **1.** *n* 1) прокля́тие; 2) пáрень; 3) негóдный мáлый, «наказáние»; ◇ not to care a ~ относúться наплевáтельски;
**2.** *v* ругáться.
**cussedness** ['kʌsɪdnɪs] *n* амер. sl. 1) упря́мство; 2) сварлúвость; 3) извращённость.
**custard** ['kʌstəd] *n* род драчёны.
**custodian** [kʌs'toudjən] *n* 1) стóрож; 2) хранúтель (*музея и т. п.*); 3) опекýн.
**custody** ['kʌstədi] *n* 1) опéка, попечéние; охрáна, хранéние; 2) заключéние, заточéние; to take into ~ арестовáть, взять под стрáжу.
**custom** ['kʌstəm] **1.** *n* 1) обы́чай; привы́чка; 2) клиентýра; покупáтели; 3) закáзы; 4) *pl* тамóженные пóшлины; ~s policy тамóженная полúтика.
**2.** *a* 1) тамóженный; ~ entry тамóженная деклáрация; 2) изготóвленный на закáз; ~ clothes плáтье, сшúтое на закáз.
**customable** ['kʌstəməbl] *a* подлежáщий тамóженному обложéнию.
**customary** ['kʌstəməri] *a* обы́чный, привы́чный; оснóванный на óпыте, обы́чае; ~ law юр. обы́чное прáво.
**custom-built** ['kʌstəm'bɪlt] *a* амер. изготóвленный на закáз.
**customer** ['kʌstəmə] *n* закáзчик; покупáтель; клиéнт; перен. завсегдáтай; ◇ rum ~, queer ~ чудáк, стрáнный человéк.
**custom-house** ['kʌstəmhaus] *n* тамóжня.
**custom-made** ['kʌstəm'meɪd] = custom-built.
**custom-tailored** ['kʌstəm'teɪləd] = custom-built.

**cut I** [kʌt] **1.** *v* (cut) 1) рéзать; срезáть, отрезáть, разрезáть; стричь; ~ loose отделя́ть, освобождáть; to ~ oneself loose from one's family порвáть с семьёй; 2) косúть, жать; убирáть урожáй; 3) рубúть, валúть (*лес*); 4) кройть; 5) высекáть (*из камня*); рéзать (*по дереву*); тесáть, стёсывать; шлифовáть, гранúть (*драгоценные камни*); 6) бурúть, копáть, рыть; 7) рéзаться, прорéзываться (*о зубах*); to ~ one's wisdom-teeth перен. разг. стать благоразýмным; 8) кастрúровать (*животное*); 9) урéзывать, сокращáть (*статью, книгу*); 10) снижáть (*цены, налоги*); 11) пересекáть(ся) (*о линиях, дорогах*); 12) прерывáть знакóмство (*с кем-л.*); откáзывать в поклóне, дéлать вид, что не замечáешь (*кого-л.*); to ~ smb. dead совершéнно игнорúровать когó-л.; 13) пропускáть, не присýтствовать; to ~ a lecture пропустúть лéкцию; 14) разг. удирáть; 15) карт. снимáть колóду; to ~ for partners вынимáнием карт определúть партнёров; □ ~ at наносúть удáр (*мечом, кнутом; тж. перен.*); ~ away а) срезáть; б) разг. убегáть; ~ back кино повторúть дáнный рáнее кадр (*обычно в воспоминаниях и т. п.*); ~ down а) сокращáть (*расходы*); б) рубúть (*деревья*); в) (*обыкн. pass.*) сражáть (*о болезни, смерти*); ~ in а) вмéшиваться; б) эл. включáть; ~ off а) обрезáть, отсекáть; прерывáть; б) приводúть к рáнней смéрти; в) отрéзать (*отступление*); г) выключáть (*электричество, воду, газ и т. п.*); ~ out а) вырезáть; кройть; б) вытесня́ть; в) мор. отрезáть сýдно от бéрега; г) эл. выключáть; д) карт. выходúть из игры́; ~ over выруба́ть лес; ~ under продавáть дешéвле (*конкурирующих фирм*); ~ up а) разрубáть, разрезáть на куски́; б) раскритиковáть; в) подрывáть (*силы, здоровье*); ◇ ~ the coat according to the cloth ≈ по одéжке протя́гивай нóжки; to ~ and come again есть с аппетúтом; to ~ and run убегáть, удирáть; to ~ both ways быть обоюдоóстрым; to ~ a dash бахвáлиться; рисовáться, выставля́ть (*что-л.*) напокáз; to ~ a joke отпустúть, отколóть шýтку; to be ~ out for smth. быть слóвно сóзданным для чегó-л.; ~ it out! амер. разг. перестáньте!, брóсьте!; to ~ off with a shilling лишúть наслéдства (*завещав всего один шиллинг*); to ~ up well остáвить пóсле своéй смéрти большóе состоя́ние; to ~ up rough негодовáть, возмущáться; to ~ to the heart (*или to the quick*) задéть за живóе, глубокó уязвúть, глубокó задéть (*чьи-л. чувства*); to ~ to pieces разбúть наголову; раскритиковáть; to ~ a feather уст. а) вдавáться в излúшние тóнкости; б) разг. щеголя́ть, красовáться, выставля́ть напокáз; to ~ no ice sl. а) ничегó не добúться; б) не имéть значéния; to ~ the record побúть рекóрд; to ~ short прерывáть, обрывáть;
**2.** *n* 1) разрéз, порéз; рáна; зарýбка, засéчка; 2) отрéзок; 3) покрóй; 4) вы́резка (*тж. из книги, статьи*); a ~ from the joint вы́резка (*филей*); 5) снижéние (*цен,*

*количества*); 6) *кино* быстрая смена кадров; 7) гравюра на дереве (*доска или оттиск*); 8) прекращение (*знакомства*); to give smb. the ~ direct прекратить знакомство с кем-л.; 9) *карт.* снимание (*колоды*); 10) канал; выемка; 11) *текст.* моток, пасма; 12) профиль, сечение; пролёт (*моста*); ◇ the ~ of one's jib, the ~ of one's rig *разг.* внешний вид человека.

**cut** II [kʌt] **1.** *p. p. om* cut I, 1; **2.** *a* 1) отрезанный; подрезанный; 2): ~ and dried a) заранее подготовленный; в законченном виде; б) трафаретный, тривиальный, банальный.

**cutaneous** [kjuː'teɪnjəs] *a* кожный.

**cut-away** ['kʌtəweɪ] *n* визитка.

**cute** [kjuːt] *a разг.* 1) умный, сообразительный; остроумный, находчивый; 2) *амер.* привлекательный, миловидный.

**cut-glass** ['kʌtglɑːs] *n* хрусталь.

**cuticle** ['kjuːtɪkl] *n* кожа (*человека*); *бот.* кожица.

**cutlass** ['kʌtləs] *n мор. ист.* абордажная сабля.

**cutler** ['kʌtlə] *n* ножовщик; торговец ножевыми изделиями.

**cutlery** ['kʌtlərɪ] *n* 1) ножевые изделия; ножевой товар; 2) ремесло ножовщика.

**cutlet** ['kʌtlɪt] *n* отбивная котлета.

**cut-off** ['kʌtɔːf] *n* 1) *тех.* отсечка пара; 2) *воен.* пластинка-замыкатель магазина (*в винтовке*); 3) сокращение длинных изгибов речного пути посредством канала; 4) *амер.* сокращение пути, обход, обходная дорога.

**cut-out** ['kʌtaut] *n* 1) очертание, абрис, профиль, контур; 2) *эл.* предохранитель; автоматический выключатель; рубильник; коммутатор.

**cut sugar** ['kʌt,ʃugə] *n* пилёный сахар.

**cutter** ['kʌtə] *n* 1) резчик (*по дереву, камню*); 2) закройщик; закройщица; 3) режущий инструмент *или* станок; резец; резак; фрезер, бур *и т. п.*; 4) *мор.* катер; тендер (*одномачтовая парусная яхта*); 5) *горн.* врубовая машина; 6) забойщик; 7) *амер.* двухместные сани.

**cutthroat** ['kʌtθrout] *n* 1) головорез, убийца; 2) *attr.* ожесточённый; ~ competition конкуренция не на жизнь, а на смерть.

**cutting** ['kʌtɪŋ] **1.** *pres. p. om* cut I, 1; **2.** *n* 1) резание; рубка; тесание; гранение; фрезерование; 2) закройка; 3) вырезка (*газетная, журнальная*); 4) *pl* обрезки, опилки, стружки; ◇ ~ area лесосека; railway ~ выемка железнодорожного пути; **3.** *a* 1) острый, резкий; язвительный (*о замечании*); 2) пронизывающий (*о ветре*); 3) режущий; для резания; ~ speed скорость резания; ~ tool резец; режущий инструмент.

**cuttle** I ['kʌtl] *n зоол.* каракатица; сепия.

**cuttle** II ['kʌtl] *n* нож.

**cuttle-bone** ['kʌtlboun] *n* 1) щиток каракатицы; 2) сепиолит.

**cuttle-fish** ['kʌtlfɪʃ]=cuttle I.

**cutty** ['kʌtɪ] *n* 1) пенковая трубка; 2) короткая ложка; 3) приземистая женщина.

**cutty-stool** ['kʌtɪstuːl] *n* 1) низкий табурет; 2) позорный стул в шотландских церквах.

**cut-up** ['kʌt,ʌp] *n* разрезание.

**cutwater** ['kʌt,wɔːtə] *n* 1) *мор.* водорез; остриё форштевня; 2) *стр.* волнолом (*быка*).

**cutworm** ['kʌtwəːm] *n зоол.* гусеница озимой совки, озимый червь.

**cuvette** [kjuː'vet] *фр. n фото* кюветка.

**cyanic** ['saɪænɪk] *a хим.* циановый; ~ acid циановая кислота.

**cyanide** ['saɪənaɪd] *n хим.* соль циановой кислоты; ~ of potassium цианистый калий.

**cyanogen** [saɪ'ænədʒɪn] *n хим.* циан.

**cyanosis** [,saɪə'nousɪs] *n мед.* цианоз, синюха.

**cycad** ['saɪkæd] *n бот.* саговник.

**cyclamen** ['sɪkləmən] *n бот.* цикламен, дряква.

**cycle** ['saɪkl] **1.** *n* 1) цикл; круг; 2) *разг.* (*сокр. om* bicycle) велосипед; 3) *тех.* (круговой) процесс, такт; **2.** *v* 1) совершать цикл развития; 2) делать обороты (*о колесе и т. п.*); 3) ездить на велосипеде.

**cycle-car** ['saɪkl,kɑː] *n* 1) трёхколёсный автомобиль; 2) коляска мотоцикла.

**cycler** ['saɪklə] *амер.* = cyclist.

**cyclic(al)** ['sɪklɪk(əl)] *a* циклический.

**cycling** ['saɪklɪŋ] **1.** *pres. p. om* cycle 2; **2.** *n* езда на велосипеде.

**cyclist** ['saɪklɪst] *n* велосипедист.

**cyclogyro** ['saɪklou'dʒaɪərou] *n* циклический геликоптер, цикложир.

**cycloid** ['saɪklɔɪd] *n геом.* циклоида.

**cyclometer** [saɪ'klɔmɪtə] *n* циклометр (*инструмент*).

**cyclone** ['saɪkloun] *n* циклон.

**cyclonic** [saɪ'klɔnɪk] *a* циклонический.

**cyclop(a)edia** [,saɪklə'piːdjə] *n* (*сокр. om* encyclop(a)edia) энциклопедия.

**cyclop(a)edic** [,saɪklə'piːdɪk] *a* энциклопедический.

**Cyclopean** [saɪ'kloupjən] *a* циклопический; громадный, гигантский.

**Cyclopes** [saɪ'kloupiːz] *pl om* Cyclops.

**Cyclops** ['saɪklɔps] *n* (*pl* -opes) 1) *миф.* циклоп; 2) *pl зоол.* циклопы (*сем. низших раков с одним глазом*).

**cyclotron** ['saɪklətrɔn] *n физ.* циклотрон.

**cyder** ['saɪdə] = cider.

**cygnet** ['sɪgnɪt] *n* молодой лебедь.

**cylinder** ['sɪlɪndə] *n* 1) *геом.* цилиндр; 2) *тех.* цилиндр; валик, валок; барабан; 3) (газовый) баллон; 4) барабан револьвера; 5) *attr.* цилиндровый; ~ bore диаметр цилиндра в свету; ~ head крышка цилиндра.

**cylindrical** [sɪ'lɪndrɪkəl] *a* цилиндрический; ~ spring винтовая пружина.

**cymbal** ['sɪmbəl] *n* 1) *библ.* кимвал; 2) *pl муз.* тарелки.

**cyme** [saɪm] *n бот.* сложный зонтик.

**cymograph** ['saɪməgrɑːf] *n* кимограф.

**cymometer** [saɪ'mɔmɪtə] *n радио* волномер; частотомер.

**cymoscope** ['saɪməskoup] *n* индикатор колебаний, детектор.

Cymric ['kɪmrɪk] *a* уэ́льский.
cynic ['sɪnɪk] *n* ци́ник.
cynical ['sɪnɪkəl] *a* цини́чный; бессты́д-ный.
cynicism ['sɪnɪsɪzəm] *n* цини́зм.
cynosure ['sɪnəzjuə] *n* 1) созве́здие Ма́лой Медве́дицы; 2) Поля́рная звезда́; 3) путево́дная звезда́; 4) центр внима́ния.
Cynthia ['sɪnθɪə] *n миф.* Диа́на, Артеми́да.
cypher ['saɪfə] = cipher.
cypress ['saɪprɪs] *n бот.* кипари́с.
Cyprian ['sɪprɪən] 1. *a* 1) ки́прский; 2) *уст.* распу́тный;
2. *n* 1) уроже́нец Ки́пра, киприо́т; 2) *уст.* распу́тница.
Cypriote ['sɪprɪout] *n* уроже́нец Ки́пра, киприо́т.
Cyrillic [sɪ'rɪlɪk] *a:* ~ alphabet кири́ллица (*древнеславянская азбука*).

Cyrus ['saɪərəs] *n* Са́йрес; *ист.* Кир.
cyst [sɪst] *n* 1) *анат.* пузы́рь, ци́ста; 2) *мед.* киста́.
cystic ['sɪstɪk] *a* пузы́рный.
cystitis [sɪs'taɪtɪs] *n мед.* воспале́ние мочево́го пузыря́, цисти́т.
cytology [saɪ'tɔlədʒɪ] *n* уче́ние о кле́тке, цитоло́гия.
cytoplasm ['saɪtəplæzm] *n биол.* протопла́зма кле́тки, цитопла́зма.
czar [zɑ:] *рус. n ист.* царь.
czardas ['zɑ:dæs] *венгр. n* чарда́ш.
czarevitch ['zɑːrɪvɪtʃ] *рус. n ист.* царе́вич.
Czech [tʃek] 1. *a* че́шский;
2. *n* 1) чех; че́шка; 2) че́шский язы́к.
Czechoslovak ['tʃekou'slouvæk] 1. *a* чехосло́вацкий;
2. *n* жи́тель Чехослова́кии.
Czekh [tʃek]=Czech.

# D

**D, d** [diː] *n* (*pl* Ds, D's [diːz]) 1) 4-я бу́ква англ. алфави́та; 2) *муз.* ре; 3) *тех.* что-л., име́ющее фо́рму D [*см.* dee 2)]; 4) *attr.* коро́бчатый.
**d** [diː] *вф. см.* damn.
**'d** [-d] *сокр. разг. от* had, should, would; he'd go он пошёл бы.
**da** [dɑ:] *разг. см.* dad.
**dab** I [dæb] 1. *n* 1) лёгкий уда́р *или* прикоснове́ние; 2) мазо́к; 3) пятно́ (*краски*);
2. *v* 1) слегка́ прикаса́ться; 2) ты́кать; ударя́ть (at); to ~ with one's finger ты́кать па́льцем; 3) клева́ть; 4) прикла́дывать что-л. мя́гкое *или* мо́крое; to ~ one's forehead with a handkerchief прикла́дывать ко лбу плато́к; 5) нама́зывать; 6) покрыва́ть (*краской, штукату́ркой*); де́лать лёгкие мазки́ (*тря́пкой, кистью*; оп); 7) *тех.* отмеча́ть ке́рнером.
**dab** II [dæb] *n зоол.* ершова́тка, лима́нда.
**dab** III [dæb] *n разг.* знато́к; ма́стер своего́ де́ла.
**dabble** ['dæbl] *v* 1) плеска́ть(ся), бры́згать(ся); бара́хтаться (*в воде́, грязи́*); 2) занима́ться чем-л. пове́рхностно, по-люби́тельски; to ~ in politics политика́нствовать; 3) опры́скивать, ороша́ть.
**dabbler** ['dæblə] *n пренебр.* люби́тель, дилета́нт.
**dabby** ['dæbɪ] *a* сыро́й; мо́крый и ли́пнущий к те́лу (*о платье*).
**dabchick** ['dæbtʃɪk] *n* пога́нка ма́лая (*птица*).
**dabster** ['dæbstə] *n* 1) *преим. диал.* знато́к, специали́ст [*см.* dab III]; 2) *разг.* неуме́лый рабо́тник.
**dace** [deɪs] *n* еле́ц (*рыба*); плотва́.
**dachshund** ['dækshund] *нем. n* та́кса (*порода собак*).
**dacoit** [də'kɔɪt] *n англо-инд.* банди́т.
**dacoity** [də'kɔɪtɪ] *n англо-инд.* разбо́й; бандити́зм.

**dactyl** ['dæktɪl] *n* 1) *прос.* да́ктиль; 2) *зоол.* па́лец (*живо́тного*).
**dactylic** [dæk'tɪlɪk] 1. *a* дактили́ческий;
2. *n* (*обыкн. pl*) дактили́ческий стих.
**dactyliography** [dæk,tɪlɪ'ɔgrəfɪ] *n* исто́рия иску́сства гравирова́ния (*на драгоце́нных камня́х и ко́льцах*).
**dactylogram** [dæk'tɪləgræm] *n* отпеча́ток па́льца.
**dactylography** [,dæktɪ'lɔgrəfɪ] *n* дактилоскопи́я.
**dactylology** [,dæktɪ'lɔlədʒɪ] *n* разгово́р при по́мощи па́льцев, дактилоло́гия.
**dad, daddy** [dæd, 'dædɪ] *n разг.* па́па, па́почка.
**daddylonglegs** ['dædɪ'lɔŋlegz] *n* 1) долгоно́жка (*насекомое*); 2) пау́к-сенокосе́ц.
**dado** ['deɪdou] 1. *n* (*pl* -os [-ouz]) архит. 1) цо́коль; пьедеста́л; 2) пане́ль (*стены*);
2. *v* 1) обшива́ть пане́лью; распи́сывать пане́ль; 2) *тех.* выбира́ть пазы́.
**daedal** ['diːdl] *a поэт.* 1) иску́сный; 2) чуде́сный, зате́йливый, сло́жный.
**Daedalian** [dɪ'deɪljən] *a* сло́жный; запу́танный; как лабири́нт.
**daemon** ['diːmən] = demon.
**daemonic** [dɪ'mɔnɪk] = demonic.
**daffadowndilly** ['dæfədaun'dɪlɪ] = daffodil 1, 1).
**daffodil** ['dæfədɪl] 1. *n* 1) *бот.* бле́дно-жёлтый нарци́сс (*является национальной эмблемой валли́йцев*); 2) бле́дно-жёлтый цвет;
2. *a* бле́дно-жёлтый.
**daffodilly** ['dæfə,dɪlɪ] = daffodil 1, 1).
**daffy** ['dɑːfɪ] *n шотл., амер. разг.* взба́лмошный, сумасбро́дный; сумасше́дший.
**daft** [dɑːft] *a преим. шотл.* 1) слабоу́мный; сумасше́дший; to go ~ рехну́ться; потеря́ть го́лову; 2) легкомы́сленный; безрассу́дный, глу́пый.
**dag** I [dæg] *n* клок сби́вшейся ше́рсти.

**dag** II [dæg] *n ист.* большо́й пистоле́т.

**dagger** ['dægə] 1. *n* 1) кинжа́л; to be at ~s drawn, to be at ~s points быть на ножа́х; 2) *полигр.* кре́стик; ◇ to look ~s зло́бно смотре́ть, броса́ть гне́вные взгля́ды; to speak ~s говори́ть озло́бленно, с раздраже́нием;

2. *v* 1) пронза́ть кинжа́лом; 2) *полигр.* отмеча́ть кре́стиком.

**daggle** ['dægl] *v* тащи́ть по гря́зи, воло́чить.

**dago** ['deigou] *амер. презр.* 1. *n* (*pl* -os, -oes [-ouz]) про́звище италья́нца, испа́нца, португа́льца;

2. *a* италья́нский, испа́нский, португа́льский; ~ red *sl.* дешёвое кра́сное вино́.

**daguerreotype** [də'geroutaɪp] *n* дагерроти́п.

**dahlia** ['deiljə] *n бот.* георги́н.

**Dail (Eireann)** [dail('εərən)] *n* ни́жняя пала́та парла́мента Ирла́ндской респу́блики.

**daily** ['deili] 1. *a* ежедне́вный; повседне́вный; су́точный; it is of ~ occurrence э́то происхо́дит ежедне́вно; э́то повседне́вное явле́ние; ~ allowance *воен.* су́точное дово́льствие; ◇ ~ duty дежу́рство; ~ bread насу́щный хлеб; ~ living needs, ~ wants насу́щные потре́бности, бытовы́е ну́жды; ~ dozen *спорт. разг.* заря́дка;

2. *n* 1) ежедне́вная газе́та; 2) *разг.* приходя́щая рабо́тница (*тж.* ~ woman);

3. *adv* ежедне́вно.

**Daily Worker** ['deili'wəːkə] *n* «Де́йли Уо́ркер» (*название центрального органа английской компартии*).

**daintiness** ['deintinis] *n* утончённость, изы́сканность.

**dainty** ['deinti] 1. *n* ла́комство, деликате́с; 2. *a* 1) утончённый; изя́щный, элега́нтный; 2) ла́комый; вку́сный; 3) разбо́рчивый (*в пище*).

**dairy** ['dεəri] *n* 1) маслоде́льня; сырова́рня; 2) моло́чная; 3) = dairy-farm; 4) *attr.* моло́чный; ~ produce моло́чные проду́кты; ~ cattle моло́чный скот.

**dairy-farm** ['dεərifɑːm] *n* моло́чная фе́рма.

**dairying** ['dεəriiŋ] *n* моло́чное хозя́йство.

**dairymaid** ['dεərimeid] *n* 1) рабо́тница на моло́чной фе́рме; 2) моло́чница.

**dairyman** ['dεərimən] *n* 1) владе́лец *или* рабо́тник моло́чной фе́рмы; 2) продаве́ц моло́чных проду́ктов; торго́вец моло́чными проду́ктами.

**dais** ['deiis] *n* помо́ст, возвыше́ние (*особ. в конце зала для трона, кафедры*).

**daisied** ['deizid] *a* покры́тый маргари́тками.

**daisy** ['deizi] *n* 1) маргари́тка; 2) *амер. бот.* попо́вник, нивя́ник обыкнове́нный; 3) *sl.* что-л. прекра́сное, первосо́ртное; ◇ to turn up one's toes to the daisies *sl.* умере́ть.

**daisy-cutter** ['deizi‚kʌtə] *n sl.* 1) ло́шадь, едва́ поднима́ющая но́ги во вре́мя бе́га; 2) мяч, скользя́щий по земле́ (*в крикете*).

**dak** [dɑːk] *n англо-инд.* 1) сме́нные носи́льщики *или* ло́шади; 2) по́чта на перекладны́х *или* на сме́нных носи́льщиках.

**dak bungalow** ['dɑːk'bʌŋgəlou] *n англо-инд.* гости́ница при почто́вой ста́нции.

**Dalai Lama** ['dælai'lɑːmə] *n* дала́й-ла́ма.

**dale** [deil] *n поэт.* доли́на, дол; ◇ up hill and down ~ по гора́м, по дола́м; не разбира́я доро́ги; to curse up hill and down ~ ≅ руга́ть на чём свет стои́т.

**-dale** [-deil] *в сложных словах означает* доли́на; *напр.,* Clydesdale.

**dalesman** ['deilzmən] *n* жи́тель доли́н (*на севере Англии*).

**dalle** [dɑːl] *n* 1) ка́фель; пли́тка (*для настилки полов*); 2) *pl амер.* стремни́ны, быстри́ны (*в ущелье*).

**dalliance** ['dæliəns] *n* 1) пра́здное времяпрепровожде́ние; 2) развлече́ние; 3) несерьёзное отноше́ние (*к чему-л.*); 4) флирт.

**dally** ['dæli] *v* 1) занима́ться пустяка́ми; болта́ться без де́ла; to ~ with an idea носи́ться с мы́слью (*ничего не предпринимая*), 2) оття́гивать, откла́дывать; 3) развлека́ться; 4) коке́тничать, флиртова́ть; □ ~ away a) зря теря́ть вре́мя; б) упуска́ть возмо́жность; ~ off откла́дывать в до́лгий я́щик; уклоня́ться от чего-л.

**Dalmatian** [dæl'meiʃjən]. 1. *a* далма́тский; 2. *n* далма́тский дог.

**dalmatic** [dæl'mætik] *n церк.* далма́тик (*облачение католических священнослужителей*).

**daltonism** ['dɔːltənizəm] *n мед.* дальтони́зм.

**dam** I [dæm] *n* ма́тка (*о животном*).

**dam** II [dæm] 1. *n* 1) да́мба, плоти́на, запру́да; гать; перемы́чка; мол; 2) запру́женная вода́;

2. *v* запру́живать во́ду (*часто ~ up*); □ ~ back сде́рживать, уде́рживать; ~ out заде́рживать плоти́ной (*воду*).

**damage** ['dæmidʒ] 1. *n* 1) вред; повреждё́ние; 2) убы́ток; уще́рб; 3) *pl юр.* убы́тки; компенса́ция за убы́тки; to bring an action of ~s against smb. предъяви́ть кому́-либо иск за убы́тки; 4) (*тж. pl*) *разг.* сто́имость; what's the ~? ско́лько э́то сто́ит?; I will stand the ~ я заплачу́;

2. *v* 1) поврежда́ть, по́ртить; 2) наноси́ть уще́рб, убы́ток; 3) *разг.* уши́бить, повреди́ть (*о частях тела*); 4) позо́рить, дискреди́тировать.

**damageable** ['dæmidʒəbl] *a* легко́ поврежда́емый *или* по́ртящийся.

**damage control** ['dæmidʒən'troul] *n тех.* ремо́нтно-восстанови́тельные рабо́ты.

**daman** ['dæmən] *n зоол.* дама́н.

**damascene** I ['dæməsiːn] *n* терносли́в, ме́лкая чёрная сли́ва.

**damascene** II ['dæməsiːn] *v* наска́ть зо́лотом *или* серебро́м (*металл*); вороне́ть (*сталь*).

**damask** ['dæməsk] 1. *n* 1) дама́, ка́мка (*узорчатая шёлковая ткань*); 2) камча́тное полотно́ (*для скатертей*); 3) дама́сская сталь; була́т; 4) а́лый цвет;

2. *a* 1) камча́тный; 2) сде́ланный из дама́сской ста́ли; ~ steel була́т; 3) а́лый;

3. *v* 1) ткать с узо́рами; 2) наска́ть сталь.

**dame** [deɪm] *n* 1) *уст.* госпожа́, да́ма; 2) *шутл.* пожила́я же́нщина; 3) *уст.* нача́льница шко́лы; 4) «кавале́рственная да́ма» (*титул жены баронета или женщины, имеющей орден Британской Империи*); ◇ D. Nature мать-приро́да; D. Fortune госпожа́ Форту́на; ~ Partlet *уст.* a) ку́рица; б) ста́рая же́нщина.

**dame-school** [ˈdeɪmskuːl] *n* шко́ла для ма́леньких дете́й (*возглавляемая женщиной*).

**dammar** [ˈdæmə] *n* дамма́р, дамма́ровая смола́.

**damme** [ˈdæmɪ] *int* (*сокр. от* damn me) будь я про́клят!

**damn** [dæm] 1. *n* 1) прокля́тие; 2) руга́тельство; ◇ not to care a ~ соверше́нно не интересова́ться, «наплева́ть»; not worth a ~ ≅ вы́еденного яйца́ не сто́ит;
2. *v* 1) проклина́ть; ~ it all! тьфу, про́пасть!; I'll be ~ed if будь я про́клят, е́сли; 2) осужда́ть; порица́ть, критикова́ть; 3) провали́ть, освиста́ть; to ~ a play хо́лодно приня́ть, провали́ть пье́су; to ~ with faint praise ≅ похвали́ть так, что не поздоро́вится; 4) руга́ться.

**damnable** [ˈdæmnəbl] *a* 1) заслу́живающий осужде́ния; 2) *разг.* ужа́сный, отврати́тельный.

**damnably** [ˈdæmnəblɪ] *adv* 1) отврати́тельно; 2) *разг.* ужа́сно, о́чень, чрезвыча́йно.

**damnation** [dæmˈneɪʃən] 1. *n* 1) прокля́тие; may ~ take him! будь он про́клят!; 2) *церк.* ве́чные му́ки (*в аду*); 3) осужде́ние, стро́гая кри́тика; 4) освиста́ние (*пьесы*);
2. *int* прокля́тие!

**damnatory** [ˈdæmnətərɪ] *a* 1) осужда́ющий; 2) *юр.* веду́щий к осужде́нию (*о показании*).

**damned** [dæmd] 1. *p. p. от* damn 2;
2. *a* 1) осуждённый, про́клятый; 2) отврати́тельный, черто́вский (*часто употр. для усиления*); none of your ~ nonsense! не валя́йте дурака́!; it is ~ hot черто́вски жа́рко.

**damnific** [dæmˈnɪfɪk] *a* вредоно́сный, па́губный.

**damnification** [ˌdæmnɪfɪˈkeɪʃən] *n* причине́ние вреда́, уще́рба.

**damnify** [ˈdæmnɪfaɪ] *v редк.* наноси́ть вред, уще́рб, оби́ду.

**damning** [ˈdæmɪŋ] 1. *pres. p. от* damn 2;
2. *a* 1) вызыва́ющий осужде́ние; ~ evidence изоблича́ющие ули́ки; 2) *разг.* убийственный.

**Damocles** [ˈdæməkliːz] *n* миф. Дамо́кл.

**damp** [dæmp] 1. *n* 1) сы́рость, вла́жность, испаре́ния; 2) рудни́чный газ; 3) уны́ние, угнетённое состоя́ние ду́ха; to cast a ~ over smb. огорча́ть, разочаро́вывать кого́-л.; приводить в уны́ние, угнета́ть кого́-л.; 4) *sl.* вы́пивка;
2. *a* вла́жный, сыро́й;
3. *v* 1) сма́чивать, увлажня́ть; 2) спусти́ть жар в пе́чи, затуши́ть (*топку; часто* ~ down); 3) обескура́живать, угнета́ть (*о мысли и т. п.*); to ~ smb.'s ardour охлади́ть чей-л. пыл; to ~ smb.'s spirits

испо́ртить кому́-л. настрое́ние; 4) *физ.* уменьша́ть амплиту́ду колеба́ний; заглуша́ть (*звук*); 5) *тех.* тормози́ть; амортизи́ровать; демпфи́ровать; □ ~ off ги́бнуть от ми́лдью (*о растениях*).

**damp course** [ˈdæmpkɔːs] *n стр.* изоли́рующий от сы́рости слой в стене́; гидроизоля́ция.

**dampen** [ˈdæmpən] *v* 1) = damp 3; 2) отсырева́ть.

**damper** [ˈdæmpə] *n* 1) увлажни́тель; гу́бка *или* ро́лик для сма́чивания ма́рок; 2) *тех.* глуши́тель; амортиза́тор; регуля́тор тя́ги; дымова́я засло́нка; 3) де́мпфер (*в фортепиано*); сурди́на; 4) кто-л., что-л., де́йствующее угнета́юще; to put (*или* to cast) a ~ on обескура́живать кого́-л., расхола́живать; 5) *австрал.* пре́сная лепёшка (*испечённая в золе*).

**damping** [ˈdæmpɪŋ] 1. *pres. p. от* damp 3;
2. *n* 1) увлажне́ние, сма́чивание; 2) глуше́ние; торможе́ние; 3) *радио* затуха́ние.

**dampish** [ˈdæmpɪʃ] *a* сырова́тый, слегка́ вла́жный.

**damp-proof** [ˈdæmpruːf] *a* непроница́емый для сы́рости, влагонепроница́емый.

**dampy** [ˈdæmpɪ] *a* 1) сырова́тый; 2) *горн.* га́зовый.

**damsel** [ˈdæmzəl] *n уст.* деви́ца.

**damson** [ˈdæmzən] *n* терносли́в, ме́лкая чёрная сли́ва.

**damson cheese** [ˈdæmzəntʃiːz] *n* пластово́й мармела́д из сли́вы.

**damson-coloured** [ˈdæmzənˌkʌləd] *a* тёмно-кра́сный (*цвета сливы*).

**Dan** [dæn] *n уст., поэт.* господи́н, су́дарь.

**dan** [dæn] *n мор.* буёк.

**dance** [dɑːns] 1. *n* 1) та́нец; 2) тур (*в танцах*); 3) бал, танцева́льный ве́чер; 4) му́зыка для та́нцев; ◇ to lead smb. a (pretty) ~ води́ть кого́-л. за́ нос, «манёжить»; заста́вить кого́-л. пому́читься; St. Vitus's ~ пля́ска св. Ви́тта (*болезнь*);
2. *v* 1) танцева́ть, пляса́ть; 2) пры́гать, скака́ть; to ~ for joy пляса́ть от ра́дости; 3) кружи́ться (*о листьях*); дви́гаться (*о тени*); скользи́ть (*о лучах*); 4) кача́ть (*ребёнка*); ◇ to ~ attendance upon smb. ходи́ть пе́ред кем-л. на за́дних ла́пках; to ~ to smb.'s tune (*или* whistle, piping) пляса́ть под чью-л. ду́дку; to ~ to another (*или to* ~ upon another) tune «запе́ть друго́е»; to ~ upon nothing *ирон.* быть пове́шенным.

**dancer** [ˈdɑːnsə] *n* 1) танцо́р; танцо́вщик; танцо́вщица; балери́на; ~ at shows балага́нный шут, пая́ц; 3) танцу́ющий; 3) *pl sl.* ле́стница; ◇ merry ~s се́верное сия́ние.

**dancing** [ˈdɑːnsɪŋ] 1. *pres. p. от* dance 2;
2. *n* 1) та́нцы, пля́ска; 2) *attr.* танцева́льный; ~ master учи́тель та́нцев; ~ party танцева́льный ве́чер.

**dancing-hall** [ˈdɑːnsɪŋhɔːl] *n* да́нсинг.

**dandelion** [ˈdændɪlaɪən] *n* одува́нчик; Russian ~ *амер.* кок-сагы́з.

**dander I** [ˈdændə] *n амер. разг.* гнев, негодова́ние; to get one's ~ up рассерди́ть(ся); вы́вести *или* вы́йти из терпе́ния.

**dander II** [ˈdændə] *редк.* = dandruff.

dandiacal [dæn'daɪəkəl] *a* щегольски одётый.

**Dandie Dinmont** ['dændɪ'dɪnmənt] *n* *название одной из пород шотландских тёрьеров.*

dandify ['dændɪfaɪ] *v* одевать щёголем; dandified appearance щегольская, фатоватая внёшность.

dandle ['dændl] *v* 1) качать на руках *или* на колёнях (*ребёнка*); 2) ласкать; баловать; ◇ to ~ smb. on a string заставить кого-л. ходить по струнке.

dandruff ['dændrəf] *n* пёрхоть.

dandy I ['dændɪ] 1. *n* 1) дёнди, щёголь; 2) (the ~) *разг.* что-л. первоклассное; 3) *мор.* шлюп *или* тёндер с выносной бизанью; 4) *мор.* выносная бизань; 5) *тех.* двухколёсная тачка;
2. *a* 1) щегольской; 2) *разг.* превосходный, первоклассный.

dandy II ['dændɪ] *n* *англо-инд.* 1) лодочник (*на р. Ганг*); 2) паланкин.

dandy III ['dændɪ] *n* *непр.* *вм.* dengue.

dandy-brush ['dændɪbrʌʃ] *n* щётка (*из китового уса для чистки лошадей*).

dandyism ['dændɪɪzəm] *n* дендизм, франтовство, щегольство.

Dane [deɪn] *n* 1) датчанин; 2) датский дог (*тж.* Great ~).

Danelagh ['deɪnlɔː] = Danelaw.

Danelaw ['deɪnlɔː] *n* *ист.* 1) датские законы (*установленные в сев.-восточной Британии в X в.*); 2) область, где действовали эти законы (*см.* 1)].

dang [dæŋ] *v*: ~ it! чёрт побери!

danger ['deɪndʒə] *n* 1) опасность; out of ~ вне опасности; in ~ в опасном положёнии; in ~ of one's life с опасностью для жизни; to keep out of ~ избегать опасности; 2) угроза; ~ to peace угроза миру.

danger arrow ['deɪndʒər,ærou] *n* зигзагообразная стрела, знак молнии (*обозначение токов высокого напряжения*).

dangerous ['deɪndʒrəs] *a* опасный; рискованный; to look ~ быть в раздражённом состоянии.

danger-signal ['deɪndʒə,sɪgnl] *n* 1) сигнал опасности; 2) *ж.-д.* сигнал «путь закрыт».

dangle ['dæŋgl] *v* 1) свободно свисать, качаться; 2) покачивать; 3) манить, соблазнять, дразнить; ☐ ~ about, ~ after бегать за кем-л., волочиться; ~ around слоняться, болтаться.

dangler ['dæŋglə] *n* 1) бездёльник; 2) волокита.

Daniel ['dænjəl] *n* *библ.* Даниил.

Danish ['deɪnɪʃ] 1. *a* датский; ◇ ~ balance безмён;
2. *n* датский язык.

dank [dæŋk] *a* влажный; сырой (*вредный для здоровья*).

dap [dæp] 1. *n* 1) подпрыгивание (*мяча*); 2) зарубка; зазубрина;
2. *v* 1) удить рыбу (*слегка погружая приманку в воду*); 2) ударять(ся) о зёмлю (*о мяче*).

daphne ['dæfnɪ] *n* *бот.* волчеягодник.

dapper ['dæpə] *a* 1) щегольски одётый; 2) подвижной, энергичный.

dapple ['dæpl] 1. *a* испещрённый, пёстрый; пятнистый; ~ deer пятнистый олёнь;
2. *v* покрывать(ся) круглыми пятнами.

dapple-grey ['dæpl'greɪ] 1. *a* сёрый в яблоках;
2. *n* конь сёрый в яблоках.

darbies ['dɑːbɪz] *n pl sl.* ручные кандалы.

darby ['dɑːbɪ] *n стр.* правило штукатура; лопатка каменщика; мастерок для затирки.

dare [dɛə] 1. *v* (dared [-d], durst; dared; *3 л. ед. ч. настоящего времени* dares *и* dare) 1) *модальный глагол* смёть, отваживаться; he won't ~ to deny it он не осмёлится отрицать это; I ~ swear я уверен в этом; I ~ say полагаю, осмёлюсь сказать (*иногда ирон.*); 2) пренебрегать опасностью, рисковать; to ~ the perils of arctic travel пренебрёчь всёми опасностями полярного путешёствия; 3) вызывать (to ~ на *что-л.*); подзадоривать; I ~ you to jump the stream! а ну, перепрыгните чёрез этот ручёй!;
2. *n* 1) вызов; to take a ~ принять вызов; 2) подзадоривание.

dare II [dɛə] 1. *n* зёркало для ловли птиц;
2. *v* ловить птиц на зёркало.

dare-devil ['dɛə,devl] *n* смельчак, бесшабашный человёк, сорвиголова;
2. *a* отважный; безрассудный, опрометчивый.

daresay ['dɛə'seɪ] *см.* dare I, 1, 1).

daring I ['dɛərɪŋ] 1. *pres. p. om* dare I, 1, 2) *и* 3);
2. *n* смёлость, отвага, бесстрашие;
3. *a* 1) смёлый, отважный, бесстрашный; 2) дёрзкий.

daring II ['dɛərɪŋ] *pres. p. om* dare II, 2.

dark [dɑːk] 1. *a* 1) тёмный; it is getting ~ становится темно, темнёет; ~ closet, ~ room тёмная комната; б) *фото* камера-обскура; 2) смуглый; темноволосый; ~ complexion смуглый цвет лица; 3) необразованный, некультурный, тёмный; the ~ ages средневековье; 4) тайный, секрётный; непонятный; неясный; to keep ~ скрываться; to keep a thing ~ держать что-л. в секрёте; 5) дурной, нечистый (*о поступке*); 6) мрачный, угрюмый; безнадёжный, печальный; ~ humour мрачный юмор; to look on the ~ side of things быть пессимистом; ◇ ~ horse a) «тёмная лошадка» (*скаковая лошадь, о достоинствах которой мало известно; тж. перен. о человеке*); неожиданно выдвинутый неизвёстный ранее кандидат; and bloody ground *амер.* штат Кентукки; D. Continent Африка;
2. *n* 1) темнота, тьма; after ~ после наступлёния темноты; at ~ в темнотё; before ~ до наступлёния темноты; 2) невёжество; 3) невёдение; to be in the ~ быть в невёдении, не знать (about); to keep a person in the ~ держать кого-л. в невёдении; скрывать (*что-л.*) от кого-л.; 4) *жив.* тень; the lights and ~s of a picture свет и тёни в картине; ◇ in the ~ of the moon a) в новолуние; б) в кромёшной тьме.

darken ['dɑːkən] *v* 1) затемнять, дёлать тёмным; ослеплять; 2) темнёть; становиться тёмным; 3) затемня́ть (смысл); to ~ counsel запу́тать вопро́с; 4) омрача́ть; 5) жив. дать бо́лее насы́щенный тон (в красках); ◇ not to ~ smb.'s door again не переступи́ть бо́льше чьего́-л. поро́га.

**darkey** ['dɑːkɪ] n 1) презр. негр, черноко́жий; 2) sl. ночь.

**dark lantern** ['dɑːk'læntən] n потайно́й фона́рь.

**darkle** ['dɑːkəl] v 1) темне́ть, ме́ркнуть; 2) хму́риться; 3) скрыва́ться.

**darkling** ['dɑːklɪŋ] 1. pres. p. om darkle; 2. a темне́ющий; находя́щийся в темноте́, во мра́ке; тёмный; 3. adv в темноте́, во мра́ке; to sit ~ су́мерничать.

**darkly** ['dɑːklɪ] adv 1) мра́чно; зло́бно; 2) зага́дочно; нея́сно.

**darkness** ['dɑːknɪs] n темнота́ и пр. [см. dark 1].

**darksome** ['dɑːksəm] a 1) тёмный; 2) поэт. мра́чный.

**darky** ['dɑːkɪ] = darkey.

**darling** ['dɑːlɪŋ] 1. n 1) люби́мый; люби́мая; my ~! мой дорого́й!, голу́бчик!; 2) люби́мец, ба́ловень; the ~ of fortune ба́ловень судьбы́; 2. a 1) люби́мый; дорого́й; 2) горя́чий (о желании).

**darn** I [dɑːn] 1. n заштопанное ме́сто; што́пка; 2. v што́пать; чини́ть.

**darn** II [dɑːn] 1. a прокля́тый, ужа́сный; 2. v (эф. вм. damn) проклина́ть, руга́ться.

**darnel** ['dɑːnl] n бот. пле́вел (опьяняющий).

**darner** ['dɑːnə] n 1) што́пальщик; што́пальщица; 2) «гриб» (подкладываемый при штопке).

**darning** I ['dɑːnɪŋ] 1. pres. p. om darn I, 2; 2. n 1) што́панье, што́пка; 2) ве́щи, нужда́ющиеся в што́панье.

**darning** II ['dɑːnɪŋ] pres. p. om darn II, 2.

**darning-needle** ['dɑːnɪŋˌniːdl] n 1) што́пальная игла́; 2) амер. стрекоза́.

**dart** [dɑːt] 1. n 1) о́строе мета́тельное ору́жие; дро́тик; стрела́; 2) жа́ло; 3) вы́тачка, шов; 4) бы́строе, как мо́лния, движе́ние; 5) мета́ние (дротика, стрелы); 2. v 1) мета́ть (стрелы; тж. перен.); his eyes ~ed flashes of anger его́ глаза́ мета́ли мо́лнии; 2) помча́ться стрело́й; устреми́ться; □ ~ down(wards) ри́нуться вниз; ав. пики́ровать.

**darter** ['dɑːtə] n 1) мета́тель дро́тика; 2) а́нхинга (птица из сем. аистообразных).

**darting** ['dɑːtɪŋ] 1. pres. p. om dart 2; 2. a стреми́тельный.

**dartre** ['dɑːtə] n мед. лиша́й.

**Darwinian** [dɑː'wɪnɪən] 1. n дарвини́ст; 2. a дарвини́стский.

**Darwinism** ['dɑːwɪnɪzəm] n дарвини́зм; уче́ние Да́рвина.

**Darwinist** ['dɑːwɪnɪst] = Darwinian 1.

**dash** [dæʃ] 1. n 1) стреми́тельное движе́ние; поры́в; на́тиск; to make a ~ against the enemy стреми́тельно бро́ситься на проти́вника; to make a ~ for smth. ки́нуться к чему́-л.; 2) спорт. рыво́к, бросо́к (в беге,

игре́); забе́г; 3) уда́р, взмах; at one ~ с одного́ ра́за; 4) эне́ргия, реши́тельность; a man of skill and ~ уме́лый и реши́тельный челове́к; 5) плеск; 6) при́месь (чего-л.); чу́точка; there is a romantic ~ about it в э́том есть что́-то романти́ческое; 7) бы́стрый набро́сок; мазо́к; штрих; ро́счерк; 8) черта́; тире́; 9) рисо́вка; to cut a ~ рисова́ться, выставля́ть что-л. напока́з; 10) тех. рукоя́тка мо́лота; ◇ ~ and ~ line пункти́рная ли́ния.

2. v 1) бро́сить, швырну́ть; 2) бро́ситься, ри́нуться; мча́ться, нести́сь; to ~ up to the door бро́ситься к две́ри; to ~ along the street нести́сь по у́лице; to ~ out from the room вы́бежать из ко́мнаты; 3) разби́ть (о); the waves ~ed against the cliff во́лны разбива́лись о скалу́; 4) бры́згать, плеска́ть; to ~ colours on the canvas обескура́живать пя́тна кра́сок на холст; 5) обескура́живать; смуща́ть; 6) разруша́ть (планы, надежды и т. n.); 7) разбавля́ть, сме́шивать; подме́шивать; 8) подчёркивать; 9) разг. см. damn 2; ~ it!, ~ you! к чёрту!; □ ~ off бы́стро наброса́ть (письмо, записку и т. n.)

**dash-board** ['dæʃbɔːd] n 1) крыло́ (экипажа); 2) авт., ав. щито́к; прибо́рная доска́; 3) стр. отливна́я доска́.

**dasher** ['dæʃə] n 1) челове́к, производя́щий фуро́р; 2) муто́вка, би́ло (в маслобойке); 3) амер. крыло́ (экипажа).

**dashing** ['dæʃɪŋ] 1. pres. p. om dash 2; 2. a 1) лихо́й; 2) стреми́тельный; 3) живо́й, энерги́чный; 4) франтова́тый.

**dash-pot** ['dæʃˌpɔt] n тех. возду́шный или ма́сляный бу́фер, амортиза́тор.

**dastard** ['dæstəd] n трус; негодя́й, де́йствующий исподтишка́.

**dastardliness** ['dæstədlɪnɪs] n тру́сость; по́длость.

**dastardly** ['dæstədlɪ] a трусли́вый; по́длый.

**data** ['deɪtə] n pl 1) pl om datum; 2) (часто употр. как sing) да́нные; фа́кты; све́дения; 3) (часто употр. как sing) но́вости, информа́ция.

**datable** ['deɪtəbl] a поддаю́щийся дати́ро́вке.

**dataller** ['deɪtələ] = daytaler.

**data-sheet** ['deɪtəʃiːt] n специфика́ция.

**date** I [deɪt] 1. n 1) да́та, число́ (месяца); ~ of birth день рожде́ния; 2) срок, пери́од; out of ~ устаре́лый; up to ~ стоя́щий на у́ровне совреме́нных тре́бований; совреме́нный; нове́йший; at that ~ в то вре́мя, в тот пери́од; 3) разг. свида́ние; I have got a ~ у меня́ свида́ние; to make a ~ амер. назна́чить свида́ние; 2. v 1) дати́ровать; 2) вести́ нача́ло (от чего-л.); восходи́ть (к определённой эпохе; тж. ~ back); this manuscript ~s from the XIVth century э́та ру́копись отно́сится к XIV ве́ку; 3) вести́ исчисле́ние (от какой-либо даты); 4) разг. назнача́ть свида́ние; 5) вы́йти из употребле́ния; устаре́ть.

**date** II [deɪt] n 1) фи́ник; 2) фи́никовая па́льма.

**dated** ['deɪtɪd] 1. p. p. om date I, 2; 2. a 1) дати́рованный; 2) вы́шедший из употребле́ния; устаре́вший.

**dateless** ['deɪtlɪs] *a* 1) *редк.* недатированный; 2) *поэт.* бесконечный; незапамятный; 3) *амер. разг.* неприглашённый, не получивший приглашения.

**date-line** ['deɪtlaɪn] *n* 1) *астр., мор.* демаркационная линия суточного времени; 2) указание места и даты корреспонденции, статьи *и т. п.*

**date-palm** ['deɪtpɑːm] *n* финиковая пальма.

**dative** ['deɪtɪv] 1. *a* 1) *грам.* дательный; 2) сменяемый (*о должности, напр., судьи*); 2. *n грам.* дательный падёж.

**datum** ['deɪtəm] *n* (*pl* data) 1) данная величина; 2) характеристика.

**datum-level** ['deɪtəm,levl] *n* плоскость или уровень, принятые за нуль (*для измерения высоты*); нуль высоты.

**datum line** ['deɪtəm,laɪn] *n* 1) *топ.* базовая линия; 2) *мат.* ось координат.

**datura** [də'tjuərə] *n бот.* дурман.

**daub** [dɔːb] 1. *n* 1) штукатурка из строительного раствора с соломой, обмазка; 2) плохая картина; мазня; 3) пачкотня; 2. *v* 1) обмазывать, мазать (*глиной, известкой и т. п.*); 2) малевать; 3) пачкать; 4) *уст.* маскировать.

**dauber** ['dɔːbə] *n* 1) плохой художник, мазилка; 2) подушечка, пропитанная краской (*употр. при гравировании*).

**daubster** ['dɔːbstə] = dauber 1).

**dauby** ['dɔːbɪ] *a* 1) плохо написанный (*о картине*); 2) липкий.

**daughter** ['dɔːtə] *n* 1) дочь; 2) *attr.* дочерний; родственный.

**daughter-in-law** ['dɔːtərɪnlɔː] *n* (*pl* daughters-in-law) жена сына, невестка, сноха.

**daughterly** ['dɔːtəlɪ] *a* дочерний.

**daughters-in-law** ['dɔːtəzɪnlɔː] *pl* *om* daughter-in-law.

**daunt** [dɔːnt] *v* 1) укрощать; 2) устрашать, запугивать; 3) обескураживать; ◇ nothing ~ed не смущаясь, неустрашимо.

**dauntless** ['dɔːntlɪs] *a* неустрашимый; бесстрашный.

**dauphin** ['dɔːfɪn] *n ист.* дофин.

**davenport** ['dævnpɔːt] *n* 1) небольшой стильный письменный стол; 2) *амер.* тахта.

**David** ['deɪvɪd] *n библ.* Давид.

**davit** ['dævɪt] *n мор.* шлюпбалка; fish ~ фишбалка, боканец.

**davy** ['deɪvɪ] *n sl.*: to take one's ~ that клясться в том, что.

**Davy Jones's locker** ['deɪvɪ'dʒounzɪz'lɔkə] *n мор. sl.* море (*как могила*); to go to ~ утонуть.

**daw** [dɔː] *n* галка.

**dawdle** ['dɔːdl] *v* зря тратить время, бездельничать (*часто* ~ away).

**dawdler** ['dɔːdlə] *n* 1) лодырь; 2) копуша.

**dawn** [dɔːn] 1. *n* 1) рассвет, утренняя заря; at ~ на рассвете, на заре; 2) зачатки, начало, проблески; the ~ of brighter days заря лучшей жизни; 2. *v* 1) (рас)светать; 2) начинаться; появляться; пробуждаться (*о таланте и т. п.*); впервые появляться, пробиваться (*об усилиях*); 3) становиться ясным, проясняться; it has just ~ed upon me меня вдруг осенило; мне пришло в голову.

**day** [deɪ] *n* 1) день; сутки; on that ~ в тот день; all (the) ~ весь день; all ~ long день-деньской; by the ~ подённо; solar (*или* astronomical, nautical) ~ астрономические сутки (*исчисляются от 12 ч. дня*); civil ~ гражданские сутки (*исчисляются от 12 ч. ночи*); the ~ текущий день; every other ~, ~ about через день; the present ~ сегодня; текущий день; the ~ after tomorrow послезавтра; the ~ before накануне; the ~ before yesterday третьего дня, позавчера; one ~ однажды; the other ~ на днях; some ~ когда-нибудь; как-нибудь на днях; one of these ~s в один из ближайших дней; ~ in, ~ out изо дня в день; ~ by (*или* after) ~, from ~ to ~ день за днём; изо дня в день; со дня на день; first ~ (of the week) воскресенье; ~ of rest день отдыха, воскресенье; ~ off выходной день; ~ out a) день, проведённый вне дома; б) свободный день для прислуги; far in the ~ к концу дня; this ~ week, month, *etc.* ровно через неделю, месяц *и т. п.*, спустя неделю, месяц *и т. п.*; every ~ каждый день; three times a ~ три раза в день; 2) знаменательный день; May D. праздник Первого мая; Victory D. День победы; Inauguration D. день вступления в должность вновь избранного президента США; All Fools' D., April Fool's D. первое апреля, день шутливых обманов; high ~, banner ~ праздник; one's natal ~ день рождения; 3) дневное время; by ~ днём; at ~ на заре, на рассвете; before ~ до рассвета; between two ~s *амер.* ночью; 4) (*часто pl*) период, отрезок времени; эпоха; in the ~s of yore (*или* old) в старину, в былые времена; in these latter ~s в последнее время; in ~s to come в будущем, в грядущие дни; men of the ~ известные люди (*эпохи*); 5) пора, время (*расцвета, упадка и т. п.*); to have had (*или* to have seen) one's ~ устареть, отслужить своё, выйти из употребления; he will see his better ~s yet он ещё поднимется, наступит для него лучшие времена; one's early ~s юность; chair ~s старость; his ~ is gone его время прошло, окончилась его счастливая пора; his ~s are numbered дни его сочтены; to close (*или* to end) one's ~s окончить дни свои; скончаться; покончить счёты с жизнью; 6) победа; to carry (*или* to win) the ~ одержать победу; the ~ is ours мы одержали победу, мы выиграли сражение; to lose the ~ проиграть сражение; 7) *геол.* дневная поверхность; пласт, ближайший к земной поверхности; ◇ good ~ a) добрый день; б) до свидания; to a ~ день в день; early in the ~ вовремя; rather late in the ~ поздновато; увы, слишком поздно; a ~ after the fair слишком поздно; before the fair слишком рано, преждевременно; if a ~ ни больше, ни меньше; как раз; she is fifty if she is a ~ ей все пятьдесят (лет), никак не меньше; to be in the ~ быть в ударе; to make a ~ of it весело провести день; a creature of a ~ a) *зоол.* эфемерида; б) недолговечное существо *или* явление; to save the ~ спасти положение; every ~ is not Sunday *посл.* ≅ не всё коту́ ма́сленица; every dog has his ~ ≅ бу́дет и на на́шей у́лице пра́здник; всему́ воё вре́мя; to name on (*или* in) the same ~ with ≅ а) поста́вить на одну́ до́ску с; б) вы́держать сравне́ние; to name the ~ назна́чить день сва́дьбы; to call it a ~ а) счита́ть де́ло зако́нченным; let us call it a ~ на сего́дня хва́тит; б) быть дово́льным достигнутыми результа́тами; ~ of doom, ~ of judgement *библ.* день стра́шного суда́; коне́ц све́та, светопреставле́ние.

**day-bed** ['deɪbed] *n* куше́тка; тахта́.

**day-blindness** ['deɪˌblaɪndnɪs] *n* дневна́я слепота́, гемерало́пия; *иногда ошибочно* никтало́пия.

**day-boarder** ['deɪˌbɔːdə] *n школ.* полупансионе́р.

**day-book** ['deɪbuk] *n* 1) дневни́к; 2) *бухг.* журна́л.

**day-boy** ['deɪbɔɪ] *n школ.* учени́к, не живу́щий при шко́ле.

**daybreak** ['deɪbreɪk] *n* рассве́т.

**day-dream** ['deɪdriːm] *n* грёзы, мечты́; фанта́зия.

**day-dreamer** ['deɪˌdriːmə] *n* мечта́тель, фантазёр.

**day-fly** ['deɪflaɪ] *n зоол.* поде́нка.

**day-girl** ['deɪgɑːl] *n школ.* учени́ца, не живу́щая при шко́ле.

**day-labour** ['deɪˌleɪbə] *n* поде́нная рабо́та.

**day-labourer** ['deɪˌleɪbərə] *n* поде́нщик.

**daylight** ['deɪlaɪt] *n* 1) дневно́й свет; 2) рассве́т; 3) гла́сность; in broad (*или* open) ~ средь бе́ла дня; публи́чно; to let ~ into а) преда́ть гла́сности; б) *sl.* уби́ть; 4) *pl sl.* «гляде́лки», глаза́; ◇ to see ~ ви́деть просве́т, находи́ть вы́ход из положе́ния; to admit (*или* to knock, to shoot) ~ into *sl.* уби́ть, застрели́ть.

**daylight-saving** ['deɪlaɪtˌseɪvɪŋ] *n* перево́д ле́том часово́й стре́лки (на час) вперёд (*с це́лью эконо́мии электроэне́ргии*).

**daylight-signal** ['deɪlaɪt'sɪgnl] *n* светофо́р.

**day-lily** ['deɪˌlɪlɪ] *n бот.* красодне́в, лиле́йник.

**day-long** ['deɪlɔŋ] 1. *adv* весь день; 2. *a* для́щийся це́лый день; 3. *n мор.* путь, про́йденный су́дном за су́тки.

**day nursery** ['deɪˌnəːsrɪ] *n* (дневны́е) я́сли для дете́й.

**day-school** ['deɪskuːl] *n* 1) шко́ла для приходя́щих ученико́в, шко́ла без пансио́на; 2) шко́ла с дневны́ми заня́тий; 3) обы́чная шко́ла (*в противополо́жность воскре́сной*).

**day-shift** ['deɪʃɪft] *n* дневна́я сме́на.

**daysman** ['deɪzmən] *n* 1) поде́нный рабо́чий; 2) *уст.* судья́, арби́тр.

**day-spring** ['deɪsprɪŋ] *n поэт.* заря́, рассве́т.

**day-star** ['deɪstɑː] *n* 1) у́тренняя звезда́; 2) *поэт.* со́лнце.

**daytaler** ['deɪtələ] *n* поде́нщик, поде́нный рабо́чий (*особ. в у́гольных копях*).

**day-time** ['deɪtaɪm] *n* день; дневно́е вре́мя; in the ~ днём.

**day-to-day** ['deɪtə'deɪ] *a* 1) повседне́вный; 2) однодне́вный.

**day-work** ['deɪwəːk] *n* 1) поде́нная рабо́та; 2) дневна́я рабо́та; 3) *горн.* рабо́та на пове́рхности земли́.

**daze** I [deɪz] 1. *n* изумле́ние; 2. *v* изуми́ть; удиви́ть, ошеломи́ть.

**daze** II [deɪz] *n мин. уст.* слюда́.

**dazedly** ['deɪzɪdlɪ] *adv* изумлённо; с изумле́нием.

**dazzle** ['dæzl] 1. *n* 1) ослепле́ние; 2) ослепи́тельный блеск; 3) *attr.*: ~ paint *мор.* защи́тная окра́ска (*вое́нных судо́в*); камуфля́ж; 2. *v* 1) ослепля́ть я́рким све́том, бле́ском, великоле́пием; поража́ть, прельща́ть; 2) *мор.* маскирова́ть окра́ской (*суда́*).

**d** — d *сокр. эвф. от* damned 2.

**D-day** ['diːdeɪ] *n* 1) день призы́ва; 2) *воен.* день нача́ла опера́ции.

**de-** [diː-, dɪ-, de-] *pref* 1) *ука́зывает на*: а) *отделе́ние, лише́ние*: defrock лиша́ть духо́вного са́на; degas дегази́ровать; б) *плохо́е ка́чество, недоста́точность и т. п.*: degenerate вырожда́ться; derange приводи́ть в беспоря́док; 2) *придаёт сло́ву противополо́жное значе́ние*; *напр.*: naturalize натурализова́ть — denaturalize денатурализова́ть; merit заслу́га — demerit недоста́ток; mobilize мобилизова́ть — demobilize демобилизова́ть.

**deacon** ['diːkən] 1. *n* 1) дья́кон; 2) *амер.* шку́ра новорождённого телёнка; 2. *v амер.* 1) чита́ть вслух псалмы́; 2) *разг.* подкра́шивать фру́кты при прода́же; выставля́ть лу́чшие экземпля́ры све́рху; фальсифици́ровать това́ры.

**deaconess** ['diːkənɪs] *n* 1) диакони́са; 2) дья́коница.

**dead** [ded] 1. *a* 1) мёртвый, уме́рший; до́хлый; 2) неодушевлённый, неживо́й; 3) неподви́жный; 4) утра́тивший, потеря́вший основно́е сво́йство; ~ lime гашёная известь; ~ steam отрабо́танный пар; ~ volcano поту́хший вулка́н; 5) загло́хший, не рабо́тающий; the motor is ~ мото́р загло́х; 6) сухо́й, увя́дший (*о расте́ниях*); 7) неплодоро́дный (*о по́чве*); 8) онеме́вший, нечувстви́тельный; my fingers are ~ у меня́ онеме́ли па́льцы; 9) безжи́зненный, вя́лый; безразли́чный (to — к чему-л.); 10) однообра́зный, уны́лый; неинтере́сный; 11) вы́шедший из употребле́ния (*о зако́не, обы́чае*); 12) вы́шедший из игры́; ~ ball шар, кото́рый не счита́ется; 13) по́лный, соверше́нный; ~ certainty по́лная уве́ренность; ~ failure по́лная неуда́ча; ~ earnest твёрдая реши́мость; ~ faint по́лная поте́ря созна́ния; ~ loss чи́стый убы́ток; to come to a ~ stop останови́ться как вко́панный; 14) *употр. для усиле́ния*: to be ~ with cold промёрзнуть наскво́зь; to be ~ with hunger умира́ть с го́лоду; 15) *полигр.* него́дный; 16) *горн.* непрове́тренный (*о вы́работке*); засто́йный (*о во́здухе*); 17) *горн.* пусто́й, не содержа́щий поле́зного ископа́емого; 18) *эл.* не находя́щийся под напряже́нием; ~ wire про́вод с вы́ключенным то́ком; ◇ ~ above the ears *амер. разг.* тупо́й, глу́пый; ~ and gone давно́ проше́дший; ~ crusty соверше́нно невоспри́имчивый; ~ gold ма́товое зо́лото; ~ horse рабо́та, за кото́рую бы́ло запла́чено

вперёд; ~ hours глухи́е часы́ но́чи; ~ leaf *ав.* паде́ние листо́м; ~ marines, ~ men *разг.* пусты́е ви́нные буты́лки; ~ season мёртвый сезо́н; *эк.* засто́й (*в дела́х*), спад делово́й акти́вности; ~ time просто́й (*на рабо́те*); more ~ than alive ни жив ни мёртв; as ~ as a doornail (*или* as mutton, as a nit) без каки́х-л. при́знаков жи́зни;
2. *n* 1) (the ~) *pl собир.* уме́ршие, поко́йники; 2): in the ~ of night глубо́кой но́чью, в глуху́ю по́лночь; in the ~ of winter глубо́кой зимо́й; ◇ on the ~ *разг.* реши́тельно, серьёзно, по че́сти;
3. *adv* 1) по́лностью, соверше́нно; ~ against 1) in the ~ глубо́кой но́чью; ~ as раз в лицо́ (*о ве́тре*); б) реши́тельно про́тив; 2) *употр. для усиле́ния:* ~ asleep засну́вший мёртвым сном; ~ drunk мертве́цки пья́ный; ~ tired до́ сме́рти уста́лый.
**dead-alive** ['dedə'laɪv] *a* 1) безжи́зненный; 2) удручённый.
**dead-beat** ['ded'bi:t] 1. *a* 1) *разг.* сме́ртельно уста́лый; 2) успоко́енный (*о магни́тной стре́лке*); 3) апериоди́ческий (*об измери́тельном прибо́ре*);
2. *n амер. sl.* безде́льник, парази́т.
**dead centre** ['ded'sentə] *n* мёртвая то́чка.
**dead colour** ['ded,kʌlə] *n жив.* пе́рвый слой кра́ски в карти́не.
**dead earth** ['ded'ə:θ] *n эл.* по́лное заземле́ние.
**deaden** ['dedn] *v* 1) лиша́ть(ся) жи́зненной эне́ргии, си́лы, ра́дости; де́лать(ся) нечувстви́тельным (*к чему́-л.*); 2) заглуша́ть, ослабля́ть; 3) лиша́ть бле́ска, арома́та; 4) *амер.* губи́ть дере́вья кольцева́нием.
**dead end** ['ded'end] *n* тупи́к (*тж. перен.*).
**dead-eye** ['dedaɪ] *n мор.* ю́ферс.
**deadfall** ['dedfɔ:l] *n амер.* 1) западня́, капка́н; 2) ку́ча пова́ленных дере́вьев.
**dead ground** ['ded,graund] *n вое́н., ав.* мёртвое простра́нство.
**dead-hand** ['ded,hænd] = mortmain.
**deadhead** ['dedhed] *n* 1) беспла́тный посети́тель теа́тров; беспла́тный пассажи́р; 2) нереши́тельный, неэнерги́чный челове́к, «пусто́е ме́сто».
**dead heat** ['ded'hi:t] *n* состяза́ние, в кото́ром дво́е *или* бо́лее уча́стников прихо́дят к фи́нишу одновреме́нно.
**dead-house** ['ded,haus] *n* мертве́цкая.
**dead land** ['ded'lænd] *n ав.* ме́стность, не просма́триваемая с самолёта.
**dead letter** ['ded'letə] *n* 1) не применя́ющийся, но и не отменённый зако́н; 2) письмо́, не восре́бованное адреса́том *или* не доста́вленное ему́.
**dead level** ['ded'levl] *n* 1) соверше́нно гла́дкая пове́рхность; равни́на; 2) моното́нность, однообра́зие; 3) посре́дственность.
**dead lift** ['ded'lɪft] *n* 1) напра́сное уси́лие (*при подъёме тя́жести*); 2) геодези́ческая высота́ подъёма.
**deadlight** ['dedlaɪt] *n мор.* глухо́й иллюмина́тор.
**dead-line** ['dedlaɪn] *n* 1) черта́, за кото́рую нельзя́ переходи́ть; 2) кра́йний срок (*вы́хода газе́ты, упла́ты де́нег и т. п.*).

**dead load** ['ded,loud] *n* мёртвый груз; со́бственный вес, вес констру́кции; постоя́нная нагру́зка.
**deadlock** ['dedlɔk] 1. *n* 1) мёртвая то́чка; тупи́к; безвы́ходное положе́ние; ·засто́й; 2) зато́р, «про́бка»;
2. *v* зайти́ в тупи́к.
**deadly** ['dedlɪ] 1. *a* 1) смерте́льный; смертоно́сный; ~ poison смерте́льный яд; 2) сме́ртный; ~ sin сме́ртный грех; 3) неумоли́мый, беспоща́дный; 4) *разг.* ужа́сный, чрезвыча́йный; ~ paleness смерте́льная бле́дность; ~ gloom стра́шный мрак; in ~ haste в стра́шной спе́шке;
2. *adv* 1) смерте́льно; 2) *разг.* ужа́сно, чрезвыча́йно.
**Deadly Nightshade** ['dedlɪ'naɪtʃeɪd] *n бот.* краса́вка, белладо́нна, со́нная о́дурь.
**dead man** ['dedmæn] *n* 1) мертве́ц; 2) столб, сва́я.
**dead man's handle** ['dedmənz'hændl] *n* автомати́ческий то́рмоз в электропоезда́х (*остана́вливающий по́езд в слу́чае внеза́пного заболева́ния и́ли сме́рти води́теля*).
**dead march** ['ded'mɑ:tʃ] *n* похоро́нный марш.
**dead-nettle** ['ded'netl] *n бот.* ясно́тка.
**dead-office** ['ded,ɔfɪs] *n* панихи́да.
**dead-pan** ['ded'pæn] *n* невозмути́мый вид; бесстра́стное, неподви́жное лицо́; невозмути́мость.
**dead-point** ['dedpɔɪnt] = dead centre.
**dead pull** ['dedpul] = dead lift 1).
**dead reckoning** ['ded'reknɪŋ] *n мор., ав.* навигацио́нное счисле́ние (*пути́*).
**dead set** ['ded'set] 1. *n* 1) *охот.* сто́йка; 2) реши́мость;
2. *a predic.* по́лный реши́мости; he is ~ on going to Moscow он реши́л во что бы то ни ста́ло пое́хать в Москву́.
**dead short** ['ded'ʃɔ:t] *n эл.* по́лное коро́ткое замыка́ние.
**dead shot** ['ded'ʃɔt] *n* стрело́к, не даю́щий про́маха.
**dead spot** ['dedspɔt] *n ра́дио* зо́на молча́ния.
**dead wall** ['ded'wɔ:l] *n стр.* глуха́я стена́.
**dead-water** ['ded,wɔ:tə] *n* 1) стоя́чая вода́; 2) *мор.* попу́тная струя́.
**dead weight** ['dedweɪt] *n* 1) *мор.* по́лная грузоподъёмность (*су́дна*), де́двейт; 2) мёртвый груз; вес констру́кции.
**dead-wind** ['dedwɪnd] *n мор.* встре́чный ве́тер.
**dead window** ['ded,wɪndou] *n архи́т.* фальши́вое окно́, глухо́е окно́.
**dead-wood** ['ded,wud] *n* 1) сухосто́йное де́рево; сухосто́й; сухосто́йная древеси́на; 2) *мор.* де́йдвуд; 3) *ж.-д.* бу́ферный брус (*упо́ра*).
**deaf** [def] *a* 1) глухо́й, глухова́тый, туго́й на́ ухо; ~ of an ear, ~ in one ear глухо́й на одно́ у́хо; 2) *перен.* глухо́й, отка́зывающийся слу́шать; he was ~ to our advice он не послу́шался на́шего сове́та; ◇ to turn a ~ ear to smb., smth. не слу́шать кого́-л., не обраща́ть внима́ния на что-л.; ~ as an adder (*или* a beetle, a stone, a post) ≅ глуха́я тете́ря.

**deaf-and-dumb** [ˈdefənˈdʌm] *a* глухонемой.

**deafen** [ˈdefn] *v* 1) оглушать; 2) заглушать; 3) делать звуконепроницаемым.

**deafener** [ˈdefnə] *n* глушитель (*шума*).

**deafening** [ˈdefnɪŋ] 1. *pres. p. om* deafen; 2. *a* 1) оглушительный; 2) заглушающий; 3. *n* звукоизолирующий материал.

**deaf mute** [ˈdefˈmjuːt] *n* глухонемой.

**deaf-mutism** [ˈdefˈmjuːtɪzəm] *n* глухонемота.

**deafness** [ˈdefnɪs] *n* глухота.

**deal** I [diːl] 1. *n* 1) количество; there is a ~ of truth in it в этом есть доля правды; a great (*или* a good) ~ of много; a great ~ better гораздо лучше; 2) *разг.* сделка; соглашение; to do (*или* to make) a ~ with smb. заключить сделку с кем-л.; 3) обхождение, обращение; 4) *карт.* сдача; 5) правительственный курс, система мероприятий; New D. *амер.* «новый курс» (*система экономических мероприятий президента Ф. Рузвельта*);

2. *v* (dealt) 1) раздавать, распределять (*обыкн.* ~ out); 2) *карт.* сдавать; 3) наносить (*удар*); причинять (*обиду*); 4) торговать (in — *чем-л.*); вести торговые дела (with — *с кем-л.*); 5) быть клиентом, покупать в определённой лавке (at, with); 6) общаться, иметь дело (*с кем-л.*); to refuse to ~ with smb. отказываться иметь дело с кем-л.; 7) вести дело, ведать, рассматривать вопрос (with); to ~ with a problem разрешать вопрос; to ~ with an attack отражать атаку; 8) обходиться, поступать; to ~ honourably поступать благородно; to ~ generously (cruelly) *или* (by) smb. обращаться великодушно (жестоко) с кем-л.; 9) принимать меры (*к чему-л.*); бороться; to ~ with fires бороться с пожарами.

**deal** II [diːl] 1. *n* 1) еловая *или* сосновая доска определённого размера, дильс; 2) хвойная древесина;

2. *a* сосновый *или* еловый, из дильса.

**dealer** [ˈdiːlə] *n* 1) торговец; retail ~ розничный торговец; ~ in old clothes старьёвщик; 2) сдающий карты; 3) агент по продаже (*особ. автомобилей*); ◇ a plain ~ прямой, откровенный человек.

**dealing** [ˈdiːlɪŋ] 1. *pres. p. om* deal I, 2; 2. *n* 1) распределение; 2) поведение; 3) *pl* дружеские отношения; 4) *pl* торговые дела; сделки; to have ~s with smb. вести дела *или* иметь торговые связи с кем-л.; ◇ plain ~ прямота; откровенность; straight ~ честность.

**dealt** [delt] *past u p. p. om* deal I, 2.

**deambulation** [dɪˌæmbjuˈleɪʃən] *n* редк. прогулка.

**deambulatory** [dɪˈæmbjuːlətərɪ] *a* странствующий.

**dean** I [diːn] *n* 1) декан (*титул старшего после епископа духовного лица в католической и англиканской церкви*); настоятель собора; старший священник; rural ~ благочинный; 2) декан (*факультета*); 3) старшина дипломатического корпуса.

**dean** II [diːn] *n* балка, глубокая и узкая долина.

**deanery** [ˈdiːnərɪ] *n* 1) деканство; 2) деканат; 3) дом декана *или* настоятеля; 4) церковный округ (*подчинённый благочинному*).

**dear** [dɪə] 1. *a* 1) дорогой, милый; 2) славный, прелестный; he is a ~ fellow он прекрасный парень; 3) вежливая *или* иногда ироническая форма обращения: my ~ Jones любезный (*или* любезнейший) Джоунз; D. Sir милостивый государь (*офиц. обращение в письме*); 4) дорогой, дорого стоящий; ~ year год, когда всё было дорого; a ~ shop магазин, в котором товары продаются по более дорогой цене;

2. *n* 1) возлюбленный; возлюбленная; 2) *разг.* прелесть; what ~s they are! как они прелестны!;

3. *adv* дорого (*тж. перен.*);

4. *int* выражает симпатию, сожаление, огорчение, нетерпение, удивление, презрение: ~ me! is it so? неужели?; oh ~, my head aches! ох, как болит голова!

**dearborn** [ˈdɪəbən] *n* амер. лёгкая четырёхколёсная карета.

**dear-bought** [ˈdɪəˈbɔːt] *a* дорого доставшийся.

**dearly** [ˈdɪəlɪ] *adv* 1) нежно; 2) дорого (*особ. перен.*).

**dearly-beloved** [ˈdɪəlɪbɪˈlʌvd] *a* нежно любимый.

**dearth** [dəːθ] *n* 1) нехватка и дороговизна продуктов; голод; in time of ~ во время голода; 2) нехватка, недостаток; ~ of workmen недостаток рабочих рук.

**deary** [ˈdɪərɪ] *n* (*обыкн. в обращении*) дорогой; дорогая; милочка, душечка.

**death** [deθ] *n* 1) смерть; natural (violent) ~ естественная (насильственная) смерть; civil ~ гражданская смерть; поражение в правах гражданства; to meet one's ~ найти свою смерть; at ~'s door при смерти, на краю гибели; to be in the jaws of ~ быть в когтях смерти, в крайней опасности; to put (*или* to do) to ~ казнить, убивать; wounded to ~ смертельно раненный; tired to ~ смертельно усталый; war to the ~ война на истребление; to work smb. to ~ не давать передышки; this will be the ~ of me это сведёт меня в могилу; это меня ужасно огорчит; to catch one's ~ of cold простудиться насмерть; 2) конец, гибель; the ~ of one's hopes конец чьим-л. надеждам; 3) чума, «чёрная смерть»; 4) *attr.* смертный, смертельный; ◇ to be in at the ~ *a*) *охот.* присутствовать при том, как на охоте убивают затравленную лисицу; *б*) быть свидетелем завершения каких-л. событий; like grim ~ отчаянно, изо всех сил; sudden ~ *амер. sl.* дешёвое виски; worse than ~ очень плохой; to be ~ on smth. *sl.* быть искусным в чём-л.

**death-adder** [ˈdeθˈædə] *n* зоол. змея смерти.

**death-agony** [ˈdeθˌægənɪ] *n* предсмертная агония.

**deathbed** [ˈdeθbed] *n* 1) смертное ложе; on one's ~ на смертном одре; 2) предсмертные минуты; 3) *attr.* предсмертный; ~ repentance запоздалое раскаяние.

**death-bell** [ˈdeθbel] *n* похоронный звон.

**death-blow** ['deθblou] *n* смертéльный *или* роковóй удáр.

**death-cup** ['deθ'kʌp] *n* блéдная погáнка (*гриб*).

**death-damp** ['deθ,dæmp] *n* холóдный пот (*у умирáющего*).

**death-duties** ['deθ,djuːtɪz] *n pl* налóг на наслéдство.

**death-feud** ['deθ,fjuːd] *n* смертéльная враждá.

**death-hunter** ['deθ,hʌntə] *n* мародёр, обирáющий убúтых на пóле сражéния.

**deathless** ['deθlɪs] *a* бессмéртный.

**deathlike** ['deθlaɪk] *a* подóбный смéрти.

**deathly** ['deθlɪ] 1. *a* смертéльный, роковóй; подóбный смéрти; ~ silence гробовóе молчáние;
2. *adv* смертéльно.

**death-mask** ['deθmɑːsk] *n* посмéртная мáска.

**death-rate** ['deθreɪt] *n* смéртность; процéнт смéртности.

**death-rattle** ['deθ,rætl] *n* предсмéртный хрип.

**death-roll** ['deθroul] *n* списóк убúтых *или* погúбших.

**death's-head** ['deθshed] *n* 1) чéреп (*как эмблема смерти*); to look like a ~ on a mopstick быть похóжим на мертвецá; 2) мёртвая (*или* адáмова) головá (*бáбочка*).

**death-struggle** ['deθstrʌgl] *n* агóния.

**death-toll** ['deθtoul] = death-roll.

**death-trap** ['deθtræp] *n* опáсное мéсто.

**death-warrant** ['deθ,wɔrənt] *n* 1) распоряжéние о приведéнии в исполнéние смéртного приговóра; 2) что-л., равносúльное смéртному приговóру (*напр., прогнóз врачá*).

**death-watch** ['deθwɔtʃ] *n* 1) лицó, находящееся у постéли умирáющего; 2) часовóй, приставленный к приговорённому к смéртной кáзни; 3) *зоол.* жук-могúльщик.

**deb** [deb] *n* (*сокр. от* débutante) *разг.* дебютáнтка.

**debâcle** [deɪ'bɑːkl] *фр. n* 1) вскрытие рекú; ледохóд; 2) стихúйный прорыв вод; 3) разгрóм; панúческое бéгство; 4) ниспровержéние, падéние (*прáвительства*).

**debar** [dɪ'bɑː] *v* воспрещáть, не допускáть, исключáть; лишáть прáва; to ~ smb. from voting лишúть когó-л. прáва гóлоса; to ~ smb. from holding public offices не допускáть когó-л. до занятия общéственных дóлжностей.

**debark** [dɪ'bɑːk] *v* высáживать(ся); выгружáть(ся) (*на бéрег*).

**debarkation** [,diːbɑː'keɪʃən] *n* высáдка (*людéй*); выгрузка (*товáра*).

**debarkment** [dɪ'bɑːkmənt] = debarkation.

**debase** [dɪ'beɪs] *v* 1) унижáть достóинство; 2) понижáть кáчество, цéнность; пóртить; 3) поддéлывать (*дéньги*).

**debasement** [dɪ'beɪsmənt] *a* 1) унижéние; 2) снижéние цéнности, кáчества; 3) поддéлка (*дéнег*).

**debatable** [dɪ'beɪtəbl] *n* 1) спóрный, дискуссиóнный; 2) оспáриваемый; ~ ground территóрия, оспáриваемая двумя стрáнами; *перен.* предмéт спóра.

**debate** [dɪ'beɪt] 1. *n* 1) дискýссия, прéния, дебáты; to open a ~ открыть дискýссию; 2) (the ~s) *pl* официáльный отчёт парлáментских заседáний; 3) спор, полéмика; beyond ~ бесспóрно;
2. *v* 1) обсуждáть, дебатúровать (*вопрóс*); 2) дискутúровать; спóрить; 3) обдýмывать; рассмáтривать; to ~ a matter in one's mind взвéшивать, обдýмывать что-л.; 4) *уст.* борóться, сражáться (*за что-л.*).

**debater** [dɪ'beɪtə] *n* учáстник дебáтов, прéний; skilful ~ искýсный спóрщик.

**debating-society** [dɪ'beɪtɪŋsə'saɪətɪ] *n* дискуссиóнный клуб.

**debauch** [dɪ'bɔːtʃ] 1. *n* 1) разврáт, распýтство; 2) дебóш; 3) попóйка, óргия;
2. *v* 1) совращáть, развращáть; обольщáть (*жéнщину*); 2) пóртить, искажáть (*вкус, суждéние*); 3) *уст.* предавáться излúшествам.

**debauchee** [,debɔː'tʃiː] *n* разврáтник.

**debauchery** [dɪ'bɔːtʃərɪ] *n* 1) разврáт, рáспущенность; 2) пьянство, обжóрство, невоздéржность.

**debenture** [dɪ'bentʃə] *n* 1) долговóе обязáтельство *или* распúска; 2) облигáция акционéрного óбщества, компáнии; 3) сертификáт тамóжни на возврáт пóшлин; 4) *attr.*: ~ bond облигáция акционéрного óбщества; ~ stock бессрóчные облигáции.

**debilitate** [dɪ'bɪlɪteɪt] *v* ослаблять, расслаблять.

**debilitation** [dɪ,bɪlɪ'teɪʃən] *n* ослаблéние, слáбость.

**debility** [dɪ'bɪlɪtɪ] *n* 1) слáбость, бессúлие; 2) болéзненность, слáбость здорóвья.

**debit** ['debɪt] *ком.* 1. *n* дéбет; to put to the ~ of a person записáть в дéбет комý-л.;
2. *v* дебетовáть, вносúть в дéбет.

**debonair** [,debə'nɛə] *a уст.* 1) добродýшный, любéзный; 2) весёлый, жизнерáдостный.

**debouch** [dɪ'bautʃ] *v* 1) выходúть из ущéлья на открытую мéстность (*о рекé*); 2) *воен.* дебушúровать.

**debouchment** [dɪ'bautʃmənt] *n* 1) выход из ущéлья; 2) ýстье рекú; 3) *воен.* дебушúрование, выход из теснúны *или* укрытия.

**debris** ['debriː] *фр. n* 1) оскóлки, облóмки; обрéзки; лом; 2) развáлины; 3) строúтельный мýсор; 4) *геол.* облóмки порóд; наноснáя порóда покрывáющая месторождéние; пустáя порóда.

**debt** [det] *n* долг; to contract ~s надéлать долгóв; to incur a ~, to get (*или* to run) into ~ влезть в долгú; a bad ~ безнадёжный долг; ~ of gratitude долг благодáрности; a ~ of honour долг чéсти; he is heavily in ~ ≅ он в долгý как в шелкý; to be in smb.'s ~ быть у когó-л. в долгý; I am very much in your ~ я вам óчень обязан; ◇ to pay the ~ of (*или* to) nature сконáться.

**debtor** ['detə] *n* 1) должнúк, дебитóр; ~'s prison долговáя тюрьмá; 2) *бухг.* дебúтор.

**debt service** ['det,sɜːvɪs] *n* уплáта капитáльного дóлга и процéнтов по государственному дóлгу.

**debunk** ['diː'bʌŋk] v *разг.* 1) разоблачáть обмáн; 2) развéнчивать, лишáть престижа.

**debus** [diː'bʌs] v высáживать(ся), выгружáть(ся) из автомашин.

**debussing point** [diː'bʌsɪŋ,pɔɪnt] n мéсто высáдки из автомашин.

**début** ['deɪbuː] *фр.* n дебют; to make one's ~ дебютировать.

**débutant** ['debjuːtãːŋ] *фр.* n дебютáнт.

**débutante** ['debjuːtãːnt] *фр.* n дебютáнтка.

**deca-** ['dekə-] *pref* дека-,ˑ десяти-.

**decachord** ['dekəkɔːd] n десятиструнная áрфа (*древнегреческая*).

**decadal** ['dekədəl] a десятилéтний.

**decade** ['dekeɪd] n 1) грýппа из десяти, десяток; 2) десятилéтие.

**decadence, -cy** ['dekədəns, -sɪ] n 1) упáдок, ухудшéние; 2) декадéнтство, упáдочничество (*в искусстве*).

**decadent** ['dekədənt] 1. n декадéнт; 2. a упáдочный, декадéнтский.

**decagon** ['dekəgən] n десятиугóльник.

**decagonal** [de'kægənəl] a десятиугóльный.

**decagram(me)** ['dekəgræm] n декаграмм.

**decahedral** [,dekə'hiːdrəl] a десятигрáнный.

**decalcify** [diː'kælsɪfaɪ] v удалять известкóвое вещество́.

**decalitre** ['dekə,liːtə] n декалитр.

**decalogue** ['dekələg] n *библ.* дéсять зáповедей.

**decametre** ['dekə,miːtə] n декамéтр.

**decamp** [dɪ'kæmp] v 1) снимáться с лáгеря, выступáть из лáгеря; 2) удирáть.

**decampment** [dɪ'kæmpmənt] n 1) выступлéние из лáгеря; 2) быстрый ухóд; побéг.

**decanal** [dɪ'keɪnl] a декáнский.

**decandrous** [dɪ'kændrəs] a *бот.* с десятью тычинками.

**decangular** [de'kæŋgjulə] a десятиугóльный.

**decant** [dɪ'kænt] v 1) сцéживать, фильтровáть; декантировать; отмýчивать; 2) переливáть из бутылки в графин (*вино*).

**decanter** [dɪ'kæntə] n графин.

**decaphyllous** [,dekə'fɪləs] a *бот.* десятилистный.

**decapitate** [dɪ'kæpɪteɪt] v обезглáвливать, отрубáть гóлову.

**decapitation** [dɪ,kæpɪ'teɪʃ ən] n обезглáвливание.

**decapod** ['dekəpɔd] *зоол.* 1. n десятинóгий рак; 2. a десятинóгий.

**decarbonate, decarbonize** [diː'kɑːbəneɪt, -naɪz] v 1) *хим.* обезуглерóживать; 2) очищáть от нагáра, кóпоти.

**decastich** ['dekəstɪk] n десятистишие.

**decasyllabic** ['dekəsɪ'læbɪk] 1. a десятислóжный; 2. n десятислóжный стих.

**decathlon** [dɪ'kæθlɔn] n *спорт.* десятибóрье.

**decay** [dɪ'keɪ] 1. n 1) гниéние, распáд; 2) сгнившая часть (*яблока и т. п.*); 3) разложéние, упáдок, загнивáние; распáд (*государства, семьи и т. п.*); to fall into ~

приходить в упáдок, разрушáться; 4) расстрóйство (*здоровья*); 5) разрушéние (*здания*); 6) радиоактивный распáд;
2. v 1) гнить, разлагáться; 2) пóртиться; ухудшáться; хирéть; 3) приходить в упáдок; распадáться (*о государстве, семье и т. п.*); 4) опуститься (*о человеке*).

**decease** [dɪ'siːs] 1. n смерть, кончина; 2. v скончáться.

**deceased** [dɪ'siːst] 1. *p. p. от* decease 2; 2. a покóйный, умéрший; 3. n (the ~) покóйник, покóйный, умéрший.

**decedent** [dɪ'siːdənt] n *юр.* покóйный.

**deceit** [dɪ'siːt] n 1) обмáн; 2) хитрость; 3) лживость.

**deceitful** [dɪ'siːtful] a 1) вводящий в заблуждéние; обмáнчивый; 2) лживый; предáтельский.

**deceive** [dɪ'siːv] v обмáнывать; вводить в заблуждéние; to ~ oneself обмáнываться.

**decelerate** [diː'seləreɪt] v уменьшáть скóрость, ход, числó оборóтов; замедлять.

**December** [dɪ'sembə] n 1) декáбрь; 2) *attr.* декáбрьский.

**Decemberly** [dɪ'sembəlɪ] a зимний, холóдный.

**Decembrist** [dɪ'sembrɪst] n *ист.* декабрист.

**decemvir** [dɪ'semvə] *лат.* n (*pl* -rs [-əz], -ri) *ист.* децемвир.

**decemviri** [dɪ'semvəraɪ] *pl от* decemvir.

**decenary** [dɪ'senərɪ] = decennary.

**decency** ['diːsnsɪ] n 1) приличие, благопристóйность; a breach of ~ нарушéние приличий, декóрума; in common ~ из уважéния к приличиям; have the ~ to confess бýдьте настóлько порядочны, чтóбы признáться; to serve the decencies соблюдáть приличия; 2) *разг.* вéжливость; любéзность.

**decennary** [dɪ'senərɪ] n десятилéтие.

**decenniad** [dɪ'senɪæd] = decennary.

**decennial** [dɪ'senjəl] a десятилéтний; продолжáющийся дéсять лет; повторяющийся кáждые дéсять лет.

**decent** ['diːsnt] a 1) приличный; подходящий; a pretty ~ house довóльно приличный дом; 2) скрóмный; сдéржанный; 3) слáвный, хорóший; that's very ~ of you э́то óчень мило с вáшей сторóны; 4) *школ.* нестрóгий, дóбрый.

**decently** ['diːsntlɪ] adv 1) порядочно, прилично, хорошó; 2) скрóмно; 3) любéзно, мило.

**decentralize** [diː'sentrəlaɪz] v децентрализовáть.

**deception** [dɪ'sepʃ ən] n обмáн, ложь; хитрость; to practise ~ обмáнывать.

**deceptive** [dɪ'septɪv] a обмáнчивый, вводящий в заблуждéние; appearances are often ~ нарýжность чáсто обмáнчива; ◇ ~ gas *воен.* маскирýющий газ.

**deci-** ['desɪ-] *pref* деци- (*обозначает десятую часть, особ. в метрической системе*).

**decide** [dɪ'saɪd] v решáть(ся), принимáть решéние; to ~ against (in favour of) smb. выносить решéние прóтив (в пóльзу) когó-л.; that ~s me! решенó!; to ~ between two things сделать выбор; ☐ ~ on выбрать; she ~d on the green hat она выбрала зелёную шляпу.

**decided** [dɪ'saɪdɪd] 1. *p. p. om* decide; 2. *a* 1) решительный; 2) определённый, бесспорный; ~ superiority явное превосходство.

**decidedly** [dɪ'saɪdɪdlɪ] *adv* 1) решительно; 2) несомненно, явно, бесспорно.

**deciduous** [dɪ'sɪdjuəs] *a* 1) опадающий (*о листьях*); 2) *зоол.* подверженный периодическому сбрасыванию (*рогов*); 3) молочный (*о зубах*); 4) быстротечный, преходящий.

**decigram(me)** ['desɪgræm] *n* дециграмм.

**decilitre** ['desɪ,liːtə] *n* децилитр.

**decimal** ['desɪməl] 1. *a* десятичный; ~ fraction десятичная дробь; ~ notation обозначение арабскими цифрами; ~ numeration десятичная система счисления; ~ coinage десятичная монетная система; ~ point точка в десятичной дроби, отделяющая целое от дроби; 2. *n* десятичная дробь.

**decimalism** ['desɪməlɪzəm] *n* применение десятичной системы.

**decimalize** ['desɪməlaɪz] *v* 1) обращать в десятичную дробь; 2) переводить на десятичную систему.

**decimally** ['desɪməlɪ] *adv* по десятичной системе.

**decimate** ['desɪmeɪt] *v* 1) взимать десятину; 2) казнить каждого десятого; 3) уничтожать, «косить»; cholera ~d the population холера косила население.

**decimation** [,desɪ'meɪʃən] *n* 1) взимание десятины; 2) казнь, расстрел каждого десятого; 3) опустошение, мор.

**decimetre** ['desɪ,miːtə] *n* дециметр.

**decimosexto** [,desɪmou'sekstou] *n* формат книги в ¹/₁₆ листа.

**decipher** [dɪ'saɪfə] *v* 1) расшифровывать; 2) разбирать (*неясный почерк, древние письмена и т. п.*).

**decipherable** [dɪ'saɪfərəbl] *a* поддающийся расшифровке, чтению.

**decision** [dɪ'sɪʒən] *n* 1) решение; to arrive at (*или* to come to) a ~ принять решение; 2) *юр.* заключение, приговор; 3) решимость, решительность; a man of ~ решительный человек; to lack ~ быть нерешительным; with ~ уверенно, решительно.

**decisive** [dɪ'saɪsɪv] *a* 1) решающий, имеющий решающее значение; 2) решительный (*о характере, человеке*); 3) убедительный (*о фактах, уликах*).

**decivilize** [diː'sɪvɪlaɪz] *v* приводить к одичанию.

**deck** [dek] 1. *n* 1) палуба; on ~ а) на палубе; б) *амер. разг.* под рукой; в) *амер. разг.* готовый к действиям; to clear the ~s (for action) *мор.* приготовиться к бою; *перен.* приготовиться к действиям; 2) крыша вагона; складной *или* съёмный верх (автомобиля); 3) колода (*карт*); 4) *sl.* земля; 2. *v* 1) настилать палубу; 2) украшать, убирать (*цветами, флагами*; *часто* ~ out).

**deck alighting** ['dekə,laɪtɪŋ] = deck landing.

**deck-bridge** ['dekbrɪdʒ] *n* мост с ездой поверху.

**deck-cabin** ['dek'kæbɪn] *n* каюта на палубе.

**deck-cargo** ['dek'kɑːgou] *n* палубный груз.

**deck-chair** ['dek'tʃeə] *n* шезлонг, лонгшез (*для пассажиров на палубе*).

**-decker** [-'dekə] *в сложных словах означает:* имеющий *столько-то* палуб; one-~ (two-~) однопалубное (двухпалубное) судно.

**deck-hand** ['dekhænd] *n* 1) матрос; 2) *pl* палубная команда.

**deck-house** ['dekhaus] *n мор.* 1) рубка; 2) салон на верхней палубе.

**decking** ['dekɪŋ] 1. *pres. p. om* deck 2; 2. *n* 1) украшение; 2) палубный материал; 3) опалубка, настил.

**deck landing** ['dek,lændɪŋ] *n мор. ав.* посадка на палубу.

**deckle** ['dekl] 1. *n* приспособление бумагоделательной машины, определяющее ширину листа; 2. *v* 1) обрезать края бумаги; 2) трепать, обрывать (*край бумаги*).

**deckle-edged** ['dekl'edʒd] *a* с необрезанными краями (*о бумаге*).

**deck-light** ['deklaɪt] *n мор.* палубный иллюминатор.

**deck-passage** ['dek,pæsɪdʒ] *n* проезд на палубе (*без права пользования каютой*).

**deck-passenger** ['dek,pæsɪndʒə] *n* палубный пассажир.

**deck-roof** ['dekruːf] *n* почти плоская крыша.

**deck start** ['dekstɑːt] *n* взлёт с палубы.

**declaim** [dɪ'kleɪm] *v* 1) декламировать, читать (*стихи*); 2) произносить с пафосом (*речь*); 3) осуждать (*в выступлении*), выступать против (against).

**declamation** [,deklə'meɪʃən] *n* 1) декламация; 2) хорошая фразировка (*при пении*); 3) торжественная речь.

**declamatory** [dɪ'klæmətərɪ] *a* 1) декламационный; ораторский; 2) напыщенный.

**declarant** [dɪ'klɛərənt] *n юр.* тот, кто подаёт заявление, декларацию.

**declaration** [,deklə'reɪʃən] *n* 1) заявление, декларация; to make a ~ сделать заявление; 2) объявление (*войны и т. п.*); ~ of the poll объявление результатов голосования; 3) *юр.* исковое заявление истца; торжественное заявление (*свидетеля без присяги*); 4) *ком.* заявление о товарах, подлежащих таможенной пошлине; 5) объяснение в любви.

**declarative** [dɪ'klærətɪv] *a* 1) декларативный; 2) *грам.* повествовательный (*о предложении*).

**declaratory** [dɪ'klærətərɪ] *a* 1) = declarative; 2) объяснительный, пояснительный.

**declare** [dɪ'klɛə] *v* 1) объявлять; to ~ war (on, upon) объявлять войну (*кому-л., перен. чему-л.*); to ~ one's love объясняться в любви; 2) признавать, объявлять (*кого-л. кем-л.*); he was ~d an invalid он был признан инвалидом; 3) заявлять, провозглашать, объявлять публично; well. I ~! *разг.*

однако, скажу я вам!; 4) высказываться (for — за; against — против); to ~ oneself a) высказаться; б) показать себя; 5) называть, предъявлять вещи, облагаемые пошлиной (*в таможне*); have you anything to ~? предъявите вещи, подлежащие обложению пошлиной; 6) *карт.* объявлять козырь; □ ~ off отказаться от (*сделки и т. п.*).

**declared** [dɪ'klɛəd] 1. *p. p. от* declare; 2. *a* 1) объявленный, заявленный; ~ value ценность (товаров), заявленная при прохождении через таможню; 2) явный, признанный.

**déclassé** [ˌdeɪˌklɑː'seɪ] *фр.* = declassed.

**declassed** ['diː'klɑːst] *a* деклассированный.

**declassify** [dɪ'klæsɪfaɪ] *v* рассекречивать (*документы, материалы*).

**declension** [dɪ'klenʃən] *n* 1) падение, упадок; 2) отклонение (*от образца*); ухудшение; 3) *грам.* склонение; классы склонений; ◇ in the ~ of years на склоне лет.

**declensional** [dɪ'klenʃənl] *a грам.* относящийся к склонению; ~ endings падежные окончания.

**declinable** [dɪ'klaɪnəbl] *a грам.* склоняемый.

**declination** [ˌdeklɪ'neɪʃən] *n* 1) отклонение; 2) магнитное склонение; 3) наклон, наклонение; 4) *грам.* склонение; 5) *уст.* падение, упадок.

**declinator** ['deklɪneɪtə] = declinometer.

**declinatory** [dɪ'klaɪnətərɪ] *a* 1) отклоняющий(ся); 2) отказывающий(ся).

**decline** [dɪ'klaɪn] 1. *n* 1) склон, уклон; 2) падение, упадок; on the ~ a) в состоянии упадка; б) на ущербе, на склоне; the ~ of the moon луна на ущербе; 3) снижение (*цены*); 4) ухудшение (*здоровья, жизненного уровня и т. п.*); 5) конец, закат (*жизни, дня*); 6) *уст.* изнурительная болезнь; туберкулёз; 2. *v* 1) клониться, наклоняться; 2) идти к концу; 3) приходить в упадок; ухудшаться (*о здоровье, жизненном уровне и т. п.*); 4) уменьшаться, идти на убыль; спадать (*о температуре*); 5) отклонять (*предложения и т. п.*); отказывать(ся); 6) *редк.* наклонять, склонять; to ~ one's head on one's breast склонить голову на грудь; 7) *грам.* склонять.

**declining** [dɪ'klaɪnɪŋ] 1. *pres. p. от* decline 2; 2. *a*: ~ years преклонные годы.

**declinometer** [ˌdeklɪ'nɔmɪtə] *n* уклономер; деклинометр; деклинатор.

**declivitous** [dɪ'klɪvɪtəs] *a* довольно крутой (*о спуске*).

**declivity** [dɪ'klɪvɪtɪ] *n* покатость; спуск, склон, откос; уклон (*пути*).

**declivous** [dɪ'klaɪvəs] *a* покатый; отлогий.

**declutch** ['diː'klʌtʃ] *v тех.* расцеплять.

**decoct** [dɪ'kɔkt] *v* приготовлять отвар; отваривать; вываривать.

**decoction** [dɪ'kɔkʃən] *n* 1) вываривание; 2) (лечебный) отвар, декокт.

**decode** [ˈdiː'koud] *v* расшифровывать.

**decohere** [ˌdiːkou'hɪə] *v радио* декогерировать.

**decollate** [dɪ'kɔleɪt] *v* обезглавливать.

**decollation** [ˌdiːkə'leɪʃən] *n* обезглавливание.

**décolleté** [deɪ'kɔlteɪ] (*ж.* -tée [-te]) *фр. a* декольтированный.

**decolo(u)r** [diː'kʌlə] *v* обесцвечивать.

**decolo(u)rant** [diː'kʌlərənt] *n* обесцвечивающее вещество.

**decolo(u)ration** [diːˌkʌlə'reɪʃən] *n* обесцвечивание.

**decolo(u)rize** [diː'kʌləraɪz] = decolo(u)r.

**decompensation** [diːˌkɔmpen'seɪʃən] *n мед.* декомпенсация.

**decomplex** [ˌdiːkəm'pleks] *a* вдвойне сложный, имеющий сложные части.

**decompose** [ˌdiːkəm'pouz] *v* 1) разлагать на составные части; to ~ a force *мех.* разложить силу; 2) разлагаться, гнить; 3) растворять(ся); 4) анализировать (*причины, мотивы и т. п.*).

**decomposite** [dɪ'kɔmpəzɪt] 1. *a* составленный из частей (*слов и т. п.*), которые сами являются сложными; 2. *n* что-л., составленное из сложных частей (*вещество, слово и т. п.*).

**decomposition** [ˌdiːkɔmpə'zɪʃən] *n* 1) *физ., хим.* разложение; 2) распад, гниение.

**decompound** [ˌdiːkəm'paund] 1. *a* составленный из частей, которые сами являются сложными; ~ leaf *бот.* перистосложный лист; 2. *v* 1) составлять из сложных частей; 2) разлагать на составные части.

**decompress** [ˌdiːkəm'pres] *v* уменьшать давление.

**deconsecrate** [diː'kɔnsɪkreɪt] *v* секуляризировать (*церковные земли, имущество*).

**decontaminate** ['diːkən'tæmɪneɪt] *v* обеззараживать; дегазировать.

**decontrol** ['diːkən'troul] 1. *n* освобождение от государственного контроля; 2. *v* освобождать от государственного контроля.

**décor** ['deɪkɔː] *фр. n* обстановка (*комнаты, сцены*).

**decora** [dɪ'kɔːrə] *pl от* decorum.

**decorate** ['dekəreɪt] *v* 1) украшать, декорировать; 2) отделывать (*дом, помещение*); 3) награждать знаками отличия, орденами.

**decorated** ['dekəreɪtɪd] 1. *p.p. от* decorate; 2. *a* 1) украшенный, декорированный; ~ style английская готика XIV века; 2) награждённый.

**decoration** [ˌdekə'reɪʃən] *n* 1) украшение; убранство; 2) *архит.* наружная и внутренняя отделка, украшение дома; 3) *pl* праздничные флаги, гирлянды; 4) орден, знак отличия; to confer a ~ on smb. наградить кого-л. орденом, знаком отличия; 5) *attr.*: D. Day *амер.* = Memorial Day [*см.* memorial 1].

**decorative** ['dekərətɪv] *a* декоративный.

**decorator** ['dekəreɪtə] *n* 1) архитектор, занимающийся внутренней отделкой и украшением дома; 2) маляр, обойщик.

**decorous** ['dekərəs] *a* приличный, пристойный.

**decorticate** [dɪ'kɔːtɪkeɪt] *v* сдирать (*кору, шелуху и т. п.*).

**decorticator** [di'kɔːtɪˌkeɪtə] *n* машина для отделе́ния лу́ба.

**decorum** [di'kɔːrəm] *лат. n* (*pl* -s [-z], -ra) вне́шнее прили́чие, деко́рум; этике́т.

**decoy** [di'kɔɪ] 1. *n* 1) прима́нка; мано́к; 2) западня́, лову́шка; 3) пруд, затя́нутый се́ткой (*для зама́нивания ди́ких птиц с по́мощью манко́в*); 4) *воен.* маке́т; 2. *v* прима́нивать, зама́нивать в лову́шку; завлека́ть.

**decoy-duck** [di'kɔɪdʌk] *n* 1) мано́к для зама́нивания ди́ких у́ток; 2) прима́нка.

**decoy ship** [di'kɔɪʃɪp] *n мор.* су́дно-прима́нка, су́дно-лову́шка.

**decrease** 1. *n* ['diːkriːs] уменьше́ние, убыва́ние, пониже́ние; убавле́ние; to be on the ~ идти́ на у́быль;
2. *v* [diː'kriːs] уменьша́ть(ся), убыва́ть.

**decree** [di'kriː] 1. *n* 1) ука́з, декре́т, прика́з; 2) постановле́ние, реше́ние (*суда́ по гражда́нским дела́м*); 3) постановле́ние церко́вного сове́та; 4) *pl церк.* декрета́лии; ◇ ~ of nature зако́н приро́ды; ~ nisi *лат. юр.* постановле́ние о разво́де, вступа́ющее в си́лу че́рез шесть ме́сяцев, е́сли оно́ не бу́дет отменено́ до э́того;
2. *v* 1) издава́ть декре́т, декрети́ровать; 2) отдава́ть распоряже́ние.

**decrement** ['dekrɪmənt] *n* 1) уменьше́ние, сте́пень у́были; 2) *радио* декреме́нт; 3) *тех.* успокое́ние, демпфи́рование.

**decrepit** [di'krepɪt] *a* 1) дря́хлый; 2) ве́тхий, изно́шенный.

**decrepitate** [di'krepɪteɪt] *v* 1) *тех.* обжига́ть, прока́ливать до растре́скивания; 2) потре́скивать на огне́.

**decrepitation** [di,krepɪ'teɪʃən] *n тех.* 1) обжига́ние, прока́ливание; 2) потре́скивание.

**decrepitude** [di'krepɪtjuːd] *n* 1) дря́хлость; 2) ве́тхость.

**decrescent** [di'kresnt] *a* убыва́ющий.

**decretal** [di'kriːtəl] *n церк.* 1) декре́т, постановле́ние; 2) *pl* декрета́лии.

**decretive** [di'kriːtɪv] *a* декре́тный.

**decretory** [di'kriːtərɪ] = decretive.

**decrial** [di'kraɪəl] *n* откры́тое осужде́ние, порица́ние.

**decry** [di'kraɪ] *v* 1) откры́то осужда́ть, порица́ть, хули́ть; 2) принижа́ть, преуменьша́ть значе́ние (*чего-л.*).

**decuman** ['dekjumən] *a* 1) гла́вный, основно́й; 2) могу́чий, мо́щный (*о волне́*); ~ wave «девя́тый вал».

**decumbent** [di'kʌmbənt] *a* 1) лежа́щий; 2) *бот.* сте́лющийся по земле́.

**decuple** ['dekjupl] 1. *n* удесятерённое число́;
2. *a* удесятерённый;
3. *v* удесятеря́ть.

**decussate** [di'kʌseɪt] 1. *a* 1) пересека́ющийся под прямы́м угло́м; 2) *бот.* располо́женный крестообра́зно;
2. *v* пересека́ть(ся) под прямы́м угло́м, крест-на́крест.

**dedans** [də'dɑːn] *фр. n спорт.* 1) трибу́ны на те́ннисном ко́рте; 2) (the ~) *собир.* зри́тели на те́ннисном ма́тче.

**dedicate** ['dedɪkeɪt] *v* 1) посвяща́ть;
2) предназнача́ть; 3) надпи́сывать (*кни́гу*); 4) *амер.* открыва́ть (*торже́ственно*).

**dedicated** ['dedɪkeɪtɪd] 1. *p. p. от* dedicate;
2. *a* пре́данный; посвяти́вший себя́ (*до́лгу, де́лу*).

**dedicatee** [,dedɪkə'tiː] *n* лицо́, кото́рому что-л. посвящено́.

**dedication** [,dedɪ'keɪʃən] *n* 1) посвяще́ние; 2) пре́данность, самоотве́рженность.

**dedicator** ['dedɪkeɪtə] *n* тот, кто посвяща́ет.

**dedicatory** ['dedɪkətərɪ] *a* посвяти́тельный.

**deduce** [di'djuːs] *v* 1) выводи́ть (*заключе́ние, сле́дствие, фо́рмулу*); 2) проследи́ть, установи́ть происхожде́ние.

**deduct** [di'dʌkt] *v* вычита́ть, отнима́ть; уде́рживать.

**deduction** [di'dʌkʃən] *n* 1) вычита́ние, вы́чет; удержа́ние; ~ in pay вы́четы, удержа́ния из жа́лованья; 2) вычита́емое; 3) ски́дка; 4) вы́вод, заключе́ние; *лог.* деду́кция.

**deductive** [di'dʌktɪv] *a лог.* дедукти́вный.

**dee** [diː] *n* 1) *назва́ние бу́квы* D; 2) *тех.* D-обра́зное кольцо́, рым.

**deed** [diːd] 1. *n* 1) де́йствие, посту́пок; 2) де́ло, факт; in word and ~ сло́вом и де́лом; in ~ and not in name на де́ле, а не на слова́х (то́лько); in very ~ в са́мом де́ле, в действи́тельности; 3) по́двиг; 4) *юр.* докуме́нт, акт; to draw up a ~ составля́ть докуме́нт;
2. *v амер.* передава́ть по а́кту.

**deed-poll** ['diːdpoul] *n юр.* односторо́ннее обяза́тельство.

**deem** [diːm] *v* полага́ть, ду́мать, счита́ть.

**deemster** ['diːmstə] *n* оди́н из двух суде́й на о-ве Мэн.

**deep** [diːp] 1. *a* 1) глубо́кий; ~ water больша́я глубина́ [*ср. тж.* ◇]; ~ sleep глубо́кий сон; to my ~ regret к моему́ глубо́кому сожале́нию; to keep smth. a ~ secret храни́ть что-л. в стро́гой та́йне; ~ in debt по́ уши в долгу́; 2) серьёзный, не пове́рхностный; ~ knowledge серьёзные, глубо́кие зна́ния; 3) погружённый (*во что-л.*); поглощённый (*чем-л.*); за́нятый (*чем-л.*); ~ in a book (in a map) погружённый, уше́дший с голово́й в кни́гу (в изуче́ние ка́рты); ~ in thought, ~ in meditation (глубоко́) заду́мавшийся, погружённый в размышле́ния; 4) си́льный, глубо́кий; ~ feelings глубо́кие чу́вства; ~ delight огро́мное наслажде́ние; 5) таи́нственный, труднопостига́емый; 6) насы́щенный, тёмный, густо́й (*о кра́ске, цве́те*); 7) ни́зкий (*о зву́ке*); ◇ in ~ water(s) в беде́; ~ a о́пе то́нкая бе́стия; to draw up five (six) ~ *воен.* стро́ить(ся) в пять (шесть) рядо́в; to go off the ~ end a) бро́ситься в глубину́; б) *разг.* разволнова́ться; в) рискну́ть; приня́ть реше́ние сгоряча́;
2. *n* 1) глубо́кое ме́сто; 2) (the ~) *поэт.* мо́ре, океа́н; 3) бе́здна, про́пасть; 4) са́мое сокрове́нное;
3. *adv* глубоко́; to dig ~ рыть глубоко́; ~ into the night до
*перен.* дока́пываться; ~ into the night до

глубо́кой но́чи; ◇ still waters run ~ *посл.* ≅ в ти́хом о́муте че́рти во́дятся.

**deep-brown** ['diːp'braun] *a* тёмно-кори́чневый.

**deep-draft** ['diːpdrɑːft] *n* глубо́кая оса́дка су́дна.

**deep-drawing** ['diːp'drɔːɪŋ] *n тех.* глубо́кая вы́тяжка.

**deep-drawn** ['diːp'drɔːn] *a* вы́рвавшийся из глубины́ (*о вздохе*).

**deepen** ['diːpən] *v* 1) углубля́ть(ся); 2) уси́ливать(ся); 3) де́лать(ся) темне́е; сгуща́ть(ся) (*о краска́х, теня́х*); 4) понижа́ть (-ся) (*о зву́ке, го́лосе*).

**deep-felt** ['diːp'felt] *a* глубоко́ прочу́вствованный.

**deep-laid** ['diːp'leɪd] *a* 1) глубоко́ зало́женный; 2) дета́льно разрабо́танный и секре́тный (*план*).

**deeply** ['diːplɪ] *adv* глубоко́; he is ~ in debt он круго́м в долгу́; to feel (to regret) smth. ~ глубоко́ пережива́ть что-л. (сожале́ть о чём-л.).

**deep mining** ['diːp,maɪnɪŋ] *n горн.* подзе́мная добы́ча угля́.

**deep-mouthed** ['diːp'mauðd] *a* 1) зы́чный; 2) гро́мко ла́ющий.

**deepness** ['diːpnɪs] *n* глубина́ *и пр.* [*см.* deep 1].

**deep-rooted** ['diːp'ruːtɪd] *a* глубоко́ укрени́вшийся.

**deep-sea** ['diːp'siː] *a* глубоково́дный; ~ fishing ло́вля ры́бы в глубо́ких вода́х.

**deep-seated** ['diːp'siːtɪd] *a* 1) глубоко́ сидя́щий; вкорени́вшийся; ~ abscess глубо́кий нары́в; ~ disease скры́тая боле́знь; 2) затаённый (*о чу́встве*); 3) твёрдый (*об убежде́нии*).

**deer** [dɪə] *n* (*pl без изме́н.*) оле́нь; лань; *собир.* кра́сный зверь; red ~ благоро́дный оле́нь; to run like ~ бежа́ть быстре́е ла́ни, нести́сь стрело́й; ◇ small ~ *уст.* мелюзга́, ме́лкая со́шка.

**deer-forest** ['dɪə,fɔrɪst] *n* оле́ний запове́дник.

**deer-hound** ['dɪəhaund] *n* шотла́ндская борза́я.

**deer-lick** ['dɪəlɪk] *n* уча́сток солончако́вой по́чвы, где оле́ни ли́жут соль.

**deer-neck** ['dɪənek] *n* то́нкая ше́я (*ло́шади*).

**deer-park** ['dɪəpɑːk] = deer-forest.

**deerskin** ['dɪəskɪn] *n* оле́нья ко́жа, лоси́на, за́мша.

**deerstalker** ['dɪə,stɔːkə] *n* 1) охо́тник на оле́ней; 2) во́йлочная шля́па.

**deerstalking** ['dɪə,stɔːkɪŋ] *n* охо́та на оле́ней.

**deface** [dɪ'feɪs] *v* 1) по́ртить; искажа́ть; 2) стира́ть, де́лать неудобочита́емым; 3) дискредити́ровать.

**defacement** [dɪ'feɪsmənt] *n* 1) по́рча; искаже́ние; 2) стира́ние; 3) то, что по́ртит.

**de facto** [diː'fæktou] *лат. adv* на де́ле, факти́чески, де-фа́кто (*противоп.* de jure).

**defalcate** ['diːfælkeɪt] *v* 1) обману́ть дове́рие; 2) нару́шить долг; 3) произвести́ растра́ту; присво́ить чужи́е де́ньги.

**defalcation** [,diːfæl'keɪʃən] *n* 1) обма́н; 2)

нарушение до́лга; 3) присвое́ние чужи́х де́нег; растра́та.

**defalcator** ['diːfælkeɪtə] *n* растра́тчик.

**defamation** [,defə'meɪʃən] *n* 1) клевета́; 2) диффама́ция.

**defamatory** [dɪ'fæmətərɪ] *a* бесче́стящий, клеветни́ческий.

**defame** [dɪ'feɪm] *v* поноси́ть, клевета́ть, поро́чить.

**defatted** [diː'fætɪd] *a* обезжи́ренный.

**default** [dɪ'fɔːlt] **1.** *n* 1) отсу́тствие, недоста́ток (*чего-л.*); 2) невыполне́ние обяза́тельств (*гл. обр. де́нежных*); 3) прови́нность, просту́пок; 4) нея́вка в суд; judgement by ~ зао́чное реше́ние суда́ в по́льзу истца́ (*всле́дствие нея́вки отве́тчика*); 5) *спорт.* вы́ход из состяза́ния; ◇ in ~ of за неиме́нием, за отсу́тствием. **2.** *v* 1) не вы́полнить свои́х обяза́тельств; прекрати́ть платежи́; 2) не яви́ться по вы́зову суда́; 3) вы́нести зао́чное реше́ние (*в по́льзу истца́*); 4) *спорт.* вы́йти из состяза́ния до его́ оконча́ния.

**defaulter** [dɪ'fɔːltə] *n* 1) лицо́, не выполня́ющее свои́х обяза́тельств; банкро́т; 2) растра́тчик; 3) уклоня́ющийся от я́вки (*в суд*); 4) *воен.* провини́вшийся; получи́вший взыска́ние; 5) *attr.*: ~ book *воен.* кни́га взыска́ний.

**defeasance** [dɪ'fiːzəns] *n* 1) аннули́рование, отме́на; 2) *юр.* огово́рка в докуме́нте (*могу́щая аннули́ровать его́*).

**defeasible** [dɪ'fiːzəbl] *a* могу́щий быть отменённым, аннули́рованным.

**defeat** [dɪ'fiːt] **1.** *n* 1) пораже́ние; to sustain (*или* to suffer) a ~ потерпе́ть пораже́ние; 2) расстро́йство (*пла́нов*); круше́ние (*наде́жд*); 3) *юр.* аннули́рование; **2.** *v* 1) наноси́ть пораже́ние; 2) расстра́ивать (*пла́ны*); разруша́ть (*наде́жды и т. п.*); прова́ливать (*законопрое́кт*); 3) *юр.* отменя́ть, аннули́ровать.

**defeatism** [dɪ'fiːtɪzəm] *n полит.* пораже́нчество.

**defeatist** [dɪ'fiːtɪst] *n полит.* пораже́нец.

**defeature** [dɪ'fiːtʃə] *v* де́лать неузнава́емым; искажа́ть.

**defecate** ['defɪkeɪt] *v* 1) очища́ть(ся); отста́ивать, осветля́ть (*жи́дкость*); 2) испражня́ться.

**defecation** [,defɪ'keɪʃən] *n* 1) очище́ние; 2) испражне́ние.

**defect** [dɪ'fekt] *n* 1) недоста́ток, неиспра́вность, дефе́кт, недочёт; поро́к, изъя́н; 2) несоверше́нство; 3) поврежде́ние.

**defection** [dɪ'fekʃən] *n* нарушение (*до́лга, ве́рности*); отпаде́ние; дезерти́рство; отступни́чество (from).

**defective** [dɪ'fektɪv] **1.** *a* 1) несоверше́нный; 2) недоста́точный, непо́лный; 3) неиспра́вный; повреждённый; дефе́ктный; 4) плохо́й (*о па́мяти*); 5) дефекти́вный; у́мственно отста́лый; 6) *грам.* недоста́точный (*глаго́л*). **2.** *n* 1) дефекти́вный субъе́кт; 2) *грам.* недоста́точный глаго́л.

**defence** [dɪ'fens] *n* 1) оборо́на; защи́та; D. of the Realm Act *ист.* англи́йский зако́н об оборо́не госуда́рства (*1914 г.*); best

~ is offence нападе́ние—лу́чший вид защи́ты; 2) *pl воен.* укрепле́ния, оборони́тельные сооруже́ния; 3) *юр.* защи́та (*на суде́*); оправда́ние, реабилита́ция; counsel for the ~ защи́тник обвиня́емого; 4) *спорт.* защи́та; отбива́ние мяча́ битой *и т. п.*; 5) запреще́ние (*рыбной ловли*).

**defenceless** [dɪ'fenslɪs] *a* 1) беззащи́тный; 2) необороня́емый.

**defencist** [dɪ'fensɪst] *n полит.* оборо́нец.

**defend** [dɪ'fend] *v* 1) оборона́ть(ся), защища́ть(ся); 2) отста́ивать, подде́рживать (*мнение*); опра́вдывать (*меры и т. п.*); 3) *юр.* защища́ть в суде́, выступа́ть защи́тником; to ~ the case защища́ться (*на суде́*).

**defendant** [dɪ'fendənt] *n юр.* отве́тчик; подсуди́мый, обвиня́емый.

**defender** [dɪ'fendə] *n* 1) защи́тник; ~s of peace сторо́нники ми́ра; 2) *спорт.* чемпио́н, защища́ющий своё зва́ние.

**defense** [dɪ'fens] *амер.*=defence.

**defensible** [dɪ'fensəbl] *a* 1) *воен.* удо́бный для оборо́ны; защити́мый; 2) опра́вдываемый.

**defensive** [dɪ'fensɪv] **1.** *n* 1) оборо́на; 2) оборони́тельная пози́ция; to act (*или* to be, to stand) on the ~ обороня́ться, защища́ться;
**2.** *a* оборони́тельный; оборо́нный.

**defer** I [dɪ'fə:] *v* 1) откла́дывать, отсро́чивать; 2) ме́длить; ме́шкать; тяну́ть; 3) предоставля́ть отсро́чку от призы́ва.

**defer** II [dɪ'fə:] *v* счита́ться с чьим-л. мне́нием; уступа́ть, поступа́ть по сове́ту *или* жела́нию друго́го; to ~ to smb's experience полага́ться на чей-л. о́пыт.

**deference** ['defərəns] *n* уваже́ние, почти́тельное отноше́ние; to pay (*или* to show) ~ to smb. относи́ться почти́тельно к кому́-л.; in (*или* out of) ~ to smb., smth. из уваже́ния к кому́-л., чему́-л.; with all due ~ to smb., smth. при всём уваже́нии к кому́-л., чему́-л.

**deferent** ['defərənt] *a* 1) выводя́щий, вынося́щий (*о протоках, артериях*); 2) отводя́щий (*о каналах*); 3) *редк.* почти́тельный.

**deferential** [,defə'renʃəl] *a* почти́тельный.

**deferment** [dɪ'fə:mənt] *n* отсро́чка, откла́дывание.

**deferred** I [dɪ'fə:d] **1.** *p. p. от* defer I;
**2.** *a* 1) заме́дленный; 2) отсро́ченный; ~ annuity отсро́ченный платёж по ежего́дной ре́нте; ~ pass *амер.* усло́вный перево́д на сле́дующий курс с обяза́тельством сда́чи академи́ческой задо́лженности.

**deferred** II [dɪ'fə:d] *p.p. от* defer II.

**defervescence** [,di:fə'vesns] *n мед.* паде́ние температу́ры; сниже́ние температу́ры до норма́льной.

**defeudalize** [di:'fju:dəlaɪz] *v* разруша́ть феода́льный строй.

**defiance** [dɪ'faɪəns] *n* 1) вы́зов (*на бой, спор*); 2) откры́тое неповинове́ние; по́лное пренебреже́ние; to bid ~ to, to set at ~ пренебрега́ть, не счита́ться с; ни во что́ не ста́вить; ◇ in ~ of a) вопреки́; б) с я́вным пренебреже́нием к.

**defiant** [dɪ'faɪənt] *a* 1) вызыва́ющий; 2) откры́то неповину́ющийся.

**deficiency** [dɪ'fɪʃənsɪ] *n* 1) недоста́ток, отсу́тствие (*чего-л.*), дефици́т; 2) *attr.:* ~ disease боле́знь, вы́званная недоста́тком витами́нов, авитамино́з.

**deficient** [dɪ'fɪʃənt] *a* 1) недоста́точный; недостаю́щий; непо́лный; 2) несоверше́нный; лишённый (*чего-л.; in*); mentally ~ слабоу́мный.

**deficit** ['defɪsɪt] *n* дефици́т; недочёт; to meet a ~ покры́ть дефици́т.

**defilade** [,defɪ'leɪd] *воен.* **1.** *n* дефила́да, укры́тие.
**2.** *v* укрыва́ть релье́фом (от наблюде́ния и огня́ прямо́й наво́дкой).

**defile** I [dɪ'faɪl] *v* 1) загрязня́ть, па́чкать; 2) оскверня́ть, профани́ровать; 3) развраща́ть.

**defile** II **1.** *n* ['di:faɪl] дефиле́, тесни́на; уще́лье;
**2.** *v* [dɪ'faɪl] дефили́ровать, проходи́ть у́зкой коло́нной (*о войсках*).

**defilement** [dɪ'faɪlmənt] *n* 1) загрязне́ние; 2) оскверне́ние, профана́ция; 3) развраще́ние.

**definable** [dɪ'faɪnəbl] *a* поддаю́щийся определе́нию, определи́мый.

**define** [dɪ'faɪn] *v* 1) определя́ть, дава́ть определе́ние; 2) дава́ть характери́стику; 3) устана́вливать значе́ние (*слова и т. п.*); 4) оче́рчивать, обознача́ть (*границы*).

**definite** ['defɪnɪt] *a* 1) определённый (*тж. грам.*); for a ~ period на определённый срок; ~ article *грам.* определённый арти́кль (*в англ. языке* the); 2) то́чный, я́сный.

**definition** [,defɪ'nɪʃən] *n* 1) определе́ние; 2) я́сность, чёткость; 3) *радио, телев.* ре́зкость, чёткость.

**definitive** [dɪ'fɪnɪtɪv] *a* 1) оконча́тельный; реши́тельный; безусло́вный; 2) *биол.* вполне́ развито́й.

**deflagrate** ['defləgreɪt] *v* бы́стро сжига́ть *или* сгора́ть.

**deflagration** [,deflə'greɪʃən] *n* 1) сгора́ние взры́вчатых веще́ств без взры́ва; 2) вспы́шка.

**deflagrator** ['defləgreɪtə] *n* аппара́т для сжига́ния (*напр., магния*).

**deflate** [dɪ'fleɪt] *v* 1) выка́чивать, выпуска́ть (*воздух, газ*); 2) спада́ться, сплю́щиваться; 3) *фин.* сокраща́ть вы́пуск де́нежных зна́ков; 4) *амер.* снижа́ть це́ны; 5) опроверга́ть (*довод и т. п.*).

**deflation** [dɪ'fleɪʃən] *n* 1) выка́чивание, выпуска́ние (*воздуха, газа*); 2) *фин.* дефля́ция.

**deflect** [dɪ'flekt] *v* 1) отклоня́ть(ся) от прямо́го направле́ния; 2) преломля́ть(ся).

**deflection** [dɪ'flekʃən] *n* 1) отклоне́ние от прямо́го направле́ния; 2) склоне́ние магни́тной стре́лки; отклоне́ние стре́лки (*приборов*); 3) *воен.* у́гол горизонта́льной наво́дки, «угломе́р» основно́го ору́дия; попра́вка; упрежде́ние; 4) *тех.* проги́б, про́вес; 5) *опт. редк.* преломле́ние.

**deflective** [dɪ'flektɪv] *a* вызыва́ющий отклоне́ние.

**deflector** [dɪ'flektə] *n* 1) *тех.* дефле́ктор, отража́тель; 2) *ав.* пло́скость управле́ния;

3) *воен.* коро́бка гильзоуловѝтеля (*пуле-мёта*).

**deflexion** [dɪ'flekʃ ən] = deflection.

**deflorate** [dɪ'flɔːreɪt] *a бот.* отцве́тший.

**defloration** [ˌdiːflɔː'reɪʃ ən] *n* лише́ние де́вственности.

**deflower** [diː'flauə] *v* 1) лиши́ть неви́нности; изнаси́ловать; 2) обрыва́ть цветы́; 3) по́ртить.

**deflux** [dɪ'flʌks] *n* отли́в.

**defoliate** [dɪ'fouliet] **1.** *a* лишённый ли́стьев;
**2.** *v* лиша́ть листвы́.

**defoliation** [dɪˌfoulɪ'eɪʃ ən] *n* опаде́ние ли́стьев; листопа́д.

**deforest** [dɪ'fɔrɪst] *v* вы́рубить леса́, обезле́сить (*местность*).

**deform** [dɪ'fɔːm] *v* 1) уро́довать; 2) искажа́ть (*мысль*); 3) *тех.* деформи́ровать.

**deformation** [ˌdiːfɔː'meɪʃ ən] *n* 1) уродо́вание; 2) искаже́ние; 3) *тех.* деформа́ция.

**deformity** [dɪ'fɔːmɪtɪ] *n* 1) уро́дливость; уро́дство (*физическое или нравственное*); 2) уро́д; 3) изуро́дованная вещь.

**defraud** [dɪ'frɔːd] *v* 1) обма́нывать; 2) обма́ном лиша́ть (*чего-л.*); выма́нивать; to ~ smb. of his rights непра́вильно лиша́ть кого́-л. прав.

**defray** [dɪ'freɪ] *v* опла́чивать; to ~ the expenses (of) брать на себя́ расхо́ды (по).

**defrayal** [dɪ'freɪəl] *n* опла́та (*издержек*).

**defrayment** [dɪ'freɪmənt] = defrayal.

**defrock** ['diː'frɔk] *v* расстри́чь (*монаха*); лиши́ть духо́вного зва́ния.

**deft** [deft] *a* ло́вкий, иску́сный.

**defunct** [dɪ'fʌŋkt] **1.** *a* 1) уме́рший; 2) бо́лее не существу́ющий, не употребля́емый;
**2.** *n* (the ~) поко́йный, поко́йник.

**defy** [dɪ'faɪ] *v* 1) вызыва́ть, броса́ть вы́зов; I ~ you to do it ну́-ка, сде́лайте э́то!; 2) ока́зывать откры́тое неповинове́ние; игнори́ровать, пренебрега́ть; to ~ the law игнори́ровать зако́н; to ~ public opinion пренебрега́ть обще́ственным мне́нием; 3) не поддава́ться, представля́ть непреодоли́мые тру́дности; it defies description э́то не поддаётся описа́нию; the problem defies solution э́то неразреши́мая пробле́ма; 4) *уст.* вызыва́ть (*на бой, борьбу*).

**degas** [diː'gæs] *v* дегази́ровать.

**degeneracy** [dɪ'dʒenərəsɪ] *n* 1) вырожде́ние, дегенерати́вность; 2) упа́док.

**degenerate 1.** *n* [dɪ'dʒenərɪt] дегенера́т, вы́родок;
**2.** *a* [dɪ'dʒenərɪt] вырожда́ющийся;
**3.** *v* [dɪ'dʒenəreɪt] вырожда́ться; ухудша́ться.

**degeneration** [dɪˌdʒenə'reɪʃ ən] *n* 1) вырожде́ние; дегенера́ция; 2) *мед.* перерожде́ние.

**degenerative** [dɪ'dʒenərətɪv] *a* вырожда́ющийся; дегенерати́вный.

**de-glidering** ['diː'glaɪdərɪŋ] *n воен.* вы́садка из планёров.

**deglutition** [ˌdiːglu:'tɪʃ ən] *n редк.* глота́ние.

**degradation** [ˌdegrə'deɪʃ ən] *n* 1) пониже́ние; разжа́лование; 2) упа́док; деграда́-

ция; 3) уменьше́ние масшта́ба; 4) *биол.* деграда́ция, вырожде́ние; 5) *жив.* деграда́ция тоно́в; 6) *геол.* размы́тие, подмы́в; пониже́ние земно́й пове́рхности; 7) *хим.* деграда́ция.

**degrade** [dɪ'greɪd] *v* 1) понижа́ть (*в чине, звании и т. п.*); разжа́ловать; низводи́ть на ни́зшую ступе́нь; 2) приходи́ть в упа́док; деградировать; 3) унижа́ть; 4) снижа́ть, убавля́ть, уменьша́ть (*силу, ценность и т. п.*); 5) *жив.* деградировать тона́; 6) *геол.* размыва́ть; разруша́ть.

**degraded** [dɪ'greɪdɪd] **1.** *p. p. от* degrade;
**2.** *a* 1) уни́женный; 2) разжа́лованный; пони́женный в чи́не, зва́нии; 3) *биол.* вырожда́ющийся; 4) *жив.* деградированный (*о тоне*); 5) *геол.* размы́тый; пони́зившийся.

**degree** [dɪ'griː] *n* 1) сте́пень; ступе́нь; by ~s постепе́нно; not in the least (*или* slightest) ~ ничу́ть, ниско́лько; ни в како́й сте́пени; in some ~ в не́которой сте́пени; to a ~ *разг.* о́чень, значи́тельно; to a certain ~ до изве́стной сте́пени; to the last ~ до после́дней сте́пени; to a lesser ~ в ме́ньшей сте́пени; to what ~? в како́й сте́пени?, до како́й сте́пени?; a ~ better (warmer *etc.*) чуть лу́чше (тепле́е *и т. п.*); 2) у́ровень; 3) сте́пень родства́, коле́но; prohibited ~s *юр.* сте́пени родства́, при кото́рых запреща́ется брак; 4) положе́ние, ранг; 5) зва́ние, учёная сте́пень; to take one's ~ получи́ть сте́пень; honorary ~ почётное зва́ние; 6) гра́дус; we had ten ~s of frost last night вчера́ ве́чером бы́ло де́сять гра́дусов моро́за; an angle of ninety ~s у́гол в 90°; 7) ка́чество, досто́инство, сорт; 8) *грам.* сте́пень; ~s of comparison сте́пени сравне́ния; 9) *мат.* сте́пень; ◇ third ~ *амер.* допро́с с примене́нием пы́ток.

**degression** [dɪ'greʃ ən] *n* 1) уменьше́ние; 2) сниже́ние нало́гов.

**degressive** [dɪ'gresɪv] *a* нисходя́щий; пропорциона́льно уменьша́ющийся (*о налоге*).

**degust** [dɪ'gʌst] *v редк.* про́бовать на вкус.

**dehisce** [dɪ'hɪs] *v* раскрыва́ться, растре́скиваться (*о семенных коробочках*).

**dehiscent** [dɪ'hɪsnt] *a* раскрыва́ющийся, растре́скивающийся (*о семенных коробочках*).

**dehorn** [diː'hɔːn] *v* лиша́ть рого́в (*скот*).

**dehort** [dɪ'hɔːt] *v уст.* отгова́ривать; разубежда́ть.

**dehortation** [ˌdiːhɔː'teɪʃ ən] *n уст.* отгова́ривание.

**dehumanize** [diː'hjuːmənaɪz] *v* де́лать гру́бым, ва́рварским.

**dehydration** [ˌdiːhaɪ'dreɪʃ ən] *n хим.* обезво́живание.

**dehydrogenize** ['diː'haɪdrədʒənaɪz] *v хим.* удаля́ть водоро́д.

**dehypnotize** ['diː'hɪpnətaɪz] *v* выводи́ть из гипноти́ческого состоя́ния.

**de-ice** ['diː'aɪs] *v ав.* предотвраща́ть обледене́ние.

**de-icer** ['diː'aɪsə] *n ав.* антиобледени́тель.

**deictic** ['daɪktɪk] *a* непосре́дственно дока́зывающий.

**deification** [ˌdiːɪfɪ'keɪʃən] *n* 1) обоготворе́ние; 2) обожествле́ние.

**deify** ['diːɪfaɪ] *v* 1) обожествля́ть; 2) обоготворя́ть; боготвори́ть.

**deign** [deɪn] *v* соизво́лить; снизойти́; соблаговоли́ть; удосто́ить; he did not ~ to speak он не соизво́лил заговори́ть; he did not ~ an answer он не удосто́ил нас отве́том.

**deism** ['diːɪzəm] *n* деи́зм.

**deist** ['diːɪst] *n* деи́ст.

**deity** ['diːɪtɪ] *n* 1) божество́; 2) боже́ственность.

**deject** [dɪ'dʒekt] *v* удруча́ть, угнета́ть.

**dejecta** [dɪ'dʒektə] *n pl* испражне́ния.

**dejectile** [dɪ'dʒektɪl] *n* снаря́д, сбра́сываемый све́рху.

**dejection** [dɪ'dʒekʃən] *n* 1) пода́вленное настрое́ние, уны́ние; 2) *мед.* дефека́ция; 3) *геол.* ла́ва, пе́пел, выбра́сываемые вулка́ном.

**déjeuner** ['deɪʒəpeɪ] *фр. n* пара́дный за́втрак.

**de jure** [diː'dʒuərɪ] *лат. adv* юриди́чески, де-ю́ре (*противоп.* de facto).

**delaine** [də'leɪn] *n* лёгкая ткань.

**delate** [dɪ'leɪt] *v* 1) доноси́ть; 2) *амер.* оглаша́ть, распространя́ть.

**delation** [dɪ'leɪʃən] *n* доно́с.

**delator** [dɪ'leɪtə] *n* доно́счик.

**delay** [dɪ'leɪ] 1. *n* 1) отлага́тельство, отсро́чка; 2) заде́ржка, препя́тствие; 3) замедле́ние, промедле́ние; проволо́чка; without ~ безотлага́тельно; 4) *attr.* заме́дленный; ~ action заме́дленное де́йствие; отсро́ченное де́йствие; ~ action mine ми́на заме́дленного де́йствия;
2. *v* 1) откла́дывать; отсро́чивать; 2) заде́рживать; препя́тствовать; 3) ме́длить; ме́шкать; опа́здывать; 4) *тех.* отжига́ть, отпуска́ть (*сталь*).

**delayed drop** [dɪ'leɪd‚drɔp] *n* затяжно́й парашю́тный прыжо́к.

**dele** ['diːliː] *лат.* 1. *n* значо́к в корректу́ре, тре́бующий вы́броски;
2. *v* вычёркивать знак *или* гру́ппу зна́ков (*в корректу́ре*).

**delectable** [dɪ'lektəbl] *a уст., ирон.* услади́тельный, преле́стный.

**delectation** [ˌdiːlek'teɪʃən] *n* наслажде́ние, удово́льствие.

**delectus** [dɪ'lektəs] *лат. n школ.* лати́нская *или* гре́ческая хрестома́тия.

**delegacy** ['delɪgəsɪ] *n* 1) делега́ция; 2) делеги́рование; 3) полномо́чия делега́та.

**delegate** *n* ['delɪgɪt] 1) делега́т; представи́тель; 2) *амер.* депута́т террито́рии [*см.* territory 2] в конгре́ссе;
2. *v* ['delɪgeɪt] 1) делеги́ровать; уполномо́чивать; передава́ть полномо́чия; 2) поруча́ть.

**delegated legislation** ['delɪgeɪtɪd‚ledʒɪs'leɪʃən] *n* пра́во мини́стров издава́ть прика́зы, име́ющие си́лу зако́нов.

**delegation** [ˌdelɪ'geɪʃən] *n* 1) делега́ция, депута́ция; 2) посы́лка делега́ции.

**delete** [dɪ'liːt] *v* 1) вычёркивать, стира́ть; 2) изгла́живать (из па́мяти), уничтожа́ть, не оставля́ть следо́в.

**deleterious** [ˌdelɪ'tɪərɪəs] *a редк.* вре́дный.

**deletion** [dɪ'liːʃən] *n* 1) вычёркивание, стира́ние; 2) уничтоже́ние.

**delf(t)** [delf(t)] *n* (де́льфтский) фая́нс.

**deliberate** 1. *a* [dɪ'lɪbərɪt] 1) преднаме́ренный, умы́шленный, наро́читый; ~ lie на́глая ложь; 2) обду́манный; 3) осторо́жный, осмотри́тельный; 4) нетороплй́вый (*о движе́ниях, ре́чи и т. п.*);
2. *v* [dɪ'lɪbəreɪt] 1) обду́мывать, взве́шивать; 2) совеща́ться; обсужда́ть; to ~ on (*или* upon, over, about) a matter обсужда́ть вопро́с.

**deliberately** [dɪ'lɪbərɪtlɪ] *adv* 1) умы́шленно, наро́чно; 2) обду́манно; 3) осторо́жно, осмотри́тельно; 4) ме́дленно, не спеша́.

**deliberation** [dɪˌlɪbə'reɪʃən] *n* 1) обду́мывание, взве́шивание; after long ~ по зре́лом размышле́нии; 2) (*часто pl*) обсужде́ние, совеща́ние; 3) осмотри́тельность, осторо́жность; 4) ме́длительность; нетороплй́вость; he spoke with ~ он говори́л ме́дленно, тща́тельно подбира́я слова́.

**deliberative** [dɪ'lɪbərətɪv] *a* совеща́тельный; ~ body совеща́тельный о́рган.

**delicacy** ['delɪkəsɪ] *n* 1) делика́тность, щепети́льность; 2) утончённость, то́нкость; 3) не́жность (*кра́сок, отте́нков; ко́жи*); a position of extreme ~ о́чень щекотли́вое положе́ние; 5) хру́пкость, боле́зненность; 6) чувстви́тельность (*прибо́ров*); 7) делика́тес, ла́комство; the delicacies of the season ра́нние фру́кты, о́вощи *и т. п.*

**delicate** ['delɪkɪt] *a* 1) делика́тный, щепети́льный; 2) иску́сный (*о рабо́те*); изя́щный, то́нкий; 3) не́жный; бле́клый (*о кра́сках и т. п.*); 4) то́нкий, о́стрый (*о слу́хе*); 5) щекотли́вый, затрудни́тельный (*о положе́нии*); 6) хру́пкий, боле́зненный; сла́бый (*о здоро́вье*); 7) чувстви́тельный (*о прибо́ре*).

**delicatessen** [ˌdelɪkə'tesn] *n pl* 1) делика́тесы; кулина́рия; 2) заку́сочная; гастрономи́ческий магази́н.

**delicious** [dɪ'lɪʃəs] *a* 1) восхити́тельный, преле́стный; 2) о́чень вку́сный, прия́тный.

**delict** ['diːlɪkt] *n юр.* наруше́ние зако́на, правонаруше́ние; in flagrant ~ на ме́сте преступле́ния.

**delight** [dɪ'laɪt] 1. *n* 1) удово́льствие, наслажде́ние; to take (a) ~ in smth. находи́ть удово́льствие в чём-л., наслажда́ться чем-л.; 2) восхище́ние, восто́рг;
2. *v* 1) восхища́ть(ся); 2) доставля́ть наслажде́ние; 3) наслажда́ться; to ~ in music наслажда́ться му́зыкой; (I am) ~ed (to meet you) о́чень рад (познако́миться с ва́ми).

**delightful** [dɪ'laɪtful] *a* восхити́тельный, очарова́тельный.

**delightsome** [dɪ'laɪtsəm] *a уст., поэт.* восхити́тельный.

**Delilah** [dɪ'laɪlə] *n библ.* Дали́ла.

**delimit** [diː'lɪmɪt] *v* определя́ть грани́цы, разграни́чивать; размежёвывать.

**delimitate** [dɪ'lɪmɪteɪt] = delimit.

**delimitation** [dɪˌlɪmɪ'teɪʃən] *n* разграниче́ние; размежёвывание.

**delineate** [dɪ'lɪnɪeɪt] *v* 1) оче́рчивать, обрисо́вывать; устана́вливать очерта́ния *или* разме́ры; 2) изобража́ть; опи́сывать.

**delineation** [dɪ,lɪnɪ'eɪʃən] *n* 1) очёрчивание; 2) чертёж, план; очертáние, áбрис; 3) изображéние; описáние; óчерк.

**delineator** [dɪ'lɪnɪeɪtə] *n* 1) тот, кто устанáвливает размéры, очертáния *и пр.* [*см.* delineate]; 2) вы́кройка, пригóдная для рáзных размéров одéжды.

**delinquency** [dɪ'lɪŋkwənsɪ] *n* 1) простýпок; упущéние; провúнность; 2) правонарушéние; 3) *attr.*: ~ list *воен.* свéдения о провинúвшихся.

**delinquent** [dɪ'lɪŋkwənt] 1. *n* правонарушúтель, престýпник;
2. *a* 1) винóвный; 2) *амер.* неуплáченный (*о налоге и т. п.*).

**deliquesce** [,delɪ'kwes] *v хим.* переходúть в жúдкое состоя́ние; растворя́ться.

**deliquescence** [,delɪ'kwesns] *n хим.* свóйство веществá растворя́ться, притя́гивая влáгу из вóздуха; растворúмость.

**deliquescent** [,delɪ'kwesnt] *a* растворя́ющийся (в поглощённой из вóздуха влáге).

**deliration** [,delɪ'reɪʃən] *n* 1) помрачéние умá; бред; 2) безрассýдный постýпок.

**delirious** [dɪ'lɪrɪəs] *a* 1) (находя́щийся) в бредý; 2) (находя́щийся) в состоя́нии исступлéния; ~ with delight вне себя́ от рáдости; 3) бредовóй; бессвя́зный (*о речи*).

**delirium** [dɪ'lɪrɪəm] *n* 1) бред, бредовóе состоя́ние; 2) исступлéние.

**delirium tremens** [dɪ'lɪrɪəm'triːmenz] *n* бéлая горя́чка.

**delitescence** [,delɪ'tesns] *n мед.* скры́тое состоя́ние; инкубациóнный перúод.

**delitescent** [,delɪ'tesnt] *a мед.* скры́тый, латéнтный (*о симптомах болезни*).

**deliver** [dɪ'lɪvə] *v* 1) доставля́ть, разносúть (*письма, товары*); 2) передавáть; официáльно вручáть; to ~ an order отдавáть прикáз; to ~ a message вручáть донесéние (*или* распоряжéние); 3) представля́ть (*отчёт и т. п.*); 4) освобождáть, избавля́ть (from); 5) сдавáть (*город, крепость; тж.* ~ up); уступáть; to ~ oneself up отдáться в рýки (*властей и т. п.*); 6) произносúть; to ~ a lecture читáть лéкцию; to ~ oneself of a speech (of an opinion) произнестú речь (торжéственно вы́сказать мнéние); 7) (*обыкн. pass.*) *мед.* принимáть (*младенца*); to be ~ed (of) разрешúться (от брéмени; *тж. перен. чем-л.*); 8) снабжáть, питáть; 9) поставля́ть; 10) вырабáтывать, производúть; выпускáть (*с завода*); 11) нагнетáть (*о жидкости*); 12) *воен.* наносúть (*удар, поражéние и т. п.*); to ~ an attack произвестú атáку; to ~ a battle дать бой; to ~ fire вестú огóнь; to ~ the bombs сбрóсить бóмбы; □ ~ over передавáть; ~ up сдавáть (*крепость и т. п.*); ◇ to ~ the goods вы́полнить взя́тые на себя́ обязáтельства.

**deliverance** [dɪ'lɪvərəns] *n* 1) освобождéние, избавлéние; 2) официáльное заявлéние; мнéние, вы́сказанное публúчно; 3) *юр.* вердúкт.

**delivery** [dɪ'lɪvərɪ] *n* 1) постáвка; достáвка; разнóска (*писем, газет*); the early (*или* the first) ~ пéрвая разнóска пúсем (*утром*); special ~ a) срóчная достáвка;

б) спéшная пóчта; ~ at door достáвка закáзов нá дом; 2) передáча, вручéние; 3) *юр.* формáльная передáча (*собственности*); ввод во владéние; 4) сдáча; вы́дача; 5) произнесéние (*речи и т. п.*); манéра произнесéния; a good ~ хорóшая дúкция; 6) рóды; 7) питáние, снабжéние (*током, водóй*); подáча (*угля*); 8) *тех.* нагнетáние; нагнетáтельный насóс; 9) *спорт.* подáча (*особ. в крикете*); 10) *attr.*: ~ desk стол вы́дачи книг нá дом; абонемéнт (*в библиотéке*); 11) *attr. тех.* питáющий, нагнетáтельный; ~ pipe подаю́щая трубá; напóрная трубá.

**delivery note** [dɪ'lɪvərɪ,nout] *n ком.* наклáдная.

**delivery van** [dɪ'lɪvərɪ,væn] *n* фургóн для достáвки покýпок и закáзов нá дом.

**dell** [del] *n* лесúстая долúна, лощúна.

**delousing** [dɪ'lausɪŋ] *n* дезинсéкция.

**Delphian** ['delfɪən] *a* 1) дельфúйский; ~ oracle дельфúйский орáкул; 2) непоня́тный, загáдочный; двусмы́сленный.

**Delphic** ['delfɪk] = Delphian.

**delphinium** [del'fɪnɪəm] *n бот.* дельфúниум, живóкость, шпóрник.

**delta** ['deltə] *n* 1) дéльта (*греческая бýква*); 2) дéльта (*реки*); the D. дéльта Нúла; 3) *attr.*: ~ connection *эл.* соединéние треугóльником.

**deltaic** [del'teɪk] *a* образýющий дéльту.

**deltoid** ['deltɔɪd] 1. *a* дельтовúдный; треугóльный.
2. *n анат.* дельтовúдная мы́шца.

**delude** [dɪ'luːd] *v* вводúть в заблуждéние, обмáнывать; to ~ oneself заблуждáться; обмáнывать себя́.

**deluge** ['deljuːdʒ] 1. *n* 1) потóп; the D. *библ.* всемúрный потóп; 2) лúвень (*тж.* ~s of rain); 3) потóк (*слов*); град (*вопрóсов*); тóлпы (*посетителей*);
2. *v* затопля́ть, наводня́ть (*тж. перен.*); to ~ with invitations засы́пать приглашéниями.

**delusion** [dɪ'luːʒən] *n* 1) заблуждéние, иллю́зия; to be (*или* to labour) under a ~ заблуждáться, ошибáться; 2) обмáн; 3) *мед.* галлюцинáция; мáния; ~ of grandeur мáния велúчия.

**delusive, delusory** [dɪ'luːsɪv, -sərɪ] *a* обмáнчивый, иллюзóрный, нереáльный.

**de luxe** [də'luks] *фр. a* роскóшный; edition ~, a ~ edition роскóшное издáние.

**delve** [delv] 1. *n* впáдина; ры́твина;
2. *v уст., поэт.* 1) копáть, рыть; to dig and ~ копáть; 2) дéлать изыскáния; ры́ться (*в докумéнтах*); копáться (*в кнúгах*).

**demagnetization** ['diː,mægnɪtaɪ'zeɪʃən] *n* размагнúчивание.

**demagnetize** ['diː'mægnɪtaɪz] *v* размагнúчивать.

**demagog** ['deməgɔg] = demagogue.

**demagogic** [,demə'gɔgɪk] *a* демагогúческий.

**demagogue** ['deməgɔg] *n* демагóг.

**demagogy** ['deməgɔgɪ] *n* демагóгия.

**demand** [dɪ'maːnd] *n* 1) трéбование; запрóс; потрéбность; I have many ~s on my purse у меня́ мнóго расхóдов; I have many

**~s on my time** у меня́ о́чень мно́го дел; **payable on ~** подлежа́щий опла́те по предъявле́нии; 2) *эк.* спрос; **a ~ for labour** спрос на рабо́чую си́лу; **to be in great ~** быть в большо́м спро́се; **supply and ~** спрос и предложе́ние; 3) *attr.*: **~ bill** счёт, опла́чиваемый по предъявле́нии; ве́ксель, сро́чный по предъявле́нии; **~ deposit** бессро́чный вклад; **~ loan** заём *или* ссу́да до востре́бования; **~ factor** коэффицие́нт спро́са; 2. *v* 1) тре́бовать (of, from—с *кого-л.*, от *кого-л.*); предъявля́ть тре́бование; 2) нужда́ться; **this problem ~s attention** э́тот вопро́с тре́бует внима́ния; 3) спра́шивать, задава́ть вопро́с; **he ~ed my business** он спроси́л, что мне ну́жно.

**demandant** [dɪˈmɑːndənt] *n юр.* исте́ц.

**demarcate** [ˈdiːmɑːkeɪt] *v* 1) разграни́чивать; 2) проводи́ть демаркацио́нную ли́нию.

**demarcation** [ˌdiːmɑːˈkeɪʃən] *n* 1) разграниче́ние; 2) демарка́ция; **line of ~** демаркацио́нная ли́ния.

**démarche** [ˈdeɪmɑːʃ] *фр. n дип.* дема́рш.

**demean I** [dɪˈmiːn] *v refl. уст.* вести́ себя́.

**demean II** [dɪˈmiːn] *v* унижа́ть; **to ~ oneself** роня́ть своё досто́инство; поступа́ть ни́зко.

**demeanour** [dɪˈmiːnə] *n* поведе́ние, мане́ра вести́ себя́.

**dement** [dɪˈment] *v уст.* своди́ть с ума́.

**demented** [dɪˈmentɪd] 1. *p. p. от* dement; 2. *a* сумасше́дший; **to be ~, to become ~** сходи́ть с ума́; **it will drive me ~** *разг.* э́то меня́ с ума́ сведёт.

**démenti** [ˌdeɪˌmɑː:ŋˈtiː] *фр. n* официа́льное опроверже́ние (*слухов, и т. п.*).

**dementia** [dɪˈmenʃɪə] *n мед.* слабоу́мие.

**demerit** [diːˈmerɪt] *n* 1) недоста́ток, дефе́кт; дурна́я черта́; 2) *школ.* плоха́я отме́тка (*особ. за поведение; тж.* ~ mark).

**demeritorious** [dɪˌmerɪˈtɔːrɪəs] *a редк.* заслу́живающий порица́ния.

**demesne** [dɪˈmeɪn] *n* 1) владе́ние (*недвижимостью*); **to hold in ~** владе́ть; 2) *уст.* поме́стье, не сдава́емое владе́льцем в аре́нду; **Royal ~, State ~** госуда́рственные зе́мли; 3) владе́ния (*земли*); 4) сфе́ра, по́ле де́ятельности.

**demi-** [ˈdemi-] *pref* 1) обозначает *полови́нную часть чего-л.* полу-, наполови́ну, части́чно; 2) *указывает на недостаточно хорошее качество, небольшой размер и т. п.*: **~-tasse** ма́ленькая ча́шечка (*для чёрного кофе*).

**demigod** [ˈdemɪɡɔd] *n* полубо́г.

**demijohn** [ˈdemɪdʒɔn] *n* больша́я оплетённая буты́ль.

**demilitarize** [ˈdiːˈmɪlɪtəraɪz] *v* демилитаризи́ровать.

**demilune** [ˈdemɪˈljuːn] *n* 1) полуме́сяц; 2) *воен.* раве́лин, люне́т.

**demi-monde** [ˈdemɪˈmɔːnd] *фр. n* полусве́т.

**demi-rep** [ˈdemɪˌrep] *n* же́нщина сомни́тельного поведе́ния.

**demisable** [dɪˈmaɪzəbl] *a* могу́щий быть о́тданным в аре́нду, пе́реданным по насле́дству (*об имуществе*).

**demise** [dɪˈmaɪz] 1. *n* 1) переда́ча иму́щества по насле́дству; 2) сда́ча иму́щества в аре́нду; 3) отрече́ние от престо́ла; перехо́д коро́ны *или* прав насле́днику; 4) смерть, кончи́на; 2. *v* 1) сдава́ть в аре́нду; 2) оставля́ть по духо́вному завеща́нию (*имущество*); передава́ть по насле́дству; 3) отрека́ться (of—от *престола*).

**demission** [dɪˈmɪʃən] *n* сложе́ние зва́ния; отста́вка; отрече́ние.

**demit** [dɪˈmɪt] *v редк.* уходи́ть в отста́вку; отка́зываться от до́лжности.

**demi-tasse** [ˈdemɪˌtæs] *фр. n* ма́ленькая ча́шечка (*для чёрного кофе*).

**demiurge** [ˈdiːmɪədʒ] *n* 1) творе́ц, созда́тель ми́ра (*в платоновской философии*); 2) *ист.* демиу́рг (*должностное лицо в Греции*).

**demob** [ˈdiːˈmɔb] *v сокр. разг. от* demobilize.

**demobee** [ˌdiːməˈbiː] *n разг.* демобилизо́ванный.

**demobilization** [ˈdiːˌmoubɪlaɪˈzeɪʃən] *n* демобилиза́ция.

**demobilize** [diːˈmoubɪlaɪz] *v* демобилизова́ть.

**democracy** [dɪˈmɔkrəsɪ] *n* 1) демокра́тия; 2) демократи́ческая страна́; **People's Democracies** стра́ны наро́дной демокра́тии; 3) демократи́зм; 4) (D.) *амер.* демократи́ческая па́ртия.

**democrat** [ˈdeməkræt] *n* 1) демокра́т; 2) (D.) *амер.* член демократи́ческой па́ртии; 3) *амер.* лёгкий откры́тый экипа́ж (*тж.* ~ wagon).

**democratian** [ˌdeməˈkreɪʃən] = democratic.

**democratic** [ˌdeməˈkrætɪk] *a* демократи́ческий; демократи́чный.

**democratize** [dɪˈmɔkrətaɪz] *v* демократизи́ровать.

**démodé** [ˌdeɪmɔːˈdeɪ] *фр. a* вы́шедший из мо́ды, устаре́вший.

**demoded** [diːˈmoudɪd] *пренебр. см.* démodé.

**demography** [diːˈmɔɡrəfɪ] *n* демогра́фия (*отдел статистики, изучающий состав и движение населения*).

**demoiselle** [ˌdemwɑːˈzel] *фр. n* 1) *уст.* де́вушка; 2) жура́вль-краса́вка; 3) хвосто́вка (*стрекоза*).

**demolish** [dɪˈmɔlɪʃ] *v* 1) разруша́ть; сноси́ть (*здание*); 2) разбива́ть, опроверга́ть (*теорию, довод*); 3) *разг.* съеда́ть.

**demolition** [ˌdeməˈlɪʃən] *n* 1) разруше́ние; снос, разбо́рка; 2) *перен.* ло́мка, уничтоже́ние; 3) *attr.*: **~ bomb** фуга́сная бо́мба; **~ work** подрывны́е рабо́ты.

**demon** [ˈdiːmən] *n* 1) дья́вол, де́мон, злой дух-искуси́тель; **a regular ~** *разг.* су́щий дья́вол; 2) до́брый ге́ний; 3) энерги́чный челове́к; **he is a ~ for work** *разг.* он рабо́тает как чёрт; 4) чертёнок (*о ребёнке*).

**demonetize** [diːˈmʌnɪtaɪz] *v* 1) лиша́ть станда́ртной сто́имости (*монету*); 2) изыма́ть из обраще́ния (*монету*).

**demoniac, demoniacal** [dɪˈmouniæk, ˌdiːməˈnaɪəkəl] *a* 1) бесова́тый, одержи́мый; 2) дья́вольский, чудо́вищно зло́бный.

**demonic** [diːˈmɔnɪk] *a* 1) демони́ческий, дья́вольский; 2) одарённый; одухотворённый.

**demonstrable** ['demənstrəbl] *a* 1) доказу́емый; 2) *уст.* очеви́дный, нагля́дный.

**demonstrate** ['demənstreɪt] *v* 1) демонстри́ровать; нагля́дно пока́зывать; 2) дока́зывать; служи́ть доказа́тельством; 3) проявля́ть (*чувства и т. п.*); 4) уча́ствовать в демонстра́ции; 5) *воен.* производи́ть демонстра́цию.

**demonstration** [,deməns'treɪʃən] *n* 1) демонстри́рование нагля́дными приме́рами; 2) доказа́тельство; 3) проявле́ние (*симпатии и т. п.*); 4) демонстра́ция; 5) *воен.* демонстра́ция сил; показно́е уче́ние.

**demonstrationist** [,deməns'treɪʃənɪst]= demonstrator 1).

**demonstrative** [dɪ'mɔnstrətɪv] 1. *a* 1) нагля́дный, доказа́тельный, убеди́тельный; 2) экспанси́вный, несде́ржанный; 3) демонстрати́вный; 4) *грам.* указа́тельный;
2. *n* указа́тельное местоиме́ние.

**demonstrator** ['demənstreɪtə] *n* 1) демонстра́нт; уча́стник демонстра́ции; 2) демонстра́тор, ассисте́нт профе́ссора.

**demoralization** [dɪ,mɔrəlaɪ'zeɪʃən] *n* деморализа́ция.

**demoralize** [dɪ'mɔrəlaɪz] *v* 1) деморализова́ть; 2) подрыва́ть дисципли́ну, вноси́ть дезорганиза́цию.

**Demos** ['diːmɔs] *греч. n* де́мос, наро́д.

**Demosthenic** [,deməs'θenɪk] *a* демосфе́новский, красноречи́вый.

**demote** [dɪ'mout] *v разг.* 1) понижа́ть в до́лжности; 2) *школ.* переводи́ть в мла́дший класс.

**demotic** [di:'mɔtɪk] *a* 1) наро́дный; простонаро́дный; 2) демоти́ческий (*о египетском письме*).

**demount** [di:'maunt] *v* разбира́ть, демонти́ровать.

**demountable** [di:'mauntəbl] *a* разбо́рный, съёмный.

**demulcent** [dɪ'mʌlsənt] *мед.* 1. *n* мягчи́тельное, успокои́тельное сре́дство;
2. *a* мягчи́тельный, успокои́тельный.

**demur** [dɪ'məː] 1. *n* 1) колеба́ние; 2) возраже́ние; without ~, по ~ без возраже́ний;
2. *v* 1) сомнева́ться, колеба́ться; 2) представля́ть возраже́ния; to ~ to a proposal возража́ть про́тив предложе́ния; he ~red at working so late он возража́л про́тив того́, чтобы рабо́тать так по́здно; 3) *юр.*=to put in a demurrer [*см.* demurrer I, 1)].

**demure** [dɪ'mjuə] *a* 1) скро́мный, сде́ржанный; серьёзный; 2) притво́рно засте́нчивый.

**demurrage** [dɪ'mʌrɪdʒ] *n ком.* 1) просто́й; пла́та за просто́й (*судна, вагона*); 2) пла́та за хране́ние гру́зов сверх сро́ка.

**demurrer** I [dɪ'mʌrə] *n юр.* 1) тре́бование одно́й из сторо́н о прекраще́нии *или* приостано́вке де́ла, ввиду́ того́ что заявле́ния проти́вной стороны́ не отно́сятся к де́лу *или* неподсу́дны да́нному суду́; to put in a ~, to enter a ~ внести́ тако́е тре́бование [*см. выше*]; 2) возраже́ние.

**demurrer** II [dɪ'məːrə] *n* тот, кто коле́блется, сомнева́ется *и пр.* [*см.* demur 2].

**demy** [dɪ'maɪ] *n* 1) форма́т бума́ги; 2) стипендиа́т колле́джа Магдали́ны в О́ксфорде.

**den** [den] 1. *n* 1) ло́говище, берло́га; пеще́ра; 2) кле́тка для ди́ких звере́й в зоологи́ческом саду́; 3) *разг.* небольшо́й обосо́бленный рабо́чий кабине́т; 4) камо́рка; 5) прито́н;
2. *v* жить в пеще́ре, кле́тке *и т. п.*; забира́ться в берло́гу.

**denarius** [dɪ'nɛərɪəs] *n* дена́рий (*древнеримская серебряная монета; сокр.* d. *означает* пе́нни).

**denary** ['diːnərɪ] *a* десятери́чный.

**denationalize** [di:'næʃnəlaɪz] *v* 1) лиша́ть национа́льных прав *или* черт; 2) передава́ть госуда́рственные предприя́тия в ча́стные ру́ки, денационализи́ровать.

**denaturalize** [di:'nætʃrəlaɪz] *v* 1) лиша́ть приро́дных свойств; 2) денатурализова́ть, лиша́ть по́дданства, прав гражда́нства.

**denature** [di:'neɪtʃə] *v* 1) изменя́ть есте́ственные сво́йства; 2) денатури́ровать (*спирт*).

**denatured alcohol** [di:'neɪtʃəd'ælkəhɔl] *n* денатура́т.

**denazification** [di:,nɑːtsɪfɪ'keɪʃən] *n* денацифика́ция.

**denazify** [di:'nɑːtsɪfaɪ] *v* денацифици́ровать.

**dendriform** ['dendrɪfɔːm] *a* древови́дный.

**dendritic** [den'drɪtɪk] *a* древови́дный, дендрити́ческий, дендри́товый; ветвя́щийся.

**dendroid(al)** [den'drɔɪd(əl)]=dendritic.

**dendrology** [den'drɔlədʒɪ] *n* дендроло́гия.

**dene** I [diːn] *n* доли́на.

**dene** II [diːn] *n* прибре́жные пески́, дю́ны.

**dene-hole** ['diːnhoul] *n археол.* иску́сственная пеще́ра (*в меловых холмах*).

**dengue** ['deŋgɪ] *n* лихора́дка де́нге.

**denial** [dɪ'naɪəl] *n* 1) отрица́ние; 2) опроверже́ние; flat ~ категори́ческое опроверже́ние; 3) отка́з; to take no ~ не принима́ть отка́за; 4) отрече́ние.

**denigrate** ['denɪgreɪt] *v* черни́ть, клевета́ть, поро́чить.

**denigration** [,denɪ'greɪʃən] *n* клевета́, диффама́ция.

**denim** ['denɪm] *n* гру́бая бума́жная ткань.

**denitrify** [di:'naɪtrɪfaɪ] *v хим.* удаля́ть азо́т из соедине́ний; денитрифици́ровать.

**denizen** ['denɪzn] 1. *n* 1) жи́тель, обита́тель; 2) натурализова́вшийся иностра́нец; 3) акклиматизи́ровавшееся живо́тное *или* расте́ние; 4) заи́мствованное сло́во, воше́дшее в употребле́ние;
2. *v* 1) принима́ть в число́ гра́ждан; натурализова́ть; 2) акклиматизи́ровать (*животное, растение*); 3) вводи́ть иностра́нное сло́во в употребле́ние; 4) заселя́ть.

**denominate** [dɪ'nɔmɪneɪt] *v* называ́ть, дава́ть наименова́ние.

**denomination** [dɪ,nɔmɪ'neɪʃən] *n* 1) назва́ние; 2) наименова́ние; to reduce feet and inches to the same ~ вы́разить фу́ты и дю́ймы в одно́м наименова́нии; 3) досто́инство; coins of small ~s моне́ты ма́лого досто́инства; 4) вероисповеда́ние; се́кта.

**denominational** [dɪ,nɔmɪ'neɪʃənl] *a* 1) относя́щийся к назва́нию; 2) относя́щийся к како́му-л. вероиспове́данию; секта́нтский.

**denominative** [dɪ'nɔmɪnətɪv] **1.** *a* 1) нарица́тельный; 2) *грам.* образо́ванный от существи́тельного *или* прилага́тельного; **2.** *n грам.* произво́дное от существи́тельного *или* прилага́тельного.

**denominator** [dɪ'nɔmɪneɪtə] *n мат.* знамена́тель; дели́тель; to reduce to a common ~ приводи́ть к о́бщему знамена́телю.

**denotation** [ˌdiːnou'teɪʃən] *n* 1) обозначе́ние; 2) знак; 3) (то́чное) значе́ние; 4) указа́ние.

**denotative** [dɪ'noutətɪv] *a* 1) означа́ющий; 2) ука́зывающий (of—на).

**denote** [dɪ'nout] *v* 1) означа́ть, обознача́ть, зна́чить; 2) ука́зывать на (*что-л.*), пока́зывать.

**denotement** [dɪ'noutmənt] *n* 1) обозначе́ние; 2) знак; 3) указа́ние.

**dénouement** [deɪ'nuːmãːŋ] *фр. n* 1) развя́зка (*в рома́не, дра́ме*); 2) заключи́тельный эпизо́д, исхо́д.

**denounce** [dɪ'nauns] *v* 1) обвиня́ть, осужда́ть; поноси́ть; 2) доноси́ть; 3) угрожа́ть; 4) денонси́ровать (*догово́р*); to ~ a truce *воен.* заяви́ть о досро́чном прекраще́нии переми́рия; 5) *уст.* предрека́ть, предска́зывать (*плохое*).

**denouncement** [dɪ'naunsmənt] = denunciation.

**dense** [dens] *a* 1) пло́тный; компа́ктный; ~ texture пло́тная ткань; ~ ignorance глубо́кое неве́жество; 2) ча́стый; густо́й; ~ forest густо́й лес; 3) тупо́й, глу́пый; 4) *фото* светонепроница́емый, тёмный.

**densely** ['denslɪ] *adv* гу́сто, пло́тно; a ~ populated area гу́сто населённая ме́стность.

**densimeter** [den'sɪmɪtə] *n* денсиме́тр, пикно́метр, арио́метр (*прибо́ры для определе́ния пло́тности или уде́льного ве́са*).

**density** ['densɪtɪ] *n* 1) густота́, пло́тность; 2) глу́пость, ту́пость; 3) *физ.* уде́льный вес, пло́тность.

**dent I** [dent] **1.** *n* вы́боина, впа́дина, во́гнутое *или* вда́вленное ме́сто; **2.** *v* вда́вливать, оставля́ть след, вы́боину.

**dent II** [dent] **1.** *n тех.* зуб, зубе́ц; насе́чка, зару́бка; наре́зка; **2.** *v* нареза́ть, насека́ть.

**dental** ['dentl] **1.** *a* 1) зубно́й; 2) зубовраче́бный; 3) сия́ющий ослепи́тельной улы́бкой; **2.** *n фон.* зубно́й звук.

**dentate** ['denteɪt] *a бот.* зубча́тый.

**dentation** [den'teɪʃən] *n бот.* зубча́тость.

**denticle** ['dentɪkl] *n* 1) зу́бчик; 2) *архит.* денти́кула.

**denticular** [den'tɪkjulə] = denticulate.

**denticulate, denticulated** [den'tɪkjuleɪt, -ɪd] *a* 1) зазу́бренный; 2) *архит.* снабжённый денти́кулами.

**dentiform** ['dentɪfɔːm] *a* име́ющий фо́рму зу́ба.

**dentifrice** ['dentɪfrɪs] *n* зубно́й порошо́к *или* зубна́я па́ста.

**dentil** ['dentɪl] = denticle 2).

**dentilingual** ['dentɪ'lɪŋgwəl] *a фон.* межзу́бный.

**dentine** ['dentiːn] *n анат.* денти́н.

**dentist** ['dentɪst] *n* зубно́й врач, денти́ст.

**dentistry** ['dentɪstrɪ] *n* лече́ние зубо́в.

**dentition** [den'tɪʃən] *n* 1) проре́зывание зубо́в; 2) расположе́ние зубо́в.

**denture** ['dentʃə] *n* ряд зубо́в (*особ. иску́сственных*); зубно́й проте́з.

**denudation** [ˌdiːnjuː'deɪʃən] *n* 1) оголе́ние, обнаже́ние; 2) *геол.* денуда́ция, эро́зия.

**denudative** [dɪ'njuːdətɪv] *a* обнажа́ющий, оголя́ющий.

**denude** [dɪ'njuːd] *v* 1) обнажа́ть, оголя́ть; 2) лиша́ть (*чего-л.*); обира́ть; to ~ of hope лиша́ть наде́жды; to ~ of money отобра́ть де́ньги; 3) *геол.* обнажа́ть смы́вом.

**denunciation** [dɪˌnʌnsɪ'eɪʃən] *n* 1) откры́тое обличе́ние, обвине́ние; осужде́ние; 2) угро́за; 3) денонси́рование (*догово́ра*).

**denunciative** [dɪ'nʌnsɪətɪv] *a* 1) обвини́тельный; 2) угрожа́ющий.

**denunciator** [dɪ'nʌnsɪeɪtə] *n* 1) обвини́тель; 2) доно́счик.

**denunciatory** [dɪ'nʌnsɪətərɪ] = denunciative.

**deny** [dɪ'naɪ] *v* 1) отрица́ть; to ~ the charge отверга́ть обвине́ние; 2) отка́зывать(ся); to ~ a request отказа́ть в про́сьбе; to ~ oneself every luxury не позволя́ть себе́ никако́й ро́скоши; 3) не допуска́ть; отка́зывать в приёме (*госте́й*); she denied herself to visitors она́ не приняла́ госте́й; he was denied admission его́ не впусти́ли; 4) отрека́ться; 5) отпира́ться; to ~ one's signature отка́зываться от свое́й по́дписи; to ~ one's words отка́зываться от свои́х слов; ◊ to ~ possession *воен.* не дать завладе́ть, помеша́ть захва́ту.

**deodar** ['dɪoudɑː] *n англо-инд.* гимала́йский кедр.

**deodorant** [diː'oudərənt] **1.** *n* дезодора́тор; **2.** *a* уничтожа́ющий (дурно́й) за́пах.

**deodorize** [diː'oudəraɪz] *v* уничтожа́ть, отбива́ть (дурно́й) за́пах.

**deodorizer** [diː'oudəraɪzə] = deodorant 1.

**deontology** [ˌdiːɔn'tɔlədʒɪ] *n* деонтоло́гия.

**deoxidate** [diː'ɔksɪdeɪt] = deoxidize.

**deoxidize** [diː'ɔksɪdaɪz] *v хим.* раскисля́ть, отнима́ть кислоро́д, восстана́вливать.

**depart** [dɪ'pɑːt] *v* 1) уходи́ть; уезжа́ть, отбыва́ть, отправля́ться; 2) умира́ть; 3) отклоня́ться, уклоня́ться, отступа́ть (from); to ~ from tradition отступа́ть от тради́ции; to ~ from one's word (promise) нару́шить своё сло́во (обеща́ние); to ~ from one's plans измени́ть свои́ пла́ны.

**departed** [dɪ'pɑːtɪd] **1.** *p. p. от* depart; **2.** *a уст.* 1) было́й, мину́вший; ~ joys былы́е ра́дости; 2) поко́йный, уме́рший; **3.** *n* (the ~) поко́йник(и).

**department** [dɪ'pɑːtmənt] *n* 1) отде́л; отделе́ние; silk ~ отде́л шёлковых веще́й; 2) о́бласть, о́трасль (*нау́ки, зна́ния*); 3) ве́домство; департа́мент; 4) *амер.* министе́рство; State D. госуда́рственный департа́-

мент, министе́рство иностра́нных дел США; D. of the Navy вое́нно-морско́е министе́рство США; 5) войсково́й о́круг; 6) цех, отделе́ние; 7) факульте́т; 8) *attr.* ве́домственный; относя́щийся к ве́домству; ~ hospital *воен.* райо́нный го́спиталь.

**departmental** [‚di:pɑ:t'mentl] *a* ве́домственный; ◇ ~ teaching систе́ма обуче́ния, при кото́рой преподаётся то́лько оди́н предме́т *или* не́сколько ро́дственных предме́тов.

**departmentalism** [‚di:pɑ:t'mentəlizəm] *n* бюрократи́зм.

**department store** [di'pɑ:tmənt'stɔ:] *n* универса́льный магази́н, универма́г.

**departure** [di'pɑ:tʃə] *n* 1) отправле́ние, отбы́тие, отъе́зд; ухо́д; to take one's ~ уходи́ть; уезжа́ть; 2) исхо́дный моме́нт, отправна́я то́чка; a new ~ но́вая отправна́я то́чка, но́вая ли́ния поведе́ния (*в политике и т. п.*); 3) отклоне́ние, уклоне́ние; 4) *уст.* кончи́на, смерть; 5) *мор.* отше́ствие, ра́зность долготы́; 6) *attr.* исхо́дный, отправно́й; ~ position исхо́дное положе́ние; the ~ platform *ж.-д.* платфо́рма отправле́ния поездо́в, дебарка́дер.

**depasture** [di:'pɑ:stʃə] *v* 1) пасти́(сь); 2) выгоня́ть на па́стбище (*скот*).

**depauperate** [di'pɔ:pəreit] *v* 1) доводи́ть до нищеты́; 2) истоща́ть, лиша́ть сил.

**depauperize** ['di:'pɔ:pəraiz] *v* избавля́ть от нищеты́; изжива́ть нищету́.

**depend** [di'pend] *v* 1) зави́сеть (on, upon—от); 2) находи́ться на иждиве́нии; to ~ upon one's parents находи́ться на иждиве́нии роди́телей; 3) полага́ться, рассчи́тывать; you may ~ him мо́жете на него́ положи́ться; ~ upon it бу́дьте уве́рены; I ~ on you to do it я рассчи́тываю, что вы э́то сде́лаете; 4) находи́ться на рассмотре́нии суда́, парла́мента; 5) *уст.* висе́ть, све́шиваться (from); ◇ it (all) ~s как сказа́ть!, поживём — уви́дим.

**dependability** [di‚pendə'biliti] *n* надёжность.

**dependable** [di'pendəbl] *a* надёжный; заслу́живающий дове́рия; ~ news достове́рные све́дения.

**dependant** [di'pendənt] = dependent 2, 1).

**dependence** [di'pendəns] *n* 1) зави́симость (upon); подчинённое положе́ние; to live in ~ находи́ться в зави́симости (*от кого-л.*); жить на иждиве́нии (*кого-л.*); 2) дове́рие; to place (*или* to put) ~ in a person пита́ть к кому́-л. дове́рие; 3) *редк.* опо́ра; исто́чник существова́ния; he was her sole ~ он был её еди́нственной опо́рой; 4) *юр.* неразрешённость (*дела*); ожида́ние реше́ния.

**dependency** [di'pendənsi] *n* 1) зави́симость; подчинённое положе́ние; 2) зави́симая страна́, коло́ния.

**dependent** [di'pendənt] **1.** *a* 1) подчинённый, подвла́стный; 2) зави́симый; зави́сящий (on—от); ~ variable *мат.* зави́симая переме́нная, фу́нкция; 3) находя́щийся на иждиве́нии (on); 4) *грам.* подчинённый (*о предложении*);
**2.** *n* 1) иждиве́нец; 2) подчинённый; 3) *ист.* васса́л.

**dephosphorize** [di:'fɔsfəraiz] *v хим.* удаля́ть, отнима́ть фо́сфор.

**depict** [di'pikt] *v* 1) рисова́ть, изобража́ть; 2) опи́сывать, обрисо́вывать.

**depicture** [di'piktʃə] *v* 1) = depict; 2) представля́ть себе́, вообража́ть.

**depilate** ['depileit] *v* удаля́ть во́лосы.

**depilatory** [di'pilətəri] **1.** *a* спосо́бствующий удале́нию воло́с;
**2.** *n* сре́дство для удале́ния воло́с.

**deplane** [di:'plein] *v ав.* выса́живать(ся) с самолёта.

**deplenish** [di'pleniʃ] *v* опорожня́ть, опусто́шать.

**deplete** [di'pli:t] *v* 1) истоща́ть; исче́рпывать (*запас, силы и т. п.*); опорожня́ть; ~d strength *воен.* уме́ньшившийся соста́в (*всле́дствие поте́рь*); 2) очища́ть кише́чник; 3) *мед.* производи́ть кровопуска́ние.

**depletion** [di'pli:ʃən] *n* 1) истоще́ние, исче́рпывание (*запасов, сил и т. п.*); опорожне́ние; 2) опорожне́ние кише́чника; 3) *мед.* кровопуска́ние.

**depletive** [di'pli:tiv] **1.** *a* слаби́тельный;
**2.** *n* слаби́тельное сре́дство.

**depletory** [di'pli:təri] = depletive 1.

**deplorable** [di'plɔ:rəbl] *a* 1) приско́рбный, плаче́вный; 2) скве́рный.

**deplore** [di'plɔ:] *v* 1) опла́кивать, сожале́ть; 2) счита́ть предосуди́тельным, порица́ть.

**deploy** [di'plɔi] **1.** *n* развёртывание;
**2.** *v воен.* развёртывать(ся).

**deployment** [di'plɔimənt] *n воен.* развёртывание.

**deplume** [di'plu:m] *v* ощи́пывать пе́рья; *перен.* лиша́ть (*власти и т. п.*).

**depolarize** [di:'pouləraiz] *v* 1) *физ.* деполяризова́ть; 2) расша́тывать, разбива́ть (*убеждения и т. п.*).

**depone** [di'poun] *v юр.* дава́ть показа́ние под прися́гой.

**deponent** [di'pounənt] **1.** *n* 1) *юр.* свиде́тель, даю́щий показа́ние под прися́гой; 2) *грам.* отложи́тельный глаго́л (*в греч. и лат. языках*);
**2.** *a грам.* отложи́тельный (*о греч. и лат. глаголе*).

**depopulate** [di:'pɔpjuleit] *v* 1) уменьша́ть *или* истребля́ть населе́ние; обезлю́дить; 2) уменьша́ться (*о населении*).

**depopulation** [di:‚pɔpju'leiʃən] *n* 1) истребле́ние населе́ния; 2) безлю́дье.

**deport I** [di'pɔ:t] *v* высыла́ть, ссыла́ть.

**deport II** [di'pɔ:t] *v refl.* вести́ себя́.

**deportation** [‚di:pɔ:'teiʃən] *n* вы́сылка, ссы́лка.

**deportee** [‚di:pɔ:'ti:] *n* со́сланный; высыла́емый.

**deportment** [di'pɔ:tmənt] *n* 1) мане́ры, уме́ние держа́ть себя́; поведе́ние; 2) реа́кция на хими́ческое возде́йствие.

**depose** [di'pouz] *v* 1) смеща́ть (*с должности*); сверга́ть (*с престола*); 2) *юр.* свиде́тельствовать, дава́ть показа́ние под прися́гой.

**deposit** [di'pɔzit] **1.** *n* 1) вклад (*в банк*); 2) зада́ток, зало́г; депози́т; to place money on ~ вноси́ть де́ньги в депози́т; 3) храни́-

лище; 4) отложе́ние; отсто́й; оса́док; 5) *геол.* ро́ссыпь, за́лежь, месторожде́ние;

2. *v* 1) класть; 2) класть в банк; депони́ровать; 3) дава́ть зада́ток, обеспе́чение; 4) сдава́ть на хране́ние; 5) отлага́ть, осажда́ть, дава́ть оса́док; 6) класть я́йца (*о пти́цах*).

**depositary** [dɪ'pɔzɪtərɪ] *n* 1) лицо́, кото́рому вве́рены вкла́ды, взно́сы; 2) = depository.

**deposition** [,depə'zɪʃən] *n* 1) сверже́ние (*с престо́ла*); лише́ние (*вла́сти*); 2) *библ.* сня́тие с креста́; 3) показа́ние под прися́гой; 4) взнос, вклад (*де́нег в банк*); 5) отложе́ние, на́кипь, оса́док.

**depositor** [dɪ'pɔzɪtə] *n* вкла́дчик; вкла́дчица; депоне́нт.

**depository** [dɪ'pɔzɪtərɪ] *n* склад, храни́лище; *перен.* кла́дезь, сокро́вищница; he is a ~ of learning он кла́дезь учёности.

**depot** ['depou] *n* 1) склад; амба́р, сара́й; 2) *воен.* склад; 3) *воен.* уче́бная часть; 4) ла́герь военнопле́нных; 5) *ж.-д.* депо́; 6) ['diːpou] *амер.* железнодоро́жная ста́нция; 7) *attr.* запасно́й, запа́сный; ~ battery запа́сная (уче́бная) батаре́я; 8) *attr.*: ~ ship су́дно-ба́за, плаву́чая ба́за; ~ aerodrome аэродро́м-ба́за.

**depravation** [,deprə'veɪʃən] *n* 1) развраще́ние; развращённость; 2) ухудше́ние, по́рча.

**deprave** [dɪ'preɪv] *v* развраща́ть; по́ртить.

**depraved** [dɪ'preɪvd] 1. *p. p. от* deprave; 2. *a* испо́рченный; развращённый.

**depravity** [dɪ'prævɪtɪ] *n* 1) поро́чность; развращённость; 2) *церк.* грехо́вность.

**deprecate** ['deprɪkeɪt] *v* 1) ре́зко осужда́ть, возража́ть, протестова́ть, выступа́ть про́тив; to ~ war энерги́чно выступа́ть про́тив войны́; to ~ hasty action выска́зываться про́тив поспе́шных де́йствий; 2) *уст.* умоля́ть; стара́ться отврати́ть мольбо́й.

**deprecation** [,deprɪ'keɪʃən] *n* 1) осужде́ние, неодобре́ние; возраже́ние; проте́ст; 2) *уст.* мольба́ об отвраще́нии како́й-л. беды́.

**deprecative** ['deprɪ,keɪtɪv] *a* 1) неодобри́тельный; 2) = deprecatory 1).

**deprecatory** ['deprɪkətərɪ] *a* 1) моля́щий об отвраще́нии како́й-л. беды́; 2) стара́ющийся умилости́вить; задабривающий, проси́тельный.

**depreciate** [dɪ'priːʃɪeɪt] *v* 1) обесце́нивать(ся), па́дать в цене́; 2) унижа́ть, умаля́ть, недооце́нивать.

**depreciatingly** [dɪ'priːʃɪeɪtɪŋlɪ] *adv* пренебрежи́тельно, неуважи́тельно.

**depreciation** [dɪ,priːʃɪ'eɪʃən] *n* 1) обесце́нивание; обесце́нение; 2) сниже́ние; 3) ски́дка на по́рчу това́ра (*при расчётах*); 4) амортиза́ция, изна́шивание; 5) умале́ние; пренебреже́ние.

**depreciatory** [dɪ'priːʃjətərɪ] *a* 1) обесце́нивающий; 2) умаля́ющий.

**depredate** ['deprɪdeɪt] *v* 1) гра́бить; 2) опустоша́ть.

**depredation** [,deprɪ'deɪʃən] *n* (*обы́кн. pl*) 1) грабёж, расхище́ние; 2) опустоше́ние; разруши́тельное де́йствие.

**depredator** ['deprɪdeɪtə] *n* 1) граби́тель; 2) разруши́тель.

**depress** [dɪ'pres] *v* 1) подавля́ть, угнета́ть, приводи́ть в уны́ние; огорча́ть; 2) уничтожа́ть; 3) понижа́ть; ослабля́ть; to ~ the action of the heart ослабля́ть де́ятельность се́рдца; the trade is ~ed в торго́вле засто́й; 4) опуска́ть; to ~ eyes опуска́ть глаза́; to ~ the voice понижа́ть го́лос; 5) понижа́ть це́ну, сто́имость (*чего́-л.*).

**depressant** [dɪ'presənt] *мед.* 1. *n* успокои́тельное сре́дство;
2. *a* понижа́ющий де́ятельность како́го-л. о́ргана.

**depressing** [dɪ'presɪŋ] 1. *pres. p. от* depress;
2. *a* гнету́щий, тя́гостный; уны́лый.

**depression** [dɪ'preʃən] *n* 1) угнетённое состоя́ние, уны́ние; 2) сниже́ние, паде́ние (*давле́ния и т. п.*); 3) *эк.* депре́ссия; ~ of trade засто́й в торго́вле; 4) пониже́ние ме́стности, низи́на, впа́дина, углубле́ние; ~ in the ground ложби́нка; 5) *астр.* углово́е склоне́ние (*звезды́*); 6) *воен.* склоне́ние (*ору́дия*); 7) *физ.* разреже́ние, ва́куум.

**depressor** [dɪ'presə] *n анат.* депре́ссор (*тж.* ~ muscle).

**deprivation** [,deprɪ'veɪʃən] *n* 1) поте́ря; лише́ние; 2) лише́ние зва́ния, до́лжности (*осо́б. церк.*).

**deprive** [dɪ'praɪv] *v* 1) лиша́ть (of—*чего́-л.*); 2) отреша́ть от до́лжности.

**depth** [depθ] *n* 1) глубина́, глубь; in the ~ of one's heart в глубине́ души́; 2) *pl поэт.* глуби́ны, пучи́на; 3) си́ла, глубина́; the ~ of one's feelings глубина́ чувств; in the ~ of despair в по́лном отча́янии; 4) густота́ (*цве́та, кра́ски*); глубина́ (*зву́ка*); 5) разга́р, середи́на; in the ~ of night глубо́кой но́чью; in the ~ of winter в разга́р зимы́; the ~s of a forest ча́ща ле́са; ◇ to be out of (*или* beyond) one's ~ а) попа́сть в глубо́кое ме́сто (*в реке́, мо́ре*); б) быть недосту́пным понима́нию; быть не по зуба́м; в) растеря́ться, не поня́ть; to get (*или* to go) out of one's ~ потеря́ть по́чву под нога́ми.

**depth-bomb** ['depθbɔm] *n мор.* глуби́нная бо́мба.

**depth-charge** ['depθtʃɑːdʒ] = depth-bomb.

**depth-gauge** ['depθgeɪdʒ] *n* водоме́рная ре́йка; глубоме́р.

**depurate** ['depjureɪt] *v* очища́ть(ся).

**depuration** [,depju'reɪʃən] *n* очище́ние.

**deputation** [,depju'teɪʃən] *n* 1) делега́ция, депута́ция; 2) делеги́рование.

**depute** [dɪ'pjuːt] *v* 1) делеги́ровать; 2) передава́ть полномо́чия; 3) назнача́ть замести́телем.

**deputize** ['depjutaɪz] *v* 1) представля́ть (*кого́-л.; for*); 2) назнача́ть депута́том; 3) замеща́ть; 4) дубли́ровать (*об актёре, музыка́нте*).

**deputy** ['depjutɪ] *n* 1) депута́т, делега́т; представи́тель; Chamber of Deputies пала́та депута́тов (*во Фра́нции*); 2) замести́тель, помо́щник (*в како́й-л. до́лжности*); 3) *амер. сокр. от* deputy sheriff; 4) *горн.* деся́тник по безопа́сности, крепи́льщик; ◇ by ~ по дове́ренности, по уполномо́чию.

**deputy sheriff** ['depjutı'ʃerıf] *n амер.* лицо, облечённое правами шерифа.

**deracinate** [dı'ræsıneıt] *v* вырывать с корнем; искоренять.

**derail** [dı'reıl] *v* 1) устраивать крушение *(поезда)*; 2) сходить с рельсов; the car was ~ed вагон сошёл с рельсов.

**derailment** [dı'reılmənt] *n* сход с рельсов, крушение.

**derange** [dı'reındʒ] *v* 1) приводить в беспорядок; расстраивать *(мысли, планы)*; 2) выводить из строя *(машину и т. п.)*; 3) сводить с ума; доводить до сумасшествия.

**deranged** [dı'reındʒd] 1. *p. p. от* derange; 2. *a* 1) перепутанный, находящийся в беспорядке; 2) ненормальный, сумасшедший; to be (mentally) ~ сойти с ума.

**derangement** [dı'reındʒmənt] *n* 1) приведение в беспорядок, расстройство; 2) психическое расстройство.

**derate** [di:'reıt] *v* уменьшать размеры местных налогов.

**deration** ['di:'ræʃən] *v* отменять нормирование, карточную систему.

**Derby** *n* ['dɑ:bı] 1) дерби; 2) (d.) ['də:bı] *амер.* котелок *(мужская шляпа)*; 3) *attr.*: ~ day день ежегодных скачек в Эпсоме, близ Лондона.

**derelict** ['derılıkt] 1. *a* 1) покинутый, брошенный; беспризорный; 2) покинутый владельцем; 3) *амер.* нарушающий *(долг, обязанности)*;
2. *n* 1) что-л., брошенное за негодностью; 2) судно, брошенное командой; 3) всеми покинутый, избегаемый человек, отщепенец; 4) *амер.* человек, уклоняющийся от исполнения долга; 5) суша, образовавшаяся благодаря отступлению моря *или* реки.

**dereliction** [,derı'lıkʃən] *n* 1) заброшенность; 2) оставление долга *(тж.* ~ of duty); упущение; 4) отступление моря от берега; морской нанос.

**deride** [dı'raıd] *v* осмеивать, высмеивать.

**derision** [dı'rıʒən] *n* 1) высмеивание, осмеяние; to hold *(или* to have) in ~ насмехаться; 2) посмешище; to be the ~ of, to be in ~ быть посмешищем; to bring into ~ делать посмешищем.

**derisive** [dı'raısıv] *a* 1) насмешливый, иронический; 2) смехотворный; ~ attempts смехотворные, явно неудачные попытки.

**derisory** [dı'raısərı] *редк.* = derisive 1).

**derivable** [dı'raıvəbl] *a* получаемый, извлекаемый.

**derivation** [,derı'veıʃən] *n* 1) происхождение; источник, начало; 2) происхождение, этимология *(слова)*; 3) установление происхождения; 4) *мат.* взятие производной; решение; вывод; 5) *гидр.* деривация; отвод *(воды)*; 6) *эл.* ответвление, шунт; 7) *мед.* отвлечение.

**derivative** [dı'rıvətıv] 1. *n* 1) *грам.* производное слово; 2) *мат.* производная *(функция)*; дериват;
2. *a* производный.

**derive** [dı'raıv] *v* 1) происходить; the word "evolution" is ~d from Latin слово «эволюция» латинского происхожде-

ния; 2) устанавливать происхождение; производить *(от чего-л.)*, выводить; to ~ religion from myths устанавливать происхождение религии от мифов; 3) получать, извлекать; to ~ an income извлекать доход; to ~ pleasure получать удовольствие (from—от); 4) наследовать; he ~s his character from his father он унаследовал характер отца; 5) отводить *(воду)*; 6) *эл.* ответвлять, шунтовать.

**derm(a)** ['də:m(ə)] *n анат.* кожа.

**dermal** ['də:məl] *a мед.* кожный.

**dermatic** [də:'mætık] = dermal.

**dermatitis** [,də:mə'taıtıs] *n мед.* воспаление кожи, дерматит.

**dermatologist** [,də:mə'tɔlədʒıst] *n* дерматолог, врач по кожным болезням.

**dermatology** [,də:mə'tɔlədʒı] *n* дерматология, наука о болезнях кожи.

**dernier** ['dəənjeı] *фр. a* последний; ~ cry последний крик моды; ~ resort последнее средство.

**derogate** ['derəgeıt] *v* 1) умалять *(заслуги, достоинство)*; отнимать *(часть прав и т. п.)*; to ~ from smb.'s reputation задевать чью-л. репутацию; 2) унижать себя, ронять своё достоинство.

**derogation** [,derə'geıʃən] *n* 1) умаление *(прав, заслуг)*; подрыв *(репутации)*; it is said on ~ of his character это сказано в ущерб его репутации; 2) унижение.

**derogatory** [dı'rɔgətərı] *a* 1) умаляющий; нарушающий *(права и т. п.)*; 2) унизительный.

**derrick** ['derık] *n* 1) *тех.* деррик-кран; ворот для подъёма тяжестей; *мор.* подъёмная стрела; 2) буровая вышка; 3) *уст.* виселица *(по имени лондонского палача XVII в.)*.

**derring-do** ['derıŋ'du:] *n* отчаянная храбрость.

**derringer** ['derındʒə] *n ист.* небольшой крупнокалиберный пистолет.

**dervish** ['də:vıʃ] *тур. n* дервиш.

**desalt** [di:'sɔ:lt] *v* опреснять.

**descant** 1. *n* ['deskænt] 1) песня, мелодия, напёв; 2) дискант; сопрано; 3) длинное рассуждение;
2. *v* [dıs'kænt] 1) подробно обсуждать, распространяться (upon); 2) петь, распевать.

**descend** [dı'send] *v* 1) спускаться, сходить; to ~ a hill спуститься с горы; 2) опускаться, снижаться; 3) происходить; to ~ from a peasant family происходить из крестьянской семьи; 4) передаваться по наследству, переходить (from); to ~ from father to son переходить от отца к сыну; 5) пасть; опуститься *(морально)*; унизиться; 6) обрушиться; налететь, нагрянуть (upon); 7) переходить *(от прошлого к настоящему, от общего к частному и т. п.)*; 8) *астр.* склоняться к горизонту.

**descendable** [dı'sendəbl] *редк.* = descendible.

**descendant** [dı'sendənt] *n* потомок; direct ~ потомок по прямой линии.

**descendible** [dı'sendıbl] *a* передаваемый по наследству.

**descent** [dɪ'sent] *n* 1) спуск; снижение; to make a parachute ~ спуститься с парашютом; 2) склон, скат; 3) понижение (*звука, температуры и т. п.*); 4) происхождение; 5) поколение (*по определённой линии*); 6) передача по наследству, наследование (*имущества, черт характера*); 7) падение (*моральное*); 8) внезапное нападение (*особ. с моря*); десант.

**describe** [dɪs'kraɪb] *v* 1) описывать, изображать; характеризова(ть)(ся); to ~ one's purpose выявить свою цель; 2) описать (*круг, кривую*); начертить.

**description** [dɪs'krɪpʃən] *n* 1) описание, изображение; to answer (to) the ~ соответствовать описанию; совпадать с приметами; to beggar (*или* to baffle, to defy) ~ не поддаваться описанию; beyond ~ не поддающийся описанию; 2) вид, род, сорт; books of every ~ всевозможные книги; of the worst ~ худшего типа; самого худшего сорта.

**descriptive** [dɪs'krɪptɪv] *a* описательный; изобразительный; наглядный; ~ attribute *грам.* описательное определение; ~ geometry начертательная геометрия; ~ style стиль, богатый описаниями.

**descry** [dɪs'kraɪ] *v* 1) рассмотреть, заметить, увидеть; 2) понять, разобраться; 3) *поэт.* видеть.

**desecrate** ['desɪkreɪt] *v* 1) оскорблять; осквернять (*святыню*); 2) *уст.* лишать духовного сана.

**desecration** [,desɪ'kreɪʃən] *n* осквернение, профанация.

**desensitize** ['diː'sensɪtaɪz] *v* 1) *физиол.* сделать невосприимчивым (*к действию сыворотки и т. п.*); 2) *фото* сделать менее чувствительным к свету.

**desert** I 1. *n* ['dezət] 1) пустыня; необитаемое место; 2) скучная тема, работа *и т. п.*;
2. *a* ['dezət] пустынный; a ~ island необитаемый остров;
3. *v* [dɪ'zəːt] 1) покидать, оставлять; бросать (*семью*); his courage ~ed him смелость покинула его; 2) *воен.* дезертировать.

**desert** II [dɪ'zəːt] *n* 1) заслуга; 2) (*обыкн. pl*) заслуженное (*в хорошем или дурном смысле*); to treat people according to their ~s поступать с людьми по заслугам; to obtain (*или* to meet with) one's ~s получить по заслугам.

**deserter** [dɪ'zəːtə] *n* 1) дезертир; 2) перебежчик.

**desertion** [dɪ'zəːʃən] *n* 1) оставление (*семьи и т. п.*); 2) дезертирство; 3) заброшенность; in utter ~ покинутый всеми.

**deserve** [dɪ'zəːv] *v* заслуживать, быть достойным (*чего-л.*); to ~ attention заслуживать внимания; to ~ well (ill) заслуживать награды (наказания); to ~ well of one's country иметь большие заслуги перед родиной.

**deserved** [dɪ'zəːvd] 1. *p. p. от* deserve;
2. *a* заслуженный.

**deservedly** [dɪ'zəːvɪdlɪ] *adv* заслуженно, по заслугам, по достоинству.

**deserving** [dɪ'zəːvɪŋ] 1. *pres. p. от* deserve;

2. *n* заслуга; достоинство;
3. *a* заслуживающий; достойный.

**déshabillé** [,deɪzæ'biːeɪ] *фр.= * dishabille.

**desiccate** ['desɪkeɪt] *v* 1) высушивать; ~d milk сухое молоко; 2) высыхать, терять влажность.

**desiccation** [,desɪ'keɪʃən] *n* 1) высушивание; сушка; 2) сухость.

**desiccator** ['desɪ,keɪtə] *n* сушильная печь, сушильный шкаф; эксикатор; испаритель.

**desiderata** [dɪ,zɪdə'reɪtə] *pl от* desideratum.

**desiderate** [dɪ'zɪdəreɪt] *v* чувствовать отсутствие (*чего-л.*), ощущать недостаток (*в чём-л.*); желать (*чего-л.*).

**desiderative** [dɪ'zɪdərətɪv] *a* выражающий желание.

**desideratum** [dɪ,zɪdə'reɪtəm] *лат. n* (*pl -ta*) что-л. недостающее, желаемое; пробел, который желательно восполнить; 2) *pl* дезидераты, пожелания.

**design** [dɪ'zaɪn] 1. *n* 1) замысел, план; 2) намерение, цель; by ~ (пред)намеренно; 3) проект; план; чертёж; конструкция; расчёт; a ~ for a building проект здания; 4) рисунок, эскиз; узор; 5) композиция (*картины и т. п.*); 6) (*тж. pl*) (злой) умысел; to have (*или* to harbour) ~s on (*или* against) a person злоумышлять против кого-л.;
2. *v* 1) предназначать; this room is ~ed as a study эта комната предназначается для кабинета; 2) задумывать, замышлять, намереваться, предполагать; we did not ~ this result мы не ожидали такого результата; we ~ed for his good мы хотели сделать ему добро; 3) составлять план, проектировать; конструировать; 4) рисовать, изображать; делать эскизы (*костюмов и т. п.*).

**designate** 1. *a* ['dezɪgnɪt] (*обыкн. после сущ.*) назначенный, но ещё не вступивший в должность;
2. *v* ['dezɪgneɪt] 1) определять, обозначать; указывать; 2) называть, характеризовать; 3) предназначать; 4) назначать на должность.

**designation** [,dezɪg'neɪʃən] *n* 1) указание; 2) (пред)назначение, цель; 3) указание профессии и адреса (*при фамилии*); 4) назначение на должность.

**designed** [dɪ'zaɪnd] 1. *p. p. от* design 2;
2. *a* 1) соответствующий плану, проекту *и т. п.*; 2) предназначенный; 3) предумышленный.

**designedly** [dɪ'zaɪnɪdlɪ] *adv* умышленно, с намерением.

**designer** [dɪ'zaɪnə] *n* 1) конструктор; чертёжник; проектировщик; 2) художник; художник-декоратор; 3) интриган.

**designing** [dɪ'zaɪnɪŋ] 1. *pres. p. от* design 2;
2. *n* 1) проектирование, конструирование; 2) интриганство;
3. *a* 1) планирующий, проектирующий; 2) интригующий; хитрый, коварный.

**desirability** [dɪ,zaɪərə'bɪlɪtɪ] *n* желательность.

**desirable** [dɪ'zaɪərəbl] *a* 1) желательный, желанный; 2) подходящий, хороший.

**desire** [dɪ'zaɪə] **1.** *n* 1) (си́льное) жела́ние (for); 2) про́сьба; тре́бование; at your ~ по ва́шей про́сьбе; 3) страсть, вожделе́ние; 4) предме́т жела́ния; мечта́;
**2.** *v* 1) жела́ть; хоте́ть; to leave much to be ~d оставля́ть жела́ть мно́го лу́чшего; 2) проси́ть, тре́бовать; I ~ you to go at once я тре́бую (прошу́), что́бы вы пошли́ неме́дленно.

**desirous** [dɪ'zaɪərəs] *a* жела́ющий, жа́ждущий (чего́-л.); to be ~ to succeed (или of success) стреми́ться к успе́ху.

**desist** [dɪ'zɪst] *v* переставать, прекраща́ть; возде́рживаться; to ~ from attempts отказа́ться от попы́ток.

**desk** [desk] *n* 1) пи́сьменный стол; 2) конто́рка; 3) па́рта; 4) *муз.* пюпи́тр; 5) пульт управле́ния; 6) *церк.* анало́й; ка́федра пропове́дника; 7) духо́вное зва́ние; 8) канцеля́рская рабо́та; 9) *амер.* реда́кция (газе́ты); 10) *attr.* насто́льный; ~ set насто́льный телефо́н.

**desk book** ['deskbuk] *n* насто́льная кни́га; спра́вочник.

**desman** ['desmən] *n* *зоол.* вы́хухоль.

**desolate 1.** *a* ['desəlɪt] 1) необита́емый, безлю́дный; 2) забро́шенный, запу́щенный, разру́шенный; 3) поки́нутый, одино́кий; 4) несча́стный; неуте́шный;
**2.** *v* ['desəleɪt] 1) опустоша́ть; разоря́ть; обезлю́дить; 2) де́лать несча́стным; приводи́ть в отча́яние.

**desolation** [,desə'leɪʃən] *n* 1) опустоше́ние, разоре́ние; запусте́ние; 2) одино́чество, забро́шенность; 3) го́ре, отча́яние.

**despair** [dɪs'pɛə] **1.** *n* 1) отча́яние; безнаде́жность; to fall into ~ впасть в отча́яние; out of ~ с отча́яния; 2) исто́чник огорче́ния; he is the ~ of his mother он причиня́ет свое́й ма́тери одни́ лишь огорче́ния;
**2.** *v* отча́иваться, теря́ть наде́жду (of); his life is ~ed of его́ состоя́ние безнадёжно (о больно́м).

**despairingly** [dɪs'pɛərɪŋlɪ] *adv* в отча́янии; безнадёжно.

**despatch** [dɪs'pætʃ] = dispatch.

**desperado** [,despə'rɑːdou] *n* (*pl* -oes [-ouz]) отча́янный челове́к; головоре́з; сорвиголова́.

**desperate** ['despərɪt] *a* 1) отча́янный, безнаде́жный; in ~ condition в отча́янном положе́нии; 2) доведённый до отча́яния; безрассу́дный; ~ daring a) безу́мная отва́га; б) хра́брость отча́яния; 3) ужа́сный; отъя́вленный; *a* ~ storm ужа́сная бу́ря; ~ fool отъя́вленный дура́к.

**desperation** [,despə'reɪʃən] *n* 1) отча́яние; 2) безрассу́дство; to drive a person to ~ *разг.* доводи́ть кого́-л. до кра́йности, до бе́шенства.

**despicable** ['despɪkəbl] *a* презре́нный.

**despise** [dɪs'paɪz] *v* презира́ть.

**despite** [dɪs'paɪt] **1.** *n* *уст.* 1) зло́ба; 2): in ~ of (*употр. как prep*) вопреки́; несмотря́ на; 3): in his ~ ему́ на́зло;
**2.** *prep* несмотря́ на; ~ our efforts несмотря́ на на́ши уси́лия.

**despiteful** [dɪs'paɪtful] *a* *поэт.* зло́бный, жесто́кий.

**despoil** [dɪs'pɔɪl] *v* гра́бить, обира́ть; лиша́ть (of — чего́-л.).

**despoilment** [dɪs'pɔɪlmənt] *n* 1) ограбле́ние; 2) = despoliation.

**despoliation** [dɪs,poulɪ'eɪʃən] *n* грабёж, расхище́ние.

**despond** [dɪs'pɔnd] **1.** *v* па́дать ду́хом, уныва́ть, теря́ть наде́жду;
**2.** *n* *уст.* = despondency.

**despondency** [dɪs'pɔndənsɪ] *n* отча́яние, уны́ние, упа́док ду́ха.

**despondent** [dɪs'pɔndənt] *a* уны́лый; пода́вленный.

**despot** ['despɔt] *n* де́спот.

**despotic** [des'pɔtɪk] *a* деспоти́ческий.

**despotism** ['despətɪzəm] *n* 1) деспоти́зм; 2) деспоти́я.

**desquamate** ['deskwəmeɪt] *v* *мед.* шелуши́ться, лупи́ться.

**dessert** [dɪ'zəːt] *n* десе́рт, сла́дкое (блю́до).

**dessert-spoon** [dɪ'zəːtspuːn] *n* десе́ртная ло́жка.

**destination** [,destɪ'neɪʃən] *n* 1) назначе́ние, предназначе́ние; 2) ме́сто назначе́ния (*тж.* place of ~); цель (путеше́ствия, похо́да и т. п.).

**destine** ['destɪn] *v* 1) назнача́ть, предназнача́ть; 2) предопределя́ть; the plan was ~d to fail э́тому пла́ну не суждено́ бы́ло осуществи́ться; 3) направля́ться; we are ~d for Moscow мы направля́емся в Москву́.

**destined** ['destɪnd] **1.** *p. p. от* destine;
**2.** *a* предназна́ченный.

**destiny** ['destɪnɪ] *n* 1) судьба́, уде́л; 2) неизбе́жный ход собы́тий; неизбе́жность; 3) (D.) *миф.* боги́ня судьбы́; *pl* Па́рки.

**destitute** ['destɪtjuːt] **1.** *a* 1) лишённый (of — чего́-л.); 2) си́льно нужда́ющийся; to be left ~ оста́ться без средств;
**2.** *n* (the ~) нужда́ющиеся, бе́дные.

**destitution** [,destɪ'tjuːʃən] *n* лише́ния; нужда́; нищета́.

**destrier** ['destrɪə] *n* *уст.* боево́й конь.

**destroy** [dɪs'trɔɪ] *v* 1) разруша́ть; уничтожа́ть; 2) де́лать бесполе́зным, своди́ть к нулю́; 3) истребля́ть.

**destroyer** [dɪs'trɔɪə] *n* 1) разруши́тель; 2) *мор.* эска́дренный миноно́сец, эсми́нец.

**destruction** [dɪs'trʌkʃən] *n* 1) разруше́ние; уничтоже́ние; 2) разоре́ние; 3) причи́на ги́бели *или* разоре́ния; overconfidence was his ~ чрезме́рная самоуве́ренность погуби́ла его́.

**destructive** [dɪs'trʌktɪv] **1.** *a* 1) разруши́тельный; ~ agency сре́дство разруше́ния; 2) па́губный, вре́дный; ~ to health вре́дный для здоро́вья; 3): ~ distillation *хим.* суха́я перего́нка;
**2.** *n* 1) разруши́тель; 2) сре́дство разруше́ния.

**destructor** [dɪs'trʌktə] *n* 1) *редк.* разруши́тель; 2) мусоросжига́тельная печь.

**desuetude** [dɪ'sjuːtjuːd] *n* неупотреби́тельность; устаре́лость; to fall into ~ выходи́ть из употребле́ния.

**desulphurize** [diː'sʌlfəraɪz] *v* *хим.* удаля́ть се́ру, обессе́ривать.

**desultory** ['desəltərɪ] *a* несвя́зный, отры́вочный; несистемати́ческий; *a* ~ соп versation бессвя́зный разгово́р; ~ reading бессисте́мное чте́ние; ~ remark случа́йное замеча́ние; ~ fighting *воен.* отде́льные сты́чки и перестре́лки; ~ fire *воен.* беспоря́дочная стрельба́.

**detach** [dɪ'tætʃ] *v* 1) отделя́ть(ся); отвя́зывать; разъединя́ть; отцепля́ть; прерыва́ть соедине́ние (from); 2) *воен., мор.* отряжа́ть, посыла́ть (*отряд, судно*).

**detachable** [dɪ'tætʃəbl] *a* съёмный; отрывно́й; отрезно́й.

**detached** [dɪ'tætʃt] **1.** *p. p. от* detach; **2.** *a* 1) отде́льный, обосо́бленный; отделённый; ~ house особня́к; ~ piece *воен.* одино́чное ору́дие; 2) беспристра́стный; незави́симый; ~ opinion, ~ view незави́симое мне́ние; 3) *воен.* (от)командиро́ванный; ~ duty командиро́вка; ~ service *амер.* откомандирова́ние в ча́сти; to place on ~ service прикомандиро́вывать (*для службы, учёбы и т. п.*).

**detachment** [dɪ'tætʃmənt] *n* 1) отделе́ние; выделе́ние; разъедине́ние; 2) отчуждённость, отрешённость; обосо́бленность; an air of ~ незави́симый вид; 3) беспристра́стность; 4) *воен., мор.* отря́д войск *или* корабле́й; ору́дийный *или* миномётный расчёт; 5) *воен.* (от)командирова́ние; 6) *attr.*: ~ warfare война́, веду́щаяся отде́льными отря́дами.

**detail** ['diːteɪl] **1.** *n* 1) подро́бность; дета́ль; to go (*или* to enter) into ~s вдава́ться в подро́бности; in ~ обстоя́тельно; подро́бно; 2) *pl* дета́ли (*здания или машины*); ча́сти, элеме́нты; 3) *воен.* наря́д; кома́нда; 4) *attr.* дета́льный, подро́бный; ~ drawing дета́льный чертёж; **2.** *v* 1) подро́бно расска́зывать, входи́ть в подро́бности; 2) *воен.* выделя́ть; откомандиро́вывать; наряжа́ть.

**detailed** ['diːteɪld] **1.** *p. p. от* detail 2; **2.** *a* 1) подро́бный, дета́льный; 2) *воен.* назна́ченный; вы́деленный.

**detailing** ['diːteɪlɪŋ] **1.** *pres. p. от* detail 2; **2.** *n* выделе́ние, назначе́ние в наря́д; ~ for guard наря́д в карау́л.

**detain** [dɪ'teɪn] *v* 1) заде́рживать; заставля́ть ждать; 2) уде́рживать (*де́ньги и т. п.*); 3) содержа́ть под стра́жей; 4) замедля́ть; меша́ть (*движению и т. п.*).

**detainer** [dɪ'teɪnə] *n* *юр.* 1) незако́нное задержа́ние иму́щества; 2) предписа́ние о дальне́йшем содержа́нии аресто́ванного под стра́жей.

**detank** [diː'tæŋk] *v* *воен.* выса́живать(ся) из та́нка.

**detect** [dɪ'tekt] *v* 1) открыва́ть, обнару́живать; 2) *радио* детекти́ровать, выпрямля́ть.

**detection** [dɪ'tekʃən] *n* 1) откры́тие, обнаруже́ние; 2) *радио* детекти́рование.

**detective** [dɪ'tektɪv] **1.** *n* аге́нт сыскно́й поли́ции, сыщик; **2.** *a* сыскно́й; детекти́вный; ~ novel детекти́вный рома́н.

**detector** [dɪ'tektə] *n* 1) *радио* дете́ктор; 2) *воен., хим.* индика́тор.

**detent** [dɪ'tent] *n* *тех.* сто́пор, защёлка, крючо́к.

**détente** [ˌdeɪ'tɑːŋt] *фр.* *n* ослабле́ние напряже́ния (*в отношениях между государствами*).

**detention** [dɪ'tenʃən] *n* 1) задержа́ние; 2) содержа́ние под аре́стом; 3) вы́нужденная заде́ржка; 4) удержа́ние; 5) *школ.* оставле́ние по́сле уро́ков; 6) *attr.*: ~ camp ла́герь для интерни́рованных.

**deter** [dɪ'təː] *v* уде́рживать (from—от чего-л.); отпу́гивать (from).

**deterge** [dɪ'təːdʒ] *v* очища́ть.

**detergent** [dɪ'təːdʒənt] **1.** *n* 1) дезинфици́рующее сре́дство; 2) мо́ющее сре́дство; **2.** *a* очища́ющий.

**deteriorate** [dɪ'tɪərɪəreɪt] *v* ухудша́ть(ся); по́ртить(ся); вырожда́ться.

**deterioration** [dɪˌtɪərɪə'reɪʃən] *n* 1) ухудше́ние; по́рча; 2) изна́шивание, изно́с.

**deteriorative** [dɪ'tɪərɪəˌreɪtɪv] *a* ухудша́ющий.

**determinant** [dɪ'təːmɪnənt] **1.** *n* 1) реша́ющий, определя́ющий фа́ктор; 2) *мат.* детермина́нт, определи́тель; **2.** *a* определя́ющий, реша́ющий; обусло́вливающий.

**determinate** **1.** *a* [dɪ'təːmɪnɪt] 1) определённый, устано́вленный; 2) решённый, оконча́тельный; 3) реши́тельный; **2.** *v* *уст.* [dɪ'təːmɪneɪt] определя́ть.

**determination** [dɪˌtəːmɪ'neɪʃən] *n* 1) определе́ние; установле́ние (*границ и т. п.*); ~ of price калькуля́ция; 2) реше́ние; пригово́р; 3) реши́тельность; реши́мость; 4) *мед.* прили́в (кро́ви).

**determinative** [dɪ'təːmɪnətɪv] **1.** *a* 1) определя́ющий; реша́ющий; 2) ограни́чивающий; **2.** *n* 1) реша́ющий фа́ктор; 2) *грам.* определя́ющее сло́во.

**determine** [dɪ'təːmɪn] *v* 1) определя́ть; устана́вливать; 2) реша́ть(ся); to ~ upon a course of action реши́ть, как де́йствовать; определи́ть ли́нию поведе́ния; 3) побужда́ть, заставля́ть; 4) *юр.* конча́ться, истека́ть (*о сроке, аренде и т. п.*); 5) *уст.* ограни́чивать; определя́ть грани́цы.

**determined** [dɪ'təːmɪnd] **1.** *p. p. от* determine; **2.** *a* 1) приня́вший реше́ние, реши́вшийся; 2) реши́тельный; по́лный реши́мости; ~ character твёрдый хара́ктер.

**determinism** [dɪ'təːmɪnɪzəm] *n* *филос.* детермини́зм.

**deterrent** [dɪ'terənt] **1.** *n* сре́дство устраше́ния; **2.** *a* 1) отпу́гивающий, устраша́ющий; уде́рживающий; 2) предохрани́тельный.

**detersive** [dɪ'təːsɪv] = detergent.

**detest** [dɪ'test] *v* ненави́деть, пита́ть отвраще́ние.

**detestable** [dɪ'testəbl] *a* отврати́тельный.

**detestation** [ˌdiːtes'teɪʃən] *n* 1) си́льное отвраще́ние; 2) предме́т, вызыва́ющий отвраще́ние, не́нависть.

**dethrone** [dɪ'θroun] *v* 1) сверга́ть с престо́ла; 2) *перен.* развенча́ть.

**dethronement** [dɪ'θrounmənt] *n* 1) сверже́ние с престо́ла; 2) *перен.* развенча́ние.

**detinue** ['detɪnjuː] *n* *юр.* незако́нный захва́т чужо́го иму́щества; action of ~ иск о возвращёнии незакóнно захвáченного имýщества.

**detonate** ['detouneit] *v* детонúровать, взрывáть(ся) (*вследствие детонáции*).

**detonating** ['detouneitiŋ] 1. *pres. p. от* detonate;

2. *a* детонúрующий; ~ fuse детонúрующий запáл, удáрная трýбка; взрывáтель; ~ gas гремýчий газ; ~ net детонúрующая сеть.

**detonation** [,detou'neiʃən] *n* детонáция; взрыв.

**detonator** ['detouneitə] *n* 1) детонáтор; кáпсюль; 2) *ж.-д.* петáрда.

**detour** ['deituə] *n* окóльный путь, обхóд, объéзд; to make a ~ сдéлать крюк.

**detract** [di'trækt] *v* 1) умалять, уменьшáть; that does not ~ from his merit э́то не умаляет егó заслýги; 2) порóчить, клеветáть.

**detraction** [di'trækʃən] *n* 1) умалéние, уменьшéние; 2) клеветá; злослóвие.

**detractive, detractory** [di'træktiv, -təri] *a* 1) умаляющий достóинства; 2) порóчащий.

**detractor** [di'træktə] *n* 1) клеветнúк; 2) завúстник.

**detrain** [di:'trein] *v* 1) высáживать(ся) из пóезда; 2) разгружáть, выгружáть (вагóны).

**detriment** ['detrimənt] *n* ущéрб, вред; without ~ to без ущéрба для; I know nothing to his ~ я не знáю за ним ничегó предосудúтельного; to the ~ of one's health в ущéрб своемý здорóвью.

**detrimental** [,detri'mentl] 1. *a* 1) приносящий убы́ток, ущéрб; 2) врéдный; ~ to one's health врéдный для здорóвья;
2. *n разг.* незавúдная пáртия (*о женихе*).

**detrition** [di'triʃən] *n преим. геол.* стирáние, изнáшивание от трéния.

**detritus** [di'traitəs] *n геол.* детрúт (*продукты выветривания горных пород*).

**de trop** [də'trou] *фр. a predic.* излúшний, ненýжный, нежелáтельный.

**detruck** [di:'trʌk] *v амер.* высáживать(ся) из грузовикóв.

**detrude** [di'tru:d] *v редк.* сбрáсывать, вытáлкивать.

**detruncate** [di:'trʌŋkeit] *v* срезáть, укорáчивать.

**detune** [di:'tju:n] *v радио* расстрáивать.

**deuce** I [dju:s] *n* 1) двóйка, два очкá; 2) рáвный счёт (*в теннисе*).

**deuce** II [dju:s] *n* чёрт (*в ругательствах, восклицаниях*); (the) ~ take it! чёрт побери́!; (the) ~ a bit ничýть!; (the) ~ a man никтó!; to play the ~ with smb. причиня́ть вред комý-л.; where the ~ did I put the book? чёрт егó знáет, кудá я положúл кнúгу!

**deuced** [dju:st] 1. *a разг.* чертóвский; ужáсный; I'm in a ~ hurry я ужáсно спешý;
2. *adv* чертóвски, ужáсно.

**deuterium** [dju:'tiəriəm] *n хим.* дейтéрий, тяжёлый водорóд.

**Deuteronomy** [,dju:tə'rɔnəmi] *n библ.* Второзакóние.

**devaluate** [di:'væljueit] *v* 1) обесцéнивать; 2) *фин.* проводúть девальвáцию.

**devaluation** [,di:vælju'eiʃən] *n* 1) обесцéнение; 2) *фин.* девальвáция.

**devaporation** [di,væpə'reiʃən] *n* конденсáция пáра.

**devastate** ['devəsteit] *v* опустошáть, разорять.

**devastating** ['devəsteitiŋ] 1. *pres. p. от* devastate;
2. *a* опустошúтельный, разрушúтельный.

**devastation** [,devəs'teiʃən] *n* 1) опустошéние, разорéние; 2) *юр.* растрáта имýщества (*душеприказчиками*).

**develop** [di'veləp] *v* 1) развивáть(ся); 2) совершéнствовать; 3) распространяться, развивáться (*о болезни, эпидемии*); 4) разрабáтывать; to ~ a mine разрабáтывать копь; to ~ the plot of a story разрабáтывать сюжéт расскáза; 5) конструúровать, разрабáтывать; 6) излагáть, раскрывáть (*аргументы, мотивы и т. п.*); 7) проявлять(ся); he has ~ed a tendency to brood у негó появúлась привы́чка задýмываться; он стал чáсто задýмываться; 8) выясня́ть(ся), обнарýживать(ся), становúться очевúдным; it ~ed that he had made a mistake вы́яснилось, что он ошúбся; to ~ the enemy развéдать протúвника; 9) *фото* проявлять; 10) *амер. воен.* развёртывать(ся); to ~ an attack принýдить настýпающего протúвника к развёртыванию.

**developer** [di'veləpə] *n фото* проявúтель.

**development** [di'veləpmənt] *n* 1) развúтие; эволю́ция; рост; расширéние; 2) развёртывание; 3) улучшéние, усовершéнствование (*механизмов*); 4) обстоя́тельство; собы́тие; to meet unexpected ~s столкнýться с непредвúденными обстоя́тельствами; 5) вы́вод; заключéние; 6) предприя́тие; 7) *фото* проявлéние; 8) *горн.* подготовúтельные рабóты, подготóвка месторождéния; 9) создáние нóвых материáлов; 10) *attr.:* ~ theory эволюциóнная теóрия; ◇ ~ battalion учéбный батальóн; ~ type óпытный образéц.

**developmental** [di,veləp'mentəl] *a* 1) связанный с развúтием; ~ diseases болéзни рóста; 2) эволюциóнный.

**deviate** ['di:vieit] *v* отклоня́ться; отступáть; уклоня́ться; to ~ from the truth отклонúться от úстины; to ~ ships вынуждáть судá уклоня́ться от их кýрса.

**deviation** [,di:vi'eiʃən] *n* 1) отклонéние; 2) девиáция (*магнитной стрелки*); 3) *полит.* уклóн; 4) *мор., ком.* девиáция, отклонéние от договорённого рéйса; ~ clause *мор.* пункт во фрахтóвом контрáкте, предусмáтривающий захóд сýдна в другóй порт, помúмо пóрта назначéния.

**device** [di'vais] *n* 1) устрóйство; приспособлéние; механúзм; аппарáт, прибóр; 2) спóсоб, срéдство; 3) план; схéма; проéкт; 4) затéя; злой ýмысел; 5) девúз, эмблéма; ◇ to leave smb. to his own ~s предостáвить человéка самомý себé.

**devil** ['devl] 1. *n* 1) дья́вол, чёрт, бес; a ~ to work рабóтает как чёрт; a ~ to eat ест за четверы́х; 2) *употр. для усиления или придания иронического или отрицáтельного оттенка:* what the ~ do you mean?

что вы э́тим хоти́те сказа́ть, чёрт возьми́?; как бы не так!; ~ a bit of money did he give! дал он де́нег, чёрта с два! [*ср.* deuce II]; 3) литера́тор, журнали́ст, выполня́ющий рабо́ту для друго́го, счита́ющегося а́втором; 4) ма́льчик на побегу́шках; учени́к в типогра́фии (*тж.* printer's ~); 5) челове́к, па́рень; lucky ~ счастли́вец; poor ~ бедня́га; a ~ of a fellow хра́брый ма́лый; little (*или* young) ~ *шутл.* чертёнок; *ирон.* су́щий дья́вол, отча́янный ма́лый; 6) жа́реное мясно́е *или* ры́бное блю́до с пря́ностями; 7) *зоол.* су́мчатый волк (*в Тасма́нии*); 8) *тех.* волк-маши́на; ◇ talk of the ~ (and he is sure to appear) ≅ лёгок на поми́не!; ~ among the tailors a) о́бщая дра́ка, сва́лка; б) род фейерве́рка; the ~ (and all) to pay грозя́щая неприя́тность, беда́; затрудни́тельное положе́ние; the ~ is not so bad as he is painted *посл.* не так стра́шен чёрт, как его́ малю́ют; to paint the ~ blacker than he is сгуща́ть кра́ски; between the ~ and the deep sea ме́жду двух огне́й; on two sticks диа́боло (*игру́шка*); ~'s own luck ≅ чертовски везёт; необыкнове́нное сча́стье; ~ take the hindmost ≅ го́ре неуда́чникам; к чёрту неуда́чников!; всяк за себя́; to give the ~ his due отдава́ть до́лжное проти́внику; to play the ~ with причини́ть вред; испо́ртить; to raise the ~ шуме́ть, буя́нить; поднима́ть сканда́л; the blue ~s хандра́;

2. *v* 1) рабо́тать (for — на); исполня́ть чернову́ю рабо́ту для литера́тора, журнали́ста; 2) жа́рить мя́со с пря́ностями; 3) разрыва́ть в клочки́; 4) надоеда́ть; дразни́ть.

**devildom** ['devldəm] *n* дья́вольщина, черто́вщина.

**devil-fish** ['devlfɪʃ] *n* зоол. 1) скат; 2) осьмино́г; 3) карака́тица.

**devilish** ['devlɪʃ] 1. *a* дья́вольский, а́дский;

2. *adv разг.* черто́вски, ужа́сно; ~ funny (nice, cold, *etc.*) черто́вски смешно́ (хорошо́, хо́лодно *и т. п.*).

**devil-may-care** ['devlmeɪ'kɛə] *a* безза-бо́тный; безрассу́дный; бесшаба́шный; a ~ attitude наплева́тельское отноше́ние, всё трын-трава́.

**devilment** ['devlmənt] = devilry 1), 2) *и* 3).

**devilry** ['devlrɪ] *n* 1) чёрная ма́гия; черто́вщина; 2) жесто́кость, зло́ба; 3) прока́зы, ша́лости; 4) *собир.* дья́волы.

**devil's bones** ['devlz,bounz] *n pl разг.* игра́льные ко́сти.

**devil's books** ['devlz,buks] *n pl разг.* ка́рты.

**devil's coach-horse** ['devlz'koutʃhɔːs] *n народное название больших чёрных жуков* Goerius olens.

**devil's-darning-needle** ['devlz'dɑːnɪŋ,niːdl] *n амер.* стрекоза́.

**devil's tattoo** ['devlztə,tuː] *n* посту́кивание (па́льцами), отбива́ние та́кта (ного́й).

**deviltry** ['devltrɪ] = devilry.

**devil-worship** ['devl,wəʃɪp] *n* сатани́зм, культ сатаны́.

**devious** ['diːvjəs] *a* 1) отклоня́ющийся от прямо́го пути́; блужда́ющий; 2) око́льный, кру́жный; изви́листый; ~ paths око́льные пути́; 3) хи́трый; неи́скренний, нече́стный; 4) отдалённый; уединённый.

**devisable** [dɪ'vaɪzəbl] *a* 1) могу́щий быть приду́манным, изобретённым; 2) *юр.* могу́щий быть заве́щанным, пере́данным по насле́дству.

**devise** [dɪ'vaɪz] 1. *n* 1) изобрете́ние, вы́думка; 2) *юр.* завеща́ние; заве́щанное иму́щество (*недвижимое*);

2. *v* 1) приду́мывать; изобрета́ть; 2) *юр.* завеща́ть (*недвижимость*); 3) *уст.* предназнача́ть.

**devisee** [,devi'ziː] *n юр.* насле́дник (*недвижимого имущества*).

**deviser** [dɪ'vaɪzə] *n* 1) изобрета́тель; 2) *юр.* завеща́тель.

**devisor** [,devi'zɔː] = deviser 2).

**devitalize** [diː'vaɪtəlaɪz] *v* лиша́ть жи́зненной си́лы; де́лать безжи́зненным.

**devitrification** [diː,vɪtrɪfɪ'keɪʃən] *n геол.*, *хим.* расстеклова́ние.

**devocalize** [diː'voukəlaɪz] *v фон.* лиша́ть зво́нкости, оглуша́ть.

**devoid** [dɪ'vɔɪd] *a* лишённый (of — чего́-л.); свобо́дный (of — от); ~ of sense лишённый смы́сла; ~ of substance лишённый основа́ния; ~ of fear бесстра́шный.

**devoir** ['devwɑː] *фр. n* 1) долг, обя́занность; 2) *pl* акт ве́жливости; to pay one's ~s to smb. засвиде́тельствовать кому́-л. своё почте́ние; сде́лать визи́т.

**devolution** [,diːvə'luːʃən] *n* 1) переда́ча (*власти, обязанностей и т. п.*); 2) перехо́д (*имущества*) по прямо́й ли́нии; 3) *биол.* вырожде́ние, регре́сс.

**devolve** [dɪ'vɔlv] *v* 1) передава́ть (*полномочия, обязанности*); 2) переходи́ть к друго́му лицу́ (*о должности, работе и т. п.;* upon); 3) переходи́ть по насле́дству (*об имуществе*); 4) обва́ливаться, осыпа́ться (*о земле*); ска́тываться.

**Devonian** [de'vounjən] 1. *a* 1) девонши́рский; 2) *геол.* дево́нский;

2. *n* 1) уроже́нец Деко́ншира; 2) *геол.* дево́н, дево́нский пери́од.

**devote** [dɪ'vout] *v* 1) посвяща́ть; to ~ much time to studies уделя́ть мно́го вре́мени заня́тиям; 2) предава́ться (*чему́-л.*).

**devoted** [dɪ'voutɪd] 1. *p. p. om* devote; 2. *a* 1) пре́данный; не́жный; 2) посвящён-ный; 3) увлека́ющийся (*чем-л.*); he is ~ to sports он увлека́ется спо́ртом; 4) *редк.* обречённый.

**devotedly** [dɪ'voutɪdlɪ] *adv* пре́данно.

**devotee** [,devou'tiː] *n* 1) челове́к, всеце́ло пре́данный како́му-л. де́лу; энтузиа́ст своего́ де́ла; 2) на́божный челове́к; свято́ша, фана́тик.

**devotion** [dɪ'vouʃən] *n* 1) пре́данность; си́льная привя́занность; 2) посвяще́ние себя́ (*чему́-л.*); 3) увлече́ние; ~ to tennis увлече́ние те́ннисом; 4) на́божность; 5) *pl* религио́зные обря́ды, моли́твы.

**devotional** [dɪ'vouʃənl] *a* на́божный, благочести́вый.

**devour** [dɪ'vauə] *v* 1) пожира́ть; есть жа́дно; 2) *перен.* поглоща́ть; уничтожа́ть; ~ed by curiosity (anxiety) снеда́емый любопы́тством (беспокойством); to ~ novel after novel поглощать роман за романом; to ~ the way быстро двигаться; he ~ed every word он жадно ловил каждое слово.

**devouringly** [dɪ'vauərɪŋlɪ] *adv* жадно; to gaze ~ at с жадностью смотреть на.

**devout** [dɪ'vaut] *a* 1) благоговейный; набожный, благочестивый; 2) искренний; преданный.

**dew** [djuː] 1. *n* 1) роса; 2) *поэт.* свежесть; the ~ of youth свежесть юности; 3) капля дождя; слеза;
2. *v* 1) орошать, смачивать; обрызгивать; 2) *поэт.* покрывать росой; it is beginning to dew, it ~s появляется роса.

**dewan** [dɪ'wɑːn] *n* министр финансов *или* премьер-министр (*в княжествах Индии*).

**dewberry** ['djuːberɪ] *n* ежевика.

**dew-claw** ['djuːklɔː] *n* рудиментарный отросток в виде пальца на лапе (*у некоторых пород собак*).

**dew-drop** ['djuːdrɔp] *n* капля росы; росинка.

**dew-fall** ['djuːfɔːl] *n* время появления росы, вечер.

**dewiness** ['djuːɪnɪs] *n* росистость.

**dewlap** ['djuːlæp] *n* 1) подгрудок (*у крупного рогатого скота*); 2) серёжка (*у индюка*).

**dew-point** ['djuːpɔɪnt] *n метеор.* точка росы; температура таяния, температура конденсации.

**dewy** ['djuːɪ] *a* 1) покрытый росой; росистый; 2) влажный, увлажнённый; 3) *поэт.* свежий; освежающий.

**dexter** ['dekstə] *a* 1) правый; 2) *геральд.* находящийся на левой (*от смотрящего*) стороне герба.

**dexterity** [deks'terɪtɪ] *n* 1) проворство; ловкость; сноровка; 2) хорошие способности.

**dexterous** ['dekstərəs] *a* 1) ловкий, проворный; 2) проявляющий хорошие способности, способный.

**dextrin(e)** ['dekstrɪn] *n хим.* декстрин.

**dextrogyrate** [,dekstrə'dʒaɪəreɪt] *a хим.* правовращающий, вращающий плоскость поляризации вправо.

**dextro-rotatory** [,dekstrə'routətərɪ] = dextrogyrate.

**dextrorse** ['dekstrɔːs] *a бот.* вьющийся слева направо.

**dextrose** ['dekstrous] *n хим.* виноградный сахар, глюкоза.

**dextrous** ['dekstrəs] = dexterous.

**dhole** [doul] *n англо-инд.* дикая собака.

**dhoti** ['doutɪ] *n англо-инд.* набедренная повязка индусов.

**dhow** [dau] *n* одномачтовое арабское судно.

**dhurrie, dhurry** ['dʌrɪ] *n* индийская бумажная ткань с бахромой, употребляемая для занавесок, обивки диванов и т. п.

**di-** [dɪ-, daɪ-] *pref* 1) = dis- I, II; diatomic двуатомный; 2) = dia-.

**dia-** [daɪə-] *pref* чрез-, между-.

**diabase** ['daɪəbeɪs] *n мин.* диабаз.

**diabetes** [,daɪə'biːtiːz] *n мед.* диабет, сахарная болезнь.

**diabetic** [,daɪə'betɪk] 1. *n* диабетик; 2. *a* диабетический.

**diablerie** [dɪ'ɑːbləri] *фр. n* чертовщина; чёрная магия.

**diabolic(al)** [,daɪə'bɔlɪk(əl)] *a* 1) дьявольский; 2) (*обыкн.* diabolical) злой, жестокий.

**diabolism** [daɪ'æbəlɪzəm] *n* 1) служение дьяволу; 2) колдовство; 3) дьявольская злоба; жестокость; 4) бесноватость.

**diachylon, diachylum** [daɪ'ækɪlɔn, -ləm] *n мед.* свинцовый пластырь.

**diacritic** [,daɪə'krɪtɪk] *лингв.* 1. *a* диакритический;
2. *n* диакритический знак.

**diacritical** [,daɪə'krɪtɪkəl] = diacritic 1.

**diadem** ['daɪədem] 1. *n* 1) диадема, венец; корона; венок на голове; 2) власть монарха;
2. *v* венчать короной, короновать.

**diaereses** [daɪ'ɪərɪsiːz] *pl от* diaeresis.

**diaeresis** [daɪ'ɪərɪsɪs] *лат. n* (*pl* -eses) лингв. диэреза, трема (*знак над гласной для произнесения её отдельно от предшествующей гласной; напр.,* naïve).

**diagnose** ['daɪəgnouz] *v* ставить диагноз.

**diagnoses** [,daɪəg'nousiːz] *pl от* diagnosis.

**diagnosis** [,daɪəg'nousɪs] *лат. n* (*pl* -oses) диагноз, определение болезни; to make a ~ поставить диагноз.

**diagnostic** [,daɪəg'nɔstɪk] 1. *a* диагностический;
2. *n* 1) симптом (*болезни*); 2) = diagnosis.

**diagnosticate** [,daɪəg'nɔstɪkeɪt] = diagnose.

**diagnostician** [,daɪəgnɔs'tɪʃən] *n* диагност.

**diagnostics** [,daɪəg'nɔstɪks] *n pl* (*употр. как* sing) диагностика.

**diagonal** [daɪ'ægənl] 1. *a* диагональный, идущий наискось; ~ cloth диагональ, ткань с косыми рубчиками;
2. *n* диагональ.

**diagram** ['daɪəgræm] 1. *n* схема; (объяснительный) чертёж; диаграмма; график; an assembled ~ сводная диаграмма; ◇ in ~ form графически;
2. *v* составлять диаграмму; изображать схематически.

**diagrammatic(al)** [,daɪəgrə'mætɪk(əl)] *a* схематический.

**diagrammatize** [,daɪə'græmətaɪz] *v* изображать схематически, составлять диаграмму, схему.

**dial** ['daɪəl] 1. *n* 1) циферблат; шкала; 2) *тел.* диск набора; 3) солнечные часы; 4) *sl.* круглое лицо, «луна»; 5) угломерный круг, лимб; 6) горный компас (*тж.* miner's ~);
2. *v* 1) измерять по циферблату; 2) набирать номер (*по автоматическому телефону*).

**dialect** ['daɪəlekt] *n лингв.* 1) диалект, наречие; 2) *attr.* диалектальный; ~ story анекдот, построенный на особенностях диалекта, искажающих смысл.

**dialectal** [,daɪə'lektl] *a лингв.* диалектальный.

**dialectical** [,daɪə'lektɪkəl] *a* 1) *филос.* диалектический; ~ materialism диалекти-

ческий материали́зм; ~ method диалекти́-
ческий ме́тод; 2) = dialectal.

**dialectician** [ˌdaɪəlekˈtɪʃən] *n филос.* диа-
ле́ктик.

**dialectics** [ˌdaɪəˈlektɪks] *n pl (употр. как
sing)* диале́ктика.

**dialectology** [ˌdaɪəlekˈtɔlədʒɪ] *n* диалекто-
ло́гия, изуче́ние диале́ктов.

**dialogic** [ˌdaɪəˈlɔdʒɪk] *a* диалоги́ческий.

**dialogue** [ˈdaɪəlɔg] *n* 1) диало́г (*в драме,
романе*); 2) разгово́р.

**dialyser** [ˈdaɪəˌlaɪzə] *n хим.* диализа́тор.

**dialysis** [daɪˈælɪsɪs] *n хим.* диа́лиз.

**diameter** [daɪˈæmɪtə] *n* диа́метр; попере́ч-
ник.

**diametral** [daɪˈæmɪtrəl] *a* диаметра́ль-
ный, попере́чный.

**diametric(al)** [ˌdaɪəˈmetrɪk(əl)] *a* диа-
метра́льный (*тж. перен.*).

**diametrically** [ˌdaɪəˈmetrɪkəlɪ] *adv* диа-
метра́льно.

**diamond** [ˈdaɪəmənd] **1.** *n* 1) алма́з; брил-
лиа́нт; black ~ чёрный алма́з; ~ of the
first water бриллиа́нт чи́стой воды́; *перен.*
замеча́тельный челове́к; rough ~ неотшли-
фо́ванный алма́з; *перен.* челове́к, облада́-
ющий вну́тренними досто́инствами, но не
име́ющий вне́шнего ло́ска; false ~ фальши́-
вый бриллиа́нт; 2) алма́з для ре́зки стекла́;
3) *геом.* ромб; 4) *pl карт.* бу́бны; 5) *амер.*
площа́дка для игры́ в бейсбо́л; 6) *полигр.*
диама́нт (*мелкий шрифт в* 4¹⁄₂ *пункта*);
◇ ~ cut ~ ≅ оди́н друго́му не усту́пит (*в
хитрости, остроумии и т. п.*);

**2.** *a* 1) алма́зный; бриллиа́нтовый; ~
mine алма́зная копь; the D. State *амер.*
штат Де́лавэр; 2) ромбоида́льный; ◇ ~ anniversary шестидесятиле́тний *или* семидесяти-
ле́тний юбиле́й;

**3.** *v* украша́ть бриллиа́нтами.

**diamond-field** [ˈdaɪəməndfiːld] *n* алма́з-
ная копь.

**diamond-point** [ˈdaɪəməndpɔɪnt] *n* 1) игла́
для гравиро́вания с алма́зным наконе́чни-
ком; 2) *pl ж.-д.* ме́сто косо́го пересече́ния
двух ре́льсовых путе́й.

**Diana** [daɪˈænə] *n миф.* Диа́на.

**Dianthus** [daɪˈænθəs] *n бот.* гвозди́ка
(*родовое название*).

**diapason** [ˌdaɪəˈpeɪsn] *n* 1) диапазо́н;
2) основно́й реги́стр орга́на; 3) камерто́н.

**diaper** [ˈdaɪəpə] **1.** *n* 1) узо́рчатое полот-
но́; 2) полоте́нце, салфе́тка *или* пелёнка из
узо́рчатого полотна́; 3) *амер.* пелёнка;
4) ромбови́дный узо́р.

**2.** *v* 1) украша́ть ромбови́дным узо́ром;
2) *амер.* завёртывать в пелёнки, пеле-
на́ть.

**diaphanous** [daɪˈæfənəs] *a* прозра́чный,
просве́чивающий.

**diaphoretic** [ˌdaɪəfəˈretɪk] **1.** *a* потого́н-
ный;

**2.** *n* потого́нное сре́дство.

**diaphragm** [ˈdaɪəfræm] *n* 1) диафра́гма;
мембра́на; 2) перегоро́дка; 3) *бот., зоол.*
перепо́нка.

**diaphragmatic** [ˌdaɪəfrægˈmætɪk] *a* от-
нося́щийся к диафра́гме.

**diarchy** [ˈdaɪɑːkɪ] *n* двоевла́стие.

**diarist** [ˈdaɪərɪst] *n* челове́к, веду́щий
дневни́к.

**diarize** [ˈdaɪəraɪz] *v* вести́ дневни́к.

**diarrhoea** [ˌdaɪəˈrɪə] *n мед.* поно́с.

**diary** [ˈdaɪərɪ] *n* 1) дневни́к; 2) записна́я
кни́жка-календа́рь.

**diastole** [daɪˈæstəlɪ] *n физиол.* диа́стола.

**diathermancy** [ˌdaɪəˈθɑːmənsɪ] *n физ.* теп-
лопрово́дность.

**diathermic** [ˌdaɪəˈθɑːmɪk] *a* 1) *мед.* диа-
терми́ческий; 2) *физ.* теплопрово́дный.

**diathermy** [ˈdaɪəˌθɑːmɪ] *n мед.* диатер-
ми́я.

**diathesis** [daɪˈæθɪsɪs] *n мед.* диате́з.

**diatom** [ˈdaɪətəm] *n бот.* диато́мовая
(кремнёвая) во́доросль.

**diatomic** [ˌdaɪəˈtɔmɪk] *a хим.* двухато́м-
ный.

**diatonic** [ˌdaɪəˈtɔnɪk] *a муз.* диатони́че-
ский.

**diatribe** [ˈdaɪətraɪb] *n* 1) диатри́ба, ре́з-
кая кри́тика; обличи́тельная речь; 2) *уст.*
дли́нное обсужде́ние.

**dibasic** [daɪˈbeɪsɪk] *хим.* **1.** *a* двухосно́в-
ный;

**2.** *n* двухосно́вная кислота́.

**dibble** [ˈdɪbl] *с.-х.* **1.** *n* сажа́льный кол;
**2.** *v* сажа́ть под кол, де́лать я́мки в земле́.

**dibhole** [ˈdɪbhoul] *n горн.* зумпф.

**dibs** [dɪbz] *n pl* 1) ба́бки (*игра*); 2) фи́ш-
ки; 3) *sl.* де́ньги; he is after the ~ он го́нит-
ся за деньга́ми.

**dice** [daɪs] **1.** *n pl* 1) *pl от* die I, 1, 1);
2) игра́ в ко́сти.

**2.** *v* 1) игра́ть в ко́сти; 2) наре́зать в фо́р-
ме ку́биков (*в кулинарии*); 3) вышива́ть
узо́р квадра́тиками; 4) графи́ть в кле́тку;
▢ ~ away проигрывать в ко́сти.

**dice-box** [ˈdaɪsbɔks] *n* стака́нчик, из ко-
то́рого броса́ют игра́льные ко́сти.

**dicer** [ˈdaɪsə] *n* игро́к в ко́сти.

**dichogamy** [dɪˈkɔgəmɪ] *n бот.* дихога́мия,
разновреме́нное созрева́ние тычи́нок и пе́-
стиков расте́ния.

**dichotomy** [dɪˈkɔtəmɪ] *n* 1) после́дова-
тельное деле́ние це́лого на две ча́сти;
2) *бот.* вилообра́зное разветвле́ние; 3)
*астр.* фа́за луны́ *или* плане́ты, при кото́рой
то́лько полови́на ди́ска освещена́; 4) *лог.*
деле́ние кла́сса на два противопоставля́е-
мых друг дру́гу подкла́сса.

**dichromatic** [ˌdaɪkrəˈmætɪk] *a* двухцве́т-
ный.

**dichromic** [daɪˈkroumɪk] *a* уме́ющий раз-
лича́ть то́лько два основны́х цве́та.

**dick I** [dɪk] *n амер. sl.* сы́щик.

**dick II** [dɪk] *n sl.* to take one's ~ кля́сть-
ся, утвержда́ть; up to ~ превосхо́дный.

**dickens** [ˈdɪkɪnz] *n разг.* чёрт; what the
~ do you want? како́го чёрта вам ну́жно?

**dicker** [ˈdɪkə] *амер.* **1.** *n* 1) ком. дю́жина
(*прежде* де́сяток, *особ. шкур, кож*); 2) ме́л-
кая сде́лка; 3) ве́щи *или* това́ры, служа́-
щие для обме́на *или* распла́ты;

**2.** *v* торгова́ться по мелоча́м.

**dickey, dicky** [ˈdɪkɪ] **1.** *n* 1) мани́шка;
вста́вка; 2) фа́ртук; де́тский нагру́дник;
3) *sl.* осёл; 4) пти́чка, пта́шка; 5) сиде́нье
для ку́чера *или* лаке́я позади́ экипа́жа·

6) за́днее складно́е сиде́нье в двухме́стном автомоби́ле;

**2.** *a sl.* 1) сла́бый, нездоро́вый; нетвёрдый на нога́х; 2) ненадёжный (*о торговом предприятии и т. п.*).

**dicotyledon** [ˈdaɪˌkɒtɪˈliːdən] *n бот.* двудо́льное расте́ние.

**dicotyledonous** [ˌdaɪkɒtɪˈliːdənəs] *a бот.* двудо́льный.

**dicta** [ˈdɪktə] *pl от* dictum.

**dictagraph** [ˈdɪktəɡrɑːf] = dictograph.

**dictaphone** [ˈdɪktəfoun] *n* диктофо́н.

**dictate** 1. *n* [ˈdɪkteɪt] 1) (*часто pl*) предписа́ние, веле́ние; the ~s of reason (of conscience) веле́ние ра́зума (со́вести); 2) *полит.* дикта́т;

**2.** *v* [dɪkˈteɪt] 1) диктова́ть (*письмо и т. п.*); 2) предпи́сывать; диктова́ть (*условия и т. п.*).

**dictation** [dɪkˈteɪʃən] *n* 1) дикто́вка; дикта́нт; to write at smb.'s ~ писа́ть под чью-л. дикто́вку; to take ~ писа́ть под дикто́вку; *перен.* подчиня́ться прика́зу; 2) предписа́ние; to do smth. at smb.'s ~ де́лать что-л. по чьему́-л. предписа́нию, прика́зу; 3) = dictate 1, 2).

**dictator** [dɪkˈteɪtə] *n* дикта́тор.

**dictatorial** [ˌdɪktəˈtɔːrɪəl] *a* 1) дикта́торский; 2) вла́стный, повели́тельный.

**dictatorship** [dɪkˈteɪtəʃɪp] *n* диктату́ра; ~ of the proletariat диктату́ра пролетариа́та.

**diction** [ˈdɪkʃən] *n* 1) стиль, мане́ра выраже́ния мы́слей; poetic ~ язы́к поэ́зии; 2) ди́кция.

**dictionary** [ˈdɪkʃənrɪ] *n* слова́рь.

**dictograph** [ˈdɪktəɡrɑːf] *n* дикто́граф.

**dictum** [ˈdɪktəm] *n* (*pl* dicta) 1) изрече́ние, афори́зм; 2) официа́льное, авторите́тное заявле́ние; *юр.* выска́зывание судьи́, не име́ющее си́лы пригово́ра.

**did** [dɪd] *past от* do I.

**didactic** [dɪˈdæktɪk] *a* 1) дидакти́ческий; поучи́тельный; 2) лю́бящий поуча́ть.

**didacticism** [dɪˈdæktɪsɪzəm] *n* дидакти́зм; скло́нность к поуче́нию.

**didactics** [dɪˈdæktɪks] *n pl* (*употр. как sing*) дида́ктика.

**didapper** [ˈdaɪdæpə] = dabchick.

**didder** [ˈdɪdə] = dither.

**diddle** [ˈdɪdl] *v* 1) *разг.* обма́нывать, надува́ть; to ~ a person out of his money вы́манить у кого́-л. де́ньги; 2) тра́тить вре́мя зря; 3) пока́чиваться.

**dido** [ˈdaɪdou] *n* (*pl* -oes [-ouz]) *амер. разг.* ша́лость, прока́за; to cut ~es валя́ть дурака́.

**didst** [dɪdst] *уст.* 2-е л. ед. ч. *прошедшего времени гл.* to do.

**die** I [daɪ] **1.** *n* 1) (*pl* dice) игра́льная кость; to play with loaded dice жу́льничать; 2) штамп, пуансо́н; шге́мпель; ма́трица; 3) *тех.* винторе́зная голо́вка; клупп; 4) *архит.* цо́коль (*колонны*); 5) *тех.* воло-чи́льная доска́; филье́ра; ◇ the ~ is cast (*или* thrown) жре́бий бро́шен, вы́бор сде́лан; to be upon the ~ быть поста́вленным на ка́рту;

**2.** *v* штампова́ть, чека́нить.

**die** II [daɪ] *v* 1) умере́ть, сконча́ться (of, from —от *чего-л.*; for — за *что-л.*); to ~ in one's bed умере́ть есте́ственной сме́ртью; 2) *разг.* томи́ться жела́нием (for); I am dying for a glass of water мне до́ смерти хо́чется пить; I am dying to see him я ужа́сно хочу́ его́ ви́деть; 3) конча́ться, исчеза́ть; быть забы́тым; 4) станови́ться безуча́стным, безразли́чным; 5) затиха́ть (*о ветре*); 6) испаря́ться (*о жидкости*); 7) загло́хнуть (*о моторе*; *тж.* ~ out); □ ~ away a) увя́дать; б) па́дать в о́бморок; в) замира́ть (*о звуке*); ~ down = ~ away; ~ off a) отмира́ть; б) умира́ть оди́н за други́м; ~ out a) вымира́ть; б) загло́хнуть (*о моторе*); в) *воен.* захлебну́ться (*об атаке*); ◇ to ~ game умере́ть му́жественно, пасть сме́ртью хра́брых; to ~ hard a) сопротивля́ться до конца́; б) быть живу́чим; to ~ in the last ditch стоя́ть на́смерть; to ~ in harness умере́ть за рабо́той; умере́ть на своём посту́; to ~ in one's boots умере́ть скоропости́жной *или* наси́льственной сме́ртью; a man can ~ but once *посл.* ≅ двум смертя́м не быва́ть, а одно́й не минова́ть; never say ~ *посл.* ≅ никогда́ не сле́дует отча́иваться.

**die-hard** [ˈdaɪˌhɑːd] *n* 1) твердока́менный челове́к; 2) *полит.* твердоло́бый, консерва́тор.

**dielectric** [ˌdaɪɪˈlektrɪk] **1.** *n* диэле́ктрик, непроводни́к;

**2.** *a* диэлектри́ческий.

**dies** [ˈdaɪiːz] *лат. n* день; ~ non a) непрису́тственный день; б) день, не иду́щий в счёт.

**Diesel** [ˈdiːzəl] *n тех.* дви́гатель ди́зеля, ди́зель (*тж.* ~ engine, ~ motor).

**dieses** [ˈdaɪɪsiːz] *pl от* diesis.

**die-sinker** [ˈdaɪˌsɪŋkə] *n* ре́зчик печа́тей, штемпеле́й.

**diesis** [ˈdaɪɪsɪs] *n* (*pl* -eses) 1) *полигр.* знак сно́ски в ви́де двойно́го кре́стика; 2) *муз.* дие́з.

**die-stock** [ˈdaɪstɒk] *n тех.* клупп.

**diet** I [ˈdaɪət] **1.** *n* 1) пи́ща, стол; simple ~ просто́й стол; 2) дие́та; to be on ~ быть на дие́те; a milk-free ~ дие́та с исключе́нием молока́.

**2.** *v* держа́ть на дие́те; to ~ oneself соблюда́ть дие́ту.

**diet** II [ˈdaɪət] *n* 1) парла́мент (*не английский*); сейм, ландта́г, рейхста́г *и пр.*; 2) междунаро́дная конфере́нция; 3) *шотл.* однодне́вное собра́ние.

**dietary** [ˈdaɪətərɪ] **1.** *n* 1) паёк; 2) дие́та; **2.** *a* дие(те)ти́ческий.

**dietetic** [ˌdaɪɪˈtetɪk] *a* дие(те)ти́ческий.

**dietetics** [ˌdaɪɪˈtetɪks] *n pl* (*употр. как sing*) диете́тика.

**dietitian** [ˌdaɪɪˈtɪʃən] *n* диетвра́ч; диетсестра́.

**dif-** [dɪf-] = dis- I, II.

**differ** [ˈdɪfə] *v* 1) различа́ться; отлича́ться (*часто* ~ from); 2) не соглаша́ться, расходи́ться (from, with); ссо́риться; to ~ in opinion расходи́ться во мне́ниях; I beg to ~ извини́те, но я с ва́ми несогла́сен; let's agree to ~ пусть ка́ждый оста́нется при своём мне́нии.

**difference** [ˈdɪfrəns] **1.** *n* 1) ра́зница; разли́чие; it makes no ~ нет никако́й ра́зницы;

э́то не име́ет значе́ния; it makes all the ~ in the world э́то суще́ственно меня́ет де́ло; э́то о́чень ва́жно; 2) отличи́тельный при́знак; 3) разногла́сие, расхожде́ние во мне́ниях; ссо́ра; to settle the ~s ула́дить спор; to iron out the ~s сгла́дить, примири́ть разногла́сия; to have ~s ссо́риться, расходи́ться во мне́ниях; 4) *мат.* ра́зность; ◇ to split the ~ a) раздели́ть по́ровну оста́ток; б) идти́ на компроми́сс;

2. *v* 1) отлича́ть; служи́ть отличи́тельным при́знаком; 2) *мат.* вычисля́ть ра́зность.

**different** ['dɪfrənt] *a* 1) друго́й, не тако́й; несхо́дный; непохо́жий; отли́чный (from, to); this is ~ from what he said э́то не соотве́тствует тому́, что он говори́л; that is quite ~ э́то совсе́м друго́е де́ло; 2) разли́чный, ра́зный; a lot of ~ things мно́го ра́зных веще́й; 3) необы́чный.

**differentia** [,dɪfə'renʃɪə] *n* (*pl* -tiae) отличи́тельное сво́йство ви́да *или* кла́сса.

**differentiae** [,dɪfə'renʃiː] *pl от* differentia.

**differential** [,dɪfə'renʃəl] **1.** *n* 1) *мат.*, *тех.* дифференциа́л; 2) ра́зница в опла́те труда́ ме́жду отде́льными о́траслями промы́шленности *или* ме́жду опла́той квалифици́рованных и неквалифици́рованных рабо́чих в одно́й о́трасли промы́шленности; 3) *ж.-д.* ра́зница в сто́имости прое́зда в одно́ и то же ме́сто ра́зными маршру́тами;

2. *a* 1) отличи́тельный; 2) *мат.* дифференциа́льный; ~ gear *тех.* дифференциа́льная переда́ча; дифференциа́л; 3) *эк.* дифференциа́льный; ~ rent дифференциа́льная ре́нта; ~ rate бо́лее ни́зкая опла́та прое́зда.

**differentiate** [,dɪfə'renʃieit] *v* 1) различа́ть(ся), отлича́ть(ся); to ~ one from another отлича́ть одно́ от друго́го; 2) дифференци́ровать(ся); 3) видоизменя́ться.

**differentiation** [,dɪfərenʃi'eiʃən] *n* 1) дифференциа́ция; 2) дифференци́рование, различе́ние; 3) видоизмене́ние.

**differently** ['dɪfrəntlɪ] *adv* разли́чно; по-ино́му; и́наче; now he thinks quite ~ about it тепе́рь он совсе́м друго́го мне́ния об э́том.

**difficile** ['dɪfiːsiːl] *фр. a* тяжёлый, несгово́рчивый, капри́зный.

**difficult** ['dɪfikəlt] *a* 1) тру́дный; 2) тяжёлый; 3) тре́бовательный; оби́дчивый; a ~ person тяжёлый челове́к; тру́дный субъе́кт; 4) затрудни́тельный.

**difficulty** ['dɪfikəltɪ] *n* 1) тру́дность; the difficulties of English тру́дности в изуче́нии англи́йского языка́; to find ~ in doing smth. столкну́ться с тру́дностями в чём-л.; 2) препя́тствие, затрудне́ние; to put difficulties in the way ста́вить препя́тствия на пути́; to overcome difficulties преодолева́ть препя́тствия; to make (*или* to raise) difficulties чини́ть препя́тствия [*ср.* 5)]; 3) *pl* затрудне́ния (*материа́льные*); I am in difficulties for money (for men) я испы́тываю затрудне́ние в деньга́х (в подыска́нии люде́й); 4) *pl амер.* разногла́сия; to make (*или* to raise) difficulties де́лать (*что-л.*) неохо́тно, с нежела́нием [*ср.* 2)].

**diffidence** ['dɪfidəns] *n* 1) неуве́ренность

в себе́; 2) скро́мность, засте́нчивость, ро́бость.

**diffident** ['dɪfidənt] *a* 1) неуве́ренный в себе́; 2) скро́мный, засте́нчивый, ро́бкий; 3) *уст.* недове́рчивый.

**diffluent** ['dɪfluənt] *a* 1) растека́ющийся; расплыва́ющийся; 2) переходя́щий в жи́дкое состоя́ние.

**diffract** [dɪ'frækt] *v опт.* дифраги́ровать.

**diffraction** [dɪ'frækʃən] *n опт.* дифра́кция.

**diffuse 1.** *a* [dɪ'fjuːs] 1) рассе́янный (*о све́те и т. п.*); 2) многосло́вный, расплы́вчатый; 3) распространённый, разбро́санный;

2. *v* [dɪ'fjuːz] 1) рассе́ивать (*свет, тепло́ и т. п.*); 2) распространя́ть; to ~ learning (*или* knowledge) распространя́ть зна́ния; 3) рассыпа́ть; рассыпа́ть, разбра́сывать; 4) *физ.* диффунди́ровать (*о га́зах и жи́дкостях*).

**diffused light** [dɪ'fjuːzd,lait] *n* рассе́янный свет.

**diffusible** [dɪ'fjuːzəbl] *a* спосо́бный к распростране́нию *или* к диффу́зии.

**diffusion** [dɪ'fjuːʒən] *n* 1) распростране́ние; 2) многосло́вие; 3) *физ.* рассе́ивание, диффу́зия.

**diffusive** [dɪ'fjuːsiv] *a* 1) распространя́ющийся; 2) многосло́вный; 3) *физ.* рассе́янный, диффу́зный; 4) *редк.* оби́льный.

**dig** [dɪg] **1.** *v* (dug, *уст.* digged [-d]) 1) копа́ть, рыть; выка́пывать, раска́пывать (*тж.* ~ out); to ~ a pit for smb. рыть друго́му я́му; 2) *перен.* отка́пывать, разы́скивать; to ~ the truth out of a person вы́удить и́стину у кого́-л.; to ~ for information отка́пывать све́дения; 3) ты́кать, толка́ть (*обы́кн.* ~ in); to ~ smb. in the ribs толкну́ть кого́-л. в бок; 4) *амер. разг.* усе́рдно рабо́тать, зубри́ть; □ ~ for иска́ть; ~ from выка́пывать; ~ in, ~ into a) зарыва́ть; to ~ oneself in ока́пываться; б) вонза́ть (*шпо́ры, нож и т. п.*); ~ out a) выка́пывать, раска́пывать (of); б) *амер. разг.* внеза́пно покида́ть; поспе́шно уходи́ть, уезжа́ть; ~ through прокопа́ть, проры́ть; ~ up a) вы́рыть; *перен.* вы́копать, разыска́ть; б) подня́ть целину́; в) *амер. sl.* сде́лать взнос; наскрести́ определённую су́мму; г) *амер. sl.* получи́ть (*де́ньги*);

2. *n* 1) раско́пки; 2) толчо́к; 3) насме́шка; to have a ~ at smb. зло посмея́ться над кем-л.; 4) *амер.* приле́жный студе́нт; 5) *разг.* зубрёжка; ◇ I am going to have a ~ at Spanish я собира́юсь взя́ться за испа́нский язы́к.

**digamist** ['dɪgəmist] *n* челове́к, вступи́вший во второ́й брак.

**digamy** ['dɪgəmi] *n* второ́й брак.

**digastric** [dai'gæstrik] *анат.* **1.** *a* двубрю́шный (*о мы́шцах*);

2. *n* двубрю́шная мы́шца (*че́люсти*).

**digest 1.** *n* ['daidʒest] 1) сбо́рник (*материа́лов*); спра́вочник; резюме́; компе́ндиум, кра́ткое изложе́ние (*зако́нов*); кра́ткий сбо́рник реше́ний суда́; кра́ткий обзо́р периоди́ческой литерату́ры; 2) (the D.) Юстиниа́новы диге́сты, панде́кты;

**2.** *v* [dɪ'dʒest] 1) перева́ривать(ся) (*о пи́ще*); this food ~s well э́та пи́ща хорошо́ перева́ривается, легко́ усва́ивается; 2) усва́ивать; to read, mark, and inwardly ~ хорошо́ усва́ивать прочи́танное; to ~ the events разобра́ться в собы́тиях; 3) осва́ивать (*террито́рию*); 4) терпе́ть, переноси́ть; 5) приводи́ть в систе́му, классифици́ровать; составля́ть и́ндекс; 6) выва́ривать (-ся); выпа́ривать(ся); наста́ивать(ся); 7) *с.-х.* приготовля́ть компо́ст.

**digester** [dɪ'dʒestə] *n* 1) сре́дство, спосо́бствующее пищеваре́нию; 2) гермети́чески закрыва́ющийся сосу́д для ва́рки чего́-л.; автокла́в.

**digestibility** [dɪ,dʒestə'bɪlɪtɪ] *n* удобовари́мость.

**digestible** [dɪ'dʒestəbl] *a* удобовари́мый, легко́ усва́иваемый.

**digestion** [dɪ'dʒestʃən] *n* 1) пищеваре́ние; 2) усвое́ние (*зна́ний и т. п.*).

**digestive** [dɪ'dʒestɪv] **1.** *n* сре́дство, спосо́бствующее пищеваре́нию; **2.** *a* 1) пищевари́тельный; 2) спосо́бствующий пищеваре́нию.

**digger** [dɪgə] *n* 1) землеко́п; 2) горнорабо́чий; углеко́п, отбо́йщик; золотоиска́тель; 3) *sl.* австрали́ец; 4) (Diggers) *pl* инде́йское пле́мя, пита́ющееся коре́ньями (*в Сев. Калифо́рнии*); 5) приспособле́ние для копа́ния; копа́тель, копа́лка; potato ~ картофелекопа́лка; 6) (Diggers) *pl ист.* ди́ггеры (*уча́стники агра́рного движе́ния в эпо́ху англ. буржуа́зной револю́ции XVII в.*); 7) *pl* земляны́е о́сы.

**digger-wasp** ['dɪgəwɔsp] *n* земляна́я оса́.

**digging** ['dɪgɪŋ] **1.** *pres. p. от* dig 1; **2.** *n* 1) копа́ние, рытьё; земляны́е рабо́ты; 2) *pl* рудни́к, копь; золоты́е при́иски; 3) добы́ча (*поле́зных ископа́емых*); 4) раско́пки; 5) *pl разг.* жили́ще; жильё; 6) *pl амер. разг.* райо́н, ме́стность.

**dight** [daɪt] *v* (dight) *уст., поэт.* 1) украша́ть, наряжа́ть; 2) (*обы́кн. p. p.*) приготовля́ть, снаряжа́ть.

**digit** ['dɪdʒɪt] *n* 1) па́лец; 2) ширина́ па́льца (*как ме́ра; = ³/₄ дю́йма*); 3) *мат.* однозна́чное число́ (*от 0 до 9*).

**digitalis** [,dɪdʒɪ'teɪlɪs] *n бот., мед.* дигита́лис, наперстя́нка.

**digitate** ['dɪdʒɪteɪt] *a зоол.* име́ющий разви́тые па́льцы; 2) *бот.* па́льчатый, пальцеобра́зный.

**digitated** ['dɪdʒɪteɪtɪd] = digitate.

**digitigrade** ['dɪdʒɪtɪ,greɪd] *зоол.* **1.** *n* пальцеходя́щее живо́тное; **2.** *a* пальцеходя́щий.

**digit selector** ['dɪdʒɪtsɪ,lektə] *n* диск набо́ра (*в автомати́ческом телефо́не*).

**dignified** ['dɪgnɪfaɪd] **1.** *p. p. от* dignify; **2.** *a* 1) облада́ющий чу́вством со́бственного досто́инства; 2) вели́чественный, велича́вый; 3) досто́йный (*о челове́ке*).

**dignify** ['dɪgnɪfaɪ] *v* 1) придава́ть досто́инство; облагора́живать; 2) удоста́ивать; 3) велича́ть; he dignifies his few books by the name of library он имену́ет свой не́сколько книг библиоте́кой.

**dignitary** ['dɪgnɪtərɪ] *n* сано́вник, лицо́,

занима́ющее высо́кий пост (*особ. церко́вный*).

**dignity** ['dɪgnɪtɪ] *n* 1) досто́инство; чу́вство со́бственного досто́инства; to stand on one's ~ держа́ть себя́ с больши́м досто́инством; beneath one's ~ ни́же своего́ досто́инства; 2) зва́ние, сан, ти́тул; to confer the ~ of a peerage дать зва́ние пэ́ра; 3) *редк.* сано́вник, лицо́ высо́кого зва́ния; *собир.* ли́ца высо́кого зва́ния; знать.

**digraph** ['daɪgrɑːf] *n* дигра́ф, две бу́квы, изобража́ющие оди́н звук (*напр.*, sh *в* ship, ea *в* sea).

**digress** [daɪ'gres] *v* отступа́ть; отвлека́ться, отклоня́ться (*от те́мы и т. п.*).

**digression** [daɪ'greʃən] *n* 1) отступле́ние, отклоне́ние (*от те́мы*); 2) *астр.* отклоне́ние, углово́е расстоя́ние (*плане́ты*) от со́лнца.

**digressive** [daɪ'gresɪv] *a* отклоня́ющийся, отступа́ющий (*от те́мы и т. п.*).

**digs** [dɪgz] *sl. см.* digging 5).

**digue** [diːg] = dike.

**dihedral** [daɪ'hiːdrəl] **1.** *a* образу́емый двумя́ пересека́ющимися плоскостя́ми; ~ angle а) двугра́нный у́гол; б) *ав.* у́гол попере́чного V (*кры́льев*); **2.** *n* = dihedral angle [*см.* 1].

**dike** [daɪk] **1.** *n* 1) да́мба; плоти́на, гать; 2) прегра́да, препя́тствие; 3) сто́чная кана́ва, ров; 4) дерно́вая *или* ка́менная огра́да; 5) *геол.* да́йка; **2.** *v* 1) защища́ть да́мбой; 2) ока́пывать рвом; 3) осуша́ть (*ме́стность*) проры́тием кана́в; 4) мочи́ть (*лён, пеньку́*) в кана́вах.

**dike-reeve** ['daɪkriːv] *n* заве́дующий шлю́зами, плоти́нами, дрена́жем (*в боло́тистых о́кругах А́нглии*).

**dilapidate** [dɪ'læpɪdeɪt] *v* 1) приходи́ть *или* приводи́ть в упа́док; разруша́ть(ся); лома́ть(ся); разва́ливаться; 2) расточа́ть.

**dilapidated** [dɪ'læpɪdeɪtɪd] **1.** *p. p. от* dilapidate; **2.** *a* 1) полуразру́шенный, полуразвали́вшийся; ве́тхий; 2) разо́рванный; 3) неопря́тный, неря́шливо оде́тый.

**dilapidation** [dɪ,læpɪ'deɪʃən] *n* 1) полуразру́шенное состоя́ние; обветша́ние; упа́док; 2) приведе́ние в полуразру́шенное состоя́ние; 3) разоре́ние.

**dilatable** [daɪ'leɪtəbl] *a* спосо́бный расширя́ться, растяжи́мый.

**dilatation** [,daɪleɪ'teɪʃən] *n* 1) расшире́ние; 2) распростране́ние.

**dilate** [daɪ'leɪt] *v* 1) расширя́ть(ся); with ~d eyes с широко́ раскры́тыми глаза́ми; 2) распространя́ться; to ~ upon a subject простра́нно говори́ть о чём-л.

**dilation** [daɪ'leɪʃən] = dilatation.

**dilative** [daɪ'leɪtɪv] *a* расширя́ющий(ся).

**dilator** [daɪ'leɪtə] *n* 1) *мед.* расши́ритель; 2) *анат.* расширя́ющая мы́шца.

**dilatory** ['dɪlətərɪ] *a* 1) ме́дленный; 2) медли́тельный; оття́гивающий (*вре́мя*); 3) запозда́лый.

**dilemma** [dɪ'lemə] *n* диле́мма; затрудни́тельное положе́ние; to be put into a ~, to be in a ~ стоя́ть пе́ред диле́ммой; to be manoeuvred into a ~ быть поста́вленным пе́ред диле́ммой; to be on the horns of the ~ быть вы́нужденным выбира́ть из двух зол.

**dilettante** [,dılı'tæntı] *ит.* **1.** *n* (*pl* -ti) дилета́нт, люби́тель;
2. *a* дилета́нтский, люби́тельский.

**dilettanti** [,dılı'tæntı] *pl от* dilettante.

**dilettantism** [,dılı'tæntızəm] *n* дилета́нтство, дилетанти́зм.

**diligence** I ['dılıdʒəns] *n* прилежа́ние, усе́рдие, стара́ние.

**diligence** II ['dılıʒɑ:ns] *фр. n* дилижа́нс.

**diligent** ['dılıdʒənt] *a* 1) приле́жный, усе́рдный, стара́тельный; 2) *разг.* тща́тельно вы́полненный.

**dill** [dıl] *n* укро́п.

**dilly-dally** ['dılıdælı] *v разг.* колеба́ться; ме́шкать, теря́ть вре́мя в нереши́тельности.

**diluent** ['dıljuənt] *мед.* **1.** *n* вещество́, разжижа́ющее кровь, разжижи́тель;
2. *a* разжижа́ющий, растворя́ющий.

**dilute** [daı'lju:t] **1.** *v* 1) разжижа́ть, разбавля́ть, разводи́ть, разрежа́ть; 2) обескро́вливать, выхола́щивать (*тео́рию, програ́мму и т. п.*); 3) слабе́ть, станови́ться слабе́е; ◇ to ~ labour заменя́ть квалифици́рованных рабо́чих неквалифици́рованными;
2. *a* разведённый, разба́вленный.

**dilutee** [,daılju:'ti:] *n* малоквалифици́рованный рабо́чий, при́нятый на заво́д в связи́ с расшире́нием произво́дства.

**dilution** [daı'lu:ʃən] *n* 1) разжиже́ние, разведе́ние, растворе́ние; 2) ослабле́ние; ◇ ~ of labour заме́на квалифици́рованных рабо́чих неквалифици́рованными.

**diluvial** [daı'lu:vjəl] *a геол.* дилювиа́льный.

**diluvium** [daı'lu:vjəm] *n геол.* дилю́вий.

**dim** [dım] **1.** *a* 1) ту́склый; нея́сный; ма́товый; a ~ room тёмная ко́мната; 2) сла́бый (*о зре́нии; об интелле́кте*); 3) сму́тный, тума́нный; потускне́вший; the inscription is ~ на́дпись неразбо́рчива, стёрлась; a ~ recollection сму́тное воспомина́ние; a ~ idea сму́тное представле́ние; 4) тупо́й, бестолко́вый; 5) с нея́сным созна́нием; ◇ to take a ~ view of smth. смотре́ть на что-л. скепти́чески *или* пессимисти́чески;
2. *v* потускне́ть; де́лать(ся) ту́склым, затума́ниваться; □ ~ out затемня́ть.

**dime** [daım] *n амер.* 1) моне́та в 10 це́нтов; 2) (the ~s) *sl.* де́ньги; 3) *attr.* дешёвый; ~ novel дешёвый бульва́рный рома́н; ◇ not to care a ~ ≅ ни в грош не ста́вить; наплева́ть.

**dimension** [dı'menʃən] **1.** *n* 1) измере́ние; of three ~s трёх измере́ний; the three ~s стереоскопи́ческое кино́; 2) *pl* разме́ры, величина́; объём; протяже́ние; scheme of vast ~s план огро́мной ва́жности, огро́много разма́ха;
2. *v* проставля́ть разме́ры; придава́ть ну́жные разме́ры.

**dimensional** [dı'menʃənl] *a* име́ющий измере́ние; пространственный.

**-dimensional** [-dı'menʃənl] *в сло́жных слова́х означа́ет* име́ющий *сто́лько-то* измере́ний; *напр.*: one-~ одного́ измере́ния.

**dimerous** ['dımərəs] *a бот., зоол.* состоя́щий из двух часте́й.

**dimeter** ['dımıtə] *n* четырёхсто́пный стих.

**dimethyl** [daı'meθıl] *n хим.* эта́н.

**dimidiate** **1.** *a* [dı'mıdııt] разделённый на две ра́вные ча́сти;
2. *v* [dı'mıdıeıt] дели́ть попола́м.

**diminish** [dı'mınıʃ] *v* 1) уменьша́ть(ся); убавля́ть(ся); 2) ослабля́ть; 3) унижа́ть.

**diminished** [dı'mınıʃt] **1.** *p. p. от* diminish;
2. *a* 1) уменьшённый; 2) уни́женный; ◇ ~ arch *архит.* сжа́тая а́рка, пло́ская а́рка; ~ column су́живающаяся кве́рху коло́нна; to hide one's ~ head стыди́ться, смуща́ться.

**diminuendo** [dı,mınju'endou] *ит. n, adv муз.* диминуэ́ндо.

**diminution** [,dımı'nju:ʃən] *n* 1) уменьше́ние; сокраще́ние; убавле́ние; 2) *архит.* суже́ние коло́нны; 3) *муз.* повторе́ние те́мы но́тами полови́нной *или* четвертно́й дли́тельности оригина́ла.

**diminutival** [dı,mınju'taıvəl] *грам.* **1.** *a* уменьши́тельный;
2. *n* уменьши́тельный су́ффикс.

**diminutive** [dı'mınjutıv] **1.** *a* 1) ма́ленький, миниатю́рный; 2) *грам.* уменьши́тельный;
2. *n грам.* уменьши́тельное сло́во.

**dimity** ['dımıtı] *n* ткань для занаве́сок.

**dimmer** ['dımə] *n эл.* реоста́т — регуля́тор освеще́ния.

**dimmish** ['dımıʃ] *a* туслова́тый, нея́сный.

**dimness** ['dımnıs] *n* ту́склость *и пр. [см.* dim 1].

**dimorphic** [daı'mɔ:fık] *a* димо́рфный, могу́щий существова́ть в двух фо́рмах.

**dimorphism** [daı'mɔ:fızəm] *n биол., лингв.* диморфи́зм.

**dimorphous** [daı'mɔ:fəs] = dimorphic.

**dim-out** ['dımaut] *n* затемне́ние, светомаскиро́вка.

**dimple** ['dımpl] **1.** *n* 1) я́мочка (*на щеке́, подборо́дке*); 2) рябь (*на воде́*); 3) впа́дина.
2. *v* 1) покрыва́ться я́мочками; 2) ряби́ть (*во́ду*).

**dimply** ['dımplı] *a* покры́тый я́мочками; подёрнутый ря́бью (*о воде́*).

**dimwit** ['dımwıt] *n разг.* неу́мный челове́к; проста́к.

**din** [dın] **1.** *n* шум; гро́хот;
2. *v* 1) назо́йливо повторя́ть; to ~ smth. into smb.'s ears (head) прожужжа́ть кому́-л. у́ши (вда́лбливать кому́-л. в го́лову); 2) шуме́ть, оглуша́ть.

**dinanderie** [dı,nɑ:ndə'ri:] *n* ме́дная посу́да.

**dinar** ['di:nɑ:] *n* дина́р (*де́нежная едини́ца Югосла́вии и Ира́ка*).

**dine** [daın] *v* 1) обе́дать; to ~ out обе́дать не до́ма; to ~ on smth. пообе́дать чем-л.; he ~d on some sandwiches он съел не́сколько бутербро́дов вме́сто обе́да; 2) угоща́ть обе́дом, дава́ть обе́д; he ~d me handsomely он угости́л меня́ прекра́сным обе́дом; 3) this table (this room) ~s twelve comfortably за э́тим столо́м (в э́той ко́мнате) вполн мо́гут обе́дать двена́дцать челове́к; ◇ to ~

with Duke Humphrey *шутл.* остаться без обеда.

**diner** ['daɪnə] *n* 1) обедающий; 2) вагон-ресторан.

**diner-out** ['daɪnər'aut] *n* человек, часто обедающий вне дома.

**dinette** [daɪ'net] *n* 1) горячий завтрак; 2) *амер.* ниша, в которой устроена столовая (*в маленькой квартире*).

**ding** [dɪŋ] 1. *n* звон колокола; ✧ ~ how *амер. sl.* всё в порядке;
2. *v* (dinged [-d], dung) 1) звенеть (*о металле и т. п.*); 2) *разг.* назойливо повторять.

**ding-dong** ['dɪŋ'dɔŋ] 1. *n* 1) динг-донг, динь-дон (*о перезвоне колоколов*); 2) приспособление в часах, выбивающее каждую четверть; 3) монотонное повторение;
2. *a* чередующийся; ~ fight (упорный) бой с переменным успехом;
3. *adv* с упорством, серьёзно.

**dingey, dinghy** ['dɪŋgɪ] *n* 1) англо-инд. маленькая шлюпка, туз, ялик; 2) надувная резиновая лодка.

**dingle** ['dɪŋgl] *n* глубокая лощина.

**dingle-dangle** ['dɪŋgl,dæŋgl] 1. *n* качание взад и вперёд;
2. *adv* качаясь в обе стороны.

**dingo** ['dɪŋgou] *n* (*pl* -oes [-ouz]) *зоол.* динго.

**dingy** ['dɪndʒɪ] *a* 1) тусклый, тёмный, грязный (*от сажи, пыли*), закоптелый; 2) сомнительный, замаранный (*о репутации*); 3) плохо одетый, обтрёпанный.

**dining-car** ['daɪnɪŋkɑ:] *n* вагон-ресторан.

**dining-room** ['daɪnɪŋrum] *n* столовая.

**dinkey** ['dɪŋkɪ] *n* амер. небольшой паровоз, «кукушка».

**dinky** ['dɪŋkɪ] *a разг.* привлекательный; нарядный, изящный.

**dinner** ['dɪnə] *n* 1) обед; to have (*или to take*) ~ обедать; to give a ~ устраивать званый обед; 2) *attr.* обеденный; ✧ ~ without grace ≅ брачные отношения до брака; after ~ comes the reckoning *посл.* ≅ любишь кататься, люби и саночки возить.

**dinner-bell** ['dɪnəbel] *n* звонок к обеду.

**dinner-jacket** ['dɪnə,dʒækɪt] *n* смокинг.

**dinner pail** ['dɪnə'peɪl] *n* судки.

**dinner-party** ['dɪnə,pɑ:tɪ] *n* званый обед; гости к обеду.

**dinner-service, dinner-set** ['dɪnə,sɜːvɪs, -set] *n* обеденный сервиз, обеденный прибор.

**dinner-time** ['dɪnətaɪm] *n* время (*или час*) обеда.

**dinner-wagon** ['dɪnə,wægən] *n* буфет (*на колёсиках*).

**dinosaur** ['daɪnəsɔ:] *n* динозавр.

**dint** [dɪnt] 1. *n*: by ~ of (*употр. как prep*) посредством, путём; 2) след от удара; 3) *уст.* удар; сила;
2. *v* оставлять след, впадину.

**diocesan** [daɪ'ɔsɪsən] 1. *a* епархиальный;
2. *n* епископ (*иногда священник или прихожанин*) данной епархии.

**diocese** ['daɪəsɪs] *n* епархия.

**dioecious** [daɪ'i:ʃəs] *a бот.* двудомный.

**Dionysia** [,daɪə'nɪzɪə] *n pl др.-греч.* Дионисии, празднества в честь бога Диониса.

**diopter, dioptre** [daɪ'ɔptə] *n опт.* 1) диоптрия; 2) диоптр (*визирный прибор*).

**dioptric** [daɪ'ɔptrɪk] *a опт.* диоптрический, преломляющий.

**dioptrics** [daɪ'ɔptrɪks] *n pl* (*употр. как sing*) диоптрика.

**diorama** [,daɪə'rɑ:mə] *n иск.* диорама.

**dioxide** [daɪ'ɔksaɪd] *n хим.* двуокись.

**dip** [dɪp] 1. *n* 1) погружение (*в жидкость*); to take (*или to have*) a ~ (in the sea) окунуться (в море); 2) жидкость, раствор (*для крашения, очистки металла, для уничтожения паразитов на овцах и т. п.*); 3) маканая свеча (*тж.* farthing ~, ≅ candle); 4) уклон, откос; 5) наклонение видимого горизонта; 6) *sl.* вор-карманник; 7) *геол.* падение (*жилы, пласта*); 8) склонение магнитной стрелки; 9) *ав.* разгон путём снижения; 10) *спорт.* упражнение на параллельных брусьях (*опускание на вытянутых руках*);
2. *v* (dipped [-t], dipt) 1) погружать(ся) окунать(ся), нырять; to ~ one's fingers in water обмакивать пальцы в воду; to ~ a pen into ink обмакнуть перо в чернила; 2) опускать в особый раствор; to ~ candles делать маканые свечи; to ~ a dress красить, перекрашивать платье; to ~ sheep купать овец в дезинфицирующем растворе; 3) черпать (*тж.* ~ out); 4) наклонять (*голову при приветствии*); 5) спускаться, опускаться; the sun ~s below the horizon солнце скрывается за горизонт; the road ~s дорога спускается под гору; 6) спускать (*парус*); салютовать (*флагом*); 7) погружаться (*в изучение, исследование*); пытаться выяснить что-л.; 8) заглядывать; поверхностно, невнимательно просматривать (into); to ~ into a book просмотреть книгу; to ~ deep into the future заглянуть в будущее; 9) *разг.* запутывать (*в долгах*); 10) *геол.* падать, залегать вниз (*о пластах*); 11) *ав.* разгонять путём снижения; ☐ ~ out, ~ up вычерпывать; ✧ to ~ into one's pocket (*или purse*) раскошеливаться; to ~ in the gravy прикарманить общественные деньги; to ~ one's pen in gall зло, жёлчно писать (*о чём-л.*).

**diphasic** [daɪ'feɪzɪk] *a эл.* двухфазный.

**diphosgene** [daɪ'fɔsdʒi:n] *n хим.* дифосген.

**diphtheria** [dɪf'θɪərɪə] *n мед.* дифтерия, дифтерит.

**diphtheric, diphtheritic** [dɪf'θerɪk, ,dɪfθə'rɪtɪk] *a* дифтеритный.

**diphthong** ['dɪfθɔŋ] *n фон.* дифтонг.

**diphthongal** [dɪf'θɔŋgəl] *a фон.* имеющий характер дифтонга.

**diphthongize** ['dɪfθɔŋgaɪz] *v фон.* образовывать дифтонг; обращать в дифтонг.

**diploma** [dɪ'ploumə] 1. *n* 1) официальный документ; 2) диплом; свидетельство; ~ in architecture диплом (на звание) архитектора;
2. *v* (*обыкн. p. p.*) выдавать диплом.

**diplomacy** [dɪ'plouməsɪ] *n* дипломатия.

**diplomaed** [dɪ'plouməd] 1. *p. p. от* diploma 2;
2. *a* имеющий *или* получивший диплом;
3. *n* дипломант.

**diplomat** ['dıpləmæt] *n* дипломáт.

**diplomatic** [,dıplə'mætık] *a* 1) дипломатический; ~ body (*или* corps) дипломатический кóрпус; 2) дипломатичный; 3) тактичный; 4) нейскренний; 5) текстуáльный, буквáльный; ~ copy тóчная кóпия.

**diplomatics** [,dıplə'mætıks] *n pl* (*употр. как sing*) 1) дипломатическое искýсство; 2) дипломáтика (*отдел палеографии*).

**diplomatist** [dı'ploumətıst] = diplomat.

**diplomatize** [dı'ploumətaız] *v* вести дипломатические переговóры.

**dip-needle** ['dıp,niːdl] *n* магнитная стрéлка.

**dip-net** ['dıp,net] *n* небольшáя рыболóвная сеть (*с длинной ручкой*).

**dipnoi** ['dıpnəaı] *n pl* двоякодышащие (рыбы).

**dipolar** [daı'poulə] *a физ.* имéющий два пóлюса.

**dipper** ['dıpə] *n* 1) ковш; черпáк; 2) анабаптист; баптист; перекрещéнец; 3): the (Big) D. *амер.* Большáя Медвéдица, the Little D. *амер.* Мáлая Медвéдица; 4) оляпка (*птица*); 5) *геол.* нисходящий сброс.

**dipping** ['dıpıŋ] 1. *pres. p. от* dip 2; 2. *n* погружéние, макáние; окунáние; 3. *a*: ~ vat дезинфекциóнный чан.

**dipping-needle** ['dıpıŋ,niːdl] = dip-needle.

**dippy** ['dıpı] *a sl.* сумасшéдший.

**dipsomania** [,dıpsou'meınjə] *n* алкоголизм.

**dipsomaniac** [,dıpsou'meınıæk] *n* алкогóлик, запóйный пьяница.

**dipt** [dıpt] *past и p. p. от* dip 2.

**Diptera** ['dıptərə] *n pl зоол.* отряд двукрылых насекóмых (*мухи, комары и т. п.*).

**dipteral** ['dıptərəl] 1. *a* 1) *архит.* окружённый пóртиком с двумя рядáми колóнн; 2) = dipterous; 2. *n архит.* здáние с двумя крыльями; грéческий храм, окружённый двумя рядáми колóнн.

**dipterous** ['dıptərəs] *a зоол., бот.* двукрылый.

**diptych** ['dıptık] *n* 1) *ист.* диптих (*вощаные дощечки для письма*); 2) *церк.* диптих; двустворчатый склáдень.

**dire** ['daıə] *a* ужáсный, стрáшный; ~ necessity жестóкая необходимость, нуждá; ~ plight ужáсное положéние.

**direct** [dı'rekt] 1. *a* 1) прямóй; ~ road прямáя дорóга; 2) прямóй, непосрéдственный, личный; ~ tax прямóй налóг; ~ descendant потóмок по прямóй линии; ~ influence непосрéдственное влияние; ~ drive *тех.* прямáя передáча; ~ (laying) fire *воен.* огóнь, стрельбá прямóй навóдкой; ~ hit *воен.* прямóе попадáние; ~ pointing *амер. воен.* прямáя навóдка; 3) пóлный, диаметрáльный; ~ opposite пóлная противополóжность; 4) прямóй, открытый; ясный; правдивый; ~ answer прямóй, неуклóнчивый отвéт; 5) *грам.* прямóй; ~ speech прямáя речь; 6) *астр.* движущийся с зáпада на востóк; ◇ ~ current *эл.* постоянный ток; ~ position *воен.* открытая позиция;
2. *adv* прямо, непосрéдственно;
3. *v* 1) руководить; управлять; to ~ a business руководить предприятием, фир-

мой; 2) направлять; to ~ one's remarks (efforts, attention) (to) направлять свои замечáния (усилия, внимáние) (на); to ~ one's eyes обратить свой взор; to ~ one's steps направляться; 3) адресовáть; to ~ a parcel адресовáть посылку; 4) нацéливать(ся); 5) укáзывать дорóгу; can you ~ me to the post-office? не скáжете ли вы мне, как пройти на пóчту?; 6) прикáзывать; do as you are ~ed дéлайте, как вам прикáзано; 7) дирижировать (*оркестром, хором*); 8) *театр.* стáвить (*о режиссёре*); 9) подскáзывать, побуждáть, направлять; duty ~s my actions я руковóдствуюсь чýвством дóлга в своих постýпках.

**directing-post** [dı'rektıŋpoust] *n* дорóжный указáтельный столб.

**direction** [dı'rekʃən] *n* 1) руковóдство, управлéние; to work under the ~ of smb. рабóтать под руковóдством когó-л.; 2) дирéкция; правлéние; 3) указáние; инстрýкция; распоряжéние; at the ~ по указáнию, по распоряжéнию; to give ~s отдавáть распоряжéния; 4) *pl* директивы; 5) направлéние; in the ~ of по направлéнию к; 6) áдрес (*на письме и т. п.*); 7) сфéра, óбласть; there is a marked improvement in many ~s произошлó замéтное улучшéние во мнóгих областях; new ~s of research нóвые пути исслéдования; 8) *театр.* постанóвка (*спектакля, фильма*).

**directional** [dı'rekʃənl] *a* напрáвленный, напрáвленного дéйствия; ~ radio напрáвленное рáдио; радиопеленгáция; ~ transmitter передающая, радиопеленгáторная стáнция.

**direction-finder** [dı'rekʃən,faındə] *n* радиопеленгáтор.

**direction sign** [dı'rekʃən'saın] *n* дорóжный (указáтельный) знак.

**directive** [dı'rektıv] 1. *n* директива; 2. *a* 1) направляющий; укáзывающий; 2) директивный.

**directly** [dı'rektlı] 1. *adv* 1) прямо; 2) непосрéдственно; 3) [*часто* 'drektlı] немéдленно; тóтчас;
2. *cj* [*обыкн.* 'drektlı] *разг.* как тóлько; to get up ~ the bell rings вставáть по звонкý.

**directness** [dı'rektnıs] *n* прямотá *и пр.* [*см.* direct 1].

**director** [dı'rektə] *n* 1) руководитель; 2) дирéктор; член правлéния; managing ~ заместитель дирéктора по администрáтивно-хозяйственной чáсти, управляющий; 3) *воен.* начáльник управлéния *или* слýжбы; 4) *церк.* духóвник; 5) (кино)режиссёр; 6) дирижёр (*оркестра, хора*); 7) *воен.* бýссоль; прибóр управлéния артиллерийским огнём.

**directorate** [dı'rektərıt] *n* 1) дирéкция, (у)правлéние; 2) дирéкторство.

**directorship** [dı'rektəʃıp] *n* дирéкторство.

**directory** [dı'rektərı] 1. *n* 1) áдресная книга; спрáвочник; telephone ~ телефóнная книга; 2) *амер.* дирéкция; 3) (D.) *ист.* Директóрия;
2. *a* директивный, содержáщий указáния, инстрýкции.

**directress** [dɪ'rektrɪs] *n* директри́са, нача́льница уче́бного заведе́ния.

**directrices** [‚dɪrek'traɪsiːz] *pl от* directrix.

**directrix** [dɪ'rektrɪks] *лат. n* (*pl* -rices) *геом.* директри́са, направля́ющая ли́ния.

**direful** ['daɪəful] *a поэт.* ужа́сный; стра́шный.

**dirge** [dəːdʒ] *n* 1) погреба́льная песнь; 2) панихи́да.

**dirigible** ['dɪrɪdʒəbl] **1.** *n* дирижа́бль; управля́емый возду́шный кора́бль; **2.** *a* управля́емый (*особ. об аэростате*).

**diriment** ['dɪrɪmənt] *a* аннули́рующий; ~ impediment of marriage обстоя́тельство, аннули́рующее брак.

**dirk** [dəːk] **1.** *n* 1) кинжа́л; 2) *мор.* ко́ртик; **2.** *v* вонза́ть кинжа́л.

**dirndl** ['dəːndl] *n* 1) пла́тье с у́зким ли́фом и широ́кой ю́бкой; 2) широ́кая ю́бка, со́бранная у та́лии (*тж.* ~ skirt).

**dirt** [dəːt] *n* 1) грязь, сор; нечисто́ты; 2) земля́; по́чва; грунт; 3) непоря́дочность; га́дость; to do smb. ~ сде́лать кому́-л. га́дость; 4) непристо́йные ре́чи, брань; оскорбле́ние; to fling (*или* to throw, to cast) ~ at smb. осыпа́ть бра́нью, поро́чить кого́-л.; to fling ~ about злосло́вить; 5) *геол.* нано́сы; пуста́я поро́да; включе́ния; золотосодержа́щий песо́к; 6) *attr.* земляно́й; грунтово́й; ~ floor земляно́й пол; ~ road грунтова́я доро́га; 7) *attr.* му́сорный; ~ wagon *амер.* фурго́н для вы́возки му́сора; ◇ as cheap as ~ ≅ деше́вле па́реной ре́пы; ~ farmer *амер.* фе́рмер, ли́чно обраба́тывающий зе́млю; yellow ~ *sl.* зо́лото; to eat ~ снести́ оскорбле́ние, проглоти́ть оби́ду; подве́ргнуться униже́нию; to treat a person like ~ пло́хо обраща́ться с кем-л., пренебрега́ть кем-л.

**dirt-cheap** ['dəːt'tʃiːp] **1.** *a* о́чень дешёвый; ≅ деше́вле па́реной ре́пы; **2.** *adv* о́чень дёшево; ≅ деше́вле па́реной ре́пы.

**dirtily** ['dəːtɪlɪ] *adv* 1) гря́зно; 2) ни́зко, бесче́стно.

**dirtiness** ['dəːtɪnɪs] *n* 1) грязь; неопря́тность; 2) ни́зость, га́дость.

**dirt track** ['dəːt‚træk] *n* трек для мотоцикле́тных го́нок.

**dirty** ['dəːtɪ] **1.** *a* 1) гря́зный; 2) скабрёзный, непили́чный; ~ conduct непристо́йное поведе́ние; 3) нече́стный; ~ player нече́стный игро́к; 4) *мор.* нена́стный; бу́рный; ~ weather нена́стная пого́да; ◇ ~ work а) нече́стный посту́пок; б) тяжёлая, ну́дная рабо́та; to do smb.'s ~ work for him выполня́ть за кого́-л. тяжёлую рабо́ту; **2.** *n*: to do the ~ on smb. подложи́ть свинью́ кому́-л.; **3.** *v* загрязня́ть, па́чкать.

**dis-** I [dɪs-] *pref* 1) *придаёт слову отрица́тельное значе́ние* не-, дез-; obedient послу́шный — disobedient непослу́шный; to organize организо́вывать — to disorganize дезорганизо́вывать; 2) *указывает на лише́ние чего́-л.*: to disinherit лиша́ть насле́дства; to disbar лиша́ть пра́ва адвока́тской пра́ктики; to disbranch обруба́ть су́чья;

dismasted лишённый мачт; 3) *указывает на разделе́ние, отделе́ние, рассе́яние в ра́зные сто́роны, разложе́ние на составны́е ча́сти*: to distribute распределя́ть; to dismiss распуска́ть; 4) *усиливает значе́ние отрица́тельного по содержа́нию сло́ва*: to disannul аннули́ровать.

**dis-** II [dɪs-] *pref* двойно́й, дву-.

**disability** [‚dɪsə'bɪlɪtɪ] *n* 1) неспосо́бность, бесси́лие; нетрудоспосо́бность; 2) *юр.* неправоспосо́бность.

**disable** [dɪs'eɪbl] *v* 1) де́лать неспосо́бным, неприго́дным; кале́чить; 2) *юр.* де́лать неправоспосо́бным, лиша́ть пра́ва; 3) *воен.* подби́ть (*огнём*), вы́вести из стро́я *или* де́йствия.

**disabled** [dɪs'eɪbld] **1.** *p. p. от* disable; **2.** *a* искале́ченный; вы́веденный из стро́я; ~ soldier (*или* veteran) инвали́д войны́; ~ worker инвали́д труда́.

**disablement** [dɪs'eɪblmənt] *n* 1) выведе́ние из стро́я; 2) лише́ние трудоспосо́бности; 3) лише́ние прав.

**disabuse** [‚dɪsə'bjuːz] *v* выводи́ть из заблужде́ния; ◇ to ~ one's mind переста́ть ду́мать, вы́бросить из головы́.

**disaccord** [‚dɪsə'kɔːd] **1.** *n* разногла́сие, расхожде́ние; **2.** *v* быть несогла́сным, расходи́ться во взгля́дах.

**disaccustom** ['dɪsə'kʌstəm] *v* отуча́ть от привы́чки.

**disadvantage** [‚dɪsəd'vɑːntɪdʒ] *n* 1) невы́года, невы́годное положе́ние; to be at a ~ быть в невы́годном положе́нии; to take smb. at a ~ а) заста́ть кого́-л. враспло́х; б) быть в бо́лее вы́годном положе́нии, чем кто-л.; to put smb. at a ~ поста́вить кого́-л. в невы́годное положе́ние; 2) вред, ущерб; неудо́бство; 3) поме́ха.

**disadvantageous** [‚dɪsædvɑːn'teɪdʒəs] *a* невы́годный, неблагоприя́тный.

**disaffected** [‚dɪsə'fektɪd] *a* 1) недово́льный; 2) нелоя́льный.

**disaffection** [‚dɪsə'fekʃən] *n* 1) недово́льство; 2) нелоя́льность.

**disaffirm** [‚dɪsə'fəːm] *v* 1) отрица́ть; 2) *юр.* отменя́ть (*реше́ние*).

**disaffirmation** [dɪs‚æfə'meɪʃən] *n* 1) отрица́ние; 2) *юр.* отме́на (*реше́ния*).

**disafforest** [‚dɪsə'fɔrɪst] *v* 1) выруба́ть леса́; 2) *юр.* переводи́ть на положе́ние обы́чной земли́ (*о бы́вшей лесно́й пло́щади*).

**disagree** [‚dɪsə'griː] *v* 1) не совпада́ть, не соотве́тствовать, противоре́чить оди́н друго́му; 2) расходи́ться во мне́ниях; не ла́дить, ссо́риться; I ~ with you я с ва́ми несогла́сен; they ~ они́ ссо́рятся; 3) не подходи́ть, быть вре́дным (*о кли́мате, пи́ще*; with).

**disagreeable** [‚dɪsə'grɪəbl] **1.** *a* 1) неприя́тный; 2) неприве́тливый; хму́рый; **2.** *n* (*обыкн. pl*) неприя́тности.

**disagreement** [‚dɪsə'griːmənt] *n* 1) расхожде́ние во мне́ниях; разногла́сие; 2) разла́д, ссо́ра.

**disallow** ['dɪsə'lau] *v* 1) отверга́ть; 2) отка́зывать; to ~ a claim отка́зывать в и́ске; 3) запреща́ть.

**disallowance** [ˌdɪsə'lauəns] *n* 1) отказ; 2) запрещение.

**disannul** [ˌdɪsə'nʌl] *v* аннулировать, уничтожать, отменять.

**disappear** [ˌdɪsə'pɪə] *v* исчезать, скрываться, пропадать.

**disappearance** [ˌdɪsə'pɪərəns] *n* исчезновение.

**disappoint** [ˌdɪsə'pɔɪnt] *v* 1) разочаровывать; to be ~ed at smth. разочароваться в чём-л.; 2) обманывать (*надежды*); 3) лишать; he was ~ed of the prize его лишили награды.

**disappointed** [ˌdɪsə'pɔɪntɪd] 1. *p. p. om* disappoint; 2. *a* разочарованный, разочаровавшийся; огорчённый.

**disappointing** [ˌdɪsə'pɔɪntɪŋ] 1. *pres. p. om* disappoint; 2. *a* неутешительный, разочаровывающий; печальный.

**disappointment** [ˌdɪsə'pɔɪntmənt] *n* 1) разочарование; обманутая надежда; 2) неприятность, досада; 3) человек, не оправдавший ожиданий.

**disapprobation** [ˌdɪsæproʊ'beɪʃən] *n* неодобрение; осуждение.

**disapprobative, disapprobatory** [dɪs'æproʊbeɪtɪv, -beɪtərɪ] *a* неодобрительный, осуждающий.

**disapproval** [ˌdɪsə'pruːvəl] *n* неодобрение.

**disapprove** ['dɪsə'pruːv] *v* не одобрять; неодобрительно относиться (of —к).

**disapprovingly** ['dɪsə'pruːvɪŋlɪ] *adv* неодобрительно.

**disarm** [dɪs'ɑːm] *v* 1) обезоруживать; умиротворять; 2) разоружать(ся).

**disarmament** [dɪs'ɑːməmənt] *n* разоружение.

**disarming** [dɪs'ɑːmɪŋ] 1. *pres. p. om* disarm; 2. *a* обезоруживающий.

**disarrange** ['dɪsə'reɪndʒ] *v* 1) расстраивать; дезорганизовать; 2) приводить в беспорядок.

**disarrangement** [ˌdɪsə'reɪndʒmənt] *n* расстройство; дезорганизация.

**disarray** ['dɪsə'reɪ] 1. *n* 1) беспорядок, смятение, замешательство; 2) беспорядок в одежде; небрежный костюм; 2. *v* 1) приводить в беспорядок, в смятение; 2) *поэт.* раздевать, снимать одежду.

**disarticulate** ['dɪsɑː'tɪkjuleɪt] *v* разъединять, расчленять.

**disassemble** [ˌdɪsæ'sembl] *v* разбирать на части.

**disaster** [dɪ'zɑːstə] *n* бедствие, несчастье; to court (*или* to invite) ~ накликать беду.

**disastrous** [dɪ'zɑːstrəs] *a* бедственный, гибельный.

**disavow** ['dɪsə'vau] *v* 1) отрицать; 2) отрекаться, отказываться; снимать с себя ответственность; 3) *полит.* дезавуировать.

**disavowal** ['dɪsə'vauəl] *n* 1) отрицание; 2) отречение, отказ; 3) *полит.* дезавуирование.

**disband** [dɪs'bænd] *v* 1) распускать, расформировывать; 2) разбегаться, рассеиваться.

**disbar** [dɪs'bɑː] *v юр.* лишать звания адвоката, лишать права адвокатской практики.

**disbark** [dɪs'bɑːk] *v* сдирать кору.

**disbelief** ['dɪsbɪ'liːf] *n* неверие; недоверие.

**disbelieve** ['dɪsbɪ'liːv] *v* 1) не верить; не доверять (in); 2) быть скептиком.

**disbeliever** ['dɪsbɪ'liːvə] *n* неверующий.

**disbench** [dɪs'bentʃ] *v* лишать звания члена президиума юридической корпорации (*в Англии*).

**disboscation** [ˌdɪsbɔs'keɪʃən] *n с.-х.* обезлесение, превращение лесных площадей в пашни.

**disbosom** [dɪs'buzəm] *v* изливать душу; признаваться.

**disbranch** [dɪs'brɑːntʃ] *v* обрезать ветви; подстригать (*дерево*).

**disbud** [dɪs'bʌd] *v* обрезать (*лишние*) молодые побеги, почки.

**disburden** [dɪs'bɑːdn] *v* освобождать(ся) от тяжести, *перен.* от бремени; to ~ one's mind (of) высказаться, отвести душу.

**disburse** [dɪs'bɑːs] *v* платить; расплачиваться; оплачивать (*из государственных средств*).

**disbursement** [dɪs'bɑːsmənt] *n* 1) оплата, расплата; 2) выплаченная сумма.

**disc** [dɪsk] = disk.

**discard** 1. *n* ['dɪskɑːd] 1) сбрасывание карт; 2) сброшенная карта; 3) что-л. ненужное, негодное; брак; to throw into the ~ выбросить за ненадобностью; 2. *v* [dɪs'kɑːd] 1) сбрасывать, сносить карту; 2) отбрасывать, выбрасывать (*за ненадобностью*); 3) отказываться (*от прежнего взгляда, дружбы и т. п.*); 4) увольнять.

**discept** [dɪ'sept] *v* обсуждать, дебатировать.

**discern** [dɪ'sɜːn] *v* 1) различать, распознавать; разглядеть; we ~ed a sail in the distance вдали мы увидели парус; 2) отличать; проводить различие; to ~ no difference не видеть разницы.

**discernible** [dɪ'sɜːnəbl] *a* видимый, различимый; заметный.

**discerning** [dɪ'sɜːnɪŋ] 1. *pres. p. om* discern; 2. *a* 1) умеющий различать, распознавать; 2) проницательный.

**discernment** [dɪ'sɜːnmənt] *n* 1) умение различать, распознавать; 2) проницательность.

**discerption** [dɪ'sɜːpʃən] *n редк.* разрывание, раздирание на части.

**discharge** [dɪs'tʃɑːdʒ] 1. *n* 1) разгрузка; 2) выстрел; залп; 3) увольнение; 4) рекомендация (*выдаваемая увольняемому*); 5) освобождение (*заключённого*); 6) реабилитация; оправдание (*подсудимого*); 7) уплата (*долга*); 8) исполнение (*обязанностей*); 9) вытекание; спуск, сток; слив; 10) дебит (*воды*); 11) выделение (*гноя и т. п.*); 12) *эл.* разряд; 13) *текст., хим.* обесцвечение тканей; раствор для обесцвечения тканей; 14) *тех.* выпускное отверстие; выхлоп; 15) *attr.*: ~ pipe выпускная, отводная труба;

**2.** *v* 1) разгружа́ть; to ~ cargo from a ship разгружа́ть кора́бль; 2) вы́пустить заря́д, вы́стрелить; 3) выпуска́ть; спуска́ть, вылива́ть; the chimney ~s smoke из трубы́ идёт дым; the wound ~s matter ра́на выделя́ет гной; to ~ oaths разрази́ться бра́нью; 4) впада́ть, влива́ться; 5) увольня́ть, дава́ть расчёт; *воен.* демобилизова́ть; увольня́ть в отста́вку *или* в запа́с; 6) освобожда́ть (*заключённого*); 7) реабилити́ровать; восстана́вливать в права́х (*банкрота*); 8) выпи́сывать (*из больни́цы*); 9) выпла́чивать (*долги́*); 10) выполня́ть (*обя́занности*); 11) *эл.* разряжа́ть; 12) *текст., хим.* удаля́ть кра́ску, обесцве́чивать; 13) рассна́щивать (*судно*); 14) прорыва́ться (*о нары́ве*).

**dischargee** [ˌdɪstʃɑːˈdʒiː] *n амер.* уво́ленный из а́рмии, демобилизо́ванный.

**discharger** [dɪsˈtʃɑːdʒə] *n* 1) тот, кто освобожда́ет, разгружа́ет *и пр.* [*см.* discharge 2]; 2) *эл.* разря́дник; lightning ~ молниеотво́д; 3) водосто́чная труба́.

**disci** [ˈdɪskaɪ] *pl om* discus.

**disciple** [dɪˈsaɪpl] *n* 1) учени́к, после́дователь; 2) *церк.* апо́стол.

**disciplinarian** [ˌdɪsɪplɪˈnɛərɪən] *n* 1) сторо́нник дисципли́ны; 2) *ист.* приве́рженец пресвитериа́нства.

**disciplinary** [ˈdɪsɪplɪnərɪ] *a* 1) дисциплина́рный, исправи́тельный; 2) дисциплини́рующий.

**discipline** [ˈdɪsɪplɪn] **1.** *n* 1) дисципли́на, поря́док; 2) дисциплини́рованность; 3) дисципли́на (*о́трасль зна́ния*); 4) наказа́ние; 5) *церк.* епитимья́; умерщвле́ние пло́ти; 6) *перен.* па́лка; кнут; **2.** *v* 1) дисциплини́ровать; 2) тренирова́ть; 3) нака́зывать.

**discipular** [dɪˈsɪpjulə] *a* учени́ческий.

**disc jockey** [ˈdɪskˈdʒɔkɪ] *n* ди́ктор, веду́щий програ́мму, соста́вленную из звукоза́писи.

**disclaim** [dɪsˈkleɪm] *v* 1) отрека́ться; 2) отрица́ть, не признава́ть; 3) *юр.* отка́зываться (*от прав на что-л.*).

**disclaimer** [dɪsˈkleɪmə] *n* 1) отрече́ние, отка́з; 2) *юр.* отка́з (*от пра́ва на что-л.*).

**disclamation** [ˌdɪskləˈmeɪʃən] = disclaimer.

**disclose** [dɪsˈklouz] *v* обнару́живать, разоблача́ть, раскрыва́ть.

**disclosure** [dɪsˈklouʒə] *n* откры́тие, обнаруже́ние, разоблаче́ние, раскры́тие.

**discoboli** [dɪsˈkɔbəlaɪ] *pl om* discobolus.

**discobolus** [dɪsˈkɔbələs] *греч. n* (*pl* -li) дискобо́л.

**discoid** [ˈdɪskɔɪd] *a* име́ющий фо́рму ди́ска.

**discolo(u)r** [dɪsˈkʌlə] *v* 1) изменя́ть цвет, окра́ску; обесцве́чивать(ся); 2) па́чкать(ся).

**discolo(u)ration** [dɪsˌkʌləˈreɪʃən] *n* 1) измене́ние цве́та, обесцве́чивание; 2) пятно́.

**discomfit** [dɪsˈkʌmfɪt] *v* 1) расстра́ивать (*пла́ны и т. п.*); 2) приводи́ть в замеша́тельство; 3) *уст.* наноси́ть пораже́ние.

**discomfiture** [dɪsˈkʌmfɪtʃə] *n* 1) расстро́йство пла́нов; 2) смуще́ние, замеша́тельство; 3) *уст.* пораже́ние (*в бою́*).

**discomfort** [dɪsˈkʌmfət] *n* 1) неудо́бство; нело́вкость; 2) стеснённое положе́ние; лише́ния; 3) беспоко́йство;

**2.** *v* беспоко́ить; причиня́ть неудо́бство.

**discomfortable** [dɪsˈkʌmfətəbl] *a* неудо́бный.

**discommend** [ˌdɪskəˈmend] *v* не одобря́ть; порица́ть.

**discommode** [ˌdɪskəˈmoud] = discomfort 2.

**discommodity** [ˌdɪskəˈmɔdɪtɪ] *n* 1) неудо́бство; 2) невы́годность; что-л. бесполе́зное.

**discommon** [dɪsˈkɔmən] *v* 1) лиша́ть пра́ва по́льзования обще́ственной землёй; 2) *уст.* лиша́ть торго́вца *или* реме́сленника пра́ва обслу́живания студе́нтов (*Оксфо́рдского и Ке́мбриджского университе́тов*).

**discompose** [ˌdɪskəmˈpouz] *v* 1) расстра́ивать; беспоко́ить; (вз)волнова́ть, (вс)трево́жить; 2) приводи́ть в беспоря́док.

**discomposedly** [ˌdɪskəmˈpouzɪdlɪ] *adv* беспоко́йно; трево́жно; взволно́ванно.

**discomposure** [ˌdɪskəmˈpouʒə] *n* беспоко́йство, волне́ние, замеша́тельство.

**disconcert** [ˌdɪskənˈsəːt] *v* 1) смуща́ть; приводи́ть в замеша́тельство; 2) расстра́ивать (*пла́ны*).

**disconcerted** [ˌdɪskənˈsəːtɪd] **1.** *p. p. om* disconcert;

**2.** *a* 1) смущённый; 2) расстро́енный.

**disconnect** [ˈdɪskəˈnekt] *v* 1) разъединя́ть, разобща́ть, расцепля́ть; 2) *эл.* разъединя́ть.

**disconnected** [ˈdɪskəˈnektɪd] **1.** *p. p. om* disconnect;

**2.** *a* 1) разъединённый; 2) бессвя́зный, отры́вистый.

**disconnectedly** [ˈdɪskəˈnektɪdlɪ] *adv* бессвя́зно, отры́висто.

**disconnection, disconnexion** [ˌdɪskəˈnekʃən] *n* 1) разъедине́ние; разобще́ние; 2) разобщённость.

**disconsider** [ˌdɪskənˈsɪdə] *v* лиши́ть авторите́та; испо́ртить репута́цию.

**disconsolate** [dɪsˈkɔnsəlɪt] *a* неуте́шный, печа́льный, несча́стный.

**discontent** [ˈdɪskənˈtent] **1.** *n* недово́льство; неудовлетворённость, доса́да;

**2.** *a* недово́льный; неудовлетворённый;

**3.** *v* вызыва́ть недово́льство; to be ~ed быть недово́льным.

**discontentedly** [ˈdɪskənˈtentɪdlɪ] *adv* недово́льно; неудовлетворённо; с доса́дой.

**discontentment** [ˌdɪskənˈtentmənt] *n* недово́льство; неудовлетворённость.

**discontiguous** [ˌdɪskənˈtɪgjuəs] *a* не соприкаса́ющийся, не сме́жный.

**discontinuance** [ˌdɪskənˈtɪnjuəns] *n* 1) прекраще́ние, переры́в; 2) *юр.* прекраще́ние (*де́ла*).

**discontinuation** [ˌdɪskənˌtɪnjuˈeɪʃən] = discontinuance.

**discontinue** [ˈdɪskənˈtɪnjuː] *v* 1) прерыва́ть(ся), прекраща́ть(ся); упраздня́ть; publication will ~ изда́ние бу́дет прекращено́; to ~ a unit *амер. воен.* расформиро́вывать часть; 2) *юр.* прекраща́ть (*де́ло*).

**discontinuity** [ˈdɪsˌkɔntɪˈnjuːɪtɪ] *n* отсу́тствие непреры́вности, после́довательности; переры́в, разры́в.

**discontinuous** [ˈdɪskənˈtɪnjuəs] *a* преры́вистый; прерыва́емый; прерыва́ющийся; перемежа́ющийся; ~ waves *радио* затуха́ющие вóлны; ~ function *мат.* прерывная фýнкция.

**discord 1.** *n* ['dɪskɔːd] 1) разноглáсие, разлáд; раздóры; to sow ~ сéять враждý; 2) *муз.* диссонáнс; 3) шум; рéзкие звýки;

2. *v* [dɪs'kɔːd] 1) расходиться во взглядах, мнéниях (with, from); 2) *муз.* звучáть диссонáнсом; 3) дисгармонировать.

**discordance** [dɪs'kɔːdəns] *n* 1) разноглáсие; 2) *муз.* диссонáнс.

**discordant** [dɪs'kɔːdənt] *a* 1) несоглáсный, противоречивый; 2) нестрóйный, диссонирующий (*о звуках*); ~ note диссонáнс.

**discount** ['dɪskaunt] **1.** *n* 1) скидка; at a ~ ниже номинáльной ценЫ; обесцéненный; *разг.* непопулярный; не в ходý; 2) дискóнт, учёт векселéй; 3) процéнт скидки, стáвка учёта; 4) (мысленная) попрáвка на преувеличéние (*рассказчика*);

2. *v* 1) дисконтировать, учитывать векселя; 2) получáть процéнты вперёд при дáче дéнег взаймЫ; 3) дéлать скидку; 4) обесцéнивать; уменьшáть, снижáть (*доход и т. п.*); 5) не принимáть в расчёт; 6) дéлать попрáвку на преувеличéние, не доверять всемý слЫшанному.

**discountenance** [dɪs'kauntɪnəns] *v* 1) не одобрять; обескурáживать; 2) откáзывать в поддéржке; 3) смущáть, приводить в замешáтельство.

**discourage** [dɪs'kʌrɪdʒ] *v* 1) обескурáживать, расхолáживать, отбивáть охóту; 2) отговáривать (from).

**discouragement** [dɪs'kʌrɪdʒmənt] *n* 1) обескурáживание; 2) отговáривание; 3) упáдок дýха, обескурáженность.

**discouraging** [dɪs'kʌrɪdʒɪŋ] **1.** *pres. p. om* discourage;

2. *a* расхолáживающий, обескурáживающий.

**discourse** [dɪs'kɔːs] **1.** *n* 1) рассуждéние (*письменное или устное*); лéкция, доклáд, речь; 2) бесéда, разговóр; 3) *редк.* трактáт;

2. *v* 1) орáторствовать; рассуждáть; излагáть в фóрме рéчи, лéкции, прóповеди; 2) вести бесéду; разговáривать; to ~ upon medicine (art *etc.*) рассуждáть о медицине (искýсстве *и т. п.*).

**discourteous** [dɪs'kəːtjəs] *a* невоспитанный, невéжливый, неучтивый.

**discourtesy** [dɪs'kəːtɪsɪ] *n* невоспитанность, невéжливость, неучтивость.

**discover** [dɪs'kʌvə] *v* 1) узнавáть, обнарýживать, раскрывáть; to ~ good reasons подыскáть подходящие мотивы; 2) дéлать открытия, открывáть.

**discovert** [dɪs'kʌvət] *a юр.* незамýжняя, вдóвая.

**discovery** [dɪs'kʌvərɪ] *n* 1) открытие; 2) раскрытие, обнарýжение; 3) развёртывание (*сюжета*); ◇ D. Day день открытия Амéрики (*12 октября*).

**discredit** [dɪs'kredɪt] **1.** *n* 1) дискредитáция; to bring ~ on oneself дискредитировать себя; such behaviour is a ~ to him такóе повéдение позóрит, дискредитирует егó; to bring into ~ навлéчь дурнýю слáву, дискредитировать; 2) недовéрие; to throw

~ upon smth. подвéргнуть что-л. сомнéнию; 3) лишéние коммéрческого кредита;

2. *v* 1) дискредитировать; позóрить; his behaviour ~s him with the public егó повéдение дискредитирует егó в глазáх óбщества; 2) не доверять; the report is ~ed этому сообщéнию не вéрят.

**discreditable** [dɪs'kredɪtəbl] *a* дискредитирующий, позóрный.

**discreet** [dɪs'kriːt] *a* 1) осторóжный, осмотрительный, благоразýмный; 2) сдéржанный, не болтливый.

**discrepancy** [dɪs'krepənsɪ] *n* разноглáсие, противорéчие; расхождéние; различие, несхóдство.

**discrepant** [dɪs'krepənt] *a* отличáющийся (*от чего-л.*); несхóдный; противоречивый; разноречивый; ~ rumours противорéчивые слýхи.

**discrete** [dɪs'kriːt] *a* 1) раздéльный, состоящий из разрóзненных частéй; 2) *филос.* абстрáктный.

**discretion** [dɪs'kreʃən] *n* 1) благоразýмие, осторóжность; the years, the age of ~ вóзраст (*в Англии—14 лет*), с котóрого человéк считáется отвéтственным за свои постýпки; ~ is the better part of valour ≈ слéдует избегáть ненýжного риска (*обыкн. как шутливое опрсвдáние трусости*); to act with ~ вести себя осторóжно, благоразýмно; to show ~ проявлять благоразýмие; 2) свобóда дéйствий; усмотрéние; the instructions leave me a wide ~ инструкции предоставляют мне большýю свобóду дéйствий; at the ~ of smb. на усмотрéние когó-л.; I leave it to your ~ дéлайте, как вы считáете нýжным; to use one's ~ решáть, дéйствовать по своемý усмотрéнию; at ~ по сóбственному усмотрéнию; to surrender at ~ безоговóрочно сдáться на милость победителя.

**discretionary** [dɪs'kreʃnərɪ] *a* 1) предостáвленный на сóбственное усмотрéние; 2) дéйствующий по сóбственному усмотрéнию, дискрециóнный; ~ powers дискрециóнная власть.

**discriminate 1.** *a* [dɪs'krɪmɪnɪt] отчётливый, ясный; имéющий отличительные признаки;

2. *v* [dɪs'krɪmɪneɪt] 1) отличáть, выделять; 2) (умéть) различáть, распознавáть (between); 3) дискриминировать; относиться по-рáзному; to ~ in favour of smb. стáвить когó-л. в благоприятные услóвия; to ~ against smb. стáвить когó-л. в хýдшие услóвия.

**discriminating** [dɪs'krɪmɪneɪtɪŋ] **1.** *pres. p. om* discriminate 2;

2. *a* 1) отличительный (*признак и т. п.*); 2) умéющий различáть, разбирáющийся, проницáтельный; ~ taste тóнкий вкус; 3) дифференциáльный.

**discrimination** [dɪs,krɪmɪ'neɪʃən] *n* 1) умéние разбирáться, проницáтельность; 2) отличительный признак; 3) дискриминáция; различный подхóд, неодинáковое отношéние; гасе ~ рáсовая дискриминáция.

**discriminative** [dɪs'krɪmɪnətɪv] = discriminating 2, 1) *и* 2).

**discriminatory** [dıs'krımınətərı] *a* 1) отличительный; 2) проницательный; 3) пристрастный.

**discrown** [dıs'kraun] *v* лишать короны; *перен.* развенчивать.

**discursive** [dıs'kəːsıv] *a* 1) перескакивающий с одного вопроса на другой; 2) логически последовательно построенный.

**discus** ['dıskəs] *n* (*pl* disci) диск.

**discuss** [dıs'kʌs] *v* 1) обсуждать, дискутировать; 2) *шутл.* есть, пить с удовольствием; смаковать.

**discussion** [dıs'kʌʃən] *n* 1) обсуждение; the question is under ~ вопрос обсуждается; 2) прения, дискуссия; 3) переговоры; direct ~ непосредственные, прямые переговоры; 4) *шутл.* смакование.

**disdain** [dıs'deın] 1. *n* 1) презрение, пренебрежение; 2) надменность;
2. *v* 1) презирать; 2) считать ниже своего достоинства; смотреть свысока.

**disdainful** [dıs'deınful] *a* презрительный, пренебрежительный.

**disease** [dı'zıːz] 1. *n* болезнь;
2. *v* поражать (*о болезни*); вызывать болезнь.

**diseased** [dı'zıːzd] 1. *p. p. от* disease 2;
2. *a* 1) больной, заболевший; 2) болезненный, нездоровый.

**disembark** ['dısım'bɑːk] *v* 1) высаживать(-ся) (*с судов*); 2) выгружать (*товары, груз с судов*).

**disembarkation** [,dısembɑː'keıʃən] *n* высадка, выгрузка (*на берег*).

**disembarrass** ['dısım'bærəs] *v* 1) выводить из затруднения, замешательства; освобождать (of—от *стеснений, хлопот*); 2) распутывать (*что-л. сложное*; from).

**disembody** ['dısım'bɔdı] *v* 1) расформировывать, распускать (*войска*); 2) отделять от конкретного воплощения (*идею и т. п.*); *рел.* освобождать от телесной оболочки.

**disembogue** [,dısım'boug] *v* 1) впадать, вливаться (*о реке*); 2) выливаться (*о толпе*); 3) изливаться, высказываться.

**disembosom** [,dısım'buzəm] *v* 1) поверять (*тайну, чувство*); 2) *refl.* открыть душу, открыться (*кому-л.*).

**disembowel** [,dısım'bauəl] *v* потрошить.

**disembroil** [,dısım'brɔıl] *v* распутывать.

**disenable** [,dısın'eıbl] *v* делать неспособным; дисквалифицировать.

**disenchant** ['dısın'tʃɑːnt] *v* освобождать от чар, иллюзий.

**disencumber** ['dısın'kʌmbə] *v* освобождать от затруднений, препятствий; бремени.

**disendow** ['dısın'dau] *v* лишать пожертвований, завещанных вкладов *и т. п.* (*обыкн. о церкви*).

**disenfranchise** ['dısın'fræntʃaız] = disfranchise.

**disengage** ['dısın'geıdʒ] *v* 1) освобождать(-ся); отвязывать(ся); 2) разобщать; выключать; разъединять; 3) *воен.* выходить из боя, отрываться от противника.

**disengaged** ['dısın'geıdʒd] 1. *p. p. от* diserg-ge;

2. *a* 1) высвобожденный; 2) разобщённый; 3) свободный, незанятый; I am ~ this evening сегодня вечером я свободен.

**disengagement** [,dısın'geıdʒmənt] *n* 1) освобождение; свобода (*от обязательств, дел и т. п.*); 2) несостоявшийся брак; 3) естественность (*манер*), непринуждённость; 4) *хим.* выделение; 5) *воен.* выход из боя.

**disentail** ['dısın'teıl] *v юр.* снять ограничение с наследника, предоставив ему право завещать имущество по своему усмотрению [*см.* tail II].

**disentangle** ['dısın'tæŋgl] *v* 1) распутывать(ся); 2) выпутывать(ся) из затруднений (from).

**disenthral(l)** [,dısın'θrɔːl] *v* отпускать на волю; освобождать от рабства.

**disentitle** ['dısın'taıtl] *v* 1) лишать права (*на что-л.*); 2) лишать титула.

**disentomb** [,dısın'tuːm] *v* выкапывать из могилы; *перен.* откапывать, находить.

**disequilibrium** [dıs,ıːkwı'lıbrıəm] *n* отсутствие *или* потеря равновесия; неустойчивость.

**disestablish** ['dısıs'tæblıʃ] *v* 1) разрушать, отменять (*установленное*); 2) отделять церковь от государства.

**disestablishment** [,dısıs'tæblıʃmənt] *n* отделение церкви от государства.

**disfavour** ['dıs'feıvə] *n* 1) немилость; to fall into ~ впасть в немилость; to be in ~ быть в немилости; 2) неодобрение; to regard with ~ относиться с неодобрением;
2. *v* не одобрять.

**disfeature** [dıs'fıːtʃə] *v* обезображивать, уродовать (*внешность*).

**disfiguration** [dıs,fıgjuə'reıʃən] = disfigurement.

**disfigure** [dıs'fıgə] *v* 1) обезображивать, уродовать; 2) искажать; портить.

**disfigurement** [dıs'fıgəmənt] *n* 1) обезображивание; искажение; 2) физический недостаток, уродство.

**disforest** [dıs'fɔrıst] *v* вырубать леса.

**disfranchise** ['dıs'fræntʃaız] *v* лишать гражданских (*особ.* избирательных) прав.

**disfrock** [dıs'frɔk] *v* лишать духовного звания, сана.

**disgorge** [dıs'gɔːdʒ] *v* 1) извергать (*лаву и т. п.*); выбрасывать (*клубы дыма и т. п.*); 2) изрыгать (*пищу*); 3) разгружать(ся), опорожнять(ся); 4) вливаться, впадать; the river ~s into the sea река впадает в море; 5) изрыгать (*вино*); 6) возвращать нечестно присвоенное, захваченное.

**disgrace** [dıs'greıs] 1. *n* 1) позор, бесчестие; to bring ~ upon smb. навлечь позор на кого-л.; 2) немилость; to be in (deep) ~ быть в немилости, опале; to fall into ~ впадать в немилость;
2. *v* 1) позорить, бесчестить; 2) разжаловать; лишить расположения; подвергнуть немилости.

**disgraceful** [dıs'greısful] *a* позорный, постыдный.

**disgruntle** [dıs'grʌntl] *v* сердить, приводить в дурное настроение; раздражать.

**disgruntled** [dıs'grʌntld] 1. *p. p. от* disgruntle;

**2.** *a* недово́льный, в плохо́м настрое́нии, раздражённый, рассе́рженный.

**disguise** [dɪs'gaɪz] **1.** *n* 1) переодева́ние; маскиро́вка; in ~ переоде́тый; замаскиро́ванный; 2) обма́нчивая вне́шность, ма́ска, личи́на; to throw off one's ~ сбро́сить с себя́ личи́ну;
**2.** *v* 1) переодева́ть; маскирова́ть; 2) де́лать неузнава́емым; a door ~d as a bookcase потайна́я дверь в ви́де кни́жного шка́фа; 3) скрыва́ть; to ~ one's intentions (feelings *etc.*) скрыва́ть свои́ наме́рения (чу́вства *и т. п.*); to ~ one's voice меня́ть го́лос; 4): ~d with drink подвы́пивши(й).

**disgust** [dɪs'gʌst] **1.** *n* отвраще́ние, омерзе́ние;
**2.** *v* внуша́ть отвраще́ние; вызыва́ть негодова́ние; to be ~ed чу́вствовать отвраще́ние; возмуща́ться.

**disgustful** [dɪs'gʌstful] *a* отврати́тельный.

**disgusting** [dɪs'gʌstɪŋ] **1.** *pres. p. om* disgust 2;
**2.** *a* = disgustful.

**dish** [dɪʃ] **1.** *n* 1) блю́до, таре́лка, ми́ска; *pl* посу́да; 2) блю́до, ку́шанье; standing ~ неизме́нное, дежу́рное блю́до; *перен.* изби́тая те́ма; 3) *амер. разг.* де́вушка, красо́тка; 4) ложби́на, впа́дина; котлова́н; ◇ to have a hand in the ~ быть заме́шанным в чём-л.;
**2.** *v* 1) класть на блю́до; 2) *разг.* провести́, обману́ть, одоле́ть (*особ. своих полити́ческих проти́вников*); 3) выгиба́ть; придава́ть во́гнутую фо́рму; ☐ ~ out раскла́дывать ку́шанье; ~ up a) подава́ть ку́шанье к столу́; сервирова́ть; *перен.* уме́ть преподнести́ (*анекдот и т. п.*); б) *разг.* мыть посу́ду; ◇ to ~ it out to smb. дать жа́ру кому́-л.

**dishabille** [,dɪsæ'bi:l] *фр. n* дома́шнее пла́тье; дезабилье́.

**dishabituate** [,dɪshə'bɪtjueɪt] *v* отуча́ть от привы́чки (for).

**dishallow** [dɪs'hælou] *v* наруша́ть (*святыню*); оскверня́ть.

**disharmonious** [,dɪshɑː'mounɪəs] *a* 1) несогла́сный; 2) дисгармони́чный.

**disharmonize** [dɪs'hɑːmənaɪz] *v* 1) вноси́ть разногла́сие, наруша́ть гармо́нию; 2) дисгармони́ровать.

**disharmony** [dɪs'hɑːmənɪ] *n* 1) разногла́сие; 2) дисгармо́ния.

**dish-cloth** [dɪʃklɔθ] *n* посу́дное, ку́хонное полоте́нце.

**dish-clout** [dɪʃklaut] *уст.* = dish-cloth.

**dishearten** [dɪs'hɑːtn] *v* приводи́ть в уны́ние, лиша́ть му́жества, уве́ренности в себе́; don't be ~ed не уныва́й(те).

**disherison** [dɪs'herɪzn] *n* лише́ние насле́дства.

**dishevel** [dɪ'ʃevəl] *v* растрепа́ть, взъеро́шить.

**dishevelled** [dɪ'ʃevəld] **1.** *p. p. om* dishevel;
**2.** *a* растрёпанный, всклоко́ченный, взъеро́шенный.

**dish-gravy** [dɪʃ,greɪvɪ] *n* подли́вка (*из сока жаркого*).

**dishonest** [dɪs'ɔnɪst] *a* 1) нече́стный; моше́ннический; 2) недобросо́вестный, небре́жный.

**dishonesty** [dɪs'ɔnɪstɪ] *n* 1) нече́стность; обма́н; 2) недобросо́вестность.

**dishonour** [dɪs'ɔnə] **1.** *n* 1) бесче́стие, позо́р; 2) *ком.* отка́з в акце́пте ве́кселя; неупла́та в срок по ве́кселю;
**2.** *v* 1) бесче́стить, позо́рить; оскорбля́ть; to ~ one's promise не сдержа́ть своего́ обеща́ния; 2) *ком.* отка́зывать в акце́пте ве́кселя; отка́зывать в платеже́ по ве́кселю.

**dishonourable** [dɪs'ɔnərəbl] *a* 1) бесче́стный, позо́рный; 2) позо́рящий, ни́зкий.

**dishorn** [dɪs'hɔːn] *v* удаля́ть рога́.

**dishouse** [dɪs'hauz] *v* лиша́ть кро́ва.

**dish-rag** [dɪʃræg] = dish-cloth.

**dish-washer** [dɪʃ,wɔʃə] *n* 1) судомо́йка; 2) трясогу́зка (*птица*).

**dish-water** [dɪʃ,wɔːtə] *n* помо́и.

**disillusion** [,dɪsɪ'luːʒən] **1.** *n* утра́та иллю́зий; разочарова́ние;
**2.** *v* разруша́ть иллю́зии; открыва́ть пра́вду; разочаро́вывать.

**disillusionize** [,dɪsɪ'luːʒənaɪz] = disillusion 2.

**disinclination** [,dɪsɪnklɪ'neɪʃən] *n* несклонность (to); нежела́ние, неохо́та (*что-л. сделать; for; to do*).

**disincline** [,dɪsɪn'klaɪn] *v* 1) лиша́ть жела́ния, отбива́ть охо́ту (for; to do); 2) не чу́вствовать скло́нности.

**disincorporate** [,dɪsɪn'kɔːpəreɪt] *v* распусти́ть, закры́ть (*общество, корпорацию*).

**disinfect** [,dɪsɪn'fekt] *v* дезинфици́ровать.

**disinfectant** [,dɪsɪn'fektənt] **1.** *n* 1) дезинфици́рующее сре́дство; 2) дезодора́тор;
**2.** *a* дезинфици́рующий.

**disinfection** [,dɪsɪn'fekʃən] *n* 1) дезинфе́кция; 2) *attr.* дезинфекцио́нный; ~ plant дезинфекцио́нная ка́мера.

**disinflation** [,dɪsɪn'fleɪʃən] *n эк.* дефля́ция.

**disingenuous** [,dɪsɪn'dʒenjuəs] *a* 1) неи́скренний, хи́трый; 2) нече́стный.

**disinherit** [,dɪsɪn'herɪt] *v* лиша́ть насле́дства.

**disinheritance** [,dɪsɪn'herɪtəns] *n* лише́ние насле́дства.

**disintegrate** [dɪs'ɪntɪgreɪt] *v* 1) разделя́ть(ся) на составны́е ча́сти; дезинтегри́ровать; раздробля́ть; 2) распада́ться, разруша́ться.

**disintegration** [dɪs,ɪntɪ'greɪʃən] *n* 1) разделе́ние на составны́е ча́сти; дезинтегра́ция; измельче́ние; 2) распаде́ние, разруше́ние.

**disintegrator** [dɪs'ɪntɪgreɪtə] *n* 1) *тех.* дезинтегра́тор, дроби́лка; меша́лка; 2) *текст.* трепа́льная маши́на; 3) мéльничный постáв.

**disinter** [dɪsɪn'təː] *v* выка́пывать (из моги́лы), отрыва́ть; *перен.* отка́пывать, оты́скивать.

**disinterested** [dɪs'ɪntrɪstɪd] *a* 1) бескоры́стный, незаинтересо́ванный; ~ help бескоры́стная по́мощь; 2) беспристра́стный; we are not ~ мы не отно́симся безуча́стно.

**disject** [dɪs'dʒekt] *v* разбра́сывать, рассе́ивать.

**disjecta membra** [dɪs'dʒektə'membrə] *лат. n pl* отрывки, обрывки (*цитат и т.п.*).

**disjoin** [dɪs'dʒɔɪn] *v* разъединять; разобщать.

**disjoint** [dɪs'dʒɔɪnt] *v* 1) расчленять; разбирать на части; 2) разделять; 3) вывихнуть.

**disjointed** [dɪs'dʒɔɪntɪd] 1. *p. p. от* disjoint;
2. *a* 1) расчленённый; 2) несвязный (*о речи*); 3) вывихнутый.

**disjunct** [dɪs'dʒʌŋkt] *a* разобщённый; разъединённый.

**disjunction** [dɪs'dʒʌŋkʃən] *n* 1) разделение; разобщение; разъединение; 2) *эл.* размыкание (*цепи*).

**disjunctive** [dɪs'dʒʌŋktɪv] 1. *n* 1) *грам.* разделительный союз; 2) *лог.* альтернатива;
2. *a* 1) разъединяющий; ~ conjunction *грам.* разделительный союз; 2) *лог.* альтернативный.

**disk** [dɪsk] 1. *n* 1) диск; круг; identification ~ *воен.* личный знак; 2) патефонная пластинка; 3) *attr.* дисковый, дискообразный; ~ coil *радио* плоская катушка; ~ harrow *с.-х.* дисковый культиватор; ~ valve *тех.* тарельчатый клапан;
2. *v* 1) придавать форму диска; 2) *с.-х.* обрабатывать дисковым культиватором; 3) записывать на пластинку.

**disk jockey** ['dɪsk'dʒɔkɪ] = disc jockey.

**disleaf, disleave** [dɪs'liːf, -'liːv] *v* лишать листьев.

**dislike** [dɪs'laɪk] 1. *n* нелюбовь, неприязнь, отвращение (for, of, to);
2. *v* не любить, питать отвращение.

**dislocate** ['dɪsləkeɪt] *v* 1) вывихнуть; 2) нарушать; расстраивать (*планы и т. п.*); to ~ traffic нарушать движение; 3) сдвигать, перемещать, смещать.

**dislocation** [,dɪslə'keɪʃən] *n* 1) вывих; 2) расстройство; 3) неувязка, неурядица, неполадка; 4) *геол.* дислокация, нарушение, перемещение (*пластов*).

**dislodge** [dɪs'lɔdʒ] *v* 1) удалять; смещать; 2) выгонять (*зверя из берлоги*); 3) выбивать с позиции (*противника*).

**disloyal** ['dɪs'lɔɪəl] *a* 1) нелояльный; 2) вероломный, предательский.

**disloyalty** ['dɪs'lɔɪəltɪ] *n* 1) неверность, нелояльность; 2) вероломство, предательство.

**dismal** ['dɪzməl] 1. *a* 1) мрачный; унылый; ~ prospects мрачные перспективы; 2) печальный, угрюмый; ~ mood подавленное настроение; 3) гнетущий; ~ weather гнетущая погода;
2. *n* 1) (the ~s) *pl* подавленное настроение; печальные обстоятельства; 2) *амер.* болото.

**dismantle** [dɪs'mæntl] *v* 1) раздевать; снимать (*одежду, покров*); 2) разбирать (*машину*); демонтировать; лишать оборудования; 3) разоружать, расснащивать (*корабль*); 4) срывать (*крепость*).

**dismantling** [dɪs'mæntlɪŋ] 1. *pres. p. от* dismantle;
2. *n* демонтаж, разборка.

**dismast** [dɪs'mɑːst] *v* *мор.* снимать, сносить мачты.

**dismay** [dɪs'meɪ] 1. *n* 1) страх, испуг; in ~ с тревогой; we were struck with ~ мы были испуганы; 2) уныние;
2. *v* 1) ужасать, пугать; 2) приводить в уныние; обескураживать.

**dismember** [dɪs'membə] *v* 1) расчленять, разрывать на части; 2) *редк.* лишать членства.

**dismemberment** [dɪs'membəmənt] *n* расчленение, разделение на части.

**dismiss** [dɪs'mɪs] 1. *v* 1) отпускать; распускать; to ~ a meeting закрыть собрание; 2) увольнять; 3) *воен.* распускать, подавать команду «разойдись!»; 4) освобождать (*заключённого*); 5) прогонять; *перен.* гнать от себя (*мысль, опасение*); 6) отделываться (*от чего-л.*); to ~ the subject прекратить обсуждение вопроса; 7) *юр.* прекращать (*дело*); отклонять (*заявление, иск*);
2. *n* (the ~) *воен.* команда «разойдись!».

**dismissal** [dɪs'mɪsəl] *n* 1) предоставление отпуска; роспуск (*на каникулы и т. п.*); 2) увольнение; отставка; 3) освобождение; 4) отстранение от себя (*неприятной мысли и т. п.*); 5) *attr.*: ~ pay, ~ wage выходное пособие.

**dismission** [dɪs'mɪʃən] = dismissal.

**dismount** ['dɪs'maunt] *v* 1) спешиваться, слезать; ~! *воен.* слезай! (*команда*); 2) сбрасывать с лошади; 3) снимать (*с подставки, пьедестала*); вынимать (*из оправы*); to ~ a gun снимать орудие с лафета; 4) разбирать (*машину*).

**disobedience** [,dɪsə'biːdjəns] *n* неповиновение, непослушание.

**disobedient** [,dɪsə'biːdjənt] *a* непокорный, непослушный.

**disobey** ['dɪsə'beɪ] *v* не повиноваться, ослушаться.

**disoblige** ['dɪsə'blaɪdʒ] *v* не считаться с (*чьим-л.*) желанием, удобством; поступать нелюбезно; досаждать; he did it to ~ me он сделал это в пику мне.

**disobligingly** ['dɪsə'blaɪdʒɪŋlɪ] *adv* нелюбезно; не считаясь с другими.

**disorder** [dɪs'ɔːdə] 1. *n* 1) беспорядок; 2) (*обыкн. pl*) беспорядки (*массовые волнения*); 3) *мед.* расстройство;
2. *v* 1) приводить в беспорядок; 2) расстраивать (*здоровье*).

**disorderly** [dɪs'ɔːdəlɪ] 1. *a* 1) беспорядочный; 2) неаккуратный, неопрятный; 3) расстроенный (*о здоровье*); 4) необузданный; буйный, беспокойный; 5) непристойный; распущенный; ~ conduct хулиганство, нарушение общественного порядка; ~ person *юр.* лицо, виновное в нарушении общественного порядка; ~ house a) дом терпимости; б) игорный дом;
2. *adv* беспорядочно и пр. [см. 1];
3. *n* беспорядочный, неопрятный, распущенный человек.

**disorganization** [dɪs,ɔːgənaɪ'zeɪʃən] *n* дезорганизация, расстройство; беспорядок.

**disorganize** [dɪs'ɔːgənaɪz] *v* дезорганизовать, расстраивать.

**disorient** [dɪs'ɔːrɪənt] = disorientate.

**disorientate** [dɪs'ɔːrɪenteɪt] *v* 1) дезориентировать; сбивать с толку, вводить в заблуждение; 2) ставить (церковь) алтарём не на восток.

**disown** [dɪs'oun] *v* не признавать, отрицать, отказываться, отрекаться.

**disparage** [dɪs'pærɪdʒ] *v* 1) говорить пренебрежительно; 2) относиться с пренебрежением; третировать; унижать.

**disparagement** [dɪs'pærɪdʒmənt] *n* 1) недооценка, умаление; 2) пренебрежительное отношение.

**disparaging** [dɪs'pærɪdʒɪŋ] 1. *pres. p. от* disparage;
2. *a* унизительный; пренебрежительный; a ~ remark пренебрежительное замечание.

**disparate** ['dɪspərɪt] *a* в корне отличный; несравнимый, несопоставимый; несоизмеримый.

**disparity** [dɪs'pærɪtɪ] *n* неравенство; несоответствие; несоразмерность; ~ in years разница в годах.

**dispart** I [dɪs'pɑːt] *n воен.* мушка (*тж.* ~ sight).

**dispart** II [dɪs'pɑːt] *v* 1) *уст., поэт.* разделять(ся); 2) расходиться; 3) распределять.

**dispassionate** [dɪs'pæʃnɪt] *a* 1) бесстрастный, хладнокровный; спокойный; 2) беспристрастный.

**dispatch** [dɪs'pætʃ] 1. *n* 1) отправка, отправление (*курьера, почты*); 2) (дипломатическая) депеша; официальное донесение; 3) агентство по доставке товаров; экспедиция; 4) быстрота, быстрое выполнение (*работы*); to do smth. with ~ делать что-л. быстро; the matter requires ~ это срочное дело; 5) *разг.* казнь, убийство; happy ~ а) харакири; б) мгновенная смерть при казни;
2. *v* 1) посылать; отсылать, отправлять по назначению; 2) быстро выполнять, справляться (*с делом, работой*); to ~ one's dinner наскоро пообедать; 3) *уст.* спешить; 4) *разг.* отправлять на тот свет, убивать.

**dispatch-boat** [dɪs'pætʃbout] *n* посыльное судно.

**dispatch-box** [dɪs'pætʃbɔks] *n* сумка (курьера) для официальных бумаг.

**dispatch-dog** [dɪs'pætʃdɔg] *n воен.* собака связи.

**dispatcher** [dɪs'pætʃə] *n* 1) экспедитор; 2) диспетчер.

**dispatch money** [dɪs'pætʃ'mʌnɪ] *n ком.* диспач (*премия за быстроту выполнения*).

**dispatch-station** [dɪs'pætʃ'steɪʃən] *n ж.-д.* станция отправления.

**dispel** [dɪs'pel] *v* разгонять; рассеивать; to ~ apprehensions рассеять опасения.

**dispensable** [dɪs'pensəbl] *a* 1) необязательный; 2) несущественный.

**dispensary** [dɪs'pensərɪ] *n* 1) аптека (*особ. бесплатная для бедняков*); 2) *амер.* амбулатория.

**dispensation** [ˌdɪspen'seɪʃən] *n* 1) раздача, распределение; 2) освобождение (*от обязательства, от обета*); разрешение

брака (*между родственниками в католической церкви*); 3) отправление правосудия; 4) особая милость.

**dispensatory** [dɪs'pensətərɪ] *n* 1) фармакопея; 2) *уст.* аптека.

**dispense** [dɪs'pens] *v* 1) раздавать, распределять (*пищу и т. п.*); 2) отправлять (*правосудие*); 3) приготовлять и распределять (*лекарства*); 4) освобождать (from — от *обязательства*); □ ~ with обходиться без чего-л.; to ~ with smb.'s services обходиться без чьих-л. услуг; machinery ~s with much labour машины дают большую экономию человеческого труда.

**dispenser** [dɪs'pensə] *n* фармацевт.

**-dispenser** [-dɪs'pensə] *в сложных словах означает:* а) автомат для продажи чего-л.; *напр.:* gum-~ автомат для продажи жевательной резинки; б) ящичек *или* сосуд, содержащий предмет общего пользования; *напр.:* toilet-paper-~ ящик с туалетной бумагой.

**dispeople** ['dɪs'piːpl] *v* обезлюдить, уменьшить население.

**dispersal** [dɪs'pəːsəl] *n* 1) рассеивание; рассыпание; рассредоточение; 2) *attr.:* ~ field *ав.* запасной аэродром.

**disperse** [dɪs'pəːs] *v* 1) разгонять, рассеивать; 2) рассеиваться, исчезать; 3) расходиться; 4) разбрасывать, рассыпать; 5) распространять.

**dispersion** [dɪs'pəːʃən] *n* 1) разбрасывание; рассеивание; 2) разбросанность; 3) *физ., хим.* дисперсия.

**dispersive** [dɪs'pəːsɪv] *a* разбрасывающий; рассеивающий.

**dispersoid** [dɪs'pəːsɔɪd] *n хим.* коллоид.

**dispirit** [dɪ'spɪrɪt] *v* приводить в уныние, удручать.

**dispiteous** [dɪs'pɪtɪəs] *a* безжалостный.

**displace** [dɪs'pleɪs] *v* 1) переставлять, перекладывать; перемещать; 2) вытеснять, замещать; 3) смещать, увольнять; 4) иметь водоизмещение (*о судне*); 5) *хим.* замещать один элемент другим.

**displaced person** [dɪs'pleɪst'pəːsn] *n* перемещённое лицо.

**displacement** [dɪs'pleɪsmənt] *n* 1) перемещение, перестановка; ~ of track *ж.-д.* угон пути; 2) смещение, вытеснение; 3) водоизмещение; 4) *геол.* сдвиг (*пластов*); 5) *тех.* литраж (*цилиндра*); производительность (*насоса, компрессора*); 6) *эл.* видимый разряд.

**displant** [dɪs'plɑːnt] *v* вырывать (*растение для посадки в другом месте*).

**display** [dɪs'pleɪ] 1. *n* 1) показ, выставка; there was a great ~ of goods было выставлено много товаров; 2) проявление (*смелости и т. п.*); 3) выставление напоказ; хвастовство; to make great ~ of generosity хвастаться своей щедростью; 4) *полигр.* выделение особым шрифтом;
2. *v* 1) выставлять, показывать; to ~ the colours украситься флагами; 2) проявлять, обнаруживать; 3) хвастаться; 4) *полигр.* выделять особым шрифтом.

**displease** [dɪs'pliːz] *v* 1) не нравиться; быть неприятным, не по вкусу (*кому-л.*);

2) сердить, раздражать; ~d at (или with) smth. недовольный чем-л.

**displeasing** [dɪs'pliːzɪŋ] 1. *pres. p. om* displease;
2. *a* неприятный, противный.

**displeasure** [dɪs'pleʒə] 1. *n* неудовольствие, недовольство; досада; to incur smb.'s ~ навлечь на себя чей-л. гнев; to take ~ обидеться; to be in ~ with smb. быть у кого-л. в немилости;
2. *v* вызывать неудовольствие, сердить.

**displume** [dɪs'pluːm] *v* 1) *поэт.* ощипывать перья; 2) *разг.* лишить знаков отличия; разжаловать.

**disport** [dɪs'pɔːt] *уст.* 1. *n* развлечение, забава;
2. *v* (*обыкн. refl.*) развлекаться, забавляться; резвиться.

**disposable** [dɪs'pouzəbl] *a* 1) находящийся (*или* имеющийся) в распоряжении; свободный; 2) устранимый.

**disposal** [dɪs'pouzəl] *n* 1) расположение, размещение; 2) *воен.* диспозиция; 3) возможность распорядиться (*чем-л.*); at one's ~ в чьём л. распоряжении; at your ~ к вашим услугам; to place at smb.'s ~ предоставить в чьё-л. распоряжение; 4) передача; продажа; ~ of property передача имущества; 5) избавление (*от чего-л.*); устранение; удаление (*нечистот и т. п.*); ~ of bombs обезвреживание бомб.

**dispose** [dɪs'pouz] *v* 1) располагать, размещать, расставлять; 2) располагать, склонять; I am ~d to think that я склонен думать, что; they are well (*или* kindly) ~d towards us они хорошо к нам относятся; □ ~ of а) распорядиться; to ~ of property распорядиться имуществом (*путём продажи, дара, завещания*); б) отделаться, избавиться; ликвидировать; to ~ of an argument устранить, опровергнуть аргумент.

**disposition** [ˌdɪspə'zɪʃən] *n* 1) расположение, размещение (*в определённом порядке и т. п.*); 2) (*обыкн. pl*) *воен.* диспозиция; дислокация; military ~s боевые порядки; 3) распоряжение; возможность распорядиться (*чем-л.*); to have in one's ~ иметь в своём распоряжении; 4) предрасположение, склонность (to — к чему-л.); 5) характер, нрав; he is of a cheerful (gentle) ~ у него весёлый (мягкий) характер; social ~ общительный характер; well-oiled ~ покладистый характер; 6) избавление; продажа; the ~ of property продажа имущества; 7) *pl* приготовления; to make ~s for a campaign готовиться к кампании.

**dispossess** ['dɪspə'zes] *v* 1) лишать собственности, права владения (of); 2) выселять; ◊ to ~ smb. of an error выводить кого-л. из заблуждения.

**dispossession** [ˌdɪspə'zeʃən] *n* 1) лишение собственности, лишение права владения (*особ. незаконное*); 2) выселение; 3) отчуждение.

**dispraise** [dɪs'preɪz] 1. *n* неодобрение, порицание;
2. *v* не одобрять, порицать; говорить с пренебрежением.

**disproof** ['dɪs'pruːf] *n* опровержение.

**disproportion** ['dɪsprə'pɔːʃən] *n* несоразмерность, непропорциональность, диспропорция.

**disproportionate** [ˌdɪsprə'pɔːʃnɪt] *a* несоразмерный, непропорциональный.

**disprove** ['dɪs'pruːv] *v* опровергать; доказывать ложность *или* ошибочность (*чего-л.*).

**disputable** [dɪs'pjuːtəbl] *a* спорный, сомнительный; находящийся под вопросом.

**disputant** [dɪs'pjuːtənt] 1. *n* 1) участник диспута, дискуссии; 2) спорщик;
2. *a* принимающий участие в дискуссии; спорящий.

**disputation** [ˌdɪspjuː'teɪʃən] *n* 1) дебаты; 2) диспут; 3) спор.

**disputatious** [ˌdɪspjuː'teɪʃəs] *a* любящий спорить.

**dispute** [dɪs'pjuːt] 1. *n* 1) диспут; дебаты, полемика; beyond (*или* past, without) ~ вне сомнения; бесспорно; the matter is in ~ дело находится в стадии обсуждения; 2) спор, пререкания;
2. *v* 1) спорить, дискутировать (with, against — c; on, about — о); 2) обсуждать; 3) пререкаться, ссориться; 4) оспаривать, подвергать сомнению (*право на что-л., достоверность чего-л. и т. п.*); 5) оспаривать (*первенство в состязании и т. п.*); 6) противиться; препятствовать; оказывать сопротивление; отстаивать; to ~ in arms every inch of ground отстаивать с оружием в руках каждую пядь земли; to ~ the enemy's advance противодействовать продвижению противника.

**disqualification** [dɪsˌkwɔlɪfɪ'keɪʃən] *n* 1) дисквалификация; лишение права (*на что-л.*); 2) негодность (for — к); 3) *юр.* неправоспособность.

**disqualify** [dɪs'kwɔlɪfaɪ] *v* 1) делать негодным, неспособным; 2) дисквалифицировать, лишать права, признавать неспособным, негодным; 3) *амер.* рассекречивать (*кого-л.*).

**disquiet** [dɪs'kwaɪət] 1. *n* беспокойство, волнение, тревога;
2. *a* беспокойный, тревожный;
3. *v* беспокоить, тревожить.

**disquieting** [dɪs'kwaɪətɪŋ] 1. *pres. p. om* disquiet 3;
2. *a* беспокойный, тревожный.

**disquietude** [dɪs'kwaɪɪtjuːd] *n* беспокойство, тревога.

**disquisition** [ˌdɪskwɪ'zɪʃən] *n* 1) исследование, изыскание; 2) *уст.* следствие; дознание.

**disquisitional** [ˌdɪskwɪ'zɪʃənl] *a* исследовательский, носящий характер исследования.

**disrank** [dɪs'ræŋk] *v* понижать в чине, звании, ранге.

**disrate** [dɪs'reɪt] *v* понижать в разряде, ранге.

**disregard** ['dɪsrɪ'gɑːd] 1. *n* равнодушие; пренебрежение, игнорирование (of, for);
2. *v* не обращать внимания, не придавать значения; пренебрегать, игнорировать.

**disrelish** [dɪs'relɪʃ] 1. *n* нерасположение, отвращение; to regard a person with ~ чувствовать нерасположение к кому-л.;

2. *v* не люби́ть, испы́тывать отвраще́ние.

**disremember** ['dɪsrɪ'membə] *v* диал. забыва́ть, не по́мнить.

**disrepair** ['dɪsrɪ'pɛə] *n* ве́тхость; плохо́е состоя́ние, неиспра́вность (*здания и т. п.*).

**disreputable** [dɪs'repjutəbl] 1. *a* 1) по́льзующийся дурно́й репута́цией; 2) дискреди́тирующий; позо́рный;
2. *n* челове́к с сомни́тельной репута́цией.

**disreputation** [dɪs,repju'teɪʃn] = disrepute.

**disrepute** ['dɪsrɪ'pjuːt] *n* дурна́я сла́ва, плоха́я репута́ция; to fall (to bring) into ~ получи́ть (навле́чь) дурну́ю сла́ву; to be in ~ име́ть плоху́ю репута́цию.

**disrespect** ['dɪsrɪs'pekt] 1. *n* неуваже́ние, непочти́тельность; to treat with ~, to show ~ относи́ться без уваже́ния;
2. *v* гру́бо обраща́ться; относи́ться непочти́тельно.

**disrespectful** [,dɪsrɪs'pektful] *a* непочти́тельный, неве́жливый.

**disrobe** ['dɪs'roub] *v* 1) раздева́ть; разоблача́ть (*тж. перен.*); 2) раздева́ться, разоблача́ться.

**disroot** [dɪs'ruːt] *v* вырыва́ть с ко́рнем; *перен.* искореня́ть.

**disrupt** [dɪs'rʌpt] *v* 1) разрыва́ть, разруша́ть (*употр. тж. как р. р. вм.* disrupted); 2) *перен.* подрыва́ть.

**disruption** [dɪs'rʌpʃn] *n* 1) разруше́ние; 2) разры́в; раско́л; 3) *геол.* распа́д, дезинтегра́ция (*пород*); 4) *эл.* пробо́й.

**disruptive** [dɪs'rʌptɪv] *a* 1) разруши́тельный; 2) *перен.* подрывно́й; 3) *эл.* пробивно́й, разря́дный.

**dissatisfaction** ['dɪs,sætɪs'fækʃən] *n* неудовлетворённость, недово́льство.

**dissatisfactory** ['dɪs,sætɪs'fæktərɪ] *a* неудовлетвори́тельный.

**dissatisfied** ['dɪs'sætɪsfaɪd] 1. *p. p. от* dissatisfy;
2. *a* неудовлетворённый, недово́льный (with, at).

**dissatisfy** ['dɪs'sætɪsfaɪ] *v* не удовлетворя́ть.

**dissect** [dɪ'sekt] *v* 1) рассека́ть; 2) вскрыва́ть, анатоми́ровать; 3) анализи́ровать; разбира́ть крити́чески.

**dissecting-room** [dɪ'sektɪŋrum] *n* мед секцио́нная ко́мната.

**dissection** [dɪ'sekʃən] *n* 1) рассече́ние; 2) вскры́тие, анатоми́рование; 3) ана́лиз, разбо́р.

**dissector I** [dɪ'sektə] *n* мед. прозе́ктор.

**dissector II** [dɪ'sektə] *n* диссе́ктор (*передающая телевизионная трубка*).

**disseise** ['dɪs'siːz] *v* юр. лиша́ть со́бственности, пра́ва владе́ния (*особ. неправильно, незаконно*).

**disseisee** [,dɪssiː'ziː] *n* юр. челове́к, непра́вильно лишённый со́бственности, пра́ва владе́ния.

**disseisin** ['dɪs'siːzɪn] *n* юр. лише́ние со́бственности (*особ. незаконное*).

**disseize, disseizee, disseizin** ['dɪs'siːz, ,dɪssiː'ziː, 'dɪs'siːzɪn] = disseise, disseisee, disseisin.

**dissemblance I** [dɪ'sembləns] *n* разли́чие; отсу́тствие схо́дства; ра́зница.

**dissemblance II** [dɪ'sembləns] *n* притво́рство, лицеме́рие.

**dissemble** [dɪ'sembl] *v* 1) скрыва́ть; to ~ one's anger не пока́зывать своего́ гне́ва; 2) притворя́ться, лицеме́рить; 3) умы́шленно не замеча́ть (*обиды, оскорбления и т. п.*); ума́лчивать, не упомина́ть (*факт, деталь и т. п.*).

**dissembler** [dɪ'semblə] *n* лицеме́р, притво́рщик.

**disseminate** [dɪ'semɪneɪt] *v* 1) рассе́ивать, разбра́сывать (*семена*); 2) распространя́ть (*учение, взгляды*); 3) се́ять (*недовольство*).

**disseminated** [dɪ'semɪneɪtɪd] 1. *p. p. от* disseminate;
2. *a* 1) рассе́янный; ~ sclerosis мед. рассе́янный склеро́з; 2) *геол.* мелковкраплённый.

**dissension** [dɪ'senʃən] *n* 1) разногла́сие; 2) разла́д, ра́спри, раздо́ры.

**dissent** [dɪ'sent] 1. *n* 1) разногла́сие, расхожде́ние во взгля́дах; несогла́сие; 2) *церк.* секта́нтство, раско́л;
2. *v* 1) расходи́ться во мне́ниях, взгля́дах (from); 2) *церк.* отступа́ть от взгля́дов госпо́дствующей це́ркви; принадлежа́ть к се́кте.

**dissenter** [dɪ'sentə] *n* 1) секта́нт, раско́льник, диссиде́нт; 2) *амер.* недово́льный, оппозицио́нно настро́енный челове́к.

**dissentient** [dɪ'senʃɪənt] 1. *n* 1) инакомы́слящий, приде́рживающийся други́х взгля́дов челове́к; 2) го́лос про́тив; the motion was passed with only two ~s предложе́ние бы́ло при́нято при двух голоса́х про́тив;
2. *a* не соглаша́ющийся, инакомы́слящий; раско́льнический; without a ~ voice единогла́сно.

**dissenting vote** [dɪ'sentɪŋvout] *n* голоса́ про́тив; without a ~ единогла́сно.

**dissepiment** [dɪ'sepɪmənt] *n* бот., зоол. перегоро́дка.

**dissert, dissertate** [dɪ'səːt, ,dɪsə'teɪt] *v* 1) рассужда́ть (upon — о чём-л.); 2) писа́ть иссле́дование, диссерта́цию.

**dissertation** [,dɪsə'teɪʃən] *n* диссерта́ция.

**disserve** [dɪs'səːv] *v* оказа́ть плоху́ю услу́гу, напо́ртить, навреди́ть.

**disservice** [dɪs'səːvɪs] *n* плоха́я услу́га; уще́рб, вред; to do smb. a ~ оказа́ть кому́-л. плоху́ю услу́гу; нанести́ кому́-л. уще́рб.

**dissever** [dɪs'sevə] *v* разъединя́ть(ся), отделя́ть(ся).

**disseverance** [dɪs'sevərəns] *n* разъедине́ние, отделе́ние.

**dissidence** ['dɪsɪdəns] *n* разногла́сия; раско́л.

**dissident** ['dɪsɪdənt] 1. *n* диссиде́нт, раско́льник;
2. *a* инакомы́слящий; приде́рживающийся други́х взгля́дов; раско́льнический.

**dissimilar** ['dɪ'sɪmɪlə] *a* непохо́жий, несхо́дный (to), разноро́дный.

dissimilarity [‚dısımı'lærıtı] *n* несхóдство, разлѝчие.

dissimilate [dı'sımıleıt] *v* лингв. диссимилѝровать.

dissimilation ['dısımı'leıʃən] *n* лингв. диссимиляция.

dissimilitude [‚dısı'mılıtuːd] *n* несхóдство.

dissimulate [dı'sımjuleıt] *v* 1) скрывáть (*чувства и т. п.*); 2) симулѝровать; притворя́ться, лицемéрить.

dissimulation [dı‚sımju'leıʃən] *n* симуляция; притвóрство, обмáн, лицемéрие.

dissimulator [dı'sımjuleıtə] *n* притвóрщик, лицемéр.

dissipate ['dısıpeıt] *v* 1) рассéивать, разгоня́ть (*облака, мрак, страх и т. п.*); 2) рассéиваться; 3) расточáть, растрáчивать (*время, силы*); промáтывать (*деньги*); 4) *разг.* кутѝть, развлекáться; вестѝ распýтный óбраз жѝзни.

dissipated ['dısıpeıtıd] 1. *p. p. om* dissipate; 2. *a* 1) рассéянный; 2) растрáченный (*понапрасну*); 3) распýщенный; беспýтный, распýтный.

dissipation [‚dısı'peıʃən] *n* 1) рассéяние; 2) расточéние; 3) легкомýсленные развлечéния; беспýтный óбраз жѝзни; 4) утéчка.

dissociable [dı'souʃjəbl] *a* 1) разделѝмый, разъединѝмый; 2) [dı'souʃəbl] необщѝтельный; 3) несоотвéтствующий.

dissocial [dı'souʃəl] *a* необщѝтельный.

dissociate [dı'souʃıeıt] *v* 1) разъединя́ть, отделя́ть (from); разобщáть; 2) *refl.* отмежёвываться; 3) *хим.* диссоциѝровать; разлагáть.

dissociation [dı‚sousı'eıʃən] *n* 1) разъединéние, отделéние; разобщéние; 2) отмежевáние; 3) *психол.* диссоциáция, расщеплéние лѝчности; 4) *хим.* распáд, разложéние; 5) *тех.* крéкинг-процéсс (*переработка нефти*).

dissociative [dı'sousıətıv] *a* 1) разъединя́ющий, разобщáющий; 2) диссоциѝрующий.

dissolubility [dı‚sɔlju'bılıtı] *n* 1) растворѝмость; разложѝмость; 2) расторжѝмость.

dissoluble [dı'sɔljubl] *a* 1) растворѝмый; разложѝмый; 2) расторжѝмый (*о договоре, браке*).

dissolute ['dısəluːt] *a* распýщенный, беспýтный.

dissolution [‚dısə'luːʃən] *n* 1) растворéние; разжижéние; разложéние (*на составные части*); 2) тáяние (*снега, льда*); 3) расторжéние (*договора, брака*); отмéна; 4) рóспуск, закрýтие (*парламента и т. п.*); 5) расформировáние; 6) *ком.* ликвидáция; 7) распáд (*государства*); 8) конéц, смерть; исчезновéние.

dissolvable [dı'zɔlvəbl] *a* 1) разложѝмый на составные чáсти; 2) расторжѝмый.

dissolve [dı'zɔlv] 1. *n* кино наплýв;
2. *v* 1) растворя́ть(ся); тáять; разжижáть (-ся); испаря́ть(ся); разлагáть(ся) (*на составные части*); ice ~s in the sun лёд тáет

на сóлнце; sun ~s ice сóлнце растáпливает лёд; ~d in tears заливáясь слезáми; 2) распускáть (*парламент и т. п.*); 3) аннулѝровать, расторгáть; 4) постепéнно исчезáть; 5) *кино* появля́ться, покáзываться наплýвом.

dissolvent [dı'zɔlvənt] 1. *n* растворѝтель;
2. *a* растворя́ющий.

dissolving views [dı'zɔlvıŋvjuːz] *n pl* тумáнные картѝны.

dissonance ['dısənəns] *n* 1) *муз.* неблагозвýчие, диссонáнс; 2) несоотвéтствие; несхóдство (*характеров и т. п.*); разлáд.

dissonant ['dısənənt] *a* 1) *муз.* нестрóйный, диссонѝрующий; 2) противоречѝвый, стáлкивающийся (*об интересах, взглядах*).

dissuade [dı'sweıd] *v* 1) отговáривать, отсовéтовать (from); 2) разубеждáть.

dissuasion [dı'sweıʒən] *n* разубеждéние.

dissuasive [dı'sweısıv] *a* разубеждáющий.

dissyllabic ['dısı'læbık] *a* двуслóжный.

dissyllable [dı'sıləbl] *n* двуслóжное слóво.

dissymmetrical ['dısı'metrıkəl] *a* 1) несимметрѝчный; асимметрѝчный; 2) симметрѝчный, но противополóжно напрáвленный (*напр., правая и левая руки*).

dissymmetry ['dı'sımıtrı] *n* 1) отсýтствие симметрѝи; асимметрѝя, несимметрѝчность; 2) симметрѝя [*см.* dissymmetrical 2)].

distaff ['dıstɑːf] *n* пря́лка; ◊ the ~ a) жéнское дéло; б) жéнщины; the ~ side жéнская лѝния (*в генеалогии*).

distal ['dıstəl] *a* *анат.* отдалённый от цéнтра, периферѝческий.

distance ['dıstəns] 1. *n* 1) расстоя́ние; дистáнция; at a ~ на извéстном расстоя́нии; out of ~, beyond striking (*или* listening) ~ вне досягáемости; within striking (*или* listening) ~ в предéлах досягáемости; to hit the ~ *спорт.* пробежáть дистáнцию; 2) отдалённость; дáльность; даль; in the ~ вдалѝ; from a ~ издалекá; it is quite a ~ from here это довóльно далекó отсю́да; a good ~ off довóльно далекó; по ~ at all совсéм недалекó; 3) сдéржанность, хóлодность (*в обращении*); to keep one's ~ from smb. избегáть когó-л.; to keep a person at a ~ держáть когó-л. на почтѝтельном расстоя́нии, избегáть сближéния с кем-л.; 4) даль, перспектѝва (*в живописи*); middle ~ срéдний план; 5) промежýток, перѝод (*времени*); отрéзок; the ~ between two events промежýток врéмени мéжду двумя́ событиями; at this ~ of time стóлько врéмени спустя́; 6) *муз.* интервáл мéжду двумя́ нóтами; 7) *attr.* ~ control дистанциóнное управлéние, телеуправлéние;
2. *v* 1) оставля́ть далекó позадѝ себя́; 2) размещáть на рáвном расстоя́нии; 3) отдаля́ть.

distance-piece ['dıstəns‚piːs] *n* *тех.* распóрка.

distant ['dıstənt] *a* 1) дáльний; далёкий; отдалённый; five miles ~ отстоя́щий на 5 миль; ~ likeness отдалённое схóдство; ~ relative дáльний рóдственник; 2) сдéржанный, холóдный; ~ politeness холóдная вéж-

ливость; to be on ~ terms быть в стро́го
официа́льных отноше́ниях.

**distaste** [dıs'teıst] **1.** *n* отвраще́ние (for);
to have a ~ for smth. испы́тывать отвра-
ще́ние к чему́-л.;
**2.** *v* пита́ть отвраще́ние.

**distasteful** [dıs'teıstful] *a* проти́вный, не-
прия́тный (*особ. на вкус*; to).

**distemper** I [dıs'tempə] **1.** *n* 1) нездо-
ро́вье; душе́вное расстро́йство; 2) соба́-
чья чума́; 3) *уст.* беспоря́дки, волне́ния;
**2.** *v* расстра́ивать здоро́вье; наруша́ть
душе́вное равнове́сие.

**distemper** II [dıs'tempə] *жив.* **1.** *n* 1)
те́мпера; жи́вопись те́мперой; 2) клеева́я
кра́ска;
**2.** *v* писа́ть те́мперой.

**distempered** I [dıs'tempəd] **1.** *p. p. от*
distemper I, 2;
**2.** *a* расстро́енный; a ~ fancy, a ~ mind
расстро́енное воображе́ние.

**distempered** II [dıs'tempəd] *p. p. от*
distemper II, 2.

**distend** [dıs'tend] *v* 1) надува́ть(ся), раз-
дува́ть(ся); 2) *уст.* растя́гивать(ся).

**distensible** [dıs'tensəbl] *a* растяжи́мый,
эласти́чный.

**distension** [dıs'tenʃən] *n* растяже́ние, рас-
шире́ние.

**distent** [dıs'tent] *a* наду́тый, разду́тый.

**distich** ['dıstık] *n* двусти́шие, ди́стих.

**distichous** ['dıstıkəs] *a бот.* располо́-
женный двумя́ ряда́ми, двуря́дный.

**distil** [dıs'tıl] *v* 1) сочи́ться, ка́пать; 2)
дистилли́ровать, очища́ть; опресня́ть (*во́ду*);
3) перегоня́ть, гнать (*спирт и т. п.*); 4) из-
влека́ть эссе́нцию (*из расте́ний*); *перен.*
извлека́ть суще́ственное.

**distillate** ['dıstılıt] *n* проду́кт перего́нки,
дистилля́ции, дистилля́т.

**distillation** [,dıstı'leıʃən] *n* дистилля́ция,
перего́нка; возго́нка; ректифика́ция; dry ~
суха́я перего́нка; возго́нка; fractional ~
дро́бная (*или* фракцио́нная) перего́нка.

**distillatory** [dıs'tılətərı] *a* очища́ющий,
дистилли́рующий; ~ vessel перего́нный
куб.

**distiller** [dıs'tılə] *n* 1) виноку́р; 2) ди-
стилля́тор (*аппара́т для перего́нки*).

**distillery** [dıs'tılərı] *n* виноку́ренный за-
во́д; перего́нный заво́д; устано́вка для пере-
го́нки.

**distinct** [dıs'tıŋkt] *a* 1) отде́льный; осо́-
бый, индивидуа́льный; отли́чный (*от других*); ~ type of mind осо́бый склад ума́; 2)
отчётливый; я́сный, вня́тный; 3) определённый; 4) *уст., поэт.* укра́шенный, пёстрый.

**distinction** [dıs'tıŋkʃən] *n* 1) различе́-
ние; распознава́ние; 2) разли́чие, отли́чие;
a ~ without a difference иску́сственное,
(то́лько) ка́жущееся разли́чие; all without
~ все без разли́чия, без исключе́ния; 3) от-
личи́тельная осо́бенность, оригина́льность,
индивидуа́льность; his style lacks ~ в его́
сти́ле нет индивидуа́льности; 4) отли́чие;
знак отли́чия; 5) высо́кие ка́чества; из-
ве́стность; poet of ~ выдаю́щийся, знаме-
ни́тый поэ́т.

**distinctive** [dıs'tıŋktıv] *a* отличи́тель-
ный, характе́рный; ~ feature отличи́тель-
ная черта́; ~ mark отличи́тельный знак.

**distinctly** [dıs'tıŋktlı] *adv* 1) я́сно, отчётливо; 2) определённо, заме́тно; days are
growing ~ shorter дни стано́вятся заме́тно
коро́че.

**distinctness** [dıs'tıŋktnıs] *n* я́сность, от-
чётливость; определённость.

**distingué** [dıs,tæŋ'geı] *фр. a* изы́скан-
ный, изя́щный.

**distinguish** [dıs'tıŋgwıʃ] *v* 1) различи́ть;
разгляде́ть; 2) ви́деть *или* проводи́ть раз-
ли́чие, различа́ть; I can hardly ~ between
the two brothers, I can hardly ~ the two
brothers one from the other я с трудо́м
различа́ю э́тих двух бра́тьев; 3) отмеча́ть;
4) характеризова́ть, отлича́ть; with the geniality which ~es him со сво́йственным
ему́ доброду́шием; to ~ oneself by smth.
вы́делиться, отличи́ться чем-л.; стать из-
ве́стным благодаря́ чему́-л.

**distinguishable** [dıs'tıŋgwıʃəbl] *a* раз-
личи́мый, отличи́мый.

**distinguished** [dıs'tıŋgwıʃt] **1.** *p. p. от*
distinguish;
**2.** *a* 1) выдаю́щийся, изве́стный; ~ service *воен.* отли́чная слу́жба; 2) отличи́тель-
ный, характе́рный; ~ style характе́рный
стиль.

**distinguishing** [dıs'tıŋgwıʃıŋ] **1.** *pres. p.
от* distinguish;
**2.** *a* отличи́тельный, характе́рный.

**distort** [dıs'tɔːt] *v* 1) искажа́ть; искрив-
ля́ть; перека́шивать; 2) извраща́ть (*факты и т. п.*).

**distortion** [dıs'tɔːʃən] *n* 1) искаже́ние;
искривле́ние; перека́шивание; 2) извра-
ще́ние (*фа́ктов и т. п.*).

**distortionist** [dıs'tɔːʃənıst] *n* 1) акроба́т,
«челове́к-змея́»; 2) челове́к, искажа́ющий
смысл (*чего́-л.*); 3) карикатури́ст.

**distract** [dıs'trækt] *v* 1) отвлека́ть, рас-
се́ивать (*внима́ние и т. п.*; from); 2) сму-
ща́ть; расстра́ивать; 3) серди́ть, приводи́ть
в я́рость; ~ed by (*или* with, at) smth. рас-
се́рженный чем-л.

**distracted** [dıs'træktıd] **1.** *p. p. от* distract;
**2.** *a* обезу́мевший; to drive a person ~
своди́ть кого́-л. с ума́.

**distraction** [dıs'trækʃən] *n* 1) развле-
че́ние; 2) отвлече́ние внима́ния; 3) то, что
отвлека́ет внима́ние, развлека́ет; noise is
a ~ when one is working шум о́чень ме-
ша́ет, когда́ челове́к рабо́тает; 4) рассе́ян-
ность; 5) раздраже́ние; си́льное возбужде́-
ние, отча́яние; 6) безу́мие; to love to ~ лю-
би́ть до безу́мия; to be driven to ~ быть до-
ведённым до безу́мия.

**distrain** [dıs'treın] *v* *юр.* накла́дывать
аре́ст на иму́щество в обеспе́чение до́лга.

**distrainee** [,dıstreı'niː] *n* *юр.* лицо́, у ко-
то́рого опи́сано иму́щество (*за долги́*).

**distrainment** [dıs'treınmənt] *n* *юр.* о́пись
иму́щества в обеспе́чение до́лга.

**distraint** [dıs'treınt] = distrainment.

**distrait**, *ж.* **distraite** [dıs'treı, -eıt] *фр. a*
рассе́янный, невнима́тельный.

**distraught** [dıs'trɔːt] *a* уст. потерявший рассудок, обезумевший (*от горя*).

**distress** [dıs'tres] **1.** *n* 1) горе, страдание; 2) несчастье; беда; бедствие; a ship in ~ судно, терпящее бедствие; 3) недомогание; утомление; истощение; 4) нужда; нищета; to relieve ~ помочь нуждающимся; 5) *юр.* право домовладельца накладывать арест на имущество квартиронанимателя за невзнос квартирной платы; 6) = distrainment; 7) *attr.*: ~ signal сигнал бедствия (SOS);
**2.** *v* 1) причинять страдание, горе; to ~ oneself беспокоиться, мучиться; 2) истощать силы; 3) *юр.* налагать арест на имущество.

**distressful** [dıs'tresful] *a* многострадальный, скорбный; горестный; ~ situation бедственное положение.

**distress-gun** [dıs'tresgʌn] *n* выстрел с корабля как сигнал бедствия.

**distressing** [dıs'tresıŋ] **1.** *pres. p. om* distress 2;
**2.** *a* огорчительный, внушающий беспокойство; most ~ news весьма печальная новость.

**distribuend** [dıs'trıbjuənd] *n* то, что подлежит распределению.

**distributable** [dıs'trıbjutəbl] *a* подлежащий распределению.

**distributary** [dıs'trıbjutərı] *n* рукав реки.

**distribute** [dıs'trıbjuːt] *v* 1) распределять, раздавать (among, to); to ~ letters разносить письма; 2) (ровно) размазывать (*краску*); (равномерно) разбрасывать; to ~ manure over a field разбросать удобрение по полю; 3) распространять; 4) классифицировать; to ~ books into classes распределять книги по отделам; 5) *полигр.* разобрать шрифт и разложить его по кассам; 6) *уст.* отправлять правосудие.

**distribution** [ˌdıstrı'bjuːʃən] *n* 1) распределение, раздача; 2) распространение; 3) *полигр.* разбор шрифта и распределение его по кассам.

**distributive** [dıs'trıbjutıv] **1.** *a* 1) распределительный; 2) *грам.* разделительный;
**2.** *n* *грам.* разделительное местоимение; разделительное прилагательное.

**distributor** [dıs'trıbjutə] *n* 1) распределитель; 2) *авт.* распределитель зажигания; 3) *дор.* гудронатор.

**district** ['dıstrıkt] **1.** *n* 1) район; округ; участок; the lake ~ озёрная область (*на севере Англии*); 2) *амер.* избирательный округ; 3) самостоятельный церковный приход (*в Англии*); 4) *attr.* районный; окружной; ~ council окружной совет; ~ court *амер.* окружной суд; ~ attorney окружной прокурор; ~ heating теплофикация; централизованное отопление района; D. Railway электрическая железная дорога, соединяющая Лондон с пригородами;
**2.** *v* делить на районы, округа, районировать.

**distrust** [dıs'trʌst] **1.** *n* недоверие, сомнение; подозрение;
**2.** *v* не доверять, сомневаться (*в ком-л.*); подозревать.

**distrustful** [dıs'trʌstful] *a* недоверчивый; подозрительный.

**distune** [dıs'tjuːn] *v* расстраивать (*инструмент*; *тж.* перен.).

**disturb** [dıs'təːb] *v* 1) беспокоить, мешать; 2) нарушать (*покой, молчание, душевное равновесие*); волновать, смущать; to ~ confidence подорвать доверие; 3) расстраивать (*планы*); 4) приводить в беспорядок.

**disturbance** [dıs'təːbəns] *n* 1) нарушение (*тишины, покоя, порядка и т. п.*); тревога, беспокойство; 2) волнения; беспорядки; 3) *юр.* нарушение (*прав*); 4) неисправность, повреждение; 5) *геол.* дислокация; 6) перерыв (*геологического периода*); 7) *радио* атмосферные помехи.

**disturber** [dıs'təːbə] *n* нарушитель.

**disunion** ['dıs'juːnjən] *n* 1) разделение; разъединение; разобщение; 2) разногласие, разлад.

**disunite** ['dısjuː'naıt] *v* разделять; разобщать (ся); разъединять(ся).

**disunity** ['dıs'juːnıtı] *n* отсутствие единства; разлад; разобщённость.

**disuse 1.** *n* ['dıs'juːs] неупотребление; to come (*или* to fall) into ~ выйти из употребления;
**2.** *v* ['dıs'juːz] перестать употреблять, перестать пользоваться (*чем-л.*).

**disyllabic** ['dısı'læbık] *a* = dissyllabic.

**ditch** [dıtʃ] **1.** *n* 1) канава; ров; кювет; 2) траншея; выемка, котлован; to die in the last ~, to fight up to the last ~ биться до конца, до последней капли крови; стоять насмерть; 3) *sl.* море;
**2.** *v* 1) окапывать (*рвом, канавой*); 2) чистить канаву, ров; 3) осушать почву с помощью канав; 4) *амер.* сбрасывать в канаву; пускать под откос; 5) *амер. sl.* выбрасывать; 6) *разг.* покидать в беде; 7) *разг.* делать вынужденную посадку на воду.

**ditcher** ['dıtʃə] *n* 1) землекоп; 2) канавокопатель (*машина*).

**ditching** ['dıtʃıŋ] **1.** *pres. p. om* ditch 2;
**2.** *n* отрывка канав (*часто* hedging and ~).

**ditch-water** ['dıtʃˌwɔːtə] *n* стоячая вода в канавах; ◇ dull as ~ невыносимо скучный.

**ditheism** ['daıθıızəm] *n* религиозный дуализм, двоебожие.

**dither** ['dıðə] *диал.* **1.** *n* 1) дрожь; 2) озноб; 3) сильное возбуждение; to be all of a ~ находиться в состоянии сильного возбуждения; 4) смущение;
**2.** *v* 1) дрожать, трястись; 2) ёжиться; 3) смущать(ся); 4) колебаться.

**dithyramb** ['dıθıræmb] *n* дифирамб.

**dittany** ['dıtənı] *n* бот. ясенец белый.

**ditto** ['dıtou] **1.** *n* (*pl* -os [-ouz]) 1) то же, столько же, такой же (*употребляется в инвентарных списках, счетах и т. п. для избежания повторения*); paid to A 100 roubles, ~ to B уплачено A 100 рублей и столько же уплачено B; to say ~ to smb. *шутл.* поддакивать кому-л.; 2) *pl* костюм (вся «тройка») из одного материала;
**2.** *v* делать повторения;
**3.** *adv* таким же образом.

**ditty** ['dɪtɪ] *n* 1) пе́сенка; 2) люби́мая погово́рка.

**ditty-bag, ditty-box** ['dɪtɪbæg, -bɔks] *n* мешо́чек солда́та, матро́са для иго́лок, ни́ток и др. мелоче́й.

**diuresis** [,daɪjuə'rɪːsɪs] *n мед.* диуре́з.

**diuretic** [,daɪjuə'retɪk] **1.** *n* мочего́нное сре́дство;
**2.** *a* мочего́нный.

**diurnal** [daɪ'əːnl] **1.** *a* 1) дневно́й (*противоп.* nocturnal); 2) *уст.* ежедне́вный; 3) *астр.* су́точный;
**2.** *n уст.* дневни́к.

**diva** ['dɪːvə] *ит. n* примадо́нна.

**divagate** ['daɪvəgeɪt] *v* отклоня́ться от те́мы.

**divagation** [,daɪvə'geɪʃən] *n* разгово́ры, рассужде́ния, отклоня́ющиеся от те́мы.

**divalent** ['daɪ,veɪlənt] *a хим.* двухвале́нтный.

**divan** [dɪ'væn] *n* 1) *ист.* дива́н (*государственный совет в Турции*); зал сове́та; 2) тахта́ (*мебель*); 3) кури́тельная ко́мната; 4) *шутл.* таба́чная ла́вка; 5) сбо́рник стихо́в, антоло́гия; 6) = dewan.

**divan-bed** ['daɪvænbed] *n* куше́тка.

**divaricate** [daɪ'værɪkeɪt] **1.** *a бот., зоол.* разветвлённый;
**2.** *v* 1) разветвля́ться; 2) расходи́ться (*о дорогах*).

**divarication** [daɪ,værɪ'keɪʃən] *n* 1) разветвле́ние; 2) расхожде́ние; 3) развило́к (*дорог*).

**dive** [daɪv] **1.** *n* 1) ныря́ние, прыжо́к в во́ду; 2) прыжо́к вниз; 3) погруже́ние (*подводной лодки*); 4) внеза́пное исчезнове́ние; 5) *ав.* пики́рование; 6) подзе́мное убе́жище; 7) «подзёмка» (*подземная железная дорога*); 8) *амер. разг.* дешёвый рестора́н, «подва́льчик»; погребо́к;
**2.** *v* 1) ныря́ть; броса́ться в во́ду; 2) броса́ться вниз; 3) погружа́ться (*о подводной лодке*); 4) углубля́ться (*в изучение чего-л.*); проника́ть в та́йну (*чего-л.*); 5) внеза́пно скры́ться из ви́да, шмыгну́ть; to ~ into the bushes юркну́ть в кусты́; 6) *ав.* пики́ровать; 7) су́нуть ру́ку (*в воду, в карман*).

**dive-bomb** ['daɪvbɔm] *v воен. ав.* бомби́ть с пики́рования.

**dive-bomber** ['daɪvbɔmə] *n* пики́рующий бомбардиро́вщик.

**diver** ['daɪvə] *n* 1) спортсме́н по прыжка́м в во́ду; 2) водола́з; 3) иска́тель жёмчуга, гу́бок; 4) гага́ра (*птица*); 5) *разг.* вор-карма́нник.

**diverge** [daɪ'vəːdʒ] *v* 1) расходи́ться; 2) отклоня́ться; уклоня́ться; 3) отходи́ть от но́рмы *или* станда́рта.

**divergence, -cy** [daɪ'vəːdʒəns, -sɪ] *n* 1) расхожде́ние; 2) отклоне́ние; 3) *мат.* дивергёнция.

**divergent** [daɪ'vəːdʒənt] *a* 1) расходя́щийся; 2) отклоня́ющийся; 3) *опт.* рассе́ивающий (*о линзе*).

**divers** ['daɪvəz] *a уст.* ра́зный; in ~ places в ра́зных места́х.

**diverse** [daɪ'vəːs] *a* 1) ино́й, отли́чный (*от чего-л.*); 2) разнообра́зный, ра́зный.

**diversiform** [daɪ'vəːsɪfɔːm] *a* разнообра́зный; име́ющий разли́чные фо́рмы.

**diversify** [daɪ'vəːsɪfaɪ] *v* 1) разнообра́зить; 2) *амер.* вкла́дывать в разли́чные предприя́тия (*капитал*).

**diversion** [daɪ'vəːʃən] *n* 1) отклоне́ние; 2) отвлече́ние внима́ния; 3) развлече́ние; 4) *театр.* скетч; 5) *воен.* диве́рсия (такти́ческая); 6) обхо́д, отво́д; 7) *attr.*: ~ dam отво́дная плоти́на.

**diversity** [daɪ'vəːsɪtɪ] *n* 1) разнообра́зие; 2) несхо́дство; разли́чие; 3) разнови́дность; 4) *поэт.* пестрота́.

**divert** [daɪ'vəːt] *v* 1) отводи́ть; отклоня́ть; 2) отвлека́ть (*внимание*); 3) забавля́ть, развлека́ть.

**diverting** [daɪ'vəːtɪŋ] **1.** *pres. p. от* divert;
**2.** *a* развлека́ющий, занима́тельный.

**divertissement** [dɪvəː'tɪsmã] *фр. n* 1) развлече́ние; 2) дивертисме́нт.

**Dives** ['daɪvɪːz] *n библ.* бога́ч.

**divest** [daɪ'vest] *v* 1) раздева́ть, снима́ть (*одежду и т. п.*; of); 2) лиша́ть (of); to ~ smb. of his right лиши́ть кого́-л. пра́ва; I cannot ~ myself of the idea я не могу́ отде́латься от мы́сли.

**divestiture** [daɪ'vestɪtʃə] *n* 1) раздева́ние; 2) лише́ние (*прав и т. п.*).

**divestment** [daɪ'vestmənt] = divestiture.

**divi** ['dɪvɪ] *редк.* = divvy.

**divide** [dɪ'vaɪd] **1.** *n* 1) *разг.* разделе́ние; 2) *амер.* водоразде́л; the Great D. *разг.* перева́л в Скали́стых гора́х; *перен.* смерть; to cross the Great D. умере́ть;
**2.** *v* 1) дели́ть(ся); to ~ into several parts (among several persons) разделя́ть на не́сколько часте́й (ме́жду несколькими ли́цами); 2) разделя́ть(ся); 3) подразделя́ть; дроби́ть; 4) градуи́ровать, наноси́ть деле́ния (*на шкалу*); 5) *мат.* дели́ться без оста́тка; sixty ~d by twelve is (*или* gives) five шестьдеся́т, делённое на двена́дцать, равня́ется пяти́; 6) отделя́ть(ся); разъединя́ть(ся); 7) расходи́ться (*о взглядах*); opinions are ~d on the point мне́ния расхо́дятся по э́тому вопро́су; 8) *парл.* голосова́ть; ~!, ~! возгла́сы, тре́бующие прекраще́ния пре́ний и перехо́да к голосова́нию; to ~ the House провести́ поимённое голосова́ние.

**divided** [dɪ'vaɪdɪd] **1.** *p. p. от* divide;
**2.** *a* 1) разделённый, отделённый; разде́льный; разъёмный, составно́й; 2) с глубо́кими зубца́ми (*о листьях*); 3) *фон.* пла́вный; 4) градуи́рованный.

**dividend** [dɪ'vɪdend] *n* 1) *мат.* дели́мое; 2) *фин.* дивиде́нд.

**dividend-warrant** ['dɪvɪdend,wɔrənt] *n* сертифика́т на получе́ние дивиде́нда.

**divider** [dɪ'vaɪdə] *n* 1) тот, кто *или* то, что де́лит; 2) тот, кто се́ет рознь; 3) *pl* ци́ркуль.

**dividing** [dɪ'vaɪdɪŋ] **1.** *pres. p. от* divide;
**2.** *a* 1) разделя́ющий; 2) *тех.* дели́тельный.

**dividual** [dɪ'vɪdjuəl] *a* 1) отде́льный; разделённый; 2) раздели́мый.

**divination** [ˌdɪvɪ'neɪʃən] *n* 1) гада́ние, ворожба́; 2) предсказа́ние; прорица́ние; 3) уда́чный, пра́вильный прогно́з.

**divine** [dɪ'vaɪn] 1. *n* богосло́в; *уст.* духо́вное лицо́;
2. *a* 1) боже́ственный; 2) *разг.* превосхо́дный; 3) проро́ческий;
3. *v* 1) проро́чествовать; предска́зывать; 2) (пред)уга́дывать; 3) предполага́ть.

**diving** ['daɪvɪŋ] 1. *pres. p. om* dive 2;
2. *n* ныря́ние; *спорт.* прыжки́ в во́ду;
3. *a* пики́рующий; ~ brakes *ав.* тормоза́ для вхожде́ния в пике́.

**diving-bell** ['daɪvɪŋbel] *n* водола́зный ко́локол.

**diving-dress** ['daɪvɪŋdres] *n* скафа́ндр.

**diving-rudder** ['daɪvɪŋˌrʌdə] *n ав.* руль глубины́.

**divining-rod** [dɪ'vaɪnɪŋrɔd] *n* «маги́ческий» жезл *или* прут (*из ивы или орешника*), кото́рый я́кобы ука́зывает, где нахо́дятся подпо́чвенные во́ды *или* мета́ллы.

**divinity** [dɪ'vɪnɪtɪ] *n* 1) боже́ственность; 2) божество́; 3) небе́сное созда́ние; 4) богосло́вие; 5) богосло́вский факульте́т.

**divinize** ['dɪvɪnaɪz] *v* обожествля́ть.

**divisibility** [dɪˌvɪzɪ'bɪlɪtɪ] *n* дели́мость.

**divisible** [dɪ'vɪzəbl] *a* 1) дели́мый; 2) *мат.* деля́щийся без оста́тка.

**division** [dɪ'vɪʒən] *n* 1) деле́ние; 2) разделе́ние; ~ of labour разделе́ние труда́; 3) *мат.* деле́ние без оста́тка; 4) *мат.* знак деле́ния; 5) перегоро́дка; межа́, грани́ца; барье́р; 6) часть, разде́л; 7) отде́л; 8) администрати́вный *или* избира́тельный о́круг; 9) расхожде́ние во взгля́дах, разногла́сия; 10) *парл.* разделе́ние голосо́в во вре́мя голосова́ния; голосова́ние; 11) *воен.* диви́зия; 12) *мор.* дивизио́н; 13) *редк.* шкала́.

**divisional** [dɪ'vɪʒənl] *a* 1) относя́щийся к деле́нию; дро́бный; 2) *воен.* дивизио́нный; ~ area (тылово́й) райо́н диви́зии.

**divisor** [dɪ'vaɪzə] *n мат.* дели́тель.

**divorce** [dɪ'vɔːs] 1. *n* 1) разво́д; 2) отделе́ние, разъедине́ние, разры́в;
2. *v* 1) расторга́ть брак; 2) отделя́ть, разъединя́ть; to ~ from the soil обезземе́ливать.

**divorcé** [dɪˌvɔː'seɪ] *фр. n* разведённый (муж).

**divorcée** [dɪˌvɔː'seɪ] *фр. n* разведённая (жена́).

**divorcee** [dɪˌvɔː'siː] *n* разведённый муж *или* -ая жена́.

**divorcement** [dɪ'vɔːsmənt] *n уст.* 1) разво́д, расторже́ние бра́ка; 2) разры́в, разъедине́ние.

**divot** ['dɪvət] *n шотл.* дёрн.

**divulgate** [ˌdaɪvəl'geɪt] *v уст.* разглаша́ть.

**divulgation** [ˌdaɪvəl'geɪʃən] *n* разглаше́ние (*тайны*).

**divulge** [daɪ'vʌldʒ] *v* разглаша́ть (*тайну*).

**divvy** ['dɪvɪ] *sl.* 1. *n* пай, до́ля;
2. *v* 1) дели́ть(ся); 2) войти́ в пай (*тж.* ~ up).

**Dixie** ['dɪksɪ] *n* о́бщее назва́ние ю́жных шта́тов США (*тж.* D.('s) Land).

**dixie, dixy** ['dɪksɪ] *n воен. разг.* 1) похо́дный ку́хонный котёл; 2) похо́дный котело́к.

**dizain** [dɪ'zeɪn] *n прос.* десятистро́чная строфа́ *или* -ое стихотворе́ние.

**dizen** ['daɪzn] *v уст.* наряжа́ть.

**dizzily** ['dɪzɪlɪ] *adv* головокружи́тельно.

**dizziness** ['dɪzɪnɪs] *n* головокруже́ние.

**dizzy** ['dɪzɪ] 1. *a* 1) чу́вствующий головокруже́ние; I am ~ у меня́ голова́ кру́жится; 2) головокружи́тельный;
2. *v* 1) вызыва́ть головокруже́ние; 2) ошеломля́ть.

**do** I [duː (*полная форма*); du, də, d (*редуци́рованные формы*)] *v* (did; done) 1) де́лать, выполня́ть; to do one's lessons гото́вить уро́ки; to do one's work де́лать свою́ рабо́ту; to do lecturing чита́ть ле́кции; to do one's correspondence писа́ть пи́сьма, отвеча́ть на пи́сьма; вести́ перепи́ску; to do a sum реша́ть арифмети́ческую зада́чу; what can I do for you? *разг.* чем могу́ служи́ть?; 2) устра́ивать, пригото́влять; 3) прибира́ть, приводи́ть в поря́док; to do one's hair причёсываться; to do the room убира́ть ко́мнату; 4) де́йствовать, проявля́ть де́ятельность, быть акти́вным; поступа́ть; to do or die, to do and die соверша́ть геро́ические по́двиги; 5) причиня́ть; to do smb. good быть оказа́ться поле́зным кому́-л.; it doesn't do to complain что по́льзы в жа́лобах; it'll only do you good что вам бу́дет то́лько на по́льзу; to do harm причиня́ть вред; 6) ока́зывать; to do homage ока́зывать уваже́ние; to do justice воздава́ть до́лжное; 7) гото́вить, жа́рить, туши́ть; to do brown a) поджа́рить *или* испе́чь до появле́ния румя́ной ко́рочки; б) *разг.* одура́чить; I like my meat very well done я люблю́, что́бы мя́со бы́ло хорошо́ прожа́рено; done to a turn превосхо́дно приго́товленный; 8) осма́тривать (*достопримеча́тельности*); to do the British Museum осма́тривать Брита́нский музе́й; 9) исполня́ть (*роль*); де́йствовать в ка́честве (*кого́-л.*); to do Hamlet исполня́ть роль Га́млета; 10) подходи́ть, годи́ться; удовлетворя́ть тре́бованиям; he will do for us он нам подхо́дит; this sort of work won't do for him э́та рабо́та ему́ не подойдёт; that will do доста́точно, хорошо́; it won't do to play all day нельзя́ це́лый день игра́ть; this hat will do э́та шля́па подхо́дит; 11) *разг.* отбыва́ть срок (*в тюрьме́*); 12) *разг.* обма́нывать, надува́ть; I think you've been done мне ка́жется, что вас провели́; 13) процвета́ть, преуспева́ть; чу́вствовать себя́ хорошо́; flowers will not do in this soil цветы́ не бу́дут расти́ на э́той по́чве; 14) (*perf.*) конча́ть, зака́нчивать; I have done with my work я ко́нчил свою́ рабо́ту; let us have done with it оста́вим э́то, поко́нчим с э́тим; have done! дово́льно!, хва́тит!; переста́нь(те)!; that's done it э́то доверши́ло де́ло; 15) *употр. в ка́честве вспомога́тельного глаго́ла в отриц. и вопр. форма́х в Present и Past Indefinite*: I do not speak French я не говорю́ по-францу́зски; he did not see me он меня́ [не ви́дел; did you not see me? ра́зве вы меня́ не ви́дели?; do you smoke? вы ку́рите?; 16) *употр. для усиления*: do come пожа́луйста, приходи́те; I did say so and I do say so now да, я э́то (действи́тельно) сказа́л и ещё раз повторя́ю; 17) *употр. вместо другого глагола в Present и Past Indefinite во избежание его повторения*: he works as much as you do (=work) он рабо́тает сто́лько же, ско́лько и вы; he likes bathing and so do I он лю́бит купа́ться и·я то́же; 18) *употр. при инверсии в Present и Past Indefinite*: well do I remember it я хорошо́ э́то по́мню; ☐ do again переде́лывать; do away with уничто́жить; разде́латься; this old custom is done away with с э́тим ста́рым обы́чаем поко́нчено; he did away with himself он поко́нчил с собо́й; do by обраща́ться; do as you would be done by поступа́й с други́ми так, как ты хоте́л бы, что́бы поступа́ли с тобо́й; do down *разг.* а) надува́ть, обма́нывать; б) брать верх; в) *уст.* подавля́ть; преодолева́ть; do for а) (ис)по́ртить; б) губи́ть, убива́ть; he is done for с ним поко́нчено; в) забо́титься, присма́тривать; вести́ хозя́йство (*для кого́--либо*); to do for oneself обходи́ться без посторо́нней по́мощи; do in *sl.* а) обману́ть; б) погуби́ть; убить; в) разру́шить; г) переутоми́ть; д) одоле́ть; победи́ть в состяза́нии; do into переводи́ть; done into English переведено́ на англи́йский (язы́к); do off *уст.* а) снима́ть; б) *амер.* разделя́ть, разгора́живать; do on *уст.* надева́ть; do out убира́ть, прибира́ть; do over а) покрыва́ть (*краской и т. п.*), обма́зывать; б) переде́лывать, де́лать вновь; do to, do unto = do by; do up а) приводи́ть в поря́док, прибира́ть; to do the suite up привести́ кварти́ру в поря́док; to do one's dress up застегну́ть пла́тье; б) (*обыкн. p. p.*) кра́йне утомля́ть; he is quite done up after his journey он о́чень уста́л по́сле пое́здки; в) завёртывать (*пакет*); do with а) терпе́ть, выноси́ть; ла́дить с *кем-л.*; I can't do with him я его́ не выношу́; б) быть дово́льным, удовлетворя́ться; I can do with a cup of milk for my supper я могу́ обойти́сь ча́шкой молока́ на у́жин; do without обходи́ться без *чего-л.*; he can't do without his pair of crutches он не мо́жет ходи́ть без костыле́й; ◇ how do you do? (*тж.* how d'ye do?) здра́вствуйте!; to do well а) поправля́ться, чу́вствовать себя́ хорошо́; б) успе́шно вы́ступить, хорошо́ себя́ прояви́ть; the speaker did well ора́тор произвёл хоро́шее впечатле́ние; в) поступа́ть справедли́во, выполня́ть свой долг (*в отношении кого-л.*); г) идти́ на по́льзу; to do oneself well доставля́ть себе́ удово́льствие; to do a beer вы́пить (кру́жку) пи́ва; to do the business (*или* the job) for smb. *разг.* погуби́ть кого́-л.; to do battle сража́ться; to do in the eye *sl.* на́гло обма́нывать, дура́чить; to do to death *разг.* убить; what's to do? в чём де́ло?; what is done cannot be undone сде́ланного не воро́тишь; to do one's best (*sl.* one's damnedest) не щади́ть уси́лий, де́лать всё от себя́ зави́сящее; to do one's worst из ко́жи вон лезть; done!, done with you! ла́дно, по рука́м!; well done! бра́во, молодцо́м!

do II [duː] *n* 1) *sl.* обма́н, моше́нничество; 2) *разг.* приём госте́й, вечери́нка; *шутл.* собы́тие; we've got a do on tonight у нас сего́дня ве́чер; 3) *pl* уча́стие, до́ля; fair do's! чур, попола́м!; 4) *разг.* приказа́ние, распоряже́ние; 5) *австрал. sl.* успе́х.

do III [dou] *n муз.* до.

do IV [dou] *сокр. от* ditto.

doable ['duːəbl] *a* выполни́мый.

do-all ['duːˌɔːl] *n* ма́стер на все ру́ки; факто́тум.

doat [dout] = dote.

dobbin ['dɔbɪn] *n* ло́шадь (*особ. спокойная, старая*).

doc [dɔk] *n разг.* до́ктор.

docile ['dousaɪl] *a* 1) поня́тливый; 2) послу́шный.

docility [dou'sɪlɪtɪ] *n* 1) поня́тливость; 2) послуша́ние.

dock I [dɔk] *n* щаве́ль.

dock II [dɔk] 1. *n* 1) док; floating ~ плаву́чий док; wet ~ мо́крый док; наливно́й док; dry ~ сухо́й док; to be in dry ~ *разг.* оказа́ться на мели́; оста́ться без рабо́ты; 2) порто́вый бассе́йн; 3) *амер. воен. sl.* го́спиталь; 4) *амер. разг.* приста́нь; 5) *ж.-д.* тупи́к; 6) *театр.* склад декора́ций; 2. *v* 1) ста́вить су́дно в док; 2) входи́ть в док; 3) обору́довать до́ками, стро́ить до́ки.

dock III [dɔk] *n* скамья́ подсуди́мых.

dock IV [dɔk] 1. *n* 1) твёрдая часть хвоста́; 2) обру́бленный хвост; 2. *v* 1) обруба́ть (*хвост*); 2) ко́ротко стричь (*волосы*); 3) уменьша́ть, сокраща́ть; лиша́ть ча́сти (*чего-л.*); to ~ wages уре́зывать за́работную пла́ту; to ~ the entail *юр.* отменя́ть ограниче́ния в пра́ве вы́бора насле́дника.

dockage I ['dɔkɪdʒ] *n* 1) стоя́нка судо́в в до́ках; 2) сбор за по́льзование до́ком.

dockage II ['dɔkɪdʒ] *n* сокраще́ние, уре́зка.

dock-dues ['dɔkdjuːz] *n* сбор за по́льзование до́ком.

docker ['dɔkə] *n* до́кер, порто́вый рабо́чий.

docket ['dɔkɪt] 1. *n* 1) ярлы́к (*с а́дресом грузополуча́теля*); 2) этике́тка; 3) квита́нция об упла́те тамо́женной по́шлины; 4) на́дпись на докуме́нте *или* приложе́ние к докуме́нту с кра́тким изложе́нием его́ содержа́ния; 5) *юр.* вы́писка из пригово́ра; 6) *юр.* рее́стр суде́бных дел; trial — *амер.* спи́сок дел, назна́ченных к слу́шанию; to clear the ~ *амер.* исче́рпать спи́сок дел, назна́ченных к слу́шанию; on the ~ *амер. разг.* в проце́ссе обсужде́ния, рассмотре́ния; 2. *v* 1) де́лать на́дпись на докуме́нте, письме́ с кра́тким изложе́нием его́ содержа́ния; 2) маркирова́ть, накле́ивать этике́тки; 3) вноси́ть содержа́ние суде́бного де́ла в рее́стр.

dockize ['dɔkaɪz] *v* стро́ить до́ки.

dock-master ['dɔkˌmɑːstə] *n* нача́льник до́ка, ве́рфи.

dockyard ['dɔkjɑːd] *n* 1) судоремо́нтный заво́д с до́ками, ве́рфями, э́ллингами и склада́ми; 2) (*обыкн. pl*) судострои́тельная верфь.

**doctor** ['dɔktə] 1. *n* 1) врач, дóктор; 2) дóктор (*учёная степень*); ~s differ, ~s disagree мнéния авторитéтов расхóдятся; D. Fell *лицо, вызывающее невóльную, необъяснимую антипáтию*; 3) *амер. уст.* аптéкарь; 4) искýсственная мýха (*употр. для уженья*); 5) *мор. sl.* судовóй пóвар; 6) *sl.* сорт хéреса; 7) *pl уст.* игрáльные кóсти, налѝтые свинцóм [*ср.* load 2, 6)]; 8) вспомогáтельный механѝзм; 9) *разг.* фальшѝвая монéта;

2. *v* 1) занимáться врачéбной прáктикой; лечѝть; to ~ oneself лечѝться; 2) *редк.* присуждáть дóкторскую стéпень; 3) ремонтѝровать, чинѝть на скóрую рýку; 4) поддéлывать (*докумéнты*); фальсифицѝровать (*пищу, вино*).

**doctoral** ['dɔktərəl] *a* дóкторский.

**doctorate** ['dɔktərɪt] 1. *n* дóкторская стéпень;

2. *v* присуждáть стéпень дóктора.

**Doctors' Commons** ['dɔktəz'kɔmənz] *n pl ист.* коллéгия юрѝстов граждáнского прáва в Лóндоне.

**doctrinaire** [,dɔktrɪ'nɛə] 1. *n* доктринёр; 2. *a* доктринёрский.

**doctrinal** [dɔk'traɪnl] *a* относя́щийся к доктрѝне, догматѝческий.

**doctrinarian** [,dɔktrɪ'nɛərɪən] = doctrinaire.

**doctrine** ['dɔktrɪn] *n* 1) учéние, доктрѝна; ~ of descent *биол.* теóрия происхождéния вѝдов; 2) вéра, дóгма.

**doctrinist** ['dɔktrɪnɪst] *n* слепóй привéрженец какóй-л. доктрѝны.

**document** 1. *n* ['dɔkjumənt] докумéнт; свидéтельство;

2. *v* ['dɔkjument] 1) подтверждáть докумéнтами; 2) снабжáть докумéнтами (*особ. судовыми*).

**documentary** [,dɔkju'mentərɪ] 1. *a* докумéнтальный;

2. *n* докумéнтальный фильм.

**documentation** [,dɔkjumen'teɪʃən] *n* 1) документáция, подтверждéние докумéнтами; 2) *мор.* снабжéние (*судна*) докумéнтами.

**dodder I** ['dɔdə] *n бот.* повилѝка.

**dodder II** ['dɔdə] *v* 1) дрожáть, трястѝсь (*от слáбости, стáрости*); 2) быть дря́хлым; □ ~ along ковыля́ть.

**doddered** ['dɔdəd] *a* с поражённой верхýшкой (*о деревья́х*).

**doddering** ['dɔdərɪŋ] 1. *pres. p. от* dodder II;

2. *a* = doddery.

**doddery** ['dɔdərɪ] *a* 1) нетвёрдый на ногáх, дрожáщий, трясýщийся; 2) глýпый, слабоýмный.

**doddipoll, doddypole** ['dɔdɪpoul] *n* дýрень.

**dodecagon** [dou'dekəgən] *n* двенадцатиугóльник.

**dodecahedron** ['doudɪkə'hedrən] *n* додекáэдр, двенадцатигрáнник.

**dodge** [dɔdʒ] 1. *n* 1) увёртка, уклонéние; 2) улóвка, хѝтрость; 3) *спорт.* обмáнное движéние, финт; 4) *разг.* хѝтрое приспособлéние *или* срéдство; a good ~ for re-

membering names хорóший спóсоб запоминáть именá;

2. *v* 1) избегáть, увёртываться, уклоня́ться (*от удáра*); 2) пря́таться (behind, under); 3) увѝливать; хитрѝть.

**dodger** ['dɔdʒə] *n* 1) увёртливый человéк; хитрéц; 2) *амер.* реклáма, объявлéние; 3) *амер.* кукурýзная лепёшка.

**dodgery** ['dɔdʒərɪ] *n* увёртка.

**dodgy** ['dɔdʒɪ] *a* 1) изворóтливый, лóвкий; 2) хѝтрый; нечéстный; 3) остроýмный (*о приспособлении*).

**dodo** ['doudou] *n* (*pl* -oes, -os [-ouz]) дронт (*вымершая птица*).

**doe** [dou] *n* сáмка олéня (*тж.* зáйца, крóлика, крысы, мыши *и* хорькá).

**doer** ['du:ə] *n* 1) исполнѝтель; he is a ~, not a talker он лю́бит дéйствовать, а не болтáть; 2) *шотл. юр.* довéренное лицó, агéнт; 3): a good (bad) ~ растéние, котóрое бýйно (плóхо) растёт *или* цветёт.

**doeskin** ['douskɪn] *n* 1) олéнья кóжа; зáмша; 2) шерстянáя ткань, имитѝрующая зáмшу.

**doff** [dɔf] *v* 1) снимáть (*шля́пу, одéжду*); 2) отбрáсывать, откáзываться (*от обычая и т. п.*).

**dog** [dɔg] 1. *n* 1) собáка, пёс; Greater (Lesser) Dog созвéздие Большóго (Мáлого) Пса; 2) *pl разг.* состязáние борзых; 3) кобéль; самéц вóлка, лисы́ (*тж.* ~-wolf, ~-fox); 4) *разг.* пáрень (*перевóдится по контéксту*); gay (*или* jolly) ~ весельчáк; lucky ~ счастлѝвец; sly ~ хитрéц; lazy ~ лентя́й; dirty ~ дрянь-человéк, «свинья́»; dumb ~ молчáльник, неразговóрчивый человéк; 5) = dogfish; 6) = andiron; 7) *тех.* задрáйка; гвоздодёр; останóв; 8) *мор.* задрáйка; ◇ give a ~ a bad (*или* ill) name and hang him ≅ клеветá смéрти подóбна; a ~'s life собáчья жизнь; let sleeping ~s lie не касáйтесь неприя́тных вопрóсов; ≅ не тронь лѝхо, покá спит тѝхо; there is life in the old ~ yet ≅ есть ещё пóрох в порохóвницах; ~s of war ýжасы войны́, спýтники войны́; a ~'s age дóлгое врéмя; a dead ~ человéк *или* вещь, ни на что негóдный, -ая; to go to the ~s гѝбнуть; разоря́ться; ≅ идтѝ к чертя́м; to help a lame ~ over a stile помóчь кому́-л. в бедé; every ~ has his day ≅ бýдет и на нáшей ýлице прáздник; hot ~ *амер. разг.* бутербрóд с горя́чей сосѝской); hot ~! *амер. восклицáние одобрéния*; spotty ~ варёный пýдинг с корѝнкой; to put on ~ *разг.* вáжничать; держáть себя́ высокомéрно; to throw to the ~s вы́бросить за негóдностью; ~ on it! проклятие!; чёрт поберѝ!; top ~ собáка, победѝвшая в дрáке; б) хозя́ин положéния; гóсподствующая *или* победѝвшая сторонá; under ~ а) собáка, побеждённая в дрáке; б) подчиня́ющаяся *или* побеждённая сторонá; в) человéк, котóрому не повезлó в жѝзни, неудáчник;

2. *v* 1) ходѝть по пятáм, выслéживать (*тж.* ~ smb.'s footsteps); 2) *перен.* преслéдовать; 3) *мор.:* to ~ down задрáивать.

**dog-ape** ['dɔgeɪp] *n зоол.* бабуѝн.

**dogate** ['dougeɪt] *n* сан дóжа.

**dog-bane** ['dɔgbeɪn] *n бот.* кендырь.

**dog-bee** ['dɔgbiː] *n* трутень.

**Dogberry** ['dɔgberɪ] *n прозвище безграмотного самоуверенного чиновника (по имени персонажа комедии Шекспира «Много шума из ничего»).*

**dogberry** ['dɔgberɪ] *n бот.* свидина кровáво-крáсная.

**dog-biscuit** ['dɔg,bɪskɪt] *n* галéта (*корм для собáк*).

**dog-box** ['dɔgbɔks] *n* отделéние для собáк в багáжном вагóне.

**dogcart** ['dɔgkɑːt] *n* высóкий двухколёсный экипáж с попéречными сидéньями и мéстом для собáк под зáдним сидéньем.

**dog-cheap** ['dɔgʧiːp] 1. *a* óчень дешёвый; 2. *adv* óчень дёшево; ≃ дешéвле пáреной рéпы.

**dog-collar** ['dɔg,kɔlə] *n* 1) ошéйник; 2) *разг.* высóкий воротнúк.

**dog-days** ['dɔgdeɪz] *n pl* сáмые жáркие лéтние дни.

**doge** [doudʒ] *n ист.* дож.

**dog-ear** ['dɔgɪə] = dog's-ear.

**dogface** ['dɔgfeɪs] *n амер. разг.* солдáт-пехотúнец.

**dog-faced** ['dɔgfeɪst] *a* с собáчьей мóрдой.

**dog-fancier** ['dɔg,fænsɪə] *n* собаковóд.

**dogfight** ['dɔgfaɪt] *n* 1) дрáка собáк; 2) свáлка, беспорядочная дрáка; 3) рукопáшный бой; 4) *ав. разг.* воздýшный бой истребúтелей.

**dogfish** ['dɔgfɪʃ] *n* морскáя собáка (*акула*).

**dog-fox** ['dɔgfɔks] *n зоол.* 1) самéц лисúцы; 2) корсáк.

**dogged** [dɔgd] 1. *p. p. от* dog 2; 2. *a* ['dɔgɪd] упрямый, упóрный, настóйчивый; it's ~ that does it ≃ терпéние и труд всё перетрýт; 3. *adv sl.* чрезвычáйно, óчень.

**dogger** ['dɔgə] *n* 1) двухмáчтовое голлáндское рыболóвное сýдно; 2) *геол.* срéдняя юрá.

**doggerel** ['dɔgərəl] 1. *n* плохúе стихú, вúрши; 2. *a* бессмысленный, сквéрный (*о стихах*).

**doggery** ['dɔgərɪ] *n* 1) свóра; 2) собáчьи повáдки; 3) *амер. разг.* пóртерная.

**doggie** ['dɔgɪ]=doggy.

**doggish** ['dɔgɪʃ] *a* 1) собáчий; 2) *редк.* раздражúтельный, огрызáющийся; 3) жестóкий; грýбый; 4) *разг.* кривлúво-мóдный.

**doggo** ['dɔgou] *adv*: to lie ~ *разг.* притаúться; выжидáть.

**doggone** ['dɔggɔn] *int* досáда какáя!; чёрт побери! (*тж.* doggoned).

**doggy** ['dɔgɪ] 1. *n* собáчка, собачóнка; 2. *a* 1) собáчий; 2) любящий собáк.

**dog-head** ['dɔghed] *n арт.* 1) боёк; 2) удáрник.

**dog-hole** ['dɔghoul] *n* собáчья конурá, камóрка.

**dog-house** ['dɔghaus] *n* собáчья конурá.

**dog-in-a-blanket** ['dɔgɪnə'blæŋkɪt] *n* род пýдинга.

**dog latin** ['dɔg'lætɪn] *n* испóрченная (*или* «кýхонная») латынь.

**dog-lead** ['dɔgliːd] *n* поводóк, цепь *или* ремешóк, на котóром вóдят собáк.

**dog licence** ['dɔg'laɪsəns] *n* регистрациóнное свидéтельство на собáку.

**dogma** ['dɔgmə] *n (pl* -as [-əz], -ata) 1) дóгма; 2) дóгмат.

**dogmata** ['dɔgmətə] *pl от* dogma.

**dogmatic** [dɔg'mætɪk] *a* 1) догматúческий; 2) диктáторский; категорúческий, не допускáющий возражéний.

**dogmatically** [dɔg'mætɪkəlɪ] *adv* 1) догматúчески; 2) авторитéтным тóном.

**dogmatics** [dɔg'mætɪks] *n pl* (*употр. как sing*) догмáтика; догматúческое богослóвие.

**dogmatize** ['dɔgmətaɪz] *v* 1) догматизúровать; 2) говорúть авторитéтным тóном.

**dog nail** ['dɔgneɪl] *n тех.* костыль.

**dog-poor** ['dɔg'puə] *a predic.* нúщий; ≃ гол как сокóл.

**dog-rose** ['dɔgrouz] *n* дúкая рóза, шипóвник; рóза собáчья.

**dog-salmon** ['dɔg'sæmən] *n зоол.* кетá, горбýша.

**dog's-ear** ['dɔgzɪə] 1. *n* зáгнутый (*от употреблéния*) уголóк странúцы; 2. *v* загибáть уголкú странúц (*в книгах*).

**dog's-grass** ['dɔgzgrɑːs] *n бот.* пырéй ползýчий.

**dogshores** ['dɔgʃɔːz] *n pl* подпóры салáзок для спýска сýдна нá воду.

**dog-sick** ['dɔg'sɪk] *a predic.*: he was ~ он себя отвратúтельно чýвствовал.

**dogskin** ['dɔgskɪn] *n* лáйка (*кожа*).

**dog-sleep** ['dɔgsliːp] *n* чýткий сон; сон урывками.

**dog's letter** ['dɔgz,letə] *n* старúнное назван ие буквы R.

**dog's-meat** ['dɔgzmiːt] *n* 1) мясо для собáк, *особ.* конúна; 2) пáдаль.

**dog's-nose** ['dɔgznouz] *n* смесь пúва с вóдкой.

**Dog's Tail** ['dɔgz'teɪl] *n астр.* Мáлая Медвéдица.

**dog's-tail** ['dɔgzteɪl] *n бот.* гребневúк, гребéнник.

**dog-star** ['dɔgstɑː] *n разг.* Сúриус (*звезда*).

**dog tag** ['dɔgtæg] *n амер. воен. разг.* лúчный знак.

**dog-tail** ['dɔgteɪl]= dog's-tail.

**dog-tired** ['dɔg'taɪəd] *a* устáлый «как собáка».

**dog-tooth** ['dɔgtuːθ] *n* 1) клык; 2) *архит.* название орнамента английской готики в виде четырёх листьев, расходящихся из одной выступающей точки.

**dog-tree** ['dɔgtriː]= dogwood.

**dogtrot** ['dɔgtrɔt] *n* рысцá.

**dog-violet** ['dɔg,vaɪəlɪt] *n бот.* фиáлка собáчья; дúкая фиáлка.

**dog-watch** ['dɔgwɔʧ] *n мор.* полувáхта (*от 16 до 18 ч. или от 18 до 20 ч.*).

**dog-weary** ['dɔg'wɪərɪ]= dog-tired.

**dog-wolf** ['dɔgwulf] *n* самéц вóлка.

**dogwood** ['dɔgwud] *n бот.* кизúл.

**doily** ['dɔɪlɪ] *n* салфéточка.

**doing** ['duːɪŋ] 1. *pres. p. от* do I; 2. *n* 1) *pl* делá, дéйствия, поведéние, постýпки; fine ~s these! хорóшенькие делá творятся!; I have heard of your ~s *ирон.* слышал я о ваших подвигах; 2) *pl* возня, шум; 3) *разг.* нахлобучка; 4) *pl амер. разг.* затейливые блюда.

**doit** [dɔit] *n* 1) *название старинной мелкой монеты;* 2) мелочь, пустяк; not to care a ~ ни во что не ставить; not worth a ~ гроша ломаного не стоит.

**doited** ['dɔitid] *a шотл.* выживший из ума.

**doldrums** ['dɔldrəmz] *n pl* 1) дурное настроение; депрессия; to be in the ~ хандрить, быть в плохом настроении; 2) *мор., метеор.* экваториальная штилевая полоса.

**dole** I [doul] *n* 1) небольшое вспомоществование; подачка; to be (*или* to go) on the ~ получать пособие; 2) пособие по безработице; 3) *уст.* доля, судьба;
2. *v* скупо выдавать, раздавать в скудных размерах (*обыкн.* ~ out).

**dole** II [doul] *n уст., поэт.* горе, скорбь.

**doleful** ['doulful] *a* скорбный, печальный; меланхолический.

**dolichocephalic** ['dɔlikouke'fælik] *a антр.* длинноголовый, долихоцефальный.

**doll** [dɔl] 1. *n* кукла; Paris ~ манекен;
2. *v амер. разг.* наряжать(ся) (*обыкн.* ~ up); ~ed up разряженный.

**dollar** ['dɔlə] *n* 1) доллар (= *100 центам*); the ~s деньги, богатство; 2) *sl.* крона (*монета в 5 шиллингов*); 3) *attr.*: ~ diplomacy дипломатия доллара.

**dollish** ['dɔliʃ] *a* кукольный, похожий на куклу.

**dollop** ['dɔləp] *n разг.* кусок.

**dolly** ['dɔli] 1. *n* 1) куколка; 2) бельевой валёк; 3) тележка на катках для перевозки брёвен, досок *и т. п.*; 4) локомотив узкоколейной железной дороги, «кукушка»; 5) *горн.* пест для размельчения руды; 6) *тех.* оправка, медведка, штамп;
2. *v* 1) бить вальком (*бельё*); 2) *горн.* перемешивать (*руду*) во время её промывки; дробить (*руду*) пестиком.

**dolly-bag** ['dɔlibæg] *n* маленькая дамская сумочка.

**dolly-shop** ['dɔliʃɔp] *n* 1) лавка для матросов; 2) тайная ссудная касса.

**dolly-tub** ['dɔlitʌb] *n* лохань; корыто.

**dolman** ['dɔlmən] *n* 1) доломан, гусарский мундир с ментиком; 2) род дамского платья с широким рукавом.

**dolmen** ['dɔlmen] *n археол.* дольмен, кромлех.

**dolomite** ['dɔləmait] *n мин.* доломит.

**dolorous** ['dɔlərəs] *a поэт.* печальный, грустный.

**dolose** [dou'lous] *a юр. уст.* злонамеренный, с преступной целью.

**dolour** ['doulə] *n поэт.* печаль, горе.

**dolphin** ['dɔlfin] *n* 1) *зоол.* дельфин (настоящий); дельфин-белобочка; 2) *мор.* швартовый пал; свайный куст; носовой защитный кранец.

**dolt** [doult] *n* дурень, болван.

**doltish** ['doultiʃ] *a* тупой, придурковатый.

**domain** [də'mein] *n* 1) владение; имение; территория; Eminent D. суверенное право

государства отчуждать частную собственность (за компенсацию); 2) область, сфера.

**dome** [doum] 1. *n* 1) купол; свод; 2) небесный свод; 3) *поэт.* величественное здание; 4) *амер. разг.* голова, башка; 5) *тех.* колпак; steam ~ сухопарник;
2. *v* 1) крыть куполом; 2) возвышаться в виде купола.

**domed** [doumd] 1. *p. p. от* dome 2;
2. *a* 1) куполообразный; 2) украшенный куполом.

**Domesday Book** ['du:mzdeibuk]*n* (*буке.* книга страшного суда) *ист.* кадастровая книга, земельная опись Англии, произведённая Вильгельмом Завоевателем (*в 1086 г.*).

**domestic** [də'mestik] 1. *a* 1) домашний; семейный; ~ science домоводство; 2) домоседливый, любящий семейную жизнь; 3) внутренний; отечественный; ~ industry кустарный промысел; ~ trade внутренняя торговля; 4) домашний, ручной (*о животных*);
2. *n* 1) прислуга; 2) *pl* товары отечественного производства; 3) *pl амер* простые хлопчатобумажные ткани.

**domesticable** [də'mestikəbl] *a* поддающийся приручению (*о животных*).

**domesticate** [də'mestikeit] *v* 1) приручать (*животных*); культивировать (*растения*); акклиматизировать; 2) цивилизовать; 3) привязывать к дому, к семейной жизни; 4) обучать ведению хозяйства.

**domestication** [də,mesti'keiʃən] *n* 1) привычка, любовь к дому, к семейной жизни; 2) приручение (*животных*).

**domesticity** [,doumes'tisiti] *n* 1) семейная, домашняя жизнь; 2) любовь к семейной жизни, к уюту; 3) (the domesticities)*pl* домашние дела.

**domett** [dou'met] *n* полушерстяная ткань.

**domic(al)** ['doumik(əl)] *a* куполообразный, купольный.

**domicile** ['dɔmisail] 1. *n* 1) постоянное местожительство; 2)*юр.* юридический адрес лица *или* фирмы; 3) место платежа по векселю;
2. *v* 1) поселиться на постоянное жительство; 2) обозначить место платежа по векселю.

**domiciliary** [,dɔmi'siljəri] *a* домашний, по месту жительства; ~ visit a) домашний обыск; б) осмотр дома официальными органами.

**dominance** ['dɔminəns] *n* господство; влияние; преобладание.

**dominant** ['dɔminənt] 1. *a* господствующий; доминирующий, преобладающий;
2. *n муз.* доминанта, пятая ступень диатонической гаммы.

**dominate** ['dɔmineit] *v* 1) господствовать; властвовать; 2) доминировать, преобладать; 3) возвышаться (*над чем-л.*); 4) иметь влияние (*на кого-л.*); 5) сдерживать, подавлять; овладевать; to ~ one's emotions владеть своими чувствами; 6) занимать, всецело поглощать.

**domination** [,dɔmi'neiʃən] *n* 1) господство, власть; 2) преобладание.

**domineer** [ˌdɔmɪ'nɪə] v 1) действовать деспотически, властвовать; повелевать; 2) держать себя высокомерно; 3) владычествовать.

**domineering** [ˌdɔmɪ'nɪərɪŋ] 1. pres. p. от domineer;
2. a 1) деспотический, властный, не допускающий возражений; 2) высокомерный; 3) господствующий, возвышающийся (над местностью).

**dominical** [də'mɪnɪkəl] a церк. 1) господний, христов; 2) воскресный; ~ day воскресенье.

**Dominican** [də'mɪnɪkən] 1. a доминиканский;
2. n 1) доминиканец; доминиканка; 2) доминиканец (монах).

**dominie** ['dɔmɪnɪ] n 1) шотл. школьный учитель; 2) амер. священник.

**dominion** [də'mɪnjən] n 1) доминион; 2) (часто pl) владение; 3) владычество, власть; 4) attr.: D. Day праздник 1 июля в Канаде (годовщина образования доминиона).

**domino** ['dɔmɪnou] n (pl -oes [-ouz]) 1) домино (маскарадный костюм); 2) участник маскарада; 3) кость (домино); 4) pl домино (игра); ◇ it's ~ with smb., smth. всё кончено с кем-л., чем-л., нет надежды.

**dominoed** ['dɔmɪnoud] a одетый в домино.

**don** I [dɔn] n 1) (D.) дон (испанский титул); 2) испанец; 3) преподаватель, член совета колледжа (в Оксфорде и Кембридже); 4) разг. знаток.

**don** II [dɔn] v разг. надевать.

**dona(h)** ['dounə] n sl. 1) женщина; 2) возлюбленная.

**donate** [dou'neɪt] v амер. 1) дарить; 2) жертвовать.

**donation** [dou'neɪʃən] n 1) дар; 2) денежное пожертвование; 3) attr.: ~ duty налог на дарственную передачу имущества.

**donative** ['dounətɪv] 1. n 1) дар, подарок; 2) церк. бенефиций, назначаемый жертвователем без обычных формальностей; 2. a дарственный; пожертвованный.

**donatory** ['dounətərɪ] n лицо, получающее дар, подарок.

**do-naught** ['duːnɔːt] = do-nothing.

**done** [dʌn] 1. p. p. от do I; ~ in English составлено на английском языке (об официальном документе); it isn't ~ так не поступают; это не принято;
2. a 1) сделанный; 2) хорошо приготовленный; прожаренный; 3) усталый, в изнеможении (часто ~ up); 4) sl. обманутый (тж. ~ brown); ◇ ~ for а) разорённый; б) приговорённый, конченый; в) убитый; ~ to the world (или to the wide) разг. разгромленный, побеждённый; потерпевший полную неудачу.

**donee** [dou'niː] n получающий подарок.

**donga** ['dɔŋgə] n геол. глубокое высохшее русло.

**donjon** ['dɔndʒən] n архит. главная башня (средневекового замка).

**donkey** ['dɔŋkɪ] n 1) осёл; 2) (D.) амер. прозвище демократической партии; 3) тех. = donkey-engine; ◇ to talk the hind leg off a ~ sl. заговорить, утомить многословием.

**donkey-engine** ['dɔŋkɪˌendʒɪn] n тех. 1) небольшая вспомогательная паровая машина; небольшой стационарный двигатель; 2) лебёдка, ворот.

**donnish** ['dɔnɪʃ] a 1) педантичный; 2) высокомерный, важный, чванный.

**Donnybrook Fair** ['dɔnɪbruk'fɛə] n 1) ист. название ежегодной ярмарки близ Дублина; 2) шумное сборище; гвалт; свалка.

**donor** ['dounə] n 1) жертвователь; 2) мед. донор.

**do-nothing** ['duːˌnʌθɪŋ] n бездельник, лентяй.

**don't** [dount] разг. 1) сокр. = do not; 2) не надо, полно, перестань(те); 3) употр. как сущ. в знач. запрещение; I am sick and tired of your don'ts мне надоели ваши запрещения.

**doolie** ['duːlɪ] n англо-инд. носилки (употребляемые в полевых госпиталях).

**doom** [duːm] 1. n 1) рок, судьба; 2) гибель; смерть; 3) уст. осуждение; приговор; 4): the day of ~ рел. день страшного суда; crack of ~ рел. трубный глас (начало страшного суда); 5) ист. статут, декрет;
2. v 1) осуждать, обрекать; 2) уст. издавать указ.

**doomed** [duːmd] 1. p. p. от doom 2;
2. a 1) обречённый; 2) осуждённый.

**dooms** [duːmz] adv шотл. очень, крайне; ужасно.

**doomsday** ['duːmzdeɪ] n 1) рел. день страшного суда; to wait till ~ ждать до второго пришествия (т. е. бесконечно); 2) день приговора.

**door** [dɔː] n 1) дверь; дверца; front ~ парадный вход; a ~ to success путь к успеху; to turn smb. out of ~s выставить за дверь, прогнать кого-л.; to close the ~ (up)on smb. закрыть за кем-л. дверь; to close the ~ to (или upon) smth. отрезать путь к чему-л.; сделать что-л. невозможным; to open a ~ to (или for) smth. открыть путь к чему-л.; сделать что-л. возможным; to answer the ~ открыть дверь (на стук или звонок); behind closed ~s за закрытыми дверями; тайно; to slam (или to shut) the ~ in smb.'s face захлопнуть дверь перед самым носом кого-л.; to shut the ~ (up)on smth. отказываться от чего-л.; не принимать чего-л.; to lay at smb.'s ~ приписывать кому-л., обвинять кого-л. (в чём-л.); next ~ соседний дом; he lives next ~ (four ~s off) он живёт в соседнем доме (через 4 дома отсюда); next ~ to а) по соседству, рядом; б) на границе чего-л.; почти; he is next ~ to bankruptcy он накануне разорения; out of ~s на открытом воздухе; within ~s = indoors; 2) тех. заслонка; 3) attr. дверной.

**doorbell** ['dɔːbel] n дверной звонок.

**door-case** ['dɔːkeɪs] n дверная коробка.

**door-frame** ['dɔːfreɪm] = door-case.

**door-keeper** ['dɔːˌkiːpə] n швейцар, привратник.

**doormat** ['dɔːmæt] n 1) половик для вытирания ног; 2) разг. слабый, бесхарактерный человек, «тряпка».

**door-money** ['dɔːˌmʌnɪ] *n* плата за вход.
**door-plate** ['dɔːpleɪt] *n* дощечка на дверях (*с фамилией*).
**door-post** ['dɔːpoust] *n* дверной косяк.
**door's-man** ['dɔːzˌmən] = door-keeper.
**doorstep** ['dɔːstep] *n* порог.
**door-stone** ['dɔːstoun] *n* каменная плита (*крыльца*).
**doorway** ['dɔːweɪ] *n* дверной проём, пролёт двери; вход в помещение; in the ~ в дверях.
**door-yard** ['dɔːjɑːd] *n амер.* дворик перед домом.
**dop** [dɔp] *v уст.* погружать, окунать.
**dope** [doup] 1. *n* 1) густое смазывающее вещество, паста; 2) аэролак; 3) *хим.* поглотитель; 4) наркотик, дурман; 5) *sl.* допинг, тайно даваемый (*лошадям*) перед скачками; 6) *амер. sl.* секретная информация о шансах на выигрыш той или иной лошади (*на скачках, бегах*); (ложная *или* секретная) информация, используемая журналистами; 7) *амер.* дурак, остолоп;
2. *v* 1) давать наркотики; to ~ oneself with cocaine нюхать кокаин; 2) одурманивать, убаюкивать; 3) покрывать аэролаком; 4) *тех.* заливать горючее; добавлять присадки; 5) *амер. sl.* получать секретную информацию; предсказывать (*что-л.*) на основании тайной информации.
**dop(e)y** ['doupɪ] *a sl.* 1) вялый, полусонный, одурманенный; 2) одурманивающий.
**dor** [dɔː] *n* жук (*майский, навозный*).
**dorado** [də'rɑːdou] *n* (*pl* -os [-ouz]) дорада (*рыба*).
**dor-beetle** ['dɔːˌbiːtl] = dor.
**dor-bug** ['dɔːbʌg] *амер.* = dor.
**Dorcas** ['dɔːkəs] *n* название английского женского благотворительного общества для снабжения бедных одеждой (*тж.* ~ Society).
**dor-fly** ['dɔːflaɪ] = dor.
**dorhawk** ['dɔːhɔːk] *диал.* = goatsucker.
**Dorian** ['dɔːrɪən] 1. *a* дорический;
2. *n* дориец.
**Doric** ['dɔrɪk] 1. *a* 1) дорический; ~ order *архит.* дорический ордер; 2) провинциальный (*о диалекте*);
2. *n* 1) дорическое наречие; 2) местный диалект; to speak one's native ~ говорить на родном диалекте.
**Dorking** ['dɔːkɪŋ] *n* доркинг (*английская порода мясных кур*).
**dormancy** ['dɔːmənsɪ] *n* 1) дремота; 2) состояние бездействия; 3) спячка (*животных*).
**dormant** ['dɔːmənt] 1. *a* 1) дремлющий; спящий; 2) бездействующий; 3) потенциальный, скрытый (*о способностях, силах и т. п.*); to lie ~ бездействовать; находиться в скрытом состоянии; 4) находящийся в спячке (*о животных*); 5) *геральд.* спящий; 6) не приносящий дохода (*о капитале*); ◇ ~ partner *см.* partner 1, 2);
2. *n стр.* шпала, поперечина.
**dormer (-window)** ['dɔːmə(ˈwɪndou)] *n* слуховое, мансардное окно.
**dormice** ['dɔːmaɪs] *pl от* dormouse.
**dormitory** ['dɔːmɪtrɪ] *n* 1) дортуар, общая спальня; 2) ['dɔːmɪˌtɔːrɪ] *амер.* сту-

денческое общежитие; 3) пригородный рабочий посёлок (*из стандартных домов*).
**dormouse** ['dɔːmaus] *n* (*pl* dormice) *зоол.* соня (*грызун*).
**dorms** [dɔːmz] *амер. sl. см.* dormitory 2).
**dorothy bag** ['dɔrəθɪbæg] *n* дамская сумочка на вздёржке.
**dorp** [dɔːp] *n* деревня.
**dorr** [dɔː] = dor.
**dorsal** ['dɔːsəl] 1. *a анат., зоол.* дорсальный, спинной;
2. *n* = dossal.
**dorse** [dɔːs] *n* молодая треска.
**dorter, dortour** ['dɔːtə] *n уст.* монастырский дортуар.
**dory** I ['dɔːrɪ] *n* солнечник (обыкновенный) (*рыба*).
**dory** II ['dɔːrɪ] *n* рыбачья плоскодонная лодка (*в Сев. Америке*).
**dosage** ['dousɪdʒ] *n* 1) дозировка; 2) доза.
**dose** [dous] 1. *n* 1) доза, приём; lethal ~ смертельная доза; 2) порция, доля; to have a regular ~ of smth. принять что-л. в большом количестве; 3) ингредиент, прибавляемый к вину;
2. *v* 1) давать лекарство дозами; дозировать; 2) прибавлять (*спирт к вину*).
**dosimeter** [dou'sɪmɪtə] *n физ.* дозиметр.
**doss** [dɔs] *sl.* 1. *n* кровать, койка (*в ночлежном доме*);
2. *v* ночевать (*в ночлежном доме*).
**dossal** ['dɔsəl] *n церк.* занавес за алтарём.
**doss-house** ['dɔshaus] *n sl.* ночлежка.
**dossier** ['dɔsɪeɪ] *фр.* *n* досье; дело.
**dossil** ['dɔsɪl] *n* 1) затычка; втулка; 2) *мед.* тампон.
**dost** [dʌst] *уст.* 2-е л. ед. ч. настоящего времени гл. to do.
**dot** I [dɔt] 1. *n* 1) точка (*тж. в азбуке Морзе*); 2) крошечная вещь; a ~ of a child крошка, крошечный ребёнок; 3) *муз.* точка для удлинения предшествующей ноты на половину;
2. *v* 1) ставить точки; to ~ the i's and cross the t's ставить точки над i, уточнять все детали; 2) отмечать пунктиром; 3) усеивать; 4) *sl.* наносить удар; to ~ a man one ударить кого-л.; ◇ ~ and carry one a) арифметические задачи; б) учитель арифметики.
**dot** II [dɔt] *n* приданое.
**dotage** ['doutɪdʒ] *n* старческое слабоумие; to be in one's ~ впасть в детство.
**dot-and-dash** ['dɔtən'dæʃ] *a:* ~ code азбука Морзе.
**dot-and-go-one** ['dɔtən'gouwʌn] 1. *n* 1) ковыляющая походка; 2) калека на деревянной ноге;
2. *v* хромать, ковылять.
**dotard** ['doutəd] *n* выживший из ума старик; старый дурак.
**dote** [dout] *v* 1) впасть в детство; 2) любить до безумия (upon).
**doth** [dʌθ] *v уст.* 3-е л. ед. ч. настоящего времени гл. to do.
**doting** ['doutɪŋ] 1. *pres. p. от* dote;
2. *a* сильно любящий, очень преданный.
**dotted line** ['dɔtɪdlaɪn] *n* пунктирная линия.

**dotterel** ['dɔtrəl] *n* 1) сивка глупая, хрустан (*птица*); 2) *уст.* простофиля.

**dottle** ['dɔtl] *n* остаток недокуренного табака в трубке.

**dottrel** ['dɔtrəl] = dotterel.

**dotty** ['dɔtɪ] *a* 1) усеянный точками; точечный; 2) *разг.* нетвёрдый на ногах; 3) рехнувшийся.

**doty** ['doutɪ] *a* поражённый гнилью (*о древесине*).

**double** ['dʌbl] 1. *n* 1) двойное количество; 2) беглый шаг; to advance at the ~ наступать бегом; 3) двойник; 4) дубликат; 5) *pl спорт.* парные игры (*напр., в теннисе*); mixed ~s игра смешанных пар (*каждая из мужчины и женщины*); 6) крутой поворот (*преследуемого зверя*); пётля (*зайца*); 7) изгиб (*реки*); 8) хитрость; 9) *театр.* актёр, исполняющий в пьесе две роли; 10) *театр.* дублёр;
2. *a* 1) двойной, сдвоенный; парный; ~ chin двойной подбородок; ~ bed двуспальная кровать; 2) удвоенный; усиленный; ~ brush *перен. разг.* язвительное замечание; ~ speed удвоенная скорость; ~ feature *амер. театр.* представление по расширенной программе; 3) двоякий; 4) двойственный, двуличный; двусмысленный; ~ game двойная игра; двуличие, лицемерие; 5) *бот.* махровый;
3. *v* 1) удваивать(ся); сдваивать; to ~ the work сделать двойную работу; to ~ for smth. заодно выполнять функции чего-л.; the indoors basketball court ~d for dances on week-ends баскетбольный зал по субботам использовался для танцев; 2) складывать вдвое; 3) сжимать (*кулак*); 4) *мор.* огибать (*мыс*); 5) делать изгиб (*о реке*); 6) запутывать след, делать пётли (*о преследуемом звере*); 7) *театр.* подбирать; ~ a part дублировать роль; 8) *театр.* исполнять в пьесе две роли; he's doubling the parts of a servant and a country labourer он исполняет роль слуги и роль батрака; 9) *воен.* двигаться беглым шагом; □ ~ back а) запутывать след (*о преследуемом звере*); б) убегать обратно по собственным следам; б) подогнуть; загнуть внутрь; ~ up скрючить(ся); сгибаться; ~d up with pain скрючившийся от боли; his knees ~d up under him колени у него подгибались; ~ upon *мор.* обойти, окружить (*неприятельский флот*);
4. *adv* 1) вдвойне, вдвое; 2) вдвоём; to ride ~ ехать вдвоём на одной лошади; ◇ to play ~ двуличничать, лицемерить; he sees ~ у него двоится в глазах (*о пьяном*).

**double-acting** ['dʌbl‚æktɪŋ] *a* двойного действия (*о механизме*).

**double-barrelled** ['dʌbl‚bærəld] *a* 1) двуствольный; ~ gun двустволка; 2) двусмысленный.

**double-bass** ['dʌbl'beɪs] *n муз.* контрабас.

**double-bedded** ['dʌbl‚bedɪd] *a* имеющий две кровати *или* двуспальную кровать (*о комнате*).

**double-breasted** ['dʌbl'brestɪd] *a* двубортный (*о пиджаке и т. п.*).

**double-charge** ['dʌbl'tʃɑːdʒ] *v* заряжать двойным зарядом.

**double-cross** ['dʌbl'krɔs] *v разг.* надуть, перехитрить.

**double-dealer** ['dʌbl'diːlə] *n* обманщик; двурушник.

**double-dealing** ['dʌbl'diːlɪŋ] 1. *n* двурушничество;
2. *a* двурушнический.

**double-decker** ['dʌbl'dekə] *n* 1) двухпалубное судно; 2) *амер.* двухэтажный трамвай, автобус, троллейбус; 3) *ав. разг.* биплан.

**double-dyed** ['dʌbl'daɪd] *a* 1) два раза окрашенный; пропитанный краской; 2) закоренелый; ~ scoundrel закоренелый негодяй.

**double eagle** ['dʌbl‚iːgl] *n* 1) двуглавый орёл; 2) *амер.* золотая монета в 20 долларов.

**double-edged** ['dʌbl'edʒd] *a* обоюдоострый.

**double entendre** ['duːblɑ̃ːn'tɑ̃ːndr] *фр. n* двусмысленное выражение, двусмысленность.

**double entry** ['dʌbl'entrɪ] *n ком.* двойная бухгалтерия.

**double-eyed** ['dʌbl‚aɪd] *a* обладающий исключительной остротой зрения; зоркий.

**double-faced** ['dʌblfeɪst] *a* 1) двуличный; неискренний; 2) двусторонний (*о материи*); 3): ~ hammer *тех.* двубойковый молот.

**double first** ['dʌbl'fɜːst] *n* окончивший английский университет с дипломом первой степени по двум специальностям.

**double-handed** ['dʌbl'hændɪd] *a* 1) имеющий две руки; 2) снабжённый двумя рукоятками.

**double-header** ['dʌbl'hedə] *n амер.* 1) поезд на двойной тяге; 2) два матча, сыгранные подряд в один день теми же командами.

**double-hearted** ['dʌbl‚hɑːtɪd] *a* двоедушный; вероломный.

**double-lock** ['dʌbl'lɔk] *v* запереть, повернув ключ в замке два раза.

**double-manned** ['dʌbl‚mænd] *a воен., мор.* с двойным личным составом.

**double meaning** ['dʌbl‚miːnɪŋ] *n* 1) двоякое значение; 2) двусмысленность.

**double-meaning** ['dʌbl‚miːnɪŋ] *a* обманчивый, вводящий в заблуждение.

**double-minded** ['dʌbl'maɪndɪd] *a* 1) нерешительный, колеблющийся; 2) двоедушный.

**double-natured** ['dʌbl'neɪtʃəd] *a* двойственный.

**double-quick** ['dʌbl'kwɪk] 1. *a* очень быстрый;
2. *adv* очень быстро; ускоренным маршем;
3. *v амер.* 1) двигаться беглым шагом; 2) приказать двигаться беглым шагом.

**double-reef** ['dʌbl'riːf] *v мор.* брать два рифа на парусе.

**double-stop** ['dʌbl'stɔp] *v* играть на двух струнах скрипки одновременно.

**doublet** ['dʌblɪt] *n* 1) дубликат; парная вещь; 2) *лингв.* дублет; 3) *охот.* дуплет (*две птицы, убитые почти одновременно из двуствольного ружья*); 4) дуплёт (*в бильяр-*

*де*); 5) *pl* одина́ковое число́ очко́в на двух костя́х, бро́шенных одновре́ме́нно; 6) *ист.* род камзо́ла XIV—XVII вв.; 7) фуфа́йка; 8) *радио* двойна́я анте́нна.

**double time** [´dʌbltaɪm] *n* уско́ренный марш.

**double-tongued** [´dʌbl´tʌŋd] *a* лжи́вый.

**doubletree** [´dʌbltriː] *n* крестови́на (*плу́га и т. п.*).

**doubling** [´dʌblɪŋ] 1. *pres. p. от* double 3; 2. *n* 1) удвое́ние, сдва́ивание; 2) повторе́ние, дубли́рование; 3) внеза́пный поворо́т (*в беге*); 4) укло́нчивость; уве́ртки; 5) *текст.* круче́ние, суче́ние; 6) *attr.:* ~ effect *радио* э́хо.

**doubloon** [dʌb´luːn] *n ист.* дубло́н (*испа́нская золотая монета*).

**doublure** [ˌduː´bljuːə] *фр. n* вну́тренняя сторона́ переплёта (*из кожи, парчи и т. п.*).

**doubly** [´dʌblɪ] *adv* 1) вдвойне́, вдво́е; to be ~ careful быть осо́бенно осторо́жным; 2) двоя́ко; 3) дво́йственно; нече́стно; to deal ~ вести́ двойну́ю игру́.

**doubt** [daut] 1. *n* сомне́ние; I have my ~s about him у меня́ на его́ счёт есть сомне́ния; the final outcome of this affair is still in the ~ исхо́д э́того де́ла всё ещё нея́сен; to make ~ сомнева́ться; to make no ~ a) не сомнева́ться; быть уве́ренным; б) прове́рить; make no ~ about it не сомнева́йтесь в э́том, бу́дьте уве́рены; no ~, without ~, beyond ~ несомне́нно; вне сомне́ния; there is not a shadow of ~ нет ни мале́йшего сомне́ния;

2. *v* 1) сомнева́ться, име́ть сомне́ния; быть неуве́ренным, колеба́ться; 2) не доверя́ть, подозрева́ть; you surely don't ~ me вы, наде́юсь, мне доверя́ете; 3) *уст.* боя́ться, со стра́хом ждать (*чего-л.*).

**doubtful** [´dautful] *a* 1) по́лный сомне́ний; сомнева́ющийся, коле́блющийся; I am ~ what I ought to do я не зна́ю, что мне де́лать; 2) нея́сный, неопределённый; 3) сомни́тельный, вызыва́ющий подозре́ния, подозри́тельный.

**doubtless** [´dautlɪs] 1. *adv* 1) несомне́нно; 2) вероя́тно; 2. *a редк.* несомне́нный.

**douce** [duːs] *a шотл.* споко́йный, степе́нный.

**douceur** [ˌduː´səː] *фр. n* 1) «чаевы́е»; 2) взя́тка.

**douche** [duːʃ] 1. *n* 1) душ, облива́ние; to throw a cold ~ upon smb. расхола́живать кого́-л., вы́лить на кого́-л. уша́т холо́дной воды́; 2) промыва́ние;

2. *v* полива́ть из душа; облива́ть(ся) водо́й.

**dough** [dou] *n* 1) те́сто; 2) па́ста, густа́я ма́сса; 3) *sl.* де́ньги; ◇ my (our) cake is ~ моё (на́ше) де́ло пло́хо.

**doughboy** [´doubɔɪ] *n* 1) клёцка; по́нчик; 2) *sl.* америка́нский солда́т.

**doughface** [´doufeɪs] *n амер.* мягкоте́лый, слабохара́ктерный челове́к.

**doughnut** [´doupʌt] *n* по́нчик; жа́реный пирожо́к; ◇ it is dollars to ~s *амер.* несомне́нно, наверняка́.

**doughtily** [´dautɪlɪ] *adv* до́блестно, отва́жно.

**doughtiness** [´dautɪnɪs] *n* до́блесть, отва́га, му́жество.

**doughty** [´dautɪ] *a уст., иногда шутл.* сме́лый, отва́жный, хра́брый, му́жественный, до́блестный.

**doughy** [´douɪ] *a* 1) тестообра́зный; пло́хо пропечённый; 2) бле́дный (*о цвете лица*); 3) тупо́й (*о человеке*).

**doum** [duːm] *n* дум-па́льма настоя́щая.

**dour** [´duə] *a шотл.* суро́вый, стро́гий, непрекло́нный.

**douse** [daus] *v* 1) окуна́ть(ся), погружа́ть(-ся) в во́ду; 2) бы́стро спуска́ть па́рус; 3) туши́ть, гаси́ть; to ~ the glim *sl.* гаси́ть свет.

**dove** [dʌv] *n* 1) го́лубь; 2) *ласк.* голу́бчик; голу́бушка; ◇ D. of Peace го́лубь ми́ра.

**dove-colour** [´dʌvˌkʌlə] *n* си́зый цвет.

**dove-cot(e)** [´dʌvkɔt] *n* голубя́тня; to flutter the dove-cots подня́ть переполо́х, переполоши́ть весь «куря́тник».

**dove-eyed** [´dʌv´aɪd] *a* с неви́нным выраже́нием лица́.

**dove-like** [´dʌvlaɪk] *a* голуби́ный, не́жный, кро́ткий.

**dove's-foot** [´dʌvzfut] *n бот.* гера́нь мя́гкая.

**dovetail** [´dʌvteɪl] 1. *n тех., стр.* ла́сточкин хвост, ла́па, шип;

2. *v* 1) *стр.* вяза́ть в ла́пу; 2) подгоня́ть, пло́тно прила́живать; 3) согласо́вывать, увя́зывать; 4) подходи́ть, соотве́тствовать, совпада́ть.

**dowager** [´dauədʒə] *n* 1) вдова́ (*высокопоста́вленного лица́*); Queen ~ (*duchess*) вдо́вствующая короле́ва (герцоги́ня); 2) *разг.* вели́чественная же́нщина.

**dowdy** [´daudɪ] 1. *n* пло́хо, безвку́сно оде́тая же́нщина;

2. *a* 1) ду́рно, безвку́сно, аляпова́то оде́тый (*о женщине*); 2) немо́дный, неэлега́нтный (*о платье*).

**dowdyish** [´daudɪʃ] *a* безвку́сный, неэлега́нтный.

**dowel** [´dauəl] *тех.* 1. *n* дю́бель, штифт, шпо́нка, чека́;

2. *v* скрепля́ть болта́ми, шпо́нками.

**dower** [´dauə] 1. *n* 1) вдо́вья часть (насле́дства); 2) прида́ное; 3) приро́дный дар, тала́нт;

2. *v* 1) оставля́ть насле́дство (*вдове*); 2) дава́ть прида́ное; 3) наделя́ть тала́нтом (with).

**dower-chest** [´dauətʃest] *n* сунду́к (с прида́ным).

**dowlas** [´dauləs] *n* сорт про́чного коленко́ра.

**down I** [daun] *n* пух, пушо́к.

**down II** [daun] *n* холм, безле́сная возвы́шенность; the Downs гряда́ мелов́ых холмо́в в Ю́жной А́нглии.

**down III** [daun] 1. *adv* 1) вниз; to climb ~ слеза́ть; to come ~ спуска́ться; to flow ~ стека́ть; 2) внизу́; the sun is ~ со́лнце зашло́, се́ло; the blinds are ~ што́ры спу́щены; to hit a man who is ~ бить лежа́чего; 3) до конца́, вплоть до; to read ~ to the last page дочита́ть до после́дней страни́цы;

~ to the time of Shakespeare вплоть до вре́мени, до эпо́хи Шекспи́ра; 4) *означает уменьшение количества, размера; ослабление, уменьшение силы; ухудшение*: to boil ~ укипа́ть, ува́риваться; to bring ~ the price снижа́ть це́ну; to be ~ ослабева́ть, снижа́ться; the temperature (the death-rate) is very much ~ температу́ра (сме́ртность) значи́тельно пони́зилась; to calm ~ успока́иваться; the quality of ale has gone ~ ка́чество пи́ва ухудшилось; worn ~ with use изно́шенный; 5) *означает движение от центра к периферии, из столицы в провинцию и т. п.*: to go ~ to the country е́хать в дере́вню; to go ~ to Brighton е́хать (*из Лондона*) в Бра́йтон; 6) *амер. означает движение к центру города, в столицу, к югу*: trains going ~ поезда́, иду́щие в ю́жном направле́нии; 7) *придаёт глаголам значение совершенного вида*: to write ~ записа́ть; to fall ~ упа́сть; ◇ ~ and out в беспо́мощном состоя́нии; разорённый; потерпе́вший круше́ние в жи́зни; ~ at (the) heel(s) со сто́птанными каблука́ми; бе́дно, неря́шливо оде́тый, жа́лкий; ~ in the mouth в уны́нии, в плохо́м настрое́нии; ~ on one's luck в несча́стье, в беде́; ~ on the nail сра́зу, неме́дленно; cash ~ де́ньги на бо́чку; ~ to the ground соверше́нно, вполне́; ~ with! доло́й!; to be ~ with fever лежа́ть в жару́, в лихора́дке; to be ~, to be ~ at (*или* in) health хвора́ть, быть сла́бого здоро́вья; to come (*или* to drop) ~ on smb. набра́сываться на кого́-л., брани́ть кого́-л.; to face smb. ~ нагна́ть стра́ху на кого́-л. свои́м взгля́дом; to hand ~ передава́ть из поколе́ния в поколе́ние; to run smb. ~ a) сбить, задави́ть кого́-л. (*автомобилем и т.п.*); б) говори́ть пренебрежи́тельно о ком-л.; умаля́ть чье-л. значе́ние; to run ~ at last насти́чь; up and ~ взад и вперёд;
2. *prep* вниз; (вниз) по; вдоль по; ~ the river вниз по реке́; ~ wind по ве́тру; to go ~ the road идти́ по доро́ге;
3. *n* 1) (*обыкн. pl*) спуск; ups and ~s подъёмы и спу́ски; уха́бы; *перен.* превра́тности (*судьбы*); 2) *разг.* неудово́льствие; to have a ~ on smb. име́ть зуб про́тив кого́-л.; 3) *амер. спорт.* вы́вод мяча́ из игры́ (*судьёй*);
4. *a* 1) напра́вленный кни́зу; ~ grade укло́н железнодоро́жного пути́; *перен.* ухудше́ние; 2): ~ train по́езд, иду́щий из столи́цы, из большо́го го́рода; ~ platform перро́н для поездо́в, иду́щих из столи́цы или из большо́го го́рода; 3) *спорт.* отстаю́щий от проти́вника; he is one ~ он отста́л на одно́ очко́; ◇ to be ~ on smb. серди́ться на кого́-л.;
5. *v* 1) опуска́ть, спуска́ть; 2) *разг.* сбива́ть (*самолёт, человека*); 3) оси́ливать, одолева́ть; подчиня́ть; ◇ to ~ tools прекрати́ть рабо́ту, забастова́ть.

**downcast I** ['daunkɑːst] *a* 1) опу́щенный вниз; поту́пленный (*о взгляде*); 2) удручённый, пода́вленный; 3) нисходя́щий, напра́вленный вниз.

**downcast II** ['daunkɑːst] *n горн.* вентиляцио́нная ша́хта.

**down-draught** ['daun'drɑːft] *n mex.* ни́жняя тя́га.

**downfall** ['daunfɔːl] *n* 1) паде́ние; ги́бель; разоре́ние; 2) ниспроверже́ние; 3) ли́вень; си́льный снегопа́д; оса́дки.

**down-grade** ['daungreid] **1.** *n* 1) укло́н; 2) упа́док.
2. *v* понижа́ть (*в ранге и т. п.*).

**down-hearted** ['daun'hɑːtid] *a* упа́вший ду́хом, уны́лый.

**downhill** ['daun'hil] **1.** *n* 1) склон; зака́т (*жизни*); 2) *спорт.* скоростно́й спуск;
2. *a* пока́тый, накло́нный;
3. *adv* вниз; под го́ру; на скло́не; to go ~ ухудша́ться (*о здоровье, материальном положении*); *перен.* кати́ться по накло́нной пло́скости.

**downiness** ['dauninis] *n* пуши́стость, пушо́к.

**Downing Street** ['dauniŋ'striːt] *n* Да́унингстри́т (*улица в Лондоне, на которой помещается министерство иностранных дел и официальная резиденция премьера*); *перен.* англи́йское прави́тельство.

**downlead** ['daunliːd] *n радио* сниже́ние анте́нны, анте́нный спуск.

**downpour** ['daunpɔː] *n* пото́к, ли́вень.

**downright** ['daunrait] **1.** *a* 1) прямо́й, открове́нный, че́стный; 2) я́вный; соверше́нный; 3) отъя́вленный;
2. *adv* соверше́нно.

**downstage** ['daunsteidʒ] **1.** *a* 1) относя́щийся к авансце́не; 2) *разг.* дру́жеский;
2. *adv* по направле́нию к авансце́не, на авансце́не.

**downstair** ['daun'steə] = downstairs 1.

**downstairs** ['daun'steəz] **1.** *a* располо́женный в ни́жнем этаже́;
2. *adv* 1) вниз; to go ~ спусти́ться, сойти́ вниз; в низу́ в ни́жнем этаже́.

**downstream** ['daun'striːm] **1.** *adv* вниз по тече́нию;
2. *n гидр.* низова́я сторона́ плоти́ны, ни́жний бьеф.

**downthrow** ['daun'θrou] *n геол.* опуска́ние; сбра́сывание.

**down time** ['dauntaim] *n амер.* просто́й, вы́нужденное безде́йствие.

**downtown** ['dauntaun] *амер.* **1.** *n* делова́я часть го́рода;
2. *a* располо́женный в делово́й ча́сти го́рода;
3. *adv* 1) в делово́й центр; 2) в делово́й ча́сти го́рода.

**downtrend** ['dauntrend] *n* тенде́нция к пониже́нию.

**downtrodden** ['daun,trɔdn] *a* угнетённый.

**downward** ['daunwəd] **1.** *a* 1) спуска́ющийся; ~ tendency *полит.-эк.* понижа́тельная тенде́нция; 2) пода́вленный, уны́лый;
2. *adv* вниз, кни́зу.

**downwards** ['daunwədz] = downward 2.

**downy I** ['dauni] **1.** *a* 1) пуши́стый, мя́гкий как пух; 2) *sl.* хи́трый; a ~ old bird хитре́ц, хи́трая бе́стия;
2. *n sl.* посте́ль; to do the ~ спать.

**downy II** ['dauni] *a* холми́стый, волни́стый.

**dowry** ['dauəгı] *n* 1) прида́ное; 2) приро́дный тала́нт.

**dowse** I [daus] = douse.

**dowse** II [dauz] *v* определя́ть нали́чие подпо́чвенных вод *или* минера́лов при по́мощи и́вового прута́ [*ср.* divining-rod].

**dowser** ['dauzə] *n* челове́к, определя́ющий прису́тствие подпо́чвенной воды́ *или* минера́лов при по́мощи и́вового прута́ [*ср.* divining-rod].

**dowsing-rod** ['dauzıŋrəd] = divining-rod.

**doxy** I ['dɔksı] *n разг.* 1) доктри́на, тео́рия; 2) ве́рование.

**doxy** II ['dɔksı] *n sl.* 1) возлюбленная; 2) проститу́тка; 3) ни́щенка; бродя́га.

**doyen** ['dwaıɛːŋ] *фр. n* старе́йшина, старшина́ (*дипломати́ческого ко́рпуса или корпорати́вной организа́ции*).

**doze** [douz] 1. *n* 1) дремо́та; 2) дря́блость (*древесины*); 3) *амер. sl.* венери́ческая боле́знь;
2. *v* дрема́ть.

**dozen** ['dʌzn] *n* 1) дю́жина; by the ~ дю́жинами; 2) *pl* мно́жество, ма́сса; ◇ baker's ~, printer's ~, devil's ~, long ~ чёртова дю́жина (*тринадцать*); it is six of one and half a ~ of another это одно́ и то же, ра́зница то́лько в назва́нии.

**dozer** ['douzə] *сокр. от* bulldozer.

**dozy** ['douzı] *a* со́нный, дре́млющий.

**drab** I [dræb] 1. *n* 1) ту́скло-кори́чневый цвет; 2) пло́тная шерстяна́я ткань ту́скло-кори́чневого цве́та; 3) се́рость, однообра́зие;
2. *a* 1) ту́скло-кори́чневый; желтова́то-се́рый; 2) ску́чный, бесцве́тный, однообра́зный.

**drab** II [dræb] *n* 1) неря́шливая же́нщина; 2) проститу́тка.

**drabbet** ['dræbıt] *n* сорт гру́бого небелёного полотна́.

**drabble** ['dræbl] *v* забры́згать(ся), замочи́ть(ся), испа́чкать(ся).

**Dracaena** [drə'sіːnə] *n бот.* драко́нник, драко́ново де́рево.

**drachm** [dræm] *n* 1) дра́хма (*древнегре́ческая моне́та*); 2) = dram 1); 3) небольшо́е коли́чество (*чего́-л.*).

**drachma** ['drækmɑː] *n* (*pl* -mae, -mas [-məz]) дра́хма (*де́нежная едини́ца Гре́ции*).

**drachmae** ['drækmіː] *n от* drachma.

**Draco** ['dreıkou] *n* 1) *астр.* Драко́н (*созве́здие*); 2) *зоол.* лета́ющий драко́н (*я́щерица*).

**Draconian, Draconic** [dreı'kounjən, dreı'kɔnık] *a* драко́новский, суро́вый.

**draff** [dræf] *n* 1) помо́и; отбро́сы; 2) пойло; 3) барда́ (*отходы винокуре́ния и пивоваре́ния*).

**draft** [drɑːft] 1. *n* 1) чертёж, план; эски́з, рису́нок; 2) прое́кт, набро́сок; черновик (*докуме́нта и т. п.*); 3) чек; тра́тта; получе́ние по че́ку; to make a ~ on a fund взять часть вкла́да с теку́щего счёта; *перен.* извле́чь вы́году, воспо́льзоваться (*дру́жбой, хоро́шим отноше́нием, дове́рием*); 4) *ком.* скидка на прове́с; 5) сквозня́к; 6) *тех.* тя́га, дутьё; 7) отбо́р (*осо́б. солда́т*) для специа́льной це́ли; отря́д, подкрепле́ние;

8) оса́дка (*судна*); 9) *воен.* набо́р, призы́в в а́рмию, пополне́ние; 10) тя́га; у́пряжь; beasts of ~ живо́е тя́гло, рабо́чий скот; 11) *attr.* тя́гловый; ~ animals рабо́чий скот; ~ horse ломова́я ло́шадь; [*см. тж.* draught 1];
2. *v* 1) де́лать чертёж; составля́ть план, законопрое́кт; набра́сывать черновик; 2) производи́ть отбо́р; выделя́ть (*солда́т для определённой це́ли*); 3) цеди́ть, отце́живать.

**draftee** [,drɑːf'tіː] *n амер.* призывни́к.

**drafter** ['drɑːftə] *n* ломова́я ло́шадь, упряжна́я ло́шадь.

**drafting** ['drɑːftıŋ] 1. *pres. p. от* draft 2;
2. *n* 1) составле́ние законопрое́кта; the ~ of this clause is very obscure реда́кция э́того пу́нкта о́чень нея́сна; 2) черче́ние; 3) *воен.* вы́сылка пополне́ния; 4) *attr.* чертёжный; ~ room *амер.* чертёжная; ~ paper чертёжная бума́га.

**draftsman** ['drɑːftsmən] *n* 1) чертёжник; 2) рисова́льщик; 3) составитель докуме́нта, а́втор законопрое́кта.

**draftsmanship** ['drɑːftsmənʃıp] *n* черче́ние, иску́сство черче́ния.

**drag** [dræg] 1. *n* 1) дра́га; ко́шка; землечерпа́лка; 2) тяжёлая борона́; 3) то́рмоз, тормозно́й башма́к; 4) торможе́ние, заде́ржка движе́ния; ме́дленное движе́ние; 5) обу́за; бре́мя; to be a ~ on a person быть для кого́-л. обу́зой; 6) экипа́ж с ве́рхними сиде́ньями, запряжённый четвёркой; 7) *охот.* след (*зве́ря*); иску́сственный за́пах (*создаваемый мешко́м с чем-л. паху́чим, прота́щенным по земле́*); 8) *тех.* лобово́е сопротивле́ние; 9) *амер. sl.* протекция, «блат»; 10) затя́жка; she took a long ~ on her cigarette она́ затяну́лась папиро́сой;
2. *v* 1) (с уси́лием) тащи́ть(ся), волочи́ть(ся); тяну́ть; to ~ one's feet a) волочи́ть но́ги; б) нео́хотно, лени́во де́лать что-л.; 2) тяну́ться; 3) отстава́ть; 4) борони́ть (*по́ле*); 5) чи́стить дно (*реки́, о́зера, пруда́*); 6) букси́ровать; ⫟ ~ in a) вта́щить; вовле́чь; б) притяну́ть некста́ти; ~ on продолжа́ть всё то же; ску́чно тяну́ться (*о вре́мени, жи́зни*); ~ out a) вытаскивать; б) растя́гивать (*расска́з и т. п.*); тяну́ть, ме́длить; ~ up *разг.* пло́хо воспи́тывать.

**dragée** [drɑː'ʒeı] *фр. n* драже́.

**draggle** ['drægl] *v* 1) волочи́ть(ся); тащи́ть(ся) по гря́зи; 2) па́чкать (,волоча́ по гря́зи); 3) тащи́ться в хвосте́.

**draggle-tail** ['dræglteıl] *n* 1) зата́сканный подо́л; 2) неря́шливая же́нщина.

**dragline** ['dræglaın] *n тех.* дрégлайн, скребко́вый экскава́тор.

**drag-net** ['drægnet] *n* 1) бре́день, не́вод; 2) сеть для ло́вли птиц.

**dragoman** ['drægoumən] *n* (*pl* -mans [-mənz], -men) драгома́н, перево́дчик (*на Восто́ке*).

**dragon** ['drægən] *n* 1) драко́н; 2) о́чень стро́гий челове́к; дуэ́нья; 3) (D.) *астр.* се́верное созве́здие Драко́на; 4) *зоол.* лета́ющий драко́н (*я́щерица*); 5) поро́да дома́шних голубе́й; 6) *ист.* караби́н; 7) *ист.* караби́нер; 8) *воен.* артиллери́йский тра́ктор.

**dragon-fly** ['drægənflaɪ] *n* стрекозá.

**dragonnade** [,drægə'neɪd] *n* 1) *pl ист.* драгонáды (*постой драгун в домах протестантов как мера наказания*); 2) карáтельная экспедиция.

**dragon's-blood** ['drægənzblʌd] *n* дракóнова кровь (*красная смола драконова и некоторых других деревьев*).

**dragon-tree** ['drægəntriː] *n* дракóново дéрево, дракóнник.

**dragoon** [drə'guːn] *n воен.* драгýн;
2. *v* 1) посылáть карáтельную экспедицию; 2) принуждáть посрéдством репрéссий.

**dragsman** ['drægzmən] *n горн.* откáтчик.

**drain** [dreɪn] 1. *n* 1) дренáж; дренáжная канáва; 2) канализациóнная трубá; 3) водостóк, водоотвóд; 4) *мед.* дренáжная трýбка; 5) постоянная утéчка; расхóд; истощéние; ~ of specie from a country утéчка валюты из страны; it is a great ~ on my health это óчень истощáет моё здорóвье; 6) *разг.* глотóк; 7) *attr.*: ~ cock, ~ valve спускнóй кран;
2. *v* 1) дренировать, осушáть (*почву*); 2): the river ~s the whole region рекá собирáет вóды всей окрýги; 3) проводить канализáцию; this house is well (badly) ~ed в дóме хорóшая (плохáя) канализáция; 4) стекáть; сочиться, просáчиваться; 5) сушить; to ~ dishes сушить посýду (*после мытья*); 6) дренировать (*рану*); 7) фильтровáть; 8) осушáть, пить до дна (*тж.* ~ dry, ~ to the dregs); 9) истощáть (*силы, средства*); to ~ smb. of money лишить когó-л. дéнег.

**drainage** ['dreɪnɪdʒ] *n* 1) дренáж; осушéние; сток; 2) канализáция; 3) *мед.* дренирование (*раны*); 4) нечистóты.

**drainage-basin** ['dreɪnɪdʒ,beɪsn] *n* бассéйн реки.

**drainage-tube** ['dreɪnɪdʒtjuːb] *n мед.* дренáжная трýбочка.

**drain-ditch** ['dreɪndɪtʃ] *n* водостóчная канáва.

**draining-board** ['dreɪnɪŋbɔːd] *n* сушильная доскá.

**drake I** [dreɪk] *n* сéлезень.

**drake II** [dreɪk] *n* 1) *зоол.* мýха-подёнка (*употр. как наживка при ужении*); 2) старинная небольшáя пýшка; 3) старинная скандинáвская галéра с изображéнием дракóна на носý.

**dram** [dræm] *n* 1) дрáхма (¹/₈ унции в аптекарском весе, ¹/₁₆ унции в торговом весе); 2) глотóк спиртнóго; he is fond of a ~ он лю́бит выпить.

**drama** ['drɑːmə] *n* дрáма.

**dramatic** [drə'mætɪk] *a* 1) драмати́ческий; 2) драматичный; 3) мелодрамати́ческий; театрáльный; актёрский; дéланный.

**dramatics** [drə'mætɪks] *n pl* (*употр. как sing и как pl*) 1) драмати́ческое искýсство; 2) драмати́ческое произведéние; 3) представлéние, спектáкль (*особ. любительский*).

**dramatis personae** ['drɑːmətɪspɜː'sou[naɪ] *лат. n pl* (*часто употр. как sing*) дéйствующие ли́ца (*пьесы*); список действующих лиц.

**dramatist** ['dræmətɪst] *n* драматýрг.

**dramatization** [,dræmətaɪ'zeɪʃən] *n* драматизáция; инсценирóвка.

**dramatize** ['dræmətaɪz] *v* 1) драматизи́ровать; инсценировать (*литературное произведение*); 2) годиться для передéлки в дрáму; 3) преувеличивать; разыгрывать трагéдию.

**dramaturge** ['dræmətɜːdʒ] *n* драматýрг.

**dramaturgic** [,dræmə'tɜːdʒɪk] *a* драматурги́ческий.

**dramaturgist** ['dræmə,tɜːdʒɪst] *n* драматýрг.

**dramaturgy** ['dræmə,tɜːdʒɪ] *n* драматурги́я.

**dram-drinker** ['dræm,drɪŋkə] *n* пья́ница.

**dram-shop** ['dræmʃɒp] *n* бар; пивнáя.

**drank** [dræŋk] *past om* drink 2.

**drape** [dreɪp] 1. *n* 1) портьéра, драпирóвка; 2) обóйный материáл;
2. *v* 1) драпировáть, украшáть ткáнями, зáнавесами; 2) надевáть широкую одéжду так, чтóбы онá ложи́лась изящными склáдками.

**draper** ['dreɪpə] *n* торгóвец мануфактýрными товáрами.

**drapery** ['dreɪpərɪ] *n* 1) драпирóвка; 2) ткáни; 3) магази́н ткáней.

**drastic** ['dræstɪk] *a* 1) си́льно дéйствующий (*о лекарстве*); 2) реши́тельный, крутóй; ~ changes коренны́е изменéния.

**drat** [dræt] *int груб.* провали́сь ты (совсéм)!, пропади́ ты прóпадом!

**D-Ration** ['diː,ræʃən] *n амер.* авари́йный паёк.

**dratted** ['drætɪd] *a груб.* прокля́тый.

**draught** [drɑːft] 1. *n* 1) тя́га вóздуха; сквозня́к; 2) нацéживание; beer on ~ пи́во из бóчки; 3) глотóк; to drink at a ~ вы́пить зáлпом; 4) заки́дывание нéвода; однá заки́дка нéвода; улóв; 5) дóза жи́дкого лекáрства; black ~ слаби́тельное из александри́йского листá и магнéзии; 6) *мор.* осáдка, водоизмещéние (*судна*); 7) *pl* шáшки (*игра*); [*см. тж.* draft 1]; ◇ to feel the ~ *разг.* быть в стеснённых дéнежных обсто́ятельствах;
2. *v редк.* = draft 2.

**draughtboard** ['drɑːftbɔːd] *n* шáшечная доскá.

**draughtsman** ['drɑːftsmən] *n* 1) = draftsman; 2) шáшка (*в игре*).

**draughtsmanship** ['drɑːftsmənʃɪp] = draftsmanship.

**draughty** ['drɑːftɪ] *a* располóженный на сквозняке́.

**draw** [drɔː] 1. *n* 1) тя́га; вытя́гивание; 2) жеребьёвка; лотерéя; 3) жрéбий; вы́игрыш; 4) то, что привлекáет, нрáвится; примáнка; the play is a ~ э́та пьéса имéет успéх; 5) игрá вничью́; 6) замечáние, имéющее цéлью вы́пытать что-л.; наводя́щий вопрóс; a sure ~ замечáние, котóрое обязáтельно застáвит другóго проговориться; 7) *стр.* разводнáя часть мóста; 8) *бот.* молодóй побéг; 9) *амер.* выдвижнóй я́щик комóда;
2. *v* (drew; drawn) 1) тащи́ть, волочи́ть; тянýть, натя́гивать; to ~ wire тянýть прóволоку; to ~ a parachute раскры́ть парашю́т; to ~ bridle, to ~ rein натя́гивать по

водья, остана́вливать ло́шадь; *перен.* остана́вливаться; сде́рживаться; сокраща́ть расхо́ды; 2) натя́гивать, надева́ть (*шапку*; *тж.* ~ оп); 3) тяну́ть, броса́ть (*жре́бий*); they drew for places они́ бро́сили жре́бий, кому́ где сесть; 4) выта́скивать, выдёргивать; вырыва́ть; to ~ the sword обнажи́ть шпа́гу; *перен.* нача́ть войну́; to ~ the knife угрожа́ть ножо́м; 5) задёргивать; to ~ the curtain задёргивать *или* открыва́ть за́навес; *перен.* скрыва́ть *или* выставля́ть напока́з (*что-л.*); 6) искажа́ть; a face drawn with pain лицо́, искажённое от бо́ли; 7) получа́ть (*де́ньги, информа́цию*); to ~ on the bank брать де́ньги из ба́нка; to ~ a prize получи́ть приз; 8) извлека́ть, доста́ть; че́рпать; 9) потроши́ть; to ~ a fowl потроши́ть пти́цу; 10) име́ть тя́гу; the chimney ~s well в трубе́ хоро́шая тя́га; 11) наста́ивать(ся) (*о ча́е*); 12) привлека́ть (*внима́ние, интере́с*); I felt drawn to him меня́ потяну́ло к нему́; the play still ~s пье́са всё ещё де́лает сбо́ры; 13) навлека́ть; to ~ troubles upon oneself наклика́ть на себя́ беду́; 14) вызыва́ть (*на разгово́р, открове́нность и т. п.*); to ~ no reply не получи́ть отве́та; 15) вызыва́ть (*слёзы, аплодисме́нты*); 16) пуска́ть (*кровь*); 17) вдыха́ть, втя́гивать, вбира́ть; to ~ a sigh вздохну́ть; to ~ a breath передохну́ть; to ~ a deep breath сде́лать глубо́кий вздох; to ~ the first (last) breath роди́ться (умере́ть); 18) выводи́ть (*заключе́ние*); to ~ conclusions де́лать вы́воды; 19) проводи́ть (*разли́чие*); 20) черти́ть, рисова́ть; проводи́ть ли́нию, черту́; to ~ the line (at) поста́вить (*себе́ или друго́му*) преде́л; 21) составля́ть, оформля́ть (*докуме́нт*); выпи́сывать (*чек; часто* ~ out, ~ up); 22) приближа́ться, подходи́ть; to ~ to a close подходи́ть к концу́; 23) конча́ть (*игру́*) вничью́; 24) сиде́ть в воде́ (*о су́дне*); this steamer ~s 12 feet э́тот парохо́д име́ет оса́дку в 12 фу́тов; 25) *карт.* брать ка́рты из коло́ды; 26) *уст.* пыта́ть (*вытяже́нием*); 27) *тех.* отпуска́ть зака́лку; отжига́ть; 28) *тех.* вса́сывать, втя́гивать; □ ~ aside отводи́ть в сто́рону; ~ away а) уводи́ть; б) *спорт.* оторва́ться от проти́вника; ~ back отступа́ть; выходи́ть из де́ла, предприя́тия, игры́; ~ down а) спуска́ть (*што́ру, за́навес*); б) навлека́ть (*гнев, неудово́льствие и т. п.*); в) втяну́ть, затяну́ться (*папиро́сой и т. п.*); ~ in а) вовлека́ть; б) сокраща́ть (*расхо́ды и т. п.*); в) бли́зиться к концу́ (*о дне*); сокраща́ться (*о дня́х*); г): to ~ in on a cigarette затяну́ться папиро́сой; ~ off а) отвлека́ть; б) отводи́ть (*во́ду*); в) оття́гивать (*во́йска*); г) отступа́ть (*о во́йсках*); ~ on а) натя́гивать, надева́ть (*перча́тки и т. п.*); б)= ~ down б); в) наступа́ть, приближа́ться; autumn is ~ing on о́сень приближа́ется; г) че́рпать, займствовать; ~ out а) вытя́гивать, выта́скивать; б) выводи́ть (*войска́*); в) отряжа́ть, откоманди́ровывать; г) набра́сывать; to ~ out a scheme наброса́ть план; д) вызыва́ть на разгово́р, допы́тываться; е) затя́гиваться, продолжа́ться; the speech drew out interminably речь тяну́лась без конца́;

~ over перема́нивать на свою́ сто́рону; ~ round собира́ться вокру́г (*стола́, огня́, ёлки и т. п.*); ~ up а) составля́ть (*докуме́нт*); б) остана́вливаться; the carriage drew up before the door экипа́ж остановился у подъе́зда; в) *refl.* подтяну́ться; вы́прямиться; г) *воен.* выстра́ивать(ся); ~ upon че́рпать, брать (*из средств, фо́нда и т. п.*); ◇ to ~ amiss *охот.* идти́ по ло́жному сле́ду; to ~ in one's horns стать бо́лее осторо́жным; уме́рить свой пыл; to ~ (a) blank а) вы́нуть пусто́й но́мер (*в лотере́е*); б) потерпе́ть неуда́чу; to ~ a bow at a venture сде́лать *или* сказа́ть что-л. науга́д; случа́йным замеча́нием попа́сть в то́чку; to ~ a (*или* the) long bow преувели́чивать; расска́зывать небыли́цы; to ~ the cloth убира́ть со стола́ (*особ. пе́ред десе́ртом*); to ~ the fire вы́звать ого́нь неприя́теля, что́бы определи́ть его́ си́лы; ~ it mild! *разг.* не преувели́чивай(те)!; to ~ one's pen against smb. вы́ступить в печа́ти про́тив кого́-л.; to ~ the teeth off ≅ вы́рвать жа́ло у змей; обезвре́дить; to ~ to a head а) нарыва́ть (*о фуру́нкуле*); б) назрева́ть; достига́ть апоге́я; to ~ the wool over smb.'s eyes вводи́ть кого́-л. в заблужде́ние; ≅ втира́ть очки́.

**drawback** ['drɔːbæk] *n* 1) препя́тствие; поме́ха; 2) недоста́ток, отрица́тельная сторона́; 3) *ком.* возвра́тная по́шлина; 4) усту́пка (*в цене́*).

**drawbar** ['drɔːbɑː] *n* 1) ж.-д. тя́говый сте́ржень (*парово́за, ваго́на*); 2) упряжна́я тя́га.

**drawbridge** ['drɔːbrɪdʒ] *n* подъёмный мост, разводно́й мост.

**drawee** [drɔː'iː] *n* фин. трасса́т.

**drawer I** ['drɔːə] *n* чертёжник; рисова́льщик.

**drawer II** ['drɔːə] *n* фин. трасса́нт.

**drawer III** [drɔː] *n* (выдвижно́й) я́щик (*стола́, комо́да*).

**drawer IV** ['drɔːə] *n уст.* буфе́тчик.

**drawers** [drɔːz] *n pl* кальсо́ны, подштáнники (*тж.* a pair of ~).

**drawhook** ['drɔːˌhuk] *n* 1) ж.-д. тя́говый крюк (*парово́за, ваго́на*); 2) упряжно́й крюк.

**drawing** ['drɔːɪŋ] 1. *pres. p. от* draw 2; 2. *n* 1) рисова́ние; черче́ние (*тж.* mechanical); out of ~ нарисо́ванный с наруше́нием перспекти́вы; 2) рису́нок; 3) *тех.* волоче́ние (*про́волоки*), вытя́гивание, протя́гивание; прока́тка; 4) щепо́тка ча́я для зава́рки.

**drawing-bench** ['drɔːɪŋbentʃ] *n тех.* волочи́льный стано́к.

**drawing-block** ['drɔːɪŋblɔk] *n* тетра́дь, блокно́т для рисова́ния.

**drawing-board** ['drɔːɪŋbɔːd] *n* чертёжная доска́.

**drawing card** ['drɔːɪŋkɑːd] *n* гвоздь програ́ммы.

**drawing-knife** ['drɔːɪŋnaɪf] *n* струг, ско́бель.

**drawing-machine** ['drɔːɪŋməˌʃiːn] *n тех.* 1) волочи́льная маши́на; 2) подъёмная лебёдка; 3) чертёжные приспособле́ния.

**drawing-pad** ['drɔːɪŋpæd] *n* блокно́т для рисова́ния.

**drawing-paper** ['drɔːɪŋ‚peɪpə] *n* рисова́льная бума́га; чертёжная бума́га.

**drawing-pen** ['drɔːɪŋpen] *n* рейсфе́дер.

**drawing-pin** ['drɔːɪŋpɪn] *n* чертёжная *или* канцеля́рская кно́пка.

**drawing-room** I ['drɔːɪŋrum] *n* 1) гости́ная; 2) *амер.* купе́ в сало́н-ваго́не; 3) *attr.*: a ~ comedy сало́нная пье́са.

**drawing-room** II ['drɔːɪŋrum] *n* чертёжный зал, чертёжная.

**drawing scale** ['drɔːɪŋskeɪl] *n* масшта́бная лине́йка.

**drawl** [drɔːl] 1. *n* протя́жное произноше́ние, медли́тельность ре́чи; 2. *v* растя́гивать слова́, «тяну́ть».

**drawn** [drɔːn] 1. *p. p. от* draw 2; 2. *a* 1) нерешённый (*о сражении и т. п.*); зако́нчившийся вничью; 2) оття́нутый наза́д; отведённый; 3) расто́пленный; ~ butter топлёное ма́сло; 4) *горн.* вы́работанный; 5) искажённый; ~ face искажённое лицо́.

**draw-plate** ['drɔːpleɪt] *n* *тех.* волочи́льная доска́.

**draw-tongs** ['drɔːtɔŋz] *n pl* (*иногда употр. как sing*) *тех.* кле́щи для натя́гивания проводо́в.

**draw-vice** ['drɔːvaɪs] = draw-tongs.

**draw-well** ['drɔːwel] *n* коло́дец (с ведро́м на верёвке).

**dray** [dreɪ] *n* подво́да, ломова́я теле́га.

**dray-horse** ['dreɪhɔːs] *n* ломова́я ло́шадь.

**drayman** ['dreɪmən] *n* ломово́й изво́зчик, ломови́к.

**dread** [dred] 1. *n* 1) страх, боя́знь; опасе́ние; to have a ~ of smth. боя́ться чего́-л.; 2) то, что порожда́ет страх; пу́гало; 2. *v* страши́ться, боя́ться; 3. *a уст., поэт.* ужа́сный, стра́шный.

**dreadful** ['dredful] 1. *a* 1) ужа́сный, стра́шный; 2) *разг.* о́чень плохо́й, отврати́тельный; 2. *n разг.* сенсацио́нный рома́н у́жасов (*тж.* penny ~).

**dreadnought** ['drednɔːt] *n* 1) *мор. уст.* дредно́ут; 2) то́лстое сукно́ (*для пальто́*); пальто́ из то́лстого сукна́; 3) бесстра́шный челове́к.

**dream** [driːm] 1. *n* 1) сон, сновиде́ние; to go to one's ~s ложи́ться спать, засну́ть; to see a ~ ви́деть сон; 2) мечта́; грёза; the land of ~s ца́рство грёз; pipe ~ пусты́е мечты́; фанта́зии; 3) виде́ние; 2. *v* (dreamt, dreamed [-d]) 1) ви́деть сны; сни́ться; 2) мечта́ть, вообража́ть (of); to ~ away one's life проводи́ть жизнь в мечта́х; 3) ду́мать, помышля́ть (*в отрица́тельных предложе́ниях*); I shouldn't ~ of doing such a thing я бы и не поду́мал сде́лать что-л. подо́бное; □ ~ up *разг.* выду́мывать, фантази́ровать; приду́мывать.

**dreamer** ['driːmə] *n* 1) мечта́тель; 2) фантазёр.

**dream-hole** ['driːmhoul] *n* отве́рстие для све́та (*в ба́шне, колоко́льне и т. п.*).

**dreamily** ['driːmɪlɪ] *adv* мечта́тельно.

**dream-land** ['driːmlænd] *n* ска́зочная страна́, мир грёз.

**dreamless** ['driːmlɪs] *a* без сновиде́ний.

**dreamlike** ['driːmlaɪk] *a* 1) ска́зочный; 2) при́зрачный.

**dreamliner** ['driːm‚laɪnə] *n амер. разг.* по́езд из спа́льных ваго́нов.

**dreamt** [dremt] *past и p. p. от* dream 2.

**dream-world** ['driːmwɔːld] = dream-land.

**dreamy** ['driːmɪ] *a* 1) мечта́тельный, непракти́чный; 2) ска́зочный, при́зрачный; 3) нея́сный; сму́тный; 4) *поэт.* по́лный сновиде́ний.

**drear** [drɪə] *поэт. см.* dreary.

**dreary** ['drɪərɪ] *a* 1) мра́чный, тоскли́вый; отча́янно ску́чный; 2) *уст.* печа́льный.

**dredge** I [dredʒ] 1. *n* 1) *тех.* землечерпа́лка, дра́га, экскава́тор; 2) сеть для выла́вливания у́стриц *и т. п.*; 3) *хим.* взвесь; 4) *горн.* ху́дшая часть руды́ (*после отбо́рки*); 2. *v* 1) производи́ть дноуглуби́тельные рабо́ты, углубля́ть; драги́ровать; 2) лови́ть (*у́стриц и т. п.*).

**dredge** II [dredʒ] *v* посыпа́ть (*муко́й, са́харом и т. п.*).

**dredger** I ['dredʒə] *n* землечерпа́лка, экскава́тор.

**dredger** II ['dredʒə] *n* сосу́д для посыпа́ния (*муко́й, са́харом и т. п.*).

**dredger pump** ['dredʒəpʌmp] *n* землесо́с.

**dree** [driː] *v уст.* страда́ть, терпе́ть; to ~ one's weird покоря́ться судьбе́.

**dreg** [dreg] *n pl* оса́док; отбро́сы; to drink to the ~s вы́пить до дна; ~s of society подо́нки о́бщества; 2) небольшо́й оста́ток; not a ~ ни ка́пельки.

**dreggy** ['dregɪ] *a* содержа́щий оса́док *или* нечисто́ты.

**drench** [drentʃ] 1. *n* 1) промока́ние; 2) ли́вень; 3) до́за лека́рства (*для живо́тных*); 2. *v* 1) сма́чивать, мочи́ть, прома́чивать наскво́зь; ороша́ть; 2) влива́ть лека́рство (*живо́тным*).

**drencher** ['drentʃə] *n* 1) *разг.* ли́вень; 2) приспособле́ние для влива́ния лека́рства живо́тным.

**Dresden** ['drezdən] *n* дре́зденский фарфо́р (*тж.* ~ china).

**dress** [dres] 1. *n* 1) пла́тье; оде́жда; evening ~ фрак; смо́кинг; вече́рнее пла́тье; ба́льный туале́т; full ~ пара́дная фо́рма; morning ~ дома́шний костю́м; визи́тка; the (*или* a) ~ да́мское наря́дное пла́тье; 2) вне́шний покро́в; одея́ние; опере́ние; 3) *attr.* пара́дный (*об оде́жде*); 4) *attr.* пла́тельный; ~ goods тка́ни для пла́тья; 2. *v* 1) одева́ть(ся); 2) наряжа́ть(ся); украша́ть(ся); to ~ a shop window убира́ть витри́ну; the ballet will be newly ~ed бале́т бу́дет поста́влен в но́вых костю́мах; to ~ for dinner (пере)одева́ться к обе́ду; 3) причёсывать, де́лать причёску; 4) чи́стить (*ло́шадь*); 5) перевя́зывать (*ра́ну*); 6) приготовля́ть, приправля́ть (*ку́шанье*); 7) разде́лывать (*ту́шу*); 8) приготовля́ть (*зе́млю*) к посе́ву; 9) выде́лывать (*ко́жу*); 10) выра́внивать; ровня́ть; 11) шлифова́ть (*ка́мень*); 12) обтёсывать, строга́ть (*доски*); 13) *мор.* расцве́чивать (*фла́гами*); 14) *воен.* равня́ться; выра́внивать(ся); ~! равня́йсь!; right (left) ~! напра́во (нале́во) равня́йсь!; 15) *горн.* обогаща́ть (*руду́*); 16) *тех.* аппретировать; 17) подрезать, подстригать (*деревья, растения*); ☐ ~ **down** *разг.* задать головомойку, отругать; ~ **out** украшать; наряжать(ся); ~ **up** a) изысканно одевать(ся); б) надевать маскарадный костюм.

**dressage** [dre'sɑ:ʒ] *фр. n* 1) объездка лошадей; 2) *attr.*: ~ **tests** пробные испытания скакунов.

**dress cap** ['dres'kæp] *n амер. воен.* форменная фуражка.

**dress circle** ['dres'sɑ:kl] *n театр.* бельэтаж.

**dress coat** ['dres'kout] *n* фрак.

**dresser** I ['dresə] *n* 1) убирающий витрины; 2) хирургическая сестра; 3) *театр.* костюмер; 4) кожевник; 5) *горн.* сортировщик; обогатитель; 6) *амер. sl.* человек, одевающийся со вкусом.

**dresser** II ['dresə] *n* 1) кухонный стол с полками для посуды; 2) кухонный шкаф для посуды; 3) *амер.* туалетный столик.

**dress-guard** ['dresgɑ:d] *n* предохранитель для платья (*на дамском велосипеде*).

**dressing** ['dresɪŋ] 1. *pres. p. от* dress 2; 2. *n* 1) одевание; 2) отделка, очистка; шлифовка; 3) перевязочный материал; 4) приправа (*к рыбе, салату*); 5) удобрение; 6) *воен.* равнение; 7) *текст.* шлихта; 8) *горн.* обогащение (*руды*); 9) *разг.* выговор, порка *и т. п.* (*обыкн.* ~ **down**); to give a good ~ **down** задать хорошую головомойку.

**dressing-bag** ['dresɪŋbæg] *n* 1) несессер; 2) санитарная сумка.

**dressing-bell** ['dresɪŋbel] *n* звонок, приглашающий переодеться к обеду.

**dressing-case** ['dresɪŋkeɪs] = dressing-bag.

**dressing-gown** ['dresɪŋgaun] *n* халат.

**dressing-room** ['dresɪŋrum] *n* туалетная комната.

**dressing station** ['dresɪŋ,steɪʃən] *n воен.* перевязочный пункт.

**dressing-table** ['dresɪŋ,teɪbl] *n* туалетный столик.

**dressmaker** ['dres,meɪkə] *n* портниха.

**dressmaking** ['dres,meɪkɪŋ] *n* шитьё дамского платья.

**dress-preserver** ['dresprɪ'zɜ:və] *n* подмышник.

**dress rehearsal** ['dresrɪ'hɜ:səl] *n* генеральная репетиция.

**dress-shield** ['dres,ʃiːld] = dress-preserver.

**dressy** ['dresɪ] *a* 1) любящий, умеющий нарядно одеваться; 2) изящный, шикарный (*о платье*).

**drew** [druː] *past от* draw 2.

**drey** [dreɪ] *n* беличье гнездо.

**dribble** ['drɪbl] *v* 1) капать; 2) пускать слюни; 3) вести мяч (*в футболе*); 4) гнать шар в лузу (*в бильярде*); ☐ ~ **along** тянуться (*о времени*).

**dribbler** ['drɪblə] *n* игрок, ведущий мяч в футболе.

**dribblet** ['drɪblɪt] *n* 1) небольшая сумма; 2) чуточка; капелька; by ~s небольшими частями, по капельке.

**drier** ['draɪə] 1. *n* = dryer; 2. *a сравнит. ст. от* dry 1.

**drift** [drɪft] 1. *n* 1) медленное течение; 2) направление, тенденция; 3) намерение, стремление; the ~ of a speech смысл речи; I don't understand your ~ я не понимаю, куда вы клоните; 4) пассивность; the policy of ~ политика бездействия *или* самотёка; 5) сугроб (*снега*); куча (*песку, листьев и т. п.*), нанесённая ветром; 6) *мор.* дрейф; *ав.* снос; скорость сноса; 7) *геол.* ледниковый нанос; 8) дрифтерная сеть; 9) *горн.* штрек, горизонтальная выработка; 10) *воен.* деривация;

2. *v* 1) относить(ся) ветром, течением; дрейфовать; 2) наносить ветром, течением; 3) скопляться кучами (*о снеге, песке и т. п.*); 4) быть пассивным, предоставлять всё судьбе; to ~ into war быть втянутым в войну; 5) *тех.* расширять, пробивать отверстия; ☐ ~ **apart** разойтись (*тж. перен.*).

**driftage** ['drɪftɪdʒ] *n* 1) снос, дрейф (*судна в море*); 2) предметы, выброшенные на берег моря.

**drifter** ['drɪftə] *n* 1) дрифтер (*судно для ловли рыбы плавными сетями*); 2) рыбак, плавающий на дрифтере; 3) *амер. разг.* никчёмный человек; 4) *амер. разг.* бродяга.

**drift-ice** ['drɪftaɪs] *n* дрейфующий лёд.

**drift-net** ['drɪftnet] *n* плавная сеть.

**drift-wood** ['drɪftwud] *n* 1) сплавной лесоматериал; 2) лес, прибитый к берегу моря; плавник.

**drill** I [drɪl] 1. *n* 1) (физическое) упражнение, тренировка; 2) (строевое) учение; муштровка; муштра; 3) *attr.*: ~ **cartridge** учебный патрон;

2. *v* 1) тренировать; to ~ in grammar натаскивать по грамматике; 2) обучать (*строю*); to ~ troops обучать войска; 3) проходить строевое обучение.

**drill** II [drɪl] *тех.* 1. *n* сверло, дрель, коловорот; бур; бурав;
2. *v* сверлить, бурить.

**drill** III [drɪl] *с.-х.* 1. *n* 1) борозда; 2) рядовая сеялка;
2. *v* сеять, сажать рядами.

**drill** IV [drɪl] *n* тик (*ткань*).

**drill** V [drɪl] *n* дрил (*порода обезьян*).

**drill-book** ['drɪlbuk] *n* строевой устав.

**driller** I ['drɪlə] *n* строевой инструктор.

**driller** II ['drɪlə] *n* 1) сверловщик; бурильщик; 3) сверлильный станок.

**drill ground** ['drɪl,graund] *n воен.* учебный плац.

**drill-hall** ['drɪlhɔːl] *n* манеж.

**drillhole** ['drɪlhoul] *n* буровая скважина.

**drilling** I ['drɪlɪŋ] 1. *pres. p. от* drill I, 2;
2. *n* 1) обучение (*войск*); 2) *амер.* составление поездов; формирование составов.

**drilling** II ['drɪlɪŋ] 1. *pres. p. от* drill II, 2;
2. *n* 1) высверливание; 2) бурение.

**drilling** III ['drɪlɪŋ] 1. *pres. p. от* drill III, 2;
2. *n* 1) посев рядовой сеялкой.

**drill-sergeant** ['drɪl,sɑːdʒənt] *n воен.* сержант-инструктор по строю.

**drink** [drɪŋk] 1. *n* 1) питьё; напиток; soft ~s безалкогольные напитки; 2) глотóк; стакáн (вина, воды); to have a ~ выпить; попить, напиться; 3) спиртнóй напиток (тж.: ardent ~, strong ~); small ~ пиво; 4) склóнность к спиртнóму, пьянство; in ~ в пьяном виде, пьяный; to be on the ~ пить запоем; to take to ~ стать пьяницей; ◊ the big ~ амер. шутл. а) Атлантический океáн; б) рекá Миссисипи; long ~ of water амер. разг. человéк óчень высóкого рóста;

2. v (drank; drunk) 1) пить, выпить; I could ~ the sea dry меня мýчает жáжда, я óчень хочý пить; 2) пить, пьянствовать; to ~ the health of smb. пить за чьё-л. здорóвье; to ~ brotherhood выпить на брудершáфт; to ~ hard, to ~ heavily, to ~ like a fish сильно пьянствовать; to ~ deep a) сдéлать большóй глотóк; б) сильно пьянствовать; 3) впитывать влáгу (о растениях); 4) вдыхáть (воздух); □ ~ down выпить зáлпом; = in жáдно впитывать; упивáться (красотой и т. п.); ~ off = ~ down; ~ to пить за здорóвье, за процветáние; ~ up = ~ down.

**drinkable** ['drɪŋkəbl] **1.** a гóдный для питья;
2. n pl напитки.

**drinker** ['drɪŋkə] n 1) пьющий, тот, кто пьёт; 2) пьяница.

**drinking-bout** ['drɪŋkɪŋbaut] n запóй.

**drinking fountain** ['drɪŋkɪŋˌfauntɪn] n питьевóй фонтáнчик.

**drinking-horn** ['drɪŋkɪŋhɔːn] n чáша или кýбок, сдéланные из рóга.

**drinking-song** ['drɪŋkɪŋsɔŋ] n застóльная пéсня.

**drinking-water** ['drɪŋkɪŋˌwɔːtə] n питьевáя водá.

**drink-offering** ['drɪŋkˌɔfərɪŋ] n возлияние винá (жертвоприношение).

**drip** [drɪp] **1.** n 1) кáпание; 2) шум пáдающих кáпель; 3) = dripstone 1); 4) горн. капёж;
2. v кáпать, пáдать кáплями; the tap is ~ping кран течёт; to ~ with wet промóкнуть насквóзь.

**drip-moulding** ['drɪpˌmouldɪŋ] = dripstone 1).

**dripping** ['drɪpɪŋ] **1.** pres. p. от drip 2;
2. n 1) кáпание; просáчивание; 2) пáдающая кáпля́ми жидкость; 3) жир, кáпающий с мя́са во врéмя жáренья;
3. a 1) мóкрый, промóкший; ~ wet насквóзь мóкрый; 2) кáпающий, кáплющий.

**dripping-pan** ['drɪpɪŋpæn] n 1) сковородá, прóтивень; 2) тех. сáльник, маслоуловитель.

**dripstone** ['drɪpstoun] n 1) архит. слéзник; отливина; 2) фильтр из пóристого кáмня.

**drive** [draɪv] **1.** n 1) катáние, ездá, прогýлка (в экипáже, автомобиле); to go for a ~ совершить прогýлку; 2) дорóга (для экипáжей); подъезднáя аллéя (к дому); 3) преслéдование (неприятеля или зверя); 4) большáя энéргия, сила; 5) побуждéние, стимул; 6) гóнка, спéшка (в рабóте); armaments ~ гóнка вооружéний; 7) тендéнция; 8) сплав, гóнка (леса); 9) тех. пере-

дáча, привóд; 10) плóский удáр (в теннисе, крикете); 11) воен. энергичное наступлéние, удáр, атáка; 12) амер. (общéственная) кампáния (по привлечéнию новых члéнов и т. п.); to put on a ~ начáть кампáнию; a ~ to raise funds кампáния по сбóру средств; 13) горн. штрек; 14) амер. sl. продáжа товáров по дешёвке (с целью конкурéнции);

2. v (drove; driven) 1) гнать; преслéдовать (зверя, неприятеля); to ~ into a corner загнáть в ýгол; перен. приперéть к стéнке; ~n ashore выброшенный на бéрег; 2) вбивáть, вколáчивать (тж. ~ into); to ~ a nail home вбить гвоздь по сáмую шля́пку; перен. довести (что-л.) до концá; убедить; to ~ home убеждáть, внедря́ть в сознáние; 3) везти (в автомобиле, экипáже и т. п.); 4) éхать (в автомобиле, экипáже и т. п.); 5) прáвить (лошадьми); to ~ a pair éхать пáрой; 6) управля́ть (машиной, автомобилем); 7) двигать, приводить в движéние; 8) проводить, проклáдывать; to ~ a railway through the desert стрóить желéзную дорóгу чéрез пустыню; 9) быстро двигаться, нестись; 10) доводить, приводить; to ~ to despair доводить до отчáяния; to ~ mad, ~ out of one's senses, to ~ crazy сводить с умá; 11) совершáть, вести; to ~ a bargain заключáть сдéлку; to ~ a trade вести торгóвлю; 12) переутомля́ть, перегружáть рабóтой; he was very hard driven он был óчень перегрýжен; 13) спорт. дéлать плóский удáр (в теннисе, крикете); 14) горн. проходить горизонтáльную выработку; □ ~ at мéтить, клонить к чему-л.; what is he driving at? кудá он гнёт?; ~ away а) прогоня́ть; б) рассéивать; б) уéхать; в) загоня́ть; to ~ the cows in загнáть корóв; б) въéхать; ~ into вбивáть; перен. вдáлбливать, растолкóвывать; ~ out a) выбивáть; вытеснять; б) проезжáться, прокатиться (в автомобиле); ~ through свести на нет, аннулировать, обойти закóн; ~ up подъéхать, подкатить; ◊ to ~ a quill, to ~ a pen быть писáтелем; to let ~ at мéтить, направля́ть удáр в; ~ yourself car машина напрокáт без шофёра.

**drive-in** ['draɪv'ɪn] n амер. кинó на открытом вóздухе (тж. ~ motion-picture theater).

**drivel** ['drɪvl] **1.** n 1) слюни; 2) бессмыслица, глýпая болтовня; 3) глýпое поведéние;
2. v 1) распустить слюни, сóпли; 2) порóть чушь, нести чепухý; 3) глýпо вести себя́.

**driveller** ['drɪvlə] n 1) слюня́вый ребёнок; слюнтя́й; 2) идиóт.

**driven** ['drɪvn] p. p. от drive 2.

**driven wheel** ['drɪvnwiːl] n тех. ведóмое колесó.

**driver** ['draɪvə] n 1) шофёр; водитель; машинист; вагоновожáтый; кýчер; 2) гуртовщик; погóнщик скотá; 3) разг. надсмóтрщик за рабáми; хозя́ин-эксплуатáтор; 4) машина-двигатель; 5) длинная клюшка (для гóльфа); 6) мор. 5-я, 6-я или 7-я мáчта (шхуны); бизáнь-мáчта; 7) *тех.* ведущее колесо, ведущий шкив; 8) *тех.* всякий инструмент *или* приспособление для ввинчивания, завинчивания, вколачивания *и т. п.*; 9) *горн.* коногон.

**driveway** ['draɪveɪ] *n* дорога, проезд.

**driving** ['draɪvɪŋ] 1. *pres. p. от* drive 2; 2. *n* 1) катание; езда; 2) *тех.* передача, привод; 3) вождение автомобиля; 4) = drive 1, 10); 5) *горн.* проходка штрека; 6) *мор.* дрейф.
3. *a* сильный, имеющий большую силу; ~ storm сильная буря; ~ rain сильный косой дождь.

**driving-axle** ['draɪvɪŋˌæksl] *n* ведущая ось.

**driving-belt** ['draɪvɪŋbelt] *n* приводной ремень.

**driving force** ['draɪvɪŋfɔːs] *n* движущая сила.

**driving-wheel** ['draɪvɪŋwiːl] *n* ведущее колесо, движущее колесо.

**drizzle** ['drɪzl] 1. *n* мелкий дождь, изморось;
2. *v* моросить; it ~s моросит.

**drogher** ['drougə] *голл. п уст.* небольшое вест-индское каботажное судно.

**drogue** [droug] *n* 1) буёк, прикреплённый к гарпуну; 2) плавучий якорь; 3) *ав.* привязной аэростат, «колбаса».

**droll** [droul] 1. *n редк.* шут, фигляр;
2. *a* чудной; забавный; смешной;
3. *v редк.* шутить, валять дурака.

**drollery** ['drouləri] *n* шутки, юмор.

**drome** [droum] *сокр. разг. от* aerodrome.

**dromedary** ['drʌmədərɪ] *n* одногорбый верблюд, дромадер.

**dromon** ['drɔmən]=dromond.

**dromond** ['drɔmənd] *n ист.* военное *или* торговое судно, имевшее и паруса и вёсла.

**drone** [droun] 1. *n* 1) трутень (*тж. перен.*); 2) жужжание, гудение; 3) басовая трубка волынки *или* её звук; 4) *ав.* радиоуправляемый самолёт;
2. *v* 1) жужжать, гудеть; 2) бубнить, читать, петь монотонно; 3) бездельничать; жить на чужие средства.

**droningly** ['drouɪŋlɪ] *adv* монотонно, заунывно.

**drool** [druːl] 1. *n* чепуха, чушь;
2. *v* 1) течь, сочиться (*о слюне, крови*); 2) нести чепуху.

**droop** [druːp] 1. *n* 1) опускание, поникание; 2) изнеможение; 3) упадок духа;
2. *v* 1) свисать, склоняться, поникать; 2) увядать, ослабевать; ~ from drought растения вянут от засухи; 3) изнемогать; 4) унывать, падать духом; 5) *поэт.* опускаться; клониться к закату; 6) повесить, понурить (*голову*); потупить (*глаза, взор*); 7) сползать, спускаться (*о плечике, бретельке*).

**drop** [drɔp] 1. *n* 1) капля; a ~ in the bucket, a ~ in the ocean ≅ капля в море; by ~, by ~s капля за каплей; 2) *pl мед.* капли; 3) стакан *или* глоток (*спиртного*); to have a ~ in one's eye быть навеселе; to take a ~ too much хлебнуть лишнего; 4) драже; леденец; 5) серьга, подвеска; 6) падение, понижение; снижение; ~ in prices

(temperature) падение цен (температуры); a ~ on smth. снижение по сравнению с чем-л.; 7) падающий занавес (*в театре*); 8) расстояние (*сверху вниз*); a ~ of 10 feet from the window to the ground от окна до земли 10 футов; 9) удар по мячу, отпрыгнувшему от земли (*в футболе*); 10) наличник (*замка́*); 11) щель для монеты *или* жетона (*в автомате*); 12) падалица (*о плодах*); 13) *тех.* перепад;
2. *v* 1) капать; 2) выступать каплями; 3) проливать (*слёзы*); 4) ронять; 5) падать; спадать; to ~ as if one had been shot упасть как подкошенный; he is ready to ~ он с ног валится, очень устал; 6) отправлять, опускать (*письмо*); ~ me a line ≅ черкни(те) мне несколько строк; 7) бросать (*привычку, занятие*); прекращать; ~ it! брось(те)!, оставь(те)!; перестань(те)!; to ~ smoking бросить курить; 8) сбрасывать (*с самолёта*); 9) проронить (*слово*); to ~ a hint обронить намёк; 10) прекращать (*работу, разговор*); let us ~ the subject прекратим разговор на эту тему; 11) оставлять, покидать (*семью, друзей*); 12) понижать (*голос*); потуплять (*глаза*); 13) падать, снижаться; 14) пропускать, опускать; to ~ a letter пропустить букву; 15) высаживать, довозить; оставлять; I'll ~ you at your door я подвезу вас до (*вашего*) дома; 16) сразить (*ударом, пулей*); 17) спускаться; опускаться; his jaw ~ed челюсть его опустилась, отвисла; 18) отелиться, ожеребиться *и т. п.* раньше времени; 19) терять, проигрывать (*деньги*); 20) *амер. разг.* уволить; □ ~ across *разг.* a) случайно встретить; б) сделать выговор; ~ away уходить один за другим; ~ behind отставать; ~ in *разг.* a) зайти, заглянуть; б) входить один за другим; ~ into a) случайно зайти, заглянуть; б) втянуться, приобрести привычку; в) ввязаться (*в разговор*); ~ off a) расходиться; б) уменьшаться; в) заснуть; г) умереть; ~ on сделать выговор; наказать; ~ out a) исчезнуть; б) *полигр.* выпасть (*из набора*); в) опустить, не включить; ◇ to ~ asleep заснуть; to ~ a brick сделать ляпсус, допустить бестактность; to ~ short a) не хватать; б) не достигать цели; to ~ a word in favour of smb. замолвить за кого-л. словечко; to ~ from the clouds свалиться как снег на голову; to ~ like a hot potato поспешить избавиться от чего-либо; to ~ from sight исчезнуть из поля зрения.

**drop bomb** ['drɔpbɔm] *n* авиабомба.

**drop-curtain** ['drɔpˌkəːtn] *n* падающий занавес (*в театре*).

**drop-hammer** ['drɔpˌhæmə] *n тех.* копёр, падающий молот.

**drop-kick** ['drɔpkɪk] *n спорт.* удар с полулёта (*в футболе*).

**drop-leaf** ['drɔpliːf] *n* откидная доска (*у стола*).

**droplet** ['drɔplɪt] *n* капелька.

**drop-letter** ['drɔpˌletə] *n амер.* местное, городское письмо.

**drop-light** ['drɔplaɪt] *n* электрическая лампа на гибком подвесе.

**dropping-gear** [ˈdrɔpɪŋˌgɪə] *n* 1) *ав.* бомбосбрасыватель; 2) *мор.* лоток для сбрасывания торпед (*с торпедных катеров*).

**droppings** [ˈdrɔpɪŋz] *n pl* 1) то, что упало или падает каплями (*дождь, стекающий жир и т. п.*); 2) помёт животных, навоз.

**drop-scene** [ˈdrɔpsiːn] *n* 1) = drop-curtain; 2) заключительная сцена.

**drop-shutter** [ˈdrɔpˌʃʌtə] *n фото* моментальный затвор.

**dropsical** [ˈdrɔpsɪkəl] *a* 1) страдающий водянкой; 2) опухший; отёчный.

**dropsy** [ˈdrɔpsɪ] *n* водянка.

**dropwort** [ˈdrɔpwəːt] *n бот.* омежник.

**drosometer** [drɔˈsɔmitə] *n* прибор для измерения количества выпавшей росы.

**dross** [drɔs] *n* 1) отбросы; остатки, подонки; 2) окалина; шлак; 3) ржавчина; 4) угольный мусор.

**drossy** [ˈdrɔsɪ] *a* 1) изобилующий шлаком; 2) нечистый, сорный.

**drought** [draut] *n* 1) засуха; 2) сухость воздуха; 3) *уст.* жажда.

**droughty** [ˈdrautɪ] *a* 1) сухой; засушливый; 2) *уст.* испытывающий жажду.

**drouth** [drauθ] *n поэт., шотл. см.* drought.

**drove** I [drouv] *past от* drive 2.

**drove** II [drouv] *n* 1) гурт, стадо; 2) толпа; to stand in ~s толпиться; 3) *тех.* зубило для обтёски камней.

**drover** [ˈdrouvə] *n* 1) гуртовщик; 2) скотопромышленник.

**drown** [draun] *v* 1) тонуть; to be ~ed утонуть; 2) топить(ся); 3) затоплять, заливать; ~ed in tears весь в слезах; заливаясь слезами; ~ed in sleep погружённый в сон; совсем сонный; 4) заглушать (*звук, голос, тоску*); ◇ a ~ing man will catch at a straw утопающий хватается за соломинку.

**drowse** [drauz] 1. *n* дремота, полусон; сонливость;
2. *v* 1) дремать, быть сонным; 2) оказывать снотворное действие; наводить сон; 3) проводить время в бездействии.

**drowsily** [ˈdrauzɪlɪ] *adv* сонно; вяло.

**drowsy** [ˈdrauzɪ] *a* 1) сонный, дремлющий; 2) навевающий дремоту; снотворный; 3) вялый.

**drub** [drʌb] *v* 1) (по)бить, (по)колотить; to ~ into a person вбить кому-л. в голову; to ~ out of a person выбить у кого-л. из головы; 2) топать, стучать, барабанить.

**drubbing** [ˈdrʌbɪŋ] 1. *pres. p. от* drub;
2. *n* битьё, побои.

**drudge** [drʌdʒ] 1. *n* 1) человек, выполняющий тяжёлую, нудную работу; 2) подёнщик; раб;
2. *v* выполнять тяжёлую, нудную работу.

**drudgery** [ˈdrʌdʒərɪ] *n* тяжёлая, нудная работа.

**drudgingly** [ˈdrʌdʒɪŋlɪ] *adv* старательно; с трудом.

**drug** [drʌg] 1. *n* 1) лекарство, медикамент; 2) наркотик; 3) неходкий товар, то, что никому не нужно (*обыкн.* ~ in *или* on the market); 4) *attr.* лекарственный; ~ plants лекарственные растения; 5) *attr.*

наркотический; ~ fiend, ~ taker наркоман; the ~ habit наркомания;
2. *v* 1) подмешивать наркотики *или* яд (*в пищу*); 2) давать наркотики; 3) употреблять наркотики; 4) притуплять (*чувства*).

**drugget** [ˈdrʌgɪt] *n* драгет (*грубая шерстяная материя для половиков*).

**druggist** [ˈdrʌgɪst] *n* аптекарь, владелец аптекарского магазина.

**drugstore** [ˈdrʌgstɔː] *n амер.* аптека; аптекарский магазин.

**Druid** [ˈdruːɪd] *n* друид.

**drum** [drʌm] 1. *n* 1) барабан; 2) барабанный бой; 3) *анат.* барабан (*внутренняя полость среднего уха*); 4) ящик для упаковки сушёных фруктов; 5) *тех.* барабан, цилиндр; 6) *уст.* званый вечер, раут; ◇ to beat the (big) ~ a) беззастенчиво рекламировать; б) шумно протестовать;
2. *v* 1) бить в барабан; 2) барабанить пальцами; 3) вдалбливать (in, into); 4) стучать, топать; 5) хлопать крыльями; □ ~ out *воен. уст.* изгонять (*из полка под барабанный бой*); ~ up зазывать; to ~ up customers *амер.* зазывать покупателей, заказчиков.

**drumbeat** [ˈdrʌmbiːt] *n* барабанный бой.

**drumfire** [ˈdrʌmˌfaɪə] *n воен.* ураганный огонь.

**drum-fish** [ˈdrʌmfɪʃ] *n* барабанщик (*рыба*).

**drumhead** [ˈdrʌmhed] *n* 1) кожа на барабане; 2) *анат.* барабанная перепонка; 3) *мор.* дромгед, голова шпиля; ◇ ~ court martial военно-полевой суд.

**drum major** [ˈdrʌmˈmeɪdʒə] *n* старший полковой барабанщик; тамбурмажор.

**drummer** [ˈdrʌmə] *n* 1) барабанщик; 2) *амер.* коммивояжёр; 3) *австрал.* бродяга.

**drumstick** [ˈdrʌmstɪk] *n* 1) барабанная палочка; 2) ножка варёной *или* жареной птицы (*курицы, утки, гуся и т. п.*).

**drunk** [drʌŋk] 1. *p.p. от* drink 2.
2. *a predic.* 1) пьяный; to get ~ напиться пьяным; ~ as a lord, ~ as a fiddler ≈ пьян как стелька; blind ~, dead ~ мертвецки пьян; опьянённый (*успехом и т. п.*; with);
3. *n* 1) пьяный; 2) *sl.* попойка; 3) *sl.* разбор дела о дебоширстве в полицейском суде.

**drunkard** [ˈdrʌŋkəd] *n* пьяница, алкоголик.

**drunken** [ˈdrʌŋkən] *a* пьяный; ~ brawl пьяная ссора.

**drupaceous** [druːˈpeɪʃəs] *a бот.* косточковый (*плод*).

**drupe** [druːp] *n бот.* косточковый плод (*слива, вишня, персик и т. п.*).

**drupel(et)** [ˈdruːpl(ɪt)] *n* костяночка (*малины, ежевики и т. п.*).

**druse** [druːz] *n мин.* друза.

**dry** [draɪ] 1. *a* 1) сухой; ~ cough сухой кашель; ~ land суша; ~ bread a) хлеб без масла; б) засохший хлеб; ~ masonry *стр.* кладка без раствора (*насухо*); ~ cell *или* pile сухая электрическая батарея; 2) сухой, высохший (*о колодце*); 3) засушливый; 4) сухой, несладкий (*о вине*); 5) испытывающий жа́жду (*о человеке*); 6) сухо́й, ску́чный, неинтере́сный; а ~ book ску́чная кни́га; 7) холо́дный, безразли́чный, неприя́тный; ~ humour шу́тка, передава́емая невозмути́мым то́ном; 8) *амер.* антиалкого́льный, запреща́ющий прода́жу спиртны́х напи́тков; ~ town го́род, в кото́ром запрещена́ прода́жа спиртны́х напи́тков; to go ~ запрети́ть прода́жу *или* отказа́ться от употребле́ния спиртны́х напи́тков; 9) *воен. sl.* уче́бный; ~ shot холосто́й вы́стрел; ◇ ~ cow я́ловая коро́ва; ~ death смерть без проли́тия кро́ви; ~ facts го́лые фа́кты; ~ house суши́льня; ~ light непредубеждённый взгляд (*на вещи*); ~ lodging помеще́ние, сдава́емое без пита́ния; he's not even ~ behind the ears ≅ у него́ ещё молоко́ на губа́х не обсо́хло;

2. *n* 1) за́суха; суха́я пого́да; 2) су́ша; 3) *амер.* сторо́нник запреще́ния спиртны́х напи́тков;

3. *v* 1) суши́ть(ся), со́хнуть, высыха́ть; to ~ herbs суши́ть тра́вы; to ~ oneself суши́ться; 2) иссяка́ть; 3) вытира́ть по́сле мытья́; he dried his hands on the towel он вы́тер ру́ки полоте́нцем; □ ~ up а) высу́шивать; to ~ up one's tears осуши́ть слёзы; б) высыха́ть, пересыха́ть (*о колодце, реке*); в) *разг.* замолча́ть; переста́ть; ~ up! замолчи́(те)!; переста́нь(те)!

**dryad** ['draɪəd] *n миф.* дриа́да.

**Dryasdust** ['draɪəzdʌst] 1. *n* ску́чный, педанти́чный челове́к, учёный, профе́ссор *и т. п.*;

2. *a* (d.) сухо́й, ску́чный.

**dry-bob** ['draɪbɔb] *n* уча́щийся — люби́тель спо́рта (не во́дного) [*ср.* wet-bob].

**dry-clean** ['draɪ'kli:n] *v* подверга́ть хими́ческой чи́стке.

**dry-cleaners** ['draɪ'kli:nəz] *n pl* хими́ческая чи́стка (*мастерска́я*).

**dry-cleaning** ['draɪ'kli:nɪŋ] 1. *pres. p. от* dry-clean;

2. *n* хими́ческая чи́стка (*проце́сс*).

**dryer** [ draɪə] *n* 1) суши́льник; 2) суши́льный аппара́т; 3) сиккати́в.

**dry farming** ['draɪ,fɑ:mɪŋ] *n* безырригацио́нная обрабо́тка земли́ (*в засу́шливых райо́нах*).

**dry-fist** ['draɪfɪst] *n уст.* скря́га.

**dry-fly** ['draɪflaɪ] *n* иску́сственная му́ха (*употребля́емая при ры́бной ло́вле*).

**dry goods** ['draɪ'gudz] *n pl* 1) мануфакту́ра, галантере́я; 2) *attr.:* ~ store *амер.* промтова́рный магази́н.

**dryish** ['draɪɪʃ] *a* сухова́тый.

**dry measure** ['draɪ,meʒə] *n* ме́ра сыпу́чих тел.

**dry-nurse** ['draɪnə:s] 1. *n* ня́ня; ня́нька;

2. *v* ня́нчить.

**dry-point** ['draɪpɔɪnt] 1. *n* 1) игла́ для гравиро́вания без кислоты́; 2) гравиро́вание сухо́й иглой; 3) гравю́ра, вы́полненная сухо́й иглой;

2. *v* гравирова́ть иглой без кислоты́.

**dry-rot** ['draɪ'rɔt] *n* 1) суха́я гниль (*древеси́ны*); 2) мора́льное разложе́ние; упа́док, загнива́ние.

**dry-salter** ['draɪ,sɔ:ltə] *n* 1) торго́вец мо-

скате́льными това́рами; 2) торго́вец сушёными проду́ктами, марина́дами, консе́рвами.

**dry-saltery** ['draɪ,sɔ:ltərɪ] *n* торго́вля москате́льными това́рами *и пр.* [*см.* dry-salter].

**dry-shod** ['draɪ'ʃɔd] *adv:* to pass over ~ перейти́, не замочи́в ног.

**dry wall** ['draɪ'wɔ:l] *n стр.* стена́ сухо́й кла́дки.

**dry wash** ['draɪ'wɔʃ] *n* бельё, вы́стиранное и вы́сушенное (*но не вы́глаженное*).

**dual** ['dju:əl] 1. *a* дво́йственный; двойно́й; состоя́щий из двух часте́й; ~ ownership совме́стное владе́ние (*двух лиц*); the D. Monarchy *ист.* а́встро-венге́рская мона́рхия;

2. *n грам.* 1) дво́йственное число́; 2) сло́во в дво́йственном числе́.

**dualism** ['dju:əlɪzəm] *n филос.* дуали́зм.

**duality** [dju:'ælɪtɪ] *n* дво́йственность.

**dualize** ['dju:əlaɪz] *v* раздва́ивать.

**dub** I [dʌb] *v* 1) посвяща́ть в ры́цари; 2) дава́ть ти́тул; *шутл.* окрести́ть, дать про́звище; 3) сма́зывать жи́ром (*ко́жу*); 4) *sl.* упла́чивать (*обыкн.* ~ up).

**dub** II [dʌb] *v* 1) обруба́ть; 2) обтёсывать; строга́ть; 3) ровня́ть; пригоня́ть; отде́лывать.

**dub** III [dʌb] *v* дубли́ровать фильм.

**dub** IV [dʌb] *n разг.* у́валень, неуме́лый челове́к.

**dubbin** ['dʌbɪn] *n* жир для сма́зывания ко́жи.

**dubiety** [dju:'baɪətɪ] *n* сомне́ние, колеба́ние.

**dubious** ['dju:bjəs] *a* 1) сомни́тельный, подозри́тельный; ~ character подозри́тельная ли́чность; 2) сомнева́ющийся, коле́блющийся.

**dubitation** [,dju:bɪ'teɪʃən] *n редк.* сомне́ние; колеба́ние.

**dubitative** ['dju:bɪtətɪv] *a* выража́ющий сомне́ние; коле́блющийся; нереши́тельный.

**ducal** ['dju:kəl] *a* ге́рцогский.

**ducat** ['dʌkət] *n ист.* дука́т (*моне́та*).

**duchess** ['dʌtʃɪs] *n* герцоги́ня.

**duchy** ['dʌtʃɪ] *n* ге́рцогство.

**duck** I [dʌk] *n* 1) у́тка; 2) ути́ное мя́со; 3) *ласк.* голу́бушка, ду́шка; 4) *разг.* стра́тчик; банкро́т; 5) *амер. воен. разг.* наши́вка, шевро́н; 6) *attr.:* ~ tail ути́ный хвост; *перен.* вихо́р, хохоло́к; ◇ like a ~ in a thunderstorm с растеря́нным ви́дом; fine weather for young ~s *шутл.* дождли́вая пого́да; like water off a ~'s back ≅ как с гу́ся вода́; ~s and drakes игра́, состоя́щая в броса́нии пло́ских ка́мешков по пове́рхности воды́; to play ~s and drakes with smth. • расточа́ть что-л., прома́тывать что-л.; поступа́ть с чем-л. безрассу́дно; рискова́ть чем-л.; to take to smth. like a (dying) ~ to water чу́вствовать себя́ в чём-л. как ры́ба в воде́; a ~ of *разг.* преле́стный, восхити́тельный; lame ~ а) кале́ка; б) банкро́т; растра́тчик; в) неуда́чник; г) *ав. sl.* повреждённый самолёт.

**duck** II [dʌk] 1. *n* 1) ныря́ние; окуна́ние; 2) бы́строе наклоне́ние головы́;

**2.** *v* 1) нырять; окунать(ся); 2) увёртываться (*от удара, снаряда*); 3) *разг.* приседать, делать реверанс; 4) быстро наклонять голову.

**duck III** [dʌk] *n* 1) грубое полотно, парусина; 2) *pl* парусиновые брюки.

**duckbill** ['dʌkbil] *n* 1) *зоол.* утконос; 2) *бот.* английская пшеница.

**duck-boards** ['dʌkbɔːdz] *n pl воен. разг.* дощатый настил.

**ducker** ['dʌkə] *n* поганка малая (*птица*).

**ducket** ['dʌkit] *n амер. sl.* профсоюзный билет.

**duck-hawk** ['dʌkhɔːk] *n зоол.* лунь болотный.

**ducking** ['dʌkiŋ] 1. *pres. p. от* duck II, 2; **2.** *n* 1) погружение в воду; I got a good ~ я сильно промок; 2) охота на диких уток.

**ducking-stool** ['dʌkiŋstuːl] = cucking-stool.

**duck-legged** ['dʌklegd] *a* коротконогий, переваливающийся на ходу.

**duckling** ['dʌkliŋ] *n* утёнок.

**duck-out** ['dʌkaut] *n амер. воен. sl.* дезертирство.

**duck's-egg** ['dʌkseg] *n* 1) счёт 0 (*в крикете*); 2) *школ. sl.* нуль, ничего.

**duck-shot** ['dʌkʃɔt] *n* мелкая дробь.

**duck's meat** ['dʌksmiːt] = duckweed.

**duckweed** ['dʌkwiːd] *n бот.* ряска.

**duct** [dʌkt] *n* 1) проток, канал (*в организме*); 2) труба, провод; 3) *тех.* проходная втулка.

**ductile** ['dʌktail] *a* 1) эластичный; 2) ковкий, тягучий (*о металле*); 3) годный для лепки (*о глине*); 4) податливый, послушный; поддающийся влиянию (*о человеке*).

**ductility** [dʌk'tiliti] *n* 1) эластичность; 2) ковкость, тягучесть; 3) вязкость; 4) податливость, послушание.

**ductless** ['dʌktlis] *a анат.* не имеющий выводного протока; ~ glands железы внутренней секреции.

**dud** [dʌd] *sl.* **1.** *n* 1) неудача; 2) никчёмный человек; неудачник; 3) подделка; денежный документ, признанный недействительным; 4) неразорвавшийся снаряд; 5) *pl* лохмотья, рвань; 6) *pl* одежонка, плохонькая одежда; **2.** *a* поддельный, негодный, недействительный.

**dude** [djuːd] *n амер. sl.* хлыщ, фат, пижон.

**dudgeon I** ['dʌdʒən] *n уст.* рукоятка кинжала.

**dudgeon II** ['dʌdʒən] *n* обида, возмущение; in high (*или* deep, great) ~ в глубоком возмущении.

**dud(h)een** [dʌd'iːn] *n ирл., амер.* короткая глиняная курительная трубка.

**due** [djuː] **1.** *n* 1) должное; то, что причитается; to give smb. his ~ воздавать кому-л. по заслугам; отдавать должное; 2) *pl* сборы, налоги, пошлины; custom ~s таможенные пошлины; 3) *pl* членские взносы; party ~s партийные взносы;
**2.** *a* 1) должный, надлежащий; with ~

attention с должным вниманием; in ~ form по форме, по всем правилам; in ~ course должным порядком; in ~ time в своё время; after ~ consideration после внимательного рассмотрения; 2) обусловленный; his death was ~ to nephritis смерть его была вызвана нефритом; 3) *predic.* должный, обязанный (*по соглашению, по договору*); he is ~ to speak at the meeting он должен выступить на собрании; 4) *predic.* ожидаемый; the train is ~ and over-due поезд давным-давно должен был прийти; 5) причитающийся; his wages are ~ заработная плата ему ещё не выплачена; 6): ~ to (*употр. как prep*) благодаря;
**3.** *adv* точно, прямо (*по стрелке компаса*); they went ~ south они держали курс прямо на юг.

**duel** ['djuːəl] **1.** *n* 1) дуэль, поединок; 2) состязание, борьба;
**2.** *v* драться на дуэли.

**duellist** ['djuːəlist] *n* участник дуэли, дуэлянт.

**duenna** [djuːˈenə] *исп. n* дуэнья, гувернантка, компаньонка (*молодой девушки*).

**duet(t)** [djuːˈet] *n* дуэт.

**duetto** [djuːˈetou] *um.* = duet.

**duff I** [dʌf] *n* 1) *диал.* тесто; 2) *разг.* пудинг с изюмом (*обыкн.* plum ~); 3) гумус; 4) угольная мелочь.

**duff II** [dʌf] *v sl.* 1) фальсифицировать (*товары*), подновлять; 2) обманывать; 3) *австрал.* воровать скот и менять клеймо.

**duffel** ['dʌfəl] *n* 1) шерстяная байка; 2) снаряжение и припасы (*туриста, охотника*).

**duffer** ['dʌfə] *n* 1) тупица; никчёмный, неспособный человек; 2) фальсификатор, подделыватель; 3) фальшивая монета; 4) выработанная шахта; 5) *уст.* коробейник.

**duffle** ['dʌfl] = duffel.

**dug I** [dʌg] *past и p. p. от* dig 1.

**dug II** [dʌg] *n* 1) сосок (*животного*); 2) вымя.

**dugong** ['duːgɔŋ] *малайск. n* (*pl без измен.*) *зоол.* дюгонь.

**dug-out** ['dʌgaut] *n* 1) челнок, выдолбленный из бревна; 2) *воен.* убежище; блиндаж; 3) *sl.* офицер, вновь призванный на службу из отставки.

**duiker** ['daikə] *голл. n* дукер (*антилопа*).

**duke** [djuːk] *n* герцог; Grand D. великий князь.

**dukedom** ['djuːkdəm] *n* 1) герцогство; 2) титул герцога.

**dulcet** ['dʌlsit] *a* сладкий, нежный (*о звуках*).

**dulcify** ['dʌlsifai] *v* 1) делать мягким, приятным; 2) *редк.* подслащивать.

**dulcimer** ['dʌlsimə] *n муз.* цимбалы.

**dull** [dʌl] **1.** *a* 1) тупой, глупый; 2) скучный; монотонный; ~ beggar (*или* fish) скучный человек; 3) тупой, притупленный; ~ pain тупая боль; ~ of hearing тугой на ухо; 4) тусклый; 5) пасмурный; 6) неясный; ~ sight слабое зрение; 7) безрадостный, унылый; понурый; 8) вялый (*о торговле*); 9) неходкий, не имеющий спроса (*о товаре*);

**2.** *v* притупля́ть(ся); де́лать(ся) тупы́м, ту́склым, вя́лым, ску́чным; to ~ the edge of one's appetite испо́ртить себе́ аппети́т.

**dullard** [ˈdʌləd] *n* тупи́ца, о́лух.

**dullish** [ˈdʌlɪʃ] *a* 1) тупова́тый; 2) скучнова́тый.

**dulse** [dʌls] *n* тёмно-кра́сная съедо́бная во́доросль.

**duly** [ˈdjuːlɪ] *adv* 1) до́лжным о́бразом, пра́вильно; 2) в до́лжное вре́мя.

**dumb** [dʌm] **1.** *a* 1) немо́й; deaf and ~ глухонемо́й; ~ show нема́я сце́на, пантоми́ма; 2) бессло́ве́сный; ~ animals бессло́ве́сные живо́тные; 3) онеме́вший (*от стра́ха и т. п.*); to strike smb. ~ лиши́ть кого́-л. да́ра сло́ва; ошара́шить кого́-л.; 4) без-зву́чный; this piano has several ~ notes у э́того пиани́но не́сколько кла́вишей не звуча́т; 5) молчали́вый; a ~ dog *разг.* молчали́вый па́рень; 6) *амер. разг.* глу́пый; ◊ ~ barge несамохо́дная ба́ржа.

**2.** *v редк.* заста́вить замолча́ть.

**dumb-bell** [ˈdʌmbel] **1.** *n* 1) *pl* ги́ри для гимна́стики, ганте́ли; 2) *амер. sl.* болва́н, дура́к;

**2.** *v* развива́ть си́лу при по́мощи ганте́лей.

**dumbfound** [dʌmˈfaund] *v* ошара́шить, ошеломи́ть.

**dumbledore** [ˈdʌmbl̩ˌdɔː] *n диал.* 1) шмель; 2) наво́зник (обыкнове́нный).

**dumbness** [ˈdʌmnɪs] *n* немота́.

**dumb piano** [ˈdʌmˈpjæpou] *n* нема́я клавиату́ра.

**dumb-waiter** [ˈdʌmˈweɪtə] *n* 1) враща́ющийся сто́лик, откры́тая этаже́рка для заку́сок; 2) *амер.* лифт для пода́чи ку́шаний из ку́хни в столо́вую.

**dumdum** [ˈdʌmdʌm] *n* пу́ля «дум-ду́м» (*тж.* ~ bullet).

**dummy** [ˈdʌmɪ] **1.** *n* 1) манеке́н, ку́кла; baby's ~ со́ска; 2) маке́т; 3) подставно́е, фикти́вное лицо́; 4) ору́дие в чужи́х рука́х; марионе́тка; 5) *карт.* болва́н; 6) *спорт.* финт, обма́нное движе́ние (*в футбо́ле*); ◊ tailor's ~ франт, пижо́н.

**2.** *a* 1) подде́льный; подставно́й; фикти́вный; ~ window ло́жное окно́; 2) уче́бный, моде́льный; ~ cartridge уче́бный патро́н; 3) вре́менный; 4) *тех.* холосто́й (*ход*).

**dump I** [dʌmp] **1.** *n* 1) сва́лка, гру́да хла́ма; 2) *амер.* му́сорная ку́ча; 3) *воен.* вре́менный полево́й склад; 4) на́сыпь; шта́бель у́гля *или* руды́; 5) отва́л, ку́ча шла́ка; 6) глухо́й звук от паде́ния тяжёлого те́ла;

**2.** *v* 1) сбра́сывать, сва́ливать (*му́сор*); 2) опроки́дывать (*вагоне́тку*); разгружа́ть; 3) *эк.* устра́ивать де́мпинг; 4) роня́ть с шу́мом.

**dump II** [dʌmp] *n* 1) свинцо́вый кружо́к; свинцо́вая фи́шка; 2) *sl.* ме́лкая моне́та; *pl* де́ньги; not worth a ~ гроша́ ме́дного не сто́ит; 3) невысо́кий корена́стый челове́к.

**dump-car** [ˈdʌmpkɑː] *n* опроки́дывающаяся теле́жка *или* вагоне́тка, ду́мпкар.

**dumping** [ˈdʌmpɪŋ] **1.** *pres. p. от* dump I, 2;

**2.** *n* 1) *эк.* де́мпинг, бро́совый э́кспорт; 2) разгру́зка, сва́ливание в отва́л.

**dumpish** [ˈdʌmpɪʃ] *a* гру́стный.

**dumpling** [ˈdʌmplɪŋ] *n* 1) клёцка; 2) я́блоко, запечённое в те́сте; 3) корыты́шка; ◊ Norfolk ~ обита́тель Но́рфолка.

**dumps** [dʌmps] *n pl:* to be in the ~ быть в плохо́м настрое́нии, в уны́нии.

**dumpy I** [ˈdʌmpɪ] *a* уны́лый.

**dumpy II** [ˈdʌmpɪ] **1.** *a* корена́стый;

**2.** *n название поро́ды коротконо́гих кур.*

**dumpy III** [ˈdʌmpɪ] *n* 1) ни́зенькая мя́гкая скаме́ечка; 2) ма́ленький зонт.

**dumpy level** [ˈdʌmpɪˈlevl] *n* глухо́й ниве́ли́р.

**dun I** [dʌn] **1.** *n* 1) серова́то-кори́чневый цвет; 2) иску́сственная се́рая му́ха (*в рыбно́й ло́вле*);

**2.** *a* 1) серова́то-кори́чневый; 2) *поэт.* тёмный, су́мрачный.

**dun II** [dʌn] **1.** *n* 1) назо́йливый кредито́р; 2) насто́йчивое тре́бование упла́ты;

**2.** *v* 1) насто́йчиво тре́бовать упла́ты до́лга; 2) надоеда́ть.

**dun-bird** [ˈdʌnbɜːd] *n* ныро́к красноголо́вый.

**dunce** [dʌns] *n* тупи́ца; неуспева́ющий учени́к; ~'s cap бума́жный колпа́к, надева́емый лени́вым ученика́м в кла́ссе в ви́де наказа́ния.

**dunderhead** [ˈdʌndəhed] *n* глу́пая башка́, болва́н.

**dune** [djuːn] *n* дю́на.

**dung I** [dʌŋ] **1.** *n* помёт, наво́з; удобре́ние;

**2.** *v* удобря́ть (*зе́млю*) наво́зом, унаво́живать.

**dung II** [dʌŋ] *past u p. p. om* ding 2.

**dungaree** [ˌdʌŋɡəˈriː] *n англо-инд.* 1) гру́бая бума́жная ткань; 2) *pl* рабо́чие брю́ки из гру́бой бума́жной тка́ни.

**dung-beetle** [ˈdʌŋˌbiːtl] *n* наво́зный жук, наво́зник (обыкнове́нный); скараба́ей свяще́нный.

**dungeon** [ˈdʌndʒən] **1.** *n* 1) подзе́мная тюрьма́; темни́ца; 2) = donjon;

**2.** *v редк.* заключа́ть в темни́цу.

**dung-fork** [ˈdʌŋfɔːk] *n* наво́зные ви́лы.

**dunghill** [ˈdʌnhɪl] *n* наво́зная ку́ча.

**dungy** [ˈdʌŋɪ] *a* наво́зный, гря́зный.

**duniwassal** [ˈduːnɪˌwɒsəl] *n шотл.* ме́лкий дворяни́н.

**dunk** [dʌŋk] *v* 1) *амер.* мака́ть (*суха́рь, пече́нье в чай, вино́*); 2) замочи́ть, смочи́ть.

**dunlin** [ˈdʌnlɪn] *n* чернозо́бик (*пти́ца*).

**dunnage** [ˈdʌnɪdʒ] *n мор.* подсти́лка под груз.

**duodecimal** [ˌdjuːouˈdesɪməl] **1.** *n* двена́дцатая часть;

**2.** *a* двенадцатери́чный.

**duodecimo** [ˌdjuːouˈdesɪmou] *n* форма́т кни́ги в двена́дцатую до́лю листа́.

**duodenal** [ˌdjuːouˈdiːnl] *a анат.* дуодена́льный; ~ ulcer я́зва двенадцатипе́рстной кишки́.

**duodenary** [ˌdjuːouˈdiːnərɪ] *a* двенадцатери́чный.

**duodenitis** [ˌdjuːoudiːˈnaɪtɪs] *n* воспале́ние двенадцатипе́рстной кишки́.

**duodenum** [ˌdjuːouˈdiːnəm] *n анат.* двена́дцатипе́рстная кишка́.

duologue ['djuələg] = dialogue.

dupable ['djuːpəbl] = dupeable.

dupe [djuːp] 1. *n* простофиля;
2. *v* обманывать, одурачивать.

dupeable ['djuːpəbl] *a* легко поддающийся обману.

dupery ['djuːpərɪ] *n* надувательство.

duple ['djuːpl] *a* 1) *редк.* двойной; 2) *муз.* двухтактный.

duplex ['djuːpleks] *a* двухсторонний, двойной; ~ house а) двухквартирный дом; б) *амер.* квартира, расположенная в двух этажах с внутренней лестницей (*тж.* ~ apartment).

duplicate 1. *n* ['djuːplɪkɪt] 1) дубликат; копия; in ~ в двух экземплярах; 2) *pl* запасные части.
2. *a* ['djuːplɪkɪt] 1) двойной, удвоенный; *тех.* спаренный; ~ ratio, ~ proportion *мат.* отношение квадратов двух количеств; 2) воспроизводящий в точности; аналогичный; 3) запасный, запасной;
3. *v* ['djuːplɪkeɪt] 1) снимать копию; 2) удваивать; сдваивать; 3) дублировать.

duplication [,djuːplɪ'keɪʃən] *n* 1) удваивание; 2) снятие копий; размножение.

duplicator ['djuːplɪkeɪtə] *n* копировальный аппарат.

duplicity [djuː'plɪsɪtɪ] *n* 1) двойственность; 2) двуличность.

durability [,djuərə'bɪlɪtɪ] *n* 1) прочность; стойкость; продолжительность срока службы; долговечность; 2) длительность.

durable ['djuərəbl] *a* 1) прочный; 2) длительный, долговременный; 3) *эк.* длительного пользования.

duralumin, duraluminium [djuə'ræljumɪn, ,djuərəlju'mɪnjəm] *n* дюралюминий.

duramen [djuə'reɪmen] *n* 1) *бот.* сердцевина (*дерева*); 2) *лес.* ядровая древесина.

durance ['djuərəns] *n* *ритор.* заточение; (*обыкн.* in ~ vile в заточении).

duration [djuə'reɪʃən] *n* продолжительность; for the ~ of the war на время войны; of short ~ недолговечный.

durbar ['dɑːbɑː] *n* англо-инд. торжественный приём.

dure [djuə] *v* *уст.*, *поэт.* длиться, продолжаться.

duress(e) [djuə'res] *n* 1) лишение свободы; заключение (в тюрьму); 2) *юр.* принуждение; to do smth. under ~ делать что-л. по принуждению, под давлением.

during ['djuərɪŋ] *prep* в течение, в продолжение; во время.

durmast ['dɑːmɑːst] *n* *бот.* дуб скальный.

durra ['durə] *араб.* *n* дурра (*разновидность сорго*).

durst [dəːst] *past* *om* dare I, 1.

dusk [dʌsk] 1. *n* сумерки; сумрак;
2. *a* *поэт.* сумеречный;
3. *v* *поэт.* смеркаться.

duskiness ['dʌskɪnɪs] *n* 1) сумрак, темнота; 2) смуглость.

dusky ['dʌskɪ] *a* 1) сумеречный, тёмный; ~ thicket тёмная чаща; 2) смуглый.

dust [dʌst] 1. *n* 1) пыль; gold ~ золотой песок; atomic ~ радиоактивная пыль; cosmic ~ космическая пыль; 2) *sl.* деньги,

презренный металл; 3) *поэт.* прах; 4) *бот.* пыльца; 5) = dust-brand; ◇ to raise (*или* to make, to kick up) а ~ поднимать шум, суматоху; humbled in (*или* to) the ~ крайне униженный; повёрженный во прах; to give the ~ to smb. *амер.* обогнать, опередить кого-л.; to take smb.'s ~ *амер.* отставать от кого-л.; to plestись в хвосте; to throw ~ in smb.'s eyes ≌ втирать очки;
2. *v* 1) посыпать сахарной пудрой, мукой *и т. п.*; 2) запылить; 3) вытирать, выбивать пыль; чистить (*платье*); to ~ a table вытирать пыль со стола; ◇ to ~ the eyes of обманывать *кого-л.*, пускать пыль в глаза *кому-л.*; to ~ smb.'s jacket for him избить, поколотить кого-л.

dustbin ['dʌstbɪn] *n* мусорный ящик.

Dust Bowl ['dʌst'boul] *n* *название засушливых районов на западе США*.

dust-brand ['dʌstbrænd] *n* ржавчина, головня (*на злаках*).

dust-cart ['dʌstkɑːt] *n* телега для мусора.

dust-cloak ['dʌstklouk] = dust-coat.

dust-coat ['dʌstkout] *n* пыльник (*дорожное пальто*).

dust collector ['dʌstkə,lektə] *n* пылесос.

dust-colour ['dʌst,kʌlə] *n* серовато-коричневый цвет.

dust-cover ['dʌst,kʌvə] *n* суперобложка (*книги*).

duster ['dʌstə] *n* 1) пыльная тряпка; 2) пылеочиститель; пылесос; 3) *амер.* = dust-coat; 4) приспособление для распыления (*сахарной пудры, перца и т. п.*); 5) *горн.* непродуктивная скважина.

dust-hole ['dʌsthoul] *n* мусорная яма, свалка.

dusting ['dʌstɪŋ] 1. *pres. p. om* dust 2;
2. *n* 1) вытирание пыли; 2) антисептический порошок для присыпки ран; 3) *sl.* побои; to give a ~ избить, поколотить; 4) морская качка.

dust-jacket ['dʌst,dʒækɪt] = dust-cover.

dustman ['dʌstmən] *n* мусорщик.

dustpan ['dʌstpæn] *n* совок для мусора.

dust-proof ['dʌstpruːf] *a* пыленепроницаемый.

dust-shot ['dʌstʃɔt] *n* самая мелкая дробь.

dusty ['dʌstɪ] *a* 1) пыльный; 2) мелкий; как пыль; размельчённый; 3) неопределённый (*об ответе и т. п.*); 4) сухой, неинтересный; ◇ not so ~ *разг.* недурно, неплохо; ~ miller а) *бот.* аврикула; б) искусственная муха (*для рыбной ловли*).

Dutch [dʌtʃ] 1. *a* голландский; *амер.* часто *тж.* немецкий; ◇ ~ auction аукцион со снижением цен, пока не найдётся покупатель; ~ bargain а) сделка, выгодная только одной стороне; б) сделка, завершённая выпивкой; ~ barn навес для сена или соломы; ~ carpet половик из грубой полушерстяной ткани; ≌ comfort ≌ могло быть и хуже; слабое утешение; ~ concert пение, при котором всякий поёт своё; «кто в лес, кто по дрова»; ~ courage храбрость во хмелю; ≌ tile кафель, изразец; ~ lunch, ~ supper, ~ treat угощение, за которое каждый платит свою часть; ~ feast пиру́шка, на кото́рой хозя́ин напива́ется ра́ньше госте́й; to talk like a ~ uncle оте́чески наставля́ть, жури́ть;

**2.** *n* 1) (the ~) *pl собир.* голла́ндцы, голла́ндский наро́д; 2) голла́ндский язы́к; 3) *ист.* неме́цкий язы́к; High ~ верхнеме́цкий язы́к; Low ~ нижненеме́цкий язы́к; ◊ double ~ тараба́рщина; that (*или* it) beats the ~ э́то превосхо́дит всё.

**dutch** [dʌtʃ] *n sl.* жена́; my old ~ моя́ стару́ха (*о жене*).

**Dutchman** [ˈdʌtʃmən] *n* 1) голла́ндец; *амер. часто тж.* не́мец; 2) голла́ндское су́дно; Flying ~ лету́чий голла́ндец (*сказочный корабль*); ◊ I'm a ~, if I do! провали́ться мне на э́том ме́сте, е́сли...; я не я бу́ду, е́сли (*тж.* or I'm a ~...).

**Dutch metal** [ˈdʌtʃˈmetl] *n* сплав ме́ди с ци́нком.

**Dutch oven** [ˈdʌtʃˈʌvn] *n* 1) я́щик-духо́вка (*ставится перед огнём камина*); 2) *амер. воен.* полево́й ку́хонный оча́г.

**Dutchwoman** [ˈdʌtʃˌwumən] *n* голла́ндка.

**duteous** [ˈdjuːtjəs] *a* 1) испо́лненный созна́ния до́лга; послу́шный до́лгу; 2) поко́рный.

**dutiable** [ˈdjuːtjəbl] *a* подлежа́щий обложе́нию (тамо́женной) по́шлиной.

**dutiful** [ˈdjuːtiful] = duteous.

**duty** [ˈdjuːti] *n* 1) долг, обя́занность; to do one's ~ исполня́ть свой долг; 2) служе́бные обя́занности; дежу́рство; to take up one's duties приступи́ть к свои́м обя́занностям; on ~ на дежу́рстве; при исполне́нии служе́бных обя́занностей: doctor on ~ дежу́рный врач; off ~ вне слу́жбы; out of ~ вне слу́жбы, в свобо́дное от рабо́ты вре́мя; 3) по́шлина; ге́рбовый сбор; custom ~s тамо́женные по́шлины; 4) почте́ние; he sends his ~ to you он свиде́тельствует вам своё почте́ние; 5) *тех.* рабо́та, производи́тельность, режи́м (*машины*); мо́щность; ~ of water *с.-х.* гидромоду́ль (*показатель количества воды на единицу площади*); 6) *attr.* официа́льный; ~ call официа́льный визи́т; 7) *attr.* служе́бный; ~ journey служе́бная пое́здка, командиро́вка; 8) *attr.* дежу́рный; ~ officer *амер. воен.* дежу́рный офице́р.

**duty-free** [ˈdjuːtiˈfriː] **1.** *a* не подлежа́щий обложе́нию тамо́женной по́шлиной *или* сбо́ром.
**2.** *adv* беспо́шлинно.

**duty list** [ˈdjuːtilist] *n* расписа́ние.

**duty-paid** [ˈdjuːtiˌpeid] *a* опла́ченный по́шлиной.

**duumvir** [djuːˈʌmvə] *n* (*pl* -s [-z], -ri) *др.-рим. ист.* дууми́р.

**duumvirate** [djuːˈʌmvirit] *n др.-рим. ист.* дуумвира́т.

**duumviri** [djuːˈʌmviriː] *pl от* duumvir.

**dwale** [dweil] *n бот.* белладо́нна.

**dwarf** [dwɔːf] **1.** *n* 1) ка́рлик; 2) ка́рликовое живо́тное *или* расте́ние; 3) *миф.* гном, пигме́й;
**2.** *a* ка́рликовый;
**3.** *v* 1) меша́ть ро́сту; остана́вливать разви́тие; 2) создава́ть впечатле́ние ме́ньшего разме́ра; the little cottage was ~ed by the

surrounding elms ма́ленький котте́дж каза́лся ещё ме́ньше благодаря́ окружа́ющим его́ высо́ким вя́зам.

**dwarfish** [ˈdwɔːfiʃ] *a* 1) ка́рликовый; 2) недора́звитый.

**dwell** [dwel] *v* (dwelt) 1) жить, обита́ть, находи́ться, пребыва́ть (in, at, on); 2) подро́бно остана́вливаться, заде́рживаться (on, upon — на *чём-л.*); to ~ on a note выде́рживать но́ту; 3) остана́вливаться, заде́рживаться пе́ред препя́тствием(*о лошади*).

**dweller** [ˈdwelə] *n* 1) жи́тель, обита́тель; 2) ло́шадь, заде́рживающаяся пе́ред препя́тствием.

**dwelling** [ˈdweliŋ] **1.** *pres. p. от* dwell;
**2.** *n* жили́ще, дом.

**dwelling-house** [ˈdweliŋhaus] *n* жило́й дом.

**dwelling-place** [ˈdweliŋpleis] *n* 1) местожи́тельство; 2) жилпло́щадь.

**dwelt** [dwelt] *past u p. p. от* dwell.

**dwindle** [ˈdwindl] *v* 1) уменьша́ться, сокраща́ться; истоща́ться; 2) теря́ть значе́ние; ухудша́ться, приходи́ть в упа́док; вырожда́ться.

**dwindler** [ˈdwindlə] *n* малоро́слый, ча́хлый челове́к *или* живо́тное.

**dyad** [ˈdaiæd] *греч. n* 1) число́ два; дво́йка, па́ра; 2) *хим.* двухвале́нтный элеме́нт; ◊ one's other ~ чье-л. второ́е «я»; чей-л. двойни́к.

**dyadic** [daiˈædik] *греч. a* состоя́щий из двух элеме́нтов.

**dye** [dai] **1.** *n* 1) кра́ска; кра́сящее вещество́; краси́тель; 2) окра́ска; 3) цвет; ◊ scoundrel of the deepest ~ отъя́вленный него́дяй;
**2.** *v* 1) кра́сить, окра́шивать; 2) принима́ть кра́ску, окра́шиваться; ~d in the wool. ~d in grain a) окра́шенный в пря́же; про́чно пропи́танный кра́ской; б) сто́йкий; выно́сливый.

**d'ye** [djə] *сокр. разг.=* do you.

**dye-house** [ˈdaihaus] *n* краси́льня.

**dyeing** [ˈdaiiŋ] **1.** *pres. p. от* dye 2;
**2.** *n* 1) кра́шение, окра́ска тка́ней; 2) краси́льное де́ло.

**dyer** [ˈdaiə] *n* краси́льщик.

**dyer's broom** [ˈdaiəzbruːm] *n бот.* краси́льный дрок.

**dyer's weed** [ˈdaiəzwiːd] *n бот.* ва́йда краси́льная; дрок краси́льный; резеда́ краси́льная, це́рва.

**dye-stuff** [ˈdaistʌf] *n* кра́сящее вещество́, краси́тель.

**dye-wood** [ˈdaiwud] *n* краси́льное де́рево.

**dye-works** [ˈdaiwɔːks] *n* краси́льня.

**dying I** [ˈdaiiŋ] **1.** *pres. p. от* die II;
**2.** *n* 1) умира́ние; смерть; 2) угаса́ние; затуха́ние;
**3.** *a* 1) умира́ющий; 2) предсме́ртный; till one's ~ day до конца́ дней свои́х; 3) угаса́ющий.

**dying II** [ˈdaiiŋ] *pres. p. от* die I, 2.

**dyke** [daik] = dike.

**dynamic** [daiˈnæmik] *a* 1) динами́ческий; 2) акти́вный, де́йствующий; энерги́чный; 3) *мед.* функциона́льный.

**dynamical** [daiˈnæmikəl] *a* динами́ческий.

**dynamics** [daɪ'næmɪks] *n pl* (*употр. как sing*) 1) дина́мика; 2) дви́жущие си́лы.

**dynamism** ['daɪnəmɪzəm] *n филос.* динами́зм.

**dynamist** ['daɪnəmɪst] *n* 1) специали́ст по дина́мике; 2) *филос.* сторо́нник динами́зма; 3) *разг.* анархи́ст; 4) *разг.* диверса́нт.

**dynamite** ['daɪnəmaɪt] 1. *n* динами́т; 2. *v* взрыва́ть динами́том.

**dinamiter** ['daɪnəmaɪtə] *n* динами́тчик.

**dynamitic** [,daɪnə'mɪtɪk] *a* динами́тный.

**dynamo** ['daɪnəmou] *n* (*pl* -os [-ouz]) *эл.* дина́мо-маши́на, дина́мо.

**dynamometer** [,daɪnə'mɔmɪtə] *n тех.* динамо́метр.

**dynast** ['dɪnəst] *n* представи́тель дина́стии

**dynastic** [dɪ'næstɪk] *a* династи́ческий.

**dynasty** ['dɪnəstɪ] *n* дина́стия.

**dyne** [daɪn] *n физ.* ди́на (*единица силы*).

**dysenteric** [,dɪsn'terɪk] *a* дизентери́йный.

**dysentery** ['dɪsntrɪ] *n мед.* дизентери́я.

**dyslogistic** [,dɪslə'dʒɪstɪk] *a* неодобри́тельный.

**dyspepsia** [dɪs'pepsɪə] *n мед.* расстро́йство пищеваре́ния, диспепси́я.

**dyspeptic** [dɪs'peptɪk] 1. *n* 1) челове́к, страда́ющий дурны́м пищеваре́нием; 2) челове́к, находя́щийся в пода́вленном состоя́нии;
2. *a* 1) страда́ющий дурны́м пищеваре́нием; 2) находя́щийся в пода́вленном состоя́нии.

**dyspnoea** [dɪs'pniːə] *n мед.* оды́шка, затруднённое дыха́ние.

**dysprosium** [dɪs'prouʃɪəm] *n хим.* диспро́зий.

**dystrophy** ['dɪstrəfɪ] *n мед.* дистрофи́я.

# E

**E, e** [iː] *n* [(*pl* Es, E's [iːz]) 1) 5-я бу́ква англ. алфави́та; 2) *муз.* ми; 3) *мор.* су́дно 2-го кла́сса.

**each** [iːtʃ] *pron. indef.* 1. *как сущ.* ка́ждый, вся́кий; ~ of us ка́ждый из нас; ~ and all все без разбо́ра;
2. *как прил.* ка́ждый, вся́кий; ~ student had to learn it by heart ка́ждый студе́нт до́лжен вы́учить э́то наизу́сть.

**each other** ['iːtʃ'ʌðə] *pron. recipr.* друг дру́га (*обычно о двух*).

**eager** ['iːgə] *a* 1) по́лный стра́стного жела́ния; си́льно жела́ющий, стремя́щийся; ~ for (*или* after) fame жа́ждущий сла́вы; ~ to be off стремя́щийся уйти́; 2) нетерпели́вый, горя́чий (*о желании и т. п.*); 3) энерги́чный; ~ pursuit энерги́чное пресле́дование; ~ beaver a) энтузиа́ст; б) о́чень приле́жный, добросо́вестный челове́к; 4) о́стрый (*на вкус*); 5) *уст.* холо́дный, ре́зкий.

**eagerness** ['iːgənɪs] *n* пыл, рве́ние.

**eagle** ['iːgl] *n* 1) орёл; 2) *амер. уст.* золота́я моне́та в 10 до́лларов.

**eagle-eyed** ['iːgl'aɪd] *a* с проница́тельным взгля́дом; проница́тельный.

**eagle-owl** ['iːgl'aul] *n* фи́лин.

**eaglet** ['iːglɪt] *n* орлёнок.

**eagre** ['eɪgə] *n* высо́кий прили́в в у́стье реки́.

**ear I** [ɪə] *n* 1) у́хо; 2) слух; an ~ for music музыка́льный слух; to play by ~ игра́ть по слу́ху; to have a good (bad) ~ име́ть хоро́ший (плохо́й) слух; to strain one's ~s напряга́ть слух; 3) ушко́, проу́шина, ду́жка, ру́чка; 4) *редк.* отве́рстие, сква́жина; ◇ to be all ~s преврати́ться в слух; слу́шать с напряжённым внима́нием; to gve ~ to smb. вы́слушать кого́-л.; to gain ~ of smb. быть вы́слушанным кем-л.; in at one ~ and out at the other в одно́ у́хо вошло́, в друго́е вы́шло; a word in one's ~ на́ ухо, по секре́ту; to prick up one's ~s, to keep one's ~s open прислу́шаться; навостри́ть у́ши; насторожи́ться;

to turn a deaf ~ не обраща́ть внима́ния; игнори́ровать; up to the ~s, head over ~s, (over) head and ~s по́ уши (*в работе и т. п.*); to bring (smth.) about one's ~s вы́звать бу́рю негодова́ния; вы́звать больши́е нарека́ния; to have smb.'s ~ по́льзоваться чьим-л. благоскло́нным внима́нием; to set by the ~s рассо́рить; by the ~s в ссо́ре; to be on one's ~s быть раздражённым; to have long (*или* itching) ~s быть любопы́тным.

**ear II** [ɪə] 1. *n* 1) ко́лос; 2) *амер.* поча́ток (*кукурузы*);
2. *v* колоси́ться.

**ear III** [ɪə] *v уст.* паха́ть (*тж.* ~ up).

**ear-ache** ['ɪəreɪk] *n* боль в у́хе.

**ear-drop** ['ɪədrɔp] = ear-ring

**ear-drops** ['ɪədrɔps] *n pl* ка́пли для у́ха.

**ear-drum** ['ɪədrʌm] *n* бараба́нная перепо́нка.

**ear-flaps** ['ɪəflæps] *n pl* нау́шники (*меховой шапки*).

**earl** [əːl] *n* граф (*английский*).

**ear-lap** ['ɪəlæp] *n* 1) мо́чка (*уха*); 2) у́хо (*шапки и т. п.*).

**earldom** ['əːldəm] *n* 1) ти́тул гра́фа, гра́фство; 2) (земе́льные) владе́ния гра́фа, гра́фство.

**earless** ['ɪəlɪs] *a* 1) безу́хий; 2) лишённый музыка́льного слу́ха; 3) не име́ющий ру́чки.

**early** ['əːlɪ] 1. *a* 1) ра́нний; the ~ bird *шутл.* ра́нняя пта́шка; at an ~ date в ближа́йшем бу́дущем; it is ~ days yet ещё сли́шком ра́но, вре́мя не наста́ло; to keep ~ hours ра́но встава́ть и ра́но ложи́ться; one's ~ days ю́ность; an ~ riser тот, кто ра́но встаёт; 2) преждевре́менный; 3) *с.-х.* скороспе́лый; 4) *геол.* ни́жний (*о свитах*); дре́вний; 5) дре́вний; первобы́тный; ~ man первобы́тный челове́к;
2. *adv* 1) ра́но; ~ in the year в нача́ле го́да; ~ in life в мо́лодости; ~ in the day ра́но у́тром; *перен.* заблаговре́менно; 2) забла-

говре́менно; своевре́менно; 3) преждевре́менно; ◇ ~ to bed and ~ to rise makes a man healthy, wealthy and wise *посл.* кто ра́но ложи́тся и ра́но встаёт, здоро́вье, бога́тство и ум наживёт.

**earmark** ['ıəmɑːk] **1.** *n* 1) клеймо́ на у́хе; тавро́; 2) отличи́тельный при́знак; 3) за́гнутый у́гол страни́цы;

**2.** *v* 1) клейми́ть; накла́дывать тавро́; 2) откла́дывать, предназнача́ть; ассигнова́ть; 3) загиба́ть (*угол страни́цы*).

**earn** [əːn] *v* 1) зараба́тывать; to ~ one's living (*или* one's daily bread) зараба́тывать на жизнь; 2) заслу́живать; to ~ fame доби́ться изве́стности, просла́виться.

**earnest I** ['əːnıst] **1.** *a* 1) серьёзный; ва́жный; 2) убеждённый; и́скренний; 3) горя́чий, ре́вностный;

**2.** *n*: in ~ а) всерьёз, серьёзно; б) усе́рдно, стара́тельно; in real ~, in dead ~ соверше́нно серьёзно.

**earnest II** ['əːnıst] *n* зада́ток; зало́г; an ~ of more to come зало́г бу́дущих благ.

**earnings** ['əːnıŋz] *n pl* зарабо́танные де́ньги, за́работок; при́быль.

**ear-phone** ['ıəfoun] *n* нау́шник ра́дио *или* телефо́на.

**ear-piece** ['ıəpiːs] *n* ра́ковина телефо́нной тру́бки.

**ear-ring** ['ıərıŋ] *n* серьга́.

**earshot** ['ıəʃɔt] *n* расстоя́ние, на кото́ром слы́шен звук; within (out of) ~ в преде́лах (вне преде́лов) слы́шимости.

**ear-tab** ['ıətæb] *n* нау́шник (*шапки*).

**earth** [əːθ] **1.** *n* 1) земля́, земно́й шар; on ~ на земле́; 2) су́ша; 3) по́чва, грунт; floating ~ плывуны́; scorched ~ вы́жженная земля́; 4) прах; 5) нора́; to take ~ скры́ться в нору́ (*о лисе*); to run to ~ a)=to take ~; б) спря́таться, притаи́ться; в) вы́следить; настигну́ть; отыска́ть; 6) *эл.* заземле́ние; 7) *употр. для усиления*: how on ~? каки́м о́бразом?; no use on ~ реши́тельно ни к чему́; why on ~? с како́й ста́ти?; 8) *attr.* земляно́й; грунтово́й; ~ water жёсткая вода́; ~ wax *геол.* озокери́т.

**2.** *v* 1) зарыва́ть, зака́пывать; покрыва́ть землёй; оку́чивать; 2) загоня́ть *или* зарыва́ться в нору́) *эл., радио* заземля́ть; 4) *ав.* сажа́ть (*самолёт*); to be ~ed сде́лать вы́нужденную поса́дку.

**earth-bed** ['əːθbed] *n* 1) посте́ль на земле́; 2) моги́ла.

**earth-born** ['əːθbɔːn] *a* 1) сме́ртный; челове́ческий; 2) *миф.* рождённый из земли́.

**earth-bound** ['əːθbaund] *a* земно́й, жите́йский.

**earthen** ['əːθən] *a* 1) земляно́й; гли́няный; 2) земно́й.

**earthenware** ['əːθənwɛə] *n* 1) гли́няная посу́да, гонча́рные изде́лия; кера́мика; 2) гли́на; 3) *attr.* гли́няный.

**earth-flax** ['əːθflæks] *n* асбе́ст.

**earthing** ['əːθıŋ] **1.** *pres. p. om* earth 2; **2.** *n* эл., *радио* заземле́ние.

**earth-light** ['əːθlaıt] = earth-shine.

**earthly** ['əːθlı] **1.** *a* 1) земно́й; су́етный; 2) *редк.* земли́стый; ◇ no ~ use (reason) бесполе́зно (бессмы́сленно);

**2.** *n*: not an ~ *sl.* ни мале́йшей наде́жды.

**earthly-minded** ['əːθlı'maındıd] *a* чрезме́рно практи́чный, наскво́зь земно́й.

**earth-nut** ['əːθnʌt] *n* земляно́й оре́х.

**earthquake** ['əːθkweık] *n* 1) землетрясе́ние; 2) потрясе́ние, катастро́фа.

**earth-shine** ['əːθʃaın] *n астр.* пе́пельный свет.

**earthwork** ['əːθwəːk] *n* земляно́е укрепле́ние; земляны́е рабо́ты.

**earth-worm** ['əːθwəːm] *n* 1) земляно́й червь; 2) ни́зкая душа́.

**earthy** ['əːθı] *a* 1) земляно́й, земли́стый; 2) земно́й, жите́йский; 3) гру́бый.

**ear-trumpet** ['ıə‚trʌmpıt] *n* слухова́я тру́бка.

**ear-wax** ['ıəwæks] *n* ушна́я се́ра.

**earwig** ['ıəwıg] **1.** *n* зоол. уховёртка; **2.** *v* нашёптывать.

**ease** [iːz] **1.** *n* 1) поко́й; свобо́да, непринуждённость; ~ of body and mind физи́ческий и душе́вный поко́й; at one's ~ свобо́дно, удо́бно, непринуждённо; to feel ill at ~ чу́вствовать себя́ нело́вко, не по себе́; a life of ~ споко́йная, лёгкая жизнь; social ~ уме́ние держа́ть себя́, простота́ в обраще́нии; to stand at ~ *воен.* стоя́ть во́льно; at ~! *воен.* во́ль́но!; 2) досу́г; to take one's ~ а) наслажда́ться досу́гом, отдыха́ть; б) успоко́иться; 3) пра́здность, лень; 4) лёгкость; with ~ а) с лёгкостью; б) непринуждённо; to learn with ~ учи́ться без труда́;

**2.** *v* 1) облегча́ть (*боль, ношу*); to ~ smb. of his purse (*или* cash) *шутл.* обокра́сть; 2) успока́ивать; 3) ослабля́ть, освобожда́ть; 4) выпуска́ть (*швы в платье*); растя́гивать (*обувь*); 5) *мор.* отдава́ть (*канат, парус*); ~ her! ме́ньше ход!; 6) *тех.* ослабля́ть; освобожда́ть, разгружа́ть (*от усилий*); □ ~ down замедля́ть ход, уменьша́ть напряже́ние, ‵си́лие; ~ off а) отходи́ть; б) отта́лкивать (*ло́дку от бере́га*); в) = ~ down.

**easeful** ['iːzful] *a* 1) успокои́тельный; 2) споко́йный; 3) неза́нятый, пра́здный.

**easel** ['iːzl] *n* мольбе́рт.

**easement** ['iːzmənt] *n* 1) удо́бство; 2) пристро́йки, слу́жбы; 3) *юр.* пра́во прохо́да, проведе́ния освеще́ния *и т. п.* по чужо́й земле́; 4) *уст.* облегче́ние, успокое́ние.

**easily** ['iːzılı] *adv* легко́; свобо́дно, без труда́.

**easiness** ['iːzınıs] *n* 1) лёгкость; 2) непринуждённость.

**east** [iːst] **1.** *n* 1) восто́к; *мор.* ост; the E. Восто́к; Far E. Да́льний Восто́к; Middle E. Сре́дний Восто́к; Near E. Бли́жний Восто́к; to the ~ (of) к восто́ку (от); 2) восто́чный ве́тер (*тж.* ~ wind); ◇ E. or West home is best *посл.* ≅ в гостя́х хорошо́, а до́ма лу́чше.

**2.** *a* восто́чный;

**3.** *adv* на восто́к; к восто́ку.

**East End** ['iːst'end] *n* Ист-Энд, восто́чная (рабо́чая) часть Ло́ндона.

**East-ender** ['iːst'endə] *n* жи́тель Ист-Энда.

**Easter** ['iːstə] *n рел.* 1) па́сха (*праздник*); 2) *attr.* пасха́льный.

**easterly** ['i:stəli] 1. *a* восточный;
2. *n* восточный ветер;
3. *adv* на восток; с востока (*о ветре*).

**eastern** ['i:stən] 1. *a* 1) восточный; ~ window окно, выходящее на восток; 2) расположенный в (северо-)восточной части США *или* относящийся к ней;
2. *n* житель Востока.

**easterner** ['i:stənə] *n* 1) = eastern 2; 2) житель восточной части США.

**easternmost** ['i:stənmoust] *a* самый восточный.

**Eastertide** ['i:stətaid] *n* пасхальная неделя.

**East India Company** ['i:st'indiə'kʌmpəni] *n* *ист.* Ост-Индская компания.

**easting** ['i:stiŋ] *n* *мор.* восточное отшествие.

**East Side** ['i:st'said] *n* Ист-Сайд, район бедноты в Нью-Йорке.

**eastside** ['i:st'said] *n* восточная часть (*города*).

**eastward** ['i:stwəd] 1. *a* движущийся *или* расположенный на восток;
2. *adv* на восток, к востоку, в восточном направлении;
3. *n* восточное направление.

**eastwards** ['i:stwədz] = eastward 2.

**easy** ['i:zi] 1. *a* 1) лёгкий, нетрудный; ~ of access доступный; 2) удобный; ~ coat просторное пальто; 3) непринуждённый, свободный; 4) спокойный; make your mind ~ успокойтесь; 5) покладистый, терпеливый; 6) уступчивый; податливый; слишком гибкий; of ~ virtue не (слишком) строгих правил; 7) *ком.* не имеющий большого спроса; неустойчивый (*о рыночных ценах*); 8) пологий (*скат*); ◇ ~ circumstances достаток; ~ street богатство; to be on ~ street процветать; ~ mark *разг.* простак; a) ~ as falling off a log (*или* as ABC) очень легко;
2. *adv* 1) легко; 2) спокойно; неторопливо; to take it ~ а) не торопиться, не усердствовать; б) относиться спокойно;
3. *n* *разг.* передышка; ~ all! *мор.* перестать грести! (*команда*); ◇ ~ does it *посл.* ≅ тише едешь, дальше будешь.

**easy chair** ['i:zi'tʃɛə] *n* кресло.

**easy-going** ['i:zi,gouiŋ] *a* 1) добродушно-весёлый; беспечный, беззаботный; 2) лёгкий, спокойный (*о ходе лошади*).

**easy meat** ['i:zi'mi:t] *n* лёгкая добыча, лёгкая жертва.

**eat** [i:t] *v* (ate; eaten) 1) есть; поглощать; to ~ crisp хрустеть, есть с хрустом; to ~ well а) иметь хороший аппетит; б) иметь приятный вкус; 2) разъедать, разрушать; ▭ ~ away а) съедать, пожирать; б) ~ 2); ~ in а) питаться дома; б) столоваться по месту работы; в) въедаться (*о кислоте, хим. веществах и пр.*); ~ into а) ≡ ~ in в); б) растравлять (*состояние*); ~ off отъедать (*о кислоте и т. п.*); ~ up а) пожирать; поглощать; ~en up with pride снедаемый гордостью; б) быстро покрывать какое-л. расстояние; ◇ to eat one's head off не оправдывать своей работой стоимости содержания; to ~ one's heart out страдать

молча; to ~ the ginger *амер.* *sl.* брать всё лучшее, снимать пенки, сливки; to ~ dirt [*см.* dirt ◇]; to ~ humble pie смиряться, покоряться; унижаться; униженно извиняться; to ~ one's terms, to ~ one's dinners, to ~ for the bar учиться на юридическом факультете; готовиться к адвокатуре; to ~ one's words брать назад свои слова; to ~ out of smb.'s hand безоговорочно подчиняться кому-л.; становиться совсем ручным; to ~ smb. out of house and home объедать кого-л., разорять кого-л.

**eatable** ['i:təbl] 1. *a* съедобный;
2. *n* (*обыкн. pl*) *разг.* съестное, пища.

**eatage** ['i:tidʒ] *n* *с.-х.* 1) подножный корм, *особ.* отава; 2) право пасти скот на пастбище.

**eaten** ['i:tn] *p. p.* *om* eat.

**eater** ['i:tə] *n* едок.

**eatery** ['i:təri] *sl.* *см.* eating-house.

**eating** ['i:tiŋ] 1. *pres. p.* *om* eat;
2. *n* 1) принятие пищи, еда; 2) пища.

**eating club** ['i:tiŋklʌb] = eating hall.

**eating hall** ['i:tiŋhɔ:l] *n* *амер.* университетская столовая.

**eating-house** ['i:tiŋhaus] *n* столовая, ресторан.

**eats** [i:ts] *n pl* *sl.* еда, пища.

**eau-de-Cologne** ['oudəkə'loun] *фр.* *n* одеколон.

**eau-de-vie** ['oudə'vi:] *фр.* *n* коньяк, водка.

**eave** [i:v] *n* 1) (*обыкн. pl*) *стр.* карниз; свес крыши; 2) *pl* *поэт.* веки, ресницы; 3) *attr.*: ~ trough водосточный жёлоб.

**eavesdrop** ['i:vzdrɔp] *v* подслушивать (on).

**eavesdropper** ['i:vzdrɔpə] *n* подслушивающий, соглядатай.

**ebb** [eb] 1. *n* 1) отлив; 2) перемена к худшему; упадок; to be at an ~, to be at a low ~ а) быть в затруднительном положении; б) находиться в упадке; his courage was at the lowest ~ он совсем струсил;
2. *v* 1) отливать, убывать; 2) ослабевать, угасать (*часто* ~ away); daylight was ~ing fast стало быстро смеркаться.

**ebb-tide** ['eb'taid] *n* отлив.

**E-boat** ['i:bout] *n* неприятельский быстроходный торпедный катер.

**ebon** ['ebən] *a* *поэт.* 1) эбеновый; 2) чёрный.

**ebonite** ['ebənit] *n* *тех.* эбонит.

**ebony** ['ebəni] 1. *n* 1) эбеновое, чёрное дерево; 2) *амер.* *sl.* чёрный, негр;
2. *a* 1) эбеновый; 2) чёрный как смоль.

**eboulement** [ˌeiˌbu:l'mɑ:ŋ] *фр.* *n* *геол.* оползень.

**ebriety** [i:'braiəti] *n* *редк.* опьянение; пьянство.

**ebrious** ['i:briəs] *a* *редк.* 1) пьяный; 2) любящий выпить.

**ebullience, -cy** [i'bʌljəns, -si] *n* 1) кипение; 2) возбуждение.

**ebullient** [i'bʌljənt] *a* 1) кипящий; 2) кипучий, полный энтузиазма; 3) запальчивый.

**ebullition** [ˌebə'liʃən] *n* 1) кипение; вскипание; 2) взрыв, вспышка (*страсти, негодования и т. п.*).

écarté [eɪ'kɑːteɪ] *фр. п карт.* экарте (*игра*).

ecaudate [iˈkɔːdeɪt] *a* бесхвостый.

eccentric [ɪk'sentrɪk] 1. *a* 1) эксцентричный; странный; 2) *геом.*, *тех.* эксцентрический; эксцентриковый; нецентральный (*напр.*, *об ударе*); ~ rod эксцентриковая тяга;
2. *n* 1) эксцентричный человек; чудак; 2) *тех.* эксцентрик.

eccentricity [ˌeksen'trɪsɪtɪ] *n* 1) эксцентричность, странность; оригинальность; 2) *тех.* эксцентричность; эксцентриситет.

ecclesiastic [ɪˌkliːzɪ'æstɪk] 1. *n* духовное лицо;
2. *a* = ecclesiastical.

ecclesiastical [ɪˌkliːzɪ'æstɪkəl] *a* духовный; церковный.

echelon ['eʃəlɔn] 1. *n* 1) *воен.* уступ; эшелон; ~ of attack эшелон боевого порядка при наступлении; 2) уступ, ступенчатое расположение; 3) *attr.*: ~ maintenance эшелонированный ремонт;
2. *v* располагать уступами; эшелонировать.

echidna [e'kɪdnə] *n зоол.* ехидна.

echini [e'kaɪnaɪ] *pl от* echinus.

echinus [e'kaɪnəs] *n* (*pl* -ni) 1) *зоол.* морской ёж; 2) *архит.* эхин.

echo ['ekou] 1. *n* (*pl* -oes [-ouz]) 1) эхо; to the ~ громко; восторженно; 2) отголосок, подражание; faint ~ слабый отголосок; 3) подражатель; 4) *attr.*: ~ sounding *мор.* измерение эхолотом;
2. *v* 1) отдаваться эхом; отражаться (*о звуке*); 2) вторить, подражать.

echo-image ['ekou'ɪmɪdʒ] *n фото* стереоскопический снимок.

éclair [eɪ'klɛə] *фр. n* эклер (*пирожное*).

eclampsia [ɪ'klæmpsɪə] *n мед.* эклампсия.

éclat [eɪklɑː] *фр. n* 1) блеск, слава; 2) успех, шум; with great ~ с большим успехом.

eclectic [ek'lektɪk] 1. *a* эклектический;
2. *n* эклектик.

eclecticism [ek'lektɪsɪzəm] *n* эклектизм; эклектика.

eclipse [ɪ'klɪps] 1. *n* 1) *астр.* затмение; total (partial) ~ полное (частичное) затмение; 2) потускнение, помрачение; his fame has suffered an ~ слава его померкла;
2. *v* затмевать (*тж. перен.*); заслонять; in sports he quite ~d his brother он совсем затмил своего брата в спорте.

ecliptic [ɪ'klɪptɪk] *астр.* 1. *n* эклиптика;
2. *a* эклиптический.

eclogue ['eklɔg] *n лит.* эклога.

ecology [ɪ'kɔlədʒɪ] *n биол.* экология.

economic [ˌiːkə'nɔmɪk] *a* 1) экономический; хозяйственный; 2) *разг. см.* economical 1).

economical [ˌiːkə'nɔmɪkəl] *a* 1) экономный, бережливый; 2) экономический; относящийся к экономике *или* политической экономии; материальный.

economically [ˌiːkə'nɔmɪkəlɪ] *adv* 1) экономно, бережливо; 2) экономически, с точки зрения экономии и.

economics [ˌiːkə'nɔmɪks] *n pl* (*употр. как sing*) 1) экономика; народное хозяйство;

planned ~ плановое хозяйство; 2) политическая экономия.

economist [iː'kɔnəmɪst] *n* 1) экономист; 2) бережливый человек.

economize [iː'kɔnəmaɪz] *v* экономить.

economizer [iː'kɔnəmaɪzə] *n тех.* экономайзер, подогреватель.

economy [iː'kɔnəmɪ] *n* 1) хозяйство; the socialist system of ~ социалистическая система хозяйства; rural ~ сельское хозяйство; national ~ народное хозяйство, экономика страны; 2) экономия, бережливость; 3) сэкономленное; little economies маленькие сбережения; 4) структура, организация.

ecru [eɪ'kruː] *фр. a текст.* суровый, небелёный.

ecstasize ['ekstəsaɪz] *v* 1) приводить в восторг; 2) приходить в восторг.

ecstasy ['ekstəsɪ] *n* экстаз, исступлённый восторг; in the ~ of joy в порыве радости.

ecstatic [eks'tætɪk] *a* исступлённый; экстатический; восторженный; в экстазе.

Ecuadoran [ˌekwə'dɔːrən] = Ecuadorian.

Ecuadorian [ˌekwə'dɔːrɪən] 1. *a* эквадорский;
2. *n* житель Эквадора.

ecumenic(al) [ˌiːkjuː'menɪk(əl)] *a церк.* вселенский (*особ. о соборе*).

eczema ['eksɪmə] *n мед.* экзема.

edacious [ɪ'deɪʃəs] *a* 1) прожорливый; 2) жадный.

edacity [ɪ'dæsɪtɪ] *n* 1) прожорливость; 2) жадность.

Edam ['iːdæm] *n* сорт голландского сыра.

edaphology ['edə'fɔlədʒɪ] *n* почвоведение.

eddish ['edɪʃ] *n с.-х.* отава; жнитво, стерня.

eddy ['edɪ] 1. *n* 1) маленький водоворот; 2) вихрь; 3) клубы (*дыма, пыли*); 4) *мех.* вихревое движение; 5) *attr.*: ~ currents *эл.* вихревые токи;
2. *v* 1) крутиться в водовороте; 2) клубиться.

edelweiss ['eɪdlvaɪs] *нем. n бот.* эдельвейс.

Eden ['iːdn] *n* Эдем; рай.

edentate [ɪ'denteɪt] *a* 1) *зоол.* неполнозубый; 2) беззубый.

edge [edʒ] 1. *n* 1) край, кромка; ~ of a wood опушка леса; 2) остриё, лезвие; острота; the knife has no ~ нож затупился; 3) кряж, хребёт; ~ of a mountain гребень горы; 4) критическое положение; 5) обрез (*книги*); бордюр; uncut ~s неразрезанные страницы; 6) опорная призма (*коромысла весов*); 7) грань; 8) *амер. разг.* преимущество; to have an ~ on smb. получить преимущество по сравнению с кем-л.; 9) бородка (*ключа*); ◇ (all) on ~ нетерпеливый; раздражённый; to give an ~ to one's appetite раздразнить аппетит; to take the ~ off one's appetite заморить червячка; to take the ~ off an argument ослабить силу довода; to give the ~ of one's tongue to smb. резко с кем-л. говорить; to set smb.'s nerves on ~ раздражать кого-л.; to set the teeth on ~ действовать на нервы;

ре́зать слух; to have an ~ on *амер. sl.*
быть навеселе́; to be on the ~ of doing
smth. реши́ться на что-л.;

2. *v* 1) точи́ть; заостря́ть; 2) окаймля́ть,
обрамля́ть; 3) обреза́ть края́, сра́внивать,
сгла́живать, обтёсывать углы́; 4) подстри-
га́ть (*траву*); 5) пододвига́ть незаме́тно
*или* постепе́нно; ☐ ~ away отходи́ть осто-
ро́жно, бочко́м; ~ into вти́скивать(ся);
to ~ oneself into the conversation вме-
ша́ться в (чужо́й) разгово́р; ~ off = ~
away; ~ on подстрека́ть; ~ out a) осто-
ро́жно выбира́ться; б) вытесня́ть.

**edge-bone** [ˈedʒboun] = aitchbone.

**edged tool** [ˈedʒd ˈtuːl] = edge-tool; to play
with ~s ≅ игра́ть с огнём.

**edge iron** [ˈedʒ ˈaɪən] *n* углово́е желе́зо.

**edge stone** [ˈedʒstoun] *n* 1) жёрнов, бе-
гу́н (*в дроби́лке*); 2) *стр.* бордю́рный ка́-
мень.

**edge-tool** [ˈedʒˈtuːl] *n* о́стрый, ре́жущий
инструме́нт.

**edgeways** [ˈedʒweɪz] *adv* острие́м, кра́ем
(вперёд); бо́ком; to get a word in ~ ввер-
ну́ть слове́чко.

**edgewise** [ˈedʒwaɪz] = edgeways.

**edging** [ˈedʒɪŋ] 1. *pres. p. от* edge 2;
2. *n* 1) край, кайма́, бордю́р; 2) *attr.*:
~ saw *тех.* обрезна́я пила́, пила́ для обре́з-
ки кро́мок.

**edgy** [ˈedʒɪ] *a* 1) о́стрый, ре́жущий; 2)
*жив.* име́ющий ре́зкий ко́нтур; 3) раздражённый; раздражи́тельный.

**edibility** [ˌedɪˈbɪlɪtɪ] *n* съедо́бность.

**edible** [ˈedɪbl] 1. *a* съедо́бный; го́дный
в пи́щу;
2. *n* (обыкн. *pl*) съедо́бное, съестно́е.

**edict** [ˈiːdɪkt] *n* эди́кт, ука́з.

**edification** [ˌedɪfɪˈkeɪʃən] *n* назида́ние,
наставле́ние.

**edifice** [ˈedɪfɪs] *n* зда́ние, сооруже́ние.

**edify** [ˈedɪfaɪ] *v* поуча́ть, наставля́ть.

**edit** [ˈedɪt] *v* 1) редакти́ровать, подготов-
ля́ть к печа́ти; рабо́тать *или* быть редак-
тором; 2) осуществля́ть руково́дство из-
да́нием; 3) *кино* монти́ровать (*фильм*).

**edition** [ɪˈdɪʃən] *n* 1) изда́ние; pocket ~
карма́нное изда́ние; 2) вариа́нт; she is a
more charming ~ of her sister она́ вы́литая
сестра́, но ещё бо́лее очарова́тельна.

**editor** [ˈedɪtə] *n* реда́ктор.

**editorial** [ˌedɪˈtɔːrɪəl] 1. *a* реда́кторский,
редакцио́нный; ~ office реда́кция (*помещение*); ~ staff редакцио́нная колле́гия;
~ writer *амер.* сотру́дник газе́ты, пи́шу-
щий передовы́е *или* редакцио́нные статьи́;
2. *n* передова́я *или* редакцио́нная статья́.

**editorialist** [ˌedɪˈtɔːrɪəlɪst] *n амер.* пи́шу-
щий передовы́е *или* редакцио́нные статьи́.

**editorialize** [ˌedɪˈtɔːrɪəlaɪz] *v амер.* писа́ть
передовы́е *или* редакцио́нные статьи́.

**editor-in-chief** [ˈedɪtərɪnˈtʃiːf] *n* (*pl* editors-in-chief) гла́вный реда́ктор.

**editors-in-chief** [ˈedɪtəzɪnˈtʃiːf] *pl от*
editor-in-chief.

**editress** [ˈedɪtrɪs] *n* же́нщина-реда́ктор

**educate** [ˈedjuːkeɪt] *v* 1) воспи́тывать, да-
ва́ть образова́ние; 2) тренирова́ть; to ~
the ear развива́ть слух.

**educated** [ˈedjuːkeɪtɪd] 1. *p. p. от* educate;
2. *a* 1) образо́ванный; 2) трениро́ванный;
~ taste (mind) развито́й вкус (ум).

**education** [ˌedjuːˈkeɪʃən] *n* 1) воспита́-
ние; образова́ние; обуче́ние; all-round ~
разносторо́ннее образова́ние; compulsory
~ обяза́тельное обуче́ние; free ~ беспла́т-
ное обуче́ние; trade ~ профессиона́льное
образова́ние; classical (commercial, art) ~
класси́ческое (комме́рческое, худо́жествен-
ное) образова́ние; 2) воспита́ние, разви́тие
(*характера, способностей*); 3) обуче́ние
(*живо́тных*).

**educational** [ˌedjuːˈkeɪʃənl] *a* образова́-
тельный; воспита́тельный; уче́бный, педа-
гоги́ческий; ~ film уче́бный фильм.

**educationalist** [ˌedjuːˈkeɪʃnəlɪst] *n* педа-
го́г-теоре́тик.

**educationally** [ˌedjuːˈkeɪʃnəlɪ] *adv* педа-
гоги́чески; с то́чки зре́ния воспита́ния, обра-
зова́ния.

**educationist** [ˌedjuːˈkeɪʃnɪst] = educationalist.

**educative** [ˈedjuːkətɪv] *a* воспи́тывающий,
воспита́тельный; просвети́тельный.

**educator** [ˈedjuːkeɪtə] *n* 1) воспита́тель,
педаго́г; 2) = educationalist.

**educe** [iːˈdjuːs] *v* 1) выявля́ть (*скрытые
способности*); развива́ть; 2) выводи́ть (*за-
ключе́ние;* from); 3) *хим.* выделя́ть.

**eduction** [iːˈdʌkʃən] *n* 1) выявле́ние
(*скрытых способностей*); 2) вы́вод; 3)
вы́пуск; вы́ход; 4) извлече́ние; 5) *хим.* вы-
деле́ние.

**eduction-pipe** [iːˈdʌkʃənˌpaɪp] *n* выпуск-
на́я *или* выхлопна́я труба́.

**eduction-valve** [iːˈdʌkʃənˌvælv] *n* вы-
пускно́й кла́пан.

**edulcorate** [ɪˈdʌlkəreɪt] *v хим.* очища́ть
от кисло́т, соле́й *и т. п.* промы́вкой.

**Edwardian** [edˈwɔːdjən] *a* вре́мени, эпо́хи
одного́ из англи́йских короле́й Эдуа́рдов.

**eel** [iːl] *n* 1) *зоол.* у́горь; 2) ско́льзкое
существо́.

**eel-buck** [ˈiːlbʌk] *n* ве́рша для ло́вли
угре́й.

**eel-pout** [ˈiːlpaut] *n зоол.* нали́м; бель-
дюга́; соба́чка (*рыба*).

**eel-spear** [ˈiːlˌspɪə] *n* трезу́бец для ло́в-
ли угре́й.

**e'en** [iːn] *поэт. см.* even II, 2.

**e'er** [ɛə] *поэт. см.* ever.

**eerie, eery** [ˈɪərɪ] *a* 1) жу́ткий; мра́чный;
сверхъесте́ственный; 2) суеве́рно бояз-
ли́вый.

**efface** [ɪˈfeɪs] *v* стира́ть; вычёркивать;
изгла́живать; to ~ oneself стушева́ться, дер-
жа́ться в тени́.

**effect** [ɪˈfekt] 1. *n* 1) сле́дствие, результа́т;
cause and ~ причи́на и сле́дствие; of no
~ а) безрезульта́тный; б) беспо́лезный;
to have ~ име́ть жела́тельный результа́т;
поде́йствовать; 2) де́йствие, влия́ние; воз-
де́йствие; the ~ of light on plants де́йствие
све́та на расте́ния; argument has no ~ on
him убежде́ние на него́ ника́к не де́йствует;
3) де́йствие, си́ла; to go (*или* to come) into
~, to take ~ вступа́ть в си́лу (*о зако́не,*

*постановлении, правиле и т. п.*); the law goes into ~ soon закон скоро вступит в силу; with ~ from today вступающий в силу с сегодняшнего дня; to bring to ~, to give ~ to, to carry (*или* to put) into ~ осуществлять, приводить в исполнение, проводить в жизнь; по ~s недействителен (*надпись на неакцептованном чеке*); in ~ в действительности, в сущности; 4) эффект, впечатление; general ~ общее впечатление; calculated for ~ рассчитанный на эффект; to do smth. for ~ делать что-л., чтобы произвести впечатление, пустить пыль в глаза; 5) цель, намерение; to this ~ для этой цели; 6) содержание; the letter was to the following ~ письмо было следующего содержания; 7) *pl* имущество, пожитки; sale of household ~s распродажа домашних вещей; to leave no ~s умереть, ничего не оставив наследникам; 8) *тех.* полезное действие, производительность.

2. *v* производить; выполнять, совершать; осуществлять; to ~ a change in a plan произвести изменение в плане; to ~ an insurance policy застраховать.

**effective** [ɪ'fektɪv] 1. *a* 1) действительный, эффективный; 2) действующий, имеющий силу (*закон и т. п.*); to become ~ входить в силу; 3) эффектный; производящий впечатление; 4) *воен.* годный; 5) *тех.* полезный; ~ area рабочая поверхность (*площади*); ~ head *гидр.* полезный напор.

2. *n* 1) *воен.* боец; *pl* боевые подразделения; 2) монета, денежный знак.

**effectless** [ɪ'fektlɪs] *a* безрезультатный, неэффективный.

**effectual** [ɪ'fektjuəl] *a* 1) достигающий цели, действенный; действительный; 2) *юр.* имеющий силу.

**effectuate** [ɪ'fektjueɪt] *v* совершать, приводить в исполнение.

**effectuation** [ɪˌfektju'eɪʃən] *n* выполнение.

**effeminacy** [ɪ'femɪnəsɪ] *n* изнеженность, женственность (*о мужчине*).

**effeminate** [ɪ'femɪnɪt] *a* изнеженный, женоподобный.

**efferent** ['efərənt] *a* выносящий (*о кровеносных сосудах*); центробежный; ~ nerve двигательный нерв.

**effervesce** [ˌefə'ves] *v* 1) выделяться в виде пузырьков газа; шипеть, пениться; играть (*о шипучем напитке*); 2) быть в возбуждении, кипеть.

**effervescence, -cy** [ˌefə'vesns, -sɪ] *n* 1) выделение пузырьков газа; шипение, вскипание; 2) возбуждение, волнение.

**effervescent** [ˌefə'vesnt] *a* 1) шипучий; 2) кипучий; возбуждённый.

**effete** [e'fiːt] *a* 1) истощённый, слабый; 2) бесплодный; 3) упадочный.

**efficacious** [ˌefɪ'keɪʃəs] *a* действительный, эффективный; 2) производительный.

**efficacy** ['efɪkəsɪ] *n* действительность, сила; действенность.

**efficiency** [ɪ'fɪʃənsɪ] *n* 1) действенность, эффективность; 2) продуктивность, производительность; 3) умелость, подготовленность; 4) работоспособность; 5) *тех.* от-

---

дача, коэффициент полезного действия; рентабельность.

**efficient** [ɪ'fɪʃənt] 1. *a* 1) действенный, эффективный; 2) умелый, подготовленный, квалифицированный (*о человеке*).

2. *n* 1) фактор; множитель; множимое; 2) *pl воен. ист.* обученные добровольцы.

**effigy** ['efɪdʒɪ] *n* изображение, портрет; to burn in ~ сжечь (*чьё-л.*) изображение.

**effloresce** [ˌeflɔː'res] *v* 1) зацветать, расцветать; 2) *хим.* плесневеть; выцветать; 3) *геол.* выкристаллизовываться, выветриваться.

**efflorescence** [ˌeflɔː'resns] *n* 1) начало цветения; расцвет; 2) *хим.* налёт; выцветание; эфлоресценция; 3) *геол.* выветривание кристаллов; 4) *мед.* высыпание.

**effluence** ['efluəns] *n* истечение; эманация; an ~ of light from an open door поток (*или* сноп) света из открытой двери.

**effluent** ['efluənt] 1. *n* 1) река; поток, вытекающий из другой реки *или* озера; исток; 2) сток;

2. *a* вытекающий (*из чего-л.*); просачивающийся, исходящий (*от чего-л.*).

**effluvia** [e'fluːvɪə] *pl от* effluvium.

**effluvium** [e'fluːvjəm] *n* (*pl* -s[-z], -via) испарение (*особ. вредное или зловонное*); миазмы.

**efflux** ['eflʌks] *n* 1) истечение; исток; 2) истечение (*срока, времени*).

**effluxion** [e'flʌkʃən] *редк.* = efflux.

**effort** ['efət] *n* 1) усилие, попытка; напряжение; to make an ~ сделать усилие, попытаться; to make ~s приложить усилия; to spare no ~s не щадить усилий; 2) *разг.* достижение.

**effortless** ['efətlɪs] *a* 1) не делающий усилий; пассивный; 2) не требующий усилий; лёгкий.

**effrontery** [e'frʌntərɪ] *n* наглость, бесстыдство, нахальство.

**effulgence** [e'fʌldʒəns] *n* лучезарность, блеск, сияние.

**effulgent** [e'fʌldʒənt] *a* лучезарный.

**effuse** 1. *a* [e'fjuːs] 1) широко распространённый; 2) *бот.* дико разросшийся;

2. *v* [e'fjuːz] 1) испускать (*запах и т. п.*); 2) распространять; 3) изливаться из кровеносных сосудов (*в мозг и т. п.*).

**effusion** [ɪ'fjuːʒən] *n* 1) излияние; ~ of blood a) кровоизлияние; б) потеря крови; 2) излияние (*душевное*); вдохновенный поток (*стихов и т. п.*).

**effusive** [ɪ'fjuːsɪv] *a* 1) экспансивный; несдержанный; ~ compliments неумеренные комплименты; 2) *геол.* эффузивный.

**eft** [eft] *n зоол.* тритон.

**egad** [ɪ'gæd] *int уст.* ей-богу!

**egalitarian** [ɪˌgælɪ'tɛərɪən] *n* поборник равноправия.

**egg** I [eg] *n* 1) яйцо; soft(-boiled) ~, lightly boiled ~ яйцо всмятку; hard-boiled ~ крутое яйцо; *перен. разг.* бессердечный, чёрствый человек; scrambled ~s яичница-болтунья; poached ~ яйцо-пашот; 2) *воен. sl.* авиабомба; бомба, мина; to lay ~s ставить мины; 3) *амер. sl.* парень, человек:

нетёсанный челове́к; 4) *разг.* прова́л, фиа́ско; ◇ in the ~ в зача́точном состоя́нии; to crush in the ~ подави́ть в заро́дыше, пресе́чь в ко́рне; a bad ~ *разг.* а) непутёвый, никуды́шный челове́к; б) неуда́чная зате́я; a good ~ *разг.* прекра́сный челове́к *или* предме́т; to have (*или* to put) all one's ~s in one basket рискова́ть всем, поста́вить всё на ка́рту; teach your grandmother to suck ~s ≅ не учи́ учёного; я́йца ку́рицу не у́чат; as sure as ~s is ~s *шутл.* ≅ ве́рно, как два́жды два четы́ре; as full as an ~ битко́м наби́тый.

**egg II** [eg] *v*: ~ on подстрека́ть.

**egg-cup** ['egkʌp] *n* рю́мка для яйца́.

**egg-dance** ['eg‚dɑːns] *n* 1) та́нец, выполня́емый с завя́занными глаза́ми среди́ яиц; 2) сло́жная, трудновыполни́мая зада́ча.

**egg-flip** ['egflɪp] *n* горя́чее пи́во *или* вино́ с желтко́м, стёртым с молоко́м и са́харом.

**egg-nog** ['egnɔg] = egg-flip.

**egg-plant** ['egplɑːnt] *n* баклажа́н.

**egg-shaped** ['egʃeɪpt] *a* яйцеви́дный, в фо́рме яйца́, ова́льный.

**egg-shell** ['egʃel] *n* 1) яи́чная скорлупа́; 2) хру́пкий предме́т; 3) *attr.*: ~ china то́нкий фарфо́р; ◇ to walk (*или* to tread) upon ~s де́йствовать с большо́й осторо́жностью.

**eglantine** ['eglǝntaɪn] *n* ро́за эгланте́рия.

**ego** ['egoʊ] *n* 1) *филос.* субъе́кт, э́го, мы́слящая ли́чность, моё «я»; 2) *разг.* эгои́зм.

**egocentric** [‚egoʊ'sentrɪk] *a* эгоцентри́ческий, эгоисти́чный.

**egoism** ['egoʊɪzǝm] *n* эгои́зм.

**egoist** ['egoʊɪst] *n* эгои́ст.

**egoistic(al)** [‚egoʊ'ɪstɪk(ǝl)] *a* эгоисти́чный; эгоисти́ческий.

**egotism** ['egoʊtɪzǝm] *n* эготи́зм; самомне́ние, самовлюблённость.

**egotist** ['egoʊtɪst] *n* эготи́ст; эгоцентри́ст.

**egregious** [ɪ'griːdʒǝs] *a* отъя́вленный, вопию́щий; ~ error гру́бая, вопию́щая оши́бка; ~ lie вопию́щая ложь; ~ fool отъя́вленный дура́к.

**egress** ['iːgres] *n* 1) вы́ход; 2) исто́к, истече́ние; 3) пра́во вы́хода; 4) *геол.* вы́ход на пове́рхность; 5): ~ of heat *тех.* теплоотда́ча.

**egression** [ɪ'greʃǝn] *n* вы́ход.

**egret** ['iːgret] *n* 1) бе́лая ца́пля; 2) эгре́т(ка); 3) голо́вка одува́нчика, чертополо́ха [*см. тж.* aigrette].

**Egyptian** [ɪ'dʒɪpʃǝn] 1. *a* еги́петский; 2. *n* 1) египтя́нин; египтя́нка; 2) *уст.* цыга́н; цыга́нка; 3) *разг.* еги́петская папи́роса.

**Egyptology** [‚iːdʒɪp'tɔlǝdʒɪ] *n* египтоло́гия.

**eh** [eɪ] *int* *выража́ет вопро́с, удивле́ние, наде́жду на согла́сие слу́шающего* а?, как?, что (вы сказа́ли)!, вот как!, не пра́вда ли?

**eider** ['aɪdǝ] *n* 1) *зоол.* га́га (обыкнове́нная); 2) = eider-down.

**eider-down** ['aɪdǝdaun] *n* 1) гага́чий пух; 2) пухо́вое стёганое одея́ло.

**eidolon** [aɪ'doʊlǝn] *n* 1) о́браз, подо́бие; 2) привиде́ние, фанто́м.

**eight** [eɪt] 1. *num. card.* во́семь;

2. *n* 1) восьмёрка; 2) (the Eights) *pl* гребны́е состяза́ния ме́жду оксфо́рдскими и ке́мбриджскими студе́нтами; 3)· in ~s в восьму́ю до́лю листа́; ◇ to have one over the ~ *sl.* напи́ться, опьяне́ть.

**eighteen** ['eɪ'tiːn] *num. card.* восемна́дцать.

**eighteenth** ['eɪ'tiːnθ] 1. *num. ord.* восемна́дцатый;

2. *n* 1) восемна́дцатая часть; 2) (the ~) восемна́дцатое число́.

**eighth** [eɪtθ] 1. *num. ord.* восьмо́й;

2. *n* 1) восьма́я часть; 2) (the ~) восьмо́е число́.

**eighties** ['eɪtɪz] *n pl* 1) (the ~) восьмидеся́тые го́ды; 2) восьмо́й деся́ток (*во́зраст ме́жду 79 и 90 года́ми*).

**eightieth** ['eɪtɪɪθ] 1. *num. ord.* восьмидеся́тый;

2. *n* восьмидеся́тая часть.

**eighty** ['eɪtɪ] 1. *num. card.* во́семьдесят; he is over ~ ему́ за во́семьдесят; ~-one во́семьдесят оди́н; ~-two во́семьдесят два *и т. д.*;

2. *n* во́семьдесят (*едини́ц, штук*).

**einsteinium** [aɪn'staɪnɪǝm] *n* *хим.* эйнште́йний.

**eirenicon** [aɪ'riːnɪkǝn] *n* миролюби́вое предложе́ние; план подде́ржания ми́ра.

**eisteddfod** [aɪs'teðvǝd] *n* фестива́ль певцо́в, поэ́тов (*в У́эльсе*).

**either I** ['aɪðǝ, *амер.* 'iːðǝ] *pron. indef.* 1. *как сущ.* 1) оди́н из двух; тот и́ли друго́й; ~ of the two boys may go оди́н из э́тих двух ма́льчиков мо́жет пойти́; 2) и тот и друго́й; о́ба; ка́ждый, любо́й (из двух); ~ will do подойдёт и тот и друго́й;

2. *как прил.* 1) оди́н из двух; тако́й и́ли друго́й; э́тот и́ли ино́й; you may put the lamp at ~ end of the table вы мо́жете поста́вить ла́мпу на тот и́ли на друго́й коне́ц стола́; 2) ка́ждый, любо́й (*из двух*); there are curtains on ~ side of the window по обе́им сторона́м окна́ вися́т занаве́ски; ~ way и так и э́так;

3. *как нареч.* та́кже (*при отрица́нии*); if you do not go I shall not ~ е́сли вы не пойдёте, то и я не пойду́.

**either II** ['aɪðǝ, *амер.* 'iːðǝ] *cj* и́ли; ~...or... и́ли... и́ли...; ~ come in or go out ли́бо входи́те, ли́бо выходи́те.

**ejaculate** [ɪ'dʒækjuleɪt] *v* 1) восклица́ть; 2) изверга́ть (*жи́дкость*).

**ejaculation** [ɪ‚dʒækju'leɪʃǝn] *n* 1) восклица́ние; 2) изверже́ние; 3) вне́запно изве́рженная жи́дкость; 4) *физиол.* эякуля́ция.

**eject I** [iː'dʒekt] *v* 1) изгоня́ть (from); лиша́ть до́лжности; 2) выселя́ть; 3) изверга́ть, выбра́сывать; выпуска́ть (*дым и т. п.*).

**eject II** ['iːdʒekt] *n* плод вообража́ния.

**ejection** [iː'dʒekʃǝn] *n* 1) изгна́ние; лише́ние до́лжности; 2) выселе́ние; 3) изверже́ние; испражне́ние; 4) вы́брошенная, изве́рженная ма́сса, ла́ва.

**ejectment** [iː'dʒektmǝnt] *n* 1) выселе́ние, 2) *юр.* суде́бное де́ло о возвраще́нии земе́ль.

**ejector** [iː'dʒektǝ] *n* 1) тот, кто изгоня́ет и пр. [*см.* eject I]; 2) *тех.* эже́ктор; отража́тель (*в ору́жии*); стру́йный насо́с.

**eke** I [ɪk] v: to ~ out восполня́ть, попо́лнять (with); to ~ out one's existence перебива́ться ко́е-ка́к, умудря́ться своди́ть концы́ с конца́ми.

**eke** II [ɪk] adv уст. та́кже, то́же; к тому́ же.

**el** [el] n 1) назва́ние бу́квы L; 2) = ell II, 2); 3) амер. разг. от elevated railroad) надзе́мная желе́зная доро́га.

**elaborate** 1. a [ɪ'læbərɪt] тща́тельно разрабо́танный, вы́работанный; иску́сно сде́ланный; сло́жный; ~ dinner изы́сканный обе́д; 2. v [ɪ'læbəreɪt] 1) тща́тельно разраба́тывать, разраба́тывать в деталях; 2) выраба́тывать; развива́ть.

**elaboration** [ɪ,læbə'reɪʃən] n 1) разрабо́тка; разви́тие; уточне́ние; совершенствование; 2) физиол. вы́работка, перерабо́тка.

**eland** ['ɪlənd] n зоол. южноафрика́нская антило́па.

**elapse** [ɪ'læps] v проходи́ть, пролета́ть, лете́ть (о времени).

**elastic** [ɪ'læstɪk] 1. a 1) эласти́чный; ги́бкий и упру́гий; ~ limit тех. преде́л упру́гости; 2) ги́бкий; приспособля́ющийся; ~ rule пра́вило, кото́рое мо́жно по-ра́зному толкова́ть; 3) жизнера́достный; бы́стро оправля́ющийся; ~ conscience легко́ успока́ивающаяся со́весть; 2. n 1) рези́нка (шнур); 2) рези́нка, подвя́зка.

**elasticity** [,elæs'tɪsɪtɪ] n 1) эласти́чность и пр. [см. elastic 1]; 2) тех. упру́гость.

**elastic-sides** [ɪ'læstɪk,saɪdz] n pl штибле́ты с рези́нкой (тж. elastic-side boots).

**elate** [ɪ'leɪt] 1. v поднима́ть настрое́ние, подбодря́ть; ~d by success окрылённый успе́хом; 2. a уст. в припо́днятом настрое́нии. лику́ющий.

**elation** [ɪ'leɪʃən] n припо́днятое настрое́ние.

**elbow** ['elbou] 1. n 1) ло́коть; at one's ~ под руко́й; ря́дом; 2) подлоко́тник (кре́сла); 3) тех. коле́но; уго́льник; ◊ to be out at ~s а) ходи́ть в лохмо́тьях; быть бе́дно оде́тым; б) нужда́ться, бе́дствовать; to crook (или to lift) the ~ sl. выпива́ть; to rub ~s with smb. якша́ться с кем-л.; ᴫᴼ to the ~s in work по го́рло в рабо́те; m re power to your ~! жела́ю успе́ха!; 2. v толка́ть локтя́ми; to ~ one's way прота́лкиваться.

**elbow-chair** ['elbou'ʧɛə] n кре́сло с подлоко́тниками.

**elbow-grease** ['elbougrɪːs] n шутл. 1) уси́ленная полиро́вка; 2) тяжёлая упо́рная рабо́та.

**elbow-rest** ['elbourest] n подлоко́тник.

**elbow-room** ['elbourum] n просто́р (для движе́ния).

**elchee** ['elʧɪ] n посо́л.

**eld** [eld] n уст., поэт. 1) ста́рые го́ды; старина́; 2) ста́рость.

**elder** I ['eldə] 1. a 1) сравнит. ст. от old 1); 2) ста́рший (в семье́); my ~ brother мой ста́рший брат; 2. n 1) pl ста́рые лю́ди, ста́ршие; 2) ста-ре́йшина; 3) ста́рец.

**elder** II ['eldə] n бузина́ (я́года и де́рево).

**elder-berry** ['eldə,berɪ] n я́года бузины́.

**elderly** ['eldəlɪ] a пожило́й, почте́нный.

**eldest** ['eldɪst] a 1) превосх. ст. от old 1); 2) са́мый ста́рший (в семье́).

**El Dorado** [,eldɔ'rɑːdou] n 1) Эльдора́до, страна́ ска́зочных бога́тств; 2) амер. Калифо́рния.

**eldritch** ['eldrɪʧ] a шотл. жу́ткий, сверхъесте́ственный.

**elecampane** [,elɪkæm'peɪn] n бот. девяси́л.

**elect** [ɪ'lekt] 1. a и́збранный (но ещё не вступи́вший в до́лжность); ◊ bride ~ наречённая (неве́ста); 2. n избра́нник; the ~ pl собир. и́збранные; 3. v 1) избира́ть; выбира́ть (голосова́нием); they ~ed him chairman они́ вы́брали его́ председа́телем; he was ~ed chairman он был вы́бран председа́телем; 2) назнача́ть (на до́лжность); 3) реши́ть, предпоче́сть; he ~ed to remain at home он предпочёл оста́ться до́ма.

**election** [ɪ'lekʃən] n 1) вы́боры; general ~ всео́бщие вы́боры; special ~ амер. дополни́тельные вы́боры; to hold an ~ проводи́ть вы́боры; 2) избра́ние; 3) рел. предопределе́ние; 4) attr. избира́тельный, свя́занный с вы́борами; ~ campaign избира́тельная кампа́ния.

**electioneer** [ɪ,lekʃə'nɪə] 1. v проводи́ть предвы́борную кампа́нию; агити́ровать за кандида́та; 2. n тот, кто проводи́т избира́тельную кампа́нию; тот, кто агити́рует за кандида́та.

**electioneering** [ɪ,lekʃə'nɪərɪŋ] 1. pres. p. от electioneer 1; 2. n предвы́борная кампа́ния.

**elective** [ɪ'lektɪv] a 1) вы́борный, избира́тельный; 2) име́ющий избира́тельные права́; an ~ body избира́тели; 3) амер. факультати́вный, необяза́тельный; ~ course систе́ма обуче́ния, при кото́рой студе́нту предоста́влено пра́во выбира́ть для изуче́ния интересу́ющие его́ дисципли́ны, не приде́рживаясь обяза́тельной програ́ммы; 4) хим.: ~ affinity избира́тельное сродство́.

**elector** [ɪ'lektə] n 1) избира́тель; вы́борщик; 2) нем. ист. курфю́рст; 3) амер. член колле́гии вы́борщиков [см. electoral].

**electoral** [ɪ'lektərəl] a избира́тельный; ~ system избира́тельная систе́ма; ~ law избира́тельный зако́н; ~ college амер. колле́гия вы́борщиков (избира́емых в шта́тах для вы́боров президе́нта и ви́це-президе́нта).

**electorate** [ɪ'lektərɪt] n 1) континге́нт избира́телей; 2) избира́тельный о́круг; 3) нем. ист. курфю́ршество.

**electress** [ɪ'lektrɪs] n 1) избира́тельница; 2) нем. ист. жена́ курфю́рста.

**electric** [ɪ'lektrɪk] a 1) электри́ческий; ~ fan электри́ческий вентиля́тор; ~ light электри́ческий свет, электри́чество; ~ lighting электри́ческое освеще́ние; ~ locomotive электровоз; ~ engineering электротехника; ~ torch электри́ческий фона́рик; 2) удиви́тельный, волну́ющий, порази́тельный;

◇ ~ seal мех кро́лика, имити́рующий мех
ко́тика.

**electrical** [ɪ'lektrɪkəl] = electric.

**electric arc** [ɪ'lektrɪk'ɑːk] *n* электри́че-
ская дуга́.

**electric blue** [ɪ'lektrɪk'bluː] *n* электри́к
(*цвет*).

**electric chair** [ɪ'lektrɪk'ʧɛə] *n* электри́-
ческий стул.

**electrician** [ɪlek'trɪʃən] *n* 1) электро-
те́хник; 2) электромонтёр.

**electricity** [ɪlek'trɪsɪtɪ] *n* электри́чество.

**electrification** [ɪ,lektrɪfɪ'keɪʃən] *n* 1)
электрифика́ция; 2) электриза́ция.

**electrify** [ɪ'lektrɪfaɪ] *v* 1) электрифици́ро-
вать; 2) электризова́ть; to ~ one's audience
наэлектризова́ть свои́х слу́шателей.

**electrization** [ɪ,lektraɪ'zeɪʃən] *n* электри-
за́ция.

**electrize** [ɪ'lektraɪz] = electrify.

**electro** [ɪ'lektrə] *сокр. разг. от* electroplate *u* electrotype.

**electrocute** [ɪ'lektrəkjuːt] *v* 1) убива́ть
электри́ческим то́ком; 2) казни́ть на элек-
три́ческом сту́ле.

**electrocution** [ɪ,lektrə'kjuːʃən] *n* казнь
на электри́ческом сту́ле.

**electrode** [ɪ'lektroud] *n* электро́д.

**electrodynamics** [ɪ'lektroudaɪ'næmɪks] *n*
*pl* (*употр. как sing*) электродина́мика.

**electrokinetics** [ɪ'lektroukaɪ'netɪks] *n pl*
(*употр. как sing*) электрокине́тика.

**electrolier** [ɪ,lektrou'lɪə] *n* лю́стра.

**electrolyse** [ɪ'lektroulaɪz] *v* подверга́ть
электро́лизу.

**electrolysis** [ɪlek'trɔlɪsɪs] *n* электро́лиз.

**electrolyte** [ɪ'lektroulaɪt] *n* электроли́т.

**electromagnet** [ɪ'lektrou'mægnɪt] *n* элек-
тромагни́т.

**electromagnetic** [ɪ'lektroumæg'netɪk] *a*
электромагни́тный; ~ waves электромагни́т-
ные во́лны.

**electromechanics** [ɪ,lektroumɪ'kænɪks] *n*
*pl* (*употр. как sing*) электромеха́ника.

**electrometallurgy** [ɪ,lektroume'tælədʒɪ] *n*
электрометаллу́ргия.

**electrometer** [ɪlek'trɔmɪtə] *n* электро́метр.

**electromotive** [ɪ'lektroumoutɪv] *a* электро-
дви́жущий; ~ force электродви́жущая си́ла.

**electromotor** [ɪ'lektrou'moutə] *n* электро-
мото́р.

**electron** [ɪ'lektrɔn] *n физ.* 1) электро́н;
2) *attr.* электро́нный; ~ bomb электро́нная
зажига́тельная бо́мба; ~ tube электро́нно-
-лучева́я тру́бка; ~ volt *физ.* электроно-
во́льт.

**electronegative** [ɪ'lektrou'negətɪv] *a* элек-
троотрица́тельный.

**electronic** [ɪlek'trɔnɪk] *a* электро́нный; ~
calculator счётная электро́нная маши́на.

**electronics** [ɪlek'trɔnɪks] *n pl* (*употр.
как sing*) электро́ника.

**electropathy** [ɪlek'trɔpəθɪ] *n мед.* элек-
тролече́ние, электротерапи́я.

**electrophone** [ɪ'lektrəfoun] *n* 1) систе́ма
радиовеща́ния по провода́м; 2) телефо́н
для тугоу́хих.

**electroplate** [ɪ'lektroupleɪt] **1.** *n* галь-
ванизи́рован ный предме́т;

---

2. *v* наноси́ть слой мета́лла гальвани́че-
ским спо́собом.

**electroplating** [ɪ'lektroupleɪtɪŋ] **1.** *pres. p
от* electroplate 2;
2. *n* гальваности́гия, гальванопокры́тие.

**electropositive** [ɪ'lektrou'pozətɪv] *a* элек-
троположи́тельный.

**electroscope** [ɪ'lektrəskoup] *n* электроско́п.

**electrostatics** [ɪ'lektrou'stætɪks] *n pl*
(*употр. как sing*) электроста́тика.

**electrotype** [ɪ'lektroutaɪp] **1.** *n* 1) галь-
ванопла́стика; электроти́пия; 2) гальва́но;
2. *v* изготовля́ть гальва́но.

**electuary** [ɪ'lektjuərɪ] *n мед.* электуа́рий,
лека́рственная ка́шка.

**eleemosynary** [,eliː'mɔsɪnərɪ] *a* 1) благо-
твори́тельный; 2) живу́щий ми́лостыней.

**elegance**, **-cy** ['eligəns, -sɪ] *n* элега́нт-
ность, изя́щество.

**elegant** ['eligənt] **1.** *a* 1) изя́щный, эле-
га́нтный, изы́сканный; 2) *разг.* прекра́сный;
лу́чший; первокла́ссный;
2. *n разг.* челове́к с прете́нзиями на эле-
га́нтность.

**elegiac** [,eli'dʒaɪək] **1.** *a* элеги́ческий;
гру́стный;
2. *n pl* элеги́ческие стихи́.

**elegize** ['elidʒaɪz] *v ирон.* писа́ть эле́гии.

**elegy** ['elidʒɪ] *n* эле́гия.

**element** ['elimənt] *n* 1) элеме́нт; состав-
на́я часть; небольша́я часть, след; an ~ of
truth до́ля пра́вды; 2) *хим.* элеме́нт; 3) *pl*
осно́вы (*науки и т. п.*); азы́; 4) стихи́я;
war of the ~s борьба́ стихи́й; the four ~s
земля́, во́здух, ого́нь, вода́; the devouring
~ ого́нь; 5) родна́я стихи́я; he is in his ~
он в свое́й стихи́и, он чу́вствует себя́ как
ры́ба в воде́; he is out of his ~ он зани-
ма́ется не свои́м де́лом; он чу́вствует себя́
как ры́ба, вы́нутая из воды́; 6) *тех.* секция (*котла и т. п.*); 7) *воен.* подразделе́-
ние; 8) *амер. ав.* звено́ (*самолётов*).

**elemental** [,eli'mentl] *a* 1) стихи́йный;
2) основно́й; изнача́льный; 3) образу́ю-
щий составну́ю часть; 4) *редк.* элемен-
та́рный.

**elementary** [,eli'mentərɪ] *a* 1) элемента́р-
ный, первонача́льный; ~ school нача́льная
шко́ла; 2) перви́чный; 3) *хим.* неразложи́-
мый.

**elephant** ['elifənt] *n* 1) слон; 2) (E.)
*амер.* про́звище демократи́ческой па́ртии;
3) *формат бумаги*; 4) сво́дчатое, волни́стое
желе́зо; 5) *амер. воен. sl.* закры́тие из сво́д-
чатого, волни́стого желе́за; 6) *attr.*: ~ bull
слон; ~ calf слонёнок; ~ cow слони́ха; ~
trumpet рёв слона́; ◇ white ~ обремени́-
тельное иму́щество; пода́рок, кото́рый не-
изве́стно куда́ дева́ть; to see the ~, to get
a look at the ~ узна́ть жизнь, уви́деть свет;
уви́деть жизнь большо́го го́рода.

**elephantiasis** [,elifən'taɪəsis] *n мед.* сло-
но́вая боле́знь.

**elephantine** [,eli'fæntaɪn] *a* 1) слоно́-
вый; 2) слоноподо́бный; неуклю́жий, тя-
желове́сный; ~ humour гру́бый ю́мор.

**Eleusinian mysteries** [,eljuː'sɪnɪən'mɪ-
stəriz] *n pl др.-греч. ист.* Элевзи́нские
та́инства.

**elevate** [ˈelɪveɪt] v 1) поднима́ть, повыша́ть; to ~ hopes возбужда́ть наде́жды; to ~ the voice повыша́ть го́лос; 2) повыша́ть (*по службе*); 3) облагора́живать, улучша́ть; study ~s the mind уче́ние развива́ет челове́ка.

**elevated** [ˈelɪveɪtɪd] 1. *p. p. om* elevate; 2. *a* 1) возвы́шенный (*тж. перен.*); припо́днятый; ~ railway, *амер.* ~ railroad надзе́мная желе́зная доро́га (на эстака́де); ~ train по́езд тако́й доро́ги; 2) *разг.* подвы́пивший;
3. *n амер. разг.* = ~ railroad [*см.* 2, 1)].

**elevating** [ˈelɪveɪtɪŋ] 1. *pres. p. om* elevate;
2. *a* подъёмный.

**elevation** [ˌelɪˈveɪʃən] *n* 1) подня́тие, возвыше́ние; облагора́живание; 2) возвыше́ние, возвы́шенность; приго́рок; высота́ (*над уровнем моря*); ~ of style возвы́шенность сти́ля; 3) *воен.* у́гол возвыше́ния *или* прице́ливания, вертика́льная наво́дка; 4) *астр.* высста́ небе́сного те́ла над горизо́нтом; 5) *тех.* про́филь, вертика́ль; front ~ фаса́д; вид спе́реди (*на чертеже*); side ~ боково́й фаса́д; бок; вид сбо́ку.

**elevator** [ˈelɪveɪtə] *n* 1) грузоподъёмник; элева́тор; 2) лифт; 3) элева́тор (*тж.* grain ~); 4) *ав.* руль высоты́; 5) *анат.* поднима́ющая мы́шца.

**elevator-installationist** [ˈelɪveɪtə‚ɪnstəˈleɪʃənɪst] *n* монтёр по устано́вке и ремо́нту ли́фта.

**elevator-jockey** [ˈelɪveɪtəˈdʒɔkɪ] *разг. см.* elevator-operator.

**elevator-operator** [ˈelɪveɪtəˈɔpəreɪtə] *n* *амер.* лифтёр.

**eleven** [ɪˈlevn] 1. *num. card.* оди́ннадцать;
2. *n* кома́нда из оди́ннадцати челове́к (*в футболе или крикете*).

**elevens, elevenses** [ɪˈlevnz, ɪˈlevnzɪz] *n* *разг.* лёгкий за́втрак о́коло 11 часо́в утра́.

**eleventh** [ɪˈlevnθ] 1. *num. ord.* оди́ннадцатый; ◇ at the ~ hour ⇔ в после́днюю мину́ту;
2. *n* 1) оди́ннадцатая часть; 2) (the ~) оди́ннадцатое число́.

**elf** [elf] *n* (*pl* elves) 1) *миф.* эльф; 2) ка́рлик; 3) прока́зник.

**elf-bolt** [ˈelfboult] *n* 1) кремнёвый наконе́чник стрелы́; 2) *геол.* белемни́т.

**elfin** [ˈelfɪn] 1. *a* 1) относя́щийся к эльфам; волше́бный; 2) похо́жий на эльфа, миниатю́рный;
2. *n* = elf.

**elf-lock** [ˈelflɔk] *n* спу́танные во́лосы.

**elicit** [ɪˈlɪsɪt] v 1) извлека́ть; вытя́гивать; вызыва́ть, выявля́ть; to ~ a fact вы́явить факт; to ~ applause вызыва́ть аплодисме́нты; 2) допы́тываться; to ~ a reply доби́ться отве́та; 3) устана́вливать.

**elide** [ɪˈlaɪd] v 1) выпуска́ть, обходи́ть молча́нием; 2) *лингв.* выпуска́ть (*слог или гласный*) при произноше́нии.

**eligibility** [ˌelɪdʒəˈbɪlɪtɪ] *n* 1) пра́во на избра́ние; 2) прие́млемость.

**eligible** [ˈelɪdʒəbl] *a* 1) могу́щий быть и́збранным (*for*); ~ for membership име́ющий

пра́во быть чле́ном; 2) подходя́щий. жела́тельный; ~ young man *разг.* жени́х.

**Elijah** [ɪˈlaɪdʒə] *n* *библ.* И́лий.

**eliminate** [ɪˈlɪmɪneɪt] v 1) устраня́ть; исключа́ть (from); we may ~ the possibility мо́жно игнори́ровать возмо́жность; 2) уничтожа́ть, ликвиди́ровать; 3) *хим., физиол.* очища́ть; выделя́ть; удаля́ть из органи́зма; 4) *мат.* приводи́ть к одному́ неизве́стному (*уравнение*).

**elimination** [ɪˌlɪmɪˈneɪʃən] *n* исключе́ние и пр. [*см.* eliminate]; ~ of waste испо́льзование отхо́дов.

**eliminator** [ɪˈlɪmɪneɪtə] *n* *тех.* 1) аппара́т *или* устро́йство для удале́ния *или* отво́да; 2) водоотдели́тель; 3) выта́лкиватель.

**elision** [ɪˈlɪʒən] *n* *лингв.* эли́зия.

**élite** [eɪˈliːt] *фр. n* отбо́рная часть, цвет (*общества и т. п.*); эли́та, лу́чшие, отбо́рные экземпля́ры живо́тных *или* расте́ний; corps d'élite [kɔːdeɪˈliːt] отбо́рные войска́; отбо́рная (войсковая) часть.

**elixir** [ɪˈlɪksə] *n* 1) эликси́р; 2) панаце́я.

**Elizabethan** [ɪˌlɪzəˈbiːθən] 1. *a* эпо́хи короле́вы Елизаве́ты;
2. *n* совреме́нник Елизаве́тинской эпо́хи, елизаве́тинец.

**elk** [elk] *n* лось.

**ell I** [el] *n* *ист. мера длины* (⇔ 113 см); ◇ give him an inch and he'll take an ~ ⇔ дай ему́ па́лец, он и всю ру́ку отку́сит.

**ell II** [el] *n* 1) крыло́ до́ма; 2) *амер.* пристро́йка.

**ellipse** [ɪˈlɪps] *n* 1) *мат.* э́ллипс; ова́л; 2) = ellipsis.

**ellipses** [ɪˈlɪpsiːz] *pl om* ellipsis.

**ellipsis** [ɪˈlɪpsɪs] *n* (*pl* ellipses) *филол.* э́ллипс.

**elliptic(al)** [ɪˈlɪptɪk(əl)] *a* *филол.* эллипти́ческий.

**elm** [elm] *n* *бот.* вяз,.. ильм, бе́рест.

**elocution** [ˌeləˈkjuːʃən] *n* ора́торское иску́сство.

**elongate** [ˈiːlɔŋgeɪt] 1. v 1) растя́гивать (-ся); удлиня́ть(ся); 2) продлева́ть (*срок*);
2. *a бот., зоол.* вы́тянутый и то́нкий.

**elongation** [ˌiːlɔŋˈgeɪʃən] *n* 1) удлине́ние; 2) продле́ние; продолже́ние.

**elope** [ɪˈloup] v 1) бежа́ть (*с возлюбленным*); 2) скры́ться (from).

**elopement** [ɪˈloupmənt] *n* та́йное бе́гство (*с возлюбленным*).

**eloquence** [ˈeləkwəns] *n* красноре́чие.

**eloquent** [ˈeləkwənt] *a* 1) красноречи́вый; ~ speech проникнове́нная речь; 2) вырази́тельный; ~ eyes вырази́тельные глаза́.

**else** [els] 1. *adv* 1) (*c pron. indef. u pron. inter.*) ещё, кро́ме; no one ~ has come никто́ бо́льше не приходи́л; what ~? что ещё?; who ~? кто ещё?; 2) (*обыкн. после* or) ина́че; а то; и́ли же; take care or ~ you will fall бу́дьте осторо́жны, ина́че упадёте;
2. *pron. indef.* друго́й; somebody ~'s hat шля́па кого́-то друго́го; more than anything ~ бо́льше, чем что-л. друго́е.

**elsewhere** [ˈelsˈwɛə] *adv* где-нибудь в друго́м ме́сте.

elsewhither ['els'wıðə] *adv* куда́-л. в друго́е ме́сто.

elucidate [ı'lu:sıdeıt] *v* объясня́ть, разъясня́ть, пролива́ть свет.

elucidation [ı,lu:sı'deıʃən] *n* разъясне́ние.

elucidative [ı'lu:sıdeıtıv] *a* объясни́тельный.

elucidatory [ı'lu:sıdeıtərı] = elucidative.

elude [ı'lu:d] *v* 1) избега́ть, уклоня́ться; to ~ pursuit (observation) ускольза́ть от пресле́дования (наблюде́ния); 2) не приходи́ть на ум; ускольза́ть; the meaning ~s me не могу́ вспо́мнить значе́ние.

elusion [ı'lu:ʒən] *n* уве́ртка, уклоне́ние.

elusive [ı'lu:sıv] *a* неулови́мый, укло́нчивый; an ~ memory сла́бая па́мять.

elusory [ı'lu:sərı] *a* легко́ ускольза́ющий.

eluvium [ı'lju:vıəm] *n геол.* элю́вий.

elver ['elvə] *n зоол.* молодо́й у́горь.

elves [elvz] *pl om* elf.

elvish ['elvıʃ] *a* 1) волше́бный; 2) ма́ленький; 3) прока́зливый.

Elysium [ı'lızıəm] *n миф.* Эли́зиум, Елисе́йские поля́; рай.

elytra ['elıtrə] *pl om* elytron.

elytron ['elıtrɔn] *n (pl -ra) зоол.* надкры́лье.

Elzevir ['elzıvıə] *n* 1) эльзеви́р (*кни́га голла́ндского изда́ния XVI—XVII вв.*); 2) *attr.:* ~ type шрифт эльзеви́р.

em [em] *n* 1) *назва́ние бу́квы* M; 2) *полигр.* бу́ква m как едини́ца измере́ния печа́тной строки́ (*соотве́тствует кру́глой*).

'em [əm] *разг. сокр. om* them.

em- [em-, ım-] *pref см.* en-.

emaciate [ı'meıʃıeıt] *v* истоща́ть, изнуря́ть; he was ~d by hunger and fatigue от го́лода и уста́лости он был совсе́м истощён.

emaciated [ı'meıʃıeıtıd] 1. *p. p. om* emaciate;
2. *a* истощённый;· ~ soil истощённая земля́.

emaciation [ı,meısı'eıʃən] *n* истоще́ние, изнуре́ние.

emanate ['eməneıt] *v* 1) исходи́ть, истека́ть; 2) происходи́ть (from).

emanation [,emə'neıʃən] *n* эмана́ция; истече́ние; излуче́ние, испуска́ние.

emancipate [ı'mænsıpeıt] *v* освобожда́ть, эмансипи́ровать.

emancipation [ı,mænsı'peıʃən] *n* освобожде́ние; эмансипа́ция; ~ of slaves освобожде́ние рабо́в; ~ from slavery освобожде́ние от ра́бства.

emancipationist [ı,mænsı'peıʃənıst] *n* сторо́нник эмансипа́ции.

emancipist [ı'mænsıpıst] *n австрал.* бы́вший ка́торжник.

emasculate 1. *v* [ı'mæskjuleıt] 1) кастри́ровать; 2) обесси́ливать; ослабля́ть; 3) изне́живать; 4) выхола́щивать ·(*иде́ю и т. п.*); обедня́ть (*язы́к*);
2. *a* [ı'mæskjulıt] 1) кастри́рованный; 2) лишённый си́лы; вы́холощенный; 3) изне́женный.

emasculation [ı,mæskju'leıʃən] *n* 1) кастра́ция; 2) выхола́щивание; 3) бесси́лие.

embalm [ım'ba:m] *v* 1) бальзами́ровать; 2) сохраня́ть от забве́ния; 3) наполня́ть благоуха́нием.

embalmment [ım'ba:mmənt] *n* бальзами́рование.

embank [ım'bæŋk] *v* защища́ть на́сыпью, обноси́ть ва́лом; запру́живать плоти́ной.

embankment [ım'bæŋkmənt] *n* 1) да́мба, на́сыпь, гать; 2) на́бережная.

embargo [em'ba:gou] 1. *n (pl* -oes [-ouz]) эмба́рго; запреще́ние, запре́т; oil is under an ~ торго́вля не́фтью запрещена́; to lay an ~ on (*или* upon) налага́ть запреще́ние на; to take off an ~ снима́ть запреще́ние;
2. *v* 1) накла́дывать эмба́рго; to ~ a ship заде́рживать су́дно в порту́; 2) реквизи́ровать; конфискова́ть.

embark [ım'ba:k] *v* 1) грузи́ть(ся), сади́ться на кора́бль; 2) начина́ть; вступа́ть (*в де́ло, в войну́*); to ~ on a venture пуска́ться в како́е-л. предприя́тие; to ~ on hostilities прибе́гнуть к вое́нным де́йствиям; 3) отпра́виться на корабле́ (for—в).

embarkation [,emba:'keıʃən] *n* 1) поса́дка, погру́зка (*на суда́*); 2) груз.

embarrass [ım'bærəs] *v* 1) затрудня́ть, стесня́ть; 2) смуща́ть, приводи́ть в замеша́тельство; 3) (*ча́сто p. p.*) запу́тывать (*в дела́х*); обременя́ть (*долга́ми*).

embarrassed [ım'bærəst] 1. *p. p. om* embarrass;
2. *a* 1) стеснённый; 2) смущённый, расте́рянный.

embarrassing [ım'bærəsıŋ] 1. *pres. p. om* embarrass;
2. *a* 1) стесни́тельный; 2) смуща́ющий.

embarrassingly [ım'bærəsıŋlı] *adv* ошеломля́юще.

embarrassment [ım'bærəsmənt] *n* 1) затрудне́ние; 2) замеша́тельство, смуще́ние; 3) запу́танность (*в дела́х, долга́х*).

embassy ['embəsı] *n* посо́льство.

embattle I [ım'bætl] *v* (*обыкн. p. p.*) стро́ить в боево́й поря́док.

embattle II [ım'bætl] *v ист.* защища́ть зубца́ми и бойни́цами (*сте́ны ба́шни и т.п.*).

embay [ım'beı] *v* 1) вводи́ть в зали́в (*су́дно*); 2) запира́ть, окружа́ть; 3) изре́зывать (*бе́рег*) зали́вами.

embed [ım'bed] *v* 1) вставля́ть, вреза́ть, вде́лывать; a thorn ~ded in the finger шип, глубоко́ вонзи́вшийся в па́лец; that day is ~ded for ever in my recollection э́тот день навсегда́ вре́зался в мою́ па́мять; 2) внедря́ть.

embellish [ım'belıʃ] *v* 1) украша́ть; 2) приукра́шивать (*вы́думкой расска́з и т. п.*).

embellishment [ım'belıʃmənt] *n* 1) украше́ние; 2) приукра́шивание.

ember ['embə] *n (обыкн. pl)* 1) после́дние кра́сные у́гольки (*тле́ющие в золе́*); 2) горя́чая зола́.

ember days ['embədeız] *n pl* 12 дней поста́ (*по три дня четы́ре ра́за в год, в англика́нской и католи́ческой це́ркви*).

ember-goose ['embəgu:s] *зоол.* гага́ра поля́рная.

embezzle [ım'bezl] *v* присва́ивать, растра́чивать (*чужи́е де́ньги*).

**embezzlement** [ɪm'bezlmənt] *n* растрата, хищение.

**embitter** [ɪm'bɪtə] *v* 1) озлоблять, раздражать; наполнять горечью; 2) отравлять (*существование*); 3) растравлять; отягчать (*горе и т. п.*).

**emblazon** [ɪm'bleɪzən] *v* 1) расписывать герб; 2) превозносить, славить.

**emblem** ['embləm] 1. *n* 1) эмблема, символ; 2): National E. государственный герб;
2. *v* служить эмблемой; символизировать.

**emblematic(al)** [,emblɪ'mætɪk(əl)] *a* символический.

**emblematize** [em'blemətaɪz] *v* служить эмблемой; символизировать.

**embodiment** [ɪm'bɔdɪmənt] *n* 1) воплощение; 2) объединение; 3) *воен.* формирование (частей территориальной армии при мобилизации).

**embody** [ɪm'bɔdɪ] *v* 1) воплощать; изображать, олицетворять; 2) осуществлять (*идею*); 3) заключать в себе; 4) объединять; включать; embodied in the armed forces входящие в состав вооружённых сил; 5) *воен.* формировать(ся).

**embog** [ɪm'bɔg] *v* завязнуть (*в болоте*).

**embolden** [ɪm'bouldən] *v* 1) ободрять, придавать храбрости; 2) поощрять.

**embolism** ['embəlɪzəm] *n* *мед.* эмболия (*закупорка кровеносного сосуда*).

**embosom** [ɪm'buzəm] *v* 1) обнимать, прижимать к груди; 2) окружать; trees ~ing the house окружающие дом деревья.

**emboss** [ɪm'bɔs] *v* 1) выбивать, выдавливать выпуклый рисунок; чеканить; гофрировать; 2) лепить рельеф; украшать рельефом.

**embouchure** [,ɔmbu'ʃuə] *фр.* *n* 1) устье (*реки*); 2) вход (*в долину*); 3) *муз.* мундштук, амбушюр.

**embowel** [ɪm'bauəl] *v* 1) потрошить; 2) *уст.* скрывать, хоронить.

**embower** [ɪm'bauə] *v* окружать, укрывать, осенять.

**embrace** [ɪm'breɪs] 1. *n* объятие;
2. *v* 1) обнимать(ся); 2) воспользоваться (*случаем, предложением*); 3) принимать (*веру, теорию*); 4) избирать (*специальность*); 5) охватывать (*взглядом, мыслью*); 6) включать, заключать в себе, содержать.

**embracery** [ɪm'breɪsərɪ] *n* *юр.* незаконное давление на судью *или* присяжных.

**embranchment** [ɪm'brɑ:nʧmənt] *n* ответвление.

**embrasure** [ɪm'breɪʒə] *n* 1) *архит.* проём; 2) *воен.* амбразура, бойница.

**embrittle** [em'brɪtl] *v* делать ломким *или* хрупким.

**embrocate** ['embrou'keɪt] *v* растирать жидкой мазью; класть припарки.

**embrocation** [,embrou'keɪʃən] *n* растирание; жидкая мазь.

**embroider** [ɪm'brɔɪdə] *v* 1) вышивать; 2) расцвечивать, приукрашивать (*рассказ*).

**embroidery** [ɪm'brɔɪdərɪ] *n* 1) вышивание; 2) вышивки; вышитое изделие; 3) украшение; прикраса.

**embroil** [ɪm'brɔɪl] *v* 1) запутывать (*дела, фабулу*); 2) впутывать (*в неприятности*); 3) ссорить (with).

**embrown** [ɪm'braun] *v* придавать коричневый *или* бурый оттенок.

**embryo** ['embrɪou] 1. *n* (*pl* -os [-ouz]) эмбрион, зародыш; in ~ в зачаточном состоянии;
2. *a* зародышевый; эмбриональный.

**embryology** [,embrɪ'ɔlədʒɪ] *n* эмбриология.

**embryonic** [,embrɪ'ɔnɪk] *a* эмбриональный.

**embus** [ɪm'bʌs] *v* сажать, садиться, грузить(ся) в автомашины.

**emend, emendate** [i:'mend, 'i:mendeɪt] *v* изменять *или* исправлять (*текст*).

**emendation** [,i:men'deɪʃən] *n* изменение *или* исправление текста (*литературного*) произведения.

**emerald** ['emərəld] 1. *n* 1) изумруд; 2) изумрудный цвет; 3) *полигр.* шрифт в 6½ пунктов;
2. *a* изумрудный; ◇ E. Isle Ирландия.

**emerge** [ɪ'mə:dʒ] *v* 1) появляться; всплывать; выходить; 2) выясняться; вставать, возникать (*о вопросе и т. п.*); ◇ to ~ unscathed ≅ выйти сухим из воды.

**emergence** [ɪ'mə:dʒəns] *n* 1) выход; появление; 2) = emergency 1).

**emergency** [ɪ'mə:dʒənsɪ] *n* 1) непредвиденный случай; крайняя необходимость; крайность; критическое положение; авария; ready for all emergencies готовый ко всем неожиданностям; on ~, in case of ~ в случае крайней необходимости; 2) *attr.* вспомогательный, запасный, запасной, аварийный; ~ door, ~ exit запасный выход; ~ landing *ав.* вынужденная посадка; ~ ration а) неприкосновенный запас; б) *ав.* store неприкосновенный запас; ~ barrage *амер. воен.* заградительный огонь; ~ brake *ж.-д.* экстренный тормоз; запасной тормоз; 3) *attr.* чрезвычайный; ~ powers чрезвычайные полномочия; ◇ rise to the ~ быть на высоте положения.

**emergency-commissioned** [ɪ'mə:dʒənsɪkə'mɪʃənd] *a*: ~ officer офицер военного времени.

**emergent** [ɪ'mə:dʒənt] *a* неожиданно появляющийся, внезапно всплывающий.

**emeritus** [ɪ'merɪtəs] *a*: ~ professor заслуженный профессор в отставке.

**emersion** [i:'mə:ʃən] *n* 1) появление (*обыкн.* солнца, луны после затмения); 2) всплытие (*подводной лодки*).

**emery** ['emərɪ] *n* наждак, корунд.

**emery-cloth** ['emərɪklɔ:] *n* наждачное полотно; шкурка.

**emery-paper** ['emərɪ,peɪpə] *n* наждачная бумага.

**emery-wheel** ['emərɪwi:l] *n* точило, шлифовальный круг; наждачный круг.

**emetic** [ɪ'metɪk] 1. *a* рвотный;
2. *n* рвотное (лекарство).

**emeu** ['i:mju:] = emu.

**émeute** [eɪ'mə:t] *фр.* *n* бунт, мятеж.

**emigrant** ['emɪgrənt] 1. *n* эмигрант; переселенец;

**2.** *a* эмигри́рующий; эмигра́нтский; пересе́ленческий; ~ labourers кочу́ющие рабо́чие.

**emigrate** [ˈemɪgreɪt] *v* 1) эмигри́ровать; переселя́ть(ся); 2) *разг.* переезжа́ть.

**emigration** [ˌemɪˈgreɪʃən] *n* эмигра́ция; переселе́ние.

**emigratory** [ˈemɪgrətərɪ] *a* эмиграцио́нный.

**émigré** [ˈemɪgreɪ] *фр. n* эмигра́нт.

**eminence** [ˈemɪnəns] *n* 1) высота́; возвы́шенность; 2) высо́кое положе́ние; знамени́тость; a man of ~ знамени́тый челове́к; 3) (E.) высокопреосвяще́нство (*титул кардина́ла*); your E. ва́ше высокопреосвяще́нство.

**eminent** [ˈemɪnənt] *a* 1) возвы́шенный, возвыша́ющийся; 2) выдаю́щийся, замеча́тельный, знамени́тый.

**emir** [eˈmɪə] *араб. n* эми́р.

**emissary** [ˈemɪsərɪ] *n* эмисса́р, аге́нт; an ~ of the Devil слуга́ дья́вола.

**emission** [ɪˈmɪʃən] *n* 1) выделе́ние, распростране́ние (*тепла, света, запаха*); 2) *физ.* излуче́ние; эмана́ция, эми́ссия электро́нов; 3) *фин.* вы́пуск, эми́ссия.

**emissive** [ɪˈmɪsɪv] *a* 1) выделя́ющий; испуска́ющий; 2) излуча́ющий.

**emit** [ɪˈmɪt] *v* 1) испуска́ть, выделя́ть; 2) издава́ть (*крик, звук*); 3) излуча́ть; 4) выпуска́ть (*деньги, воззвания и т. п.*).

**emma gee** [ˈeməˈdʒiː] *n воен. уст. sl.* станко́вый пулемёт.

**emmet** [ˈemɪt] *n уст., диал.* мураве́й.

**emollient** [ɪˈmɔlɪənt] **1.** *a* смягча́ющий; **2.** *n* мягчи́тельное сре́дство.

**emolument** [ɪˈmɔljumənt] *n* (*обыкн. pl*) за́работок, вознагражде́ние; жа́лованье, дохо́д.

**emotion** [ɪˈmouʃən] *n* 1) душе́вное волне́ние, возбужде́ние; 2) чу́вство; эмо́ция.

**emotional** [ɪˈmouʃənl] *a* 1) эмоциона́льный; 2) взволно́ванный; 3) волну́ющий (*напр., о музыке*).

**emotionality** [ɪˌmouʃəˈnælɪtɪ] *n* эмоциона́льность.

**emotive** [ɪˈmoutɪv] *a* 1) эмоциона́льный; 2) волну́ющий; возбужда́ющий.

**empale** [ɪmˈpeɪl] = impale.

**empanel** [ɪmˈpænl] *v* составля́ть спи́сок прися́жных; включа́ть в спи́сок прися́жных.

**empathy** [ˈempəθɪ] *n* вчу́вствование; проникнове́ние.

**empennage** [ˌɑːŋpeˈnɑːʒ] *фр. n ав.* хвостово́е опере́ние.

**emperor** [ˈempərə] *n* импера́тор.

**emphases** [ˈemfəsiːz] *pl от* emphasis.

**emphasis** [ˈemfəsɪs] (*pl* -ses) *n* 1) вырази́тельность, си́ла, ударе́ние; эмфа́за; to lay special ~ придава́ть осо́бое значе́ние, осо́бенно подчёркивать; 2) *филол.* ударе́ние, акце́нт; 3) *жив.* ре́зкость ко́нтуров; 4) *полигр.* выдели́тельный шрифт (*курсив, разрядка*).

**emphasize** [ˈemfəsaɪz] *v* 1) придава́ть осо́бое значе́ние; подчёркивать; 2) де́лать осо́бое ударе́ние (*на сло́ве, фа́кте*); 3) *филол.* ста́вить ударе́ние.

**emphatic** [ɪmˈfætɪk] *a* 1) вырази́тельный; эмфати́ческий; 2) подчёркнутый; 3) насто́йчивый.

**emphysema** [ˌemfɪˈsiːmə] *n мед.* эмфизе́ма.

**Empire** [ɑːŋˈpiə] *фр.* **1.** *n* стиль ампи́р; **2.** *a* в сти́ле ампи́р.

**empire** [ˈempaɪə] **1.** *n* импе́рия; the E. a) Брита́нская Импе́рия; б) *ист.* Свяще́нная Ри́мская Импе́рия; **2.** *a* и́мперский.

**Empire City** [ˈempaɪəˈsɪtɪ] *n* Нью-Йо́рк.

**Empire Day** [ˈempaɪədeɪ] *n* День Импе́рии (*празднуемый в Брита́нской импе́рии 24 ма́я*).

**Empire State** [ˈempaɪəˈsteɪt] *n* штат Нью-Йо́рк.

**empiric** [emˈpɪrɪk] **1.** *n* 1) эмпи́рик; 2) врач-шарлата́н; **2.** *a* эмпири́ческий.

**empirical** [emˈpɪrɪkəl] = empiric 2.

**empiricism** [emˈpɪrɪsɪzəm] *n* эмпири́зм.

**empiricist** [emˈpɪrɪsɪst] *n* эмпи́рик.

**empirio-criticism** [emˈpɪrɪouˈkrɪtɪsɪzəm] *n* эмпириокритици́зм.

**emplacement** [ɪmˈpleɪsmənt] *n* 1) местоположе́ние; устано́вка на ме́сто; 3) назначе́ние ме́ста (*для постро́йки и т. п.*); 4) *воен.* платфо́рма для ору́дия; пулемётный *или* оруди́йный око́п; огнева́я то́чка.

**emplane** [ɪmˈpleɪn] *v* сажа́ть, сади́ться, грузи́ть(ся) на самолёт(ы).

**employ** [ɪmˈplɔɪ] **1.** *n* 1) слу́жба, заня́тие; to be in the ~ of smb. служи́ть, рабо́тать у кого́-л.; 2) *амер. мор.* владе́лец *или* владе́льцы су́дна; **2.** *v* 1) держа́ть на слу́жбе; предоставля́ть рабо́ту; нанима́ть; to be ~ed by рабо́тать, служи́ть у; the new road will ~ hundreds of men на но́вой доро́ге бу́дут за́няты со́тни люде́й; 2) занима́ть (*чьё-л. вре́мя и т. п.*); how do you ~ yourself of an evening? чем вы занима́етесь ве́чером?; 3) употребля́ть, применя́ть, испо́льзовать (in, on, for).

**employables** [ɪmˈplɔɪəblz] *n pl* рабо́чая си́ла; те, кто мо́гут рабо́тать.

**employé** [ɔmˈplɔɪeɪ] *фр.* = employee.

**employee** [ˌemplɔɪˈiː] *n* слу́жащий; рабо́тающий по на́йму.

**employer** [ɪmˈplɔɪə] *n* 1) предпринима́тель; 2) нанима́тель, работода́тель.

**employment** [ɪmˈplɔɪmənt] *n* 1) слу́жба; заня́тие, рабо́та; out of ~ без рабо́ты; full ~ *эк.* по́лная за́нятость; 2) примене́ние, испо́льзование; 3) *attr.:* ~ bureau бюро́ на́йма (*рабо́чих и слу́жащих*).

**empoison** [ɪmˈpɔɪzn] *v* 1) отравля́ть; *перен.* разлага́ть; 2) ожесточа́ть.

**emporium** [emˈpɔːrɪəm] *n* 1) торго́вый центр; ры́нок; това́рная ба́за; 2) *разг.* большо́й магази́н.

**empower** [ɪmˈpauə] *v* 1) уполномо́чивать; to ~ the Ambassador to conduct negotiations уполномо́чить посла́ на веде́ние перегово́ров; 2) дава́ть возмо́жность.

**empress** [ˈemprɪs] *n* императри́ца.

**emprise** [ɪmˈpraɪz] *n уст., поэт.* сме́лое предприя́тие.

**emptiness** [ˈemptɪnɪs] *n* пустота́.

**empty** ['empti] **1.** *a* 1) пустой; порожний; the car is ~ of petrol в машине кончился бензин; 2) необитаемый *или* немеблированный (*о доме*); 3) пустой, бессодержательный; 4) *разг.* голодный; to feel ~ чувствовать голод; ~ stomachs голодные люди; 5) *тех.* без нагрузки, холостой; ◇ the ~ vessel makes the greatest sound *посл.* пустая бочка пуще гремит;
**2.** *n* 1) пустой ящик, мешок *и т. п.*; returned ~ возвратная тара; 2) *pl* ж.-д. порожняк;
**3.** *v* 1) опорожнять; осушать (*стакан*); выливать, высыпать; выкачивать, выпускать; 2) опорожняться; пустеть; 3) впадать (*о реке*; into).
**empty-handed** ['empti'hændid] *a* с пустыми руками.
**empty-headed** ['empti'hedid] *a* пустоголовый; невежественный.
**emptyings** ['emptiɪŋz] *n pl* амер. разг. 1) винный осадок; опивки; 2) закваска; 3) отстой (*на дне резервуара*).
**empurple** [im'pəːpl] *v* обагрять.
**empyreal** [,empai'riːəl] *a* небесный, заоблачный; неземной.
**empyrean** [,empai'riːən] **1.** *n* 1) эмпирей; 2) небесная твердь;
**2.** *a* = empyreal; ~ love чистая, неземная любовь.
**emu** ['iːmjuː] *n зоол.* эму.
**emulate** ['emjuleit] *v* 1) соревноваться, стремиться превзойти; 2) соперничать.
**emulation** [,emju'leiʃən] *n* 1) соревнование; socialist ~ социалистическое соревнование; 2) соперничество.
**emulative** ['emjulətiv] *a* соревновательный; ~ spirit дух соревнования.
**emulous** ['emjuləs] *a* 1) соревнующийся; 2) жаждущий (of — чего-л.); 3) побуждаемый чувством соперничества.
**emulsify** [i'mʌlsifai] *v* делать эмульсию; превращать в эмульсию.
**emulsion** [i'mʌlʃən] *n* эмульсия.
**emulsive** [i'mʌlsiv] *a* эмульсионный; маслянистый.
**en** [en] *n* 1) *название буквы* N; 2) *полигр.* буква n как единица измерения печатной строки (*соответствует полукруглой*).
**en-** [en-, in-] *pref* (em- *перед* b, p, m) *служит для образования глаголов и придаёт им значение:* а) *включения внутрь чего-л.:* to encage сажать в клетку; to entruck сажать на грузовик; б) *приведения в какое-л. состояние:* to enslave порабощать; to encourage ободрять.
**enable** [i'neibl] *a* 1) давать возможность *или* право (*что-л. сделать*); 2) *уст.* приспосабливать; делать годным.
**enact** [i'nækt] *v* 1) предписывать; вводить закон; постановлять; 2) ставить на сцене; играть роль; 3) (*обыкн. pass.*) происходить, разыгрываться.
**enacting clauses** [i'næktiŋ'klɔːziz] *n pl* параграфы, содержащие суть постановления.
**enactment** [i'næktmənt] *n* 1) введение закона в силу; 2) закон, указ.
**enamel** [i'næməl] **1.** *n* 1) эмаль, финифть; 2) *разг.* глазурь, полива; 3) эмаль (*на зу-*

*бах*); 4) косметическое средство для кожи; лак для ногтей;
**2.** *v* 1) покрывать эмалью, глазурью; эмалировать; 2) испещрять; fi‌elds ~led with flowers поля, усеянные цветами.
**enamour** [i'næmə] *v* возбуждать любовь; очаровывать; to be ~ed of smb. быть влюблённым в кого-л.; to be ~ed of smth. страстно увлекаться чем-л.
**encaenia** [en'siːnjə] *n* празднование годовщины (*основания*).
**encage** [in'keidʒ] *v* сажать в клетку.
**encamp** [in'kæmp] *v* располагать(ся) лагерем.
**encampment** [in'kæmpmənt] *n* 1) лагерь, место лагеря; 2) расположение лагерем.
**encase** [in'keis] *v* 1) упаковывать, класть (в ящик); 2) полностью закрывать, заключать; ~d in armour закованный в латы; 3) вставлять, обрамлять; 4) *стр.* опалубить.
**encasement** [in'keismənt] *n* футляр, кожух, покрышка, упаковка.
**encash** [in'kæʃ] *v* ком. реализовать; получать наличными деньгами.
**encaustic** [en'kɔːstik] **1.** *a* обожжённый, относящийся к обжигу (*о живописи восковыми красками, о гончарных изделиях и эмали, где рисунок закрепляется обжиганием*); ~ tile brick разноцветный изразец;
**2.** *n* энкаустика, живопись восковыми красками (*с обжиганием*).
**enceinte I** [ãːŋ'sẽːnt] *фр. а, n* беременная.
**enceinte II** [ãːŋ'sẽːnt] *фр. n воен.* крепостная ограда.
**encephalic** [,enke'fælik] *a* мозговой.
**encephalitis** [,enkefə'laitis] *n* энцефалит.
**enchain** [in'tʃein] *v* 1) сажать на цепь; заковывать; 2) приковывать (*внимание*); сковывать (*чувства и т. п.*); 3) сцеплять, соединять.
**enchant** [in'tʃɑːnt] *v* 1) очаровывать, приводить в восторг; 2) околдовывать, опутывать чарами.
**enchanter** [in'tʃɑːntə] *n* 1) чародей; 2) обворожительный человек.
**enchantingly** [in'tʃɑːntiŋli] *adv* обворожительно, очаровательно.
**enchantment** [in'tʃɑːntmənt] *n* очарование.
**enchantress** [in'tʃɑːntris] *n* 1) чародейка; 2) чаровница, обворожительная женщина.
**enchiridion** [,enkaiə'ridiən] *n* справочник, руководство.
**encipher** [en'saifə] *n* шифрованное сообщение.
**encircle** [in'səːkl] *v* окружать; делать круг.
**encirclement** [in'səːklmənt] *n* 1) окружение; 2) политика окружения государства кольцом враждебных ему государств, санитарный кордон.
**encircling** [in'səːkliŋ] **1.** *pres. p. om* encircle;
**2.** *a:* ~ force *воен.* группа, производящая обход; ~ manoeuvre обходный манёвр; манёвр окружения.
**enclasp** [in'klɑːsp] *v* обхватывать, обнимать.
**enclave** ['enkleiv] *фр. n* территория, окружённая чужими владениями.

**enclitic** [ɪn'klɪtɪk] *лингв.* **1.** *a* энклитический;
**2.** *n* энклитика.

**enclose** [ɪn'klouz] *v* 1) окружать, огораживать; заключать; 2) вкладывать (*в письмо и т. п.*); прилагать; 3) *ист.* огораживать общинные земли [*см.* enclosure 5)].

**enclosure** [ɪn'klouʒə] *n* 1) огороженное место; 2) ограждение, ограда; 3) отгораживание; 4) вложение, приложение; 5) *ист.* огораживание общинных земель (*с целью превращения общинных земель в частную собственность*); 6) *стр.* тепляк.

**encode** [ɪn'koud] *v* кодировать.

**encomia** [en'koumjə] *pl от* encomium.

**encomiast** [en'koumiæst] *n* панегирист.

**encomiastic** [en‚koumi'æstik] *a* панегирический, хвалебный.

**encomium** [en'koumjəm] *лат.* *n* (*pl* -s [-z], -ia) панегирик.

**encompass** [ɪn'kʌmpəs] *v* окружать (*тж.* *перен., напр., заботой и т. п.*); заключать.

**encore** [ɔŋ'kɔː] *фр.* **1.** *int* бис!;
**2.** *n* вызов на «бис»;
**3.** *v* требовать повторения, кричать «бис», вызывать.

**encounter** [ɪn'kauntə] **1.** *n* 1) неожиданная встреча; 2) столкновение, схватка, стычка;
**2.** *v* 1) (неожиданно) встретить(ся); 2) сталкиваться; иметь столкновение; 3) наталкиваться (*на трудности и т. п.*).

**encourage** [ɪn'kʌrɪdʒ] *v* 1) ободрять; 2) поощрять, поддерживать; 3) подстрекать.

**encouragement** [ɪn'kʌrɪdʒmənt] *n* ободрение и пр. [*см.* encourage].

**encouraging** [ɪn'kʌrɪdʒɪŋ] **1.** *pres. p. от* encourage;
**2.** *a* ободряющий; обнадёживающий.

**encroach** [ɪn'krouʧ] *v* вторгаться, покушаться на чужие права (on, upon); ~ upon smb.'s time отнимать время у кого-л.

**encroachment** [ɪn'krouʧmənt] *n* вторжение.

**encrust** [ɪn'krʌst] *v* 1) инкрустировать; 2) покрывать(ся) коркой, ржавчиной *и т. п.*

**encumber** [ɪn'kʌmbə] *v* 1) загромождать; 2) мешать, затруднять, препятствовать; 3) обременять (*долгами и т. п.*; with).

**encumbrance** [ɪn'kʌmbrəns] *n* 1) препятствие, затруднение; 2) бремя, обуза; 3) *редк.* лицо, находящееся на иждивении (*особ.* ребёнок); without ~ *разг.* бездетный; 4) *юр.* закладная (*на имущество*).

**encumbrancer** [ɪn'kʌmbrənsə] *n юр.* залогодержатель.

**encyclic(al)** [en'sɪklɪk(əl)] **1.** *a* предназначенный для широкого распространения; ~ letter циркулярное письмо, циркуляр;
**2.** *n церк.* энциклика.

**encyclop(a)edia** [en‚saiklou'piːdjə] *n* энциклопедия; walking ~ ходячая энциклопедия.

**encyclop(a)edic(al)** [en‚saiklou'piːdɪk(əl)] *a* энциклопедический.

**encyclop(a)edist** [en‚saiklou'piːdist] *n* энциклопедист.

**encyst** [ɪn'sɪst] *v* 1) заключить в пузырь; 2) образовать оболочку, капсулу.

**end** [end] **1.** *n* 1) конец; окончание;

предел; ~ on концом к себе; to put an ~ to smth., to make an ~ of smth. положить конец чему-л., уничтожить что-л.; in the ~ в конце концов; в конечном счёте; 2) конец, смерть; he is near his ~ он умирает; 3) остаток, обломок; обрезок; отрывок; 4) край; граница; 5) цель; to that ~ с этой целью; to gain one's ~s достичь цели; 6) результат, следствие; it is difficult to foresee the ~ трудно предвидеть результат; 7) днище; 8) *pl стр.* эндсы, дилены; ◇ at a loose ~ а) без определённой работы, без дела; б) в хаотическом состоянии, в полном беспорядке; to be on the ~ of a line попасться на удочку; to be at one's wits' (*или* wit's) ~ не знать, что делать; стать в тупик; to make both (*или* two) ~s meet сводить концы с концами; по ~ разг. безмерно; в высшей степени; по ~ obliged to you чрезвычайно вам признателен; по ~ of *разг.* а) много, масса; по ~ of trouble масса хлопот, неприятностей; б) прекрасный, исключительный; he is no ~ of a fellow он чудесный малый; we had no ~ of a time мы прекрасно провели время; оп ~ а) стоймя; дыбом; б) беспрерывно, подряд; for two years оп ~ два года подряд; to begin at the wrong ~ начать не с того конца; to go off the deep ~ рисковать; поступать сгоряча; ~ to ~ непрерывной цепью; laid ~ to ~ вместе взятые; the ~ justifies the means цель оправдывает средства; any means to an ~ все средства хороши;
**2.** *v* кончать(ся) (in, with — *чем-л.*); заканчивать(ся); the letter ~ed with the following words письмо заканчивалось следующими словами; □ ~ off, ~ up оканчиваться, прекращаться, обрываться; ◇ to ~ in smoke кончиться ничем.

**endanger** [ɪn'deɪndʒə] *v* подвергать опасности.

**endear** [ɪn'dɪə] *v* заставить полюбить; внушить любовь.

**endearment** [ɪn'dɪəmənt] *n* ласка, выражение нежности, привязанности.

**endeavor** [ɪn'devə] *амер.* = endeavour.

**endeavour** [ɪn'devə] **1.** *n* попытка, старание; стремление;
**2.** *v* пытаться, прилагать усилия, стараться.

**endemic** [en'demɪk] **1.** *a* эндемический, свойственный данной местности;
**2.** *n* эндемическая болезнь.

**ending** ['endɪŋ] **1.** *pres. p. от* end 2;
**2.** *n* 1) окончание; 2) *текст.* опаливание; 3) *грам.* окончание.
**3.** *a* окончательный, заключительный.

**endive** ['endɪv] *n бот.* цикорий-эндивий, эндивий зимний.

**endless** ['endlɪs] *a* 1) бесконечный; нескончаемый; ~ chain *тех.* цепь привода *или* передачи; 2) бесчисленный; ~ attempts бесчисленные попытки; 3) бесцельный.

**endlong** ['endlɔŋ] *adv* 1) прямо, вдоль; 2) стоймя, вертикально.

**endocarditis** [‚endoukɑː'daitis] *n мед.* эндокардит.

**endocrine** ['endoukrain] *a* эндокринный; ~ glands железы внутренней секреции.

**endocrinology** [,endouкraɪ'nɔlədʒɪ] *n мед.* эндокринология.

**endogamy** [en'dɔgəmɪ] *n* эндогамия.

**endorse** [ɪn'dɔːs] *v* 1) расписываться на обороте документа; 2) *ком.* индоссировать, делать передаточную надпись; 3) подтверждать, одобрять.

**endorsement** [ɪn'dɔːsmənt] *n* 1) *фин.* индоссамент; передаточная надпись (*на векселе, чеке*); 2) подтверждение.

**endosperm** ['endəspæːm] *n бот.* эндосперма.

**endow** [ɪn'dau] *v* 1) обеспечивать постоянным доходом; завещать постоянный доход, делать вклад; 2) (*часто р. р.*) наделять, одарять; man is ~ed with reason человек одарён разумом; 3) давать (*определённые права*), облекать (*властью*).

**endowment** [ɪn'daumənt] *n* 1) вклад, дар, пожертвование; надел; ~ with information сообщение сведений; 2) дарование; mental ~s умственные способности; 3) *attr.*: ~ insurance смешанное страхование.

**end-paper** ['endpeɪpə] *n* пустой лист в начале и в конце книги, форзац.

**end-pressure** ['end,preʃə] *n mex.* опорное давление.

**endue** [ɪn'djuː] *v* 1) одарять, наделять (with); 2) *уст.* облачать (with); облачаться, одеваться.

**end-up** ['end,ʌp] *a разг.* курносый.

**endurable** [ɪn'djuərəbl] *a* 1) прочный; 2) приемлемый.

**endurance** [ɪn'djuərəns] *n* 1) выносливость, способность терпеть; 2) прочность, стойкость; сопротивляемость изнашиванию; 3) длительность, продолжительность.

**endure** [ɪn'djuə] *v* 1) выносить; терпеть; I cannot ~ the thought я не могу примириться с мыслью; 2) длиться; продолжаться; as long as life ~s в течение всей жизни.

**enduring** [ɪn'djuərɪŋ] 1. *pres. р. от* endure;
2. *a* 1) терпеливый, выносливый; 2) длительный, продолжительный; 3) прочный; постоянный.

**end-view** ['endvjuː] *n* концевой вид, вид сбоку (*на чертеже*).

**endways** ['endweɪz] *adv* 1) задним концом вперёд; лицом к смотрящему; 2) вдоль, от конца до конца.

**endwise** ['endwaɪz] = endways.

**Eneas** [iː'niːæs] *n миф.* Эней.

**enema** ['enɪmə] *n мед.* клизма.

**enemy** ['enɪmɪ] 1. *n* враг; неприятель, противник; to be one's own ~ действовать во вред самому себе; ◊ the (old) E. дьявол; how goes the ~? который час?; to kill the ~ коротать время, стараться убить время; 2. *a* враждебный; вражеский, неприятельский.

**energetic** [,enə'dʒetɪk] *a* энергичный.

**energetics** [,enə'dʒetɪks] *n pl* (*употр. как sing*) энергетика.

**energic** [e'nədʒɪk] *уст. см.* energetic.

**energize** ['enədʒaɪz] *v* 1) возбуждать, сообщать *или* проявлять энергию; 2) *эл.* пропускать ток.

**energumen** [,enə'gjuːmen] *n* 1) бесноватый, одержимый; 2) фанатик.

**energy** ['enədʒɪ] *n* 1) энергия; сила; мощность; actual ~, kinetic ~, motive ~ кинетическая энергия; potential ~, static ~, latent ~ потенциальная энергия; 2) *pl* силы, энергия (*в борьбе и т. п.*).

**enervate** 1. *a* [ɪ'nəːveɪt] слабый, расслабленный;
2. *v* ['enəːveɪt] обессиливать, расслаблять.

**enervation** [,enəː'veɪʃən] *n* расслабление.

**enfeeble** [ɪn'fiːbl] *v* ослаблять.

**enfeoff** [ɪn'fef] *v* 1) *ист.* жаловать поместьем; 2) *перен.* передавать.

**enfeoffment** [ɪn'fefmənt] *n ист.* 1) пожалование леном, поместьем; 2) жалованное поместье.

**enfetter** [ɪn'fetə] *v* 1) заковывать (*в кандалы*); 2) сковывать, связывать; порабощать.

**enfilade** [,enfɪ'leɪd] 1. *n* 1) анфилада; 2) *воен.* продольный огонь;
2. *v* обстреливать продольным огнём.

**enfold** [ɪn'fould] *v* 1) завёртывать, закутывать (in, with); 2) обнимать, обхватывать.

**enforce** [ɪn'fɔːs] *v* 1) оказывать давление, принуждать, заставлять; навязывать; to ~ obedience добиться повиновения; 2) проводить в жизнь; придавать силу; to ~ the laws проводить законы в жизнь; 3) усиливать.

**enforcement** [ɪn'fɔːsmənt] *n* 1) давление, принуждение; 2) *attr.* принудительный; ~ measures принудительные меры.

**enframe** [ɪn'freɪm] *v* 1) вставлять в рам(к)у; 2) обрамлять.

**enfranchise** [ɪn'fræntʃaɪz] *v* 1) предоставлять избирательные права; 2) давать (*городу*) право представительства в парламенте; 3) освобождать, отпускать на волю.

**enfranchisement** [ɪn'fræntʃɪzmənt] *n* 1) освобождение; 2) предоставление избирательных прав.

**engage** [ɪn'geɪdʒ] *v* 1) нанимать; заказывать заранее (*комнату, место*); 2) занимать (*время*); say I am ~d скажите, что я занят; to be ~d in smth. заниматься чем-л.; 3) занимать, привлекать; вовлекать; to ~ smb.'s attention завладеть чьим-л. вниманием; 4) обязывать(ся); to ~ by new commitments связывать новыми обязательствами; 5) обручить, помолвить; to be ~d быть помолвленным(и); 6) вводить войска (вступать) в бой; открывать огонь; to be ~d in hostilities быть вовлечённым в военные действия; 7) *mex.* включать; зацеплять; ▢ ~ for обещать, гарантировать.

**engaged** [ɪn'geɪdʒd] 1. *p. p. от* engage;
2. *a* 1) занятый; заинтересованный, поглощённый (*чем-л.*); 2) помолвленный.

**engagement** [ɪn'geɪdʒmənt] *n* 1) дело, занятие; 2) свидание, встреча; приглашение; 3) обязательство; to meet one's ~s выполнять свои обязательства; платить долги; 4) помолвка; 5) *воен.* бой, стычка; 6) *mex.* зацепление; 7) *attr.* обручальный; ~ ring обручальное кольцо с камнем.

**engaging** [ɪn'geɪdʒɪŋ] 1. *pres. р. от* engage;

2. *a* 1) очарова́тельный, обая́тельный; 2) *тех.* зацепля́ющий; включа́ющий.

**engarland** [ɪnˈgɑːlənd] *v* украша́ть гирля́ндами.

**engender** [ɪnˈdʒendə] *v* порожда́ть, вызыва́ть, возбужда́ть.

**engine** [ˈendʒɪn] *n* 1) маши́на, дви́гатель; мото́р; 2) локомоти́в, парово́з; 3) ору́дие, инструме́нт, сре́дство; 4) *attr.* парово́зный; 5) *attr.* маши́нный; мото́рный; ~ oil маши́нное ма́сло.

**engine-crew** [ˈendʒɪnkruː] *n* парово́зная брига́да.

**engine-driver** [ˈendʒɪnˌdraɪvə] *n* ж.-д. машини́ст.

**engineer** [ˌendʒɪˈnɪə] 1. *n* 1) инжене́р; 2) меха́ник; 3) маши́нист; 4) сапёр; Royal Engineers, *амер.* Corps of Engineers инжене́рные войска́;
2. *v* 1) сооружа́ть; проекти́ровать; 2) рабо́тать в ка́честве инжене́ра; 3) *разг.* устра́ивать, затева́ть; приду́мывать, изобрета́ть.

**engineering** [ˌendʒɪˈnɪərɪŋ] 1. *pres. p. om* engineer 2;
2. *a* прикладно́й (*о науке*);
3. *n* 1) инжене́рное иску́сство; те́хника; 2) машиностро́ение; 3) *разг.* махина́ции; 4) *attr.* машиностро́ительный; ~ plant машиностро́ительный заво́д; ~ worker рабо́чий-машинострои́тель.

**engine-house** [ˈendʒɪnhaus] *n* парово́зное депо́.

**engine-plant** [ˈendʒɪnplɑːnt] *n* 1) маши́нная устано́вка; 2) паровозострои́тельный заво́д.

**engine-room** [ˈendʒɪnrum] *n* маши́нное отделе́ние.

**enginery** [ˈendʒɪnərɪ] *n собир.* маши́ны; механи́ческое обору́дование.

**engird** [ɪnˈgəːd] *v* (engirded [-ɪd], engirt) опоя́сывать.

**engirdle** [ɪnˈgəːdl] = engird.

**engirt** [ɪnˈgəːt] *past u p. p. om* engird.

**Englander** [ˈɪŋgləndə] *n:* Little ~ *ист.* англича́нин, возража́ющий про́тив импе́рской поли́тики.

**English** [ˈɪŋglɪʃ] 1. *a* англи́йский;
2. *n* 1) (the ~) *pl собир.* англича́не; 2) англи́йский язы́к; in plain ~ пря́мо, без обиняко́в; not ~ не по-англи́йски; 3) *полигр.* ми́ттель, кегль 14;
3. *v* (english) *уст.* переводи́ть на англи́йский язы́к.

**Englishism** [ˈɪŋglɪʃɪzəm] *n* 1) англи́йская черта́, англи́йский обы́чай; 2) идио́ма, употребля́емая в А́нглии; 3) привя́занность ко всему́ англи́йскому.

**Englishman** [ˈɪŋglɪʃmən] *n* англича́нин.

**Englishry** [ˈɪŋglɪʃrɪ] *n собир.* гру́ппа лиц англи́йского происхожде́ния, *особ.* англи́йское населе́ние Ирла́ндии.

**Englishwoman** [ˈɪŋglɪʃˌwumən] *n* англича́нка.

**engorge** [ɪnˈgɔːdʒ] *v* 1) жа́дно и мно́го есть; 2) *мед.* нали́ться кро́вью (*об органе*).

**engraft** [ɪnˈgrɑːft] *v* 1) *бот.* де́лать приви́вку (upon, into); 2) привива́ть, внедря́ть (in).

**engrail** [ɪnˈgreɪl] *v* де́лать нарезку; зазу́бривать.

**engrain** [ɪnˈgreɪn] *v* 1) разде́лывать кра́ску (*под мра́мор, де́рево и т. п.*); 2) *текст.* кра́сить в пря́же; 3) внедря́ть, укореня́ть.

**engrained** [ɪnˈgreɪnd] 1. *p. p. om* engrain; 2. *a* = ingrained.

**engrave** [ɪnˈgreɪv] *v* 1) гравирова́ть; ре́зать (*по ка́мню, де́реву, мета́ллу*); 2) запечатлева́ть (on, upon).

**engraver** [ɪnˈgreɪvə] *n* гравёр.

**engraving** [ɪnˈgreɪvɪŋ] 1. *pres. p. om* engrave;
2. *n* 1) гравирова́ние; 2) гравю́ра.

**engross** [ɪnˈgrous] *v* 1) поглоща́ть (*вре́мя, внима́ние и т. п.*); завладева́ть (*разгово́ром*); 2) (*pass.*) быть поглощённым (*чем-л.*), углуби́ться (*во что-л.*); 3) писа́ть кру́пными бу́квами; краси́во и чётко перепи́сывать; 4) *с.-х.* откарм́ливать; 5) *ист.* скупа́ть, монополизи́ровать (*това́р*).

**engrossing** [ɪnˈgrousɪŋ] 1. *pres. p. om* engross;
2. *a* всепоглоща́ющий.

**engulf** [ɪnˈgʌlf] *v* поглоща́ть.

**enhance** [ɪnˈhɑːns] *v* 1) увели́чивать, уси́ливать; 2) повыша́ть (*це́ну*).

**enharmonic** [ˌenhɑːˈmɔnik] *a муз.* энгармони́ческий.

**enigma** [ɪˈnigmə] *n* зага́дка.

**enigmatic(al)** [ˌenigˈmætik(əl)] *a* зага́дочный.

**enisle** [ɪnˈail] *v поэт.* 1) превраща́ть в о́стров; 2) помести́ть на о́стров; изоли́ровать.

**enjoin** [ɪnˈdʒɔɪn] *v* 1) предпи́сывать (on, upon); прика́зывать (that); to ~ silence upon smb., to ~ smb. to be silent веле́ть кому́-л. молча́ть; I ~ed that they should be silent я потре́бовал, чтобы они́ замолча́ли; 2) *юр.* запреща́ть.

**enjoy** [ɪnˈdʒɔɪ] *v* 1) (*тж. refl.*) получа́ть удово́льствие; наслажда́ться; how did you ~ yourself? как вы провели́ вре́мя?; how did you ~ the book? как вам понра́вилась кни́га?; 2) по́льзоваться (*права́ми и т. п.*); 3) облада́ть; to ~ good (poor) health облада́ть хоро́шим (плохи́м) здоро́вьем.

**enjoyable** [ɪnˈdʒɔɪəbl] *a* прия́тный, доставля́ющий удово́льствие.

**enjoyment** [ɪnˈdʒɔɪmənt] *n* 1) наслажде́ние, удово́льствие; to take ~ in получа́ть удово́льствие от; 2) облада́ние.

**enkindle** [ɪnˈkɪndl] *v* зажига́ть, воспламеня́ть.

**enlace** [ɪnˈleis] *v* 1) опу́тывать, обвива́ть; 2) окружа́ть.

**enlarge** [ɪnˈlɑːdʒ] *v* 1) увели́чивать(ся); 2) расширя́ть(ся); ~d meeting расши́ренное заседа́ние; 3) распространя́ться (upon — о чём-л.); 4) *уст., амер.* освобожда́ть (*из-под стра́жи*); 5) *фото* увели́чивать; подда́ваться увеличе́нию.

**enlarged** [ɪnˈlɑːdʒd] 1. *p. p. om* enlarge;
2. *a* 1) увели́ченный, расши́ренный; ~ meeting расши́ренное заседа́ние; 2) допо́лненный (*об изда́нии*).

**enlargement** [ɪnˈlɑːdʒmənt] *n* 1) расшире́ние; 2) пристро́йка; 3) *уст., амер.* освобожде́ние (*из тюрьмы́, от ра́бства*); 4) *фото* увеличе́ние.

**enlighten** [ɪn'laɪtn] v 1) просвещать; 2) осведомлять; информировать; thoroughly ~ed upon the subject хорошо осведомлённый в данном вопросе; 3) *поэт.* проливать свет.

**enlightened** [ɪn'laɪtnd] 1. *p. p.* от enlighten; 2. *a* просвещённый.

**enlightenment** [ɪn'laɪtnmənt] n 1) просвещение; 2) просвещённость.

**enlink** [ɪn'lɪŋk] v сцепить; крепко соединить.

**enlist** [ɪn'lɪst] v 1) вербовать на военную службу; 2) поступать на военную службу; 3) заручиться поддержкой; привлечь на свою сторону.

**enlisted** [ɪn'lɪstɪd] 1. *p. p.* от enlist; 2. *a:* ~ grade *амер.* унтер-офицерский состав; ~ men, ~ personnel *амер.* унтер-офицеры и рядовые; E. Reserve Corps *амер.* запас унтер-офицерского и рядового состава.

**enlistee** [,enlɪs'tiː] n *амер. воен.* поступивший на военную службу.

**enliven** [ɪn'laɪvn] v оживлять, подбодрять.

**enmesh** [ɪn'meʃ] v опутывать, запутывать.

**enmity** ['enmɪtɪ] n вражда; неприязнь, враждебность; at ~ with во враждебных отношениях с.

**ennead** ['enɪæd] n девятка, серия, подбор из девяти (*книг и т. п.*).

**ennoble** [ɪ'noubl] v 1) облагораживать; 2) жаловать дворянством.

**ennoblement** [ɪ'noublmənt] n 1) облагораживание; 2) пожалование дворянством.

**ennui** [ã:'nwiː] *фр.* n скука; внутренняя опустошённость; апатия.

**Enoch** ['iːnɔk] n *библ.* Енох.

**enormity** [ɪ'nɔːmɪtɪ] n 1) гнусность; 2) чудовищное преступление.

**enormous** [ɪ'nɔːməs] a 1) громадный; огромный; ~ difference огромная разница; 2) *амер. уст.* ужасный.

**enormously** [ɪ'nɔːməslɪ] adv чрезвычайно.

**enough** [ɪ'nʌf] 1. a достаточный; 2. n достаточное количество; he has ~ and to spare он имеет больше, чем нужно; I've had ~ of him он мне надоел; 3. adv достаточно, довольно; sure ~ без сомнения; you know well ~ вы отлично знаете; he did it well ~ он сделал это довольно хорошо.

**enounce** [ɪ'nauns] v 1) выражать; объяснять; 2) произносить.

**enow** [ɪ'nau] *уст., поэт. см.* enough.

**enplane** [ɪn'pleɪn] v сажать, садиться, грузить(ся) в самолёт.

**enquire** [ɪn'kwaɪə] = inquire.

**enquiry** [ɪn'kwaɪərɪ] = inquiry.

**enrage** [ɪn'reɪʤ] v бесить, приводить в ярость.

**enrapture** [ɪn'ræpʧə] v восхищать, приводить в восторг; захватывать.

**enravish** [ɪn'rævɪʃ] = enrapture.

**enregiment** [ɪn'reʤɪmənt] v 1) *воен.* сводить полк(и); 2) дисциплинировать.

**enregister** [ɪn'reʤɪstə] v *редк.* вносить в список; регистрировать.

**enrich** [ɪn'rɪʧ] v 1) обогащать; 2) удобрять (*почву*); 3) украшать; 4) витаминизировать.

**enrobe** [ɪn'roub] v облачать.

**enrol(l)** [ɪn'roul] v 1) вносить в список (*учащихся, членов какой-л. организации и т. п.*); регистрировать; 2) вербовать; зачислять в армию; 3) поступать на военную службу.

**enrolment** [ɪn'roulmənt] n 1) внесение в списки, регистрация; the ~ of new members приём новых членов (*в профсоюз и т. п.*); 2) вербовка.

**enroot** [ɪn'ruːt] v (*обыкн. p. p.*) вкоренять.

**en route** [ã:n'ruːt] *фр.* adv по пути, по дороге; в пути.

**ensanguined** [ɪn'sæŋgwɪnd] a 1) окровавленный; 2) кроваво-красный.

**ensconce** [ɪn'skɔns] v (*часто refl.*) 1) укрывать(ся); 2) устраивать(ся) удобно *или* уютно; to ~ oneself cosily усесться уютно.

**ensemble** [ã:n'sã:mbl] *фр.* n 1) ансамбль (*тж.* tout ~); 2) общее впечатление; 3) *муз.* ансамбль; 4) женское платье и пальто (*как гарнитур*).

**enshrine** [ɪn'ʃraɪn] v 1) *церк.* помещать в раку; 2) хранить, лелеять (*воспоминание и т. п.*).

**enshroud** [ɪn'ʃraud] v закутывать, обволакивать; ~ed in darkness погружённый в темноту.

**ensign** ['ensaɪn] n 1) значок, эмблема, кокарда; 2) знамя; флаг; *мор.* кормовой флаг; blue ~ флаг морского запаса английского флота; red ~ английский торговый флаг; white ~ английский военно-морской флаг; 3) *ист.* прапорщик; 4) *амер. мор.* младший лейтенант; 5) *attr.:* ~ ship флагманское судно; ~ staff *мор.* кормовой флагшток.

**ensilage** ['ensɪlɪʤ] *с.-х.* 1. n 1) силосование; 2) силосованный корм; 2. v силосовать.

**ensile** [ɪn'saɪl] v *с.-х.* силосовать.

**enslave** [ɪn'sleɪv] v порабощать; покорять.

**enslavement** [ɪn'sleɪvmənt] n порабощение; покорение.

**enslaver** [ɪn'sleɪvə] n 1) поработитель; 2) обольстительница.

**ensnare** [ɪn'snɛə] v 1) поймать в ловушку; 2) заманивать.

**ensoul** [ɪn'soul] v воодушевлять.

**ensue** [ɪn'sjuː] v 1) получаться в результате; происходить (from, on); 2) следовать; silence ~d последовало молчание.

**ensuing** [ɪn'sjuːɪŋ] 1. *pres. p.* от ensue; 2. a 1) (по)следующий, будущий (*иногда* next ~); 2) вытекающий.

**ensure** [ɪn'ʃuə] v 1) обеспечивать, страховать; гарантировать; to ~ oneself against hunger сделать всё необходимое, чтобы не голодать; to ~ the independence гарантировать независимость; 2) ручаться.

**entablature** [en'tæblətʃə] n *архит.* антаблемент (*архитрав, фриз и карниз*).

**entablement** [ɪn'teɪblmənt] = entablature.

**entail** [ɪn'teɪl] 1. n 1) *юр.* акт, закрепляющий порядок наследования земли без права отчуждения; 2) майорат;

**2.** *v* 1) влечь за собой; вызывать (*что-л.*); 2) навлекать (upon — на); 3) *юр.* определять порядок наследования земли без права отчуждения.

**entangle** [ɪn'tæŋgl] *v* 1) запутывать (*тж. перен.*); 2) поймать в ловушку; обойти (*лестью*).

**entanglement** [ɪn'tæŋglmənt] *n* 1) запутанность; затруднительное положение; 2) *воен.* (проволочное) заграждение.

**entente** [ɑ:n'tɑ:nt] *фр. n полит.* дружеское соглашение между государствами; the E. *ист.* Антанта.

**enter** ['entə] *v* 1) входить; проникать; to ~ the room войти в комнату; the idea never ~ed my head такая мысль мне никогда в голову не приходила; to ~ into details входить в подробности; 3) вступать, поступать; to ~ the army поступать в армию; 4) вносить (*в списки*); 5) определять (*в учебное заведение и т. п.*); 6) записывать, регистрировать; to ~ an event зарегистрировать факт; to ~ at the Stationers' Hall заявить авторское право; to ~ a protest заявить протест; 7) начинать; браться (*за что-л.; тж.* ~ upon); □ ~ for записывать(ся) (*для участия в чём-л.*); ~ into a) вступать; to ~ into a contract заключать договор; б) входить; являться составной частью (*чего-л.*); water ~s into the composition of all vegetables вода является составной частью всех овощей; в) заняться, приступить; to ~ into a new undertaking принять на себя новые обязательства; г) разделять (*чувство*), понимать; I could not ~ into the fun я не мог разделить этого удовольствия; ~ upon a) приступать к *чему-л.*; б) *юр.* вступать во владение.

**enteric** [en'terɪk] **1.** *a анат.* брюшной, кишечный; ~ fever брюшной тиф; **2.** *n* брюшной тиф.

**enteritis** [,entə'raɪtɪs] *n мед.* воспаление тонких кишок.

**enterprise** ['entəpraɪz] *n* 1) предприятие; 2) предприимчивость, смелость; инициатива.

**enterprising** ['entəpraɪzɪŋ] *a* 1) предприимчивый; 2) инициативный.

**entertain** [,entə'teɪn] *v* 1) принимать, угощать (*гостей*); развлекать, занимать; we don't ~ мы не устраиваем у себя приёмов; 2) питать (*надежду, сомнение*); лелеять (*мечту*); 3) *уст.* поддерживать (*переписку*); ◊ to ~ a suggestion откликнуться на предложение; to ~ a proposal одобрять, поддерживать предложение; to ~ a request удовлетворить просьбу; to ~ a feeling against smb. иметь зуб против кого-л.

**entertaining** [,entə'teɪnɪŋ] **1.** *pres. p. om* entertain; **2.** *a* забавный, занимательный, развлекательный.

**entertainment** [,entə'teɪnmənt] *n* 1) приём (*гостей*); вечер; вечеринка; 2) развлечения, увеселения; представление, дивертисмент; 3) гостеприимство; угощение; 4) *attr.:* ~ unit бригада артистов.

**enthalpy** [en'θælpɪ] *n физ.* энтальпия, теплосодержание.

**enthral(l)** [ɪn'θrɔ:l] *v* 1) порабощать; 2) очаровывать, увлекать, захватывать.

**enthralling** [ɪn'θrɔ:lɪŋ] **1.** *pres. p. om* enthral(l); **2.** *a* увлекательный, захватывающий.

**enthrone** [ɪn'θroun] *v* возводить на престол; to be ~d in the hearts царить в сердцах.

**enthronement** [ɪn'θrounmənt] *n* возведение на престол.

**enthronization** [ɪn,θrounaɪ'zeɪʃən] = enthronement.

**enthuse** [ɪn'θju:z] *v разг.* 1) приходить в восторг; 2) приводить в восторг.

**enthusiasm** [ɪn'θju:zɪæzəm] *n* восторг; энтузиазм.

**enthusiast** [ɪn'θju:zɪæst] *n* восторженный человек; энтузиаст.

**enthusiastic** [ɪn,θju:zɪ'æstɪk] *a* восторженный; полный энтузиазма.

**entice** [ɪn'taɪs] *v* 1) соблазнять; 2) переманивать (from — с, от; into — на, в); □ ~ away увлечь.

**enticement** [ɪn'taɪsmənt] *n* 1) заманивание; переманивание; 2) приманка, соблазн; 3) очарование.

**enticing** [ɪn'taɪsɪŋ] **1.** *pres. p. om* entice; **2.** *a* соблазнительный, привлекательный.

**entire** [ɪn'taɪə] **1.** *a* 1) полный, совершенный; 2) целый, цельный; сплошной; 3) не кастрированный (*о животном*); 4) чистый, беспримесный;

**2.** *n* 1) (the ~) целое; полнота; 2) не кастрированное животное, *особ.* жеребец; 3) сорт портера.

**entirely** [ɪn'taɪəlɪ] *adv* полностью, всецело, совершенно.

**entirety** [ɪn'taɪətɪ] *n* 1) полнота, цельность; in its ~ полностью; в целом; во всей полноте; 2) общая сумма; 3) *юр.* совместное владение землёй.

**entitle** [ɪn'taɪtl] *v* 1) называть, давать название; озаглавливать; 2) жаловать титул; 3) давать право (to — на *что-л.*); to be ~d to smth. иметь право на что-л.

**entity** ['entɪtɪ] *n филос.* 1) сущность, существо; 2) нечто реально существующее.

**entomb** [ɪn'tu:m] *v* 1) погребать; 2) служить гробницей; *перен.* укрывать.

**entombment** [ɪn'tu:mmənt] *n* погребение.

**entomological** [,entəmə'lɔdʒɪkəl] *a* энтомологический.

**entomologize** [,entə'mɔlədʒaɪz] *v* изучать энтомологию.

**entomology** [,entə'mɔlədʒɪ] *n* энтомология.

**entourage** [,ontu'rɑ:ʒ] *фр. n* 1) окружение; окружающая обстановка; 2) сопровождающие лица, свита.

**entr'acte** ['ɔntrækt] *фр. n* антракт.

**entrails** ['entreɪlz] *n pl* 1) внутренности, кишки; 2) недра.

**entrain** [ɪn'treɪn] *v* грузить(ся) в поезд, садиться в поезд.

**entrance** [ɪ] ['entrəns] *n* 1) вход, вступление; 2) вход (*в здание*); back ~ чёрный ход; to force an ~ (into) ворваться; 3) вступление; доступ; право входа; 4) плата за вход; 5) *театр.* выход (*актёра на сцену*),

6) *attr.* входно́й; вступи́тельный; ~ visa въездна́я ви́за; ~ fee a) вступи́тельный взнос; б) пла́та за вход; ~ examination вступи́тельный экза́мен.

**entrance** II [ɪn'trɑːns] *v* приводи́ть в состоя́ние тра́нса, восто́рга, испу́га.

**entrancing** [ɪn'trɑːnsɪŋ] 1. *pres. p. om* entrance II;
2. *a* чару́ющий; очарова́тельный.

**entrant** ['entrənt] *n* 1) тот, кто вхо́дит, вступа́ет (*напр.*, посети́тель, гость; вступа́ющий в чле́ны клу́ба, о́бщества *и т. п.*); 2) вступа́ющий в до́лжность, приступа́ющий к отправле́нию обя́занностей; 3) (зая́вленный) уча́стник (*состяза́ния и т. п.*).

**entrap** [ɪn'træp] *v* пойма́ть в лову́шку; обману́ть, запу́тать, завле́чь.

**entreat** [ɪn'triːt] *v* умоля́ть, упра́шивать.

**entreaty** [ɪn'triːtɪ] *n* мольба́, про́сьба.

**entrechat** [ˌɑːntrə'ʃɑ] *фр. n* антраша́.

**entrée** ['ɔntreɪ] *фр. n* 1) пра́во вхо́да, до́ступ; 2) ку́шанье, подава́емое ме́жду ры́бой и жарки́м.

**entremets** ['ɔntrəmeɪ] *фр. n pl* дополни́тельные блю́да (*подава́емые ме́жду основны́ми*).

**entrench** [ɪn'trentʃ] *v* 1) *воен.* окружа́ть око́пами; укрепля́ть; to ~ oneself ока́пываться; 2) *редк.* наруша́ть (*чужи́е права́*) покуша́ться (upon — на *чужи́е права́*); to ~ upon the truth греши́ть про́тив и́стины.

**entrenchment** [ɪn'trentʃmənt] *n* 1) *воен.* око́п; полево́е укрепле́ние; 2) наруше́ние.

**entrepôt** ['ɔntrəpou] *фр. n* пакга́уз; склад.

**entrepreneur** [ˌɔntrəprə'nɜː] *фр. n* антрепренёр.

**entresol** ['ɔntrəsɔl] *фр. n* архит. антресо́ли; полуэта́ж (*обыкн. между первым и вторым этажами*).

**entruck** [ɪn'trʌk] *v* амер. сажа́ть, сади́ться, сажа́ть(ся) на грузови́к(и).

**entrust** [ɪn'trʌst] *v* вверя́ть; возлага́ть; поруча́ть.

**entry** ['entrɪ] *n* 1) вступле́ние; вход, въезд; 2) дверь, воро́та; прохо́д; 3) вести́бюль; 4) занесе́ние (*в спи́сок, в торго́вые кни́ги*); large ~ большо́й ко́нкурс; 5) отде́льная за́пись; book-keeping by double ~ двойна́я бухгалте́рия; 6) статья́ (*в словаре, энциклопедии, справочнике и т. п.*); 7) у́стье реки́; 8) амер. нача́ло (*месяца и т. п.*); 9) театр. вы́ход (*актёра на сцену*); 10) спорт. зая́вка; 11) юр. вступле́ние во владе́ние; 12) тамо́женная деклара́ция относи́тельно судово́го гру́за; 13) горн. отка́точный штрек; подготови́тельные вы́работки в пласте́; 14) attr. входно́й, въездно́й; ~ visa въездна́я ви́за.

**entwine** [ɪn'twaɪn] *v* 1) сплета́ть(ся); вплета́ть; 2) обвива́ть (with, about).

**enucleate** [ɪ'njuːkliːeɪt] *v* 1) выясня́ть; 2) мед. вылу́щивать (*опухоль и т. п.*).

**enumerate** [ɪ'njuːməreɪt] *v* перечисля́ть.

**enumeration** [ɪˌnjuːmə'reɪʃən] *n* 1) перечисле́ние; 2) пе́речень.

**enunciate** [ɪ'nʌnsɪeɪt] *v* 1) объявля́ть; провозглаша́ть; 2) формули́ровать (*теорию и т. п.*); 3) хорошо́ произноси́ть.

**enunciation** [ɪˌnʌnsɪ'eɪʃən] *n* 1) возвеще́-ние; провозглаше́ние; 2) формулиро́вка; 3) хоро́шее произноше́ние, ди́кция.

**enure** [ɪ'njuə] = inure.

**envelop** [ɪn'veləp] *v* 1) обёртывать; завёртывать; 2) заку́тывать; оку́тывать; ~ed in flames объя́тый пла́менем; 3) *воен.* окружа́ть, охва́тывать, обходи́ть.

**envelope** ['enviloup] *n* 1) конве́рт; обёртка; 2) оболо́чка (*аэростата и т. п.*); покры́шка; 3) обвёртка (*у растений*); плёнка (*в яйце*); 4) мат. огиба́ющая (*кривая*).

**envelopment** [ɪn'veləpmənt] *n* 1) обёртывание; 2) покры́шка.

**envenom** [ɪn'venəm] *v* отравля́ть.

**envenomed** [ɪn'venəmd] 1. *p.p. om* envenom; 2. *a*: ~ tongue злой язы́к.

**enviable** ['enviəbl] *a* зави́дный.

**envious** ['enviəs] *a* зави́стливый.

**environ** [ɪn'vaɪərən] *v* окружа́ть.

**environment** [ɪn'vaɪərənmənt] *n* окруже́ние, окружа́ющая обстано́вка; среда́.

**environs** ['envirənz] *n pl* 1) окре́стности; 2) окруже́ние, среда́.

**envisage** [ɪn'vɪzɪdʒ] *v* 1) смотре́ть пря́мо в глаза́ (*опасности, фактам*); 2) рассма́тривать (*вопрос*).

**envoy** I ['envɔɪ] *n* 1) посла́нник; 2) аге́нт.

**envoy** II ['envɔɪ] *n уст.* «посы́лка»; заключи́тельная строфа́ поэ́мы.

**envy** ['envi] *n* 1) за́висть (of, at); 2) предме́т за́висти;
2. *v* зави́довать.

**enwind** [ɪn'waɪnd] *v* обвива́ть(ся).

**enwrap** [ɪn'ræp] *v* 1) завёртывать (in, with); 2) оку́тывать.

**enzyme** ['enzaɪm] *n* хим. энзи́м, ферме́нт.

**eocene** ['iːousiːn] *n* геол. эоце́н.

**eolation** [ˌiːə'leɪʃən] *n* геол. выве́тривание.

**eon** ['iːən] = aeon.

**epact** ['iːpækt] *n* астр. эпа́кта.

**eparchy** ['epɑːki] *n* епа́рхия.

**epaulet(te)** ['epoulet] *n* эполе́т.

**epenthetic** [ˌepen'θetik] *a* лингв. вставно́й (*о звуке или букве; напр.* b *в словах* nimble, debt).

**Ephemera** [ɪ'femərə] *n* зоол. разнови́дность подёнки.

**ephemera** [ɪ'femərə] *pl om* ephemeron.

**ephemeral** [ɪ'femərəl] *a* 1) эфеме́рный, преходя́щий; недолгове́чный; 2) биол. живу́щий оди́н день (*о насекомых, цветах*).

**ephemerality** [ɪˌfemə'ræliti] *n* эфеме́рность.

**ephemeron** [ɪ'femərɔn] *n* (*pl* -s [-z], -ra) 1) зоол. подёнка; 2) что-л. мимолётное, скоропреходя́щее.

**epic** ['epik] 1. *n* эпи́ческая поэ́ма;
2. *a* эпи́ческий.

**epical** ['epikəl] = epic 2.

**epicene** ['episiːn] *a грам.* о́бщего ро́да.

**epicentra** [ˌepi'sentrə] *pl om* epicentrum.

**epicentrum** [ˌepi'sentrəm] *n* (*pl* -ra) геол. эпице́нтр (*землетрясения*).

**epicure** ['epikjuə] *n* эпикуре́ец.

**epicurean** [ˌepikjuə'riːən] 1. *a* эпикуре́йский;
2. *n* = epicure.

**epicureanism** [ˌepikjuə'riːənizəm] *n* 1) уче́ние Эпику́ра; 2) эпикуре́йство.

epicurism [ˈepɪkjuərɪzəm]=epicureanism.

epicycle [ˈepɪsaɪkl] *n мат.* эпицикл.

epicycloid [ˈepɪˈsaɪklɔɪd] *n мат.* эпициклоид.

epidemic [ˌepɪˈdemɪk] 1. *n* эпидемия; 2. *a* эпидемический.

epidemical [ˌepɪˈdemɪkəl] = epidemic 2.

epidemiology [epɪˌdəmɪˈɔlədʒɪ] *n* эпидемиология.

epidermal [ˌepɪˈdəːməl] *a анат.* эпидермический.

epidermic [ˌepɪˈdəːmɪk] = epidermal.

epidermis [ˌepɪˈdəːmɪs] *n анат., бот.* эпидерма, эпидермис.

epidiascope [ˌepɪˈdaɪəskoup] *n* эпидиаскоп.

epifocus [ˌepɪˈfoukəs] *n геол.* эпицентр.

epigastrium [ˌepɪˈgæstrɪəm] *n анат.* надчревная область.

epiglottis [ˌepɪˈglɔtɪs] *n анат.* надгортанник.

epigone [ˈepɪgoun] *n редк.* 1) эпигон; 2) потомок, наследник, послёдыш.

epigram [ˈepɪgræm] *n* эпиграмма.

epigrammatist [ˌepɪˈgræmətɪst] *n* автор эпиграмм.

epigrammatize [ˌepɪˈgræmətaɪz] *v* сочинять эпиграммы (about — на кого-л.).

epigraph [ˈepɪgrɑːf] *n* эпиграф.

epigraphy [eˈpɪgrəfɪ] *n* эпиграфика.

epilepsy [ˈepɪlepsɪ] *n мед.* эпилепсия.

epileptic [ˌepɪˈleptɪk] 1. *a* эпилептический; 2. *n* эпилептик.

epilogue [ˈepɪlɔg] *n* эпилог.

epiphany [ɪˈpɪfənɪ] *n церк.* богоявление, крещение (праздник).

epiphyte [ˈepɪfaɪt] *n* 1) *бот.* эпифит; 2) грибковый паразит (животного).

episcopacy [ɪˈpɪskəpəsɪ] *n* 1) епископальная система церковного управления; 2) епископство.

episcopal [ɪˈpɪskəpəl] *a* епископский; епископальный.

episcopalian [ɪˌpɪskəˈpeɪljən] 1. *n* приверженец *или* член епископальной церкви; 2. *a* епископальный.

episcopate [ɪˈpɪskəpɪt] *n* 1) сан епископа; 2) епархия.

episode [ˈepɪsoud] *n* эпизод.

episodic(al) [ˌepɪˈsɔdɪk(əl)] *a* 1) эпизодический; 2) случайный.

epistle [ɪˈpɪsl] *n шутл.* послание.

epistolary [ɪˈpɪstələrɪ] *a* эпистолярный, в форме письма.

epistoler [ɪˈpɪstələ] *n церк.* священник, читающий послания апостолов во время причастия.

epistolize [ɪˈpɪstəlaɪz] *v* писать послание, письмо.

epistyle [ˈepɪstaɪl] *n архит.* архитрав.

epitaph [ˈepɪtɑːf] *n* эпитафия; надпись на надгробном памятнике.

epithalamia [ˌepɪθəˈleɪmjə] *pl от* epithalamium.

epithalamium [ˌepɪθəˈleɪmjəm] *n* (*pl* -s [-z], -ia) эпиталама (свадебная песня или стихотворение).

epithelial [ˌepɪˈθiːljəl] *a анат.* эпителиальный.

epithelium [ˌepɪˈθiːljəm] *n анат.* эпителий.

epithet [ˈepɪθet] *n* эпитет.

epitome [ɪˈpɪtəmɪ] *n* 1) конспект, сокращение; 2) изображение в миниатюре.

epitomize [ɪˈpɪtəmaɪz] *v* конспектировать, сокращать.

epizootic [ˌepɪzouˈɔtɪk] 1. *a* эпизоотический; 2. *n* эпизоотия.

epoch [ˈiːpɔk] *n* эпоха; период.

epochal [ˈepɔkəl] *a* эпохальный.

epoch-making [ˈiːpɔkˌmeɪkɪŋ] *a* значительный, эпохальный; мировой; ~ victory историческая победа.

epode [ˈepoud] *n лит.* эпод.

epopee [ˈepoupiː] *n* эпопея.

epos [ˈepɔs] *n* эпос; эпическая поэма.

Epsom [ˈepsəm] *n* Эпсом (место скачек и самые скачки); ◇ ~ salt(s) сернокислый магний; *мед.* английская (или горькая) соль.

equability [ˌekwəˈbɪlɪtɪ] *n* 1) равномерность; 2) уравновешенность.

equable [ˈekwəbl] *a* 1) равномерный; ровный; 2) уравновешенный (о человеке).

equal [ˈiːkwəl] 1. *a* 1) равный, одинаковый; равносильный; on ~ terms на равных началах; he speaks French and German with ~ ease он одинаково свободно говорит по-французски и по-немецки; twice two is ~ to four дважды два — четыре; of ~ rank в одинаковом чине; 2) пригодный; способный; he is not ~ to the task он не может справиться с этой задачей; ~ to the occasion на должной высоте; 3) спокойный, выдержанный (о характере); to preserve an ~ mind сохранять выдержку, спокойствие; ◇ ~ mark (или sign) знак равенства; 2. *n* равный; ровня; he has no ~ ему нет равного; 3. *v* 1) равняться; 2) приравнивать, уравнивать.

equality [iˈkwɔlɪtɪ] *n* равенство; равноправие; on an ~ with на равных условиях с.

equalization [ˌiːkwəlaɪˈzeɪʃən] *n* уравнивание, уравнение.

equalize [ˈiːkwəlaɪz] *v* делать равными (with, to); уравнивать, уравновешивать.

equalizer [ˈiːkwəlaɪzə] *n* 1) *тех.* балансир; уравнитель; коромысло; 2) *sl.* револьвер.

equally [ˈiːkwəlɪ] *adv* равно, в равной степени; одинаково.

equanimity [ˌiːkwəˈnɪmɪtɪ] *n* спокойствие, самообладание; хладнокровие; невозмутимость.

equate [ɪˈkweɪt] *v* 1) равнять; уравнивать; считать равным; 2) *мат.* приравнивать; записывать в виде уравнения.

equation [ɪˈkweɪʃən] *n* 1) выравнивание; 2) *мат.* уравнение.

equator [ɪˈkweɪtə] *n* экватор.

equatorial [ˌekwəˈtɔːrəl] *a* экваториальный.

equerry [ɪˈkwerɪ] *n ист.* конюший, шталмейстер.

equestrian [ɪˈkwestrɪən] 1. *n* всадник; наездник; 2. *a* конный; ~ statue конная статуя; ~ sport конный спорт.

equestrienne [ɪˌkwestrɪˈen] *n* всадница, наездница (особ. в цирке).

**equiangular** [͵ɪkwɪ'æŋgjulə] *a геом.* равноугольный.

**equidistant** ['ɪkwɪ'dɪstənt] *a геом.* равноотстоящий.

**equilateral** ['ɪkwɪ'lætərəl] *a геом.* равносторонний.

**equilibrate** [͵ɪkwɪ'laɪbreɪt] *v* уравновешивать(ся).

**equilibration** [͵ɪkwɪlaɪ'breɪʃən] *n* 1) уравновешивание; 2) равновесие.

**equilibrist** [ɪ'kwɪlɪbrɪst] *n* акробат; эквилибрист.

**equilibrium** [͵ɪkwɪ'lɪbrɪəm] *лат. n* равновесие.

**equimultiples** ['ɪkwɪ'mʌltɪplz] *n pl* числа, имеющие общие множители.

**equine** ['ɪkwaɪn] *a зоол.* конский, лошадиный.

**equinoctial** [͵ɪkwɪ'nɔkʃəl] 1. *a* равноденственный;
2. *n* 1) равноденственная линия; небесный экватор; 2) *pl* бури, бывающие во время равноденствия.

**equinox** ['ɪkwɪnɔks] *n* равноденствие.

**equip** [ɪ'kwɪp] *v* 1) снаряжать; экипировать; оборудовать; 2) наряжать; 3) давать необходимые (*знания, образование и т. п.*; with).

**equipage** ['ekwɪpɪdʒ] *n* 1) снаряжение; вооружение; оснастка, такелаж; dressing ~ несессер; 2) экипаж, команда (*судна*); 3) *уст.* свита.

**equipment** [ɪ'kwɪpmənt] *n* 1) оборудование; *тех.* арматура; 2) (*часто pl*) *воен.* оснащение; техника; обмундирование и вооружение; снаряжение; 3) *ж.-д.* подвижной состав.

**equipoise** ['ekwɪpɔɪz] 1. *n* 1) равновесие; 2) противовес;
2. *v* уравновешивать, держать в равновесии.

**equipollent** [͵ɪkwɪ'pɔlənt] *a* равный по силе, почти эквивалентный.

**equiponderate** [͵ɪkwɪ'pɔndəreɪt] 1. *v* уравновешивать, компенсировать вес;
2. *a уст.* равный по весу.

**equitable** ['ekwɪtəbl] *a* справедливый, беспристрастный; ~ to the interest of both parties отвечающий интересам той и другой стороны; ~ treaty равноправный договор.

**equitation** [͵ekwɪ'teɪʃən] *n* верховая езда; искусство верховой езды.

**equity** ['ekwɪtɪ] *n* 1) справедливость; беспристрастность; *юр.* право справедливости (*дополнение к обычному праву*); Court of E. суд совести; 3) часть имущества, оставшаяся после удовлетворения претензий кредиторов.

**equivalence, ~cy** [ɪ'kwɪvələns, -sɪ] *n* эквивалентность, равноценность.

**equivalent** [ɪ'kwɪvələnt] 1. *n* эквивалент;
2. *a* равноценный, равнозначащий; равносильный.

**equivocal** [ɪ'kwɪvəkəl] *a* 1) двусмысленный; 2) сомнительный.

**equivocate** [ɪ'kwɪvəkeɪt] *v* говорить двусмысленно; увиливать; затемнять смысл.

**equivocation** [ɪ͵kwɪvə'keɪʃən] *n* увиливание (*от прямого ответа*); уклончивость.

**equivoke, equivoque** ['ekwɪvouk] *n* двусмысленность; каламбур; экивок.

**era** ['ɪərə] *n* эра; эпоха.

**eradiate** [ɪ'reɪdɪeɪt] *v* излучать, сиять.

**eradiation** [ɪ͵reɪdɪ'eɪʃən] *n* излучение.

**eradicate** [ɪ'rædɪkeɪt] *v* 1) вырывать с корнем; 2) искоренять, уничтожать.

**eradication** [ɪ͵rædɪ'keɪʃən] *n* искоренение, уничтожение.

**erase** [ɪ'reɪz] *v* 1) стирать, соскабливать, подчищать; 2) стирать, изглаживать, вычёркивать (*из памяти*).

**eraser** [ɪ'reɪzə] *n* ластик, резинка.

**erasure** [ɪ'reɪʒə] *n* 1) подчистка; соскабливание; 2) подчищенное, стёртое место в тексте; 3) уничтожение.

**erbium** ['ɑːbɪəm] *n хим.* эрбий.

**ere** [ɛə] 1. *prep поэт.* до; перед; ~ long вскоре.
2. *cj поэт.* прежде чем; скорее чем; he would die ~ he would consent он скорее умрёт, чем согласится.

**Erebus** ['erɪbəs] *n миф.* Эреб, преисподняя.

**erect** [ɪ'rekt] 1. *a* 1) прямой; вертикальный; 2) поднятый; with head ~ с (высоко) поднятой головой; 3) ощетинившийся; 4) бодрый;
2. *adv* прямо;
3. *v* 1) сооружать; устанавливать; поднимать; воздвигать; 2) выпрямлять; 3) создавать; 4) *тех.* собирать; монтировать.

**erectile** [ɪ'rektaɪl] *a* 1) способный выпрямляться; 2) *физиол.* напряжённый; ~ tissue пещеристая ткань, способная напрягаться.

**erection** [ɪ'rekʃən] *n* 1) выпрямление; 2) сооружение; строение; 3) *физиол.* эрекция; 4) *тех.* сборка, установка, монтаж; монтирование.

**erector** [ɪ'rektə] *n* 1) строитель; 2) основатель; 3) сборщик, монтёр; 4) *анат.* выпрямляющая мышца.

**erelong** [ɛə'lɔŋ] *adv уст.* вскоре.

**eremite** ['erɪmaɪt] *n* отшельник; пустынник.

**eremitic(al)** [͵erɪ'mɪtɪk(əl)] *a* отшельнический.

**erenow** [ɛə'nau] *adv уст.* прежде.

**erethism** ['erɪθɪzm] *n мед.* эретизм, повышенная возбудимость ткани *или* органа.

**erewhile** [ɛə'waɪl] *adv уст.* недавно.

**erf** [erf] *n* (*pl* erven) огородный *или* садовый участок (*в Африке*).

**erg** [ɜːg] *n физ.* эрг.

**ergo** ['ɜːgou] *лат. adv обыкн. шутл.* итак, следовательно.

**ergon** ['ɜːgɔn] = erg.

**ergot** ['ɜːgət] *n бот., фарм.* спорынья.

**ergotism** ['ɜːgətɪzəm] *n* отравление спорыньёй.

**Erin** ['ɪərɪn] *n поэт.* Ирландия.

**eristic** [e'rɪstɪk] 1. *a* возбуждающий спор, дискуссию;
2. *n* 1) любитель спора, спорщик; 2) искусство спора.

**ermine** ['ɜːmɪn] *n* горностай; ◇ to assume (to wear) the ~ стать (быть) членом (верховного) суда.

**erne** [ə:n] *n зоол.* орлан-белохвост; беркут, холзан.

**erode** [ı'roud] *v* 1) разъедать; вытравлять; разрушать; 2) *геол.* выветривать; размывать.

**Eros** ['erɔs] *n миф.* Эрос, Эрот.

**erosion** [ı'rouʒən] *n* 1) разъедание; 2) *геол.* эрозия; 3) *воен.* разгар (*ствола орудия*).

**erosive** [ı'rousıv] *a* 1) разъедающий; 2) вызывающий эрозию.

**erotic** [ı'rɔtık] 1. *a* любовный; эротический;
2. *n* любовное стихотворение.

**eroticism** [e'rɔtısızəm] *n* эротизм.

**err** [ə:] *v* 1) ошибаться, заблуждаться; 2) грешить; 3) *уст.* блуждать; ◇ to ~ is human *посл.* человеку свойственно ошибаться.

**errancy** ['erənsı] *n редк.* 1) заблуждение; 2) блуждание.

**errand** ['erənd] *n* поручение; командировка; to go on an ~ поехать, пойти по поручению; to run (on) ~s быть на посылках; ◇ fool's ~ а) бесполезное дело; б) напрасные поиски; to send smb. on fool's ~ послать кого-л. с невыполнимым поручением; to make an ~ выдумать предлог, чтобы уйти.

**errand-boy** ['erəndbɔı] *n* мальчик на посылках (*или* на побегушках); рассыльный.

**errant** ['erənt] *a* 1) странствующий; 2) блуждающий (*о мыслях*); 3) заблудший, сбившийся с пути.

**errantry** ['erəntrı] *n* приключения странствующего рыцаря.

**errata** [e'rɑːtə] *n pl* 1) *pl от* erratum; 2) список опечаток.

**erratic** [ı'rætık] *a* 1) странный, неустойчивый, рассеянный (*о мыслях, взглядах и т. п.*); ~ behaviour сумасбродное поведение; 2) ошибочный; 3) *уст.* блуждающий; 4) *геол.* эрратический; ~ block валун.

**erratum** [e'rɑːtəm] *лат. n* (*pl* -ta) опечатка, описка.

**erring** ['ə:rıŋ] 1. *pres. p. от* err;
2. *a* заблудший, грешный.

**erroneous** [ı'rounjəs] *a* ошибочный; ~ policies неправильная политика, неправильный курс.

**error** ['erə] *n* 1) ошибка, заблуждение; to commit (*или* to make) an ~ совершить ошибку, ошибиться; in ~ по ошибке, ошибочно; to be in ~ заблуждаться; 2) грех; 3) *поэт.* блуждание; 4) отклонение, уклонение, погрешность; 5) *радио* рассогласование.

**ersatz** ['εəzæts] *нем. n* эрзац, суррогат, заменитель.

**Erse** [ə:s] 1. *a* 1) гэльский; 2) *разг.* ирландский;
2. *n* 1) гэльский язык; 2) *разг.* ирландский язык.

**erst, erstwhile** [ə:st, 'ə:stwaıl] *adv уст.* прежде, некогда.

**erubescent** [,eru:'besnt] *a* 1) краснеющий; 2) *амер.* красноватый.

**eructate** [ı'rʌkteıt] *v* 1) отрыгивать; 2) изрыгать; извергать.

**eructation** [,ı:rʌk'teıʃən] *n* 1) отрыжка; 2) извержение (*вулкана*).

**erudite** ['eru:daıt] 1. *n* эрудит; учёный;
2. *a* учёный; эрудированный; начитанный.

**erudition** [,eru:'dıʃən] *n* эрудиция, учёность; начитанность.

**erupt** [ı'rʌpt] *v* 1) извергать(ся) (*о вулкане, гейзере*); 2) прорываться; 3) прорезываться (*о зубах*).

**eruption** [ı'rʌpʃən] *n* 1) извержение (*вулкана*); 2) взрыв (*смеха, гнева*); 3) *мед.* сыпь, высыпание; 4) прорезывание (*зубов*).

**eruptive** [ı'rʌptıv] *a* 1) *геол.* эруптивный, извёрженный, вулканический; 2) *мед.* сопровождаемый сыпью; ~ stage стадия высыпания.

**erven** ['ervən] *pl от* erf.

**erysipelas** [,erı'sıpıləs] *n мед.* рожа, рожистое воспаление.

**erythema** [,erı'θı:mə] *n мед.* эритема.

**Esau** ['ı:sɔ:] *n библ.* Исав.

**escalade** [,eskə'leıd] *ист.* 1. *n* штурм (*с помощью лестниц*), эскалада;
2. *v* штурмовать, взбираясь на стены по лестницам.

**escalator** ['eskəleıtə] *n* эскалатор; ◇ ~ clause условие «скользящей шкалы».

**escallop** [ıs'kɔləp] = scallop.

**escapade** [,eskə'peıd] *n* 1) весёлая, смелая проделка; шальная выходка; 2) побег (*из тюрьмы*).

**escape** [ıs'keıp] 1. *n* 1) бегство; побег; *перен.* уход от действительности; 2) избавление; спасение; to have a narrow (*или* hairbreadth) ~ едва избежать опасности, быть на волосок от чего-л.; 3) течь; утечка; 4) истечение, выделение (*крови и т. п.*); 5) *тех.* выпуск, выход (*пара*); 6) одичавшее культурное растение, дичок; 7) *attr.* спасательный; ~ ladder спасательная лестница; ~ route дорога к отступлению; ~ clause пункт договора, избавляющий сторону от ответственности;
2. *v* 1) бежать (*из тюрьмы, плена*); 2) избежать (*опасности*), спастись; избавиться; отделаться; I am unable to ~ the conviction that he is guilty не могу отделаться от мысли, что он виновен; 3) давать утечку; улетучиваться; 4) ускользать; your point ~s me я не улавливаю вашей мысли; his name had ~d my memory не могу припомнить его имени; nothing ~s you! всё-то вы замечаете!; 5) вырываться (*о стоне и т. п.*).

**escapement** [ıs'keıpmənt] *n* 1) бегство и пр. [см. escape 2]; 2) сторожок, спуск, регулятор хода (*часов*); 3) *тех.* выход, выпуск; 4) *attr.*: ~ wheel *тех.* храповое колесо, храповик.

**escape-valve** [ıs'keıp,vælv] *n* предохранительный, выпускной клапан.

**escapist** [ıs'keıpıst] *n* 1) уклоняющийся от призыва на военную службу; 2) стремящийся уйти от действительности.

**escarp** [ıs'kɑ:p] 1. *n* 1) крутая насыпь, откос; 2) *воен.* эскарп;
2. *v* 1) делать откос; 2) *воен.* эскарпировать.

**escarpment** [ıs'kɑ:pmənt] *n воен.* эскарп.

eschalot [ˈeʃələt] = shallot.

eschar [ˈeskɑː] n мед. струп.

escheat [ɪsˈtʃiːt] 1. n юр. 1) выморочное имущество; 2) переход выморочного имущества в казну;
2. v 1) юр. передавать или переходить в казну в качестве выморочного имущества; 2) конфисковать.

eschew [ɪsˈtʃuː] v избегать, сторониться, воздерживаться.

escort 1. n [ˈeskɔːt] охрана, конвой, прикрытие, эскорт;
2. v [ɪsˈkɔːt] конвоировать, сопровождать, эскортировать.

escribe [əˈskraɪb] v мат. описывать (круг).

escritoire [ˌeskriːˈtwɑː] фр. n секретер.

escudo [esˈkuːdou] n (pl -os [-ouz]) эскудо (денежная единица и монета Португалии).

esculent [ˈeskjulənt] 1. a съедобный, годный в пищу;
2. n съедобное, съестное.

escutcheon [ɪsˈkʌtʃən] n 1) щит герба; a blot on one's ~ пятно позора, запятнанная репутация или честь; 2) футор, накладка дверного замка; 3) архит. орнаментальный щит.

Eskimo [ˈeskɪmou] 1. n (pl -oes [-ouz]) эскимос; ◇ ~ dog лайка; ~ pie амер. эскимо (мороженое);
2. a эскимосский.

esophagus [iːˈsɔfəgəs] = oesophagus.

esoteric [ˌesouˈterɪk] 1. a 1) тайный; известный или понятный лишь посвящённым; 2) особенный; персональный; ~ diets специально назначенная диета;
2. n посвящённый.

espalier [ɪsˈpæljə] фр. n шпалеры, шпалерник (в саду).

esparto [esˈpɑːtou] n бот. альфа эспарта (тж. ~ grass).

especial [ɪsˈpeʃəl] a особенный, специальный; my ~ aversion предмет моего особого отвращения; of ~ importance особо важный.

especially [ɪsˈpeʃəli] adv особенно, главным образом.

Esperanto [ˌespəˈræntou] n эсперанто.

espial [ɪsˈpaɪəl] n ведение наблюдения; выслеживание.

espionage [ˌespiəˈnɑːʒ] n шпионаж, шпионство.

esplanade [ˌespləˈneɪd] n эспланада, площадка для прогулок.

espousal [ɪsˈpauzəl] n уст. 1) (обыкн. pl) свадьба; обручение; 2) участие, поддержка (какого-л. дела).

espouse [ɪsˈpauz] v 1) жениться; редк. выходить замуж; 2) выдавать замуж; жениться; 3) отдаваться (какому-л. делу); поддерживать.

espy [ɪsˈpaɪ] v 1) заметить, завидеть издалека; 2) неожиданно обнаружить (недостаток и т. п.).

Esquimau [ˈeskɪmou] = Eskimo.
Esquimaux [ˈeskɪmouz] pl от Esquimau.
esquire [ɪsˈkwaɪə] n 1) эсквайр; 2) уст.
= squire 1.

essay 1. n [ˈeseɪ] 1) очерк, этюд, набросок; эссе; 2) школьное сочинение; 3) попытка; 4) проба, опыт;
2. v [eˈseɪ] 1) подвергать испытанию; 2) пытаться (to).

essayist [ˈeseɪɪst] n очеркист; эссеист.

essence [ˈesns] n 1) сущность, существо; in ~ по существу; of the ~ существенно; 2) существование; 3) экстракт, эссенция; 4) духи; 5) аромат; 6) бензин.

essential [ɪˈsenʃəl] 1. a 1) существенный; составляющий сущность, неотъемлемый; 2) необходимый, весьма важный, ценный; 3) подобный эссенции; ~ oil эфирное, летучее масло;
2. n 1) сущность; неотъемлемая часть; the ~s of education основы воспитания; 2) pl предметы первой необходимости.

essentiality [ɪˌsenʃɪˈælɪtɪ] n сущность; существенность.

essentially [ɪˈsenʃəlɪ] adv по существу.

establish [ɪsˈtæblɪʃ] v 1) основывать; создавать; учреждать; 2) устраивать; to ~ oneself in a new house поселиться в новом доме; 3) устанавливать (обычай, факт); 4) упрочивать; to ~ one's health восстановить своё здоровье; to ~ one's reputation упрочить свою репутацию; 5) (юридически) доказать; 6) заложить (фундамент).

established [ɪsˈtæblɪʃt] 1. p. p. от establish;
2. a 1) учреждённый; установленный; E. Church государственная церковь; 2) упрочившийся, укоренившийся; акклиматизировавшийся; 3) авторитетный.

establishment [ɪsˈtæblɪʃmənt] n 1) основание; введение; 2) учреждение, заведение; 3) штат (служащих); 4) хозяйство; уст. семья; separate ~ побочная семья; 5) the E., Church E. государственная церковь.

estate [ɪsˈteɪt] n 1) сословие; the fourth ~ ирон. четвёртое сословие, пресса; 2) имущество; real ~ недвижимость; personal ~ движимость; 3) имение; 4) уст. положение; to suffer in one's ~ тяготиться своим положением; man's ~ возмужалость; 5) attr.: ~ agent a) управляющий имением; б) агент по продаже домов, земельных участков и имений (тж. real ~ agent).

esteem [ɪsˈtiːm] 1. n уважение; to hold in (high) ~ (весьма) уважать;
2. v 1) уважать, почитать; I ~ him highly я глубоко его уважаю; я высокó его ценю; 2) считать, рассматривать; давать оценку; I shall ~ it a favour я сочту это за любезность.

ester [ˈestə] n хим. эфир (сложный).

Esther [ˈestə] n библ. Эсфирь.

estimable [ˈestɪməbl] a 1) достойный уважения; 2) предполагаемый; предположительный.

estimate 1. n [ˈestɪmɪt] 1) оценка; 2) смета; намётка; калькуляция; the Estimates проект государственного бюджета по расходам (представляемый ежегодно в английский парламент);
2. v [ˈestɪmeɪt] 1) оценивать; 2) составлять смету; 3) определять глазомером; подсчитывать приблизительно.

**estimation** [,estɪ'meɪʃən] *n* 1) сужде́ние; мне́ние; оце́нка; in my ~ по моему́ мне́нию; 2) уваже́ние; to hold in ~ уважа́ть; 3) подсчёт, вычисле́ние; определе́ние глазоме́ром.

**estimator** ['estɪmeɪtə] *n* оце́нщик.

**Estonian** [es'tounjən] 1. *a* эсто́нский; 2. *n* 1) эсто́нец; эсто́нка; 2) эсто́нский язы́к.

**estop** [ɪs'tɔp] *v* юр. отводи́ть како́е-л. заявле́ние, противоре́чащее пре́жним выска́зываниям того́ же лица́.

**estoppel** [ɪs'tɔpəl] *n* отво́д [см. estop].

**estrade** [es'trɑːd] *n* эстра́да.

**estrange** [ɪs'treɪndʒ] *v* отдаля́ть, отстраня́ть, де́лать чу́ждым; to ~ oneself from smb. отходи́ть, отдаля́ться от кого́-л.

**estrangement** [ɪs'treɪndʒmənt] *n* отчуждённость, отчужде́ние, холодо́к (в отношениях).

**estray** [ɪs'treɪ] *n* юр. приблу́дное живо́тное.

**estreat** [ɪs'triːt] *v* 1) юр. направля́ть ко взыска́нию докуме́нты о штра́фе, недоймке и т. п.; 2) распр. штрафова́ть.

**estuary** ['estjuərɪ] *n* эстуа́рий, широ́кое у́стье реки́, досту́пное для прили́вов.

**esurient** [ɪ'sjuərɪənt] *a* шутл. 1) голо́дный; 2) жа́дный.

**et cetera, etcetera** [ɪt'setrə] лат. и так да́лее, и про́чее.

**et ceteras, etceteras** [ɪt'setrəz] лат. *n pl* вся́кая вся́чина; доба́вки.

**etch** [etʃ] *v* гравирова́ть; трави́ть на мета́лле.

**etcher** ['etʃə] *n* гравёр; офорти́ст.

**etching** ['etʃɪŋ] *n* 1) гравиро́вка; 2) гравю́ра, офо́рт; 3) травле́ние, вытра́вливание.

**eternal** [iː'tənl] *a* 1) ве́чный; the E. City Рим; 2) неизме́нный, твёрдый (о при́нципах и т. п.); 3) разг. беспреры́вный, постоя́нный; his ~ jokes ве́чные его́ шу́тки.

**eternalize** [iː'tənəlaɪz] *v* увекове́чивать; де́лать ве́чным.

**eternity** [iː'tənɪtɪ] *n* 1) ве́чность; 2) *pl* ве́чные и́стины; 3) загро́бный мир; to launch into ~ отпра́вить(ся) на тот свет.

**eternize** [iː'tənaɪz] = eternalize.

**Etesian** [ɪ'tiːʒən] *a* периоди́ческий, ежего́дный; ~ winds ле́тние се́веро-за́падные пасса́тные ве́тры (на Средиземном море).

**ethane** ['eθeɪn] *n* хим. эта́н.

**ether** ['iːθə] *n* 1). хим., физ. эфи́р; over the ~ по ра́дио; 2) поэт. не́бо, небеса́.

**ethereal** [iː'θɪərɪəl] *a* 1) эфи́рный; 2) лёгкий, возду́шный; 3) неземно́й; 4) эфеме́рный.

**ethereality** [iː,θɪərɪ'ælɪtɪ] *n* эфи́рность, лёгкость, возду́шность.

**etherealization** [iː,θɪərɪəlaɪ'zeɪʃən] *n* превраще́ние в эфи́р.

**etherealize** [iː'θɪərɪəlaɪz] *v* 1) превраща́ть в эфи́р; 2) де́лать лёгким.

**etherization** [,iːθeraɪ'zeɪʃən] *n* 1) мед. примене́ние эфи́рного нарко́за; 2) превраще́ние в эфи́р.

**etherize** ['iːθəraɪz] *v* 1) мед. усыпля́ть эфи́ром; 2) хим. превраща́ть в эфи́р.

**ethic(al)** ['eθɪk(əl)] *a* нра́вственный, эти́ческий; эти́чный.

**ethics** ['eθɪks] *n pl* (употр. как sing) э́тика.

**Ethiopian** [,iːθɪ'oupjən] 1. *a* эфио́пский; 2. *n* эфио́п.

**ethmoid** ['eθmɔɪd] *a* решётчатый; ~ bone анат. решётчатая кость.

**ethnic(al)** ['eθnɪk(əl)] *a* 1) этни́ческий, племенно́й; 2) язы́ческий.

**ethnographic(al)** [,eθnou'græfɪk(əl)] *a* этнографи́ческий.

**ethnography** [eθ'nɔgrəfɪ] *n* этногра́фия.

**ethnologic(al)** [,eθnou'lɔdʒɪk(əl)] *a* этнологи́ческий.

**ethnology** [eθ'nɔlədʒɪ] *n* этноло́гия.

**ethos** ['iːθɔs] греч. *n* хара́ктер, преоблада́ющая черта́.

**ethyl** ['eθɪl] *n* хим. эти́л.

**etiolate** ['iːtɪouleɪt] *v* 1) бот. выра́щивать расте́ние в темноте́, этиоли́ровать; 2) де́лать бле́дным, придава́ть боле́зненный вид.

**etiology** [,iːtɪ'ɔlədʒɪ] = aetiology.

**etiquette** [,etɪ'ket] *n* 1) этике́т; 2) профессиона́льная э́тика.

**etna** ['etnə] *n* род спирто́вки.

**Eton** ['iːtn] *n* 1) И́тонский колле́дж; 2) attr.: ~ coat (или jacket) коро́ткий облега́ющий пиджа́к; ~ crop же́нская коро́ткая стри́жка (под мальчика); ~ collar широ́кий отложно́й воротни́к.

**Etonian** [iː'tounjən] 1. *a* относя́щийся к И́тонскому колле́джу; 2. *n* воспи́танник И́тонского колле́джа.

**Etruscan** [ɪ'trʌskən] ист. 1. *a* этру́сский; 2. *n* 1) этру́ск; 2) этру́сский язы́к.

**etude** [eɪ'tjuːd] фр. *n* муз. этю́д.

**étui, etwee** [e'twiː] фр. *n* я́щичек для иго́лок, була́вок и пр.; футля́р.

**etymologic(al)** [,etɪmə'lɔdʒɪk(əl)] *a* этимологи́ческий.

**etymologist** [,etɪ'mɔlədʒɪst] *n* этимо́лог.

**etymologize** [,etɪ'mɔlədʒaɪz] *v* изуча́ть этимоло́гию; определя́ть этимоло́гию сло́ва.

**etymology** [,etɪ'mɔlədʒɪ] *n* этимоло́гия.

**etymon** ['etɪmən] *n* линг. этимо́н.

**eucalypti** [,juːkə'lɪptaɪ] *pl* от eucalyptus.

**eucalyptus** [,juːkə'lɪptəs] *n* (*pl* -tuses [-təsɪz], -ti) бот. эвкали́пт.

**Eucharist** ['juːkərɪst] *n* церк. евхари́стия, прича́стие.

**euchre** ['juːkə] 1. *n* род ка́рточной игры́; 2. *v* 1) карт. обреми́зить проти́вника; 2) sl. перехитри́ть, взять верх, одоле́ть.

**Euclid** ['juːklɪd] *n* 1) Эвкли́д; 2) эвкли́дова геоме́трия.

**eud(a)emonism** [juː'dɪmənɪzəm] *n* филос. эвдемони́зм.

**eudiometer** [,juːdɪ'ɔmɪtə] *n* эвдио́метр (прибор для анализа газов и определения чистоты воздуха).

**eugenic** [juː'dʒenɪk] *a* евгени́ческий.

**eugenics** [juː'dʒenɪks] *n pl* (употр. как sing) евге́ника.

**eulogist** ['juːlədʒɪst] *n* панегири́ст.

**eulogistic(al)** [,juːlə'dʒɪstɪk(əl)] *a* хвале́бный, панегири́ческий.

**eulogize** ['juːlədʒaɪz] *v* хвали́ть, превозноси́ть, восхваля́ть.

eulogy ['juːlədʒɪ] *n* хвалебная речь, панегирик; to pronounce a ~ on smb., to pronounce smb.'s ~ расхвалить кого-л.

eunuch ['juːnək] *n* евнух.

eupeptic [juː'peptik] *a* 1) имеющий хорошее пищеварение; 2) способствующий пищеварению; 3) удобоваримый.

euphemism ['juːfɪmɪzəm] *n* эвфемизм.

euphemistic(al) ['juːfɪ'mɪstɪk(əl)] *a* эвфемистический.

euphonic(al) [juː'fɒnɪk(əl)] *a* благозвучный.

euphonious [juː'founiəs] = euphonic(al).

euphonize ['juːfənaɪz] *v* делать благозвучным.

euphony ['juːfənɪ] *n* благозвучие.

euphoria [juː'fxrɪə] *n* эйфория.

euphrasy ['juːfrəsɪ] *n* бот. очанка.

euphuism ['juːfjuːɪzəm] *n* ритор. эвфуизм, напыщенный стиль.

Eurasian [juə'reɪʒjən] 1. *a* евразийский; 2. *n* евразиец.

eureka [juə'riːkə] *греч. int* эврика!

European [,juərə'pɪən] 1. *a* европейский; 2. *n* европеец.

europium [juː'roupɪəm] *n* хим. европий.

Eustachian tube [juːs'teɪʃjən,tjuːb] *n* анат. евстахиева труба.

euthanasia [,juːθə'neɪzjə] *греч. n* 1) лёгкая смерть; 2) умерщвление в случае неизлечимой болезни.

evacuate [ɪ'vækjueɪt] *v* 1) эвакуировать, вывозить; 2) опорожнять; *мед.* очищать; 3) *тех.* разрежать воздух, выкачивать, высасывать.

evacuation [ɪ,vækju'eɪʃən] *n* 1) эвакуация; 2) *физиол.* испражнение, очищение желудка.

evacuee [ɪ,vækjuː'iː] *n* эвакуированный; эвакуируемый.

evade [ɪ'veɪd] *v* 1) ускользать; 2) избегать; 3) уклоняться; обходить (*закон, вопрос*); 4) не поддаваться (*усилиям; определению*).

evaluate [ɪ'væljueɪt] *v* 1) оценивать; определять количество; 2) *мат.* выражать в числах.

evaluation [ɪ,vælju'eɪʃən] *n* оценка.

evanesce [,iːvə'nes] *v* 1) исчезать из виду; 2) изглаживаться, стираться.

evanescence [,iːvə'nesns] *n* исчезновение.

evanescent [,iːvə'nesnt] *a* 1) мимолётный; быстро исчезающий; 2) *мат.* бесконечно малый, приближающийся к нулю.

evangelic [,iːvæn'dʒelɪk] *a* евангельский.

evangelical [,iːvæn'dʒelɪkəl] 1. *a* 1) евангельский; 2) евангелический; 2. *n* 1) протестант; 2) евангелист (*сектант*).

evangelist [ɪ'vændʒɪlɪst] *n* 1) евангелист; 2) странствующий проповедник.

evanish [ɪ'vænɪʃ] *v поэт.* исчезать; замирать (*о звуках и т. п.*).

evaporate [ɪ'væpəreɪt] *v* 1) испарять(ся); 2) *разг.* исчезать; умирать; 3) выпаривать; сгущать.

evaporation [ɪ,væpə'reɪʃən] *n* 1) испарение; парообразование; 2) выпаривание.

evaporative [ɪ'væpərətɪv] *a* испаряющий; парообразующий.

evaporator [ɪ'væpəreɪtə] *n тех.* испаритель.

evasion [ɪ'veɪʒən] *n* 1) уклонение; увёртка, отговорка *и пр.* [*см.* evade]; his answer was a mere ~ он просто уклонился от ответа; 2) *редк.* бегство.

evasive [ɪ'veɪsɪv] *a* 1) уклончивый; 2) неуловимый.

Eve [iːv] *n библ.* Ева; женщина; daughters of ~ женщины, женский пол.

eve [iːv] *n* 1) канун; on the ~ накануне; Christmas ~ сочельник; New Year's Eve канун Нового года; новогодний вечер; 2) *уст., поэт.* вечер.

even I ['iːvən] *n поэт.* вечер.

even II ['iːvən] 1. *a* 1) ровный, гладкий; 2) равный, на одном уровне (with), одинаковый; тот же самый; сходный; ~ with the ground вровень с землёй; ~ date *бухг.* то же число; 3) однообразный, монотонный; 4) уравновешенный; ~ temper ровный характер, спокойный темперамент; 5) справедливый, беспристрастный; 6) чётный; evenly ~ кратный четырём (*о числе*); oddly (*или* unevenly) ~ кратный двум, но не кратный четырём (*о числе*); ◊ to get (*или* to be) ~ with smb. свести счёты, расквитаться с кем-л.; 2. *adv* 1) ровно; 2) как раз; точно; 3) даже; ~ if... ~ though даже если; хотя бы; 3. *v* 1) выравнивать (*поверхность*); сглаживать; 2) равнять, ставить на одну доску; 3) уравновешивать (*тж.* ~ up); 4) *амер.:* to ~ upon smb. расквитаться, сосчитаться с кем-л.

even-handed ['iːvən'hændɪd] *a* беспристрастный, справедливый.

evening *n* ['iːvnɪŋ] 1) вечер; 2) вечеринка, вечер; 3) *attr.* вечерний; ~ star вечерняя звезда; ~ meal ужин; ~ dress вечерний, бальный туалет; фрак; смокинг.

evenly ['iːvənlɪ] *adv* 1) ровно, поровну; одинаково; 2) беспристрастно, справедливо; 3) равномерно; 4) спокойно; уравновешенно.

even-minded ['iːvən'maɪndɪd] *a* спокойный; уравновешенный.

event [ɪ'vent] *n* 1) событие; the course of ~s ход событий; quite an ~ целое (*или* настоящее) событие; 2) случай, происшествие; in the ~ of his death в случае его смерти; at all ~s во всяком случае; in any ~ in either ~ так или иначе; 3) исход, результат; his plan was unhappy in the ~ в конечном результате его план потерпел неудачу; 4) номер (*в программе состязаний*); 5) соревнование по определённому виду спорта; 6) *тех.* такт (*двигателя внутреннего сгорания*).

eventful [ɪ'ventful] *a* полный событий, богатый событиями.

eventide ['iːvəntaɪd] *n поэт.* вечер, вечерняя пора.

eventless [ɪ'ventlɪs] *a* бедный событиями.

eventual [ɪ'ventjuəl] *a* 1) возможный, могущий случиться; 2) конечный.

eventuality [ɪ,ventju'ælɪtɪ] *n* возможный случай; возможность; случайность.

eventually [ɪ'ventjuəlɪ] *adv* в конечном счёте, в конце концов; со временем.

**eventuate** [ɪ'ventjueɪt] *v* 1) конча́ться, разреша́ться (*in—чем-л.*); 2) явля́ться результа́том, возника́ть, случа́ться.

**ever** ['evə] *adv* 1) всегда́; ~ after, ~ since с тех пор (как); for ~ (and ~), for ~ and a day а) навсегда́, наве́чно; б) беспреста́нно; ~ yours всегда́ Ваш (*подпись в письме́*); 2) когда́-либо; it is the best symphony I have ~ heard э́то лу́чшая симфо́ния, кото́рую я когда́-либо слы́шал; ~ and anon *уст.* вре́мя от вре́мени; hardly ~ едва́ ли когда́-нибудь; почти́ никогда́; 3): as ~ как то́лько; I shall do it as soon as ~ I can я сде́лаю э́то, как то́лько смогу́; 4) *разг. употр. для усиле́ния*: why ~ did you do it? да почему́ же вы э́то сде́лали?; what ~ do you mean? что же вы хоти́те э́тим сказа́ть?; ◇ ~ so *разг.* а) о́чень; thank you ~ so much большо́е вам спаси́бо; б) как бы ни; be the weather ~ so bad, I must go как бы плоха́ пого́да ни была́, я до́лжен идти́.

**ever frost** ['evə'frɔst] *n* ве́чная мерзлота́.

**everglade** ['evəgleɪd] *n* боло́тистая ни́зменность, места́ми поро́сшая высо́кой траво́й (*напр., в Ю́жной Флори́де*).

**evergreen** ['evəgriːn] 1. *a* вечнозелёный; 2. *n* вечнозелёное расте́ние.

**everlasting** [,evə'lɑːstɪŋ] 1. *a* 1) ве́чный; 2) ве́чный, дли́тельный, постоя́нный; this ~ noise э́тот постоя́нный шум; 3) *уст.* выно́сливый, про́чный; 4) сохраня́ющий цвет и фо́рму в засу́шенном ви́де (*о расте́ниях*); 2. *n* 1) ве́чность; from ~ споко́н веко́в; 2) *бот.* имморте́ль, бессме́ртник, сухоцве́т (*тж.* ~ flower); 3) про́чная шерстяна́я ткань.

**evermore** ['evə'mɔː] *adv* наве́ки; навсегда́.

**every** ['evrɪ] *pron. indef.* ка́ждый; вся́кий; ~ time а) ка́ждый раз; б) *разг.* без исключе́ния, без колеба́ния; ~ now and then, now and again вре́мя от вре́мени, то и де́ло; ~ bit, ~ whit *разг.* во всех отноше́ниях; соверше́нно; ~ other day че́рез день; ~ so often вре́мя от вре́мени; with ~ good wish с лу́чшими пожела́ниями.

**everybody** ['evrɪbɔdɪ] *pron. indef.* ка́ждый, вся́кий (челове́к); все; ~ is happy все сча́стливы.

**everyday** ['evrɪdeɪ] *a* ежедне́вный; повседне́вный, обы́чный; ~ sentences обихо́дные фра́зы.

**Everyman** ['evrɪmæn] *n* обыкнове́нный, сре́дний челове́к; обыва́тель.

**everyone** ['evrɪwʌn] = everybody.

**everything** ['evrɪθɪŋ] *pron. indef.* всё.

**every way** ['evrɪweɪ] *adv* 1) во всех направле́ниях; 2) во всех отноше́ниях.

**everywhere** ['evrɪweə] *adv* всю́ду, везде́.

**evict** [ɪ'vɪkt] *v* 1) выселя́ть; изгоня́ть; 2) оття́гать по суду́ (*зе́млю и т. п.*; of, from—y).

**eviction** [ɪ'vɪkʃən] *n* 1) выселе́ние; изгна́ние; 2) *юр.* лише́ние иму́щества (*по суду́*).

**evidence** ['evɪdəns] 1. *n* 1) очеви́дность; in ~ заме́тный, броса́ющийся в глаза́ [*ср. тж.* 3)]; 2) основа́ние, доказа́тельство;

to give (*или* to bear) ~ свиде́тельствовать; 3) *юр.* ули́ка; свиде́тельское показа́ние; piece of ~ ули́ка; circumstantial ~ ко́свенные ули́ки; cumulative ~ совоку́пность ули́к; to call in ~ вызыва́ть (*в суд*) для да́чи показа́ний [*ср. тж.* 1)]; to turn King's (*или* Queen's) ~, амер. State's ~ вы́дать сообщников и стать свиде́телем обвине́ния; in ~ при́нятый в ка́честве доказа́тельства [*ср. тж.* 1)]; 2. *v* служи́ть доказа́тельством, дока́зывать.

**evident** ['evɪdənt] *a* очеви́дный, я́сный.

**evidential** [,evɪ'denʃəl] *a* 1) осно́ванный на очеви́дности; 2) доказа́тельный.

**evidentiary** [,evɪ'denʃərɪ] = evidential.

**evil** ['iːvl] 1. *n* 1) зло; вред; 2) бе́дствие, несча́стье; 3) *уст.* боле́знь; King's ~ золоту́ха; St John's ~ эпиле́псия; 4) грех; ◇ the social ~ проститу́ция; of two ~s choose the less *посл.* из двух зол выбира́й ме́ньшее; 2. *a* 1) дурно́й, злой; злове́щий; the Evil One дья́вол; ~ tongue злой язы́к; ~ eye дурно́й глаз; an ~ genius злой ге́ний; 2) вре́дный; па́губный; 3) зло́стный; ◇ fallen on ~ days впа́вший в нищету́, в ничто́жество; 3. *adv* пло́хо, ду́рно, зло; to speak ~ of злосло́вить о.

**evil-doer** ['iːvl'duːə] *n* 1) престу́пник, злоде́й; 2) гре́шник.

**evil-minded** ['iːvl'maɪndɪd] *a* 1) злонаме́ренный; 2) зло́бный, злой.

**evince** [ɪ'vɪns] *v* проявля́ть, выка́зывать.

**evirate** ['iːvɪreɪt] *v* кастри́ровать.

**eviscerate** [ɪ'vɪsəreɪt] *v* 1) потроши́ть; 2) лиша́ть содержа́ния, выхола́щивать.

**evoke** [ɪ'vouk] *v* 1) вызыва́ть (*воспомина́ние, восхище́ние и т. п.*); 2) *юр.* передава́ть (*де́ло*) в вы́сшую инста́нцию.

**evolution** [,iːvə'luːʃən] *n* 1) развёртывание; разви́тие; эволю́ция; Theory of E. эволюцио́нная тео́рия; 2) выделе́ние (*га́за, теплоты́ и т. п.*); 3) *мат.* извлече́ние ко́рня; 4) (*обыкн. pl*) *воен., мор.* построе́ние; манёвр; передвиже́ние; 5) образова́ние небе́сных тел путём концентра́ции косми́ческого вещества́.

**evolutional** [,iːvə'luːʃənl] *a* эволюцио́нный.

**evolutionary** [,iːvə'luːʃnərɪ] = evolutional.

**evolutionism** [,iːvə'luːʃnɪzəm] *n* эволюцио́нная тео́рия.

**evolutionist** [,iːvə'luːʃənɪst] 1. *n* эволюцио́нист; 2. *a* эволюцио́нный.

**evolutive** [,iːvə'luːtɪv] *a* спосо́бствующий разви́тию.

**evolve** [ɪ'vɔlv] *v* 1) эволюциони́ровать, развива́ться; развёртываться; 2) развива́ть (*тео́рию и т. п.*); to ~ a plan наме́тить план; 3) выделя́ть (*га́зы, теплоту́*); издава́ть (*за́пах*).

**evolvent** [ɪ'vɔlvənt] *n* *мат.* эвольве́нта, развёртка.

**evulgate** [ɪ'vʌlgeɪt] *v* оглаша́ть; разглаша́ть.

**evulsion** [ɪ'vʌlʃən] *n* наси́льственное извлече́ние, вырыва́ние с ко́рнем.

**ewe** [juː] *n* овца́; ◇ one's ~ lamb еди́нственное сокро́вище; еди́нственный ребёнок.

**ewer** ['juːə] *n* кувши́н.

**ex-** [eks-] *pref* 1) *указывает на изъятие, исключение и т. п.* из-, вне-; extract вырыва́ть; exterritorial экстерриториа́льный; 2) бы́вший, пре́жний, экс-; ex-president бы́вший президе́нт.

**exacerbate** [eks'æsɔːbeit] *v* 1) обостря́ть, уси́ливать; 2) раздража́ть, ожесточа́ть.

**exacerbation** [eks,æsɔː'beiʃən] *n* 1) обостре́ние, усиле́ние; 2) раздраже́ние; 3) *мед.* парокси́зм.

**exact** [ig'zækt] 1. *a* то́чный; стро́гий (*о правилах, порядке*); аккура́тный; соверше́нно пра́вильный, ве́рный; ~ sciences то́чные нау́ки; ~ memory хоро́шая па́мять;
2. *v* 1) (настоя́тельно) тре́бовать; 2) взы́скивать (from, of); 3) вымога́ть.

**exacting** [ig'zæktiŋ] 1. *pres. p. от* exact 2;
2. *a* 1) тре́бовательный; приди́рчивый; суро́вый; 2) напряжённый; 3) изнуря́ющий.

**exaction** [ig'zækʃən] *n* 1) настоя́тельное тре́бование; 2) вымога́тельство; 3) чрезме́рный нало́г *и т. п.*

**exactitude** [ig'zæktitjuːd] *n* то́чность; аккура́тность.

**exactly** [ig'zæktli] *adv* 1) то́чно; как ра́з; not ~ the same не совсе́м то же са́мое; 2) и́менно, да, соверше́нно ве́рно (*в ответе*).

**exactness** [ig'zæktnis] *n* то́чность; аккура́тность.

**exactor** [ig'zæktə] *n* 1) лицо́, тре́бующее чего́-л.; 2) исте́ц; 3) вымога́тель.

**exaggerate** [ig'zædʒəreit] *v* 1) преувели́чивать; 2) изли́шне подчёркивать.

**exaggerated** [ig'zædʒəreitid] 1. *p. p. от* exaggerate;
2. *a* 1) преувели́ченный; 2) *мед.* ненорма́льно расши́ренный, увели́ченный (*о сердце и т. п.*).

**exaggeratedly** [ig'zædʒəreitidli] *adv* преувели́ченно; подчёркнуто.

**exaggeration** [ig,zædʒə'reiʃən] *n* преувеличе́ние.

**exaggerative** [ig'zædʒərətiv] *a* преувели́чивающий; не соблюда́ющий чу́вства ме́ры.

**exalt** [ig'zɔːlt] *v* 1) возвыша́ть; возноси́ть; возвели́чивать; 2) превозноси́ть, восхваля́ть; to ~ to the skies превозноси́ть до небе́с; 3) уси́ливать, сгуща́ть (*краски и т. п.*); 4) поднима́ть настрое́ние.

**exaltation** [,egzɔːl'teiʃən] *n* 1) возвыше́ние; повыше́ние; возвеличе́ние; 2) восто́рг, экзальта́ция; 3) усиле́ние.

**exalted** [ig'zɔːltid] 1. *p. p. от* exalt;
2. *a* 1) высокопоста́вленный; 2) досто́йный, благоро́дный; возвы́шенный (*о стиле и т. п.*); 3) экзальти́рованный.

**exam** [ig'zæm] *разг. см.* examination 2).

**examinant** [ig'zæminənt] *n* экзамена́тор.

**examination** [ig,zæmi'neiʃən] *n* 1) осмо́тр; иссле́дование; освиде́тельствование; эксперти́за; custom-house ~ тамо́женный досмо́тр; post-mortem ~ *мед.* вскры́тие тру́па; 2) экза́мен; competitive ~ ко́нкурсный экза́мен; to go in for an ~ держа́ть экза́мен; to take an (entrance) ~ сдава́ть (вступи́тельный) экза́мен; to pass one's ~ вы́держать экза́мен; to fail in an ~ провали́ться на экза́мене; 3) *юр.* допро́с.

**examinational** [ig,zæmi'neiʃənəl] *a* экзаменацио́нный.

**examination-paper** [ig,zæmi'neiʃən'peipə] *n* экзаменацио́нная рабо́та.

**examinatorial** [ig,zæminə'tɔːriəl] *a* экзамена́торский.

**examine** [ig'zæmin] *v* 1) рассма́тривать; иссле́довать (*тж.* ~ into); 2) *мед.* выслу́шивать, осма́тривать; 3) экзаменова́ть; 4) *воен. юр.* допра́шивать.

**examinee** [ig,zæmi'niː] *n* экзамену́ющийся.

**examiner** [ig'zæminə] *n* 1) экзамена́тор; to satisfy the ~s сдать экза́мен удовлетвори́тельно, без отли́чия; 2) *амер.* ревизо́р.

**example** [ig'zɑːmpl] *n* 1) приме́р; for ~ наприме́р; to set a good (bad) ~ (по)дава́ть хоро́ший (дурно́й) приме́р; without ~ без прецеде́нта; беспримо́рный; 2) приме́рное наказа́ние, уро́к; let it make an ~ for him пусть э́то послу́жит ему́ уро́ком; to make an ~ of smb. наказа́ть кого́-л. в назида́ние други́м; 3) образе́ц; to take ~ by подража́ть, брать за образе́ц.

**exanimate** [ig'zænimeit] *a* безжи́зненный; вя́лый.

**exanthema** [,eksæn'θiːmə] *n* *мед.* сыпь.

**exarch** ['eksɑːk] *n* экза́рх.

**exarchate** ['eksɑːkeit] *n* экзарха́т.

**exasperate** [ig'zɑːspəreit] *v* 1) серди́ть; раздража́ть, доводи́ть до бе́лого кале́ния; 2) уси́ливать (*боль, гнев и т. п.*).

**exasperating** [ig'zɑːspəreitiŋ] 1. *pres. p. от* exasperate;
2. *a* раздража́ющий, изводя́щий.

**exasperation** [ig,zɑːspə'reiʃən] *n* раздраже́ние.

**excavate** ['ekskəveit] *v* 1) копа́ть, рыть; вынима́ть грунт; рыть котлова́н; 2) выка́пывать; *археол.* производи́ть раско́пки.

**excavation** [,ekskə'veiʃən] *n* 1) выка́пывание; 2) вы́рытая я́ма, вы́емка; 3) выда́лбливание; 4) *тех.* экскава́ция, вы́емка гру́нта; земляны́е рабо́ты; 5) *археол.* раско́пки; 6) *горн.* разрабо́тка откры́тым спо́собом, карье́ром.

**excavator** ['ekskəveitə] *n* 1) экскава́тор; 2) землеко́п.

**exceed** [ik'siːd] *v* 1) превыша́ть, переходи́ть грани́цы; to ~ one's instructions превы́сить свои́ полномо́чия; 2) превосходи́ть; to ~ smb. in strength (in height) быть сильне́е кого́-л. (вы́ше ро́стом); 3) быть невозде́ржанным; 4) преувели́чивать.

**exceeding** [ik'siːdiŋ] 1. *pres. p. от* exceed;
2. *a* безме́рный, чрезвыча́йный.

**exceedingly** [ik'siːdiŋli] *adv* чрезвыча́йно, о́чень.

**excel** [ik'sel] *v* превосходи́ть (in, at); выдава́ться, выделя́ться; to ~ as an orator быть выдаю́щимся ора́тором.

**excellence** ['eksələns] *n* 1) превосхо́дство; 2) высо́кое ка́чество; выдаю́щееся мастерство́.

**excellency** [´eksələnsı] *n* 1) превосходи́тельство; 2) *уст.* = excellence.

**excellent** [´eksələnt] *a* превосхо́дный, отли́чный.

**excelsior** [ek´selsıɔː] 1. *int* вы́ше и вы́ше!; 2. *a ком.* вы́сший (*о сорте*); 3. *n амер.* мя́гкая упако́вочная стру́жка.

**except** [ık´sept] 1. *v* 1) исключа́ть; present company ~ed a) за исключе́нием прису́тствующих; б) о прису́тствующих не говоря́т; 2) возража́ть (against, to); 3) *юр.* отводи́ть (*свидетеля*); 2. *prep* 1) исключа́я, кро́ме; 2): ~ for a) (*употр. как сложный предлог*) за исключе́нием; кро́ме; б) (*употр. как сj*) е́сли бы не; 3. *cj уст.* е́сли не.

**excepting** [ık´septıŋ] 1. *pres. p. от* except 1; 2. *prep* за исключе́нием.

**exception** [ık´sepʃən] *n* 1) исключе́ние; the ~ proves the rule исключе́ние подтвержда́ет пра́вило; with the ~ of... за исключе́нием...; to take ~ to smth. возража́ть про́тив чего-л.; 2) оби́да; to take ~ (at) обижа́ться, оскорбля́ться (на); 3) *юр.* отво́д.

**exceptionable** [ık´sepʃnəbl] *a* небезупре́чный, вызыва́ющий возраже́ния.

**exceptional** [ık´sepʃənl] *a* исключи́тельный, необы́чный.

**exceptive** [ık´septıv] *a* 1) составля́ющий исключе́ние; 2) придирчивый; 3) = exceptional.

**excerpt** 1. *n* [´eksəːpt] 1) отры́вок, вы́держка; 2) (отде́льный) о́ттиск; 2. *v* [ek´səːpt] выбира́ть (*отрывки*), де́лать вы́держки, подбира́ть цита́ты.

**excerption** [ek´səːpʃən] *n* 1) вы́бор отры́вка; 2) цита́та.

**excess** [ık´ses] *n* 1) избы́ток, изли́шек; in ~ of сверх, бо́льше чем; 2) (обыкн. *pl*) эксце́сс; кра́йность; 3) невоздё́ржанность, неуме́ренность; to ~ до изли́шества; сли́шком мно́го; 4) *attr.* дополни́тельный; ~ luggage бага́ж вы́ше но́рмы; ~ fare *ж.-д.* допла́та, припла́та; ~ profit сверхпри́быль; ~ profits duty (или tax) нало́г на сверхпри́быль.

**excessive** [ık´sesıv] *a* чрезме́рный.

**exchange** [ıks´tʃeındʒ] 1. *n* 1) обме́н; ме́на; in ~ for в обме́н на; 2) разме́н; rate (или course) of ~ валю́тный курс; free ~ свобо́дная валю́та; 3) распла́та посре́дством векселе́й; bill of ~ ве́ксель, тра́тта; 4) би́ржа; corn ~ хле́бная би́ржа; labour ~ би́ржа труда́; 5) центра́льная телефо́нная ста́нция; коммута́тор; 6) *attr.* мено́вой; 2. *v* 1) обме́нивать; 2) разме́нивать (*деньги*); 3) меня́ться; to ~ seats поменя́ться места́ми; to ~ words with smb. обменя́ться с кем-л. не́сколькими слова́ми; to ~ into another regiment перевести́сь в друго́й полк путё́м встре́чного обме́на.

**exchangeable** [ıks´tʃeındʒəbl] *a* 1) го́дный для обме́на; ~ value менова́я сто́имость, менова́я це́нность; 2) *тех.* взаимозаменя́емый, сме́нный. С

**exchequer** [ıks´tʃekə] *n* 1) казначе́йство; Chancellor of thе E. мини́стр фина́нсов

Великобрита́нии; 2) казна́; 3) *разг.* ресу́рсы, фина́нсы; 4) *attr.*: ~ bill креди́тный биле́т; биле́т госуда́рственного за́йма.

**excisable** [ek´saızəbl] *a* облага́емый акци́зным сбо́ром.

**excise** I [ek´saız] *v* выреза́ть; отреза́ть, ампути́ровать.

**excise** II [ek´saız] 1. *n* 1) акци́з (*тж.* ~ duty); 2) (the E.) акци́зное управле́ние; 2. *v* взима́ть (*или* налага́ть) акци́зный сбор.

**exciseman** [ek´saızmæn] *n* акци́зный чино́вник.

**excision** [ek´sıʒən] *n* выреза́ние, отреза́ние.

**excitability** [ık,saıtə´bılıtı] *n* возбуди́мость.

**excitable** [ık´saıtəbl] *a* (легко́) возбуди́мый.

**excitant** [´eksıtənt] 1. *a* возбужда́ющий; 2. *n* возбужда́ющее сре́дство.

**excitation** [,eksı´teıʃən] *n* возбужде́ние.

**excitative** [ek´saıtıv] *a* возбуди́тельный, возбужда́ющий.

**excitatory** [ek´saıtətərı] = excitative.

**excite** [ık´saıt] *v* 1) возбужда́ть, волнова́ть; he was ~d by (*или* at, about) the news он был взволно́ван изве́стием; don't ~! не волну́йтесь!,сохрани́йте споко́йствие!; 2) побужда́ть; вызыва́ть (*ревность, ненависть*); пробужда́ть (*интерес и т. п.*); to ~ rebellion поднима́ть восста́ние; 3) *эл.* возбуди́ть (*ток*); *редк.* образова́ть магни́тное по́ле, намагни́тить.

**excitement** [ık´saıtmənt] *n* возбужде́ние, волне́ние.

**exciter** [ık´saıtə] *n эл.* возбуди́тель.

**exciting** [ık´saıtıŋ] 1. *pres. p. от* excite; 2. *a* 1) возбужда́ющий, волну́ющий; захва́тывающий; 2) *эл.* возбужда́ющий (*ток*); 3. *n эл.* возбужде́ние.

**exclaim** [ıks´kleım] *v* восклица́ть; □ ~ against протестова́ть, гро́мко обвиня́ть.

**exclamation** [,eksklə´meıʃən] *n* восклица́ние; note of ~ восклица́тельный знак (!).

**exclamatory** [eks´klæmətərı] *a* 1) восклица́тельный; ~ sentence восклица́тельное предложе́ние; 2) злоупотребля́ющий восклица́ниями.

**exclude** [ıks´kluːd] *v* исключа́ть (from); не впуска́ть; не допуска́ть (*возможности и т. п.*); to ~ smb. from a house отказа́ть кому́-л. от до́ма.

**exclusion** [ıks´kluːʒən] *n* исключе́ние; ◇ to the ~ of за исключе́нием.

**exclusive** [ıks´kluːsıv] *a* 1) исключи́тельный; ~ privileges осо́бые привиле́гии; 2) еди́нственный; ~ occupation еди́нственное заня́тие; 3) недосту́пный, за́мкнутый в своё́м кругу́; с ограни́ченным до́ступом (*о клубе и т. п.*); 4) *амер.* отли́чный, первокла́ссный; ◇ ~ of не счита́я, исключа́я.

**exclusively** [ıks´kluːsıvlı] *adv* исключи́тельно, еди́нственно, то́лько.

**excogitate** [eks´kɔdʒıteıt] *v* выду́мывать, приду́мывать.

**excogitation** [eks,kɔdʒı´teıʃən] *n* 1) выду́мывание, приду́мывание; 2) вы́думка.

excommunicate [,ekskə'mju:nɪkeɪt] 1. *v* отлучать от церкви;
2. *a* отлучённый от церкви.

excommunication ['ekskə,mju:nɪ'keɪʃən] *n* отлучение от церкви.

excoriate [eks'kɔ:rɪeɪt] *v* 1) содрать кожу, ссадить; 2) *разг.* подвергать суровой критике; пропесочить.

excoriation [eks,kɔ:rɪ'eɪʃən] *n* 1) сдирание кожи; 2) ссадина; 3) суровая критика.

excorticate [eks'kɔ:tɪkeɪt] *v* сдирать кору, кожу, оболочку, шелуху.

excrement ['ekskrɪmənt] *n* (*часто pl*) экскременты.

excrescence [ɪks'kresns] *n* 1) разрастание; нарост, шишка; 2) отросток (*from*).

excrescent [ɪks'kresnt] *a* 1) образующий нарост; 2) лишний.

excreta [eks'kri:tə] *n pl физиол.* испражнения.

excrete [eks'kri:t] *v* выделять, извергать.
excretion [eks'kri:ʃən] *n физиол.* выделение.

excretive [eks'kri:tɪv] *a* 1) способствующий выделению; 2) выводящий.

excretory [eks'kri:tərɪ] *a анат.* выводной, выделительный, экскреторный.

excruciate [ɪks'kru:ʃɪeɪt] *v* мучить; терзать.

excruciating [ɪks'kru:ʃɪeɪtɪŋ] 1. *pres. p.* от excruciate;
2. *a* мучительный.

excruciation [ɪks,kru:ʃɪ'eɪʃən] *n* мучение, пытка.

exculpate ['ekskʌlpeɪt] *v* оправдывать.

exculpation [,ekskʌl'peɪʃən] *n* оправдание; реабилитация.

exculpatory [eks'kʌlpətərɪ] *a* оправдывающий; оправдательный.

excurrent [eks'kʌrənt] *a* 1) вытекающий; 2) артериальный (*о крови*); 3) дающий выход; 4) *бот.* выступающий вперёд.

excurse [ɪks'kə:s] *v редк.* 1) отклоняться, отступать (*гл. обр. перен.*); 2) совершать экскурсию.

excursion [ɪks'kə:ʃən] *n* 1) экскурсия; поездка; 2) экскурс; 3) *тех.* сдвиг из среднего положения, отклонение от оси; амплитуда вибрации; 4) *астр.* отклонение от обычного пути.

excursionist [ɪks'kə:ʃnɪst] *n* экскурсант, турист.

excursive [eks'kə:sɪv] *a* отклоняющийся; блуждающий; ~ reading беспорядочное чтение.

excursus [eks'kə:səs] *n* (*pl -es [-ɪz]*) 1) отступление (*от темы, от сути*); экскурс; 2) подробное обсуждение какой-л. детали *или* пункта в книге.

excusable [ɪks'kju:zəbl] *a* извинительный, простительный.

excusatory [ɪks'kju:zətərɪ] *a* извинительный; оправдательный.

excuse 1. *n* [ɪks'kju:s] 1) извинение, оправдание; in ~ of smth. в оправдание чего-л.; ignorance of the law is no ~ незнание закона не может служить оправданием; 2) отговорка, предлог; a lame ~, a poor ~ неудачная, слабая отговорка; 3) освобождение (*от обязанности*);

2. *v* [ɪks'kju:z] 1) извинять, прощать; ~ me! извините!, виноват!; ~ my coming late простите, что я опоздал; 2) освобождать (*от налога, обязанности*); your attendance today is ~d вы можете сегодня не присутствовать; we'll ~ you мы вас не задерживаем, можете быть свободны; 3) служить оправданием, извинением.

exeat ['eksɪæt] *n* кратковременный отпуск (*из школы и т. п.*).

execrable ['eksɪkrəbl] *a* отвратительный.

execrate ['eksɪkreɪt] *v* 1) ненавидеть; питать отвращение; 2) проклинать.

execration [,eksɪ'kreɪʃən] *n* 1) проклятие; 2) омерзение; 3) *редк.* предмет отвращения.

executant [ɪg'zekjutənt] *n* исполнитель.

execute ['eksɪkju:t] *v* 1) выполнять, осуществлять; доводить до конца; 2) исполнять (*музыкальное произведение*); 3) исполнять (*распоряжение*); 4) казнить; 5) выполнять (*обязанности, функции*); 6) *юр.* оформлять (*документ*).

execution [,eksɪ'kju:ʃən] *n* 1) выполнение; 2) исполнение (*муз. произведения*); 3) мастерство исполнения; 4) казнь; экзекуция; 5) *юр.* выполнение формальностей; оформление (*документов*); writ of ~ ордер на выполнение судебного постановления; 6) арест имущества (*несостоятельного должника*); 7) *разг.* уничтожение; опустошение; to make good ~ разгромить; перебить.

executioner [,eksɪ'kju:ʃnə] *n* палач.

executive [ɪg'zekjutɪv] 1. *a* исполнительный; *амер. тж.* административный; ~ committee исполнительный комитет; ~ agreement *амер.* договор, заключаемый президентом с иностранным государством, не требующий утверждения сената; ~ officer *мор.* строевой офицер; *амер.* старший помощник командира; ~ session закрытое заседание; to go into ~ session *амер.* удаляться на закрытое заседание, совещание;

2. *n* 1) (the ~) исполнительная власть, исполнительный орган; (Chief) E. *амер.* а) президент США; б) губернатор штата; в) мэр города; 2) *амер.* должностное лицо, руководитель, администратор (*фирмы, компании*); 3) *амер. воен.* начальник штаба (*части*); помощник командира.

executor [ɪg'zekjutə] *n юр.* 1) душеприказчик; 2) судебный исполнитель.

executrix [ɪg'zekjutrɪks] *n* душеприказчица.

exegesis [,eksɪ'dʒi:sɪs] *n* толкование (*особ. библии*).

exemplar [ɪg'zemplə] *n* 1) образец, пример для подражания; 2) тип; 3) экземпляр.

exemplary [ɪg'zemplərɪ] *a* 1) образцовый; примерный; 2) типичный, типовой; 3) иллюстративный.

exemplification [ɪg,zemplɪfɪ'keɪʃən] *n* 1) пояснение примером; иллюстрация; 2) *юр.* заверенная копия.

exemplify [ɪg'zemplɪfaɪ] *v* 1) приводить пример; 2) служить примером; 3) снимать и заверять копию.

**exempt** [ɪg'zempt] **1.** *a* 1) освобождённый (*от налога, военной службы и т. п.*); 2) свободный (*от недостатков и т. п.*); 3) *уст.* изъятый;
**2.** *v* 1) освобождать (*от обязанности, налога*; from); 2) *уст.* изымать.
**exemption** [ɪg'zempʃən] *n* освобождение (*от налога и т. п.*).
**exequatur** [ˌeksɪ'kweɪtə] *n* *дип.* экзекватура.
**exequies** ['eksɪkwɪz] *n pl* похороны.
**exercise** ['eksəsaɪz] **1.** *n* 1) упражнение; тренировка; five-finger ~s упражнения на рояле; Latin ~ школьный латинский перевод; 2) физическая зарядка; моцион; to take ~s делать моцион; заниматься спортом; 3) осуществление, проявление; the ~ of good will проявление доброй воли; 4) *pl воен.* строевое учение; 5) *pl амер.* торжества, празднества;
**2.** *v* 1) упражнять(ся); развивать, тренировать; 2) *воен.* проводить учение; обучаться; 3) выполнять (*обязанности*); 4) использовать, осуществлять (*права*); пользоваться (*правами*); 5) проявлять (*способности*); 6) беспокоить; I am ~d about his future меня беспокоит его будущее.
**exercitation** [eg,zə:sɪ'teɪʃən] *n* практика; тренировка.
**exergue** [ek'sə:g] *n* место для надписи и надпись (*на оборотной стороне монеты, медали*).
**exert** [ɪg'zə:t] *v* 1) напрягать (*силы*); осуществлять; to ~ oneself делать усилия, стараться; лезть из кожи вон; 2) оказывать давление; влиять; 3) *тех.* вызывать (*напряжение*).
**exertion** [ɪg'zə:ʃən] *n* 1) напряжение, усилие; 2) использование (*авторитета и т. п.*); 3) проявление (*силы воли, терпения*).
**exes** ['eksɪz] *n pl сокр. разг.* расходы.
**exeunt** ['eksɪʌnt] *лат. v театр.* «уходят» (*ремарка*).
**exfoliate** [eks'foulɪeɪt] *v* 1) распускаться (*о деревьях*); 2) лупиться, сходить слоями, шелушиться; отслаиваться; расслаиваться.
**exfoliation** [eks,foulɪ'eɪʃən] *n* шелушение, отслоение, расслоение *и пр.* [*см.* exfoliate].
**exhalation** [ˌekshə'leɪʃən] *n* 1) выдыхание; 2) испарение; 3) пар, туман; 4) взрыв, вспышка (*гнева и т. п.*).
**exhale** [eks'heɪl] *v* 1) выдыхать; производить выдох; 2) выделять (*пар и т. п.*); испаряться; 3) давать выход (*гневу и т. п.*).
**exhaust** [ɪg'zɔːst] **1.** *n тех.* 1) выхлопная труба; 2) выхлоп, выпуск; 2) *attr.* выхлопной, выпускной; ~ steam мятый, отработанный пар; ~ trails *ав.* видимый след от выхлопа;
**2.** *v* 1) истощать (*человека, силы; запасы и т. п.*); изнурять; to ~ oneself with work переутомляться от работы; 2) исчерпывать; to ~ the subject исчерпать тему; 3) разрежать, выкачивать, высасывать, вытягивать (*воздух*); выпускать (*пар*); 4) выталкивать.
**exhausted** [ɪg'zɔːstɪd] **1.** *p. p. от* exhaust 2;
**2.** *a* 1) истощённый, изнурённый; измученный; 2) исчерпанный.

**exhauster** [ɪg'zɔːstə] *n тех.* 1) всасывающий вентилятор, эксгаустер; 2) пылесос; 3) аспиратор.
**exhaustible** [ɪg'zɔːstəbl] *a* истощимый.
**exhausting** [ɪg'zɔːstɪŋ] **1.** *pres. p. от* exhaust 2;
**2.** *a* утомительный; изнурительный.
**exhaustion** [ɪg'zɔːstʃən] *n* 1) изнеможение, истощение; 2) вытягивание; высасывание; выпуск; 3) разрежение (*воздуха*).
**exhaustive** [ɪg'zɔːstɪv] *a* 1) истощающий; 2) исчерпывающий.
**exhibit** [ɪg'zɪbɪt] **1.** *n* 1) экспонат; 2) показ, экспонирование; 3) *юр.* вещественное доказательство;
**2.** *v* 1) показывать; проявлять; 2) выставлять; экспонировать(ся) на выставке.
**exhibition** [ˌeksɪ'bɪʃən] *n* 1) выставка; 2) показ, проявление; to make an ~ of oneself a) показывать себя с дурной стороны, вызывать осуждение; б) делать из себя посмешище; 3) стипендия; 4) *амер.* выпускной вечер (*в учебном заведении*).
**exhibitioner** [ˌeksɪ'bɪʃnə] *n* стипендиат.
**exhibitionism** [ˌeksɪ'bɪʃnɪzəm] *n* 1) *мед.* эксгибиционизм; 2) склонность к саморекламе, самолюбованию.
**exhibitionist** [ˌeksɪ'bɪʃnɪst] *n мед.* эксгибиционист.
**exhibitor** [ɪg'zɪbɪtə] *n* экспонент.
**exhilarate** [ɪg'zɪləreɪt] *v* развеселить; оживлять, подбодрять.
**exhilarated** [ɪg'zɪləreɪtɪd] **1.** *p. p. от* exhilarate;
**2.** *a* 1) весёлый; 2) навеселе, подвыпивший.
**exhilaration** [ɪg,zɪlə'reɪʃən] *n* 1) увеселение; 2) весёлость; радостное настроение.
**exhort** [ɪg'zɔːt] *v* 1) увещевать, убеждать, призывать; 2) предупреждать; 3) поддерживать, защищать (*реформу и т. п.*).
**exhortation** [ˌegzɔː'teɪʃən] *n* 1) увещевание, призыв; 2) проповедь; 3) предупреждение; 4) поддержка.
**exhortative** [ɪg'zɔːtətɪv] *a* увещевательный.
**exhumation** [ˌekshjuː'meɪʃən] *n* эксгумация, выкапывание (*трупа*).
**exhume** [eks'hjuːm] *v* 1) эксгумировать; 2) выкапывать из земли.
**exigence, -cy** ['eksɪdʒəns, -sɪ] *n* острая необходимость, крайность.
**exigent** ['eksɪdʒənt] *a* 1) не терпящий отлагательства, срочный; 2) требовательный.
**exigible** ['eksɪdʒɪbl] *a* подлежащий взысканию.
**exiguity** [ˌeksɪ'gjuːɪtɪ] *n* скудость, незначительность.
**exiguous** [eg'zɪgjuəs] *a* скудный, малый, незначительный.
**exile** ['eksaɪl] **1.** *n* 1) изгнание; ссылка; 2) изгнанник; ссыльный;
**2.** *v* изгонять; ссылать.
**exility** [eg'zɪlɪtɪ] *n* 1) тонкость; 2) незначительность.
**exist** [ɪg'zɪst] *v* 1) существовать; жить; 2) находиться, быть; lime ~s in many soils известь встречается во многих почвах.

**existence** [ɪɡ'zɪstəns] *n* 1) существова́ние; жизнь; a wretched ~ жа́лкое существова́ние; 2) нали́чие; всё существу́ющее; in ~ существу́ющий в приро́де; 3) существо́.

**existent** [ɪɡ'zɪstənt] *a* существу́ющий; происходя́щий; нали́чный.

**existentialism** [ˌeɡzɪs'tenʃəlɪzəm] *n* фило́с., лит. экзистенциали́зм.

**existentially** [ˌeɡzɪs'tenʃəlɪ] *adv:* to live ~ жить настоя́щим.

**exit** ['eksɪt] 1. *n* 1) вы́ход; 2) пра́во вы́хода; 3) ухо́д со сце́ны (*рема́рка; тж. перен.*); 4) смерть; 5) *attr.:* ~ flue *тех.* бо́ров, дымохо́д; ~ visa, ~ permit выездна́я ви́за; 2. *v театр.* «ухо́дит» (*рема́рка*).

**exitless** ['eksɪtlɪs] *a* не име́ющий вы́хода.

**ex-libris** [eks'laɪbrɪs] *лат. n* эксли́брис, кни́жный знак.

**exodus** ['eksədəs] *n* 1) ма́ссовый отъе́зд (*особ. об эмигра́нтах*); 2) *библ.* исхо́д евре́ев из Еги́пта; the E. Исхо́д (*2-я кни́га Ве́тхого заве́та*).

**ex officio** [ˌeksə'fɪʃɪou] *лат. a, adv* по до́лжности.

**exogamy** [ek'sɔɡəmɪ] *n* экзога́мия.

**exonerate** [ɪɡ'zɔnəreɪt] *v* снять бре́мя (*вины́, до́лга*); реабилити́ровать.

**exoneration** [ɪɡˌzɔnə'reɪʃən] *n* оправда́ние, реабилита́ция.

**exonerative** [ɪɡ'zɔnərətɪv] *a* снима́ющий бре́мя (*вины́, до́лга*); реабилити́рующий.

**exorbitance**, -**cy** [ɪɡ'zɔbɪtəns, -sɪ] *n* непоме́рность, чрезме́рность.

**exorbitant** [ɪɡ'zɔbɪtənt] *a* чрезме́рный, непоме́рный.

**exorcism** ['eksɔːsɪzəm] *n* заклина́ние, изгна́ние ду́хов.

**exorcize** ['eksɔːsaɪz] *v* заклина́ть, изгоня́ть ду́хов.

**exordia** [ek'sɔːdjə] *pl от* exordium.

**exordial** [ek'sɔːdɪəl] *a* вступи́тельный, вво́дный.

**exordium** [ek'sɔːdjəm] *n* (*pl* -dia, -diums [-dɪəmz]) вступле́ние, введе́ние (*в ре́чи, в тракта́те*).

**exosmose** ['eksɔzmous] = exosmosis.

**exosmosis** [ˌeksɔz'mousɪs] *n физ.* экзо́смос.

**exoteric** [ˌeksou'terɪk] *a* экзотери́ческий, общедосту́пный; поня́тный непосвящённым.

**exothermal** [ˌeksou'θəːml] *a физ.* экзотерми́ческий, с выделе́нием теплоты́.

**exotic** [eɡ'zɔtɪk] 1. *a* экзоти́ческий; иносе́мный; 2. *n* 1) экзоти́ческое расте́ние; 2) иностра́нное сло́во (*в языке́*).

**expand** [ɪks'pænd] *v* 1) расширя́ть(ся); увели́чивать(ся) в объёме; растя́гивать(ся); 2) расправля́ть (*кры́лья*); раски́дывать (*ве́тви*); 3) развива́ть(ся) (into); излага́ть подро́бно; распространя́ться; 4) *бот.* распуска́ться, расцвета́ть; 5) *мат.* раскрыва́ть (*фо́рмулу*).

**expanse** [ɪks'pæns] *n* 1) (широ́кое) простра́нство; протяже́ние; an ~ of lake (of field) пове́рхность о́зера (просто́р по́ля); 2) экспа́нсия, расшире́ние.

**expansibility** [ɪksˌpænsə'bɪlɪtɪ] *n* растя́жимость.

**expansible** [ɪks'pænsəbl] *a* растяжи́мый.

**expansion** [ɪks'pænʃən] *n* 1) расшире́ние; растяже́ние; распростране́ние; 2) экспа́нсия; 3) простра́нство, протяже́ние; 4) *мат.* раскры́тие (*фо́рмулы*); 5) *ком.* увеличе́ние торго́вого оборо́та; 6) *фин.* увеличе́ние де́нежного обраще́ния; 7) *тех.* раска́тка, развальцо́вка.

**expansive** [ɪks'pænsɪv] *a* 1) спосо́бный расширя́ться; расшири́тельный; 2) обши́рный; 3) экспанси́вный, открове́нный; откры́тый (*о хара́ктере*); an ~ smile располага́ющая улы́бка.

**expansivity** [ˌekspæn'sɪvɪtɪ] *n* экспанси́вность.

**expatiate** [eks'peɪʃɪeɪt] *v* 1) распространя́ться (upon—о чём-л.); 2) скита́ться; 3) броди́ть, блужда́ть (*о мы́слях*).

**expatriate** [eks'pætrɪeɪt] 1. *n* эмигра́нт; изгна́нник; 2. *v* 1) изгоня́ть из оте́чества; экспатри́ировать; 2) *refl.* эмигри́ровать; отка́зываться от гражда́нства.

**expatriation** [eksˌpætrɪ'eɪʃən] *n* вы́езд или изгна́ние из оте́чества; экспатриа́ция.

**expect** [ɪks'pekt] *v* 1) ожида́ть; she is ~ing она́ ожида́ет ребёнка, она́ бере́менна; 2) рассчи́тывать, наде́яться; 3) *разг.* предполага́ть, полага́ть, ду́мать.

**expectance**, -**cy** [ɪks'pektəns, -sɪ] *n* 1) ожида́ние; 2) предвкуше́ние; наде́жда, упова́ние; 3) вероя́тность.

**expectant** [ɪks'pektənt] 1. *n* кандида́т; претенде́нт; 2. *a* 1) ожида́ющий (of); ~ mother бере́менная же́нщина; 2) выжида́тельный; ~ policy выжида́тельная поли́тика; ~ treatment *мед.* выжида́тельная терапи́я; симптомати́ческое лече́ние; 3) рассчи́тывающий (*на получе́ние чего́-л.*).

**expectation** [ˌekspek'teɪʃən] *n* 1) ожида́ние; 2) наде́жда, предвкуше́ние; *pl* ви́ды на бу́дущее, на насле́дство; beyond (contrary to) ~ сверх (про́тив) ожида́ния; 3) *мед.* выжида́тельный ме́тод (*лече́ния*); 4) вероя́тность; ~ of life вероя́тная продолжи́тельность жи́зни (*ци́фры, стати́стически вы́веденные для любо́го во́зраста*).

**expectative** [eks'pektətɪv] *a* 1) ожида́емый; 2) возвраща́ющийся, обра́тный.

**expectorant** [eks'pektərənt] 1. *a мед.* отха́ркивающий; 2. *n* отха́ркивающее сре́дство.

**expectorate** [eks'pektəreɪt] *v* отха́ркивать, отка́шливать, плева́ть.

**expectoration** [eksˌpektə'reɪʃən] *n* 1) отха́ркивание и пр. [*см.* expectorate]; 2) вы́деленная мокро́та.

**expedience**, -**cy** [ɪks'piːdjəns, -sɪ] *n* целесообра́зность; вы́годность.

**expedient** [ɪks'piːdjənt] 1. *a* подходя́щий, надлежа́щий, целесообра́зный, соотве́тствующий (*обстоя́тельствам*); вы́годный; 2. *n* сре́дство для достиже́ния це́ли; приём, уло́вка; to go to every ~ пойти́ на всё.

**expedite** ['ekspɪdaɪt] 1. *a* бы́стрый; незатруднённый; 2. *v* 1) ускоря́ть; бы́стро выполня́ть; 2) устраня́ть препя́тствия; облегча́ть, упрощáть; to ~ matters упростить дéло; 3) быстро отправлять.

**expedition** [ˌekspɪ'dɪʃən] *n* 1) экспедиция; 2) быстротá; поспéшность.

**expeditionary** [ˌekspɪ'dɪʃənərɪ] *a* экспедициóнный; ~ force экспедициóнные войскá.

**expeditious** [ˌekspɪ'dɪʃəs] *a* быстрый, скóрый.

**expel** [ɪks'pel] *v* 1) выгонять, исключáть; удалять; 2) выбрáсывать, выталкивать.

**expellee** [ˌɪkspe'liː] *n* изгнáнник.

**expend** [ɪks'pend] *v* трáтить (on); расхóдовать.

**expendable** [ɪks'pendəbl] *a* 1) потребляемый; расхóдуемый; 2) невозвратимый.

**expendables** [ɪks'pendəblz] *n pl* пушечное мясо.

**expenditure** [ɪks'pendɪtʃə] *n* 1) трáта, расхóд; 2) потреблéние.

**expense** [ɪks'pens] *n* 1) (*обыкн. pl*) трáта, расхóд; heavy ~s большие расхóды; to cut down ~s сократить расхóды; 2) статья расхóда; 3) ценá; at the ~ of one's life ценóй жизни; to profit at the ~ of another получить выгоду за счёт другóго; ◇ they are laughing at my ~ они смеются надо мнóй.

**expensive** [ɪks'pensɪv] *a* дорогóй, дóрого стóящий.

**expensively** [ɪks'pensɪvlɪ] *adv* дóрого, по дорогóй ценé.

**expensiveness** [ɪks'pensɪvnɪs] *n* дороговизна; дорогáя ценá.

**experience** [ɪks'pɪərɪəns] 1. *n* 1) (жизненный) óпыт; to know smth. by (*или* from) ~ знать что-л. по óпыту; to learn by ~ познáть что-л. на (гóрьком) óпыте; 2) пережувáние; 3) случáй; an unpleasant ~ неприятный случáй; 4) *pl* (по)знáния; 5) стаж практической деятельности; 6) квалификáция, мастерствó;

2. *v* испытывать, знать по óпыту.

**experienced** [ɪks'pɪərɪənst] 1. *p. p. от* experience 2;

2. *a* óпытный, знáющий.

**experiential** [ɪks,pɪərɪ'enʃəl] *a* оснóванный на óпыте; эмпирический.

**experiment** 1. *n* [ɪks'perɪmənt] óпыт, эксперимéнт;

2. *v* [ɪks'perɪment] производить óпыты, эксперименти́ровать (on, with).

**experimental** [eks,perɪ'mentl] *a* 1) эксперимéнтальный, оснóванный на óпыте; 2) прóбный; 3) подóпытный.

**experimentalize** [eks,perɪ'mentəlaɪz] *v* производить óпыты, эксперименти́ровать.

**experimentally** [eks,perɪ'mentəlɪ] *adv* óпытным путём, в порядке óпыта.

**experimentation** [eks,perɪmen'teɪʃən] *n* эксперименти́рование.

**expert** [ 'ekspəːt] 1. *n* 1) знатóк, экспéрт, специалист; 2) *attr.*: ~ evidence мнéние, показáние специалистов;

2. *a* óпытный, искýсный (at, in—в); квалифици́рованный.

**expertise** [ˌekspe'tiːz] *n* экспертиза.

**expiate** [ 'ekspɪeɪt] *v* искупáть (*вину*).

**expiation** [ˌekspɪ'eɪʃən] *n* искуплéние.

**expiatory** [ 'ekspɪətərɪ] *a* искупительный.

**expiration** [ˌekspaɪə'reɪʃən] *n* 1) выдыхáние; выдох; 2) окончáние, истечéние (*срока*).

**expiratory** [ɪks'paɪərətərɪ] *a* выдыхáтельный, экспирáторный.

**expire** [ɪks'paɪə] *v* 1) выдыхáть; 2) кончáться, истекáть (*о сроке*); терять силу (*о законе и т. п.*); 3) умирáть, угасáть.

**expiry** [ɪks'paɪərɪ] *n* окончáние, истечéние срóка.

**explain** [ɪks'pleɪn] *v* 1) объяснять; толковáть (*значение*); 2) опрáвдывать, объяснять (*поведение*); to ~ oneself объясниться; предстáвить объяснéния в своё оправдáние; □ ~ away опрáвдываться.

**explainable** [ɪks'pleɪnəbl] *a* объяснимый; поддающийся толковáнию.

**explanation** [ˌeksplə'neɪʃən] *n* 1) объяснéние; 2) толковáние.

**explanatory** [ɪks'plænətərɪ] *a* объяснительный; толкóвый (*о словаре*).

**expletive** [eks'pliːtɪv] 1. *a* служащий для заполнéния пустóго мéста, для украшéния; служащий для ритма; дополнительный, вставнóй;

2. *n* 1) вставнóе слóво; 2) прислóвье *или* брáнное выражéние.

**explicable** [ 'eksplɪkəbl] *a* объяснимый.

**explicate** [ 'eksplɪkeɪt] *v* объяснять, развивáть (*идею*).

**explication** [ˌeksplɪ'keɪʃən] *n* 1) объяснéние; толковáние; 2) развёртывание (*лепестков*).

**explicative** [eks'plɪkətɪv] *a* объяснительный.

**explicatory** [eks'plɪkətərɪ] = explicative.

**explicit** [ɪks'plɪsɪt] *a* ясный, подрóбный, выска́занный до концá; явный; тóчный, определённый; he is quite ~ on the point он совершéнно тóчно формули́рует своё мнéние по этому вопрóсу.

**explode** [ɪks'pləud] *v* 1) взрывáть(ся); 2) разбивáть, подрывáть (*предрассудок, теорию и т. п.*); 3) разражáться (*гневом и т. п.*); 4) распускáться (*о цветах*).

**exploded** [ɪks'pləudɪd] 1. *p. p. от* explode; 2. *a*: ~ custom упразднённый обычай.

**exploit** I [ 'eksplɔɪt] *n* пóдвиг.

**exploit** II [eks'plɔɪt] *v* 1) эксплуати́ровать; 2) разрабáтывать (*копи*); 3) *воен.* развивáть (*успех*).

**exploitation** [ˌeksplɔɪ'teɪʃən] *n* 1) эксплуатáция; 2) *горн.* разрабóтка месторождéния; выявлéние запáсов ископáемых.

**exploiter** [ɪks'plɔɪtə] *n* эксплуатáтор.

**exploration** [ˌeksplɔː'reɪʃən] *n* 1) исслéдование; 2) *воен.* дáльняя развéдка.

**explorative** [eks'plɔːrətɪv] = exploratory.

**exploratory** [eks'plɔːrətərɪ] *a* исслéдующий; исслéдовательский.

**explore** [ɪks'plɔː] *v* 1) исслéдовать; обслéдовать; изучáть; 2) *воен.* развéдывать; 3) исслéдовать, зонди́ровать (*рану*); 4) *горн., геол.* развéдывать.

**explorer** [ɪks'plɔːrə] *n* 1) исслéдователь; 2) *мед.* зонд.

**explosion** [ɪks'pləuʒən] *n* 1) взрыв; 2) вспышка (*гнева и т. п.*); 3) *attr.*: ~ engine *тех.* двигатель внутреннего сгорáния.

**explosive** [ɪks'plousɪv] **1.** *a* 1) взры́вчатый; ~ bomb фуга́сная бо́мба; ~ bullet разрывна́я пу́ля; 2) вспы́льчивый; 3) взры́вной (*о звуке*);
**2.** *n* 1) взры́вчатое вещество́; high ~ дробя́щее взры́вчатое вещество́; 2) = plosive 2.

**exponent** [eks'pounənt] **1.** *n* 1) истолкова́тель; 2) представи́тель (*теории, направления и т. п.*); 3) исполни́тель (*музыкального произведения и т. п.*); 4) образе́ц, тип; 5) *мат.* показа́тель сте́пени;
**2.** *a* объясни́тельный.

**exponential** [ˌekspou'nenʃəl] *a мат.* экспоне́нтный, показа́тельный.

**export 1.** *n* ['ekspɔːt] 1) э́кспорт, вы́воз; 2) предме́т вы́воза; 3) (*обыкн. pl*) о́бщее коли́чество, о́бщая су́мма вы́воза; 4) *attr.* э́кспортный, вывозно́й; ~ duty вывозна́я по́шлина;
**2.** *v* [eks'pɔːt] экспорти́ровать, вывози́ть (*товары*).

**exportation** [ˌekspɔː'teɪʃən] *n* вы́воз, экспорти́рование.

**exporter** [eks'pɔːtə] *n* экспортёр.

**expose** [ɪks'pouz] *v* 1) выставля́ть, подверга́ть де́йствию (*солнца, ветра и т. п.*); оставля́ть незащищённым; a house ~d to the south дом, обращённый на юг; 2) подверга́ть (*опасности, риску и т. п.*); броса́ть на произво́л судьбы́; to ~ to difficulties ста́вить в затрудни́тельное положе́ние; to ~ a child оста́вить ребёнка на произво́л судьбы́, подки́нуть ребёнка; 3) выставля́ть (*напоказ, на продажу*); 4) раскрыва́ть (*секрет*); 5) разоблача́ть; 6) *фото* де́лать вы́держку.

**exposé** [eks'pouzeɪ] *фр. n* публи́чное разоблаче́ние.

**exposition** [ˌekspə'zɪʃən] *n* 1) описа́ние, изложе́ние; толкова́ние; 2) вы́ставка; 3) *фото* вы́держка, экспози́ция.

**expositive** [eks'pɔzɪtɪv] *a* описа́тельный; объясни́тельный.

**expositor** [eks'pɔzɪtə] *n* толкова́тель; коммента́тор.

**expository** [eks'pɔzɪtərɪ] *a* объясни́тельный.

**expostulate** [ɪks'pɔstjuleɪt] *v* 1) дру́жески пеня́ть; увещева́ть (with—*кого-л.*; about, for, on—в *чём-л.*); 2) *уст.* спо́рить; 3) *уст.* протестова́ть.

**expostulation** [ɪksˌpɔstju'leɪʃən] *n* увещева́ние, попы́тка разубеди́ть.

**expostulatory** [ɪks'pɔstjulətərɪ] *a* увещева́тельный.

**exposure** [ɪks'pouʒə] *n* 1) выставле́ние (*на солнце, под дождь и т. п.*); 2) подверга́ние (*риску, опасности и т. п.*); 3) оставле́ние (*ребёнка*) на произво́л судьбы́; 4) разоблаче́ние; 5) вы́воз (*гл. обр. товаров*); 6) местоположе́ние, вид; to have a southern ~ выходи́ть (*или* быть обращённым) на юг; 7) *фото* экспози́ция: 8) *геол.* обнаже́ние (*или* вы́ход) пласто́в; 9) метеорологи́ческая сво́дка.

**expound** [ɪks'paund] *v* 1) излага́ть; 2) разъясня́ть, толкова́ть.

**express** [ɪks'pres] **1.** *n* 1) *ж.-д.* экспре́сс; 2) сро́чное (почто́вое) отправле́ние; 3) курье́р, на́рочный; 4) *амер.* пересы́лка де́нег, багажа́, това́ров и т. п. с на́рочным или че́рез посре́дство тра́нспортной конто́ры; 5) *амер.* ча́стная тра́нспортная конто́ра (*тж.* ~ company);
**2.** *a* 1) определённый, то́чно вы́раженный; the ~ image of his person его́ то́чная ко́пия; 2) специа́льный, наро́читый; 3) сро́чный; курье́рский; ~ train курье́рский по́езд, экспре́сс; ~ delivery сро́чная доста́вка; ~ bullet пу́ля с высо́кой нача́льной ско́ростью; ~ rifle винто́вка с высо́кой нача́льной ско́ростью;
**3.** *adv* 1) спе́шно, о́чень бы́стро; с на́рочным; 2): to travel ~ е́хать экспре́ссом;
**4.** *v* 1) выража́ть (пря́мо, я́сно); to be unable to ~ oneself не уме́ть вы́сказаться, вы́разиться; the agreement ~ed so as... соглаше́ние предусма́тривает...; 2) выжима́ть (from, out of); 3) отправля́ть сро́чной по́чтой *или* с на́рочным (*письмо, посылку*); 4) *амер.* отправля́ть че́рез посре́дство тра́нспортной конто́ры (*багаж и т. п.*); 5) е́хать экспре́ссом.

**expressible** [ɪks'presəbl] *a* вырази́мый.

**expression** [ɪks'preʃən] *n* 1) выраже́ние; beyond ~ невырази́мо; to give ~ to one's feelings выража́ть свои́ чу́вства, дава́ть вы́ход свои́м чу́вствам; 2) выраже́ние, оборо́т ре́чи; 3) вырази́тельность, экспре́ссия.

**expressionism** [ɪks'preʃnɪzəm] *n иск.* экспрессиони́зм.

**expressive** [ɪks'presɪv] *a* 1) выража́ющий; 2) вырази́тельный; многозначи́тельный.

**expressly** [ɪks'preslɪ] *adv* 1) наро́чито; специа́льно; 2) то́чно, я́сно.

**expressman** [ɪks'presmæn] *n амер.* аге́нт тра́нспортной конто́ры.

**exprobration** [ˌeksprə'breɪʃən] *n* брань, ру́гань.

**expropriate** [eks'prouprɪeɪt] *v* 1) экспроприи́ровать; 2) отчужда́ть, лиша́ть.

**expropriation** [eksˌprouprɪ'eɪʃən] *n* 1) экспроприа́ция; 2) отчужде́ние; конфиска́ция иму́щества.

**expulsion** [ɪks'pʌlʃən] *n* 1) изгна́ние; исключе́ние (*из школы, клуба*); 2) *тех.* вы́хлоп, вы́пуск; выбра́сывание, выта́лкивание.

**expulsive** [ɪks'pʌlsɪv] *a* изгоня́ющий.

**expunge** [eks'pʌndʒ] *v* вычёркивать (*из списка, из книги*).

**expurgate** ['ekspəɡeɪt] *v* вычёркивать нежела́тельные места́ (*в книге*).

**expurgation** [ˌekspə'ɡeɪʃən] *n* вычёркивание (*нежелательных мест в книге*).

**exquisite** ['ekskwɪzɪt] **1.** *n* фат; щёголь.
**2.** *a* 1) изы́сканный, утончённый; 2) преле́стный; 3) о́стрый (*об ощущении*).

**exsanguinate** [eks'sæŋɡwɪneɪt] *v* обескро́вить.

**exsanguine** [eks'sæŋɡwɪn] *a* бескро́вный, анеми́чный.

**exscind** [ek'sɪnd] *v* выреза́ть, удаля́ть.

**ex-service** ['eks'səːvɪs] *a* демобилизо́ванный, отставно́й.

**ex-serviceman** ['eks'sə:vismən] *n* демобилизо́ванный *или* отставно́й вое́нный; уча́стник войны́.

**exsiccate** ['eksıkeıt] *v* высу́шивать.

**exsiccation** [,eksı'keıʃən] *n* высу́шивание.

**extant** [eks'tænt] *a* сохрани́вшийся, существу́ющий в настоя́щее вре́мя, нали́чный.

**extasy** ['ekstəsı] = ecstasy.

**extemporaneity** [eks,tempərə'ni:ıtı] *n* импровизи́рованность, неподгото́вленность.

**extemporaneous** [eks,tempə'reınjəs] = extempore 1.

**extemporary** [ıks'tempərərı] = extempore 1.

**extempore** [eks'tempərı] 1. *a* неподгото́вленный, импровизи́рованный;
2. *adv* без подгото́вки, экспро́мтом.

**extemporization** [eks,tempəraı'zeıʃən] *n* импровиза́ция.

**extemporize** [ıks'tempəraız] *v* импровизи́ровать.

**extend** [ıks'tend] *v* 1) простира́ть(ся); тяну́ть(ся); 2) протя́гивать, вытя́гивать; натя́гивать (*проволоку между столбами и т. п.*); 3) расширя́ть (*дом и т. п.*); продолжа́ть (*дорогу и т. п.*); удлиня́ть (*срок*); 4) распространя́ть (*влияние*); 5) ока́зывать (*покровительство, внимание; to*); 6) *воен.* рассыпа́ть(ся) в цепь; 7) *спорт. разг.* напряга́ть си́лы.

**extended** [ıks'tendıd] 1. *p. p. om* extend; 2. *a* 1) протя́нутый; 2) дли́тельный; обши́рный; 3) продо́лженный; 4) протяжённый; ~ order *воен.* расчленённый поря́док *или* строй; 5) *грам.* распространённый; simple ~ sentence просто́е распространённое предложе́ние.

**extendible** [ıks'tendəbl] = extensible.

**extensibility** [ıks,tensə'bılıtı] *n* растяжи́мость.

**extensible** [ıks'tensəbl] *a* растяжи́мый.

**extensile** [eks'tensaıl] *a физиол.* растяжи́мый.

**extension** [ıks'tenʃən] *n* 1) вытя́гивание; 2) протяже́ние; протяжённость; 3) расшире́ние, распростране́ние; удлине́ние; продолже́ние, разви́тие; to put an ~ to one's house сде́лать пристро́йку к до́му; University E. популя́рные ле́кции и практи́ческие заня́тия, организу́емые университе́том для лиц, не явля́ющихся студе́нтами; 4) отсро́чка, продле́ние; 5) *ком.* отделе́ние; 6) *ж.-д.* ве́тка; 7) *мед.* вытяже́ние, растяже́ние; 8) *тех.* наста́вка, удлине́ние; 9) междугоро́дная телефо́нная связь; 10) *воен.* размыка́ние (*строя*); 11) *attr.*: ~ call вы́зов *или* разгово́р по междугоро́дному телефо́ну.

**extension drill** [ıks'tenʃən,drıl] *n воен.* уче́ние в расчленённых строя́х, обуче́ние рассыпно́му стро́ю.

**extensionist** [ıks'tenʃənıst] *n* сторо́нник иде́и *или* слу́шатель University Extension [*см.* extension 3)].

**extensive** [ıks'tensıv] *a* 1) обши́рный, простра́нный; 2) далеко́ иду́щий; ~ plans широ́кие пла́ны; 3) *с.-х.* экстенси́вный.

**extensively** [ıks'tensıvlı] *adv* 1) широко́; 2) простра́нно.

**extensor** [ıks'tensə] *n анат.* разгиба́ющая мы́шца, разгиба́тель.

**extent** [ıks'tent] *n* 1) протяже́ние, простра́нство; 2) сте́пень, ме́ра; to what ~? до како́й сте́пени, наско́лько?; to a great ~ в значи́тельной сте́пени; to the full ~ of one's power в по́лную си́лу; to such an ~ до тако́й сте́пени; to exert oneself to the utmost ~ стара́ться изо всех сил.

**extenuate** [eks'tenjueıt] *v* 1) ослабля́ть; 2) стара́ться найти́ извине́ние; уменьша́ть (*вину*); 3) служи́ть оправда́нием, извине́нием.

**extenuation** [eks,tenju'eıʃən] *n* 1) изнуре́ние, истоще́ние; ослабле́ние; 2) извине́ние, части́чное оправда́ние.

**exterior** [eks'tıərıə] 1. *n* 1) вне́шность, нару́жность; вне́шняя, нару́жная сторона́; 2) экстерье́р; 2. *a* 1) вне́шний, нару́жный; ~ angle вне́шний у́гол; 2) иностра́нный.

**exteriority** [eks,tıərı'ɔrıtı] *n* вне́шняя сторона́; положе́ние вне чего́-л.

**exteriorize** [eks'tıərıəraız] = externalize.

**exterminate** [eks'tə:mıneıt] *v* искореня́ть; истребля́ть.

**extermination** [eks,tə:mı'neıʃən] *n* уничтоже́ние, истребле́ние; искорене́ние.

**exterminator** [eks'tə:mıneıtə] *n* истреби́тель(ница).

**exterminatory** [eks'tə:mınətərı] *a* истребля́ющий, истреби́тельный.

**external** [eks'tə:nl] 1. *a* 1) нару́жный, вне́шний; for ~ use only то́лько для нару́жного употребле́ния; ~ world вне́шний мир, мир вне нас; 2) иностра́нный, вне́шний (*о политике, торговле*); 2. *n pl* 1) вне́шность; вне́шнее, несуще́ственное; to judge by ~s суди́ть по вне́шности; 2) вне́шние обстоя́тельства.

**externality** [,ekstə:'nælıtı] *n* вне́шность.

**externalize** [eks'tə:nəlaız] *v* воплоща́ть, придава́ть материа́льную фо́рму; облека́ть в конкре́тную фо́рму.

**exterritorial** ['eks,terı'tɔːrıəl] *a* экстерриториа́льный.

**exterritoriality** ['eks,terı,tɔːrı'ælıtı] *n* экстерриториа́льность.

**extinct** [ıks'tıŋkt] *a* 1) поту́хший; ~ volcano поту́хший вулка́н; 2) уга́сший (*о чувствах, жизни и т. п.*); 3) вы́мерший; 4) не име́ющий продолжа́теля ро́да, насле́дника (*дворянского титула*).

**extinction** [ıks'tıŋkʃən] *n* 1) туше́ние; 2) угаса́ние, потуха́ние; 3) гаше́ние (*извести*); 4) вымира́ние (*рода*); 5) прекраще́ние (*вражды*); 6) *юр.* погаше́ние (*долга*).

**extinguish** [ıks'tıŋgwıʃ] *v* 1) гаси́ть, туши́ть; 2) затмева́ть; 3) уничтожа́ть, убива́ть (*надежду, любовь, жизнь*); 4) *юр.* выпла́чивать, погаша́ть, аннули́ровать; ◇ to take oil to ~ the fire ≈ подлива́ть ма́сла в ого́нь.

**extinguisher** [ıks'tıŋgwıʃə] *n* гаси́тель; огнетуши́тель.

**extirpate** ['ekstə:peıt] *v* 1) искореня́ть, вырыва́ть с ко́рнем; истребля́ть; 2) *мед.* удаля́ть.

**extirpation** [ˌekstəːˈpeɪʃən] n 1) искоренéние, истреблéние; 2) *мед.* удалéние.

**extirpator** [ˈekstəːpeɪtə] n 1) тот, кто искорéняет; 2) *с.-х.* экстирпáтор, культивáтор.

**extol** [ɪksˈtɔl] v превозносить.

**extort** [ɪksˈtɔːt] v вымогáть (*дéньги*); выпытывать (*тайну и т. п.*).

**extortion** [ɪksˈtɔːʃən] n вымогáтельство; назначéние грабительских цен.

**extortionate** [ɪksˈtɔːʃnɪt] a вымогáтельский; грабительский (*о цéнах*).

**extortioner** [ɪksˈtɔːʃnə] n вымогáтель, грабитель.

**extra** [ˈekstrə] 1. n 1) что-л. дополнительное, сверх прогрáммы; приплáта; service, fire and light are ~s за услуги, отоплéние и освещéние плáта особо; 2) высший сорт; 3) экстренный выпуск (*газéты*); 4) *кино* статист;

2. a 1) добáвочный, дополнительный; экстренный; ~ duty дополнительные обязанности; 2) высшего кáчества;

3. *adv* 1) особо, особенно; 2) дополнительно; charged ~ оплáчиваемый дополнительно.

**extra-** [ˈekstrə-] *pref* сверх-, особо-, вне-, экстра-; *напр.*: extraordinary необычный, чрезвычáйный; extra-territorial экстерриториáльный; extracellular внеклéточный.

**extract** 1. n [ˈekstrækt] 1) *хим.* экстрáкт; 2) выдержка, извлечéние (*из книги*);

2. v [ɪksˈtrækt] 1) вытáскивать, удалять (*зуб*); извлекáть (*пулю*); выжимáть (*сок*); вырывáть (*соглáсие и т. п.*); извлекáть (*выгоду, удовóльствие*); to ~ information выудить свéдения; 3) выпáривать экстрáкт; 4) *мат.* извлекáть (*кóрень*); 5) выбирáть (*примéры, цитáты*); дéлать выдержки.

**extraction** [ɪksˈtrækʃən] n 1) извлечéние; добывáние; экстрáкция; 2) происхождéние; of Indian ~ индиéц по происхождéнию; 3) экстрáкт, эссéнция.

**extractive** [ɪksˈtræktɪv] 1. a 1) извлекáемый, добывáемый; 2) добывáющий; ~ industries добывáющие óтрасли промышленности; 3) экстрактивный;

2. n экстрáкт.

**extractor** [ɪksˈtræktə] n 1) лицó или приспособлéние, извлекáющее, добывáющее что-л.; экстрáктор; 2) корчевáльная машина; 3) *мед.* щипцы; 4) выбрáсыватель (*в оружии*).

**extraditable** [ˈekstrədaɪtəbl] a 1) подлежáщий выдаче (*о преступнике*); 2) обуслóвливающий выдачу (*преступника*).

**extradite** [ˈekstrədaɪt] v выдавáть (*преступника другóму госудáрству, другóй организáции*).

**extradition** [ˌekstrəˈdɪʃən] n выдача (*преступника другóму госудáрству, другóй организáции*).

**extra-judicial** [ˈekstrədʒuːˈdɪʃəl] a *юр.* не относящийся к рассмáтриваемому дéлу; неофициáльный; сдéланный вне заседáния судá (*о заявлéнии сторóн*).

**extra-mundane** [ˈekstrəˈmʌndeɪn] a потусторóнний.

**extra-mural** [ˈekstrəˈmjuərəl] a: ~ interment погребéние вне городских стен; ~ teaching, ~ courses лéкции и занятия университéтских преподавáтелей вне стен университéта (*для лиц, не являющихся студéнтами*).

**extraneous** [eksˈtreɪnjəs] a чуждый, посторóнний.

**extra-official** [ˈekstrəəˈfɪʃəl] a не входящий в круг обычных обязанностей.

**extraordinarily** [ɪksˈtrɔːdnrɪlɪ] *adv* совершéнно необычно, необычáйным óбразом.

**extraordinary** [ɪksˈtrɔːdnrɪ] a 1) необычáйный, чрезвычáйный; экстраординáрный; 2) необычный, стрáнный; удивительный; 3) [ˌekstrəˈɔːdnrɪ] *дип.* чрезвычáйный (*послáнник и т. п.*).

**extrapolation** [ˌekstrəpəˈleɪʃən] n *мат.* экстраполяция.

**extrasensory** [ˈekstrəˈsensərɪ] a *филос.* непознавáемый чýвствами.

**extra-territorial** [ˈekstrəˌterɪˈtɔːrɪəl] = exterritorial.

**extravagance, -cy** [ɪksˈtrævɪgəns, -sɪ] n 1) расточительность; 2) сумасбрóдство, нелéпость, излишество.

**extravagant** [ɪksˈtrævɪgənt] a 1) расточительный; 2) сумасбрóдный, нелéпый; 3) непомéрный (*о трéбованиях, ценé*); 4) *уст.* блуждáющий.

**extravaganza** [eksˌtrævəˈgænzə] n 1) фантастическая пьéса, постанóвка и т. п.; 2) нелéпая выходка.

**extravasation** [eksˌtrævəˈseɪʃən] n 1) кровоизлияние; 2) кровоподтёк, синяк.

**extra-violet** [ˌekstrəˈvaɪəlɪt] a *физ.* ультрафиолéтовый.

**extreme** [ɪksˈtriːm] 1. n 1) крáйняя стéпень, крáйность; to run to an ~ впадáть в крáйность; to go to ~s идти на крáйние мéры; in the ~ в высшей стéпени; ~s meet крáйности схóдятся; 2) *pl мат.* крáйние члéны (*пропóрции*).

2. a 1) крáйний; ~ old age глубóкая стáрость; ~ views крáйние, экстремистские взгляды; ~ youth рáнняя мóлодость; the ~ penalty (of the law) *юр.* высшая мéра наказáния; ~ reform радикáльная рефóрма; 2) чрезвычáйный; 3) послéдний; in one's ~ moments пéред смéртью.

**extremely** [ɪksˈtriːmlɪ] *adv* чрезвычáйно, крáйне; *разг.* óчень.

**extremeness** [ɪksˈtriːmnɪs] n крáйность (*взглядов*).

**extremist** [ɪksˈtriːmɪst] n экстремист, сторóнник крáйних мер, крáйних взглядов.

**extremity** [ɪksˈtremɪtɪ] n 1) конéц, край, оконéчность; 2) *pl* конéчности; 3) крáйность, крáйняя нуждá; to drive smb. to ~ доводить когó-л. до крáйности, до отчáяния; 4) *pl* чрезвычáйные мéры.

**extricate** [ˈekstrɪkeɪt] v 1) выводить (*из затруднительного положéния*; from, out of); to ~ oneself а) выпýтываться; б) *воен.* отрывáться от противника; to ~ casualties *воен.* выносить рáненых; 2) разрешáть (*слóжную проблéму*); 3) *хим.* выделять, освобождáть (*газ и т. п.*).

**extrication** [ˌekstrɪ'keɪʃən] *n* 1) выпу́тывание; распу́тывание; 2) *хим.* выделе́ние.

**extrinsic(al)** [eks'trɪnsɪk(əl)] *a* 1) вне́шний, посторо́нний; 2) несво́йственный, непрису́щий.

**extrude** [eks'truːd] *v* 1) выта́лкивать, вытесня́ть; 2) *тех.* штампова́ть, прессова́ть, выда́вливать.

**extrusion** [eks'truːʒən] *n* 1) выта́лкивание, вытесне́ние; 2) *тех.* выда́вливание, штампо́вка с вы́тяжкой.

**exuberance, -cy** [ɪg'zjuːbərəns, -sɪ] *n* изоби́лие, избы́ток, бога́тство.

**exuberant** [ɪg'zjuːbərənt] *a* 1) оби́льный; ~ health избы́ток здоро́вья; 2) бу́йный, пы́шно расту́щий (*о растительности*); 3) бьющий че́рез край (*об энергии, веселье*); 4) плодови́тый (*о писателе и т. п.*); 5) многосло́вный, цвети́стый.

**exuberate** [ɪg'zjuːbəreɪt] *v редк.* изоби́ловать.

**exudation** [ˌeksjuː'deɪʃən] *n* 1) проступа́ние, выделе́ние (*пота*) че́рез по́ры; 2) *мед.* эксуда́т.

**exude** [ɪg'zjuːd] *v физиол., бот.* выделя́ть(ся); проступа́ть сквозь по́ры.

**exult** [ɪg'zʌlt] *v* ра́доваться, ликова́ть, торжествова́ть; to ~ at (*или* over) one's success ра́доваться свои́м успе́хам; to ~ in one's victory торжествова́ть свою́ побе́ду.

**exultancy** [ɪg'zʌltənsɪ] = exultation.

**exultant** [ɪg'zʌltənt] *a* лику́ющий.

**exultation** [ˌegzʌl'teɪʃən] *n* ликова́ние, торжество́.

**exuviae** [ɪg'zjuːviː] *n pl* 1) *зоол.* сбро́шенные при ли́ньке покро́вы живо́тных (*кожа, чешуя*); 2) *геол.* оста́тки первобы́тной фа́уны.

**exuviate** [ɪg'zjuːvɪeɪt] *v* линя́ть, сбра́сывать ко́жу, чешую́.

**exuviation** [ɪgˌzjuːvɪ'eɪʃən] *n* ли́нька, сбра́сывание ко́жи, чешуи́.

**eyas** ['aɪəs] *n* 1) молодо́й со́кол; 2) *attr.* неопери́вшийся; ~ thoughts незре́лые мы́сли.

**eye** [aɪ] **1.** *n* 1) глаз; о́ко; зре́ние; 2) взгляд; to give the glad ~ *разг.* бро́сить многообеща́ющий взгляд; 3) глазо́к (*в двери для наблюдения*); 4) ушко́ (*иголки*); пе́телька; прой́шина; 5) *бот.* глазо́к; 6) *горн.* у́стье ша́хты; 7) *амер. sl.* согляда́тай, осведоми́тель; ◇ black ~ а) подби́тый глаз; б) *амер.* прова́л, пораже́ние; a quick ~ о́стрый глаз, наблюда́тельность; a straight ~ ве́рный глаз, хоро́ший глазоме́р; to be all ~s гляде́ть во все глаза́; to have (*или* to keep) an ~ on smb., smth. следи́ть за кем-л., чем-л.; to close one's ~s to smth. закрыва́ть глаза́ на что-л., не замеча́ть чего-л.; to make ~s at smb. де́лать гла́зки кому́-л.; to have an ~ for а) облада́ть наблюда́тельностью; име́ть зо́ркий глаз; б) быть знатоко́м *чего-л.*; to see with half an ~ сра́зу уви́деть, поня́ть (*что-л.*); one could see it with half an ~ э́то бы́ло ви́дно с пе́рвого взгля́да; if you had half an ~ ... е́сли бы вы не́ были соверше́нно сле́пы...; up to the ~ in work

(in debt) ≅ по́ уши в рабо́те (в долгу́); ~s right! (left!, front!) *воен.* равне́ние напра́во! (нале́во!, пря́мо!) (*команда*); the ~ of day со́лнце; небе́сное о́ко; ~ for ~ *библ.* о́ко за о́ко; four ~s see more than two *посл.* ≅ ум хорошо́, а два лу́чше; to have ~s at the back of one's head всё замеча́ть; in the mind's ~ в воображе́нии, мы́сленно; in my ~s по-мо́ему; to keep one's ~s open (*или* clean, skinned, peeled) *sl.* смотре́ть в о́ба; держа́ть у́хо востро́; mind your ~ береги́тесь, бу́дьте осторо́жны; to make smb. open his ~s удиви́ть кого́-л.; to see ~ to ~ (with smb.) сходи́ться во взгля́дах (с кем-л.); it was a sight for sore ~s э́то ласка́ло глаз; (oh) my ~(s)! *восклицание удивления*; all my ~ (and Betty Martin)! чепуха́!, вздор!; **2.** *v* смотре́ть, при́стально разгля́дывать, наблюда́ть.

**eyeball** ['aɪbɔːl] *n* глазно́е я́блоко.

**eye-bath** ['aɪbɑːθ] *n* глазна́я ва́нночка.

**eye-beam** ['aɪbiːm] *n* бы́стрый взгляд.

**eyebright** ['aɪbraɪt] = euphrasy.

**eyebrow** ['aɪbrau] *n* 1) бровь; to raise the ~s подня́ть бро́ви (*выражая удивление или пренебрежение*); 2) *attr.*: ~ pencil каранда́ш для подведе́ния ресни́ц и брове́й.

**eye-glass** ['aɪglɑːs] *n* 1) ли́нза; окуля́р; 2) моно́кль; 3) *pl* пенсне́; лорне́т; очки́; 4) = eye-bath.

**eyehole** ['aɪhoul] *n* 1) глазна́я впа́дина; 2) = eyelet 2).

**eyelash** ['aɪlæʃ] *n* 1) ресни́чка; 2) (*тж. pl*) ресни́цы; ◇ without turning an ~ ни́мало не смуща́ясь.

**eyeless** ['aɪlɪs] *a* безгла́зый.

**eyelet** ['aɪlɪt] *n* 1) ушко́, пе́телька; небольшо́е отве́рстие; 2) глазо́к, щёлка (*для наблюдения*).

**eyelet-hole** ['aɪlɪthoul] *n* 1) = eyelet; 2) *мор.* лю́верс.

**eyelid** ['aɪlɪd] *n* ве́ко.

**eye-opener** ['aɪˌoupnə] *n* 1) *разг.* что-л. вызыва́ющее си́льное удивле́ние; что-л. открыва́ющее челове́ку глаза́ на действи́тельное положе́ние веще́й; 2) *sl.* глото́к спиртно́го (*особ. утром*).

**eyepiece** ['aɪpiːs] *n* окуля́р; окуля́рная тру́бка.

**eye-service** ['aɪˌsɜːvɪs] *n* 1) рабо́та, хорошо́ исполня́емая то́лько под наблюде́нием; 2) показна́я пре́данность.

**eyeshadow** ['aɪˌʃædou] *n* кра́ска для наведе́ния те́ни под ресни́цами.

**eyeshot** ['aɪʃɔt] *n* по́ле зре́ния; out of (within) ~ вне по́ля (в по́ле) зре́ния.

**eyesight** ['aɪsaɪt] *n* зре́ние.

**eye-slit** ['aɪslɪt] *n воен.* смотрова́я щель.

**eyesore** ['aɪsɔː] *n* что-л. проти́вное, оскорби́тельное (*для глаза*); бельмо́ на глазу́ (*перен.*).

**eye-spotted** ['aɪˌspɔtɪd] *a* испещрённый гла́зками, пя́тнышками.

**eye-stopper** ['aɪˌstɔpə] *n разг.* краса́тка.

**eye-tooth** ['aɪtuːθ] *n* глазно́й зуб; ◇ to cut one's eye-teeth стать, сде́латься благоразу́мным.

**eyewash** [′aɪwɔʃ] *n* 1) примо́чка для глаз; 2) *разг.* очковтира́тельство.

**eyewater** [′aɪˌwɔːtə] *n* 1) = eyewash 1); 2) слёзы; 3) *sl.* джин.

**eye-wink** [′aɪwɪŋk] *n* 1) взгляд; 2) миг.

**eye-winker** [′aɪˌwɪŋkə] *амер.* = eyelash.

**eyewitness** [′aɪ′wɪtnɪs] *n* очеви́дец; свиде́тель.

**eyot** [eɪt] = ait.

**eyre** [ɛə] *n* 1) о́круг; 2) объе́зд; 3) *ист.* выездна́я се́ссия суда́.

**eyrie** [′aɪərɪ] = aerie.

# F

**F, f** [ef] *n* (*pl* Fs, F's [efs]) 1) 6-я бу́ква англ. алфави́та; 2) *муз.* фа.

**fa** [fɑː] *n муз.* фа.

**Fabian** [′feɪbɪən] **1.** *a* 1) осторо́жный, выжида́тельный (*о политике, стратегии, тактике*); 2) фабиа́нский;
**2.** *n* фабиа́нец.

**fabianism** [′feɪbɪənɪzəm] *n* фабиа́нство.

**fable** [′feɪbl] **1.** *n* 1) ба́сня; 2) *собир.* ми́фы; 3) небыли́ца; вы́думка; ложь; 4) фа́була;
**2.** *v уст., поэт.* выду́мывать, расска́зывать ба́сни.

**fabled** [′feɪbld] **1.** *p. p. от* fable 2;
**2.** *a* 1) изве́стный по ба́сне; 2) легенда́рный, мифи́ческий; 3) ска́зочный; 4) вы́думанный.

**fabler** [′feɪblə] *n* 1) баснопи́сец; 2) ска́зочник; 3) сочини́тель небыли́ц, вы́думщик.

**fabliau** [′fæblɪou] *фр. n* (*pl* -aux) *лит.* фабльо́.

**fabliaux** [′fæblɪouz] *pl от* fabliau.

**fabric** [′fæbrɪk] *n* 1) ткань, мате́рия; материа́л; 2) изде́лие, фабрика́т; 3) вы́делка; 4) структу́ра, строе́ние, устро́йство; ~ of society обще́ственный строй; 5) сооруже́ние, зда́ние; о́стов; 6) *attr.* тка́ный, мате́рчатый; ~ gloves ни́тяные перча́тки.

**fabricant** [′fæbrɪkənt] *n амер.* 1) фабрика́нт; 2) строи́тель.

**fabricate** [′fæbrɪkeɪt] *v* 1) выду́мывать; to ~ a charge состря́пать обвине́ние; 2) подде́лывать (*документы*); 3) производи́ть, фабрикова́ть, выде́лывать, изготовля́ть; собира́ть из гото́вых часте́й; 4) *редк.* стро́ить.

**fabricated house** [′fæbrɪkeɪtɪdˌhaus] *n* станда́ртный дом; дом, изгото́вленный заво́дским спо́собом.

**fabrication** [ˌfæbrɪ′keɪʃən] *n* 1) вы́думка; 2) подде́лка; фальши́вка; 3) произво́дство, фабрика́ция; 4) *редк.* сооруже́ние.

**fabulist** [′fæbjulɪst] *n* 1) баснопи́сец; 2) вы́думщик, лгун.

**fabulosity** [ˌfæbju′lɔsɪtɪ] *n* басносло́вность; легенда́рность.

**fabulous** [′fæbjuləs] *a* 1) басносло́вный, мифи́ческий, легенда́рный; ~ wealth ска́зочное бога́тство; 2) невероя́тный, неправдоподо́бный; преувели́ченный.

**fabulously** [′fæbjuləslɪ] *adv* 1) басносло́вно, ска́зочно; 2) невероя́тно.

**façade** [fə′sɑːd] *фр. n* 1) фаса́д; 2) нару́жность, вне́шний вид.

**face** [feɪs] **1.** *n* 1) лицо́; лик; физионо́мия; ~ to ~ лицо́м к лицу́; in the ~ of а) пе́ред лицо́м; б) вопреки́; to smb.'s ~ откры́то, в лицо́; black (*или* blue, red)
in the ~ багро́вый (*от гнева, усилий и т. n.*); full ~ анфа́с; half ~ в про́филь; straight ~ бесстра́стное лицо́; 2) выраже́ние лица́; a sad ~, long ~ печа́льный вид; 3) грима́са; to draw (*или* to make) ~s ко́рчить ро́жи; 4) вне́шний вид; on the ~ of it су́дя по вне́шнему ви́ду; на пе́рвый взгляд; to put a new ~ on прида́ть друго́й вид; 5) пере́дняя, лицева́я сторона́, лицо́ (*ткани; тж.* ~ of cloth); 6) вид спе́реди; фаса́д; 7) на́глость; to have the ~ (to say) име́ть на́глость (сказа́ть *что-л.*); to show a ~ вызыва́юще держа́ться; 8) цифербла́т; 9) *тех.* (лобова́я) пове́рхность; срез, фа́ска; 10) *воен.* фас; right about ~! напра́во круго́м!; 11) *геом.* грань; 12) *горн.* забо́й; пло́скость забо́я; 13) торе́ц; 14) *полигр.* очко́ (*литеры*); 15) *стр.* ширина́, пласть (*доски*); ◇ to fly in the ~ of откры́то не повинова́ться; броса́ть вы́зов; не счита́ться (*с*); to save one's ~ спасти́ репута́цию, прести́ж; to lose ~ потеря́ть прести́ж; to set one's ~ against smth. (реши́тельно) проти́виться чему́-л.; to set one's ~ like a flint быть непрекло́нным; it's written all over his ~ ≅ э́то у него́ на лбу напи́сано;
**2.** *v* 1) стоя́ть лицо́м (*к чему-л.*); смотре́ть в лицо́; быть обращённым в определённую сто́рону; to ~ page 20 к страни́це 20 (*о рисунке*); the man now facing me челове́к, кото́рый нахо́дится передо мной; the problem that ~s us зада́ча, стоя́щая пе́ред на́ми; my windows ~ the sea мои́ о́кна выхо́дят на́ море; 2) встреча́ть сме́ло; смотре́ть в лицо́ без стра́ха; to ~ the facts смотре́ть в лицо́ фа́ктам; учи́тывать обстоя́тельства; 3) ста́лкиваться; 4) *спорт.* встреча́ться в спорти́вном состяза́нии; 5) полирова́ть; обта́чивать; 6) обкла́дывать, облицо́вывать (*камнем*); 7) отде́лывать (*платье*); 8) подкра́шивать (*чай*); □ ~ about *воен.* повора́чивать(ся) круго́м; ~ down осади́ть; запуга́ть; ~ out а) не испуга́ться, вы́держать сме́ло; б) вы́полнить *что-л.*; ~ up а) примири́ться с *чем-л.* неприя́тным (to); б) быть гото́вым встре́тить (to); ◇ to ~ the music а) встреча́ть, не дро́гнув, кри́тику *или* тру́дности; б) держа́ть отве́т, распла́чиваться; to ~ the knocker проси́ть ми́лостыню у двере́й.

**face-ache** [′feɪseɪk] *n* невралги́я.

**face card** [′feɪskɑːd] *n* фигу́ра (*в ка́ртах*).

**face-guard** [′feɪsgɑːd] *n спорт.* ма́ска для защи́ты лица́.

**face-lifting** [′feɪslɪftɪŋ] **1.** *n* космети́ческая опера́ция лица́ (*натя́гивание ко́жи и разгла́живание морщи́н*);

**2.** *a* старающийся исправить *или* скрыть ошибки (*о политике и т. п.*).

**facer** ['feɪsə] *n* 1) удар в лицо; 2) неожиданное затруднение.

**facet** ['fæsɪt] *n* 1) грань, фацет, фаска; 2) аспект.

**facetiae** [fə'siːʃɪiː] *лат. n pl* 1) шутки, остроты; 2) книги лёгкого *или* непристойного содержания.

**facetious** [fə'siːʃəs] *a* 1) шутливый; шуточный; 2) весёлый, живой.

**facetiously** [fə'siːʃəslɪ] *adv* шутливо; в шутку.

**face value** ['feɪs,væljuː] *n* номинальная стоимость (*монеты, марки и т. п.*); ◇ to accept (*или* to take) smth. at its ~ принимать что-л. за чистую монету.

**facia** ['feɪʃə] = fascia 2).

**facial** ['feɪʃəl] **1.** *a* лицевой (*тж. анат.*); ~ artery лицевая артерия; ~ angle лицевой угол; ~ expression выражение лица; **2.** *n* массаж лица.

**facile** ['fæsaɪl] *a* 1) лёгкий; 2) не требующий усилий, свободный (*о творчестве, речи и т. п.*); ~ verse гладкие стихи; 3) поспешный, поверхностный; 4) покладистый, уступчивый; снисходительный (*о человеке*).

**facilitate** [fə'sɪlɪteɪt] *v* облегчать; содействовать; способствовать; продвигать.

**facilitation** [fə,sɪlɪ'teɪʃən] *n* облегчение, помощь.

**facility** [fə'sɪlɪtɪ] *n* 1) лёгкость; отсутствие препятствий и помех; 2) лёгкость, плавность (*речи*); 3) податливость, уступчивость; 4) (*обыкн. pl*) благоприятные условия; льготы; 5) *pl* оборудование; приспособления; аппаратура; mechanical facilities технические приспособления; 6) *pl* средства обслуживания; удобства.

**facing** ['feɪsɪŋ] **1.** *pres. p. om* face 2; **2.** *n* 1) облицовка; лицевая отделка; 2) обточка (*на станке*); 3) отделка, кант; 4) *pl* отделка мундира (*обшлага, воротник и т. п. из материала другого цвета, кант*); 5) поворот в какую-л. сторону; 6) *pl воен.* повороты; ◇ to put smb. through his ~s проверить чьи-л. знания, «прощупать» кого-л.; подвергнуть кого-л. испытанию.

**facsimile** [fæk'sɪmɪlɪ] **1.** *n* факсимиле; in ~ в точности.
**2.** *v* воспроизводить в виде факсимиле.

**fact** [fækt] *n* 1) обстоятельство; факт; событие; явление; stark ~ голый, неприкрашенный факт; 2) истина, действительность; this is a ~ and not a matter of opinion это непреложный факт; 3) сущность, факт; the ~ that he was there, shows... то, что он был там, показывает...; the ~ is that дело в том, что; the ~ of the matter is that сущность заключается в том, что; ◇ in ~, as a matter of ~ фактически, на самом деле, в действительности; in point of ~ фактически.

**faction** ['fækʃən] *n* 1) фракция; 2) клика; 3) раздор, дух интриги.

**factionalism** ['fækʃənəlɪzəm] *n* фракционность.

**factious** ['fækʃəs] *a* фракционный, раскольнический.

**factiously** ['fækʃəslɪ] *adv* фракционно, раскольнически.

**factiousness** ['fækʃəsnɪs] *n* фракционность.

**factitious** [fæk'tɪʃəs] *a* искусственный; поддельный; найгранный.

**factitive** ['fæktɪtɪv] *a грам.* каузальный, фактитивный.

**factor** ['fæktə] *n* 1) фактор (*прогресса и т. п.*); 2) момент, особенность; 3) комиссионер; агент, посредник; 4) *шотл.* управляющий (*имением*); 5) *мат.* множитель; 6) *тех.* коэффициент, фактор; ~ of safety коэффициент безопасности; запас прочности.

**factorial I** [fæk'tɔːrɪəl] *n мат.* факториал.

**factorial II** [fæk'tɔːrɪəl] *a* фабричный.

**factory** ['fæktərɪ] *n* 1) завод, фабрика; 2) фактория; 3) *attr.* фабричный; ~ committee фабрично-заводской комитет; F. Acts фабричное законодательство; ~ system система крупной фабричной промышленности.

**factory-buster** ['fæktərɪ,bʌstə] *n разг.* тяжёлая фугасная бомба.

**factotum** [fæk'toutəm] *n* фактотум, доверенный слуга.

**factual** ['fæktjuəl] *a* фактический, действительный.

**facture** ['fæktʃə] *n* 1) *иск.* фактура; 2) *ком.* фактура, накладная.

**facultative** ['fækəltətɪv] *a* 1) факультативный, необязательный; 2) случайный; 3) свойственный, характерный.

**faculty** ['fækəltɪ] *n* 1) способность, дар; 2) область науки *или* искусства; 3) факультет; 4) профессорско-преподавательский состав; 5) (the F.) *распр.* лица медицинской профессии; 6) власть; право.

**fad** [fæd] *n* прихоть, причуда; фантазия; конёк; скоропроходящее увлечение (*чем-либо*); to be full of ~s and fancies иметь массу причуд и фантазий.

**faddiness** ['fædɪnɪs] *n* чудачество.

**faddist** ['fædɪst] *n* чудак.

**faddy** ['fædɪ] *a* чудаковатый; постоянно носящийся с каким-л. новым капризом *или* увлечением.

**fade** [feɪd] *v* 1) вянуть, увядать, блёкнуть; 2) выгорать, линять, блёкнуть; 3) постепенно исчезать (*часто* ~ away); all memory of the past has ~d воспоминание о прошлом изгладилось; 4) стираться, сливаться (*об оттенках*); замирать (*о звуках*); 5) обесцвечивать; □ ~ in *радио, кино, телев.* постепенно увеличивать силу звука *или* чёткость изображения; ~ out *радио, кино, телев.* постепенно уменьшать силу звука *или* чёткость изображения.

**fadeaway** ['feɪdə,weɪ] *n амер.* исчезновение.

**fade-in** ['feɪd'ɪn] *n кино, радио, телев.* постепенное появление (*звука или изображения*).

**fadeless** ['feɪdlɪs] *a* неувядающий.

**fade-out** ['feɪd'aut] *n кино, радио, телев.* постепенное исчезновение (*звука или изображения*).

**fading** ['feɪdɪŋ] 1. *pres. p. om* fade; 2. *n радио* затухание, фединг.

**faeces** ['fiːsɪz] *n pl* 1) осадок; 2) испражнёния; кал.

**Faerie, Faery** ['feɪərɪ] *n* 1) волшёбное царство; волшебство; 2) *attr.* волшёбный, феерический; воображаемый |*см. тж.* fairy 2].

**fag** [fæg] 1. *n* 1) тяжёлая, утомительная *или* скучная работа; 2) изнурёние, утомлёние; 3) младший ученик, оказывающий услуги старшему (*в англ. школах*); 4) *разг.* папироса.
2. *v* 1) (*тж.* ~ away) трудиться, корпёть (at—над); 2) утомляться (*тж.* ~ out); 3) пользоваться услугами младших товарищей; оказывать услуги старшим товарищам (*в англ. школах*); □ ~ out а) утомляться до изнеможёния; б) отбивать мяч (*в крикете*).

**fag-end** ['fæg'end] *n* негодный *или* ненужный остаток (*чего-л.*); окурок; the ~ of smth. (самый) конёц чего-л.; at the ~ of a book в самом концё книги; the ~ of the day конёц дня.

**faggot** ['fægət] 1. *n* 1) вязанка, охапка хвороста; пук прутьев; фашина; 2) *ист.* сожжёние (на кострё); 3) запечённая и приправленная рубленая печёнка; 4) *attr.*: ~ wood фашинник.
2. *v* вязать хворост в вязанки; связывать.

**faggot-vote** ['fægət,vout] *n* право голоса, создаваемое путём врёменной передачи имущества лицу, лишённому этого права на основании имущественного цёнза.

**fagot** ['fægət] = faggot.

**Fahrenheit** ['færənhaɪt] *n* термометр Фаренгейта, шкала термометра Фаренгейта.

**faience** [faɪ'ɑːns] *n* фаянс.

**fail** [feɪl] 1. *n* 1) неудачник; 2) провалившийся на экзамене; 3): without ~ наверняка, непремённо, обязательно;
2. *v* 1) потерпёть неудачу; не имёть успёха; my attempt has ~ed моя попытка не удалась; 2) *разг.* провалить(ся) на экзаменах; to ~ in mathematics провалиться по математике; 3) не сбываться, обманывать ожидания, не удаваться; the maize ~ed that year кукуруза не удалась в тот год; I will never ~ you я никогда вас не подведу; 4) изменять; покинуть; his courage ~ed him мужество оставило его; his heart ~ed him у него сёрдце упало, он испугался; 5) не исполнить, не сдёлать; не сумёть; забыть; don't ~ to let me know не забудьте дать мне знать; he ~ed to come он не пришёл; don't ~ to come обязательно приходите; he ~ed to see the difference он не смог увидеть разницу; I ~ to see your meaning не могу понять, о чём вы говорите; 6) недоставать, не хватать; имёть недостаток (*в чём-л.*); words ~ me не нахожу слов; this novel ~s in unity в этом романе нет единства; time would ~ me я не успёю, мне не позволит врёмя; 7) ослабевать, терять силы; his sight has ~ed of late его зрёние рёзко ухудшилось

за послёднее врёмя; ◇ who can ~ to feel his heart go out у кого не сожмётся сёрдце.

**failing** ['feɪlɪŋ] 1. *pres. p. om* fail 2;
2. *n* недостаток; слабость;
3. *a* 1) недостающий; 2) слабёющий;
4. *prep* за неимёнием; в случае отсутствия; ~ an answer to my letter I shall telegraph если я не получу отвёта на письмо, буду телеграфировать.

**faille** [feɪl] *фр. n текст.* фай.

**failure** ['feɪljə] *n* 1) неуспёх, неудача, провал; harvest ~ недород; to end in ~ кончиться неудачей; to meet with ~ потерпёть неудачу; the play was a ~ пьеса провалилась; 2) недостаток, отсутствие (*чего-л.*); 3) банкротство, несостоятельность; 4) неудачник; неудавшееся дёло; 5) небрёжность; 6) *тех.* авария, поврёждение; разрыв, расстройство; отказ в работе, остановка *или* перерыв в дёйствии; 7) *геол.* обвал, обрушение.

**fain I** [feɪn] 1. *a predic.* 1) принуждённый (to); he was ~ to comply он был вынужден согласиться; 2) *уст.* склонный, готовый сдёлать что-л.;
2. *adv* охотно, с радостью; he would ~ depart он рад был бы уйти.

**fain II** [feɪn] *v*: ~ I! чур я!

**fainéant** [,feɪneɪ'ɑ̃] *фр.* 1. *n* лентяй, бездёльник;
2. *a* ленивый, праздный.

**fains** [feɪnz] = fain II.

**faint** [feɪnt] 1. *n* обморок, потёря сознания; dead ~ полная потёря сознания;
2. *a* 1) слабый, слабёющий; вялый; 2) робкий; 3) тусклый, неотчётливый; блёдный; 4) недостаточный, незначительный, слабый; not the ~est hope ни малёйшей надёжды; 5) обморочный, близкий к обмороку; to feel ~ чувствовать дурноту; 6) приторный, тошнотворный; ~ scents приторные духи; ◇ ~ heart never won fair lady *посл.* ≈ сробёл—пропал (робость мешает успёху);
3. *v* 1) слабёть; падать в обморок; 2) *уст., поэт.* терять мужество.

**faint-heart** ['feɪnthɑːt] *n* трус; малодушный человёк; заячья душа.

**faint-hearted** ['feɪnt'hɑːtɪd] *a* трусливый, малодушный.

**faint-heartedly** ['feɪnt'hɑːtɪdlɪ] *adv* трусливо, малодушно.

**fainting-fit** ['feɪntɪŋfɪt] *n* обморок.

**faintly** ['feɪntlɪ] *adv* блёдно; слабо, едва.

**faintness** ['feɪntnɪs] *n* 1) слабость; 2) дурнота; 3) тусклость; блёдность.

**fair I** [fɛə] *n* 1) ярмарка; ~ га ~ толкучка, барахолка; Bartholomew F. *ист.* Варфоломёева ярмарка (*ежегодная ярмарка в Лондоне в день св. Варфоломея—24 августа*); 2) благотворительный базар; ◇ a day after the ~ слишком поздно; vanity ~ ярмарка тщеславия, базар житёйской суеты.

**fair II** [fɛə] 1. *a* 1) прекрасный, красивый; ~ one прекрасная *или* любимая жёнщина; ~ sex прекрасный пол, жёнщины; ~ writer писательница; 2) чистый, незапятнанный; ~ fame хорошая репутация;

~ copy чистови́к; 3) благоприя́тный; неплохо́й; ~ weather хоро́шая, я́сная пого́да; ~ wind попу́тный ве́тер; a ~ chance of success хоро́шие ша́нсы на успе́х; 4) белоку́рый; све́тлый; ~ complexion бе́лый (не сму́глый) цвет лица́; ~ man блонди́н; 5) че́стный; справедли́вый, беспристра́стный; зако́нный; it is ~ to say справедли́вость тре́бует отме́тить; ~ and square откры́тый, че́стный; ~ play игра́ по пра́вилам; *перен.* че́стная игра́, че́стность; by ~ means че́стным путём; ~ price справедли́вая, настоя́щая цена́; ~ trade a) торго́вля на осно́ве взаи́мности; б) *sl.* контраба́нда; 6) поря́дочный, значи́тельный; a ~ amount изря́дное коли́чество; 7) посре́дственный, сре́дний (*оценка зна́ний*); ~ to middling та́к себе, нева́жный; 8) ве́жливый, учти́вый; ◇ ~ field and no favour игра́ *или* борьба́ на ра́вных усло́виях; all's ~ in love and war *посл.* в любви́ и на войне́ все сре́дства хоро́ши;

2. *adv* 1) че́стно; to hit (to fight) ~ нанести́ уда́р (боро́ться) по пра́вилам; 2) любе́зно, учти́во; to speak smb. ~ любе́зно, ве́жливо поговори́ть с кем-л.; 3) изя́щно, грацио́зно; 4) пря́мо; я́сно; to strike ~ in the face уда́рить пря́мо в лицо́; ◇ ~ and softly! ти́ше!, ле́гче!; does the boat lie ~? *мор.* у бо́рта ли шлю́пка?;

3. *n уст.* краса́вица; the ~ *поэт.* прекра́сный пол; ◇ for ~ *амер.* действи́тельно, несомне́нно; none but the brave deserve the ~ *посл.* ≅ сме́лость города́ берёт.

**fair-dealing** [ˈfɛəˌdiːliŋ] 1. *n* че́стность, прямота́;
2. *a* че́стный.

**fairing** I [ˈfɛəriŋ] *n* гости́нец, пода́рок с я́рмарки; ◇ to get one's ~ получи́ть по заслу́гам.

**fairing** II [ˈfɛəriŋ] *n ав.* 1) обтека́тель; 2) уменьше́ние лобово́го сопротивле́ния.

**fairly** [ˈfɛəli] *adv* 1) справедли́во, беспристра́стно; 2) дово́льно; сно́сно; ~ well дово́льно хорошо́; 3) соверше́нно; весьма́; in ~ close relations в весьма́ бли́зких отноше́ниях; 4) *амер.* безусло́вно; факти́чески.

**Fair-maid** [ˈfɛəmeid] *n встреча́ется в назва́ниях разли́чных расте́ний, напр.*: February ~s подсне́жники.

**fair-maid** [ˈfɛəmeid] = fumade.

**fairness** [ˈfɛənis] *n* чистота́, незапя́тнанность, справедли́вость *и пр.* [*см.* fair II, 1].

**fair-spoken** [ˈfɛəˈspoukən] *a* обходи́тельный, ве́жливый, мя́гкий.

**fairway** [ˈfɛəwei] *n* 1) *мор.* фарва́тер; пра́вильный курс (*корабля́*); 2) *воен.* ход сообще́ния, по́дступ.

**fair-weather** [ˈfɛəˌweðə] *a* свя́занный с я́сной, хоро́шей пого́дой; ◇ ~ friends ненадёжные друзья́, друзья́ то́лько в сча́стье; ~ sailor нео́пытный *или* ро́бкий моря́к.

**fairy** [ˈfɛəri] 1. *n* фе́я; волше́бница; эльф; bad ~ злой дух, злой ге́ний;
2. *a* 1) волше́бный, ска́зочный; похо́жий на фе́ю; 2) вообража́емый.

**Fairyland** [ˈfɛərilænd] *n* ска́зочная, волше́бная страна́.

**fairy-mushroom** [ˈfɛəriˌmʌʃrum] *n* пога́нка (*гриб*).

**fairy-tale** [ˈfɛəriteil] *n* 1) (волше́бная) ска́зка; 2) вы́думка, небыли́ца, ска́зки.

**fait accompli** [ˌfetɑːˌkɔ̃ˈpliː] *фр. n* соверши́вшийся факт.

**faith** [feiθ] *n* 1) ве́ра, дове́рие; to pin one's ~ (to, upon *smb.*, *smth.*) сле́по ве́рить (*кому́-л.*, *чему́-л.*); полага́ться (на *кого́-л.*, *что-л.*); 2) ве́ра; рели́гия; 3) че́стность; ве́рность, лоя́льность; in good ~ че́стно; добросо́вестно; in bad ~ вероло́мно; 4) обеща́ние, руча́тельство, сло́во; to plight (to break) one's ~ дать (нару́шить) сло́во; ◇ by my ~!, in ~! кляну́сь (че́стью)!; ей-е́й!; in ~ whereof *канц.* в удостовере́ние чего́.

**faithful** [ˈfeiθful] 1. *a* 1) ве́рный, пре́данный; 2) ве́рующий, правове́рный; 3) правди́вый; заслу́живающий дове́рия, то́чный;
2. *n* (the ~) *pl собир.* ве́рующие; правове́рные; Father of the ~ кали́ф.

**faithfully** [ˈfeiθfuli] *adv* ве́рно; че́стно; yours ~ ≅ с соверше́нным почте́нием (*заключи́тельная фра́за письма́*).

**faithfulness** [ˈfeiθfulnis] *n* ве́рность, лоя́льность.

**faithless** [ˈfeiθlis] *a* 1) неве́рующий; неве́рный; 2) вероло́мный; ненадёжный.

**fake** I [feik] *v мор.* свёртывать (*кана́т*) в бу́хту.

**fake** II [feik] 1. *n* 1) подде́лка, фальши́вка; 2) плуто́вство;
2. *v* 1) подде́лывать, фабрикова́ть (*обыкн.* ~ up); 2) моше́нничать, одура́чивать.

**faker** [ˈfeikə] *n* 1) жу́лик; обма́нщик; 2) разно́счик; у́личный торго́вец; коробе́йник; 3) *амер.* литерату́рный пра́вщик.

**fakir** [ˈfɑːkiə] *n* 1) факи́р; 2) *амер. непр. вм.* faker.

**Falange** [fɑːˈlɑːŋhei] *n* фала́нга, фаши́стская организа́ция в Испа́нии.

**Falangist** [fəˈlændʒist] *n* фаланги́ст, член испа́нской фаши́стской организа́ции.

**falbala** [ˈfælbələ] *n* обо́рка; отде́лка.

**falcate** [ˈfælkeit] *a зоол.*, *бот.* серпови́дный.

**falcated** [ˈfælkeitid] *a астр.* серпови́дный (*о луне́*).

**falchion** [ˈfɔːltʃən] *n* коро́ткая широ́кая крива́я са́бля; *поэт.* меч.

**falciform** [ˈfælsifɔːm] *a анат.* серпови́дный.

**falcon** [ˈfɔːlkən] *n* 1) со́кол; 2) = falconet 2).

**falconer** [ˈfɔːlkənə] *n* соколи́ный охо́тник, соко́льничий.

**falconet** [ˈfɔːlkənet] *n* 1) *зоол.* сорокопу́т; 2) *ист.* фалько́нет (*пу́шка*).

**falconry** [ˈfɔːlkənri] *n* 1) соколи́ная охо́та; 2) вы́носка ло́вчих птиц.

**falderal** [ˈfældəˈræl] *n* 1) безделу́шка, украше́ние; 2) ничего́ не зна́чащий припе́в в стари́нных пе́снях.

**faldstool** [ˈfɔːldstuːl] *n* 1) складно́е кре́сло епи́скопа; 2) небольшо́й складно́й ана́лой.

**Falernian** [fəˈlɛːniən] *n* фале́рнское вино́.

**fall** [fɔːl] 1. *n* 1) паде́ние; сниже́ние; the F. of man *библ.* грехопаде́ние; 2) выпадение осадков; a heavy ~ of rain ливень; 3) *амер.* осень; 4) (*обыкн. pl*) водопад (*напр.*, Niagara Falls); 5) впадение (*реки и т. п.*); 6) уклон, обрыв, склон (*холма*); 7) количество сваленного леса; 8) борьба; to try a ~ with бороться с; 9) *гидр.* высота падения, перепад; 10) *тех.* напор, высота напора; 11) *тех.* верёвка подъёмного блока (*обыкн.* block and ~); 12) *мор.* фал; ◇ pride will have a ~ *посл.* ≈ гордый покичился да во прах скатился; спесь в добро не вводит, гордыня до добра не доведёт;

2. *v* (fell; fallen) 1) падать, спадать, опускаться; понижаться; the Neva has ~en вода в Неве спала; prices ~ цены понижаются; the curtain ~s занавес опускается; the temperature has ~en температура упала; похолодало; my spirits fell моё настроение упало; 2) пасть; впасть в грех; 3) гибнуть; to ~ in battle пасть в бою; быть убитым; the fortress fell крепость пала; 4) *глагол-связка* становиться; to ~ dumb онеметь; to ~ silent замолчать; to ~ asleep заснуть; to ~ ill заболеть; to ~ dead упасть замертво; to ~ astern *мор.* отстать; to ~ due подлежать уплате (*о векселе*); 5) приходиться, падать, доставаться; his birthday ~s on Monday день его рождения приходится на понедельник; the expense ~s on me расход падает на меня; 6) оседать, обваливаться; 7) впадать (*о реке*; into—в); 8) спускаться, сходить; night fell спустилась ночь; 9) стихать (*о ветре и т. п.*); 10) рождаться (*о ягнятах и т. п.*); 11) *уст.* отбивать (*уголь*); рубить (*лес*); валить (*дерево*); □ ~ abreast of не отставать от; идти в ногу с; ~ across встретить случайно; ~ among попасть случайно; ~ away а) покидать, отпадать, изменять; б) спадать; уменьшаться; в) чахнуть, сохнуть; ~ back отступать; to ~ back upon прибегать к *чему-л.*; б) *воен.* отступать к; ~ behind, ~ behindhand а) отставать, оставаться позади; б) опаздывать с уплатой; ~ down а) упасть; пасть ниц; б) *амер.* потерпеть неудачу; ~ for *разг.* а) влюбляться; чувствовать влечение; поддаваться (*чему-л.*); б) быть преданным (*кому-л.*); в) попадаться на удочку; ~ in а) проваливаться, обрушиваться; б) *воен.* становиться в строй, строиться; в) истекать (*о сроке аренды, долга, векселя*); г) случайно встретиться, столкнуться (with); д) соглашаться; уступать (with); ~ into а) начинать что-л., приниматься за *что-л.*; б) распадаться на; the book ~s into three parts книга распадается на три части; в) относиться к; to ~ into the category относиться к категории, подпадать под категорию; г) *приходить в определённое состояние*: to ~ into a rage впадать в бешенство; ~ off а) отпадать; отваливаться; б) уменьшаться; в) *мор.* не слушаться руля (*о корабле*); ~ on а) нападать; набрасываться (на *еду и т. п.*); б) приступать к *чему-л.*; ~ out а) выпадать; б) *воен.* выходить из строя; в) *воен.* делать вылазку; г) случаться;

it so fell out that случилось так, что; д) ссориться; ~ over а) *амер.* споткнуться обо *что-л.*; б) *амер.* увлекаться; ~ through провалиться, потерпеть неудачу; ~ to а) начинать, приниматься за *что-л.*; б) приниматься за еду; в) нападать; г) выпадать, доставаться; to ~ to smb.'s lot выпадать на чью-л. долю; ~ under а) подвергаться; б) подпадать; ~ upon а) нападать; б) наталкиваться; ◇ to ~ in love влюбиться; to ~ into a habit впадать в привычку; to ~ short a) не хватать; б) не достигать цели; to ~ to the ground рушиться; оказываться бесплодным, безрезультатным; отпадать; to ~ to pieces развалиться; to ~ flat не произвести ожидаемого впечатления; his joke fell flat его шутка не имела успеха; to ~ into line *воен.* построиться, стать в строй; to ~ into line with соглашаться с; to ~ foul of a) *мор.* сталкиваться; б) ссориться; нападать; to ~ on one's feet удачно выйти из трудного положения; his face fell лицо его вытянулось; to ~ over oneself to из кожи лезть, чтобы; to ~ over one another, to ~ over each other драться, бороться, ожесточённо соперничать друг с другом; let ~! *мор.* отпускай!

**fallacious** [fə'leiʃəs] *a* ошибочный, ложный.

**fallacy** ['fæləsɪ] *n* 1) ошибка, заблуждение; ложный вывод; 2) ошибочность, обманчивость; 3) софизм, ложный довод.

**fal-lal** ['fæ'læl] *n* украшение, блестящая безделушка.

**fallen** ['fɔːlən] 1. *p. p. от* fall 2;
2. *a* павший; падший;
3. *n* (the ~) *pl собир.* павшие (в бою).

**fallibility** [ˌfælɪ'bɪlɪtɪ] *n* подверженность ошибкам; ошибочность, погрешность.

**fallible** ['fæləbl] *a* подверженный ошибкам.

**falling** ['fɔːlɪŋ] 1. *pres. p. от* fall 2;
2. *n* 1) падение; 2) понижение;
3. *a* 1) падающий; 2) понижающийся.

**falling sickness** ['fɔːlɪŋˌsɪknɪs] *n* эпилепсия; падучая.

**fall-out** ['fɔːlaut] *n* 1) выпадение радиоактивных осадков; 2) радиоактивная пыль.

**fallow** I ['fæləu] 1. *n с.-х.* пар;
2. *a* 1) вспаханный под пар (*о поле*); to lie ~ оставаться под паром; 2) неразвитой (*об уме, о человеке*);
3. *v с.-х.* поднимать пар.

**fallow** II ['fæləu] *a* коричневато-жёлтый.

**fallow-deer** ['fæləudɪə] *n* лань.

**false** [fɔːls] 1. *a* 1) ложный, ошибочный, неправильный; ~ pride ложная гордость; ~ pretences обман, притворство; 2) фальшивый, вероломный; лживый; обманчивый; 3) фальшивый (*о деньгах*); искусственный (*о волосах, зубах*); ~ keel *мор.* фальшкиль; ◇ to give a ~ colour to smth., to put a ~ colour on smth. искажать, представлять что-то. в ложном свете; to sail under ~ colours выдавать себя за кого-л другого; маскироваться;

2. *adv*: to play smb. ~ обмануть, предать кого-л.

**false arch** ['fɔːlsɑːtʃ] *n стр.* декоративная áрка.

**false-bottomed** ['fɔːls'bɔtəmd] *a* с двойным дном.

**false-hearted** ['fɔːls'hɑːtɪd] *a* вероломный.

**falsehood** ['fɔːlshud] *n* 1) ложь, неправда; фальшь; 2) *уст.* лживость; вероломство.

**falsely** ['fɔːlslɪ] *adv* фальшиво, ложно.

**falseness** ['fɔːlsnɪs] *n* 1) фальшивость; лживость; вероломство; 2) ошибочность.

**falsetto** [fɔːl'setou] *n* фальцет.

**falsework** ['fɔːlswəːk] *n стр.* опалубка; леса, подмости.

**falsification** ['fɔːlsɪfɪ'keɪʃən] *n* фальсификация, подделка; искажение.

**falsify** ['fɔːlsɪfaɪ] *v* 1) фальсифицировать, подделывать (*документы*); искажать (*показания и т. п.*); 2) обманывать (*надежды*); 3) опровергать.

**falsity** ['fɔːlsɪtɪ] *n* 1) ложность, ошибочность; 2) вероломство.

**falter** ['fɔːltə] *v* 1) шататься, спотыкаться; 2) запинаться; говорить нерешительно; to ~ out an excuse пробормотать извинение; 3) действовать нерешительно, колебаться; дрогнуть.

**faltering** ['fɔːltərɪŋ] 1. *pres. p. от* falter; 2. *a* запинающийся, нерешительный; ~ voice дрожащий голос.

**fame** [feɪm] 1. *n* 1) слава, известность; 2) молва; 3) репутация; ◇ house of ill ~ публичный дом; 2. *v* прославлять.

**famed** [feɪmd] 1. *p. p. от* fame 2; 2. *a* известный, знаменитый, прославленный.

**familiar** [fə'mɪljə] 1. *a* 1) близкий, интимный; хорошо знакомый, привычный; обычный; a ~ sight привычная картина; 2) фамильярный; бесцеремонный; 3) хорошо знающий, осведомлённый; to be ~ with smth. знать что-л.; быть в курсе чего-л.; 2. *n* близкий друг.

**familiarity** [fə,mɪlɪ'ærɪtɪ] *n* 1) близкие, дружественные отношения; to treat with a kind ~ обходиться ласково; 2) фамильярность; 3) хорошая осведомлённость; thorough ~ with a language хорошее знание языка.

**familiarization** [fə,mɪljəraɪ'zeɪʃən] *n* освáивание, ознакомление.

**familiarize** [fə'mɪljəraɪz] *v* ознакомлять; to ~ oneself with smth. осваиваться, ознакомляться с чем-л.

**familiarly** [fə'mɪljəlɪ] *adv* бесцеремонно; фамильярно.

**family** ['fæmɪlɪ] *n* 1) семья, семейство; род; a man of ~ a) человек знатного рода; б) *амер.* семейный человек; a ~ of languages *лингв.* языковая семья; 2) содружество; 3) *attr.* семейный; родовой; фамильный; ~ circle a) семейный круг; б) *амер. театр.* балкон; ~ estate родовое имение; ~ man семейный человек; домосед; ~ name a) фамилия; б) имя, частое в роду; ~ tree родословное дерево; ~ hotel гостиница для семейных; ~ likeness фамильное сход-

ство; отдалённое сходство; ~ friend друг семьи; ~ jewels фамильные драгоценности; ◇ in a ~ way по-домашнему; без церемоний; to be in the ~ way быть в интересном положении (*быть беременной*); the President's official ~ *амер.* члены кабинета (министров).

**famine** ['fæmɪn] *n* 1) голод (*стихийное бедствие*); голодание; 2) недостаток; water ~ острая нехватка воды; 3) *attr.*: ~ prices цены, взвинченные во время голода.

**famish** ['fæmɪʃ] *v* 1) морить голодом; 2) голодать; I am ~ing я хочу есть, я очень голоден.

**famous** ['feɪməs] *a* знаменитый, известный, славный; *разг.* знатный, замечательный; to be ~ for smth. славиться чем-л.; he has a ~ appetite у него замечательный аппетит.

**famuli** ['fæmjulaɪ] *pl om* famulus.

**famulus** ['fæmjuləs] *n* (*pl* -li) 1) ассистент профессора; 2) *уст.* слуга мага.

**fan I** [fæn] 1. *n* 1) веер, опахало; 2) вентилятор; 3) веялка; 4) крыло ветряной мельницы; 5) лопасть (*воздушного или* гребного винта); 2. *v* 1) веять (*зерно*); 2) обмахивать; to ~ oneself обмахиваться веером; 3) раздувать; to ~ the flame *перен.* разжигать страсти; 4) *поэт.* обвевать, освежать (*о ветерке*); 5) *разг.* обыскивать; □ ~ out *воен.* расширять плацдарм; развёртываться веером (*на плацдарме*).

**fan II** [fæn] *n* энтузиаст, болельщик.

**fanal** [fə'næl] *n уст.* маяк, маячный огонь.

**fanatic** [fə'nætɪk] 1. *n* фанатик, изувер; 2. *a* фанатический, изуверский.

**fanatical** [fə'nætɪkəl] = fanatic 2.

**fanaticism** [fə'nætɪsɪzəm] *n* фанатизм, изуверство.

**fanaticize** [fə'nætɪsaɪz] *v* превращать(ся) в фанатика; впадать в фанатизм.

**fancier** ['fænsɪə] *n* знаток, любитель.

**fanciful** ['fænsɪful] *a* 1) капризный, с причудами; 2) прихотливый, капризный, причудливый; 3) нереальный, фантастический.

**fancy** ['fænsɪ] 1. *n* 1) фантазия; воображение; 2) мысленный образ; 3) прихоть, причуда, каприз; 4) склонность; пристрастие; конёк; вкус (*к чему-л.*); to have a ~ for smth. любить что-л., увлекаться чем-л.; I took a ~ to him, he took my ~ он мне полюбился, пришёлся по душе; to tickle smb.'s ~ понравиться кому-л., возбудить чьё-л. любопытство; 5) (the ~) любители какого-л. вида искусства, спорта (*особ. бокса*);
2. *a* 1) причудливый, прихотливый; 2) фантастический; ~ picture фантастическое описание; ~ price дутая цена; 3) орнаментальный, разукрашенный, не простой, не обыкновенный; 4) маскарадный; ~ dress маскарадный костюм; 5) модный; высшего качества; ~ articles (*или* goods) модные товары; безделушки; галантерея; ~ fair базар модных вещей; 6) улучшенной породы, имеющий определённые дан-

ные (*о животном*); 7) многоцветный (*о растениях*); ◇ ~ man a) любовник; б) *sl.* сутенёр; ~ woman (*или* lady) a) любовница; б) *амер.* проститутка;
**3.** *v* 1) воображать, представлять себе; ~!, just ~!, only ~! можете себе представить!, подумай(те) только!; 2) полагать, предполагать; 3) нравиться; любить; you may eat anything that you ~ вам можно есть всё (что вам угодно); 4) *refl. разг.* воображать, быть о себе высокого мнения; 5) выращивать животных *или* растения улучшенной породы *или* вида.

**fancy-ball** ['fænsı'bɔːl] *n* костюмированный бал, маскарад.

**fancy-dress** ['fænsı'dres] *a* костюмированный.

**fancy-free** ['fænsı'friː] *a* не способный влюбиться.

**fancy-work** ['fænsıwɔːk] *n* вышивка; вышивание.

**fandangle** [fæn'dæŋgl] *n* 1) фантастический орнамент; 2) шутовство, дурачество.

**fandango** [fæn'dæŋgou] *n* (*pl* -oes [-ouz]) 1) фанданго (*испанский танец*); 2) *амер. разг.* бал; массовые танцы.

**fane** [feın] *n поэт.* храм.

**fanfare** ['fænfɛə] *n* фанфара.

**fanfaronade** [ˌfænfærə'nɑːd] *n* 1) фанфаронство, бахвальство; 2) фанфара.

**fang I** [fæŋ] *n* 1) клык; 2) ядовитый зуб (*змеи*); 3) корень зуба; 4) зубец; 5) *горн.* вентиляционная труба; штольня *или* шахта для водопровода; ◇ to fall into smb.'s ~s попасть в чьи-либо лапы.

**fang II** [fæŋ] *v тех.* заливать (*насос перед пуском*).

**fanged I** [fæŋd] *p. p. от* fang II.

**fanged II** [fæŋd] *a* имеющий клыки, ядовитые зубы.

**fan-light** ['fænlaıt] *n* веерообразное окно (*особ. над дверью*).

**fanner** ['fænə] *n* веялка.

**fanny** ['fænı] *n* 1) корма; 2) *груб.* задница.

**fan-out** ['fænaut] *n воен.* расширение плацдарма; развёртывание (на плацдарме).

**fan-tail** ['fænteıl] *n* 1) трубастый голубь; 2) зюйдвестка.

**fantasia** [fæn'teızıə] *n муз.* фантазия.

**fantast** ['fæntæst] *n* мечтатель; фантаст.

**fantastic(al)** [fæn'tæstık(əl)] *a* 1) эксцентричный; причудливый; гротескный; ~ ideas странные выдумки; 2) нереальный, воображаемый; ~ fears надуманные страхи.

**fantasticality** [fænˌtæstı'kælıtı] *n* фантастичность, причудливость.

**fantasy** ['fæntəsı] *n* 1) воображение, фантазия; 2) иллюзия; игра воображения; 3) каприз; 4) = fantasia.

**fantoccini** [ˌfæntə'tʃiːnı] *ит. n pl* марионетки; театр марионеток.

**fan tracery** ['fænˌtreısərı] *n архит.* рёбра ребристого свода; нервюра.

**faquir** ['fɑːkıə] = fakir 1).

**far** [fɑː] **1.** *a* (farther, further; farthest, furthest) дальний, далёкий, отдалённый (*тж.* ~ off); a ~ bank противоположный берег; ◇ a ~ cry a) далёкое расстояние; б) большая разница;

**2.** *adv* (farther, further; farthest, furthest) 1) далеко; на большом расстоянии (*тж.* ~ away, ~ off, ~ out); ~ back in the past в далёком прошлом; ~ and near повсюду; ~ and wide a) повсюду; б) всесторонне; he saw ~ and wide он обладал широким кругозором; ~ in the day к концу дня; ~ into the air высоко в воздух; ~ into the ground глубоко в землю; to go ~ далеко пойти; to go (*или* to carry it) too ~ заходить слишком далеко; ~ from далеко от; it is ~ from true это далеко не так; 2) гораздо, намного; ~ different значительно отличающийся; ~ better значительно лучше; ~ the best самый лучший; ◇ as ~ back as the 26th of January ещё 26 января; ~ and away a) несравненно, намного, гораздо; б) несомненно; as ~ as a) до; I will go with you as ~ as Moscow я провожу вас до Москвы; б) насколько; as ~ as I know насколько я знаю; насколько мне известно; (in) so ~ as поскольку; коль скоро; so ~ до сих пор; пока; so ~ so good пока всё хорошо; ~ from it ничуть, отнюдь нет; ~ be it from те ни за что;
**3.** *n* 1) значительное количество; by ~ намного; to surpass by ~ намного превзойти; to prefer by ~ отдавать серьёзное предпочтение; 2) большое расстояние; from ~ издалека.

**farad** ['færəd] *n эл.* фарада.

**faradaic** [ˌfærə'deıık] *a эл.* индукционный, индуктивный, индуктированный.

**faradization** [ˌfærədı'zeıʃən] *n* фарадизация (*лечение индукционным током*).

**far-away** ['fɑːrəweı] *a* 1) дальний, отдалённый; 2) отсутствующий, рассеянный; she has a ~ look in her eyes у неё отсутствующий взгляд.

**far-between** ['fɑːbı'twiːn] *a* редкий.

**farce I** [fɑːs] *n* 1) *театр.* фарс; 2) фарс, комедия.

**farce II** [fɑːs] *n* фарш.

**farceur** [fɑː'səː] *фр. n* 1) шутник, балагур; 2) мистификатор.

**farcical** ['fɑːsıkəl] *a* 1) фарсовый, шуточный; 2) смехотворный, нелепый.

**farcicality** [ˌfɑːsı'kælıtı] *n* 1) шутовство; 2) смехотворность.

**farcy** ['fɑːsı] *n вет.* кожный сап.

**fardel** ['fɑːdəl] *n уст.* 1) узел (*с вещами*); 2) бремя, груз.

**fare** [fɛə] **1.** *n* 1) стоимость проезда; плата за проезд; what is the ~? сколько стоит проезд, билет?; 2) ездок, пассажир; 3) пища, стол, провизия, съестные припасы; 4) *амер.* улов (*рыболовного судна*);
**2.** *v* 1) быть, поживать; случаться; how ~s it? как дела?; it has ~d ill with him ему плохо пришлось; ~ you well! прощайте, счастливого пути!; 2) *поэт.* ехать, путешествовать; питаться; ◇ you may go farther and ~ worse *посл.* будьте довольны тем, что имеете.

**Far-Eastern** ['fɑːr'iːstən] *a* дальневосточный.

**farewell** ['fɛə'wel] **1.** *n* прощание; to bid one's ~, to make one's ~s прощаться;
**2.** *a* прощальный;

**3.** *int* до свида́ния!, до́брый путь!; ~ to smth. хва́тит, дово́льно чего́-л.; ~ to arms! проща́й, ору́жие!

**far-famed** [ˈfɑːˈfeɪmd] *a* широко́ изве́стный.

**far-fetched** [ˈfɑːˈfetʃt] *a* 1) принесённый *или* привезённый издалека́; 2) натя́нутый, неесте́ственный, иску́сственный; притя́нутый за́ во́лосы (*об аргуме́нте, до́воде*).

**far-flung** [ˈfɑːˈflʌŋ] *a* широко́ раски́нувшийся, обши́рный.

**far gone** [ˈfɑːˈgɔn] *a* 1) далеко́ заше́дший; 2) в после́дней ста́дии (*боле́зни*); 3) по́ уши в долга́х; 4) си́льно пья́ный; 5) си́льно *или* безнаде́жно влюблённый.

**farina** [fəˈraɪnə] *n* 1) мука́; 2) порошо́к; 3) *бот.* пыльца́; 4) крахма́л, карто́фельная мука́; 5) ма́нная крупа́; ма́нная ка́ша.

**farinaceous** [ˌfærɪˈneɪʃəs] *a* мучни́стый, мучно́й.

**farinose** [ˈfærɪnous] *a* 1) мучни́стый; 2) сло́вно посы́панный муко́й.

**farl** [fɑːl] *n шотл.* то́нкая овся́ная лепёшка.

**farm** [fɑːm] **1.** *n* 1) фе́рма; мы́за, ху́тор; dairy ~ моло́чная фе́рма; 2) (крестья́нское) хозя́йство; collective ~ колхо́з; state ~ совхо́з; individual ~ единоли́чное хозя́йство; 3) пито́мник; 4) = farm-house;
**2.** *v* 1) обраба́тывать зе́млю; he ~ed in Australia он был фе́рмером в Австра́лии; 2) брать на о́ткуп; 3) сдава́ть в аре́нду (*име́ние*); 4) брать на воспита́ние дете́й (*за пла́ту*); □ ~ out a) сдава́ть в аре́нду; б) отдава́ть на о́ткуп.

**farmer** [ˈfɑːmə] *n* 1) фе́рмер; аренда́тор; 2) откупщи́к.

**farm-hand** [ˈfɑːmhænd] *n* сельскохозя́йственный рабо́чий.

**farm-house** [ˈfɑːmhaus] *n* жило́й дом на фе́рме.

**farming** [ˈfɑːmɪŋ] **1.** *pres. p. om* farm 2; **2.** *n* заня́тие се́льским хозя́йством.

**farmstead** [ˈfɑːmsted] *n* фе́рма со слу́жбами.

**farmyard** [ˈfɑːmjɑːd] *n* двор фе́рмы.

**faro** [ˈfɛərou] *n* фарао́н (*карт. игра́*).

**farouche** [fəˈruːʃ] *фр. a* нелюди́мый, ди́кий, угрю́мый.

**farraginous** [fəˈrædʒɪnəs] *a* сме́шанный, сбо́рный.

**farrago** [fəˈrɑːgou] *n* (*pl* -os [-ouz]) смесь, меша́нина; вся́кая вся́чина.

**far-reaching** [ˈfɑːˈriːtʃɪŋ] *a* 1) име́ющий больши́е после́дствия; 2) широ́кий.

**farrier** [ˈfærɪə] *n* 1) кузне́ц (*подко́вывающий лошаде́й*); 2) *уст.* ветерина́р.

**farriery** [ˈfærɪərɪ] *n* 1) ко́вка лошаде́й; 2) ку́зница; 3) *уст.* ветерина́рия.

**farrow I** [ˈfærou] **1.** *n* 1) опоро́с; помёт порося́т; 2) *уст.* поросёнок;
**2.** *v* пороси́ться.

**farrow II** [ˈfærou] *a амер.* я́ловая (*о коро́ве*).

**far-seeing** [ˈfɑːˈsiːɪŋ] *a* дальнови́дный, прозорли́вый, предусмотри́тельный.

**far-sighted** [ˈfɑːˈsaɪtɪd] *a* 1) дальнозо́ркий; 2) дальнови́дный, прозорли́вый, предусмотри́тельный.

**farther** [ˈfɑːðə] **1.** *a* 1) *сравнит. ст. от* far 1; 2) бо́лее отдалённый; дальне́йший, позде́йший; 3) дополни́тельный; until ~ notice впредь до но́вого уведомле́ния; have you anything ~ to say? что ещё вы име́ете доба́вить?;
**2.** *adv* 1) *сравнит. ст. от* far 2; 2) да́льше, да́лее; 3) *редк.* кро́ме того́, та́кже;
**3.** *v редк.* = further II.

**farthermost** [ˈfɑːðəmoust] *a* са́мый да́льний.

**farthest** [ˈfɑːðɪst] (*превосх. ст. от* far); **1.** *a* са́мый да́льний; at (the) ~ са́мое бо́льшее; са́мое поздне́е;
**2.** *adv* да́льше всего́.

**farthing** [ˈfɑːðɪŋ] *n* фа́ртинг ($^{1}/_{4}$ *пе́нни*); the uttermost ~ после́дний грош; ◇ it does not matter a ~ э́то ро́вно ничего́ не зна́чит; it's not worth a ~ гроша́ ло́маного не сто́ит; not to care a brass ~ наплева́ть.

**farthingale** [ˈfɑːðɪŋgeɪl] *n* ю́бка с фи́жмами (*по мо́де XVII—XVIII вв.*).

**fasces** [ˈfæsiːz] *n pl др.-рим.* пучо́к пру́тьев ли́ктора.

**fascia** [ˈfeɪʃə] *n* (*pl* -iae) 1) поло́ска, поло́са, по́яс; 2) вы́веска; 3) *мед.* повя́зка, бинт; 4) [ˈfæʃɪə] *анат.* соедини́тельноткáнная оболо́чка; 5) *архит.* поясо́к, ва́лик.

**fasciae** [ˈfeɪʃiː] *pl om* fascia.

**fascicle** [ˈfæsɪkl] *n* 1) *бот.* пучо́к, гроздь; 2) отде́льный вы́пуск (*како́го-л. изда́ния*).

**fascicule** [ˈfæsɪkjuːl] = fascicle.

**fascinate** [ˈfæsɪneɪt] *v* 1) очаро́вывать, пленя́ть; 2) зачаро́вывать взгля́дом.

**fascinating** [ˈfæsɪneɪtɪŋ] **1.** *pres. p. om* fascinate;
**2.** *a* обворожи́тельный, очарова́тельный, плени́тельный.

**fascination** [ˌfæsɪˈneɪʃən] *n* очарова́ние, обая́ние; пре́лесть.

**fascinator** [ˈfæsɪneɪtə] *n* 1) чароде́й; 2) *уст.* лёгкая шаль.

**fascine** [fæˈsiːn] *n* 1) фаши́на; 2) *attr.*: ~ dwelling сва́йная постро́йка.

**fascism** [ˈfæʃɪzm] *n* фаши́зм.

**fascist** [ˈfæʃɪst] **1.** *n* фаши́ст;
**2.** *a* фаши́стский.

**fash** [fæʃ] *шотл.* **1.** *n* беспоко́йство; муче́ние; доса́да;
**2.** *v* беспоко́ить(ся); му́чить(ся).

**fashion** [ˈfæʃən] **1.** *n* 1) о́браз, мане́ра; after (*или* in) a ~ не́которым о́бразом, до изве́стной сте́пени; кое-ка́к; after the ~ of smth. по образцу́ чего́-л.; in one's own ~ по-сво́ему; 2) фасо́н, покро́й; фо́рма; 3) стиль, мо́да; to be in ~ быть в мо́де; to be in the ~ сле́довать мо́де; to bring into ~ вводи́ть в мо́ду; dressed in the height of ~ оде́тый по после́дней мо́де; a man of ~ све́тский челове́к, сле́дующий мо́де; out of ~ вы́шедший из мо́ды;
**2.** *v* 1) придава́ть вид, фо́рму (into, to); *тех.* формова́ть, фасони́ровать, модели́ровать; to ~ a vase from clay лепи́ть сосу́д из гли́ны; 2) *редк.* приспособля́ть (to).

**fashionable** [ˈfæʃnəbl] **1.** *a* мо́дный; све́тский; фешене́бельный;
**2.** *n* све́тский челове́к.

**fashioner** [ˈfæʃnə] *n* портно́й, костюме́р.

**fashion-monger** ['fæʃən,mʌŋɡə] *n* модник; модница.

**fashion-paper** ['fæʃən,peɪpə] *n* модный журнал.

**fashion-plate** ['fæʃənpleɪt] *n* 1) модная картинка; 2) *разг.* сверхмодно одётая женщина.

**fast I** [fɑːst] **1.** *n* пост; to break one's ~ разговёться; 2. *v* поститься.

**fast II** [fɑːst] **1.** *a* 1) прочный, крепкий, твёрдый; стойкий; закреплённый; ~ colour прочная краска; ~ friend верный друг; ~ coupling *тех.* постоянное соединёние, постоянная (соединительная) муфта; hard and ~ rule жёсткое правило; to take ~ hold of smth. крепко ухватиться за что-л.; to make ~ а) закреплять; б) запирать (*дверь*); 2) скорый, быстрый; ~ train скорый поезд; ~ tank быстроходный танк; ~ track *ж.-д.* линия с движением поездов большой скорости; the watch is ~ часы спешат; 3) фривольный; легкомысленный (*о людях*); a ~ set кутящее общество; to lead a ~ life вести беспутную жизнь; прожигать жизнь; 4) *амер. sl.* мошеннический; ~ scales неточные весы (*показывающие больший вес*); ◇ a ~ prisoner узник; ~ tennis-court удобная, хорошая теннисная площадка; ~ and loose непостоянный; изменчивый; ненадёжный; to play ~ and loose (with) поступать безответственно (с); быть непоследовательным, ненадёжным; нарушать обещание;
2. *adv* 1) крепко, сильно, прочно; ~ shut плотно закрытый; to be ~ asleep крепко спать; stand ~! *воен.* стоп! (*команда для временного прекращения огня*); 2) быстро, часто; скоро; 3): to live ~ прожигать жизнь; ◇ ~ by, ~ beside совсём рядом;
3. *n* 1) *мор.* швартов, причал; 2) *горн.* штрек.

**fasten** ['fɑːsn] *v* 1) прикреплять, привязывать (to, upon, on—к); связывать (together, up, in); скреплять, укреплять, зажимать, свинчивать; сжимать, стискивать (*руки, зубы*); to ~ two things together связать две вещи вместе; 2) навязывать; to ~ a quarrel upon smb. поссориться с кем-л., придраться к кому-л.; 3) запирать(ся); застёгивать(ся); to ~ a door запереть дверь; to ~ a glove застегнуть перчатку; 4) *стр.* затвердевать (*о растворе*); ▢ ~ off закрепить (*нитку*); ~ on a) приписывать *кому-л.*; to ~ a nickname on smb. давать кому-л. прозвище; б) устремлять (*взгляд, мысли и т. п.*); to ~ one's eyes on smb. пристально смотреть на кого-л.; ~ up закрывать; завязывать; to ~ up a box заколотить ящик; ~ upon ухватиться, наброситься; to ~ upon an idea (a pretext) ухватиться за мысль (предлог); the bees ~ed upon me пчёлы облепили меня.

**fastener** ['fɑːsnə] *n* 1) запор, задвижка; 2) застёжка; 3) зажим; 4) скрепка для бумаг.

**fastening** ['fɑːsnɪŋ] **1.** *pres. p. от* fasten;

**2.** *n* 1) связывание, скреплёние; замыкание; 2) = fastener.

**fasti** ['fæstiː] *лат. n pl* лётопись, анналы.

**fastidious** [fæs'tɪdɪəs] *a* 1) привередливый, разборчивый; 2) утончённый, изощрённый.

**fastness** ['fɑːstnɪs] *n* 1) прочность *и пр.* [*см.* fast II, 1]; 2) крепость, твердыня, оплот, цитадель.

**fat** [fæt] **1.** *n* 1) жир, сало; to run to ~ *разг.* жиреть, толстеть; 2) смазка, мазь; 3) лучшая часть (*чего-л.*); to live on the ~ of the land *библ.* жить роскошно; 4) *театр.* выигрышное мёсто роли; 5) *sl.* срёдства, пожива; ◇ ~ cat тот, кто снабжает деньгами для политических махинаций; ~ fryer тот, кто добывает *или* вымогает деньги для политических махинаций; to live on one's own ~ жить старыми запасами (*знаний и т. п.*); жить на свой капитал; the ~ is in the fire ≅ дёло сдёлано, быть беде;
2. *a* 1) жирный; сальный (*о пище*); маслянистый; ~ type жирный шрифт; 2) упитанный, толстый, тучный; откормленный; ~ cheeks пухлые щёки; ~ fingers толстые короткие пальцы; 3) плодородный (*о почве*); 4) выгодный, доходный; ~ job выгодное дёло; тёпленькое мёстечко; ~ part *театр.* выигрышная роль; 5) обильный, богатый; 6) тупоумный, глупый; ◇ a ~ lot *разг.* много, очень (*обыкн. ирон.* мало); a ~ lot you care ≅ вам на это наплевать; to cut up ~ оставить большое наслёдство;
3. *v* 1) откармливать(ся) (*часто* ~ up); 2) жиреть; 3) удобрять (*почву*).

**fatal** ['feɪtl] *a* 1) роковой, фатальный, неизбёжный; 2) смертёльный, губительный, пагубный; ◇ the ~ sisters *миф.* Парки; the ~ thread нить жизни; the ~ shears смерть.

**fatalism** ['feɪtəlɪzəm] *n* фатализм.

**fatalist** ['feɪtəlɪst] *n* фаталист.

**fatalistic** [,feɪtə'lɪstɪk] *a* фаталистический.

**fatality** [fə'tælɪtɪ] *n* 1) рок; фатальность, обречённость; 2) несчастье; смерть (*от несчастного случая и т. п.*).

**fata morgana** ['fɑːtɑːmɔː'ɡɑːnɑː] *n* фата-моргана, мираж.

**fat-chops** ['fætʃɔps] *n* толстощёкий человёк.

**fate** [feɪt] **1.** *n* 1) рок, судьба, жрёбий, удёл; as sure as ~ несомнённо; 2) гибель, смерть; to go to one's ~ идти на гибель; 3) (F.) *миф.* Парка.
2. *v* (*обыкн. pass.*) предопределять; he was ~d to do it ему суждено было сдёлать это.

**fated** ['feɪtɪd] **1.** *p. p. от* fate 2;
2. *a* предопределённый; обречённый.

**fateful** ['feɪtful] *a* 1) роковой; 2) обречённый; 3) решительный, важный (*по последствиям*); 4) пророческий.

**fat-guts** ['fætɡʌts] *n* толстяк.

**fat-head** ['fæthed] *n* олух, болван.

**father** ['fɑːðə] **1.** *n* 1) отёц, родитель; adoptive ~ приёмный отёц, усыновитель; 2) прёдок, родоначальник, прародитель;

F. of lies сатана; to be gathered to one's ~s отправиться к праотцам; 3) старейший член; *pl* старейшины; F. of the House старейший (*по годам непрерывности депутатского звания*) член палаты общин; 4) духовный отец, епископ; the Holy F. папа римский; ◇ the wish is ~ to the thought желание порождает мысль; люди верят тому, чему хотят верить; F. Christmas дед-мороз; F. Thames ≅ матушка Темза; F. of Waters *амер.* река Миссисипи;

2. *v* 1) быть отцом; производить, порождать, быть автором, творцом; 2) усыновлять; отечески заботиться; 3) приписывать отцовство; приписывать авторство [*мужчине; ср.* mother 2, 3)]; возлагать ответственность (за авторство) (on, upon—на).

**fatherhood** ['fɑːðəhud] *n* отцовство.

**father-in-law** ['fɑːðərɪnlɔː] *n* (*pl* fathers--in-law) 1) свёкор; 2) тесть.

**fatherland** ['fɑːðəlænd] *n* отечество, отчизна.

**fatherless** ['fɑːðəlɪs] *a* оставшийся без отца.

**fatherly** ['fɑːðəlɪ] 1. *a* отеческий, нежный; 2. *adv* отечески.

**fathers-in-law** ['fɑːðəzɪnlɔː] *pl* от father-in-law.

**fathom** ['fæðəm] 1. *n* (*pl с цифрами обыкн. без изменений*) морская сажень (= *6 футам = 182 см*); to be ~s deep in love быть влюблённым по уши;

2. *v* 1) измерять глубину (*воды*); делать промер лотом; 2) вникать, понимать; I cannot ~ his meaning я не могу понять, что он хочет сказать.

**fathometer** [fæˈðɔmɪtə] *n мор.* эхолот.

**fathomless** ['fæðəmlɪs] *a* неизмеримый; бездонный; непроницаемый; the ~ depths of the sea бездонные глубины моря.

**fathom-line** ['fæðəmlaɪn] *n мор.* изобата.

**fatidical** [feɪˈtɪdɪkəl] *a* пророческий.

**fatigue** [fəˈtiːg] 1. *n* 1) усталость, утомление; 2) утомительность; 3) утомительная работа; 4) = ~-duty; 5) *тех.* усталость (*металлов*);

2. *v* утомлять, изнурять.

**fatigue-dress** [fəˈtiːgˌdres] *n воен.* рабочее платье, спецодежда.

**fatigue-duty** [fəˈtiːgˌdjuːtɪ] *n воен.* нестроевой наряд.

**fatigue-party** [fəˈtiːgˌpɑːtɪ] *n воен.* команда солдат, наряженных на работу.

**fatling** ['fætlɪŋ] *n* откормленное на убой молодое животное.

**fatten** ['fætn] *v* 1) откармливать на убой; 2) жиреть, толстеть; 3) удобрять (*землю*).

**fatty** ['fætɪ] 1. *a* жирный; жировой; ~ degeneration *мед.* жировое перерождение, ожирение; ~ degeneration of the heart ожирение сердца;

2. *n* толстяк.

**fatuity** [fəˈtjuːɪtɪ] *n* 1) самодовольная глупость; бессмысленность; 2) тщетность.

**fatuous** ['fætjuəs] *a* 1) глупый, дурацкий; бессмысленный; ~ smile бессмысленная улыбка; 2) пустой, бесполезный (*о попытке*).

**fatuously** ['fætjuəslɪ] *adv* 1) бессмысленно; 2) бесполезно.

**fat-witted** ['fætˌwɪtɪd] *a* тупой, глупый.

**faubourg** ['foubuəg] *фр. n* предместье, пригород (*особ. Парижа*).

**fauces** ['fɔːsiːz] *n pl анат.* зев, горло, ротоглотка.

**faucet** ['fɔːsɪt] *n* 1) вентиль; втулка; раструб; затычка; 2) *амер.* водопроводный кран.

**faugh** [fɔː] *int* тьфу!, фу!

**fault** [fɔːlt] 1. *n* 1) недостаток, дефект; 2) промах, ошибка; to find ~ with smb. (with smth.) придираться к кому-л., бранить кого-л. (жаловаться на что-л.); 3) проступок, вина; in ~ виноватый; whose ~ is it?, who is in ~? кто виноват?; 4) *спорт.* неправильно поданный мяч; 5) *охот.* потеря следа; to be at ~ потерять след; *перен.* быть озадаченным; находиться в затруднении; 6) *геол.* разрыв, сдвиг, сброс; 7) *тех.* авария, повреждение, неисправность; ◇ to a ~ очень; слишком; чрезмерно;

2. *v геол.* образовать разрыв *или* сброс.

**faultfinder** ['fɔːltˌfaɪndə] *n* придира.

**faultfinding** ['fɔːltˌfaɪndɪŋ] 1. *n* 1) придирки, придирчивость; 2) *тех.* обнаруживание аварии;

2. *a* придирчивый.

**faultless** ['fɔːltlɪs] *a* 1) безупречный; 2) безошибочный.

**faulty** ['fɔːltɪ] *a* 1) виновный; достойный осуждения; 2) испорченный, повреждённый.

**faun** [fɔːn] *n миф.* фавн.

**fauna** ['fɔːnə] *n* (*pl* -ae, -as [-əz]) фауна.

**faunae** ['fɔːniː] *pl от* fauna.

**faux pas** ['fouˈpɑː] *фр. n* ложный шаг.

**favor, favorable, favored, favorite, favoritism** ['feɪvə, 'feɪvərəbl, 'feɪvəd, 'feɪvərɪt, 'feɪvərɪtɪzəm] *амер.* = favour, favourable, favoured, favourite, favouritism.

**favour** ['feɪvə] 1. *n* 1) благосклонность, расположение; одобрение; to find ~ in the eyes of smb., to win smb.'s ~ снискать чьё-л. расположение; угодить кому-л.; to look with ~ on smb., smth. относиться доброжелательно к кому-л., чему-л.; to stand high in smb.'s ~ быть в милости у кого-л.; out of ~ в немилости; to enjoy the ~s of a woman пользоваться благосклонностью женщины; 2) одолжение, любезность; to do smth. as a ~ сделать что-л. в виде одолжения; 3) пристрастие (*к комулибо*); покровительство; he gained his position more by ~ than merit (скорее) не личные заслуги, а покровительство помогло ему достичь такого положения; 4) польза, интерес; помощь; in ~ of за; to be in ~ of smth. стоять за что-л., быть сторонником чего-л.; б) в пользу (*кого-л., чего-л.*); to draw a cheque in smb.'s ~ выписать чек на чьё-л. имя; under ~ of the darkness под покровом темноты; 5) значок, бант, розетка; сувенир; 6) *ком.* письмо; your ~ of yesterday Ваше вчерашнее письмо; 7) *уст.* внешность, лицо; ◇ by your ~ *шутл.* с вашего позволения; under ~ с позволения сказать;

**2.** *v* 1) благоволи́ть, быть благоскло́нным; ока́зывать внима́ние, любе́зность; please, ~ me with an answer благоволи́те мне отве́тить; 2) благоприя́тствовать; помога́ть, подде́рживать; 3) покрови́тельствовать; быть пристра́стным, ока́зывать предпочте́ние; 4) *уст.* быть похо́жим; the boy ~s his father ма́льчик похо́ж на отца́; ◇ ~ed by smb. пе́реданное кем-л. *(письмо)*.

**favourable** ['feɪvərəbl] *a* 1) благоприя́тный; подходя́щий; удо́бный; ~ answer благоприя́тный отве́т; ~ wind попу́тный ве́тер; 2) благоскло́нный, располо́женный.

**favoured** ['feɪvəd] **1.** *p. p. om* favour 2; **2.** *a* 1) привилегиро́ванный, по́льзующийся преиму́ществом; most ~ nation наибо́лее благоприя́тствуемая на́ция; ~ few немно́гие и́збранные; 2) благода́тный *(о климате)*.

**favourite** ['feɪvərɪt] **1.** *n* 1) люби́мец; фавори́т; 2) люби́мая вещь; that book is a great ~ of mine я о́чень люблю́ э́ту кни́гу; 3) фавори́т *(о лошади)*; 4) кандида́т, име́ющий наибо́льший шанс на успе́х *(на вы́борах)*; **2.** *a* люби́мый, излю́бленный; ~ son *амер.* полити́ческий де́ятель, вы́двинутый представи́телями своего́ шта́та на пост президе́нта.

**favouritism** ['feɪvərɪtɪzəm] *n* фавори́ти́зм.

**fawn I** [fɔːn] **1.** *n* молодо́й оле́нь *(до одного́ го́да)*; in ~ сте́льная *(о ла́ни)*; **2.** *a* желтова́то-кори́чневый; **3.** *v* тели́ться *(о ла́ни)*.

**fawn II** [fɔːn] *v* 1) ласка́ться; виля́ть хвосто́м; 2) подли́зываться, прислу́живаться (on, upon—к).

**fawn-coloured** ['fɔːn,kʌləd] = fawn I, 2.

**fawning I** ['fɔːnɪŋ] *pres. p. om* fawn I, 3.

**fawning II** ['fɔːnɪŋ] **1.** *pres. p. om* fawn II; **2.** *a* раболе́пный.

**fay I** [feɪ] *n уст.* ве́ра; ве́рность; by my ~! че́стное сло́во!

**fay II** [feɪ] *n поэт.* фе́я; эльф.

**fay III** [feɪ] *v* 1) пло́тно соединя́ть; 2) примыка́ть.

**faze** [feɪz] *v амер. разг.* беспоко́ить, досажда́ть; расстра́ивать.

**fealty** ['fiːəltɪ] *n ист.* ве́рность васса́ла феода́лу; to swear ~ to *(или* for) smb. присяга́ть на ве́рность кому́-л.

**fear** [fɪə] **1.** *n* 1) страх, боя́знь; for ~ (of smth.) из боя́зни *(чего́-л.)*; in ~ of one's life в стра́хе за свою́ жизнь; without ~ or favour беспристра́стно; 2) опасе́ние; возмо́жность, вероя́тность *(чего́-л. нежела́тельного)*; no ~ *разг.* вряд ли; едва́ ли; **2.** *v* 1) боя́ться; never ~ не бо́йтесь; I ~ me *уст.* я бою́сь; 2) опаса́ться; ожида́ть *(чего́-л. нежела́тельного)*.

**fearful** ['fɪəful] *a* 1) ужа́сный, стра́шный; 2) *разг.* огро́мный, ужа́сный; in a ~ mess в стра́шном беспоря́дке; 3) *уст.* по́лный стра́ха, испу́ганный (of); испо́лненный благогове́ния; ~ to do smth. боя́щийся сде́лать что-л.

**fearless** ['fɪəlɪs] *a* бесстра́шный, неустраши́мый; му́жественный.

**fear-monger** ['fɪə,mʌŋgə] *n* паникёр.

**fearnought** ['fɪənɔːt] *n* касто́р *(сукно)*.

**fearsome** ['fɪəsəm] *a (обыкн. шутл.)* гро́зный, стра́шный.

**feasible** ['fiːzəbl] *a* 1) выполни́мый, осуществи́мый; 2) возмо́жный, вероя́тный.

**feast** [fiːst] **1.** *n* 1) пир; пра́зднество; банке́т; 2) пра́здник; ежего́дный се́льский церко́вный *или* прихо́дский пра́здник; ◇ enough is as good as a ~ *посл.* ≈ от добра́ добра́ не и́щут; бо́льше, чем доста́точно; **2.** *v* 1) пирова́ть, пра́здновать; 2) принима́ть, че́ствовать; угоща́ть(ся); 3) наслажда́ться; to ~ one's eyes on smb., smth. любова́ться кем-л., чем-л.

**feat** [fiːt] **1.** *n* 1) по́двиг; ~ of arms боево́й по́двиг; 2) проявле́ние большо́й ло́вкости, иску́сства; **2.** *a уст.* ло́вкий, иску́сный.

**feather** ['feðə] **1.** *n* 1) перо́ *(пти́чье)*; *собир. или pl* опере́ние; 2) *охот.* дичь; 3) тре́щина *(порок в драгоце́нном ка́мне)*; 4) не́что лёгкое; пустячо́к; 5) *тех.* вы́ступ, гре́бень; шпо́нка; шип; ◇ that's a ~ in his cap он мо́жет э́тим горди́ться; он э́тим горди́тся; birds of a ~ пти́цы одного́ полёта; ≈ одного́ по́ля я́года; in full ~, in fine ~ в по́лном пара́де; во всём бле́ске; in high ~ в хоро́шем настрое́нии; to show *(или* to fly) the white ~ стру́сить, прояви́ть малоду́шие; to knock down with a ~ ошеломи́ть; to smooth one's ruffled ~s прийти́ в себя́, опра́виться; **2.** *v* 1) украша́ть(ся) пе́рьями; 2) оперя́ться; 3) покрыва́ть(ся); boughs ~ed with snow су́чья, опушённые сне́гом; 4) *тех.* соединя́ть на шпунт *или* шпо́нку; 5) *охот.* сбить пе́рья с пти́цы вы́стрелом; 6) дрожа́, виля́я хвосто́м *(о соба́ке, разыски́вающей след)*; ◇ to ~ one's nest ≈ нагре́ть ру́ки; наби́ть себе́ карма́н; обогати́ться; to ~ one's oar *мор.* выноси́ть весло́ плашмя́.

**feather-bed** ['feðəbed] *n* пери́на; *перен.* удо́бное положе́ние.

**feather-bed** ['feðəbed] *v* балова́ть, изне́живать.

**feather-brain** ['feðəbreɪn] *n* вертопра́х, пусто́й челове́к.

**feather-brained** ['feðəbreɪnd] *a* глу́пый, пусто́й, ве́треный.

**feathered** ['feðəd] **1.** *p. p. om* feather 2; **2.** *a* 1) покры́тый *или* укра́шенный пе́рьями; 2) име́ющий вид пера́; 3) крыла́тый, бы́стрый.

**feather-grass** ['feðəgrɑːs] *n бот.* ковы́ль.

**feather-head** ['feðəhed] = feather-brain.

**feather-headed** ['feðə,hedɪd] = feather-brained.

**feathering** ['feðərɪŋ] **1.** *pres. p. om* feather 2; **2.** *n* 1) опере́ние; 2) что-л., похо́жее на опере́ние; 3) *архит.* фесто́н.

**feather-pate** ['feðəpeɪt] = feather-brain.

**feather-pated** ['feðə,peɪtɪd] = feather-brained.

**feather-stitch** ['feðəstɪʧ] *n* шов та́мбуром, в ёлочку.

**feather-weight** ['feðəweɪt] *n* 1) о́чень лёгкий челове́к *или* предме́т; 2) *спорт.* полулёгкий вес, «вес пера́».

**feathery** [ˈfeðərɪ] *a* 1) = feathered 2; 2) похо́жий на перо́; лёгкий, пуши́стый.

**feature** [ˈfiːtʃə] 1. *n* 1) осо́бенность, характе́рная черта́; при́знак, сво́йство, дета́ль; 2) (*обыкн. pl*) черты́ лица́; 3) больша́я (газе́тная) статья́; 4) *амер.* гвоздь (*программы*); аттракцио́н; боеви́к (*в кино*); 5) ме́стный предме́т; подро́бность рельефа ме́стности; 6) *attr.*: ~ film худо́жественный фильм; ~ article о́черк; 2. *v* 1) изобража́ть, рисова́ть, набра́сывать; 2) быть характе́рной черто́й; 3) пока́зывать (*на экра́не*); 4) *амер.* отводи́ть важне́йшее ме́сто; выводи́ть в гла́вной ро́ли; the newspaper ~s a story газе́та на ви́дном ме́сте помеща́ет расска́з; 5) писа́ть по специа́льному зада́нию (*статью и т. п.*); 6) *разг.* напомина́ть черта́ми лица́.

**featureless** [ˈfiːtʃəlɪs] *a* лишённый характе́рных черт, невырази́тельный.

**featurette** [ˌfiːtʃəˈret] *n* короткометра́жный худо́жественный фильм (*обычно низкого ка́чества*).

**feaze** I [fiːz] *v мор.* рассу́чивать(ся).

**feaze** II [fiːz] = feeze.

**febrifuge** [ˈfebrɪfjuːdʒ] *n мед.* жаропонижа́ющее (сре́дство).

**febrile** [ˈfiːbraɪl] *a* лихора́дочный.

**February** [ˈfebruərɪ] *n* 1) февра́ль; 2) *attr.* февра́льский.

**fecit** [ˈfiːsɪt] *лат. v* испо́лнил, сде́лал (*подпись худо́жника*).

**feck** [fek] *n шотл.* 1) це́нность; 2) си́ла; 3) коли́чество.

**feckless** [ˈfeklɪs] *a* беспо́мощный; беспо́лезный.

**feculence** [ˈfekjuləns] *n* муть, му́тность, му́тный оса́док.

**feculent** [ˈfekjulənt] *a* му́тный.

**fecund** [ˈfiːkənd] *a* 1) плодоро́дный; 2) плодови́тый (*тж. перен.*).

**fecundate** [ˈfiːkəndeɪt] *v* 1) де́лать плодоро́дным; 2) оплодотворя́ть.

**fecundation** [ˌfiːkənˈdeɪʃən] *n* оплодотворе́ние.

**fecundity** [fɪˈkʌndɪtɪ] *n* 1) плодоро́дность; 2) плодови́тость (*тж. перен.*).

**fed** [fed] *past и p. p. от* feed I, 2.

**federal** [ˈfedərəl] 1. *a* федера́льный, сою́зный; 2. *n* федерали́ст; член федера́ции; the Federals войска́ северя́н (*в гражда́нской войне́ в Аме́рике 1861—65 гг.*).

**federalism** [ˈfedərəlɪzəm] *n* федерали́зм.

**federalization** [ˌfedərəlaɪˈzeɪʃən] *n* образова́ние федера́ции.

**federalize** [ˈfedərəlaɪz] *v* составля́ть федера́цию, сою́з.

**federate** 1. *a* [ˈfedərɪt] федерати́вный; 2. *v* [ˈfedəreɪt] объединя́ть(ся) на федерати́вных нача́лах.

**federation** [ˌfedəˈreɪʃən] *n* федера́ция; сою́з, объедине́ние.

**federative** [ˈfedərətɪv] *a* федерати́вный.

**feds** [fedz] *n pl разг.* аге́нты Ф. Б. Р. (*Федера́льного бюро́ рассле́дований в США*).

**fee** [fiː] 1. *n* 1) гонора́р, вознагражде́ние; 2) чаевы́е; 3) вступи́тельный *или* чле́нский взнос; 4) пла́та за уче́ние; 5) *ист.* лен, феода́льное поме́стье; ~ simple *юр.* поме́стье, насле́дуемое без ограниче́ний; 2. *v* (feed) 1) плати́ть гонора́р; дава́ть на чай; 2) нанима́ть.

**feeble** [ˈfiːbl] *a* 1) сла́бый; хи́лый; 2) ничто́жный.

**feeble-minded** [ˈfiːblˈmaɪndɪd] *a* слабоу́мный.

**feed** I [fiːd] 1. *n* 1) пита́ние, кормле́ние; 2) пи́ща; оби́льная еда́; 3) корм, фура́ж; 4) по́рция, да́ча (*корма*); 5) *уст.* па́стбище, вы́гон; out at ~ на подно́жном корму́; 6) *тех.* пода́ча материа́ла, пита́ние; по́данный материа́л; ◇ to be off one's ~ не име́ть аппети́та; 2. *v* (fed) 1) пита́ть(ся); корми́ть(ся); 2) пасти́(сь); задава́ть корм; 3) подде́рживать; снабжа́ть то́пливом, водо́й, сырьём (*маши́ну*; into, to); □ ~ down испо́льзовать (*зе́млю как па́стбище*); ~ on, ~ upon пита́ть(ся) чем-л.; ~ up отка́рмливать, уси́ленно пита́ть; I am fed up *разг.* сыт по го́рло, с меня́ хва́тит, надое́ло.

**feed** II [fiːd] *past и p. p. от* fee 2.

**feed-back** [ˈfiːdbæk] *n* 1) *радио* обра́тная связь; 2) *эл.* обра́тное пита́ние.

**feeder** [ˈfiːdə] *n* 1) едо́к; a large (*или* gross) ~ обжо́ра; he is a quick ~ он ест о́чень бы́стро; 2) прито́к (*реки́*; *тж. перен.*); кана́л; 3) = feeding-bottle; 4) де́тский нагру́дник; 5) корму́шка; 6) *эл.* фи́дер; 7) *тех.* пита́тель, подаю́щий меха́низм; 8) *ж.-д.* ве́тка.

**feeding-bottle** [ˈfiːdɪŋˌbɒtl] *n* де́тский рожо́к.

**feeding crop** [ˈfiːdɪŋkrɒp] *n с.-х.* кормова́я культу́ра.

**feed-pipe** [ˈfiːdpaɪp] *n тех.* пита́тельная труба́.

**feed-pump** [ˈfiːdpʌmp] *n тех.* пита́тельный насо́с.

**feed-screw** [ˈfiːdskruː] *n тех.* ходово́й винт, подаю́щий червя́к (*или* шнек).

**feed-tank** [ˈfiːdtæŋk] *n* резервуа́р пита́ющей воды́, расхо́дный бак.

**feed-trough** [ˈfiːdtrɒf] = feed-tank.

**fee-faw-fum** [ˈfiːfɔːˈfʌm] 1. *int* восклица́ние людое́да в англ. ска́зках; 2. *n* смехотво́рная угро́за.

**feel** [fiːl] 1. *v* (felt) 1) чу́вствовать; 2) ощу́пывать; to ~ the edge of a knife про́бовать ле́звие ножа́; to ~ the pulse of smb. щу́пать чей-л. пульс; *перен.* стара́ться вы́яснить чьи-л. жела́ния, наме́рения *и т. п.*; прощу́пывать; 3) ощуща́ть, о́стро *или* то́нко воспринима́ть, быть чувстви́тельным (*к чему́-л.*); пережива́ть; to ~ the heat (the cold) быть чувстви́тельным к жаре́ (к хо́лоду); to ~ beauty (poetry) чу́вствовать красоту́ (поэ́зию); to ~ a friend's death пережива́ть смерть дру́га; the ship ~s her helm су́дно слу́шается руля́; 4) *глаго́л-свя́зка в составно́м именно́м сказу́емом:* а) чу́вствовать себя́; I ~ hot (cold) мне жа́рко (хо́лодно); to ~ fine (bad) чу́вствовать себя́ прекра́сно (пло́хо); to ~ low чу́вствовать себя́ пода́вленным; to ~ quite oneself опра́виться, прийти́ в себя́;

to ~ angry сердиться; to ~ certain быть уверенным; б) давать ощущение; your hand ~s cold у вас холодная рука; velvet ~s soft бархат мягок на ощупь; 5): to ~ one's way пробираться ощупью; *перен.* действовать осторожно, нащупывать почву; выяснять обстановку; 6) полагать, считать; I ~ it my duty я считаю это своим долгом; to ~ bound to say быть вынужденным сказать; 7) предчувствовать; 8) *воен.* производить разведку; □ ~ about нащупывать (for); ~ for a) сочувствовать; б) нащупывать; ~ up to быть в состоянии; ~ with разделять (*чьё-л.*) чувство; сочувствовать; ◇ to ~ like (eating *etc.*) быть склонным (поесть *и т. п.*); to ~ like putting smb. on *амер.* иметь желание помочь кому-л.; it ~s like rain вероятно, будет дождь; to ~ strongly about испытывать чувство возмущения, быть против; to ~ one's feet (*или* legs) почувствовать почву под ногами; быть уверенным в себе; to ~ in one's bones быть совершенно уверенным;

**2.** *n* 1) осязание; ощущение; cold to the ~ холодный на ощупь; the cool ~ of smth. ощущение холода от прикосновения чего-л. *или* к чему-л.; by ~ на ощупь; 2) чутьё; вкус.

**feeler** ['fiːlə] *n* 1) *зоол.* щупальце; усик; 2) проба, пробный шар; 3) *воен.* орган разведки; 4) разведчик; ◇ to send out a ~ зондировать почву.

**feeling** ['fiːlɪŋ] **1.** *pres. p. om* feel 1; **2.** *n* 1) чувство, ощущение, сознание; ~ of safety сознание безопасности; to appeal to smb.'s better ~s взывать к лучшим чувствам кого-л.; стараться разжалобить кого-л.; 2) эмоция, волнение; чувство; ran high страсти разгорелись; to hurt smb.'s ~s обидеть кого-л.; to relieve one's ~s отвести душу; 3) отношение, настроение; (*часто* pl) взгляд; the general ~ was against him общее настроение было против него; good ~ доброжелательность; ill ~ враждебность; 4) тонкое восприятие (*искусства, красоты*); 5) ощущение, впечатление; bad ~ плохое впечатление; **3.** *a* 1) чувствительный; 2) прочувствованный; 3) полный сочувствия.

**feelingly** ['fiːlɪŋlɪ] *adv* с чувством, с жаром.

**feet** [fiːt] *pl om* foot 1.

**feeze** [fiːz] **1.** *n амер. разг.* тревога; **2.** *v диал., разг.* 1) беспокоить; 2) бить.

**feign** [feɪn] *v* 1) притворяться, симулировать; to ~ indifference притворяться безразличным; 2) выдумывать; придумывать; to ~ an excuse придумывать оправдание.

**feigned** [feɪnd] **1.** *p. p. om* feign; **2.** *a* 1) притворный; 2): ~ column *архит.* ложная колонна.

**feigningly** ['feɪnɪŋlɪ] *adv* притворно.

**feint** I [feɪnt] **1.** *n* 1) притворство; to make a ~ of doing smth. притворяться делающим что-л.; 2) ложный выпад, финта; манёвр для отвлечения внимания противника;

**2.** *v* сделать манёвр для отвлечения внимания противника (at, upon, against).

**feint** II [feɪnt] = faint 2, 3).

**feist** [faɪst] *n амер. разг.* собачонка.

**feldspar** ['feldspɑː] *n мин.* полевой шпат.

**felicitate** [fɪ'lɪsɪteɪt] *v* 1) поздравлять (on—с); 2) *редк.* осчастливливать.

**felicitation** [fɪ,lɪsɪ'teɪʃən] *n* (*обыкн. pl*) поздравление.

**felicitous** [fɪ'lɪsɪtəs] *a* удачный, уместный, счастливый; ~ remark меткое замечание.

**felicity** [fɪ'lɪsɪtɪ] *n* 1) счастье; блаженство; 2) счастливое умение (*писать, рисовать и т. п.*); ~ of phrase способность находить удачные выражения; красноречие; 3) удачность, меткость (*выражения*); 4) *редк.* благосостояние.

**feline** ['fiːlaɪn] **1.** *n зоол.* животное из семейства кошачьих;

**2.** *a* 1) *зоол.* кошачий; 2) по-кошачьи хитрый *или* злобный; ~ amenities *шутл.* скрытые колкости.

**fell** I [fel] *n* шкура (*тж. перен.*); ~ of hair космы волос.

**fell** II [fel] *n сев.* 1) гора (*в названиях*); 2) пустынная болотистая местность (*на севере Англии*).

**fell** III [fel] *a поэт.* жестокий, свирепый, беспощадный.

**fell** IV [fel] **1.** *v* 1) (с)рубить, валить (*дерево*); 2) сбить с ног; 3) запошивать (*шов*);

**2.** *n* количество срубленного леса.

**fell** V [fel] *past om* fall 2.

**fella** ['felə] *sl. см.* fellow 2).

**fellah** ['felə] *араб. n* (*pl* fellaheen, -ahs [-əz]) феллах.

**fellaheen** ['feləhiːn] *pl om* fellah.

**feller** ['felə] *sl. см.* fellow 2).

**felling** ['felɪŋ] **1.** *pres. p. om* fell IV, 1; **2.** *n* рубка, валка (*леса*).

**felloe** ['felou] *n* обод (*колеса*); косяк.

**fellow** ['felou] *n* 1) товарищ, собрат; ~ citizen сограждании; ~ creature ближний; ~ soldier товарищ по оружию; a ~ in misery товарищ по несчастью; 2) (*обыкн.* the ~) *разг.* человек; парень; a good ~ славный малый; my dear ~ дорогой мой; old ~ старина, дружище; poor ~ бедняга, бедняжка; 3) парная вещь; пара; I shall never find his ~ я никогда не найду равного ему; 4) член совета колледжа; стипендиат, занимающийся исследовательской работой; 5) член научного общества.

**fellow-countryman** ['felou'kʌntrɪmən] *n* соотечественник, земляк.

**fellow-feeling** ['felou'fiːlɪŋ] *n* 1) сочувствие, симпатия; 2) общность взглядов *или* интересов.

**fellowship** ['felouʃɪp] *n* 1) товарищество, чувство товарищества; братство; good ~ чувство товарищества; 2) корпорация; 3) звание члена совета колледжа; звание стипендиата, занимающегося исследовательской работой; 4) стипендия, выплачиваемая лицам, окончившим университет и ведущим при нём исследовательскую работу.

**fellow-traveller** ['felou'trævlə] *n* 1) спу́тник; попу́тчик; 2) *полит.* попу́тчик; сочу́вствующий.

**felly** ['felɪ] = felloe.

**felo de se** ['fiːlou'diːsiː] *n (pl* felones de se, felos de se) 1) самоуби́йца; 2) *(тк. sing)* самоуби́йство.

**felon** I ['felən] **1.** *n юр.* уголо́вный престу́пник;
**2.** *a поэт.* престу́пный; жесто́кий; ~ deed жесто́кий посту́пок.

**felon** II ['felən] *n* ногтое́да.

**felones de se** ['felouniːzdiː'siː] *pl om* felo de se.

**felonious** [fɪ'lounjəs] *a юр.* престу́пный.

**felonry** ['felənrɪ] *n собир.* престу́пные элеме́нты.

**felony** ['felənɪ] *n юр.* уголо́вное преступле́ние.

**felos de se** ['fiːlouzdiː'siː] *pl om* felo de se.

**felspar** ['felspɑː] = feldspar.

**felt** I [felt] **1.** *n* 1) во́йлок; фетр; 2) *attr.* во́йлочный; фе́тровый; ~ hat фе́тровая шля́па;
**2.** *v* 1) сбива́ть во́йлок; сбива́ться в во́йлок; валя́ть шерсть; 2) покрыва́ть во́йлоком.

**felt** II [felt] *past и p. p. om* feel 1.

**felucca** [fe'lʌkə] *n мор.* фелю́га, фе́лука.

**female** ['fiːmeɪl] *n* 1) же́нщина *(частэ пренебр.)*; 2) *зоол.* са́мка; ма́тка; 3) *бот.* же́нская осо́бь;
**2.** *a* 1) же́нского по́ла, же́нский; ~ child де́вочка; ~ insect насеко́мое-са́мка; ~ suffrage избира́тельное пра́во для же́нщин; ~ weakness же́нская сла́бость; 2) *тех.* охва́тывающий, обнима́ющий; с вну́тренней наре́зкой; ~ screw га́йка; га́ечная резьба́.

**feme** [fiːm] *n юр.:* ~ covert заму́жняя же́нщина; ~ sole де́вушка; вдова́; заму́жняя же́нщина с незави́симым состоя́нием.

**feminality** [,femɪ'nælɪtɪ] *n* 1) же́нственность; 2) *pl* же́нские черты́.

**femineity** [,femɪ'niːɪtɪ] *n* 1) же́нственность; 2) женоподо́бность.

**feminine** ['femɪnɪn] *a* 1) же́нский, сво́йственный же́нщине; ~ gender *грам.* же́нский род; ~ rhyme *прос.* же́нская ри́фма; 2) же́нственный.

**femininity** [,femɪ'nɪnɪtɪ] *n* 1) же́нственность; 2) *собир.* же́нский пол.

**feminism** ['femɪnɪzəm] *n* феминѝзм.

**feminist** ['femɪnɪst] *n* фемини́ст.

**feminize** ['femɪnaɪz] *v* де́лать(ся) же́нственным, изне́живать(ся).

**femora** ['femərə] *pl om* femur.

**femoral** ['femərəl] *a анат.* бе́дренный.

**femur** ['fiːmə] *n (pl* -s [-z], femora) *анат.* бедро́.

**fen** I [fen] *n* боло́то, топь, фен; the ~s боло́тистая ме́стность в Ке́мбриджшире и Ли́нкольншире.

**fen** II [fen] = fain II.

**fence** [fens] **1.** *n* 1) забо́р, и́згородь, огра́да, огражде́ние; green (wire) ~ жива́я (про́волочная) и́згородь; 2) фехтова́ние; master of ~ иску́сный фехтова́льщик; *перен* иску́сный спо́рщик; 3) укрыва́тель или ску́пщик кра́деного; 4) прито́н для укрыва́ния кра́деного; 5) *тех.* направля́ющий у́гольник; 6) *attr.:* ~ roof наве́с; ◇ to mend one's ~s *амер.* а) *полит.* уси́ливать свой ли́чные полити́ческие пози́ции; б) *разг.* стара́ться установи́ть хоро́шие, дру́жеские отноше́ния; to be *(или* to sit) on the ~ занима́ть нейтра́льную *или* выжида́тельную пози́цию; держа́ться выжида́тельного о́браза де́йствий; колеба́ться ме́жду двумя́ мне́ниями *или* реше́ниями;
**2.** *v* 1) фехтова́ть; to ~ with a question уклоня́ться от отве́та; пари́ровать вопро́с вопро́сом; 2) огора́живать; загора́живать; защища́ть; 3) запреща́ть охо́ту и ры́бную ло́влю *(на како́м-л. уча́стке)*; 4) брать препя́тствие *(о ло́шади)*; 5) укрыва́ть кра́деное; продава́ть кра́деное; ☐ — **about**, ~ **in** окружа́ть, огражда́ть; ~ **off**, ~ **out** отража́ть, отгоня́ть; ~ **round** = ~ about.

**fenceless** ['fenslɪs] *a* 1) неогоро́женный; откры́тый; 2) *поэт.* незащищённый, беззащи́тный.

**fence-month** ['fensmʌnθ] *n* вре́мя го́да, когда́ охо́та запрещена́.

**fencer** ['fensə] *n* 1) фехтова́льщик; 2) ло́шадь, уча́ствующая в ска́чках с препя́тствиями.

**fence-season, fence-time** ['fens,siːzn, 'fenstaɪm] = fence-month.

**fencible** ['fensɪbl] *n ист.* солда́т, несу́щий слу́жбу то́лько на ро́дине; ополче́нец.

**fencing** ['fensɪŋ] **1.** *pres. p. om* fence 2;
**2.** *n* 1) огора́живание; огражде́ние; 2) и́згородь, забо́р, огра́да; материа́л для и́згородей; 3) фехтова́ние; 4) укрыва́тельство кра́деного.

**fencing-cully** ['fensɪŋ,kʌlɪ] *n* укрыва́тель *или* ску́пщик кра́деного.

**fencing-ken** ['fensɪŋken] *n* прито́н для хране́ния кра́деного.

**fend** [fend] *v (сокр. om* defend) отража́ть, отгоня́ть; пари́ровать *(обыкн.* ~ off, ~ away, ~ from); ◇ to ~ for oneself кое-ка́к перебива́ться; забо́титься о себе́.

**fender** ['fendə] *n* 1) ками́нная решётка; 2) предохрани́тельная решётка *(впереди́ трамва́я или парово́за)*; 3) крыло́ *(автомоби́ля)*; 4) *мор.* кра́нец.

**fen-fire** ['fenfaɪə] *n* блужда́ющий огонёк.

**Fenian** ['fiːnjən] *ист.* **1.** *n* фе́ний *(член та́йного о́бщества, боро́вшегося за освобожде́ние Ирла́ндии от англи́йского влады́чества)*;
**2.** *a* фениа́нский.

**fenianism** ['fiːnjənɪzəm] *n ист.* фениа́нство.

**fennel** ['fenl] *n* фе́нхель *(сла́дкий укро́п)*.

**fenny** ['fenɪ] *a* боло́тистый; боло́тный.

**fen-runners** ['fen,rʌnəz] *n* род конько́в.

**fens** [fenz] = fain II.

**fenugreek** ['fenjugriːk] *n* пожи́тник, шамба́ла *(бобо́вая мелкосеме́нная культу́ра)*.

**feoff** [fef] = fief.

**feoffee** [fe'fiː] *n ист.* владе́лец ле́на, ле́нник.

**feoffer** ['fefə] = feoffor.

**feoffment** ['fefmənt] *n ист.* пожа́лование ле́нным поме́стьем.

**feoffor** [fe'fɔ:] *n ист.* тот, кто жа́лует лен.

**ferae naturae** ['fɪəriːnə'tjuəriː] *лат. a predic.* неприручённый, ди́кий.

**feral I** ['fɪərəl] *a* 1) ди́кий; неприручённый; 2) одича́вший; полево́й (*о растениях*); 3) гру́бый, нецивилизо́ванный.

**feral II** ['fɪərəl] *a* 1) похоро́нный; 2) роково́й, смерте́льный.

**feretory** ['ferɪtərɪ] *n* 1) ра́ка; гробни́ца; склеп; 2) похоро́нные дро́ги.

**ferial** ['fɪərɪəl] *a* бу́дний, не пра́здничный.

**ferine** ['fɪəraɪn] = **feral I**.

**Feringhee** [fə'rɪŋgɪ] *n англо-инд.* европе́ец; *особ.* португа́лец, роди́вшийся в Индии.

**ferity** ['ferɪtɪ] *n* ди́кое *или* нецивилизо́ванное состоя́ние, ди́кость.

**ferment 1.** *n* ['fɜːment] 1) заква́ска, ферме́нт; 2) *хим.* броже́ние; 3) возбужде́ние, броже́ние, волне́ние;
**2.** *v* [fə'ment] 1) вызыва́ть броже́ние; 2) *хим.* броди́ть; 3) волнова́ть(ся), возбужда́ть(ся); 4) выха́живать(ся) (*о пиве*).

**fermentable** [fə'mentəbl] *a* приводи́мый в броже́ние; спосо́бный приходи́ть в броже́ние; спосо́бный производи́ть броже́ние.

**fermentation** [,fɜːmen'teɪʃən] *n* 1) броже́ние, фермента́ция; 2) волне́ние, возбужде́ние.

**fermentative** [fə'mentətɪv] *a* возбужда́ющий броже́ние, броди́льный.

**fern** [fɜːn] *n бот.* щито́вник, па́поротник (мужско́й).

**fernery** ['fɜːnərɪ] *n* ме́сто, заро́сшее па́поротником.

**fern-owl** ['fɜːnaul] *n* козодо́й (обыкнове́нный) (*птица*).

**ferny** ['fɜːnɪ] *a* 1) поро́сший па́поротником; 2) папоротникови́дный.

**ferocious** [fə'rouʃəs] *a* 1) ди́кий; 2) жесто́кий, свире́пый; 3) *разг.* ужа́сный, си́льный; ~ heat стра́шная жара́.

**ferocity** [fə'rɔsɪtɪ] *n* 1) ди́кость; 2) свире́пость, жесто́кость.

**ferrate** ['fereɪt] *n* ферра́т, соль желе́зной кислоты́.

**ferrel** ['ferəl] = **ferrule**.

**ferreous** ['ferɪəs] = **ferrous**.

**ferret I** ['ferɪt] **1.** *n* хорёк;
**2.** *v* 1) охо́титься с хорько́м (*особ.* to go ~ing); выгоня́ть из норы́ (*обыкн.* ~ away, ~ out); 2) разню́хивать; ры́ться, ша́рить, выи́скивать (for, about) [*ср. тж.* ~ out]; ☐ ~ out выню́хивать; развё́дывать, разы́скивать [*ср. тж.* 2)].

**ferret II** ['ferɪt] *n* пло́тная бума́жная *или* шёлковая тесьма́.

**ferriage** ['ferɪɪdʒ] *n* 1) перево́з, перепра́ва; 2) пла́та за перепра́ву.

**ferric** ['ferɪk] *a хим. обозначает соединения окиси железа*: ~ acid желе́зная кислота́ ($H_2FeO_4$).

**ferriferous** [fe'rɪfərəs] *a* содержа́щий желе́зо, желе́зистый.

**Ferris wheel** ['ferɪs,wiːl] *n* 1) чёртово колесо́; 2) аттракцио́н «колесо́ обозре́ния».

**ferro-alloy** ['ferou,ælɔɪ] *n* ферроспла́в, желе́зный сплав.

**ferro-concrete** ['ferou'kɔŋkriːt] *n* железобето́н.

**ferro-magnetic** ['feroumæg'netɪk] *a* ферромагни́тный.

**ferrotype** ['feroutaɪp] *n фото* ферроти́пия.

**ferrous** ['ferəs] *a хим.* желе́зистый; ~ metals чёрные мета́ллы.

**ferruginous** [fe'ruːdʒɪnəs] *a* 1) содержа́щий желе́зо, желе́зистый; 2) ржа́вый; 3) цве́та ржа́вчины; краснова́то-кори́чневый.

**ferrule** ['feruːl] *n* 1) металли́ческий обо́док *или* наконе́чник; о́бруч, му́фта; 2) окружна́я *или* поясна́я желе́зная доро́га; 3) *воен.* запа́льная тру́бка.

**ferry** ['ferɪ] **1.** *n* 1) перево́з, перепра́ва; 2) паро́м; 3) регуля́рная (вое́нная) авиатра́нспортная слу́жба; 4) *ав.* перего́нка самолётов; ◇ Charon's ~ ладья́ Харо́на; to take the ~, to cross the Stygian ~ перепра́виться че́рез Стикс, отпра́виться к пра́отцам;
**2.** *v* 1) перевози́ть (*на лодке, пароме*); 2) переезжа́ть (*на лодке, пароме*); 3) перегоня́ть (*самолёты*); 4) доставля́ть по во́здуху.

**ferry-boat** ['ferɪbout] *n* паро́м, су́дно для перево́за че́рез ре́ку *и т. п.*.

**ferry-bridge** ['ferɪbrɪdʒ] *n ж.-д.* парохо́д-паро́м (*для перевозки целых поездов*).

**ferryman** ['ferɪmən] *n* перево́зчик, паро́мщик.

**ferry pilot** ['ferɪ,paɪlət] *n* лётчик, доставля́ющий самолёты с заво́да на аэродро́м.

**fertile** ['fɜːtaɪl] *a* 1) плодоро́дный; изоби́льный (*часто* ~ in, ~ of); ~ in resources изоби́лующий приро́дными бога́тствами; 2) всхо́жий (*о семенах*); плодонося́щий.

**fertility** [fɜː'tɪlɪtɪ] *n* 1) плодоро́дие; изоби́лие; 2) бога́тство (*фантазии и т. п.*).

**fertilization** [,fɜːtɪlaɪ'zeɪʃən] *n* 1) удобре́ние (*почвы*); 2) *биол.* оплодотворе́ние.

**fertilize** ['fɜːtɪlaɪz] *v* 1) удобря́ть; 2) *биол.* оплодотворя́ть.

**fertilizer** ['fɜːtɪlaɪzə] *n* 1) удобре́ние; удобри́тельный тук; 2) *биол.* оплодотвори́тель.

**ferula** ['ferjuːlə] = **ferule**.

**ferule** ['feruːl] **1.** *n* лине́йка (*для наказания школьников*); to be under the ~ находи́ться под феру́лой, быть под нача́лом (*у кого-л.*);
**2.** *v* бить лине́йкой.

**fervency** ['fɜːvənsɪ] *n* горя́чность, рве́ние.

**fervent** ['fɜːvənt] *a* горя́чий, пы́лкий, пла́менный; ~ desire пы́лкое жела́ние.

**fervid** ['fɜːvɪd] *a поэт.* горя́чий, пы́лкий.

**fervour** ['fɜːvə] *n* 1) жар, пыл, страсть; рве́ние, усе́рдие; 2) зной.

**fescue** ['feskjuː] *n* 1) указка; 2) *бот.* овся́ница.

**festal** ['festl] *a* пра́здничный, весёлый.

**fester** ['festə] **1.** *n* 1) гноя́щаяся ра́нка; 2) нагное́ние;
**2.** *v* 1) гнои́ться (*о ранке*); вызыва́ть нагное́ние; 2) глода́ть, му́чить (*о зависти и т. п.*).

**festival** ['festəvəl] *n* пра́зднество; фестива́ль.

**festive** ['festiv] *a* прáздничный, весёлый.

**festivity** [fes'tiviti] *n* 1) весéлье; 2) *pl* прáзднества; торжествá.

**festoon** [fes'tuːn] 1. *n* гирлянда; фестóн; 2. *v* украшáть гирляндами, фестóнами.

**fetch** I [fetʃ] 1. *v* 1) сходить за *кем-л.*; принести; достáть; to (go and) ~ a doctor привести врачá; 2) приносить убитую дичь (*о собаке*); 3) вызывáть (*слёзы, кровь*); 4) привлекáть, нрáвиться, очарóвывать; 5) достигáть, добивáться (*часто* ~ up); 6) получáть, выручáть; to ~ a high price продавáть за высóкую цéну; 7): to ~ one's breath перевести дух; to ~ a sigh тяжелó вздохнýть; 8) *разг.* удáрить; □ ~ away вырваться, освободиться; ~ down = bring down [*см.* bring]; ~ out выявлять; ~ up a) рвать, блевáть; he ~es up егó рвёт; б) нагонять, навёрстывать; в) останáвливаться; г): to ~ up against smth. стýкнуться обо что-л.; д) *амер.* довершáть, закáнчивать; ◇ to ~ up all standing внезáпно остановиться; to ~ and carry прислýживать; to ~ and carry news распространять нóвости; to ~ a compass *мор.* совершить круг, идти крýжным путём; 2. *n* хитрость, улóвка.

**fetch** II [fetʃ] *n* привидéние; двойник.

**fetching** ['fetʃiŋ] 1. *pres. p. от* fetch I, 1; 2. *a разг.* привлекáтельный, очаровáтельный.

**fête** [feit] *фр.* 1. *n* 1) прáзднество, прáздник; 2) именины; 2. *v* чéствовать (*кого-л.*); прáздновать.

**fête champêtre** [,feitʃɑːŋ'peitr] *фр. n* прáздник на лóне прирóды, пикник.

**fête-day** ['feitdei] = fête 1, 1).

**fetich(e)** ['fiːtiʃ] = fetish.

**fetid** ['fetid] *a* зловóнный, вонючий.

**fetish** ['fiːtiʃ] *n* 1) фетиш; 2) амулéт; 3) идол, кумир.

**fetishism** ['fiːtiʃizəm] *n* фетишизм.

**fetishist** ['fiːtiʃist] *n* фетишист.

**fetlock** ['fetlɔk] *n* щётка (*волосы за копытом у лошади*).

**fetor** ['fiːtə] *n* зловóние.

**fetter** ['fetə] 1. *n* 1) (*обыкн. pl*) пýты; ножные кандалы; 2) *pl* окóвы, ýзы; 2. *v* 1) скóвывать, закóвывать; 2) спýтывать (*лошадь*); *перен.* связывать по рукáм и ногáм.

**fetterless** ['fetəlis] *a* свобóдный.

**fetterlock** ['fetəlɔk] *n* 1) пýты для лóшади; 2) *непр. вм.* fetlock.

**fettle** ['fetl] 1. *n* состояние, положéние; in good ~ в хорóшем виде; in fine (splendid) ~ в хорóшем (прекрáсном) настроéнии; 2. *v* чинить, поправлять; исправлять.

**fetus** ['fiːtəs] = foetus.

**feud** I [fjuːd] *n* длительная, *часто* наслéдственная, враждá; междоусóбица; deadly ~ a) смертéльная, непримиримая враждá; to be at (deadly) ~ with smb. смертéльно враждовáть, быть на ножáх с кем-л.; б) крóвная месть; to sink a ~ забыть враждý, помириться.

**feud** II [fjuːd] *n ист.* лен, феодáльное помéстье.

**feudal** ['fjuːdl] *a* феодáльный, лéнный; ~ lord феодáл.

**feudalism** ['fjuːdəlizəm] *n* феодализм.

**feudalist** ['fjuːdəlist] *n* 1) феодáл; 2) привéрженец феодáльного стрóя.

**feudality** [fjuː'dæliti] *n* феодализм.

**feudalize** ['fjuːdəlaiz] *v* 1) превращáть в лен; 2) превращáть в вассáлов.

**feudatory** ['fjuːdətəri] 1. *a* вассáльный; подчинённый; 2. *n* 1) феодáльный вассáл; 2) лен.

**feu de joie** [,fəːdə'ʒwɑː] *фр. n* салют в честь знаменáтельного событоя.

**feuilleton** ['fəːtɔːŋ] *фр. n* 1) подвáл, статья из определённой сéрии (*в газете*); 2) фельетóн.

**fever** ['fiːvə] 1. *n* 1) жар, лихорáдка; brain ~ воспалéние мóзга; gold (*или разг.* yellow) ~ золотáя лихорáдка; 2) нéрвное возбуждéние; mike ~ *разг.* страх перед микрофóном (*у новичков, выступающих по радио*); ◇ Channel ~ тоскá по рóдине (*об англичанах*); 2. *v* вызывáть жар, лихорáдку; бросáть в жар; лихорáдить.

**fevered** ['fiːvəd] 1. *p. p. от* fever 2; 2. *a* лихорáдочный; возбуждённый; ~ imagination пылкое воображéние.

**feverfew** ['fiːvəfjuː] *n бот.* пирéтрум дéвичий.

**fever heat** ['fiːvəhiːt] *n мед.* лихорáдочный жар; *перен.* высшая тóчка напряжéния.

**feverish** ['fiːvəriʃ] *a* лихорáдочный; возбуждённый, беспокóйный.

**feverous** ['fiːvərəs] 1) способствующий повышéнию температýры; 2) = feverish.

**fever therapy** ['fiːvə'θerəpi] *n мед.* лихорáдочная терапия, электропирексия.

**few** [fjuː] 1. *a* 1) немнóгие, немнóго, мáло; he is a man of ~ words он немногослóвен; every ~ hours кáждые нéсколько часóв; his friends are ~ у негó мáло друзéй; his visitors are ~ у негó гóсти рéдки; 2) (a ~) нéсколько; quite a ~ порядочное число, довóльно мнóго; ◇ in ~ *уст.*, in a ~ words крáтко; в нéскольких словáх; ~ and far between отделённые большим промежýтком врéмени; рéдкие; 2. *n* незначительное число; ~ could tell мáло кто мог сказáть; the ~ меньшинствó; ◇ a good ~ *разг.* порядочное числó; дóбрая половина; some ~ незначительное числó, нéсколько, немнóго.

**fewness** ['fjuːnis] *n* немногочисленность.

**fey** [fei] *a шотл.* обречённый, умирáющий.

**fez** [fez] *n* фéска.

**fiacre** [fi'ɑːkə] *n* фиáкр, наёмный экипáж.

**fiancé** [fi'ɑːnsei] *фр. n* жених.

**fiancée** [fi'ɑːnsei] *фр. n* невéста.

**fiasco** [fi'æskou] *n* (*pl* -os [-ouz]) провáл, неудáча, фиáско.

**fiat** ['faiæt] *лат.* *n* 1) декрéт, укáз; 2) *attr.*: ~ money *амер.* бумáжные дéньги (*не обеспеченные золотом*).

**fib** I [fib] 1. *n* выдумка, непрáвда; 2. *v* выдýмывать, привирáть.

**fib** II [fib] *спорт. sl.* 1. *n* удáр; 2. *v* сыпать удáры, тузить.

**fibber** ['fɪbə] *n* выдумщик, враль.

**fiber** ['faɪbə] = fibre.

**Fiberglass, fiberglass** ['faɪbə͵glɑːs] *n* волокно из стекла.

**fibre** ['faɪbə] *n* 1) волокно; фибра; нить; древесное волокно; лыко, мочало; 2) *бот.* боковой корень; 3) склад, характер.

**fibred** ['faɪbəd] *a* волокнистый (*гл. образом в сочетаниях, напр.*, finely-~ *и т. п.*).

**fibril** ['faɪbrɪl] *n* 1) *анат.* мелкое разветвление волокна (*нерва*); 2) *бот.* мочка; 3) волоконце, фибрилла.

**fibrin** ['faɪbrɪn] *n хим.* 1) фибрин; 2) клейковина.

**fibroid** ['faɪbrɔɪd] 1. *n мед.* фиброзная опухоль, фиброид;
2. *a* волокнистый.

**fibroin** ['faɪbrəɪn] *n хим.* фиброин.

**fibroma** [faɪ'broumə] *n* (*pl* -ta) *мед.* фиброма.

**fibromata** [faɪ'broumətə] *pl от* fibroma.

**fibrous** ['faɪbrəs] *a* волокнистый, жилистый, фиброзный.

**fibster** ['fɪbstə] *n* лгунишка.

**fibula** ['fɪbjulə] *n* (*pl* -ae, -as [-əz]) *анат.* малая берцовая кость.

**fibulae** ['fɪbjuliː] *pl от* fibula.

**ficelle** [fɪ'sel] *a* цвета небеленой ткани, цвета пакли.

**fichu** ['fiːʃuː] *фр. n* фишю, кружевная косынка.

**fickle** ['fɪkl] *a* непостоянный, переменчивый.

**fickleness** ['fɪklnɪs] *n* непостоянство, переменчивость.

**fictile** ['fɪktaɪl] *a* 1) глиняный; 2) гончарный.

**fiction** ['fɪkʃən] *n* 1) вымысел, выдумка; фикция; 2) беллетристика; художественная литература; works of ~ романы, повести.

**fictional** ['fɪkʃənl] *a* вымышленный *и пр.* [*см.* fiction].

**fiction-monger** ['fɪkʃən͵mʌŋgə] *n* выдумщик, враль; сплетник.

**fictitious** [fɪk'tɪʃəs] *a* 1) вымышленный, воображаемый; 2) фиктивный; 3) взятый из романа.

**fid** [fɪd] *n* 1) клин, колышек; 2) *мор.* свайка (*для рассучивания*); шлагтов (*стеньги*); 3) *диал.* небольшой толстый кусок (*пищи*); 4) куча, груда.

**fiddle** ['fɪdl] 1. *n* 1) *разг.* скрипка; to play first ~ играть первую скрипку; занимать руководящее положение; to play second ~ играть вторую скрипку; занимать второстепенное положение; 2) *мор.* сетка на столе (*чтобы вещи не падали во время качки*); ◇ a face as long as a ~ мрачное лицо; fit as a ~ в добром здоровье и хорошем настроении;
2. *v* 1) играть на скрипке; 2) вертеть в руках, играть (with—*чем-л.*); 3) *sl.* обманывать; □ ~ **about** бездельничать; шататься; ~ **away** проматывать, расточать, растрачивать.

**fiddle-bow** ['fɪdlbou] = fiddlestick 1.

**fiddle-case** ['fɪdlkeɪs] *n* футляр для скрипки.

**fiddle-crab** ['fɪdlkræb] = fiddler 2).

**fiddle-de-dee** ['fɪdldɪ'diː] 1. *n* чепуха, безделица, ерунда, вздор;
2. *int* вздор!, чепуха!

**fiddle-faddle** ['fɪdl͵fædl] 1. *n* пустяки, глупости; болтовня;
2. *a* пустячный, пустяковый;
3. *v* бездельничать; болтать вздор;
4. *int* вздор!

**fiddle-head** ['fɪdlhed] *n мор.* резное украшение на носу корабля.

**fiddler** ['fɪdlə] *n* 1) скрипач (*особ. уличный*); 2) *зоол.* манящий краб.

**fiddlestick** ['fɪdlstɪk] 1. *n* смычок;
2. *int* (*обыкн.* ~s) вздор!, чепуха!

**fiddling** ['fɪdlɪŋ] *разг. a* пустой; занятый пустяками.

**fidelity** [fɪ'delɪtɪ] *n* 1) верность, преданность, лояльность; 2) точность, правильность.

**fidget** ['fɪdʒɪt] 1. *n* 1) (*часто the ~s*) беспокойное состояние; нервные, суетливые движения; 2) суетливый, беспокойный человек; непоседа;
2. *v* 1) беспокойно двигаться, ёрзать (*часто ~ about*); to ~ with smth. играть чем-л., нервно перебирать что-л.; don't ~! не ёрзай!; 2) быть в волнении, не быть в состоянии сосредоточить внимание; 3) приводить в беспокойное состояние; нервировать; it ~s me not to know where he is меня беспокоит то, что я не знаю, где он находится.

**fidgety** ['fɪdʒɪtɪ] *a* неугомонный, суетливый, беспокойный.

**Fido** ['faɪdou] *n* (*сокр. от* Fog Investigation Dispersal Operation) метод рассеивания тумана на аэродроме.

**feducial** [fɪ'djuːʃjəl] *a астр., топ.* принятый за основу сравнения; ~ point отправная точка измерения.

**fiduciary** [fɪ'djuːʃjərɪ] 1. *n* попечитель, опекун;
2. *a* 1) доверенный, порученный; 2) основанный на общественном доверии.

**fie** [faɪ] *int* фу!; тьфу!; ~ upon you!, ~, for shame! стыдно!

**fief** [fiːf] *n ист.* феодальное поместье, лен.

**fie-fie** ['faɪ͵faɪ] *a* неприличный.

**field** [fiːld] 1. *n* 1) поле; луг; большое пространство; 2) область, сфера деятельности, наблюдения; in the whole ~ of our history на всём протяжении нашей истории; 3) поле действия; ~ of view, ~ of vision поле зрения; magnetic ~ магнитное поле; 4) поле сражения; сражение; a hard-fought ~ серьёзное сражение; in the ~ на войне, в походе; в полевых условиях; Army in the F. действующая армия; to conquer the ~ одержать победу; *перен. тж.* взять верх в споре; to enter the ~ вступать в борьбу; *перен. тж.* вступать в соревнование, вступать в спор; to hold the ~ удерживать позиции; to keep (to take) the ~ продолжать (начинать) сражение; 5) *геральд.* поле *или* часть поля (*щита*); 6) фон, грунт (*картины и т. п.*); 7) спортивная площадка; 8) все участники состязания *или* все, за исключением сильнейших; 9) *геол.* месторождение (*преим. в сложных словах, напр.,* diamond-fields, gold-fields); 10) *эл.* возбуждение (*тока*); 11) *attr.* полевой;

2. *v* отбивать мяч (*в крикете*).

**field-** [fi:ld-] *в сложных словах означает* полевой; *напр.:* ~-mouse полевая мышь.

**field-allowance** ['fi:ldə,lauəns] *n воен.* добавочное жалованье военного времени, полевые (деньги).

**field-artillery** ['fi:ldɑ:'tɪlərɪ] *n воен.* (лёгкая) полевая артиллерия.

**field court martial** ['fi:ld,kɔ:t'mɑ:ʃəl] *n* военно-полевой суд.

**field crops** ['fi:ldkrɔps] *n pl с.-х.* полевые культуры.

**field-day** ['fi:lddeɪ] *n* 1) *воен.* тактические занятия на местности; смотр войск; 2) день, посвящённый охоте, ботанизированию *и т. п.*; 3) *амер.* атлетические состязания на открытом воздухе; 4) памятный, знаменательный день.

**field duty** ['fi:ld,djuːtɪ] *n* служба в действующей армии.

**fielder** ['fi:ldə] = fieldsman.

**field events** ['fi:ldɪ'vents] *n pl* состязания по толканию ядра, метанию копья *и т. п.*

**fieldfare** ['fi:ldfeə] *n* дрозд-рябинник.

**field-glass** ['fi:ldglɑːs] *n* 1) полевой бинокль; 2) окуляр телескопа *или* микроскопа.

**field-gun** ['fi:ldgʌn] *n воен.* полевая пушка.

**field hospital** ['fi:ld'hɔspɪtl] *n* полевой госпиталь.

**Field Marshal** ['fi:ld'mɑ:ʃəl] *n* фельдмаршал.

**field-mouse** ['fi:ldmaus] *n* полевая мышь.

**field-night** ['fi:ldnaɪt] = field-day 4).

**field-officer** ['fi:ld,ɔfɪsə] *n* штаб-офицер (*офицер, имеющий чин не ниже майора и не выше полковника*).

**field-piece** ['fi:ldpi:s] *n воен.* полевое орудие.

**fieldsman** ['fi:ldzmən] *n спорт.* игрок, который ловит мяч (*в крикете*).

**field-sports** ['fi:ldspɔːts] *n* спортивные занятия на открытом воздухе; охота, стрельба, рыбная ловля.

**field-work** ['fi:ldwɜːk] *n* 1) работа в поле (*геолога и т. п.*); разведка, съёмка *и т. п.*; 2) *воен.* полевое укрепление; 3) *pl воен.* оборонительные сооружения.

**fiend** [fi:nd] *n* 1) дьявол; демон; 2) злодей, изверг; a very ~ настоящий (*или* сущий) дьявол; 3) *разг.* человек, пристрастившийся к вредной привычке; drug (*или* dope) ~ наркоман; fresh-air ~ *шутл.* энтузиаст свежего воздуха.

**fiendish** ['fi:ndɪʃ] *a* дьявольский, жестокий.

**fierce** [fɪəs] *a* 1) свирепый, лютый; 2) сильный (*о буре, жаре*); горячий; неистовый; 3) *амер. разг.* неприятный, болезненный.

**fieri facias** ['faɪəraɪ'feɪʃəs] *лат. n юр.* предписание шерифу покрыть взыскивае-

мую судом сумму из денег, вырученных от продажи имущества обвиняемого.

**fiery** ['faɪərɪ] *a* 1) огненный, пламенный; горящий; *перен.* жгучий, горячий, пламенный; ~ eyes огненный взор; 2) пылкий, вспыльчивый; 3) воспламеняющийся (*о газе*); 4) *горн.* газовый, газоносный; содержащий гремучий газ; ◇ ~ horse горячая лошадь.

**fiesta** ['fjestɑ:] *исп. n* праздник.

**fife** [faɪf] **1.** *n* 1) дудка; маленькая флейта; 2) = fifer;

2. *v* играть на дудке.

**fifer** ['faɪfə] *n* флейтист; дудочник.

**fifteen** ['fɪf'ti:n] **1.** *num. card.* пятнадцать;

2. *n спорт.* команда игроков в регби; ◇ the F. *ист.* восстание якобитов в 1715 г.

**fifteenth** ['fɪf'ti:nθ] **1.** *num. ord.* пятнадцатый;

2. *n* 1) пятнадцатая часть; 2) (the ~) пятнадцатое число.

**fifth** [fɪfθ] **1.** *num. ord.* пятый; ~ part пятая часть; ◇ ~ column пятая колонна, предатели внутри страны *или* организации; ~ wheel пятая спица в колеснице;

2. *n* 1) пятая часть; 2) (the ~) пятое число; 3) $\frac{1}{5}$ галлона (*единица измерения спиртных напитков*); 4) *муз.* квинта.

**fifthly** ['fɪfθlɪ] *adv* в-пятых.

**fifties** ['fɪftɪz] *n pl* 1) (the ~) пятидесятые годы; 2) шестой десяток (*возраст между 49 и 60 годами*).

**fiftieth** ['fɪftɪɪθ] **1.** *num. ord.* пятидесятый;

2. *n* пятидесятая часть.

**fifty** ['fɪftɪ] **1.** *num. card.* пятьдесят; ~-one пятьдесят один; ~-two пятьдесят два *и т. д.*; ~ is over ~ ему за пятьдесят;

2. *n* пятьдесят (*единиц, штук*).

**fifty-fifty** ['fɪftɪ'fɪftɪ] *adv* поровну; пополам; to go ~ делить поровну.

**fig I** [fɪg] *n* 1) винная ягода, инжир; 2) фиговое дерево; смоковница; 3) *разг.* шиш, фига; I don't care a ~ мне наплевать.

**fig II** [fɪg] *n* 1) наряд; in full ~ в полном параде; in парадном костюме; в вечернем туалете; 2) состояние, настроение; in good ~ в хорошем состоянии;

2. *v* наряжать, украшать (*обыкн.* ~ out, ~ up).

**fight** [faɪt] **1.** *n* 1) бой; running ~ отступление с боями; sham ~ учебный бой; 2) драка; 3) спор, борьба; to have the ~ of one's life выдержать тяжёлую борьбу; 4) задор, драчливость; to have plenty of ~ in one быть полным боевого задора; не сдаваться; to show ~ быть готовым к борьбе; не поддаваться; to be spoiling for a ~ лезть в драку;

2. *v* (fought) 1) драться, сражаться, воевать, бороться (against—против, for—за, with—с); to ~ for dear life драться отчаянно; сражаться не на живот, а на смерть; to ~ a battle провести бой; дать сражение; to ~ a duel драться на дуэли; 2) отстаивать, защищать; to ~ a case отстаивать дело (*в суде*); □ ~ down победить, подавить; ~ off отбить, выгнать; ~ out: to ~ (it) out довести борьбу (*или*

fig — 380 — fil

спор) до конца́; ◇ to ~ a lone hand боро́ться в одино́чку; to ~ one's way прокла́дывать себе́ доро́гу; to ~ shy of smb., of smth. избега́ть кого́-л., чего́-л.; to ~ one's battles over again вспомина́ть мину́вшие дни; to ~ for one's own hand отста́ивать свои́ интере́сы; постоя́ть за себя́.

**fighter** ['faɪtə] *n* 1) бое́ц; боре́ц; 2) *ав.* истреби́тель.

**fighter pilot** ['faɪtə'paɪlət] *n* лётчик--истреби́тель.

**fighting** ['faɪtɪŋ] 1. *pres. p. om* fight 2; 2. *n* бой, сраже́ние; дра́ка, борьба́; hand--to-hand ~ рукопа́шный бой; house-to--house ~ у́личные бои́; 3. *a* боево́й; ~ arm род войск; ~ machine *ав.* боева́я маши́на; самолёт-истреби́тель.

**fig-leaf** ['fɪgliːf] *n* фи́говый лист.

**figment** ['fɪgmənt] *n* вы́мысел, фи́кция; плод воображе́ния.

**fig-tree** ['fɪgtriː] *n* фи́говое де́рево; смоко́вница; ◇ one's own vine and ~ свой дом, дома́шний оча́г; under one's own vine and ~ до́ма; в безопа́сности.

**figurant** ['fɪgjurənt] *фр. n* 1) арти́ст кордебале́та; 2) стати́ст.

**figurante** [ˌfɪgju'rɑːnt] *фр. n* 1) арти́стка кордебале́та; 2) стати́стка.

**figuration** [ˌfɪgju'reɪʃən] *n* 1) вид, фо́рма, ко́нтур; 2) прида́ние фо́рмы, оформле́ние; 3) орнамента́ция.

**figurative** ['fɪgjurətɪv] *a* 1) фигура́льный, перено́сный; метафори́ческий; in a ~ sense в перено́сном смы́сле; ~ style о́бразный стиль; ~ writer писа́тель, ча́сто по́льзующийся мета́форами *и т. п.*; 2) изобрази́тельный, пласти́ческий, живопи́сный.

**figure** ['fɪgə] 1. *n* 1) фигу́ра; вне́шний вид; о́блик, о́браз; to keep one's ~ следи́ть за фигу́рой; of fun смешна́я фигу́ра; 2) ли́чность, фигу́ра; a person of ~ выдаю́щаяся ли́чность; public ~ обще́ственный де́ятель; 3) изображе́ние, карти́на, ста́туя; 4) иллюстра́ция, рису́нок (*в кни́ге*); диагра́мма, чертёж; 5) *геом.* фигу́ра, те́ло; 6) риторическая фигу́ра (*мета́фора, сравне́ние, гипе́рбола и т. п.*); ~ of speech a) риторическая фигу́ра; б) преувеличе́ние, непра́вда; 7) синтакси́ческая фигу́ра (*плеона́зм, зе́вгма и т. п.*); 8) фигу́ра (*в та́нце*); 9) ци́фра; *pl* арифме́тика; 11): high (low) ~ высо́кая (ни́зкая) цена́; ◇ to cut a poor ~ каза́ться жа́лким; to cut a ~ *амер.* имити́ровать; to cut no ~ не производи́ть никако́го впечатле́ния; 2. *v* 1) изобража́ть (*графи́чески, диагра́ммой и т. п.*); 2) представля́ть себе́ (*ча́сто ~ to oneself*); 3) фигури́ровать; игра́ть ви́дную роль; 4) служи́ть си́мволом, символизи́ровать; 5) украша́ть (*фигу́рами*); 6) обознача́ть ци́фрами; 7) рассчи́тывать, исчисля́ть; □ ~ on рассчи́тывать на; де́лать расчёты; ~ out a) вычисля́ть; б) понима́ть, постига́ть; в) разга́дывать; ~ up подсчи́тывать.

**figured** ['fɪgəd] 1. *p. p. om* figure 2; 2. *a* фигу́рный; узо́рчатый; ~ silk узо́рчатый шёлк.

**figure-head** ['fɪgəhed] *n* 1) *мор.* носово́е украше́ние; 2) номина́льный нача́льник; 3) *шутл.* лицо́.

**figure-of-eight** ['fɪgərəv'eɪt] *a* име́ющий фо́рму восьмёрки.

**figure-skater** ['fɪgəˌskeɪtə] *n спорт.* фигури́ст.

**figure-skating** ['fɪgəˌskeɪtɪŋ] *n* фигу́рное ката́ние (*на конька́х*).

**figure work** ['fɪgəwəːk] *n полигр.* табли́чный набо́р.

**figurine** ['fɪgjuriːn] *n* статуэ́тка.

**fig-wort** ['fɪgˌwəːt] *n бот.* нори́чник.

**filaceous** [fɪ'leɪʃəs] *a бот.* волокни́стый.

**filagree** ['fɪləgriː] = filigree.

**filament** ['fɪləmənt] *n* 1) *бот.* нить; 2) *эл.* нить нака́ла; ~ lamp ла́мпа нака́ливания; 3) волокно́, волосо́к.

**filamentary** [ˌfɪlə'mentərɪ] *a* волокни́стый.

**filamentous** [ˌfɪlə'mentəs] *a* волокни́стый, состоя́щий из волокно́н.

**filar** ['faɪlə] *a тех.* филя́рный, ни́точный.

**filature** ['fɪlətʃə] *n* 1) пряде́ние; 2) пряди́льня, шёлкомота́льня.

**filbert** ['fɪlbət] *n* 1) лещи́на, фунду́к; америка́нский лесно́й оре́х; 2) оре́шник.

**filch** [fɪltʃ] *v* укра́сть, стащи́ть (*ме́лочи*).

**file I** [faɪl] 1. *n* 1) *тех.* напи́льник; 2) пи́лочка (*для ногте́й*); 3) отде́лка, полиро́вка; to need the ~ тре́бовать отде́лки; 4) огло́бля, ды́шло; 5) *sl.* ловка́ч; ◇ close ~ скря́га; old ~, deep ~ *груб.* продувна́я бе́стия, тёртый кала́ч; 2. *v* 1) пили́ть, подпи́ливать; 2) отде́лывать (*стиль и т. п.*); □ ~ away, ~ down, ~ off спи́ливать, обраба́тывать, отшлифо́вывать.

**file II** [faɪl] 1. *n* 1) регистра́тор (*для бума́г*); шпи́лька (*для нака́лывания бума́г*); 2) подши́тые бума́ги, де́ло; досье́; подши́вка (*газе́т*); 3) картоте́ка; 4) *амер.* представле́ние, пода́ча како́го-л. докуме́нта; 2. *v* 1) регистри́ровать и храни́ть (*докуме́нты*) в како́м-л. определённом поря́дке; 2) *амер.* представля́ть, подава́ть како́й-л. докуме́нт; to ~ a resignation пода́ть заявле́ние об отста́вке; приня́ть зака́з к выполне́нию.

**file III** [faɪl] 1. *n воен.* 1) ряд; a ~ of men два бойца́; blank ~ непо́лный ряд; full ~ по́лный ряд; to march in ~ идти́ (в коло́нне) по два; in single ~, in Indian ~ гусько́м, по одному́; 2) *attr.*: ~ leader головно́й ря́да, головно́й коло́нны по одному́; ~ closer замыка́ющий; 2. *v* идти́ гусько́м; передвига́ть(ся) коло́нной; □ ~ away ~ off; ~ in входи́ть вереницей; ~ off уходи́ть гусько́м, по одному́, по два; ~ out выходи́ть вереницей.

**file cabinet** ['faɪl'kæbɪnət] = file II, 1, 3).

**file-cutter** ['faɪl'kʌtə] *n* 1) насека́льщик напи́льников; 2) стано́к, насека́ющий напи́льники.

**filial** ['fɪljəl] 1. *n* филиа́л, ме́стное отделе́ние; 2. *a* сыно́вний, доче́рний.

**filiation** [ˌfɪlɪ'eɪʃən] *n* 1) отноше́ние родства́, происхожде́ние (from—от); 2) усыновле́ние; 3) ответвле́ние, ветвь; филиа́л; 4) образова́ние филиа́ла, ме́стного отделе́ния.

**filibeg** ['fɪlɪbeg] = kilt 1.

**filibuster** ['fɪlɪbʌstə] 1. *n* 1) флибустье́р, пира́т; 2) *полит.* обструкциони́ст;
2. *v* 1) занима́ться морски́м разбо́ем; 2) тормози́ть приня́тие зако́на *или* реше́ния (*путём обстру́кции*).

**filiform** ['fɪlɪfɔːm] *a* нитеви́дный.

**filigree** ['fɪlɪgriː] *n* филигра́н.

**filings** ['faɪlɪŋz] *n pl* (металли́ческие) опи́лки; стру́жка.

**fill** [fɪl] 1. *v* 1) наполня́ть(ся); sails ~ed with wind паруса́ наду́лись; паруса́, наду́тые ве́тром; 2) заполня́ть (*отверстия и т. п.*); закла́дывать; 3) пломбирова́ть (*зубы*); 4) заполня́ть собо́й; to ~ the bill *разг.* соотве́тствовать назначе́нию; подходи́ть; 5) удовлетворя́ть; насыща́ть; 6) занима́ть (*должность*); исполня́ть (*обязанности*); his place will not be easily ~ed его́ не легко́ замени́ть; 7) занима́ть (*свободное время*); 8) исполня́ть, выполня́ть (*заказ, предписание врача и т. п.*); □ ~ in заполня́ть; to ~ in one's name вписа́ть своё и́мя; ~ out а) расширя́ть(ся); наполня́ть(ся); his cheeks have ~ed out его́ лицо́ пополне́ло; б) *амер.* заполня́ть (*анкету*); в) а) наполня́ть(ся); набива́ть; заполня́ть (*вакансию*); б) возмеща́ть (*недостающее*); to ~ up a form заполня́ть анке́ту;
2. *n* 1) доста́точное коли́чество (*чего-л.*); a ~ of tobacco щепо́тка табаку́, доста́точная, чтобы наби́ть тру́бку; 2) сы́тость; to eat (to drink, to weep) one's ~ нае́сться (напи́ться, напла́каться) до́сыта; 3) *диал.* = file I, 1, 4); 4) *амер. ж.-д.* на́сыпь.

**fill-dike** ['fɪldaɪk] 1. *n* дождли́вый пери́од, *часто* февра́ль (*название дано в связи с тем, что в Англии в феврале дожди, та́ющий снег наполняют канавы и рвы*); February ~ февра́льские дожди́;
2. *a* дождли́вый.

**filler** ['fɪlə] *n* 1) тот, кто *или* то, что наполня́ет *или* заполня́ет; 2) та́нкер, нефтеналивно́е су́дно; 3) заря́д (*снаряда*); 4) *тех.* наливно́е отве́рстие.

**fillet** ['fɪlɪt] 1. *n* 1) ле́нта *или* у́зкая повя́зка (*на голову*); у́зкая дли́нная ле́нта из любо́го материа́ла; 2) филе́(й); 3) *тех., стр.* ва́лик, ободо́к; баге́т; 4) *тех.* га́лтель, утолще́ние, ребро́; запле́чик; 5) углубле́ние, желобо́к; 6) *текст.* кро́мка;
2. *v* 1) повя́зывать ле́нтой *или* повя́зкой; 2) приготовля́ть филе́ из ры́бы.

**filling** ['fɪlɪŋ] 1. *pres. p. от* fill 1;
2. *n* 1) наполне́ние; 2) погру́зка; насы́пка; 3) зали́вка, запра́вка горю́чим; 4) насы́пь; 5) пло́мба (*в зубе*); 6) наби́вка; прокла́дка; шпаклёвка; 7) *текст.* уто́к; 8) фарш, начи́нка; 9) заря́д (*снаряда*); 10) *стр.* торкрети́рование; 11) *attr.* слу́жащий для заполне́ния, запра́вки; зали́вки *и т. п.*; ~ station *амер.* бензи́новая коло́нка, бензозапра́вочный пункт.

**fillip** ['fɪlɪp] 1. *n* 1) щелчо́к; 2) толчо́к; 3) сти́мул; 4) пустя́к;
2. *v* 1) щёлкнуть, дать щелчо́к; 2) подтолкну́ть, помо́чь; to ~ one's memory напо́мнить.

**fillister** ['fɪlɪstə] *n тех.* фальцо́вка, калёвка, фальцгу́бель.

**filly** ['fɪlɪ] *n* 1) молода́я кобы́ла; 2) жива́я, весёлая де́вушка.

**film** [fɪlm] 1. *n* 1) плёнка; лёгкий слой (*чего-л.*); оболо́чка; перепо́нка; 2) фотоплёнка, кинoплёнка, плёнка; 3) фильм; (*часто* pl) кино́; 4) фотослой; 5) лёгкий тума́н; ды́мка; 6) то́нкая нить; 7) *attr.* кино-;
2. *v* 1) покрыва́ть(ся) плёнкой, оболо́чкой; 2) снима́ть, производи́ть киносъёмку; экранизи́ровать (*роман и т. п.*).

**filmize** ['fɪlmaɪz] *v* экранизи́ровать.

**filmland** ['fɪlmlænd] *n* мир кино́.

**film star** ['fɪlmstɑː] *n* кинозвезда́.

**film test** ['fɪlmtest] *n* кинопро́ба бу́дущего актёра *или* актри́сы.

**filmy** ['fɪlmɪ] *a* 1) плёнчатый, покры́тый плёнкой; 2) тума́нный; 3) то́нкий, как паути́нка.

**filoselle** [ˌfɪlə'sel] *n* шёлк-сыре́ц.

**filter** ['fɪltə] 1. *n* фильтр; цеди́лка;
2. *v* 1) фильтрова́ть, процеживать; 2) проса́чиваться, проника́ть; 3) *хим.* перколи́ровать.

**filter-bed** ['fɪltəbed] *n тех.* фильтру́ющий слой.

**filter-tipped** ['fɪltə,tɪpt] *a:* ~ cigarette сигаре́та с фи́льтром-наконе́чником.

**filth** [fɪlθ] *n* 1) грязь; отбро́сы; 2) непристо́йность; ме́рзость; развра́т; 3) скверносло́вие.

**filthy** ['fɪlθɪ] *a* 1) гря́зный; 2) отврати́тельный, ме́рзкий; ~ lucre *шутл.* презре́нный мета́лл; 3) развращённый, непристо́йный.

**filtrate** 1. *n* ['fɪltrɪt] очи́щенная жи́дкость, фильтра́т;
2. *v* ['fɪltreɪt] фильтрова́ть.

**filtration** [fɪl'treɪʃən] *n* фильтрова́ние, фильтра́ция.

**Fin** [fɪn] = Finn.

**fin** [fɪn] 1. *n* 1) плавни́к (*рыбы*); 2) *sl.* рука́; 3) *ав.* киль, плавни́к, вертика́льный стабилиза́тор; 4) *тех.* ребро́; заусе́нец;
2. *v* обреза́ть плавники́.

**finable** ['faɪnəbl] *a* облага́емый штра́фом, пе́ней.

**final** ['faɪnl] 1. *a* 1) коне́чный, заключи́тельный; ~ cause коне́чная цель; the ~ chapter после́дняя глава́; ~ age спе́лость (*леса для рубки*); 2) оконча́тельный, реша́ющий; to give a ~ touch оконча́тельно отде́лать; is that ~? э́то после́днее сло́во?, э́то оконча́тельно?; 3) целево́й; ~ clause *грам.* предложе́ние це́ли;
2. *n* 1) реша́ющая игра́ в ма́тче; после́дний зае́зд в ска́чках, го́нках *и т. п.*; 2) (*тж.* pl) выпускно́й экза́мен; 3) *разг.* после́дний вы́пуск газе́ты.

**finale** [fɪ'nɑːlɪ] *ит. n муз., лит.* фина́л, заключе́ние.

**finality** [faɪ'nælɪtɪ] *n* 1) зако́нченность; ◆оконча́тельность; with an air of ~ с таки́м ви́дом, что всё решено́ (*или* что все разгово́ры ко́нчены); 2) заключи́тельное де́йствие, выска́зывание; 3) *филос.* телеологи́зм.

**finalize** ['faɪnəlaɪz] *v* 1) заверша́ть, зака́нчивать; 2) придава́ть оконча́тельную фо́рму; 3) *спорт.* вы́йти в фина́л.

**finally** ['faɪnəlɪ] *adv* 1) в заключе́ние; 2) в коне́чном счёте, в конце́ концо́в; 3) оконча́тельно.

**finance** [faɪ'pæns] **1.** *n* 1) *pl* фина́нсы, дохо́ды; 2) управле́ние фина́нсами; 3) фина́нсовая нау́ка;
**2.** *v* 1) финанси́ровать; 2) занима́ться фина́нсовыми опера́циями.

**financial** [faɪ'pænʃəl] *a* фина́нсовый; ~ year отчётный год.

**financier 1.** *n* [faɪ'pænsɪə] финанси́ст;
**2.** *v* [fɪnæn'sɪə] 1) вести́ фина́нсовые опера́ции (*обыкн. презр.*); 2) *амер.* обма́нывать, надува́ть.

**fin-back** ['fɪnbæk] *n зоол.* кит-полоса́тик.

**finch** [fɪntʃ] *n название многих певчих птиц, преим.* зя́блик.

**find** [faɪnd] **1.** *v* (found) 1) находи́ть; встреча́ть; признава́ть; обнару́живать; to ~ no sense не ви́деть смы́сла; to ~ oneself найти́ своё призва́ние; обрести́ себя́; 2) убежда́ться, приходи́ть к заключе́нию; счита́ть; I ~ it necessary я счита́ю э́то необходи́мым; 3) обрести́; получи́ть, доби́ться; to ~ smb.'s favour снискать чью-л. ми́лость; to ~ one's account in smth. убеди́ться в вы́годе чего-л.; получи́ть вы́году от чего-л.; 4) снабжа́ть; обеспе́чивать; they ~ him in clothes они́ его́ одева́ют; all found на всём гото́вом; £ 100 a year and all found 100 фу́нтов (сте́рлингов) в год на всём гото́вом; £ 2 a week and ~ yourself 2 фу́нта (сте́рлингов) в неде́лю на свои́х харча́х; 5) *юр.* устана́вливать; выноси́ть реше́ние; to ~ smb. guilty призна́ть кого-л. вино́вным; 6) *мат.* вычисля́ть; 7) *охот.* подня́ть (*зверя*); 8) *воен.* выделя́ть, выставля́ть; □ ~ out узнава́ть, разузнава́ть, выясня́ть; понима́ть, открыва́ть (*обман, тайну*); разга́дывать (*загадку*); ◇ how do you ~ yourself? как вы себя́ чу́вствуете?; как пожива́ете?; to ~ one's way to дойти́ до, дости́гнуть; прибы́ть в; to ~ one's way home добра́ться домо́й; how did it ~ its way into print? как э́то попа́ло в печа́ть?;
**2.** *n* 1) нахо́дка; a great ~ це́нная нахо́дка; 2) обнаруже́ние зве́ря; a sure ~ *охот.* местонахожде́ние зве́ря.

**finder** ['faɪndə] *n тех.* иска́тель.

**finding** ['faɪndɪŋ] **1.** *pres. p. от* find 1;
**2.** *n* 1) нахо́дка; обнаруже́ние; 2) реше́ние (*присяжных*); пригово́р (*суда*); *pl* вы́воды (*комиссии*); 3) прикла́д (*для платья и т. п.*); фурниту́ра; shoe ~s мазь, шнурки́ *и пр.* (для обуви); 4) определе́ние (*местонахождения*), ориента́ция, ориенти́ровка; 5) *pl* полу́ченные да́нные, добы́тые све́дения.

**fine I** [faɪn] **1.** *n* пе́ня, штраф;
**2.** *v* штрафова́ть, налага́ть пе́ню, штраф.

**fine II** [faɪn] *n*: in ~ в о́бщем, сло́вом, вкра́тце; наконе́ц; в заключе́ние; в ито́ге.

**fine III** [faɪn] **1.** *a* 1) то́нкий, утончённый, изя́щный; высо́кий, возвы́шенный (*о чувствах*); ~ skin не́жная ко́жа; a ~ distinction то́нкое разли́чие; ~ intellect утончённый ум; ~ lady изя́щная, све́тская же́нщина; a ~ lady! *разг. ирон.* что за (*или* ну и) ба́рыня!; ~ point, ~ question тру́дный, делика́тный вопро́с; 2) хоро́ший; прекра́сный, превосхо́дный (*часто ирон.*); to have a ~ time *разг.* хорошо́ провести́ вре́мя; a ~ friend you are! *ирон.* хоро́ш друг!; ~ income изря́дный дохо́д; 3) высо́кого ка́чества; очи́щенный, рафини́рованный; высокопро́бный; gold 22 carats ~ зо́лото 88-й про́бы; 4) то́чный; ~ mechanics то́чная меха́ника; 5) я́сный, хоро́ший, сухо́й (*о погоде*); ~ air здоро́вый во́здух; one ~ day одна́жды, в оди́н прекра́сный день; one of these ~ days в оди́н прекра́сный день (*о будущем*); когда́-нибудь; 6) блестя́щий, наря́дный; ~ feathers наря́дное пла́тье; 7) о́стрый; ~ edge о́строе ле́звие; to talk ~ говори́ть остроу́мно ;8) ме́лкий; ~ sand ме́лкий песо́к; 9) густо́й (*о сети и т. п.*); ◇ the F. Arts изобрази́тельные иску́сства; ~ feathers make ~ birds *посл.* ≅ краси́т челове́ка; **2.** *adv* изя́щно, то́нко; прекра́сно; that will suit me ~ э́то мне как раз подойдёт; ◇ to cut it too ~ дать сли́шком ма́ло (*особ. времени*);
**3.** *a* хоро́шая, я́сная пого́да;
**4.** *v* де́лать(ся) прозра́чным, очища́ть(ся) (*тж.* ~ down); □ ~ away, ~ down, ~ off де́лать(ся) изя́щнее, то́ньше; уменьша́ть; сокраща́ться.

**fine-draw** ['faɪn'drɔː] *v* (fine-drew; fine-drawn) 1) сшива́ть незаме́тным швом; штукова́ть; 2) волочи́ть то́нкие сорта́ (*проволоки*).

**fine-drawn** ['faɪn'drɔːn] **1.** *p. p. от* fine-draw;
**2.** *a* 1) сши́тый незаме́тным швом; 2) о́чень то́нкий; то́нкого волоче́ния (*о проволоке*); 3) иску́сный; 4) *спорт.* сведённый до ми́нимума (*о весе борца и т. п.*).

**fine-drew** ['faɪn'druː] *past от* fine-draw.

**fine-fleece** ['faɪn'fliːs] *a* тонкору́нный.

**fine-grained** ['faɪn'greɪnd] *a* мелкозерни́стый.

**fineless** ['faɪnlɪs] *a редк.* безграни́чный, бесконе́чный.

**finely-fibred** ['faɪnlɪ'faɪbəd] *a* тонковолокни́стый.

**fineness** ['faɪnnɪs] *n* 1) то́нкость, изя́щество *и пр.* [*см.* fine III, 1]; 2) острота́ (*чувств*); 3) высокопро́бность; 4) мелкозерни́стость; величина́ зерна́; 5) *ав.* аэродинами́ческое ка́чество; 6) *тех.* ка́чество отде́лки.

**finery I** ['faɪnərɪ] *n* пы́шный наря́д, пы́шное украше́ние, убра́нство.

**finery II** ['faɪnərɪ] *n тех.* кри́чный горн.

**fine-spun** ['faɪn'spʌn] *a* 1) то́нкий (*о ткани*); 2) хитросплетённый; 3) ша́ткий (*о теории и т. п.*).

**finesse** [fɪ'nes] *фр.* **1.** *n* 1) то́нкость; иску́сность; 2) ухищре́ние, ло́вкий приём; хи́трость;
**2.** *v* де́йствовать иску́сно *или* хитро́.

**finestill** ['fainstil] *v* перегонять (*спирт*), дистиллировать.

**finger** ['fiŋgə] **1.** *n* 1) палец (*руки, перчатки*); my ~s itch *перен.* у меня руки чешутся; by a ~s breadth еле-еле; to lay (*или* to put) a ~ on smb. тронуть кого-л.; I had not laid a ~ on him я его и пальцем не тронул; to let slip through the ~s упустить из рук; 2) *тех.* палец, штифт; 3) стрелка (*часов*); указатель (*на шкале*); ◇ to lay (*или* to put) one's ~ on smth. a) точно указать что-л.; б) ≅ попасть в точку; правильно понять, установить что-л.; to turn (*или* to twist) smb. round one's (little) ~ обвести кого-л. вокруг пальца; to snap one's ~s at игнорировать, плевать на кого-л., что-л.; with a wet ~ с лёгкостью; his ~s are all thumbs он очень неловок, неуклюж; his ~s turned to thumbs пальцы его одеревенели; to have a ~ in smth. участвовать в чём-л.; вмешиваться во что-л.; he has a ~ in the pie ≅ у него рыльце в пушку; он замешан в этом деле;
2. *v* 1) трогать, перебирать пальцами (*часто* ~ over); 2) брать (*взятки*); воровать; 3) *муз.* указывать аппликатуру.

**finger-alphabet** ['fiŋgər,ælfəbit] *n* азбука глухонемых.

**finger-board** ['fiŋgəbɔːd] *n* гриф; клавиатура.

**finger-bowl** ['fiŋgəboul] *n* небольшая чашка (*для споласкивания пальцев после десерта*).

**finger-ends** ['fiŋgərendz] *n pl* кончики пальцев; ◇ to have at one's ~ знать как свой пять пальцев; to arrive at one's ~ a) ≅ дойти до ручки; впасть в нищету; б) исчерпать все возможности.

**finger-fish** ['fiŋgəfiʃ] *n зоол.* морская звезда.

**finger-flower** ['fiŋgə,flauə] *n бот.* наперстянка.

**finger-glass** ['fiŋgəglɑːs] = finger-bowl.

**finger-hole** ['fiŋgəhoul] *n* боковое отверстие, клапан (*в духовом инструменте*).

**fingering** I ['fiŋgəriŋ] **1.** *pres. p. om* finger 1;
2. *n* 1) прикосновение пальцев; 2) *муз.* игра на инструменте; 3) *муз.* аппликатура, пальцовка.

**fingering** II ['fiŋgəriŋ] *n* тонкая шерсть (*для чулок*).

**finger-language** ['fiŋgə,læŋgwidʒ] = finger-alphabet.

**finger-mark** ['fiŋgəmɑːk] **1.** *n* 1) пятно от пальца; 2) дактилоскопический отпечаток;
2. *v* захватать грязными пальцами.

**finger-plate** ['fiŋgəpleit] *n* пластинка, защищающая дверную обвязку от загрязнения пальцами.

**finger-post** ['fiŋgəpoust] *n* столб с указанием пути.

**finger-print** ['fiŋgəprint] = finger-mark 1, 2).

**fingerprint** ['fiŋgəprint] *v* снимать отпечатки пальцев.

**finger-stall** ['fiŋgəstɔːl] *n* напалок, напальчник.

**finial** ['fainiəl] *n архит.* шпиц, шпиль.

**finical** ['finikəl] *a* 1) разборчивый; мелочно требовательный (*о человеке*); 2) жеманный, аффектированный; 3) чересчур отшлифованный, отделанный; перегруженный изысканными деталями.

**finicking, finicky, finikin** ['finikiŋ, -ki, -kin]= finical.

**fining** I ['fainiŋ] *pres. p. om* fine I, 2.

**fining** II ['fainiŋ] **1.** *pres. p. om* fine III, 4;
2. *n* очистка, рафинирование.

**finis** ['fainis] *лат. n (тк. sing)* 1) конец (*пишется в конце книги*); 2) конец жизни.

**finish** ['finiʃ] **1.** *n* 1) окончание; конец; *спорт.* финиш; to be in at the ~ присутствовать на последнем этапе (*соревнований, дебатов и т. п.*); *перен.* ≅ прийти к шапочному разбору; to fight to the ~ биться до конца; 2) законченность; отделка; to lack ~ быть неотделанным; 3)*текст.* аппретура;
2. *v* 1) кончать(ся); заканчивать; завершать; 2) отделывать (*тж.* ~ off); сглаживать, выравнивать; 3) доедать, допивать (*до конца; тж.* ~ up); 4) прикончить, убить (*тж.* ~ off); 5) до крайности изнурять; the long march has quite ~ ed the troops длинный переход обессилил войска.

**finished** ['finiʃt] **1.** *p. p. om* finish 2;
2. *a* законченный; отделанный; обработанный; ~ goods готовые изделия; ~ manners лощёные манеры; ~ gentleman настоящий джентльмен.

**finisher** ['finiʃə] *n* 1) *текст.* аппретурщик; 2) *тех.* всякое приспособление для окончательной отделки; 3) *разг.* решающий довод, удар; 4) финишер (*дорожная машина*).

**finishing** ['finiʃiŋ] **1.** *pres. p. om* finish 2;
2. *n текст.* аппретура; отделка;
3. *a* завершающий; to give (*или* to put) ~ touches (to) заканчивать, отделывать, делать последние штрихи.

**finite** ['fainait] *a* 1) ограниченный, имеющий предел; 2) *грам.* личный (*о глаголе*).

**fink** [fiŋk] *n амер. sl.* штрейкбрехер; шпион предпринимателя.

**Finn** [fin] *n* финн.

**finnan** ['finən] *n* копчёная на торфе пикша (*тж.* ~ haddock).

**Finnic** ['finik] *a* финский.

**Finnish** ['finiʃ] **1.** *a* финский;
2. *n* финский язык.

**Finno-Ugrian** ['finou'juːgriən] *a* угро-финский.

**finny** ['fini] *a* 1) имеющий плавники; 2) богатый рыбой.

**fiord** [fjɔːd] *норв. n* фьорд.

**fir** [fəː] *n бот.* 1) пихта; *распр.* ель; Scotch F. сосна; Silver F. пихта; 2) еловое дерево; 3) хвойный лес, бор.

**fir-cone** ['fəːkoun] *n* еловая шишка.

**fire** ['faiə] **1.** *n* 1) огонь, пламя; to strike ~ высечь огонь; electric ~ электрическая печь *или* камин; gas ~ газовая плита *или* камин; it is too warm for ~s слишком тепло, чтобы топить; to light the ~, to make up the ~ затопить печку; to nurse the ~ поддерживать огонь; to stir the ~ помешать в пе́чке; 2) пожа́р; to catch (*или* to take) ~ загоре́ться; to be on ~ горе́ть; *перен.* быть в возбужде́нии; to set ~ to smth., to set smth. on ~, *амер.* to set a ~ поджига́ть что-л.; 3) пыл, воодушевле́ние; *поэт.* вдохнове́ние; 4) свече́ние; 5) жар, лихора́дка; 6) *воен.* ого́нь, стрельба́; to be under ~ подверга́ться обстре́лу; *перен.* служи́ть мише́нью нападо́к; to miss ~ дать осе́чку; to stand ~ выде́рживать ого́нь проти́вника (*тж. перен.*); running ~ бе́глый ого́нь; *перен.* град крити́ческих замеча́ний;

2. *v* 1) зажига́ть, поджига́ть; to ~ a house подже́чь дом; 2) воспламеня́ть(ся); 3) топи́ть (*печь*); 4) загора́ться; 5) воодушевля́ть; возбужда́ть; 6) обжига́ть (*кирпичи*); суши́ть (*чай и т. п.*); 7) *вет.* прижига́ть (*калёным железом*); 8) красне́ть; 9) стреля́ть, пали́ть, вести́ ого́нь (at, on, upon); to ~ a mine взрыва́ть ми́ну; 10) *разг.* увольня́ть; ☐ ~ away начина́ть; ~ away! *разг.* валя́й!, начина́й!, жарь!; ~ off дать вы́стрел; *перен.* вы́палить (*замечание и т. п.*); ~ out *разг.* выгоня́ть; увольня́ть; ~ up вспыли́ть.

**fire-alarm** ['faɪərə,lɑːm] *n* 1) пожа́рная трево́га; 2) автомати́ческий пожа́рный сигна́л.

**fire-arm** ['faɪərɑːm] *n* (*обыкн. pl*) огнестре́льное ору́жие.

**fire-ball** ['faɪəbɔːl] *n* 1) метео́р; 2) шарови́дная мо́лния; 3) *ист.* зажига́тельное ядро́.

**fire-bar** ['faɪəbɑː] *n тех.* колосни́к.

**fire-bomb** ['faɪəbɔm] *n* зажига́тельная бо́мба.

**fire-box** ['faɪəbɔks] *n тех.* то́почная коро́бка; огнево́е простра́нство то́пки.

**fire-brand** ['faɪəbrænd] *n* 1) головня́ (*обгорелое полено*); 2) зачи́нщик, подстрека́тель; смутья́н.

**fire-brick** ['faɪəbrɪk] *n* огнеупо́рный кирпи́ч.

**fire-bridge** ['faɪəbrɪdʒ] *n тех.* пла́менный поро́г; то́почный поро́г.

**fire-brigade** ['faɪəbrɪ,geɪd] *n* пожа́рная кома́нда.

**fire-bug** ['faɪəbʌg] *n* 1) *зоол.* светля́к; 2) *амер. разг.* поджига́тель.

**fire-clay** ['faɪəkleɪ] *n* огнеупо́рная гли́на.

**fire-cock** ['faɪəkɔk] *n* пожа́рный кран.

**fire-company** ['faɪə,kʌmpənɪ] *n* 1) пожа́рная кома́нда; 2) о́бщество страхова́ния от огня́.

**fire-control** ['faɪəkən,troul] *n* 1) *воен.* управле́ние огнём; 2) *лес.* борьба́ с лесны́ми пожа́рами; 3) *лес.* контро́ль, регули́рование горе́ния (*в топке*).

**fire-damp** ['faɪədæmp] *n* рудни́чный газ, грему́чий газ.

**fire department** ['faɪədɪ'pɑːtmənt] *n амер.* пожа́рное депо́.

**fire-dog** ['faɪədɔg] = andiron.

**fire-door** ['faɪədɔː] *n тех.* то́почная две́рца.

**fire-eater** ['faɪər,iːtə] *n* 1) пожира́тель огня́ (*о фокуснике*); 2) дуэли́ст, брете́р; драчу́н.

**fire-engine** ['faɪər,endʒɪn] *n* 1) пожа́рная маши́на; 2) *attr.*: ~ red я́рко-кра́сный цвет.

**fire-escape** ['faɪərɪs,keɪp] *n* пожа́рная ле́стница, пожа́рный вы́ход.

**fire-extinguisher** ['faɪərɪks,tɪŋgwɪʃə] *n* огнетуши́тель.

**fire-eyed** ['faɪər,aɪd] *a поэт.* с горя́щим взо́ром.

**fire fighter** ['faɪə,faɪtə] *n амер.* 1) пожа́рный, пожа́рник; 2) пожа́рник-доброво́лец.

**fire-fly** ['faɪəflaɪ] *n* светля́к (*летающий*).

**fire-glass** ['faɪəglɑːs] *n* решётчатое око́шечко пе́чи.

**fire-grate** ['faɪəgreɪt] *n тех.* колоснико́вая решётка.

**fire-guard** ['faɪəgɑːd] *n* 1) ками́нная решётка; 2) уча́стник противопожа́рной охра́ны.

**fire-hose** ['faɪəhouz] *n* пожа́рный рука́в *или* шланг.

**fire-insurance** ['faɪərɪn,ʃuərəns] *n* страхова́ние от огня́.

**fire-irons** ['faɪər,aɪənz] *n pl* ками́нный прибо́р.

**fire-light** ['faɪəlaɪt] *n* свет от ками́на.

**fire-lighter** ['faɪə,laɪtə] *n* расто́пка.

**firelock** ['faɪəlɔk] *n* 1) кремнёвое ружьё; 2) кремнёвый руже́йный замо́к.

**fireman** ['faɪəmən] *n* 1) пожа́рный; 2) кочега́р.

**fire-nest** ['faɪənest] *n воен.* огнева́я то́чка.

**fire-office** ['faɪər'ɔfɪs] *n* о́бщество страхова́ния от огня́.

**fire-pan** ['faɪəpæn] *n* жаро́вня.

**fire-place** ['faɪəpleɪs] *n* 1) ками́н, оча́г, 2) горн.

**fire-plug** ['faɪəplʌg] *n* пожа́рный кран, гидра́нт.

**fire-policy** ['faɪə,pɔlɪsɪ] *n* по́лис (*страхования от огня*).

**fire-power** ['faɪə,pauə] *n воен.* огнева́я мощь.

**fireproof** ['faɪəpruːf] *a* огнеупо́рный.

**fire pump** ['faɪəpʌmp] *n* пожа́рный насо́с.

**fire-raising** ['faɪə,reɪzɪŋ] *n* поджо́г.

**fire-screen** ['faɪəskriːn] *n* ками́нный экра́н.

**fire-ship** ['faɪəʃɪp] *n мор. ист.* бра́ндер.

**fireside** ['faɪəsaɪd] *n* 1) ме́сто о́коло ками́на; by the ~ у камелька́; 2) дома́шний оча́г, семе́йная жизнь.

**fire-squad** ['faɪəskwɔd] *n* противопожа́рная брига́да.

**fire-step** ['faɪəstep] *n воен.* стрелко́вая ступе́нь, банке́т (*в окопе*).

**fire-truck** ['faɪətrʌk] *n амер.* пожа́рная маши́на.

**fire wall** ['faɪəwɔl] *n* брандма́уер.

**fire-warden** ['faɪə,wɔːdn] *n* заве́дующий охра́ной лесо́в от пожа́ров.

**fire-watcher** ['faɪə,wɔtʃə] = fire-guard 2).

**fire-water** ['faɪə,wɔːtə] *n шутл.* «о́гненная вода́» (*водка и т. п.*).

**firewood** ['faɪəwud] *n* дрова́.

**firework** ['faɪəwəːk] = fireworks 1).

**fireworker** ['faɪə,wə:kə] *n* пиротéхник.

**fireworks** ['faɪəwə:ks] *n pl* 1) фейервéрк; 2) блеск умá, остроýмия *и т. п.*

**fire-worship** ['faɪə,wə:ʃɪp] *n* огнепоклóнничество.

**firing** ['faɪərɪŋ] 1. *pres. p. от* fire 2; 2. *n* 1) стрельбá; производство выстрела *или* взрыва; cease ~! прекратить огóнь!; 2) тóпливо; 3) сжигáние тóплива, отоплéние; 4) растáпливание; 5) óбжиг; 6) *вет.* прижигáние; 7) *горн.* палéние шпýров.

**firing ground** ['faɪərɪŋ,graund] *n* стрéльбище, полигóн.

**firing-line** ['faɪərɪŋlaɪn] *n воен.* боевáя лúния; лúния огня.

**firing-step** ['faɪərɪŋstep] = fire-step.

**firkin** ['fə:kɪn] *n* мáленький бочóнок (*вмещáет прибл. 8—9 галлóнов*).

**firm** I [fə:m] *n* фирма, торгóвый дом; ◇ long ~ компáния мошéнников.

**firm** II [fə:m] 1. *a* 1) крéпкий, твёрдый; ~ ground сýша; to be on ~ ground чýвствовать твёрдую пóчву под ногáми; чýвствовать себя увéренно; 2) устóйчивый; стóйкий, непоколебúмый; ~ step твёрдая пóступь; ~ prices устóйчивые цéны; (as) ~ as a rock твёрдый *или* неподвúжный как скалá; 3) решúтельный; настóйчивый; ~ measures решúтельные мéры; 2. *adv* твёрдо, крéпко; 3. *v* укрепля́ть(ся); уплотня́ть(ся); to ~ the ground after planting утрамбовáть зéмлю пóсле посáдки растéний.

**firmament** ['fə:məmənt] *n* небéсный свод.

**firman** [fə:'mɑ:n] *перс. n* фирмáн (*указ султáна или шáха*); разрешéние; пáспорт.

**fir-needle** ['fə:,ni:dl] *n* елóвая *или* соснóвая иглá, хвóя.

**firry** ['fə:rɪ] *a* елóвый; заросший пúхтами, éлями.

**first** [fə:st] 1. *num. ord.* пéрвый; ~ form пéрвый класс (*в шкóле*); ~ name имя (*в отлúчие от фамúлии*); at ~ sight с пéрвого взгля́да, срáзу; 2. *a* 1) пéрвый; рáнний; ~ thing пéрвым дóлгом; to come ~ прийти пéрвым; in the ~ place сначáла; прéжде всегó; в пéрвую óчередь; 2) пéрвый, выдающийся; значúтельный; the ~ scholar of his day сáмый выдающийся учёный своегó врéмени; ~ violin пéрвая скрúпка; ◇ F. Commoner спúкер (*в палáте общин до 1919 г.*); F. Lord of the Admiralty пéрвый лорд адмиралтéйства (*воéнно-морскóй минúстр Áнглии*); F. Sea Lord пéрвый морскóй лорд, начáльник морскóго штáба (*Áнглии*); ~ water чистéйшей воды (*о бриллиáнтах*); 3. *n* 1) начáло; at ~ сначáла; from the ~ с сáмого начáла; from ~ to last с начáла до концá; 2) (the ~) пéрвое число; 3) *pl* товáры высшего кáчества.

4. *adv* 1) сначáла, снáчала; ~ of all прéжде всегó; 2) впервы́е; I ~ met him last year впервы́е я егó встрéтил в прóшлом годý; 3) скорéе, предпочтúтельно; ◇ ~ and last в óбщем и цéлом; ~ last and all the time *амер.* решúтельно и бесповорóтно; раз и навсегдá; ~ or last рáно úли пóздно; ~ and foremost в пéрвую óчередь.

**first aid** ['fə:st'eɪd] *n* 1) пéрвая пóмощь, скóрая пóмощь; 2) *тех.* аварúйный ремóнт.

**first-aid** [ fə:st'eɪd] *a:* ~ kit *амер. воен.* санитáрная сýмка.

**first-born** ['fə:stbɔ:n] *n* пéрвенец.

**first-chop** ['fə:st'tʃɔp] *a разг.* первосóртный.

**first class** ['fə:st'klɑ:s] *n* пéрвый класс; высший сорт.

**first-class** ['fə:st'klɑ:s] 1. *a* первоклáссный; to feel ~ великолéпно себя́ чýвствовать; 2. *adv* 1) *разг.* превосхóдно; 2): to travel ~ éхать в пéрвом клáссе, пéрвым клáссом.

**first cost** ['fə:stkɔst] *n* производственная себестóимость.

**first-cousin** ['fə:st'kʌzn] *n* двоюродный брат; двоюродная сестрá.

**first-day** ['fə:stdeɪ] *n* воскресéнье (*выраж. квáкеров*).

**first-foot** ['fə:st,fut] *n сев.* пéрвый гость в Нóвом годý.

**first-fruits** ['fə:stfru:ts] *n pl* пéрвые плоды́.

**first-hand** ['fə:st'hænd] 1. *a* полýченный из пéрвых рук; 2. *adv* из пéрвых рук.

**firstling** ['fə:stlɪŋ] *n* 1) (*обыкн. pl*) пéрвые плоды́; 2) пéрвенец (*у живóтных*).

**firstly** ['fə:stlɪ] *adv* во-пéрвых.

**first-magnitude** ['fə:st'mægnɪtju:d] *a астр.* пéрвой величины (*о звездé; тж. перен.*).

**first-night** ['fə:stnaɪt] *n* премьéра, пéрвое представлéние.

**first-nighter** [,fə:st'naɪtə] *n разг.* постоянный посетúтель театрáльных премьéр.

**first-rate** ['fə:st'reɪt] 1. *a* первоклáссный; первостепéнной вáжности *или* значéния; the ~ Powers крупнéйшие держáвы; 2. *adv разг.* прекрáсно.

**firth** [fə:θ] *n сев.* ýзкий морскóй залúв; лимáн; ýстье рекú.

**fir-tree** ['fə:tri:] = fir 1).

**fisc** [fɪsk] *n* 1) *ист.* фиск; 2) *шотл.* государственная казнá.

**fiscal** ['fɪskəl] *a* 1) фискáльный; 2) финáнсовый; ~ year финáнсовый год.

**fish** I [fɪʃ] 1. *n* 1) (*pl часто без измéн.*) рыба; *распр. тж.* крáбы, ýстрицы; 2) *пренебр.:* cool ~ нахáл, наглéц; odd (*или* queer) ~ чудáк; poor ~ никудышный человéк, человéк без инициатúвы *и т. п.*; 3) (the F. *или* Fishes) Рыбы (*созвéздие и знак зодиáка*); 4) *attr.* рыбный; ◇ all's ~ that comes to his net *посл.* ≈ дóброму вóру всё впóру; он ничéм не брéзгует; to feed the ~es *разг.* а) утонýть; б) страдáть морскóй болéзнью; to have other ~ to fry имéть другúе делá; to make ~ of one and flesh of another относúться к лю́дям нерóвно, пристрáстно; a pretty kettle of ~! *разг.* ≈ весёленькая истóрия!; хорóшенькое дéло!; ~ story ≈ «охóтничий расскáз»; преувелúченный расскáз; neither ~, flesh, nor fowl (*или* good red herring) ни рыба ни мя́со; ни тó ни сё; 2. *v* 1) ловúть *или* удúть рыбу; 2): to ~ the anchor *мор.* поднимáть я́корь; □ ~ for а) искáть в водé (*жéмчуг и т. п.*); б) выу́живать *(секре́ты)*; **ж)** напра́шиваться, набива́ться; to ~ for compliments (for an invitation) напра́шиваться **на** компли́менты (на приглаше́ние); ~ out a) достава́ть; выта́скивать *(из карма́на)*; б) выу́живать, выпы́тывать *(секре́ты)*; ~ up выта́скивать *(из воды́)*.

**fish II** [fıʃ] **1.** *n* 1) *мор.* фишта́ли; шка́ло *(у ма́чты)*; 2) = fish-plate;
**2.** *v тех.* соединя́ть накла́дкой; скрепля́ть сты́ком.

**fish III** [fıʃ] *n* фи́шка.

**fishbolt** ['fıʃboult] *n тех., ж.-д.* стыково́й болт.

**fisher I** ['fıʃə] *n* 1) *уст.* рыба́к; рыболо́в; 2) рыба́чья ло́дка.

**fisher II** ['fıʃə] *n уст. sl.* банкно́т в 1 фунт сте́рлингов.

**fisherman** ['fıʃəmən] *n* рыба́к, рыболо́в.

**fishery** ['fıʃərı] *n* 1) рыболо́вство; ры́бный про́мысел; 2) ры́бные места́; то́ня; 3) *юр.* пра́во ры́бной ло́вли.

**fish-fork** ['fıʃfɔːk] *n* острога́.

**fish-gig** ['fıʃgıg] = fizgig 3).

**fish-glue** ['fıʃgluː] *n* ры́бий клей.

**fish-hook** ['fıʃhuk] *n* рыболо́вный крючо́к.

**fishing** ['fıʃıŋ] **1.** *pres. p. om* fish I, 2;
**2.** *n* 1) ры́бная ло́вля; 2) пра́во ры́бной ло́вли; 3) **=** fishery 2).

**fishing-line** ['fıʃıŋlaın] *n* лёса.

**fishing-rod** ['fıʃıŋrɔd] *n* уди́лище.

**fishing-tackle** ['fıʃıŋtækl] *n* рыболо́вные сна́сти.

**fish-kettle** ['fıʃˌketl] *n* котёл для ва́рки ры́бы.

**fish-knife** ['fıʃnaıf] *n* нож для ры́бы.

**fishmonger** ['fıʃˌmʌŋgə] *n* торго́вец ры́бой.

**fish-plate** ['fıʃpleıt] *n ж.-д., тех.* стыкова́я накла́дка.

**fish-pond** ['fıʃpɔnd] *n* 1) пруд для разведе́ния ры́бы, садо́к; 2) *шутл.* мо́ре.

**fish-pot** ['fıʃpɔt] *n* ве́рша *(для кра́бов, угре́й)*.

**fish-slice** ['fıʃslaıs] *n* нож для разреза́ния ры́бы.

**fish-tackle** ['fıʃˌtækl] *n* рыболо́вные принадле́жности.

**fish-tail** ['fıʃteıl] **1.** *n* ры́бий хвост;
**2.** *a* име́ющий фо́рму ры́бьего хвоста́; ~ wind ве́тер, ча́сто меня́ющий направле́ние.

**fishwife** ['fıʃwaıf] *n* торго́вка ры́бой.

**fishy** ['fıʃı] *a* 1) ры́бный; ры́бий; ~ eye ту́склый взгляд; 2) изоби́лующий ры́бой; 3) с ры́бным привкусом; 4) *разг.* подозри́тельный, сомни́тельный; ~ tale неправдоподо́бная исто́рия.

**fisk** [fısk] = fisc.

**fissile** ['fısaıl] *a* расщепля́ющийся, раска́лывающийся пласта́ми; сланцева́тый.

**fission** ['fıʃən] **1.** *n* 1) расщепле́ние, разделе́ние; 2) *хим., физ.* расщепле́ние, деле́ние а́томного ядра́ при цепно́й реа́кции; 3) *биол.* размноже́ние путём деле́ния кле́ток;
**2.** *v* расщепля́ться *и пр.* [*см.* 1].

**fissionable** ['fıʃnəbl] *a* спосо́бный к я́дерному распа́ду; ~ materials расщепля́емые материа́лы.

**fissure** ['fıʃə] *n* 1) тре́щина, расще́лина; изло́м; 2) *анат.* борозда́ *(мо́зга)*; 3) *мед.* тре́щина; надло́м *(ко́сти)*.

**fist** [fıst] **1.** *n* 1) кула́к; 2) *разг.* рука́; give us your ~ да́йте ва́шу ру́ку; 3) *шутл.* по́черк; he writes a good ~ у него́ хоро́ший по́черк; 4) указа́тельный знак в ви́де изображе́ния па́льца руки́; ◇ he made a better ~ of it де́ло у него́ пошло́ лу́чше; he made a poor ~ of it де́ло ему́ не удало́сь;
**2.** *v* 1) уда́рить кулако́м; 2) *преим. мор.* зажима́ть в руке́ *(весло́ и т. п.)*.

**fistic(al)** ['fıstık(əl)] *a шутл.* кула́чный.

**fisticuff** ['fıstıkʌf] **1.** *n* 1) уда́р кулако́м; 2) *pl* кула́чный бой;
**2.** *v* дра́ться в кула́чном бою́.

**fistula** ['fıstjulə] *n мед.* фисту́ла, свищ.

**fit I** [fıt] *n* 1) припа́док, парокси́зм, при́ступ; fainting ~ обморок; 2) *pl* су́дороги, конву́льсии; истери́я; to laugh oneself into ~s хохота́ть до упа́ду; to scream oneself into ~s ⪅ отча́янно вопи́ть; 3) порыв, настрое́ние; a ~ of energy прили́в сил; he writes his book when the ~ is on him он пи́шет свою́ кни́гу, когда́ быва́ет в соотве́тствующем настрое́нии; ◇ to give smb. a *(или* ~s) *разг.* порази́ть, возмути́ть, оскорби́ть кого́-л.; to knock *(или* to beat) smb. into ~s по́лностью победи́ть, разби́ть кого́-л.; by ~s and starts поры́вами, уры́вками.

**fit II** [fıt] **1.** *n* 1) *тех.* пригóнка, поса́дка; 2): to be a good (bad) ~ хорошо́ (пло́хо) сиде́ть *(о пла́тье и т. п.)*;
**2.** *a* 1) гóдный, подходя́щий; соотве́тствующий; приспосо́бленный; ~ time and place надлежа́щее вре́мя и ме́сто; 2) досто́йный; подоба́ющий; I am not ~ to be seen я не могу́ показа́ться; it is not ~ не подоба́ет; do as you think ~ де́лайте, как счита́ете ну́жным; 3) гото́вый, спосо́бный; ~ to die of shame гото́вый умере́ть со стыда́; I am ~ for another ~ mile я могу́ пройти́ ещё ми́лю; 4) в хоро́шем состоя́нии, в хоро́шей фо́рме *(о спортсме́не)*; си́льный, здоро́вый; to feel *(или* to keep) ~ быть бо́дрым и здоро́вым; ◇ (as) ~ as a fiddle соверше́нно здоро́в; в прекра́сном настрое́нии; как нельзя́ лу́чше;
**3.** *v* 1) соотве́тствовать, годи́ться, быть впо́ру; совпада́ть, то́чно соотве́тствовать; the coat ~s well пальто́ сиди́т хорошо́; 2) прила́живать(ся); приспоса́бливать(ся); to ~ oneself to new duties приготови́ться к исполне́нию но́вых обя́занностей; 3) устана́вливать, монти́ровать; 4) снабжа́ть (with); 5) *амер.* подгота́вливать *(к поступле́нию в университе́т)*; ☐ ~ in а) приспоса́бливать(ся); принора́вливать(ся); подходи́ть; б) вставля́ть; в) подгоня́ть, вти́скивать; ~ on примеря́ть, пригоня́ть; ~ out снаряжа́ть, снабжа́ть необходи́мым, экипирова́ть; ~ up а) отде́лывать; б) снабжа́ть; оснаща́ть; the hotel is ~ted up with all modern conveniences гости́ница име́ет все (совреме́нные) удо́бства; в) собира́ть,

монти́ровать; ◇ to ~ like a glove быть как раз впо́ру; to ~ the bill отвеча́ть всем тре́бованиям.

**fitch** [fɪtʃ] *n* 1) хорько́вый мех; 2) щётка, кисть из воло́с хорька́.

**fitchew** ['fɪtʃuː] *n* 1) хорёк; 2) = fitch 1).

**fitful** ['fɪtful] *a* су́дорожный; перемежа́ющийся, преры́вистый; ~ energy проявля́ющаяся вспы́шками эне́ргия; ~ gleams мерца́ющий свет; ~ wind поры́вистый ве́тер.

**fitment** ['fɪtmənt] *n* 1) предме́т обстано́вки; 2) (*обыкн. pl*) армату́ра; обору́дование.

**fitness** ['fɪtnɪs] *n* (при)го́дность, соотве́тствие.

**fit-out** ['fɪtaut] *n разг.* снаряже́ние; обмундирова́ние; обору́дование.

**fittage** ['fɪtɪdʒ] *n* накладны́е расхо́ды (*по снаряже́нию, оборудова́нию*).

**fitter** ['fɪtə] *n* 1) сле́сарь-монта́жник, монтёр, сбо́рщик; 2) тот, кто приспособля́ет, прила́живает *что-л.* (*напр., портно́й, примеря́ющий пла́тье*).

**fitting** ['fɪtɪŋ] 1. *pres. p. от* fit II, 3; 2. *n* 1) приго́нка, прила́живание; приме́рка; 2) устано́вка, сбо́рка, монта́ж; 3) *pl тех.* фи́тинги; гарниту́ра; 4) *pl эл.* освети́тельные прибо́ры. 3. *a* подходя́щий, го́дный, надлежа́щий.

**fitting-room** ['fɪtɪŋrum] *n* приме́рочная.

**fitting-shop** ['fɪtɪŋʃɔp] *n* 1) сбо́рочная мастерска́я; 2) монта́жный цех.

**five** [faɪv] 1. *num. card.* пять; 2. *n* 1) пятёрка; 2) *pl* пя́тый но́мер (*разме́р перча́ток, о́буви и т. п.*); 3) бума́жка в пять фу́нтов *или* в пять до́лларов; 4) спорти́вная кома́нда из пяти́ челове́к (*в баскетбо́ле, кри́кете*); ◇ a bunch of ~s *разг.* рука́.

**five-day** ['faɪv'deɪ] *a* пятидне́вный.

**five-finger** ['faɪv,fɪŋgə] *n* 1) *бот.* = cinquefoil 1); 2) *зоол.* морска́я звезда́; 3) *attr.* пятиконе́чный, звездообра́зный.

**fivefold** ['faɪvfould] 1. *a* пятикра́тный; 2. *adv* впя́теро; в пятикра́тном разме́ре.

**five-o'clock tea** ['faɪvə'klɔk'tɪ] *n* файвокло́к (*чай ме́жду вторы́м за́втраком и обе́дом*).

**fiver** ['faɪvə] *n разг.* пятёрка (*пять фу́нтов сте́рлингов или пять до́лларов*).

**fives** [faɪvz] *n pl* (*употр. как sing*) род игры́ в мяч.

**five-year** ['faɪvjəː] *a* пятиле́тний; ~ plan пятиле́тний план.

**fix** [fɪks] 1. *v* 1) укрепля́ть, устана́вливать; 2) внедря́ть; вводи́ть; 3) реша́ть, назнача́ть (*срок, це́ну и т. п.*); 4) привлека́ть (*внима́ние*); остана́вливать (*взгляд, внима́ние*; on, upon — на); 5) *фото* фикси́ровать, закрепля́ть; 6) оседа́ть, густе́ть, тверде́ть; 7) *хим.* сгуща́ть, связывать; 8) *амер. разг. употр. вме́сто са́мых разнообра́зных глаго́лов, обознача́ющих приведе́ние в поря́док, приготовле́ние и т. п., напр.:* to ~ a broken lock починить сло́манный замо́к; to ~ a coat почини́ть пиджа́к; to ~ a breakfast пригото́вить за́втрак; to ~ the fire развести́ ого́нь *и т. п.*; □ ~ on вы́брать, останови́ться на чём-л.; ~ up *разг.*

а) устро́ить, дать прию́т; **б) реши́ть;** в) организова́ть; г) ула́дить; привести́ в поря́док; урегули́ровать; д) почини́ть; подпра́вить; ~ **upon** = ~ on;

2. *n* 1) *разг.* диле́мма; затрудни́тельное положе́ние; in the same ~ в одина́ково тяжёлом положе́нии; 2) определе́ние ме́ста (*самолёта, корабля́*); 3) *амер.:* out of ~ в беспоря́дке; нужда́ющийся в ремо́нте.

**fixation** [fɪk'seɪʃ ən] *n* 1) фикса́ция, закрепле́ние; 2) сгуще́ние.

**fixative** ['fɪksətɪv] 1. *a* фикси́рующий; 2. *n* фиксати́в; фикса́ж.

**fixature** ['fɪksətʃə] *n* фиксату́ар.

**fixed** [fɪkst] 1. *p. p. от* fix 1; 2. *a* 1) неподви́жный, постоя́нный; закреплённый; стациона́рный; 2) неизме́нный, твёрдый; ~ prices твёрдые це́ны; ~ fact *амер.* устано́вленный факт; ~ idea навя́зчивый; ~ idea навя́зчивая иде́я; 4) *хим.* свя́занный; нелету́чий; ◇ ~ capital основно́й капита́л; well ~ *амер.* состоя́тельный, обеспе́ченный.

**fixedly** ['fɪksɪdlɪ] *adv* 1) при́стально; в упо́р; 2) твёрдо, кре́пко, про́чно.

**fixedness** ['fɪksɪdnɪs] *n* 1) неподви́жность; закреплённость; 2) сто́йкость.

**fixer** ['fɪksə] *n* 1) фикса́ж; 2) *амер. полит. sl.* челове́к, занима́ющийся устро́йством вся́ких сомни́тельных дел.

**fixings** ['fɪksɪŋz] *n pl амер. разг.* 1) снаряже́ние, принадле́жности, обору́дование; 2) отде́лка (*пла́тья*); 3) *кул.* гарни́р.

**fixity** ['fɪksɪtɪ] *n* 1) неподви́жность; ~ of look при́стальность взгля́да; 2) сто́йкость, усто́йчивость; 3) *физ.* сохране́ние ве́са при нагрева́нии.

**fixture** ['fɪkstʃə] *n* 1) армату́ра; приспособле́ние, прибо́р; подста́вка; 2) прикрепле́ние; 3) *тех.* постоя́нная принадле́жность (*како́й-л. маши́ны*); 4) *разг.* лицо́ или учрежде́ние, про́чно обоснова́вшееся в како́м-л. ме́сте; our guest seems to become a ~ наш гость сли́шком до́лго заси́делся; 5) число́, на кото́рое наме́чено спорти́вное состяза́ние.

**fix-up** ['fɪksʌp] *n амер.* приспособле́ние, устро́йство.

**fizgig** ['fɪzgɪg] *n* 1) ве́треная, коке́тливая же́нщина; 2) шути́ха (*фейерве́рк*); 3) баго́р, острога́ (*для ло́вли ры́бы*).

**fizz** [fɪz] 1. *n* 1) шипе́ние; 2) *разг.* шампа́нское; шипу́чий напи́ток; 3) свист; 2. *v* 1) шипе́ть, и́скриться, игра́ть (*о вине́*); 2) свисте́ть.

**fizzle** ['fɪzl] 1. *n* 1) шипя́щий звук; 2) фиа́ско, неуда́ча; 2. *v* сла́бо шипе́ть; □ ~ **out** выдыха́ться; *перен.* конча́ться неуда́чей.

**fizzy** ['fɪzɪ] *a разг.* газиро́ванный, шипу́чий.

**flabbergast** ['flæbəgɑːst] *v* поража́ть, изумля́ть.

**flabby** ['flæbɪ] *a* 1) отви́слый, вя́лый; 2) сла́бый, слабохара́ктерный, мягкоте́лый.

**flaccid** ['flæksɪd] *a* 1) сла́бый, вя́лый; 2) бесси́льный; 3) слабохара́ктерный, нереши́тельный.

flag I [flæg] 1. *n* 1) флаг, знáмя, стяг; ~ of truce парламентёрский флаг; 2) хвост (*сеттера или ньюфаундленда*); 3) *амер. полигр.* корректýрный знак прóпуска; ◇ to lower (*или* to strike) one's ~ *мор.* сдавáться; to hoist (to strike) one's ~ *мор.* принимáть (сдавáть) комáндование; 2. *v* 1) сигнализúровать флáгом; 2) украшáть флáгами.

flag II [flæg] *n бот.* касáтик.

flag III [flæg] 1. *n* 1) плитá (*для мощения*); плитня́к; 2) *pl* вы́мощенный плúтами тротуáр; 2. *v* выстилáть плúтами.

flag IV [flæg] *v* 1) повúснуть, понúкнуть; 2) ослабевáть, уменьшáться; our conversation was ~ging наш разговóр не клéился.

flag-captain ['flæg,kæptin] *n* командúр флáгманского корабля́.

Flag Day ['flæg'dei] *n амер.* 14 июня — день установлéния госудáрственного флáга США (*1777 г.*).

flag-day ['flægdei] *n* день продáжи на ýлице мáленьких флажкóв с благотворúтельной цéлью.

flagellant ['flædʒilənt] *n* 1) *ист.* флагеллáнт; 2) человéк, занимáющийся самобичевáнием.

flagellate ['flædʒəleit] *v* бичевáть, порóть.

flagellation [,flædʒə'leiʃən] *n* бичевáние; пóрка.

flageolet [,flædʒə'let] *n муз.* флажолéт.

flaggery ['flægəri] *n амер. полит. sl.* шовинúзм, урá-патриотúзм.

flagging I ['flægiŋ] 1. *pres. p. от* flag III, 2; 2. *n* ýстланная плúтами мостовáя; тротуáр, пол из плитняка́.

flagging II ['flægiŋ] 1. *pres. p. от* flag IV; 2. *a* слабéющий, нúкнущий.

flagging III ['flægiŋ] *pres. p. от* flag I, 2.

flagitious [flə'dʒiʃəs] *a* престýпный; гнýсный, позóрный.

flagman ['flægmən] *n* сигнáльщик.

flag-officer ['flæg,ɔfisə] *n* 1) адмирáл; вице-адмирáл; контр-адмирáл; 2) комáндующий.

flagon ['flægən] *n* графúн *или* большáя бутýль со сплю́снутыми бокáми.

flagpole ['flæg,poul] = flagstaff.

flagrant ['fleigrənt] *a* 1) ужасáющий, вопию́щий; огрóмный; 2) ужáсный, стрáшный (*преступник и т. п.*).

flagship ['flægʃip] *n* флáгманский корáбль, флáгман.

flagstaff ['flægstɑ:f] *n* флагштóк.

flag-station ['flæg,steiʃən] *n* стáнция, где пóезд останáвливается по осóбому трéбованию.

flagstone ['flægstoun] = flag III, 1. 1).

flag-wagging ['flæg,wægiŋ] *n* 1) *воен. sl.* сигнализáция флáгами; 2) *перен.* бряцáние орýжием.

flail [fleil] 1. *n* цеп; 2. *v* молотúть.

flair [fleə] *фр. n* нюх, чутьё.

flak [flæk] *n* 1) зенúтная артиллéрия; 2) зенúтный огóнь

flake I [fleik] 1. *n* 1) *pl* хлóпья; ~ of snow снежúнка; 2) слой, ряд; 3) чешýйка; 4) бýхта (*канáта*); 2. *v* 1) пáдать, сы́пать(ся) хлóпьями; 2) рассла́иваться, шелушúться (*тж.* ~ away, ~ off).

flake II [fleik] *n* сушúлка для рыбы.

flake camphor ['fleik,kæmfə] *n амер.* нафталúн.

flaky ['fleiki] *a* 1) похóжий на хлóпья; 2) слóистый, чешýйчатый.

flam [flæm] *n* фальшúвка; ложь.

flambean ['flæmbou] *фр. n* (*pl* -eaus [-ouz], -eaux) фáкел.

flambeaux ['flæmbouz] *pl от* flambeau.

flamboyant [flæm'bɔiənt] 1. *n* óгненно-крáсный цветóк (*Poinciana regia*); 2. *a* 1) цветúстый, я́ркий; чрезмéрно пы́шный; 2) *архит.* «пламенéющий» (*название стиля позднéй францýзской гóтики*).

flame [fleim] 1. *n* 1) плáмя; the ~s огóнь; to burst into ~ вспы́хнуть плáменем; to commit to the ~s сжигáть; in ~s пылáющий, в огнé; the ~s of sunset зáрево закáта; 2) я́ркий свет; 3) пыл, страсть; to fan the ~ разжигáть страсти; 4) *шутл.* предмéт любвú; an old ~ of his eró стáрая любóвь; 2. *v* 1) горéть, пламенéть, пылáть; 2) вспы́хнуть, покраснéть; her face ~d with excitement её лицó разгорéлось от волнéния; □ ~ out, ~ up а) вспы́хнуть, запылáть; б) вспылúть.

flamenco [flɑ:'meŋkou] *n* 1) цыгáнский ромáнс; цыгáнская пля́ска; 2) цыгáнщина.

flame-projector ['fleimprə,dʒektə] *n воен.* огнемёт.

flame-thrower ['fleim,θrouə] = flame-projector.

flaming ['fleimiŋ] 1. *pres. p. от* flame 2;
2. *a* 1) пламенéющий, пылáющий; 2) я́ркий; 3) óчень жáркий; 4) пы́лкий, плáменный.

flamingo [flə'miŋgou] *n* (*pl* -os, -oes [-ouz]) *зоол.* фламúнго.

flamy ['fleimi] *a* óгненный, плáменный.

flan [flæn] *фр. n* откры́тый пирóг с я́годами, фрýктами и т. п.

flange [flændʒ] 1. *n* 1) *тех.* флáнец; крóмка; 2) *ж.-д.* ребóрда (*колесá*); 3) грéбень, вы́ступ, борт; 2. *v тех.* фланцевáть, загибáть борты́.

flank [flæŋk] 1. *n* 1) бок, сторонá; 2) бочóк (*часть мяснóй тýши*); 3) склон (*горы́*); 4) *воен.* фланг; 5) крылó (*здáния*); 6) *attr. воен.* флáнговый; ~ fire фланкúрующий (*или* флáнговый) огóнь;
2. *v* 1) быть располóженным *или* располагáть сбóку, на флáнге; 2) защищáть *или* прикрывáть фланг; 3) угрожáть с флáнга; 4) фланкúровать; обстрéливать продóльным огнём; 5) гранúчить (on — с); примыкáть.

flanker ['flæŋkə] *n воен.* 1) укреплéние, прикрывáющее фланг; фланкúрующее укреплéние; 2) (*обыкн. pl*) *уст.* фланкёр(ы).

flannel ['flænl] 1. *n* 1) фланéль; 2) флонéлька (*употр. для чúстки и т. п.*); 3) *pl* фланелевый костюм (*особ.* спортивный); фланелевое бельё;

**2.** *a* фланелевый; ◇ ~ cake *амер.* тонкая лепёшка;

**3.** *v* протирать фланелью.

**flannelette** [ˌflænlˈet] *n* фланелет, английская фланель.

**flannelled** [ˈflænld] **1.** *p. p. от* flannel 3; **2.** *a* одетый в фланелевый костюм.

**flap** [flæp] **1.** *n* 1) что-л., прикреплённое за один конец, свешивающееся *или* развевающееся на ветру; 2) звук, производимый развевающимся флагом; 3) взмах крыльев, колыхание знамени *и т. п.*; 4) удар, хлопок, шлепок; 5) хлопушка (*для мух*); 6) клапан (*карманный*); 7) пола; 8) откидная доска (*стола*); 9) длинное ухо (*животного*); 10) *тех.* клапан, заслонка, створка; 11) крыло (*седла*); 12) *ав.* щиток; закрылок, предкрылок; 13) *sl.* состояние сильного возбуждения, граничащее с паникой; 14) *sl.* воздушная тревога; воздушный налёт;

**2.** *v* 1) взмахивать (*крыльями*); 2) махать; развевать(ся); колыхать(ся); the wind ~s the sails ветер полощет паруса; 3) хлопать, шлёпать; ударять; бить (*ремнём*); to ~ flies away отгонять мух (*платком и т. п.*); 4) свисать; ◇ to ~ one's mouth, to ~ about болтать, толковать.

**flapdoodle** [ˈflæpˌduːdl] *n разг.* глупости, чепуха.

**flap-eared** [ˈflæpˌɪəd] *a* вислоухий.

**flapjack** [ˈflæpdʒæk] *n* 1) блин; оладья, лепёшка; 2) плоская пудреница.

**flapper** [ˈflæpə] *n* 1) хлопушка (*для мух*); колотушка (*для птиц*); молотило (*часть цепа*); 2) клапан; пола, фалда; 4) ласт (*тюленя, моржа*); 5) дикий утёнок; птенец куропатки; 6) *sl.* девушка (*семнадцати-двадцати лет*); 7) *sl.* вертушка (*о молодой женщине*); 8) *sl.* рука; 9) напоминание.

**flare** [flɛə] **1.** *n* 1) яркий, неровный свет, сияние; сверкание; блеск; 2) вспышка; 3) вспыхивание; световой сигнал; 4) сигнальная ракета; осветительный патрон; 5) *мор.* развал (бортов);

**2.** *v* 1) ярко вспыхивать (*тж.* ~ up); ослеплять блеском; 2) гореть ярким, неровным пламенем; коптить (*о лампе*); 3) расширять(ся); раздвигать; 4) выступать, выдаваться наружу; □ ~ out, ~ up а) вспыхнуть; б) разразиться гневом, вспылить.

**flared skirt** [ˈflɛədˌskəːt] *n* юбка-клёш.

**flare-up** [ˈflɛərˈʌp] *n* 1) вспышка; 2) световой сигнал; 3) шумная ссора; 4) (слишком) шумное веселье.

**flaring** [ˈflɛərɪŋ] **1.** *pres. p. от* flare 2;

**2.** *a* 1) ярко, неровно горящий; 2) бросающийся в глаза; кричащий, безвкусный; 3) выпуклый; 4) расширяющийся, выступающий наружу.

**flash** [flæʃ] **1.** *n* 1) вспышка, сверкание; a ~ of lightning сверкание молнии; 2) проблеск; ~ of hope проблеск надежды; 3) очень короткий отрезок времени, мгновение; in a ~ в один миг, в мгновение ока;

4) внешний, показной блеск; 5) воровской жаргон, арго; 6) *амер.* «в последнюю минуту»; короткая телеграмма в газету (*посылаемая до подробного отчёта*); bulletin ~ сводка о ходе выборов (*передаваемая по радио*); ◇ a ~ in the pan осечка; неудача;

**2.** *a* 1) показной, безвкусный, кричащий; 2) фальшивый (*о деньгах*); 3) воровской; ~ language воровское арго;

**3.** *v* 1) вспыхивать; давать отблески, отражать; his eyes ~ed fire его глаза метали молнии, горели; to ~ a look (*или* a glance, one's eyes) at метнуть взгляд на; his old art ~ed out occasionally иногда появлялись проблески его прежнего мастерства; 2) быстро промелькнуть, пронестись; замелькать; the idea ~ed across (*или* into, through) my mind, the idea ~ed upon me меня осенила мысль; 3) передавать по телеграфу, радио *и т. п.* (*известия*).

**flashback** [ˈflæʃbæk] *n* 1) взгляд в прошлое, воспоминание; 2) *кино* кадры, прерывающие повествование, чтобы в сжатом виде повторить ранее показанные события (*в мыслях героев и т. п.*); 3) литературный отрывок *или* сцена в пьесе, описывающие события, происшедшие до времени основного действия.

**flash burn** [ˈflæʃbəːn] *n* ожог, вызванный тепловым излучением после взрыва атомной бомбы.

**flash-house** [ˈflæʃhaus] *n sl.* притон.

**flashing** [ˈflæʃɪŋ] **1.** *pres. p. от* flash 3; **2.** *n* 1) сверкание *и пр.* [*см.* flash 3]; 2) *тех.* отжиг стекла.

**flash-light** [ˈflæʃlait] *n* 1) сигнальный огонь; проблесковый свет маяка; 2) всякий неровный, мигающий свет (*световые рекламы, иллюминация и т. п.*); 3) *фото* вспышка магния; 4) ручной электрический фонарь; 5) *attr.:* ~ photograph снимок при вспышке магния.

**flash-point** [ˈflæʃpɔint] *n* температура вспышки, точка возгорания.

**flashy** [ˈflæʃi] = flash 2, 1) *и* 2).

**flask** [flɑːsk] *n* 1) фляжка; фляга; бутыль; колба, флакон; склянка; 2) пороховница; оплетённая бутылка с узким горлом; 4) *тех.* опока.

**flasket** [ˈflɑːskit] *n* 1) маленькая фляжка; 2) корзина для белья.

**flat I** [flæt] **1.** *n* 1) плоскость, плоская поверхность; the ~ of the hand ладонь; on the ~ *жив.* на плоскости, в двух измерениях; 2) равнина, низина; отмель, низкое побережье; болото; 3) широкая неглубокая корзина; 4) большая плоскодонная лодка; 5) *муз.* бемоль; 6) *театр.* задник; to join the ~s *перен.* пригнать друг к другу части в пьесе, в рассказе; придать вид единого целого; 7) *разг.* простачок, простофиля; 8) настилка, обшивная доска; 9) = flat-car; 10) *геол.* пологая залежь; 11) *тех.* лыска, боёк молотка;

**2.** *a* 1) плоский, ровный; распростёртый во всю длину; the storm left the oats ~ буря побила (*или* положила) овёс; ~ hand ладонь с вытянутыми пальцами; ~ nose приплюснутый нос; 2) *жив.* недостаточно рельефный; 3) вялый, скучный, однообразный; life is very ~ in your town жизнь очень скучна, однообразна в вашем городе; 4) скучный, унылый; безжизненный; неэнергичный; неостроумный; 5) *ком.* неоживлённый, вялый (*о рынке*); 6) выдохшийся (*о пиве и т. п.*); ослабевший; спустившийся (*о пневматической шине и т. п.*); 7) плоский (*о шутке*); 8) категорический, прямой; ~ denial категорический отказ; that's ~ это окончательно (решено); ~ nonsense чистейший вздор; 9) *муз.* детонирующий; снижающий; бемольный, минорный; 10) *воен.* настильный (*о траектории*); 11) *полигр.* нефальцованный (*о листе*); флатовый (*о бумаге*); ~ paper a) флатовая бумага; б) писчая бумага; ◇ ~ race скачка без препятствий; ~ rate единообразная ставка (*налога, расценок и т. п.*);

3. *adv* 1) плоско; врастяжку, плашмя; 2) точно, как раз; to go ~ against orders идти вразрез с приказаниями; 3) прямо, без обиняков;

4. *v тех.* делать *или* становиться ровным, плоским.

**flat II** [flæt] *n* 1) квартира (*расположенная в одном этаже*); 2) *pl* дом с такими квартирами.

**flat-boat** ['flæt,bout] *n* плоскодонка.

**flatbottom** ['flæt,botəm] *n редк.* плоскодонка.

**flat-broke** ['flæt,brouk] *a амер.* разорённый вконец, обанкротившийся.

**flat-car** ['flæt,ka:] *n амер. ж.-д.* вагон-платформа.

**flat-fish** ['flætfɪʃ] *n* плоская рыба (*камбала, палтус и т. п.*).

**flat-foot** ['flætfut] *n* 1) *мед.* плоскостопие; 2) *sl.* простак; 3) *sl.* полицейский; сыщик; 4) *sl.* моряк, матрос.

**flat-footed** ['flæt,futid] *a* 1) *мед.* плоскостопный; 2) *амер. разг.* решительный, твёрдый; he came out ~ for the measure он полностью, решительно поддержал это мероприятие.

**flat-iron** ['flæt,aiən] *n* 1) утюг; 2) полосовое железо.

**flatlet** ['flætlit] *n* небольшая (однокомнатная) квартира.

**flatly** ['flætli] *adv* 1) плоско, ровно; 2) решительно; to refuse ~ наотрез отказать(ся).

**flatness** ['flætnis] *n* 1) плоскость; 2) безвкусица; 3) скука; вялость; 4) категоричность, решительность; 5) *воен.* настильность (*траектории*).

**flat-out** ['flæt'aut] *adv диал.* прямо; открыто.

**flatten** ['flætn] *v* 1) делать(ся) ровным, плоским; выравнивать, разглаживать; 2) стихать (*о ветре, буре*); 3) выдыхаться, становиться безвкусным (*о пиве, вине*); 4) становиться вялым, скучным; 5) придавать матовость; □ ~ out a) раскатывать, расплющивать; б) выравнивать (*самолёт*); в) приводить в смущение, в ужас.

**flatter I** ['flætə] *v* 1) льстить; 2) тешить себя, льстить себя (*надеждой*); I ~ myself

that смею думать, что; 3) прикрашивать; преувеличивать достоинства; 4) быть приятным; ласкать (*взор, слух*).

**flatter II** ['flætə] *n тех.* рихтовальный молоток; расковочный молот.

**flatterer** ['flætərə] *n* льстец.

**flattering** ['flætəriŋ] 1. *pres. p. от* flatter I;

2. *a* 1) льстивый; 2) лестный.

**flattery** ['flætəri] *n* лесть.

**flatting** ['flætiŋ] 1. *pres. p. от* flat I, 4; 2. *n тех.* 1) прокатка; плющение; 2) *attr.:* ~ mill листопрокатный (*или* плющильный) стан.

**flattop** ['flæt,top] *n амер. разг.* авианосец.

**flatty** ['flæti] *см.* flat-foot 2), 3) *и* 4).

**flatulence, -cy** ['flætjuləns, -si] *n* 1) *мед.* скопление газов, метеоризм; 2) напыщенность, претенциозность.

**flatulent** ['flætjulənt] *a* 1) *мед.* вызывающий газы (*в кишечнике*); 2) *мед.* страдающий от газов; 3) напыщенный, претенциозный.

**flatware** ['flæt,weə] *n* 1) столовый прибор (*нож, вилка и ложка*); 2) мелкая *или* плоская посуда.

**flatways, flatwise** ['flætweiz, -waiz] *adv* плашмя.

**flaunt** [flɔ:nt] 1. *v* 1) гордо развеваться (*о знамёнах*); размахивать (*флагом и т. п.*); 2) выставлять (себя) напоказ, рисоваться, щеголять;

2. *n редк.* щегольство, рисовка.

**flautist** ['flɔ:tist] *n* флейтист.

**flavin** ['fleivin] *n* 1) флавин (*антисептическое средство*); 2) жёлтая краска.

**flavor, flavorless** ['fleivə, 'fleivəlis] *амер.* = flavour, flavourless.

**flavour** ['fleivə] 1. *n* 1) приятный вкус; букет (*вина*); 2) аромат, запах; 3) особенность; привкус; there is a ~ of romance in the affair в этой истории есть что-то романтическое;

2. *v* приправлять; придавать вкус, запах; *перен.* придавать интерес, пикантность.

**flavourless** ['fleivəlis] *a* 1) безвкусный; 2) без запаха.

**flaw I** [flɔ:] 1. *n* 1) трещина, щель (*особ. в металле*); 2) брак (*товара*); 3) пятно, недостаток, порок; а ~ in an argument слабое место в аргументации; 4) *юр.* упущение, ошибка (*в документе, в показаниях и т. п.*);

2. *v* 1) вызывать трещину; трескаться; портить(ся); повреждать; раскалывать; 2) *юр.* делать недействительным.

**flaw II** [flɔ:] *n* порыв ветра; шквал.

**flawless** ['flɔ:lis] *a* без изъяна, безупречный.

**flawy I** ['flɔ:i] *a* с изъянами, пороками *и пр. [см.* flaw I, 1].

**flawy II** ['flɔ:i] *a* шквалистый [*см.* flaw II].

**flax** [flæks] *n* 1) лён; 2) кудель; 3) льняные изделия.

**flaxen** ['flæksən] *a* 1) льняной; 2) светло-жёлтый, соломенный (*о цвете волос*).

**flax-seed** ['flæks‚siːd] *n* льняно́е се́мя.

**flaxy** ['flæksɪ] *a* 1) льняно́й; 2) похо́жий на лён.

**flay** [fleɪ] *v* 1) сдира́ть ко́жу; свежева́ть; 2) чи́стить, снима́ть ко́жицу, обдира́ть ко́жу *и т. п.*; 3) вымога́ть, разоря́ть; драть шку́ру; 2) беспоща́дно критикова́ть.

**flayer** ['fleɪə] *n* живодёр.

**flay-flint** ['fleɪˌflɪnt] *n* вымога́тель; скря́га.

**flea** [fliː] *n* блоха́; ◇ a ~ in one's ear а) ре́зкое замеча́ние; б) отпо́р; в) раздража́ющий отве́т; to send smb. away with a ~ in his ear дать кому́-л. пощёчину; дать ре́зкий отпо́р кому́-л., осади́ть кого́-л.

**flea-bag** ['fliːbæg] *n sl.* 1) спа́льный мешо́к; 2) *амер.* проститу́тка.

**flea-bane** ['fliːbeɪn] *n бот.* блошни́ца дизентери́йная.

**flea-bite** ['fliːbaɪt] *n* 1) блоши́ный уку́с; 2) ничто́жная боль, ма́ленькое неудо́бство *или* неприя́тность; 3) ры́жее пятно́ на бе́лой ше́рсти ло́шади.

**flea-bitten** ['fliːˌbɪtn] *a* 1) иску́санный бло́хами; 2) чуба́рый (*о лошади*).

**fleam** [fliːm] *n* ланце́т.

**fleck** [flek] 1. *n* 1) пятно́, кра́пинка; ~s of sunlight со́лнечные бли́ки; 2) весну́шка; 3) части́ца; a ~ of dust пыли́нка. 2. *v* покрыва́ть пя́тнами, кра́пинками.

**flecker** ['flekə] *v* испещря́ть.

**flection** ['flekʃən] = flexion.

**fled I** [fled] *past и p. p. от* flee.

**fled II** [fled] *past от* fly II, 2, 7).

**fledge** [fledʒ] *v* 1) опери́ться; 2) выка́рмливать птенцо́в; 3) оперя́ть (*стрелу*); 4) выстила́ть перо́м (*гнездо*).

**fledg(e)ling** ['fledʒlɪŋ] *n* 1) то́лько опери́вшийся птене́ц; 2) ребёнок; нео́пытный юне́ц.

**flee** [fliː] *v* (fled) 1) бежа́ть, спаса́ться бе́гством (from; out of; away); 2) избега́ть; 3) (*тк. past и p. р.*) исче́знуть, пролете́ть; life had fled жизнь пролете́ла.

**fleece** [fliːs] 1. *n* 1) руно́; ове́чья шерсть; 2) на́стриг с одно́й овцы́; 3) копна́ воло́с; 4) бара́шки (*облака*); 5) *текст.* начёс; ворс. 2. *v* 1) *редк.* стричь ове́ц; 2) обдира́ть, вымога́ть (*деньги*); 3) покрыва́ть сло́вно ше́рстью.

**fleecy** ['fliːsɪ] *a* покры́тый ше́рстью; шерсти́стый; ~ cloud кудря́вое о́блако; ~ hair курча́вые во́лосы.

**fleer** [flɪə] 1. *n* презри́тельный взгляд; насме́шка. 2. *v* презри́тельно улыба́ться; насмеха́ться.

**fleet I** [fliːt] *n* 1) флот; 2) флоти́лия; ~ of whalers китобо́йная флоти́лия; 3) парк (*автомашин, танков, маши́н и т. п.*).

**fleet II** [fliːt] 1. *a* 1) бы́стрый; ~ of foot *поэт.* быстроно́гий; 2) *поэт.* быстроте́чный; 3) ме́лкий (*о воде*). 2. *adv* неглубоко́. 3. *v* 1) плыть по пове́рхности; 2) бы́стро протека́ть, минова́ть.

**fleet III** [fliːt] *n* бу́хта; зали́в; руче́й.

**fleeting** ['fliːtɪŋ] 1. *pres. p. от* fleet II, 3;

2. *a* бы́стрый, мимолётный, скороте́чный.

**Fleet Street** ['fliːt'striːt] *n* у́лица в Ло́ндоне, где располо́жены основны́е изда́тельства; центр англи́йской газе́тной инду́стрии; *перен.* англи́йская пре́сса.

**Fleming** ['flemɪŋ] *n* фламáндец.

**Flemish** ['flemɪʃ] 1. *a* фламáндский; ~ brick кли́нкер. 2. *n* фламáндский язы́к.

**flench** [flenʃ] = flense.

**flense** [flenz] *v* обдира́ть (*кита, тюленя*); добыва́ть во́рвань.

**flesh** [fleʃ] 1. *n* 1) (сыро́е) мя́со; wolves live on ~ во́лки пита́ются мя́сом; 2) те́ло, плоть; ~ and blood плоть и кровь; челове́ческая приро́да; род челове́ческий; one's own ~ and blood со́бственная плоть и кровь, свои́ де́ти, *тж.* бра́тья, сёстры; all ~ всё живо́е; in the ~ живы́м, во плоти́; 3) полнота́; in ~ в те́ле, по́лный; to lose ~ худе́ть; to make (*или* to gain) ~, to put on ~ полне́ть; 4) мя́коть, мя́со (*плода*); 5) по́хоть; ◇ to make smb.'s ~ creep приводи́ть кого́-л. в у́жас; neither fish, ~ nor fowl ≅ ни ры́ба ни мя́со; to go the way of all ~ испыта́ть о́бщий уде́л, умере́ть;

2. *v* 1) приуча́ть (*собаку, со́кола к охоте*) вку́сом кро́ви; 2) обагря́ть кро́вью; 3) отка́рмливать; 4) *разг.* полне́ть; 5) счища́ть мя́со с то́лько что со́дранной шку́ры, мездри́ть.

**flesh-colour** ['fleʃˌkʌlə] *n* теле́сный цвет.

**flesher** ['fleʃə] *n шотл.* мясни́к.

**flesh-fly** ['fleʃflaɪ] *n* мясна́я му́ха.

**fleshings** ['fleʃɪŋz] *n pl* трико́ теле́сного цве́та (*для сце́ны*).

**fleshly** ['fleʃlɪ] *a* 1) пло́тский, теле́сный; 2) чу́вственный.

**fleshmonger** ['fleʃˌmʌŋgə] *n* 1) работорго́вец; 2) *уст.* мясни́к; 3) *уст.* развра́тник; 4) *уст.* сво́дник.

**flesh-pot** ['fleʃpɔt] *n* коте́л для ва́рки мя́са; ◇ ~s (of Egypt) *библ.* а) дово́льство, бога́тая жизнь, материа́льное благополу́чие; б) коры́стные соображе́ния.

**flesh tights** ['fleʃtaɪts] = fleshings.

**flesh-wound** ['fleʃwuːnd] *n* пове́рхностное ране́ние.

**fleshy** ['fleʃɪ] *a* 1) мяси́стый; 2) то́лстый.

**fleur-de-lis** ['fləː'liː] *фр.* *n* (*pl* fleurs-de-lis) 1) *бот.* каса́тик; 2) геральди́ческая ли́лия (*особ. эмбле́ма францу́зского короле́вского до́ма*).

**fleur-de-luce** ['fləːdə'ljuːs] *уст., амер.* = fleur-de-lis.

**fleurs-de-lis** ['fləːdə'liːz] *pl от* fleur-de-lis.

**flew** [fluː] *past от* fly II, 2.

**flews** [fluːz] *n pl* отви́слые гу́бы (*у соба́ки-ище́йки и т. п.*).

**flex** [fleks] *n эл.* ги́бкий шнур. 2. *v* сгиба́ть(ся); гну́ть(ся).

**flexible** ['fleksəbl] *a* 1) ги́бкий; гну́щийся; 2) пода́тливый, усту́пчивый; 3) легко́ приспособля́ющийся (*о лю́дях*).

**flexile** ['fleksɪl] *редк.* = flexible.

**flexion** ['flekʃən] *n* 1) сгиб, изо́гнутость; 2) *тех., мед.* сгиба́ние; 3) *грам.* фле́ксия;

4) *мат.* кривизна́, изги́б (*линии, поверх-ности*).

**flexor** ['fleksə] *n* сгиба́ющая мы́шца.

**flexuosity** [,fleksju'ɔsɪtɪ] *n* изви́листость; изви́лина.

**flexuous** ['fleksjuəs] *a* 1) изви́листый; 2) коле́блющийся.

**flexure** ['flekʃə] *n* 1) сгиба́ние; 2) сгиб; изги́б; проги́б; вы́гиб, кривизна́, искрив-ле́ние; 3) = flexion 4); 4) *геол.* флексу́ра (*изгиб в слоях горных пород*).

**flibbertigibbet** ['flɪbətɪ'dʒɪbɪt] *n* 1) легко-мы́сленный *или* ненадёжный челове́к; че-лове́к без твёрдых убежде́ний; 2) бол-ту́н(ья); спле́тник; спле́тница.

**flick** [flɪk] 1. *n* 1) лёгкий уда́р (*хлыстом, ногтем и т. п.*); 2) ре́зкое движе́ние; 3) *sl.* кинофи́льм; *pl* киносеа́нс; he is going to the ~s tonight он сего́дня пойдёт в кино́;
2. *v* 1) стегну́ть; 2) сма́хивать (*крошки и т. п.*; *обыкн.* ~ off, ~ away); ☐ ~ out бы́стро вы́тащить, вы́хватить.

**flicker I** ['flɪkə] 1. *n* 1) мерца́ние; 2) трепета́ние; дрожа́ние; 3) *pl разг.* кино-карти́на, фильм;
2. *v* 1) мерца́ть; a last faint hope ~ed up and died после́дняя сла́бая наде́жда мельк-ну́ла и пога́сла; 2) колыха́ться; дрожа́ть; ~ing shadows дрожа́щие те́ни; 3) бить, маха́ть кры́льями.

**flicker II** ['flɪkə] *n амер. дя́тел.*

**flier** ['flaɪə] *n* 1) всё, что лета́ет (*напр.*, пти́цы, насеко́мые); 2) лётчик; 3) что-л., бы́стро дви́жущееся (*напр.*, быстрохо́дный парохо́д; рыса́к; *амер.* экспре́сс); 4) *sl.* риско́ванное предприя́тие; авантю́ра; 5) *тех.* махови́к; 6) *текст.* банкабро́ш; 7) *стр.* прямо́й марш ле́стницы; ◇ to take a ~ упа́сть вниз голово́й.

**flight I** [flaɪt] *n* 1) полёт (*тж. перен.*); to take (*или* to wing) one's ~ улете́ть; a ~ of fancy (*или* imagination) полёт фанта́зии; a ~ of wit про́блеск остроу́мия; 2) перелёт; 3) расстоя́ние полёта, перелёта; 4) ста́я (*птиц*); 5) град (*стрел, пуль и т. п.*); залп; 6) звено́ (*самолётов*); 7) *разг.* вы́-водок (*птиц*); 8) бы́строе тече́ние (*вре-мени*); 9) ряд барье́ров (*на скачках*); 10) ряд ступе́ней, марш; ряд шлюзов (*на ка-нале*); 11) *стр.* эта́ж; ◇ in the first ~ в пе́р-вых ряда́х, в аванга́рде; занима́ющий ве-ду́щее ме́сто.

**flight II** [flaɪt] *n* бе́гство, поспе́шное от-ступле́ние; побе́г; to put to ~ обраща́ть в бе́г-ство; to take (to) ~ обраща́ться в бе́гство.

**flight-deck** ['flaɪtdek] *n ав.* взлётная па́-луба (*на авианосце*).

**flight-lieutenant** ['flaɪtlef,tenənt] *n* ка-пита́н авиа́ции (*в Англии*).

**flight path** ['flaɪtpɑ:θ] *n* траекто́рия по-лёта.

**flight-shot** ['flaɪtʃɔt] *n* 1) да́льность по-лёта стрелы́; 2) вы́стрел влёт.

**flighty** ['flaɪtɪ] *a* 1) непостоя́нный, из-ме́нчивый; ве́треный, капри́зный; 2) поло-у́мный; 3) пугли́вый (*о лошади*).

**flim-flam** ['flɪmflæm] *разг.* 1. *n* 1) вздор, ерунда́; 2) трюк, моше́нническая проде́лка;
2. *v* обма́нывать, моше́нничать.

**flimsy** ['flɪmzɪ] 1. *n* 1) папиро́сная *или* то́нкая бума́га (*для копии*); 2) *sl.* бума́ж-ные де́ньги; 3) *sl.* телегра́мма;
2. *a* 1) непро́чный, то́нкий; 2) неоснова́-тельный.

**flinch I** [flɪntʃ] *v* 1) вздра́гивать (*от бо-ли*); дро́гнуть; 2) уклоня́ться, отступа́ть (from — от *выполнения долга, намеченного пути и т. п.*).

**flinch II** [flɪntʃ] = flense.

**flinders** ['flɪndəz] *n pl* куски́; обло́мки, ще́пки; to break (*или* to fly) in ~ разле-те́ться вдре́безги.

**fling** [flɪŋ] 1. *n* 1) бросо́к, швыро́к; си́льное, ре́зкое *или* торопли́вое движе́ние; 2) ре́зкое, насме́шливое замеча́ние; 3) жи́вость; жизнера́достность; 4) развлече́-ние, весе́лье; времяпрепровожде́ние; to have one's ~ *разг.* погуля́ть, перебеси́ться; 5) стреми́тельный та́нец; Highland ~ бу́р-ный шотла́ндский та́нец; ◇ at one ~ од-ни́м уда́ром, сра́зу; to have a ~ at smb. пройти́сь на чей-л. счёт; to have a ~ at smth. попыта́ться, попро́бовать; in full ~ в по́лном разга́ре;
2. *v* (flung) 1) кида́ть(ся); броса́ть(ся); швыря́ть(ся); to ~ a stone швырну́ть ка́-мень; to ~ out of a room вы́скочить из ко́мнаты; to ~ oneself into the saddle вско-чи́ть в седло́; the horse flung his rider ло́-шадь сбро́сила седока́; to ~ smth. in smb.'s teeth бро́сить в лицо́ (*упрёк и т. п.*); 2) сде́лать бы́строе стреми́тельное движе́ние (*руками и т. п.*); to ~ one's arms round smb.'s neck обви́ть чью-л. ше́ю рука́ми; the horse flung his head about ло́шадь замота́ла голово́й; to ~ open распа́хивать, раство-ря́ть; 3) распространя́ть (*звук, свет, запах*); the flowers ~ their fragrance around цветы́ распространя́ют благоуха́ние; 4) реши́-тельно принима́ться (into — за); to ~ one-self into an undertaking с голово́й уйти́ в како́е-л. предприя́тие; ☐ ~ about раз-бра́сывать; ~ aside отве́ргнуть, пренебре́чь; ~ away а) отбро́сить; б) промота́ть; в) бро́ситься вон; ~ down а) сбра́сывать; б) разруша́ть; ~ off а) бро́ситься вон; б) сбра́сывать, стря́хивать; в) отделя́ться от; to ~ off pursuers убежа́ть от пресле́дова-ния; ~ on набра́сывать, наки́дывать; to ~ one's clothes on наки́нуть пла́тье впопы-ха́х; ~ out а) разрази́ться (*бранью и т. п.*); б) брыка́ться (*о лошади*); ~ to захло́пнуть; ~ upon: to ~ oneself upon smb.'s mercy отда́ться на ми́лость кого́-л.; ◇ to ~ up one's heels удира́ть так, что пя́тки свер-ка́ют; to ~ caution to the winds отбро́сить вся́кую осторо́жность.

**flint** [flɪnt] *n* 1) креме́нь; кремнёвая га́лька; 2) что-л. о́чень твёрдое *или* жёст-кое как ка́мень; a heart of ~ ка́менное се́рдце; he set his face like a ~ лицо́ его́ при́-няло ка́менное выраже́ние; ◇ to skin a ~ быть скаре́дным; to wring water from a ~ де́лать чудеса́.

**flint-glass** ['flɪnt'glɑ:s] *n* флинтгла́с; анг-ли́йский хруста́ль.

**flint-hearted** ['flɪnt'hɑ:tɪd] *a* жестоко-се́рдный.

**flint-lock** ['flɪntlɔk] *n ист.* 1) замо́к кремнёвого ружья́; 2) кремнёвое ружьё.

**flint-paper** ['flɪnt‚peɪpə] *n* шку́рка, нажда́чная *или* стекля́нная бума́га.

**flinty** ['flɪntɪ] *a* 1) кремни́стый, кремнёвый; 2) суро́вый, твёрдый как скала́.

**flip I** [flɪp] **1.** *n* 1) щелчо́к, лёгкий уда́р; 2) *разг.* (непродолжи́тельный) полёт в само́лёте;
**2.** *v* щёлкать, ударя́ть слегка́.

**flip II** [flɪp] *n* горя́чий напи́ток из подслащённого пи́ва со спи́ртом.

**flip-flap, flip-flop** ['flɪpflæp, -flɔp] *n* 1) хло́пающие зву́ки; 2) са́льто-морта́ле; 3) род фейерве́рка; шути́ха; 4) каче́ли (*на я́рмарке*); 5) *амер.* род пече́нья (*к ча́ю*).

**flippancy** ['flɪpənsɪ] *n* 1) легкомы́слие, ве́треность; 2) де́рзость.

**flippant** ['flɪpənt] *a* 1) легкомы́сленный, ве́треный; 2) де́рзкий; 3) *уст.* болтли́вый.

**flipper** ['flɪpə] *n* 1) *зоол.* плавни́к, пла́вательная перепо́нка; ласт; 2) *sl.* рука́; 3) *рез.* фли́ппер, бортова́я ле́нточка.

**flirt** [flɜːt] **1.** *n* 1) коке́тка; 2) внеза́пный толчо́к; взмах;
**2.** *v* 1) флиртова́ть, коке́тничать (with); 2) бы́стро дви́гать(ся) *или* маха́ть; to ~ a fan игра́ть ве́ером.

**flirtation** [flɜː'teɪʃən] *n* флирт.

**flirty** ['flɜːtɪ] *a* скло́нный к флирту.

**flit** [flɪt] **1.** *n* переме́на местожи́тельства (*особ. тайно от кредиторов*);
**2.** *v* 1) перелета́ть, порха́ть; to ~ past пролета́ть; recollections ~ through one's mind воспомина́ния проно́сятся в голове́; 2) легко́ и бесшу́мно дви́гаться (about); 3) переезжа́ть на другу́ю кварти́ру (*особ. тайно от кредиторов*).

**flitch** [flɪtʃ] *n* 1) засо́ленный и копчёный свино́й бок; 2) *лес.* горбы́ль.

**flitter** ['flɪtə] *v* порха́ть, лета́ть; маха́ть кры́льями.

**flitter-mouse** ['flɪtəmaus] *n* (*pl* -mice) летучая мышь.

**flivver** ['flɪvə] *n sl.* 1) дешёвый автомоби́ль; 2) что-л. ма́ленькое, дешёвое, незначи́тельное; 3) прова́л; неуда́ча.

**float** [flout] **1.** *n* 1) про́бка; поплаво́к (*тж. тех.*); буй; 2) паро́м, плот; *ав.* надувно́й рези́новый плот, испо́льзуемый лётчиком как спаса́тельная ло́дка; 3) пла́вательный по́яс; 4) пузы́рь (*у ры́бы*); 5) плаву́чая ма́сса (*льда и т. п.*); 6) го́нка, сплав (*ле́са*); 7) *геол.* нано́с; 8) лопа́сть гребно́го *или* ме́льничного колеса́; 9) (*часто* pl) *театр.* ра́мпа; 10) теле́га; 11) платфо́рма на колёсах, испо́льзуемая для рекла́мных, карнава́льных и др. це́лей; 12) мастеро́к (*штукату́ра*); 13) = floater 2);
**2.** *v* 1) пла́вать; всплыва́ть; держа́ться на пове́рхности воды́; 2) подде́рживать на пове́рхности воды́; 3) плыть по не́бу (*об облаках*); 4) проноси́ться; to ~ in the mind проноси́ться в мы́слях; to ~ before the eyes мелька́ть пе́ред глаза́ми; 5) затопля́ть, наводня́ть; 6) спуска́ть на во́ду; снима́ть с ме́ли; 7) сплавля́ть (*лес*); 8) пусти́ть в ход (*торго́вое предприя́тие, прое́кт*); 9) выпуска́ть, размеща́ть (*заём,*

*а́кции*); 10) распространя́ть (*слух*); 11) *эл.* рабо́тать вхолосту́ю *или* с небольшо́й нагру́зкой (*о генера́торе и т. п.*); 12) быть в равнове́сии.

**floatable** ['floutəbl] *a* 1) плаву́чий; 2) сплавно́й.

**floatage** ['floutɪdʒ] *n* 1) плаву́честь; 2) *собир.* то, что пла́вает; пла́вающие обло́мки по́сле кораблекруше́ния; 3) надво́дная часть су́дна; 4) лесоспла́в.

**floatation** [flou'teɪʃən] *n* 1) плаву́честь; 2) *ком.* основа́ние предприя́тия; 3) *тех.* флота́ция.

**floater** ['floutə] *n* 1) сезо́нный рабо́чий; 2) *амер.* избира́тель, го́лос кото́рого мо́жно купи́ть; ◇ to make a ~ попа́сть впроса́к, вли́пнуть.

**floater-repeater** ['floutərɪ'piːtə] *n разг.* избира́тель, голосу́ющий (*обы́чно за взя́тку*) в не́скольких места́х.

**floating** ['floutɪŋ] **1.** *pres. p. от* float 2;
**2.** *a* 1) пла́вающий, плаву́чий; ~ cargo морско́й груз; ~ light плаву́чий мая́к; ~ piston пла́вающий, свобо́дный по́ршень; 2) изме́нчивый; ~ population теку́чее народонаселе́ние; 3) *мед.* блужда́ющий; ~ kidney блужда́ющая по́чка; ◇ ~ capital оборо́тный капита́л; ~ debt теку́щая задо́лженность, теку́щий долг.

**floating bridge** ['floutɪŋ'brɪdʒ] *n* понто́нный *или* наплавно́й мост.

**floating earth** ['floutɪŋ'ɜːθ] *n* плывуны́.

**floaty** ['floutɪ] *a* 1) плаву́чий; 2) лёгкий.

**flocculate** ['flɔkjuːleɪt] *v хим.* выпада́ть хло́пьями, флоккули́ровать.

**flock I** [flɔk] *n* 1) пуши́нка; клочо́к; пучо́к (*во́лос*); 2) pl шерстяны́е *или* хлопчатобума́жные очёски; 3) pl *хим.* лёгкие оса́дки.

**flock II** [flɔk] **1.** *n* 1) ста́до (*обыкн. ове́ц*); ста́я (*обыкн. птиц*); ~s and herds о́вцы и рога́тый скот; the flower of the ~ *перен.* краса́, украше́ние семьи́; 2) толпа́; гру́ппа; to come in ~s приходи́ть то́лпами; 3) *церк.* па́ства;
**2.** *v* стека́ться; держа́ться вме́сте; дви́гаться толпо́й.

**floe** [flou] *n* 1) плаву́чая льди́на; 2) ледяно́е по́ле.

**flog** [flɔg] *v* 1) стега́ть, поро́ть, сечь; □ ~ along погоня́ть кнуто́м; ~ into вбива́ть, вкола́чивать в го́лову; побо́ями заставля́ть учи́ть что-л.; ~ out выбить (*лень и т. п.*; of); ◇ to ~ a dead horse ≅ реше́том во́ду носи́ть; зря тра́тить си́лы.

**flogging** ['flɔgɪŋ] **1.** *pres. p. от* flog;
**2.** *n* по́рка, теле́сное наказа́ние.

**flood** [flʌd] **1.** *n* 1) наводне́ние; полово́дье; па́водок; разли́тие, разли́в; the F. *библ.* всеми́рный пото́п; 2) прили́в; подъём воды́; 3) пото́к, изоби́лие; a ~ of words пото́к слов; a ~ of tears пото́ки *или* мо́ре слёз; a ~ of light мо́ре огне́й; a ~ of anger волна́ гне́ва; 4) *уст., поэт.* мо́ре, о́зеро, река́; ◇ at the ~ в удо́бный, благоприя́тный моме́нт;
**2.** *v* 1) затопля́ть, наводня́ть; 2) поднима́ться (*об у́ровне реки́*); выступа́ть из

берегóв; the river is ~ed by the rains рекá
вздýлась от дождéй; 3) устремúться, хлы́-
нуть потóком; 4) *мед.* страдáть мáточным
кровотечéнием.

**flood-gate** ['flʌdgeɪt] *n* шлюз, шлю́зные
ворóта, шлю́зный затвóр; ◇ to open the
~s a) дать вóлю *чему-л.*; б) расплáкаться,
залúться слезáми.

**floodlight** ['flʌdlaɪt] 1. *n* 1) прожéктор;
2) прожéкторное освещéние;
2. *v* освещáть прожéкторами.

**floor** [flɔː] 1. *n* 1) пол; настúл, между-
этáжное перекры́тие; 2) местá для члéнов
(законодáтельного) собрáния; ~ of the
House местá члéнов парлáмента в зáле
заседáния; 3) прáво выступáть на собрáнии; to have, to take the ~ выступáть, брать
слóво; to get the ~ получúть слóво; 4)
этáж; я́рус; ground ~ пéрвый этáж; first
~ вторóй этáж; *амер.* пéрвый этáж; 5)
гумнó; 6) дно *(моря, пещеры)*; 7) минимáль-
ный ýровень *(особ. цен)*; 8) киностýдия;
9) произвóдство фúльма; to go on the ~
идтú в произвóдство *(о фильме)*; to be on
the ~ быть в произвóдстве; 10) *attr.*: ~
exercise вóльные движéния;
2. *v* 1) настилáть пол; 2) повалúть нá
пол; сбить с ног; 3) *разг.* одолéть, спрáвиться *(с кем-л.)*; to ~ the question сумéть
отвéтить на вопрóс; 4) *разг.* сразúть, смутúть, застáвить замолчáть; the question
~ed him вопрóс постáвил егó в тупúк;
5) *школ.* посадúть на мéсто *(ученика, не
знающего урока)*.

**floor-cloth** ['flɔːklɔθ] *n* линóлеум.

**floorer** ['flɔːrə] *n* 1) сногсшибáтельный
удáр; 2) озадáчивающий вопрóс; тяжёлое
извéстие; затруднúтельное положéние;
слóжная задáча.

**flooring** ['flɔːrɪŋ] 1. *pres. p. от* floor 2;
2. *n* 1) настúл, пол; 2) настúлка полóв;
3) *стр.* половы́е дóски.

**floor-lamp** ['flɔːlæmp] *n* торшéр.

**floor show** ['flɔːˌʃou] *n амер. театр.*
представлéние средú пýблики *(в кабаре
и т. п.)*.

**floorwalker** ['flɔːˌwɔːkə] *n амер.* админи-
стрáтор универсáльного магазúна.

**floozy** ['fluːzɪ] *n амер. sl.* проститýтка.

**flop** [flɔp] 1. *n* 1) шлёпанье, хлóпанье;
2) провáл; to go ~ *разг.* потерпéть неудáчу, потерпéть фиáско; 3) *амер. разг.* шля́-
па с мя́гкими поля́ми; 4) *амер. разг.* человéк, не оправдáвший возлагáвшихся
на негó надéжд, обманýвший ожидáния;
2. *v* 1) шлёпнуться; плю́хнуться; бýхнуться; 2) удáрить; бúть(ся); the fish
~ped about in the boat ры́ба бúлась в лóдке; 3) пáдать на колéни; 4) бить кры́лья-
ми; 5) *разг.* переметнýться, перекúнуться
*(к другой полит. партии; часто ~ over)*;
6) *разг.* потерпéть неудáчу, провалúться;
7) полоскáться *(о парусах)*; 8) *амер.
разг.* свалúться *(от усталости)*; спать;
3. *int* шлёп!

**flophouse** ['flɔphaus] *n амер. sl.* ночлéж-
ка.

**floppy** ['flɔpɪ] *a* 1) свобóдно вися́щий;
2) пассúвный *(ум)*; небрéжный *(стиль)*.

**flora** ['flɔːrə] *n (pl* -ae, -as [-əz]) флóра.

**florae** ['flɔːriː] *pl от* flora.

**floral** ['flɔːrəl] *a* 1) цветóчный; 2) касáющийся флóры.

**Florentine** ['flɔrəntaɪn] 1. *a* флорентúй-
ский;
2. *n* 1) флорентúнец; 2) (f.) флорентúн
*(род шёлковой материи)*; 3) (f.) пирóг
*(особ. с мясом)*.

**florescence** [flɔːˈresns] *n* 1) цветéние;
врéмя цветéния; 2) *перен.* расцвéт.

**floret** ['flɔːrɪt] *n* 1) *бот.* цветóк, цветóчек
*(в корзинке сложноцветных)*; 2) мáленький цветóк.

**floriate** ['flɔːrɪeɪt] *v* украшáть цветóч-
ным орнáментом.

**floriculture** ['flɔːrɪkʌltʃə] *n* цветовóдство.

**florid** ['flɔrɪd] *a* 1) цветúстый, напы́щен-
ный; ~ style витиевáтый стиль; 2) свéжий,
румя́ный; 3) крáсный, багрóвый *(о лице)*;
4) кричáщий *(о наряде)*.

**florin** ['flɔrɪn] *n* флорúн *(денежная единица Голландии)*.

**florist** ['flɔrɪst] *n* 1) торгóвец цветáми;
2) цветовóд.

**floruit** ['flɔːruɪt] *лат. n* перúод дéятельности исторúческого лицá.

**floss I** [flɔs] *n* шёлк-сырéц.

**floss II** [flɔs] *n* ручéй.

**flossy** ['flɔsɪ] *a* шелковúстый.

**flotage** ['floutɪdʒ] = floatage.

**flotation** [flou'teɪʃən] = floatation.

**flotilla** [flou'tɪlə] *n* флотúлия.

**flotsam** ['flɔtsəm] *n* 1) вы́брошенный
и плáвающий на повéрхности груз; плá-
вающие облóмки; ~ and jetsam *перен.*
облóмки; 2) икрá ýстриц.

**flounce I** [flauns] 1. *n* рéзкое нетерпелú-
вое движéние;
2. *v* бросáться, метáться; рéзко двúгаться *(обыкн.* ~ away, ~ out, ~ about, ~
down, ~ up); to ~ **out** of the room брóситься вон из кóмнаты.

**flounce II** [flauns] 1. *n* обóрка;
2. *v* отдéлывать обóрками.

**flounder I** ['flaundə] 1. *n* барáхтанье;
попы́тки вы́путаться *(из чего-л.)*, спрáвиться *(с чем-л.)*;
2. *v* 1) барáхтаться; двúгаться с трудóм;
2) пýтаться *(в словах)*, говорúть с трудóм.

**flounder II** ['flaundə] *n* 1) кáмбала
мáлая; мéлкая кáмбала; 2) *распр.* плóская
ры́ба.

**flour** ['flauə] 1. *n* 1) мукá, крупчáтка;
2) порошóк, пýдра; 3) *attr.*: ~ paste клéй-
стер;
2. *v* 1) посыпáть мукóй; 2) молóть, размáлывать.

**flourish** ['flʌrɪʃ] 1. *n* 1) процветáние;
in full ~ в пóлном расцвéте; 2) размáхивание; 3) рóсчерк, завитýшка; 4) цветú-
стое выражéние; 5) фанфáры; ~ of trumpets туш; *перен.* пы́шное представлéние
*(кого-л.)*; шýмная реклáма; торжéствен-
ная церемóния *(при открытии чего-л.
и т. п.)*;
2. *v* 1) пы́шно растú; разрастáться; 2)
процветáть, преуспевáть; быть в расцвéте;

жить, действовать (*в определённую эпоху*);
3) размахивать (*чем-л.*); 4) *перен.* выставлять напоказ; 5) делать росчерк пером;
6) цветисто выражаться.

**flourishing** ['flʌrɪʃɪŋ] 1. *pres. p. от* flourish 2;
2. *a* 1) здоровый, цветущий; 2) процветающий.

**flour mill** ['flauəmɪl] *n* мукомольная мельница; мукомолка.

**flout** [flaut] 1. *n* 1) насмешка; 2) пренебрежение;
2. *v* 1) насмехаться, глумиться, издеваться (at — над); 2) презирать; попирать;
to ~ smb.'s advice пренебрегать чьим-л. советом.

**flow** [flou] 1. *n* 1) течение, поток, струя;
прилив; 2) изобилие; ~ of spirits жизнерадостность; 3) плавность (*речи, линий*);
4) *гидр.* дебит воды;
2. *v* 1) течь, литься, струиться; 2) ниспадать; ~ing draperies ниспадающая свободными складками одежда, драпировка;
3) проистекать, происходить (from); 4) хлынуть; разразиться потоком; 5) *уст.* изобиловать (with).

**flower** ['flauə] 1. *n* 1) цветок; цветковое растение; 2) расцвет; цветение; in ~ в цвету; in the ~ of one's age во цвете лет;
3) цвет, лучшая, отборная часть (*чего-л.*);
4): ~s of speech красивые обороты речи;
*часто ирон.* цветистые фразы;
2. *v* 1) цвести; 2) украшать цветами *или* цветочным узором.

**flowerbed** ['flauəbed] *n* клумба.

**flower-de-luce** ['flauədə'ljuːs] = fleur-de-lis.

**flowered** ['flauəd] 1. *p. p. от* flower 2;
2. *a* украшенный цветочным узором; ~ silk травчатый шёлк.

**floweret** ['flauərɪt] *n поэт.* цветочек.

**flower-girl** ['flauəgəːl] *n* цветочница, продавщица цветов.

**flowering** ['flauərɪŋ] 1. *pres. p. от* flower 2;
2. *n* расцвет; цветение;
3. *a* цветущий, в цвету.

**flower-piece** ['flauəpiːs] *n жив.* картина с изображением цветов.

**flowerpot** ['flauəpɔt] *n* цветочный горшок.

**flower-show** ['flauəʃou] *n* выставка цветов.

**flower-stand** ['flauəstænd] *n* подставка для цветов, жардиньерка.

**flowery** ['flauərɪ] *a* 1) покрытый цветами;
2) цветистый (*о стиле и т. п.*).

**flowing** ['flouɪŋ] 1. *pres. p. от* flow 2;
2. *a* 1) текущий; ~ tide прилив; *перен.* что-л., надвигающееся, нарастающее; ~ waters проточная вода; 2) гладкий, плавный (*о стиле*); мягкий (*о линиях, контуре*).

**flown** [floun] *p. p. от* fly II, 2.

**flow sheet** ['flou,ʃiːt] *n* карта технологического процесса.

**flu** [fluː] *n* (*сокр. от* influenza) *разг.* грипп.

**flubdub** ['flʌb,dʌb] *амер.* = flapdoodle.

**fluctuate** ['flʌktjueɪt] *v* колебать(ся);

колыхаться; быть неустойчивым, меняться.

**fluctuation** [,flʌktju'eɪʃən] *n* колебание: неустойчивость; качание, колыхание.

**flue** I [fluː] *n* 1) дымоход; дымовая труба; боров; 2) *тех.* жаровая труба (*котла*).

**flue** II [fluː] *n* 1) пушок; 2) хлопья пыли (*под мебелью*).

**flue** III [fluː] *n* род рыболовной сети.

**flue** IV [fluː] = fluke II.

**flue** V [fluː] = flu.

**fluency** ['fluːənsɪ] *n* плавность; беглость (*речи*).

**fluent** ['fluːənt] 1. *a* 1) гладкий; плавный; беглый (*о речи*); 2) напыщенный и пустой (*о словах и т. п.*); ~ phrases пустые слова;
3) текучий, жидкий; 4) изменчивый, непостоянный;
2. *n мат.* интеграл; переменная величина; функция.

**fluently** ['fluːəntlɪ] *adv* плавно, гладко; бегло (*о речи*).

**fluey** ['fluːɪ] *a* пушистый.

**fluff** [flʌf] 1. *n* 1) пух, пушок; 2) *театр. sl.* плохо выученная роль;
2. *v* 1) взбивать(ся); вспушить; 2) *театр. sl.* плохо знать роль.

**fluffy** ['flʌfɪ] *a* 1) пушистый; взбитый; 2) *sl.* забывчивый; 3) *sl.* нетвёрдо стоящий на ногах, пьяный.

**fluid** ['fluːɪd] 1. *n* жидкость, жидкая среда;
2. *a* жидкий, текучий.

**fluidity** [fluː'ɪdɪtɪ] *n* 1) жидкое состояние; 2) текучесть; 3) плавность (*речи*);
4) *тех.* жидкотекучесть.

**fluke** I [fluːk] *n* 1) камбала, палтус; плоская рыба; 2) глист (*в овечьей печени*); 3) сорт картофеля.

**fluke** II [fluːk] *n* 1) лапа (*якоря*); 2) зазубрина гарпуна.

**fluke** III [fluːk] 1. *n* счастливая случайность; by ~ по счастливой случайности;
2. *v* получить что-л. *или* выиграть игру благодаря счастливой случайности.

**flume** [fluːm] *n* 1) *амер.* горное ущелье с потоком; 2) *тех.* жёлоб; подводящий канал, акведук.

**flummery** ['flʌmərɪ] *n* 1) род драчёны;
2) пустые комплименты; болтовня, вздор;
3) *уст.* овсяная кашица.

**flummox** ['flʌməks] *v разг.* смущать, ставить в затруднительное положение.

**flump** [flʌmp] 1. *n* глухой шум, стук;
2. *v* 1) падать с глухим шумом; 2) ставить, бросать (*что-л.*) на пол с глухим шумом.

**flung** [flʌŋ] *past и p. p. от* fling 2.

**flunk** [flʌŋk] 1. *n* провал;
2. *v амер.* 1) провалить(ся) на экзамене; 2) исключить за неуспеваемость (*из учебного заведения*).

**flunkey** ['flʌŋkɪ] *n* ливрейный лакей; *перен.* лакей, низкопоклонник.

**fluorescence** [fluə'resns] *n* свечение, флуоресценция.

**fluorescent** [fluə'resnt] *a* флуоресцентный; ~ lamp флуоресцентная лампа; ~ light флуоресцентный свет.

**fluorine** ['fluəri:n] *n хим.* фтор.

**fluor-spar** ['fluəspɑ:] *n мин.* плавиковый шпат.

**flurry** ['flʌrɪ] **1.** *n* 1) беспокойство, волнение; суматоха; смятение; 2) шквал; *амер.* неожиданный резкий ливень *или* снегопад; 3) неожиданное резкое изменение цен на бирже; **2.** *v* волновать; будоражить (*особ. спешкой*).

**flush I** [flʌʃ] **1.** *n* 1) внезапный прилив, поток (*воды*); 2) прилив крови; краска (*на лице*), румянец; 3) приступ (*лихорадки*); 4) прилив (*чувства*); упоение (*успехом и т. п.*); ~ of hope вспышка надежды; 5) быстрое распускание листьев *и пр.*; 6) расцвет (*молодости, сил и т. п.*); 7) быстрый приток, внезапное изобилие (*чего-л.*); **2.** *v* 1) бить струёй; обильно течь, хлынуть; 2) приливать к лицу (*о крови*); вызывать краску на лице; 3) вспыхнуть, (по)краснеть (*часто* ~ up); 4) затоплять; 5) промывать сильным напором струй; to ~ the toilet спустить воду в уборной; 6) наполнять, переполнять (*чувством*); to be ~ed with joy (pride *etc.*) быть охваченным радостью (гордостью *и т. п.*); ~ed with victory упоённый победой; 7) *редк.* давать новые побеги (*о растениях*); **3.** *a* 1) полный (*до берегов — о реке*); 2) изобилующий; to be ~ of money *разг.* быть при деньгах, иметь много денег; 3) щедрый, расточительный (with); 4) *тех.* находящийся на одном уровне, заподлицо (*с чем-л.*).

**flush II** [flʌʃ] **1.** *n* вспугнутая стая птиц; **2.** *v* 1) спугивать (*дичь*); 2) взлетать, вспархивать.

**flush III** [flʌʃ] *n* карты одной масти.

**flusher** ['flʌʃə] *n* ассенизатор.

**fluster** ['flʌstə] **1.** *n* суета, волнение; all in a ~ в волнении; в возбуждении; **2.** *v* 1) волновать(ся); возбуждать(ся); 2) подпоить; 3) слегка опьянеть.

**flute** [flu:t] **1.** *n* 1) флейта; 2) *архит.* канелюра, желобок; 3) мелкая складочка; 4) выемка, рифля; **2.** *v* 1) играть на флейте; 2) делать выемки, желобить; 3) плоить.

**flutist** ['flu:tist] *n* флейтист.

**flutter** ['flʌtə] **1.** *n* 1) порхание; 2) махание; 3) волнение; трепет; to put smb. into a ~ взбудоражить кого-л.; to make (*или* to cause) a ~ производить сенсацию; 4) *sl.* риск; 5) *тех.* вибрация; **2.** *v* 1) махать *или* бить крыльями; перепархивать; 2) трепетать (*о сердце*); 3) махать; развеваться (*на ветру*); 4) дрожать от волнения; волновать(ся), беспокоить(ся); 5) *тех.* вибрировать.

**fluty** ['flu:tɪ] *a* напоминающий звук флейты; мягкий и чистый.

**fluvial** ['flu:vjəl] *a* речной.

**flux** [flʌks] **1.** *n* 1) течение; поток; 2) постоянная смена; постоянное движение; ~ and reflux прилив и отлив; in a state of ~ в состоянии изменения; 3) *мед.* патологическое истечение; *уст.* дизентерия; 4) *физ.* поток; 5) *метал.* флюс, плавень;

**2.** *v* 1) истекать; 2) давать слабительное; 3) *мед.* прослабить; 4) *тех.* плавить, растоплять; 5) *метал.* обрабатывать флюсом; отшлаковать.

**fluxible** ['flʌksɪbl] *a* плавкий.

**fluxion** ['flʌkʃən] *n* 1) *мед.* патологическое истечение; 2) *мат.* дифференциация; *pl* дифференциальное исчисление.

**fly I** [flaɪ] *n* 1) муха; 2) *с.-х. разг.* вредитель; ◇ a ~ in the ointment ≈ ложка дёгтя в бочке мёда; a ~ on the wheel ≈ самомнения ему не занимать стать; to break a ~ on the wheel ≈ стрелять из пушек по воробьям.

**fly II** [flaɪ] **1.** *n* 1) полёт; расстояние полёта; on the ~ на лету; 2) одноконный наёмный экипаж; 3) *тех.* уравнительный маятник; балансир; 4) *тех.* маховик; 5) *pl театр.* колосники; 6) крыло (*ветряка*); 7) длина (*флага*);

**2.** *v* (flew; flown) 1) летать, пролетать; 2) спешить; 3) развевать(ся); to ~ one's flag *мор.* держать свой флаг; командным соединением; with ~ing colours с развевающимися знамёнами; *перен.* победоносно; 4): to ~ pigeons гонять голубей; to ~ a kite пускать змея; 5) управлять (*самолётом*); 6) перевозить, доставлять по воздуху; 7) (*past* fled) спасаться бегством; ☐ ~ at нападать; *перен.* набрасываться с бранью; to let ~ at a) стрелять в *кого-л.*, во *что-л.*; б) отпускать ругательство по *чьему-л. адресу*; ~ in доставлять по воздуху; ~ into a) впадать (*в ярость; в восторг*); б) влететь (*в комнату и т. п.*); ~ off а) поспешно убегать; уклоняться; б) соскакивать, отлетать; to ~ off the handle соскочить с рукоятки (*о молотке*); *перен.* выйти из себя, вспылить; ~ on ~ at; ~ out вспылить, рассердиться (at—на); ~ over перепрыгнуть, перемахнуть через; ~ round кружиться, крутиться (*о колесе*); ~ upon ~ at; ◇ to ~ open распахнуть(ся); to ~ high высоко заноситься, быть честолюбивым; the glass flew into pieces стекло разбилось вдребезги; to ~ in the face of smb. бросать вызов кому-л.; открыто не повиноваться; не считаться; to ~ in the face of Providence искушать судьбу; as the crow flies напрямик, по прямой, кратчайшим путём; to make the money ~ промотать деньги; to send a person ~ing выгнать кого-л.; to ~ to arms взяться за оружие; начать войну; to ~ to smb.'s arms броситься в чьи-л. объятия.

**fly III** [flaɪ] *a разг.* 1) ловкий; проворный; 2) хитрый.

**fly-agaric** ['flaɪ,ægərɪk] *n* мухомор.

**fly-away** ['flaɪə,weɪ] *a* 1) широкий, свободный (*об одежде*); 2) ветреный, непостойный (*о человеке*).

**fly-bane** ['flaɪ,beɪn] *n* средство от мух.

**fly-bitten** ['flaɪ,bɪtn] *a* засиженный мухами.

**fly-blow** ['flaɪblou] **1.** *n* яичко мухи (*в мясе*);

**2.** *v* откладывать яички (*о мухе*).

**fly-blown** ['flaɪbloun] *a* 1) = fly-bitten; 2) *перен.* замаранный.

**fly-by-night** ['flaɪbaɪ'naɪt] *a* ненадёжный; безответственный.

**flyer** ['flaɪə] = flier.

**fly-fish** ['flaɪfɪʃ] *v* удить на муху.

**flying** ['flaɪɪŋ] 1. *pres. p. om* fly II, 2; 2. *n* летание, полёты; лётное дело; 3. *a* 1) летающий; летучий; летательный; 2) *ав.* лётный; ~ clothes лётная одежда; ~ field лётное поле; 3) быстрый; ~ visit мимолётный визит; ~ squad отряд полицейских на автомобилях; ~ squadron а) *ав.* эскадрилья; б) *ист.* отдельный отряд быстроходных кораблей; ~ column летучий отряд.

**flying adder** ['flaɪɪŋ'ædə] *n* стрекоза.

**flying boat** ['flaɪɪŋ'bout] *n ав.* летающая лодка.

**flying bridge** ['flaɪɪŋ'brɪdʒ] *n* 1) перекидной мост; 2) паром.

**flying fortress** ['flaɪɪŋ'fɔːtrɪs] *n ав.* «летающая крепость».

**flying instrument** ['flaɪɪŋ'ɪnstrumənt] *n ав.* аэронавигационный прибор.

**flying man** ['flaɪɪŋ'mæn] *n* лётчик.

**Flying Officer** ['flaɪɪŋ,ɔfɪsə] *n* офицер-лётчик; старший лейтенант авиации (*в Англии*).

**fly-leaf** ['flaɪliːf] *n полигр.* форзац, чистый лист в начале *или* в конце книги.

**flyman** ['flaɪmən] *n* 1) *театр.* рабочий на колосниках; 2) кучер [*ср.* fly II, 1, 2)].

**fly-paper** ['flaɪ,peɪpə] *n* бумага от мух.

**fly-past** ['flaɪ,pɑːst] *n* воздушный парад.

**fly-sheet** ['flaɪʃiːt] *n* листовка.

**fly title** ['flaɪ,taɪtl] *n полигр.* шмуцтитул.

**fly-trap** ['flaɪ,træp] *n* мухоловка.

**fly-wheel** ['flaɪwiːl] *n* маховое колесо.

**foal** [foul] 1. *n* жеребёнок; ослёнок; in ~, with ~ жерёбая; 2. *v* жеребиться.

**foalfoot** ['foul,fut] *n бот.* мать-и-мачеха.

**foam** [foum] 1. *n* 1) пена; 2) мыло (*на лошади*); 3) *поэт.* море; 2. *v* 1) пениться; 2) быть в бешенстве (*часто* ~ at the mouth); 3) взмыливаться (*о лошади*).

**foamy** ['foumɪ] *a* 1) пенящийся; 2) покрытый пеной, взмыленный.

**fob** I [fɔb] *n* кармашек для часов.

**fob** II [fɔb] *v* обманывать; надувать; □ ~ off всучить, навязать *кому-л.* (*поддельную вещь и т. п.*).

**focal** ['foukəl] *a* 1) *физ.* фокусный; ~ distance (*или* length) фокусное расстояние; 2) центральный; she came to be the ~ point of his thinking она занимает главное место в его мыслях.

**focalize** ['foukəlaɪz] *v* собирать в фокусе.

**foci** ['fousaɪ] *pl om* focus.

**fo'c's'le** ['fouksl] *n* = forecastle.

**focus** ['foukəs] 1. *n* (*pl* -ci, -ses [-ɪz]) 1) *физ.* фокус; out of ~ не в фокусе; 2) очаг землетрясения; 3) *мед.* фокус, центр; 4) центр, средоточие; ~ of interest круг интересов; to bring to a ~ выдвигать (*вопрос и т. п.*);

2. *v* 1) собирать(ся), помещать в фокусе; 2) сосредоточивать (*внимание и т. п :* on — на).

**fodder** ['fɔdə] 1. *n* корм для скота: фураж; 2. *v* задавать корм (*скоту*).

**foe** [fou] *n поэт.* враг, противник: недоброжелатель.

**Foehn** [fɜːn] *n* фён (*тёплый сухой ветер в Альпах*).

**foetid** ['fiːtɪd] = fetid.

**foetus** ['fiːtəs] *n* утробный плод.

**fog** I [fɔg] 1. *n* 1) густой туман; 2) дым *или* пыль, стоящие в воздухе; мгла; in а ~ как в тумане; в замешательстве, в затруднении; 3) *фото* туман, вуаль; 2. *v* 1) окутывать туманом; затуманивать(ся); 2) напускать туману, озадачивать; 3) *амер. sl.* убивать.

**fog** II [fɔg] *с.-х.* 1. *n* 1) отава; 2) трава, оставшаяся нескошенной; 2. *v* 1) пасти скот на отаве; 2) оставлять траву нескошенной.

**fogey** ['fougɪ] *n* старомодный, отсталый (*иногда* чудаковатый) человек (*обыкн.* old ~).

**foggy** ['fɔgɪ] *a* 1) туманный; тёмный; а ~ idea смутное представление; 2) *физ.* неясный.

**fog-horn** ['fɔghɔːn] *n* сирена, подающая сигналы судам во время тумана.

**fogy** ['fougɪ] = fogey.

**Föhn** [fɜːn] = Foehn.

**foible** ['fɔɪbl] *n* слабая струнка, слабость, недостаток.

**foil** I [fɔɪl] *n* 1) фольга, станиоль; 2) *архит.* орнамент в виде листьев (*в готическом стиле*); 3) что-л. по контрасту оттеняющее и подчёркивающее красоту другого предмета; фон; 2. *v редк.* подчёркивать красоту контрастом.

**foil** II [fɔɪl] 1. *n* след зверя; 2. *v* 1) сбивать (*собаку*) со следа; 2) ставить в тупик; расстраивать *чьи-л.* планы; срывать *что-л.*; 3) *уст.* отразить нападение, одолеть.

**foil** III [fɔɪl] *n* рапира.

**foison** ['fɔɪzn] *n уст.* 1) обилие; хороший урожай; 2) *pl шотл.* ресурсы.

**foist** [fɔɪst] *v* всучить, всучить; to ~ oneself втереться; навязаться (upon).

**fold** I [fould] 1. *n* 1) складка, сгиб; 2) застёжка, крючок; 3) дверь; створ (*двери*); 4) *тех.* фальц; 5) *геол.* флексура; перемещение без разрыва сплошности; 2. *v* 1) складывать, сгибать, загибать; to ~ one's arms скрестить руки на груди; to ~ one's hands сложить руки; перен бездействовать; to ~ up a newspaper сложить газету; 2) завёртывать (in); 3) обнимать, обхватывать; to ~ a person to one's breast прижать кого-л. к груди; 4) *полигр* фальцевать; 5) *текст.* дублировать.

**fold** II [fould] 1. *n* 1) загон (*для овец*), овчарня; 2) паства; 3) церковь; 2. *v* загонять (*овец*).

**folder** ['fouldə] *n* 1) фальцовщик; 2) *полигр.* фальцевальная машина; 3) несшитая брошюрка; 4) папка, скоросшиватель; 5) pl складные очки.

**folding** I [ˈfouldɪŋ] 1. pres. p. om fold I, 2; 2. n фальцовка;

3. a складной; створчатый; откидной; ~ door(s) двустворчатая дверь; ~ screen ширма.

**folding** II [ˈfouldɪŋ] pres. p. om fold II, 2.

**folding-bed** [ˈfouldɪŋˈbed] n походная кровать; кровать-раскладушка.

**folding-chair** [ˈfouldɪŋˈtʃɛə] n складной стул.

**folding-cot** [ˈfouldɪŋˈkɔt] = folding-bed.

**folding-stool** [ˈfouldɪŋˈstuːl] = folding-chair.

**foliage** [ˈfoulɪdʒ] n 1) листва; 2) лиственный орнамент.

**foliar** [ˈfoulɪə] a лиственный.

**foliate** 1. a [ˈfoulɪt] 1) лиственный; 2) листообразный;

2. v [ˈfoulɪeɪt] 1) покрываться листьями; 2) архит. украшать лиственным орнаментом; 3) наводить ртутную амальгаму (на зеркало); 4) расщеплять(ся) на тонкие слои; 5) нумеровать листы книги (не страницы).

**folio** [ˈfouliou] 1. n (pl -os [-ouz]) 1) фолио (формат в пол-листа); in ~ инфолио; 2) фолиант; 3) лист (бухгалтерской книги);

2. v = foliate 2, 5).

**folk** [fouk] n 1) (употр. с гл. во мн. ч.) люди; old ~ старики; rich ~ богачи; my ~s разг. родня; the old ~s at home старики, родители; 2) уст. народ.

**folk-custom** [ˈfouk͵kʌstəm] n народный обычай.

**folk-dance** [ˈfoukdɑːns] n народный танец.

**folk-etymology** [ˈfouk͵etɪˈmɔlədʒɪ] n народная этимология.

**folk-lore** [ˈfouklɔː] n фольклор.

**folk-song** [ˈfouksɔŋ] n народная песня.

**folksy** [ˈfouksɪ] a амер. 1) близкий к народу, народный; 2) общительный.

**folk-tale** [ˈfoukteɪl] n народная сказка.

**folkways** [ˈfoukweɪz] n pl амер. народные обычаи, нравы.

**follicle** [ˈfɔlɪkl] n 1) зоол. кокон; 2) анат. фолликул, сумка, мешочек; 3) бот. стручок.

**follow** [ˈfɔlou] v 1) следовать, идти за; a concert ~ed the lecture, the lecture was ~ed by a concert после лекции состоялся концерт; 2) преследовать; 3) следить, провожать (взглядом); 4) слушать, следить (за словами); 5) сопровождать (кого-л.); 6) придерживаться; ~ this path! идите этой дорогой!; to ~ the policy придерживаться (определённой) политики; 7) заниматься чем-л.; to ~ the plough пахать; to ~ the hounds охотиться с собаками; to ~ the law быть юристом; to ~ the sea быть моряком; 8) сменить (кого-л.); быть преемником; 9) разделять взгляды, поддерживать; быть последователем; I cannot ~ you in all your views я не со всеми вашими взглядами могу согласиться; 10) логически вытекать; from what you say it

~s из ваших слов следует; □ ~ on разг. продолжать (пре)следовать; ~ out выполнять до конца; осуществлять; ~ up a) преследовать упорно, энергично (тж. перен.); б) доводить до конца; ◇ as ~s следующее; the letter reads as ~s в письме говорится следующее; to ~ one's nose a) руководствоваться нюхом, чутьём; б) идти куда глаза глядят; to ~ the lead a) карт. отвечать партнёру; б) следовать примеру; to ~ suit a) карт. ходить в масть; б) следовать примеру; подражать.

**follower** [ˈfɔlouə] n 1) последователь; 2) ухажёр, поклонник; 3) полит. попутчик; 4) тех. ведомый механизм; толкатель; подаватель (в оружии).

**following** [ˈfɔlouɪŋ] 1. pres. p. om follow;

2. n 1) последователи, приверженцы; 2) (the ~) следующее; the ~ is noteworthy нужно обратить внимание на следующее;

3. a 1) следующий, последующий; 2) попутный (ветер, течение).

**follow my leader** [ˈfɔloumɪˈliːdə] n название детской игры, в которой играющие подражают всем движениям вожака.

**folly** [ˈfɔlɪ] n 1) глупость; недомыслие; безрассудство; безумие; 2) глупый поступок; дорого стоящий каприз.

**foment** [fouˈment] v 1) класть припарку; 2) подстрекать; раздувать, разжигать (ненависть, беспорядки и т. п.).

**fomentation** [͵foumenˈteɪʃən] n 1) припарка; 2) возбуждение.

**fond** [fɔnd] a 1) нежный, любящий; to be ~ of smb., smth. любить кого-л., что-л.; 2) излишне доверчивый, излишне оптимистичный; a ~ hope неосновательная, тщетная надежда.

**fondant** [ˈfɔndənt] n леденец.

**fondle** [ˈfɔndl] v ласкать.

**fondling** [ˈfɔndlɪŋ] 1. pres. p. om fondle; 2. n любимец.

**fondness** [ˈfɔndnɪs] n нежность, любовь.

**font** [fɔnt] n 1) церк. купель; 2) поэт. источник, фонтан; 3) резервуар лампы; 4) амер. = fount II.

**fontal** [ˈfɔntl] a первоначальный.

**food** [fuːd] n 1) пища, питание; еда, корм; the ~ there is excellent там хорошо кормят; mental ~ пища для ума, духовная пища; ~ for powder солдаты; to become ~ for fishes утонуть; to become ~ for worms умереть; 2) съестные припасы, провизия, продовольствие; 3) attr. питательный; ~ value питательность.

**food-card** [ˈfuːdkɑːd] n продовольственная карточка.

**food crop** [ˈfuːdkrɔp] n с.-х. продовольственная культура.

**food-stuff** [ˈfuːdstʌf] n пищевой продукт.

**fool** I [fuːl] 1. n 1) дурак, глупец; ~'s paradise призрачное счастье; утопия; All Fools' day, April Fools' day первое апреля с его шутками; ~'s errand бесплодная затея; напрасные поиски; to make a ~ of smb. одурачить кого-л.; to make a ~ of oneself поста́вить себя́ в глу́пое положе́ние, сваля́ть дурака́; to play the ~ валя́ть дурака́; to play the ~ with a) дура́чить, обма́нывать; б) по́ртить; 2) шут; ◇every man has a ~ in his sleeve *посл.* ≅ на вся́кого мудреца́ дово́льно простоты́; to be a ~ for one's pains оста́ться в дурака́х; ничего́ не получи́ть за свой труд;

**2.** *a амер. разг.* глу́пый, безрассу́дный;

**3.** *v* дура́чить(ся); одура́чивать; обма́нывать; □ ~ about зря болта́ться; ~ after волочи́ться за *кем-л.*; ~ around *амер.* = ~ about; ~ away тра́тить зря; упуска́ть *(случай)*; ~ out добива́ться обма́ном *(of* — y); ~ with забавля́ться, игра́ть.

**fool** II·[fuːl] *n* кисе́ль; gooseberry ~ крыжо́венный кисе́ль со сби́тыми сли́вками.

**foolery** ['fuːlərɪ] *n* дура́чество; глу́пый посту́пок.

**foolhardy** ['fuːl,haːdɪ] *a* 1) безрассу́дно хра́брый; 2) лю́бящий риск.

**foolish** ['fuːlɪʃ] *a* глу́пый; безрассу́дный; дура́шливый.

**foolishness** ['fuːlɪʃnɪs] *n* глу́пость, безрассу́дство.

**foolproof** ['fuːlpruːf] *a разг.* 1) несло́жный; поня́тный всем и ка́ждому; 2) безопа́сный, защищённый от неосторо́жного *или* неуме́лого обраще́ния; 3) ве́рный *(о деле)*.

**foolscap, fool's-cap** *n* 1) ['fuːlzkæp] шуто́вско́й колпа́к; 2) ['fuːlskæp] форма́т бума́ги *(13 д.×17 д.)*.

**foot** [fut] **1.** *n (pl* feet) 1) ступня́; нога́ *(ниже щиколотки)*; to be on one's feet быть на нога́х, опра́виться по́сле боле́зни; *перен.* стоя́ть на свои́х нога́х, быть самостоя́тельным, материа́льно обеспе́ченным; to struggle to one's feet с трудо́м подня́ться, стать на́ ноги; 2) шаг, похо́дка, по́ступь; at a ~'s pace ша́гом; fleet *(или* swift) of ~ быстроно́гий; light (heavy) ~ лёгкая (тяжёлая) по́ступь; on ~ пешко́м; *перен.* в движе́нии, в ходу́, в ста́дии приготовле́ния; to put one's best ~ forward a) приба́вить ша́гу, поторопи́ться; б) де́лать всё возмо́жное; to run a good ~ хорошо́ бежа́ть *(о лошади)*; 3) *воен.* пехо́та; 4) *(pl часто без измен.)* фут *(около 30,5 см)*; 5) основа́ние, опо́ра, подно́жие; 6) ни́жняя часть, ни́жний край; at the ~ (of the bed) в нога́х (крова́ти); 7) но́жка *(мебели)*, подно́жка, сто́йка; 8) *(pl* -s[-s]) оса́док; подо́нки; 9) *прос.* стопа́; ◇ to tread *(или* to trample) under ~ попира́ть, притесня́ть, порабоща́ть; to set *(или* to put, to have) one's ~ on the neck of smb. порабо́тить кого́-л.; to carry smb. off his feet вы́звать чей-л. восто́рг; си́льно взволнова́ть, возбуди́ть кого́-л.; to fall on one's feet счастли́во отде́латься, уда́чно вы́йти из тру́дного положе́ния; to find one's feet стать на́ ноги; утверди́ться в положе́нии; to have one ~ in the grave, with one ~ in the grave *(стоя́ть)* одно́й ного́й в моги́ле; to have the ball at one's feet а) быть госпо́дином положе́ния; б) име́ть ша́нсы на успе́х; to keep one's feet усто́ять; to put one's ~ down заня́ть твёрдую пози́цию; приня́ть твёрдое реше́ние; реши́тельно вос-

проти́виться; to put one's ~ in *(или* into) it *разг.* вли́пнуть, сесть в лу́жу; to set on ~ пусти́ть в ход; to take *(или* to find) the length of smb.'s ~ узна́ть чью-л. сла́бость, раскуси́ть челове́ка;

**2.** *v* 1) идти́ пешко́м; to ~ it *разг.* а) танцева́ть; б) идти́ пешко́м; 2) надвя́зывать *(чулок)*; 3) подыто́живать; подсчи́тывать; to ~ the bill *разг.* заплати́ть по счёту, нести́ расхо́ды; *перен.* испы́тывать на себе́ после́дствия, распла́чиваться; 4) составля́ть, достига́ть; his losses ~ up to £ 100 его́ убы́ток достига́ет 100 фу́нтов (сте́рлингов).

**foot-and-mouth disease** ['futən'mauθdɪ'ziːz] *n вет.* я́щур.

**football** ['futbɔːl] *n* 1) футбо́л; 2) футбо́льный мяч.

**footballer** ['futbɔːlə] *n* футболи́ст.

**football-player** ['futbɔːl,pleɪə] = footballer.

**foot-bath** ['futbɑːθ] *n* ножна́я ва́нна.

**footboard** ['futbɔːd] *n* 1) подно́жка *(экипажа, автомобиля)*; запя́тки; ступе́нька; 2) *тех.* подкла́дка; 3) площа́дка для стоя́ния *(обслуживающего персонала)*.

**footboy** ['futbɔɪ] *n* 1) паж; ма́льчик *(слуга)*; 2) *уст.* посы́льный.

**foot brake** ['futbreɪk] *n* ножно́й то́рмоз.

**foot-bridge** ['futbrɪdʒ] *n* пешехо́дный мо́стик.

**footer** ['futə] *n sl.* футбо́л.

**-footer** [-futə] *в сложных словах означает стольких-то фу́тов* ро́стом; *напр.*: a six- ~ челове́к шести́ фу́тов ро́стом.

**footfall** ['futfɔːl] *n* 1) по́ступь; 2) звук шаго́в.

**foot-gear** ['futgɪə] *n собир.* 1) о́бувь; 2) чулки́.

**Foot Guards** ['futgɑːdz] *n pl* гварде́йская пехо́та.

**foot-hill** ['futhɪl] *n* подно́жие, предго́рье.

**foothold** ['futhould] *n* 1) опо́ра для ноги́; 2) то́чка опо́ры; опо́рный пункт, плацда́рм; to gain a ~ стать твёрдой ного́й, утверди́ться, укрепи́ться.

**footing** ['futɪŋ] **1.** *pres. p. om* foot 2;

**2.** *n* 1) опо́ра для ноги́; to lose one's ~ поскользну́ться, оступи́ться; 2) основа́ние, подо́шва, фунда́мент; 3) опо́ра; про́чное положе́ние; 4) ито́г, су́мма столбца́ цифр; ◇ to pay *(for)* one's ~ *разг.* а) сде́лать вступи́тельный взнос *(в виде дара, для организации вечеринки и т. п.)*; б) поста́вить магары́ч; to be on a friendly ~ with smb. быть на дру́жеской ноге́ с кем-л.

**footle** ['fuːtl] *разг.* **1.** *n* болтовня́, ерунда́; глу́пость;

**2.** *v* дури́ть, болта́ть чепуху́.

**footless** ['futlɪs] *a* 1) безно́гий; 2) лишённый основа́ния; 3) *амер.* неуклю́жий, неуме́лый.

**footlights** ['futlaɪts] *n pl театр.* огни́ ра́мпы; ра́мпа; to appear before the ~ выступа́ть на сце́не; стать актёром; to get over the ~ име́ть успе́х, понра́виться пу́блике *(о пьесе, спектакле)*.

**footman** ['futmən] *n* 1) (ливре́йный) лаке́й; 2) *уст.* пешехо́д; 3) *уст.* пехоти́нец.

**foot-mark** ['futmɑːk] *n* след ноги́.

**foot-note** ['futnout] 1. *n* подстро́чное примеча́ние; сно́ска; 2. *v* снабжа́ть подстро́чными примеча́ниями.

**foot-pace** ['futpeɪs] *n* шаг; at (a) ~ ша́гом.

**footpad** ['futpæd] *n* граби́тель (*на доро́гах*).

**foot-passenger** ['fut,pæsɪndʒə] *n* пешехо́д.

**foot-path** ['futpɑːθ] *n* 1) пешехо́дная доро́жка, тропи́нка; 2) тротуа́р; 3) помо́ст, рабо́чий мо́стик; галере́я для обслу́живания.

**foot-plate** ['futpleɪt] *n* 1) смотрова́я площа́дка, подно́жка; 2) площа́дка машини́ста парово́за; 3) *attr.* парово́зный; ~ crew парово́зная брига́да.

**foot-pound** ['fut'paund] *n* *тех.* фу́то-фу́нт.

**footprint** ['futprɪnt] *n* след, отпеча́ток (ноги́).

**foot-race** ['futreɪs] *n* состяза́ние в бе́ге *или* ходьбе́.

**foot-rule** ['futruːl] *n* 1) лине́йка длино́ю в оди́н фут; лине́йка для измере́ния в фу́тах; 2) *гидр.* футшто́к.

**foot-slog** ['futslɔg] *sl.* 1. *n* путеше́ствие, перехо́д пешко́м; 2. *v* идти́, тащи́ться пешко́м.

**foot-slogger** ['fut,slɔgə] *n* *sl.* 1) пехоти́нец; 2) пешехо́д.

**footsore** ['futsɔː] *a* со стёртыми нога́ми.

**footstalk** ['futstɔːk] *n* *бот.* сте́бель.

**footstep** ['futstep] *n* 1) след; по́ступь, похо́дка; to follow in smb.'s ~s идти́ по чьим-л. стопа́м; 2) подно́жка, ступе́нька; 3) *тех.* опо́рная плита́, пята́; ца́пфа.

**foot-stone** ['futstoun] *n* *тех.* опо́ра, опо́рный ка́мень.

**footstool** ['futstuːl] *n* 1) скаме́ечка для ног; 2) *амер.* земля́, мир (*тж.* God's ~, ~ of the Almighty).

**footsure** ['futʃuə] *a* усто́йчивый, спосо́бный сохраня́ть да́нное положе́ние.

**footwarmer** ['fut,wɔːmə] *n* гре́лка для ног.

**foot-way** ['futweɪ] *n* 1) пешехо́дная доро́жка; тротуа́р; 2) *горн.* ле́стница (*в ша́хте*).

**foot-wear** ['futwɛə] = foot-gear.

**footworn** ['fut,wɔːn] *a* 1) уста́лый (*о пу́тнике*); 2) исхо́женный, уто́птанный (*о тро́пинке и т. п.*).

**foozle** ['fuːzl] *разг.* 1. *n* 1) оши́бка; плоха́я рабо́та; неуда́чная игра́; 2) *амер.* дура́к; 2. *v* де́йствовать неуме́ло; по́ртить (*рабо́ту, игру́*).

**fop** [fɔp] *n* фат, щёголь, хлыщ.

**foppery** ['fɔpərɪ] *n* фатовство́, щего́льство.

**foppish** ['fɔpɪʃ] *a* фатова́тый, пусто́й.

**for** [fɔː (*по́лная фо́рма*), fə (*реду́цированная фо́рма*)] 1. *prep* 1) для, ра́ди; *передаётся тж. да́тельным падежо́м*; ~ my sake ра́ди меня́; it is very good ~ you вам о́чень поле́зно; ~ children для дете́й; ~ sale для прода́жи; 2) за; we are ~ peace мы за мир; 3) ра́ди, за (*о це́ли*); just ~ fun ра́ди шу́тки; to go out ~ a walk пойти́ погуля́ть; to send ~ a doctor посла́ть за врачо́м; 4) про́тив, от; medicine ~ a cough лека́рство от ка́шля; 5) в направле́нии, к; to start ~ напра́виться в; 6) из-за, за, по причи́не, всле́дствие; ~ joy от ра́дости; ~ fear (of) из стра́ха (пе́ред); ~ many reasons по мно́гим причи́нам; famous ~ smth. знамени́тый чем-л.; 7) в тече́ние, в продолже́ние; ~ the present, ~ the time being пока́; to last ~ an hour дли́ться час; to wait ~ years ждать года́ми; 8) на расстоя́ние; to run ~ a mile бежа́ть ми́лю; 9) вме́сто, в обме́н; за (*что-л.*); I got it ~ 5d. я купи́л э́то за пять пе́нсов; 10) на (*определённый моме́нт*); the lecture was arranged ~ two o'clock ле́кция была́ назна́чена на 2 часа́; 11) в; ~ the first time в пе́рвый раз; 12) от; *передаётся тж. роди́тельным падежо́м*; member ~ Oxford член парла́мента от Оксфорда; 13) *употр. со сло́жным дополне́нием и други́ми сло́жными чле́нами предложе́ния*: this is ~ you to decide вы должны́ реши́ть э́то са́ми; ◇ ~ all I know наско́лько я зна́ю; ~ all that несмотря́ на всё э́то; ~ the rest a) что каса́ется остально́го, в остально́м; б) что каса́ется остальны́х; ~ my part что каса́ется меня́; as ~ me что каса́ется меня́; I ~ one я со свое́й стороны́; a Roland ~ an Oliver ≅ о́ко за о́ко, зуб за́ зуб; ~ ever, ~ good навсегда́; ~ example, ~ instance наприме́р; not ~ the world! на что на све́те!; I cannot do it ~ the life of me! не могу́ э́того сде́лать, хоть убе́й!; ~ shame! стыди́тесь!; 2. *cj* и́бо; ввиду́ того́, что.

**forage** ['fɔrɪdʒ] 1. *n* 1) фура́ж, корм; 2) *воен.* фуражиро́вка; 2. *v* 1) *воен.* фуражи́ровать; 2) разы́скивать продово́льствие *или* что-л. необходи́мое; to ~ (about) for a meal оты́скивать ме́сто, где мо́жно пое́сть; 3) опустоша́ть, гра́бить.

**forage-cap** ['fɔrɪdʒkæp] *n* фура́жка.

**forager** ['fɔrɪdʒə] *n* фуражи́р.

**foramen** [fə'reɪmen] *n* (*pl* -mina, -mens [-menz]) *анат., зоол., бот.* отве́рстие, кана́л, прохо́д.

**foramina** [fə'ræmɪnə] *pl от* foramen.

**forasmuch** [fərəz'mʌtʃ] *adv*: ~ as ввиду́ того́ что, поско́льку.

**foray** ['fɔreɪ] 1. *n* набе́г; мародёрство; 2. *v* производи́ть граби́тельский набе́г, опустоша́ть.

**forbad, forbade** [fə'bæd, fə'beɪd] *past от* forbid.

**forbear** I ['fɔːbɛə] *n* (*обыкн. pl*) 1) пре́док; 2) предше́ственник.

**forbear** II [fɔː'bɛə] *v* (forbore; forborne) 1) возде́рживаться (from); 2) быть терпели́вым; to bear and ~ быть терпели́вым и терпи́мым.

**forbearance** [fɔː'bɛərəns] *n* 1) возде́ржанность; 2) снисходи́тельность, терпели́вость.

**forbid** [fə'bɪd] *v* (forbad, forbade; forbidden) запреща́ть; не позволя́ть; to ~ smb. the country запрети́ть кому́-л. въезд в страну́; to ~ the house отказа́ть от до́ма; time ~s вре́мя не позволя́ет; I am ~den tobacco мне запрещенó курúть; ◇ God ~! бóже избáви!

**forbidden** [fə'bıdn] 1. *p. p. от* forbid; 2. *a* запрéтный; запрещённый.

**forbidding** [fə'bıdıŋ] 1. *pres. p. от* forbid; 2. *a* 1) непривлекáтельный, оттáлкивающий; 2) угрожáющий; стрáшный.

**forbore** [fɔ:'bɔ:] *past от* forbear II.

**forborne** [fɔ:'bɔ:n] *p. p. от* forbear II.

**forcarve** [fɔ:'kɑ:v] *v уст.* разрезáть.

**force** [fɔ:s] 1. *n* 1) сúла; by ~ сúлой, насúльно; by ~ of (arms) сúлой, посрéдством (орýжия); he did it by ~ of habit он сдéлал э́то в сúлу привы́чки; 2) насúлие, принуждéние; brutal ~ грýбая сúла; насúлие; 3) вооружённый отря́д; the ~ полúция; to come in full ~ прибы́ть в пóлном состáве; 4) (*обыкн. pl*) вооружённые сúлы, войскá; land ~s сухопýтные войскá; 5) сúла, дéйствие (*закона, постановления и т. п.*); to come into ~ вступáть в сúлу; to put in ~ вводúть в дéйствие, осуществля́ть, проводúть в жизнь; to remain in ~ оставáться в сúле, дéйствовать; 6) влия́ние, дéйственность, убедúтельность; by ~ of circumstances в сúлу обстоя́тельств; there is ~ in what you say вы говорúте убедúтельно; 7) смысл, значéние; the ~ of a clause смысл статьú (*договора*); 8) *физ.* сúла;
2. *v* 1) заставля́ть, принуждáть; навя́зывать; to ~ a confession вы́нудить признáние; to ~ a smile вы́давить улы́бку; to застáвить себя́ улыбнýться; to ~ tears from smb.'s eyes застáвить когó-л. расплáкаться, довестú когó-л. до слёз; to ~ an action a) *воен.* навязáть бой; б) вы́нудить (*когó-л.*) сдéлать что-л.; to ~ division потрéбовать голосовáния (*особ. в англ. парлáменте*); 2) брать сúлой, форсúровать; to ~ a lock взломáть замóк; to ~ one's way проложúть себé дорóгу; to ~ a crossing *воен.* форсúровать рéку; 3) *тех.* вжимáть, вставля́ть с сúлой; 4) форсúровать (*ход*); перегружáть машúну; 5) ускоря́ть (*движение*); добавля́ть оборóты; 6) напрягáть, насúловать; to ~ one's voice напрягáть гóлос; 7) выводúть, выря́щивать; □ ~ in a) продавúть; б) втúснуться; ~ into втúснуть; ◇ to ~ down the throat навязáть (*что-л.*) сúлой.

**forced** [fɔ:st] 1. *p. p. от* force 2; 2. *a* 1) принудúтельный; ~ landing a) *ав.* вы́нужденная посáдка; б) *воен.* вы́садка десáнта с бóем; 2) натя́нутый (*об улы́бке*); аффектúрованный, притвóрный, неестéственный; 3) *воен.* форсúрованный; 4) *тех.* форсúрованный, принудúтельный; ~ draught искýсственная тя́га.

**forcedly** ['fɔ:sıdlı] *adv* вы́нужденно; принуждённо.

**forceful** ['fɔ:sful] *a* 1) сúльный; 2) дéйственный.

**force-land** ['fɔ:slænd] *v ав. разг.* совершáть вы́нужденную посáдку.

**forceless** ['fɔ:slıs] *a* бессúльный.

**force-meat** ['fɔ:smi:t] *n* фарш.

**forceps** ['fɔ:seps] *n* (*употр. как sing и как pl*) хирургúческие щипцы́; пинцéт.

**force-pump** ['fɔ:spʌmp] *n тех.* нагнетáтельный насóс.

**forcible** ['fɔ:səbl] *a* 1) насúльственный; 2) вéский, убедúтельный (*о дóводе и т. п.*); я́ркий.

**forcing** ['fɔ:sıŋ] 1. *pres. p. от* force 2; 2. *n* 1) насúлие, принуждéние; 2) вы́гонка (*растения*) в парникé; 3) *тех.* форсúрование; 4) *арт.* врезáние (*снаряда в нарéзы ствóла*); 5) *attr.:* ~ bed парнúк; ~ house гúночная теплúца; 6) *attr. арт.:* ~ band ведýщий поясóк (*снаряда*).

**forclose, forclosure** [fɔ:'klouz, fɔ:'klouʒə]= foreclose, foreclosure.

**Ford** [fɔ:d] *n* форд (*автомобúль*); ◇ ~ family *амер. ирон.* семья́ безрабóтного, переезжáющая с мéста на мéсто в пóисках рабóты.

**ford** [fɔ:d] 1. *n* 1) брод; 2) *уст., поэт.* рекá, потóк;
2. *v* переходúть вброд.

**fordone** [fɔ:'dʌn] *a уст.* измýченный, крáйне устáлый.

**fore** [fɔ:] 1. *n мор.* нос, носовáя часть сýдна; ◇ to the ~ a) поблúзости; в присýтствии (*когó-л.*); б) налицó (*о дéньгах и т. п.*); в) впередú, на перéднем плáне, на вúдном мéсте; to come to the ~ выступáть, выдвигáться вперёд;
2. *a* перéдний; *мор.* носовóй;
3. *adv мор.* впередú; ~ and aft на носý и на кормé; вдоль всегó сýдна.

**fore-** I [fɔ:-] *pref* пред-, перéд; *напр.:* forearm предплéчье; to foresee предвúдеть.

**fore-** II [fɔ:-] *в слóжных словáх* фор-, фок(а)- (*в назвáниях мачт, парусóв и т. п.*).

**fore-and-aft** ['fɔ:rənd'ɑ:ft] *a мор.* продóльный; ~ сар *воен.* пилóтка; ~ rigged с косы́м пáрусным вооружéнием; ~ sail косóй пáрус.

**forearm** I ['fɔ:rɑ:m] *n* 1) предплéчье; 2) цевьё лóжи (*ружéйной*).

**forearm** II [fɔ:r'ɑ:m] *v* зарáнее вооружáться.

**forebear** [fɔ:'bɛə] = forbear I.

**forebode** [fɔ:'boud] *v* 1) предвещáть; 2) предчýвствовать (*преим. дурнóе*).

**foreboding** [fɔ:'boudıŋ] 1. *pres. p. от* forebode;
2. *n* 1) плохóе предзнаменовáние; 2) предчýвствие (*дурнóго*).

**fore-cabin** ['fɔ:ˌkæbın] *n мор.* 1) салóн командúра; 2) пассажúрское помещéние 2-го клáсса.

**forecast** ['fɔ:kɑ:st] 1. *n* предсказáние;
2. *v* (forecast, forecasted [-ıd]) предвúдеть, предскáзывать.

**forecastle** ['fouksl] *n мор.* бак; полубáк.

**foreclose** [fɔ:'klouz] *v* 1) юр. исключáть, лишáть прáва пóльзования; 2) юр. откáзывать в прáве вы́купа закладнóй вслéдствие просрóчки; 3) предрешáть (*вопрóс*).

**foreclosure** [fɔ:'klouʒə] *n юр.* лишéние прáва вы́купа закладнóй.

**forecourt** ['fɔ:kɔ:t] *n* внéшний двор (*перед дóмом*).

**fore-edge** ['fɔ:redʒ] *n* перéдний обрéз кнúги.

**forefather** ['fɔ:ˌfɑ:ðə] *n* прéдок; Forefathers' Day *амер.* годовщúна вы́садки английских колонистов на американском берегу (*21 декабря 1620 г.*), празднуемая 22 декабря.

**forefinger** ['fɔ:ˌfɪŋgə] *n* указательный палец.

**forefoot** ['fɔ:fut] = foreleg.

**forefront** ['fɔ:frʌnt] *n* 1) *воен.* передовая линия (фронта); 2) важнейшее место, центр деятельности; to bring to the ~, to place in the ~ выдвигать на передний план.

**forego** [fɔ:'gou] *v* (forewent; foregone) 1) предшествовать; 2) = forgo.

**foregoer** [fɔ:'gouə] *n* предшественник.

**foregoing** [fɔ:'gouɪŋ] 1. *pres. p. от* forego; 2. *a* предшествующий, упомянутый выше.

**foregone** [fɔ:'gɔn] 1. *p. p. от* forego; 2. *a* известный *или* принятый заранее; ~ conclusion предрешённый вывод, заранее известное решение.

**foreground** ['fɔ:graund] *n* 1) передний план; 2) *театр.* авансцена; 3) самое видное место; to keep oneself in the ~ держаться на виду.

**forehand** ['fɔ:hænd] 1. *n* 1) важнейшая часть; передняя часть; 2) передняя часть корпуса лошади (*перед всадником*); 3) удар справа (*в теннисе*); 2. *a* заблаговременный.

**forehanded** ['fɔ:ˌhændɪd] *a* 1) своевременный, заблаговременный; 2) *амер.* расчётливый, предусмотрительный; 3) *амер.* преуспевающий.

**forehead** ['fɔrɪd] *n* лоб.

**foreign** ['fɔrɪn] *a* 1) иностранный; ~ policy внешняя политика; F. Office министерство иностранных дел (*в Англии*); F. Secretary министр иностранных дел (*в Англии*); ~ service *амер.* дипломатическая служба; ~ trade внешняя торговля; ~ traffic международное сообщение; 2) чужой, нездешний; 3) чуждый; не относящийся к делу; 4) *мед.* инородный.

**foreign-born** ['fɔrɪn,bɔ:n] *a* родившийся в другой стране; иностранного происхождения.

**foreigner** ['fɔrɪnə] *n* 1) иностранец; 2) чужой (человек); 3) *разг.* иностранный корабль; 4) *разг.* растение, животное *и т. п.*, вывезенное из другой страны.

**forejudge** [fɔ:'dʒʌdʒ] *v* принимать предвзятое решение, предрешать.

**foreknew** [fɔ:'nju:] *past от* foreknow.

**foreknow** [fɔ:'nou] *v* (foreknew; foreknown) знать заранее.

**foreknowledge** ['fɔ:'nɔlɪdʒ] *n* предвидение.

**foreknown** [fɔ:'noun] *p. p. от* foreknow.

**foreland** ['fɔ:lənd] *n* 1) мыс; 2) прибрежная, приморская полоса.

**foreleg** ['fɔ:leg] *n* передняя нога, передняя лапа.

**forelock** ['fɔ:lɔk] *n* 1) прядь волос на лбу; хохол; чуб; 2) *тех.* шплинт, чека; ◇ to take time (*или* occasion) by the ~ воспользоваться случаем; использовать благоприятный момент; не зевать.

**foreman** ['fɔ:mən] *n* 1) мастер; старший рабочий; десятник; прораб, техник; начальник цеха; 2) старшина присяжных.

**foremast** ['fɔ:mɑ:st] *n* *мор.* фок-мачта.

**foremilk** ['fɔ:mɪlk] *n* молозиво.

**foremost** ['fɔ:moust] 1. *a* 1) передний, передовой; head ~ головой вперёд; 2) самый главный, выдающийся; ~ authority крупнейший специалист;
2. *adv* на первом месте; прежде всего; во-первых (*обыкн.* first and ~).

**forename** ['fɔ:neɪm] *n* имя (*в отличие от фамилии*).

**forenoon** ['fɔ:nu:n] *n* время до полудня; утро.

**forensic** [fə'rensɪk] *a* судебный; ~ medicine судебная медицина; ~ eloquence красноречие адвоката.

**foreordain** ['fɔ:rɔ:'deɪn] *v* предопределять.

**fore-ran** [fɔ:'ræn] *past от* fore-run.

**fore-run** [fɔ:'rʌn] *v* (fore-ran; fore-run) *редк.* предшествовать; предвещать.

**fore-runner** ['fɔ:ˌrʌnə] *n* 1) предтеча; 2) предвестник.

**foresail** ['fɔ:seɪl] *n* *мор.* фок.

**foresaw** [fɔ:'sɔ:] *past от* foresee.

**foresee** [fɔ:'si:] *v* (foresaw; foreseen) предвидеть.

**foreseen** [fɔ:'si:n] *p. p. от* foresee.

**foreshadow** [fɔ:'ʃædou] *v* предзнаменовать, предвещать; to be ~ed намечаться.

**foreshore** ['fɔ:ʃɔ:] *n* береговая полоса, затопляемая приливом.

**foreshorten** [fɔ:'ʃɔ:tn] *v* сокращать (*в ракурсе*).

**foreshow** [fɔ:'ʃou] *v* (foreshowed [-d]; foreshown) предсказывать, предвещать.

**foreshown** [fɔ:'ʃoun] *p. p. от* foreshow.

**foresight** ['fɔ:saɪt] *n* 1) предвидение; 2) предусмотрительность; 3) *воен.* мушка.

**foreskin** ['fɔ:skɪn] *n* *анат.* крайняя плоть.

**forest** ['fɔrɪst] 1. *n* 1) лес; 2) *юр.* заповедник (*для охоты*); 3) *attr.* лесной;
2. *v* засаживать лесом.

**forestall** [fɔ:'stɔ:l] *v* 1) предупреждать, предвосхищать; опережать; 2) *ист.* скупать товары, перехватывая их по дороге к рынку, с целью (незаконного) повышения цен.

**forester** ['fɔrɪstə] *n* 1) лесник, лесничий; 2) обитатель лесов.

**forestry** ['fɔrɪstrɪ] *n* 1) лесничество; 2) лесоводство; лесное хозяйство; 3) леса, лесные массивы.

**foretaste** 1. *n* ['fɔ:teɪst] предвкушение;
2. *v* [fɔ:'teɪst] предвкушать.

**foretell** [fɔ:'tel] *v* (foretold) предсказывать.

**forethought** ['fɔ:θɔ:t] 1. *n* предусмотрительность; умение рассчитать заранее;
2. *a* преднамеренный; заранее обдуманный.

**foretime** ['fɔ:taɪm] *n* старые времена; былые дни.

**foretoken** 1. *n* ['fɔ:ˌtoukən] предвестие, предзнаменование;
2. *v* [fɔ:'toukən] предвещать, предзнаменовать.

**foretold** [fɔ:'tould] *past и p. p. от* foretell.

**foretooth** ['fɔ:tu:θ] *n* передний зуб.

**forever** [fə'revə] *adv* навсегда.

**forewarn** [fɔː'wɔːn] v предостерегáть; ◇ ~ed is forearmed *посл.* кто предостережён, тот вооружён.

**forewent** [fɔː'went] *past от* forego.

**forewoman** ['fɔː,wumən] n 1) жéнщина--десятник; жéнщина-тéхник; жéнщина-мáстер; 2) жéнщина — старшинá присяжных.

**foreword** ['fɔːwəd] n предислóвие.

**forfeit** ['fɔːfit] 1. n 1)· штраф; 2) конфискóванная вещь; 3) конфискáция; потéря (*чего-л.*); 4) фант; *pl* игрá в фáнты; 2. a конфискóванный; 3. v поплатиться (*чем-л.*); потерять прáво (*на что-л.*).

**forfeiture** ['fɔːfitʃə] n потéря; конфискáция.

**forgather** [fɔː'gæðə] v собирáться, встречáться.

**forgave** [fə'geiv] *past от* forgive.

**forge I** [fɔːdʒ] 1. n кýзница; (кузнéчный) горн; 2. v 1) ковáть, выкóвывать; 2) выдýмывать, изобретáть; 3) поддéлывать.

**forge II** [fɔːdʒ] v постепéнно обгонять; постепéнно выходить на пéрвое мéсто; to ~ ahead возглавлять, лидировать (*о бегуне и т. п.*).

**forger** ['fɔːdʒə] n 1) тот, кто поддéлывает докумéнты, пóдписи *и пр.*; фальшивомонéтчик; 2) кузнéц.

**forgery** ['fɔːdʒəri] n подлóг, поддéлка; поддéлывание.

**forget** [fə'get] v (forgot; forgotten) забывáть; to ~ oneself a) забывáть себя, дýмая тóлько о других; б) забýться.

**forgetful** [fə'getful] a забывчивый; he is ~ of dates у негó плохáя пáмять на дáты.

**forget-me-not** [fə'getminɔt] n незабýдка.

**forgive** [fə'giv] v (forgave; forgiven) прощáть.

**forgiven** [fə'givn] p. p. *от* forgive.

**forgiveness** [fə'givnis] n прощéние.

**forgiving** [fə'givin] 1. pres. p. *от* forgive; 2. a снисходительный, всепрощáющий.

**forgo** [fɔː'gou] v (forwent; forgone) откáзываться, воздéрживаться (*от чего-л.*).

**forgone** [fɔː'gɔn] p. p. *от* forgo.

**forgot** [fə'gɔt] *past от* forget.

**forgotten** [fə'gɔtn] p. p. *от* forget; 2. a забытый; the ~ man *амер. разг.* a) рядовóй американец, рядовóй налогоплатéльщик; б) безрабóтный.

**forint** ['fɔrint] n фóринт (*денежная единица Венгрии*).

**fork** [fɔːk] 1. n 1) вилка; 2) рогýлька; вилы; 3) камертóн; 4) разветвлéние; ответвлéние; распýтье; 5) пах; 2. v 1) разветвляться; 2) рабóтать вилами; □ ~ out, ~ over *sl.* a) раскошéлиться; б) сдáться.

**forked** [fɔːkt] 1. p. p. *от* fork 2; 2. a раздвóенный, разветвлённый; вилкообрáзный; ~ lightning зигзагообрáзная мóлния.

**forlorn** [fə'lɔːn] a *уст.*, *поэт.* несчáстный, забрóшенный; одинóкий, покинутый; ◇ ~ hope a) óчень слáбая надéжда; б) безнадёжное предприятие (*тж. воен.*); в)

*воен.* отряд, выполняющий опáсное задáние *или* обречённый на гибель.

**form** [fɔːm] 1. n 1) фóрма; внéшний вид; очертáние; in the ~ of a globe в фóрме шáра; to take the ~ of smth. принять фóрму чегó-л.; 2) фигýра (*особ. человека*); 3) вид, разновидность; 4) общепринятая фóрма; образéц, бланк; анкéта; in due ~ в дóлжной фóрме, по всем прáвилам; 5) порядок; 6) *воен.* формировáние, построéние; 7) состояние, готóвность; the horse is in ~ лóшадь вполнé подготóвлена к бегáм; in (good) ~ a) «в фóрме» (*о спортсмéне*); б) в удáре; 8) формáльность, этикéт, церемóния; good (bad) ~ хорóший (дурнóй) тон, хорóшие (плохие) манéры; 9) скамья; 10) класс (*в школе*); 11) *грам.* фóрма; 12) *иск.* фóрма; literary ~ литератýрная фóрма; 13) *тех.* фóрма, модéль; 14) *полигр.* печáтная фóрма; 15) норá (*зáйца*); 16) *стр.* опáлубка; 17) *ж.-д.* формировáние (*поездóв*); 18) *эл.* аккумулятор;

2. v 1) придавáть *или* принимáть фóрму, вид; to ~ a vessel out of clay вылепить сосýд из глины; 2) составлять; parts ~ a whole чáсти образýют цéлое; 3) создавáть(ся), образóвывать(ся); I can ~ no idea of his character не могý составить себé представлéния о егó харáктере; 4) воспитывать, вырабáтывать (*характер, качества и т. п.*); дисциплинировать, тренировáть; 5) формировáть(ся), образóвывать(ся); стрóить(ся); 6) *воен.* формировáть (*части*); 7) *ж.-д.* формировáть (*поездá*); 8) *тех.* формовáть.

**formal** ['fɔːməl] a 1) официáльный; ~ call официáльный визит; ~ permission официáльное разрешéние; 2) формáльный; номинáльный; ~ acquiescence формáльное соглáсие; 3) относящийся к внéшней фóрме, внéшний; ~ resemblance внéшнее схóдство; 4) прáвильный, соотвéтствующий прáвилам; симметричный; ~ garden английский парк.

**formaldehyde** [fɔː'mældihaid] n *хим.* формáльдегид.

**formalin** ['fɔːməlin] n формалин.

**formalism** ['fɔːməlizəm] n 1) формализм; педантичность; 2) *иск.* формализм; 3) *рел.* обрядовость.

**formalist** ['fɔːməlist] n формалист; педáнт.

**formality** [fɔː'mæliti] n 1) соблюдéние устанóвленных норм и прáвил, педантичность; 2) формáльность; legal formalities юридические формáльности.

**formalize** ['fɔːməlaiz] v оформлять; придавáть определённую фóрму.

**format** ['fɔːmæt] *фр.* n формáт книги.

**formate** [fɔː'meit] v *амер. ав.* пристрóиться.

**formation** [fɔː'meiʃən] n 1) образовáние, создáние; формировáние; составлéние; 2) строéние, конструкция; 3) *воен.* располо-жéние; строй, порядок (*войск*); 4) *ав.* боевóй порядок, строй самолётов в вóздухе; 5) *геол.* формáция, образовáние, система, отдéл, ярус.

**formative** ['fɔːmətiv] a 1) образýющий, созидáтельный; 2) *лингв.* словообразýющий.

**forme** [fɔːm] = form 1, 13).

**former** I ['fɔːmə] *n* 1) составитель; творе́ц; созда́тель; 2) *ж.-д.* составитель (*поездо́в*); 3) *тех.* то, что придаёт фо́рму; копи́р, направля́ющий шабло́н, моде́ль, лека́ло *и т. п.*; 4) *полигр.* словолитчик.

**former** II ['fɔːmə] *a* 1) пре́жний, бы́вший; in ~ times в пре́жние времена́, в старину́; 2) предше́ствующий; the ~ пе́рвый (*из двух на́званных*).

**formic** ['fɔːmɪk] *a хим.* муравьи́ный; ~ acid муравьи́ная кислота́.

**formicary** ['fɔːmɪkərɪ] *n* мураве́йник.

**formication** [ˌfɔːmɪ'keɪʃən] *n* мура́шки по те́лу.

**formidable** ['fɔːmɪdəbl] *a* 1) стра́шный, гро́зный; 2) грома́дный, огро́мный, труднопреодоли́мый; ~ task грандио́зная зада́ча; 3) значи́тельный, внуши́тельный.

**formless** ['fɔːmlɪs] *a* бесфо́рменный, амо́рфный.

**form-master** ['fɔːmˌmɑːstə] *n* кла́ссный руководи́тель.

**formula** ['fɔːmjulə] *n* (*pl* -las [-ləz], -lae) 1) фо́рмула, формулиро́вка; 2) фо́рмула (*в то́чных нау́ках*); 3) ло́зунг, доктри́на; 4) реце́пт.

**formulae** ['fɔːmjuliː] *pl от* formula.

**formulate** ['fɔːmjuleɪt] *v* 1) формули́ровать; 2) выража́ть в ви́де фо́рмулы.

**formulation** [ˌfɔːmju'leɪʃən] *n* формулиро́вка, реда́кция; final ~ оконча́тельная реда́кция.

**formulism** ['fɔːmjulɪzəm] *n* слепо́е сле́дование фо́рмуле.

**formulist** ['fɔːmjulɪst] *n* слепо́й после́дователь, приве́рженец фо́рмул.

**fornicate** ['fɔːnɪkeɪt] *v* прелюбоде́йствовать.

**fornication** [ˌfɔːnɪ'keɪʃən] *n* блуд; прелюбодея́ние.

**forsake** [fə'seɪk] *v* (forsook; forsaken) 1) оставля́ть, покида́ть; 2) отка́зываться (*от привы́чки и т. п.*).

**forsaken** [fə'seɪkən] 1. *p. p. от* forsake; 2. *a* бро́шенный, поки́нутый.

**forsook** [fə'suk] *past от* forsake.

**forsooth** [fə'suːθ] *adv ирон.* несомне́нно, по́истине.

**forswear** [fɔː'swɛə] *v* (forswore; forsworn) отрека́ться; to ~ oneself ло́жно кля́сться; наруша́ть кля́тву.

**forswore** [fɔː'swɔː] *past от* forswear.

**forsworn** [fɔː'swɔːn] 1. *p. p. от* forswear; 2. *n* (the ~) клятвопресту́пник (и).

**fort** [fɔːt] *n* форт.

**fortalice** ['fɔːtəlɪs] *n* 1) небольшо́й форт; 2) *уст., поэт.* кре́пость.

**forte** I [fɔːt] *n* си́льная сторона́ (*в челове́ке*).

**forte** II ['fɔːtɪ] *num. adv, n муз.* фо́рте.

**forth** [fɔːθ] 1. *adv* 1) вперёд, да́льше; нару́жу; back and ~ взад и вперёд, туда́ и сюда́; to put ~ leaves покрыва́ться ли́стьями; 2) впредь; from this time (*или* day) ~ с э́того вре́мени; ◇ and so ~ и так да́лее; so far ~ постольку;
2. *prep уст.* из.

**forthcoming** [fɔːθ'kʌmɪŋ] 1. *n* появле́ние, приближе́ние;

2. *a* предстоя́щий, гряду́щий; приближа́ющийся; ~ book кни́га, зака́нчивающаяся печа́танием, кни́га, кото́рая ско́ро вы́йдет.

**forthright** ['fɔːθraɪt] 1. *a* 1) прямо́й; 2) открове́нный; прямолине́йный, че́стный; 2. *adv* пря́мо; реши́тельно.

**forthwith** ['fɔːθ'wɪθ] *adv* то́тчас, неме́дленно.

**forties** ['fɔːtɪz] *n pl* 1) (the ~) сороковы́е го́ды; 2) пя́тый деся́ток (*во́зраст ме́жду 39 и 50 года́ми*); ◇ the roaring ~ бу́рная зо́на Атла́нтики (*39—50° сев. широты́*).

**fortieth** ['fɔːtɪɪθ] 1. *num. ord.* сороково́й: 2. *n* сорокова́я часть.

**fortification** [ˌfɔːtɪfɪ'keɪʃən] *n* 1) фортифика́ция; 2) *pl* укрепле́ния; 3) спиртова́ние (*добавле́ние спи́рта к вину́*).

**fortify** ['fɔːtɪfaɪ] *v* 1) укрепля́ть; 2) подде́рживать (*мора́льно, физи́чески*); 3) подтвержда́ть, подкрепля́ть (*фа́ктами*); 4) *воен.* укрепля́ть, сооружа́ть укрепле́ние; 5) добавля́ть спирт к вину́; fortified wine крепленое вино́.

**fortissimo** [fɔː'tɪsɪmou] *ит. adv, n муз.* форти́ссимо.

**fortitude** ['fɔːtɪtjuːd] *n* си́ла ду́ха, сто́йкость.

**fortnight** ['fɔːtnaɪt] *n* две неде́ли; this day ~ ро́вно че́рез две неде́ли; this ~ после́дние две неде́ли.

**fortnightly** ['fɔːtˌnaɪtlɪ] 1. *a* двухнеде́льный; выходя́щий раз в две неде́ли (*о журна́ле*); происходя́щий ка́ждые две неде́ли; 2. *adv* раз в две неде́ли.

**fortress** ['fɔːtrɪs] *n* кре́пость.

**fortuitous** [fɔː'tjuːɪtəs] *a* случа́йный.

**fortuity** [fɔː'tjuːɪtɪ] *n* случа́йность; слу́чай.

**fortunate** ['fɔːtʃnɪt] *a* счастли́вый, уда́чный; благоприя́тный.

**Fortune** ['fɔːtjuːn] *n миф.* Форту́на, Судьба́.

**fortune** ['fɔːtʃən] 1. *n* 1) уда́ча; сча́стье; счастли́вый слу́чай; bad (*или* ill) ~ несча́стье, неуда́ча; by good ~ по счастли́вой случа́йности; to seek one's ~ иска́ть сча́стья; to try one's ~ попыта́ть сча́стья; 2) судьба́; to tell ~s гада́ть; 3) бога́тство, состоя́ние; to come into a ~ получи́ть насле́дство; to make a ~ разбогате́ть; to marry a ~ жени́ться на деньга́х; a small ~ *разг.* ≅ це́лое состоя́ние, больша́я су́мма;
2. *v уст., поэт.* 1) случа́ться; 2) наткну́ться (upon).

**fortune-hunter** ['fɔːtʃənˌhʌntə] *n* 1) иска́тель бога́тых неве́ст; 2) авантюри́ст.

**fortuneless** ['fɔːtʃənlɪs] *a* 1) незада́чливый; несча́стный; 2) бе́дный.

**fortune-teller** ['fɔːtʃənˌtelə] *n* гада́лка, ворожея́.

**forty** ['fɔːtɪ] 1. *num. card.* со́рок; ~-one со́рок оди́н; ~-two со́рок два *и т. д.*; ◇ ~ winks коро́ткий (послеобе́денный) сон; the F.-five якоби́тское восста́ние 1745 г.;
2. *n* 1) со́рок (*едини́ц, штук*); 2) я́хта водоизмеще́нием в 40 тонн.

**forty-niner** [ˌfɔːtɪ'naɪnə] *n амер.* золотоиска́тель, прибы́вший в Калифо́рнию в 1849 г. по́сле откры́тия в ней зо́лота.

**forum** ['fɔːrəm] *n* 1) *ист.* фо́рум; 2) суд (*со́вести, че́сти, обще́ственного мне́ния*); 3) фо́рум, собра́ние; 4) свобо́дная диску́ссия.

**forward** ['fɔːwəd] 1. *a* 1) пере́дний; 2) передово́й; прогресси́вный; 3) иду́щий впереди́ други́х; рабо́тающий *или* успева́ющий лу́чше други́х; 4) гото́вый (*помо́чь и т. п.*); 5) всю́ду су́ющийся; развя́зный; наха́льный; 6) ра́нний; скороспе́лый; преждевре́менный; необы́чно ра́нний; 7) заблаговре́менный (*о заку́пках, контра́ктах*); 2. *adv* 1) вперёд; да́льше; 2) вперёд, впредь; from this time ~ с э́того вре́мени; to look ~ смотре́ть в бу́дущее; ◇ to look ~ to smth. предвкуша́ть что-л.; to bring smth. ~ стара́ться привле́чь к чему́-л. внима́ние; 3. *n спорт.* напада́ющий (*в футбо́ле*); centre ~ центр напада́ния; 4. *v* 1) ускоря́ть; помога́ть, способствовать; to ~ a scheme продвига́ть прое́кт; 2) отправля́ть, пересыла́ть; посыла́ть, препровожда́ть; 5. *int* вперёд!

**forwarder** ['fɔːwədə] *n* экспеди́тор.

**forward-looking** ['fɔːwədlukiŋ] *a* предусмотри́тельный, дальнови́дный.

**forwardness** ['fɔːwədnis] *n* 1) ра́ннее разви́тие; 2) гото́вность; 3) самоуве́ренность; развя́зность; наха́льство.

**forwards** ['fɔːwədz] = forward 2, 1).

**forwent** [fɔː'went] *past от* forgo.

**forworn** [fɔː'wɔːn] *a уст., поэт.* уста́лый, изму́ченный.

**fossa** ['fɔsə] *n* (*pl* -ae) *мед.* я́мка, впа́дина.

**fossae** ['fɔsiː] *pl от* fossa.

**fosse** [fɔs] *n* 1) *воен.* ров, кана́ва, транше́я; 2) = fossa.

**fossick** ['fɔsik] *v разг.* ша́рить, иска́ть.

**fossil** ['fɔsl] 1. *n* окамене́лость, ископа́емое; 2. *a* 1) окамене́лый, ископа́емый; 2) старомо́дный, допото́пный.

**fossilize** ['fɔsilaiz] *v* 1) превраща́ть(ся) в окамене́лость; 2) закосне́ть.

**foster** ['fɔstə] *v* 1) воспи́тывать, выха́живать; ходи́ть (*за детьми́, больны́ми*); 2) пита́ть (*чу́вство*); леле́ять (*мысль*); 3) поощря́ть; благоприя́тствовать.

**fosterage** ['fɔstəridʒ] *n* 1) вска́рмливание (*чужо́го*) ребёнка; 2) отда́ча (*ребёнка*) на воспита́ние; 3) поощре́ние.

**foster-brother** ['fɔstə,brʌðə] *n* моло́чный брат.

**foster-child** ['fɔstətʃaild] *n* приёмыш; воспи́танник.

**foster-father** ['fɔstə,faːðə] *n* приёмный оте́ц.

**fosterling** ['fɔstəliŋ] *n* пито́мец; подопе́чный.

**foster-mother** ['fɔstə,mʌðə] *n* 1) корми́лица; 2) приёмная мать; 3) бру́дер, иску́сственная ма́тка (*для цыпля́т*).

**foster-sister** ['fɔstə,sistə] *n* моло́чная сестра́.

**fought** [fɔːt] *past и p. p. от* fight 2.

**foul** [faul] 1. *a* 1) гря́зный, отврати́тельный, воню́чий; 2) загрязнённый; гно́йный (*о ра́не*); зара́зный (*о боле́зни*); ~ tongue *мед.* обло́женный язы́к; 3) бесче́стный, нра́вственно испо́рченный; по́длый; предательский; ~ play нече́стная игра́; обма́н; предательство; ~ blow *спорт.* запрещённый уда́р; by fair means or ~ любы́ми сре́дствами; 4) непристо́йный, непотре́бный; ~ language скверносло́вие; 5) *разг.* га́дкий, отврати́тельный, скве́рный; ~ journey отврати́тельная пое́здка; ~ dancer плохо́й танцо́р; 6) бу́рный; ве́треный (*о пого́де*); 7) проти́вный, встре́чный (*о ве́тре*); 8) *мор.* заро́сший раку́шками и во́дорослями (*о подво́дной ча́сти су́дна*); 9) *мор.* запу́танный (*о сна́стях, я́коре*); 2. *n* 1) что-л. дурно́е, гря́зное *и т. п.*; 2) столкнове́ние (*при бе́ге, верхово́й езде́ и т. п.*); 3) *спорт.* наруше́ние пра́вил игры́; to claim a ~ *спорт.* опротестова́ть побе́ду своего́ проти́вника ввиду́ наруше́ния им пра́вил игры́; 3. *adv* нече́стно; ◇ to play smb. ~ обману́ть, преда́ть кого́-л.; to fall ~ а) *мор.* столкну́ться (of); б) столкну́ться, поссо́риться (of — c); 4. *v* 1) па́чкать(ся); засоря́ть(ся); 2) обраста́ть (*о дне су́дна*); 3) образова́ть зато́р (*движе́ния*); 4) *мор.* запу́тывать(ся) (*о сна́стях*); 5) *спорт.* нече́стно игра́ть; ◇ to ~ one's nest ≅ выноси́ть сор из избы́; замара́ть, обесче́стить себя́; to ~ one's hands with smth. уни́зить себя́ до чего́-л.

**foulard** [fuː'laː] *фр. n* фуля́р.

**foulé** [,fuː'lei] *фр. n текст.* фуле́.

**foully** ['fauli] *adv* 1) гря́зно, отврати́тельно; 2) предательски; жесто́ко.

**foul-mouthed** ['faulmauðd] *a* скверносло́вящий.

**foulness** ['faulnis] *n* 1) грязь, испо́рченность *и пр.* [*см.* foul 1]; 2) *геол.* газоно́сность.

**foul-up** ['faulʌp] *n амер. разг.* пи́ковое положе́ние.

**foumart** ['fuːmaːt] *n* хорёк.

**found** I [faund] *v* 1) закла́дывать (*фунда́мент, го́род*); 2) осно́вывать, учрежда́ть; создава́ть; 3) обосно́вывать, подводи́ть осно́ву; well ~ed хорошо́ обосно́ванный, убеди́тельный; 4) опира́ться, осно́вываться (*о до́водах и т. п.*); ~ on, ~ upon — на).

**found** II [faund] *v* 1) пла́вить, лить, отлива́ть; вари́ть (*стекло*).

**found** III [faund] 1. *past и p. p. от* find I; 2. *a* снабжённый.

**foundation** [faun'deiʃən] *n* 1) фунда́мент; основа́ние, осно́ва; to lay the ~(s) of smth заложи́ть фунда́мент чего́-л.; положи́ть нача́ло чему́-л.; 2) *pl* осно́вы; основа́ние (*го́рода и т. п.*); 4) основа́ние, обосно́ванность; the rumour has no ~ э́то ни на чём не осно́ванный слух; 5) организа́ция; учрежде́ние; 6) фонд, поже́ртвованный на культу́рные начина́ния; 7) учрежде́ние, существу́ющее на поже́ртвованный фонд.

**foundationer** [faun'deiʃnə] *n* стипендиа́т (*получа́ющий стипе́ндию из благотвори́тельных средств*).

**foundation-muslin** [faun'deiʃən,mazlin] *n* (крахма́льная) ма́рля (*для подши́вки*).

**foundation-school** [faun'deɪʃən,skuːl] *n* шко́ла, существу́ющая на поже́ртвованный фонд.

**foundation-stone** [faun'deɪʃən,stoun] *n* 1) *тех.* фунда́ментный ка́мень; 2) осно́ва, основно́й при́нцип.

**founder** I ['faundə] *n* основа́тель, учреди́тель; ~'s shares учреди́тельские а́кции.

**founder** II ['faundə] *n* плави́льщик, лите́йщик.

**founder** III ['faundə] 1. *n* воспале́ние копы́та;
2. *v* 1) идти́ ко дну (*о корабле*); 2) пусти́ть ко дну (*корабль*); 3) оседа́ть (*о здании*); 4) погиба́ть, терпе́ть крах; 5) охроме́ть; упа́сть (*о лошади*); 6) допуска́ть опло́шность.

**founding** I ['faundɪŋ] *pres. p. om* found I.

**founding** II ['faundɪŋ] 1. *pres. p. om* found II;
2. *n* 1) лите́йное де́ло; 2) отли́вка, литьё.

**foundling** ['faundlɪŋ] *n* подки́дыш, найдёныш.

**foundling-hospital** ['faundlɪŋ,hɔspɪtl] *n* прию́т, воспита́тельный дом.

**foundress** ['faundrɪs] *n* основа́тельница, учреди́тельница.

**foundry** ['faundrɪ] *n* 1) лите́йная, лите́йный цех; 2) литьё.

**foundry hand** ['faundrɪ,hænd] *n* лите́йщик.

**fount** I [faunt] *n* 1) исто́чник, ключ; 2) = font 3).

**fount** II [faunt] *n полигр.* компле́кт шри́фта.

**fountain** ['fauntɪn] *n* 1) ключ, исто́чник; исто́к реки́; 2) фонта́н; 3) резервуа́р (*керосиновой лампы, автоматической ручки*).

**fountain-head** ['fauntɪn'hed] *n* 1) ключ, исто́чник; 2) первоисто́чник; to go to the ~ обрати́ться к первоисто́чнику.

**fountain-pen** ['fauntɪnpen] *n* автомати́ческая ру́чка.

**four** [fɔː] 1. *num. card.* четы́ре;
2. *n* 1) четвёрка; 2) *pl* четвёртый но́мер (*размер перчаток, обуви и т. п.*); 3) *разг.* четвёрка (*лодка*); кома́нда четвёрки; 4) *pl воен.* строй по четы́ре; form ~ sl ряды́ вздвой!; 5) *фин.* четырёхпроце́нтные бума́ги; ◇ on all ~s a) на четвере́ньках; б) то́чно совпада́ющий; аналоги́чный, тожде́ственный.

**four-ale** ['fɔːreɪl] *n уст.* пи́во, продава́вшееся по 4 пе́нса за ква́рту.

**four-cornered** ['fɔː'kɔːnəd] *a* четырёху́гольный.

**Four-F** ['fɔː'ef] *n амер. воен.* него́дный к действи́тельной вое́нной слу́жбе.

**fourfold** ['fɔːfould] 1. *a* четырёхкра́тный;
2. *adv* четы́режды; вче́тверо.

**four-footed** ['fɔː'futɪd] *a* четвероно́гий.

**four-handed** ['fɔː'hændɪd] *a* 1) четверору́кий (*об обезьяне*); 2) для четырёх челове́к (*об игре*); 3) разы́грываемый в четы́ре руки́ (*на рояле*).

**four-in-hand** ['fɔːrɪn'hænd] *n* 1) экипа́ж четвёркой; 2) га́лстук-самовя́з, завя́зываемый свобо́дным узло́м с двумя́ дли́нными конца́ми.

**four-oar** ['fɔːr,ɔː] *n* четвёрка (*лодка*).

**four-poster** ['fɔː'poustə] *n* крова́ть с по́логом на четырёх сто́лбиках.

**fourscore** ['fɔː'skɔː] *n уст.* во́семьдесят.

**four-seater** ['fɔː'siːtə] *n* четырёхме́стная маши́на.

**foursome** ['fɔːsəm] *n* 1) игра́ в гольф ме́жду двумя́ па́рами; 2) *разг.* компа́ния, гру́ппа из четырёх челове́к.

**four-square** ['fɔː'skwɛə] 1. *n* квадра́т;
2. *a* 1) квадра́тный; 2) *разг.* че́стный;
3. *adv* 1) че́стно; 2) абсолю́тно, соверше́нно.

**fourteen** ['fɔː'tiːn] *num. card.* четы́рнадцать.

**fourteenth** ['fɔː'tiːnθ] 1. *num. ord.* четы́рнадцатый;
2. *n* 1) четы́рнадцатая часть; 2) (the ~) четы́рнадцатое число́.

**fourth** [fɔːθ] 1. *num. ord.* четвёртый;
◇ the ~ arm вое́нно-возду́шные си́лы;
2. *n* 1) че́тверть; 2) (the ~) четвёртое число́; the F. (of July) *амер.* 4 ию́ля (*день провозглашения независимости США*).

**fourthly** ['fɔːθlɪ] *adv* в-четвёртых.

**four-wheeler** ['fɔː'wiːlə] *n* изво́зчичья каре́та.

**fowl** [faul] 1. *n* 1) *редк.* пти́ца (*тж. собир.*); дичь; 2) дома́шняя пти́ца, *обыкн.* ку́рица *или* пету́х;
2. *v* охо́титься за ди́чью; лови́ть птиц.

**fowler** ['faulə] *n* птицело́в; охо́тник.

**fowling bag** ['faulɪŋbæg] *n* ягдта́ш.

**fowling-piece** ['faulɪŋpiːs] *n* охо́тничье ружьё.

**fowl-run** ['faulrʌn] *n* пти́чий двор, пти́чник.

**fox** [fɔks] 1. *n* 1) лиси́ца, лиса́; 2) ли́сий мех; 3) *амер. унив. sl.* первоку́рсник; 4) *attr.* ли́сий;
2. *v* 1) покрыва́ть(ся) бу́рыми пя́тнами (*о бумаге*); 2) проки́снуть (*о вине, пиве*); 3) *sl.* де́йствовать ло́вко; хитри́ть, обма́нывать.

**foxbane** ['fɔks,beɪn] *n бот.* акони́т, боре́ц.

**fox-brush** ['fɔksbrʌʃ] *n* ли́сий хвост.

**fox-earth** ['fɔks,əθ] = foxhole 1).

**foxfire** ['fɔks,faɪə] *n амер.* фосфоресци́рующий свет (*гнилого дерева*).

**foxglove** ['fɔksglʌv] *n бот.* наперстя́нка.

**foxhole** ['fɔkshoul] *n* 1) ли́сья нора́; 2) *амер. воен.* стрелко́вая яче́йка.

**foxhound** ['fɔkshaund] *n* англи́йская поро́тая го́нчая.

**foxtail** ['fɔksteɪl] *n* 1) = fox-brush; 2) *бот.* лисохво́ст.

**fox-terrier** ['fɔks,terɪə] *n* фокстерье́р.

**fox-trap** ['fɔkstræp] *n* капка́н для лиси́цы.

**foxtrot** ['fɔkstrɔt] 1. *n* фокстро́т (*танец*);
2. *v* танцева́ть фокстро́т.

**foxy** ['fɔksɪ] *a* 1) ли́сий; 2) хи́трый; 3) ры́жий; кра́сно-бу́рый; ~ hair ры́жие во́лосы; 4) покры́тый пя́тнами сы́рости (*о бумаге*); 5) проки́сший (*о вине, пиве*).

**foyer** ['fɔɪeɪ] *фр. n* фойе́.

**frab** [fræb] *v диал.* надоеда́ть, докуча́ть.

**fracas** ['frækɑː] *фр. n* шу́мная ссо́ра; сканда́л.

**fraction** ['frækʃən] *n* 1) дробь; decimal ~ десятичная дробь; common (*или* vulgar) ~ простая дробь; proper (improper) ~ правильная (неправильная) дробь; 2) частица, доля, крупица; обломок, осколок; not by a ~ ни на йоту; 3) *хим.* фракция, продукт перегонки; 4) *уст.* преломление, излом, разрыв, перерыв.

**fractional, fractionary** ['fræsʃənl, -nərɪ] *a* 1) дробный; частичный; 2) *разг.* незначительный; 3) *хим.* фракционный; 4) *тех.* парциальный.

**fractionate** ['fræksʃəneɪt] *v хим.* фракционировать (*разлагать вещество на отдельные фракции*).

**fractious** ['fræksʃəs] *a* капризный, раздражительный, беспокойный.

**fracture** ['fræktʃə] 1. *n* 1) *хир.* перелом; 2) трещина, излом; разрыв.
2. *v* ломать(ся); вызывать перелом; раздроблять.

**frag bomb** ['frægbɔm] *n воен. разг.* осколочная бомба.

**fragile** ['frædʒaɪl] *a* 1) хрупкий, ломкий; 2) хрупкий, слабый; 3) преходящий, недолговечный.

**fragility** [frə'dʒɪlɪtɪ] *n* 1) хрупкость, ломкость; 2) хрупкость, слабость; 3) недолговечность.

**fragment** ['frægmənt] *n* 1) обломок; осколок; кусок; обрывок; 2) отрывок; фрагмент.

**fragmentary** ['frægməntərɪ] *a* 1) отрывочный; фрагментарный; 2) *геол.* обломочный.

**fragmentation** [,frægmən'teɪʃən] *n* разрыв (снаряда) на осколки.

**fragmentation bomb** [,frægmən'teɪʃən,bɔm] *n* осколочная бомба.

**fragrance** ['freɪgrəns] *n* аромат, благоухание.

**fragrant** ['freɪgrənt] *a* ароматный, благоухающий.

**frail I** [freɪl] *n* 1) тростник; 2) корзина из тростника.

**frail II** [freɪl] *a* 1) хрупкий, непрочный; 2) хилый, болезненный; 3) бренный; 4) нравственно неустойчивый.

**frailty** ['freɪltɪ] *n* 1) хрупкость; непрочность; 2) бренность; 3) моральная неустойчивость.

**frame** [freɪm] 1. *n* 1) сооружение, строение; 2) остов, скелет, костяк, каркас; сруб; 3) строение, структура; система; 4) of government структура правительства; 4) телосложение; sobs shook the child's ~ рыдания сотрясали тело ребёнка; 5) рамка, рама; 6) парниковая рама; 7) *стр.* ферма; стропильная нога; балка; 8) *тех.* станина; рама; 9) *кино* кадр; 10) *радио* кадр; рамка, рама; 11) *attr. радио* рамочный; ~ synchronization рамочная синхронизация; ~ aerial рамочная антенна; ◇ ~ of mind расположение духа, настроение;
2. *v* 1) создавать, вырабатывать; составлять; to ~ a plan создать план; 2) строить, сооружать; 3) вставлять в рамку; обрамлять; 4) приспособлять; 5) развиваться; 6) выражать в словах; произносить;

to ~ a sentence *грам.* построить предложение; 7) *sl.* подстроить ложное обвинение; ложно обвинять; 8) *тех. стр.*. собирать из частей; склёпывать (*металлическую конструкцию*); сплачивать (*деревянную конструкцию*); ☐ ~ up подстраивать (*что-л.*); подтасовывать факты; судить на основании сфабрикованных обвинений.

**frame-house** ['freɪmhaus] *n* каркасный дом.

**frame-saw** ['freɪmsɔ] *n* лесопильная рама; рамная пила.

**frame-up** ['freɪm,ʌp] *n амер.* 1) тайный сговор; 2) подтасовка фактов; подстроенное обвинение, провокация; судебная инсценировка; 3) ловушка, западня; 4) *attr.* инсценированный; ~ trial инсценированный процесс.

**framework** ['freɪmwək] *n* 1) сруб; остов, корпус, каркас; набор (*корпуса корабля*); 2) решётка, решётчатая система; 3) рама, обрамление; коробка; 4) структура; рамки; within the ~ в рамках (*чего-л.*); в пределах (*чего-л.*); the ~ of society общественный строй; to return into the ~ воссоединиться; 5) *стр.* ферма; стропила.

**framing** ['freɪmɪŋ] 1. *pres. p. от* frame 2.
2. *n* 1) рама, обрамление; a new ~ of mutual relations новая структура взаимоотношений; 2) остов, сруб; 3) *телев.* установка в рамку.

**franc** [fræŋk] *n* франк.

**franchise** ['fræntʃaɪz] *n* 1) привилегия; 2) право участвовать в выборах.

**Franciscan** [fræn'sɪskən] 1. *a* францисканский;
2. *n* францисканец (*монах*).

**francolin** ['fræŋkoulɪn] *n* порода куропаток.

**frangible** ['frændʒɪbl] *a* ломкий, хрупкий.

**Frank** [fræŋk] *n ист.* франк.

**frank I** [fræŋk] *a* искренний, откровенный, открытый.

**frank II** [fræŋk] *v* франкировать (*письмо*).

**frankfurter** ['fræŋkfətə] *n* сосиска.

**frankincense** ['fræŋkɪn,sens] *n* ладан.

**franklin** ['fræŋklɪn] *n ист.* свободный землевладелец недворянского происхождения.

**frantic** ['fræntɪk] *a* неистовый, безумный; she was ~ with grief она обезумела от горя.

**fraternal** [frə'tənl] *a* братский; ~ order (*или* society, association) общество (*часто* тайное).

**fraternity** [frə'tənɪtɪ] *n* 1) братство; община; 2) *амер.* студенческая организация.

**fraternization** [,frætənaɪ'zeɪʃən] *n* 1) тесная дружба; 2) братание.

**fraternize** ['frætənaɪz] *v* 1) относиться по-братски; 2) брататься.

**fratricidal** [,freɪtrɪ'saɪdl] *a* братоубийственный.

**fratricide** ['freɪtrɪsaɪd] *n* 1) братоубийца; 2) братоубийство.

**fraud** [frɔd] *n* 1) обман; мошенничество; подделка; 2) обманщик, мошенник.

**fraudulent** ['frɔːdjulənt] *a* обма́нный; моше́ннический; ~ bankruptcy *юр.* зло́стное банкро́тство.

**fraught** [frɔːt] *a* 1) по́лный; преиспо́лненный; чрева́тый; ~ with danger чрева́тый опа́сностью; 2) *поэт.* нагру́жённый.

**fray** I [freɪ] *n* столкнове́ние, дра́ка; eager for the ~ гото́вый лезть в дра́ку (*тж. перен.*).

**fray** II [freɪ] 1. *n* протёршееся ме́сто; 2. *v* 1) протира́ть(ся), изна́шивать(ся); обтрёпывать(ся); 2) истрепа́ть(ся) (*о нервах*).

**frazzle** ['fræzl] *разг. преим. амер.* 1. *n* 1) изно́шенность (*платья*); 2) махры́; ◇ to beat to a ~ *разг.* исколошма́тить; to work oneself to a ~ измота́ться;
2. *v* 1) протере́ть(ся), износи́ть(ся) до лохмо́тьев; 2) изму́чить, вы́мотать (*тж.* ~ out).

**freak** [friːk] 1. *n* 1) капри́з; причу́да; чуда́чество; 2) уро́дец (*тж.* ~ of nature); 3) ненорма́льный ход (*какого-л. естественного процесса*); 4) *радио* внеза́пное прекраще́ние *или* восстановле́ние радиоприёма; 5) *кино* частота́;
2. *v* покрыва́ть пя́тнами *или* полоса́ми, испещря́ть; разнообра́зить.

**freaked** [friːkt] 1. *p. p. от* freak 2;
2. *a* испещрённый.

**freakish** ['friːkɪʃ] *a* 1) капри́зный; 2) причу́дливый, стра́нный.

**freckle** ['frekl] 1. *n* весну́шка;
2. *v* покрыва́ть(ся) весну́шками.

**free** [friː] 1. *a* 1) свобо́дный, во́льный; находя́щийся на свобо́де; незави́симый; to make ~ use of по́льзоваться без ограниче́ний; широко́ по́льзоваться; to make (*или* to set) ~ освобожда́ть; 2) доброво́льный, без принужде́ния; 3) неза́нятый; 4) непринуждённый, грацио́зный; ~ gesture непринуждённый жест; 5) распу́щенный; во́льный; to make ~ with smb. позволя́ть себе́ во́льности (*или* ли́шнее) по отноше́нию к кому́-л.; 6) ще́дрый; оби́льный; to be ~ with one's money быть ще́дрым, расточи́тельным; 7) беспла́тный, дарово́й; освобождённый от опла́ты; ~ education беспла́тное образова́ние; ~ of charge беспла́тно; ~ of debt не име́ющий долго́в, задо́лженности; ~ of duty беспо́шлинный; ~ imports беспо́шлинные това́ры; ~ on board *ком.* фоб, фра́нко борт парохо́да, с погру́зкой на су́дно; ~ port во́льная га́вань, по́рто-фра́нко; 8) откры́тый, досту́пный; ~ access свобо́дный до́ступ; 9) неприкреплённый, незакреплённый; 10) лишённый (from — *чего-л.*); свобо́дный (from — от *чего-л.*); a day ~ from wind безве́тренный день; ~ from pain безболе́зненный; ◇ ~ fight о́бщая дра́ка, сва́лка; ~ of за преде́лами; we're not ~ of the suburbs yet мы ещё не вы́брались из при́городов; ~ pardon по́лное проще́ние; амни́стия; to have (to give) a ~ hand име́ть (дава́ть) по́лную свобо́ду де́йствий;
2. *adv* 1) свобо́дно; to run ~ бе́гать на свобо́де; 2) беспла́тно;
3. *v* освобожда́ть (from, of — от); выпуска́ть на свобо́ду.

**free agency** ['friː,eɪdʒənsɪ] *n* свобо́да во́ли; свобо́дная во́ля.

**free and easy** ['friːənd'iːzɪ] 1. *a* непринуждённый, чу́ждый усло́вностей;
2. *n разг.* собра́ние, где цари́т непринуждённость; *особ.* конце́рт, где разреша́ется кури́ть.

**free balloon** ['friːbə'luːn] *n* свобо́дный аэроста́т.

**free-board** ['friːbɔːd] *n мор.* надво́дный борт; высота́ надво́дного бо́рта.

**freebooter** ['friː,buːtə] *n* граби́тель; пира́т, флибустье́р.

**Free Church** ['friː'tʃəːtʃ] *n* 1) це́рковь, отделённая от госуда́рства; 2) *pl* неангли ка́нские це́ркви (*в Англии*).

**free city** ['friː'sɪtɪ] *n* во́льный го́род.

**freedom** ['friːdəm] *n* 1) свобо́да, незави́симость; 2) пра́во, привиле́гия; ~ of speech свобо́да сло́ва; ~ of the press свобо́да печа́ти; academic ~s академи́ческие свобо́ды (*права университетов и студенческого волеизъявления*); 3) свобо́дное по́льзование; 4) *разг.* во́льность; to take (*или* to use) ~s with smb. позволя́ть себе́ во́льности по отноше́нию к кому́-л.

**free enterprise** ['friː'entəpraɪz] *n* свобо́дное предпринима́тельство; свобо́да предпринима́тельства.

**free-for-all** ['friːfər'ɔːl] 1. *a* откры́тый, общедосту́пный, досту́пный для всех;
2. *n* всео́бщая дра́ка, сва́лка.

**free-hand** ['friːhænd] *n* 1) свобо́да де́йствий; 2) рису́нок от руки́.

**free-handed** ['friː'hændɪd] *a* ще́дрый.

**freeholder** ['friːhouldə] *n ист.* фриго́ль дер, земе́льный со́бственник.

**free labour** ['friː,leɪbə] *n* 1) *ист.* труд свобо́дных люде́й (*не рабов*); 2) труд лиц, не принадлежа́щих к профсою́зам; 3) рабо́чие, не явля́ющиеся чле́нами профсою́за.

**free lance** ['friː'lɑːns] *n* 1) *ист.* ландскне́хт; 2) поли́тик, не принадлежа́щий к определённой па́ртии; 3) журнали́ст, не свя́занный с определённой реда́кцией.

**free-lance** ['friː'lɑːns] *v* рабо́тать не по на́йму.

**free-list** ['friː'lɪst] *n* 1) спи́сок не облага́емых по́шлиной това́ров; 2) спи́сок лиц, по́льзующихся беспла́тным до́ступом куда́-л. *и т. п.*

**free liver** ['friː,lɪvə] *n* жуи́р, бонвива́н.

**freely** ['friːlɪ] *adv* 1) свобо́дно; во́льно; 2) оби́льно; широко́.

**freemason** ['friː,meɪsn] *n* масо́н.

**freemasonry** ['friː,meɪsnrɪ] *n* масо́нство

**free-spoken** ['friː'spoukən] *a* открове́н ный, прямо́й (*в высказываниях*).

**free-thinker** ['friː'θɪŋkə] *n* вольноду́мец, свободомы́слящий; атеи́ст.

**free trade** ['friː'treɪd] *n* 1) беспо́шлинная торго́вля; 2) *ист.* контраба́нда.

**free-trader** ['friː'treɪdə] *n* 1) *полит.* фри тре́дер; 2) *ист.* контрабанди́ст.

**free wheel** ['friː'wiːl] *n* свобо́дное ко лесо́.

**free will** ['friː'wɪl] *n* свобо́да во́ли; of one's own ~ доброво́льно.

**free-will** ['friː'wɪl] *a* доброво́льный.

**freeze** [friːz] *v* (froze; frozen) 1) замерзать, покрываться льдом (*часто* ~ over); мёрзнуть; 2) замораживать; 3) (*в безл. оборотах*): it ~s морозит; 4) застывать, затвердевать; *перен.* стынуть; it made my blood ~ у меня от этого кровь застыла в жилах; 5) *разг.* замораживать (*фонды и пр.*); to ~ wages замораживать заработную плату; to ~ prices замораживать цены; 6) запрещать использование, производство *или* продажу сырья *или* готовой продукции; 7) *амер.* окончательно принять, стандартизировать (*конструкцию, чертежи и т. п.*); □ ~ in вмерзать; to be frozen in быть затёртым льдами; вмёрзнуть; ~ on *sl.* а) крепко ухватиться, вцепиться (to); б) привязаться к *кому-л.*; ~ out *sl.* отделаться (*от соперника*); ~ up: to be frozen up застыть, закоченеть.

**freezer** [ˈfriːzə] *n* 1) мороженица; 2) *австрал. разг.* скотопромышленник, разводящий *или* продающий баранов, предназначенных к экспорту в мороженом виде; 3) холодильник, холодильная установка.

**freezing** [ˈfriːziŋ] 1. *pres. p. om* freeze;
2. *n* замерзание, застывание; замораживание;
3. *a* 1) ледяной; леденящий; 2) охлаждающий, замораживающий; ~ plant холодильник, холодильная установка.

**freezing-point** [ˈfriːziŋˌpɔint] *n* точка замерзания.

**freight** [freit] 1. *n* 1) фрахт, стоимость перевозки; 2) фрахт, груз; 3) наём судна для перевозки грузов; 4) *амер.* товарный поезд; 5) *attr.* грузовой; товарный; ~ carrier грузовой самолёт; ~ train *амер.* товарный поезд.
2. *v* 1) грузить; 2) фрахтовать.

**freightage** [ˈfreitidʒ] *n* 1) фрахтовка; 2) перевозка грузов.

**freighter** [ˈfreitə] *n* 1) фрахтовщик; наниматель *или* владелец грузового судна; 2) грузовое судно; 3) грузовой самолёт.

**French** [frentʃ] 1. *a* французский; ◇ ~ beans фасоль; ~ brandy коньяк; ~ polish политура; ~ red, ~ rouge кармин; ~ roof мансардная крыша; ~ sash оконный переплёт, доходящий до пола; ~ window створное окно, доходящее до пола; ~ turnip брюква; ~ leave уход без прощания; to assist in the ~ sense *ирон.* присутствовать, не принимая участия.
2. *n* 1) (the ~) *pl собир.* французский народ, французы; 2) французский язык; 3) *attr.*: ~ master учитель французского языка; ~ lesson урок французского языка.

**Frenchify** [ˈfrentʃifai] *v разг.* офранцуживать(ся).

**Frenchman** [ˈfrentʃmən] *n* 1) француз; 2) французское судно.

**Frenchwoman** [ˈfrentʃˌwumən] *n* француженка.

**frenzied** [ˈfrenzid] *a* взбешённый; ~ efforts бешеные усилия.

**frenzy** [ˈfrenzi] *n* безумие, бешенство; неистовство.

**frequency** [ˈfriːkwənsi] *n* 1) частотность, частота; ~ of the pulse частота пульса; 2)

частое повторение; 3) *физ.* частота; high ~ высокая частота; low ~ низкая частота; 4) *attr.* частотный; ~ divider *радио* делитель частоты; ~ modulation *радио* частотная модуляция; ~ range *радио* частотный диапазон.

**frequent** 1. *a* [ˈfriːkwənt] частый; часто повторяемый *или* встречающийся; обычный;
2. *v* [friˈkwent] часто посещать.

**frequentative** [friˈkwentətiv] *a грам.* многократный.

**frequenter** [friˈkwentə] *n* постоянный посетитель, завсегдатай.

**fresco** [ˈfreskou] 1. *n* (*pl* -os, -oes [-ouz]) фреска; фресковая живопись;
2. *v* украшать фресками.

**fresh** [freʃ] 1. *a* 1) свежий; ~ fruit свежие фрукты; ~ butter несолёное масло; ~ water пресная вода; ~ paint ещё не просохшая краска; ~ paint! осторожно, окрашено!; ~ sprouts молодые побеги; 2) новый; добавочный; to begin a ~ chapter начать новую главу; no ~ news никаких дополнительных известий; 3) бодрый; не уставший; 4) бодрящий (*о погоде*); свежий, крепкий (*о ветре*); ~ gale ветер силой в 8 баллов; 5) неопытный; a ~ hand неопытный человек; 6) *амер.* дерзкий; самонадеянный; 7) слегка выпивший; 8) *шотл.* трёзвый; 9) *школ. sl.* новенький (*ученик*);
2. *adv* недавно; только что; ~ from school прямо со школьной скамьи;
3. *n* 1) прохлада; 2) = freshet.

**freshen** [ˈfreʃ(ə)n] *v* 1) освежать; 2) свежеть (*тж.* ~ up); 3) *тех.* фришевать.

**fresher** [ˈfreʃə] *n унив. sl.* новичок, первокурсник.

**freshet** [ˈfreʃit] *n* 1) поток пресной воды, вливающийся в море; 2) выход реки из берегов, половодье; паводок.

**freshly** [ˈfreʃli] *adv* 1) свежо, бодро *и пр.* [*см.* fresh 1]; 2) недавно (*тк. с р.р.*, *напр.*: ~-painted только что окрашенный)

**freshman** [ˈfreʃmən] *n* 1) *унив.* первокурсник; ~ новичок в школе; 2) *attr.*: ~ year первый год пребывания в составе какой-л. организации; ~ English начальный курс английского языка.

**freshwater** [ˈfreʃˌwɔːtə] *a* пресноводный.

**fret I** [fret] 1. *n* 1) раздражение, волнение; мучение; 2) брожение (*напитков*);
2. *v* 1) разъедать, подтачивать; размывать; 2) подёргиваться рябью; 3) беспокоить(ся); мучить(ся); you have nothing to ~ about вам не из-за чего волноваться; ◇ to ~ and fume ≡ рвать и метать; to ~ the (*или* one's) gizzard *разг.* волновать(ся), беспокоить(ся); мучить(ся).

**fret II** [fret] 1. *n* прямоугольный орнамент;
2. *v* украшать лепной *или* резной работой (*потолок*).

**fret III** [fret] *n* лад (*в гитаре*).

**fretful** [ˈfretful] *a* раздражительный, капризный.

**fret-saw** [ˈfretsɔː] *n* пилка для выпиливания, лобзик.

**fretwork** [ˈfretwəːk] *n архит.* резное *или* лепное украшение.

**friability** [ˌfraɪə'bɪlɪtɪ] *n* рыхлость.
**friable** ['fraɪəbl] *a* рыхлый, крошащийся; ломкий, хрупкий.
**friar** ['fraɪə] *n* 1) *ист.* монах; 2) *полигр.* белое *или* слабо отпечатавшееся место на странице.
**friar's cap** ['fraɪəzkæp] *n бот.* аконит.
**friary** ['fraɪərɪ] *n* мужской монастырь.
**fribble** ['frɪbl] 1. *n* бездельник;
2. *v* бездельничать.
**fricassee** [ˌfrɪkə'siː] *n* фрикасе.
**fricative** ['frɪkətɪv] *фон.* 1. *a* фрикативный;
2. *n* фрикативный звук.
**friction** ['frɪkʃən] *n* 1) трение; 2) трения; разногласия; 3) растирание; 4) шум трения.
**friction-gear** ['frɪkʃəngɪə] *n тех.* фрикционная передача.
**friction-sound** ['frɪkʃənsaund] *n мед.* шум.
**Friday** ['fraɪdɪ] *n* пятница; Good ~ *церк.* страстная пятница; man ~ верный слуга (*по имени верного слуги в романе «Робинзон Крузо» Дефо*).
**friend** [frend] 1. *n* 1) друг, приятель; to make ~s помириться; to make ~s with smb. подружиться с кем-л.; 2) товарищ, коллега; my honourable ~ мой достопочтённый собрат (*упоминание одним членом парламента другого в своей речи*); my learned ~ мой учёный коллега (*упоминание одним адвокатом другого на суде*); 3) сторонник, доброжелатель; 4) (F.) квакер; Society of Friends секта квакеров; ◇ a ~ in need is a ~ indeed *посл.* друзья познаются в беде;
2. *v поэт.* помогать, быть другом.
**friendless** ['frendlɪs] *a* одинокий, не имеющий друзей.
**friendliness** ['frendlɪnɪs] *n* дружелюбие.
**friendly** ['frendlɪ] 1. *a* 1) дружеский; дружески расположенный; ~ match *спорт.* дружеская встреча; F. Society общество взаимопомощи; 2) дружественный; a ~ nation дружественная страна; 3) сочувствующий, одобряющий (to); 4) благоприятный; 5) (F.) квакерский;
2. *adv* дружественно; дружелюбно.
**friendship** ['frendʃɪp] *n* 1) дружба; 2) дружелюбие.
**frieze** I [friːz] *n текст.* 1) боббрик; грубая ворсистая шерстяная ткань; 2) байка.
**frieze** II [friːz] *n* фриз; бордюр.
**frig** [frɪdʒ] *разг. см.* refrigerator.
**frigate** ['frɪgɪt] *n* 1) *мор.* фрегат; 2) небольшой миноносец (*для конвойной службы*); 3) фрегат (*водоплавающая тропическая птица*).
**frigate-bird** ['frɪgɪt,bəːd] = frigate 3).
**fright** [fraɪt] 1. *n* 1) испуг; to give a person a ~ напугать кого-л.; to have (*или* to get) a ~ напугаться; 2) *разг.* пугало, страшилище;
2. *v поэт.* пугать; тревожить.
**frighten** ['fraɪtn] *v* пугать; □ ~ away спугнуть; ~ into стрáхом запугиванием застáвить сделать что-л.; ~ out of запугиванием заставить отказаться от чего-л.
**frightened** ['fraɪtnd] 1. *p. p. от* frighten;
2. *a* испуганный.

**frightful** ['fraɪtful] *a* 1) страшный, ужасный; 2) *разг.* огромный; безобразный.
**frigid** ['frɪdʒɪd] *a* 1) холодный; ~ zone арктический пояс; 2) холодный, безразличный, натянутый.
**frigidity** [frɪ'dʒɪdɪtɪ] *n* 1) морозность; мерзлота; eternal ~ вечная мерзлота; 2) холодность, безразличие.
**frill** [frɪl] 1. *n* 1) оборочка; сборки; жабо; брыжи; 2) *pl* ненужные украшения; 3) *pl* ужимки; 4) *pl амер. разг.* деликатес; 5) *анат.* брыжейка; ◇ to put on ~s манерничать, важничать; задаваться; to take the ~s out of smb. *sl.* сбивать спесь с кого-л.; Newgate ~ бородка, отпущенная ниже подбородка при сбритых усах и гладко выбритом лице;
2. *v* 1) украшать оборочками; 2) гофрировать, делать складки.
**frillies** ['frɪlɪz] *n pl разг.* гофрированные нижние юбки.
**fringe** [frɪndʒ] 1. *n* 1) бахрома; 2) чёлка; 3) край, кайма; on the ~ of the forest на опушке леса; ◇ Newgate ~ = Newgate frill [*см.* frill 1 ◇];
2. *v* 1) отделывать бахромой; 2) окаймлять.
**frippery** ['frɪpərɪ] *n* 1) мишурные украшения; безделушки; 2) *уст.* хлам; поношенная одежда.
**Frisco** ['frɪskou] *n разг. г.* Сан-Франциско.
**Frisian** ['frɪzɪən] 1. *a* фризский;
2. *n* 1) фриз; 2) фризский язык.
**frisk** [frɪsk] 1. *n* прыжок, скачок;
2. *v* 1) резвиться, прыгать; 2) махать (*веером*); 3) *амер. sl.* обыскивать карманы.
**frisky** ['frɪskɪ] *a* резвый, игривый.
**frit** [frɪt] *n* стеклянная смесь, фритта;
2. *v* спекать, сплавлять.
**frith** [frɪθ] = firth.
**fritter** ['frɪtə] 1. *n* 1) оладья (*часто с яблоками и т. п.*); 2) кусок жареного мяса; 3) отрывок;
2. *v* 1) делить на мелкие части; 2) растрачивать по мелочам (*обыкн.* ~ away).
**frivol** ['frɪvəl] *v* 1) вести праздный образ жизни; 2) бессмысленно растрачивать (*время, деньги и т. п.*).
**frivolity** [frɪ'vɔlɪtɪ] *n* 1) легкомыслие; легкомысленный поступок; 2) фривольность.
**frivolous** ['frɪvələs] *a* 1) пустой, легкомысленный; фривольный; поверхностный; 2) пустячный, незначительный.
**friz** [frɪz] = frizz I.
**frizz** I [frɪz] *n* 1) кудри; 2) вьющиеся волосы; 3) *редк.* парик;
2. *v* 1) завивать; 2) виться.
**frizz** II [frɪz] *v* шипеть (*при жаренье*).
**frizzed** [frɪzd] 1. *p. p. от* frizz I, 2;
2. *a* завитой.
**frizzle** I ['frɪzl] *v* 1) жарить(ся) с шипением; 2) страдать от жары.
**frizzle** II ['frɪzl] 1. *n* 1) завивка (*причёска*); 2) = frizz I, 1, 1);
2. *v* завиваться.
**frizzly** ['frɪzlɪ] = frizzed 2.
**frizzy** ['frɪzɪ] *a* вьющийся.

**fro** [frou] *adv*: to and ~ взад и вперёд; туда́ и сюда́.

**frock** [frɔk] *n* 1) да́мское *или* де́тское пла́тье; 2) ря́са; 3) = frock-coat; 4) тельня́шка.

**frock-coat** ['frɔk'kout] *n* сюрту́к.

**frog** I [frɔg] *n* 1) лягу́шка; 2) стре́лка (*в копы́те ло́шади*); 3) ж.-д. крестови́на (*стре́лки*); 4) эл. стре́лка конта́ктного про́вода; 5) сто́йка-башма́к (*плу́га*); ◇ ~ restaurant *амер. разг.* францу́зский рестора́н.

**frog** II [frɔg] *n* 1) отде́лка на оде́жде из тесьмы́, сутажа́ *и т. п.*; 2) аксельба́нт; 3) пе́тля, крючо́к (*для прикрепле́ния пала́ша, ко́ртика и т. п.*).

**frog-fish** ['frɔgfɪʃ] *n* морско́й чёрт, ля́гва (*ры́ба*).

**froggy** ['frɔgɪ] *a* лягу́шечий.

**frog-in-the-throat** ['frɔgɪnðə'θrout] *n* хрипота́.

**frogling** ['frɔglɪŋ] *n* лягушо́нок.

**frogman** ['frɔgmən] *n* 1) ныря́льщик с аквала́нгом; 2) водола́з.

**frogskin** ['frɔgskɪn] *n амер. sl.* до́лларовая бума́жка.

**frolic** ['frɔlɪk] 1. *n* ша́лость; ре́звость; весе́лье;
2. *a поэт.* весёлый; ре́звый; шаловли́вый;
3. *v* резви́ться, прока́зничать.

**frolicsome** ['frɔlɪksəm] *a* игри́вый, ре́звый.

**from** [frɔm (*по́лная фо́рма*); frəm (*реду́цированная фо́рма*)] '*prep* 1) *указывает на пространственные отношения* от, из, с (*передаётся тж. приставками*); ~ Leningrad из Ленингра́да; where is he coming ~? отку́да он?; we are two hours journey ~ there мы нахо́димся в двух часа́х пути́ отту́да; we were 50 km ~ the town мы бы́ли в 50 км от го́рода; 2) *указывает на отправну́ю то́чку, исхо́дный пункт, преде́л* с, от; ~ the beginning of the book с нача́ла кни́ги; ~ floor to ceiling от по́ла до потолка́; ~ end to end из конца́ в коне́ц; you will find the word in the seventh line ~ the bottom (of the page) вы найдёте э́то сло́во в седьмо́й строке́ сни́зу; ~ ten to twenty thousand от десяти́ до двадцати́ ты́сяч; ~ my point of view с мое́й то́чки зре́ния; 3) *указывает на временны́е отноше́ния* с, от, из; ~ the (very) beginning, ~ the (very) first, ~ the outset с (са́мого) нача́ла; ~ the beginning of the century с нача́ла ве́ка; ~ a child с де́тства; ~ before the war с довое́нного вре́мени; ~ now on с э́тих пор, отны́не; beginning ~ Friday week начина́я с бу́дущей пя́тницы; ~ dusk to dawn от зари́ и до зари́; ~ six a. m. с шести́ часо́в утра́; ~ day to day изо дня́ в день; ~ time to time вре́мя от вре́мени, и́зредка, иногда́; ~ first to last, ~ beginning to end от нача́ла до конца́; 4) *указывает на отня́тие, изъя́тие, вычита́ние, разделе́ние и т. п.* у, из, с, от; take the knife ~ the child отними́те нож у ребёнка; take ten ~ fifteen вы́чтите де́сять из пятна́дцати; to exclude ~ the number исключи́ть из числа́; she parted ~ him at the door она́ рассталась с ним у двере́й;

they withdrew the team ~ the match кома́нда не была́ допу́щена к соревнова́ниям; 5) *указывает на освобожде́ние от обя́занностей, избавле́ние от опа́сности и т. п.* от; to hide ~ smb. спря́таться от кого́-л.; to release ~ duty *воен.* смени́ть на посту́, заступи́ть в наря́д; he was excused ~ digging он был освобождён от тяжёлых земляны́х рабо́т; he was saved ~ ruin он был спасён от разоре́ния; prevent him ~ going there не пуска́йте его́ туда́; 6) *указывает на исто́чник, происхожде́ние* от, из, по; I know it ~ papers я зна́ю э́то из газе́т; to paint ~ nature писа́ть с нату́ры; to speak (to write down) ~ memory говори́ть (запи́сывать) по па́мяти; to judge ~ appearances суди́ть по вне́шности (*или* по вне́шнему ви́ду); ~ the bottom of the heart от чи́стого се́рдца; I heard it ~ his own lips я слы́шал э́то из его́ со́бственных уст; ~ mouth to mouth из уст в уста́; 7) *указывает на причи́ну де́йствия* от, из; to suffer ~ cold страда́ть от хо́лода; he died ~ blood-poisoning он у́мер от заражения кро́ви; to act ~ good motives де́йствовать из до́брых побужде́ний; to be shy ~ nature быть от приро́ды засте́нчивым; they might have done it ~ spite они́, возмо́жно, сде́лали э́то на́зло нам; 8) *указывает на разли́чие* от, из; to tell the real silk ~ its imitation отличи́ть натура́льный шёлк от виско́зы; not to know black ~ white не отлича́ть бе́лого от чёрного; customs differ ~ country to country в ка́ждой стране́ свои́ обы́чаи; to do things differently ~ other people поступа́ть не так, как все; 9) *указывает на измене́ние состоя́ния* из, с, от; ~ being a dull, indifferent boy he now became a vigorous youth из ску́чного, апати́чного ма́льчика он преврати́лся в живо́го энерги́чного ю́ношу; □ ~ above све́рху; ~ away с расстоя́ния, и́здали; afar ~ и́здали; ~ of: ~ of old и́здавна; ~ outside снару́жи; извне́; ~ over the sea из-за мо́ря; ~ under из-под; ~ under the table из-под стола́.

**frond** [frɔnd] *n* 1) ва́йя; ветвь с ли́стьями; 2) лист (*папоротника или пальмы*).

**Fronde** [frɔ̃d] *фр. n ист.* фро́нда.

**front** [frʌnt] 1. *n* 1) фаса́д; пере́дняя сторона́ (*чего́-л.*); to come to the ~ вы́двинуться; in ~ of пе́ред, впереди́; a car stopped in ~ of the house пе́ред до́мом останови́лась маши́на; don't say it in ~ of the children не говори́ об э́том при де́тях; 2) *воен.* фронт; передовы́е пози́ции; 3) фронт, сплочённость (*перед лицо́м врага́*); united ~ еди́ный фронт; popular (*или* the people's) ~ наро́дный фронт; 4) *поэт.* лицо́, лик; чело́; 5) накла́дка из воло́с; 6) накрахма́ленная мани́шка; 7) на́бережная; примо́рский бульва́р; 8) на́глость; to have the ~ быть насто́лько на́глым;
2. *a* 1) пере́дний; ~ door пара́дная дверь, пара́дное; 2) *фон.* переднеязы́чный; ~ vowels гла́сные пере́днего ря́да; ◇ ~ bench министе́рская скамья́ в англи́йском парла́менте *или* скамья́, занима́емая ли́дерами оппози́ции в парла́менте [*ср.* front-bencher];

**3.** *v* 1) выходи́ть на; быть обращённым к; the house ~s on (*или* towards) the sea дом выхо́дит на́ море; 2) противостоя́ть; 3) *воен.* станови́ться во фронт.

**frontage** ['frʌntɪdʒ] *n* 1) пере́дний фаса́д; 2) палиса́дник; уча́сток ме́жду зда́нием и доро́гой; 3) грани́ца земе́льного уча́стка (*по дороге, реке*); 4) *воен.* ширина́ фро́нта, протяже́ние по фро́нту.

**frontal** ['frʌntl] **1.** *a* 1) *анат.* ло́бный; 2) *воен.* лобово́й; 3) *тех.* торцо́вый; **2.** *n стр.* пере́дняя часть.

**front-bencher** ['frʌnt'bentʃə] *n* парл. мини́стр; бы́вший мини́стр *или* руководи́тель оппози́ции.

**frontier** ['frʌntjə] *n* 1) грани́ца; 2) *ист.* грани́ца продвиже́ния поселе́нцев в США; 3) *уст.* форт; 4) *attr.* пограни́чный; ~ town пограни́чный го́род.

**frontispiece** ['frʌntɪspiːs] *n* архит., полигр. фронтиспи́с.

**frontless** ['frʌntlɪs] *a редк.* беззасте́нчивый, бессты́жий.

**frontlet** ['frʌntlɪt] *n* 1) повя́зка на лбу; 2) пятно́ на лбу живо́тного.

**fronton** [,frɔŋ'tɔŋ] *n* архит. фронто́н, щипе́ц.

**front page** ['frʌnt,peɪdʒ] *n* 1) ти́тульный лист; 2) пе́рвая полоса́ в газе́те.

**front-page** ['frʌnt'peɪdʒ] *a* помеща́емый на пе́рвой страни́це (*газеты*); о́чень ва́жный.

**front-pager** ['frʌnt,peɪdʒə] *n* амер. сенсацио́нная информа́ция, ва́жное изве́стие.

**front-rank** ['frʌnt,ræŋk] *a* передово́й.

**frontward** ['frʌntwəd] **1.** *a* выходя́щий на фаса́д; **2.** *adv* лицо́м вперёд.

**frontwards** ['frʌntwədz] = frontward 2.

**frontways, frontwise** ['frʌntweɪz, 'frʌntwaɪz] = frontward 2.

**frost** [frɔst] **1.** *n* 1) моро́з; ten degrees of ~ де́сять гра́дусов моро́за; black ~ моро́з без и́нея; hard ~, sharp ~, biting ~ си́льный моро́з; 2) хо́лодность, суро́вость; 3) *разг.* прова́л (*пьесы, затеи и т. п.*); the play turned out a ~ пье́са провали́лась; dead ~ *разг.* гиблое де́ло; по́лная неуда́ча, фиа́ско; 4) ску́ка (*царящая на концерте, в театре и т. п.*); **2.** *v* 1) побива́ть моро́зом (*растения*); 2) подмора́живать; 3) расхола́живать; 4) покрыва́ть глазу́рью, посыпа́ть са́харной пу́дрой; 5) матирова́ть (*стекло*); 6) подко́вывать на о́стрые шипы́.

**frost-bite** ['frɔstbaɪt] *n* отморо́женное ме́сто.

**frost-bitten** ['frɔst,bɪtn] *a* обморо́женный.

**frost-bound** ['frɔstbaund] *a* ско́ванный моро́зом.

**frost-cleft** ['frɔstkleft] *лес.* **1.** *n* зя́блина, морозобо́ина; **2.** *a* поражённый морозобо́иной; тре́снувший от моро́за.

**frost-crack** ['frɔstkræk] = frost-cleft 1.

**frosted** ['frɔstɪd] **1.** *p. p. от* frost 2; **2.** *a* 1) тро́нутый моро́зом; 2) покры́тый и́неем; 3) ма́товый (*о стекле*); 4) глазиро́ванный (*о торте*).

**frost-hardy** ['frɔst,haːdɪ] *a* морозосто́йкий (*о растениях*).

**frost-hole** ['frɔsthoul] = frost-cleft 1.

**frostily** ['frɔstɪlɪ] *adv преим. перен.* хо́лодно.

**frost-work** ['frɔstwəːk] *n* 1) ледяно́й узо́р (*на стекле*); 2) то́нкие узо́ры на серебре́ *или* о́лове.

**frosty** ['frɔstɪ] *a* 1) моро́зный; ~ trees дере́вья, покры́тые и́неем; 2) *перен.* холо́дный, ледяно́й; 3) седо́й.

**froth** [frɔθ] **1.** *n* 1) пе́на; 2) вздо́рные мы́сли, пусты́е слова́, болтовня́; **2.** *v* 1) пе́ниться; кипе́ть; 2) сбива́ть в пе́ну; 3) пустосло́вить.

**froth-blower** ['frɔθ,blouə] *n шутл.* завсегда́тай пивны́х.

**frothy** ['frɔθɪ] *a* 1) пе́нистый; 2) *перен.* пусто́й.

**frounce** [frauns] *v* 1) завива́ть; 2) де́лать сбо́рки, скла́дки; 3) *уст.* хму́риться.

**froward** ['frouəd] *a уст.* поступа́ющий напереко́р; капри́зный; упря́мый; непослу́шный.

**frown** [fraun] **1.** *n* сдви́нутые бро́ви; хму́рый взгляд; выраже́ние неодобре́ния; **2.** *v* хму́рить бро́ви; смотре́ть неодобри́тельно (at, on, upon — на); насу́питься.

**frowst I** [fraust] *n разг.* спёртый, за́тхлый во́здух (*в комнате*).

**frowst II** [fraust] *v* 1) сиде́ть развали́сь; 2) безде́льничать.

**frowsy, frowzy** ['frauzɪ] *a* 1) за́тхлый, спёртый; 2) неря́шливый, нечёсаный, гря́зный.

**froze** ['frouz] *past от* freeze.

**frozen** ['frouzn] **1.** *p. p. от* freeze; **2.** *a* 1) замёрзший; заморо́женный; студёный; 2) *перен.* холо́дный, кра́йне сде́ржанный.

**fructiferous** [frʌk'tɪfərəs] *a* плодонося́щий.

**fructification** [,frʌktɪfɪ'keɪʃən] *n бот.* оплодотворе́ние.

**fructify** ['frʌktɪfaɪ] *v* 1) *бот.* оплодотворя́ть; 2) приноси́ть плоды́ (*тж. перен.*).

**fructose** ['frʌktous] *n* фрукто́за.

**frugal** ['fruːgəl] *a* 1) бережли́вый, эконо́мный; 2) уме́ренный, скро́мный; a ~ supper ску́дный у́жин.

**frugality** [fru'gælɪtɪ] *n* 1) бережли́вость; 2) уме́ренность.

**fruit** [fruːt] **1.** *n* 1) плод; they grow here different ~s здесь выра́щивают ра́зные фру́кты; 2) *собир.* фру́кты; to grow ~ разводи́ть плодо́вые расте́ния; small ~ я́годы; 3) (*преим. pl*) плоды́, результа́ты; 4) *attr.* фрукто́вый; **2.** *v* плодоноси́ть.

**fruitage** ['fruːtɪdʒ] *n* 1) плодоноше́ние; 2) *поэт.* плоды́.

**fruitarian** [fru'tɛərɪən] *n* челове́к, пита́ющийся то́лько фру́ктами.

**fruiter** ['fruːtə] *n* 1) плодо́вое де́рево; 2) су́дно, гружённое фру́ктами; 3) садово́д.

**fruiterer** ['fruːtərə] *n* торго́вец фру́ктами.

**fruitful** ['fruːtful] *a* 1) плодови́тый; плодоро́дный; 2) плодотво́рный.

**fruit-grower** ['fruːt,grouə] *n* плодово́д.

**fruitgrowing** ['fru:t,grouɪŋ] *n* плодоводство.

**fruition** [fru:'ɪʃən] *n* 1) пользование какими-л. благами; 2) осуществление (*надежд и т. п.*).

**fruit-knife** ['fru:tnaɪf] *n* нож для фруктов.

**fruitless** ['fru:tlɪs] *a* 1) бесплодный; 2) бесполезный.

**fruit-piece** ['fru:tpi:s] *n* натюрморт с фруктами.

**fruit salad** ['fru:t,sæləd] *n* сладкое блюдо из фруктов.

**fruit-sugar** ['fru:t,ʃugə] *n* фруктоза.

**fruit-tree** ['fru:t,tri:] *n* плодовое дерево.

**fruity** ['fru:tɪ] *a* 1) похожий на фрукты (*по вкусу, запаху и т. п.*); 2) сохраняющий аромат винограда (*о вине*); ◇ a ~ voice мелодичный голос.

**frumenty** ['fru:mentɪ] *n* сладкая пшеничная каша на молоке, приправленная корицей.

**frump** [frʌmp] *n* 1) старомодно и плохо одетая женщина; 2) *разг.* сварливая женщина, старая карга.

**frumpish** ['frʌmpɪʃ] *a* 1) старомодно одетый; 2) *уст.* сварливый.

**frusta** ['frʌstə] *pl om* frustum.

**frustrate** [frʌs'treɪt] *v* расстраивать, срывать (*планы*); делать тщетным.

**frustration** [frʌs'treɪʃən] *n* расстройство (*планов*); крушение (*надежд*).

**frustum** ['frʌstəm] *n* (*pl* -ta, -tums [-təmz]) *геом.* 1) телесный угол; 2) усечённая пирамида; усечённый конус.

**frutescent** [fru:'tesnt] *a* кустарниковый.

**fry I** [fraɪ] *n* мальга, мелкая рыбёшка; мальки; small ~ *пренебр.*, *шутл.* мелкота, мелюзга; мелкая сошка.

**fry II** [fraɪ] 1. *n* жареное мясо; жареное (кушанье); жаркое;
2. *v* жарить(ся).

**frying-pan** ['fraɪŋpæn] *n* сковорода; ◇ out of the ~ into the fire ≅ из огня да в полымя.

**fubsy** ['fʌbzɪ] *a* 1) полный, толстый; 2) приземистый.

**fuddle** ['fʌdl] 1. *n* 1) опьянение; 2) попойка;
2. *v* 1) напоить допьяна; 2) напиваться; 3) одурманивать.

**fudge** [fʌdʒ] 1. *n* 1) выдумка; «стряпня»; 2) помадка; 3) известия, помещаемые в газете в последнюю минуту;
2. *v* делать кое-как, недобросовестно; «стряпать»;
3. *int* чепуха!, вздор!

**Fuehrer** ['fjurə] *нем. n* фюрер.

**fuel** [fjuəl] 1. *n* топливо, горючее; ◇ to add ~ to the flame (*или* to the fire) ≅ подливать масла в огонь;
2. *v* 1) снабжать топливом; 2) запасаться топливом; 3) заправлять(ся) горючим; 4) *ж.-д.* экипировать.

**fuel pump** ['fjuəlpʌmp] *n* насос для подачи горючего, бензопомпа.

**fuel station** ['fjuəl,steɪʃən] *n ж.-д.* станция забора топлива.

**fug** [fʌg] 1. *n* 1) духота, спёртый воздух; 2) *сор.* пыль (*особ. в углу комнаты*);

2. *v* 1) сидеть в духоте; 2) вести сидячий образ жизни.

**fugacious** [fju:'geɪʃəs] *a* мимолётный; летучий.

**fugacity** [fju:'gæsɪtɪ] *n* мимолётность; летучесть.

**fuggy** ['fʌgɪ] *a* 1) душный; 2) склонный к домоседству.

**fugitive** ['fju:dʒɪtɪv] 1. *n* 1) беглец; 2) беженец; 3) дезертир;
2. *a* 1) беглый; 2) мимолётный, непрочный; 3): ~ verse стихотворение, сочинённое по какому-л. случаю.

**fugle** ['fju:gl] *v* руководить; служить образцом.

**fugleman** ['fju:glmæn] *n* 1) вожак, оратор; 2) *воен. уст.* флигельман, фланговый солдат.

**fugue** [fju:g] *n муз.* фуга.

**fulcra** ['fʌlkrə] *pl om* fulcrum.

**fulcrum** ['fʌlkrəm] 1. *n* (*pl* -ra) 1) *физ.* точка опоры; точка вращения; точка приложения силы; 2) средство достижения цели; 3) *тех.* ось шарнира; центр шарнира;
2. *a* поворотный.

**fulfil(l)** [ful'fɪl] *v* 1) выполнять; исполнять, осуществлять; to ~ the quota (*или* the norm) выполнять норму; 2) завершать.

**fulfil(l)ment** [ful'fɪlmənt] *n* 1) выполнение; исполнение, осуществление; 2) завершение.

**fulgent** ['fʌldʒənt] *a поэт.* блистающий, сияющий.

**fulgurate** ['fʌlgjuəreɪt] *v* сверкнуть молнией.

**fulgurite** ['fʌlgəraɪt] *n геол.* фульгурит.

**fuliginous** [fju:'lɪdʒɪnəs] *a* закопчённый, покрытый сажей.

**full I** [ful] 1. *a* 1) полный; целый; a ~ audience полная аудитория, полный зрительный зал; ~ to overflowing, ~ to the brim полный до краёв; a ~ hour целый час; ~ load полная нагрузка; at ~ length а) во всю длину; б) полностью; без сокращений; 2) поглощённый; he is ~ of his own affairs он всецело занят своими делами; 3) обильный; a ~ meal сытная еда; 4) *разг.* сытый; пьяный; to eat till one is ~ есть до отвала, до полного насыщения; 5) изобилующий, богатый (*чем-л.*); 6) широкий, свободный (*о платье*); 7) полный, дородный; 8) достигший высшей степени, высшей точки; in ~ vigour в расцвете сил; ~ tide высокая вода; ◇ ~ brother (sister) родной брат (родная сестра); ~ powers полномочия; to be on ~ time быть занятым полную рабочую неделю; ~ up *predic. разг.* битком набитый; ~ house все билеты проданы; аншлаг; ~ moon полнолуние; of ~ age совершеннолетний; in ~ swing, in ~ blast в полном разгаре;
2. *n*: in ~ полностью; to the ~ в полной мере;
3. *adv* 1) *поэт.* вполне; 2) как раз; the ball hit him ~ on the nose мяч попал ему прямо в нос; 3) очень; ~ well (очень) хорошо;
4. *v* кроить широко (*платье*); шить в сборку, в складку.

**full** II [ful] v текст. валя́ть (сукно).

**full-back** ['fulbæk] n защи́тник (в футбо́ле).

**full-blooded** ['ful'blʌdɪd] a 1) чистокро́вный; 2) полнокро́вный; 3) си́льный.

**full-blown** ['ful'bloun] a вполне́ распусти́вшийся (о цветке).

**full-bodied** ['ful'bɔdɪd] a по́лный; скло́нный к полноте́.

**full-bottomed** ['ful'bɔtəmd] a 1) мор.: ~ су́дно с по́лными обво́дами подво́дной ча́сти; 2): ~ wigало́нжевый пари́к.

**full dress** ['ful'dres] n по́лная фо́рма, пара́дная фо́рма.

**full-dress** ['ful'dres] a:~ debate парл. пре́ния по ва́жному вопро́су; ~ rehearsal генера́льная репети́ция.

**fuller** I ['fulə] n валя́льщик, сукнова́л.

**fuller** II ['fulə] тех. 1. n молото́к для вы́делки желобо́в; гла́дилка;

2. v 1) выде́лывать желоба́; 2) чека́нить, зачека́нивать кро́мку.

**full-faced** ['ful'feɪst] a 1) с по́лным лицо́м, полноли́цый; 2) повёрнутый анфа́с.

**full-fashioned** ['ful'fæʃənd] a текст. фасо́нный; ~ stockings чулки́ со швом.

**full-fed** ['ful'fed] a 1) раскор́мленный, жи́рный; 2) нако́рмленный.

**full-fledged** ['ful'fledʒd] a 1) вполне́ опери́вшийся; 2) зако́нченный, разви́вшийся.

**fulling-mill** ['fulɪŋ,mɪl] n текст. сукнова́льная маши́на.

**full-length** ['ful'leŋθ] a, adv во всю длину́, во весь рост (часто о портре́те).

**full-mouthed** ['ful'mauðd] a 1) гро́мкий; 2) с по́лностью сохрани́вшимися зуба́ми (о скоте́).

**fullness** ['fulnɪs] n полнота́, оби́лие, сы́тость и пр. [см. full I, 1]; a ~ under the eyes мешки́ под глаза́ми; to write with great ~ писа́ть о́чень подро́бно; in the ~ of time в надлежа́щее вре́мя.

**full-pelt** ['fulpelt] adv по́лным хо́дом; на по́лном ходу́.

**full stop** ['fulstɔp] n то́чка.

**full-timer** ['ful,taɪmə] n 1) рабо́чий, за́нятый по́лную рабо́чую неде́лю; 2) шко́льник, посеща́ющий все заня́тия.

**fully** ['fulɪ] adv вполне́, соверше́нно, по́лностью; ~ justified вполне́ опра́вданный; to eat ~ есть до́сыта.

**fulmar** ['fulmə] n глупы́ш (пти́ца).

**fulminant** ['fʌlmɪnənt] a 1) молниено́сный; 2) мед. скороте́чный.

**fulminate** ['fʌlmɪneɪt] 1. v 1) сверка́ть; 2) греме́ть; 3) уст. взрыва́ть(ся); 4) выступа́ть с осужде́нием (чьих-л. де́йствий и т. п.); громи́ть (against);

2. n: ~ of mercury грему́чая ртуть.

**fulminatory** ['fʌlmɪnətərɪ] a 1) гремя́щий; 2) громя́щий.

**fulness** ['fulnɪs] = fullness.

**fulsome** ['fulsəm] a 1) нейскренний; ~ flattery гру́бая лесть; 2) уст. оби́льный; 3) уст. отврати́тельный.

**fulvous** ['fʌlvəs] a краснова́то-жёлтый, бу́рый.

**fumade** [fjuː'meɪd] n копчёная сарди́нка, копчу́шка.

**fumble** ['fʌmbl] v 1) нащу́пывать (for, after); 2) неуме́ло обраща́ться (с чем-л.); 3) верте́ть, мять в рука́х; 4) тяну́ть, мя́млить.

**fume** [fjuːm] 1. n 1) дым; 2) ко́поть; 3) испаре́ние; пар(ы́); 4) дым или пар с си́льным за́пахом; 5) си́льный за́пах; 6) возбужде́ние; при́ступ гне́ва; in a ~ в припа́дке раздраже́ния;

2. v 1) оку́ривать; копти́ть; 2) воскуря́ть (благово́ния); 3) мори́ть (дуб); 4) дыми́ть; испаря́ться (обыкн. ~ away); 5) шутл. кури́ть; 6) волнова́ться; раздража́ться; кипе́ть от зло́сти.

**fumigate** ['fjuːmɪgeɪt] v 1) оку́ривать; 2) кури́ть (благово́ния).

**fumigation** [,fjuːmɪ'geɪʃən] n 1) оку́ривание; 2) дезинфе́кция.

**fumitory** ['fjuːmɪtərɪ] n бот. дымя́нка (апте́чная).

**fumy** ['fjuːmɪ] a ды́мный; по́лный испаре́ний.

**fun** [fʌn] 1. n шу́тка; весе́лье; заба́ва; figure of ~ смешна́я фигу́ра; he is great ~ он о́чень заба́вен; I did it for (или in) ~ я сде́лал э́то то́лько ра́ди; to make ~ of smb. высме́ивать кого́-л.; what ~! как смешно́!;

2. v редк. шути́ть (обыкн. to be ~ning).

**funambulist** [fjuː'næmbjulɪst] n канатохо́дец.

**function** ['fʌŋkʃən] 1. n 1) фу́нкция, назначе́ние; 2) отправле́ние (органи́зма); 3) должностны́е обя́занности; 4) торжество́; торже́ственное собра́ние; 5) ве́чер, приём (часто public ~, social ~); 6) мат. фу́нкция;

2. v функциони́ровать, де́йствовать; исполня́ть назначе́ние.

**functional** ['fʌŋkʃənl] a функциона́льный (тж. физиол. и мат.).

**functionary** ['fʌŋkʃnərɪ] 1. n должностно́е лицо́; чино́вник;

2. a 1) официа́льный; 2) физиол., мед. функциона́льный.

**functionate** ['fʌŋkʃəneɪt] v де́йствовать; функциони́ровать; отправля́ть фу́нкции.

**fund** [fʌnd] 1. n 1) запа́с; a ~ of knowledge кла́дезь зна́ний; 2) фонд; капита́л; 3) pl де́нежные сре́дства; to be in ~s быть при деньга́х; 4) (the ~s) pl госуда́рственные проце́нтные бума́ги; to have money in the ~s держа́ть де́ньги в госуда́рственных бума́гах;

2. v 1) консолиди́ровать; 2) вкла́дывать капита́л в це́нные бума́ги; 3) редк. де́лать запа́с.

**fundament** ['fʌndəmənt] n зад, я́годицы.

**fundamental** [,fʌndə'mentl] 1. a основно́й; коренно́й; суще́ственный; the ~ rules основны́е пра́вила; ~ frequency физ. основна́я частота́, со́бственная частота́;

2. n 1) основно́е пра́вило; при́нцип; 2) pl осно́вы.

**funded** ['fʌndɪd] 1. p. p. от fund 2;

2. a фунди́рованный; помещённый в госуда́рственные бума́ги; ~ debt консолиди́рованный долг.

**funeral** ['fjuːnərəl] 1. n 1) по́хороны; похоро́нная проце́ссия; 2) амер. заупоко́й-

ная слу́жба; 3) *разг.* неприя́тное де́ло; ◇ it is not my ~ *разг.* меня́ э́то не каса́ется; э́то не моё де́ло; it's your ~ э́то де́ло ва́ше;
   2. *a* похоро́нный; ~ urn у́рна для пра́ха; ~ home *амер.* помеще́ние, снима́емое для гражда́нской панихи́ды.

**funereal** [fjuː'nɪərɪəl] *a* похоро́нный; мра́чный, тра́урный.

**fungi** ['fʌŋgaɪ] *pl* от fungus.

**fungous** ['fʌŋgəs] *a* гу́бчатый, ноздрева́тый.

**fungus** ['fʌŋgəs] *n (pl* -gi, -guses [-gəsɪz]) 1) гриб; пога́нка; пле́сень; древе́сная гу́бка; 2) *мед.* ди́кое мя́со.

**funicular** [fjuː'nɪkjulə] 1. *a* кана́тный; 2. *n* фуникулёр *(тж.* ~ railway).

**funk** [fʌŋk] *разг.* 1. *n* 1) испу́г, страх; to be in a ~ тру́сить; 2) трус;
   2. *v* 1) тру́сить, боя́ться; 2) уклоня́ться *(от чего-л.).*

**funk-hole** ['fʌŋkhoul] *n воен. sl.* 1) ни́ша; блинда́ж; 2) укры́тие, убе́жище; 3) предло́г для уклоне́ния от вое́нной слу́жбы.

**funky** ['fʌŋkɪ] *a разг.* трусли́вый, напу́ганный.

**funnel** ['fʌnl] *n* 1) дымова́я труба́, дымохо́д; 2) воро́нка; 3) *тех.* ли́тник.

**funny** I ['fʌnɪ] 1. *a* 1) заба́вный, смешно́й; смехотво́рный; поте́шный; 2) стра́нный; ~ business стра́нное, не совсе́м чи́стое де́ло; to feel ~ пло́хо себя́ чу́вствовать;
   2. *n pl амер.* разг. страни́чка ю́мора в газе́те.

**funny** II ['fʌnɪ] *n* двухвесе́льная ло́дка, я́лик.

**funny-bone** ['fʌnɪboun] *n анат.* вну́тренний мы́щелок плечево́й кости.

**funny-man** ['fʌnɪmæn] *n* заба́вник.

**funster** ['fʌnstə] *n амер.* шутни́к.

**fur** [fəː] 1. *n* 1) мех; 2) шерсть; шку́ра; 3) *pl* пушни́на; 4) *собир.* пушно́й зверь; ~ and feather пушно́й зверь и дичь; 5) *(обыкн. pl)* мехо́вы́е изде́лия; 6) налёт *(на языке́ больно́го);* на́кипь *(в котле́);* оса́док *(в ви́нных бо́чках);* 7) *attr.* мехово́й; ~ coat (мехова́я) шу́ба; ◇ to make the ~ fly подня́ть бу́чу, зате́ять ссо́ру;
   2. *v* 1) подбива́ть *или* отде́лывать ме́хом; 2) счища́ть на́кипь *(в котле́);* 3) *стр.* обшива́ть ре́йками, дра́нью *или* до́сками.

**furbelow** ['fəːbɪlou] *n* 1) обо́рка; фалбала́; 2) *pl презр.* тря́пки; безвку́сные украше́ния.

**furbish** ['fəːbɪʃ] *v* полирова́ть, чи́стить;
□ ~ up подновля́ть, ремонти́ровать.

**furcate** ['fəːkeɪt] 1. *a* раздво́енный, разветвлённый;
   2. *v* раздва́иваться.

**furcation** [fəː'keɪʃən] *n* раздвое́ние, разветвле́ние.

**furfur** ['fəːfə] *n (pl* -res) пе́рхоть.

**furfures** ['fəːfjuriːz] *pl* от furfur.

**furiosity** [,fjuərɪ'ɔsɪtɪ] *n* бе́шенство; я́рость.

**furious** ['fjuərɪəs] *a* взбешённый, нейсто́вый; he was ~ он был в я́рости.

**furl** [fəːl] 1. *n* 1) свёртывание; 2) что-л. свёрнутое;

   2. *v* 1) свёртывать; убира́ть *(паруса́);* 2) скла́дывать *(ве́ер, зонт).*

**furlong** ['fəːlɔŋ] *n* восьма́я часть ми́ли *(=201 м).*

**furlough** ['fəːlou] 1. *n* о́тпуск;
   2. *v* увольня́ть в о́тпуск *(преим. о солда́тах).*

**furmety** ['fəːmətɪ] = frumenty.

**furnace** ['fəːnɪs] *n* 1) горн; оча́г; печь; 2) то́пка.

**furnace-bar** ['fəːnɪsbɑː] *n* колосни́к.

**furnace-charge** ['fəːnɪstʃɑːdʒ] *n* загру́зка пе́чи.

**furnish** ['fəːnɪʃ] *v* 1) снабжа́ть (with); предоставля́ть, доставля́ть; *воен.* выставля́ть часовы́х; 2) представля́ть; to ~ benefits (explanations) представля́ть вы́годы (объясне́ния).

**furnished** ['fəːnɪʃt] 1. *p. p.* от furnish;
   2. *a* меблиро́ванный; ~ rooms меблиро́ванные ко́мнаты; ~ house дом с ме́белью, с обстано́вкой.

**furnisher** ['fəːnɪʃə] *n* поставщи́к *(особ.* ме́бели).

**furnishings** ['fəːnɪʃɪŋz] *n pl* 1) обстано́вка, меблиро́вка; 2) обору́дование; 3) украше́ния; 4) дома́шние принадле́жности.

**furniture** ['fəːnɪʃə] *n* 1) ме́бель; обстано́вка; 2) весь инвента́рь *(до́ма);* обору́дование *(корабля́, автомоби́ля и т. п.)* 3) содержи́мое; ~ of one's mind зна́ния; 4) *уст.* сбру́я; 5) *полигр.* пробе́льный материа́л.

**furore** [fjuə'rɔːrɪ] *ит.* *n* фуро́р.

**furred** [fəːd] 1. *p. p.* от fur 2;
   2. *a* 1) отде́ланный ме́хом; 2) *мед.* обло́женный *(о языке́);* 3) *тех.* покры́тый на́кипью *(о котле́).*

**furrier** ['fʌrɪə] *n* меховщи́к; скорня́к.

**furriery** ['fʌrɪərɪ] *n* 1) мехово́е де́ло; мехова́я торго́вля; 2) *собир.* меха́.

**furrow** ['fʌrou] 1. *n* 1) борозда́; колея́; 2) жёлоб; 3) глубо́кая морщи́на; 4) *поэт.* па́хотная земля́; 5) *тех.* винтова́я наре́зка; паз; фальц;
   2. *v* 1) борозди́ть; 2) паха́ть; 3) покрыва́ть морщи́нами.

**furry** ['fəːrɪ] *a* мехово́й; подби́тый ме́хом.

**fur-seal** ['fəːsiːl] *n зоол.* морско́й ко́тик.

**further** I ['fəːðə] 1. *a* 1) *(сравнит. ст. от* far 1) бо́лее отдалённый; 2) дальне́йший; доба́вочный; to obtain ~ information получи́ть дополни́тельные све́дения; till ~ notice впредь до дальне́йшего уведомле́ния;
   2. *adv* 1) *сравнит. ст. от* far 2; 2) да́льше; да́лее; 3) зате́м; кро́ме того́; to inquire ~ расспроси́ть подро́бнее; let me ~ tell you разреши́те мне доба́вить.

**further** II ['fəːðə] *v* продвига́ть; соде́йствовать, спосо́бствовать; to ~ hopes подде́рживать наде́жды.

**furtherance** ['fəːðərəns] *n* продвиже́ние; по́мощь.

**furthermore** ['fəːðə'mɔː] *adv* к тому́ же, кро́ме того́.

**furthermost** ['fəːðəmoust] = farthermost.

**furthest** ['fəːðɪst] = farthest.

**furtive** ['fəːtɪv] *a* скры́тый, та́йный; ~ footsteps кра́дущиеся шаги́; to cast a ~ glance посмотре́ть укра́дкой.

**furtively** ['fəːtɪvlɪ] *adv* укра́дкой, кра́дучись.

**furuncle** ['fjuərʌŋkl] *n* фуру́нкул, чи́рей.

**fury** ['fjuərɪ] *n* 1) неи́стовство; бе́шенство, я́рость; 2) (F.) *миф.* фу́рия; *перен. тж.* сварли́вая же́нщина.

**furze** [fəːz] *n бот.* дрок.

**fuscous** ['fʌskəs] *a* темноцве́тный.

**fuse** I [fjuːz] **1.** *n* 1) пла́вка; 2) *эл.* пла́вкий предохрани́тель, про́бка;
2. *v* 1) пла́вить(ся), сплавля́ть(ся); 2) растворя́ть(ся).

**fuse** II [fjuːz] **1.** *n* 1) запа́л, затра́вка; бикфо́рдов шнур; фити́ль; 2) *арт.* заря́дная тру́бка; взрыва́тель;
2. *v арт.* вставля́ть (*или* ввинчивать) взрыва́тель *или* тру́бку.

**fusee** [fjuː'ziː] *n* 1) *ист.* фузе́я, кремнёвое ружьё; 2) навойка (*в часовом механизме*); 3) запа́л; 4) не га́снущая на ветру́ спи́чка; 5) *ж.-д.* сигна́льный фальшфе́йер.

**fuselage** ['fjuːzɪlɑːʒ] *n ав.* фюзеля́ж.

**fusel oil** ['fjuːzl'ɔɪl] *n* сиву́шное ма́сло.

**fusibility** [,fjuːzə'bɪlɪtɪ] *n* пла́вкость.

**fusible** ['fjuːzəbl] *a* пла́вкий.

**fusiform** ['fjuːzɪfɔːm] *a* веретенообра́зный.

**fusil** ['fjuːzɪl] *n ист.* фузе́я, лёгкий мушке́т.

**fusillade** [,fjuːzɪ'leɪd] **1.** *n* 1) стрельба́; 2) расстре́л;
2. *v* 1) обстре́ливать; 2) расстре́ливать.

**fusion** ['fjuːʒən] *n* 1) пла́вка; расплавле́ние; 2) распла́вленная ма́сса, сплав; 3) слия́ние.

**fusionist** ['fjuːʒənɪst] *n* сторо́нник слия́ния.

**fuss** [fʌs] **1.** *n* 1) не́рвное, возбуждённое состоя́ние; 2) суета́, беспоко́йство из-за пустяко́в; to make a ~ волнова́ться, раздражённо жа́ловаться; суети́ться; to make a ~ of smb. суетли́во, шу́мно забо́титься о ком-л.; to make a ~ of smth. поднима́ть шум вокру́г чего́-л.; привлека́ть к чему́-л. внима́ние; 3) суетли́вый челове́к, волну́ющийся из-за вся́ких пустяко́в;
2. *v* 1) суети́ться, волнова́ться из-за пустяко́в (*часто* ~ about); пристава́ть, надоеда́ть с пустяка́ми; 2) *амер. разг.* ссо́риться; объясня́ться; □ ~ up *амер.* наряжа́ться; ◇ to have one's feathers ~ed дать себя́ раздразни́ть; взволнова́ться.

**fussy** ['fʌsɪ] *a* суетли́вый; не́рвный.

**fust** [fʌst] *n архит.* сте́ржень коло́нны *или* пиля́стра.

**fustian** ['fʌstɪən] **1.** *n* 1) напы́щенные ре́чи; напы́щенный стиль; 2) *уст.* бумазе́я;
2. *a* наду́тый, напы́щенный.

**fustic** ['fʌstɪk] *n* фу́стик (*красильное растение*).

**fustigate** ['fʌstɪgeɪt] *v шутл.* колоти́ть па́лкой.

**fusty** ['fʌstɪ] *a* 1) за́тхлый, спёртый; 2) устаре́вший, старомо́дный.

**futhorc** ['fuːθɔːk] *n* руни́ческий алфави́т (*по названиям первых шести букв*).

**futile** ['fjuːtaɪl] *a* 1) бесполе́зный, тще́тный; 2) несерьёзный, пусто́й, пове́рхностный.

**futility** [fjuː'tɪlɪtɪ] *n* тще́тность *и пр.* [*см.* futile].

**future** ['fjuːtʃə] **1.** *n* 1) бу́дущее (вре́мя); for the ~, in ~ в бу́дущем, впредь; 2) бу́дущность; 3) *pl ком.* това́ры, закупа́емые заблаговре́менно;
2. *a* бу́дущий; ~ tense *грам.* бу́дущее вре́мя.

**futurism** ['fjuːtʃərɪzəm] *n* футури́зм.

**futurist** ['fjuːtʃərɪst] *n* футури́ст.

**futurity** [fjuː'tjuərɪtɪ] *n* 1) бу́дущее, бу́дущность; 2) *pl* собы́тия бу́дущего; 3) *рел.* загро́бная жизнь.

**fuze** [fjuːz] = fuse II.

**fuzz** [fʌz] **1.** *n* 1) пух, пуши́нка; 2) *с.-х.* волоски́; боро́дка (*зерна*);
2. *v* 1) покрыва́ть сло́ем мельча́йших пуши́нок; 2) разлета́ться (*о пухе*).

**fuzzily** ['fʌzɪlɪ] *adv* нея́сно, сму́тно, как в тума́не.

**fuzzy** ['fʌzɪ] *a* 1) пуши́стый; 2) запушённый; 3) нея́сный, неопределённый.

**fyke** [faɪk] *n амер.* рыболо́вная сеть.

**fylfot** ['fɪlfɔt] *n* сва́стика.

# G

**G, g** [dʒiː] *n* (*pl* Gs, G's [dʒiːz]) 1) 7-я бу́ква англ. алфави́та; 2) *муз.* соль.

**gab** I [gæb] *разг.* **1.** *n* 1) болтовня́; he has the gift of the ~ у него́ язы́к хорошо́ подве́шен; stop your ~! замолчи́те!; 2) болтли́вость, разгово́рчивость;
2. *v* болта́ть, трепа́ть языко́м.

**gab** II [gæb] *n* 1) зару́бка; 2) *тех.* крюк; ви́лка; 3) *тех.* вы́лет, вы́нос; отве́рстие.

**gabardine** ['gæbədiːn] = gaberdine.

**gabarit** [,gɑːbɑː'riː] *n тех., стр.* габари́т; преде́льное очерта́ние, пролёт в свету́; про́филь.

**gabber** ['gæbə] *n* болту́н, пустозво́н.

**gabble** ['gæbl] **1.** *n* бормота́ние, бессвя́зная речь;
2. *v* 1) говори́ть нея́сно и бы́стро, бормота́ть; 2) гогота́ть (*о гусях*).

**gabbler** ['gæblə] *n* бормоту́н; болту́н.

**gabby** ['gæbɪ] *a разг.* разгово́рчивый; словоохо́тливый.

**gaberdine** ['gæbədiːn] *n* 1) *уст.* длиннопо́лый кафта́н из гру́бого сукна́; 2) *текст.* габарди́н.

**gabion** ['geɪbjən] *n* 1) *гидр.* габио́н; 2) *воен. ист.* тур.

**gabionade** [,geɪbjə'neɪd] *n* 1) *гидр.* ли́ния, ряд габио́нов; 2) *воен. ист.* тра́верс из ту́ров.

**gable** ['geɪbl]ǀ *n* 1) *архит.* фронтон, щипец; 2) конёк крыши; 3) *тех.* подпорка; 4) *attr.*: ~ roof двускатная крыша, щипцовая крыша; ~ window слуховое окно.

**gabled** ['geɪbld] *a* остроконечный (*о крыше*).

**Gabriel** ['geɪbrɪəl] *библ.* Гаврийл.

**gaby** ['geɪbɪ] *n* простак, дурачок.

**gad** I [gæd] *int* ну?, да! (*выражает изумление, категорическое утверждение*).

**gad** II [gæd] *v* 1) шляться, шататься (*обыкн.* ~ about, ~ abroad); 2) ползти (*о растениях*).

**gad** III [gæd] *n* 1) остриё, острый шип; 2) *ист.* копьё; 3) = goad 1, 1); 4) *тех.* зубило; клин (*для отбивки угля*).

**gadabout** ['gædəbaut] *n* бродяга, праздношатающийся.

**gadder** ['gædə] *n* 1) бродяга; 2) *горн.* сверлильная машина, перфоратор.

**gad-fly** ['gædflaɪ] *n* овод, слепень.

**gadget** ['gædʒɪt] *n разг.* 1) приспособление, принадлёжность (*преим. техническая новинка*); 2) безделушка; 3) *пренебр.* ерунда.

**gadoid** ['geɪdɔɪd] 1. *n* рыба из породы тресковых;
2. *a* из породы тресковых.

**gadolinium** [,gædə'lɪnɪəm] *n хим.* гадолиний.

**Gael** [geɪl] *n* шотландский (*реже* ирландский) кельт, гэл.

**Gaelic** ['geɪlɪk] 1. *a* гэльский;
2. *n* гэльский язык (*особ. язык шотландских кельтов*).

**gaff** I [gæf] 1. *n* 1) род остроги; 2) *мор.* гафель; ◇ to stand the ~ *амер. разг.* проявить выносливость; без жалоб выносить трудности; to give smb. the ~ сурово обращаться с кем-л.; подвергать кого-л. жестокой критике;
2. *v* багрить (*рыбу*).

**gaff** II [gæf] *n sl.* дешёвый театр, мюзик-холл (*обыкн.* penny ~).

**gaffe** [gæf] *n* оплошность, ошибка, ложный шаг.

**gaffer** ['gæfə] *n* 1) *разг.* старик; дедушка (*обращение*); 2) десятник; 3) *ирл.* мальчик.

**gag** [gæg] 1. *n* 1) затычка, кляп; 2) *парл.* прекращение прений; 3) *театр.* отсебятина; вставной комический номер; шутка, острота; импровизация; 4) *sl.* обман; мистификация; 5) *мед.* роторасширитель; 6) *тех.* пробка, заглушка.
2. *v* 1) вставлять кляп, затыкать рот; 2) заставить замолчать; не давать говорить; 3) *театр.* вставлять отсебятину; 4) *sl.* обманывать, мистифицировать; 5) *мед.* применять роторасширитель; 6) *тех.* править молотом.

**gaga** ['gægɑ] *a sl.* 1) бесполезный; 2) глупый, бессмысленный; to go ~ поглупеть; впасть в слабоумие.

**gage** I [geɪdʒ] 1. *n* 1) залог; in ~ of smth. в залог чего-л.; to give on ~ отдавать в залог; 2) вызов (*на поединок*); to throw down a ~ бросить вызов, «перчатку»;
2. *v* 1) ручаться; давать в качестве залога; 2) *уст.* биться об заклад.

**gage** II [geɪdʒ] *амер.* = gauge.

**gaggle** ['gægl] 1. *n* гоготанье (*гусей*);
2. *v* гоготать.

**gag-man** ['gægmən] *n* сочинитель острот, шуток, реплик для эстрады, радио *и т. п.*

**gaiety** ['geɪətɪ] *n* 1) весёлость; 2) (*обыкн. pl*) развлечения; веселье; 3) весёлый *или* нарядный вид.

**gaily** ['geɪlɪ] *adv* 1) весело; радостно; 2) ярко.

**gain** [geɪn] 1. *n* 1) прибыль, выгода; 2) *pl* доходы (from—от); заработок; выигрыш (*в карты и т. п.*); 3) увеличение, прирост, рост; 4) нажива, корысть; love of ~ корыстолюбие; 5) *тех.* вырез, выдолб, гнездо (*в дереве, в столбе*); 6) *горн.* горизонтальная выработка, квершлаг; ◇ ill-gotten ~s never prosper *посл.* ≅ чужое добро впрок нейдёт;
2. *v* 1) зарабатывать, добывать; 2) извлекать пользу, выгоду; выгадывать; 3) выигрывать, добиваться; to ~ a prize выиграть приз; to ~ a victory одержать победу; to ~ ground продвигаться вперёд; получать преимущество; добиваться перевеса; *перен.* делать успехи; to ~ time сэкономить, выиграть время; 4) получать, приобретать; to ~ experience приобретать опыт; to ~ weight увеличиваться в весе; to ~ strength набираться сил, оправляться; 5) достигать, добираться; to ~ touch *воен.* установить соприкосновение (*с противником*); to ~ the rear of the enemy *воен.* выйти в тыл противника; 6) улучшаться; □ ~ on а) нагонять; б) вторгаться, захватывать постепенно часть суши (*о море*); в) добиться (*чьего-л. расположения*); ~ over переманить на свою сторону, убедить; ~ upon = ~ on; ◇ to ~ the upper hand взять верх; to ~ an advantage over smb. взять над кем-л. верх; to ~ the ear of быть (благосклонно) выслушанным; my watch ~s мои часы идут вперёд.

**gainful** ['geɪnful] *a* 1) доходный, прибыльный, стоящий, выгодный; оплачиваемый; 2) стремящийся к выгоде.

**gainings** ['geɪnɪŋz] *n pl* 1) заработок, доход; 2) выигрыш.

**gainly** ['geɪnlɪ] *a* 1) красивый, грациозный; 2) тактичный (*о поведении*).

**gainsaid** [geɪn'sed] *past и p. p. от* gainsay.

**gainsay** [geɪn'seɪ] *v* (gainsaid) *уст.* 1) противоречить; 2) отрицать.

**gainst, 'gainst** [geɪnst] *prep поэт. см.* against.

**gait** [geɪt] *n* 1) походка; 2) аллюр.

**gaiter** ['geɪtə] *n* (*обыкн. pl*) гамаши, гетры; краги; ◇ ready to the last ~ button полностью готовый.

**gal** [gæl] *n разг.* девушка; молодая женщина.

**gala** ['gɑlə] 1. *n* празднество;
2. *a* торжественный, праздничный, парадный.

**galactic** [gə'læktɪk] *a астр.* галактический.

**gala day** [ˈgɑːlədeɪ] *n* день пра́зднества; пра́здник.

**gala dress** [ˈgɑːlədres] *n* пара́дное пла́тье, пра́здничное пла́тье.

**gala night** [ˈgɑːlənaɪt] *n* гала́-представле́ние.

**galantine** [ˈgæləntiːn] *n* заливно́е, гала́нти́н.

**galanty show** [gəˈlæntɪˈʃou] *n* кита́йские те́ни.

**galaxy** [ˈgæləksɪ] *n* 1) *астр.* Гала́ктика, Мле́чный Путь; 2) *перен.* плея́да.

**gale** I [geɪl] *n* 1) шторм; бу́ря; ве́тер от 7 до 10 ба́ллов; 2) весе́лье; *амер.* взрыв (*хохота*); 3) *поэт.* ветеро́к, зефи́р.

**gale** II [geɪl] *n бот.* воско́вница (обыкнове́нная).

**gale** III [geɪl] *n* периоди́ческая вы́плата ре́нты.

**galeeny** [gəˈliːnɪ] *n* цеса́рка.

**galena** [gəˈliːnə] *n* свинцо́вая руда́; серни́стый свине́ц, галени́т.

**galenic(al)** [gəˈlenɪk(əl)] *a фарм.* гале́нов.

**Galician** I [gəˈlɪʃɪən] *n* галича́нин; галича́нка.

**Galician** II [gəˈlɪʃɪən] *n* галиси́ец.

**galimatias** [ˌgælɪˈmætɪəs] *фр. n* галиматья́, чепуха́.

**galingale** [ˈgælɪŋgeɪl] *n бот.* 1) калга́н (*ароматический корень восточноиндийских растений, применяемый в медицине и кулинарии*); 2) сыть дли́нная.

**galipot** [ˈgælɪpɔt] *n* засты́вшая сосно́вая или ело́вая смола́, живи́ца.

**gall** I [gɔːl] *n* 1) жёлчь; 2) жёлчный пузы́рь; 3) жёлчность, раздраже́ние; зло́ба; 4) на́глость, наха́льство; to have the ~ to do smth. име́ть на́глость сде́лать что-л.; ◇ ~ and wormwood не́что ненави́стное, посты́лое.

**gall** II [gɔːl] 1. *n* сса́дина, натёртое ме́сто; нагне́т (*у лошади*); 2. *v* 1) ссади́ть, натере́ть (*кожу*); 2) раздража́ть, беспоко́ить; 3) уязвля́ть (*го́рдость*).

**gall** III [gɔːl] *n бот.* галл, черни́льный оре́шек.

**gallant** [ˈgælənt] 1. *a* 1) краси́вый, прекра́сный, вели́ча́вый; 2) хра́брый, до́блестный; a ~ soldier до́блестный во́ин; a ~ steed бо́рзый конь; 3) [*редк.* gəˈlænt] гала́нтный; внима́тельный, почти́тельный (*к женщинам*); 4) [*редк.* gəˈlænt] любо́вный; ~ adventures любо́вные похожде́ния; 5) *уст.* наря́дный, блестя́щий; 2. *n* 1) све́тский челове́к, щёголь, кавале́р; 2) [*редк.* gəˈlænt] гала́нтный кавале́р, ухажёр; 3) *редк.* любо́вник; 3. *v* [*тж.* gəˈlænt] 1) сопровожда́ть (*даму*); 2) уха́живать; быть гала́нтным кавале́ром.

**gallantry** [ˈgæləntrɪ] *n* 1) хра́брость, отва́га; 2) гала́нтность; изы́сканная любе́зность; 3) любо́вная интри́га, уха́живание.

**gall-bladder** [ˈgɔːlˌblædə] *n анат.* жёлчный пузы́рь.

**galleass** [ˈgælɪæs] *n ист.* галеа́с, трёхма́чтовая гале́ра.

**galleon** [ˈgælɪən] *n ист.* галео́н (*корабль*).

**gallery** [ˈgælərɪ] *n* 1) галере́я; 2) галёрка; пу́блика на галёрке; to play to the ~ игра́ть, рассчи́тывая на дешёвый эффе́кт; иска́ть дешёвой популя́рности; 3) карти́нная галере́я; 4) *горн.* штрек, штбльня; 5) хо́ры; 6) мо́стик, балко́н.

**galley** [ˈgælɪ] *n* 1) *ист.* гале́ра; the ~s ка́торжные рабо́ты [*ср.* galley-slave 1)]; 2) *мор.* вельбо́т, ги́чка; 3) *мор.* ка́мбуз; 4) *полигр.* набо́рная доска́; верста́тка; 5) = galley proof; to read the ~s чита́ть гра́нки; she read the ~s on her new novel она́ чита́ла гра́нки своего́ но́вого рома́на.

**galley proof** [ˈgælɪpruːf] *n полигр.* гра́нка.

**galley-slave** [ˈgælɪsleɪv] *n* 1) раб или осуждённый престу́пник на гале́ре (*в качестве гребца*); 2) челове́к, за́нятый тяжёлым трудо́м.

**gall-fly** [ˈgɔːlflaɪ] *n зоол.* орехотво́рка.

**Gallic** [ˈgælɪk] *a* 1) га́лльский; 2) францу́зский.

**gallic** [ˈgælɪk] *a хим.* га́лловый.

**gallice** [ˈgælɪsiː] *adv* по-францу́зски (*при употреблении французского выражения вм. английского*).

**gallicism** [ˈgælɪsɪzəm] *n* галлици́зм.

**galligaskins** [ˌgælɪˈgæskɪnz] *n pl* 1) широ́кие штаны́ XVI—XVII вв.; 2) *шутл.* широ́кие брю́ки.

**gallimaufry** [ˌgælɪˈmɔːfrɪ] *n* вся́кая вся́чина, меша́нина.

**gallinaceous** [ˌgælɪˈneɪʃəs] *a зоол.* кури́ный.

**galliot** [ˈgælɪət] *n ист.* галио́т (*быстроходная парусная галера*).

**gallipot** [ˈgælɪpɔt] *n* 1) апте́чная (обливна́я) ба́нка; 2) = galipot.

**gallium** [ˈgælɪəm] *n хим.* га́ллий.

**gallivant** [ˌgælɪˈvænt] *v* 1) уха́живать, флиртова́ть; 2) шля́ться, шата́ться, броди́ть.

**gall-nut** [ˈgɔːlnʌt] = gall III.

**Gallomaniac** [ˌgæləˈmeɪnɪæk] *n* галлома́н.

**gallon** [ˈgælən] *n* галло́н (*мера жидких и сыпучих тел; англ. = 4,54 л, тж.* imperial ~; *амер. = 3,78 л*).

**galloon** [gəˈluːn] *n* галу́н.

**gallop** [ˈgæləp] 1. *n* гало́п; at full ~ во весь опо́р; at the snail's ~ черепа́шьим ша́гом; 2. *v* 1) скака́ть гало́пом, галопи́ровать; 2) бы́стро прогресси́ровать; 3) пуска́ть (*лошадь*) гало́пом; 4) бы́стро чита́ть или говори́ть (*часто* ~ through, ~ over).

**galloper** [ˈgæləpə] *n воен.* 1) (ко́нный) ордина́рец; *ист.* адъюта́нт; 2) лёгкое полево́е ору́дие.

**Gallophil** [ˈgæləfɪl] *n* галлофи́л.

**Gallophobe** [ˈgæləfoub] *n* галлофо́б.

**galloping** [ˈgæləpɪŋ] 1. *pres. p. om* gallop 2; 2. *a* несу́щийся (гало́пом); ◇ ~ consumption скороте́чная чахо́тка.

**galloway** [ˈgæləweɪ] *n шотл.* малоро́слая, но си́льная ло́шадь.

**gallows** [ˈgælouz] *n pl* (*обыкн. употр. как* sing) 1) ви́селица; to come to the ~ быть повешенным; 2) козлы; 3) *pl разг.* подтяжки, помочи; 4) *стр.* неполный дверной оклад.

**gallows-bird** ['gælouzbə:d] *n разг.* негодяй, висельник.

**gallows-ripe** ['gælouz'raip] *a* заслуживающий виселицы.

**gallows-tree** ['gælouztri:] = gallows 1).

**gall-stone** ['gɔ:lstoun] *n мед.* жёлчный камень.

**Gallup poll** ['gæləp'poul] *n амер.* 1) Институт общественного мнения; 2) выяснение возможных результатов предстоящего голосования; выявление общественного мнения.

**galluses** ['gæləsiz] *n pl амер. разг.* подтяжки.

**galoot** [gə'lu:t] *n амер. sl.* 1) моряк; 2) солдат; 3) неуклюжий человек; увалень; 4) никчёмный, негодный человек.

**galop** ['gæləp] 1. *n* галоп (*танец*); 2. *v* танцевать галоп.

**galore** [gə'lɔ:] 1. *adv* в изобилии; there is fruit ~ in the Crimea this summer в этом году в Крыму огромный урожай фруктов; 2. *n редк.* изобилие.

**galosh** [gə'lɔʃ] *n* галоша.

**galumph** [gə'lʌmf] *v разг.* прыгать от радости, скакать.

**galvanic** [gæl'vænik] *a* 1) *физ.* гальванический; 2) спазматический; неожиданный *или* неестественный (*об улыбке*).

**galvanism** ['gælvənizəm] *n* 1) *физ.* гальванизм; 2) *мед.* гальванизация.

**galvanization** [,gælvənai'zeiʃən] *n мед., тех.* гальванизация.

**galvanize** ['gælvənaiz] *v* 1) гальванизировать; оцинковывать; 2) оживлять; возбуждать; ~ smb. into action побуждать кого-л. к действию.

**galvanometer** [,gælvə'nɔmitə] *n эл.* гальванометр.

**gambade** [gæm'beid] = gambado.

**gambado** [gæm'beidou] *n* (*pl* -os, -oes [-ouz]) 1) прыжок, курбет (*лошади*); 2) неожиданная выходка.

**gambit** ['gæmbit] *n* 1) *шахм.* гамбит; 2) первый шаг (*в чём-л.*).

**gamble** ['gæmbl] 1. *n* 1) азартная игра; 2) рискованное предприятие; 2. *v* 1) играть в азартные игры; to ~ away проиграть в карты (*состояние и т. п.*); 2) спекулировать (*на бирже*); 3) рисковать (with).

**gambler** ['gæmblə] *n* 1) игрок, картёжник; 2) аферист.

**gamboge** [gæm'bu:ʒ] *n* гуммигут.

**gambol** [gæmbəl] 1. *n* 1) прыжок; 2) веселье; 2. *v* прыгать, скакать.

**game I** [geim] 1. *n* 1) игра; to play the ~ играть по правилам; *перен.* поступать благородно; to play a good (poor) ~ быть хорошим (плохим) игроком; 2) *спорт.* игра, партия; a ~ of tennis партия в теннис; 3) *pl* состязания; игры; 4) развлечение, забава; what a ~! как забавно!; 5) шутка; to have a ~ with дурачить (*кого-л.*); to make ~ of высмеивать; подшучивать; to speak in ~

говорить в шутку; 6) замысел, проект, дело; 7) уловка, увертка, хитрость, «фокус»; none of your ~s оставьте эти штуки, без фокусов; ◇ the ~ is up «карта бита», дело проиграно; the ~ is not worth the candle игра не стоит свеч; two can play at that ~ ≅ посмотрим ещё, чья возьмёт; to have the ~ in one's hands быть уверенным в успехе; this ~ is yours вы выиграли; 2. *a* 1) смелый; боевой, задорный; to die ~ умереть мужественно, пасть смертью храбрых; 2) охотно готовый (*сделать что-л.*); to be ~ for anything быть готовым на всё; ничего не бояться; 3. *v* играть в азартные игры; □ ~ away проиграть.

**game II** [geim] *n* 1) дичь; fair ~ дичь, на которую разрешено охотиться; *перен.* (законный) объект нападения; объект травли; big ~ крупная дичь, крупный зверь; *перен.* желанная добыча; 2) мясо диких уток, куропаток, зайчатина *и т. п.*

**game III** [geim] *a* искалеченный, парализованный (*о руке, ноге*).

**game-bag** ['geimbæg] *n* ягдташ, охотничья сумка.

**game-bird** ['geimbə:d] *n* пернатая дичь.

**game-chicken** ['geim,tʃikən] *n* = game-cock.

**game-cock** ['geimkɔk] *n* бойцовый петух.

**game-fish** ['geimfiʃ] *n* промысловая рыба.

**gamekeeper** ['geim,ki:pə] *n* лесник, охраняющий дичь (*от браконьеров и т. п.*).

**game-laws** ['geimlɔ:z] *n pl* законы по охране дичи; правила охоты.

**game-preserve** ['geimpri,zə:v] *n* охотничий заповедник.

**games-mistress** ['geimz,mistris] *n* воспитательница детского сада; воспитательница младшего класса школы.

**gamesome** ['geimsəm] *a* весёлый, игривый, шутливый.

**gamester** ['geimstə] *n* игрок, картёжник.

**gamete** ['gæmi:t] *n биол.* гамета, половая клетка.

**gamin** [gə'mæŋ] *фр. n* беспризорник; уличный мальчишка.

**gaming-house** ['geimiŋhaus] *n* игорный дом.

**gaming-table** ['geimiŋ,teibl] *n* 1) игорный стол; 2) азартная игра на деньги.

**gamma** ['gæmə] *n* 1) гамма (*третья буква греческого алфавита*); 2) *зоол.* совка-гамма (*бабочка*).

**gamma rays** ['gæmə,reiz] *n pl физ.* гамма-лучи.

**gammer** ['gæmə] *n разг.* старуха; бабушка (*обращение*).

**gammexane** [gæm'eksein] *n* порошок против паразитов (*типа ДДТ*).

**gammon I** ['gæmən] 1. *n* 1) окорок; 2. *v* коптить, засаливать окорок, приготавливать бекон.

**gammon II** ['gæmən] *n* «сухой» выигрыш в триктрак.

**gammon III** ['gæmən] 1. *n* обман; 2. *v* 1) обманывать; 2) притворяться; 3. *int* вздор!

gammoning I ['gæmənɪŋ] **1.** *pres. p.* *от* gammon I, 2;

**2.** *n* засолка и копчение окорока, приготовление бекона.

gammoning II ['gæmənɪŋ] *pres. p. от* gammon III, 2.

gammy ['gæmɪ] *a* хромой.

gamp [gæmp] *n разг.* (большой) зонтик.

gamut ['gæmət] *n* 1) *муз.* гамма; 2) диапазон (*голоса*); 3) полнота, глубина (*чего-л.*); to experience the whole ~ of suffering испытать всю полноту страдания.

gamy I ['geɪmɪ] *a* 1) изобилующий дичью; 2) с душком (*о дичи*).

gamy II ['geɪmɪ] *a* смелый, задорный.

gander ['gændə] *n* 1) гусак; 2) глупец; простак; 3) *sl.* женатый человек; 4) *амер. sl.* человек, живущий врозь с женой; ◇ to see how the ~ hops выжидать дальнейшего развёртывания событий.

gang I [gæŋ] **1.** *n* 1) партия *или* бригада (*рабочих и т. п.*); артель, смена; section ~ партия железнодорожных рабочих (*на путевом участке*); 2) шайка, банда; press ~ *амер.* a) гангстеры пера, шайка газетчиков; б) *ист.* группа вербовщиков (*в армию или флот*); 3) клика; 4) набор, комплект (*инструментов*);

**2.** *v* 1) организовать шайку; вступить в шайку (*тж.* ~ up); 2) нападать (*тж.* ~ up).

gang II [gæŋ] *n диал.* пастбище, выгон.

gang III [gæŋ] *v шотл.* идти.

gang-board ['gæŋbɔːd] *n* сходни.

ganger I ['gæŋə] *n* надсмотрщик, десятник.

ganger II ['gæŋə] *n* 1) пешеход; 2) быстрая лошадь.

ganglia ['gæŋglɪə] *pl от* ganglion.

gangling ['gæŋglɪŋ] *a разг.* долговязый, неуклюжий.

ganglion ['gæŋglɪən] *n* (*pl* -lia) 1) *анат.* ганглий, нервный узел; 2) центр (*деятельности, интересов*).

gang-plank ['gæŋplæŋk] = gang-board.

gangrene ['gæŋgriːn] **1.** *n* 1) гангрена; омертвение; 2) рак (*дерева*).

**2.** *v* 1) вызывать омертвение; 2) подвергаться омертвению.

gangrenous ['gæŋgrɪnəs] *a* гангренозный, омертвелый.

gang-saw ['gæŋsɔː] *n* лесопильная рама.

gangsman ['gæŋzmən] = ganger I.

gangster ['gæŋstə] *n* гангстер, бандит.

gangway ['gæŋweɪ] *n* 1) вход с трапа; продольный мостик; 2) проход между рядами (*кресел и т. п.*); 3) *парл.* проход, разделяющий палату общин на две части; members above the ~ министры и члены парламента, тесно связанные с официальной политикой своих партий; 4) *стр.* рабочие мостки; 5) *горн.* штрек.

gannet ['gænɪt] *n зоол.* олуша (атлантическая).

ganoid ['gænɔɪd] **1.** *a* 1) гладкий и блестящий (*о чешуе*); 2) ганоидный (*о рыбе*); **2.** *n* ганоидная рыба.

gantlet ['gæntlət] = gauntlet II.

gantry ['gæntrɪ] *n* 1) рама, помост, портал подъёмного крана; 2) *ж.-д.* сигналь-

ный мостик (*над железнодорожными путями*); 3) подставка для бочек (*в погребе*); 4) *радио* радиолокационная антенна.

gantry-crane ['gæntrɪ͵kreɪn] *n* портальный, перегрузочный *или* эстакадный кран.

gaol [dʒeɪl] **1.** *n* 1) тюрьма; 2) тюремное заключение;

**2.** *v* заключать в тюрьму.

gaol-bird ['dʒeɪlbəːd] *n* арестант, уголовник.

gaoler ['dʒeɪlə] *n* тюремщик; тюремный надзиратель.

gap [gæp] *n* 1) брешь, пролом, щель; 2) промежуток, интервал; «окно» (*в расписании*); 3) пробел, лакуна, пропуск; to close (*или* to stop, to fill up) the ~ заполнить пробел; 4) глубокое расхождение (*во взглядах и т. п.*); разрыв; 5) горный проход, глубокое ущелье; 6) *воен.* разрыв (*линий фронта*); 7) *тех.* зазор, люфт; 8) *ав.* расстояние между крыльями биплана.

gape [geɪp] **1.** *n* 1) зевок; 2) изумлённый взгляд; 3) (the ~s) *pl* зевота (*болезнь кур*); *шутл.* приступ зевоты; 4) отверстие; зияние;

**2.** *v* 1) широко разевать рот; зевать; 2) глазеть (at—на); 3) изумляться; to make smb. ~ изумить кого-л.; 4) зиять; □ ~ after, ~ for страстно желать чего-л.; ~ on, ~ upon смотреть в изумлении на *что-л.*

gaper ['geɪpə] *n* зевака.

gape-seed ['geɪpsiːd] *n разг.* 1) то, на что глазеют; to seek (*или* to buy, to sow) ~ толкаться без дела (*на рынке и т. п.*); 2) бесцельное разглядывание; 3) зевака.

gappy ['gæpɪ] *a* с промежутками, с пробелами; неполный.

garage ['gærɑːʒ] **1.** *n* гараж;

**2.** *v* ставить в гараж.

Garand rifle ['gærənd'raɪfl] *n амер. воен.* полуавтоматическая винтовка Бренди.

garb [gɑːb] **1.** *n* 1) наряд, одеяние; in the ~ of a sailor в одежде матроса; 2) национальный костюм;

**2.** *v* (*обыкн. pass.*) одевать, облачать; to ~ oneself in motley облачиться в шутовской наряд.

garbage ['gɑːbɪdʒ] *n* 1) (кухонные) отбросы; мусор; 2) внутренности, требуха; 3) макулатура, чтиво (*тж.* literary ~).

garbage-collector ['gɑːbɪdʒkə͵lektə] *n* уборщик мусора.

garble ['gɑːbl] *v* 1) подтасовывать, искажать; 2) *редк.* выбирать.

garçon [͵gɑː'sɔŋ] *фр. n* официант.

garden ['gɑːdn] **1.** *n* 1) сад; the ~ of England юг Англии; 2) огород (*тж.* kitchen ~); 3) *pl* парк; 4) *attr.* садовый; огородный;

**2.** *v* возделывать, разводить (*сад*).

garden-bed ['gɑːdnbed] *n* грядка, клумба.

garden city ['gɑːdn͵sɪtɪ] *n* город-сад.

gardener ['gɑːdnə] *n* 1) садовник; 2) огородник; 3) садовод.

garden-frame ['gɑːdnfreɪm] *n* парниковая рама.

garden hose ['gɑːdnhouz] *n* садовый шланг.

**gardenia** [gɑː'diːnjə] *n бот.* гардéния.

**gardening** ['gɑːdniŋ] 1. *pres. p. om* garden 2;

2. *n* садовóдство.

**garden-party** ['gɑːdn,pɑːti] *n* приём гостéй в садý.

**garden-plot** ['gɑːdnplɔt] *n* учáсток землú под сáдом.

**garden pruner** ['gɑːdn,pruːnə] *n* секáтор, садóвые нóжницы.

**garden seat** ['gɑːdn,siːt] *n* садóвая скамья́.

**garden-stuff** ['gɑːdnstʌf] *n* óвощи, плоды́, цветы́; зéлень.

**garden-tillage** ['gɑːdn,tilidʒ] *n* садовóдство.

**garden truck** ['gɑːdntrʌk] *n амер.* óвощи и фрýкты; to raise ~ for the market вырáщивать óвощи и фрýкты для продáжи.

**garfish** ['gɑːfiʃ] *n* саргáн (*морская рыба*).

**gargantuan** [gɑː'gæntjuən] *a* колоссáльный, гигáнтский; a ~ appetite звéрский аппетúт.

**garget** ['gɑːgit] *n вет.* воспалéние зéва (*у свиней*); воспалéние вы́мени (*у коров, овец и т. п.*).

**gargle** ['gɑːgl] 1. *n* полоскáние (*для горла*);

2. *v* полоскáть (*горло*).

**gargoyle** ['gɑːgɔil] *n* горгýлья, выступáющая водостóчная трубá в вúде фантастúческой фигýры (*в готической архитектýре*).

**garibaldi** [,gæri'bɔːldi] *n* жéнская *или* дéтская блýза.

**garish** ['gɛəriʃ] *a* 1) кричáщий (*о платье, красках*); показнóй; 2) я́ркий, ослепúтельный.

**garland** ['gɑːlənd] 1. *n* 1) гирля́нда, венóк; диадéма; 2) приз; пáльма пéрвенства; 3) *уст.* антолóгия;

2. *v* 1) украшáть гирля́ндой, венкóм; 2) *редк.* плестú венóк.

**garlic** ['gɑːlik] *n* 1) чеснóк; 2) *attr.*: ~ bulblet (*или* hop) зубóк чеснокá.

**garlicky** ['gɑːliki] *a* чеснóчный.

**garment** ['gɑːmənt] 1. *n* 1) предмéт одéжды; 2) *pl* одéжда; 3) покрóв, одея́ние; the earth's ~ of green зелёный покрóв землú; ◊ nether ~s *шутл.* брюки;

2. *v* (*преим. p. p.*) *поэт.* одевáть.

**garner** ['gɑːnə] *поэт., ритор.* 1. *n* амбáр; жúтница (*тж. перен.*);

2. *v* ссыпáть зернó в амбáр; склáдывать в амбáр, запасáть.

**garnet** ['gɑːnit] *n* 1) *мин.* гранáт; 2) тёмно-крáсный цвет; 3) *мор.* гúтов.

**garnish** ['gɑːniʃ] 1. *n* 1) украшéние, отдéлка; 2) *v* 1) украшáть, отдéлывать; swept and ~ed приведённый в поря́док и украшенный; 2) гарнúровать (*блюдо*); 3) вручáть вызов в суд.

**garniture** ['gɑːnitʃə] *n* 1) украшéние; орнáмент; отдéлка; 2) гарнúр; 3) гарнитýра, принадлéжности.

**garret** ['gærət] *n* 1) чердáк; мансáрда; 2) *разг.* головá, «чердáк».

**garreteer** [,gærə'tiə] *n* обитáтель мансáрды; бéдный литерáтор.

**garrison** ['gærisn] 1. *n* гарнизóн;

2. *v* 1) стáвить гарнизóн, вводúть войскá; 2) назначáть на гарнизóнную слýжбу.

**garrotte** [gə'rɔt] *исп.* 1. *n* 1) гаррóта (*орудие казни — род железного ошейника*); 2) удушéние с цéлью грабежá;

2. *v* 1) казнúть посрéдством удушéния; 2) удушúть при ограблéнии.

**garrulity** [gæ'ruːliti] *n* болтлúвость, говорлúвость, словоохóтливость.

**garrulous** ['gæruləs] *a* 1) болтлúвый, говорлúвый, словоохóтливый; 2) журчáщий (*о ручье*).

**garter** ['gɑːtə] 1. *n* 1) подвя́зка; 2) (the G.) óрден Подвя́зки;

2. *v* 1) надéть подвя́зку; 2) надéть *или* пожáловать óрден Подвя́зки.

**garter-snake** ['gɑːtəsneik] *n* неядовúтая змея́, корúчневая *или* зелёная с длúнными жёлтыми полóсками.

**garth** [gɑːθ] *n уст., поэт.* 1) огорóженное мéсто; 2) двор, сад; 3) *с.-х.* запрýда для лóвли ры́бы.

**gas** [gæs] 1. *n* 1) газ; газообрáзное тéло; natural ~ прирóдный (*или* естéственный) газ; noble ~ инéртный газ; producer ~ — генерáторный газ; 2) светúльный газ; 3) *разг.* бензúн, газолúн; горючее; step on the ~! «дай гáзу!», увелúчь скóрость!; 4) *разг.* болтовня́, бахвáльство; 5) *горн.* гремýчий *или* руднúчный газ; 6) *воен.* отравля́ющее вещество́; 7) *мед.* вéтры, гáзы;

2. *v* 1) отравля́ть гáзами; выпускáть удýшливые гáзы; 2) заражáть отравля́ющими веществáми; производúть химúческое нападéние; 3) наполня́ть гáзом; насыщáть гáзом; 4) выделя́ть газ; 5) *амер.* пополня́ться горючим; 6) *разг.* болтáть; бахвáлиться; нестú вздор для отвóда глаз; stop ~sing! перестáнь болтáть вздор!

**gas-alarm** ['gæsə'lɑːm] *n* химúческая тревóга.

**gas-alert** ['gæsə'ləːt] *n* 1) = gas-alarm; 2) *амер.* положéние противогáза «нагóтове».

**gasateria** ['gæsə'tɛəriə] *n амер. разг.* бензозапрáвочная колóнка для самообслýживания.

**gas attack** ['gæsə'tæk] *n* химúческое нападéние.

**gas-bag** ['gæsbæg] *n* 1) *ав.* гáзовый баллóн; 2) дирижáбль; 3) *разг.* болтýн; пустозвóн.

**gas-bomb** ['gæsbɔm] *n* химúческая бóмба.

**gasbracket** ['gæs,brækit] *n* гáзовый рожóк.

**gas-burner** ['gæs,bəːnə] *n* = gas-jet.

**gas chamber** ['gæs'tʃeimbə] *n воен.* кáмера окýривания.

**gas-collector** ['gæskə'lektə] *n* газоуловúтель; газоприёмник.

**Gascon** ['gæskən] *фр. n* 1) гасконéц; 2) хвастýн.

**gasconade** [,gæskə'neid] 1. *n* хвастовствó, бахвáльство.

2. *v* хвáстаться, бахвáлиться.

**gas defence** ['gæsdi'fens] *n* противохимúческая оборóна.

**gaselier** [,gæsə'liə] *n* гáзовая лю́стра.

**gas-engine** ['gæs,endʒɪn] *n* газомото́р, га́зовый дви́гатель.

**gaseous** ['geɪzjəs] *a* га́зовый; газообра́зный.

**gas-field** ['gæsfiːld] *n* месторожде́ние приро́дного (*или* есте́ственного) га́за.

**gas-fire** ['gæs,faɪə] *n* га́зовая плита́.

**gas-fitter** ['gæs,fɪtə] *n* газопрово́дчик, монтёр по устано́вке га́зовых труб.

**gas-furnace** ['gæs,fəːnɪs] *n* га́зовая печь.

**gash** [gæʃ] **1.** *n* 1) глубо́кая ра́на, разре́з; 2) *mex.* надре́з; запи́л;
**2.** *v* наноси́ть глубо́кую ра́ну.

**gas-helmet** ['gæs,helmɪt] *n* противога́зовый шлем.

**gas-holder** ['gæs,houldə] *n* газго́льдер, газохрани́лище.

**gasification** [,gæsɪfɪ'keɪʃən] *n* газифика́ция, превраще́ние в газ.

**gasiform** ['gæsɪfɔːm] *a* газообра́зный.

**gasify** ['gæsɪfaɪ] *v* газифици́ровать; превраща́ть(ся) в газ.

**gas-jet** ['gæsdʒet] *n* га́зовый рожо́к, горе́лка.

**gasket** ['gæskɪt] *n* 1) *мор.* се́зень; 2) *mex.* прокла́дка, наби́вка, са́льник.

**gaslight** ['gæslaɪt] *n* га́зовое освеще́ние; га́зовая ла́мпа.

**gas-main** ['gæsmeɪn] *n* газопрово́д, га́зовая магистра́ль.

**gas-man** ['gæsmæn] *n* 1) инкасса́тор по счета́м за газ; 2) = gas-fitter.

**gas-mantle** ['gæs,mæntl] *n* кали́льная се́тка.

**gas-mask** ['gæsmɑːsk] *n* ма́ска противога́за; противога́з.

**gas-meter** ['gæs,miːtə] *n* га́зовый счётчик, газоме́р; ◇ he lies like a ~ ≅ он врёт как си́вый ме́рин.

**gasolene, gasoline** ['gæsəliːn] *n* 1) газоли́н; 2) *амер.* бензи́н; 3) *attr. амер.*: ~ station бензи́новая коло́нка; бензозапра́вочный пункт.

**gasometer** [gæ'sɔmɪtə] *n* 1) газго́льдер; 2) = gas-meter.

**gasp** [gɑːsp] **1.** *n* затруднённое дыха́ние; уду́шье; at one's last ~ а) при после́днем издыха́нии; б) в после́дний моме́нт; to give a ~ задохну́ться от изумле́ния;
**2.** *v* 1) дыша́ть с трудо́м, задыха́ться; лови́ть во́здух; 2) открыва́ть рот (*от изумле́ния*); ☐ ~ for стра́стно жела́ть; ~ out произноси́ть задыха́ясь; ◇ to ~ out one's life испусти́ть дух, сконча́ться.

**gas pain** ['gæs,peɪn] *n* боль в животе́ всле́дствие скопле́ния га́зов (*в желу́дке или кише́чнике*).

**gasper** ['gɑːspə] *n sl.* дешёвая папиро́са.

**gaspingly** ['gɑːspɪŋlɪ] *adv* 1) задыха́ясь; с оды́шкой; 2) в изумле́нии.

**gaspirator** ['gæspɪreɪtə] *n амер.* противога́з.

**gas-plant** ['gæsplɑːnt] *n* 1) га́зовый заво́д; 2) газогенера́торная устано́вка.

**gas-producer** ['gæsprə,djuːsə] *n* газогенера́тор.

**gas projector** ['gæsprə'dʒektə] *n* газомёт.

**gas-proof** ['gæspruːf] *a* газонепроница́емый; ~ shelter газоубе́жище.

**gas-ring** ['gæs'rɪŋ] *n* га́зовое кольцо́, горе́лка.

**gassed** [gæst] **1.** *p. p. om* gas 2;
**2.** *a* отра́вленный га́зами.

**gas-shell** ['gæs,ʃel] *n* хими́ческий снаря́д.

**gas-shelter** ['gæs,ʃeltə] *n* газоубе́жище.

**gassing** ['gæsɪŋ] **1.** *pres. p. om* gas 2;
**2.** *n* 1) отравле́ние га́зом; 2) оку́ривание га́зом; 3) га́зовая дезинфе́кция; 4) *разг.* болтовня́; бахва́льство.

**gas-station** ['gæs,steɪʃən] *n амер.* бензи́новая коло́нка; бензозапра́вочный пункт.

**gas-stove** ['gæs'stouv] *n* га́зовая плита́.

**gassy** ['gæsɪ] *a* 1) газообра́зный; 2) по́лный га́за; 3) болтли́вый, пусто́й.

**gas-take** ['gæsteɪk] = gas-collector.

**gas-tank** ['gæstæŋk] *n амер.* 1) резервуа́р для га́за; 2) *авт., ав.* бак для горю́чего; бензоба́к.

**gast(e)ropod** ['gæst(ə)rəpɔd] *n зоол.* живо́тное из кла́сса брюхоно́гих.

**gas-tight** ['gæstaɪt] = gas-proof.

**gastric** ['gæstrɪk] *a* желу́дочный; ~ ulcer я́зва желу́дка; ~ juice желу́дочный сок.

**gastritis** [gæs'traɪtɪs] *n мед.* гастри́т.

**gastroenteritis** [,gæstrə,entə'raɪtɪs] *n мед.* гастроэнтери́т.

**gastronome** ['gæstrənoum] *n* гастроно́м, гурма́н.

**gastronomer** [gæs'trɔnəmə] = gastronome.

**gastronomic** [,gæstrə'nɔmɪk] *a* гастрономи́ческий.

**gastronomist** [gæs'trɔnəmɪst] = gastronome.

**gastronomy** [gæs'trɔnəmɪ] *n* кулина́рия, гастроно́мия.

**gas-warfare** ['gæs,wɔːfɛə] *n* хими́ческая война́.

**gas-works** ['gæswəːks] *n* га́зовый заво́д.

**gat** [gæt] *n амер. sl.* револьве́р.

**gate** [geɪt] **1.** *n* 1) воро́та; кали́тка; 2) вход, вы́ход; 3) заста́ва, шлагба́ум; 4) сбор (*де́нежный — на стадио́не, вы́ставке и т. п.*); 5) коли́чество зри́телей (*на стадио́не, вы́ставке и т. п.*); 6) *pl* часы́, когда́ воро́та колле́джа (*в Оксфо́рде и Ке́мбридже*) запира́ются на́ ночь; 7) го́рный прохо́д; 8) шлюз; *mex.* зати́н; кла́пан, засло́нка; ши́бер; ли́тник; ◇ to give the ~ дать отста́вку, уво́лить; to get the ~ получи́ть отста́вку, быть уво́ленным; to open the ~ for (*или* to) smb. откры́ть кому́-л. путь;
**2.** *v* запира́ть воро́та колле́джа по́сле изве́стного ча́са (*в Оксфо́рде и Ке́мбридже*).

**gate-bill** ['geɪtbɪl] *n* штрафна́я за́пись опозда́вших студе́нтов [*см.* gate 1,6)].

**gate-crash** ['geɪtkræʃ] *v разг.* 1) приходи́ть незва́ным; 2) прони́кнуть на вне́шний ры́нок.

**gate-crasher** ['geɪt,kræʃə] *n разг.* 1) «за́яц» (*беспла́тный зри́тель*); 2) незва́ный гость.

**gatehouse** ['geɪthaus] *n* 1) сторо́жка у воро́т; 2) *гидр.* зда́ние управле́ния шлю́зами *или* щита́ми гидравли́ческих сооруже́ний.

**gate-keeper** [ˈgeɪtˌkiːpə] *n* привра́тник.

**gate-legged** [ˈgeɪtˌlegd] *a*: ~ table стол с откидно́й кры́шкой.

**gate-money** [ˈgeɪtˌmʌnɪ] = gate 1, 4).

**gate-post** [ˈgeɪtpoust] *n* воро́тный столб; ◇ between you and me and the ~ стро́го конфиденциа́льно; ме́жду на́ми.

**gateway** [ˈgeɪtweɪ] *n* 1) воро́та, вход; 2) подворо́тня.

**gather** [ˈgæðə] **1.** *v* 1) собира́ть; to ~ a crowd собира́ть толпу́; 2) собира́ться, скопля́ться; 3) рвать (*цветы*); снима́ть (*урожа́й*); собира́ть (*я́годы*); 4) поднима́ть (*с земли́, с по́ла*); 5) накопля́ть, приобрета́ть; to ~ experience (strength) накопля́ть о́пыт (си́лы); to ~ speed набира́ть ско́рость, ускоря́ть ход; to ~ way тро́гаться (*о су́дне*); 6) мо́рщить (*лоб*); собира́ть в скла́дки (*пла́тье*); 7) нарыва́ть; to ~ head назрева́ть (*о нары́ве*); 8) де́лать вы́вод, умозаключа́ть; I could ~ nothing from his statement я ничего́ не мог поня́ть из его́ заявле́ния; ▭ ~ up а) подбира́ть; to ~ up the thread of a story подхвати́ть нить расска́за; б) сумми́ровать; в) съёжиться, заня́ть ме́ньше ме́ста; г): to ~ oneself up подтяну́ться; собра́ться с си́лами; ◇ to be ~ed to one's fathers ≅ отпра́виться к пра́отцам, умере́ть;

**2.** *n pl* сбо́рки.

**gathering** [ˈgæðərɪŋ] **1.** *pres. p. om* gather 1;

**2.** *n* 1) собира́ние; комплектова́ние; 2) собра́ние; сбо́рище; встре́ча; скопле́ние; 3) *с.-х.* убо́рка (*хле́ба и́ли се́на*); убо́рочный сезо́н; 4) *мед.* нагное́ние; нары́в.

**gaud** [gɔːd] *n* 1) безвку́сное украше́ние; мишура́; 2) игру́шка; безделка; 3) *pl* пы́шные пра́зднества.

**gaudy I** [ˈgɔːdɪ] *n* 1) большо́е пра́зднество; 2) ежего́дный обе́д в честь бы́вших студе́нтов (*в англ. университе́тах*).

**gaudy II** [ˈgɔːdɪ] *a* 1) я́ркий, крича́щий, безвку́сный; 2) цвети́стый, витиева́тый (*о сти́ле*).

**gauffer** [ˈgɔfə] = gof(f)er.

**gauge** [geɪdʒ] **1.** *n* 1) ме́ра, масшта́б; разме́р; кали́бр; to take the ~ of измеря́ть; оце́нивать; 2) крите́рий; спо́соб оце́нки; 3) измери́тельный прибо́р; 4) шабло́н, лека́ло; этало́н; 5) кали́бр (*пу́ли*); но́мер, толщина́ (*про́волоки*); *эл.* сорта́мент (*прово́дов*); 6) *ж.-д.* ширина́ коле́й; broad (narrow) ~ широ́кая (у́зкая) колея́; 7) *мор.* (обы́кн. gage) положе́ние относи́тельно ве́тра; ◇ to have the weather ~ of име́ть преиму́щество пе́ред кем-л.;

**2.** *v* 1) измеря́ть, проверя́ть (*разме́р*); 2) оце́нивать (*челове́ка, хара́ктер*); 3) градуи́ровать, калиброва́ть; выверя́ть, клейми́ть (*ме́ры*); 4) подводи́ть под определённый разме́р.

**gauge-glass** [ˈgeɪdʒˌglɑːs] *n* водоме́рное стекло́; водоме́рная тру́бка.

**gauging-station** [ˈgeɪdʒɪŋˌsteɪʃən] *n гидр.* гидрометри́ческая ста́нция.

**Gaul** [gɔːl] *n* 1) *ист.* Га́ллия; 2) *ист.* галл; 3) *шутл.* францу́з.

**Gauleiter** [ˈgauˌlaɪtə] *нем. n* гауле́йтер (национа́л-социали́стский руководи́тель о́бласти в фаши́стской Герма́нии).

**Gaulish** [ˈgɔːlɪʃ] **1.** *a* 1) га́лльский; 2) *шутл.* францу́зский;

**2.** *n* 1) га́лльский язы́к; 2) *шутл.* францу́зский язы́к.

**gaunt** [gɔːnt] *a* 1) исхуда́лый, изможде́нный; 2) вы́тянутый в длину́; дли́нный; 3) мра́чный, отта́лкивающий.

**gauntlet I** [ˈgɔːntlɪt] *n* 1) рукави́ца (*шофёра, фехтова́льщика и т. п.*); 2) *ист.* ла́тная рукави́ца; to throw (*и́ли* to fling) down the ~ бро́сить «перча́тку», бро́сить вы́зов; to take (*и́ли* to pick) up the ~ приня́ть вы́зов.

**gauntlet II** [ˈgɔːntlɪt] *n*: to run the ~ проходи́ть сквозь строй; *перен.* подверга́ться ре́зкой кри́тике.

**gauntry** [ˈgɔːntrɪ] = gantry.

**gauss** [gaus] *n физ.* га́усс (*едини́ца интенси́вности магни́тного по́ля*).

**gauze** [gɔːz] *n* 1) газ (*мате́рия*); 2) ма́рля; 3) ды́мка (*в во́здухе*); 4) *тех.* металли́ческая се́тка (*предохрани́тельной ла́мпы*); металли́ческая ткань.

**gauzy** [ˈgɔːzɪ] *a* то́нкий, просве́чивающий (*осо́б. о тка́ни*).

**gave** [geɪv] *past om* give 1.

**gavel** [ˈgævl] *n* молото́к (*председа́теля собра́ния, судьи́ и́ли аукциони́ста*).

**gavelkind** [ˈgævlkaɪnd] *n юр. уст.* ра́вный разде́л земе́льной со́бственности ме́жду сыновья́ми и́ли бра́тьями поко́йного при отсу́тствии завеща́ния.

**gavotte** [gəˈvɔt] *n* гаво́т (*музыка́льная фо́рма и та́нец*).

**gawk** [gɔːk] **1.** *n* остоло́п, разиня; простофи́ля;

**2.** *v* 1) поступа́ть по-дура́цки; 2) смотре́ть с глу́пым ви́дом; тара́щить глаза́.

**gawky** [ˈgɔːkɪ] **1.** *a* неуклю́жий; засте́нчивый (*о челове́ке*);

**2.** *n* верзи́ла.

**gay** [geɪ] *a* 1) весёлый; 2) беспу́тный; to lead a ~ life вести́ беспу́тную жизнь; 3) я́ркий, пёстрый; блестя́щий.

**gazabo** I, II [gəˈzeɪbou] = gazebo I *u* II.

**gaze** [geɪz] **1.** *n* при́стальный взгляд; to stand at ~ смотре́ть при́стально; to be at ~ находи́ться в состоя́нии замеша́тельства, быть в изумле́нии;

**2.** *v* при́стально гляде́ть (at, on, upon — на); вгля́дываться.

**gazebo** I [gəˈziːbou] *n* (*pl* -os, -oes [-ouz]) архи́т. 1) вы́шка на кры́ше до́ма, бельведе́р; 2) застеклённый балко́н; 3) да́ча (*с открыва́ющимся вдаль ви́дом*).

**gazebo** II [gəˈziːbou] *n амер. sl.* па́рень, ма́лый.

**gazelle** [gəˈzel] *n* газе́ль.

**gazer** [ˈgeɪzə] *n* при́стально глядя́щий челове́к; star ~ наблюда́ющий за звёздами; *шутл.* звездочёт.

**gazette** [gəˈzet] **1.** *n* 1) официа́льная прави́тельственная газе́та; прави́тельственный бюллете́нь; to appear in the G. *и́ли* to have one's name in the G. быть упомя́нутым в газе́те; «попа́сть в газе́ту»; *осо́б.* быть▸

объявленным несостоятельным должником; 2) *уст.* газе́та;

2. *v* опублико́вывать в официа́льной газе́те; ◇ to be ~d *воен.* быть произведённым; быть назна́ченным.

**gazetteer** [ˌgæzɪˈtɪə] *n* 1) географи́ческий спра́вочник; 2) *уст.* журнали́ст, газе́тный рабо́тник.

**gazogene** [ˈgæzədʒiːn] *n* 1) аппара́т для газиро́вания напи́тков; 2) газогенера́тор.

**gear** [gɪə] 1. *n* 1) механи́зм, аппара́т; прибо́р; 2) приспособле́ния, принадле́жности; 3) *тех.* шестерня́, зубча́тая переда́ча; переда́точный механи́зм; привод; in ~ включённый, сце́пленный, де́йствующий; out of ~ невключённый, неде́йствующий, нерабо́тающий; *перен.* дезорганизо́ванный; не в поря́дке; с расстро́енным здоро́вьем; to throw out of ~ вы́ключить переда́чу; *перен.* дезорганизова́ть; расстро́ить; to get into ~ включи́ть переда́чу; *перен.* включи́ться в рабо́ту; to go into 1st, 2d, *etc.* ~ переключа́ться на 1-ю, 2-ю *и т. д.* ско́рость; high ~ переда́ча для большо́й ско́рости; in high ~ на тре́тьей ско́рости; *перен.* в разга́ре; low ~ переда́ча для ма́лой ско́рости; 4) у́пряжь; 5) дви́жимое иму́щество, у́тварь; 6) *уст.* пла́тье, оде́жда, убо́р; 7) *мор.* осна́стка; ◇ all one's wordly ~ всё, что име́ешь, всё иму́щество;

2. *v* 1) снабжа́ть приво́дом; 2) приводи́ть в движе́ние (*механи́зм*); 3) зацепля́ть, сцепля́ться (*о зубцах колёс*); 4) надева́ть у́пряжь (*часто* ~ up); ⬜ ~ down замедля́ть движе́ние (*посре́дством переда́чи*); ~ into приспособля́ть, пригоня́ть; ~ to свя́зывать с, ста́вить в зави́симость от; ~ up ускоря́ть движе́ние (*посре́дством переда́чи*).

**gear-box** [ˈgɪəbɔks] *n тех.* коро́бка переме́ны переда́ч, коро́бка скоросте́й.

**gear-case** [ˈgɪəkeɪs] = gear-box.

**gearing** [ˈgɪərɪŋ] 1. *pres. p. от* gear 2;

2. *n тех.* зацепле́ние; зубча́тая переда́ча, приво́д.

**gear-ratio** [ˈgɪəˌreɪʃɪou] *n тех.* переда́точное число́.

**gear-wheel** [ˈgɪəwiːl] *n* зубча́тое колесо́.

**gecko** [ˈgekou] *n*(*pl* -os, -oes [-ouz]) *зоол.* ге́кко (*я́щерица*).

**gee** [dʒiː] *int* 1) но! (*окрик, кото́рым пого́нят ло́шадь*); 2) *амер.* вот так та́к!, вот здоро́во!

**gee(-gee)** [ˈdʒiː(ˈdʒiː)] *n разг.* лоша́дка.

**geese** [giːs] *pl от* goose I.

**gee-up** [ˈdʒiːˈʌp] = gee 1).

**gee whizz** [ˈdʒiːˈwɪz] *int амер.* = gee 2).

**geezer** [ˈgiːzə] *n sl.* старика́шка; старушо́нка.

**Gehenna** [gɪˈhenə] *n* гее́нна, ад.

**Geiger counter** [ˈgaɪgəˈkauntə] *n физ.* Ге́йгер, счётчик Ге́йгера.

**geisha** [ˈgeɪʃə] *n* ге́йша.

**gel** [dʒel] *n хим.* гель; студени́стый оса́док.

**gelatin(e)** [ˌdʒeləˈtiːn] *n* желати́н; студе́нь.

**gelatinize** [dʒɪˈlætɪnaɪz] *v* превраща́ть(ся) в студе́нь.

**gelatinous** [dʒɪˈlætɪnəs] *a* желати́новый; студени́стый.

**gelation** [dʒɪˈleɪʃən] *n* замора́живание.

**geld** [geld] *v* (gelded [-ɪd], gelt) кастри́ровать.

**gelding** [ˈgeldɪŋ] 1. *pres. p. от* geld;

2. *n* кастри́рованное живо́тное, *особ.* ме́рин.

**gelid** [ˈdʒelɪd] *a* 1) ледяно́й, студёный; 2) леденя́щий, холо́дный (*о тоне, мане́ре*).

**gelignite** [ˈdʒelɪgnaɪt] *n* гелигни́т (*взрывчатое вещество́*).

**gelt** [gelt] *past и p. p. от* geld.

**gem** [dʒem] 1. *n* 1) драгоце́нный ка́мень, самоцве́т; ге́мма; 2) *перен.* драгоце́нность; жемчу́жина; the ~ of the whole collection са́мая прекра́сная вещь во всей колле́кции; she is a ~ она́ пре́лесть; 3) *амер.* пре́сная сдо́бная бу́лочка;

2. *v* украша́ть драгоце́нными камня́ми; stars ~ the sky звёзды сверка́ют на не́бе как драгоце́нные ка́мни.

**geminate** [ˈdʒemɪneɪt] 1. *a* сдво́енный, располо́женный па́рами;

2. *v* удва́ивать, сдва́ивать.

**gemination** [ˌdʒemɪˈneɪʃən] *n* удвое́ние, сдва́ивание.

**Gemini** [ˈdʒemɪnaɪ] *n pl* Близнецы́ (*созвездие и знак зодиа́ка*).

**gemma** [ˈdʒemə] *n* (*pl* -ае) *бот., зоол.* по́чка.

**gemmae** [ˈdʒemiː] *pl от* gemma.

**gemmate** [ˈdʒemeɪt] 1. *a* име́ющий по́чки; размножа́ющийся почкова́нием;

2. *v* дава́ть по́чки; размножа́ться почкова́нием.

**gemmation** [dʒeˈmeɪʃən] *n* образова́ние по́чек; почкова́ние.

**gemmiferous** [dʒeˈmɪfərəs] *a* 1) почконо́сный; 2) содержа́щий драгоце́нные ка́мни (*о месторожде́нии*).

**gen** [dʒen] *n* (*сокр. от* general information) *воен. sl.* информа́ция, публику́емая для всех ни́жних пе́ред бо́евой опера́цией.

**gendarme** [ˈʒɑːndɑːm] *фр. n* жанда́рм.

**gendarmerie** [ʒɑːnˈdɑːmrɪ] *фр. n* жандаме́рия.

**gender** [ˈdʒendə] 1. *n* 1) *грам.* род; 2) *шутл.* пол;

2. *v поэт.* порожда́ть.

**gene** [dʒiːn] *n биол.* ген.

**genealogical** [ˌdʒiːnjəˈlɔdʒɪkəl] *a* родосло́вный.

**genealogy** [ˌdʒiːnɪˈælədʒɪ] *n* генеало́гия; родосло́вная.

**genera** [ˈdʒenərə] *pl от* genus.

**general I** [ˈdʒenərəl] 1. *a* 1) о́бщий, о́бщего хара́ктера, всео́бщий; генера́льный; ~ meeting о́бщее собра́ние; ~ impression о́бщее впечатле́ние; ~ election всео́бщие вы́боры; ~ lay-out *стр.* генера́льный план; ~ strike всео́бщая забасто́вка; ~ hospital неспециализи́рованная больни́ца, больни́ца о́бщего ти́па; 2) повсеме́стный; 3) обы́чный; as a ~ rule как пра́вило; in a ~ way обы́чным путём; 4) гла́вный; G. Headquarters штаб главнокома́ндующего; гла́вное кома́ндование; ~ staff общевойсково́й штаб; G. Staff генера́льный штаб (*штаб сухопу́тных войск*); 5) генера́льный; G. Assembly Генера́льная Ассамбле́я; ◇ in ~ вообще́; ~ practitioner врач о́бщей пра́к

тики (*терапевт и хирург*); ~ servant прислуга «за всё» (*делающая одна всю работу*); ~ (post) delivery первая утренняя разноска почты; *амер.* (почта) до востребования;
2. *n* 1) *разг.* = general servant [*см.* 1, ◇];
2) *уст.* (the ~) народ.

**general II** ['dʒenərəl] *n* генерал; полководец; ◇ governor ~ губернатор колонии *или* доминиона.

**General-in-Chief** ['dʒenərəlin'tʃiːf] *n* (*pl* Generals-in-Chief) главнокомандующий.

**generalissimo** [,dʒenərə'lisimou] *n* (*pl* -os [-ouz]) генералиссимус.

**generality** [,dʒenə'ræliti] *n* 1) всеобщность; применимость ко всему; 2) неопределённость; 3) утверждение общего характера; *pl* общие места; 4) большинство; большая часть.

**generalization** [,dʒenərəlai'zeiʃən] *n* 1) обобщение; don't be hasty in ~ не спешите с обобщениями; 2) общее правило.

**generalize** ['dʒenərəlaiz] *v* 1) обобщать; сводить к общим законам; 2) распространять; вводить в общее употребление; 3) придавать неопределённость; говорить неопределённо, в общей форме.

**generalized** ['dʒenərəlaizd] 1. *p. p. от* generalize;
2. *a* обобщённый; ~ form of value *полит.-эк.* всеобщая форма стоимости.

**generally** ['dʒenərəli] *adv* 1) обычно, как правило; 2) в общем смысле, вообще; ~ speaking вообще говоря; 3) широко (*распространённый*); в большинстве случаев, большей частью; ~ received общепринятый.

**generalship** ['dʒenərəlʃip] *n* 1) генеральский чин, звание генерала; 2) военное искусство; 3) (искусное) руководство.

**Generals-in-Chief** ['dʒenərəlzin'tʃiːf] *pl от* General-in-Chief.

**generate** ['dʒenəreit] *v* 1) порождать, вызывать; 2) производить; генерировать.

**generation** [,dʒenə'reiʃən] *n* 1) поколение; rising ~ подрастающее поколение, смена; a ~ ago в прошлом поколении; лет тридцать назад; 2) род, потомство; 3) порождение; зарождение; 4) *тех.* генерация, образование (*пара*).

**generative** ['dʒenərətiv] *a* производящий; производительный; порождающий.

**generator** ['dʒenəreitə] *n* 1) производитель; 2) *тех.* источник энергии; генератор.

**generatrices** ['dʒenəreitrisiːz] *pl от* generatrix.

**generatrix** ['dʒenəreitriks] *n* (*pl* -trices) *мат.* образующая.

**generic** [dʒi'nerik] *a* 1) родовой; характерный для определённого класса, вида *и т. п.*; 2) общий.

**generosity** [,dʒenə'rɔsiti] *n* 1) великодушие; 2) щедрость.

**generous** ['dʒenərəs] *a* 1) благородный, великодушный; a ~ nature благородная натура; 2) щедрый; 3) обильный; большой; изрядный; a ~ amount большое количество; of ~ size большого размера; 4) плодородный (*о почве*); 5) интенсивный; гу-

стой (*о цвете*); 6) выдержанный, крепкий (*о вине*).

**genesis** ['dʒenisis] *n* 1) происхождение, возникновение; генезис; 2) (G.) *библ.* Книга Бытия.

**genet** ['dʒenit] *n зоол.* генетта, виверра.

**genetic** [dʒi'netik] *a* генетический.

**genetics** [dʒi'netiks] *n pl* (*употр. как sing*) генетика.

**geneva** [dʒi'niːvə] *n* джин, можжевеловая настойка, водка.

**Genevan** [dʒi'niːvən] 1. *a* женевский;
2. *n* 1) женевец; 2) кальвинист; кальвинистка.

**Geneva wheel** [dʒi'niːvə,wiːl] *n тех.* мальтийский крест.

**genial I** ['dʒiːnjəl] *a* 1) весёлый; добрый, сердечный, радушный; добродушный; общительный; 2) мягкий (*о климате*); 3) *поэт., уст.* плодородный, производящий; 4) *редк.* брачный; 5) *уст.* гениальный.

**genial II** [dʒi'naiəl] *a анат.* подбородочный.

**geniality** [,dʒiːni'æliti] *n* 1) доброта, сердечность, радушие; добродушие; общительность; 2) мягкость (*климата и т. п.*).

**genially** ['dʒiːnjəli] *adv* весело, сердечно; добродушно.

**genie** ['dʒiːni] *n* (*pl* genii) джин (*из арабских сказок*).

**genii I** ['dʒiːniai] *pl от* genius 1).

**genii II** ['dʒiːniai] *pl от* genie.

**genista** [dʒi'nistə] *n бот.* дрок.

**genital** ['dʒenitl] 1. *a* детородный, половой;
2. *n pl* половые органы.

**genitive** ['dʒenitiv] *грам.* 1. *a* родительный;
2. *n* родительный падеж.

**genius** ['dʒiːnjəs] *n* 1) (*pl* genii) гений, дух; good ~ добрый дух, добрый гений; evil ~ злой дух, злой гений; 2) (*тк. sing*) одарённость; гениальность; a man of ~ гениальный человек; 3) (*pl* -ses) гений, гениальный человек, гениальная личность; 4) (*pl* -ses) чувства, настроения, связанные с каким-л. местом; 5) (*pl* -ses) дух (*века; времени; нации; языка; закона*).

**genocide** ['dʒenousaid] *n* геноцид.

**Genoese** [,dʒenou'iːz] 1. *a* генуэзский;
2. *n* генуэзец.

**genre** [ʒɑ̃ːŋr] *фр. n* 1) жанр, манера, стиль; 2) *attr.* жанровый; ~ painting жанровая живопись.

**gent** [dʒent] *шутл., разг. см.* gentleman 1) *и* 2).

**genteel** [dʒen'tiːl] *a* 1) *ирон.* благородный; благовоспитанный; светский; 2) *ирон.* модный, изящный, элегантный; 3) *ирон.* утончённый; 4) *уст.* вежливый.

**gentian** ['dʒenʃiən] *n бот.* горечавка.

**gentile** ['dʒentail] *n* 1) *библ.* не еврей; 2) *амер.* не мормон; 3) *редк.* язычник.

**gentility** [dʒen'tiliti] *n* 1) *ирон.* (претензия на) элегантность; аристократические замашки; 2) *уст.* родовитость, знатность, знать.

**gentle** ['dʒentl] 1. *a* 1) родовитый, знатный; 2) мягкий, добрый; тихий, спокойный; кроткий (*о характере*); the ~ sex прекрасный пол; 3) нежный, ласковый (*о голосе*); 4) лёгкий, слабый (*о ветре; о наказании и т. п.*); 5) послушный, смирный (*о животных*); 6) отлогий; 7) *уст.*, *шутл.* вежливый, великодушный; ~ reader благосклонный читатель (*обращение автора к читателю в книге*);

2. *n* 1) *pl уст.* знать; 2) наживка (*для уженья*);

3. *v* 1) облагораживать, делать мягче (*человека*); 2) объезжать (*лошадь*).

**gentlefolks** ['dʒentlfouks] *n pl* дворянство, знать.

**gentlehood** ['dʒentlhud] *n* 1) знатность; 2) благовоспитанность; любезность.

**gentleman** ['dʒentlmən] *n* 1) джентльмен; господин; 2) хорошо воспитанный и порядочный человек; ~'s agreement джентльменское соглашение; 3) *уст.* дворянин; 4) *pl* мужская уборная; ◇ ~ in waiting камергер; ~'s ~ лакей; ~ at large *шутл.* человек без определённых занятий; ~ of the long robe судья, юрист; gentlemen of the cloth духовенство; ~ of the road *амер.* коммивояжёр; ~ of fortune пират; авантюрист; the old ~ *шутл.* дьявол; the ~ in black velvet крот.

**gentleman-at-arms** ['dʒentlmənət'ɑːmz] *n* лейб-гвардеец.

**gentlemanlike** ['dʒentlmənlaik] *a* 1) приличествующий джентльмену, поступающий по-джентльменски [*см.* gentleman 2)]; 2) воспитанный; вежливый.

**gentlemanly** ['dʒentlmənli] = gentlemanlike.

**gentleness** ['dʒentlnis] *n* 1) мягкость; доброта; 2) отлогость.

**gentlewoman** ['dʒentl,wumən] *n* 1) дама, леди; 2) *уст.* дворянка; 3) *уст.* фрейлина; камеристка.

**gently** ['dʒentli] *adv* 1) мягко, нежно, кротко; тихо; 2) спокойно, осторожно, умеренно; ~! тише!, легче!; ◇ ~ born знатный, родовитый.

**gentry** ['dʒentri] *n* 1) джентри, нетитулованное мелкопоместное дворянство; 2) *пренебр.*, *шутл.* определённая группа людей; these ~ эти господа.

**gents** [dʒents] *n разг.* мужская уборная.

**genual** ['dʒenjuəl] *a* коленный.

**genuflect** ['dʒenjuːflekt] *v* преклонять колена.

**genuflection, genuflexion** [,dʒenjuː'flekʃən] *n* коленопреклонение.

**genuine** ['dʒenjuin] *a* 1) подлинный, истинный, неподдельный, настоящий; a ~ diamond настоящий бриллиант; 2) искренний; ~ sorrow искреннее горе.

**genuinely** ['dʒenjuinli] *adv* искренне; неподдельно.

**genuineness** ['dʒenjuinnis] *n* подлинность и *пр.* [*см.* genuine].

**genus** ['dʒiːnəs] *n* (*pl* genera) 1) *биол.* род; 2) сорт; вид.

**geocentric** [,dʒiːou'sentrik] *a* геоцентрический.

**geochemistry** [,dʒiːou'kemistri] *n* геохимия.

**geodesy** [dʒiː'ɔdisi] *n* геодезия.

**geodetic** [dʒiːə'detik] *a* геодезический.

**geognosy** [dʒiː'ɔgnəsi] *n* геогнозия.

**geographer** [dʒi'ɔgrəfə] *n* географ.

**geographic(al)** [dʒiə'græfik(əl)] *a* географический.

**geography** [dʒi'ɔgrəfi] *n* география.

**geologic(al)** [dʒiə'lɔdʒik(əl)] *a* геологический; ~ age геологический возраст.

**geologist** [dʒi'ɔlədʒist] *n* геолог.

**geologize** [dʒi'ɔlədʒaiz] *v* 1) изучать геологию; 2) совершать геологические экскурсии.

**geology** [dʒi'ɔlədʒi] *n* геология.

**geomagnetical axis** [,dʒiːou,mæg'netikəl 'æksiz] *n* магнитная ось (*земли*).

**geometer** [dʒi'ɔmitə] = geometrician.

**geometrical** [dʒiə'metrikəl] *a* геометрический; ~ progression геометрическая прогрессия.

**geometrically** [dʒiə'metrikəli] *adv* геометрически; по геометрическим принципам.

**geometrician** [,dʒioume'triʃən] *n* геометр.

**geometry** [dʒi'ɔmitri] *n* геометрия; descriptive ~ начертательная геометрия; plane ~ планиметрия; solid ~ стереометрия.

**geophysical** [,dʒiːə'fizikəl] *a* геофизический.

**geophysics** [,dʒiːə'fiziks] *n pl* (*употр. как sing*) геофизика.

**geopolitics** [,dʒiːə'pɔlitiks] *n pl* (*употр. как sing*) геополитика.

**George** [dʒɔːdʒ] *n sl.* лётчик; автопилот; ◇ by ~! ей-богу!, честное слово!; вот так так!

**georgette** [dʒɔː'dʒet] *n текст.* жоржет.

**Georgian I** ['dʒɔːdʒən] 1. *a* грузинский; 2. *n* 1) грузин; грузинка; the ~s *pl собир.* грузины; 2) грузинский язык.

**Georgian II** ['dʒɔːdʒən] *амер.* 1. *a* относящийся к штату Джорджия (*или* Георгия); 2. *n* уроженец штата Джорджия (*или* Георгия).

**Georgian III** ['dʒɔːdʒən] *a* времени, эпохи одного из английских королей Георгов.

**georgic** ['dʒɔːdʒik] *a уст.*, *ритор.* сельский.

**geranium** [dʒi'reinjəm] *n бот.* герань, журавельник.

**gerfalcon** ['dʒɜː,fɔːlkən] *n зоол.* (исландский) кречет.

**germ** [dʒɜːm] 1. *n* 1) *биол.* зародыш, эмбрион; *бот.* завязь; in ~ в зародыше, в зачаточном состоянии; 2) микроб; 3) зачаток; происхождение; the ~ of an idea происхождение идеи; in ~ в зародыше, в зачаточном состоянии; 4) *attr.:* ~ war бактериологическая война;

2. *v* давать ростки, развиваться.

**German** ['dʒɜːmən] 1. *a* германский, немецкий; ◇ ~ measles краснуха; ~ Ocean *уст.* Северное море; ~ silver нейзильбер, мельхиор; ~ text готический шрифт;

2. *n* 1) немец; немка; the ~s *pl собир.* немцы; 2) немецкий язык; High ~ верхненемецкий язык; Low ~ нижненемецкий язык.

**german** ['dʒɜːmən] *a в сочетаниях*: brother ~ родной брат; sister ~ родная сестра;

cousin ~ двоюродный брат; двоюродная сестра.

**German badgerdog** [ˈdʒɑːmənˈbædʒədɔg] *n* такса (*порода собак*).

**germander** [dʒɑːˈmændə] *n бот.* дубровник.

**germane** [dʒɑːˈmeɪn] *a* уместный, подходящий (to).

**Germanic** [dʒɑːˈmænɪk] 1. *a* германский; 2. *n* древнейший общегерманский язык.

**Germanism** [ˈdʒɑːmənɪzəm] *n* 1) немецкий оборот, германизм; 2) германофильство.

**germanium** [dʒɑːˈmeɪnɪəm] *n хим.* германий.

**germanize** [ˈdʒɑːmənaɪz] *v* германизировать, онемечивать.

**germicide** [ˈdʒɑːmɪsaɪd] 1. *n* вещество, убивающее бактерии; 2. *a* убивающий бактерии.

**germinal** [ˈdʒɑːmɪnl] *a* зародышевый; зачаточный.

**germinate** [ˈdʒɑːmɪneɪt] *v* 1) давать почки *или* ростки; 2) вызывать к жизни, порождать.

**germination** [ˌdʒɑːmɪˈneɪʃən] *n* 1) прорастание; 2) рост, развитие.

**gerontocracy** [ˌdʒerənˈtɔkrəsɪ] *n* правительство *или* правление старейших.

**Gerry** [ˈgerɪ] = Jerry.

**gerrymander** [ˈdʒerɪmændə] 1. *n* предвыборные махинации; 2. *v* 1) искажать факты, фальсифицировать; 2) подтасовывать выборы.

**gerund** [ˈdʒerənd] *n грам.* герундий.

**gerund-grinder** [ˈdʒerəndˌgraɪndə] *n пренебр.* учитель латинского языка; учитель-педант.

**gerundive** [dʒɪˈrʌndɪv] *грам.* 1. *n* герундив; 2. *a* герундиальный.

**gesso** [ˈdʒesou] *n* гипс (*для скульптуры*).

**gestation** [dʒesˈteɪʃən] *n* 1) беременность; период беременности; 2) созревание (*плана, проекта*).

**gesticulate** [dʒesˈtɪkjuleɪt] *v* жестикулировать.

**gesticulation** [dʒesˌtɪkjuˈleɪʃən] *n* жестикуляция.

**gesture** [ˈdʒestʃə] 1. *n* 1) жест; телодвижение; a fine ~ благородный жест; 2) мимика (*тж.* facial ~); friendly ~ дружеский жест; ◇ a warlike ~ ≅ бряцание оружием; 2. *v* жестикулировать.

**get** [get] 1. *v* (got; *p. p. уст., амер.* gotten) 1) получать; доставать, добывать; we can ~ it for you мы можем достать это для вас; you'll ~ little by it вы мало что от этого выиграете; to ~ advantage получить преимущество; to ~ an illness заболеть; 2) зарабатывать; to ~ a living зарабатывать на жизнь; 3) покупать, приобретать; to ~ a new coat купить новое пальто; 4) получать; брать; I ~ letters every day я получаю письма ежедневно; to ~ a leave получить, взять отпуск; to ~ singing lessons брать уроки пения; 5) достигать, добиваться (from, out of); we couldn't ~ permisson from him мы не могли получить

у него разрешения; to ~ glory добиться славы; 6) доставлять, приносить; ~ me a chair принеси мне стул; I got him to bed я уложил его спать; 7) прибыть, добраться, достичь (*какого-л. места*; to); попасть (*куда-л.*); we cannot ~ to Moscow tonight сегодня вечером мы не попадём в Москву; 8) *разг.* понимать, постигать; I don't ~ you я вас не понимаю; to ~ it right понять правильно; to ~ the cue понять намёк; 9) ставить в тупик; the answer got me ответ меня озадачил; 10) устанавливать, вычислять; we ~ 9.5 on the average мы получили 9,5 в среднем; 11) *уст.* порождать, производить; 12) *perf. разг.* иметь, обладать, владеть; I've got very little money у меня очень мало денег; he has got the measles у него корь; 13) (*perf.*; с *inf.*) быть обязанным, быть должным (*что-л. сделать*); I've got to go for the doctor at once я должен немедленно идти за врачом; 14) (*с последующим сложным дополнением — n или pron+inf.*) заставить, убедить (*кого-л. сделать что-л.*); to ~ smb. to speak заставить кого-л. выступить; we got our friends to come to dinner мы уговорили своих друзей прийти к обеду; ~ a tree to grow in a bad soil суметь вырастить дерево на плохой почве; 15) (*с последующим сложным дополнением — n или pron+p. p. или a*) обозначает: а) *что действие выполнено или должно быть выполнено кем-л. по желанию субъекта*: I got my hair cut я постригся, меня постригли; you must ~ your coat made вы должны (отдать) сшить себе пальто; б) *что какой-то объект приведён в действующим лицом в определённое состояние*: you'll ~ your feet wet вы промочите ноги; she's got her face scratched она оцарапала лицо; 16) (*с последующим инфинитивом или герундием*) означает начало или однократность действия: to ~ to know узнать; they got talking они начали разговаривать; 17) (*глагол-связка в составном именном сказуемом или вспомогательный глагол в pass.*) становиться, делаться; to ~ old стареть; to ~ angry (рас)сердиться; to ~ better а) оправиться; б) стать лучше; to ~ drunk опьянеть; to ~ married жениться; you'll ~ left behind вас обгонят, вы останетесь позади; *другие не приведённые здесь оттенки значения глагола* get *в основном сводятся к* доставать, иметь *в результате и* становиться; □ ~ **about** а) распространяться (*о слухах*); б) начинать (вы-)ходить после болезни; ~ **abroad** распространяться (*о слухах*); становиться известным; ~ **across** а) перебираться, переправляться; б) чётко изложить; ~ across an idea чётко изложить мысль; ~ **ahead** а) продвигаться; б) преуспевать; ~ **along** а) жить, поживать; ~ along without food обходиться без пищи; ~ **along** in years стареть; б) справляться с делом, преуспевать; в) относиться друг к другу хорошо, ладить; they ~ along они ладят; ~ **at** а) добраться, достигнуть; б) дозвониться (*по телефону*); в) понять, постигнуть; I cannot ~ at the meaning я не могу поня́ть смы́сла; г) *разг.* подкупа́ть; д) *разг.* высме́ивать; ~ **away** а) уходи́ть; отправля́ться; удира́ть; выбира́ться; б) удра́ть с добы́чей (with); *амер.* вы́йти из положе́ния, вы́йти сухи́м из воды́ (with); вы́играть состяза́ние (with); в) *ав.* взлете́ть, оторва́ться; г) *амер. авт.* тро́гать с ме́ста; ~ **back** а) верну́ться; б) возмеща́ть (*потерю, убытки*); ~ **behind** *амер.* а) подде́рживать; б) внима́тельно ознако́миться; ~ **down** а) спусти́ться, сойти́; б) снять (*с полки*); в) прогла́тывать; г) засе́сть (*за учение и т. п.*; to); ~ **in** а) входи́ть; б) пройти́ на вы́борах; в) сажа́ть (*семена*); г) убира́ть (*сено, урожай*); д) нанести́ уда́р; е) верну́ть (*долги и т. п.*); ж) войти́ в пай, уча́ствовать (*оп—в*); ~ **into** а) войти́, прибы́ть; б) надева́ть, напя́ливать (*одежду*); ~ **off** а) сойти́, слезть; б) снима́ть (*платье*); в) отбыва́ть, отправля́ться; г) убежа́ть; спасти́сь, отде́латься (*от наказания и т. п.*); д) отка́лывать (*шутки*); е) *ав.* отрыва́ться от земли́, подня́ться; ~ **on** а) де́лать успе́хи, продвига́ться, преуспева́ть; how is he ~ting on? как (иду́т) его́ дела́?; б) старе́ть; ста́риться; в) приближа́ться (*о времени*); it is ~ting on for supper-time вре́мя бли́зится к у́жину; г) надева́ть; д) сади́ться (*на лошадь*); е) быть в хоро́ших отноше́ниях, ла́дить (with); ~ **out** а) выходи́ть, выле́зать (from, of — из); to ~ out of shape потеря́ть фо́рму; to ~ out of sight исче́знуть из по́ля зре́ния; ~ out! уходи́!, прова́ливай!; б) достава́ть, вынима́ть (from, of — из); в) произнести́, вы́молвить; г) стать изве́стным (*о секрете*); д) выве́дывать, выспра́шивать; е) бро́сить (*привычку*; of); ж) избега́ть (*делать что-л.*); ~ **over** а) перейти́, переле́зть, перепра́виться (че́рез); б) опра́виться (*после болезни, от испуга*); в) преодоле́ть (*трудности*); поко́нчить, разде́латься с чем-л.; г) пройти́ (*расстояние*); д) привы́кнуть к чему-л.; свы́кнуться с мы́слью о чём-л.; е) пережи́ть что-л.; ж) to ~ over a person *разг.* перехитри́ть, обойти́ кого́-л.; ~ **round** а) обману́ть, перехитри́ть, обойти́ кого́-л.; заста́вить кого́-л. сде́лать по-сво́ему; б) обходи́ть (*закон, вопрос и т. п.*); в) *амер.* приезжа́ть, прибыва́ть; г) вы́здороветь; ~ **through** а) пройти́ че́рез что-л.; б) спра́виться с чем-л.; вы́держать экза́мен; в) провести́ (*законопроект*); г) пройти́ (*о законопроекте*); ~ **to** а) принима́ться за что-л.; б) добра́ться до чего-л.; to ~ to close quarters *воен.* сбли́зиться, подойти́ на бли́зкую диста́нцию; *перен.* сцепи́ться (*в споре*); столкну́ться лицо́м к лицу́; ~ **together** а) собира́ть(ся); б) *амер. разг.* совеща́ться; прийти́ к соглаше́нию; ~ **under** гаси́ть, туши́ть (*пожар*); ~ **up** а) встава́ть, поднима́ться (*тж. на гору*); б) сади́ться (*в экипа́ж, на лошадь*); в) уси́ливаться (*о пожа́ре, ветре, буре*); to ~ up steam разводи́ть пары́; *перен.* развива́ть эне́ргию; собира́ться с си́лами; г) дорожа́ть (*о товарах*); д) подготовля́ть, осуществля́ть; оформля́ть (*книгу*); ста́вить (*пьесу*); е) гримирова́ть, наряжа́ть; причёсывать; to ~ oneself up

тща́тельно оде́ться, вы́рядиться; ж) поднима́ть (*якорь*); з) вспугну́ть дичь; и) уси́ленно изуча́ть что-л.; ◇ to ~ by heart вы́учить наизу́сть; to ~ one's hand in наби́ть ру́ку в чём-л., освоиться с чем-л.; to ~ smb.'s back up рассерди́ть; to ~ smth. into one's head вбить что-л. себе́ в го́лову; to ~ one's breath перевести́ дыха́ние; прийти́ в себя́; to ~ on one's feet (*или* legs) встава́ть (*чтобы говорить публично*); to ~ on smb.'s nerves де́йствовать кому́-л. на не́рвы; to have got smb. on one's nerves раздража́ться из-за кого́-л., чего́-л.; to ~ under way сдви́нуться с ме́ста; отпра́виться; to ~ the gate а) быть уво́ленным; б) быть вы́ставленным за дверь; to ~ a head захмеле́ть, име́ть тяжёлую го́лову с похме́лья; to ~ hold of суме́ть схвати́ть (*часто о мысли*); to ~ the mitten (*или* the sack, walking orders, walking papers) быть уво́ленным; to ~ it (hot) получи́ть нагоня́й; to ~ wind of узна́ть (*по рассказу и т. п.*); to ~ the wind of име́ть преиму́щество пе́ред; to ~ in wrong with smb. попа́сть в неми́лость к кому́-л.; to ~ one's wings *разг.* получи́ть квалифика́цию (*лётчика, штурмана или др. члена экипажа самолёта*); to ~ back some of one's own *sl.* отомсти́ть за оби́ду; to ~ the best of it победи́ть; to ~ one's own way сде́лать по-сво́ему, поста́вить на своём; to have got smb., smth. on the brain то́лько и ду́мать о ком-л., о чём-л.; to ~ home попа́сть в цель; to ~ there дости́чь (*чего-л.*); to ~ nowhere ничего́ не дости́чь; to ~ off with a whole skin ≅ вы́йти сухи́м из воды́; to ~ out of bed on the wrong side ≅ встать с ле́вой ноги́; ~ along with you! *разг.* убира́йтесь!; ~ away with you! *шутл.* да ну́ тебя́! не болта́й глу́постей!; ~ out with you! уходи́!, прова́ливай!;

**2.** *n* приплод, пото́мство (*у животных*).

**get-at-able** [get'ætəbl] *a* досту́пный.

**getaway** ['getəwei] *n разг.* бе́гство; to make a ~ а) бежа́ть; б) ускользну́ть.

**getter** ['getə] *n* 1) приобрета́тель; добы́тчик; 2) *горн.* рудоко́п; забо́йщик; 3) жеребе́ц-производи́тель; 4) *радио* ге́ттер.

**get-together** ['getuˌgeðə] *n* встре́ча, сбор, совеща́ние.

**get-up** ['getʌp] *n* 1) мане́ра одева́ться; стиль; 2) оде́жда, обмундирова́ние; 3) оформле́ние (*книги*); 4) постано́вка (*пьесы*); 5) *амер. разг.* эне́ргия, предприи́мчивость.

**gewgaw** ['gju:gɔ:] *n* безделу́шка, пустя́к; мишура́.

**geyser** *n* 1) ['gaizə] ге́йзер; 2) ['gi:zə] га́зовая коло́нка (*ванны*).

**gharri, gharry** ['gæri] *n англо-инд.* пово́зка; наёмный экипа́ж.

**ghastly** ['gɑːstli] **1.** *a* 1) стра́шный; 2) мёртвенно-бле́дный; 3) *разг.* ужа́сный, неприя́тный; 4) принуждённый (*об улыбке*); **2.** *adv* стра́шно, ужа́сно.

**gha(u)t** [gɔːt] *n англо-инд.* 1) го́рная цепь; 2) го́рный прохо́д; 3) при́стань на реке́.

**ghee** [giː] *n англо-инд.* топлёное ма́сло (*из молока буйволицы*).

**gherkin** ['gəːkin] *n* корнишо́н.

**ghetto** ['getou] *n* (*pl*-os [-ouz]) гéтто, еврейский квартáл.

**ghost** [goust] *n* 1) привидéние, призрак; дух; 2) душá, дух; to give up the ~ испустить дух; 3) тень, лёгкий след (*чего-л.*); ~s of the past тéни прóшлого; not to have the ~ of a chance не имéть ни малéйшего шáнса; the ~ of a smile чуть замéтная улыбка; 4) фактический áвтор, тáйно рабóтающий на другóе лицó.

**ghostly** ['goustlɪ] *a* 1) похóжий на привидéние, призрачный; 2) духóвный; ~ father духóвник.

**ghostwriter** ['goust,raɪtə] *амер.* = ghost 4).

**ghoul** [guːl] *n* вурдалáк, упырь, вампир.

**ghoulish** ['guːlɪʃ] *a* дьявольский; отвратительный; мéрзкий.

**GI** ['dʒiːˈaɪ] (*сокр. от* government issue) *амер.* 1. *n* солдáт; ◇ ~ bride *разг.* англичáнка — невéста *или* женá американского солдáта.
2. *a* 1) казённый, воéнного образцá; 2) армéйский.

**giant** ['dʒaɪənt] 1. *n* 1) великáн, гигáнт, исполин; титáн; 2) *тех.* водобóй; монитóр;
2. *a* гигáнтский, громáдный, исполинский.

**giantess** ['dʒaɪəntɪs] *n* великáнша.

**giantism** ['dʒaɪəntɪzəm] *n мед.* гигантизм.

**giantlike** ['dʒaɪəntlaɪk] *a* гигáнтский, огрóмный.

**giant-powder** ['dʒaɪənt,paudə] *n* род динамита.

**giant('s)-stride** ['dʒaɪənt(s)'straɪd] *n спорт.* гигáнтские шаги.

**giaour** ['dʒauə] *тур. n* гяýр.

**gib I** [gɪb] *n* (*уменьш. от* Gilbert) кот.

**gib II** [dʒɪb] *n тех.* 1) скобá, чекá; клин, контрклин; направляющая призма; 2) *attr.*: ~ arm= gibbet 1,3).

**gib-and-cotter** ['dʒɪbən'kɔtə] *n тех.* двойнóй клин.

**gibber** ['dʒɪbə] 1. *n* невнятная, нечленораздéльная речь;
2. *v* говорить быстро, невнятно, непонятно; тараторить.

**gibberish** ['gɪbərɪʃ] *n* невнятная, непонятная речь; тарабáрщина; неграмотная речь.

**gibbet** ['dʒɪbɪt] 1. *n* 1) виселица; to die on the ~ быть повéшенным; 2) повéшение; 3) *тех.* укóсина, стрелá крáна.
2. *v* 1) вéшать; 2) выставлять на позóр, на посмéшище; to be ~ted in the press быть высмеянным в печáти.

**gibbon** ['gɪbən] *n зоол.* гиббóн.

**gibbosity** [gɪ'bɔsɪtɪ] *n* 1) горбáтость, горб; 2) выпуклость.

**gibbous** ['gɪbəs] *a* 1) горбáтый; 2) выпуклый; 3) мéжду вторóй чéтвертью и полнолýнием (*о луне*).

**gibe** [dʒaɪb] 1. *n* насмéшка;
2. *v* насмехáться (at— над).

**giber** ['dʒaɪbə] *n* насмéшник.

**giblets** ['dʒɪblɪts] *n pl* гусиные потрохá.

**gibus** ['dʒaɪbəs] *n* шапоклáк, складнóй цилиндр.

**giddily** ['gɪdɪlɪ] *adv* легкомысленно, вéтрено.

**giddiness** ['gɪdɪnɪs] *n* 1) головокружéние; 2) легкомыслие, вéтреность.

**giddy** ['gɪdɪ] *a* 1) испытывающий головокружéние; I feel ~ у меня кружится головá; 2) головокружительный; a ~ success головокружительный успéх; 3) легкомысленный, вéтреный, непостоянный.

**gift** [gɪft] 1. *n* 1) подáрок, дар; I would not take (*или* have) it at a ~ ≅ я этого и дáром не возьму; 2) спосóбность, дарование; талáнт (of); the ~ of the gab дар слóва, дар рéчи; the ~ of tongues спосóбность к изучéнию инострáнных языкóв;
2. *v* 1) дарить; 2) одарять, наделять.

**gifted** ['gɪftɪd] 1. *p. p. от* gift 2;
2. *a* одарённый, спосóбный, талáнтливый.

**gig I** [gɪg] *n* 1) кабриолéт; двукóлка; 2) гичка (*быстроходная лодка*); 3) подъёмная машина, лебёдка; 4) *текст.* вертýшка, волчóк.

**gig II** [gɪg] 1. *n* острогá;
2. *v* ловить рыбу острогóй.

**gigantic** [dʒaɪ'gæntɪk] *a* гигáнтский, громáдный.

**giggle** ['gɪgl] 1. *n* хихиканье;
2. *v* хихикать.

**gig-lamps** ['gɪglæmps] *n pl sl.* очки.

**gigmanity** [gɪg'mænɪtɪ] *n* обывáтели; мещáне.

**gigolo** ['ʒɪgəlou] *n* (*pl* -os [-ouz]) наёмный партнёр (*в танцах*).

**GIJ** ['dʒiːaɪ'dʒeɪ] *n* (*сокр. от* government issue Jane) *амер.* жéнщина-солдáт [*ср. выше* GI].

**gilbert** ['gɪlbət] *n эл.* гильберт (*единица магнитодвижущей силы*).

**gild I** [gɪld] *v* (gilded [-ɪd], gilt) 1) золотить; to ~ the pill позолотить пилюлю; 2) украшáть.

**gild II** [gɪld] = guild.

**gilded** ['gɪldɪd] 1. *p. p. от* gild I;
2. *a* позолóченный; ◇ G. Chamber палáта лóрдов; ~ youth золотáя молодёжь.

**gilder** ['gɪldə] *n* позолóтчик; carver and ~ багéтный мáстер.

**gilding** ['gɪldɪŋ] 1. *pres.p. от* gild I;
2. *n* 1) позолóта; 2) золочéние.

**Gill** [gɪl] *n* (*сокр. от* Gillian) дéвушка, возлюбленная, любимая [*ср.* Jack I, 1, 1)].

**gill I** [gɪl] *n* (*обыкн. pl*) 1) жáбры; 2) вторóй подбородóк; 3) бородка (*у петуха*); 4) *бот.* гимениáльная пластинка (*в шляпке гриба*); ◇ to be (*или* to look) rosy (green) about the ~s выглядеть здорóвым (больным).

**gill II** [gɪl] *n* 1) глубóкий лесистый оврáг; 2) гóрный потóк.

**gill III** [dʒɪl] *n* чéтверть пинты (*англ.* = 0,142 л, *амер.*=0,118 л).

**gillaroo** [,gɪlə'ruː] *n* ирлáндская форéль.

**gillie** ['gɪlɪ] *n шотл.* 1) *ист.* слугá вождя; 2) помогáющий охóтнику, рыбакý.

**gillyflower** ['dʒɪlɪ,flauə] *n редк.* 1) левкóй; 2) гвоздика.

**gilt I** [gɪlt] 1. *past и p.p. от* gild I;
2. *n* позолóта; ◇ to take the ~ off the gingerbread показывать что-л. без прикрáс;

лиша́ть что-л. привлека́тельности; обесце́нивать что-л. [*см. тж.* gingerbread 1];
3. *а* золочёный, позоло́ченный.

**gilt II** [gɪlt] *n* молода́я свинья́, подсви́нок.

**gilt-edged** [ˈgɪltˈedʒd] *а* 1) с золоты́м обре́зом; 2) *разг.* первокла́ссный, лу́чшего ка́чества; he gave her a ~ tip он дал её прекра́сный сове́т; ◇ ~ securities надёжные це́нные бума́ги.

**gimbals** [ˈdʒɪmbəlz] *n pl* карда́нов подве́с.

**gimcrack** [ˈdʒɪmkræk] **1.** *n* мишу́рное украше́ние, безделу́шка;
**2.** *а* 1) мишу́рный; 2) ду́рно сде́ланный; сде́ланный на ско́рую ру́ку.

**gimlet** [ˈgɪmlɪt] *n* бура́в(чик); eyes like ~s пронзи́тельный *или* пытли́вый взгляд.

**gimp** [gɪmp] *n* 1) каните́ль; позуме́нт; 2) бо́лее то́лстая ни́тка в кру́жеве для выделе́ния рису́нка.

**gin I** [dʒɪn] (*сокр. от* engine) **1.** *n* 1) западня́, сило́к; 2) подъёмная лебёдка; во́рот; ко́злы; 3) джин (*хлопкоочисти́тельная маши́на*);
**2.** *v* 1) лови́ть в западню́; 2) очища́ть хлопок.

**gin II** [dʒɪn] *n* джин (*можжеве́ловая насто́йка, во́дка*).

**ginger** [ˈdʒɪndʒə] **1.** *n* 1) имби́рь; 2) *разг.* огонёк, воодушевле́ние; he wants some ~ ему́ «изю́минки» не хвата́ет; 3) рыжева́тый цвет (*воло́с*);
**2.** *v* 1) приправля́ть имбирём; 2) взба́дривать (*бегову́ю ло́шадь*); 3) *разг.* подстегну́ть, оживи́ть (*тж.* ~ up).

**ginger beer** [ˈdʒɪndʒəˈbɪə] *n* имби́рный лимона́д.

**gingerbread** [ˈdʒɪndʒəbred] **1.** *n* имби́рный пря́ник (*ра́ньше золочёный*);
**2.** *а* пы́шный, мишу́рный, пря́ничный; ~ work а) золочёная резьба́ на корабле́; б) безвку́сный орна́мент.

**gingerly** [ˈdʒɪndʒəlɪ] **1.** *а* осторо́жный, осмотри́тельный; ро́бкий;
**2.** *adv* осторо́жно; ро́бко.

**gingery** [ˈdʒɪndʒərɪ] *а* 1) имби́рный, пря́ный; 2) раздражи́тельный, вспы́льчивый; 3) рыжева́тый.

**gingham** [ˈgɪŋəm] *n* 1) полоса́тая *или* клетча́тая бума́жная *или* льняна́я мате́рия из кра́шеной пря́жи; 2) *разг.* (большо́й) зо́нтик.

**gingivitis** [ˌdʒɪndʒɪˈvaɪtɪs] *n* мед. воспале́ние дёсен.

**gink** [gɪŋk] *n амер. sl.* чуда́к.

**gin-mill** [ˈdʒɪnmɪl] *амер.* = gin-shop.

**ginnery** [ˈdʒɪnərɪ] *n* хлопкоочисти́тельный заво́д.

**ginny** [ˈdʒɪnɪ] *а разг.* опьянённый, нетре́звый; to get ~ опьяне́ть.

**ginseng** [ˈdʒɪnseŋ] *кит. n* женьше́нь (*расте́ние с лече́бным ко́рнем*).

**gin-shop** [ˈdʒɪnʃəp] *n* пивна́я.

**gin-sling** [ˈdʒɪnslɪŋ] *n* подслащённый джин.

**gippo** [ˈdʒɪpou] *n воен. sl.* суп, похлёбка; подли́вка.

**Gipsy** [ˈdʒɪpsɪ] **1.** *n* 1) цыга́н; цыга́нка; 2) цыга́нский язы́к;
**2.** *а* цыга́нский;

3. *v* (g.) 1) вести́ цыга́нский о́браз жи́зни; 2) устра́ивать пикни́к *и т. п.*

**gipsy moth** [ˈdʒɪpsɪmɔθ] *n зоол.* непа́рный шелкопря́д, непа́рник.

**gipsy table** [ˈdʒɪpsɪˌteɪbl] *n* кру́глый сто́лик (*на трёх но́жках*).

**giraffe** [dʒɪˈrɑːf] *n* жира́ф(а).

**girandole** [ˈdʒɪrəndoul] *n* 1) канделя́бр, большо́й фигу́рный подсве́чник для не́скольких свече́й; 2) колесо́ (*в фейерве́рке*).

**gird I** [gəd] *v* (-ed [-ɪd], girt) 1) опоя́сывать; подпоя́сывать(ся); he was girt about with a rope он был подпоя́сан верёвкой; 2) прикрепля́ть са́блю, ша́шку к по́ясу; 3) облека́ть (*вла́стью; with*); 4) окружа́ть, опоя́сывать; the island ~ed by the sea о́стров, окружённый мо́рем; ◇ to ~ oneself for smth. пригото́виться к чему́-л.

**gird II** [gəd] **1.** *n* насме́шка;
**2.** *v* насмеха́ться (at—над).

**girder** [ˈgədə] *n* 1) ба́лка; брус; перекла́дина; прого́н; фе́рма (*моста́*); 2) *радио* ма́чта.

**girdle** [ˈgədl] **1.** *n* 1) по́яс, куша́к; 2) *тех.* обо́йма, кольцо́; 3) *анат.* по́яс; 4) *геол.* то́нкий пласт песча́ника; ◇ under smb.'s ~ на поводу́ у кого́-л.;
**2.** *v* 1) подпоя́сывать; 2) кольцева́ть (*плодо́вые дере́вья*); 3) окружа́ть; 4) обнима́ть; to ~ smb.'s waist обня́ть кого́-л. за та́лию.

**girl** [gəl] *n* 1) де́вочка; 2) де́вушка; 3) *разг.* (молода́я) же́нщина; 4) служа́нка, прислу́га; 5) продавщи́ца; 6) неве́ста, возлю́бленная (*тж.* ~); 7) *attr.:* ~ guides же́нская организа́ция ска́утов; old ~ *пренебр., ласк.* «стару́шка», же́нщина (*незави́симо от во́зраста*); ми́лая (*в обраще́нии*).

**girlhood** [ˈgəlhud] *n* де́вичество.

**girlie** [ˈgəlɪ] *n* (*уменьш. от* girl) де́вочка, девчу́шка.

**girlish** [ˈgəlɪʃ] *а* 1) деви́ческий; 2) изне́женный, похо́жий на де́вочку (*о ма́льчике*).

**Girondist** [dʒɪˈrɔndɪst] *фр. n ист.* жиронди́ст.

**girt** [gət] **1.** *past и p. p. от* gird I;
**2.** *v* = girth 2, 2).

**girth** [gəθ] **1.** *n* 1) подпру́га; 2) обхва́т; разме́р (*та́лии; де́рева в обхва́т и т. п.*); 3) *attr.:* ~ rail *тех.* ри́гель, распо́рка;
**2.** *v* 1) подтя́гивать подпру́гу (*тж.* ~ up); 2) ме́рить в обхва́те; 3) окружа́ть, опоя́сывать.

**gist** [dʒɪst] *n* суть, су́щность; гла́вный пункт.

**give** [gɪv] **1.** *v* (gave; given) (*обы́чно употребля́ется с двумя́ дополне́ниями; напр.:* I gave him the book *или* I gave the book to him) 1) дава́ть; отдава́ть; to ~ lessons дава́ть уро́ки; to ~ one's word дать сло́во, обеща́ть; this ~s him a right to complain э́то даёт ему́ пра́во жа́ловаться; the sun ~s light со́лнце — исто́чник све́та; 2) дари́ть; же́ртвовать; ода́ривать; жа́ловать (*награ́ду*); завеща́ть; to ~ a handsome present сде́лать хоро́ший пода́рок; to ~ alms подава́ть ми́лостыню; he gave freely to the hospital он мно́го же́ртвовал на больни́цу; 3) вруча́ть, передава́ть; to ~ a note вручи́ть запи́ску; 4) передава́ть; to ~ regards (*или* love) передава́ть приве́т; he ~s you his good wishes он передаёт Вам наилу́чшие пожела́ния; 5) заража́ть; you've ~n me your cold in the nose я от вас зарази́лся на́сморком; 6) плати́ть; отпла́чивать; I gave ten shillings for the hat я заплати́л за шля́пу де́сять ши́ллингов; to ~ smb. his due признава́ть чьи-л. досто́инства; воздава́ть по заслу́гам; 7) *с различными, гл. обр. отглаго́льными, существи́тельными образу́ет фразовый глаго́л, который обыкн. выража́ет однокра́тность де́йствия и переда́ётся ру́сским глаго́лом, соотве́тствующим по значе́нию существи́тельному во фразовом глаго́ле:* to ~ a cry (вс)кри́кнуть; to ~ a look взгляну́ть; to ~ a jump подпры́гнуть; to ~ a loud laugh гро́мко рассмея́ться; to ~ encouragement ободри́ть; to ~ permission разреши́ть; to ~ an order приказа́ть; to ~ thought to заду́маться над; to ~ birth to роди́ть, породи́ть; to ~ chase пресле́довать; 8) отдава́ть, посвяща́ть; to ~ one's attention to уделя́ть внима́ние *чему-л.*; to ~ one's mind to study по́лностью отдава́ться заня́тиям (*или* учёбе); 9) устра́ивать (*обед, вечеринку*); 10) причиня́ть; it gave me much pain э́то причини́ло мне большу́ю боль; the pupil ~s the teacher much trouble э́тот учени́к доставля́ет учи́телю мно́го волне́ний; 11) выска́зывать; пока́зывать; to ~ to the world обнаро́довать, опубликова́ть; to ~ evidence дава́ть показа́ния; it was ~n in the newspapers об э́том сообща́лось в газе́тах; he ~s no signs of life он не подаёт при́знаков жи́зни; the thermometer ~s 25° in the shade термо́метр пока́зывает 25° в тени́; 12) присужда́ть (*наказание*); выноси́ть (*приговор*); the court gave him six months hard labour суд присуди́л его́ к шести́ ме́сяцам ка́торжных рабо́т; 13) уступа́ть; соглаша́ться; I ~ you that point уступа́ю вам по э́тому вопро́су, соглаша́юсь с ва́ми в э́том; to ~ ground отступа́ть; *перен.* уступа́ть; to ~ way а) отступа́ть; уступа́ть; сдава́ться; б) подава́ться (*о здоровье*); по́ртиться; в) *тех.* погну́ться; г)па́дать (*об акциях*); д) подда́ться (*отчаянию, горю*); дава́ть во́лю (*слезам*); 14) подава́ться, оседа́ть (*о фундаменте*); быть эласти́чным; сгиба́ться, гну́ться (*о дереве, металле*); but not to break сгиба́ться, но не лома́ться; 15) изобража́ть; исполня́ть; ~ us Chopin сыгра́йте нам Шопе́на; 16) выходи́ть (*об окне, коридоре*); into, (up)on — на, в); ☐ ~ away а) отдава́ть; дари́ть; раздава́ть (*призы*); to ~ away the bride быть посажёным отцо́м; б) *разг.* выдава́ть, прогова́риваться; обнару́живать; подводи́ть; предава́ть; to ~ away the show *разг.* вы́дать, разболта́ть секре́т; разболта́ть о недоста́тках (*какого-л.*) *предприятия*); [*см. тж.* 1, 13)]; ~ back возвраща́ть, отдава́ть; отплати́ть (*за обиду*); ~ forth а) объявля́ть; обнаро́довать; б) распуска́ть слух; ~ in а) уступа́ть, сдава́ться; б) подава́ть (*заяв*-

*ление, отчёт, счёт*); в) впи́сывать; регистри́ровать; ~ off выделя́ть, испуска́ть; ~ out а) распределя́ть; б) объявля́ть; в) издава́ть, выпуска́ть; г) иссяка́ть, конча́ться (*о запасах, силах и т. п.*); по́ртиться (*о машине*); д) *амер.* дава́ть интервью́; ~ over а) передава́ть; б) броса́ть, оставля́ть (*привычку*); ~ up а) оста́вить, отказа́ться (*от работы и т. п.*); he is ~n up by the doctors он при́знан врача́ми безнадёжным; б) бро́сить (*привычку*); в) уступи́ть; to ~ oneself up to smth. предава́ться, отдава́ться чему́-л.; ◇ ~ smb. best *разг.* призна́ть чьё-л. превосхо́дство; to ~ effect to вводи́ть в де́йствие; to ~ ear to вы́слушать; to ~ as good as one gets не оста́ться в долгу́; to ~ smb. the creeps нагна́ть стра́ху на кого́-л.; бро́сить кого́-л. в дрожь; to ~ it smb. (hot and strong) проучи́ть кого́-л., всы́пать кому́-л., зада́ть кому́-л. жа́ру; to ~ one what for всы́пать по пе́рвое число́, зада́ть пе́рцу; to ~ smb. a piece of one's mind сказа́ть кому́-л. па́ру тёплых слов, отруга́ть; to ~ mouth (*или* tongue) а) подава́ть го́лос; б) выска́зывать, расска́зывать; to ~ rise to a) дава́ть нача́ло (*о реке*); б) вызыва́ть, име́ть результа́ты; to ~smb. го́ре дать запу́таться, дать кому́-л. возмо́жность погуби́ть самого́ себя́; to ~ the time of day сказа́ть «до́брое у́тро», «до́брый ве́чер» *и т. п.*; to ~ vent to one's feelings отвести́ ду́шу; I ~ you joy жела́ю сча́стья; ~ a year or so either way с отклоне́нием в год в ту и́ли другу́ю сто́рону; to ~ a Roland for an Oliver ⇔ отплати́ть той же моне́той;

**2.** *n* 1) эласти́чность, пода́тливость; ~ and take взаи́мная усту́пка; компроми́сс; обме́н мне́ниями, любе́зностями *и т. п.*; 2) *спорт.* .уравне́ние усло́вий.

**give-away** ['gɪvə‚weɪ] **1.** *n разг.* 1) ненаме́ренное разоблаче́ние та́йны *или* преда́тельство; 2) про́данное дёшево *или* о́тданное да́ром;

**2.** *a* ни́зкий (*о цене*); at a ~ price почти́ да́ром.

**given** ['gɪvn] **1.** *p. p. от* give 1;

**2.** *a* 1) да́нный, пода́ренный; 2) скло́нный (к *чему-л.*); предаю́щийся (*чему-л.*); увлека́ющийся (*чем-л.*); 3) обусло́вленный; within a ~ period в тече́ние устано́вленного сро́ка; 4) *мат., лог.* да́нный, определённый; ◇ ~ name и́мя (*в отличие от фамилии*).

**giver** ['gɪvə] *n* тот, кто даёт, да́рит, же́ртвует (охо́тно).

**gizzard** ['gɪzəd] *n* 1) второ́й желу́док (*у птиц*); 2) *разг.* гло́тка, го́рло; ◇ it sticks in my ~ э́то мне поперёк го́рла ста́ло.

**glabrous** ['gleɪbrəs] *a* гла́дкий, лишённый воло́с (*о коже*).

**glacé** ['glæseɪ] *фр. a* 1) гла́дкий, сатини́рованный; 2) глазиро́ванный; заса́харенный.

**glacial** ['gleɪsjəl] *a* 1) леднико́вый; 2) ледо́вый; ледяно́й; леденя́щий; студёный; 3) *перен.* холо́дный; 4) кристаллизо́ванный.

**glaciate** ['gleɪsɪeɪt] *v* 1) замора́живать; ~d подве́ргшийся де́йствию леднико́в; 2) наводи́ть ма́товую пове́рхность.

**glacier** ['glæsjə] *n* ледни́к, гле́тчер.

**glacis** ['glæsis] *n* воен. гла́сис, пере́дний скат бру́ствера.

**glad** [glæd] **1.** *a* 1) *predic.* дово́льный; I'm ~ to see you рад вас ви́деть; ~ to hear it рад э́то слы́шать; 2) ра́достный, весёлый; ~ сгу ра́достный крик; 3) утеши́тельный; 4) *поэт.* счастли́вый; ◇ ~ rags *sl.* пра́зднич-ное, лу́чшее пла́тье; to give the ~ eye to smb. смотре́ть с любо́вью на кого́-л.; **2.** *v уст.* ра́довать; весели́ть.

**gladden** ['glædn] *v* ра́довать; весели́ть.

**glade** [gleɪd] *n* 1) прога́лина; про́сека; поля́на; 2) *амер.* полынья́; *pl* боло́тистые места́.

**gladiator** ['glædɪeɪtə] *n* гладиа́тор.

**gladiatorial** [ˌglædɪə'tɔːrɪəl] *a* гладиа́тор-ский.

**gladioli** [ˌglædɪ'oulaɪ] *pl от* gladiolus.

**gladiolus** [ˌglædɪ'ouləs] *n* (*pl* -es [-ɪz], -li) *бот.* гладио́лус, шпа́жник.

**gladly** ['glædlɪ] *adv* ра́достно; охо́тно, с удово́льствием.

**gladsome** ['glædsəm] *a поэт.* ра́достный.

**Gladstone** ['glædstən] *n* 1) ко́жаный сак-воя́ж (*тж.* ~ bag); 2) двухме́стный эки-па́ж.

**glair** [glɛə] **1.** *n* яи́чный бело́к; **2.** *v* сма́зывать яи́чным белко́м.

**glairy** ['glɛərɪ] *a* 1) белко́вый; 2) сма́зан-ный яи́чным белко́м.

**glaive** [gleɪv] *n уст., поэт.* меч.

**glamor** ['glæmə] *амер.* = glamour.

**glamorize** ['glæməraɪz] *v амер.* восхва-ля́ть, реклами́ровать; дава́ть высо́кую оце́нку.

**glamorous** ['glæmərəs] *амер.* = glamourous.

**glamour** ['glæmə] **1.** *n* 1) ча́ры, волшеб-ство́; to cast a ~ over очарова́ть, околдо-ва́ть; 2) романти́ческий орео́л; обая́ние; оча-рова́ние; 3) эффе́кт; 4) *attr.* эффе́ктный; ~ boy (girl) *разг.* шика́рный ю́ноша (ши-ка́рная де́вушка); **2.** *v* зачарова́ть, околдова́ть.

**glamourous**, **glamoury** ['glæmərəs, -rɪ] *a* 1) обая́тельный, очарова́тельный; 2) эффе́ктный.

**glance I** [glɑːns] **1.** *n* 1) бы́стрый взгляд; at a ~ с одного́ взгля́да; to take a ~, to give a ~ (at) взгляну́ть (на); to cast a ~ at бро́сить бы́стрый взгляд на; to steal a ~ взгляну́ть укра́дкой; stealthy ~ взгляд укра́дкой; 2) сверка́ние, блеск; 3) *мин.* обма́нка; **2.** *v* 1) ме́льком взгляну́ть (at — на); бе́гло просмотре́ть (over); 2) поблёскивать; блесну́ть, сверкну́ть; мелькну́ть; 3) отра-жа́ться; 4) скользну́ть (*часто* ~ aside, ~ off).

**glance II** [glɑːns] *v* наводи́ть гля́нец; полирова́ть.

**gland I** [glænd] *n анат.* железа́; *pl* шей-ные желёзки.

**gland II** [glænd] *n тех.* са́льник; прокла́д-ка са́льника; са́льниковая кры́шка.

**glanderous** ['glændərəs] *a вет.* са́пный.

**glanders** ['glændəz] *n pl вет.* сап.

**glandiferous** [glæn'dɪfərəs] *a* с желудя́ми (*о дереве*).

**glandiform** ['glændɪfɔːm] *a* 1) в фо́рме жёлудя; 2) *мед.* желе́зистый.

**glandular** ['glændjulə] *a* 1) желе́зистый; 2) в фо́рме железы́.

**glandule** ['glændjuːl] *n* 1) желёзка; 2) набуха́ние, о́пухоль.

**glare** [glɛə] **1.** *n* 1) ослепи́тельный блеск, я́ркий свет; 2) блестя́щая мишура́; 3) при-ста́льный *или* свире́пый взгляд; **2.** *v* 1) ослепи́тельно сверка́ть; 2) при-ста́льно *или* свире́по смотре́ть (at); the tiger stood glaring at him тигр свире́по гляде́л на него́.

**glaring** ['glɛərɪŋ] **1.** *pres. p. от* glare 2; **2.** *a* 1) я́ркий, ослепи́тельный (*о свете*); 2) сли́шком я́ркий, крича́щий (*о цвете*); 3) броса́ющийся в глаза́; 4) гру́бый; ~ mistake гру́бая оши́бка.

**glaringly** ['glɛərɪŋlɪ] *adv* 1) я́рко, осле-пи́тельно; 2) вызыва́юще; гру́бо.

**glass** [glɑːs] **1.** *n* 1) стекло́; 2) стекля́нная посу́да; 3) стака́н; рю́мка; he has taken a ~ too much *разг.* он вы́пил ли́шнее; 4) парни-ко́вая ра́ма; парни́к; 5) зе́ркало; 6) *pl* очки́; 7) баро́метр; 8) подзо́рная труба́; телеско́п; бино́кль; микроско́п; 9) песо́чные часы́; *мор.* (*обыкн. pl*) (получаса́вая) скля́н-ка; 10) *attr.* стекля́нный; ◇ to look through green ~es ревнова́ть; зави́довать; to look through blue ~es смотре́ть мра́чно, пес-симисти́чески; **2.** *v* 1) вставля́ть стёкла; остекля́ть; 2) по-меща́ть в парни́к; 3) отража́ться (*как в зеркале*); 4) гермети́чески закрыва́ть в стекля́нной посу́де (*о консервах и т. п.*).

**glass-blower** ['glɑːsˌblouə] *n* стеклоду́в.

**glass-blowing** ['glɑːsˌblouɪŋ] *n* стеклоду́в-ное де́ло; выду́вка стекла́.

**glass case** ['glɑːskeɪs] *n* витри́на.

**glass-culture** ['glɑːsˌkʌltʃə] *n* тепли́чная, парнико́вая культу́ра.

**glass-cutter** ['glɑːsˌkʌtə] *n* 1) стеко́ль-щик; 2) алма́з (*для резки стекла*).

**glass-dust** ['glɑːsdʌst] *n* нажда́к.

**glassful** ['glɑːsful] *n* стака́н (*как мера ёмкости*).

**glass-furnace** ['glɑːsˌfəːnəs] *n* стеклопла-ви́льная печь.

**glass-house** ['glɑːshaus] *n.* 1) стекло́льный заво́д; 2) тепли́ца, оранжере́я; 3) фото-ателье́ (*со стеклянной крышей*); 4) *attr.* тепли́чный; ~ culture тепли́чная куль-ту́ра.

**glass-metal** ['glɑːsˌmetl] *n* распла́влен-ное стекло́.

**glass-paper** ['glɑːsˌpeɪpə] *n* нажда́чная бума́га, шку́рка.

**glass-wool** ['glɑːswul] *n тех.* стекля́нная ва́та.

**glass-work** ['glɑːswəːk] *n* 1) стеко́льное произво́дство; 2) стекло́ (*изделия*); 3) *pl* стеко́льный заво́д.

**glassy** ['glɑːsɪ] *a* 1) зерка́льный, гла́дкий; 2) безжи́зненный, ту́склый (*о взгляде, глазах*); 3) стекля́нный, стекло́видный; прозра́чный (*как стекло*).

**Glaswegian** [glæs'wiːdʒən] **1.** *a* относя́-щийся к г. Гла́зго; **2.** *n* урожде́нец г. Гла́зго.

**Glauber's salt(s)** ['glaubəz,sɔːlt(s)] *n хим.* глауберова соль, сернокислый натрий.

**glaucoma** [glɔːˈkoumə] *n мед.* глаукома.

**glaucous** ['glɔːkəs] *a* 1) серовато-зелёный, серовато-голубой; 2) тусклый; 3) *бот.* покрытый налётом.

**glaze** [gleiz] 1. *n* 1) мурава, глазурь; глянец; 2) муравленая, глазированная посуда; 3) *амер.* слой льда, ледяной покров; 4) *жив.* лессировка;
2. *v* 1) вставлять стёкла; застеклять; 2) покрывать глазурью, муравой; 3) покрывать льдом; 4) тускнеть, стекленеть (*о глазах*); покрываться поволокой; 5) глазировать (*в кулинарии*); 6) *жив.* лессировать; 7) *тех.* полировать, лощить.

**glazed** [gleizd] 1. *p. p. от* glaze 2;
2. *a* 1) застеклённый; 2) глазированный.

**glazier** ['gleizjə] *n* 1) стекольщик; 2) гончар-глазировщик; ◇ is your father a ~? *шутл.* ≅ вы не прозрачны.

**glazy** ['gleizi] *a* 1) глянцевитый, блестящий; 2) тусклый, безжизненный (*о взгляде*).

**gleam** [gliːm] 1. *n* 1) слабый свет, проблеск, луч; 2) отблеск; отражение (*лучей заходящего солнца*); 3) проблеск, вспышка (*юмора, веселья и т. п.*); not a ~ of hope никаких проблесков надежды;
2. *v* 1) светиться; мерцать; 2) отражать свет.

**glean** [gliːn] *v* 1) подбирать колосья (*после жатвы*), виноград (*после сбора*); 2) тщательно подбирать, собирать по мелочам (*факты, сведения*).

**gleaner** ['gliːnə] *n* машина, снимающая колосья, стриппер.

**gleanings** ['gliːniŋz] *n pl* 1) собранные после жатвы колосья; 2) собранные факты; 3) обрывки, крупицы знаний.

**glebe** [gliːb] *n* 1) *поэт.* земля, клочок земли; 2) церковный участок; 3) *горн.* рудоносный участок земли; 4) *attr.*: ~ house дом сельского пастора.

**glee** [gliː] *n* 1) веселье; ликование; 2) песня (*для нескольких голосов*).

**gleeful** ['gliːful] *a* весёлый, ликующий; радостный.

**gleet** [gliːt] *n мед.* хронический уретрит.

**glen** [glen] *n* узкая долина, лощина.

**glengarry** [glenˈgæri] *n* шотландская шапка.

**gletcher** ['gletʃə] *n редк.* ледник, глетчер.

**glib** [glib] *a* 1) гладкий (*о поверхности*); 2) лёгкий, беспрепятственный (*о движении*); 3) речистый, говорливый; 4) бойкий (*о речи*); he has a ~ tongue он бойкий на язык.

**glibly** ['glibli] *adv* многоречиво; многословно.

**glide** [glaid] 1. *n* 1) скольжение; плавное движение; 2) *ав.* планирование, планирующий спуск; 3) *муз.* хроматическая гамма; 4) *фон.* скольжение; промежуточный звук;
2. *v* 1) скользить; двигаться плавно; 2) проходить незаметно (*о времени*); 3) *ав.* планировать.

**glide-bomb** ['glaidbɔm] *v ав.* бомбить при спуске под углом от 45° до 60°.

**glider** ['glaidə] *n ав.* планёр.

**gliding** ['glaidiŋ] 1. *pres. p. от* glide 2;
2. *n* 1) скольжение; 2) *ав.* планирование; 3) планеризм.

**glim** [glim] *n sl.* 1) свет, лампа, свеча *и т. п.*; 2) глаз.

**glimmer** ['glimə] 1. *n* 1) мерцание; тусклый свет; 2) слабый проблеск; 3) *sl.* огонь; 4) *pl sl.* глаза, «гляделки»;
2. *v* мерцать; тускло светить; to go ~ing гибнуть (*о планах и т. п.*).

**glimpse** [glimps] 1. *n* 1) мелькание, проблеск; 2) мимолётное впечатление; быстро промелькнувшая перед глазами картина; to have (*или* to catch) a ~ of увидеть мельком; 3) быстрый взгляд; at a ~ с первого взгляда;
2. *v* 1) (у)видеть мельком; 2) мелькать, промелькнуть.

**glint** [glint] 1. *n* вспышка, сверкание; яркий блеск;
2. *v* 1) вспыхивать, сверкать; ярко блестеть; 2) отражать свет.

**glissade** [gliˈsɑːd] 1. *n* 1) скольжение, соскальзывание; 2) *ав.* скольжение на крыло; 3) глиссе (*в танцах*);
2. *v* 1) скользить, соскальзывать; 2) делать глиссе.

**glisten** ['glisn] 1. *v* блестеть, сверкать; искриться; сиять; to ~ with dew блестеть росой; his eyes ~ed with excitement его глаза блестели от возбуждения;
2. *n* отблеск.

**glister** ['glistə] *уст.* = glisten 1.

**glitter** ['glitə] 1. *n* 1) яркий блеск, сверкание; 2) помпа, пышность;
2. *v* 1) блестеть, сверкать; 2) блистать; ◇ all is not gold that ~s *посл.* не всё то золото, что блестит.

**gloaming** ['gloumiŋ] *n поэт., диал.* сумерки.

**gloat** [glout] *v* 1) пожирать глазами (over, upon); 2) радоваться (про себя); 3) тайно злорадствовать.

**gloatingly** ['gloutiŋli] *adv* злорадно; со злорадством.

**global** ['gloubəl] *a* 1) имеющий форму шара, шаровидный; 2) мировой, всемирный; в мировом масштабе.

**globe** [gloub] *n* 1) шар; ~ of the eye глазное яблоко; 2) земной шар; 3) небесное тело; 4) глобус; 5) держава (*эмблема власти монарха*); 6) колокол воздушного насоса; 7) круглый стеклянный абажур.

**globe-flower** ['gloub,flauə] *n бот.* купальница.

**globe lightning** ['gloub,laitniŋ] *n* шаровидная молния.

**globe-trotter** ['gloub,trɔtə] *n* человек, много путешествующий по свету.

**globe-trotting** ['gloub,trɔtiŋ] *a* много путешествующий.

**globose** ['gloubous] *a* шаровидный; сферический.

**globosity** [glouˈbɔsiti] *n* шаровидность.

**globular** ['glɔbjulə] *a* 1) шаровидный; сферический; ~ flowers шарообразные цветы; 2) состоящий из шаровидных частиц.

**globule** ['glɔbjuːl] *n* 1) шарик; шаровидная частица; капля; глобула; 2) *физиол.* красный кровяной шарик; 3) пилюля.

**globulin** ['glɔbjuːlɪn] *n* глобулин (*белковое вещество*).

**glomerate** ['glɔməreɪt] *a бот., анат.* свитый в клубок.

**gloom** [gluːm] 1. *n* 1) мрак; темнота; тьма; 2) мрачность; уныние; подавленное настроение;
2. *v* 1) хмуриться; заволакиваться (*о небе*); 2) иметь хмурый *или* унылый вид; 3) омрачать; вызывать уныние.

**gloomily** ['gluːmɪlɪ] *adv* мрачно; уныло; с унылым видом.

**gloomy** ['gluːmɪ] *a* 1) мрачный; тёмный; 2) угрюмый; печальный; хмурый, унылый; ~ prospects печальные, мрачные перспективы.

**gloria** ['glɔːrɪə] *n* шёлк с шерстью *или* шёлк с бумагой (*ткань*).

**glorification** [,glɔːrɪfɪ'keɪʃ ən] *n* прославление, восхваление.

**glorify** ['glɔːrɪfaɪ] *v* 1) прославлять, восхвалять, окружать ореолом; 2) (*обыкн. p. p.*) *разг.* украшать.

**gloriole** ['glɔːrɪoul] *n* нимб, ореол, сияние.

**glorious** ['glɔːrɪəs] *a* 1) славный; знаменитый; 2) великолепный, чудесный, восхитительный (*тж. ирон.*); 3) *разг.* в приподнятом настроении; подвыпивший.

**glory** ['glɔːrɪ] 1. *n* 1) слава; 2) триумф; 3) великолепие, красота; 4) нимб, ореол, сияние; ◇ to go to ~ умереть; to send to ~ убить; Old G. *амер. разг.* государственный флаг США;
2. *v* гордиться (*обыкн.* ~ in); торжествовать; упиваться; to ~ in one's health and strength быть олицетворением здоровья и силы.

**gloss** I [glɔs] 1. *n* 1) внешний блеск; 2) обманчивая наружность;
2. *v* 1) наводить глянец, лоск; 2) лосниться.

**gloss** II [glɔs] 1. *n* 1) глосса; заметка на полях; толкование; 2) подстрочник *или* глоссарий; 3) благоприятное истолкование;
2. *v* 1) составлять глоссарий; снабжать комментарием; 2) истолковывать благоприятно, замалчивая недостатки (*часто* ~ over); 3) сгущать краски, неблагоприятно истолковывать (upon).

**glossal** ['glɔsəl] *a анат.* относящийся к языку.

**glossary** ['glɔsərɪ] *n* 1) глоссарий, словарь (*приложенный в конце книги*); 2) словарь специальных терминов.

**glossiness** ['glɔsɪnɪs] *n* лоск, глянец.

**glossitis** [glɔ'saɪtɪs] *n мед.* воспаление языка.

**glossology** [glɔ'sɔlədʒɪ] *n* 1) = glossary; 2) терминология; 3) *уст.* (сравнительное) языкознание.

**glossy** ['glɔsɪ] *a* блестящий, глянцевитый, лоснящийся, лощёный.

**glottic** ['glɔtɪk] *a* 1) относящийся к голосовой щели; 2) *уст.* лингвистический.

**glottis** ['glɔtɪs] *n анат.* голосовая щель.

**gloubosity** [glou'bɔsɪtɪ] = globosity.

**Gloucester** ['glɔstə] *n* глостерский сыр.

**glove** [glʌv] 1. *n* перчатка; ◇ to fit like a ~ быть как раз впору; to handle without ~s не церемониться, поступать грубо; относиться беспощадно; to throw down (to take up) the ~ бросить (принять) вызов; to take off the ~s приготовиться к бою;
2. *v* надеть перчатку; ~d в перчатке (-ках).

**glover** ['glʌvə] *n* перчаточник.

**glow** [glou] 1. *n* 1) сильный жар, накал; summer's scorching ~ палящий летний зной; 2) свет, отблеск, зарево (*отдалённого пожара, заката*); 3) яркость красок; 4) румянец; 5) пыл; оживлённость, горячность; 6) свечение; ◇ to be all of a ~, to be in a ~ пылать, ощущать жар;
2. *v* 1) накаляться докрасна; добела; 2) светиться; сверкать; 3) тлеть; 4) гореть, сверкать (*о глазах*); 5) сиять (*от радости*); 6) рдеть, пылать (*о щеках*); 7) чувствовать приятную теплоту (*в теле*).

**glower** I ['glauə] *n* нить накаливания.

**glower** II ['glauə] 1. *n* сердитый взгляд;
2. *v* смотреть сердито.

**glowing** ['glouɪŋ] 1. *pres. p. от* glow 2;
2. *a* 1) раскалённый докрасна; добела; 2) ярко светящийся; 3) горячий, пылкий; 4) яркий (*о красках*); to paint in ~ colours представлять в радужном свете; 5) пылающий (*о щеках*).

**glow-lamp** ['gloulæmp] *n* лампа накаливания.

**glow-worm** ['glouwəːm] *n* светляк.

**gloxinia** [glɔk'sɪnjə] *n бот.* глоксиния.

**gloze** [glouz] *v уст.* толковать, комментировать; □ ~ over истолковывать благоприятно.

**glucinium** [gluː'sɪnɪəm] *n хим.* глициний.

**glucose** ['gluːkous] *n хим.* глюкоза.

**glue** [gluː] 1. *n* 1) клей; 2) *attr.* клеевой; ~ colour клеевая краска;
2. *v* 1) клеить, приклеивать; 2) приклеиваться, склеиваться, прилипать; 3) *разг.* быть неотлучно (*при ком-л.*); ◇ to have one's eye ~d то не отрывать взгляда от.

**gluey** ['gluːɪ] *a* клейкий, липкий.

**glum** [glʌm] *a* угрюмый, хмурый, мрачный.

**glume** [gluːm] *n* шелуха (*зерна*).

**glut** [glʌt] 1. *n* 1) избыток; 2) пресыщение; 3) излишество (*в еде и т. п.*); 4) затоваривание (*рынка*); 5) *тех.* деревянный клин;
2. *v* 1) насыщать, пресыщать; 2) наполнять до отказа; 3) затоваривать; 4) *уст.* жадно глотать.

**gluten** ['gluːtən] *n* клейковина.

**glutinous** ['gluːtɪnəs] *a* клейкий.

**glutton** ['glʌtn] *n* 1) обжора; 2) жадный, ненасытный человек; *a* ~ of books жадно и много читающий; 3) *зоол.* росомаха.

**gluttonous** ['glʌtnəs] *a* прожорливый.

**gluttony** ['glʌtnɪ] *n* обжорство.

**glycerin(e)** [,glɪsə'riːn] *n* глицерин.

**glyptic** ['glɪptɪk] *a* глиптический.

**glyptics** ['glɪptɪks] *n pl (употр. как sing)* глиптика.

**glyptography** [glɪp'tɔgrəfɪ] *n* резьба́ на драгоце́нных камня́х.

**G-man** ['dʒiːmæn] *n* (*сокр. от* Government man) *амер. разг.* аге́нт Федера́льного бюро́ рассле́дований.

**gnarled, gnarly** [naːld, 'naːlɪ] *a* 1) шишкова́тый (*с наростами*); сучкова́тый; искривлённый (*о дереве*); 2) углова́тый, гру́бый (*о внешности*); 3) несгово́рчивый; упря́мый.

**gnash** [næʃ] *v* скрежета́ть (*зубами*).

**gnat** [næt] *n* 1) кома́р; 2) *амер.* мо́шка; ◇ to strain at a ~ быть ме́лочным; переоце́нивать ме́лочи.

**gnaw** [nɔː] *v* 1) грызть, глода́ть; 2) разъеда́ть (*о кислоте*); 3) подта́чивать, беспоко́ить, терза́ть.

**gnawer** ['nɔːə] *n* грызу́н.

**gneiss** [naɪs] *n мин.* гнейс.

**gnome** I ['noumiː] *n* афори́зм.

**gnome** II [noum] *n* гном, ка́рлик.

**gnomic(al)** ['noumɪk(əl)] *a* гноми́ческий, афористи́ческий.

**gnomish** ['noumɪʃ] *a* похо́жий на гно́ма.

**gnomon** ['noumɔn] *n* сто́лбик-указа́тель со́лнечных часо́в; гно́мон.

**gnostic** ['nɔstɪk] *филос.* 1. *a* гности́ческий;
2. *n* гно́стик.

**gnosticism** ['nɔstɪsɪzəm] *n филос.* гностици́зм.

**gnu** [nuː] *n* гну (*антилопа*).

**go** [gou] 1. *v* (went; gone) 1) идти́, ходи́ть; быть в движе́нии; передвига́ться (*в простра́нстве или во времени*); the train goes to London по́езд идёт в Ло́ндон; who goes there? кто идёт? (*окрик часового*); to go after smb. идти́ за кем-л. [*см. тж.* □ go after]; 2) е́хать, путеше́ствовать; to go by train е́хать по́ездом; to go by plane лете́ть самолётом; I shall go to France я пое́ду во Фра́нцию; 3) пойти́; уходи́ть; уезжа́ть; старто-ва́ть; I'll be going now ну, я пошёл; it is time for us to go нам пора́ уходи́ть (*или* идти́); let me go! отпусти́те! 4) отправля́ться (*часто с последующим герундием*); to go shopping отправля́ться за поку́пками; 5) приводи́ться в движе́ние; направля́ться, руково́дствоваться (by); the engine goes by electricity маши́на приво́дится в движе́ние электри́чеством; I shall go entirely by what the doctor says я бу́ду руково́дствоваться исключи́тельно тем, что говори́т врач; 6) иметь хожде́ние (*о монете, о пословице и т. п.*); быть в обраще́нии; переходи́ть из уст в уста́; as the story goes как говоря́т; 7) быть в де́йствии, рабо́тать (*о механизме, машине*); ходи́ть (*о часах*); to set the clock going завести́ часы́; 8) звуча́ть, звони́ть (*о колоколе, звонке и т. п.*); бить, отбива́ть (*о часах*); 9) простира́ться, вести́ (*куда-л.*), пролега́ть, тяну́ться; how far does this road go? далеко́ ли тя́нется э́та доро́га?; 10) пройти́, быть при́нятым, получи́ть призна́ние (*о плане, проекте*); 11) пройти́, око́нчиться определённым результа́том (*о*); the election went against him вы́боры ко́нчились для него́ неуда́чно; how did the voting go? как прошло́ голосова́ние?; the play went well пье́са име́ла успе́х; 12) проходи́ть;

исчеза́ть; рассе́иваться, расходи́ться; much time has gone since that day с того́ дня прошло́ мно́го вре́мени; summer is going ле́то прохо́дит; the clouds have gone ту́чи рассе́ялись; all hope is gone исче́зли все наде́жды; 13) умира́ть, ги́бнуть; теря́ться, пропада́ть; she is gone она́ поги́бла; she sconча́лась; my sight is going я теря́ю зре́ние; 14) ру́хнуть, свали́ться, слома́ться, пода́ться; the platform went трибу́на обру́шилась; first the sail and then the mast went сперва́ пода́лся па́рус, а зате́м и ма́чта; 15) потерпе́ть крах, обанкро́тить-ся; the bank may go any day крах ба́нка ожида́ется со дня на день; 16) отменя́ться, уничтожа́ться; this clause of the bill will have to go э́та статья́ законопрое́кта должна́ быть вы́брошена; 17) переходи́ть в со́бственность, достава́ться; the house went to the elder son дом доста́лся ста́ршему сы́ну; 18) продава́ться (*по определённой цене*; for); this goes for 1 shilling э́то сто́ит 1 ши́ллинг; to go cheap продава́ться по дешёвой цене́; 19) подходи́ть, быть под стать (*чему-л.*); the blue scarf goes well with your blouse э́тот голубо́й шарф хорошо́ подхо́дит к ва́шей блу́зке; 20) гласи́ть, говори́ть (*о тексте, статье*); 21) сде́лать како́е-л. движе́ние; go like this with your left foot! сде́лай так ле́вой ного́й!; 22) класть(ся), ста́вить(ся) на определённое ме́сто; постоя́нно храни́ться; where is this carpet to go? куда́ постели́ть э́тот ковёр?; 23) умеща́ться, укла́дываться (*во что-л.*); six into twelve goes twice шесть соде́ржится два ра́за в двена́дцати; the thread is too thick to go into the needle э́та ни́тка сли́шком толста́, что́бы проле́зть в иго́лку; 24) *глагол-связка в составном именном сказуемом означает:* а) постоя́нно находи́ться в како́м-л. положе́нии *или* состоя́нии; to go hungry быть, ходи́ть всегда́ голо́дным; to go in rags ходи́ть в лохмо́тьях; б) де́латься, станови́ть-ся; to go mad (*или* mental) сойти́ с ума́; to go sick захвора́ть; to go bad испо́ртиться (*о провизии*); to go bust *разг.* разори́ться; he goes hot and cold его́ броса́ет в жар и в хо́лод; 25) *в сочетании с последующим геру́ндием означает:* чём-то ча́сто *или* постоя́нно занима́ться; he goes frightening people with his stories он постоя́нно пуга́ет люде́й свои́ми расска́зами; to go hunting ходи́ть на охо́ту; 26) *в оборо́те* be going+*inf.* смысло-вого глаго́ла выража́ет наме́рение соверши́ть како́е-л. де́йствие в ближа́йшем бу́дущем: I am going to speak to her я намерева́юсь поговори́ть с ней; it is going to rain собира́ется дождь; 27): to go to the bar стать юри́стом; to go to sea стать моряко́м; to go on the stage стать актёром; to go on the streets стать проститу́ткой; to go to school получа́ть шко́льное образова́ние; ходи́ть в шко́лу; □ go about а) расха́живать, ходи́ть туда́ и сюда́; б) циркули́ровать (*о слухах*); в) мор. де́лать поворо́т овер-шта́г; go abroad а) уе́хать из до́ма; уе́хать за грани́цу; б) получи́ть изве́стность (*о расска́зе*); go after а) иска́ть; б) находи́ть удово́льствие в; go against противоре́чить, идти́ про́тив (*убежде́ний*); go ahead a) дви́-гаться вперёд; go ahead! вперёд!; продолжа́й(те)!; де́йствуй(те)!; б) идти́ напроло́м; в) идти́ впереди́ (*на состяза́нии*); go along a) дви́гаться; б) продолжа́ть; в) сопровожда́ть (with); go at *разг.* a) броса́ться на *кого́-л.*; б) энерги́чно бра́ться за *что́-л.*; go back a) возвраща́ться; б) нару́шить (*обеща́ние, сло́во*; on, upon); в) отказа́ться (on, upon — от *свои́х слов*); г) измени́ть (*друзья́м*; on, upon); go behind пересма́тривать, рассма́тривать за́ново, изуча́ть (*основа́ния, да́нные*); go between быть посре́дником ме́жду; go beyond превыша́ть *что́-л.*; go by a) проходи́ть (*о вре́мени*); б) проходи́ть ми́мо; в) суди́ть по; г) руково́дствоваться; I go by the barometer я руковожу́сь баро́метром; go down a) спуска́ться; опуска́ться; to go down in the world опусти́ться, потеря́ть было́е положе́ние (в о́бществе); б) затону́ть; в) сади́ться (*о со́лнце*); г) быть побеждённым; д) стиха́ть (*о ве́тре*); е) быть прие́млемым (*для кого́-л.*); одобря́ться (with — *кем-л.*); go far into продолжа́ться до́лго; go for a) идти́ за *чем-л.*; б) стреми́ться к *чему́-л.*; в) быть при́нятым за; г) *разг.* набро́ситься, обру́шиться на; the speaker went for the profiteers ора́тор обру́шился на спекуля́нтов; д) сто́ить, име́ть це́ну; to go for nothing (something) ничего́ не сто́ить (ко́е-что́ сто́ить); go forth быть опублико́ванным; go in a) входи́ть; б) уча́ствовать (*в состяза́нии*); в) затми́ться (*о со́лнце, луне́*); go in for a) ста́вить себе́ (*что́-л.*) це́лью, добива́ться (*чего́-л.*); to go in for an examination экзаменова́ться; б) увлека́ться (*чем-л.*); to go in for sports занима́ться спо́ртом; to go in for collecting pictures заня́ться, увле́чься коллекциони́рованием карти́н; в) *разг.* выступа́ть в по́льзу *кого́-л., чего́-л.*; go in with объедини́ться с *кем-л.*, де́йствовать совме́стно с *кем-л.*; присоединя́ться к *кому́-л.*; go into a) входи́ть; вступа́ть; to go into Parliament стать чле́ном парла́мента; б) ча́сто быва́ть, посеща́ть; в) впада́ть (в *исте́рику и т. п.*); приходи́ть (в *я́рость*); г) рассле́довать, тща́тельно рассма́тривать; go off a) убежа́ть, сбежа́ть; б) уходи́ть со сце́ны; в) теря́ть созна́ние; умира́ть; г) сойти́, пройти́; the concert went off well конце́рт прошёл хорошо́; д) вы́стрелить (*об ору́жии*); *перен.* вы́палить; е) ослабева́ть (*о бо́ли и т. п.*); ж) стать ху́же; з) отде́латься от *чего́-л.*; сбыть, прода́ть; go on (упо́рно) продолжа́ть, идти́ да́льше; go on for приближа́ться к(*о вре́мени, во́зрасте*); go out a)вы́йти; выходи́ть; б) быва́ть в о́бществе; в) вы́йти в свет (*о кни́ге*); г) вы́йти в отста́вку; вы́йти из мо́ды; д) пога́снуть; *sl.* умира́ть; ж) конча́ться (*о ме́сяце, го́де*); з) (за)бастова́ть; и) *амер.* обру́шиться; к) потерпе́ть неуда́чу; go over a) переходи́ть (на другу́ю сто́рону); б) переходи́ть из одно́й па́ртии в другу́ю; перемени́ть ве́ру; в) перечи́тывать, повторя́ть; г) изуча́ть в дета́лях; д) превосходи́ть; е) быть отло́женным (*о прое́кте зако́на*); ж) *хим.* переходи́ть, превраща́ться; з) опроки́нуться (*об экипа́же*); go

round a) враща́ться; the wheels go round колёса враща́ются; б) приходи́ть в го́сти за́просто; в) обойти́ круго́м, хвати́ть на всех (*за столо́м*); go through a) тща́тельно разбира́ть пункт за пу́нктом; б) испы́тывать, подверга́ться; в) упо́рствовать; г) обы́скивать, обша́ривать; д) проде́лывать; е) находи́ть сбыт, ры́нок (*о това́ре*); ж) пройти́, быть при́нятым (*о прое́кте, предложе́нии*); go through with smth. довести́ что́-л. до конца́; go together сочета́ться, гармони́ровать; go under a) тону́ть; б) ги́бнуть; *амер.* умира́ть; в) исчеза́ть; г) разоря́ться; д) не выде́рживать (*испыта́ний, страда́ний*); е) заходи́ть, зака́тываться (*о со́лнце*); go up a) поднима́ться, восходи́ть (*на го́ру*); б) расти́ (*о числе́*); повыша́ться (*о це́нах*); в) взорва́ться, сгоре́ть; г) *амер.* разори́ться; go with a) сопровожда́ть; б) быть заодно́ с *кем-л.*; в) подходи́ть, гармони́ровать; согласо́вываться, соотве́тствовать; go without обходи́ться без *чего́-л.*; ◇ to go with the tide (*или* times) плыть по тече́нию; go about your business! *разг.* пошёл вон!, убира́йся!; it will go hard with him ему́ тру́дно (*или* пло́хо) придётся; ему́ не поздоро́вится; to go by the name of a) быть изве́стным под и́менем; б) быть свя́занным с чьим-л. и́менем; she is six months gone with the child она́ на шесто́м ме́сяце бере́менности; to go off the deep end напи́ться; to go off the handle вы́йти из себя́; to go all lengths идти́ на всё; to go all out *амер.* напря́чь все си́лы; to go bail брать на пору́ки, *разг.* руча́ться (*за кого́-л.*); to go to great expense пойти́ на больши́е расхо́ды; to go to smb.'s heart печа́лить, огорча́ть; to go it *sl.* вести́ разгу́льный о́браз жи́зни; to go a long way a) име́ть большо́е значе́ние, влия́ние (to, towards, with); б) хвата́ть надо́лго (*о деньга́х*); to go one better превзойти́ (*сопе́рника*); to go right through идти́ напроло́м; to go round the bend теря́ть равнове́сие; сходи́ть с ума́; to go rounds ходи́ть по рука́м; to go west быть уби́тым; умере́ть; it goes without saying само́ собо́й разуме́ется; (it is true) as far as it goes (ве́рно) поско́льку де́ло каса́ется э́того; go along with you! го́л(те)! *разг.* ну!; что ж! (*выраже́ние призы́ва, проте́ста, насме́шки*); be gone! прова́ливай (те)!; going fifteen на пятна́дцатом году́; he went and did it он взял и сде́лал э́то; to go down the drains *разг.* быть истра́ченным впусту́ю (*о деньга́х*); to go easy on something *амер.* быть такти́чным в отноше́нии чего́-л.; to go on instruments вести́ самолёт вслепу́ю;

**2.** *n* (*pl* goes [gouz]) *разг.* 1) движе́ние, ход, ходьба́; to be on the go a) быть в движе́нии, в рабо́те; he is always on the go он ве́чно куда́-то спеши́т; б) собира́ться уходи́ть; в) быть пья́ным; г) быть на скло́не лет, на зака́те дней; 2) обстоя́тельство, положе́ние; неожи́данный поворо́т дел; here's a pretty go! ну и положе́ньице!; 3) попы́тка; she was staying for another go она́ оста́лась, что́бы сде́лать ещё одну́ попы́тку; let's have a go at it дава́йте попробуем; 4) пóрция (*кушанья*); глотóк (*вина*); 5) сдéлка; is it a go? идёт?; по рукáм?; 6) энéргия; воодушевлéние; рвéние; full of go пóлон энéргии; 7) успéх; успéшное предприя́тие; to make a go of it *амер. разг.* добиться успéха; преуспéть; по go бесполéзный; безнадёжный; (it's) по go здесь ничегó не подéлаешь; ничегó не выхóдит; э́тот нóмер не пройдёт [*см. тж.* nogo]; ◇ all (*или* quite) the go óчень в мóде; first go пéрвым дéлом, срáзу же; at a go срáзу.

**goad** [goud] **1.** *n* 1) возбудитель, стимул; 2) бодéц, стрекáло;

**2.** *v* 1) подгоня́ть (*стадо*); 2) побуждáть; 3) раздражáть; to ~ into fury привести́ в я́рость; довести́ до бéшенства.

**goaf** [gouf] *n горн.* пустáя порóда; вы́работанное прострáнство.

**go-ahead I** ['gouəhed] *n* 1) сигнáл к стáрту; разрешéние; 2) прогрéсс, движéние вперёд.

**go-ahead II** ['gouəhed] **1.** *n* предприи́мчивый человéк;

**2.** *a* энерги́чный, предприи́мчивый.

**goal** [goul] *n* 1) цель, задáча; 2) цель, мéсто назначéния; 3) фи́ниш; 4) *спорт.* ворóта; 5) *спорт.* гол; 6) *уст.* мéта.

**goalee, goalie** ['gouli] = goalkeeper.

**goalkeeper** ['goul,kɪːpə] *n спорт.* вратáрь.

**go-as-you-please** ['gouəzjuːˈpliːz] *a* 1) свобóдный от прáвил (*о гóнках и т. п.*); неограни́ченный; нестеснённый; 2) лишённый плáна, методи́чности; 3) имéющий произвóльную скóрость, ритм.

**goat** [gout] *n* 1) козёл; козá; 2) (G.) Козерóг (*созвéздие и знак зодиáка*); ◇ to get smb.'s ~ *sl.* раздражáть, серди́ть когó-л.; to play (*или* to act) the (giddy) ~ *разг.* вести́ себя́ глýпо, валя́ть дуракá.

**goatee** [gou'tiː] *n* козли́ная борóдка; эспаньóлка.

**goatherd** ['gouthəːd] *n* пастýх, пасýщий коз.

**goatish** ['goutiʃ] *a* 1) козли́ный; 2) похотли́вый.

**goatling** ['goutlɪŋ] *n* козлёнок.

**goatskin** ['gout,skɪn] *n* 1) сафья́н; 2) бурдю́к.

**goatsucker** ['gout,sʌkə] *n* козодóй (*птица*).

**goaty** ['gouti] *a* козли́ный.

**gob I** [gɔb] **1.** *n* 1) комóк гря́зи; плевóк; 2) *разг.* рот, глóтка; 3) *горн.* пустáя порóда, завáл;

**2.** *v* плевáть.

**gob II** [gɔb] *амер. sl.* моря́к.

**gobbet I** ['gɔbɪt] *n уст.* комóк полупережёванной пи́щи, мя́са.

**gobbet II** ['gɔbɪt] *n* отры́вок для перевóда на экзáмене.

**gobble I** ['gɔbl] *v* есть жáдно, бы́стро; пожирáть.

**gobble II** ['gɔbl] **1.** *n* кулды́канье;

**2.** *v* 1) кулды́кать (*об индю́ке*); 2) злóбно бормотáть.

**gobbler** ['gɔblə] *n* индю́к.

**Gobelin, gobelin** ['goubəlɪn] **1.** *n* гобелéн;

**2.** *a* гобелéновый; ~ tapestry гобелéн.

**go-between** ['goubɪ,twiːn] *n* посрéдник.

**goblet** ['gɔblɪt] *n* кýбок; бокáл.

**goblin I** ['gɔblɪn] *n* домовóй.

**goblin II** ['gɔblɪn] *n sl.* банкнóт в оди́н фунт стéрлингов.

**go-by** ['goubaɪ] *n:* to give the ~ a) пройти́ ми́мо, не обрати́в внимáния, не поздорóвавшись; игнори́ровать; б) обгоня́ть, оставля́ть позади́; в) избегáть, уклоня́ться (*от чегó-л.*).

**goby** ['goubi] *n* бычóк (*рыба*).

**go-cart** ['goukɑːt] *n* 1) рáмка на колёсах для обучéния детéй ходьбé; 2) дéтская коля́ска.

**god** [gɔd] **1.** *n* 1) бог, божествó; God's truth и́стинная прáвда; my God! бóже мой!; by God ей-бóгу!; God Almighty бóже всемогýщий; God bless you! *разг.* бóже мой! (*восклицáние, выражáющее удивлéние*); бýдьте здорóвы (*говóрится чихнýвшему*); honest to God чéстное слóво; God damn you! бýдьте вы прóкляты; God forbid! изáви бог!; 2) и́дол, куми́р; to make a ~ of smb. боготвори́ть когó-л.; ◇ the ~s пýблика галёрки, галёрка;

**2.** *v редк.* обожествля́ть; боготвори́ть; to ~ it разы́грывать из себя́ божествó.

**godchild** ['gɔdʧaɪld] *n* крéстник; крéстница.

**goddaughter** ['gɔd,dɔːtə] *n* крéстница.

**goddess** ['gɔdɪs] *n* боги́ня.

**godfather** ['gɔd,fɑːðə] **1.** *n* крёстный (отéц);

**2.** *v* 1) быть крёстным отцóм; 2) дать (своё) и́мя (*чемý-л.*).

**godfearing** ['gɔd,fɪərɪŋ] *a* богобоя́зненный.

**godforsaken** ['gɔdfə,seɪkn] *a* забрóшенный; захолýстный; уны́лый.

**godhead** ['gɔdhed] *n* 1) божествó; 2) божéственность.

**godless** ['gɔdlɪs] *a* безбóжный.

**godlike** ['gɔdlaɪk] *a* богоподóбный; божéственный.

**godliness** ['gɔdlɪnɪs] *n* нáбожность, благочéстие.

**godly** ['gɔdli] *a* благочести́вый; религиóзный.

**godmother** ['gɔd,mʌðə] *n* крёстная (мать).

**godown** ['goudaun] *n* склад товáров (*на Дáльнем Востóке и в Индии*).

**godparent** ['gɔd,pɛərənt] *n* крёстный (отéц); крёстная (мать).

**God's-acre** ['gɔdz,eɪkə] *n* клáдбище.

**godsend** ['gɔdsend] *n* неожи́данное счастли́вое собы́тие, удáча, нахóдка.

**godson** ['gɔdsʌn] *n* крéстник.

**godspeed** ['gɔd'spiːd] *n* пожелáние успéха; to bid (*или* to wish) one ~ ≅ говори́ть «бог в пóмощь!», «счастли́вого пути́!».

**go-easy** ['gou'iːzi] = easy-going.

**goer** ['gouə] *n* хóдок; good (bad) ~ хорóший (плохóй) ходóк; comers and ~s приезжáющие и отъезжáющие.

**gof(f)er** ['goufə] **1.** *n* щипцы́ для гофрирóвки;

**2.** *v* гофрировáть; плои́ть.

**go-getter** ['gou'getə] *n разг.* энерги́чный и удáчливый человéк; предприи́мчивый делéц.

**goggle** ['gɔgl] **1.** *n* 1) изумлённый, испуганный взгляд, «большие глаза»; 2) *pl* защитные *или* тёмные очки; *sl.* очки; 3)*pl вет.* вертячка (*болезнь овец*);
**2.** *a* выпученный (*о глазах*);
**3.** *v* 1) таращить глаза; смотреть широко раскрытыми глазами; 2) вращать глазами.
**goggled** ['gɔgld] **1.** *p. p. от* goggle 3;
**2.** *a* носящий защитные очки, в защитных очках.
**goggle-eyed** ['gɔglaid] *a* пучеглазый.
**going** ['gouiŋ] **1.** *pres. p. от* go 1;
**2.** *n* 1) ходьба; 2) скорость передвижения; 3) отъезд; 4) состояние дороги, беговой дорожки; 5) *стр.* проступь (*ширина ступени*); заложение марша лестницы; ◇ rough ~ трудности, затруднения;
**3.** *a* работающий, действующий (*о предприятии и т. п.*).
**goings-on** ['gouiŋz'ɔn] *n pl* поведение, поступки (*обыкн. неодобрительно*); повадки; образ жизни.
**goitre** ['gɔitə] *n мед.* зоб; exophthalmic ~ базедова болезнь.
**goitrous** ['gɔitrəs] *a* 1) зобный; 2) страдающий зобом.
**gold** [gould] **1.** *n* 1) золото; 2) цвет золота, золотистый цвет; 3) богатство, сокровища; ценность; 4) центр мишени (*при стрельбе из лука*);
**2.** *a* 1) золотой; ~ lace золотой галун, позумент; ~ plate золотая сервировка; 2) золотистого цвета; ◇ to sell a ~ brick *разг.* надуть, обмануть.
**gold-beater** ['gould,bi:tə] *n* золотобит.
**gold-digger** ['gould,digə] *n* 1) золотоискатель; 2) *sl.* авантюристка, вымогательница.
**gold-diggings** ['gould,digiŋz] *n pl* золотые прииски.
**gold-dust** ['gould'dʌst] *n* золотоносный песок.
**golden** ['gouldən] *a* 1) золотистый; 2) золотой (*преим. перен.*); ~ age золотой век; ~ hours счастливое время; ~ mean золотая середина; ~ opportunity прекрасный случай; ~ deeds благородные поступки.
**golden chain** ['gouldən'tʃein] *n бот.* ракитник, «золотой дождь».
**golden daisy** ['gouldən'deizi] *n бот.* хризантема, златоцвет.
**golden-shower** ['gouldən'ʃauə] = golden chain.
**gold-fever** ['gould'fi:və] *n* золотая лихорадка, погоня за золотом.
**gold-field** ['gouldfi:ld] *n* золотоносный район; золотой прииск.
**goldfinch** ['gouldfintʃ] *n* 1) *зоол.* щегол; 2) *sl.* золотая монета.
**goldfish** ['gouldfiʃ] *n* золотая рыбка; золотистый карась.
**goldilocks** ['gouldilɔks] *n бот.* лютик золотистый.
**gold-leaf** ['gouldli:f] *n* тонкое листовое золото.
**gold-mine** ['gouldmain] *n* 1) золотой рудник, прииск; 2) «золотое дно».
**gold mining** ['gould,mainiŋ] *n* золотопромышленность, добыча золота.

**gold-plate** ['gouldpleit] **1.** *a* из накладного золота;
**2.** *v* позолотить, покрыть позолотой.
**gold-rush** ['gouldrʌʃ] = gold-fever.
**goldsmith** ['gouldsmiθ] *n* золотых дел мастер; ювелир.
**gold-thread** ['gould'θred] *n* золочёная канитель.
**golf** [gɔlf] **1.** *n* гольф;
**2.** *v* играть в гольф.
**golfer** ['gɔlfə] *n* игрок в гольф.
**golf-links** ['gɔlfliŋks] *n pl* площадка для игры в гольф.
**Golgotha** ['gɔlgəθə] *n* 1) *библ.* Голгофа; 2) место мучений, источник страданий.
**Goliath** [gə'laiəθ] *библ.* Голиаф.
**golliwog** ['gɔliwɔg] *n* кукла-урод; пугало.
**golly** ['gɔli] *int амер. разг.*: by ~! ей-богу!
**goloptious** [gə'lɔpʃəs] = goluptious.
**golosh** [gə'lɔʃ] = galosh.
**goluptious** [gə'lʌpʃəs] *a шутл.* 1) восхитительный; 2) сочный; вкусный.
**gombeen** [gɔm'bi:n] *n* ростовщичество.
**gombeen-man** [gɔm'bi:nmæn] *n* ростовщик.
**gom(b)roon** [gɔm(b)'ru:n] *n* белый персидский фаянс.
**gondola** ['gɔndələ] *n* 1) гондола; 2) корзинка (*воздушного шара*); 3) *амер. ж.-д.* вагон-платформа (*тж.* ~ car).
**gondolier** [,gɔndə'liə] *n* гондольер.
**gone** [gɔn] **1.** *p. p. от* go 1; a man ~ ninety years of age человек, которому за 90 лет;
**2.** *a* 1) ушедший, уехавший; 2) разорённый; 3) потерянный, пропащий; a ~ case *разг.* безнадёжный случай; пропащее дело; a ~ man = goner; 4) слабый; 5) умирающий, мёртвый; 6) использованный, израсходованный; ◇ to be ~ on быть влюблённым, ослеплённым.
**goneness** ['gɔnnis] *n разг.* истощение; ощущение прострации.
**goner** ['gɔnə] *n sl.* конченый человек.
**gonfalon** ['gɔnfələn] *n* знамя; хоругвь.
**gonfalonier** [,gɔnfələ'niə] *n* знаменосец.
**gong** [gɔŋ] *n* гонг.
**goniometer** [,gouni'ɔmitə] *n* гониометр, угломерный прибор.
**gonof, gonoph** ['gɔnəf] *n sl.* вор, воришка.
**gonorrhoea** [,gɔnə'ri:ə] *n мед.* гонорея, триппер.
**goo** [gu:] *n амер.* мушиный мор, яд для мух.
**goober** ['gu:bə] *n* земляной орех, арахис.
**good** [gud] **1.** *a* (better; best) 1) хороший; ~ food доброкачественная, свежая пища; ~ lungs здоровые лёгкие; ~ features красивые черты лица; ~ to see you *разг.* приятно вас видеть; 2) добрый, доброжелательный; ~ works добрые дела; 3) милый, любезный; how ~ of you! как это мило с вашей стороны! 4) годный, полезный; a ~ man for человек, подходящий для; milk is ~ for children молоко детям полезно; I am ~ for another 10 miles я спо-

собен пройти ещё 10 миль; 5) умелый, искусный; ~ at languages способный к языкам; 6) плодородный; 7) надлежащий, целесообразный; 8) надёжный, кредитоспособный; 9) значительный; *разг.* здоровый; a ~ thrashing здоровая взбучка; 10) *усиливает значение следующего прилагательного:* a ~ long walk довольно длинная прогулка; ◇ ~ morning доброе утро; ~ day добрый день *и т. д.*; G. Friday *церк.* великая страстная пятница; G. Friday face постное лицо; ~ gracious! господи (*восклицание*); ~ hour смертный час; a ~ deal значительное количество, много; as ~ as всё равно что; почти; he as ~ as promised me он почти что обещал мне; to be as ~ as one's word держать (своё) слово; to have a ~ mind (*to do smth.*) быть расположенным, склонным (*что-л. сделать*); to make ~ a) возмещать; б) исполнять (*обещание*); в) доказать, подтвердить; г) *амер.* преуспевать; to stand ~ оставаться в силе; that's a ~ one (*или* 'un)! *sl.* какая ложь!, здорово соврал!

2. *n* 1) добро, благо; to do smb. ~ помогать кому-л.; исправлять кого-л.; 2) польза; to the ~ на пользу; в чью-л. пользу; for the ~ of ради, из-за; what is the ~ of it? какая польза от этого?; какой в этом смысл?; it is no ~ бесполезно; to come to ~ иметь хороший результат; ◇ for ~ (and all) навсегда, окончательно.

**good-bye** 1. *n* [gud'baɪ] прощание;
2. *int* ['gud'baɪ] до свидания!; прощайте!

**good-fellowship** [͵gud'felouʃɪp] *n* общительность.

**good-for-nothing** ['gudfə͵nʌθɪŋ] 1. *n* бездельник, негодник; никчёмный человек;
2. *a* ни на что не годный.

**good-humoured** ['gud'hjuːməd] *a* добродушный.

**good-looker** [͵gud'lukə] *n амер. sl.* красавец; красавица.

**good-looking** ['gud'lukɪŋ] *a* красивый, интересный; приятный (*о внешности*).

**goodly** ['gudlɪ] *a* 1) красивый; миловидный; 2) значительный, большой; крупный; 3) прекрасный, приятный.

**goodman** ['gudmæn] *n уст.* хозяин; муж; глава семьи.

**good milker** ['gud'mɪlkə] *n* (высоко) молочная корова.

**good-natured** ['gud'neɪtʃəd] *a* добродушный.

**good-neighbourhood** ['gud'neɪbəhud] *n* 1) добрососедские отношения; 2) доброжелательность.

**goodness** ['gudnɪs] *n* 1) доброта; великодушие; 2) добродетель; 3) хорошее качество; ценные свойства; ◇ ~ gracious! господи! (*восклицание удивления или возмущения*); ~ knows! кто его знает!; for ~ sake! ради бога!

**goods** [gudz] *n pl* 1) товар (*преим. мануфактурный*); товары, *иногда* груз, багаж; fancy ~ модный товар; consumer ~ потребительские товары; 2) вещи, имущество; ~ and chattels личные вещи; 3) (the ~) тре-

буемые, необходимые качества; именно то, что нужно; he has the ~ он вполне компетентен; 4) (the ~) вещественные доказательства, изобличающие преступника, поличное; to catch with the ~ поймать с поличным; 5) *attr.* грузовой, товарный; багажный; ~ circulation товарооборащение; ◇ to deliver the ~ выполнить своё обещания, выполнить взятые на себя обязательства.

**good sense** ['gud'sens] *n* здравый смысл.

**goods shed** ['gudzʃed] *n* пакгауз.

**good-tempered** ['gud'tempəd] *a* 1) с хорошим характером, добродушный; 2) уравновешенный.

**good-timer** ['gud͵taɪmə] *n* человек, весело проводящий время, веселящийся человек; гуляка.

**goodwife** ['gudwaɪf] *n уст.* хозяйка; жена.

**goodwill** ['gud'wɪl] *n* 1) доброжелательность; расположение (to, towards—к); 2) добрая воля; 3) готовность сделать что-л.; 4) *ком.* репутация и связи фирмы; цена фирмы.

**goody** I ['gudɪ] *n* конфета; леденец.

**goody** II ['gudɪ] *n уст.* старушка, тётушка, хозяйка, матушка.

**goody** III ['gudɪ] 1. *a* сентиментально благочестивый, ханжеский; чувствительно настроенный;
2. *n* ханжа.

**goody-goody** ['gudɪ'gudɪ] = goody III.

**gooey** ['guːɪ] *a амер. sl.* 1) липкий, клейкий; 2) сентиментальный.

**goof** [guːf] *n* дурак; увалень.

**go-off** ['gou'ɔːf] *n* начало, старт.

**goofy** ['guːfɪ] *a* глупый, бестолковый.

**goon** [guːn] *n амер. sl.* 1) отвратительная, тупая личность; болван; 2) головорез; наёмный штрейкбрехер.

**goosander** [guː'sændə] = merganser.

**goose** I [guːs] *n* (*pl* geese) 1) гусь; гусыня; 2) дурак; дура; простак; простушка; простофиля; ◇ all his geese are swans ≈ он (всегда) преувеличивает.

**goose** II [guːs] *n* (*pl* gooses) портновский утюг.

**gooseberry** ['guzbərɪ] *n* 1) крыжовник; 2) *воен.* проволочный ёж; 3) *attr.*: ~ fool крыжовенный кисель со сбитыми сливками; ◇ to play ~ сопровождать влюблённых для приличия; быть третьим лицом.

**goose-egg** ['guːseg] *n* 1) гусиное яйцо; 2) нуль (*в играх*).

**goose-fat** ['guːsfæt] *n* гусиный жир, гусиное сало.

**goose-flesh** ['guːsfleʃ] *n* гусиная кожа (*от холода, страха*).

**goose-grass** ['guːsgrɑːs] *n бот.* подорожник (большой).

**goose-grease** ['guːsgriːz] *n* гусиный жир.

**goose-neck** ['guːsnek] *n* 1) предмет, имеющий вид гусиной шеи *или* изогнутый в виде буквы S; 2) *тех.* колено.

**goose-skin** ['guːsskɪn] = goose-flesh.

**goose-step** ['guːsstep] *n* гусиный шаг.

**goosey** ['guːsɪ] *n* глупый, тупой человек.

**gopher** ['goufə] *n* 1. *n* 1) мешотчатая крыса, гофер; 2) суслик; 3) = gof(f)er 1; ◇ G. State *шутл.* штат Миннесота;

2. *v* 1) рыть; 2) *горн.* производи́ть бессисте́мные разве́дки; 3) = gof(f)er 2.

**GOPster** ['gɔpstə] *n амер. sl.* республика́нец (*член республиканской партии США*).

**gore** I [gɔː] *n* запёкшаяся, сверну́вшаяся кровь; *поэт.* кровь.

**gore** II [gɔː] 1. *n* 1) клин, ла́стовица (*в белье, платье*); 2) уча́сток земли́ кли́ном;

2. *v* 1) придава́ть фо́рму кли́на; 2) вставля́ть, вшива́ть клин.

**gore** III [gɔː] *v* 1) бода́ть, забода́ть; 2) проби́ть (*борт судна о скалу*).

**gorge** [gɔːdʒ] 1. *n* 1) то, что прогло́чено, съе́дено; 2) пресыще́ние; отвраще́ние; я́рость; my ~ rises я чу́вствую отвраще́ние, меня́ тошни́т; to raise the ~ приводи́ть в я́рость; 3) у́зкое уще́лье; 4) *уст., поэт.* го́рло; гло́тка, пасть; зоб (*хищных птиц*); 5) зато́р, нагроможде́ние; про́бка; 6) *воен.* го́ржа; 7) *архит.* вы́кружка, гусёк;

2. *v* 1) жа́дно есть, объеда́ться; 2) жа́дно глота́ть, поглоща́ть.

**gorgeous** ['gɔːdʒəs] *a* 1) великоле́пный, пы́шный; 2) я́рко расцве́ченный; 3) витиева́тый (*о стиле*).

**gorget** ['gɔːdʒɪt] *n* 1) ожере́лье; 2) отме́тина на ше́йке птиц; 3) *ист.* ла́тный воротни́к.

**Gorgon** ['gɔːgən] *n* 1) *миф.* Горго́на, Меду́за; 2) мегера, страши́лище.

**gorilla** [gə'rɪlə] *n* 1) гори́лла; 2) *амер. sl.* уби́йца, банди́т.

**gormandize** ['gɔːməndaɪz] 1. *n* обжо́рство;

2. *v* объеда́ться.

**gory** ['gɔːrɪ] *a* 1) окрова́вленный; 2) кровопроли́тный; *поэт.* а́лый.

**gosh** [gɔʃ] *int разг.:* by ~! чёрт возьми́! (*выражение изумления*).

**goshawk** ['gɔshɔːk] *n* я́стреб-тетеревя́тник.

**gosling** ['gɔzlɪŋ] *n* гусёнок.

**go-slow** ['gou'slou] *n* 1) италья́нская заба́стовка; 2) *attr.* умы́шленно заме́дленный; ~ movement движе́ние за примене́ние италья́нской забасто́вки; ~ techniques умы́шленная заде́ржка в разви́тии те́хники.

**gospel** ['gɔspəl] *n* 1) ева́нгелие; 2) про́поведь; 3) религио́зные убежде́ния; ◇ to take for ~ принима́ть (слепо) за и́стину; ~ truth и́стинная пра́вда.

**gospeller** ['gɔspələ] *n* 1) евангели́ст; 2) пропове́дник; hot ~ of горя́чий защи́тник *чего-л.*

**gossamer** ['gɔsəmə] *n* 1) осе́нняя паути́на (*в воздухе*); 2) то́нкая ткань, газ.

**gossamery** ['gɔsəmərɪ] *a* лёгкий, то́нкий как паути́на.

**gossip** ['gɔsɪp] 1. *n* 1) болтовня́; 2) спле́тня; 3) ку́мушка, болту́нья, спле́тница; болту́н, спле́тник;

2. *v* 1) болта́ть; бесе́довать; 2) спле́тничать, передава́ть слу́хи.

**gossipy** ['gɔsɪpɪ] *a* 1) болтли́вый; любя́щий посплетничать; 2) пусто́й, пра́здный (*о болтовне*).

**gossoon** [gə'suːn] *n ирл.* 1) па́рень; 2) молодо́й лаке́й.

**got** [gɔt] *past и p. p. от* get 1.

**Goth** [gɔθ] *n* 1) *ист.* гот; 2) *перен.* ва́рвар, ванда́л.

**Gotham** ['goutəm] *n:* a man of ~, a wise man of ~ проста́к, дура́к.

**Gothic** ['gɔθɪk] 1. *a* 1) го́тский; 2) ва́рварский, гру́бый, жесто́кий; 3) готи́ческий (*стиль*); 4) *полигр.* готи́ческий (*шрифт*);

2. *n* 1) го́тский язы́к; 2) готи́ческий стиль; 3) *полигр.* готи́ческий шрифт.

**go-to-meeting** ['goutə'miːtɪŋ] *a шутл.* пра́здничный, лу́чший (*о костюме, платье, шляпе*).

**gotten** ['gɔtn] *уст., амер. p. p. от* get 1.

**gouache** [gu'ɑːʃ] *фр. n жив.* гуа́шь.

**gouge** [gaudʒ] 1. *n* 1) полукру́глое долото́ или стаме́ска; 2) *амер.* вы́долбленное отве́рстие, вы́емка и *т. п.*;

2. *v* 1) выда́лбливать; выда́вливать; to ~ out an eye вы́бить, вы́давить глаз; 2) *амер.* обма́нывать.

**Goulard** [gu'lɑːd] *n* свинцо́вая примо́чка (*тж.* ~ water).

**goulash** ['guːlæʃ] *n венгр.* гуля́ш.

**gourd** [guəd] *n* 1) ты́ква; 2) буты́ль из ты́квы.

**gourde** [guəd] *n* гурд (*денежная единица Гаити*).

**gourmand** ['guəmənd] 1. *n* 1) гурма́н, ла́комка; 2) обжо́ра.

2. *a* обжо́рливый.

**gourmet** ['guəmeɪ] *фр. n* гурма́н, гастроно́м.

**gout** [gaut] *n* 1) пода́гра; 2) ка́пля, бры́зги; 3) сгу́сток (*крови*).

**gouty** ['gautɪ] *a* подагри́ческий; страда́ющий пода́грой.

**govern** ['gʌvən] *v* 1) управля́ть, пра́вить; 2) регули́ровать; руководи́ть; 3) владе́ть (*собой, страстями*); 4) влия́ть (*на кого-л.*); направля́ть, определя́ть (*ход событий*); 5) *грам.* управля́ть.

**governable** ['gʌvənəbl] *a* послу́шный; подчиня́ющийся.

**governance** ['gʌvənəns] *n* управле́ние, власть; руково́дство.

**governess** ['gʌvənɪs] *n* 1) гуверна́нтка, воспита́тельница; 2) *уст.* прави́тельница.

**government** ['gʌvnmənt] *n* 1) прави́тельство; organs of ~ о́рганы госуда́рственного управле́ния; responsible ~ отве́тственное министе́рство; invisible ~ факти́ческие прави́тели; 2) фо́рма правле́ния; 3) управле́ние; local ~ ме́стное самоуправле́ние; 4) прови́нция (*управляемая губернатором*); 5) *грам.* управле́ние.

**governmental** [ˌgʌvən'mentl] *a* прави́тельственный.

**Government house** ['gʌvnmənthaus] *n* официа́льная резиде́нция губерна́тора.

**governor** ['gʌvənə] *n* 1) прави́тель; 2) губерна́тор; 3) коменда́нт (*крепости*); нача́льник (*тюрьмы*); 4) заве́дующий (*школой, больницей*); 5) *разг.* оте́ц; 6) *разг.* ['gʌvnə] хозя́ин; 7) *тех.* регуля́тор; 8) *тех.* та́мбур.

**governor general** ['gʌvənə'dʒenərəl] *n* гу-

бернатор колонии *или* доминиона, генерал-
-губернатор.

**gowk** [gauk] *n* 1) *диал.* кукушка; 2) блух.

**gown** [gaun] **1.** *n* 1) платье *(женское)*;
morning ~ халат; 2) мантия *(судьи, пре-
подавателя университета и т. п.);* 3) рим-
ская тога; ◇ cap and ~ *см.* cap; town and
~ население (Оксфорда и Кембриджа),
включая профессуру и студентов;
  **2.** *v* 1) надевать; 2) *pass.* быть одетым; she
was perfectly ~ed она была прекрасно
одета.

**gownsman** ['gaunzmən] *n* 1) лицо, нося-
щее мантию *(адвокат, профессор, студент
и т. п.);* 2) штатское лицо.

**grab** [græb] **1.** *n* 1) внезапная попытка
схватить; быстрое хватательное движение;
2) захват; присвоение; a policy of ~ захват-
ническая политика; 3) *тех.* захватывающее приспособление; экскаватор; автоматический ковш, черпак; 4) *амер. sl.* фабричная лавка, «грабиловка»;
  **2.** *v* 1) схватывать, хватать; пытаться
схватить (at); 2) захватывать; присваивать.

**grab-all** ['græb,ɔːl] *n* 1) *разг.* сумка для
мелких вещей; 2) *sl.* скряга.

**grabber** ['græbə] *n* рвач, хапун.

**grabble** ['græbl] *v* искать ощупью; искать,
ползая на четвереньках.

**grace** [greɪs] **1.** *n* 1) грация; изящество;
привлекательность; 2) благосклонность,
благоволение; to be in smb.'s good ~s пользоваться чьей-л. благосклонностью; 3)
приличие; такт; любезность; with (a) good
~ любезно, охотно; with (a) bad ~ нелюбезно, неохотно; you had the ill ~ to deny
it вы имели бестактность отрицать это;
4) *pl* привлекательные свойства, качества; airs and ~s манерность; 5) милость,
милосердие; прощение; Act of ~ (всеобщая) амнистия; 6) отсрочка, передышка;
days of ~ *ком.* льготные дни *(для уплаты
по векселю);* 7) молитва *(перед едой и после
еды);* 8) *унив.* разрешение на получение
учёной степени; 9) милость, светлость
*(форма обращения к герцогу, герцогине,
архиепископу);* Your, His G. ваша, его светлость; 10) *pl* (the Graces) *миф.* Грации;
11) *муз.* фиоритура; 12) *pl* игра в серсо;
  **2.** *v* 1) украшать (with); 2) удостаивать,
награждать.

**grace-cup** ['greɪskʌp] *n* заздравный кубок, заздравная чаша.

**graceful** ['greɪsful] *a* 1) грациозный,
изящный; 2) приятный; 3) элегантный.

**graceless** ['greɪslɪs] *a* 1) нравственно
испорченный; бесстыдный; непристойный;
развращённый; 2) некрасивый, непривлекательный.

**gracious** ['greɪʃəs] **1.** *a* 1) добрый, милостивый, милосердный; 2) снисходительный;
любезный;
  **2.** *int:* ~ me!, good ~! боже мой!; ба-
тюшки!

**graciously** ['greɪʃəslɪ] *adv* милостиво; любезно; снисходительно.

**gradate** [grə'deɪt] *v* 1) располагать в порядке степеней; 2) *жив.* незаметно переходить от оттенка к оттенку.

**gradation** [grə'deɪʃən] *n* 1) градация,
постепенность; постепенный переход; 2) *pl*
переходные ступени, оттенки; 3) *лингв.*
чередование гласных, аблаут.

**grade** [greɪd] **1.** *n* 1) градус; 2) степень;
ранг, класс; 3) качество, сорт; 4) *амер.*
класс *(в школе);* the grades = grade school;
5) *амер.* отметка, оценка; 6) *с.-х.* новая,
улучшенная скрещиванием порода; 7) *ж.-д.*
уклон; градиент; down ~ под уклон; спу-
скаясь; up ~ на подъёме; to make the ~
брать крутой подъём; *перен. разг.* добиться
успеха; добиться своего;
  **2.** *v* 1) располагать по рангу, по степе-
ням; 2) сортировать; 3) улучшать породу
скрещиванием; 4) *амер.* постепенно меняться, переходить *(в другую стадию;*
into—в); 5) *ж.-д.* нивелировать.

**grade crossing** ['greɪd,krɔsɪŋ] *n* пересечение железнодорожного пути с шоссе;
*амер.* переход *или* пересечение на одном
уровне *или* в одной плоскости.

**grade school** ['greɪdskuːl] *n амер.* начальная школа.

**gradient** ['greɪdjənt] *n* 1) уклон, скат;
наклон; 2) *физ.* градиент; 3) склонение
*(стрелки барометра).*

**gradual** ['grædjuəl] *a* постепенный; последовательный.

**gradualism** ['grædjuəlɪzəm] *n амер. ист.*
требование постепенности в отмене рабо-
владения.

**gradually** ['grædjuəlɪ] *adv* постепенно,
мало-помалу, понемногу.

**graduate 1.** *n* ['grædjuɪt] 1) имеющий учёную степень; *чаще амер.* окончивший учебное заведение; 2) мензурка;
  **2.** *v* ['grædjueɪt] 1) кончать университет
с учёной степенью (at); *преим. амер.* окончить *(любое)* учебное заведение (from *или*
без предлога); 2) располагать в последовательном порядке; 3) градуировать, наносить деления, калибровать; 4) *биол.* постепенно изменяться, переходя во что-л.
другое; 5) *хим.* сгущать жидкость *(выпа-
риванием).*

**graduate school** ['grædjuɪtskuːl] *n амер.*
аспирантура.

**graduate student** ['grædjuɪt'stjuːdənt] *n
амер.* аспирант.

**graduation** [,grædju'eɪʃən] *n* 1) окончание учебного заведения (from); 2) получение *или* присуждение учёной степени; 3) градация; 4) выпаривание *(жидкости);* 5) градуировка *(сосуда);* 6) линии, деления.

**graft I** [grɑːft] **1.** *n* 1) черенок; 2) прививка *(растения);* 3) *хир.* пересаженная
живая ткань; операция пересадки;
  **2.** *v* 1) прививать *(растение);* 2) пере-
саживать ткань.

**graft II** [grɑːft] *амер.* **1.** *n* взятка, не-
законные доходы; подкуп;
  **2.** *v* 1) давать взятки; подкупать; 2) брать
взятки; пользоваться нечестными доходами.

**grafter I** ['grɑːftə] *n* 1) привой; 2) садовый нож.

**grafter II** ['grɑːftə] *n амер.* 1) взяточ-
ник; 2) мошенник, жулик.

**grafting I** [ˈgrɑːftɪŋ] **1.** *pres. p. om* graft I, 2;
**2.** *n с.-х.* прививка; bark ~ прививка под кору.

**grafting II** [ˈgrɑːftɪŋ] *pres. p. om* graft II, 2.

**graham** [ˈgreiəm] *a* сделанный из пшеничной муки; ~ bread хлеб «Грэхем»; ~ flour пшеничная мука грубого помола.

**Grail** [greil] *n*: The (Holy) ~ *миф.* Грааль (*чаша*).

**grain** [grein] **1.** *n* 1) зерно; хлебные злаки; 2) крупа; 3) *pl* барда; 4) гран (=0,0648 *г*); 5) зёрнышко; крупинка; песчинка; малейшая частица; not a ~ of truth ни крупицы истины; 6) зернистость, грануляция; 7) волокно, жилка, фибра, нитка; to dye in ~ [*см.* dye 2, 2)]; against the ~ против нитки; *перен.* против шёрсти; против желания; с неохотой; наперекор естественной склонности; with the ~ по направлению волокна (*бумаги и т. п.*); 8) строение, структура; 9) природа, характер, склонность; in ~ по натуре, по характеру; 10) грена, яички шелкопряда; 11) *уст.,поэт.* краска; ◇ a fool (a rogue) in ~ отъявленный дурак (мошенник); to receive (*или* to take) smth. with a ~ of salt относиться к чему-л. недоверчиво, скептически;
**2.** *v* 1) раздроблять; 2) придавать зернистую поверхность; красить под дерево *или* мрамор; наводить мерею (*на кожу*); 3) очищать (*кожу*) от шёрсти.

**grain binder** [ˈgreinˈbaində] *n с.-х.* сноповязалка.

**grain cleaner** [ˈgreinˈkliːnə] *n с.-х.* зерноочиститель.

**grain dryer** [ˈgreinˈdraiə] *n с.-х.* зерносушилка.

**grain grower** [ˈgreinˈgrouə] *n* хлебороб.

**grains** [greinz] *n pl* (*обыкн. употр. как sing*) гарпун.

**grain separator** [ˈgreinˈsepəreitə] *n* 1) зерноотделитель, сортировка (*машина*); 2) *амер.* молотилка.

**grain tank** [ˈgreintæŋk] *n с.-х.* бункер для зерна.

**grainy** [ˈgreini] *a* 1) негладкий, шероховатый; 2) зернистый, гранулированный.

**gram I** [græm] = gramme.

**gram II** [græm] *n* мелкий горошек.

**grama** [ˈgrɑːmə] = gramma.

**gramicidin** [græˈmisidin] *n фарм.* грамицидин.

**graminaceous, gramineous** [ˌgreimiˈneiʃəs, greiˈminiəs] *a* злаковый, травянистый.

**graminivorous** [ˌgræmiˈnivərəs] *a* травоядный.

**gramma** [ˈgræmə] *n* пастбищная трава (*тж.* ~ grass).

**grammar** [ˈgræmə] *n* 1) грамматика; 2) введение в науку, элементы науки.

**grammarian** [grəˈmeəriən] *n* грамматик.

**grammar-school** [ˈgræməskuːl] *n* 1) средняя классическая школа; 2) *амер.* часть средней школы, включающая классы от 5 до 8.

**grammatical** [grəˈmætikəl] *a* грамматический; грамматически правильный.

**gramme** [græm] *n* грамм.

**gramophone** [ˈgræməfoun] *n* граммофон, патефон.

**grampus** [ˈgræmpəs] *n* 1) северный дельфин-касатка; 2) пыхтящий *или* громко сопящий человек; 3) *тех.* большие клещи.

**granary** [ˈgrænəri] *n* 1) амбар; зернохранилище; 2) житница, хлебородный район.

**grand** [grænd] **1.** *a* 1) грандиозный, большой, величественный; 2) великий (*тж. в титулах*); 3) возвышенный; благородный; 4) главный, очень важный; ~ question важный вопрос; 5) великолепный, пышный; роскошный; импозантный; парадный; 6) *разг.* богато, щегольски одётый; 7) важный, знатный; 8) важничающий, исполненный самомнения; to do the ~ *разг.* важничать; 9) *разг.* восхитительный, приятный; 10) итоговый; суммирующий; ~ total общая сумма;
**2.** *n* 1) рояль; 2) *амер. sl.* тысяча долларов.

**gran-dad** [ˈgrændæd] = grand-dad.

**grandchild** [ˈgræntʃaild] *n* внук; внучка.

**grand-dad** [ˈgrændæd] *n разг.* дедушка.

**granddaughter** [ˈgrænˌdɔːtə] *n* внучка.

**Grand Duke** [ˈgrændˈdjuːk] *n* 1) великий герцог; 2) великий князь.

**grandee** [ˌgrænˈdiː] *n* 1) гранд (*испанский*); 2) вельможа, сановник; важная персона.

**grandeur** [ˈgrændʒə] *n* 1) грандиозность; великолепие; пышность; 2) знатность; 3) (нравственное) величие.

**grandfather** [ˈgrændˌfɑːðə] *n* дедушка; ◇ ~'s clock высокие стоячие часы.

**grandiloquence** [grænˈdiləkwəns] *n* высокопарность, напыщенность.

**grandiloquent** [grænˈdiləkwənt] *a* высокопарный, напыщенный.

**grandiose** [ˈgrændious] *a* 1) грандиозный; 2) напыщенный, претенциозный.

**grandiosity** [ˌgrændiˈɔsiti] *n* грандиозность.

**grand jury** [ˈgrændˈdʒuəri] *n юр.* большое жюри, присяжные, решающие вопрос о предании суду.

**grandma** [ˈgrænmɑː] = grandmamma.

**grandmamma** [ˈgrænmə,mɑː] *n разг.* бабушка.

**grandmaster** [ˈgrænˌmɑːstə] *n шахм.* гроссмейстер.

**grandmother** [ˈgrænˌmʌðə] **1.** *n* бабушка.
**2.** *v* баловать; изнёживать.

**grandmotherly** [ˈgrænˌmʌðəli] *a* 1) проявляющий отеческую заботу, заботливый; опекающий; 2) излишне мелочный (*особенно о законодательстве*).

**grand-nephew** [ˈgrænˌnevjuː] *n* внучатый племянник.

**grand-niece** [ˈgrænniːs] *n* внучатая племянница.

**grandpa** [ˈgrænpɑː] = grandpapa.

**grandpapa** [ˈgrænpə,pɑː] *n разг.* дедушка.

**grandparents** [ˈgrænˌpɛərənts] *n pl* дедушка и бабушка.

**grand piano** [ˈgrændˈpjænou] *n* рояль.

**grandsire** [ˈgrænˌsaiə] *n уст.* 1) дед; 2) предок.

**grandson** [ˈgrænsʌn] *n* внук.

**grandstand** ['grænd'stænd] **1.** *n* трибу́на, места́ для зри́телей (*на стадионе и т. п.*); **2.** *a амер.* показно́й.

**grange** [greɪndʒ] *n* 1) мы́за, фе́рма (с её постро́йками); 2) *уст.* амба́р; 3) *амер.* ассоциа́ция фе́рмеров.

**granger's cattle** ['greɪndʒəz'kætl] *n* мясо-моло́чный скот.

**granite** ['grænɪt] *n* 1) грани́т; 2) *attr.*: the ~ city *г.* Абердин.

**granitic** [græ'nɪtɪk] *a* грани́тный.

**grannie, granny** ['grænɪ] *n* 1) *ласк.* ба́бушка, бабу́ся; 2) *разг.* стару́ха; 3) *воен. sl.* тяжёлое ору́дие.

**grant** [grɑːnt] **1.** *n* 1) дар, официа́льное предоставле́ние; да́рственный акт; 2) дота́ция, субси́дия; 3) *pl* стипе́ндия; 4) усту́пка, разреше́ние, согла́сие;
**2.** *v* 1) дари́ть, жа́ловать, дарова́ть; 2) дава́ть дота́цию, субси́дию; 3) соглаша́ться, дозволя́ть; 4) допуска́ть; to take for ~ed допуска́ть, счита́ть дока́занным, не тре́бующим доказа́тельства; счита́ть само́ собо́й разуме́ющимся; to take nothing for ~ed ничего́ не принима́ть на ве́ру.

**grantee** [grɑːn'tiː] *n* получа́ющий в дар.

**grant-in-aid** ['grɑːntɪn'eɪd] *n* дота́ция, субси́дия.

**grantor** [grɑːn'tɔː] *n* дари́тель.

**granular** ['grænjʊlə] *a* зерни́стый; гранули́рованный.

**granulate** ['grænjʊleɪt] *v* 1) обраща́ть (-ся) в зёрна; дроби́ть; мельчи́ть; 2) грану/ли́роваться, образо́вывать грануля́ции (*о ране и т. п.*).

**granulated sugar** ['grænjʊleɪtɪd'ʃʊgə] *n* са́харный песо́к.

**granulation** [,grænjʊ'leɪʃən] *n* 1) грануля́ция; 2) гранули́рование; 3) зерне́ние, дробле́ние.

**granule** ['grænjuːl] *n* зёрнышко, зерно́.

**grape** [greɪp] *n* 1) виногра́д (*о плодах обыкн. pl*); гроздь виногра́да; 2) *pl* = grease 1, 3); 3) = grape-shot; ◇ sour ~s, the ~s are sour «зе́лен виногра́д».

**grape-cure** ['greɪpkjʊə] *n* лече́ние виногра́дом.

**grape-fruit** ['greɪpfruːt] *n* гре́йпфрут.

**grapery** ['greɪpərɪ] *n* оранжере́я для виногра́да.

**grape-shot** ['greɪpʃɔt] *n воен. ист.* кру́пная карте́чь.

**grape-sugar** ['greɪp,ʃʊgə] *n* виногра́дный са́хар, глюко́за.

**grape-vine I** ['greɪpvaɪn] *n* 1) виногра́дная лоза́; 2) род конькобе́жной фигу́ры.

**grape-vine II** ['greɪpvaɪn] *n* 1) систе́ма сообще́ния с по́мощью сигна́лов; спо́соб та́йного сообще́ния; 2) ло́жные слу́хи.

**graph** [græf] *n* гра́фик, диагра́мма.

**graphic** ['græfɪk] *a* 1) графи́ческий, изобрази́тельный; ~ arts изобрази́тельные иску́сства; 2): ~ model *мат.* простра́нственная диагра́мма; 3) нагля́дный; живопи́сный; кра́сочный (*о рассказе*).

**graphically** ['græfɪkəlɪ] *adv* 1) графи́чески; 2) нагля́дно, жи́во; кра́сочно.

**graphite** ['græfaɪt] *n* графи́т.

**graphology** [græ'fɔlədʒɪ] *n* графоло́гия.

**grapnel** ['græpnəl] *n* 1) аборда́жный крюк; 2) крюк, захва́т, ко́шка; 3) дрек; шлю́почный я́корь.

**grapple** ['græpl] **1.** *n* 1) = grapnel; 2) схва́тка, борьба́;
**2.** *v* 1) схвати́ть; 2) схвати́ться, сцепи́ться; to ~ with *мор.* взять на аборда́ж; *перен.* боро́ться; пыта́ться преодоле́ть (*затрудне́ние*), разреши́ть (*зада́чу*).

**grappling-iron** ['græplɪŋ,aɪən] = grapnel.

**grasp** [grɑːsp] **1.** *n* 1) схва́тывание; кре́пкое сжа́тие; хва́тка; *перен.* власть; within one's ~ бли́зко; так, что мо́жно доста́ть руко́й; *перен.* в чьих-л. возмо́жностях, в чьей-л. вла́сти; beyond ~ вне преде́лов досяга́емости; to be beyond one's ~ быть за преде́лами досяга́емости; 2) спосо́бность бы́строго восприя́тия; понима́ние; it is beyond one's ~ э́то вы́ше понима́ния; 3) рукоя́тка; 4) *воен.* ше́йка прикла́да;
**2.** *v* 1) схва́тывать, зажима́ть (*в руке́*); захва́тывать; 2) хвата́ться (at—за); 3) охвати́ть, поня́ть; осозна́ть; усво́ить; I can't ~ your meaning не понима́ю, что вы хоти́те сказа́ть; ◇ to ~ the nettle реши́тельно бра́ться за тру́дное де́ло; ~ the nettle and it won't sting you *посл.* ≅ сме́лость города́ берёт.

**grasper** ['grɑːspə] *n* рвач, хапу́га.

**grasping** ['grɑːspɪŋ] **1.** *pres. p. от* grasp 2; **2.** *a* скупо́й, жа́дный.

**grass** [grɑːs] **1.** *n* 1) трава́; дёрн; to lay down in ~ запуска́ть под луга́; 2) па́стбище; to be at ~ пасти́сь, быть на подно́жном корму́; *перен. разг.* быть на о́тдыхе, на кани́кулах; быть без де́ла; to put (*или* to send) to ~ выгоня́ть в по́ле, на подно́жный корм; 3) *горн.* пове́рхность земли́; у́стье ша́хты; 4) *разг.* спа́ржа; 5) *разг.* весна́; she will be two years old next ~ бу́дущей весно́й ей бу́дет два го́да; ◇ to let go grow under one's feet де́йствовать бы́стро и энерги́чно; to send to ~ уво́лить; *sl.* повали́ть, свали́ть; to hear the ~ grow слы́шать, как трава́ растёт, быть необыкнове́нно чу́тким; go to ~! *груб.* убира́йся к чёрту!;
**2.** *v* 1) засева́ть траво́й; покрыва́ть дёрном; зараста́ть траво́й; 3) пасти́сь; 4) выгоня́ть в по́ле (*скот*); 5) растяну́ться на траве́; 6) сбить с ног; подстрели́ть (*пти́цу*); 7) выта́щить на бе́рег (*рыбу*).

**grass-cutter** ['grɑːs,kʌtə] *n* газонокоси́лка.

**grass-cutting** ['grɑːs,kʌtɪŋ] *n ав. разг.* бре́ющий полёт.

**grass-feeding** ['grɑːs'fiːdɪŋ] *a* травоя́дный.

**grasshopper** ['grɑːs,hɔpə] *n* 1) кузне́чик; *амер. тж.* саранча́; 2) *воен. sl.* лёгкий самолёт, испо́льзуемый для разве́дки, свя́зи и управле́ния артилле́рией.

**grassland** ['grɑːslænd] *n* сеноко́сное уго́дье; луг, па́стбище.

**grass-plot** ['grɑːs'plɔt] *n* лужа́йка, газо́н.

**grassroots** ['grɑːs'ruːts] *n pl разг.* заура́дные лю́ди, обыва́тели.

**grass-snake** ['grɑːs,sneɪk] *n зоол.* уж (обыкнове́нный).

**grass widow** ['grɑːs'wɪdou] *n* соло́менная вдова́.

**grassy** ['grɑːsɪ] *a* 1) покры́тый траво́й; 2) травяно́й; травяни́стый.

**grate I** [greɪt] *n* 1) решётка; 2) каминная решётка; камин; 3) *тех.* колосниковая решётка; 4) *тех.* грохот.

**grate II** [greɪt] *v* 1) тереть (*тёркой*), растирать; 2) скрежетать (*зубами*); 3) тереть, скрести с резким звуком; 4) скрипеть; 5) раздражать, раздражающе действовать (on, upon—на); it ~s on (*или* upon) my ear это мне режет слух.

**grate-bar** ['greɪtbɑ:] *n тех.* колосник.

**grateful** ['greɪtful] *a* 1) благодарный; благодарственный; 2) приятный.

**gratefully** ['greɪtfulɪ] *adv* 1) с благодарностью; 2) приятно.

**gratefulness** ['greɪtfulnɪs] *n* 1) благодарность; 2) приятность.

**grater** ['greɪtə] *n* 1) тёрка; 2) рашпиль.

**gratification** [,grætɪfɪ'keɪʃ ən] *n* 1) удовлетворение; удовольствие; 2) вознаграждение; подачка.

**gratify** ['grætɪfaɪ] *v* 1) удовлетворять; 2) доставлять удовольствие; радовать (*глаз*); 3) потворствовать; 4) *уст.* вознаграждать; давать взятку.

**grating I** ['greɪtɪŋ] *n* решётка.

**grating II** ['greɪtɪŋ] 1. *pres. p. от* grate II; 2. *a* 1) скрипучий, резкий; 2) раздражающий.

**gratis** ['greɪtɪs] *лат. adv* бесплатно, даром.

**gratitude** ['grætɪtju:d] *n* благодарность.

**gratters** ['grætəz] *n pl разг.* поздравления.

**gratuitous** [grə'tju:ɪtəs] *a* 1) даровой, безвозмездный; 2) добровольный; 3) беспричинный, ничем не вызванный.

**gratuity** [grə'tju:ɪtɪ] *n* 1) денежный подарок; 2) чаевые; 3) *воен.* наградные.

**gratulatory** ['grætjuleɪtərɪ] *a* поздравительный.

**gravamen** [grə'veɪmen] *n* 1) жалоба; 2) суть обвинения.

**grave I** [greɪv] *n* могила; *перен.* смерть; to sink into the ~ сойти в могилу; to have one foot in the ~ стоять одной ногой в могиле; in one's ~ мёртвый.

**grave II** [greɪv] *v* (graved; graved, graven) 1) *уст.* гравировать; высекать, вырезывать; 2) запечатлевать (in, on).

**grave III** 1. *a* [greɪv] 1) серьёзный, веский; важный; 2) тяжёлый, угрожающий; 3) важный; степенный; 4) влиятельный, авторитетный; 5) мрачный, печальный; тёмный (*о красках*); 6) низкий (*о тоне*); 7) [grɑ:v] *фон.* тупой (*об ударении*). 2. *n* [grɑ:v] *фон.* тупое ударение.

**grave IV** [greɪv] *v мор.* чистить и смолить подводную часть судна.

**grave-clothes** ['greɪvklouðz] *n pl* саван.

**grave-digger** ['greɪv,dɪgə] *n* могильщик, гробокопатель.

**gravel** ['grævəl] 1. *n* 1) гравий; 2) золотоносный песок, золотоносная россыпь (*тж.* auriferous ~); 3) *мед.* мочевой песок. 2. *v* 1) посыпать гравием; 2) приводить в замешательство, ставить в тупик.

**gravel-blind** ['grævəl,blaɪnd] *a* почти слепой.

**gravelly** ['grævlɪ] *a* 1) состоящий из гравия; 2) усыпанный гравием; засыпанный

песком; 3) *мед.* вызванный мочевыми камнями; имеющий мочевые камни.

**graven** ['greɪvən] *p. p. от* grave II; ~ image *библ.* йдол, кумир.

**graveness** ['greɪvnɪs] *n* серьёзность *и пр.* [*см.* grave III].

**graver** ['greɪvə] *n* 1) резчик, гравёр; 2) резец.

**Graves' disease** ['greɪvzdɪ'zi:z] *n* базедова болезнь.

**graveside** ['greɪvsaɪd] *n* край могилы.

**gravestone** ['greɪvstoun] *n* могильная плита, надгробный камень.

**graveyard** ['greɪvjɑ:d] *n* кладбище; ◇ ~ shift *амер.* смена, начинающаяся около 12 часов ночи; ночная смена.

**gravid** ['grævɪd] *a* беременная.

**gravimetric** [,grævɪ'metrɪk] *a* гравиметрический; весовой.

**graving-dock** ['greɪvɪŋdɔk] *n* ремонтный док (*сухой или плавучий*).

**gravitate** ['grævɪteɪt] *v* 1) *физ.* притягиваться (towards); to ~ to the bottom падать, оседать на дно; 2) тяготеть, стремиться (to, towards); in summer people ~ to the seaside летом люди стремятся к морю.

**gravitation** [,grævɪ'teɪʃən] *n физ.* сила тяжести; притяжение; тяготение; the law of ~ закон тяготения.

**gravity** ['grævɪtɪ] *n* 1) серьёзность, важность; 2) торжественность; серьёзный вид; 3) тяжесть, опасность (*положения и т. п.*); 4) степенность, уравновешенность; 5) *физ.* тяжесть; сила тяжести; тяготение; centre of ~ центр тяжести; specific ~ удельный вес; 6) *attr.*: ~ feed подача жидкости самотёком.

**gravy** ['greɪvɪ] *n* подливка (*из сока жаркого*), соус.

**gravy-boat** ['greɪvɪbout] *n* соусник.

**gray** [greɪ] = grey.

**grayling** ['greɪlɪŋ] *n* хариус (*рыба*).

**graze I** [greɪz] 1. *v* 1) слегка касаться, задевать; the bullet ~d the wall пуля оцарапала стену; 2) содрать, натереть (*кожу*); 3) *воен.* обстреливать настильным огнём; 2. *n* 1) задевание, касание; 2) лёгкая рана, царапина; 3) *воен.* клевок.

**graze II** [greɪz] *v* 1) пасти, держать на подножном корму; 2) пастись, щипать траву; 3) использовать как пастбище.

**grazer** ['greɪzə] *n* 1) животное на подножном корму; пасущееся животное; 2) *pl* нагульный скот.

**grazier** ['greɪzɪə] *n* скотовод; животновод.

**graziery** ['greɪzɪərɪ] *n* 1) животноводство; скотоводство; 2) откорм скота.

**grease 1.** *n* [gri:s] 1) топлёное сало; жир; in ~, in prime (*или* pride) of ~ откормленный на убой; 2) смазочное вещество; смазка; колёсная *и т. п.* мазь; 3) *вет.* мокрец, подсед (*у лошади*). 2. *v* [gri:z] смазывать (*жиром и т. п.*); замасливать, засаливать; ◇ to ~ the palm (*или* the hand, the fist) of, to ~ the wheels «подмазать», дать взятку; like ~d lightning *sl.* молниеносно; стремительно.

**grease-box** ['gri:sbɔks] *n тех.* маслёнка; букса.

**grease cock** ['gri:skɔk] *n* смазочный кран.

**grease-paint** ['gri:speint] *n театр.* грим.

**grease-proof** ['gri:spru:f] *a* жиронепроницаемый, не пропускающий жира.

**greaser** ['gri:zə] *n* 1) смазчик; 2) кочегар *(на пароходе)*; 3) *презр.* прозвище, даваемое американцами мексиканцам или жителям Латинской Америки *(испанского или португальского происхождения)*; 4) *тех.* смазочное приспособление.

**greasing** ['gri:ziŋ] 1. *pres. p. от* grease 2; 2. *n тех.* смазка.

**greasy** ['gri:zi] *a* 1) сальный, жирный; 2) не очищенный от жира *(о шерсти)*; 3) скользкий; скользкий и грязный *(о дороге)*; 4) елейный, неприятно вкрадчивый; приторный; 5) страдающий подседом *(о лошади)*.

**great** [greit] 1. *a* 1) великий; the Great October Socialist Revolution Великая Октябрьская социалистическая революция; 2) большой; *разг.* огромный; ~ blot огромная клякса; 3) возвышенный *(о цели, идее и т. п.)*; ~ thoughts возвышенные мысли; 4) сильный, интенсивный; a ~ talker большой говорун; 5) замечательный; прекрасный; 6) длительный, долгий, продолжительный; a ~ while долгое время; to live to a ~ age дожить до глубокой старости; 7) *разг.* восхитительный, великолепный; that's ~! это замечательно!; 8) *predic.* опытный, искусный (at); 9) *predic.* понимающий, разбирающийся (on); 10) *(в степенях родства)* пра-; *напр.:*~-grandchild правнук; пра́внучка; ~-grandfather прадед; ◇ ~ dozen тринадцать; ~ many множество; to have a ~ mind to очень хотеть; to be ~ with child *уст.* быть беременной;
2. *n* (the ~) *(употр. как pl)* 1) вельможи, богачи; «сильные мира сего»; 2) великие писатели, классики.

**great bilberry** ['greit'bilbəri] *n* голубика.

**greatcoat** ['greitkout] *n* 1) пальто; 2) шинель.

**greater** ['greitə] *a* 1) *сравнит. ст. от* great 1; 2) большой *(в географических названиях, напр.* Greater Britain, Greater New York).

**great go** ['greitgou] *n разг.* последний экзамен на степень бакалавра *(преим. гуманитарных наук в Кембридже)*.

**great-grandchild** ['greit'grænʧaild] *n* правнук; правнучка.

**great-grandfather** ['greit'grænд,fɑ:ðə] *n* прадед.

**great-hearted** ['greit'hɑ:tid] *a* великодушный.

**greatly** ['greitli] *adv* 1) очень; значительно, весьма; 2) возвышенно; благородно.

**greatness** ['greitnis] *n* 1) величина; 2) величие, сила.

**Great Russian** ['greit'rʌʃən] *n уст.* великорус.

**greats** [greits] *n pl* последний экзамен на степень бакалавра *(преим. гуманитарных наук в Оксфорде)*.

**greaves** I [gri:vz] *n pl ист.* ножные латы, наголенники *(доспехов)*.

**greaves** II [gri:vz] *n pl* остатки топлёного сала; шкварки.

**grebe** [gri:b] *n* чомга, поганка *(птица)*.

**Grecian** ['gri:ʃən] 1. *a* греческий *(о стиле)*; 2. *n* эллинист.

**greed** [gri:d] *n* алчность, жадность.

**greedily** ['gri:dili] *adv* 1) жадно, с жадностью; 2) прожорливо.

**greediness** ['gri:dinis] *n* 1) жадность; 2) прожорливость.

**greedy** ['gri:di] *a* 1) жадный (of, for); 2) прожорливый.

**Greek** [gri:k] 1. *n* 1) грек; гречанка; 2) греческий язык; ◇ it is ~ to me ≅ это для меня совершенно непонятно;
2. *a* греческий.

**green** [gri:n] 1. *a* 1) зелёный; ~ with envy готовый лопнуть от зависти; 2) покрытый зеленью; 3) растительный *(о пище)*; 4) незрелый, неспелый, сырой; ~ wound свежая, незажившая рана; 5) молодой; неопытный, доверчивый; ~ hand новичок; неопытный человек; 6) необъезженный *(о лошади)*; 7) полный сил, цветущий, свежий; 8) бледный, болезненный; ◇ ~ winter бесснежная, мягкая зима;
2. *n* 1) зелёный цвет; зелёная краска; 2) зелёная лужайка, луг *(для игр и т. п.)*; 3) растительность; 4) *pl* зелень, овощи; 5) молодость, сила; in the ~ в расцвете сил; ◇ do you see any ~ in my eye? разве я кажусь таким легковерным, неопытным?;
3. *v* 1) делать(ся) зелёным, зеленеть; 2) красить в зелёный цвет; 3) *sl.* обманывать, мистифицировать; □ ~ out давать ростки.

**greenbacks** ['gri:nbæks] *n pl амер.* банкноты, бумажные деньги.

**green-blind** ['gri:n'blaind] *a* страдающий дальтонизмом.

**green-blindness** ['gri:n'blaindnis] *n* дальтонизм.

**green-book** ['gri:nbuk] *n ист.* «зелёная книга» *(официальное издание, выпускавшееся правительством Индии)*.

**green cheese** ['gri:n'ʧi:z] *n* 1) молодой сыр; 2) зелёный сыр.

**green cloth** ['gri:n,klɔθ] *n* 1) зелёное сукно *(на столе, бильярде)*; 2) игорный стол; ◇ (Board of) Green Cloth гофмаршальская контора *(при английском дворе)*.

**green crop** ['gri:n'krɔp] *n с.-х.* кормовая культура.

**greener** ['gri:nə] *n sl.* 1) новичок; неопытный рабочий; 2) простак; 3) недавно приехавший иммигрант.

**greenery** ['gri:nəri] *n* 1) зелень, растительность; 2) *редк.* оранжерея.

**green-eyed** ['gri:naid] *a* ревнивый; завистливый; ~ monster ревность; зависть.

**green fence** ['gri:n'fens] *n* живая изгородь.

**greenfinch** ['gri:nfinʧ] *n зоол.* зеленушка *(обыкновенная)*.

**green fodder** ['gri:n'fɔdə] *n* трава; зелёный корм, фураж.

**green food** ['gri:n'fu:d] = green fodder.

**green forage** ['gri:n'fɔriʤ] = green fodder.

**greengage** ['griːngeidʒ] *n* ренклод (*слива*).

**green goods** ['griːngudz] *n pl* 1) свежие овощи; 2) *амер. sl.* фальшивые бумажные деньги.

**greengrocer** ['griːngrousə] *n* зеленщик; фруктовщик.

**greengrocery** ['griːngrousəri] *n* 1) зеленная *или* фруктовая лавка; 2) зелень; фрукты.

**greenhorn** ['griːnhɔːn] *n* новичок; неопытный человек.

**greenhouse** ['griːnhaus] *n* теплица, оранжерея.

**greening** I ['griːniŋ] *n* зелёное яблоко (*сорт*).

**greening** II ['griːniŋ] *pres. p. om* green 3.

**greenish** ['griːniʃ] *a* зеленоватый.

**green light** ['griːn'lait] *n* 1) зелёный свет (*светофора*); 2) *разг.* разрешение на беспрепятственное прохождение (*работы, проекта и т. п.*); «зелёная улица».

**green linnet** ['griːn'linit] = greenfinch.

**greenness** ['griːnnis] *n* 1) зелень; 2) незрелость; 3) неопытность.

**green-peak** ['griːn'piːk] *n* зелёный дятел.

**green-room** ['griːnrum] *n* 1) актёрская уборная; артистическое фойе; 2) помещение для неотделанной продукции (*на фабрике*).

**green scum** ['griːn'skʌm] *n* зелень (*на поверхности стоячей воды*); «цветение» воды.

**greensickness** ['griːn,siknis] *n мед.* бледная немочь.

**greenstone** ['griːnstoun] *n* 1) *геол.* название диоритов, диабазов, зелёного порфира *и т. п.*; 2) *мин.* нефрит.

**green-stuff** ['griːnstʌf] *n* овощи, огородная зелень, огородные продукты.

**greensward** ['griːnswɔːd] *n* газон, дёрн; зелёная лужайка.

**greenwood** ['griːnwud] *n* лиственный лес; ◇ to go to the ~ стать разбойником; быть объявленным вне закона.

**greeny** ['griːni] *a* зеленоватый.

**greenyard** ['griːnjɑːd] *n* загон для отбившихся от стада животных.

**greet** I [griːt] *v* 1) приветствовать; здороваться, кланяться; 2) встречать (*возгласами и т. п.*); 3) доноситься (*о звуке*); 4) открываться (*взгляду*).

**greet** II [griːt] *v шотл.* плакать.

**greeting** I ['griːtiŋ] **1.** *pres. p. om* greet I; **2.** *n* 1) приветствие, поклон; 2) встреча (*аплодисментами и т. п.*).

**greeting** II ['griːtiŋ] *pres. p. om* greet II.

**gregarious** [gre'gɛəriəs] *a* 1) живущий стаями, стадами, обществами; 2) стадный; 3) общительный.

**Gregorian** [gre'gɔːriən] *a* григорианский; ~ style новый стиль.

**gregory-powder** ['gregəri,paudə] *n* ревенный порошок (*слабительное*).

**gremlin** ['gremlin] *n ав. sl.* злой гном, приносящий неудачу лётчику.

**grenade** [gri'neid] *n* 1) граната; 2) огнетушитель.

**grenade-gun** [gri'neidgʌn] *n* гранатомёт.

**grenadier** [,grenə'diə] *n воен.* гренадер.

**grenadine** I [,grenə'diːn] *n* 1) гвоздика с сильным запахом; 2) шпигованная телятина, птица (*ломтиками*).

**grenadine** II [,grenə'diːn] *n* 1) гренадин (*шёлковая материя*); 2) гранатовый ликёр.

**gressorial** [gre'sɔːriəl] *a зоол.* приспособленный для ходьбы; ходячий.

**Gretna-green marriage** ['gretnəgriːn'mæridʒ] *n* брак между убежавшими любовниками без выполнения формальностей (*по названию деревни в Шотландии, где это допускалось*).

**grew** [gruː] *past om* grow.

**grey** [grei] **1.** *a* 1) серый; 2) седой; ~ hairs седины; *перен.* старость; to turn ~ поседеть; 3) бледный, болезненный; 4) пасмурный, сумрачный; 5) мрачный, невесёлый; ◇ ~ mare женщина, держащая своего мужа под башмаком;

**2.** *n* 1) серый цвет; 2) серый костюм; 3) лошадь серой масти;

**3.** *v* 1) делать(ся) серым; 2) седеть.

**greybeard** ['greibiəd] *n* 1) старик; пожилой человек; 2) глиняный кувшин (*для спиртных напитков*).

**greycing** ['greisiŋ] *n разг.* охота с борзыми собаками.

**grey-coat** ['greikout] *n* солдат в серой шинели; *амер. ист.* солдат армии южан (*в гражданской войне 1861-65 гг.*).

**grey-eyed** ['greiaid] *a* сероглазый.

**grey friar** ['grei'fraiə] *n* францисканец (*монах*).

**grey goose** ['greiguːs] *n* дикий гусь.

**grey-headed** ['grei'hedid] *a* 1) седой; старый; 2) поношенный, потрёпанный.

**grey-hen** ['greihen] *n* тетёрка.

**greyhound** ['greihaund] *n* 1) борзая; 2) быстроходный океанский пароход (*тж.* ocean ~); 3) автобус дальнего следования.

**greyish** ['greiiʃ] *a* 1) сероватый; 2) седоватый; с проседью.

**greylag** ['greilæg] = grey goose.

**grey matter** ['grei'mætə] *n* 1) серое вещество мозга; 2) *разг.* ум.

**grid** [grid] *n* 1) решётка; 2) = gridiron 1); 3) *радио, телев.* управляющая сетка; 4) *эл.* кольцевание сети.

**griddle** ['gridl] *n* 1) сковородка с ручкой; 2) *горн.* крупное сито для руды.

**griddle cake** ['gridlkeik] *n* лепёшка.

**gride** [graid] **1.** *n* скрип; скребущий звук; **2.** *v* 1) врезаться с резким, скрипящим звуком (*обыкн.* ~ along, ~ through); вонзаться, причиняя острую боль; 2) скрести; скрипеть; 3) *уст.* пронзать.

**gridiron** ['grid,aiən] *n* 1) рашпер (*решётка с ручкой для жаренья*); 2) решётка, сетка; 3) комплект запасных частей и ремонтных инструментов; 4) *театр.* колосники; 5) *ж.-д.* парк для приёмки и разборки поездов; 6) *амер. разг.* футбольное поле; 7) *ист.* решётка для пытки (*огнём*); on the ~ *перен.* в муках; в сильном беспокойстве, как на угольях.

**grid leak** ['gridliːk] *n радио* утечка сетки, сопротивление смещения.

**grief** [griːf] *n* горе, печаль; огорчение; беда; to come to ~ попасть в беду; потерпеть неудáчу; to bring to ~ довестú до бедý.

**grievance** ['gri:vəns] *n* 1) обúда; пóвод для недовóльства; 2) жáлоба; what is your ~? на что вы жáлуетесь?

**grieve** [gri:v] *v* 1) огорчáть, глубокó опечáливать; 2) горевáть, убивáться (at, for, about, over).

**grievous** ['gri:vəs] *a* 1) гóрестный, печáльный; прискóрбный, достóйный сожалéния; 2) тяжёлый, мучúтельный (*о боли и т. п.*); 3) ужáсный, вопиющий.

**grievously** ['gri:vəslɪ] *adv* 1) гóрестно, печáльно; с прискóрбием; 2) мучúтельно.

**griff** [grɪf] = griffin II.

**griffin** I ['grɪfɪn] *n* 1) *миф.* грифóн; *перен.* бдúтельный страж; дуэнья; 2) *зоол.* сип (*или* гриф) белоголóвый.

**griffin** II ['grɪfɪn] *n* англо-инд. европéец, недáвно прибывший в Индию; новичóк.

**griffon** I ['grɪfən] = griffin I.

**griffon** II ['grɪfən] *n* грифóн (*длинношёрстная легавая собака*).

**griffon-vulture** ['grɪfən,vʌltʃə] = griffin I, 2).

**grig** [grɪg] *n* 1) *зоол.* угорь; 2) кузнéчик; сверчóк; merry (*или* lively) as a ~ óчень весёлый.

**grill** [grɪl] 1. *n* 1) рáшпер [см. gridiron 1)]; 2) жáренные на рáшпере мясо, рыба; 3) = grill-room; 4) решётка; 5) штéмпель для погашéния почтóвых мáрок;
2. *v* 1) жáрить(ся) на рáшпере; 2) палúть, жечь (*о солнце*); 3) пéчься на сóлнце; 4) мýчить(ся); 5) *амер.* допрáшивать «с пристрáстием»; 6) погашáть почтóвые мáрки.

**grillage** ['grɪlɪʤ] *n* стр. рóстверк, решётка.

**grille** [grɪl] *n* решётка.

**grill-room** ['grɪlrum] *n* ресторáн (*где мясо и рыба жáрятся при публике*).

**grilse** [grɪls] *n* молодóй лосóсь, впервые вошéдший в прéсную вóду.

**grim** [grɪm] *a* 1) жестóкий, беспощáдный; неумолúмый, непреклóнный; 2) стрáшный, мрáчный, зловéщий.

**grimace** [grɪ'meɪs] 1. *n* гримáса, ужúмка; 2. *v* гримáсничать.

**grimalkin** [grɪ'mælkɪn] *n* 1) стáрая кóшка; 2) злáя, ворчлúвая старýха, стáрая кáрга.

**grime** [graɪm] 1. *n* глубокó въéвшаяся грязь, сáжа;
2. *v* пáчкать, грязнúть.

**grimy** ['graɪmɪ] *a* 1) запáчканный, покрытый сáжей, углем; чумáзый; грязный; 2) смýглый.

**grin** [grɪn] 1. *n* оскáл зубóв; усмéшка;
2. *v* скáлить зýбы; ухмыляться; to ~ and bear it скрывáть под улыбкой свои переживáния; мýжественно переносúть боль; he ~ned approbation он выразил улыбкой одобрéние.

**grind** [graɪnd] 1. *n* 1) размáлывание; 2) тяжёлая, однообрáзная, скýчная рабóта; 3) прогýлка для моциóна; 4) скáчки с препятствиями; 5) *амер. разг.* зубрúла; 6) *разг.* зубрёжка;

2. *v* (ground) 1) молóть(ся), перемáлывать(ся); растирáть (*в порошок*); толóчь; разжёвывать; to ~ the teeth скрежетáть зубáми; 2) точúть, оттáчивать; полировáть; шлифовáть; гранúть (*алмазы*); 3) придавáть мáтовую повéрхность (*стеклу*); 4) стáчиваться; шлифовáться; 5) терéть(ся) со скрúпом (*оп*, into, against—об(о) *что-л.*); 6) вертéть рýчку (*чего-л.*); игрáть на шармáнке; 7) рабóтать усéрдно, кропотлúво; 8) вдáлбливать (*ученику и т. п.*); репетúровать; зубрúть; 9) мýчить, угнетáть (*чрезмерной требовательностью*); □ ~ away усéрдно рабóтать (at), учúться; ~ down а) размáлывать(ся); б) стáчивать; в) замýчить; ~ in пришлифóвывать, притирáть; ~ out а) вымýчивать из себя, выполнять с большúм трудóм; б) *тех.* вытáчивать; в) придавúть, растоптáть (*окурок и т. п.*); ~ up измельчáть, размáлывать; ◇ to ~ one's own axe преслéдовать лúчные (корыстные) цéли.

**grinder** ['graɪndə] *n* 1) точúльщик; шлифóвщик; 2) вéрхний жёрнов; 3) кореннóй зуб; *pl шутл.* зýбы; 4) кофéйная мéльница; краскотёрка; дробúлка; 5) шлифовáльный станóк; точúльный кáмень; 6) *разг.* репетúтор; 7) зубрúла; 8) (*обыкн. pl*) *радио* потрéскивание (*атмосферные разряды*).

**grindery** ['graɪndərɪ] *n* сапóжные принадлéжности.

**grinding machine** ['graɪndɪŋmə,ʃiːn] *n* шлифовáльный станóк.

**grindstone** ['graɪndstoun] *n* 1) точúльный кáмень, точúло; 2) жёрнов; ◇ to hold (*или* to keep, to put) smb.'s nose to the ~ заставлять когó-л. рабóтать без óтдыха.

**gringo** ['grɪŋgou] *n* (*pl* -os [-ouz]) *исп.-ам.* инострáнец, *особ.* англичáнин *или* америкáнец.

**grip** I [grɪp] 1. *n* 1) схвáтывание; сжáтие, зажáтие; хвáтка; пожáтие; close ~ мёртвая хвáтка; to come to ~s, to get at ~s схватúться (*о борцах*); вступúть в борьбý; 2) власть, тискú; in the ~ of poverty в нуждé, в бéдности; 3) спосóбность понять, охватúть (*суть дела*); 4) рукоять, рýчка; эфéс; 5) умéние овладéть положéнием, чьим-л. внимáнием; 6) *амер.* саквояж; 7) *тех.* тискú, зажúм, захвáт; лáпа;

2. *v* 1) схватúть (оп, onto); сжать; 2) крéпко держáть; 3) понимáть, схвáтывать (*умом*); 4) овладевáть внимáнием; 5) затирáть, зажимáть; захвáтывать; the ship was ~ped by the ice сýдно было затёрто льдáми.

**grip** II [grɪp] *n* небольшáя канáва.

**gripe** [graɪp] 1. *n* 1) зажúм, зажáтие; *перен.* тискú; in the ~ of в тискáх (*чего-л.*); 2) *pl* кóлики, резь; 3) рукоятка, рýчка;

2. *v* 1) схватúть, сжать; притеснять, угнетáть; 2) понять, постúгнуть, усвóить; 4) вызывáть резь, спáзмы (*в кишечнике*); 5) *амер. sl.* раздосáдовать, огорчúть; 6) *амер. sl.* ворчáть, зажúм, захвáт; лáпа.

**grippe** [grɪp] *n* грипп.

**grippiness** ['grɪpɪnɪs] *n* гриппóзное состояние.

**gripsack** ['grɪpsæk] *n амер.* саквояж.

**grip vice** ['grɪpvaɪs] *n тех.* зажимные тиски.

**grisaille** [grɪ'zeɪl] *n жив.* гризаль.

**grisly** ['grɪzlɪ] *a* 1) вызывающий ужас суеверный страх; 2) *разг.* неприятный, скверный.

**grist** [grɪst] *n* 1) зерно для помола; помол; 2) барыш; to bring ~ to the mill приносить доход; all is ~ that comes to his mill он из всего извлекает барыш; 3) солод; 4) *амер.* запас, масса.

**gristle** ['grɪsl] *n анат.* хрящ; ◇ in the ~ незрелый; незакалённый, слабый.

**gristly** ['grɪslɪ] *a* хрящевой; хрящеватый.

**grist-mill** ['grɪstmɪl] *n* мукомольная мельница.

**grit** [grɪt] **1.** *n* 1) песок; гравий; 2) крупнозернистый песчаник; 3) металлические опилки; 4) *разг.* твёрдость характера, выдержка; 5) *тех.* дробь *или* звёздочки для очистки литья; 6) (G.) радикал, либерал (*в Канаде*); ◇ to put ~ in the machine ≅ вставлять палки в колёса;
**2.** *v* скрипеть; to ~ the teeth скрежетать зубами.

**grits** [grɪts] *n pl* овсяная крупа; овсяная мука грубого помола.

**gritstone** ['grɪtstoun] *n геол.* крупнозернистый песчаник.

**gritty** ['grɪtɪ] *a* 1) песчаный; с песком; 2) *разг.* твёрдый, выносливый; смелый.

**grizzle I** ['grɪzl] **1.** *n* 1) серый, седой цвет; 2) седой человек; 3) седой парик; 4) серая лошадь; 5) необожжённый кирпич; 6) низкосортный уголь;
**2.** *v* 1) становиться серым, сереть; 2) седеть.

**grizzle II** ['grɪzl] *v* 1) рычать, огрызаться; 2) хныкать, капризничать (*о детях*).

**grizzled I** ['grɪzld] **1.** *p. p. om* grizzle I, 2;
**2.** *a* седой; седеющий.

**grizzled II** ['grɪzld] *p. p. om* grizzle II.

**grizzly I** ['grɪzlɪ] **1.** *a* 1) серый; 2) с сильной проседью;
**2.** *n* гризли, североамериканский серый медведь.

**grizzly II** ['grɪzlɪ] *n* 1) железная решётка для защиты шлюзов; 2) *горн.* роликовый *или* колосниковый грохот; 3) *тех.* питающий механизм (роликовый).

**groan** [groun] **1.** *n* тяжёлый вздох; стон;
**2.** *v* 1) стонать; тяжело вздыхать; охать; to ~ inwardly быть расстроенным; 2) со стонами высказывать, рассказывать(*что-л.*); *тж.* ~ out); ◻ ~ **down** ворчанием, оханьем заставить (*говорящего*) замолчать; ~ **for** томиться по *чему-л.*; жаждать *чего-л.*; ~ **under**, ~ **with** находиться под гнётом; страдать под тяжестью *чего-л.*; the table ~ed with food стол ломился под тяжестью яств.

**groat** [grout] *n* 1) *ист.* серебряная монета в 4 пенса; 2) мелкая, ничтожная сумма; ◇ I don't care a ~ мне решительно всё равно.

**groats** [grouts] *n pl* крупа (*преим.* овсяная).

**grocer** ['grousə] *n* торговец бакалейными товарами, бакалейщик.

**grocery** ['grousərɪ] *n* 1) бакалейная лавка; бакалейно-гастрономический магазин

(*тж.* ~ shop); 2) бакалейная торговля; 3) (*обыкн. pl*) бакалея.

**groceteria** [grousə'teərɪə] *n* бакалейно-гастрономический магазин с самообслуживанием.

**grog** [grɔg] **1.** *n* грог, пунш;
**2.** *v* пить пунш.

**grog-blossom** ['grɔg,blɔsəm] *n разг.* краснота носа (*у пьяниц*).

**groggy** ['grɔgɪ] *a* 1) пьяный; любящий выпить; 2) нетвёрдый на ногах; 3) непрочный, неустойчивый, шаткий.

**grog-shop** ['grɔgʃɔp] *n* винная лавка.

**groin** [grɔɪn] **1.** *n* 1) пах; 2) *архит.* крестовый свод; 3) буна, плотина, полузапруда, ряж;
**2.** *v архит.* выводить крестовый свод.

**groom** [grum] **1.** *n* 1) грум; конюх; 2) (*сокр. om* bridegroom) жених; 3) придворный;
**2.** *v* 1) чистить лошадь, ходить за лошадью; 2) (*обыкн. p. p.*) ухаживать, холить; to be well ~ed быть выхоленным, хорошо одетым, тщательно подстриженным, подтянутым *и т. п.*

**groomsman** ['grumzmən] *n* шафер.

**groove** [gru:v] *n* 1) желобок, паз; порез, шпоночная канавка; 2) рутина; привычка; to get into a ~ войти в привычную колею; to move (*или* to run) in a ~ а) идти по проторённой дорожке; б) идти своим чередом; 3) нарезка (*винтовки*); 4) шахта, рудник; 5) *тех.* ручей, калибр;
**2.** *v* делать выемку, желобить, делать пазы, канавки; the river has ~d itself through реку прорыла себе проход.

**groovy** ['gru:vɪ] *a* 1) склонный к рутине; 2) ограниченный, недалёкий.

**grope** [group] *v* 1) ощупывать, идти ощупью; 2) искать (for, after); *перен.* нащупывать.

**groper** ['groupə] *n австрал. sl.* житель западной Австралии.

**gropingly** ['groupɪŋlɪ] *adv* ощупью.

**grosbeak** ['grousbiːk] *n* дубонос (*птица*).

**gross** [grous] **1.** *a* 1) большой; объёмистый; 2) толстый, тучный; ~ habit of body тучность; 3) буйный (*о растительности*); 4) крупный, грубого помола; 5) грубый, явный; ужасный; ~ blunder грубая ошибка; ~ dereliction of duty преступная халатность; 6) простой, грубый, жирный (*о пище*); ~ feeder тот, кто ест много и неразборчиво; 7) грубый, вульгарный; грязный; непристойный; ~ story неприличный анекдот; 8) грубый; притупленный; ~ ear грубый, немузыкальный слух; 9) плотный, сгущённый; весьма ощутимый; 10) валовой; брутто; ~ receipt валовой доход; ~ value валовая ценность; ~ weight вес брутто; 11) макроскопический;
**2.** *n* 1) масса; by (*или* in) the ~ а) оптом; гуртом; б) в общем, в целом; 2) гросс (*12 дюжин*; *тж.* small ~); great ~ 12 гроссов.

**grossly** ['grouslɪ] *adv* 1) грубо; вульгарно; 2) чрезвычайно; 3) крупно; 4) *эк.* оптовым путём.

**gross ton** ['grous'tʌn] *n* длинная (*или* английская) тонна (=1016,06 кг).

grot [grɔt] *n поэт. см.* grotto.

grotesque [grou'tesk] **1.** *n* гротéск.
**2.** *a* 1) гротéскный; 2) абсýрдный, нелéпый.

grotto ['grɔtou] *n* (*pl* -oes, -os [-ouz]) пещéра, грот.

grouch [grautʃ] *амер. разг.* **1.** *n* 1) дурнóе настроéние; 2) брюзгá;
**2.** *v* брюзжáть, ворчáть.

ground I [graund] *past и p. p. от* grind 2.

ground II [graund] **1.** *n* 1) земля, пóчва;
грунт; firm ~ сýша, твёрдая земля; to
break (fresh) ~ a) распáхивать зéмлю,
поднимáть целинý; *перен.* проклáдывать
нóвые пути; б) расчищáть площáдку (*при
строительстве*); 2) рыть котловáн; to fall
to the ~ упáсть; *перен.* рýшиться (*о наде-
жде и т. п.*); to take ~ приземлиться; 2)
мéстность; óбласть; расстояние; to cover
~ покрыть расстояние; to cover much ~
быть широким (*об исследовании и т. п.*);
3) дно мóря; to take the ~ *мор.* сесть на
мель; to touch the ~ коснýться дна; *перен.*
дойти до сýти дéла, до фáктов (*в споре*);
4) учáсток земли; спортивная площáдка;
5) плац; аэродрóм; полигóн; 6) *pl* сад, парк
при дóме; 7) партéр (*в театре*); 8) основáние, мотив; on the ~ of a) по причине,
на основáнии; б) под предлóгом; 9) *жив.*
грунт, фон; 10) *муз.* тéма; 11) *pl* осáдок,
гýща; 12) *эл.* заземлéние; ◇ above ~ живýщий; (находящийся) в живых; below ~
скончáвшийся, умéрший; to be on the ~
дрáться на дуэли; to cut the ~ from under
smb. (*или* smb.'s feet) выбить пóчву у когó-л. из-под ног; to hold (*или* to stand)
one's ~ удержáть свои позиции, проявить
твёрдость; down to the ~ *разг.* во всех отношéниях, вполнé, совершéнно; forbidden
~ запрéтная тéма; to gain (*или* to gather, to get) ~ продвигáться вперёд; дéлать успéхи; to give ~ отступáть; уступáть;
**2.** *v* 1) основывать, обоснóвывать (on); 2)
класть, опускáть(ся) на зéмлю; to ~
arms склáдывать орýжие, сдавáться; 3)
*мор.* сесть на мель; 4) обучáть основам
предмéта (in); 5) грунтовáть; 6) *эл.* за-
землять; 7) мездрить (*кожу*); 8) *стр.* положить основáние; 9) *ав.* препятствовать
отрыву от земли (*самолёта*); the fog ~ed
all aircraft at N. aerodrome из-за тумáна
ни один самолёт не мог подняться в вóздух
на аэродрóме N.

ground-colour ['graund,kʌlə] *n жив.*
грунт.

ground control ['graundkənt'roul] *n радио*
назéмное управлéние, управлéние с земли.

ground crew ['graundkru:] *n ав.* назéмная
комáнда.

ground fire ['graundfaiə] *n* низовóй по-
жáр.

ground floor ['graund'flɔ:] *n* нижний, цó-
кольный этáж; ◇ to get (*или* to be let)
in on the ~ *разг.* а) получить áкции на óб-
щих основáниях с учредителями; б) занять
рáвное положéние; в) оказáться в выигрыш-
ном положéнии.

ground forces ['graund,fɔ:siz] *n pl* 1) на-
зéмные войскá; 2) *ав.* аэродрóмные войскá.

ground game ['graundgeim] *n* назéмная
дичь; пушнóй зверь (*зайцы, кролики и т.п.*).

ground glass ['graundglɑ:s] *n* мáтовое
стеклó.

ground-hog ['graund'hɔg] *n* крот.

ground-ice ['graundais] *n* придóнный лёд.

ground-in ['graund'in] *a* пришлифóван-
ный, притёртый.

grounding ['graundiŋ] **1.** *pres. p. от* gro-
und II, 2;
**2.** *n* 1) посáдка на мель; 2) обучéние основам предмéта; 3) грунтóвка; 4) *эл.* заземлéние.

groundless ['graundlis] *a* беспричинный,
беспóчвенный, неосновательный.

groundling ['graundliŋ] *n* 1) *название
донных рыб*: пескáрь *и т. п.*; 2) ползýчее
*или* низкорóслое растéние; 3) зритель пар-
тéра в стáром английском теáтре; 4) не-
взыскáтельный зритель *или* читáтель.

ground-man ['graundmæn] *n* 1) землекóп;
2) *спорт.* лицó, поддéрживающее спорт-
площáдку в порядке.

ground-nut ['graundnʌt] *n* земляной орéх,
арáхис.

ground oak ['graund,ouk] *n* 1) пóросль
дýба (*от пня*); 2) кáрликовый дуб.

ground panel ['graund'pænl] *n ав.* сиг-
нáльное полóтнище.

ground rice ['graundrais] *n* рис-сéчка.

groundsel I ['graunsl] *n бот.* крестóвник.

groundsel II ['graunsl] *n* 1) *стр.* лéжень;
2) *гидр.* порóг.

groundsill ['graunsil] = groundsel II, 1).

groundsman ['graundzmən] = ground-man.

ground-squirrel ['graund,skwirəl] *n зоол.*
бурундýк.

ground staff ['graundstɑ:f] *n ав.* нелётный
состáв.

ground swell ['graundswel] *n* 1) мёртвая
зыбь; 2) комлистость (*дерева*).

ground water ['graund,wɔ:tə] *n* пóч-
венная, грунтовáя водá; подпóчвенные вóды.

groundwork ['graundwə:k] *n* 1) фундамент, оснóва; 2) фон; 3) нижнее строéние железнодорóжного пути, полотнó желéзной дорóги.

group [gru:p] **1.** *n* 1) грýппа; 2) группирóвка, фрáкция; 3) *pl* слои, круги (*общества*); business ~s деловые круги; 4) *ав.*
авиагрýппа; *амер.* авиапóлк; 5) *хим.*
радикáл;
**2.** *v* 1) группировáть(ся); 2) подбирáть
гармонично крáски, цветá; 3) классифицировать, распределять по грýппам.

group-captain ['gru:p,kæptin] *n* полкóв-
ник авиáции (*в Англии*).

grouping ['gru:piŋ] **1.** *pres. p. от* group 2;
**2.** *n* 1) = groupment; 2) группировáние.

groupment ['gru:pmənt] *n* группирóвка.

group verb ['gru:pvə:b] *n грам.* фрáзовый
глагóл.

grouse I [graus] *n* (*pl без измен.*) шотлáндская куропáтка (*тж.* red ~); black ~ тé-
терев-косáч; white ~ бéлая куропáтка;
wood ~, great ~ тéтерев-глухáрь; hazel
~ рябчик.

grouse II [graus] *sl.* **1.** *n* ворчýн;
**2.** *v* ворчáть.

**grouser** ['grausə] *n тех.* 1) временная свая; 2) башмак гусеничного хода.

**grout I** [graut] *v* рыть землю (*о свинье*).

**grout II** [graut] *стр.* **1.** *n* жидкий известковый *или* цементный раствор; жидкое цементное тесто;
**2.** *v* заливать известью, цементом.

**grouty** ['grautɪ] *a амер. sl.* раздражительный, сердитый.

**grove** [grouv] *n* 1) роща, лесок; 2) *горн.* штольня, шахта.

**grovel** ['grɔvl] *v* лежать ниц, ползать, пресмыкаться, унижаться.

**groveller** ['grɔvlə] *n* подхалим, низкопоклонник.

**grovel train** ['grɔvltreɪn] *амер. sl.* посредник для подкупа членов конгресса.

**grow** [grou] *v* (grew; grown) 1) расти, произрастать; to ~ into one срастаться; 2) вырастать; расти, увеличиваться; усиливаться (*о боли и т. п.*); to ~ in experience обогащаться опытом; 3) *как глагол-связка в составном именном сказуемом* делаться, становиться; to ~ old (pale) стареть (бледнеть); it is ~ing dark смеркается; 4) выращивать, культивировать; 5) отращивать (*бороду, волосы*); □ ~ down, ~ downwards уменьшаться; укорачиваться; ~ into a) врастать; б) превращаться; ~ on a) овладевать; б) нравиться всё больше; this place ~s upon me это место мне всё больше нравится; ~ out а) прорастать; б) вырастать из, перерастать (*рамки, размеры, границы*; of); в): to ~ out of a bad habit отвыкнуть от дурной привычки; to ~ out of use выйти из употребления; ~ over зарастать; ~ together срастаться; ~ up a) созревать; становиться взрослым; б) создаваться, возникать (*об обычаях*); ~ upon = ~ on.

**grower** ['grouə] *n* 1) тот, кто производит, разводит (*что-л.*); садовод; плодовод; 2) растение; fast ~ быстрорастущее растение; 3) *уст.* фермер.

**growing** ['grouɪŋ] **1.** *pres. p. от* grow;
**2.** *n* 1) рост; 2) выращивание; ~ of bees пчеловодство; ~ of grapes виноградарство;
**3.** *a* 1) растущий, усиливающийся; возрастающий; 2) способствующий росту; ~ weather погода, способствующая росту растений.

**growl** [graul] **1.** *n* 1) рычание; 2) ворчание; 3) грохот; раскат (*грома*);
**2.** *v* 1) рычать; 2) ворчать, жаловаться (*тж.* ~ out); 3) греметь (*о громе*).

**growler** ['graulə] *n* 1) ворчун, брюзга; 2) небольшой айсберг; 3) *разг.* старомодный четырёхколёсный извозчичий экипаж; 4) *амер. sl.* кувшин для пива.

**grown** [groun] *p. p. от* grow.

**grown-up** ['grounʌp] **1.** *n* взрослый (человек);
**2.** *a* взрослый.

**growth** [grouθ] *n* 1) рост, развитие; full ~ полное развитие; of foreign ~ иностранного происхождения; 2) прирост, увеличение; 3) выращивание, культивирование; *бакт.* культура; 4) продукт; 5) поросль; 6) *мед.* новообразование.

**growth ring** ['grouθrɪŋ] *n* годичный слой (*в древесине*).

**groyne** [grɔɪn] **1.** *n* 1) волнорез; волнолом; ряж; 2) сооружение для задержания песка, гальки;
**2.** *v* защищать волнорезами (*берег*).

**grub I** [grʌb] **1.** *n* 1) личинка, гусеница; 2) литературный подёнщик; компилятор; 3) грязнуля, неряха; 4) мяч, брошенный по земле (*в крикете*);
**2.** *v* 1) вскапывать; 2) выкапывать, выкорчёвывать; вытаскивать (*обыкн.* ~ up, ~ out); to ~ up the stumps выкорчёвывать пни; 3) копаться, рыться, откапывать (*в архивах, книгах*); 4) производить тяжёлую работу.

**grub II** [grʌb] *разг.* **1.** *n* пища, еда;
**2.** *v* 1) есть; 2) *редк.* кормить.

**grub-ax(e)** ['grʌb,æks] *n* польная мотыга.

**grubber** ['grʌbə] *n* 1) польщик; корчёвщик; 2) культиватор-экстирпатор, культиватор-груббер; 3) корчеватель; корчевалка.

**grubbiness** ['grʌbɪnɪs] *n* неряшество; нечистоплотность; грязь.

**grubbing-hoe** ['grʌbɪŋhou] *n* мотыга.

**grubby** ['grʌbɪ] *a* 1) неряшливый, неопрятный; грязный; 2) червивый.

**Grub-street** ['grʌb,striːt] *n разг.* 1) журнальные компиляторы, писаки (*от названия улицы в Лондоне, где в XVII—XVIII вв. жили бедные литераторы*); 2) дешёвые компиляции (*тж.* ~ writings).

**grudge** [grʌdʒ] **1.** *n* недовольство; недоброжелательство; зависть; to have a ~ against smb., to bear (*или* to owe) smb. a ~ ≅ иметь зуб против кого-л.;
**2.** *v* 1) выражать недовольство; испытывать недоброе чувство (*к кому-л.*); завидовать; 2) неохотно давать, неохотно позволять; жалеть (*что-л.*); to ~ smb. the very food he eats жалеть человеку кусок хлеба.

**grudgingly** ['grʌdʒɪŋlɪ] *adv* неохотно, нехотя.

**gruel** [gruəl] **1.** *n* жидкая (овсяная) каша; кашица; размазня; ◇ to have (*или* to get, to take) one's ~ a) получить взбучку, быть жестоко наказанным; б) быть убитым;
**2.** *v sl.* 1) строго наказывать, пороть; 2) лишать сил.

**gruelling** ['gruəlɪŋ] **1.** *pres. p. от* gruel 2;
**2.** *a* 1) *амер.* = gruesome; 2) изнурительный.

**gruesome** ['gruːsəm] *a* ужасный, отвратительный.

**gruff** [grʌf] *a* 1) грубоватый; сердитый, резкий; 2) грубый, хриплый (*о голосе*).

**grumble** ['grʌmbl] *v* 1) ворчание, ропот; *pl* дурное настроение; 2) раскаты грома; грохот;
**2.** *v* 1) ворчать, жаловаться (at, about, over—на); 2) грохотать.

**grumbler** ['grʌmblə] *n* ворчун.

**grume** [gruːm] *n мед.* сгусток крови.

**grummet** ['grʌmɪt] *n мор.* верёвочное кольцо; кренгельс.

**grumpy** ['grʌmpɪ] *a разг.* сердитый, сварливый, раздражительный.

**Grundyism** ['grʌndɪzəm] *n* усло́вная мора́ль (*по имени* Mrs Grundy — *персонаж пьесы Мортона (1798 г.), олицетворение общественного мнения в вопросах приличия;* what will Mrs Grundy say? что ска́жут лю́ди?).

**grunt** [grʌnt] **1.** *n* 1) хрю́канье; 2) ворча́ние, мыча́ние (*о человеке*); **2.** *v* 1) хрю́кать; 2) ворча́ть.

**grunting cow** ['grʌntɪŋ'kau] *n* як.

**grunting ox** ['grʌntɪŋ'ɔks] = grunting cow.

**gryphon** ['grɪfən] = griffin.

**guaiac(um)** ['gwaɪək(əm)] *n* 1) гвая́ковое *или* бака́утовое де́рево; 2) гвая́ковая смола́.

**guana** ['gwɑːnə] *n зоол.·* 1) игуа́на; 2) люба́я больша́я я́щерица.

**guano** ['gwɑːnou] **1.** *n* (*pl* -os [-ouz]) гуа́но; **2.** *v* удобря́ть гуа́но.

**guarantee** [ˌgærən'tiː] **1.** *n* 1) поручи́тель; 2) тот, кому́ вно́сится зало́г; 3) гара́нтия; зало́г; поручи́тельство; **2.** *v* 1) гаранти́ровать; 2) руча́ться; 3) обеспе́чивать, страхова́ть (against); 4) утвержда́ть (*во владении;* to).

**guarantor** [ˌgærən'tɔː] *n* поручи́тель; гара́нт.

**guaranty** ['gærəntɪ] **1.** *n* гара́нтия; обяза́тельство; зало́г; **2.** *v* гаранти́ровать.

**guard** [gɑːd] **1.** *n* 1) охра́на, стра́жа, конво́й, карау́л; ~ of honour почётный карау́л; to mount ~ вступа́ть в карау́л; to relieve ~ сменя́ть карау́л; to stand ~ стоя́ть на часа́х; 2) часово́й, карау́льный; сто́рож; конво́ир; 3) *pl* гва́рдия; 4) бди́тельность; осторо́жность; to be off ~ быть недоста́точно бди́тельным; быть засти́гнутым враспло́х; to be on (one's) ~ быть насторо́же; 5) оборони́тельное положе́ние (*в боксе*); 6) *ж.-д.* конду́ктор; 7) како́е-л. предохрани́тельное приспособле́ние (*напр.:* fire-~ ками́нная решётка *и т. п.*); 8) *attr.* сторожево́й, карау́льный; **2.** *v* 1) охраня́ть; сторожи́ть; карау́лить; 2) защища́ть (against, from); 3) стоя́ть на стра́же (*интересов и т. п.*); 3) бере́чься, остерега́ться (against); принима́ть ме́ры предосторо́жности; 4) сде́рживать (*мысли, выражения*).

**guard-boat** ['gɑːdbout] *n* сторожево́е су́дно.

**guardhouse** ['gɑːdhaus] *n* 1) карау́льное помеще́ние; 2) гауптва́хта; 3) *уст.* корде-га́рдия.

**guardian** ['gɑːdjən] *n* 1) опеку́н; попечи́тель; 2) настоя́тель франциска́нского мона́стыря; 3) *уст.* блюсти́тель, страж; 4) *attr.:* ~ angel а) а́нгел-храни́тель, до́брый ге́ний; б) *ав. sl.* парашю́т.

**guardianship** ['gɑːdjənʃɪp] *n* опе́ка; опеку́нство; under the ~ of the laws под охра́ной зако́нов.

**guard-rail** ['gɑːdreɪl] *n* 1) пери́ла, по́ручень; 2) направля́ющий рельс.

**guardroom** ['gɑːdrum] = guardhouse.

**guard-ship** ['gɑːdʃɪp] *n мор.* брандва́хта

**guardsman** ['gɑːdzmən] *n* 1) гварде́ец; 2) карау́льный.

**Guatemalan** [ˌgwætɪ'mɑːlən] **1.** *n* гватема́лец; **2.** *a* гватема́льский.

**gubernatorial** [ˌgjuːbənə'tɔːrɪəl] *a* 1) относя́щийся к прави́телю, управля́ющему *и т. п.*; 2) губерна́торский.

**gudgeon** I ['gʌdʒən] *n* 1) песка́рь; 2) простофи́ля; ◇ to swallow a ~ попа́сться на у́дочку.

**gudgeon** II ['gʌdʒən] *n тех.* 1) болт; 2) ось, па́лец, ше́йка *или* ца́пфа кривоши́па.

**guelder rose** ['geldə'rouz] *n бот.* кали́на (обыкнове́нная).

**guerdon** ['gɑːdən] *поэт.* **1.** *n* награ́да; **2.** *v* награжда́ть.

**guerilla** [gə'rɪlə] *n* 1) партиза́нская война́ (*обыкн.* ~ war); 2) партиза́н (*тж.* ~ warrior); 3) партиза́нский отря́д.

**guernsey** ['gɑːnzɪ] *n* 1) шерстяна́я фуфа́йка (*тж.* ~ shirt); 2) гернси́йский моло́чный скот.

**guerrilla** [gə'rɪlə] = guerilla.

**guess** [ges] **1.** *n* 1) предположе́ние, дога́дка; by ~ науга́д; 2) приблизи́тельный подсчёт; **2.** *v* 1) угада́ть, отгада́ть; to ~ a riddle отгада́ть зага́дку; 2) предполага́ть (by, from); гада́ть, дога́дываться; I should ~ his age at forty я дал бы ему́ лет со́рок; 3) счита́ть, полага́ть; I ~ we shall miss the train ду́маю, что мы опозда́ем на по́езд.

**guess-rope** ['gesroup] *n мор.* бакшто́в.

**guess-work** ['geswəːk] *n* дога́дки; предположе́ния.

**guest** [gest] *n* 1) гость; 2) постоя́лец (*в гостинице*); paying ~ пансионе́р; жиле́ц; 3) парази́т (*животное или растение*).

**guest-card** ['gestkɑːd] *n* бланк, заполня́емый прибы́вшим в гости́ницу.

**guest-chamber** ['gest,tʃeɪmbə] *n* ко́мната для госте́й.

**guest-room** ['gestrum] = guest-chamber.

**guff** [gʌf] *n амер. sl.* пуста́я болтовня́.

**guffaw** [gʌ'fɔː] **1.** *n* гру́бый хо́хот; го́гот; **2.** *v* гру́бо хохота́ть; гогота́ть.

**guggle** ['gʌgl] **1.** *n* бу́льканье; **2.** *v* бу́лькать.

**guichet** [ˌgiː'ʃe] *фр.* *n* 1) решётка; 2) око́шко ка́ссы; биле́тная ка́сса.

**guidance** ['gaɪdəns] *n* руково́дство; води́тельство; under the ~ of под руково́дством.

**guide** [gaɪd] **1.** *n* 1) проводни́к, гид; экскурсово́д; 2) руководи́тель; сове́тчик; 3) руководя́щий при́нцип; 4) путеводи́тель; руково́дство; уче́бник; 5) *воен.* направля́ющий; 6) *тех.* направля́ющее приспособле́ние; кули́са, переда́точный рыча́г; 7) *горн.* обса́дная труба́; 8) ориенти́р; **2.** *v* 1) вести́, быть *чьим-л.* проводнико́м; 2) руководи́ть, направля́ть; 3) вести́ дела́, быть руководи́телем; 4) быть причи́ной, сти́мулом, основа́нием.

**guide-bar** ['gaɪdbɑː] *n тех.* направля́ющий сте́ржень, направля́ющая тя́га.

**guide-book** ['gaɪdbuk] *n* путеводи́тель.

**guided missile** ['gaɪdɪd'mɪsaɪl] *n* управля́емый снаря́д.

**guide mark** ['gaɪd,mɑːk] *n* отме́тка, ме́тка.

**guide-post** ['gaɪdpoust] *n* указательный столб (*на перекрёстке*).

**guide-rod** ['gaɪdrɔd] = guide-bar.

**guide-rope** ['gaɪdroup] *n ав.* гайдроп.

**guidon** ['gaɪdən] *n* (остроконечный) флажок (*на пике и т. п.*).

**guild** [gɪld] *n* 1) *ист.* цех, гильдия; 2) организация, союз; 3) *attr.*: ~ master *ист.* цеховой мастер.

**Guildhall** ['gɪld'hɔːl] *n* 1) (the ~) ратуша (*в Лондоне*); 2) *ист.* место собраний гильдии, цеха.

**guile** [gaɪl] *n* обман; хитрость, коварство; вероломство.

**guileful** ['gaɪlful] *a* вероломный; коварный.

**guileless** ['gaɪllɪs] *a* простодушный.

**guillemot** ['gɪlɪmɔt] *n* кайра (*птица*).

**guillotine** [,gɪlə'tiːn] 1. *n* 1) гильотина; 2) *тех.* резальная машина; 3) хирургический инструмент для удаления миндалин; 4) *парл. разг.* гильотинирование прений (*фиксированием времени для голосования*); 2. *v* гильотинировать.

**guilt** [gɪlt] *n* 1) вина, виновность; 2) грех.

**guiltily** ['gɪltɪlɪ] *adv* виновато, с виноватым видом.

**guiltiness** ['gɪltɪnɪs] *n* виновность.

**guiltless** ['gɪltlɪs] *a* 1) невинный; невиновный (of); 2) *разг.* не знающий (*чего-л.*), не умеющий (*что-л. делать*); ~ of writing poems не умеющий писать стихи.

**guilty** ['gɪltɪ] *a* 1) виновный (of—в); преступный; 2) виноватый (*о взгляде, виде*).

**guinea** ['gɪnɪ] *n* гинея (*прежде золотая монета, теперь денежная единица = 21 шиллингу*).

**guinea-fowl** ['gɪnɪfaul] *n* цесарка.

**guinea-pig** ['gɪnɪpɪg] *n* 1) морская свинка; 2) «подопытный кролик», человек, над которым производят научные опыты; 3) *разг.* мичман; 4) *шутл.* номинальный член различных компаний; 5) директор компании, духовное лицо, врач *и т. п.*, получающие гонорар в гинеях.

**guinea squash** ['gɪnɪ,skwɔʃ] *n бот.* баклажан.

**guinea worm** ['gɪnɪwəːm] *n* ришта (*подкожный червь*).

**guise** [gaɪz] *n* 1) наружность, облик; 2) личина, маска; предлог; under (*или* in) the ~ of под видом, под маской; 3) *уст.* одеяние, наряд; 4) *уст.* манера, обычай.

**guitar** [gɪ'tɑː] 1. *n* гитара; 2. *v* играть на гитаре.

**gulch** [gʌlʃ] *n амер.* узкое глубокое ущелье (*особ. в золотоносных районах*).

**gulden** ['guldən] *n* гульден (*денежная единица Голландии*).

**gules** [gjuːlz] 1. *a* красный; 2. *n* красный цвет (*в геральдике*).

**gulf** [gʌlf] *n* 1) морской залив; 2) бездна, пропасть; 3) водоворот, пучина; 4) *горн.* большая залежь руды; 5) *унив. разг.* диплом без отличия; 2. *v* 1) поглощать, всасывать в водоворот; 2) *унив. разг.* присуждать диплом без отличия.

**gull** I [gʌl] *n* чайка.

**gull** II [gʌl] 1. *n* простак, глупец; 2. *v* обманывать, дурачить.

**gullet** ['gʌlɪt] *n* 1) пищевод; 2) глотка.

**gullibility** [,gʌlɪ'bɪlɪtɪ] *n* легковерие, доверчивость.

**gullible** ['gʌləbl] *a* легковерный, доверчивый.

**gully** I ['gʌlɪ] 1. *n* 1) глубокий овраг, лощина (*образованные водой*); 2) водосточная канава, водосток; 3) желобчатый рельс; 2. *v* образовать овраги, канавы.

**gully** II ['gʌlɪ] *n* большой нож.

**gully-hole** ['gʌlɪhoul] *n* водосточный колодец.

**gulp** [gʌlp] 1. *n* 1) большой глоток; at one ~ одним глотком, залпом; сразу; 2) глотательное движение *или* усилие; глотание; 2. *v* (*обыкн.* ~ down) 1) жадно, быстро *или* с усилием глотать; 2) задыхаться; давиться; 3) глотать (*слёзы*), сдерживать (*волнение*); 4) *разг.* принимать за чистую монету.

**gum** I [gʌm] *n* десна.

**gum** II [gʌm] 1. *n* 1) камедь, гумми; 2) камедное дерево; 3) смолистое выделение; 4) клейкое выделение во внутреннем углу глаза; 5) *амер. разг.* резина; *pl* галоши; 6) *горн.* штыб, угольная мелочь; 2. *v* 1) склеивать(ся); 2) выделять камедь, смолу.

**gum arabic** ['gʌm'ærəbɪk] *n* гуммиарабик.

**gumbo** ['gʌmbou] *n амер.* 1) окра (*стручковое растение*); 2) суп из стручков окры; 3) гумбо (*илистая почва, богатая щелочами*).

**gumboil** ['gʌmbɔɪl] *n* флюс.

**gum-boots** ['gʌm'buːts] *n pl* резиновые сапоги.

**gum elastic** ['gʌmɪ'læstɪk] *n* резина, каучук.

**gumgum** ['gʌm,gʌm] *n* англо-инд. гонг.

**gummy** ['gʌmɪ] *a* 1) клейкий; 2) смолистый; 3) источающий камедь, смолу; 4) опухший, отёкший.

**gumption** ['gʌmpʃən] *n разг.* 1) смышлёность; находчивость, сообразительность; практическая смекалка; 2) растворитель для красок.

**gumptious** ['gʌmpʃəs] *a разг.* находчивый; сообразительный; предприимчивый.

**gumshoe** ['gʌmʃuː] *амер.* 1. *n* 1) *разг.* галоша; 2) *sl.* полицейский; сыщик; 2. *a* действующий тайком, секретно; 3. *v* красться, идти крадучись.

**gum-tree** ['gʌmtriː] *n* любое из камеденосных североамериканских *или* австралийских деревьев, *особ.* эвкалипт; ◇ up a ~ в большом затруднении, в тупике.

**gun** [gʌn] 1. *n* 1) орудие, пушка; high-power ~ дальнобойное орудие; 2) пулемёт; 3) огнестрельное оружие, ружьё; *ист.* мушкет; double-barrelled ~ двуствольное ружьё; smooth-bore ~ гладкоствольное ружьё; sporting ~ охотничье ружьё; starting ~ *спорт.* стартовый пистолет; 4) *разг.* револьвер; 5) стрелок, охотник; 6) *sl.* вор; 7) *метал.* пушка для забивки лётки; 8) *attr.*

пу́шечный; оруди́йный; ◇ big (*или* great) ~
*раз.* ва́жная персо́на, «ши́шка»; to blow
great ~s реве́ть (*о буре*); to stick (*или* to
stand) to one's ~s не сдава́ть пози́ций, не
отступа́ть; остава́ться до конца́ ве́рным
свои́м убежде́ниям;
    2. *v* 1) стреля́ть; 2) охо́титься; 3) *воен.*
обстре́ливать артиллери́йским огнём; 4)
вооружа́ть артилле́рией (*уст., за исключе́-
нием выраже́ний*: heavily (lightly) ~ned
си́льно (сла́бо) вооружённый артилле́-
рией.

**gunboat** ['gʌnbout] *n* каноне́рская ло́дка.
**gun-carriage** ['gʌn,kærɪdʒ] *n воен.* лафе́т,
оруди́йный стано́к.
**gun-cotton** ['gʌnkɔtn] *n* пироксили́н.
**guncrew** ['gʌnkru:] *n воен.* оруди́йный
расчёт.
**gun-fire** ['gʌnfaɪə] *n* 1) пу́шечный вы́-
стрел; оруди́йный ого́нь; 2) зарева́я пу́шка
(*стреля́ющая утром и ве́чером для указания вре́мени*).
**gunite** ['gʌnaɪt] *стр.* 1. *n* торкре́т-бето́н;
    2. *v* торкрети́ровать.
**gun layer** ['gʌn,leɪə] *n воен.* (оруди́йный)
наво́дчик.
**gun-lock** ['gʌnlɔk] *n* руже́йный замо́к.
**gunman** ['gʌnmən] *n* 1) вооружённый
ружьём, револьве́ром; 2) *амер. sl* банди́т,
престу́пник, уби́йца.
**gun-metal** ['gʌn,metl] *n* пу́шечный ме-
та́лл (*сплав ме́ди с о́ловом и ци́нком*).
**gunnel** ['gʌnl] = gunwale.
**gunner** ['gʌnə] *n* 1) канони́р; артилле-
ри́ст; пулемётчик; 2) охо́тник; 3) *артил-
лерийская ло́шадь.*
**gunner's cockpit** ['gʌnəz'kɔkpɪt] *n ав.*
каби́на пулемётчика.
**gunnery** ['gʌnərɪ] *n* 1) артиллери́йское
де́ло; 2) артиллери́йская стрельба́.
**gunning** ['gʌnɪŋ] 1. *pres. p. от* gun 2;
    2. *n* 1) охо́та с ружьём; 2) стрельба́; об-
стре́л.
**gunny** ['gʌnɪ] *n* гру́бая, кре́пкая джу́то-
вая ткань, рого́жка.
**gunpowder** ['gʌn,paudə] *n* по́рох; white
~ безды́мный по́рох.
**gunroom** ['gʌnrum] *n* каю́т-компа́ния
мла́дших офице́ров (*на военных кораб-
ля́х*).
**gun-running** ['gʌn,rʌnɪŋ] *n* незако́нный
ввоз ору́жия.
**gunshot** ['gʌnʃɔt] *n* да́льность вы́стрела;
within (out of) ~ на расстоя́нии (вне́ дося-
га́емости) пу́шечного вы́стрела.
**gun-shy** ['gʌnʃaɪ] *a* пуга́ющийся вы́-
стрелов (*особ. об охотничьих соба́ках*).
**gunsmith** ['gʌnsmɪθ] *n* оруже́йный ма́-
стер.
**gunstick** ['gʌnstɪk] *n* шо́мпол.
**gun-stock** ['gʌnstɔk] *n* руже́йная ло́жа.
**gunwale** ['gʌnl] *n мор.* планши́р.
**gup** [gʌp] *n англо-инд.* спле́тня, бол-
товня́.
**gurgitation** [,gəːdʒɪ'teɪʃən] *n* волне́ние,
бу́льканье воды́, как при кипе́нии.
**gurgle** ['gəːgl] 1. *n* бу́льканье (*воды*);
    2. *v* 1) бу́лькать; журча́ть; 2) полоска́ть
го́рло.

**Gurkha** ['guəkə] *n* 1) гу́рка (*представитель наро́дности, живу́щей в Непа́ле*); 2)
*attr.*: ~ regiments полки́ гу́ркских стрел-
ко́в.
**gurnard** ['gəːnəd] *n* три́гла (*рыба*).
**gurnet** ['gəːnɪt] = gurnard.
**gurry** ['gʌrɪ] *n англо-инд.* небольша́я кре́-
пость.
**gush** [gʌʃ] 1. *n* 1) си́льный *или* внеза́пный
пото́к; ли́вень; 2) *перен.* излия́ние;
    2. *v* 1) хлы́нуть; ли́ться *или* разрази́ться
пото́ком; 2) излива́ть свои́ чу́вства; 3) фон-
тани́ровать (*о нефти и т. п.*).
**gusher** ['gʌʃə] *n* 1) *разг.* челове́к, изли-
ва́ющийся в свои́х чу́вствах; 2) нефтяно́й
фонта́н.
**guslar** [gus'la:] *рус. n* гусля́р.
**gusli** ['guslɪ] *рус. n* гу́сли.
**gusset** ['gʌsɪt] *n* 1) вста́вка, клин (*в платье и т. п.*); ла́стовица (*рубашки*); 2) *тех.*
углово́е соедине́ние, наугольник.
**gust** I [gʌst] *n* 1) поры́в ве́тра; хлы́нув-
ший дождь *и т. п.*; 2) взрыв (*гнева
и т. п.*).
**gust** II [gʌst] *n уст., поэт.* 1) вкус (*чувство*); 2) о́стрый *или* прия́тный вкус.
**gustation** [gʌs'teɪʃən] *n* про́ба на вкус.
**gustatory** ['gʌstətərɪ] *a* вкусово́й.
**gusto** ['gʌstou] *n* 1) *уст.* вкус; 2) удо-
во́льствие, смак (*с которым выполняется
работа и т. п.*).
**gusty** ['gʌstɪ] *a* бу́рный, поры́вистый.
**gut** [gʌt] 1. *n* 1) кишка́; *pl* кишки́, вну́-
тренности; blind ~ слепа́я кишка́; large
~s то́лстые кишки́; little (*или* small) ~s
то́нкие кишки́; 2) *хир.* кетгу́т; 3) *pl разг.*
му́жество; вы́держка, си́ла во́ли; хара́ктер;
a man with plenty of ~s си́льный челове́к;
there's no ~s in him он немно́гого сто́ит;
4) струна́ *или* ле́са из кишки́; 5) у́зкий
прохо́д *или* проли́в;
    2. *v* 1) потроши́ть (*дичь и т. п.*); 2) опу-
стоша́ть (*о пожаре*); 3) выгора́ть (*при пожаре*); 4) усва́ивать суть (*книги*), бе́гло
просма́тривая; 5) *груб.* жа́дно есть.
**gutta-percha** ['gʌtə'pəːtʃə] *n* гуттапе́рча.
**gutter** ['gʌtə] 1. *n* 1) водосто́чный жёлоб;
2) сто́чная кана́в(к)а; 3) подо́нки (*общества*); 4) *полигр.* кру́пный пробе́льный ма-
териа́л (*бабашка и т. п.*);
    2. *v* 1) де́лать желоба́, кана́вки; 2) сте-
ка́ть; 3) оплыва́ть (*о свече*).
**gutter-child** ['gʌtətʃaɪld] *n* беспризо́р-
ный ребёнок.
**gutter-man** ['gʌtəmən] *n* у́личный торго́-
вец, разно́счик.
**gutter-plough** ['gʌtə,plau] *n* плуг-кана-
вокопа́тель.
**gutter press** ['gʌtə,pres] *n* бульва́рная
пре́сса.
**gutter-snipe** ['gʌtəsnaɪp] *n* 1) беспризо́р-
ный ребёнок; у́личный мальчи́шка; 2)
*амер. sl.* ма́клер, не зарегистри́рованный
на би́рже.
**guttle** ['gʌtl] *v* жа́дно есть.
**guttler** ['gʌtlə] *n* обжо́ра.
**guttural** ['gʌtərəl] 1. *a* 1) горта́нный,
горлово́й; 2) *фон.* задненёбный, веля́рный;
    2. *n фон.* задненёбный, веля́рный звук.

**gutty** [ˈgʌtɪ] *n разг.* гуттапе́рчевый мяч (*для гольфа*).

**guy** I [gaɪ] **1.** *n* 1) *разг.* па́рень, ма́лый; regular ~ хоро́ший па́рень, сла́вный ма́лый; wise ~ у́мный ма́лый; 2) пу́гало, чу́чело; 3) смешно́ оде́тый челове́к; 4) *амер.* шу́тка; **2.** *v* 1) выставля́ть на посме́шище (*чьё-л. изображе́ние*); 2) осме́ивать, издева́ться.

**guy** II [gaɪ] *мор.* **1.** *n* оття́жка, ва́нта; **2.** *v* укрепля́ть отття́жками; расча́ливать.

**guy** III [gaɪ] *sl.* **1.** *v* удира́ть; **2.** *n:* to give the ~ to smb. улизну́ть от кого́-л.; to do a ~ исче́знуть.

**guzzle** [ˈgʌzl] *v* 1) жа́дно глота́ть; пить, есть с жа́дностью; 2) пропива́ть, проеда́ть (*часто* ~ away).

**guzzler** [ˈgʌzlə] *n* 1) пья́ница; 2) обжо́ра.

**gybe** [dʒaɪb] *v мор.* 1) перекидывать (*парус*), 2) де́лать поворо́т че́рез фордеви́нд.

**gyle** [gaɪl] *n* 1) забродившее су́сло; 2) броди́льный чан.

**gym** [dʒɪm] *сокр. разг. от* gymnasium, gymnastic *u* gymnastics.

**gymkhana** [dʒɪmˈkɑːnə] *n англо-инд.* ме́сто для спорти́вных игр.

**gymnasia** [dʒɪmˈneɪzɪə] *pl от* gymnasium.

**gymnasium** [dʒɪmˈneɪzjəm] *n* (*pl* -siums [-zjəmz], -sia) 1) гимнасти́ческий зал; 2) гимна́зия.

**gymnast** [ˈdʒɪmnæst] *n* гимна́ст.

**gymnastic** [dʒɪmˈnæstɪk] **1.** *a* гимнасти́ческий; **2.** *n* (*обыкн. pl употр. как sing*) гимна́стика.

**gym-shoes** [ˈdʒɪm,ʃuːz] *n pl* лёгкая спорти́вная о́бувь.

**gynaecological** [,gaɪnɪkəˈlɔdʒɪkəl] *a* гинекологи́ческий.

**gynaecologist** [,gaɪnɪˈkɔlədʒɪst] *n* гинеко́лог.

**gynaecology** [,gaɪnɪˈkɔlədʒɪ] *n* гинеколо́гия.

**gyp** I [dʒɪp] *n* слуга́ (*в Ке́мбриджском университе́те*).

**gyp** II [dʒɪp] *амер. sl.* **1.** *n* 1) моше́нничество, жу́льничество; обма́н; 2) моше́нник, плут; **2.** *v* 1) моше́нничать, жу́льничать; 2) ворова́ть.

**gyp** III [dʒɪp] *n sl.* боль, страда́ние, пы́тка.

**Gyppo** [ˈdʒaɪrou] *n разг.* египтя́нин.

**gyps** [dʒɪps] *сокр. от* gypsum.

**gypsa** [ˈdʒɪpsə] *pl от* gypsum.

**gypseous, gypsous** [ˈdʒɪpsɪəs, -səs] *a* ги́псовый.

**gypsum** [ˈdʒɪpsəm] **1.** *n* (*pl* -sa, -sums [-səmz]) гипс; **2.** *v* гипсова́ть (*по́чву*).

**Gypsy** [ˈdʒɪpsɪ] = Gipsy.

**gyrate 1.** *a* [ˈdʒaɪərɪt] свёрнутый спира́лью; **2.** *v* [,dʒaɪəˈreɪt] враща́ться по кру́гу; дви́гаться по спира́ли.

**gyration** [,dʒaɪəˈreɪʃən] *n* 1) враще́ние; враща́тельное или коловра́тное движе́ние; 2) *мор.* циркуля́ция.

**gyratory** [ˈdʒaɪərətərɪ] *a* враща́тельный.

**gyre** [ˈdʒaɪə] *поэт.* **1.** *n* 1) круговраще́ние; 2) круг; кольцо́; окру́жность; 3) спира́ль; **2.** *v редк.* кружи́ть(ся) (*в вихре*).

**Gyrene** [dʒaɪˈriːn] *n* (*от* GI+marine) *амер. воен. sl.* моря́к.

**gyro** [ˈdʒaɪrou] *сокр. от* gyroscope.

**gyro-** [ˈdʒaɪərə-] *pref* гиро-, гироскопи́ческий.

**gyro-compass** [ˈdʒaɪərəˈkʌmpəs] *n ав.* гироко́мпас.

**gyropilot** [ˈdʒaɪərə,paɪlət] *n ав.* автопило́т.

**gyroplane** [ˈdʒaɪərəpleɪn] *n ав.* гиропла́н, автожи́р.

**gyroscope** [ˈdʒaɪərəskoup] *n* гироско́п.

**gyroscopic** [,dʒaɪərəsˈkɔpɪk] *a* гироскопи́ческий.

**gyrostat** [ˈdʒaɪəroustæt] *n* гироста́т.

**gyve** [dʒaɪv] **1.** *n* (*обыкн. pl*) *поэт.* око́вы, кандалы́, у́зы; **2.** *v* зако́вывать в кандалы́, ско́вывать.

# H

**H,h** [eɪtʃ] *n* (*pl* Hs, H's [ˈeɪtʃɪz]) 8-я бу́ква англ. алфави́та; to drop one's hs не произноси́ть h там, где э́то сле́дует (*осо́бенность лондонского просторе́чия*).

**ha** [hɑː] *int* ral (*восклица́ние, выража́ющее удивле́ние, подозре́ние, торжество́*).

**ha'** [hə] *сокр. разг. форма от* have.

**habanera** [(h)ɑːbɑːˈneɪgɑː] *исп. n* хабане́ра.

**habeas corpus** [ˈheɪbjəsˈkɔːpəs] *лат. n* предписа́ние о представле́нии аресто́ванного в суд для рассмотре́ния зако́нности аре́ста (*тж.* writ of ~, H. C. Act—*основно́й английский закон*).

**haberdasher** [ˈhæbədæʃə] *n* 1) галантере́йщик; 2) торго́вец мужски́м бельём.

**haberdashery** [ˈhæbədæʃərɪ] *n* 1) галанте́рея; 2) мужско́е бельё.

**habergeon** [ˈhæbədʒən] *n ист.* кольчу́га.

**habile** [ˈhæbɪl] *a книжн.* иску́сный, ло́вкий.

**habiliment** [həˈbɪlɪmənt] *n* 1) *редк.* одея́ние; 2) *pl шутл.* пла́тье, оде́жда.

**habilitate** [həˈbɪliteɪt] *v* 1) *амер.* финанси́ровать или снабжа́ть обору́дованием го́рные разрабо́тки; 2) *редк.* одева́ть; 3) *уст.* гото́виться на каку́ю-л. слу́жбу (*особенно в качестве преподава́теля университе́та в Герма́нии*).

**habit** [ˈhæbɪt] **1.** *n* 1) привы́чка, обыкнове́ние; обы́чай; to be in the ~ of doing smth. име́ть обыкнове́ние что-л. де́лать; to break off (to fall into) a ~ бро́сить (усво́ить) привы́чку; to break a person of a ~ отучи́ть кого́-л. от какой-л. привы́чки; 2) сложе́ние, телосложе́ние; a man of corpulent ~ доро́дный, ту́чный челове́к; 3) осо́бенность, сво́йство; характе́рная черта́; ~ of

mind склад ума; 4) *биол.* характер произрастания, развития; a plant of trailing ~ стелющееся растение; 5) *уст.* одежда, платье; 6) = riding-habit;
  2. *v* одевать.
**habitable** ['hæbɪtəbl] *a* 1) обитаемый; 2) годный для жилья.
**habitant** I ['hæbɪtənt] *n* житель.
**habitant** II ['hæbɪtɔːŋ] *n* канадец французского происхождения.
**habitat** ['hæbɪtæt] *n* 1) родина, место распространения (*животного, растения*); естественная среда; 2) жилище.
**habitation** [,hæbɪ'teɪʃən] *n* 1) жилище; обиталище; жильё; посёлок; fit for ~ пригодный для жилья; 2) проживание, житьё.
**habitual** [hə'bɪtjuəl] *a* 1) обычный, привычный; 2) пристрастившийся (*к чему-л.*); ~ drunkard пропойца.
**habituate** [hə'bɪtjueɪt] *v* 1) приучать; to ~ oneself to привыкать, приучаться к; 2) *амер. разг.* часто посещать.
**habitude** ['hæbɪtjuːd] *n* 1) привычка, склонность; 2) свойство, особенность.
**habitué** [hə'bɪtjueɪ] *фр. n* завсегдатай.
**haboob** [hɑ'buːb] *араб. n* самум, песчаная буря.
**hachures** [hæ'ʃjuə] *фр. n pl* штрихи (*на плане местности*).
**hacienda** [,hæsɪ'endə] *исп. n* гасиенда (*имение, плантация и т. п. в Испании и её колониях*).
**hack** I [hæk] 1. *n* 1) зарубка; зазубрина; 2) резаная рана; 3) ссадина на ноге от удара (*в футболе*); 4) мотыга, кирка, кайла; 5) *тех.* горячее зубило;
  2. *v* 1) рубить, разрубать; кромсать; разбивать на куски; 2) тесать; обтёсывать (*камень*); 3) делать зарубку; зазубривать; 4) разбивать, разрыхлять мотыгой *и т. п.*; 5) подрезать (*сучья и т. п.*); 6) надрубать; наносить резаную рану; 7) *спорт.* «подковать» (*в футболе — ударить противника по голени*); 8) кашлять сухим кашлем.
**hack** II [hæk] 1. *n* 1) наёмная лошадь; 2) лошадь (*верховая или упряжная, среднего качества*), особ. полукровка; road ~ дорожная верховая лошадь; 3) кляча; 4) *перен.* «вьючное животное»; литературный подёнщик, компилятор; 5) *амер.* наёмный экипаж; 6) *амер. sl.* автомобиль;
  2. *a* 1) наёмный; 2) = hackneyed;
  3. *v* 1) давать напрокат (*экипаж*); 2) ехать (верхом) не спеша; 3) нанимать, использовать в качестве литературного подёнщика; 4) делать банальным, опошлять.
**hackbut** ['hækbʌt] = harquebus.
**hackee** ['hækiː] *n зоол.* бурундук.
**hackery** ['hækərɪ] *n англо-инд.* повозка, запряжённая волами.
**hack-hammer** ['hæk,hæmə] *n* молоток каменщика.
**hackle** I ['hækl] *n* 1) перья на шее петуха и некоторых других птиц; 2) искусственная приманка (*для уженья рыбы*); ◊ with his ~s up разъярённый, взъерепенившийся, готовый лезть в драку.
**hackle** II ['hækl] 1. *n* чесалка, гребень для льна;

2. *v* чесать лён.
**hackle** III ['hækl] *v* 1) рубить, разрубать как попало; кромсать; 2) откалывать.
**hackly** ['hæklɪ] *a* плохо отделанный, зазубренный.
**hackmatack** ['hækmətæk] *n* лиственница американская.
**hackney** ['hæknɪ] *n* 1) = hack II, 1, 2); 2) *уст.* работник, нанятый на тяжёлую, нудную работу; 3) *attr.* наёмный.
**hackney-carriage** ['hæknɪ,kærɪdʒ] *n* наёмный экипаж.
**hackney-coach** ['hæknɪkoutʃ] = hackney-carriage.
**hackneyed** ['hæknɪd] *a* 1) банальный, избитый; 2) затасканный, изношенный.
**hack-saw** ['hæksɔ] *n тех.* ножовка, лучковая пила для металла.
**hackstand** ['hækstænd] *n амер.* стоянка такси.
**hack-work** ['hækwəːk] *n* литературная подёнщина.
**hackwriter** ['hæk,raɪtə] *n* литературный подёнщик; компилятор.
**had** [hæd (*полная форма*); həd, əd, d (*редуцированные формы*)] *past и p. p. от* have 1.
**haddock** ['hædək] *n* пикша (*род трески*).
**hade** [heɪd] 1. *n горн.* отклонение жилы по отношению к вертикали; угол падения;
  2. *v* 1) *горн.* отклоняться от вертикали; составлять угол с вертикалью; 2) *sl.* обыгрывать.
**Hades** ['heɪdiːz] *n миф.* Гадес (*ад, подземное царство; бог подземного царства*).
**Hadji** ['hædʒiː] *араб. n* хаджи (*мусульманин, побывавший в Мекке*).
**hadn't** ['hædnt] *сокр. разг.*= had not.
**haemal** ['hiːməl] *a* кровяной.
**haematic** [hɪ'mætɪk] 1. *a* кровяной; подобный крови;
  2. *n* средство, действующее на кровь.
**haematite** ['hemətaɪt] *n мин.* красный железняк.
**haemoglobin** [,hiːmou'gloubɪn] *n физиол.* гемоглобин.
**haemophilia** [,hiːmou'fɪlɪə] *n мед.* гемофилия.
**haemorrhage** ['hemərɪdʒ] *n мед.* 1) кровоизлияние; 2) кровотечение.
**haemorrhoids** ['hemərɔɪdz] *n pl мед.* геморрой.
**haemostatic** [,hiːmou'stætɪk] 1. *a* кровоостанавливающий;
  2. *n мед.* кровоостанавливающее средство.
**hafnium** ['hæfnɪəm] *n хим.* гафний *или* кельтий.
**haft** [hɑːft] *n* черенок, рукоятка, ручка.
**hag** [hæg] *n* ведьма, карга.
**haggard** I ['hægəd] *a* изможденный, измученный; осунувшийся.
**haggard** II ['hægəd] 1. *a* неприрученный, дикий (*о соколе*);
  2. *n* дикий сокол.
**haggis** ['hægɪs] *n шотл.* кушанье из овечьей *или* телячьей требухи, заправленное овсяной мукой, луком и перцем.

**haggle** [ˈhægl] v 1) торговаться (about, over — о); 2) придираться, находить недостатки; 3) неумело резать; рубить.

**hagridden** [ˈhægrɪdn] a мучимый кошмарами.

**hah** [hɑ:] = ha.

**ha ha** [hɑ:ˈhɑ:] 1. int ха-ха-ха!; 2. n звук смеха; 3. v смеяться.

**ha-ha** [ˈhɑ:ˈhɑ:] n низкий заборчик (вокруг сада, поля); канава с опорной стенкой.

**haiduk** [ˈhaɪduk] венг. n гайдук.

**hail I** [heɪl] 1. n град; 2. v 1) (в безл. оборотах): it ~s, it is ~ing идёт град; 2) сыпаться градом (тж. перен.); 3) осыпать градом (ударов и т. п.).

**hail II** [heɪl] 1. n приветствие, оклик; out of ~ за пределами слышимости, вдали; within ~ на расстоянии слышимости голоса; 2. v 1) приветствовать; поздравлять; 2) окликать, звать; 3) мор. окликать (судно); ◇ to ~ from мор. идти из; разг. происходить из; where do you ~ from? откуда вы родом?; 3. int привет!

**hail-fellow(-well-met)** [ˈheɪlˌfeləu (ˈwelˈmet)] a дружественный; приятельский; to be ~ with everyone быть со всеми в приятельских отношениях.

**hailstone** [ˈheɪlstoun] n градина.

**hailstorm** [ˈheɪlstɔ:m] n ливень; гроза с градом; сильный град.

**hain't** [heɪnt] диал.= have not, has not.

**hair** [heə] n 1) волос, волосок; 2) волосы; to cut one's ~ стричь себе волосы; to lose one's ~ а) лысеть; б) рассердиться, разгорячиться; 3) шерсть (животного); 4) щетина; иглы (дикобраза и т. п.); 5) текст. ворс; ◇ to a ~ точь-в-точь; точно; within a ~ of на волосок от; keep your ~ on! не горячитесь!; to comb a person's ~ for him «намылить голову» кому-л.; дать кому-л. нагоняй; not to turn a ~ ≅ глазом не моргнуть; не выказывать боязни, смущения, усталости и т. п.; to split ~s спорить о мелочах; вдаваться в ненужные подробности, быть педантичным; to take a ~ of the dog that bit you посл. ≅ а) клин клином вышибать; чем ушибся, тем и лечись; б) опохмеляться; it made his ~ stand on end от этого у него волосы встали дыбом.

**hairbreadth** [ˈheəbredθ] n ничтожное, минимальное расстояние; by a ~ самую малость; ◇ within (или by) a ~ of death на волосок от смерти; to have a ~ escape едва избежать опасности, едва спастись.

**hairbrush** [ˈheəbrʌʃ] n щётка для волос.

**hairclipper** [ˈheəˌklɪpə] n машинка для стрижки волос.

**haircloth** [ˈheəklɔθ] n 1) материя из волоса; 2) рел. власяница.

**hair-cut** [ˈheəkʌt] n стрижка.

**hair-do** [ˈheədu:] n причёска.

**hairdresser** [ˈheəˌdresə] n парикмахер.

**hairiness** [ˈheərɪnɪs] n волосатость.

**hairless** [ˈheəlɪs] a безволосый, лысый.

**hair-line** [ˈheəlaɪn] n 1) тонкая, волосная

линия; 2) бечёвка, леса (из волоса); 3) attr. тонкий, волосной; ~ crack тех. волосная трещина.

**hair-net** [ˈheənet] n сетка для волос.

**hairpin** [ˈheəpɪn] n шпилька; ◇ ~ bend крутой поворот дороги.

**hair's breadth** [ˈheəzbredθ] = hairbreadth.

**hair shirt** [ˈheəˈʃɔ:t] n рел. власяница.

**hair-splitting** [ˈheəˌsplɪtɪŋ] n мелочный педантизм.

**hairspring** [ˈheəsprɪŋ] n волосковая пружинка, волосок (в часах).

**hair trigger** [ˈheəˌtrɪgə] n воен. шнеллер.

**hair-trigger** [ˈheəˌtrɪgə] a вспыльчивый.

**hair-worm** [ˈheəwɔ:m] n зоол. волосатик.

**hairy** [ˈheərɪ] a 1) покрытый волосами, волосатый; 2) ворсистый (о ткани).

**Haitian** [ˈheɪʃjən] 1. a гаитянский; 2. n гаитянин; гаитянка.

**hake** [heɪk] n мерлуза (рыба из семейства тресковых).

**hakeem** [hɑ:ˈki:m] араб. n врач.

**hakim** [ˈhɑ:kɪm] араб. n 1) = hakeem; 2) судья; губернатор, крупный чиновник.

**halation** [həˈleɪʃən] n фото световые круги; световые пятна (на фотопластинке).

**halberd** [ˈhælbə:d] n ист. алебарда.

**halberdier** [ˌhælbə:ˈdɪə] n ист. алебардщик.

**halcyon** [ˈhælsɪən] 1. n зимородок, алкион (птица); 2. a тихий, безмятежный; ~ days мирные, счастливые дни.

**hale I** [heɪl] a здоровый, крепкий (преим. о стариках); ~ and hearty крепкий и бодрый.

**hale II** [heɪl] v уст. тащить, тянуть (тж. перен.).

**half** [hɑ:f] 1. n (pl halves) 1) половина; ~ a mile полмили; ~ (an hour) past two (o'clock) половина третьего; 2) часть (чего-л.); the larger ~ бо́льшая часть; 3) семестр; 4) = ~-time 2); 5) юр. сторона (в договорах и т. п.); ◇ to go halves in smth. делить что-л. поровну; to cry halves требовать равной доли; to have ~ a mind to do smth. быть не прочь сделать что-л.; to do smth. by halves делать что-л. кое-как; не доделывать; too clever by half ирон. слишком уж умён; 2. a 1) половинный; 2) неполный, частичный; 3. adv 1) наполовину; полу-; ~ raw полусырой; 2) в значительной степени, почти; ◇ ~ as much в два раза меньше; ~ as much again в полтора раза больше; not ~ а) очень, ужасно; he didn't ~ swear он отчаянно ругался; б) отнюдь нет; как бы не так; I don't ~ like it мне это совсем не нравится; not ~ bad недурно.

**half-and-half** [ˈhɑ:fəndˈhɑ:f] 1. n 1) смесь двух напитков, напр., портер и эль пополам; 2) тех. половинкин (припой из равных частей олова и свинца); 2. a 1) смешанный в равных количествах; 2) половинчатый; нерешительный; 3) ни то ни сё; 3. adv пополам.

**half (-back)** [ˈhɑ:f(ˈbæk)] n спорт. полузащитник.

**half-baked** ['hɑːf'beɪkt] *a* 1) недопечённый, полусырой; 2) незрелый, неопытный; 3) непродуманный, неразработанный; 4) глупый.

**half binding** ['hɑːf,baɪndɪŋ] *n* комбинированный переплёт.

**half-blood** ['hɑːfblʌd] *n* 1) брат, сестра только по одному из родителей; 2) родство такого типа; 3) = half-breed.

**half-bred** ['hɑːfbred] *a* смешанного происхождения, нечистокровный; a ~ horse полукровка.

**half-breed** ['hɑːfbriːd] *n* 1) метис; 2) гибрид.

**half-brother** ['hɑːf,brʌðə] *n* единокровный *или* единоутробный брат, брат только по одному из родителей.

**half-caste** ['hɑːfkɑːst] *n* человек смешанной расы (*особ. в Индии*).

**half-cock** ['hɑːfkɔk] *n воен.* предохранительный взвод; (ударник) на первом взводе; ◇ to go off ~ говорить *или* поступать необдуманно, опрометчиво.

**half-cocked** ['hɑːf'kɔkt] *a* 1) на предохранительном взводе; 2) неподготовленный.

**half-crown** ['hɑːf'kraun] *n* полукроны (*монета в 2½ шиллинга*).

**half-dollar** ['hɑːf'dɔlə] *n* американская монета в 50 центов.

**half-done** ['hɑːf'dʌn] *a* 1) сделанный наполовину; 2) недоваренный, недожаренный.

**half-dozen** ['hɑːf'dʌzn] *n* полдюжины.

**half-eagle** ['hɑːf'iːgl] *n амер. уст.* пятидолларовая золотая монета.

**half-hardy** ['hɑːf'hɑːdɪ] *a* не выдерживающий зимы на открытом воздухе (*о растении*); ~ plant грунтовое растение, требующее прикрытия на зиму.

**half-hearted** ['hɑːf'hɑːtɪd] *a* 1) нерешительный, вялый; 2) равнодушный, не проявляющий энтузиазма; a ~ consent неохотное согласие; 3) полный противоречивых чувств; не знающий, кому отдать предпочтение.

**half-heartedly** ['hɑːf'hɑːtɪdlɪ] *adv* нерешительно; без особого энтузиазма.

**half holiday** ['hɑːf'hɔlədɪ] *n* неполный рабочий день.

**half hose** ['hɑːf'houz] *n* чулки-гольфы; носки.

**half-length** ['hɑːf'leŋθ] 1. *n* поясной портрет; 2. *a* поясной (*о портрете и т. п.*).

**half-mast** ['hɑːf'mɑːst] 1. *n:* flag at ~ приспущенный флаг; 2. *v* приспускать (*флаг в знак траура*).

**half measure** ['hɑːf'meʒə] *n* полумера.

**half(-mile)** ['hɑːf'maɪl] *n* полмили.

**half moon** ['hɑːf'muːn] *n* 1) полумесяц; 2) *воен. ист.* равелин.

**half pay** ['hɑːf'peɪ] *n* половинный оклад.

**halfpenny** ['heɪpnɪ] 1. *n* (*pl* halfpence ['heɪpəns], halfpennies ['heɪpnɪz]) полпенни; 2. *a* грошовый; дешёвый и мишурный.

**halfpennyworth** ['heɪpnɪwəːθ] *n* на полпенни чего-л.; что-л. ценой в полпенни.

**half-pound** ['hɑːfpaund] *n* полфунта; 2. *a* весящий полфунта.

**half-pounder** ['hɑːf,paundə] *n* предмет, весящий полфунта.

**half-price** ['hɑːf'praɪs] 1. *n* полцены; at ~ за полцены; 2. *adv* за полцены, с пятидесятипроцентной скидкой; children are admitted ~ на детские билеты скидка пятьдесят процентов (*надпись*).

**half-roll** ['hɑːf'roul] *n ав.* переворот через крыло.

**half-round** ['hɑːf'raund] 1. *n* полукруг; 2. *a* полукруглый.

**half-seas-over** ['hɑːfsiːz'ouvə] *a predic.* подвыпивший.

**half-sister** ['hɑːf,sɪstə] *n* единокровная *или* единоутробная сестра, сестра только по одному из родителей.

**half-sovereign** ['hɑːf'sɔvrɪn] *n* полсоверена (*золотая монета в десять шиллингов*).

**half-staff** ['hɑːf'stɑːf] = half-mast 1.

**half-time** ['hɑːf'taɪm] *n* 1) неполная рабочая неделя и соответствующая зарплата; 2) *спорт.* половина игры, период, тайм.

**half-timer** ['hɑːf,taɪmə] *n* 1) полубезработный; рабочий, занятый неполную неделю; 2) школьник, освобождённый от части занятий (*ввиду работы*).

**half-title** ['hɑːf'taɪtl] *n полигр.* шмуцтитул.

**half-tone** ['hɑːftoun] *n* 1) *муз., жив.* полутон; 2) *полигр.* автотипия.

**half-track** ['hɑːftræk] *n амер. воен.* полугусеничная машина.

**half-way** ['hɑːf'weɪ] 1. *a* лежащий на полпути; ◇ ~ house а) гостиница на полпути; б) возможный компромисс; 2. *adv* 1) на полпути; 2) *амер.* наполовину; ◇ to meet smb. ~ идти навстречу кому-л.; идти на компромисс, на уступки.

**half-wit** ['hɑːf,wɪt] *n* слабоумный; дурак.

**half-witted** ['hɑːf'wɪtɪd] *a* слабоумный.

**half-word** ['hɑːf'wəːd] *n* намёк.

**half-year** ['hɑːf'jə] *n* 1) полгода; 2) семестр.

**half-yearly** ['hɑːf'jəːlɪ] 1. *a* полугодовой; 2. *n* издание, выходящее раз в полгода; 3. *adv* в полгода раз.

**halibut** ['hælɪbət] *n* палтус (*рыба*).

**halite** ['hælaɪt] *n мин.* каменная соль.

**halitosis** [,hælɪ'tousɪs] *n мед.* дурной запах изо рта.

**hall** [hɔːl] *n* 1) зал; большая комната; banqueting ~ зал для банкетов; servants' ~ помещение для слуг; 2) холл; приёмная, вестибюль; коридор; 3) здание, помещение общественного характера; town ~ ратуша, Surgeons' H. помещение ассоциации хирургов; 4) общежитие при университете; столовая университетского колледжа; 5) помещичий дом; 6) *поэт.* чертог.

**hall bedroom** ['hɔːl'bedrum] *n амер.* 1) отгороженная часть передней, превращённая в спальню; 2) однокомнатная квартира.

**halleluiah, hallelujah** [,hælɪ'luːjə] *n, int* аллилуйя.

**halliard** ['hæljəd] = halyard.

**hallmark** ['hɔːl'mɑːk] 1. *n* 1) пробирное клеймо, проба; 2) отличительный знак, признак; критерий;

2. *v* 1) ста́вить про́бу; 2) отмеча́ть печа́тью (*чего-л.*).

**hallo(a)** [hə'lou] 1. *int* алло́!, здоро́во!; 2. *n* приве́тствие; приве́тственный во́зглас; во́зглас удивле́ния *и т. п.*; 3. *v* здоро́ваться; звать, оклика́ть.

**halloo** [hə'luː] 1. *int* ату́!; эй!; 2. *v* 1) крича́ть, натра́вливать соба́к; 2) подстрека́ть, нау́ськивать.

**hallow** I [hə'lou] = halloo.

**hallow** II ['hælou] 1. *n*: all ~s = Hallowmas;
2. *v* 1) освяща́ть; *уст.* посвяща́ть; 2) почита́ть, чтить.

**Hallowe'en** ['hælou'iːn] *n шотл., амер.* кану́н 1 ноября́ [*см.* Hallowmas].

**Hallowmas** ['hæloumæs] *n церк.* день «всех святы́х» (*1 ноября́*).

**hallucinate** [hə'luːsɪneɪt] *v* 1) галлюцини́ровать; страда́ть галлюцина́циями; 2) вызыва́ть галлюцина́цию.

**hallucination** [hə,luːsɪ'neɪʃən] *n* галлюцина́ция.

**hallway** ['hɔːl,weɪ] *n амер.* 1) коридо́р; 2) прихо́жая.

**halm** [hɑːm] = haulm.

**halo** ['heɪlou] 1. *n* (*pl* -oes [-ouz]) 1) светя́щийся круг, ободо́к (*вокруг со́лнца, луны́*); 2) орео́л; сия́ние; 3) ве́нчик, нимб;
2. *v* окружа́ть орео́лом.

**halogen** ['hæloudʒen] = haloid.

**haloid** ['hælɔɪd] *n хим.* гало́ид.

**halt** I [hɔːlt] 1. *n* 1) прива́л; остано́вка; 2) полуста́нок, платфо́рма;
2. *v* остана́вливать(ся); де́лать прива́л;
3. *int* стой! (*кома́нда*).

**halt** II [hɔːlt] *v* 1) колеба́ться; 2) запина́ться; 3) *уст.* хрома́ть.

**halter** ['hɔːltə] 1. *n* 1) по́вод, недоу́здок; to put a ~ upon (*или* on) smb. обузда́ть; взнузда́ть, оседла́ть кого́-л.; 2) верёвка с пе́тлей (*для казни*); to come to the ~ попа́сть на ви́селицу;
2. *v* 1) надева́ть недоу́здок; приуча́ть к узде́; 2) ве́шать (*казни́ть*).

**halve** [hɑːv] *v* 1) дели́ть попола́м; 2) уменьша́ть, сокраща́ть наполови́ну; 3) *тех.* соединя́ть вполде́рева.

**halves** [hɑːvz] *pl от* half 1.

**halving** ['hɑːvɪŋ] 1. *pres. p. от* halve;
2. *n тех.* соедине́ние, сра́щивание; нара́щивание; соедине́ние в замо́к.

**halyard** ['hæljəd] *n мор.* фал.

**ham** [hæm] 1. *n* 1) бедро́, ля́жка; 2) о́корок, ветчина́; 3) *pl разг.* зад; 4) *амер. sl.* плохо́й актёр; плоха́я игра́; 5) *sl.* радиолюби́тель;
2. *v амер. sl.* пло́хо игра́ть (*об актёре*).

**hamate** ['heɪmeɪt] *a* крючкова́тый, криво́й.

**hamburger** ['hæmbəːgə] *n* ру́бленый шни́цель.

**Hamburg(h)** ['hæmbəːg] *n* 1) сорт чёрного виногра́да; 2) «га́мбургская» поро́да кур.

**ham-fisted** ['hæm'fɪstɪd] *a разг.* неуклю́жий.

**hamlet** ['hæmlɪt] *n* дере́вня, дереву́шка.

**hammer** ['hæmə] 1. *n* 1) молото́к; мо-

лот; ~ and sickle серп и мо́лот; throwing of the ~ *спорт.* мета́ние мо́лота; 2) молото́чек (*в разли́чных механи́змах*); 3) куро́к, уда́рник; 4): to bring to the ~ продава́ть с аукцио́на; to come under the ~ продава́ться с аукцио́на, пойти́ с молотка́; ◇ ~ and tongs с воодушевле́нием; энерги́чно; изо все́й си́лы; went at it ~ and tongs он весь отда́лся э́той рабо́те;
2. *v* 1) вбива́ть, вкола́чивать (in, into —в); прибива́ть; 2) стуча́ть, колоти́ть (at—в); 3) кова́ть, чека́нить; 4) ударя́ть, бить; 5) бить по неприя́телю, *особ.* из тяжёлых ору́дий; 6) *разг.* побежда́ть, побива́ть (*в состяза́нии*); 7) объявля́ть несостоя́тельным должнико́м; 8) су́рово критикова́ть; □ ~ at a) пристава́ть с про́сьбами к *кому-л.*; б) упо́рно рабо́тать над *чем-л.*; ~ away a) продолжа́ть де́лать (*что-л.*), рабо́тать над *чем-л.*; б) греме́ть, грохота́ть (*о пушках*); ~ out a) *тех.* выко́вывать; расплю́щивать; б) *перен.* приду́мывать; ~ together сбива́ть, скола́чивать; ◇ to ~ it home to smb. внуши́ть кому́-л., довести́ до чье́го-л. созна́ния.

**hammer-blow** ['hæməblou] *n* тяжёлый, сокруши́тельный уда́р.

**hammerer** ['hæmərə] *n* молотобо́ец.

**hammer-head** ['hæməhed] *n* 1) голо́вка молотка́; 2) *зоол.* мо́лот-ры́ба.

**hammering** ['hæmərɪŋ] 1. *pres. p. от* hammer 2;
2. *n* 1) ко́вка, чека́нка; 2) стук, уда́ры; to give a good ~ *разг.* отдуба́сить;
3. *a* стуча́щий, ударя́ющий.

**hammerman** ['hæməmən] = hammerer.

**hammer scale** ['hæməskeɪl] *n тех.* молотобо́ина, ока́лина.

**hammersmith** ['hæməsmɪθ] *n* кузне́ц.

**hammer-throwing** ['hæmə'θrouɪŋ] *n спорт.* мета́ние мо́лота.

**hammock** ['hæmək] *n* гама́к; подвесна́я ко́йка.

**hammock chair** ['hæmək'tʃeə] *n* складно́й стул (*с паруси́новым сиде́ньем*).

**hamper** I ['hæmpə] *v* препя́тствовать, меша́ть; затрудня́ть, стесня́ть движе́ния.

**hamper** II ['hæmpə] *n* 1) корзи́на с кры́шкой; 2) корзи́на, паке́т с ла́комствами и съестны́м.

**hamshackle** ['hæm,ʃækl] *v* опу́тывать (*живо́тное—свя́зывать пере́днюю но́гу с голово́й*).

**hamster** ['hæmstə] *n зоол.* хомя́к.

**hamstring** ['hæmstrɪŋ] 1. *n* подколе́нное сухожи́лие;
2. *v* (hamstringed [-d], hamstrung) 1) подреза́ть поджи́лки; 2) *перен.* подреза́ть кры́лья; ре́зко ослабля́ть; кале́чить.

**hamstrung** ['hæmstrʌŋ] *past и p. p. от* hamstring 2.

**hand** [hænd] 1. *n* 1) рука́ (*кисть*); ~ in ~ рука́ об ру́ку; ~s up! ру́ки вверх!; by ~ а) от руки́; ручны́м спо́собом; б) самоли́чно; 2) пере́дняя ла́па или ног; 3) власть, распоряже́ние; in ~ а) в рука́х; в подчине́нии; to keep in ~ держа́ть в рука́х, в подчине́нии; to get out of ~ — вы́йти из повинове́ния; отби́ться от рук; б) в исполне́нии; в рабо́те; в) нали́чный; в нали́чности; 4) ло́вкость, уме́ние; a ~ for smth. иску́сство в чём-л.; 5) рабо́тник; рабо́чий; factory ~ фабри́чный рабо́чий; 6) *pl* экипа́ж, кома́нда су́дна; all ~s on deck! все наве́рх!; 7) исполни́тель; a picture by the same ~ карти́на того́ же худо́жника; a good ~ at (*или* in) smth. иску́сный в чём-л.; an old (poor) ~ at smth. о́пытный, иску́сный (сла́бый) в чём-л.; 8) сторона́, положе́ние; on all ~s со всех сторо́н; 9) исто́чник (*сведений и т. п.*); at first ~ из пе́рвых рук; непосре́дственно; at second ~ из вторы́х рук; по чьим-л. слова́м; 10) по́черк; по́дпись; under one's ~ and seal за по́дписью и печа́тью тако́го-то; 11) стре́лка часо́в; 12) крыло́ (*семафора*); 13) *карт.* игро́к; 14) ладо́нь (*как мера*); 10 сантиме́тров (*при измерении роста лошади*); 15) *sl.* аплодисме́нты; big ~ продолжи́тельные аплодисме́нты, успе́х; 16) *attr.* ручно́й; 17) *attr.* сде́ланный ручны́м спо́собом; управля́емый вручну́ю; ◇ on the one ~ ... on the other ~ с одно́й стороны́ ... с друго́й стороны́; at ~ находя́щийся под руко́й; бли́зкий (*тж. о времени*); on ~ а) име́ющийся в распоряже́нии, на рука́х; on one's ~s на чьей-л. отве́тственности; б) *амер.* налицо́, поблизости; to ~ под руко́й, налицо́; off ~ а) без подгото́вки, экспро́мтом; б) бесцеремо́нный [*см.* off-hand]; out of ~ без подгото́вки, сра́зу; ~s off! ру́ки прочь!; off one's ~s с рук доло́й; ~ and foot усе́рдно; ~ and glove with smb. о́чень бли́зкий, в те́сной связи́ с кем-л.; ~s down легко́, без уси́лий; ~ over ~, ~ over fist бы́стро, прово́рно; to come to ~ прибыва́ть, поступа́ть; получа́ться; to suffer at smb.'s ~s натерпе́ться от кого́-л.; at any ~ во вся́ком слу́чае; to have a ~ in smth., to take a ~ in smth. уча́ствовать в чём-л.; вме́шиваться во что-л.; to bear (*или* to give, to lend) a ~ помога́ть; to bring up by ~ вы́кормить рожко́м, иску́сственно; to bind ~ and foot связа́ть по рука́м и нога́м; to send by ~ посла́ть не по по́чте (*через кого-л.*); from ~ to mouth со дня на́ день, без уве́ренности в бу́дущем (*жить, перебива́ться*); (*жить*) впро́голодь; to keep one's ~ in smth. продолжа́ть занима́ться чем-л., не теря́ть иску́сства в чём-л.; he is out of ~ он э́тим бо́льше не занима́ется; он разучи́лся; to put (*или* to set) one's ~s to предприня́ть, нача́ть; with a heavy ~ жесто́ко; with a high ~ высокоме́рно; своево́льно; де́рзко; to have (*или* to get) the upper ~ име́ть превосхо́дство, госпо́дствовать; 2. *v* 1) передава́ть, вруча́ть; would you kindly ~ me the salt переда́йте, пожа́луйста, соль; 2) посыла́ть; ~ing the enclosed cheque посыла́я при сём чек; □ ~ down a) подава́ть све́рху; б) помо́чь сойти́ вниз; в) передава́ть пото́мству; ~ed down from the Middle Ages унасле́дованный от сре́дних веко́в; ~ in a) вруча́ть, подава́ть (*заявле́ние*); to ~ in one's resignation пода́ть проше́ние об отста́вке; б) посади́ть (*в маши́ну и т. п.*); ~ into помо́чь сесть в (*экипа́ж*); ~ on передава́ть, пересыла́ть; ~ out a) выдава́ть, раздава́ть; б) *разг.* тра́тить де́ньги; в) помо́чь сойти́, вы́йти; ~ over a) переда-

ва́ть (*друго́му*); б) *воен.* сдава́ть(ся); ~ up подава́ть сни́зу вверх; ◇ to ~ in one's checks поко́нчить счёты с жи́знью, умере́ть; to ~ it to smb. призна́ть чье-л. превосхо́дство.

**handbag** ['hændbæg] *n* 1) да́мская су́мочка; 2) (ручно́й) чемода́нчик.

**handball** ['hændbɔːl] *n спорт.* хандбо́л, ручно́й мяч.

**hand-barrow** ['hænd,bærou] *n* 1) носи́лки; 2) ручна́я двухколёсная теле́жка.

**handbell** ['hændbel] *n* колоко́льчик.

**handbill** ['hændbil] *a* рекла́мный листо́к.

**handbook** ['hændbuk] *n* 1) руково́дство; спра́вочник; указа́тель; 2) кни́жка букме́кера.

**handbook man** ['hændbuk'mæn] *n амер. спорт.* букме́кер.

**handcar** ['hænd,kɑː] *n амер.* дрези́на.

**handcart** ['hændkɑːt] *n* ручна́я теле́жка.

**handcuff** ['hændkʌf] 1. *n* (*обыкн. pl*) нару́чник; 2. *v* надева́ть нару́чники.

**handful** ['hændful] *n* 1) при́горшня; горсть; 2) ма́ленькая ку́чка, гру́ппа; го́рсточка; 3) *разг.* кто-л. *или* что-л., доставля́ющее беспоко́йство; «беда́», «наказа́ние».

**handglass** ['hændglɑːs] *n* 1) ручна́я лу́па; 2) ручно́е зе́ркальце.

**hand-grenade** ['hændgrɪ,neɪd] *n* ручна́я грана́та.

**handgrip** ['hændgrɪp] *n* 1) пожа́тие, сжа́тие руки́; 2) схва́тка врукопа́шную.

**handhold** ['hændhould] *n* 1) то, за что мо́жно ухвати́ться руко́й (*напр.*, вы́ступ скалы́, ве́тка де́рева и т. п.); 2) рукоя́тка; 3) по́ручень, пери́ла.

**handicap** ['hændɪkæp] 1. *n* 1) *спорт.* ганди-ка́п; 2) поме́ха; 3) *авт.* го́нки по пересечённой ме́стности; 2. *v* 1) уравнове́шивать си́лы; 2) ста́вить в невы́годное положе́ние; быть поме́хой; physically ~ped страда́ющий каки́м-л. физи́ческим недоста́тком, отража́ющимся на трудоспосо́бности.

**handicraft** ['hændɪkrɑːft] *n* 1) ремесло́; ручна́я рабо́та; 2) иску́сство в ручно́й рабо́те; 3) *attr.* реме́сленный, куста́рный; ~ industry реме́сленное произво́дство; куста́рное произво́дство.

**handicraftsman** ['hændɪ,krɑːftsmən] *n* реме́сленник.

**handie-talkie** ['hændɪ,tɔːkɪ] *n разг.* порта-ти́вная ду́плексная радиоста́нция (*для связи на ходу*).

**handiwork** ['hændɪwɜːk] *n* 1) ручна́я рабо́та; рукоде́лие; 2) рабо́та, изде́лие.

**handkerchief** ['hæŋkətʃɪf] *n* 1) носово́й плато́к; 2) ше́йный плато́к, косы́нка; ◇ to throw the ~ to a) пода́ть усло́вный знак (*в игре*); б) вы́казать предпочте́ние кому́-л.

**hand-knitted** ['hænd'nɪtɪd] *a* ручно́й вя́зки.

**handle** ['hændl] 1. *n* 1) ру́чка, рукоя́ть; рукоя́тка; 2) удо́бный слу́чай, предло́г; ◇ a ~ to one's name ти́тул;
2. *v* 1) брать рука́ми, держа́ть в рука́х и т. п.; 2) де́лать (*что-л.*) рука́ми; пере-

бира́ть, перекла́дывать *и т. п.*; 3) обходи́ться, обраща́ться с *кем-л., чем-л.*; 4) управля́ть, регули́ровать; 5) уха́живать *(за маши́ной, ското́м, расте́ниями, землёй)*; 6) трактова́ть; 7) сговори́ться, столкова́ться; 8) *ком.* име́ть де́ло *(с каким-л. това́ром)*; торгова́ть *(чем-л.)*; ◇ to ~ without mittens ≈ держа́ть в ежо́вых рукави́цах, обраща́ться суро́во.

**handle-bar** ['hændlbɑː] *n* руль *(велосипе́да)*.

**hand-light** ['hændlaɪt] *n* перено́сная электри́ческая ла́мпа *(для осмо́тра маши́н)*.

**handling** ['hændlɪŋ] 1. *pres. p. от* handle 2;
2. *n* 1) обхожде́ние, обраще́ние *(с кем-л., с чем-л.)*; 2) тракто́вка *(те́мы)*; подхо́д к реше́нию *(вопро́сов и т. п.)*; 3) ухо́д; 4) ~ of land ухо́д за землёй, освое́ние земли́; 4) управле́ние; ~ of men расстано́вка рабо́чей си́лы; 5) разде́лывание *(напр., те́ста)*.

**handmaid(en)** ['hændmeɪd(n)] *n уст.* служа́нка.

**hand-me-down** ['hændmiːdaun] *разг.*
1. *n* 1) поде́ржанное пла́тье; 2) гото́вое пла́тье;
2. *a* 1) поде́ржанный *(о пла́тье)*; 2) гото́вый *(о пла́тье)*.

**hand-mill** ['hændmɪl] *n* ручна́я ме́льница *(напр., кофе́йница)*.

**hand-operated** ['hænd'ɔpəreɪtɪd] *a* управля́емый вручну́ю.

**handout** I ['hændaut] *n амер.* ми́лостыня, подая́ние.

**handout** II ['hænd‚aut] *n* гото́вый текст заявле́ния, передава́емый печа́ти.

**hand-picked** ['hænd'pɪkt] *a* 1) вы́бранный, подо́бранный; ~ jury специа́льно подо́бранный соста́в прися́жных; 2) *sl.* отбо́рный; 3) *тех.* отсортиро́ванный вручну́ю.

**hand-play** ['hændpleɪ] *n* 1) потасо́вка, дра́ка; 2) жестикуля́ция.

**handrail** ['hændreɪl] *n* 1) пери́ла; 2) *мор.* по́ручень.

**hand-receiver** [‚hændrɪ'siːvə] = receiver 2).

**handsaw** ['hændsɔː] *n* ножо́вка, ручна́я пила́.

**handsel** ['hænsəl] *n* 1) пода́рок к Но́вому го́ду *и т. п.*; моне́та, пода́ренная на сча́стье *и т. п.*; 2) предвкуше́ние; 3) *уст.* зада́ток, зало́г.

**handshake** ['hændʃeɪk] *n* рукопожа́тие.

**handsome** ['hænsəm] *a* 1) краси́вый, ста́тный; 2) значи́тельный; a ~ sum поря́дочная су́мма; 3) ще́дрый; ◇ ~ is that ~ does *посл.* ≈ су́дят не по слова́м, а по дела́м.

**handspike** ['hændspaɪk] *n мор.* га́ндшпуг.

**handspring** ['hændsprɪŋ] *n* кувырка́нье «колесо́м»; to turn ~ кувырка́ться.

**hand-to-hand** ['hændtə'hænd] *a воен.* рукопа́шный; ~ fighting рукопа́шный бой, рукопа́шная.

**handwork** ['hændwɜːk] *n* ручна́я рабо́та.

**handwriting** ['hænd‚raɪtɪŋ] *n* 1) по́черк; sprawling ~ разма́шистый по́черк; 2) *уст.* ру́копись.

**handy** ['hændɪ] *a* 1) удо́бный *(для пользования)*; портати́вный; 2) легко́ управля́емый; 3) (име́ющийся) под руко́й, бли́зкий; 4) ло́вкий, иску́сный.

**handy man** ['hændɪmæn] *n* 1) подру́чный; 2) на все ру́ки ма́стер; 3) *разг.* матро́с.

**hang** [hæŋ] 1. *n* 1): mark the ~ of the dress обрати́те внима́ние на то, как сиди́т пла́тье; 2) осо́бенности, смысл, значе́ние *(чего-л.)*; to get the ~ of smth. поня́ть что-л., осво́иться с чем-л.; to get the ~ of smb. «раскуси́ть» кого́-л.; 3) *редк.* склон, скат; накло́н; ◇ I don't care a ~ мне наплева́ть;
2. *v* (hung, но hanged [-d] *в знач.* ве́шать—казни́ть) 1) ве́шать; подве́шивать; разве́шивать; 2) ве́шать *(казни́ть)*; to ~ oneself пове́ситься; 3) прикрепля́ть, наве́шивать; to ~ a door наве́сить дверь; to ~ wallpaper окле́ивать обо́ями; 4) висе́ть; to ~ by a thread висе́ть на волоске́; 5) сиде́ть *(о пла́тье)*; 6) выставля́ть карти́ны на вы́ставке; 7) застрева́ть, заде́рживаться при спу́ске *и т. п.*; to ~ fire дать осе́чку; *перен.* ме́длить, ме́шкать; ☐ ~ about a) тесни́ться вокру́г; б) броди́ть вокру́г; окола́чиваться, шля́ться, слоня́ться; в) быть бли́зким, надвига́ться; there is a thunderstorm ~ing about надвига́ется гроза́; ~ back a) пя́титься, упира́ться; б) не реша́ться; ~ behind отстава́ть; ~ down свиса́ть, ниспада́ть; to ~ down one's head пове́сить, пону́рить го́лову, уныва́ть; ~ on a) пови́снуть, прицепи́ться; кре́пко держа́ться; б) упо́рствовать; в) = ~ upon; ~ out a) вы́ве́шивать *(фла́ги)*; б) высо́вываться *(из окна́)*; в) *разг.* жить, квартирова́ть; ~ over нависа́ть; ~ together а) держа́ться сплочённо, подде́рживать друг дру́га; б) быть свя́зным, логи́чным, соотве́тствовать; ~ up а) пове́сить *что-л.*; пове́сить телефо́нную тру́бку, дать отбо́й; б) ме́длить, откла́дывать, оставля́ть нерешённым; в) *разг.* закла́дывать; отдава́ть в зало́г; ~ upon опира́ться, полага́ться на; ◇ to ~ heavy ме́дленно тяну́ться *(о вре́мени)*; to ~ out one's ear подслу́шивать; ~ it all! тьфу про́пасть!, пропади́ оно́ про́падом!; ~ you! убира́йтесь к чёрту!; I am ~ed if I know ≈ провали́ться мне на э́том ме́сте, е́сли я что-нибудь зна́ю; to ~ up one's hat надо́лго останови́ться *(у кого-л.)*; to ~ upon smb.'s lips *(или* words) внима́тельно слу́шать, лови́ть ка́ждое сло́во кого́-л.

**hangar** ['hæŋə] *n* 1) анга́р; 2) наве́с, сара́й; 3) склад.

**hangdog** ['hæŋdɔg] 1. *n* ви́сельник; по́длый челове́к;
2. *a* 1) ни́зкий, по́длый; 2) пристыжённый, винова́тый *(о ви́де)*.

**hanger** ['hæŋə] *n* 1) тот, кто наве́шивает, накле́ивает *(афи́ши и т. п.)*; 2) то, что подве́шено, виси́т, свиса́ет *(напр., занаве́ска, верёвка ко́локола и т. п.)*; 3) крюк, крючо́к; ве́шалка *(пла́тье)*; 4) *тех.* подве́ска; крюк, серьга́; кронште́йн; 5) *мор.* ко́ртик; 6) *горн.* вися́чий бок вы́работки, месторожде́ния.

**hanger-on** ['hæŋər'ɔn] *n* (*pl* hangers-on) 1) прихлебатель; 2) приспешник; 3) *горн.* стволовой, плитовой; рабочий, закатывающий вагонетку в клеть.

**hangers-on** ['hæŋəz'ɔn] *pl от* hanger-on.

**hang-fire** ['hæŋ͵faɪə] *n воен.* затяжной выстрел; осечка.

**hanging** ['hæŋɪŋ] 1. *pres. p. от* hang 2; 2. *n* 1) вешание; подвешивание; 2) повешение; 3) *pl* драпировки, портьеры; ◇ ~ committee жюри по приёму картин на выставку; it's a ~ matter тут пахнет виселицей;
3. *a* висячий, подвесной; ~ bridge висячий мост.

**hangman** ['hæŋmən] *n* палач.

**hangnail** ['hæŋneɪl] *n разг.* заусеница.

**hangout** ['hæŋaut] *n амер.* постоянное место сборищ *или* встреч.

**hang-over** ['hæŋ͵ouvə] *n* 1) пережиток; наследие (*прошлого*); 2) *разг.* похмелье.

**hank** [hæŋk] 1. *n* 1) *текст.* моток; 2) *мор.* бухта троса, кабеля;
2. *v* сматывать.

**hanker** ['hæŋkə] *v* страстно желать, жаждать (after, for).

**hankie, hanky** ['hæŋkɪ] *n разг.* носовой платок.

**hanky-panky** ['hæŋkɪ'pæŋkɪ] *n разг.* обман, мошенничество, проделки.

**Hanoverian** [͵hænou'vɪərɪən] *a* ганноверский; ~ House *ист.* Ганноверская династия.

**Hansard** ['hænsəd] *n разг.* официальный отчёт о заседаниях английского парламента.

**Hansardize** ['hænsədaɪz] *v разг.* предъявлять члену парламента его прежние заявления (*по официальным отчётам*).

**hansel** ['hænsəl] = handsel.

**hansom(cab)** ['hænsəm('kæb)] *n* 1) двухколёсный экипаж (*с местом для кучера сзади*); 2) *разг.* такси.

**han't** [hɑːnt] *сокр. разг.* = have not, has not.

**hap** [hæp] 1. *n уст.* случай; счастливая случайность;
2. *v* случаться, происходить.

**haphazard** ['hæp'hæzəd] 1. *n* случай, случайность; at ~, by ~ случайно; наудачу;
2. *a* 1) случайный; 2) *тех.* бессистемный.

**hapless** ['hæplɪs] *a* 1) несчастный, злополучный; 2) незадачливый.

**haply** ['hæplɪ] *adv уст.* 1) случайно; 2) возможно.

**ha'p'orth** ['heɪpəθ] *разг. см.* halfpennyworth.

**happen** ['hæpən] *v* 1) случаться, происходить (to smb.—с кем-л.); smth. must have ~ed очевидно, что-то случилось; 2) (случайно) оказываться; I ~ed to be at home я как раз оказался дома; as it ~s I have left my money at home оказывается, я оставил деньги дома; ☐ ~ in *амер.* случайно зайти; ~ upon случайно натолкнуться, встретить.

**happening** ['hæpənɪŋ] 1. *pres. p. от* happen;
2. *n* случай, событие.

**happily** ['hæpɪlɪ] *adv* 1) счастливо; 2) к счастью.

**happiness** ['hæpɪnɪs] *n* счастье.

**happy** ['hæpɪ] *a* 1) счастливый; удачный; ~ man! счастливец!; ~ retort находчивый ответ; ~ guess правильная догадка; 2) довольный, весёлый; 3) *разг.* навеселе.

**happy-go-lucky** ['hæpɪgou͵lʌkɪ] 1. *a* 1) беспечный; 2) случайный;
2. *adv* как придётся; по воле случая.

**hara-kiri** ['hærə'kɪrɪ] *яп. n* харакири.

**harangue** [hə'ræŋ] 1. *n* 1) речь (*публичная*); горячее обращение; 2) разглагольствование;
2. *v* 1) произносить речь; 2) разглагольствовать.

**haras** ['hærəs] *n* 1) конный завод; 2) *уст.* табун лошадей.

**harass** ['hærəs] *v* беспокоить, тревожить, изводить.

**harbinger** ['hɑːbɪndʒə] *n* 1) предвестник; 2) *уст.* квартирьер.

**harbour** ['hɑːbə] 1. *n* 1) гавань, порт; 2) убежище, прибежище; 3) *воен.* танкодром;
2. *v* 1) стать на якорь (*в гавани*); 2) дать убежище; укрыть; приютить; the woods ~ much game в лесу много дичи; 3) затаить, питать (*чувство злобы, мести и т. п.*); 4) *охот.* проследить зверя до его логовища.

**harbourage** ['hɑːbərɪdʒ] *n* 1) убежище, приют; 2) место для стоянки судов в порту.

**harbour-dues** ['hɑːbədjuːz] *n* портовые сборы.

**hard** [hɑːd] 1. *a* 1) твёрдый, жёсткий; ~ apple жёсткое яблоко; ~ collar· крахмальный воротничок; ~ food зерновой корм; б) грубая, невкусная пища; 2) крепкий, сильный; ~ blow сильный удар; 3) трудный, тяжёлый; требующий напряжения; ~ case а) трудный случай; б) закоренелый преступник; 4) суровый, холодный; 5) строгий; безжалостный; ~ discipline суровая дисциплина; 6) несчастный, тяжёлый; ~ times тяжёлые времена; ~ lines тяжёлая, несчастная судьба; тяжёлое испытание; 7) усердный, упорный; 8) усиленно предающийся (*чему-л.*); ~ drinker пьяница; 9) резкий, неприятный (*для слуха, глаза*); 10) определённый, подтверждённый; ~ fact неопровержимый факт; 11) скупой, жадный; 12) *амер.* спиртной; ~ liquor спиртной напиток; 13) жёсткий (*о воде*); 14) *фон.* глухой (*звук*); 15) *телев.* контрастный; ~ image контрастное изображение; ◇ ~ and fast негибкий, твёрдый, жёсткий (*о правилах*); строго определённый; прочный; ~ as nails закалённый; очень сильный; ~ labour каторжные работы; ~ bargain невыгодная, кабальная сделка; ~ cash наличные (*деньги*); звонкая монета; ~ money *амер.* звонкая монета; ~ currency устойчивая валюта; ~ of hearing тугой на ухо; ~ on smb. строгий с кем-л.; несправедливый к кому-л.; ~ upon smb. а) = ~ on smb.; б) непосредственно следом за кем-л.; по пятам за кем-л.;
2. *adv* 1) твёрдо; крепко; сильно; it froze ~ yesterday вчера сильно морозило;

2) настойчиво, упорно, энергично; to try ~ упорно пытаться; очень стараться; 3) с трудом, тяжело; 4) чрезмерно, неумеренно; to drink ~ сильно пить; 5) сурово, жестоко; to criticise ~ жестоко критиковать; 6) близко, вплотную, по пятам; ~ by близко, рядом; to follow ~ after следовать по пятам за; ◊ ~ pressed, ~ pushed в трудном, тяжёлом положении; to be ~ pressed for time (money) иметь очень мало времени (денег); ~ put to it в затруднении, запутавшийся;

3. *n* 1) песчаное место для высадки на берег; проходимое место на топком болоте; брод; *разг.* каторга.

**hardbake** ['hɑːdbeɪk] *n* миндальная карамель.

**hardbitten** ['hɑːd'bɪtn] *a* стойкий, упорный.

**hard-boiled** ['hɑːd'bɔɪld] *a* 1) сваренный вкрутую; 2) неподатливый, крутой, бесчувственный, чёрствый; 3) *амер.* искушённый, прожжённый; видавший виды.

**hard-coal** ['hɑːdkoul] *n* антрацит.

**hard-earned** ['hɑːd'əːnd] *a* с трудом заработанный.

**harden** ['hɑːdn] *v* 1) делать(ся) твёрдым; твердеть, застывать; 2) закалять(ся), укреплять(ся); 3) делать(ся) бесчувственным, ожесточать(ся); 4) *тех.* закалять(ся); цементовать.

**hardener** ['hɑːdnə] *n тех.* вещество, способствующее закалке, увеличению твёрдости металла.

**hard-faced** ['hɑːd'feɪst] *a* суровый, безжалостный.

**hard-favoured** ['hɑːd'feɪvəd] = hard-featured.

**hard-featured** ['hɑːd'fiːtʃəd] *a* с грубыми, резкими чертами лица.

**hard-fisted** ['hɑːd'fɪstɪd] *a* 1) имеющий сильные кулаки или руки; 2) скупой.

**hard-grained** ['hɑːd'greɪnd] *a* 1) твёрдый, плотный (*о дереве*); 2) крупнозернистый; 3) суровый, бесчувственный; упрямый.

**hard-handed** ['hɑːd'hændɪd] *a* 1) с загрубелыми (от труда) руками; 2) грубый; суровый.

**hard-headed** ['hɑːd'hedɪd] *a* 1) практичный, трезвый; 2) искушённый; прожжённый.

**hard-hearted** ['hɑːd'hɑːtɪd] *a* жестокосердный; жестокий, бесчувственный.

**hardihood** ['hɑːdɪhud] *n* 1) смелость, дерзость; 2) наглость.

**hardily** ['hɑːdɪlɪ] *adv* смело.

**hardiness** ['hɑːdɪnɪs] *n* 1) смелость, дерзость; 2) крепость, выносливость.

**hardly** ['hɑːdlɪ] *adv* 1) с трудом; 2) едва; I had ~ uttered a word я едва успел вымолвить слово; 3) едва ли; the rumour was ~ true вряд ли слух был верен; 4) резко, сурово; ожесточённо.

**hard-mouthed** ['hɑːd'mauðd] *a* 1) тугоуздый (*о лошади*); 2) неподатливый; 3) упрямый, своевольный.

**hardness** ['hɑːdnɪs] *n* 1) твёрдость, степень твёрдости; плотность, прочность; 2)

жёсткость (*воды*); 3) суровость (*климата*); 4) *attr.*: ~ testing *тех.* склероскопическое испытание.

**hard-pan** ['hɑːdpæn] *n геол.* твёрдый подпочвенный пласт, ортштейн.

**hards** [hɑːdz] *n pl* пакля, очёс(ки).

**hard set** ['hɑːd'set] *a* 1) упорный, твёрдый; 2) в трудном положении; 3) голодный; 4) насиженный (*о яйце*).

**hardshell** ['hɑːd'ʃel] *a* 1) снабжённый твёрдой скорлупой; 2) не поддающийся убеждению, стойкий.

**hardship** ['hɑːdʃɪp] *n* 1) лишение, нужда; 2) тяжёлое испытание; 3) трудность; неудобство; early rising is a ~ in winter рано вставать зимой очень трудно.

**hardtack** ['hɑːdtæk] *n разг.* сухарь; галета.

**hard-tempered** ['hɑːd'tempəd] *a* закалённый.

**hard-to-reach** ['hɑːdtə'riːtʃ] *a* труднодоступный.

**hard up** ['hɑːd'ʌp] *a разг.* 1) сильно нуждающийся (*в деньгах*); 2) в трудном положении; he was ~ for smth. to say он не знал, что сказать.

**hardware** ['hɑːdwɛə] *n* металлические изделия; скобяной товар.

**hardwood** ['hɑːdwud] *n* твёрдая древесина (*лиственных пород*).

**hardy I** ['hɑːdɪ] *a* 1) смелый, отважный; 2) безрассудный; дерзкий; опрометчивый; 3) выносливый, стойкий, закалённый; 4) морозоустойчивый; ~ annual морозостойкое однолетнее растение; *перен.* ежегодно поднимаемый вопрос (*напр., в парламенте*).

**hardy II** ['hɑːdɪ] *n* 1) нож, резак; 2) *тех.* кузнечное зубило.

**hare** [hɛə] *n* заяц; ◊ ~ and hounds *спорт.* лисички (*игра, в которой одни участники бегут, оставляя за собой след из бумажек, а другие, вышедшие позже, их преследуют, стараясь перехватить*); to run (*или* to hold) with the ~ and hunt with the hounds ≈ служить и нашим и вашим; first catch your ~ then cook him *посл.* ≈ цыплят по осени считают; не говори гоп, пока не перескочишь.

**harebell** ['hɛəbel] *n бот.* колокольчик (круглолистный).

**hare-brained** ['hɛə,breɪnd] *a* безрассудный, опрометчивый; легкомысленный; бездумный.

**harelip** ['hɛə'lɪp] *n мед.* заячья губа.

**harem** ['hɛərem] *n* гарем.

**hare's-foot** ['hɛəzfut] *n бот.* котики; клевер пашенный.

**haricot** ['hærɪkou] *n* 1) фасоль; 2) рагу (*обычно из баранины*).

**haricot bean** ['hærɪkou,biːn] = haricot 1).

**hari-kari** ['hærɪ'kærɪ] = hara-kiri.

**hark** [hɑːk] *v* (*часто употр. как int*) 1) слушать; just ~ to him *ирон.* только послушайте, что он говорит; ~! слушай(те)! чу!; 2) *охот.*:~! ищи!; ◊ to ~ back to smth. возвращаться к исходному пункту, положению, вопросу *и т. п.*

**harlequin** ['hɑːlɪkwɪn] 1. *n* 1) арлекин; 2) шут;

2. *a* пёстрый, многоцветный.

**harlequinade** [,hɑːlɪkwɪ'neɪd] *n* 1) арлекинада; 2) шутовство.

**harlot** ['hɑːlət] *n* проститутка, шлюха.

**harlotry** ['hɑːlətrɪ] *n* распутство, разврат.

**harm** [hɑːm] 1. *n* 1) вред; ущерб; out of ~'s way в безопасности; 2) зло, обида; no ~ done всё благополучно; никто не пострадал; I meant no ~ я не хотел вас обидеть;

2. *v* вредить.

**harmful** ['hɑːmful] *a* вредный, пагубный.

**harmless** ['hɑːmlɪs] *a* безвредный, невинный; безобидный.

**harmonic** [hɑː'mɔnɪk] 1. *a* гармоничный, гармонический, стройный;

2. *n* *тех.* гармоника; гармонические волны.

**harmonica** [hɑː'mɔnɪkə] *n* губная гармоника.

**harmonious** [hɑː'mounjəs] *a* 1) гармонический, гармонизирующий; 2) дружный, согласный.

**harmonist** ['hɑːmənɪst] *n* музыкант; оркестратор; транскриптор.

**harmonium** [hɑː'mounjəm] *n* фисгармония.

**harmonize** ['hɑːmənaɪz] *v* 1) гармонизировать, приводить в гармонию; согласовывать; соразмерять; 2) *муз.* аранжировать; 3) гармонировать; 4) настраивать.

**harmony** ['hɑːmənɪ] *n* 1) гармония, созвучие; 2) согласие.

**harness** ['hɑːnɪs] 1. *n* 1) упряжь, сбруя; шоры; 2) *ист.* доспехи; 3) *текст.* ремиза; ◇ in ~ за повседневной работой; double ~ супружество; to run in double ~ быть женатым *или* замужем;

2. *v* 1) запрягать; впрягать; 2) использовать (*в качестве источника энергии — о реке, водопаде и т. п.*).

**harp** [hɑːp] 1. *n* арфа;

2. *v* 1) играть на арфе; 2) надоедливо толковать об одном и том же, завести волынку (on —о, об).

**harp-antenna** ['hɑːpæn'tenə] *n радио* веерная антенна.

**harper, harpist** ['hɑːpə, 'hɑːpɪst] *n* арфист.

**harpoon** [hɑː'puːn] 1. *n* гарпун; острога; багор;

2. *v* бить гарпуном.

**harpsichord** ['hɑːpsɪkɔːd] *n* клавикорды.

**harpy** ['hɑːpɪ] *n* 1) *миф.* гарпия; 2) хищник; грабитель.

**harquebus** ['hɑːkwɪbəs] *n ист.* аркебуза.

**harridan** ['hærɪdən] *n* старая карга, ведьма.

**harrier I** ['hærɪə] *n* 1) гончая (*на зайца*); 2) *pl* свора гончих (*на зайца*) с охотниками; 3) участник кросса; 4) член клуба игроков в «hare and hounds» [*см.* hare]; 5) *pl* клуб игроков [*см.* 4)].

**harrier II** ['hærɪə] *n* 1) грабитель; разоритель; 2) лунь (*птица*).

**Harrovian** [hə'rouvjən] *n* 1) воспитанник колледжа в *г.* Харроу; 2) житель *г.* Харроу.

**harrow** ['hærou] 1. *n* борона, скарифика-

тор; ◇ under the ~ в беде; в бедственном положении;

2. *v* 1) боронить; 2) мучить, терзать.

**harry** ['hærɪ] *v* 1) разорять, опустошать; 2) беспокоить, надоедать, изводить; 3) разграбить.

**harsh** [hɑːʃ] *a* 1) грубый, жёсткий, шероховатый; 2) резкий, неприятный; 3) терпкий; 4) строгий, суровый; бесчувственный.

**harshness** ['hɑːʃnɪs] *n* резкость; грубость; жёсткость.

**harslet** ['hɑːslɪt] = haslet.

**hart** [hɑːt] *n* олень-самец (*старше пяти лет*).

**hartal** ['hɑːtɑːl] *n* прекращение работы и торговли (*в знак протеста или траура*).

**hartshorn** ['hɑːtshɔːn] *n* 1) олений рог; 2) нюхательная соль; 3) нашатырный спирт.

**harum-scarum** ['hɛərəm'skɛərəm] 1. *n* легкомысленный, ветреный человек;

2. *a* 1) легкомысленный, опрометчивый, безрассудный; 2) небрежный, тороплливый.

**harvest** ['hɑːvɪst] 1. *n* 1) жатва; уборка хлеба; сбор (*яблок, мёда и т. п.*); 2) урожай; 3) *перен.* плоды; результат; 4) *attr.* связанный с урожаем; ~ time время жатвы, жатва, страдная пора, страда;

2. *v* 1) собирать урожай; 2) жать.

**harvest-bug** ['hɑːvɪstbʌg] *n зоол.* клещ.

**harvester** ['hɑːvɪstə] *n* 1) жнец; 2) жатвенная, уборочная машина.

**harvester stacker** ['hɑːvɪstə'stækə] *n с.-х.* копнитель.

**harvest home** ['hɑːvɪst'houm] *n* 1) уборка урожая; 2) праздник урожая; 3) песнь урожая.

**harvesting** ['hɑːvɪstɪŋ] 1. *pres. p. от* harvest 2;

2. *n* уборка урожая.

**harvest-mite** ['hɑːvɪstmaɪt] = harvest-bug.

**harvest moon** ['hɑːvɪstmuːn] *n* полнолуние перед осенним равноденствием.

**harvest mouse** ['hɑːvɪstmaus] *n* полевая мышь.

**has** [hæz (*полная форма*); həz, əz,z (*редуцированные формы*)] 3-е л. ед. ч. настоящего времени гл. to have.

**has-been** ['hæz,biːn] *n* (*pl* has-beens [-nz]) *разг.* 1) бывший человек; 2) что-л., утерявшее прежние качества, новизну *и т. п.*

**hash** [hæʃ] *n* 1) блюдо из мелко нарезанного мяса и овощей; 2) что-л. старое, выдаваемое в изменённом виде за новое; 3) мешанина, путаница; to make a ~ of smth. напутать, напортить в чём-л.; ◇ to settle smb.'s ~ а) заставить кого-л. замолчать; б) разделаться с кем-л.;

2. *v* 1) рубить, крошить (*мясо*); 2) напутать, напортить (*в чём-л.*).

**hasheesh** ['hæʃiːʃ] *араб. n* гашиш.

**hasher** ['hæʃə] *n* мясорубка.

**hash house** ['hæʃhaus] *n амер.* дешёвый ресторан, харчевня.

**hashish** ['hæʃiʃ] = hasheesh.

**haslet** ['heɪzlɪt] *n* (*обыкн. pl*) потроха (*особ. свиные*).

**hasn't** ['hæznt] *сокр. разг.* = has not.

**hasp** [hɑːsp] **1.** *n* 1) запо́р, накла́дка; засо́в, крюк; 2) застёжка; 3) мото́к; 4) *текст.* шпу́лька;
**2.** *v* запира́ть, накла́дывать засо́в.

**hassock** [ˈhæsək] *n* 1) пук травы́; ко́чка; 2) поду́шечка (*подкладываемая под колени, напр. при молитве*); 3) *горн.* вид мя́гкого песча́ника.

**hast** [hæst (*полная форма*); həst, əst (*редуцированные формы*)] *уст.* 2-е л. ед.ч. настоящего времени гл. to have.

**hastate** [ˈhæsteɪt] *a бот.* копьеви́дный, стре́льчатый.

**haste** [heɪst] **1.** *n* 1) поспе́шность, торопли́вость; спе́шка; 2) опроме́тчивость; ◇ to make ~ спеши́ть, торопи́ться; more ~, less speed ≅ ти́ше е́дешь, да́льше бу́дешь;
**2.** *v* = hasten 1) *и* 2).

**hasten** [ˈheɪsn] *v* 1) торопи́ть; 2) спеши́ть, торопи́ться; 3) ускоря́ть проце́сс; ускоря́ть рост.

**hastily** [ˈheɪstɪlɪ] *adv* 1) поспе́шно, торопли́во; на́скоро; 2) опроме́тчиво, необду́манно; 3) запа́льчиво.

**hastiness** [ˈheɪstɪnɪs] *n* 1) поспе́шность; 2) необду́манность; 3) вспы́льчивость.

**hastings** [ˈheɪstɪŋz] *n pl уст.* ра́нние о́вощи *или* плоды́.

**hasty** [ˈheɪstɪ] *a* 1) поспе́шный; необду́манный, опроме́тчивый; 2) вспы́льчивый, ре́зкий; 3) бы́стрый, стреми́тельный; ~ growth бы́стрый рост; ◇ ~ pudding мучно́й заварно́й пу́динг.

**hat** [hæt] **1.** *n* 1) шля́па; ша́пка; high (*или* silk, top) ~ цили́ндр; squash ~ мя́гкая фе́тровая шля́па; 2) *горн.* ве́рхний слой; 3) *горн.* слой поро́ды над жи́лой; ◇ ~ in hand подобостра́стно; to take off the ~ to smb. преклоня́ться пе́ред кем-л.; to send round the ~ пусти́ть ша́пку по кру́гу, собира́ть поже́ртвования; his ~ covers his family ≅ он соверше́нно одино́кий челове́к; to talk through one's ~ хва́стать; нести́ чушь; to put the ~ on my misery в доверше́ние всех мои́х несча́стий; to keep smth. under one's ~ держа́ть что-л. в секре́те; to throw one's ~ in(to) the ring а) приня́ть вы́зов; б) заяви́ть о своём уча́стии в состяза́нии;
**2.** *v* 1) надева́ть шля́пу; they were ~ted они́ бы́ли в шля́пах; 2) снима́ть шля́пу (*перед кем-л.*); 3) *австрал.* рабо́тать в одино́чку, без помо́щников.

**hat-block** [ˈhætblɔk] *n* болва́н(ка) для шляп.

**hatch I** [hætʃ] *n* 1) люк; решётка; кры́шка лю́ка; under ~es а) *мор.* под па́лубой; б) не при исполне́нии служе́бных обя́занностей; в) в заточе́нии; г) в беде́; д) уме́рший, погребённый; 2) затво́р, засло́нка; 3) запру́да; шлюзова́я ка́мера.

**hatch II** [hætʃ] **1.** *n* 1) выведе́ние (*цыплят*); 2) вы́водок;
**2.** *v* 1) выси́живать (*цыплят*); наси́живать (*яйца*), выводи́ть (*цыплят*) иску́сственно; 2) вылупля́ться из яйца́; 3) рожда́ться, выводи́ться (*о личинках*); 4) замышля́ть, та́йно подгота́вливать, обду́мывать, вына́шивать (*идею, план и т. п.*).

**hatch III** [hætʃ] **1.** *n* вы́гравированная ли́ния, штрих;
**2.** *v* штрихова́ть, гравирова́ть.

**hat-check girl** [ˈhætʃek͵gɜːl] *n* гардеро́бщица.

**hatcher** [ˈhætʃə] *n* 1) насе́дка; 2) инкуба́тор; 3) загово́рщик, интрига́н.

**hatchery** [ˈhætʃərɪ] *n* инкуба́торная ста́нция.

**hatchet** [ˈhætʃɪt] *n* 1) топо́рик, топо́р; 2) большо́й нож, реза́к, сечка; ◇ to bury the ~ заключи́ть мир; to dig (*или* to take) up the ~ нача́ть войну́; to throw the ~ преувели́чивать.

**hatchet-face** [ˈhætʃɪtfeɪs] *n* продолгова́тое лицо́ с о́стрыми черта́ми.

**hatchment** [ˈhætʃmənt] *n геральд.* герб; мемориа́льная доска́ с изображе́нием герба́.

**hatchway** [ˈhætʃweɪ] *n* люк.

**hate** [heɪt] **1.** *n* не́нависть;
**2.** *v* 1) ненави́деть; 2) *разг.* не хоте́ть, испы́тывать нело́вкость; I ~ to trouble you мне о́чень неудо́бно беспоко́ить вас.

**hateful** [ˈheɪtful] *a* ненави́стный; отврати́тельный.

**hath** [hæθ (*полная форма*); həθ, əθ (*редуци́рованные формы*)] *уст.* = has.

**hatred** [ˈheɪtrɪd] *n* не́нависть.

**hat-stand** [ˈhætstænd] *n* ве́шалка для шляп.

**hatter** [ˈhætə] *n* 1) шля́пный ма́стер *или* фабрика́нт; торго́вец шля́пами; 2) стара́тель; 3) *австрал.* рабо́тающий в одино́чку (*гл. обр. о горняке*).

**hauberk** [ˈhɔːbɜːk] *n ист.* (дли́нная) кольчу́га.

**haughtiness** [ˈhɔːtɪnɪs] *n* надме́нность, высокоме́рие.

**haughty** [ˈhɔːtɪ] *a* надме́нный, высокоме́рный.

**haul** [hɔːl] **1.** *n* 1) тя́га, волоче́ние; 2) перево́зка, подво́зка; е́здка, рейс; 3) выта́скивание (*сетей*); то́ня (*одна закидка невода*); 4) уло́в; 5) трофе́и; 6) *горн.* отка́тка; 7) *ж.-д.* перево́зка; про́йденное расстоя́ние; перевезённый груз;
**2.** *v* 1) тяну́ть, тащи́ть, волочи́ть; букси́ровать; to ~ timber трелева́ть лес; 2) перево́зи́ть, подвози́ть; 3) *мор.* меня́ть направле́ние (*судна*); 4) *горн.* отка́тывать; 5) *мор.* держа́ть(ся) про́тив ве́тра, держа́ть(ся) кру́то к ве́тру; ☐ ~ down опуска́ть, трави́ть (*канат*); ◇ to ~ down one's flag сдава́ться; to ~ over the coals зада́ть взбу́чку.

**haulage** [ˈhɔːlɪdʒ] *n* 1) тя́га; букси́ро́вка; 2) подво́зка; перево́зка; 3) сто́имость перево́зки; 4) *горн.* отка́тка.

**haulier** [ˈhɔːljə] *n горн.* отка́тчик, ка́таль.

**haulm** [hɔːm] *n* 1) сте́бель; 2) *собир.* ботва́; 3) соло́ма.

**haunch** [hɔːntʃ] *n* 1) бедро́, ля́жка; 2) за́дняя нога́; 3) *стр.* подъу́жье а́рки; крыло́ сво́да; часть а́рки ме́жду замко́м и пято́й.

**haunt** [hɔːnt] **1.** *n* 1) ча́сто посеща́емое, люби́мое ме́сто; 2) прито́н; 3) убе́жище, ло́говище;
**2.** *v* 1) ча́сто посеща́ть како́е-л. ме́сто; 2) появля́ться, явля́ться, обита́ть (*как призрак*); 3) пресле́довать (*о мыслях и т. п.*).

**haunter** [ˈhɔːntə] *n* постоянный посетитель, завсегдатай.

**hautboy** [ˈoubɔɪ] *n* 1) гобой; 2) мускусная клубника *или* земляника.

**hauteur** [ouˈtəː] *фр. n* надменность, высокомерие.

**Havana** [həˈvænə] *n* гаванская сигара.

**have** [hæv (*полная форма*); həv, əv, v (*редуцированные формы*)] **1.** *v* (had) 1) иметь, обладать; I ~ a very good flat у меня прекрасная квартира; I ~ no time for him мне некогда с ним возиться; he has no equals ему нет равных; 2) содержать, иметь в составе; June has 30 days в июне 30 дней; the room has four windows в комнате четыре окна; 3) испытывать (*что-л.*), подвергаться (*чему-л.*); to ~ a pleasant time приятно проводить время; I ~ a toothache у меня болит зуб; 4) получать; we had news мы получили известие; 5) *sl.* (*употр. в pres. perf. pass.*) обмануть; разочаровать; you ~ been had вас обманули; 6) победить, взять верх; he had you in the first game он побил вас в первой партии; 7) утверждать, говорить; as Shakespeare has it как сказано у Шекспира; if you will ~ it ... если вы настаиваете...; he will ~ it that ... он утверждает, что...; 8) знать, понимать; he has no Greek он не знает греческого языка; 9) *разг.*: I ~ got = I ~, you ~ got = you ~, he has got = he has *и т. д.* (*в разных значениях*); I ~ got no money about me у меня нет при себе денег; she has got a cold она простужена; he has got to go there ему придётся пойти туда; 10) *образует фразовые глаголы*: а) *с отглагольными существительными обозначает конкретное действие*: to ~ a walk прогуляться; to ~ a smoke покурить; to ~ a try попытаться *и т. п.*; б) *с абстрактными существительными означает испытывать чувство, ощущение*: to ~ pity жалеть; to ~ mercy щадить; 11) *с существительными, обозначающими трапезу, имеет значение* есть, пить: to ~ breakfast завтракать, to ~ dinner обедать *и т. п.*; to ~ tea пить чай; 12) *со сложным дополнением показывает, что действие выполняется не субъектом, выраженным подлежащим, а другим лицом по желанию субъекта, или что-то совершается без его желания*: please, ~ your brother bring my books пусть твой брат принесёт мои книги; he had his watch mended ему починили часы; he had his leg broken он сломал ногу; 13) *как вспомогательный глагол употребляется для образования перфектной формы*: I ~ done, I had done я сделал, I shall ~ done я сделаю, to ~ done сделать; 14) *с последующим инфинитивом имеет модальное значение*: быть должным, вынужденным (*что-л. делать*); I ~ to go to the dentist мне необходимо пойти к зубному врачу; the clock will ~ to be fixed часы нужно починить; 15): I won't ~ it я не потерплю этого; I won't ~ you say such things я вам не позволю говорить такие вещи; □ ~ on быть одетым в; to ~ a hat (an overcoat) on быть в шляпе (в пальто); ◇ I had better (*или* best) я предпочёл бы, лучше бы; you had better go

home вам бы лучше пойти домой; ~ done! перестань(те)!; ~ no doubt можете не сомневаться; he had eyes only for his mother он смотрел только на мать, он не видел никого, кроме матери; he has had it *sl.* а) он безнадёжно отстал, он устарел; б) он погиб, он пропал; to ~ one's own way поступать по-своему; to ~ a question out with smb. выяснить вопрос с кем-л.; to ~ one up привлечь кого-л. к суду; let him ~ it дай ему взбучку, задай ему перцу; will you ~ the goodness to do it будьте настолько добры, сделайте это;

**2.** *n* 1): ~s и ~-nots *разг.* имущие и неимущие; 2) *sl.* мошенничество, обман.

**haven** [ˈheɪvn] *n* 1) гавань; 2) убежище, прибежище, приют.

**have-on** [hævˈɔn] *n разг.* обман.

**haver** [ˈheɪvə] *шотл.* **1.** *n* (*обыкн. pl*) глупый разговор; бессмыслица.
**2.** *v* болтать, говорить глупости.

**haversack** [ˈhævəsæk] *n* 1) сумка, мешок для провизии; 2) *воен.* сухарный мешок; вещевой мешок, ранец.

**havildar** [ˈhævɪlˌdɑː] *n англо-инд. воен.* сержант-туземец.

**havings** [ˈhævɪŋz] *n pl* имущество, собственность.

**havoc** [ˈhævək] **1.** *n* опустошение; разрушение; to make ~ (of), to play ~ (among, with) производить беспорядок, разрушать; to cry ~ давать сигнал к резне;
**2.** *v* опустошать; разрушать.

**haw I** [hɔː] *n* 1) ягода боярышника; 2) = hawthorn; 3) *ист.* ограда.

**haw II** [hɔː] *int* окрик, которым погонщик заставляет животное повернуть.

**haw III** [hɔː] **1.** *n* бормотание.
**2.** *v* бормотать, произносить (в нерешительности) невнятные звуки; to hum and ~ мямлить.

**hawbuck** [ˈhɔːbʌk] *n* неотёсанный парень, мужлан.

**hawfinch** [ˈhɔːfɪntʃ] *n* дубонос (*птица*).

**haw-haw I** [ˈhɔːˈhɔː] = ha ha 1.

**haw-haw II** [hɔːˈhɔː] = ha-ha.

**hawk I** [hɔːk] **1.** *n* 1) ястреб; 2) хищник (*о человеке*);
**2.** *v* 1) охотиться с ястребом *или* соколом; 2) налетать как ястреб (at — на).

**hawk II** [hɔːk] *v* торговать вразнос.

**hawk III** [hɔːk] *v* откашливать(ся), отхаркивать(ся).

**hawk IV** [hɔːk] *n* сокол (*инструмент штукатура*).

**hawker I** [ˈhɔːkə] *n* 1) охотник с ястребом *или* соколом; 2) сокольничий.

**hawker II** [ˈhɔːkə] *n* разносчик, уличный торговец, лоточник.

**hawk-eyed** [ˈhɔːkaɪd] *a* 1) имеющий острое зрение; 2) бдительный.

**hawk-nosed** [ˈhɔːkˌnouzd] *a* горбоносый, с орлиным носом; с крючковатым носом.

**hawse** [hɔːz] *n мор.* 1) клюзы; 2) положение якорных цепей впереди форштевня.

**hawse-hole** [ˈhɔːzhoul] *n мор.* клюз.

**hawser** [ˈhɔːzə] *n мор.* перлинь; (стальной) трос.

**hawthorn** [ˈhɔːθɔːn] *n* боярышник.

**hay** [heɪ] *n* сено; to make ~ косить и сушить сено; ◇ to make ~ of smth. вносить путаницу во что-л.; делать в чём-л. беспорядок; make ~ while the sun shines *посл.* ≅ коси коса, пока роса; куй железо, пока горячо.

**haycock** ['heɪkɔk] *n* копна сена.

**hay-drier** ['heɪ'draɪə] *n с.-х.* сеносушилка.

**hay fever** ['heɪ'fiːvə] *n* сенная лихорадка.

**hay harvest** ['heɪ‚hɑːvɪst] *n* сенокос.

**haying** ['heɪɪŋ] = haymaking.

**haying time** ['heɪŋtaɪm] = hay time.

**hayloft** ['heɪlɔft] *n* сеновал.

**haymaker** ['heɪ‚meɪkə] *n* 1) рабочий на сенокосе; косарь; 2) сеноуборочная машина; 3) *sl.* сильный удар.

**haymaking** ['heɪ‚meɪkɪŋ] *n* сенокос.

**haymaking time** ['heɪmeɪkɪŋ‚taɪm] = hay time.

**haymow** ['heɪmou] *n* 1) стог сена; 2) сеновал.

**hayrack** ['heɪræk] *n радио sl.* радиолокационный маяк с приводным устройством.

**hayrick** ['heɪrɪk] = haystack.

**hayseed** ['heɪsiːd] *n* 1) семена трав; 2) сенная труха; 3) *амер. sl.* деревенщина.

**hay spreader** ['heɪ'spredə] *n с.-х.* сеноворошилка.

**haystack** ['heɪstæk] *n* стог сена.

**hay-stacker** ['heɪ‚stækə] *n с.-х.* стогометатель.

**hay time** ['heɪtaɪm] *n* сенокос, покос.

**hazard** ['hæzəd] 1. *n* 1) шанс; 2) риск, опасность; at ~ наугад, наудачу; at all ~s во что бы то ни стало; рискуя всем; to take ~s идти на риск; 3) азартная игра; 4) *спорт.* всякие помехи (*на площадке для гольфа; напр.,* выбоины, высокая трава *и т. п.*);

2. *v* 1) рисковать, ставить на карту; 2) осмеливаться, отваживаться; to ~ a remark осмелиться сказать что-л., возразить.

**hazardous** ['hæzədəs] *a* рискованный, опасный.

**haze I** [heɪz] 1. *n* 1) лёгкий туман, дымка; 2) туман в голове; отсутствие ясности в мыслях;

2. *v* затуманивать.

**haze II** [heɪz] *v* 1) *мор.* изнурять работой; 2) зло подшучивать, *особ.* над новичком.

**hazel** ['heɪzl] 1. *n* обыкновенный орешник.

2. *a* светло-коричневый; карий.

**hazel-hen** ['heɪzlhen] *n* рябчик.

**hazel-nut** ['heɪzlnʌt] *n* обыкновенный орех.

**haziness** ['heɪzɪnɪs] *n* туманность, неясность.

**hazy** ['heɪzɪ] *a* 1) туманный, подёрнутый дымкой; смутный; 2) слегка подвыпивший.

**H-bomb** ['eɪtʃ'bɔm] *n* водородная бомба.

**he** [hiː] 1. *pron. pers.* он (*о существе мужского пола*); *косв. падеж* him его, ему *и т. д.; косв. падеж употребляется в разговорной речи вместо* he: that's him это он; he who... тот, кто...;

2. *n* 1) *разг.* мужчина; 2) водящий (*в детской игре*).

**he-** [hiː-] *в сложных словах означает самца;*

*напр.:* ~-dog кобель; ~-duck селезень; ~-goat козёл.

**head** [hed] 1. *n* 1) голова; by a ~ taller на голову выше; from ~ to foot (*или* heel), ~ to foot с головы до пят; 2) человек; 5 shillings per ~ по пяти шиллингов с человека; to count ~s сосчитать число присутствующих; 3) (*pl без измен.*) голова скота; fifty ~ of cattle пятьдесят голов скота; 4) глава; вождь; руководитель; начальник (*учреждения, предприятия*); 5) директор школы; 6) что-л., напоминающее по форме голову; a ~ of cabbage кочан капусты; the ~ of a flower головка цветка; 7) способность; ум; he has a good ~ for mathematics у него хорошие способности к математике; he has a ~ on his shoulders у него хорошая голова; 8) передняя часть, перёд (*чего-л.*); the ~ of the procession голова процессии; 9) верхняя часть (*лестницы, страницы и т. п.*); the ~ of a mountain вершина горы; 10) нос (*судна*); ~ to sea против волны; by the ~ а) *мор.* с дифферентом на нос; б) *перен.* подвыпивший; 11) мыс; 12) изголовье (*постели*); 13) исток реки; 14) верхушка, верхняя часть, крышка; 15) шляпка (*гвоздя*); головка (*булавки*); набалдашник (*трости*); 16) назревшая головка нарыва; to come to a ~ а) назреть (*о нарыве*); б) *перен.* достигнуть критической *или* решающей стадии; to bring to a ~ а) обострять; б) доводить до конца; 17) перелом, кризис болезни; 18) пена; сливки; 19) рубрика, отдел, заголовок; 20) лицевая сторона монеты; 21) черенок (*ножа*), обух (*топора*); боёк (*молота*); 22) *тех., гидр.* гидростатический напор, давление столба жидкости; ~ of water высота напора воды; 23) *архит.* замочный камень (*свода*); 24) *тех.* насадок; 25) *стр.* верхний брус оконной *или* дверной коробки; 26) *тех.* бабка (*станка*); 27) *мор.* топ (*мачты*); 28) *pl горн.* руда (*чистая*); концентрат (*высшего качества*); 29) прибыль (*при литье*); 30) *attr.* главный; ~ waiter метрдотель; 31) *attr.* встречный, противный; ~ tide встречное течение; ~ wind встречный ветер; ◇ at the ~ во главе; ~ of hair шапка, копна волос; a good ~ of hair густая шевелюра; ~ over heels вверх тормашками; вверх ногами; to be ~ over heels in work заработаться; (by) ~ and shoulders above smb. намного сильнее, на голову выше кого-л.; ~s or tails ≅ орёл или решка; can't make ~ or tail of it ничего не могу понять; to give a horse his ~ отпустить поводья; to give smb. his ~ дать кому-л. волю; to keep one's ~ сохранять спокойствие, сохранять присутствие духа; to keep one's ~ above water а) держаться на поверхности; б) справляться с трудностями; to lay (*или* to put) ~s together совещаться; to make ~ продвигаться вперёд; to make ~ against сопротивляться, противиться; to go out of one's ~ сойти с ума, рехнуться; off one's ~ вне себя; безумный; over ~ and ears, ~ over ears по уши.

2. *v* 1) возглавлять; вести; to ~ the list быть на первом месте; 2) озаглавливать;

3) направля́ть(ся), держа́ть курс (for — куда́-л.); 4) брать нача́ло (о реке); 5) спорт. уда́рить голово́й (по мячу); игра́ть голово́й; 6) формирова́ть (крону или колос); завива́ться (о капусте; тж. ~ up); □ ~ back прегражда́ть (путь); ~ off препя́тствовать; прегражда́ть (путь); отража́ть (нападе́ние).

**headache** ['hedeɪk] n 1) головна́я боль; 2) неприя́тность, поме́ха; to give (или to cause) a ~ a) причиня́ть беспоко́йство; б) заставля́ть призаду́маться; тре́бовать больши́х уси́лий; 3) (H.) sl. англи́йское назва́ние неме́цкой радионавигацио́нной систе́мы «Knickebein».

**headachy** ['hedeɪkɪ] a 1) страда́ющий головно́й бо́лью; 2) вызыва́ющий головну́ю боль.

**headband** ['hedbænd] n повя́зка на голове́.

**headboard** ['hedbɔːd] n пере́дняя спи́нка крова́ти.

**head-dress** ['heddres] n 1) головно́й убо́р (особ. наря́дный); 2) причёска.

**headed** ['hedɪd] a снабжённый заголо́вком; ~ note-paper бланк како́го-л. учрежде́ния или фи́рмы.

**-headed** [-'hedɪd] в сло́жных слова́х означа́ет: име́ющий таку́ю-то фо́рму головы́ или сто́лько-то голо́в; напр.: longheaded длинноголо́вый; blackheaded черноголо́вый.

**header** ['hedə] n 1) прыжо́к или паде́ние в во́ду вниз голово́й; to take a ~ нырну́ть; 2) глава́, руководи́тель; 3) уда́р по голове́; 4) тех. колле́ктор; 5) стр. тычо́к; 6) горн. вру́бовая маши́на; 7) с.-х. хе́дер (комба́йна); 8) тех. наса́дка; 9) магистра́ль.

**headgear** ['hedgɪə] n 1) головно́й убо́р; 2) оголо́вье узде́чки; 3) горн. надша́хтное устро́йство; бурова́я вы́шка; 4) радио нау́шники.

**heading** ['hedɪŋ] 1. pres. p. от head 2; 2. n 1) загла́вие, заголо́вок; на́дпись; 2) мор. направле́ние, курс; 3) спорт. уда́р голово́й (по мячу); 4) горн. направле́ние прохо́дки; передово́й забо́й; подготови́тельный штрек; 5) до́нник (клёпка); 6) воен. голова́ са́пы или ми́нной галере́и.

**headland** ['hedlənd] n 1) мыс; 2) незапа́ханный коне́ц по́ля.

**headlight** ['hedlaɪt] n 1) головно́й, бу́ферный фона́рь (парово́за); фа́ра (автомо́биля); 2) мор. ого́нь на ма́чте; 3) радиолокацио́нная анте́нна, вмонти́рованная в крыло́ самолёта.

**headline** ['hedlaɪn] n 1) заголо́вок; 2) pl кра́ткое содержа́ние вы́пуска после́дних изве́стий (по ра́дио).

**head-liner** ['hed,laɪnə] n 1) популя́рный актёр, ле́ктор и т. п. (имя кото́рого на афи́шах пи́шется кру́пными бу́квами); 2) хо́дкая, нашуме́вшая кни́га.

**headlong** ['hedlɒŋ] 1. a 1) безу́держный, бу́рный; 2) опроме́тчивый; 2. adv 1) голово́й вперёд; 2) опроме́тчиво; очертя́ го́лову.

**headman** ['hed'mæn] n 1) вождь (пле́мени); 2) ста́рший рабо́чий; деся́тник; ма́стер.

**head master** ['hed'mɑːstə] n дире́ктор шко́лы.

**head mistress** ['hed'mɪstrɪs] n директри́са, заве́дующая шко́лой.

**head-money** ['hed,mʌnɪ] n 1) поду́шный нало́г; 2) избира́тельный нало́г; 3) награ́да, объя́вленная за пои́мку кого́-л.

**headmost** ['hedmoust] a пере́дний, передово́й.

**head-nurse** ['hednɜːs] n ста́ршая сестра́ (в больни́це и т. п.).

**head office** ['hed'ɔfɪs] n правле́ние.

**head-on** ['hed'ɔn] adv 1) голово́й; пере́дней ча́стью, но́сом; 2) во всеору́жии; to meet a situation ~ быть во всеору́жии.

**headphone** ['hedfoun] n (обыкн. pl) (радио)нау́шники, головно́й телефо́н.

**headpiece** ['hedpiːs] n 1) шлем; 2) = headstall; 3) ум, смека́лка; 4) у́мница; 5) заста́вка (в кни́ге); 6) = headphone.

**headquarters** ['hed'kwɔːtəz] n pl (употр. как sing и как pl) 1) воен. штаб; штаб-кварти́ра; о́рган управле́ния; 2) гла́вное управле́ние, центр; 3) исто́чник (све́дений и т. п.).

**headrace** ['hedreɪs] n гидр. 1) ве́рхняя вода́, ве́рхний бьеф; 2) подводя́щий кана́л (водяно́й турби́ны).

**head-resistance** ['hedrɪ'zɪstəns] n ав. лобово́е сопротивле́ние.

**head-sea** ['hedsiː] n встре́чная волна́.

**headsman** ['hedzmən] n пала́ч.

**headspring** ['hedsprɪŋ] n исто́чник.

**headstall** ['hedstɔːl] n оголо́вье узде́чки; недоу́здок.

**head stone** ['hedstoun] n краеуго́льный ка́мень.

**headstone** ['hedstoun] n моги́льный ка́мень; надгро́бие.

**headstrong** ['hedstrɒŋ] a своево́льный, упря́мый.

**headwater** ['hed,wɔːtə] n 1) гидр. ве́рхний горизо́нт воды́, ве́рхний бьеф; 2) pl во́ды с верхо́вьев, исто́ки.

**headway** ['hedweɪ] n 1) движе́ние вперёд; поступа́тельное движе́ние; 2) прогре́сс; успе́х; to make ~ де́лать успе́хи; преуспева́ть; 3) ско́рость движе́ния; 4) промежу́ток вре́мени ме́жду двумя́ сле́дующими друг за дру́гом поезда́ми или двумя́ авто́бусами; 5) горн. бре́мсберг; (механизи́рованный) скат.

**head-work** ['hedwɜːk] n 1) у́мственная рабо́та; 2) архит. изображе́ние головы́ на замко́вом ка́мне (сво́да и т. п.); 3) горн. копёр.

**heady** ['hedɪ] a 1) стреми́тельный, бу́рный; горя́чий, опроме́тчивый; 2) кре́пкий, опьяня́ющий.

**heal** [hiːl] v 1) изле́чивать, исцеля́ть (of — от); 2) зажива́ть, заживля́ться (ча́сто over, ~ up).

**heal-all** ['hiːl,ɔːl] n 1) универса́льное сре́дство, панаце́я; 2) назва́ние не́которых целе́бных расте́ний.

**heald** [hiːld] = heddle.

**healer** ['hiːlə] n исцели́тель, цели́тель; time is a great ~ вре́мя всё зале́чивает.

**healing** ['hiːlɪŋ] 1. pres. p. от heal;

2. *n* лечéние; заживлéние;

3. *a* лечéбный, целéбный.

**health** [helθ] *n* 1) здорóвье; 2): public ~ здравоохранéние; Ministry of H. министéрство здравоохранéния; 3) тост; to drink smb.'s ~ пить за здорóвье когó-л.; 4) *attr.* гигиенúческий, санитáрный; ◇ ~ bill карантúнное свидéтельство; infant ~ centre дéтская консультáция; ~ centre *амер.* диспансéр.

**healthful** ['helθful] *a* 1) целéбный; 2) здорóвый.

**health-officer** ['helθˌɔfɪsə] *n* санитáрный врач.

**health-resort** ['helθrɪˈzɔːt] *n* курóрт.

**healthy** ['helθɪ] *a* 1) здорóвый; 2) полéзный для здорóвья; 3) нрáвственный (*о фúльме и т. п.*); 4) *ирон.* безопáсный (*в отриц. предложéнии*).

**heap** [hiːp] 1. *n* 1) кýча, грýда; 2) *разг.* мáсса; ýйма; 3) *pl разг.* мнóжество, мнóго; ~s of time мнóго *или* мáсса врéмени; he is ~s better емý мнóго лýчше; 4) *горн.* отвáл; ◇ struck all of a ~ сражённый, ошеломлённый; подáвленный;

2. *v* 1) нагромождáть; 2) накоплять (*чáсто* ~ up); 3) нагружáть (with); 4) осыпáть (*мúлостями, нагрáдами*; with).

**hear** [hɪə] *v* (heard) 1) слышать; 2) слýшать, внимáть; выслýшивать (*чáсто* ~ out); to ~ a course of lectures прослýшать курс лéкций; 3) услышать, узнáть (of, about — о); 4) получúть извéстие, письмó (from); 5) *юр.* слýшать (*дéло*); ◇ ~! ~! прáвильно! прáвильно! (*возглас, выражáющий соглáсие с выступáющим*); I won't ~ of it я э́того не потерплю; you will ~ about this вам за э́то попадёт.

**heard** [hɜːd] *past u p. p. om* hear.

**hearer** ['hɪərə] *n* слýшатель.

**hearing** ['hɪərɪŋ] 1. *pres. p. om* hear; 2. *n* 1) слух; out of ~ вне предéлов слышимости; within ~ в предéлах слышимости; настóлько блúзко, что мóжно услышать; in my ~ в моём присýтствии; 2) слýшание; выслýшивание; to give smb. a (fair) ~ (беспристрáстно) выслýшивать когó-л.; 3) *юр.* разбóр, слýшание дéла.

**hearing-aid** ['hɪərɪŋˌeɪd] *n* усилúтель для глухúх.

**hearken** ['hɑːkən] *v* слýшать, выслýшивать (to).

**hearsay** ['hɪəseɪ] *n* 1) слух, молвá; 2) *attr.* оснóванный на слухáх.

**hearse** [hɜːs] *n* 1) катафáлк, похорóнные дрóги; 2) *уст.* гроб; 3) *attr.:* ~ cloth (чёрный) покрóв (*на гроб*).

**heart** [hɑːt] *n* 1) сéрдце; *перен. тж.* душá; to take to ~ принимáть блúзко к сéрдцу; to lay to ~ серьёзно отнестúсь (*к совéту, упрёку*); big ~ благорóдство, великодýшие; at ~ в глубинé душú; from the bottom of one's ~ из глубины́ душú; in one's ~ (of ~s) в глубинé душú; with all one's ~ от всей душú; 2) мýжество, смéлость, отвáга; to pluck up ~ собрáться с дýхом, набрáться хрáбрости; to lose ~ пáдать дýхом; впадáть в уны́ние; отчáиваться; to take ~ мужáться; to give ~ ободрять;

3) чýвства, любóвь; to give (*или* to lose) one's ~ to smb. полюбúть когó-л.; 4) *в обращéниях:* dear ~ мúлый; мúлая; 5) сердцевúна; ядрó; ~ of cabbage head капýстная кочерыжка; ~ of oak a) сердцевúна, древесúна дýба; б) отвáжный человéк; удалéц; 6) суть, сýщность; the ~ of the matter сýщность дéла; 7) располóженные в глубинé райóны, центрáльная часть страны́; in the ~ of Africa в сéрдце Áфрики; the ~ of the country a) глубúнные райóны; б) глушь; 8) плодорóдие (*пóчвы*); out of ~ неплодорóдный [*ср. тж.* ◇]; 9) *тех.* сердéчник; 10) *pl карт.* чéрви; ◇ have a ~! *разг.* сжáльтесь!, помилосéрдствуйте!; to have smth. at ~ быть прéданным чемý-л., глубокó заинтересóванным в чём-л.; to eat one's ~ out чáхнуть от тоскú; to set one's ~ on smth. стрáстно желáть чегó-л.; стремúться к чемý-л.; with half a ~ неохóтно; ~ and hand с энтузиáзмом, с энéргией; by ~ наизýсть, на пáмять; out of ~ в уны́нии; в плохóм состоя́нии [*ср. тж.* 8)]; to have one's ~ in one's mouth (*или* throat) ≅ душá в пя́тки ушлá; быть óчень напýганным; to have one's ~ in the right place имéть хорóшие, дóбрые намéрения; to take ~ of grace собрáться с дýхом; to wear one's ~ on one's sleeve не (умéть) скрывáть свойх чувств.

**heartache** ['hɑːteɪk] *n* душéвная боль.

**heartbeat** ['hɑːtbiːt] *n* 1) пульсáция сéрдца; 2) волнéние.

**heart-breaking** ['hɑːtˌbreɪkɪŋ] *a* 1) надрывáющий сéрдце; душераздирáющий; вызывáющий печáль; 2) *разг.* скýчный, нýдный.

**heart-broken** ['hɑːtˌbroukən] *a* убúтый гóрем; с разбúтым сéрдцем.

**heartburn** ['hɑːtbɜːn] *n* изжóга.

**heart-burning** ['hɑːtˌbɜːnɪŋ] *n* недовóльство; тáйная зáвисть, рéвность.

**heart-disease** ['hɑːtdɪˈziːz] *n* болéзнь сéрдца; порóк сéрдца.

**hearten** ['hɑːtn] *v* 1) ободрять, подбодрять (*чáсто* ~ up); 2) удобрять (*зéмлю*).

**heart failure** ['hɑːtˈfeɪljə] *n мед.* 1) паралúч сéрдца; 2) порóк сéрдца.

**heartfelt** ['hɑːtfelt] *a* úскренний; прочýвствованный.

**hearth** [hɑːθ] *n* 1) домáшний очáг; 2) камúн; 3) кáменная плитá под очагóм; под пéчи; 4) *тех.* под, горн; вáнна, рабóчее прострáнство (*в отражáтельной пéчи*); тóпка.

**hearth-money** ['hɑːθˈmʌnɪ] *n ист.* налóг на очáг.

**hearth-rug** ['hɑːθrʌg] *n* кóврик перед камúном.

**hearthstone** ['hɑːθstoun] = hearth 3).

**heartily** ['hɑːtɪlɪ] *adv* 1) сердéчно, úскренне; 2) охóтно, усéрдно; to eat ~ есть с аппетúтом; 3) сúльно, óчень; I am ~ sick of it мне э́то опротúвело.

**heartiness** ['hɑːtɪnɪs] *n* 1) сердéчность, úскренность; 2) крéпость, здорóвье.

**heartless** ['hɑːtlɪs] *a* бессердéчный, безжáлостный.

**heart-rending** ['hɑːtˌrendɪŋ] *a* душераздирáющий; тяжёлый, гóрестный.

**heartsease** [ˈhɑːtsiːz] *n* бот. анютины глазки.

**heart-service** [ˈhɑːt,səːvɪs] *n* искренняя преданность [*ср.* eye-service 2)].

**heartshake** [ˈhɑːtʃeɪk] *n лес.* радиальная трещина (*в дереве*).

**heartsick** [ˈhɑːtsɪk] *a* павший духом, удручённый.

**heart-to-heart** [ˈhɑːtəˈhɑːt] *a* интимный, сердечный; ~ conversation разговор по душам.

**heart-whole** [ˈhɑːthoul] *a* 1) искренний; 2) свободный от привязанностей.

**hearty** [ˈhɑːtɪ] **1.** *a* 1) сердечный, искренний; дружеский; 2) крепкий, здоровый, энергичный; 3) обильный (*о еде*). **2.** *n* 1) крепкий парень; *особ.* моряк; 2) *унив. разг.* студент, занимающийся спортом.

**heat** [hiːt] **1.** *n* 1) жара; жар; 2) *физ.* теплота; specific ~ удельная теплоёмкость; 3) пыл, раздражение, гнев; 4) что-л., сделанное за один раз, в один раз, в один приём; *особ. спорт.* часть состязания; забег; заплыв; заезд (*на бегах*); at a ~ за один раз; 5) *амер. разг.* допрос с пристрастием; to put the ~ on smb. припереть кого-л. к стенке; 6) *амер. разг.* принуждение; 7) период течки (*у животных*); **2.** *v* 1) нагревать(ся); разогревать; подогревать (*часто* ~ up); согревать(ся); 2) накаливать, накаляться; 3) топить; 4) разгорячить; горячить; раздражать.

**heat capacity** [ˈhiːtəˈpæsɪtɪ] *n физ.* теплоёмкость.

**heated** [ˈhiːtɪd] **1.** *p. p. от* heat 2; **2.** *a* 1) нагретый; подогретый; 2) разгорячённый; возбуждённый; ~ with dispute в пылу спора; 3) горячий, пылкий; a ~ discussion горячий спор.

**heatedly** [ˈhiːtɪdlɪ] *adv* возбуждённо, гневно.

**heat-engine** [ˈhiːt,endʒɪn] *n* тепловой двигатель.

**heater** [ˈhiːtə] *n* нагревательный прибор; грелка; радиатор; калорифер; кипятильник; печь.

**heath** [hiːθ] *n* 1) степь, пустошь, поросшая вереском; 2) вереск.

**heath-bell** [ˈhiːθbel] *n* цветок вереска.

**heath-berry** [ˈhiːθberɪ] *n* черника, клюква и другие ягоды, растущие среди вереска.

**heath-cock** [ˈhiːθkɔk] *n* тетерев-косач.

**heathen** [ˈhiːðən] **1.** *n* язычник; **2.** *a* языческий.

**heathendom** [ˈhiːðəndəm] *n* язычество, языческий мир.

**heathenish** [ˈhiːðənɪʃ] *a* 1) языческий; 2) варварский; грубый, жестокий.

**heathenism** [ˈhiːðənɪzəm] *n* 1) язычество; 2) варварство.

**heather** [ˈheðə] *n* вереск; ◇ ~ mixture пёстрая шерстяная ткань.

**heathery** [ˈheðərɪ] *a* поросший, изобилующий вереском.

**heath-hen** [ˈhiːθhen] *n* тетёрка.

**heathy** [ˈhiːθɪ] *a* 1) вересковый; 2) = heathery.

**heating** [ˈhiːtɪŋ] **1.** *pres. p. от* heat 2; **2.** *n* 1) нагревание; подогревание; продолжительность нагрева; 2) отопление; 3) накаливание; 4) *радио* накал; **3.** *a* 1) горячительный; 2) отопительный; согревающий.

**heating plant** [ˈhiːtɪŋˈplɑːnt] *n* отопительная система.

**heating value** [ˈhiːtɪŋˈvæljuː] *n* теплотворная способность.

**heat-lightning** [ˈhiːtˈlaɪtnɪŋ] *n* зарница.

**heatproof** [ˈhiːtpruːf] *a* теплостойкий.

**heat-prostration** [ˈhiːtprɔsˈtreɪʃən] *n* тепловой удар.

**heat-resistant** [ˈhiːtrɪˈzɪstənt] = heatproof.

**heat-resisting** [ˈhiːtrɪˈzɪstɪŋ] = heatproof.

**heat-spot** [ˈhiːtspɔt] *n* 1) веснушка; 2) прыщик.

**heat-stroke** [ˈhiːtstrouk] *n* тепловой удар.

**heat-treat** [ˈhiːtˌtriːt] *v* 1) пастеризовать (*молоко и т. п.*); 2) *тех.* подвергать термической обработке.

**heat treatment** [ˈhiːtˌtriːtmənt] *n тех.* термическая обработка.

**heat-wave** [ˈhiːtweɪv] *n* 1) *физ.* тепловая волна; 2) полоса, период сильной жары.

**heave** [hiːv] **1.** *n* 1) подъём; 2) волнение (*моря*); 3) рвота; 4) *геол.* горизонтальное смещение, сдвиг; вздувание *или* вспучивание (*почвы*); 5) *pl* запал (*у лошадей*); 6) *вет.* потуги; **2.** *v* (hove, heaved [-d]) 1) поднимать, перемещать (*тяжести*); to ~ coal грузить уголь; 2) вздыматься; подниматься и опускаться (*о волнах*; *о груди*); 3) издавать (*звук*); to ~ a sigh (a groan) тяжело вздохнуть (простонать); 4) делать усилия, напрягаться; тужиться (*при рвоте*); 5) поднимать, тянуть (*якорь, канат*); ~ hol *мор.* разом!, дружно!, взяли!; 6) повора̀чивать(ся); идти (*о судне*); ~ ahead продвинуть(ся) вперёд; to ~ astern податься назад (*о судне*); the ship hove out of the harbour судно вышло из гавани; ◇ to ~ in sight показаться на горизонте; ◇ to ~ to *мор.* лечь в дрейф; остановить (*судно*).

**heaven** [ˈhevn] *n* небо, небеса; ◇ the seventh ~ верх блаженства; in the seventh ~ на седьмом небе; ~ forbid! боже упаси!; by ~! ей-богу!; good ~s боже мой!; о боже! **heavenly** [ˈhevnlɪ] *a* 1) небесный; ~ body небесное светило; 2) божественный, небесный; 3) *разг.* восхитительный.

**heaver** [ˈhiːvə] *n* 1) грузчик; 2) *тех.* вага, рычаг; 3) *мор.* драёк.

**heavily** [ˈhevɪlɪ] *adv* 1) тяжело; 2) сильно; to be punished ~ понести суровое наказание; 3) тягостно, тяжело.

**heaviness** [ˈhevɪnɪs] *n* 1) тяжесть; 2) неуклюжесть; 3) инертность; 4) депрессия; горе.

**heavy** [ˈhevɪ] **1.** *a* 1) тяжёлый; ~ armament тяжёлое вооружение; ~ casualties *воен.* большие потери; 2) обильный, буйный (*о растительности*); ~ crop обильный, хороший урожай; ~ foliage густая листва; ~ layer *горн.* мощный слой; 3) тяжёлый;

трýдный; ~ work тяжёлая, трýдная рабóта; 4) серьёзный, опáсный; ~ wound тяжёлое ранéние; 5) *служит для усиления*: ~ eater тот, кто лю́бит хорошó пое́сть; обжóра; ~ smoker завзя́тый кури́льщик; 6) си́льный (*о буре, дожде, росе и т. п.*); густóй (*о тумане*); 7) тяжёлый, мрáчный; печáльный; with a ~ heart с тяжёлым сéрдцем; ~ news печáльные извéстия; ~ villain мрáчный злодéй; 8) покры́тый тýчами, мрáчный (*о небе*); 9) бýрный (*о море*); 10) тóлстый (*о материи, броне и т. п.*); 11) плóхо подня́вшийся (*о тесте*); плóхо пропечённый (*о хлебе и т. п.*); ~ bread сырóй хлеб; 12) высóкий (*о цене*); 13) тяжеловáтый; неуклю́жий; 14) плóхо соображáющий, тупóй; скýчный; 15) сóнный, осовéлый; 16) *театр.* мрáчный; резонёрствующий; ~ father брюзгли́вый, приди́рчивый отéц; 17) *хим.* слаболетýчий; ◇ to have a ~ hand а) быть неуклю́жим; б) быть стрóгим; to be ~ on hand быть скýчным (*в разговоре и т. п.*); ~ swell вáжная персóна;

2. *adv редк.* = heavily; time hangs ~ врéмя тя́нется мéдленно, скýчно;

3. *n pl* 1) (the hevies) тяжёлые орýдия, тяжёлая артиллéрия; тяжёлые бомбарди́рóвщики; 2) (the Heavies) гвардéйские драгýны.

**heavy-duty** ['hevɪ'djuːtɪ] *a тех.* тяжёлого ти́па, для тяжёлой рабóты; высокомóщный.

**heavy-handed** ['hevɪ'hændɪd] *a* 1) нелóвкий; неуклю́жий; 2) жестóкий, деспоти́ческий.

**heavy-hearted** ['hevɪ'hɑːtɪd] *a* печáльный, уны́лый.

**heavy-laden** ['hevɪ'leɪdn] *a* тяжелó нагружённый.

**heavy water** ['hevɪ'wɔːtə] *n хим.* тяжёлая водá.

**heavy-weight** ['hevɪweɪt] *n спорт.* тяжеловéс.

**hebdomad** ['hebdɔməd] *n* 1) недéля; 2) что-л., состоя́щее из семи предмéтов.

**hebdomadal** [heb'dɔmədl] *a* еженедéльный.

**Hebe** ['hiːbɪ] *n* 1) *миф.* Гéба; 2) *разг.* кéльнерша, дéвушка в бáре.

**hebetate** ['hebɪteɪt] 1. *a* тупóй;

2. *v* притупля́ть(ся).

**hebetude** ['hebɪtjuːd] *n* тупоýмие.

**Hebraic** [hiː'breɪɪk] *a* древнееврéйский.

**Hebrew** ['hiːbruː] 1. *n* 1) еврéй, иудéй; 2) древнееврéйский язы́к;

2. *a* (древне)еврéйский.

**Hecate** ['hekətɪ] *n миф.* Гекáта.

**hecatomb** ['hekətoum] *n* гекатóмба.

**heck** I [hek] *n* щекóлда.

**heck** II [hek] *n, int эвф. вместо* hell.

**heckle** ['hekl] 1. *v* 1) = hackle II, 1;

2. *v* 1) = hackle II, 2; 2) прерывáть орáтора крити́ческими замечáниями, вы́криками, вопрóсами.

**hectare** ['hektɑː] *n* гектáр.

**hectic** ['hektɪk] 1. *a* 1) чахóточный; 2) *разг.* возбуждённый, лихорáдочный;

2. *n* 1) чахóточный больнóй; 2) чахóточный румя́нец.

**hectogram(me)** ['hektougræm] *n* гектогрáмм.

**hectograph** ['hektougrɑːf] *n* гектóграф.

**hector** ['hektə] 1. *n* задира; грубия́н; хулигáн;

2. *v* задирáть; застрáщивать; груби́ть, оскорбля́ть; хулигáнить.

**hectowatt** ['hektə‚wɔt] *n эл.* гектовáтт.

**heddle** ['hedl] *n текст.* гáлево.

**hedge** [hedʒ] 1. *n* 1) (живáя) и́згородь; огрáда; dead ~ плетéнь; 2) преграда. препя́тствие;

2. *v* 1) огорáживать и́згородью (*часто* ~ off, ~ in); 2) ограни́чивать, свя́зывать; мешáть, препя́тствовать; окружáть (*трудностями и т. п.*); 3) окружáть (*любовью, вниманием; тж.* ~ round; with); 4) огражáть, страховáть себя́ от возмóжных потéрь, *напр.*, стáвить одноврéменно на двух лошадéй на бегáх; 5) уклоня́ться, юли́ть; уви́ливать от прямóго отвéта, оставля́ть лазéйку.

**hedge-bill** ['hedʒbɪl] = hedging-bill.

**hedgehog** ['hedʒhɔg] *n* 1) ёж; *амер. тж.* дикобрáз; 2) неужи́вчивый человéк; 3) *бот.* колю́чая семеннáя корóбочка; 4) землечерпáлка; 5) *воен.* укреплённый пункт; ёж; 6) *мор.* орýдие прóтив подвóдных лóдок.

**hedge-hop** ['hedʒhɔp] *v ав. разг.* летáть на брéющем полёте.

**hedge-hopper** ['hedʒ‚hɔpə] *n ав. разг.* штурмови́к.

**hedge hopping** ['hedʒ'hɔpɪŋ] *n ав. разг.* брéющий полёт.

**hedge-marriage** ['hedʒ'mærɪdʒ] *n* тáйный брак.

**hedge-school** ['hedʒskuːl] *n* 1) ни́зшая шкóла для бедняков (*особ. в Ирландии*); 2) шкóла на откры́том вóздухе.

**hedge-sparrow** ['hedʒ'spærou] *n* завирýшка (*певчая птица*).

**hedge-writer** ['hedʒ'raɪtə] *n* писáка; литератýрный подёнщик.

**hedging-bill** ['hedʒɪŋbɪl] *n* садóвый нож.

**hedonism** ['hiːdənɪzəm] *n* гедони́зм.

**heebie** ['hiːbɪ] *n амер. sl.* нéрвное возбуждéние; при́ступ раздражéния.

**heed** [hiːd] 1. *n* внимáние, осторóжность; to give (*или* to pay) ~ to smth., smb. обращáть внимáние на что-л., когó-л.; to take no ~ of danger (of what is said) не обращáть внимáния на опáсность (на то, что говоря́т);

2. *v* обращáть внимáние; внимáтельно слéдить (*за чем-л.*).

**heedful** ['hiːdful] *a* внимáтельный, забóтливый.

**heedless** ['hiːdlɪs] *a* невнимáтельный, небрéжный; необдýманный.

**hee-haw** ['hiː'hɔː] 1. *n* 1) крик ослá; 2) грóмкий хóхот;

2. *v* 1) кричáть (*об осле*); 2) грóмко хохотáть, «ржать».

**heel** I [hiːl] 1. *n* 1) пя́тка; пятá; the iron ~ желéзная пятá, и́го; at ~, at (*или* on, upon) smb.'s ~s по пятáм, слéдом за кем-л.; 2) пя́тка (*чулка или носка*); 3) каблýк; down at ~(s), down at the ~ а) со стóптанными каблукáми; б) бéдно *или* неря́ш-

ливо одётый; в) жа́лкий; out at ~s а) с про́-
дранными пя́тками; б) бе́дно одётый; нуж-
да́ющийся, бе́дный; 4) за́дний шип под-
ко́вы; 5) шпо́ра (петуха́); 6) оста́ток (чего-л.—ко́рка сы́ра, хле́ба и т. п.); 7) разг.
обма́нщик; подле́ц, мерза́вец; to feel like ~
чу́вствовать себя́ подлецо́м; 8) грань,
верши́на, ребро́; 9) стр. ни́жняя часть
сто́йки или стропи́льной ноги́; ◇ ~s over
head вверх нога́ми, вверх торма́шками; ~
of Achilles ахилле́сова пята́; to clap (или
to lay) by the ~s арестова́ть, посади́ть
в тюрьму́; to bring to ~ подчини́ть; заста́-
вить повинова́ться; to come to ~ подчи-
ни́ться; to show a clean pair of ~s, to take
to one's ~s удира́ть, улепётывать (так,
что пя́тки засверка́ли); to cool (или to
kick) one's ~s (зря) дожида́ться; to turn
up one's ~s «протяну́ть но́ги», умере́ть;
    2. v 1) прибива́ть каблуки́; 2) присту́-
кивать каблука́ми (в танце); 3) бить каблу-
ко́м; 4) сле́довать по пята́м; 5) амер. разг.
снабжа́ть.

**heel** II [hi:l] мор. 1. n крен;
    2. v крени́ть(ся); килева́ть, кренго-
ва́ть.

**heel-and-toe** ['hi:lən'tou] а: ~ walk спор-
ти́вная ходьба́; ~ speedster спорт. скоро-
хо́д, ходо́к.

**heeled** I [hi:ld] 1. p. p. от heel I, 2;
    2. а 1) подко́ванный; перен. во всеору́-
жии; 2) снабжённый деньга́ми.

**heeled** II [hi:ld] p. p. от heel II, 2.

**heeler** ['hi:lə] n 1) поса́дчик каблука́;
2) амер. прихлеба́тель полити́ческого де́я-
теля; клевре́т; 3) sl. доно́счик, преда́тель;
4) sl. вор.

**heeling** I ['hi:lɪŋ] 1. pres. p. от heel II, 2;
2. n мор. крен.

**heeling** II ['hi:lɪŋ] pres. p. от heel I, 2.

**heel-piece** ['hi:lpi:s] 1. n 1) каблу́к;
2) набо́йка на каблуке́; 3) коне́ц, концо́в-
ка;
    2. v подбива́ть набо́йки.

**heeltap** ['hi:ltæp] n 1) набо́йка на каб-
луке́; 2) недопи́тый стака́н.

**heel tendon** ['hi:l'tendən] n анат. ахил-
ле́сово сухожи́лие.

**heft** [heft] амер. 1. n 1) вес, тя́жесть; 2)
бо́льшая часть;
    2. v определя́ть вес (вещи, приподнима́я
её); взве́шивать.

**hefty** ['heftɪ] а 1) дю́жий, здорове́нный;
2) амер. тяжёлый.

**Hegelian** [hei'gi:ljən] 1. а гегельянский;
2. n гегелья́нец.

**hegemonic** [ˌhegɪ'mɔnɪk] а руководя́щий,
первенству́ющий.

**hegemony** [hi:'geməni] n гегемо́ния; the
~ of the proletariat гегемо́ния пролета-
риа́та.

**heifer** ['hefə] n тёлка; не́тель.

**heigh** [hei] int восклица́ние, выража́ющее
о́клик, вопро́с, поощре́ние.

**heigh-ho** ['hei'hou] int восклица́ние, вы-
ража́ющее доса́ду, ску́ку и т. п.

**height** [hait] n 1) высота́, вышина́; рост;
to rise to a great ~ подня́ться на большу́ю
высоту́; 2) возвы́шенность, холм; 3) сте́-

пень; 4) верх, вы́сшая сте́пень (чего-л.);
высо́ты (зна́ний и т. п.); in the ~ of smth.
в разга́ре чего-л.; expectation was at its ~
ожида́ние дости́гло кра́йнего преде́ла.

**heighten** ['haitn] v 1) повыша́ть(ся);
уси́ливать(ся); 2) преувели́чивать.

**height-indicator** ['hait'ɪndɪkeitə] n вы-
сотоме́р.

**heinous** ['heinəs] а отврати́тельный; ужа́с-
ный.

**heir** [ɛə] n насле́дник; ~ apparent бес-
спо́рный насле́дник; престолонасле́дник; ~
presumptive предполага́емый насле́дник.

**heir-at-law** ['ɛərət'lɔ:] n насле́дник по
зако́ну.

**heirdom** ['ɛədəm] n насле́дование.

**heiress** ['ɛərɪs] n насле́дница.

**heirloom** ['ɛəlu:m] n 1) насле́дственная,
фами́льная вещь; 2) фами́льная черта́;
насле́дие.

**held** [held] past и p. p. от hold I, 2.

**heliacal** [hi:'laiəkəl] а астр. 1) со́лнеч-
ный; 2) совпада́ющий с восхо́дом или
захо́дом со́лнца.

**helical** ['helikl] а 1) спира́льный; 2) тех.
винтово́й, геликоида́льный.

**helices** ['helisi:z] pl от helix.

**Helicon** ['helikən] n миф. Гелико́н, оби́-
тель муз.

**helicopter** ['helikɔptə] n ав. геликопте́р,
вертолёт.

**helio-** ['hi:liou-] в сложных слова́х гелио-;
напр.: helioscope гелиоско́п.

**heliocentric** [ˌhi:liou'sentrik] а гелиоцент-
ри́ческий.

**heliochromy** ['hi:liouˌkroumi] n гелиохро́-
мия, фотогра́фия в есте́ственных кра́сках.

**heliograph** ['hi:liougrɑ:f] n гелио́граф.

**heliogravure** ['hi:liougrə'vjuə] n гелио-
гравю́ра.

**heliophilous** [ˌhi:li'ɔfiləs] а светолюби́вый
(о растении).

**heliophobic** [ˌhi:liou'foubik] а светобоя́з-
ли́вый (о растении).

**helioscope** ['hi:liəskoup] n гелиоско́п.

**heliotherapy** ['hi:liou'θerəpi] n лече́ние
со́лнечными луча́ми.

**heliotrope** ['heljətroup] n бот. гелио-
тро́п.

**heliotropic** ['hi:ljətrɔpik] а бот. гелио-
тропи́ческий.

**helium** ['hi:ljəm] n хим. ге́лий.

**helix** ['hi:liks] n (pl helices) 1) спира́ль,
спира́льная ли́ния, винтова́я ли́ния;
2) анат. завито́к ушно́й ра́ковины; 3) тех.
винт; 4) зоол. ули́тка; 5) архит. волю́та
завито́к.

**hell** [hel] n 1) ад; 2) иго́рный дом, при-
то́н; 3) «дом» (в не́которых игра́х); ◇ а ~
of a way черто́вски далеко́; а ~ of a noise
а́дский шум; go to ~! пошёл к чёрту!
like ~ разг. си́льно; стреми́тельно; изо
всех сил; to ride ~ for leather нести́сь во
весь опо́р; there will be ~ to pay ≅ хлопо́т
не оберёшься; to give smb. ~ руга́ть кого́-л.
на чём свет стои́т; вспять кому́-л. по пе́р-
вое число́; come ~ or high water ≅ что бы
то ни́ было, что бы ни случи́лось.

**he'll** [hi:l] сокр. разг. = he will.

**hell-bent** ['hel'bent] *a амер. разг.* одержи́мый (*чем-л.*); добива́ющийся любо́й цено́й (on — *чего-л.*).

**hell-cat** ['helkæt] *n* ве́дьма, меге́ра.

**hellebore** ['helɪbɔ:] *n бот.* 1) моро́зник; 2) чемери́ца.

**Hellene** ['heli:n] *n* э́ллин; грек.

**Hellenic** [he'li:nɪk] 1. *a* э́ллинский; гре́ческий;
2. *n* 1) гре́ческий язы́к; 2) *pl* труды́ по гре́ческой филоло́гии.

**Hellenism** ['helɪnɪzəm] *n* эллини́зм; древнегре́ческая культу́ра.

**Hellenist** ['helɪnɪst] *n* эллини́ст (*специалист по древнегреческому языку и культуре*).

**heller** ['helə] *n* ге́ллер (*мелкая монета Чехословакии*).

**hell-hound** ['helhaund] *n* 1) це́рбер; 2) дья́вол; и́зверг.

**hellion** ['heljən] *n амер. разг.* 1) беспоко́йный челове́к; 2) непослу́шный, шаловли́вый ребёнок, баловни́к.

**hellish** ['helɪʃ] *a* 1) а́дский; 2) бесчелове́чный; зло́бный; 3) проти́вный.

**hello** ['he'lou] = hallo(a).

**hello girl** [hə'lou,gə:l] *n амер. разг.* телефони́стка.

**helluva** ['helʌvə] *a амер. разг.* черто́вский, а́дский.

**helm** I [helm] 1. *n* 1) руль; кормѝло; власть, управле́ние; ~ of state кормѝло правле́ния; 2) рулево́е колесо́; штурва́л, ру́мпель; the man at the ~ рулево́й; ко́рмчий; to answer the ~ слу́шаться руля́;
2. *v* направля́ть, вести́.

**helm** II [helm] *n* 1) *уст.* шлем; 2) *хим.* шлем рето́рты.

**helmet** ['helmɪt] *n* 1) шлем, ка́ска; 2) тропи́ческий шлем; 3) *тех.* колпа́к; бу́гель; ве́рхняя часть рето́рты.

**helminth** ['helmɪnθ] *n* глист, кише́чный червь.

**helminthic** [hel'mɪnθɪk] 1. *a* относя́щийся к глиста́м;
2. *n* глистого́нное сре́дство.

**helmsman** ['helmzmən] *n* рулево́й; ко́рмчий.

**helot** ['helət] *n др.-греч.* ило́т, раб.

**help** [help] 1. *n* 1) по́мощь; 2) сре́дство, спасе́ние; there's no ~ for it э́тому нельзя́ помо́чь; 3) помо́щник; 4) = helping 2, 2); 5) рабо́тник; прислу́га; mother's ~ бо́нна.
2. *v* 1) помога́ть; ока́зывать по́мощь, соде́йствие; it can't be ~ed *разг.* ничего́ не поде́лаешь, ничего́ не попи́шешь; can't ~ it ничего́ не могу́ поде́лать; 2) раздава́ть, угоща́ть; передава́ть (*за столом*); ~ yourself бери́те, пожа́луйста (са́ми), не церемо́ньтесь; may I ~ you to some meat? позво́льте вам предложи́ть мя́са?; 3): she can't ~ thinking of it она́ не мо́жет не ду́мать об э́том; I could not ~ laughing я не мог удержа́ться от сме́ха; не мог не смея́ться; don't be longer than you can ~ не остава́йтесь до́льше, чем на́до; □ ~ down помо́чь сойти́; ~ in помо́чь войти́; ~ into a) помо́чь войти́; б) помо́чь наде́ть, пода́ть; ~ off a) помо́чь снять *что-л.* (*об одежде*);

б) помо́чь отде́латься от; ~ on a) помога́ть; продвига́ть (*дело*); б): ~ me on with my overcoat помоги́те мне наде́ть пальто́; ~ out a) помо́чь вы́йти; б) помо́чь в затрудне́нии, вы́ручить; ~ up помо́чь встать, подня́ться.

**helper** ['helpə] *n* 1) помо́щник; 2) подру́чный; 3) молотобо́ец; 4) *ж.-д.* вспомога́тельный парово́з.

**helpful** ['helpful] *a* поле́зный.

**helping** ['helpɪŋ] 1. *pres. p. от* help 2;
2. *n* 1) по́мощь; 2) по́рция.

**helpless** ['helplɪs] *a* беспо́мощный.

**helpmate** ['helpmeɪt] *n* 1) помо́щник, това́рищ; подру́га; 2) муж, супру́г; жена́, супру́га.

**helpmeet** ['helpmi:t] = helpmate.

**helter-skelter** ['heltə'skeltə] 1. *n* сумато́ха, беспоря́док;
2. *adv* беспоря́дочно, как попа́ло.

**helve** [helv] *n* 1) черено́к; ру́чка, рукоя́ть; 2) = helve-hammer; ◇ to throw the ~ after the hatchet рискова́ть после́дним; употреблять в безнадёжном де́ле.

**helve-hammer** ['helv'hæmə] *n* мо́лот с прямы́м уда́ром.

**Helvetian** [hel'vi:ʃjən] 1. *a* швейца́рский;
2. *n* швейца́рец; швейца́рка.

**Helvetic** [hel'vetɪk] *a* швейца́рский.

**hem** I [hem] 1. *n* 1) рубе́ц (*на платке и т. п.*); кайма́; кро́мка; 2) *архит.* выступа́ющее ребро́ на волю́те иони́ческой капите́ли;
2. *v* 1) подруба́ть; 2) окаймля́ть, окружа́ть; ограни́чивать.

**hem** II [hem] 1. *int* гм!;
2. *v* произноси́ть «гм», пока́шливать, запина́ться; to ~ and haw = to hum and ha(w) [*см.* hum I, 2, 2)].

**he-man** ['hi:'mæn] *n разг.* настоя́щий мужчи́на.

**hematic** [hɪ'mætɪk] = haematic.

**hematite** ['hemətaɪt] = haematite.

**hemisphere** ['hemɪsfɪə] *n* полуша́рие; the Northern ~ се́верное полуша́рие.

**hemispheric(al)** [,hemɪ'sferɪk(əl)] *a* полусфери́ческий.

**hemistich** ['hemɪstɪk] *n* полусти́шие.

**hemlock** ['hemlɔk] *n* 1) *бот.* болиго́лов (кра́пчатый); 2) нарко́тик *или* яд из болиго́ва; 3) тсу́га (*американское хвойное дерево*).

**hemoglobin** [,hi:mou'gloubɪn] = haemoglobin.

**hemorrhage** ['hemərɪdʒ] = haemorrhage.

**hemorrhoids** ['hemərɔɪdz] = haemorroids.

**hemp** [hemp] *n* 1) коно́пля, пенька́; 2) *шутл.* верёвка, пе́тля; 3) инди́йская коно́пля; гаши́ш; 4) *attr.* конопля́ный; ~ oil конопля́ное ма́сло.

**hempen** ['hempən] *a* пенько́вый.

**hem-stitch** ['hemstɪʃ] 1. *n* ажу́рная стро́чка;
2. *v* де́лать ажу́рную стро́чку.

**hen** [hen] *n* 1) ку́рица; 2) *шутл.* же́нщина; ~ with one chicken хлопоту́нья.

**-hen** [-hen] *в сложных словах означает* самку птицы; напр.: pea-hen па́ва.

**henbane** ['henbeɪn] *n бот.* белена́ (чёрная).

**hence** [hens] **1.** *adv* 1) отсюда; 2) с этих пор; three years ~ через три года, три года спустя; 3) следовательно; ◇ to go ~ умереть; **2.** *int* прочь!, вон!

**henceforth** ['hens'fɔːθ] *adv* с этого времени, впредь.

**henceforward** ['hens'fɔːwəd] = henceforth.

**henchman** ['hentʃmən] *n* 1) *ист.* оруженосец; паж; 2) приверженец; 3) креатура; прихвостень; приспешник.

**hen-coop** ['henkuːp] *n* клетка для кур.

**hendecagon** [hen'dekəgən] *n геом.* одиннадцатиугольник.

**hen-harrier** ['hen'hærɪə] *n* лунь *(птица)*.

**hen-hearted** ['hen,hɑːtɪd] *a* трусливый, малодушный.

**henna** ['henə] **1.** *n* 1) *бот.* хна, хённа; 2) хна *(краска)*; **2.** *v* красить волосы хной.

**hen-party** ['hen,pɑːtɪ] *n шутл.* женское общество, женская компания.

**henpecked** ['hen,pekt] *a* (находящийся) под башмаком у жены.

**hen-roost** ['henruːst] *n* насест.

**henry** ['henrɪ] *n эл.* генри *(единица самоиндукции)*.

**hepatic** [hɪ'pætɪk] *a* 1) *мед.* печёночный; 2) полезный для печени; 3) красновато-коричневый.

**hepatite** ['hepətaɪt] *n мин.* гепатит.

**hepatitis** [,hepə'taɪtɪs] *n мед.* гепатит, воспаление печени.

**heptagon** ['heptəgən] *n* семиугольник.

**heptane** ['hepteɪn] *n хим.* гептан.

**heptarchy** ['heptɑːkɪ] *n* 1) *ист.* союз семи королевств англов и саксов; 2) гептархия, правление, осуществляемое семью лицами; страна, управляемая семью лицами.

**Heptateuch** ['heptətjuːk] *n рел.* первые семь книг Ветхого завета.

**her** I [hə:] *pron. pers. косв. падеж от* she.

**her** II [hə:] *pron. poss. (употр. атрибутивно; ср.* hers) её; свой; принадлежащий ей; ~ book её книга.

**herald** ['herəld] **1.** *n* 1) *ист.* герольд; 2) вестник; ◇ Heralds' College геральдическая палата; **2.** *v* 1) возвещать, объявлять; 2) предвещать.

**heraldic** [he'rældɪk] *a* геральдический.

**heraldry** ['herəldrɪ] *n* геральдика, гербоведение.

**herb** [hə:b] *n* трава, растение *(особ. лекарственное)*.

**herbaceous** [hə:'beɪʃəs] *a* травяной; травянистый; ~ border цветочный бордюр.

**herbage** ['hə:bɪdʒ] *n* 1) *собир.* травы; травяной покров; 2) *юр.* право пастбища.

**herbal** ['hə:bəl] **1.** *a* травяной; **2.** *n* травник *(книга)*.

**herbalist** ['hə:bəlɪst] *n* 1) специалист по травам; 2) торговец лечебными травами.

**herbaria** [hə:'beərɪə] *pl от* herbarium.

**herbarium** [hə:'beərɪəm] *n (pl* -riums [-rɪəmz], -ria) гербарий.

**herbicide** ['hə:bɪsaɪd] *n с.-х.* гербицид *(препарат для уничтожения сорняков)*.

**herbivorous** [hə:'bɪvərəs] *a* травоядный.

**herborize** ['hə:bəraɪz] *v* ботанизировать.

**Herculean** [,hə:kju'liːən] *a* 1) геркулесовский; исполинский; 2) очень трудный *или* опасный.

**Hercules** ['hə:kjuliːz] *n* 1) *миф.* Геркулес; 2) геркулес, силач.

**herd** [hə:d] **1.** *n* 1) стадо; гурт; 2) пастух; 3) *attr.* стадный; the ~ instinct стадное чувство; **2.** *v* 1) ходить стадом; толпиться; 2) пасти.

**herdsman** ['hə:dzmən] *n* пастух.

**here** [hɪə] *adv* 1) здесь, тут; ~ and there там и сям; разбросанно; ~, there and everywhere повсюду; 2) сюда; come ~ идите сюда; 3) вот; ~ is your book вот ваша книга; ~ you *(или* we) are! *разг.* вот, пожалуйста!; вот то, что вам нужно; ~ we are again! вот и мы!; ◇ neither ~ nor there не относится к делу; ни к селу ни к городу; некстати; ~'s to you, ~'s how! (за) ваше здоровье!; ~'s a go ≅ за наше здоровье; вот ~ *разг.* послушайте; same ~ я тоже; я согласен; то же могу сказать о себе; ~ goes! что ж! начнём!; пошли!, поехали!

**hereabout(s)** ['hɪərə,baut(s)] *adv* поблизости; где-то рядом.

**hereafter** [hɪər'ɑːftə] **1.** *adv* в будущем; **2.** *n* будущее, грядущее.

**hereat** [hɪər'æt] *adv уст.* при этом; при сём.

**hereby** ['hɪə'baɪ] *adv* 1) *уст.* сим, этим, настоящим; при сём; ~ I promise настоящим я обязуюсь; 2) таким образом; 3) *уст.* поблизости.

**hereditary** [hɪ'redɪtərɪ] *a* 1) наследственный; 2) традиционный *(в данной семье)*.

**heredity** [hɪ'redɪtɪ] *n* наследственность.

**herein** ['hɪər'ɪn] *adv* в этом; здесь, при сём.

**hereinafter** ['hɪərɪn'ɑːftə] *adv* ниже, в дальнейшем *(в документах)*.

**hereof** [hɪər'ɔv] *adv уст.* 1) этого, об этом; 2) отсюда, из этого.

**heresy** ['herəsɪ] *n* ересь.

**heretic** ['herətɪk] *n* еретик.

**heretical** [hɪ'retɪkəl] *a* еретический.

**hereto** ['hɪə'tuː] *adv уст.* к этому, к тому.

**heretofore** ['hɪətu'fɔː] *adv* прежде, до этого.

**hereupon** ['hɪərə'pɔn] *adv* 1) вслед за этим, после этого; 2) вследствие этого; вследствие чего.

**herewith** ['hɪə'wɪð] *adv* 1) настоящим, при сём; 2) посредством этого.

**heritable** ['herɪtəbl] *a* наследственный, наследуемый.

**heritage** ['herɪtɪdʒ] *n* наследство; наследие.

**heritor** ['herɪtə] *n* наследник.

**hermaphrodite** [hə:'mæfrədaɪt] *n* гермафродит; обоеполое существо.

**Hermes** ['hə:miːz] *n миф.* Гермес.

**hermetic** [hə:'metɪk] *a* герметический; плотно закрытый; ◇ ~ art алхимия.

**hermetically** [hə:'metɪkəlɪ] *adv* плотно, герметически.

**hermit** ['hə:mɪt] *n* отшельник, пустынник.

**hermitage** ['hə:mɪtɪdʒ] *n* хижина отшельника; уединённое жилище.

**hermit-crab** ['həːmɪt'kræb] *n* рак-отшельник.

**hern** [həːn] = heron.

**hernia** ['həːnjə] *n мед.* грыжа.

**hero** ['hɪərou] *n* (*pl* -oes [-ouz]) герой; H. of the Soviet Union Герой Советского Союза; H. of Socialist Labour Герой Социалистического Труда.

**Herod** ['herəd] *n библ.* Ирод.

**heroic** [hɪ'rouɪk] 1. *a* 1) героический, геройский; 2) высокопарный, напыщенный (*о языке*); 3): ~ verse пятистопный рифмованный ямб (*в английской поэзии*); александрийский стих (*во французской поэзии*); гекзаметр (*в греческой и латинской поэзии*); 2. *n pl* высокопарный, напыщенный язык.

**heroine** ['herouɪn] *n* героиня.

**heroism** ['herouɪzəm] *n* героизм, геройство, доблесть.

**heron** ['herən] *n* цапля.

**heronry** ['herənrɪ] *n* гнездовье цапель.

**hero-worship** ['hɪərou,wəːʃɪp] *n* культ героев.

**herpes** ['həːpiːz] *n мед.* лишай.

**herring** ['herɪŋ] *n* сельдь; red ~ копчёная сельдь; *перен.* нечто, служащее для отвлечения внимания; to draw a red ~ across the path сбить со следа; отвлечь внимание.

**herring-bone** ['herɪŋboun] 1. *n* 1) кладка кирпича «в ёлку»; 2) вышивка «ёлочкой» *и т. п.*; 2. *a* имеющий вид колоса, шеврона; «в ёлочку».

**herring-pond** ['herɪŋpɔnd] *n шутл. название северной части Атлантического океана.*

**hers** [həːz] *pron. poss.* (абсолютная форма; *не употр.* атрибутивно; *ср.* her II) её; свой; принадлежащий ей; this book is ~ эта книга её.

**herself** [həː'self] *pron* 1) *refl.* себя, самоё себя; -сь; себе; she burnt ~ она обожглась; she came to ~ она пришла в себя; 2) *emph.* сама; she did it ~ она это сделала сама; (all) by ~ (совсем) одна; ◇ she is not ~ она сама не своя.

**hertz** [həːts] *n* герц (*единица частоты*).

**Hertzian** ['həːtsɪən] *a*: ~ waves *радио* волны Герца.

**he's** [hiːz] *сокр. разг.* = he is, he has.

**hesitant** ['hezɪtənt] *a* колеблющийся; нерешительный.

**hesitate** ['hezɪteɪt] *v* 1) колебаться; не решаться; стесняться; I ~ to affirm (я) боюсь утверждать; 2) запинаться.

**hesitatingly** ['hezɪteɪtɪŋlɪ] *adv* нерешительно.

**hesitation** [,hezɪ'teɪʃən] *n* 1) колебание; нерешительность; неохота; 2) заикание.

**hesitative** ['hezɪteɪtɪv] *a* проявляющий колебание, колеблющийся.

**Hesperian** [hes'pɪərɪən] *a поэт.* западный.

**Hesperus** ['hespərəs] *n* вечерняя звезда.

**Hessian** ['hesɪən] 1. *a* гессенский, из Гессена; ~ boots *ист.* высокие сапоги; ботфорты; 2. *n* 1) *ист.* гессенский наёмник; 2) *амер.* наёмник, продажный человек; 3) дерюга, редина.

**hest** [hest] *n уст.* приказание, повеление.

**hetaera** [hɪ'tiːrə] *n* (*pl* -rae) гетера.

**hetaerae** [hɪ'tiːriː] *pl от* hetaera.

**heterodox** ['hetərədɔks] *a* иноверный; неортодоксальный; еретический.

**heterodoxy** ['hetərədɔksɪ] *n* иноверие; ересь.

**heterodyne** ['hetərədaɪn] *радио* 1. *a* гетеродинный; 2. *v* накладывать колебания.

**heterogeneity** [,hetərouɪdʒɪ'niːtɪ] *n* разнородность.

**heterogeneous** ['hetərou'dʒiːnjəs] *a* 1) разнородный; 2) *хим.* гетерогенный.

**hew** [hjuː] *v* (hewed [-d]; hewed, hewn) 1) рубить, разрубать; to ~ one's way прорубать, прокладывать себе дорогу; 2) срубать (*часто* ~ down, ~ off); 3) высекать, вытёсывать (*часто* ~ out); to ~ out a career for oneself сделать карьеру; 4) *горн.* отбивать (*часто* ~ off).

**hewer** ['hjuːə] *n* 1) дровосек; 2) каменотёс; 3) *горн.* забойщик; 4) подёнщик; человек, выполняющий тяжёлую неприятную работу.

**hewn** [hjuːn] *p. p. от* hew.

**hexagon** ['heksəgən] *n* шестиугольник.

**hexagonal** [hek'sægənl] *a* шестиугольный.

**hexahedron** ['heksə'hedrən] *n* шестигранник.

**hexameter** [hek'sæmɪtə] *n* гекзаметр.

**hey** [heɪ] *int* эй! (*оклик; тж. выражает вопрос, радость, изумление*).

**hey-day** ['heɪdeɪ] *int* восклицание, выражающее радость, удивление.

**heyday** ['heɪdeɪ] *n* зенит, расцвет, лучшая пора; in the ~ of youth в расцвете молодости.

**H-hour** ['eɪtʃ'auə] *n воен.* час «Ч», час начала операции.

**hi** [haɪ] = hey.

**hiatus** [haɪ'eɪtəs] *n* (*pl* -ses [-sɪz]) 1) пробел, пропуск; 2) *лингв.* зияние.

**hibernal** [haɪ'bəːnl] *a* зимний.

**hibernate** ['haɪbəneɪt] *v* 1) находиться в зимней спячке (*о животных*); 2) зимовать; 3) быть в бездействии.

**hibernation** [,haɪbə'neɪʃən] *n* 1) зимняя спячка; 2) зимовка.

**Hibernian** [haɪ'bəːnjən] *поэт.* 1. *a* ирландский; 2. *n* ирландец; ирландка.

**hibiscus** [hɪ'bɪskəs] *n бот.* гибискус.

**hiccough, hiccup** ['hɪkʌp] 1. *n* икота; 2. *v* икать.

**hick** [hɪk] *n амер. разг.* провинциал, деревенщина.

**hickory** ['hɪkərɪ] *n* гикори (*род сев.-амер. орешника*).

**hid** [hɪd] *past и p. p. от* hide II, 2.

**hidalgo** [hɪ'dælgou] *исп. n* (*pl* -os [-ouz]) *ист.* гидальго.

**hidden** ['hɪdn] *p. p. от* hide II, 2.

**hide I** [haɪd] 1. *n* шкура, кожа; to save one's ~ спасать свою шкуру; 2. *v* 1) содрать шкуру; 2) выпороть, спустить шкуру.

**hide** II [haɪd] **1.** *n* 1) укры́тие; 2) скры́тый запа́с;

**2.** *v* (hid; hid, hidden) пря́тать(ся); скрыва́ть(ся); to ~ one's head пря́таться, не пока́зываться (*особ. от стыда*); скрыва́ть своё униже́ние.

**hide** III [haɪd] *и ист.* надёл земли́ для одно́й семьи́ (*120 акров*).

**hide-and-(go-)seek** ['haɪdənd(gou)'siːk] *n* (игра́ в) пря́тки.

**hidebound** ['haɪdbaund] *a* 1) си́льно исхуда́вший (*о скоте*); 2) ограни́ченный; с у́зкими взгля́дами; то́чно сле́дующий устано́вленному поря́дку.

**hideous** ['hɪdɪəs] *a* отврати́тельный, стра́шный, ужа́сный.

**hide-out** ['haɪdaut] *n разг.* укры́тие; убе́жище.

**hiding** I ['haɪdɪŋ] **1.** *pres. p. от* hide I, 2;

**2.** *n* по́рка; to give a good ~ вы́драть, отколоти́ть как сле́дует.

**hiding** II ['haɪdɪŋ] **1.** *pres. p. от* hide II, 2;

**2.** *n*: in ~ в бега́х, скрыва́ясь.

**hiding-place** ['haɪdɪŋpleɪs] *n* потаённое ме́сто, убе́жище.

**hie** [haɪ] *v поэт.* спеши́ть; торопи́ться.

**hierarchy** ['haɪərɑːkɪ] *n* 1) иера́рхия; 2) *церк.* чинонача́лие.

**hieratic** [ˌhaɪə'rætɪk] *a* иерати́ческий, свяще́нный (*особ. о древнеегипетских письме́нах*).

**hieroglyph** ['haɪərəglɪf] *n* иеро́глиф.

**hieroglyphic** [ˌhaɪərə'glɪfɪk] **1.** *a* иероглифи́ческий;

**2.** *n pl* иеро́глифы.

**higgle** ['hɪgl] *v* 1) торгова́ться; 2) торгова́ть вразно́с.

**higgledy-piggledy** ['hɪgldɪ'pɪgldɪ] **1.** *n* по́лный беспоря́док;

**2.** *a* беспоря́дочный, сумбу́рный;

**3.** *adv* как придётся, в беспоря́дке.

**higgler** ['hɪglə] *n* разно́счик; разъездно́й торго́вец.

**High** [haɪ] *амер.* = high school.

**high** [haɪ] **1.** *a* 1) высо́кий; возвы́шенный; 2) вы́сший; гла́вный; верхо́вный; ~ official вы́сший чино́вник; H. Command верхо́вное кома́ндование; H. Commissioner верхо́вный комисса́р; 3) вы́сший, лу́чший; ~ quality вы́сшее ка́чество; ~ opinion наилу́чшее мне́ние; 4) большо́й, си́льный; ~ wind си́льный ве́тер; 5) превосхо́дный, бога́тый, роско́шный; ~ feeding роско́шный стол; ~ living бога́тое житьё; 6) (находя́щийся) в са́мом разга́ре; ~ summer разга́р ле́та; ~ noon са́мый по́лдень; at ~ noon то́чно в по́лдень; 7) высо́кий, дорого́й; wheat is ~ пшени́ца дорога́; 8) весё́лый, ра́достный; ~ spirits весёлое, припо́днятое настрое́ние; to have a ~ time хорошо́ повесели́ться, хорошо́ провести́ вре́мя; 9) высо́кий, ре́зкий (*о звуке*); 10) *фон.* ве́рхний, ве́рхнего подъёма; 11) слегка́ испо́рченный, с душко́м (*о мясе*); 12) с высо́ким содержа́нием (*чего-л.*); 13) *sl.* пья́ный; ◇ ~ antiquity глубо́кая дре́вность; ~ colour румя́нец; ~ farming интенси́вное земледе́лие; широ́кое по́льзование удобре́ниями; ~ and

dry a) вы́брошенный, вы́тащенный на бе́рег (*о судне*); б) поки́нутый в беде́; в) устаре́вший; отста́вший (*от времени и т. п.*); ~ and low (лю́ди) вся́кого зва́ния [*ср. тж.* high 2 ◇]; ~ and mighty высокоме́рный, надме́нный; to mount (*или* to ride) a ~ horse, *амер.* to get ~ hat ва́жничать, вести́ себя́ высокоме́рно; ~ road a) больша́я доро́га, шоссе́; б) столбова́я доро́га, прямо́й путь (*к чему-л.*); the ~ seas откры́тое мо́ре; мо́ре за преде́лами территориа́льных вод; (it is) ~ time давно́ пора́; са́мая пора́; ~ Тогу кра́йний консерва́тор; ~ words гне́вные слова́; разгово́р в повы́шенном то́не;

**2.** *adv* 1) высо́ко; to aim ~ ме́тить высоко́; 2) си́льно, в высо́кой сте́пени; the wind blows ~ ве́тер си́льно ду́ет; 3) роско́шно; to live ~ жить в ро́скоши, жить бога́то, широко́; ◇ ~ and low повсю́ду, везде́ [*ср. тж.* high 1 ◇]; to play ~ игра́ть по большо́й; ходи́ть с кру́пной ка́рты; to run ~ a) подыма́ться, вздыма́ться (*о море*); б) возбужда́ться; passions ran ~ стра́сти разгоре́лись;

**3.** *n* 1) вы́сшая то́чка; ма́ксимум; to be in (*или* at) the ~ дости́гнуть вы́сшего у́ровня; 2) ста́ршая ка́рта, находя́щаяся на рука́х.

**highball** ['haɪbɔːl] *n амер. разг.* ви́ски с со́дой и льдом, по́данное в высо́ком стака́не.

**highbinder** ['haɪˌbaɪndə] *n амер. sl.* полити́ческий интрига́н; шантажи́ст.

**high-blown** ['haɪˌbloun] *a* 1) си́льно разду́тый; 2) напы́щенный.

**high-board diver** ['haɪbɔːd'daɪvə] *n спорт.* прыгу́н с вы́шки.

**high-board diving** ['haɪbɔːd'daɪvɪŋ] *n спорт.* прыжки́ с вы́шки.

**high-born** ['haɪbɔːn] *a* зна́тного происхожде́ния.

**highboy** ['haɪbɔɪ] *n* высо́кий комо́д.

**high-bred** ['haɪbred] *a* 1) хоро́шей поро́ды, поро́дистый; 2) хорошо́ воспи́танный.

**highbrow** ['haɪbrau] *разг.* **1.** *n* 1) челове́к, кича́щийся свое́й мни́мой учёностью; 2) далёкий от жи́зни учёный, интеллиге́нт;

**2.** *a* высокоме́рный.

**High Church** ['haɪ'tʃəːtʃ] *n* консервати́вное направле́ние в англика́нской це́ркви.

**high-coloured** ['haɪ'kʌləd] *a* 1) румя́ный, я́ркий; 2) живо́й (*об описании*); 3) преувели́ченный.

**High Court (of Justice)** ['haɪ'kɔːt (əv-'dʒʌstɪs)] *n* верхо́вный суд.

**high day** ['haɪdeɪ] *n* пра́здник, пра́здничный день.

**high explosive** ['haɪɪks'plousɪv] *n* 1) бриза́нтное взры́вчатое вещество́; 2) *attr.*: ~ bomb фуга́сная бо́мба.

**high falutin(g)** ['haɪfə'luːtɪn(-ɪŋ)] **1.** *n* напы́щенность;

**2.** *a* напы́щенный.

**high-fed** ['haɪfed] *a* 1) привы́кший к роско́шному столу́; 2) избало́ванный.

**high-fidelity** ['haɪfɪ'delɪtɪ] *n радио* высо́кая то́чность воспроизведе́ния.

**high-flier** [ˈhaɪˈflaɪə] *n* 1) честолюбец; 2) выдающийся, талантливый человек; 3) приверженец консервативного направления в англиканской церкви.

**highflown** [ˈhaɪfloun] *a* преувеличенный, напыщенный.

**highflyer** [ˈhaɪˌflaɪə] = high-flier.

**high grade** [ˈhaɪgreɪd] *n* крутой подъём.

**high-grade** [ˈhaɪgreɪd] *a* высокосортный, высокопроцентный; высококачественный; богатый (*о руде*).

**high-handed** [ˈhaɪˈhændɪd] *a* своевольный; властный, повелительный; высокомерный.

**high-handedness** [ˈhaɪˈhændɪdnɪs] *n* произвол, произвольные действия.

**high-hat** [ˈhaɪˈhæt] *n амер.* 1) важная персона; 2) заносчивый человек.

**high-hearted** [ˈhaɪˈhɑːtɪd] *a* мужественный, храбрый.

**high jumper** [ˈhaɪˌdʒʌmpə] *n спорт.* прыгун в высоту.

**highland** [ˈhaɪlənd] *n* 1) плоскогорье, нагорье; 2) *pl* горная местность; горная страна; the Highlands север и северо-запад Шотландии.

**Highlander** [ˈhaɪləndə] *n* 1) горец; 2) шотландский горец; 3) солдат шотландского полка.

**high-level** [ˈhaɪˈlevl] *a* высокопоставленный.

**high life** [ˈhaɪˈlaɪf] *n* высшее общество, высший свет; аристократия.

**high-life** [ˈhaɪˈlaɪf] *a амер.* полный жизни, жизнерадостный.

**high light** [ˈhaɪlaɪt] *n* 1) световой эффект (*в живописи, фотографии*); 2) основной момент, факт; ◇ to be in the ~ быть в центре внимания.

**highlight** [ˈhaɪlaɪt] *v* 1) ярко освещать; 2) выдвигать на первый план; придавать большое значение.

**highly** [ˈhaɪlɪ] *adv* 1) очень, весьма, чрезвычайно, сильно; 2) благоприятно; благосклонно; высоко; 3): ~ descended аристократического происхождения; ~ connected с аристократическими связями.

**high-minded** [ˈhaɪˈmaɪndɪd] *a* 1) благородный, возвышенный; великодушный; 2) гордый, надменный.

**highness** [ˈhaɪnɪs] *n* 1) высота; возвышенность; 2) высокая степень (*чего-л.*); 3) величина; 4) (H.) высочество (*титул*).

**high-performance** [ˈhaɪpəˈfɔːməns] *n тех.* высокая рабочая характеристика.

**high-pitched** [ˈhaɪˈpɪtʃt] *a* 1) высокий, пронзительный (*о звуке*); 2) высокий и крутой (*о крыше*); 3) *перен.* возвышенный.

**high-ranker** [ˈhaɪˌræŋkə] *n* высокопоставленное лицо; человек, занимающий высокий пост *или* положение.

**high-ranking** [ˈhaɪˌræŋkɪŋ] *a* высокопоставленный.

**high relief** [ˈhaɪrɪˌliːf] *n* горельеф.

**high-rolling** [ˈhaɪˌroulɪŋ] *n амер. разг.* проматывание денег, средств.

**high-scaler** [ˈhaɪˌskeɪlə] *n* верхолаз.

**high school** [ˈhaɪskuːl] *n* средняя школа.

**high-sounding** [ˈhaɪˈsaundɪŋ] *a* пышный, громкий.

**high speed** [ˈhaɪˈspiːd] *n* максимальная скорость, быстрый ход.

**high-speed** [ˈhaɪˈspiːd] *a* быстроходный, скоростной; быстрорежущий (*о стали*).

**high-spirited** [ˈhaɪˈspɪrɪtɪd] *a* 1) отважный, мужественный; 2) пылкий, горячий, резвый; 3) в хорошем настроении, весёлый.

**high-strung** [ˈhaɪˈstrʌŋ] *a* чувствительный; легко возбудимый; нервный.

**hight** [haɪt] *p. p. уст., поэт.* называемый; по имени.

**high tide** [ˈhaɪˈtaɪd] *n мор.* полная вода.

**high-toned** [ˈhaɪˈtound] *a* 1) возвышенный, с высокими чувствами, взглядами (*тж. ирон.*); 2) *амер.* модный; модничающий.

**high treason** [ˈhaɪˌtriːzn] *n* государственная измена.

**high-up** [ˈhaɪˈʌp] 1. *n* высокопоставленное лицо, крупная фигура, туз; 2. *a разг.* 1) высоко расположенный; 2) высокопоставленный.

**high water** [ˈhaɪˈwɔːtə] *n* 1) = high tide; 2) паводок; полая вода.

**high-water mark** [ˈhaɪˈwɔːtəmɑːk] *n* 1) уровень полной воды; 2) высшее достижение; высшая точка (*чего-л.*).

**highway** [ˈhaɪweɪ] *n* 1) большая дорога, большак; шоссе; 2) главный путь; торговый путь; 3) *перен.* прямой путь (*к чему-л.*); столбовая дорога.

**highway crossing** [ˈhaɪweɪˈkrɔsɪŋ] *n* переезд.

**highwayman** [ˈhaɪweɪmən] *n* разбойник (с большой дороги).

**hijacker** [ˈhaɪˌdʒækə] *n sl.* бандит, налётчик, *особ.* отнимающий у контрабандистов ром *и т. п.*

**hike** [haɪk] 1. *n* 1) длительная прогулка; экскурсия; путешествие пешком; 2) *амер. воен.* марш; 2. *v* 1) путешествовать, ходить пешком; 2) бродяжничать; 3) *амер. воен.* маршировать.

**hilarious** [hɪˈlɛərɪəs] *a* (шумно-) весёлый.

**hilarity** [hɪˈlærɪtɪ] *n* веселье, весёлость.

**Hilary** [ˈhɪlərɪ] *n* семестр, начинающийся с января (*в англ. университетах*).

**hill** [hɪl] 1. *n* 1) холм, возвышение, возвышенность; 2) куча; 2. *v* 1) насыпать кучу; 2) окучивать (*растение; часто* ~ up).

**hilling** [ˈhɪlɪŋ] 1. *pres. p. от* hill 2; 2. *n с.-х.* окучивание.

**hillock** [ˈhɪlək] *n* 1) холмик, бугор; 2) *горн.* куча породы; отвал пустой породы.

**hillside** [ˈhɪlˈsaɪd] *n* склон горы *или* холма.

**hilly** [ˈhɪlɪ] *a* холмистый.

**hilt** [hɪlt] *n* рукоятка, эфес; (up) to the ~ а) по рукоятку; б) полностью, до конца, вполне.

**him** [hɪm, ɪm] *pron. pers. косв. падеж от* he.

**himself** [hɪmˈself] *pron* 1) *refl.* себя; -ся; себе; he hurt ~ он ушибся; he came to

~ он пришёл в себя; 2) *emph.* сам; he says so ~ он сам э́то говори́т; ◇ he is not ~ он сам не свой; Richard is ~ again ≅ жив кури́лка (*говорится о ком-л., оправившемся после болезни или воспрянувшем духом*).

**hind** I [haind] *n* 1) лань; 2) са́мка оле́на.

**hind** II [haind] *n* 1) батра́к, рабо́тник на фе́рме; 2) *уст.* крестья́нин; *презр.* дереве́нщина.

**hind** III [haind] *a* за́дний; ~ leg за́дняя нога́; ~ quarters за́дняя часть (*туши*).

**hind-carriage** ['haind,kærid3] *n* прице́п.

**hinder** I ['haində] *a* за́дний.

**hinder** II ['hində] *v* 1) меша́ть, препя́тствовать; 2) быть поме́хой.

**hind-head** ['haindhed] *n* за́дняя часть головы́, заты́лок.

**Hindi** ['hin'di] 1. *a* относя́щийся к языку́ хи́нди;

2. *n* язы́к хи́нди.

**hindmost** ['haindmoust] *a* 1). са́мый за́дний; 2) са́мый отдалённый.

**Hindoo** ['hin'du:] = Hindu.

**hindrance** ['hindrəns] *n* поме́ха, препя́тствие.

**hindsight** ['haindsait] *n* 1) непредусмотри́тельность; 2) взгляд в про́шлое, ретроспекти́вный взгляд; 3) *воен.* прице́л.

**Hindu** ['hin'du:] 1. *n* инду́с;

2. *a* инду́сский.

**Hinduism** ['hindu:izəm] *n* индуи́зм.

**Hindustani** [,hindu'sta:ni] 1. *a* индоста́нский;

2. *n* 1) хиндуста́ни; 2) язы́к хиндуста́ни.

**hinge** [hind3] 1. *n* 1) пе́тля (*напр., дверна́я*); шарни́р; крюк; 2) сте́ржень, суть; кардина́льный пункт (*чего-л.*); ◇ off the ~s в беспоря́дке; в расстро́йстве;

2. *v* 1) прикрепля́ть на пе́тлях; 2) висе́ть, враща́ться на пе́тлях; 3) *перен.* враща́ться (*вокруг чего-л.*); зави́сеть (on —от).

**hinny** I ['hini] *n* зоол. лоша́к.

**hinny** II ['hini] *диал. см.* honey

**hint** [hint] 1. *n* 1) намёк; to drop (*или* to let fall) a ~ намекну́ть; to take a ~ поня́ть (намёк) с полусло́ва; 2) кра́ткий сове́т; ~s on housekeeping сове́ты по хозя́йству;

2. *v* намека́ть (at —на).

**hinterland** ['hintəlænd] *нем. n* 1) райо́ны вглубь от прибре́жной полосы́ *или* грани́цы; 2) *воен.* глубо́кий тыл; 3) райо́н, тяготе́ющий к промы́шленному це́нтру, по́рту *и т. п.*

**hintingly** ['hintiŋli] *adv* в ви́де намёка.

**hip** I [hip] *n* 1) бедро́; поясни́ца; 2) *архит.* ребро́ кры́ши; ◇ to have (*или* to get) a person on the ~ держа́ть кого́-л. в рука́х; име́ть пе́ред кем-л. преиму́щество; ~ and thigh беспоща́дно; to smite (enemy) ~ and thigh беспоща́дно бить (враго́в), разби́ть (врага́) наголову.

**hip** II [hip] *n* плод (*или* я́года) шипо́вника.

**hip** III [hip] (*сокр. от* hypochondria) *разг.* 1. *n* меланхо́лия, уны́ние;

2. *v* поверга́ть в уны́ние.

**hip** IV [hip] *int*: ~, ~, hurrah! ура́!, ура́!

**hip-bath** ['hipba:θ] *n* поясна́я ва́нна.

**hip-bone** ['hipboun] *n анат.* подвздо́шная кость.

**hippo** ['hipou] *n* (*pl* -os [-ouz]) *сокр. разг. от* hippopotamus.

**hippocampi** [,hipou'kæmpai] *pl от* hippocampus.

**hippocampus** [,hipou'kæmpəs] *n* (*pl* -pi) морско́й конёк (*рыба*).

**hippodrome** ['hipədroum] *n* 1) ипподро́м; 2) цирк, аре́на.

**hippopotami** [,hipə'potəmai] *pl от* hippopotamus.

**hippopotamus** [,hipə'potəməs] *n* (*pl* -es [-iz], -mi) гиппопота́м.

**hip-roof** ['hip'ru:f] *n* шатро́вая кры́ша, ва́льмовая кры́ша.

**hire** ['haiə] 1. *n* 1) наём; прока́т; to let out on ~ сдава́ть внаём, дава́ть напрока́т; 2) пла́та за наём;

2. *v* нанима́ть; □ ~ out сдава́ть внаём, дава́ть напрока́т.

**hireling** ['haiəliŋ] *n* 1) наёмник, найми́т; 2) наёмная ло́шадь.

**hire-purchase** ['haiə'pə:tʃəs] *n* осо́бый вид поку́пки в рассро́чку.

**hire system** ['haiə'sistim] = hire-purchase.

**hirst** [hə:st] *n геол.* нано́с песка́, песча́ная речна́я о́тмель.

**hirsute** ['hə:sju:t] *a* волоса́тый, косма́тый.

**his** [hiz,iz] *pron. poss.* его́, свой; принадлежа́щий ему́; ~ pen его́ ру́чка.

**hispid** ['hispid] *a бот., зоол.* покры́тый жёсткими волоска́ми *или* щети́нками; колю́чий.

**hiss** [his] 1. *n* шипе́ние; свист;

2. *v* 1) шипе́ть; свисте́ть; 2) осви́стывать; □ ~ off прогна́ть свистом.

**hist** [sst] *int* ти́ше!; тс!

**histiology, histology** [histi'olədʒi, his'tolədʒi] *n* гистоло́гия.

**historian** [his'tɔ:riən] *n* исто́рик.

**historic** [his'tɔrik] *a* 1) истори́ческий; име́ющий истори́ческое значе́ние; 2) *грам.*: ~ present настоя́щее вре́мя, употреблённое вме́сто проше́дшего.

**historical** [his'tɔrikəl] *a* истори́ческий; истори́чески устано́вленный; относя́щийся к исто́рии, свя́занный с исто́рией; ~ method истори́ческий ме́тод; ~ picture истори́ческая карти́на.

**historicity** [,histə'risiti] *n* истори́чность.

**historiographer** [,histɔri'ɔɡrəfə] *n* историо́граф.

**historiography** [,histɔ:ri'ɔɡrəfi] *n* историогра́фия.

**history** ['histəri] *n* 1) исто́рия; 2) *уст.* истори́ческая пье́са.

**histrionic** [,histri'ɔnik] *a* 1) сцени́ческий, актёрский; 2) театра́льно неесте́ственный; лицеме́рный; 3) *мед.*: ~ paralysis мими́ческий парали́ч, парали́ч лицево́го не́рва.

**histrionics** [,histri'ɔniks] *n pl* 1) театра́льное представле́ние, спекта́кль; 2) театра́льное иску́сство; 3) *перен.* театра́льность.

**hit** [hit] 1. *n* 1) уда́р, толчо́к; 2) попада́ние; уда́чная попы́тка; 3) сатири́ческий вы́пад, сарка́зм (at); 4) успе́х, уда́ча; the novel was a great ~ рома́н име́л большо́й успе́х;

2. *v* (hit) 1) ударя́ть (on—по); поража́ть; to ~ below the belt a) *спорт.* нанести́ уда́р

ниже пояса; б) нанести предательский удар; 2) удариться (against, upon—о, обо); 3) попадать в цель; *перен.* больно задевать, задевать за живое; to ~ a likeness уловить сходство; 4) находить (*часто* ~ on,~ off); we ~ the right road мы напали на верную дорогу; 5) *амер. разг.* достигать; 6) *тех.* работать вспышкой газа (*о двигателе*); □ ~ off а) точно изобразить немногими штрихами, словами; уловить сходство; б) импровизировать; в) напасть на (*след, мысль*); ~ out наносить сильные удары; ◊ to ~ it a) правильно угадать, попасть в точку; б) *амер.* двигаться, путешествовать с большой быстротой; to ~ it off with smb. ладить с кем-л.; to ~ the right nail on the head правильно угадать, попасть в точку; to ~ the hay отправиться на боковую; to ~ the big spots *амер. sl.* кутить; to ~ the deck *ав. sl.* а) приземлиться; б) упасть на землю; to ~ the drink *ав. sl.* а) сесть на воду; б) упасть в море; ~ or miss наугад, наудачу; кое-как.

**hitch** [hɪʧ] **1.** *n* 1) толчок, рывок; 2)зацепка; задержка; помеха, препятствие; 3) остановка (*работающего механизма*); 4) *мор.* петля; узел; строп; 5) *геол.* незначительное нарушение пласта *или* жилы без разрыва сплошности, уступ; **2.** *v* 1) подвигать толчками, подталкивать; подтягивать (*часто* ~ up; to); 2) зацеплять(ся), прицеплять(ся) (on, to); сцеплять, скреплять; 3) привязывать, запрягать (*лошадь*); 4) прихрамывать, ковылять; 5) *амер. sl.* жениться.

**hitched** [hɪʧt] **1.** *p. p. om* hitch 2; **2.** *a амер. sl.* женатый; замужняя.

**hitch-hike** [ˈhɪʧhaɪk] *v амер.* путешествовать, перебираться с места на место, пользуясь бесплатно попутными машинами.

**hitch-hiker** [ˈhɪʧhaɪkə] *n амер.* тот, кто перебирается с места на место, пользуясь попутными машинами.

**hither** [ˈhɪðə] **1.** *adv* сюда; ~ and thither туда и сюда; ~ and yon(d) в различных направлениях; **2.** *a* ближний, расположенный ближе.

**hitherto** [ˈhɪðəˈtuː] *adv* до настоящего времени, до сих пор.

**Hitlerism** [ˈhɪtlərɪzəm] *n* гитлеризм.

**Hitlerite** [ˈhɪtləraɪt] *n* гитлеровец, фашист.

**hive** [haɪv] **1.** *n* 1) улей; 2) рой пчёл; 3) людской муравейник; **2.** *v* 1) сажать (*пчёл*) в улей; *перен.* давать приют; 2) роиться; 3) запасать; 4) жить вместе, обществом.

**hives** [haɪvz] *n pl* 1) сыпь, крапивница, ветряная оспа; 2) ларингит; круп.

**ho** [hou] *int* эй! (*оклик; выражает тж. удивление, радость и т. п.*); what ho! эй там!

**hoar** [hɔː] **1.** *n* 1) иней; 2) густой туман; 3) старость; **2.** *a* седой.

**hoard I** [hɔːd] **1.** *n* 1) запас, скрытые запасы продовольствия *и т. п.*; что-л. накопленное, припрятанное; 2) *уст.* хранилище; сокровищница;

**2.** *v* запасать; копить, накоплять, хранить (*часто* ~ up); тайно хранить.

**hoard II** [hɔːd] *n* 1) временный забор вокруг строящегося здания; 2) щит для наклейки объявлений и афиш.

**hoarding I** [ˈhɔːdɪŋ] *pres. p. om* hoard I,2.

**hoarding II** [ˈhɔːdɪŋ] = hoard II.

**hoarfrost** [ˈhɔːˈfrɔst] *n* иней, изморозь.

**hoarhead** [ˈhɔːhed] *n* седой старик.

**hoarhound** [ˈhɔːhaund] = horehound.

**hoarse** [hɔːs] *a* хриплый, охрипший; to talk oneself ~ договориться до хрипоты.

**hoarsen** [ˈhɔːsn] *v* охрипнуть.

**hoarstone** [ˈhɔːstoun] *n* межевой камень.

**hoary** [ˈhɔːrɪ] *a* 1) седой; 2) древний; почтенный; 3) *бот.* покрытый белым пушком.

**hoax** [houks] **1.** *n* обман; мистификация; **2.** *v* подшутить; мистифицировать.

**hob** [hɔb] *n* 1) полка в камине для подогревания пищи; 2) гвоздь *или* крюк, на который набрасывается кольцо (*в игре*); 3) ступица, втулка (*колеса*); 4) полоз (*саней*); 5) *тех.* червяк, бесконечный винт; червячная фреза.

**hobble** [ˈhɔbl] **1.** *n* 1) прихрамывающая походка; 2) затруднительное положение; 3) путы; 4) *attr.*: ~ skirt узкая юбка; **2.** *v* 1) хромать, прихрамывать; ковылять; 2) запинаться; *перен.* спотыкаться; 3) стреножить (*лошадь*).

**hobbledehoy** [ˈhɔbldɪˈhɔɪ] *n* неуклюжий подросток.

**hobby I** [ˈhɔbɪ] *n* 1) конёк, любимая тема; любимое занятие, страсть; to ride (*или* to mount) a ~ сесть на своего (любимого) конька; 2) = hobby-horse; 3) *уст.* лошадка, пони; 4) первоначальный тип велосипеда.

**hobby II** [ˈhɔbɪ] *n зоол.* чеглок.

**hobby-horse** [ˈhɔbɪhɔːs] *n* лошадка, палочка с лошадиной головой (*игрушка*); конь-качалка; конь на карусели.

**hobgoblin** [ˈhɔbˌgɔblɪn] *n* 1) домовой; чертёнок; 2) пугало.

**hobnail** [ˈhɔbneɪl] *n* сапожный гвоздь с большой шляпкой.

**hob-nob** [ˈhɔbnɔb] *v* 1) пить вместе; 2) водить дружбу, дружить.

**hobo** [ˈhoubou] *амер.* **1.** *n* (*pl* -os, -oes [-ouz]) 1) странствующий рабочий; 2) бродяга; **2.** *v* 1) перебираться с места на место в поисках работы; 2) бродяжничать.

**hock I** [hɔk] = hough.

**hock II** [hɔk] *n* (*тж.* H.) рейнвейн.

**hock III** [hɔk] *sl.* **1.** *n* залог, заклад; in ~ а) в закладе; б) в тюрьме; в) в долгах; **2.** *v* закладывать (*вещь*).

**hockey** [ˈhɔkɪ] *n* хоккей; field ~ травяной хоккей; ice ~ хоккей на льду; Russian ~ русский хоккей.

**hockey-stick** [ˈhɔkɪstɪk] *n* клюшка.

**hocus** [ˈhoukəs] *v* 1) обманывать; 2) одурманивать, опаивать (*наркотиками*); 3) подмешивать наркотики.

**hocus-pocus** [ˈhoukəsˈpoukəs] **1.** *n* фокус; надувательство; **2.** *v* проделывать фокус; надувать.

**hod** [hɔd] *n* 1) *стр.* лоток (*для подноса кирпичей, извести*); 2) корыто (*для извести*), творило; 3) ведёрко для угля.

**hodden** [ˈhɔdn] *n* грубая некрашеная шерстяная материя.

**Hodge** [hɔdʒ] *n* (*употребляется нарицательно*) батрак.

**hodge-podge** [ˈhɔdʒpɔdʒ] = hotchpotch.

**hodiernal** [ˌhoudɪˈəːnəl] *a* сегодняшний, относящийся к сегодняшнему дню.

**hodman** [ˈhɔdmən] *n* 1) подручный каменщика; 2) подсобный работник; 3) литературный поденщик.

**hodometer** [hɔˈdɔmɪtə] = odometer.

**hoe** [hou] **1.** *n* мотыга;
**2.** *v* мотыжить, разрыхлять (*землю*); опаливать мотыгой.

**hoe-cake** [ˈhoukeɪk] *n амер.* кукурузная или майсовая лепёшка.

**hog** [hɔg] **1.** *n* 1) боров; свинья; 2) *диал.* барашек, отнятый от матери (*до первой стрижки*); 3) годовалый бычок; 4) грубый, грязный человек; 5) скребок, щётка; 6) *тех.* искривление, прогиб; ◇ to go the whole ~ a) делать (*что-л.*) основательно; доводить (*что-л.*) до конца; б) идти на всё;
**2.** *v* 1) выгибать спину; 2) выгибаться дугой, искривляться, изгибаться; коробиться; 3) коротко подстригать (*гриву, усы*); 4) скрести, чистить, 5) *амер.* хватать (*что-л.*); 6) поступать по-свински; 7) *разг.* заниматься лихачеством.

**hogback** [ˈhɔgbæk] *n* 1) крутой горный хребет; 2) *геол.* изоклинальный гребень.

**hog cholera** [ˈhɔgˈkɔlərə] *n* чума свиней.

**hogcote** [ˈhɔgkout] *n* свинарник.

**hogget** [ˈhɔgɪt] **1.** *pres. p. от* hog 2;
**2.** *n* 1) молодой боров; 2) = hog 1, 2).

**hoggin** [ˈhɔgɪn] *n* крупный песок, гравий.

**hogging** [ˈhɔgɪŋ] *n тех.* прогиб; выгиб; коробление.

**hoggish** [ˈhɔgɪʃ] *a* 1) свиноподобный; 2) свинский; жадный; эгоистичный.

**hogpen** [ˈhɔgpen] = hogcote.

**hogshead** [ˈhɔgzhed] *n* 1) большая бочка; 2) *мера жидкости* (*около 238 л*).

**hog-wash** [ˈhɔgwɔʃ] *n* 1) пойло для свиней; помои; 2) *разг.* ерунда, дрянь.

**hoi(c)k** [hɔɪk] **1.** *n* резкое движение, толчок;
**2.** *v ав.* круто взлететь с земли *или* воды, сделать горку.

**hoick(s)** [hɔɪk(s)] *int* атý!

**hoise** [hɔɪz] (hoist) *уст.* = hoist I, 2.

**hoist** I [hɔɪst] **1.** *n* 1) подъём; 2) ворот, лебёдка; 3) подъёмник, лифт;
**2.** *v* поднимать (*парус, флаг, груз*).

**hoist** II [hɔɪst] *p. p. от* hoise; ~ with one's own petard попавший в собственную ловушку, пострадавший от собственных козней.

**hoist-bridge** [ˈhɔɪstbrɪdʒ] *n* подъёмный мост.

**hoity-toity** [ˈhɔɪtɪˈtɔɪtɪ] **1.** *a* 1) надменный; 2) обидчивый; раздражительный; 3) *редк.* игривый, резвый;
**2.** *int ирон.* скажите пожалуйста!

**hokey-pokey** [ˈhoukɪˈpoukɪ] *n* 1) *разг.* дешёвое мороженое; 2) = hocus-pocus 1.

**hokum** [ˈhoukəm] *n амер.* 1) *театр., кино* сцена, реплика, номер, рассчитанные на дешёвый эффект; 2) приём оратора, рассчитанный на дешёвый эффект; 3) обман, жульничество.

**hold** I [hould] **1.** *n* 1) владение; захват; to take ~ of smth. схватить что-л., ухватиться за что-л.; to lay ~ of smth. схватить, захватить что-л.; to let go one's ~ of smth. выпустить что-л. из рук; to get ~ of smth. завладеть чем-л.; 2) власть, влияние (*часто* ~ on, ~ over); to get ~ of a person оказывать дурное влияние на кого-л.; злоупотреблять своим влиянием на кого-л.; 3) способность понимания; понимание; 4) то, за что можно ухватиться; захват, ушко; опора; 5) *муз.* пауза;
**2.** *v* (held) 1) держать; 2) владеть, иметь; to ~ land владеть землёй; 3) выдерживать; 4) удерживать (*позицию и т. п.*); 5) держаться (*о погоде*); 6) иметь силу (*о законе*); оставаться в силе (*о принципе, обещании*); 7) занимать (*пост, должность и т. п.*); to ~ a rank иметь звание, чин; to ~ office занимать пост; 8) занимать (*мысли*); овладевать (*вниманием*); to ~ smb. in thrall пленить, зачаровать кого-л.; 9) содержать в себе, вмещать; this room ~s a hundred persons эта комната вмещает сто человек; 10) полагать, считать; I ~ it good я считаю, что это хорошо; I ~ him to be wrong я считаю, что он неправ; to ~ smb. responsible возлагать на кого-л. ответственность; to ~ in esteem уважать; to ~ in contempt презирать; 11) сдерживать, останавливать; to ~ one's tongue молчать; ~ your noise! перестаньте шуметь! 12) проводить (*собрание*); вести (*разговор*); to hold an event проводить состязание; 13) праздновать, отмечать; 14) *амер.* держать (*в тюрьме*); □ ~ back сдерживать(ся); воздерживаться (from); ~ by держаться (*решения*); слушаться (*совета*); ~ down a) держать в подчинении; б) оставаться в каком-л. положении *или* состоянии; в) продолжать исполнять обязанности, продолжать занимать пост; ~ forth a) рассуждать, разглагольствовать; б) предлагать; to ~ forth a hope подать надежду; ~ in сдерживать(ся); ~ off a) удерживать; держать(ся) поодаль; б) задерживаться; ~ on a) держаться за что-л.; б) продолжать делать что-л., упорствовать в чём-л.; ~ out a) протягивать; предлагать; б) выдерживать, держаться до конца; *амер.* удерживать; задерживать; ~ over a) откладывать, медлить; б) держать под угрозой; ~ to a) держаться, придерживаться (*мнения и т. п.*); б) настаивать; to ~ smb. to his promise настаивать на выполнении кем-л. своего обещания; to ~ to terms настаивать на выполнении условий; ~ up a) выставлять, показывать; to ~ up to derision выставлять на посмешище; б) поддерживать, подпирать; в) останавливать, задерживать; г) останавливать с целью грабежа; ~ with a) соглашаться; держаться одинаковых взглядов; одобрять; ◇ to ~ cheap не дорожить; ~ hard!, ~ on! стой!; подожди!; to ~ it

against smb. иметь претензии к кому-л., иметь что-л. против кого-л.; to ~ one's own, to ~ one's ground сохранять свой позиции, достоинство, самообладание; не поддаваться (болезни и т. п.); to ~ one's hand воздержаться; ~ your horses ≅ легче на поворотах; не волнуйтесь, не торопитесь; to ~ water быть логически последовательным; it won't ~ water это не выдерживает никакой критики; to ~ out on (smb.) амер. утаить от (кого-л.).

**hold II** [hould] n мор. трюм.

**holdall** ['houldɔːl] n 1) портплед; вещевой мешок; 2) тех. сумка или ящик для инструмента.

**holdback** ['houldbæk] n препятствие.

**holder** ['houldə] n 1) арендатор; 2) владелец, держатель (векселя и т. п.); 3) спорт. обладатель приза; тот, кто имеет почётное звание; 4) ручка, рукоятка; 5) тех. патрон, державка, обойма.

**-holder** [-houldə] в сложных словах означает держатель; напр.: cigarette-~ мундштук.

**holdfast** ['houldfɑːst] n 1) скоба, крюк, захват, закрепа; 2) тех. анкерная плита; 3) столярные тиски.

**holding** ['houldɪŋ] 1. pres. p. от hold I, 2; 2. n 1) участок земли (особ. арендованный); 2) владение (акциями и т. п.); 3) вклад; 4) удерживание, закрепление.

**holding company** ['houldɪŋ'kʌmpənɪ] n компания, владеющая контрольными пакетами акций других компаний; компания-держатель; компания-учредитель.

**hold-over** ['hould,ouvə] n амер. пережиток.

**hold-up** ['houldʌp] n 1) налёт; ограбление (на улице, дороге); 2) налётчик, бандит; 3) остановка, задержка (в движении).

**hold-up man** ['houldʌp,mæn] = hold-up 2).

**hole** [houl] 1. n 1) дыра; отверстие; 2) яма, ямка; 3) нора; 4) лачуга; 5) дыра; захолустье; 6) разг. затруднительное положение; in a ~ в трудном положении; амер. в долгу; 7) отдушина, душник, канал для воздуха; 8) ав. воздушная яма; 9) лунка для мяча (в играх); 10) тех. раковина, свищ (в отливке); 11) горн. шурф, скважина, шпур; ◇ a ~ in one's coat пятно на чьей-л. репутации; to pick ~s придираться; to make a ~ in smth. сильно опустошить что-л. (напр., запасы, сбережения); a round peg in a square ~, a square peg in a round ~ человек не на своём месте; a ~ in the wall амер. уст. место незаконной продажи спиртных напитков.
2. v 1) продырявить; просверлить; 2) прорыть; 3) спорт. загнать в лунку (шар); 4) загнать в нору (зверя); 5) делать вруб, влом.

**hole-and-corner** ['houlənd'kɔːnə] a разг. тайный, секретный, делающийся украдкой.

**hole-gauge** ['houlgeɪdʒ] n тех. нутромер.

**holer** ['houlə] n горн. забойщик, бурильщик.

**holey** ['houlɪ] a дырявый.

**holiday** ['hɔlədɪ] 1. n 1) праздник, день отдыха; 2) отпуск; a month's ~ месячный отпуск; busman's ~ разг. отпуск, проведённый на работе; 3) pl каникулы; 4) attr. праздничный, каникулярный;
2. v отдыхать, проводить отпуск.

**holiday-maker** ['hɔlədɪ,meɪkə] n гуляющий; отдыхающий; экскурсант в праздничный день и т. п.

**holla** ['hɔlə] = hollo(a).

**Holland** ['hɔlənd] n холст; полотно; brown ~ небелёное суровое полотно [см. тж. Список географических названий].

**Hollander** ['hɔləndə] n 1) голландец; 2) голландский корабль.

**Hollands** ['hɔləndz] n голландская водка.

**hollo(a)** ['hɔlou] 1. int эй!;
2. n крик, окрик;
3. v 1) кричать; 2) звать собак.

**hollow** ['hɔlou] 1. n 1) пустота; впадина, углубление; полость; 2) дупло; 3) лощина, ложбина;
2. a 1) пустой; полый; пустотелый; ~ tree дуплистое дерево; 2) впалый, ввалившийся; 3) глухой (о звуке); 4) нейскренний; ложный; 5) пустой, несерьёзный; 6) голодный; тощий;
3. adv вполне, совершенно; to beat ~ разбить наголову; избить;
4. v выдалбливать, выкапывать (часто ~ out).

**hollow-eyed** ['hɔlouaɪd] a с ввалившимися или глубоко сидящими глазами.

**hollow-hearted** ['hɔlou'hɑːtɪd] a нейскренний.

**hollow ware** ['hɔlouwɛə] n посуда из фарфора, чугуна и т. п. (котелки, миски, кувшины и т. п.).

**holly** ['hɔlɪ] n бот. падуб.

**hollyhock** ['hɔlɪhɔk] n бот. штокроза розовая.

**Hollywood** ['hɔlɪwud] n 1) голливудский фильм; 2) кинопромышленность Америки.

**holm** [houm] n каменный дуб.

**holmium** ['houlmɪəm] n хим. хольмий.

**holm(e)** [houm] n 1) речной островок; 2) приречная низина (заливаемая при паводке).

**holm-oak** ['houm'ouk] = holm.

**holocaust** ['hɔləkɔːst] n 1) целиком сжигаемая жертва; всесожжение; 2) уничтожение, гибель.

**holster** ['houlstə] n кобура.

**holt I** [hoult] n поэт. 1) роща; 2) лесистый холм.

**holt II** [hoult] n 1) убежище; 2) нора (особ. выдры).

**holus-bolus** ['houləs'bouləs] adv разг. одним глотком, сразу, целиком.

**holy** ['houlɪ] a священный, святой; H. Week страстная неделя; H. Writ Священное писание (библия); ◇ ~ terror трудный, нудный человек; «ужасный» ребёнок.

**Holy Office** ['houlɪ'ɔfɪs] = inquisition 2).

**holystone** ['houlɪstoun] 1. n песчаник для чистки палубы; пемза;
2. v чистить палубу песчаником.

**homage** ['hɔmɪdʒ] n 1) почтение, уважение; to do (или to pay) ~ a) свидетельствовать почтéние; б) отдавáть дóлжное; in a kind of ~ отдавáя дань; 2) *ист.* принесéние феодáльной прися́ги.

**home** [houm] **1.** *n* 1) дом, жили́ще; at ~ дóма, у себя́; make yourself at ~ бýдьте как дóма; 2) роднóй дом, рóдина; 3) семья́, домáшняя жизнь; домáшний очáг, уют; 4) метрополия; 5) прию́т; ◇ to be quite at ~ in French хорошó владéть францýзским языкóм; one's last (*или* long) ~ моги́ла;

**2.** *a* 1) домáшний; ~ science домовóдство; 2) семéйный, роднóй; 3) внýтренний; отéчественный (*о товарах*); ~ market внýтренний ры́нок; ~ trade внýтренняя торгóвля; H. Office министéрство внýтренних дел; H. Secretary мини́стр внýтренних дел; 4): ~ position *тех.* исхóдное положéние; ◇ ~ truth гóрькая и́стина;

**3.** *adv* 1) домóй; 2) в цель; 3) до концá, до откáза; тýго, крéпко; ◇ to bring ~ to smb. убеди́ть когó-л.; застáвить когó-л. поня́ть, почýвствовать (*что-л.*); to bring a crime ~ to smb. уличи́ть когó-л. в преступлéнии; to bring oneself (*или* to come, to get) ~ опрáвиться (*после денежных затруднений*); заня́ть прéжнее положéние; to come ~ to a) доходи́ть (*до сердца*); найти́ óтклик в душé; б) доходи́ть (*до сознания*), быть поня́тным; nothing to write ~ about *разг.* ничегó осóбенного; to touch ~ задéть за живóе;

**4.** *v* 1) возвращáться домóй (*особ. о почтовом голубе*); 2) посылáть, направля́ть домóй; 3) предоставля́ть жильё.

**home-bred** ['houm'bred] *a* 1) доморóщенный; 2) простóй, без лóска.

**home-brewed** ['houm'bru:d] **1.** *a* домáшний (*о пиве и т. п.*);

**2.** *n* домáшнее пи́во *и т. п.*

**home-coming** ['houm,kʌmɪŋ] *n* возвращéние домóй.

**Home Counties** ['houm'kauntɪz] *n pl* грáфства, окружáющие Лóндон.

**homecraft** ['houmkrɑːft] *n* кустáрный прóмысел.

**home farm** ['houmfɑːm] *n* фéрма при усáдьбе.

**home-felt** ['houmfelt] *a* прочýвствованный, сердéчный.

**home front** ['houm'frʌnt] *n* фронт метрополии.

**home-grown** ['houm'groun] *a* отéчественного производства, мéстный.

**Home Guard** ['houm'gɑːd] *n воен.* 1) отря́ды мéстной оборóны, ополчéние (*в Англии*); 2) ополчéнец (*в Англии*).

**home-keeping** ['houm,kiːpɪŋ] *a* домосéдливый.

**homeland** ['houmlænd] *n* отéчество, рóдина.

**homeless** ['houmlɪs] *a* бездóмный, беспри́ютный; ~ boy беспризóрник.

**homelessness** ['houmlɪsnɪs] *n* бездóмность.

**homelike** ['houmlaɪk] *a* 1) домáшний, ую́тный; 2) дрýжеский.

**homeliness** ['houmlɪnɪs] *n* 1) простотá, обы́денность; безыскýсственность; прими́тивность; 2) домáшний ую́т; 3) невзрáчность.

**homely** ['houmlɪ] *a* 1) простóй, обы́денный; скрóмный, безыскýсственный; ~ fare простáя пи́ща; 2) домáшний, ую́тный; 3) некраси́вый, невзрáчный.

**home-made** ['houm'meɪd] *a* 1) домáшнего изготовлéния, кустáрный; 2) отéчественного произвóдства.

**homer** ['houmə] = homing pigeon.

**Homeric** [hou'merɪk] *a* 1) гомéровский; 2) гомери́ческий.

**homeroom teacher** ['houmrum,tiːtʃə] *n амер. школ.* настáвник, воспитáтель.

**home rule** ['houm'ruːl] *n* 1) самоуправлéние, автонóмия; 2) (H. R.) *ист.* гомрýль (*буржуазно-либеральная программа самоуправления Ирландии в рамках Британской империи*).

**homesick** ['houmsɪk] *a* тоскýющий по дóму, по рóдине.

**homesickness** ['houmsɪknɪs] *n* тоскá по рóдине, ностальги́я.

**homespun** ['houmspʌn] **1.** *a* 1) домоткáный; 2) грýбый, простóй;

**2.** *n* домоткáная матéрия.

**homestead** ['houmsted] *n* 1) усáдьба; фéрма; 2) *амер.* учáсток (поселéнца).

**homesteader** ['houmstedə] *n амер.* владéлец учáстка (*о поселéнце*).

**homestretch** ['houm,stretʃ] *n* фини́шная пряма́я (*на ипподрóме*).

**home team** ['houm,tiːm] *n спорт.* комáнда хозя́ев пóля.

**home thrust** ['houm'θrʌst] *n* удáчный удáр; удáчный отвéт.

**homeward** ['houmwəd] **1.** *a* ведýщий, идýщий к дóму;

**2.** *adv* домóй, к дóму.

**homeward-bound** ['houmwəd'baund] *a* возвращáющийся, отплывáющий домóй (*о корабле*).

**homewards** ['houmwədz] = homeward 2.

**home-work** ['houmwəːk] *n* домáшняя рабóта (*особ. школьника*).

**homey** ['houmɪ] *a* домáшний, ую́тный.

**homicidal** [,hɔmɪ'saɪdl] *a* 1) уби́йственный; смертонóсный; 2) одержи́мый мы́слью об уби́йстве (*о душевнобольнóм*).

**homicide** ['hɔmɪsaɪd] *n* 1) уби́йца; 2) уби́йство; justifiable ~ *юр.* уби́йство при оправдáющих обстоя́тельствах.

**homily** ['hɔmɪlɪ] *n* прóповедь; поучéние.

**homing I** ['houmɪŋ] **1.** *pres. p. от* home 4;

**2.** *a* возвращáющийся домóй.

**homing II** ['houmɪŋ] **1.** *n* 1) привóд, наведéние (*самолётов, ракет*); 2) *attr.* приводнóй; ~ device приводнóе устрóйство; радиокóмпас.

**homing pigeon** ['houmɪŋ'pɪdʒɪn] *n* почтóвый гóлубь.

**hominy** ['hɔmɪnɪ] *n* мамалы́га.

**homoeopath** ['houmjəpæθ] *n* гомеопáт.

**homoeopathic** [,houmjə'pæθɪk] *a* гомеопати́ческий.

**homoeopathy** [,houmɪ'ɔpəθɪ] *n* гомеопáтия.

**homogeneity** [,hɔmoudʒe'niːɪtɪ] *n* однорóдность.

**homogeneous** [,hɔmə'dʒiːnjəs] *a* 1) однорóдный (*тж. грам.*); 2) *хим.* гомогéнный.

**homograph** ['hɔmouɡræf] *n лингв.* омограф.

**homologate** [hɔ'mɔləɡeɪt] *v* 1) признавать; подтверждать; 2) соглашаться; допускать.

**homologous** [hɔ'mɔləɡəs] *a* 1) соответственный; 2) *хим.* гомологический.

**homonym** ['hɔmənɪm] *n* 1) *лингв.* омоним; 2) тёзка.

**homophone** ['hɔməfoun] *n лингв.* омофон.

**homosexuality** ['houmouseksju'ælɪtɪ] *n* гомосексуализм.

**homy** ['houmɪ] *a* домашний, напоминающий родной дом.

**Honduranian** [,hɔndju'reɪnɪən] 1. *a* гондурасский;
2. *n* гондурасец.

**hone** [houn] 1. *n* 1) оселок. точильный камень; 2) *тех.* хон, хонинговальная головка;
2. *v* 1) точить; 2) *тех.* хонинговать.

**honest** ['ɔnɪst] *a* 1) честный; to turn an ~ penny нажить, заработать честным путём; 2) правдивый, искренний; 3) настоящий, подлинный, нефальсифицированный; 4) *уст.* целомудренный, нравственный.

**honestly** ['ɔnɪstlɪ] *adv* 1) честно; 2) искренне, правдиво.

**hone-stone** ['hounstoun] = hone 1, 1).

**honesty** ['ɔnɪstɪ] *n* 1) честность; 2) правдивость; 3) *бот.* лунник.

**honey** ['hʌnɪ] *n* 1) мёд; *перен.* сладость; 2) *ласк.* милый; милая; голубчик; голубушка.

**honey-bee** ['hʌnɪbiː] *n* (рабочая) пчела.

**honey-buzzard** ['hʌnɪˌbʌzəd] *n* осоед (*птица*).

**honeycomb** ['hʌnɪkoum] 1. *n* 1) медовые соты; 2) *тех.* раковины, сотовые пузыри (*в металле*);
2. *a* сотовый; сотовидный; ноздреватый, ячеистый;
3. *v* 1) продырявить, изрешетить; 2) подточить, ослабить.

**honey dew** ['hʌnɪ'djuː] *n* 1) *бот.* медвяная роса; 2) *поэт.* нектар; 3) табак, пропитанный патокой.

**honeyed** ['hʌnɪd] *a* 1) сладкий, медовый; 2) льстивый.

**honeymoon** ['hʌnɪmuːn] 1. *n* медовый месяц;
2. *v* проводить медовый месяц.

**honey-mouthed** ['hʌnɪˌmauðd] *a* сладкоречивый, медоточивый, льстивый.

**honey-pea** ['hʌnɪpiː] *n* сахарный горох.

**honeysuckle** ['hʌnɪˌsʌkl] *n бот.* жимолость.

**hong** [hɔŋ] *n ист.* 1) иностранное торговое предприятие, фактория в Китае; 2) купеческая гильдия в Китае.

**honied** ['hʌnɪd]=honeyed.

**honk** [hɔŋk] 1. *n* 1) крик диких гусей; 2) звук автомобильного рожка;
2. *v* 1) кричать (*о диких гусях*); 2) *авт.* давать сигнал.

**honor, honorable** ['ɔnə, 'ɔnərəbl] *амер.* = honour, honourable.

**honoraria** [,ɔnə'rɛərɪə] *pl от* honorarium.

**honorarium** [,ɔnə'rɛərɪəm] *n* (*pl* -riums [-rɪəmz], -ria) гонорар.

**honorary** ['ɔnərərɪ] *a* 1) почётный; an ~ office почётная должность; 2) неоплачиваемый.

**honorific** [,ɔnə'rɪfɪk] *a* 1) почётный; 2) выражающий почтение, почтительный.

**honour** ['ɔnə] 1. *n* 1) честь; слава; in ~ в честь; on (*или* upon) my ~ честное слово; point of ~ вопрос чести; 2) хорошая репутация, доброе имя; 3) честность, благородство; 4) почёт, уважение, почтение; to give (*или* to pay) ~ to smb. оказывать кому-л. уважение, почтение; 5) *pl* награды, почести; ордена; military ~s воинские почести; the last ~s посмертные почести; 6) *pl унив.* отличие, получаемое после сдачи особого экзамена; 7) *в обращении (преим. к судье)*: your H. ваша честь; 8) *карт.* козырной онёр; ◇ ~ bright *разг.* честное слово; ~s of war почётные условия сдачи; to do the ~s of the house исполнять обязанности хозяйки *или* хозяина, принимать гостей;
2. *v* 1) почитать, чтить; 2) удостаивать (with); 3) платить в срок (*по векселю*).

**honourable** ['ɔnərəbl] *a* 1) почётный; ~ duty почётная обязанность; 2) благородный, честный; 3) уважаемый; почтенный; достопочтенный; 4) почтенный (*форма обращения к детям знати, к судьям*); the ~ gentleman почтенный джентльмен (*форма упоминания члена английского парламента и американского конгресса*); Right H. достопочтенный (*форма обращения к высшей знати, членам тайного совета и т. п.*).

**hooch** [huːtʃ] *n амер. sl.* 1) спиртной напиток, добытый незаконным путём; 2) вид самогона (*изготовляемого американскими индейцами*).

**hood** [hud] 1. *n* 1) капюшон; капор; 2) верх (*экипажа*); 3) хохолок (*птицы*); 4) крышка, чехол; колпак; 5) капот двигателя;
2. *v* 1) покрывать капюшоном, колпачком; 2) закрывать, скрывать.

**hoodie** ['hudɪ] *n* серая ворона.

**hoodlum** ['huːdləm] *n амер.* хулиган.

**hoodoo** ['huːduː] *амер.* 1. *n* 1) человек или вещь, приносящие несчастье; 2) неудача, несчастье;
2. *v* приносить несчастье; заколдовать, сглазить.

**hoodwink** ['hudwɪŋk] *v* 1) завязывать глаза; 2) обмануть, провести.

**hooey** ['huːɪ] *n амер. sl.* чушь, ерунда.

**hoof** [huːf] 1. *n* (*pl* hoofs [-fs], hooves) 1) копыто; 2) копытное животное; 3) *шутл.* нога (*человека*); ◇ on the ~ живой *или* живьём (*о скоте*); meat on the ~ запас убойного скота; under smb.'s ~ угнетённый, находящийся во власти кого-л.; to pad the ~ идти пешком, на своих двоих; to get the ~ быть уволенным;
2. *v* 1) бить копытом; 2) *разг.* уволить, выгнать (*часто* ~ out); 3) идти пешком; 4) *sl.* танцевать.

**hook** [huk] 1. *n* 1) крюк, крючок; 2) кривой нож; серп; 3) багор; 4) крутой изгиб;

излу́чина реки́; 5) лову́шка, западня́; 6) *sl.* вор, жу́лик; уголо́вный престу́пник; 7) боково́й уда́р со́гнутой руко́й (*в боксе*); 8) *тех.* заце́пка, захва́тка, гак; ◇ by ~ or by crook пра́вдами и непра́вдами; ≅ не мытьём, так ка́таньем; to drop off the ~s *sl.* сыгра́ть в я́щик; отпра́виться на тот свет; to go off the ~s *разг.* а) рехну́ться, свихну́ться; б) сби́ться с пути́; в) умере́ть; on one's own ~ *разг.* самостоя́тельно, на свой риск; to take one's ~ *sl.* смы́ться, удра́ть.

2. *v* 1) сгиба́ть в ви́де крюка́; 2) зацепля́ть, прицепля́ть; 3) застёгивать (ся) (on, up — на *крючо́к*); 4) лови́ть, пойма́ть (*ры́бу*) *перен.* подцепи́ть; пойма́ть на у́дочку; заполучи́ть; завербова́ть; 5) *sl.* красть; □ ~ in заполучи́ть; заста́вить согласи́ться на *что-л.*; ◇ to ~ it *sl.* смы́ться, удра́ть.

**hooka(h)** [ʹhukə] *n* кальян.

**hook-and-eye** [ʹhukəndʹaɪ] *v* застёгивать на крючки́.

**hooked** [hukt] 1. *p. p. om* hook 2;

2. *a* 1) крючкова́тый, кривой; 2) име́ющий крючо́к *или* крючки́; 3) *амер.* (с)вя́занный крючко́м.

**hooker** [ʹhukə] *n* 1) рыболо́вное су́дно; the old ~ *пренебр.* ста́рая кало́ша (*о судне*); 2) *разг.* та́йный аге́нт, занима́ющийся вербо́вкой рабо́чих.

**hookey** [ʹhukɪ] = hooky.

**hook-nosed** [ʹhukʹnouzd] *a* с крючкова́тым *или* орли́ным но́сом.

**Hook's joint** [ʹhuks͵dʒɔɪnt] *n тех.* шарни́р Гу́ка.

**hook-up** [ʹhukʌp] 1. *n* 1) соедине́ние, сцепле́ние; 2) *разг.* установле́ние отноше́ний *или* связи; сою́з; 3) *радио* лету́чая схе́ма соедине́ний; 4) *радио разг.* одновре́менная переда́ча одной програ́ммы по не́скольким ста́нциям; to speak over the (radio) ~ выступа́ть одновре́менно по двум *или* бо́лее радиоста́нциям;

2. *v радио разг.* вре́менно переключа́ть две *или* бо́лее радиоста́нции на одну́ програ́мму.

**hook-worm** [ʹhukwəːm] *n* глист.

**hooky** [ʹhukɪ] *n*: to play ~ *амер. sl.* безде́льничать, прогу́ливать (*заня́тия в шко́ле и т. п.*).

**hooligan** [ʹhuːlɪgən] *n* хулига́н.

**hooliganism** [ʹhuːlɪgənɪzəm] *n* хулига́нство.

**hoop I** [huːp] 1. *n* 1) о́бруч, о́бод; 2) воро́та (*в кроке́те*); 3) *тех.* обо́йма, бу́гель, кольцо́;

2. *v* 1) скрепля́ть о́бручем; набива́ть о́бручи; 2) окружа́ть, сжима́ть.

**hoop II** [huːp] 1. *n* 1) крик, ги́канье; 2) ка́шель (*как при коклю́ше*);

2. *v* ги́кать.

**hooper I** [ʹhuːpə] *n* бо́ндарь.

**hooper II** [ʹhuːpə] *n* ди́кий ле́бедь.

**hooping-cough** [ʹhuːpɪŋkɔf] *n* коклю́ш.

**hoop-la** [ʹhuːplɑ] *n* 1) игра́ (*разы́грывание разли́чных ме́лких предме́тов путём набра́сывания на них коле́ц*); 2) *разг.* шум, кутерьма́, тарара́м.

**hoopoe** [ʹhuːpuː] *n* удо́д (*пти́ца*).

**hoop-skirt** [ʹhuːpskəːt] *n* криноли́н, фи́жмы.

**hoot** [huːt] 1. *n* 1) кри́ки, ги́канье; 2) крик совы́; ◇ I don't give a ~ *разг.* мне на э́то наплева́ть;

2. *v* 1) крича́ть (at — на); улюлю́кать, ги́кать; to ~ with laughter *sl.* гро́мко, оглуши́тельно сме́яться; 2) крича́ть (*о сове*); 3) гуде́ть, свисте́ть (*о гудке́, сире́не*); □ ~ after гна́ться за *кем-л.* с кри́ками; ~ away выгоня́ть кри́ками, ги́каньем; ~ down заста́вить замолча́ть кри́ками; ~ off, ~ out = ~ away.

**hootch** [huːtʃ] = hooch.

**hooter** [ʹhuːtə] *n* гудо́к, сире́на.

**hoot(s)** [huːt(s)] *int* ах ты, тьфу! (*выража́ет нетерпе́ние, доса́ду*).

**hoove** [huːv] *n вет.* вздутие живота́.

**hooves** [huːvz] *pl om* hoof 1.

**hop I** [hɔp] 1. *n* 1) прыжо́к, припры́гивание; скачо́к; 2) *разг.* та́нцы, танцева́льный ве́чер; 3) *ав. разг.* перелёт; полёт; ◇ to catch on the ~ заста́ть враспло́х;

2. *v* 1) пры́гать, скака́ть на одной ноге́; 2) подпры́гивать; 3) перепры́гивать (*ча́сто ~ over*); 4) вска́кивать (*на ходу́*); to ~ a cab вскочи́ть на ходу́ в такси́; 5) хрома́ть; 6) пляса́ть, танцева́ть; □ ~ off *ав.* отрыва́ться от земли́; взлета́ть; ◇ to ~ it *разг.* удира́ть, убега́ть; to ~ the stick (*или* the twig) *sl.* а) скрыва́ться от кредито́ров; б) умере́ть.

**hop II** [hɔp] 1. *n бот.* хмель;

2. *v* 1) собира́ть хмель; 2) класть хмель в пи́во.

**hop-bine** [ʹhɔpbaɪn] *n* вью́щийся сте́бель хме́ля.

**hope I** [houp] 1. *n* наде́жда (of); vague ~s сму́тные наде́жды; to be past ~ быть в безнаде́жном положе́нии; to pin one's ~s on возлага́ть наде́жды на;

2. *v* 1) наде́яться (for — на); I ~ so наде́юсь, что э́то так; I ~ not наде́юсь, что э́того не бу́дет; to ~ against ~ наде́яться на чу́до; наде́яться, не име́я на э́то никаки́х основа́ний; 2) упова́ть, предвкуша́ть (for).

**hope II** [houp] *n диал.* 1) зали́в; 2) лощи́на; уще́лье.

**hope chest** [ʹhouptʃest] *n* сунду́к с прида́ным.

**hoped-for** [ʹhouptʹfɔː] *a* жела́нный; long ~ долгожда́нный.

**hopeful** [ʹhoupful] 1. *a* 1) наде́ющийся; 2) подаю́щий наде́жды; многообеща́ющий;

2. *n* челове́к, подаю́щий наде́жды; а young ~! *шутл., ирон.* далеко́ пойдёт!

**hopefulness** [ʹhoupfulnɪs] *n* 1) оптими́зм; 2) наде́жда.

**hopeless** [ʹhouplɪs] *a* 1) безнадёжный; 2) отча́явшийся.

**hopelessness** [ʹhouplɪsnɪs] *n* безнадёжность, безвы́ходность.

**hop-garden** [ʹhɔp͵gɑdn] *n* хме́льник.

**hop-o'-my-thumb** [ʹhɔpəmɪʹθʌm] *n* ка́рлик; ма́льчик с па́льчик.

**hopper I** [ʹhɔpə] *n* 1) прыгу́н; 2) пры́гающее насеко́мое, *особ.* блоха́; 3) ваго́н *или* ваго́нетка с опроки́дывающимся ку́зовом; самосва́л; ваго́н с откидны́м дном, хо́ппер; 4) *стр.* фрамуга; 5) *тех.* воро́нка, бу́нкер.

**hopper** II ['hɔpə] *n* собира́тель хме́ля.

**hopple** ['hɔpl] *v* 1) стрено́жить (*лошадь*); 2) помеша́ть; запу́тать.

**hop-pocket** ['hɔp,pɔkɪt] *n* мешо́к хме́ля.

**hopscotch** ['hɔpskɔʧ] *n* де́тская игра́ «кла́ссы».

**hop, step, and jump** ['hɔp'stepənd'ʤʌmp] *n спорт.* тройно́й прыжо́к.

**hoptoad** ['hɔptoud] *n разг.* жа́ба.

**hop-yard** ['hɔpjɑːd] = hop-garden.

**horary** ['hɔrərɪ] *a* 1) ежеча́сный; 2) для́щийся час; для́щийся недо́лго.

**horde** [hɔːd] 1. *n* 1) орда́; the Golden H. *ист.* Золота́я орда́; 2) вата́га; ша́йка; 3) стая; рой (*насекомых*); a ~ of wolves стая волко́в; 4) *pl амер.* то́лпы (*народа*); 2. *v* 1) жить ско́пом; 2) собира́ться ку́чами.

**horehound** ['hɔːhaund] *n бот.* ша́ндра (обыкнове́нная).

**horizon** [hə'raɪzn] *n* 1) горизо́нт; apparent (*или* visible) ~ *астр.* ви́димый горизо́нт; rational (*или* true, celestial) ~ *астр.* и́стинный горизо́нт; sensible ~ *астр.* каса́тельный горизо́нт; 2) у́мственный круго́зор; 3) *геол.* ярус, отложе́ние одного́ во́зраста.

**horizontal** [,hɔrɪ'zɔntl] 1. *n* горизонта́ль; 2. *a* горизонта́льный; ~ fire *воен.* насти́льный ого́нь.

**hormone** ['hɔːmoun] *n физиол.* гормо́н.

**horn** [hɔːn] 1. *n* 1) рог; 2) *pl* ро́жки (*улитки*); у́сики (*насекомого*); 3) духово́й инструме́нт; рожо́к; охо́тничий рог; 4) ру́пор; звукоприёмник (*звукоуловителя*); 5) гудо́к, сире́на автомоби́ля; 6) *ав.* каба́нчик (*плоскости управления*); 7) *тех.* вы́ступ; шкво́рень; рыча́г; 8) *attr.* рогово́й; ~ spectacles очки́ в рогово́й опра́ве; ◇ ~ of plenty рог изоби́лия; between (*или* on) the ~s of a dilemma ≅ ме́жду двух огне́й; в затрудни́тельном положе́нии; to take the bull by the ~s взять быка́ за рога́; to draw in one's ~s присми́реть; стушева́ться; ретирова́ться; 2. *v* 1) сре́зать рога́; 2) бода́ть; забода́ть; 3) *уст.* наста́вить рога́; ☐ ~ in вме́шиваться.

**hornbeam** ['hɔːnbiːm] *n* граб (*дерево*).

**hornblende** ['hɔːnblend] *n мин.* рогова́я обма́нка.

**hornbook** ['hɔːnbuk] *n ист.* а́збука (*в рамке под тонкой роговой пластинкой*).

**horned** [hɔːnd] 1. *p. p. от* horn 2; 2. *a* рога́тый; ~ cattle рога́тый скот.

**hornet** ['hɔːnɪt] *n зоол.* ше́ршень; ◇ to stir up a nest of ~s, to bring a ~s' nest about one's ears потрево́жить оси́ное гнездо́.

**hornlike** ['hɔːnlaɪk] *a* рогоподо́бный, рогови́дный.

**hornpipe** ['hɔːnpaɪp] *n* 1) волы́нка (*музыкальный инструмент*); 2) назва́ние со́льного наро́дного, преим. матро́сского, та́нца.

**hornrimmed** ['hɔːn,rɪmd] *a* в рогово́й опра́ве.

**horny** ['hɔːnɪ] *a* 1) рогово́й; 2) име́ющий рога́; 3) мозо́листый; гру́бый.

**horny-handed** ['hɔːnɪ'hændɪd] *a* с мозо́листыми рука́ми.

**horologe** ['hɔrəlɔʤ] *n редк.* часы́.

**horology** [hɔ'rɔləʤɪ] *n* 1) иску́сство измере́ния вре́мени; 2) часово́е мастерство́, часово́е де́ло.

**horoscope** ['hɔrəskoup] *n* гороско́п; to cast a ~ соста́вить гороско́п.

**horrent** ['hɔrənt] *a поэт.* ощети́нившийся, угрожа́ющий.

**horrible** ['hɔrəbl] *a* 1) стра́шный, ужа́сный; 2) *разг.* проти́вный, отврати́тельный, отта́лкивающий.

**horrid** ['hɔrɪd] *a* 1) ужа́сный, стра́шный; 2) *разг.* проти́вный, неприя́тный, отта́лкивающий.

**horrific** [hɔ'rɪfɪk] *a* ужаса́ющий.

**horrify** ['hɔrɪfaɪ] *v* 1) ужаса́ть; страши́ть; 2) шоки́ровать.

**horripilation** [hɔ,rɪpɪ'leɪʃən] *n* гуси́ная ко́жа.

**horror** ['hɔrə] *n* 1) у́жас; he is a perfect ~! он ужа́сен!; 2) отвраще́ние (of); 3) *разг.* что-л. неле́пое, смешно́е; ◇ the ~s припа́док бе́лой горя́чки.

**horror-stricken, horror-struck** ['hɔrə,strɪkən, -,strʌk] *a* поражённый у́жасом, в у́жасе.

**hors-d'oeuvre** [ɔː'dɑːvr] *фр. n* заку́ска.

**horse** [hɔːs] 1. *n* 1) ло́шадь, конь; to take ~ сесть на ло́шадь; е́хать верхо́м; riding ~ верхова́я ло́шадь; to ~! по ко́ням!; spare ~ запасна́я ло́шадь; 2) кавале́рия, ко́нница; ~ and foot а) ко́нница и пехо́та; б) изо всех сил; 3) *спорт.* конь; 4) ра́ма; стано́к; ко́злы; 5) *горн.* включе́ние пусто́й поро́ды в руде́; 6) *attr.* ко́нный; ко́нский; лошади́ный; *перен.* гру́бый; ~ artillery ко́нная артилле́рия; ◇ black (*или* dark) ~ а) неизве́стная ло́шадь на ска́чках; б) *амер. полит. sl.* малоизве́стный кандида́т на вы́борах; «тёмная лоша́дка»; to put the cart before the ~ а) поста́вить теле́гу пе́ред ло́шадью; де́лать ши́ворот-навы́ворот; начина́ть не с того́ конца́; б) приня́ть сле́дствие за причи́ну; don't look a gift ~ in the mouth *посл.* дарёному коню́ в зу́бы не смо́трят; ~ opera *амер. sl.* ковбо́йский фильм; 2. *v* 1) сади́ться на ло́шадь; е́хать верхо́м; 2) поставля́ть лошаде́й; 3) *уст.* взвали́ть челове́ка, кото́рого по́рют, себе́ на спи́ну (*помогая при наказании*).

**horseback** ['hɔːsbæk] 1. *n* спина́ ло́шади; on ~ *амер.* верхо́м. 2. *adv амер.* верхо́м.

**horse-bean** ['hɔːsbiːn] *n* ко́нский боб.

**horse-block** ['hɔːsblɔk] *n* подста́вка (*для посадки на лошадь*).

**horse bot** ['hɔːsbɔt] *n* о́вод желу́дочный.

**horse-box** ['hɔːsbɔks] *n* 1) ваго́н для лошаде́й; 2) клеть для погру́зки лошаде́й на кора́бль.

**horse-boy** ['hɔːsbɔɪ] *n* ма́льчик, рабо́тающий на коню́шне.

**horse-breaker** ['hɔːs,breɪkə] *n* объе́здчик лошаде́й.

**horse-breaking** ['hɔːs,breɪkɪŋ] *n* объе́здка лошаде́й.

**horse breeder** ['hɔːs'briːdə] *n* конезаво́дчик.

horse breeding ['hɔːs'briːdɪŋ] n конево́дство.

horse-breeding ['hɔːs'briːdɪŋ] a конево́дческий.

horse-chanter ['hɔːs,tʃɑːntə] n бары́шник, торгу́ющий лошадьми́.

horse-chestnut ['hɔːs'tʃesnʌt] n ко́нский кашта́н (дерево и плод).

horse-cloth ['hɔːsklɔθ] n попо́на.

horse-collar ['hɔːs,kɔlə] n хому́т.

horse-comb ['hɔːskoum] n скребни́ца.

horse-coper ['hɔːs,koupə] = horse-dealer.

horse-cover ['hɔːs,kʌvə] = horse-cloth.

horse-dealer ['hɔːs,diːlə] n торго́вец лошадьми́, бары́шник.

horse-drawn ['hɔːs'drɔːn] a на ко́нной тя́ге.

horseflesh ['hɔːsfleʃ] n кони́на.

horse-fly ['hɔːsflaɪ] n слепе́нь.

horse godmother ['hɔːs'gɔd,mʌðə] n разг. ту́чная неповоро́тливая же́нщина.

Horse Guards ['hɔːs'gɑːdz] n pl 1) ко́нная гва́рдия; конногварде́йский полк; 2) ист. гла́вный штаб англи́йской а́рмии.

horsehair ['hɔːshɛə] n 1) ко́нский во́лос; 2) мате́рия из ко́нского во́лоса; 3) attr. из ко́нского во́лоса.

horse hoe ['hɔːshou] n c.-x. ко́нный пропа́шник.

horse latitudes ['hɔːs'lætɪtjuːdz] n pl мор. «ко́нские широ́ты» (широ́ты 30—35° N — штилевая полоса Атланти́ческого океа́на; по анало́гии тж. и широты 30—35° сев. и южн. полуша́рий во всех океа́нах).

horse-laugh ['hɔːslɑːf] n гро́мкий, гру́бый смех, хо́хот.

horseleech ['hɔːsliːtʃ] n 1) ко́нская пия́вка; 2) вымога́тель; 3) уст. конова́л.

horseless ['hɔːslɪs] a безлоша́дный.

horse-mackerel ['hɔːs,mækrəl] n ставри́да обыкнове́нная (рыба).

horseman ['hɔːsmən] n 1) вса́дник; нае́здник; 2) кавалери́ст.

horsemanship ['hɔːsmənʃɪp] n иску́сство верхово́й езды́.

horse-marine ['hɔːsmə,riːn] n челове́к на неподходя́щей рабо́те или не в свое́й стихи́и; ◇ tell that to the ~s! ≅ расскажи́ э́то свое́й ба́бушке!; вздор!, расска́зывай(те) э́то кому́-нибудь друго́му!; ври бо́льше!

horse-mill ['hɔːsmil] n ме́льница с ко́нным приво́дом.

horsepath ['hɔːspɑːθ] n вью́чная тропа́.

horseplay ['hɔːspleɪ] n гру́бое развлече́ние.

horsepower ['hɔːs,pauə] n тех. лошади́ная си́ла.

horse-race ['hɔːsreɪs] n ска́чки.

horse-radish ['hɔːs,rædɪʃ] n хрен.

horse sense ['hɔːssens] n разг. грубова́тый здра́вый смысл.

horseshoe ['hɔːsʃuː] n подко́ва.

horse-soldier ['hɔːs,souldʒə] n кавалери́ст.

horse-tail ['hɔːsteɪl] n 1) хвост ло́шади; 2) бот. хвощ (лесно́й); 3) ист. бунчу́к.

horsewhip ['hɔːswɪp] 1. n хлыст; 2. v отхлеста́ть.

horsewoman ['hɔːs,wumən] n вса́дница, нае́здница.

horsing ['hɔːsɪŋ] 1. pres. p. от horse 2;

2. n 1) ко́нский ремо́нт; 2) слу́чка; 3) по́рка.

horsy ['hɔːsɪ] a ко́нский; лошади́ный; име́ющий отноше́ние к лошадя́м, ко́нному де́лу или спо́рту.

hortative ['hɔːtətɪv] a увещева́ющий; успока́ивающий.

hortatory ['hɔːtətərɪ] = hortative.

horticultural [,hɔːtɪ'kʌltʃərəl] a садо́вый; ~ crops садо́вые культу́ры; ~ sundry садо́вый инвента́рь.

horticulture ['hɔːtɪkʌltʃə] n садово́дство.

horticulturist [,hɔːtɪ'kʌltʃərɪst] n садово́д.

hose [houz] 1. n 1) рука́в, кишка́ (для поли́вки); шланг; брандспо́йт; 2) собир. чулки́ (как назва́ние това́ра); 3) штаны́ (пло́тно обтя́гивающие но́гу);

2. v полива́ть из шла́нга.

hosier ['houʒə] n торго́вец трикота́жем.

hosiery ['houʒərɪ] n 1) чуло́чные изде́лия, трикота́ж; 2) трикота́жная мастерска́я.

hospice ['hɔspɪs] n 1) гости́ница (особ. монасты́рская); 2) прию́т, богаде́льня; страннопри́мный дом.

hospitable ['hɔspɪtəbl] a гостеприи́мный.

hospital ['hɔspɪtl] n 1) больни́ца, го́спиталь; 2) редк. богаде́льня; благотвори́тельная шко́ла; 3) attr. госпита́льный, больни́чный; санита́рный; H. Saturday, H. Sunday день сбо́ра поже́ртвований на содержа́ние больни́ц.

hospitaler ['hɔspɪtlə] = hospitaller.

hospitality [,hɔspɪ'tælɪtɪ] n гостеприи́мство, раду́шие.

hospitalize ['hɔspɪtəlaɪz] v госпитализи́ровать, помеща́ть в больни́цу.

hospitaller ['hɔspɪtlə] n ист. госпитальёр, член о́рдена госпитальёров.

hospital-ship ['hɔspɪtl,ʃɪp] n госпита́льное су́дно, плаву́чий го́спиталь.

hospital-train ['hɔspɪtl,treɪn] n санита́рный по́езд.

host I [houst] n 1) мно́жество; толпа́; сонм; 2) уст. во́йско, во́инство; ◇ the ~s of heaven a) небе́сные свети́ла, б) а́нгелы, си́лы небе́сные; a ~ in himself оди́н сто́ит мно́гих (по по́льзе, рабо́те и т. п.).

host II [houst] n 1) хозя́ин; 2) содержа́тель, хозя́ин гости́ницы; тракти́рщик; 3) биол. органи́зм, пита́ющий парази́тов, «хозя́ин»; ◇ to reckon without one's ~ недооцени́ть тру́дности; просчита́ться.

host III [houst] n церк. го́стия.

hostage ['hɔstɪdʒ] n 1) зало́жник; 2) зало́г.

hostel ['hɔstəl] n 1) общежи́тие; 2) турба́за; 3) уст. гости́ница.

hostel(l)er ['hɔstələ] n 1) студе́нт, живу́щий в общежи́тии; 2) тури́ст, остана́вливающийся на турба́зах.

hostelry ['hɔstəlrɪ] n уст. гости́ница.

hostess ['hɔstɪs] n 1) хозя́йка; 2) хозя́йка гости́ницы; 3) бортпроводни́ца, стюарде́сса.

hostile ['hɔstaɪl] 1. a 1) неприя́тельский, вра́жеский; 2) вражде́бный (to);

2. n враг.

**hostility** [hɔs'tɪlɪtɪ] *n* 1) враждéбность; враждéбный акт; 2) *pl* воéнные дéйствия; to open hostilities начáть воéнные дéйствия.

**hostler** ['ɔslə] *n* 1) = ostler; 2) *амер. ж.-д.* начáльник паровóзного депó.

**hot** [hɔt] 1. *a* 1) горячий; жáркий; накалённый; boiling ~ кипящий; 2) пылкий; стрáстный; 3) разгорячённый, возбуждённый; 4) раздражённый; to get ~ разгорячиться, раздражиться; 5) стрáстно увлекáющийся (оn); температментный; 6) свéжий; ~ scent свéжий, горячий след; ~ copy (*или* news) *амер. sl.* послéдние извéстия; 7) блúзкий к цéли; 8) óстрый, пряный; 9) тёплый (*о цвете*); 10) *амер. разг.* бедóвый; 11) *амер. разг.* забóристый; 12) *амер. sl.* тóлько что укрáденный *или* незакóнно приобретённый; ◇ to get one's water ~ кипятиться; to get into ~ water попáсть в бедý, в затруднúтельное положéние; to make a place too ~ for smb. *разг.* выкурить когó-л.; ~ number *амер. разг.* популярный нóмер (*песенка и т. п.*); ~ stuff *разг.* а) отлúчный рабóтник, игрóк, исполнúтель *и т. п.*; б) сúльный артиллерúйский обстрéл; в) неприлúчный анекдóт; г) разврáт;
2. *adv* горячó, жáрко *и пр.* [*см.* 1]; ◇ to blow ~ and cold колебáться, выкáзывать нерешúтельность; постоянно менять тóчку зрéния; to give it smb. ~ (and strong) *разг.* задáть комý-л. бáню; проучúть когó-л.;
3. *n sl.* (the ~) усúленно разыскиваемый полúцией;
4. *v разг. см.* heat 2.

**hot air** ['hɔt'ɛə] *n* 1) горячий *или* нагрéтый вóздух; 2) *разг.* пустáя болтовня; бахвáльство.

**hot-air** ['hɔtɛə] *a* 1) *разг.* болтлúвый, хвастлúвый; 2) *тех.* рабóтающий на нагрéтом вóздухе.

**hotbed** ['hɔtbed] *n* 1) парнúк; 2) рассáдник, очáг.

**hot blast** ['hɔtblɑːst] *n тех.* горячее дутьё.

**hot-blooded** ['hɔt'blʌdɪd] *a* пылкий, стрáстный.

**hotbrain** ['hɔtbreɪn] = hothead.

**hot-brained** ['hɔt,breɪnd] = hot-headed.

**hotchpot** ['hɔtʃpɔt] = hotchpotch.

**hotchpotch** ['hɔtʃpɔtʃ] *n* 1) рагý из мяса и овощéй; овощнóй суп на барáньем бульóне; 2) смесь, всякая всячина.

**hot cockles** ['hɔt'kɔklz] *n pl уст.* деревéнская игрá врóде жмýрок.

**hot dog** ['hɔt'dɔg] 1. *n разг.* бутербрóд с горячей сосúской;
2. *int* здóрово!

**hotel** [hou'tel] *n* отéль, гостúница.

**hotfoot** ['hɔtfut] 1. *adv* быстро, поспéшно;
2. *v разг.* идтú быстро.

**hothead** ['hɔthed] *n* горячая головá (*о человéке*).

**hot-headed** ['hɔt'hedɪd] *a* горячий; вспыльчивый; опромéтчивый.

**hothouse** ['hɔthaus] *n* 1) оранжерéя, теплúца; 2) *тех.* сушúльня; 3) *attr.* теплúчный; ~ plant теплúчное растéние.

**hot-pot** ['hɔtpɔt] *n* тушёное мясо с картóфелем.

**hot-pressing** ['hɔt,presɪŋ] *n текст.* лощéние, сатинúрование.

**hotshot** ['hɔtʃɔt] *a амер. разг.* отчáянный (*о человéке*).

**hot-spirited** ['hɔt'spɪrɪtɪd] *a* пылкий, вспыльчивый.

**hotspur** ['hɔtspəː] *n* 1) горячий, вспыльчивый, необýзданный человéк; 2) сорвигóловá.

**hot-tempered** ['hɔt'te:mpəd] = hot-headed.

**Hottentot** ['hɔtntɔt] *n* готтентóт.

**hot-water bottle** [hɔt'wɔːtə,bɔtl] *n* грéлка.

**hot well** ['hɔtwel] *n* 1) горячий истóчник; 2) *тех.* резервуáр горячей воды.

**hot wind** ['hɔt'wɪnd] *n* суховéй.

**hough** [hɔk] 1. *n* поджúлки, колéнное сухожúлие;
2. *v* подрезáть поджúлки.

**hound** [haund] 1. *n* 1) собáка; охóтничья собáка, *осóб.* гóнчая; the ~s свóра гóнчих; to follow (the) ~s, to ride to ~s охóтиться верхóм с собáками; 2) негодяй; «собáка»; 3) одúн из игрокóв в игрé «hare and ~s» [*см.* hare];
2. *v* травúть (собáками); □ ~ on натрáвливать, подстрекáть.

**hour** ['auə] *n* 1) час; at an early ~ рáно; to keep early (*или* good) ~s вставáть *или* ложúться рáно; to keep late (*или* bad) ~s вставáть *или* ложúться пóздно; 2) определённое врéмя дня; dinner ~ обéденное врéмя; office ~s часы рабóты (*в учреждéнии, контóре и т. п.*); the off ~s свобóдные часы; after ~s пóсле рабóты; пóсле закрытия магазúнов; ◇ the question of the ~ актуáльный (*или* злободнéвный) вопрóс; the small ~s пéрвые часы пóсле полýночи (*1, 2 и т. д. часá нóчи*); till all ~s до петухóв, до рассвéта; at the eleventh ~ в послéднюю минýту, в сáмый послéдний момéнт.

**hour-circle** ['auə,səːkl] *n* меридиáн.

**hour-glass** ['auəglɑːs] *n* песóчные часы (*рассчúтанные на одúн час*).

**hour-hand** ['auəhænd] *n* часовáя стрéлка.

**houri** ['huərɪ] *n араб.* гýрия.

**hourly** ['auəlɪ] 1. *a* 1) ежечáсный; 2) постоянный; 3) чáстый;
2. *adv* 1) ежечáсно; 2) постоянно; 3) чáсто.

**house** 1. *n* [haus; *pl* 'hauzɪz] 1) дом; жилúще; здáние; 2) дом; семья; хозяйство; 3) семья, род, дом, динáстия; 4) (*тж.* the H.) палáта (*парлáмента*); a parliament of two ~s двухпалáтный парлáмент; lower ~ нúжняя палáта; upper ~ вéрхняя палáта; H. of Commons палáта общин; H. of Lords палáта лóрдов; H. of Representatives палáта представúтелей, нúжняя палáта конгрéсса США; third ~ *амер. sl.* кулуáры конгрéсса; to enter the H. стать члéном парлáмента; to divide the ~ *парл.* провестú поимённое голосовáние; to make a ~ обеспéчить квóрум (*в палáте общин*); 5) торгóвая фúрма; 6) (the H.) *разг.* (лóндонская) бúржа; 7) теáтр; пýблика, зрúтели; appreciative ~ отзывчивая пýблика аудитóрия; to bring down the (whole) ~ вызвать гром аплодисмéнтов; full ~ пóлный сбор; 8) представле́ние; сеа́нс; the first ~ starts at five o'clock пе́рвый сеа́нс начина́ется в пять часо́в; 9) (the H.) *разг.* рабо́тный дом; 10) колле́дж университе́та; пансио́н при шко́ле; 11) гости́ница, постоя́лый двор; 12) религио́зное бра́тство; 13) *мор.* ру́бка; 14) *attr.* дома́шний, ко́мнатный; ◇ to keep ~ вести́ хозя́йство; to keep the ~ сиде́ть до́ма; ~ and home дом, дома́шний ую́т; ~ of call помеще́ние, где собира́ются в ожида́нии клие́нтов во́зчики, изво́зчичья би́ржа *и т. п.*; ~ of ill fame публи́чный дом; on the ~ за счёт предприя́тия, беспла́тно *(для рабо́чих)*; a drink on the ~ беспла́тная вы́пивка; like a ~ on fire *разг.* бы́стро и легко́;

2. *v* [hauz] 1) предоставля́ть жили́ще; обеспе́чивать жильём; 2) посели́ть, приюти́ть; 3) жить *(в доме)*; we can ~ together мы мо́жем посели́ться вме́сте; 4) помеща́ть, убира́ть *(о веща́х, иму́ществе и т. п.);* 5) *с.-х.* убира́ть *(хлеб);* загоня́ть *(скот);* 6) вмеща́ть(ся), помеща́ться; 7) *воен.* расквартиро́вывать.

**house-agent** ['haus,eɪdʒənt] *n* комиссионе́р по прода́же и сда́че внаём домо́в.

**house allowance** ['hausə'lauəns] *n воен.* кварти́рные де́ньги.

**houseboat** ['hausbout] *n* 1) плаву́чий дом; ло́дка *или* ба́рка, приспосо́бленная для жилья́; 2) плаву́чий дом о́тдыха.

**house-boy** ['hausbɔɪ] *n* ма́льчик, слуга́.

**housebreaker** ['haus,breɪkə] *n* 1) взло́мщик, громи́ла; 2) рабо́чий по сно́су домо́в.

**house-dog** ['hausdɔg] *n* сторожево́й пёс.

**housefather** ['haus,fɑːðə] *n* глава́ семьи́.

**house-flag** ['hausflæg] *n* флаг компа́нии парохо́дства.

**house-fly** ['hausflaɪ] *n* ко́мнатная му́ха.

**houseful** ['hausful] *n* по́лный дом.

**household** ['haushould] 1. *n* 1) семья́, домоча́дцы; 2) дома́шнее хозя́йство; 3) *pl* второсо́ртная мука́, мука́ гру́бого помо́ла; 2. *a* дома́шний, семе́йный; ~ word хорошо́ знако́мое, повседне́вное сло́во; ходя́чее выраже́ние; ◇ ~ gods ла́ры и пена́ты.

**householder** ['haushouldə] *n* 1) съёмщик до́ма *или* кварти́ры; 2) глава́ семьи́.

**household franchise** ['haushould'fræntʃaɪz] = household suffrage.

**household suffrage** ['haushould'sʌfrɪdʒ] *n* пра́во го́лоса для съёмщиков кварти́р.

**household troops** ['haushould'truːps] *n* гва́рдия, гварде́йские ча́сти.

**housekeeper** ['haus,kiːpə] *n* 1) эконо́мка; домоправи́тельница; 2) дома́шняя хозя́йка.

**housekeeping** ['haus,kiːpɪŋ] *n* дома́шнее хозя́йство; домово́дство.

**houseless** ['hauslɪs] *a* бездо́мный; не име́ющий кро́ва.

**housemaid** ['hausmeɪd] *n* го́рничная.

**housemaster** ['haus,mɑːstə] *n* заве́дующий пансио́ном при шко́ле.

**housemother** ['haus,mʌðə] *n* 1) мать семе́йства; 2) же́нщина — глава́ семьи́.

**house party** ['haus,pɑːtɪ] *n* компа́ния госте́й, проводя́щая не́сколько дней в за́городном до́ме.

**house-physician** ['hausfɪ,zɪʃən] *n* врач, живу́щий при больни́це.

**house-surgeon** ['haus,sədʒən] = house-physician.

**house-top** ['haustɔp] *n* кры́ша; ◇ to proclaim from the ~s *библ.* провозглаша́ть во всеуслы́шание.

**house-warming** ['haus,wɔːmɪŋ] *n* пра́зднование новосе́лья.

**housewife** *n* 1) ['hauswaɪf] хозя́йка; 2) ['hauswaɪf] дома́шняя хозя́йка; 3) ['hʌzɪf] рабо́чая шкату́лка *или* мешо́чек *(с принадле́жностями для шитья́).*

**housewifely** ['haus,waɪflɪ] *a* хозя́йственный, эконо́мный; домови́тый.

**housewifery** ['hauswɪfərɪ] *n* дома́шнее хозя́йство; домово́дство.

**housework** ['hauswəːk] *n* дома́шняя рабо́та.

**housing I** ['hauzɪŋ] 1. *pres. p. om* house 2; 2. *n* 1) снабже́ние жили́щем; 2) жили́щное строи́тельство; 3) укры́тие, убе́жище; 4) ни́ша, вы́емка; гнездо́; паз; 5) *тех.* ко́рпус, стани́на; кожу́х, футля́р; 6) *стр.* тепля́к; 7) *attr.*: a ~ list спи́сок кандида́тов на пра́во получе́ния кварти́р в муниципа́льных дома́х.

**housing II** ['hauzɪŋ] *n* попо́на.

**hove** [houv] *past u p. p. om* heave 2.

**hovel** ['hɔvəl] 1. *n* 1) наве́с; 2) лачу́га хиба́рка; шала́ш; 3) ни́ша *(для ста́туи);* 2. *v с.-х.* загоня́ть под наве́с *(скот).*

**hover** ['hɔvə] *v* 1) пари́ть *(о пти́це; тж.* ~ over, ~ about); нависа́ть *(об облака́х);* 2) верте́ться, болта́ться (around, about — вокру́г, о́коло); 3) быть, находи́ться вблизи́; ждать побли́зости; to ~ on the verge of death быть на краю́ сме́рти; 4) колеба́ться, не реша́ться, ме́шкать.

**how** [hau] 1. *adv* 1) *inter.* как?, каки́м о́бразом?; ~ did you do it? как вы э́то сде́лали?; ~ comes it?, ~ is it? *разг.* как э́то получа́ется?, почему́ так выхо́дит?; ~ so? как так?; 2) *inter.* ско́лько?; ~ old is he? ско́лько ему́ лет?; ~ is milk? ско́лько сто́ит молоко́?; 3) *conj.* что; tell him ~ to do it расскажи́(те) ему́, как э́то де́лать; ask him ~ he does it спроси́(те) его́, как он э́то де́лает; 4) *emph.* как!; ~ funny! как смешно́!; как стра́нно!; ◇ and ~! *амер. разг.* ещё бы!; о́чень ещё *(ча́сто ирон.);* ~ do you do?, ~ d'ye do? здра́вствуйте!; как пожива́ете?; ~ are you? как пожива́ете?; it was a swell party, and ~! вот э́то была́ вечери́нка!; ~ now? что э́то тако́е?; что э́то зна́чит?;

2. *n*: the ~ of it спо́соб, ме́тод.

**howbeit** ['hau'biːt] *adv уст.* тем не ме́нее.

**howdah** ['haudə] *араб. n* седло́ с балдахи́ном *(на спине́ слона́).*

**how-do-you-do** ['haudju'duː] *см.* how 1 ◇.

**how-d'ye-do** ['haudɪ'duː] 1. *n разг.* щекотли́вое *или* затрудни́тельное положе́ние; here's a nice *(или* pretty) ~! вот тебе́ раз!; 2. = how do you do *[см.* how 1 ◇].

**however** [hau'evə] 1. *adv* как бы ни; 2. *cj* одна́ко, тем не ме́нее, несмотря́ на (э́)то.

**howitzer** ['hauɪtsə] *n воен.* гаубица.
**howl** [haul] 1. *n* 1) вой, завывание; стон; рёв; 2) *радио* свист;
2. *v* выть, завывать; стонать (*о ветре*); реветь (*о ребёнке*); □ ~ **down** заглушать (*воем, криком и т. п.*).
**howler** ['haulə] *n* 1) плакальщик, плакальщица (*по покойнику*); 2) *разг.* нечто вопиющее; грубейшая ошибка; 3) *зоол.* ревун (*обезьяна*); 4) *тех.* ревун; ◇ to come a ~ ≅ сесть в калошу.
**howling** ['haulɪŋ] 1. *pres. p. от* howl 2; 2. *a* 1) воющий; 2) унылый; 3) *sl.* огромный (*успех и т. п.*); вопиющий; ~ swell ужасный франт; ~ shame а) стыд и срам; б) вопиющая несправедливость.
**howsoever** [,hausou'evə] *adv* как бы ни.
**hoy** I [hɔɪ] *n* 1) небольшое береговое судно; 2) *мор.* килектор.
**hoy** II [hɔɪ] *int* эй!
**hoyden** ['hɔɪdn] *n* шумливая молодая девушка; сорванец-девчонка.
**hub** I [hʌb] *n* 1) ступица (*колеса*), втулка; 2) центр внимания, интереса, деятельности; ~ of the universe пуп земли; the H. *амер. шутл. г.* Бостон.
**hub** II [hʌb] *n* = hubby.
**hubble-bubble** ['hʌbl,bʌbl] *n* 1) кальян; 2) булькающий звук, бульканье; 3) болтовня, бессвязный разговор.
**hubbub** ['hʌbʌb] *n* шум, гам, гул голосов.
**hubby** ['hʌbɪ] *n* (*сокр. от* husband) *разг.* муженёк.
**huckaback** ['hʌkəbæk] *n* льняное *или* бумажное полотно (*для полотенец и т. п.*).
**huckleberry** ['hʌklberɪ] *n* черника.
**huckle-bone** ['hʌklboun] *n анат.* 1) подвздошная кость; 2) лодыжка (*животного*).
**huckster** ['hʌkstə] 1. *n* 1) мелочной торговец; 2) комиссионер, маклер; ·3) торгаш; барышник; корыстолюбивый человек;
2. *v* 1) вести мелочную торговлю; 2) торговаться; барышничать.
**huddle** ['hʌdl] *n* 1) беспорядочная груда, куча; толпа; 2) беспорядок, суматоха, сумятица; 3) *амер. разг.* тайное совещание.
**hue** I [hjuː] *n* цвет, оттенок.
**hue** II [hjuː] *n* 1): ~ and cry погоня; крики «лови!, держи!»; шумные крики (against); 2) *ист.* объявление, призывающее к поимке преступника.
**huff** [hʌf] 1. *n* 1) припадок раздражения, гнева; 2) фуканье (*шашки*);
2. *v* 1) задирать; 2) запугивать; принуждать угрозами (into; out of); 3) оскорблять(ся), обижать(ся); 4) фукнуть (*шашку*).
**huffish** ['hʌfɪʃ] *a* раздражительный; капризный.
**huffy** ['hʌfɪ] *a* 1) самодовольный, надменный; 2) = huffish.
**hug** [hʌg] 1. *n* 1) крепкое объятие; 2) сжатие, хватка (*в борьбе*);
2. *v* 1) крепко обнимать, сжимать в объятиях; 2) держаться (*чего-л.*); 3) быть приверженным, склонным (к чему-л.); 4) выражать благосклонность (кому-л.); ◇ to·

~ **oneself** on (*или* for) smth. поздравить себя с чем-л., быть довольным собой.
**huge** [hjuːdʒ] *a* огромный, громадный, гигантский.
**hugely** ['hjuːdʒlɪ] *adv* очень.
**hugeness** ['hjuːdʒnɪs] *n* огромность.
**hugeous** ['hjuːdʒəs] *разг. шутл. см.* huge.
**hugger-mugger** ['hʌgə,mʌgə] 1. *n* 1) тайна; in ~ тайком; 2) беспорядок;
2. *a* 1) тайный; 2) беспорядочный;
3. *adv* 1) тайно; 2) беспорядочно, кое-как;
4. *v* 1) скрывать; делать тайком; 2) замять (*дело*); 3) делать беспорядочно, кое-как.
**huguenot** ['hjuːgənɔt] *фр. n ист.* гугенот.
**hulk** [hʌlk] *n* 1) большое неповоротливое судно; 2) блокшив, корпус старого корабля, негодного к плаванию; 3) *мор.* килектор; 4) большой неуклюжий человек.
**hulking** ['hʌlkɪŋ] *a* громадный, неуклюжий.
**hull** I [hʌl] 1. *n* шелуха, скорлупа;
2. *v* очищать от шелухи, шелушить, лущить.
**hull** II [hʌl] 1. *n* 1) корпус (*корабля, танка*); ~ **down** с корпусом, скрытым за горизонтом; ~ **out** с корпусом, видимым над горизонтом; 2) остов, каркас (*дирижабля*); 3) *ав.* фюзеляж;
2. *v* попасть снарядом в корпус корабля.
**hullabaloo** [hʌləbə'luː] *n* крик; гам; шум.
**hulled** I [hʌld] 1. *p. p. от* hull I, 2;
2. *a* очищенный, лущёный.
**hulled** II [hʌld] *p. p. от* hull II, 2.
**hullo(a)** ['hʌ'lou] *int* алло!
**hum** I [hʌm] 1. *n* 1) жужжание, гудение; гул; 2) *sl.* дурной запах;
2. *v* 1) жужжать, гудеть; 2) говорить запинаясь, мямлить; to ~ and ha(w) а) запинаться, мямлить; б) не решаться, колебаться; 3) напевать с̌ закрытым ртом, мурлыкать; 4) *разг.* развивать бурную деятельность; he makes things ~ у него работа кипит; 5) *sl.* дурно пахнуть.
**hum** II [hʌm] *сокр. от* humbug.
**hum** III [hʌm] *int* гм!
**human** ['hjuːmən] 1. *a* 1) человеческий, людской; ~ race человеческий род; 2) свойственный человеку; it's ~ to err человеку свойственно ошибаться;
2. *n шутл.* человек, смертный.
**humane** [hjuː'meɪn] *a* 1) гуманный, человечный; H. Society общество спасания утопающих; 2) гуманитарный.
**humaneness** [hjuː'meɪnnɪs] *n* доброта, человечность.
**humanism** ['hjuːmənɪzəm] *n* гуманизм.
**humanitarian** [hjuː,mænɪ'tɛərɪən] 1. *n* 1) проповедник гуманности; 2) филантроп;
2. *a* 1) гуманитарный; 2) гуманный.
**humanity** [hjuː'mænɪtɪ] *n* 1) человечество; 2) человеческая природа; 3) человеколюбие, гуманность, человечность; 4) людская масса, толпа; ◇ the humanities а) гуманитарные науки; б) латинские и греческие классики.
**humanize** ['hjuːmənaɪz] *v* 1) очеловечивать; смягчать; 2) становиться гуманным.

**humankind** ['hjuːmən'kaɪnd] *n* человечество.

**humanly** ['hjuːmənlɪ] *adv* 1) по-человечески; 2) с человеческой точки зрения.

**humble I** ['hʌmbl] 1. *a* 1) скромный; 2) простой, бедный; in ~ circumstances в стеснённых обстоятельствах; 3) покорный, смиренный; a ~ request покорная просьба; 4) застенчивый, робкий; 2. *v* унижать; смирять.

**humble II** ['hʌmbl] = hummel.

**humble-bee** ['hʌmblbiː] *n зоол.* шмель.

**humbug** ['hʌmbʌg] 1. *n* 1) обман; притворство; 2) (*часто как int*) вздор, чепуха; глупость; 3) обманщик, хвастун; 2. *v* обманывать, надувать; to ~ into smth. обманом вовлекать во что-л.; to ~ out of smth. обманом лишать чего-л.

**humdinger** [,hʌm'dɪŋə] *n амер. sl.* парень что надо.

**humdrum** ['hʌmdrʌm] 1. *n* 1) общее место, банальность; 2) скучный человек; 2. *a* скучный, однообразный; банальный.

**humect(ate)** [hjuː'mekt(eɪt)] *v* смачивать, увлажнять.

**humeral** ['hjuːmərəl] *a анат.* плечевой.

**humid** ['hjuːmɪd] *a* сырой, влажный.

**humidify** [hjuː'mɪdɪfaɪ] *v* увлажнять.

**humidity** [hjuː'mɪdɪtɪ] *n* сырость, влажность; влага.

**humidor** ['hjuːmɪdɔː] *n* 1) камера *или* коробка для сохранения определённого процента влажности (*сигар и т. п.*); 2) установка для увлажнения воздуха.

**humify I** ['hjuːmɪfaɪ] *v* увлажнять.

**humify II** ['hjuːmɪfaɪ] *v с.-х.* утучнять (*почву*).

**humiliate** [hjuː'mɪlɪeɪt] *v* унижать.

**humiliation** [hjuː,mɪlɪ'eɪʃn] *n* унижение.

**humility** [hjuː'mɪlɪtɪ] *a* 1) покорность, смирение; 2) скромность.

**hummel** ['hʌml] *a* безрогий, комолый.

**hummer** ['hʌmə] *n радио* зуммер, пищик.

**humming** ['hʌmɪŋ] 1. *pres. p. от* hum I, 2;
2. *a* 1) жужжащий, гудящий; 2) *разг.* сильный, энергичный; a ~ blow сильный удар.

**humming-bird** ['hʌmɪŋbəːd] *n зоол.* колибри.

**humming-top** ['hʌmɪŋtɔp] *n* волчок (*игрушка*).

**hummock** ['hʌmək] *n* 1) холмик; пригорок; возвышенность; 2) *pl* ледяные торосы.

**humor** ['hjuːmə] *амер.* = humour.

**humorist** ['hjuːmərɪst] *n* шутник, весельчак; 2) юморист.

**humorous** ['hjuːmərəs] *a* 1) юмористический; 2) смешной, забавный, комический.

**humour** ['hjuːmə] 1. *n* 1) юмор, шутливость; sense of ~ чувство юмора; 2) нрав, настроение; склонность; in the ~ for склонный к; in good (bad *или* ill) ~ в хорошем (плохом) настроении; out of ~ не в духе; 2. *v* потакать (*кому-л.*); ублажать; приноравливаться.

**humourist** ['hjuːmərɪst] = humorist.

**humoursome** ['hjuːməsəm] *a* 1) капризный, причудливый; 2) раздражительный, брюзгливый.

**humous** ['hjuːməs] *a* перегнойный; ~ soil перегнойная почва.

**hump** [hʌmp] 1. *n* 1) горб; 2) бугор, пригорок; 3) *разг.* дурное настроение; 2. *v* 1) горбить(ся); 2) приводить *или* приходить в дурное настроение; 3) *австрал.* взваливать на спину (*узел и т. п.*).

**humpback** ['hʌmpbæk] *n* 1) горб; 2) горбун.

**humpbacked** ['hʌmpbækt] *a* горбатый.

**humph** [hʌmf, mm] *int* гм!

**humpty-dumpty** ['hʌmptɪ'dʌmptɪ] *n* низенький толстяк, коротышка.

**humpy** ['hʌmpɪ] *n австрал.* хижина.

**humus** ['hjuːməs] *n* гумус, перегной; чернозём.

**Hun** [hʌn] *n* 1) *ист.* гунн; *перен.* варвар; 2) *сокр. от* Hungarian 2, 1); 3) *sl.* немец.

**hunch** [hʌntʃ] 1. *n* 1) горб; 2) толстый кусок, ломоть; a ~ of bread ломоть хлеба; 3) горбыль (*о доске*); 4) *амер. разг.* подозрение; предчувствие; on a ~ предчувствуя; 2. *v* 1) горбить(ся) (*часто* ~ up); 2) сгибать.

**hunchback** ['hʌntʃbæk] *n* горбун.

**hundred** ['hʌndrəd] 1. *num. card.* 1) сто; about ~ около ста; great (*или* long) ~ сто двадцать; 2) ноль-ноль; we'll meet at nine ~ hours мы встретимся в 9.00 (девять ноль-ноль);
2. *n* 1) число сто; сотня; 2) *ист.* округ (*часть графства в Англии*); ◊ one ~ per cent (на) сто процентов; вполне.

**hundredfold** ['hʌndrədfould] 1. *a* стократный;
2. *adv* во сто крат.

**hundred-percenter** ['hʌndrədpə'sentə] *n амер.* ура-патриот; воинствующий шовинист.

**hundredth** ['hʌndrədθ] 1. *num. ord.* сотый;
2. *n* сотая часть.

**hundredweight** ['hʌndrədweɪt] *n* центнер (*в Англии 112 фунтов=50,8 кг, в США 100 фунтов=45,3 кг*).

**hung** [hʌŋ] *past и p. p. от* hang 2.

**Hungarian** [hʌŋ'gɛərɪən] 1. *a* венгерский;
2. *n* 1) венгр, венгерец; венгерка; 2) венгерский язык.

**hunger** ['hʌŋgə] 1. *n* 1) голод; 2) сильное желание, жажда (*чего-л.*; for, after);
2. *v* 1) голодать, быть голодным; 2) принуждать голодом (into; out of); 3) сильно желать, жаждать (for, after).

**hunger-march** ['hʌŋgəmɑːtʃ] *n* голодный поход.

**hunger-marcher** ['hʌŋgə,mɑːtʃə] *n* участник голодного похода.

**hunger-strike** ['hʌŋgəstraɪk] 1. *n* голодовка (*тюремная*);
2. *v* объявлять голодовку.

**hungry** ['hʌŋgrɪ] *a* 1) голодный; голодающий; 2) сильно желающий, жаждущий (*чего-л.*; for); 3) скудный, неплодородный (*о почве*).

**hunk** [hʌŋk] = hunch 1, 2).

**hunker** ['hʌŋkə] *n амер.* 1) *ист. прозвище консервативного члена демократической партии*; 2) ретроград; 3) *attr.* старомодный.

**hunkers** [ˈhʌŋkəz] *n pl*: on one's ~ a) на кóрточках; б) в ужáсном положéнии.

**hunks** [hʌŋks] *n* скрягa.

**hunky-dory** [ˌhʌŋkɪˈdourɪ] *a амер. разг.* первоклáссный, превосхóдный.

**hunt** [hʌnt] 1. *n* 1) охóта; 2) (H.) мéстное охóтничье óбщество; 3) пóиски (*чего-л.*; for);
2. *v* 1) охóтиться (*особ. с гóнчими*); ~ the fox, ~ the hare, ~ the squirrel *названия детских игр, где надо искать кого-л. или что-л.*; 2) травúть, гнать, преслéдовать (*зверя и т. п.*); □ ~ after гоняться; искáть, рыскать; ~ away прогоня́ть; ~ down a) выследить, поймáть; б) затрави́ть; в) преслéдовать; ~ for искáть, добивáться; ~ out, ~ up отыскáть; *перен.* откопáть.

**hunter** [ˈhʌntə] *n* 1) охóтник; 2) гýнтер (*верховая лошадь*); 3) охóтничья собáка; 4) кармáнные часы́ с крышкой.

**hunter's moon** [ˈhʌntəzmuːn] *n* полнолýние пóсле осéннего равноденствия.

**hunting** [ˈhʌntɪŋ] 1. *pres. p. om* hunt 2;
2. *n* 1) охóта; 2) *attr.* охóтничий.

**hunting-box** [ˈhʌntɪŋbɔks] *n* охóтничий дóмик.

**hunting-crop** [ˈhʌntɪŋkrɔp] *n* охóтничий хлыст.

**hunting-ground** [ˈhʌntɪŋgraund] *n* райóн охóты; ◇ happy ~(s) рай, счастли́вая загрóбная жизнь (*первоначально в представлении американских индéйцев*).

**hunting-horn** [ˈhʌntɪŋhɔːn] *n* охóтничий рог.

**hunting-party** [ˈhʌntɪŋˌpɑːtɪ] *n* охóта (*участники охоты*).

**hunting-season** [ˈhʌntɪŋˌsiːzn] *n* охóтничий сезóн.

**hunting-song** [ˈhʌntɪŋsɔŋ] *n* охóтничья пéсня.

**hunting-whip** [ˈhʌntɪŋwɪp] = hunting-crop.

**huntress** [ˈhʌntrɪs] *n* жéнщина-охóтник.

**huntsman** [ˈhʌntsmən] *n* 1) охóтник; 2) éгерь.

**hunt-the-slipper** [ˈhʌntðəˈslɪpə] *n* тýфля по кругý (*игра*).

**hup(p)** [hʌp, ʌp] 1. *int* но-о! (*понукание лошади*);
2. *v* 1) понукáть лóшадь; 2) двигáться вперёд.

**hurdle** [ˈhəːdl] 1. *n* 1) перенóсная загорóдка; плетéнь; 2) *спорт.* препя́тствие, барьéр в ви́де рáмы *или* плетня́; to clear the ~ взять (*или* преодолéть, перейти́ чéрез) барьéр; 3) (the ~s) *pl* = hurdle-race; 110 metre ~s бег с барьéрами на 110 мéтров;
2. *v* 1) ограждáть плетнём (*тж.* ~ off); 2) перескáкивать чéрез барьéр; 3) учáствовать в барьéрном бéге.

**hurdler** [ˈhəːdlə] *n спорт.* учáстник барьéрного бéга *или* скáчек с препятствиями.

**hurdle-race** [ˈhəːdlreɪs] *n спорт.* 1) барьéрный бег; 2) скáчки с препятствиями.

**hurdling** [ˈhəːdlɪŋ] 1. *pres. p. om* hurdle 2;
2. *n спорт.* барьéрный бег.

**hurdy-gurdy** [ˈhəːdɪˌgəːdɪ] *n* 1) стари́нный струнный музыкáльный инструмéнт; 2)

**hurl** [həːl] 1. *n* си́льный бросóк;
2. *v* бросáть (с си́лой); швыря́ть; метáть; to ~ oneself брóситься (at, upon — на); to ~ reproaches at smb. осыпáть когó-л. упрёками.

**hurley** [ˈhəːlɪ] *ирл.* 1) = hockey; 2) = hockey-stick.

**hurly-burly** [ˈhəːlɪˌbəːlɪ] *n* сумя́тица, смятéние, переполóх.

**hurra(h), hurray** [huˈrɑː, huˈreɪ] 1. *int* урá!;
2. *n* урá; ◇ ~'s nest *амер. разг.* пóлный беспорядок; кутерьмá;
3. *v* кричáть урá.

**hurricane** [ˈhʌrɪkən] *n* 1) урагáн; 2) (*тж.* H.) хáррикейн (*английский истребитель*); 3) *attr.* урагáнный, штормовóй; ~ deck *мор.* лёгкая навеснáя пáлуба; штормовóй мóстик.

**hurricane lamp** [ˈhʌrɪkənˌlæmp] *n* фонáрь «мóлния».

**hurried** [ˈhʌrɪd] 1. *p. p. om* hurry 3;
2. *a* торопли́вый, быстрый, поспéшный.

**hurriedly** [ˈhʌrɪdlɪ] *adv* торопли́во, поспéшно.

**hurry** [ˈhʌrɪ] 1. *n* 1) торопли́вость, поспéшность; in a ~ a) второпя́х; б) *разг.* охóтно, легкó; to be in a ~ торопи́ться, спеши́ть; to be in no ~ дéйствовать не спешá; he won't do that again in a ~ не скóро он вздýмает э́то повтори́ть; по ~ не к спéху; 2) нетерпéние, нетерпели́вое желáние (*сделать что-л. и т. п.*);
2. *a амер.* спéшный, срóчный;
3. *v* 1) торопи́ть; торопи́ться (*обыкн.* ~ along, ~ up); ~ up! скорéе!, живéе!, пошевéливайся!; 2) быстро вести́ *или* тащи́ть; 3) поспéшно посылáть (*войска и т. п.*); □ ~ away, ~ off a) поспéшно уéхать; б) поспéшно увезти́, унести́; ~ over сдéлать кóе-кáк; ~ through сдéлать кóе-кáк, второпя́х; the business was hurried through дéло было проведенó второпя́х, нáспех.

**hurry-scurry** [ˈhʌrɪˈskʌrɪ] 1. *n* беспоря́дочная поспéшность, суетá;
2. *adv* нáспех, кóе-кáк;
3. *v* дéйствовать крáйне поспéшно; дéлать нáспех; суети́ться.

**hurst** [həːst] *n* 1) хóлмик; 2) рóща; леси́стый холм; 3) óтмель.

**hurt** [həːt] 1. *n* 1) поврéждéние; боль; рáна; 2) вред, ущéрб; 3) оби́да;
2. *v* (hurt) 1) причини́ть боль; повреди́ть; ушиби́ть; 2) причиня́ть вред, ущéрб; 3) задевáть, обижáть, дéлать бóльно; 4) *разг.* болéть (*о части тела*).

**hurter** [ˈhəːtə] *n стр.* защи́тная тýмба; упóрный брус.

**hurtful** [ˈhəːtful] *a* врéдный, пáгубный.

**hurtle** [ˈhəːtl] *v уст.* 1) стáлкиваться (*обыкн.* ~ together); налетáться с трéском, си́лой (against — на); 2) пролетáть, нести́сь со сви́стом, шýмом; 3) бросáть с си́лой.

**husband** [ˈhʌzbənd] 1. *n* 1) муж, супрýг; 2) *уст.* (бережли́вый) хозя́ин; управля́ющий; 3) = husbandman;

2. *v* 1) управля́ть; 2) тра́тить эконо́мно; эконо́мить; 3) *уст.* возде́лывать зе́млю; разводи́ть расте́ния; 4) *редк.* жени́ться.

**husbandly** [ˈhʌzbəndlɪ] *a* 1) бережли́вый, эконо́мный; 2) прису́щий, сво́йственный му́жу.

**husbandman** [ˈhʌzbəndmən] *n уст.* землепа́шец; земледе́лец.

**husbandry** [ˈhʌzbəndrɪ] *n* 1) се́льское хозя́йство, земледе́лие; хлебопа́шество; 2) эконо́мия, бережли́вость.

**hush** [hʌʃ] 1. *n* тишина́; молча́ние; 2. *v* 1) водворя́ть тишину́; 2) успока́ивать(ся); утиха́ть; □ ~ **up** зама́лчивать, скрыва́ть; замя́ть; 3. *int* ти́ше, тсс!

**hushaby** [ˈhʌʃəbaɪ] *int* баю-ба́й.

**hushfully** [ˈhʌʃfulɪ] *adv* приглушённо, сквозь зу́бы.

**hush-hush** [ˈhʌʃˈhʌʃ] *a* не подлежа́щий разглаше́нию, секре́тный; ~ **show** *разг. ирон.* сугу́бо секре́тное де́ло *или* совеща́ние.

**hush-money** [ˈhʌʃˌmʌnɪ] *n* взя́тка за молча́ние.

**husk** [hʌsk] 1. *n* 1) шелуха́, оболо́чка; 2) *амер.* листова́я обёртка поча́тка кукуру́зы; 2. *v* очища́ть от шелухи́, лущи́ть.

**Husky** [ˈhʌskɪ] 1. *a* эскимо́сский; 2. *n* 1) эскимо́с; эскимо́ска; 2) эскимо́сский язы́к.

**husky I** [ˈhʌskɪ] 1. *a* 1) покры́тый шелухо́й; по́лный шелухи́; 2) сухо́й; 3) си́плый, охри́пший; 4) *разг.* ро́слый, си́льный, кре́пкий; 2. *n* ро́слый, си́льный, кре́пкий челове́к.

**husky II** [ˈhʌskɪ] *n* ла́йка (*порода собак*).

**huso** [ˈhjuːsou] *n* белу́га.

**hussar** [huˈzɑː] *n* гуса́р.

**Hussite** [ˈhʌsaɪt] *n ист.* гусси́т.

**hussy I** [ˈhʌsɪ] *n* 1) де́рзкая девчо́нка; 2) шлю́ха, потаску́шка.

**hussy II** [ˈhʌsɪ] *n* 1) я́щичек, шкату́лка; 2) мешо́чек.

**hustings** [ˈhʌstɪŋz] *n pl* 1) парл. избира́тельная кампа́ния; 2) ист. трибу́на, с кото́рой до 1872 г. объявля́лись кандида́ты в парла́мент; 2) *амер.* трибу́на на предвы́борном ми́тинге.

**hustle** [ˈhʌsl] 1. *n* 1) толкотня́; 2) энергия; бе́шеная де́ятельность; 2. *v* 1) толка́ть(ся), тесни́ть(ся); to ~ through the streets пробира́ться, проти́скиваться по у́лицам; 2) понужда́ть, торопи́ть сде́лать (*что-л.*; into); to be ~ into a decision быть вы́нужденным спе́шно приня́ть реше́ние; 3) торопи́ться, суети́ться; 4) де́йствовать бы́стро и энерги́чно (*часто* ~ up); □ ~ away оттесни́ть, оттолкну́ть.

**hustler** [ˈhʌslə] *n* энерги́чный челове́к.

**hut** [hʌt] 1. *n* 1) хи́жина, лачу́га, хиба́р(к)а; 2) бара́к; 3) *attr.* бара́чный; ~ barracks *воен.* бара́чные каза́рмы; ~ encampment *воен.* бара́чный ла́герь; 2. *v* 1) жить в бара́ках; 2) размеща́ть по бара́кам.

**hutch** [hʌtʃ] 1. *n* 1) кле́тка для кро́ликов *и т. п.*; 2) я́щик, ларь, сунду́к; 3) *разг.* хи́жина, хиба́р(к)а; 4) *горн.* рудни́чная

вагоне́тка; 5) цисте́рна для промы́вки руды́; 6) *тех.* бу́нкер; 2. *v* промыва́ть руду́.

**hutting** [ˈhʌtɪŋ] 1. *pres. p. от* hut 2; 2. *n* строи́тельный материа́л для сооруже́ния вре́менного жилья́.

**huzza** [huˈzɑː] 1. *int* ура́!; 2. *n* во́згласы ура́; 3. *v* крича́ть ура́.

**huzzy** [ˈhʌzɪ] = hussy I.

**hyacinth** [ˈhaɪəsɪnθ] *n бот., мин.* гиаци́нт.

**hyaena** [haɪˈiːnə] = hyena.

**hyaline** [ˈhaɪəlɪn] *a* 1) *поэт.* криста́льно чи́стый; прозра́чный; 2) *тех., мед.* прозра́чный, криста́льно чи́стый.

**hyalite** [ˈhaɪəlaɪt] *n мин.* бесцве́тный опа́л.

**hyaloid** [ˈhaɪəlɔɪd] *a* стеклови́дный.

**hybrid** [ˈhaɪbrɪd] 1. *n* 1) гибри́д, по́месь; 2) что-л., соста́вленное из разноро́дных элеме́нтов; 2. *a* гибри́дный; разноро́дный; сме́шанный.

**hybridization** [ˌhaɪbrɪdaɪˈzeɪʃən] *n* гибридиза́ция, скре́щивание.

**hybridize** [ˈhaɪbrɪdaɪz] *v* скре́щивать(ся).

**Hyde Park** [ˈhaɪdˈpɑːk] *n* Гайд-па́рк.

**hydra** [ˈhaɪdrə] *n* ги́дра.

**hydrangea** [haɪˈdreɪndʒə] *n бот.* горте́нзия (древови́дная).

**hydrant** [ˈhaɪdrənt] *n* водоразбо́рный кран, гидра́нт.

**hydrargyrum** [haɪˈdrɑːdʒɪrəm] *n хим.* ртуть.

**hydrate** [ˈhaɪdreɪt] *n хим.* гидра́т, во́дный о́кисел; ~ of lime гашёная и́звесть; ~ of sodium каусти́ческая со́да.

**hydraulic** [haɪˈdrɔːlɪk] *a* гидравли́ческий; водяно́й; ~ cement гидравли́ческий цеме́нт (*твердеющий в воде*).

**hydraulics** [haɪˈdrɔːlɪks] *n pl* (*употр. как sing*) гидра́влика.

**hydride** [ˈhaɪdraɪd] *n хим.* водоро́дистое соедине́ние элеме́нта.

**hydro I, II** [ˈhaɪdrou] *n* (*pl* -os [-ouz]) *сокр. от* hydropathic 2 *u* hydroaeroplane.

**hydroaeroplane** [ˈhaɪdrouˈɛərəpleɪn] *n* гидросамолёт.

**hydrocarbon** [ˈhaɪdrouˈkɑːbən] *n хим.* углеводоро́д.

**hydrocyanic** [ˈhaɪdrousaɪˈænɪk] *a хим.* циани́стоводоро́дный; ~ acid сини́льная кислота́.

**hydrodynamics** [ˈhaɪdroudaɪˈnæmɪks] *n pl* (*употр. как sing*) гидродина́мика.

**hydroelectric** [ˈhaɪdrouɪˈlektrɪk] *a* гидроэлектри́ческий; ~ cell *эл.* наливно́й элеме́нт.

**hydrofluoric** [ˈhaɪdrouflʌˈɔrɪk] *a*: ~ acid фтори́стоводоро́дная (*или* плавико́вая) кислота́.

**hydrogen** [ˈhaɪdrɪdʒən] *n хим.* 1) водоро́д; heavy ~ тяжёлый водоро́д, дейте́рий; 2) *attr.* водоро́дный.

**hydrogen bomb** [ˈhaɪdrɪdʒənbɔm] = H-bomb.

**hydrogenous** [haɪˈdrɔdʒɪnəs] *a* гидроге́нный, во́дного происхожде́ния.

**hydrography** [haɪˈdrɔɡrəfɪ] *n* гидрогра́фия.

**hydrology** [haɪ'drɔlədʒɪ] *n* гидрология.
**hydrolysis** [haɪ'drɔlɪsɪs] *n хим.* гидролиз.
**hydromechanics** ['haɪdrouɪmɪ'kænɪks ]*n pl* (*употр. как sing*) гидромеханика.
**hydrometer** [haɪ'drɔmɪtə] *n* 1) гидрометр, водомер; 2) *физ.* ареометр.
**hydropathic** [ˌhaɪdrə'pæθɪk] 1. *a* водолечебный;
2. *n разг.* водолечебница.
**hydropathy** [haɪ'drɔpəθɪ] *n* водолечение.
**hydrophobia** ['haɪdrə'foubjə] *n* водобоязнь; бешенство.
**hydrophone** ['haɪdrəfoun] *n* гидрофон (*подводный звукоуловитель*).
**hydrophyte** ['haɪdrəfaɪt] *n бот.* водяное растение, гидрофит.
**hydropic** [haɪ'drɔpɪk] *a мед.* водяночный.
**hydroplane** ['haɪdroupleɪn] *n* 1) глиссер; 2) гидроплан.
**hydropsy** ['haɪdrɔpsɪ] *n мед.* водянка.
**hydrostatic** [ˌhaɪdrou'stætɪk] *a* гидростатический.
**hydrostatics** [ˌhaɪdrou'stætɪks] *n pl* (*употр. как sing*) гидростатика.
**hydrous** ['haɪdrəs] *a* водный, содержащий воду.
**hydroxide** [haɪ'drɔksaɪd] *n хим.* гидроокись, водная окись.
**hyena** [haɪ'iːnə] *n* гиена.
**hygiene** ['haɪdʒiːn] *n* гигиена.
**hygienic(al)** [haɪ'dʒiːnɪk(əl)] *a* гигиенический; здоровый.
**hygienics** [haɪ'dʒiːnɪks] *n pl* (*употр. как sing*) принципы гигиены; гигиена.
**hygrometer** [haɪ'grɔmɪtə] *n* гигрометр.
**hygroscope** ['haɪgrəskoup] *n* гигроскоп.
**hygroscopic** [ˌhaɪgrə'skoupɪk] *a* гигроскопический.
**hylic** ['haɪlɪk] *a* материальный, вещественный.
**hylotheism** ['haɪləθiːɪzəm] *n филос.* гилотеизм.
**hylozoism** [ˌhaɪlə'zouɪzəm] *n филос.* гилозоизм.
**Hymen** ['haɪmen] *n миф.* Гименей.
**hymen** ['haɪmen] *n анат.* девственная плева.
**hymeneal** [ˌhaɪmeˈniːəl] *a* брачный.
**hymn** [hɪm] 1. *n* церковный гимн;
2. *v* петь гимны; славословить.
**hymnal** ['hɪmnəl] 1. *n* сборник церковных гимнов;
2. *a* относящийся к гимнам.
**hymn-book** ['hɪmbuk] = hymnal 1.
**hyp** [hɪp] = hip III.
**hyperacoustic** ['haɪpɜːrə'kuːstɪk] *a* сверхзвуковой.
**hyperbola** [haɪ'pɜːbələ] *n* (*pl* -lae, -las [-z]) *мат.* гипербола.
**hyperbolae** [haɪ'pɜːbəliː] *pl от* hyperbola.
**hyperbole** [haɪ'pɜːbəlɪ] *n* преувеличение; гипербола.
**hyperbolic(al)** [ˌhaɪpɜː'bɔlɪk(əl)] *a* преувеличенный; гиперболический.
**hyperborean** [ˌhaɪpɜːbɔː'riən] *поэт.* 1. *a* северный, гиперборейский;
2. *n* гипербореец (*житель крайнего севера*).
**hypercritical** ['haɪpɜː'krɪtɪkəl] *a* слишком строгий, придирчивый.

**hypermetrical** ['haɪpɜː'metrɪkəl] *a* имеющий лишний слог (*о стихе*).
**hypersensitive** ['haɪpɜː'sensɪtɪv] *a* чрезмерно чувствительный.
**hypersonic** ['haɪpɜː'sounɪk] *a* сверхзвуковой; ультразвуковой; ~ speed сверхзвуковая скорость.
**hypertension** ['haɪpɜː'tenʃən] *n* повышенное кровяное давление.
**hypertrophy** [haɪ'pɜːtrəfɪ] *n* гипертрофия.
**hyphen** ['haɪfən] 1. *n* дефис, соединительная черточка;
2. *v* писать через дефис.
**hyphenate** ['haɪfəneɪt] 1. *v* = hyphen 2;
2. *n разг.* американец иностранного происхождения (*напр.*: Irish-American американец ирландского происхождения *и т. п.*).
**hyphenated** ['haɪfəneɪtɪd] 1. *p. p. от* hyphenate 1;
2. *a* 1) написанный через дефис; 2): a ~ American = hyphenate 2.
**hypnosis** [hɪp'nousɪs] *n* гипноз.
**hypnotic** [hɪp'nɔtɪk] 1. *a* 1) гипнотический; 2) снотворный;
2. *n* 1) человек, поддающийся гипнозу; 2) загипнотизированный человек; 3) снотворное средство.
**hypnotism** ['hɪpnətɪzəm] *n* гипнотизм.
**hypnotist** ['hɪpnətɪst] *n* гипнотизёр.
**hypnotize** ['hɪpnətaɪz] *v* гипнотизировать.
**hypo** ['haɪpou] *сокр. от* hyposulphite.
**hypochondria** [ˌhaɪpou'kɔndrɪə] *n* ипохондрия.
**hypochondriac** [ˌhaɪpou'kɔndrɪæk] 1. *n* ипохондрик;
2. *a* страдающий ипохондрией.
**hypocrisy** [hɪ'pɔkrəsɪ] *n* лицемерие, притворство.
**hypocrite** ['hɪpəkrɪt] *n* лицемер.
**hypocritical** [ˌhɪpə'krɪtɪkəl] *a* лицемерный, притворный.
**hypodermatic** [ˌhaɪpoudɜː'mætɪk] *амер.* = hypodermic.
**hypodermic** [ˌhaɪpə'dɜːmɪk] *a мед.* подкожный.
**hypophosphate** [ˌhaɪpou'fɔsfeɪt] *n* гипофосфат.
**hyposulphite** [ˌhaɪpou'sʌlfaɪt] *n* гипосульфит.
**hypotenuse** [haɪ'pɔtɪnjuːz] *n геом.* гипотенуза.
**hypothec** [hɪ'pɔθek] *n* ипотека; закладная.
**hypothecate** [haɪ'pɔθɪkeɪt] *v* закладывать (*недвижимость*).
**hypothermia treatment** [ˌhaɪpə'θəːmɪə'triːtmənt] *n мед.* гипотермия, искусственное охлаждение тела для лечебных или хирургических целей.
**hypotheses** [haɪ'pɔθɪsiːz] *pl от* hypothesis.
**hypothesis** [haɪ'pɔθɪsɪs] *n* (*pl* -theses) гипотеза, предположение.
**hypothesize** [haɪ'pɔθɪsaɪz] *v* строить гипотезу.
**hypothetic(al)** [ˌhaɪpou'θetɪk(əl)] *a* гипотетический, предположительный.
**hypsometric** [ˌhɪpsə'metrɪk] *a геод.* гипсометрический; ~ date отметка высоты.
**hyson** ['haɪsn] *n* сорт китайского зелёного чая.

**hy-spy** ['haɪ'spaɪ] *n* игра́ в пря́тки.
**hyssop** ['hɪsəp] *n* бот. иссо́п (апте́чный).
**hysteresis** [ˌhɪstə'riːsɪz] *n физ.* запа́здывание; гистере́зис, отстава́ние фаз.

**hysteria** [hɪs'tɪərɪə] *n* истери́я.
**hysterical** [hɪs'terɪkəl] *a* истери́ческий, истери́чный.
**hysterics** [hɪs'terɪks] *n pl* исте́рика, истери́ческий припа́док.

# I

**I, i** [aɪ] *n (pl* Is, I's [aɪz]*)* 9-я бу́ква англ. алфави́та.
**I** [aɪ] *pron. pers.* 1) я; *косв п.* me меня́, мне *и т. д.*; *косв. п. употр. в разговорной речи тж. как им. п.:* it's me э́то я; I am ready я гото́в; he saw me он ви́дел меня́; give me the book да́йте мне кни́гу; listen to me, please пожа́луйста, послу́шайте меня́; you can get it from me вы мо́жете получи́ть э́то у меня́; I poured me a glass of water я на́лил себе́ стака́н воды́; write to me in English напиши́те мне по-англи́йски; 2) *уст., поэт. имеет возвратное значение, напр.:* I laid me down я уле́гся; ◇ dear me! бо́же мой! *(выражает сожаление, удивление и т. п.).*
**iamb** ['aɪæmb] = iambus.
**iambi** [aɪ'æmbaɪ] *pl от* iambus.
**iambic** [aɪ'æmbɪk] 1. *n* ямби́ческий стих; 2. *a* ямби́ческий.
**iambus** [aɪ'æmbəs] *n (pl* -bi, -es [-ɪz]*)* ямб.
**iarovize** ['jɑːrəvaɪz] *рус. v с.-х.* яровизи́ровать.
**I-beam** ['aɪbiːm] *n тех.* двутавро́вая ба́лка; двутавро́вое желе́зо.
**Iberian** [aɪ'bɪərɪən] 1 *a* ибери́йский; испа́но-португа́льский; ~ Peninsula Пирене́йский полуо́стров; 2. *n* 1) ибе́р; 2) язы́к дре́вних ибе́ров.
**ibex** ['aɪbeks] *n (pl* -xes [-ksɪz], ibices) *зоол.* ка́менный козёл.
**ibices** ['aɪbɪsiːz] *pl от* ibex.
**ibidem** [ɪ'baɪdem] *лат. adv* там же, в том же ме́сте.
**ibis** ['aɪbɪs] *n зоол.* карава́йка.
**ice** [aɪs] 1. *n* 1) лёд; to break the ~ *перен.* слома́ть лёд; сде́лать пе́рвый шаг; положи́ть нача́ло *(знакомству, разговору)*; straight off the ~ све́жий, то́лько что полу́ченный *(о провизии)*; *перен.* неме́дленно; (to skate) on thin ~ *перен.* (быть) в затрудни́тельном, щекотли́вом положе́нии; 2) моро́женое; 3) са́харная глазу́рь; ◇ to cut no ~ *sl.* а) не име́ть значе́ния; б) ничего́ не доби́ться; 2. *v* 1) замора́живать; примора́живать; ~d up затёртый льда́ми; 2) покрыва́ться льдом; 3) покрыва́ть са́харной глазу́рью; ☐ ~ up обледене́ть *(о самолёте).*
**ice-age** ['aɪs'eɪdʒ] *n* леднико́вый пери́од *(тж.* Ice Age).
**ice-axe** ['aɪsæks] *n* ледору́б, ледо́вый топо́р *(альпинистов).*
**ice-bag** ['aɪsbæg] *n* пузы́рь со льдом.
**iceberg** ['aɪsbəːg] *n* а́йсберг.
**iceblink** ['aɪsblɪŋk] *n* о́тблеск льда.
**ice-boat** ['aɪsbout] *n* 1) бу́ер *(парусные сани)*; 2) ледоко́л.

**ice-bound** ['aɪsbaund] *a* 1) ско́ванный льдом *(о реке и т. п.)*; 2) затёртый льда́ми *(о корабле и т. п.).*
**ice-box** ['aɪsbɔks] *n* ко́мнатный холоди́льник, ледни́к.
**ice-breaker** ['aɪsˌbreɪkə] *n* ледоко́л.
**ice-cold** ['aɪs'kould] *a* холо́дный как лёд, ледяно́й.
**ice-cream** ['aɪs'kriːm] *n* моро́женое.
**ice-drift** ['aɪsdrɪft] *n* 1) дрейф льда; 2) торо́сы, нагроможде́ние плаву́чего льда.
**ice-field** ['aɪsfiːld] *n* ледяно́е по́ле, сплошно́й лёд.
**ice-floe** ['aɪsflou] *n* плаву́чая льди́на.
**ice-house** ['aɪshaus] *n* 1) ле́дник, ледохрани́лище; 2) ледяно́й дом *(особ.* эскимо́сов).
**Icelander** ['aɪsləndə] *n* исла́ндец; исла́ндка.
**Icelandic** [aɪs'lændɪk] 1. *a* исла́ндский; 2. *n* исла́ндский язы́к.
**iceman** ['aɪsmæn] *n* 1) аркти́ческий путеше́ственник; 2) альпини́ст; 3) моро́женщик; 4) *амер.* продаве́ц, развозчик льда.
**ice-pack** ['aɪspæk] *n* ледяно́й пак, торо́систый лёд.
**ice-run** ['aɪsrʌn] *n* ледяна́я го́рка *(для катания на санках).*
**ice-skate** ['aɪsˌskeɪt] *v* ката́ться на конька́х.
**ice-yacht** ['aɪsjɔt] *n* бу́ер.
**ichneumon** [ɪk'njuːmən] *n зоол.* 1) ихневмо́н, фарао́нова мышь; 2) нае́здник *(насекомое; тж.* ~ fly).
**ichor** ['aɪkɔː] *n* 1) су́кровица; 2) *мед.* злока́чественный гной.
**ichthyography** [ˌɪkθɪ'ɔgrəfɪ] *n* ихтиогра́фия, описа́ние рыб.
**ichthyoid** ['ɪkθɪɔɪd] *a* рыбоподо́бный.
**ichthyologist** [ˌɪkθɪ'ɔlədʒɪst] *n* ихтио́лог.
**ichthyology** [ˌɪkθɪ'ɔlədʒɪ] *n* ихтиоло́гия.
**ichthyophagous** [ˌɪkθɪ'ɔfəgəs] *a* рыбоя́дный.
**ichthyosaurus** [ˌɪkθɪə'sɔrəs] *n* ихтиоза́вр.
**icicle** ['aɪsɪkl] *n* сосу́лька.
**icily** ['aɪsɪlɪ] *adv* хо́лодно.
**icing** ['aɪsɪŋ] 1. *pres. p. от* ice 2; 2. *n* 1) покрыва́ние са́харной глазу́рью; 2) са́харная глазу́рь; 3) замора́живание; 4) *тех.* обледене́ние; 5) *attr* холоди́льный; ~ house холоди́льник, по́греб.
**icon** ['aɪkən] *n* 1) ико́на; 2) изображе́ние; ста́туя; портре́т.
**iconic** [aɪ'kɔnɪk] *a* портре́тный.
**iconoclast** [aɪ'kɔnəklæst] *n* 1) *ист.* иконобо́рец; 2) челове́к, бо́рющийся с тради́ционными ве́рованиями, предрассу́дками.
**iconography** [ˌaɪkɔ'nɔgrəfɪ] *n* иконогра́фия.

**iconoscope** [aɪ'kɔnəskoup] *n* 1) *электрон.* иконоскоп; 2) *фото* видоиска́тель.

**icteric** [ɪk'terɪk] *a* страда́ющий желту́хой, желту́шный.

**icterus** ['ɪktərəs] *n мед.* желту́ха.

**ictus** ['ɪktəs] *n* 1) ритми́ческое *или* метри́ческое ударе́ние; 2) *мед.* уда́р пу́льса; 3) *мед.* со́лнечный уда́р.

**icy** ['aɪsɪ] *a* 1) ледяно́й, холо́дный (*тж. перен.*); 2) покры́тый льдом.

**I'd** [aɪd] *сокр. разг.* = I would, I should, I had.

**idea** [aɪ'dɪə] *n* 1) иде́я; мысль; a fixed ~ навя́зчивая иде́я (*или* мысль); that's the ~ вот и́менно!; вот э́то мысль!; 2) поня́тие, представле́ние; we hadn't the slightest ~ of it мы не име́ли ни мале́йшего представле́ния об э́том; to give an ~ of smth. дать не́которое представле́ние о чём-л.; 3) воображе́ние, фанта́зия; what an ~! что за фанта́зия!; what's the big ~? *разг.* э́то ещё что?; каку́ю ещё глу́пость вы заду́мали?; 4) план, наме́рение.

**ideal** [aɪ'dɪəl] 1. *n* идеа́л; 2. *a* 1) идеа́льный, соверше́нный; 2) вообража́емый, мы́сленный; нереа́льный.

**idealism** [aɪ'dɪəlɪzəm] *n* идеали́зм.

**idealist** [aɪ'dɪəlɪst] *n* идеали́ст.

**idealistic** [aɪ,dɪə'lɪstɪk] *a* идеалисти́ческий.

**ideality** [,aɪdɪ'ælɪtɪ] *n* идеа́льность.

**idealization** [aɪ,dɪəlaɪ'zeɪʃən] *n* идеализа́ция.

**idealize** [aɪ'dɪəlaɪz] *v* идеализи́ровать.

**ideally** [aɪ'dɪəlɪ] *adv* 1) идеа́льно, превосхо́дно; 2) умозри́тельно, в воображе́нии.

**ideate** [aɪ'diːeɪt] *v* 1) *филос.* формирова́ть поня́тия; 2) представля́ть; вызыва́ть в воображе́нии.

**ideation** [,aɪdɪ'eɪʃən] *n* 1) спосо́бность к формирова́нию поня́тий; 2) мышле́ние.

**idée fixe** [,ɪdeɪ'fiːks] *фр. n* навя́зчивая иде́я.

**idem** ['aɪdem] *лат. n* 1) тот же а́втор; 2) та же кни́га; то же сло́во.

**identic** [aɪ'dentɪk] *a* 1) = identical; 2): ~ note аналоги́чная, тождéственная но́та (*посланная одновременно нескольким государствам*).

**identical** [aɪ'dentɪkəl] *a* 1) тот же са́мый (*об одном предмете*); the ~ room where Shakespeare was born та са́мая ко́мната, в кото́рой роди́лся Шекспи́р; 2) одина́ковый, иденти́чный, тождéственный (with).

**identification** [aɪ,dentɪfɪ'keɪʃən] *n* 1) отождествле́ние; 2) опозна́ние; установле́ние ли́чности; 3) выясне́ние; ~ of enemy units *воен.* установле́ние нумера́ции часте́й проти́вника; 4) *attr.* опознава́тельный; ~ parade о́чная ста́вка; ~ disc, ~ disk = identity disc [*см.* identity 5)]; ~ prisoner контро́льный плённый.

**identify** [aɪ'dentɪfaɪ] *v* 1) устана́вливать тóждество (with); 2) опознава́ть, уста́навливать ли́чность; 3) отождествля́ть; солидаризи́роваться (with); 4) *разг.* ощуща́ть, замеча́ть; чу́вствовать.

**identity** [aɪ'dentɪtɪ] *n* 1) тождéствен-

ность, иденти́чность; 2) по́длинность; 3) ли́чность, индивидуа́льность; 4) *мат.* тóждество; 5) *attr.* опознава́тельный, ли́чный; ~ card удостовере́ние ли́чности; ~ disc, ~ disk *воен.* ли́чный (опознава́тельный) знак.

**ideogram, ideograph** ['ɪdɪougræm, 'ɪdɪougraːf] *n* идеогра́мма (*условный значок, символ в идеографическом письме*).

**ideographic(al)** [,ɪdɪou'græfɪk(əl)] *a* идеографи́ческий.

**ideological** [,aɪdɪə'lɔdʒɪkəl] *a* идеологи́ческий.

**ideologist** [,aɪdɪ'ɔlədʒɪst] *n* идеóлог.

**ideology** [,aɪdɪ'ɔlədʒɪ] *n* идеоло́гия, мировоззре́ние.

**ides** [aɪdz] *n pl др.-рим.* и́ды.

**idiocy** ['ɪdɪəsɪ] *n* 1) идиоти́зм; 2) *разг.* идиóтство.

**idiom** ['ɪdɪəm] *n* 1) идио́ма, идиомати́ческое выраже́ние; 2) язы́к, диале́кт, го́вор; local ~ мéстное наре́чие; 3) сре́дство выраже́ния (*обычно в искусстве*).

**idiomatic** [,ɪdɪə'mætɪk] *a* 1) идиомати́ческий; характе́рный для да́нного языка́; 2) бога́тый идиóмами; 3) разгово́рный.

**idiosyncrasy** [,ɪdɪə'sɪŋkrəsɪ] *n* 1) черта́ хара́ктера, скла́да, сти́ля; 2) *мед.* идиосинкрази́я.

**idiosyncratic** [,ɪdɪəsɪŋ'krætɪk] *a* идиосинкрази́ческий.

**idiot** ['ɪdɪət] *n* идиóт; дура́к; a drivelling ~ кру́глый дура́к.

**idiotic** [,ɪdɪ'ɔtɪk] *a* идиóтский.

**idle** ['aɪdl] 1. *a* 1) неза́нятый; нерабо́тающий; to lie ~ быть без употребле́ния, быть неиспо́льзованным; ~ capacity *тех.* резе́рвная мо́щность; запасна́я ёмкость; to stand ~ не рабо́тать (*о фабрике, заводе*); 2) безрабо́тный; 3) лени́вый, пра́здный; 4) бесполе́зный, тще́тный; 5) пусто́й, неоснова́тельный; 6) *тех.* безде́йствующий; холосто́й; ~ time просто́й, вы́нужденная остано́вка, переры́в в рабо́те; 7) *эл.* безва́ттный, реакти́вный (*о токе*); 8) *тех.* направля́ющий (*о ролике, шкиве и т. п.*); 2. *v* 1) лени́ться, безде́льничать (*часто* ~ about); 2) ~ away one's time проводи́ть вре́мя в безде́лье; 2) заста́вить рабо́тать вхолосту́ю, прогоня́ть вхолосту́ю (*мотор и т. п.*); □ ~ over рабо́тать *или* дви́гаться заме́дленным те́мпом и вхолосту́ю (*о машине и т. п.*).

**idle-headed** ['aɪdl'hedɪd] *a* пусто́й, глу́пый.

**idleness** ['aɪdlnɪs] *n* 1) пра́здность, лень, безде́лье; 2) безрабо́тица; безде́йствие.

**idler** ['aɪdlə] *n* 1) лентя́й, безде́льник; 2) *тех.* направля́ющий *или* холосто́й шкив, ва́лик, ро́лик, блок; направля́ющее колесо́ (*гусеницы*), «лени́вец», паразита́рная шестерня́.

**idle space** ['aɪdlspeɪs] *n тех.* вре́дное простра́нство.

**idling** ['aɪdlɪŋ] 1. *pres. p. от* idle 2; 2. *n* 1) безде́лье; 2) *тех.* рабо́та на холосто́м ходу́.

**idly** ['aɪdlɪ] *adv* лени́во; пра́здно.

**idol** ['aɪdl] *n* 1) и́дол; 2) куми́р.

**idolater** [aɪ'dɔlətə] *n* 1) идолопокло́нник; 2) обожа́тель, покло́нник.

**idolatress** [aɪ'dɔlətrɪs] *n* 1) идолопоклóнница; 2) поклóнница.

**idolatry** [aɪ'dɔlətrɪ] *n* 1) идолопоклóнство, 2) поклонéние, обожáние.

**idolize** ['aɪdəlaɪz] *v* 1) боготворúть, дéлать кумúром; 2) поклонáться úдолам.

**idyll** ['ɪdɪl] *n* идúллия.

**idyllic** [aɪ'dɪlɪk] *a* идиллúческий.

**idyllize** ['aɪdɪlaɪz] *v* создавáть идúллию.

**if** [ɪf] **1.** *cj* 1) éсли (*с гл. в изъявúтельном наклонéнии*); I see him if he comes éсли он придёт, я его́ увúжу; 2) éсли бы (*с гл. в сослагáтельном наклонéнии*); if only I knew éсли бы я тóлько знал (*сейчáс*); if only I had known éсли бы я тóлько знал (*тогдá*); 3) *вводит кóсвенный вопрóс или придáточное дополнúтельное предложéние*: do you know if he is here? вы не знáете, здесь ли он?; I don't know if he is here я не знáю, здесь ли он; 4): even if дáже éсли (бы); I will do it, even if it were very difficult я сдéлаю э́то, как бы трýдно э́то ни бы́ло; as if как бýдто, бýдто; as if you didn't know (как) бýдто вы не знáли; if only хотя́ бы тóлько; тóлько бы; he may show up if only for the purpose of seeing you он мóжет появи́ться здесь, хотя́ бы тóлько для тогó, чтóбы повидáть вас; if and when когдá и где придётся; if not и́ли дáже, а то и...;

**2.** *n* услóвие, предположéние; if ifs and ans were pots and pans≈éсли бы да кабы́.

**iffy** ['ɪfɪ] *a амер.* неопределённый.

**igloo** ['ɪgluː] *n* и́глу (*эскимóсская хúжина из затвердéвшего снéга*).

**igneous** ['ɪgnɪəs] *a* 1) óгненный; огневóй; 2) *геол.* извéрженный, пирогéнный, вулканúческого происхождéния.

**ignis fatuus** ['ɪgnɪs'fætjuəs] *лат. n* 1) блуждáющий огонёк; 2) обмáнчивая надéжда.

**ignite** [ɪg'naɪt] *v* 1) зажигáть; 2) загорáться, воспламенáться; 3) раскалáть до свечéния; 4) прокáливать.

**igniter** [ɪg'naɪtə] *n* воспламенúтель, зажигáтель.

**ignition** [ɪg'nɪʃən] *n* 1) воспламенéние, зажигáние; вспы́шка, запáл; 2) прокáливание; 3) *attr.* запáльный; ~ timing *тех.* момéнт зажигáния.

**ignoble** [ɪg'noubl] *a* 1) нúзкий, пóдлый; позóрный; 2) *уст.* нúзкого происхождéния *или* положéния.

**ignominious** [ˌɪgnə'mɪnɪəs] *a* бесчéстный, посты́дный, позóрный.

**ignominy** ['ɪgnəmɪnɪ] *n* 1) бесчéстье, позóр; 2) нúзкое, посты́дное поведéние; нúзость.

**ignoramus** [ˌɪgnə'reɪməs] *лат. n* (*pl* -es [-ɪz]) невéжда.

**ignorance** ['ɪgnərəns] *n* 1) невéжество; 2) невéдение, незнáние (of).

**ignorant** ['ɪgnərənt] *a* 1) невéжественный; 2) несвéдущий, не знáющий (of, in; that); I was ~ of the time я не знал, котóрый час.

**ignore** [ɪg'nɔː] *v* 1) игнорúровать; 2) *юр.* отвергáть, отклонáть.

**il-** [ɪl-] *pref см.* in- I *и* II.

**ileus** ['ɪlɪəs] *n мед.* кишéчная непроходúмость, зáворот кишóк.

**ilex** ['aɪleks] *n бот.* пáдуб.

**ilia** ['ɪlɪə] *pl от* ilium.

**iliac** ['ɪlɪæk] *a анат.* подвздóшный; ~ passion = ileus.

**ilium** ['ɪlɪəm] *n* (*pl* -ia) *анат.* подвздóшная кость.

**ilk** [ɪlk] *a шотл.*: of that ~ а) из мéста, назвáние котóрого совпадáет с фамúлией; Guthrie of that ~ Гýтри из гóрода Гýтри; б) *разг.* тогó же рóда, клáсса *и т. п.*; and others of that ~ и другúе тогó же рóда.

**ill** [ɪl] **1.** *a* 1) *predic.* больнóй, нездорóвый; to be ~ быть больны́м; to fall ~, to be taken ~ заболéть; 2) (worse; worst) дурнóй, плохóй; ~ fame дурнáя слáва; ~ success неудáча, неуспéх; 3) (worse; worst) злой, враждéбный; врéдный, гúбельный; ~ luck несчáстье, неудáча; he had ~ luck емý не повезлó; ◇ ~ weeds grow apace *посл.* дурнáя травá в рост идёт; ~ blood враждá, неприя́знь, нéнависть; as ~ luck would have it как нáзло; to do smb. an ~ turn оказáть комý-л. медвéжью услýгу, повредúть комý-л.;

**2.** *n* 1) зло, вред; 2) *pl* несчáстья;

**3.** *adv* 1) плóхо, хýдо; дýрно; неблагоприя́тно; to behave ~ плóхо вестú себя́; ~ at ease не по себé; to go ~ with smb. быть неблагоприя́тным, гúбельным, врéдным для когó-л.; to take a thing ~ обúдеться на что-л.; to speak ~ of smb. дýрно отзывáться о ком-л.; 2) едвá ли, с трудóм; I can ~ afford с трудóм могý себé позвóлить.

**ill-advised** ['ɪləd'vaɪzd] *a* неблагоразýмный.

**ill-affected** ['ɪlə'fektɪd] *a* 1) нерасполóженный; 2) неблагожелáтельный.

**illation** [ɪ'leɪʃən] *n лог.* вы́вод, заключéние.

**illative** [ɪ'leɪtɪv] *a* выражáющий заключéние, заключúтельный.

**ill-bred** ['ɪl'bred] *a* дýрно воспúтанный; невоспúтанный, грýбый.

**ill breeding** ['ɪl'briːdɪŋ] *n* дурны́е манéры, невоспúтанность, грýбость.

**ill-conditioned** ['ɪlkən'dɪʃənd] *a* 1) дурнóго нрáва, сварлúвый; 2) дурнóй, злой; 3) в плохóм состоя́нии; в плохóм положéнии; 4) *с.-х.* худóй, неупúтанный (*о скотé*); 5) *ком.* некондициóнный.

**ill-considered** ['ɪlkən'sɪdəd] *a* необдýманный.

**ill-devised** ['ɪldɪ'vaɪzd] *a* неудáчно задýманный; плóхо придýманный.

**ill-disposed** ['ɪldɪs'pouzd] *a* 1) склóнный к дурнóму; злой; 2) недоброжелáтельный (towards —к); 3) в плохóм настроéнии, не в дýхе.

**illegal** [ɪ'liːgəl] *a* 1) незакóнный; 2) нелегáльный; ~ strike *амер.* забастóвка, не согласóванная с профсою́зом.

**illegality** [ˌɪliː'gælɪtɪ] *n* 1) незакóнность; 2) нелегáльность.

**illegibility** [ɪˌledʒɪ'bɪlɪtɪ] *n* неразбóрчивость, неудобочитáемость.

**illegible** [ɪ'ledʒəbl] *a* нечёткий, неразборчивый, неудобочитаемый (*о почерке*).

**illegitimacy** [ˌɪlɪ'dʒɪtɪməsɪ] *n* 1) незаконность; 2) незаконнорождённость.

**illegitimate** [ˌɪlɪ'dʒɪtɪmɪt] 1. *a* 1) незаконный; 2) незаконнорождённый; 3) логически неправильный (*о выводе*);
2. *v* объявлять незаконным.

**ill-fated** ['ɪl'feɪtɪd] *a* несчастливый; злополучный; злосчастный.

**ill-favoured** ['ɪl'feɪvəd] *a* 1) некрасивый; 2) неприятный.

**ill-feeling** ['ɪl'fiːlɪŋ] *n* 1) неприязнь; враждебность; 2) чувство обиды.

**ill-found** ['ɪl'faund] *a* плохо снабжённый, испытывающий недостаток (*в чём-л.*).

**ill-founded** ['ɪl'faundɪd] *a* необоснованный.

**ill-gotten** ['ɪl'gɔtn] *a* полученный *или* нажитый нечестным путём; ◇ ~, ill-spent *посл.* ≅ чужое добро впрок нейдёт.

**ill-humoured** ['ɪl'hjuːməd] *a* в дурном настроении; дурного нрава.

**illiberal** [ɪ'lɪbərəl] *a* 1) непросвещённый; ограниченный; 2) нетерпимый (*к чужому мнению*); 3) скупой.

**illicit** [ɪ'lɪsɪt] *a* незаконный; недозволенный, запрещённый.

**illimitable** [ɪ'lɪmɪtəbl] *a* неограниченный, беспредельный.

**illinium** [ɪ'lɪnɪəm] *n хим.* иллиний.

**illiteracy** [ɪ'lɪtərəsɪ] *n* неграмотность; безграмотность.

**illiterate** [ɪ'lɪtərɪt] 1. *n* 1) неграмотный человек; 2) неуч;
2. *a* 1) неграмотный; безграмотный; 2) необразованный.

**ill-judged** ['ɪl'dʒʌdʒd] *a* неразумный, неблагоразумный.

**ill-mannered** ['ɪl'mænəd] *a* невоспитанный, грубый.

**ill-natured** ['ɪl'neɪtʃəd] *a* дурного нрава, злобный; грубый.

**illness** ['ɪlnɪs] *n* нездоровье; болезнь.

**ill-nourished** ['ɪl'nʌrɪʃt] *a* плохо упитанный.

**illogical** [ɪ'lɔdʒɪkəl] *a* нелогичный.

**illogicality** [ˌɪlɔdʒɪ'kælɪtɪ] *n* нелогичность.

**ill-omened** ['ɪl'oumend] *a* предвещающий несчастье, зловещий.

**ill-spoken** ['ɪl'spoukən] *a* пользующийся дурной репутацией.

**ill-starred** ['ɪl'stɑːd] *a* родившийся под несчастливой звездой, несчастливый.

**ill-tempered** ['ɪl'tempəd] *a* со скверным характером; раздражительный.

**ill-timed** ['ɪl'taɪmd] *a* несвоевременный, неподходящий.

**ill-treat** ['ɪl'triːt] *v* плохо обращаться.

**ill-treatment** ['ɪl'triːtmənt] *n* дурное обращение.

**illume** [ɪ'ljuːm] *поэт. см.* illumine 1) *и* 2).

**illuminant** [ɪ'ljuːmɪnənt] 1. *n* осветительный материал *или* прибор; источник света;
2. *a* осветительный; освещающий.

**illuminate** [ɪ'ljuːmɪneɪt] *v* 1) освещать, озарять; 2) иллюминировать, устраивать иллюминацию; 3) украшать рукопись цвет

ными рисунками; раскрашивать; 4) просвещать; 5) проливать свет, разъяснять.

**illuminating** [ɪ'ljuːmɪneɪtɪŋ] 1. *pres. p. от* illuminate;
2. *a* 1) осветительный, освещающий; ~ gas светильный газ; 2) разъясняющий.

**illumination** [ɪˌljuːmɪ'neɪʃən] *n* 1) освещение; 2) *тех.* освещённость; 3) яркость; 4) иллюминация; 5) *pl* украшения и рисунки в рукописи; 6) раскраска; 7) вдохновение; 8) *attr.* осветительный; ~ engineering осветительная техника.

**illuminative** [ɪ'ljuːmɪnətɪv] *a* освещающий.

**illuminator** [ɪ'ljuːmɪneɪtə] *n* 1) *тех.* светильник; 2) *мор.* стекло иллюминатора; 3) художник-иллюстратор (*старинной рукописи*).

**illumine** [ɪ'ljuːmɪn] *v* 1) освещать; 2) просвещать; 3) оживлять, озарять; 4) снабжать миниатюрами, иллюстрировать (*рукопись*).

**ill-use** 1. *n* [ɪl'juːs] плохое обращение;
2. *v* [ɪl'juːz] 1) плохо обращаться; 2) неправильно обращаться, портить.

**ill-used** ['ɪl'juːzd] 1. *p. p. от* ill-use 2;
2. *a* подвергающийся дурному обращению.

**illusion** [ɪ'luːʒən] *n* 1) иллюзия, обман чувств; мираж; optical ~ обман зрения; to indulge in ~s предаваться иллюзиям; 2) прозрачный тюль.

**illusionist** [ɪ'luːʒənɪst] *n* 1) *филос.* иллюзионист; 2) мечтатель; 3) фокусник.

**illusive** [ɪ'luːsɪv] *a* обманчивый, призрачный, иллюзорный.

**illusory** [ɪ'luːsərɪ] = illusive.

**illustrate** ['ɪləstreɪt] *v* иллюстрировать; пояснять.

**illustration** [ˌɪləs'treɪʃən] *n* 1) иллюстрация, рисунок; 2) иллюстрирование; 3) пример, пояснение.

**illustrative** ['ɪləstreɪtɪv] *a* иллюстративный; пояснительный.

**illustrious** [ɪ'lʌstrɪəs] *a* знаменитый; прославленный, известный.

**ill-will** ['ɪl'wɪl] *n* недоброжелательство, злая воля (to, towards).

**ill-wresting** ['ɪl'restɪŋ] *a* 1) искажающий; 2) дающий неправильное освещение *или* толкование.

**illy** ['ɪlɪ] *амер.* = ill 3.

**I'm** [aɪm] *сокр. разг.* = I am.

**image** ['ɪmɪdʒ] *n* 1) образ; изображение; отражение (*в зеркале*); 2) статуя; идол; 3) подобие; to be the living ~ of smb. походить на кого-л. как две капли воды; быть точной копией кого-л.; 4) метафора, образ; to speak in ~s говорить образно; 5) икона; 6) *attr.*: ~ fault *электрон.* искажение изображения; ~ dissector *электрон. см.* dissector II; ~ effect *опт.* зеркальное изображение;
2. *v* 1) изображать, создавать изображение; 2) вызывать в воображении, представлять себе; 3) отображать.

**imagery** ['ɪmɪdʒərɪ] *n* 1) *иск.* образы; 2) скульптура, резьба; 3) образность.

**imaginable** [ɪ'mædʒɪnəbl] *a* вообразимый.

**imaginary** [ɪ'mædʒɪnərɪ] *a* 1) воображаемый; нереальный; 2) мнимый

**imagination** [ɪ,mædʒɪ'neɪʃən] *n* 1) воображение; фантазия; 2) творческая фантазия; 3) (мысленный) образ.

**imaginative** [ɪ'mædʒɪnətɪv] *a* 1) одарённый большим, богатым воображением; 2) образный; богатый поэтическими образами.

**imagine** [ɪ'mædʒɪn] *v* 1) воображать, представлять себе; 2) думать, предполагать, полагать; 3) замышлять; 4) догадываться, понимать.

**imagines** [ɪ'meɪdʒɪniːz] *pl от* imago.

**imago** [ɪ'meɪgou] *n* (*pl* -gines, -os [-ouz]) 1) образ; 2) имаго (*последняя стадия развития насекомого*).

**imbalance** [ɪm'bæləns] *n* 1) отсутствие равновесия, несоответствие; 2) неустойчивость.

**imbecile** ['ɪmbɪsiːl] 1. *n* 1) слабоумный; 2) глупец;
2. *a* 1) слабоумный; 2) неразумный, глупый; 3) *редк.* физически слабый.

**imbecility** [,ɪmbɪ'sɪlɪtɪ] *n* 1) слабоумие; 2) глупость; 3) неспособность.

**imbed** [ɪm'bed] = embed.

**imbibe** [ɪm'baɪb] *v* 1) впитывать, поглощать, всасывать; вдыхать; 2) усваивать; ассимилировать; 3) пить.

**imbibition** [,ɪmbɪ'bɪʃən] *n* впитывание и *пр.* [*см.* imbibe].

**imbrex** ['ɪmbreks] *n* (*pl* imbrices) *стр.* желобчатая черепица, голландская черепица.

**imbricate** ['ɪmbrɪkeɪt] *v стр.* класть внахлёстку; перекрывать в виде чешуи.

**imbrication** [,ɪmbrɪ'keɪʃən] *n* 1) *стр.* укладка внахлёстку; 2) *архит.* орнамент в виде чешуи.

**imbrices** ['ɪmbrɪsiːz] *pl от* imbrex.

**imbroglio** [ɪm'brouliou] *n* (*pl* -os [-ouz]) путаница; запутанная, сложная ситуация.

**imbrue** [ɪm'bruː] *v* смочить, замочить; запятнать, обагрить; to ~ one's hands with blood обагрить руки кровью

**imbue** [ɪm'bjuː] *v* 1) насыщать, напитывать, пропитывать; 2) окрашивать (*ткань*); пропитывать красителем (*ткань, дерево*); морить (*дерево*); 3) вдохнуть, внушить, вселить; наполнять (*чувством*).

**imitate** ['ɪmɪteɪt] *v* 1) подражать, стараться быть похожим; 2) имитировать; копировать; передразнивать; 3) имитировать, подделывать; 4) *биол.* принимать покровительственную окраску.

**imitation** [,ɪmɪ'teɪʃən] *n* 1) подражание; имитирование; 2) имитация; подделка, суррогат; 3) *attr.*: ~ leather искусственная кожа.

**imitative** ['ɪmɪtətɪv] *a* 1) подражательный; ~ arts изобразительные искусства; ~ word звукоподражательное слово; 2) подражательный, неоригинальный; 3) поддельный; искусственный.

**imitator** ['ɪmɪteɪtə] *n* 1) подражатель; 2) имитатор.

**immaculacy** [ɪ'mækjuləsɪ] *n* 1) чистота; незапятнанность; 2) безукоризненность; безупречность.

**immaculate** [ɪ'mækjulɪt] *a* 1) незапятнанный; чистый; 2) безукоризненный, безупречный (*часто ирон.*); 3) *зоол.* непятнистый.

**immanence, -cy** ['ɪmənəns, -sɪ] *n* 1) присущность; постоянное, неотъемлемое свойство; 2) *филос.* имманентность.

**immanent** ['ɪmənənt] *a* 1) присущий, постоянный; 2) *филос.* имманентный.

**immaterial** [,ɪmə'tɪərɪəl] *a* 1) невещественный; бестелесный, духовный; 2) несущественный, неважный.

**immateriality** ['ɪmə,tɪərɪ'ælɪtɪ] *n* 1) невещественность; 2) несущественность.

**immature** [,ɪmə'tjuə] *a* 1) незрелый, неспелый; недоразвившийся; 2) *геол.* юный (*о цикле эрозии*); молодой (*о форме*).

**immaturity** [,ɪmə'tjuərɪtɪ] *n* незрелость.

**immeasurability** [ɪ,meʒərə'bɪlɪtɪ] *n* неизмеримость, безмерность, громадность.

**immeasurable** [ɪ'meʒərəbl] *a* неизмеримый, безмерный, громадный.

**immediacy** [ɪ'miːdjəsɪ] *n* 1) непосредственность; 2) немедленность, безотлагательность.

**immediate** [ɪ'miːdjət] *a* 1) непосредственный, прямой; ~ contagion *мед.* непосредственное заражение; 2) ближайший; 3) немедленный, безотлагательный, спешный.

**immediately** [ɪ'miːdjətlɪ] *adv* 1) непосредственно; 2) немедленно, тотчас же.

**immedicable** [ɪm'medɪkəbl] *a* неизлечимый.

**immemorial** [,ɪmɪ'mɔːrɪəl] *a* 1) незапамятный; from time ~ с незапамятных времён; 2) древний.

**immense** [ɪ'mens] *a* 1) безмерный, необъятный; 2) огромный; 3) *разг.* великолепный, замечательный.

**immensely** [ɪ'menslɪ] *adv* очень, чрезвычайно, безмерно.

**immensity** [ɪ'mensɪtɪ] *n* безмерность, необъятность.

**immerse** [ɪ'məːs] *v* 1) погружать, окунать (in); 2) поглощать, занимать (*мысли, внимание*); 3) вовлекать, запутывать; ~d in debt запутавшийся в долгах.

**immersion** [ɪ'məːʃən] *n* 1) погружение; осадка; 2) *опт.* иммерсия.

**immigrant** ['ɪmɪgrənt] 1. *n* иммигрант; переселенец;
2. *a* переселяющийся.

**immigrate** ['ɪmɪgreɪt] *v* иммигрировать.

**immigration** [,ɪmɪ'greɪʃən] *n* иммиграция.

**imminence** ['ɪmɪnəns] *n* близость, приближение, угроза.

**imminent** ['ɪmɪnənt] *a* близкий, надвигающийся, грозящий, нависший (*об опасности и т. п.*).

**immiscible** [ɪ'mɪsɪbl] *a* не поддающийся смешению, несмешивающийся.

**immitigable** [ɪ'mɪtɪgəbl] *a* не поддающийся облегчению, смягчению.

**immixture** [ɪ'mɪkstʃə] *n* 1) смешивание; 2) участие, прикосновенность (in—к).

**immobile** [ɪ'moubaɪl] *a* недвижимый; неподвижный.

**immobility** [,ɪmou'bɪlɪtɪ] *a* неподвижность.

**immobilize** [ı'moubılaız] v 1) де́лать неподви́жным; лиша́ть подви́жности; остана́вливать, ско́вывать, свя́зывать; 2) *мед.* наложи́ть лубо́к, ши́ну; 3) изыма́ть из обраще́ния (*моне́ту*).

**immoderate** [ı'modərıt] a 1) неуме́ренный, чрезме́рный, изли́шний; 2) несде́ржанный.

**immodest** [ı'modıst] a 1) нескро́мный; неприли́чный; 2) на́глый; бессты́дный.

**immodesty** [ı'modıstı] n 1) нескро́мность; неприли́чие; 2) на́глость; бесстыдство.

**immolate** ['ımouleıt] v 1) приноси́ть в же́ртву; 2) *перен.* жертвова́ть (*чем-л.*).

**immolation** [,ımou'leıʃən] n 1) жертвоприноше́ние; 2) же́ртва.

**immoral** [ı'morəl] a 1) безнра́вственный; 2) распу́щенный, распу́тный.

**immorality** [,ımə'rælıtı] n 1) безнра́вственность; 2) распу́щенность.

**immortal** [ı'mɔːtl] 1. a бессме́ртный; неувяда́емый, ве́чный;
2. n pl *миф.* бессме́ртные бо́ги.

**immortality** [,ımɔː'tælıtı] n бессме́ртие, ве́чность.

**immortalization** [ı,mɔːtəlaı'zeıʃən] n увекове́чение.

**immortalize** [ı'mɔːtəlaız] v обессме́ртить, увекове́чить.

**immortelle** [,ımɔː'tel] *фр. n бот.* иммортéль, бессме́ртник, сухоцве́т.

**immovability** [ı,muːvə'bılıtı] n 1) недви́жимость, неподви́жность; 2) несменя́емость; 3) непоколеби́мость; 4) споко́йствие, бесстра́стие.

**immovable** [ı'muːvəbl] 1. a 1) недви́жимый, неподви́жный; стациона́рный; ~ property недви́жимое иму́щество; 2) непоколеби́мый, сто́йкий; 3) споко́йный, бесстра́стный;
2. n pl недви́жимое иму́щество, недви́жимость.

**immune** [ı'mjuːn] a 1) освобождённый, свобо́дный (*от чего-л.*); 2) невоспри́имчивый (*к какой-л. боле́зни*), имму́нный; 3) неприкоснове́нный.

**immunity** [ı'mjuːnıtı] n 1) освобожде́ние (*от платежа́, нало́га*); изъя́тие; 2) свобо́да (from—от); 3) невоспри́имчивость (*к какой-л. боле́зни*), иммуните́т; 4) неприкоснове́нность.

**immunization** [ı,mjuːnaı'zeıʃən] n иммуниза́ция.

**immunize** ['ımjuːnaız] v иммунизи́ровать.

**immure** [ı'mjuə] v 1) заточа́ть; to ~ oneself запере́ться в четырёх стена́х; 2) *стр.* замуро́вывать; закла́дывать в кла́дку, вмуро́вывать; 3) *редк.* окружа́ть стена́ми.

**immurement** [ı'mjuəmənt] n 1) заточе́ние; 2) замуро́вывание; 3) захороне́ние в стене́.

**immutability** [ı,mjuːtə'bılıtı] n неизме́нность, непрело́жность.

**immutable** [ı'mjuːtəbl] a неизме́нный, непрело́жный.

**imp** [ımp] n 1) чертёнок, бесёнок; 2) пострелёнок (*о ребёнке*); 3) *уст.* побе́г; о́тпрыск.

**impact** 1. n ['ımpækt] 1) уда́р, толчо́к;

и́мпульс; 2) столкнове́ние, колли́зия; 3) влия́ние; возде́йствие; 4) *attr.* уда́рный, и́мпульсный; ~ fuze *воен.* уда́рный взрыва́тель; ~ strength *тех.* уда́рная вя́зкость; ~ resistance *тех.* сопротивле́ние уда́ру;
2. v [ım'pækt] 1) пло́тно сжима́ть; 2) про́чно укрепля́ть; 3) уда́ря́ть(ся); 4) ста́лкиваться.

**impair** [ım'pɛə] v 1) ослабля́ть, уменьша́ть; 2) ухудша́ть (*ка́чество*); по́ртить, повреда́ть; 3) *уст.* ухудша́ться; по́ртиться; 4) наруша́ть (*интере́сы*).

**impaired** [ım'pɛəd] 1. *p. p. от* impair;
2. a 1) заме́дленный, осла́бленный; ~ development заде́ржанное разви́тие (*о с.-х. культу́рах*); 2) уху́дшенный.

**impairment** [ım'pɛəmənt] n ухудше́ние; поврежде́ние.

**impale** [ım'peıl] v 1) прока́лывать, пронза́ть; to ~ oneself upon smth. наколо́ться, напоро́ться на что-л.; 2) сажа́ть на́ кол; 3) *редк.* обноси́ть частоко́лом.

**impalement** [ım'peılmənt] n 1) сажа́ние на́ кол; 2) обнесе́ние частоко́лом.

**impalpability** [ım,pælpə'bılıtı] n неося́заемость, неощути́мость.

**impalpable** [ım'pælpəbl] a 1) неося́заемый, неощути́мый; мельча́йший; 2) неулови́мый, неразличи́мый; ~ distinctions неулови́мые, о́чень то́нкие разли́чия.

**impanel** [ım'pænl] = empanel.

**imparity** [ım'pærıtı] n нера́венство.

**impark** [ım'pɑːk] v 1) испо́льзовать (*террито́рию*) под парк; 2) помеща́ть в парк (*ди́ких живо́тных*).

**impart** [ım'pɑːt] v 1) дава́ть, придава́ть; 2) сообща́ть, передава́ть (*зна́ния, но́вости*).

**impartial** [ım'pɑːʃəl] a беспристра́стный, справедли́вый; непредвзя́тый.

**impartiality** ['ım,pɑːʃı'ælıtı] n беспристра́стие, справедли́вость.

**impartible** [ım'pɑːtıbl] a недели́мый (*об име́нии*).

**impassable** [ım'pɑːsəbl] a непроходи́мый, непрое́зжий.

**impasse** [æm'pɑːs] *фр. n* 1) тупи́к; 2) тупи́к, безвы́ходное положе́ние.

**impassibility** [ım,pæsı'bılıtı] n 1) нечувстви́тельность (*к бо́ли и т. п.*); 2) бесстра́стность, бесчу́вственность.

**impassible** [ım'pæsıbl] a 1) нечувстви́тельный (*к бо́ли и т. п.*); 2) бесстра́стный; бесчу́вственный.

**impassion** [ım'pæʃən] v внуша́ть страсть, пы́лкое жела́ние.

**impassioned** [ım'pæʃənd] 1. *p. p. от* impassion;
2. a стра́стный, пы́лкий.

**impassive** [ım'pæsıv] a 1) = impassible; 2) споко́йный, безмяте́жный.

**impassivity** [,ımpæ'sıvıtı] n 1) бесстра́стие; 2) споко́йствие.

**impaste** [ım'peıst] v 1) *жив.* писа́ть, гу́сто накла́дывая кра́ски; 2) меси́ть, превраща́ть в каку́ю-л. ма́ссу [*см.* paste 1].

**impatience** [ım'peıʃəns] n 1) нетерпе́ние (of); 2) раздражи́тельность (of).

**impatient** [ım'peıʃənt] a 1) нетерпели́вый; 2) нетéрпящий; раздражи́тельный; ~

of reproof не тéрпящий порицáния; 3) беспокóйный; нетерпелúво ожидáющий (of).

**impawn** [ɪm'pɔːn] v 1) отдавáть в залóг, заклáдывать; 2) *перен.* ручáться.

**impeach** [ɪm'piːtʃ] v 1) брать под сомнéние; набрáсывать тень; 2) порицáть; 3) обвинять (of, with); 4) предъявлять обвинéние в госудáрственном преступлéнии.

**impeachment** [ɪm'piːtʃmənt] n 1) порицáние; 2) обвинéние; 3) привлечéние к судý (*особ.* за госудáрственное преступлéние).

**impeccability** [ɪm,pekə'bɪlɪtɪ] n 1) непогрешúмость; 2) безупрéчность.

**impeccable** [ɪm'pekəbl] a 1) непогрешúмый; 2) безупрéчный.

**impecunious** [,ɪmpɪ'kjuːnjəs] a нуждáющийся, безденéжный, бéдный.

**impedance** [ɪm'piːdəns] n *эл.* пóлное сопротивлéние, импедáнс.

**impede** [ɪm'piːd] v препятствовать, мешáть, задéрживать.

**impediment** [ɪm'pedɪmənt] n 1) препятствие, помéха, задéржка; an ~ in one's speech заикáние; 2) *юр., церк.* препятствие к брáку; 3) *pl* войсковóй обóз.

**impedimenta** [ɪm,pedɪ'mentə] n pl войсковóй обóз.

**impedimental** [ɪm,pedɪ'mentl] a препятствующий, задéрживающий.

**impel** [ɪm'pel] v 1) приводúть в движéние; 2) продвигáть; 3) побуждáть, принуждáть (to).

**impellent** [ɪm'pelənt] 1. n двúжущая, побудúтельная сúла.
2. a побуждáющий, двúгающий.

**impeller** [ɪm'pelə] n *тех.* импéллер, рабóчее колесó, рóтор, вертýшка, крыльчáтка.

**impend** [ɪm'pend] v 1) нависáть (over); *перен. тж.* угрожáть; 2) надвигáться, быть блúзким.

**impendence** [ɪm'pendəns] n блúзость; угрóза (*чего-л.*).

**impendent** [ɪm'pendənt] a надвигáющийся; грозящий; навúсший.

**impending** [ɪm'pendɪŋ] 1. *pres. p.* от impend; 2. a предстоящий, неминýемый, грозящий; an ~ storm надвигáющаяся бýря.

**impenetrability** [ɪm,penɪtrə'bɪlɪtɪ] n непроходúмость и пр. [см. impenetrable].

**impenetrable** [ɪm'penɪtrəbl] a 1) непроходúмый, недостýпный; a mind ~ by (*или* to) new ideas кóсный ум; 2) непроницáемый; непрогля́дный; 3) непонятный, непостижúмый.

**impenitence** [ɪm'penɪtəns] n нераскáянность.

**impenitent** [ɪm'penɪtənt] a нераскáявшийся; нераскáянный.

**imperatival** [ɪm,perə'taɪvəl] a *грам.* повелúтельный, относящийся к повелúтельному наклонéнию.

**imperative** [ɪm'perətɪv] 1. n *грам.* повелúтельное наклонéние, императúв; 2) *филос.* императúв.
2. a 1) повелúтельный, влáстный; 2) обязывающий, императúвный; настоятельный; 3): ~ mood *грам.* повелúтельное наклонéние.

**imperceptible** [,ɪmpə'septəbl] a незамéтный; незначúтельный.

**imperfect** [ɪm'pɜːfɪkt] 1. a 1) непóлный, недостáточный; 2) несовершéнный, дефéктный; 3) *грам.*: ~ tense = 2;
2. n *грам.* прошéдшее несовершéнное врéмя.

**imperfection** [,ɪmpə'fekʃən] n 1) непóлнотá; несовершéнство; 2) недостáток, дефéкт.

**imperial** [ɪm'pɪərɪəl] 1. a 1) импéрский; относящийся к Британской импéрии; 2) императорский; 3) госудáрственный, верхóвный, вы́сший; 4) величéственный; великолéпный; 5) устанóвленный, стандáртный (*об английских мерах*); ~ gallon англúйский галлóн (= 4,54 л);
2. n 1) эспаньóлка (*бородка*); 2) формáт бумáги (*англ.* — 22 д. ×3 д., *амер.* — 23 д. × ×31 д.); 3) империáл, верх экипáжа, дилижáнса *и т. п.*; 4) империáл (*старинная русская золотáя монéта*).

**imperialism** [ɪm'pɪərɪəlɪzəm] n империалúзм.

**imperialist** [ɪm'pɪərɪəlɪst] n 1) империалúст; 2) *attr.* империалистúческий.

**imperialistic** [ɪm,pɪərɪə'lɪstɪk] a империалистúческий.

**imperil** [ɪm'perɪl] v подвергáть опáсности.

**imperious** [ɪm'pɪərɪəs] a 1) повелúтельный, влáстный; высокомéрный; 2) настоятельный, императúвный.

**imperishability** [ɪm,perɪʃə'bɪlɪtɪ] n нерушúмость; вéчность.

**imperishable** [ɪm'perɪʃəbl] a 1) нерушúмый; непреходящий, вéчный; 2) непóртящийся.

**impermanent** [ɪm'pɜːmənənt] a 1) непостоянный; 2) неустóйчивый; 3) нестóйкий, легкоразлагáющийся (*о химикалиях*).

**impermeability** [ɪm,pɜːmjə'bɪlɪtɪ] n непроницáемость; герметúчность.

**impermeable** [ɪm'pɜːmjəbl] a 1) непроницáемый; герметúческий; ~ to water водонепроницáемый; 2) *тех.* уплотняющий; плóтный (*о шве*).

**impersonal** [ɪm'pɜːsnl] a 1) безлúчный (*тж. грам.*); не относящийся к определённому лицý; 2) бескорыстный; объектúвный; беспристрáстный.

**impersonality** [ɪm,pɜːsə'nælɪtɪ] n безлúчность.

**impersonate** [ɪm'pɜːsəneɪt] v 1) олицетворять, воплощáть; 2) исполнять роль; 3) выдавáть себя за *кого-л.*

**impersonation** [ɪm,pɜːsə'neɪʃən] n 1) олицетворéние, воплощéние; 2) исполнéние рóли; 3) самозвáнство.

**impersonator** [ɪm,pɜːsə'neɪtə] n 1) воплотúтель, создáтель (*роли*); 2) самозвáнец.

**impertinence** [ɪm'pɜːtɪnəns] n 1) дéрзость; нáглость, нахáльство; 2) неумéстность.

**impertinent** [ɪm'pɜːtɪnənt] a 1) дéрзкий; нáглый, нахáльный; назóйливый; 2) неумéстный.

**imperturbability** ['ɪmpɜː,tɜːbə'bɪlɪtɪ] n невозмутúмость, спокóйствие.

**imperturbable** [,ɪmpɜː'tɜːbəbl] a невозмутúмый, спокóйный.

impervious [ɪm'pəːvjəs] a 1) непроница́емый; ~ soil водонепроница́емая по́чва; 2) непроходи́мый (to); 3) неотзы́вчивый; невоспри́имчивый, глухо́й (к про́сьбам, убежде́ниям).

impetigo [ˌɪmpɪ'taɪɡou] n мед. ко́жная сыпь, импети́го.

impetuosity [ɪm,petju'ɒsɪtɪ] n стреми́тельность; пы́лкость.

impetuous [ɪm'petjuəs] a 1) стреми́тельный, поры́вистый; пы́лкий; импульси́вный; 2) бу́рный.

impetus ['ɪmpɪtəs] n 1) стреми́тельность, си́ла движе́ния; 2) (дви́жущая) си́ла; побужде́ние, толчо́к, и́мпульс, сти́мул; to give an ~ to smth. стимули́ровать что-л.

impiety [ɪm'paɪətɪ] n 1) отсу́тствие на́божности, благоче́стия; 2) неуваже́ние, непочти́тельность.

impinge [ɪm'pɪndʒ] v 1) ударя́ться, па́дать (on, upon, against); 2) приходи́ть в столкнове́ние; to ~ upon smb.'s rights покуша́ться на (или вторга́ться в) чьи-л. права́.

impingement [ɪm'pɪndʒmənt] n 1) уда́р, столкнове́ние; 2) покуше́ние (на чьи-л. права).

impious ['ɪmpɪəs] a нечести́вый.

impish ['ɪmpɪʃ] a прока́зливый, злой.

implacability [ɪm,plækə'bɪlɪtɪ] n 1) неумоли́мость; 2) непримири́мость.

implacable [ɪm'plækəbl] a 1) неумоли́мый; 2) непримири́мый.

implant 1. v [ɪm'plɑːnt] 1) насажда́ть; 2) вселя́ть, внедря́ть; 3) внуша́ть;
2. n ['ɪmplɑːnt] мед. капилля́рная трубо́чка с ра́дием, вводи́мая в живу́ю ткань (для лече́ния злока́чественной о́пухоли).

implantation [ˌɪmplɑːn'teɪʃən] n насажде́ние; внедре́ние.

implement 1. n ['ɪmplɪmənt] ору́дие; инструме́нт, прибо́р; (особ. pl) принадле́жность, у́тварь;
2. v ['ɪmplɪment] 1) выполня́ть; осуществля́ть; обеспе́чивать выполне́ние; to ~ a decision проводи́ть постановле́ние в жизнь; 2) снабжа́ть инструме́нтами.

implementation [ˌɪmplɪmen'teɪʃən] n осуществле́ние; выполне́ние.

implex ['ɪmpleks] a сло́жный, запу́танный, переплетённый.

implicate ['ɪmplɪkeɪt] v 1) спу́тывать; 2) вовлека́ть, впу́тывать; to be ~d in a crime быть заме́шанным в преступле́нии; 3) заключа́ть в себе́, подразумева́ть.

implication [ˌɪmplɪ'keɪʃən] n 1) вовлече́ние; 2) заме́шанность, прича́стность, соуча́стие; 3) то, что подразумева́ется; the ~ of events смысл, значе́ние собы́тий; 4) подте́кст.

implicit [ɪm'plɪsɪt] a 1) подразумева́емый, не вы́раженный пря́мо, вы́раженный нея́сно; ~ denial молчали́вое, безмо́лвное отрица́ние; ~ function мат. нея́вная фу́нкция; 2) безогово́рочный, по́лный, безотчётный; ~ faith слепа́я ве́ра.

implicitly [ɪm'plɪsɪtlɪ] adv без колеба́ний, безогово́рочно.

implode [ɪm'ploud] v взрыва́ть(ся).

implore [ɪm'plɔː] v умоля́ть.

imploringly [ɪm'plɔːrɪŋlɪ] adv умоля́юще; с мольбо́й.

imply [ɪm'plaɪ] v 1) заключа́ть в себе́, зна́чить; 2) подразумева́ть, намека́ть.

impolicy [ɪm'pɒlɪsɪ] n 1) нетакти́чность; 2) неразу́мная поли́тика.

impolite [ˌɪmpə'laɪt] a неве́жливый, неучти́вый.

impolitic [ɪm'pɒlɪtɪk] a 1) неполити́чный; 2) беста́ктный.

imponderable [ɪm'pɒndərəbl] 1. a 1) неве́сомый, о́чень лёгкий; 2) не поддаю́щийся учёту; незначи́тельный;
2. n (обыкн. pl) не́что неве́сомое; что-л. неулови́мое; что-л., не име́ющее реа́льных основа́ний.

import I 1. n ['ɪmpɔːt] 1) ввоз, и́мпорт; 2) pl ввози́мые (или и́мпортные) това́ры;
2. v [ɪm'pɔːt] 1) ввози́ть, импорти́ровать (into); 2) вноси́ть; привноси́ть; to ~ personal feelings вкла́дывать ли́чные чу́вства.

import II 1. n ['ɪmpɔːt] 1) подразумева́емый смысл, значе́ние; 2) ва́жность, значи́тельность;
2. v [ɪm'pɔːt] 1) выража́ть, означа́ть; 2) подразумева́ть; иметь значе́ние, быть ва́жным; it ~s us to know нам ва́жно знать.

importable [ɪm'pɔːtəbl] a ввози́мый.

importance [ɪm'pɔːtəns] n 1) значи́тельность, ва́жность; 2) значе́ние; to attach ~ to smth. счита́ть что-л. ва́жным; придава́ть значе́ние чему́-л.; of no ~ не име́ющий значе́ния.

important [ɪm'pɔːtənt] a ва́жный, значи́тельный.

importation [ˌɪmpɔː'teɪʃən] n 1) ввоз, и́мпорт; 2) и́мпортные това́ры.

importer [ɪm'pɔːtə] n импортёр.

importless ['ɪmpɔːtlɪs] a несуще́ственный, нева́жный, незначи́тельный.

importunate 1. a [ɪm'pɔːtjunɪt] насто́йчивый; доку́чливый, назо́йливый;
2. v [ɪm'pɔːtjunet] досажда́ть; пристава́ть.

importune [ɪm'pɔːtjuːn] v докуча́ть; назо́йливо домога́ться; надоеда́ть про́сьбами (особ. не во́время).

importunity [ˌɪmpɔː'tjuːnɪtɪ] n назо́йливость; постоя́нное пристава́ние с про́сьбами.

impose [ɪm'pouz] v 1) облага́ть (по́шлиной, нало́гом и т. п.); налага́ть (обяза́тельство; on); 2) обма́нывать (on, upon); 3) навяза́ть(ся); обма́ном прода́ть, всучи́ть (on, upon); 4) производи́ть си́льное впечатле́ние; импони́ровать (on); 5) полигр. спуска́ть, заключа́ть (печа́тную фо́рму).

imposing [ɪm'pouzɪŋ] 1. pres. p. от impose;
2. a производя́щий си́льное впечатле́ние; внуши́тельный, импоза́нтный.

imposition [ˌɪmpə'zɪʃən] n 1) наложе́ние, возложе́ние; 2) обложе́ние, нало́г; 3) обма́н; 4) полигр. спуск (фо́рмы); 5) школ. штрафна́я рабо́та.

impossibility [ɪm,pɒsə'bɪlɪtɪ] n невозмо́жность и пр. [см. impossible].

impossible [ɪm'pɒsəbl] a 1) невозмо́жный, невыполни́мый; 2) невероя́тный; 3) разг. невыноси́мый, возмути́тельный.

**impost** ['impoust] *n* 1) *ист.* налóг, пóдать; дань; 2) *спорт. sl.* дополнительный груз в гандикáпе; 3) *стр.* пятá.

**impostor** [im'pɔstə] *n* 1) обмáнщик, мошéнник; 2) самозвáнец

**imposture** [im'pɔstʃə] *n* обмáн, жýльничество.

**impotable** [im'poutəbl] *a* негóдный для питья.

**impotence** ['impətəns] *n* 1) бессилие, слáбость; 2) *мед.* импотéнция.

**impotent** ['impətənt] *a* 1) бессильный, слáбый; 2) *мед.* импотéнтный.

**impound** [im'paund] 1. *v* 1) загонять (*скот*); 2) заключáть, запирáть; 3) конфисковáть; 4) запрýживать (*воду*);
2. *a*: ~ water стоячая водá.

**impounder** [im'paundə] *n* загóнщик скотá.

**impounding reservoir** [im'paundiŋ 're-zəvwɑ:] *n* пруд, водохранилище.

**impoverish** [im'pɔvəriʃ] *v* 1) доводить до бéдности, до обнищáния, лишáть срéдств; 2) истощáть (*пóчву*); 3) расстрáивать (*здорóвье*); 4) обеднять, дéлать скýчным, неинтерéсным.

**impoverished** [im'pɔvəriʃt] 1. *p. p. от* impoverish;
2. *a* 1) истощённый; ~ soil истощённая пóчва; 2) убóгий, жáлкий; an ~ existence ·бесцвéтное существовáние.

**impoverishment** [im'pɔvəriʃmənt] *n* обеднéние, обнищáние *и пр.* [*см.* impoverish].

**impracticability** [im,præktikə'biliti] *n* невыполнимость *и пр.* [*см.* impracticable].

**impracticable** [im'præktikəbl] *a* 1) невыполнимый, неисполнимый, неосуществимый; 2) неподáтливый, упрямый; 3) непроходимый, непрохóжий, недостýпный; 4) негóдный к употреблéнию.

**impractical I, II** [im'præktikəl] = impracticable *u* unpractical.

**imprecate** ['imprikeit] *v* проклинáть, призывáть несчáстья на *чью-л.* гóлову.

**imprecation** [,impri'keiʃən] *n* проклятие.

**imprecatory** ['imprikeitəri] *a* проклинáющий, призывáющий несчáстье.

**impregnability** [im,pregnə'biliti] *n* 1) непристýпность; неуязвимость; 2) непоколебимость; 3) *тех.* спосóбность пропитывáться.

**impregnable** [im'pregnəbl] *a* 1) непристýпный; неуязвимый; 2) непоколебимый, стóйкий; 3) *тех.* поддающийся пропитке.

**impregnate** 1. *a* [im'pregnit] 1) оплодотворённый; 2) берéменная; 3) насыщенный, пропитанный (with);
2. *v* ['impregneit] 1) оплодотворять; 2) наполнять, насыщáть; 3) пропитывать (with); 4) внедрять.

**impregnation** [,impreg'neiʃən] *n* 1) оплодотворéние; зачáтие; 2) пропитывание; 3) *горн.* вкрáпленность.

**impresari** [,impre'sɑ:ri] *pl от* impresario.

**impresario** [,impre'sɑ:riou] *um. n* (*pl* -os [-ouz]; -ri) антрепренёр, импресáрио.

**imprescriptible** [,impris'kriptibl] *a* неотъéмлемый.

**impress I** 1. *n* ['impres] 1) отпечáток, óттиск; 2) штéмпель, печáть; 3) впечатлéние,

след, отпечáток, печáть (*чего-л.*); a work bearing an ~ of genius рабóта, носящая печáть гéния;
2. *v* [im'pres] 1) отпечáтывать; печáтать; 2) клеймить, штемпелевáть, штамповáть (on); to ~ a mark upon smth. оттиснуть, отпечáтать знак на чём-л.; 3) внушáть, внедрять, запечатлевáть в умé; ~ on him that he must ... внушите емý, что он дóлжен...; 4) производить впечатлéние, поражáть; to be favourably ~ed находиться под благоприятным впечатлéнием.

**impress II** [im'pres] *v* 1) привлекáть, испóльзовать (*что-л.*); 2) *ист.* вербовáть силой *или* обмáном.

**impressibility** [im,presi'biliti] *n* впечатлительность.

**impressible** [im'presəbl] *a* впечатлительный, воспримчивый.

**impression** [im'preʃən] *n* 1) впечатлéние; sharp ~ сильное впечатлéние; visual (auditive) ~ зрительное (слуховóе) впечатлéние; to be under the ~ полагáть; we are under the ~ that nothing can be done at present у нас создалóсь такóе впечатлéние, что сейчáс ничегó нельзя сдéлать; 2) óттиск, отпечáток; 3) печáть, печáтание; тиснéние; 4) издáние (*книги*); перепечáтка, допечáтка (*без изменéний*); 5) *воен.* накóл (кáпсюля бойкóм).

**impressionability** [im,preʃnə'biliti] *n* 1) впечатлительность, воспримчивость; 2) *хим.* чувствительность.

**impressionable** [im'preʃnəbl] *a* воспримчивый, впечатлительный.

**impressionism** [im'preʃnizəm] *n иск.* импрессионизм.

**impressionistic** [im,preʃə'nistik] *a иск.* импрессионистический.

**impressive** [im'presiv] *a* производящий глубóкое впечатлéние; впечатляющий; выразительный.

**impressment** [im'presmənt] *n* 1) насильственная вербóвка (*на воéнную слýжбу*); 2) реквизиция.

**imprest** ['imprest] *n* авáнс, подотчётная сýмма.

**imprimatur** ['impri'meitə] *лат. n* 1) разрешéние цензýры (*на печáтание*); 2) сáнкция, одобрéние.

**imprimis** [im'praimis] *лат. adv* во-пéрвых.

**imprint** 1. *n* ['imprint] 1) отпечáток (*тж. перен.*); штамп; the ~ of cares следы забóт; 2) *полигр.* выходные свéдения (*тж.* publisher's ~, printer's ~);
2. *v* [im'print] 1) отпечáтывать (on, with); 2) оставлять след; запечатлевáть (on, in).

**imprison** [im'prizn] *v* заключáть в тюрьмý, заточáть.

**imprisonment** [im'priznmənt] *n* заключéние (*в тюрьмý*), заточéние.

**improbability** [im,prɔbə'biliti] *n* невероятность, неправдоподóбие.

**improbable** [im'prɔbəbl] *a* невероятный, неправдоподóбный.

**improbity** [im'proubiti] *n* нечéстность, бесчéстность.

**impromptu** [ɪm'prɔmptjuː] 1. *n* экспро́мт; 2. *a* импровизи́рованный; 3. *adv* без подгото́вки, экспро́мтом.

**improper** [ɪm'rɔpə] *a* 1) неподходя́щий, неуме́стный; 2) непра́вильный; ло́жный; ~ fraction *мат.* непра́вильная дробь; ~ practice a) непра́вильная (*или* оши́бочная) пра́ктика; б) несоверше́нный приём; 3) непристо́йный, неприли́чный; 4) неиспра́вный, него́дный.

**impropriety** [,ɪmprə'praɪətɪ] *n* 1) неуме́стность; 2) непра́вильность; 3) наруше́ние обы́чаев, этике́та, прили́чия.

**improvable** [ɪm'pruːvəbl] *a* допуска́ющий усоверше́нствование, улучше́ние.

**improve** [ɪm'pruːv] *v* улучша́ть(ся); соверше́нствовать(ся); повыша́ть це́нность; to ~ in health поправля́ться; to ~ in looks вы́глядеть лу́чше; to ~ the occasion (*или* the opportunity, the shining hour) испо́льзовать удо́бный слу́чай; □ ~ away пыта́ясь улу́чшить, сде́лать ху́же; потеря́ть то хоро́шее, что бы́ло; ~ upon улучша́ть.

**improvement** [ɪm'pruːvmənt] *n* 1) улучше́ние, усоверше́нствование (on); 2) мелиора́ция.

**improver** [ɪm'pruːvə] *n* 1) тот, кто *или* то, что улучша́ет; 2) практика́нт, стажёр; 3) мелиора́тор.

**improvidence** [ɪm'prɔvɪdəns] *n* 1) непредусмотри́тельность; 2) расточи́тельность.

**improvident** [ɪm'prɔvɪdənt] *a* 1) непредусмотри́тельный; 2) расточи́тельный.

**improvisation** [,ɪmprəvaɪ'zeɪʃən] *n* импровиза́ция.

**improvisator** ['ɪmprəvaɪˌzeɪtə] *n* импровиза́тор.

**improvise** ['ɪmprəvaɪz] *v* 1) импровизи́ровать; 2) на́скоро устро́ить, смастери́ть.

**imprudence** [ɪm'pruːdəns] *n* 1) неблагоразу́мие, опроме́тчивость; неосторо́жность; 2) опроме́тчивый посту́пок.

**imprudent** [ɪm'pruːdənt] *a* неблагоразу́мный, опроме́тчивый; неосторо́жный.

**impudence** ['ɪmpjudəns] *n* 1) де́рзость, на́глость; 2) бессты́дство.

**impudent** ['ɪmpjudənt] *a* 1) де́рзкий, наха́льный; 2) бессты́дный.

**impugn** [ɪm'pjuːn] *v* оспа́ривать, опроверга́ть.

**impugnable** [ɪm'pjuːnəbl] *a* спо́рный, опроверж́имый.

**impugnment** [ɪm'pjuːnmənt] *n* опроверже́ние; оспа́ривание.

**impulse** ['ɪmpʌls] *n* 1) толчо́к, побужде́ние; 2) поры́в; и́мпульс; to act on ~ де́йствовать под влия́нием поры́ва, и́мпульса; 3) *эл.* возбужде́ние; 4) *attr.*: ~ turbine *тех.* акти́вная турби́на.

**impulsion** [ɪm'pʌlʃən] *n* побужде́ние; и́мпульс.

**impulsive** [ɪm'pʌlsɪv] *a* 1) импульси́вный; 2) побужда́ющий; 3) *тех.* де́йствующий под влия́нием толчка́, и́мпульса; ~ load уда́рная, динами́ческая нагру́зка.

**impunity** [ɪm'pjuːnɪtɪ] *n* безнака́занность; with ~ а) безнака́занно; б) без вреда́ для себя́.

**impure** [ɪm'pjuə] *a* 1) нечи́стый; гря́зный; 2) сме́шанный, с при́месью.

**impurity** [ɪm'pjuərɪtɪ] *n* 1) нечистота́; грязь; 2) при́месь; засоре́ние.

**imputation** [,ɪmpjuː'teɪʃən] *n* 1) вмене́ние в вину́, обвине́ние (of); 2) пятно́, тень; to cast an ~ on smb.'s character набро́сить тень на чью-л. репута́цию.

**impute** [ɪm'pjuːt] *v* 1) вменя́ть (*обыкн.* в вину́, *редк.* в заслу́гу); 2) припи́сывать кому-л., относи́ть на чей-л. счёт.

**in** [ɪn] 1. *prep* 1) *в простра́нственном значе́нии ука́зывает на:* а) *нахожде́ние внутри́ или в преде́лах чего́-л.* в(о), на, у; in the Soviet Union в Сове́тском Сою́зе; in Leningrad в Ленингра́де; in the British Isles на Брита́нских острова́х; in the building в помеще́нии, в зда́нии; in the street на у́лице; in the yard во дворе́; in a car в автомаши́не; in the ocean в океа́не; in the sky на не́бе; in the cosmos во вселе́нной; в ко́смосе; in a crowd в толпе́; in (the works *или* books of) G. B. Shaw в произведе́ниях Берна́рда Шо́у) у Берна́рда Шо́у; to be smothered in smoke быть оку́танным ды́мом; б) *вхожде́ние или внесе́ние в преде́лы или внутрь чего́-л., проникнове́ние в каку́ю-л. среду́* в, на; to arrive in a country (a city) прие́хать в страну́ (в большо́й го́род); to put (*или* to place) smth. in one's pocket положи́ть что-л. в карма́н; to dip a pen in ink обмакну́ть перо́ в черни́ла; to take smth. in one's hand взять что-л. в ру́ку [*ср.* to take in hand а) забра́ть в свои́ ру́ки; б) взя́ться за *что-л.*; взять на себя́ отве́тственность]; to throw in the fire бро́сить в ого́нь; to whisper in smb.'s ear шепта́ть кому́-л. на́ ухо; to go down in the slope спусти́ться в забо́й; to be immersed in a liquid быть погружённым в жи́дкость; look in a mirror посмотре́ть(ся) в зе́ркало; to get in hot water *перен.* попа́сть в беду́; to be absorbed in work, task *etc.* быть погружённым в рабо́ту, выполне́ние зада́чи и т. п.; 2) *употребля́ется в оборо́тах, ука́зывающих на:* а) *про́межу́ток суток, вре́мя го́да, ме́сяц и т. д.* в(о); *существи́тельные в сочета́нии с* in *в да́нном значе́нии переда́ются тж. наре́чиями;* in the day-time в дневно́е вре́мя, днём; in the evening ве́чером; in January в январе́; in spring весно́й; in the spring в э́ту (ту) весну́, э́той (той) весно́й; in 1959 в 1959 году́; in the twentieth century в двадца́том ве́ке; you can do it in my absence вы мо́жете сде́лать э́то в моё отсу́тствие; б) *промежу́ток вре́мени, продолжи́тельность* в, во вре́мя, в тече́ние, че́рез; in an hour че́рез час; в тече́ние ча́са; she's coming in a couple of weeks она́ прие́дет неде́ли че́рез две; 3) *употребля́ется в оборо́тах, ука́зывающих на усло́вия, окружа́ющую обстано́вку, цель или ины́е обстоя́тельства, сопу́тствующие де́йствию или состоя́нию* в(о), при, с, на; *существи́тельные в сочета́нии с* in *в да́нном значе́нии переда́ются тж. наре́чиями;* to be in good (bad) condition, order, repair *etc.* быть в хоро́шем (плохо́м) состоя́нии, в по́лном поря́дке (беспоря́дке), в испра́вности (неиспра́вности) *и т. п.*; in gear в де́йствии (*о машине*); in full swing в по́лном разга́ре; in a favourable position в благоприя́тном положе́нии; to be in a position to do smth. име́ть возмо́жность что-л. сде́лать; in a difficulty в затрудни́тельном положе́нии; in cash, in pocket *разг.* при деньга́х; in debt в долгу́; in liquor во хмелю́; in the way на пути́, поперёк доро́ги; in smb.'s presence в чьём-л присут́ствии; in safety в безопа́сности; in waiting в ожида́нии; in one's line в чьей-л. компете́нции; in the capacity of smb. в ка́честве кого́-либо; in the wake of smb., smth. вслед за кем-л., чем-л., по пята́м за кем-л.; in smb.'s place на чьём-л. ме́сте; in reserve в запа́се; наготове́; in general use во всео́бщем употребле́нии; in bud в зача́точном состоя́нии; in fruit покры́тый плода́ми (*о дереве*); in tropical heat в тропи́ческую жару́; in the rain под дождём; in the sunshine, in the sun на со́лнце; in the dark в темноте́; in the cold на хо́лоде; in the wind на ветру́; in a thunderstorm в бу́рю; in a snow-drift в мете́ль; to live in comfort, in (grand) style жить с удо́бствами, на широ́кую но́гу, с ши́ком; in quest (*или* in search) of smth. в по́исках чего́-л.; in honour of smb. в честь кого́-л.; in smb.'s behalf в чьих-л. интере́сах; in behalf of smb. в по́льзу кого́-л., ра́ди кого́-л.; in reply to your letter в отве́т на ва́ше письмо́; in return for smth. в опла́ту за что-л. *или* в обме́н на что-л.; 4) *употребляется в оборотах, указывающих на физическое или душевное состояние человека* в, на; *существительное в сочетании с* in *в данном значении передаются тж. наречиями*; blind in one eye слепо́й на оди́н глаз; small in stature небольшо́го ро́ста; slight in build невзра́чный на вид; in a depressed (nervous) condition в пода́вленном (не́рвном) состоя́нии; in low spirits в плохо́м настрое́нии; in perplexity в замеша́тельстве; in two minds в нереши́тельности; in cold blood хладнокро́вно; in defiance с вы́зовом; in a fury (*или* a rage) в бе́шенстве; in astonishment в изумле́нии; in tears в слеза́х; in distress в беде́; to be in good (bad) health быть здоро́вым (больны́м); 5) *употребляется в оборотах, выражающих ограничение свободы, передвижения и т. п.* в, на, под; in chains (*или* fetters, stocks *и т. п.*) в окова́х; to be (to put) in prison, gaol, jail, dungeon быть в тюрьме́, в темни́це (посади́ть в тюрьму́); to be in custody быть под аре́стом; to be in smb.'s custody находи́ться на чьём-л. попече́нии, под чьим-л. наблюде́нием, охра́ной *и т. п.*; 6) *употребляется в оборотах, указывающих на способ или средство, с помощью которых осуществляется действие; тж. перен.* в, на, с, по; *передаётся тж. твор. падежом; существительные в сочетании с* in *в данном значении передаются тж. наречиями*; to cut in two перере́зать попола́м; to go (to come, to arrive) in ones and twos идти́ (приходи́ть, прибыва́ть) поодино́чке и па́рами; in dozens дюжинами; in a few words в не́скольких слова́х; in Russian, in English, *etc.* по-ру́сски, по-англи́йски *и т. п.*; falling in folds па́даю-

щий скла́дками (*об одежде, драпировке*); to take medicine in water (milk, syrup) принима́ть лека́рство с водо́й (с молоко́м, в сиро́пе); to drink smb.'s health in a cup of ale вы́пить эля за здоро́вье кого́-л.; 7) *употребляется в оборотах, указывающих на материал, из которого что-л. сделано или с помощью которого делается* в, из; *передаётся тж. твор. падежом*; to write in ink, pencil, *etc.* писа́ть черни́лами, карандашо́м *и т. п.*; a statue in marble ста́туя из мра́мора; to paint in oil писа́ть ма́слом; to build in wood стро́ить из де́рева; in colour в кра́сках; 8) *употребляется в оборотах, указывающих на внешнее оформление, одежду, обувь и т. п.* в; to be in white быть в бе́лом (пла́тье); in mourning в тра́уре; in full fig (*или* plumage) в по́лной пара́дной фо́рме, во всём бле́ске; in decorations в орде́нах; 9) *указывает на принадлежность к группе или организации; на род деятельности или должность* в, на; *передаётся тж. твор. падежом*; to be in the trade занима́ться торго́влей; in the diplomatic service на дипломати́ческой рабо́те; to serve in the army быть на вое́нной слу́жбе; in smb.'s service, employ, рау у кого́-л. на слу́жбе, в услуже́нии, на жа́лованье; 10) *указывает на занятость каким-л. делом в ограниченный отрезок времени* в, при; в то вре́мя как, во вре́мя; *причастия в сочетании с* in *в данном значении передаются тж. деепричастием*; in bivouac на бива́ке; in the battle в бою́; in crossing the river при перехо́де че́рез ре́ку; in turning over the pages of a book перели́стывая страни́цы кни́ги; in the very act в моме́нт соверше́ния де́йствия; 11) *выражает отношения глагола к косвенному дополнению, существительного к его определению и т. п.* в(о), над; *передаётся тж. различными падежами*; to believe in smth. ве́рить во что-л.; to put trust in smb. доверя́ть кому́-л.; to have smb. in trust осуществля́ть опе́ку над кем-л.; to rejoice in smth. ра́доваться чему́-л.; to be engaged in smth. занима́ться чем-л.; to share in smth. принима́ть уча́стие в чём-л.; to invest in smth. вкла́дывать сре́дства во что-л.; the latest thing in electronics *разг.* после́днее сло́во в электро́нике; there's little sense in what he proposes ма́ло смы́сла в том, что он предлага́ет; a lecture in anatomy ле́кция по анато́мии; to be strong (weak) in geography успева́ть (отстава́ть) по геогра́фии; to differ (to coincide) in smth. различа́ться (совпада́ть) в чём-л.; to change (to grow, to diminish) in size (volume) изменя́тся (расти́, уменьша́ться) в разме́ре (объёме); rich (poor) in quality хоро́шего (плохо́го) ка́чества; rich (poor) in iron (copper, oxygen, *etc.*) бога́тый (бе́дный) желе́зом (ме́дью—*о* руде, кислоро́дом—*о* воздухе *и т. п.*); 12) *указывает на соотношение двух величин, отношение длины, ширины и т. п.* в, на, из; *передаётся тж. твор. падежом*; seven in number число́м семь; four feet in length and two feet in width четы́ре фу́та в длину́ и два фу́та в ширину́; there is not one in a hundred из це́лой со́тни édва ли одйн найдётся; ◇ in (point of) fact на са́мом де́ле, по существу́, факти́чески; in truth по пра́вде; in situ [ɪn ˈsaitjuː] на ме́сте; in opposition про́тив, вопреки́; in my (his *etc.*) opinion по моему́ (его́ *и т. д.*) мне́нию; in case в слу́чае (е́сли); in so far as посто́льку, поско́льку; in so much that насто́лько, что; in that так как, по той причи́не, что; in itself само́ по себе́; in good faith че́стно, и́скренне; the person (the matter) in question челове́к (де́ло), о кото́ром идёт речь; in order to do smth. для того́, что́бы сде́лать что-л.; he has it in him он спосо́бен на э́то;

**2.** *adv* внутри́; внутрь; to be in a) быть, находи́ться внутри́; б) быть до́ма; в) прибы́ть; the train is in по́езд пришёл; г) наступи́ть; summer is in наступи́ло ле́то; grapes are now in наступи́л сезо́н виногра́да; to live in име́ть кварти́ру при слу́жбе; to keep the fire in подде́рживать ого́нь; a coat with furry side in шу́ба на меху́; ◇ in and out a) то внутрь, то нару́жу; б) снару́жи и внутри́; в) поперемённо, с колеба́ниями [*ср.* in-and-out]; to have it in for smb. ду́ться на кого́-л.; to be (*или* to come, to drop, to get, to go) in on smth. принима́ть уча́стие в чём-л.; to go in for smth. добива́ться чего́-л.; увлека́ться чем-л.; to be (to stay, to stop, to live) in there (here) быть (остава́ться, остана́вливаться, жить) там (здесь); to come (to get, to go) in there (here) идти́ (приходи́ть, добира́ться) туда́ (сюда́); to throw in one's hand уступи́ть, прекрати́ть борьбу́; in for a penny, in for a pound *посл.* ≅ назва́лся груздём, полеза́й в ку́зов;

**3.** *n*: the ins полити́ческая партия у вла́сти; ins and outs a) все вхо́ды и вы́ходы; б) все углы́ и заку́лки; в) прави́тельство и оппозицио́нные па́ртии; г) дета́ли, подро́бности.

**in- I** [ɪn-] (il- *перед* l; im- *перед* b, m, p; ir- *перед* r) *pref соответствует русскому* в-, при-, внутри-; inborn врождённый, прирождённый; to inlay вкла́дывать, вставля́ть *и т. п.*

**in- II** [ɪn-] *pref* не-, без-; *напр.*: active де́ятельный—inactive безде́ятельный *и т. п.*

**inability** [ˌɪnəˈbɪlɪtɪ] *n* неспосо́бность; невозмо́жность.

**inaccessibility** [ˈɪnækˌsesəˈbɪlɪtɪ] *n* недосту́пность; непристу́пность.

**inaccessible** [ˌɪnækˈsesəbl] *a* недосту́пный; недосяга́емый; непристу́пный.

**inaccuracy** [ɪnˈækjurəsɪ] *n* 1) нето́чность; 2) оши́бка.

**inaccurate** [ɪnˈækjurɪt] *a* 1) нето́чный; 2) непра́вильный, оши́бочный.

**inaction** [ɪnˈækʃən] *n* 1) безде́йствие; пасси́вность, ине́ртность; 2) отка́з в рабо́те (*машины или аппарата*).

**inactive** [ɪnˈæktɪv] *a* 1) безде́ятельный; ине́ртный; 2) неде́йствующий.

**inactivity** [ˌɪnækˈtɪvɪtɪ] *n* безде́ятельность; ине́ртность.

**inadaptability** [ˌɪnəˌdæptəˈbɪlɪtɪ] *n* 1) непримени́мость; 2) неприспосо́бленность; неуме́ние приспособля́ться.

**inadequacy** [ɪnˈædɪkwəsɪ] *n* 1) несоотве́тствие тре́бованиям; 2) недоста́точность; 3) несоразме́рность.

**inadequate** [ɪnˈædɪkwɪt] *a* 1) несоотве́тственный, не отвеча́ющий тре́бованиям; 2) недоста́точный; 3) несоверше́нный; неподходя́щий; 4) непропорциона́льный; несоразме́рный; неадеква́тный.

**inadhesive** [ˌɪnədˈhiːsɪv] *a* некле́йкий, непристаю́щий.

**inadmissible** [ˌɪnədˈmɪsəbl] *a* недопусти́мый, неприе́млемый.

**inadvertence, -cy** [ˌɪnədˈvəːtəns, -sɪ] *n* 1) невнима́тельность; небре́жность; беспе́чность; 2) недосмо́тр, опло́шность; 3) неумы́шленность.

**inadvertent** [ˌɪnədˈvəːtənt] *a* 1) невнима́тельный; небре́жный; беспе́чный; 2) нена́меренный, неумы́шленный, неча́янный.

**inalienability** [ɪnˌeɪljənəˈbɪlɪtɪ] *n* неотчужда́емость; неотъе́млемость.

**inalienable** [ɪnˈeɪljənəbl] *a* неотчужда́емый; неотъе́млемый.

**inalterable** [ɪnˈɔːltərəbl] *a* неизме́нный; не поддаю́щийся измене́нию.

**inamorata** [ɪnˌæməˈrɑːtə] *ит. n* 1) влюблённая; 2) возлю́бленная.

**inamorato** [ɪnˌæməˈrɑːtou] *ит. n* 1) влюблённый; 2) возлю́бленный.

**in-and-in** [ˈɪnəndˈɪn] *a*: ~ breeding узкоро́дственное размноже́ние; бра́ки ме́жду кро́вными ро́дственниками.

**in-and-out** [ˈɪnəndˈaut] *a* 1) колеба́тельный; ~ movement возвра́тно-поступа́тельное движе́ние; 2): ~ work непостоя́нная рабо́та.

**inane** [ɪˈneɪn] *a* 1) пусто́й; бессодержа́тельный; 2) глу́пый, бессмы́сленный.

**inanimate** [ɪnˈænɪmɪt] *a* 1) неодушевлённый, неживо́й; ~ matter неоргани́ческое вещество́; ~ nature нежива́я приро́да; 2) безжи́зненный, ску́чный.

**inanimation** [ɪnˌænɪˈmeɪʃən] *n* 1) неодушевлённость; 2) безжи́зненность.

**inanition** [ˌɪnəˈnɪʃən] *n* 1) = inanity; 2) истоще́ние, изнуре́ние.

**inanity** [ɪˈpænɪtɪ] *n* 1) пустота́; бессодержа́тельность; 2) глу́пость, бессмы́сленность.

**inapplicability** [ˈɪnˌæplɪkəˈbɪlɪtɪ] *n* непримени́мость; непригодность.

**inapplicable** [ɪnˈæplɪkəbl] *a* непримени́мый; непригодный; несоотве́тствующий.

**inapposite** [ɪnˈæpəzɪt] *a* неподходя́щий, неуме́стный.

**inappreciable** [ˌɪnəˈpriːʃəbl] *a* 1) незаме́тный; неулови́мый; неощути́мый; незначи́тельный, не принима́емый в расчёт; 2) неоцени́мый; бесце́нный.

**inappreciation** [ˌɪnəˌpriːʃɪˈeɪʃən] *n* недооце́нка.

**inapprehensible** [ˌɪnæprɪˈhensəbl] *a* непостижи́мый, непоня́тный.

**inapproachable** [ˌɪnəˈproutʃəbl] *a* непристу́пный; недосту́пный, недостижи́мый.

**inappropriate** [ˌɪnəˈproupriɪt] *a* неуме́стный, неподходя́щий, несоотве́тствующий.

**inapt** [ɪnˈæpt] *a* 1) неиску́сный, неспосо́бный; 2) неподходя́щий.

**inaptitude** [ɪn'æptɪtjuːd] *n* 1) неспособность; неумение; 2) несоответствие.

**inarch** [ɪn'ɑːtʃ] *v* прививать (*растение*) сближением.

**inarm** [ɪn'ɑːm] *v поэт.* обнимать.

**inartful** [ɪn'ɑːtful] *a* неискусный.

**inarticulate** [,ɪnɑː'tɪkjulɪt] *a* 1) нечленораздельный, невнятный; 2) молчаливый; 3) немой; 4) *анат.* несочленённый.

**inartificial** [ɪn,ɑːtɪ'fɪʃəl] *a* 1) неподдельный, натуральный; 2) естественный, безыскусственный.

**inartistic** [,ɪnɑː'tɪstɪk] *a* 1) нехудожественный; 2) лишённый художественного чутья.

**inasmuch** [ɪnəz'mʌtʃ] *adv:* ~ as так как; ввиду того, что.

**inattention** [,ɪnə'tenʃən] *n* невнимательность; невнимание.

**inattentive** [,ɪnə'tentɪv] *a* невнимательный.

**inaudibility** [ɪn,ɔːdə'bɪlɪtɪ] *n* неслышимость, невнятность.

**inaudible** [ɪn'ɔːdəbl] *a* 1) неслышный, невнятный; 2) *тех.* бесшумный.

**inaugural** [ɪ'nɔːgjurəl] *a* вступительный; ~ address речь на торжественном открытии (выставки, музея *и т. п.*) *или* при вступлении в должность.

**inaugurate** [ɪ'nɔːgjureɪt] *v* 1) торжественно вводить в должность; 2) открывать (*памятник, выставку и т. п.*); 3) начинать; a policy ~d from... политика, исходящая из...

**inauguration** [ɪ,nɔːgju'reɪʃən] *n* 1) торжественное открытие; 2) вступление в должность; 3) *attr.*; I. Day день вступления в должность нового президента США.

**inaurate** [ɪ'nɔːreɪt] *a* позлащённый; 2) отливающий золотом.

**inauspicious** [,ɪnɔːs'pɪʃəs] *a* зловещий; предвещающий дурное; неблагоприятный.

**in-between** [,ɪnbɪ'twiːn] **1.** *n* 1) промежуток; 2) посредник;
**2.** *a* промежуточный, переходный; ~ tints оттенки, промежуточные тона.

**inboard** ['ɪnbɔːd] *мор.* **1.** *a* расположенный, находящийся внутри судна;
**2.** *adv* внутри судна.

**inborn** ['ɪn'bɔːn] *a* врождённый, прирождённый; природный.

**inbound** ['ɪn'baund] *a* прибывающий, возвращающийся из плавания; приходящий *или* прилетающий из-за границы.

**inbreak** ['ɪnbreɪk] *n* вторжение; нашествие.

**inbreathe** ['ɪn'briːð] *v* 1) вдыхать; 2) *перен.* вдохнуть (*в кого-л. энергию, силы и т. п.*).

**inbred** ['ɪn'bred] *a* 1) = inborn; 2) рождённый от родителей, состоящих в родстве между собой.

**inbreeding** ['ɪn'briːdɪŋ] = in-and-in breeding [*см.* in-and-in].

**incalculable** [ɪn'kælkjuləbl] *a* 1) несчётный, неисчислимый; 2) не поддающийся учёту; 3) непредвиденный.

**in-calf** ['ɪn'kɑːf] *a* стельная (*о корове*).

**incandesce** [,ɪnkæn'des] *v* накалять(ся) добела.

**incandescence** [,ɪnkæn'desns] *n* 1) накал, накаливание; белое каление; 2) *перен.* жар, пыл.

**incandescent** [,ɪnkæn'desnt] *a* 1) раскалённый, накалённый добела; получаемый от ламп накаливания (*о свете*); ~ mantle калильная сетка; ~ lamp лампа накаливания; 2) *перен.* пламенный.

**incantation** [,ɪnkæn'teɪʃən] *n* 1) заклинание, магическая формула; 2) колдовство; чары.

**incapability** [ɪn,keɪpə'bɪlɪtɪ] *n* неспособность.

**incapable** [ɪn'keɪpəbl] *a* неспособный (of-к, на); ~ of (telling) a lie неспособный на ложь; ~ of improvement не поддающийся улучшению; drunk and ~ мертвецки пьян(ый).

**incapacious** [ɪnkə'peɪʃəs] *a* 1) тесный, невместительный; 2) узкий, ограниченный.

**incapacitate** [,ɪnkə'pæsɪteɪt] *v* 1) делать неспособным *или* непригодным (for, from); 2) *воен.* выводить из строя; 3) лишать права; to be ~d from voting лишаться права голоса.

**incapacity** [,ɪnkə'pæsɪtɪ] *n* 1) неспособность, несостоятельность (for); 2) неправоспособность.

**incarcerate** [ɪn'kɑːsəreɪt] *v* заключать в тюрьму; заточать.

**incarceration** [ɪn,kɑːsə'reɪʃən] *n* 1) заключение в тюрьму; 2) *мед.* ущемление (*грыжи*).

**incarnadine** [ɪn'kɑːnədaɪn] *поэт.* **1.** *a* алый, цвета крови; розовый.
**2.** *v* окрашивать в алый цвет.

**incarnate 1.** *a* [ɪn'kɑːnɪt] воплощённый; олицетворённый; virtue ~ воплощённая добродетель;
**2.** *v* ['ɪnkɑːneɪt] 1) воплощать, олицетворять; 2) осуществлять.

**incarnation** [,ɪnkɑː'neɪʃən] *n* 1) воплощение, олицетворение; 2) *мед.* заживание; грануляция.

**incase** [ɪn'keɪs] = encase.

**incautious** [ɪn'kɔːʃəs] *a* неосторожный, опрометчивый.

**incendiarism** [ɪn'sendjərɪzəm] *n* 1) поджог; 2) подстрекательство.

**incendiary** [ɪn'sendjərɪ] **1.** *n* 1) поджигатель; 2) подстрекатель; 3) *воен.* зажигательная бомба; зажигательное вещество;
**2.** *a* 1) поджигающий; 2) подстрекающий, сеющий рознь; 3) *воен.* зажигательный.

**incense I** ['ɪnsens] **1.** *n* 1) ладан, фимиам; 2) воскурение фимиама, лесть; 3) *attr.*: ~ burner курильница.
**2.** *v* кадить; курить фимиам.

**incense II** [ɪn'sens] *v уст.* сердить; приводить в ярость, негодование.

**incensory** ['ɪnsensərɪ] *n* кадильница, кадило.

**incentive** [ɪn'sentɪv] **1.** *n* побуждение; побудительный мотив;
**2.** *a* побудительный; ~ wage *амер.* прогрессивная система заработной платы.

**incept** [ɪn'sept] *v* 1) начинать; 2) сдавать экзамены на учёную степень (*в Кембриджском университете*).

**inception** [ɪnˈsepʃən] *n* 1) нача́ло; 2) получе́ние учёной сте́пени (*в Ке́мбриджском университе́те*).

**inceptive** [ɪnˈseptɪv] *a* нача́льный; начина́ющий; начина́ющийся, зарожда́ющийся; ~ verb *грам.* начина́тельный глаго́л.

**incertitude** [ɪnˈsɜːtɪtjuːd] *n* неуве́ренность; неопределённость.

**incessant** [ɪnˈsesnt] *a* непрекраща́ющийся, непреры́вный, непреста́нный.

**incest** [ˈɪnsest] *n* кровосмеше́ние.

**incestuous** [ɪnˈsestjuəs] *a* 1) кровосмеси́тельный; 2) вино́вный в кровосмеше́нии.

**inch** [ɪntʃ] **1.** *n* 1) дюйм (= *2,5 см*); 2) *перен.* пядь; 3) *pl* высота́, рост; a man of your ~es челове́к ва́шего ро́ста; ◇ by ~es, ~ by ~ ма́ло-пома́лу; every ~ a) вполне́, целико́м; б) вы́литый; настоя́щий; с головы́ до ног; to beat (*или* to flog) smb. within an ~ of his life изби́ть кого́-л. до полусме́рти; not to budge (*или* to yield) an ~ не уступи́ть ни на йо́ту; give him an ~ and he'll take an ell ≅ дай ему́ па́лец, он и всю ру́ку отку́сит;

**2.** *v* дви́гаться ме́дленно *или* осторо́жно; ☐ ~ along *амер. sl.* де́лать ме́дленные, но ве́рные успе́хи.

**inchest** [ɪnˈtʃest] *v* упако́вывать в я́щики.

**inchmeal** [ˈɪntʃmiːl] *adv* дюйм за дю́ймом; ма́ло-пома́лу; постепе́нно.

**inchoate** [ˈɪnkoueɪt] **1.** *a* 1) то́лько что на́чатый; 2) зача́точный; рудимента́рный;

**2.** *v* нача́ть, положи́ть нача́ло.

**inchoative** [ˈɪnkoueɪtɪv] *грам.* **1.** *a* начина́тельный;

**2.** *n* начина́тельный глаго́л.

**incidence** [ˈɪnsɪdəns] *n* 1) сфе́ра де́йствия, охва́т; what is the ~ of the tax? кто подлежи́т обложе́нию э́тим нало́гом?; кого́ каса́ется э́тот нало́г?; 2) паде́ние, накло́н, скос; 3) *ав.* у́гол ата́ки.

**incident** [ˈɪnsɪdənt] **1.** *n* 1) слу́чай, случа́йность; происше́ствие, инциде́нт; 2) эпизо́д (*в поэ́ме, пье́се*);

**2.** *a* 1) сво́йственный, прису́щий (to); 2) случа́йный; несуще́ственный; 3) *физ.* па́дающий (upon—на).

**incidental** [ˌɪnsɪˈdentl] **1.** *a* 1) случа́йный, несуще́ственный, побо́чный; 2) сво́йственный, прису́щий (to);

**2.** *n* эпизо́д, побо́чная ли́ния сюже́та.

**incidentally** [ˌɪnsɪˈdentlɪ] *adv* 1) случа́йно, несуще́ственно; 2) в да́нном слу́чае; 3) ме́жду про́чим.

**incinerate** [ɪnˈsɪnəreɪt] *v* сжига́ть; превраща́ть в пе́пел, испепеля́ть.

**incineration** [ɪnˌsɪnəˈreɪʃən] *n* сжига́ние; крема́ция.

**incinerator** [ɪnˈsɪnəreɪtə] *n* 1) мусоросжига́тельная ста́нция *или* печь; 2) печь для крема́ции.

**incipiency** [ɪnˈsɪpɪənsɪ] *n* нача́ло; зарожде́ние; in ~ в заро́дыше.

**incipient** [ɪnˈsɪpɪənt] *a* начина́ющийся, зарожда́ющийся; нача́льный; ~ cancer *мед.* рак в нача́льной ста́дии.

**incise** [ɪnˈsaɪz] *v* 1) де́лать разре́з; надреза́ть; 2) выреза́ть; насека́ть, гравирова́ть.

**incision** [ɪnˈsɪʒən] *n* 1) разре́з, надре́з; насе́чка; 2) *хим.* растворе́ние.

**incisive** [ɪnˈsaɪsɪv] *a* 1) ре́жущий; 2) о́стрый, проница́тельный; 3) ко́лкий, язви́тельный; 4) *хим.* растворя́ющий, разжижа́ющий.

**incisor** [ɪnˈsaɪzə] *n* 1) резе́ц, пере́дний зуб; 2) *тех.* резе́ц.

**incite** [ɪnˈsaɪt] *v* 1) возбужда́ть; подстрека́ть; 2) побужда́ть.

**incitement** [ɪnˈsaɪtmənt] *n* 1) подстрека́тельство; возбужде́ние; 2) побужде́ние, сти́мул.

**incivility** [ˌɪnsɪˈvɪlɪtɪ] *n* неве́жливость, неучти́вость.

**inclemency** [ɪnˈklemənsɪ] *n* суро́вость, неприве́тливость (*кли́мата, пого́ды*).

**inclement** [ɪnˈklemənt] *a* суро́вый, холо́дный (*о кли́мате, пого́де*).

**inclinable** [ɪnˈklaɪnəbl] *a* 1) скло́нный, располо́женный; 2) благоприя́тный.

**inclination** [ˌɪnklɪˈneɪʃən] *n* 1) наклоне́ние, накло́н, укло́н, отко́с, скат; 2) отклоне́ние, склоне́ние (*магни́тной стре́лки*); 3) накло́нность, скло́нность (for, to).

**incline** [ɪnˈklaɪn] **1.** *n* 1) накло́нная пло́скость; накло́н, скат; 2) склоне́ние (*ко́мпаса*); 3) *горн.* накло́нная ша́хта, бре́мсберг; 4) *воен.* ми́нный спуск;

**2.** *v* 1) наклоня́ть(ся), склоня́ть(ся); to ~ one's ear to smb. слу́шать кого́-л. благоскло́нно; 2) располага́ть (to—к); I am ~d to think я скло́нен ду́мать.

**inclined** [ɪnˈklaɪnd] **1.** *p. p. от* incline 2;

**2.** *a* 1) располо́женный, скло́нный; ~ to corpulence предрасполо́женный к полноте́; 2) накло́нный; ~ plane накло́нная пло́скость.

**inclinometer** [ˌɪnklɪˈnɒmɪtə] *n ав.* крено́мер, уклоно́мер.

**inclose** [ɪnˈklouz] = enclose.

**include** [ɪnˈkluːd] *v* 1) заключа́ть, содержа́ть в себе́; 2) включа́ть.

**including** [ɪnˈkluːdɪŋ] **1.** *pres. p. от* include;

**2.** *prep* включа́я, в том числе́.

**inclusion** [ɪnˈkluːʒən] *n* 1) включе́ние; 2) присоедине́ние.

**inclusive** [ɪnˈkluːsɪv] *a* включа́ющий в себя́, содержа́щий; ~ terms цена́, в кото́рую включены́ все услу́ги (*в гости́нице и т. п.*).

**incoagulability** [ˈɪnkouˌægjuləˈbɪlɪtɪ] *n* несвёртываемость (*кро́ви*).

**incoagulable** [ˌɪnkouˈægjuləbl] *a* несвёртывающийся.

**incog** [ɪnˈkɒg] *сокр. разг. от* incognito.

**incognita** [ɪnˈkɒgnɪtə] *n ж. к* incognito.

**incognito** [ɪnˈkɒgnɪtou] **1.** *n* (*pl* -os [-ouz]) инко́гнито;

**2.** *a* инко́гнито, живу́щий под чужи́м и́менем;

**3.** *adv* инко́гнито, под чужи́м и́менем.

**incognizable** [ɪnˈkɒgnɪzəbl] *a* непознава́емый.

**incognizant** [ɪnˈkɒgnɪzənt] *a* не зна́ющий; не име́ющий никако́го представле́ния (of).

**incoherence** [ˌɪnkouˈhɪərəns] *n* несвя́зность; бессвя́зность; непосле́довательность.

**incoherent** [,ınkou'hıərənt] *a* 1) несвязный; бессвязный; непоследовательный; 2) *горн.* рыхлый, несцементированный.

**incombustibility** ['ınkəm,bʌstə'bılıtı] *n* несгораемость, невоспламеняемость, негорючесть.

**incombustible** [,ınkəm'bʌstəbl] *a* негорючий, невоспламеняемый, огнестойкий.

**income** ['ınkəm] *n* (периодический, *обыкн.* годовой) доход, приход; заработок; to live beyond one's ~ жить не по средствам; to live within one's ~ жить по средствам.

**incomer** ['ın,kʌmə] *n* 1) входящий; вошедший; вновь пришедший; 2) пришелец, иммигрант; 3) преемник.

**income-tax** ['ınkəmtæks] *n* подоходный налог.

**incoming** ['ın,kʌmıŋ] **1.** *n* 1) вход; прибытие; 2) *pl* доходы; **2.** *a* 1) наступающий; следующий; 2) вступающий; ~ tenant новый арендатор; 3) входящий, поступающий (*о платеже*).

**incommensurability** ['ınkə,menʃərə'bılıtı] *n* несоизмеримость; несоразмерность; отсутствие пропорциональности.

**incommensurable** [,ınkə'menʃərəbl] *a* 1) несоизмеримый; несоразмерный; 2) *мат.* иррациональный; не имеющий общего множителя.

**incommensurate** [,ınkə'menʃərıt] *a* 1) несоответствующий; 2) несоизмеримый (with, to—c); несоразмерный.

**incommode** [,ınkə'moud] *v* беспокоить, стеснять; мешать.

**incommodious** [,ınkə'moudjəs] *a* неудобный; тесный.

**incommunicable** [,ınkə'mju:nıkəbl] *a* 1) несообщаемый; непередаваемый; 2) не имеющий связи, сношения.

**incommunicado** [,ınkə,mju:nı'ka:dou] *a* 1) лишённый общения с людьми, отрезанный от внешнего мира; to hold ~ держать взаперти; 2) находящийся в одиночном заключении.

**incommunicative** [,ınkə'mju:nı,keıtıv] *a* необщительный, замкнутый.

**incommutable** [,ınkə'mju:təbl] *a* 1) не поддающийся изменениям; 2) незаменяемый.

**incompact** [,ınkəm'pækt] *a* неплотный, некомпактный.

**incomparable** [ın'kɔmpərəbl] *a* 1) несравнимый (with, to—c); 2) несравнённый, бесподобный.

**incompatibility** ['ınkəm,pætə'bılıtı] *n* несовместимость.

**incompatible** [,ınkəm'pætəbl] *a* несовместимый.

**incompetence** [ın'kɔmpıtəns] *n* 1) некомпетентность; неспособность; *юр.* неправоспособность.

**incompetent** [ın'kɔmpıtənt] *a* 1) некомпетентный, несведущий; неспособный; неумелый; 2) *юр.* неправоспособный; 3) *геол.* непрочный, слабый (*о пласте*).

**incomplete** [,ınkəm'pli:t] *a* 1) неполный; 2) несовершённый, дефектный; 3) незавершённый, незаконченный.

**incompliance** [,ınkəm'plaıəns] *n* 1) несогласие; 2) неуступчивость, неподатливость.

**incomposite** [ın'kɔmpəzıt] *a* простой; ~ numbers простые числа.

**incomprehensibility** [ın,kɔmprıhensə'bılıtı] *n* непонятность, непостижимость.

**incomprehensible** [ın,kɔmprı'hensəbl] *a* непонятный, непостижимый.

**incomprehension** [ın,kɔmprı'henʃən] *n* непонимание.

**incompressible** [,ınkəm'presəbl] *a* несжимаемый, несжимающийся.

**incomputable** [,ınkəm'pju:təbl] *a* неисчислимый, бесчисленный.

**inconceivability** ['ınkən,si:və'bılıtı] *n* непостижимость.

**inconceivable** [,ınkən'si:vəbl] *a* 1) непостижимый, невообразимый; 2) физически невозможный; 3) *разг.* невероятный.

**inconclusive** [,ınkən'klu:sıv] *a* 1) неубедительный; 2) нерешающий; 3) неокончательный.

**incondensable** [,ınkən'densəbl] *a* несжимаемый; несгущаемый.

**incondite** [ın'kɔndıt] *a* плохо построенный, неотделанный (*о литературном произведении*).

**incongruity** [,ınkɔŋ'gru:ıtı] *n* 1) несоответствие, несовместимость; 2) неуместность.

**incongruous** [ın'kɔŋgruəs] *a* 1) несоответственный, несовместимый (with); 2) неуместный, нелепый.

**inconsecutive** [,ınkən'sekjutıv] *a* непоследовательный.

**inconsequence** [ın'kɔnsıkwəns] *n* непоследовательность.

**inconsequent** [ın'kɔnsıkwənt] *a* 1) непоследовательный, нелогичный; 2) несвязный; 3) не относящийся к делу; неуместный; 4) маловажный.

**inconsequential** [ın,kɔnsı'kwenʃəl] *a* 1) непоследовательный; 2) несущественный; не имеющий значения, маловажный.

**inconsiderable** [,ınkən'sıdərəbl] *a* незначительный, неважный.

**inconsiderate** [,ınkən'sıdərıt] *a* 1) необдуманный, неосмотрительный, опрометчивый; 2) невнимательный к другим.

**inconsistence**, **-cy** [,ınkən'sıstəns, -sı] *n* несовместимость, несообразность *и пр.* [*см.* inconsistent].

**inconsistent** [,ınkən'sıstənt] *a* 1) несовместимый, несообразный (with); 2) непоследовательный, противоречивый; 3) неустойчивый, изменчивый.

**inconsolable** [,ınkən'souləbl] *a* безутешный; неутешный.

**inconsonant** [ın'kɔnsənənt] *a* несозвучный, негармонирующий (with, to).

**inconspicuous** [,ınkən'spıkjuəs] *a* не привлекающий внимания, незаметный, неприметный.

**inconstancy** [ın'kɔnstənsı] *n* 1) непостоянство, изменчивость; 2) нерегулярность.

**inconstant** [ın'kɔnstənt] *a* 1) непостоянный, неустойчивый, изменчивый; 2) нерегулярный.

**inconsumable** [ˌɪnkənˈsjuːməbl] *a* 1) неистребимый; 2) не предназначенный для потребления.

**incontestable** [ˌɪnkənˈtestəbl] *a* неоспоримый, неопровержимый.

**incontinence, -cy** [ɪnˈkɔntɪnəns, -sɪ] *n* 1) несдержанность; 2) невоздержанность (*особ.* половая); 3) *мед.* недержание.

**incontinent** [ɪnˈkɔntɪnənt] *a* 1) несдержанный (of); 2) невоздержанный; 3) *мед.* страдающий недержанием.

**incontinently** [ɪnˈkɔntɪnəntlɪ] *adv* 1) несдержанно; 2) тотчас, немедленно.

**incontrovertible** [ˈɪnkɔntrəˈvəːtəbl] *a* неоспоримый, неопровержимый, несомненный, бесспорный.

**inconvenience,** [ˌɪnkənˈviːnjəns] 1. *n* неудобство, беспокойство;
2. *v* причинять неудобство, беспокоить.

**inconvenient** [ˌɪnkənˈviːnjənt] *a* 1) неудобный; беспокойный, затруднительный; неловкий; if not ~ to you если вас не затруднит; 2) *уст.* неподходящий; неприличный.

**inconversable** [ˌɪnkənˈvəːsəbl] *a* неразговорчивый, необщительный.

**inconversant** [ˌɪnkənˈvəːsənt] *a* несведущий.

**inconvertible** [ˌɪnkənˈvəːtəbl] *a* 1) не подлежащий обмену (*на золото*); неразменный; 2) не поддающийся превращению; 3) необратимый.

**inconvincible** [ˌɪnkənˈvɪnsəbl] *a* не поддающийся убеждению.

**incoordination** [ˌɪnkouəˈdɪˈneɪʃən] *n* отсутствие координации, несогласованность.

**incorporate** 1. *a* [ɪnˈkɔːpərɪt] соединённый, объединённый;
2. *v* [ɪnˈkɔːpəreɪt] 1) соединять(ся), объединять(ся); включать (в состав); 2) регистрировать, легализировать (*общество*); 3) принимать, включать в число членов; 4) смешивать(ся) (with).

**incorporation** [ɪnˌkɔːpəˈreɪʃən] *n* 1) объединение; 2) корпорация.

**incorporeal** [ˌɪnkɔːˈpɔːrɪəl] *a* бестелесный; невещественный.

**incorrect** [ˌɪnkəˈrekt] *a* 1) неправильный, неверный; 2) неисправный; 3) некорректный; 4) неточный; ~ tuning *радио* неточная настройка.

**incorrigibility** [ɪnˌkɔrɪdʒəˈbɪlɪtɪ] *n* неисправимость.

**incorrigible** [ɪnˈkɔrɪdʒəbl] *a* неисправимый.

**incorrodible, incorrosible** [ˌɪnkəˈroudəbl, ˌɪnkəˈrouzɪbl] *a тех.* не поддающийся коррозии, неразъедаемый.

**incorrupt** [ˌɪnkəˈrʌpt] *a* 1) неиспорченный; чистый, неразвращённый; 2) неподкупный.

**incorruptibility** [ˈɪnkəˌrʌptəˈbɪlɪtɪ] *n* 1) неподверженность порче; 2) неподкупность.

**incorruptible** [ˌɪnkəˈrʌptəbl] *a* 1) непортящийся; 2) нетленный; 3) неподкупный.

**increase** 1. *n* [ˈɪnkriːs] возрастание, рост; увеличение, прибавление, размножение; прирост; to be on the ~ расти, увеличиваться;

2. *v* [ɪnˈkriːs] возрастать, увеличивать(ся); расти; усиливать(ся); to ~ one's pace ускорять шаг.

**incredibility** [ɪnˌkredɪˈbɪlɪtɪ] *n* неправдоподобие, невероятность.

**incredible** [ɪnˈkredəbl] *a* неправдоподобный, невероятный.

**incredulity** [ˌɪnkrɪˈdjuːlɪtɪ] *n* недоверчивость.

**incredulous** [ɪnˈkredjuləs] *a* недоверчивый, скептический; I was ~ я не верил.

**incremate** [ˈɪnkrɪmeɪt] *v* кремировать, сжигать трупы.

**incremation** [ˌɪnkrɪˈmeɪʃən] *n* кремация.

**increment** [ˈɪnkrɪmənt] *n* 1) возрастание, увеличение; 2) приращение, прирост; 3) прибыль; 4) *ритор.* нарастание; 5) *мат.* бесконечно малое приращение; инкремент; дифференциал.

**incretion** [ɪnˈkriːʃən] *n* 1) внутренняя секреция; 2) продукт внутренней секреции; гормон.

**incretology** [ˌɪnkrɪˈtɔlədʒɪ] *n* эндокринология, учение о железах внутренней секреции.

**incriminate** [ɪnˈkrɪmɪneɪt] *v* обвинять в преступлении, инкриминировать.

**incriminatory** [ɪnˈkrɪmɪnətərɪ] *a* обвинительный.

**incrustation** [ˌɪnkrʌsˈteɪʃən] *n* 1) образование коры, корки; 2) кора, корка; 3) инкрустация; 4) образование накипи; 5) накипь, котельный камень.

**incubate** [ˈɪnkjubeɪt] *v* 1) высиживать, выводить (*цыплят*); сидеть (*на яйцах*); 2) разводить, выращивать (*бактерии и т. п.*); 3) вынашивать (*мысль, идею*).

**incubation** [ˌɪnkjuˈbeɪʃən] *n* 1) высиживание (*цыплят*); инкубация (*тж.* artificial ~); 2) разведение, выращивание (*бактерий и т. п.*); 3) *мед.* инкубационный период.

**incubative** [ˈɪnkjuˌbeɪtɪv] = incubatory.

**incubator** [ˈɪnkjubeɪtə] *n* инкубатор.

**incubatory** [ˈɪnkjuˌbeɪtərɪ] *a* 1) инкубаторный; 2) инкубационный.

**incubus** [ˈɪnkjubəs] *n* 1) *миф.* злой дух; 2) кошмар.

**inculcate** [ˈɪnkʌlkeɪt] *v* 1) внедрять, внушать; прививать, вселять (on, upon, in); 2) запечатлевать.

**inculcation** [ˌɪnkʌlˈkeɪʃən] *n* внедрение, насаждение; внушение.

**inculpate** [ˈɪnkʌlpeɪt] *v* 1) обвинять; порицать; 2) изобличать.

**inculpation** [ˌɪnkʌlˈpeɪʃən] *n* 1) обвинение; 2) изобличение.

**inculpatory** [ɪnˈkʌlpətərɪ] *a* обвинительный.

**incumbency** [ɪnˈkʌmbənsɪ] *n* 1) (воз)лежание; 2) долг, обязанность; 3) *церк.* бенефиций, пользование бенефицием.

**incumbent** [ɪnˈkʌmbənt] 1. *n* 1) пользующийся бенефицием священник; 2) *редк.* лицо, занимающее должность;
2. *a* 1) (воз)лежащий (on, upon — на); налегающий всей тяжестью; 2) лежащий, возложенный как долг, обязанность; it is ~ on you... на вас лежит обязанность..., ваш долг...

**incunabula** [,ɪnkjuː'næbjulə] *лат.* *n pl* инкунабулы (*первопечатные книги до 1500 г.*).

**incur** [ɪn'kəː] *v* подвергаться (*чему-л.*); навлечь на себя; to ~ debts наделать долгов; to ~ losses a) потерпеть убытки; б) *воен.* понести потери.

**incurability** [ɪn,kjuərə'bɪlɪtɪ] *n* 1) неизлечимость; 2) неискоренимость.

**incurable** [ɪn'kjuərəbl] *a* 1) неизлечимый, неисцелимый; 2) неискоренимый.

**incuriosity** [ɪn,kjuərɪ'ɔsɪtɪ] *n* отсутствие любопытства.

**incurious** [ɪn'kjuərɪəs] *a* 1) нелюбопытный; 2) невнимательный, безразличный; ◇ not ~ небезынтересный.

**incursion** [ɪn'kəːʃən] *n* 1) вторжение, нашествие; 2) внезапное нападение, налёт, набег; 3) *геол.* наступление (*моря*).

**incurvation** [ɪnkəː'veɪʃən] *n* 1) сгибание; 2) изгиб, кривизна, выгиб.

**incurvature** [ɪn'kəːvətʃə] = incurvation.

**incurve** ['ɪn'kəːv] *v* 1) сгибаться (*внутрь*); 2) выгибать(ся); загибать (*внутрь*).

**incus** ['ɪŋkəs] *n анат.* наковальня (*косточка во внутреннем ухе*).

**incuse** [ɪn'kjuːz] 1. *n* вычеканенное изображение; 2. *a* выбитый, вычеканенный; 3. *v* выбивать (*изображение на монете и т. п.*), чеканить.

**incut** ['ɪnkʌt] 1. *n* врезка, вставка; 2. *a* врезанный, вставленный.

**indebted** [ɪn'detɪd] *a* находящийся в долгу (*у кого-л.*), должный, обязанный (*кому-л.*); ~ му-л.).

**indebtedness** [ɪn'detɪdnɪs] *n* 1) задолженность; 2) сумма долга; 3) чувство обязанности (*по отношению к кому-л.*; to).

**indecency** [ɪn'diːsnsɪ] *n* неприличие; непристойность.

**indecent** [ɪn'diːsnt] *a* 1) неприличный; непристойный; 2) неподобающий, неблаговидный; 3) неблагородный, подлый.

**indecipherable** [,ɪndɪ'saɪfərəbl] *a* 1) не поддающийся расшифровке; 2) неразборчивый, нечёткий.

**indecision** [,ɪndɪ'sɪʒən] *n* нерешительность, колебание.

**indecisive** [,ɪndɪ'saɪsɪv] *a* 1) нерешительный, колеблющийся; 2) нерешающий, неокончательный; 3) неопределённый, неясный.

**indeclinable** [,ɪndɪ'klaɪnəbl] *a грам.* несклоняемый.

**indecomposable** ['ɪn,diːkəm'pouzəbl] *a* 1) неразложимый; 2) неразлагающийся; 3) нерастворимый.

**indecorous** [ɪn'dekərəs] *a* 1) нарушающий приличия, некорректный; дурного вкуса; 2) *редк.* непристойный.

**indecorum** [,ɪndɪ'kɔːrəm] *n* нарушение приличий, неприличие.

**indeed** [ɪn'diːd] *adv* 1) в самом деле, действительно; 2) *служит для усиления, подчёркивания:* very glad ~ очень, очень рад; yes, ~ да, да!, ну да!; I may, ~, be wrong допускаю, что я, может быть, неправ; 3) неужели!; да ну!; ну и ну!

**indefatigable** [,ɪndɪ'fætɪgəbl] *a* 1) неутомимый; 2) неослабный.

**indefeasible** [,ɪndɪ'fiːzəbl] *a* 1) неотъемлемый; 2) нерушимый, непреложный.

**indefectible** [,ɪndɪ'fektəbl] *a* безупречный, совершенный.

**indefensibility** [,ɪndɪ,fensə'bɪlɪtɪ] *n* невозможность защищать, оборонять.

**indefensible** [,ɪndɪ'fensəbl] *a* 1) незащищённый; непригодный для обороны; 2) не могущий быть оправданным; 3) недоказуемый.

**indefinable** [,ɪndɪ'faɪnəbl] *a* неопределимый.

**indefinably** [,ɪndɪ'faɪnəblɪ] *adv* расплывчато, неопределённо.

**indefinite** [ɪn'defɪnɪt] *a* 1) неопределённый (*тж. грам.*); неясный; 2) неограниченный.

**indelibility** [ɪn,delɪ'bɪlɪtɪ] *n* неизгладимость.

**indelible** [ɪn'delɪbl] *a* 1) несмываемый, нестираемый; ~ pencil химический карандаш; ~ disgrace несмываемый позор; 2) неизгладимый.

**indelicacy** [ɪn'delɪkəsɪ] *n* неделикатность; бестактность; нескромность.

**indelicate** [ɪn'delɪkɪt] *a* неделикатный, нетактичный; бестактный; нескромный.

**indemnification** [ɪn,demnɪfɪ'keɪʃən] *n* возмещение, компенсация.

**indemnify** [ɪn'demnɪfaɪ] *v* 1) обезопасить, застраховать (from, against—от); 2) гарантировать безнаказанность, освободить от наказания (for—за); 3) компенсировать, возмещать (for).

**indemnity** [ɪn'demnɪtɪ] *n* 1) гарантия от убытков, потерь; 2) гарантия безнаказанности; Act of I. закон об амнистии; 3) возмещение, компенсация; 4) контрибуция.

**indemonstrable** [ɪn'demənstrəbl] *a* 1) недоказуемый; 2) не требующий доказательства.

**indent** [ɪn'dent] 1. *n* [*тж.* 'ɪndent] 1) зазубрина, зубец; выемка, вырез; 2) документ с дубликатом, отделяющимся по линии отреза; 3) ордер, официальное требование (*на товары и т. п.*); 4) *амер.* купон; 5) заказ на товары; 6) *полигр.* абзац; отступ; 7) клеймо, отпечаток; 2. *v* 1) зазубривать; выдалбливать, вырезывать; насекать; 2) составлять документ с дубликатом (*особ.* отделяемым линией отреза); 3) предъявлять требование, выписывать ордер (уроп—кому-л.; for—на что-л.); 4) реквизировать; 5) *полигр.* делать абзац; отступ.

**indentation** [,ɪnden'teɪʃən] *n* 1) вырезывание в виде зубцов; 2) зубец, вырез; извилина. углубление берега *и т. п.*; 3) вдавливание; вмятина; отпечаток.

**indented** [ɪn'dentɪd] 1. *p. p. от* indent 2; 2. *a* 1) зазубренный, зубчатый; an ~ coastline изрезанная береговая линия; 2) *полигр.* с отступом.

**indention** [ɪn'denʃən] *n* 1) *полигр.* абзац; отступ; 2) = indentation.

**indenture** [ɪn'dentʃə] 1. *n* 1) = indent 1, 2); 2) соглашение, контракт в двух экземпля-

рах; договóр мéжду ученикóм и хозя́ином; to take up one's ~ закóнчить учени́чество, слу́жбу; 3) вы́рез, зазу́брина; 4) *attr.*: ~ system скры́тая фóрма принуди́тельного труда́; систéма каба́льных договóров при вербóвке и вы́возе рабóчих;
2. *v* свя́зывать договóром.

**independence** [,ındı'pendəns] *n* 1) незави́симость, самостоя́тельность; I. Day день провозглашéния незави́симости США (*4 ию́ля*); 2) самостоя́тельный дохóд; состоя́ние, срéдства.

**independency** [,ındı'pendənsı] *n* 1) незави́симое госуда́рство; 2) (I.) = Congregationalism; 3) *редк.* = independence.

**independent** [,ındı'pendənt] 1. *a* 1) незави́симый, самостоя́тельный; не зави́сящий (of—от); 2) имéющий самостоя́тельный дохóд; облада́ющий состоя́нием; 3) непредубеждённый;
2. *n полит.* «незави́симый».

**indescribable** [,ındıs'kraıbəbl] *a* неопису́емый.

**indestructibility** ['ındıs,trʌktə'bılıtı] *n* неразруши́мость; law of ~ of matter закóн неуничтожи́мости матéрии.

**indestructible** [,ındıs'trʌktəbl] *a* неразруши́мый.

**indeterminable** [,ındı'təːmınəbl] *a* 1) неопредели́мый; 2) неразреши́мый (*о спóре и т. п.*).

**indeterminate** [,ındı'təːmınıt] *a* 1) неопределённый; 2) неопредели́мый; нея́сный; сомни́тельный; 3) нерешённый, неокóнча́тельный.

**indetermination** ['ındı,təːmı'neıʃən] *n* 1) неопределённость; 2) нереши́тельность.

**index** ['ındeks] 1. *n* (*pl* -xes [-ksız], indices) 1) и́ндекс, указа́тель; ~ of cost of living и́ндекс прожи́точного ми́нимума; 2) стрéлка (*на прибóрах*); 3) алфави́тный указа́тель; 4) указа́тельный па́лец (*тж.* ~ finger); 5) *полигр.* и́ндекс (*вы́рез для кóнчика па́льца в обрéзе справочного изда́ния*); 6) *мат.* показа́тель стéпени; 7) *attr.*: ~ number *эк.* и́ндекс;
2. *v* 1) снабжа́ть указа́телем; 2) составля́ть указа́тель, заноси́ть в указа́тель.

**Indiaman** ['ındʒəmən] *n* сýдно для торгóвли с Индией, *особ. ист.* сýдно Ост-Индской компа́нии.

**Indian** ['ındʒən] 1. *a* 1) инди́йский; ~ civilian гражда́нский чинóвник в Индии; 2) индéйский (*относя́щийся к амер. индéйцам*); ~ weed таба́к;
2. *n* 1) инди́ец; 2) индéец (*Сев. и Южн. Амéрики*); 3) европéец, дóлго жи́вший в Индии.

**Indian blue** ['ındʒən'bluː] *n* инди́го.
**Indian cane** ['ındʒən'keın] *n* бамбýк.
**Indian club** ['ındʒən'klʌb] *n* деревя́нная дуби́нка для гимнасти́ческих упражнéний, булава́.
**Indian corn** ['ındʒən'kɔːn] *n* ма́ис, кукурýза.
**Indian file** ['ındʒən'faıl] *n воен.* колóнна по одномý, змéйка; in ~ гуськóм.
**Indian ink** ['ındʒən'ıŋk] *n* (кита́йская) тушь.

**Indian summer** ['ındʒən'sʌmə] *n* золота́я óсень; «ба́бье лéто».

**India paper** ['ındʒə'peıpə] *n* 1) кита́йская бума́га; 2) тóнкая печа́тная бума́га.

**india-rubber** ['ındʒə'rʌbə] *n* 1) каучýк, резина; 2) резинка для стира́ния.

**indicate** ['ındıkeıt] *v* 1) пока́зывать, ука́зывать; 2) служи́ть при́знаком; означа́ть; 3) *мед.* трéбовать (*лечéния, ухóда*); 4) *тех.* измеря́ть мóщность маши́ны индика́тором, проверя́ть индика́тором.

**indicated** ['ındıkeıtıd] 1. *p. p. от* indicate;
2. *a* номина́льный, индика́торный; ~ horsepower индика́торная мóщность.

**indication** [,ındı'keıʃən] *n* 1) указа́ние; 2) показа́ние, отсчёт (*прибóра*); 3) симптóм, знак; 4) показа́ния (*для применéния да́нного срéдства*).

**indicative** [ın'dıkətıv] 1. *a* 1) [*тж.* 'ındıkeıtıv] ука́зывающий, пока́зывающий (of—на); to be ~ of smth. служи́ть при́знаком чегó-л.; 2) *грам.* изъяви́тельный;
2. *n грам.* изъяви́тельное наклонéние.

**indicator** ['ındıkeıtə] *n* 1) индика́тор; 2) указа́тель; 3) счётчик; 4) стрéлка (*циферба́ата и т. п.*).

**indicator-diagram** ['ındıkeıtə'daıəgræm] *n* индика́торная диагра́мма.

**indicatory** [ın'dıkətərı] *a* указа́тельный, ука́зывающий.

**indices** ['ındısıːz] *pl от* index 1.

**indict** [ın'daıt] *v* предъявля́ть обвинéние; to be ~ed for theft (*или* on a charge of theft) быть обвинённым в кра́же.

**indictable** [ın'daıtəbl] *a* подлежа́щий судéбному преслéдованию.

**indictee** [,ındaı'tiː] *n* обвиня́емый (*на судéбном процéссе*).

**indictment** [ın'daıtmənt] *n* обвини́тельный акт; bill of ~ обвини́тельный акт для предвари́тельного предъявлéния прися́жным.

**indifference** [ın'dıfrəns] *n* 1) безразли́чие, равнодýшие (to, towards); 2) нейтра́льность; нейтра́льная пози́ция; 3) незначи́тельность, малова́жность; a matter of ~ незначи́тельное, несерьёзное дéло; пустя́к; 4) посрéдственность.

**indifferent** [ın'dıfrənt] *a* 1) безразли́чный, равнодýшный (to); 2) нейтра́льный, незаинтересóванный, беспристра́стный; 3) незначи́тельный, малова́жный; 4) посрéдственный.

**indifferently** [ın'dıfrəntlı] *adv* 1) равнодýшно, безразли́чно; 2) посрéдственно, сквéрно; 3) *уст.* беспристра́стно.

**indigence** ['ındıdʒəns] *n* нуждá, бéдность.

**indigene** ['ındıdʒiːn] *n* 1) тузéмец; 2) мéстное живóтное *или* растéние.

**indigenous** [ın'dıdʒınəs] *a* тузéмный; мéстный.

**indigent** ['ındıdʒənt] *a* нужда́ющийся, бéдный.

**indigested** [,ındı'dʒestıd] *a* 1) непереваренный; 2) непродýманный, неусвóенный; 3) бесфóрменный; хаоти́ческий.

**indigestible** [,ındı'dʒestəbl] *a* неудобовари́мый.

**indigestion** [ˌɪndɪ'dʒestʃən] *n* несваре́ние, расстро́йство желу́дка.

**indigestive** [ˌɪndɪ'dʒestɪv] *a* 1) страда́ющий расстро́йством пищеваре́ния; 2) вызыва́ющий расстро́йство пищеваре́ния.

**indignant** [ɪn'dɪgnənt] *a* негоду́ющий, возмущённый (at *smth.*; with *smb.*).

**indignantly** [ɪn'dɪgnəntlɪ] *adv* с негодова́нием; возмущённо.

**indignation** [ˌɪndɪg'neɪʃən] *n* негодова́ние, возмуще́ние (at *smth.*; with *smb.*).

**indignity** [ɪn'dɪgnɪtɪ] *n* пренебреже́ние; оскорбле́ние; униже́ние (*кого-л.*), униже́ние (*чьего-л.*) досто́инства; to put indignities upon smb. подве́ргнуть кого́-л. оскорбле́ниям.

**indigo** ['ɪndɪgou] *n* (*pl* -os [-ouz]) 1) инди́го (*растение и краска*); 2) си́ний цвет (*один из цветов спектра*).

**indigo blue** ['ɪndɪgou'bluː] *n* си́не-фиоле́товый цвет.

**indirect** [ˌɪndɪ'rekt] *a* 1) непрямо́й; око́льный; ~ fire *воен.* стрельба́ непрямо́й наво́дкой; ~ light отражённый свет; ~ lighting отражённое освеще́ние; ~ elections многосте́пенные вы́боры; 2) укло́нчивый; 3) ко́свенный; ~ taxation ко́свенное налогообложе́ние; 4) *грам.* ко́свенный; ~ speech ко́свенная речь; ~ object ко́свенное дополне́ние; 5) побо́чный; an ~ result побо́чный, дополни́тельный результа́т.

**indirection** [ˌɪndɪ'rekʃən] *n*: by ~ ко́свенно.

**indiscernible** [ˌɪndɪ'sɜːnəbl] *a* неразличи́мый; непримéтный.

**indiscipline** [ɪn'dɪsɪplɪn] *n* недисциплини́рованность.

**indiscreet** [ˌɪndɪs'kriːt] *a* 1) неблагоразу́мный; 2) неосторо́жный; 3) несде́ржанный; нескро́мный.

**indiscrete** [ɪn'dɪskriːt] *a* нерасчленённый на ча́сти; компа́ктный, однородный.

**indiscretion** [ˌɪndɪs'kreʃən] *n* 1) неблагоразу́мный посту́пок; to commit an ~ соверши́ть неблагоразу́мный посту́пок; 2) неосторо́жность; 3) нескро́мность; 4) неве́жливость, неучти́вость.

**indiscriminate** [ˌɪndɪs'krɪmɪnɪt] *a* 1) неразбо́рчивый, не де́лающий разли́чий; огу́льный; 2) беспоря́дочный, сме́шанный.

**indiscrimination** ['ɪndɪsˌkrɪmɪ'neɪʃən] *n* 1) неуме́ние разбира́ться, различа́ть; 2) неразбо́рчивость.

**indispensable** [ˌɪndɪs'pensəbl] *a* 1) необходи́мый (to, for); 2) обяза́тельный, не допуска́ющий исключе́ний (*о законе и т. п.*).

**indispose** [ˌɪndɪs'pouz] *v* 1) не располага́ть, отвраща́ть (towards, from); 2) восстана́вливать, настра́ивать (*против кого-л., чего-л.*); 3) де́лать непригодным, неспособным (for—к); 4) (*особ. p. p.*) вызыва́ть недомога́ние; he is ~d он нездоро́в.

**indisposition** [ˌɪndɪspə'zɪʃən] *n* 1) нездоро́вье, недомога́ние; 2) нежела́ние; 3) нерасположе́ние, отвраще́ние (to, towards).

**indisputability** ['ɪndɪspjuːtə'bɪlɪtɪ] *n* неоспори́мость, бесспо́рность.

**indisputable** [ˌɪndɪs'pjuːtəbl] *a* неоспори́мый, бесспо́рный.

**indissoluble** [ˌɪndɪ'sɔljubl] *a* 1) нераствори́мый, неразложи́мый; 2) неразры́вный, неруши́мый, про́чный.

**indistinct** [ˌɪndɪs'tɪŋkt] *a* 1) нея́сный, неотчётливый; сму́тный; 2) невня́тный.

**indistinctive** [ˌɪndɪs'tɪŋktɪv] *a* неотличи́тельный, нехаракте́рный.

**indistinguishable** [ˌɪndɪs'tɪŋgwɪʃəbl] *a* неразличи́мый.

**indite** [ɪn'daɪt] *v* 1) сочиня́ть, выража́ть в слова́х; 2) писа́ть (*письмо и т. п.*; *обыкн. шутл.*).

**indium** ['ɪndɪəm] *n хим.* и́ндий.

**indivertible** [ˌɪndɪ'vɜːtəbl] *a* неотврати́мый.

**individual** [ˌɪndɪ'vɪdjuəl] **1.** *a* 1) ли́чный, индивидуа́льный; 2) характе́рный, осо́бенный; 3) отде́льный, едини́чный, ча́стный; ~ peasant крестья́нин-единоли́чник; ~ fire *воен.* одино́чный ого́нь;

**2.** *n* 1) индиви́дуум; о́собь; 2) ли́чность, челове́к; an agreeable ~ прия́тный челове́к.

**individualistic** [ˌɪndɪˌvɪdjuə'lɪstɪk] *a* индивидуалисти́ческий.

**individuality** [ˌɪndɪˌvɪdju'ælɪtɪ] *n* 1) индивидуа́льность; 2) *филос.* отде́льное бытие́.

**individualization** [ˌɪndɪˌvɪdjuəlaɪ'zeɪʃən] *n* индивидуализа́ция, обособле́ние.

**individualize** [ˌɪndɪ'vɪdjuəlaɪz] *v* 1) индивидуализи́ровать, придава́ть индивидуа́льный хара́ктер; 2) подро́бно, дета́льно определя́ть.

**indivisibility** ['ɪndɪˌvɪzɪ'bɪlɪtɪ] *n* недели́мость.

**indivisible** [ˌɪndɪ'vɪzəbl] **1.** *a* недели́мый, бесконе́чно ма́лый;

**2.** *n* не́что недели́мое, бесконе́чно ма́лое.

**Indo-Chinese** ['ɪndoutʃaɪ'niːz] *a* индокита́йский.

**indocile** [ɪn'dousaɪl] *a* 1) непоко́рный, непослу́шный; 2) трудновоспиту́емый.

**indocility** [ˌɪndou'sɪlɪtɪ] *n* непоко́рность *и пр.* [*см.* indocile].

**indoctrinate** [ɪn'dɔktrɪneɪt] *v* 1) знако́мить с како́й-л. тео́рией, каки́м-л. уче́нием; 2) внуша́ть (*мысли, мнение*; with).

**indoctrinated** [ɪn'dɔktrɪneɪtɪd] **1.** *p. p. от* indoctrinate;

**2.** *a* прони́кнутый како́й-л. доктри́ной.

**indoctrination** [ɪnˌdɔktrɪ'neɪʃən] *n* 1) обуче́ние; 2) внуше́ние иде́й.

**Indo-European** ['ɪndouˌjuərə'pɪən] *a* индоевропе́йский.

**indolence** ['ɪndələns] *n* 1) ле́ность; пра́здность; 2) вя́лость.

**indolent** ['ɪndələnt] *a* 1) лени́вый; пра́здный; 2) вя́лый; 3) *мед.* безболе́зненный.

**indomitable** [ɪn'dɔmɪtəbl] *a* 1) неукроти́мый; 2) упря́мый, упо́рный.

**Indonesian** [ˌɪndou'niːzjən] **1.** *a* индонези́йский;

**2.** *n* индонези́ец; индонези́йка.

**indoor** ['ɪndɔː] *a* находя́щийся *или* происходя́щий внутри́ до́ма; ко́мнатный, вну́тренний; ~ games ко́мнатные и́гры; ~ aerial *радио* ко́мнатная анте́нна; ~ relief по́мощь, ока́зываемая бедняка́м в рабо́тном до́ме.

**indoors** [ˈɪnˈdɔːz] *adv* внутри дома; в помещении; to stay (*или* to keep) ~ оставаться дома, не выходить.

**indorsation** [ˌɪndɔːˈseɪʃən] = endorsement.

**indorse** [ɪnˈdɔːs] = endorse.

**indorsee** [ˌɪndɔːˈsiː] *n* ком. индоссат.

**indorsement** [ɪnˈdɔːsmənt] = endorsement.

**indraft, indraught** [ˈɪndrɑːft] *n* приток; поток (*воздуха, жидкости—внутрь*).

**indrawn** [ˈɪnˈdrɔːn] *a* втянутый; направленный внутрь.

**indubitable** [ɪnˈdjuːbɪtəbl] *a* несомненный.

**induce** [ɪnˈdjuːs] *v* 1) убеждать, побуждать, склонять, заставлять; to ~ smb. to do smth. заставить кого-л. сделать что-л.; 2) вызывать; стимулировать; 3) эл. индуктировать; 4) лог. выводить умозаключение (путём индукции).

**induced** [ɪnˈdjuːst] 1. *p. p. от* induce; 2. *a* вынужденный; ~ draught искусственная тяга.

**inducement** [ɪnˈdjuːsmənt] *n* 1) побуждение, побуждающий мотив; стимул; 2) приманка.

**induct** [ɪnˈdʌkt] *v* 1) официально вводить в должность; 2) амер. воен. зачислять на службу; 3) усаживать, водворять (into); 4) вводить (*в курс дел*); посвящать; 5) вовлекать; 6) = induce 3).

**inductance** [ɪnˈdʌktəns] *n* эл. 1) индуктивность; (само)индукция; 2) коэффициент (само)индукции.

**inductee** [ˌɪndʌkˈtiː] *n* амер. призванный на военную службу, новобранец.

**inductile** [ɪnˈdʌktaɪl] *a* нетягучий, нековкий (*о металле*).

**induction** [ɪnˈdʌkʃən] *n* 1) вступление, введение; 2) официальное введение в должность; 3) амер. воен. зачисление на службу (*по призыву*); 4) лог. индукция индуктивный метод; 5) эл. индукция; 6) тех. впуск.

**induction-coil** [ɪnˈdʌkʃənkɔɪl] *n* эл. индукционная катушка, катушка самоиндукции.

**induction-valve** [ɪnˈdʌkʃən,vælv] *n* тех. впускной клапан.

**inductive** [ɪnˈdʌktɪv] *a* 1) лог. индуктивный; 2) эл. индукционный; индуктивный; 3) всасывающий.

**inductor** [ɪnˈdʌktə] *n* эл. индуктор.

**indue** [ɪnˈdjuː] = endue.

**indulge** [ɪnˈdʌldʒ] *v* 1) позволять себе удовольствие; предаваться удовольствиям; давать себе волю (*в чём-л.*); to ~ in bicycling увлекаться ездой на велосипеде; to ~ in a cigar (in a nap) с удовольствием выкурить сигару (вздремнуть); 2) разг. сильно пить; I'm afraid he ~s too much я боюсь, что он злоупотребляет спиртным; 3) доставлять удовольствие; he ~d the company with a song он доставил всем удовольствие своим пением; 4) быть снисходительным, потворствовать, баловать, портить; you can't ~ every creature на всех не угодишь; 5) ком. дать отсрочку платежа по векселю.

**indulgence** [ɪnˈdʌldʒəns] *n* 1) снисхождение, снисходительность; терпимость; Decla-

ration of I. ист. декларация религиозной терпимости; 2) потворство; потакание; поблажка; 3) потворство своим желаниям, потакание своим слабостям; 4) привилегия, милость; 5) церк. индульгенция, отпущение грехов; 6) ком. отсрочка платежа.

**indulgent** [ɪnˈdʌldʒənt] *a* 1) снисходительный; терпимый; 2) потворствующий.

**indulgently** [ɪnˈdʌldʒəntlɪ] *adv* снисходительно; милостиво.

**indumentum** [ˌɪndjuːˈmentəm] *n* 1) оперение; 2) бот. волосяной покров.

**indurate** [ˈɪndjuəreɪt] *v* 1) делать(ся) твёрдым, отвердевать; 2) делать(ся) бесчувственным, чёрствым.

**induration** [ˌɪndjuəˈreɪʃən] *n* 1) отвердение, затвердение; 2) огрубение; чёрствость.

**industrial** [ɪnˈdʌstrɪəl] 1. *a* 1) промышленный, индустриальный; ~ capital промышленный капитал; ~ goods промышленные изделия; ~ plant промышленное предприятие; ~ classes труженики, рабочий класс; ~ wealth богатство, образовавшееся в промышленности (*в противоположность торговле, сельскому хозяйству и т. п.*); the ~ revolution ист. промышленный переворот; 2) производственный; ~ union амер. производственный профсоюз; ~ accidents несчастные случаи на производстве; ~ sanitation фабрично-заводская санитария; ~ school ремесленное училище; ремесленная школа для беспризорных детей *или* правонарушителей; 3) употребляемый для промышленных целей; ~ crops с.-х. технические культуры; ~ plant техническое растение; ~ wood пиломатериалы; ~ tractor транспортный тягач; 2. *n* 1) промышленник; 2) *pl* акции промышленных предприятий.

**industrialist** [ɪnˈdʌstrɪəlɪst] *n* промышленник, предприниматель; фабрикант.

**industrialization** [ɪnˌdʌstrɪəlaɪˈzeɪʃən] *n* индустриализация.

**industrially** [ɪnˈdʌstrɪəlɪ] *adv* 1) в промышленном отношении; 2) с индустриальной точки зрения.

**industrious** [ɪnˈdʌstrɪəs] *a* трудолюбивый, усердный, прилежный.

**industry** [ˈɪndəstrɪ] *n* 1) промышленность, индустрия; home ~ a) отечественная промышленность; б) уст. кустарная промышленность; large-scale ~ крупная промышленность; 2) отрасль промышленности; 3) трудолюбие, прилежание, усердие.

**indwell** [ˈɪnˈdwel] *v* (indwelt) 1) проживать (in); 2) постоянно пребывать, не покидать, не оставлять (*о мыслях и т. п.*).

**indweller** [ˈɪnˈdwelə] *n* житель, обитатель.

**indwelling** [ˈɪnˈdwelɪŋ] 1. *pres. p. от* indwell; 2. *n* пребывание, нахождение (*внутри*); 3. *a* живущий; постоянно пребывающий.

**indwelt** [ˈɪnˈdwelt] *past и p. p. от* indwell.

**inearth** [ɪnˈəːθ] *v* зарывать в землю, хоронить.

**inebriate** 1. *n* [ɪˈniːbrɪɪt] 1) пьяный; 2) пьяница, алкоголик;

**2.** *a* [ɪ'niːbrɪɪt] пья́ный, опьяне́вший;
**3.** *v* [ɪ'niːbrɪɪt] опьяня́ть.

**inebriation** [ɪˌniːbrɪ'eɪʃən] *n* опьяне́ние.
**inebriety** [ˌiniˈbraɪətɪ] *n* 1) опьяне́ние;
2) алкоголи́зм.

**inedibility** [ɪnˌedɪ'bɪlɪtɪ] *n* несъедо́бность.

**inedible** [ɪn'edɪbl] *a* несъедо́бный; ~ fat *тех.* техни́ческий жир.

**inedited** [ɪn'edɪtɪd] *a* 1) неи́зданный; 2) и́зданный без редакцио́нных измене́ний; 3) неотредакти́рованный.

**ineducable** [ɪn'edjukəbl] *a* не поддаю́щийся обуче́нию *или* дрессиро́вке.

**ineffable** [ɪn'efəbl] *a* невырази́мый, несказа́нный.

**ineffaceable** [ˌiniˈfeɪsəbl] *a* неизглади́мый.

**ineffective** [ˌiniˈfektɪv] *a* 1) безрезульта́тный, не производя́щий *или* не достига́ющий эффе́кта; 2) недействи́тельный; 3) неспосо́бный, неуме́лый.

**ineffectual** [ˌiniˈfektjuəl] *a* безрезульта́тный, беспло́дный; неуда́чный, сла́бый.

**inefficacious** [ˌinefɪ'keɪʃəs] *a* недействи́тельный, неэффекти́вный.

**inefficiency** [ˌiniˈfɪʃənsɪ] *n* 1) неспосо́бность, неуме́лость; 2) неэффекти́вность; недоста́точность, недействи́тельность.

**inefficient** [ˌiniˈfɪʃənt] **1.** *a* 1) неспосо́бный, неуме́лый; 2) пло́хо де́йствующий, не эффекти́вный; безрезульта́тный; непроизводи́тельный;
**2.** *n* неуме́лый, незада́чливый челове́к.

**inelaborate** [ˌiniˈlæbərɪt] *a* неразрабо́танный; 2) просто́й, безыску́сственный.

**inelastic** [ˌiniˈlæstɪk] *a* неэласти́чный, неги́бкий.

**inelasticity** [ˌinilæs'tɪsɪtɪ] *n* неэласти́чность, неги́бкость.

**inelegance** [ɪn'elɪgəns] *n* неизя́щность *и пр.* [*см.* inelegant].

**inelegant** [ɪn'elɪgənt] *a* 1) неизя́щный; грубова́тый, безвку́сный; 2) неотде́ланный (*о стиле*).

**ineligible** [ɪn'elɪdʒəbl] *a* 1) не могу́щий быть и́збранным; 2) нежела́тельный (*о жени́хе или неве́сте*); 3) неподходя́щий, него́дный (*особ. для вое́нной слу́жбы*).

**ineluctability** [ˌiniˌlʌktə'bɪlɪtɪ] *n* неизбе́жность; неотврати́мость.

**ineluctable** [ˌiniˈlʌktəbl] *a* неизбе́жный, неотврати́мый.

**inept** [ɪ'nept] *a* 1) неподходя́щий, неуме́стный; 2) неспосо́бный; 3) глу́пый; 4) *юр.* недействи́тельный.

**ineptitude** [ɪ'neptɪtjuːd] *n* 1) неуме́стность; 2) неспосо́бность, неуме́лость; 3) глу́пость.

**inequable** [ɪn'ekwəbl] *a* 1) изме́нчивый; 2) неуравнове́шенный.

**inequality** [ˌiniˈkwɔlɪtɪ] *n* 1) нера́венство; разли́чие; ра́зница; 2) неодина́ковость; непостоя́нство; 3) неро́вность (*поверхности*); 4) неудовлетвори́тельность, недоста́точность.

**inequilateral** [ˌiniˈkwɪ'lætərəl] *a* неравносторо́нний.

**inequitable** [ɪn'ekwɪtəbl] *a* несправедли́вый, пристра́стный.

**inequity** [ɪn'ekwɪtɪ] *n* несправедли́вость.

**ineradicable** [ˌiniˈrædɪkəbl] *a* неискорени́мый.

**inerrable** [ɪn'erəbl] *a* непогреши́мый.

**inerrancy** [ɪn'erənsɪ] *n* непогреши́мость.

**inert** [ɪ'nəːt] *a* 1) ине́ртный, неакти́вный; нейтра́льный; 2) недея́тельный, вя́лый; 3) ко́сный.

**inertia** [ɪ'nəːʃjə] *n* 1) *физ.* ине́рция; си́ла ине́рции; 2) ине́ртность, вя́лость; 3) *attr.:* ~ governor *тех.* центробе́жный регуля́тор.

**inertness** [ɪ'nəːtnɪs] *n* ине́ртность.

**inescapable** [ˌinis'keɪpəbl] *a* неизбе́жный; неотврати́мый.

**inesculent** [ɪn'eskjuːlənt] *a* несъедо́бный.

**inessential** ['ini'senʃəl] *a* несуще́ственный; нева́жный.

**inessentials** ['ini'senʃəlz] *n pl* то, что не явля́ется предме́том пе́рвой необходи́мости; предме́ты ро́скоши.

**inestimable** [ɪn'estɪməbl] *a* не поддаю́щийся оце́нке; неоцени́мый, бесце́нный.

**inevitability** [ɪnˌevɪtə'bɪlɪtɪ] *n* неизбе́жность.

**inevitable** [ɪn'evɪtəbl] *a* неизбе́жный, немину́емый.

**inexact** [ˌinig'zækt] *a* нето́чный.

**inexactitude** [ˌinig'zæktɪtjuːd] *n* нето́чность.

**inexcusable** [ˌiniks'kjuːzəbl] *a* непрости́тельный.

**inexhaustibility** ['inigˌzɔːstə'bɪlɪtɪ] *n* неистощи́мость *и пр.* [*см.* inexhaustible].

**inexhaustible** [ˌinig'zɔːstəbl] *a* 1) неистощи́мый, неисчерпа́емый; ~ fertility неистощи́мое плодоро́дие (*по́чвы*); 2) неутоми́мый.

**inexorability** [ɪnˌeksərə'bɪlɪtɪ] *n* неумоли́мость *и пр.* [*см.* inexorable].

**inexorable** [ɪn'eksərəbl] *a* неумоли́мый, безжа́лостный; непрекло́нный.

**inexpediency** [ˌiniks'piːdjənsɪ] *n* нецелесообра́зность *и пр.* [*см.* inexpedient].

**inexpedient** [ˌiniks'piːdjənt] *a* нецелесообра́зный; неблагоразу́мный, невы́годный (*при да́нных обстоя́тельствах*).

**inexpensive** [ˌiniks'pensɪv] *a* недорого́й, дешёвый.

**inexperience** [ˌiniks'pɪərɪəns] *n* нео́пытность.

**inexpert** [ˌineks'pəːt] *a* 1) нео́пытный, несве́дущий; 2) неиску́сный, неуме́лый.

**inexpiable** [ɪn'ekspɪəbl] *a* 1) неискупи́мый; 2) неумоли́мый.

**inexplicable** [ɪn'eksplɪkəbl] *a* необъясни́мый; непоня́тный.

**inexplicit** [ˌiniks'plɪsɪt] *a* неопределённый, нея́сно вы́раженный.

**inexpressible** [ˌiniks'presəbl] **1.** *a* 1) невырази́мый; неопису́емый; 2) непроизноси́мый;
**2.** *n pl шутл.* штаны́, «невырази́мые».

**inexpressive** [ˌiniks'presɪv] *a* 1) невырази́тельный; 2) *уст.* невырази́мый.

**inexpugnable** [ˌiniks'pʌgnəbl] *a* непристу́пный; непреобори́мый; непобеди́мый.

**inextinguishable** [ˌiniks'tɪŋgwɪʃəbl] *a* неугаси́мый.

**inextricable** [ɪn'ekstrɪkəbl] *a* 1) не могу́щий быть распу́танным; сло́жный, запу́танный; 2) неразреши́мый; безвы́ходный.

**infallibility** [in,fælə'biliti] *n* непогрешимость *и пр.* [*см.* infallible].

**infallible** [in'fæləbl] *a* 1) безошибочный, непогрешимый; 2) надёжный, верный; 3) неминуемый, неизбежный.

**infamise, infamize** ['infəmaiz] *v* 1) клеймить позором; 2) поносить; клеветать.

**infamous** ['infəməs] *a* 1) имеющий дурную репутацию; 2) позорный; постыдный, бесчестный; ~ conduct а) постыдное поведение; б) нарушение профессиональной этики (*особ. врачом*); 3) *разг.* скверный, пакостный; 4) *юр.* лишённый гражданских прав *или* ограниченный в правах вследствие совершённого преступления.

**infamy** ['infəmi] *n* 1) бесчестье, позор; to hold smb. up to ~ опозорить кого-л.; 2) постыдное, бесчестное поведение; 3) низость, подлость; 4) *юр.* характеристика, порочащая свидетеля и служащая основанием для его отвода.

**infancy** ['infənsi] *n* 1) раннее детство, младенчество; 2) ранняя стадия развития; 3) *юр.* несовершеннолетие.

**infant** ['infənt] 1. *n* 1) младенец, ребёнок; 2) *юр.* несовершеннолетний;
2. *a* 1) детский; 2) начальный, зачаточный.

**infanta** [in'fæntə] *исп. n* инфанта.

**infante** [in'fænti] *исп. n* инфант.

**infanticide** [in'fæntisaid] *n* 1) детоубийство, *особ.* убийство новорождённого; 2) детоубийца.

**infantile, infantine** ['infəntail, -tain] *a* 1) младенческий, инфантильный; ~ sickness детская болезнь; infantile paralysis *мед.* полиомиелит, детский паралич; 2) начальный; в первой стадии.

**infantry** ['infəntri] *n* 1) пехота, инфантерия; 2) *attr.* пехотный.

**infantryman** ['infəntrimən] *n* пехотинец.

**infant-school** ['infənt,sku:l] *n* детский сад.

**infatuate** [in'fætjueit] *v* вскружить голову, свести с ума; внушить безрассудную страсть.

**infatuated** [in'fætjueitid] 1. *p. p. от* infatuate;
2. *a* 1) ослеплённый; 2) влюблённый до безумия; 3) поглупевший.

**infatuation** [in,fætju'eiʃən] *n* 1) слепое увлечение; 2) страстная влюблённость; безрассудная страсть (for).

**infeasible** [in'fi:zəbl] *a* 1) невозможный; 2) непригодный; неподходящий.

**infect** [in'fekt] *v* заражать.

**infection** [in'fekʃən] *n* 1) заражение; инфекция; зараза; 2) заразительность.

**infectious** [in'fekʃəs] *a* 1) инфекционный, заразный; 2) заразительный.

**infective** [in'fektiv] = infectious; ~ matter заразное начало.

**infelicitous** [,infi'lisitəs] *a* 1) несчастливый; несчастный; 2) неудачный.

**infelicity** [,infi'lisiti] *n* 1) несчастье; 2) погрешность; the work is marred by the infelicities of style произведение испорчено стилистическими погрешностями.

**infer** [in'fə:] *v* 1) заключать, делать заключение, вывод; выводить; 2) означать, подразумевать.

**inferable** [in'fə:rəbl] *a* возможный в качестве вывода, заключения.

**inference** ['infərəns] *n* 1) вывод, заключение; 2) подразумеваемое.

**inferential** [,infə'renʃəl] *a* выведенный *или* выводимый путём заключения.

**inferior** [in'fiəriə] 1. *n* стоящий ниже, подчинённый; your ~s ваши подчинённые;
2. *a* 1) низший (*по положению, чину;* to); 2) худший (*по качеству*); плохой; of ~ quality плохого качества; 3) нижний; 4) *полигр.* подстрочный.

**inferiority** [in,fiəri'oriti] *n* 1) более низкое положение, достоинство, качество; he was painfully sensible of his ~ in conversation он болезненно относился к своему неумению вести разговор; 2) *attr.*: ~ complex *психол.* чувство собственной неполноценности.

**infernal** [in'fə:nl] *a* 1) адский; 2) дьявольский, бесчеловечный; 3) *разг.* проклятый.

**inferno** [in'fə:nou] *ит.* *n* ад.

**inferrable** [in'fə:rəbl] = inferable.

**infertile** [in'fə:tail] *a* неплодородный, бесплодный.

**infertility** [,infə'tiliti] *n* неплодородие, бесплодие.

**infest** [in'fest] *v* кишеть; наводнять.

**infestation** [,infes'teiʃən] *n* инвазия (*заражение паразитами*).

**infidel** ['infidəl] 1. *n* 1) атеист, неверующий; 2) язычник; 3) неверный;
2. *a* неверующий.

**infidelity** [,infi'deliti] *n* 1) неверие; 2) безбожие; язычество; 3) неверность.

**infield** [in'fi:ld] *n* 1) земля, прилегающая к усадьбе; 2) пахотная земля, обрабатываемая земля; 3) часть поля у ворот (*в крикете*).

**infighting** ['in,faitiŋ] *n* 1) *спорт.* боксирование на расстоянии меньшем, чем вытянутая рука; 2) *воен.* ближний бой.

**infiltrate** ['infiltreit] *v* 1) пропускать (*жидкость*) через фильтр; 2) просачиваться; проникать; 3) тайно переходить границу, проникать в охраняемый объект *и т. п.*

**infiltration** [,infil'treiʃən] *n* 1) просачивание, инфильтрация; 2) *хим.* фильтрат; 3) *мед.* инфильтрат; 4) проникновение; 5) тайный переход границы, проникновение в охраняемый объект *и т. п.*

**infiltree** [,infil'tri:] *n* лицо, нарушившее неприкосновенность границ.

**infinite** ['infinit] 1. *n* 1) *разг.* масса, множество; 2) (the ~) бесконечность, бесконечное пространство;
2. *a* 1) бесконечный, безграничный; очень большой; ~ series *мат.* бесконечный ряд; ~ space бесконечное пространство; 2) (*с сущ. во мн. ч.*) несметный, бесчисленный; 3) *грам.* неопределённый, не ограниченный числом *или* лицом (*о формах глагола*).

**infinitesimal** [,infini'tesiməl] *мат.* 1. *n* бесконечно малая величина;
2. *a* бесконечно малый.

**infinitival** [ɪn,fɪnɪ'taɪvəl] *a грам.* инфинитивный, относящийся к неопределённой форме глагола.

**infinitive** [ɪn'fɪnɪtɪv] *грам.* **1.** *n* инфинитив, неопределённая форма глагола; **2.** *a* неопределённый.

**infinitude** [ɪn'fɪnɪtjuːd] *n* 1) бесконечность; 2) бесконечно большое число, протяжение (of).

**infinity** [ɪn'fɪnɪtɪ] *n* бесконечность; безграничность.

**infirm** [ɪn'fəːm] *a* 1) немощный, дряхлый; 2) слабовольный, слабохарактерный; 3) нерешительный; ~ of purpose неуверенный; слабовольный; нецелеустремлённый; 4) неустойчивый.

**infirmary** [ɪn'fəːmərɪ] *n* больница; лазарет.

**infirmity** [ɪn'fəːmɪtɪ] *n* 1) немощь, дряхлость; 2) телесный *или* моральный недостаток; 3) слабохарактерность; ~ of purpose слабость воли.

**infix** **1.** *n* ['ɪnfɪks] *грам.* инфикс; **2.** *v* [ɪn'fɪks] 1) вставить, укрепить (in— в чём-л.); 2) запечатлеть (*в уме*).

**inflame** [ɪn'fleɪm] *v* 1) воспламеняться, вспыхивать, загораться; 2) взволновать (-ся); возбудить(ся); 3) *мед.* воспалиться; 4) *мед.* вызвать воспаление.

**inflammability** [ɪn,flæmə'bɪlɪtɪ] *n* 1) воспламеняемость; 2) возбудимость.

**inflammable** [ɪn'flæməbl] **1.** *a* 1) легко воспламеняющийся; горючий; highly ~ огнеопасный; ~ mixture горючая смесь; 2) легко возбудимый; **2.** *n* легко воспламеняющееся вещество.

**inflammation** [,ɪnflə'meɪʃən] *n* 1) воспламенение; 2) *мед.* воспаление.

**inflammatory** [ɪn'flæmətərɪ] *a* 1) возбуждающий, возбудительный; 2) *мед.* воспалительный.

**inflate** [ɪn'fleɪt] *v* 1) надувать, наполнять газом, воздухом; накачивать; 2) надуваться (*от важности*; with); 3) вздувать (*цены*); 4) *эк.* проводить инфляцию.

**inflated** [ɪn'fleɪtɪd] **1.** *p. p. от* inflate; **2.** *a* надутый, напыщенный.

**inflation** [ɪn'fleɪʃən] *n* 1) надувание, наполнение воздухом,▮ газом; 2) *эк.* инфляция; 3) вздутие, вздутость; ~ of dough подъём теста.

**inflationary** [ɪn'fleɪʃnərɪ] *a эк.* инфляционный; ~ gap «ножницы» между покупательной способностью населения и насыщенностью рынка товарами.

**inflect** [ɪn'flekt] *v* 1) сгибать, гнуть; вогнуть; 2) *грам.* изменять окончание слова, склонять, спрягать; 3) *муз.* модулировать (*о голосе*); 4) *физ.* отклонять (*луч света*).

**inflection** [ɪn'flekʃən] = inflexion.

**inflective** [ɪn'flektɪv] *a грам.* изменяемый, склоняемый, спрягаемый.

**inflexibility** [ɪn,fleksə'bɪlɪtɪ] *n* 1) негибкость; жёсткость, несжимаемость; 2) непреклонность, непоколебимость.

**inflexible** [ɪn'fleksəbl] *a* 1) негибкий, негнущийся; несгибаемый; 2) непреклонный, непоколебимый.

**inflexion** [ɪn'flekʃən] *n* 1) сгибание, изгиб; 2) *грам.* флексия; 3) модуляция, интонация.

**inflexional** [ɪn'flekʃənl] *a лингв.* изменяющий окончания, склоняемый; флективный (*о языке*).

**inflict** [ɪn'flɪkt] *v* 1) наносить (*удар, рану*; upon); 2) причинять (*боль, страдание, убыток*); 3) налагать (*наказание*); 4) навязывать; to ~ oneself навязаться (upon).

**infliction** [ɪn'flɪkʃən] *n* 1) причинение (*страдания*); 2) наложение (*наказания и т. п.*); 3) наказание; 4) страдание; огорчение.

**inflorescence** [,ɪnflɔ'resəns] *n бот.* 1) цветорасположение; 2) соцветие; 3) цветение.

**inflow** ['ɪnflou] *n* 1) впадение; втекание; 2) приток; наплыв; 3) засасывание; 4) впуск.

**inflowing** ['ɪn,flouɪŋ] **1.** *n* впадение, втекание; **2.** *a* впадающий, втекающий.

**influence** ['ɪnfluəns] **1.** *n* 1) влияние, действие, воздействие (on, upon, over—на); a person of ~ влиятельное лицо; to exercise one's ~ пустить в ход своё влияние; under the ~ of smth. под влиянием чего-л.; 2) лицо, фактор, оказывающие влияние; to have ~ with быть авторитетом для, оказывать влияние на; I have little ~ with him я для него не авторитет; **2.** *v* оказывать влияние, влиять; the weather ~s crops погода влияет на урожай.

**influent** ['ɪnfluənt] **1.** *n* приток; **2.** *a* 1) втекающий, впадающий; 2) оказывающий влияние.

**influential** [,ɪnflu'enʃəl] *a* влиятельный.

**influenza** [,ɪnflu'enzə] *n мед.* инфлюэнца, грипп.

**influx** ['ɪnflʌks] *n* 1) впадение (*притока в реку*); 2) втекание, приток; 3) наплыв, прилив.

**inform** [ɪn'fɔːm] *v* 1) сообщать, информировать, уведомлять; 2) обвинять, подавать жалобу, доносить (against—на *кого-л.*); 3) наполнять (*чувством и т. п.*); одушевлять; ~ed with life полный жизни; 4) *редк.* образовывать (*ум, характер и т. п.*).

**informal** [ɪn'fɔːml] *a* 1) неформальный; неофициальный; без соблюдения формальностей; 2) непринуждённый; бесцеремонный; 3): ~ garden неразделанный сад.

**informality** [,ɪnfɔː'mælɪtɪ] *n* 1) несоблюдение установленных формальностей, отступление от формы; 2) отсутствие церемоний.

**informant** [ɪn'fɔːmənt] *n* осведомитель, доносчик.

**information** [,ɪnfə'meɪʃən] *n* 1) информация, сообщение, сведения (on, about); «Information» справки (*надпись, вывеска*); to turn in ~ дать сведения, информацию; 2) знания, осведомлённость; 3) обвинение; жалоба (*поданная в суд*; against); to lay against smb. подать жалобу в суд на кого-л.; 4) *attr.*: ~ officer *амер. воен.* офицер связи; ~ agency *амер. воен.* орган разведки; ~ desk справочный стол.

**informative** [ɪn'fɔːmətɪv] *a* информационный, информирующий.

**informed** [ɪnˈfɔːmd] 1. *p. p. от* inform;
2. *a* 1) осведомлённый; 2) знающий, образованный.

**informer** [ɪnˈfɔːmə] *n* осведомитель; доносчик (*тж.* common ~).

**infra** [ˈɪnfrə] *лат. adv* ниже; see ~ ch. VII смотри ниже VII главу.

**infra-** [ɪnfrə-] *pref* ниже-, под-.

**infracostal** [ˌɪnfrəˈkɔstl] *a анат.* подреберный.

**infraction** [ɪnˈfrækʃən] *n* нарушение.

**infra dig** [ˈɪnfrəˈdɪg] *a predic.* (*сокр. от лат.* infra dignitatem) ниже (*чего-л.*) достоинства; унизительный; недостойный.

**infra-red** [ˌɪnfrəˈred] *a физ.* инфракрасный; ~ rays инфракрасные лучи.

**infrastructure** [ˈɪnfrəˈstrʌkʧə] *n стр.* основание, фундамент; нижнее строение.

**infrequent** [ɪnˈfriːkwənt] *a* нечасто случающийся, редкий.

**infringe** [ɪnˈfrɪnʤ] *v* нарушать (*закон, обещание, авторское право и т. п.*).

**infringement** [ɪnˈfrɪnʤmənt] *n* нарушение (*закона, обещания, авторского права и т. п.*).

**infundibular** [ˌɪnfʌnˈdɪbjulə] *a* воронкообразный.

**infuriate** [ɪnˈfjuərɪeɪt] *v* приводить в ярость, в бешенство; разъярять.

**infuse** [ɪnˈfjuːz] *v* 1) вливать (into); 2) вселять, возбуждать (*чувство и т. п.*); придавать (*храбрость и т. п.*); to ~ with hope вселять надежду; 3) заваривать (*чай*); настаивать (*травы*); 4) настаиваться (*о чае и т. п.*).

**infusible** [ɪnˈfjuːzəbl] *a* 1) неплавкий, тугоплавкий; 2) огнестойкий; 3) нерастворимый.

**infusion** [ɪnˈfjuːʒən] *n* 1) вливание; 2) внушение (*надежды*); придание (*храбрости*); 3) настой; 4) примесь.

**infusoria** [ˌɪnfjuˈzɔːrɪə] *n pl зоол.* инфузории.

**infusorial** [ˌɪnfjuˈzɔːrɪəl] *a* инфузорный.

**ingathering** [ˈɪnˌgæðərɪŋ] *n* собирание, *особ.* сбор урожая.

**ingeminate** [ɪnˈʤemɪneɪt] *v* повторять (*слова*), твердить.

**ingenious** [ɪnˈʤiːnjəs] *a* 1) изобретательный, искусный; 2) остроумный.

**ingénue** [ˌɛ̃ːnʒeɪˈnjuː] *фр. n театр.* инженю.

**ingenuity** [ˌɪnʤɪˈnjuːɪtɪ] *n* изобретательность, искусство.

**ingenuous** [ɪnˈʤenjuəs] *a* 1) чистосердечный, прямой, искренний; 2) простой, бесхитростный.

**ingest** [ɪnˈʤest] *v* глотать, проглатывать.

**ingle** [ˈɪŋgl] *n* огонь в очаге.

**ingle-nook** [ˈɪŋglnuk] *n* местечко у огня, у камина.

**inglorious** [ɪnˈglɔːrɪəs] *a* 1) бесславный, позорный, постыдный; 2) *уст.* без(ыз)вестный, тёмный.

**ingoing** [ˈɪnˌgouɪŋ] 1. *n* 1) вход, вступление; 2) предварительная оплата ремонта и оборудования арендуемого помещения;
2. *a* входящий, вновь прибывающий.

**ingot** [ˈɪŋgət] *n* 1) слиток, болванка;

чушка; брусок металла; 2) *attr.* литой; ~ iron литое железо; ~ steel литая сталь.

**ingraft** [ɪnˈgrɑːft] = engraft.

**ingrain** [ˈɪnˈgreɪn] 1. *n* 1) *амер.* пряжа, шерсть *и т. п.*, окрашенная до обработки; 2) поход (*добавочный вес или количество товара*);
2. *a* 1) окрашенный в пряже, волокне; 2) = ingrained 2).

**ingrained** [ˈɪnˈgreɪnd] *a* 1) проникающий, пропитывающий; ~ dirt въевшаяся грязь; 2) прочно укоренившийся, застарелый; закоренелый; 3) *геол.* вкрапленный.

**ingrate** [ɪnˈgreɪt] *уст.* 1. *n* неблагодарный человек;
2. *a* неблагодарный.

**ingratiate** [ɪnˈgreɪʃɪeɪt] *v* снискать (*чьё-л.*) расположение; to ~ oneself with smb. втереться к кому-л. в милость.

**ingratiatingly** [ɪnˈgreɪʃɪˌeɪtɪŋlɪ] *adv* заискивающе; льстиво.

**ingratitude** [ɪnˈgrætɪtjuːd] *n* неблагодарность.

**ingravescent** [ˌɪngrəˈvesənt] *a мед.* постепенно ухудшающийся (*о болезни*).

**ingredient** [ɪnˈgriːdjənt] *n* составная часть, ингредиент.

**ingress** [ˈɪngres] *n* 1) вход, доступ; 2) право входа; 3) вступительный взнос (*тж.* ~ money).

**ingrow** [ˈɪnˌgrou] *v* врастать.

**ingrowing** [ˈɪnˌgrouɪŋ] 1. *pres. p. от* ingrow;
2. *a* врастающий.

**ingrowth** [ˈɪngrouθ] *n* врастание внутрь.

**inguinal** [ˈɪngwɪnl] *a анат.* паховой.

**ingulf** [ɪnˈgʌlf] = engulf.

**ingurgitate** [ɪnˈgəːʤɪteɪt] *v* жадно глотать; *перен.* поглощать.

**inhabit** [ɪnˈhæbɪt] *v* жить, обитать, населять.

**inhabitable** [ɪnˈhæbɪtəbl] = habitable.

**inhabitancy** [ɪnˈhæbɪtənsɪ] *n* проживание (*где-л.*; *особ. в течение срока, достаточного для получения известных прав*).

**inhabitant** [ɪnˈhæbɪtənt] *n* житель, обитатель.

**inhabitation** [ɪnˌhæbɪˈteɪʃən] *n* 1) жительство, проживание; 2) жилище, местожительство.

**inhalation** [ˌɪnhəˈleɪʃən] *n* 1) вдыхание; 2) *мед.* ингаляция.

**inhale** [ɪnˈheɪl] *v* 1) вдыхать; 2) затягиваться (*табачным дымом*).

**inhaler** [ɪnˈheɪlə] *n* 1) ингалятор; 2) респиратор; противогаз; 3) воздушный фильтр; 4) завзятый курильщик.

**inharmonic** [ˌɪnhɑːˈmɔnɪk] *a* нарушающий гармонию.

**inharmonious** [ˌɪnhɑːˈmounjəs] *a* негармоничный, нестройный, несогласованный.

**inhaust** [ɪnˈhɔːst] *v* всасывать, засасывать, втягивать (*воздух*).

**inhere** [ɪnˈhɪə] *v* 1) находиться, пребывать; 2) быть присущим (in); 3) принадлежать, быть неотъемлемым (*о правах и т. п.*; in); 4) подразумеваться (*о значении*).

**inherence, -cy** [ɪnˈhɪərəns, -sɪ] *n* присущность, неотъемлемость.

**inherent** [ɪn'hɪərənt] *a* 1) прису́щий, неотъе́млемый; 2) прирождённый, врождённый, сво́йственный (in).

**inherit** [ɪn'herɪt] *v* насле́довать; унасле́довать.

**inheritable** [ɪn'herɪtəbl] *a* 1) насле́дственный; 2) име́ющий права́ насле́дства.

**inheritance** [ɪn'herɪtəns] *n* 1) насле́дование; унасле́дование; 2) насле́дство; *перен. тж.* насле́дие; 3) насле́дственность; 4) *attr.*: ~ duty *амер.* нало́г на насле́дство.

**inheritor** [ɪn'herɪtə] *n* насле́дник.

**inheritress, inheritrix** [ɪn'herɪtrɪs, -trɪks] *n* насле́дница.

**inhesion** [ɪn'hiːʒən] *n* прису́щность.

**inhibit** [ɪn'hɪbɪt] *v* 1) препя́тствовать, сде́рживать, подавля́ть; 2) *физиол.* заде́рживать, тормози́ть; 3) запреща́ть *(делать что-л.—гл. обр. в церковном праве; from).*

**inhibition** [ˌɪnhɪ'bɪʃən] *n* 1) сде́рживание; 2) *физиол.* заде́ржка, подавле́ние, торможе́ние; 3) воспреще́ние, запреще́ние *(гл. обр. в церковном праве).*

**inhibitor** [ɪn'hɪbɪtə] *n* биол. вещество́, заде́рживающее рост.

**inhibitory** [ɪn'hɪbɪtərɪ] *a* 1) препя́тствующий; 2) запреща́ющий, запрети́тельный; 3) *физиол.* заде́рживающий, подавля́ющий, тормозя́щий.

**inhospitable** [ɪn'hɔspɪtəbl] *a* 1) негостеприи́мный; 2) суро́вый; an ~ coast суро́вый бе́рег.

**inhuman** [ɪn'hjuːmən] *a* 1) бесчелове́чный, жесто́кий, бесчу́вственный; 2) нечелове́ческий, не сво́йственный челове́ку.

**inhumane** [ˌɪnhjuː'meɪn] *a* негума́нный; жесто́кий.

**inhumanity** [ˌɪnhjuː'mænɪtɪ] *n* бесчелове́чность, жесто́кость.

**inhumation** [ˌɪnhjuː'meɪʃən] *n* преда́ние земле́, погребе́ние.

**inhume** [ɪn'hjuːm] *v* предава́ть земле́, поːреба́ть.

**inhumement** [ɪn'hjuːməmənt] = inhumation.

**inimical** [ɪ'nɪmɪkəl] *a* 1) вражде́бный, недружелю́бный (to); 2) неблагоприя́тный; ~ bacteria вре́дные бакте́рии.

**inimitable** [ɪ'nɪmɪtəbl] *a* неподража́емый; несравне́нный.

**iniquitous** [ɪ'nɪkwɪtəs] *a* несправедли́вый; беззако́нный.

**iniquity** [ɪ'nɪkwɪtɪ] *n* несправедли́вость; беззако́ние, зло; lost in ~ погря́зший в поро́ке.

**initial** [ɪ'nɪʃəl] 1. *a* нача́льный; первонача́льный; ~ cost первонача́льная сто́имость, основна́я сто́имость, капита́льные затра́ты; ~ expenditure предвари́тельные расхо́ды; ~ word аббревиату́ра из нача́льных букв *(напр. UNO ООН)*;
2. *n* 1) нача́льная бу́ква; 2) *pl* инициа́лы;
3. *v* 1) (по)ста́вить инициа́лы; 2) парафи́ровать *(в международном праве).*

**initially** [ɪ'nɪʃəlɪ] *adv* в нача́льной ста́дии; в исхо́дном положе́нии.

**initiate** 1. *n* [ɪ'nɪʃɪɪt] вновь при́нятый *(в общество и т. п.)*; посвящённый *(в та́йну и т. п.);*

2. *a* [ɪ'nɪʃɪɪt] при́нятый *(в общество и т. п.)*; посвящённый *(в тайну и т. п.);*
3. *v* [ɪ'nɪʃɪeɪt] 1) вводи́ть *(в до́лжность и т. п.)*; знако́мить; посвяща́ть *(в тайну и т. п.)*; 2) принима́ть в чле́ны о́бщества, *особ.* посвяща́ть в масо́ны; 3) нача́ть, приступи́ть, положи́ть нача́ло; прояви́ть инициати́ву; to ~ measures приступи́ть к проведе́нию мероприя́тий; to ~ the growth стимули́ровать рост.

**initiation** [ɪˌnɪʃɪ'eɪʃən] *n* 1) введе́ние *(в общество; into)*; посвяще́ние *(в тайну; in)*; 2) *attr.* вступи́тельный; ~ fee *амер.* вступи́тельный взнос *(в профсою́з, клуб).*

**initiative** [ɪ'nɪʃɪətɪv] 1. *n* 1) почи́н, инициати́ва; to take the ~ прояви́ть инициати́ву; 2) пра́во законода́тельной инициати́вы;
2. *a* 1) нача́льный; вво́дный; 2) инициати́вный, сде́лавший почи́н, положи́вший нача́ло.

**initiatory** [ɪ'nɪʃɪətərɪ] *a* 1) нача́льный; вво́дный; 2) относя́щийся к посвяще́нию *(во что-л.).*

**inject** [ɪn'dʒekt] *v* 1) впры́скивать, вводи́ть, впуска́ть (into); 2) *тех.* вбры́згивать; вдува́ть; 3) *амер.* вставля́ть *(замеча́ние и т. п.).*

**injection** [ɪn'dʒekʃən] *n* 1) впры́скивание, инъе́кция; 2) лека́рство для впры́скивания; 3) *тех.* впрыск; вдува́ние.

**injector** [ɪn'dʒektə] *n* 1) *тех.* инже́ктор; форсу́нка; 2) лицо́, производя́щее инъе́кцию.

**injudicious** [ˌɪndʒuː'dɪʃəs] *a* 1) неблагоразу́мный; 2) необду́манный, несвоевре́менный.

**Injun** ['ɪndʒən] *n* амер. разг. инде́ец; ◊ honest ~! че́стное сло́во!

**injunction** [ɪn'dʒʌŋkʃən] *n* 1) предписа́ние, прика́з; 2) постановле́ние суда́, тре́бующее чего́-л. *или* запреща́ющее что́-л.

**injurant** ['ɪndʒurənt] *n* вещество́, вре́дное для органи́зма.

**injure** ['ɪndʒə] *v* 1) повреди́ть *(кому-л.);* 2) оскорби́ть; оби́деть; 3) уши́бить, ра́нить; 4) испо́ртить, повреди́ть *(что-л.).*

**injured** ['ɪndʒəd] 1. *p. p. от* injure;
2. *a* оби́женный, оскорблённый; in an ~ voice с оби́дой в го́лосе.

**injurious** [ɪn'dʒuərɪəs] *a* 1) вре́дный; 2) несправедли́вый; 3) оскорби́тельный; 4) клеветни́ческий.

**injury** ['ɪndʒərɪ] *n* 1) вред, поврежде́ние, по́рча; ра́на, уши́б; 2) несправедли́вость; 4) оскорбле́ние; оби́да; 5) клевета́.

**injustice** [ɪn'dʒʌstɪs] *n* несправедли́вость; to do smb. an ~ быть несправедли́вым к кому́-л.

**ink** [ɪŋk] 1. *n* 1) черни́ла; sympathetic ~, invisible ~ симпати́ческие черни́ла; 2) типогра́фская кра́ска *(тж.* printer's ~); to spill printer's ~ печа́таться, быть популя́рным а́втором; 3) чёрная жи́дкость, выпуска́емая карака́тицей;
2. *v* 1) ме́тить черни́лами; 2) покрыва́ть, па́чкать черни́лами; 3) покрыва́ть типогра́фской кра́ской; ▢ ~ in внести́ поме́ту, отме́тить *(в спи́ске, диагра́мме, на криво́й и т. п.).*

**ink-bag** ['ɪŋkbæg] *n* чернильный мешóк каракáтицы.

**ink-bottle** ['ɪŋk,bɔtl] *n* чернильница.

**inker** ['ɪŋkə] *n* 1) *полигр.* вáлик для набивки, нанесéния крáски; 2) чернопишущий телегрáфный аппарáт (*приёмник*).

**ink-eraser** ['ɪŋkɪ,reɪzə] *n* лáстик, резинка для чернил.

**ink-holder** ['ɪŋk,houldə] *n* резервуáр автоматической рýчки.

**ink-horn** ['ɪŋkhɔːn] *n уст.* 1) чернильница из рóга; 2) *attr.*: ~ term книжное слóво.

**inkle** ['ɪŋkl] *n* род ширóкой тесьмы.

**inkling** ['ɪŋklɪŋ] *n* намёк (*на что-л.*), лёгкое подозрéние (of); I had an ~ of it я подозревáл э́то; an ~ of truth намёк на истину.

**ink-pad** ['ɪŋkpæd] *n* подýшечка со штéмпельной крáской.

**ink-pencil** ['ɪŋk,pensl] *n* химический (*или* чернильный) карандáш.

**ink-pot** ['ɪŋkpɔt] *n* чернильница.

**ink-roller** ['ɪŋk,roulə] = inker 1).

**ink-slinger** ['ɪŋk,slɪŋə] *n sl.* 1) контóрский слýжащий; канцеляри́ст; 2) писáка, щелкопёр.

**inkstand** ['ɪŋkstænd] *n* чернильница, письменный прибóр.

**ink-well** ['ɪŋkwel] *n* чернильница (*в столе, в парте*).

**inky** ['ɪŋkɪ] *a* 1) покрытый чернилами, в чернилах; чернильный; 2) óчень чёрный.

**inlaid** ['ɪn'leɪd] *past и p. p. от* inlay 2.

**inland** 1. *n* ['ɪnlənd] внýтренняя часть страны; территóрия, удалённая от мóря *или* границы;

2. *a* ['ɪnlənd] 1) располóженный внутри страны; удалённый от мóря *или* границы; 2) внýтренний; ~ waters внýтренние вóды; ~ navigation плáвание по внýтренним рéкам, канáлам и морям; ~ postage почтóвый тариф для внýтренней корреспондéнции; ~ trade внýтренняя торгóвля;

3. *adv* [ɪn'lænd] внутрь, вглубь, внутри страны.

**inlander** ['ɪnləndə] *n* живýщий во внýтренней чáсти страны (*не на окраинах*).

**in-law** ['ɪn,lɔː] *n* (*преим. pl*) *разг.* родня со стороны жены *или* мýжа.

**inlay** 1. *n* ['ɪnleɪ] инкрустáция, мозаичная рабóта;

2. *v* ['ɪn'leɪ] (inlaid) 1) вклáдывать, вставлять, выстилáть; to ~ a floor настилáть паркéт; 2) покрывáть инкрустáцией, мозáикой.

**inlet** ['ɪnlɪt] *n* 1) ýзкий морскóй залив, фиóрд, небольшáя бýхта; 2) *тех.* впуск, вход; входнóе *или* вводнóе отвéрстие; 3) *эл.* ввод; 4) *attr.* впускнóй; ~ pipe впускнáя трубá; ~ sluice впускнóй шлюз.

**inly** ['ɪnlɪ] *adv поэт.* 1) внýтренне; 2) глубóко, искренне.

**inlying** ['ɪn'laɪɪŋ] *a* лежáщий внутри, внýтренний.

**inmate** ['ɪnmeɪt] *n* 1) жилéц, обитáтель; 2) заключённый (*в тюрьме*), больнóй (*в госпитале*) *и т. п.*

**inmost** ['ɪnmoust] = innermost.

**inn** [ɪn] *n* гостиница; постоялый двор; ◊

the Inns of Court четыре юридические корпорáции, готóвящие адвокáтов (the Inner Temple, the Middle Temple, Lincoln's Inn, Gray's Inn).

**innate** ['ɪ'neɪt] *a* врождённый, прирóдный.

**innavigable** [ɪ'nævɪgəbl] *a* несудохóдный.

**inner** ['ɪnə] 1. *a* внýтренний; ◊ the ~ man душá, внýтреннее «я»; *шутл.* желýдок; to refresh one's ~ man замори́ть червячкá, поéсть;

2. *n* внýтренний круг мишéни.

**innermost** ['ɪnəmoust] *a* 1) лежáщий глубóкó внутри; 2) глубочáйший, сокровéнный.

**inner tire** ['ɪnətaɪə] *n* кáмера (*автомобильная, велосипедная*).

**innervate** ['ɪnəveɪt] *v* придавáть нéрвную энéргию, возбуждáть.

**innervated** ['ɪnəveɪtɪd] 1. *p. p. от* innervate;

2. *a анат.* снабжённый нéрвами.

**innholder** ['ɪn,houldə] *уст.*, *амер.* = innkeeper.

**inning** ['ɪnɪŋ] *амер.* = innings 1).

**innings** ['ɪnɪŋz] *n* (*pl без измен.*) 1) *спорт.* подáча, óчередь подáчи мячá; 2) убóрка урожáя; 3) период нахождéния у влáсти (*политической партии, лица*); 4) нанóсная земля; земля, отвоёванная у мóря; ◊ good ~ счáстье, удáча; long ~ дóлгая жизнь; you had your ~ вáше врéмя прошлó.

**innkeeper** ['ɪn,kiːpə] *n* хозяин гостиницы.

**innocence** ['ɪnəsns] *n* 1) невинность, чистотá; 2) невинóвность; 3) простотá, простодýшие, найвность; 4) безврéдность.

**innocent** ['ɪnəsnt] 1. *n* 1) невинный младéнец; massacre (*или* slaughter) of the ~s a) *библ.* избиéние младéнцев; б) *парл. sl.* снятие с óчереди законопроéктов, ввидý недостáтка врéмени (*в конце сессии*); 2) простáк;

2. *a* 1) невинный, чистый; 2) невинóвный (of); 3) найвный, простодýшный; 4) безврéдный; 5) *разг.* лишённый (*чего-л.*); windows ~ of glass óкна без стёкол; 6) *мед.* незлокáчественный, доброкáчественный (*о новообразовании*).

**innocuous** [ɪ'nɔkjuəs] *a* безврéдный; безобидный; ~ snake неядовитая змея; ◊ to render ~ выхолáщивать (*содержание*).

**innominate** [ɪ'nɔmɪnɪt] *a* безымянный, не имéющий назвáния.

**innovate** ['ɪnouveɪt] *a* вводить нóвшества; производить перемéны (in).

**innovation** [,ɪnou'veɪʃən] *n* нововведéние, нóвшество; новáторство.

**innovator** ['ɪnouveɪtə] *n* новáтор; рационализáтор.

**innovatory** [,ɪnou'veɪtərɪ] *a* новáторский; рационализáторский.

**innoxious** [ɪ'nɔkʃəs] *a* безврéдный.

**innuendo** [,ɪnju:'endou] 1. *n* (*pl* -oes [-ouz]) 1) кóсвенный намёк, инсинуáция; 2) *ритор.* перифрáз(а), иносказáние;

2. *v* дéлать кóсвенные намёки.

**innumerable** [ɪ'njuːmərəbl] *a* неисчислимый, бесчётный, бесчисленный.

**innutrition** [,ɪnjuː'trɪʃən] *n* недостаток питания.

**inobservance** [,ɪnəb'zɑːvəns] *n* 1) невнимание, невнимательность; 2) несоблюдение (*правила, обычая*; of).

**inoccupation** ['ɪn,ɔkju'peɪʃən] *n* незанятость, безделье.

**inoculate** [ɪ'nɔkjuleɪt] *v* 1) делать (предохранительную) прививку; 2) *бот.* прививать; 3) внушать, вселять; 4) *воен.* проводить тактическую тренировку под огнём.

**inoculation** [ɪ,nɔkju'leɪʃən] *n* 1) прививка, инокуляция; 2) *бот.* прививка глазком; окулировка; 3) *воен.* тактическая тренировка под огнём.

**inoculative** [ɪ'nɔkjulətɪv] *a* 1) прививочный; ~ material прививочный материал; 2) заражающий.

**inoculum** [ɪ'nɔkjuləm] *n* прививочный материал.

**inodorous** [ɪn'oudərəs] *a* без запаха, не имеющий запаха.

**inoffensive** [,ɪnə'fensɪv] *a* 1) безобидный, безвредный; 2) мирный, не участвующий в военных операциях.

**inofficial** [,ɪnə'fɪʃəl] *a* неофициальный.

**inofficious** [,ɪnə'fɪʃəs] *a* 1) недействующий; 2) не соответствующий моральному долгу; 3) несправедливый (*о завещании*).

**inoperative** [ɪn'ɔpərətɪv] *a* 1) недействующий; бездеятельный; 2) не имеющий силы (*о законе*).

**inopportune** [ɪn'ɔpətjuːn] *a* несвоевременный, неподходящий.

**inordinate** [ɪ'nɔːdɪnɪt] *a* 1) неумеренный; чрезмерный; 2) несдержанный; 3) беспорядочный.

**inorganic** [,ɪnɔː'gænɪk] *a* 1) неорганический; ~ nutrition *бот.* минеральное питание; 2) не являющийся органической частью (*чего-л.*), не связанный внутренне, чуждый.

**inornate** [,ɪnɔː'neɪt] *a* безыскусственный, простой.

**inosculate** [ɪ'nɔskjuleɪt] *v* 1) соединять(ся), срастаться (*о кровеносных сосудах*; with); 2) переплетать(ся), соединять(ся) (*о волокнах*).

**in-parallel** ['ɪn'pærəlel] *adv тех.* параллельно.

**in-patient** ['ɪn,peɪʃənt] *n* стационарный, госпитальный больной; лежачий больной.

**input** ['ɪnput] *n тех.* 1) подводимая мощность, ввод, подвод; 2) потребление (подводимой энергии).

**inquest** ['ɪnkwest] *n юр.* дознание, следствие; grand ~ = grand jury [*см.* jury 1].

**inquietude** [ɪn'kwaɪɪtjuːd] *n* беспокойство.

**inquire** [ɪn'kwaɪə] *v* 1) спрашивать, узнавать; 2) наводить справки, добиваться сведений; □ ~ about, ~ after, ~ for осведомляться, спрашивать о ком-л., о чём-л.; ~ into исследовать; разузнавать; выяснять, расследовать.

**inquiry** [ɪn'kwaɪərɪ] *n* 1) вопрос; расспрашивание; наведение справок; to make inquiries about smb., smth. наводить справки о ком-л., чём-л.; 2) расследование, след-

ствие; court of ~ *воен.* следственная комиссия; 3) исследование; 4) *ком.* спрос.

**inquisition** [,ɪnkwɪ'zɪʃən] *n* 1) расследование, следствие; 2) (the I.) *ист.* инквизиция; 3) мучение, пытка.

**inquisitional** [,ɪnkwɪ'zɪʃənl] *a* 1) следственный; 2) инквизиционный; инквизиторский.

**inquisitive** [ɪn'kwɪzɪtɪv] *a* 1) пытливый; любознательный; 2) назойливо любопытный.

**inquisitor** [ɪn'kwɪzɪtə] *n* 1) инквизитор; 2) судебный следователь.

**inquisitorial** [ɪn,kwɪzɪ'tɔːrɪəl] 1) = inquisitional 2); 2) = inquisitive 2).

**inroad** ['ɪnroud] *n* 1) набег; нашествие; 2) вторжение, посягательство.

**inrush** ['ɪnrʌʃ] *n* 1) натиск, внезапное вторжение; 2) напор (*хлынувшей воды*); 3) внезапный обвал; 4) прорыв.

**ins** [ɪnz] *n pl:* ~ and outs *см.* in 3.

**insalivate** [ɪn'sælɪveɪt] *v физиол.* смешивать (пищу) со слюной.

**insalubrious** [,ɪnsə'luːbrɪəs] *a* нездоровый, вредный для здоровья (*о климате, местности*).

**insalubrity** [,ɪnsə'luːbrɪtɪ] *n* вредность.

**insane** [ɪn'seɪn] *a* 1) душевнобольной, ненормальный; 2) безумный, сумасшедший.

**insanitary** [ɪn'sænɪtərɪ] *a* антисанитарный.

**insanity** [ɪn'sænɪtɪ] *n* умопомешательство; безумие.

**insatiability** [ɪn,seɪʃjə'bɪlɪtɪ] *n* ненасытность; жадность.

**insatiable** [ɪn'seɪʃjəbl] *a* ненасытный; жадный (of).

**insatiate** [ɪn'seɪʃɪt] *a* ненасытный.

**inscribe** [ɪn'skraɪb] *v* 1) надписывать, вписывать (in, on); 2) вырезать, начертать на дереве, камне и т. п. (*имя, надпись*); 3) посвящать (to—*кому-л.*;); 4) *геом.* вписывать (*фигуру*); 5) выпускать именные акции; регистрировать подписчиков на акции.

**inscription** [ɪn'skrɪpʃən] *n* 1) надпись; 2) краткое посвящение (*книги и т. п.*).

**inscriptive** [ɪn'skrɪptɪv] *a* 1) сделанный в виде надписи; 2) с надписью; надписанный.

**inscrutability** [ɪn,skruːtə'bɪlɪtɪ] *n* непостижимость, загадочность.

**inscrutable** [ɪn'skruːtəbl] *a* 1) непостижимый, загадочный; ~ smile загадочная улыбка; 2) непроницаемый; ~ face, ~ expression непроницаемое выражение лица.

**insect** ['ɪnsekt] *n* 1) насекомое; 2) ничтожество.

**insect-eater** ['ɪnsekt,iːtə] *n* насекомоядное (*животное или растение*).

**insecticide** [ɪn'sektɪsaɪd] *n* средство от насекомых.

**insectivorous** [,ɪnsek'tɪvərəs] *a зоол.* насекомоядный.

**insect-net** ['ɪnsektnet] *n* сачок для ловли бабочек.

**insectology** [,ɪnsek'tɔlədʒɪ] *n* энтомология.

**insect-powder** ['ɪnsekt'paudə] *n* порошок от насекомых.

**insecure** [ˌɪnsɪˈkjuə] *a* 1) небезопа́сный; опа́сный; 2) ненадёжный, неве́рный; непро́чный.

**insecurity** [ˌɪnsɪˈkjuərɪtɪ] *n* 1) небезопа́сность; опа́сное положе́ние; 2) ненадёжность; неуве́ренность.

**inseminate** [ɪnˈsemɪneɪt] *v* 1) се́ять; насажда́ть; 2) оплодотворя́ть.

**insemination** [ɪnˌsemɪˈneɪʃən] *n* оплодотворе́ние; artificial ~ иску́сственное оплодотворе́ние *или* осемене́ние.

**insensate** [ɪnˈsenseɪt] *a* 1) бесчу́вственный; неодушевлённый; 2) неразу́мный; бессмы́сленный; 3) *редк.* потеря́вший созна́ние.

**insensibility** [ɪnˌsensəˈbɪlɪtɪ] *n* 1) нечувстви́тельность; 2) поте́ря созна́ния, о́бморок; 3) бесчу́вственность; безразли́чие.

**insensible** [ɪnˈsensəbl] *a* 1) нечувстви́тельный, невоспри́мчивый; 2) потеря́вший созна́ние; не сознаю́щий (of, to); 3) неотзы́вчивый, безразли́чный; 4) неощути́мый, незаме́тный.

**insensibly** [ɪnˈsensəblɪ] *adv* незаме́тно, постепе́нно.

**insensitive** [ɪnˈsensɪtɪv] *a* нечувстви́тельный, лишённый чувстви́тельности.

**insentient** [ɪnˈsenʃɪənt] *a* бесчу́вственный; неодушевлённый.

**inseparability** [ɪnˌsepərəˈbɪlɪtɪ] *n* нераздельность; неразлучность.

**inseparable** [ɪnˈsepərəbl] 1. *a* 1) неотдели́мый, неразделимый; неразлу́чный; 2) *грам.* не существу́ющий как отде́льное сло́во (*напр.*, о префиксах dis-, re- *и т. п.*); 2. *n pl* неразлу́чные друзья́.

**in-series** [ˈɪnˈsɪəriːz] *adv* *эл.* после́довательно.

**insert** 1. *n* [ˈɪnsət] вста́вка, вкла́дыш; вкле́йка; *тех.* вту́лка;
2. *v* [ɪnˈsəːt] 1) вставля́ть (in, into—во что-л.; between—ме́жду чем-л.); to ~ a word вставля́ть сло́во; to ~ a key in a lock вста́вить ключ в замо́к; 2) помеща́ть (*в газете*); 3) вноси́ть исправле́ния, дополне́ния (*в ру́копись*); наноси́ть (*на карту*); 4) *эл.* включа́ть (*в цепь*); 5) *тех.* запрессо́вывать дета́ль.

**insertion** [ɪnˈsəːʃən] *n* 1) вставле́ние, помеще́ние, включе́ние; 2) вста́вка (*в ру́кописи, в корректу́ре*); 3) объявле́ние (*в газе́те*); 4) проши́вка; 5) *тех.* прокла́дка; вста́вка; 6) *анат.* ме́сто прикрепле́ния (*му́скулов*).

**inset** 1. *n* [ˈɪnset] 1) вкла́дка, вкле́йка (*в кни́ге*); 2) вста́вка (*в пла́тье и т. п.*);
2. *v* [ˈɪnset] 1) вставля́ть; 2) вкла́дывать.

**inseverable** [ɪnˈsevərəbl] *a* 1) неотдели́мый, неразъедини́мый; неразры́вный; 2) неразлу́чный.

**inshore** [ˈɪnˈʃɔː] 1. *a* прибре́жный;
2. *adv* бли́зко к бе́регу; у бе́рега; по направле́нию к бе́регу (*со стороны́ мо́ря*); ~ of the bank ме́жду бе́регом и отме́лью.

**inside** [ˈɪnˈsaɪd] 1. *n* 1) вну́тренняя сторона́; вну́тренность; изна́нка; to turn ~ out вы́вернуть наизна́нку; 2) сторона́ тротуа́ра, удалённая от мостово́й; 3) вну́тренняя сторо-

на́ (*поворо́та доро́ги*); 4) середи́на; the ~ of a week середи́на неде́ли; 5) *разг.* [ɪnˈsaɪd] вну́тренности (*особ.* желу́док и кише́чник); 6) содержа́ние; *перен.* ум, мысль, душа́; the ~ of a book содержа́ние кни́ги; 7) пассажи́р внутри́ дилижа́нса, о́мнибуса, авто́буса *и т. п.* (*не на империа́ле*); 8) *амер. разг.* секре́тные сведе́ния; сведе́ния из первоисто́чника (*тж.* ~ information); 9) *спорт.* полусре́дний; ~ left (right) ле́вый (пра́вый) полусре́дний; 10) *амер.* та́йный аге́нт предпринима́теля; ◇ to get on the ~ *амер.* войти́ в курс де́ла, узна́ть все подро́бности; стать свои́м челове́ком [*ср.* insider];
2. *a* 1) вну́тренний; ~ track a) *спорт.* вну́тренняя сторона́ бегово́й доро́жки; б) *ж.-д.* вну́тренний путь; в) прямо́й *или* кратча́йший путь к успе́ху; 2) скры́тый; секре́тный;
3. *adv* внутрь, внутри́; ~ of a week в преде́лах неде́ли;
4. *prep* внутри́; в.

**insider** [ˈɪnˈsaɪdə] *n* 1) член о́бщества *или* организа́ции, не посторо́нний челове́к; свой челове́к; 2) челове́к, посвящённый в та́йну.

**insidious** [ɪnˈsɪdɪəs] *a* 1) хи́трый, кова́рный; преда́тельский; 2) незаме́тно подкра́дывающийся *или* подстерега́ющий.

**insight** [ˈɪnsaɪt] *n* 1) проница́тельность, спосо́бность проникнове́ния (into); to gain an ~ into smb.'s character загляну́ть в чью-л. ду́шу; 2) интуи́ция, понима́ние.

**insignia** [ɪnˈsɪɡnɪə] *лат.* *n pl* 1) зна́ки отли́чия, ордена́; 2) зна́ки разли́чия; 3) значки́; 4) эмбле́ма.

**insignificance, -cy** [ˌɪnsɪɡˈnɪfɪkəns, -sɪ] *n* 1) незначи́тельность; малова́жность; 2) бессодержа́тельность.

**insignificant** [ˌɪnsɪɡˈnɪfɪkənt] *a* 1) незначи́тельный, пустяко́вый; несуще́ственный; ничто́жный; 2) ничего́ не выража́ющий, бессодержа́тельный.

**insignificantly** [ˌɪnsɪɡˈnɪfɪkəntlɪ] *adv* незначи́тельно; с ничто́жным эффе́ктом *или* результа́том.

**insincere** [ˌɪnsɪnˈsɪə] *a* нейскренний, лицеме́рный.

**insincerity** [ˌɪnsɪnˈserɪtɪ] *n* 1) нейскренность; 2) нейскренние слова́, посту́пки.

**insinuate** [ɪnˈsɪnjueɪt] *v* 1) незаме́тно, постепе́нно вводи́ть (*во что-л.*); 2) *refl.* проника́ть, пробира́ться (into); *перен.* вкра́дываться, втира́ться; to ~ oneself into a person's favour втере́ться к кому́-л. в дове́рие; 3) внуша́ть намёками; 4) инсинуи́ровать.

**insinuatingly** [ɪnˈsɪnjueɪtɪŋlɪ] *adv* 1) вкра́дчиво; 2) неопределённо, намёками.

**insinuation** [ɪnˌsɪnjuˈeɪʃən] *n* 1) инсинуа́ция; 2) вкра́дчивость; уме́ние подольсти́ться; уме́ние понра́виться; natural ~ симпати́чность; 3) нашёптывание, намёки.

**insinuative** [ɪnˈsɪnjuətɪv] *a* 1) вкра́дчивый; 2) прибега́ющий к инсинуа́циям.

**insipid** [ɪnˈsɪpɪd] *a* 1) безвку́сный, пре́сный; *перен.* ску́чный, неинтере́сный; бесцве́тный; 2) вя́лый, безжи́зненный.

**insipidity** [ˌɪnsɪˈpɪdɪtɪ] *n* 1) безвкусие; пресность; *перен.* бесцветность; 2) вялость, безжизненность.

**insipidness** [ɪnˈsɪpɪdnɪs] = insipidity.

**insist** [ɪnˈsɪst] *v* 1) настаивать (*на чём-л.*), настойчиво утверждать (on, upon); 2) настойчиво требовать (on).

**insistence, -cy** [ɪnˈsɪstəns, -sɪ] *n* 1) настойчивость; настойчивое утверждение; 2) требование.

**insistent** [ɪnˈsɪstənt] *a* 1) настойчивый; настоятельный (*о требовании и т. п.*); 2) требующий внимания, привлекающий внимание.

**in situ** [ɪnˈsaɪtjuː] *лат. adv* на своём месте.

**insobriety** [ˌɪnsouˈbraɪətɪ] *n* 1) нетрезвость; 2) пьянство.

**insolation** [ˌɪnsouˈleɪʃən] *n* 1) освещение (*предмета*) лучами солнца *или* какого-л. искусственного источника света; 2) инсоляция; перегрев на солнце.

**insole** [ˈɪnsoul] *n* стелька.

**insolence** [ˈɪnsələns] *n* оскорбительное высокомерие; наглость, дерзость.

**insolent** [ˈɪnsələnt] *a* оскорбительный; наглый, дерзкий.

**insolubility** [ɪnˌsɔljuˈbɪlɪtɪ] *n* 1) нерастворимость; 2) неразрешимость.

**insoluble** [ɪnˈsɔljubl] *a* 1) нерастворимый; неразложимый; 2) неразрешимый.

**insolvency** [ɪnˈsɔlvənsɪ] *n* банкротство, несостоятельность.

**insolvent** [ɪnˈsɔlvənt] 1. *n* несостоятельный должник; банкрот; 2. *a* несостоятельный.

**insomnia** [ɪnˈsɔmnɪə] *n* бессонница.

**insomuch** [ˌɪnsouˈmʌtʃ] *adv*: ~ as (*или* that) настолько... что.

**insouciance** [ɪnˈsuːsjəns] *фр. n* 1) беззаботность; безмятежность; 2) безразличие.

**inspect** [ɪnˈspekt] *v* 1) внимательно осматривать, пристально рассматривать; 2) наблюдать, надзирать; 3) инспектировать, производить (о)смотр.

**inspection** [ɪnˈspekʃən] *n* 1) (о)смотр; освидетельствование; инспектирование; 2) приём(ка); 3) официальное расследование *или* наблюдение; 4) *attr.* инспекционный; ~ tour инспекторский объезд; 5) *attr.* приёмный, приёмочный; ~ certificate акт технического осмотра; приёмочный акт; ~ board приёмная комиссия (*по приёмке оборудования, товаров*).

**inspector** [ɪnˈspektə] *n* 1) инспектор; ревизор; контролёр; 2) наблюдатель; надзиратель; 3) приёмщик; браковщик.

**inspectoral** [ɪnˈspektərəl] = inspectorial.

**inspectorate** [ɪnˈspektərɪt] *n* 1) инспекция; штат контролёров; 2) должность инспектора, контролёра; 3) район, обслуживаемый инспектором, контролёром.

**inspectorial** [ˌɪnspekˈtɔːrɪəl] *a* инспекторский, ревизионный.

**inspiration** [ˌɪnspəˈreɪʃən] *n* 1) вдохновение; to draw (*или* to get) ~ черпать вдохновение; 2) вдохновляющая идея; вдохновитель; 3) влияние, стимулирование, воодушевление; 4) вдыхание.

**inspirator** [ˈɪnspəreɪtə] *n тех.* 1) инжектор; 2) респиратор.

**inspire** [ɪnˈspaɪə] *v* 1) внушать, вселять (*чувство и т. п.*); 2) вдохновлять, воодушевлять; 3) инспирировать, тайно внушать; 4) вдыхать.

**inspired** [ɪnˈspaɪəd] 1. *p. p. от* inspire; 2. *a* инспирированный; an ~ article инспирированная статья.

**inspirit** [ɪnˈspɪrɪt] *v* вдохнуть (*мужество и т. п.*); воодушевить; ободрить.

**inspissate** [ɪnˈspɪseɪt] *v* сгущать(ся).

**instability** [ˌɪnstəˈbɪlɪtɪ] *n* 1) неустойчивость; 2) непостоянство.

**install** [ɪnˈstɔːl] *v* 1) помещать, водворять; устраивать; посадить (in); 2) официально вводить в должность (in); 3) *тех.* устанавливать; монтировать; проводить (*электрическую или отопительную сеть*).

**installation** [ˌɪnstəˈleɪʃən] *n* 1) водворение, устройство на место; 2) введение в должность; 3) *тех.* установка; проводка; air conditioning ~ установка для кондиционирования воздуха; 4) *pl* сооружения.

**instalment** [ɪnˈstɔːlmənt] *n* 1) очередной взнос (*при рассрочке*); to pay by ~s выплачивать частями, периодическими взносами; 2) отдельный выпуск; a book in six ~s книга, вышедшая шестью выпусками; 3) *уст.* установка, устройство; 4) *attr.*: ~ selling *амер.* продажа в рассрочку; ·to buy (to sell) on the ~ plan *амер.* покупать (продавать) в рассрочку.

**instance** [ˈɪnstəns] 1. *n* 1) пример, отдельный случай; in this ~ в этом случае; 2) требование, настояние; просьба; at the ~ of... по требованию...; по просьбе...; 3) *юр.* инстанция; ◇ for ~ например; in the first ~ прежде всего; в первую очередь; сначала, сперва; 2. *v* 1) приводить в качестве примера; 2) служить примером.

**instancy** [ˈɪnstənsɪ] *n* настоятельность; спешность, безотлагательность.

**instant** [ˈɪnstənt] 1. *n* мгновение, момент; at that very ~ в (э)тот самый момент; the ~ как только; the ~ you call как только вы позовёте; on the ~ тотчас, немедленно; this ~ сейчас;

2. *a* 1) настоятельный; 2) немедленный; безотлагательный; 3) текущий, текущего месяца.

**instantaneous** [ˌɪnstənˈteɪnjəs] *a* 1) мгновенный, немедленный; 2) одновременный.

**instantly** [ˈɪnstəntlɪ] *adv* немедленно, тотчас.

**instead** [ɪnˈsted] *adv* вместо; взамен; ~ of этого этого; ~ of going вместо того, чтобы пойти; ~ of him вместо него; this will do ~ это годится взамен.

**instep** [ˈɪnstep] *n* подъём (*ноги, ботинка*)

**instep-raiser** [ˈɪnstepˈreɪzə] *n мед.* супинатор.

**instigate** [ˈɪnstɪgeɪt] *v* 1) побуждать, подстрекать (to); 2) провоцировать; раздувать.

**instigation** [ˌɪnstɪˈgeɪʃən] *n* подстрекательство.

**instigator** [ˈɪnstɪgeɪtə] *n* подстрекатель; ~ of war поджигатель войны.

instil(l) [ɪnˈstɪl] v 1) вливать по капле (into); 2) мед. пускать по капле; 3) исподволь внушать; вселять (надежду, страх и т. п.).

instillation [ˌɪnstɪˈleɪʃən] n 1) вливание по капле; 2) постепенное внушение (чего-л.).

instilment [ɪnˈstɪlmənt] = instillation.

instinct I [ˈɪnstɪŋkt] n инстинкт; природное чутьё; интуиция.

instinct II [ɪnˈstɪŋkt] a predic. полный, (пре)исполненный (жизни, красоты и т. п.).

instinctive [ɪnˈstɪŋktɪv] a инстинктивный, бессознательный.

institute [ˈɪnstɪtjuːt] 1. n 1) институт; 2) установленный закон, обычай; 3) общество, организация для научной, общественной и др. работы; научное учреждение; 4) амер. краткосрочные курсы, серия лекций; 5) pl юр. основы права, институции. 2. v 1) устанавливать, вводить; учреждать, основывать; 2) начинать, назначать (расследование и т. п.); 3) назначать, устраивать (на должность и т. п.).

institution [ˌɪnstɪˈtjuːʃən] n 1) установление; учреждение; 2) нечто установленное (закон, обычай, система); 3) общество; учреждение; 4) учебное заведение; 5) институт (общественный); 6) церк. назначение священником; облечение духовной властью; 7) церк. орден (монашеский); 8) шутл. воплощение какого-л. свойства (о человеке); кто-л., чьё имя стало нарицательным.

institutional [ˌɪnstɪˈtjuːʃnl] a казённый, холодный, скучный (о помещении, обстановке и т. п.).

instruct [ɪnˈstrʌkt] v 1) учить, обучать (in); 2) инструктировать; 3) информировать, сообщать; 4) юр. давать материал (адвокату); поручать ведение дела; 5) отдавать приказ; 6) амер. давать наказ (делегату).

instruction [ɪnˈstrʌkʃən] n 1) обучение (in); 2) инструктаж; 3) директива; pl наставления, предписания, указания, инструкции; 4) pl юр. поручение (адвокату) ведения дела; наказ (судьи) присяжным; under the ~ по поручению; 5) амер. наказ (делегатам) голосовать за определённого кандидата.

instructional [ɪnˈstrʌkʃənl] a учебный; film учебный фильм.

instructive [ɪnˈstrʌktɪv] a 1) инструктивный; 2) поучительный.

instructor [ɪnˈstrʌktə] n 1) инструктор, руководитель; учитель; 2) амер. преподаватель высшего учебного заведения.

instructress [ɪnˈstrʌktrɪs] n ж. к instructor.

instrument [ˈɪnstrumənt] 1. n 1) орудие; инструмент; прибор, аппарат; 2) перен. орудие; ~ of aggression орудие агрессии; he is a mere ~ in their hands он слепое орудие в их руках; 3) музыкальный инструмент; 4) юр. документ; ratification ~s ратификационные грамоты; 5) договор; ~ of surrender акт о капитуляции; 6) attr. связанный с приборами; ~ board тех. распределительная доска, контрольный щи-

ток; ~ room аппаратная, аппаратный зал (на телеграфе); ~ shed инвентарный сарай; ~ flying ав. слепой полёт, полёт по приборам; 2. v 1) практически осуществлять, проводить в жизнь; 2) муз. инструментовать; 3) оборудовать приборами.

instrumental [ˌɪnstruˈmentl] a 1) инструментальный; ~ errors погрешности прибора; ~ landing ав. слепая посадка, посадка по приборам; 2) перен. служащий орудием, средством (для чего-л.); способствующий (чему-л.); to be ~ in smth. способствовать чему-л.; 3) грам.: ~ case творительный (или инструментальный) падеж.

instrumentalist [ˌɪnstruˈmentəlɪst] n инструменталист; музыкант.

instrumentality [ˌɪnsrumenˈtælɪtɪ] n средство, способ; by the ~ of... через посредство..., посредством...

instrumentation [ˌɪnstrumenˈteɪʃən] n 1) муз. инструментовка; 2) пользование инструментами; 3) осуществление, проведение в жизнь; 4) уст. средство, способ; 5) тех. оснастка приборами.

insubordinate [ˌɪnsəˈbɔːdnɪt] a 1) не подчиняющийся дисциплине; 2) непокорный.

insubordination [ˈɪnsəˌbɔːdɪˈneɪʃən] n 1) ослушание, неподчинение, неповиновение; 2) непокорность.

insubstantial [ˌɪnsəbˈstænʃəl] a 1) поэт. нереальный, иллюзорный; 2) неважный, посредственный; 3) неосновательный.

insufferable [ɪnˈsʌfərəbl] a невыносимый; нетерпимый.

insufficiency [ˌɪnsəˈfɪʃənsɪ] n недостаточность.

insufficient [ˌɪnsəˈfɪʃənt] a недостаточный; несоответствующий; неудовлетворительный; неполный.

insufflate [ˈɪnsəfleɪt] v вдувать.

insufflation [ˌɪnsəˈfleɪʃən] n вдувание.

insufflator [ˈɪnsəfleɪtə] n 1) мед. аппарат для вдувания; 2) тех. инжектор для вдувания воздуха.

insular [ˈɪnsjulə] a 1) островной; 2) свойственный островитянам; 3) перен. замкнутый; сдержанный; 4) перен. ограниченный.

insularity [ˌɪnsjuˈlærɪtɪ] n 1) островное положение; 2) замкнутость, сдержанность.

insulate [ˈɪnsjuleɪt] v 1) изолировать; 2) отделить от окружающих; 3) образовать остров, окружать водой; 4) тех. разобщать; 5) эл. изолировать.

insulated [ˈɪnsjuleɪtɪd] 1. p. p. от insulate; 2. a изолированный; ~ bag мешок-термос.

insulating [ˈɪnsjuleɪtɪŋ] 1. pres. p. от insulate; 2. a изоляционный, изолирующий; ~ tape изоляционная лента.

insulation [ˌɪnsjuˈleɪʃən] n 1) изоляция, изоляционный материал; 2) обособление.

insulator [ˈɪnsjuleɪtə] n 1) эл. изолятор; непроводник; 2) изоляционный материал.

insult 1. n [ˈɪnsʌlt] оскорбление; обида;

2. *v* [ın'sʌlt] оскорбля́ть, наноси́ть оскорбле́ние; обижа́ть.

**insuperability** [ın,sjuːpərə'bılıtı] *n* непреодоли́мость.

**insuperable** [ın'sjuːpərəbl] *a* непреодоли́мый; ~ difficulty непреодоли́мая тру́дность.

**insupportable** [,ınsə'pɔːtəbl] *a* невыноси́мый, нестерпи́мый.

**insurance** [ın'ʃuərəns] *n* 1) страхова́ние; social ~ социа́льное страхова́ние; 2) страхова́я пре́мия; 3) *attr.* страхово́й; ~ policy страхово́й по́лис.

**insurant** [ın'ʃuərənt] *n* застрахо́ванный, платя́щий страхову́ю пре́мию.

**insure** [ın'ʃuə] *v* 1) страхова́ть(ся), застрахо́вывать(ся); 2) обеспе́чивать.

**insurer** [ın'ʃuərə] *n* 1) страхово́е о́бщество; 2) страхо́вщик; страхова́тель.

**insurgent** [ın'sədʒənt] **1.** *n* 1) повста́нец, инсурге́нт; 2) мяте́жник.
2. *a* 1) восста́вший; 2) мяте́жный.

**insurmountable** [,ınsəː'mauntəbl] *a* непреодоли́мый.

**insurrection** [,ınsə'rekʃən] *n* 1) восста́ние; 2) мяте́ж; бунт.

**insurrectional, insurrectionary** [,ınsə'rekʃənl, -nərı] *a* 1) повста́нческий; 2) мяте́жный.

**insurrectionist** [,ınsə'rekʃnıst] *n* 1) уча́стник восста́ния, повста́нец; 2) мяте́жник.

**insusceptibility** ['ınsə,septə'bılıtı] *n* нечувстви́тельность, невоспри́имчивость.

**insusceptible** [,ınsə'septəbl] *a* нечувстви́тельный, невоспри́имчивый; недосту́пный (*чувству*); ~ of medical treatment не поддаю́щийся лече́нию.

**inswept** ['ınswept] *a* *mex.* обтека́емый; сигарообра́зный, су́живающийся.

**intact** [ın'tækt] *a* нетро́нутый; неповреждённый, це́лый.

**intaglio** [ın'tɑːlıou] *um.* **1.** *n* 1) инта́льо, глубоко́ вы́резанное изображе́ние на отшлифо́ванном ка́мне *или* мета́лле; 2) *attr.*: ~ printing *полигр.* глубо́кая печа́ть;
2. *v* вы́резать, гравирова́ть.

**intake** ['ınteık] *n* 1) (*преим. сев.*) разрабо́танный уча́сток земли́ (*среди пусто́ши или боло́т*); 2) приёмное, впускно́е *или* вса́сывающее устро́йство; вса́сывание; жи́дкость *или* газ, вса́сываемые насо́сом; 3) поглоще́ние, потребле́ние; 4) набо́р, о́бщее число́ уча́щихся, при́нятых в уче́бное заведе́ние (*в да́нном году*); 5) о́бщее число́ зачи́сленных на слу́жбу *или* заверб́о́ванных на рабо́ту; 6) ре́крут; 7) *горн.* вентиляцио́нная вы́работка; 8) *метал.* ли́тник; 9) *шотл.* обма́н; обма́нщик.

**intangibility** [ın,tændʒə'bılıtı] *n* неосяза́емость; 2) неулови́мость; непостижи́мость.

**intangible** [ın'tændʒəbl] **1.** *a* 1) неосяза́емый; 2) неулови́мый; непостижи́мый;
2. *n* не́что неулови́мое, непостижи́мое.

**integer** ['ıntıdʒə] *n* 1) не́что це́лое; 2) *мат.* це́лое число́.

**integral** ['ıntıgrəl] **1.** *n* *мат.* интегра́л; 2) *a* 1) це́лый; по́лный, це́льный; 2) неотъ́е́млемый, суще́ственный; 3) *мат.* интегра́льный.

**integrality** [,ıntı'grælıtı] *n* це́лость, полнота́.

**integrant** ['ıntıgrənt] **1.** *n* неотъ́е́млемая часть це́лого;
2. *a* 1) составля́ющий элеме́нт це́лого; 2) интегри́рующий.

**integrate** ['ıntıgreıt] **1.** *a* 1) составно́й; 2) по́лный, це́лый;
2. *v* 1) составля́ть це́лое; объединя́ть; 2) определя́ть сре́днее значе́ние *или* о́бщую су́мму; 3) *мат.* интегри́ровать.

**integration** [,ıntı'greıʃən] *n* 1) объедине́ние в одно́ це́лое; 2) *мат.* интегра́ция, интегри́рование.

**integrator** ['ıntıgreıtə] *n* 1) тот, кто интегри́рует; 2) интегри́рующее устро́йство.

**integrity** [ın'tegrıtı] *n* 1) нетро́нутость, неприкоснове́нность; це́лостность; полнота́; 2) прямота́, че́стность, чистота́.

**integument** [ın'tegjumənt] *n* нару́жный покро́в, оболо́чка, *особ.* ко́жа, скорлупа́, шелуха́, кора́.

**integumentary** [ın,tegju'mentərı] *a* покро́вный.

**intellect** ['ıntılekt] *n* интелле́кт, ум, рассу́док.

**intellection** [,ıntı'lekʃən] *n* де́ятельность ума́, интелле́кт.

**intellective** [,ıntı'lektıv] *a* у́мственный, мысли́тельный.

**intellectual** [,ıntı'lektjuəl] **1.** *a* 1) интеллектуа́льный, у́мственный; ~ effort уси́лие ума́; 2) мы́слящий;
2. *n* 1) мы́слящий челове́к; интеллиге́нт; 2) (the ~s) *pl* интеллиге́нция; 3) кабине́тный учёный.

**intellectuality** ['ıntı,lektju'ælıtı] *n* интеллектуа́льность.

**intelligence** [ın'telıdʒəns] *n* 1) ум, рассу́док, интелле́кт; 2) смышлёность, бы́строе понима́ние; поня́тливость (*живо́тных*); 3) све́дения, информа́ция; 4) разве́дка; 5) *attr.* разве́дывательный; ~ department, ~ service разве́дывательная слу́жба, разве́дка; 6) *attr.* у́мственный; ~ test испыта́ние у́мственных спосо́бностей; ~ quotient [*сокр.* I. Q. (test)] коэффицие́нт у́мственного разви́тия (*применя́ется в а́рмии и в шко́лах США*).

**intelligencer** [ın'telıdʒənsə] *n* 1) информа́тор, осведоми́тель; 2) разве́дчик, та́йный аге́нт; шпио́н.

**intelligent** [ın'telıdʒənt] *a* 1) у́мный, разу́мный; 2) поня́тливый, смышлёный.

**intelligentsia, intelligentzia** [ın,telı'dʒentsıə] *рус.* *n* интеллиге́нция.

**intelligibility** [ın,telıdʒə'bılıtı] *n* поня́тность, вразуми́тельность.

**intelligible** [ın'telıdʒəbl] *a* поня́тный, вразуми́тельный.

**intemperance** [ın'tempərəns] *n* 1) неуме́ренность; 2) невозде́ржанность; пристра́стие к спиртны́м напи́ткам.

**intemperate** [ın'tempərıt] *a* 1) несде́ржанный; 2) неуме́ренный; 3) невозде́ржанный; скло́нный к излише́ствам, *особ.* к злоупотребле́нию спиртны́ми напи́тками.

**intend** [ın'tend] *v* 1) намерева́ться, име́ть в виду́; what do you ~ to do (*или* doing)?

что вы наме́рены де́лать?; was it ~ed? э́то бы́ло сде́лано наме́ренно?; I didn't ~ to hurt you я не хоте́л причини́ть вам боль; I ~ed him to come я рассчи́тывал на то, что он придёт; I ~ed to have gone я намерева́лся пойти́ (*но не пошёл*); 2) предназнача́ть; this portrait is ~ed for you a) э́тот портре́т предназнача́ется для вас; б) *ирон.* э́тот портре́т до́лжен изобража́ть вас; 3) зна́чить, подразумева́ть; what do you ~ by your words? что зна́чат ва́ши слова́?

**intendant** [ɪn'tendənt] *n уст.* управля́ющий, нача́льник.

**intended** [ɪn'tendɪd] 1. *p. p. om* intend; 2. *n разг.* су́женый (*жени́х*); су́женая (*неве́ста*).

**intense** [ɪn'tens] *a* 1) си́льный; ~ cold си́льный хо́лод; ~ pain си́льная боль; ~ hatred о́страя не́нависть; 2) интенси́вный, напряжённый; 3) ре́вностный; ~ longing пы́лкое жела́ние; 4) си́льно чу́вствующий, напряжённо пережива́ющий.

**intensification** [ɪn,tensɪfɪ'keɪʃən] *n* усиле́ние, интенсифика́ция.

**intensify** [ɪn'tensɪfaɪ] *v* уси́ливать(ся).

**intension** [ɪn'tenʃən] *n* 1) напряже́ние, уси́лие; 2) напряжённость, интенси́вность; си́ла.

**intensity** [ɪn'tensɪtɪ] *n* 1) интенси́вность, напряжённость; си́ла, эне́ргия; 2) я́ркость, глубина́ (*кра́ски и т. п.*); 3) *эл.* напряжённость (*по́ля*).

**intensive** [ɪn'tensɪv] *a* 1) интенси́вный, напряжённый; 2) *грам.* усили́тельный.

**intent** [ɪn'tent] 1. *n* наме́рение, цель; ◊ to all ~s and purposes a) факти́чески, в су́щности, действи́тельно, на са́мом де́ле; б) во всех отноше́ниях;
2. *a* 1) по́лный реши́мости; насто́йчиво стремя́щийся (on—к *чему́-л.*); скло́нный (on—к *чему́-л.*); to be ~ on going стреми́ться пойти́; 2) погружённый (во *что-л.*); за́нятый (*чем-л.*); she is ~ on her task она́ поглощена́ свои́м де́лом; 3) внима́тельный, приста́льный; an ~ look приста́льный взгляд.

**intention** [ɪn'tenʃən] *n* 1) наме́рение, стремле́ние, цель; done without ~ сде́лано неумы́шленно; 2) за́мысел; 3) *филос.* поня́тие, иде́я; 4) *мед.*: first ~ заживле́ние (*ра́ны*) перви́чным натяже́нием (*тж.* healing by first ~); 5) *pl разг.* наме́рение жени́ться; he has ~s у него́ серьёзные наме́рения (*жени́ться*).

**intentional** [ɪn'tenʃənl] *a* наме́ренный, умы́шленный.

**inter** [ɪn'tɜ:] *v* предава́ть земле́, хорони́ть.

**inter-** ['ɪntə-] *pref* 1) меж-, между-, среди́; interstellar межзвёздный; 2) пере-; intersect перекре́щиваться; interwoven впле-тённый, переплетённый; 3) взаимо-; interplay взаимоде́йствие, взаимосвязь; interchange обме́н.

**interact** 1. *n* ['ɪntərækt] 1) антра́кт; 2) интерлю́дия, интерме́дия;
2. *v* [,ɪntər'ækt] находи́ться во взаимоде́йствии, де́йствовать друг на дру́га; взаимоде́йствовать.

**interaction** [,ɪntər'ækʃən] *n* взаимоде́йствие.

**inter alia** ['ɪntər'eɪlɪə] *лат. adv* ме́жду про́чим.

**interallied** ['ɪntər'ælaɪd] *a* (меж)сою́зниче-ский.

**interatomic** ['ɪntərə'tɔmɪk] *a* внутри-а́томный.

**interblend** ['ɪntə'blend] *v* сме́шивать(ся).

**interbreed** ['ɪntə'briːd] *v* скре́щивать(ся) (*о ра́зных поро́дах*).

**intercalary** [ɪn'tækələrɪ] *a* 1) приба́вленный для согласова́ния календаря́ с со́лнечным го́дом (*день 29 февраля́*); 2) вста́вленный, интерполи́рованный.

**intercalate** [ɪn'tækəleɪt] *t* прибавля́ть, вставля́ть [*см.* intercalary].

**intercalation** [ɪn,tækə'leɪʃən] *n* 1) вста́вка, прибавле́ние; 2) *геол.* просло́йка, внедре́ние.

**intercede** [,ɪntə'siːd] *v* вступа́ться, хода́тайствовать (for—за; with—пе́ред); to ~ for mercy хода́тайствовать о поми́ловании (*кого́-л.*).

**intercellular** [,ɪntə'seljulə] *a биол.* межкле́точный.

**intercept** 1. *n* ['ɪntəsept] *воен.* перехва́т; 2. *v* [,ɪntə'sept] 1) перехвати́ть; 2) прерыва́ть, выключа́ть (*свет, ток, во́ду*); 3) остана́вливать, заде́рживать; отре́зать, прегради́ть путь, помеша́ть; to ~ a view заслони́ть вид; 4) *мат.* отдели́ть двумя́ то́чками отре́зок на ли́нии.

**interception** [,ɪntə'sepʃən] *n* 1) перехва́тывание; перехва́т; 2) прегражде́ние; прегра́да; 3) подслу́шивание (*телефо́нных разгово́ров*).

**interceptor** [,ɪntə'septə] *n ав.* (самолёт-) перехва́тчик.

**intercession** [,ɪntə'seʃən] *n* засту́пничество, хода́тайство; посре́дничество.

**intercessor** [,ɪntə'sesə] *n* засту́пник, хода́тай.

**intercessory** [,ɪntə'sesərɪ] *a* засту́пнический, хода́тайствующий.

**interchain** [,ɪntə'tʃeɪn] *v* ско́вывать, свя́зывать одно́й це́пью.

**interchange** 1. *n* ['ɪntə'tʃeɪndʒ] 1) (взаи́мный) обме́н; the ~ of greetings обме́н приве́тствиями; 2) чередова́ние, сме́на; 3) *attr.*: ~ point *ж.-д.* обме́нный пункт;
2. *v* [,ɪntə'tʃeɪndʒ] 1) обме́ниваться; 2) переменя́ть(ся); 3) чередова́ть(ся).

**interchangeable** [,ɪntə'tʃeɪndʒəbl] *a* 1) замени́мый; взаимозаменя́емый; равнозна́чный; 2) череду́ющийся.

**intercom** ['ɪntəkɔm] *n разг.* 1) вну́тренняя телефо́нная *или* селе́кторная связь (*в самолёте, танке и т. п.*); 2) *attr.*: ~ switch рыча́г селе́ктора.

**intercommunicate** [,ɪntəkə'mjuːnɪkeɪt] *v* 1) сноси́ться ме́жду собо́й; име́ть связь; 2) сообща́ться (ме́жду собо́й).

**intercommunication** ['ɪntəkə,mjuːnɪ'keɪʃən] *n* 1) сноше́ние, обще́ние; 2) собесе́дование; 3) связь; 4) *attr.*: ~ service *воен.* слу́жба свя́зи.

**intercommunion** [,ɪntəkə'mjuːnjən] *n* 1) те́сное обще́ние; 2) взаимоде́йствие.

**intercommunity** [,ɪntəkə'mjuːnɪtɪ] *n* 1) о́бщность; 2) о́бщее владе́ние (*чем-л.*).

**interconnect** [ˈɪntəkəˈnekt] *v* связывать (-ся).

**interconnection** [ˈɪntəkəˈnekʃən] *n* 1) взаимная связь; соединéние; 2) *эл.* объединéние (энергосистéм), кустовáние.

**interconnexion** [ˈɪntəkəˈnekʃən] = interconnection.

**intercontinental** [ˈɪntə,kɔntɪˈnentl] *a* межконтинентáльный; ~ ballistic missile межконтинентáльный баллистíческий снарáд.

**interconvertible** [ˈɪntəkənˈvəːtɪbl] *a* 1) взаимозаменяемый; 2) равноцéнный.

**intercostal** [,ɪntəˈkɔstl] *a* 1) *анат.* межрéберный; 2) *мор.* интеркостéльный.

**intercourse** [ˈɪntəkɔːs] *n* 1) общéние, общéственные свя́зи *или* отношéния; 2) связь, сношéния (*между странами*); 3) половы́е сношéния.

**intercrop** [,ɪntəˈkrɔp] *v с.-х.* сажáть *или* сéять в междуря́дьях.

**intercross** [,ɪntəˈkrɔs] *v* 1) взаи́мно пересекáться; 2) скрéщивать(ся) (*о разных породах*).

**interdental** [,ɪntəˈdentl] *a лингв.* межзýбный.

**interdepartmental** [ˈɪntə,diːpɑːtˈmentl] *a* междуведóмственный.

**interdepend** [,ɪntədɪˈpend] *v* зависеть друг от дрýга.

**interdependence** [,ɪntədɪˈpendəns] *n* взаи́мная зави́симость, взаимозави́симость; взаимосвя́зь.

**interdependent** [,ɪntədɪˈpendənt] *a* зави́сящий оди́н от другóго, взаимозави́симый.

**interdict** 1. *n* [ˈɪntədɪkt] 1) запрещéние, запрéт; 2) *церк.* отлучéние; интердúкт; 2. *v* [,ɪntəˈdɪkt] 1) запрещáть; 2) лишáть прáва пóльзования; 3) отрешáть от дóлжности; 4) удéрживать (*от чего-л.*); 5) *воен.* преграждáть; препя́тствовать назéмным трáнспортным операциям путём бомбёжки.

**interdiction** [,ɪntəˈdɪkʃən] *n* 1) запрещéние; 2) *церк.* отлучéние; интердúкт; 3) преграждéние, заграждéние; 4) *attr.*: ~ fire *амер.* стрельбá на воспрещéние; ~ barrage *воен.* огневóе заграждéние.

**interdictory** [,ɪntəˈdɪktərɪ] *a* запретúтельный [*см. тж.* interdict 2 *u* interdiction].

**interest** [ˈɪntrɪst] 1. *n* 1) интерéс, заинтересóванность; to lose ~ потеря́ть интерéс; to show ~ прояви́ть интерéс; 2) вы́года, преимýщество, пóльза; to look after one's own ~s забóтиться о сóбственной вы́годе; in the ~(s) of truth в интерéсах справедлúвости; it is to my ~ to do so сдéлать э́то в мои́х интерéсах; 3) дóля (*в чём-л.*); учáстие в прибыля́х; 4) увлечéние (*чем-л.*); интерéс (*к чему-л.*); to take (an) ~ in smb., smth. интересовáться кем-л., чем-л., проявля́ть интерéс к комý-л., чемý-л.; увлекáться кем-л., чем-л.; 5) вáжность, значéние; a matter of no little ~ дéло немаловáжное; 6) влия́ние (with—на *кого-л.*); 7) грýппа лиц, имéющих óбщие интерéсы; the landed ~ землевладéльцы; 8) процéнты (*на капитал*); simple (compound) ~ простые (слóжные) процéнты; rate of ~ процéнт, процéнтная стáвка, нóрма процéнта;

to return with ~ вернýть с процéнтами; *перен.* вернýть с лихвóй; 9) *pl:* (vested) ~s капиталовложéния;

2. *v* интересовáть, заинтерéсовывать.

**interested** [ˈɪntrɪstɪd] 1. *p. p. om* interest 2;

2. *a* 1) заинтересóванный; an ~ listener внимáтельный слýшатель; 2) пристрáстный, предубеждённый; 3) коры́стный; ~ motives коры́стные моти́вы; материáльная заинтересóванность.

**interesting** [ˈɪntrɪstɪŋ] 1. *pres. p. om* interest 2;

2. *a* интерéсный; to be in an ~ condition *эвф.* быть в интерéсном положéнии.

**interfere** [,ɪntəˈfɪə] *v* 1) вмéшиваться (in); don't ~ in his affairs не вмéшивайтесь в егó делá; he is always interfering он всегдá во всё вмéшивается; to ~ with smb.'s independence покушáться на чью-л. незави́симость; 2) служи́ть препя́тствием, мешáть, быть помéхой; 3) надоедáть, докучáть (with); don't ~ with me не надоедáйте, не надоедáйте мне; 4) вреди́ть; to ~ with health вреди́ть здорóвью; 5) *физ.* интерфери́ровать; 6) стáлкиваться друг с дрýгом; pleasure must not be allowed to ~ with business развлечéние не должнó мешáть дéлу; ≃ дéлу врéмя, потéхе час; 7) засекáться (*о лошади*); 8) *амер.* оспáривать (*чьи-л.*) правá на патéнт.

**interference** [,ɪntəˈfɪərəns] *n* 1) вмешáтельство; ~ with mail-bags досмóтр, вскры́тие мешкóв с почтóвыми отправлéниями; 2) препя́тствие, помéха; 3) *физ.* интерферéнция; 4) *радио* помéхи; 5) *вет.* засéчка; 6) *амер.* столкновéние одноврéменно заявля́емых прав на патéнт; 7) *attr. физ.* интерференциóнный; ~ fringes интерференциóнные пóлосы.

**interferometer** [,ɪntəˈfɪəˈrɔmɪtə] *n физ.* интерферóметр, инструмéнт для измерéния длины́ волн, лучéй *и т. п.*

**interflow** 1. *n* [ˈɪntəflou] слия́ние;

2. *v* [,ɪntəˈflou] сливáться, соединя́ться.

**interfluent** [,ɪntəˈfluːənt] *a* 1) сливáющийся; 2) протекáющий мéжду.

**interfuse** [,ɪntəˈfjuːz] *v* перемéшивать(ся), смéшивать(ся) (with).

**interfusion** [,ɪntəˈfjuːʒən] *n* 1) перемéшивание; 2) смесь.

**intergrowth** [ˈɪntəˌgrouθ] *n* прорастáние.

**interim** [ˈɪntərɪm] 1. *n* промежýток врéмени; in the ~ тем врéменем; в промежýтке; minister at ~ врéменно исполня́ющий обя́занности минúстра;

2. *a* врéменный, промежýточный.

**interior** [ɪnˈtɪərɪə] 1. *n* 1) внýтренность, внýтренняя сторонá; 2) внýтренние óбласти страны́; глубóкий тыл; 3): the I. министéрство внýтренних дел; Minister of the I., *амер.* Secretary of the I. минúстр внýтренних дел; 4) *разг.* внýтренности, желýдок; 5) *жив.* интерьéр;

2. *a* внýтренний.

**interjacent** [,ɪntəˈdʒeɪsnt] *a* лежáщий мéжду, промежýточный.

**interjaculate** [,ɪntəˈdʒækjuleɪt] *v* вставля́ть (замечáние); перебивáть (восклицáниями).

**interject** [ˌɪntə'dʒekt] *v* вставлять (замечание).

**interjection** [ˌɪntə'dʒekʃən] *n* 1) восклицание; 2) *грам.* междометие.

**interlace** [ˌɪntə'leɪs] *v* переплетать(ся), сплетать(ся).

**interlacement** [ˌɪntə'leɪsmənt] *n* сплетение, переплетение.

**interlard** [ˌɪntə'lɑːd] *v* 1) уснащать, пересыпать (*речь, письмо иностранными словами и т. п.*); 2) *уст.* шпиговать (*мясо*).

**interleaf** ['ɪntəliːf] *n* прокладка из белой бумаги (между листами книги).

**interleave** [ˌɪntə'liːv] *v* 1) прокладывать белую бумагу (между листами книги); 2) прослаивать.

**inter-library** ['ɪntə'laɪbrərɪ] *a* межбиблиотечный; ~ exchange system межбиблиотечный абонемент.

**interline** [ˌɪntə'laɪn] 1. *n полигр.* шпон; 2. *v* 1) вписывать между строк; 2) *полигр.* вставлять шпоны.

**interlinear** [ˌɪntə'lɪnɪə] *a* 1) междустрочный; 2) подстрочный.

**interlineation** ['ɪntəˌlɪnɪ'eɪʃən] *n* приписка, вставка между строк.

**interlink** [ˌɪntə'lɪŋk] *v* тесно связывать; сцеплять.

**interlock** [ˌɪntə'lɔk] *v* 1) соединять(ся), сцеплять(ся); смыкаться; 2) *тех.* блокировать.

**interlocution** [ˌɪntələ'kjuːʃən] *n* беседа, диалог.

**interlocutor** [ˌɪntə'lɔkjutə] *n* собеседник.

**interlocutory** [ˌɪntə'lɔkjutərɪ] *a* носящий характер беседы, диалога; ~ decree *юр.* временное, не окончательное постановление.

**interlocutress, interlocutrix** [ˌɪntə'lɔkjutrɪs, -trɪks] *n* собеседница.

**interlope** [ˌɪntə'loup] *v* 1) вмешиваться в чужие дела; 2) заниматься контрабандой.

**interloper** [ˌɪntə'loupə] *n* 1) человек, вмешивающийся в чужие дела; 2) контрабандное судно; 3) *уст.* торговец, нарушающий (чью-л.) монополию.

**interlude** ['ɪntəluːd] *n* 1) антракт; промежуток; 2) *ист.* интермедия; 3) фарс, комедия; 4) промежуточный эпизод; 5) *муз.* интерлюдия.

**intermarriage** [ˌɪntə'mærɪdʒ] *n* 1) брак между людьми разных рас, национальностей и т. п.; 2) брак между родственниками.

**intermarry** ['ɪntə'mærɪ] *v* 1) породниться; смешаться путём брака (*о расах, племенах*); 2) вступить в брак (*о родственниках*).

**intermaxillary** [ˌɪntəmæk'sɪlərɪ] *a анат.* межчелюстной.

**intermeddle** [ˌɪntə'medl] *v* вмешиваться, соваться не в своё дело (with, in).

**intermedia** [ˌɪntə'miːdɪə] *pl от* intermedium.

**intermediary** [ˌɪntə'miːdɪərɪ] 1. *n* посредник;

2. *a* 1)посреднический; 2) промежуточный.

**intermediate** 1. *n* [ˌɪntə'miːdjət] промежуточное звено;

2. *a* [ˌɪntə'miːdjət] 1) промежуточный; ~ product полуфабрикат; 2) вспомогательный; ~ agent вспомогательное средство; 3) средний;

3. *v* [ˌɪntə'miːdɪeɪt] быть посредником.

**intermediate-range** [ˌɪntə'miːdjət,reɪndʒ] *a*: ~ ballistic missile баллистический снаряд среднего радиуса действия.

**intermediation** ['ɪntəˌmiːdɪ'eɪʃən] *n* посредничество.

**intermediator** [ˌɪntə'miːdɪeɪtə] *n* посредник.

**intermedium** [ˌɪntə'miːdɪəm] *n* (*pl* -dia, -diums [-dɪəmz]) средство сообщения, передачи; посредство.

**interment** [ɪn'tɜːmənt] *n* погребение.

**intermezzi** [ˌɪntə'metsɪ] *pl от* intermezzo.

**intermezzo** [ˌɪntə'metsou] *ит. n* (*pl* -zi, -zos [-tsouz]) 1) интермедия; 2) *муз.* интермеццо.

**interminable** [ɪn'tɜːmɪnəbl] *a* бесконечный, вечный.

**intermingle** [ˌɪntə'mɪŋgl] *v* 1) смешивать(ся), перемешивать(ся) (with); 2) общаться.

**intermission** [ˌɪntə'mɪʃən] *n* 1) перерыв, пауза, остановка; without ~ беспрерывно; 2) *амер.* антракт; *школ.* перемена; 3) *мед.* перерыв, перебой (*пульса*).

**intermit** [ˌɪntə'mɪt] *v* остановить(ся) на время, прервать(ся).

**intermittent** [ˌɪntə'mɪtənt] *a* 1) перемежающийся; прерывистый; an ~ pulse пульс с перебоями; ~ contact *тех.* прерывистый контакт; 2) интермиттирующий, ритмический (*о гейзере*).

**intermix** [ˌɪntə'mɪks] *v* смешивать(ся), перемешивать(ся).

**intermixture** [ˌɪntə'mɪkstʃə] *n* смешение; смесь; примесь.

**intern I** [ɪn'tɜːn] *n амер.* студент медицинского колледжа *или* молодой врач, работающий в больнице и живущий при ней.

**intern II** [ɪn'tɜːn] *v* интернировать.

**internal** [ɪn'tɜːnl] 1. *a* 1) внутренний; ~ aerial *радио* комнатная антенна; ~ evidence *юр.* доказательство, вытекающее из существа дела; ~ security units *воен.* части войск внутренней охраны; ~ student студент университетского колледжа; 2) душевный, сокровенный;

2. *n pl* 1) *анат.* внутренние органы; 2) свойства, качества.

**internal-combustion engine** [ɪn'tɜːnlkəm'bʌstʃən'endʒɪn] *n* двигатель внутреннего сгорания.

**internally** [ɪn'tɜːnəlɪ] *adv* внутренне; he shuddered ~ он внутренне содрогнулся.

**International** [ˌɪntə'næʃənl] *n* Интернационал (*международное объединение*).

**international** [ˌɪntə'næʃənl] 1. *a* международный, интернациональный; ~ law международное право; ~ salute *мор.* «салют нации» (*государственному флагу*);

2. *n* 1) участник международных спортивных состязаний; 2) международное состязание.

**Internationale** [ˌɪntənæʃə'nɑːl] *n* Интернационал (*гимн*).

**internationalism** [ˌɪntə'næʃnəlɪzəm] *n* интернационализм.

**internationalist** [ˌɪntə'næʃnəlɪst] *n* интернационалист.

internationalize [,ıntə'næʃnəlaız] *v* де́-
лать интернациона́льным; ста́вить под кон-
тро́ль разли́чных госуда́рств (*о территории, стране*).

internecine [,ıntə'niːsaın] *a* 1) междо-
усо́бный; 2) смерте́льный, истреби́тельный.

internee [,ıntə'niː] *n* интерни́рованный.

internment [ın'təːnmənt] *n* 1) интерни́ро-
вание; 2) *attr.*: ~ camp ла́герь для интерни́-
рованных.

interoffice ['ıntər'ɔfıs] *a*: ~ telephone
вну́тренний телефо́н, коммута́тор.

interosculation [,ıntərɔskju'leıʃən] *n* 1)
взаимопроникнове́ние; 2) *тех.* связь *или*
увя́зка двух дета́лей; прилега́ние вплотну́ю.

interpellate [ın'təːpeleıt] *v* парл. интер-
пелли́ровать, де́лать запро́с.

interpellation [ın,təːpe'leıʃən] *n* парл.
интерпелля́ция, запро́с.

interpenetrate [,ıntə'penıtreıt] *v* 1) глу-
боко́ проника́ть, наполня́ть собо́ю; 2) взаи́м-
но проника́ть.

interpenetrative [,ıntə'penıtrətıv] *a* вза-
имопроника́ющий.

interphone ['ıntə,foun] *амер.* = intercom.

interplanetary [,ıntə'plænıtərı] *a* меж-
плане́тный.

interplay ['ıntə'pleı] *n* взаимоде́йствие.

interpolate [ın'təːpouleıt] *v* 1) интерпо-
ли́ровать; де́лать вста́вки в текст чужо́й ру́-
кописи; 2) вставля́ть слова́, замеча́ния;
3) *мат.* интерполи́ровать.

interpolation [ın,təːpou'leıʃən] *n* интер-
поля́ция *и пр.* [*см.* interpolate].

interpolator [ın'təːpouleıtə] *n* де́лающий
интерполя́ции, вста́вки.

interposal [,ıntə'pouzl] = interposition.

interpose [,ıntə'pouz] *v* 1) вставля́ть,
вводи́ть, ста́вить ме́жду; 2) прерыва́ть
(*замеча́нием, вво́дными слова́ми*); 3) ста-
нови́ться ме́жду, вкли́ниваться; 4) вме́ши-
ваться.

interposition [ın,təːpə'zıʃən] *n* 1) введе́-
ние ме́жду; 2) нахожде́ние ме́жду; 3) вме-
ша́тельство, посре́дничество.

interpret [ın'təːprıt] *v* 1) объясня́ть, тол-
кова́ть, интерпрети́ровать; понима́ть (как);
2) переводи́ть (*у́стно*), быть перево́дчиком
(*у́стным*).

interpretation [ın,təːprı'teıʃən] *n* 1) тол-
кова́ние, объясне́ние, интерпрета́ция; to
put a wide ~ on smth. дава́ть чему́-л.
(сли́шком) широ́кое толкова́ние; 2) перево́д
(*у́стный*); 3) *воен.* расшифро́вка (*аэро-
фотосни́мков*).

interpretative [ın'təːprıtətıv] *a* толкова́-
тельный, объясни́тельный.

interpreter [ın'təːprıtə] *n* 1) интерпрета́-
тор, истолкова́тель; 2) перево́дчик (*у́стный*).

interpretress [ın'təːprıtrıs] *ж. к* interpreter.

interregna [,ıntə'regnə] *pl от* interregnum.

interregnum [,ıntə'regnəm] *n* (*pl* -na,
-nums [-nəmz]) 1) междуца́рствие; 2) ин-
терва́л, переры́в.

interrelation ['ıntərı'leıʃən] *n* взаимоот-
ноше́ние, соотноше́ние.

interrelationship ['ıntərı'leıʃənʃıp] *n*
взаи́мная связь, взаи́мное родство́.

interrogate [ın'terəgeıt] *v* 1) спра́шивать;

2) допра́шивать; 3) *радио* запра́шивать,
посыла́ть сигна́лы для ориента́ции с по́-
мощью рада́ра.

interrogation [ın,terə'geıʃən] *n* 1) во-
про́с; note (*или* mark, point) of ~ вопроси́-
тельный знак; 2) допро́с; 3) вопроси́тель-
ный знак.

interrogative [,ıntə'rɔgətıv] *a* вопроси́тель-
ный; ~ pronoun *грам.* вопроси́тельное
местоиме́ние.

interrogator [ın'terəgeıtə] *n* 1) опра́ши-
вающий; 2) сле́дователь.

interrogatory [,ıntə'rɔgətərı] 1. *n* 1) во-
про́с; 2) допро́с; опро́сный лист (*для пока-
за́ний*);
2. *a* вопроси́тельный.

interrupt [,ıntə'rʌpt] *v* 1) прерыва́ть;
2) вме́шиваться (*в разгово́р и т. п.*); 3)
препя́тствовать, меша́ть, прегражда́ть.

interrupter [,ıntə'rʌptə] *n эл.* прерыва́-
тель.

interruption [,ıntə'rʌpʃən] *n* 1) переры́в;
прерыва́ние; 2) остано́вка, зами́нка; 3) раз-
ры́в, разло́м; разъедине́ние.

intersect [,ıntə'sekt] *v* 1) пересека́ть(ся);
перекре́щивать(ся); скре́щивать(ся); 2) де-
ли́ть на ча́сти.

intersection [,ıntə'sekʃən] *n* 1) пересече́-
ние; 2) то́чка *или* ли́ния пересече́ния; 3)
*амер. воен.* пряма́я засе́чка.

intersiderial ['ıntəsaı'dıərıəl] *a* межзвёздный.

interspace ['ıntə'speıs] 1. *n* промежу́ток
(*простра́нства, вре́мени*), интерва́л;
2. *v* 1) де́лать промежу́тки, отделя́ть про-
межу́тками; 2) заполня́ть промежу́тки.

interspecific [,ıntəspı'sıfık] *a био́л.* меж-
видово́й.

intersperse [,ıntə'spəːs] *v* 1) разбра́сывать,
рассыпа́ть (among, between—среди́, ме́жду);
2) пересыпа́ть,усыпа́ть, усе́ивать; 3) разно-
обра́зить; 4) вставля́ть в промежу́тки.

interstate ['ıntə'steıt] *a* находя́щийся ме́ж-
ду шта́тами; включа́ющий ра́зные шта́ты;
относя́щийся к ра́зным шта́там; свя́зываю-
щий отде́льные шта́ты (*США, Австра́лии*),
междушта́тный; ~ commerce торго́вые отно-
ше́ния ме́жду шта́тами.

interstellar [,ıntə'stelə] *a* межзвёздный;
~ space ship косми́ческий кора́бль.

interstice [ın'təːstıs] *n* 1) промежу́ток; 2)
щель, расще́лина.

interstitial [,ıntə'stıʃəl] *a* 1) промежу́-
точный; 2) образу́ющий тре́щины, ще́ли.

intertill [,ıntə'tıl] *a с.-х.* пропа́хивать,
обраба́тывать междуря́дья.

intertribal [,ıntə'traıbəl] *a* междупле-
менно́й.

intertwine [,ıntə'twaın] *v* 1) сплета́ть
(-ся), переплета́ть(ся); 2) закру́чиваться,
скру́чиваться.

intertwist [,ıntə'twıst] = intertwine.

interurban ['ıntər'əːbən] *a* междугоро́д-
ный.

interval ['ıntəvəl] 1. *n* 1) промежу́ток,
расстоя́ние, интерва́л; at ~s a) с промежу́т-
ками; б) вре́мя от вре́мени; в) здесь и там;
2) па́уза; переры́в; переме́на; антра́кт;
2. *v* 1) де́лать переры́в; 2) перемежа́ться.

**intervale** ['ɪntəveɪl] *n амер.* доли́на вдоль реки́ (с плодоро́дной нано́сной по́чвой).

**intervene** [‚ɪntə'viːn] *v* 1) вме́шиваться; вступа́ться (in); 2) происходи́ть, име́ть ме́сто (*за какой-л. период времени*); 3) находи́ться, лежа́ть ме́жду; 4) яви́ться поме́хой, помеша́ть.

**intervention** [‚ɪntə'venʃən] *n* 1) интерве́нция; 2) вмеша́тельство; 3) посре́дничество.

**interventionist** [‚ɪntə'venʃənɪst] *n* 1) интерве́нт; 2) сторо́нник интерве́нции.

**interview** ['ɪntəvjuː] 1. *n* 1) свида́ние, встре́ча, бесе́да; 2) интервью́ (*газетное*); 2. *v* име́ть бесе́ду, интервью́; интервью́и́ровать.

**interviewee** [‚ɪntəvjuː'iː] *n* интервью́и́руемый.

**interviewer** ['ɪntəvjuːə] *n* интервью́е́р.

**intervocalic** [‚ɪntəvou'kælɪk] *a лингв.* интервока́льный.

**interweave** [‚ɪntə'wiːv] *v* (interwove; terwoven) 1) воткá́ть, заткá́ть; 2) сплета́ть, переплета́ть (with); вплета́ть.

**interwove** [‚ɪntə'wouv] *past om* interweave.

**interwoven** [‚ɪntə'wouvn] *p. p. om* interweave.

**interzonal** [‚ɪntə'zounəl] *a* межзона́льный.

**intestacy** [ɪn'testəsɪ] *n* 1) отсу́тствие завеща́ния; 2) иму́щество, насле́дство, остá́вленное без завеща́ния.

**intestate** [ɪn'testɪt] 1. *n* человéк, скончá́вшийся без завеща́ния; 2. *a* уме́рший, скончá́вшийся без завеща́ния; he died ~ он у́мер, не остá́вив завеща́ния.

**intestinal** [ɪn'testɪnl] *a анат.* кише́чный.

**intestine** I [ɪn'testɪn] *n (обыкн. pl)* кишки́, кише́чник; small (large) ~ тóнкая (тóлстая) кишкá́.

**intestine** II [ɪn'testɪn] *a* вну́тренний, междоусо́бный.

**intimacy** ['ɪntɪməsɪ] *n* те́сная связь, бли́зость, инти́мность.

**intimate** I ['ɪntɪmɪt] 1. *n* бли́зкий друг; 2. *a* 1) инти́мный, ли́чный; ~ friends заду́шевные друзья́; ~ details инти́мные подро́бности; 2) бли́зкий, те́сный; хорошó знакóмый; ~ knowledge бли́зкое знакóмство (*с предметом*); 3) вну́тренний; сокровéнный; ~ feelings сокровéнные чу́вства; 4) однорóдный (*о смеси*).

**intimate** II ['ɪntɪmeɪt] *v* 1) объявля́ть, стá́вить в извéстность; 2) намекá́ть, подразумевá́ть; 3) мéльком упоминá́ть.

**intimation** [‚ɪntɪ'meɪʃən] *n* 1) указá́ние, сообщéние; 2) намёк.

**intimidate** [ɪn'tɪmɪdeɪt] *v* пугá́ть; запу́гивать, застрá́щивать.

**intimidation** [ɪn‚tɪmɪ'deɪʃən] *n* 1) запу́гивание; 2) страх, запу́ганность.

**intimity** [ɪn'tɪmɪtɪ] *n* 1) инти́мность; 2) уединéние; уединённость.

**intitule** [ɪn'tɪtjuːl] *v (особ. p. p.) юр.* озаглá́вливать.

**into** ['ɪntu, 'ɪntə] *prep* 1) *указывает на движение или направление внутрь, в сферу или область чего-л.* в(о), на; to go ~ the house войти́ в дом; to fall, to dive, *etc.* ~ the

river упá́сть, нырну́ть *и т. п.* в ре́ку; to walk ~ the square войти́ на плóщадь; to climb high ~ the mountains забрá́ться высóко в гóры; to vanish ~ a crowd исчéзнуть в толпé; to fall ~ a trap попá́сть в западню́; to fall ~ a mistake впасть в ошибку; to get ~ trouble попá́сть в беду́ (*или* to insinuate) oneself ~ smb.'s favour втерéться в чьé-л. довéрие; 2) *указывает на достижение какого-л. предмета, столкновение с каким-л. предметом* в(о); to run (to walk) ~ smb., smth. натолкну́ться (набрести́) на когó-л., что-л.; 3) *указывает на движение во времени* в, к; her reflections shifted ~ the past онá́ мысленно верну́лась к прóшлому; looking ~ the future а) загля́дывая в бу́дущее; б) взгляд в бу́дущее; 4) *указывает на включение в категóрию, список и т. п.* в; to include ~ a list включи́ть в спи́сок; 5) *указывает на перехóд в нóвую фóрму, инóе кáчество или состоя́ние* в(о), на, до; to turn water ~ ice превращá́ть вóду в лёд; to grow ~ manhood (womanhood) стать взрóслым мужчи́ной (взрóслой жéнщиной); to transmute water power ~ electric power превращá́ть энéргию воды́ в электри́ческую энéргию; to put (*или* to lick) ~ shape а) придавá́ть фóрму; б) приводи́ть в поря́док; to divide (to cut, to break, *etc.*) ~ so many portions дели́ть (разрезá́ть, разбивá́ть *и т. д.*) на стóлько-то частéй; to work oneself ~ a rage довести́ себя́ до бéшенства; to lapse ~ silence погрузи́ться в молчá́ние; to plunge ~ a reverie впасть в заду́мчивость; to be persuaded ~ doing smth. дать себя́ уговори́ть сдéлать что-л.

**in-toed** ['ɪn‚toud] *a* с пá́льцами ног, обращённымы внутрь; косолá́пый.

**intolerable** [ɪn'tɔlərəbl] *a* невыноси́мый, нестерпи́мый.

**intolerance** [ɪn'tɔlərəns] *n* нетерпи́мость.

**intolerant** [ɪn'tɔlərənt] *a* нетерпи́мый.

**intonate** ['ɪntouneɪt] = intone.

**intonation** [‚ɪntou'neɪʃən] *n* 1) интонá́ция; модуля́ция (*гóлоса*); 2) произнесéние нараспéв; пéние речитати́вом; 3) исполнéние (*обыкн.* солистом) пéрвых слов пéсни *или* псалмá́.

**intone** [ɪn'toun] *v* 1) интони́ровать, модули́ровать (*гóлос*); 2) исполня́ть речитати́вом; произноси́ть нараспéв; 3) запевá́ть, петь пéрвые словá́.

**intoxicant** [ɪn'tɔksɪkənt] 1. *n* опьяня́ющий напи́ток; 2. *a* опьяня́ющий.

**intoxicate** [ɪn'tɔksɪkeɪt] *v* опьяня́ть, возбуждá́ть.

**intoxication** [ɪn‚tɔksɪ'keɪʃən] *n* 1) опьянéние; упоéние; 2) *мед.* интоксикá́ция, отравлéние.

**intra-** ['ɪntrə-] *лат. pref* внутри-; intracranial внутричерепнóй; intramuscular внутримы́шечный; intranuclear внутрия́дерный; intravenous внутривéнный; intraurban (внутри)городскóй; intraurban traffic городскóй трá́нспорт.

**intractability** [ɪn‚træktə'bɪlɪtɪ] *n* 1) неподá́тливость; 2) тру́дность (*воспитáния, обрабóтки пóчвы, лечéния болéзни и т. п.*).

**intractable** [ɪn'træktəbl] *a* 1) неподатливый; непокорный; 2) трудновоспитуемый; 3) труднообрабатываемый; 4) с трудом поддающийся лечению.

**intramolecular** [,ɪntrəmou'lekjulə] *a* внутримолекулярный.

**intramural** ['ɪntrə'mjuərəl] *a* находящийся *или* происходящий в стенах (*или* в пределах) города, дома *и т. п.*

**intramuscular** ['ɪntrə'mʌskjulə] *a* внутримышечный.

**intransigent** [ɪn'trænsɪdʒənt] 1. *n* непримиримый республиканец; политический деятель, не идущий на компромисс; 2. *a* непримиримый, непреклонный.

**intransitive** [ɪn'trɑːnsɪtɪv] *a* грам. непереходный (*о глаголе*).

**intransmissible** [,ɪntrɑːns'mɪsəbl] *a* не передаваемый (*на расстояние*).

**intrant** ['ɪntrənt] 1. *n* 1) вступающий (*в должность, во* ‖*владение имуществом и т. п.*); 2) поступающий (*в высшее учебное заведение*); 2. *a* вступающий.

**intranuclear** [,ɪntrə'njuːklɪə] *a* внутриядерный.

**intraocular** [,ɪntrə'ɔkjulə] *a* внутриглазной; ~ tension, ~ pressure внутриглазное давление.

**intravenous** ['ɪntrə'viːnəs] *a* внутривенный.

**intrench** [ɪn'trentʃ] = entrench.

**intrepid** [ɪn'trepɪd] *a* неустрашимый, бесстрашный, отважный.

**intrepidity** [,ɪntrɪ'pɪdɪtɪ] *n* неустрашимость, отвага.

**intricacy** ['ɪntrɪkəsɪ] *n* запутанность, сложность; путаница, лабиринт.

**intricate** ['ɪntrɪkɪt] *a* запутанный, сложный; затруднительный.

**intrigant** ['ɪntrɪgənt] = intriguant.

**intrigante** [,ɪntrɪ'gɑːnt] = intriguante.

**intriguant** ['ɪntrɪgənt] *фр. n* интриган.

**intriguante** [,ɪntrɪ'gɑːnt] *фр. n* интриганка.

**intrigue** [ɪn'triːg] 1. *n* 1) интрига, тайные происки; 2) интрижка (*любовная связь*); 2. *v* 1) интриговать, строить козни (against—против); 2) заинтересовать, заинтриговать; 3) иметь интрижку (with).

**intriguing** [ɪn'triːgɪŋ] 1. *pres. p. от* intrigue 2; 2. *a* 1) интригующий, строящий козни; 2) интригующий, ставящий в тупик; 3) увлекательный, занимательный.

**intrinsic** [ɪn'trɪnsɪk] *a* 1) внутренний; ~ value внутренняя ценность; 2) присущий, свойственный (*чему-л.*); 3) существенный.

**intro-** ['ɪntrou-, 'ɪntrə-] *лат. pref* в-, интро-; introspection интроспекция; intromission впуск.

**introduce** [,ɪntrə'djuːs] *v* 1) вводить; вставлять (into); вводить в употребление; 2) представлять, знакомить; let me ~ my brother to you позвольте представить вам моего брата; 3) вносить на рассмотрение (*законопроект и т. п.*); 4) предварять, предуведомлять.

**introduction** [,ɪntrə'dʌkʃən] *n* 1) введение; внесение; 2) нововведение; 3) (официальное) представление; letter of ~ рекомендательное письмо; 4) предисловие, введение; 5) введение (*в научную дисциплину*); 6) предуведомление; 7) *муз.* интродукция.

**introductory** [,ɪntrə'dʌktərɪ] *a* вступительный, вводный, предварительный.

**intromission** [,ɪntrou'mɪʃən] *n* впуск; допущение; вхождение.

**intromit** [,ɪntrou'mɪt] *v уст.* 1) впускать, допускать (into); 2) помещать.

**introspect** [,ɪntrou'spekt] *v* 1) смотреть внутрь; 2) заниматься самонаблюдением, самоанализом.

**introspection** [,ɪntrou'spekʃən] *n психол.* интроспекция, самонаблюдение, самоанализ.

**introspective** [,ɪntrou'spektɪv] *a психол.* интроспективный.

**introversion** [,ɪntrou'vəːʃən] *n* сосредоточенность на самом себе.

**introvert** 1. *n* ['ɪntrouvəːt] человек, сосредоточенный на своём внутреннем мире; 2. *v* [,ɪntrou'vəːt] сосредоточиваться на самом себе.

**intrude** [ɪn'truːd] *v* 1) вторгаться, входить без приглашения *или* разрешения (into); 2) навязывать(ся), быть назойливым (upon); to ~ oneself (one's views) upon a person навязывать себя (свои взгляды) кому-л.; 3) внедрять(ся).

**intruder** [ɪn'truːdə] *n* 1) навязчивый, назойливый человек; незваный гость; 2) *юр.* человек, незаконно присваивающий чужое владение *или* чужие права; самозванец; 3) *ав.* самолёт, совершающий посадку на аэродроме противника с целью захвата.

**intrusion** [ɪn'truːʒən] *n* 1) вторжение, появление без приглашения (into); 2) навязывание себя, своих мнений *и т. п.* (upon); 3) *юр.* узурпирование чужого владения *или* прав; 4) *геол.* интрузия, внедрение.

**intrusive** [ɪn'truːsɪv] *a* 1) назойливый, навязчивый; 2) *геол.* интрузивный, плутонический (*о породах*).

**intrust** [ɪn'trʌst] *амер.* = entrust.

**intubation** [,ɪntju'beɪʃən] *n мед.* интубация, введение трубки во внутренние органы (*напр., в трахеи*).

**intuition** [,ɪntjuː'ɪʃən] *n* интуиция.

**intuitional** [,ɪntjuː'ɪʃənl] *a* интуитивный.

**intuitionalism** [,ɪntjuː'ɪʃənəlɪzəm] *n филос.* интуитивизм.

**intuitive** [ɪn'tjuːɪtɪv] = intuitional.

**intuitivism** [ɪn'tjuːɪtɪvɪzəm] = intuitionalism.

**intumescence** [,ɪntju'mesns] *n* опухание, припухлость; распухание.

**intussusception** [,ɪntəsə'sepʃən] *n* 1)*физиол.* инвагинация; 2) восприятие (*идей, впечатлений и т. п.*).

**inunction** [ɪn'ʌŋkʃən] *n* 1) *мед.* втирание; 2) *церк.* помазание.

**inundate** ['ɪnʌndeɪt] *v* затоплять, наводнять.

**inundation** [,ɪnʌn'deɪʃən] *n* наводнение.

**inurbane** [,ɪnəː'beɪn] *a* 1) неизящный, лишённый изысканности, городского лоска; 2) невежливый.

**inure** [ı'njuə] v 1) приучáть; to ~ oneself приучи́ть себя́; 2) юр. вступáть в си́лу, станови́ться действи́тельным; 3) служи́ть, идти́ на пóльзу; to ~ to the benefit of humanity служи́ть человéчеству.

**inurement** [ı'njuəmənt] n приучéние; прáктика; привы́чка.

**inurnment** [ın'əːnmənt] n погребéние прáха в у́рне (после кремации).

**inutile** [ın'juːtıl] a бесполéзный.

**inutility** [,ınjuː'tılıtı] n бесполéзность.

**invade** [ın'veıd] v 1) вторгáться; захвáтывать, оккупи́ровать; 2) овладéть, нахлы́нуть (о чувстве); 3) посягáть (на чьи-л. права); 4) поражáть (о болезни).

**invader** [ın'veıdə] n 1) захвáтчик, оккупáнт; 2) посягáтель.

**invalid I** 1. n ['ınvəlıːd] больнóй, инвали́д;
2. a ['ınvəlıːd] 1) больнóй; нетрудоспосóбный; 2) предназнáченный для больны́х; an ~ diet диéта для больнóго; ~ food диети́ческое питáние;
3. v [,ınvə'lıːd] 1) дéлать(ся) инвали́дом; 2) освобождáть(ся) от воéнной слýжбы по инвали́дности.

**invalid II** [ın'vælıd] a 1) не имéющий закóнной си́лы, недействи́тельный; to declare a marriage ~ растóргнуть брак; 2) необоснóванный.

**invalidate** [ın'vælıdeıt] v лишáть закóнной си́лы, дéлать недействи́тельным.

**invalidation** [ın,vælı'deıʃən] n аннули́рование, лишéние закóнной си́лы.

**invalidity** [,ınvə'lıdıtı] n 1) юр. недействи́тельность; 2) редк. инвали́дность.

**invaluable** [ın'væljuəbl] a неоцени́мый, бесцéнный.

**invar** [ın'vɑː] n инвáр, сплав желéза с ни́келем.

**invariability** [ın,vεərıə'bılıtı] n неизмéнность, неизменяéмость.

**invariable** [ın'vεərıəbl] a 1) неизмéнный, неизменяéмый; 2) мат. постоя́нный; 3) усто́йчивый (о погоде).

**invasion** [ın'veıʒən] n 1) вторжéние; нашéствие; набéг; 2) посягáтельство (на чьи-л. права); 3) мед. инвáзия; 4) attr.: ~ ground forces воен. сухопýтные войскá вторжéния; ~ fleet воéнно-морскáя си́лы вторжéния.

**invasive** [ın'veısıv] a захвáтнический; агресси́вный.

**invective** [ın'vektıv] n 1) брáнная, обличи́тельная речь, инвекти́ва; 2) (обыкн. pl) ругáтельства, брань; a stream of ~s потóк ругáтельств.

**inveigh** [ın'veı] v я́ростно нападáть, поноси́ть, ругáть (against).

**inveigle** [ın'viːgl] v замáнивать; завлекáть; соблазня́ть; to ~ smb. into doing smth. обмáном побуди́ть когó-л. сдéлать что-л.

**inveiglement** [ın'viːglmənt] n замáнивание; соблáзн, обольщéние.

**invent** [ın'vent] v 1) изобретáть, дéлать откры́тие; 2) выду́мывать, фабриковáть, сочиня́ть; 3) приду́мывать; to ~ an excuse, explanation, etc. приду́мать отговóрку, объяснéние и т. п.

**invention** [ın'venʃən] n 1) изобретéние; 2) вы́думка, измышлéние; 3) изобретáтельность; 4) муз. инвéнция.

**inventive** [ın'ventıv] a изобретáтельный.

**inventor** [ın'ventə] n 1) изобретáтель; 2) выду́мщик.

**inventory** ['ınvəntrı] 1. n 1) óпись, инвентáрь; 2) товáры, предмéты, внесённые в инвентáрь; 3) переучёт товáра; инвентаризáция, провéрка инвентаря́;
2. v составля́ть óпись, вноси́ть в инвентáрь.

**inveracity** [,ınvə'ræsıtı] n неправди́вость, лжи́вость.

**Inverness** [,ınvə'nes] n плащ с капюшóном без рукавóв (по названию местности в Шотландии).

**inverse** ['ın'vəːs] 1. n противополóжность; обрáтный поря́док;
2. a обрáтный, перевёрнутый; противополóжный; ~ ratio (или proportion) мат. обрáтная пропóрция.

**inversely** ['ın'vəːslı] adv обрáтно; обрáтно пропорционáльно.

**inversion** [ın'vəːʃən] n 1) перевёртывание; перевёрнутость; 2) изменéние нормáльного поря́дка на обрáтный; 3) уст. извращéние; 4) грам. инвéрсия; 5) геол. опроки́нутая склáдка, обрáтное напластовáние.

**invert** 1. n ['ınvəːt] 1) архит. перевёрнутый свод; 2) человéк, извращённый в половóм отношéнии;
2. v [ın'vəːt] 1) перевёртывать, переворáчивать, опроки́дывать; 2) переставля́ть, меня́ть поря́док, мéсто в обрáтном направлéнии; 3) хим. инверти́ровать.

**invertebrate** [ın'vəːtıbrıt] 1. n беспозвонóчное живóтное;
2. a беспозвонóчный; перен. бесхребéтный, бесхарáктерный.

**inverted** [ın'vəːtıd] 1. p. p. от invert 2;
2. a 1) опроки́нутый; перевёрнутый; ~ flight ав. полёт на спинé; ~ welding тех. потолóчная свáрка; 2) обрáтный; ~ order of words грам. инвéрсия, обрáтный поря́док слов; 3) хим. инвéртный; ~ sugar инвéртный сáхар (содержится в растениях и мёде).

**inverted commas** [ın'vəːtıd'kɔməz] n pl кавы́чки.

**inverter** [ın'vəːtə] n эл. обрáтный преобразовáтель (постоянного тока в переменный).

**invest** [ın'vest] v 1) помещáть, вклáдывать дéньги, капитáл (in); 2) разг. покупáть что-л.; 3) одевáть, облачáть (in, with); ~ed with mystery окýтанный тáйной; 4) облекáть (полномочиями и т. п.; with, in); 5) воен. обложи́ть (крепость).

**investigate** [ın'vestıgeıt] v 1) расслéдовать; разузнавáть; 2) исслéдовать.

**investigation** [ın,vestı'geıʃən] n 1) расслéдование, слéдствие; 2) (нáучное) исслéдование.

**investigative** [ın'vestıgeıtıv] a исслéдовательский.

**investigator** [ın'vestıgeıtə] n 1) исслéдователь, испытáтель; 2) слéдователь.

**investigatory** [ın'vestıgeıtərı] = investigative.

**investiture** [ɪn'vestɪtʃə] *n* 1) облаче́ние, одея́ние; 2) инвеститу́ра, форма́льное введе́ние в до́лжность, во владе́ние; 3) награжде́ние, пожа́лование.

**investment** [ɪn'vestmənt] *n* 1) (капитало)-вложе́ние, помеще́ние де́нег, инвести́рование; 2) инвести́ция; вклад; 3) предприя́тие *или* бума́ги, в кото́рые вло́жены де́ньги; 4) оде́жда, облаче́ние; 5) облаче́ние полномо́чиями, вла́стью *и т. п.;* 6) *воен.* оса́да, блока́да; 7) *attr.:* ~ bank *амер.* банк, занима́ющийся ве́ксельными опера́циями *и т. п.;* комме́рческий банк.

**investor** [ɪn'vestə] *n* вкла́дчик [*см.* invest 1)].

**inveteracy** [ɪn'vetərəsɪ] *n* закоренелость (*привы́чки*); застаре́лость (*боле́зни*).

**inveterate** [ɪn'vetərɪt] *a* глубоко́ вкоренившийся, закосне́лый, застаре́лый; закоренелый; ~ smoker зая́длый кури́льщик; ~ liar враль.

**invidious** [ɪn'vɪdɪəs] *a* 1) вызыва́ющий враждебное чувство; оскорбля́ющий несправедли́востью; ненави́стный; ~ comparison оби́дное сравне́ние; 2) *редк.* зави́дный, вызыва́ющий за́висть.

**invigilate** [ɪn'vɪdʒɪleɪt] *v* следи́ть за экзаменующимися во вре́мя пи́сьменных рабо́т.

**invigorate** [ɪn'vɪɡəreɪt] *v* 1) дава́ть си́лы, укрепля́ть; 2) воодушевля́ть, подба́дривать.

**invigorative** [ɪn'vɪɡərətɪv] *a* подкрепля́ющий, бодря́щий, стимули́рующий.

**invincibility** [ɪn,vɪnsɪ'bɪlɪtɪ] *n* непобеди́мость.

**invincible** [ɪn'vɪnsəbl] *a* непобеди́мый.

**inviolability** [ɪn,vaɪələ'bɪlɪtɪ] *n* неруши́мость, неприкоснове́нность.

**inviolable** [ɪn'vaɪələbl] *a* неруши́мый; неприкоснове́нный.

**inviolate** [ɪn'vaɪəlɪt] *a* ненару́шенный; неоскверне́нный.

**invisibility** [ɪn,vɪzə'bɪlɪtɪ] *n* невиди́мость; неразличи́мость.

**invisible** [ɪn'vɪzəbl] *a* невиди́мый, незри́мый; неразличи́мый, незаме́тный; ~ man челове́к-невиди́мка; ~ ink симпати́ческие черни́ла; ~ exports, imports *эк.* невиди́мый э́кспорт, и́мпорт; he is ~ его́ нельзя́ ви́деть (*он не принима́ет*); ◇ ~ green голубова́то- *или* желтова́то-зелёный цвет.

**invitation** [,ɪnvɪ'teɪʃən] *n* 1) приглаше́ние (to—на); 2) *attr.* пригласи́тельный.

**invitational** [,ɪnvɪ'teɪʃənl] *a* пригласи́тельный; ~ card пригласи́тельный биле́т.

**invite** [ɪn'vaɪt] 1. *v* 1) приглаша́ть, проси́ть; 2) привлека́ть, мани́ть; to ~ attention привлека́ть внима́ние; 3) навлека́ть на себя́;
2. *n разг.* приглаше́ние.

**inviting** [ɪn'vaɪtɪŋ] 1. *pres. p. от* invite 1;
2. *a* привлека́тельный, притяга́тельный, соблазни́тельный, маня́щий.

**invocation** [,ɪnvou'keɪʃən] *n* 1) *поэт.* призы́в, обраще́ние к му́зе; 2) заклина́ние, мольба́; 3) вы́зов (*в суд*).

**invocatory** [ɪn'vɔkətərɪ] *a* призы́вный; призыва́ющий.

**invoice** ['ɪnvɔɪs] 1. *n* накладна́я, факту́ра; 2. *v* писа́ть накладну́ю, факту́ру.

**invoke** [ɪn'vouk] *v* 1) призыва́ть, взыва́ть; 2) вызыва́ть (*ду́ха*) волшебство́м, заклина́нием; 3) умоля́ть.

**involucre** ['ɪnvəluːkə] *n* 1) *анат.* оболо́чка; 2) *бот.* обёртка соцве́тия.

**involuntary** [ɪn'vɔləntərɪ] *a* 1) нево́льный, ненаме́ренный; 2) непроизво́льный.

**involute** ['ɪnvəluːt] 1. *a* 1) закру́ченный; 2) *бот.* завито́й, свёрнутый, скру́ченный; 3) спира́льный (*о ра́ковинах*); 4) сло́жный, запу́танный; an ~ plot сло́жная интри́га;
2. *n мат.* эвольве́нта, развёртка;
3. *v мат.* возводи́ть в сте́пень.

**involution** [,ɪnvə'luːʃən] *n* 1) закру́чивание спира́лью; 2) затейливость, запу́танность (*о механи́зме, рису́нке и т. п.*); 3) *мат.* возведе́ние в сте́пень.

**involve** [ɪn'vɔlv] *v* 1) завёртывать, оку́тывать (in); 2) закру́чивать (спира́лью); 3) запу́тывать; впу́тывать, затра́гивать; ~d in debt запу́тавшийся в долга́х; to ~ the rights затра́гивать права́; 4) включа́ть в себя́ (in); 5) вызыва́ть, (по)влечь за собо́й; 6) *мат.* возводи́ть в сте́пень.

**involved** [ɪn'vɔlvd] 1. *p. p. от* involve;
2. *a* запу́танный, сло́жный; ~ mechanism сло́жный механи́зм; ~ reasoning тума́нная аргумента́ция.

**involvement** [ɪn'vɔlvmənt] *n* 1) запу́тывание; 2) запу́танность; затрудни́тельное положе́ние; 3) де́нежные затрудне́ния.

**invulnerability** [ɪn,vʌlnərə'bɪlɪtɪ] *n* неуязви́мость.

**invulnerable** [ɪn'vʌlnərəbl] *a* неуязви́мый.

**inward** ['ɪnwəd] 1. *a* 1) вну́тренний; 2) напра́вленный внутрь, обращённый внутрь; 3) у́мственный, духо́вный;
2. *adv* 1) внутрь; 2) вну́тренне;
3. *n pl разг.* вну́тренности.

**inwardly** ['ɪnwədlɪ] *adv* 1) внутри́; внутрь; 2) вну́тренне, в уме́, в душе́, про себя́.

**inwardness** ['ɪnwədnɪs] *n* 1) действи́тельная приро́да, су́щность; 2) вну́тренняя си́ла; духо́вная сторона́.

**inwards** ['ɪnwədz] = inward 2.

**inweave** ['ɪn'wiːv] *v* (inwove; inwoven) 1) воткать, заткать; 2) сплета́ть, вплета́ть.

**inwove** ['ɪn'wouv] *past от* inweave.

**inwoven** ['ɪn'wouvən] *p. p. от* inweave.

**inwrought** ['ɪn'rɔːt] *a* 1) узо́рчатый (*о тка́ни*; with); 2) во́тканный в мате́рию (*об узо́ре*; on, in); 3) *перен.* те́сно свя́занный, сплете́нный (with).

**iodide** ['aɪədaɪd] *n хим.* йоди́д, соль йодистоводоро́дной кислоты́.

**iodine** ['aɪədiːn, 'aɪədaɪn] *n* йод.

**iodize** ['aɪədaɪz] *v* насыща́ть, пропи́тывать йо́дом; подверга́ть де́йствию йо́да.

**ion** ['aɪən] *n физ.* ио́н.

**Ionic** [aɪ'ɔnɪk] *a физ.* иони́ческий.

**ionic** [aɪ'ɔnɪk] *a физ.* ио́нный, относя́щийся к ио́нам; ~ composition of the atmosphere иониза́ция атмосфе́ры.

**ionium** [aɪ'ouɪəm] *n хим.* ио́ний.

**ionize** [ˈaɪənaɪz] *v* 1) образо́вывать ио́ны; ионизи́ровать; 2) превраща́ть в ио́ны.

**ionosphere** [aɪˈɔnəsfɪə] *n* ионосфе́ра.

**ionospheric** [ˌaɪənəˈsferɪk] *a* относя́щийся к ионосфе́ре; ~ data да́нные о состоя́нии ионосфе́ры.

**iontophoresis** [aɪˌɔntəfəˈriːsɪs] *n мед.* ионотерапи́я.

**iota** [aɪˈoutə] *греч. n* йо́та; not to care an ~ не интересова́ться, ни в грош не ста́вить.

**IOU** [ˈaɪouˈjuː] *n* долгова́я распи́ска с на́дписью IOU (*по созвучию с I owe you я до́лжен вам*).

**ipecac** [ˈɪpɪkæk] *сокр. от* ipecacuanha.

**ipecacuanha** [ˌɪpɪkækjuˈænə] *n фарм.* ипекаку́ана, рво́тный ко́рень.

**ir-** [ɪr-] *pref* (*в слова́х, ко́рни кото́рых начина́ются с r*) не-; irrational неразу́мный; нерациона́льный; irrelevant неуме́стный, не относя́щийся к де́лу.

**Iraki** [ɪˈrɑːkɪ] = Iraqi.

**Irani** [ɪˈrɑːnɪ] *a* ира́нский; перси́дский.

**Iranian** [ɪˈreɪnjən] 1. *a* ира́нский; перси́дский;
2. *n* 1) жи́тель Ира́на, ира́нец; ира́нка; 2) перси́дский язы́к.

**Iraqi** [ɪˈrɑːkɪ] 1. *n* жи́тель Ира́ка;
2. *a* ира́кский.

**irascibility** [ɪˌræsɪˈbɪlɪtɪ] *n* раздражи́тельность, вспы́льчивость.

**irascible** [ɪˈræsɪbl] *a* раздражи́тельный, вспы́льчивый.

**irate** [aɪˈreɪt] *a* гне́вный, разгне́ванный, серди́тый.

**ire** [ˈaɪə] *n поэт.* гнев, я́рость.

**ireful** [ˈaɪəful] *a* гне́вный.

**iridescence** [ˌɪrɪˈdesns] *n* 1) ра́дужность; 2) перели́вчатость.

**iridescent** [ɪrɪˈdesnt] *a* ра́дужный, похо́жий на ра́дугу; перели́вчатый.

**iridium** [aɪˈrɪdɪəm] *n хим.* ири́дий.

**iris** [ˈaɪərɪs] *n* 1) *анат.* ра́дужная оболо́чка (*глаза*); 2) *бот.* и́рис, каса́тик; 4) *attr.*: ~ diaphragm *опт.* и́рисовая диафра́гма.

**Irish** [ˈaɪərɪʃ] 1. *a* ирла́ндский; ◇ ~ bridge ка́менный откры́тый водосто́к (*поперёк доро́ги*);
2. *n* 1) (the ~) *pl собир.* ирла́ндцы, ирла́ндский наро́д; 2) ирла́ндский язы́к; 3) сорт ви́ски; 4) сорт полотна́; ◇ to get one's ~ up рассерди́ть(ся), разозли́ть(ся).

**Irishism** [ˈaɪərɪʃɪzm] *n* ирла́ндское выраже́ние.

**Irishman** [ˈaɪərɪʃmən] *n* ирла́ндец.

**Irishwoman** [ˈaɪərɪʃˌwumən] *n* ирла́ндка.

**iritis** [aɪəˈraɪtɪs] *n мед.* воспале́ние ра́дужной оболо́чки гла́за.

**irk** [əːk] *v уст.* утомля́ть, надоеда́ть, раздража́ть.

**irksome** [ˈəːksəm] *a* утоми́тельный, ску́чный; доку́чный.

**iron** [ˈaɪən] 1. *n* 1) *хим.* желе́зо (*элеме́нт*); 2) чёрный мета́лл, *напр.*, желе́зо, сталь, чугу́н; as hard as ~ твёрдый как сталь; *перен. тж.* суро́вый, жесто́кий; a man of ~ желе́зный челове́к, челове́к желе́зной во́ли; 3) желе́зное изде́лие, вещь из желе́за (*ча́сто в сло́жных слова́х; напр.*: curling-irons

щипцы́ для зави́вки воло́с); 4) утю́г; 5) *pl* око́вы, кандалы́; in ~s в кандала́х; 6) (*обыкн. pl*) стре́мя; 7) *мед.* препара́т желе́за; ◇ to rule with a rod of ~ управля́ть желе́зной руко́й; strike while the ~ is hot *посл.* куй желе́зо, пока́ горячо́; to have (too) many ~s in the fire a) занима́ться мно́гими дела́ми одновре́менно; б) пусти́ть в ход разли́чные сре́дства (*для достиже́ния це́ли*);
2. *a* 1) желе́зный; сде́ланный из желе́за; 2) си́льный, кре́пкий; ◇ ~ man *амер. sl.* серебря́ный до́ллар; ~ horse *разг.* стально́й конь (*парово́з, велосипе́д, танк*); ~ ration (*или* supplies) *воен.* неприкоснове́нный запа́с (*продово́льствия*); ~ age a) желе́зный век; б) жесто́кий век; ~ curtain желе́зный за́навес;
3. *v* 1) утю́жить, гла́дить; 2) зако́вывать в кандалы́; 3) покрыва́ть желе́зом; □ ~ out *амер.* сгла́живать, ула́живать.

**iron-bark** [ˈaɪənbɑːk] *n* вид эвкали́пта с кре́пкой коро́й.

**iron-bound** [ˈaɪənˌbaund] *a* 1) око́ванный желе́зом; 2) суро́вый, непоколеби́мый; 3) скали́стый (*о бе́реге*).

**ironclad** [ˈaɪənklæd] 1. *a* покры́тый бронёй, брониро́ванный;
2. *n* броненосец.

**iron-fall** [ˈaɪənfɔːl] *n* паде́ние метеори́та.

**iron-foundry** [ˈaɪənˌfaundrɪ] *n* чугуноли́тейный заво́д.

**iron-grey** [ˈaɪənˈgreɪ] 1. *a* се́ро-стально́й;
2. *n* се́ро-стально́й цвет.

**ironic(al)** [aɪˈrɔnɪk(əl)] *a* ирони́ческий.

**ironing** [ˈaɪənɪŋ] 1. *pres. p. от* iron 3;
2. *n* 1) утю́жка, гла́женье; 2) пла́тье, бельё для гла́женья.

**iron lung** [ˈaɪənlʌŋ] *n мед.* аппара́т для иску́сственного дыха́ния, «желе́зные лёгкие».

**ironmaster** [ˈaɪənˌmɑːstə] *n* фабрика́нт желе́зных изде́лий.

**ironmonger** [ˈaɪənˌmʌŋgə] *n* торго́вец желе́зными, скобяны́ми изде́лиями.

**ironmongery** [ˈaɪənˌmʌŋgərɪ] *n* ме́лкий желе́зный това́р, желе́зные изде́лия, скобяно́й това́р.

**iron-mould** [ˈaɪənmould] *n* 1) ржа́вое *или* черни́льное пятно́ (*на тка́ни*); 2) *метал.* изло́жница.

**ironside** [ˈaɪənsaɪd] *n* 1) отва́жный, реши́тельный челове́к; 2) (Ironsides) *pl ист.* ко́нница Кро́мвеля, «железнобо́кие»; 3) *pl* броненосец.

**iron-stone** [ˈaɪənstoun] *n* желе́зная руда́, железня́к.

**ironware** [ˈaɪənwɛə] *n* желе́зный, скобяно́й това́р.

**ironwork** [ˈaɪənwəːk] *n* 1) желе́зное изде́лие; 2) желе́зная часть констру́кции.

**iron-worker** [ˈaɪənˌwəːkə] *n* рабо́чий-металли́ст.

**iron-works** [ˈaɪənwəːks] *n pl* (*употр. как sing и как pl*) железоде́лательный *или* чугуноплави́льный заво́д.

**irony I** [ˈaɪənɪ] *a* желе́зный; желе́зистый; похо́жий на желе́зо.

**irony II** [ˈaɪərənɪ] *n* иро́ния; the ~ of fate иро́ния судьбы́; ◇ Socratic ~ сократи́ческий ме́тод веде́ния спо́ра.

**irradiance** [ɪˈreɪdjəns] *n* 1) сияние; излучение; 2) источник света.

**irradiant** [ɪˈreɪdjənt] *a* светящийся, сияющий; излучающий.

**irradiate** [ɪˈreɪdɪeɪt] *v* 1) освещать, озарять; облучать; 2) *физ.* испускать лучи; 3) *перен.* излучать; проливать свет; распространять (*знания и т. п.*).

**irradiation** [ɪˌreɪdɪˈeɪʃən] *n* 1) освещение, озарение;(2) блеск, сияние; лучистость, лучезарность; 3) лучеиспускание; облучение; 4) *физ.* иррадиация.

**irrational** [ɪˈræʃənl] 1. *a* 1) неразумный; нерациональный; нелогичный; 2) неразумный, не одарённый разумом; 3) *мат.* иррациональный.
2. *n мат.* иррациональное число.

**irrationality** [ɪˌræʃəˈnælɪtɪ] *n* 1) неразумность, нелогичность; 2) *мат.* иррациональность.

**irreclaimable** [ˌɪrɪˈkleɪməbl] *a* 1) негодный для обработки (*о земле*); 2) безвозвратный; 3) неисправимый.

**irrecognizable** [ɪˈrekəgnaɪzəbl] *a* неузнаваемый.

**irreconcilable** [ɪˈrekənsaɪləbl] *a* 1) непримиримый (*о человеке*); 2) противоречивый, несовместимый.

**irrecoverable** [ˌɪrɪˈkʌvərəbl] *a* непоправимый, невозвратный.

**irrecusable** [ˌɪrɪˈkjuːzəbl] *a* не терпящий, не допускающий отказа.

**irredeemable** [ˌɪrɪˈdiːməbl] *a* 1) неисправимый, безнадёжный, безысходный; 2) не подлежащий выкупу, невыкупаемый; 3) не подлежащий обмену на звонкую монету.

**irredenta** [ˌɪrɪˈdentə] *ит. a* невоссоединённый.

**irredentist** [ˌɪrɪˈdentɪst] *n ист.* член *или* сторонник партии ирредентистов (*программным требованием которой было воссоединение Италии по этнографическому и лингвистическому признаку*).

**irreducible** [ˌɪrɪˈdjuːsəbl] *a* 1) непревратимый (*в иное состояние и т. п.*); 2) *мед.* не поддающийся улучшению *или* приведению в прежнее состояние; 3) *мат.* несократимый; несокращаемый; 4) минимальный; 5) непреодолимый.

**irrefragable** [ɪˈrefrəgəbl] *a* неоспоримый, неопровержимый, бесспорный.

**irrefrangible** [ˌɪrɪˈfrændʒɪbl] *a* 1) ненарушимый; 2) непреломляющийся (*о свете*).

**irrefutable** [ɪˈrefjutəbl] *a* неопровержимый.

**irregular** [ɪˈregjulə] 1. *a* 1) неправильный; нарушающий правила; незаконный; ~ child внебрачный ребёнок; 2) беспорядочный, распущенный; 3) нерегулярный; несимметричный; неровный (*о поверхности*); неравномерный; 4) *грам.* неправильный; 5) *воен.* нерегулярный, иррегулярный.
2. *n (обыкн. pl)* нерегулярные войска, части.

**irregularity** [ɪˌregjuˈlærɪtɪ] *n* 1) неправильность, нарушение нормы (симметрии, порядка *и т. п.*); 2) беспорядочность, распущенность; ~ of living ненормальный образ жизни; 3) неровность.

**irrelative** [ɪˈrelətɪv] *a* 1) безотносительный (to); абсолютный; 2) = irrelevant.

**irrelevance** [ɪˈrelɪvəns] *n* 1) неуместность; 2) не относящийся к делу вопрос *и т. п.*

**irrelevant** [ɪˈrelɪvənt] *a* неуместный; не относящийся к делу.

**irreligious** [ˌɪrɪˈlɪdʒəs] *a* нерелигиозный; неверующий.

**irremeable** [ɪˈremɪəbl] *a* роковой (*о пути и т. п.*).

**irremediable** [ˌɪrɪˈmiːdjəbl] *a* 1) непоправимый; 2) неизлечимый, неисцелимый.

**irremissible** [ˌɪrɪˈmɪsɪbl] *a* 1) непростительный; 2) обязательный.

**irremovability** [ˈɪrɪˌmuːvəˈbɪlɪtɪ] *n* несменяемость.

**irremovable** [ˌɪrɪˈmuːvəbl] *a* 1) неустранимый; 2) несменяемый (*по должности*).

**irreparable** [ɪˈrepərəbl] *a* непоправимый.

**irrepatriable** [ˌɪrɪˈpætrɪəbl] *n* человек, не подлежащий репатриации.

**irreplaceable** [ˌɪrɪˈpleɪsəbl] *a* незаменимый.

**irrepressible** [ˌɪrɪˈpresəbl] 1. *a* 1) неукротимый, неугомонный; 2) неудержимый;
2. *n разг.* неугомонный человек.

**irreproachable** [ˌɪrɪˈproutʃəbl] *a* безукоризненный, безупречный.

**irresistibility** [ˈɪrɪˌzɪstəˈbɪlɪtɪ] *n* неотразимость.

**irresistible** [ˌɪrɪˈzɪstəbl] *a* неотразимый, непреодолимый.

**irresoluble** [ɪˈrezəljubl] *a* 1) нерастворимый, неразложимый; 2) неразрешимый.

**irresolute** [ɪˈrezəluːt] *a* нерешительный, колеблющийся.

**irresolution** [ˈɪˌrezəˈluːʃən] *n* нерешительность, колебание.

**irresolvable** [ˌɪrɪˈzɔlvəbl] *a* 1) неразложимый (*на части*); 2) неразрешимый.

**irrespective** [ˌɪrɪsˈpektɪv] *a* 1) безотносительный, независимый (of—от); ~ of age независимо от возраста; 2) *редк.* непочтительный.

**irresponsibility** [ˈɪrɪsˌpɔnsəˈbɪlɪtɪ] *n* безответственность.

**irresponsible** [ˌɪrɪsˈpɔnsəbl] *a* 1) неответственный; 2) невменяемый; 3) безответственный.

**irresponsive** [ˌɪrɪsˈpɔnsɪv] *a* 1) неотвечающий, нереагирующий; to be ~ не отвечать, не реагировать; 2) неотзывчивый; невосприимчивый; 3) *редк.* = irresponsible.

**irretention** [ˌɪrɪˈtenʃən] *n* недержание; ~ of memory слабая память.

**irretentive** [ˌɪrɪˈtentɪv] *a* недержащий, не могущий удержать.

**irretraceable** [ˌɪrɪˈtreɪsəbl] *a* непрослеживаемый.

**irretrievable** [ˌɪrɪˈtriːvəbl] *a* непоправимый; невозместимый; невознаградимый.

**irreverence** [ɪˈrevərəns] *n* непочтительность.

**irreverent** [ɪˈrevərənt] *a* непочтительный.

**irreversible** [ˌɪrɪˈvəːsəbl] *a* 1) необратимый; 2) неопрокидывающийся; 3) неотменяемый; нерушимый; непреложный.

**irrevocability** [ɪˌrevəkəˈbɪlɪtɪ] *n* неизменность; неотменяемость.

irrevocable [ı'revəkəbl] a 1) безвозвратный; 2) = irreversible 3).

irrigate ['ırıgeıt] v 1) орошать; 2) устра́ивать иску́сственное ороше́ние; 3) мед. промыва́ть.

irrigation [‚ırı'geıʃən] n 1) ороше́ние, ирригация; 2) мед. промыва́ние; спринцева́ние; 3) attr.: ~ engineering мелиора́ция.

irrigative ['ırıgətıv] a ороси́тельный, ирригацио́нный.

irriguous [ı'rıgjuəs] a 1) хорошо́ орошённый; вла́жный; 2) = irrigative.

irritability [‚ırıtə'bılıtı] n 1) раздражи́тельность; 2) раздражи́мость; чувстви́тельность (органа).

irritable ['ırıtəbl] a 1) раздражи́тельный; 2) боле́зненно чувстви́тельный; 3) раздражи́мый, воспринима́ющий раздраже́ние (об органе).

irritant ['ırıtənt] 1. n 1) раздражи́тель, раздража́ющее сре́дство; 2) воен. отравля́ющее вещество́ раздража́ющего де́йствия; 2. a вызыва́ющий раздраже́ние.

irritate I ['ırıteıt] v 1) раздража́ть, серди́ть; 2) вызыва́ть раздраже́ние, воспале́ние; 3) физиол. вызыва́ть де́ятельность о́ргана посре́дством раздраже́ния.

irritate II ['ırıteıt] v юр. де́лать недействи́тельным, аннули́ровать.

irritating I ['ırıteıtıŋ] 1. pres. p. от irritate I;
2. a раздража́ющий, вызыва́ющий раздраже́ние.

irritating II ['ırıteıtıŋ] pres. p. от irritate II.

irritation [‚ırı'teıʃən] n 1) раздраже́ние, гнев; 2) физиол., мед. раздраже́ние; возбужде́ние.

irritative ['ırıteıtıv] a раздража́ющий.

irruption [ı'rʌpʃən] n внеза́пное вторже́ние, набе́г, наше́ствие.

is [ız (по́лная фо́рма); z, s (редуци́рованные фо́рмы)] 3-е л. ед. ч. настоящего времени гл. to be.

Isabel, Isabella ['ızəbəl, ‚ızə'belə] n изабе́лла (сорт персиков и винограда) [см. тж. Список имён].

isabella [‚ızə'belə] n серова́то-жёлтый цвет.

Isaiah [aı'zaıə] n библ. Исай(я).

ischemia [ıs'ki:mıə] n мед. ишемия.

isinglass ['aızıŋgla:s] n 1) ры́бий клей; желати́н; 2) разг. слюда́ (тж. ~-stone).

Islam ['ızla:m] n исла́м.

Islamic [ız'læmık] a мусульма́нский, относя́щийся к исла́му, исламистский.

Islamite ['ızləmaıt] 1. n мусульма́нин;
2. a мусульма́нский, исламистский.

island ['aılənd] 1. n 1) о́стров; 2) что-л. изоли́рованное; 3) островок безопа́сности (для пешехо́дов; тж. safety ~); 4) анат. островок (обособленная группа клеток);
2. v изоли́ровать.

islander ['aıləndə] n островитя́нин, жи́тель о́строва.

isle [aıl] n о́стров (поэт.; в про́зе обы́кн. с и́менем со́бственным; напр.: I. of Wight о-в Уайт).

islet ['aılıt] n островок.

isn't ['ıznt] сокр. разг. = is not.

isobar ['aısouba:] n изоба́ра.

isochronal [aı'sɔkrənl] = isochronous.

isochronous [aı'sɔkrənəs] a одновреме́нный, одина́ково продолжи́тельный; повторя́ющийся че́рез одина́ковые (или ра́вные) промежу́тки; изохро́нный.

isoclinal [‚aısou'klaınəl] геогр. 1. n изоклина́ль;
2. a изоклина́льный.

isoclinic [‚aısou'klınık] a геогр. изоклина́льный.

isolate ['aısəleıt] v 1) изоли́ровать, отделя́ть, обособля́ть; подверга́ть каранти́ну; 2) хим. выделя́ть (из сме́си).

isolated ['aısəleıtıd] 1. p. p. от isolate;
2. a отде́льный, изоли́рованный; ~ sentence предложе́ние, вы́рванное из конте́кста; ~ case едини́чный слу́чай.

isolation [aısə'leıʃən] n 1) изоля́ция; 2) одино́чество; 3) attr.: ~ hospital инфекцио́нная больни́ца.

isolationism [‚aısə'leıʃnızəm] n изоляциони́зм.

isolator ['aısəleıtə] n изоля́тор.

isosceles [aı'sɔsıli:z] a мат. равнобе́дренный.

isotherm ['aısouθə:m] n изоте́рма.

isothermal [‚aısou'θə:məl] a изотерми́ческий.

isotope ['aısoutoup] n изото́п.

Israel ['ızreıəl] n евре́йский наро́д.

Israelite ['ızrıəlaıt] 1. n евре́й;
2. a евре́йский; изра́ильский.

issuance ['ısju:əns] n вы́ход, вы́пуск и пр. [см. issue 2].

issue ['ısju:] 1. n 1) вытека́ние, излия́ние, истече́ние; выделе́ние; an ~ of blood кровотече́ние; 2) вы́ход, выходно́е отве́рстие; у́стье реки́; 3) мед. иску́сственно подде́рживаемая ра́нка; 4) вы́пуск; изда́ние; today's ~ сего́дняшний но́мер (газеты и т. п.); 5) пото́мок; пото́мство; де́ти; without male ~ не име́ющий сынове́й; 6) исхо́д, результа́т (чего-л.); in the ~ в результа́те, в ито́ге; в коне́чном счёте; to abide the ~ ожида́ть результа́та; 7) спо́рный вопро́с; предме́т спо́ра, разногла́сие; ~ of fact юр. спо́рный вопро́с, когда́ оди́н из тя́жущихся отрица́ет то, что друго́й утвержда́ет как факт; ~ of law юр. разногла́сие относи́тельно пра́вильности примене́ния зако́на; to be at ~ а) быть в разногла́сии, в ссо́ре (о лю́дях); б) быть предме́том спо́ра, обсужде́ния; the point at ~ предме́т обсужде́ния, спо́ра; the question at ~ вопро́с, де́ло состои́т в том; to join ~ а) приступи́ть к пре́ниям; заспо́рить (with —с кем-л., о́по чём-л.); б) юр. переда́ть совме́стно на реше́ние суда́; в) приня́ть реше́ние, предло́женное друго́й стороно́й; to bring an ~ to a close разреши́ть вопро́с; 8) фин. эми́ссия; 9): government ~ казённого образца́ [см. тж. G. I.];
2. v 1) выходи́ть, вытека́ть, исходи́ть; 2) происходи́ть, получа́ться в результа́те (from —чего-л.); име́ть результа́том, конча́ться (in —чем-л.); the game ~d in a tie игра́

окончилась с равным счётом; 3) *уст.* родиться, происходить (*от кого-л.*); 4) выпускать, издавать; пускать в обращение (*деньги и т. п.*); 5) выходить (*об издании*); 6) выдавать, отпускать (*провизию, паёк, обмундирование*); 7) издавать (*приказ*).

**isthmus** ['ısməs] *n* 1) перешеек; 2) *анат., бот.* узкая соединительная часть (*чего-либо*).

**it** [ıt] **1.** *pron* 1) *pers.* (*косв. п. без измен.*) он, она, оно(*о предметах и животных*); here is your paper, read it вот ваша газета, читайте её; 2) *demonstr.* это; who is it? кто это?, кто там?; it's me, *уст.* it is I это я; 3) *impers.*: it rains идёт дождь; it is said говорят; it is known известно; 4) *в качестве подлежащего заменяет какое-л. подразумеваемое понятие*: it (= the season) is winter теперь зима; it (= the distance) is 6 miles to Oxford до Оксфорда 6 миль; it (=the scenery) is very pleasant here здесь очень хорошо; it is in vain напрасно; it is easy to talk like that легко так говорить; 5) *в качестве дополнения образует вместе с глаголами (как переходными, так и непереходными) разговорные идиомы; напр.*: to face it out не дать себя запугать; to foot it идти пешком; б) танцевать; to lord it разыгрывать лорда, важничать; to cab it ездить, ехать в кебе, в такси;

**2.** *n разг.* 1) идеал; последнее слово (*чего-л.*); верх совершенства; «изюминка»; in her new dress she was it в своём новом платье она была верх совершенства; she has «it» у неё есть «изюминка»; 2) *в детских играх* тот, кто должен ловить, искать других игроков, водящий.

**Italian** [ı'tæljən] **1.** *a* итальянский; ~ warehouse магазин бакалейных (*особ.* итальянских) товаров; **2.** *n* 1) итальянец; итальянка; 2) итальянский язык.

**Italianize** [ı'tæljənaız] *v* итальянизировать; подражать итальянцам.

**Italic** [ı'tælık] *a ист.* италийский; ~ order *архит.* романский ордер.

**italic** [ı'tælık] *полигр.* **1.** *a* курсивный; ~ type курсив; **2.** *n pl* курсив.

**italicize** [ı'tælısaız] *v* 1) выделять курсивом; 2) подчёркивать (*в рукописи*); выделять подчёркиванием; 3) подчёркивать, усиливать.

**itch** [ıtʃ] **1.** *n* 1) зуд; 2) чесотка; 3) зуд, жажда (*чего-л.*), нетерпеливое желание (*чего-л.*); an ~ for money (gain) жажда денег (наживы); an ~ to go away желание уйти;

**2.** *v* 1) чесаться, зудеть; 2) испытывать зуд, нетерпеливое желание; ◇ my fingers ~ to give him a thrashing у меня руки чешутся поколотить его; scratch him where he ~es уступи его слабостям.

**itching** ['ıtʃıŋ] **1.** *pres. p. от* itch 2; **2.** *a* зудящий; ◇ to have an ~ palm быть жадным до денег.

**itch-mite** ['ıtʃmaıt] *n* чесоточный клещ.

**itchy** ['ıtʃı] *a* вызывающий зуд; зудящий.

**item** ['aıtem] **1.** *n* 1) каждый отдельный предмет (*в списке и т. п.*); пункт, параграф, статья (*счёта, расхода*); вопрос (*на повестке заседания*); номер (*программы и т. п.*); to answer a letter ~ by ~ отвечать на письмо по пунктам; 2) газетная заметка, новость, сообщение;

**2.** *v* записывать по пунктам;

**3.** *adv* также, тоже; равным образом.

**itemize** ['aıtəmaız] *v* 1) *амер.* перечислять по пунктам; 2) *тех.* классифицировать, составлять спецификацию.

**iterance** ['ıtərəns] = iteration.

**iterant** ['ıtərənt] *a* повторяющийся.

**iterate** ['ıtəreıt] *v* повторять.

**iteration** [,ıtə'reıʃən] *n* повторение.

**iterative** ['ıtərətıv] *a* повторяющийся.

**Itie** ['aıtı] *n амер. sl. презр. прозвище итальянца.*

**itineracy** [ı'tınərəsı] = itinerancy.

**itinerancy** [ı'tınərənsı] *n* 1) странствование, переезд с места на место; 2) объезд (*округа и т. п.*) с целью произнесения речей, проповедей *и т. п.*

**itinerant** [ı'tınərənt] **1.** *n* тот, кто часто переезжает с места на место, объезжает свой округ (*о судье, проповеднике*).

**2.** *a* 1) странствующий; ~ musicians странствующие музыканты; 2) объезжающий свой округ.

**itinerary** [aı'tınərərı] **1.** *n* 1) маршрут, путь; 2) путевые заметки; 3) путеводитель;

**2.** *a* путевой, дорожный.

**itinerate** [ı'tınəreıt] *v* 1) странствовать; 2) объезжать свой округ (*о судье, проповеднике*).

**itineration** [ı,tınə'reıʃən] = itinerancy.

**it's** [ıts] *сокр. разг.* = it is.

**its** [ıts] *pron. poss.* (*о предметах и животных*) его, её; свой; принадлежащий ему, ей.

**itself** [ıt'self] *pron* (*pl* themselves; *о предметах и животных*) 1) *refl.* себя; -ся, -сь; себе; the light went out of ~ свет погас; by ~ само, отдельно; in ~ само по себе, по своей природе; of ~ само по себе, без связи с другими явлениями; 2) *emph.* сам, само, сама; she is kindness ~ она сама доброта; even the well ~ was empty даже в колодце не было ни капли воды.

**I've** [aıv] *сокр. разг.* = I have.

**ivied** ['aıvıd] *a* заросший, поросший плющом.

**ivory** ['aıvərı] *n* 1) слоновая кость; fossil ~ мамонтовая кость; 2) *pl разг.* предметы из слоновой кости: игральные кости, бильярдные шары, клавиши; 3) (*тж. pl*) *sl.* зубы; to show one's ivories смеяться, скалить зубы; 4) цвет слоновой кости; 5) *attr.* сделанный из слоновой кости; 6) *attr.* цвета слоновой кости.

**ivory black** ['aıvərı'blæk] *n* слоновая кость (*чёрная краска*).

**ivory-nut** ['aıvərınʌt] *n* слоновый орех.

**ivory-white** ['aıvərı'waıt] *a* цвета слоновой кости.

**ivy** ['aıvı] *n бот.* плющ (обыкновенный).

**ivy-bush** ['aıvıbuʃ] *n* 1) ветка плюща; 2) = bush I, 1, 5).

# J

**J, j** [dʒeɪ] *n* (*pl* Js, J's [dʒeɪz]) *10-я буква англ. алфавита;* ◇ J pen перо рондо́.

**jab** [dʒæb] **1.** *n* 1) толчо́к; пино́к; внеза́пный уда́р; 2) *воен.* ко́лющий уда́р;
**2.** *v* 1) толка́ть, пиха́ть, ты́кать; 2) вонза́ть, втыка́ть (into); 3) ударя́ть; пронза́ть; коло́ть (*штыко́м*).

**jabber** ['dʒæbə] **1.** *n* болтовня́; трескотня́; 2) бормота́ние; тарабарщина;
**2.** *v* 1) болта́ть, тарато́рить, треща́ть; 2) говори́ть бы́стро и невня́тно, бормота́ть.

**jabot** ['ʒæbou] *фр. n* гофриро́ванная *или* кружевна́я отде́лка на корса́же; жабо́.

**jacinth** ['dʒæsɪnθ] *n мин.* гиаци́нт.

**jack I** [dʒæk] **1.** *n* 1) (*тж.* J.) челове́к, па́рень; every man ~ ка́ждый (челове́к); J. and Gill (*или* Jill) па́рень и де́вушка; 2) = ~ tar; 3) (*тж.* J.) *уст.* рабо́тник, поде́нщик; 4) *карт.* вале́т; 5) *разг.* де́ньги; 6) *sl.* вое́нный полице́йский; 7) молода́я щу́ка; 8) *тех.* домкра́т; таль; рыча́г; клин; 9) прибо́р для повора́чивания ве́ртела; 10) ко́злы; сто́йка; 11) *эл.* гнездо́ телефо́нного коммута́тора; пружи́нный переключа́тель; 12) уравни́тель, компенса́тор; 13) ручно́й пневмати́ческий молото́к; перфора́тор для буре́ния; 14) колпа́к на дымово́й трубе́; 15) *мин.* ци́нковая обма́нка; ◇ J. of all trades на все ру́ки ма́стер; J. of all trades and master of none за всё бра́ться и ничего́ не уме́ть; before you could say J. Robinson ≋ в два счёта; и опо́мниться не успе́л; и а́хнуть не успе́л;
**2.** *v* поднима́ть домкра́том (*часто* ~ up); □ ~ up a) бро́сить, оста́вить; to ~ up one's job бро́сить свою́ рабо́ту; б); ~ed up изму́ченный; изнурённый.

**jack II** [dʒæk] *n мор.* гюйс, флаг; ◇ Union J. англи́йский флаг.

**jack III** [dʒæk] *n* 1) мех (*для вина и т. п.*); black ~ высо́кая пивна́я кру́жка; 2) *ист.* солда́тская ко́жаная ку́ртка без рукаво́в.

**Jack-a-dandy** [,dʒækə'dændɪ] *n* щёголь, франт, де́нди.

**jackal** ['dʒækɔːl] **1.** *n* 1) шака́л; 2) *разг.* литерату́рный поде́нщик; 3) *разг.* челове́к, де́лающий для друго́го чёрную, неприя́тную рабо́ту;
**2.** *v* исполня́ть чёрную, неприя́тную рабо́ту.

**jackanapes** ['dʒækəneɪps] *n* 1) наха́л; вы́скочка; 2) де́рзкий *или* бо́йкий ребёнок; 3) щёголь, фат; 4) *уст.* обезья́на.

**jackaroo** [,dʒækə'ruː] *n австрал. разг.* но́вый рабо́чий, новичо́к (*на овцево́дческой фе́рме*).

**jackass** ['dʒækæs] *n* 1) осёл; 2) [обыкн. 'dʒækɑːs] осёл, дура́к, болва́н.

**jackboot** ['dʒækbuːt] *n* сапо́г вы́ше коле́н; *ист.* ботфо́рт.

**jackdaw** ['dʒækdɔː] *n* га́лка; ◇ ~ in peacock's feathers воро́на в павли́ньих пе́рьях.

**jacket** ['dʒækɪt] **1.** *n* 1) ку́ртка; френч; жаке́т; Norfolk ~ тужу́рка с по́ясом; френч; Eton ~ коро́ткая чёрная ку́ртка (*преим. шко́льника*); 2) *ист.* камзо́л; 3) шку́ра (*живо́тного*); 4) кожура́ (*карто́феля*); шелуха́; potatoes boiled in their ~s карто́фель в мунди́ре; 5) па́пка, обло́жка; суперобло́жка (*кни́ги*); 6) *тех.* чехо́л, кожу́х (*маши́ны*); руба́шка (*парово́го котла́*); ◇ to dress down (*или* to trim, to warm, to dust) smb.'s ~ вздуть, поколоти́ть кого́-л.;
**2.** *v* 1) надева́ть чехо́л, кожу́х; 2) *sl.* поколоти́ть.

**jacketed** ['dʒækɪtɪd] **1.** *p. p. от* jacket 2;
**2.** *a* 1) оде́тый в жаке́т, ку́ртку; 2) *тех.* обши́тый, обло́женный; закры́тый кожухо́м.

**Jack Frost** ['dʒæk'frɔst] *n* Моро́з Кра́сный Нос; ма́тушка-зима́.

**jackhammer** ['dʒæk,hæmə] *n* отбо́йный молото́к; молотко́вый перфора́тор.

**jack-horse** ['dʒækhɔːs] *n* ко́злы, по́дмости.

**Jack in office** ['dʒækɪn,ɔfɪs] *n* ва́жничающий, самонаде́янный чино́вник.

**jack-in-the-box** ['dʒækɪnðəbɔks] *n* 1) попрыгу́нчик (*игру́шечная фигу́рка, выска́кивающая из коро́бки, когда́ открыва́ется кры́шка*); 2) род фейерве́рка; 3) *уст.* моше́нник, шу́лер; 4) *тех.* винтово́й домкра́т.

**Jack-in-the-green** ['dʒækɪnðəgriːn] *n* мужчи́на *или* ма́льчик в убра́нстве из и́вовых ветве́й и зелёных ли́стьев (*в пра́здник весны́*).

**Jack Ketch** ['dʒæk'ketʃ] *n* пала́ч.

**jack-knife** ['dʒæknaɪf] *n* большо́й складно́й нож.

**jack light** ['dʒæklaɪt] *n амер.* фона́рь (*для охо́ты или рыбной ло́вли но́чью*).

**jack-o'-lantern** ['dʒækə,læntən] *n* 1) блужда́ющий огонёк; 2) *амер.* фона́рь из ты́квы с проре́занными отве́рстиями в ви́де глаз, но́са и рта.

**jack-plane** ['dʒækpleɪn] *n тех.* шерхе́бель, руба́нок; струг.

**jackpot** ['dʒækpɔt] *n* 1) *карт.* банк, кото́рый разы́грывается то́лько в том слу́чае, когда́ у партнёра, начина́ющего игру́, на рука́х два вале́та; 2) куш; са́мый кру́пный вы́игрыш в лотере́е; 3) *амер.* затрудни́тельное положе́ние.

**jack-priest** ['dʒæk,priːst] *n презр.* свяще́нник.

**jack pudding** ['dʒæk'pudɪŋ] *n* шут; кло́ун.

**jack rabbit** ['dʒæk'ræbɪt] *n* кру́пный североамерика́нский за́яц.

**jack-screw** ['dʒæk,skruː] *n* (винтово́й) домкра́т.

**jack-snipe** ['dʒæk,snaɪp] *n* боло́тная ку́рочка.

**jack sprat** ['dʒæk,spræt] *n* ничто́жество.

**jack-staff** ['dʒæk,stɑːf] *n мор.* гю́йсшток.

**jack-stone** ['dʒæk,stoun] *n* 1) *pl* (*употр. как sing*) игра́ в ка́мешки; 2) ка́мешек для э́той игры́.

**jack-straw** ['dʒæk,strɔː] *n* 1) чу́чело; 2) ничто́жество; 3) *pl* игра́ вро́де бирю́лек; ◇ not to care a ~ ни во что́ не ста́вить.

**jack tar** [ˈdʒækˈtɑː] *n* матро́с.

**jack-towel** [ˈdʒæk,tauəl] *n* полоте́нце (*общего пользования, на ролике*).

**Jacobean** [,dʒækəˈbːən] *a* относя́щийся к эпо́хе англи́йского короля́ Я́кова I (*1603—1625 гг.*).

**Jacobin** [ˈdʒækəbɪn] *n* 1) доминика́нец (*монах*); 2) *ист.* якоби́нец.

**jacobin** [ˈdʒækəbɪn] *n* хохла́тый го́лубь.

**Jacobinic(al)** [,dʒækəˈbɪnɪk(əl)] *a ист.* якоби́нский.

**Jacobite** [ˈdʒækəbaɪt] *n ист.* якоби́т.

**Jacob's ladder** [ˈdʒeɪkəbzˈlædə] *n* 1) *библ.* ле́стница Иа́кова; 2) *разг.* крута́я ле́стница; 3) *мор.* верёвочная ле́стница; скок-ва́нт; вант-тра́п; 4) *бот.* синю́ха голуба́я.

**Jacob's staff** [ˈdʒeɪkəbzˈstɑːf] *n* 1) *библ.* по́сох Иа́кова; 2) астроля́бия; град-што́к.

**jacobus** [dʒəˈkoubəs] *n ист.* золота́я моне́та XVII в. с изображе́нием Я́кова I.

**jaconet** [ˈdʒækənət] *n* лёгкая бума́жная ткань ти́па бати́ста.

**Jacquard loom** [ˈdʒækɑːd,luːm] *n* жакка́рдов тка́цкий стано́к.

**jacqueminot** [ˈdʒækmɪnou] *фр. n* многоле́тняя кра́сная ро́за.

**jacquerie** [,ʒɑːkˈriː] *фр. n ист.* жакери́я.

**jactation** [dʒækˈteɪʃən] = jactitation.

**jactitation** [,dʒæktɪˈteɪʃən] *n* 1) хвастовство́, бахва́льство; 2) *юр.* ло́жное заявле́ние, иду́щее во вред друго́му лицу́; *особ.* ло́жное заявле́ние о я́кобы состоя́вшейся жени́тьбе; 3) *мед.* су́дорожные подёргивания; мета́ние (*в бреду*).

**jade I** [dʒeɪd] 1. *n* 1) кля́ча; 2) шлю́ха; 3) *шутл.* шельма, него́дница.
2. *v* 1) заѐздить (*лошадь*); 2) *разг.* изму́чить(ся); преврати́ться в кля́чу.

**jade II** [dʒeɪd] *n* 1) *мин.* гага́т; нефри́т; 2) желтова́то-зелёный цвет.

**jaded** [ˈdʒeɪdɪd] 1. *p. p. om* jade I, 2; 2. *a* 1) изнурённый, изму́ченный; 2) пресы́тившийся.

**Jaeger** [ˈjeɪgə] *n* е́геровская ткань, шерстяно́й трикота́ж для белья́.

**jag I** [dʒæg] 1. *n* 1) о́стрый вы́ступ, зубе́ц; о́страя верши́на (*утёса*); 2) зазу́брина; 3) дыра́, проре́ха (*в платье*); 4) *pl уст.* лохмо́тья.
2. *v* 1) де́лать зазу́брины, выреза́ть зубца́ми; кромса́ть.

**jag II** [dʒæg] *n* 1) *диал.* небольшо́й воз (*сена, дров*); 2) *sl.* попо́йка, вы́пивка; to have a ~ on быть вы́пивши, «нагрузи́ться»; a crying ~ пья́ная исте́рика.

**jagg** [dʒæg] = jag II.

**jagged I** 1. [ˈdʒægd] *p. p. om* jag I, 2; 2. *a* [ˈdʒægɪd] зубча́тый, зазу́бренный, зазубшённый; неро́вно ото́рванный.

**jagged II** [ˈdʒægɪd] *a амер. sl.* пья́ный.

**jaggery** [ˈdʒægərɪ] *n англо-инд.* па́льмовый са́хар.

**jaggy** [ˈdʒægɪ] = jagged I, 2.

**jaguar** [ˈdʒægjuə] *n* ягуа́р.

**jail** [dʒeɪl] 1. *n* 1) тюрьма́; 2) тюре́мное заключе́ние; to break ~ бежа́ть из тюрьмы́;
2. *v* заключа́ть в тюрьму́.

**jailbird** [ˈdʒeɪlbəd] *n* ареста́нт; уголо́вник; закоренѐлый престу́пник.

**jail delivery** [ˈdʒeɪldɪˈlɪvərɪ] *n* 1) отпра́вка из тюрьмы́ на суд; 2) освобожде́ние из тюрьмы́; 3) *амер.* побѐг заключённых.

**jailer** [ˈdʒeɪlə] *n* тюре́мщик.

**Jain** [dʒaɪn] *n* член инду́сской се́кты джа́йна (*близкой к буддизму*).

**jalap** [ˈdʒæləp] *n* слаби́тельное из мексика́нского расте́ния яла́пы.

**jal(l)opy** [dʒəˈlɔpɪ] *n амер. разг.* полуразвали́вшийся ве́тхий автомоби́ль или самолёт.

**jalousie** [ˈʒæluːziː] *фр. n* жалюзи́, што́ры; ста́вни.

**jam I** [dʒæm] 1. *n* 1) сжа́тие, сжима́ние; 2) защемле́ние; 3) загроможде́ние, зато́р, да́вка; traffic ~ «про́бка», зато́р (*в уличном движении*); 4) *разг.* затрудни́тельное *или* нело́вкое положе́ние; «у́зкое ме́сто»; 5) *тех.* заеда́ние, остано́вка, перебо́и; 6) *радио* поме́ха при приёме;
2. *v* 1) зажима́ть, сжима́ть; жать, дави́ть; 2) защемля́ть, прищемля́ть; he ~ med his fingers in the door он прищеми́л па́льцы две́рью; 3) впи́хивать, вти́скивать (into); 4) набива́ть(ся) битко́м; 5) загроможда́ть, запру́живать; 6) *тех.* заеда́ть, закли́ниваться, остана́вливать(ся) (*о машине или т. п.*); 7) *радио* искажа́ть переда́чу; меша́ть рабо́те друго́й ста́нции; глуши́ть; □ ~ through *амер.* прота́скивать; to ~ a bill through протащи́ть законопрое́кт.

**jam II** [dʒæm] *n* варе́нье; джем; ◊ real ~ *sl.* ≅ па́льчики обли́жешь; удово́льствие, наслажде́ние.

**jama(h)** [ˈdʒɑːmə] *n англо-инд.* дли́нная хлопчатобума́жная оде́жда инду́сов.

**Jamaica** [dʒəˈmeɪkə] *n* (яма́йский) ром [*см. тж. Список географических названий*].

**jamb** [dʒæm] *n* 1) кося́к (*двери, окна*); 2) (*обыкн. pl*) боковы́е сте́нки ками́на; 3) *ист.* ножны́е ла́ты; 4) подста́вка, опо́ра; 5) *геол.* масси́в пусто́й поро́ды, пересека́ющий жи́лу поле́зного ископа́емого.

**jamboree** [,dʒæmbəˈriː] *n разг.* 1) весе́лье; пра́зднество, пиру́шка; 2) слёт (*особ. бойска́утов*).

**jam-jar** [ˈdʒæmdʒɑː] *n* ба́нка (для) варе́нья.

**jammer** [ˈdʒæmə] *n радио* ста́нция умы́шленных поме́х.

**jamming** [ˈdʒæmɪŋ] 1. *pres. p. om* jam I, 2; 2. *n* 1) зато́р, «про́бка» (*в уличном движе́нии*); 2) *тех.* заеда́ние; защемле́ние; зажима́ние; 3) *радио* взаи́мные поме́хи радиоста́нций при приёме; заглуше́ние радиопереда́чи.

**jam-up** [ˈdʒæmʌp] *n* зато́р, «про́бка» (*в уличном движе́нии*).

**Jane, jane** [dʒeɪn] *n амер. sl.* бабёнка.

**jangle** [ˈdʒæŋgl] 1. *n* 1) ре́зкий звук; гул, гам, сли́тный шум голосо́в; нестро́йный звон колоколо́в; 2) *уст.* перека́ния, ссо́ра, спор;
2. *v* 1) издава́ть ре́зкие, нестро́йные зву́ки; нестро́йно звуча́ть; 2) шу́мно, ре́зко говори́ть; 3) *уст.* спо́рить, перека́ться.

**janissary** [ˈdʒænɪsərɪ] = janizary.

**janitor** ['dʒænɪtə] *n* 1) привра́тник, швей-ца́р; 2) *амер.* дво́рник, убо́рщик, сто́рож; управля́ющий до́мом.

**janizary** ['dʒænɪzərɪ] *n ист.* яныча́р.

**Jansenism** ['dʒænsnɪzəm] *n ист.* янсени́зм.

**January** ['dʒænjuərɪ] *n* 1) янва́рь; 2) *attr.* янва́рский.

**Janus** ['dʒeɪnəs] *n миф.* Я́нус.

**Jap** [dʒæp] *разг. см.* Japanese.

**japan** [dʒə'pæn] 1. *n* 1) чёрный лак (*особ.* япо́нский); 2) лакиро́ванное япо́нское изде́-лие;

2. *v* лакирова́ть, покрыва́ть чёрным ла́ком.

**Japanese** [,dʒæpə'niːz] 1. *a* япо́нский; ~ lantern япо́нский фона́рик; ~ varnish tree ла́ковое де́рево;

2. *n* 1) япо́нец; япо́нка; the ~ *pl собир.* япо́нцы; 2) япо́нский язы́к.

**Japanesque** [,dʒæpə'nesk] *a* в япо́нском сти́ле.

**jape** [dʒeɪp] 1. *n* шу́тка;

2. *v* 1) шути́ть; 2) *редк.* высме́ивать.

**Japhetic** [dʒeɪ'fetɪk] *a лингв.* яфети́ческий.

**japonic** [dʒə'pɒnɪk] = Japanese 1.

**jar I** [dʒɑː] 1. *n* 1) неприя́тный, ре́зкий *или* дребезжа́щий звук; 2) сотрясе́ние, дрожа́-ние, дребезжа́ние; 3) потрясе́ние; неприя́тный эффе́кт; the news gave me a nasty ~ э́то изве́стие неприя́тно порази́ло меня́; 4) дисгармо́ния; 5) несогла́сие; ссо́ра; 6) *тех.* вибра́ция;

2. *v* 1) издава́ть неприя́тный, ре́зкий звук; дребезжа́ть; 2) вызыва́ть дрожа́ние, дре-безжа́ние (upon, against); сотряса́ть; 3) раздража́ть, коро́бить, де́йствовать на не́р-вы (upon); to ~ (up)on a person раздра-жа́ть кого́-л.; 4) дисгармони́ровать, ста́л-киваться (*часто* ~ with); our opinions al-ways ~red на́ши мне́ния всегда́ расходи́-лись; 5) ссо́риться; 6) *тех.* вибри́ровать; 7) *горн.* бури́ть уда́рным бу́ром.

**jar II** [dʒɑː] *n* 1) ба́нка; кувши́н; кру́жка; 2) *эл.:* Leyden ~ ле́йденская ба́нка; 3) ме́-ра жи́дкости (= *8 пинтам* = *4,54 л*).

**jar III** [dʒɑː] *n:* on the ~ *разг.* приоткры́-тый (*о двери и т. п.*).

**jardinière** [,ʒɑːdɪ'njɛə] *фр. n* жардинь-е́рка.

**jargon** ['dʒɑːgən] *n* 1) жарго́н; 2) непоня́т-ный язы́к, тараба́рщина.

**jargonelle** [,dʒɑːgə'nel] *n* гру́ша-скоро-спе́лка.

**jargonize** ['dʒɑːgənaɪz] *v* употребля́ть в разгово́ре жарго́нные выраже́ния *или* про-фессиона́льные те́рмины.

**jarovization** [,dʒɑːrəvɪ'zeɪʃən] *рус. n* яро-виза́ция.

**jarovize** ['dʒɑːrəvaɪz] *рус. v* яровизи́ровать.

**jasmin(e)** ['dʒæsmɪn] *n* жасми́н.

**jasper** ['dʒæspə] *n мин.* я́шма.

**jato** ['dʒeɪtou] *n ав.* дополни́тельные реак-ти́вные дви́гатели, придаю́щие самолёту бо́льшую ско́рость при взлёте.

**jaundice** ['dʒɔːndɪs] 1. *n* 1) *мед.* желту́ха, разли́тие жёлчи; 2) жёлчность; 3) недобро-жела́тельство; предвзя́тость; 4) за́висть; ре́вность;

2. *v* 1) *редк.* вызыва́ть разли́тие жёлчи; 2) (*обыкн. р. р.*) вызыва́ть ре́вность, за́висть.

**jaundiced** ['dʒɔːndɪst] 1. *p. p. от* jaundice 2;

2. *a* 1) *мед.* поражённый желту́хой; 2) жёлтый, жёлтого цве́та; ◇ to take a ~ view взгляну́ть предвзя́то, пристра́стно (*на что-л.*).

**jaunt** [dʒɔːnt] 1. *n* увесели́тельная про-гу́лка *или* пое́здка;

2. *v* предпринима́ть увесели́тельную про-гу́лку *или* пое́здку.

**jaunting-car** ['dʒɔːntɪŋkɑː] *n* двухколёс-ный ирла́ндский экипа́ж.

**jaunty** ['dʒɔːntɪ] *a* 1) весёлый, бо́йкий; 2) самодово́льный; небре́жно развя́зный; 3) беспе́чный; 4) изы́сканный, сти́льный; изя́щный.

**Javanese** [,dʒɑːvə'niːz] 1. *a* ява́нский;

2. *n* 1) ява́нец; ява́нка; the ~ *pl собир.* ява́нцы; 2) ява́нский диале́кт.

**javelin** ['dʒævlɪn] *n* 1) мета́тельное копьё, дро́тик; 2) *attr.:* ~ formation *ав.* со́мкнутая коло́нна зве́ньев.

**javelin-throwing** ['dʒævlɪn'θrouɪŋ] *n* ме-та́ние копья́.

**jaw** [dʒɔː] 1. *n* 1) че́люсть; 2) *pl* рот, пасть; in the ~s of death ≅ в когтя́х сме́рти; 3) *pl* у́зкий вход (*долины, залива*); 4) *разг.* болтли́вость; 5) ску́чное нравоуче́ние; 6) *sl.* скверносло́вие; 7) *тех.* захва́т, зажи́м, щека́ (*тисков*); 8) *тех.* че́люсть, зев (*дро-билки*); 9) *attr.:* ~ clutch, ~ coupling *тех.* кула́чная му́фта; ◇ to have a ~ поболта́ть; hold your ~! *груб.* (по)придержи́ язы́к!; затки́ глотку!; замолчи́!;

2. *v* 1) говори́ть (*особ.* до́лго и ску́чно); пережёвывать одно́ и то́ же; 2) чита́ть нравоуче́ние, отчи́тывать; 3) *sl.* руга́ться, скверносло́вить.

**jaw-bacon** ['dʒɔː,beɪkn] *n разг.* умудрён-ный о́пытом челове́к, стари́к.

**jaw-breaker** ['dʒɔː,breɪkə] *n разг.* тру́дно произноси́мое сло́во; ≅ язы́к слома́ешь.

**jaw vice** ['dʒɔːvaɪs] *n тех.* зажи́мные тиски́.

**jay** [dʒeɪ] *n* 1) со́йка (*птица*); 2) *разг.* глу́пый болту́н; балабо́лка; 3) проста́к.

**jaywalk** ['dʒeɪ,wɔːk] *v разг.* неосторо́жно переходи́ть у́лицу.

**jay-walker** ['dʒeɪ,wɔːkə] *n разг.* неосто-ро́жный пешехо́д.

**jazz** [dʒæz] 1. *n* 1) джаз; 2) та́нец, испол-ня́емый под джа́зовую му́зыку; 3) *амер.* весёлость, жи́вость, эне́ргия; 4) я́ркие кра́ски; пестрота́;

2. *a* 1) джа́зовый; 2) крича́щий, гру́бый;

3. *v* 1) исполня́ть джа́зовую му́зыку; 2) танцева́ть под джаз.

**jazz band** ['dʒæz'bænd] *n* джаз-ба́нд, джаз-орке́стр.

**jazzy** ['dʒæzɪ] = jazz 2.

**jealous** ['dʒeləs] *a* 1) ревни́вый; ревну́ющий (of); to be ~ ревнова́ть; to be ~ of one's wife ревнова́ть жену́; 2) зави́стливый, зави́-дующий; 3) ре́вностный, забо́тливый; 4) ревни́во оберега́ющий (of—*что-л.*).

**jealousy** ['dʒeləsɪ] *n* 1) ре́вность; ревни́-вость; 2) подозри́тельность; 3) за́висть.

**jean** *n* 1) [dʒeɪn] ки́перная, бума́жная ткань, род бумазе́и; 2) *pl* [dʒiːnz] коро́ткие брю́ки; рабо́чий костю́м.

**jeep** [dʒiːp] 1. *n* 1) ¼-тóнный автомобиль повышенной проходимости, «джип»; 2) небольшой разведывательный самолёт; 3) *разг.* новобранец, новичóк;

2. *v* 1) ездить на «джипе»; 2) везти на «джипе».

**jeepville** ['dʒiːpvɪl] *n амер. sl.* барáк для новобранцев.

**jeer I** [dʒɪə] 1. *n* 1) презрительная насмешка, глумление; 2) язвительное замечáние, кóлкость;

2. *v* насмехáться, глумиться, высмеивать, зло подшучивать (at—над).

**jeer II** [dʒɪə] *n (обыкн. pl) мор.* тáли для подъёма нижних рей.

**jehad** [dʒɪ'hɑːd] = jihad.

**Jehovah** [dʒɪ'houvə] *n библ.* Иеговá.

**Jehu** ['dʒiːhjuː] *n шутл.* возница; извóзчик.

**jejune** [dʒɪ'dʒuːn] *a* 1) тóщий, скýдный; ~ diet голóдная диéта; 2) бесплóдный (*о почве*); 3) скýчный; сухóй, неинтерéсный; ◇ ~ dictionary словáрь-лилипýт.

**jejunum** [dʒɪ'dʒuːnəm] *n мед.* тóщая кишкá.

**jell** [dʒel] 1. *n разг. см.* jelly 1;

2. *v* 1) = jelly 2; 2) *перен.* выкристаллизóвываться, устанáвливаться; public opinion has ~ed on that question по этому вопрóсу существýет определённая тóчка зрéния; the conversation wouldn't ~ разговóр не клéился.

**jellify** ['dʒelɪfaɪ] = jelly 2.

**jelly** ['dʒelɪ] 1. *n* 1) желé; 2) стýдень;

2. *v* 1) превращáть в желé, в стýдень; 2) застывáть.

**jelly-fish** ['dʒelɪfɪʃ] *n* 1) *зоол.* медýза; 2) *амер.* бесхарáктерный, мягкотéлый человéк.

**jellygraph** ['dʒelɪgrɑːf] *n* копировáльный аппарáт.

**jelly-like** ['dʒelɪlaɪk] *a* студенистый, желеобрáзный.

**jemadar** ['dʒemədɑː] *n англо-инд.* 1) млáдший офицéр-тузéмец; тузéмец-лейтенáнт; 2) полицéйский; 3) дворéцкий.

**jemmy** ['dʒemɪ] *n* 1) воровскóй лом «фóмка»; отмычка; 2) барáнья головá (*кушанье*); 3) *диал.* шинéль, пальтó.

**jennet** ['dʒenɪt] *n* низкорóслая испáнская лóшадь.

**jenneting** ['dʒenɪtɪŋ] *n* сорт рáнних яблок.

**jenny** ['dʒenɪ] *n* 1) *иногда прибавляется к названиям животных для указания женского рода, напр.*: ~-ass ослица; 2) *тех.* лебёдка; мостовóй подъёмный кран; 3) = spinning-jenny.

**jenny-ass** ['dʒenɪæs] *n* ослица.

**jenny wren** ['dʒenɪren] *n* сáмка королькá (*птица*).

**jeopard** ['dʒepəd] *амер.* = jeopardize.

**jeopardize** ['dʒepədaɪz] *v* подвергáть опáсности, рисковáть; to ~ one's life рисковáть жизнью.

**jeopardous** ['dʒepədəs] *a* рискóванный, опáсный.

**jeopardy** ['dʒepədɪ] *n* опáсность, риск; to be in ~ быть в опáсности; to put in ~ стáвить под угрóзу, подвергáть опáсности.

**jerboa** [dʒəː'bouə] *n зоол.* (африкáнский) тушкáнчик.

**jeremiad** [,dʒerɪ'maɪəd] *n* иеремиáда.

**Jericho** ['dʒerɪkou] *n библ.* Иерихóн; ◇ go to ~! убирáйся к чёрту!

**jerk I** [dʒəːk] 1. *n* 1) рéзкое движéние, толчóк; to get a ~ on поторопиться, поспешить; 2) судорожное подёргивание, вздрáгивание; the ~s конвýльсии; 3) *амер.* сатурáтор; soda ~ сатурáтор для газирóванной воды; 4) *амер. разг.* опсляк, ничтóжество; 5) *attr.* ухáбистый (*о дороге*);

2. *v* 1) рéзко толкáть, дёргать; 2) двигáться рéзкими толчкáми; 3) говорить отрывисто; 4) *амер.* разливáть газирóванную вóду.

**jerk II** [dʒəːk] *v* вялить мясо длинными тóнкими кускáми.

**jerked I** [dʒəːkt] *p. p. от* jerk I, 2.

**jerked II** [dʒəːkt] 1. *p. p. от* jerk II; 2. *a* вяленый; ~ beef вяленое мясо.

**jerkin** ['dʒəːkɪn] *n ист.* корóткая (*обыкн.* кóжаная) мужскáя кýртка (*вроде жилета*), камзóл.

**jerky I** ['dʒəːkɪ] 1. *a* 1) двигающийся рéзкими толчкáми; тряский; 2) отрывистый; 3) капризный, нетерпеливый;

2. *n амер.* тряский безрессóрный экипáж *или* вагóн.

**jerky II** ['dʒəːkɪ] *n* вяленое мясо.

**Jeroboam** [,dʒerə'bouəm] *n* большáя чáша, большáя винная бутыль (= 8—12 бутылкам обыкновенного размера).

**jerque** [dʒəːk] *v* проверять судовые докумéнты и груз.

**Jerry** ['dʒerɪ] *n воен. sl.* нéмец; немéцкий солдáт *или* самолёт.

**jerry** ['dʒerɪ] *n sl.* ночнóй горшóк.

**jerry-building** ['dʒerɪ,bɪldɪŋ] *n* 1) возведéние непрóчных построек из плохого материáла (*со спекулятивными целями*); 2) непрóчная постройка.

**jerry-built** ['dʒerɪbɪlt] *a* пострóенный на скóрую рýку, кóе-кáк.

**jerrymander** ['dʒerɪ,mændə] *шутл. см.* gerrymander.

**jerry-shop** ['dʒerɪʃɔp] *n sl.* пивнáя низшего разрядá.

**jersey** ['dʒəːzɪ] *n* 1) фуфáйка; вязаная кóфта; 2) глáдкое трикотáжное полотнó; 3) тóнкая шерстянáя пряжа, джерсé; 4) джерсéйская порóда молóчного скотá.

**jess** [dʒes] 1. *n (обыкн. pl)* пýты на ногáх ручнóго сóкола; *перен.* пýты;

2. *v* надевáть пýты (на сокола).

**jessamine** ['dʒesəmɪn] = jasmin(e).

**jest** [dʒest] 1. *n* 1) шýтка, острóта; in ~ в шýтку; 2) насмéшка, высмéивание; 3) объéкт насмéшек, посмéшище; standing ~ постоянный объéкт шýток; ◇ mɑпу a true word is spoken in ~ *посл.*≈в кáждой шýтке есть дóля прáвды;

2. *v* 1) шутить; 2) насмехáться, высмéивать.

**jest-book** ['dʒestbuk] *n* собрáние шýток, анекдóтов.

**jester** ['dʒestə] *n* 1) шутник; 2) шут.

**jesting** ['dʒestɪŋ] 1. *pres. p. от* jest 2; 2. *a* 1) шýточный, шутливый; a ~ remark шутливое замечáние, шýтка; 2) любящий шýтку; с юмором; a ~ fellow шутник.

**Jesuit** ['dʒezjuɪt] *n* иезуит; ◇ ~'s bark хинá.

**Jesuitic(al)** [,dʒezju'ıtık(əl)] *a* 1) иезуйтский; 2) коварный, лицемерный.

**Jesuitism** ['dʒezjuıtızəm] *n* иезуйтство, лицемерие, казуйстика.

**Jesuitry** ['dʒezjuıtrı] = Jesuitism.

**Jesus** ['dʒiːzəs] *n библ.* Иисус.

**jet** I [dʒet] *n* 1) *мин.* гагат, чёрный янтарь; 2) блестящий чёрный цвет.

**jet** II [dʒet] 1. *n* 1) струя *(воды, пара, газа)*; 2) *тех.* жиклёр, форсунка, патрубок; 3) *воен.* дальность выстрела; 4) реактивный двигатель; 5) *разг.* реактивный самолёт; 6) *attr.* реактивный; ◇ at the first ~ по первому побуждению;
2. *v* 1) выпускать струёй; 2) брызгать, бить струёй.

**jet-black** ['dʒet'blæk] *a* чёрный как смоль.

**jet-fighter** ['dʒet,faıtə] *n* реактивный истребитель.

**jet plane** ['dʒetpleın] *n* реактивный самолёт.

**jet-prop** ['dʒet'prɔp] *a ав.* реактивный.

**jet-propelled** ['dʒetprə'peld] *a* с реактивным двигателем; ~ plane реактивный самолёт; ~ projectile реактивный снаряд.

**jet propulsion** ['dʒetprə'pʌlʃən] *n* 1) реактивный двигатель; 2) реактивное движение.

**jetsam** ['dʒetsəm] *n* груз, товары, сброшенные с корабля при аварии (и прибитые к берегу) *[ср.* flotsam].

**jetstone** ['dʒetstoun] *n мин.* чёрный турмалин.

**jettison** ['dʒetısn] 1. *n* выбрасывание *(груза)* за борт во время бедствия;
2. *v* 1) выбрасывать *(груз)* за борт; 2) *ав.* сбрасывать *(груз бомб)*; 3) отделываться *(от какой-л. помехи)*; 4) отвергать *(что-л.)*; to ~ a bill отказываться от законопроекта вследствие затруднительности его проведения.

**jetton** ['dʒetən] *n* жетон.

**jetty** I ['dʒetı] = jet-black.

**jetty** II ['dʒetı] *n* 1) дамба; 2) мол, пристань; 3) выступ здания; эркер, закрытый балкон.

**Jew** [dʒuː] *n* еврей, иудей.

**jewel** ['dʒuːəl] 1. *n* 1) драгоценный камень; 2) ювелирное изделие; *pl* драгоценности; 3) сокровище; 4) камень *(в часах)*;
2. *v* 1) украшать драгоценными камнями; 2) вставлять камни *(в часовой механизм)*.

**jewel-box** ['dʒuːəlbɔks] *n* футляр для ювелирных изделий.

**jewel-case** ['dʒuːəlkeıs] = jewel-box.

**jewel-house** ['dʒuːəlhaus] *n* сокровищница британской короны.

**jeweller** ['dʒuːələ] *n* ювелир.

**jewellery, jewelry** ['dʒuːəlrı] *n* 1) драгоценности; ювелирные изделия; 2) ювелирное искусство.

**Jewess** ['dʒuːıs] *n* еврейка, иудейка.

**Jewish** ['dʒuːıʃ] *a* еврейский, иудейский.

**Jewry** ['dʒuərı] *n* 1) евреи; 2) еврейство; 3) *ист.* гетто, еврейский квартал.

**Jew's-harp** ['dʒuːz'hɑːp] *n* варган *(муз. инструмент)*.

**Jew's pitch** ['dʒuːzpıtʃ] *n мин.* асфальт.

**Jezebel** ['dʒezəbl] *n разг.* кокотка.

**jib** I [dʒıb] 1. *n* 1) *мор.* кливер; 2) *тех.*

поперечина, укосина, стрела грузоподъёмного крана; ◇ the cut of one's ~ внешность человека, манера одеваться *и т. п.*;
2. *v мор.* перебрасывать парус; переваливаться *(о парусе)*.

**jib** II [dʒıb] 1. *n* норовистая лошадь;
2. *v* внезапно останавливаться, упираться; топтаться на месте; □ ~ at а) колебаться сделать *что-л.*; б) выказывать нерасположение к *чему-л., кому-л.*

**jibber** I ['dʒıbə] = jib II, 1.

**jibber** II ['dʒıbə] = jabber 2.

**jib-boom** ['dʒıb'buːm] *n мор.* утлегарь.

**jib-crane** ['dʒıb'kreın] *n* поворотный кран, кран со стрелой.

**jib door** ['dʒıb'dɔː] *n* 1) потайная дверь; 2) *стр.* скрытая дверь.

**jibe** I [dʒaıb] = gibe.

**jibe** II [dʒaıb] = jib I, 2 *и* gybe.

**jibe** III [dʒaıb] *v разг.* 1) соглашаться; 2) согласоваться; соответствовать; his words and actions do not ~ у него слова расходятся с делом.

**jiff(y)** ['dʒıf(ı)] *n разг.* миг, мгновение; wait (half) a ~ подождите минутку; in a ~ мигом; одним духом.

**jig** I [dʒıg] 1. *n* джига *(танец и музыкальная форма)*; ◇ the ~ is up пришло время держать ответ;
2. *v* 1) танцевать джигу; 2) быстро двигаться взад и вперёд.

**jig** II [dʒıg] 1. *n* 1) *тех.* мелкий ручной инструмент; зажимное приспособление; сборочное приспособление; кондуктор; шаблон; 2) *полигр.* матрица; 3) *стр.* балка, переводина; 4) *текст.* роликовая красильная машина; 5) *горн.* отсадочная машина; 6) приманка *(в рыбной ловле и т. п.)*;
2. *v* 1) промывать руду; 2) сортировать.

**jigger** I ['dʒıgə] *n* 1) рабочий, промывающий руду; сортировщик; 2) небольшой стакан для вина; 3) *разг.* чудак; 4) *тех.* грохот; машина со встряхиванием; 5) *горн.* отсадочная машина; 6) *радио* высокочастотный трансформатор с переменной связью; 7) *мор.* джиггер, джиггер-мачта; 8) *мор.* хват-тали; 9) *мор.* выносная бизань; иол с выносной бизанью; 10) ажурная пила; 11) = jig II, 1, 4); 12) гончарный круг; ◇ not worth a ~ ≅ яйца выеденного не стоит.

**jigger** II ['dʒıgə] *n* 1) танцор, исполняющий джигу; 2) кукольник *(в кукольном театре)*.

**jigger** III ['dʒıgə] = chigoe.

**jigger** IV ['dʒıgə] *v (тк. pass.)*: well, I'm ~ed! ≅ чёрт меня побери!

**jigger-mast** ['dʒıgəmɑːst] = jigger I, 7).

**jiggery-pokery** ['dʒıgərı'poukərı] *n* 1) *разг.* интриги, козни; 2) вздор, ерунда, чепуха.

**jiggle** ['dʒıgl] 1. *n* покачивание;
2. *v* покачивать(ся).

**jig-saw** ['dʒıgsɔː] *n тех.* ажурная пила; машинная ножовка; ◇ ~ puzzle составная картинка-загадка.

**jihad** [dʒı'hɑːd] *араб. n* 1) газават, священная война *(против немусульман)*; 2) кампания за *или* против чего-л., (крестовый) поход.

**Jill** [dʒɪl] = Gill.

**jilt** [dʒɪlt] **1.** *n* 1) бездушная кокетка; обманщица; 2) *редк.* мужчина, завлекающий и бросающий женщину;
2. *v* увлечь и обмануть.

**Jim-Crow** ['dʒɪm'krou] *n амер. презр.* 1) негр; 2) *attr.*: ~ car особый вагон для негров; ~ policy политика дискриминации негров в США.

**Jim-Crowism** ['dʒɪm'krouizəm] *n амер.* система дискриминации негров в США.

**jim-dandy** ['dʒɪm'dændɪ] *a амер. разг.* превосходный, прекрасный.

**jim-jams** ['dʒɪmdʒæmz] *n pl sl.* белая горячка.

**jimmy** ['dʒɪmɪ] *n амер.* **1.** *n* 1) *горн.* тележка для возки угля; 2) воровской лом «фомка», отмычка;
2. *v* взламывать ломом.

**jimp** [dʒɪmp] *a шотл.* 1) стройный, тонкий; 2) изящный; 3) скудный.

**Jimson weed** ['dʒɪmsnwiːd] *n бот.* дурман (обыкновенный).

**jingle** ['dʒɪŋgl] **1.** *n* 1) звон, звяканье; побрякивание; 2) созвучие, аллитерация; 3) ирландская *или* австралийская крытая двухколёсная повозка;
2. *v* 1) звенеть, звякать; 2) изобиловать созвучиями, аллитерациями.

**jingo** ['dʒɪŋgou] **1.** *n* (*pl* -oes [-ouz]) ура-патриот, шовинист; джингоист; ◇ by ~! чёрт побери!;
2. *a* шовинистический.

**jingoism** ['dʒɪŋgouizəm] *n* ура-патриотизм, агрессивный шовинизм; джингойзм.

**jink** [dʒɪŋk] **1.** *n* 1) уклонение, уловка, увёртка; 2) *pl*: high ~s шумное, бурное веселье;
2. *v* 1) увёртываться, уклоняться, избегать; 2) *воен. sl.* уйти от огня зенитной артиллерии.

**jinn** [dʒɪn] *pl от* jinnee.

**jinnee** [dʒɪ'niː] *n* (*pl* jinn, *часто употр. как sing*) *миф.* джин.

**jinny** ['dʒɪnɪ] *n горн.* 1) тягальная лебёдка; 2) наклонный путь для вагонеток с рудой.

**jinrick(i)sha** [dʒɪn'rɪk(ɪ)ʃə] *яп. n* (джин-)рикша (*двуколка, которую везёт человек*).

**jinx** [dʒɪŋks] *n sl.* человек *или* вещь, приносящие несчастье.

**jitney** ['dʒɪtnɪ] *амер. sl.* **1.** *n* 1) пять центов; 2) дешёвое маршрутное такси *или* автобус;
2. *a* дешёвый, третьесортный;
3. *v* ехать в дешёвом маршрутном такси *или* в автобусе.

**jitter** ['dʒɪtə] *v разг.* нервничать.

**jitterbug** ['dʒɪtəbʌg] *разг.* **1.** *n* 1) нервный человек; 2) любитель танцевать под джазовую музыку;
2. *v* танцевать под джазовую музыку.

**jitters** ['dʒɪtəz] *n pl разг.* нервное возбуждение, испуг; it gave me the ~ я весь затрясся.

**jittery** ['dʒɪtərɪ] *a разг.* нервный.

**jiu-jitsu** [dʒuː'dʒɪtsuː] = ju-jutsu.

**jive** [dʒaɪv] **1.** *n* 1) джаз; 2) *sl.* непонятный жаргон; 3) болтовня;

2. *v* танцевать под джазовую музыку.

**Job** [dʒoub] *n* 1) *библ.* Иов; 2) многострадальный, терпеливый человек; ◇ this would try the patience of ~ от этого хоть у кого терпение лопнет; это выведет из себя даже ангела; ~'s news плохая весть, печальные новости; ~'s comforter человек, который под видом утешения только усугубляет чьё-л. горе.

**job I** [dʒɔb] **1.** *n* 1) работа, труд; by the ~ сдельно, поурочно (*об оплате*); 2) *разг.* место, служба; out of ~ без работы; 3) задание; урок; 4) использование своего положения в личных целях; his appointment was a ~ он получил назначение по протекции; 5) *sl.* кража; an inside ~ *амер.* кража и *т. п.*, совершённая кем-л. из своих; 6) лошадь *или* экипаж, взятые напрокат; 7) *полигр.* акциденция; 8) *тех.* деталь, изделие, обрабатываемый предмет; 9) *attr.* нанятый на определённую работу; наёмный; ~ classification *амер.* основная ставка (*зарплаты рабочего*); ~ evaluation *амер.* разряд (*для установления зарплаты рабочего*); ◇ a ~ of work нелёгкая работёнка; a fat ~ а) очень много; б) *ирон.* очень мало; a bad ~ безнадёжное дело; неудача; a good ~ хорошие дела (*положение вещей*); *ирон.* хорошенькое дело; ~ lot а) партия разрозненных товаров, продающихся оптом; б) вещи, купленные по дешёвке с целью перепродажи; в) разрозненная коллекция; to make a good ~ of it сделать что-л. хорошо; a good ~ you made of it! хорошеньких дел вы натворили!; on the ~ а) в действии, в движении; б) очень занятой; to lie down on the ~ работать кое-как; to do smb.'s ~, to do the ~ for smb. *разг.* погубить кого-л.; to put up a ~ on smb. *амер.* сыграть с кем-л. шутку;
2. *v* 1) работать нерегулярно, случайно; 2) работать сдельно; 3) нанимать на сдельную работу; 4) брать внаём лошадей, напрокат экипаж; 5) давать внаём лошадей, напрокат экипажи; 6) спекулировать, барышничать; быть маклером; 7) действовать недобросовестно (*при заключении сделок и т. п.*); 8) злоупотреблять своим положением; to ~ smb. into a post устроить кого-л. на место по протекции.

**job II** [dʒɔb] **1.** *n* внезапный удар, толчок;
2. *v* 1) колоть, вонзать; пронзать; пырнуть (at); 2) толкнуть; ударить; 3) сильно дёрнуть лошадь за удила.

**jobation** [dʒou'beiʃən] *n* длинное, скучное нравоучение, выговор.

**jobber** ['dʒɔbə] *n* 1) человек, занимающийся случайной работой; 2) человек, работающий сдельно; 3) маклер, комиссионер; 4) оптовый торговец; 5) недобросовестный делец; 6) предприниматель, дающий лошадей и экипажи напрокат.

**jobbernowl** ['dʒɔbə‚noul] *n разг.* блух, болван.

**jobbery** ['dʒɔbərɪ] *n* 1) использование служебного положения в корыстных *или* личных целях; 2) сомнительные операции; спекуляция.

**jobbing I** ['dʒɔbɪŋ] **1.** *pres. p. от* job I, 2;

**2.** *n* 1) случа́йная, нерегуля́рная рабо́та; 2) сде́льная рабо́та; 3) *тех.* ме́лкий ремо́нт; 4) торго́вля а́кциями; биржева́я игра́; спекуля́ция;

**3.** *a* случа́йный, нерегуля́рный (*о работе и т. п.*); ◇ ~ shop почи́ночная мастерска́я.

**jobbing** II [ˈdʒɔbɪŋ] *pres. p. от* job II, 2.

**jobholder** [ˈdʒɔbˌhouldə] *n* 1) челове́к, име́ющий постоя́нную рабо́ту; 2) *амер.* госуда́рственный слу́жащий.

**jobless** [ˈdʒɔblɪs] *a, n* безрабо́тный.

**jobmaster** [ˈdʒɔbˌmɑːstə] *n* 1) владе́лец маши́н *или* изво́зчичьих экипа́жей, сдава́емых напрока́т; 2) рабо́тник, выполня́ющий акциде́нтные типогра́фские рабо́ты.

**job-work** [ˈdʒɔbwəːk] *n* сде́льная рабо́та.

**Jock** [dʒɔk] *n* 1) = jack I, 1; 2) *sl.* шотла́ндский солда́т; 3) (j.) *разг. см.* jockey 1.

**jockey** [ˈdʒɔkɪ] **1.** *n* 1) жоке́й; 2) *шотл. ист.* менестре́ль; 3) *шотл.* бродя́га; 4) обма́нщик;

**2.** *v* обма́нывать, надува́ть; □ ~ into склони́ть обма́ном к чему́-л.; ~ out обма́ном получи́ть, вы́манить *что-л.*

**jocko** [ˈdʒɔkou] *n* (*pl* -os [-ouz]) *разг.* шимпанзе́; обезья́на.

**jocose** [dʒəˈkous] *a* шутли́вый; игри́вый.

**jocosity** [dʒouˈkɔsɪtɪ] *n* шутли́вость; игри́вость.

**jocular** [ˈdʒɔkjulə] *a* шутли́вый; коми́ческий; заба́вный, весёлый; юмористи́ческий.

**jocularity** [ˌdʒɔkjuˈlærɪtɪ] *n* 1) весёлость; 2) шу́тка.

**jocund** [ˈdʒɔkənd] *a* 1) весёлый, живо́й; жизнера́достный; 2) прия́тный.

**jocundity** [dʒouˈkʌndɪtɪ] *n* 1) весёлость, жизнера́достность; 2) прия́тность.

**Jodhpurs** [ˈdʒɔdpuəz] *n pl* англо-инд. брю́ки для верхово́й езды.

**Joe (Blow)** [ˈdʒou(ˈblou)] *n амер. воен. sl.* солда́т.

**Joe Miller** [ˈdʒouˈmɪlə] *n* ста́рая шу́тка, изби́тый анекдо́т.

**joey** I [ˈdʒoui] *n австрал.* детёныш (*преим.* кенгуру́).

**joey** II [ˈdʒoui] *n sl.* четырёхпе́нсовая моне́та.

**jog** [dʒɔg] **1.** *n* 1) толчо́к; подта́лкивание; встря́хивание; 2) ме́дленная, тря́ская езда́, ме́дленная ходьба́; 3) *амер.* неро́вность, вы́пуклость, углубле́ние; 4) поме́ха, лёгкое препя́тствие;

**2.** *v* 1) толка́ть, трясти́; 2) слегка́ подта́лкивать ло́ктем (*особ. чтобы привлечь внима́ние к чему́-л.*); 3) помога́ть (*кому́-л.*) припо́мнить; напомина́ть; 4) е́хать, дви́гаться подпры́гивая, подска́кивая; трясти́сь; труси́ть; 5) ме́дленно, с трудо́м п(р)одвига́ться вперёд (*часто* ~ on); 6) продолжа́ть (*путь, работу и т. п.*; on, along).

**joggle** I [ˈdʒɔgl] **1.** *n* потря́хивание, встря́хивание; толчо́к;

**2.** *v* 1) трясти́; подта́лкивать; толка́ть; 2) трясти́сь, дви́гаться толчка́ми.

**joggle** II [ˈdʒɔgl] **1.** *n тех.* соедини́тельный вы́ступ, прили́в; зару́бка; паз, шпунт;

**2.** *v* соединя́ть шипо́м, шпунто́м, у́шками *и т. п.*

**joggly** [ˈdʒɔglɪ] *a* неро́вный (*о по́черке*).

**jogtrot** [ˈdʒɔgˈtrɔt] *n* 1) рысца́; 2) однообра́зие, рути́на; 3) *attr.* однообра́зный.

**John Bull** [ˈdʒɔnˈbul] *n* Джон Булль (*типичный англича́нин; про́звище англича́н*).

**John Doe** [ˈdʒɔnˈdou] *n юр.* (*употр. наpицательно*) исте́ц в суде́бном проце́ссе [*см. тж.* Richard Roe].

**John Dory** [ˈdʒɔnˈdɔːrɪ] *n* со́лнечник (*ры́ба*).

**Johnny, johnny** [ˈdʒɔnɪ] *n разг.* 1) ма́лый, па́рень; 2) щёголь, франт.

**johnny-cake** [ˈdʒɔnɪˌkeɪk] *n* лепёшка (*амер. —маисовая, австрал. —пшеничная*).

**Johnny-jump-up** [ˈdʒɔnɪˈdʒʌmpˌʌp] *n* 1) америка́нская лесна́я фиа́лка; 2) *амер.* ди́кая маргари́тка.

**Johnny Raw** [ˈdʒɔnɪˈrɔː] *n* 1) *sl.* новичо́к; 2) *воен. sl.* новобра́нец.

**John-o'-Groat's(-House)** [ˈdʒɔnəˈgrouts(-haus)] *n* се́вер Шотла́ндии; from~to Land's End от се́вера до ю́га Áнглии; от кра́я до кра́я (*страны́*).

**Johnsonese, Johnsonian** [ˌdʒɔnsəˈniːz, dʒɔnˈsounjən] *n* тяжёлый, напы́щенный стиль, изоби́лующий латини́змами (*как у писа́теля XVIII в. Сэ́мюеля Джо́нсона*).

**join** [dʒɔɪn] **1.** *v* 1) соединя́ть(ся); to ~ forces соедини́ть си́лы, объедини́ть уси́лия; to ~ hands a) пожима́ть (друг дру́гу) ру́ку; б) бра́ться за́ руки; б) объединя́ться; 2) присоединя́ть(ся); I'll ~ you in your walk я присоединю́сь к вам, я пройду́сь с ва́ми; 3) объедини́ться (*с кем-л.*); войти́ в компа́нию; вступи́ть в чле́ны (*общества и т. п.*); to ~ (in) with smb. присоедини́ться к кому́-л.; to ~ the army вступи́ть в а́рмию; to ~ the colours а) up поступи́ть на вое́нную слу́жбу; 4) сно́ва заня́ть своё ме́сто, возврати́ться; to ~ one's regiment верну́ться в полк; to ~ one's ship верну́ться на кора́бль; 5) соединя́ться, слива́ться; the stream ~s the river руче́й впада́ет в ре́ку; 6) грани́чить; the two estates ~ э́ти два име́ния грани́чат друг с дру́гом; ◇ to ~ battle вступа́ть в бой;

**2.** *n* соедине́ние; то́чка, ли́ния, пло́скость соедине́ния.

**joinder** [ˈdʒɔɪndə] *n* 1) объедине́ние, соедине́ние; сою́з; 2) *юр.* объедине́ние соотве́тчиков и соистцо́в.

**joiner** [ˈdʒɔɪnə] *n* 1) столя́р; 2) *амер.* член не́скольких клу́бов; 3) *тех.* строга́льный стано́к.

**joinery** [ˈdʒɔɪnərɪ] *n* 1) столя́рная рабо́та; столя́рное ремесло́; 2) столя́рные изде́лия; 3) столя́рная мастерска́я.

**joint** [dʒɔɪnt] **1.** *n* 1) ме́сто соедине́ния; соедине́ние; стык; 2) *анат.* суста́в, сочлене́ние; to put a bone into ~ again впра́вить вы́вих; out of ~ вы́вихнутый; *перен.* прише́дший в расстро́йство; не в поря́дке; 3) часть разру́бленной ту́ши: нога́, лопа́тка *и т. п.*; dinner from the ~ мясно́й обе́д; 4) *амер. sl.* та́йный каба́к, прито́н; eating ~ тракти́р, заку́сочная; 5) *бот.* у́зел (*у расте́ния*); 6) *геол.* тре́щина, отде́льность, ли́ния клива́жа; 7) *тех.* сра́щивание; паз, шов, шарни́р; angle ~ соедине́ние под угло́м; 8) *тех., стр.* у́зел фе́рмы;

**2.** *a* 1) соединённый, общий, совместный; to take ~ actions действовать сообща; ~ efforts общие усилия; ~ authors соавторы; ~ committee а) объединённый комитет; б) комиссия из представителей разных организаций; ~ owner совладелец; 2) комбинированный; ~ traffic комбинированное движение по рельсовым и безрельсовым путям;

**3.** *v* 1) сочленять; соединять при помощи вставных частей, колен; 2) разнимать, расчленять; 3) *стр.* расшивать швы кирпичной кладки; пригонять.

**joint-chair** ['dʒɔɪntʃeə] *n* ж.-д. стыковая подушка.

**jointer** ['dʒɔɪntə] *n* 1) *тех.* фуганок; фуговочный станок; 2) *стр.* инструмент для расшивки швов.

**joint-heir** ['dʒɔɪnt‚eə] *n* сонаследник.

**jointly** ['dʒɔɪntlɪ] *adv* совместно, сообща.

**joint-pin** ['dʒɔɪntpɪn] *n тех.* шарнирный болт; заклёпка; чека.

**jointress** ['dʒɔɪntrɪs] *n юр.* вдова, владеющая выделенной ей по наследству частью имущества.

**Joint Staff** ['dʒɔɪnt'stɑːf] *n* генеральный штаб (вооружённых сил).

**joint stock** ['dʒɔɪntstɔk] *n* акционерный капитал.

**joint-stock company** ['dʒɔɪntstɔk'kʌmpənɪ] *n* акционерное общество.

**jointure** ['dʒɔɪntʃə] **1.** *n* имение, имущество, записанное на жену (*на случай смерти мужа*), вдовья часть наследства;

**2.** *v* закрепить часть имущества, наследства за женой, назначить вдовью часть.

**jointuress** ['dʒɔɪntʃərɪs] = jointress.

**jointweed** ['dʒɔɪntwiːd] *n бот.* 1) хвощ; 2) хвостник обыкновенный.

**joint-worm** ['dʒɔɪntwɜːm] *n* изозома, толстоножка (*насекомое*).

**joist** [dʒɔɪst] *n* 1) балка; перекладина; стропило; 2) *attr.* балочный; ~ ceiling потолок на деревянных балках, балочное перекрытие.

**joke** [dʒouk] **1.** *n* 1) шутка; острота; it is no ~ дело серьёзное; это не шутка; to have one's ~, to make (*или* to crack) a ~ пошутить; to play a ~ (on smb.) подшутить (над кем-л.); to make a ~ of smth. свести что-л. к шутке; 2) смешной случай; 3) объект шуток, посмешище; ◇ the ~ was on him это он остался в дураках;

**2.** *v* 1) шутить; 2) подшучивать, дразнить.

**joker** ['dʒoukə] *n* 1) шутник; 2) *sl.* человек, парень; 3) джокер (*в покере*); 4) *амер.* двусмысленная фраза *или* статья в законе.

**joking** ['dʒoukɪŋ] **1.** *pres. p. от* joke 2;

**2.** *n*: ~ apart шутки в сторону.

**joky** ['dʒoukɪ] *a* шутливый; шуточный.

**jollier** ['dʒɔlɪə] *n амер.* весельчак, забавник.

**jollification** [‚dʒɔlɪfɪ'keɪʃən] *n* увеселение, празднество.

**jollify** ['dʒɔlɪfaɪ] *v* 1) веселить(ся); 2) слегка опьянять; 3) кутить.

**jollity** ['dʒɔlɪtɪ] *n* веселье, увеселение.

**jolly** ['dʒɔlɪ] **1.** *a* 1) весёлый, радостный; любящий весёлую компанию; 2) праздничный; 3) подвыпивший, навеселе; 4) *разг.* приятный; замечательный, восхитительный, прелестный (*тж. ирон.*); ~ weather чудесная погода; а ~ mess I am in в хорошенькую переделку я попал; ◇ the ~ god Вакх, Бахус;

**2.** *adv разг.* очень, чрезвычайно; ~ fine очень хорошо; you'll be ~ late вы порядком опаздываете; ~ well конечно, непременно; you'll ~ well have to do it вам непременно придётся сделать это;

**3.** *n* 1) *sl.* солдат морской пехоты; 2) *сокр. от* jolly-boat; 3) *sl.* вечеринка;

**4.** *v* 1) *разг.* подшучивать; 2) обращаться ласково, добиваться (*чего-л.*) лаской, лестью (*часто* ~ along, ~ up); 3) развеселить.

**jolly-boat** ['dʒɔlɪbout] *n* четвёрка (*шлюпка*).

**jolt** [dʒoult] **1.** *n* 1) толчок; тряска; 2) *амер.* удар;

**2.** *v* 1) трясти, встряхивать, подбрасывать; 2) двигаться подпрыгивая, трястись (*по неровной дороге*).

**jolterhead** ['dʒoultəhed] *n* олух, болван.

**jolty** ['dʒoultɪ] *a* тряский.

**Jonathan** ['dʒɔnəθən] *n* 1) сорт десертных яблок; 2) американец *или* американцы (*нарицательно*); [*см. тж. Список имён*].

**jongleur** [ʒɔ̃ːŋ'glɛə] *фр. n ист.* средневековый бродячий певец, менестрель.

**jonquil** ['dʒɔŋkwɪl] *n* 1) *бот.* нарцисс-жонкиль; 2) бледно-жёлтый, палевый цвет; 3) разновидность канарейки.

**jorum** ['dʒɔːrəm] *n* большая кружка, чаша, *особ.* чаша с пуншем.

**josh** [dʒɔʃ] *амер. sl.* **1.** *n* добродушная шутка; мистификация;

**2.** *v* подшучивать; мистифицировать.

**joskin** ['dʒɔskɪn] *n sl.* неотёсанный человек; деревенщина.

**joss** [dʒɔs] *n* 1) китайский идол; 2) *sl.* удача, везение.

**josser** ['dʒɔsə] *n* 1) *австрал.* священник; 2) *sl.* простак, тупица; 3) *sl.* парень.

**joss-house** ['dʒɔshaus] *n* китайский храм, кумирня.

**joss-sticks** ['dʒɔsstɪks] *n pl* особые пахучие свечи, употребляемые китайцами для воскурения во время молитвы.

**jostle** ['dʒɔsl] **1.** *n* 1) толчок; столкновение; 2) толкотня, давка;

**2.** *v* толкать(ся), теснить(ся); пихать; отталкивать; he ~d with his enemy он боролся, стараясь оттеснить своего врага; □ ~ against натолкнуться на; ~ away, ~ from вытолкнуть, оттолкнуть; ~ through проталкиваться, протискиваться.

**jot** [dʒɔt] **1.** *n* 1) йота; ничтожное количество; not a ~ ни на йоту;

**2.** *v* кратко записать; бегло набросать (*часто* ~ down).

**jotter** ['dʒɔtə] *n* записная книжка.

**jotting** ['dʒɔtɪŋ] **1.** *pres. p. от* jot 2;

**2.** *n* памятка, набросок, краткая запись.

**joule** [dʒuːl] *n эл.* джоуль, международная ватт-секунда.

**jounce** [dʒauns] *v* ударя́ть(ся); трясти́(сь).

**jour** [dʒə:] *n амер. разг. см.* journeyman.

**journal** ['dʒə:nl] 1. *n* 1) дневни́к; журна́л (*тж бухг.*); the Journals *парл.* протоко́лы заседа́ний; ship's ~ *мор.* судово́й журна́л; 2) газе́та; журна́л; 3) *тех.* ше́йка ва́ла, ца́пфа;
2. *a поэт.* дневно́й.

**journal-box** ['dʒə:nlbɔks] *n тех.* коро́бка подши́пника; ваго́нная бу́кса.

**journalese** [ˌdʒə:nə'li:z] *n* стиль, характе́рный для посре́дственных журнали́стов; небре́жный, торопли́вый стиль.

**journalism** ['dʒə:nəlizəm] *n* профе́ссия журнали́ста.

**journalist** ['dʒə:nəlist] *n* 1) журнали́ст, газе́тный сотру́дник; 2) реда́ктор журна́ла.

**journalistic** [ˌdʒə:nə'listik] *a* журна́льный.

**journalize** ['dʒə:nəlaiz] *v* 1) вноси́ть, запи́сывать в журна́л (*тж. бухг.*); 2) вести́ дневни́к *или* журна́л; 3) сотру́дничать в газе́те *или* журна́ле.

**journey** ['dʒə:ni] 1. *n* 1) пое́здка, путеше́ствие (*преим. сухопутное*); to be (*или* to go) on a ~ путеше́ствовать; to take a ~ предприня́ть путеше́ствие; two days' ~ from here в двух днях езды́ отсю́да; 2) рейс; 3) *горн.* соста́в вагоне́ток;
2. *v* соверша́ть пое́здку, путеше́ствие, рейс; путеше́ствовать.

**journeyman** ['dʒə:nimən] *n* 1) квалифици́рованный рабо́чий *или* реме́сленник, рабо́тающий по на́йму (*в отличие от ученика и мастера*); 2) *уст.* подёнщик; 3) наёмник.

**journey-work** ['dʒə:niwə:k] *n* 1) рабо́та по на́йму; 2) подённая рабо́та; подёнщина.

**joust** [dʒaust] *ист.* 1. *n* ры́царский поеди́нок; (*часто pl*) турни́р.
2. *v* би́ться на поеди́нке *или* турни́ре.

**Jove** [dʒouv] *n миф.* Юпи́тер; by ~! a) кляну́сь Юпи́тером!; ей-бо́гу!; б) бо́же ми́лостивый!; в) вот так та́к!

**jovial** ['dʒouvjəl] *a* весёлый; общи́тельный.

**joviality** [ˌdʒouvi'æliti] *n* весёлость; общи́тельность.

**Jovian** ['dʒouvjən] *a* 1) подо́бный Юпи́теру; вели́чественный; 2) относя́щийся к плане́те Юпи́тер.

**jowl** [dʒaul] *n* 1) че́люсть; челюстна́я кость; 2) то́лстые щёки и двойно́й подборо́док; 3) подгру́док (*у скота*); зоб (*у птиц*); боро́дка (*индюка, петуха*); 4) голова́ (*лосося, осетра*).

**jowly** ['dʒauli] *a* морда́стый, толстомо́рдый.

**joy** [dʒɔi] 1. *n* 1) ра́дость; весе́лье, удово́льствие; to wish smb. ~ поздравля́ть кого́-л.; что-л., вызыва́ющее восто́рг, восхище́ние; 3) *амер. разг.* удо́бство, комфо́рт;
2. *v поэт.* ра́довать(ся); весели́ть(ся).

**joyful** ['dʒɔiful] *a* ра́достный, счастли́вый; дово́льный.

**joy-house** ['dʒɔihaus] *n амер. sl.* публи́чный дом.

**joyless** ['dʒɔilis] *a* безра́достный.

**joyous** ['dʒɔiəs] = joyful.

**joy-ride** ['dʒɔiraid] *n разг.* (увесели́тельная) пое́здка на автомаши́не *или* самолёте (*иногда без разрешения владельца*).

**joystick** ['dʒɔistik] *n разг.* ру́чка *или* рыча́г управле́ния (*самолёта*).

**jubilance** ['dʒu:biləns] *n* ликова́ние.

**jubilant** ['dʒu:bilənt] *a* лику́ющий; торжеству́ющий.

**jubilate** *n* [ˌdʒu:bi'la:ti] 1) ра́достный поры́в; ликова́ние; 2) (J.) *церк.* 100-й псало́м; 3) (J.) *церк.* тре́тье воскресе́нье по́сле па́схи;
2. *v* ['dʒu:bileit] ликова́ть; торжествова́ть.

**jubilation** [ˌdʒu:bi'leiʃən] *n* ликова́ние.

**jubilee** ['dʒu:bili] *n* пра́зднество; юбиле́й (*преим. 50-ле́тний*); to hold a ~ пра́здновать; silver ~ двадцатипятиле́тний юбиле́й; Diamond J. a) шестидесятиле́тний юбиле́й; б) *ист.* шестидесятиле́тие ца́рствования короле́вы Викто́рии.

**Judaic** [dʒu:'deiik] *a* иуде́йский, евре́йский.

**Judaism** ['dʒu:deiizəm] *n* юдаи́зм, евре́йская рели́гия.

**Judas** ['dʒu:dəs] *n* 1) *библ.* Иу́да; 2) преда́тель; 3) (j.) отве́рстие, глазо́к в двери́ (*для подсматривания*).

**Judas-coloured** ['dʒu:dəsˌkʌləd] *a* ры́жий.

**Judas-hole** ['dʒu:dəshoul] = Judas 3).

**Judas-tree** ['dʒu:dəstri:] *n бот.* багря́ник.

**jud(d)** [dʒʌd] *n* больша́я глы́ба угля́.

**judge** [dʒʌdʒ] 1. *n* 1) судья́; J. Advocate General a) гла́вный вое́нный юри́ст; б) *амер.* нача́льник вое́нно-юриди́ческого управле́ния; ~ advocate a) юри́ст-консульта́нт вое́нного суда́; б) *амер.* нача́льник юриди́ческой слу́жбы (*соединения*); в) *амер.* вое́нный прокуро́р; 2) арби́тр, экспе́рт; 3) цени́тель, знато́к; a ~ of art цени́тель иску́сства;
2. *v* 1) суди́ть; выноси́ть пригово́р; 2) быть арби́тром, реша́ть; 3) оце́нивать; to ~ horses дава́ть оце́нку лошадя́м; 4) счита́ть, полага́ть; соста́вить себе́ мне́ние, приходи́ть к вы́воду; to ~ by appearances суди́ть по вне́шности; 5) осужда́ть, порица́ть.

**judge-made** ['dʒʌdʒˌmeid] *a:* ~ law при́нципы, осно́вывающиеся на суде́бных прецеде́нтах.

**judgematic(al)** [dʒʌdʒ'mætik(əl)] *a разг.* рассужда́ющий здра́во; рассуди́тельный.

**judgement** ['dʒʌdʒmənt] *n* 1) пригово́р, реше́ние суда́; заключе́ние суда́ в отноше́нии пра́вильности процеду́ры; ~ reserved *юр.* отсро́чка реше́ния суда́ по́сле оконча́ния суде́бного разбира́тельства; to pass (*или* to give, to render) ~ on smb. выноси́ть пригово́р кому́-л.; 2) наказа́ние, (бо́жья) ка́ра; 3) мне́ние, взгляд; in my ~ you are wrong на мой взгляд (по-мо́ему, по моему́ мне́нию), вы непра́вы; private ~ ли́чный взгляд (*независимый от принятых, особ. в религиозных вопросах*); 4) рассуди́тельность; уме́ние пра́вильно разбира́ться; to show good ~ суди́ть здра́во; 5) *attr.:* ~ creditor (debtor) кредито́р (должни́к), при́знанный таковы́м по постановле́нию суда́;
◊ to disturb the ~ сбить с то́лку.

**judgement-day** ['dʒʌdʒməntdei] *n рел.* су́дный день; день стра́шного суда́.

**judgement-seat** ['dʒʌdʒməntsi:t] *n* 1) суде́йское ме́сто; 2) суд, трибуна́л.

**Judges** ['dʒʌdʒiz] *n библ.* Кни́га суде́й.

**judgmatic(al)** [dʒʌdʒ'mætɪk(əl)] = judgematic(al).

**judgment** ['dʒʌdʒmənt] = judgement.

**judicatory** ['dʒuːdɪkətərɪ] **1.** *a* судебный; судейский;
**2.** *n* 1) суд, трибунал; 2) отправление правосудия.

**judicature** ['dʒuːdɪkətʃə] *n* 1) отправление правосудия; Supreme Court of J. Верховный суд Англии; 2) судейская корпорация; 3) суд.

**judicial** [dʒuː'dɪʃəl] *a* 1) судебный, законный; ~ murder узаконенное убийство; судебная расправа; необоснованное решение о вынесении смертного приговора; 2) судейский; 3) способный разобраться; рассудительный; беспристрастный.

**judiciary** [dʒuː'dɪʃɪərɪ] **1.** *a* = judicial 1);~ law судебное право;
**2.** *n* = judicature 2).

**judicious** [dʒuː'dɪʃəs] *a* здравомыслящий, рассудительный.

**July** ['dʒuːdɪ] *n* 1) женский персонаж в кукольном театре; 2) *разг.* женщина; девушка.

**jug** I [dʒʌg] **1.** *n* 1) кувшин; 2) *sl.* тюрьма;
**2.** *v* 1) *кул.* тушить (*зайца, кролика*); 2) *sl.* посадить в тюрьму.

**jug** II [dʒʌg] **1.** *n* щёлканье (*соловья и т. п.*);
**2.** *v* щёлкать (*о соловье и др. птицах*).

**jugate** ['dʒuːgeɪt] *a бот.* супротивный (*о листе*).

**jugful** ['dʒʌgful] *n* кувшин (*чего-л.*); мера ёмкости; ◊ not by a ~ *амер.* ни за что; ни в коем случае; далеко не.

**jugged** [dʒʌgd] *a* зубчатый.

**Juggernaut** ['dʒʌgənɔːt] *n* 1) *инд. миф.* Джаггернаут (*одно из воплощений бога Вишну*); 2) *перен.* неумолимая, безжалостная сила, уничтожающая всё на своём пути и требующая слепой веры или самоуничтожения от служащих ей (*тж.* ~ car колесница Джаггернаута).

**juggins** ['dʒʌgɪnz] *n sl.* дурак; простак.

**juggle** ['dʒʌgl] **1.** *n* 1) фокус, ловкость рук, трюк; 2) ловкая проделка, обман, плутовство; извращение слов, фактов;
**2.** *v* 1) показывать фокусы; жонглировать; 2) надувать, обманывать; to ~ a person out of his money выманить у кого-л. деньги; □ ~ with a) искажать, передёргивать (*факты, слова*); б) обманывать.

**juggler** ['dʒʌglə] *n* 1) фокусник, жонглёр; 2) обманщик, плут; 3) *горн.* наклонная стойка *или* переклад.

**jugglery** ['dʒʌglərɪ] *n* 1) показывание фокусов; ловкость рук; 2) обман, плутовство; извращение фактов.

**jug-handled** ['dʒʌg,hændld] *a амер.* односторонний; пристрастный; несправедливый.

**Jugoslav(ian)** ['juːgou'slɑːv(jən)] **1.** *n* житель Югославии; югослав;
**2.** *a* югославский.

**jugular** ['dʒʌgjulə] *анат.* **1.** *a* шейный; ~ vein яремная вена;
**2.** *n* яремная вена.

**jugulate** ['dʒuːgjuleɪt] *v* 1) перерезать горло; 2) задушить; 3) оборвать (*болезнь*) сильно действующими средствами.

**juice** [dʒuːs] *n* 1) сок; 2) сущность, основа (*чего-л.*); 3) *sl.* электрический ток; электроэнергия; 4) *sl.* бензин; горючее; step on the ~ ! дай газ!; 5) *attr.*: ~ road *амер. sl.* электрическая железная дорога.

**juicer** ['dʒuːsə] *n* прибор для выжимания сока.

**juicy** ['dʒuːsɪ] *a* 1) сочный; 2) *разг.* сырой, дождливый (*о погоде*); 3) *разг.* колоритный, сочный; 4) *разг.* прекрасный, превосходный, первоклассный.

**ju-ju** ['dʒuːdʒuː] *n* 1) чары, заклинание; 2) амулет; фетиш; 3) табу, запрещение.

**jujube** ['dʒuːdʒuːb] *n* 1) ююба (*дерево и плод*); 2) лекарственная лепёшка, таблетка с привкусом ююбы.

**ju-jutsu** [dʒuː'dʒutsuː] *n* джиу-джитсу (*японская борьба*).

**juke** [dʒuːk] *n* дешёвый ресторан *или* дансинг, где танцуют под патефон-автомат *или* пианолу-автомат.

**juke-box** ['dʒuːkbɔks] *n* патефон-автомат *или* пианола-автомат.

**julep** ['dʒuːlep] *n* 1) сироп, в котором дают лекарство; 2) *амер.* напиток из виски *или* коньяка с водой, сахаром, льдом и мятой.

**Julian** ['dʒuːljən] *a* юлианский.

**July** [dʒuː'laɪ] *n* 1) июль; 2) *attr.* июльский.

**jumbal** ['dʒʌmbəl] = jumble II.

**jumble** I ['dʒʌmbl] **1.** *n* беспорядочная смесь, куча; путаница, беспорядок;
**2.** *v* 1) смешивать(ся), перемешивать(ся) в беспорядке (*тж.* ~ up, ~ together); 2) двигаться в беспорядке; толкаться; 3) трястись.

**jumble** II ['dʒʌmbl] *n* сладкая сдобная пышка.

**jumble-sale** ['dʒʌmblseɪl] *n* дешёвая распродажа на благотворительном базаре.

**jumble-shop** ['dʒʌmblʃɔp] *n* лавка, где продаются самые разнообразные товары.

**jumbo** ['dʒʌmbou] *n* (*pl* -os [-ouz]) большой неуклюжий человек, животное *или* вещь.

**jump** I [dʒʌmp] **1.** *n* 1) прыжок; скачок; long ~, broad ~ прыжок в длину; high ~ прыжок в высоту; running ~ прыжок с разбега; standing ~ прыжок с места; 2) вздрагивание, движение испуга *и т. п.*; the ~s *разг.* подёргивания; белая горячка; to give smb. the ~s действовать кому-л. на нервы; 3) резкое повышение (*цен, температуры и т. п.*); to take a ~ подняться в цене; 4) разрыв, резкий переход; 5) *разг.* преимущество; 6) *геол.* дислокация жилы, сброс, взброс; 7) *арт.* угол вылета.
**2.** *v* 1) прыгать; скакать; to ~ for joy прыгать от радости; 2) вскакивать; подпрыгивать, вздрагивать; you made me ~ when you came in so suddenly ваш неожиданный приход испугал меня; my heart ~ed у меня сердце ёкнуло; 3) повышаться, подскакивать (*о температуре, ценах и т. п.*); the prices ~ed цены подскочили; 4) дёргать, ныть (*о зубе и т. п.*); 5) перепрыгивать, перескакивать (*тж.* ~ over); to ~ (over) a stream перепрыгнуть через ручей; to ~ from one subject to anoth-

**er** перескакивать с одной темы на другую; 6) брать (*в шашках*); to ~ a man взять шашку; 7) перескакивать, пропускать; to ~ a chapter (ten pages) in a book пропустить главу (десять страниц) в книге; 8) соскакивать; to ~ the track a) сходить (*с рельсов*); the train ~ed the track поезд сошёл с рельсов; б) *перен.* оказаться на ложном пути; 9) подбрасывать, качать; to ~ a baby on one's knees качать ребёнка на коленях; 10) заставить прыгать, трясти; he ~ed his horse он заставил лошадь прыгнуть; don't ~ the camera не трясите фотоаппарат; 11) захватывать (*что-л.*), завладевать (*чем-л. в отсутствие владельца*); to ~ a (mining) claim завладеть чужим (горным) участком; 12) поджаривать *или* тушить (*картофель и т. п.*), встряхивая время от времени; 13) *амер.* вскочить (*в трамвай и т. п.*); to ~ a train вскочить в поезд; 14) избежать, не сделать (*чего-л.*); to ~ bail не явиться в суд (*о выпущенном на поруки*); to ~ queue пройти без очереди; 15) бурить ручным буром; 16) *тех.* сваривать впритык; 17) расковать; осаживать металл; 18) *охот.* поднимать, вспугивать дичь; 19) *кино* смещаться, искажаться (*об изображении*). □ ~ **about** a) подпрыгивать, подскакивать (*от радости, боли*); б) быть беспокойным; ~ **at** a) броситься к *кому-л.*, обнимать *кого-л.*; б) охотно принимать, ухватиться за *что-л.*; to ~ at an offer ухватиться за предложение; ~ **down** a) спрыгнуть, соскочить; б) помочь спрыгнуть (*ребёнку и т. п.*); ~ **in** быстро вскочить, впрыгнуть; ~ **into** a) вскочить, впрыгнуть; to ~ into one's clothes быстро, наспех одеться; б): ~ smb. into smth. обманом заставить кого-л. сделать что-л.; he was ~ed into buying the house его обманули, заставив купить этот дом; ~ **off** соскочить; ~ off a chair соскочить со стула; ~ **on** a) вспрыгнуть, вскочить; ~ on to a chair вскочить на стул; б) неожиданно набрасываться на *кого-л.*; ~ **out** выскочить; ~ **together** ~ with; ~ **up** вскакивать; ~ up! влезайте!, садитесь! (*в экипаж и т. п.*); ~ **upon** = ~ on; ~ **with** согласовываться, соответствовать, совпадать; ◊ to ~ down smb.'s throat запальчиво возражать кому-л., перебивать кого-л.; не дать кому-л. слова сказать; to ~ out of one's skin a) подскочить, вздрогнуть (*от неожиданности, испуга, радости и т. п.*); б) быть вне себя (*от радости, неожиданности и т. п.*); to ~ to (*или* at) conclusions делать поспешные заключения.

**jump** II [dʒʌmp] *n диал.* 1) короткое пальто; 2) *pl* корсет.

**jumper** I ['dʒʌmpə] *n* 1) прыгун; скакун; 2) (J.) *ист.* член английской секты методистов-прыгунов; 3) прыгающее насекомое (*блоха, кузнечик и т. п.*); 4) *амер.* санки, салазки; 5) *амер.* захватчик чужого участка; 6) *ав.* парашютист; 7) *воен.* появляющаяся мишень; 8) *тех.* ручной бур, пробойник; 9) *эл.* замыкающий провод, соединительная проволока.

**jumper** II ['dʒʌmpə] *n* 1) джемпер; 2) матросская рубаха; 3) блуза; 4) малица;

5) рабочая блуза *или* халат; 6) (*обыкн. pl*) детский комбинезон.

**jumping-deer** ['dʒʌmpɪŋ,dɪə] *n* чернохвостый американский олень.

**jumping jack** ['dʒʌmpɪŋ'dʒæk] *n* фигурка на ниточке (*игрушка*).

**jumping-off ground** ['dʒʌmpɪŋ'ɔf,graund] *n воен.* плацдарм.

**jumping-off place** ['dʒʌmpɪŋ'ɔf,pleɪs] *n* 1) *воен.* исходное положение для атаки; 2) отправной пункт; 3) *амер.* отдалённое место; 4) *амер.* пересадочный пункт.

**jumping-rope** ['dʒʌmpɪŋroup] *n амер.* скакалка, прыгалка.

**jump-off** ['dʒʌmp,ɔf] *n* 1) старт; 2) отправной пункт.

**jump-seat** ['dʒʌmpsiːt] *n* откидное сиденье.

**jump-weld** ['dʒʌmpweld] *n тех.* сварка впритык.

**jumpy** ['dʒʌmpɪ] *a* 1) нервный, раздражительный; 2) действующий на нервы; 3) скачущий (*о ценах*).

**junction** ['dʒʌŋkʃən] *n* 1) соединение; 2) место, точка соединения *или* пересечения; скрещение; 3) узловая станция, железнодорожный узел, узловой пункт; ж.-д. стык дорог; 4) скрещивание (*дорог*); распутье; перекрёсток; 5) слияние (*рек*).

**junction board** ['dʒʌŋkʃən,bɔːd] *n тел.* коммутатор.

**junction box** ['dʒʌŋkʃənbɔks] *n эл.* распределительная коробка.

**junction call** ['dʒʌŋkʃənkɔːl] *n тел.* пригородный разговор.

**juncture** ['dʒʌŋkʃə] *n* 1) соединение; место соединения; 2) положение дел; стечение обстоятельств; at this ~ при подобной конъюнктуре; at a critical ~ в критический момент; 3) *тех.* шов, спай.

**June** [dʒuːn] *n* 1) июнь; 2) *attr.* июньский.

**jungle** ['dʒʌŋgl] *n* 1) джунгли; 2) густые заросли, дебри; 3) *sl.* притон; 4) *attr.* связанный с джунглями; живущий в джунглях.

**jungle-** ['dʒʌŋgl-] *в сложных словах, в названиях животных* водящийся в джунглях; *напр.*: ~-bear медведь-губач.

**jungle fever** ['dʒʌŋgl'fiːvə] *n* тропическая лихорадка.

**jungly** ['dʒʌŋglɪ] *a* покрытый джунглями.

**junior** ['dʒuːnjə] **1.** *a* младший; младший из двух лиц, носящих одну фамилию (*в семье, учреждении и т. п.*); Edward Smith ~ Эдвард Смит младший; ~ partner младший компаньон; младший партнёр; ~ leader *воен.* младший начальник, командир мелкого подразделения.
**2.** *n* 1) младший; the ~s младшие; he is my ~ by three years, he is three years my ~ он моложе меня на 3 года; 2) *амер.* студент предпоследнего курса; ◊ ~ college колледж с двухгодичным, неполным курсом.

**juniority** [,dʒuːnɪ'ɔrɪtɪ] *n* положение младшего.

**juniper** ['dʒuːnɪpə] *n* можжевельник.

**junk** I [dʒʌŋk] **1.** *n* 1) (ненужный) хлам, отбросы; утиль; старое железо, битое стекло; 2) кусок, ломоть (*хлеба*); 3) *мор.*

вóрса; 4) *мор.* солонúна; 5) особая ткань (*в голове кашалота*), содержáщая спермацéт; 6) чурбáн, колóда;

2. *v* 1) разрезáть, делúть на кускú; 2) выбрáсывать как ненýжное.

**junk** II [dʒʌŋk] *n* джóнка, сампáн (*китайское плоскодонное парусное судно*).

**junk bottle** ['dʒʌŋkbɔtl] *n* амер. пóртерная бутылка (*из толстого зелёного стекла*).

**junker** ['junkə] *нем. n* юнкер.

**junket** ['dʒʌŋkɪt] 1. *n* 1) слáдкий творóг с мускáтным орéхом и слúвками; 2) пирýшка, прáзднество; 3) *амер.* пикнúк;

2. *v* 1) пировáть; 2) *амер.* устрáивать пикнúк.

**junkman** ['dʒʌŋkmən] *n амер.* старьёвщик.

**junk-shop** ['dʒʌŋkʃɔp] *n* лáвка стáрых вещéй, материáлов.

**Juno** ['dʒuːnou] *n миф.* Юнóна.

**junta** ['dʒʌntə] *n* 1) *полит.* хýнта (*совещательное собрание, совет в Испании, Южной Америке*); 2) = junto.

**junto** ['dʒʌntou] *n* (*pl* -os [-ouz]) клúка, политúческая фрáкция, тáйный сою́з.

**Jupiter** ['dʒuːpɪtə] *n миф., астр.* Юпúтер; by ~! а) кляну́сь Юпúтером!; ей-бóгу!; б) бóже мúлостивый!; в) вот так тáк!

**jura** ['dʒuːrə] *pl от* jus.

**Jurassic** [dʒuˈræsɪk] *a геол.* ю́рский; ~ period ю́рский перúод, юрá.

**jurat** ['dʒuəræt] *n* 1) стáрший член муниципалитéта (*в некоторых английских городах*); 2) *юр.* засвидéтельствование мéста, врéмени и лицá, в присýтствии котóрого бы́ло данó свидéтельское показáние.

**juratory** ['dʒuərətəri] *a* клятвенный.

**juridical** [dʒuəˈrɪdɪkəl] *a* юридúческий; закóнный; судéбный; ~ days присýтственные дни в судé.

**jurisconsult** ['dʒuərɪskən,sʌlt] *n* 1) юрискóнсульт; 2) юрúст.

**jurisdiction** [,dʒuərɪsˈdɪkʃən] *n* 1) отправлéние правосýдия; 2) юрисдúкция, подсýдность; 3) подвéдомственная óбласть; сфéра полномóчий; it doesn't lie within my ~ э́то не вхóдит в мою́ компетéнцию.

**jurisprudence** ['dʒuərɪs,pruːdəns] *n* юриспрудéнция, законовéдение, правовéдение; medical ~ судéбная медицúна.

**jurisprudent** ['dʒuərɪs,pruːdənt] 1. *a* свéдущий в закóнах;

2. *n* юрúст.

**jurist** ['dʒuərɪst] *n* 1) юрúст, адвокáт; 2) студéнт юридúческого факультéта.

**juristic(al)** [dʒuəˈrɪstɪk(əl)] *a* юридúческий; закóнный.

**juror** ['dʒuərə] *n* 1) присяжный; 2) член жюри́; 3) человéк, приносящий *или* принёсший присягу, клятву.

**jury** I ['dʒuəri] *n* 1) присяжные; petty (*или* common, trial) ~ 12 присяжных, выносящих приговóр по граждáнским и уголóвным делáм; coroner's ~ понятые при расслéдовании слýчаев скоропостúжной *или* насúльственной смéрти; grand ~ большóе жюри́ (*присяжные, решáющие вопрóс о подсýдности дáнного дéла*); packed ~ *разг.* специáльно подóбранный со-

стáв присяжных; special ~ присяжные для вынесéния приговóра по осóбо вáжному дéлу; 2) жюри́ (*по присуждéнию наград и т. п.*).

**jury** II ['dʒuəri] *a мор.* врéменный, фальшúвый.

**jury-box** ['dʒuəribɔks] *n* мéсто в судé, отведённое для присяжных.

**juryman** ['dʒuərɪmən] *n* 1) присяжный; 2) член жюри́.

**jury-mast** ['dʒuərimɑːst] *n мор.* фальшúвая мáчта.

**jus** [dʒʌs] (*pl* jura) *n юр.* 1) закóн, свод закóнов; ~ civile граждáнское прáво; ~ gentium междунарóдное прáво; 2) закóнное прáво.

**jussive** ['dʒʌsɪv] *a грам.* повелúтельный.

**just** I [dʒʌst] 1. *a* 1) справедлúвый, беспристрáстный; 2) обоснóванный; имéющий основáния; заслýженный; a ~ fear справедлúвое опасéние; a ~ reward заслýженная нагрáда; 3) вéрный, тóчный; ~ proportion вéрное соотношéние, прáвильная пропóрция.

2. *adv* 1) тóчно, как раз, úменно; it is ~ what I said э́то как раз то, что я сказáл; ~ so тóчно так; ~ in time как раз вóвремя; ~ then úменно тогдá; ~ the other way abóut как раз наоборóт; 2) тóлько что; he has ~ come он тóлько что пришёл; ~ now a) сейчáс, сию́ минýту; б) тóлько что; 3) едвá; I ~ caught the train я едвá-éле тóлько поспéл на пóезд; 4) *разг.* совсéм, прямо, прóсто; it's ~ splendid э́то прямо великолéпно; ◇ ~ in case на вся́кий слýчай; ~ like that без малéйшего трудá.

**just** II [dʒʌst] = joust.

**justice** ['dʒʌstɪs] *n* 1) справедлúвость; to do him ~ he is very clever нáдо отдáть емý справедлúвость, он óчень ýмный человéк; he did ~ to your dinner он óтдал дóлжное вáшему обéду; in ~ to smb. отдавáя дóлжное комý-л.; 2) правосýдие, юстúция; to administer ~ отправля́ть правосýдие; to bring smb. to ~ отдáть когó-л. под суд; 3) судья; J. of the Peace мировóй судья; 4) член Верхóвного судá (*в Англии*).

**justiceship** ['dʒʌstɪsʃip] *n* 1) звáние, дóлжность судьú; 2) срок слýжбы судьú.

**justiciable** [dʒʌsˈtɪʃiəbl] *a* подсýдный, подлежáщий рассмотрéнию в судé.

**justiciar** [dʒʌsˈtɪʃiɑː] *n ист.* юстициáрий (*верховный судья и наместник королей норманской династии*).

**justiciary** [dʒʌsˈtɪʃiəri] 1. *n* 1) судéйский чинóвник; 2) = justiciar;

2. *a* судéбный, судéйский.

**justifiable** ['dʒʌstifaiəbl] *a* могýщий быть опрáвданным; прости́тельный; закóнный.

**justification** [,dʒʌstɪfɪˈkeiʃən] *n* 1) оправдáние; 2) опрáвдывающие обстоя́тельства, извинéние; 3) *полигр.* вы́ключка строки́.

**justificative** ['dʒʌstɪfɪkeitiv] *a* 1) опрáвдательный; 2) подтверждáющий.

**justificatory** ['dʒʌstɪfɪkeitəri] = justificative.

**justify** ['dʒʌstifai] *v* 1) опрáвдывать; находúть оправдáние; извиня́ть; 2) объясня́ть; 3) подтверждáть; to ~ (as) bail *юр.*

под прися́гой подтверди́ть кредитоспосо́бность поручи́теля; 4) *полигр.* вы́ключить строку́.

**justly** [ˈdʒʌstlɪ] *adv* 1) справедли́во; 2) зако́нно.

**jut** [dʒʌt] 1. *n* вы́ступ; 2. *v* выдава́ться, выступа́ть (*часто* ~ out, ~ forth).

**jute** [dʒuːt] *n* джут.

**juvenescence** [ˌdʒuːvɪˈnesns] *n* 1) ю́ность; 2) перехо́д от о́трочества к ю́ности.

**juvenescent** [ˌdʒuːvɪˈnesnt] *a* 1) становя́щийся ю́ношей; 2) о́троческий; 3) молоде́ющий.

**juvenile** [ˈdʒuːvɪnaɪl] 1. *a* 1) ю́ный; ю́ношеский; ~ labour труд подро́стков; ~

**offender**, ~ delinquent малоле́тний престу́пник; 2) предназна́ченный для ю́ношества; ~ books кни́ги для ю́ношества; 2. *n* 1) ю́ноша, подро́сток; 2) *pl sl.* кни́ги для ю́ношества; 3) актёр, исполня́ющий ро́ли молоды́х люде́й.

**juvenilia** [ˌdʒuːvɪˈnɪlɪə] *n pl* ю́ношеские произведе́ния.

**juvenility** [ˌdʒuːvɪˈnɪlɪtɪ] *n* 1) ю́ность, мо́лодость; 2) ю́ношество.

**juxtapose** [ˈdʒʌkstəpouz] *v* 1) помеща́ть бок о́ бок, ря́дом; накла́дывать друг на дру́га; 2) сопоставля́ть.

**juxtaposition** [ˌdʒʌkstəpəˈzɪʃən] *n* 1) расположе́ние, при кото́ром предме́ты нахо́дятся ря́дом; наложе́ние; 2) сопоставле́ние.

# К

**K, k** [keɪ] *n* (*pl* Ks, K's [keɪz]) *11-я бу́ква англ. алфави́та.*

**kabbalah** [kɑːˈbɑːlə] = cabbala.

**kadi** [ˈkɑːdɪ] = cadi.

**Kaf(f)ir** [ˈkæfə] *n* 1) кафр; 2) *pl sl.* а́кции южноафрика́нских руднико́в.

**kaftan** [kəfˈtɑːn] = caftan.

**kail** [keɪl] = kale.

**kailyard** [ˈkeɪljɑːd] *n шотл.* 1) огоро́д; 2) *attr.*: ~ school, ~ novelists писа́тели (*конца XIX — нача́ла XX в.*), широко́ применя́вшие ме́стный диале́кт при описа́нии шотла́ндского наро́дного бы́та.

**kaiser** [ˈkaɪzə] *нем. n* ка́йзер.

**kakemono** [ˌkækɪˈtounou] *яп. n* какемо́но (*свёртывающаяся япо́нская карти́на*).

**kaki** [ˈkɑːkɪ] *n бот.* хурма́ япо́нская.

**kale** [keɪl] *n* 1) капу́ста огоро́дная: 2) бульо́н из капу́сты *или* други́х овоще́й; 3) *амер. sl.* де́ньги.

**kaleidoscope** [kəˈlaɪdəskoup] *n* калейдоско́п.

**kaleidoscopic(al)** [kəˌlaɪdəˈskɔpɪk(əl)] *a* калейдоскопи́ческий.

**kalends** [ˈkælendz] = calends.

**kaleyard** [ˈkeɪljɑːd] = kailyard.

**kali** [ˈkælɪ] *n хим.* 1) о́кись ка́лия; 2) пота́ш, щёлок.

**kalium** [ˈkeɪlɪəm] *n лим.* ка́лий.

**Kalmuck** [ˈkælmʌk] 1. *n* 1) калмы́к; калмы́чка; 2) калмы́цкий язы́к; 2. *a* калмы́цкий.

**Kalmyk** [ˈkælmɪk] = Kalmuck.

**Kambal** [ˈkʌmbəl] *n англо-инд.* гру́бое шерстяно́е одея́ло *или* шаль.

**kampong** [ˈkɑːtrɔŋ] *n* 1) огоро́женное ме́сто; 2) дере́вня (*в Мала́йе*).

**kanaka** [ˈkænəkə] *n* 1) кана́к (*тузе́мец тихоокеа́нских о-вов, преим. Гава́йских*); 2) рабо́чий са́харных планта́ций (*в Австра́лии*).

**kangaroo** [ˌkæŋɡəˈruː] 1. *n* 1) кенгуру́; 2) *pl sl.* а́кции западноавстрали́йских руднико́в; 3) *pl sl.* биржеви́к, спекули́рующие на э́тих а́кциях; 4) (К.) *воен.* бронетранспортёр; ◊ ~ closure *парл.* пра́ктика, позволя́ющая председа́телю коми́ссии допу-

сти́ть обсужде́ние лишь не́которых попра́вок к законопрое́кту; ~ court *амер. sl.* инсцениро́вка суде́бного заседа́ния (*преим. устра́иваемая заключёнными в тюрьме́*); 2. *v* 1) охо́титься на кенгуру́; 2) де́лать больши́е прыжки́.

**kangaroo grass** [ˌkæŋɡəˈruːˈgrɑːs] *n* кенгуро́вая трава́.

**Kantian** [ˈkæntɪən] 1. *a* кантиа́нский; 2. *n* кантиа́нец.

**Kantianism** [ˈkæntɪənɪzəm] *n* кантиа́нство.

**kaoliang** [ˌkɑːlɪˈæŋ] *n* гаоля́н (*кита́йское или восточноазиа́тское со́рго*).

**kaolin** [ˈkeɪəlɪn] *n* каоли́н.

**kapellmeister** [kɑːˈpelˌmaɪstə] *нем. n* капельме́йстер, дирижёр.

**kapok** [ˈkeɪpɔk] *n* 1) капо́к (*расти́тельный пух*); 2) *attr.*: ~ bridge *воен.* мост на капко́вых поплавка́х.

**kappa** [ˈkæpə] *n* 1) ка́ппа (*деся́тая бу́ква гре́ческого алфави́та*); 2) *амер.* университе́тская студе́нческая корпора́ция.

**kaput** [kɑːˈput] *нем. a predic. разг.* уничто́женный; разорённый; потерпе́вший неуда́чу.

**Karaite** [ˈkeɪrəaɪt] *n* кара́им; кара́имка.

**Kara-Kalpak** [ˈkɑːrəˈkɑːlpɑːk] 1. *n* 1) каракалпа́к; каракалпа́чка; 2) каракалпа́кский язы́к; 2. *a* каракалпа́кский.

**karri** [ˈkærɪ] *n австрал.* эвкали́пт разноцве́тный.

**kar(r)oo** [kəˈruː] *n* суглинистое высо́кое плато́ в Ю́жной Африке, безво́дное в сухо́е вре́мя го́да.

**kartell** [kɑːˈtel] = cartel.

**karyon** [ˈkærɪɔn] *n биол.* ядро́ (*кле́тки*).

**katabatic** [ˌkætəˈbætɪk] *a метеор.* напра́вленный кни́зу (*о движе́нии во́здуха*).

**kathode** [ˈkæθoud] = cathode.

**katydid** [ˈkeɪtɪdɪd] *n* зелёный кузне́чик.

**kauri** [ˈkaurɪ] *n* ка́ури (*новозела́ндское хво́йное де́рево*).

**kavass** [kəˈvɑːs] *n* кава́с (*вооружённый полице́йский или слуга́ в Ту́рции*).

**kayak** [ˈkaɪæk] *n* кая́к (*эскимо́сская ло́дка*).

**kayo** ['keɪ'ou] *n амер. спорт.* нока́ут.

**Kazakh** [kʌ'zɑːk] **1.** *n* 1) каза́х; каза́шка; 2) каза́хский язы́к; **2.** *a* каза́хский.

**keck** [kek] *v* 1) рыга́ть; де́лать уси́лия, что́бы вы́рвало; 2) испы́тывать отвраще́ние; ▯ ~ at с отвраще́нием отка́зываться (*от пищи и т. п.*).

**keckle** ['kekl] *v мор.* клетнева́ть.

**kedge** [kedʒ] *мор.* **1.** *n* верп, стоп-а́нкер; **2.** *v* верпова́ть, развора́чивать(ся) *или* перетя́гивать(ся) при по́мощи ве́рпов.

**kedge-anchor** ['kedʒˌæŋkə] = kedge 1.

**kedgeree** [ˌkedʒə'riː] *n англо-инд.* блю́до из ри́са, яи́ц и лу́ка.

**keek** [kiːk] *разг.* **1.** *n* согляда́тай (предпринима́теля); **2.** *v* подгля́дывать.

**keeker** ['kiːkə] *n разг.* 1) шпио́н; тот, кто подгля́дывает; 2) *pl* глаза́.

**keeking-glass** ['kiːkɪŋglɑːs] *n разг.* зе́ркало.

**keel I** [kiːl] **1.** *n* 1) киль (*судна*); on an even ~ *мор.* на ро́вный киль; *перен.* ро́вно, споко́йно; to lay down a ~ нача́ть постро́йку корабля́; *поэт.* кора́бль; **2.** *v* килева́ть; ▯ ~ over опроки́дывать (-ся); *амер. разг.* неожи́данно упа́сть.

**keel II** [kiːl] *n* 1) плоскодо́нное су́дно для перево́зки угля́; 2) ме́ра ве́са для угля́ (≅ *21 тонна*).

**keelage** ['kiːlɪdʒ] *n* килево́й сбор (*один из портовых сборов в некоторых портах Англии*).

**keelhaul** ['kiːlhɔːl] *v* 1) *мор. ист.* килева́ть (*протаскивать под килем в наказание*); 2) *sl.* де́лать стро́гий вы́говор.

**keelson** ['kelsn] = kelson.

**keen I** [kiːn] *a* 1) о́стрый; 2) ре́зкий, пронзи́тельный; си́льный; a ~ wind ре́зкий ве́тер; 3) жесто́кий, треску́чий (*мороз*); 4) проница́тельный (*ум, взгляд*); 5) то́нкий, о́стрый (*слух и т. п.*); 6) си́льный (*о чувствах*); ~ pleasure большо́е удово́льствие; 7) си́льный, интенси́вный; ~ pain о́страя боль; ~ hunger си́льный го́лод; 8) ре́вностный, энерги́чный; a ~ man of business энерги́чный делово́й челове́к, спосо́бный деле́ц; a ~ sportsman стра́стный спортсме́н; 9) си́льно жела́ющий (*чего-л.*), стремя́щийся (*к чему-л.*); to be (dead) ~ on smth. *разг.* си́льно жела́ть чего́-л.; (о́чень) люби́ть что-л., (стра́стно) увлека́ться чем-л.; he is ~ on opera он увлека́ется о́перой; I am not very ~ on cricket я не осо́бенно люби́тель кри́кета; 10) стро́гий, ре́зкий (*о критике и т. п.*); 11) ни́зкий, сни́женный (*о ценах*).

**keen II** [kiːn] *ирл.* **1.** *n* плач, причита́ние по поко́йнику; **2.** *v* причита́ть.

**keen-set** ['kiːn'set] *a* 1) голо́дный; 2) си́льно жела́ющий (for—*чего-л.*).

**keep** [kiːp] **1.** *v* (kept) 1) держа́ть; you may ~ the book for a month мо́жете держа́ть э́ту кни́гу ме́сяц; to ~ hold of smth. не отдава́ть, держа́ть что-л.; 2) храни́ть; сохраня́ть; 3) соблюда́ть (*правило, договор и т. п.*); сдержа́ть (*слово, обещание*); по-

в“винова́ться (*закону*); 4) держа́ться, сохраня́ться; остава́ться (*в известном положении, состоянии и т. п.*); the weather ~s fine де́ржится хоро́шая пого́да; meat will ~ in the cellar мя́со в по́гребе не испо́ртится; to ~ cool сохраня́ть равнове́сие, споко́йствие, хладнокро́вие; to ~ one's bed остава́ться в посте́ли, не встава́ть с посте́ли; to ~ station *мор.* сохраня́ть своё ме́сто в строю́; 5) продолжа́ть де́лать (*что-л.*); he kept laughing the whole evening он весь ве́чер не перестава́л смея́ться; to ~ silence молча́ть; 6) *с последующим сложным дополнением означает* заставля́ть (*что-л. делать*); подде́рживать в пре́жнем состоя́нии; he kept me waiting он заста́вил меня́ ждать; I won't ~ you long я вас до́лго не задержу́; 7) содержа́ть, име́ть; to ~ a shop име́ть магази́н; 8) содержа́ть, обеспе́чивать; to ~ a family содержа́ть семью́; 9) управля́ть, вести́; to ~ house вести́ хозя́йство; 10) име́ть в прода́же; do they ~ postcards here? здесь продаю́т откры́тки?; 11) вести́ (*дневник, счета, книги и т п.*); 12) охраня́ть, защища́ть; to ~ the town against the enemy защища́ть го́род от врага́; to ~ the goal стоя́ть в воро́тах (*в футболе*); 13) скрыва́ть, ута́ивать; to ~ a secret не выдава́ть та́йну; you are ~ing smth. from me вы что́-то от меня́ скрыва́ете; 14) сде́рживать; to ~ one's temper не волнова́ться; to ~ (in) one's feeling сде́рживать свои́ чу́вства; 15) пра́здновать, справля́ть; to ~ one's birthday справля́ть день рожде́ния; 16) *разг.* (*преим. амер.*) жить; where do you ~? где вы обрета́етесь?; 17) *разг.* проводи́ть заня́тия; функциони́ровать; рабо́тать (*об учреждении*); school ~s today сего́дня в шко́ле есть заня́тия; ▯ ~ at а) де́лать (*что-л.*) с упо́рством, насто́йчиво; he kept hard at work for a week он упо́рно рабо́тал це́лую неде́лю; б) заставля́ть (*кого-л.*) де́лать (*что-л.*); в) пристава́ть с про́сьбами; ~ away а) держа́ть(ся) в отдале́нии, не подпуска́ть бли́зко; остерега́ться; б) пря́тать; ~ knives away from children пря́чьте ножи́ от дете́й; ~ back а) уде́рживать, заде́рживать; б) скрыва́ть; в) держа́ться в стороне́; ~ down а) не встава́ть, продолжа́ть сиде́ть *или* лежа́ть; б) заде́рживать рост, меша́ть разви́тию; в) подавля́ть (*восстание; чувство*); держа́ть в подчине́нии; ~ from уде́рживать(ся), возде́рживаться от чего́-л.; ~ in а) не выпуска́ть; заставля́ть сиде́ть до́ма (*больного*); to be kept in быть оста́вленным по́сле уро́ков, без обе́да (*о школьнике*); б) подде́рживать; to ~ in fire подде́рживать ого́нь; to ~ in with smth. остава́ться в хоро́ших отноше́ниях с кем-л.; ~ off держа́ть(ся) в отдале́нии; не подпуска́ть; ~ off! наза́д!; ~ on а) продолжа́ть (*делать что-л.*); ~ on reading продолжа́ть чита́ть; б): to ~ on fire подде́рживать ого́нь; в) сохраня́ть в пре́жнем положе́нии; he was kept on at his old job его́ оста́вили на пре́жней рабо́те; г) не снима́ть; оставля́ть; to ~ on one's hat не снима́ть шля́пы; ~ out а) не допуска́ть, не впуска́ть; не

позволя́ть (of); to ~ children out of mischief не дава́ть де́тям шали́ть; б) остава́ться в стороне́, не вме́шиваться (of); to ~ out of smb.'s way избега́ть кого́-л.; to ~ out of smth. избега́ть чего́-л.; ~ to приде́рживаться; держа́ться *чего́-л.; ~ to the right! держи́тесь пра́вой стороны́!; to ~ to the subject держа́ться те́мы; ~ under держа́ть в подчине́нии; ~ up a) подде́рживать; to ~ up a correspondence подде́рживать перепи́ску; б) держа́ться бо́дро; в) продолжа́ть; ~ it up! не остана́вливайтесь!, продолжа́йте!; ~ up with smb. держа́ться наравне́ с кем-л., не отстава́ть; ◇ to ~ company a) составля́ть компа́нию, сопровожда́ть; б) дружи́ть; to ~ bad company быть в плохо́й компа́нии; в) разг. уха́живать; to ~ one's end не сдава́ться, стоя́ть на своём; to ~ covered воен. держа́ть на прице́ле; to ~ on at a person разг. беспреста́нно брани́ть кого́-л.; to ~ one's counsel пома́лкивать; держа́ть что-л. в секре́те; to ~ (smb.) going a) сохрани́ть (чью-л.) жизнь; б) помо́чь (кому́-л.) материа́льно; to ~ one's head (cool) не теря́ть головы́, сохраня́ть споко́йствие; to ~ one's shirt on sl. не волнова́ться, не не́рвничать; to ~ a stiff upper lip разг. а) сохраня́ть прису́тствие ду́ха; не теря́ть му́жества; б) проявля́ть твёрдость, упо́рство; to ~ time a) идти́ ве́рно (о часа́х); б) соблюда́ть такт; to ~ track of следи́ть за разви́тием (собы́тий и т. п.); to ~ late hours по́здно ложи́ться или встава́ть; to ~ an eye on smth. присма́тривать за чем-л.; to ~ oneself to oneself быть за́мкнутым, необщи́тельным; to ~ smb. underfoot держа́ть кого́-л. в подчине́нии; to ~ a check (амер. a tab) on smth. проверя́ть, контроли́ровать что-л.; to ~ smth. under one's hat держа́ть что-л. в секре́те; to ~ one's feet (или legs) про́чно держа́ться на нога́х; устоя́ть;
2. n 1) содержа́ние, пи́ща, проко́рм; to earn one's ~ зарабо́тать на пропита́ние; 2) запа́с корма для скота́; 3) гла́вная ба́шня (средневеко́вого за́мка); 4) тех. контрбу́кса; ◇ in good (in low) ~ в хоро́шем (в плохо́м) состоя́нии; for ~s разг. а) навсегда́; б) соверше́нно.

**keeper** ['ki̇pə] n 1) храни́тель; сто́рож; смотри́тель; 2) санита́р (в доме для умалишённых); 3) лесни́к, охраня́ющий дичь; 4) хорошо́ сохраня́ющийся проду́кт; 5) держа́тель (напр., облига́ций); 6) кольцо́, наде́тое сверх друго́го; 7) тех. контрга́йка; 8) эл. я́корь магни́та.

**-keeper** [-,ki̇pə] в сло́жных слова́х означа́ет содержа́тель, предпринима́тель; напр.: innkeeper хозя́ин гости́ницы; shopkeeper ла́вочник.

**keeping** ['ki̇pɪŋ] 1. pres. p. от keep 1; 2. n 1) владе́ние; содержа́ние; 2) хране́ние; 3) охра́на, присмо́тр; to be in safe ~ быть в надёжных рука́х; быть в по́лной безопа́сности; in smb.'s ~ на чьём-л. попече́нии; 4) гармо́ния, согла́сие; to be in ~ with smth. согласова́ться, гармони́ровать с чем-л.; to be out of ~ with smth.

не согласо́вываться, не гармони́ровать с чем-л.; 5) attr. хорошо́ сохраня́ющийся; ~ apples хорошо́ сохраня́ющиеся я́блоки.

**keeping-room** ['ki̇pɪŋrum] n амер. гости́ная, о́бщая ко́мната.

**keepsake** ['ki̇pseɪk] n 1) пода́рок на па́мять; 2) уст. альбо́м со стиха́ми и иллюстра́циями; 3) attr. слаща́вый, сентимента́льный.

**kef** [keɪf] араб. n 1) состоя́ние опьяне́ния (от употребле́ния гаши́ша); 2) безде́лье, кейф.

**kefir** ['kefə] n кефи́р.

**keg** [keg] n бочо́нок (ёмкостью до 10 галло́нов).

**keif** [keɪf] = kef.

**kelp** [kelp] n 1) бу́рая во́доросль, преим. ламина́рия; 2) зола́ э́тих во́дорослей, из кото́рой добыва́ется йод.

**kelpie, kelpy** ['kelpɪ] n шотл. миф. злой водяно́й (зама́нивающий корабли́ и топя́щий люде́й).

**kelson** ['kelsn] n мор. ки́льсон.

**Kelt** [kelt] = Celt.

**Keltic** ['keltɪk] = Celtic.

**kelvin** ['kelvɪn] n 1) килова́тт-ча́с; 2) attr.: K. scale шкала́ абсолю́тной температу́ры.

**ken** [ken] шотл. 1. n кругозо́р; круг зна́ний;
2. v (kent) узнава́ть (по ви́ду); знать.

**kennel** I ['kenl] 1. n 1) конура́; 2) (часто pl) соба́чий пито́мник; 3) сво́ра соба́к (охо́тничьих); 4) ли́сья нора́; 5) хиба́рка, лачу́га;
2. v 1) загоня́ть в конуру́; 2) держа́ть в конуре́; 3) жить в конуре́.

**kennel** II ['kenl] n сток, водосто́чная кана́ва.

**kennel ration** ['kenl'ræʃən] n амер. sl. мясно́е блю́до.

**kent** [kent] past и p. p. от ken 2.

**Kentish** ['kentɪʃ] a ке́нтский; ◇ ~ fire а) продолжи́тельные аплодисме́нты; б) во́згласы нетерпе́ния; ~ rag твёрдый строи́тельный известня́к.

**kentledge** ['kentledʒ] n мор. постоя́нный балла́ст.

**kepi** ['kepɪ] фр. n ке́пи.

**kept** [kept] 1. past и p. p. от keep 1; 2. a: ~ woman содержа́нка.

**keratin** ['kerətɪn] n керати́н, рогово́е вещество́.

**keratoid** ['kerətɔɪd] a рогово́й.

**kerb** [kəb] n 1) (ка́менная) обо́чина, край тротуа́ра; 2) attr.: ~ merchant, trader, ~ vendor у́личный торго́вец; ◇ on the ~ на тротуа́ре (о внебирже́вых сде́лках, соверша́ющихся по́сле закры́тия би́ржи).

**kerb-stone** ['kəbstoun] n 1) = kerb; 2) бордю́рный ка́мень; ◇ ~ broker внебиржево́й ма́клер.

**kerchief** ['kətʃif] n плато́к (головно́й); косы́нка, шарф.

**kerchiefed, kerchieft** ['kətʃift] a покры́тый платко́м, косы́нкой.

**kerf** [kəf] n 1) зару́бка, надру́б, пропи́л на де́реве (при ва́лке дере́вьев); 2) горн. ни́жний вруб, подбо́й.

**kermes** ['kə:mɪz] *n зоол.* 1) кермес, дубóвый червéц (*насекомое*); 2) крáсная крáска из кермéса; 3) дуб кермéсовый (*тж.* ~ oak).

**kermis** ['kə:mɪs] *голл. n* я́рмарка.

**kern(e)** [kə:n] *n* 1) *ист.* легковооружённый ирлáндский пехоти́нец; 2) *презр.* мужи́к, деревéнщина.

**kernel** ['kə:nl] *n* 1) зернó, зёрнышко; 2) сердцеви́на (*плода*); ядрó (*орехa*); 3) суть; 4) *филос.* рациональное зернó; 5) *метал.* ши́шка.

**kerosene** ['kerəsi:n] *n* кероси́н.

**kersey** ['kə:zɪ] *n* 1) грýбая шерстянáя матéрия; 2) *pl* брюки из такóй матéрии.

**kerseymere** ['kə:zɪmɪə] *n* казими́р (*тонкая шерстянáя ткань*).

**kestrel** ['kestrəl] *n* пустельгá (*птица*).

**ketch** [ketʃ] *n* кеч (*небольшое двухмачтовое судно*).

**ketchup** ['ketʃəp] *n* кéтчуп (*соус из грибов, томáтов и т. п.*).

**kettle** ['ketl] *n* 1) большóй металли́ческий чáйник; 2) *уст.* котёл, котелóк; 3) коробка кóмпаса; 4) *горн.* бадья́; ◇ a fine (*или* nice, pretty) ~ of fish ≅ весéленькая истóрия, хорóшенькое дéло.

**kettle-drum** ['ketldrʌm] *n* 1) литáвра; 2) *уст.* звáный чай (*во второй половине дня*).

**key I** [ki:] **1.** *n* 1) ключ; false ~, skeleton ~ отмы́чка; 2) ключ, разгáдка (*к решéнию вопрóса и т. п.*); 3) ключ, код; 4) подстрóчный перевóд; сбóрник решéний задáч; 5) *муз.* ключ; тонáльность; major (minor) ~ мажóрный (минóрный) тон; all in the same ~ монотóнно, однообрáзно; 6) тон, высотá гóлоса; to speak in a high (low) ~ грóмко (ти́хо) разговáривать; 7) *жив.* тон, оттéнок (*о краске*); 8) клáвиша; *pl* клавиатýра (*рояля, пи́шущей машинки и т. п.*); 9) *амер.* оснóва полити́ки, основнóй при́нцип; основнóй лóзунг полити́ческой кампáнии; 10) *тех.* клин; шпóнка; чекá; шпи́лька, закрéпа; 11) *эл.* ключ; кнóпка; рычáжный переключáтель; magnetic ~ электромагни́тный ключ; telegraph ~ телегрáфный ключ; 12) *attr.* основнóй, ключевóй; ведýщий, комáндный; глáвный; ~ industries ведýщие óтрасли промы́шленности; ~ positions комáндные пози́ции; ~ problem основнáя, узловáя проблéма; ◇ ~ pattern прямоугóльный узóр, меáндр; to hold the ~s of smth. держáть что-л. в свои́х рукáх; держáть что-л. под контрóлем; golden (*или* silver) ~ взя́тка, пóдкуп; power of the ~s пáпская власть; to have (*или* to get) the ~ of the street *шутл.* остáться нóчью на ýлице; остáться без крóва; **2.** *v* 1) запирáть на ключ; 2) *тех.* закли́нивать; закреплять кли́ном, шпóнкой (*часто* ~ in, ~ on); 3) *муз.* настрáивать; 4) приводи́ть в соотвéтствие; 5) *тел., радио* рабóтать ключóм; □ ~ up a) взвинти́ть (*когó-л.*); б) придáть реши́мость, смéлость.

**key II** [ki:] *n* óтмель, риф.

**keyboard** ['ki:bɔ:d] *n* 1) клавиатýра; 2) *эл.* распредели́тельная доскá; *тел.* коммутáтор, ключевáя доскá.

**key-cold** ['ki:'kould] *a* холóдный (как лёд), безжи́зненный.

**keyed** [ki:d] **1.** *p. p. от* key I, 2; **2.** *a* 1) снабжённый ключáми *или* клáвишами; 2) *муз.* настрóенный в определённой тонáльности (*тж.* ~ up); 3) взви́нченный, взволнóванный (*тж.* ~ up); 4) гармони́рующий, подходя́щий (to).

**keyhole** ['ki:houl] *n* замóчная сквáжина; to spy through the ~ подсмáтривать у двéри; to listen at the ~ подслýшивать у двéри.

**keyless** ['ki:lɪs] *a* без ключá; заводя́щийся без ключá (*о часах*).

**keyman** ['ki:mæn] *n амер.* 1) телеграфи́ст; 2) человéк, занимáющий ведýщий пост, игрáющий важнéйшую роль (*в политике, промышленности*); 3) óпытный специали́ст.

**key money** ['ki:'mʌnɪ] *n* дополни́тельная плáта, взимáемая при продлéнии срóка арéнды, возобновлéнии арéнды и т. п.

**key-note** ['ki:nout] *n* 1) *муз.* преобладáющая нóта ключá, тонáльность; 2) преобладáющий тон, основнáя мысль; 3) *attr.* ведýщий, основнóй; ~ address, ~ speech речь, даю́щая тон собрáнию, съéзду и т. п. *или* заостря́ющая внимáние на основны́х вопрóсах; основнóй доклáд.

**keynoter** ['ki:,noutə] *n амер. разг.* руководи́тель полити́ческой кампáнии.

**key point** ['ki:pɔint] *n воен.* ориенти́р; узловóй пункт, опóрный пункт.

**keystone** ['ki:stoun] *n* 1) *архит.* замкóвый *или* ключевóй кáмень (*свода или арки*); 2) краеугóльный кáмень, основнóй при́нцип.

**key-winding** ['ki:,waindɪŋ] *a* заводя́щийся ключóм.

**khaki** ['kɑ:kɪ] **1.** *n* хáки (*материя защи́тного цвета*); **2.** *a* защи́тного цвéта; цвéта хáки.

**khalifa** [kɑ:'li:fə] = caliph.

**khalifat** ['kɑ:lɪfæt] = caliphate.

**khamsin** ['kæmsɪn] *араб. n* хамси́н (*сухóй знóйный ветер в Египте*).

**khan** [kɑːn] *тур. n* хан.

**khanate** ['kɑ:neit] *тур. n* 1) хáнство; 2) власть хáна.

**Khedive** [kɪ'di:v] *n ист.* хеди́в.

**khidmutgar** ['kɪdmətgɑ:] *n англо-инд.* слугá-тузéмец.

**kibble** ['kɪbl] **1.** *n горн.* бадья́ для подъёма рудý на повéрхность; **2.** *v* 1) поднимáть рудý; 2) дроби́ть рудý.

**kibbler** ['kɪblə] *n* дроби́лка.

**kibe** [kaɪb] *n* боля́чка на отморóженном мéсте (*особ.* на пя́тке); ◇ to tread on one's ~s наступи́ть на люби́мую мозóль.

**kibitz** ['kɪbɪts] *v* вмéшиваться не в своё дéло; давáть непрóшенные совéты (*особ. в карточной игре*).

**kibitzer** ['kɪbɪtsə] *n* 1) человéк, вмéшивающийся в чужи́е делá; 2) человéк, наблюдáющий за кáрточной игрóй.

**kibosh** ['kaɪbɔʃ] *n sl.* вздор, чепухá; ◇ to put the ~ on положи́ть конéц, покóнчить; прикóнчить.

**kick** [kik] **1.** *n* 1) удáр ногóй, копы́том; пинóк; to get the ~ a) получи́ть пинóк;

б) быть уволенным; 2) отда́ча (ружья); 3) уда́р, толчо́к; отска́кивание; 4) разг. си́ла сопротивле́ния; has по ~ left без сил; вы́дохся; 5) амер. разг. проте́ст; 6) разг. кре́пость (вина и т. п.); 7) вда́вленное дно (буты́лки); 8) возбужде́ние; 9) разг. мо́да; 10) sl. шесть пе́нсов; two and a ~ два ши́ллинга и шесть пе́нсов; 11): good (bad) ~ хоро́ший (плохо́й) футбо-ли́ст; ◇ to get a ~ out of smth. находи́ть удово́льствие в чём-л.; more ~s than halfpence бо́льше неприя́тностей, чем вы́годы;

2. v 1) ударя́ть ного́й; to ~ downstairs спусти́ть с ле́стницы; вы́швырнуть; 2) брыка́ть(ся); ляга́ть(ся); 3) отдава́ть (о ружье); 4) высо́ко подбра́сывать (мяч); 5) спорт. бить по мячу́, заби́ть гол; 6) разг. проти́виться, проявля́ть стропти́вость, недово́льство (тж. ~ against, ~ at); 7) амер. sl. умере́ть (часто ~ in); □ ~ back a) отплати́ть; 6) авт. отдава́ть назад; в) амер. sl. отдава́ть (часть зарпла́ты, вознаграждения под нажимом и т. п.); г) амер. sl. возвраща́ть (краденое); ~ in a) взлома́ть (дверь и т. п.); 6) амер. де́лать дар, взнос; подпи́сываться; ~ off сбро́сить (туфли и т. п.); ~ out a) вы́швырнуть, вы́гнать; 6) износи́ть, истрепа́ть; ~ up: to ~ up dust поднима́ть пыль нога́ми; to ~ up the heels брыка́ться (о лошади); ◇ to ~ up a row (a fuss, a dust) поднима́ть, устра́ивать сканда́л (шум, сумато́ху); to ~ against the pricks ≅ лезть на рожо́н; сопротивля́ться себе́ во вред; to ~ the beam a) оказа́ться бо́лее лёгкой (из двух чашек весов); 6) не име́ть ве́са, значе́ния; потеря́ть значе́ние, влия́ние; to ~ the bucket разг. протяну́ть но́ги (умереть); to ~ up one's heels разг. а) умере́ть; 6) танцева́ть; весели́ться; to ~ one's heels дожида́ться; зря или нетерпели́во ждать; to ~ over the traces вы́йти из повинове́ния, взбунтова́ться; to ~ upstairs шутл. дать почётную отста́вку; изба́виться (от кого-л., назначив на более высокую должность).

**kickback** ['kɪkbæk] n 1) бу́рная реа́кция; 2) амер. разг. возвраще́ние ча́сти зарпла́ты, гонора́ра и т. п. (под нажимом).

**kicker** ['kɪkə] n 1) брыкли́вая ло́шадь; 2) амер. критика́н; 3) скандали́ст; 4) футболи́ст; 5) тех. эже́ктор, толка́ч, выбра́сыватель; 6) сеновороши́лка.

**kick-off** ['kɪk'ɔ:f] n 1) спорт. введе́ние мяча́ в игру́; 2) разг. нача́ло.

**kickshaw** ['kɪkʃɔ:] n 1) ла́комство (обыкн. пренебр.); 2) безделу́шка, пустячо́к.

**kick-starter** ['kɪk͵sta:tə] n педа́льный ста́ртер.

**kick-up** ['kɪk'ʌp] n разг. 1) сканда́л; сумато́ха; 2) пра́зднество, пиру́шка; 3) амер. та́нцы, танцева́льный ве́чер.

**kid** I [kɪd] 1. n 1) козлёнок; 2) ла́йка (кожа); 3) pl ла́йковые перча́тки; 4) разг. ребёнок; парни́шка;

2. v козли́ться, ягни́ться.

**kid** II [kɪd] sl. 1. n обма́н, надува́тельство;

2. v обма́нывать; высме́ивать.

**Kidderminster** (carpet) ['kɪdəmɪnstə (-'ka:pɪt)] n киддерми́нстерский ковёр (двухцветный).

**kiddle** ['kɪdl] n перемёт.

**kiddy** ['kɪdɪ] n разг. ребёнок; парни́шка, паренёк.

**kid glove** ['kɪd'glʌv] n ла́йковая перча́тка; ◇ with ~s мя́гко, делика́тно.

**kid-glove** ['kɪdglʌv] a 1) делика́тный, мя́гкий; 2) избега́ющий чёрной рабо́ты; ◇ ~ affair официа́льный приём, банке́т.

**kidnap** ['kɪdnæp] v 1) укра́сть ребёнка; 2) наси́льно или обма́ном похи́тить (кого-л.).

**kidnapper** ['kɪdnæpə] n похити́тель (людей, особ. детей).

**kidney** ['kɪdnɪ] n 1) анат. по́чка; 2) род, тип, хара́ктер; a man of that ~ челове́к э́того ро́да; they are both of the same ~ ≅ одни́м ми́ром ма́заны; одного́ по́ля я́года; 3) attr. анат. по́чечный; 4) attr. похо́жий на по́чку.

**kidney bean** ['kɪdnɪ'bi:n] n фасо́ль (обыкнове́нная).

**kid-skin** ['kɪdskɪn] n ла́йка (кожа).

**kief** [ki:f] = kef.

**kike** [kaɪk] n амер. 1) презр. евре́й; 2) = keek 1.

**kilderkin** ['kɪldəkɪn] n бочо́нок (ёмкостью 16—18 галлонов).

**kill** [kɪl] 1. v 1) убива́ть; бить, ре́зать (скот); 2) дава́ть определённое коли́чество мя́са при убо́е; these pigs do not well сви́ньи э́той поро́ды даю́т ма́ло мя́са при убо́е; 3) убива́ть, губи́ть, уничтожа́ть; to ~ a bill провали́ть законопрое́кт; to ~ a novel раскритикова́ть рома́н; 4) осла́бить эффе́кт; нейтрализова́ть (краску и т. п.); заглуши́ть; the drums ~ed the strings бараба́ны заглуши́ли стру́нные инструме́нты; to ~ an engine заглуши́ть мото́р; 5) си́льно порази́ть, восхити́ть; dressed (или dolled up) to ~ разг. шика́рно, умопомрачи́тельно оде́тый; 6) си́льно рассмеши́ть, умори́ть; it nearly ~ed me я чуть не у́мер со́ смеху; 7) вычёркивать (в корректуре и т. п.); 8) ослабля́ть, успока́ивать (боль и т. п.); 9) метал. выде́рживать пла́вку в ва́нне; раскисля́ть сталь; 10) эл. ре́зко пони́зить напряже́ние; отключи́ть; 11) тех. трави́ть; 12) потопи́ть кора́бль или подво́дную ло́дку; сбить (самолёт); □ ~ off a) изба́виться; 6) уничто́жить; ~ out уничтожа́ть, искореня́ть; ◇ to ~ by inches му́чить;

2. n 1) добы́ча (на охоте); plentiful бога́тая добы́ча на охо́те; 2) уби́йство; 3) живо́тное, служа́щее прима́нкой при охо́те на хи́щного зве́ря; 4) пото́пленная подво́дная ло́дка; сби́тый самолёт.

**kill-devil** ['kɪldevl] n иску́сственная прима́нка, дви́жущаяся в воде́.

**killer** ['kɪlə] n 1) уби́йца; 2) зоол. дельфи́н-каса́тка.

**killer whale** ['kɪlə͵weɪl] = killer 2).

**killing** ['kɪlɪŋ] 1. pres. p. от kill 1; 2. n 1) уби́йство; 2) убо́й; 3) разг. больша́я при́быль;

3. *a* 1) убийственный; 2) уморительный; 3) восхитительный.

**killjoy** ['kıldʒɔı] *n* человек, отравляющий другим удовольствие; брюзга.

**kill-time** ['kıltaım] 1. *n* бессмысленное, пустое занятие (*чтобы убить время*); 2. *a* бессмысленный, пустой (*о занятии, времяпрепровождении и т. п.*).

**kiln** [kıln] 1. *n* печь для обжига и для сушки; 2. *v* обжигать (*кирпич, известь и т. п.*).

**kiln-drying** ['kıln,draııŋ] *n* искусственная сушка.

**kilo** ['kiːlou] 1) = kilogram(me); 2) = kilometre.

**kilo-** ['kiːlou-] *в сложных словах означает* тысяча.

**kilocycle** ['kılou,saıkl] *n радио* килогерц, килоцикл.

**kilogram(me)** ['kıləgræm] *n* килограмм.

**kilometer** ['kılə,miːtə] *амер.* = kilometre.

**kilometre** ['kılə,miːtə] *n* километр.

**kilowatt** ['kıləwɔt] *n* киловатт.

**kilt** [kılt] 1. *n* юбка шотландского горца *или* солдата шотландского полка; 2. *v* 1) подбирать, подтыкать подол; 2) закладывать в складки.

**kilter** ['kıltə] *n* порядок, исправность; out of ~ в беспорядке; in ~ в порядке.

**kiltie, kilty** ['kıltı] *n* шотландский солдат в национальном костюме.

**kimono** [kı'mounou] *яп. n* (*pl* -os [-ouz]) кимоно.

**kin** [kın] 1. *n* 1) род, семья; to come of good ~ быть из хорошей семьи; 2) родня, родственники; родство; near of ~ а) состоящий в близком родстве; б) родственный, сходный, подобный; next of ~ ближайший(-ие) родственник(и); 2. *a predic.* родственный; we are ~ мы сродни; ~ to родственный; подобный, похожий.

**kinchin** ['kıntʃın] *n sl.* 1) ребёнок; 2) *attr.*:~ lay кража денег у ребёнка на улице.

**kind** I [kaınd] *n* 1) род; семейство; human ~ человеческий род; 2) сорт, разновидность; разряд, класс; what ~ of man is he? что он за человек?; all ~s of things всевозможные вещи; of a better ~ лучшего сорта; усовершенствованного типа; 3) отличительный признак; природа, качество; to act after one's ~ быть верным себе (*в поступках*); to differ in degree but not in ~ отличаться степенью, но не качеством; ◇ coffee of a ~ скверный кофе; nothing of the ~ ничего подобного; ~ of несколько, как будто; как будто; I ~ of expected it я этого отчасти ждал; to pay in ~ платить натурой, товарами; in ~ таким же (*или* подобным) образом; to repay (*или* to pay back, to answer) in ~ отплатить той же монетой; the worst ~ *амер.* чрезвычайно, крайне.

**kind** II [kaınd] *a* 1) добрый, сердечный, любезный; how of you! как мило с вашей стороны!; with ~ regards с сердечным приветом (*в письме*); be so ~ as to shut the door будьте так добры, закройте дверь;

2) податливый; послушный; this horse is ~ in harness эта лошадь хороша в упряжке; 3) мягкий (*о волосе*); 4) *тех.* легко поддающийся обработке, мягкий (*о руде*).

**kindergarten** ['kındə,gɑːtn] *нем. n* детский сад.

**kindergartener** ['kındə,gɑːtnə] *n* 1) воспитатель в детском саду; 2) ребёнок, посещающий детский сад.

**kind-hearted** ['kaınd'hɑːtıd] *a* мягкосердечный, добрый.

**kindle** ['kındl] *v* 1) зажигать; 2) воспламенять, возбуждать; to ~ smb.'s interest вызывать чей-л. интерес; to ~ smb.'s anger возбуждать чей-л. гнев; 3) загореться, зажечься, вспыхнуть (*тж.* перен.); her eyes ~d with happiness её глаза светились счастьем.

**kindliness** ['kaındlınıs] *n* 1') доброта; 2) добрый поступок.

**kindling** ['kındlıŋ] 1. *pres. p. om* kindle; 2. *n* 1) зажигание, разжигание; 2) (*тж. pl*) растопка; лучина для растопки.

**kindling-wood** ['kındlıŋwud] *n* растопка, щепа.

**kindly** ['kaındlı] 1. *a* 1) добрый, доброжелательный; 2) приятный, благоприятный (*о климате, почве и т. п.*); 2. *adv* 1) доброжелательно, любезно; to speak ~ говорить доброжелательно, тепло; ~ let me know будьте добры, дайте мне знать; will you ~ do this for me будьте добры сделать это для меня; 2) (благо-) приятно; легко; to act ~ действовать мягко (*о лекарстве*); 3) с удовольствием; she took ~ to her warm bed она с удовольствием легла в свою тёплую постель.

**kindness** ['kaındnıs] *n* 1) доброта; доброжелательность; to have a ~ for smb. любить кого-л.; 2) доброе дело, одолжение; любезность; to do a personal ~ сделать личное одолжение.

**kindred** ['kındrıd] 1. *n* 1) кровное родство; 2) сродство, схожесть; 3) род; клан; родственники; 2. *a* 1) родственный; ~ languages родственные языки; 2) сходный; rain and ~ phenomena дождь и сходные с ним явления природы.

**kine** [kaın] *уст., поэт. pl om* cow I.

**kinema** ['kınımə] *уст.* = cinema.

**kinematic** [,kaını'mætık] *a физ.* кинематический.

**kinematics** [,kaını'mætıks] *n pl* (*употр. как sing*) кинематика.

**kinematograph** [,kaını'mætəgrɑːf] *уст. см.* cinematograph.

**kinescope** ['kınəskoup] *n телев.* кинескоп.

**kinetic** [kaı'netık] *a физ.* кинетический; ~ energy кинетическая энергия.

**kinetics** [kaı'netıks] *n pl* (*употр. как sing*) динамика; кинематика.

**king** [kıŋ] 1. *n* 1) король; царь; K.'s speech тронная речь короля; ~ for a day ≈ калиф на час; K.'s messenger дипломатический курьер; K.'s coat военный мундир; K.'s Bench, K.'s Division отделение Верховного суда; 2) *перен.* царь, властитель; ~ of beasts царь зверей; ~ of metals

зо́лото; К. of Terrors смерть; 3) коро́ль, магна́т; a railroad ~ железнодоро́жный магна́т; 4) *шахм., карт.* коро́ль; 5) да́мка (*в ша́шках*); 6) *бот.* гла́вный сте́бель (*растения*); ◊ K.'s English литерату́рный англи́йский язы́к; the K.'s peace обще́ственный поря́док;
2. *v* управля́ть, пра́вить.

**kingbolt** ['kɪŋboult] *n* ось, шкво́рень.

**king-crab** ['kɪŋkræb] *n название большого морского паукообразного (из рода Limulus*).

**kingcraft** ['kɪŋkrɑːft] *n* иску́сство правле́ния.

**kingcup** ['kɪŋkʌp] *n бот.* 1) калу́жница боло́тная; 2) лю́тик клубнено́сный.

**kingdom** ['kɪŋdəm] *n* 1) короле́вство; ца́рство; 2): animal ~ живо́тное ца́рство.

**kingfisher** ['kɪŋˌfɪʃə] *n* пе́гий зиморо́док (*птица*).

**kinglet** ['kɪŋlɪt] *n* 1) *презр.* царёк; 2) королёк (*птица*).

**kingly** ['kɪŋlɪ] 1. *a* короле́вский; ца́рственный; вели́чественный;
2. *adv редк.* по-короле́вски; по-ца́рски; ца́рственно.

**King of Arms** ['kɪŋəvˈɑːmz] *n* оди́н из пяти́ вы́сших чино́вников геральди́ческой пала́ты.

**kingpin** ['kɪŋpɪn] *n* 1) = kingbolt; 2) *перен.* сте́ржень, на кото́ром всё де́ржится; осно́ва; 3) ва́жное лицо́; 4) ке́гля, стоя́щая в середи́не.

**kingpost** ['kɪŋpoust] *n стр.* (стропи́льная) ба́бка, сто́йка шпре́нгельной ба́лки.

**king's evil** ['kɪŋzˈiːvl] *n* золоту́ха.

**kingship** ['kɪŋʃɪp] *n* 1) короле́вский сан; 2) ца́рствование.

**Kingston(e) valve** ['kɪŋstənˈvælv] *n мор.* кингсто́н.

**kink I** [kɪŋk] 1. *n* 1) перекру́чивание, пе́тля (*в верёвке, проводе*); у́зел (*в кручёной нитке*); 2) заги́б, изги́б; 3) су́дорога; 4) стра́нность, причу́да; 5) *горн.* отклоне́ние жи́лы;
2. *v* перекрути́ть(ся), образова́ть у́зел, запу́тать(ся).

**kink II** [kɪŋk] *шотл.* 1. *n* при́ступ уду́шья (*при сильном кашле, смехе*);
2. *v* задыха́ться (*смеясь или кашляя*).

**kink-cough** ['kɪŋkˌkɔf] = kink II, 1.

**kinkle** ['kɪŋkl] *n* завито́к, изги́б.

**kinky** ['kɪŋkɪ] *a* 1) курча́вый (*о волосах*); 2) *разг.* стра́нный, эксцентри́чный.

**kino** ['kiːnou] *n* каме́дь разли́чных тропи́ческих дере́вьев (*применяется в медицине как вяжущее средство*).

**kinsfolk** ['kɪnzfouk] *n* (*употр. с гл. во мн. ч.*)ро́дственники, родня́.

**kinship** ['kɪnʃɪp] *n* 1) родство́; 2) схо́дство, подо́бие.

**kinsman** ['kɪnzmən] *n* ро́дственник.

**kinswoman** ['kɪnzˌwumən] *n* ро́дственница.

**kintal** ['kɪntl] *уст.* = quintal.

**kiosk** ['kiːˈɔsk] *n* 1) кио́ск; 2) бу́дка телефо́на-автома́та.

**kip I** [kɪp] *n* ко́жа молодо́го *или* небольшо́го живо́тного (*телячья, овечья и т. п.*).

**kip II** [kɪp] *sl.* 1. *n* 1) ночле́жка; 2) ко́йка; посте́ль.
2. *v* спать.

**kip III** [kɪp] *n амер.* 1000 фу́нтов (=453,59 *кг*).

**kipper** ['kɪpə] 1. *n* 1) копчёная селёдка; копчёная ры́ба; 2) ло́сось-саме́ц во вре́мя не́реста; 3) *sl.* па́рень, челове́к; 4) *воен. sl.* торпе́да.
2. *v* соли́ть и копти́ть ры́бу.

**kir** [kɪə] *n геол.* кир, отверде́лая нефть.

**Kirghiz** ['kəːgɪz] 1. *n* (*pl* -es [-ɪz] *или без измен.*) 1) кирги́з; кирги́зка; 2) кирги́зский язы́к;
2. *a* кирги́зский.

**kirk** [kəːk] *n шотл.* це́рковь; the K. of Scotland пресвитериа́нская це́рковь Шотла́ндии.

**kirn** [kəːn] *n шотл.* 1) после́дний сноп жа́твы; 2) пра́здник урожа́я.

**kirtle** ['kəːtl] *n уст.* 1) ю́бка, пла́тье; 2) ку́ртка, кафта́н.

**kirve** [kəːv] *n горн.* вруб; подбо́йка.

**kismet** ['kɪsmet] *n араб. п* судьба́, рок.

**kiss** [kɪs] 1. *n* 1) поцелу́й; лобза́ние; to give a ~ on the cheek поцелова́ть в щёку; to steal (*или* to snatch) a ~ сорва́ть поцелу́й; 2) лёгкое прикоснове́ние, лёгкий уда́р друг о дру́га (*бильярдных шаров*); 3) безе́ (*пирожное*);
2. *v* 1) целова́ть(ся), поцелова́ть(ся); to ~ away tears поцелу́ями осуши́ть слёзы; to ~ the book целова́ть би́блию при принесе́нии прися́ги в суде́; 2) слегка́ косну́ться оди́н друго́го (*о бильярдных шарах*); ◊ to ~ the cup пригу́бить (*чашу*); пить, выпива́ть; to ~ one's hand to послать возду́шный поцелу́й; to ~ the dust а) быть пове́рженным во прах; потерпе́ть пораже́ние; б) быть уби́тым; в) унижа́ться, пресмыка́ться; to ~ the ground а) простира́ться ниц; б) быть побеждённым; to ~ the rod безро́потно переноси́ть наказа́ние.

**kiss-curl** ['kɪskəːl] *n* ло́кон (*на лбу*).

**kiss-in-the-ring** ['kɪsɪndəˈrɪŋ] *n* разнови́дность игры́ в ко́шки-мы́шки, где пойма́вший (-ая) целу́ет по́йманную (-ого).

**kiss-me-quick** ['kɪsmɪˈkwɪk] *n* 1) да́мская шля́па в ви́де ка́пора (*мода 50-х годов XIX в.*); 2) ло́кон (*на лбу*); 3) ди́кая маргари́тка.

**kit I** [kɪt] *n* 1) каду́шка; 2) ра́нец, су́мка, вещево́й мешо́к; 3) костю́м; спецо́вка; hunting ~ костю́м для охо́ты; 4) снаряже́ние (*для путешествия и т. п.*); 5) *воен.* ли́чное обмундирова́ние и снаряже́ние; 6) су́мка с инструме́нтом; компле́кт *или* набо́р инструме́нтов; ◊ the whole ~ (and boodle) вся компа́ния.

**kit II** [kɪt] *n* (*сокр. от* kitten) котёнок.

**kit III** [kɪt] *n уст.* ма́ленькая скри́пка.

**kit-allowance** ['kɪtəˌlauəns] *n* де́ньги на приобрете́ние ме́лких предме́тов ли́чного по́льзования (*в английской армии*).

**kit-bag** ['kɪtbæg] *n* вещево́й мешо́к.

**kit-cat** ['kɪtkæt] *n attr.*: ~ portrait портре́т не́сколько ме́ньше поясно́го.

**kitchen** ['kɪtʃɪn] *n* 1) ку́хня; 2) *attr.* ку́хонный; ~ unit комбини́рованный ку́-

хонный стол (*с ящиками, сушкой, мойкой*); ~ cart *амер. воен.* похо́дная ку́хня.

**kitchener** ['kɪʧɪnə] *n* 1) по́вар (*особ.* в монастыре́); 2) ку́хонная плита́.

**kitchenette** [,kɪʧɪ'net] *n* ку́хонька; небольша́я ку́хня (*с кладовой*).

**kitchen garden** ['kɪʧɪn'ɡɑːdn] *n* огоро́д.

**kitchen herb** ['kɪʧɪnhəːb] *n* пря́ности.

**kitchen-maid** ['kɪʧɪnmeɪd] *n* судомо́йка.

**kitchen midden** ['kɪʧɪn'mɪdn] *n* археол. ку́ча ку́хонных отбро́сов (*холм, образовавшийся из кухонных отбросов и утвари первобытного человека*).

**kitchen police** ['kɪʧɪnpə'liːs] *n амер. воен.* наря́д на ку́хню; солда́ты, за́нятые на ку́хне.

**kitchen-range** ['kɪʧɪn,reɪndʒ] *n* плита́.

**kitchen-stuff** ['kɪʧɪnstʌf] *n* 1) проду́кты для ку́хни, *особ.* о́вощи; 2) ку́хонные отбро́сы.

**kitchen-wench** ['kɪʧɪnwenʧ] = kitchen-maid.

**kite** [kaɪt] *n* 1) *зоол.* ко́ршун; 2) хи́щник; моше́нник; шу́лер; 3) возду́шный змей; to fly a ~ a) запуска́ть зме́я; б) *перен.* пуска́ть про́бный шар [*см. также* 4)]; to knock higher than a ~ *амер.* a) запусти́ть о́чень высоко́; б) де́лать (*что-л.*) с необыча́йной си́лой; 4) *ком. разг.* фикти́вный ве́ксель; to fly a ~ пыта́ться получи́ть де́ньги под фикти́вные векселя́ [*см. также* 3)]; 5) *воен. sl.* самолёт; 6) зме́йковый аэроста́т; аэроста́т загражде́ния; 2. *v* 1) *разг.* лета́ть, пари́ть в во́здухе; 2) *ком. разг.* получа́ть де́ньги по фикти́вным векселя́м.

**kite balloon** ['kaɪtbə,luːn] *n* зме́йковый аэроста́т.

**kiteflying** ['kaɪt,flaɪɪŋ] *n* 1) получе́ние де́нег по фикти́вным векселя́м; 2) зонди́рование по́чвы; 3) фарс, инсцениро́вка (*судебного процесса и т. п.*).

**kith** [kɪθ] *n*: ~ and kin знако́мые и родня́.

**kitten** ['kɪtn] 1. *n* котёнок; 2. *v* коти́ться.

**kittenish** ['kɪtnɪʃ] *a* игри́вый как котёнок.

**kittereen** [,kɪtə'riːn] *n* одноко́нный экипа́ж.

**kittiwake** ['kɪtɪweɪk] *n* трёхпа́лая ча́йка.

**kittle** ['kɪtl] 1. *a* оби́дчивый, тру́дный; ~ cattle *перен.* тру́дные, беспоко́йные лю́ди; 2. *v* 1) щекота́ть; 2) озада́чивать.

**kitty** ['kɪtɪ] *n* 1) котёнок; 2) *карт.* банк.

**kiwi** ['kiːwiː] *n* 1) *зоол.* ки́ви-ки́ви, бескры́л (*нелетающая птица*); 2) *ав. sl.* член нелётного соста́ва вое́нно-возду́шных сил; 3) *разг.* жи́тель *или* урожёнец Но́вой Зела́ндии.

**klaxon** ['klæksn] *n авт.* клаксо́н.

**kleptomania** [,kleptou'meɪnjə] *n* клептома́ния.

**kleptomaniac** [,kleptou'meɪnɪæk] *n* клептома́н.

**klip** [klɪp] *южно-афр.* 1. *n* ка́мень, булы́жник; 2. *v* тормози́ть экипа́ж, подкла́дывая ка́мень под колёса.

**kloof** [kluːf] *голл. n южно-афр.* уще́лье.

**kluxer** ['klʌksə] *n амер. разг.* член ку-клукс-кла́на.

**klystron** ['klɪstrɔn] *n электрон.* клистро́н.

**knack I** [næk] *n* 1) (профессиона́льная) ло́вкость, уме́ние, сноро́вка; to have the ~ of a thing де́лать что-л. ло́вко, име́ть сноро́вку; 2) уда́чный приём; 3) привы́чка.

**knack II** [næk] *n* ре́зкий звук; треск.

**knacker I** ['nækə] *n* 1) ску́пщик (*старых лошадей на мясо, домов на слом и т. п.*); 2) ста́рая ло́шадь, кля́ча; 3) живодёр; ~'s yard живодёрня.

**knacker II** ['nækə] *n* 1) что-л., производя́щее ре́зкий звук; 2) *pl* кастаньеты.

**knackery** ['nækərɪ] *n* живодёрня.

**knacky** ['nækɪ] *a* ло́вкий, уме́лый.

**knag** [næg] *n* 1) сук; наро́ст, свиль; 2) *тех.* деревя́нный гвоздь, шпи́лька.

**knaggy** ['nægɪ] *a* сучкова́тый.

**knap I** [næp] *v* 1) бить ще́бень; дроби́ть ка́мень; 2) отчека́нивать слова́; произноси́ть бы́стро и ре́зко.

**knap II** [næp] *n* 1) верши́на холма́; гре́бень горы́; 2) холм.

**knapsack** ['næpsæk] *n* ра́нец; рюкза́к.

**knapweed** ['næpwiːd] *n бот.* василёк (*чёрный*).

**knar** [nɑː] *n* у́зел, ши́шка, наро́ст на де́реве.

**knarred, knarry** [nɑːd, 'nɑːrɪ] *a* сучкова́тый, сукова́тый, узлова́тый.

**knave** [neɪv] *n* 1) моше́нник, плут; 2) *карт.* вале́т; 3) *разг.* прия́тель; 4) *уст.* слуга́; 5) *уст.* ма́льчик.

**knavery** ['neɪvərɪ] *n* моше́нничество, плуто́вство.

**knavish** ['neɪvɪʃ] *a* моше́ннический.

**knead** [niːd] *v* 1) заме́шивать, меси́ть (*тесто, глину*); 2) сме́шивать в о́бщую ма́ссу; 3) формирова́ть (*характер*); 4) масси́ровать.

**kneading machine** ['niːdɪŋmə,ʃiːn] *n* тестомеша́лка.

**kneading-trough** ['niːdɪŋtrɔf] *n* квашня́.

**knee** [niː] 1. *n* 1) коле́но; up to one's ~s по коле́но; 2) *тех.* коле́но; 3) *мор.* кни́ца; 4) *стр.* подко́с, полураско́с; 5) наколе́нник; 6) *attr.* коле́нный; ◇ to give (*или* to take) a ~ to smb. a) помога́ть кому́-л.; ока́зывать кому́-л. подде́ржку; б) *фехт.* быть чьим-л. секунда́нтом; it is on the ~s of the gods ≅ одному́ бо́гу изве́стно; неве́домо, неизве́стно; to bring smb. to his ~s поста́вить кого́-л. на коле́ни; to go on one's ~s to smb. упра́шивать, умоля́ть кого́-л.; on one's (bended) ~s уни́женно; 2. *v* 1) станови́ться на коле́ни; 2) уда́рить коле́ном; каса́ться коле́ном; 3) вытя́гиваться на коле́нях (*о брюках*); 4) *тех.* соединя́ть уго́льником.

**knee-bend** ['niːbend] *n* приседа́ние.

**knee-boot** ['niːbuːt] *n* сапо́г.

**knee-breeches** ['niː,brɪʧɪz] *n pl* бри́джи.

**knee-cap** ['niːkæp] *n* 1) *анат.* коле́нная ча́шка; 2) наколе́нник.

**knee-deep** ['niː'diːp] *a* по коле́но.

**knee-high** ['niː'haɪ] *a* (высотой) по колено; ~ to a mosquito (*или* a grasshopper, a duck, *etc.*) *шутл.* очень маленький, крошечный.

**knee-hole** ['niːhoul] *n* промежуток между тумбами (*у письменного стола*).

**knee-jerk** ['niːdʒəːk] *n мед.* коленный рефлекс.

**knee-joint** ['niːˌdʒɔɪnt] *n* 1) *анат.* коленный сустав; 2) *тех.* коленно-рычажное соединение.

**kneel** [niːl] *v* (knelt, kneeled[-d]) 1) преклонять колени, становиться на колени (*тж.* ~ down); 2) стоять на коленях (*то-перед*).

**kneeling position** ['niːlɪŋpə'zɪʃən] *n воен.* положение для стрельбы с колена.

**knee-pan** ['niːpæn] = knee-cap 1).

**knell** [nel] 1. *n* 1) похоронный звон; 2) дурное предзнаменование; предзнаменование смерти, гибели;
2. *v* 1) звонить при похоронах; 2) звучать зловеще, предвещать (*гибель*).

**knelt** [nelt] *past и p. p. от* kneel.

**knew** [njuː] *past от* know.

**Knickerbocker** ['nɪkəbɔkə] *n* житель Нью-Йорка.

**knickerbockers** ['nɪkəbɔkəz] *n pl* бриджи.

**knickers** ['nɪkəz] *n разг. см.* knickerbockers.

**knick-knack** ['nɪknæk] *n* безделушка, украшение.

**knick-knackery** ['nɪknækərɪ] *n* безделушки, мишура.

**knife** [naɪf] 1. *n* (*pl* knives) 1) нож; to put a ~ into smb. зарезать кого-л.; 2) *хир.* скальпель; the ~ а) нож хирурга; б) хирургическая операция; to go under the ~ подвергнуться операции; 3) *тех.* струг, скребок, резец; 4) *текст.* ракель; 5) *attr.* ножевой; ◊ before you can say ~ немедленно, моментально; ≅ и ахнуть не успел; to get a ~ into smb. нанести удар кому-л., злобно напасть на кого-л.; беспощадно критиковать кого-л.; ~ and fork еда; a good (poor) ~ and fork хороший (плохой) едок; to play a good ~ and fork ≅ уписывать за обе щеки, есть с аппетитом; war to the ~ война на истребление; борьба не на живот, а на смерть; you could cut it with a ~ ≅ это нечто реальное; это вполне ощутимо;
2. *v* 1) резать ножом; 2) ударить, заколоть ножом; 3) *амер. sl.* предательски нанести удар кандидату своей партии (*голосуя на выборах за его противника*); 4) *амер.* срезать, провалить (*на экзамене*).

**knife-board** ['naɪfbɔːd] *n* 1) доска для чистки ножей; 2) *разг.* места на империале омнибуса.

**knife-edge** ['naɪfedʒ] *n* 1) острие ножа; 2) опорная призма (*весов и т. п.*).

**knife-grinder** ['naɪfˌgraɪndə] *n* 1) точильщик; 2) приспособление для точки ножей.

**knife-rest** ['naɪfrest] *n* 1) подставка для ножа и вилки; 2) *воен.* рогатка.

**knife-switch** ['naɪfswɪtʃ] *n эл.* рубильник.

**knight** [naɪt] 1. *n* 1) рыцарь; витязь; 2): ~ of the pen журналист; ~ of the brush художник; ~ of fortune авантюрист; ~ of the road а) коммивояжёр; б) разбойник; 3) (имеющий) звание "knight" (*ниже баронета, род личного дворянства с титулом sir*); 4) кавалер одного из высших английских орденов; K. of the Garter кавалер ордена Подвязки; 5) *шахм.* конь; 6) всадник (*член сословия всадников в древнем Риме*);
2. *v* давать звание "knight", возводить в рыцарское достоинство.

**knightage** ['naɪtɪdʒ] *n собир.* список *или* совокупность лиц, имеющих звание "knight".

**knight errant** ['naɪt'erənt] *n* (*pl* knights errant) 1) странствующий рыцарь; 2) донкихот.

**knight-errantry** ['naɪt'erəntrɪ] *n* 1) странствование в поисках приключений; 2) донкихотство.

**knighthood** ['naɪthud] *n* 1) рыцарство; 2) звание "knight", рыцарское достоинство; дворянство.

**knightly** ['naɪtlɪ] 1. *a* рыцарский, рыцарственный.
2. *adv уст.* (по-)рыцарски, благородно.

**knit** [nɪt] *v* (knitted[-ɪd], knit) 1) вязать (*чулки и т. п.*); 2) соединять(ся), скреплять(ся); mortar ~s bricks together известковый раствор скрепляет кирпичи; 3) сращивать(ся), срастаться; the broken bone ~ted well сломанная кость хорошо срослась; 4) объединять(ся) (*на основе общих интересов и т. п.*); 5): to ~ the brows хмурить брови, хмуриться; □ ~ in вязать нитками нескольких цветов; to ~ in blue with white wool смешивать синюю и белую шерсть при вязании; ~ up связывать; поднимать спущенные петли; штопать; *перен.* заключать, заканчивать (*спор и т. п.*).

**knitted** ['nɪtɪd] 1. *p. p. от* knit;
2. *a* 1) вязаный; трикотажный; 2) спаянный, крепкий.

**knitter** ['nɪtə] *n* 1) вязальщик; вязальщица; 2) трикотажная машина.

**knitting** ['nɪtɪŋ] 1. *pres. p. от* knit;
2. *n* 1) вязание; 2) вязаные вещи, трикотаж.

**knitting-machine** ['nɪtɪŋmə,ʃiːn] = knitter 2).

**knitting-needle** ['nɪtɪŋˌniːdl] *n* вязальная игла, трикотажная игла; спица.

**knitwear** ['nɪtwɛə] *n* вязаные вещи, трикотажные изделия.

**knitwork** ['nɪtwəːk] *n* 1) вязание; 2) трикотажные изделия.

**knives** [naɪvz] *pl от* knife 1.

**knob** [nɔb] 1. *n* 1) шишка, выпуклость; 2) шарообразная ручка (*двери и т. п.*); 3) набалдашник; 4) небольшой кусок (*угля, сахару*); 5) *амер.* холмик; 6) *тех.* ручка; головка; кнопка; 7) *sl.* голова, башка;
2. *v* выпячиваться, выдаваться.

**knobble** ['nɔbl] *n* шишечка.

**knobby** ['nɔbɪ] *a* 1) узловатый, шишковатый; 2) *амер.* холмистый.

**knobstick** ['nɔbstɪk] *n* 1) дубинка, кистень; 2) *sl.* штрейкбрехер.

**knock** [nɔk] **1.** *n* 1) уда́р; 2) стук (*особ. в дверь*); 3) *амер. sl.* ре́зкая кри́тика; приди́рка; 4) *тех.* перебо́й (*в маши́не*); детона́ция; ◇ to get the ~ а) потерпе́ть пораже́ние; б) быть уво́ленным; в) *театр.* быть пло́хо при́нятым пу́бликой; to take the ~ разори́ться;

**2.** *v* 1) ударя́ть(ся), бить; стуча́ть(ся); колоти́ть; to ~ to pieces разби́ть вдре́безги; to ~ at (*или* on) the door стуча́ть в дверь; 2) сбива́ть; to ~ the nuts сбива́ть оре́хи (*с де́рева*); 3) *разг.* поража́ть, ошеломля́ть; 4) *разг.* ре́зко критикова́ть; придира́ться; 5) *амер.* превосходи́ть; □ ~ about а) бить, колоти́ть; б) ры́скать (*по све́ту*); в) вести́ беспу́тный о́браз жи́зни; ~ against а) уда́риться, сту́кнуться; б) натолкну́ться, неожи́данно встре́титься; ~ down а) сбить с ног, *тж.* сбить вы́стрелом; б) слома́ть; разру́шить, снести́ (*дом*); в) разобра́ть (*маши́ну для перево́зки*); г) опроки́нуть, разби́ть (*до́вод и т. п.*); д) понижа́ть це́ны; е) уда́ром молотка́ присужда́ть вещь (*на аукцио́не*); ж) *амер. sl.* прожи́ть (*де́ньги*); ~ in, ~ into вбива́ть; ~ off а) стряхну́ть, смахну́ть; б) сба́вить, сбить (*це́ну, су́мму*); в) уме́ньшить ско́рость; г) бы́стро сде́лать, состря́пать; д) ко́нчить рабо́ту; ~ off work прекрати́ть рабо́ту; е) *sl.* стащи́ть, укра́сть; ж) *sl.* умере́ть; ~ out а) вы́бить, вы́колотить; to ~ the bottom out of а) вы́бить по́чву из-под ног у кого́-л.; β) по́лностью опрове́ргнуть (*аргуме́нт*); свести́ на нет; б) *спорт.* нокаути́ровать; в) одоле́ть, победи́ть; г) сгова́риваться не надба́влять цен на аукцио́не (*для того́, что́бы перепрода́ть ку́пленное и раздели́ть при́быль*); ~ together а) ста́лкиваться; б) на́спех ска́лачивать; ~ under покори́ться; ~ up а) уда́ром подбро́сить вверх; б) подня́ть, разбуди́ть сту́ком; в) утомля́ть; to be ~ed up утоми́ться; г) на́спех, ко́е-ка́к устра́ивать, скола́чивать; д) *амер. sl.* сде́лать бере́менной; е) ста́лкиваться (against—с ке́м-л.); ◇ to ~ home вбива́ть про́чно; вдолби́ть, довести́ до созна́ния; to ~ on the head а) оглуши́ть, уби́ть; б) положи́ть коне́ц; ~ smb. off his pins ошеломи́ть кого́-л.; to ~ one's head against a brick wall би́ться голово́й об сте́нку; вести́ бесполе́зную борьбу́; to ~ (smb.) into a cocked hat а) измени́ть (кого́-л.) до неузнава́емости; б) исколоши́мать (кого́-л.); одоле́ть (кого́-л.); нанести́ пораже́ние (кому́-л.); б) разби́ть (*до́воды и т. п.*); to ~ smb. into the middle of next week ≅ всы́пать кому́-л. по пе́рвое число́.

**knockabout** [ˈnɔkəbaut] **1.** *n* 1) дешёвое представле́ние; гру́бый фарс; 2) актёр, уча́ствующий в тако́м представле́нии; 3) дра́ка; 4) *амер.* небольша́я я́хта, небольшо́й автомоби́ль;

**2.** *a* 1) доро́жный, рабо́чий (*об оде́жде*); 2) шу́мный, гру́бый (*о зре́лище*).

**knock-down** [ˈnɔkˈdaun] **1.** *n* 1) *спорт.* нокда́ун; 2) кре́пкое пи́во; ◇ a ~ and drag out *амер.* отча́янная дра́ка.

**2.** *a* 1) сокруши́тельный (*об уда́ре*);

снгосшиба́тельный; 2) разбо́рный (*о ме́бели*); удо́бный для перево́зки; ◇ ~ price са́мая ни́зкая, кра́йняя цена́.

**knocker** [ˈnɔkə] *n* 1) тот, кто стучи́т; 2) дверно́й молото́к, дверно́е кольцо́; сигна́льный молото́к; 3) *амер.* приди́ра, критика́н; 4) *амер. разг.* о́чень краси́вый челове́к; снгосшиба́тельно оде́тый челове́к; ◇ up to the ~ *sl.* а) в соверше́нстве; б) в хоро́шем состоя́нии; в) по после́дней мо́де.

**knocker-up** [ˈnɔkərʌp] *n* челове́к, в обя́занности кото́рого вхо́дит буди́ть рабо́чих по утра́м.

**knock-kneed** [ˈnɔkˈniːd] *a* 1) с вы́вернутыми внутрь коле́нями; 2) сла́бый.

**knock-out** [ˈnɔkaut] *n* 1) *спорт.* нока́ут (*тж.* ~ blow); 2) сшиба́ющий с ног уда́р; 3) соглаше́ние ме́жду уча́стниками аукцио́на не надбавля́ть цен; 4) *sl.* выдаю́щийся челове́к; необыкнове́нная вещь; 5) *амер. sl.* огро́мный, снгосшиба́тельный успе́х; 6) *амер. sl.* краса́вчик; 7) *метал.* вы́бивка; ◇ ~ doze уда́рная до́за (*лека́рства*); ~ drops *амер. sl.* а) нарко́тик (*в напи́тке*); б) карбо́лка, карбо́ловая кислота́.

**knoll** I [noul] *n* 1) холм; буго́р; 2) *мор.* высо́кая часть ба́нки, возвыше́ние дна.

**knoll** II [noul] *v уст.* звони́ть в ко́локол; отбива́ть часы́.

**knop** [nɔp] *n уст.* 1) = knob 1; 2) *бот.* по́чка.

**knot** [nɔt] **1.** *n* 1) у́зел; to make (*или* to tie) a ~ завяза́ть у́зел; to tie in a ~ завяза́ть узло́м; 2) бант; 3) сою́з, у́зы; the nuptial ~ бра́чные у́зы; to tie the ~ вы́йти за́муж; жени́ться; 4) затрудне́ние, загво́здка; 5) *бот.* у́зел, наро́ст (*у расте́ний*); сучо́к, свиль (*на древеси́не*); 6) гру́ппа, ку́чка (*люде́й*); to gather in ~s собира́ться гру́ппами, ку́чками; 7) о́пухоль, ши́шка; 8) *мор.* у́зел (*ме́ра ско́рости = 1,87 км в час*); 9) *тех.* свищ; ◇ Gordian ~ го́рдиев у́зел; to cut the ~ разруби́ть (го́рдиев) у́зел; to tie oneself (up) in *или* (into) a ~ попа́сть в затрудни́тельное положе́ние;

**2.** *v* 1) завя́зывать у́зел; завя́зывать узло́м; свя́зывать; 2) спу́тывать(ся), запу́тывать(ся); 3) де́лать бахрому́; 4) хму́рить (бро́ви).

**knot-grass** [ˈnɔtɡrɑːs] *n бот.* горе́ц пти́чий.

**knot-hole** [ˈnɔthoul] *n* отве́рстие в доске́ от вы́павшего сучка́.

**knotty** [ˈnɔti] *a* 1) узлова́тый; сучкова́тый; 2) затрудни́тельный, сло́жный; ~ question тру́дный вопро́с.

**knout** [naut] *рус.* **1.** *n* кнут;

**2.** *v* бить кнуто́м.

**know** [nou] **1.** *v* (knew; known) 1) знать (*тж.* ~ of); быть знако́мым; to ~ about smth. знать о чём-л.; I ~ of a shop where you can buy it я зна́ю магази́н, где э́то мо́жно купи́ть; to ~ by sight (by name) знать в лицо́ (по и́мени); to get to ~ узна́ть; not that I ~ of наско́лько мне изве́стно—нет; to ~ what's what *разг.* знать толк в чём-л., понима́ть, что к чему́; 2) знать, иметь определённые знания; to ~ the law быть сведущим в праве; to ~ three languages знать три языка; 3) уметь; 4) узнавать, отличать; I knew him at once я его тотчас узнал; ♢ to ~ one's own business не вмешиваться в чужие дела; to ~ one's own mind не колебаться; твёрдо знать, что (*мне, ему и т. д.*) нужно; to ~ better (than that) а) быть осторожным, осмотрительным; б) прекрасно понимать; I ~ better than to... я не так прост, чтобы...; to ~ one from another, to ~ two things apart отличать одно от другого; not to ~ person from Adam не иметь ни малейшего представления о ком-л.; not to ~ what from which не соображать, что к чему; to ~ a thing or two великолепно разбираться; to ~ the time of day быть себе на уме; before you ~ where you are моментально, немедленно; to ~ what one is about действовать разумно; быть себе на уме; who ~s? как знать?; not to ~ enough to get out of the rain плохо соображать;

2. *n*: to be in the ~ *разг.* быть в курсе дела; быть посвящённым в обстоятельства дела.

**know-all** ['nou,ɔ:l] *n* всезнайка.

**know-how** ['nouhau] *n* 1) умение; знание дела; 2) секреты производства.

**knowing** ['nouɪŋ] 1. *pres. p. от* know 1; 2. *a* 1) ловкий, хитрый; проницательный; a ~ hand at the game искусный игрок; 2) *разг.* модный, щегольской.

**knowingly** ['nouɪŋlɪ] *adv* 1) сознательно, намеренно; 2) искусно, ловко.

**knowledge** ['nɔlɪdʒ] *n* 1) знание; познания; эрудиция; to have a good ~ of English (medicine *etc.*) хорошо знать английский язык (медицину *и т. п.*); branches of ~ отрасли науки; 2) осведомлённость; it came to my ~ мне стало известно; it is common ~ это всем известно; to (the best of) my ~ насколько мне известно; not to my ~ насколько мне известно—нет; he did it without my ~ он сделал это без моего ведома; 3) знакомство; my ~ of Mr B. is slight я мало знаком с B.; 4) известие; ~ of the victory soon spread вскоре распространилось известие о победе.

**knowledgeable** ['nɔlɪdʒəbl] *a разг.* хорошо осведомлённый.

**known** [noun] *p. p. от* know 1; ~ as... известный под именем...

**know-nothing** ['nou,nʌθɪŋ] *n* 1) невежда; 2) *филос.* агностик.

**knuckle** ['nʌkl] 1. *n* 1) сустав пальца; 2) ножка (*телячья, свиная*); 3) *pl* кастет; 4) *тех.* шарнир, поворотный кулак; 5) *ж.-д.* коготь (*автосцепки*); ♢ near the ~ на грани неприличного (*о рассказе, шутке и т. п.*); to get a rap on (*или* over) the ~s получить нагоняй; to give a rap on (*или* over) the ~s, to rap smb.'s ~s дать нагоняй;

2. *v* ударить, стукнуть, постучать костяшками пальцев; □ ~ down уступить, подчиниться; ♢ to ~ (down) to one's work решительно приняться за дело.

**knucklebone** ['nʌklboun] *n* 1) бабка; 2) *pl* игра в бабки; 3) голень.

**knuckleduster** ['nʌkl,dʌstə] *n* кастет.

**knuckle-joint** ['nʌkldʒɔint] *n* 1) сустав; 2) *тех.* шарнир.

**knurl** [nə:l] 1. *n* 1) шишка, выпуклость; 2) полоска, насечка;

2. *v тех.* чеканить ребро монеты, накатывать.

**knur(r)** [nə:] *n* узел, шишка, нарост на дереве.

**kodak** ['koudæk] *фото* 1. *n* кодак;

2. *v* снимать кодаком; *перен.* быстро схватывать, ярко описывать.

**koh-i-noor** ['kouɪnuə] *n* 1) кохинор (*индийский брильянт, собственность британской короны, весом в 106¹/₄ каратов*); 2) нечто несравненное, великолепное.

**kohl** [koul] *араб. n* краска для век.

**kohlrabi** ['koul'rɑ:bɪ] *n бот.* кольраби.

**kola** ['koulə] = cola.

**kolinsky** [kou'lɪnskɪ] *n* колонок.

**kolkhoz** [kɔl'hɔz] *рус.* 1. *n* колхоз;

2. *a* колхозный.

**Komsomol** ['kɔmsəmɔl] *рус.* 1. *n* комсомол;

2. *a* комсомольский.

**koodoo** ['ku:du:] *n зоол.* винторогая антилопа, куду.

**kopec(k)** ['koupek] = copeck.

**kopje** ['kɔpɪ] *n южно-афр.* холмик.

**Koran** [kɔ'rɑ:n] *n* коран.

**Koranic** [kɔ'rænɪk] *a* 1) находящийся в коране; 2) основанный на коране.

**Korean** [kə'rɪən] 1. *a* корейский;

2. *n* 1) кореец; кореянка; the ~s корейцы; 2) корейский язык.

**kotow** ['kou'tau] = kowtow.

**koumiss** ['ku:mɪs] = kumiss.

**kourbash** ['ku:bæʃ] *араб. n* ременная плеть; under the ~ под принуждением.

**kowtow** ['kau'tau] *кит.* 1. *n* низкий поклон;

2. *v* 1) делать низкий поклон (*касаясь головой земли*); 2) раболепствовать.

**kraal** [krɑ:l] *n южно-афр.* крааль (*посёлок, деревня*).

**K-ration** ['keɪ,ræʃən] *n амер. воен.* индивидуальный продовольственный паёк из консервов.

**kraut** [kraut] *n sl.* немец.

**Kremlin** ['kremlɪn] *n* Кремль.

**Krishna** ['krɪʃnə] *n инд. миф.* Кришна.

**krona** ['krounɑ] *n* крона (*денежная единица Исландии, Швеции*).

**krone** ['krounə] *n* крона (*денежная единица Чехословакии, Дании и Норвегии*).

**Kroo, Krou, Kru** [kru:] *n* 1) негр с либерийского побережья Западной Африки; 2) *attr.*: K. English ломаный язык из английских и португальских слов.

**krypton** ['krɪptɔn] *n хим.* криптон.

**kudos** ['kju:dɔs] *n греч.* слава.

**kudu** ['ku:du:] = koodoo.

**Ku-Klux-Klan** ['kju:klʌks'klæn] *n* ку-клукс-клан.

**kukri** ['kukrɪ] *n англо-инд.* большой кривой нож.

**kulak** [ku:'lɑ:k] *рус. n* кулак.

**kumiss** ['kuːmɪs] *n* кумы́с.
**Kuomintang** ['kwoumɪn'tæŋ] *n* гоминда́н.
**Kurd** [kəːd] *n* курд.

**kybosh** ['kaɪbɔʃ] = kibosh.
**kyloe** ['kaɪlou] *n* ме́лкая шотла́ндская поро́да скота́.
**kymograph** ['kaɪməgrɑːf] = cymograph.

# L

**L, l** [el] *n* (*pl* Ls, L's [elz]) 1) *12-я буква англ. алфавита*; 2) что-л., имеющее форму буквы L.
**la** [lɑː] *n муз.* ля.
**laager** ['lɑːgə] *голл.* **1.** *n* 1) лагерь, окружённый повозками; 2) *воен.* парк бронированных машин;
2. *v* располагаться лагерем, окружённым повозками.
**lab** [læb] *сокр. разг. от* laboratory.
**labefaction** [ˌlæbɪ'fækʃən] *n* ослабление; повреждение.
**label** ['leɪbl] **1.** *n* 1) ярлык; этикетка; бирка; 2) *архит.* слезник; 3) *геод.* высотомер; 4) *юр.* дополнительное распоряжение; добавление к завещанию;
2. *v* 1) прикреплять *или* наклеивать ярлык; 2) относить к какой-л. категории.
**labelled** ['leɪbld] **1.** *p. p. от* label 2;
2. *a тех.* маркированный.
**labeller** ['leɪblə] *n* станок для наклеивания этикеток.
**labial** ['leɪbjəl] **1.** *a* губной;
2. *n фон.* губной звук (*тж.* ~ sound).
**labialization** [ˌleɪbɪəlaɪ'zeɪʃən] *n* лабиализация.
**labiate** ['leɪbɪeɪt] *бот.* **1.** *a* губоцветный;
2. *n* губоцветное растение.
**labile** ['leɪbaɪl] *a физ., хим.* неустойчивый, лабильный.
**lability** [leɪ'bɪlɪtɪ] *n* лабильность, неустойчивость.
**labiodental** ['leɪbɪou'dentl] *фон.* **1.** *a* губно-зубной;
2. *n* губно-зубной звук.
**labor** ['leɪbə] *амер.* = labour.
**laboratory** [lə'bɔrətərɪ] *n* 1) лаборатория; hot ~ «горячая» лаборатория (*в которой производятся работы с опасностью для жизни*); 2) *метал.* рабочее пространство печи; 3) *attr.* лабораторный; ~ findings данные лабораторного исследования.
**laborious** [lə'bɔːrɪəs] *a* 1) трудный, тяжёлый, утомительный; трудоёмкий; 2) вымученный (*о стиле*); 3) трудолюбивый, старательный.
**labour** ['leɪbə] **1.** *n* 1) труд; работа; усилие; surplus ~ *полит.-эк.* прибавочный труд; juvenile ~ труд подростков; forced ~ принудительный труд; 2) рабочий класс; труд (*в противоположность капиталу*); L. and Capital труд и капитал; 3) родовые муки; роды; to be in ~ мучиться родами, родить; 4) *pl* жизненные заботы, тревоги; 5) *attr.* трудовой; рабочий; ~ hours рабочее время; ~ code кодекс законов о труде; ~ contract трудовой договор; ~ dispute трудовой конфликт; 6) *attr.* лейборист-

ский; 7) *attr.*: ~ pains родовые схватки; ~ ward родильная палата; ◇ ~ of love безвозмездный *или* бескорыстный труд; lost ~ тщетные, бесполезные усилия;
2. *v* 1) трудиться, работать; 2) прилагать усилия, добиваться (for); to ~ for breath дышать с трудом; to ~ for peace добиваться мира; he ~ed to understand what they were talking about он прилагал усилия, чтобы понять, о чём они говорили; 3) подвигаться вперёд медленно, с трудом (*обыкн.* ~ along, ~ through); 4) быть в затруднении, тревоге; страдать (*от чего-л.*); to ~ under a delusion (*или* a mistake) находиться в заблуждении; 5) мучиться родами; 6) кропотливо разрабатывать, вдаваться в мелочи; to ~ the point рассматривать вопрос, вникая во все детали; 7) *уст., поэт.* обрабатывать землю; 8) взрыть, разворотить землю (*бомбами, снарядами*).
**Labour Day** ['leɪbə'deɪ] *n амер.* День труда (*первый понедельник сентября*).
**laboured** ['leɪbəd] **1.** *p. p. от* labour 2;
2. *a* 1) вымученный; тяжеловесный (*о стиле, шутке и т. п.*); 2) трудный, затруднённый; доставшийся с трудом; ~ breathing затруднённое дыхание.
**labourer** ['leɪbərə] *n* рабочий низкой квалификации; чернорабочий; general ~ разнорабочий.
**Labour Exchange** ['leɪbərɪks'tʃeɪndʒ] *n* биржа труда.
**labouring** ['leɪbərɪŋ] **1.** *pres. p. от* labour 2;
2. *a* 1) рабочий, трудящийся; ~ man рабочий; 2) затруднённый; ~ breath затруднённое дыхание.
**labourist** ['leɪbərɪst] *n* член лейбористской партии, лейборист.
**labourite** ['leɪbəraɪt] = labourist.
**labour-market** ['leɪbəˌmɑːkɪt] *n* рынок труда; спрос и предложение труда.
**Labour Party** ['leɪbə'pɑːtɪ] *n* лейбористская партия.
**labour-saving** ['leɪbəˌseɪvɪŋ] *a* дающий экономию в труде; рационализаторский.
**labour union** ['leɪbə'juːnjən] *n* профсоюз.
**Labrador tea** ['læbrədɔː'tiː] *n бот.* багульник.
**laburnum** [lə'bəːnəm] *n бот.* золотой дождь (*обыкновенный*).
**labyrinth** ['læbərɪnθ] *n* лабиринт; *перен.* трудное, безвыходное положение.
**labyrinthine** [ˌlæbə'rɪnθaɪn] *a* 1) подобный лабиринту; 2) запутанный.
**lac I** [læk] *n* красная смола; краска *и* лак из красной смолы.
**lac II** [læk] *n англо-инд.* сто тысяч (*обыкн. рупий*).

lace [leɪs] 1. *n* 1) шнурóк, тесьмá; 2) крýжево; 3) галýн (*обыкн.* gold ~, silver ~); 4) сеть; 5) *разг.* конья́к *или* ликёр, подбáвленный к кóфе *и т. .п.*;
2. *v* 1) шнуровáть; to ~ up one's shoes шнуровáть ботúнки; 2) стя́гиваться корсéтом (*тж.* ~ in); 3) украшáть, отдéлывать, окаймля́ть (*галунóм, крýжевом и т. п.*); 4) бить, хлестáть, стегáть, порóть; to ~ smb.'s jacket избúть когó-л; 5) *разг.* подбавля́ть спиртны́е напúтки; coffee ~d with brandy кóфе с коньякóм.
lace boots ['leɪsbuːts] *n pl* ботúнки на шнуркáх.
Lacedaemonian [ˌlæsɪdɪˈmounjən] 1. *a* спартáнский;
2. *n* спартáнец.
lace paper ['leɪsˌpeɪpə] *n* бумáга с крýжевным узóром.
lace-pillow ['leɪsˈpɪlou] *n* подýшка, на котóрой плетýт кружевá, кутýз.
lacerate ['læsəreɪt] *v* 1) разрывáть, раздирáть; 2) терзáть, мýчить; 3) калéчить.
lacerated ['læsəreɪtɪd] 1. *p. p. от* lacerate;
2. *a* 1) рвáный; ~ wound рвáная рáна; 2) *бот.* зазýбренный.
laceration [ˌlæsəˈreɪʃən] *n* 1) разрывáние; 2) терзáние; мýка; 3) разры́в; рвáная рáна.
laches ['lætʃɪz] *n юр.* 1) упущéние закóнного срóка; 2) нерадéние; небрéжность; престýпная халáтность.
lachrymal ['lækrɪməl] 1. *a* слёзный; ~ gland *анат.* слёзная железá;
2. *n* слезнúца (*др.-рим. сосуд; тж.* ~ vase).
lachrymatory ['lækrɪmətərɪ] 1. *a* слезоточúвый (*о газе*);
2. *n* = lachrymal 2.
lachrymose ['lækrɪmous] *a* 1) плáчущий, пóлный слёз; 2) слезлúвый, плаксúвый.
lacing ['leɪsɪŋ] 1. *pres. p. от* lace 2;
2. *n* 1) шнур; шнурóвка; 2) шнуровáние; 3) обшивáние; 4) добавлéние коньякá, ликёра в кóфе *и т. п.*
lack [læk] 1. *n* недостáток, нуждá; отсýтствие (*чего-л.*); ~ of balance неуравновéшенность; ~ of capacity отсýтствие спосóбностей; ~ of land безземéлье; for ~ of из-за отсýтствия, из-за недостáтка в; по ~ обúлие;
2. *v* 1) испы́тывать недостáток, нуждáться; не имéть; 2) не хватáть, недоставáть; he is ~ing in common sense емý не хватáет здрáвого смы́сла.
lackadaisical [ˌlækəˈdeɪzɪkəl] *a* 1) тóмный, мечтáтельный; 2) жемáнный; сентиментáльный.
lack-all ['lækˌɔːl] *n* несчáстный, обездóленный человéк.
lack-brain ['lækbreɪn] *n разг.* дурáк.
lacker ['lækə] *уст.* = lacquer.
lackey ['lækɪ] 1. *n* (ливрéйный) лакéй;
2. *v* 1) прислýживать; 2) раболéпствовать, лакéйствовать.
lacking ['lækɪŋ] 1. *pres. p. от* lack 2;
2. *a* недостаю́щий.
lackland ['lækˌlænd] *a* безземéльный.

lacklustre ['lækˌlʌstə] *a* тýсклый, без блéска (*о глазáх*).
laconic(al) [ləˈkɔnɪk(əl)] *a* лаконúчный, лаконúческий, немногослóвный.
lacquer ['lækə] 1. *n* 1) лак; политýра; глазýрь; 2) *собир.* лак, лакирóванные издéлия;
2. *v* покрывáть лáком, лакировáть; покрывáть глазýрью.
lacquey ['lækɪ] *уст.* = lackey.
lacrosse [ləˈkrɔs] *n* американская игрá в мяч на травяном пóле (*типа хоккея*).
lactation [lækˈteɪʃən] *n* 1) кормлéние грýдью; 2) выделéние молокá.
lacteal ['læktɪəl] *a* млéчный, молóчный.
lactescent [lækˈtesənt] *a* 1) похóжий на молокó; 2) выделя́ющий млéчный сок.
lactic ['læktɪk] *a хим.* молóчный.
lactiferous [lækˈtɪfərəs] *a* выделя́ющий молокó *или* млéчный сок.
lactometer [lækˈtɔmɪtə] *n* лактóметр.
lactose ['læktous] *n* лактóза, молóчный сáхар.
lacuna [ləˈkjuːnə] *n* (*pl* -ae, -as [-əs]) 1) пробéл, прóпуск; 2) пустотá; впáдина, углублéние.
lacunae [ləˈkjuːniː] *pl от* lacuna.
lacunar [ləˈkjuːnə] *a анат.* лакунáрный.
lacustrine [ləˈkʌstraɪn] *a* озёрный; ~ age эпóха свáйных пострóек.
lacy ['leɪsɪ] *a* кружевнóй.
lad [læd] *n* мáльчик; ю́ноша; пáрень; one of the ~s *разг.* свой пáрень.
ladder ['lædə] *n* 1) лéстница (*приставная, верёвочная*); *мор.* трап; 2) спустúвшаяся пéтля (*на чулке*); ◇ ~ of success срéдство достúчь успéха; to get one's foot on the ~ положúть началó (*карьере и т. п.*); to kick away (*или* down) the ~ (by which one rose) отвернýться от тех, кто помóг достúчь успéха; to mount the ~ *уст.* быть повéшенным.
laddie ['lædɪ] *n* мальчугáн, паренёк.
lade [leɪd] 1. *n* 1) груз; 2) ýстье; 3) протóк;
2. *v* (laded [-ɪd]; laded, laden) 1) грузúть, нагружáть, погружáть; 2) вычéрпывать.
laden ['leɪdn] 1. *p. p. от* lade 2;
2. *a* 1) гружённый, нагружённый; a tree heavily ~ with fruit дéрево, сгибáющееся под тя́жестью плодóв; a table ~ with food стол, устáвленный я́ствами; 2) обременённый, подáвленный (with—*чем-л.*); 3) *с.-х.* налúтый (*о зерне*).
ladies ['leɪdɪz] *n* 1) *pl от* lady; 2) *разг.* жéнская убóрная.
ladies-in-waiting ['leɪdɪzɪnˈweɪtɪŋ] *pl от* lady-in-waiting.
ladies' man ['leɪdɪzmæn] = lady's man.
lading ['leɪdɪŋ] 1. *pres. p. от* lade 2;
2. *n* 1) погрýзка; 2) груз, кáрго; 3) фрахт.
ladle ['leɪdl] 1. *n* ковш, черпáк; soup ~ разливáтельная лóжка, половник; foundry ~ литéйный ковш;
2. *v* чéрпать; □ ~ out а) вычéрпывать; разливáть; б) раздавáть; to ~ out honours раздавáть нагрáды; в) *sl.* выражáться напы́щенно, высокопáрно.

**lady** ['leɪdɪ] *n* 1) дáма; госпожá; a great ~ знáтная, вáжная дáма; young ~ бáрышня; a ~ of easy virtue жéнщина лёгкого поведéния; a ~ of pleasure распýтница; fine ~ свéтская дáма; *ирон.* жéнщина, кóрчащая из себя аристокрáтку; 2) (L.) лéди (*титул знáтной дáмы*); 3) дáма сéрдца, возлюбленная; 4) *разг.* женá; невéста; мать; your good ~ вáша супрýга; my (his) young ~ *разг.* моя (егó) невéста; the old ~ а) мать, старýшка; б) женá; 5) хозяйка; the ~ of the house хозяйка дóма; 6) *в сложных словах* придаёт значéние жéнского пóла (*напр.* ~-doctor жéнщина-врач; ~-cat кóшка); ◇ Our L. *церк.* богорóдица, богомáтерь; the Old L. of Threadneedle Street Англйский банк; extra (*или* walking) ~ *театр.* статйстка.

**lady-beetle** ['leɪdɪ,biːtl] = ladybird.

**ladybird** ['leɪdɪbəːd] *n* (бóжья) корóвка.

**lady-bug** ['leɪdɪbʌg] *амер.* = ladybird.

**lady-chair** ['leɪdɪtʃɛə] *n* сидéнье, образýемое сплетéнием четырёх рук (*для переноски ранених*).

**lady-cow** ['leɪdɪkau] = ladybird.

**Lady Day** ['leɪdɪ'deɪ] *n церк.* благовéщение (*25 марта*).

**lady-fern** ['leɪdɪfəːn] *n бот.* кочедыжник жéнский.

**lady help** ['leɪdɪ'help] *n* эконóмка благорóдного происхождéния (*к которой относятся, как к члену семьи*).

**ladyhood** ['leɪdɪhud] *n* звáние, положéние лéди.

**lady-in-waiting** ['leɪdɪɪn'weɪtɪŋ] *n* (*pl* ladies-in-waiting) фрéйлина (королéвы).

**lady-killer** ['leɪdɪ,kɪlə] *n шутл.* сердцеéд.

**ladylike** ['leɪdɪlaɪk] *a* 1) имéющая вид, манéры лéди; воспйтанная; изысканная; 2) женоподóбный (*о мужчине*).

**lady-love** ['leɪdɪlʌv] *n* возлюбленная.

**lady's bedstraw** ['leɪdɪz'bedstrɔː] *n бот.* подмарéнник настоящий.

**lady's finger** ['leɪdɪz'fɪŋgə] *n* 1) *бот.* язвенник; 2) виногрáд «дáмские пáльчики».

**ladyship** ['leɪdɪʃɪp] *n* тйтул, звáние лéди; your ~ вáша мйлость.

**lady's-maid** ['leɪdɪzmeɪd] *n* гóрничная, камерйстка.

**lady's man** ['leɪdɪzmæn] *n* кавалéр, дáмский угóдник.

**lady-smock** ['leɪdɪsmɔk] *n бот.* сердéчник луговóй.

**lady's purse** ['leɪdɪz'pəːs] *n бот.* пастýшья сýмка обыкновéнная.

**lady's slipper** ['leɪdɪz'slɪpə] *n бот.* (венéрин) башмачóк.

**laevogirate** ['liːvou'dʒaɪəreɪt] *a* вращáющий плóскость поляризáции влéво, левовращáющий.

**lag I** [læg] **1.** *n* отставáние; запáздывание; **2.** *v* отставáть (*тж.* ~ behind); запáздывать; мéдленно тащйться, волочйться.

**lag II** [læg] *sl.* **1.** *n* 1) кáторжник; 2) срок ссылки; **2.** *v* 1) ссылáть на кáторгу; 2) задéрживать, арестóвывать.

**lag III** [læg] **1.** *n* 1) бочáрная клёпка; 2) плáнка; 3) полосá вóйлока (*для обшивки котла*); **2.** *v* 1) обшивáть деревянными плáнками; 2) покрывáть термйческой изоляцией.

**lagan** ['lægən] *n юр.* затонýвший груз (*противоп.* flotsam, jetsam).

**lager (beer)** ['laːgə('bɪə)] *n* лёгкое немéцкое пйво.

**laggard** ['lægəd] **1.** *n* неповорóтливый человéк; увáлень; бездéльник; **2.** *a* медлйтельный, вялый.

**lagging I** ['lægɪŋ] *n эл., радио* сдвиг фаз.

**lagging II, III** ['lægɪŋ] *pres.p. от* lag I, 2 *и* II, 2.

**lagging IV** ['lægɪŋ] **1.** *pres.p. от* lag III, 2; **2.** *n* 1) обшйвка; тепловáя изоляция; 2) *стр.* настйлка.

**lagoon** [lə'guːn] *n* лагýна.

**laic(al)** ['leɪɪk(əl)] **1.** *a* свéтский, мирскóй; **2.** *n* мирянин.

**laicize** ['leɪɪsaɪz] *v* секуляризйровать.

**laid** [leɪd] *past и p. p. от* lay IV, 1.

**laid paper** ['leɪd'peɪpə] *n* бумáга верже́.

**lain** [leɪn] *p. p. от* lie II, 1.

**lair** [lɛə] *n* 1) лóговище, берлóга; at ~ в берлóге; 2) загóн для скотá (*по дороге на рынок, на бойню*); 3) лóже; 4) *шотл.* могйла; **2.** *v* лежáть в берлóге; уходйть в берлóгу.

**laird** [lɛəd] *n шотл.* помéщик.

**laissez-faire** ['leɪseɪ'fɛə] *фр. n* 1) невмешáтельство; непротивлéние; попустйтельство; 2) *attr.:* ~ policy полйтика невмешáтельства.

**laity** ['leɪɪtɪ] *n собир.* 1) миряне, свéтские люди; 2) непрофессионáлы, профáны.

**lake I** [leɪk] *n* óзеро; The Lakes = lake-country; The Great Lakes Велйкие озёра (*Верхнее, Гурон, Мичиган, Эри и Онтарио*).

**lake II** [leɪk] *n* краплáк (*краска*).

**lake-country** ['leɪk'kʌntrɪ] *n* странá озёр (*в сев. Англии*).

**lake dwelling** ['leɪk'dwelɪŋ] *n* доисторйческая свáйная пострóйка (*на озере*).

**lake-land** ['leɪk,lænd] = lake-country.

**lake-lawyer** ['leɪk,lɔːjə] *n амер.* налйм.

**lakelet** ['leɪklɪt] *n* озеркó.

**lake poets** ['leɪk'pouɪts] *n pl* поэты «озёрной шкóлы» (*Вордсворт, Кольридж, Соути*).

**lakh** [lɑːk] = lac II.

**laky I** ['leɪkɪ] *a* озёрный, изобйлующий озёрами.

**laky II** ['leɪkɪ] *a* 1) блéдно-малйновый, цвéта краплáка; 2) *мед.* лáковый (*о крови*).

**Lallan** ['lælən] *n* диалéкт южной чáсти Шотлáндии.

**lam I** [læm] *n sl.:* on the ~ в поспéшном бéгстве; to take it on the ~ удирáть, поспéшно бежáть.

**lam II** [læm] *v sl.* бить, колотйть (*обыкн. тростью*).

**lama I** ['lɑːmə] *n* лáма (*буддийский монах*).

**lama** II [ˈlɑːmə] = llama.

**lamasery** [ˈlɑːməsəri] *n* ламаистский монастырь.

**lamb** [læm] 1. *n* 1) ягнёнок, барашек; овечка; *перен.* агнец; like a ~ безропотно, покорно; 2) мясо молодого барашка; 3) *разг.* простак; 4) *разг.* неопытный игрок на бирже;
2. *v* ягниться.

**lambaste** [læmˈbeɪst] *v диал.* бить, колотить.

**lambency** [ˈlæmbənsi] *n* 1) сверкание, блеск; 2) скольжение.

**lambent** [ˈlæmbənt] *a* 1) играющий, колыхающийся (*о свете, пламени*); светящийся, сияющий; 2) блестящий, сверкающий, лучистый, искромётный; ~ eyes лучистые глаза; ~ wit блестящий ум; 3) скользящий.

**Lambeth** [ˈlæmbəθ] *n* Лондонская резиденция архиепископа Кентерберийского (*тж.* ~ Palace).

**lambkin** [ˈlæmkɪn] *n* ягнёночек.

**lamblike** [ˈlæmlaɪk] *a* кроткий, безответный.

**lambrequin** [ˈlæmbəkɪn] *n* ламбрекен.

**lambskin** [ˈlæmskɪn] *n* мерлушка.

**lame** I [leɪm] 1. *a* 1) хромой; увечный; парализованный, *особ.* плохо владеющий ногой *или* ногами; to be ~ of (*или* in) one leg хромать на одну ногу; 2) неубедительный, неудовлетворительный; ~ excuse неудачная, слабая отговорка; 3) неправильный, «хромающий» (*о стихе, размере*); ◇ ~ under the hat глупый, несообразительный; ~ duck a) неудачник; б) *бирж.* банкрот; разорившийся маклер; в) *амер. уст.* неперейзбранный член (*конгресса и т. п.*); г) *ав. sl.* повреждённый самолёт; д) повеса, шалопай;
2. *v* увечить, калечить.

**lame** II [leɪm] *n* тонкая металлическая пластинка.

**lamé** [lɑːˈmeɪ] *фр. n* ткань для вечерних туалетов.

**lamella** [ləˈmelə] *n* (*pl* -lae) 1) пластинка; тонкий слой (*кости, ткани*); 2) *тех.* ламель, пластинка.

**lamellae** [ləˈmeliː] *pl от* lamella.

**lameness** [ˈleɪmnɪs] *n* хромота.

**lament** [ləˈment] 1. *n* 1) горестное стенание; жалобы; 2) элегия; жалобная, похоронная песнь;
2. *v* 1) стенать, плакать; сокрушаться; горевать; 2) оплакивать (for, over); the late ~ed покойник, умерший; покойный муж; 3) горько жаловаться; сетовать.

**lamentable** [ˈlæməntəbl] *a* 1) прискорбный; плачевный; 2) грустный, печальный; 3) *презр.* жалкий, ничтожный.

**lamentation** [ˌlæmenˈteɪʃən] *n* горестная жалоба, плач; ◇ Lamentations *библ.* плач Иеремии.

**lamia** [ˈleɪmɪə] *n* 1) *миф.* чудовище в образе женщины, пожирающее людей; 2) колдунья, ведьма.

**lamina** [ˈlæmɪnə] *n* (*pl* -nae) 1) тонкая пластинка, тонкий слой; лист; 2) *геол.* плоскость отслоения.

**laminae** [ˈlæmɪniː] *pl от* lamina.

**laminar** [ˈlæmɪnə] *a* пластинчатый.

**laminate** [ˈlæmɪneɪt] *v* 1) расщеплять(ся) на тонкие слои; 2) расплющивать, прокатывать (*металл*) в листы; 3) покрывать тонкими металлическими пластинками; 4) вырабатывать пластмассу из бумаги, древесных опилок, тряпья *и т. п.*

**laminated** [ˈlæmɪneɪtɪd] 1. *p.p. от* laminate;
2. *a* 1) листовой; 2) пластинчатый; слоистый.

**lamination** [ˌlæmɪˈneɪʃən] *n* 1) расслоение; 2) расплющивание; раскатывание; 3) *геол.* слоистость; наслоение; тонкое напластование.

**Lammas** [ˈlæməs] *n уст.* праздник урожая (1 августа).

**lamp** [læmp] 1. *n* 1) лампа; фонарь; red ~ а) красный фонарь; б) сигнал опасности (*на железной дороге*); в) фонарь у квартиры врача *или* аптеки; 2) светильник; светоч; to hand (*или* to pass) on the ~ не давать угаснуть; содействовать успехам (*знания и т. п.*); 3) *поэт.* светило; ◇ to rub the ~ легко осуществить своё желание; to smell of the ~ быть вымученным (*о слоге, стихах и т. п.*);
2. *v* 1) освещать; 2) *поэт.* светить; 3) *амер. sl.* смотреть.

**lampas** [ˈlæmpəz] *n* насос (*воспалительная опухоль на нёбе лошади*).

**lampblack** [ˈlæmpblæk] *n* 1) ламповая копоть, сажа; 2) чёрная краска из ламповой сажи.

**lamp-burner** [ˈlæmpˌbəːnə] *n* ламповая горелка.

**lamp-chimney** [ˈlæmpˌtʃɪmnɪ] *n* ламповое стекло.

**lamp-holder** [ˈlæmpˌhouldə] *n* патрон, оправа (лампы), ламподержатель.

**lampion** [ˈlæmpɪən] *n* лампион, цветной (*стеклянный или бумажный*) фонарь.

**lamplight** [ˈlæmplaɪt] *n* свет лампы, искусственное освещение; by ~ при искусственном освещении.

**lamplighter** [ˈlæmpˌlaɪtə] *n* фонарщик; ◇ like a ~ очень быстро; to run like a ~ бежать как угорелый; бежать сломя голову, бежать без оглядки.

**lampoon** [læmˈpuːn] 1. *n* злая сатира, памфлет; пасквиль;
2. *v* писать памфлеты, пасквили.

**lampooner** [læmˈpuːnə] *n* памфлетист; пасквилянт.

**lampoonist** [læmˈpuːnɪst] = lampooner.

**lamppost** [ˈlæmppoust] *n* фонарный столб; ◇ between you and me and the ~ между нами; по секрету.

**lamprey** [ˈlæmprɪ] *n* минога.

**lamp-shade** [ˈlæmpʃeɪd] *n* абажур.

**lamp-socket** [ˈlæmpˌsɔkɪt] = lamp-holder.

**Lancastrian** [læŋˈkæstrɪən] 1. *a* 1) *ист.* ланкастерский; 2) ланкаширский;
2. *n* 1) *ист.* сторонник ланкастерской династии; 2) уроженец Ланкашира.

**lance** [lɑːns] 1. *n* 1) пика; копьё; 2) острога; 3) ланцет; 4) (*особ. pl*) улан;

2. *v* 1) пронзи́ть пи́кой, копьём; 2) *поэт.* броса́ться (*в атаку*); 3) вскрыва́ть ланце́том.

**lance-corporal** [ˈlɑːnsˈkɔːpərəl] *n воен.* солда́т, исполня́ющий обя́занности капра́ла, ефре́йтора.

**lance-knight** [ˈlɑːnsnait] *n ист.* 1) копе́йщик; 2) ландскне́хт.

**lanceolate** [ˈlɑːnsiəleit] *a бот.* копьеви́дный, ланцетови́дный, ланце́тный.

**lancer** [ˈlɑːnsə] *n* 1) *воен.* ула́н; 2) *pl* лансье́ (*старинный танец*).

**lance-sergeant** [ˈlɑːnsˈsɑːdʒənt] *n* мла́дший сержа́нт.

**lancet** [ˈlɑːnsit] *n* 1) ланце́т; 2) *стр.* стре́лка сво́да; 3) стре́льчатое окно́ (*тж.* ~ window).

**lancet arch** [ˈlɑːnsitˈɑːtʃ] *n* стре́льчатая а́рка.

**lancinating** [ˈlɑːnsineitiŋ] *a* о́стрый, стреля́ющий (*о боли*).

**land** [lænd] 1. *n* 1) земля́, су́ша; dry ~ су́ша; on ~ на су́ше; travel by ~ путеше́ствовать по су́ше; to make the ~ *мор.* приближа́ться к бе́регу; 2) страна́; госуда́рство; native ~ ро́дина, отчи́зна; 3) по́чва; fat ~ плодоро́дная по́чва; poor ~ ску́дная по́чва; to go (*или* to work) on the ~ стать фе́рмером; 4) земе́льная со́бственность; *pl* поме́стья; 5) *тех.* фа́ска, ве́рхняя грань зу́ба; 6) *арт.* по́ле наре́за; 7) *attr.* сухопу́тный; назе́мный; ~ plants назе́мные расте́ния, эмбрио́фиты; ~ ice материко́вый лёд; 8) *attr.* земе́льный; ~ rent земе́льная ре́нта; ~ tenure землевладе́ние; ◇ let us see how the ~ lies посмо́трим, как обстоя́т дела́; to see ~ а) уви́деть, к чему́ кло́нится де́ло; б) быть бли́зко к поста́вленной це́ли; the ~ of Nod *шутл.* ца́рство сна; со́нное ца́рство; ~ of promise *библ.* земля́ обетова́нная; ~ of cakes, ~ of the thistle Шотла́ндия; the ~ of the Rose А́нглия (*роза—национальная эмблема Англии*); the ~ of the golden fleece Австра́лия;

2. *v* 1) выса́живать(ся) (на бе́рег); приста́ть к бе́регу, прича́ливать; 2) пойма́ть; вы́тащить на бе́рег (*рыбу*); to ~ a criminal пойма́ть престу́пника; 3) *ав.* приземля́ться, де́лать поса́дку; 4) прибыва́ть (*куда-л.*); достига́ть (*какого-л. места*); 5) приводи́ть (*к чему-л.*); ста́вить в то и́ли ино́е положе́ние; to ~ smb. in difficulty (*или* trouble) поста́вить в затрудни́тельное положе́ние; to be nicely ~ed быть в затрудни́тельном положе́нии; 6) попа́сть, угоди́ть; to ~ a blow on the ear, on the nose, *etc.* уда́рить по́ уху, по́ носу *и т. п.*; 7) доби́ться (*чего-л.*); вы́играть; to ~ a prize получи́ть приз.

**land-agent** [ˈlænd,eidʒənt] *n* 1) управля́ющий име́нием; 2) комиссионе́р по прода́же земе́льных уча́стков и недви́жимости.

**landau** [ˈlændɔː] *n* 1) ландо́; 2) автомоби́ль с открыва́ющимся ве́рхом.

**land-bank** [ˈlændbæŋk] *n* земе́льный банк.

**land-breeze** [ˈlændbriːz] *n* берегово́й бриз.

**landed** [ˈlændid] 1. *p. p. от* land 2; 2. *a* земе́льный; ~ proprietor землевладе́лец; the ~ interest землевладе́льцы; ~ classes поме́щики, землевладе́льцы.

**landfall** [ˈlændfɔːl] *n мор.* подхо́д к бе́регу; 2) о́ползень, обва́л.

**land-force(s)** [ˈlændfɔːs(iz)] *n* (*pl*) *воен.* сухопу́тные си́лы.

**land-grabber** [ˈlænd,græbə] *n* челове́к, незако́нно *или* обма́ном захва́тывающий чью-л. зе́млю; *ирл.* беру́щий уча́сток вы́селенного аренда́тора.

**land grant** [ˈlænd,grɑːnt] *n* отво́д земе́льного уча́стка для постро́йки желе́зной доро́ги *или* для нужд се́льскохозя́йственного колле́джа.

**landgrave** [ˈlændgreiv] *нем. n ист.* ландгра́ф.

**landholder** [ˈlænd,houldə] *n* владе́лец *или* аренда́тор земе́льного уча́стка.

**landing** [ˈlændiŋ] 1. *pres. p. от* land 2; 2. *n* 1) вы́садка; ме́сто вы́садки; 2) *воен.* деса́нт; 3) *ав.* поса́дка, приземле́ние; ме́сто поса́дки; emergency (*или* forced) ~ вы́нужденная поса́дка; 4) ле́стничная площа́дка; 5) *attr.* деса́нтный; ~ party деса́нтный отря́д; ~ operation вы́садка деса́нта.

**landing craft** [ˈlændiŋ,krɑːft] *n собир.* деса́нтные суда́, деса́нтные плаву́чие сре́дства.

**landing field** [ˈlændiŋ,fiːld] *n* поса́дочная площа́дка; аэродро́м.

**landing gear** [ˈlændiŋ,giə] *n* 1) *ав.* шасси́; 2) *sl.* но́ги.

**landing ground** [ˈlændiŋ,graund] = landing-place 2).

**landing mark** [ˈlændiŋ,mɑːk] *n ав.* поса́дочный знак.

**landing-net** [ˈlændiŋ,net] *n* 1) рыболо́вный сачо́к; 2) поса́дочная сеть (*на палубе авианосца*).

**landing-place** [ˈlændiŋ,pleis] *n* 1) ме́сто вы́садки, при́стань; 2) *ав.* поса́дочная площа́дка.

**landing-stage** [ˈlændiŋ,steidʒ] *n* при́стань.

**landing troops** [ˈlændiŋ,truːps] *n pl* деса́нтные войска́.

**land-jobber** [ˈlænd,dʒɔbə] *n* спекуля́нт земе́льными уча́стками.

**landlady** [ˈlæn,leidi] *n* 1) владе́лица до́ма *или* кварти́ры, сдава́емых внаём; 2) хозя́йка гости́ницы, меблиро́ванных ко́мнат, пансио́на; 3) *редк.* поме́щица; ◇ to hang the ~ *амер. sl.* съе́хать тайко́м с кварти́ры, не заплати́в.

**landless** [ˈlændlis] *a* 1) безземе́льный; 2) безбре́жный (*о море*).

**land-locked** [ˈlændlɔkt] *a* 1) (почти́) со всех сторо́н окружённый су́шей; закры́тый (*о заливе, гавани*); 2) пресново́дный (*о рыбе*).

**landloper** [ˈlænd,loupə] = landlouper.

**landlord** [ˈlænlɔːd] *n* 1) поме́щик, землевладе́лец, лендло́рд; 2) владе́лец до́ма *или* кварти́ры, сдава́емых внаём; 3) хозя́ин гости́ницы, пансио́на.

**landlordism** [ˈlænlɔːdizəm] *n* 1) идеоло́гия кру́пных землевладе́льцев; 2) систе́ма (кру́пного) ча́стного землевладе́ния.

**landlouper** [ˈlænd,loupə] *n* бродя́га.

**landlubber** [ˈlænd,lʌbə] *n мор.* сухопу́тный жи́тель; новичо́к в морско́м де́ле, «сухопу́тный моря́к».

**landmark** ['lændmɑːk] *n* 1) межевой знак, вéха; 2) береговой знак; 3) бросающийся в глазá объéкт мéстности, ориентúр; 4) поворóтный пункт, вéха (*в истории*).

**landmine** ['lændmaɪn] *n воен.* фугáс.

**landocracy** [læn'dɔkrəsɪ] *n ирон.* земéльная аристокрáтия, агрáрии, землевладéльческий класс.

**land office** ['lænd,ɔfɪs] *n* госудáрственная контóра, регистрúрующая земéльные сдéлки.

**land-on** ['lænd'ɔn] *v ав.* дéлать посáдку, приземлáться.

**landowner** ['lænd,ounə] *n* землевладéлец.

**landowning** ['lænd,ounɪŋ] 1. *n* землевладéние;
2. *a* землевладéльческий.

**land power** ['lænd,pauə] *n* 1) воéнная мощь; 2) мóщная воéнная держáва.

**landrail** ['lændreɪl] *n* коростéль.

**land-rover** ['lænd,rouvə] *n* легковóй автомобúль «вездехóд».

**landscape** ['lænskeɪp] *n* 1) ландшáфт, пейзáж; 2) *attr.*: ~ architecture планирóвка садóв, пáрков *и т. п.*; ~ sketch *топ.* перспектúвный чертёж.

**landscape-gardener** ['lænskeɪp,gɑːdnə] *n* садóвник-худóжник.

**landscape-gardening** ['lænskeɪp,gɑːdnɪŋ] *n* планирóвка садóв и пáрков.

**landscape-painter** ['lænskeɪp,peɪntə] *n* пейзажúст.

**landslide** ['lændslaɪd] *n* 1) óползень, обвáл; 2) рéзкое изменéние в распределéнии голосóв мéжду пáртиями.

**landslip** ['lændslɪp] = landslide 1).

**landsman** ['lændzmən] *n* 1) сухопýтный жúтель, не моряк; 2) неóпытный моряк.

**land-surveyor** ['lændsəː'veɪə] *n* землемéр.

**landtag** ['lɑnttɑːk] *нем.* ландтáг.

**land-tax** ['lændtæks] *n* земéльный налóг.

**land waiter** ['lænd,weɪtə] *n* тамóженный чинóвник, наблюдáющий за вы́грузкой товáров с кораблá.

**landward(s)** ['lændwəd(z)] *adv* к бéрегу.

**land-wind** ['lændwɪnd] = land-breeze.

**lane** [leɪn] *n* 1) ýзкая дорóга, тропúнка, *особ.* мéжду (живы́ми) úзгородями; 2) ýзкая ýлица, переýлок; ~s and alleys закоýлки; 3) прохóд (*между рядами*); 4) развóдье мéжду сплошны́ми льдúнами; 5) морскóй путь; 6) трáсса полёта; 7) *разг.* гóрло (*тж.* red ~, narrow ~); ◇ it is a long ~ that has no turning *посл.* ≅ и несчáстьям бывáет конéц.

**lang syne** ['læŋ'saɪn] *шотл.* 1. *n* стáрина́, былы́е дни;
2. *adv* давны́м-давнó, в старинý, встáрь.

**language** ['læŋgwɪdʒ] *n* 1) язы́к (*речь*); finger ~ язы́к жéстов, язы́к глухонемы́х; spoken ~ разговóрная речь; 2) *разг.* брань (*тж.* bad ~); I won't have any ~ here прошý не выражáться; strong ~ сúльные выражéния; ругáтельства; 3) стиль, язы́к; the ~ of Shakespeare язы́к Шекспúра.

**languid** ['læŋgwɪd] *a* 1) слáбый, вя́лый, апатúчный; тóмный; ~ stream мéдленно текýщий ручéй; ~ attempt слáбая попы́тка; 2) скýчный.

**languish** ['læŋgwɪʃ] 1. *n* тóмный вид, тóмность;
2. *v* 1) слабéть, чáхнуть; вя́нуть; 2) томúться; изнывáть; тосковáть (for); 3) принимáть печáльный, тóмный вид; 4) уменьшáться, ослабевáть.

**languishing** ['læŋgwɪʃɪŋ] 1. *pres. p. от* languish 2;
2. *a* 1) слáбый, вя́лый; 2) печáльный, тóмный; a ~ look тóмный взгляд.

**languor** ['læŋgə] *n* 1) слáбость, вя́лость; апатúчность; устáлость; 2) томлéние; тóмность; 3) отсýтствие жúзни, движéния; застóй.

**languorous** ['læŋgərəs] *a* 1) вя́лый; апатúчный; устáлый; 2) тóмный; 3) томúтельный (*об атмосфере*).

**laniard** ['lænjəd] = lanyard.

**lanital** ['lænɪtæl] *n* искýсственная шерсть.

**lank** [læŋk] *a* 1) высóкий и тóнкий; худощáвый; 2) глáдкий, невью́щийся (*о волосах*).

**lanky** ['læŋkɪ] *a* долговя́зый.

**lanolin** ['lænəlɪn] *n* ланолúн.

**lansquenet** ['lænskənet] *n ист.* ландскнéхт (*тж. как название карточной игры*).

**lantern I** ['læntən] *n* 1) фонáрь; dark ~ потайнóй фонáрь; 2) свéточ, светúло; 3) световáя кáмера маякá; 4) *архит.* фонáрь вéрхнего свéта (*тж.* ~ light); ◇ ~ lecture лéкция с диапозитúвами; ~ jaws впáлые щёки, худóе лицó; parish ~ *шутл.* лунá.

**lantern II** ['læntən] *n тех.* цéвочное колесó *или* шестерня́.

**lanthanum** ['lænθənəm] *n хим.* лантáн.

**lanyard** ['lænjəd] *n* 1) *мор.* тáлреп; стрóпка; 2) шнур; 3) ремéнь бинóкля.

**Laodicean** [,leɪoudɪ'sɪən] *a* безразлúчный, индифферéнтный (*в вопросах религии или политики*).

**lap I** [læp] *n* 1) полá, фáлда; подóл; 2) колéни; the boy sat on his mother's ~ мáльчик сидéл у мáтери на колéнях; 3) пах; 4) лóно; in nature's ~ на лóне прирóды; in the ~ of luxury в рóскоши; 5) мóчка (*уха*); 6) ущéлье; ◇ in the ~ of the gods одномý бóгу извéстно; ~ supper ýжин из сэ́ндвичей и салáтов, сервирýемый не за óбщим столóм.

**lap II** [læp] 1. *n* 1) наклáдка, перекры́тие; 2) круг, оборóт канáта, нúти (*на катушке и т. п.*); 3) *текст.* рулóн холстá, ткáни; 4) часть, пáртия игры́; круг, этáп (*в состязании*); 5) *тех.* притúр;
2. *v* 1) завёртывать, склáдывать, свёртывать; окýтывать; охвáтывать, окружáть; the house is ~ped in woods дом окружён лéсом; to be ~ped in luxury жить в рóскоши; 2) перекрывáть, выходúть за предéлы (*чего-л.*; *тж.* ~ over); 3) *тех.* перекрывáть внáпуск, внахлёстку.

**lap III** [læp] 1. *n* 1) жúдкая пúща (*для собак*); 2) *sl.* жúдкий, слáбый напúток; «помóи»; 3) плеск волн;
2. *v* 1) лакáть; 2) жáдно пить, глотáть, поглощáть (*обыкн.* ~ up, ~ down); 3) упивáться; 4) плескáться о бéрег (*о волнах*).

**lap** IV [læp] **1.** *n* полирова́льный *или* шлифова́льный круг;

**2.** *v* полирова́ть, шлифова́ть; притира́ть, доводи́ть.

**lap-board** ['læpbɔːd] *n* доска́ (на коле́-нях), заменя́ющая стол (*портного и т. п.*).

**lap-dog** ['læpdɔg] *n* ко́мнатная соба́чка, боло́нка.

**lapel** [lə'pel] *n* отворо́т, ла́цкан (*пиджака́ и т. п.*).

**lapidary** ['læpɪdərɪ] **1.** *a* 1) грани́льный; 2) вы́гравированный на ка́мне; 3) кра́ткий, лапида́рный;

**2.** *n* грани́льщик; гравёр по ка́мню.

**lapidate** ['læpɪdeɪt] *v* поби́ть камня́ми.

**lapidify** [læ'pɪdɪfaɪ] *v* 1) превраща́ть в ка́мень; 2) окаменева́ть.

**lapis lazuli** [ˌlæpɪs'læzjulaɪ] *n* ля́пис-лазу́рь.

**lap-joint** ['læpdʒɔɪnt] *n тех.* соедине́ние внакро́й, внахлёстку.

**Laplander** ['læplændə] *n* лопа́рь.

**Lapp** [læp] = Laplander.

**lapper-milk** ['læpəˌmɪlk] *n* сверну́вшееся молоко́; простоква́ша.

**lappet** ['læpɪt] *n* скла́дка; ла́цкан.

**Lappish** ['læpɪʃ] **1.** *a* лопа́рский.

**2.** *n* лопа́рский язы́к.

**lapse** [læps] **1.** *n* 1) оши́бка; опи́ска (*тж.* ~ of the pen); ля́псус; ~ of memory прова́л па́мяти; 2) паде́ние, прегреше́ние; ~ from virtue грехопаде́ние; 3) тече́ние, ход (*времени*); 4) промежу́ток вре́мени; with the ~ of time со вре́менем; 5) *юр.* прекраще́ние, недействи́тельность пра́ва на владе́ние *и т. п.*; ~ of time истече́ние да́вности; 6) *метеор.* паде́ние температу́ры, пониже́ние давле́ния;

**2.** *v* 1) пасть (*морально*); 2) впада́ть (*в отчаяние и т. п.*); to ~ into illness заболе́ть; 3) соверши́ть сно́ва како́й-л. просту́пок, приня́ться за ста́рое; 4) теря́ть си́лу, истека́ть (*о праве*); переходи́ть в други́е ру́ки; to ~ to the Crown перейти́ в казну́ (*в Англии*); 5) проходи́ть, па́дать (*об интересе и т. п.*).

**lapsed** [læpst] **1.** *p. p. от* lapse 2;

**2.** *a* бы́вший.

**lapsus** ['læpsəs] *лат. n* оши́бка; ~ calami опи́ска; ~ linguae огово́рка; ~ memoriae прова́л па́мяти.

**lapwing** ['læpwɪŋ] *n* чи́бис, пи́галица.

**larboard** ['lɑːbəd] *n мор. уст.* ле́вый борт су́дна.

**larcenous** ['lɑːsɪnəs] *a* воровско́й, вино́в-ный в воровстве́.

**larceny** ['lɑːsnɪ] *n* воровство́.

**larch** [lɑːtʃ] *n бот.* ли́ственница.

**lard** [lɑːd] **1.** *n* свино́е са́ло; лярд;

**2.** *v* 1) шпигова́ть; сма́зывать са́лом; 2) уснаща́ть, пересыпа́ть (*речь—метафора́-ми, иностр. слова́ми и т. п.*).

**larder** ['lɑːdə] *n* кладова́я.

**lardy** ['lɑːdɪ] *a* жи́рный, са́льный.

**lares** ['lɛərɪːz] *лат. n pl миф., поэт.* ла́ры; Lares and Penates ла́ры и пена́ты; *перен.* ую́т, дома́шний оча́г.

**large** [lɑːdʒ] **1.** *a* 1) большо́й; кру́пный; ~ businessman кру́пный деле́ц; ~ and small farmers кру́пные и ме́лкие фе́рмеры; 2) многочи́сленный (*о населении и т. п.*); значи́тельный; оби́льный; ~ majority значи́тельное большинство́; ~ meal оби́льная еда́; 3) широ́кий (*о взглядах, толковании, понимании*); 4) *уст.* ще́дрый; великоду́шный; ~ heart великоду́шие; 5) *мор.* попу́тный, благоприя́тный (*о ветре*); ◇ ~ order *разг.* тру́дная зада́ча, тру́дное де́ло; чрезме́рное тре́бование; ~ fruits се́мечко-вые и ко́сточковые плоды́; as ~ as life а) в натура́льную величину́; б) во всей красе́; в) *шутл.* со́бственной персо́ной;

**2.** *adv* 1) широко́; простра́нно; 2) кру́пно (*писать, печатать*); 3) хвастли́во; напы́щенно;

**3.** *n* 1): at ~ а) на свобо́де; на просто́ре; he will soon be at ~ он ско́ро бу́дет на свобо́де; б) простра́нно, подро́бно, дета́льно; to go into the question at ~ входи́ть в подро́бное рассмотре́ние вопро́са; to talk at ~ говори́ть простра́нно; в) во всём объёме, целико́м; popular with the people at ~ популя́рный среди́ широ́ких слоёв; г) без определённой це́ли; свобо́дный; д) име́ю-щий широ́кие полномо́чия; ambassador at ~ *см.* ambassador; representative at ~ *амер.* член конгре́сса, представля́ющий не отде́льный о́круг, а ряд округо́в *или* весь штат; е) в о́бщем смы́сле, неконкре́тно; promises made at ~ неопределённые, нея́сные обеща́ния; 2): in ~ в большо́м масшта́бе.

**large-handed** ['lɑːdʒ'hændɪd] *a* 1) ще́д-рый; оби́льный; 2) с больши́ми рука́ми; *перен.* жа́дный.

**large-hearted** ['lɑːdʒ'hɑːtɪd] *a* 1) велико-ду́шный; 2) терпи́мый, благожела́тельный.

**largely** ['lɑːdʒlɪ] *adv* 1) в значи́тельной сте́пени; he is ~ to blame э́то в значи́тель-ной сте́пени его́ вина́; 2) оби́льно, ще́дро; 3) в широ́ком масшта́бе; на широ́кую но́гу.

**large-minded** ['lɑːdʒ'maɪndɪd] *a* с широ́-кими взгля́дами; терпи́мый.

**largeness** ['lɑːdʒnɪs] *n* 1) большо́й разме́р; 2) широта́ взгля́дов; 3) великоду́шие.

**large scale** ['lɑːdʒ'skeɪl] *n* кру́пный мас-шта́б; on a ~ в кру́пном масшта́бе.

**largess(e)** ['lɑːdʒes] *n* 1) ще́дрый дар; 2) ще́дрость.

**larghetto** [lɑː'getou] *муз.* **1.** *a* ме́длен-ный;

**2.** *adv* в ме́дленном те́мпе.

**largo** ['lɑːgou] *муз.* **1.** *a* о́чень ме́длен-ный;

**2.** *adv* в о́чень ме́дленном те́мпе.

**lariat** ['lærɪət] **1.** *n* 1) верёвка (*для привязывания лошади*); 2) арка́н, лассо́;

**2.** *v* лови́ть арка́ном.

**lark** I [lɑːk] **1.** *n* жа́воронок; ◇ to rise with the ~ встава́ть чуть свет;

**2.** *v* лови́ть жа́воронков.

**lark** II [lɑːk] **1.** *n* шу́тка, прока́за; за-ба́ва, весе́лье; to have a ~ позаба́виться; for a ~ шу́тки ра́ди; what a ~! (как) за-ба́вно!;

**2.** *v* 1) шути́ть, забавля́ться; 2) брать препя́тствия (*на лошади*); to ~ the hedge перескочи́ть че́рез и́згородь; □ ~ abou шу́мно резви́ться.

**larkspur** ['lɑːkspɔ] n бот. живокость, шпорник.

**larky** ['lɑːkı] a любящий пошутить, позабавиться; проказливый.

**larmier** ['lɑːmıə] n архит. слезник.

**larrikin** ['lærıkın] 1. n (молодой) хулиган;
2. a грубый, шумный, буйный.

**larrup** ['lærəp] разг. 1. n удар;
2. v бить, колотить.

**larva** ['lɑːvə] n (pl -vae) 1) личинка; 2) головастик.

**larvae** ['lɑːviː] pl от larva.

**larval** ['lɑːvəl] a личиночный; in the ~ stage в стадии личинки.

**laryngitis** [ˌlærɪn'dʒaɪtɪs] n мед. ларингит.

**laryngology** [ˌlærɪn'ɡɔlədʒɪ] n ларингология.

**laryngoscope** [lə'rɪŋɡəskoup] n ларингоскоп.

**larynx** ['lærɪŋks] n гортань, глотка.

**Lascar** ['læskə] a матрос-индиец.

**lascivious** [lə'sɪvɪəs] a сладострастный, похотливый; вызывающий похоть.

**lash** [læʃ] 1. n 1) плеть; бич; ремень (кнута); 2) удар хлыстом, бичом, плетью; the ~ порка; 3) резкий упрёк; критика; to be under the ~ подвергнуться резкой критике; 4) (сокр. от eyelash) ресница; 5) мор. найтов;
2. v 1) хлестать, стегать, ударять; перен. бичевать; высмеивать; 2) возбуждать, доводить (to, into—до бешенства и т. п.); 3) нестись, мчаться; ринуться; 4) связывать (обыкн. ~ together); привязывать (to, down, on); 5) мор. принайтовить; ошвартовать; □ ~ out a) внезапно лягнуть; б) разразиться бранью.

**lasher** ['læʃə] n запруда, водослив, плотина.

**lashing** ['læʃɪŋ] 1. pres.p. от lash 2;
2. n 1) порка; 2) верёвка, верёвки (связывающие что-л.); 3) мор. найтовы, бензеля; 4) pl sl. масса, обилие (of—чего-л.).

**lass** [læs] n 1) девушка; девочка; 2) служанка; 3) возлюбленная.

**lassie** ['læsı] n ласк. преим. шотл. 1) девушка; девочка; 2) милочка.

**lassitude** ['læsɪtjuːd] n усталость, утомление.

**lasso** ['læsou] 1. n (pl -os [-ouz]) лассо, аркан;
2. v ловить арканом, лассо.

**last I** [lɑːst] 1. a 1) превосх. ст. от late 1; 2) последний; ~ but not least a) хотя и самый худший, но не менее важный; б) не самый худший; ~ but one предпоследний; 3) окончательный; 4) прошлый; ~ year прошлый год; в прошлом году; 5) крайний, чрезвычайный; of the ~ importance чрезвычайной важности; 6) самый современный; the ~ word in science последнее слово в науке; the ~ thing in hats самая модная шляпа; 7) самый неподходящий, нежелательный; he is the ~ person I want to see его я меньше всего хотел бы видеть; ◇ on one's ~ (legs) разг. при последнем издыхании; на грани разорения, истощения и т. п.;

2. adv 1) превосх. ст. от late 2; 2) после всех; he came ~ он пришёл последним; 3) в последний раз; when did you see him ~? когда вы его видели в последний раз?; 4) на последнем месте, в конце (при перечислении);

3. n 1) что-л. последнее по времени; as I said in my ~ как я сообщал в последнем письме; when my ~ was born когда родился мой младший (сын); to breathe one's ~ испустить последний вздох, умереть; 2) конец; the ~ of амер. конец (года, месяца и т. п.); at ~ наконец; at long ~ в конце концов; to the ~ до конца; to hold on to the ~ держаться до конца; I shall never hear the ~ of it это никогда не кончится; to see the ~ of smb., smth. видеть кого-л., что-л. в последний раз.

**last II** [lɑːst] 1. v 1) продолжаться, длиться; 2) сохраняться; выдерживать (о здоровье, силе); носиться (о ткани, обуви и т. п.); he will not ~ till morning он не доживёт до утра; 3) хватать, быть достаточным (тж. ~ out); it will ~ (out) the winter этого хватит на зиму; this money will ~ me three weeks мне хватит этих денег на три недели;
2. n выдержка; выносливость.

**last III** [lɑːst] 1. n колодка (сапожная); ◇ to measure smb.'s foot by one's own ≅ мерить кого-л. на свой аршин; to stick to one's ~ заниматься своим делом, не вмешиваться в чужие дела;
2. v натягивать на колодку.

**last IV** [lɑːst] n ласт (мера, различная для разного груза: 10 квартеров зерна, 12 мешков шерсти, 12 дюжин кож, 24 бочонка пороха и т. п.; как весовая единица—ок. 4000 англ. фунтов).

**lasting I** ['lɑːstɪŋ] 1. pres. p. от last II, 1;
2. a длительный, постоянный, прочный; ~ peace прочный мир; ~ food консервированный продукт.

**lasting II** ['lɑːstɪŋ] pres. p. от last III, 2.

**lastly** ['lɑːstlɪ] adv наконец (при перечислении); в заключение.

**last-named** ['lɑːst,neɪmd] a 1) вышеупомянутый; 2) последний из упомянутых.

**latch** [lætʃ] 1. n 1) щеколда, запор; защёлка; задвижка; шпингалет; 2) американский замок;
2. v 1) запирать; 2) амер. поймать.

**latchet** ['lætʃɪt] n уст. ремень, шнурок для башмака, тесёмка и т. п.

**latch-key** ['lætʃkiː] n 1) ключ от американского замка; 2) отмычка.

**late** [leɪt] 1. a (later, latter; latest, last) 1) поздний; запоздалый; I was ~ (for breakfast) я опоздал (к завтраку); 2) прежний, недавний, последний; of ~ years за последние годы; my ~ illness моя недавняя болезнь; 3) умерший, покойный; бывший; the ~ president покойный или бывший президент; ◇ to keep ~ hours поздно ложиться и поздно вставать;

2. adv (later; latest, last) 1) поздно; to sit ~ засидеться; ложиться поздно; ~ in the day слишком поздно; I arrived ~ for the train я опоздал на поезд; better ~ than

never лучше поздно, чем никогда; soon or ~, early or ~ рано или поздно; 2) недавно, за последнее время (*тж.* of ~).

**lateen** [ləˈtiːn] *a* треугольный, латинский (*о парусе*).

**lately** [ˈleɪtlɪ] *adv* недавно; за последнее время.

**latency** [ˈleɪtənsɪ] *n* скрытое состояние.

**lateness** [ˈleɪtnɪs] *n* опоздание, запоздалость.

**latent** [ˈleɪtənt] *a* скрытый, латентный, в скрытом состоянии; ~ heat скрытая теплота; ~ partner скрытый партнёр фирмы, акционерного об-ва *и т. п.* (*имя которого нигде не фигурирует*); ~ period a) *мед.* инкубационный период; б) *физиол.* время от момента раздражения до реакции.

**later** [ˈleɪtə] (*сравнит. ст. от* late) 1. *a* более поздний;
2. *adv* позже; ~ on после, позднее; как-нибудь потом.

**lateral** [ˈlætərəl] 1. *a* 1) боковой; горизонтальный; 2) побочный, вторичный; 3) *фон.* боковой (*о звуке* l);
2. *n фон.* латеральный сонант.

**latest** [ˈleɪtɪst] *a* (*превосх. ст. от* late 1) самый поздний; (самый) последний; the ~ fashion самая последняя мода; the ~ news последние известия; at (the) ~ самое позднее.

**latex** [ˈleɪteks] *n* латекс, млечный сок (*каучуконосов*).

**lath** [lɑːθ] *стр.* 1. *n* 1) планка; дранка; сетка; as thin as a ~ худой как щепка; 2) *attr.*: ~ fence тын, плетень;
2. *v* шпалерить; прибивать планки.

**lathe** [leɪð] 1. *n* 1) токарный станок; 2) *attr.*: ~ tool резец токарного станка;
2. *v* обрабатывать на токарном станке.

**lathee** [ˈlɑːtiː] *n англо-инд.* окованная железом палка, дубинка.

**lather** [ˈlɑːðə] 1. *n* 1) мыльная пена; 2) пена, мыло (*на лошади*); ◇ a good ~ is half a shave *посл.* ≅ хорошее начало пол-дела откачало;
2. *v* 1) намыливать(ся); мылиться; 2) взмыливаться (*о лошади*); 3) *разг.* побить; отколотить; выпороть.

**lathery** [ˈlɑːðərɪ] *a* 1) намыленный; 2) взмыленный; 3) пустой, вымышленный, нереальный.

**lathi** [ˈlɑːtiː] = lathee.

**lathing** [ˈlɑːθɪŋ] *n собир. стр.* дрань; подрешётка.

**lathy** [ˈlɑːθɪ] *a* долговязый, худой.

**latibulize** [ləˈtɪbjuːlaɪz] *v* лежать, залегать в берлоге, в норе.

**Latin** [ˈlætɪn] 1. *n* латинский язык; late ~ поздняя латынь; low (*или* vulgar) ~ вульгарная латынь; dog ~ ломаная латынь; ◇ thieves' ~¦ воровской жаргон;
2. *a* латинский, романский; ~ Church западная церковь, римско-католическая церковь; the ~ peoples романские народы.

**latinize** [ˈlætɪnaɪz] *v* латинизировать.

**Latins** [ˈlætɪnz] *n pl амер.* страны Латинской Америки.

**latitude** [ˈlætɪtjuːd] *n* 1) *геогр., астр.* широта; in the ~ of 40° S. на 40° южной широты; low ~s тропические широты; 2) свобода, терпимость; ~ of thought свобода, широта мысли; 3) обширность; a wide ~ широкие полномочия; 4) *фото* время, необходимое для правильного проявления плёнки.

**latitudinarian** [ˈlætɪˌtjuːdɪˈnɛərɪən] 1. *n* терпимый человек; человек широких взглядов;
2. *a* допускающий отклонения от догмы; терпимый.

**latrine** [ləˈtriːn] *n* отхожее место (*особ. в лагере*); общественная уборная; *мор.* гальюн.

**latter** [ˈlætə] *a* (*сравнит. ст. от* late 1) 1) недавний; in these ~ days в наше время (*противоп.* in former times); 2) последний (*из двух названных; противоп.* the former); the ~ half of the week вторая половина недели; ◇ ~ end конец; смерть.

**latter-day** [ˈlætəˈdeɪ] *a* современный, новейший.

**latterly** [ˈlætəlɪ] *adv* 1) недавно; 2) к концу, под конец.

**latter-most** [ˈleɪtəmoust] *a* последний, задний.

**lattice** [ˈlætɪs] *n* 1) решётка; 2) *attr.* решётчатый; ~ frame решётчатая конструкция; ~ window окно с частым (свинцовым) переплётом.

**latticed** [ˈlætɪst] *a* решётчатый.

**Latvian** [ˈlætvɪən] 1. *a* 1) латвийский; 2) латышский;
2. *n* 1) латыш; латышка; 2) латышский язык.

**laud** [lɔːd] 1. *n* хвала;
2. *v* хвалить, прославлять, превозносить; *церк.* славить.

**laudable** [ˈlɔːdəbl] *a* 1) похвальный; 2) *мед.* доброкачественный (*о гное, выделениях*).

**laudanum** [ˈlɔːdnəm] *n* настойка опия.

**laudation** [lɔːˈdeɪʃən] *n* панегирик; восхваление.

**laudative** [ˈlɔːdətɪv] = laudatory.

**laudatory** [ˈlɔːdətərɪ] *a* хвалебный, похвальный.

**laugh** [lɑːf] 1. *n* смех, хохот; on the ~ смеясь; to have the ~ of (*или* on) smb. высмеять того, кто смеялся над тобой; to have a good ~ at smb. от души посмеяться над кем-л.; to give a ~ рассмеяться; to raise a ~ вызвать смех; to raise (*или* to turn) the ~ against smb. поставить кого-л. в смешное положение;
2. *v* 1) смеяться; рассмеяться; to burst out ~ing расхохотаться; to ~ to scorn высмеять; to ~ oneself into fits (*или* convulsions) смеяться до упаду; he ~ed his pleasure он рассмеялся от удовольствия; 2) со смехом сказать, произнести; he ~ed a reply он ответил со смехом; □ ~ at a) смеяться над *кем-л. или* над *чем-л.*; б) улыбаться *кому-л.*; ~ away рассеять, прогнать смехом (*скуку, опасения*); ~ down засмеять; заглушить смехом (*речь и т. п.*); ~ off отшутиться, отделаться от чего-л. смехом; ~ out: to ~ smb. out of smth. насмешкой отучить кого-л. от

чего́-л.; ~ over обсужда́ть в шутли́вом то́не; ◇ to ~ in one's sleeve ≅ смея́ться в кула́к, исподтишка́; ра́доваться втихомо́лку; to ~ on the wrong side of one's mouth (*или* face) от сме́ха перейти́ к слеза́м; огорчи́ться, опеча́литься; he ~s best who ~s last *посл.* хорошо́ смеётся тот, кто смеётся после́дним.

**laughable** ['lɑːfəbl] *a* смешно́й; смехотво́рный, заба́вный.

**laughing** ['lɑːfiŋ] **1.** *pres. p. om* laugh 2; **2.** *a* 1) смею́щийся, улыба́ющийся; 2) смешно́й; it is no ~ matter э́то не шу́тка; смея́ться не́чему.

**laughing-gas** ['lɑːfiŋ'gæs] *n* веселя́щий газ.

**laughing jackass** ['lɑːfiŋ'dʒækæs] *n* гига́нтский зиморо́док (*птица*).

**laughing-stock** ['lɑːfiŋstɔk] *n* посме́шище; to make a ~ of smb. вы́ставить кого́-л. на посме́шище.

**laughter** ['lɑːftə] *n* смех, хо́хот; shrill ~ зво́нкий смех; to burst into ~ расхохота́ться; to roar with ~ пока́тываться со́ смеху.

**launch** I [lɔːntʃ] **1.** *v* 1) броса́ть, мета́ть; to ~ a blow нанести́ уда́р; to ~ a torpedo вы́пустить торпе́ду; 2) спуска́ть су́дно на́ воду; 3) начина́ть, пуска́ть в ход, предпринима́ть; to ~ an offensive предприня́ть, нача́ть наступле́ние; to ~ an attack произвести́, нача́ть ата́ку; 4) запуска́ть, выбра́сывать (*при помощи катапульты*); 5) горячо́ вы́сказать, разрази́ться; ☐ ~ into: to ~ into an argument пусти́ться в спор; to ~ into eternity *поэт.* отпра́вить(ся) на тот свет; ~ out a) пуска́ться (*в путь, в предприятие*); b) to ~ out on smth. нача́ть что-л. де́лать; б) разрази́ться (*словами, упрёками*); в) сори́ть деньга́ми; **2.** *n* спуск су́дна на́ воду.

**launch** II [lɔːntʃ] *n* 1) барка́с; 2) мото́рная ло́дка, ка́тер; pleasure ~ прогу́лочная ло́дка.

**launcher** ['lɔːntʃə] *n воен.* мета́тельная устано́вка; гранатомёт; раке́тный стано́к.

**launching ramp** ['lɔːntʃiŋ'ræmp] *n* устано́вка для за́пуска баллисти́ческого снаря́да.

**launder** ['lɔːndə] *v* 1) стира́ть и гла́дить (*бельё*); 2) стира́ться (*хорошо, плохо о ткани*).

**laundress** ['lɔːndrɪs] *n* пра́чка.

**laundry** ['lɔːndrɪ] *n* 1) пра́чечная; 2) бельё для сти́рки *или* из сти́рки.

**laureate** ['lɔːrɪɪt] *n* 1) уве́нчанный ла́вровым венко́м; 2) лауреа́т; Lenin Prize Laureate лауреа́т Ле́нинской пре́мии; poet ~ a) *уст.* придво́рный поэ́т; б) поэ́т-лауреа́т.

**laurel** ['lɔːrəl] **1.** *n* 1) *бот.* лавр благоро́дный; 2) (*обыкн. pl*) ла́вры, по́чести; to rest (*или* to repose, to retire) on one's ~s почи́ть на ла́врах; to reap (*или* to win) one's ~s стяжа́ть ла́вры, дости́чь сла́вы; **2.** *v* венча́ть ла́вровым венко́м.

**laurelled** ['lɔːrəld] **1.** *p. p. om* laurel 2; **2.** *a* уве́нчанный ла́вровым венко́м, ла́врами.

**laurel oak** ['lɔːrəi,ouk] *n* дуб лавроли́стный.

**lava** ['lɑːvə] *n* ла́ва.

**lavatory** ['lævətɪ] *n* 1) убо́рная; туале́тная ко́мната; 2) *горн. редк.* золотопромы́вочная устано́вка.

**lave** [leɪv] *v поэт.* 1) мыть; 2) омыва́ть (*о ручье, потоке*).

**lavement** ['leɪvmənt] *n мед.* промыва́ние, кли́зма.

**lavender** ['lævɪndə] *n* 1) *бот.* лава́нда; 2) вы́сушенные ли́стья, цветы́ лава́нды; to lay up in ~ a) перекла́дывать лава́ндой (*для аромата*); б) *перен.* приберега́ть на бу́дущее (*время*); в) *sl.* закла́дывать, отдава́ть в зало́г; 3) бле́дно-лило́вый цвет.

**lavender-water** ['lævɪndə,wɔːtə] *n* ла́вандовая вода́.

**laverock** ['lævərək] *поэт. см.* lark I, 1.

**lavish** ['lævɪʃ] **1.** *a* 1) ще́дрый (of, in); расточи́тельный; to be ~ in one's praise горячо́ восхваля́ть, расточа́ть похвалы́; 2) оби́льный; **2.** *v* 1) быть ще́дрым; to ~ care upon one's children окружа́ть забо́той свои́х дете́й; 2) расточа́ть.

**lavishness** ['lævɪʃnɪs] *n* 1) ще́дрость; расточи́тельность; 2) оби́лие.

**law** I [lɔː] *n* 1) зако́н; пра́вило; Mendeleyev's ~ периоди́ческая систе́ма элеме́нтов Менделе́ева; poor ~ зако́н о призре́нии бе́дных; ~ of diminishing return «зако́н убыва́ющего плодоро́дия»; the ~s of tennis пра́вила игры́ в те́ннис; to go beyond the ~ соверши́ть противозако́нный посту́пок; to keep within the ~ приде́рживаться зако́на; 2) *юр.* пра́во; юриспруде́нция; ~ merchant торго́вое пра́во; international ~, ~ of nations междунаро́дное пра́во; to read ~ изуча́ть пра́во; ~ and order правопоря́док; 3) профе́ссия юри́ста; to follow the ~, to go in for ~ избра́ть профе́ссию юри́ста; to practise ~ быть юри́стом; 4) суд, суде́бный проце́сс; to be at ~ with smb. суди́ться с кем-л., быть в тя́жбе с кем-л.; to go to ~ пода́ть в суд; нача́ть суде́бный проце́сс; to have (*или* to take) the ~ of smb. привле́чь кого́-л. к суду́; to take the ~ into one's own hands расправиться без суда́; 5) суде́йское сосло́вие; 6) *спорт.* преиму́щество, предоставля́емое проти́внику (*в состязании и т. п.*); *перен.* переды́шка; отсро́чка; 7) *attr.* зако́нный; юриди́ческий; правово́й; ◇ he is a ~ unto himself для него́ не существу́ет никаки́х зако́нов, кро́ме со́бственного мне́ния; necessity (*или* need) knows no ~ *посл.* нужда́ не зна́ет зако́на; to give (the) ~ to smb. навяза́ть кому́-л. свою́ во́лю.

**law** II [lɔː] = lawk(s).

**law-abiding** ['lɔːə,baidiŋ] *a* законопослу́шный, подчиня́ющийся зако́нам, уважа́ющий зако́ны.

**law-breaker** ['lɔː,breikə] *n* правонаруши́тель, престу́пник.

**law-court** ['lɔː,kɔːt] *n* суд.

**lawful** ['lɔːful] *a* зако́нный; ~ age гражда́нское совершенноле́тие.

**lawgiver** ['lɔːˌgɪvə] *n* законода́тель.

**lawk(s)** [lɔːk(s)] *int разг.* неу́жто!

**lawless** ['lɔːlɪs] *a* 1) беззако́нный; 2) необу́зданный.

**law-list** ['lɔːlɪst] *n* ежего́дный юриди́ческий спра́вочник.

**lawmaker** ['lɔːˌmeɪkə] = lawgiver.

**law-making** ['lɔːˌmeɪkɪŋ] **1.** *n* изда́ние зако́нов;

**2.** *a* законода́тельный.

**law-monger** ['lɔːˌmʌŋgə] *n* ме́лкий адвока́т, крючкотво́р.

**lawn** I [lɔːn] *n* бати́ст.

**lawn** II [lɔːn] *n* лужа́йка, газо́н.

**lawn hockey** ['lɔːnˈhɔkɪ] *n* травяно́й хоккей.

**lawn-mower** ['lɔːnˌmouə] *n* газоноко-си́лка.

**lawn party** ['lɔːnˌpɑːtɪ] *амер. см.* garden-party.

**lawn-sprinkler** ['lɔːnˌsprɪŋklə] *n* маши́на для поли́вки газо́нов.

**lawn tennis** ['lɔːnˈtenɪs] *n* ла́ун-те́ннис.

**lawny** I ['lɔːnɪ] *a* бати́стовый.

**lawny** II ['lɔːnɪ] *a* со мно́жеством лужа́ек, газо́нов.

**laws** [lɔːz] = lawk(s).

**lawsuit** ['lɔːsjuːt] *n* суде́бный проце́сс; иск; тя́жба.

**law-term** ['lɔːtəm] *n* 1) юриди́ческий те́рмин; 2) перио́д суде́бных се́ссий.

**law-writer** ['lɔːˌraɪtə] *n* 1) тот, кто пи́шет по вопро́сам пра́ва; 2) перепи́счик в суде́, оформля́ющий докуме́нты.

**lawyer** ['lɔːjə] *n* 1) адвока́т; 2) законове́д, юри́ст; зако́нник.

**lax** I [læks] *a* 1) сла́бый, вя́лый; 2) непло́тный; ры́хлый; 3) расхля́банный; распу́щенный; 4) небре́жный; неря́шливый; 5) нето́чный; неопределённый; 6) *фон.* ненапряжённый.

**lax** II [læks] *n* лосо́сь; шве́дская *или* норве́жская сёмга.

**laxative** ['læksətɪv] **1.** *n* слаби́тельное (сре́дство);

**2.** *a* слаби́тельный.

**laxity** ['læksɪtɪ] *n* 1) сла́бость, вя́лость; 2) расхля́банность, распу́щенность; 3) неопределённость, нето́чность.

**lay** I [leɪ] *a* 1) све́тский, мирско́й; не духо́вный; не церко́вный; 2) непрофессиона́льный; ~ opinion мне́ние неспециали́ста; 3) *карт.* некозы́рный.

**lay** II [leɪ] *n* 1) коро́ткая пе́сенка; балла́да; 2) пе́ние птиц.

**lay** III [leɪ] *past от* lie II, 1.

**lay** IV [leɪ] **1.** *v* (laid) 1) класть, положи́ть (on); возлага́ть (*надежды и т. п.*); to ~ the foundation заложи́ть фунда́мент; положи́ть нача́ло; 2) повали́ть; примя́ть (*посевы*); to ~ the dust приби́ть пыль; 3) накрыва́ть, стели́ть; to ~ the table, to ~ the cloth накры́ть на стол; 4) накла́дывать (*краску*); покрыва́ть (*слоем*); класть я́йца, нести́сь; 6) припи́сывать (*кому́-л. что-л.*); обвиня́ть; to ~ smth. to smb.'s charge, to ~ smth. at smb.'s door обвиня́ть кого́-л. в чём-л.; to ~ information against smb. предъявля́ть ко-

му́-л. обвине́ние; 7) привести́ в определённое состоя́ние, положе́ние; to ~ a country waste опустоши́ть страну́; to ~ open (*или* bare) открыва́ть, обнажа́ть, оставля́ть незащищённым; to ~ one's plans bare раскры́ть свои́ пла́ны; to ~ oneself open to suspicions (accusation) навле́чь на себя́ подозре́ния (обвине́ние); 8) прокла́дывать курс (*корабля́*); 9) свива́ть, вить (*верёвки и т. п.*); 10) успока́ивать; to ~ an apprehension успоко́ить, рассе́ять опасе́ние; 11) энерги́чно бра́ться (*за что-л.*); to ~ to one's oars нале́чь на вёсла; 12) *разг.* предлага́ть пари́, би́ться об закла́д; I ~ ten roubles that he will not come держу́ пари́ на де́сять рубле́й, что он не придёт; 13) *разг.* вступи́ть в связь; ⬜ ~ **about:** to ~ about one наноси́ть уда́ры напра́во и нале́во; ~ **aside** а) откла́дывать, прибере́га́ть; б) броса́ть, выбра́сывать; в) *pass.* быть вы́веденным из стро́я; г) хвора́ть; ~ **by** откла́дывать; ~ **down** а) уложи́ть; б) соста́вить (*план*); в) закла́дывать (*зда́ние, кора́бль*); г) сложи́ть (*полномо́чия и т. п.*), оста́вить (*слу́жбу*); to ~ down the duties of office отказа́ться от до́лжности; to ~ down one's life отда́ть свою́ жизнь; пожертвовать жи́знью; to ~ down one's arms сложи́ть ору́жие, капитули́ровать; д) устана́вливать, утвержда́ть; to ~ down the law а) устана́вливать, формули́ровать зако́н; β) говори́ть догмати́ческим то́ном; заявля́ть безапелляцио́нно; е) покрыва́ть (with — *чем-л.*); ~ **in** а) запаса́ть; б) *разг.* вы́пороть, всы́пать; ~ **off** а) снима́ть (*оде́жду*); б) откла́дывать; в) *разг.* освобожда́ть *или* снять с рабо́ты (*гл. обр. вре́менно*); г) отдыха́ть; д) *sl.* прекраща́ть, переставать; ~ **off!** перестаньте, отступи́сь!; ~ **on** а) накла́дывать (*слой кра́ски, штукату́рки*); to ~ it on (thick) *разг.* преувели́чивать; хвати́ть че́рез край; б) облага́ть (*нало́гом*); в) наноси́ть (*уда́ры*); ~ **out** а) выкла́дывать, выставля́ть; б) свали́ть с ног; в) выводи́ть из стро́я; г) *sl.* уби́ть; д) плани́ровать, разбива́ть (*сад, уча́сток*); е) тра́тить де́ньги; ж) положи́ть на стол (*поко́йника*); з): to ~ oneself out (for; to *c inf.*) *разг.* стара́ться; напряга́ть все си́лы; из ко́жи вон лезть; ~ **over** а) распростира́ться; б) покрыва́ть (*заседа́ние и т. п.*); г) *амер. разг.* останови́ться; прерва́ть путеше́ствие; задержа́ться; д) *sl.* превосходи́ть; превыша́ть; получи́ть преиму́щество; ~ **up** а) откла́дывать, копи́ть; б) возводи́ть, сооружа́ть; в) выводи́ть вре́менно из стро́я; to ~ up for repairs поста́вить на ремо́нт; to be laid up лежа́ть больны́м; г) *разг.* вступи́ть в связь; ◇ to ~ claim предъявля́ть права́, притяза́ния; to ~ damages at взы́скивать убы́ток с; to ~ heads together обсужда́ть, совеща́ться; to ~ stress подчёркивать; to ~ low а) повали́ть; б) уни́зить; to ~ under contribution наложи́ть контрибу́цию; to ~ under obligation обяза́ть; to ~ hold of (*или* on) схвати́ть, завладе́ть; to ~ to heart отнести́сь серьёзно, приня́ть бли́зко к

сердцу; to ~ (one's) account with (*или* on, for) рассчитывать на *что-л.*, ожидать *чего-л.*; to ~ by the heels а) надеть колодки; заковать в кандалы; подвергнуть заключению; б) привести в беспомощное состояние; to ~ fast заключать в тюрьму; to ~ hands on а) схватывать, завладевать; присваивать; б) поднять руку на *кого-л.*, ударить; to ~ hands on oneself наложить на себя руки, покончить с собой; в) *церк.* рукополагать, посвящать (*в сан*); to ~ one's shirt on ≅ биться об заклад; давать голову на отсечение; to ~ eyes on smth. увидеть что-л.; to ~ one's finger on smth. найти, открыть что-л.; to ~ a finger on smb. дотронуться, поднять руку на кого-л.; to ~ one on smb. ударить кого-л.; дать кому-л. тумака;
2. *n* 1) положение, расположение (*чего-л.*); направление; очертание (*берега*); рельеф; 2) *sl.* поприще, дело, работа.

**layabout** ['leɪə'baut] *n разг.* шарлатан, бездельник.

**lay days** ['leɪ,deɪz] *n pl ком.* -срок погрузки и разгрузки судов.

**layer** I 1. *n* ['leɪə] 1) слой, пласт; наслоение; 2) *бот.* отводок; 3) разрез (*чертежа*);
2. *v* [leə] 1) наслаивать, класть пластами; 2) *бот.* разводить отводками.

**layer** II ['leɪə] *n* 1) кладчик, укладчик; 2) несушка; this hen is a good ~ эта курица хорошо несётся.

**layer-cake** ['leə,keɪk] *n* слоёный пирог.

**layette** [leɪ'et] *фр. n* приданое новорождённого.

**lay figure** ['leɪ'fɪɡə] *n* 1) манекен (*художника*); 2) неправдоподобный персонаж; нереальный образ; 3) ничтожество; человек, лишённый индивидуальности *или* значения.

**laying** ['leɪɪŋ] 1. *pres. p. om* lay IV, 1;
2. *n* 1) первый слой штукатурки; 2) кладка яиц; 3) время кладки яиц.

**lay-off** ['leɪ'ɔf] *n* 1) приостановка *или* сокращение производства; 2) увольнение из-за отсутствия работы (*гл. обр. временное*); 3) период временного увольнения.

**lay-out** ['leɪaut] *n* 1) план, разбивка, разметка (*сада и т. п.*); 2) макет (*книги, газеты и т. п.*); 3) трасса; 4) положение, состояние дел; 5) оборудование; набор инструментов; 6) *sl.* угощение; the dinner was a splendid ~ обед был великолепен.

**lay-over** ['leɪ'ouvə] *n* 1) салфетка *или* дорожка, постилаемая на скатерть; 2) *амер.* остановка (*в пути*).

**laystall** ['leɪstɔl] *n* свалка.

**lay-up** ['leɪʌp] *n* вывод из строя, простой (*машины и т. п.*).

**lazar** ['læzə] *n* 1) *уст.* прокажённый; 2) жалкий нищий.

**lazaretto** [,læzə'ret] *n* 1) лепрозорий; 2) карантин(ное судно).

**lazaretto** [,læzə'ret] *n* (*pl* -os [-ouz]) =lazaret.

**Lazarus** ['læzərəs] = lazar.

**laze** [leɪz] *v разг.* бездельничать, лентяйничать.

**laziness** ['leɪzɪnɪs] *n* леность, лень.

**lazy** ['leɪzɪ] *a* ленивый.

**lazy-bones** ['leɪzɪbounz] *n разг.* лентяй, ленивец.

**Lazy Susan** ['leɪzɪ'suːzn] *n* 1) вращающийся поднос для приправ, соусов *и т. п.*; 2) небольшой столик, на котором подаются бутерброды *и т. п.* к чаю.

**L-bar** ['el,bɑː] *n тех.* угловое железо.

**lea** I [liː] *n* 1) *поэт.* луг, поле; 2) *с.-х.* пар, поле под паром.

**lea** II [liː] *n текст.* пасмо.

**leach** [liːʧ] 1. *n* рапа, насыщенный раствор поваренной соли;
2. *v* выщелачивать.

**lead** I [led] 1. *n* 1) свинец; as heavy as ~ очень тяжёлый; 2) грифель; 3) *мор.* лот; to heave (*или* to cast) the ~ промерить глубину; 4) грузило, отвес; 5) пломба; 6) *pl* свинцовые полосы для покрытия крыши; покрытая свинцом крыша; плоская крыша; 7) *pl полигр.* шпоны; 8) *attr.* свинцовый; ~ hail of ~ град пуль;
2. *v* 1) *тех.* освинцовывать, покрывать свинцом; 2) *полигр.* разделять шпонами.

**lead** II [liːd] 1. *n* 1) руководство; инициатива; to take the ~ взять на себя инициативу; выступить инициатором; руководить; 2) пример; указания, директива; to follow the ~ of smb. следовать чьему-л. примеру; to give smb. a ~ поощрить, подбодрить кого-л. примером; 3) первое место, ведущее место в состязании; to gain the ~ занять первое место; to have a ~ of three metres (five seconds) опередить на три метра (на пять секунд); 4) *театр.* главная роль *или* её исполнитель(ница); премьер(ша); 5) первый ход (*в игре*); it is your ~ вам начинать; 6) *карт.* ход; 7) то, на чём ведут; поводок, привязь; 8) дорожка, аллея; blind ~ тупик; 9) краткое введение к газетной статье; 10) разводье (*во льдах*); 11) дальность перевозки; 12) *эл.* опережение (*фазы*); 13) *тех.* опережение, предварение (*впуска пара и т. п.*); 14) *тех.* шаг (*спирали, винта*), ход (*поршня*); 15) *тех.* стрела, укосина; 16) *геол.* жила; золотоносный песок; 17) *воен.* упреждение; вынос точки прицеливания;
2. *v* (led) 1) вести, приводить; to ~ a child by the hand вести ребёнка за руку; the path ~s to the house дорога ведёт к дому; chance led him to London случай привёл его в Лондон; to ~ nowhere ни к чему не приводить; to ~ astray сбить с пути истинного; 2) руководить, управлять, командовать, возглавлять; to ~ an army командовать армией; to ~ for the prosecution (defence) *юр.* возглавлять обвинение (защиту); to ~ an orchestra руководить оркестром; 3) приводить, склонять (*к чему-л.*), заставлять; to ~ smb. to do smth. заставить кого-л. сделать что-л.; curiosity led me to look again любопытство заставило меня взглянуть снова;

4) быть, идти́ пе́рвым, опережа́ть (*в состяза́нии*); превосходи́ть; he ~s all orators он лу́чший ора́тор; as a teacher he ~s он лу́чше всех други́х учителе́й; 5) вести́, проводи́ть; to ~ a quiet life вести́ споко́йную жизнь; 6) *спорт.* направля́ть уда́р (*в бо́ксе*); 7) *охот.* це́литься в летя́щую пти́цу; 8) *карт.* ходи́ть; to ~ hearts(spades *etc.*) ходи́ть с черве́й (с пик *и т. д.*); 9) *эл.* опережа́ть; ◻ ~ away увле́чь, увести́; ~ off начина́ть, класть нача́ло; открыва́ть (*пре́ния, бал*); ~ on завлека́ть, увлека́ть; ~ out of выходи́ть, сообща́ться (*о ко́мнатах*); ~ to вести́ к *чему-л. или куда́-л.*; ~ up to a) постепе́нно подготовля́ть; б) наводи́ть разгово́р на *что-л.*; ◊ to ~ the way вести́ за собо́й, идти́ во главе́; to ~ by the nose води́ть на поводу́; держа́ть в подчине́нии; to ~ smb. a (pretty) dance заста́вить кого́-л. помучиться; поводи́ть за́ нос, помане́жить кого́-л.; all roads ~ to Rome все доро́ги веду́т в Рим.

**leaded** ['ledɪd] 1. *p. p. от* lead I, 2; 2. *a* освинцо́ванный.

**leaden** ['ledn] *a* 1) свинцо́вый; 2) свинцо́вый, се́рый (*о не́бе, ту́чах и т. п.*); 3) тяжёлый; тя́жкий; ~ sleep тяжёлый сон.

**leader** ['liːdə] *n* 1) руководи́тель; вождь; команди́р; pioneer ~ вожа́тый (*пионе́ров*); 2) ли́дер; 3) ре́гент (*хо́ра*); дирижёр; веду́щий музыка́нт; 4) передова́я (статья́); 5) *радио* пе́рвое (*наибо́лее ва́жное*) сообще́ние в после́дних изве́стиях; 6) пере́дняя ло́шадь; 7) гла́вный побе́г, росто́к; 8) *эл.* про́вод, проводни́к; 9) водосто́чная труба́; водосто́чный жёлоб; 10) това́р, продава́емый по ни́зкой цене́, для привлече́ния покупа́телей; 11) *pl* пункти́рные ли́нии, стре́лки *и т. п.*, облегча́ющие по́льзование табли́цами *и т. п.*

**leaderette** [,liːdə'ret] *n* коро́ткая редакцио́нная заме́тка (*в газе́те*).

**leadership** ['liːdəʃɪp] *n* руково́дство, води́тельство.

**leader-writer** ['liːdə,raɪtə] *n* а́втор передови́ц.

**leadglass** ['ledglɑːs] *n* флинтгла́с.

**lead-in** ['liːd'ɪn] *n* эл. ввод; вводно́й про́вод.

**leading** ['liːdɪŋ] 1. *pres. p. от* lead II, 2; 2. *a* 1) веду́щий; руководя́щий; передово́й, выдаю́щийся; ~ article передова́я статья́; ~ case суде́бный прецеде́нт; ~ man (lady) исполни́тель(ница) гла́вной ро́ли, премье́р(ша); ~ question наводя́щий вопро́с; ~ ship головно́й кора́бль; ~ writer выдаю́щийся писа́тель; 2) *тех.* дви́гательный, ходово́й; веду́щий (*о колесе́*); 3. *n* 1) руково́дство; указа́ние, предложе́ние.

**leading-strings** ['liːdɪŋstrɪŋz] *n pl* по́мочи; to be in ~ быть на поводу́, быть несамостоя́тельным.

**leadline** ['ledlaɪn] *n мор.* ло́тлинь.

**lead-off** ['liːd'ɔf] 1. *n* 1) нача́ло; 2) игро́к, начина́ющий игру́; 2. *a* нача́льный, начина́ющий.

**lead pencil** ['led'pensl] *n* графи́товый каранда́ш.

**leadsman** ['ledzmən] *n мор.* лотово́й.

**leaf** [liːf] 1. *n* (*pl* leaves) 1) лист; 2) листва́; fall of the ~, ~ fall листопа́д; о́сень; *перен.* зака́т жи́зни; to come into ~ покрыва́ться ли́стьями, распуска́ться; 3) страни́ца, лист (*кни́ги*); to turn over the leaves перели́стывать страни́цы (*кни́ги*); 4) лист мета́лла (*особ. зо́лота, серебра́*); 5) ство́рка двере́й; полотни́ще воро́т; опускна́я пола́ (*доска́*) стола́; полови́нка (*ши́рмы*); 6) *attr.* листово́й; 7) *attr.* раздвижно́й; ~ bridge подъёмный мост, разводно́й мост; 8) *attr.*: ~ litter опа́вшие ли́стья; ◊ leaves without figs ≅ пусты́е обеща́ния; to turn over a new ~ нача́ть но́вую жизнь, испра́виться; to take a ~ out of smb.'s book сле́довать чьему́-л. приме́ру, подража́ть кому́-л.;

2. *v* 1) покрыва́ться листво́й (*амер.* out); 2) перели́стывать, листа́ть (*обыкн.* through, ~ over).

**leafage** ['liːfɪdʒ] *n поэт.* листва́.

**leaflet** ['liːflɪt] *n* 1) листо́вка; 2) листо́чек.

**leafstalk** ['liːfstɔːk] *n бот.* сте́бель листа́.

**leafy** ['liːfɪ] *a* 1) покры́тый ли́стьями; ~ shade тень от листвы́; 2) листово́й.

**league I** [liːg] *n* лье, ли́га (*ме́ра длины́*); land (*или* statute) ~ = 4, 83 *км*; marine ~ = 5,56 *км*.

**league II** [liːg] 1. *n* ли́га, сою́з; in ~ with smb. в сою́зе с кем-л.; 2. *v* входи́ть в сою́з; образова́ть сою́з; объединя́ть(ся).

**leaguer I** ['liːgə] *n* член ли́ги.

**leaguer II** ['liːgə] *n воен.* ла́герь, бива́к; *уст.* оса́дный ла́герь.

**leak** [liːk] 1. *n* течь; уте́чка; to start (*или* to spring) a ~ дать течь; 2. *v* пропуска́ть во́ду, дава́ть течь; проса́чиваться; ~ like a sieve дать течь; ◻ ~ out просочи́ться; *перен.* обнару́житься, стать изве́стным.

**leakage** ['liːkɪdʒ] *n* 1) уте́чка, течь; проса́чивание (*или* to start) a ~ дать течь); б) *перен.* испо́ртиться; 2) обнаруже́ние (*та́йны и т. п.*); 3) *эл.* уте́чка; рассе́яние.

**leaky** ['liːkɪ] *a* име́ющий течь; ~ butter пло́хо отжа́тое ма́сло; ◊ a ~ vessel челове́к, не уме́ющий храни́ть та́йну.

**leal** [liːl] *a поэт., шотл.* лоя́льный, ве́рный; че́стный; ◊ the land of the ~ а) не́бо; б) Шотла́ндия.

**lean I** [liːn] 1. *a* 1) то́щий, худо́й; 2) по́стный (*о мя́се*); 3) ску́дный; ~ years неурожа́йные го́ды; 4) бе́дный (*о руднике́*); убо́гий (*о руде́*); 2. *n* по́стная часть мя́са.

**lean II** [liːn] 1. *v* (leaned [-d], leant) 1) наклоня́ть(ся) (forward, over—вперёд, над); 2) прислоня́ться, опира́ться (on, against); ~ off the table! не облока́чивайтесь на стол! 3) полага́ться (on, upon—на); осно́вываться (on, upon—на); to ~ on a friend's advice полага́ться на сове́т дру́га; 4) име́ть скло́нность (to, towards); I rather ~ to your opinion я склоня́юсь к вашему мнению; ◊ to ~ over backwards ударяться в другую крайность; 2. *n* наклон.

**leaning** ['li:niŋ] 1. *pres. p. om* lean II, 1; 2. *n* 1) склонность (to, towards); 2) сочувствие, симпатия; 3) уклон.

**leant** [lent] *past и p. p. om* lean II, 1.

**lean-to** ['li:n'tu:] *n* пристройка с односкатной крышей; навес.

**leap** [li:p] 1. *n* 1) прыжок, скачок; a ~ in the dark прыжок в неизвестность; рискованное дело; by ~s and bounds очень быстро; 2) *геол.* дислокация; 2. *v* (leapt, leaped [-t]) 1) прыгать, скакать; перепрыгивать; to ~ a fence перепрыгнуть через забор; 2) сильно забиться (*о сердце*); 3) ухватиться, с радостью согласиться; to ~ at a proposal (opportunity *etc.*) ухватиться за предложение (возможность *и т. п.*).

**leap-day** ['li:pdei] *n* 29 февраля [*ср.* leap-year].

**leap-frog** ['li:pfrɔg] 1. *n* чехарда; 2. *v воен.* двигаться перекатами.

**leapt** [lept] *past и p. p. om* leap 2.

**leap-year** ['li:pjɛ:] *n* високосный год.

**learn** [lə:n] *v* (learnt, learned [lə:nt]) 1) учиться; учить (*что-л.*); to ~ by heart учить наизусть; to ~ by rote зубрить; 2) научиться (*чему-л.*); to ~ to be more careful научиться быть более осторожным; to ~ one's lesson получить хороший урок; 3) узнавать; 4) *уст., шутл.* учить.

**learned** 1. [lə:nt] *past и p. p. om* learn; 2. *a* ['lə:nid] учёный; my ~ friend мой учёный коллега.

**learner** ['lə:nə] *n* учащийся; ученик.

**learning** ['lə:niŋ] 1. *pres. p. om* learn; 2. *n* 1) учение; 2) учёность, познания, эрудиция.

**learnt** [lə:nt] *past и p. p. om* learn.

**lease I** [li:s] 1. *n* 1) аренда, сдача внаём; наём; to take on ~ арендовать; 2) договор об аренде; 3) срок аренды; ◊ to take (*или* to get, to have) a new ~ of life a) воспрянуть духом; б) выйти из ремонта (*о вещи*); 2. *v* сдавать *или* брать внаём, в аренду.

**lease II** [li:s] *текст.* 1. *n* нитеразделитель; 2. *v* разделять нити (*основы*); скрещивать нити.

**leasehold** ['li:should] 1. *n* 1) пользование на правах аренды; наём; 2) дом, сданный внаём; арендованная земля; 2. *a* 1) арендованный; 2) взятый на откуп.

**leaseholder** ['li:shouldə] *n* 1) арендатор, съёмщик; 2) откупщик.

**leash** [li:ʃ] 1. *n* 1) сбора, привязь (*для борзых*); смычок (*для гончих*); to lead on a ~ вести на поводке; to hold in ~ *перен.* держать в узде; to strain at the ~ стремиться вырваться (*о собаке*); 2) охот. свора из трёх собак; *тж.* три собаки, три зайца *и т. п.*; 2. *v* держать на привязи, на своре.

**least** [li:st] 1. *a* (*превосх. ст. om* little) наименьший, малейший; there is not the ~ wind today сегодня ни малейшего ветерка; line of ~ resistance линия наименьшего сопротивления; ~ common multiple *мат.* общее наименьшее кратное;

2. *adv* менее всего, в наименьшей степени; I like that ~ of all мне это нравится менее всего;

3. *n* малейшее количество, малейшая степень; at (the) ~ по крайней мере; not in the ~ ни в малейшей степени, ничуть; to say the ~ of it без преувеличения, мягко выражаясь; ◊ ~ said soonest mended *посл.* ≅ чем меньше разговоров, тем лучше для дела.

**leastways** ['li:stweiz] *диал. см.* leastwise.

**leastwise** ['li:stwaiz] *adv разг.* по крайней мере.

**leather** ['leðə] 1. *n* 1) кожа (*выделанная*); Russia ~ юфть; 2) ремень; 3) кожаное изделие, стремянный ремень; футбольный мяч *и т. п.*; 4) *pl* кожаные штаны; 5) *pl* краги; 6) *attr.* кожаный; ~ gloves кожаные перчатки; ~ bottle бурдюк, мех, кожаный мешок; ◊ (there is) nothing like ~ ≅ всяк кулик своё болото хвалит; 2. *v* 1) крыть кожей; 2) пороть ремнём; колотить; 3) работать с напряжением.

**leather-back** ['leðəbæk] *n* разновидность морской черепахи.

**leather-cloth** ['leðəklɔθ] *n* ткань, обработанная под кожу, американская кожа.

**leather-coat** ['leðəkout] *n* яблоко с жёсткой кожурой.

**leatherette** [,leðə'ret] *n* искусственная кожа.

**leather-head** ['leðəhed] *n sl.* болван.

**leathering** ['leðəriŋ] 1. *pres. p. om* leather 2; 2. *n* 1) *разг.* порка; 2) *тех.* кожаная набивка.

**leathern** ['leðən] *a* кожаный.

**leather-neck** ['leðənek] *n sl.* солдат морской пехоты.

**leathery** ['leðəri] *a* 1) похожий на кожу; 2) жёсткий; ~ steak бифштекс, жёсткий как подошва.

**leave I** [li:v] *n* 1) разрешение, позволение; by your ~ с вашего разрешения; ~ out разрешение на выход, уход; ~ off разрешение уйти с работы, смениться с дежурства; I take ~ to say беру на себя смелость сказать; 2) отпуск (*тж.* ~ of absence); *амер.* отпуск без сохранения содержания; on ~ в отпуске; on sick ~ в отпуске по болезни; 3) отъезд, уход; прощание; to take one's ~ (of smb.) прощаться (с кем-л.); 4) *attr.*: ~ allowance *воен.* отпускное пособие; ~ travel *воен.* поездка в отпуск *или* из отпуска; ◊ French ~ уход без прощания, незаметный уход; to take French ~ уйти не прощаясь, незаметно; to take ~ of one's senses потерять рассудок; neither with your ~ nor by your ~ нравится вам это или нет.

**leave II** [li:v] *v* (left) 1) покидать; to ~ in the lurch покинуть в беде; 2) уезжать, переезжать; my sister has left for Moscow моя сестра уехала в Москву; when does the train ~? когда отходит поезд?; 3) оставлять; to ~ the rails сойти с рельсов; to ~ hold of выпустить из рук; seven from ten ~s three 10—7 = 3; 4) оставлять в том же состоянии; the story ~s him cold рассказ не тро́нул его́; to ~ smth. unsaid (undone) не сказа́ть (не сде́лать) чего́-л.; to ~ smb. alone оста́вить кого́-л. в поко́е, не меша́ть; to ~ smth. alone не тро́гать, не прикаса́ться к чему́-л.; I should ~ that question alone if I were you на ва́шем ме́сте я не каса́лся бы э́того вопро́са; 5) приводи́ть в како́е-л. состоя́ние; the insult left him speechless оскорбле́ние лиши́ло его́ да́ра ре́чи; 6) предоставля́ть; ~ it to me предоста́вьте э́то мне; nothing was left to accident всё бы́ло предусмо́трено; вся́кая случа́йность была́ исключена́; 7) завеща́ть, оставля́ть (насле́дство); to be well left быть хорошо́ обеспе́ченным насле́дством; 8) прекраща́ть; it is time to ~ talking and begin acting пора́ переста́ть разгова́ривать и нача́ть де́йствовать; ~ it at that! разг. оста́вьте!, дово́льно!; □ ~ behind a) забыва́ть (где́-л.); б) оставля́ть позади́; опережа́ть; в) превосходи́ть; ~ off a) переставва́ть де́лать что́-л., броса́ть привы́чку; to ~ off one's winter clothes переста́ть носи́ть, снять тёплые ве́щи; to ~ off smoking бро́сить кури́ть; б) остана́вливаться; where did we ~ off last time? на чём мы останови́лись в про́шлый раз?; we left off at the end of chapter III мы останови́лись в конце́ тре́тьей главы́; ~ out a) пропуска́ть, не включа́ть; б) упуска́ть; ~ over откла́дывать; ◇ to ~ open допуска́ть; to ~ oneself wide open амер. подста́вить себя́ под уда́р; to ~ smth. in the air оставля́ть незако́нченным (мысль, речь и т. п.); to ~ smb. to himself (или to his own devices) не вме́шиваться в чьи-л. дела́; it ~s much to be desired оставля́ет жела́ть мно́го лу́чшего.

**leave III** [liːv] v покрыва́ться листво́й.

**leaved** [liːvd] **1.** p. p. om leave III; **2.** a покры́тый ли́стьями; име́ющий ли́стья.

**-leaved** [-liːvd] в сло́жных слова́х означа́ет: а) име́ющий каки́е-л. ли́стья; large-~ tree де́рево с больши́ми ли́стьями; б) име́ющий ство́рки; two-~ door двуство́рчатая дверь.

**leaven** [ˈlevn] **1.** n дро́жжи, заква́ска; перен. возде́йствие, влия́ние; ◇ they are both of the same ~ они́ о́ба из одного́ те́ста; **2.** v ста́вить на дрожжа́х, заква́шивать; перен. пропи́тывать (чем-л.); подверга́ть де́йствию (чего-л.).

**leaves** [liːvz] pl om leaf 1.

**leave-taking** [ˈliːvˌteɪkɪŋ] n проща́ние.

**leavings** [ˈliːvɪŋz] n pl оста́тки; отбро́сы.

**Lebanese** [ˌlebəˈniːz] **1.** a лива́нский; **2.** n лива́нец; лива́нка; the ~ pl собир. лива́нцы.

**lecher** [ˈletʃə] n уст. развра́тник.

**lecherous** [ˈletʃərəs] a уст. распу́тный.

**lechery** [ˈletʃərɪ] n уст. разврат.

**leck** [lek] n вя́зкая гли́на; гли́нистый сла́нец.

**lectern** [ˈlektɔːn] n церк. анало́й.

**lection** [ˈlekʃən] n 1) чте́ние; 2) разночте́ние; 3) церк. = lesson 1, 3).

**lector** [ˈlektɔː] n чтец.

**lecture** [ˈlektʃə] **1.** n 1) ле́кция; to deliver a ~ чита́ть ле́кцию; 2) нота́ция, наставле́ние; to read smb. a ~ отчита́ть кого́-л.; **2.** v 1) чита́ть ле́кцию, ле́кции; to ~ on lexicology чита́ть ле́кции по лексиколо́гии; 2) прочесть нота́цию; выгова́ривать, отчи́тывать (on—за что-л.).

**lecturer** [ˈlektʃərə] n 1) ле́ктор; 2) преподава́тель (университе́та); 3) чита́ющий нота́цию.

**lectureship** [ˈlektʃərɪp] n 1) лекту́ра; 2) ле́кторство.

**led** [led] past и p. p. om lead II, 2.

**ledge** [ledʒ] n 1) вы́ступ, усту́п; край; борт; 2) риф; шельф; бар; 3) горн. ру́дная жи́ла; ру́дное те́ло; 4) тех. ребо́рда.

**ledger** [ˈledʒə] n 1) бухг. гла́вная кни́га, гро́ссбух; 2) амер. регистрацио́нный журна́л; кни́га за́писи а́ктов гражда́нского состоя́ния; 3) стр. горизонта́льная ба́лка или доска́; 4) надгро́бная плита́.

**ledger-bait** [ˈledʒəbeɪt] n нажи́вка.

**lee** [liː] **1.** n 1) защи́та, укры́тие; under (или in) the ~ of a house под защи́той до́ма; 2) подве́тренная сторона́; **2.** a подве́тренный; ~ side подве́тренный борт су́дна (противоп. weather side); ~ shore подве́тренный бе́рег.

**leech I** [liːtʃ] **1.** n 1) пия́вка; to stick like a ~ приста́ть как пия́вка; 2) кровопи́йца, вымога́тель; 3) уст. ле́карь; **2.** v ста́вить пия́вки.

**leech II** [liːtʃ] n мор. боковая́ или за́дняя шкато́рина (па́руса).

**leek** [liːk] n лук-поре́й (тж. и как национа́льная эмбле́ма Уэ́льса); wild ~ ди́кий лук; черемша́; ◇ to eat the (или one's) ~ проглоти́ть оби́ду.

**leer** [lɪə] **1.** n косо́й, хи́трый, зло́бный или плотоя́дный взгляд; **2.** v смотре́ть и́скоса; смотре́ть хи́тро, зло́бно или с вожделе́нием.

**leery** [ˈlɪərɪ] a sl. хи́трый.

**lees** [liːz] n pl 1) оса́док на дне; to drink (или to drain) to the ~ вы́пить до после́дней ка́пли; перен. испи́ть ча́шу до дна; 2) подо́нки; ◇ there are ~ to every wine посл. ≡ и на со́лнце есть пя́тна; the ~ of life оста́ток жи́зни, ста́рость.

**leeward** [ˈliːwəd] **1.** n подве́тренная сторона́; **2.** a подве́тренный; **3.** adv в подве́тренную сто́рону.

**leeway** [ˈliːweɪ] n 1) дрейф су́дна в подве́тренную сто́рону; снос самолёта; to make ~ дрейфова́ть; перен. стру́сить; отклони́ться от наме́ченного пути́; 2) отстава́ние; поте́ря вре́мени; to make up ~ наверста́ть упу́щенное; 3) разг. запа́с вре́мени; to have ~ име́ть в запа́се вре́мя; to allow a little ~ предоста́вить небольшу́ю отсро́чку.

**left I** [left] past и p. p. om leave II.

**left II** [left] **1.** a ле́вый; ~ bank ле́вый бе́рег; ◇ over the ~ разг. как раз наоборо́т; **2.** adv нале́во, сле́ва; ~ turn!, амер. ~ face! воен. нале́во!; ~ about face! воен. нале́во кругом!;

**3.** *n* 1) ле́вая сторона́; *воен.* ле́вый фланг; to keep to the ~ держа́ться ле́вой стороны́; 2) (the L.) (*употр. как pl*) *полит.* ле́вые.

**left-hand** ['lefthænd] *a* 1) ле́вый; ~ side ле́вая сторона́; 2) сде́ланный ле́вой руко́й; ~ blow уда́р ле́вой руко́й; 3) *тех.* с ле́вым хо́дом (*о винте*).

**left-handed** ['left'hændɪd] *a* 1) де́лающий всё ле́вой руко́й; he is ~ он левша́; 2) сде́ланный ле́вой руко́й; 3) неуклю́жий; 4) лицеме́рный; нейскренний; сомни́тельный; ~ compliment сомни́тельный комплиме́нт; 5) дви́жущийся про́тив часово́й стре́лки; ◇ ~ marriage морганати́ческий брак.

**left-hander** ['left'hændə] *n* 1) левша́; 2) уда́р ле́вой руко́й.

**leftist** ['leftɪst] *n* член ле́вой па́ртии, ле́вый.

**left-luggage office** ['left,lʌgɪdʒ'ɔfɪs] *n* *ж.-д.* ка́мера хране́ния забы́тых веще́й.

**leftmost** ['left,moust] *a* са́мый ле́вый.

**left-over** ['left,ouvə] *n* *амер.* 1) оста́ток; 2) пережи́ток.

**leftward(s)** ['leftwəd(z)] *adv* сле́ва; вле́во.

**left-wing** ['left,wɪŋ] *a* *полит.* ле́вый.

**leg** [leg] **1.** *n* 1) нога́ (*особ. от бедра до ступни́*); to give smb. a ~ up помо́чь кому́-л. взобра́ться, подсади́ть кого́-л.; *перен.* помо́чь кому́-л. преодоле́ть препя́тствие, тру́дности; to have the ~s of smb. бежа́ть быстре́е кого́-л.; убежа́ть от кого́-л.; to keep one's ~s держа́ться на нога́х, не упа́сть; to run off one's ~s сби́ться с ног; to take to one's ~s удра́ть, улизну́ть; to walk smb. off his ~s си́льно утоми́ть кого́-л. ходьбо́й, прогу́лкой; 2) иску́сственная нога́; 3) но́жка; подпо́рка; подста́вка; сто́йка; *перен.* опо́ра; 4) штани́на; ~ of a stocking па́голенок; 5) *sl.* плут, моше́нник; 6) *тех.* коле́но, уго́льник; 7) *эл.* фа́за; 8) *уст.* расша́ркивание; to make a ~ расша́ркиваться; 9) сторона́ треуго́льника; 10) *спорт.* вы́игранное очко́; ~ and ~ ро́вный счёт; ◇ to stretch one's ~s размя́ть но́ги, пройти́сь; to stand on one's own ~s быть незави́симым; to set smb. on his ~s помо́чь кому́-л. материа́льно; to have by the ~ *амер.* поста́вить в затрудни́тельное положе́ние; to get a ~ in *разг.* втере́ться в дове́рие; to have not a ~ to stand on не име́ть оправда́ния, извине́ния; your argument has not a ~ to stand on ваш до́вод не выде́рживает кри́тики; to pull smb.'s ~ моро́чить, одура́чивать, мистифици́ровать кого́-л.; to shake a ~ *разг.* а) танцева́ть; б) торопи́ться.

**2.** *v* *разг.*: to ~ it ходи́ть; (у)бежа́ть; отмаха́ть.

**legacy** ['legəsɪ] *n* насле́дство; насле́дие.

**legal** ['liːgəl] *a* 1) юриди́ческий, правово́й; ~ aid bureau юриди́ческая консульта́ция; ~ profession профе́ссия юри́ста; 2) зако́нный; узако́ненный; лега́льный; ~ holiday непресу́тственный день.

**legalist** ['liːgəlɪst] *n* зако́нник.

**legality** [liːˈgælɪtɪ] *n* зако́нность; лега́льность.

**legalize** ['liːgəlaɪz] *v* узако́нивать, легализова́ть.

**legate I** ['legɪt] *n* 1) лега́т, па́пский посо́л; 2) *уст.* посо́л, представи́тель.

**legate II** [lɪˈgeɪt] *v* завеща́ть.

**legatee** [,legəˈtiː] *n* насле́дник.

**legation** [lɪˈgeɪʃən] *n* дипломати́ческая ми́ссия.

**legato** [leˈgɑːtou] *n, adv* *муз.* лега́то.

**leg-bail** ['leg'beɪl] *n*: to give ~ удра́ть.

**legend** ['ledʒənd] *n* 1) леге́нда; 2) леге́нда, на́дпись (*на моне́те, меда́ли, гравюре и т. п.*).

**legendary** ['ledʒəndərɪ] **1.** *a* легенда́рный; **2.** *n* сбо́рник леге́нд.

**legerdemain** ['ledʒədə'meɪn] *фр.* *n* 1) ло́вкость рук, жонглёрство, фо́кусы; 2) ло́вкий обма́н.

**legerity** [lɪˈdʒerɪtɪ] *n* быстрота́; прово́рство; лёгкость.

**leggings** ['legɪŋz] *n* *pl* гама́ши, кра́ги.

**leggy** ['legɪ] *a* длиннуно́гий.

**leghorn** *n* 1) ['leghɔːn] италья́нская соло́ма; *тж.* шля́па из неё; 2) [le'gɔːn] ле́ггорн (*поро́да кур*).

**legibility** [,ledʒɪˈbɪlɪtɪ] *n* чёткость (*по́черка, шрифта́*).

**legible** ['ledʒəbl] *a* разбо́рчивый, чёткий.

**legion** ['liːdʒən] *n* 1) легио́н; L. of Honour о́рден Почётного легио́на (*во Франции*); 2) мно́жество.

**legionary** ['liːdʒənərɪ] **1.** *n* легионе́р; **2.** *a* легионе́рский; принадлежа́щий к легио́ну.

**legionnaire** [,liːdʒəˈnɛə] *фр.* *n* легионе́р.

**legislate** ['ledʒɪsleɪt] *v* издава́ть зако́ны, законода́тельствовать.

**legislation** [,ledʒɪsˈleɪʃən] *n* законода́тельство.

**legislative** ['ledʒɪslətɪv] **1.** *a* законода́тельный; **2.** *n* законода́тельные о́рганы.

**legislator** ['ledʒɪsleɪtə] *n* 1) законода́тель; 2) правове́д.

**legislature** ['ledʒɪsleɪtʃə] *n* законода́тельная власть; законода́тельные учрежде́ния.

**legist** ['liːdʒɪst] *n* правове́д.

**legit** [lɪˈdʒɪt] *sl.* *сокр. от* legitimate drama [*см.* legitimate].

**legitimacy** [lɪˈdʒɪtɪməsɪ] *n* зако́нность.

**legitimate 1.** *a* [lɪˈdʒɪtɪmɪt] 1) зако́нный; 2) пра́вильный, разу́мный; ~ argument пра́вильный до́вод; 3) законорождённый; ◇ the ~ drama а) пье́сы все́ми при́знанного досто́инства (*напр., пье́сы Шекспи́ра*); б) драмати́ческий теа́тр (*в противоположность* Musical Comedy); **2.** *v* [lɪˈdʒɪtɪmeɪt] 1) узако́нивать; признава́ть зако́нным; 2) усыновля́ть (*внебра́чного ребёнка*).

**legitimation** [lɪ,dʒɪtɪˈmeɪʃən] *n* 1) узаконе́ние; 2) усыновле́ние (*внебра́чного ребёнка*).

**legitimist** [lɪˈdʒɪtɪmɪst] *n* легитими́ст.

**legitimize** [lɪˈdʒɪtɪmaɪz] = legitimate 2.

**legman** ['legmæn] *n* *амер. sl.* репортёр.

**leg-of-mutton** ['legəv'mʌtn] *a* треуго́льный; ~ sail треуго́льный па́рус.

**leg-pull** ['legpul] *n* *разг.* попы́тка одура́чить кого́-л.

**leg-puller** ['leg,pulə] *n амер. sl.* политический интриган.

**legume** ['legjuːm] *n* 1) плод бобовых, боб; 2) растение из семейства бобовых.

**leguminous** [le'gjuːminəs] *a бот.* бобовый; стручковый.

**lei** [leɪ] *pl от* leu.

**leister** ['liːstə] 1. *n* острога; 2. *v* бить острогой (*лососей*).

**leisure** ['leʒə] *n* 1) досуг; at ~ на досуге; не спеша; to be at ~ быть свободным, незанятым; do it at your ~ сделайте это, когда вам будет удобно; 2) *attr.* свободный; ~ time свободное время.

**leisured** ['leʒəd] *a* досужий, праздный.

**leisurely** ['leʒəlɪ] 1. *a* 1) медленный, неторопливый; 2) досужий; 2. *adv* не спеша, спокойно.

**leit-motif, leit-motiv** ['laɪtmoʊ,tiːf] *n муз.* лейтмотив.

**lek** [lek] *n* лек (*денежная единица Албании*).

**leman** ['lemən] *n уст.* возлюбленный; возлюбленная; любовник; любовница.

**lemming** ['lemɪŋ] *n зоол.* лемминг, пеструшка.

**lemon** ['lemən] *n* 1) лимон (*плод и дерево*); 2) лимонный цвет; 3) *амер. sl.* неприятный человек; купленная вещь, оказавшаяся негодной; to hand smb. a ~ *разг.* надуть, обмануть кого-л.; the answer's a ~ не выйдет, этот номер не пройдёт; 4) *амер. sl.* объект вымогательства; 5) *sl.* некрасивая девушка; 6) *attr.* лимонного цвета.

**lemonade** [,lemə'neɪd] *n* лимонад.

**lemon-drop** ['leməndrɔp] *n* лимонный леденец.

**lemon grass** ['leməngraːs] *n бот.* сорго лимонное.

**lemon squash** ['lemən'skwɔʃ] *n* содовая (вода) с лимонным соком.

**lemon-squeezer** ['lemən,skwiːzə] *n* соковыжималка.

**lemony** ['lemənɪ] *a* лимонный.

**lempira** [lem'piːraː] *n* лемпира (*денежная единица Гондураса*).

**lemur** ['liːmə] *n зоол.* лемур.

**lend** [lend] *v* (lent) 1) давать взаймы; одолжать, ссужать; 2) давать, сообщать, придавать; to ~ probability to a story придавать правдоподобие рассказу; 3) давать, предоставлять; to ~ assistance оказывать помощь; to ~ support оказывать поддержку; 4) *refl.* прибегать (*к чему-л., обыкн. дурному*); to ~ oneself to dishonesty прибегнуть к подлости; 5) *refl.* годиться (*только о вещах*); 6) *refl.* предаваться (*мечтам и т. п.*); ◇ to ~ one's ears (*или* ear) выслушать; to ~ a (helping) hand помочь; to ~ countenance (to) поддерживать, оказывать поддержку.

**lender** ['lendə] *n* заимодавец.

**lending-library** ['lendɪŋ,laɪbrərɪ] *n* библиотека с выдачей книг на дом.

**Lend-Lease Act** ['lend,liːs'ækt] *n амер.* ленд-лиз, закон о передаче взаймы и в аренду вооружения (*1941 г.*).

**length** [leŋθ] *n* 1) длина; at full ~ a)

во всю длину; врастяжку; б) со всеми подробностями; the horse won by three ~s лошадь опередила других на три корпуса; to measure one's ~, to fall all one's ~ растянуться во весь рост; 2) расстояние; to keep at arm's ~ держать на почтительном расстоянии; 3) продолжительность; протяжение; of some ~ довольно продолжительный; in ~ of time со временем; to speak at some ~ говорить долго и не опуская подробностей; to draw out to a great ~ затянуть, растянуть (*доклад и т. п.*); 4) *фон.* долгота гласного; 5) отрезок, кусок; a ~ of dress fabric отрез на платье; ◇ at ~ a) наконец; б) подробно; to go all (*или* any) ~ идти на всё, ни перед чем не останавливаться; to go the ~ of doing smth. позволить себе, осмелиться сделать что-л.; to know (*или* get, to find, to have) the ~ of smb.'s foot составить себе представление о характере человека, раскусить человека; through the ~ and breadth (of) вдоль и поперёк, из края в край.

**lengthen** ['leŋθən] *v* 1) удлинять(ся); to ~ out чрезмерно затягивать; 2) продолжаться, тянуться; summer ~s into autumn лето постепенно переходит в осень.

**lengthways** ['leŋθweɪz] *adv* в длину; вдоль.

**lengthwise** ['leŋθwaɪz] = lengthways.

**lengthy** ['leŋθɪ] *a* 1) очень длинный, растянутый, многословный; 2) *разг.* высокий (*о человеке*).

**lenience, -cy** ['liːnjəns, -sɪ] *n* мягкость; снисходительность; терпимость.

**lenient** ['liːnjənt] *a* мягкий; снисходительный; терпимый.

**Leninism** ['lenɪnɪzəm] *n* ленинизм.

**Leninist** ['lenɪnɪst] 1. *n* ленинец; 2. *a* ленинский.

**Leninite** ['lenɪnaɪt] = Leninist 1.

**lenitive** ['lenɪtɪv] *мед.* 1. *a* мягчительный; 2. *n* мягчительное, успокаивающее *или* слегка послабляющее средство.

**lenity** ['lenɪtɪ] *n* 1) милосердие; 2) мягкость.

**lens** [lenz] 1. *n* (*pl* -es [-ɪz]) 1) линза, чечевица, оптическое стекло; объектив; 2) хрусталик глаза (*тж.* crystalline ~); 3) *геол.* чечевицеобразная залежь; 2. *v*: to ~ out выклиниваться; сдавливать, сжимать.

**Lent** [lent] = lent II.

**lent I** [lent] *past и p. p. от* lend.

**lent II** [lent] *n* великий пост; ◇ ~ term весенний семестр; ~ lily жёлтый нарцисс.

**lenten** ['lentən] *a* 1) великопостный; 2) постный (*о пище*); пресный (*о хлебе*).

**lenticular** [len'tɪkjulə] *a* 1) *опт.* двояковыпуклый; линзообразный; 2) *анат.* относящийся к хрусталику глаза.

**lentil** ['lentɪl] *n бот.* чечевица.

**lentous** ['lentəs] *a* липкий, клейкий.

**Leo** ['liːou] *n* Лев (*созвездие и знак зодиака*).

**leonine** ['liːənaɪn] *a* 1) львиный; 2) (*тж.* L.) леонинский (*стих*).

**leopard** ['lepəd] *n* леопа́рд; ◇ can the ~ change his spots? *посл.* ≅ горба́того моги́ла испра́вит.

**leopardess** ['lepədıs] *n* са́мка леопа́рда.

**leotard** ['li:outɑ:d] *n* трико́ (*костюм акробата*).

**leper** ['lepə] *n* прокажённый.

**leporine** ['lepəraın] *a зоол.* за́ячий.

**leprechaun(s)** ['leprəkɔːn(z)] *n* эльф.

**leprosarium** [,leprə'zɛərıəm] *n* лепрозо́рий.

**leprosy** ['leprəsı] *n* прока́за.

**leprous** ['leprəs] *a* 1) прокажённый; 2) сво́йственный прока́зе.

**Lesbian** ['lezbıən] *a* 1) лесбо́сский; 2) лесби́йский.

**lese-majesty** ['li:z'mædʒıstı] *n* 1) оскорбле́ние вели́чества; 2) госуда́рственное преступле́ние; госуда́рственная изме́на.

**lesion** ['li:ʒən] *n* 1) поврежде́ние, пораже́ние (*органа, ткани*); 2) *юр.* убы́ток, вред.

**less** [les] 1. *a (сравнит. ст. от* little) ме́ньший (*о размере, продолжительности, числе и т. п.*); in a ~ (*или* lesser) degree в ме́ньшей сте́пени; of ~ importance ме́нее ва́жный; ◇ no ~ a person than никто́ ино́й, как сам (*такой-то*). 2. *adv* ме́ньше, ме́нее; в ме́ньшей сте́пени; ~ known ме́нее изве́стный. 3. ~ ме́ньшее коли́чество, ме́ньшая су́мма *и т. п.*; I cannot take ~ не могу́ взять ме́ньше; ◇ none the ~ тем не ме́нее; in ~ than no time в мгнове́ние о́ка. 4. *prep* без; a year ~ three days год без трёх дней.

**lessee** [le'si:] *n* съёмщик, аренда́тор.

**lessen** ['lesn] *v* 1) уменьша́ть(ся); 2) преуменьша́ть; недооце́нивать.

**lesser** ['lesə] *a attr. (сравнит. ст. от* little) ме́ньший; the ~ of two evils ме́ньшее из двух зол; the Lesser Bear *астр.* Ма́лая Медве́дица.

**lesson** ['lesn] 1. *n* 1) уро́к; to give (to take) ~s in English дава́ть (брать) уро́ки англи́йского языка́; let this be a ~ to you пусть э́то послу́жит вам уро́ком; 2) нота́ция; to give smb. a ~ прочесть кому́-л. нота́цию; проучи́ть кого́-л.; 3) *церк.* отры́вок из библии, чита́емый во вре́мя слу́жбы. 2. *v* 1) дава́ть уро́к(и); 2) чита́ть нота́цию.

**lessor** [le'sɔ:] *n* сдаю́щий в аре́нду.

**lest** [lest] *cj* чтобы не, как бы не; put down the address ~ you should forget it запиши́те а́дрес, чтобы не забы́ть; I was afraid ~ I should forget the address я боя́лся как бы не забы́ть а́дрес.

**let I** [let] 1. *v* (let) 1) позволя́ть; пуска́ть; дава́ть; will you ~ me smoke? вы разреши́те мне кури́ть?; to ~ a fire (go) out дать огню́ поту́хнуть; to ~ loose выпуска́ть, дать во́лю, свобо́ду; to ~ blood пуска́ть кровь; to ~ drop (*или* fall) а) роня́ть; б) неча́янно проро́нить (*слово, замечание*); в) опуска́ть (*перпендикуляр*); to ~ go а) выпуска́ть из рук; б) отпуска́ть; в) допуска́ть; г) освобожда́ть; д) вы́кинуть из головы́; to ~ oneself go дать во́лю себе́, свои́м чу́вствам; to ~ pass не обрати́ть внима́ния; прости́ть; to ~ things slide (*или* go hang) не обраща́ть внима́ния, относи́ться небре́жно; to ~ slip the chance упусти́ть слу́чай; to ~ smb. know (*или* hear) дать знать, сообщи́ть кому́-л.; to ~ smb. see показа́ть, дать поня́ть кому́-л.; 2) оставля́ть; не тро́гать; ~ me (him) be, let me (him) alone оста́вь(те) меня́ (его́) в поко́е; ~ my things alone не тро́гай(те) мои́х веще́й; we'll ~ it go at that на э́том мы останови́мся; пусть бу́дет так; 3) сдава́ть внаём; the house is to (be) ~ дом сдаётся; to ~ сдаётся (*надпись*); 4) *в повелит. наклонении употребляется как вспомогательный глагол и выражает приглашение, приказание, разрешение, предположение:* ~ us go идём(те); ~ you and me try now дава́йте попро́буем; ~ him do it at once пусть он сде́лает э́то неме́дленно; ~ him do what he likes пусть де́лает, что уго́дно; ~ AB be equal to CD пусть (*или* допу́стим, что) AB равно́ CD; □ ~ down а) опуска́ть; б) разочарова́ть; в) подвести́; поки́нуть в беде́; г) уни́зить; урони́ть; повреди́ть репута́ции; to ~ smb. down easily (*или* gently) пощади́ть чьё-л. самолю́бие, отнести́сь мя́гко; д) *тех.* отпуска́ть; е) разбавля́ть, разжижа́ть; ~ in а) впуска́ть; б) обма́ном впу́тывать, вовлека́ть в беду́; to ~ oneself in for smth. впу́таться, ввяза́ться во что-л.; ~ into а) ввести́; посвяти́ть (*в тайну и т. п.*); б) напа́сть; поруга́ть; в) изби́ть; ~ off а) разряди́ть ружьё, вы́стрелить; *перен. шутл.* выпали́ть (*шутку и т. п.*); б) отпусти́ть без наказа́ния, прости́ть; ~ on а) *амер.* притворя́ться, де́лать вид; б) *разг.* выдава́ть секре́т; доноси́ть на кого́-л.; ~ out а) выпуска́ть; б) сде́лать ши́ре, вы́пустить (*о платье*); в) сдава́ть внаём; дава́ть напрока́т (*лошадь, экипаж*); г) проговори́ться, проболта́ться; ~ out at а) дра́ться; б) руга́ться; ~ up *разг.* а) ослабева́ть; б) прекраща́ть, оставля́ть; ◇ to ~ one's tongue run away with one увлечься, говори́ть не ду́мая; ~ alone не говоря́ уже́ о; ~ George do it *амер.* пусть кто́-нибудь друго́й э́то сде́лает; 2. *n* сда́ча внаём.

**let II** [let] *уст.* 1. *v* (letted [-ıd], let) меша́ть, препя́тствовать; 2. *n* поме́ха; препя́тствие.

**letdown** ['let'daun] *n* 1) упа́док; 2) *разг.* разочарова́ние.

**lethal** ['li:θəl] *a* 1) смерте́льный; смертоно́сный; фата́льный; ~ chamber «ка́мера сме́рти» (*место, где безболезненно убивают кошек, собак*); 2) *амер.* нестойкий (*об отравляющих веществах*).

**lethargic(al)** [le'θɑːdʒık(əl)] *a* 1) летаргический; 2) вя́лый, со́нный; апати́чный.

**lethargy** ['leθədʒı] *n* 1) летарги́я; 2) вя́лость, апати́чность.

**Lethe** ['li:θi:] *n миф.* Ле́та.

**Lethean** [lı'θiːən] *a:* ~ stream *миф.* Ле́та, река́ забве́ния.

**lethiferous** [lı'θıfərəs] *a* смертоно́сный; смерте́льный.

**let-off** ['let͵ɔ:f] *n* проще́ние; освобожде́ние от (заслу́женного) наказа́ния.

**Lett** [let] *n* латы́ш; латы́шка.

**letter** ['letə] **1.** *n* 1) бу́ква; the ~ of the law бу́ква зако́на; to the ~ буква́льно, то́чно; the order was obeyed to the ~ прика́з был вы́полнен то́чно; in ~ and in spirit по фо́рме и по существу́; to win one's ~ *амер. спорт.* заслужи́ть пра́во быть чле́ном спорти́вной организа́ции и носи́ть её инициа́лы; 2) *полигр.* ли́тера; 3) письмо́; посла́ние; ~ of advice извеще́ние; ави́зо; ~ of attorney дове́ренность; ~ of credit *фин.* аккредити́в; ~s credential, ~s of credence *дип.* вери́тельные гра́моты; ~s of recall *дип.* отзывны́е гра́моты; ~s of instruction директи́вное письмо́; ~s of administration суде́бное полномо́чие на управле́ние име́нием *или* иму́ществом уме́ршего; ~ of indemnity гаранти́йное письмо́; 4) *pl* литерату́ра; литерату́рная образо́ванность, учёность; man of ~s писа́тель; учёный; the profession of ~s профе́ссия писа́теля; 5) = letter-paper;
**2.** *v* 1) помеча́ть бу́квами; 2) вытисня́ть бу́квы, загла́вие (*на коре́шке кни́ги*); 3) *тех.* штемпелева́ть, клейми́ть.

**letter-box** ['letəbɔks] *n* почто́вый я́щик.

**letter-card** ['letəkɑ:d] *n* письмо́-секре́тка.

**letter-carrier** ['letə͵kærɪə] *n* письмоно́сец, почтальо́н.

**lettered** ['letəd] **1.** *p. p. от* letter 2;
**2.** *a* 1) начи́танный; (литерату́рно) образо́ванный; 2) с тиснёными, вы́гравированными бу́квами, загла́вием; 3) *воен.* ли́терный, обознача́емый бу́квой.

**letter-foundry** ['letə͵faundrɪ] *n* словоли́тня.

**lettergram** ['letəgræm] *n* телегра́мма-письмо́ (*опла́чиваемая по пони́женному тари́фу*).

**letterhead** ['letəhed] *n* печа́тный заголо́вок на листе́ почто́вой бума́ги.

**lettering** ['letərɪŋ] **1.** *pres. p. от* letter 2;
**2.** *n* на́дпись; тисне́ние.

**letterless** ['letəlɪs] *a* необразо́ванный; негра́мотный.

**letter-paper** ['letə͵peɪpə] *n* почто́вая бума́га.

**letter-perfect** ['letə'pə:fɪkt] *a* *театр.* твёрдо зна́ющий свою́ роль.

**letterpress** ['letəpres] *n* текст в кни́ге (*в отли́чие от иллюстра́ций*).

**letter-weight** ['letəweɪt] *n* 1) почто́вые весы́; 2) пресс-папье́.

**Lettish** ['letɪʃ] **1.** *a* латы́шский;
**2.** *n* латы́шский язы́к.

**lettuce** ['letɪs] *n* лату́к, сала́т.

**let-up** ['letˌʌp] *n* прекраще́ние; приостано́вка; ослабле́ние; it rained without ~ дождь не прекраща́лся ни на мину́ту.

**leu** ['leu:] *n* (*pl* lei) лей, ле́я (*де́нежная едини́ца Румы́нии*).

**leucocyte** ['lju:kəsaɪt] *n* *физиол.* лейкоци́т.

**lev** [lef] *n* (*pl* leva) лев (*де́нежная едини́ца и моне́та Болга́рии*).

**leva** ['levə] *pl от* lev.

**levant** [lɪ'vænt] *v* скры́ться, сбежа́ть, не уплати́в долго́в.

**Levanter** [lɪ'væntə] *n* 1) жи́тель Лева́нта, левантине́ц; 2) си́льный восто́чный ве́тер (*в райо́не Средизе́много мо́ря*).

**Levantine** ['levəntaɪn] **1.** *n* 1) = Levanter 1); 2) су́дно, торгу́ющее с Лева́нтом;
**2.** *a* левантийский.

**levee I** ['levɪ] *n* 1) приём (у главы́ госуда́рства); 2) приём, собра́ние (*госте́й*).

**levee II** ['levɪ] **1.** *n* 1) да́мба; гать; 2) на́бережная; 3) при́стань; 4) *геол.* берегово́й (намывно́й) вал реки́;
**2.** *v* воздвига́ть да́мбы.

**level** ['levl] **1.** *n* 1) у́ровень; ступе́нь; sea ~ у́ровень мо́ря; on a ~ with на одно́м у́ровне с; to rise to higher ~s поднима́ться на бо́лее высо́кую ступе́нь; to find one's (own) ~ a) найти́ себе́ ра́вных; б) заня́ть подоба́ющее ме́сто; to bring smb. to his ~ сбить спесь с кого́-л., поста́вить кого́-л. на ме́сто; 2) пло́ская, горизонта́льная пове́рхность; равни́на; 3) ватерпа́с; нивели́р; у́ровень (*инструме́нт*); 4) *горн.* эта́ж, горизо́нт; квершла́г, што́льня; 5) *ав.* горизонта́льный полёт (*тж.* ~ flight); to give a ~ перейти́ в горизонта́льный полёт; ◇ on the ~ че́стно; on the ~! че́стное сло́во!; to land on the street ~ *разг.* потеря́ть рабо́ту, оказа́ться на у́лице;
**2.** *a* 1) горизонта́льный; пло́ский, ро́вный; располо́женный на одно́м у́ровне (*с чем-л. други́м*); a ~ road ро́вная доро́га; 2) одина́ковый, ра́вный, равноме́рный; they are ~ in capacity у них одина́ковые спосо́бности; 3) уравнове́шенный, споко́йный; ◇ to do one's ~ best прояви́ть ма́ксимум эне́ргии; сде́лать всё от себя́ зави́сящее;
**3.** *adv* ро́вно, вро́вень; to fill the glass ~ with the top напо́лнить стака́н до краёв; the horses ran ~ with one another ло́шади бежа́ли голова́ в го́лову;
**4.** *v* 1) выра́внивать; сгла́живать; to ~ to (*или* with) the ground сноси́ть с лица́ земли́; сравня́ть с землёй; 2) определя́ть ра́зность высо́т; нивели́ровать; 3) ура́внивать; to ~ up (down) повыша́ть (понижа́ть) ура́внивая; 4) це́литься (at); направля́ть (at, against—про́тив *кого́-л.*); ☐ ~ off *ав.* выра́внивать самолёт (*перед поса́дкой*).

**level-headed** ['levl'hedɪd] *a* уравнове́шенный.

**leveller** ['levlə] *n* 1) *ист.* ле́веллер, «уравни́тель»; 2) сторо́нник (социа́льного) ра́венства; 3) *тех.* приспособле́ние для выра́внивания; 4) нивелиро́вщик.

**lever** ['li:və] **1.** *n* 1) рыча́г; ва́га; control ~ ру́чка, рыча́г управле́ния; rocking ~ баланси́р; коромы́сло; starting ~ пусково́й рыча́г; 2) шест, лом *и т. п.*, слу́жащий рычаго́м; 3) *мор.* га́ндшпуг;
**2.** *v* поднима́ть, передвига́ть рычаго́м (*ча́сто* ~ up, ~ along).

**leverage** ['li:vərɪdʒ] *n* 1) де́йствие рычага́; 2) систе́ма рычаго́в; 3) подъёмная си́ла; 4) отноше́ние плеч рычага́; 5) спо́соб, сре́дство для достиже́ния це́ли.

**leveret** ['levərɪt] *n* зайчо́нок.

**leviathan** [lɪ'vaɪəθən] *n* 1) *библ.* левиафа́н; 2) грома́дина.

**levigate** ['levɪgeɪt] 1. *v* 1) растира́ть в порошо́к; 2) отму́чивать; 2. *a* гла́дкий.

**levin** ['levɪn] *n поэт.* мо́лния.

**levitate** ['levɪteɪt] *v* поднима́ть(ся).

**Leviticus** [lɪ'vɪtɪkəs] *n библ.* Леви́т (*3-я книга Ветхого завета*).

**levity** ['levɪtɪ] *n* 1) легкомы́слие, ве́треность, непостоя́нство; 2) *редк.* лёгкость (*веса*).

**levy** ['levɪ] 1. *n* 1) сбор, взима́ние (*податей, налогов*); обложе́ние (*налогом*), су́мма обложе́ния; 2) набо́р ре́крутов; ~ in mass поголо́вный (всех мужчи́н, го́дных к вое́нной слу́жбе); всео́бщее ополче́ние (*тж.* ~ en masse); 3) (*тж. pl*) на́бранные ре́круты, войска́; 2. *v* 1) взима́ть (*налог*); облага́ть (*налогом*); 2) набира́ть (*рекрутов*); ◇ to ~ war начина́ть войну́.

**lew** [lef] = lev.

**lewd** [luːd] *a* 1) похотли́вый; 2) непристо́йный.

**lewis** ['luːɪs] *n тех.* во́лчья ла́па; а́нкерный болт.

**lewisite** ['luːɪsaɪt] *n хим.* люизи́т.

**lex** [leks] *лат. n* зако́н; ~ non scripta непи́саный зако́н; ~ scripta пи́саный зако́н.

**lexical** ['leksɪkəl] *a* 1) лекси́ческий; 2) слова́рный.

**lexicographer** [ˌleksɪ'kɔgrəfə] *n* лексико́граф, состави́тель словаре́й.

**lexicography** [ˌleksɪ'kɔgrəfɪ] *n* лексикогра́фия, составле́ние словаре́й.

**lexicology** [ˌleksɪ'kɔlədʒɪ] *n* лексиколо́гия.

**lexicon** ['leksɪkən] *n* слова́рь.

**ley** [leɪ] = leu.

**Leyden jar** ['leɪdndʒɑː] *n эл.* ле́йденская ба́нка.

**liability** [ˌlaɪə'bɪlɪtɪ] *n* 1) отве́тственность; 2) (*обыкн. pl*) обяза́тельство, задо́лженность, долг; ~ of indemnity обяза́тельство возмести́ть убы́тки; 3) подве́рженность, скло́нность; ~ to disease скло́нность к заболева́нию; 4) *амер.* поме́ха.

**liable** ['laɪəbl] *a* 1) обя́занный (to *c inf.*); отве́тственный (for—за); ~ for military service военнообя́занный; 2) подве́рженный; досту́пный; подлежа́щий (*чему-л.*); ~ to (catch) cold легко́ просту́живающийся; your article is ~ to misconstruction ва́ша статья́ мо́жет быть превра́тно истолко́вана; ~ to duty подлежа́щий обложе́нию; 3) вероя́тный, возмо́жный; he is ~ to come at any moment он мо́жет прийти́ в любу́ю мину́ту; difficulties are ~ to occur о́чень возмо́жно, что встре́тятся затрудне́ния.

**liaise** [lɪ'eɪz] *v* подде́рживать связь.

**liaison** [lɪ'eɪzɔ̃ː] *фр. n* 1) (любо́вная) связь; 2) *воен.* связь, взаимоде́йствие; 3) *лингв.* свя́зывание коне́чного согла́сного с нача́льным гла́сным сле́дующего сло́ва (*во французском языке*); 4) *кул.* запра́вка для со́уса или су́па (*из муки и масла, муки и яиц и т. п.*).

**liaison officer** [lɪ'eɪzɔ̃ː,ɔfɪsə] *n воен.* офице́р свя́зи.

**liana** [lɪ'ɑːnə] *n бот.* лиа́на.

**liar** ['laɪə] *n* лгун.

**lias** ['laɪəs] *n геол.* лейа́с, ни́жняя юра́.

**libation** [laɪ'beɪʃən] *n* возлия́ние; *шутл.* вы́пивка.

**libel** ['laɪbəl] 1. *n* клевета́ (*в печати*), диффама́ция (*upon—на кого-л.*); 2. *v* клевета́ть; выпуска́ть па́сквиль.

**libeller** ['laɪblə] *n* пасквиля́нт; клеветни́к.

**libellous** ['laɪbləs] *a* клеветни́ческий.

**liber** ['laɪbə] *n* луб, лы́ко.

**liberal** ['lɪbərəl] 1. *a* 1) ще́дрый, оби́льный; 2) великоду́шный; 3) свобо́дный от предрассу́дков; свободомы́слящий; 4) гуманита́рный; ~ arts гуманита́рные нау́ки; ~ education гуманита́рное образова́ние; 5) (L.) *полит.* либера́льный; 2. *n* (L.) *полит.* член па́ртии либера́лов, либера́л.

**liberalism** ['lɪbərəlɪzəm] *n* либерали́зм.

**liberality** [ˌlɪbə'rælɪtɪ] *n* 1) ще́дрость; 2) широта́ взгля́дов, терпи́мость.

**liberalize** ['lɪbərəlaɪz] *v* де́лать(ся) либера́льным.

**liberate** ['lɪbəreɪt] *v* 1) освобожда́ть (from); 2) *хим.* выделя́ть.

**liberation** [ˌlɪbə'reɪʃən] *n* 1) освобожде́ние; 2) *хим.* выделе́ние.

**liberationism** [ˌlɪbə'reɪʃənɪzəm] *n* движе́ние за отделе́ние це́ркви от госуда́рства.

**liberator** ['lɪbəreɪtə] *n* освободи́тель.

**libertarian** [ˌlɪbə'tɛərɪən] *n* сторо́нник доктри́ны о свобо́де во́ли.

**libertine** ['lɪbətaɪn] 1. *n* 1) распу́тник; 2) вольноду́мец; 3) *ист.* вольноотпу́щенник; 2. *a* 1) безнра́вственный, распу́щенный; 2) свободомы́слящий; 3) *ист.* вольноотпу́щенный.

**liberty** ['lɪbətɪ] *n* 1) свобо́да; ~ of the press свобо́да печа́ти; at ~ свобо́дный, на свобо́де; you are at ~ to make any choice вы мо́жете выбира́ть, что уго́дно; to set at ~ освободи́ть; to take the ~ (of doing *или* to do so and so) позво́лить себе́ (сде́лать то́-то); 2) во́льность, бесцеремо́нность; to take liberties with smb. позволя́ть себе́ во́льности с кем-л.; to take liberties with smth. обраща́ться бесцеремо́нно с чем-л.; 3) *pl* привиле́гии, во́льности; 4) *амер. воен.* краткосро́чный о́тпуск; увольни́тельная запи́ска.

**liberty man** ['lɪbətɪmæn] *n* матро́с в о́тпуске; матро́с, увольня́емый на бе́рег.

**libidinous** [lɪ'bɪdɪnəs] *a* 1) похотли́вый; чу́вственный; 2) возбужда́ющий чу́вственность.

**libido** [lɪ'biːdou] *n* 1) полово́е влече́ние; 2) си́ла, стремле́ние, эне́ргия.

**Libra** ['liːbrə] *n* Весы́ (*созвездие и знак зодиака*).

**librarian** [laɪ'brɛərɪən] *n* библиоте́карь.

**library** ['laɪbrərɪ] *n* библиоте́ка; free ~ беспла́тная библиоте́ка; walking ~ *шутл.* «ходя́чая энциклопе́дия».

libretti [lɪ'bretiː] *pl om* libretto.

libretto [lɪ'bretou] *n* (*pl* -ti, -os [-ouz]) либрéтто.

Libyan ['lɪbɪən] **1.** *a* ливийский; *поэт.* африкáнский;
**2.** *n* урожéнец Лúвии, ливúец.

lice [laɪs] *pl om* louse 1.

licence ['laɪsəns] *n* 1) разрешéние, лицéнзия; патéнт; driving ~ водúтельские правá, разрешéние на прáво вождéния автомашúны; 2) вóльность; своевóлие; распýщенность; 3) отклонéние от нóрмы (*в искýсстве, литератýре*); poetic ~ поэтúческая вóльность; 4) *attr.*: ~ plate номернóй знак на автомашúне.

license ['laɪsəns] **1.** *v* разрешáть, давáть разрешéние (*на что-л.*); давáть прáво, патéнт, привилéгию;
**2.** *n* = licence.

licensed ['laɪsənst] **1.** *p. p. om* license;
**2.** *a* 1) имéющий разрешéние, прáво, привилéгию (*на что-л.*); ~ victualler трактúрщик с прáвом торгóвли спиртнóми напúтками; ~ vice узакóненный разврáт; 2) привилегирóванный, прúзнанный; 3) дипломúрованный (*напр., инженéр*).

licensee [ˌlaɪsən'siː] *n* лицó, имéющее разрешéние, патéнт.

licenser ['laɪsənsə] *n* лицó, выдаюшее разрешéние, патéнт; ~ of the press цéнзор.

licentiate [laɪ'senʃɪt] *n* лицензиáт; облáдатель диплóма.

licentious [laɪ'senʃəs] *a* 1) распýщенный, безнрáвственный; 2) *редк.* вóльный, не считáющийся с прáвилами.

lichen ['laɪken] *n* 1) лишáй; 2) *бот.* лишáйник.

lich-gate ['lɪʧgeɪt] *n* крытый вход на клáдбище.

licit ['lɪsɪt] *a* закóнный.

lick [lɪk] **1.** *v* 1) лизáть; облúзывать; to ~ one's chops (*или* one's lips) облúзываться, смаковáть, предвкушáть (*что-л.*); 2) *разг.* бить, колотúть; 3) побивáть; превосходúть; to ~ (all) creation превзойтú все ожидáния; 4) *разг.* спешúть; мчáться; to go as hard as one can ~ мчáться во весь опóр; ◇ to ~ into shape придавáть фóрму, приéмлемый вид; приводúть в порядок; to ~ the dust a) быть повéрженным нáземь; быть побеждённым; б) пресмыкáться, унижáться (*перед кем-л.*); to ~ a problem *амер.* разрешúть задáчу; спрáвиться с задáчей;
**2.** *n* 1) облúзывание; 2) незначúтельное колúчество, кусóчек (*чего-л.*); 3) *разг.* сúльный удáр; 4) *разг.* шаг; скóрость; at a great (*или* at full) ~ быстрым шáгом; с большóй скóростью; ◇ a ~ and a promise рабóта, сдéланная спустя рукавá, кóе-кáк; to give a ~ and a promise плóхо, нáспех выполнить какýю-л. рабóту; to put in one's best ~s прилагáть все усúлия, старáться.

lickerish ['lɪkərɪʃ] *a* 1) лáкомый; 2) любящий лáкомства; 3) распýтный.

licking ['lɪkɪŋ] **1.** *pres. p. om* lick 1;
**2.** *n разг.* пóрка; взбýчка.

lickspittle ['lɪkspɪtl] *n* льстец; подхалúм.

licorice ['lɪkərɪs] = liquorice.

lid [lɪd] *n* 1) крышка, колпáк; to put the ~ on *перен.* a) довершúть дéло, положúть конéц; б) расстрóить (*плáны и т. п.*); 2) вéко; to narrow one's ~s прищýриться; 3) *амер.* крышка (*переплетённой кнúги*); 4) *амер.* ограничéние; запрéт; the ~ is on gambling азáртные úгры запрещены; to keep the ~ on (information, data, *etc.*) держáть (свéдения, дáнные *и т. п.*) в секрéте; to take the ~ off (information, data, *etc.*) открыть секрéт, сдéлать явным; 5) *sl.* шляпа; *воен.* шлем.

lie I [laɪ] **1.** *n* ложь, обмáн; to tell a ~ солгáть; to give the ~ to smb. уличáть, изобличáть когó-л. во лжи; to give the ~ to smth. опровергáть что-л.; white ~ морáльно опрáвдываемая ложь; ложь во спасéние; to swop ~s *разг.* поболтáть, посплéтничать;
**2.** *v* 1) лгать; to ~ in one's throat бесстыдно лгать; to ~ like a gas-meter завирáться; 2) быть обмáнчивым.

lie II [laɪ] **1.** *v* (lay; lain) 1) лежáть; to ~ still лежáть спокóйно; to ~ idle лежáть без употреблéния; to ~ in ambush находúться в засáде; to ~ in wait (for smb.) поджидáть, подстерегáть (когó-л.); to ~ low a) лежáть распростёртым, быть мёртвым; б) притаúться; в) *sl.* скрывáть свой úстинные намéрения; выжидáть; 2) быть располóженным; простирáться; the road ~s before you дорóга простирáется перед вáми; life ~s in front of you у вас вся жизнь впередú; 3) находúться, заключáться (*в чём-л.*); относúться (*к комý-л.*); it ~s with you to decide it вáше дéло решúть это; the blame ~s at your door это вáша винá; as far as in me ~s наскóлько это в моéй влáсти, в моúх сúлах; 4) *уст.* пробыть недóлго; to ~ for the night расположúться нá ночь; 5) *юр.* признавáться закóном; the claim does not ~ это незакóнное трéбование; ☐ ~ back откúнуться (*на подýшку и т. п.*); ~ by a) оставáться без употреблéния; б) бездéйствовать; в) отдыхáть; ~ down a) ложúться; прилéчь; б) принимáть без сопротивлéния, покóрно; to take (punishment, an insult, *etc.*) lying down принимáть (наказáние, оскорблéние *и т. п.*) покóрно, не обижáясь; to ~ down under (an insult) проглотúть (оскорблéние); ~ in a) лежáть в рóдах; б) *воен.* лежáть в засáде; в) *мор.* лежáть на нéкотором расстоянии от бéрега *или* другóго сýдна; б) врéменно прекратúть рабóту; ~ out ночевáть вне дóма; ~ over отклáдывать (*до другóго врéмени*); ~ to *мор.* лежáть в дрéйфе; ~ under находúться, быть под (*подозрéнием и т. п.*); ~ up a) лежáть, не выходúть из кóмнаты (*из-за недомогáния*); б) стоять в сторонé, отстранáться; в) *мор.* находúться в дóке; ◇ to ~ out of one's money не получúть причитáющихся дéнег, дожидáться своúх дéнег; to ~ on the bed one has made *посл.* ≋ что посéешь, то и пожнёшь;
**2.** *n* 1) положéние; направлéние; the ~ of the ground рельéф мéстности; the ~ of

the land a) *мор.* направле́ние на бе́рег;
б) *перен.* положе́ние веще́й; 2) ло́гово
(*зве́ря*).

**lief** [liːf] *adv уст.* охо́тно; I had as ~
go as not мне всё равно́, идти́ и́ли не идти́.

**liege** [liːdʒ] *ист.* 1. *n* 1) ле́нник, васса́л;
the ~s по́дданные; 2) сеньо́р;
2. *a* 1) васса́льный, ле́нный; 2) сеньо-
риа́льный; ~ lord сеньо́р.

**liegeman** [ˈliːdʒmæn] *n* васса́л.

**lien** [liən] *n* 1) пра́во наложе́ния аре́ста
на иму́щество должника́; 2) зало́г.

**lieu** [ljuː] *n*: in ~ of вме́сто.

**lieutenancy** [lefˈtenənsɪ, *амер.* ljuːˈten-
ənsɪ, *мор.* leˈtenənsɪ] *n* чин, зва́ние лей-
тена́нта.

**lieutenant** [lefˈtenənt, *амер.* ljuːˈtenənt,
*мор.* leˈtenənt] *n* 1) лейтена́нт; 2) замести́-
тель; Deputy Lieutenant замести́тель Lord
Lieutenant [*см.*].

**lieutenant colonel** [lefˈtenəntˈkɜːnl] *n*
подполко́вник.

**lieutenant commander** [leˈtenəntkəˈmɑːn-
də] *n мор.* капита́н-лейтена́нт.

**lieutenant-general** [lefˈtenəntˈdʒenərəl] *n*
1) генера́л-лейтена́нт; 2) *ист.* наме́стник.

**lieutenant-governor** *n* 1) [lefˈtenəntˈɡʌv-
ənə] губерна́тор прови́нции (*в англ. ко-
ло́нии*); 2) [ljuːˈtenəntˈɡʌvənə] *амер.* по-
мо́щник губерна́тора (*шта́та*).

**life** [laɪf] *n* (*pl* lives) 1) жизнь; существо-
ва́ние; to enter upon ~ вступи́ть в жизнь;
for ~ на всю жизнь; an appointment for
~ пожи́зненная до́лжность; to come to ~
ожива́ть, приходи́ть в себя́ (*после обмо́-
рока*); to bring to ~ привести́ в чу́вство;
a matter of ~ and death вопро́с жи́зни и
сме́рти; to pawn one's ~ руча́ться жи́знью;
to take smb.'s ~ уби́ть кого́-л.; 2) о́браз
жи́зни; to lead a quiet ~ вести́ споко́йную
жизнь; stirring ~ де́ятельная жизнь, за́-
нятость; 3) нату́ра; натура́льная величи-
на́ (*тж.* ~ size); as large as ~ а) в нату-
ра́льную величину́; как живо́й; б) *шутл.*:
here he is as large as ~ вот он со́бственной
персо́ной; to portray to the ~ то́чно пере-
дава́ть схо́дство; 4) эне́ргия, жи́вость,
оживле́ние; to sing with ~ петь с воодуш-
евле́нием; to put ~ into one's work рабо́-
тать с душо́й; 5) биогра́фия, жизнеописа́-
ние; 6) о́бщество; обще́ственная жизнь; high
~ све́тское, аристократи́ческое о́бщество;
to see ~, to see smth. of ~ повида́ть свет;
позна́ть жизнь; 7) срок слу́жбы *или* ра-
бо́ты маши́ны, долгове́чность; 8) *attr.*
пожи́зненный; для́щийся всю жизнь; ~
annuity пожи́зненная пе́нсия; 9) *attr.*:
~ assurance, ~ insurance страхова́ние
жи́зни; ◇ my dear ~ моя́ дорога́я; мой
дорого́й; such is ~ такова́ жизнь, ничего́
не поде́лаешь; while there is ~ there is
hope *посл.* пока́ челове́к жив, он наде́ется;
upon my ~! че́стное сло́во!; for the ~ of
me I can't do it хоть убе́й, не могу́ э́того
сде́лать; ~ and death struggle борьба́ не
на живо́т, а на смерть; to run for dear ~
бежа́ть изо все́х сил; cat and dog ~ по-
стоя́нные ссо́ры, непреры́вные столкнове́ния
(*осо́бенно ме́жду супру́гами*); still ~ на-

тюрмо́рт; he was ~ and soul of the party
он был душо́й о́бщества.

**lifebelt** [ˈlaɪfbelt] *n* спаса́тельный по́яс.

**life-blood** [ˈlaɪfblʌd] *n* 1) кровь; 2) исто́ч-
ник жи́зненной си́лы.

**lifeboat** [ˈlaɪfbout] *n* спаса́тельная шлю́п-
ка.

**life-buoy** [ˈlaɪfbɔɪ] *n* спаса́тельный буй.

**life estate** [ˈlaɪfɪˈsteɪt] *n* име́ние в по-
жи́зненном по́льзовании.

**life-giving** [ˈlaɪfˌɡɪvɪŋ] *a* живи́тельный,
животво́рный, подде́рживающий жизнь;
восстана́вливающий жи́зненные си́лы.

**life-guard** [ˈlaɪfgɑːd] *n* 1) *уст.* ли́чная
охра́на; 2) *амер.* слу́жащий ста́нции спа-
са́ния на вода́х.

**Life Guards** [ˈlaɪfgɑːdz] *n* лейб-гва́рдия.

**life-jacket** [ˈlaɪfˌdʒækɪt] *n* спаса́тельная
ку́ртка.

**lifeless** [ˈlaɪflɪs] *a* 1) бездыха́нный; без-
жи́зненный; 2) ску́чный; ◇ he is ~ who
is faultless *посл.* ≅ не ошиба́ется тот, кто
ничего́ не де́лает.

**life-like** [ˈlaɪflaɪk] *a* сло́вно живо́й, о́чень
похо́жий.

**life-line** [ˈlaɪflaɪn] *n* 1) спаса́тельная
верёвка; 2) жи́зненно ва́жный путь, до-
ро́га жи́зни.

**lifelong** [ˈlaɪflɔŋ] *a* пожи́зненный; ~
friend друг на всю жизнь.

**life-office** [ˈlaɪfˌɔfɪs] *n* конто́ра по стра-
хова́нию жи́зни.

**life-preserver** [ˈlaɪfprɪˌzɜːvə] *n* 1) тяжёлая дуби́нка *или* трость, на́литая свин-
цо́м; 2) спаса́тельный по́яс.

**lifer** [ˈlaɪfə] *n sl.* 1) приговорённый
к пожи́зненному заключе́нию; 2) пожи́з-
ненное заключе́ние.

**life-saver** [ˈlaɪfˌseɪvə] *n* 1) спаси́тель;
2) член кома́нды спаса́ния на вода́х.

**life-saving** [ˈlaɪfˌseɪvɪŋ] *a амер.* спаса́-
тельный; ~ service слу́жба спаса́ния на
вода́х; ~ station спаса́тельная ста́нция.

**life-sized** [ˈlaɪfˈsaɪzd] *a* в натура́льную
величину́.

**lifetime** [ˈlaɪftaɪm] *n* продолжи́тельность
жи́зни; це́лая жизнь; all in a ~ ≅ в жи́зни
вся́кое быва́ет.

**life-work** [ˈlaɪfˈwɜːk] *n* труд *или* де́ло
всей жи́зни.

**lift** [lɪft] 1. *n* 1) подня́тие, подъём; to
give smb. a ~ а) подсади́ть, подвезти́ ко-
го́-л.; б) помо́чь кому́-л.; 2) повыше́ние,
продвиже́ние; 3) возвы́шенность; 4)
подъёмная маши́на, подъёмник, лифт; 5)
подъёмная си́ла; поднима́емая тя́жесть;
6) *шотл.* вы́нос те́ла; 7) *гидр.* водяно́й
столб; высота́ напо́ра; 8) *спорт.* движе́ние
(*в гиревом спо́рте*); three Olimpic L.
олимпи́йское троебо́рье.
2. *v* 1) поднима́ть; возвыша́ть; to ~
one's hand against smb. подня́ть ру́ку на
кого́-л.; to ~ up one's head подня́ть го́-
лову; прийти́ в себя́; to ~ (up) one's voice
against протестова́ть про́тив; not to ~ a
finger и па́льцем не пошевели́ть; 2) подни-
ма́ться (*тж. о те́сте*); 3) поднима́ться
на волна́х (*о корабле́*); 4) рассе́иваться
(*об облака́х, тума́не*); 5) снима́ть (*пала́тки;*

*перен.* запрет, карантин *и т. п.*); to ~ a minefield разминировать минное поле; 6) *разг.* красть; совершать плагиат; 7) *амер.* ликвидировать задолженность, уплачивать долги; 8) собирать, снимать (*урожай*); копать (*картофель*).

**lifter** ['lɪftə] *n* подъёмное приспособление.

**lifting** ['lɪftɪŋ] 1. *pres. p. от* lift 2; 2. *n* подъём, поднимание; ~ of mines разминирование.

**lift-lock** ['lɪftlɔk] *n* шлюз.

**lift-truck** ['lɪft,trʌk] *n* транспортный грузовик.

**ligament** ['lɪgəmənt] *n* 1) связь; 2) *анат.* связка.

**ligature** ['lɪgətʃuə] 1. *n* 1) связь; 2) *мед.* лигатура; перевязка (*кровеносных сосудов*); 3) *полигр.* лигатура, вязь; 4) *муз.* легато; 2. *v мед.* перевязывать (*кровеносный сосуд*).

**light I** [laɪt] 1. *n* 1) свет; освещение; дневной свет; to see the ~ a) увидеть свет, родиться; б) *амер.* обратиться (*в какую-л. веру и т. п.*); в) понять; убедиться; to stand in smb.'s ~ заслонять; *перен.* мешать, стоять на дороге; to stand in one's own ~ вредить самому себе; 2) огонь; зажжённая свеча, лампа, фонарь, фара, маяк *и т. п.*; to strike a ~ зажечь спичку; *уст.* высечь огонь (*кремнём*); will you give me a ~? позвольте прикурить?; просвет, окно; 4) светило (*тж. перен.*); знаменитость; 5) *pl sl.* глаза, гляделки; 6) *pl* светофор; to stop for the ~s останавливаться у светофора; to cross (или to drive) against the ~s переходить (проезжать) при красном сигнале; green ~ *амер. разг.* «зелёная улица»; to give the green ~ *амер. разг.* дать «зелёную улицу», путь; 7) (*обыкн. pl*) сведения, информация; we need more ~ on the subject нам нужны дополнительные сведения по этому вопросу; 8) разъяснение; to bring to ~ выявлять, выяснять; выводить на чистую воду; to come to ~ обнаружиться; to throw (или to shed) ~ upon smth. проливать свет на что-л.; 9) аспект; интерпретация; постановка вопроса; in the ~ of these facts в свете этих данных; I cannot see it in that ~ я не могу это рассматривать таким образом; to put smth. in a favourable ~ представить что-л. в выгодном свете; to throw a new ~ upon smth. представить что-л. в ином свете; 10) *pl* способности, возможности; according to one's ~s в меру своих сил, возможностей; ◇ the ~ of nature интуиция;

2. *a* светлый; ~ brown светло-коричневый;

3. *v* (lit, lighted [-ɪd]) 1) зажигать(ся) (*часто* ~ up); 2) освещать (*часто* ~ up); светить (*кому-л.*); □ ~ up закурить (*трубку и т. п.*); б) зажечь свет; в) оживлять(ся), загораться, светиться (*о лице, глазах*).

**light II** [laɪt] 1. *a* 1) лёгкий; легковесный; as ~ as a feather (*или* air) лёгкий как пёрышко; to give ~ weight обвешивать; 2) незначительный; ~ rain (snow) неболь-

шой дождь (снег); ~ meal лёгкий завтрак, ужин, лёгкая закуска *и т. п.*; 3) нетрудный, необременительный, лёгкий; ~ work лёгкая работа; ~ punishment мягкое наказание; 4) рыхлый, неплотный (*о почве*); 5) пустой, непостоянный, легкомысленный, несерьёзный, весёлый; a ~ woman женщина лёгкого поведения; to make ~ of smth. относиться несерьёзно, небрежно к чему-л.; не придавать значения чему-л.; with a ~ heart весело; с лёгким сердцем; ~ reading лёгкое чтение; 6) некрепкий (*о напитке*); лёгкий (*о пище*); 7) быстрый, лёгкий (*о движениях*); 8) *воен.* лёгкий, подвижный; ~ artillery лёгкая артиллерия; ~ automatic gun ручной пулемёт; 9) *фон.* неударный (*о слоге, звуке*); слабый (*об ударении*); 10) *кул.* хорошо поднявшийся, лёгкий, воздушный (*о тесте*); ◇ ~ sleep чуткий сон; ~ in the head в полубессознательном состоянии; ~ hand a) ловкость; б) деликатность, тактичность;

2. *adv* легко; to tread ~ легко ступать; to travel ~ путешествовать налегке; to get off ~ легко отделаться; ◇ ~ come go ≅ легко нажито, легко прожито.

**light III** [laɪt] *v* (lit, lighted [-ɪd]) 1) сходить (*обыкн.* ~ off, ~ down); опускаться, садиться (*на что-л.*); падать (on, upon); 2) неожиданно натолкнуться, случайно напасть (on, upon); his eyes ~ed on a familiar face in the crowd он увидел знакомое лицо в толпе; 3) напуститься, наброситься (into, on—на *кого-л.*); □ ~ out удрать, убежать.

**light-bay** ['laɪt'beɪ] *a* буланый (*о лошади*).

**light cell** ['laɪtsel] *n* фотоэлемент.

**lighten I** ['laɪtn] *v* 1) освещать; 2) светлеть; 3) сверкать; it ~s сверкает молния.

**lighten II** ['laɪtn] *v* 1) делать(ся) более лёгким; облегчать (*тж. перен.*); чувствовать облегчение; 2) смягчать (*наказание*).

**lighter I** ['laɪtə] *n* 1) тот, кто зажигает; 2) зажигалка (*тж.* cigar ~, cigarette ~); 3) *тех.* запал.

**lighter II** ['laɪtə] *мор.* 1. *n* лихтер; 2. *v* перевозить лихтером.

**lighterage** ['laɪtərɪdʒ] *n* 1) плата за разгрузку судов лихтером; 2) разгрузка *или* погрузка судов лихтером.

**lighterman** ['laɪtəmən] *n* рабочий на лихтере.

**light-face** ['laɪtfeɪs] *n полигр.* светлый шрифт.

**light-fingered** ['laɪt,fɪŋgəd] *a* 1) ловкий; 2) вороватый; нечистый на руку.

**light-footed** ['laɪt,futɪd] *a* быстроногий, проворный.

**light-handed** ['laɪt,hændɪd] *a* 1) ловкий; 2) тактичный; 3) с пустыми руками; 4) недостаточно *или* не полностью укомплектованный.

**light-head** ['laɪthed] *n* легкомысленный человек.

**light-headed** ['laɪt'hedɪd] *a* 1) бездумный, легкомысленный; непостоянный; 2) в состоянии бреда, умственного расстройства; чувствующий головокружение.

**light-hearted** ['laɪt'hɑːtɪd] *a* беззабо́т-ный, беспе́чный, весёлый.

**light-heeled** ['laɪt'hiːld] *a* быстроно́гий.

**lighthouse** ['laɪthaus] *n* мая́к.

**lightish I** ['laɪtɪʃ] *a* дово́льно све́тлый.

**lightish II** ['laɪtɪʃ] *a* дово́льно лёгкий.

**light-legged** ['laɪt'legd] = light-heeled.

**lightly I** ['laɪtlɪ] *adv* 1) слегка́; чуть; 2) несерьёзно; с лёгким се́рдцем; to take ~ не принима́ть всерьёз; 3) легко́, без уси́лий; 4) необду́манно, беспе́чно.

**lightly II** ['laɪtlɪ] *v шотл.* обраща́ться (*с кем-л.*) пренебрежи́тельно.

**light-minded** ['laɪt'maɪndɪd] *a* легко-мы́сленный.

**lightness** ['laɪtnɪs] *n* 1) лёгкость; 2) легкомы́слие.

**lightning** ['laɪtnɪŋ] *n* мо́лния; like ~, with (*или* at) ~ speed с быстрото́й мо́лнии, молниено́сно; summer (*или* heat) ~ зар-ни́ца.

**lightning-arrester** ['laɪtnɪŋə,restə] *n эл.* молниеотво́д; грозово́й разря́дник.

**lightning-bug** ['laɪtnɪŋbʌg] *n* светля́к (*летающий*).

**lightning-conductor** ['laɪtnɪŋkən,dʌktə] *n* молниеотво́д.

**lightning-like** ['laɪtnɪŋlaɪk] *a* молниено́сный.

**lightning-rod** ['laɪtnɪŋrɔd] = lightning--conductor.

**light-o'-love** ['laɪtəlʌv] *n* ве́треная, капри́зная же́нщина.

**light-resistant** ['laɪtrɪ'zɪstənt] *a* свето-усто́йчивый.

**lights** [laɪts] *n pl* лёгкие (*некоторых животных как пища*).

**lightship** ['laɪtʃɪp] *n* плаву́чий мая́к.

**lightsome I** ['laɪtsəm] *a* све́тлый, не-мра́чный.

**lightsome II** ['laɪtsəm] *a* 1) лёгкий, прово́рный; грацио́зный; 2) весёлый; 3) непостоя́нный, легкомы́сленный.

**light-spectrum** ['laɪt,spektrəm] *n* цветно́й спектр.

**light-tight** ['laɪt'taɪt] *a* светонепрони-ца́емый.

**light-weight** ['laɪtweɪt] 1. *n* 1) челове́к ни́же сре́днего ве́са; 2) *спорт.* лёгкий вес; легкове́с (*весящий не более 61 кг*); 3) несерьёзный, пове́рхностный челове́к; 2. *a* лёгкий; ~ gas-mask облегчённый противога́з.

**ligneous** ['lɪgnɪəs] *a* 1) *бот.* деревяни́-стый; 2) *шутл.* деревя́нный.

**lignite** ['lɪgnaɪt] *n* лигни́т, бу́рый у́голь.

**lignum vitae** ['lɪgnəm'vaɪtɪ] *n бот.* бака́ут, желе́зное де́рево.

**likable** ['laɪkəbl] *a* прия́тный; привле-ка́тельный; ми́лый.

**like I** [laɪk] 1. *a* 1) похо́жий, подо́бный; a ~ question подо́бный вопро́с; in (a) ~ manner подо́бным о́бразом; as ~ as two peas ≅ похо́жи как две ка́пли воды́; to look ~ быть похо́жим; it looks ~ snow похо́же на то, что пойдёт снег; it's just ~ you to do that э́то о́чень похо́же на вас; э́то как раз то, чего́ от вас мо́жно бы́ло ожида́ть; it costs something ~ ₤ 50 сто́ит о́коло 50 фу́н-

тов сте́рлингов; ~ nothing on earth ни на что не похо́жий, стра́нный; 2) одина́ко-вый, ра́вный; a ~ sum ра́вная су́мма; ~ dispositions одина́ковые хара́ктеры; 3) *разг.* возмо́жный; вероя́тный; they are ~ to meet again они́, вероя́тно, ещё встре́-тятся; ◇ nothirg ~ ничего́ похо́жего; there is nothing ~ home нет ме́ста лу́чше, чем дом; there is nothing ~ leather for shoes ко́жа са́мый подходя́щий материа́л для о́буви; that's something ~ как раз то, что ну́жно; вот э́то прекра́сно!; something ~ a dinner! *разг.* замеча́тельный обе́д!, ≅ вот э́то обе́д так обе́д!; what is he ~? что он собо́й представля́ет?, что он за челове́к?; ~ father ~ son ≅ я́блоко от я́блони неда-леко́ па́дает;

2. *adv* 1) подо́бно, так; do not talk ~ that не говори́те так; ~ so вот так, таки́м о́бразом; 2) возмо́жно, вероя́тно; ~ enough, as ~ as not о́чень возмо́жно, весьма́ ве-роя́тно; 3) *sl.* так сказа́ть, как бы; ◇ I had ~ to have fallen я чуть не упа́л;

3. *prep:* ~ anything, ~ blazes, ~ mad *разг.* стреми́тельно; изо всех сил; си́льно, чрезвыча́йно, ужа́сно; to run ~ mad бе-жа́ть о́чень бы́стро, как угоре́лый;

4. *n* не́что подо́бное, ра́вное, одина́ковое; and the ~ и тому́ подо́бное; did you ever hear the ~? слы́шали ли вы что-л. подо́б-ное?; we shall not look upon his ~ again тако́го челове́ка, как он, нам не найти́ бо́льше; ◇ ~ cures ~ ≅ клин кли́ном выши-ба́ть; чем уши́бся, тем и лечи́сь; to return ~ for ~ отплати́ть той же моне́той.

**like II** [laɪk] 1. *v* 1) нра́виться, люби́ть; I ~ that! вот э́то мне нра́вится! (*шутливое выражение несогласия*); to ~ dancing лю-би́ть танцева́ть; she ~s him but does not love him он ей нра́вится, но она́ его́ не лю́бит; do as you ~ де́лайте, как вам уго́д-но; I should ~, I would ~ я хоте́л бы, мне хоте́лось бы; 2) хоте́ть (*в отриц. предло-жениях*); I don't ~ to disturb you я не хочу́ вас беспоко́ить;

2. *n pl* скло́нности, влече́ния; ~s and dislikes пристра́стия и предубежде́ния; симпа́тии и антипа́тии.

**likeable** ['laɪkəbl] = likable.

**likelihood** ['laɪklɪhud] *n* 1) вероя́тность; in all ~ по всей вероя́тности; 2) много-обеща́ющая бу́дущность; a young man of great ~ молодо́й челове́к, подаю́щий боль-ши́е наде́жды.

**likely** ['laɪklɪ] 1. *a* 1) вероя́тный; 2) под-ходя́щий; 3) подаю́щий наде́жды; 4) *амер.* краси́вый;

2. *adv* вероя́тно (*обыкн.* most ~, very ~); as ~ as not весьма́ вероя́тно.

**like-minded** ['laɪk'maɪndɪd] *a* одина́ково мы́слящий, приде́рживающийся тако́го же мне́ния.

**liken** ['laɪkən] *v* 1) уподобля́ть (to); сра́внивать (*тж.* ~ together); прира́вни-вать (to, with); 2) *редк.* де́лать похо́жим, схо́жим, придава́ть схо́дство.

**likeness** ['laɪknɪs] *n* 1) схо́дство (be-tween—ме́жду, to—с); подо́бие; 2) портре́т; to take smb.'s ~ писа́ть с кого́-л. портре́т;

снима́ть чью-л. фотогра́фию; a good ~ схо́жий портре́т; 3) обли́чье, личи́на, о́браз; in the ~ of... под ви́дом..., под личи́ной...

**likewise** [ˈlaɪkwaɪz] *adv* 1) подо́бно; 2) та́кже; бо́лее того́.

**liking** [ˈlaɪkɪŋ] 1. *pres. p. от* like II, 1; 2. *n* 1) симпа́тия, расположе́ние (for—к *кому-л.*); 2) вкус (to—к *чему-л.*); to one's ~ по вку́су, по душе́; on ~ на испыта́нии.

**lilac** [ˈlaɪlək] 1. *n* сире́нь; 2. *a* сире́невый.

**liliaceous** [ˌlɪlɪˈeɪʃəs] *a бот.* лиле́йный.

**Lilliputian** [ˌlɪlɪˈpjuːʃjən] 1. *n* лилипу́т, ка́рлик; 2. *a* ка́рликовый, кро́шечный.

**lilt** [lɪlt] 1. *n* 1) весёлая, жива́я пе́сенка; 2) ритм (*песни, стиха*); 2. *v* 1) де́лать (*что-л.*) бы́стро, жи́во, ве́село; 2) петь ве́село, жи́во.

**lily** [ˈlɪlɪ] *n* 1) ли́лия; 2) *attr.* лиле́йный, бе́лый.

**lily-livered** [ˈlɪlɪˌlɪvəd] *a* трусли́вый.

**lily of the valley** [ˈlɪlɪəvðəˈvælɪ] *n* ла́ндыш (ма́йский).

**lily-white** [ˈlɪlɪˈwaɪt] *a* лиле́йно-бе́лый.

**limb** I [lɪm] 1. *n* 1) коне́чность, член (*тела*); 2) сук, ве́тка; 3) *разг.* отро́дье; непослу́шный ребёнок; ~ of the devil, ~ of Satan дья́вольское отро́дье; ◇ ~ of the law *шутл.* блюсти́тель поря́дка, страж зако́на (*полице́йский, адвока́т*); 2. *v* расчленя́ть.

**limb** II [lɪm] *n* 1) *астр.* лимб, кругова́я шкала́, диск (*со́лнца, луны́, плане́т*); 2) лимб (*в угломе́рных прибо́рах*); 3) дета́ль, часть; 4) *геол.* крыло́ (*сбро́са, скла́дки*).

**limbec(k)** [ˈlɪmbek] = alembic.

**limber** I [ˈlɪmbə] 1. *n* 1) *воен.* передо́к (*ору́дия*); 2) *уст., диал.* ды́шло, огло́бля; 2. *v* брать (*ору́дие*) на передо́к.

**limber** II [ˈlɪmbə] 1. *a* 1) ги́бкий, мя́гкий; подáтливый; 2) прово́рный; 2. *v* де́лать(ся) ги́бким, подáтливым.

**limbless** [ˈlɪmlɪs] *a* безру́кий и безно́гий.

**limbo** [ˈlɪmbou] *n* (*pl* -os [-ouz]) 1) тюрьма́; 2) склад нену́жных веще́й; 3) забве́ние; 4) *рел.* лимб, преддве́рие а́да.

**lime** I [laɪm] *n* 1) и́звесть; burnt ~ негашёная и́звесть; slack ~, slaked ~ гашёная и́звесть; 2) пти́чий клей (*обыкн.* bird ~); 2. *v* 1) бели́ть и́звестью; 2) скрепля́ть *или* удобря́ть и́звестью; 3) нама́зывать (*ве́тки де́рева*) пти́чьим кле́ем.

**lime** II [laɪm] *n* разнови́дность лимо́на.

**lime** III [laɪm] *n* ли́па.

**lime-juice** [ˈlaɪmdʒuːs] 1. *n* лимо́нный сок; 2. *v разг.* путеше́ствовать, стра́нствовать.

**limekiln** [ˈlaɪmkɪln] *n* печь для о́бжига и́звести.

**limelight** [ˈlaɪmlaɪt] *n* 1) друммо́ндов свет (*применя́лся для освеще́ния сце́ны в теа́тре*); свет ра́мпы; 2) часть сце́ны у ра́мпы; ◇ to be in the ~ быть в це́нтре внима́ния; быть на виду́.

**lime-pit** [ˈlaɪmpɪt] *n* известняко́вый карье́р.

**Limerick** [ˈlɪmərɪk] *n* шу́точное стихотворе́ние (*из пяти́ строк*).

**limes** [laɪmz] *n pl театр.* ра́мпа.

**limestone** [ˈlaɪmstoun] *n* известня́к.

**lime-tree** [ˈlaɪmtriː] = lime III.

**lime-water** [ˈlaɪmˌwɔːtə] *n* известко́вая вода́.

**limey** [ˈlaɪmɪ] *n амер. sl.* англича́нин (*первонач.* англи́йский матро́с).

**limit** [ˈlɪmɪt] 1. *n* 1) грани́ца, преде́л; superior ~ ма́ксимум; inferior ~ ми́нимум; to set the ~ устана́вливать преде́л; положи́ть коне́ц; to go beyond the ~ перейти́ грани́цы; to go the ~ впада́ть в кра́йность; переходи́ть все грани́цы; that's the ~! э́то перехо́дит все грани́цы; э́то уж сли́шком!; she is the ~ она́ невыноси́ма; 2) *тех.* преде́льный разме́р, до́пуск; to the ~ *амер.* максима́льно, преде́льно; 3) *тех.* интерва́л значе́ний; 4) *юр.* срок да́вности; ◇ off ~s *амер.* вход воспрещён; 2. *v* 1) ограни́чивать; ста́вить преде́л; 2) служи́ть грани́цей, преде́лом.

**limitary** [ˈlɪmɪtərɪ] *a* 1) ограни́ченный; 2) ограничи́тельный; 3) пограни́чный.

**limitation** [ˌlɪmɪˈteɪʃən] *n* 1) ограниче́ние, огово́рка; 2) ограни́ченность; to have one's ~s быть ограни́ченным, недалёким; 3) преде́льный срок; 4) *pl* недоста́тки.

**limitative** [ˈlɪmɪtətɪv] *a* ограни́чивающий, лимити́рующий.

**limited** [ˈlɪmɪtɪd] 1. *p. p. от* limit 2; 2. *a* ограни́ченный; ~ company *ком.* акционе́рное о́бщество, акционе́рная компа́ния с ограни́ченной отве́тственностью; ~ monarchy конституцио́нная мона́рхия; ~ train (*или* express) курье́рский по́езд ограни́ченного соста́ва.

**limitless** [ˈlɪmɪtlɪs] *a* безграни́чный, беспреде́льный.

**limitrophe** [ˈlɪmɪtrouf] *a* лимитро́фный; пограни́чный.

**limn** [lɪm] *v уст.* 1) писа́ть (*карти́ну, портре́т*); 2) изобража́ть; опи́сывать; to ~ the (*или* on) water ≅ стро́ить возду́шные за́мки; 3) иллюстри́ровать ру́копись.

**limner** [ˈlɪmnə] *n уст.* 1) портрети́ст; 2) иллюстра́тор ру́кописи.

**limnetic** [lɪmˈnetɪk] *a* пресново́дный.

**limnology** [lɪmˈnɔlədʒɪ] *n* озерове́дение, лимноло́гия.

**limousine** [ˈlɪmuːziːn] *n* закры́тый автомоби́ль, лимузи́н.

**limp** I [lɪmp] 1. *n* хромота́, прихра́мывание; to walk with a ~ хрома́ть, прихра́мывать; 2. *v* 1) хрома́ть, прихра́мывать; идти́ с трудо́м; 2) ме́дленно дви́гаться (*из-за поврежде́ния—о парохо́де, самолёте*).

**limp** II [lɪmp] *a* 1) мя́гкий, нежёсткий; 2) сла́бый, безво́льный.

**limpet** [ˈlɪmpɪt] *n зоол.* блюде́чко (*моллю́ск*); ◇ to stick like a ~ ≅ приста́ть как ба́нный лист.

**limpid** [ˈlɪmpɪd] *a* прозра́чный (*тж. перен. о языке́, сти́ле и т. п.*).

**limpidity** [lɪmˈpɪdɪtɪ] *n* прозра́чность.

**limy** [ˈlaɪmɪ] *a* 1) известко́вый; 2) клейкий.

**linage** [ˈlaɪnɪdʒ] *n* 1) число́ строк в печа́тной страни́це; 2) постро́чная опла́та.

**linchpin** ['lɪntʃpɪn] *n* чека́ (*колеса*).

**Lincoln-green** ['lɪŋkən,griːn] *n* я́рко-зелёный цвет.

**linden** ['lɪndən] *n* ли́па.

**line I** [laɪn] 1. *n* 1) ли́ния, черта́; штрих; ~ and colour рису́нок и кра́ска; ~ of force *физ.* силова́я ли́ния; all along the ~ по всей ли́нии; во всех отноше́ниях; 2) пограни́чная черта́, грани́ца; преде́л; to overstep the ~ of smth. перейти́ грани́цы чего́-л.; to draw the ~ провести́ черту́ (*перен.* грани́цу); положи́ть преде́л (*atчему-л.*); just on the ~ как раз посереди́не, на грани́це ме́жду чем-л.; to go over the ~ перейти́ (дозво́ленные) грани́цы, перейти́ преде́л; below the ~ ни́же но́рмы; 3) борозда́; морщи́на; to take ~s покрыва́ться морщи́нами; 4) очерта́ния, ко́нтур; ship's ~s обво́ды (ко́рпуса) корабля́; 5) ли́ния (*связи, железнодоро́жная, парохо́дная, трамва́йная и т. п.*); hold the ~! не ве́шайте тру́бку, не разъединя́йте!; ~ busy за́нято (*отве́т телефони́стки*); the ~ is bad пло́хо слы́шно; long-distance ~ междугоро́дная ли́ния; 6) (the L.) эква́тор; to cross the L. пересе́чь эква́тор; 7) поведе́ние; о́браз де́йствий; направле́ние, устано́вка; to take a strong ~ де́йствовать энерги́чно; 8) заня́тие, род де́ятельности; специа́льность; it is not in my ~, it is out of my ~ э́то вне мое́й компете́нции *или* интере́сов; what's his ~? чем он занима́ется?; ~ of business *театр.* актёрское амплуа́; 9) происхожде́ние, родосло́вная, генеало́гия; male (female) ~ мужска́я (же́нская) ли́ния; 10) шнур; верёвка; *мор.* линь; clothes ~ а) верёвка для белья́; б) *мор.* бельево́й ле́ер; 11) леса́ (*у́дочки*); to throw a good ~ быть хоро́шим рыболо́вом; 12) ряд; *амер. тж.* о́чередь, хвост; assembly ~ сбо́рочный конве́йер; 13) строка́; drop me a few ~s черкни́те мне не́сколько строк; to read between the ~s чита́ть ме́жду строк; 14) *pl театр.* ре́плика; 15) *pl* стихи́; *школ.* гре́ческие *или* лати́нские стихи́, перепи́сываемые в ви́де наказа́ния; 16) *pl* бра́чное свиде́тельство (*тж.* marriage ~s); 17) *воен.* развёрнутый строй, ли́ния фро́нта; ли́ния транше́й; in the ~s на фро́нте, в де́йствующей а́рмии; ~ abreast *мор.* строй фро́нта; ~ ahead *мор.* строй кильва́тера; in ~ в развёрнутом строю́; (troops of) the ~ линейные войска́, *особ.* арме́йская пехо́та; ~ of battle боево́й поря́док; ship of the ~ лине́йный кора́бль; 18) (the ~s) *pl* расположе́ние (войск); the enemy's ~s расположе́ние проти́вника; 19) *ком.* па́ртия (*това́ров*); the shop carries the best ~ of shoes в э́том магази́не продаётся са́мая лу́чшая о́бувь; 20) *муз.* но́тная лине́йка; 21) *телев.* строка́ изображе́ния (*тж.* scan ~, scanning ~); 22) ли́ния (*ме́ра длины́* = ¹/₁₂ дю́йма); ◇ to be in ~ for быть на о́череди, име́ть шанс на что-л.; to be in ~ with smth. *амер.* быть в согла́сии, соотве́тствовать чему́-л.; to come into ~ (with) соглаша́ться, де́йствовать в согла́сии; to get a ~ on smth. *амер.* добы́ть све́дения о чём-л.;

to toe the ~ a) подчиня́ться тре́бованиям, приде́рживаться пра́вил; б) *спорт.* встать на ста́ртовую черту́; to go down the ~ по́ртиться;

2. *v* 1) проводи́ть ли́нии, линова́ть; 2) выстра́ивать(ся) в ряд, в ли́нию; устана́вливать; to ~ a street with trees обсади́ть у́лицу дере́вьями; 3) стоя́ть, тяну́ться вдоль (*чего́-л.; тж.* ~ up); □ ~ through заче́ркивать, вычёркивать; ~ up a) стро́ить(ся), выстра́ивать(ся) (в ли́нию); б) станови́ться в о́чередь; в) размежёвыва́ться; г) подыска́ть, подобра́ть; д) присоединя́ться (with).

**line II** [laɪn] *v* 1) класть на подкла́дку; 2) обива́ть (*чем-л.*) изнутри́; 3) *разг.* наполня́ть, набива́ть; to ~ one's pockets нажи́ться, разбогате́ть; to ~ one's stomach наби́ть желу́док; 4) *тех.* выложи́ть, облицева́ть, футерова́ть.

**lineage** ['lɪnɪdʒ] *n* 1) происхожде́ние, родосло́вная; 2) = linage.

**lineal** ['lɪnɪəl] *a* 1) происходя́щий по прямо́й ли́нии (of—от); насле́дственный, родово́й, фами́льный; 2) лине́йный.

**lineament** ['lɪnɪəmənt] *n* (*обыкн. pl*) 1) черты́ (*лица́*); очерта́ния; 2) отличи́тельная черта́ (*хара́ктера и т. п.*).

**linear** ['lɪnɪə] *a* 1) лине́йный; ~ equation *мат.* уравне́ние пе́рвой сте́пени; ~ measure ме́ра длины́; 2) подо́бный ли́нии, у́зкий и дли́нный.

**lined I** [laɪnd] 1. *p. p. от* line I, 2;
2. *a* морщи́нистый, покры́тый морщи́нами; изборождённый.

**lined II** [laɪnd] *p. p. от* line II.

**line-drawing** ['laɪn,drɔːɪŋ] *n* рису́нок перо́м *или* карандашо́м.

**line-engraving** ['laɪnɪn,greɪvɪŋ] *n* штрихова́я гравю́ра.

**lineman** ['laɪnmən] = linesman 2) *и* 3).

**line map** ['laɪnmæp] *n* ко́нтурная ка́рта.

**linen** ['lɪnɪn] 1. *n* 1) полотно́; холст, паруси́на; 2) *собир.* бельё;
2. *а* льняно́й.

**linen-draper** ['lɪnɪn,dreɪpə] *n* торго́вец льняны́ми това́рами.

**line officer** ['laɪn'ɔfɪsə] *n* 1) мла́дший офице́р; 2) строево́й офице́р.

**liner I** ['laɪnə] *n* ла́йнер, пассажи́рский парохо́д *или* самолёт, соверша́ющий регуля́рные ре́йсы.

**liner II** ['laɪnə] *n* 1) *тех.* вкла́дыш, вту́лка, ги́льза; 2) *горн.* обса́дная труба́; 3) *воен.* вну́тренняя труба́ ору́дия, ла́йнер; 4) *тех.* прокла́дка, подкла́дка, обши́вка.

**linesman** ['laɪnzmən] *n* 1) солда́т лине́йных войск; 2) лине́йный монтёр (*телефо́нный и т. п.*); 3) *ж.-д.* путево́й сто́рож; 4) *спорт.* судья́ на ли́нии.

**line-up** ['laɪn,ʌp] *n* 1) строй; 2) *спорт.* расположе́ние игроко́в пе́ред нача́лом игры́.

**ling I** [lɪŋ] *n зоол.* морска́я щу́ка.

**ling II** [lɪŋ] *n бот.* ве́реск обыкнове́нный.

**linger** ['lɪŋgə] *v* 1) ме́длить, ме́шкать, опа́здывать; 2) заси́живаться (on, over— над чем-л.); заде́рживаться (*где-л.*; about, round); теря́ть вре́мя да́ром; 3) тяну́ться (*о вре́мени*); 4) затя́гиваться (*о боле́зни*);

5) влачить жалкое существова́ние, ме́дленно умира́ть (*тж.* ~ out one's days).

**lingerie** ['lɛ̃:nʒəri:] *фр. n* 1) полотня́ные изде́лия; 2) да́мское бельё.

**lingering** ['lɪŋɡərɪŋ] 1. *pres. p. от* linger; 2. *a* 1) медли́тельный; 2) томи́тельный; 3) затяжно́й (*о болезни*).

**lingo** ['lɪŋɡou] *n* (*pl* -oes [-ouz]) 1) непоня́тный жарго́н, тараба́рщина; 2) жарго́н; профессиона́льная фразеоло́гия.

**lingua franca** ['lɪŋɡwə'fræŋkə] *um. n* 1) сме́шанный язы́к из рома́нских, гре́ческих и восто́чных элеме́нтов, служа́щий в восто́чном Средиземномо́рье для обще́ния тузе́мцев с европе́йцами; 2) сме́шанный язы́к; широко́ распространённый жарго́н.

**lingual** ['lɪŋɡwəl] *a* 1) *анат.* язы́чный; ~ bone подъязы́чная кость; 2) *филол.* языково́й.

**linguist** ['lɪŋɡwɪst] *n* языкове́д, лингви́ст.

**linguistic** [lɪŋ'ɡwɪstɪk] *a* языкове́дческий, лингвисти́ческий.

**linguistics** [lɪŋ'ɡwɪstɪks] *n pl* (*употр. как sing*) языкозна́ние, языкове́дение, лингви́стика.

**liniment** ['lɪnɪmənt] *n* жи́дкая мазь (*для растира́ния*).

**lining I** ['laɪnɪŋ] 1. *pres. p. от* line II; 2. *n* 1) подкла́дка; вну́тренняя оби́вка; 2) содержи́мое (*кошелька́, желу́дка и т. п.*); 3) облицо́вка (*ка́мнем*); опа́лубка; грунто́вка; оби́вка; футеро́вка; 4) *горн.* крепле́ние, крепь.

**lining II** ['laɪnɪŋ] 1. *pres. p. от* line I, 2; 2. *n* выпрямле́ние, выра́внивание.

**link I** [lɪŋk] 1. *n* 1) (свя́зующее) звено́; связь; соедине́ние; missing ~ недостаю́щее звено́; 2) *pl* у́зы; ~s of brotherhood у́зы бра́тства; 3) коле́чко, ло́кон; 4) пе́тля (*в вяза́нье*); 5) за́понка для манже́т; 6) *тех.* шарни́р, кули́са, тя́га; 7) *геод.* звено́ землеме́рной це́пи (*как ме́ра длины́ = 20 см*); 8) *радио, телев.* радиореле́йная ли́ния, ли́ния радиосвя́зи; 2. *v* 1) соединя́ть, свя́зывать, смыка́ть (together, to); сцепля́ть (*тж.* ~ up); 2) быть свя́занным (on, to—c), примыка́ть (on, to—к); 3) брать *или* идти́ по́д руку (*тж.* ~ one's arm through smb.'s arm).

**link II** [lɪŋk] *n* фа́кел.

**linkage** ['lɪŋkɪdʒ] *n* 1) сцепле́ние, соедине́ние; 2) *хим.* соедине́ние; 3) *эл.* потокосцепле́ние, по́лный пото́к инду́кции.

**link-motion** ['lɪŋk,mouʃən] *n тех.* кули́сное распределе́ние.

**links** [lɪŋks] *n pl* 1) *шотл.* дю́ны; 2) (*иногда́ как sing*) по́ле для игры́ в гольф.

**link-up** ['lɪŋkʌp] *n* соедине́ние; ~ on the Elbe *ист.* встре́ча на Э́льбе.

**linn** [lɪn] *n* 1) водопа́д; 2) глубо́кий овра́г, уще́лье.

**linnet** ['lɪnɪt] *n* конопля́нка, реполо́в (*пти́ца*).

**linoleum** [lɪ'noulJəm] *n* лино́леум.

**lino operator** ['laɪnou'ɔpəreɪtə] *n* линоти́пист.

**linotype** ['laɪnoutaɪp] *n полигр.* линоти́п; ~ operator = lino operator.

**linseed** ['lɪnsi:d] *n* 1) льняно́е се́мя; 2) *attr.:* ~ cake льняны́е жмыхи́; ~ oil льняно́е ма́сло.

**linsey-woolsey** ['lɪnzɪ'wulzɪ] 1. *n* 1) гру́бая полушерстяна́я ткань; 2) бессмы́слица; тараба́рщина; 2. *a* 1) полушерстяно́й; 2) дрянно́й; состоя́щий из неподходя́щих часте́й.

**linstock** ['lɪnstɔk] *n воен. ист.* фити́льный пальни́к.

**lint** [lɪnt] *n* ко́рпия.

**lintel** ['lɪntl] *n* перемы́чка окна́ *или* две́ри.

**liny** ['laɪnɪ] *a* 1) испещрённый ли́ниями; 2) морщи́нистый; 3) то́нкий, худо́й.

**lion** ['laɪən] *n* 1) лев; American mountain ~ пу́ма; ~ in the path (*или* in the way) *преим. ирон.* стра́шное, тру́дное препя́тствие; ~'s share льви́ная до́ля; to put one's head in the ~'s mouth рискова́ть; 2) *pl* достопримеча́тельности; to show (to see) the ~s пока́зывать (осма́тривать) достопримеча́тельности; 3) знамени́тость; 4) (L.) Лев (*созве́здие и знак зодиа́ка*); 5) (L.) национа́льная эмбле́ма Великобрита́нии.

**lioness** ['laɪənɪs] *n* льви́ца.

**lionet** ['laɪənet] *n* молодо́й лев, львёнок.

**lion-hearted** ['laɪən,hɑːtɪd] *a* хра́брый, неустраши́мый.

**lion-hunter** ['laɪən,hʌntə] *n* 1) охо́тник на львов; 2) челове́к, гоня́ющийся за знамени́тостями.

**lionize** ['laɪənaɪz] *v* 1) осма́тривать *или* пока́зывать достопримеча́тельности; 2) носи́ться с кем-л. как со знамени́тостью.

**lip** [lɪp] 1. *n* 1) губа́; to put smth. to one's ~s попро́бовать что-л.; not a drop has passed his ~s он ничего́ не пил, не ел; not a word has passed his ~s он не пророни́л ни сло́ва; to smack (*или* to lick) one's ~s обли́зываться, смакова́ть, предвкуша́ть удово́льствие; to escape one's ~s сорва́ться с языка́; to hang on smb.'s ~s внима́ть кому́-л. восто́рженно; to keep (*или* to carry) a stiff upper ~ а) сохраня́ть прису́тствие ду́ха; не теря́ть му́жества; б) проявля́ть твёрдость, упо́рство; 2) *разг.* де́рзкая болтовня́; де́рзость; none of your ~! без де́рзостей!; don't put on your (*или* any) ~ ну, ну, без наха́льства; 3) край (*ра́ны, сосу́да, кра́тера*); вы́ступ; 4) *муз.* амбушю́р; 5) *гидр.* поро́г; 2. *a* 1) губно́й; 2) нейскренний, то́лько на слова́х; ~ professions нейскренние увере́ния. 3. *v* 1) каса́ться губа́ми; *поэт.* целова́ть; 2) *редк.* говори́ть; бормота́ть.

**lip-deep** ['lɪp'diːp] *a* пове́рхностный; нейскренний.

**lip-labour** ['lɪp,leɪbə] *n* 1) слова́, повторя́емые механи́чески; 2) = lip-service.

**lip-language** ['lɪp,læŋwɪdʒ] *n* уме́ние (*глухонемо́го*) понима́ть речь по движе́нию губ.

**lipped I** [lɪpt] *a* 1) с но́сиком (*о сосу́де*); 2) = labiate.

**lipped II** [lɪpt] *p. p. от* lip 3.

**lip-reading** ['lɪp,riːdɪŋ] = lip-language.

**lipsalve** ['lɪpsɑːv] *n* 1) губна́я пома́да, мазь; 2) лесть.

**lip-service** ['lɪp,sɜːvɪs] *n* нейскренние словоизлия́ния, ≅ пусты́е слова́; to pay ~ to smth. признава́ть что-л. то́лько на слова́х; to pay ~ to smb. нейскренне уверя́ть кого́-л. в пре́данности.

**lipstick** ['lɪpstɪk] *n* губна́я пома́да.

**liquate** ['lɪkweɪt] *v тех.* пла́вить.

**liquefaction** [,lɪkwɪ'fækʃən] *n* сжиже́ние, ожиже́ние; плавле́ние.

**liquefy** ['lɪkwɪfaɪ] *v* превраща́ть в жи́дкое состоя́ние; превраща́ться в жи́дкость.

**liquescent** [lɪ'kwesənt] *a* переходя́щий в жи́дкое состоя́ние; растворя́ющийся.

**liqueur** [lɪ'kjuə] *фр. n* ликёр.

**liquid** ['lɪkwɪd] **1.** *a* 1) жи́дкий; 2) *поэт.* водяно́й; мо́крый; 3) непостоя́нный, неусто́йчивый (*о принципах, убежде́ниях*); 4) прозра́чный, све́тлый; 5) пла́вный (*о зву́ках и т. п.*); ~ melody пла́вная мело́дия; 6) легко́ реализу́емый (*о ценных бума́гах*); 7): ~ milk натура́льное молоко́; **2.** *n* 1) жи́дкость; 2) *фон.* пла́вный звук (*l*, *r*).

**liquidate** ['lɪkwɪdeɪt] *v* 1) ликвиди́ровать; уничто́жить; поко́нчить (*с чем-л.*), изба́виться (*от чего-л.*); 2) вы́платить (*долг*); 3) ликвиди́ровать дела́ (*о фирме*); 4) обанкро́титься.

**liquidation** [,lɪkwɪ'deɪʃən] *n* 1) ликвида́ция; уничтоже́ние; избавле́ние (*от чего-л.*); 2) вы́плата до́лга; 3) ликвида́ция де́ла; to go into ~ обанкро́титься.

**liquidator** ['lɪkwɪdeɪtə] *n* ликвида́тор.

**liquor** ['lɪkə] **1.** *n* 1) напи́ток; 2) спиртно́й напи́ток; hard ~s кре́пкие напи́тки; in ~, the worse for ~ подвы́пивший, пья́ный; 3) отва́р (*мясно́й*); 4) ма́сло *или* са́ло, в кото́ром жа́рилась ры́ба, беко́н; 5) ['lɪkwɔː] жи́дкость; раство́р; **2.** *v* 1) *разг.* выпива́ть (*обы́кн.* ~ up); 2) сма́зывать са́лом (*сапоги и т. п.*).

**liquorice** ['lɪkərɪs] *n* лакри́чник (*растение*); солодко́вый ко́рень, лакри́ца.

**liquorish** ['lɪkərɪʃ] *a* любя́щий вы́пить.

**lira** ['lɪərə] *n* (*pl* lire) ли́ра (*денежная единица Ита́лии и Ту́рции*).

**lire** ['lɪərɪ] *pl om* lira.

**lisle thread** ['laɪlθred] *n* то́нкая кручёная ни́тка.

**lisp** [lɪsp] **1.** *n* 1) шепеля́вость; 2) ле́пет (*волн*); шо́рох, ше́лест; **2.** *v* 1) шепеля́вить; 2) лепета́ть (*о детях*).

**lissom(e)** ['lɪsəm] *a* 1) ги́бкий; 2) прово́рный, бы́стрый.

**list I** [lɪst] **1.** *n* 1) спи́сок, пе́речень, рее́стр; инвента́рь; to enter in a ~ вноси́ть в спи́сок; to make a ~ составля́ть спи́сок; duty ~ расписа́ние дежу́рств; 2) кро́мка, кайма́; кайма́, оторо́чка, бордю́р; край, ва́лик; 3) *pl* огоро́женное ме́сто; аре́на (*турни́ра, состяза́ния*); to enter the ~s а) бро́сить вы́зов; б) приня́ть вы́зов; в) уча́ствовать в состяза́нии; 4) *архит.* ли́стель; 5) *амер. с.-х.* борозда́, сде́ланная ли́стером; 6) *attr.* сде́ланный из каймы́, поло́с, обре́зков;

**2.** *v* 1) вноси́ть в спи́сок; составля́ть спи́сок; to ~ for service вноси́ть в спи́ски военнообя́занных; 2) *разг. см.* enlist 1); 3) *амер.* обраба́тывать зе́млю ли́стером.

**list II** [lɪst] *v уст.* жела́ть.

**list III** [lɪst] **1.** *n* крен, накло́н; to take a ~ накрени́ться;

**2.** *v* крени́ться (*о су́дне*); наклоня́ться.

**list IV** [lɪst] *уст.* = listen.

**listen** ['lɪsn] *v* 1) слу́шать; прислу́шиваться (to); ~ here! послу́шай!; 2) выслу́шивать со внима́нием; 3) слу́шаться; уступа́ть (*про́сьбе, искуше́нию*); □ ~ in а) подслу́шивать разгово́р по телефо́ну *и т. п.*; б) слу́шать радиопереда́чу.

**listener** ['lɪsnə] *n* 1) слу́шатель; радиослу́шатель; 2) *воен.* слуха́ч.

**listener-in** ['lɪsnər'ɪn] *n* радиослу́шатель.

**listening** ['lɪsnɪŋ] **1.** *pres. p. om* listen;

**2.** *n* 1) слу́шание, прослу́шивание; 2) подслу́шивание.

**listening dog** ['lɪsnɪŋdɔg] *n* сторожева́я соба́ка.

**listening-in** ['lɪsnɪŋ'ɪn] *n* 1) слу́шание по ра́дио; 2) подслу́шивание; перехва́т.

**listening tender** ['lɪsnɪŋ'tendə] *n* автомоби́льная радиоста́нция, рабо́тающая на приём.

**lister** ['lɪstə] *n с.-х.* ли́стер (*орудие для гребнево́й обрабо́тки по́чвы*).

**listless** ['lɪstlɪs] *a* равноду́шный, безразли́чный, апати́чный.

**lit I** [lɪt] *past и p. p. om* light I, 3.

**lit II** [lɪt] *past и p. p. om* light III.

**litany** ['lɪtənɪ] *n церк.* моле́бствие; лита́ния.

**liter** ['lɪtə] *амер.* = litre.

**literacy** ['lɪtərəsɪ] *n* гра́мотность.

**literal** ['lɪtərəl] *a* 1) бу́квенный; ~ error опеча́тка; 2) буква́льный, досло́вный; 3) то́чный; 4) сухо́й, педанти́чный;

**2.** *n* опеча́тка.

**literalism** ['lɪtərəlɪzəm] *n* 1) буквали́зм; 2) понима́ние сло́ва в его́ буква́льном значе́нии; 3) то́чность изображе́ния, копи́рование приро́ды.

**literary** ['lɪtərərɪ] *a* 1) литерату́рный; 2) литерату́рно образо́ванный.

**literate** ['lɪtərɪt] **1.** *a* 1) гра́мотный; 2) образо́ванный, учёный;

**2.** *n* 1) гра́мотный челове́к; 2) образо́ванный, учёный челове́к.

**literati** [,lɪtə'rɑːtɪ] *лат. n pl* 1) литера́торы; учёные; 2) *разг.* образо́ванные лю́ди.

**literatim** [,lɪtə'rɑːtɪm] *лат. adv* буква́льно, сло́во в сло́во.

**literature** ['lɪtərɪtʃə] *n* литерату́ра.

**litharge** ['lɪθɑːdʒ] *n* глёт, о́кись свинца́.

**lithe** [laɪð] *a* 1) ги́бкий; 2) сгово́рчивый.

**lithesome** ['laɪðsəm] = lissom(e).

**lithium** ['lɪθɪəm] *n хим.* ли́тий.

**lithograph** ['lɪθəgrɑːf] **1.** *n* литогра́фия, литогра́фский о́ттиск;

**2.** *v* литографи́ровать.

**lithographer** [lɪ'θɔgrəfə] *n* лито́граф.

**lithographic** [,lɪθə'græfɪk] *a* литогра́фский; литографи́рованный.

**lithographically** [,lɪθə'græfɪkəlɪ] *adv* литогра́фским спо́собом.

**lithography** [lɪˈθɔgrəfɪ] *n* литогра́фия.
**litho-print** [ˈlɪθouprɪnt] = lithograph 2.
**lithotomy** [lɪˈθɔtəmɪ] *n мед.* камнесе-
че́ние.
**Lithuanian** [ˌlɪθjuːˈeɪnjən] 1. *a* лито́вский;
2. *n* 1) лито́вец; лито́вка; 2) лито́вский
язы́к.
**litigant** [ˈlɪtɪgənt] 1. *n* сторона́ (*в судебном процессе*);
2. *a* тя́жущийся.
**litigate** [ˈlɪtɪgeɪt] *v* 1) суди́ться с кем-л.;
быть тя́жущейся стороно́й (*на суде*); 2)
оспа́ривать (*на суде*).
**litigation** [ˌlɪtɪˈgeɪʃən] *n* тя́жба; спор.
**litigious** [lɪˈtɪdʒəs] *a* 1) сутя́жнический;
2) спо́рный, подлежа́щий судебному разби-
ра́тельству.
**litmus** [ˈlɪtməs] *n хим.* 1) ла́кмус; 2)
*attr.* ла́кмусовый; ~ paper ла́кмусовая
бума́га.
**litotes** [ˈlaɪtoutiːz] *n ритор.* лито́та.
**litre** [ˈliːtə] *n* литр.
**litter** [ˈlɪtə] 1. *n* 1) носи́лки; 2) соло́м-
менная *и т. п.* подсти́лка (*для скота*);
3) помёт (*приплод—щенят и т. п.*); 4)
разбро́санные ве́щи, бума́ги; сор, му́сор,
беспоря́док;
2. *v* 1) подстила́ть, настила́ть соло́му
*и т. п.* (*обыкн.* ~ down); 2) пороси́ться,
щени́ться *и т. п.*; 3) разбра́сывать в бес-
поря́дке (*вещи*; *тж.* ~ up); сори́ть.
**littérateur** [ˌlɪteɪrɑːˈtə] *фр. n* литера́тор,
писа́тель.
**litter-bearer** [ˈlɪtəˌbɛərə] *n амер.* санита́р.
**littery** [ˈlɪtərɪ] *a* в беспоря́дке; захла-
млённый.
**little** [ˈlɪtl] 1. *a* (less, lesser; least) 1)
ма́ленький; небольшо́й; ~ finger мизи́-
нец; ~ toe мизи́нец (*на ноге*); ~ ones а)
де́ти; б) детёныши; the ~ people а) де́ти;
б) э́льфы; ~ ways ма́ленькие, смешны́е
сла́бости; 2) коро́ткий (*о времени, расстоянии*); come a ~ way with me прово-
ди́те меня́ немно́го; 3) ма́лый, незначи́-
тельный; ~ things ме́лочи; to make ~ of
smth. не принима́ть всерьёз; не придава́ть
значе́ния; 4) ме́лочный, ограни́ченный; ~
things amuse ~ minds ме́лочи занима́ют
(лишь) ме́лкие умы́; ◇ ~ Mary *разг.* же-
лу́док; to go but a ~ way не хвата́ть;
2. *adv* немно́го, ма́ло; I like him ~
я его́ недолю́бливаю; a ~ немно́го; rest
a ~ отдохни́те немно́го; ~ less than немно́го
ме́ньше, чем; ~ more than немно́го бо́льше,
чем; 2) *с глаголами* know, dream, think
*и т. п.* совсе́м не; ~ did he think that (*или*
he ~ thought that) он и не ду́мал, что;
3. *n* 1) небольшо́е коли́чество; немно́гое,
ко́е-что́, пустя́к; ~ by ~ ма́ло-пома́лу,
постепе́нно; ~ or nothing почти́ ничего́;
not a ~ нема́ло; knows a ~ of everything
зна́ет понемно́гу обо всём; in ~ а) в не-
большо́м масшта́бе; б) *жив.* в миниатю́ре;
2) коро́ткое, непродолжи́тельное вре́мя;
after a ~ you will feel better ско́ро вам
ста́нет лу́чше; for a ~ на коро́ткое вре́мя;
3) *амер. разг.*: from ~ up с де́тства.
**little-go** [ˈlɪtlgou] *n разг.* пе́рвый экза́-
мен на сте́пень бакала́вра (*в Кембридже*).

**littleness** [ˈlɪtlnɪs] *n* 1) ма́лая величина́,
незначи́тельность; 2) ме́лочность, ни́зость.
**littoral** [ˈlɪtərəl] 1. *a* прибре́жный;
2. *n* побере́жье; примо́рский райо́н.
**liturgy** [ˈlɪtədʒɪ] *n* 1) литурги́я; 2) ри-
туа́л церко́вной слу́жбы.
**livable** [ˈlɪvəbl] *a* 1) го́дный для житья́,
жилья́; 2) ужи́вчивый; общи́тельный.
**live** I [lɪv] *v* жить; существова́ть; оби-
та́ть; to ~ in a small way жить скро́мно;
to ~ within (above, beyond) one's means
жить (не) по сре́дствам; to ~ on one's
salary жить на жа́лованье; to ~ on bread
and water пита́ться хле́бом и водо́й; to
~ on others жить на чужи́е сре́дства; to
~ to be old (seventy, eighty, *etc.*) дожи́ть
до ста́рости (до семи́десяти, восьми́десяти
лет *и т. д.*); to ~ to see smth. дожи́ть до
чего́-л.; □ ~ by жить чем-л.; to ~ by
one's wits ко́е-ка́к извора́чиваться; ~
**down** загла́дить, искупи́ть (свои́м поведе́-
нием, о́бразом жи́зни); ~ in име́ть квар-
ти́ру по ме́сту слу́жбы; ~ out а) пережи́ть;
б) прожи́ть, протяну́ть (*о больном*); в)
име́ть кварти́ру отде́льно от ме́ста слу́ж-
бы; ~ through пережи́ть; ~ up to жить
согла́сно (*принципам и т. п.*); быть до-
сто́йным *чего-л.*; ◇ as I ~ by bread!, as
I ~ and breathe! че́стное сло́во!; to ~ on
air не име́ть средств к существова́нию; ~
and learn! ≡ век живи́, век учи́сь.
**live** II [laɪv] *a* 1) живо́й; 2) живо́й,
де́ятельный, энерги́чный, по́лный сил; 3)
жи́зненный; реа́льный; животрепе́щущий;
~ issue актуа́льный вопро́с; 4) горя́щий,
непога́сший; ~ coal горя́щие у́гли; 5)
де́йствующий; невзорва́вшийся, боево́й
(*о патроне и т. п.*); 6) я́ркий, нету́склый
(*о цвете*); 7) переме́нный, меня́ющийся (*о
нагрузке*); 8) *эл.* под напряже́нием; 9)
передаю́щийся непосре́дственно в эфи́р
(*без предварительной записи на плёнку*—
*о радиопередаче и т. п.*); ◇ ~ weight жи-
во́й вес; ~ wire энерги́чный челове́к, ого́нь.
**liveable** [ˈlɪvəbl] = livable.
**live farming** [ˈlaɪvˈfɑːmɪŋ] *n* животно-
во́дческое хозя́йство.
**livelihood** [ˈlaɪvlɪhud] *n* сре́дства к жи́з-
ни; пропита́ние; to earn an honest ~ жить
че́стным трудо́м; to pick up a scanty ~ е́ле
перебива́ться.
**liveliness** [ˈlaɪvlɪnɪs] *n* жи́вость, ожив-
ле́ние, весёлость.
**livelong** [ˈlɪvlɔŋ] *a поэт.* це́лый, весь;
ве́чный; the ~ day день-деньско́й.
**lively** [ˈlaɪvlɪ] 1. *a* 1) живо́й (*об описании и т. п.*); 2) оживлённый, весёлый;
3) я́ркий, си́льный (*о впечатлении, цвете
и т. п.*); 4) бы́стрый; бы́стро отска́киваю-
щий (*о мяче*); 5) све́жий (*о ветре*); ◇ to make
things ~ for smb. доставля́ть кому́-л. не-
прия́тные мину́ты; зада́ть жа́ру кому́-л.;
2. *adv* ве́село, оживлённо.
**liven** [ˈlaɪvn] *v* оживи́ть(ся), разве-
сели́ть(ся) (*тж.* ~ up).
**live-oak** [ˈlaɪvouk] *n* вирги́нский дуб.
**liver** I [ˈlɪvə] *n*: good ~ а) хоро́ший,
доброде́тельный челове́к; б) гурма́н; loose
~ распу́щенный челове́к; close ~ скупе́ц.

**liver** II ['lɪvə] *n* 1) *анат.* пéчень; 2) пéчёнка (*пища*).

**liver-coloured** ['lɪvə,kʌləd] *a* красновáто-корúчневого цвéта.

**liver-fluke** ['lɪvəfluːk] *n мед.* пéчёночная двуýстка (*паразит*).

**liveried** ['lɪvərɪd] *a* носящий ливрéю, в ливрéе.

**liverish** ['lɪvərɪʃ] *a* страдáющий болéзнью пéчени.

**Liverpudlian** [,lɪvə'pʌdlɪən] *шутл.* 1. *n* жúтель Ливерпýля;
2. *a* ливерпýльский.

**liverwort** ['lɪvəwəːt] *n бот.* пéчёночница.

**livery** I ['lɪvərɪ] *a* 1) красновáто-корúчневый; 2) = liverish; 3) раздражúтельный.

**livery** II ['lɪvərɪ] *n* 1) ливрéя; 2) *уст.* костюм члéна гúльдии; 3) наряд, убóр; the ~ of spring весéнний наряд (*природы*); 4) прокóрм лóшади; прокáт (*лошадей, экипажей, лодок и т. п.*); at ~ помещённ в плáтную конюшню (*о лошади*); 5) *юр.* ввод во владéние; 6) *амер.* = livery stable; 7) *attr.* ливрéйный; ~ servant ливрéйный лакéй.

**liveryman** ['lɪvərɪmən] *n* 1) член гúльдии; 2) извозопромышленник.

**livery stable** ['lɪvərɪsteɪbl] *n* плáтная конюшня; извóзчичий двор.

**lives** [laɪvz] *pl от* life.

**live-stock** ['laɪvstɔk] *n* 1) живóй инвентáрь, домáшний скот; поголóвье скотá; 2) *attr.*: ~ breeding племеннóе животновóдство.

**livid** ['lɪvɪd] *a* 1) синевáто-багрóвый; 2) серовáто-сúний; 3) мéртвенно-блéдный; 4) *разг.* óчень сердúтый, злой.

**living** ['lɪvɪŋ] 1. *pres. p. от* live I;
2. *n* 1) срéдства к жúзни; to make one's ~ зарабáтывать срéдства к жúзни; 2) жизнь, óбраз жúзни; plain ~ скрóмная, простáя жизнь; 3) пúща, стол; 4) *церк.* бенефúция, прихóд (*с их доходами*); 5) *attr.*: ~ wage прожúточный мúнимум;
3. *a* 1) живóй; живýщий, существующий; the greatest ~ poet крупнéйший совремéнный поэт; 2) живóй, интерéсный; 3) óчень похóжий; he is the ~ image of his father он кóпия своегó отцá, он вылитый отéц; ◇ ~ death состояние безнадёжного страдáния; within ~ memory на пáмяти живýщих, на пáмяти нынешнего поколéния; ~ essentials предмéты пéрвой необходúмости.

**living-room** ['lɪvɪŋrum] *n* столóвая, óбщая кóмната (*в семье*).

**living-space** ['lɪvɪŋspeɪs] *n* жúзненное прострáнство.

**lixiviate** [lɪk'sɪvɪeɪt] *v* выщелáчивать.

**lixivium** [lɪk'sɪvɪəm] *n* щёлок.

**lizard** ['lɪzəd] *n* ящерица.

**lizzie** ['lɪzɪ] *n sl.* (дешёвый) автомобúль, *преим.* форд (*тж.* tin ~).

**'ll** *сокр. разг. от* will *и* shall: he'll = he will, they'll = they will *и т. д.*

**llama** ['lɑːmə] *n зоол.* лáма.

**llano** ['lɑːnou] *n* льянóсы (*обширные равнины в Южной Америке*).

**Lloyd's** [lɔɪdz] *n* 1) Ллойд (*морское страховое регистрационное агентство*); 2) ллóйдовский регúстр (*тж.* ~ register).

**Lo** [lou] *n амер. разг.* индéец.

**lo** [lou] *int уст.* вот!, смотрú!, слýшай!; lo and behold! и вот!; и вдруг, о чýдо!

**loach** [loutʃ] *n* голéц (*рыба*).

**load** [loud] 1. *n* 1) груз; 2) брéмя, тяжесть; ~ of care брéмя забóт; to take a ~ off one's mind избáвиться от (гнетýщего) беспокóйства *и т. п.*; that's a ~ off my mind ≈ тóчно кáмень с душú свалúлся; 3) вагóн, сýдно, воз (*какого-л. груза*); 4) колúчество рабóты, нагрýзка; a teaching ~ of twelve hours a week педагогúческая нагрýзка 12 часóв в недéлю; 5) *pl разг.* обúлие, мнóжество; 6) *воен.* заряд; 7) *тех.* нагрýзка;
2. *v* 1) грузúть, нагружáть; грузúться (*о корабле, вагонах*); 2) обременять (забóтой); 3) отягощáть (*напр., желудок*); наедáться; to be (*или* to get) ~ed *разг.* напúться, нализáться; 4) осыпáть (*подарками; упрёками*); 5) заряжáть (*оружие, кассету фотоаппарата*); ~! заряжáй!; 6) наливáть свинцóм (*напр., трость*); 7) подбавлять к винý спирт, наркóтики; фальсифицúровать; 8) насыпáть; ~ed with fragrance насыщенный аромáтом (*о воздухе*); 9) *жив.* класть гýсто (*краску*); □ ~ up *а*) грузúться; *б*) мнóго есть, наедáться.

**loaded** ['loudɪd] 1. *p.p. от* load 2;
2. *a*: ~ dice игрáльные кóсти, нáлитые свинцóм; *перен.* нечéстно добытое преимýщество.

**loader** ['loudə] *n* 1) грýзчик; 2) погрýзочное приспособлéние; 3) *воен.* заряжáющий (*нóмер*).

**loading** ['loudɪŋ] 1. *pres. p. от* load 2;
2. *n* 1) погрýзка; 2) груз, нагрýзка; 3) заряжáние; 4) *эл.* приложéние нагрýзки.

**load-line** ['loudlaɪn] *n* грузовáя ватерлúния.

**load-on** ['loudɔn] *n разг.* выпивка; to get a ~ нализáться, напúться.

**load-shedding** ['loud,ʃedɪŋ] *n эл.* сброс нагрýзки; принудúтельное отключéние в часы пик.

**loadstar** ['loudstɑː] = lodestar.

**loadstone** ['loudstoun] *n* прирóдный магнúт; магнúтный железняк.

**loaf** I [louf] *n* (*pl* loaves) 1) бухáнка, каравáй; бýлка; ~ the хлеб; 2) головá сáхару (*тж.* sugar-~); ~ sugar рафинáдный сáхар (*головами или колотый*); 3) кочáн (*капусты*); 4) *sl.* головá; use your ~ пошевелúте мозгáми; ◇ loaves and fishes *библ.* земные блáга; half a ~ is better than no bread *посл.* ≈ лýчше хоть чтó-нибудь, чем ничегó.

**loaf** II [louf] 1. *n* бездéльничанье; to have a ~ бездéльничать;
2. *v* 1) бездéльничать; зря терять врéмя; to ~ away one's time прáздно проводúть врéмя; 2) слоняться, шатáться.

**loafer** ['loufə] *n* 1) бездéльник; 2) бродяга.

**loam** [loum] *n* 1) жúрная глúна; clay ~ суглúнок; sandy ~ сýпесок; 2) плодоро́дная земля́; гли́на и песо́к с перегно́ем; 3) гли́на для кирпиче́й; формо́вочная гли́на.

**loamy** ['loumɪ] *a* суглинистый.

**loan** [loun] **1.** *n* 1) заём; state ~ госуда́рственный заём; 2) ссу́да; что-л. да́нное для вре́менного по́льзования (*напр., кни́га*); on ~ а) взаймы́; б) предоста́вленный для вы́ставки (*об экспона́те*); 3) заи́мствование (*о сло́ве, ми́фе, обы́чае*);
**2.** *v* дава́ть взаймы́, ссужа́ть.

**loan collection** ['loun kə,lekʃən] *n* колле́кция карти́н, вре́менно предоста́вленная владе́льцами для вы́ставки.

**loan-translation** ['loun trɑ:ns,leɪʃən] *n* ли́нгв. ка́лька.

**loan-word** ['lounwə:d] *n* заи́мствованное сло́во.

**loath** [louθ] *a predic.* несклóнный, нежела́ющий; неохóтный; to be ~ не хотéть; nothing ~ охóтный, охóтно.

**loathe** [louð] *v* 1) чу́вствовать отвраще́ние; 2) ненави́деть; 3) *разг.* не люби́ть.

**loathful** ['louðful] = loathsome.

**loathing** ['louðɪŋ] **1.** *pres. p. om* loathe; **2.** *n* 1) отвраще́ние; to be filled with ~ испы́тывать отвраще́ние; 2) нéнависть.

**loathsome** ['louðsəm] *a* вызыва́ющий отвраще́ние; отврати́тельный, проти́вный.

**loath-to-depart** ['louθtədɪ'pɑ:t] *n* проща́льная песнь.

**loaves** [louvz] *pl om* loaf I.

**lob** [lɔb] **1.** *v* 1) идти́ *или* бежа́ть тяжело́, неуклю́же (*тж.* ~ along); 2) высоко́ подбрóсить мяч (*в те́ннисе и т. п.*);
**2.** *n* высоко́ подбрóшенный мяч (*в те́ннисе и т. л.*).

**lobby** ['lɔbɪ] **1.** *n* 1) вестибю́ль; фойе́; коридо́р; 2) *парл.* кулуа́ры; division ~ коридо́р, куда́ чле́ны англи́йского парла́мента выхо́дят при голосова́нии; 3) *амер.* гру́ппа лиц, «обраба́тывающих» чле́нов конгре́сса в по́льзу того́ и́ли ино́го законопрое́кта; 4) заго́н для скота́;
**2.** *v* *амер.* пыта́ться воздéйствовать на чле́нов конгре́сса, «обраба́тывать» их; □ ~ through провести́ законопрое́кт посре́дством закули́сных махина́ций.

**lobe** [loub] *n* 1) до́ля; ~ of the lung лёгочная до́ля; ~ of the ear мо́чка у́ха; 2) *тех.* кулачо́к.

**lobelia** [lou'bi:ljə] *n бот.* лобéлия.

**loblolly** ['lɔblɔlɪ] *n амер.* 1) *мор. разг.* густа́я овся́ная ка́ша; 2) скипида́рная сосна́, сосна́ Флори́ды (*тж.* ~ pine); 3) *мор. sl.* лека́рство; 4) *уст.* деревéнщина.

**loblolly boy** ['lɔblɔlɪbɔɪ] *n мор.* судово́й фéльдшер.

**lobster** ['lɔbstə] *n* 1) ома́р, рак; red as a ~ кра́сный как рак; 2) *уст. презр.* англи́йский солда́т, «красномунди́рник»; 3) *sl.* неуклю́жий человéк; 4) *sl.* краснолицый человéк; ◇ ~ shift = graveyard shift [*см.* graveyard ◇].

**lobster-eyed** ['lɔbstəraɪd] *a* пучегла́зый.

**lobule** ['lɔbju:l] *n* до́лька (*листа́, плода́*).

**lobworm** ['lɔbwə:m] *n* песко́жил (*червь*).

**local** ['loukəl] **1.** *a* 1) мéстный; ~ adverb

*грам.* нарéчие мéста; ~ colour мéстный колори́т; ~ committee месткóм, мéстный комитéт (*профсою́за*); ~ train при́городный пóезд; ~ engagement *воен.* бой мéстного значéния; ~ board *амер. воен.* участкóвая призывна́я комиссия; ~ defence *воен.* самооборо́на; ~ government мéстное самоуправлéние; Local Government Board департа́мент, вéдающий мéстным самоуправлéнием; ~ name а) назва́ние мéстности; б) мéстное назва́ние; ~ option, ~ veto пра́во жи́телей о́круга контроли́ровать *или* запреща́ть прода́жу спиртны́х напи́тков; ~ examinations экза́мены, проводи́мые в шко́лах (на места́х) представи́телями университéтов; ~ root *амер.* отдéл, редáкция мéстных новостéй (*в газéте*); 2) распространённый лишь места́ми (*обы́кн.* quite ~, very ~); ~ anaesthesia мéстная анестези́я; ~ armistice *воен.* ча́стное перемирие;
**2.** *n* 1) мéстная партийная *или* профсою́зная организа́ция; 2) мéстный жи́тель; 3) мéстные нóвости (*в газéте*); 4) при́городный пóезд; 5) *разг.* мéстный тракти́р.

**local(e)** [lou'kɑ:l] *n* мéсто (*дéйствия*).

**localism** ['loukəlɪzəm] *n* 1) мéстные интерéсы; мéстный патриоти́зм; 2) у́зость интерéсов, провинциали́зм; 3) *ли́нгв.* мéстное выраже́ние, провинциали́зм.

**locality** [lou'kælɪtɪ] *n* 1) мéстность; райóн, уча́сток; местоположéние; defended ~ *воен.* райо́н оборо́ны; inhabited (*или* populated) ~ населённый пункт; 2) (*ча́сто pl*) окрéстность; in the ~ of побли́зости от; 3) *pl* населённые пу́нкты; 4) спосóбность ориенти́роваться (*тж.* sense *или* bump of ~).

**localize** ['loukəlaɪz] *v* 1) локализова́ть, ограни́чивать распространéние; to ~ infection ограни́чить распространéние инфéкции; 2) относи́ть к определённому мéсту; 3) определя́ть местонахождéние.

**locally** ['loukəlɪ] *adv* 1) в определённом мéсте; 2) в мéстном масшта́бе.

**locate** [lou'keɪt] *v* 1) определя́ть мéсто, местонахождéние; 2) располага́ть в определённом мéсте; назнача́ть мéсто (*для постро́йки и т. п.*); 3) поселя́ть(ся); to be ~d in жить; быть располо́женным в.

**location** [lou'keɪʃən] *n* 1) определéние мéста (*чего́-л.*); обнаруже́ние, нахожде́ние; 2) поселéние (*на жи́тельство*); *преим. амер.* размеще́ние; 4) местожи́тельство; уча́сток; 5) фéрма (*в Австра́лии*); 6) *юр.* сда́ча внаём; 7) *кино* нату́ра; on ~ на нату́ре (*о съёмках*).

**locative** ['lɔkətɪv] *грам.* **1.** *a* мéстный; **2.** *n* мéстный падéж.

**loch** [lɔk] *n шотл.* 1) óзеро; 2) у́зкий морско́й зали́в.

**loci** ['lousaɪ] *pl om* locus.

**lock I** [lɔk] *n* 1) лóкон; *pl* вóлосы; 2) пучóк (*вóлос*), клок (*шéрсти*), оха́пка (*сéна*), вяза́нка (*хво́росту*).

**lock II** [lɔk] **1.** *n* 1) замóк (*тж. в ору́жии*); запóр; затвóр; щекóлда; under ~ and key за́пертый, под замкóм; 2) *тех.* стóпор, чека́; 3) затóр (*в у́личном движе-*

*нии*); 4) шлюз; плоти́на, гать; 5) венерологи́ческая лече́бница (*тж.* L. Hospital); ◇ ~, stock, and barrel *разг.* целико́м, по́лностью; всё вме́сте взя́тое;

2. *v* 1) запира́ть(ся) на замо́к; 2) сжима́ть (*в объя́тиях, в борьбе́*); сти́скивать (*зу́бы*); 3) тормози́ть; затормози́ться; 4) соединя́ть, сплета́ть (*па́льцы, ру́ки*); 5) шлюзова́ть; t̩o ~ up (down) проводи́ть су́дно по шлю́зам вверх (вниз) по реке́, кана́лу; □ ~ away спря́тать под замо́к, запере́ть; ~ in запира́ть и не выпуска́ть из ко́мнаты *и т. п.*; ~ out a) запере́ть дверь и не впуска́ть; б) объявля́ть лока́ут; ~ up a) запира́ть; б) сажа́ть в тюрьму́; заключа́ть в сумасше́дший дом; в) вложи́ть капита́л в тру́дно реализу́емые бума́ги; г) *воен.* сомкну́ть (*строй, ряды́*); д) ута́ивать (*фа́кты, све́дения*); ◇ to ~ the stable door after the horse has been stolen ≅ хвати́ться сли́шком по́здно.

**lockage** [ˈlɔkɪdʒ] *n* 1) шлюзовы́е сооруже́ния и механи́змы; 2) прохожде́ние (*су́дна*) че́рез шлю́зы; 3) шлю́зный сбор.

**lock-chamber** [ˈlɔkˌtʃeɪmbə] *n* шлюзова́я ка́мера.

**locker** [ˈlɔkə] *n* 1) запира́ющийся шка́фчик; я́щик; *мор. тж.* рунду́к; 2) холоди́льник для хране́ния свежезаморо́женных проду́ктов; ◇ not a shot in the ~ *разг.* ни гроша́ в карма́не.

**locker room** [ˈlɔkərum] *n* раздева́лка (*на заво́де, стадио́не и т. п. с шкафчиками для личных вещей*).

**locket** [ˈlɔkɪt] *n* медальо́н.

**lockfast** [ˈlɔkfɑːst] *a* хорошо́, основа́тельно за́пертый.

**lock-gate** [ˈlɔkˌgeɪt] *n* шлю́зные воро́та.

**Lock Hospital** [ˈlɔkˌhɔspɪtl] = lock II, 1, 5).

**lock house** [ˈlɔkhaus] *n* сторо́жка при шлю́зе.

**locking-finger** [ˈlɔkɪŋˌfɪŋgə] = finger 1, 2).

**lock-jaw** [ˈlɔkdʒɔː] *n* *мед.* тони́ческий спазм мышц че́люсти (*при столбняке́*).

**lock-keeper** [ˈlɔkˌkiːpə] *n* сто́рож при шлю́зе.

**lock-nut** [ˈlɔknʌt] *n* контрга́йка.

**lock-out** [ˈlɔkaut] *n* лока́ут.

**locksman** [ˈlɔksmən] *n* 1) = lock-keeper; 2) *уст.* тюре́мщик.

**locksmith** [ˈlɔksmɪθ] *n* сле́сарь.

**lock-stitch** [ˈlɔkstɪtʃ] *n* маши́нный шов.

**lock-up** [ˈlɔkʌp] *n* 1) вре́мя закры́тия, прекраще́ния рабо́ты; 2) ареста́нтская ка́мера; тюрьма́; 3) мёртвый капита́л; 4) *attr.* запира́емый, запира́ющийся.

**loco I** [ˈloukou] 1. *n* *исп.-ам.* 1) *бот.* оди́н из америка́нских ви́дов астрага́ла, ядови́того для скота́; 2) боле́знь скота́, вызыва́емая э́тим расте́нием (*тж.* ~ disease);

2. *a sl.* сумасше́дший; to go ~ сойти́ с ума́, спя́тить;

3. *v разг.* свести́ с ума́.

**loco II** [ˈloukou] *сокр. от* locomotive 1, 1).

**locomobile** [ˌloukəˈmoubɪl] 1. *n* *тех.* локомоби́ль.

2. *a* самодви́жущийся.

**locomotion** [ˌloukəˈmouʃən] *n* передвиже́ние; means of ~ сре́дства передвиже́ния.

**locomotive** [ˈloukəˌmoutɪv] 1. *n* 1) локомоти́в, парово́з, теплово́з, электрово́з; 2) *pl sl.* но́ги;

2. *a* 1) дви́жущий(ся); ~ power дви́жущая си́ла; ~ faculty спосо́бность движе́ния; 2) *шутл.* постоя́нно путеше́ствующий.

**locum** [ˈloukəm] *лат.* *n*: to do ~ вре́менно исполня́ть обя́занности (*до́ктора, свяще́нника и т. п.*); ~ tenens вре́менный замести́тель.

**locus** [ˈloukəs] *лат.* *n* (*pl* loci) 1) местоположе́ние; ~ sigili ме́сто печа́ти (*на доку́менте*); 2) траекто́рия; геометри́ческое ме́сто то́чек.

**locust** [ˈloukəst] *n* 1) саранча́ перелётная *или* обыкнове́нная; 2) *распр.* цика́да; 3) роби́ния-ложноака́ция; бе́лая ака́ция; 4) рожко́вое де́рево; honey ~ гледи́чия сла́дкая; 5) *разг.* жа́дный, вре́дный челове́к; 6) *attr.*: ~ beans плоды́ рожко́вого де́рева, цареградские стручки́, рожки́.

**locust-tree** [ˈloukəsttriː] = locust 3) *и* 4).

**locution** [louˈkjuːʃən] *n* выраже́ние, оборо́т ре́чи, идио́ма.

**lode** [loud] *n* 1) *геол.* (ру́дная) жи́ла; за́лежь; жи́льный по́яс; 2) = loadstone.

**lodestar** [ˈloudstɑː] *n* 1) Поля́рная звезда́; 2) путево́дная звезда́.

**lodge** [lɔdʒ] 1. *n* 1) до́мик; сторо́жка у воро́т; помеще́ние привра́тника; 2) охотни́чий до́мик; вре́менное жили́ще; 3) пала́тка инде́йцев, вигва́м; 4) ме́стное отделе́ние не́которых профсою́зов (*напр., железнодоро́жников*); 5) ло́жа (*масо́нская*); 6) ха́тка (*бобра́*), нора́ (*вы́дры*); 7) ло́жа (*в теа́тре*); 8) кварти́ра дире́ктора колле́джа (*в Ке́мбридже*); 9) *горн.* ру́дный двор;

2. *v* 1) дать помеще́ние, приюти́ть; посели́ть; 2) квартирова́ть; вре́менно прожива́ть; снима́ть ко́мнату, у́гол (*у кого́-л.*); 3) всади́ть; зася́сть, застря́ть (*о пу́ле и т. п.*); 5) класть (*в банк*); дава́ть на хране́ние (with—кому́-л.; in—куда́-л.); 6) подава́ть (*жа́лобу, проше́ние*; with, in); предъявля́ть (*обвине́ние*); 7) положи́ть, приби́ть (*о ве́тре, ли́вне*); 8) поле́чь от ве́тра (*о посе́вах*); □ ~ out провести́ ночь в общежи́тии при вокза́ле (*о железнодоро́жном слу́жащем*); ◇ to ~ power with smb. (*или* in the hands of smb.) облека́ть кого́-л. вла́стью, полномо́чиями.

**lodgement** [ˈlɔdʒmənt] = lodgment.

**lodger** [ˈlɔdʒə] *n* жиле́ц; to take in ~s сдава́ть ко́мнаты жильца́м.

**lodging** [ˈlɔdʒɪŋ] 1. *pres. p. от* lodge 2;

2. *n* 1) жили́ще; 2) *pl* (снима́емая) ко́мната, ко́мнаты; кварти́ра; dry ~ помеще́ние, сдава́емое без пита́ния; ◇ ~ turn *ж.-д.* ночна́я сме́на, ночно́е дежу́рство.

**lodging-house** [ˈlɔdʒɪŋhaus] *n* меблиро́ванные ко́мнаты; common ~ ночле́жный дом.

**lodgment** [ˈlɔdʒmənt] *n* 1) жили́ще, кварти́ра; прию́т (*тж.* перен.); the idea found ~ in his mind мысль засе́ла в его́ мозгу́; 2) про́чное положе́ние; опо́ра (*для ног*); 3) скопле́ние (*чего-л.*); затор; 4) *воен. ист.* ложеме́нт, око́п; 5) *воен.* закрепле́ние на захва́ченной пози́ции; to find a ~ обоснова́ться, закрепи́ться; 6) *воен.* посто́й; 7) *горн.* водосбо́рник.

**loess** [ləs] *n геол.* лёсс.

**loft** [lɔft] 1. *n* 1) черда́к; 2) сенова́л; 3) голубя́тня; 4) *амер.* ве́рхний эта́ж (*торгового помещения, склада*); 5) хо́ры (*в церкви*); 6) *мор.* плаз; 7) уда́р, посыла́ющий мяч вверх (*в гольфе*);
2. *v* 1) посыла́ть мяч вверх (*в гольфе*); 2) держа́ть голубе́й; 3) *амер., уст.* помеща́ть, скла́дывать на чердаке́.

**loftiness** [ˈlɔftɪnɪs] *n* 1) больша́я высота́; 2) возвы́шенность (*идеалов и т. п.*); 3) вели́чественность; ста́тность; 4) высокоме́рие, надме́нность.

**loft-room** [ˈlɔftrum] *n* плодохрани́лище.

**lofty** [ˈlɔftɪ] *a* 1) о́чень высо́кий (*не о людях*); 2) возвы́шенный (*об идеалах и т. п.*); 3) вели́чественный; 4) высокоме́рный, надме́нный; гордели́вый.

**log** [lɔg] 1. *n* 1) бревно́; коло́да; чурба́н; кряж; 2) *мор.* лаг; to heave the ~ броса́ть лаг; 3) = log-book; 4) *геол.* разрез буровой сква́жины; ◇ to keep the ~ rolling *амер.* рабо́тать в бы́стром те́мпе; to split the ~ *амер.* объясня́ть что-л.;
2. *v* 1) рабо́тать на лесозагото́вках; 2) *мор.* вноси́ть в ва́хтенный и т. п. журна́л; 3) покрыва́ть определённое расстоя́ние за день (*о пароходе*); □ ~ off выкорчёвывать.

**loganberry** [ˈlougənbərɪ] *n амер. бот.* лога́нова я́года (*гибрид малины с ежевикой*).

**logarithm** [ˈlɔgərɪθəm] *n* логари́фм.

**log-book** [ˈlɔgbuk] *n* 1) ва́хтенный журна́л; бортово́й журна́л (*самолёта*); журна́л радиоста́нции и т. п.; 2) формуля́р (*автомашины, самолёта*).

**log frame** [ˈlɔgfreɪm] *n* лесопи́льная ра́ма.

**logged** [lɔgd] 1. *p. p. от* log 2;
2. *a* 1) отяжеле́вший; пропита́вшийся водо́й; 2) сто́ячий (*о воде*); боло́тистый; 3) расчищенный от ле́са.

**logger** [ˈlɔgə] *n амер.* лесору́б.

**loggerhead** [ˈlɔgəhed] *n* 1) непропорциона́льно больша́я голова́; 2) род морско́й черепа́хи; 3) патаго́нская морска́я у́тка; 4) америка́нский сорокопу́т; 5) *уст.* болва́н; 6) *мор.* ла́грет; ◇ to be at ~s with smb. пререка́ться, ссо́риться с кем-л.; быть в дурны́х отноше́ниях с кем-л.; to fall (*или* to get, to go) to ~s дойти́ до дра́ки.

**logging** [ˈlɔgɪŋ] 1. *pres. p. от* log 2;
2. *n* 1) лесны́е разрабо́тки; лесозагото́вка; 2) = log-rolling.

**log-head** [ˈlɔghed] *n* болва́н, дура́к.

**log hut** [ˈlɔghʌt] *n* 1) сруб, бреве́нчатая изба́; 2) *амер. разг.* тюрьма́.

**logic** [ˈlɔdʒɪk] *n* ло́гика.

**logical** [ˈlɔdʒɪkəl] *a* 1) логи́ческий; 2) логи́чный, после́довательный.

**logician** [louˈdʒɪʃən] *n* ло́гик.

**logistical** [louˈdʒɪstɪkəl] *a воен.* относя́-щийся к передвиже́нию и снабже́нию войск; ~ number но́мер, присва́иваемый при автоперево́зке.

**logistics** [louˈdʒɪstɪks] *n pl воен.* те́хника штабно́й слу́жбы, расчёты тыло́в; те́хника перево́зок и снабже́ния.

**log-juice** [ˈlɔgdʒuːs] *n sl.* скве́рный портве́йн.

**log-man** [ˈlɔgmən] *n амер.* лесору́б.

**logogram** [ˈlɔgouɡræm] *n* знак или бу́ква, заменя́ющие сло́во в стеногра́фии.

**logomachy** [lɔˈgɔməkɪ] *n* словопре́ние; спор о слова́х.

**log-rolling** [ˈlɔgˌroulɪŋ] *n амер.* 1) перека́тка брёвен; 2) взаи́мное восхвале́ние (*в печати*); обою́дные услу́ги (*в политике*).

**logwood** [ˈlɔgwud] *n бот.* кампе́шевое или санда́ловое де́рево.

**logy** [ˈlougɪ] *a амер.* 1) тяжёлый; 2) тупо́й; 3) медли́тельный.

**loin** [lɔɪn] *n* 1) *pl* поясни́ца; 2) *кул.* филе́йная часть; ◇ to gird up one's ~s *библ., поэт.* препоя́сать чре́сла, собра́ться с си́лами, приступи́ть (*к чему-л.*); sprung from one's ~s порождённый кем-л. (*о потомстве и т. п.*).

**loin-cloth** [ˈlɔɪnklɔθ] *n* 1) набе́дренная повя́зка; 2) тру́сики, пла́вки.

**loir** [ˈlɔɪə] *n зоол.* со́ня.

**loiter** [ˈlɔɪtə] *v* 1) ме́длить, ме́шкать, копа́ться; отстава́ть; 2) слоня́ться без де́ла; to ~ away one's time безде́льничать, теря́ть да́ром вре́мя.

**loll** [lɔl] *v* сиде́ть развали́сь; стоя́ть (облокоти́сь) в лени́вой по́зе; □ ~ out а) высо́вывать язы́к; б) высо́вываться (*о языке*).

**Lollard** [ˈlɔləd] *n ист.* лолла́рд.

**lollipop** [ˈlɔlɪpɔp] *n* ледене́ц; конфе́та; *pl* сла́сти.

**Lombard** [ˈlɔmbəd] 1. *n* 1) *ист.* ланго-ба́рд; 2) ломба́рдец, жи́тель Ломба́рдии; 3) *уст.* банки́р; меня́ла; ◇ ~ Street де́нежный ры́нок, фина́нсовый мир А́нглии (*по названию улицы в лондонском Сити, на которой находится много банков*);
2. *a* ломба́рдский.

**Lombardy poplar** [ˈlɔmbədɪˈpɔplə] *n* пирамида́льный то́поль.

**Londoner** [ˈlʌndənə] *n* ло́ндонец.

**Londonism** [ˈlʌndənɪzəm] *n* 1) ме́стное ло́ндонское выраже́ние; 2) ло́ндонский обы́чай.

**lone** [loun] *a* 1) уединённый; 2) *поэт., ритор.* одино́кий; 3) *шутл.* незаму́жняя или овдове́вшая.

**lone electron** [ˈlounɪˈlektrɔn] *n* свобо́дный электро́н.

**lonely** [ˈlounlɪ] *a* 1) одино́кий; томя́щийся одино́чеством; to feel ~ чу́вствовать себя́ одино́ким, испы́тывать чу́вство одино́чества; 2) уединённый, пусты́нный.

**lonesome** [ˈlounsəm] *a* 1) = lonely; 2) вызыва́ющий тоску́, уны́лый.

**long I** [lɔŋ] 1. *a* 1) дли́нный; ~ measures ме́ры длины́; at ~ range на большо́м расстоя́нии; а ~ mile до́брая ми́ля; ~ waves *радио* дли́нные во́лны; 2) до́лгий; дли́тельный; давно́ существу́ющий; ~ look до́лгий взгляд; a ~ custom давни́шний, стари́нный обы́чай; a ~ farewell a) до́лгое проща́ние; б) проща́ние надо́лго; a friendship (an illness) of ~ standing стари́нная дру́жба (застаре́лая боле́знь); ~ vacation ле́тние кани́кулы; 3) ме́дленный; медли́тельный; how ~ he is! как он копа́ется!; 4) име́ющий *такую-то* длину́ *или* продолжи́тельность; a mile ~ длино́й в одну́ ми́лю; an hour ~ продолжа́ющийся в тече́ние ча́са; 5) обши́рный, многочи́сленный; ~ family огро́мная семья́; ~ bill дли́нный, разду́тый счёт; 6) удлинённый, продолгова́тый; 7) ску́чный, многосло́вный; 8) *фон.*, *прос.* до́лгий *(гласный звук)*; ◇ ~ ears глу́пость; ~ face мра́чная физионо́мия; to make *(или* to pull) a ~ face помрачне́ть; to make a ~ nose показа́ть «нос»; ~ greens *амер. sl.* бума́жные де́ньги; ~ head проница́тельность, предусмотри́тельность; ~ home моги́ла; ~ nine *амер. sl.* дешёвая сига́ра; ~ odds большо́е нера́венство ста́вок; нера́вные ша́нсы; L. Tom a) дальнобо́йная пу́шка; б) *sl.* дли́нная сига́ра; L. Parliament *ист.* До́лгий парла́мент; in the ~ run в конце́ концо́в; в коне́чном счёте; to make a ~ story short коро́че говоря́; ~ price непоме́рная цена́; ~ shillirgs хоро́ший за́работок; ~ dozen трина́дцать, чёртова дю́жина; ~ in the teeth ста́рый;

2. *adv* 1) до́лго; as ~ as пока́; stay for as ~ as you like остава́йтесь сто́лько, ско́лько вам бу́дет уго́дно; ~ live... да здра́вствует...; 2) давно́; до́лгое вре́мя *(перед, спустя)*; ~ before задо́лго до; ~ after до́лгое вре́мя спустя́; ~ since уже́ давны́м-давно́; 3): all day (night) ~ весь день (всю ночь) напролёт; his life ~ в тече́ние всей его́ жи́зни, всю его́ жизнь; ◇ so ~ до свида́ния;

3. *n* до́лгий срок, до́лгое вре́мя; for ~ надо́лго; before ~ ско́ро; вско́ре; will not take ~ не займёт мно́го вре́мени; ◇ the ~ and the short of it коро́че говоря́, сло́вом; the ~ = ~ vacation [*см.* I, 1, 2)].

long II [lɔŋ] *v* 1) стра́стно жела́ть *(чего-л.)*, стреми́ться (to, for—к *чему-л.*); 2) тоскова́ть.

long-ago ['lɔŋə'gou] 1. *n* далёкое про́шлое; да́вние времена́.

2. *a* давнопроше́дший, далёкий.

longanimity [,lɔŋgə'nimiti] *n редк.* долготерпе́ние.

long-billed ['lɔŋ'bild] *a* с дли́нным козырько́м *(о шляпе)*.

longboat ['lɔŋbout] *n* барка́с *(на парусном судне)*.

long-bow ['lɔŋbou] *n* большо́й лук *(оружие)*; ◇ to draw *(или* to pull) the ~ расска́зывать небыли́цы; преувели́чивать.

long-distance ['lɔŋ'distəns] 1. *a* да́льний, отдалённый; ~ call междугоро́дный *или* междунаро́дный телефо́нный разгово́р; ~ telephone service междугоро́дное *или* междунаро́дное телефо́нное сообще́ние; ~ transmission да́льняя радиопереда́ча;

2. *n* междугоро́дная ста́нция.

long-drawn(-out) ['lɔŋ'drɔːn(aut)] *a* затяну́вшийся, продолжи́тельный.

longer ['lɔŋgə] *сравнит. ст. от* long I, 1 *и* 2; wait a while ~ подожди́те ещё немно́го; I shall not wait (any) ~ не бу́ду бо́льше ждать.

longeron ['lɔndʒərən] *n (обыкн. pl) ав.* лонжеро́н.

longest ['lɔŋgist] *превосх. ст. от* long I, 1 *и* 2; (a week) at ~ са́мое бо́льшее (неде́лю).

longevity [lɔn'dʒeviti] *n* долгове́чность.

longevous [lɔn'dʒiːvəs] *a* долгове́чный.

long-hair, long-haired ['lɔŋhɛə, 'lɔŋ'hɛəd] *a разг.* серьёзный *(обыкн. о музыке)*.

longhand ['lɔŋhænd] *n* обыкнове́нное письмо́ *(противоп.* shorthand).

long-headed ['lɔŋ'hedid] *a* 1) длинноголо́вый, долихоцефа́льный; 2) *разг.* проница́тельный, предусмотри́тельный, хи́трый.

long hundredweight ['lɔŋ'hʌndrədweit] *n* английский це́нтнер *(112 фунтов = 50,8 кг)*.

longing ['lɔŋiŋ] 1. *pres. p. от* long II;

2. *n* си́льное, стра́стное жела́ние, стремле́ние;

3. *a* си́льно, стра́стно жела́ющий; ~ look горя́щий жела́нием взгляд.

longitude ['lɔndʒitjuːd] *n* 1) *геогр.* долгота́; 2) *шутл.* длина́.

longitudinal [,lɔndʒi'tjuːdinl] 1. *a* 1) продо́льный; ~ section продо́льное сече́ние; 2) *геогр.* по долготе́;

2. *n* 1) *стр.* продо́льный брус; продо́льная ба́лка; продо́льный элеме́нт констру́кции; 2) *ав.* лонжеро́н.

long lease ['lɔŋliːs] *n* долгосро́чная аре́нда.

long-lived ['lɔŋ'livd] *a* долгове́чный.

long-player ['lɔŋ'pleiə] = long-playing record.

long-playing record ['lɔŋpleiiŋ'rekɔːd] *n* долгоигра́ющая пласти́нка.

long-play record ['lɔŋplei'rekɔːd] = long-playing record.

long-primer ['lɔŋ'primə] *n полигр.* ко́рпус.

long-range ['lɔŋ'reindʒ] *a* да́льнего де́йствия; дальнобо́йный; ~ rocket раке́та да́льнего де́йствия; ~ thinking заблаговре́менное обду́мывание; ~ policy поли́тика да́льнего прице́ла.

longshoreman ['lɔŋʃɔːmən] *n* 1) портово́й гру́зчик; 2) прибре́жный рыба́к; 3) *разг.* челове́к, живу́щий случа́йной рабо́той на морски́х куро́ртах.

long-sighted ['lɔŋ'saitid] *a* 1) дальнозо́ркий; 2) дальнови́дный.

longspun ['lɔŋ'spʌn] *a* растя́нутый, ску́чный.

long-standing ['lɔŋ'stændiŋ] *a* давни́шний.

long-suffering ['lɔŋ'sʌfəriŋ] 1. *n* долготерпе́ние;

2. *a* долготерпели́вый; многострада́льный.

long-term ['lɔŋ'təːm] *a* долгосро́чный; ~ bond *или* note обяза́тельство сро́ком не ме́нее чем на два го́да.

long-time ['lɔŋ'taɪm] = long-term.

long ton ['lɔŋ'tʌn] = gross ton.

long-tongued ['lɔŋ'tʌŋd] *a* болтли́вый, име́ющий дли́нный язы́к.

longueurs [,lɔːŋ'gəːz] *фр. n pl* длиннóты.

longwall system ['lɔŋwɔl'sɪstɪm] *n* горн. сплошнóй забóй.

longways ['lɔŋweɪz] *adv* в длину́.

long-winded ['lɔŋ'wɪndɪd] *a* 1) с хорóшими лёгкими, могу́щий дóлго бежáть *или* кричáть, не задыхáясь; 2) многоречи́вый, скýчный.

longwise ['lɔŋwaɪz] = longways.

loo [luː] *n* мýшка (*карт. игра*).

looby ['luːbɪ] *n* ду́рень; полоу́мный.

looey ['luːɪ] *сокр. от* lieutenant.

loofah ['luːfɑː] *n бот.* люфá.

look [luk] **1.** *n* 1) взгляд; to have (*или* to take) a ~ посмотрéть на; ознакóмиться с; to cast a ~ брóсить взгляд, посмотрéть; to steal a ~ укрáдкой посмотрéть; 2) (*часто pl*) выражéние (*глаз, лица*); a vacant ~ отсу́тствующий взгляд; 3) вид, нару́жность; good ~s красотá; миловúдность; I don't like the ~ of him мне не нрáвится егó вид; ◇ affairs took on an ugly ~ делá пошли́ плóхо; upon the ~ в пóисках; not to have a ~ in with smb. быть ху́же, чем кто-л., не сравни́ться с кем-л.;

**2.** *v* 1) смотрéть, глядéть; осмáтривать; *перен.* быть внимáтельным, следи́ть; to ~ ahead смотрéть вперёд (*в будущее*); ~ ahead! береги́сь!; осторóжно!; to ~ through blue coloured (rose coloured) glasses ви́деть всё в непривлекáтельном (привлекáтельном) свéте; to ~ things in the face смотрéть опáсности в глазá; 2) *как глагол-связка в составном именном сказуемом* вы́глядеть, казáться; to ~ well (ill) вы́глядеть хорошó (плóхо); to ~ big принимáть вáжный вид; to ~ small имéть глу́пый вид; to ~ like вы́глядеть как, похóдить на, быть похóжим на; it ~s like raining похóже, что бу́дет дождь; to ~ one's age вы́глядеть не стáрше свои́х лет; to ~ black вы́глядеть мрáчным, серди́тым; хму́риться; to ~ blue вы́глядеть уны́лым; to ~ oneself again приня́ть обы́чный вид, опрáвиться; 3) выражáть (*взгля́дом, ви́дом*); he ~ed his thanks весь егó вид выражáл благодáрность; 4) выходи́ть на..., быть обращённым на...; my room ~s south моя́ кóмната выхóдит на юг; ◇ ~ about а) огля́дываться по сторонáм; б) осмáтриваться, ориенти́роваться; ~ after а) следи́ть глазáми, взгля́дом; б) присмáтриваться заботиться о; ~ at а) смотрéть на что-л., на когó-л.; б) посмотрéть (,в чём дéло), провéрить; one's way of ~ing at things чьи-л. взгля́ды, чья-л. манéра смотрéть на вéщи; ~ down а) смотрéть свысокá, презирáть (on, upon); б) *ком.* пáдать (*в ценé*); ~ for а) искáть; б) ожидáть, надéяться на; ~ forward ожидáть (to); предвкушáть (to); ~ in заглянýть к кому-л.; ~ into а) загля́дывать; б) исслéдовать; ~ on а) наблюдáть; б) = ~ upon; ~ out а) быть насторожé; б) ~ out! осторóжнее!, береги́сь!; б) имéть вид, выходи́ть

(on, over—на что-л.); в) поды́скивать; to ~ out for a house присмáтривать (для поку́пки) дом; ~ over а) просмáтривать; б) не замéтить; в) прости́ть; ~ round а) огля́дываться кругóм; б) взвéсить всё (*прежде чем дéйствовать*); ~ through а) смотрéть в (окно и т. п.); б) просмáтривать что-л.; в) ви́деть когó-л. насквóзь; ~ to а) забóтиться о, следи́ть за; ~ to it that this doesn't happen again смотри́те, чтобы э́то не повтори́лось; б) рассчи́тывать на; в) надéяться на; г) стреми́ться, быть напрáвленным к чему-л., на что-л.; имéть склóнность к чему-л.; д) укáзывать на; the evidence ~s to acquittal су́дя по свидéтельским показáниям, егó оправдáют; ~ toward = ~ to г); ~ towards: I ~ towards you *разг.* пью за вáше здорóвье; ~ up а) смотрéть вверх, поднимáть глазá; to ~ up and down смéрить взгля́дом; to ~ up to smb. смотрéть почти́тельно на когó-л.; уважáть когó-л.; счита́ться с кем-л.; б) искáть (*что-л. в справочнике*); в) улучшáться (*о делах*); г) повышáться (*в ценé*); д) навещáть когó-л.; ~ upon смотрéть как на, счита́ть за; he was ~ed upon as an authority на негó смотрéли как на авторитéт, егó счита́ли авторитéтом; ◇ to ~ alive спеши́ть, торопи́ться; ~ alive! живéй!; ~ before you leap не бу́дьте опромéтчивы; ~ here! послу́шайте!; ~ sharp! живéй!; смотри́(те) в óба!; to ~ at home обрати́ться к своéй сóвести, заглянýть себé в ду́шу; to ~ at him су́дя по егó ви́ду.

looker ['lukə] *n* 1) наблюдáтель; 2) *амер. разг.* красáвец; красáвица.

looker-on ['lukər'ɔn] *n* (*pl* ~s-on) зри́тель, наблюдáтель; ◇ lookers-on see most of the game ≅ со стороны́ виднéе.

lookers-on ['lukəz'ɔn] *pl от* looker-on.

look-in ['luk'in] *n* 1) взгляд мéльком; 2) корóткий визи́т; 3) шанс; to have a ~ *спорт. разг.* имéть шáнсы на успéх.

looking-for ['lukiŋfɔː] *n* 1) пóиски; 2) ожидáния, надéжды.

looking-glass ['lukiŋglɑːs] *n* зéркало.

look-out ['luk'aut] *n* 1) бди́тельность, насторожённость; to be on the ~ быть насторожé (for); 2) наблюдáтельный пункт; 3) наблюдáтель; вáхта; дозóрные; 4) вид; a wonderful ~ over the sea чудéсный вид нá море; 5) ви́ды, шáнсы; ◇ that's my ~ э́то моё дéло.

look-see [,luk'siː] *n sl.* 1) бéглый взгляд *или* просмóтр; 2) *мор.* периско́п; 3) бинóкль.

loom I [luːm] *n* 1) ткáцкий станóк; 2) валёк веслá; 3) *уст.* ору́дие, инструмéнт; 4) *шотл.* откры́тый сосу́д (*ведрó, бадья́ и т. п.*).

loom II [luːm] **1.** *n* 1) очертáния (*неясные или преувеличенные*); 2) тень;

**2.** *v* 1) нея́сно вырисóвываться; мая́чить; 2) принимáть преувели́ченные, угрожáющие размéры (*тж.* ~ large).

loon I [luːn] *n шотл.* 1) неотёсанный человéк, деревéнщина; 2) пáрень.

loon II [luːn] *n* поля́рная гагáра.

loony ['luːnɪ] (*сокр. от* lunatic) *sl.* **1.** *n* сумасшéдший, помéшанный;

**2.** *a* сумасшéдший, безу́мный.

**loop** [luːp] **1.** *n* 1) пётля; *ав.* (мёртвая) пётля; 2) *физ.* пучность (волны); 3) *эл.* виток, контур; 4) *тех.* крюк, бугель, хомут, скобка; 5) *ж.-д.* ветка (снова соединяющаяся с главной магистралью); 6) *анат.* ганглий, нервный узел;
**2.** *v* делать петлю, закреплять петлей; to ~ the ~ *ав.* делать мёртвую петлю.

**loop-aerial** [ˈluːpˈɛərɪəl] *n* радио рамочная антенна.

**loop-hole** [ˈluːphoul] **1.** *n* 1) бойница, амбразура; 2) лазейка, увертка;
**2.** *v* проделывать бойницы.

**looping** [ˈluːpɪŋ] **1.** *pres. p. от* loop 2; **2.** *n ав.* петля.

**loop-light** [ˈluːplaɪt] *n* маленькое, узкое окно.

**loop-line** [ˈluːplaɪn] = loop 1, 5).

**loopy** [ˈluːpɪ] *a* 1) имеющий петли; 2) *sl.* сумасшедший; 3) *шотл.* хитрый.

**loose** [luːs] **1.** *a* 1) свободный; to break ~ вырваться на свободу; сорваться с цепи; to come ~ развязаться; отделиться; to let ~ освобождать; давать волю (воображению, гневу и т. п.); 2) ненатянутый; (to ride) with a ~ rein (обращаться) мягко, без строгости; 3) просторный, широкий (об одежде); 4) неточный, неопределённый, слишком общий; ~ translation а) вольный перевод; б) небрежный, неточный перевод; 5) небрежный, неряшливый; 6) распущенный, беспринципный; ~ beggar распущенный человек; ~ morals распущенные нравы; 7) неплотный (о ткани); рыхлый (о почве); 8) несвязанный, плохо упакованный; не упакованный в ящик, коробку; 9) не(плотно) прикреплённый; болтающийся, шатающийся; расхлябанный; обвислый; ~ end свободный конец (каната, троса и т. п.); ~ leaf вкладной лист; 10) откидной; 11) *тех.* холостой; ◇ ~ bowels склонность к поносу; to sit ~ to smth. не проявлять интереса к чему-л.; at a ~ end а) без определённой работы, без дела; б) в беспорядке;
**2.** *adv* свободно и пр. [см. 1];
**3.** *v* 1) освобождать, давать волю; to ~ one's hold of smth. выпустить что-л. из рук; wine ~d his tongue вино развязало ему язык; 2) развязывать, отвязывать; распускать (волосы), открывать (задвижку); 3) ослаблять, делать просторнее (пояс и т. п.); 4) выстрелить (тж. ~ off); 5) *церк.* отпускать грехи;
**4.** *n* 1): to give (a) ~ (to) дать волю (чувству); 2): to be on the ~ кутить, вести беспутный образ жизни.

**loose box** [ˈluːsbɔks] *n* денник (для лошади).

**loose-leaf** [ˈluːsˈliːf] *a* со свободными, отрывными листами (о блокноте и т. п.).

**loosely** [ˈluːslɪ] *adv* свободно и пр. [см. loose 1].

**loosen** [ˈluːsn] *v* 1) ослаблять(ся), становиться слабым; to ~ discipline ослаблять дисциплину; 2) развязывать; 3) расшатывать (зуб и т. п.); 4) вызывать действие (кишечника); 5) разрыхлять; 6) *тех.* отпускать.

**loosener** [ˈluːsnə] *n* слабительное.

**looseness** [ˈluːsnɪs] *n* 1) слабость и пр. [см. loose 1]; 2) *разг.* понос.

**loosestrife** [ˈluːsstraɪf] *n бот.* 1) вербейник; 2) дербенник.

**loot I** [luːt] **1.** *n* 1) добыча; награбленное; 2) ограбление;
**2.** *v* грабить; уносить (как) добычу.

**loot II** [luːt] *n амер. sl.* лейтенант.

**loo-table** [ˈluːˌteɪbl] *n* род круглого стола.

**lop I** [lɔp] **1.** *n* мелкие ветки, сучья (особ. отрубленные);
**2.** *v* 1) обрубать, подрезать ветви, сучья; 2) очищать дерево от сучьев (обыкн. ~ off, ~ away); 3) обкарнать; 4) отрубить; 5) урезывать, сокращать.

**lop II** [lɔp] *v* 1) свисать; 2) двигаться неуклюже, прихрамывая; □ ~ about шататься, слоняться.

**lop III** [lɔp] *n мор.* зыбь.

**lope** [loup] **1.** *n* бег вприпрыжку, прыжки, скачки (особ. о животных);
**2.** *v* бежать вприпрыжку (особ. о животных).

**lop-eared** [ˈlɔpɪəd] *a* вислоухий.

**loppings** [ˈlɔpɪŋz] *n pl* обрубленные сучья.

**loppy** [ˈlɔpɪ] *a* (свободно) свисающий.

**lop-sided** [ˈlɔpˈsaɪdɪd] *a* кривобокий; наклонённый, накренённый.

**loquacious** [louˈkweɪʃəs] *a* 1) болтливый, говорливый; 2) журчащий.

**loquacity** [louˈkwæsɪti] *n* болтливость.

**loquitur** [ˈlɔkwɪtə] *лат. v* говорит (ремарка).

**lor** [lɔː] *int разг.* (сокр. от lord 1): о, lor! о боже! (выражение удивления, досады и т. п.).

**lord** [lɔːd] **1.** *n* 1) господин, владыка, повелитель; властитель; феодальный сеньор; ~ of the manor владелец поместья; the ~ of the harvest а) фермер, которому принадлежит урожай; б) главный жнец; ~s of creation а) поэт. человеческий род; б) шутл. мужчины (в противоположность женщинам); 2) лорд, пэр, член палаты лордов; the Lords spiritual епископы—члены палаты лордов; the Lords temporal светские члены палаты лордов; my ~ [mɪˈlɔːd] милорд (официальное обращение к пэрам, епископам, судьям верховного суда); 3): (the) Lords палата лордов; 4) магнат, король (промышленности); the cotton ~s хлопчатобумажные магнаты; 5) поэт., шутл. муж, супруг (тж. ~ and master); 6) господь бог (обыкн. the L.); our Lord Христос; the Lord's day воскресенье; the Lord's prayer отче наш (молитва); the Lord's supper а) тайная вечеря; б) причастие, евхаристия; Lord's table алтарь;
**2.** *v* 1) давать титул лорда; 2) титуловать лордом; 3): to ~ it (over) строить, разыгрывать лорда, важничать; вести себя самовластно; he will not be ~ed over он не позволит, чтобы им понукали.

**Lord Lieutenant** [ˈlɔːdlefˈtenənt] *n* 1) глава судебной и исполнительной власти в графстве; 2) генера́л-губерна́тор О́лстера (*Сев. Ирла́ндия*); вице-коро́ль Ирла́ндии (*до 1922 г.*).

**lordliness** [ˈlɔːdlɪnɪs] *n* 1) великоле́пие, пы́шность; 2) высокоме́рие; 3) ще́дрость.

**lordly** [ˈlɔːdlɪ] 1. *a* 1) прису́щий ло́рду, ба́рственный; 2) роско́шный, пы́шный; 3) го́рдый, высокоме́рный, надме́нный; 4) ще́дрый;

2. *adv* 1) как подоба́ет ло́рду, по-ба́рски; 2) го́рдо.

**Lord Mayor** [ˈlɔːdˈmɛə] *n* лорд-мэ́р; ~'s Day 9 ноября́ (*день вступле́ния в до́лжность ло́ндонского лорд-мэ́ра*); ~'s show пы́шная проце́ссия в день вступле́ния в до́лжность.

**Lord Provost** [ˈlɔːdˈprɔvəst] *n* лорд-мэ́р больши́х шотла́ндских городо́в.

**Lord Rector** [ˈlɔːdˈrektə] *n* почётный ре́ктор в шотла́ндских университе́тах.

**lordship** [ˈlɔːdʃɪp] *n* 1) *ист.* власть феода́льного ло́рда; 2) *ист.* поме́стье ло́рда, ма́нор; 3) власть (over—над); 4): your ~ ≅ ва́ша све́тлость (*официа́льное обраще́ние к ло́рдам и су́дьям*).

**lore** I [lɔː] *n* 1) зна́ния и све́дения; bird ~ орнитоло́гия; 2) *уст.* уче́ние; 3) *уст.* эруди́ция.

**lore** II [lɔː] *n* зоол. простра́нство ме́жду гла́зом и клю́вом (*у птиц*).

**lorgnette** [lɔːˈnjet] *ф.р.* *n* 1) лорне́т; 2) театра́льный бино́кль.

**loricate** [ˈlɔrɪkeɪt] *a* зоол. снабжённый защи́тным покро́вом, рогов́ыми чешу́йками *и т. п.*

**lorikeet** [ˈlɔrɪˈkiːt] *n* небольшо́й попуга́й (*поро́ды ло́ри*).

**lorn** [lɔːn] *a поэт.*, *тж. шутл.* поки́нутый, осироте́лый, несча́стный.

**lorry** [ˈlɔrɪ] 1. *n* 1) грузово́й автомоби́ль, грузови́к (*тж.* motor ~); 2) *ж.-д.* платфо́рма; 3) теле́га, пол́ок; подво́да;

2. *v* путеше́ствовать *или* перевози́ть на грузовика́х, автомоби́лях.

**lorry-hop** [ˈlɔrɪhɔp] *v* путеше́ствовать, по́льзуясь беспла́тно попу́тными автомоби́лями.

**lory** [ˈlɔrɪ] *n* ло́ри (*попуга́й*).

**lose** [luːz] *v* (lost) 1) теря́ть, лиша́ться, утра́чивать (*сво́йство, ка́чество*); to ~ one's head сложи́ть го́лову на пла́хе; *перен.* потеря́ть го́лову; to ~ one's temper рассерди́ться, потеря́ть самооблада́ние; to be lost to (all) sense of duty (shame) (соверше́нно) потеря́ть чу́вство до́лга (стыда́); to be lost upon smb. пропада́ть, не достига́ть це́ли в отноше́нии кого́-л.; your kindness is lost upon him он не понима́ет, не це́нит ва́шей доброты́; to ~ one's way заблуди́ться; to ~ ground a) отстава́ть; б) нести́ поте́ри (*обыкн.* постепе́нно; I've quite lost my cold у меня́ совсе́м прошёл на́сморк; to ~ altitude теря́ть высоту́ (*о самолёте*); to ~ (all) track (of) потеря́ть след, ориента́цию; to ~ touch with потеря́ть связь, конта́кт с; to ~ упусти́ть, не воспо́льзоваться; there is not a moment to ~ нельзя́ теря́ть ни мину́ты; to ~ по time in doing smth. де́йствовать немед-

ленно; 3) прои́грывать; to ~ a bet проигра́ть пари́; 4) вызыва́ть поте́рю, сто́ить (*чего-л.*); лиша́ть (*чего-л.*); it will ~ me my place э́то лиши́т меня́ ме́ста, э́то бу́дет сто́ить мне ме́ста; 5) *pass.* поги́бнуть; исче́знуть, пропа́сть; не существова́ть бо́льше; the ship was lost on the rocks кора́бль разби́лся о ска́лы; 6) пропусти́ть, недослы́шать, не разгляде́ть; to ~ one's train опозда́ть на по́езд; to ~ the end of a sentence не услы́шать конца́ фра́зы; 7) *refl.* заблуди́ться; to ~ oneself in smth. глубоко́ погрузи́ться во что-л.; 8) отстава́ть (*о часа́х*); 9) забыва́ть; ◇ to ~ sleep over smth. лиши́ться сна из-за чего́-л.; огорча́ться по по́воду чего́-л., упо́рно ду́мать о чём-л.

**loser** [ˈluːzə] *n* теря́ющий, прои́грывающий; прои́гравший; a good ~ переноси́щий прои́грыш ве́село, бо́дро; to come off a ~ проигра́ть, оста́ться в про́игрыше; to be a ~ by smth. потеря́ть на чём-л.; потерпе́ть уще́рб от чего́-л.

**losing** [ˈluːzɪŋ] 1. *pres. p. от* lose;

2. *n* 1) про́игрыш; 2) *pl* поте́ри в игре́, спекуля́ции *и т. п.*;

3. *a* про́игрышный; to play a ~ game идти́ на ве́рный про́игрыш.

**loss** [lɔs] *n* 1) поте́ря, утра́та; ~ of one's eyesight поте́ря зре́ния; to have a ~, to meet with a ~ понести́ поте́рю; 2) уро́н; про́игрыш; убы́ток; уще́рб; to sell at a ~ продава́ть в убы́ток; dead ~ чи́стый убы́ток; 4) *тех.* уга́р; ~ in yarn *текст.* уга́р; 5) *воен. pl* поте́ри; ~ of life поте́ри в лю́дях, поте́ри уби́тыми; to suffer (*или* to sustain) ~es понести́ поте́ри; 6) *attr.*: ~ replacement *амер.* пополне́ние поте́рь; ◇ to be at a ~ а) быть в затрудне́нии, в недоуме́нии; he was at a ~ for words он не мог найти́ слов; б) *охот.* потеря́ть след.

**lost** [lɔst] 1. *past и p. p. от* lose;

2. *a* поте́рянный *и пр.* [*см.* lose]; ~ effort напра́сное уси́лие; to give smb. up for ~ счита́ть кого́-л. поги́бшим; ◇ the Lost and Found бюро́ нахо́док.

**lot** [lɔt] 1. *n* 1) жре́бий; *перен.* у́часть, до́ля, судьба́; to cast (to draw) ~s броса́ть (тяну́ть) жре́бий; to settle by ~ реши́ть жеребьёвкой; to cast (*или* to throw) in one's ~ with smb. связа́ть, раздели́ть (свою́) судьбу́ с кем-л.; the ~ fell upon me жре́бий пал на меня́; 2) уча́сток (земли́); across ~s напрямя́к, кратча́йшим путём; parking ~ стоя́нка автомаши́н; 3) вещь, продава́емая на аукцио́не, *или* не́сколько предме́тов, продава́емых одновреме́нно; 4) *разг.* гру́ппа, ку́чка (люде́й); компа́ния; 5) мно́го, ма́сса; a ~ (of), ~s of у́йма, мно́го; мно́гие; ~s and ~s of *разг.* грома́дное коли́чество, ма́сса; 6) па́ртия (*изде́лий*); 7) нало́г, по́шлина; 8) террито́рия киносту́дии; ◇ a bad ~ дурно́й, плохо́й челове́к;

2. *v* 1) дели́ть, дроби́ть на уча́стки, ча́сти (*ча́сто* ~ out); 2) *редк.* броса́ть жре́бий; 3) сортирова́ть, подбира́ть; составля́ть спи́сок, катало́г; 4) *амер. разг.* рассчи́тывать (оп, упон—на *что-л.*);

3. *adv* гора́здо, намно́го; a ~ better гора́здо лу́чше; a ~ more гора́здо бо́льше.

**Iota(h)** ['louɑː] *n англо-инд.* небольшой медный кувшин (*шаровидной формы*).

**loth** [louθ] = loath.

**Lothario** [lou'θɑːriou] *n* (*pl* -os[-ouz]) повеса, волокита (*тж.* gay ~).

**lotion** ['louʃən] *n* 1) примочка; жидкое косметическое средство; 2) *уст.* умывание; 3) *sl.* спиртной напиток.

**lotos** ['loutəs] = lotus.

**lottery** ['lɔtəri] *n* лотерея.

**lotto** ['lɔtou] *n* лото.

**lotus** ['loutəs] *n* лотос.

**lotus-eater** ['loutəs,iːtə] *n* 1) праздный мечтатель; 2) человек, живущий в своё удовольствие.

**lotus-land** ['loutəslænd] *n* сказочная страна изобилия и праздности.

**loud** [laud] 1. *a* 1) громкий; звучный; 2) шумный; шумливый; крикливый; 3) кричащий (*о красках, наряде и т. п.*); 2. *adv* громко.

**loud-hailer** ['laud,heilə] *n* звукоусилитель.

**loudly** ['laudli] *adv* 1) громко, шумно; громогласно; 2) кричаще.

**loudmouth** ['laudmauθ] *n разг.* крикун.

**loudmouthed** ['laud,mauθt] *a разг.* громкий, крикливый.

**loud speaker** ['laud'spiːkə] *n радио* громкоговоритель; репродуктор.

**lough** [lɔk] *n ирл.* озеро; залив.

**lounge** [laundʒ] 1. *n* 1) праздное времяпрепровождение; 2) ленивая походка; 3) комната *или* место отдыха; 4) кресло; шезлонг; диван; 5) = lounge suit; 2. *v* 1) сидеть развалясь; стоять, опираясь на что-л.; 2) лениво бродить, бездельничать (*тж.* ~ about); to ~ away one's life (time) праздно проводить жизнь (время).

**lounger** ['laundʒə] *n* праздношатающийся (человек).

**lounge suit** ['laundʒ,sjuːt] *n* пиджачный костюм.

**loupe** [luːp] *n* лупа, увеличительное стекло.

**lour** ['lauə] = lower II.

**louse** 1. *n* [laus] (*pl* lice) вошь; 2. *v* [lauz] искать *или* вычёсывать вшей.

**lousiness** ['lauzinis] *n* вшивость, завшивленность.

**lousy** ['lauzi] *a* 1) вшивый; 2) *груб.* низкий, отвратительный; паршивый; 3) *sl.*: ~ with smth. полный, переполненный чем-л.; to be ~ with ≅ кишмя кишеть; ~ with money богатый.

**lout** [laut] 1. *n* неуклюжий, неотёсанный человек, деревенщина; 2. *v уст.* кланяться; выражать почтение.

**loutish** ['lautiʃ] *a* грубый, неотёсанный.

**louver, louvre** ['luːvə] *n* 1) *pl* жалюзи; 2) башенка на крыше для вентиляции (*в средневековой архитектуре*); 3) *уст., диал.* вытяжное отверстие; отверстие вытяжной трубы.

**lovable** ['lʌvəbl] *a* привлекательный, милый.

**love** [lʌv] 1. *n* 1) любовь (of, for, to, towards); there's no ~ lost between them

они недолюбливают друг друга; ~ in a cottage ≅ рай в шалаше; 2) влюблённость; to be in ~ (with) быть влюблённым (в); to fall in ~ (with) влюбиться (в); to fall out of ~ with smb. разлюбить кого-л.; to make ~ to a) ухаживать за; б) добиваться физической близости; 3) любовная интрига; 4) предмет любви; дорогой, дорогая, возлюбленный, возлюбленная (*особ. в обращении* my ~); 5) *миф.* амур, купидон; 6) что-л. привлекательное; a regular ~ of a kitten прелестный котёнок; 7) *спорт.* нуль; won by four goals to ~ выиграно со счётом 4 : 0; ~ all счёт 0 : 0; ~ game «сухая»; ◇ for the ~ of ради, во имя; for the ~ of Mike ≅ ради бога; not for ~ or money, not for the ~ of Mike ни за что, ни за какие деньги, ни за какие коврижки; to give (to send) one's ~ to smb. передавать (посылать) привет кому-л.; for ~ of the game из любви к искусству; to play for ~ играть не на деньги; 2. *v* 1) любить; 2) хотеть, желать; I'd ~ to go я бы пошёл с удовольствием.

**love-affair** ['lʌvə,fɛə] *n* любовная интрига, любовное похождение.

**love-apple** ['lʌv,æpl] *n* помидор.

**love-bird** ['lʌvbəːd] *n* небольшой попугай.

**love-child** ['lʌvtʃaild] *n* дитя любви (*о внебрачном ребёнке*).

**love-favour** ['lʌv,feivə] *n* подарок в знак любви.

**love-in-a-mist** ['lʌvinə'mist] *n бот.* чернушка дамасская.

**love-in-idleness** ['lʌvin'aidlnis] *n бот.* фиалка трёхцветная, анютины глазки.

**Lovelace** ['lʌvleis] *n* ловелас, волокита (*по имени героя из романа Ричардсона «Кларисса Харлоу»*).

**loveless** ['lʌvlis] *a* нелюбящий; нелюбимый; без любви (*о браке*).

**love-letter** ['lʌv,letə] *n* любовное письмо.

**love-lies-bleeding** ['lʌvlaiz'bliːdiŋ] *n бот.* амарант хвостатый, щирица хвостатая.

**loveliness** ['lʌvlinis] *n* красота; миловидность; очарование, прелесть.

**lovelock** ['lʌvlɔk] *n* локон, спускающийся на лоб *или* на щёку.

**love-lorn** ['lʌvlɔːn] *a* 1) страдающий от безнадёжной любви; 2) покинутый (*любимым человеком*).

**lovely** ['lʌvli] 1. *a* 1) красивый, прекрасный; *разг.* восхитительный; 2) *амер.* привлекательный, милый; 2. *n разг.* красотка (*на журнальной обложке*).

**love-making** ['lʌv,meikiŋ] *n* 1) ухаживание; 2) физическая близость.

**love-match** ['lʌvmætʃ] *n* брак по любви.

**lover** ['lʌvə] *n* 1) любовник; возлюбленный; *pl* влюблённые; 2) любитель (*чего-л.*); поклонник; 3) приверженец; ~s of peace сторонники мира; 4) *уст.* друг, доброжелатель.

**love-seat** ['lʌvsiːt] *n* кресло, вмещающее двоих.

**lovesick** ['lʌvsik] *a* томящийся от любви.

**love-story** ['lʌvˌstɔːrɪ] *n* любо́вная исто́рия, расска́з, рома́н о любви́.

**loveworthy** ['lʌvˌwəːðɪ] *a* досто́йный любви́.

**loving** ['lʌvɪŋ] 1. *pres. p. от* love 2; 2. *a* лю́бящий, не́жный, пре́данный.

**loving-cup** ['lʌvɪŋˈkʌp] *n* кругова́я ча́ша.

**low I** [lou] 1. *n* мыча́ние; 2. *v* мыча́ть.

**low II** [lou] 1. *a* 1) ни́зкий, невысо́кий; ~ tide, ~ water ма́лая вода́; отли́в; 2) сла́бый; пода́вленный; пони́женный; ~ pulse сла́бый пульс; ~ spirits пода́вленность, уны́ние; to feel ~ чу́вствовать себя́ пода́вленным; to bring ~ подавля́ть; унижа́ть; 3) ни́зкого происхожде́ния; 4) небольшо́й, недоста́точный; ~ wages ни́зкая за́работная пла́та; 5) с глубо́ким вы́резом, с больши́м декольте́ (*о платье*); 6) ску́дный, недоста́точный (*о диете*); 7) истощённый, опустошённый (*о запасах, кошельке*); ~ supply недоста́точное снабже́ние; in ~ supply дефици́тный; to run ~ истоща́ться (*о запасах*); 7) ти́хий, негро́мкий (*о голосе*); ни́зкий (*о ноте*); ~ whisper ти́хий шёпот; 8) *биол.* ни́зший; невысокоразви́тый; 9) вульга́рный, гру́бый; ни́зкий, по́длый; непристо́йный; ~ comedy коме́дия, грани́чащая с фа́рсом; 10) плохо́й, скве́рный; to form a ~ opinion of smb. соста́вить себе́ плохо́е мне́ние о ком-л., быть невысо́кого мне́ния о ком-л.; ◇ in ~ water на мели́, без де́нег; Low Sunday *церк.* Фомино́ воскресе́нье (*первое после пасхи*); to lay ~ а) повали́ть, опроки́нуть; б) уничи́ть; в) похорони́ть; to lie ~ а) лежа́ть мёртвым; б) быть уни́женным; в) *sl.* притаи́ться, выжида́ть;

2. *adv* 1) ни́зко; to bow ~ ни́зко кла́няться; 2) уни́женно; 3) в бе́дности; to live ~ жить бе́дно; 4) сла́бо, ти́хо, чуть; to speak ~ говори́ть ти́хо; to burn ~ горе́ть сла́бо; 5) по ни́зкой цене́, дёшево; to buy ~ купи́ть дёшево; to play ~ игра́ть по ни́зкой ста́вке;

3. *n* 1) (са́мый) ни́зкий у́ровень; 2) о́бласть ни́зкого барометри́ческого давле́ния; 3) пе́рвая ско́рость (*автомобиля*); to put a car in ~ пусти́ть маши́ну на ма́лой ско́рости; 4) *карт.* мла́дший ко́зырь; 5) *спорт.* са́мый ни́зкий счёт.

**low-born** ['lou'bɔːn] *a* ни́зкого происхожде́ния.

**lowboy** ['loubɔɪ] *n амер.* туале́тный сто́лик на ни́зких но́жках с я́щиками.

**low-bred** ['lou'bred] *a* невоспи́танный, неотёсанный.

**lowbrow** ['loubrau] *разг.* 1. *n* малообразо́ванный челове́к; 2. *a* 1) малообразо́ванный; 2) непритяза́тельный.

**lowbrowed** ['lou,braud] *a* 1) низколо́бый; 2) нави́сший (*об утёсе*); 3) с ни́зкой две́рью; 4) тёмный, мра́чный.

**Low Church** ['lou'tʃəːtʃ] *n* направле́ние в англика́нской це́ркви с евангели́ческим укло́ном (*противоп.* High Church).

**Low Countries** ['lou'kʌntrɪz] *n pl* Нидерла́нды.

**low-down** ['loudaun] 1. *a разг.* 1) ни́зкий, бесче́стный; to play a ~ trick сыгра́ть скве́рную, злу́ю шу́тку; 2) гру́бый, вульга́рный;

2. *adv:* to play it ~ вести́ себя́ бесче́стно, посты́дно;

3. *n амер. sl.* све́дения, фа́кты, подного́тная.

**lower I** ['louə] 1. *a* (*сравнит. ст. от* low II, 1) 1) ни́зший; ни́жний; ~ deck ни́жняя па́луба; the ~ deck кома́нда (*на английских судах*); L. Empire *ист.* Восто́чная Ри́мская импе́рия; ~ middle class ме́лкая буржуази́я; ~ orders ни́зшие сосло́вия, кла́ссы; ~ school пе́рвые четы́ре кла́сса в англи́йской сре́дней шко́ле; ~ boy учени́к одного́ из пе́рвых кла́ссов; L. House ни́жняя пала́та (*в двухпала́тном парламе́нте*); ~ regions ад, преиспо́дняя; *шутл.* подва́льный эта́ж; ку́хня, помеще́ние для слуг; ~ world а) земля́; б) ад; 2) неда́вний (*о времени*);

2. *v* 1) спуска́ть (*шлю́пку, па́рус, флаг*); опуска́ть (*глаза́*); снижа́ть(ся) (*о це́нах, зву́ке и т. п.*); уменьша́ть(ся); 3) унижа́ть; 4) разжа́ловать; 5) понижа́ть; 6) *разг.* на́спех съесть, проглоти́ть; to ~ a glass of beer осуши́ть стака́н пи́ва; to ~ a sandwich проглоти́ть бутербро́д.

**lower II** ['lauə] *v* 1) смотре́ть угрю́мо, хму́риться; 2) темне́ть, покрыва́ться ту́чами.

**lowering I** ['lauərɪŋ] 1. *pres. p. от* lower II;

2. *a* тёмный, мра́чный; ~ clouds мра́чные, грозовы́е ту́чи.

**lowering II** ['louərɪŋ] *pres. p. от* lower I, 2.

**lowermost** ['louəmoust] *a* са́мый ни́жний.

**low-flying** ['lou'flaɪɪŋ] *a* летя́щий на небольшо́й высоте́ (*о самолёте*).

**low-grade** ['lou'greɪd] 1. *a* низкосо́ртный; низкопро́бный;

2. *n* поло́гий укло́н.

**low ground** ['lou,graund] *n* ни́зменность, ло́щина.

**lowland** ['louland] *n* (*обыкн. pl*) ни́зкая ме́стность, низи́на, доли́на; the Lowlands ю́жная, ме́нее гори́стая часть Шотла́ндии (*в противоположность* Highlands).

**low life** ['loulaɪf] *n* скро́мный, бе́дный о́браз жи́зни.

**lowlived** ['loulɪvd] *a* 1) бе́дный, захуда́лый; 2) гру́бый, по́шлый.

**lowly** ['loulɪ] 1. *a* 1) занима́ющий ни́зкое *или* скро́мное положе́ние; 2) скро́мный; непритяза́тельный;

2. *adv* скро́мно.

**low-minded** ['lou'maɪndɪd] *a* по́шлый, вульга́рный.

**low-necked** ['lou'nekt] *a* декольти́рованный, с ни́зким вы́резом (*о платье*).

**low-paid** ['lou'peɪd] *a* низкоопла́чиваемый.

**low-pitched** ['lou'pɪtʃt] *a* 1) ни́зкого то́на, ни́зкий (*о звуке*); 2) поло́гий (*о кры́ше*); 3) с ни́зким потолко́м.

**low-powered** ['lou'pauəd] *a тех.* маломо́щный.

**low relief** ['louri'li:f] *n* барельéф.

**low-spirited** ['lou'spiritid] *a* подáвленный, унылый.

**low-water mark** ['lou'wɔːtəmɑːk] *n* нижшая тóчка отлива; *перен.* предéл (*чего-л.*); **to be at** ~ *разг.* быть совершéнно без дéнег; сесть на мель.

**loyal** ['lɔɪəl] *a* вéрный, прéданный, лояльный.

**loyalist** ['lɔɪəlɪst] *n* 1) монархист; 2) верноподданный.

**loyalty** ['lɔɪəltɪ] *n* вéрность, прéданность, лояльность.

**lozenge** ['lɔzɪndʒ] *n* 1) ромб; ромбовидная фигура; косоугóльник; 2) лепёшка, таблéтка.

**L. s. d., £. s. d.** ['eles'diː] *n* 1) фунты стéрлингов, шиллинги и пéнсы (*от лат.* librae, solidi, denarii); 2) *разг.* дéньги; богáтство; it is only a matter of ~ вопрóс тóлько в деньгáх.

**L-square** ['el,skweə] *n* угóльник для черчéния.

**'lt** [lt] *уст. сокр. от* wilt I.

**lubber** ['lʌbə] 1. *n* 1) большóй неуклюжий человéк, увалень; 2) неóпытный моряк;
2. *a* неуклюжий.

**lubberly** ['lʌbəlɪ] 1. *a* неуклюжий;
2. *adv* неуклюже, неумéло.

**lube** [luːb] *n* машинное мáсло (*тж.* ~ oil).

**lubricant** ['luːbrɪkənt] *n* смáзочный материáл, смáзка.

**lubricate** ['luːbrɪkeɪt] *v* 1) смáзывать (*машину и т. п.*); 2) *разг.* «подмáзать».

**lubrication** [,luːbrɪ'keɪʃən] *n* смáзка, смáзывание (*машины*).

**lubricator** ['luːbrɪkeɪtə] *n* 1) смáзчик; 2) смáзочное приспособлéние; маслёнка; лубрикáтор; 3) смáзочное веществó.

**lubricity** [luː'brɪsɪtɪ] *n* 1) смáзочные свóйства, маслянистость; 2) увéртливость, уклóнчивость; непостоянство; 3) похотливость, развращённость.

**lubricous** ['luːbrɪkəs] *a* 1) глáдкий, скóльзкий; 2) увёртливый, уклóнчивый; непостоянный; 3) похотливый.

**luce** [luːs] *n* пресновóдная рыба, преим. щука.

**lucent** ['luːsnt] *a* 1) светящийся; яркий; 2) прозрáчный.

**lucerne** [luː'səːn] *n бот.* люцéрна.

**lucid** ['luːsɪd] *a* 1) ясный, прозрáчный; ~ mind ясный ум; 2) *поэт.* яркий; 3) понятный; 4) ясный; свéтлый; ~ interval а) периóд ясного сознáния, свéтлый промежуток (*при психозе*); б) врéменный просвет в ненáстную погóду.

**lucidity** [luː'sɪdɪtɪ] *n* 1) ясность; прозрáчность; 2) понятность.

**Lucifer** ['luːsɪfə] *n* 1) *миф.* Люцифéр, сатанá; 2) *поэт.* утренняя звездá, планéта Венéра; 3) (l.) *редк.* спичка.

**luck** [lʌk] *n* 1) судьбá, случай; bad (*или* ill) ~ несчáстье, неудáча; good ~ счастливый случай, удáча; rough ~ гóрькая дóля; to try one's ~ рискнуть, попытáть счáстья; to push (*или* to stretch) one's ~ искушáть судьбу; down on one's ~ а) удручённый

невезéнием; б) в несчáстье, в бедé; 2) счáстье, удáча; a great piece of ~ большóе счáстье, большáя удáча; a run of ~ полосá счáстья, удáчи; for ~! на счáстье!; I am in (out of) ~ мне везёт (не везёт); his ~ held счáстье ему улыбнулось; devil's own ~ необыкновéнная удáча; ≅ чертóвски повезлó; you are in ~'s way вам повезлó; ◇ as ill ~ would have it и как нарóчно, как нáзло; as ~ would have it к счáстью или к несчáстью, как повезёт, случáйно; worse ~ к несчáстью.

**luckily** ['lʌkɪlɪ] *adv* к счáстью.

**luckless** ['lʌklɪs] *a* несчастливый, незадáчливый.

**lucky** I ['lʌkɪ] *a* 1) счастливый, удáчный; удáчливый; ~ beggar (*или* devil) счастливец, счастливчик; 2) приносящий счáстье; 3) случáйный.

**lucky** II ['lʌkɪ] *n sl.*: to cut one's ~ удрáть, убрáться (вóвремя), смыться.

**lucky-bag** ['lʌkɪbæg] *n* род лотерéи (*мешок или сосуд, откуда наудáчу вытаскивают что-л.*).

**lucrative** ['luːkrətɪv] *a* прибыльный, выгодный, дохóдный.

**lucre** ['luːkə] *n* прибыль, барыш.

**lucubrate** ['luːkjuːbreɪt] *v* работать, занимáться по ночáм; трудиться усéрдно.

**lucubration** [,luːkjuː'breɪʃən] *n* 1) напряжённая умственная рабóта, занятия по ночáм; 2) тщáтельно отдéланное литерату́рное произведéние; 3) вымученное произведéние.

**luculent** ['luːkjulənt] *a редк.* ясный, убедительный.

**Lucullean, Lucullian** [luː'kʌlɪən] *a:* ~ banquet Лукуллов пир.

**Luddites** ['lʌdaɪts] *n pl ист.* луддиты (*или* леддиты).

**ludicrous** ['luːdɪkrəs] *a* смешнóй, нелéпый, смехотвóрный.

**lues** ['luːiːz] *n мед.* сифилис.

**luff** I [lʌf] 1. *n мор.* перéдняя шкатóрина (*паруса*);
2. *v* 1) *мор.* приводить к вéтру, идти в навéтренную стóрону; 2) *тех.* перемещáть по горизонтáли.

**luff** II [lʌf] *шутл. разг. см.* lieutenant.

**Luftwaffe** ['luft,vɑːfə] *нем. n* люфтваффе (*воздушные силы гитлеровской Германии*).

**lug** I [lʌg] 1. *n* 1) волочéние; 2) дёрганье; 3) *pl амер. разг.* вáжничанье; to put on ~s а) наряжáться; б) вáжничать, держáться высокомéрно;
2. *v* 1) тащить, волочить; 2) сильно дёргать (at); □ ~ in, ~ into вмéшивать; притягивать некстáти; приплетáть ни к селу ни к гóроду; ~ out вытáскивать.

**lug** II [lʌg] *n* 1) *шотл.* ухо; 2) ручка; 3) *тех.* ушкó, проушина, глазóк; 4) *тех.* подстáвка, подвéска, консóль; 5) *тех.* выступ, прилив, утолщéние; бобышка, кулáк; 6) *тех.* хомутик, зажим.

**luggage** ['lʌgɪdʒ] *n* 1) багáж; 2) *attr.* багáжный; ~ space багáжное отделéние; ~ van *ж.-д.* багáжный вагóн.

**luggage office** ['lʌgɪdʒ,ɔfɪs] *n* кáмера хранéния багажá.

**lugger** ['lʌgə] *n* люгер (*небольшое парусное судно*).

**lugubrious** [luː'gjuːbrɪəs] *a* печáльный, мрáчный; трáурный.

**lukewarm** ['luːkwɔːm] *a* 1) тепловáтый; 2) не особенно рéвностный, равнодýшный, вя́лый.

**lull** [lʌl] 1. *n* 1) врéменное затúшье; врéменное успокоéние (*боли*); переры́в (*в разговоре*); 2) *редк.* колыбéльная пéсня; 2. *v* 1) усгокáивать (*боль*); 2) стихáть (*о буре, шуме, боли*); 3) убаю́кивать, укáчивать (*ребёнка*); 4) усыплять (*подозрения*); 5) сумéть внушúть (*что-л.*; into- *кому-л.*).

**lullaby** ['lʌləbaɪ] *n* 1) колыбéльная (пéсня); 2) мя́гкие, успокáивающие звýки (*журчание ручья и т. п.*).

**lulu** ['luːluː] *n амер. sl.* что-л. первоклáссное *или* замечáтельное.

**lumbago** [lʌm'beɪgou] *n мед.* люмбáго, прострéл.

**lumbar** ['lʌmbə] *a* поясничный.

**lumber** I ['lʌmbə] 1. *n* 1) ненýжные громóздкие вéщи, брóшенная мéбель *и т.п.*; хлам; 2) *амер.* брёвна, пиломатериáлы; 3) лúшний жир (*особ. у лошадей*); 4) *attr.*: ~ camp лесозаготóвки, посёлок на лесозаготóвках; 2. *v* 1) загромождáть, свáливать в беспоря́дке (*часто* ~ up); 2) *амер.* валúть и пилúть (*лес*).

**lumber** II ['lʌmbə] 1. *n* громыхáющие звýки; 2. *v* 1) двúгаться тяжелó, неуклю́же; 2) громыхáть (*обыкн.* ~ along, ~ by, ~ past).

**lumberer** ['lʌmbərə] *n амер.* лесорýб.

**lumbering** I ['lʌmbərɪŋ] 1. *pres. p. от* lumber I, 2;
2. *n амер.* 1) рýбка лéса; лесоразрабóтки; 2) торгóвля лéсом.

**lumbering** II ['lʌmbərɪŋ] 1. *pres. p. от* lumber II, 2;
2. *a* 1) двúгающийся тяжелó, шýмно; неуклю́жий; 2) громыхáющий.

**lumberjack** ['lʌmbədʒæk] *n амер.* лесорýб, дровосéк.

**lumberman** ['lʌmbəmən] *n* 1) лесорýб, дровосéк; 2) (*преим. амер.*) лесопромы́шленник; торгóвец лéсом.

**lumber-mill** ['lʌmbəmɪl] *n* лесопúльный завóд.

**lumber-room** ['lʌmbərum] *n* чулáн.

**lumber-yard** ['lʌmbə,jɑːd] *n амер.* леснóй склад.

**lumen** ['luːmen] *n* лю́мен (*единица светового потока*).

**luminary** ['luːmɪnərɪ] *n* светúло.

**luminescence** [,luːmɪ'nesəns] *n* свечéние, люминесцéнция.

**luminescent** [,luːmɪ'nesənt] *a* светя́щийся, люминесцéнтный.

**luminosity** [,luːmɪ'nɔsɪtɪ] *n* я́ркость свéта.

**luminous** ['luːmɪnəs] *a* 1) светя́щийся, свéтлый; ~ body светя́щееся тéло; раскалённое тéло; ~ intensity сúла свéта; ~ efficiency световáя отдáча; 2) проливáющий свет (*на что-л.*); 3) я́сный, поня́тный.

**lummox** ['lʌməks] *n амер. sl.* 1) ýвалень; 2) простáк.

**lummy** ['lʌmɪ] *a sl.* первоклáссный, замечáтельный.

**lump** [lʌmp] 1. *n* 1) глы́ба, ком, крýпный кусóк; a ~ in the throat комóк в гóрле; he is a ~ of selfishness он эгойст до мóзга костéй; 2) большóе колúчество, кýча; to take in (*или* by) the ~ брать óптом, гуртóм; *перен.* рассмáтривать в цéлом; 3) чурбáн; обрýбок; 4) óпухоль, шúшка; 5) неуклю́жий, тупóй человéк; чурбáн; 6) *attr.*: ~ sugar кóлотый *или* пилёный сáхар; 7) *attr.*: ~ sum óбщая сýмма; дéнежная сýмма, выплáчиваемая единоврéменно; крýпная сýмма;
2. *v* 1) брать огýлом, без разбóра; смéшивать в кýчу, в óбщую мáссу (*обыкн.* ~ together, ~ with); 2) тяжелó ступáть, идтú (*обыкн.* ~ along); грýзно садúться (*обыкн.* ~ down); ◇ to ~ it вóлей-невóлей мирúться с чем-л.; to ~ large имéть вáжный вид.

**lumper** ['lʌmpə] *n* 1) портóвый грýзчик; 2) подря́дчик.

**lumpfish** ['lʌmpfɪʃ] *n* пинагóр (*рыба*).

**lumping** ['lʌmpɪŋ] 1. *pres. p. от* lump 2;
2. *a* 1) *разг.* большóй; 2) тяжёлый (*о поступи*); 3) огýльный.

**lumpish** ['lʌmpɪʃ] *a* 1) глыбообрáзный; 2) тяжеловéсный, неуклю́жий; 3) тупоýмный.

**lumpy** ['lʌmpɪ] *a* комковáтый; бугóрчатый; ~ sea неспокóйное мóре.

**lunacy** ['luːnəsɪ] *n* 1) безýмие; (умо)помешáтельство; 2) *юр.* невменя́емость; 3) большáя глýпость.

**lunar** ['luːnə] *a* лýнный; ~ distance расстоя́ние луны́ от сóлнца, от какóй-л. звезды́, плáнеты; ◇ ~ politics вопрóсы, не имéющие практúческого значéния.

**lunar caustic** ['luːnə'kɔːstɪk] *n хим.* ля́пис.

**lunarian** [luː'nærɪən] *n* 1) жúтель луны́; 2) астронóм, изучáющий лунý.

**lunate** ['luːneɪt] *a* в вúде, в фóрме полумéсяца.

**lunatic** ['luːnətɪk] 1. *a* сумасшéдший, безýмный; ◇ ~ fringe наиболее рéвностные сторóнники какóго-л. движéния;
2. *n* сумасшéдший, помéшанный.

**lunatic asylum** ['luːnətɪkə'saɪləm] *n* психиатрúческая больнúца, сумасшéдший дом.

**lunation** [luː'neɪʃən] *n* лýнный мéсяц.

**lunch** [lʌnʃ] 1. *n* вторóй зáвтрак, ленч; лёгкая закýска; to have (*или* to take) ~ зáвтракать; закýсывать;
2. *v* 1) зáвтракать; 2) *разг.* угощáть зáвтраком.

**lunch counter** ['lʌnʃ,kauntə] *n* буфéт (*обыкн. при бензозаправочной станции*).

**luncheon** ['lʌnʃən] *n* зáвтрак (*обыкн. официальный*).

**luncheonette** [,lʌnʃə'net] *n* 1) лёгкая закýска; 2) закýсочная.

**lunchroom** ['lʌnʃrum] *n* закýсочная.

**lunette** [luː'net] *n* 1) *воен.* люнéт; 2) *архит.* тимпáн.

**lung** [lʌŋ] *n* лёгкое; the ~s лёгкие; ◇ the ~s of London парки и скверы Лондона и его окрестностей; good ~s сильный голос.

**lunge I** [lʌndʒ] 1. *n* 1) корда; 2) круг, по которому гоняют лошадь на корде; 2. *v* гонять на корде.

**lunge II** [lʌndʒ] 1. *n* 1) выпад (*в фехтовании или при ударе*); 2) прыжок (вперёд); 3) толчок, стремительное движение; 4) ныряние, погружение; 2. *v* 1) наносить удар; делать выпад; 2) ринуться, устремиться.

**lunge III** [lʌndʒ] = lounge.

**lunger** ['lʌŋgə] *n амер. sl.* лёгочный больной.

**lung fever** ['lʌŋ‚fiːvə] *n мед.* крупозное воспаление лёгких.

**lungwort** ['lʌŋwəːt] *n бот.* медуница аптечная; мертензия виргинская.

**lunik** ['luːnɪk] *n* лунник.

**lunkhead** ['lʌŋhed] *n амер. разг.* болван

**lupin(e)** ['luːpɪn] *n бот.* лупин.

**lupine** ['luːpaɪn] *a* волчий.

**lupus** ['luːpəs] *n мед.* волчанка, туберкулёз кожи.

**lurch I** [ləːtʃ] 1. *n* 1) крен (*судна*); to give a ~ накрениться; 2) шаткая походка; 3) *амер.* склонность, тенденция; 2. *v* 1) крениться; 2) идти шатаясь.

**lurch II** [ləːtʃ] *n*: to leave smb. in the ~ покинуть кого-л. в беде, в тяжёлом положении.

**lurcher** ['ləːtʃə] *n* 1) воришка; жулик, мошенник; 2) шпион; 3) собака-ищейка (*помесь шотландской овчарки с борзой*).

**lurdan** ['ləːdən] *уст.* 1. *n* глупый, ленивый человек; 2. *a* глупый; ленивый.

**lure** [ljuə] 1. *n* 1) соблазн; соблазнительность; 2) *охот.* вабик; приманка; 2. *v* 1) завлекать, соблазнять (*обыкн.* ~ away, ~ into, ~ to); 2) *охот.* приманивать, прикармливать.

**lurid** ['ljuərɪd] *a* 1) мертвенно-бледный; 2) огненный; грозовой, мрачный; to cast a ~ light бросать зловещий, мрачный свет; 3) трагический, страшный; 4) преступный; 5) сенсационный.

**lurk** [ləːk] 1. *v* 1) скрываться в засаде; прятаться; *перен.* оставаться незамеченным; таиться; 2) *редк.* красться; 2. *n* 1): on the ~ тайно высматривая, подстерегая; 2) *sl.* обман.

**lurking-place** ['ləːkɪŋpleɪs] *n* потаённое место, убежище.

**lurry** ['lʌrɪ] = lorry.

**luscious** ['lʌʃəs] *a* 1) сладкий, ароматный; 2) приторный; 3) перегруженный (*о стиле*).

**lush I** [lʌʃ] *a* сочный, буйный, пышный (*о растительности*).

**lush II** [lʌʃ] *sl.* 1. *n* 1) спиртной напиток; 2) *амер.* пьяный; 2. *v* напиваться.

**lust** [lʌst] 1. *n* 1) вожделение, похоть; *ритор.* страсть (of, for—к *чему-л.*); 2. *v* страстно желать; испытывать вожделение; to ~ after smb. испытывать физическое влечение к кому-л.

**lustful** ['lʌstful] *a* похотливый.

**lustiness** ['lʌstɪnɪs] *n* здоровье, сила, бодрость, крепость.

**lustra** ['lʌstrə] *pl om* lustrum.

**lustration** [lʌs'treɪʃən] *n* 1) очищение; принесение очистительной жертвы; 2) *шутл.* омовение.

**lustre I** ['lʌstə] *n* 1) глянец, блеск; лоск; 2) слава; to add (*или* to give) ~ to smth., to throw (*или* to shed) ~ on smth. придать блеск чему-л.; прославить что-л.; 3) люстра.

**lustre II** ['lʌstə] = lustrum.

**lustrine** ['lʌstrɪn] *n* люстрин (*материя*).

**lustrous** ['lʌstrəs] *a* 1) блестящий; 2) глянцевитый.

**lustrum** ['lʌstrəm] *лат. n* (*pl* -tra, -trums [-trəmz]) пятилетие.

**lusty** ['lʌstɪ] *a* здоровый, сильный.

**lute I** [luːt] *n* лютня.

**lute II** [luːt] 1. *n* 1) цементная *или* глиняная замазка; мастика; 2) *стр.* правило; 2. *v* замазывать замазкой.

**lutecium** [ljuˈtiːʃɪəm] *n хим.* лютеций.

**lutestring** ['luːtstrɪŋ] = lustrine.

**Lutetian** [luːˈtiːʃən] *a* парижский.

**Lutheran** ['luːθərən] 1. *a* лютеранский; 2. *n* лютеранин; лютеранка.

**luting** ['luːtɪŋ] 1. *pres. p. om* lute II, 2; 2. *n* 1) замазывание замазкой; 2) = lute II, 1.

**lux** [lʌks] *n опт.* люкс (*единица освещённости*).

**luxate** ['lʌkseɪt] *v* вывихнуть.

**luxation** [lʌkˈseɪʃən] *n* вывих.

**luxe** [luks] *n*: edition de ~ роскошное издание.

**luxuriance** [lʌgˈzjuərɪəns] *n* 1) изобилие, пышность; 2) богатство (*воображения и т. п.*).

**luxuriant** [lʌgˈzjuərɪənt] *a* 1) плодородный; плодовитый, богатый; 2) буйный, пышный (*о растительности*); 3) цветистый (*о стиле*).

**luxuriate** [lʌgˈzjuərɪeɪt] *v* 1) расти буйно, пышно; 2) роскошествовать; наслаждаться (*чем-л.*), блаженствовать (in, on).

**luxurious** [lʌgˈzjuərɪəs] *a* 1) роскошный; 2) любящий роскошь, расточительный.

**luxuriously** [lʌgˈzjuərɪəslɪ] *adv* 1) роскошно; превосходно; 2) с наслаждением.

**luxury** ['lʌkʃərɪ] *n* 1) роскошь; in the lap of ~ в роскоши; 2) предмет роскоши; 3) роскошный образ жизни; 4) большое удовольствие, наслаждение; the ~ of a good book удовольствие, получаемое от хорошей книги.

**Lyceum** [laɪˈsɪəm] *n* 1) лицей; 2) организация (и помещение) для устройства популярных лекций-концертов; лекторий, читальня.

**lychgate** ['lɪtʃgeɪt] = lich-gate.

**lychnis** ['lɪknɪs] *n бот.* лихнис.

**lyddite** ['lɪdaɪt] *n* лиддит; мелинит.

**lye** [laɪ] *n* 1) щёлок; 2) *тех.* бучение.

**lying I** ['laɪɪŋ] 1. *pres. p. om* lie I, 2; 2. *a* ложный, лживый, обманчивый; a ~ prophet лжепророк; 3. *n* ложь; лживость.

**lying II** ['laɪɪŋ] 1. *pres. p. om* lie II, 1; 2. *a* лежащий; ~ dog сеттер.

**lying in** ['laɪŋ'ɪn] *n* ро́ды.

**lying-in** ['laɪŋ'ɪn] *a* роди́льный; ~ hospital роди́льный дом.

**lymph** [lɪmf] *n* 1) *поэт.* исто́чник чи́стой воды́; 2) *физиол.* ли́мфа; animal ~ вакци́на.

**lymphatic** [lɪmˈfætɪk] **1.** *a* 1) *физиол.* лимфати́ческий; ~ gland лимфати́ческая железа́; 2) флегмати́чный, худосо́чный; **2.** *n* лимфати́ческий сосу́д.

**lynch** [lɪntʃ] *v амер.* расправля́ться само-су́дом, линчева́ть.

**Lynch law** ['lɪntʃlɔː] *n амер.* зако́н *или* суд Ли́нча, самосу́д, линчева́ние.

**lynx** [lɪŋks] *n* рысь.

**lynx-eyed** ['lɪŋksaɪd] *a* с о́стрым зре́нием.

**Lyra** ['laɪərə] *n астр.* Ли́ра *(созвездие).*

**lyre** ['laɪə] *n* ли́ра.

**lyre-bird** ['laɪəbəːd] *n* пти́ца-ли́ра, ли-рохво́ст.

**lyric** ['lɪrɪk] **1.** *a* лири́ческий; **2.** *n* лири́ческое стихотворе́ние.

**lyrical** ['lɪrɪkəl] *a* лири́ческий.

**lyricism** ['lɪrɪsɪzəm] *n* лири́зм.

**lyrics** ['lɪrɪks] *n pl* лири́ческие стихи́, ли́рика.

**lyrist** *n* 1) ['laɪərɪst] игра́ющий на ли́ре; 2) ['lɪrɪst] ли́рик.

**lysis** ['laɪsɪs] *n мед.* ли́зис.

# M

**M, m** [em] *n (pl* Ms, M's [emz]) 13-я бу́ква англ. алфави́та.

**ma** [mɑː] *n (сокр. от* mamma I) *разг.* ма́ма.

**ma'am** [mæm] *n (сокр. от* madam) суда́рыня, госпожа́.

**mac** [mæk] *разг. см.* mackintosh.

**macabre** [məˈkɑːbr] *фр. a* мра́чный, ужа́сный; dance ~ та́нец сме́рти.

**macaco** [məˈkeɪkou] *n* лему́р.

**macadam** [məˈkædəm] *n* доро́жное покры́тие ти́па макада́м, щебёночное покры́тие.

**macadamize** [məˈkædəmaɪz] *v* мости́ть ще́бнем; шосси́ровать.

**macaque** [məˈkɑːk] *n* мака́ка.

**macaroni** [ˌmækəˈroʊnɪ] *ит. n (pl* -s, -es [-ɪz]) 1) макаро́ны; 2) *уст.* франт.

**macaronic** [ˌmækəˈrɒnɪk] **1.** *a* макарони́ческий, шу́точный *(о стиле);* **2.** *n pl* макарони́ческие стихи́ *(на ломаной латыни или с большой примесью иностранных слов).*

**macaroon** [ˌmækəˈruːn] *n* минда́льное пече́нье.

**macartney** [məˈkɑːtnɪ] *n* золоти́стый фаза́н.

**macassar** [məˈkæsə] *n* макасса́ровое ма́сло *(тж.* ~ oil).

**macaw I** [məˈkɔː] *n* а́ра, ара́ра *(попугай).*

**macaw II** [məˈkɔː] *n* южноамерика́нская па́льма.

**Maccabeus** [ˌmækəˈbiːəs] *n библ.* Макка-ве́й.

**mace I** [meɪs] *n* 1) *ист.* булава́; 2) жезл; 3) ма́зик *(в бильярде);* 4) деревя́нный молото́к для смягче́ния ко́жи.

**mace II** [meɪs] *n* муска́тный «цвет» *(наружные покровы мускатного ореха).*

**Macedonian** [ˌmæsɪˈdoʊnjən] **1.** *a* македо́нский; **2.** *n* македо́нец.

**macerate** ['mæsəreɪt] *v* 1) выма́чивать; разма́чивать; 2) изнуря́ть.

**maceration** [ˌmæsəˈreɪʃən] *n* 1) выма́чивание; разма́чивание; 2) истоще́ние, изнуре́ние.

**machicolation** [ˌmætʃɪkəˈleɪʃən] *n ист.* навесна́я бойни́ца.

**machicoulis** [ˌmɑːʃɪˈkuːlɪ] = machicolation.

**machinal** [məˈʃiːnəl] *a* механи́ческий.

**machinate** ['mækɪneɪt] *v* интригова́ть, стро́ить ко́зни, устра́ивать махина́ции.

**machination** [ˌmækɪˈneɪʃən] *n* махина́ция, интри́га, ко́зни.

**machine** [məˈʃiːn] **1.** *n* 1) маши́на; стано́к; 2) механи́зм; 3) велосипе́д; автомоби́ль; самолёт; 4) швейная маши́н(к)а; 5) челове́к, рабо́тающий как маши́на *или* де́йствующий машина́льно; 6) аппара́т *(организационный и т. п.);* 7) state — госуда́рственный аппара́т; 7) *амер.* организа́ция *или* па́ртия, контроли́рующая полити́ческую жизнь страны́; 8) *attr.* маши́нный; ~ age век маши́н; ~ works машинострои́тельный заво́д. **2.** *v* 1) подверга́ть механи́ческой обрабо́тке; обраба́тывать на станке́; 2) шить *(на машине);* 3) печа́тать.

**machine-gun** [məˈʃiːngʌn] **1.** *n* пулемёт; **2.** *v* обстре́ливать из пулемёта.

**machine-gunner** [məˈʃiːnˌgʌnə] *n* пулемётчик.

**machine-made** [məˈʃiːnmeɪd] *a* сде́ланный маши́нным *или* механи́ческим спо́собом.

**machine-minder** [məˈʃiːnˌmaɪndə] *n* рабо́чий, рабо́тающий у станка́.

**machinery** [məˈʃiːnərɪ] *n* 1) маши́нное обору́дование; маши́ны; 2) механи́зм; 3) дета́ли маши́н; 4) структу́ра *(драмы, поэмы);* 5) аппара́т *(государственный и т. п.).*

**machine-shop** [məˈʃiːnʃɒp] *n* механи́ческая мастерска́я; механи́ческий цех.

**machine-tool** [məˈʃiːntuːl] *n* 1) стано́к; 2) *attr.:* ~ plant станкострои́тельный заво́д.

**machinist** [məˈʃiːnɪst] *n* 1) сле́сарь; квалифици́рованный рабо́чий (металли́ст *или* стано́чник); меха́ник; рабо́чий у станка́; 2) машини́ст; 3) машинострои́тель; 4) шью́щий на швейной маши́н(к)е; швея́.

**mach number** ['mɑːh'nʌmbə] *n ав.* число́ M.

**macintosh** ['mækɪntɒʃ] = mackintosh.

**mack** [mæk] *разг. см.* mackintosh.

**mackerel** ['mækrəl] *n* макре́ль, ску́мбрия; ◇ ~ sky не́бо бара́шками.

**mackintosh** [ˈmækɪntɔʃ] *n* 1) макинтóш, непромокáемое пальтó; 2) прорезúненная матéрия.

**macro-** [ˈmækrou-] *в сложных словах* означает большóй; необыкновéнно большóго размéра; длúнный.

**macrobiosis** [ˌmækrouˈbaɪˈɔsɪs] *n* долголéтие.

**macrocephalous** [ˌmækrouˈsefələs] *a* с (ненормáльно) большóй головóй.

**macrocosm** [ˈmækrəkɔzəm] *n* макрокóсм, вселéнная.

**macrocrystalline** [ˌmækrouˈkrɪstəlaɪn] *a* крупнокристаллúческий.

**macrography** [məˈkrɔgrəfɪ] *n* макроснúмок.

**macron** [ˈmækrɔn] *n лингв.* знак долготы́ над глáсным (*напр.*, ā).

**macroscopic** [ˌmækrouˈskɔpɪk] *a* макроскопúческий, вúдимый невооружённым глáзом.

**macula** [ˈmækjulə] *n* (*pl* -ae) пятнó.

**maculae** [ˈmækjuliː] *pl от* macula.

**maculated** [ˈmækjuˌleɪtɪd] *a* покры́тый пя́тнами.

**mad** [mæd] **1.** *a* 1) сумасшéдший, безýмный; to drive smb. ~ свестú с умá когó-л.; 2) бéшеный (*о животном*); 3) стрáстно любя́щий (*что-л.*); помéшанный (after, for, on, about—на чём-л.); to run ~ after smth. быть без умá от чегó-л., увлекáться чем-л.; 4) сумасбрóдный, безрассýдный; 5) *разг.* рассéрженный, раздосáдованный (at, about—чем-л.); to get ~ рассердúться; вы́йти из себя́; don't be ~ at me не сердúтесь на меня́; 6) бýйно весёлый; ◇ as ~ as a wet hen взбешённый; ~ as a hatter, ~ as a March hare ≅ совсéм сумасшéдший, спя́тивший;
**2.** *v редк.* 1) сводúть с умá; 2) сходúть с умá; вестú себя́ как безýмный.

**madam** [ˈmædəm] *n* мадáм, госпожá, судáрыня (*обыкн. как обращение*).

**madcap** [ˈmædkæp] *n* 1) сумасбрóд; 2) сорванéц; сорвиголовá; 3) *attr.* сумасбрóдный.

**madden** [ˈmædn] *v* 1) сводúть с умá; 2) сходúть с умá; 3) раздражáть; доводúть до бéшенства.

**madder** [ˈmædə] *n* 1) *бот.* марéна (красúльная); 2) крапп (*краситель из марены*).

**made** [meɪd] **1.** *past и p. p. от* make 1;
**2.** *a:* a ~ man человéк с упрóченным положéнием; б) сложúвшийся человéк; ~ fast *тех.* закреплённый.

**madefy** [ˈmædɪfaɪ] *v* смáчивать, увлажня́ть.

**Madeira** [məˈdɪərə] *n* мадéра (*вино*) [*см. тж. Список географических названий*].

**mademoiselle** [ˌmædəmˈzel] *фр. n* 1) мадемуазéль, незамýжняя францýженка *или* другáя иностáнка (*перед собств. именем с прописной буквы*); 2) францýзская гувернáнтка.

**made up** [ˈmeɪdˈʌp] *a* 1) искýсственный; 2) готóвый (*об одежде*); 3) вы́думанный.

**madhouse** [ˈmædhaus] *n* дом умалишённых, сумасшéдший дом.

**madia** [ˈmeɪdɪə] *n бот.* 1) мáдия; 2) *attr.*: ~ oil мáсло из семя́н мáдии.

**madid** [ˈmædɪd] *a* мóкрый, влáжный, сырóй.

**madman** [ˈmædmən] *n* сумасшéдший; безýмец.

**madness** [ˈmædnɪs] *n* 1) сумасшéствие, безýмие; 2) бéшенство.

**madonna** [məˈdɔnə] *n* мадóнна.

**madonna lily** [məˈdɔnəˌlɪlɪ] *n* бéлая лúлия.

**madrasah** [maːˈdræsaː] *араб. n* медресé (*высшая духовная школа мусульман*).

**madrepore** [ˌmædrɪˈprɔː] *n* бéлый корáлл.

**madroño** [məˈdrounjou] *исп. n бот.* земляúчное дéрево, земляúчник.

**madwoman** [ˈmædˌwumən] *n* сумасшéдшая; безýмная.

**Maecenas** [miːˈsiːnæs] *n* меценáт.

**maelstrom** [ˈmeɪlstroum] *n* водоворóт, вихрь (*тж. перен.*).

**maenad** [ˈmiːnæd] *n* менáда.

**maestoso** [ˌmɑːeˈstouzou] *ит. adv муз.* маэстóзо, велúчественно.

**maestri** [mɑːˈestrɪ] *pl от* maestro.

**maestro** [mɑːˈestrou] *ит. n* (*pl* -ri) маэстро.

**Mae West** [ˈmeɪˈwest] *n sl.* спасáтельная кýртка лётчиков.

**maffick** [ˈmæfɪk] *v* бýрно прáздновать, бесновáться (*от радости*).

**mafic** [ˈmæfɪk] *a геол.* мафúческий, тёмный (*о породе*).

**mag** I [mæg] *n sl.* (монéта в) полпéнни.

**mag** II [mæg] *разг.* **1.** *n* 1) болтовня́; 2) болтýн(ья);
**2.** *v* болтáть.

**magazine** I [ˌmægəˈziːn] *n* 1) склад боеприпáсов; вещевóй склад; 2) пороховóй пóгреб; 3) магазúнная корóбка (*винтовки*); магазúн (*для патронов*); 4) *тех.* магазúн; 5) *attr. тех., воен.* магазúнный; ~ case магазúнная корóбка.

**magazine** II [ˌmægəˈziːn] *n* (периодúческий) журнáл.

**magazine rifle** [ˌmægəˈziːnˌraɪfl] *n* магазúнная винтóвка.

**mage** [meɪdʒ] *n уст.* волхв, маг.

**magenta** [məˈdʒentə] *n* фуксúн, крáсная анилúновая крáска.

**maggot** [ˈmægət] *n* 1) личúнка (*особ. мясной и сырной мух*); 2) блажь, причýда; to have a ~ in one's brain (*или* head) имéть причýды.

**maggoty** [ˈmægətɪ] *a* 1) червúвый; 2) с причýдами.

**magi** [ˈmeɪdʒaɪ] *pl от* magus.

**magic** [ˈmædʒɪk] *n* 1) мáгия, волшебствó; 2) очаровáние.

**magic(al)** [ˈmædʒɪk(əl)] *a* волшéбный, магúческий.

**magician** [məˈdʒɪʃən] *n* 1) волшéбник, чародéй, заклинáтель; 2) фóкусник.

**magisterial** [ˌmædʒɪsˈtɪərɪəl] *a* 1) судéбный, судéйский; 2) авторитéтный; 3) диктáторский, повелúтельный.

**magistracy** [ˈmædʒɪstrəsɪ] *n* 1) дóлжность судьú; 2) магистрáт.

**magistral** [məˈdʒɪstrəl] **1.** *a* 1) преподавáтельский, учúтельский; the ~ staff преподавáтельский состáв (*школы и т. п.*);

2) поуча́ющий, авторите́тный; 3) *мед.* специа́льно пока́занный, пропи́санный; 4) *воен.* гла́вный, магистра́льный (*о линиях укреплений*);

2. *n воен.* магистра́ль, магистра́льная ли́ния.

**magistrate** ['mædʒɪstrɪt] *n* 1) судья́ (*преим. мировой*); 2) член городско́го магистра́та (*в Англии*); 3) должностно́е лицо́.

**magma** ['mægmə] *n геол.* ма́гма.

**Magna C(h)arta** ['mægnə'kɑːtə] *n ист.* Вели́кая ха́ртия во́льностей (*1215 г.*).

**magnanimity** [,mægnə'nɪmɪtɪ] *n* великоду́шие.

**magnanimous** [mæg'nænɪməs] *a* великоду́шный.

**magnate** ['mægneɪt] *n* магна́т; oil ~ нефтяно́й коро́ль.

**magnesia** [mæg'niːʃə] *n* о́кись ма́гния, жжёная магне́зия.

**magnesium** [mæg'niːzjəm] *n* ма́гний.

**magnet** ['mægnɪt] *n* магни́т.

**magnetic** [mæg'netɪk] *a* 1) магни́тный; ~ declination магни́тное склоне́ние; ~ needle магни́тная стре́лка; ~ storm магни́тная бу́ря; 2) притя́гивающий, привлека́тельный; магнети́ческий.

**magnetics** [mæg'netɪks] *n pl* (*употр. как sing*) *физ.* магнети́зм.

**magnetism** ['mægnɪtɪzəm] *n* 1) магнети́зм; 2) магни́тные сво́йства; 3) ли́чное обая́ние, привлека́тельность.

**magnetite** ['mægnɪtaɪt] *n мин.* магнети́т, магни́тный железня́к.

**magnetization** [,mægnɪtaɪ'zeɪʃən] *n* 1) намагни́чивание; 2) притяже́ние.

**magnetize** ['mægnɪtaɪz] *v* 1) намагни́чивать(ся); 2) привлека́ть; 3) гипнотизи́ровать.

**magneto** [mæg'niːtou] *n* (*pl* -os[ouz]) *эл.* магне́то; индукто́р.

**magnetometer** [,mægnɪ'tɔmɪtə] *n* магни́тометр.

**magneton** ['mægnɪtɔn] *n физ.* магнето́н.

**magnetron** ['mægnɪtrɔn] *n физ.* магнетро́н.

**magnification** [,mægnɪfɪ'keɪʃən] *n* увеличе́ние; усиле́ние.

**magnificence** [mæg'nɪfɪsns] *n* великоле́пие.

**magnificent** [mæg'nɪfɪsnt] *a* 1) великоле́пный, вели́чественный; 2) изуми́тельный, прекра́сный.

**magnifier** ['mægnɪfaɪə] *n* 1) увеличи́тельное стекло́, лу́па; 2) *радио* усили́тель.

**magnify** ['mægnɪfaɪ] *v* 1) увели́чивать; 2) преувели́чивать; 3) *уст.* восхваля́ть.

**magnifying glass** ['mægnɪfaɪŋ'glɑːs] *n* увеличи́тельное стекло́, лу́па.

**magniloquence** [mæg'nɪləkwəns] *n* высокопа́рность.

**magniloquent** [mæg'nɪləkwənt] *a* высокопа́рный.

**magnitude** ['mægnɪtjuːd] *n* 1) величина́, разме́ры; 2) ва́жность; значи́тельность; of the first ~ первостепе́нной ва́жности.

**magnolia** [mæg'nouljə] *n* магно́лия.

**magnum** ['mægnəm] *n* больша́я ви́нная буты́лка (*2 кварты* ≅ 2¼ *л*).

**magpie** ['mægpaɪ] *n* 1) соро́ка; *перен.* болту́н(ья); 2) *воен.* второ́е кольцо́ мише́ни; 3) попада́ние во вне́шний предпосле́дний круг мише́ни; 4) *sl.* полпе́нни.

**magus** ['meɪgəs] *n* (*pl* magi) маг, волхв.

**Magyar** ['mægjɑː] 1. *a* венге́рский; мадья́рский;

2. *n* 1) венгр, венге́рец; мадья́р; венге́рка; мадья́рка; 2) венге́рский язы́к.

**Maharaja(h)** [,mɑːhə'rɑːdʒə] *n* магара́джа.

**Maharanee** [,mɑːhə'rɑːniː] *n* магара́ни (*супруга магараджи*).

**mahogany** [mə'hɔgənɪ] *n* 1) кра́сное де́рево; 2) обе́денный стол; to put (*или* to stretch, to have) one's knees (*или* feet) under smb.'s ~ обе́дать у кого́-л., по́льзоваться чьим-л. гостеприи́мством; жить на чей-л. счёт.

**Mahomet** [mə'hɔmɪt] *n* Магоме́т.

**Mahometan** [mə'hɔmɪtən] = Mohammedan.

**mahout** [mə'haut] *n англо-инд.* пого́нщик слоно́в.

**maid** [meɪd] 1. *n* 1) *поэт.* де́ва, деви́ца, де́вушка; old ~ ста́рая де́ва; ~ of honour a) фре́йлина; б) *амер.* ≅ подру́жка неве́сты; в) род ватру́шки; 2) служа́нка, го́рничная; прислу́га;

2. *v* служи́ть го́рничной, рабо́тать прислу́гой.

**maiden** ['meɪdn] 1. *n* 1) деви́ца, де́вушка; 2) *шутл.* ста́рая де́ва; 3) *ист.* род гильоти́ны;

2. *a* 1) незаму́жняя; 2) относя́щийся к незаму́жней же́нщине *или* к деви́честву же́нщины; деви́чий, деви́ческий; ~ name деви́чья фами́лия; 3) де́вственный, нетро́нутый; ~ horse ло́шадь, не бра́вшая при́за; ~ sword меч, ещё не обагрённый кро́вью; ~ over *спорт.* игра́, в кото́рой не откры́т счёт; ~ assize *юр.* се́ссия, на кото́рой не́ было вы́несено обвини́тельного пригово́ра; 4) пе́рвый; ~ attempt пе́рвая попы́тка; ~ battle пе́рвый бой; ~ flight пе́рвый полёт (*самолёта*); ~ voyage пе́рвое пла́вание, пе́рвый рейс (*нового корабля*); ~ speech пе́рвая речь (*нового члена парламента, академии и т. п.*).

**maidenhair** ['meɪdnhɛə] *n бот.* адиа́нтум.

**maidenhead** ['meɪdnhed] *n* 1) де́вственность, непоро́чность; 2) деви́чество.

**maidenhood** ['meɪdnhud] = maidenhead.

**maidenish** ['meɪdnɪʃ] *a* 1) деви́чий; 2) стародеви́ческий.

**maidenlike** ['meɪdnlaɪk] *a* деви́чий, деви́ческий.

**maidenly** ['meɪdnlɪ] = maidenlike.

**maid-of-all-work** ['meɪdəv'ɔːlwəːk] *n* одна́ прислу́га, «прислу́га за всё».

**maidservant** ['meɪd,səːvənt] *n* служа́нка, прислу́га.

**mail I** [meɪl] 1. *n* 1) кольчу́га (*тж.* coat of ~); *распр.* броня́; 2) *зоол.* щито́к (*черепахи*); скорлупа́ (*рака*).

2. *v* покрыва́ть кольчу́гой, бронёй.

**mail II** [meɪl] 1. *n* 1) по́чта, почто́вая корреспонде́нция; 2) почто́вый по́езд; 3) мешо́к с по́чтой; 4) *шотл.* доро́жный мешо́к; 5) *attr.* почто́вый;

2. *v* посыла́ть по по́чте; сдава́ть на по́чту.

**mail-boat** ['meɪlbout] *n* почто́вый парохо́д.

**mail-car** ['meɪlkɑː] *n* почто́вый ваго́н.

**mail-cart** ['meɪlkɑːt] *n* 1) почто́вая каре́та; 2) де́тская коля́ска.

**mail-clad** ['meɪl,klæd] *a* оде́тый в кольчу́гу, броню́.

**mail-coach** ['meɪlkoutʃ] = mail-cart 1).

**mailed** I [meɪld] 1. *p. p. от* mail I, 2; 2. *a* 1) защищённый бронёй; 2) покры́тый чешу́йками; 3) пятни́стый; ◇ the ~ fist брониро́ванный кула́к.

**mailed** II [meɪld] *p. p. от* mail II, 2.

**mail order** ['meɪl,ɔːdə] *n* зака́з на вы́сылку това́ра по по́чте.

**mail-plane** ['meɪlpleɪn] *n* почто́вый самолёт.

**mail train** ['meɪltreɪn] *n* почто́вый по́езд.

**maim** [meɪm] *v* кале́чить, уве́чить.

**main** I [meɪn] 1. *n* 1) гла́вная часть; основно́е, гла́вное; in the ~ а) в основно́м; б) бо́льшей ча́стью; в) гла́вным о́бразом; 2) магистра́ль; 3) си́ла; with might and ~ изо все́х сил; 4) *поэт.* откры́тое мо́ре, океа́н; 5) = mainmast;
2. *a* 1) гла́вный; основно́й; the ~ features основны́е черты́; ~ line гла́вная железнодоро́жная ли́ния, магистра́ль; ~ point гла́вный пункт; the ~ body *воен.* гла́вные си́лы *(войск);* ~ dressing station *воен.* гла́вный перевя́зочный пункт; 2) хорошо́ разви́той, си́льный *(физически);* ◇ to have an eye to the ~ chance пресле́довать ли́чные *(особ. коры́стные)* це́ли.

**main** II [meɪn] *n* 1) число́ очко́в, кото́рое игра́ющий в ко́сти называ́ет пе́ред броско́м; 2) петуши́ный бой.

**mainland** ['meɪnlənd] *n* 1) матери́к; 2) большо́й о́стров *(среди гру́ппы небольши́х).*

**mainly** ['meɪnlɪ] *adv* 1) гла́вным о́бразом; 2) бо́льшей ча́стью.

**mainmast** ['meɪnmɑːst] *n* *мор.* грот-ма́чта.

**mainspring** ['meɪnsprɪŋ] *n* 1) ходова́я пружи́на *(часово́го механи́зма);* 2) *воен.* спускова́я пружи́на, боева́я пружи́на; 3) гла́вная дви́жущая си́ла; исто́чник.

**mainstay** ['meɪnsteɪ] *n* *мор.* гро́та-шта́г; *перен.* гла́вная подде́ржка, опо́ра, опло́т.

**maintain** [men'teɪn] *v* 1) подде́рживать; уде́рживать; содержа́ть в испра́вности; сохраня́ть; 2) ока́зывать подде́ржку, защища́ть, отста́ивать; 3) утвержда́ть; 4) продолжа́ть; вести́; 5) *тех.* обслу́живать; содержа́ть, эксплуати́ровать.

**maintenance** ['meɪntɪnəns] *n* 1) подде́ржка, поддержа́ние; сохране́ние; 2) содержа́ние; сре́дства к существова́нию; 3) утвержде́ние; 4) *юр.* подде́ржка (одно́й из тя́жущихся сторо́н в коры́стных це́лях); 5) *тех.* ухо́д, содержа́ние в испра́вности; теку́щий ремо́нт; 6) *тех.* эксплуата́ция; 7) эксплуатацио́нные расхо́ды (включа́я теку́щий ремо́нт); 8) *attr.* ремо́нтный; ~ force, *амер.* ~ crew *дор.* ремо́нтная брига́да.

**maintop** ['meɪntɔp] *n* *мор.* грот-ма́чта.

**main yard** ['meɪnjɑːd] *n* *мор.* грот-ре́й.

**maison(n)ette** [meɪzə'net] *фр.* *n* небольшо́й дом *или* небольша́я кварти́ра.

**maize** [meɪz] *n* кукуру́за; ма́ис.

**majestic** [mə'dʒestɪk] *a* вели́чественный.

**majesty** ['mædʒɪstɪ] *n* 1) вели́чественность; вели́чие; велича́вость; 2) вели́чество *(ти́тул).*

**Majlis** [mædʒ'lɪs] *n* медж(и)ли́с.

**majolica** [mə'jɔlɪkə] *n* майо́лика.

**major** I ['meɪdʒə] *n* майо́р.

**major** II ['meɪdʒə] 1. *a* 1) бо́льший, бо́лее ва́жный; 2) ста́рший; гла́вный; ~ forces *воен.* гла́вные си́лы; 3) *муз.* мажо́рный;
2. *n* 1) совершенноле́тний; 2) *лог.* гла́вная посы́лка *(в силлоги́зме);* 3) *амер.* профили́рующая дисципли́на;
3. *v амер.* специализи́роваться в каком-л. предме́те *(в колле́дже).*

**major-domo** ['meɪdʒə'doumou] *n* *(pl* -os [-ouz]) мажордо́м; дворе́цкий.

**major-general** ['meɪdʒə'dʒenərəl] *n* генера́л-майо́р.

**majority** [mə'dʒɔrɪtɪ] *n* 1) большинство́; to gain *(или* to carry) the ~ получи́ть большинство́ голосо́в; to win by a handsome ~ получи́ть значи́тельное большинство́; 2) совершенноле́тие *(в А́нглии 21 год);* he attained his ~ он дости́г совершенноле́тия; 3) чин, зва́ние майо́ра; ◇ to join the (great) ~ умере́ть.

**majuscule** ['mædʒəskjuːl] *n* прописна́я бу́ква *(в средневеко́вых ру́кописях).*

**make** [meɪk] 1. *v* (made) 1) де́лать; соверша́ть; сде́лать; 2) производи́ть; создава́ть, образо́вывать; составля́ть *(завеща́ние, докуме́нт);* 4) гото́вить, приготовля́ть; to ~ a bed стели́ть посте́ль; to ~ hay коси́ть се́но; to ~ a fire разжига́ть костёр; 5) составля́ть, равня́ться; 2 and 3 ~ 5 два плюс три равня́ется пяти́; 6) станови́ться; де́латься; he will ~ a good musician из него́ вы́йдет хоро́ший музыка́нт; 7) получа́ть, приобрета́ть, добыва́ть *(де́ньги, сре́дства);* зараба́тывать *(на жизнь);* 8) счита́ть, определя́ть, предполага́ть; what do you ~ the time? кото́рый, по-ва́шему, час?; what am I to ~ of your behaviour? как я до́лжен понима́ть ва́ше поведе́ние?; 9) назнача́ть *(на до́лжность);* производи́ть *(в чин);* 10) *разг.* успе́ть, поспе́ть *(на по́езд и т. п.);* 11) *мор.* войти́ *(в порт и т. п.);* 12) *с сло́жным дополне́нием означа́ет* заставля́ть, побужда́ть; ~ him repeat it заста́вь(те) его́ повтори́ть э́то; to ~ smb. understand дать кому́-л. поня́ть; to ~ oneself understood объясня́ться *(на иностра́нном языке́);* to ~ smth. grow выра́щивать что-л.; 13) *с ря́дом существи́тельных образу́ет фразовый глаго́л, соотве́тствующий по значе́нию существи́тельному;* напр.: to ~ haste спеши́ть; to ~ fun высме́ивать; to ~ an answer *(или* a reply) отвеча́ть; to ~ a pause остановиться; to ~ a denial отрица́ть; to ~ a journey путеше́ствовать; to ~ progress развива́ться; де́лать успе́хи; to ~ a start начина́ть; to ~ a mistake *(или* a blunder) ошиба́ться; (с)де́лать оши́бку; 14) вести́ себя́ определённым о́бразом; to ~ an ass *(или* a fool) of oneself (с)валя́ть дурака́; (по)ста́вить себя́ в глу́пое положе́ние; ос-

кандалиться; to ~ a beast of oneself вести себя как скотина; ☐ ~ after *уст.* преследовать; пускаться вслед; ~ against говорить не в пользу *кого-л.*; ~ away with избавиться, отделаться от *чего-л., кого-л.*; убить *кого-л.*; ~ back вернуться, возвратиться; ~ for a) способствовать, содействовать; б) направляться; в) нападать; набрасываться; ~ off убежать, удрать; ~ out a) разобрать; понять; б) доказывать; в) составлять *(документ)*; выписывать *(счёт, чек)*; г) *амер.* жить, существовать; д) справляться *(с чем-л.)*; преуспевать; ~ over a) передавать; жёртвовать; б) переделывать; ~ up a) пополнять, возмещать, компенсировать; наверстывать; б) составлять, собирать; комплектовать; в) гримировать (-ся); г) подкраситься, подмазаться; д) выдумывать; е) устраивать, улаживать; ж) мириться; let us ~ it up давайте забудем это, давайте помиримся; з): to ~ up one's mind решать(ся); и) шить, кроить; к) *полигр.* верстать; л) подходить, приближаться; to ~ up to smb. заискивать, лебезить перед кем-л.; ◇ to ~ the best of *см.* best 2; to ~ a clean sweep of *см.* sweep 1, 7); to ~ a dead set at a) напасть на; б) пристать с ножом к горлу к; to ~ do with smth. *редк.* довольствоваться чем-л.; to ~ good a) сдержать слово; б) вознаградить, компенсировать *(за потерю)*; в) доказать, подтвердить; г) *амер.* преуспевать; to ~ nothing of smth. a) считать что-л. пустяком; легко относиться к чему-л.; б) ничего не понять в чём-л.; to ~ oneself at home быть как дома; to ~ a poor mouth прибедняться; to ~ sure a) убеждаться; удостовериться; б) обеспечить; to ~ time out *амер.* поспешить, помчаться;
2. *n* 1) производство, работа; изделие; our own ~ нашего производства; 2) процесс становления; развитие; 3) вид, форма, фасон, марка; стиль; тип, модель; do you like the ~ of that coat? нравится ли вам фасон этого пальто?; 4) склад характера; ◇ to be on the ~ *разг.* a) заниматься чем-л. исключительно с корыстной целью; б) делать карьеру.

**make-believe** ['meɪkbɪ,liːv] 1. *n* 1) притворство; 2) игра, в которой дети воображают себя кем-л.; 3) воображение, фантазия;
2. *a* 1) воображаемый; 2) притворный;
3. *v* делать вид, притворяться.

**makepeace** ['meɪkpiːs] *n* миротворец; примиритель.

**maker** ['meɪkə] *n* 1) тот, кто делает *что-л.*; 2) создатель, творец; 3) *уст.* поэт; 4) эк. векселедатель.

**makeshift** ['meɪkʃɪft] *n* 1) замена; паллиатив; временное средство; 2) *attr.* временный.

**make-up** ['meɪkʌp] *n* 1) грим и костюм *(актёра)*; 2) косметика; she had a rich ~ она была сильно накрашена; 3) состав, структура, строение; 4) натура, склад *(ума, характера)*; 5) выдумка; 6) *полигр.* вёрстка; 7) *attr.*: ~ room уборная *(актёра)*.

**makeweight** ['meɪkweɪt] *n* 1) довесок, добавка; 2) противовес.

**making** ['meɪkɪŋ] 1. *pres. p. от* make 1;
2. *n* 1) создание, становление; in the ~ в процессе создания, развития; 2) производство, фабрикация; 3) работа, ремесло; 4) форма; 5) *pl* задатки; 6) *pl* заработок; 7) *pl амер. разг.* бумага и табак, чтобы сделать папиросу.

**mal-** [mæl-] *pref* 1) плохо; плохой; to maltreat плохо, жестоко обращаться; 2) не-, без-; maladroit неловкий; бестактный.

**Malacca cane** [mə'lækəkeɪn] *n* коричневая трость *(из ротанга)*.

**malachite** ['mæləkaɪt] *n* малахит.

**malacology** [,mælə'kɒlədʒɪ] *n* малакозоология, малакология *(наука о мягкотелых, или моллюсках)*.

**maladjustment** ['mælə'dʒʌstmənt] *n* плохое приспособление.

**maladministration** ['mæləd,mɪnɪs'treɪʃən] *n* плохое управление.

**maladroit** ['mælə'drɔɪt] *a* неловкий; бестактный.

**malady** ['mælədɪ] *n* болезнь; расстройство.

**Malaga** ['mæləgə] *n* малага *(вино)*.

**Malagasy** [,mælə'gæsɪ] 1. *a* мадагаскарский;
2. *n* 1) мальгаш *(житель о-ва Мадагаскар)*; 2) мальгашский язык.

**malaise** [mæ'leɪz] *фр. n* недомогание.

**malapert** ['mæləpəːt] *уст.* 1. *n* дерзкий, бесстыдный человек;
2. *a* дерзкий, бесстыдный.

**malapropos** ['mæl'æprəpou] *фр.* 1. *adv* некстати, не вовремя;
2. *a* сделанный *или* сказанный некстати;
3. *n* совершённый некстати поступок; сказанное некстати слово.

**malaria** [mə'lɛərɪə] *n* малярия.

**malarial** [mə'lɛərɪəl] *a* малярийный.

**malaria-ridden** [mə'lɛərɪə'rɪdn] *a* малярийный *(о местности)*.

**malarious** [mə'lɛərɪəs] = malarial.

**malax** ['meɪlæks] *v* разминать, размягчать; смешивать.

**malaxate** ['mæləkseɪt] = malax.

**Malay** [mə'leɪ] 1. *a* малайский;
2. *n* 1) малаец; малайка; 2) малайский язык.

**Malayan** [mə'leɪən] = Malay.

**malcontent** ['mælkən,tent] 1. *n* недовольный человек;
2. *a* недовольный.

**male** [meɪl] 1. *n* 1) мужчина; 2) самец;
2. *a* 1) мужской; ~ beast самец; ~ dog кобель; ~ fern мужской папоротник; ~ pigeon голубь-самец; 2) *тех.* входящий в другую деталь, охватываемый; ~ pipe вдвинутая труба; ~ pin шип; ~ screw винт; ~ thread наружная резьба.

**male-** ['mælɪ-] *pref* зло-; maledictory злоязычный, проклинающий.

**malediction** [,mælɪ'dɪkʃən] *n* проклятие.

**maledictory** [,mælɪ'dɪktərɪ] *a* проклинающий, злоязычный.

**malefactor** ['mælɪfæktə] *n* преступник, злодей.

**malefic** [mə'lefɪk] *a* зловре́дный, па́губный.

**maleficence** [mə'lefɪsns] *n* зловре́дность.

**maleficent** [mə'lefɪsnt] *a* 1) па́губный (to — для); вредоно́сный; 2) престу́пный.

**male tank** ['meɪltæŋk] *n* ист. пу́шечный танк.

**malevolence** [mə'levələns] *n* злора́дство; недоброжела́тельность, зло́ба.

**malevolent** [mə'levələnt] *a* злора́дный; недоброжела́тельный, зло́бный.

**malfeasance** ['mæl'fiːzəns] *n* юр. 1) злодея́ние; 2) должностно́е преступле́ние.

**malfeasant** ['mæl'fiːzənt] 1. *a* престу́пный, беззако́нный; 2. *n* престу́пник.

**malformation** ['mælfɔː'meɪʃən] *n* непра́вильное образова́ние *или* формирова́ние, поро́к разви́тия; уро́дство.

**malformed** [mæl'fɔːmd] *a* уро́дливый, бесфо́рменный, пло́хо сформиро́ванный.

**malic** ['mælɪk] *a хим.:* ~ acid я́блочная кислота́.

**malice** ['mælɪs] *n* 1) зло́ба; to bear ~ (to) тайть зло́бу (про́тив *кого-л.*), зло́бствовать; 2) *юр.* престу́пное наме́рение.

**malicious** [mə'lɪʃəs] *a* 1) зло́бный; 2) предумы́шленный.

**malign** [mə'laɪn] 1. *a* 1) па́губный; вре́дный; дурно́й; 2) *мед.* злока́чественный; 2. *v* клевета́ть, злосло́вить.

**malignancy** [mə'lɪgnənsɪ] *n* 1) па́губность, зловре́дность; 2) зло́бность; 3) *мед.* злока́чественность.

**malignant** [mə'lɪgnənt] 1. *a* 1) зло́стный, зло́бный; 2) зловре́дный; 3) *мед.* злока́чественный; болезнетво́рный; ~ bacteria вре́дные бакте́рии, болезнетво́рные бакте́рии; 2. *n ист.* про́звище англи́йских роялистов в эпоху Кромвеля.

**malignity** [mə'lɪgnɪtɪ] = malignancy.

**malinger** [mə'lɪŋgə] *v* притворя́ться больны́м, симули́ровать боле́знь.

**malingerer** [mə'lɪŋgərə] *n* симуля́нт.

**malingering** [mə'lɪŋgərɪŋ] 1. *pres. p. от* malinger;
2. *n (преим. воен.)* симуля́ция.

**malison** ['mælɪzn] *n уст.* прокля́тие.

**mall** [mɔːl] *n* 1) (тени́стое) ме́сто для гуля́нья; 2) игра́ в шары́; 3) *тех.* тяжёлый мо́лот.

**mallard** ['mæləd] *n* ди́кая у́тка.

**malleability** [,mælɪə'bɪlɪtɪ] *n* 1) ко́вкость; тягу́честь; спосо́бность деформи́роваться в холо́дном состоя́нии; 2) пода́тливость; усту́пчивость.

**malleable** ['mælɪəbl] *a* 1) ко́вкий; тягу́чий; 2) пода́тливый; усту́пчивый.

**mallemuck** ['mælɪmʌk] *n* альбатро́с; буреве́стник.

**mallet** ['mælɪt] *n* деревя́нный молото́к, колоту́шка.

**malleus** ['mælɪəs] *n анат.* молото́чек *(ушная косточка).*

**mallow** ['mæloʊ] *n бот.* ма́льва, просвирня́к.

**malm** [mɑːm] *n геол.* 1) (М.) мальм, ве́рхняя юра́; 2) ме́ргель, известко́вый песо́к.

**malmsey** ['mɑːmzɪ] *n* мальва́зия *(вино).*

**malnutrition** ['mæl,njuː'trɪʃən] *n* недоеда́ние, недоста́точное *или* непра́вильное пита́ние.

**malodorant** [mæ'loudərənt] 1. *n* злово́нное вещество́;
2. *a* = malodorous.

**malodorous** ['mæ'loudərəs] *a* злово́нный, воню́чий.

**malposition** ['mælpə'zɪʃən] *n мед.* непра́вильное положе́ние плода́.

**malpractice** ['mæl'præktɪs] *n* 1) противозако́нное де́йствие; 2) небре́жное лече́ние *(пациента)*; 3) злоупотребле́ние дове́рием.

**malt** [mɔːlt] 1. *n* 1) со́лод; 2) *разг.* соло́довый напи́ток; 3) *attr.* соло́довый;
2. *v* 1) солоди́ть; 2) солоде́ть.

**Maltese** ['mɔːl'tiːz] 1. *a* мальти́йский;
2. *n* 1) мальти́ец; the ~ *pl собир.* мальти́йцы; 2) язы́к жи́телей о́-ва Ма́льта.

**maltha** ['mælθə] *n мин.* ма́льта *(чёрная смолистая нефть).*

**malt-house** ['mɔːlthaus] *n* соло́довня.

**maltose** ['mɔːltous] *n хим.* мальто́за, соло́довый са́хар.

**maltreat** [mæl'triːt] *v* ду́рно обраща́ться.

**maltreatment** [mæl'triːtmənt] *n* дурно́е обраще́ние.

**maltster** ['mɔːltstə] *n* соло́довник.

**malt-worm** ['mɔːltwɜːm] *n* пья́ница.

**malty** ['mɔːltɪ] *a* 1) соло́довый; 2) *sl.* пья́ный.

**Malvaceae** [mæl'veɪsɪː] *n бот.* ма́львовые.

**malversation** [,mælvɜː'seɪʃən] *n* 1) злоупотребле́ние *(по службе)*; 2) присвое́ние обще́ственных *или* госуда́рственных сумм.

**mama** [mə'mɑː] = mamma I.

**Mameluke** ['mæmɪluːk] *n ист.* мамелю́к.

**mamma I** [mə'mɑː] *n дет.* ма́ма.

**mamma II** ['mæmə] *n (pl* -mae) *анат.* грудна́я *(или* моло́чная) железа́.

**mammae** ['mæmiː] *pl от* mamma II.

**mammal** ['mæməl] *n* млекопита́ющее живо́тное.

**mammalia** [mæ'meɪljə] *n pl* млекопита́ющие.

**mammalogy** [mə'mælədʒɪ] *n* уче́ние о млекопита́ющих.

**mammary** ['mæmərɪ] *a* относя́щийся к грудно́й *(или* моло́чной) железе́.

**mammilla** [mæ'mɪlə] *n (pl* -lae) *анат.* грудно́й сосо́к.

**mammillae** [mæ'mɪliː] *pl от* mammilla.

**mammock** ['mæmək] 1. *n* глы́ба, обло́мок;
2. *v* лома́ть, разла́мывать на куски́; рвать в кло́чья.

**mammon** ['mæmən] *n* маммо́на, де́ньги, бога́тство.

**mammonish** ['mæmənɪʃ] *a* сребролюби́вый.

**mammoth** ['mæməθ] 1. *n* ма́монт;
2. *a* грома́дный, гига́нтский.

**mammy** ['mæmɪ] *n* 1) *дет.* ма́мочка; 2) *амер.* ня́ня-негритя́нка; 3) *амер.* ста́рая негритя́нка.

**man** [mæn] 1. *n (pl* men) 1) челове́к; 2) *во фразеологи́ческих сочета́ниях:* а) *как представи́тель профессии:* ~ of law адвокат, юрист; ~ of letters писатель, литератор; учёный; ~ of office чиновник; ~ of the pen литератор; б) *как обладатель определённых качеств:* ~ of character человек с характером; ~ of courage храбрый, мужественный человек; ~ of decision решительный человек; ~ of distinction (*или* mark, note) выдающийся, знаменитый человек; ~ of family знатный человек; *амер.* семейный человек; ~ of genius гениальный человек; ~ of ideas изобретательный, находчивый человек; ~ of pleasure сластолюбец; ~ of principle принципиальный человек; ~ of no principles беспринципный человек; ~ of no scruples недобросовестный, бессовестный человек; ~ of sense здравомыслящий, разумный человек; ~ of straw а) соломенное чучело; б) ненадёжный человек; в) подставное, фиктивное лицо; воображаемый противник; ~ of taste человек со вкусом; ~ of worth достойный, почтенный человек; *сочетания типа* family ~, self--made ~, medical ~, leading ~, *etc. см. под* family, self-made, medical, leading, *etc.*; 3) мужчина; 4) мужественный человек; 5) человеческий род, человечество; 6) слуга, человек; I'm your ~ *разг.* я к вашим услугам, я согласен; 7) рабочий; 8) муж; ~ and wife муж и жена; 9) *pl* солдаты, рядовые; матросы; 10) *ист.* вассал; 11) пешка, шашка (*в игре*); ◊ to be one's own ~ а) быть независимым, самостоятельным; свободно распоряжаться собой; б) прийти в себя, быть в норме; держать себя в руках; ~ in the street, *амер. тж.* ~ in the car заурядный человек, обыватель; ~ about town светский человек; прожигатель жизни; ~ of the world человек, умудрённый жизненным опытом; светский человек; good ~! здорово!, здравствуй!; ~ and boy с юных лет; (all) to a ~ все до одного, как один (человек), все без исключения;

2. *v* 1) *воен., мор.* укомплектовывать личным составом; занимать людьми; поставлять людей, посадить людей; 2) занять (*позиции*), стать (*к орудиям и т. п.*); 3) подбодрять; to ~ oneself мужаться, брать себя в руки; 4) *охот.* приручать.

-man [-mən] *в сложных словах означает занятие, профессию; напр.:* fisherman рыбак; postman почтальон.

**manacle** ['mænəkl] **1.** *n* (*обыкн. pl*) 1) наручники, ручные кандалы; 2) путы; препятствие;

2. *v* надевать наручники.

**manage** ['mænɪdʒ] *v* 1) руководить, управлять, заведовать; стоять во главе; to ~ a household вести домашнее хозяйство; 2) уметь обращаться (*с чем-л.*), владеть (*оружием и т. п.*); 3) усмирять, укрощать; выезжать (*лошадь*); править (*лошадьми*); 4) справляться, ухитряться, суметь (сделать) (*часто ирон.*); he ~d to muddle it он умудрился напутать; can you ~ another slice? *разг.* вы, наверно, справитесь ещё с куском?

**manageable** ['mænɪdʒəbl] *a* 1) поддающийся управлению; 2) поддающийся дрессировке; послушный, смирный; a ~ horse

выезженная лошадь; 3) сговорчивый, податливый; 4) выполнимый.

**management** ['mænɪdʒmənt] *n* 1) управление; заведование; 2) умение владеть (*инструментом*); умение справляться (*с работой*); 3) осторожное, бережное, чуткое отношение (*к людям*); 4) (the ~) правление; дирекция, администрация.

**manager** ['mænɪdʒə] *n* 1) управляющий, заведующий; директор; 2) хозяин; good (bad) ~ хороший (плохой) хозяин; 3) *парл.* представитель одной из палат, уполномоченный вести переговоры по вопросу, касающемуся обеих палат; 4) импресарио.

**manageress** ['mænɪdʒəres] *n* заведующая; управительница.

**managerial** [,mænə'dʒɪərɪəl] *a* директорский, относящийся к управлению.

**managing** ['mænɪdʒɪŋ] **1.** *pres. p. от* manage;

2. *a* 1) руководящий, ведущий; 2) деловой, энергичный; 3) экономный, бережливый.

**man-at-arms** ['mænət'ɑ:mz] *n* (*pl* men--at-arms) *ист.* тяжеловооружённый всадник.

**manatee** [,mænə'ti:] *n зоол.* ламантин.

**man-carried** ['mæn,kærɪd] *a* переносный.

**man-child** ['mæntʃaɪld] *n* (*pl* men-children) мальчик.

**manciple** ['mænsɪpl] *n* эконом.

**Mancunian** [mæn'kju:njən] **1.** *a* манчестерский.

2. *n* житель Манчестера.

**mandamus** [mæn'deɪməs] *n юр.* приказ высшей судебной инстанции низшей.

**mandarin I** ['mændərɪn] *n* 1) *ист.* мандарин (*китайский чиновник*); 2) (М.) *уст.* мандаринское наречие китайского языка; 3) *ирон.* косный, отсталый руководитель.

**mandarin II** ['mændərɪn] *n* 1) мандарин (*плод*); 2) оранжевый цвет.

**mandarine** [,mændə'ri:n] = mandarin II.

**mandatary** ['mændətərɪ] *n полит.* мандатарий (*государство, получившее мандат на часть территории побеждённой страны*).

**mandate** ['mændeɪt] **1.** *n* 1) мандат; 2) наказ (*избирателей*);

2. *v* передавать (*страну*) под мандат другого государства.

**mandated** ['mændeɪtɪd] **1.** *p. p. от* mandate 2;

2. *a* подмандатный.

**mandatory** ['mændətərɪ] **1.** *a* 1) мандатный; 2) обязательный, принудительный; ~ sentence окончательный приговор;

2. *n* = mandatary.

**mandible** ['mændɪbl] *n* нижняя челюсть (*млекопитающих и рыб*); жвало, мандибула (*насекомых*).

**mandolin** ['mændəlɪn] *n* мандолина.

**mandoline** ['mændə'li:n] = mandolin.

**mandrake** ['mændreɪk] *n бот.* мандрагора.

**mandrel** ['mændrəl] *n* 1) *тех.* оправка; сердечник; пробойник; 2) *горн.* кайла.

**mandril** ['mændrɪl] = mandrel.

**mandrill** ['mændrɪl] *n* мандрил (*обезьяна*).

**manducate** ['mændjukeɪt] *v редк.* жевать.

**mane** [meɪn] *n* грива.

**man-eater** ['mæn,iːtə] n 1) людоéд; 2) зоол. пилá-рыба.

**manège** [mæ'neiʒ] фр. n 1) манéж; 2) искýсство верховóй езды́; 3) вы́ездка лóшади; 4) кóнный привóд.

**manful** ['mænful] a мýжественный; смéлый, решительный.

**manganese** [,mæŋgə'niːz] n мáрганец.

**manganic** [mæŋ'gænik] a мáрганцевый, марганцóвый.

**mange** [meindʒ] n вет. чесóтка.

**mangel(-wurzel)** ['mæŋgl('wəːzl)] нем. n кормовáя свёкла.

**manger** ['meindʒə] n я́сли, кормýшка; ◇ dog in the ~ ≈ собáка на сéне.

**mangle** I ['mæŋgl] 1. n 1) катóк (для белья́); 2) текст. калáндр; 2. v катáть (белье́).

**mangle** II ['mæŋgl] v 1) рубить, кромсáть; 2) калéчить; 3) искажáть, пóртить (цитáту, текст и т. п.).

**mango** ['mæŋgou] n (pl -oes, -os [-ouz]) 1) мáнговое дéрево; 2) мáнго (плод); 3) маринóванные óвощи.

**mangold** ['mæŋgəld] = mangel(-wurzel).

**mangonel** ['mæŋgənəl] n ист. баллиста.

**mangrove** ['mæŋgrouv] n бот. ризофóра.

**mangy** ['meindʒi] a 1) чесóточный, паршивый; 2) гря́зный, поношенный.

**manhandle** ['mæn,hændl] v 1) тащить, передвигáть вручнýю; 2) sl. грýбо обращáться; избивáть.

**manhole** ['mænhoul] n 1) лаз, люк; горловина; 2) смотровóе отвéрстие.

**manhood** ['mænhud] n 1) возмужáлость, зрéлость, зрéлый вóзраст; 2) мýжественность; 3) мужскóе населéние страны́; 4) attr.: ~ suffrage избирáтельное прáво для всех взрóслых мужчин.

**manhunt** ['mænhʌnt] n полицéйская облáва, преслéдование (особ. беглецá).

**mania** ['meinjə] n мáния.

**maniac** ['meiniæk] 1. n маньяк; 2. a помéшанный; маниакáльный.

**maniacal** [mə'naiəkəl] a маниакáльный.

**Manichee** ['mæni,kiː] n ист. рел. манихéй.

**manicure** ['mænikjuə] 1. n 1) маникюр; 2) = manicurist; 2. v дéлать маникюр.

**manicurist** ['mænikjuərist] n маникюрша.

**manifest** ['mænifest] 1. a очевидный, я́вный; я́сный; 2. v 1) я́сно покáзывать; дéлать очевидным, обнарýживать; проявля́ть; 2) обнарóдовать; издáть манифéст; 3) докáзывать, служить доказáтельством; 4) обнарýживаться, проявля́ться; 5) появля́ться (о привидéнии); 6) заносить в декларáцию судовóго грýза; 3. n манифéст, декларáция судовóго грýза.

**manifestation** [,mænifes'teiʃən] n 1) проявлéние; 2) манифестáция; 3) обнарóдование.

**manifesto** [,mæni'festou] n (pl -os, -oes [-ouz]) манифéст.

**manifold** ['mænifould] 1. n тех. 1) трубопровóд; 2) колéно трубы́; 3) кóпия (чéрез копирку);

2. a разнообрáзный, разнорóдный; 3. v размножáть (докумéнт в кóпиях).

**manikin** ['mænikin] n 1) человéчек; кáрлик; 2) манекéн.

**Manil(l)a** [mə'nilə] n 1) манильская пенькá (тж. ~ hemp); 2) манильская сигáра; [см. тж. Список географических названий].

**manioc** ['mæniɔk] n маниóка, тапиóка.

**maniple** ['mænipl] n ист. манипула (подразделéние римского легиóна).

**manipulate** [mə'nipjuleit] v 1) манипулировать; умéло обращáться; (умéло) управля́ть (станкóм и т. п.); 2) подтасóвывать.

**manipulation** [mə,nipju'leiʃən] n 1) манипуля́ция; обращéние; 2) махинáция, подтасóвка.

**manipulator** [mə'nipjuleitə] n 1) моторист, машинист; 2) тех. манипуля́тор; 3) радио ручнóй ключ.

**mankind** n 1) [mæn'kaind] человéчество; человéческий род; 2) ['mænkaind] мужчины, мужскóй пол.

**manlike** ['mænlaik] a 1) мужскóй, подобáющий мужчине; 2) мужеподóбный (о жéнщине).

**manliness** ['mænlinis] n мýжественность.

**manly** ['mænli] a 1) мýжественный, отвáжный; 2) мужеподóбный (о жéнщине).

**man-made** ['mæn,meid] a искýсственный, сóзданный рукáми человéка; ~ noise, ~ statics радио искýсственные, промышленные помéхи.

**manna** ['mænə] n 1) библ. мáнна небéсная; 2) мáнна (слабительное); 3) бот. я́сень бéлый.

**manna-croup** ['mænəkruːp] рус. n мáнная крупá.

**mannequin** ['mænikin] n 1) манекéн; 2) манекéнщица.

**manner** ['mænə] n 1) спóсоб, мéтод; óбраз дéйствий; ~ of life (of thought) óбраз жизни (мы́слей); 2) манéра (говорить, дéйствовать); in proper legal ~ в устанóвленной закóнной фóрме; 3) pl (хорóшие) манéры; умéние держáть себя́; to have no ~s не умéть себя́ вести; he has fair ~s, but no ~ у негó изя́щные манéры, но нет настоя́щего умéния держáть себя́; 4) pl обы́чаи, нрáвы; 5) стиль, худóжественная манéра; 6) уст. сорт, род; what ~ of man is he? что он за человéк?, какóй он человéк?; all ~ of... всевозмóжные...; ◇ by no ~ of means ни в кóем слýчае; by no ~ (of means) ни в кóем слýчае; ~ до нéкоторой стéпени; в нéкотором смы́сле; in a ~ of speaking уст. так сказáть; in a promiscuous ~ случáйно, наудáчу; no ~ of... никакóй...; to have no ~ of right не имéть никакóго прáва; to the ~ born привы́кший с пелёнок.

**mannered** ['mænəd] a вы́чурный, манéрный (о стиле; об артисте).

**-mannered** ['-mænəd] в слóжных словáх означает: имéющий такие-то манéры; напр.: well-~ с хорóшими манéрами; ill-~ с плохими манéрами.

**mannerism** ['mænərizəm] n 1) манéрность; 2) манéры; 3) иск. маньеризм.

**mannerist** ['mænərist] n иск. маньерист.

**manneristic** [ˌmænə'rɪstɪk] *a* манéрный.
**mannerless** ['mænəlɪs] *a* дурно воспитанный, невéжливый.
**mannerliness** ['mænəlɪnɪs] *n* вéжливость, воспитанность, хорóшие манéры.
**mannerly** ['mænəlɪ] *a* вéжливый, воспитанный, с хорóшими манéрами.
**manning** ['mænɪŋ] 1. *pres. p. om* man 2;
2. *n* (у)комплектовáние лѝчным состáвом.
**mannish** ['mænɪʃ] *a* мужеподóбная, женственная (*о женщине*).
**manoeuvrability** [məˌnuːvrə'bɪlɪtɪ] *n воен.* манёвроспосóбность; удобоуправляемость; поворотливость.
**manoeuvre** [mə'nuːvə] *фр.* 1. *n* 1) манёвр; 2) *pl воен., мор.* манёвры; 3) интрѝга;
2. *v* 1) *воен., мор.* проводѝть манёвры; 2) *воен.* маневрѝровать, перебрáсывать войскá; 3) маневрѝровать, лóвкостью добивáться (*чего-л.*); to ~ smb. into an awkward position (суметь) постáвить когó-л. в затруднѝтельное положéние.
**man-of-war** ['mænəv'wɔː] *n* (*pl* men-of-war) 1) воéнный корáбль; ~'s man воéнный моряк; 2) *уст.* солдáт.
**manometer** [mə'nɔmɪtə] *n* манóметр.
**manor** ['mænə] *n* 1) (феодáльное) помéстье; 2) *уст.* = manor-house.
**manor-house** ['mænəhaus] *n* помéщичий дом.
**manorial** [mə'nɔːrɪəl] *a* манориáльный, относящийся к помéстью.
**man-o'-war** ['mænə'wɔː] = man-of-war.
**manpower** ['mæn,pauə] *n* 1) рабóчая сѝла; 2) живáя сѝла; 3) лѝчный состáв; людскѝе ресýрсы.
**mansard** ['mænsɑːd] *n архит.* мансáрдная крыша; мансáрда.
**manse** [mæns] *n* дом (шотлáндского) пáстора.
**mansion** ['mænʃən] *n* большóй особняк, большóй дом; дворéц.
**mansion-house** ['mænʃənhaus] *n* 1) помéщичий дом; дворéц; 2) официáльная резидéнция; the M. дом лорд-мэра в Лóндоне.
**man-sized** ['mæn'saizd] *a* 1) большóй, для взрóслого человéка; 2) *амер. sl.* трýдный.
**manslaughter** ['mæn,slɔːtə] *n* 1) человекоубѝйство; 2) *юр.* непредумышленное убѝйство.
**mansuetude** ['mænswɪtjuːd] *n уст.* крóтость.
**mantel** ['mæntl] *n* 1) камѝн; 2) облицóвка камѝна; камѝнная доскá; 3) *тех.* кожýх, обшѝвка.
**mantel-board** ['mæntlbɔːd] *n* деревянная пóлочка над камѝном.
**mantelet** ['mæntlɪt] *n* 1) мантѝлья; 2) *воен. ист.* мантелéт, щит.
**mantelpiece** ['mæntlpiːs] = mantel 1).
**mantelshelf** ['mæntlʃelf] *n* камѝнная пóлка.
**mantes** ['mæntiːz] *pl om* mantis.
**mantis** ['mæntɪs] *n* (*pl* -tes) *зоол.* богомóл (*насекомое*).
**mantle** ['mæntl] 1. *n* 1) накѝдка; мáнтия; 2) *перен.* покрóв; 3) *тех.* кожýх, покрышка; 4) калѝльная сéтка (*газового фонаря*);

2. *v* 1) покрывáть; окýтывать; укрывáть; 2) покрывáться пéной, нáкипью; 3) расправлять крылья; 4) краснéть (*о лице*); приливáть к щекáм (*о крови*).
**mantlet** ['mæntlɪt] = mantelet.
**mantrap** ['mæntræp] *n* ловýшка, западня, капкáн (*особ. на человека*).
**manual** ['mænjuəl] 1. *n* 1) руковóдство; наставлéние; спрáвочник, указáтель; учéбник; field ~ *амер.* боевóй устáв; 2) *воен.* приёмы орýжием; 3) клавиатýра (оргáна);
2. *a* ручнóй; с ручным управлéнием; ~ labour физѝческий труд; ~ worker рабóтник физѝческого трудá; ~ alphabet áзбука глухонемых; ~ exercise *воен.* обучéние ружéйным приёмам; ~ (fire-)engine ручнóй пожáрный насóс.
**manufactory** [ˌmænju'fæktərɪ] *n* 1) фáбрика; мастерскáя; цех; 2) *ист.* мануфактýра.
**manufacture** [ˌmænju'fæktʃə] 1. *n* 1) произвóдство; фабрикáция; обрабóтка; steel (cloth) ~ стальнóе (сукóнное) произвóдство; of home (foreign) ~ отéчественного (инострáнного) произвóдства; 2) *pl* издéлия, фабрикáты; 3) фабрикáция (*ложных сведений и т. п.*);
2. *v* 1) производѝть, выдéлывать, фабриковáть; обрабáтывать, перерабáтывать; 2) фабриковáть, изобретáть (*ложь и т. п.*).
**manufactured goods** [ˌmænju'fæktʃəd'gudz] *n pl* фабрикáты, промышленные товáры.
**manufacturer** [ˌmænju'fæktʃərə] *n* 1) фабрикáнт, завóдчик; промышленник, предпринимáтель; 2) изготовѝтель, производѝтель.
**manufacturing** [ˌmænju'fæktʃərɪŋ] 1. *pres. p. om* manufacture 2;
2. *n* 1) произвóдство; выдéлка; обрабóтка; фабрикáция; 2) обрабáтывающая промышленность;
3. *a* промышленный; ~ town фабрѝчный гóрод; ~ water промышленные стóчные вóды.
**manuka** ['mɑːnukɑː] *n* манýка, чáйное дéрево.
**manumission** [ˌmænju'mɪʃən] *n ист.* 1) освобождéние (*от рабства*); предоставлéние вóльной (*крепостному*); 2) отпускнáя, вóльная (грáмота).
**manumit** [ˌmænju'mɪt] *v* 1) *ист.* отпускáть на вóлю; 2) освобождáть.
**manure** [mə'njuə] 1. *n* навóз, удобрéние; 2. *v* удобрять, унавóживать (*землю*).
**manuscript** ['mænjuskrɪpt] 1. *n* рýкопись;
2. *a* рукопѝсный.
**Manx** [mæŋks] 1. *a* 1) с о-ва Мэн; 2): ~ cat *зоол.* бесхвóстая кóшка.
2. *n* 1) язык жѝтелей о-ва Мэн; 2) (*употр. как pl*): the ~ жѝтели о-ва Мэн.
**Manxman** ['mæŋksmən] *n* урожéнец о-ва Мэн.
**many** ['menɪ] 1. *a* (more; most) мнóгие, многочѝсленные; мнóго; how ~? скóлько?; for ~ a long day в течéние дóлгого врéмени; as ~ стóлько же; as ~ as three years цéлых три гóда; not so ~ as мéньше, чем; to be one too ~ *шутл.* быть лѝшним; to be one too ~ for smb. *разг.* быть сильнéе, искýснее когó-л.;

**2.** *n* мно́жество, мно́гие; a good ~ поря́дочное коли́чество; a great ~ грома́дное коли́чество; мно́жество; the ~ мно́жество, большинство́.

**many-sided** ['menɪ'saɪdɪd] *a* многосторо́нний.

**many-stage** ['menɪ,steɪdʒ] *a* многоступе́нчатый, многока́скадный.

**Maori** ['maurɪ] *n* 1) (*pl* -s [-z] *или без измен.*) мао́ри; 2) язы́к мао́ри.

**map** [mæp] 1. *n* 1) ка́рта (*географическая или звёздного неба*); 2) план; ◇ off the ~ a) несуществу́ющий; пре́данный забве́нию; б) устаре́лый; в) несуще́ственный; on the ~ a) существу́ющий; б) занима́ющий ва́жное *или* ви́дное положе́ние; значи́тельный, суще́ственный, ва́жный;
**2.** *v* 1) наноси́ть на ка́рту, черти́ть ка́рту; производи́ть съёмку; 2) составля́ть план; ☐ ~ out плани́ровать; to ~ out one's time распределя́ть своё вре́мя.

**maple** ['meɪpl] *n* 1) клён; 2) *attr.* клено́вый.

**maple-leaf** ['meɪplliːf] *n* клено́вый лист (*тж. как эмблема Канады*).

**mapping** ['mæpɪŋ] 1. *pres. p. от* map 2;
**2.** *n* 1) нанесе́ние на ка́рту; вычёрчивание карт; съёмка пла́на *или* ка́рты; картогра́фия; 2) плани́рование.

**map range** ['mæp'reɪndʒ] *n воен.* горизонта́льная да́льность (*по карте*).

**maquis** ['mɑːkiː] *фр. n* (*pl без измен.*) маки́ (*название французских партизан во второй мировой войне*).

**mar** [mɑː] 1. *n* уши́б, синя́к;
**2.** *v* уда́рить, повреди́ть; по́ртить, искажа́ть; ◇ to make or ~ ≅ ли́бо пан, ли́бо пропа́л.

**marabou** ['mærəbuː] *n зоол.* марабу́.

**marabout** ['mærəbuːt] *n* 1) марабу́т (*мусульманский отшельник*); 2) надгро́бный па́мятник на моги́ле марабу́та.

**marasmus** [mə'ræzməs] *n* мара́зм, о́бщее истоще́ние, увяда́ние (*организма*).

**Marathon** ['mærəθən] *n* марафо́нский бег (*тж.* ~ race).

**maraud** [mə'rɔːd] *v* мародёрствовать.

**marauder** [mə'rɔːdə] *n* мародёр.

**marauding** [mə'rɔːdɪŋ] 1. *pres. p. от* maraud;
**2.** *n* мародёрство;
**3.** *a* мародёрский, хи́щнический.

**marble** ['mɑːbl] 1. *n* 1) мра́мор; 2) *pl* колле́кция скульпту́р из мра́мора; 3) *pl* де́тская игра́ в ша́рики; 4) *attr.* мра́морный; *перен.* кре́пкий, твёрдый; бе́лый как мра́мор; холо́дный, бесчу́вственный;
**2.** *v* распи́сывать под мра́мор.

**marbled** ['mɑːbld] 1. *p. p. от* marble 2;
**2.** *a* кра́пчатый, под мра́мор; ~ edges кра́пчатый обре́з (*книги*).

**marble-topped** ['mɑːbl'tɔpt] *a* с мра́морным ве́рхом.

**marc** [mɑːk] *n* вы́жимки (*фруктов*).

**marcel** [mɑː'sel] 1. *n* горя́чая зави́вка воло́с;
**2.** *v* завива́ть во́лосы щипца́ми.

**March** [mɑːtʃ] *n* 1) март; 2) *attr.* ма́ртовский.

**march I** [mɑːtʃ] 1. *n* 1) *воен.* марш; по-

хо́дное движе́ние, су́точный перехо́д (*тж.* day's ~); 2) ход, разви́тие (*событий*); успе́хи (*науки и т. п.*); 3) *муз.* марш; 4) *спорт.* марширо́вка; 5) *attr.* ма́ршевый, похо́дный; ~ formation похо́дный поря́док;
**2.** *v* 1) марширова́ть; дви́гаться похо́дным поря́дком; 2) выводи́ть в похо́д; уводи́ть; ☐ ~ ahead идти́ вперёд; ~ off выступа́ть, уходи́ть; отводи́ть; ~ on продвига́ться вперёд; ~ out выступа́ть; ~ past проходи́ть церемониа́льным ма́ршем.

**march II** [mɑːtʃ] 1. *n* (*обыкн. pl*) *ист.* ма́рка; грани́ца; пограни́чная *или* спо́рная полоса́;
**2.** *v* грани́чить.

**marching I** ['mɑːtʃɪŋ] 1. *pres. p. от* march I, 2;
**2.** *n* 1) марширо́вка; передвиже́ние; 2) *attr.* похо́дный; во вре́мя похо́да; ~ fire стрельба́ на ходу́, стрельба́ во вре́мя ата́ки; ~ order a) похо́дный поря́док; б) похо́дное снаряже́ние, похо́дная фо́рма; ~ orders a) прика́з о выступле́нии (в похо́д); б): to give smb. his ~ orders *разг.* уво́лить кого́-л.

**marching II** ['mɑːtʃɪŋ] *pres. p. от* march II, 2.

**marchioness** ['mɑːʃənɪs] *n* марки́за (*в Англии*).

**marchpane** ['mɑːtʃpeɪn] *n* марципа́н.

**march past** ['mɑːtʃpɑːst] *n* прохожде́ние церемониа́льным ма́ршем.

**mare** [meə] *n* кобы́ла.

**mare's-nest** ['meəznest] *n* иллю́зия, не́что несуществу́ющее; ◇ to find a ~ ≅ попа́сть па́льцем в не́бо.

**margarine** [,mɑːdʒə'riːn] *n* маргари́н.

**marge I** [mɑːdʒ] *поэт. см.* margin 1, 1) и 2).

**marge II** [mɑːdʒ] *разг. см.* margarine.

**margin** ['mɑːdʒɪn] 1. *n* 1) край; полоса́, грань; бе́рег; опу́шка (*леса*); 2) по́ле (*страницы*); 3) запа́с (*денег, времени и т. п.*); ~ of safety *тех.* надёжность, коэффицие́нт безопа́сности, запа́с про́чности; 4) ра́зница ме́жду себесто́имостью и прода́жной цено́й; при́быль;
**2.** *v* 1) оставля́ть запа́с; 2) де́лать заме́тки на поля́х.

**marginal** ['mɑːdʒɪnl] *a* 1) (напи́санный) на поля́х (*книги*); 2) находя́щийся на краю́ (*чего-л.*); 3) *мед.* маргина́льный.

**marginalia** [,mɑːdʒɪ'neɪljə] *n pl* 1) заме́тки на поля́х (*книги*); 2) *полигр.* маргина́лии, боковушки.

**margrave** ['mɑːgreɪv] *n ист.* маркгра́ф.

**margravine** ['mɑːgrəviːn] *n* жена́ маркгра́фа.

**marguerite** [,mɑːgə'riːt] *n бот.* попо́вник; златоцве́т кана́рский.

**marigold** ['mærɪgould] *n бот.* 1) ба́рхатцы; 2) ного́тки.

**marihuanna, marijuanna** [,mɑːrɪ'(h)wɑːnɑː] *исп. n* марихуа́на (*наркотик, подмешиваемый в табак*).

**marimba** [mə'rɪmbə] *n* разнови́дность ксилофо́на.

**marinade** [,mærɪ'neɪd] 1. *n* марина́д;
**2.** *v* маринова́ть; соли́ть.

**marine** [mə'riːn] **1.** *n* 1) флот; 2) судоходство, морское дело; 3) солдат морской пехоты; the ~s морская пехота; 4) *жив.* морской пейзаж, марина; ◇ tell that to the ~s = tell that to the horse-marines [*см.* horse-marine ◇];

**2.** *a* 1) морской; 2) судовой; ~ stores a) подержанные корабельные принадлежности; б) судовые припасы.

**mariner** ['mærinə] *n* моряк, матрос; ~ master — капитан торгового судна.

**marionette** [,mæriə'net] *n* марионетка.

**marital** [mə'raitl] *a* 1) супружеский, брачный; 2) мужнин.

**maritime** ['mæritaim] *a* 1) морской; 2) приморский; ~ station береговая станция.

**marjoram** ['mɑːdʒərəm] *n бот.* майоран.

**mark I** [mɑːk] *n* 1) марка (*денежная единица Германии*); 2) *ист.* английская монета.

**mark II** [mɑːk] **1.** *n* 1) метка; знак; ~ of interrogation вопросительный знак; 2) штамп, штемпель; фабричная марка, 3) крест (*вместо подписи неграмотного, напр.:* John Smith—his ~); 4) признак, показатель; 5) цель, мишень; to hit (to miss) the ~ попасть в цель (промахнуться); far from (*или* wide of) the ~ мимо цели; *перен.* неуместно; не по существу; beside the ~ некстати; 6) граница, предел; норма; уровень; above the ~ выше принятой (*или* установленной) нормы; below the ~ не на высоте (*положения*); up to the ~ a) на должной высоте; б) в хорошем состоянии, в добром здравии; within the ~ в пределах принятой (*или* установленной) нормы; 7) *спорт.* линия старта, старт; to get off the ~ стартовать, взять старт; 8) to make one's ~ выдвинуться, отличиться; сделать карьеру; приобрести известность; of ~ известный (*о человеке*); 9) балл, отметка; оценка (*знаний*); 10) стойка, веха; 11) пятно, шрам, рубец; 12) *ист.* рубеж; марка (*пограничная область*); ◇ (God) save the ~ с позволения сказать; боже упаси; soft ~, easy ~ *амер. sl.* a) лёгкая добыча; жертва; б) доверчивый человек, простак;

**2.** *v* 1) ставить знак; штамповать, штемпелевать; маркировать; метить (*бельё*); 2) отмечать; обозначать; to ~ time *воен.* обозначать шаг на месте; *перен.* топтаться на месте; ~ my words! попомни(те) мои слова!; 3) оставить след, пятно, рубец; 4) (по)ставить расценку (*на товаре*); 5) ставить балл, отметку (*на школьной работе*); 6) характеризовать, отмечать; 7) записывать (*очки в игре*); 8) выслеживать (*дичь*); 9) (за)регистрировать биржевую сделку (*с включением её в официальную котировку*); □ ~ down отметить новую, пониженную расценку (*на товаре*); ~ off отделять; проводить границы; разграничивать; ~ out a) размечать; расставлять указательные знаки; б) выделять, предназначать; ~ up отметить новую, повышенную расценку (*на товаре*).

**marked** [mɑːkt] **1.** *p. p. от* mark II, 2;
**2.** *a* 1) имеющий какие-л. знаки, вехи;

замеченный, отмеченный; 2) заметный; ~ difference заметная разница; ~ disadvantage явный ущерб; явно невыгодное положение; a ~ man a) человек, за которым следят; б) видный, известный человек.

**marker** ['mɑːkə] *n* 1) маркёр; 2) клеймовщик; клеймовщица; 3) *школ.* лицо, отмечающее присутствующих учеников; 4) закладка (*в книге*); 5) *амер.* мемориальная доска; 6) *горн.* маркирующий горизонт; ◇ not a ~ to (*или* on) *sl.* ничто по сравнению с; в подмётки не годится.

**market** ['mɑːkit] **1.** *n* 1) рынок, базар; 2) сбыт; to come into the ~ поступить в продажу; to put on the ~ пустить в продажу; 3) торговля; brisk ~ бойкая торговля; hours of ~ часы торговли; 4) рыночные цены; the ~ rose цены поднялись; to play the ~ спекулировать на бирже; 5) продовольственный магазин; ◇ to bring one's eggs (*или* hogs, goods) to the wrong (*или* bad) ~ просчитаться; потерпеть неудачу; to be on the long side of the ~ придерживать товар в ожидании повышения цен; to find a ~ быть в спросе, пользоваться спросом;

**2.** *v* 1) привезти на рынок; купить *или* продать на рынке; 2) продавать; сбывать; находить рынок сбыта.

**marketability** [,mɑːkitə'biliti] *n* товарность, пригодность для продажи.

**marketable** ['mɑːkitəbl] *a* 1) ходкий (*о товаре*); 2) товарный; рыночный; ~ surplus of grain товарный хлеб.

**market-day** ['mɑːkitdei] *n* базарный день.

**market garden** ['mɑːkit,gɑːdn] *n* огород (*для выращивания овощей для продажи*).

**marketing** ['mɑːkitiŋ] **1.** *pres. p. от* market 2;
**2.** *n* 1) торговля; 2) предметы торговли.

**market-place** ['mɑːkitpleis] *n* базарная, рыночная площадь.

**market-price** ['mɑːkit'prais] *n* рыночная цена.

**marking** ['mɑːkiŋ] **1.** *pres. p. от* mark II, 2;
**2.** *n* 1) расцветка; окраска; 2) маркировка; разметка, отметка; 3) клеймовка; 4) метка (*на белье*).

**markka** ['mɑːkkɑː] *n* марка (*денежная единица Финляндии*).

**marksman** ['mɑːksmən] *n* меткий стрелок.

**marksmanship** ['mɑːksmənʃip] *n* меткая стрельба.

**marl** [mɑːl] **1.** *n геол.* мергель; рухляк; известковая глина; нечистый известняк;
**2.** *v* удобрять землю мергелем.

**marline** ['mɑːlin] *n мор.* марлинь.

**marly** ['mɑːli] *a геол.* мергельный, мергелистый.

**marmalade** ['mɑːməleid] *n* 1) мармелад; 2) варенье (*особ.* апельсинное); повидло.

**marmoreal** [mɑː'mɔːriəl] *a поэт.* мраморный; подобный мрамору.

**marmoset** ['mɑːməzet] *n* обезьянка, мартышка.

**marmot** ['mɑːmət] *n* 1) *зоол.* сурок; 2) купальный чепец.

**maroon I** [mə'ruːn] **1.** *n* 1) каштановый цвет; 2) бурак (*в фейерверке*);
**2.** *a* каштанового цвета.

**maroon** II [mə'ruːn] **1.** *n* 1) *ист.* марон (*беглый раб-негр в Вест-Индии и Гвиане*); 2) человек, высаженный на необитаемом острове;
**2.** *v* 1) высаживать на необитаемый остров; 2) бездельничать, слоняться.

**marplot** ['mɑːplɔt] *n* 1) тот, кто расстраивает планы; 2) помеха.

**marque** [mɑːk] *n*: letter(s) of ~ *мор. ист.* каперское свидетельство.

**marquee** [mɑː'kiː] *n* большая палатка, шатёр.

**marquess** ['mɑːkwɪs] = marquis.

**marquetry** ['mɑːkɪtrɪ] *n* маркетри, мозаика (*из цветной древесины*).

**marquis** ['mɑːkwɪs] *n* маркиз.

**marquise** [mɑː'kiːz] *n* маркиза.

**marquisette** [,mɑːkɪ'zet] *n* маркизет.

**marram (grass)** ['mærəm(grɑːs)] *n бот.* песколюб песчаный.

**marriage** ['mærɪdʒ] *n* 1) брак; замужество; женитьба; ~ of convenience брак по расчёту; to contract a ~ заключать брак; to give in ~ выдавать замуж; 2) свадьба; 3) тесное единение, тесный союз; 4) *карт.* марьяж; 5) *attr.* брачный; ~ licence разрешение на брак; ~ bonds брачные узы; ~ lines свидетельство о браке; ~ settlement брачный контракт, касающийся имущества; закрепление определённого имущества за (будущей) женой.

**marriageable** ['mærɪdʒəbl] *a* взрослый, достигший брачного возраста.

**married** ['mærɪd] **1.** *p. p. от* marry I; **2.** *a* женатый; замужняя.

**marrow** I ['mærou] *n* 1) костный мозг; to the ~ of one's bones до мозга костей; до глубины души; 2) сущность; 3) *бот.* кабачок (*тж.* vegetable ~).

**marrow** II ['mærou] *n диал.* 1) товарищ; 2) супруг(а).

**marrowbone** ['mærouboun] *n* 1) мозговая кость; 2) суть, сущность; 3) *pl шутл.* колени; to bring smb. down to his ~s поставить кого-л. на колени, заставить покориться; to go (*или* to get) down on one's ~s стать на колени; 4) *pl sl.* кулаки; ◇ to ride in the ~ coach ехать «на своих двоих».

**marrowfat** ['mæroufæt] *n* горох мозговой.

**marrow squash** ['mærouskwɔʃ] *n бот.* кабачок.

**marrowy** ['mæroui] *a* 1) костномозговой; наполненный мозгом; 2) сильный, крепкий; содержательный.

**marry** I ['mærɪ] *v* 1) женить (to); выдавать замуж (to); жениться; выходить замуж; 2) *перен.* соединять; сочетать; 3) *мор.* сплеснивать.

**marry** II ['mærɪ] *int уст.* (*выражает удивление, негодование*) скажите пожалуйста! подумать только! (*тж.* ~ come up!).

**Mars** [mɑːz] *n* 1) *миф.* Марс; 2) *астр.* Марс (*планета*).

**Marsala** [mɑː'sɑːlə] *n* марсала (*вино*).

**Marseillaise** [,mɑːsə'leiz] *фр. n* марсельеза.

**marsh** [mɑːʃ] *n* болото, топь.

**marshal** ['mɑːʃəl] **1.** *n* 1) (M.) *воен.* маршал; 2) церемониймейстер; 3) *амер.* ≅ судебный исполнитель (*соответствует шерифу в Англии*); 4) начальник полицейского участка; 5) помощник инспектора (*в англ. университетах*);
**2.** *v* 1) выстраивать (*войска, процессию*); 2) располагать в определённом порядке (*факты*); размещать (*гостей на банкете и т. п.*); 3) торжественно вести, вводить (in); 4) *ж.-д.* сортировать товарные вагоны.

**marshalling yard** ['mɑːʃlɪŋ,jɑːd] *n ж.-д.* сортировочная станция.

**marsh gas** ['mɑːʃgæs] *n* болотный газ, метан.

**marsh harrier** ['mɑːʃ'hærɪə] *n* камышовый (*или* болотный) лунь (*птица*).

**marshland** ['mɑːʃlænd] *n* болотистая местность.

**marsh mallow** ['mɑːʃ'mælou] *n бот.* алтей аптечный.

**marsh marigold** ['mɑːʃ'mærɪgould] *n бот.* калужница болотная.

**marshy** ['mɑːʃɪ] *a* болотистый, топкий; болотный.

**marsupial** [mɑː'sjuːpjə] *зоол.* **1.** *n* сумчатое животное;
**2.** *a* сумчатый.

**mart** [mɑːt] *n поэт.* 1) рынок; 2) торговый центр; 3) аукционный зал.

**marten** ['mɑːtɪn] *n* куница.

**martial** ['mɑːʃəl] *a* 1) военный; ~ law военное положение; 2) воинственный; ~ spirit воинственный дух.

**Martian** ['mɑːʃjən] *n* марсианин.

**martin** ['mɑːtɪn] *n* городская ласточка.

**martinet** [,mɑːtɪ'net] *n* 1) сторонник строгой дисциплины; 2) педант.

**martingale** ['mɑːtɪngeɪl] *n* 1) мартингал; 2) удваивание ставки при проигрыше.

**Martinmas** ['mɑːtɪnməs] *n* 1) *церк.* Мартынов день (*11 ноября*); 2) = St. Martin's summer [*см.* St].

**martlet** ['mɑːtlɪt] *n* 1) стриж чёрный (*птица*); 2) *поэт.* ласточка.

**martyr** ['mɑːtə] **1.** *n* мученик; мученица; страдалец; страдалица; he was a ~ to gout он страдал подагрой;
**2.** *v* мучить.

**martyrdom** ['mɑːtədəm] *n* 1) мученичество; 2) мука.

**martyrize** ['mɑːtəraɪz] *v* мучить.

**marvel** ['mɑːvəl] **1.** *n* 1) чудо; диво; he's a perfect ~ он необыкновенный человек; 2) замечательная вещь; 3) *уст.* удивление;
**2.** *v* удивляться, изумляться; восхищаться (at).

**marvellous** ['mɑːvɪləs] **1.** *a* изумительный, удивительный;
**2.** *n* (the ~) чудесное; непостижимое.

**Marxian** ['mɑːksjən] **1.** *a* марксистский;
**2.** *n* марксист.

**Marxism** ['mɑːksɪzəm] *n* марксизм.

**Marxism-Leninism** ['mɑːksɪzəm'lenɪnɪzəm] *n* марксизм-ленинизм.

**Marxist** ['mɑːksɪst] **1.** *n* марксист;
**2.** *a* марксистский.

**marzipan** [,mɑːzɪ'pæn] = marchpane.

**mascara** [mæs'kɑːrə] *n* краска для ресниц и бровей.

mascot ['mæskət] *n* талисма́н; челове́к *или* вещь, принося́щие сча́стье.

masculine ['mɑːskjulɪn] **1.** *n* 1) *грам.* мужско́й род; 2) сло́во мужско́го ро́да; **2.** *a* 1) мужско́й; 2) му́жественный; 3) мужеподо́бная (*о же́нщине*).

masculinity [,mæskju'lɪnɪtɪ] *n* му́жественность.

mash [mæʃ] **1.** *n* 1) су́сло; 2) по́йло из отрубе́й; 3) (карто́фельное) пюре́; 4) меша́нина; 5) *хим.* пу́льпа; 6) *тех.* зато́р; **2.** *v* 1) зава́ривать (*солод*) кипятко́м; 2) разда́вливать, размина́ть.

mashed potatoes ['mæʃtpə'teɪtouz] *n pl* карто́фельное пюре́.

masher ['mæʃə] *n* 1) щёголь, фат; 2) дон-жуа́н, сердцее́д; 3) *амер. sl.* мужчи́на, гру́бо пристаю́щий к же́нщине.

mask [mɑːsk] **1.** *n* 1) ма́ска; личи́на; to throw off the ~ сбро́сить личи́ну; 2) ма́ска, уча́стник *или* уча́стница маскара́да; 3) нали́чник противога́за, противога́з; 4) ли́сья мо́рда (*как охо́тничий трофе́й*); **2.** *v* 1) маскирова́ть, скрыва́ть; 2) надева́ть ма́ску, притворя́ться; 3) *воен.* маскирова́ть; to ~ the fire загора́живать обстре́л.

masked [mɑːskt] **1.** *p. p. от* mask 2; **2.** *a* 1) переоде́тый, (за)маскиро́ванный; ~ ball бал-маскара́д; 2) *воен.* замаскиро́ванный.

masker ['mɑːskə] = masquer.

mason ['meɪsn] **1.** *n* 1) ка́менщик; каменотёс; ~'s float тёрка; ~'s rule правило; 2) (M.) масо́н; **2.** *v* стро́ить из ка́мня *или* кирпича́, вести́ кла́дку.

masonic [mə'sɔnɪk] *a* масо́нский.

masonry ['meɪsnrɪ] *n* 1) ка́менная *или* кирпи́чная кла́дка; 2) (M.) масо́нство.

masque [mɑːsk] *n* ма́ска (*драмати́ческий жанр XVI—XVII вв.*).

masquer ['mɑːskə] *n* уча́стник ба́ла-маскара́да *или* ма́ски [*см.* masque].

masquerade [,mæskə'reɪd] **1.** *n* маскара́д; **2.** *v* 1) уча́ствовать в маскара́де; маскирова́ться; 2) притворя́ться; выдава́ть себя́ за кого́-л.

mass I [mæs] *n* ме́сса, обе́дня.

mass II [mæs] **1.** *n* 1) ма́сса; 2) гру́да; мно́жество; in the ~ в це́лом; 3) бо́льшая часть (*чего́-л.*); 4) (the ~es) *pl* наро́дные ма́ссы; 5) *attr.* ма́ссовый; a ~ meeting ма́ссовый ми́тинг; ~ production пото́чное (*или* сери́йное) произво́дство; ◇ ~ of manoeuvre *воен.* манёвренный кула́к; уда́рная гру́ппа; he is a ~ of bruises он весь в синяка́х; **2.** *v* 1) собира́ть(ся) в ку́чу; 2) *воен.* масси́ровать, сосредото́чивать.

massacre ['mæsəkə] **1.** *n* резня́; избие́ние, бо́йня; ~ of St Bartholomew *ист.* Варфоломе́евская ночь; **2.** *v* устра́ивать резню́.

massage ['mæsɑːʒ] *фр.* **1.** *n* масса́ж; **2.** *v* масси́ровать, де́лать масса́ж.

masseur [mæ'səː] *фр. n* массажи́ст.

masseuse [mæ'səːz] *фр. n* массажи́стка.

massicot ['mæsɪkɔt] *n* массико́т, о́кись свинца́ (*жёлтая кра́ска*).

massif ['mæsiːf] *n* го́рный масси́в.

massive ['mæsɪv] *a* 1) масси́вный, соли́дный; тяжёлый, пло́тный; 2) кру́пный; масси́рованный.

mass-produced ['mæsprə,djuːst] *a* сери́йного произво́дства.

mass-spectrograph ['mæs'spektrougrɑːf] *n физ.* масс-спектро́граф.

mass-spectrometer ['mæsspek'trɔmɪtə] *n физ.* масс-спектро́метр.

massy ['mæsɪ] *a* соли́дный, масси́вный.

mast I [mɑːst] *n с.-х.* плодоко́рм.

mast II [mɑːst] **1.** *n* 1) ма́чта; 2) *attr.* ма́чтовый; ◇ to serve (*или* to sail) before the ~ служи́ть просты́м матро́сом; **2.** *v* ста́вить ма́чту.

-masted [-'mɑːstɪd] *в сло́жных слова́х* -ма́чтовый; three-~ трёхма́чтовый.

master ['mɑːstə] **1.** *n* 1) хозя́ин, владе́лец; господи́н; ~ of the house глава́ семьи́; to be ~ of smth. владе́ть, облада́ть чем-л.; to be one's own ~ быть самостоя́тельным, незави́симым; 2) вели́кий худо́жник, ма́стер; old ~s а) ста́рые мастера́; б) карти́ны ста́рых мастеро́в; 3) ма́стер; квалифици́рованный рабо́чий; ~ of fence иску́сный фехтова́льщик; *перен.* спо́рщик; to make oneself ~ of smth. доби́ться соверше́нства в чём-л., овладе́ть чем-л.; 4) (шко́льный) учи́тель; 5) глава́ колле́джа; 6) капита́н торго́вого су́дна (*тж.* ~ mariner); 7) маги́стр (*учёная сте́пень*); *напр.:* M. of Arts (*сокр.* M. A.) маги́стр иску́сств, маги́стр гуманита́рных нау́к; 8) ма́стер, господи́н (*в обраще́нии к ю́ноше; ста́вится перед и́менем или перед фами́лией ста́ршего сы́на,* напр., M. John, M. Jones); 9) пе́рвый оригина́л (*в звукоза́писи*); 10) *attr.* гла́вный, веду́щий; руководя́щий; ~ form *тех.* копи́р; шабло́н; ~ station *радио* веду́щая *или* задаю́щая радиопеленга́торная ста́нция; ◇ to be ~ of oneself прекра́сно владе́ть собо́й; **2.** *v* 1) одоле́ть; подчини́ть себе́; спра́виться; 2) владе́ть, овладева́ть (*чу́вствами, языко́м, музыка́льным инструме́нтом и т. п.*); 3) преодолева́ть (*тру́дности*); 4) руководи́ть, управля́ть.

masterful ['mɑːstəful] *a* 1) вла́стный, деспоти́ческий; 2) уве́ренный; 3) ма́стерско́й.

master-key ['mɑːstəkiː] *n* отмы́чка.

masterliness ['mɑːstəlɪnɪs] *n* мастерство́, соверше́нство.

masterly ['mɑːstəlɪ] **1.** *a* мастерско́й; соверше́нный; **2.** *adv* ма́стерски.

mastermind ['mɑːstəmaɪnd] **1.** *n* 1) выдаю́щийся ум; 2) руково́дство (*осо́б.* скры́тое, та́йное); **2.** *v* управля́ть, руководи́ть (*осо́б.* та́йно).

Master of Ceremonies ['mɑːstərəv'serɪmənɪz] *n* 1) церемониймейстер; 2) конферансье́.

Master of the Horse ['mɑːstərəvðə'hɔːs] *n* шталме́йстер.

masterpiece ['mɑːstəpiːs] *n* шеде́вр.

mastership ['mɑːstəʃɪp] *n* 1) мастерство́; 2) главе́нство; 3) до́лжность учи́теля, дире́ктора *и т. п.*

master-spirit ['mɑːstə,spɪrɪt] *n* челове́к выдаю́щегося ума́.

•**master-stroke** ['mɑːstəstrouk] *n* 1) мастерской удáр; 2) лóвкий ход.

**mastery** ['mɑːstəri] *n* 1) мастерствó; совершённое владéние (*предметом*); the ~ of technique овладéние тéхникой (*чего-л.*); 2) госпóдство, власть; ~ of the air госпóдство в вóздухе.

**mast-head** ['mɑːsthed] *мор.* **1.** *n* топ мáчты;
**2.** *v* 1) посылáть на топ мáчты (*в наказание*); 2) поднимáть на стéньгах.

**mastic** ['mæstɪk] *n* 1) мастíка; 2) смолá мастíкового дéрева; 3) мастíковое дéрево; 4) блéдно-жёлтый цвет.

**masticate** ['mæstɪkeɪt] *v* 1) месíть; 2) жевáть.

**mastication** [,mæstɪ'keɪʃən] *n* 1) мастикáция; 2) жевáние.

**masticator** ['mæstɪkeɪtə] *n* 1) тот, кто жуёт; 2) месíлка, месíльная машíна.

**masticatory** ['mæstɪkətərɪ] *a* жевáтельный; ~ stomach жевáтельный желýдок.

**mastiff** ['mæstɪf] *n* мастíф (*английский дог*).

**mastitis** [mæs'taɪtɪs] *n мед.* воспалéние грудны́х желёз, груднíца, мастíт.

**mastodon** ['mæstədɔn] *n* мастодóнт.

**masturbation** [,mæstə'beɪʃən] *n* мастурбáция.

**masurium** [mə'zuːrɪəm] *n хим.* мазýрий.

**mat I** [mæt] **1.** *n* 1) мат; циновка; рогóжа; кóврик; 2) клеёнка *или* какáя-л. подстíлка (*под блюдо, лампу и т. п.*); 3) спýтанные вóлосы; колтýн; 4) *амер.* = mount I, 1, 2); ◇ to leave (a person) on the ~ отказáться принять (посетíтеля); to have smb. on the ~ распекáть, бранíть когó-л.; on the ~ *sl.* в бедé; в затруднéнии;
**2.** *v* 1) устилáть циновками, стлать циновки; прикрывáть (*растение на зиму*) рогóжей (*под блюдо, лампу и т. п.*); 2) спýтывать(ся), сбивáться.

**mat II** [mæt] **1.** *a* мáтовый, неполирóванный, тýсклый;
**2.** *n* 1) паспартý; 2) мáтовая отдéлка, повéрхность *или* крáска;
**3.** *v* 1) дéлать мáтовым (*стекло, золото*); 2) дéлать тýсклыми (*краски*).

**match I** [mætʃ] *n* 1) спíчка; to strike a ~ зажéчь спíчку; 2) *воен.* запáльный фитíль; огнепрóвод.

**match II** [mætʃ] **1.** *n* 1) человéк *или* вещь, подходя́щие под пáру; рóвня; пáра; he has not his ~ емý нет рáвного; 2) состязáние, матч; 3) равносíльный, достóйный протíвник; he is more than a ~ for me он сильнéе (*искýснее и т. п.*) меня; to meet (*или* to find) one's ~ встрéтить достóйного протíвника; 4) брак, пáртия; he (she) is a good ~ он (онá) хорóшая пáртия; to make a ~ женíться; вы́йти зáмуж;
**2.** *v* 1) подбирáть под пáру, под стать; сочетáть; a well (an ill) ~ed couple хорóшая (плохáя) пáра; 2) подходíть (под пáру), соотвéтствовать; these colours don't ~ éти цветá плóхо сочетáются, не гармонíруют; a bonnet with ribbons to ~ шляпа с подóбранными к ней (в тон) лéнтами; 3) противопоставля́ть; 4) противостоя́ть; состязáться; 5) женíть; выдавáть

зáмуж, (со)свáтать; 6) *тех.* подгоня́ть; вырáвнивать; 7) *редк.* спáривать, случáть.

**match-board** ['mætʃbɔːd] *n* шпунтовáя доскá.

**match-box** ['mætʃbɔks] *n* спíчечная корóбка.

**matchless** ['mætʃlɪs] *a* несравнéнный, бесподóбный, непревзойдённый.

**matchlock** ['mætʃlɔk] *n ист.* фитíльный замóк.

**matchlock musket** ['mætʃlɔk'mʌskɪt] *n ист.* мушкéт с фитíльным замкóм.

**matchmaker** ['mætʃ,meɪkə] *n* сват; свáха.

**match-making** ['mætʃ,meɪkɪŋ] *n* сватовствó.

**matchwood** ['mætʃwud] *n* 1) древесíна, гóдная для произвóдства спíчек; 2) спíчечная солóмка; to break into ~ мéлко щепáть; ◇ to make ~ of smth. (of smb.) разбíть вдрéбезги что-л. (разгромíть когó-л.).

**mate I** [meɪt] *шахм.* **1.** *n* мат; fool's ~ мат со вторóго хóда;
**2.** *v* сдéлать мат;
**3.** *int* мат!

**mate II** [meɪt] **1.** *n* 1) товáрищ; 2) супрýг(а); 3) самéц; сáмка; 4) *ж.-д.* (машинíст-)напáрник; 5) помóщник; surgeon's ~ *уст.* фéльдшер; 6) *мор.* помóщник капитáна (*в торговом флоте*); 7) *тех.* сопряжённая детáль;
**2.** *v* 1) сочетáть(ся) брáком; 2) спáривать(ся) (*о птицах*); 3) сопоставля́ть, срáвнивать; 4) общáться (with); 5) *тех.* сопрягáть; 6) сцепля́ться (*о зубчатых колёсах*).

**matelot** ['mætlou] *фр.* = matlo(w).

**matelote** ['mætəlout] *фр. n* 1) *кул.* матлóт; 2) матлóт (*матросский танец*).

**mater** ['meɪtə] *n школ. sl.* мать.

**material** [mə'tɪərɪəl] **1.** *n* 1) материáл; веществó; raw ~s сырóй материáл, сырьё; 2) *текст.* матéрия;
**2.** *a* 1) материáльный; веществéнный; 2) существéнный, вáжный.

**materialism** [mə'tɪərɪəlɪzəm] *n* материалíзм.

**materialist** [mə'tɪərɪəlɪst] **1.** *n* материалíст;
**2.** *a* = materialistic; ~ conception of history материалистíческое понимáние истóрии.

**materialistic** [mə,tɪərɪə'lɪstɪk] *a* материалистíческий.

**materiality** [mə,tɪərɪ'ælɪtɪ] *n* 1) материáльность; 2) вáжность, существенность.

**materialization** [mə,tɪərɪəlaɪ'zeɪʃən] *n* материализáция.

**materialize** [mə'tɪərɪəlaɪz] *v* 1) материализовáть(ся); 2) осуществля́ть(ся); претворя́ть(ся) в жизнь.

**materially** [mə'tɪərɪəlɪ] *adv* существенным óбразом.

**matériel** [mə,tɪərɪ'el] *фр. n* материáльная часть.

**maternal** [mə'təːnl] *a* 1) материнский; 2) с матерíнской стороны́; ~ uncle дядя по мáтери.

**maternity** [mə'təːnɪtɪ] *n* 1) материнство; 2) *attr.*: ~ hospital, ~ home родíльный дом; ~ nurse акушёрка; ~ benefit пособие роженице; ~ leave отпуск по беременности и родам.

**matey** ['meɪtɪ] *a разг.* общительный, компанейский, дружественный (with).

**mathematical** [,mæθɪ'mætɪkəl] *a* математический.

**mathematician** [,mæθɪmə'tɪʃən] *n* математик.

**mathematics** [,mæθɪ'mætɪks] *n pl (употр. как sing)* математика.

**maths** [mæθs] *сокр. разг. см.* mathematics.

**matin** ['mætɪn] *n* 1) *поэт.* утреннее щебетáние птиц; 2) *pl церк.* (за)утреня.

**matinée** ['mætɪneɪ] *фр. n* 1) дневной спектакль *или* концерт; 2) *attr.*: ~ idol актёр, имеющий большой успех у женщин.

**matlo(w)** ['mætlou] *n мор. sl.* матрос, матросик.

**matrass** ['mætrəs] *n* колба с длинным горлом; пробирка.

**matriarchy** ['meɪtrɪɑːkɪ] *n* матриархат.

**matrices** ['meɪtrɪsiːz] *pl от* matrix.

**matricide** ['meɪtrɪsaɪd] *n* 1) матереубийца; 2) матереубийство.

**matriculate** [mə'trɪkjuleɪt] 1. *v* принять *или* быть принятым в высшее учебное заведение;
2. *n* принятый в высшее учебное заведение.

**matriculation** [mə,trɪkju'leɪʃən] *n* зачисление в высшее учебное заведение.

**matrimonial** [,mætrɪ'mounjəl] *a* супружеский; матримониальный.

**matrimony** ['mætrɪmənɪ] *n* 1) супружество; брак; 2) *карт.* марьяж.

**matrix** ['meɪtrɪks] *n (pl* -ies [-ɪz], -rices) 1) *анат.* матка; 2) *биол.* межклеточное вещество ткани; 3) *тех.* матрица; форма; 4) *стр.* раствор, вяжущее вещество; 5) *геол.* материнская порода; основная масса; цементирующая среда.

**matron** ['meɪtrən] *n* 1) замужняя женщина; мать семейства, матрона; 2) экономка; сестра-хозяйка *(больницы и т. п.)*; заведующая хозяйством *(школы и т. п.)*.

**matronal** ['meɪtrənəl] *a* подобающий почтённой женщине.

**matronly** ['meɪtrənlɪ] = matronal.

**matted** I ['mætɪd] 1. *p. p. om* mat I, 2;
2. *a* 1) спутанный *(о волосах)*; 2) покрытый циновками, половиками.

**matted** II ['mætɪd] 1. *p. p. om* mat II, 3;
2. *a* матовый.

**matter** ['mætə] 1. *n* 1) вещество; 2) *филос.* материя; 3) материал; 4) предмет *(обсуждения и т. п.)*; сущность, содержание; вопрос, дело; a ~ of valour and heroism дело доблести и геройства; it is a ~ of common knowledge это общеизвестно; it is no *(или* not a) laughing ~ это не шуточное дело, тут нечему смеяться; a ~ of dispute спорный вопрос, спорное дело; a ~ of life and death вопрос жизни и смерти, жизненно важный вопрос; a ~ of taste (habit *etc.*) дело вкуса (привычки *и т. п.*); money ~s денежные дела; what's the ~ в чём дело?, что случилось?; what's the ~ with you? что с вами?; 5) повод (of, for); 6)

мед. гной; 7) *полигр.* рукопись; ◇ as ~s stand при существующем положении (дел); in the ~ of... что касается...; for that ~, for the ~ of that что касается этого; в этом отношении; коли на то пошло; по ~ безразлично; всё равно, неважно; no ~ what несмотря ни на что; что бы ни было;
2. *v* 1) иметь значение; it doesn't ~ это не имеет значения; неважно, ничего; 2) гноиться.

**matter of course** ['mætərəv'kɔːs] *n* дело естественное, само собой разумеющееся; ясное дело.

**matter-of-course** ['mætərəv'kɔːs] *a* естественный; само собой разумеющийся.

ᴧ**matter of fact** ['mætərəv'fækt] *n* реальная действительность; as a ~ a) фактически, на самом деле; б) в сущности; собственно говоря.

**matter-of-fact** ['mætərəv'fækt] *a* сухой, прозаичный; лишённый фантазии.

**mattery** ['mætərɪ] *a* 1) существенный, значительный; 2) *мед.* гнойный, полный гноя.

**matting** I ['mætɪŋ] 1. *pres. p. om* mat I, 2;
2. *n* циновка; рогожа; *собир.* циновки.

**matting** II ['mætɪŋ] *pres. p. om* mat II, 3.

**mattock** ['mætək] *n* мотыга; киркомотыга.

**mattoid** ['mætɔɪd] *n* 1) человек не в полном сознании; 2) параноик.

**mattress** ['mætrɪs] *n* 1) матрац, тюфяк; 2) *стр.* фашинный тюфяк.

**maturate** ['mætjureɪt] *v мед.* созреть; нагноиться.

**maturation** [,mætju'reɪʃən] *n мед.* созревание; нарывание, нагноение.

**mature** [mə'tjuə] 1. *a* 1) зрелый; спелый; выдержанный; 2) созревший, готовый *(для чего-л.)*; 3) подлежащий оплате *(ввиду наступившего срока — о векселе)*; 4) хорошо обдуманный;
2. *v* 1) созреть, вполне развиться; 2) доводить до зрелости, до полного развития; to ~ schemes подробно разработать планы; 3) наступать *(о сроке платежа)*.

**maturity** [mə'tjuərɪtɪ] *n* 1) зрелость, полная сила; 2) завершённость; 3) *ком.* срок платежа по векселю.

**matutinal** [,mætju'taɪnl] *a* 1) утренний; 2) ранний.

**maty** ['meɪtɪ] = matey.

**maud** [mɔːd] *n* 1) серый полосатый плед *(шотландских пастухов)*; 2) дорожный плед.

**maudlin** ['mɔːdlɪn] 1. *a* 1) сентиментальный; 2) плаксивый во хмелю;
2. *n* сентиментальность.

**maul** [mɔːl] *n* 1) большой молот;
2. *v* 1) бить молотом; 2) избивать, калечить; терзать; badly ~ed by a bear сильно помятый медведем; 3) неумело *или* грубо обращаться; 4) жестоко критиковать.

**mauler** ['mɔːlə] *n* 1) тот, кто калечит; мучитель; 2) *амер. sl.* боксёр.

**mauley** ['mɔːlɪ] *n sl.* рука, кулак.

**maulstick** ['mɔːlstɪk] *n жив.* муштабель.

**maun** [mɔːn] *шотл.* = must I.

**maunder** ['mɔːndə] *v* 1) действовать *или* двигаться лениво, как во сне; 2) говорить несвя́зно; бормота́ть; □ ~ about, ~ along броди́ть, шата́ться.

**maundy** [′mɔːndɪ] *n рел.* 1) обря́д омове́ния ног бедняка́м на страстно́й неде́ле; 2) *attr.*: ~ money ми́лостыня, раздава́емая на страстно́й неде́ле; M. week страстна́я неде́ля; M. Thursday вели́кий четве́рг (*на страстно́й неде́ле*).

**Mauser** [′mauzə] *n* ма́узер.

**mausoleum** [,mɔːsə′liəm] *n* мавзоле́й.

**mauve** [mouv] *a* розова́то-лило́вый.

**mavis** [′meivis] *n поэт.* пе́вчий дрозд.

**maw** [mɔː] *n* 1) утро́ба; 2) сычу́г; 3) пла́вательный пузы́рь (*у рыб*); 4) бе́здна; пучи́на.

**mawkish** [′mɔːkiʃ] *a* 1) проти́вный на вкус; безвку́сный; 2) сентимента́льный, слезли́вый.

**mawseed** [′mɔːsiːd] *n* семена́ опи́йного ма́ка.

**maxilla** [mæk′silə] *n* (*pl* -lae) (ве́рхняя) че́люсть (*позвоно́чных живо́тных*).

**maxillae** [mæk′siliː] *pl от* maxilla.

**maxillary** [mæk′siləri] *a* (верхне)челюстно́й.

**Maxim** [′mæksim] *n* станко́вый пулемёт систе́мы Ма́ксима (*тж.* ~ machine-gun).

**maxim** [′mæksim] *n* 1) сенте́нция, афори́зм; 2) пра́вило поведе́ния; при́нцип.

**maxima** [′mæksimə] *pl от* maximum.

**maximize** [′mæksimaiz] *v* увели́чивать до кра́йности, до преде́ла.

**maximum** [′mæksiməm] 1. *n* (*pl* -ima) ма́ксимум; максима́льное значе́ние; вы́сшая сте́пень;
2. *a* максима́льный.

**maxwell** [′mækswəl] *n эл.* ма́ксвелл.

**May** [mei] *n* 1) май; *перен.* расцве́т жи́зни; 2) (m.) цвето́к боя́рышника; 3) *pl* ма́йские экза́мены (*в Ке́мбридже*); 4) *pl* гребны́е го́нки (*в конце́ мая и́ли в нача́ле ию́ня*); 5) *attr.* ма́йский; 6) *attr.* первома́йский.

**may I** [mei] *v* (might) *мода́льный недоста́точный глаго́л* 1) мочь, име́ть возмо́жность; it ~ be so возмо́жно, что э́то так; he ~ arrive tomorrow возмо́жно, что он придёт за́втра; the train ~ be late по́езд мо́жет опозда́ть; по́езд, возмо́жно, опозда́ет; 2) *выража́ет про́сьбу и́ли разреше́ние*: ~ I come and see you? могу́ ли я зайти́ повида́ть вас?; you ~ go if you choose вы мо́жете идти́, е́сли хоти́те; 3) *в восклица́тельных предложе́ниях выража́ет пожела́ние*: theirs be a happy meeting! пусть их встре́ча бу́дет счастли́вой!; 4) *в вопроси́тельных предложе́ниях употребля́ется для смягче́ния ре́зкости задава́емого вопро́са*: who ~ that be? кто бы э́то мог быть?; 5) *употребля́ется как вспомога́тельный глаго́л для образова́ния сло́жной фо́рмы сослага́тельного наклоне́ния*: whoever he ~ be he has no right to speak like that кто бы он ни́ был, он не име́ет пра́ва говори́ть подо́бным о́бразом; ◇ be that as it ~ как бы то ни́ было.

**may II** [mei] *n поэт.* де́ва.

**May-apple** [′mei′æpl] *n бот.* подофи́л, мандраго́ра.

**maybe** [′meibɪ] *adv* мо́жет быть.

**may-bloom** [′mei′bluːm] *n* цвето́к боя́рышника.

**May-bug** [′meibʌg] *n* ма́йский жук.

**May Day** [′meidei] *n* пра́здник Пе́рвого ма́я.

**mayflower** [′mei,flauə] *n* 1) ма́йник; ла́ндыш; 2) цвето́к боя́рышника.

**mayfly** [′meiflai] *n* 1)=caddis fly; 2) иску́сственная нажи́вка рыболо́ва.

**mayhem** [′meihem] *n юр. ист.* нанесе́ние уве́чья.

**maying** [′meiiŋ] *n* пра́здник ма́я, весны́.

**may-lily** [′mei′lili] *n* ла́ндыш.

**mayonnaise** [,meiə′neiz] *фр. n* майоне́з.

**mayor** [mɛə] *n* мэр.

**mayoralty** [′mɛərəlti] *n* 1) до́лжность мэ́ра; 2) срок пребыва́ния в до́лжности мэ́ра.

**mayoress** [′mɛəris] *n* 1) жена́ мэ́ра; 2) же́нщина-мэр.

**maypole** [′meipoul] *n* 1) ма́йское де́рево (*укра́шенный цвета́ми столб, вокру́г кото́рого танцу́ют 1 ма́я в А́нглии*); 2) *разг.* верзи́ла, каланча́.

**May-queen** [′mei′kwiːn] *n* де́вушка, и́збранная за красоту́ «короле́вой ма́я» (*в ма́йских и́грах*).

**mayweed** [′meiwiːd] *n бот.* пупа́вка воню́чая, соба́чья рома́шка.

**mazarine** [,mæzə′riːn] 1. *n* тёмно-си́ний цвет;
2. *a* тёмно-си́ний.

**maze** [meiz] 1. *n* 1) лабири́нт; 2) пу́таница;
2. *v* ста́вить в тупи́к, приводи́ть в замеша́тельство.

**mazer** [′meizə] *n ист.* ча́ша, ку́бок (*из де́рева с сере́бряными украше́ниями*).

**mazurka** [mə′zəːkə] *польск. n* мазу́рка.

**mazy** [′meizi] *a* запу́танный.

**M-day** [′emdei] *n амер.* пе́рвый день мобилиза́ции.

**me** [miː] *pron. pers. косв. падеж от* I.

**mead I** [miːd] *n* мёд (*напи́ток*).

**mead II** [miːd] *n поэт.* луг.

**meadow** [′medou] *n* луг, лугови́на.

**meadow-grass** [′medougrɑːs] *n бот.* мя́тлик лугово́й.

**meadow-rue** [′medou′ruː] *n бот.* васи́лисник.

**meadow-saffron** [′medou′sæfrən] *n бот.* безвре́менник осе́нний.

**meadow-saxifrage** [′medou′sæksifridʒ] *n бот.* камнело́мка зерни́стая.

**meadow-sweet** [′medouswiːt] *n бот.* 1) та́волга; 2) лаба́зник (вязоли́стный).

**meadowy** [′medoui] *a* 1) лугово́й; 2) бога́тый луга́ми (*о ме́стности*).

**meagre** [′miːgə] *a* 1) худо́й; то́щий; 2) недоста́точный; ску́дный; 3) по́стный; 4) бе́дный содержа́нием; ограни́ченный.

**meal I** [miːl] 1. *n* мука́ кру́пного помо́ла;
2. *v* посыпа́ть мукой, обва́ливать в муке́.

**meal II** [miːl] 1. *n* 1) приня́тие пи́щи; еда́; 2) удо́й;
2. *v* принима́ть пи́щу, есть.

**mealies** [′miːliz] *n pl южно-афр.* ма́ис.

**mealiness** [′miːlinis] *n* 1) мучни́стость; 2) **рассы́пчатость** (*карто́феля*).

**mealtime** ['mi:ltaɪm] *n* вре́мя приня́тия пи́щи (*обеда, ужина и т. п.*).

**meal-worm** ['mi:lwɑ:m] *n* хрущáк мучно́й.

**mealy** ['mi:lɪ] *a* 1) мучно́й, мучни́стый; 2) ры́хлый; рассы́пчатый (*о картофеле*); 3) бле́дный; сло́вно покры́тый муко́й; 4) сладкоречи́вый, неи́скренний.

**mealy-bug** ['mi:lɪbʌg] *n зоол.* мучни́стый червéц.

**mealy-mouthed** ['mi:lɪmauðd] *a* сладкоречи́вый, неи́скренний.

**mean I** [mi:n] *a* 1) посре́дственный; плохо́й; слáбый; по ~ значи́тельный; по ~ abilities хоро́шие спосо́бности; 2) ни́зкий, по́длый, нече́стный; 3) *амер. разг.* скро́мный, смущáющийся; to feel ~ чу́вствовать себя́ невáжно, нело́вко; 4) скупо́й, скáредный.

**mean II** [mi:n] 1. *n* 1) середи́на; the golden (*или* happy) ~ золотáя середи́на; 2) *мат.* сре́днее число́; 3) *pl* (*тж. как sing*) сре́дство; спо́соб; the ~s of communication сре́дства сообще́ния; the ~s of circulation *эк.* сре́дства обраще́ния; the ~s of payment *эк.* платёжные сре́дства; the ~s and instruments of production ору́дия и сре́дства произво́дства; 4) *pl* сре́дства, состоя́ние, богáтство; ~s of subsistence сре́дства к существовáнию; a man of ~s челове́к со сре́дствами, состоя́тельный челове́к; ◇ by all ~s а) любы́м спо́собом; б) любо́й цено́й, во что бы то ни стáло; в) коне́чно, пожáлуйста; by any ~s каки́м бы то ни бы́ло о́бразом; by ~s of... посре́дством...; by no ~s ники́м о́бразом; ни в ко́ем слу́чае; ниско́лько, отню́дь не: it is by no ~s cheap э́то отню́дь не дёшево; ~s test прове́рка нуждáемости;
2. *a* сре́дний; ~ line *мат.* биссектри́са; ~ time сре́днее (*или* со́лнечное) вре́мя; ~ water нормáльный у́ровень воды́; межéнь; ~ yield сре́дний урожáй; ◇ in the ~ time тем вре́менем; ме́жду тем.

**mean III** [mi:n] *v* (meant) 1) намеревáться; име́ть в виду́; I didn't ~ to offend you я не хоте́л вас оби́деть; to ~ business *разг.* а) брáться (*за что-л.*) серьёзно, реши́тельно; б) говори́ть всерьёз; to ~ mischief а) име́ть дурны́е наме́рения; б) предвещáть дурно́е; to ~ well (ill) име́ть до́брые (дурны́е) наме́рения; 2) предназначáть(ся); to ~ it to be used предназначáть для по́льзования; 3) ду́мать, подразумевáть; what do you ~ by that? а) что вы э́тим хоти́те сказáть?; б) почему́ вы поступáете так?; what did you ~ by looking at me like that? в чём де́ло? Почему́ ты на меня́ так посмотре́л?; 4) знáчить, означáть, име́ть значе́ние.

**meander** [mɪ'ændə] 1. *n* 1) *pl* извили́на (*дороги, реки*); 2) меáндр (*орнамент*);
2. *v* 1) извивáться (*о реке, дороге*); 2) броди́ть без це́ли (*тж.* ~ along).

**meaning** ['mi:nɪŋ] 1. *pres. p. от* mean III;
2. *n* значе́ние; смысл; with ~ многозначи́тельно;
3. *a* знáчащий; (много)значи́тельный; вырази́тельный.

**meaningless** ['mi:nɪŋlɪs] *a* бессмы́сленный.

**meaningly** ['mi:nɪŋlɪ] *adv* 1) многозначи́тельно; 2) сознáтельно, нарóчно.

**meanly** ['mi:nlɪ] *adv* 1) по́дло, ни́зко; 2) слáбо, посре́дственно.

**meanness** ['mi:nnɪs] *n* 1) ни́зость, по́длость; 2) убо́жество, посре́дственность.

**mean-spirited** ['mi:n'spɪrɪtɪd] *a* по́длый, ни́зкий; ~ fellow подле́ц.

**meant** [ment] *past и p. p. от* mean III.

**meantime** ['mi:n'taɪm] *adv* тем вре́менем; ме́жду тем.

**meanwhile** ['mi:n'waɪl] = meantime.

**mease** [mi:z] *n* 500 штук рыб, сельде́й (*как единица меры*).

**measles** ['mi:zlz] *n pl* (*употр. как sing*) 1) корь; 2) *зоол.* фи́нны.

**measly** ['mi:zlɪ] *a* 1) корево́й; 2) заражённый трихи́нами *или* фи́ннами (*о мясе*); 3) *разг.* презре́нный; него́дный; жáлкий.

**measurable** ['meʒərəbl] *a* 1) измери́мый; in the ~ future в недалёком бу́дущем; within ~ distance of поблúзости от; 2) уме́ренный; не осо́бенно большо́й.

**measurably** ['meʒərəblɪ] *adv* до изве́стной сте́пени, в изве́стной ме́ре.

**measure** ['meʒə] 1. *n* 1) ме́ра; dry (linear, liquid, square, *etc.*) ~s ме́ры сыпу́чих тел (дли́ны, жи́дкостей, пове́рхности *и т. п.*); to set ~s to smth. ограни́чивать что-л., стáвить преде́л чему́-л.; beyond ~, out of ~ чрезме́рно; чрезвычáйно; in a ~, in some ~ до не́которой сте́пени, отчáсти; full ~ по́лная ме́ра; short ~ непо́лная ме́ра; a limited ~ of success непо́лный, относи́тельный успе́х; 2) ме́рка; made to ~ сши́тый по ме́рке, сде́ланный на закáз; to take smb.'s ~ снимáть чью-л. ме́рку; *перен.* присмáтриваться к кому́-л.; определя́ть чей-л. харáктер; 3) масштáб, мери́ло, крите́рий; ~ of value мери́ло сто́имости; 4) ме́ра, мероприя́тие; to take (drastic) ~s приня́ть (реши́тельные, круты́е) ме́ры; 5) *мат.* дели́тель; greatest common ~ о́бщий наибо́льший дели́тель; 6) *прос.* метр, размéр; 7) *муз.* такт; 8) *уст.* тáнец; 9) *pl геол.* пластьı́ определённой геологи́ческой формáции; сви́та; 10) *полигр.* ширинá столбцá;
2. *v* 1) измеря́ть, ме́рить; отмеря́ть (*тж.* ~ off); 2) снимáть ме́рку; to ~ a person with one's eye сме́рить кого́-л. взгля́дом; 3) оце́нивать, определя́ть (*харáктер и т. п.*); 4) име́ть размéры; the house ~s 60 feet long дом име́ет 60 фу́тов в длину́; 5) помéряться си́лами (with, against —с); to ~ swords (with) скрести́ть мечи́ (с); помéряться си́лами (с); 6) *поэт.* покрывáть (*расстояние*); □ ~ off отмеря́ть; ~ out отмеря́ть, выдавáть по ме́рке; распределя́ть; ~ up (to; *иногда тж.* with) а) достигáть (*у́ровня*); б) соотве́тствовать, отвечáть (*требованиям*); в) опрáвдывать (*надéжды*); ◇ to ~ one's length растяну́ться во весь рост.

**measured** ['meʒəd] 1. *p. p. от* measure 2;
2. *a* 1) изме́ренный; ~ profile *тех.* про́филь, сня́тый с натýры; 2) обду́манный,

взвéшенный (*о речи*); 3) размéренный, ритмúчный; ~ tread мéрная пóступь.

**measureless** ['meʒəlɪs] *a* безмéрный; безгранúчный, неизмерúмый.

**measurement** ['meʒəmənt] *n* 1) измерéние (*действие*); 2) (*обыкн. pl*) размéры; 3) систéма мер; 4) *attr.*: ~ goods товáры, плáта за перевóзку котóрых взимáется не по вéсу, а по размéру.

**measurer** ['meʒərə] *n* измерúтельный прибóр, измерúтель.

**meat** [miːt] *n* 1) мя́со; 2) *уст.* пúща; 3) *уст.* едá; at ~ за едóй, за столóм; after ~ пóсле еды́; before ~ пéред едóй; 4) пúща для размышлéний; содержáние; a book full of ~ содержáтельная кнúга; ◇ green ~ зéлень, óвощи; to be ~ and drink to smb. представля́ть большóе удовóльствие для когó-л.; ≅ хлéбом не кормú; one man's ~ is another man's poison *посл.* что полéзно одномý, то врéдно другóму.

**meat-chopper** ['miːtˌʧɔpə] *n* мясорýбка.

**meat-fly** ['miːtflaɪ] *n* мясная́ мýха.

**meat-grinder** ['miːtˌgraɪndə] *амер.* = meat-chopper.

**meat-offering** ['miːtˌɔfərɪŋ] *n библ.* жертвоприношéние из мукú с растúтельным мáслом.

**meat-safe** ['miːtseɪf] *n* холодúльник, рефрижерáтор.

**meaty** ['miːtɪ] *a* 1) мяснóй; 2) мясúстый; 3) даю́щий пúщу умý, содержáтельный (*о книге, разговоре*).

**meccano** [məˈkænou] *n* констрýктор (*детская игрушка*).

**mechanic** [mɪˈkænɪk] 1. *n* 1) механúк; ремéсленник; мастеровóй;
2. *a уст.* механúческий.

**mechanical** [mɪˈkænɪkəl] *a* 1) машúнный; 2) механúческий; ~ engineer инженéр-механúк; ~ skill технúческий навы́к; ~ powers простéйшие машúны; 3) машинáльный; 4) *филос.* механистúческий.

**mechanician** [ˌmekəˈnɪʃən] *n* 1) констрýктор-машиностроúтель; 2) механúк.

**mechanics** [mɪˈkænɪks] *n pl* (*употр. как sing*) механúка.

**mechanism** ['mekənɪzəm] *n* 1) механúзм, аппарáт, устрóйство; *редк.* констрýкция; 2) тéхника (*музыканта и т. п.*); 3) *филос.* механицúзм.

**mechanist** ['mekənɪst] *n филос.* механúст.

**mechanistic** [ˌmekəˈnɪstɪk] *a филос.* механистúческий.

**mechanization** [ˌmekənaɪˈzeɪʃən] *n* механизáция; моторизáция.

**mechanize** ['mekənaɪz] *v* механизúровать.

**Mechlin** ['meklɪn] *n* брабáнтское крýжево (*тж.* ~ lace).

**medal** ['medl] *n* медáль; óрден.

**medalled** ['medld] *a* 1) награждённый медáлью *или* óрденом; 2) укрáшенный, увéшанный медáлями *или* орденáми.

**medallion** [mɪˈdæljən] *n* медальóн.

**medallist** ['medlɪst] *n* 1) медальéр; 2) получúвший медáль, медалúст.

**meddle** ['medl] *v* вмéшиваться (with, in — во *что-л.*); совáться не в своё дéло.

**meddler** ['medlə] *n* беспокóйный, надоéдливый, вмéшивающийся во всё человéк.

**meddlesome** ['medlsəm] *a* вмéшивающийся не в своú делá, надоéдливый.

**Medea** [mɪˈdɪə] *n миф.* Медéя.

**media** I ['mɪdɪə] *n* (*pl* -ae) 1) *фон.* звóнкий соглáсный; 2) *анат.* срéдняя оболóчка стéнки кровенóсного сосýда.

**media** II ['mɪdjə] *pl от* medium 1.

**mediae** ['mɪdiː] *pl от* media I.

**mediaeval** [ˌmedɪˈiːvəl] = medieval.

**medial** ['mɪdjəl] *a* 1) срéдний; ~ alligation *мат.* вычислéние срéдних; 2) средúнный.

**median** ['mɪdjən] 1. *a* средúнный;
2. *n* 1) *мат.* медиáна; 2) *анат.* средúнная артéрия.

**mediastinum** [ˌmɪdɪæsˈtaɪnəm] *n анат.* средостéние.

**mediate** 1. *a* ['mɪdɪɪt] 1) промежýточный; посредýющий; 2) опосрéдствованный; не непосрéдственный;
2. *v* ['mɪdɪeɪt] 1) посрéдничать; 2) служúть свя́зью; 3) занимáть промежýточное положéние.

**mediation** [ˌmɪdɪˈeɪʃən] *n* посрéдничество.

**mediatize** ['mɪdɪətaɪz] *v ист.* аннексúровать, присоединя́ть (*территорию*), сохраня́я за прéжним владéтельным лицóм тúтул и нéкоторые правá.

**mediator** ['mɪdɪeɪtə] *n* посрéдник, примирúтель.

**mediatorial** [ˌmɪdɪəˈtɔːrɪəl] *a* посрéднический.

**mediatory** ['mɪdɪətərɪ] = mediatorial.

**mediatrix** [ˌmɪdɪˈeɪtrɪks] *n* посрéдница, примирúтельница.

**medic** ['medɪk] 1. *a поэт.* медицúнский;
2. *n редк.* 1) врач, мéдик; 2) *амер. sl.* студéнт медицúнского факультéта.

**medicable** ['medɪkəbl] *a* излечúмый, поддаю́щийся излечéнию.

**medical** ['medɪkəl] 1. *a* 1) врачéбный, медицúнский; ~ garden сад для вырáщивания лекáрственных растéний; ~ history a) истóрия болéзни; б) истóрия медицúны; ~ jurisprudence судéбная медицúна; ~ man врач; ~ woman жéнщина-врач; ~ service a) медицúнское обслýживание; б) санитáрная часть; 2) терапевтúческий; ~ ward терапевтúческое отделéние больнúцы;
2. *n разг.* студéнт-мéдик.

**medicament** [meˈdɪkəmənt] *n* лекáрство.

**medicaster** ['medɪkæstə] *n редк.* знáхарь.

**medicate** ['medɪkeɪt] *v* 1) лечúть лекáрствами; 2) насыщáть, пропúтывать лекáрством.

**medication** [ˌmedɪˈkeɪʃən] *n* лечéние.

**medicative** ['medɪkeɪtɪv] *a* лечéбный, целéбный; ~ herb лечéбная травá; ~ plant лечéбное (*или* лекáрственное) растéние.

**medicinal** [meˈdɪsɪnl] *a* лекáрственный; целéбный.

**medicine** ['medsɪn] 1. *n* 1) медицúна, *особ.* терапúя; 2) лекáрство; to take one's ~ a) приня́ть лекáрство; б) *шутл.* глотнýть спиртнóго; в) понестú заслýженное наказáние; г) покорúться неизбéжности, стóйко перенестú что-л. неприя́тное; 3) колдовствó, мáгия; 4) талисмáн, амулéт;
2. *v уст.* лечúть, давáть лекáрство.

**medicine bag** ['medsɪnbæg] *n* санитáрная сýмка.

**medicine chest** ['medsɪntʃest] *n* домáшняя аптéчка; ящик с медикамéнтами.

**medicine dropper** ['medsɪn,drɔpə] *n* пипéтка.

**médicine glass** ['medsɪnglɑːs] *n* мензýрка.

**medicine-man** ['medsɪnmæn] *n* знáхарь, шамáн.

**medico** ['medɪkou] *n* (*pl* -os [-ouz]) *шутл.* дóктор.

**medieval** [,medɪ'ivəl] *a* средневекóвый.

**medievalism** [,medɪ'ivəlɪzəm] *n* 1) средневекóвье; 2) увлечéние средневекóвьем.

**medievalist** [,medɪ'ivəlɪst] *n* специалúст по истóрии срéдних векóв.

**mediocre** ['miːdɪoukə] *a* посрéдственный; ~ crop посрéдственный урожáй.

**mediocrity** [,miːdɪ'ɔkrɪtɪ] *n* посрéдственность.

**meditate** ['medɪteɪt] *v* 1) размышлять, обдýмывать (on, upon); 2) замышлять.

**meditation** [,medɪ'teɪʃən] *n* 1) размышлéние; 2) созерцáние.

**meditative** ['medɪtətɪv] *a* созерцáтельный; задýмчивый.

**mediterranean** [,medɪtə'reɪnjən] **1.** *a* 1) удалённый от берегóв мóря; 2) внýтренний (*о море*); 2. *n*: the M. Средизéмное мóре; the M. area бассéйн Средизéмного мóря.

**medium** ['miːdjəm] **1.** *n* (*pl* -s [-z], -dia) 1) середúна, промежýточная ступéнь, срéднее числó; happy ~ золотáя середúна; 2) срéдство, спóсоб; ~ of circulation дéньги, срéдство обращéния; through (*или* by) the ~ of... чéрез посрéдство...; 3) обстанóвка, услóвия (*жизни*); 4) *физ.* средá; 5) агéнт, посрéдник; 6) мéдиум (*у спиритов*); 7) *жив.* растворúтели (*краски*); 2. *a* 1) срéдний; промежýточный; ~ wave *радио* волнá срéдней длины (*от 100 до 800 метров*); 2) умéренный; 3) *воен.* среднекалúберный.

**medlar** ['medlə] *n* *бот.* мушмулá гермáнская.

**medley** ['medlɪ] **1.** *n* 1) смесь; мéсиво, мешанúна; 2) смéшанное óбщество; разношёрстная толпá; 3) *муз.* попуррú; 4) литератýрная смесь; 2. *a* смéшанный, разнорóдный, пёстрый; 3. *v* смéшивать, перемéшивать.

**medulla** [me'dʌlə] *n* 1) кóстный мозг; 2) спиннóй мозг; 3) продолговáтый мозг; 4) моровóй слой пóчки; 5) *бот.* сердцевúна.

**medullary** [me'dʌlərɪ] *a* 1) *анат.* мозговóй; модулярный; 2) *бот.* сердцевúнный.

**medusa** [mɪ'djuːzə] *n* (*pl* -ae, -s [-z]) *зоол.* медýза.

**medusae** [mɪ'djuːzɪ] *pl от* medusa.

**meed** [miːd] *n* *поэт.* 1) нагрáда; 2) заслýженная похвалá.

**meek** [miːk] *a* крóткий, мягкий; смирéнный.

**meekness** ['miːknɪs] *n* крóтость, мягкость.

**meerschaum** ['mɪəʃəm] *нем.* *n* 1) морскáя пéнка; 2) пéнковая трýбка.

**meet I** [miːt] **1.** *v* (met) 1) встречáть;
2) встречáться, собирáться; we seldom ~ мы рéдко вúдимся; 3) сходúться; my waistcoat won't ~ мой жилéт не схóдится; to make both ends ~ сводúть концы с концáми; 4) впадáть (*о реке*); 5) дрáться на дуéли; 6) знакóмиться; please ~ Mr X позвóльте познакóмить вас с мúстером Х; 7) удовлетворять (*желания, требования*); to ~ the case отвечáть предъявленным трéбованиям, соотвéтствовать; 8) оплáчивать; to ~ a bill оплатúть счёт; he has many expenses to ~ он несёт большúе расхóды; 9) опровергáть (*возражение*); □ ~· together собирáться, сходúться; ~ with а) испытáть, подвéргнуться; б) встрéтиться с; наткнýться на; в) найтú; ◇ well met! *уст.* добрó пожáловать!; рад нáшей встрéче!; to ~ one's ear дойтú до слýха; быть слышным; to ~ smb. half-way пойтú навстрéчу комý-л., пойтú на компромúсс, на устýпки; to ~ a difficulty (trouble) half-way терзáться преждеврéменными сомнéниями, опасéниями *и т. п.* по пóводу ожидáемых трýдностей (несчáстья).
2. *n* мéсто сбóра (*охотников, велосипедистов и т. п.*).

**meet II** [miːt] *a* *уст.* подобáющий, подходящий.

**meeting** ['miːtɪŋ] **1.** *pres. p. от* meet I, 1; 2. *n* 1) мúтинг; собрáние, заседáние; to address the ~ обратúться с рéчью к собрáнию; 2) встрéча; 3) дуэль; 4) *спорт.* встрéча, состязáние; 5) *ж.-д.* разъéзд; 6) *тех.* стык, соединéние; 7) *attr.* встрéчный; ~ engagement *амер.* встрéчный бой; ~ point мéсто встрéчи.

**meeting-house** ['miːtɪŋhaus] *n* молúтвенный дом.

**mega-** ['megə-] = megalo-.

**megacycle** ['megə,saɪkl] *n* мегагéрц (= 1 миллиону герц).

**megalith** ['megəlɪθ] *n* *археол.* мегалúт.

**megalo-** ['megəlou-] *греч. в сложных словах означает:* а) *большой размер, грандиозность и т. п.*; б) *в физической терминологии меру, в миллион раз большую, чем основная мера.*

**megalomania** ['megəlou'meɪnjə] *n* мегаломáния, мáния велúчия.

**megaphone** ['megəfoun] **1.** *n* мегафóн, рýпор. 2. *v* говорúть в рýпор.

**megascope** ['megəskoup] *n* *физ.* мегаскóп.

**megascopic** [,megə'skɔpɪk] *a* 1) увелúченный; 2) вúдимый невооружённым глáзом.

**megatherium** [,megə'θɪərɪəm] *n* *палеонт.* мегатéрий.

**megaton** ['megətʌn] *n* мегатóн (=1 миллиону тонн); a ten-~ nuclear bomb (термо-)ядерная бóмба с тротúловым эквивалéнтом в 10 мегатóн (10 миллионов тонн).

**megawatt** ['megəwɔt] *n* *эл.* мегавáтт (=1 миллиону ватт).

**megger** ['megə] *n* *эл.* мéггер.

**megilp** [mə'gɪlp] *n* *жив.* мастúчный лак (*растворитель для масляных красок*).

**megohm** ['megoum] *n* *эл.* мегóм (=1 миллиону омов).

**megrim** [ˈmiːgrɪm] *n* 1) мигре́нь; 2) *pl* уны́ние; 3) *pl вет.* ко́лер (*лошаде́й*); верти́чка, ценуро́з (*ове́ц*); 4) при́хоть, капри́з, причу́да.

**melancholia** [ˌmelənˈkouljə] *n* меланхо́лия.

**melancholic** [ˌmelənˈkɔlɪk] *a* подве́рженный меланхо́лии; меланхоли́ческий.

**melancholy** [ˈmelənkəlɪ] 1. *n* уны́ние, пода́вленность; грусть;
2. *a* 1) мра́чный, пода́вленный; 2) гру́стный; наводя́щий уны́ние.

**meld** [meld] *v карт.* объявля́ть.

**mêlée** [ˈmeleɪ] *фр. n* рукопа́шная схва́тка, сва́лка.

**melinite** [ˈmelɪnaɪt] *n* мелини́т (*взрывча́тое вещество́*).

**meliorate** [ˈmiːlɪəreɪt] *v* 1) улучша́ть(ся); 2) мелиори́ровать.

**melioration** [ˌmiːliəˈreɪʃən] *n* 1) улучше́ние; 2) мелиора́ция.

**meliorative** [ˈmiːliəreɪtɪv] *a* 1) улучша́ющий; 2) мелиорати́вный.

**melliferous** [meˈlɪfərəs] *a* медоно́сный.

**mellifluence** [meˈlɪfluəns] *n* медоточи́вость.

**mellifluent** [meˈlɪfluənt] *a* медоточи́вый; сладкозву́чный, ласка́ющий слух.

**mellifluous** [meˈlɪfluəs] = mellifluent.

**mellow** [ˈmelou] 1. *a* 1) спе́лый; зре́лый, сла́дкий и со́чный (*о фру́ктах*); 2) прия́тный на вкус; вы́держанный (*о вине́*); 3) мя́гкий, со́чный, густо́й (*о го́лосе, цве́те и т. п.*); 4) плодоро́дный, жи́рный, рассы́пчатый (*о по́чве*); 5) доброду́шный; 6) *разг.* подвыпи́вший;
2. *v* 1) смягча́ть(ся); 2) де́лать(ся) спе́лым, со́чным; созрева́ть; 3) разрыхля́ть (-ся) (*о по́чве*).

**mellowness** [ˈmelounɪs] *n* 1) спе́лость, зре́лость; 2) мя́гкость, со́чность.

**melodic** [mɪˈlɔdɪk] *a* мелоди́ческий, мелоди́чный.

**melodious** [mɪˈloudjəs] *a* 1) мелоди́чный; 2) мя́гкий, не́жный, певу́чий; 3) музыка́льный (*о пье́се*).

**melodist** [ˈmelədɪst] *n* 1) компози́тор; 2) певе́ц.

**melodize** [ˈmelədaɪz] *v* 1) де́лать мелоди́чным; 2) сочиня́ть мело́дии.

**melodrama** [ˈmelə͵drɑːmə] *n* 1) мелодра́ма; 2) театра́льность (*в мане́рах*).

**melody** [ˈmelədɪ] *n* 1) мело́дия; 2) мелоди́чность.

**melon** [ˈmelən] *n* 1) ды́ня; 2) = water-~; 3) *амер. sl.* тантье́ма; при́быль; to cut (*или* to slice) the ~ распределя́ть дополни́тельные дивиде́нды ме́жду па́йщиками; распределя́ть кру́пные вы́игрыши ме́жду игрока́ми.

**Melpomene** [melˈpɔmɪniː] *n миф.* Мельпоме́на.

**melt** [melt] 1. *v* 1) та́ять; 2) пла́вить(ся), раста́пливать(ся); 3) растворя́ть(ся); 4) *перен.* смягча́ть(ся); слабе́ть, уменьша́ться; 5) (незаме́тно) переходи́ть (*в другу́ю фо́рму*); слива́ться; 6) *sl.* тра́тить (*де́ньги*); разме́нивать (*ба́нковый биле́т*); □ ~ away а) раста́ять; б) улету́чиваться; исчеза́ть из

ви́ду; ~ down расплавля́ть; растворя́ть; ~ out выплавля́ть;
2. *n* 1) распла́вленный мета́лл; 2) пла́вка.

**melted butter** [ˈmeltɪdˈbʌtə] *n* топлёное ма́сло.

**melted cheese** [ˈmeltɪdˈtʃiːz] *n* пла́вленый сыр.

**melting** [ˈmeltɪŋ] 1. *pres. p. от* melt 1;
2. *n* 1) пла́вка, плавле́ние; 2) та́яние; распуска́ние;
3. *a* 1) пла́вкий; 2) плави́льный; 3) та́ющий (во рту); 4) не́жный, мя́гкий; чувстви́тельный; she is in the ~ mood она́ гото́ва распла́каться; 5) тро́гательный.

**melting-house** [ˈmeltɪŋhaus] *n* плави́льня.

**melting-point** [ˈmeltɪŋpɔint] *n* то́чка плавле́ния.

**melting-pot** [ˈmeltɪŋpɔt] *n* ти́гель; плави́льный котёл; to go into the ~ *перен.* подве́ргнуться коренно́му измене́нию.

**melton** [ˈmeltən] *n* мельто́н (*род сукна́*).

**mem.** [mem] *сокр. от* memorandum.

**member** [ˈmembə] *n* 1) член (*в ра́зн. знач.*); M. of Parliament член парла́мента (*сокр.* M. P., *pl* MM. P. *или* M. P.’s); ~ of sentence *грам.* член предложе́ния; ~ of equation *мат.* член уравне́ния; 2) *тех.* элеме́нт констру́кции.

**membership** [ˈmembəʃɪp] *n* 1) чле́нство; зва́ние чле́на; 2) коли́чество чле́нов; 3) рядовы́е чле́ны (*па́ртии, профсою́за*); 4) *attr.* чле́нский; ~ card чле́нский биле́т; ~ fee чле́нский взнос.

**membrane** [ˈmembreɪn] *n* 1) плева́, обо́лочка; перепо́нка; плёнка; 2) *тех.* мембра́на, диафра́гма; 3) мездра́.

**membraneous, membranous** [memˈbreɪnjəs, memˈbreɪnəs] *a* перепо́нчатый; плёночный.

**memento** [mɪˈmentou] *n* (*pl* -oes, -os [-ouz]) напомина́ние.

**memo** [ˈmiːmou] *n сокр. от* memorandum.

**memoir** [ˈmemwɑː] *n* 1) кра́ткая (а́вто-)биогра́фия; 2) *pl* мемуа́ры, воспомина́ния; 3) нау́чная статья́; *pl* учёные запи́ски (*о́бщества*).

**memoirist** [ˈmemwɑːrɪst] *n* а́втор мемуа́ров *или* биогра́фии.

**memorability** [ˌmemərəˈbɪlɪtɪ] *n* 1) достопа́мятность; 2) не́что достопа́мятное.

**memorable** [ˈmemərəbl] *a* (досто)па́мятный, незабве́нный.

**memoranda** [ˌmeməˈrændə] *pl от* memorandum.

**memorandum** [ˌmeməˈrændəm] *n* (*pl* -da, -s [-z]) 1) заме́тка; па́мятная запи́ска; 2) мемора́ндум; 3) дипломати́ческая но́та.

**memorial** [mɪˈmɔːrɪəl] 1. *a* напомина́ющий; мемориа́льный; устра́иваемый в па́мять; M. Day *амер.* день па́мяти па́вших в гражда́нской войне́ в США 1861-65 гг., в испа́но-америка́нской и други́х во́йнах (*30 ма́я*);
2. *n* 1) па́мятник, заме́тка; *pl* воспомина́ния; хро́ника; 2) *церк.* помино́вение; 3) подро́бное изложе́ние фа́ктов в пети́ции; 5) *ком.* мемориа́л;
3. *v* составля́ть *или* подава́ть пети́цию.

**memorialist** [mɪˈmɔːrɪəlɪst] *n* 1) мемуари́ст; 2) состави́тель пети́ции.

**memorialize** [mɪ'mɔːrɪəlaɪz] v 1) увекове́-
чивать па́мять; 2) подава́ть пети́цию.

**memorize** ['meməraɪz] v 1) увекове́чивать
па́мять; 2) запомина́ть; зау́чивать наизу́сть.

**memory** ['memərɪ] n 1) па́мять; in the ~
of smb., smth. в па́мять кого́-л., чего́-л.;
to the best of my ~ наско́лько я по́мню;
within living ~ на па́мяти ны́нешнего поко-
ле́ния; 2) воспомина́ние; he has left a sad ~
behind он оста́вил по себе́ дурну́ю па́мять;
3) *тех.* па́мять (*маши́ны*), запомина́ющее
устро́йство, накопи́тель информа́ции;
4) *тех.* за́пись, регистра́ция.

**men** [men] *pl от* man 1.

**menace** ['menəs] 1. *n* угро́за; опа́сность;
2. *v* угрожа́ть, грози́ть.

**ménage** [me'nɑːʒ] *фр. n* 1) дома́шнее хо-
зя́йство; веде́ние хозя́йства; 2) *attr.*: ~ man
стра́нствующий торго́вец, продаю́щий в
рассро́чку.

**menagerie** [mɪ'nædʒərɪ] *фр. n* звери́нец.

**men-at-arms** ['menət'ɑːmz] *pl от* man-
-at-arms.

**men-children** ['men͵tʃɪldrən] *pl от* man-
-child.

**mend** [mend] 1. *n* 1) заштопанная ды́рка,
заде́ланная тре́щина *и т. п.*; 2) улучше́ние
(*здоро́вья, дел*); on the ~ на попра́вку, к
лу́чшему;
2. *v* 1) исправля́ть, чини́ть; што́пать;
лата́ть; ремонти́ровать (*доро́гу и т. п.*);
2) улучша́ть(ся); поправля́ться (*о здо-
ро́вье*); ◇ to ~ the fire подбро́сить то́плива;
to ~ one's pace приба́вить ша́гу; to ~
one's ways испра́виться; it is never too late
to ~ *посл.* испра́виться никогда́ не по́здно;
~ or end ли́бо испра́вить, ли́бо положи́ть
коне́ц; ≈ полуме́рами де́лу не помо́жешь;
that won't ~ matters э́то де́лу не помо́жет.

**mendacious** [men'deɪʃəs] *a* лжи́вый; ло́ж-
ный.

**mendacity** [men'dæsɪtɪ] *n* лжи́вость; ложь.

**mender** ['mendə] *n* 1) тот, кто исправ-
ля́ет, чи́нит, што́пает, лата́ет; 2) ремо́нт-
ный ма́стер.

**mendicancy** ['mendɪkənsɪ] *n* ни́щенство;
попроша́йничество.

**mendicant** ['mendɪkənt] 1. *n* 1) ни́щий;
попроша́йка; 2) *ист.* мона́х ни́щенствую-
щего о́рдена;
2. *a* ни́щий, ни́щенствующий.

**mendicity** [men'dɪsɪtɪ] *n* ни́щенство.

**menhaden** [men'heɪdn] *n* америка́нская
сельдь.

**menhir** ['menhɪə] *n археол.* менги́р.

**menial** ['miːnjəl] 1. *n* слуга́; *перен.* лаке́й;
2. *a* рабо́лепный; лаке́йский.

**meningitis** [͵menɪn'dʒaɪtɪs] *n мед.* менин-
ги́т.

**menisci** [mɪ'nɪsaɪ] *pl от* meniscus.

**meniscus** [mɪ'nɪskəs] *n* (*pl* menisci) *физ.*
мени́ск.

**men-of-war** ['menəv'wɔː] *pl от* man-of-
-war.

**menopause** ['menoupɔːz] *n мед.* климакте-
ри́ческий пери́од.

**menses** ['mensiːz] *n pl физиол.* менструа́-
ции.

**menstrua** ['menstruə] *pl от* menstruum.

**menstrual** ['menstruəl] *a* 1) *физиол.*
менструа́льный; 2) *астр.* ежеме́сячный.

**menstruate** ['menstrueɪt] *v физиол.* мен-
струи́ровать.

**menstruation** [͵menstru'eɪʃən] *n физиол.*
менструа́ции.

**menstruum** ['menstruəm] *n (pl* -rua, -s [-z])
*хим.* раствори́тель.

**mensurable** ['menʃurəbl] *a* 1) измери́-
мый; 2) *муз.* ритми́чный.

**mensural** ['menʃurəl] *a* 1) ме́рный, раз-
ме́ренный; 2) *муз.* ритми́чный.

**mensuration** [͵mensjuə'reɪʃən] *n* изме-
ре́ние.

**mental** I ['mentl] 1. *a* 1) у́мственный; 2)
психи́ческий; ~ affection душе́вная бо-
ле́знь; ~ patient душевнобольно́й; ~ specialist психиа́тр; 3) мнемони́ческий; 4) произ-
води́мый в уме́, мы́сленный; ~ arithmetic,
~ calculations счёт в уме́; ~ reservation
мы́сленная огово́рка;
2. *n разг.* душевнобольно́й.

**mental** II ['mentl] *a* подборо́дочный.

**mentality** [men'tælɪtɪ] *n* 1) спосо́бность
мышле́ния; интелле́кт; 2) склад ума́; 3)
умонастрое́ние.

**mentally** ['mentəlɪ] *adv* мы́сленно.

**mentation** [men'teɪʃən] *n* 1) у́мственный
проце́сс; проце́сс мышле́ния; 2) у́мственное
упражне́ние.

**menthol** ['menθɔl] *n хим.* менто́л.

**mention** ['menʃən] 1. *n* упомина́ние;
ссы́лка (на); to make ~ of упомяну́ть; honourable ~ похва́льный о́тзыв;
2. *v* упомина́ть, ссыла́ться на; don't ~
it а) не сто́ит (благода́рности); б) ничего́,
пожа́луйста (*в ответ на извине́ние*); not
to ~ не говоря́ уже́ о.

**mentor** ['mentə] *n* наста́вник, руководи́-
тель, воспита́тель, ме́нтор.

**menu** ['menjuː] *фр. n* меню́.

**Mephistophelean** [͵mefɪstə'fiːljən] *a* ме-
фисто́фельский.

**mephitis** [me'faɪtɪs] *n* злово́ние, ядови́-
тые испаре́ния; миа́змы.

**mercantile** ['məːkəntaɪl] *a* 1) торго́вый;
комме́рческий; ~ law торго́вое законода́-
тельство; M. Marine торго́вый флот; ~
system *эк.* систе́ма меркантили́зма; 2) мер-
канти́льный; торга́шеский; ме́лочно-расчёт-
ливый.

**mercenary** ['məːsɪnərɪ] 1. *a* 1) коры́ст-
ный; торга́шеский; 2) наёмный;
2. *n* наёмник.

**mercer** ['məːsə] *n* торго́вец шёлком и ба́р-
хатом.

**mercerize** ['məːsəraɪz] *v текст.* мерсери-
зова́ть.

**mercery** ['məːsərɪ] *n* 1) шёлковый и ба́р-
хатный това́р; 2) торго́вля шёлковым и ба́р-
хатным това́ром.

**merchandise** ['məːtʃəndaɪz] 1. *n* 1) това́-
ры; 2) торго́вля;
2. *v* торгова́ть.

**merchant** ['məːtʃənt] 1. *n* 1) купе́ц; 2)
*амер., шотл.* ла́вочник; 3) *sl.* «тип» (*о чело-
ве́ке*);
2. *a* 1) торго́вый, комме́рческий; ~ prince
кру́пный **опто́вик**, «коро́ль»; ~ service

торго́вый флот; ~ ship = merchantman; ~ tailor портно́й, предоставля́ющий свой материа́л; 2) = merchantable.

**merchantable** [ˈməːtʃəntəbl] *a* хо́дкий (*о това́ре*).

**merchantman** [ˈməːtʃəntmən] *n* торго́вое су́дно, «купе́ц».

**Mercian** [ˈməːʃjən] *ист.* **1.** *a* мерси́йский; **2.** *n* 1) обита́тель Ме́рсии; 2) мерси́йский диале́кт.

**merciful** [ˈməːsiful] *a* 1) милосе́рдный, ми́лостивый; 2) сострада́тельный; 3) благоприя́тный; 4) мя́гкий (*о наказа́нии*).

**mercifulness** [ˈməːsifulnis] *n* 1) милосе́рдие; 2) мя́гкость.

**merciless** [ˈməːsilis] *a* безжа́лостный; беспоща́дный.

**mercurial** [məːˈkjuəriəl] **1.** *a* 1) рту́тный; 2) живо́й, подвижно́й; де́ятельный; **2.** *n* рту́тный препара́т.

**mercuriality** [məːˌkjuəriˈæliti] *n* жи́вость, подви́жность.

**mercurialize** [məːˈkjuəriəlaiz] *v* лечи́ть рту́тью.

**Mercury** [ˈməːkjuri] *n* 1) *миф.* Мерку́рий; 2) *астр.* плане́та Мерку́рий; 3) *шутл.* посо́л; ве́стник (*тж. в назва́ниях газе́т*).

**mercury** [ˈməːkjuri] *n* 1) ртуть; рту́тный столб; рту́тный препара́т; 2) *бот.* проле́ска; 3) *attr.* рту́тный; ◇ the ~ is rising а) дела́ улучша́ются; б) возбужде́ние растёт; в) пого́да, настрое́ние *и т. п.* улучша́ется.

**mercy** [ˈməːsi] *n* 1) милосе́рдие; 2) сострада́ние; 3) ми́лость; проще́ние, поми́лование; at the ~ of во вла́сти; to beg for ~ проси́ть поща́ды; to have ~ on (*или* upon) smb. щади́ть, ми́ловать кого́-л.; 4) уда́ча, сча́стье; that's a ~! э́то пря́мо сча́стье!; ◇ thankful for small mercies дово́льный ма́лым.

**mere I** [miə] *n* о́зеро; пруд; во́дное простра́нство; боло́то.

**mere II** [miə] *a* 1) просто́й; a ~ child could do it да́же ребёнок мог сде́лать э́то; 2) сплошно́й; я́вный; су́щий; 3): of ~ motion *юр.* доброво́льно; 4) *уст.* чи́стый.

**merely** [ˈmiəli] *adv* то́лько, про́сто; еди́нственно.

**meretricious** [ˌmeriˈtriʃəs] *a* 1) показно́й; мишу́рный; 2) распу́тный.

**merganser** [məːˈgænsə] *n* кро́халь (*пти́ца*).

**merge** [məːdʒ] *v* 1) поглоща́ть; 2) слива́ть(ся), соединя́ть(ся).

**merger** [ˈməːdʒə] *n* 1) поглоще́ние; 2) слия́ние, объедине́ние (*торго́вое или промы́шленное*).

**merging** [ˈməːdʒiŋ] **1.** *pres. p. от* merge; **2.** *n* слия́ние; сра́щивание (*капита́ла*).

**meridian** [məˈridiən] **1.** *n* 1) *геогр.* меридиа́н; 2) зени́т; 3) по́лдень; 4) вы́сшая то́чка; расцве́т (*жи́зни*); **2.** *a* 1) полу́денный; 2) находя́щийся в зени́те; 3) вы́сший, кульминацио́нный.

**meridional** [məˈridiənl] **1.** *a* 1) меридиона́льный; 2) ю́жный; **2.** *n* южа́нин (*осо́б. из Ю́жной Фра́нции*).

**meringue** [məˈræŋ] *фр. n кул.* мере́нга.

**merino** [məˈriːnou] *n* 1) (*pl* -os [-ouz])

мерино́с (*поро́да ове́ц*); 2) мерино́совая шерсть; 3) *attr.* мерино́совый; ~ sheep мерино́с.

**merit** [ˈmerit] **1.** *n* 1) заслу́га; to make a ~ of smth. ста́вить что́-л. себе́ в заслу́гу; Order of M. о́рден «За заслу́ги»; 2) *pl* досто́инство; 3) ка́чество; to judge on the ~s of the case суди́ть по существу́ де́ла; **2.** *v* заслужи́ть, быть досто́йным.

**meritorious** [ˌmeriˈtɔːriəs] *a* 1) досто́йный награ́ды; 2) похва́льный.

**merle** [məːl] *n уст., поэт.* чёрный дрозд.

**merlin** [ˈməːlin] *n зоол.* де́рбник.

**merlon** [ˈməːlən] *n* зубе́ц (*крепостно́й стены́*).

**mermaid** [ˈməːmeid] *n миф.* руса́лка, сире́на; на́яда.

**merman** [ˈməːmæn] *n миф.* водяно́й; трито́н.

**Merovingian** [ˌmerouˈvindʒiən] **1.** *a* относя́щийся к фра́нкской дина́стии Мерови́нгов (*VI—VIII вв. н. э.*); **2.** *n pl* Мерови́нги.

**merrily** [ˈmerili] *adv* ве́село, оживлённо.

**merriment** [ˈmerimənt] *n* весе́лье, развлече́ние.

**merriness** [ˈmerinis] *n* весёлость.

**merry I** [ˈmeri] *a* 1) весёлый; ра́достный; to make ~ весели́ться, пирова́ть; to make ~ over smb., smth. потеша́ться над кем-л., чем-л.; 2) смешно́й; 3) *разг.* навеселе́, подвы́пивший.

**merry II** [ˈmeri] *n* чере́шня.

**merry andrew** [ˈmeriˈændruː] *n* шут, фигля́р, га́ер.

**merry dancers** [ˈmeriˈdɑːnsəz] *n pl разг.* се́верное сия́ние.

**merry-go-round** [ˈmerigouˌraund] *n* 1) карусе́ль; 2) вихрь (*удово́льствий и т. п.*).

**merry-maker** [ˈmeriˌmeikə] *n* весельча́к; заба́вник.

**merry-making** [ˈmeriˌmeikiŋ] *n* весе́лье; поте́ха; пра́зднество.

**merry-meeting** [ˈmeriˌmiːtiŋ] *n* пиру́шка.

**merrythought** [ˈmeriθɔːt] *n* ду́жка, ви́лочка (*грудна́я кость пти́цы*).

**mesa** [ˈmeisə] *n геол.* столо́вая гора́.

**mésalliance** [meˈzæliəns] *фр. n* нера́вный брак, мезалья́нс.

**meseemed** [miˈsiːmd] *past от* meseems.

**meseems** [miˈsiːmz] *v* (meseemed) *уст.* мне ка́жется.

**mesentery** [ˈmesəntəri] *n анат.* брыже́йка.

**mesh** [meʃ] **1.** *n* 1) пе́тля, яче́йка се́ти; отве́рстие, очко́ (*решета́, гро́хота*); 2) *pl* се́ти; *перен.* западня́; 3) *тех.* зацепле́ние; **2.** *v* 1) пойма́ть в се́ти; опу́тывать сетя́ми; 2) запу́тываться в сетя́х; 3) *тех.* зацепля́ть(ся); сцепля́ть(ся).

**meshy** [ˈmeʃi] *a* се́тчатый; яче́истый.

**mesial** [ˈmiːzjəl] *a* сре́дний, среди́нный;媒медиа́льный.

**mesmeric** [mezˈmerik] *a* гипноти́ческий.

**mesmerism** [ˈmezmərizəm] *n* 1) гипноти́зм; 2) гипно́з.

**mesmerist** [ˈmezmərist] *n* гипнотизёр.

**mesmerize** [ˈmezməraiz] *v* гипнотизи́ровать; *перен.* очаро́вывать, зачаро́вывать.

**meson** ['mesɔn] *n физ.* мезо́н.

**mesotron** ['mesɔtrɔn] *n физ.* мезотро́н.

**mess I** [mes] **1.** *n* 1) беспоря́док; кутерьма́, пу́таница; to make a ~ of things напу́тать; напо́ртить; провали́ть всё де́ло; in a ~ a) в беспоря́дке; вверх дном; б) в грязи́; в) в неприя́тном положе́нии; to clear up the ~ вы́яснить недоразуме́ние; 2) неприя́тность; to get into a ~ попа́сть в беду́; 3) *амер. sl.* ту́пица;

**2.** *v* 1) производи́ть беспоря́док; па́чкать, грязни́ть; 2) по́ртить де́ло (*часто* ~ up); 3) ло́дырничать, рабо́тать с ленцо́й (*часто* ~ about).

**mess II** [mes] **1.** *n* 1) о́бщий стол, о́бщее пита́ние (*в армии и флоте*); 2) *мор.* кают-компа́ния; 3) блю́до, ку́шанье; похлёбка; 4) болту́шка, ме́сиво (*для животных*); 5) *attr.* столо́вый; ~ allowance столо́вые де́ньги; ~ gear *амер. мор.* котело́к и столо́вый прибо́р;

**2.** *v* обе́дать совме́стно, за о́бщим столо́м, столова́ться (with, together).

**message** ['mesɪdʒ] **1.** *n* 1) сообще́ние, донесе́ние; письмо́, посла́ние; send me a ~ извести́те меня́; 2) поруче́ние; ми́ссия; 3) *амер.* посла́ние президе́нта конгре́ссу;

**2.** *v* 1) посыла́ть сообще́ние, донесе́ние; 2) передава́ть сигна́лами, сигнализи́ровать; 3) телеграфи́ровать.

**message bag** ['mesɪdʒbæg] *n ав.* вы́мпел для сбра́сывания донесе́ний.

**message book** ['mesɪdʒbuk] *n воен.* полева́я кни́жка.

**message center** ['mesɪdʒ,sentə] *n воен. амер.* пункт сбо́ра и отпра́вки донесе́ний; у́зел свя́зи.

**messenger** ['mesɪndʒə] *n* 1) ве́стник, посы́льный; курье́р; 2) предве́стник; 3) *эл., ж.-д.* несу́щий трос.

**messenger-pigeon** ['mesɪndʒə,pɪdʒɪn] *n* 1) почто́вый го́лубь; 2) *воен.* го́лубь свя́зи.

**Messiah** [mɪ'saɪə] *n рел.* месси́я.

**messieurs** [mə'sjəː] *pl от* monsieur.

**mess-jacket** ['mes,dʒækɪt] *n мор.* тужу́рка.

**messmate** ['mesmeɪt] *n* 1) однока́шник; 2) сотрапе́зник.

**mess-room** ['mesrum] *n* 1) *мор.* кают-компа́ния; 2) *воен.* столо́вая.

**Messrs** ['mesəz] *n pl* (*сокр. от* messieurs) господа́ (*ставится перед фамилиями владе́льцев фирмы, напр.*, Messrs Chapman & Hall).

**messuage** ['meswɪdʒ] *n юр.* уса́дьба.

**messy** ['mesɪ] *a* 1) гря́зный; 2) беспоря́дочный.

**mestizo** [mes'tiːzou] *n* (*pl* -os, -oes [-ouz]) мети́с.

**met** [met] *past и p. p. от* meet I, 1.

**metabolic** [,metə'bɔlɪk] *a* относя́щийся к обме́ну веще́ств; ~ disease боле́знь обме́на веще́ств; ~ disturbance расстро́йство обме́на веще́ств.

**metabolism** [me'tæbəlɪzəm] *n биол.* метаболи́зм, обме́н веще́ств.

**metacarpus** [,metə'kɑpəs] *n анат.* пясть.

**metachrosis** [,metə'krousɪs] *n биол.* спосо́бность меня́ть окра́ску.

**metagalaxy** [,metə'gæləksɪ] *n астр.* метагала́ктика.

**metagenesis** [,metə'dʒenɪsɪs] *n биол.* чередова́ние поколе́ний, метагене́з.

**metal** ['metl] **1.** *n* 1) мета́лл; 2) *pl* ре́льсы; the train left (*или* ran off) the ~s по́езд сошёл с ре́льсов; 3) ще́бень; 4) распла́вленное стекло́; 5) *ж.-д.* балла́ст; 6) пыл, ре́тивость; 7) *полигр.* гарт; 8) *attr.* металли́ческий; ◇ heavy ~ тяжёлая артилле́рия;

**2.** *v* 1) покрыва́ть, обшива́ть мета́ллом; 2) мости́ть, шосси́ровать ще́бнем; 3) *ж.-д.* балласти́ровать.

**metalled road** ['metld'roud] *n* шоссе́.

**metallic** [mɪ'tælɪk] *a* металли́ческий.

**metalliferous** [,metə'lɪfərəs] *a* рудоно́сный; содержа́щий мета́лл.

**metalline** ['metəlaɪn] *a* 1) металли́ческий; 2) содержа́щий мета́лл.

**metallization** [,metəlaɪ'zeɪʃən] *n* металлиза́ция; гальваниза́ция.

**metallize** ['metəlaɪz] *v* покрыва́ть мета́ллом; металлизи́ровать.

**metallography** [,metə'lɔɡrəfɪ] *n* металлогра́фия.

**metalloid** ['metəlɔɪd] *n хим.* металло́ид.

**metallurgical** [,metə'lɜdʒɪkəl] *a* металлурги́ческий; ~ engineer инжене́р-металлу́рг; ~ engineering металлу́ргия; ~ furnace металлурги́ческая печь.

**metallurgist** [me'tælədʒɪst] *n* металлу́рг.

**metallurgy** [me'tælədʒɪ] *n* металлу́ргия.

**metal-worker** ['metl,wəːkə] *n* рабо́чий-металли́ст.

**metamerism** [mɪ'tæmərɪzəm] *n хим., зоол.* метаме́рия.

**metamorphose** [,metə'mɔːfouz] *v* подверга́ть превраще́ниям, обраща́ть (into); изменя́ть.

**metamorphoses** [,metə'mɔːfəsiːz] *pl от* metamorphosis.

**metamorphosis** [,metə'mɔːfəsɪs] *n* (*pl* -ses) метаморфо́з(а); превраще́ние; измене́ние фо́рмы *или* структу́ры.

**metaphor** ['metəfə] *n лит.* мета́фора.

**metaphorical** [,metə'fɔrɪkəl] *a* метафори́ческий.

**metaphrase** ['metəfreɪz] **1.** *n* 1) прозаи́ческий перево́д (*стихотворе́ния*); 2) досло́вный перево́д; 3) (находчивый) отве́т;

**2.** *v* переводи́ть досло́вно.

**metaphysical** [,metə'fɪzɪkəl] *n* метафизи́ческий.

**metaphysician** [,metəfɪ'zɪʃən] *n* метафи́зик.

**metaphysics** [,metə'fɪzɪks] *n pl* (*часто употр. как sing*) метафи́зика.

**metaplasia** [,metə'pleɪsɪɑ] *n биол.* метаплази́я.

**metasomatism** [,metə'soumətɪzəm] *n геол.* метасомати́зм, метасомато́з.

**metastasis** [me'tæstəsɪs] *n мед.* метаста́з.

**metatarsi** [,metə'tɑːsaɪ] *pl от* metatarsus.

**metatarsus** [,metə'tɑːsəs] *n* (*pl* -si) *анат.* плюсна́.

**metathesis** [me'tæθəsɪs] *n* 1) *фон.* переста́новка зву́ков, метате́за; 2) *хим.* замеще́ние.

**métayage** [,meteɪ'jɑːʒ] *фр. n* аре́нда и́сполу; полови́нничество.

**métayer** [mei'teiə] *фр. п* испóльщик, арендáтор-полóвник.

**mete** I [miːt] *n* граница; пограничный знак; ~s and bounds *юр.* границы, предéлы.

**mete** II [miːt] *v* 1) *поэт.* измерять; 2) отмерять, распределять (*часто* ~ out); 3) назначáть (*нагрáду, наказáние*).

**metempsychoses** [me,tempsi'kousiːz] *pl от* metempsychosis.

**metempsychosis** [me,tempsi'kousis] *n* (*pl* -es) *рел.* метемпсихóз.

**meteor** ['miːtjə] *n* 1) метеóр; 2) атмосфéрное явлéние.

**meteoric** [,miːti'ɔrik] *a* 1) метеорический; 2) атмосферический; 3) сверкнувший как метеóр; 4) ослепительный.

**meteorite** ['miːtjərait] *n* метеорит.

**meteorograph** ['miːtjərəgrɑːf] *n физ.* метеóрограф.

**meteorological** [,miːtjərə'lɔdʒikəl] *a* метеорологический; атмосферический.

**meteorology** [,miːtjə'rɔlədʒi] *n* 1) метеорológия; 2) метеорологические услóвия (*райóна, страны*).

**meter** ['miːtə] *n* 1) измеритель; 2) счётчик; измерительный прибóр; 3) *амер.* = metre.

**metering** ['miːtəriŋ] *n* измерéние.

**mete-wand** ['miːtwɔnd] *n* мерило, критéрий.

**methane** ['meθein] *n хим.* метáн, болóтный газ.

**methinks** [mi'θiŋks] *v* (methought) *уст.* мне кáжется.

**method** ['meθəd] *n* 1) мéтод, спóсоб; 2) система; порядок; 3) схéма классификáции (в естествознáнии).

**methodical** [mi'θɔdikəl] *a* 1) систематический; 2) методический, методичный.

**Methodist** ['meθədist] *n рел.* методист.

**methodize** ['meθədaiz] *v* приводить в систéму, в порядок.

**methodology** [,meθə'dɔlədʒi] *n* методолóгия.

**methought** [mi'θɔːt] *past от* methinks.

**Methuselah** [mi'θjuːzələ] *n библ.* Мафусаил.

**methyl** ['meθil] *n хим.* 1) метил; 2) *attr.* метиловый; ~ alcohol метиловый (*или* древéсный) спирт.

**meticulous** [mi'tikjuləs] *a* 1) мéлочный; дотóшный; 2) щепетильный; 3) *уст.* боязливый.

**métier** ['meitjei] *фр. n* занятие, профéссия, ремеслó.

**metis** [,mei'tiːs] *фр. n* метис.

**metonymy** [mi'tɔnimi] *n лит.* метонимия.

**metope** ['metoup] *n архит.* метóп.

**metre** ['miːtə] *n* 1) метр (*мéра*); 2) размéр, ритм, метр (*в стихосложéнии*).

**metric** ['metrik] *a* метрический; ~ system десятичная (*или* метрическая) система мер.

**metrical** ['metrikəl] *a* 1) метрóвый; 2) измерительный; 3) = metric; 4) *прос.* метрический.

**metrician** [me'triʃən] *n* знатóк мéтрики (*стихотвóрной*).

**metrics** ['metriks] *n pl* (*употр. как sing*) *прос.* мéтрика.

**Metro** ['metrou] *n* 1) метрополитéн в Лóндоне; 2) (m.) метрополитéн.

**metrology** [mi'trɔlədʒi] *n* метролóгия (*учéние о мéрах и весáх*).

**metronome** ['metrənoum] *n* метронóм.

**metronymic** [,miːtrou'nimik] *a* образóванный от имени мáтери [*ср.* patronymic I].

**metropolis** [mi'trɔpəlis] *n* 1) столица; the ~ Лóндон; 2) метропóлия; 3) центр деятельности.

**metropolitan** [,metrə'pɔlitən] 1. *a* 1) столичный; ~ borough муниципáльный райóн (*в Лóндоне*); 2) относящийся к метропóлии; 3) епархиáльный;
2. *n* 1) архиепископ; митрополит; 2) житель столицы *или* метропóлии.

**mettle** ['metl] *n* 1) харáктер, темперáмент; 2) пыл, ретивость; horse of ~ горячая лóшадь; to be on one's ~ рвáться в бой, проявлять пыл, ретивость; 3) хрáбрость; to put smb. on his ~ а) испытáть чьё-л. мужество; б) застáвить когó-л. сдéлать всё, что в егó силах.

**mettled** ['metld] *a* ретивый, горячий; смéлый.

**mettlesome** ['metlsəm] *a* смéлый; рьяный.

**mew** I [mjuː] *n поэт.* чáйка.

**mew** II [mjuː] 1. *n* 1) клéтка (*для сóкола*); 2) *уст.* линька (*птиц*);
2. *v* 1) сажáть в клéтку; 2) *уст.* линять (*о птицах*); 3) сбрáсывать рогá (*об олéне*);
□ ~ up заключáть в тюрьму.

**mew** III [mjuː] 1. *n* мяуканье; мяу;
2. *v* мяукать.

**mewl** [mjuːl] *v* 1) мяукать; 2) хныкать.

**mews** [mjuːz] *n* 1) конюшня; 2) извóзчичий двор.

**Mexican** ['meksikən] 1. *a* мексикáнский; ~ tea *бот.* марь амброзиевидная;
2. *n* мексикáнец.

**mezzanine** ['mezəniːn] *n* 1) *архит.* антресóли; 2) *театр.* помещéние под сцéной.

**mezzo-soprano** ['medzousə'prɑːnou] *n* мéццо-сопрáно.

**mezzotint** ['medzoutint] 1. *n* мéццо-тинто, глубóкая печáть;
2. *v* воспроизводить спóсобом мéццо-тинто.

**mho** [mou] *n эл.* мо (*единица проводимости*).

**mi** [miː] *n муз.* ми.

**miaou, miaow** [miː'au] 1. *n* мяуканье;
2. *v* мяукать.

**miasma** [mi'æzmə] *n* (*pl* -s [-z], -ta) миáзмы, врéдные испарéния.

**miasmata** [mi'æzmətə] *pl от* miasma.

**miasmatic** [miəz'mætik] *a* миазматический.

**mica** ['maikə] *n* 1) слюдá; 2) *attr.* слюдянóй.

**mice** [mais] *pl от* mouse 1.

**micella, micelle** [mai'selɑː, mi'sel] *n биол.* мицéлла, кристаллит.

**Michaelmas** ['miklməs] *n* 1) Михáйлов день (*29 сентября*); 2) *attr.*: ~ daisy áстра.

**Michurinian, Michurinist** [mi'ʧuriniən, mi'ʧurinist] *n* мичуринец.

**mickle** ['mikl] *уст., шотл.* 1. *a* большóй;
2. *n* большóе количество.

**micro-** [ˈmaɪkrou-] *в сложных словах означает:* a) ма́ленький; необыкнове́нно ма́ленького разме́ра; *напр.:* microorganism микрооргани́зм; б) *в физической терминоло́гии* в миллио́н раз ме́ньше, чем основна́я ме́ра; *напр.:* microsecond микросеку́нда *(миллио́нная часть секу́нды).*

**microbe** [ˈmaɪkroub] *n* микро́б.

**microbiology** [ˌmaɪkroubaɪˈɔlədʒɪ] *n* микробиоло́гия.

**microcephaly** [ˌmaɪkrouˈsefəlɪ] *n* микроцефа́лия.

**microclimate** [ˈmaɪkrouˌklaɪmɪt] *n* микрокли́мат.

**microcopy** [ˈmaɪkrouˌkɔpɪ] *n* уме́ньшенный фотосни́мок.

**microcosm** [ˈmaɪkroukɔzəm] *n* 1) микроко́см; 2) что-л. в миниатю́ре.

**microelement** [ˌmaɪkrouˈelɪmənt] *n* микроэлеме́нт.

**microfilm** [ˈmaɪkrouˌfɪlm] *n* микрофи́льм.

**microfilming** [ˈmaɪkrouˌfɪlmɪŋ] *n* микросъёмка.

**micrograph** [ˈmaɪkrougrɑːf] *n* микросни́мок.

**micrography** [maɪˈkrɔgrəfɪ] *n* 1) микрогра́фия *(иссле́дование с по́мощью микроско́па);* 2) микрофотогра́фия.

**microhm** [ˈmaɪkroum] *n* эл. микроо́м, микро́м *(миллио́нная часть о́ма).*

**micrometer** [maɪˈkrɔmɪtə] *n* 1) микро́метр; 2) микрометри́ческий винт.

**micromotor** [ˈmaɪkrouˌmoutə] *n* миниатю́рный электродви́гатель.

**micron** [ˈmaɪkrɔn] *n* микро́н *(миллио́нная часть ме́тра).*

**microorganism** [ˈmaɪkrouˈɔːgənɪzəm] *n* микрооргани́зм.

**microphone** [ˈmaɪkrəfoun] *n* микрофо́н.

**microphyte** [ˈmaɪkrəfaɪt] *n бот.* микроскопи́ческое расте́ние.

**microscope** [ˈmaɪkrəskoup] *n* микроско́п.

**microscopic(al)** [ˌmaɪkrəˈskɔpɪk(əl)] *a* микроскопи́ческий.

**microscopy** [maɪˈkrɔskəpɪ] *n* микроскопи́я.

**microsecond** [ˈmaɪkrəˌsekənd] *n* микросеку́нда *(миллио́нная часть секу́нды).*

**microtome** [ˈmaɪkrətoum] *n* микрото́м.

**microtomy** [maɪˈkrɔtəmɪ] *n* приготовле́ние гистологи́ческих сре́зов.

**microvolt** [ˈmaɪkrəvoult] *n эл.* микрово́льт *(миллио́нная часть во́льта).*

**microwatt** [ˈmaɪkrəwɔt] *n эл.* микрова́тт *(миллио́нная часть ва́тта).*

**microwave** [ˈmaɪkrəweɪv] *a радио* микроволно́вый; ~ region диапазо́н сантиметро́вых волн.

**microwaves** [ˈmaɪkrəweɪvz] *n pl радио* микроволны́; сантиметро́вые во́лны; дециметро́вые во́лны.

**micturition** [ˌmɪktjuːˈrɪʃən] *n* 1) *мед.* боле́зненный позы́в на мочеиспуска́ние; 2) *распр.* мочеиспуска́ние.

**mid** I [mɪd] *a* сре́дний, среди́нный; in ~ air высоко́в во́здухе; in ~ course в пути́; from ~ June to ~ August с середи́ны ию́ня до середи́ны а́вгуста.

**mid** II [mɪd] *уст., поэт. см.* amid.

**mid-** [mɪd-] *pref* в середи́не; mid-January в середи́не января́.

**midday** [ˈmɪddeɪ] *n* 1) по́лдень; 2) *attr.* полдне́вный, полу́денный.

**midden** [ˈmɪdn] *n диал.* ку́ча му́сора, наво́зная ку́ча.

**middle** [ˈmɪdl] 1. *n* 1) середи́на; in the ~ of a) в середи́не *(чего-л.);* б) во вре́мя *(како́го-л. де́ла, заня́тия);* 2) та́лия; 3) *уст.* посре́дник; 4) *грам.* медиа́льный *(или* сре́дний) зало́г *(тж.* ~ voice); 5) *редк.* = middlings; 6) пода́ча мяча́ на середи́ну по́ля *(в футбо́ле);* ◇ in the ~ of nowhere неизве́стно в како́м ме́сте; непоня́тно где;

2. *a* сре́дний; ~ class(es) сре́дняя буржуази́я; ~ peasant середня́к; the ~ peasantry сре́днее крестья́нство; the ~ reaches of the Danube сре́днее тече́ние Дуна́я; ~ finger сре́дний па́лец; ◇ ~ watch *мор.* ночна́я ва́хта *(с 24 ч. до 4 ч.);*

3. *v* 1) помести́ть в середи́ну; 2) пода́ть мяч на середи́ну по́ля *(в футбо́ле).*

**middle-aged** [ˈmɪdlˈeɪdʒd] *a* сре́дних лет.

**middleman** [ˈmɪdlmæn] *n* комиссионе́р; посре́дник.

**middlemost** [ˈmɪdlmoust] *a* ближа́йший к це́нтру, центра́льный.

**middle-of-the-road** [ˈmɪdləvðəˈroud] *a* сре́дний; полови́нчатый.

**middle-of-the-roader** [ˈmɪdləvðəˈroudə] *n* челове́к, занима́ющий полови́нчатую пози́цию.

**middle-weight** [ˈmɪdlweɪt] *n* 1) сре́дний вес; 2) боре́ц *или* боксёр сре́днего ве́са *(68—71 кг).*

**middling** [ˈmɪdlɪŋ] 1. *pres. p. от* middle 3; 2. *a* 1) сре́дний; 2) второсо́ртный; посре́дственный; 3) *разг.* сно́сный *(о здоро́вье);* 3. *adv* сре́дне; так себе́, сно́сно; ~ good дово́льно хоро́ший.

**middlings** [ˈmɪdlɪŋz] *n pl* 1) това́р сре́днего ка́чества, второсо́ртный това́р *(особ. о муке́);* 2) *горн.* промежу́точный концентра́т.

**middy** [ˈmɪdɪ] *сокр. разг. от* midshipman.

**midge** [mɪdʒ] *n* мо́шка; кома́р.

**midget** [ˈmɪdʒɪt] *n* 1) о́чень ма́ленькое существо́ *или* вещь; 2) ка́рлик, лилипу́т; 3) миниатю́рный разме́р фотока́рточки; 4) *амер.* = midge; 5) *attr.* миниатю́рный; ~ car малолитра́жный автомоби́ль; ~ receiver *радио* миниатю́рный приёмник.

**midland** [ˈmɪdlənd] 1. *n* 1) вну́тренняя часть страны́; 2) (the ~s) *pl* центра́льные гра́фства *(А́нглии).* 2. *a* 1) центра́льный; удалённый от мо́ря; 2) вну́тренний *(о мо́ре).*

**midmost** [ˈmɪdmoust] *a* находя́щийся в са́мой середи́не.

**midnight** [ˈmɪdnaɪt] *n* 1) по́лночь; 2) непрогля́дная тьма; as black *(или* as dark) as ~ о́чень тёмный; 3) *attr.* полуно́чный; полно́чный.

**midrib** [ˈmɪdrɪb] *n бот.* сре́дняя жи́лка *(листа́).*

**midriff** [ˈmɪdrɪf] *n анат.* диафра́гма, грудобрю́шная прегра́да.

**midship** [ˈmɪdʃɪp] *n мор.* 1) ми́дель, середи́на; 2) *attr.:* ~ frame ми́дель-шпанго́ут.

**midshipman** ['mɪdʃɪpmən] *n* корабельный гардемарин; *амер.* гардемарин, курсант военно-морского училища.

**midships** ['mɪdʃɪps] = amidships.

**midst** [mɪdst] 1. *n* середина; in the ~ of среди; in our ~, in the ~ of us в нашей среде; среди нас;
2. *prep поэт. см.* amid.

**midstream** ['mɪdstriːm] *n* середина реки.

**midsummer** ['mɪd‚sʌmə] *n* 1) середина лета; 2) *разг.* летнее солнцестояние; 3) *attr.*: M. day Иванов день *(24 июня)*; ~ madness *разг.* умопомешательство; чистое безумие.

**midway** ['mɪdweɪ] 1. *n редк.* полпути;
2. *adv* на полпути, на полдороге.

**mid-week** ['mɪdwiːk] *n* 1) середина недели; 2) среда *(в употреблении квакеров)*.

**midwife** ['mɪdwaɪf] *n* акушерка; повивальная бабка.

**midwifery** ['mɪdwɪfərɪ] *n* акушерство.

**midwinter** ['mɪd'wɪntə] *n* 1) середина зимы; 2) зимнее солнцестояние.

**mien** [miːn] *n* 1) мина, выражение лица; 2) вид, наружность; 3) манера держать себя.

**miff** [mɪf] *разг.* 1. *n* 1) лёгкая ссора, размолвка; 2) вспышка раздражения; to get a ~ надуться;
2. *v* 1) разозлить(ся); надуться; 2) увянуть *(о растении; тж.* ~ off);

**might** I [maɪt] *past om* may I.

**might** II [maɪt] *n* 1) могущество; мощь; 2) энергия; сила; with ~ and main изо всех сил.

**might-have-been** ['maɪthəv‚biːn] *n* 1) упущенная возможность; 2) неудачник; 3) *attr.* неосуществившийся, несбывшийся.

**mightily** ['maɪtɪlɪ] *adv* 1) мощно, сильно; 2) *разг.* чрезвычайно, очень.

**mightiness** ['maɪtɪnɪs] *n* 1) мощность; 2) величие; 3): your ~ ваше высочество, ваша светлость *(титул; часто шутл. или ирон.)*.

**mighty** ['maɪtɪ] 1. *a* 1) могущественный; мощный; 2) *разг.* громадный;
2. *adv разг.* чрезвычайно, очень; that is ~ easy это очень легко.

**mignonette** [‚mɪnjə'net] *фр. n* 1) резеда; 2) французское кружево.

**migraine** ['miːgreɪn] *n* мигрень.

**migrant** ['maɪgrənt] 1. *a* 1) кочующий; 2) перелётный *(о птице)*;
2. *n* 1) переселенец; 2) перелётная птица.

**migrate** [maɪ'greɪt] *v* 1) мигрировать; переселяться; 2) совершать перелёт *(о птицах)*.

**migration** [maɪ'greɪʃən] *n* 1) миграция; переселение; 2) перелёт *(птиц)*.

**migratory** ['maɪgrətərɪ] *a* 1) = migrant 1; 2) *мед.* блуждающий.

**mikado** [mɪ'kɑːdou] *яп. n* микадо.

**mike** I [maɪk] *sl.* 1. *n* бездельничанье; to do *(или* to have) a ~ бездельничать;
2. *v* слоняться, бездельничать; отлынивать от работы.

**mike** II [maɪk] *n разг.* микрофон.

**mil** [mɪl] *n* 1) тысяча; per ~ на тысячу; 2) мил, одна тысячная дюйма *(единица измерения диаметра проволоки и т. п.)*.

**milady** [mɪ'leɪdɪ] *n* миледи *(преим. во франц. употреблении)*.

**milage** ['maɪlɪdʒ] = mileage.

**Milanese** [‚mɪlə'niːz] 1. *a* миланский; 2. *n* миланец, житель Милана.

**milch** [mɪltʃ] *n* молочный *(о скоте)*; ~ cow дойная корова *(тж. перен.)*.

**mild** [maɪld] *a* 1) мягкий; 2) кроткий; 3) умеренный; 4) неострый *(о пище)*; слабый *(о пиве, лекарстве, табаке и т. п.)*; 5) тихий, мягкий *(о человеке)*; 6): ~ steel мягкая сталь, малоуглеродистая сталь.

**mild-cured** ['maɪld'kjuəd] *a* малосольный.

**mildew** ['mɪldjuː] 1. *n* 1) *бот.* мильдью, ложно-мучнистая роса; 2) плесень *(на коже, бумаге)*;
2. *v бот.* поражать *или* быть поражённым мильдью.

**mildewy** ['mɪldjuː] *a бот.* поражённый мильдью.

**mildness** ['maɪldnɪs] *n* мягкость *и пр.* [*см.* mild].

**mile** [maɪl] *n* миля; English *(или* statute) ~ английская миля *(=1609 м)*; Admiralty *(или* geographical, nautical, sea) ~ морская миля *(=1853 м)*; ◇ ~s easier (better) в тысячу раз легче (лучше).

**mileage** ['maɪlɪdʒ] *n* 1) расстояние в милях; число (пройденных) миль; 2) проездные деньги.

**mile-post** ['maɪlpoust] *n* мильный столб.

**Milesian** I [maɪ'liːzjən] *a* милетский.

**Milesian** II [maɪ'liːzjən] 1. *a* ирландский;
2. *n* ирландец.

**milestone** ['maɪlstoun] *n* 1) мильный камень *или* столб; 2) *перен.* веха.

**milfoil** ['mɪlfɔɪl] *n бот.* тысячелистник обыкновенный.

**militancy** ['mɪlɪtənsɪ] *n* воинственность.

**militant** ['mɪlɪtənt] 1. *a* воинствующий, воинственный;
2. *n* боец.

**militarily** ['mɪlɪtərɪlɪ] *adv* 1) воинственно; 2) с военной точки зрения; в военном отношении.

**militarism** ['mɪlɪtərɪzəm] *n* милитаризм.

**militarist** ['mɪlɪtərɪst] *n* 1) милитарист; 2) *pl* военщина.

**militarization** ['mɪlɪtəraɪ'zeɪʃən] *n* милитаризация.

**militarize** ['mɪlɪtəraɪz] *v* милитаризировать.

**military** ['mɪlɪtərɪ] 1. *a* военный, воинский; ~ age призывной возраст; ~ bearing военная выправка; ~ chest войсковая касса, казна; ~ engineering военно-инженерное дело; ~ execution приведение в исполнение приговора военного суда; ~ government военная администрация на занятой территории противника; ~ information разведывательные данные *(или* сведения); ~ oath воинская присяга; ~ post полевая почта; ~ school военно-учебное заведение, военное училище; ~ service военная служба; ~ testament, ~ will устное завещание военнослужащего; ◇ ~ fever *уст.* брюшной тиф; ~ pit волчья яма;

**2.** *n* 1) войскá, воéнная сúла (*в противоположность полицейской*); 2) (the ~) воéнные, военнослýжащие; 3) (*без артикля*) *груб.* солдатня; солдафóны.

**militate** ['mɪlɪteɪt] *v* 1) борóться, воевáть; 2) свидéтельствовать, говорúть прóтив (*об уликах, фактах*; against); 3) препя́тствовать.

**militia** [mɪ'lɪʃə] *n* 1) милúция; 2) *ист.* нарóдное ополчéние; милициóнная áрмия (*в Англии*).

**militiaman** [mɪ'lɪʃəmən] *n* 1) *ист.* ополчéнец; солдáт милициóнной áрмии; 2) милиционéр.

**milk** [mɪlk] **1.** *n* 1) молокó; 2) *бот.* млéчный сок, лáтекс; 3) *уст.* молóки; 4) *attr.* молóчный; ◇ the ~ of human kindness добросердéчие, симпáтия, добротá (*часто ирон.*); ~ for babes неслóжная кнúга, статья́ *и т. п.*; ~ and honey ≅ молóчные рéки, кисéльные берегá;
**2.** *v* 1) дойть; 2) давáть молокó (*о скоте*); 3) извлекáть вы́году (*из чего-л.*); эксплуатúровать; 4) *sl.* перехвáтывать (*телеграфные, телефонные сообщения*); ◇ to ~ the bull (*или* the ram) ≅ ждать от козлá молокá.

**milk and water** ['mɪlkənd'wɔːtə] *n* 1) разбáвленное молокó; 2) бессодержáтельный разговóр; бессодержáтельная кнúга; «водá».

**milk-and-water** ['mɪlkənd'wɔːtə] *a* 1) слáбый, пустóй; 2) безвóльный, бесхарáктерный; безлúчный; ~ girl ≅ «кисéйная бáрышня».

**milk-brother** ['mɪlk,brʌðə] *n* молóчный брат.

**milker** ['mɪlkə] *n* 1) доя́р; доя́рка; 2) дойльная машúна; 3) молóчная корóва.

**milk-float** ['mɪlkflout] *n* телéжка развóзчика молокá.

**milk-gauge** ['mɪlkgeɪdʒ] *n* лактóметр.

**milk-livered** ['mɪlk,lɪvəd] *a* труслúвый.

**milkmaid** ['mɪlkmeɪd] *n* 1) доя́рка; 2) молóчница.

**milkman** ['mɪlkmən] *n* 1) продавéц молокá; 2) доя́р, дойльщик.

**milksop** ['mɪlksɔp] *n* 1) кусóк хлéба, размóченный в молокé; 2) бесхарáктерный человéк, «тря́пка», «бáба».

**milk-sugar** ['mɪlk,ʃugə] *n* *хим.* молóчный сáхар, лактóза.

**milk-tooth** ['mɪlktuːθ] *n* молóчный зуб.

**milkweed** ['mɪlkwiːd] *n название многих растений, выделяющих млечный сок*, *напр.*, молочáй.

**milk-white** ['mɪlkwaɪt] *a* молóчно-бéлый.

**milky** ['mɪlkɪ] *a* молóчный; M. Way *астр.* Млéчный путь.

**mill I** [mɪl] **1.** *n* 1) мéльница; 2) фáбрика, завóд; 3) (прокáтный) стан; 4) мéльница; дробúлка; толчéй; 5) пресс (*для выжимания растит. масла*); 6) *тех.* фрéза; 7) = treadmill; 8) *sl.* бокс; кулáчный бой; 9) *sl.* тюрьмá; 10) *attr.* мéльничный; 11) *attr.* фабрúчный, заводскóй; ◇ to go (*или* to pass) through the ~ пройтú сурóвую шкóлу; to put smb. through the ~ застáвить когó-л. пройтú сурóвую шкóлу;
**2.** *v* 1) молóть; рýшить (*зерно*); 2) дро-

бúть, измельчáть (*руду*); 3) обрабáтывать на станкé; фрезеровáть; гуртúть (*монету*); 4) выдéлывать, валя́ть (*сукно*); 5) бить; тузúть; 6) *sl.* отпрáвить в тюрьмý; 7) двúгаться кругóм, кружúть (*о толпе, стаде*).

**mill II** [mɪl] *n* *амер. тех.* ты́сячная часть дóллара.

**millboard** ['mɪlbɔːd] *n* тóлстый картóн.

**mill cake** ['mɪlkeɪk] *n* 1) жмых; 2) лепéшка.

**mill-cog** ['mɪlkɔg] *n* *тех.* кулáк, вы́ступ, зубéц (*колеса*).

**mill-dam** ['mɪldæm] *n* мéльничная плотúна.

**millenary** [mɪ'lenərɪ] **1.** *n* тысячелéтняя годовщúна;
**2.** *a* тысячелéтний.

**millennia** [mɪ'lenɪə] *pl от* millennium.

**millennial** [mɪ'lenɪəl] *a* тысячелéтний.

**millennium** [mɪ'lenɪəm] *n* (*pl* -ums [-əmz], -nia) 1) тысячелéтие; 2) золотóй век.

**millepede** ['mɪlɪpiːd] *n* *зоол.* многонóжка.

**miller** ['mɪlə] *n* 1) мéльник; 2) фрезерóвщик; 3) *тех.* фрéзерный станóк.

**miller's thumb** ['mɪləz'θʌm] *n* подкáменщик (*рыба*).

**millesimal** [mɪ'lesɪməl] **1.** *a* ты́сячный;
**2.** *n* ты́сячная часть.

**millet** ['mɪlɪt] *n* 1) прóсо; 2) *attr.* просянóй, из прóса; ~ beer, ~ ale бузá (*напиток*).

**mill-hand** ['mɪlhænd] *n* фабрúчный *или* заводскóй рабóчий.

**milliard** ['mɪljɑːd] *num. card.*, *n* миллиáрд.

**milligram(me)** ['mɪlɪgræm] *n* миллигрáм.

**millimetre** ['mɪlɪ,miːtə] *n* миллимéтр.

**milliner** ['mɪlɪnə] *n* модúстка.

**millinery** ['mɪlɪnərɪ] *n* 1) дáмские шля́пы; 2) продáжа шляп; магазúн дáмских шляп.

**milling** ['mɪlɪŋ] **1.** *pres. p. от* mill I, 2;
**2.** *n* помóл *и пр.* [*см.* mill I, 2].

**milling cutter** ['mɪlɪŋ'kʌtə] *n* фрéза.

**milling machine** ['mɪlɪŋmə'ʃiːn] *n* фрéзерный станóк.

**million** ['mɪljən] **1.** *num. card.* миллиóн; ten ~ books дéсять миллиóнов книг; the total is four ~ итогó четы́ре миллиóна;
**2.** *n* 1) числó миллиóн; 2): the ~ a) мнóжество, мáсса; б) основнáя мáсса населéния.

**millionaire** [,mɪljə'nɛə] *n* миллионéр.

**millionocracy** [,mɪljən'ɔkrəsɪ] *n* правлéние, власть миллионéров.

**millipede** ['mɪlɪpiːd] = millepede.

**mill-pond** ['mɪlpɔnd] *n* мéльничный пруд; запрýда у мéльницы.

**mill-race** ['mɪlreɪs] *n* 1) мéльничный лотóк; 2) потóк воды́, приводя́щий в движéние мéльничное колесó.

**millstone** ['mɪlstoun] *n* жёрнов; ◇ between the upper and the nether ~ в безвы́ходном положéнии; между мóлотом и наковáльней; to see far into a ~, to look through a ~ обладáть сверхъестéственной проницáтельностью (*обыкн. ирон.*); to have (*или* to fix) a ~ about one's neck ≅ навязáть себé кáмень на шéю.

**mill-stream** ['mɪlstriːm] = mill-race 2).

**mill-wheel** [ˈmɪlwiːl] *n* мéльничное колесó.

**millwright** [ˈmɪlraɪt] *n* 1) тéхник-машиностройтель; 2) слéсарь-монтёр; 3) *редк.* констрýктор.

**milord** [mɪˈlɔː] *n* милóрд (*преим. во франц. употреблении*).

**milt** [mɪlt] 1. *n* 1) молóки; 2) *уст.* селезёнка;

2. *v* оплодотворя́ть икрý молóками.

**milter** [ˈmɪltə] *n* ры́ба-самéц (*во время нéреста*).

**mime** [maɪm] 1. *n* 1) мим (*представление у древних греков и римлян*); 2) мим (*античный актёр*); 3) мимúст;

2. *v* 1) исполня́ть роль в пантомúме; 2) изобража́ть мимúчески; 3) подража́ть, имитúровать; передра́знивать.

**mimesis** [maɪˈmiːsɪs] = mimicry 2).

**mimetic** [mɪˈmetɪk] *a* 1) подража́тельный; 2) *биол.* относя́щийся к мимикрúи.

**mimic** [ˈmɪmɪk] 1. *a* 1) подража́тельный; перéимчивый; 2) ненастоя́щий;

2. *n* 1) имита́тор; 2) подража́тель, обезья́на;

3. *v* 1) пародúровать; передра́знивать; 2) *разг.* обезья́нничать; 3) *биол.* принима́ть покровúтельственную (*или* защúтную) окра́ску.

**mimicry** [ˈmɪmɪkrɪ] *n* 1) имитúрование; 2) *биол.* мимикрúя.

**mimosa** [mɪˈmouzə] *n бот.* мимóза.

**minacious** [mɪˈneɪʃəs] = minatory.

**minaret** [ˈmɪnəret] *араб. n* минарéт.

**minatory** [ˈmɪnətərɪ] *a* угрожа́ющий.

**mince** [mɪns] 1. *v* 1) крошúть, рубúть (*мясо*); 2) смягча́ть; успока́ивать; not to ~ matters (*или* one's words) говорúть пря́мо, без обиняков; 3) говорúть, держа́ться жема́нно; 4) семенúть нога́ми.

2. *n* фарш.

**mincemeat** [ˈmɪnsmiːt] *n* фарш из изюма, миндаля́, са́хара *и пр.* (*для начúнки пирога́*); ◇ to make ~ of ≅ превратúть в котлéту; разбúть, уничтóжить (*протúвника*).

**mince pie** [ˈmɪnsˈpaɪ] *n* сла́дкий пирожóк [*см.* mincemeat].

**mincing machine** [ˈmɪnsɪŋməˈʃiːn] *n* мясорýбка.

**mind** [maɪnd] 1. *n* 1) ра́зум; ýмственные спосóбности; ум; to be in one's right ~ быть в здра́вом уме́; the great ~s of the world велúкие умы́ человéчества; 2) па́мять; воспомина́ние; to have (*или* to bear, to keep) in ~ пóмнить, имéть в видý; to bring (*или* to call) to ~ напóмнить; to go (*или* to pass) out of ~ вы́скочить из па́мяти; time out of ~ с незапа́мятных времён; 3) мнéние; мысль; взгляд; to be of one (*или* a) ~ (with) быть одногó и тогó же мнéния (с); on one's ~ на душé, в мы́слях, на умé; to speak one's ~ говорúть откровéнно; to give smb. a piece of one's ~ вы́сказать комý-л. откровéнно своё мнéние [*см. тж.* give 1◇]; to change (*или* to alter) one's ~ переду́мать; to my ~ по моемý мнéнию; it was not to his ~ э́то бы́ло емý не по вкýсу; to read smb.'s ~ чита́ть чужúе мы́сли; 4) намéрение, жела́ние; I have a great (*или* good) ~ to do it у меня́ большóе жела́ние э́то сде-

лать; to know one's own ~ не колеба́ться, твёрдо знать, чегó хóчешь; 5) дух (*душа*); ~'s eye духóвное óко, мы́сленный взгляд; ◇ many men, many ~s ≅ скóлько голóв, скóлько умóв; out of sight, out of ~ *посл.* ≅ с глаз долóй, из сéрдца вон; to make up one's ~ решúть(ся); to be in two ~s колеба́ться, находúться в нерешúтельности;

2. *v* 1) пóмнить; ~ our agreement не забýдьте о на́шем соглашéнии; 2) забóтиться, занима́ться (*чем-л.*); смотрéть (*за чем-л.*); ~ your own business занима́йся свойм дéлом, не вмéшивайся в чужúе дела́; please ~ the fire пожа́луйста, последúте за камúном; 3) остерега́ться, берéчься; ~ the step осторóжно! там ступéнька!; 4) (*в вопр. или отриц. предложéнии, а также в утверд. отвéте*) возража́ть, имéть (*что-л.*) прóтив; do you ~ my smoking? вы не бýдете возража́ть, éсли я закурю́?; I don't ~ it a bit нет, нискóлько; yes, I ~ it very much нет, я óчень прóтив э́того; ◇ never ~ ничегó, нева́жно, не беспокóйтесь, не беда́; never ~ the cost (*или* the expense) не остана́вливайтесь пéред расхóдами; to ~ one's P's and Q's следúть за собóй, за свойми слова́ми, соблюда́ть осторóжность *или* прилúчия; ~ your eye! ≅ держú ýхо вострó!

**minded** [ˈmaɪndɪd] 1. *p. p. от* mind 2;

2. *a* располóженный, готóвый (*что-л. сдéлать*).

**-minded** [-ˈmaɪndɪd] *в слóжных слова́х*: double-~ а) двоеду́шный; б) колéблющийся; evil-~ злонамéренный; high-~ великоду́шный; low-~ нúзкий; small-~ мéлочный; pure-~ чистосердéчный.

**minder** [ˈmaɪndə] *n* человéк, присма́тривающий за *чем-л.*, забóтящийся о *ком-л.*

**mindful** [ˈmaɪndful] *a* 1) пóмнящий; 2) внима́тельный (*к обя́занностям*); забóтливый.

**mindless** [ˈmaɪndlɪs] *a* 1) глýпый, бессмы́сленный; 2) не дýмающий (*о чём-л.*); не счита́ющийся (of — с *чем-л.*).

**mine** I [maɪn] *pron. poss.* (*абсолютная форма, не употр. атрибутúвно; ср.* my) принадлежа́щий мне; мой; моя́; моё; this is ~ э́то моё; a friend of ~ мой друг.

**mine** II [maɪn] 1. *n* 1) руднúк, копь; ша́хта; прииск; 2) за́лежь, пласт; 3) *воен.* мúна; to lay a ~ for подвестú мúну под; *перен.* уничтóжить, разрýшить; 4) *ист.* подкóп; 5) истóчник (*свéдений и т. п.*); 6) за́говор, интрúга;

2. *v* 1) производúть гóрные рабóты, разраба́тывать руднúк, добыва́ть (*руду и т. п.*); 2) подка́пывать, копа́ть под землёй; вестú подкóп; 3) минúровать; ста́вить мúны; 4) подка́пываться (*под кого-л.*); подрыва́ть (*репута́цию и т. п.*); 5) зарыва́ться в зéмлю, рыть нóрку (*о живóтных*).

**mineable** [ˈmaɪnəbl] *a мор.* допуска́ющий постанóвку мин, пригóдный для постанóвки мин.

**minefield** [ˈmaɪnfiːld] *n воен., мор.* мúнное пóле, мúнное загражде́ние.

**mine foreman** [ˈmaɪnˈfɔːmən] *n горн.* штéйгер.

**minelayer** [ˈmaɪnˌleɪə] *n мор.* мúнный загради́тель.

**miner** ['maɪnə] n 1) горня́к; горнорабо́чий; шахтёр; рудоко́п; 2) воен. минёр.

**mineral** ['mɪnərəl] 1. n 1) минера́л; 2) pl поле́зные ископа́емые; 3) руда́; 4) pl разг. минера́льная вода́;
2. a 1) минера́льный; ~ jelly вазели́н; ~ oil минера́льное ма́сло, сыра́я нефть; 2) хим. неоргани́ческий.

**mineral-insulated** ['mɪnərəl'ɪnsjuleɪtɪd] a с неоргани́ческой изоля́цией.

**mineralization** [,mɪnərəlaɪ'zeɪʃən] n минерализа́ция.

**mineralize** ['mɪnərəlaɪz] v 1) минерализова́ть, насыща́ть минера́льными соля́ми; 2) геол. вести́ разве́дку; 3) собира́ть минера́лы.

**mineralogist** [,mɪnə'rælədʒɪst] n минерало́г.

**mineralogy** [,mɪnə'rælədʒɪ] n минерало́гия.

**Minerva** [mɪ'nɜːvə] n миф. Мине́рва.

**minesweeper** ['maɪn,swiːpə] n мор. ми́нный тра́льщик.

**minethrower** ['maɪn,θrouə] n миномёт.

**minever** ['mɪnɪvə] = miniver.

**mine worker** ['maɪn,wɜːkə] = miner 1).

**mingle** ['mɪŋgl] v сме́шивать(ся); to ~ in (или with) the crowd смеша́ться с толпо́й; to ~ in society враща́ться в о́бществе; to ~ tears пла́кать вме́сте.

**mingle-mangle** ['mɪŋgl,mæŋgl] n смесь, вся́кая вся́чина; пу́таница.

**mingy** ['mɪndʒɪ] a разг. скупо́й, ме́лочный.

**miniate** ['mɪnɪeɪt] v 1) кра́сить су́риком; 2) украша́ть цветны́ми рису́нками (ру́копись).

**miniature** ['mɪnjətʃə] 1. n 1) миниатю́ра; in ~ в миниатю́ре; 2) заста́вка;
2. a миниатю́рный;
3. v изобража́ть в миниатю́ре.

**miniaturist** ['mɪnjətjuərɪst] n миниатюри́ст.

**minify** ['mɪnɪfaɪ] v уменьша́ть, преуменьша́ть.

**minikin** ['mɪnɪkɪn] 1. n 1) ма́ленькая вещь, ма́ленькое существо́; 2) полигр. са́мый ме́лкий шрифт (3½ пу́нкта);
2. a 1) ма́ленький; 2) мане́рный, жема́нный; 3) уст. изя́щный.

**minim** ['mɪnɪm] n 1) мельча́йшая части́ца, о́чень ма́ленькая до́ля; ка́пля; безде́лица; 2) ¹⁄₆₀ дра́хмы; 3) муз. полови́нная но́та.

**minima** ['mɪnɪmə] pl от minimum.

**minimal** ['mɪnɪml] a 1) минима́льный; 2) о́чень ма́ленький.

**minimalize** ['mɪnɪməlaɪz] = minimize.

**minimize** ['mɪnɪmaɪz] v 1) доводи́ть до ми́нимума; 2) преуменьша́ть.

**minimum** ['mɪnɪməm] n (pl minima) 1) ми́нимум; минима́льное значе́ние; 2) attr. минима́льный; ~ wage прожи́точный ми́нимум.

**minimus** ['mɪnɪməs] 1. a мла́дший из трёх бра́тьев или однофами́льцев (уча́щихся в одно́й шко́ле);
2. n анат. мизи́нец.

**mining** ['maɪnɪŋ] 1. pres. p. от mine II, 2;
2. n 1) го́рное де́ло, разрабо́тка недр, го́рная промы́шленность; разрабо́тка ко-

пей; 2) воен., мор. ми́нное де́ло; мини́рование; 3) attr. го́рный, ру́дный; ~ camp рудни́к; ~ claim зая́вка (на откры́тие рудника́); ~ engineer го́рный инжене́р; ~ hole бурова́я сква́жина; ~ machine вру́бовая маши́на.

**minion** ['mɪnjən] n 1) фавори́т, люби́мец; ~ of fortune ба́ловень судьбы́; 2) креату́ра; ~s of the law тюре́мщики, полице́йские; 3) уст. любо́вник; 4) полигр. минио́н (шрифт в 7 пу́нктов).

**minister** ['mɪnɪstə] 1. n 1) мини́стр; the ~s прави́тельство; 2) дип. посла́нник; сове́тник посо́льства; 3) свяще́нник; 4) редк. исполни́тель, слуга́; ~ of vengeance ору́дие ме́сти;
2. v 1) служи́ть; помога́ть, ока́зывать по́мощь, соде́йствие; спосо́бствовать; 2) уст. соверша́ть богослуже́ние.

**ministerial** [,mɪnɪs'tɪərɪəl] a 1) служе́бный; подчинённый; 2) министе́рский; ~ changes измене́ния в соста́ве кабине́та; ~ cheers (cries) парл. во́згласы одобре́ния (вы́крики) на министе́рских скамья́х; 3) церк. па́стырский.

**ministerialist** [,mɪnɪs'tɪərɪəlɪst] n сторо́нник прави́тельства.

**ministration** [,mɪnɪs'treɪʃən] n 1) оказа́ние по́мощи; по́мощь; 2) богослуже́ние.

**ministry** ['mɪnɪstrɪ] n 1) министе́рство; 2) кабине́т мини́стров; 3) служе́ние; 4) духове́нство; па́стырство.

**minium** ['mɪnɪəm] n свинцо́вый су́рик.

**miniver** ['mɪnɪvə] n горноста́евый мех (иногда тж. бе́личий).

**mink** [mɪŋk] n но́рка (живо́тное и мех).

**minnesinger** ['mɪnɪ,sɪŋə] n миннези́нгер.

**Minnie** ['mɪnɪ] n воен. sl. миномёт.

**minnie** ['mɪnɪ] n сев. ма́ма, ма́мочка.

**minnow** ['mɪnou] n 1) голья́н (ры́ба); 2) мелюзга́; 3) блесна́; ◇ to throw out a ~ to catch a whale = рискну́ть пустяко́м ра́ди большо́го барыша́; a Triton among (или of) the ~s = велика́н среди́ пигме́ев.

**minor** ['maɪnə] 1. a 1) незначи́тельный; второстепе́нный; 2) ме́ньший из двух; мла́дший из двух бра́тьев (в шко́ле); ~ court суд ни́зшей инста́нции; 3) муз. мино́рный; 4) гру́стный, мино́рный;
2. n 1) несовершенноле́тний, подро́сток; 2) лог. ме́ньшая посы́лка в силлоги́зме; 3) муз. мино́рный ключ; 4) (М.) ист. франциска́нец, минори́т.

**Minorca** [mɪ'nɔːkə] n мино́рка (поро́да кур) [см. тж. Спи́сок географи́ческих назва́ний].

**Minorite** ['maɪnəraɪt] n минори́т, францисканец.

**minority** [maɪ'nɔrɪtɪ] n 1) меньшинство́; ме́ньшее число́; ме́ньшая часть; 2) несовершенноле́тие.

**minster** ['mɪnstə] n 1) монасты́рская це́рковь; 2) кафедра́льный собо́р.

**minstrel** ['mɪnstrəl] n 1) менестре́ль; 2) поэ́т; певе́ц; 3) pl исполни́тели паро́дий на негритя́нские пе́сни.

**minstrelsy** ['mɪnstrəlsɪ] n 1) иску́сство менестре́лей; 2) собир. менестре́ли; 3) поэ́зия; 4) поэт. пе́ние птиц.

**mint** I [mɪnt] n бот. мя́та.

**mint** II [mɪnt] **1.** *n* 1) монéтный двор; **2)** большáя сýмма; большóе колúчество; ~ of money большáя сýмма, кýча дéнег; ~ of trouble кýча неприя́тностей; 3) истóчник, происхождéние;

**2.** *v* 1) чекáнить (*монéту*); 2) создавáть (*нóвое слóво, выражéние*); 3) *пренебр.* выдýмывать.

**mintage** [ˈmɪntɪdʒ] *n* 1) чекáнка (*монéты*); 2) монéты однóго вы́пуска; 3) отпечáток (*на монéте*); «легéнда»; 4) пóшлина на прáво чекáнки монéты; 5) создáние, изобрéтение; a word of new ~ неологúзм.

**minuend** [ˈmɪnjuend] *n мат.* уменьшáемое.

**minuet** [ˌmɪnjuˈet] *n* менуэ́т.

**minus** [ˈmaɪnəs] **1.** *prep* мúнус; без; ten ~ four is six дéсять мúнус четы́ре равня́ется шестú;

**2.** *n* 1) знак мúнуса; мúнус (*тж. перен.*); 2) отрицáтельная величинá; 3) *воен.* недолёт;

**3.** *a* 1) отрицáтельный; a ~ quantity отрицáтельная величинá; ~ charge *эл.* отрицáтельный заря́д; 2) *разг.* лишённый (*чегó-л.*); he came back ~ an arm он вернýлся без рукú.

**minuscule** [mɪˈnʌskjuːl] *n* строчнáя бýква (*в средневекóвых рукопúсях*).

**minute** I [ˈmɪnɪt] **1.** *n* 1) минýта (*тж. астр., мат.* 1/60 *часть грáдуса*); 2) мгновéние; момéнт; the ~ (that) the bell rings he gets up как тóлько прозвонúт звонóк, он встаёт; on (*или* to) the ~ пунктуáльно, минýта в минýту;

**2.** *v* рассчúтывать врéмя по минýтам.

**minute** II [ˈmɪnɪt] **1.** *n* 1) набрóсок, пáмятная запúска; 2) *pl* протокóл (*собрáния*); **2.** *v* 1) набрáсывать нáчерно; 2) вестú протокóл; ☐ ~ down запúсывать.

**minute** III [maɪˈnjuːt] *a* 1) мéлкий, мельчáйший; ~ anatomy микроскопúческая анатóмия, гистолóгия; 2) незначúтельный; 3) подрóбный, детáльный.

**minute-book** [ˈmɪnɪtbuk] *n* журнáл заседáний.

**minute-glass** [ˈmɪnɪtɡlɑːs] *n* песóчные часы́, рассчúтанные на однý минýту.

**minute-guns** [ˈmɪnɪtɡʌnz] *n pl* чáстые пýшечные вы́стрелы (*как сигнáл бéдствия или как трáурный салю́т*).

**minute-hand** [ˈmɪnɪthænd] *n* минýтная стрéлка.

**minute-jumper** [ˈmɪnɪtˌdʒʌmpə] *n* электрúческие часы́ (*на котóрых минýтная стрéлка передвигáется срáзу на минýту*).

**minutely** I [ˈmɪnɪtlɪ] **1.** *a* ежеминýтный; **2.** *adv* ежеминýтно.

**minutely** II [maɪˈnjuːtlɪ] *adv* 1) подрóбно; 2) тóчно.

**minute-man** [ˈmɪnɪtmæn] *n амер.* 1) *ист.* солдáт нарóдной милúции (*эпóхи войны́ за незавúсимость 1775-83 гг.*); 2) человéк, всегдá готóвый к дéйствию.

**minuteness** [maɪˈnjuːtnɪs] *n* 1) мáлость; незначúтельность; 2) детáльность; 3) тóчность.

**minutiae** [maɪˈnjuːʃiː] *n pl* мéлочи; детáли.

**minx** [mɪŋks] *n* 1) дéрзкая девчóнка; 2) кокéтка, шалýнья; 3) *уст.* распýтница.

**miocene** [ˈmaɪəsiːn] **1.** *n геол.* миоцéн; **2.** *a* миоцéновый.

**miracle** [ˈmɪrəkl] *n* 1) чýдо; to a ~ на дúво, удивúтельно хорошó; 2) удивúтельная вещь, выдаю́щееся собы́тие; 3) *ист.* средневекóвая мистéрия *или* мирáкль (*тж.* ~ play).

**miraculous** [mɪˈrækjuləs] *a* 1) чудотвóрный, сверхъестéственный; 2) удивúтельный.

**mirage** [ˈmɪrɑːʒ] *n* мирáж.

**mire** [ˈmaɪə] **1.** *n* 1) тряси́на, болóто; to find oneself (*или* to stick) in the ~ *перен.* оказáться в затруднúтельном положéнии; 2) грязь; to bring in (*или* to drag through) the ~ облúть гря́зью, вы́ставить на позóр; **2.** *v* 1) завя́знуть в грязú, в тряси́не (*тж.* ~ down); 2) обры́згивать гря́зью; *перен.* чернúть; 3) втянýть (*во что́-л.*).

**miriness** [ˈmaɪərɪnɪs] *n* болóтистость, тóпкость.

**mirk** [mɜːk] = murk.

**mirror** [ˈmɪrə] **1.** *n* 1) зéркало; false ~ кривóе зéркало; 2) зеркáльная повéрхность; 3) отображéние;

**2.** *v* отражáть, отображáть.

**mirth** [mɜːθ] *n* весéлье, рáдость.

**mirthful** [ˈmɜːθful] *a* весёлый, рáдостный.

**miry** [ˈmaɪərɪ] *a* 1) тóпкий; 2) гря́зный.

**mis-** [mɪs-] *pref* присоединя́ется к глагóлам и отглагóльным существúтельным, придавáя значéние непрáвильно, лóжно; *напр.:* misunderstand непрáвильно поня́ть; misprint опечáтка.

**misadventure** [ˌmɪsədˈventʃə] *n* 1) несчáстье, несчáстный слýчай; 2) *юр.:* homicide by ~ непреднамéренное убúйство.

**misadvise** [ˌmɪsədˈvaɪz] *v* давáть плохóй *или* непрáвильный совéт.

**misalliance** [ˌmɪsəˈlaɪəns] = mésalliance.

**misanthrope** [ˈmɪzənθroup] *n* человеконенавúстник, мизантрóп.

**misanthropic(al)** [ˌmɪzənˈθrɔpɪk(əl)] *a* человеконенавúстнический.

**misanthropy** [mɪˈzænθrəpɪ] *n* мизантрóпия.

**misapplication** [ˈmɪsˌæplɪˈkeɪʃən] *n* 1) непрáвильное испóльзование; 2) злоупотреблéние.

**misapply** [ˈmɪsəˈplaɪ] *v* 1) непрáвильно испóльзовать; 2) злоупотребля́ть.

**misapprehend** [ˈmɪsˌæprɪˈhend] *v* поня́ть ошúбочно, преврáтно.

**misapprehension** [ˈmɪsˌæprɪˈhenʃən] *n* непрáвильное представлéние, недоразумéние; to be under ~ быть в заблуждéнии.

**misappropriate** [ˈmɪsəˈprouprɪeɪt] *v* незакóнно присвóить.

**misappropriation** [ˈmɪsəˌprouprɪˈeɪʃən] *n* незакóнное присвоéние.

**misbecame** [ˌmɪsbɪˈkeɪm] *past от* misbecome.

**misbecome** [ˌmɪsbɪˈkʌm] *v* (misbecame; misbecome) не подходúть, не прилúчествовать.

**misbegotten** [ˈmɪsbɪˈɡɔtn] *a* рождённый вне брáка.

misbehave ['mɪsbɪ'heɪv] v дурно вести себя.

misbehaviour ['mɪsbɪ'heɪvjə] n дурное, недостойное поведение; проступок.

misbelief ['mɪsbɪ'liːf] n 1) ложное мнение; заблуждение; 2) ересь.

misbelieve ['mɪsbɪ'liːv] v 1) заблуждаться; 2) впадать в ересь.

misbeliever ['mɪsbɪ'liːvə] n еретик.

misbirth [mɪs'bəːθ] n выкидыш, аборт.

miscalculate ['mɪs'kælkjuleɪt] v ошибаться в расчёте, просчитываться.

miscalculation ['mɪs,kælkju'leɪʃən] n ошибка в расчёте, просчёт.

miscall [mɪs'kɔːl] v 1) неверно называть; 2) диал. обзывать бранными словами.

miscarriage [mɪs'kærɪʤ] n 1) неудача; ошибка; ~ of justice судебная ошибка; 2) недоставка по адресу; 3) выкидыш, аборт.

miscarry [mɪs'kærɪ] v 1) (по)терпеть неудачу; 2) не доходить по адресу; 3) выкинуть; сделать выкидыш.

miscegenation [,mɪsɪʤɪ'neɪʃən] n смешанные браки между белыми и неграми.

miscellanea [,mɪsə'leɪnɪə] n pl 1) литературная смесь; разное (рубрика); 2) собрание разных заметок; сборник.

miscellaneous [,mɪsɪ'leɪnjəs] a 1) смешанный; разнообразный; 2) разносторонний.

miscellany [mɪ'selənɪ] n 1) смесь; 2) сборник, альманах.

mischance [mɪs'ʧɑːns] n неудача; несчастный случай; by ~ к несчастью, по несчастной случайности.

mischief ['mɪsʧɪf] n 1) вред; повреждение; 2) зло, беда; the ~ of it is that беда в том, что; to make ~ ссорить, сеять раздоры; вредить; 3) озорство, проказы; full of ~ озорной; бедовый; 4) озорник, бедокур; 5) разг. чёрт; what the ~ do you want? какого чёрта вам нужно?; why the ~ почему, чёрт возьми; 6) уст. болезнь.

mischief-maker ['mɪsʧɪf,meɪkə] n интриган, смутьян.

mischievous ['mɪsʧɪvəs] a 1) озорной; непослушный; 2) вредный; 3) уст. злонамеренный, злобный.

miscomprehend ['mɪskɔmprɪ'hend] v неправильно понять.

miscomprehension ['mɪskɔmprɪ'henʃən] n неправильное понимание, недоразумение.

misconceive ['mɪskən'siːv] v 1) неправильно понять; 2) иметь неправильное представление.

misconception ['mɪskən'sepʃən] n 1) неправильное представление; 2) недоразумение.

misconduct 1. n [mɪs'kɔndəkt] 1) дурное поведение, проступок; 2) супружеская неверность; 3) плохое управление; неправильное (или неумелое) обращение (с чем-л.); 2. v ['mɪskən'dʌkt] 1) дурно вести себя; 2) нарушать супружескую верность; 3) плохо управлять; плохо (или неумело) обращаться (с чем-л.).

misconstruction ['mɪskəns'trʌkʃən] n 1) неправильное построение; 2) неверное истолкование.

misconstrue ['mɪskən'struː] v неправильно истолковывать.

miscount ['mɪs'kaunt] 1. n просчёт; неправильный подсчёт; 2. v ошибаться при подсчёте.

miscreant ['mɪskrɪənt] 1. n 1) негодяй, злодей; 2) уст. еретик; 2. a 1) испорченный, развращённый; 2) уст. еретический.

miscreated ['mɪskrɪ'eɪtɪd] a уродливый, уродливо сложённый.

misdate ['mɪs'deɪt] v неверно датировать.

misdeal ['mɪs'diːl] 1. n карт. неправильная сдача; 2. v (misdealt) 1) поступать неправильно; 2) карт. ошибаться при сдаче.

misdealing ['mɪs'diːlɪŋ] 1. pres. p. от misdeal 2; 2. n нечестный поступок; беспринципное поведение.

misdealt ['mɪs'delt] past и p. p. от misdeal 2.

misdeed ['mɪs'diːd] n 1) преступление; злодеяние; 2) оплошность, ошибка.

misdeem ['mɪs'diːm] v поэт. неправильно судить, составить неправильное мнение.

misdemeanant [,mɪsdɪ'miːnənt] n юр. лицо, совершившее судебно наказуемый проступок.

misdemeanour ['mɪsdɪ'miːnə] n 1) юр. судебно наказуемый проступок, преступление; 2) разг. проступок.

misdirect ['mɪsdɪ'rekt] v 1) неверно, неправильно направлять; 2) адресовать неправильно; 3) давать неправильные указания (присяжным).

misdirection ['mɪsdɪ'rekʃən] n неправильное указание или руководство.

misdoing ['mɪs'duːɪŋ] n 1) оплошность, ошибка; 2) злодеяние.

misdoubt [mɪs'daut] уст. 1. n 1) сомнение; колебание; 2) подозрение; 3) предчувствие чего-л. дурного; 2. v 1) сомневаться; 2) подозревать; 3) иметь дурные предчувствия.

miser I ['maɪzə] n 1) скупой, скупец, скряга; 2) уст. несчастный человек, бедняга.

miser II ['maɪzə] n бур.

miserable ['mɪzərəbl] a 1) жалкий, несчастный; 2) печальный (о новостях, событиях); 3) плохой (о концерте, исполнении); убогий (о жилище и т. п.); скудный (об обеде, угощении).

miserably ['mɪzərəblɪ] adv 1) несчастно и пр. [см. miserable]; 2) очень, ужасно.

miserere [,mɪzə'rɪərɪ] лат. n 1) мольба о прощении, милосердии; 2) церк. «помилуй мя, боже», мизерере (51-й псалом в англ. библии, 50-й в русской).

miserliness ['maɪzəlɪnɪs] n скупость, скаредность.

miserly ['maɪzəlɪ] a скупой, скаредный.

misery ['mɪzərɪ] n 1) страдание; невзгода, несчастье; 2) нищета, бедность.

misfeasance ['mɪs'fiːzəns] n юр. злоупотребление властью.

misfire ['mɪs'faɪə] 1. n 1) осечка; 2) тех. пропуск вспышки; пропуск в зажигании; 2. v давать осечку; не взрываться.

**misfit** ['mɪsfɪt] 1. *n* 1) плóхо сидя́щее плáтье; 2) что-л. неудáчное, неподходя́щее; 3) человéк, плóхо приспосóбленный к окружáющим услóвиям;
2. *v* плóхо сидéть (*о плáтье*).

**misfortune** [mɪs'fɔːtʃən] *n* бедá, неудáча, несчáстье; ◇ ~s never come alone (*или* singly) *посл.* бедá никогдá не прихóдит однá; ≈ пришлá бедá, отворя́й ворóта.

**misgave** [mɪs'geɪv] *past от* misgive.

**misgive** [mɪs'gɪv] *v* (misgave; misgiven) 1) внушáть недовéрие, опасéния, дурны́е предчýвствия; my heart ~s me моё сéрдце предчýвствует бедý; 2) *шотл.* дать осéчку.

**misgiven** [mɪs'gɪvn] *p.p. от* misgive.

**misgiving** [mɪs'gɪvɪŋ] 1. *pres. p. от* misgive;
2. *n* опасéние, предчýвствие дурнóго.

**misgovern** ['mɪs'gʌvən] *v* плóхо управля́ть.

**misguidance** [mɪs'gaɪdəns] *n* непрáвильное руковóдство.

**misguide** ['mɪs'gaɪd] *v* 1) непрáвильно направля́ть; 2) вводи́ть в заблуждéние; 3) *шотл.* дýрно обращáться, пóртить.

**mishandle** ['mɪs'hændl] *v* 1) плóхо обращáться; 2) плóхо управля́ть.

**mishap** ['mɪshæp] *n* неудáча, несчáстье.

**mishear** [mɪs'hɪə] *v* (misheard) ослы́шаться.

**misheard** [mɪs'həːd] *past и p. p. от* mishear.

**mishit** [mɪs'hɪt] 1. *n* прóмах;
2. *v* промахнýться.

**mishmash** ['mɪʃ,mæʃ] *n* смесь, пýтаница, мешани́на.

**misinform** ['mɪsɪn'fɔːm] *v* непрáвильно информи́ровать; дезориенти́ровать, вводи́ть в заблуждéние.

**misinformation** [,mɪsɪnfə'meɪʃən] *n* дезинформáция.

**misinterpret** ['mɪsɪn'təːprɪt] *v* невéрно истолкóвывать.

**misinterpretation** ['mɪsɪn,təːprɪ'teɪʃən] *n* невéрное истолковáние.

**misjudge** ['mɪs'dʒʌdʒ] *v* состáвить себé непрáвильное суждéние; недооцéнивать.

**misjudgement** ['mɪs'dʒʌdʒmənt] *n* непрáвильное суждéние; недооцéнка.

**mislaid** [mɪs'leɪd] *past и p. p. от* mislay.

**mislay** [mɪs'leɪ] *v* (mislaid) положи́ть не на мéсто, заложи́ть, потеря́ть.

**mislead** [mɪs'liːd] *v* (misled) вводи́ть в заблуждéние.

**misleading** [mɪs'liːdɪŋ] 1. *pres. p. от* mislead;
2. *a* вводя́щий в заблуждéние, обмáнчивый.

**misled** [mɪs'led] *past и p. p. от* mislead.

**mismanage** ['mɪs'mænɪdʒ] *v* плóхо управля́ть (*чем-л.*); пóртить.

**mismanagement** ['mɪs'mænɪdʒmənt] *n* плохóе управлéние.

**misname** [mɪs'neɪm] *v* невéрно называ́ть.

**misnomer** ['mɪs'noumə] *n* непрáвильное употреблéние и́мени *или* тéрмина.

**misogamy** [mɪ'sɔgəmɪ] *n* отрицáние брáка.

**misogyny** [maɪ'sɔdʒɪnɪ] *n* женоненавистничество.

**misplace** ['mɪs'pleɪs] *v* 1) положи́ть, постáвить не на мéсто; 2): to ~ one's confidence довéриться человéку, тогó не заслýживающему; 3) говори́ть, дéлать некстáти, не вóвремя.

**misprint** ['mɪs'prɪnt] 1. *n* опечáтка;
2. *v* напечáтать непрáвильно; сдéлать опечáтку.

**misprise** [mɪs'praɪz] = misprize.

**misprision** [mɪs'prɪʒən] *n* 1): ~ of treason (*или* felony) *юр.* укрывáтельство; недонесéние; 2) *уст.* презрéние; недооцéнка.

**misprize** [mɪs'praɪz] *v* 1) презирáть; 2) недооцéнивать.

**mispronounce** ['mɪsprə'nauns] *v* непрáвильно произноси́ть.

**mispronunciation** ['mɪsprə,nʌnsɪ'eɪʃən] *n* непрáвильное произношéние.

**misquotation** ['mɪskwou'teɪʃən] *n* непрáвильное цити́рование *или* -ая цитáта.

**misquote** ['mɪs'kwout] *v* невéрно цити́ровать.

**misread** ['mɪs'riːd] *v* (misread ['mɪs'red]) 1) (про)читáть непрáвильно; 2) непрáвильно истолкóвывать (*прочи́танное*).

**misrepresent** ['mɪs,reprɪ'zent] *v* представля́ть в лóжном свéте, искажáть.

**misrepresentation** ['mɪs,reprɪzen'teɪʃən] *n* искажéние.

**misrule** ['mɪs'ruːl] 1. *n* 1) плохóе управлéние; 2) беспоря́док; ◇ Lord *или* Abbot, Master) of M. главá рождéственских увеселéний (*в стáрой Áнглии*);
2. *v* плóхо управля́ть.

**miss** I [mɪs] 1. *n* 1) прóмах, осéчка; 2) отсýтствие, потéря (*чего-л.*); ◇ a ~ is as good as a mile *посл.* ≈ прóмах есть прóмах; «чуть-чýть» не считáется; to give smth. a ~ избегáть чегó-л.; проходи́ть ми́мо чегó-л.;
2. *v* 1) промахнýться, не дости́чь цéли (*тж. перен.*); to ~ fire дать осéчку; *перен.* потерпéть неудáчу; 2) упусти́ть, пропусти́ть; не замéтить; не услы́шать; to ~ a promotion не получи́ть повышéния; to ~ an opportunity упусти́ть возмóжность; to ~ smb.'s words прослýшать, не расслы́шать, пропусти́ть ми́мо ушéй чьи-л. словá; to ~ the train опоздáть на пóезд; to ~ smb. in the crowd потеря́ть когó-л. в толпé; to ~ the bus *перен.* прозевáть удóбный слýчай; проворóнить что-л.; 3) пропусти́ть, вы́пустить (*словá, бýквы — при письмé, чтéнии; тж.* ~ out); 4) чýвствовать отсýтствие (*когó-л., чегó-л.*); скучáть (*по ком-л.*); we ~ed you badly нам стрáшно не хватáло вас; 5) избежáть; he just ~ed being killed он едвá не был уби́т.

**miss** II [mɪs] *n* 1) мисс, бáрышня (*при обращéнии к дéвушке или к незамýжней жéнщине; при обращéнии к стáршей дóчери стáвится перед фами́лией — M. Jones, при обращéнии к остальны́м дочеря́м употребля́ется тóлько с и́менем — M. Mary; без фами́лии и и́мени употребля́ется тóлько вульгáрно*); 2) *разг.* дéвочка, дéвушка; 3) *уст.* любóвница.

**missal** ['mɪsəl] *n* католи́ческий трéбник.

**missel** ['mɪzəl] *n* деря́ба (*пти́ца*).

**mis-shapen** ['mɪs'ʃeɪpən] *a* урóдливый.

**missile** ['mɪsaɪl] 1. *n* мета́тельный снаря́д; раке́та; guided ~ *воен.* управля́емый снаря́д;
2. *a* мета́тельный.

**missing** ['mɪsɪŋ] 1. *pres. p. от* miss I, 2;
2. *a* отсу́тствующий, недостаю́щий; ~ link недоста́ющее звено́; there is a page ~ здесь недостаёт страни́цы;
3. *n* (the ~) *pl собир.* бе́з вести пропа́вшие.

**mission** ['mɪʃən] 1. *n* 1) ми́ссия; делега́ция; 2) призва́ние, цель (*жизни*); зада́ча; 3) поруче́ние; командиро́вка; 4) миссионе́рская де́ятельность; 5) *attr.* миссионе́рский; ~ style *амер.* стиль (*в архитекту́ре, ме́бели и т. п.*), со́зданный по образца́м стари́нных испа́нских католи́ческих ми́ссий в Калифо́рнии;
2. *v* 1) посыла́ть с поруче́нием; 2) вести́ миссионе́рскую рабо́ту.

**missionary** ['mɪʃnərɪ] 1. *n* миссионе́р; пропове́дник;
2. *a* миссионе́рский.

**missis** ['mɪsɪz] *n* 1) ми́ссис; хозя́йка; 2) (the ~) *шутл.* жена́, хозя́йка.

**missive** ['mɪsɪv] 1. *n* официа́льное письмо́; посла́ние;
2. *a уст.* по́сланный; letter(s) ~ гра́мота (*посла́ние*).

**mis-spell** ['mɪs'spel] *v* (mis-spelt) де́лать орфографи́ческие оши́бки; писа́ть с орфографи́ческими оши́бками.

**mis-spelt** ['mɪs'spelt] *past и p. p. от* mis-spell.

**mis-spend** ['mɪs'spend] *v* (mis-spent) неразу́мно, зря тра́тить.

**mis-spent** ['mɪs'spent] *past и p. p. от* mis-spend.

**mis-state** ['mɪs'steɪt] *v* де́лать непра́вильное, ло́жное заявле́ние.

**mis-statement** ['mɪs'steɪtmənt] *n* непра́вильное, ло́жное заявле́ние *или* показа́ние.

**mis-step** [mɪs'step] 1. *n* ло́жный шаг; оши́бка, опло́шность;
2. *v* оступи́ться; *перен.* сде́лать опло́шность.

**missus** ['mɪsəs] = missis.

**missy** ['mɪsɪ] *n* ми́сси (*шутл., ласк., реже пренебр. обраще́ние к молодо́й де́вушке*).

**mist** [mɪst] 1. *n* 1) (лёгкий) тума́н; ды́мка; мгла; па́смурность; Scotch ~ густо́й тума́н; и́зморось, ме́лкий моро́сящий дождь; 2) тума́н пе́ред глаза́ми;
2. *v* 1) застила́ть тума́ном; затума́нивать (-ся); 2) (*в безли́чных оборо́тах*): it ~s, it is ~ing моро́сит.

**mistake** [mɪs'teɪk] 1. *n* оши́бка; недоразуме́ние, заблужде́ние; by ~ по оши́бке; and no ~, to make no ~ *разг.* несомне́нно, бесспо́рно; непреме́нно, обяза́тельно;
2. *v* (mistook; mistaken) 1) ошиба́ться; непра́вильно понима́ть; заблужда́ться; 2) приня́ть *кого́-л.* за друго́го, *или* что́-л. за друго́е (for); to ~ one's man *амер.* обману́ться в челове́ке.

**mistaken** [mɪs'teɪkən] 1. *p. p. от* mistake 2; you are ~ вас непра́вильно по́няли, вы не по́няты [*ср. тж.* 2, 3)];
2. *a* 1) оши́бочный; 2) неуме́стный; 3)

ошиба́ющийся, заблужда́ющийся; you are mistaken вы ошиба́етесь [*ср. тж.* 1].

**mistakenly** [mɪs'teɪkənlɪ] *adv* 1) оши́бочно; 2) неуме́стно.

**mistaking** [mɪs'teɪkɪŋ] 1. *pres. p. от* mistake 2;
2. *n* оши́бка, недоразуме́ние; there's no ~ ошиби́ться невозмо́жно.

**mister** ['mɪstə] 1. *n* (*сокр.* Mr) ми́стер, господи́н (*ста́вится перед фами́лией или назва́нием до́лжности и по́лностью в э́том слу́чае никогда́ не пи́шется; как обраще́ние, без фами́лии употребля́ется то́лько вульга́рно:* hey, mister! эй, господи́н!);
2. *v:* don't ~ me не употребля́йте слова́ «ми́стер», обраща́ясь ко мне.

**mistime** ['mɪs'taɪm] *v* 1) сде́лать *или* сказа́ть не во́время, некста́ти; 2) не попа́дать в такт.

**mistiness** ['mɪstɪnɪs] *n* тума́нность.

**mistletoe** ['mɪsltou] *n бот.* оме́ла (*в А́нглии традицио́нное украше́ние до́ма на рождество́*).

**mistook** [mɪs'tuk] *past от* mistake 2.

**mistral** ['mɪstrəl] *n* мистра́ль (*холо́дный сев. или сев.-зап. ве́тер на ю́ге Фра́нции*).

**mistranslate** ['mɪstræns'leɪt] *v* непра́вильно перевести́.

**mistranslation** ['mɪstræns'leɪʃən] *n* непра́вильный перево́д.

**mistreat** [mɪs'triːt] *амер.* = maltreat.

**mistreatment** [mɪs'triːtmənt] *амер.* = maltreatment.

**mistress** ['mɪstrɪs] *n* 1) хозя́йка (*до́ма*); *перен.* повели́тельница, влады́чица; M. of the Adriatic *ист.* Вене́ция; you are your own ~ вы са́ми себе́ госпожа́; you are ~ of the situation вы хозя́йка положе́ния; 2) (*сокр.* Mrs ['mɪsɪz]) ми́ссис, госпожа́ (*ста́вится перед фами́лией заму́жней же́нщины и по́лностью в э́том слу́чае никогда́ не пи́шется*); 3) мастери́ца, специали́стка; 4) учи́тельница; 5) любо́вница; *поэт.* возлю́бленная; 6) *горн. разг.* непромока́емый костю́м для прохо́дчиков.

**mistrust** ['mɪs'trʌst] 1. *n* недове́рие; подозре́ние;
2. *v* не доверя́ть; сомнева́ться, подозрева́ть.

**mistrustful** ['mɪs'trʌstful] *a* недове́рчивый.

**misty** ['mɪstɪ] *a* 1) тума́нный; 2) сму́тный, нея́сный; a ~ idea сму́тное представле́ние; 3) затума́ненный (слеза́ми).

**misunderstand** ['mɪsʌndə'stænd] *v* (misunderstood) непра́вильно поня́ть.

**misunderstanding** ['mɪsʌndə'stændɪŋ] 1. *pres. p. от* misunderstand;
2. *n* 1) непра́вильное понима́ние; 2) недоразуме́ние; 3) размо́лвка.

**misunderstood** ['mɪsʌndə'stud] *past и p. p. от* misunderstand.

**misuse** 1. *n* ['mɪs'juːs] 1) непра́вильное употребле́ние; 2) плохо́е обраще́ние; 3) злоупотребле́ние.
2. *v* ['mɪs'juːz] 1) непра́вильно употребля́ть; 2) ду́рно обраща́ться; 3) злоупотребля́ть.

**mite I** [maɪt] *n* 1) полу́шка; 2) скро́мная до́ля, ле́пта; let me offer my ~ позво́ль-

те мне внестй свою скрóмную лéпту; not
а ~ *разг.* ничýть, нискóлько; **3)** мáленькая
вещь *или* существó; a ~ of a child малю́тка,
крóшка.

**mite** II [maɪt] *n* клещ.

**Mithras** ['mɪθræs] *n* Мѝтра (*древнеиран-
ский бог солнца*).

**mitigate** ['mɪtɪgeɪt] *v* смягчáть, уменьшáть; умерять (*жар, пыл*); облегчáть
(*боль*).

**mitigation** [ˌmɪtɪ'geɪʃən] *n* смягчéние,
уменьшéние.

**mitigatory** ['mɪtɪˌgeɪtərɪ] *a* **1)** смягчáющий; **2)** *мед.* мягчѝтельный, успокойтельный.

**mitosis** [mɪ'tousɪs] *n биол.* непрямóе делéние клéтки, митóз, кариокинéз.

**mitrailleuse** [ˌmɪtraɪ'əːz] *фр. n воен. ист.*
митральéза.

**mitral** ['maɪtrəl] *a* напоминáющий по
фóрме мѝтру; ~ valve *мед.* митрáльный клапан сéрдца.

**mitre** I ['maɪtə] **1.** *n* **1)** *церк.* мѝтра; **2)**
епѝскопский сан;

**2.** *v* (по)жáловать мѝтру.

**mitre** II ['maɪtə] *тех.* **1.** *n* **1)** ус, срез, скос
под углóм 45°; **2)** колпáк на дымовóй трубé,
дефлéктор; заслóнка;

**2.** *v* скáшивать, соединять в ус, соединять под углóм 45°.

**mitre-wheel** ['maɪtwiːl] *n тех.* конѝче-
ское зубчáтое колесó.

**mitt** [mɪt] (*сокр. от* mitten) *n* **1)** митéнка
(*дамская перчатка без пальцев*); **2)** *pl sl.*
боксёрские перчáтки; **3)** *sl.* рукá; кулáк;
to tip smb.'s ~ a) здорóваться с кем-л. зá
руку; б) угáдывать чьи-л. намéрения, плáны.

**mitten** ['mɪtn] *n* **1)** рукавѝца; вáрежка; **2)**
*pl* боксёрские перчáтки; **3)** митéнка (*дамская перчатка без пальцев*); **4)** *ист.* лáт-
ная перчáтка; ◇ to get the ~ a) получѝть
откáз (*о женихе*); б) быть увóленным с рабóты.

**mittimus** ['mɪtɪməs] *лат. n* **1)** *юр.* прикáз
о заключéнии в тюрьмý; **2)** *разг.* извещéние
об увольнéнии.

**mitt-reader** ['mɪtˌriːdə] *n амер. разг.*
гадáлка, хиромáнтка.

**mix** [mɪks] **1.** *n* **1)** смéшивание; **2)** смесь;
**3)** беспорядок, пýтаница;

**2.** *v* **1)** смéшивать, мешáть, примéшивать;
**2)** соединяться, смéшиваться; oil will not ~
with water мáсло не соединяется с водóй
(*или* не растворяется в водé); **3)** общáться;
вращáться (*в обществе*); сходѝться; **4)** *с.-х.*
скрéщивать; □ ~ up a) хорошó перемéшивать; б) спýтать, перепýтать; в) впýты-
вать; to be ~ed up быть замéшанным (in,
with — в *чём-л.*).

**mixed** [mɪkst] **1.** *p. p. от* mix 2;

**2.** *a* **1)** смéшанный, перемéшанный; **2)**
разнорóдный; ~ brigade *воен.* свóдная бригáда; ~ train товáро-пассажѝрский пóезд;
**3)** смéшанный, для людéй обóего пóла; ~
school смéшанная шкóла; ~ bathing óбщий
пляж; **4)** *разг.* одурéлый; вы́пивший; **5)**
*фон.*: ~ vowel глáсный звук смéшанного
ря́да.

**mixer** ['mɪksə] *n* **1)** *разг.* общѝтельный
человéк (*тж.* good ~); bad ~ необщѝтельный человéк; **2)** *тех.* смесѝтель, смéшиваю-
щий аппарáт *или* прибóр, мешáлка; мѝксер;
**3)** *радио* смесѝтель; преобразовáтель часто-
ты́.

**mix-in** ['mɪks'ɪn] *n амер. разг.* дрáка,
потасóвка.

**mixture** ['mɪkstʃə] *n* **1)** смéшивание; **2)**
смесь; **3)** *мед.* микстýра; ◇ Oxford ~ тёмно-
-сéрая матéрия.

**mix-up** ['mɪks'ʌp] *n разг.* **1)** пýтаница,
неразберѝха; **2)** потасóвка.

**miz(z)en** ['mɪzn] *n мор.* бизáнь.

**mizzle** I ['mɪzl] **1.** *n* ѝзморось;

**2.** *v* (*в безличных оборотах*) :it ~s,it is
mizzling моросѝт.

**mizzle** II ['mɪzl] *v sl.* смы́ться, улепетнýть.

**mnemonic** [niː'mɒnɪk] *a* мнемонѝческий.

**mnemonics** [niː'mɒnɪks] *n pl* (*употр. как
sing*) мнемóника.

**mo** [mou] (*сокр. разг. от* moment): wait
a mo!, half a mo! подождѝ минýтку!, однý
минýтку!; in a mo сейчáс, одѝн момéнт.

**moan** [moun] **1.** *n* **1)** стон; **2)** *уст., поэт.*
жáлоба; to make one's ~ жáловаться; **3)**
воркотня, брюзжáние;

**2.** *v* **1)** стонáть; **2)** *поэт.* оплáкивать;
жáловаться.

**moat** [mout] **1.** *n* ров (с водóй);

**2.** *v* обносѝть рвом.

**mob** [mɒb] **1.** *n* **1)** толпá, сбóрище; **2)**
*презр.* чернь; **3)** *sl.* воровскáя шáйка;

**2.** *v* **1)** толпѝться; **2)** нападáть толпóй,
окружáть.

**mob-cap** ['mɒbkæp] *n* домáшний чепéц.

**mobile** ['moubaɪl] *a* **1)** подвижнóй; ~
mind живóй ум; **2)** *воен.* подвижнóй, мо-
бѝльный; ~ warfare манёвренная войнá;
**3)** измéнчивый.

**mobility** [mou'bɪlɪtɪ] *n* **1)** подвѝжность;
мобѝльность; **2)** непостоянство; измéнчи-
вость; **3)** возбудѝмость.

**mobilization** [ˌmoubɪlaɪ'zeɪʃən] *n* мобѝ-
лизáция.

**mobilize** ['moubɪlaɪz] *v* **1)** мобилизо-
вáть(ся); **2)** (с)дéлать подвѝжным; **3)** пускáть (дéньги) в обращéние.

**mob law** ['mɒblɔː] *n* самосýд.

**moccasin** ['mɒkəsɪn] *n* **1)** мокасѝн (*обувь
индейцев*);**2)** *зоол.* мокасѝновая змея; water
~ водянóй щитомóрдник.

**mocha** ['moukə] *n* кóфе мóкко (*тж.* ~
coffee).

**mock** [mɒk] **1.** *n уст.* **1)** осмеяние; насмéшка; **2)** посмéшище; to make a ~ of
вы́учивать; **3)** подражáние; пародия;

**2.** *a* **1)** поддéльный; **2)** притвóрный; мнѝ-
мый; лóжный; ◇ ~ moon = paraselene; ~
sun = parhelion;

**3.** *v* **1)** насмехáться (at); высмéивать,
осмéивать; **2)** передразнивать; пародѝро-
вать; **3)** дразнѝть, обмáнывать.

**mockery** ['mɒkərɪ] *n* **1)** издевáтельство,
осмеяние; насмéшка; **2)** парóдия; **3)** посмéшище; **4)** бесплóдная попы́тка.

**mock-heroic** ['mɒkhɪ'rouɪk] **1.** *n* герóѝ-
-комѝческий стиль;

**2.** *a* герóѝ-комѝческий.

**mocking-bird** ['mɔkɪŋbəːd] *n* пересмéшник многоголóсый (*птица*).

**mock-turtle soup** ['mɔk'təːtl‚suːp] *n* суп из телячьей головы.

**mock-up** ['mɔk'ʌp] *n* макéт *или* модéль в натурáльную величину.

**modal** ['moudl] *a* 1) касáющийся фóрмы (*а не существа*); 2) *филос., лингв.* модáльный; 3) *муз.* относящийся к тонáльности.

**modality** [mou'dælɪtɪ] *n филос., лингв.* модáльность.

**mode** [moud] *n* 1) мéтод, спóсоб; ~ of production спóсоб произвóдства; 2) óбраз дéйствий; ~ of life óбраз жизни; 3) фóрма, вид; 4) мóда; обычай; 5) *грам.* наклонéние; 6) *муз.* лад, тонáльность.

**model** ['mɔdl] **1.** *n* 1) модéль, макéт; шаблóн; 2) *разг.* тóчная кóпия; 3) образéц; 4) систéма; 5) натýрщик; натýрщица; 6) манекéн; 7) живáя модéль (*в магазине платья*); 8) *attr.* образцóвый, примéрный; **2.** *v* 1) моделировать; лепить; 2) *тех.* формовáть; 3) оформлять; 4) создавáть по образцý (*чего-л.*; after, on); to ~ oneself (up)on smb. брать когó-л. за образéц.

**modeller** ['mɔdlə] *n* 1) лéпщик; 2) модéльщик.

**modelling** ['mɔdlɪŋ] **1.** *pres. p. от* model 2; **2.** *n* 1) исполнéние по модéли; 2) лепнáя рабóта; формóвка.

**moderate 1.** *n* ['mɔdərɪt] оппортунист, «умéренный»; **2.** *a* ['mɔdərɪt] 1) умéренный; выдержанный (*о человеке*); сдéржанный, воздéржанный; ~ in drinking трéзвый, воздéржанный; 2) срéдний, посрéдственный (*о качестве*); небольшóй (*о количестве, силе*); a man of ~ abilities человéк срéдних спосóбностей; ~ price доступная ценá; 3) здрáвый, трéзвый (*о мнении, точке зрения*); 4) оппортунистический, «умéренный»; **3.** *v* ['mɔdəreɪt] 1) умерять; смягчáть; 2) сдéрживать, обуздывать; урéзывать; 3) становиться умéренным; смягчáться; стихáть (*о ветре*); 4) выступáть в рóли арбитра; 5) председáтельствовать.

**moderation** [‚mɔdə'reɪʃən] *n* 1) умéренность; in ~ умéренно; сдéржанно; 2) сдéрживание; регулирование; 3) воздержáние; 4) выдержка, рóвность (*характера*); 5) *физ.* замедлéние; ~ of neutrons замедлéние нейтрóнов; 6) *pl* пéрвый публичный экзáмен на стéпень бакалáвра (*в Оксфорде*).

**moderator** ['mɔdəreɪtə] *n* 1) арбитр; посрéдник; 2) регулятор; 3) председáтель собрáния; *амер.* председáтель собрáния городских избирáтелей; 4) экзаменáтор (*на публичном экзамене в Оксфорде или в Кембридже*); 5) *физ.* замедлитель (*ядерных реакций*); 6) *attr.*: ~ lamp лáмпа с регулятором подáчи керосина.

**modern** ['mɔdən] **1.** *a* совремéнный; нóвый; ~ languages нóвые языки; ~ school шкóла без преподавáния класси́ческих языкóв; **2.** *n* 1) человéк нóвого врéмени; 2) (the ~s) *pl* совремéнные писáтели, худóжники *и т. п.*

**modernism** ['mɔdənɪzm] *n* 1) модернизм; новéйшие течéния; 2) *лингв.* неологизм.

**modernist** ['mɔdənɪst] *n иск.* модернист.

**modernistic** [‚mɔdə'nɪstɪk] *a иск.* модерни́стский.

**modernity** [mɔ'dəːnɪtɪ] *n* совремéнность; совремéнный харáктер.

**modernize** ['mɔdənaɪz] *v* модернизировать.

**modest** ['mɔdɪst] *a* 1) скрóмный; умéренный; 2) благопристóйный; сдéржанный.

**modesty** ['mɔdɪstɪ] *n* 1) скрóмность; умéренность; 2) благопристóйность; сдéржанность.

**modi** ['moudaɪ] *pl от* modus.

**modicum** ['mɔdɪkəm] *n* 1) óчень мáлое количество, чýточка; 2) небольшие срéдства.

**modifiable** ['mɔdɪfaɪəbl] *a* могýщий быть изменённым.

**modification** [‚mɔdɪfɪ'keɪʃən] *n* 1) видоизменéние; изменéние; модификáция; 2) *лингв.* перегласóвка, умляут; графическое обозначéние умляута.

**modificatory** ['mɔdɪfɪ‚keɪtərɪ] *a* видоизменяющий; меняющий.

**modify** ['mɔdɪfaɪ] *v* 1) видоизменять; 2) смягчáть; 3) *лингв.* видоизменять чéрез умляут; 4) *грам.* определять.

**modish** ['moudɪʃ] *a* 1) мóдный; 2) гоняющийся за мóдами.

**modiste** [mou'diːst] *фр. n* 1) портниха; 2) модистка.

**mods** [mɔdz] *сокр. от* moderation 6).

**modulate** ['mɔdjuleɪt] *v* 1) модулировать; 2) *радио* понижáть частотý; 3) *муз.* переходить из однóй тонáльности в другýю.

**modulation** [‚mɔdju'leɪʃən] *n* модуляция.

**module** ['mɔdjuːl] *n* 1) *физ., тех.* мóдуль, коэффициéнт; ~ of design мóдуль размéрности; ~ of torsion мóдуль упрýгости при кручéнии; 2) *архит.* мóдуль.

**modulus** ['mɔdjuləs] = module 1).

**modus** ['moudəs] *n* (*pl* modi) спóсоб; óбраз жизни; ~ vivendi врéменное соглашéние (*спорящих сторон*).

**Mogul** [mou'gʌl] **1.** *n* 1) монгóл (*особ. потомок завоевателей Индии*); the Great (*или* Grand) ~ *ист.* Великий Могóл; 2) (m.) *редк.* человéк, занимáющий высóкий пост; 3) *pl* назвáние высшего сóрта игральных карт; **2.** *a* монгóльский.

**mohair** ['mouhɛə] *n* 1) шерсть ангóрской козы; 2) ткань из шéрсти ангóрской козы.

**Mohammed** [mou'hæmed] = Mahomet.

**Mohammedan** [mou'hæmɪdən] **1.** *a* магометáнский; **2.** *n* магометáнин; магометáнка.

**Mohawk** ['mouhɔːk] *n* 1) индéец-могáук; 2) *спорт.* род конькобéжной фигýры; 3) = Mohock.

**Mohican** ['mouɪkən] *n* плéмя могикáн.

**Mohock** ['mouhɔk] *n ист.* хулигáн, *преим.* из золотóй молодёжи (*в начале XVIII в. в Лóндоне*).

**moiety** ['mɔɪətɪ] *n юр.* половина.

**moil I** [mɔɪl] **1.** *n* 1) тяжёлая рабóта; *перен.* мучéние; 2) путаница; беспорядок; 3) *диал.* пятнó; **2.** *v* 1) выполнять тяжёлую рабóту (*особ. в выражении* to toil and ~); 2) *диал.* пáчкать.

**moil** II [mɔil] *n* кирка́.

**moire** [mwɑ:] *фр. n* муа́р (*ткань*).

**moiré** ['mwɑ:rei] *фр. a* муа́ровый, с муа́ровой отде́лкой.

**moist** [mɔist] 1. *a* 1) сыро́й; вла́жный; ~ colours акваре́льные кра́ски (*в тю́биках*); 2) дождли́вый; 2. *v* = moisten.

**moisten** ['mɔisn] *v* 1) увлажня́ть; сма́чивать; 2) станови́ться мо́крым, сыры́м, увлажня́ться.

**moisture** ['mɔistʃə] *n* вла́жность, сы́рость; вла́га.

**moke** [mouk] *n sl.* 1) осёл; 2) дура́к.

**molar** I ['moulə] 1. *n* коренно́й зуб; 2. *a* коренно́й.

**molar** II ['moulə] *a хим.* грамм-молекуля́рный, моля́рный.

**molasses** [mə'læsiz] *n pl* (*употр. как sing*) мела́сса, чёрная па́тока; ◇ (as) slow as ~ *амер.* о́чень ме́дленный.

**mold** I, II, III [mould] = mould I, II *и* III.

**Moldavian** [mɔl'deivjən] 1. *a* молда́вский; 2. *n* 1) молдава́нин; молдава́нка; 2) молда́вский язы́к.

**mole** I [moul] *n* ро́динка.

**mole** II [moul] 1. *n* крот; 2. *v* копа́ть, рыть (*под землёй*).

**mole** III [moul] *n* 1) мол; 2) да́мба.

**mole** IV [moul] *n хим.* грамм-моле́кула, моль.

**molecular** [mou'lekjulə] *a* молекуля́рный.

**molecule** ['mɔlikju:l] *n* моле́кула.

**mole-eyed** ['moulaid] *a* 1) с о́чень ма́ленькими глаза́ми (*как у крота*); 2) подслепова́тый.

**molehill** ['moulhil] *n* кротови́на.

**mole-rat** ['moulræt] *n зоол.* слепы́ш.

**moleskin** ['moulskin] *n* 1) крото́вый мех; 2) *текст.* молески́н; 3) *pl* молески́новые брю́ки.

**molest** [mou'lest] *v* пристава́ть; досажда́ть.

**molestation** [,moules'teiʃən] *n* пристава́ние, надоеда́ние.

**molestful** [mou'lestful] *a* надое́дливый, назо́йливый.

**moll** [mɔl] *n* 1) = molly 1) *и* 2); 2) *амер. sl.* геро́йня га́нгстерского фи́льма.

**mollification** [,mɔlifi'keiʃən] *n* смягче́ние, успокое́ние.

**mollify** ['mɔlifai] *v* смягча́ть, успока́ивать.

**mollusc** ['mɔləsk] *n* моллю́ск.

**molluscous** [mɔ'lʌskəs] *a* 1) *зоол.* моллю́сковый; 2) бесхара́ктерный, мягкоте́лый.

**molly** ['mɔli] *n* 1) *sl.* де́вушка, молода́я же́нщина; 2) *sl.* проститу́тка; 3) изне́женный ю́ноша *или* ма́льчик, «девчо́нка»; 4) *разг.* «тря́пка», «ба́ба» (*тж.* Miss M.); 5) больша́я корзи́на (*для фру́ктов и т. п.*).

**molly-coddle** ['mɔlikɔdl] 1. *n* 1) не́женка; 2) «тря́пка», «ба́ба»; 2. *v* ку́тать(ся); изне́живать, балова́ть.

**Molly Maguire** ['mɔlimə'gwaiə] *n ист.* член та́йного ирла́ндского о́бщества, боро́вшегося с англи́йским влады́чеством.

**Moloch** ['moulɔk] *n* 1) *миф.* Моло́х (*тж. перен.*); 2) *зоол.* моло́х.

**molt** [moult] = moult.

**molten** ['moultən] *a* 1) распла́вленный; 2) лито́й.

**molybdenite** [mɔ'libdinait] *n мин.* молибде́новый блеск, молибдени́т.

**molybdenum** [mɔ'libdinəm] *n хим.* молибде́н.

**moment** ['moumənt] *n* 1) моме́нт, миг, мгнове́ние, мину́та; at (*или* for) the ~ в да́нную мину́ту; this ~ а) неме́дленно; б) то́лько что; to the (very) ~ то́чно в ука́занный срок; at a ~'s notice в любо́й моме́нт; по пе́рвому тре́бованию; a man of the ~ челове́к, влия́тельный в да́нное вре́мя; ally of the ~ вре́менный, случа́йный сою́зник; 2) ва́жность, значе́ние; a decision of great ~ ва́жное реше́ние; it is of no ~ э́то не име́ет значе́ния; 3) *мех., физ.* моме́нт.

**momenta** [mou'mentə] *pl от* momentum.

**momentarily** ['moumentərili] *adv* 1) на мгнове́ние; 2) *редк.* ежемину́тно.

**momentary** ['moumentəri] *a* 1) момента́льный; 2) преходя́щий, кратковре́менный.

**momently** ['moumentli] *adv* 1) с ка́ждой мину́той; 2) ежемину́тно; 3) на мгнове́ние.

**momentous** [mou'mentəs] *a* ва́жный, име́ющий ва́жное значе́ние.

**momentum** [mou'mentəm] *n* (*pl* momenta) 1) *физ.* коли́чество движе́ния, механи́ческий моме́нт, ине́рция (*дви́жущегося тела*); ско́рость движе́ния; кинети́ческая эне́ргия; 2) *разг.* толчо́к, и́мпульс; *перен.* дви́жущая си́ла; ◇ to grow in ~ уси́ливаться.

**monac(h)al** ['mɔnəkl] *a* мона́шеский.

**monad** ['mɔnæd] *n* 1) *филос.* мона́да; 2) *хим.* одноа́томный элеме́нт; 3) *биол.* однокле́точный органи́зм.

**monandry** [mɔ'nændri] *n* мона́ндрия, одному́жество.

**monarch** ['mɔnək] *n* 1) мона́рх; 2) больша́я кори́чнево-ора́нжевая ба́бочка с чёрной каймо́й на кры́лышках.

**monarchal** [mɔ'nɑ:kl] *a* = monarchic(al).

**monarchic(al)** [mɔ'nɑ:kik(əl)] *a* монархи́ческий.

**monarchist** ['mɔnəkist] *n* монархи́ст.

**monarchy** ['mɔnəki] *n* мона́рхия.

**monastery** ['mɔnəstəri] *n* монасты́рь (*мужско́й*).

**monastic** [mə'næstik] 1. *a* монасты́рский, мона́шеский; 2. *n* мона́х.

**Monday** ['mʌndi] *n* понеде́льник; Black ~ а) *рел.* понеде́льник на фоми́ной неде́ле; б) *шко́л. sl.* пе́рвый день заня́тий по́сле кани́кул.

**mondayish** ['mʌndiiʃ] *a разг.* чу́вствующий лень при возобновле́нии рабо́ты по́сле воскре́сного о́тдыха.

**mondial** ['mɔ:ndiəl] *фр. a* мирово́й, всеми́рный.

**monetary** ['mʌnitəri] *a* 1) моне́тный; де́нежный; 2) валю́тный.

**monetize** ['mʌnitaiz] *v* 1) избира́ть (*мета́лл*) как осно́ву де́нежной систе́мы; 2) перечека́нивать в моне́ту.

**money** ['mʌni] *n* 1) (*тк. sing*) де́ньги; *pl* (-s [-z]) моне́тные систе́мы, валю́ты; 3) *pl* (monies) де́нежные су́ммы; ◇ ~ makes the mare (to) go *посл.* ≅ с деньга́ми мно́гое мо́жно сде́лать; ~ makes ~ *посл.* де́ньги к деньга́м.

**money-agent** ['mʌnɪˌeɪdʒənt] *n* банки́р.

**money-bag** ['mʌnɪbæg] *n* 1) мешо́к для де́нег; 2) *pl* бога́тство; 3) де́нежный мешо́к, бога́ч; скупе́ц.

**money-bill** ['mʌnɪbɪl] *n* фина́нсовый законопроéкт.

**money-box** ['mʌnɪbɔks] *n* копи́лка.

**money-changer** ['mʌnɪˌtʃeɪndʒə] *n* меня́ла.

**moneyed** ['mʌnɪd] *a* 1) бога́тый; 2) де́нежный; ~ assistance материа́льная подде́ржка.

**money-grubber** ['mʌnɪˌgrʌbə] *n* стяжа́тель; скря́га.

**money-grubbing** ['mʌnɪˌgrʌbɪŋ] 1. *n* стяжа́тельство;

2. *a* стяжа́тельный.

**money-lender** ['mʌnɪˌlendə] *n* ростовщи́к.

**moneyless** ['mʌnɪlɪs] *a* не име́ющий де́нег, нужда́ющийся в деньга́х.

**money-market** ['mʌnɪˌmɑːkɪt] *n* де́нежный ры́нок.

**money order** ['mʌnɪˌɔːdə] *n* почто́вый де́нежный перево́д.

**money-spinner** ['mʌnɪˌspɪnə] *n* 1) ма́ленький кра́сный пау́к, я́кобы принося́щий сча́стье; 2) спекуля́нт; ростовщи́к.

**money's-worth** ['mʌnɪzˌwəːθ] *n* что-л., име́ющее реа́льную це́нность, опра́вдывающее затра́ту.

**moneywort** ['mʌnɪwəːt] *n* *бот.* вербе́йник, лугово́й ча́й.

**monger** ['mʌŋgə] *n* продаве́ц, торго́вец (*гл. обр. в сло́жных слова́х, напр.*: fishmonger торго́вец ры́бой; newsmonger *ирон.* спле́тник).

**Mongol** ['mɔŋgɔl] 1. *n* 1) монго́л; 2) монго́льский язы́к;

2. *a* монго́льский.

**Mongolian** [mɔŋ'gouljən] = Mongol.

**mongoose** ['mɔŋguːs] *n* *зоол.* мангу́ста.

**mongrel** ['mʌŋgrəl] 1. *n* 1) ублю́док, по́месь; 2) дворня́жка;

2. *a* нечистокро́вный, сме́шанный.

**moni(c)ker** ['mɔnɪkə] *n* *амер.* 1) отме́тина (*бродя́ги*) для нахожде́ния доро́ги; 2) *sl.* и́мя; кли́чка.

**monies** ['mʌnɪz] *pl от* money 3).

**monism** ['mɔnɪzəm] *n* *филос.* мони́зм.

**monistic** [mɔ'nɪstɪk] *a* *филос.* монисти́ческий.

**monition** [mou'nɪʃən] *n* 1) наставле́ние; предостереже́ние; 2) вы́зов в суд; 3) *церк.* увеща́ние.

**monitor** ['mɔnɪtə] 1. *n* 1) наста́вник, сове́тник; 2) ста́рший учени́к, наблюда́ющий за поря́дком в мла́дшем кла́ссе, ста́роста в кла́ссе; 3) лицо́, слу́шающее и сообща́ющее об иностра́нных радиопереда́чах; 4) *мор.* монито́р; 5) *тех.* гидромонито́р; 6) *зоол.* вара́н; 7) *стр.* светово́й фона́рь; 8) *физ.* прибо́р для обнаруже́ния вре́дной для челове́ка радиоакти́вности; 9) *радио* контро́льный аппара́т; монито́р;

2. *v* 1) наставля́ть, сове́товать; 2) *радио* контроли́ровать, проверя́ть; 3) слу́шать и сообща́ть об иностра́нных радиопереда-

чах; 4) *физ.* проверя́ть нали́чие вре́дной для челове́ка радиоакти́вности.

**monitorial** [ˌmɔnɪ'tɔːrɪəl] *a* увещева́тельный, настави́тельный; ~ school шко́ла, в кото́рой ста́ршие ученики́ следя́т за поря́дком в мла́дших кла́ссах.

**monitory** ['mɔnɪtərɪ] 1. *a* предостерега́ющий;

2. *n* *церк.* увещева́тельное посла́ние (*тж.* ~ letter).

**monk** [mʌŋk] *n* мона́х.

**monkery** ['mʌŋkərɪ] *n* *разг.* 1) монасты́рская жизнь; мона́шество; 2) *собир.* мона́хи, мона́шество.

**monkey** ['mʌŋkɪ] 1. *n* (*pl* -s [-z]) 1) обезья́на; 2) *шутл. или неодобр.* шалу́н, прока́зник; 3) *тех.* копро́вая ба́ба; 4) теле́жка подъёмного кра́на; 5) гли́няный кувши́н с у́зким го́рлышком; 6) *sl.* гнев; to put smb.'s ~ up разозли́ть кого́-л.; to get one's ~ up рассерди́ться, разозли́ться; 7) *sl.* 500 фу́нтов сте́рлингов; *амер.* 500 до́лларов; 8) *sl.* закладна́я;

2. *v* 1) подшу́чивать, дура́читься; забавля́ться (with); 2) передра́знивать; 3) вме́шиваться, сова́ться.

**monkey-bread** ['mʌŋkɪbred] *n* 1) баоба́б (*де́рево*); 2) плод баоба́ба.

**monkey-business** ['mʌŋkɪˌbɪznɪs] *n* *разг.* 1) валя́ние дурака́, бессмы́сленная рабо́та; 2) шутли́вая вы́ходка.

**monkey-chatter** ['mʌŋkɪˌtʃætə] *n* *радио* «соба́чий» лай» (*поме́хи от интерфере́нции*).

**monkeyish** ['mʌŋkɪɪʃ] *a* 1) обезья́ний; 2) шаловли́вый.

**monkey-jacket** ['mʌŋkɪˌdʒækɪt] *n* коро́ткая матро́сская ку́ртка, бушла́т.

**monkey-jar** ['mʌŋkɪdʒɑː] *n* гли́няный кувши́н для воды́.

**monkey-nut** ['mʌŋkɪnʌt] *n* земляно́й оре́х.

**monkey-puzzle** ['mʌŋkɪˌpʌzl] *n* *бот.* арау́ка́рия чили́йская.

**monkey-shine** ['mʌŋkɪʃaɪn] *амер.* = monkey-business 2).

**monkey-wrench** ['mʌŋkɪrentʃ] *n* *тех.* раздвижно́й га́ечный ключ.

**monkhood** ['mʌŋkhud] *n* мона́шество.

**monkish** ['mʌŋkɪʃ] *a* мона́шеский.

**monks'-hood** ['mʌŋkshud] *n* *бот.* акони́т, боре́ц.

**mono-** ['mɔnə-] *в сло́жных слова́х* моно-, одно-, еди́но-; monotheism монотеи́зм, единобо́жие.

**monobasic** [ˌmɔnou'beɪsɪk] *a* *хим.* односно́вный.

**monochromatic** [ˌmɔnoukrou'mætɪk] *a* однокра́сочный, одноцве́тный.

**monochrome** ['mɔnəkroum] 1. *n* изображе́ние в одну́ кра́ску;

2. *a* одноцве́тный, однокра́сочный.

**monocle** ['mɔnəkl] *n* моно́кль.

**monocline** ['mɔnəklaɪn] *n* *геол.* флексу́ра, моноклина́льная скла́дка.

**monocotyledon** ['mɔnouˌkɔtɪ'liːdən] *n* *бот.* односемядо́льное расте́ние.

**monocotyledonous** ['mɔnouˌkɔtɪ'liːdənəs] *a* *бот.* односемядо́льный.

**monocracy** [mɔ'nɔkrəsɪ] *n* единовла́стие, единодержа́вие.

**monocular** [mɔ'nɔkjulə] **1.** *a* 1) *редк.* одногла́зый; 2) монокуля́рный;
**2.** *n опт.* монокуля́р.

**monody** ['mɔnədɪ] *n* 1) о́да для одного́ го́лоса (*в древнегреческой трагедии*); 2) погреба́льная песнь.

**monoecious** [mɔ'ni:ʃəs] *a бот.* однодо́мный.

**monogamist** [mɔ'nɔgəmɪst] *n* сторо́нник единобра́чия.

**monogamy** [mɔ'nɔgəmɪ] *n* единобра́чие.

**monogram** ['mɔnəgræm] *n* моногра́мма.

**monograph** ['mɔnəgrɑ:f] **1.** *n* моногра́фия;
**2.** *v* писа́ть моногра́фию.

**monographer** [mɔ'nɔgrəfə] *n* а́втор моногра́фии.

**monographic** [,mɔnou'græfɪk] *a* монографи́ческий.

**monogyny** [mɔ'nɔdʒɪnɪ] *n* единоже́нство.

**monolith** ['mɔnouliθ] *n* моноли́т.

**monolithic** [,mɔnou'liθɪk] *a* моноли́тный.

**monologize** [mɔ'nɔlədʒaɪz] *v* завладева́ть разгово́ром, не дава́ть говори́ть други́м.

**monologue** ['mɔnələg] *n* моноло́г.

**monomania** [,mɔnou'meɪnjə] *n мед.* монома́ния (*помешательство на каком-л. одном пункте*).

**monomaniac** [,mɔnou'meɪnɪæk] *n* манья́к.

**monomark** ['mɔnoumɑ:k] *n эк.* усло́вный фи́рменный знак (*из букв и цифр*).

**monomer** ['mɔunəmə] *n хим.* мономе́р, просто́е соедине́ние.

**monometallic** ['mɔnoumɪ'tælɪk] *a эк.* монометалли́ческий.

**monomial** [mɔ'noumɪəl] *мат.* **1.** *n* одночле́н;
**2.** *a* одночле́нный.

**monophase** ['mɔnəfeɪz] *a эл.* однофа́зный.

**monophthong** ['mɔnəfθɔŋ] *n фон.* монофто́нг.

**monophthongize** ['mɔnəfθɔŋgaɪz] *v фон.* монофтонгизи́ровать.

**monoplane** ['mɔnəpleɪn] *n* моноплан.

**monopolist** [mə'nɔpəlɪst] *n* 1) монополи́ст; 2) сторо́нник систе́мы монопо́лий.

**monopolize** [mə'nɔpəlaɪz] *v* монополизи́ровать; to ~ the conversation завладе́ть разгово́ром, не дава́ть никому́ сказа́ть сло́ва.

**monopoly** [mə'nɔpəlɪ] *n* монопо́лия.

**monorail** ['mɔnoureɪl] *n* 1) однорельсовая желе́зная доро́га; 2) подвесна́я желе́зная доро́га.

**monosyllabic** ['mɔnəsɪ'læbɪk] *a* односло́жный.

**monosyllable** ['mɔnə,sɪləbl] *n* односло́жное сло́во; to speak in ~s отвеча́ть односло́жно, нелюбе́зно.

**monotheism** ['mɔnouθɪ,ɪzəm] *n* моноте́йзм, единобо́жие.

**monotheistic** [,mɔnouθɪ'ɪstɪk] *a* монотеисти́ческий.

**monotint** ['mɔnətɪnt] *n* рису́нок *или* гравю́ра в одну́ кра́ску.

**monotone** ['mɔnətoun] **1.** *n* моното́нное чте́ние, повторе́ние;

2. *a* = **monotonous**;
3. *v* говори́ть, чита́ть *или* петь моното́нно.

**monotonous** [mə'nɔtnəs] *a* моното́нный; однообра́зный; ску́чный.

**monotony** [mə'nɔtnɪ] *n* моното́нность; однообра́зие; ску́ка.

**monotype** ['mɔnətaɪp] *n* 1) *биол.* еди́нственный представи́тель (*рода, типа*); 2) *полигр.* моноти́п.

**monoxide** [mɔ'nɔksaɪd] *n хим.* о́кись с одни́м а́томом кислоро́да; одноо́кись.

**Monroeism** [mən'rouɪzəm] *n амер.* доктри́на Монро́э.

**monsieur** [mə'sjə:] *фр. n* (*pl* messieurs) мосье́, господи́н.

**monsoon** [mɔn'su:n] *n* 1) муссо́н; 2) дождли́вый сезо́н.

**monster** ['mɔnstə] **1.** *n* 1) чудо́вище; *перен. тж.* и́зверг; 2) уро́д;
**2.** *a* исполи́нский, грома́дный.

**monstrance** ['mɔnstrəns] *n церк.* дароно́сица.

**monstrosity** [mɔns'trɔsɪtɪ] *n* 1) чудо́вищность; уро́дство; 2) чудо́вище, уро́дливая вещь.

**monstrous** ['mɔnstrəs] **1.** *a* 1) чудо́вищный; 2) уро́дливый; безобра́зный; 3) грома́дный, исполи́нский; 4) зве́рский; жесто́кий, ужа́сный; 5) *разг.* неле́пый, абсу́рдный;
**2.** *adv уст.* чрезвыча́йно, необыкнове́нно.

**montage** [mɔn'tɑ:ʒ] *n кино* монта́ж.

**montane** ['mɔnteɪn] *a* 1) гори́стый; 2) го́рный (*о жителях*).

**Montenegrin** [,mɔntɪ'ni:grɪn] **1.** *n* черного́рец;
**2.** *a* черного́рский.

**month** [mʌnθ] *n* ме́сяц; ◇ a ~ of Sundays *шутл.* до́лгий срок; in a ~ of Sundays ≅ по́сле до́ждичка в четве́рг.

**monthly** ['mʌnθlɪ] **1.** *a* 1) (еже)ме́сячный; ~ nurse сиде́лка, уха́живающая в тече́ние ме́сяца за же́нщиной по́сле ро́дов;
**2.** *adv* ежеме́сячно; раз в ме́сяц;
**3.** *n* 1) ежеме́сячный журна́л; 2) *pl* менструа́ции.

**monticule** ['mɔntɪkju:l] *n* 1) хо́лмик; 2) *геол.* парази́тический ко́нус (*вулкана*).

**monument** ['mɔnjumənt] *n* па́мятник; монуме́нт; надгро́бие; the M. коло́нна в Ло́ндоне в па́мять пожа́ра 1666 г.

**monumental** [,mɔnju'mentl] *a* 1) увекове́чивающий; ~ mason ма́стер, де́лающий надгро́бные пли́ты, па́мятники; 2) монумента́льный; 3) необыча́йный, изуми́тельный.

**monumentalize** [,mɔnju'mentəlaɪz] *v* увекове́чивать.

**moo** [mu:] **1.** *n* мыча́ние;
**2.** *v* мыча́ть.

**mooch** [mu:tʃ] *v sl.* 1) лентя́йничать, слоня́ться; 2) ворова́ть.

**mood** I [mu:d] *n* настрое́ние; расположе́ние ду́ха; to be in the ~ for smth. быть расположенным к чему́-л.; in no ~ не располо́жен, не в настрое́нии (*сделать что-л.*); a man of ~s челове́к настрое́ния.

**mood** II [mu:d] *n* 1) *грам.* наклоне́ние; 2) *муз.* лад, тона́льность.

**moody** ['muːdɪ] *a* 1) легко поддающийся переменам настроения; 2) унылый, угрюмый; в дурном настроении.

**moollah** ['mʌlə] = mullah.

**moon** [muːn] **1.** *n* 1) луна; to bay the ~ лаять на луну; *перен.* заниматься бессмысленным делом; to aim (*или* to level) at the ~ иметь слишком большие претензии, метить высоко; 2) *астр.* спутник (*планеты*); 3) лунный месяц; 4) *поэт. см.* month; 5) лунный свет;
**2.** *v* 1) бродить, двигаться, действовать как во сне (*тж.* ~ about, ~ along, ~ around); 2) проводить время в мечтаниях (*обыкн.* ~ away).

**moonbeam** ['muːnbiːm] *n* полоса лунного света.

**moon-blind** ['muːnblaɪnd] *a мед.* страдающий куриной слепотой.

**moon-blindness** ['muːn,blaɪndnɪs] *n мед.* куриная слепота.

**mooncalf** ['muːnkɑːf] *n* 1) идиот; дурачок; 2) урод.

**moon-eye** ['muːnaɪ] *n* 1) *вет.* периодическое воспаление глаз (*у лошади*); 2) = moon-blindness.

**moon-eyed** ['muːn,aɪd] *a* 1) страдающий куриной слепотой; 2) страдающий воспалением глаз (*о животном*); 3) с широко раскрытыми глазами, с круглыми глазами (*от страха, удивления и т. п.*).

**moonfaced** ['muːn,feɪst] *a* круглолицый.

**moonflaw** ['muːnflɔː] *n уст.* приступ сумасшествия, приписывавшийся действию луны.

**moonhead** ['muːnhed] *n амер. sl.* помешанный.

**moonlight** ['muːnlaɪt] *n* 1) лунный свет; 2) *attr.* при лунном свете; ~ flitting (flitter) *sl.* отъезд (съезжающий) с квартиры ночью, чтобы избежать платы за неё.

**moonlighters** ['muːn,laɪtəz] *n pl ист.* члены Ирландской земельной лиги, уничтожавшие по ночам, в знак протеста, посевы и скот английских помещиков.

**moonlit** ['muːnlɪt] *a* залитый лунным светом.

**moonscape** ['muːnskeɪp] *n* лунный ландшафт.

**moonshee** ['muːnʃiː] *n англо-инд.* переводчик; учитель местного языка.

**moonshine** ['muːnʃaɪn] *n* 1) лунный свет; 2) фантазия; вздор; 3) *амер. sl.* самогон; контрабандный спирт.

**moonshiner** ['muːn,ʃaɪnə] *n амер. sl.* 1) самогонщик; 2) ввозящий спирт контрабандой.

**moonsif(f)** ['muːnsɪf] *n англо-инд.* судья-индус.

**moonstone** ['muːnstoun] *n мин.* лунный камень.

**moonstruck** ['muːnstrʌk] *a* помешанный.

**moony** ['muːnɪ] *a* 1) похожий на луну; 2) рассеянный, мечтательный; апатичный; 3) *sl.* подвыпивший.

**Moor** [muə] *n* 1) марокканец; 2) *ист.* мавр.

**moor** I [muə] *n* 1) торфянистая местность, поросшая вереском; 2) участок для охоты.

**moor** II [muə] *v* причалить; пришвартовать(ся); стать на якорь.

**moorage** ['muərɪdʒ] *n* 1) место причала; 2) плата за стоянку судна.

**moor-bath** ['muəbɑːθ] *n* грязевая, иловая *или* торфяная ванна.

**moorcock** ['muəkɔk] *см.* moor game.

**moor-fowl** ['muə,faul] = moor game.

**moor game** ['muəgeɪm] *n* куропатка шотландская (moorcock самец, moorhen самка).

**moorhen** ['muəhen] *см.* moor game.

**mooring-mast** ['muərɪŋmɑːst] *n* причальная мачта (*для дирижаблей*).

**moorings** ['muərɪŋz] *n pl мор.* мёртвые якоря; швартовы, якорные цепи, бочки *и т. п.*

**Moorish** ['muərɪʃ] *a* мавританский.

**moorland** ['muələnd] *n* местность, поросшая вереском.

**Moorman** ['muəmən] *n* магометанин (*в Индии*).

**moose** [muːs] *n* американский лось.

**moot** I [muːt] **1.** *n* 1) *ист.* собрание свободных граждан для обсуждения дел всей общины; 2) *юр.* инсценировка судебного процесса (*в юридических школах*);
**2.** *a* спорный;
**3.** *v* ставить вопрос на обсуждение; обсуждать.

**moot** II [muːt] *n* нагель, деревянный гвоздь.

**mooted** ['muːtɪd] **1.** *p. p. от* moot I, 3;
**2.** *a амер.* см. moot I, 2.

**mop** I [mɔp] **1.** *n* 1) швабра; 2) космы, копна (*волос*);
**2.** *v* 1) мыть пол шваброй, подтирать (*тж.* ~ out); 2) вытирать (*слёзы, пот*); ☐ ~ up a) вытирать; осушать; б) *разг.* поглощать, присваивать; в) *разг.* приканчивать, убивать; г) *воен.* очищать (захваченную территорию от противника); ◇ to ~ the earth (*или* the ground, the floor) with smb. *sl.* иметь кого-л. в полном подчинении, унижать кого-л.

**mop** II [mɔp] **1.** *n:* ~s and mows гримасы, ужимки;
**2.** *v:* to ~ and mow гримасничать.

**mope** [moup] **1.** *n* 1) человек в унынии; 2) (the ~s) *pl* хандра;
**2.** *v* хандрить; быть в подавленном состоянии, быть ко всему безучастным (*часто* ~ by oneself, ~ about).

**mope-eyed** ['moup,aɪd] *a* близорукий.

**mopish** ['moupɪʃ] *a* склонный к хандре; унылый.

**moppet** ['mɔpɪt] *n ласк.* ребёнок; малютка.

**moraine** [mɔ'reɪn] *n геол.* морена.

**moral** ['mɔrəl] **1.** *n* 1) поучение, мораль; to draw the ~ извлекать мораль, урок; 2) *pl* нравы; нравственность; моральное состояние; 3) *pl* этика; ◇ the very ~ of *разг.* точная копия, вылитый портрет;
**2.** *a* 1) моральный, нравственный; этический; духовный; ~ philosophy этика; 2) нравоучительный; 3) добродетельный, высоконравственный; a ~ life добродетельная жизнь; ◇ ~ certainty внутренняя уверенность; отсутствие сомнения.

**morale** [mɔ'rɑːl] *n* моральное состояние; to undermine the ~ внести разложение.

**moralist** ['mɔrəlıst] *n* 1)морали́ст;2) челове́к, веду́щий высоконра́вственную жизнь; добродéтельный человéк.

**morality** [mə'rælıtı] *n* 1) мора́ль; 2) *pl* осно́вы мора́ли; э́тика; 3) *pl* нра́вственное поведéние; 4) нравоучéние; copy-book ~ прописна́я мора́ль; 5) *ист. театр.* моралитé.

**moralize** ['mɔrəlaız] *v* 1) морализи́ровать; 2) извлека́ть мора́ль, уро́к; 3) поуча́ть; исправля́ть нра́вы.

**morally** ['mɔrəlı] *adv* 1) мора́льно; нра́вственно; 2) в нра́вственном отношéнии; 3) по всей ви́димости; в су́щности, факти́чески.

**morass** [mə'ræs] *n* боло́то, тряси́на (*часто перен.*).

**moratorium** [,mɔrə'tɔːrıəm] *n* морато́рий; отсро́чка по платежа́м и фина́нсовым обяза́тельствам.

**moratory** ['mɔrətərı] *a* даю́щий отсро́чку платежа́.

**Moravian** [mə'reıvjən] **1.** *a* 1) мора́вский; 2) *ист.* относя́щийся к мора́вским бра́тьям; **2.** *n* 1) жи́тель Мора́вии; 2) *pl ист.* мора́вские бра́тья.

**morbid** ['mɔːbid] *a* 1) боле́зненный; нездоро́вый; 2) патологи́ческий; ~ anatomy патологи́ческая анато́мия; ~ growth *мед.* новообразова́ние; 3) боле́зненно впечатли́тельный; скло́нный к меланхо́лии, подозри́тельности, стра́хам; 4) ужа́сный, отврати́тельный.

**morbidity** [mɔː'bıdıtı] *n* 1) боле́зненность; 2) заболева́емость.

**morbidness** ['mɔːbıdnıs] *n* боле́зненная впечатли́тельность *и пр.* [*см.* morbid 3)].

**morbific** [mɔː'bıfık] *a* болезнетво́рный.

**morbility** [mɔː'bılıtı] = morbidity.

**mordacity** [mɔː'dæsıtı] *n* язви́тельность; ко́лкость.

**mordant** ['mɔːdənt] **1.** *a* 1) ко́лкий, язви́тельный, саркасти́ческий; 2) *хим.* éдкий; 3) *мед.* вызыва́ющий разрушéние (*ткани*); 4) закрепля́ющий кра́ску; **2.** *n* 1) протра́ва, кислота́, употребля́емая при гравирова́нии; 3) вещество́, закрепля́ющее кра́ску.

**mordent** ['mɔːdənt] *n муз.* трель.

**more**[mɔː] **1.** *a* 1) (*сравнит. ст. от* much 1 *и* many 1) бо́льший, бо́лее многочи́сленный; he has ~ ability than his predecessors у него́ бо́льше умéния, чем у его́ предшéственников; 2) доба́вочный, ещё (*употр. с числи́тельным или неопределённым местоимéнием*); two ~ cruisers were sunk ещё два крéйсера бы́ли пото́плены; bring some ~ water принеси́те ещё воды́; **2.** *adv* 1) (*сравнит. ст. от* much2)бо́льше; you should walk ~ вам на́до бо́льше гуля́ть; 2) *служит для образова́ния сравнит. ст. многосло́жных прилага́тельных и нарéчий*: ~ powerful бо́лее мо́щный; 3) ещё; опя́ть, сно́ва; once ~ ещё раз; ◇ ~ or less бо́лее и́ли мéнее, прибли́зительно; the ~ ... the ~ чем бо́льше..., тем бо́льше; the ~ he has the ~ he wants чем бо́льше он имéет, тем бо́льше-го он хо́чет; the ~ the better чем бо́льше, тем лу́чше; neither ~ nor less than ни бо́льше, ни мéньше как; не что ино́е, как; all

the ~ so тем бо́лее; never ~ никогда́; he is no ~ его́ нет в живы́х;

3. *n* бо́льшее коли́чество; ◇ what is ~ вдоба́вок, бо́льше того́; hope to see ~ of you надéюсь ча́ще вас ви́деть; we saw no ~ of him мы его́ бо́льше не ви́дели.

**moreen** [mɔː'riːn] *n* пло́тная (полу)шерстяна́я ткань (*для портьер*).

**morel** I [mɔ'rel] *n* сморчо́к (*гриб; тж.* petty ~).

**morel** II [mɔ'rel] *n бот.* чёрный паслён.

**moreover** [mɔː'rouvə] *adv* сверх того́, кро́ме того́.

**mores** ['mouriːz] *лат. n pl* нра́вы.

**Moresque** [mɔ'resk] **1.** *a* маврита́нский; **2.** *n* маврита́нский стиль.

**morganatic** [,mɔːgə'nætık] *a* морганати́ческий.

**morgue** I [mɔːg] *фр. n* 1) морг, поко́йницкая; 2) *амер. sl.* отдéл хранéния спра́вочного материа́ла в редáкции газéты.

**morgue** II [mɔːg] *фр. n.*_надмéнность, высокомéрие.

**moribund** ['mɔrıbʌnd] *a* умира́ющий.

**morion** ['mɔrıən] *n ист.* шишáк.

**Mormon** ['mɔːmən] *n* 1) мормо́н; 2) (m.) многожéнец.

**morn** [mɔːn] *n* 1) *поэт.* у́тро; 2) (the ~) *шотл.* за́втра; the ~'s morning за́втра у́тром.

**morning** ['mɔːnıŋ] *n* 1) у́тро; good ~ с до́брым у́тром; здра́вствуйте; 2) *поэт.* у́тренняя заря́; 3) ра́нний перио́д *или* нача́ло (*чего-л.*); the ~ of life у́тро жи́зни; 4) *attr.* у́тренний; ~ coat визи́тка; ~ dress обыкновéнное пла́тье (*не бальное, не фрак*); ~ gown хала́т; ~ watch *мор.* у́тренняя ва́хта (*с 4 до 8 ч.*).

**morning glory** ['mɔːnıŋ'glɔːrı] *n бот.* 1) вьюно́к; 2) ипомéя.

**morning star** ['mɔːnıŋ'stɑː] *n* у́тренняя звезда́, Венéра.

**morocco** [mə'rɔkou] **1.** *n* (*pl* -os [-ouz]) сафья́н; **2.** *a* сафья́новый.

**moron** ['mɔːrɔn] *n* слабоу́мный, у́мственно отста́лый.

**morose** [mə'rous] *a* мра́чный, угрю́мый, за́мкнутый.

**morpheme** ['mɔːfiːm] *n лингв.* морфéма.

**Morpheus** ['mɔːfjuːs] *n миф.* Морфéй; in the arms of ~ в объя́тиях Морфéя, спя́щий.

**morphia** ['mɔːfjə] = morphine.

**morphine** ['mɔːfiːn] *n* мо́рфий.

**morphinism** ['mɔːfınızəm] *n* морфини́зм, наркома́ния.

**morphologic(al)** [,mɔːfə'lɔdʒık(əl)] *a* морфологи́ческий.

**morphology** [mɔː'fɔlədʒı] *n* морфоло́гия.

**morris** ['mɔrıs] *n* та́нец в костю́мах герóев легéнды о Ро́бин-Гу́де (*тж.* ~ dance).

**morrow** ['mɔrou] *n* 1) *уст.* у́тро; 2) *поэт.* за́втра, за́втрашний день [*см.* tomorrow]; 3) врéмя, наступи́вшее непосрéдственно по́сле (*какого-л.*) собы́тия; on the ~ of вслед за (*чем-л.*), по оконча́нии (*чего-л.*).

**Morse** [mɔːs] *n* 1) *attr.:* ~ code, ~ alphabet а́збука Мо́рзе; ~ telegraph телегра́ф Мо́рзе; 2) *разг. см.* ~ code, ~ telegraph.

morse [mɔːs] *n зоол.* морж.

morsel ['mɔːsəl] *n* кусóчек.

mort [mɔːt] *n диал.* мнóжество, мáсса.

mortal ['mɔːtl] 1. *a* 1) смéртный; not a ~ man ни живóй душú; 2) смертéльный; ~ agony предсмéртная агóния; 3) *разг.* ужáсный; in a ~ hurry в ужáсной спéшке; 4) *разг.* скучнéйший;
2. *n* человéк, смéртный;
3. *adv* 1) *разг., диал.* чрезвычáйно, óчень; 2) = mortally.

mortality [mɔː'tælɪtɪ] *n* 1) смертéльность; 2) смéртность; 3) падéж (*скота*); 4) человéчество, смéртные (*род человéческий*); 5) *attr.*: ~ tables статистúческие таблúцы смéртности, располóженные по вóзрастам.

mortally ['mɔːtəlɪ] *adv* смертéльно.

mortar ['mɔːtə] 1. *n* 1) стýпка, стýпа; 2) известкóвый раствóр; строúтельный раствóр; 3) *воен.* мортúра; миномёт;
2. *v* 1) скреплять извéсткой; 2) толóчь в стýп(к)е; 3) *воен.* обстрéливать из мортúры, из миномёта.

mortar-board ['mɔːtəbɔːd] *n* 1) доскá для строúтельной úзвести; 2) *разг.* головнóй убóр с квадрáтным вéрхом (*у англúйских студéнтов и профессорóв*).

mortgage ['mɔːgɪdʒ] 1. *n* 1) заклáд; ипотéка; 2) закладнáя;
2. *v* 1) заклáдывать; 2) ручáться (*слóвом*).

mortgagee [,mɔːgə'dʒiː] *n* кредитóр по закладнóй.

mortgager, mortgagor ['mɔːgɪdʒə, ,mɔːgə'dʒɔː] *n* заклáдывающий, должнúк по закладнóй.

mortice ['mɔːtɪs] = mortise.

mortician [mɔː'tɪʃən] *n амер.* содержáтель похорóнного бюрó.

mortification [,mɔːtɪfɪ'keɪʃən] *n* 1) смирéние; подавлéние; ~ of the flesh умерщвлéние плóти; 2) унижéние; гóрькое чýвство обúды, разочаровáния; 3) *мед.* омертвéние; гангрéна; 4) *шотл.* пожéртвование на благотворúтельные цéли.

mortify ['mɔːtɪfaɪ] *v* 1) подавлять (*страсти, чувства и т. п.*); умерщвлять (*плоть*); 2) обижáть, унижáть; 3) *мед.* омертвéть, гангренизúроваться; 4) *шотл.* жéртвовать на благотворúтельные цéли.

mortifying ['mɔːtɪfaɪɪŋ] 1. *pres. p. от* mortify;
2. *a* оскорбúтельный, унизúтельный.

mortise ['mɔːtɪs] *тех.* 1. *n* 1) паз, гнездó шипá; 2) *attr.*: ~ chisel долотó;
2. *v* соединять врýбкой; долбúть.

mortmain ['mɔːtmeɪn] *n юр.* владéние юридúческого лицá недвúжимостью без прáва передáчи; «мёртвая рукá».

mortuary ['mɔːtjuərɪ] 1. *n* 1) покóйницкая, морг; 2) *ист.* обычай взнóса наслéдниками прихóдскому свящéннику сýммы на помúн душú покóйника;
2. *a* похорóнный, погребáльный; ~ urn ýрна с прáхом.

Mosaic [mə'zeɪɪk] *a библ.* моисéев.

mosaic [mə'zeɪɪk] 1. *n* 1) мозáика; 2) что-л., состáвленное из рáзных частéй (*напр., муз.* попуррú);
2. *a* мозáичный;

3. *v* выклáдывать мозáикой; дéлать мозáичную рабóту.

moselle [mə'zel] *n* мóзельвейн (*винó*).

Moses ['mouzɪz] *n библ.* Моисéй.

mosey ['mouzɪ] *v амер. sl.* быстро уходúть.

Moslem ['mɔzlem] 1. *n* мусульмáнин; мусульмáнка;
2. *a* мусульмáнский.

mosque [mɔsk] *n* мечéть.

mosquito [məs'kiːtou] *n* (*pl* -oes [-ouz]) 1) москúт; комáр; 2) *attr.* для защúты от москúтов.

mosquito-craft [məs'kiːtoukrɑːft] *n мор.* торпéдный кáтер; *собир.* торпéдные катерá.

mosquito-fleet [məs'kiːtoufliːt] *n мор.* флот мéлких судóв, «москúтный флот» (*торпéдные катерá*).

mosquito-net [məs'kiːtounet] *n* сéтка от комарóв, москúтов *и т. п.*

moss [mɔs] 1. *n* 1) *бот.* мох; 2) *распр.* плаýн; лишáйник; 3) торфянóе болóто;
2. *v* зарастáть, обрастáть мхом.

moss-back ['mɔsbæk] *n амер.* 1) = menhaden; 2) (M.) *sl.* человéк, скрывáвшийся (*особ. в болóтах*) от слýжбы в áрмии южáн (*во врéмя америкáнской граждáнской войны́*); 3) *sl.* крáйний консервáтор; старомóдный человéк.

moss-berry ['mɔs,berɪ] *n бот.* клюква (обыкновéнная).

moss-grown ['mɔs,groun] *a* 1) порóсший мхом; 2) устарéвший, старомóдный.

mossiness ['mɔsɪnɪs] *n* мшúстость; пушúстость.

moss-rose ['mɔs'rouz] *n* рóза столúстная (мýскусная).

mosstrooper ['mɔs,truːpə] *n* 1) *ист.* разбóйник (*на шотлáндской гранúце в XVII в.*); 2) бандúт.

mossy ['mɔsɪ] *a* мшúстый; покрытый мхом.

most [moust] 1. *a* (*превосх. ст. от* much 1, many 1) наибóльший; ~ people большинствó людéй; for the ~ part глáвным обрáзом; бóльшей чáстью;
2. *adv* 1) (*превосх. ст. от* much 2) бóльше всегó; what ~ annoys me... что бóльше (*или* сильнéе) всегó раздражáет меня...; 2) весьмá, в высшей стéпени; his speech was ~ convincing егó речь былá весьмá (*или* óчень) убедúтельна; 3) служит для образовáния превосх. ст. многослóжных прилагáтельных и нарéчий: ~ beautiful сáмый красúвый; 4) (*сокр. от* almost) *амер. разг.* почтú; 5): at ~ сáмое бóльшее; не бóльше чем; ten at ~ сáмое бóльшее дéсять, не бóльше десятú; this is at ~ a makeshift э́то не бóльше, чем паллиатúв;
3. *n* наибóльшее колúчество, бóльшая часть; this is the ~ I can do э́то сáмое бóльшее, что я могý сдéлать; at the ~ сáмое бóльшее; ~ of them большинствó из них; ◇ ~ and least *поэт.* все без исключéния; to make the ~ of it *a)* испóльзовать наилýчшим óбразом; *б)* расхвáливать, преувелúчивать достóинства *и пр.*

mostly ['moustlɪ] *adv* по бóльшей чáсти, глáвным óбразом, обыкновéнно, обычно.

mot [mou] *фр. n* (*pl* -s [-z]) острóта; ~ juste тóчное выражéние.

**mote** I [mout] n 1) пылинка; 2) пятнышко; ◇ to see a ~ in thy brother's eye библ. видеть сучок в глазу брата своего; преувеличивать чужие недостатки.

**mote** II, III [mout] v уст.= might I u must I; so ~ it be да будет так.

**motel** [mou'tel] n амер. придорожная гостиница для путешествующих на автомобилях, автопансионат.

**motet** [mou'tet] n песнопение.

**moth** [mɔθ] n 1) моль; 2) мотылёк.

**moth-ball** ['mɔθbɔːl] n нафталиновый или камфарный шарик.

**moth-eaten** ['mɔθˌiːtn] a 1) изъеденный молью; 2) устаревший; изношенный.

**mother** I ['mʌðə] 1. n 1) мать; матушка; мамаша; M. Superior мать-настоятельница; 2) начало, источник; 3) инкубатор; брудер (тж. artificial ~); 4) attr.: ~ tongue a) родной язык; б) язык, от которого произошли другие языки; ◇ ~ earth мать сыра земля; every ~'s son of (you, them, etc.) все без исключения, все до одного; ~ wit природный ум; здравый смысл; смекалка; ~ oil сырая нефть;
2. v 1) усыновлять; брать на воспитание; 2) относиться по-матерински; охранять, лелеять; 3) приписывать авторство (женщине); this novel was ~ed on (или upon) Miss X. этот роман приписали мисс X.; 4) порождать.

**mother** II ['mʌðə] n маточный раствор.

**mother country** ['mʌðəˌkʌntrɪ] n 1) родина; 2) метрополия (по отношению к колониям).

**mother-craft** ['mʌðəkrɑːft] n умение воспитывать детей.

**motherhood** ['mʌðəhud] n материнство.

**Mothering Sunday** ['mʌðərɪŋ'sʌndɪ] n рел. четвёртое воскресенье поста.

**mother-in-law** ['mʌðərɪnlɔː] n (pl mothers--in-law) 1) тёща; 2) свекровь.

**motherland** ['mʌðəlænd] n родина, отчизна.

**motherless** ['mʌðəlɪs] a лишённый матери.

**motherly** ['mʌðəlɪ] 1. a материнский; 2. adv по-матерински.

**mother of pearl** ['mʌðərəv'pɜːl] n перламутр.

**mother-of-pearl** ['mʌðərəv'pɜːl] a перламутровый.

**mother of thousands** ['mʌðərəv'θauzəndz] n бот. 1) дикий лён; 2) камнеломка.

**mother ship** ['mʌðəʃɪp] n мор. матка, плавучая база.

**mothers-in-law** ['mʌðəzɪnlɔː] pl от mother--in-law.

**mother's mark** ['mʌðəzmɑːk] n родимое пятно.

**motif** [mou'tiːf] фр. n 1) основная тема, главная мысль, лейтмотив; 2) кружевное украшение (на платье).

**motile** ['moutɪl] a биол. способный передвигаться, подвижный.

**motion** ['mouʃən] 1. n 1) движение; in ~ двигаясь, в движении, на ходу; 2) ход (машины и т. п.); to set (или to put) in ~ пустить (машину); привести в движение (тж. перен.); 3) телодвижение, жест;

походка; 4) побуждение; of one's own ~ по собственному побуждению; 5) предложение (на собрании); 6) действие (кишечника); 7) pl кал; 8) юр. запрос в суд; 9) уст. марионетка;
2. v показывать жестом.

**motional** ['mouʃənl] a двигательный.

**motionless** ['mouʃənlɪs] a неподвижный, без движения; в состоянии покоя.

**motion picture** ['mouʃən'pɪktʃə] n кинокартина, фильм.

**motivate** ['moutɪveɪt] = motive 3.

**motive** ['moutɪv] 1. n 1) повод, мотив, побуждение; driving ~ движущая сила; 2) = motif 1);
2. a 1) движущий; ~ power, ~ force движущая сила; энергия; 2) двигательный;
3. v 1) побуждать; 2) служить мотивом или причиной; 3) (преим. pass.) мотивировать.

**motiveless** ['moutɪvlɪs] a не имеющий оснований; немотивированный; беспочвенный.

**motivity** [mou'tɪvɪtɪ] n физ. кинетическая энергия; двигательная сила.

**motley** ['mɔtlɪ] 1. a разноцветный; пёстрый (тж. перен.);
2. n 1) попурри, всякая всячина; 2) ист. шутовской костюм; man of ~ шут; to wear ~ быть шутом.

**motoplough** ['moutə,plau] n с.-х. автоплуг.

**motor** ['moutə] 1. n 1) двигатель; мотор; 2) автомобиль; 3) моторная лодка (тж. ~ boat); 4) анат. двигательный мускул; двигательный нерв;
2. a моторный, двигательный;
3. v 1) ехать на автомобиле; 2) везти на автомобиле.

**motor boat** ['moutəbout] n моторная лодка.

**motor bus** ['moutə'bʌs] n автобус.

**motorcade** ['moutəkeɪd] n амер. 1) автоколонна; 2) вереница автомобилей.

**motor-car** ['moutəkɑː] n 1) легковой автомобиль; 2) амер. моторный вагон (трамвая).

**motor coach** ['moutə,koutʃ] n автобус (обыкн. открытый).

**motor-cycle** ['moutə,saɪkl] n мотоцикл.

**motorcycle** ['moutə,saɪkl] v водить мотоцикл; заниматься мотоциклетным спортом.

**motor-cyclist** ['moutə,saɪklɪst] n мотоциклист.

**motordrome** ['moutədroum] n автодром.

**motored** ['moutəd] 1. p. p. от motor 3;
2. a снабжённый мотором; имеющий мотор.

**motoring** ['moutərɪŋ] 1. pres. p. от motor 3;
2. n 1) автомобильное дело; 2) автомобильный спорт; 3) привод мотором.

**motorist** ['moutərɪst] n автомобилист.

**motorization** [ˌmoutəraɪ'zeɪʃən] n моторизация.

**motorize** ['moutəraɪz] v моторизовать.

**motorman** ['moutəmən] n амер. вожатый (трамвая); водитель (автобуса); машинист (электропоезда).

**motor ship** ['moutəʃip] *n* теплоход.

**motor-spirit** ['moutə'spirit] *n* бензин; газолин.

**motor vehicle** ['moutə'vi:kl] *n* автомобиль, автомашина.

**motory** ['moutəri] *a* движущий, вызывающий движение.

**mottle** ['mɔtl] 1. *n* крапинка, пятнышко; 2. *v* испещрять; крапать.

**mottled** ['mɔtld] 1. *p. p. от* mottle 2; 2. *a* 1) крапчатый, испещрённый; пёстрый; 2) половинчатый (*о чугуне*).

**motto** ['motou] *n* (*pl* -oes [-ouz]) 1) девиз, лозунг; 2) эпиграф.

**mouch** [mu:tʃ] = mooch.

**mouflon** ['mu:flɔn] *n зоол.* муфлон.

**mould I** [mould] 1. *n* 1) взрыхлённая (садовая) земля; 2) почва; 3) *поэт.* могила; 4) *поэт.* прах; man of ~ простой смертный;
2. *v* рыхлить; насыпать землю; □ ~ up окучивать.

**mould II** [mould] 1. *n* плесень; плесневой грибок;
2. *v* покрываться плесенью; плесневеть; *перен.* оставаться без употребления.

**mould III** [mould] 1. *n* 1) (литейная) форма, опока; 2) лекало; шаблон; 3) матрица; 4) *стр.* опалубка для кладки бетона; 5) отливка; 6) формочка для пудинга, желе *и т. п.*; 7) характер; people of a special ~ люди особого склада;
2. *v* 1) отливать в форму, формовать; 2) делать по шаблону; 3) формировать (*характер*); создавать; □ ~ into превращать в; ~ on, ~ upon формировать по образцу чего-л.

**mould-board** ['mouldbɔ:d] *n с.-х.* отвал плуга.

**moulder I** ['mouldə] *v* 1) рассыпаться, разрушаться (*часто* ~ away); 2) разлагаться (*морально*); 3) бездельничать.

**moulder II** ['mouldə] *n* 1) литейщик, формовщик; 2) создатель; творец; 3) стол для формовки.

**moulding I** ['mouldiŋ] 1. *pres. p. от* mould III, 2;
2. *n* 1) *тех.* формовка, отливка; 2) *архит.* лепное украшение, карниз; 3) багет.

**moulding II** ['mouldiŋ] *pres. p. от* mould I, 2.

**moulding III** ['mouldiŋ] *pres. p. от* mould II, 2.

**mouldy I** ['mouldi] *a* 1) заплесневелый; *перен.* устаревший; старомодный; 2) *разг.* дрянной; скучный.

**mouldy II** ['mouldi] *n мор. sl.* торпеда.

**moult** [moult] 1. *n* линька (*птиц*).
2. *v* линять (*о птицах*).

**mound I** [maund] 1. *n* насыпь; холм; курган; могильный холм.
2. *v* делать насыпь; насыпать холм.

**mound II** [maund] *n* держава (*эмблема*).

**mount I** [maunt] 1. *n* 1) лошадь под седлом; 2) подложка, картон *или* холст, на который наклеена картина *или* карта; 3) оправа (*камня*); 4) предметное стекло (*для микроскопического среза*); 5) *воен.* установка (*для орудия*);

2. *v* 1) взбираться, восходить, подниматься; his colour ~ed кровь бросилась ему в лицо; 2) подниматься, повышаться (*о цене*); 3) садиться на лошадь *или* на велосипед, в машину; 4) посадить на лошадь; 5) снабжать верховыми лошадьми; 6) устанавливать, монтировать; to ~ a picture наклеивать картину на картон; to ~ a specimen приготовлять препарат для исследования (*под микроскопом*); to ~ jewels вставлять драгоценные камни в оправу; 7) ставить (*пьесу*); 8) *воен.*: to ~ a gun устанавливать орудие на лафет; to ~ guard стоять на часах, охранять; 9) набивать чучело; □ ~ up накапливаться.

**mount II** [maunt] *n* холм; гора (*уст.*, кроме названий, напр.: Mount Everest гора Эверест).

**mountain** ['mauntin] *n* 1) гора; *перен.* масса, куча, множество; 2) (the M.) *фр. ист.* «Гора», партия монтаньяров; 3) *attr.* горный; нагорный; ◊ the ~ in labour, the ~ has brought forth a mouse ≈ гора родила мышь; to make a ~ out of a molehill ≈ делать из мухи слона; преувеличивать.

**mountain ash** ['mauntin'æʃ] *n бот.* 1) рябина американская; 2) рябина обыкновенная.

**mountain dew** ['mauntin'dju:] *n разг.* шотландское виски.

**mountaineer** [,maunti'niə] 1. *n* 1) альпинист; 2) горец.
2. *v* совершать восхождения на горы, лазить по горам.

**mountaineering** [,maunti'niəriŋ] 1. *pres. p. от* mountaineer;
2. *n* альпинизм.

**mountain-high** ['mauntinhai] *a* очень высокий.

**mountainous** ['mauntinəs] *a* 1) гористый; 2) громадный.

**mountebank** ['mauntibæŋk] 1. *n* 1) фигляр; шут; 2) шарлатан;
2. *v* валять дурака.

**mounted** ['mauntid] 1. *p. p. от* mount I, 2;
2. *a* 1) конный (*напр., полк*); посаженный на машину; 2) монтированный, установленный; 3): ~ gem драгоценный камень в оправе.

**mounting** ['mauntiŋ] 1. *pres. p. от* mount I, 2;
2. *n* 1) установка; 2) посадка на лошадь *или* в машину; 3) набивка (*чучела*); 4) монтаж; 5) оправа.

**mourn** [mɔ:n] *v* 1) сетовать, оплакивать; 2) носить траур; 3) печалиться, горевать.

**mourner** ['mɔ:nə] *n* 1) присутствующий на похоронах; 2) плакальщик.

**mournful** ['mɔ:nful] *a* печальный, траурный; мрачный.

**mourning** ['mɔ:niŋ] 1. *pres. p. от* mourn;
2. *n* 1) плач, рыдание; 2) траур; to go into ~ надеть траур; in ~ а) в трауре; б) *разг.* грязный (*о ногтях*); в) подбитый (*о глазе*); 3) *attr.* траурный.

**mouse** 1. *n* [maus] (*pl* mice) 1) мышь; 2) *sl.* подбитый глаз.
2. *v* [mauz] 1) ловить мышей; 2) выискивать, выслеживать.

**mouser** [ˈmauzə] *n* мышелóв.

**mousetrap** [ˈmaustræp] *n* мышелóвка.

**mousse** [muːs] *фр. n* мусс (*блюдо*).

**mousseline** [ˈmuːsliːn] *фр. n* муслúн.

**moustache** [məsˈtɑːʃ] *n* усы́.

**mousy** [ˈmausi] 1. *n* мы́шка; 2. *a* 1) мыши́ный; 2) рóбкий; тúхий.

**mouth** 1. *n* [mauθ; *pl* mauðz] 1) рот, устá; by ~, by word of ~ ýстно; 2) рот, едóк; 3): the horse has a good (bad) ~ лóшадь хорошó (плóхо) слýшается узды́; 4) ýстье (*реки, шахты*); 5) вход (*в гавань, пещеру*); 6) гóрлышко (*бутылки*); дýло, жерлó; 7) гримáса; to make ~s стрóить рóжи, гримáсничать; 8) *sl.* нахáльство; 9) *тех.* ýстье, зев, отвéрстие, выходнóй пáтрубок; выливнóй штýцер; растрýб, рýпор; ◇ from ~ to ~ из уст в устá; to open one's ~ too wide a) ожидáть слúшком мнóгого; б) запрáшивать (*цену*); to take the words out of smb.'s ~ предвосхúтить то, что другóй хотéл сказáть; 2. *v* [mauð] 1) говорúть торжéственно; изрекáть; 2) жевáть; чáвкать; 3) приучáть лóшадь к уздé; 4) гримáсничать; 5) впадáть (*о реке*).

**mouther** [ˈmauðə] *n* 1) напы́щенный орáтор; 2) хвастýн.

**mouth-filling** [ˈmauθˌfiliŋ] *a* напы́щенный.

**mouthful** [ˈmauθful] *n* скóлько мóжно взять в рот; кусóк; глотóк; ◇ to say a ~ сказáть что-л. вáжное, потрясáющее.

**mouth-organ** [ˈmauθˌɔːɡən] *n* 1) свирéль; 2) губнáя гармóника.

**mouthpiece** [ˈmauθpiːs] *n* 1) мундштýк; 2) рýпор, глашáтай; орáтор (*от группы*); вырази́тель (*мнения, интересов и т. п.*); 3) микрофóн.

**mouthy** [ˈmauði] *a* 1) напы́щенный; 2) болтлúвый, многослóвный.

**movable** [ˈmuːvəbl] 1. *a* 1) подвижнóй; перенóсный, передвижнóй; 2) движи́мый (*об имуществе*); 2. *n pl* движимость, движи́мое имýщество.

**move** [muːv] 1. *n* 1) движéние, перемéна мéста; to make a ~ a) отправля́ться; б) вставáть из-за столá [*см. тж.* 3) *и* 4)]; to get a ~ on *разг.* спешúть, торопи́ться, поторáпливаться; (to be) on the ~ (быть) на ногáх, в движéнии; 2) переéзд (*на другую квартиру*); 3) ход (*в игре*); to make a ~ сдéлать ход [*см. тж.* 1) *и* 4)]; 4) постýпок, шаг; to make a ~ предприня́ть что-л.; начáть дéйствовать [*см. тж.* 1) *и* 3)]; 2. *v* 1) двигáть(ся); передвигáть(ся); to ~ a piece *шахм.* дéлать ход; 2) вращáться (*напр., в литературных кругах*); 3) приводи́ть в движéние; to ~ the bowels заставля́ть рабóтать кишéчник; 4) побуждáть к чемý-л.; 5) трóгать, растрóгать; 6) волновáть; to ~ to anger (to laughter) рассердúть (рассмеши́ть); 7) вноси́ть (*предложение, резолюцию*); дéлать заявлéние, обращáться (*в суд и т. п.*); 8) переезжáть; переселя́ться; 9) развивáться (*о событиях*); идти́, подвигáться (*о делах*); 10) расти́; nothing is moving in the garden в салý

ещё ничтó не распускáется; 11) переходи́ть в другúе рýки; продавáться; 12) управля́ть; манипули́ровать; □ ~ about переходи́ть, переезжáть с мéста на мéсто; ~ away a) удаля́ть(ся); уезжáть; б) отодвигáть; ~ back a) пя́титься; б) идти́ зáдним хóдом; подавáть назáд; в) табáнить; ~ down опускáть, спускáть; ~ for ходáтайствовать о чём-л.; ~ in a) вводи́ть, вдвигáть; б) въезжáть (*в квартиру*); ~ off a) отодвигáть; б) *ком.* распродавáться; ~ on (предложи́ть) пройти́ дáльше; ~ out a) выдвигáть (*ящик и т. п.*); б) съезжáть (*с квартиры*); ~ up пододви́нуть; to ~ up reserves *воен.* подтя́гивать резéрвы; ◇ to ~ heaven and earth пусти́ть всё в ход; ≅ нажáть все кнóпки.

**moveless** [ˈmuːvlis] *a* неподви́жный; ~ countenance невозмути́мое выражéние лицá.

**movement** [ˈmuːvmənt] *n* 1) движéние, перемещéние, передвижéние; 2) движéние (*общественное*); peace ~ движéние сторóнников мúра; 3) переéзд, переселéние; 4) жест, телодвижéние; 5) ход (*механизма*); 6) развúтие дéйствия, динáмика (*литературного произведения*); 7) *ком.* оживлéние; 8) *муз.* темп; ритм; 9) часть музыкáльного произведéния; 10) *мед.* дéйствие кишéчника.

**mover** [ˈmuːvə] *n* 1) двúгатель, дви́жущая сúла; prime ~ перви́чный двúгатель; истóчник энéргии; 2) инициáтор, áвтор (*идеи и т. п.*); тот, кто внóсит предложéние.

**moviegoer** [ˈmuːviˌɡouə] *n* кинозри́тель.

**moviemaker** [ˈmuːviˌmeikə] *n* кинопромы́шленник.

**movies** [ˈmuːviz] *n pl разг.* кинó.

**movietone** [ˈmuːvitoun] *n* звуковóй фильм.

**moving** [ˈmuːviŋ] 1. *pres. p. от* move 2; 2. *a* 1) дви́жущий(ся); подвижнóй; 2) трóгательный, волнýющий.

**moving pictures** [ˈmuːviŋˈpiktʃəz] *n pl* кинó.

**moving staircase** [ˈmuːviŋˈstɛəkeis] *n* эскалáтор.

**mow** I [mau] 1. *n* гримáса; 2. *v* гримáсничать; [*см. тж.* mop II].

**mow** II [mou] 1. *n* 1) стог, скирдá; 2) сеновáл; 2. *v* скирдовáть, стоговáть.

**mow** III [mou] *v* (mowed [-d]; mowed, mown) коси́ть; жать; □ ~ down, ~ off a) скáшивать; б) коси́ть (*об эпидемии и т. п.*).

**mower** [ˈmouə] *n* 1) косéц; 2) коси́лка.

**mowing-machine** [ˈmouiŋməˌʃiːn] *n* коси́лка; жнéйка.

**mown** [moun] *p. p. от* mow III.

**Mr** [ˈmistə] *сокр. от* mister.

**Mrs** [ˈmisiz] *сокр. от* mistress 2).

**much** [mʌtʃ] 1. *a* (more; most) мнóго; ~ snow мнóго снéга; ~ time мнóго врéмени; ◇ ~ cry and little wool ≅ шýма мнóго, тóлку мáло; ~ ado about nothing мнóго шýма из ничегó; ~ water has flown under the bridge since that time ≅ мнóго воды́ утеклó с тех пор; to be too ~ for оказáться не по сúлам комý-л.;

2. *adv* (more; most) 1) óчень; I am ~ obliged to you я вам óчень благодáрен; 2) (*при сравнит. ст.*) горáздо, значúтельно; ~ more natural горáздо естéственнее; ~ better намнóго лýчше; 3) почтú, приблизúтельно; ~ of a size (a height *etc.*) почтú тогó же размéра (той же высотú *и т. п.*); ◇ ~ (about) the same почтú (однó и) тó же, почтú такóй же; so ~ the better тем лýчше; not ~ отнюдь нет; ни в кóем слýчае;

3. *n* мнóгое; to make ~ of a) высокó ценúть; быть высóкого мнéния; б) носúться с *кем-л.*, *чем-л.*; ◇ he is not ~ of a scholar он не слúшком обрáзованный человéк; ~ of a muchness почтú (однó и) тó же; ≅ однóго пóля ягода; ~ will have more *посл.* ≅ дéньги к деньгáм.

**mucilage** ['mju:silɪdʒ] *n* 1) слизь; 2) клéйкое веществó (*растений*); растúтельный клей.

**muck** [mʌk] 1. *n* 1) навóз; 2) *разг.* грязь; дрянь, мéрзость; 3) *горн.* порóда, отóрванная шпýрами; неýбранная в вырáботке порóда; 4) *attr.* навóзный;
2. *v* 1) унавóживать; 2) пáчкать; 3) *sl.* (ис)пóртить (*тж.* ~ up); 4) *горн.* убирáть порóду; откáтывать; □ ~ about *разг.* слоняться; ~ in: to ~ in (with smb.) делúться (с кем-л.) жильём, имýществом *и т. п.*

**mucker** ['mʌkə] 1. *n* 1) *разг.* тяжёлое падéние; *перен.* большáя неудáча; to come a ~ *разг.* а) тяжелó упáсть, разбúться; б) попáсть в бедý; to go a ~ слúшком мнóго истрáтить (on, over); 2) *разг.* грýбый, грязный человéк; хам; 3) *горн.* убóрщик (*породы*); отгрёбщик; откáтчик;
2. *v разг.* 1) устрóить пýтаницу, перепýтать; провалúть дéло; 2) истрáтить (*часто* ~ away).

**muckle** ['mʌkl] = mickle.

**muck-rake** ['mʌkreɪk] *n* 1) грáбли для навóза; 2) любúтель копáться в скандáльной хрóнике и предполагáть дурныé мотúвы постýпков.

**muckworm** ['mʌkwə:m] *n* 1) навóзный червь; 2) скряга.

**mucky** ['mʌkɪ] *a* 1) грязный; 2) протúвный.

**mucous** ['mju:kəs] *a* слúзистый; ~ membrane слúзистая оболóчка.

**mucus** ['mju:kəs] *n* слизь.

**mud** [mʌd] *n* грязь, слякоть; ил, тúна; to stick in the ~ завязнуть в грязú; *перен.* отстáть от вéка; to throw (*или* to fling) ~ (at) забросáть грязью; (о)порóчить; 2) шлам.

**mud-bath** ['mʌdbɑ:θ] *n мед.* грязевáя вáнна.

**mud box** ['mʌdbɔks] *n тех.* грязевúк, грязеулóвитель.

**muddle** ['mʌdl] 1. *n* 1) пýтаница в головé; 2) неразберúха; беспорядок; to make a ~ of smth. спýтать, перепýтать всё;
2. *v* 1) спýтывать, пýтать (*часто* ~ up, together); 2) спутать кóе-кáк; пóртить; 3) опьянять; одурмáнивать; □ ~ away (one's time, money, *etc.*) зря трáтить (врéмя, дéнь-

ги *и т. п.*); ~ into ввязáться во *что-л.* по глýпости *или* непредусмотрúтельности; ~ on дéйствовать наобýм, без плáна; ~ through довестú дéло кóе-кáк до концá, ошибáясь и пýтая.

**muddle-headed** ['mʌdl,hedɪd] *a* бестолкóвый, тупóй.

**muddy** ['mʌdɪ] 1. *a* 1) запáчканный, грязный; 2) тёмный; 3) непрозрáчный; мýтный; 4) нечúстый (*о коже*); 5) помутúвшийся (*о рассудке*); 6) хрúплый (*о голосе*);
2. *v* 1) обрызгать грязью; 2) мутúть.

**mudfish** ['mʌdfɪʃ] *n* назвáние мнóгих рыб, зарывáющихся в ил, *напр.*: голéц, кóлюшка, тихоокеáнский бычóк *и др.*

**mudguard** ['mʌdgɑ:d] *n авт.* крылó; *тех.* щит от грязи.

**mudlark** ['mʌdlɑ:k] *n* 1) рабóчий, прочищáющий водостóки; 2) ýличный мальчúшка, беспризóрный.

**mudsill** ['mʌdsɪl] *n стр.* лéжень.

**mudslinger** ['mʌd,slɪŋə] *n амер. sl.* клеветнúк.

**muezzin** [mu:'ezɪn] *араб. n* муэдзúн.

**muff** I [mʌf] *n* 1) мýфта; 2) *тех.* мýфта, гúльза.

**muff** II [mʌf] 1. *n* 1) несклáдный, неумéлый *или* глуповáтый человéк; «шляпа»; *спорт.* «мазúла»; 2) ошúбка, прóмах; неудáча;
2. *v* промахнýться, проворóнить, промáзать (*тж.* make a ~ of the business); to ~ one's lines *театр.* смáзать свою рéплику.

**muffin** ['mʌfɪn] *n* горячая сдóба.

**muffineer** [,mʌfɪ'nɪə] *n* 1) крытая посýда для подáчи сдóбы горячей; 2) сосýд для посыпáния сдóбы сáхаром, сóлью *и т. п.*

**muffle** ['mʌfl] 1. *n* 1) кóжаная перчáтка *или* рукавúца; 2) *тех.* мýфель; глушúтель; 3) *тех.* многошкúвный блок;
2. *v* 1) закýтывать, окýтывать (*часто* ~ up); 2) глушúть, заглушáть (*звук*).

**muffled** ['mʌfld] 1. *p. p. от* muffle 2;
2. *a* заглушённый; ~ curses проклятия, произнесённые сквозь зýбы.

**muffler** ['mʌflə] *n* 1) кашнé, шарф; 2) рукавúца; боксёрская перчáтка; 3) *тех.* глушúтель; модерáтор; шумоглушúтель; 4) *муз.* сурдúнка.

**mufti** ['mʌftɪ] *араб. n* 1) мýфтий; 2) *разг.* штáтское плáтье.

**mug** I [mʌg] 1. *n* 1) крýжка; кýбок (*как приз*); 2) прохладúтельный напúток; 3) *груб.* хáря, мóрда; рыло; thinking ~ *sl.* башкá; 4) *sl.* рот; гримáса;
2. *v sl.* 1) дать пощёчину; 2) гримáсничáть; 3) гримировáть(ся); 4) *амер.* фотографúровать (*преступников для полицейского архива*).

**mug** II [mʌg] *sl.* 1. *n* 1) зубрúла; 2) экзáмен;
2. *v* 1) зубрúть, усúленно готóвиться к экзáмену (*часто* ~ up); 2) обмáнывать, надувáть.

**mug** III [mʌg] *n разг.* 1) простáк; 2) новичóк (*в игре*).

**mugful** ['mʌgful] *n* пóлная крýжка (*чего-л.*).

**mugger** I ['mʌgə] *n* индúйский крокодúл.

**mugger** II [ˈmʌgə] n 1) торго́вец гонча́рными изде́лиями; 2) *амер. sl.* граби́тель; 3) фигля́р.

**muggins** [ˈmʌgɪnz] n 1) проста́к; 2) род ка́рточной игры́; 3) род игры́ в домино́.

**muggy** [ˈmʌgɪ] a сыро́й и тёплый (*о пого́де и т. п.*); уду́шливый, спёртый (*о во́здухе*).

**mug-house** [ˈmʌghaus] n *разг.* пивна́я.

**mug-hunter** [ˈmʌgˌhʌntə] n *спорт. разг.* люби́тель призо́в.

**mugwump** [ˈmʌgwʌmp] n *амер.* 1) член па́ртии, сохраня́ющий за собо́й пра́во голосова́ть на вы́борах незави́симо от па́ртии (*первонача́льно о «незави́симых» членах республика́нской па́ртии*); 2) влия́тельное лицо́, «ши́шка».

**mulatto** [mjuˈlætou] 1. n (*pl* -os [-ouz]) мула́т(ка).
2. a оли́вковый, бро́нзовый (*о цве́те*).

**mulberry** [ˈmʌlbərɪ] n 1) *бот.* шелкови́ца, ту́т(а); 2) ту́товая я́года; 3) *attr.* багро́вый, тёмно-кра́сный.

**mulberry bush** [ˈmʌlbərɪˈbuʃ] n назва́ние де́тской игры́.

**mulch** [mʌlʃ] *с.-х.* 1. n 1) му́льча; пре́лая соло́ма, пре́лые ли́стья; 2) мульчи́рование, обкла́дка наво́зом, соло́мой;
2. v мульчи́ровать, обкла́дывать ко́рни расте́ний соло́мой, наво́зом.

**mulct** [mʌlkt] 1. n 1) штраф; 2) незако́нные побо́ры;
2. v 1) штрафова́ть; 2) лиша́ть (*чего-л., ча́сто обма́ном*); he was ~ed of £10 его́ обжу́лили на 10 фу́нтов (сте́рлингов).

**mule** I [mjuːl] n 1) мул; *перен.* упря́мый осёл; 2) гибри́д; 3) *текст.* мюль-маши́на; self-acting ~ сельфа́ктор; 4) *ж.-д.* толка́ч.

**mule** II [mjuːl] n та́почка; дома́шняя ту́фля без за́дника.

**mule** III [mjuːl] = mewl.

**muleteer** [ˌmjuːlɪˈtɪə] n пого́нщик му́лов.

**muliebrity** [ˌmjuːlɪˈebrɪtɪ] n 1) же́нственность; 2) изне́женность.

**mulish** [ˈmjuːlɪʃ] a упря́мый (как осёл).

**mull** I [mʌl] *разг.* 1. n пу́таница; to make a ~ of smth. перепу́тать всё;
2. v перепу́тать, спу́тать.

**mull** II [mʌl] v *амер. разг.* обду́мывать, размышля́ть.

**mull** III [mʌl] n насто́льная табаке́рка из бара́ньего ро́га в сере́бряной опра́ве.

**mull** IV [mʌl] n сорт то́нкого мусли́на.

**mull** V [mʌl] n мыс (*в шотл. географи́ческих назва́ниях*).

**mull** VI [mʌl] v подогрева́ть вино́ *или* пи́во с пря́ностями.

**mullah** [ˈmʌlə] *араб.* n мулла́.

**mullein** [ˈmʌlɪn] n *бот.* коровя́к.

**mullet** [ˈmʌlɪt] n *зоол.*: striped ~ лоба́н; red ~ бараба́лька обыкнове́нная.

**mulligatawny** [ˌmʌlɪgəˈtɔːnɪ] n *англо-инд.* кре́пкий пря́ный суп.

**mulligrubs** [ˈmʌlɪgrʌbz] n *pl разг.* 1) хандра́; 2) ко́лики; резь.

**mullock** [ˈmʌlək] n 1) отбро́сы, му́сор; 2) *австрал. горн.* пуста́я поро́да.

**mulse** [mʌls] n подслащённое вино́.

**mulsh** [mʌlʃ] = mulch.

**mult** [mʌlt] = multure.

**multangular** [mʌltˈæŋgjulə] a многоуго́льный.

**multeity** [mʌlˈtiːɪtɪ] n многообра́зие; разнообра́зие.

**multi-** [ˈmʌltɪ-] *в сло́жных слова́х* много-; multinational многонациона́льный.

**multicolour** [ˈmʌltɪkʌlə] 1. n многокра́сочность;
2. a цветно́й, многокра́сочный.

**multicoloured** [ˈmʌltɪkʌləd] a цветно́й, многокра́сочный.

**multiengined** [ˈmʌltɪˈendʒɪnd] a многомото́рный.

**multifarious** [ˌmʌltɪˈfɛərɪəs] a разнообра́зный.

**multiflorous** [ˌmʌltɪˈflɔːrəs] a *бот.* многоцветко́вый.

**multifold** [ˈmʌltɪfould] a многокра́тный.

**multiform** [ˈmʌltɪfɔːm] a многообра́зный.

**multiformity** [ˌmʌltɪˈfɔːmɪtɪ] n многообра́зие; полиморфи́зм.

**multilateral** [ˈmʌltɪˈlætərəl] a многосторо́нний.

**multimillionaire** [ˈmʌltɪmɪljəˈnɛə] n мультимиллионе́р.

**multinational** [ˈmʌltɪˈnæʃənl] a многонациона́льный.

**multipartite** [ˌmʌltɪˈpɑːtaɪt] a разделённый на мно́го часте́й.

**multiped** [ˈmʌltɪped] n *зоол.* многоно́жка; мокри́ца.

**multiphase** [ˈmʌltɪfeɪz] a *эл.* многофа́зный.

**multiplane** [ˈmʌltɪpleɪn] n *ав.* многопла́н.

**multiple** [ˈmʌltɪpl] 1. a 1) составно́й, складно́й; име́ющий мно́го отде́лов, часте́й; ~ shop магази́н с филиа́лами; ~ manning *ж.-д.* обезли́чка; 2) многокра́тный; многочи́сленный; 3) *мат.* кра́тный.
2. n *мат.* кра́тное число́; least common ~ о́бщее наиме́ньшее кра́тное.

**multiplex** [ˈmʌltɪpleks] a 1) сло́жный; 2) многокра́тный.

**multiplicand** [ˌmʌltɪplɪˈkænd] n *мат.* мно́жимое.

**multiplication** [ˌmʌltɪplɪˈkeɪʃən] n 1) умноже́ние; 2) увеличе́ние; 3) *attr.*: ~ table табли́ца умноже́ния.

**multiplicity** [ˌmʌltɪˈplɪsɪtɪ] n 1) сло́жность; разнообра́зие; 2) многочи́сленность; a (*или* the) ~ of cases многочи́сленные слу́чаи.

**multiplier** [ˈmʌltɪplaɪə] n 1) мно́житель; 2) коэффицие́нт.

**multiply** [ˈmʌltɪplaɪ] v 1) увели́чивать(ся); 2) размножа́ть(ся); 3) *мат.* умножа́ть, мно́жить.

**multi-stage** [ˈmʌltɪsteɪdʒ] a 1) многоступе́нчатый; 2) многока́мерный; 3) многоэта́жный.

**multistory** [ˈmʌltɪˈstɔːrɪ] a многоэта́жный.

**multisyllable** [ˈmʌltɪˈsɪləbl] n многосло́жное сло́во.

**multitude** [ˈmʌltɪtjuːd] n 1) мно́жество; большо́е число́; ма́сса; 2) толпа́; the ~ ма́ссы.

**multitudinous** [ˌmʌltɪˈtjuːdɪnəs] a многочи́сленный.

**multocular** [mʌl'tɔkjuːlə] *a* многоглазый.

**multure** ['mʌltjə] *n шотл.*, *уст.* плата натурой за помол.

**mum I** [mʌm] 1. *int* тише!, тс!; ~'s the word! (об этом) ни гугу!, это секрет;
2. *a predic.* молчаливый; to keep ~ помалкивать; to sit ~ сидеть молча;
3. *v* 1) участвовать в пантомиме; 2) рядиться, маскироваться.

**mum II** [mʌm] *n* крепкое пиво.

**mum III** [mʌm] = mummy II.

**mumble** ['mʌmbl] 1. *n* бормотание;
2. *v* 1) бормотать; 2) с трудом жевать.

**Mumbo Jumbo** ['mʌmbou'dʒʌmbou] *n* (*pl* -os [-ouz]) идол некоторых западноафриканских племён; *перен.* предмет суеверного поклонения.

**mummer** ['mʌmə] *n* 1) *ист.* участник пантомимы; 2) *пренебр.* фигляр, «актёр».

**mummery** ['mʌmərɪ] *n* 1) пантомима; маскарад; 2) *пренебр.* смешной ритуал, «представление».

**mummification** [,mʌmɪfɪ'keɪʃən] *n* 1) мумификация; 2) высыхание, превращение в мумию.

**mummify** ['mʌmɪfaɪ] *v* 1) мумифицировать; 2) ссыхаться, превращаться в мумию.

**mummy I** ['mʌmɪ] *n* 1) мумия; 2) мягкая бесформенная масса; to beat (*или* to smash) to a ~ превратить в бесформенную массу; 3) коричневая краска, мумия.

**mummy II** ['mʌmɪ] *n дет.* мама.

**mump I** [mʌmp] *v* дуться, быть не в духе.

**mump II** [mʌmp] *v* 1) нищенствовать, попрошайничать, клянчить; 2) обманывать.

**mumper I** ['mʌmpə] *n* попрошайка, нищий.

**mumper II** ['mʌmpə] *n* человек в плохом настроении, не в духе.

**mumpish** ['mʌmpɪʃ] *a* надутый, не в духе.

**mumps** [mʌmps] *n pl* (*употр. как sing*) 1) свинка (*болезнь*); 2) приступ плохого настроения.

**munch** [mʌntʃ] *v* жевать, чавкать.

**mundane** ['mʌndeɪn] *a* светский; мирской, земной.

**municipal** [mjuː'nɪsɪpəl] *a* 1) муниципальный, городской; ~ engineering коммунальная техника; 2) самоуправляющийся.

**municipality** [mjuː,nɪsɪ'pælɪtɪ] *n* 1) город, имеющий самоуправление; 2) муниципалитет.

**municipalize** [mjuː'nɪsɪpəlaɪz] *v* муниципализировать.

**munificence** [mjuː'nɪfɪsns] *n* щедрость.

**munificent** [mjuː'nɪfɪsnt] *a* щедрый.

**muniment** ['mjuːnɪmənt] *n* (*обыкн. pl*) грамота, документ о правах, привилегиях *и т. п.*

**munition** [mjuː'nɪʃən] 1. *n* (*обыкн. pl*) 1) военные запасы; снаряжение; Ministry of Munitions Министерство военного снабжения; 2) запасной фонд (*особ. денежный*);
2. *v* снабжать (армию снаряжением).

**munitioner** [mjuː'nɪʃənə] = munition-worker.

**munition-factory** [mjuː'nɪʃən'fæktərɪ] *n* военный завод.

**munition-worker** [mjuː'nɪʃən,wəːkə] *n* рабочий военного завода.

**munshi** ['munʃiː] = moonshee.

**munsif(f)** ['munsif] = moonsif(f).

**murage** ['mjuːrɪdʒ] *n ист.* местный сбор на строительство *или* ремонт городской стены.

**mural** ['mjuərəl] 1. *a* 1) стенной; ~ painting фресковая живопись; 2) отвесный, крутой;
2. *n* фреска.

**murder** ['məːdə] 1. *n* убийство; ◇ the ~ is out секрет раскрыт; ~ will out *посл.* ≡ шила в мешке не утаишь; to cry blue (*или* pink) ~ кричать караул; вопить, орать;
2. *int* караул!;
3. *v* 1) убивать, совершать убийство; 2) *разг.* губить плохим исполнением (*муз. произведение и т. п.*); коверкать (*иностранный язык*).

**murderer** ['məːdərə] *n* убийца.

**murderess** ['məːdərɪs] *n* женщина-убийца.

**murderous** ['məːdərəs] *a* 1) смертоносный; убийственный; 2) кровожадный; кровавый.

**mure** [mjuə] *v* 1) окружать стеной; 2) замуровывать, заточать, заключать в тюрьму.

**muriate** ['mjuərɪɪt] *n хим.* солянокислая соль; ~ of ammonia нашатырь.

**muriatic** [,mjuərɪ'ætɪk] *a хим.* солянокислый; ~ acid соляная кислота.

**murk** [məːk] *уст.*, *поэт.* 1. *n* темнота, мрак;
2. *a* тёмный, мрачный.

**murky** ['məːkɪ] *a* тёмный, мрачный; пасмурный.

**murmur** ['məːmə] 1. *n* 1) журчание; шорох (*листьев*); жужжание (*пчёл*); 2) приглушённый шум голосов; шёпот; 3) ворчание; ропот; 4) *мед.* шум (*в сердце*);
2. *v* 1) журчать; шелестеть; жужжать; 2) шептать; 3) роптать, ворчать (at, against — на).

**murmurous** ['məːmərəs] *a* 1) журчащий; 2) ворчащий, ворчливый.

**murphy** ['məːfɪ] *n разг.* картофель.

**murrain** ['mʌrɪn] *n* 1) ящур; 2) чума (*рогатого скота*); ◇ a ~ on you! *уст. груб.* ≅ чтоб ты сдох!

**murrey** ['mʌrɪ] *уст.* 1. *a* багровый, тёмно-красный;
2. *n* тёмно-красный цвет.

**muscadine** ['mʌskədɪn] *n* мускатный виноград.

**muscardine** ['mʌskɑːdɪn] *n с.-х.* мускардина.

**muscat** ['mʌskət] = muscatel.

**muscatel** [,mʌskə'tel] *n* мускат (*виноград и вино*).

**muscle** ['mʌsl] 1. *n* мускул, мышца; *перен.* сила; a man of ~ силач;
2. *v:* ~ in *амер. sl.* вторгаться, врываться силой.

**muscology** [mʌs'kɔlədʒɪ] *n* бриология (*наука о мхах*).

**muscovado** [,mʌskou'vɑːdou] *n* неочищенный тростниковый сахар.

**Muscovite** ['mʌskəvaɪt] 1. *n* 1) москвич(ка); 2) *уст.* русский; русская; 2. *a уст.* русский.

**Muscovy** ['mʌskəvɪ] *n ист.* Московское государство; ◇ ~ glass слюда; ~ duck = musk-duck.

**muscular** ['mʌskjulə] *a* 1) мускульный; 2) мускулистый; сильный.

**muscularity** [,mʌskju'lærɪtɪ] *n* 1) мускулатура; 2) мускулистость.

**musculature** ['mʌskjulətʃ'ə]*n* мускулатура.

**muse** I [mjuːz] *n* муза.

**muse** II [mjuːz] 1. *v* 1) размышлять (on, upon); задумываться; 2) задумчиво смотреть; 2. *n уст.* размышление; задумчивость.

**musette** [mjuː'zet] *n муз.* 1) волынка; 2) пасторальная мелодия.

**museum** [mjuː'zɪəm] *n* музей.

**museum-piece** [mjuː'zɪəm,pɪːs] *n* музейный экспонат; музейная редкость (*тж. перен.*).

**mush** I [mʌʃ] *n* 1) что-л. мягкое; 2) *амер.* каша; 3) вздор, чепуха; to make a ~ спутать.

**mush** II [mʌʃ] *амер.* 1. *n* путешествие пешком с собаками (*по снегу*); 2. *v* путешествовать пешком с собаками (*по снегу*).

**mush** III [mʌʃ] *n sl.* зонтик.

**mushroom** ['mʌʃrum] 1. *n* 1) гриб; 2) быстро возникшее учреждение, новый дом; 3) *разг.* выскочка; 4) *разг.* женская соломенная шляпа с опущенными полями; 5) *attr.* грибной; похожий на грибы; ~ growth быстрый рост, быстрое развитие; 2. *v* 1) собирать грибы, ходить по грибы; 2) *амер.* расти (быстро) как грибы.

**mushy** ['mʌʃɪ] *a* 1) мягкий; 2) пористый; 3) *разг.* сентиментальный.

**music** ['mjuːzɪk] *n* 1) музыка; to ~ под музыку; 2) ноты; he plays without ~ он играет без нот; 3) музыкальное (-ые) произведение (-ия); 4) *уст.* оркестр, хор; ◇ to face the ~ a) встречать, не дрогнув, критику *или* трудности; б) держать ответ, расплачиваться (*за что-л.*).

**musical** ['mjuːzɪkəl] 1. *a* 1) музыкальный; ~ comedy оперетта; музыкальная комедия; 2) мелодичный; 2. *n разг.* музыкальный (кино)фильм.

**music-case** ['mjuːzɪkkeɪs] *n* папка для нот.

**music-hall** ['mjuːzɪkhɔːl] *n* 1) концертный зал; 2) мюзик-холл.

**musician** [mjuː'zɪʃ ən] *n* 1) музыкант; 2) композитор.

**music master** ['mjuːzɪk,mɑːstə] *n* преподаватель музыки.

**music mistress** ['mjuːzɪk,mɪstrɪs] *n* преподавательница музыки.

**music-paper** ['mjuːzɪk,peɪpə] *n* нотная бумага.

**music-rack** ['mjuːzɪkræk] = music-stand.

**music-stand** ['mjuːzɪkstænd] *n* пюпитр (*для нот*).

**music-stool** ['mjuːzɪkstuːl] *n* вращающийся табурет (*для рояля*).

**musk** [mʌsk] *n* 1) мускус; 2) мускусный запах.

**musk-deer** ['mʌsk'dɪə] *n зоол.* кабарга.

**musk-duck** ['mʌsk'dʌk] *n* мускусная утка.

**muskeg** [mʌs'keg] *n* 1) озёрное болото; 2) жидкая торфяная почва.

**musket** ['mʌskɪt] *n ист.* мушкет.

**musketeer** [,mʌskɪ'tɪə] *n ист.* мушкетёр.

**musketry** ['mʌskɪtrɪ] *n воен.* 1) *ист.* мушкетёры; 2) ружейный огонь; 3) стрелковое дело; 4) стрелковая подготовка.

**musk-ox** ['mʌskɔks] *n зоол.* овцебык мускусный.

**musk-rat** ['mʌskræt] *n зоол.* 1) ондатра; 2) выхухоль.

**musk-shrew** ['mʌsk,ʃruː] *n* выхухоль.

**musky** ['mʌskɪ] *a* мускусный.

**Muslim** ['muslim] = Moslem.

**muslin** ['mʌzlɪn] *n* 1) муслин; 2) *амер.* миткаль; ◇ a bit of ~ *разг.* женщина, девушка.

**musquash** ['mʌskwɔʃ] *n зоол.* ондатра.

**muss** [mʌs] *амер. разг.* 1. *n* путаница, беспорядок; 2. *v* приводить в беспорядок, путать (*обыкн.* ~ up).

**mussel** ['mʌsl] *n зоол.* мидия (*моллюск*).

**Mussulman** ['mʌslmən] 1. *n* (*pl* -s) мусульманин; 2. *a* мусульманский.

**Mussulmans** ['mʌslmənz]*pl от* Mussulman.

**must** I [mʌst (*полная форма*); məst (*редуцированная форма*)] *v* модальный, недостаточный глагол выражает: 1) долженствование, обязанность: I ~ go home я должен идти домой; you ~ do as you are told вы должны делать так, как вам говорят; if you ~, you ~ если надо, так надо; 2) необходимость: one ~ eat to live нужно есть, чтобы жить; 3) уверенность, очевидность: you ~ be aware of this вы, конечно, знаете об этом; you ~ have heard about it вы, должно быть, об этом слышали; 4) запрещение (*в отриц. форме*): you ~ not go there вам нельзя ходить туда; 5) непредвиденную случайность: just as I was getting better, what ~ I do, but break my leg и надо же мне было сломать себе ногу, как раз когда я начал поправляться; ◇ I ~ away я должен ехать.

**must** II [mʌst] *a* 1) настоятельно требующий; 2) необходимый, обязательный.

**must** III [mʌst] *n* плесень.

**must** IV [mʌst] *n* муст, виноградное сусло.

**must** V [mʌst] *n* бешенство в период течки.

**mustache** [məs'taːʃ] = moustache.

**mustang** ['mʌstæŋ] *n* 1) мустанг (*полудикая лошадь*); 2) *амер. мор. разг.* офицер, вышедший из старшин.

**mustard** ['mʌstəd] *n* 1) горчица; 2) *attr.* горчичный; ~ oil горчичное масло; ◇ all to the ~ ≅ хорошо, как следует; keen as ~ энтузиаст своего дела.

**mustard gas** ['mʌstəd,gæs] *n хим.* иприт, горчичный газ.

**mustard plaster** ['mʌstəd,plɑːstə] *n* 1) горчичник; 2) *разг.* навязчивый человек, «банный лист».

**mustard-pot** ['mʌstədpɔt] *n* 1) горчичница; 2) вспыльчивый человек, «порох».

**musteline** [′mʌstəlaɪn] *a*: ~ family *зоол.* семейство куниц.

**muster** [′mʌstə] **1.** *n* 1) сбор, смотр; осмотр, освидетельствование; перекличка; to pass ~ пройти осмотр; выдержать испытания; оказаться годным; to stand ~ выстраиваться на перекличку; 2) *воен.* именной список; 3) скопление, общее число (*людей, животных*); 4) *редк.* стая; **2.** *v* 1) собирать(ся); 2) проверять; □ ~ in вербовать, набирать (*войска*); ~ out увольнять, демобилизовать; ~ up собирать; to ~ up courage собрать всё своё мужество; to ~ up one's strength собраться с силами.

**muster-book** [′mʌstəbuk] *n* список состава вооружённых сил.

**muster-roll** [′mʌstəroul] *n воен.* список личного состава; *мор.* судовая роль.

**mustn't** [′mʌsnt] *сокр. разг.* = must not.

**musty** [′mʌstɪ] *a* 1) заплесневелый; прокисший; затхлый; 2) устарелый; косный.

**mutability** [ˌmjuːtə′bɪlɪtɪ] *n* переменчивость, изменчивость.

**mutable** [′mjuːtəbl] *a* изменчивый, переменчивый, непостоянный.

**mutate** [mjuː′teɪt] *v* 1) видоизменять(ся); 2) *фон.* подвергать(ся) умляуту.

**mutation** [mjuː′teɪʃən] *n* 1) изменение, перемена; 2) превратность; 3) *биол.* мутация; 4) *фон.* перегласовка, умляут.

**mutch** [mʌtʃ] *n шотл.* чепчик, чепец.

**mute** I [mjuːt] **1.** *a* 1) немой; 2) безмолвный, молчаливый, безгласный; ~ as a fish нем как рыба; 3) *фон.*: ~ consonant взрывной согласный; ~ letter непроизносимая буква (*как* k, *как* k *в слове* knife); ◇ to stand ~ of malice *юр.* отказываться отвечать на вопросы суда; **2.** *n* 1) немой (человек); 2) *театр.* статист; 3) наёмный участник похоронной процессии; 4) *фон.* взрывной согласный; 5) *муз.* сурдинка; **3.** *v муз.* надевать сурдинку.

**mute** II [mjuːt] *v* мараться (*о птицах*).

**muted** I [′mjuːtɪd] **1.** *p. p. от* mute I, 3; **2.** *a* приглушённый; with ~ strings под сурдинку.

**muted** II [′mjuːtɪd] *p. p. от* mute II.

**muteness** [′mjuːtnɪs] *n* немота.

**mutilate** [′mjuːtɪleɪt] *v* 1) увечить, калечить; 2) искажать (*смысл*); уродовать.

**mutilation** [ˌmjuːtɪ′leɪʃən] *n* 1) увечье; 2) искажение.

**mutineer** [ˌmjuːtɪ′nɪə] **1.** *n* участник мятежа; мятежник; **2.** *v* поднять мятеж; взбунтоваться.

**mutinous** [′mjuːtɪnəs] *a* мятежный.

**mutiny** [′mjuːtɪnɪ] **1.** *n* мятеж (*гл. обр. военный или против военных властей*); восстание; the M. *ист.* восстание сипаев. **2.** *v* поднять мятеж; взбунтоваться (against).

**mutism** [′mjuːtɪzəm] *n* 1) немота; 2) молчание.

**mutt** [mʌt] *n sl.* 1) остолоп, дурак, болван; 2) собачонка.

**mutter** [′mʌtə] **1.** *n* 1) бормотание; 2) ворчание; 3) отдалённые раскаты (*грома*); **2.** *v* 1) бормотать; 2) ворчать (against,

at — на); 3) говорить тихо, невнятно; говорить по секрету; 4) грохотать.

**mutton** [′mʌtn] *n* 1) баранина; 2) *уст., шутл.* овца, баран; 3) *attr.* бараний; ◇ let's return to our ~s вернёмся к теме нашего разговора; ~ dressed like lamb молодящаяся старушка.

**mutton-bird** [′mʌtnbəːd] *n мор. sl.* большой буревестник.

**mutton chop** [′mʌtn′tʃɔp] *n* 1) баранья отбивная; 2) *pl* бачки.

**mutton-head** [′mʌtnhed] *n* болван, осёл.

**mutton-headed** [′mʌtn′hedɪd] *a* глупый, медленно соображающий.

**muttony** [′mʌtənɪ] *a* похожий на баранину, с запахом *или* со вкусом баранины.

**mutual** [′mjuːtjuəl] *a* 1) обоюдный, взаимный; ~ relations взаимоотношения; ~ help взаимопомощь; ~ admiration society *ирон.* общество взаимного восхваления; 2) общий, совместный; our ~ friend наш общий друг; ~ wall смежная стена (*между соседними зданиями*).

**mutualism** [′mjuːtjuəlɪzəm] *n биол., филос.* мутуализм.

**mutuality** [ˌmjuːtju′ælɪtɪ] *n* обоюдность; взаимность; взаимная зависимость.

**mutually** [′mjuːtjuəlɪ] *adv* взаимно; обоюдно.

**muz(z)** [mʌz] *n sl.* зубрила.

**muzzle** [′mʌzl] **1.** *n* 1) морда, рыло; 2) намордник; 3) дуло, дульный срез, жерло; 4) *тех.* сопло, насадка; 5) респиратор; противогаз; 6) *attr.* дульный; ~ velocity начальная скорость, скорость у дула; **2.** *v* 1) надевать намордник; 2) заставить молчать.

**muzzle-loader** [′mʌzlˌloudə] *n* оружие *или* орудие, заряжающееся с дула.

**muzzle-sight** [′mʌzlˌsaɪt] *n воен.* мушка.

**muzzy** [′mʌzɪ] *a* одурелый; подвыпивший.

**my** [maɪ] *pron. poss.* (*употр. атрибутивно; ср.* mine I) принадлежащий мне; мой, моя, моё, мой; ◇ my!, my aunt!, my eye(s)!, my stars!, my world!, my goodness!, my lands! *восклицания, выражающие удивление.*

**myalgia** [maɪ′ældʒɪə] *n мед.* мускульная боль, миальгия.

**myall** [′maɪɔːl] *n* акация австралийская (*название многих её видов*).

**mycelium** [maɪ′siːlɪəm] *n бот.* мицелий, грибница.

**Mycenaean** [ˌmaɪsɪ′niːən] *a ист. иск.* микенский.

**mycology** [maɪ′kɔlədʒɪ] *n бот.* микология (*учение о грибах*).

**myelitis** [ˌmaɪə′laɪtɪs] *n мед.* миелит, воспаление спинного мозга.

**mynheer** [maɪn′hɪə] *голл. n* 1) минхер, господин (*перед фамилией голландца*); 2) голландец.

**myocarditis** [ˌmaɪəkɑː′daɪtɪs] *n мед.* миокардит.

**myope** [′maɪoup] *n* близорукий человек.

**myopia** [maɪ′oupjə] *n* близорукость.

**myopic** [maɪ′ɔpɪk] *a* близорукий.

**myriad** [′mɪrɪəd] **1.** *n* 1) несметное число, мириады; 2) *редк.* десять тысяч; **2.** *a* бесчисленный, несметный.

**myrmidon** ['məːmɪdən] *n* 1) (M.) мирми-
дóнец; 2) прислужник, клеврет; ~s of
the law блюстители закона, прислужники
власти (*полицейские, судебные пристава,
бейлифы и т. п.*).

**myrrh** [məː] *n* мирра.

**myrtle** ['məːtl] *n бот.* мирт.

**myself** [maɪ'self] *pron* 1) *refl.* себя, меня
самогó; -ся; себе; I have hurt ~ я ушибся;
2) *emph.* сам; I saw it ~ я это сам видел; ◇
I am not ~ мне не по себе; я сам не свой.

**mysterious** [mɪs'tɪərɪəs] *a* таинственный;
непостижимый.

**mystery** I ['mɪstərɪ] *n* 1) тайна; to make a
~ of делать секрет из; 2) *церк.* таинство;
3) *ист. театр.* мистерия; 4) *attr.* полный
тайн; ~ novel детективный роман.

**mystery** II ['mɪstərɪ] *n уст.* ремесло, цех.

**mystery-ship** ['mɪstərɪʃɪp] *n мор. ист.* (про-
тиволодочное) судно-ловушка.

**mystic** ['mɪstɪk] 1. *a* 1) мистический; тайный; 2) *поэт.* таинственный;
2. *n* мистик.

**mysticism** ['mɪstɪsɪzəm] *n* мистицизм.

**mystification** [,mɪstɪfɪ'keɪʃən] *n* мистификация.

**mystify** ['mɪstɪfaɪ] *v* 1) мистифицировать;
2) окружать таинственностью; 3) озадачивать; вводить в заблуждение.

**mystique** [mɪs'tiːk] *n* 1) особый дар, особое свойство; 2) тайны мастерства, известные лишь немногим.

**myth** [mɪθ] *n* 1) миф; 2) мифическое *или*
выдуманное лицо; несуществующая вещь.

**mythical** ['mɪθɪkəl] *a* 1) мифический,
легендарный; 2) фантастический, вымышленный.

**mythicize** ['mɪθɪsaɪz] *v* 1) создавать миф,
превращать в миф; 2) объяснять с точки
зрения мифологии.

**mythological** [,mɪθə'lɔdʒɪkəl] *a* мифоло-
гический; мифический, легендарный; ◇
message *амер. разг.* метеорологический
бюллетень.

**mythology** [mɪ'θɔlədʒɪ] *n* 1) мифология;
2) *уст.* аллегория, иносказание.

# N

**N, n** [en] *n* (*pl* Ns, N's [enz]) 1) *14-я буква
англ. алфавита*; 2) =en 2); 3) *мат.* неопределённая величина; to] the nth a) до n-ных
(*или* любых) пределов; б) *разг.* безгранично.

**nab** I [næb] *n* курок.

**nab** II [næb] *v* поймать, схватить на месте
преступления; арестовать.

**nabob** ['neɪbɔb] *n* набоб.

**nacelle** [nɑ'sel] *n* 1) гондола дирижабля;
2) корзина аэростата; 3) открытая кабина
самолёта.

**nacre** ['neɪkə] *n* 1) перламутр; 2) перла-
мутровая раковина.

**nacr(e)ous** ['neɪkr(ɪ)əs] *a* перламутровый.

**nadir** ['neɪdɪə] *n* 1) *астр.* надир; 2) самый низкий уровень, крайний упадок; to
be at the ~ of one's hopes терять всякую
надежду.

**nag** I [næg] *n разг.* (небольшая) лошадь;
пони; a wretched ~ кляча.

**nag** II [næg] 1. *n* придирки, (постоянное)
ворчание;
2. *v* придираться; изводить, раздражать;
ворчать, «пилить» (at).

**nagger** ['nægə] *n* придира, ворчун; вор-
чунья; сварливая женщина.

**nagging** ['nægɪŋ] 1. *pres. p. от* nag II, 2;
2. *n* ворчание, нытьё.

**naiad** ['naɪæd] *n* (*pl* -s [-z], -es [-iːz]) *миф.*
наяда.

**naif** [nɑ'iːf] = naïve.

**nail** [neɪl] 1. *n* 1) ноготь; коготь; 2) гвоздь;
3) *уст. мера длины* (=2¹/₄ дюйма); ◇ a ~
in smb.'s coffin что-л., ускоряющее чью-л.
смерть (*или* гибель); hard as ~s a) твёрдый, закалённый; б) в форме (*о спортс-
мене*); to hit the (right) ~ on the head
попасть в точку; right as ~s a) совершенно
правильно; б) в полном порядке; в) со-

вершенно здоровый; to pay (down) on the
~ расплачиваться сразу; pay on the ~! ≋
деньги на бочку!;
2. *v* 1) забивать гвозди; прибивать; пригвождать; to have one's boots ~ed отдать
подбить сапоги; 2) приковывать (*внимание
и т. п.*); 3) *разг.* схватить, поймать; забрать, арестовать; the police have ~ed
the thief полиция задержала вора; 4) *школ.
sl.* обнаружить, «накрыть»; to be ~ed going
off without leave попасться при попытке
уйти без разрешения; □ ~ at пригвоздить;
~ down прибивать, заколачивать; ~ on
прибивать (to); ~ together (наскоро) ско-
лачивать; ~ up заколачивать; ◇ to ~ smb.
down, to ~ smb. to the wall прижать кого-л.
к стене; to ~ smb. down to his promise
требовать от кого-л. выполнения обещания; to ~ to the barndoor выставлять на
поругание; пригвождать к позорному
столбу; to ~ to the counter опровергнуть
ложь *или* клевету.

**nail-brush** ['neɪlbrʌʃ] *n* щёточка для ногтей.

**nail drawer** ['neɪl,drɔːə] *n тех.* гвоздодёр.

**nailed-up** ['neɪld'ʌp] *a* сделанный кое-
как, сколоченный наспех.

**nailer** ['neɪlə] *n* 1) гвоздарь, гвоздиль-
щик; 2) *разг.* мастер (at — в чём-л.); 3)
*разг.* великолепный экземпляр.

**nailery** ['neɪlərɪ] *n* гвоздильная фабрика.

**nail-head** ['neɪlhed] *n* шляпка гвоздя.

**nailing** ['neɪlɪŋ] 1. *pres. p. от* nail 2;
2. *a разг.* превосходный, замечательный,
прекрасный.

**nail-scissors** ['neɪl,sɪzəz] *n pl* ножницы
для ногтей.

**nainsook** ['neɪnsuk] *n* нансук (*ткань*).

**naïve, naive** [nɑ'iːv, neɪv] *a* 1) наивный;
простоватый; 2) безыскусственный.

**naïveté, naïvety, naivety** [naɪ'i:vteɪ, nɑː-'i:vtɪ, 'neɪvtɪ] *n* 1) найвность; простоватость; 2) безыскусственность.

**naked** ['neɪkɪd] *a* 1) голый, нагой; обнажённый; ~ sword обнажённый меч, -ая шпага; 2) лишённый (листвы, растительности *и т. п.*); ~ room необставленная комната; 3) явный, открытый; the ~ truth неприкрашенная правда, голая истина; ~ facts голые факты; 4): with a ~ eye невооружённым глазом; 5) незащищённый, беззащитный; 6) *эл.* голый, неизолированный; ◇ as ~ as my mother bore me в чём мать родила.

**namby-pamby** ['næmbɪ'pæmbɪ] 1. *n* жеманство; сентиментальность; a writer of ~ сентиментальный писатель;
2. *a* сентиментальный; жеманный.

**name** [neɪm] 1. *n* 1) имя (*тж.* Christian ~, *амер.* given ~, first ~); фамилия (*тж.* family ~, surname); by ~ по имени; I know him by ~ я знаю о нём понаслышке; by (*или* of, under) the ~ of под именем; in the ~ of a) во имя; in the ~ of common sense во имя здравого смысла; б) от имени; именем; in the ~ of the law именем закона; in one's own ~ от своего имени; to put one's ~ down for a) принять участие в (*сборе денег и т. п.*); подписаться под (*каким-л. воззванием и т. п.*); б) выставить свою кандидатуру на (*какой-л. пост*); without a ~ a) безымянный; б) не поддающийся описанию (*о поступке*); 2) название, наименование, обозначение; 3) *грам.* имя существительное; common ~ имя нарицательное; 4) репутация; bad (*или* ill) ~ плохая репутация; to make a good ~ for oneself завоевать доброе имя; he has a ~ for honesty он известен своей честностью; people of ~ известные люди; 5) великий человек; the great ~s of history исторические личности; 6) фамилия, род; the last of his ~ последний из рода; 7) пустой звук; there is only the ~ of friendship between them их дружба — одно название; virtuous in ~ лицемер(ы) (*обыкн. pl*) брань; to call ~s ругать(ся); ◇ to take a ~ in vain клясться, божиться; поминать имя всуе; to have not a penny to one's ~ не иметь ни гроша за душой; give a dog a bad ~ and hang him считать кого-л. плохим, потому что о нём идёт дурная слава;
2. *v* 1) называть, давать имя; to ~ after, *амер.* to ~ for (*или* from) называть в честь; 2) указывать, назначать; to ~ the day назначать день (*особ.* свадьбы); 3) назначать (*на должность*); 4) упоминать; приводить в качестве примера.

**name-child** ['neɪmtʃaɪld] *n* человек, названный в честь кого-л.

**name-day** ['neɪmdeɪ] *n* именины.

**nameless** ['neɪmlɪs] *a* 1) безымянный, неизвестный; анонимный; 2) невыразимый; несказанный; 3) отвратительный, противный.

**namely** ['neɪmlɪ] *adv* а именно, то есть.

**name-part** ['neɪmpɑːt] *n* имя главного героя, по которому названа пьеса; заглавная роль в пьесе.

**name-plate** ['neɪmpleɪt] *n* 1) дощечка с именем (*на дверях*); 2) *тех.* дощечка с заводской маркой.

**namesake** ['neɪmseɪk] *n* 1) = name-child; 2) тёзка.

**nance** [næns] *разг. см.* nancy.

**nancy** ['nænsɪ] *n разг.* изнеженный, женственный мужчина, «девчонка» (*тж.* MissN.).

**nanism** ['nænɪzəm] *n* нанизм, карликовый рост.

**nankeen, nankin** [næŋ'kiːn, næŋ'kɪn] *n* 1) нанка (*ткань*); 2) *pl* нанковые брюки; 3) желтоватый цвет.

**nanny** ['nænɪ] *n детск.* нянюшка, нянечка.

**nanny(-goat)** ['nænɪ(gout)] *n* коза.

**nap** I [næp] 1. *n* 1) ворс (*на сукне*); 2) пушок (*на чём-л.*);
2. *v* ворсить.

**nap** II [næp] 1. *n* дремота; короткий сон; to take (*или* to have, to snatch) a ~ вздремнуть; to steal a ~ вздремнуть украдкой;
2. *v* дремать, вздремнуть; to be caught ~ping *перен.* быть застигнутым врасплох.

**nap** III [næp] *n* [*сокр. от* napoleon 1)] *название карточной игры;* to go ~ on *перен.* рискнуть; поставить всё на карту.

**napalm** [neɪ'pɑːm] *n* 1) напалм; 2) *attr.* напалмовый; ~ bomb напалмовая бомба.

**nape** [neɪp] *n* затылок; задняя часть шеи (*обыкн.* ~ of the neck).

**napery** ['neɪpərɪ] *n уст., шотл.* столовое бельё.

**naphtha** ['næfθə] *n* 1) лигроин, нефть; 2) керосин; 3) гарное масло.

**naphthalene, naphthaline** ['næfθəliːn] *n* нафталин.

**napkin** ['næpkɪn] *n* 1) салфетка; 2) подгузник; *pl* пелёнки; ◇ to lay up in a ~ ≅ держать под спудом.

**napkin-ring** ['næpkɪnrɪŋ] *n* кольцо для салфетки.

**napless** ['næplɪs] *a* 1) не имеющий ворса, без ворса; 2) потёртый, поношенный.

**napoleon** [nə'pouljən] *n* 1) (N.) *название карточной игры;* 2) *ист.* наполеондор (*французская золотая монета = 20 франкам*); 3) *pl* сапоги с отворотами; 4) слоёное пирожное наполеон.

**Napoleonic** [nə,poulɪ'ɔnɪk] *a* наполеоновский.

**napoo** [nɑː'puː] *int* (*искаж. фр.* il n'y en a plus) *воен. sl.* кончено!; пропал!; нет!; исчез!; убит!

**nappe** [næp] *n геол.* покров; пласт.

**nappy** ['næpɪ] *n разг. см.* napkin 2).

**narcissi** [nɑː'sɪsaɪ] *pl от* narcissus.

**narcissism** [nɑː'sɪsɪzəm] *n* самовлюблённость, самолюбование.

**narcissist** [nɑː'sɪsɪst] *n* самовлюблённый человек.

**narcissus** [nɑː'sɪsəs] *n* (*pl* -es [-ɪz], -si) *бот.* нарцисс.

**narcosis** [nɑː'kousɪs] *n* наркоз.

**narcotic** [nɑː'kɔtɪk] 1. *n* наркотик; снотворное.
2. *a* наркотический, усыпляющий.

**narcotism** ['nɑːkətɪzəm] *n* наркоз.

**narcotization** [,nɑːkətaɪ'zeɪʃən] *n* наркотизация.

narcotize [ˈnɑːkətaɪz] v усыплять; подвергать действию наркоза; утолять боль.

nark [nɑːk] n sl. «легавый» (полицейский агент, сыщик, шпик).

narrate [næˈreɪt] v рассказывать; повествовать.

narration [næˈreɪʃən] n 1) рассказ; повествование; 2) пересказ; перечисление (событий и т. п.).

narrative [ˈnærətɪv] 1. n 1) рассказ; повесть; 2) изложение фактов;
2. a повествовательный.

narrator [næˈreɪtə] n рассказчик.

narrow [ˈnærou] 1. a 1) узкий; within ~ bounds в узких рамках; in the ~est sense в самом узком смысле; 2) тесный; ограниченный; трудный; ~ circumstances, ~ means стеснённые обстоятельства; a ~ majority незначительное большинство; ~ victory победа, доставшаяся с трудом; to have a ~ escape (или squeak) с трудом избежать опасности; быть на волосок (от чего-л.); 3) узкий; ограниченный (об интеллекте и т. п.); 4) подробный; тщательный, точный; a ~ examination строгий осмотр; тщательное обследование; a ~ dial. скупой, скаредный; ◇ the ~ seas Ла-Манш и Ирландское море; the ~ bed (или home. house) могила;
2. n (обыкн. pl) узкая часть (пролива, перевала и т. п.); теснина;
3. v суживать(ся), уменьшать(ся); she ~ed her lids она прищурилась; ☐ ~ down свести к; to ~ an argument down свести спор к нескольким пунктам.

narrow gauge [ˈnærougeɪdʒ] n ж.-д. узкая колея.

narrow-gauge [ˈnærougeɪdʒ] a ж.-д. узкоколейный.

narrow goods [ˈnærougudz] n ленты, тесьма и т. п.

narrowly [ˈnærouli] adv 1) узко, тесно; 2) чуть; he ~ escaped drowning он чуть не утонул; 3) подробно, точно; пристально; to look at a thing ~ пристально рассматривать что-л.

narrow-minded [ˈnærouˈmaɪndɪd] a ограниченный, недалёкий, узкий; с предрассудками.

narrowness [ˈnærouɪnɪs] n узость; ограниченность.

narwhal [ˈnɑːwəl] n зоол. нарвал.

nary [ˈnɛərɪ] a амер., диал. нисколько, ни капли; ни единого.

nasal [ˈneɪzəl] 1. a 1) носовой; 2) гнусавый;
2. n фон. носовой звук.

nasality [neɪˈzælɪtɪ] n фон. носовой характер звука.

nasalization [ˌneɪzəlaɪˈzeɪʃən] n фон. назализация.

nasalize [ˈneɪzəlaɪz] v 1) говорить в нос; 2) фон. произносить в нос, назализировать.

nascency [ˈnæsənsɪ] n рождение, возникновение.

nascent [ˈnæsənt] a рождающийся, возникающий; появляющийся, образующийся; в стадии возникновения.

nastily [ˈnɑːstɪlɪ] adv гадко, мерзко.

nasturtium [nəsˈtəːʃəm] n бот. 1) жерушник; 2) настурция, капуцин.

nasty [ˈnɑːstɪ] a 1) отвратительный, тошнотворный; противный, мёрзкий; ~ job противная, грязная работа; ~ sight ужасное, омерзительное зрелище; to leave a ~ taste in the mouth надолго оставить чувство отвращения; 2) неприятный, скверный; ~ weather скверная погода; ~ soil сырая почва; 3) непристойный, грязный; 4) злобный; своенравный; ~ remark ядовитое замечание; to turn ~ разозлиться; don't be ~ не злитесь; to play a ~ trick on smb. сделать кому-л. гадость; 5) опасный, угрожающий; a ~ fall серьёзное падение; a ~ illness тяжёлая болезнь; a ~ cut опасный порез; a ~ sea бурное море; things look ~ for me дело принимает для меня дурной оборот; ◇ a ~ one неприятность.

natal [ˈneɪtl] a относящийся к рождению; ~ day день рождения; ~ place место рождения.

natality [neɪˈtælɪtɪ] n 1) рождаемость; естественный прирост населения; 2) процент рождаемости.

natation [neɪˈteɪʃən] n плавание; искусство плавания.

natatorial, natatory [ˌneɪtəˈtɔːrɪəl, ˈneɪtətərɪ] a плавательный; плавающий; относящийся к плаванию.

nates [ˈneɪtiːz] n pl анат. 1) ягодицы; 2) передние бугры четырёххолмия головного мозга.

natheless, nathless [ˈneɪθlɪs, ˈnæθlɪs] adv уст., поэт. тем не менее, однако.

nation [ˈneɪʃən] n 1) народ, нация; народность; 2) нация, государство, страна; peace-loving ~s миролюбивые страны; most favoured ~ наиболее благоприятствуемая нация; 3) pl библ. язычники, не евреи; 4) ист. землячество (в средневековом университете).

national [ˈnæʃənl] 1. a 1) национальный, народный; ~ assembly национальное собрание; ~ economy народное хозяйство; ~ minority национальное меньшинство; 2) государственный; ~ anthem государственный гимн; ~ bank государственный банк; ~ park амер. заповедник; ~ enterprise государственное предприятие; ~ forces вооружённые силы страны; N. Service воинская или трудовая повинность;
2. n (часто pl) 1) соотечественник, согражданин; 2) подданный (или гражданин) какого-л. государства; enemy ~s подданные враждебного государства.

nationalism [ˈnæʃnəlɪzəm] n национализм.

nationalist [ˈnæʃnəlɪst] 1. n националист;
2. a националистический.

nationalistic [ˌnæʃnəˈlɪstɪk] = nationalist 2.

nationality [ˌnæʃəˈnælɪtɪ] n 1) национальность; национальная принадлежность; 2) национальные черты; 3) гражданство, подданство; 4) нация, народ; национальное единство.

nationalization [ˌnæʃnəlaɪˈzeɪʃən] n национализация.

nationalize ['næʃnəlaız] v 1) национализи́ровать; 2) превраща́ть в на́цию; 3) натурализова́ть, принима́ть в по́дданство.

nationally ['næʃnəlı] adv 1) с общенациона́льной (или общегосуда́рственной) то́чки зре́ния; 2) в национа́льном ду́хе.

nation-wide ['neıʃənwaıd] a 1) общенациона́льный; 2) общенаро́дный, всенаро́дный.

native ['neıtıv] 1. a 1) родно́й; one's ~ land отчи́зна, ро́дина; 2) тузе́мный; ме́стный; ~ customs ме́стные обы́чаи; to go ~ переня́ть обы́чаи и о́браз жи́зни тузе́мцев (о европейцах); 3) прирождённый, приро́дный; ~ liberty иско́нная свобо́да; his ~ modesty его́ врождённая скро́мность; 4) чи́стый, саморо́дный (о металлах и т. п.); 5) просто́й, есте́ственный; 6) биол. абориге́нный; 7): ~ soil геол. «матери́к», подпо́чва.
2. n 1) уроже́нец (of); 2) тузе́мец; 3) ме́стное расте́ние или живо́тное.

native-born ['neıtıv'bɔːn] a 1) тузе́мный; 2) абориге́нный.

native-grasses ['neıtıv,grɑːsız] n pl ди́кие тра́вы; приро́дный (или есте́ственный) луг.

native-sugar ['neıtıv,ʃɪːgə] n неочи́щенный са́хар.

nativity [nə'tıvıtı] n 1) рожде́ние; 2) (the N.) рел. рождество́; 3) жив. рождество́ Христо́во (как сюжет); 4) гороско́п.

natrium ['neıtrıəm] n хим. на́трий.

natron ['neıtrən] n хим. углеки́слый на́трий, натр, со́да.

natter ['nætə] v 1) ворча́ть, жа́ловаться; придира́ться; 2) разг. болта́ть.

natterjack ['nætədʒæk] n зоол. жа́ба камышо́вая.

natty ['nætı] a 1) аккура́тный, опря́тный; 2) ло́вкий, иску́сный.

natural ['næʧrəl] 1. a 1) есте́ственный, приро́дный; ~ death есте́ственная смерть; the term of one's ~ life вся жизнь; ~ power си́лы приро́ды; ~ resources приро́дные бога́тства; ~ weapons есте́ственное ору́жие (кулаки, зубы и т. п.); ~ selection биол. есте́ственный отбо́р; ~ phenomena явле́ния приро́ды; 2) настоя́щий, натура́льный; ~ flowers живы́е цветы́; ~ teeth «свои́» зу́бы; 3) есте́ственный, относя́щийся к естествозна́нию; ~ history есте́ственная исто́рия; ~ philosophy фи́зика; ~ philosopher фи́зик; естествоиспыта́тель; ~ dialectics диале́ктика приро́ды; 4) обы́чный, норма́льный; поня́тный; ~ mistake поня́тная, есте́ственная оши́бка; 5) ди́кий, некультиви́рованный; ~ growth ди́кая расти́тельность; 6) саморо́дный; 7) прису́щий; врождённый; with the bravery ~ to him с прису́щей ему́ хра́бростью; 8) непринуждённый, есте́ственный; it comes ~ to him a) э́то получа́ется у него́ есте́ственно; б) э́то легко́ ему́ даётся; 9) внебра́чный, незаконнорождённый; ~ child внебра́чный ребёнок; ~ son побо́чный сын; ◇ ~ steel незакалённая сталь; for the rest of one's ~ (life) до конца́ свои́х дней;
2. n 1) одарённый челове́к, саморо́док; 2) муз. ключ C; 3) муз. бека́р, знак бека́ра;

4) идио́т от рожде́ния; дурачо́к; ◇ it's a ~! превосхо́дно!

natural bar ['næʧrəl'bɑː] n есте́ственный бар, о́тмель в у́стье реки́.

natural-ground ['næʧrəl'graund] n 1) матери́к; 2) про́чный грунт.

naturalism ['næʧrəlızəm] n натурали́зм.

naturalist ['næʧrəlıst] 1. n 1) натурали́ст (в искусстве); 2) естествоиспыта́тель; 3) владе́лец зоомагази́на; продаве́ц живо́тных, чу́чел, разли́чных нагля́дных посо́бий; 2. a = naturalistic.

naturalistic [,næʧrə'lıstık] a натурали́стический.

naturalization [,næʧrəlaı'zeıʃən] n 1) натурализа́ция; 2) акклиматиза́ция (растений, животных); 3) ассимиля́ция но́вых слов в языке́; 4) проникнове́ние но́вых обы́чаев в жизнь.

naturalize ['næʧrəlaız] v 1) натурализова́ть(ся) (об иностранце); 2) акклиматизи́ровать(ся) (о животном или растении); 3) занима́ться естествозна́нием; 4) ассими́лировать, заи́мствовать; this word was ~d in English in the 18th century э́то сло́во вошло́ в англи́йский язы́к в XVIII ве́ке; 5) филос. рационализи́ровать.

naturally ['næʧrəlı] adv 1) коне́чно, как и сле́довало ожида́ть; 2) по приро́де, от рожде́ния; 3) есте́ственно; свобо́дно, легко́.

nature ['neıʧə] n 1) приро́да (при олицетворении — с прописной буквы); N.'s engineering рабо́та сил приро́ды; 2) нату́ра; естество́; органи́зм; against ~ противоесте́ственный; by ~ по приро́де, от рожде́ния; by (или in, from) the ~ of things (или of the case) неизбе́жно; in the course of ~ при есте́ственном хо́де веще́й; 3) су́щность, основно́е сво́йство; 4) нату́ра, хара́ктер, нрав; good ~ добро́душие; 5) род, сорт; класс; тип; it was in the ~ of a command э́то бы́ло не́что вро́де приказа́ния; things of this ~ подо́бные ве́щи; 6) иск. нату́ра; to draw from ~ рисова́ть с нату́ры; ◇ to pay one's debt to ~ отда́ть дань приро́де, умере́ть; to ease ~ облегчи́ться, испражни́ться.

nature study ['neıʧə'stʌdı] n изуче́ние приро́ды; наблюде́ние за явле́ниями приро́ды.

naught [nɔːt] уст., поэт. 1. n 1) ничто́; all for ~ зря, да́ром; to bring to ~ свести́ на нет, де́лать тще́тным (планы и т. п.); to come to ~ свести́сь к нулю́; to set at ~ ≈ ни в грош не ста́вить; пренебрега́ть; относи́ться с пренебреже́нием; to set a rule at ~ нару́шить пра́вило; thing of ~ нену́жная вещь; 2) = nought 3);
2. a predic. ничто́жный, бесполе́зный.

naughtiness ['nɔːtınıs] n 1) непослуша́ние; капри́зность; 2) уст. испо́рченность.

naughty ['nɔːtı] a 1) непослу́шный, капри́зный, шаловли́вый; 2) уст. дурно́й, испо́рченный; га́дкий; ~ story неприли́чный анекдо́т.

nausea ['nɔːsjə] n 1) тошнота́; морска́я боле́знь; 2) отвраще́ние.

nauseate ['nɔːsıeıt] v 1) вызыва́ть (редко чу́вствовать) отвраще́ние; 2) вызыва́ть тошноту́; 3) чу́вствовать тошноту́.

**nauseous** [ˈnɔːsjəs] *a* тошнотво́рный, отврати́тельный.

**nautch** [nɔːtʃ] *n* выступле́ние профессиона́льных танцо́вщиц (*в Индии*).

**nautch-girl** [ˈnɔːtʃgəːl] *n* профессиона́льная танцо́вщица (*в Индии*).

**nautical** [ˈnɔːtɪkəl] *a* 1) морско́й; ~ mile морска́я ми́ля (= *1853,6 м*); 2) мореохо́дный.

**nautically** [ˈnɔːtɪkəlɪ] *adv* по-моря́цки, по-фло́тски.

**nautili** [ˈnɔːtɪlaɪ] *pl om* nautilus.

**nautilus** [ˈnɔːtɪləs] *n* (*pl* -es [-ɪz], -li) *зоол.* кора́блик (*моллюск*).

**naval** [ˈneɪvəl] *a* (вое́нно-)морско́й, фло́тский; ~ architect кораблестрои́тель- проекти́ровщик; ~ communications морски́е коммуника́ции; ~ forces вое́нно-морски́е си́лы; ~ officer а) морско́й офице́р; б) *амер.* тамо́женный чино́вник; ~ service вое́нно-морска́я слу́жба; ~ stores шки́перское иму́щество.

**nave** I [neɪv] *n архит.* неф, кора́бль (*церкви*).

**nave** II [neɪv] *n* 1) сту́пица колеса́; 2) *тех.* втулка.

**navel** [ˈneɪvəl] *n* пупо́к, пуп; *перен.* центр (*чего-л.*).

**navel-cord** [ˈneɪvəlkɔːd] = navel-string.

**navel-string** [ˈneɪvəlstrɪŋ] *n* пупови́на.

**navigability** [ˌnævɪgəˈbɪlɪtɪ] *n* 1) судохо́дность; 2) мореохо́дность, мореохо́дные ка́чества.

**navigable** [ˈnævɪgəbl] *a* 1) судохо́дный; 2) лётный, досту́пный для полётов; 3) управля́емый (*об аэроста́те*).

**navigate** [ˈnævɪgeɪt] *v* 1) пла́вать (*на судне*); лета́ть (*на самолёте*); 2) управля́ть (*судном, самолётом*); 3) *разг.* проводи́ть (*мероприятия*); направля́ть (*переговоры*); to ~ a bill through Parliament провести́ законопрое́кт в парла́менте.

**navigating officer** [ˈnævɪgeɪtɪŋ ˈɔfɪsə] *n ав., мор.* шту́рман.

**navigation** [ˌnævɪˈgeɪʃən] *n* 1) мореохо́дство, судохо́дство, пла́вание; навига́ция; inland ~ речно́е судохо́дство; 2) кораблевожде́ние (*наука*).

**navigator** [ˈnævɪgeɪtə] *n* 1) морепла́ватель; 2) *мор., ав.* шту́рман.

**navvy** [ˈnævɪ] *n* 1) землеко́п; чернорабо́чий; mere ~'s work механи́ческая рабо́та; 2) *тех.* землечерпа́лка, механи́ческий экскава́тор; ◇ to work like a ~ ≈ рабо́тать как вол.

**navy** [ˈneɪvɪ] *n* 1) вое́нно-морско́й флот; the Royal N. брита́нский флот; 2) *поэт.* эска́дра, флоти́лия; 3) морско́е ве́домство; адмиралте́йство; 4) *attr.* вое́нно-морско́й; N. Department *амер.* вое́нно-морско́е министе́рство.

**navy blue** [ˈneɪvɪ ˈbluː] *n* тёмно-си́ний цвет.

**navy-blue** [ˈneɪvɪˈbluː] *a* тёмно-си́ний.

**navy list** [ˈneɪvɪ ˈlɪst] *n* спи́сок корабле́й и кома́ндного соста́ва вое́нно-морско́го фло́та.

**navy-yard** [ˈneɪvɪjɑːd] *n* 1) вое́нная верфь; 2) судострои́тельный и судоремо́нтный заво́д вое́нно-морско́го фло́та.

**nay** [neɪ] 1. *n* отрица́тельный отве́т; отка́з; запреще́ние; the ~s have it большинство́ про́тив (*при голосовании*); he will not take ~ он не при́мет отка́за; to say smb. ~ отка́зывать *или* противоре́чить кому́-л.; yea and ~ и да и нет;
2. *adv* 1) да́же; бо́лее того́; ма́ло того́; I have weighty, ~ unanswerable reasons у меня́ есть ве́ские, бо́лее того́, бесспо́рные основа́ния; 2) *уст.* нет.

**naze** [neɪz] *n геогр.* нос, скали́стый мыс.

**Nazi** [ˈnɑːtsɪ] 1. *n* наци́ст, фаши́ст;
2. *a* наци́стский, фаши́стский.

**Nazism** [ˈnɑːtsɪzəm] *n* наци́зм, фаши́зм.

**neap** [niːp] 1. *n* квадрату́рный прили́в (*самый низкий, к концу 1-й и 3-й четвертей луны*);
2. *v* убыва́ть (*о приливе*); ~ed ship су́дно, оказа́вшееся на мели́ при отли́ве.

**Neapolitan** [nɪəˈpɔlɪtən] 1. *a* неаполита́нский;
2. *n* неаполита́нец; неаполита́нка.

**neap-tide** [ˈniːpˌtaɪd] = neap.

**near** [nɪə] 1. *a* 1) бли́зкий; те́сно свя́занный; ~ akin ро́дственный по хара́ктеру; ~ and dear бли́зкий и дорого́й; ~ one's heart заве́тный; a very ~ concern of mine де́ло, о́чень бли́зкое моему́ се́рдцу; 2) близлежа́щий, бли́жний; кратча́йший, прямо́й (*о пути*); 3) ближа́йший (*о времени*); 4) бли́зкий; схо́дный; приблизи́тельно прави́льный; a ~ translation бли́зкий к оригина́лу перево́д; a ~ resemblance бли́зкое схо́дство; a ~ guess почти́ пра́вильная дога́дка; 5) доста́вшийся с трудо́м; тру́дный; кропотли́вый; ~ victory побе́да, доста́вшаяся с трудо́м; ~ work кропотли́вая рабо́та; 6) ле́вый (*о ноге лошади, о колесе экипажа, о лошади в упряжке*); the ~ foreleg ле́вая пере́дняя нога́; 7) скупо́й, ме́лочный;
2. *adv* 1) по́дле; бли́зко, поблизости, недалеко́; о́коло (*по месту или времени*); to come (*или* to draw) ~ приближа́ться; to come ~er the end приближа́ться к концу́; who comes ~ him in wit? кто мо́жет сравни́ться с ним в остроу́мии?; 2) почти́, чуть не, едва́ не (*обыкн.* nearly); he ~ died with fright он чуть не у́мер от стра́ха; that will go ~ to killing him его́ мо́жет уби́ть его́; ☐ ~ by а) ря́дом, бли́зко; б) вско́ре; ~ upon почти́ что; ◇ far and ~ повсю́ду; as ~ as I can guess наско́лько я могу́ догада́ться; ~ at hand а) под руко́й; тут, бли́зко; б) ≈ не за гора́ми; на носу́; ско́ро;
3. *prep* 1) во́зле, у, о́коло (*о месте*); we live ~ the river мы живём у реки́; 2) к, о́коло, почти́ (*о времени, возрасте и т. п.*); it is ~ dinner-time ско́ро обе́д; the portrait does not come ~ the original портре́т не похо́ж на оригина́л; ◇ to sail ~ the wind а) *мор.* идти́ в круто́й бейдеви́нд; б) поступа́ть риско́ванно;
4. *v* приближа́ться; подходи́ть; to ~ the land приближа́ться к бе́регу; to be ~ing one's end умира́ть.

**near-beer** [ˈnɪəˌbɪə] *n* безалкого́льное пи́во.

**near-by** [ˈnɪəbaɪ] *a* бли́зкий, сосе́дний.

**near desert** [ˈnɪəˈdezət] *n* полупусты́ня.

**nearly** [ˈnɪəli] *adv* 1) бли́зко; ~ related a) в бли́зком родстве́; б) име́ющий бли́зкое отноше́ние; 2) почти́; приблизи́тельно; not ~ совсе́м не.

**near miss** [ˈnɪəˈmɪs] *n* попада́ние близ це́ли.

**nearness** [ˈnɪənɪs] *n* бли́зость.

**near sight** [ˈnɪəˈsaɪt] *n* близору́кость.

**near-sighted** [ˈnɪəˈsaɪtɪd] *a* близору́кий.

**near-sightedness** [ˈnɪəˈsaɪtɪdnɪs] = near sight.

**near-silk** [ˈnɪəsɪlk] *n* иску́сственный шёлк.

**neat I** [niːt] *a* 1) чи́стый, аккура́тный, опря́тный; ~ handwriting аккура́тный по́черк; to keep smth. as ~ as a pin содержа́ть что-л. в абсолю́тном поря́дке; 2) скро́мный, но изя́щный (*о платье и т. п.*); a ~ figure изя́щная, стро́йная фигу́ра; 3) чёткий, я́сный; 4) я́сный, то́чный; лакони́чный; отто́ченный (*о стиле, языке и т. п.*); 5) иску́сный, ло́вкий; 6) хорошо́ сде́ланный; to make a ~ job of it хорошо́, иску́сно что-л. сде́лать; 7) неразба́вленный (*особ. о спиртных напитках*); ~ juice (syrup) натура́льный сок (сиро́п).

**neat II** [niːt] 1. *n* (*pl без измен.*) 1) вол, коро́ва, бык; 2) *собир.* кру́пный рога́тый скот;
2. *a* воло́вий и пр. [*см.* 1].

**neath** [niːθ] *prep уст., поэт.* (*употр. вм.* beneath) под, ни́же.

**neat-handed** [ˈniːtˈhændɪd] *a* ло́вкий, иску́сный.

**neat-herd** [ˈniːthəːd] *n* пасту́х.

**neatly** [ˈniːtlɪ] *adv* 1) аккура́тно, опря́тно; 2) чётко, я́сно; 3) иску́сно, ло́вко.

**neatness** [ˈniːtnɪs] *n* 1) аккура́тность, опря́тность; чистопло́тность; 2) чёткость; 3) иску́сность, ло́вкость.

**neat's-leather** [ˈniːtsˌleðə] *n* воло́вья ко́жа.

**neat's-tongue** [ˈniːtstʌŋ] *n* быча́чий язы́к.

**neb** [neb] *n шотл.* 1) клюв; ры́льце, нос; 2) ко́нчик (*пера, карандаша и т. п.*).

**nebula** [ˈnebjulə] *n* (*pl* -lae) 1) *астр.* тума́нность; 2) *мед.* помутне́ние рогово́й оболо́чки (*глаза*).

**nebulae** [ˈnebjuliː] *pl от* nebula.

**nebular** [ˈnebjulə] *a*: ~ hypothesis небуля́рная космогони́ческая тео́рия.

**nebulizer** [ˈnebjulaɪzə] *n* распыли́тель.

**nebulosity** [ˌnebjuˈlɔsɪtɪ] *n* 1) о́блачность, тума́нность; 2) нея́сность, нечёткость (*мысли, выражения и т. п.*).

**nebulous** [ˈnebjuləs] *a* 1) сму́тный, не́ясный; 2) о́блачный; тума́нный.

**necessarian** [ˌnesɪˈsɛəriən] = necessitarian.

**necessarily** [ˈnesɪsərɪlɪ] *adv* 1) обяза́тельно, непреме́нно; 2) неизбе́жно.

**necessary** [ˈnesɪsərɪ] 1. *a* 1) необходи́мый, ну́жный; 2) неизбе́жный; 3) вы́нужденный, недоброво́льный;
2. *n* 1) необходи́мое; the necessaries (of life) жи́зненные потре́бности; предме́ты пе́рвой необходи́мости; 2) (the ~) *sl.* де́ньги; 3) *амер.* убо́рная.

**necessitarian** [nɪˌsesɪˈtɛəriən] *филос.* 1. *n* детермини́ст;
2. *a* детермини́стский.

**necessitarianism** [nɪˌsesɪˈtɛəriənɪzəm] *n филос.* детермини́зм.

**necessitate** [nɪˈsesɪteɪt] *v* 1) де́лать необходи́мым; неизбе́жно влечь за собо́й; 2) *редк.* вынужда́ть.

**necessitous** [nɪˈsesɪtəs] *a* нужда́ющийся, бе́дный; to be in ~ circumstances быть в о́чень стеснённых обстоя́тельствах.

**necessity** [nɪˈsesɪtɪ] *n* 1) необходи́мость, настоя́тельная потре́бность; of ~ по необходи́мости; there is no ~ нет никако́й необходи́мости; under the ~ вы́нужденный; 2) неизбе́жность; doctrine of ~ детермини́зм; 3) (*обыкн. pl*) нужда́, бе́дность, нищета́; to be in great ~ нужда́ться; 4) *pl* предме́ты пе́рвой необходи́мости; ◇ ~ is the mother of invention *посл.* ≅ голь на вы́думки хитра́; ~ нужда́ — мать изобрета́тельности; to make a virtue of ~ ≅ сама́ захоте́ла, когда́ нужда́ повеле́ла; де́лать вид, что де́йствуешь доброво́льно, а не под давле́нием обстоя́тельств.

**neck** [nek] 1. *n* 1) ше́я; to break one's ~ сверну́ть себе́ ше́ю; to get it in the ~ *разг.* получи́ть по ше́е; получи́ть здоро́вую взбу́чку; пострада́ть; 2) го́рлышко (*бутылки и т. п.*); горлови́на; 3) ше́йка (*скрипки и т. п.*); 4) во́рот, воротни́к; 5) *анат.* ше́йка; 6) *геогр.* переше́ек; коса́; у́зкий проли́в; 7) *геол.* нэк; цилиндри́ческий интру́зив; 8) *тех.* ше́йка, кольцева́я кана́вка; горлови́на; 9) *стр.* ше́йка коло́нны; 10) *разг.* на́глость; 11) *attr.* ше́йный; ◇ ~ and crop a) соверше́нно, совсе́м, по́лностью; б) бы́стро, стреми́тельно; неме́дленно; throw him out ~ and crop! гони́те его́ вон!; ~ and ~ *спорт.* голова́ в го́лову; ~ or nothing ≅ ли́бо пан, ли́бо пропа́л; to break the ~ of smth. вы́полнить бо́льшую *или* наибо́лее тру́дную часть чего́-л.; to break the ~ of winter оста́вить позади́ бо́льшую часть зимы́; to risk one's ~ рискова́ть голово́й; to harden the ~ де́латься ещё бо́лее упря́мым; on the ~ ≅ по пята́м;
2. *v sl.* обнима́ться.

**neckband** [ˈnekbænd] *n* во́рот (*рубашки*).

**neckcloth** [ˈnekklɔθ] *n уст.* га́лстук, ше́йный плато́к.

**neck-collar** [ˈnekˌkɔlə] *n* хому́т.

**neckerchief** [ˈnekətʃɪf] *n* ше́йный плато́к.

**necking** [ˈnekɪŋ] 1. *pres. p. от* neck 2;
2. *n* 1) *архит.* обвя́зка коло́нны; 2) *амер. sl.* обнима́ние; не́жничание;
3. *a*: ~ party не́жная, влюблённая па́рочка.

**necklace** [ˈneklɪs] *n* ожере́лье.

**necklet** [ˈneklɪt] *n* 1) ожере́лье; 2) горже́тка, боа́.

**neckmould** [ˈnekˌmould] *n архит.* астрага́л.

**neck-piece** [ˈnekpiːs] *n* горже́тка; ша́рфик.

**necktie** [ˈnektaɪ] *n* га́лстук.

**neckwear** [ˈnekwɛə] *n собир.* га́лстуки, воротнички́ и т. п.

**neck-yoke** [ˈnekjouk] *n* хому́т.

**necrologist** [neˈkrɔlədʒɪst] *n* а́втор некроло́га.

**necrology** [neˈkrɔlədʒɪ] *n* 1) некроло́г; 2) спи́сок уме́рших.

**necromancer** ['nekroʊmænsə] *n* некрома́нт; колду́н, чароде́й.

**necromancy** ['nekroʊmænsı] *n* некрома́нтия; чёрная ма́гия.

**necromantic** [,nekroʊ'mæntık] *a* 1) занима́ющийся некрома́нтией; 2) колдовско́й.

**necrophagous** [ne'krɔfəgəs] *a* пита́ющийся па́далью.

**necropolis** [ne'krɔpəlıs] *n* (*pl* -ses [-sız]) некро́поль, кла́дбище.

**necropsy** ['nekrɔpsı] *n* вскры́тие тру́па.

**necroscopy** [ne'krɔskəpı] = necropsy.

**necrose** ['nekrous] *v* мед. 1) омертвева́ть; 2) вызыва́ть омертве́ние.

**necrosis** [ne'krousıs] *n* мед. некро́з, омертве́ние.

**nectar** ['nektə] *n* 1) миф. некта́р; перен. чуде́сный напи́ток; 2) цвето́чный сок; медо́к; 3) газиро́ванная вода́.

**nectariferous** [,nektə'rıfərəs] *a* бот. нектаро́носный, медоно́сный.

**nectarine** ['nektərın] 1. *n* гла́дкий пе́рсик; 2. *a* поэт. упои́тельный как некта́р.

**nectary** ['nektərı] *n* 1) бот. некта́рник; 2) зоол. медоно́сная железа́.

**Neddy** ['nedı] *n* разг. осёл, о́слик.

**née** [neı] фр. *a* урождённая; Mrs Brown, ~ Johnston ми́ссис Бра́ун, урождённая Джо́нстон.

**need** [niːd] 1. *n* 1) на́добность, нужда́; to be in ~ of, to feel the ~ of, to have ~ of нужда́ться в чём-л.; the house is in ~ of repair дом тре́бует ремо́нта; if ~ be (или were) е́сли ну́жно, е́сли потре́буется; 2) *pl* потре́бности; to meet the ~s удовлетворя́ть потре́бности; 3) недоста́ток, бе́дность, нужда́; for ~ of из-за недоста́тка; ◇ a friend in ~ is a friend indeed посл. и́стинные друзья́ познаю́тся в беде́;

2. *v* 1) нужда́ться (в чём-л.); име́ть на́добность, потре́бность; what he ~s is a good thrashing он заслу́живает хоро́шей взбу́чки; 2) тре́боваться; the book ~s correction кни́га тре́бует исправле́ния; to be done with care э́то на́до сде́лать осторо́жно; 3) нужда́ться, бе́дствовать; 4) (как модальный глагол в вопросительных и отрицательных предложениях) быть до́лжным, обя́занным; you ~ not trouble yourself вам не́чего (самому́) беспоко́иться; I ~ not have done it вам не сле́довало э́того де́лать; must I go there? — No, you ~ not до́лжен ли я туда́ идти́? — Нет, не ну́жно.

**needful** ['niːdful] 1. *a* ну́жный, необходи́мый; потре́бный, насу́щный (to, for); 2. *n* 1) необходи́мое; to do the ~ a) сде́лать то, что необходи́мо; б) спорт. заби́ть гол; 2) (the ~) разг. де́ньги.

**needle** ['niːdl] 1. *n* 1) иго́лка, игла́; ~'s eye иго́льное ушко́; to ply one's ~ занима́ться шитьём, шить; 2) спи́ца или крючо́к (для вязания); 3) стре́лка (компаса или телеграфного аппарата); true as the ~ to the pole надёжный; 4) игла́ (хвоя); 5) остроконе́чная верши́на, утёс; 6) шпиль; готи́ческая игла́; 7) обели́ск; 8) иго́льчатый криста́лл; 9) (the ~) разг. при́ступ дурно́го настрое́ния; не́рвный припа́док; to have. to get the ~ быть в дурно́м настрое-

нии; быть в не́рвном состоя́нии; 10) *attr.* иго́льный, иго́льчатый; 11) *attr.* швейный; 12) *attr.*: ~ fall опада́ние хвои́; ◇ to look for a ~ in a haystack (или in a bundle, in a bottle of hay) иска́ть иго́лку в сто́ге се́на; занима́ться безнадёжным де́лом; as sharp as a ~ о́стрый, проница́тельный; наблюда́тельный;

2. *v* 1) шить, зашива́ть иглой; 2) проти́скиваться, проника́ть (сквозь что-л.); 3) амер. разг. подбавля́ть спирт (к пиву); 4) разг. язви́ть; раздража́ть; 5) разг. подстрека́ть; 6) мин. кристаллизова́ться и́глами; 7) мед. снима́ть катара́кту.

**needle-bath** ['niːdlbɑːθ] *n* 1) душ Фра́нклина; 2) иго́льчатый душ.

**needle-bearing** ['niːdl,beərıŋ] *n* тех. иго́льчатый подши́пник.

**needle-case** ['niːdlkeıs] *n* иго́льник.

**needle-fish** ['niːdlfıʃ] *n* зоол. игла́-ры́ба, морска́я игла́.

**needleful** ['niːdlful] *n* длина́ ни́тки, вдева́емой в иго́лку.

**needle-gun** ['niːdlgʌn] *n* ист. иго́льчатое ружьё.

**needle-lace** ['niːdl'leıs] *n* кру́жево, вя́заное крючко́м.

**needle-point** ['niːdlpɔınt] *n* острие́ иглы́.

**needle-shaped** ['niːdl'ʃeıpt] *a* иглообра́зный.

**needless** ['niːdlıs] *a* нену́жный, изли́шний; бесполе́зный; ~ enmity ниче́м не вы́званная вражда́; ~ to say... не прихо́дится и говори́ть..., не говоря́ уже́ о...

**needlewoman** ['niːdl,wumən] *n* швея́.

**needlework** ['niːdlwəːk] *n* шитьё; вышива́ние.

**needments** ['niːdmənts] *n* *pl* всё необходи́мое (особ. для путеше́ствия).

**needs** [niːdz] *adv* разг. по необходи́мости, непреме́нно, обяза́тельно (только с must, часто ирон.); he ~ must go, he must ~ go ему́ непреме́нно на́до идти́; ◇ ~ must when the devil drives ≈ про́тив рожна́ не попрёшь.

**needy** ['niːdı] *a* нужда́ющийся, бе́дствующий.

**ne'er** [neə] *adv* (сокр. от never) поэт. никогда́; ◇ ~ a... ни оди́н.

**ne'er-do-weel, ne'er-do-well** ['neəduːwiːl, 'neəduːwel] 1. *n* безде́льник; него́дник; 2. *a* никуда́ не го́дный.

**nefarious** [nı'feərıəs] *a* 1) нечести́вый; 2) бесче́стный; ни́зкий; ~ purposes гну́сные це́ли.

**negate** [nı'geıt] *v* 1) отрица́ть, служи́ть отрица́нием; 2) отверга́ть.

**negation** [nı'geıʃən] *n* 1) отрица́ние; 2) ничто́, фи́кция; 3) мат. отрица́тельная величина́.

**negationist** [nı'geıʃənıst] *n* отрица́тель; нигили́ст.

**negative** ['negətıv] 1. *a* 1) отрица́тельный; ~ quantity отрица́тельная величина́; the ~ sign a) знак ми́нус; б) разг. шутл. ничто́, ничего́; ~ voice го́лос про́тив; 2) фото негати́вный; обра́тный (об изображении);

2. *n* 1) отрица́ние; отрица́тельный отве́т; факт: отрица́тельная черта́ хара́ктера и т.п.;

in the ~ отрица́тельно; the answer is in the ~ отве́т отрица́тельный; two ~s make an affirmative два отрица́ния равны́ утвержде́нию; he is a bundle of ~s в нём одни отрица́тельные черты́; 2) отка́з, несогла́сие; 3) запре́т, ве́то; 4) *грам.* отрица́ние, отрица́тельная части́ца (по, not *и пр.*); 5) *фото* негати́в; 6) *мат.* отрица́тельная величина́; 7) *эл.* отрица́тельный по́люс, като́д;

3. *v* 1) отрица́ть; возража́ть; 2) отверга́ть, опроверга́ть; 3) налага́ть ве́то; не утвержда́ть (*предложенного кандидата*); 4) де́лать тще́тным; 5) нейтрализова́ть (*действие чего-л.*).

**negativism** ['negətivizəm] *n* скло́нность к отрица́нию; негативи́зм.

**negativity** [,negə'tiviti] *n* отрица́тельность.

**negatory** ['negətəri] *a* отрица́тельный.

**neglect** [ni'glekt] 1. *n* 1) пренебреже́ние; небре́жность; the ~ of one's children отсу́тствие забо́ты о де́тях; 2) запу́щенность, забро́шенность; in a state of ~ в запу́щенном состоя́нии;

2. *v* 1) пренебрега́ть (*чем-л.*); не забо́титься (*о чём-л.*); 2) не обраща́ть внима́ния (*на кого-л., что-л.*); проявля́ть невнима́ние; 3) упуска́ть, не де́лать (*чего-л.*) ну́жного; не выполня́ть своего́ до́лга; запуска́ть.

**neglectful** [ni'glektful] *a* 1) невнима́тельный (*к кому-л., чему-л.*); небре́жный; 2) неради́вый, беззабо́тный.

**négligé** ['negli:зei] *фр. n* да́мский хала́т; дома́шнее пла́тье.

**negligence** ['neglidзəns] *n* 1) небре́жность; хала́тность; culpable (*или* criminal) ~ *юр.* престу́пная небре́жность; 2) неря́шливость; the ~ of one's attire неря́шливость в костю́ме.

**negligent** ['neglidзənt] *a* 1) небре́жный; ~ in his dress неря́шливый в оде́жде; 2) хала́тный, беспе́чный; неради́вый; ~ of his duties невнима́тельный к свои́м обя́занностям.

**negligible** ['neglidзəbl] *a* незначи́тельный, не принима́емый в расчёт; ~ quantity незначи́тельное коли́чество; by a ~ margin совсе́м незначи́тельно, не на мно́го.

**negotiable** [ni'gouʃjəbl] *a* 1) могу́щий служи́ть предме́том сде́лки, могу́щий быть ку́пленным, переусту́пленным (*о векселе и т. п.*); ~ document оборо́тный докуме́нт; 2) проходи́мый; досту́пный (*о вершинах, дорогах и т. п.*).

**negotiant** [ni'gouʃiənt] *n* негоциа́нт, купе́ц; оптовый торго́вец, соверша́ющий кру́пные сде́лки.

**negotiate** [ni'gouʃieit] *v* 1) вести́ перегово́ры, догова́риваться (with); обсужда́ть усло́вия; to ~ a loan (terms of peace) догова́риваться об усло́виях за́йма (ми́ра); 2) прода́ть, реализова́ть (*вексель и т. п.*); 3) вести́ де́ло; 4) *разг.* устра́ивать, ула́живать; преодолева́ть.

**negotiated peace** [ni'gouʃieitid'pi:s] *n* мир, дости́гнутый в результа́те перегово́ров.

**negotiation** [ni,gouʃi'eiʃən] *n* 1) перегово́ры; обсужде́ние усло́вий; ~s are under

way веду́тся перегово́ры; to conduct ~s вести́ перегово́ры; 2) *разг.* преодоле́ние (*затруднений*).

**negotiator** [ni'gouʃieitə] *n* 1) лицо́, веду́щее перегово́ры; 2) посре́дник.

**Negress** ['ni:gris] *n* негритя́нка.

**Negrillo** [ne'grilou] *n* (*pl* -os[-ouz]) негр ка́рликового пле́мени.

**Negrito** [ne'gritou] *n* (*pl* -os, -oes [-ouz]) негрито́с (*Малайского архипелага*).

**Negro** ['ni:grou] 1. *n* (*pl* -oes [-ouz]) негр; 2. *a* 1) негритя́нский; темноко́жий; 2) чёрный, тёмный.

**Negro-head** ['ni:grouhed] *n* 1) тёмный, кре́пкий сорт пропи́танного па́токой таба́ка́; 2) низкосо́ртная рези́на.

**Negroid(al)** ['ni:groid(əl)] *a* негро́идный.

**negrophobia** [,ni:grou'foubiə] *n* негроненави́стничество, негрофо́бия.

**Negus** ['ni:gəs] *n* не́гус (*император Эфиопии*).

**negus** ['ni:gəs] *n* не́гус (*род глинтвейна*).

**neigh** [nei] 1. *n* ржа́ние; 2. *v* ржать.

**neighbour** ['neibə] 1. *n* 1) сосе́д; сосе́дка; 2) находя́щийся ря́дом предме́т; a falling tree brought down its ~ па́дая, де́рево повали́ло и сосе́днее; 3) бли́жний; duty to one's ~ долг по отноше́нию к своему́ бли́жнему; 4) *attr.* бли́жний; сосе́дний; сме́жный;

2. *v* грани́чить; находи́ться у са́мого кра́я (upon); the wood ~s upon the lake лес подхо́дит к са́мому о́зеру.

**neighboured** ['neibəd] 1. *p. p. от* neighbour 2;

2. *a*: a beautifully ~ town го́род с краси́выми окре́стностями; ill ~ име́ющий дурно́е сосе́дство; a sparsely ~ place ре́дко населённая ме́стность.

**neighbourhood** ['neibəhud] *n* 1) сосе́дство, бли́зость; in the ~ of а) по сосе́дству, побли́зости; б) о́коло, приблизи́тельно; in the ~ of £100 приблизи́тельно 100 фу́нтов сте́рлингов; 2) окру́га, райо́н, окре́стности; we live in a healthy ~ мы живём в здоро́вой ме́стности; the laughing-stock of the whole ~ посме́шище всей окру́ги; 3) сосе́ди; 4) *уст.* сосе́дские отноше́ния; good ~ добрососе́дские отноше́ния; 5) *attr.* ме́стный.

**neighbourhood unit** ['neibəhud'ju:nit] *n* жило́й райо́н во вновь плани́руемых города́х.

**neighbouring** ['neibəriŋ] 1. *pres. p. от* neighbour 2;

2. *a* сосе́дний, сме́жный.

**neighbourly** ['neibəli] 1. *a* добрососе́дский, дру́жеский;

2. *adv редк.* по-добрососе́дски.

**neighbourship** ['neibəʃip] *n* 1) сосе́дство, бли́зость; 2) сосе́дские отноше́ния.

**neither** I ['naiðə; *амер.* 'ni:ðə] *pron. отр.* 1. *как сущ.* ни оди́н (*из двух*); никто́; ~ of you knows никто́ из вас не зна́ет; вы о́ба не зна́ете;

2. *как прил.* ни тот ни друго́й; ~ statement is true ни то, ни друго́е утвержде́ние не ве́рно;

3. *как нареч.* та́кже не; if you do not go, ~ shall I е́сли вы не пойдёте, я то́же не пойду́.

**neither** II ['naiðə] *cj* 1): ~... пог... ни... ни...; he ~ knows nor cares знать не зна́ет и забо́титься не хо́чет; 2) *уст.* ни; ◇ ~ here nor there ≅ ни к селу́ ни к го́роду, некста́ти.

**nek** [nek] *n южно-афр.* го́рный прохо́д, перева́л.

**nekton** ['nektən] *n собир. биол.* некто́н.

**nelly** ['neli] *n* исполи́нский буреве́стник.

**nelson** ['nelsn] *n спорт.* нельсо́н (*прие́м в борьбе́*).

**Nemesis** ['nemisis] *n миф.* Немези́да.

**nenuphar** ['nenjufɑː] *n бот.* кувши́нка.

**neocene** ['niːəsiːn] *геол.* 1. *n* неоце́н; 2. *a* неоце́новый.

**neodymium** [ˌniːou'dimiəm] *n хим.* ниоди́мий.

**neolithic** [ˌniːou'liθik] *a* неолити́ческий; ~ age неолити́ческий век, неоли́т.

**neologism** [niː'ɔlədʒizəm] *n* неологи́зм.

**neologize** [niː'ɔlədʒaiz] *v* вводи́ть но́вые слова́.

**neology** [niː'ɔlədʒi] *n* 1) неологи́зм; 2) употребле́ние неологи́змов.

**neon** ['niːən] *n* 1) *хим.* нео́н; 2) *attr.* нео́новый; ~ lamp, ~ arc, ~ tube нео́новая ла́мпа.

**neophron** ['niːəfrɔn] *n зоол.* стервя́тник.

**neophyte** ['niːoufait] *n* 1) неофи́т, новообращённый; 2) новичо́к.

**neoplasm** ['niːouplæzm] *n мед.* новообразова́ние, о́пухоль.

**neoplasty** ['niːou‚plæsti] *n мед.* восстановле́ние уча́стка ко́жи путём пласти́ческой опера́ции.

**neoteric** [ˌniːou'terik] *a* 1) неда́вний; 2) нове́йший; совреме́нный.

**neotropical** [ˌniːou'trɔpikəl] *a зоол.* распространённый в Центра́льной и Ю́жной Аме́рике.

**neozoic** [ˌniːou'zouik] *a геол.* кайнозо́йский.

**nepenthe(s)** [ne'penθi (-θiːz)] *n* 1) что-л., даю́щее успокое́ние *или* забве́ние; 2) *бот.* непе́нтес.

**nephew** ['nevjuː] *n* племя́нник.

**nephology** [ne'fɔlədʒi] *n* нефоло́гия (*наука об облаках*).

**nephrite** ['nefrait] *n мин.* нефри́т.

**nephritic** [ne'fritik] *a мед.* по́чечный, нефрити́ческий.

**nephritis** [ne'fraitis] *n мед.* нефри́т.

**nepotism** ['nepətizəm] *n* кумовство́, семе́йственность; непоти́зм.

**nepotist** ['nepətist] *n* тот, кто прибега́ет к кумовству́, к непоти́зму.

**Neptune** ['neptjuːn] *n миф., астр.* Непту́н.

**Neptunian** [nep'tjuːnjən] *a геол.* океани́ческий, морско́й, во́дный.

**neptunium** [nep'tjuːnjəm] *n хим.* непту́ний.

**nereid** ['niəriid] *n* 1) *миф.* нере́йда. 2) *зоол.* нере́йда, ко́льчатый морско́й червь.

**Nero** ['niərou] *n ист.* Неро́н.

**nervate** ['nɜːveit] *a бот.* с жи́лками.

**nervation** [nɜː'veiʃən] *n бот.* нерва́ция, жилкова́ние.

**nerve** [nɜːv] 1. *n* 1) нерв; 2) (*обыкн. pl*) не́рвы, не́рвность; iron (*или* steel) ~s желе́зные не́рвы; a fit (*или* an attack) of ~s не́рвный припа́док; to get on one's ~s действовать на не́рвы, раздража́ть; to suffer from ~s страда́ть расстро́йством не́рвной систе́мы; 3) си́ла, эне́ргия; to strain every ~ напряга́ть все си́лы; приложи́ть все уси́лия; 4) прису́тствие ду́ха, му́жество, хладнокро́вие; to lose one's ~ оробе́ть, потеря́ть самооблада́ние; a man of ~ вы́держанный челове́к, челове́к с больши́м самооблада́нием; 5) *разг.* на́глость, наха́льство, дерзость; to have the ~ име́ть наха́льство; быть на́глым; 6) *бот.* жи́лка; 7) *attr.* не́рвный;
2. *v* придава́ть си́лы *или* бо́дрости, хра́брости; to ~ oneself собра́ться с си́лами, с ду́хом.

**nerve-centre** ['nɜːv‚sentə] *n* не́рвный центр.

**nerve-knot** ['nɜːvnɔt] *n* не́рвный у́зел, га́нглий.

**nerveless** ['nɜːvlis] *a* 1) *анат.* не име́ющий не́рвной систе́мы; 2) *бот.* не име́ющий жи́лок; 3) сла́бый, бесси́льный; вя́лый.

**nervine** ['nɜːviːn] *мед.* 1. *a* успока́ивающий не́рвы;
2. *n* лека́рство, успока́ивающее не́рвы.

**nervism** ['nɜːvizəm] *n физиол.* нерви́зм.

**nervous** ['nɜːvəs] *a* 1) не́рвный; ~ system не́рвная систе́ма; 2) беспоко́ящийся (*о чём-л.*); не́рвничающий; взволно́ванный; I felt very ~ (about it) я о́чень волнова́лся; don't be ~ не волну́йтесь; 3) нерви́рующий, де́йствующий на не́рвы; 4) вырази́тельный (*о стиле*); 5) си́льный, му́скулистый.

**nervy** ['nɜːvi] *a* 1) *разг.* не́рвный, возбуждённый; 2) *sl.* самоуве́ренный; сме́лый; 3) *поэт.* си́льный.

**nescience** ['nesiəns] *лат. n* 1) незна́ние, неве́дение; 2) *филос.* агностици́зм.

**nescient** ['nesiənt] 1. *n филос.* агно́стик; 2. *a* незна́ющий (of).

**ness** [nes] *n* мыс, нос (*только в геогр. названиях*).

**nest** [nest] 1. *n* 1) гнездо́; 2) вы́водок; to take a ~ разоря́ть гнездо́, брать я́йца *или* птенцо́в; 3) ую́тный уголо́к, гнёздышко; 4) прито́н; 5) гру́ппа, набо́р одноро́дных предме́тов (*напр., ящичков, вставленных один в другой*); a ~ of narrow alleys це́лый лабири́нт у́зких переу́лков; ◇ to foul one's own ~ ≅ выноси́ть сор из избы́; to feather one's ~ нагре́ть ру́ки, наби́ть себе́ карма́н;
2. *v* 1) вить гнездо́; гнезди́ться; 2): to go ~ing охо́титься за гнёздами; 3) *тех.* вставля́ть одну́ часть ме́жду други́ми.

**nest-doll** ['nestdɔl] *n* ку́кла.

**nest-egg** ['nesteg] *n* 1) по́дкладень (*яйцо, оставляемое в гнезде для привлечения наседки*); 2) де́ньги, отло́женные на чёрный день; пе́рвая су́мма, отло́женная для каки́х-л. определённой це́ли.

**nesting box** ['nestiŋbɔks] *n* скворе́чник.

**nestle** [nesl] *v* 1) ую́тно, удо́бно устро́иться, сверну́ться (down, in, into, among);

2) прильнýть, прижáться (against, to, close to — к); 3) ютúться; укрывáться; 4) давáть приют.

**nestling** ['neslɪŋ] 1. *pres. p. om* nestle; 2. *n* птенéц, птéнчик; малыш.

**net I** [net] 1. *n* 1) сеть; тенéта; 2) сéтка (*для волос, для тенниса и т. п.*); 3) сéти, западня; 4) паутúна; 2. *v* 1) расставлять сéти (*тж. перен.*); ловúть сетями; покрывáть сетями; 2) плестú, вязáть сéти; 3) покрывáть сéтью (*железных дорог, радиостанций и т. п.*); 4) попáсть в сéтку (*о мяче*).

**net II** [net] 1. *a* чúстый, нéтто (*о весе, доходе*); at 5/-п. ценá 5 шúллингов за вычетом скúдки; ~ cash налúчными дéньги; ~ cost себестóимость; ~ efficiency *тех.* общий коэффициéнт полéзного дéйствия; ~ load *тех.* полéзная нагрýзка, полéзный вес; 2. *n* чúстый дохóд; 3. *v* 1) приносúть чúстый дохóд; 2) получáть чúстый дохóд.

**netful** ['netful] *n* пóлная сеть.

**nether** ['neðə] *a уст., шутл.* нúжний, бóлее нúзкий; ~ garments брюки; the ~ man нóги; hard as a ~ millstone твёрд как кремéнь; ~ world (*или* regions) а) ад; б) *редк.* земля.

**Netherlander** ['neðələndə] *n* голлáндец.

**Netherlandish** ['neðələndɪʃ] *a* нидерлáндский, голлáндский.

**nethermost** ['neðəmoust] *a уст., шутл.* сáмый нúжний.

**netting I** ['netɪŋ] 1. *pres. p. om* net I, 2; 2. *n* 1) плетéние сетéй; 2) лóвля сетями; 3) сеть, сéтка.

**netting II** ['netɪŋ] *pres. p. om* net II, 3.

**nettle** ['netl] 1. *n* крапúва; small (*или* stinging) ~ жгýчая крапúва; great (*или* common) ~ обыкновéнная двудóмная крапúва; ◇ to be on ~s ≅ сидéть как на игóлках; to grasp the ~ решúтельно брáться за трýдное дéло; grasp the ~ and it won't sting you *посл.* ≅ смéлость гóрода берёт; 2. *v* 1) обжигáть крапúвой; 2) раздражáть, уязвлять, сердúть.

**nettle-fish** ['netlfiʃ] *n* медýза.

**nettle-rash** ['netlræʃ] *n мед.* крапúвная лихорáдка.

**network** ['netwɜːk] *n* 1) сеть, сéтка; плетёнка; 2) сеть (*железных дорог, каналов и т. п.*); 3) *тех.* решётчатая систéма; 4) *радио* сеть радиотрансляциóнных устанóвок.

**network announcer** ['netwɜːkə'naunsə] *n амер.* дúктор.

**neural** ['njuərəl] *a анат.* нéрвный, относящийся к нéрвной систéме.

**neuralgia** [njuə'rældʒə] *n* невралгúя.

**neuralgic** [njuə'rældʒɪk] *a* невралгúческий.

**neurasthenia** [,njuərəs'θiːnjə] *n* неврастенúя.

**neurasthenic** [,njuərəs'θenɪk] *a* неврастенúческий.

**neuritis** [njuə'raɪtɪs] *n мед.* неврúт.

**neurologist** [njuə'rɔlədʒɪst] *n* неврóлог.

**neurology** [njuə'rɔlədʒɪ] *n* неврологúя.

**neuroma** [njuə'roumə] *n* (*pl* -mata, -s [-z]) *мед.* неврóма.

**neuromata** [njuː'roumətə] *pl om* neuroma.

**neuropath** ['njuːrəpæθ] *n* страдáющий нéрвной болéзнью; неврастéник.

**neuropathist** [njuː'rɔpəθɪst] *n* невропатóлог.

**neuroses** [njuə'rousɪz] *pl om* neurosis.

**neurosis** [njuə'rousɪs] *n* (*pl* -ses) неврóз; anxiety ~ неврóз стрáха.

**neurotic** [njuə'rɔtɪk] 1. *a* нéрвный, невротúческий; 2. *n* 1) лекáрство, дéйствующее на нéрвную систéму; 2) нéрвное заболевáние; 3) неврастéник.

**neuter** ['njuːtə] 1. *a* 1) *грам.* срéдний, срéднего рóда; 2) *грам.* непереходный (*о глаголе*); 3) *бот.* беспóлый; 4) *биол.* недорáзвитый, бесплóдный; 5) *вет.* кастрúрованный; 6) *редк.* ~ neutral 1; to stand ~ оставáться нейтрáльным; 2. *n* 1) *грам.* срéдний род; существúтельное, прилагáтельное, местоимéние срéднего рóда; 2) *грам.* непереходный глагóл; 3) беспáлое насекóмое; 4) кастрúрованное живóтное; 5) человéк, занимáющий нейтрáльную позúцию.

**neutral** ['njuːtrəl] 1. *a* 1) нейтрáльный; 2) срéдний, неопределённый; промежýточный; ~ colour нейтрáльный, сéрый цвет; 3) беспóлый; 2. *n* 1) нейтрáльное госудáрство; 2) гражданúн *или* сýдно нейтрáльного госудáрства.

**neutrality** [njuː'trælɪtɪ] *n* нейтралитéт.

**neutralization** [,njuːtrəlaɪ'zeɪʃən] *n* 1) нейтрализáция; 2) *воен.* подавлéние огнём.

**neutralize** ['njuːtrəlaɪz] *v* 1) нейтрализовáть; 2) обезврéживать; уничтожáть; 3) объявлять нейтралитéт; 4) *воен.* подавúть огнём.

**neutron** ['njuːtrɔn] *n физ.* нейтрóн.

**névé** ['neveɪ] *фр.* 1) фирн, зернúстый лёд.

**never** ['nevə] *adv* 1) никогдá; one ~ knows никогдá нельзя зарáнее знать; 2) ни рáзу; ~ before никогдá ещё; well, I ~!, I ~ did! (*подразумевается* hear *или* see the like) никогдá ничегó подóбного не вúдел *или* не слышáл!; 3) *разг. для усиления отрицания*: he answered ~ a word он ни слóва не отвéтил; ~ a one ни одúн; ~ fear не беспокóйтесь, бýдьте увéрены; I'll do it, ~ fear не беспокóйтесь, я это сдéлаю; there's room enough for a company be it ~ so large мéста довóльно, как бы великó óбщество ни было; 4) конéчно нет, не мóжет быть; you were ~ such a fool as to lose your money? не мóжет быть, чтобы тебя угораздило потерять дéньги!; ◇ ~ mind ничегó, пустякú!; не обращáйте внимáния; ~ so как бы ни.

**never-ceasing** ['nevə'siːzɪŋ] *a* непрекращáющийся.

**never-dying** ['nevə'daɪɪŋ] *a* неумирáющий, бессмéртный.

**never-ending** ['nevər'endɪŋ] *a* непрекращáющийся, бесконéчный.

**never-fading** ['nevə'feɪdɪŋ] *a* неувядáющий, неувядáемый.

**nevermore** [ˈnevəˈmɔː] *adv* никогда больше, никогда впредь.

**nevertheless** [ˌnevəðəˈles] **1.** *adv* несмотря на, однако; **2.** *cj* тем не менее.

**never-to-be-forgotten** [ˈnevətəbɪfəˈgɔtn] *a* незабвенный.

**new** [njuː] **1.** *a* 1) новый; ~ discovery новое открытие; 2) иной, другой; обновлённый; he became a ~ man он стал совсём другим человеком; ~ Parliament вновь избранный парламент; 3) недавний, недавнего происхождения; недавно приобретённый; 4) свежий; ~ milk парное молоко; ~ wine молодое вино; ~ potatoes молодой картофель; 5) современный, новейший; ~ fashions последние моды; 6) передовой; 7) вновь обнаруженный, вновь открытый, новый; ~ planet новая планета; 8) незнакомый; непривычный; the horse is ~ to the plough эта лошадь не привыкла к плугу; she is ~ to the work она ещё не знакома с этой работой; ◇ ~ soil целина, новь; the N. World Новый свет, Америка; there is nothing ~ under the sun ≅ ничто не ново под луной; **2.** *adv уст. (в современном употреблении в сложных словах)* 1) недавно, только что; 2) заново.

**new-blown** [ˈnjuːˈbloun] *a* только что расцветший.

**new-born** [ˈnjuːˈbɔːn] *a* 1) новорождённый; 2) возрождённый.

**new-built** [ˈnjuːˈbɪlt] *a* вновь выстроенный; перестроенный.

**new-come** [ˈnjuːˈkʌm] **1.** *n* = new-comer; **2.** *a* вновь прибывший.

**new-comer** [ˈnjuːˈkʌmə] *n* 1) вновь прибывший; 2) незнакомец.

**New Deal** [ˈnjuːˈdiːl] *n ист.* 1) Новый курс (Рузвельта); 2) правительство Рузвельта.

**newel** [ˈnjuːəl] *n стр.* 1) колонна *или* стержень винтовой лестницы; 2) стойка перил на концах лестничных маршей.

**newel post** [ˈnjuːəlˈpoust] = newel.

**new-fallen** [ˈnjuːˈfɔːlən] *a* только что выпавший (*о снеге*).

**new-fangled** [ˈnjuːˈfæŋgld] *пренебр. см.* new-fashioned.

**new-fashioned** [ˈnjuːˈfæʃənd] *a* модный, новомодный.

**new-fledged** [ˈnjuːˈfledʒd] *a* только что оперившийся.

**new-found** [ˈnjuːˈfaund] *a* вновь обретённый.

**Newfoundland** [njuːˈfaundlənd] *n* ньюфаундленд, собака-водолаз [*см. тж. Список географических названий*].

**Newfoundland dog** [njuːˈfaundləndˈdɔg] = Newfoundland.

**Newfoundlander** [ˌnjuːfəndˈlændə] *n* 1) житель Ньюфаундленда; 2) судно, принадлежащее Ньюфаундленду; 3) = Newfoundland.

**Newgate** [ˈnjuːgɪt] *n* Ньюгейтская долговая тюрьма (*в Лондоне*).

**new growth** [ˈnjuːˈgrouθ] = neoplasm.

**newish** [ˈnjuːɪʃ] *a* довольно новый.

**new-laid** [ˈnjuːˈleɪd] *a* свежеснесённый (*о яйцах*).

**newly** [ˈnjuːlɪ] *adv* 1) заново, вновь; по-иному, по-новому; 2) недавно; ~ arrived вновь прибывший; ~ wed новобрачные.

**new-made** [ˈnjuːˈmeɪd] *a* 1) недавно сделанный; 2) заново сделанный.

**Newmarket** [ˈnjuːˌmɑːkɪt] *n* 1) длинное пальто в обтяжку; 2) *название карточной игры*.

**Newmarket coat** [ˈnjuːˈmɑːkɪtˈkout] = Newmarket 1).

**new-minted** [ˈnjuːˈmɪntɪd] *a* 1) только что отчеканенный (*о монете*); блестящий, новёхонький; 2) получивший новое значение, приобретший новый смысл (*о слове, выражении*).

**new moon** [ˈnjuːˈmuːn] *n* 1) молодой месяц; 2) новолуние.

**newness** [ˈnjuːnɪs] *n* новизна.

**news** [njuːz] *n pl (употр. как sing)* новость, новости, известия; what is the ~? что нового?; that is no ~ это уже всем известно; нашёл чем удивить; ◇ bad ~ travels quickly, ill ~ flies fast (*или* apace) *посл.* ≅ худые вести не лежат на месте; no ~ (is) good ~ *посл.* ≅ отсутствие вестей (само по себе) неплохая весть; Job's ~ весть о несчастье; to be in the ~ попасть на страницы газет; оказаться в центре внимания.

**news-agent** [ˈnjuːzˌeɪdʒənt] *n* газетчик (*имеющий киоск*).

**news-boy** [ˈnjuːzbɔɪ] *n* газетчик, продавец газет (*мальчик или подросток*).

**newscast** [ˈnjuːzkɑːst] *n амер.* передача последних известий (*по радио*).

**newscaster** [ˈnjuːzˌkɑːstə] *n* 1) диктор; 2) радиокомментатор.

**news-dealer** [ˈnjuːzˌdiːlə] *амер.* = news-agent.

**news-department** [ˈnjuːzdɪˌpɑːtmənt] *n* информационный отдел; отдел печати.

**news-letter** [ˈnjuːzˈletə] *n ист.* еженедельное письмо с новостями, рассылавшееся провинциальным подписчикам в XVII в.

**news-man** [ˈnjuːzmən] *n* 1) корреспондент, репортёр; 2) газетчик, продавец газет.

**newsmonger** [ˈnjuːzˌmʌŋgə] *n* сплетник, сплетница.

**newspaper** [ˈnjuːsˌpeɪpə] *n* 1) газета; 2) *attr.* газетный.

**newspaperese** [ˌnjuːsˌpeɪpəˈriːz] *n* газетный стиль; стиль, свойственный журналистам и репортёрам.

**newsprint** [ˈnjuːzprɪnt] *n* газетная бумага.

**news-reel** [ˈnjuːzriːl] **1.** *n* хроника, хроникальный фильм; киножурнал; **2.** *v* сниматься в киножурнале.

**news-room** [ˈnjuːzrum] *n* 1) читальня, где можно получить газеты и журналы; 2) *амер.* отдел новостей (*в редакции газеты*).

**news-sheet** [ˈnjuːsʃiːt] *n* 1) листовка; 2) *уст., амер. разг.* газета.

**news-stand** [ˈnjuːzstænd] *n* 1) газетный ларёк, киоск; 2) *амер.* = bookstall.

**New Style** [ˈnjuːˈstaɪl] *n* новый стиль (*григорианский календарь*).

**news-vendor** ['nju:z,vendə] *n* продавец газет, газетчик.

**newsy** ['nju:zɪ] **1.** *a разг.* 1) богатый новостями *или* сплетнями; 2) любопытный; **2.** *n амер.* = news-boy.

**newt** [nju:t] *n зоол.* тритон.

**Newtonian** [nju:'tounjən] **1.** *a* ньютонов; **2.** *n* последователь Ньютона.

**new year** ['nju:'jə:] *n* Новый год.

**new-year's** ['nju:'jə:z] *a* новогодний; ~ eve канун Нового года; ~ day первое января.

**next** [nekst] **1.** *a* 1) следующий; ~ chapter следующая глава; 2) ближайший, соседний; the house ~ to ours соседний дом; my ~ neighbour мой ближайший сосед; ~ door (to) по соседству, рядом [*ср.* ~-door]; he lives ~ door он живёт в соседнем доме; 3) следующий, будущий; ~ year в будущем году; not till ~ time *шутл.* больше не буду до следующего раза; ◇ ~ to nothing, ~ to попе почти ничего; the ~ man первый встречный; любой; всякий другой;

**2.** *adv* 1) потом, затем, после; he ~ proceeded to write a letter затем он начал писать письмо; what ~? а что дальше?; что ещё может за этим последовать?; 2) в следующий раз, снова; when I see him ~ когда я его опять увижу;

**3.** *prep* рядом, около; the chair ~ the fire стул около камина; she loves him ~ her own child она любит его (почти) как своего ребёнка;

**4.** *n* следующий *или* ближайший (*человек или предмет*); ~, please! следующий, пожалуйста!; I will tell you in my ~ я расскажу вам в следующем письме; to be concluded in our ~ (*подразумевается* issue) окончание следует; ~ of kin ближайший родственник (*к которому переходит наследство при отсутствии завещания*).

**next-best** ['nekst'best] *a* уступающий лишь самому лучшему.

**next-door** ['nekstdɔ:] *a* ближайший, соседний; ~ neighbours ближайшие соседи; ~ to crime это почти преступление; [*ср.* next door, *см.* next 1, 2)].

**nexus** ['neksəs] *n* 1) связь; узы; звено; the cash ~ денежные отношения; causal ~ причинная зависимость; 2) *грам.* нексус.

**Niagara** [naɪ'ægərə] *n* 1) поток; водопад; 2) грохот; ◇ to shoot ~ решиться на отчаянный шаг.

**nib** [nɪb] **1.** *n* 1) кончик, остриё пера; (металлическое) перо; 2) клюв (*птицы*); 3) выступ, клин, остриё; 4) *тех.* палец, шип; 5) *pl* молотые бобы какао [*ср.* nibs].
**2.** *v* 1) вставлять перо в ручку; 2) чинить (гусиное) перо.

**nibble** ['nɪbl] **1.** *n* 1) обгрызание; откусывание; 2) клёв;
**2.** *v* 1) обгрызать; откусывать, покусывать (at); щипать (*траву*); 2) клевать (*о рыбах*); 3) есть маленькими кусочками; 4) не решаться, колебаться; 5) придираться (at).

**niblick** ['nɪblɪk] *n* клюшка (*для игры в гольф*).

**nibs** [nɪbz] *n*: his ~ *sl.* его милость; важная персона.

**nice** [naɪs] *a* 1) хороший, приятный, милый, славный (*тж. ирон.*); a ~ boy хороший парень; ~ weather хорошая погода; a ~ home хорошенький домик; a ~ state of affairs! хорошенькое положение дел!; here is a ~ mess I am in! в хорошенькую переделку я попал!; 2) любезный, внимательный; тактичный; 3) изящный, сделанный со вкусом; элегантный; 4) изысканный (*о манерах, стиле*); 5) острый; тонкий; a ~ ear тонкий слух; a ~ judg(e)ment тонкое, правильное суждение; a ~ observer внимательный, тонкий наблюдатель; a ~ shade of meaning тонкий оттенок значения; a ~ taste in literature хороший, тонкий литературный вкус; требующий большой точности *или* деликатности; a ~ question щекотливый вопрос; negotiations needing ~ handling переговоры, требующие осторожного и тонкого подхода; 7) точный, тонкий, чувствительный (*о механизме*); weighed in the ~st scales взвешено на самых точных весах; 8) сладкий, вкусный; 9) аккуратный; тщательный, подробный, скрупулёзный; 10) разборчивый, привередливый; придирчивый; щепетильный; he is ~ in his food он привередлив в еде; 11) *уст.* своенравный, глупый; 12): ~ and *в соединении с другим прилагательным часто означает* довольно; it is ~ and warm today сегодня довольно тепло; the train is going ~ and fast поезд идёт довольно быстро.

**nice-looking** ['naɪs,lukɪŋ] *a* привлекательный; миловидный.

**nicely** ['naɪslɪ] *adv* 1) хорошо; хорошенько; she is getting on ~ а) она преуспевает; б) она поправляется; it will suit me ~ это мне как раз подойдёт; 2) мило, любезно; приятно; 3) тонко, деликатно.

**nicety** ['naɪsɪtɪ] *n* 1) точность; пунктуальность; аккуратность; to a ~ точно, впору, вполне, как следует; 2) разборчивость, привередливость; придирчивость; щепетильность; 3) изящество; утончённость; 4) *уст.* лакомство; 5) *pl* тонкости, детали.

**niche** [nɪtʃ] **1.** *n* 1) ниша; *перен.* убежище; 2) надлежащее место;
**2.** *v* 1) поместить в нишу; 2) *refl.* найти себе убежище.

**Nick** [nɪk] *n* чёрт, дьявол (*обыкн.* Old N.).

**nick** [nɪk] **1.** *n* 1) зарубка, засечка, зазубрина; нарезка; 2) трещина, щель, прорез; 3) точный момент; критический момент; in the (very) ~ of time как раз вовремя; 4) *тех.* сужение, шейка; 5) *разг.* тюрьма; (полицейский) участок;
**2.** *v* 1) делать метку, зарубку; 2) попасть в точку, угадать (*обыкн.* to ~ it); 3) поспеть вовремя; 4) поймать (*преступника*); 5) разрезать; отрезать; подрезать; 6) *разг.* украсть, стащить; 7) *разг.* обмануть, надуть.

**nickel** ['nɪkl] **1.** *n* 1) *хим.* никель; 2) монета в 5 центов; ◇ ~ nurser *амер. sl.* скупой, скряга; N.! *амер.* о чём задумались? [*ср.* a penny for your thoughts!];
**2.** *v* никелировать.

**nickelage** ['nɪklɪdʒ] = nickel-plating.

**nickel-plating** ['nɪkl,pleɪtɪŋ] *n тех.* никелирование, никелировка.

**nicker** ['nɪkə] v *сев.* 1) ржать; 2)хохотáть, гоготáть.

**nick-nack** ['nɪknæk] = knick-knack.

**nickname** ['nɪkneɪm] 1. n 1) прóзвище; 2) уменьшúтельное úмя; 2. v давáть прóзвище.

**nicotian** [nɪ'kouʃən] 1. a табáчный; 2. n курúльщик.

**nicotine** ['nɪkətiːn] n никотúн.

**nicotinism** ['nɪkətiːnɪzəm] n отравлéние никотúном; вред от чрезмéрного курéния.

**nictate** ['nɪkteɪt] = nictitate.

**nictation** [nɪk'teɪʃən] = nictitation.

**nictitate** ['nɪktɪteɪt] v мигáть, моргáть.

**nictitating membrane** ['nɪktɪteɪtɪŋ'membreɪn] n мигáтельная перепóнка (у птиц).

**nictitation** [,nɪktɪ'teɪʃən] n мигáние.

**nicy** ['naɪsɪ] n дет. конфéтка; ледéнец.

**nid(d)ering** ['nɪdərɪŋ] уст. 1. n негодя́й, презрéнное существó; 2. a нúзкий, пóдлый.

**niddle-noddle** ['nɪdl,nɔdl] 1. a трясýщийся; 2. v = nid-nod.

**nidge** [nɪdʒ] = nig.

**nidi** ['naɪdaɪ] pl om nidus.

**nidificate** ['nɪdɪfɪkeɪt] v вить гнездó.

**nidify** ['nɪdɪfaɪ] = nidificate.

**nid-nod** ['nɪd,nɔd] v кивáть.

**nidus** ['naɪdəs] лат. n (pl nidi, -es [-ɪz]) 1) зоол. гнездó (некоторых насекомых); 2) рассáдник болéзней, очáг зарáзы.

**niece** [niːs] n племя́нница.

**nielli** [nɪ'eliː] pl om niello.

**niello** [nɪ'elou] ит. n (pl -li, -los [-louz]) 1) чернь (на металле); 2) рабóта чéрнью на серебрé; 3) издéлие с чéрнью.

**nielloed** [nɪ'eloud] a чернёный.

**nifty** ['nɪftɪ] sl. 1. n остроýмное замечáние; óстрое словцó; 2. a 1) мóдный, щегольскóй; стúльный; 2) отлúчный.

**nig** [nɪg] v обтёсывать кáмни.

**niggard** ['nɪgəd] 1. n скупéц, скря́га; 2. a скупóй.

**niggardly** ['nɪgədlɪ] 1. a 1) скупóй, скáредный; 2) скýдный; 2. adv 1) скýпо; 2) скýдно.

**nigger** ['nɪgə] n 1) негр, черномáзый (кличка, даваемая неграм американскими расистами); 2) шоколáдно-корúчневый цвет; ◇ ~ heaven амер. галёрка.

**niggle** ['nɪgl] v 1) занимáться пустякáми, крохобóрством, размéнивáться на мéлочи; 2) одурáчивать, обмáнывать.

**niggling** ['nɪglɪŋ] 1. pres. p. om niggle; 2. a 1) мéлочный; 2) трéбующий тщáтельной, кропотлúвой рабóты; 3) неразбóрчивый (о почерке).

**nigh** [naɪ] уст., поэт. 1. a блúзкий, блúжний; 2. adv 1) блúзко; ря́дом; 2) почтú.

**night** [naɪt] n 1) ночь; вéчер; ~ after ~, ~ by ~ кáждую ночь; all ~ (long) в течéние всей нóчи, всю ночь напролёт; at ~ а) нóчью; б) вéчером; by ~ а) в течéние нóчи; б) под покрóвом нóчи; o' (=on) ~s разг. по ночáм; ~ fell насту-

пúла ночь; to have a good (bad) ~ хорошó (плóхо) спать ночь; ~ out а) ночь, проведённая вне дóма (особ. в развлечéниях); б) выходнóй вéчер прислýги; to have a (или the) ~ out а) прокутúть всю ночь; б) имéть выходнóй вéчер (о прислуге); to have a ~ off имéть свобóдный вéчер; last ~ вчерá вéчером; 2) темнотá, мрак; to go forth into the ~ исчéзнуть во мрáке нóчи; 3) attr. ночнóй, вечéрний; ◇ ~ and day всегдá, непрестáнно; to make a ~ of it прокутúть всю ночь напролёт; the small ~ пéрвые часы́ пóсле полýночи (1, 2 часа ночи).

**night binoculars** ['naɪtbɪ'nɔkjuləz] n pl ночнóй бинóкль.

**night-bird** ['naɪtbəːd] n 1) ночнáя птúца; 2) ночнóй гуля́ка, полунóчник.

**night-blindness** ['naɪt'blaɪndnɪs] n мед. курúная слепотá.

**nightcap** ['naɪtkæp] n 1) ночнóй колпáк; 2) разг. стакáнчик спиртнóго нá ночь; 3) амер. спорт. финáльное соревновáние.

**night-cart** ['naɪtkɑːt] n телéга для вы́воза нечистóт, ассенизациóнная телéга.

**night-chair** ['naɪtʃɛə] n ночнáя посýда, сýдно, горшóк.

**night-clothes** ['naɪtkloudz] n ночнóе бельё.

**night-club** ['naɪtklʌb] n ночнóй клуб.

**night-dress** ['naɪtdres] n ночнáя рубáшка (женская или детская).

**nightfall** ['naɪtfɔːl] n сýмерки, наступлéние нóчи.

**night-fighter** ['naɪt,faɪtə] n ав. ночнóй истребúтель.

**night-flower** ['naɪt,flauə] n ночнóй цветóк.

**night-fly** ['naɪtflaɪ] n ночнóй мотылёк, -áя бáбочка.

**night-flying** ['naɪt,flaɪɪŋ] n ав. ночны́е полёты.

**night-glass** ['naɪtglɑːs] n ночнóй морскóй бинóкль.

**night-gown** ['naɪtgaun] = night-dress.

**night-hag** ['naɪthæg] n 1) вéдьма; 2) кошмáр.

**night-hawk** ['naɪthɔːk] n 1) = nightjar; 2) проститýтка; 3) ночнóй извóзчик.

**nightingale** ['naɪtɪŋgeɪl] n соловéй.

**nightjar** ['naɪtdʒɑː] n козодóй (птица).

**night-light** ['naɪtlaɪt] n ночнúк.

**night-line** ['naɪtlaɪn] n ýдочка с примáнкой, постáвленная нá ночь.

**night-long** ['naɪtlɔŋ] 1. a продолжáющийся всю ночь; 2. adv в течéние всей нóчи, всю ночь.

**nightly** ['naɪtlɪ] 1. a 1) ночнóй; 2) еженóщный; случáющийся кáждую ночь; 2. adv нóчью, по ночáм, еженóщно.

**nightman** ['naɪtmən] n разг. 1) ассенизáтор; 2) ночнóй стóрож.

**nightmare** ['naɪtmɛə] n 1) кошмáр; 2) миф. инкýб.

**nightmarish** ['naɪtmɛərɪʃ] a кошмáрный.

**night-piece** ['naɪtpiːs] n картúна, изображáющая ночь или вéчер.

**night-rider** ['naɪt,raɪdə] n амер. кóнный налётчик.

**night-robe** ['naɪtroub] = night-dress.

**night-school** ['naɪtskuːl] *n* вечéрняя шкóла, вечéрние кýрсы.

**nightshade** ['naɪtʃeɪd] *n* бот. паслён; black ~ чёрный паслён; deadly ~ белладóнна, сóнная óдурь; woody ~ слáдко-гóрький паслён.

**night-shift** ['naɪtʃɪft] *n* ночнáя смéна.

**night-shirt** ['naɪtʃəːt] *n* ночнáя рубáшка (*мужская*).

**night-soil** ['naɪtsɔɪl] *n* нечистóты (*вывозимые ночью*).

**night stick** ['naɪtstɪk] *n* амер. дубúнка, котóрой полицéйский воорvжён нóчью.

**night-stool** ['naɪtstuːl] = night-chair.

**night-suit** ['naɪtsjuːt] *n* пижáма.

**night-time** ['naɪttaɪm] *n* ночнóе врéмя, ночь; in the ~ нóчью.

**night-walker** ['naɪt,wɔːkə] *n* 1) лунáтик; 2) проститýтка; 3) ночнóй бродя́га.

**night-watch** ['naɪt'wɔtʃ] *n* 1) ночнóй дозóр, ночнáя вáхта; in the ~es в бессóнные часы́ нóчи; 2) ночнóй дозóрный.

**night-watchman** ['naɪt'wɔtʃmən] *n* ночнóй стóрож.

**night-wear** ['naɪtwɛə] *n* ночнóе бельё.

**nighty** ['naɪtɪ] *n* ночнáя рубашóнка.

**nigrescence** [paɪ'gresəns] *n* 1) почернéние; 2) чернотá.

**nigrescent** [paɪ'gresənt] *a* чернéющий, темнéющий; чернováтый.

**nigritude** ['naɪgrɪtjuːd] *n* чернотá; темнотá.

**nihilizm** ['naɪlɪzəm] *n* нигилúзм.

**nihilist** ['naɪlɪst] *n* нигилúст.

**nihilistic** [,naɪ'lɪstɪk] *a* нигилистúческий.

**nihility** [naɪ'hɪlɪtɪ] *n* редк. небытиé; ничтó, ничтóжность.

**nil** [nɪl] *n* ничегó, ноль (*особ. при счёте в игре*); ◇ vision ~ никакóй вúдимости.

**nilgai** ['nɪlgaɪ] *n* зоол. антилóпа нильгáу.

**Nilotic** [naɪ'lɔtɪk] *a* нúльский.

**nimbi** ['nɪmbaɪ] *n pl* от nimbus.

**nimble** ['nɪmbl] *a* 1) провóрный, лóвкий, шýстрый; лёгкий (*в движениях*); 2) живóй, подвúжный, гúбкий (*об уме*); 3) сообразúтельный; 4) бы́стрый, нахóдчивый (*об ответе*).

**nimbus** ['nɪmbəs] *n* (*pl* -bi, -es [-ɪz]) 1) нимб, сия́ние, ореóл; 2) метеор. дождевы́е облакá.

**niminy-piminy** ['nɪmɪnɪ'pɪmɪnɪ] *a* жемáнный, чóпорный, манéрный.

**nincompoop** ['nɪnkəmpuːp] *n* 1) простофúля, дурачóк; 2) бесхарáктерный человéк.

**nine** [naɪn] 1. *num. card.* дéвять; ◇ ~ days' wonder злóба дня, «грóмкое», но скóро забывáемое собы́тие; ~ men's morris *название старинной английской игры, напоминающей шашки*; ~ times out of ten обы́чно; ~ tenths почтú всё;

2. *n* 1) девя́тка; 2) *pl* девя́тый нóмер (*размер перчаток и т. п.*); 3) *амер. спорт.* комáнда из 9 человéк (*в бейсболе*); ◇ the N. *миф.* дéвять муз; up to the ~s совершéнно; чрезвычáйно; to crack one up to the ~s превозносúть когó-л. до небéс; dressed up to the ~s расфранчённый.

**ninefold** ['naɪnfould] 1. *a* девятикрáтный; 2. *adv* в дéвять раз бóльше.

**nine-killer** ['naɪn,kɪlə] *n* зоол. сорокопýт.

**ninepins** ['naɪnpɪnz] *n pl* кéгли.

**nineteen** ['naɪn'tiːn] *num. card.* девятнáдцать; ◇ to talk (*или* to go) ~ to the dozen говорúть без концá, без ýмолку, трещáть.

**nineteenth** ['naɪn'tiːnθ] 1. *num. ord.* девятнáдцатый;

2. *n* 1) девятнáдцатая часть; 2) (the ~) девятнáдцатое числó.

**nineties** ['naɪntɪz] *n pl* 1) (the ~) девянóстые гóды (*особ. XIX в.*); 2) девя́тый деся́ток (*возраст между 89 и 100 годами*).

**ninetieth** ['naɪntɪɪθ] 1. *num. ord.* девянóстый;

2. *n* девянóстая часть.

**ninety** ['naɪntɪ] 1. *num. card.* девянóсто; ~-one девянóсто одúн; ~-two девянóсто два *и т. д.*; ◇ ~-nine out of a hundred почтú всё;

2. *n* девянóсто (*единиц, штук*).

**ninny** ['nɪnɪ] *n* дурáк, простофúля.

**ninny-hammer** ['nɪnɪ,hæmə] = ninny.

**ninth** [naɪnθ] 1. *num. ord.* девя́тый;

2. *n* 1) девя́тая часть; 2) девя́тое числó.

**ninthly** ['naɪnθlɪ] *adv* в-девя́тых.

**niobium** [naɪ'oubɪəm] *n* хим. ниóбий.

**Nip** [nɪp] *n* (*сокр. от* Nipponese) амер. разг. 1) япóнец; 2) attr. япóнский.

**nip** [nɪp] 1. *n* 1) щипóк, укýс; 2) откýшенный кусóк; 3) (небольшóй) глотóк; 4) кóлкость, éдкое замечáние; придúрка, обúдный упрёк; 5) рéзкое воздéйствие (*мороза, ветра на растения*); 6) сжáтие (*судна во льдах*); 7) *тех.* тискú; захвáт; 8) *геол.* нúзкий утёс; 9) *горн.* раздáвливание целикóв, завáл; ◇ ~ and tuck амер. а) плечóм к плечý; врóвень; б) во весь опóр; пóлным хóдом; to freshen the ~ опохмел́яться;

2. *v* (nipped [-t], nipt) 1) ущипнýть; щипáть; укусúть; тя́пнуть (*о собаке*); прищемúть (*инструментом*); сжимáть (*судно во льдах*); 2) побúть, повредúть (*ветром, морозом*); 3) пресéчь; to ~ in the bud пресéчь в кóрне; подавúть в зарóдыше; 4) упрекáть; придирáться; 5) отпивáть (*спиртное*) мáленькими глоткáми; 6) *sl.* укрáсть, стащúть, стянýть; 7) *sl.* схватúть, арестовáть; 8) *тех.* откусúть, отрéзать; захватúть, зажáть; □ ~ along бы́стро идтú; ~ away разг. ускользнýть, удрáть; ~ in(to) вмéшиваться в (*разговор*); ~ off а) ощúпывать; б) отщипнýть, откусúть; в) удрáть; ~ on ahead старáться перегнáть.

**Nipper** ['nɪpə] *n* амер. разг. япóнец.

**nipper** ['nɪpə] *n* 1) тот, кто кусáется, кусáка; то, что кусáется, щúплется; 2) *pl* острогýбцы, кусáчки; щипцы́ (*тж.* a pair of ~s); 3) *pl* пенснé; 4) клешня́ (*рака, краба*); 5) передний зуб, резéц (*лошади*); 6) мальчугáн; мáльчик-подрýчный; 7) *sl.* ворúшка, кармáнник; 8) *pl* амер. разг. кандалы́.

**nipping** ['nɪpɪŋ] 1. *pres. p.* от nip 2;

2. *a* щúплющий; ~ frost сúльный мороз.

**nipple** ['nɪpl] *n* 1) сосо́к (*груди*); 2) со́ска; 3) буго́р, со́пка; 4) пузы́рь (*в стекле, металле*); 5) *тех.* ни́ппель, соедини́тельная га́йка, па́трубок; 6) *воен.* боёк уда́рника.

**nipplewort** ['nɪplwəːt] *n бот.* борода́вник.

**Nipponese** [,nɪpɔ'niːz] 1. *a* япо́нский; 2. *n* япо́нец; япо́нка; the ~ *pl* собир. япо́нцы.

**nippy** ['nɪpɪ] 1. *a* 1) моро́зный; ре́зкий (*о ветре*); ~ weather холо́дная пого́да; 2) *разг.* прово́рный; 2. *n разг.* официа́нтка, подава́льщица.

**nipt** [nɪpt] *past и p. p. от* nip 2.

**nirvana** [nɪə'vɑːnə] *n* нирва́на.

**nisei** ['niːseɪ] *n* америка́нец япо́нского происхожде́ния.

**nisi** ['naɪsaɪ] *лат. cj юр.* е́сли не; decree (order, rule) ~ постановле́ние, *особ.* о разво́де (прика́з, пра́вило), вступа́ющее в си́лу с определённого сро́ка, е́сли оно́ не отменено́ до э́того; trial at ~ prius [-'praɪəs] слу́шание гражда́нских дел выездно́й се́ссией суда́.

**nit** I [nɪt] *n* гни́да.

**nit** II [nɪt] *n шотл.* оре́х.

**niton** ['naɪtɔn] *n хим.* нато́н (*прежнее название радона*).

**nitrate** ['naɪtreɪt] *хим.* 1. *n* соль или эфи́р азо́тной кислоты́; нитра́т; 2. *v* нитри́ровать.

**nitration** [naɪ'treɪʃən] *n хим.* азоти́рование, нитрова́ние.

**nitre** ['naɪtə] *n хим.* сели́тра.

**nitric** ['naɪtrɪk] *a хим.* азо́тный; ~ oxide о́кись азо́та.

**nitrification** [,naɪtrɪfɪ'keɪʃən] *n хим.* нитрифика́ция.

**nitrify** ['naɪtrɪfaɪ] *v хим.* 1) нитрифици́ровать; 2) превраща́ться в сели́тру.

**nitrite** ['naɪtraɪt] *n хим.* соль азо́тистой кислоты́.

**nitrogen** ['naɪtrɪdʒən] *n хим.* азо́т.

**nitrogenous** [naɪ'trɔdʒɪnəs] *a хим.* азо́тный.

**nitroglycerine** ['naɪtrouglɪsə'riːn] *n* нитроглицери́н.

**nitrometer** [naɪ'trɔmɪtə] *n хим.* нитро́метр.

**nitron** ['naɪtrɔn] *n* нитро́н (*пластический материал*).

**nitrous** ['naɪtrəs] *a хим.* азо́тистый; ~ oxide веселя́щий газ, за́кись азо́та.

**nitty** ['nɪtɪ] *a* вши́вый.

**nitwit** ['nɪtwɪt] *n sl.* дура́к, ничто́жество, простофи́ля.

**nival** ['naɪvəl] *a* сне́жный; расту́щий под сне́гом.

**nix** I [nɪks] *int школ. sl.* будь начеку́!, ти́хо!, осторо́жно!

**nix** II [nɪks] *sl.* 1. *n* ничего́; нуль; 2. *adv* нет; не.

**nix** III [nɪks] *n миф.* водяно́й.

**nixie** ['nɪksɪ] *n миф.* руса́лка.

**Nizam** [naɪ'zæm] *n* 1) низа́м (*титул правителя Хайдарабада*); 2) туре́цкая а́рмия; 3) (*pl без измен.*) солда́т туре́цкой а́рмии.

**no** [nou] 1. *adv* 1) нет; no, I cannot нет, не могу́; 2) не (*при сравнит. ст.* = not any, not at all); he is no better today сего́дня ему́ (ниско́лько) не лу́чше; I can wait no longer я не могу́ до́льше ждать; no sooner had he arrived than he fell ill едва́ он успе́л прие́хать, как заболе́л; no less than а) не ме́нее, чем; б) ни бо́льше, ни ме́ньше как; no more не́чего, ничего́ бо́льше; нет (бо́льше); I have no more to say мне не́чего бо́льше сказа́ть; he is no more его́ нет в живы́х, он у́мер; he cannot come, no more can I он не мо́жет прийти́, как и я; 2. *pron. neg.* 1) никако́й (=not any; *перед существительным передаётся обыкн. словом* нет); he has no reason to be offended у него́ нет (никако́й) причи́ны обижа́ться; 2) не (=not a); he is no fool он неглу́п, он не дура́к; no such thing ничего́ подо́бного; no doubt несомне́нно; no wonder неудиви́тельно; 3) *означает запрещение, отсутствие:* no smoking! кури́ть воспреща́ется!; no compromise! никаки́х компроми́ссов!; no special invitations «осо́бых приглаше́ний не бу́дет»; no trumps! без ко́зыря!; no two ways about it а) друго́го вы́хода нет; б) не мо́жет быть двух мне́ний насчёт э́того; by no means нико́им о́бразом; коне́чно нет; 4) *вместе с отглагольным существительным означает невозможность:* there's no knowing what may happen нельзя́ знать, что мо́жет случи́ться; ◇ no end of о́чень мно́го, мно́жество; we had no end of good time мы превосхо́дно провели́ вре́мя; no cross, no crown *посл.* ≈ без труда́ нет плода́; ≈ го́ря боя́ться, сча́стья не вида́ть; no flies on him его́ не проведёшь; no man никто́; no man's land «ничья́ земля́»; б) *воен.* нейтра́льная по́лоса, «ничья́ земля́», простра́нство ме́жду транше́ями обо́их проти́вников; no matter безразли́чно, нева́жно; no odds нева́жно, не име́ет значе́ния; in no time о́чень бы́стро, в мгнове́ние о́ка; 3. *n* (*pl* noes [nouz]) 1) отрица́ние; two noes make a yes два отрица́ния равны́ утвержде́нию; 2) отка́з; he will not take no он не при́мет отка́за; 3) *pl* голосу́ющие про́тив; the noes have it большинство́ про́тив.

**Noah** ['nouə] *n библ.* Ной; N.'s ark Но́ев ковче́г.

**nob** I [nɔb] *sl.* 1. *n* 1) голова́, башка́; 2) козырно́й вале́т (*в некоторых карт. играх*); 2. *v* нанести́ уда́р в го́лову (*в боксе*).

**nob** II [nɔb] *n разг.* высокопоста́вленное лицо́, осо́ба, фигу́ра, ши́шка.

**nobble** ['nɔbl] *v sl.* 1) испо́ртить ло́шадь (*перед состязанием*); 2) подкупи́ть; 3) обману́ть; 4) укра́сть; 5) пойма́ть (*преступника и т. п.*).

**nobby** ['nɔbɪ] *a разг.* изя́щный; мо́дный; шика́рный; крича́щий.

**nobiliary** [nou'bɪlɪərɪ] *a* дворя́нский; the ~ particle, the ~ prefix дворя́нская приста́вка к и́мени.

**nobility** [nou'bɪlɪtɪ] *n* 1) дворя́нство; знать; the ~ класс дворя́н; титуло́ванная аристокра́тия (*в Англии; в отличие от* gentry — *нетитулованного дворянства*); 2) благоро́дство, великоду́шие; вели́чие (*ума и т. п.*).

**noble I** [′noubl] 1. *a* 1) благоро́дный; великоду́шный; 2) прекра́сный, замеча́тельный; превосхо́дный; 3) вели́чественный, велича́вый; ста́тный; 4) титуло́ванный, зна́тный; 5) *хим.* ине́ртный (*газ*); 6) благоро́дный (*металл*);
2. *n* 1) = nobleman; 2) *ист.* нобль (*старинная англ. золотая монета = 6 шиллингам 8 пенсам*).

**noble II** [′noubl] *n амер. sl.* глава́рь штрейкбре́херов; надсмо́трщик над штрейкбре́херами.

**noble fir** [′noubl′fə:] *n бот.* пи́хта благоро́дная.

**nobleman** [′noublmən] *n* 1) дворяни́н; 2) титуло́ванное лицо́, пэр (*в Англии*).

**noble-minded** [′noubl′maindid] *a* великоду́шный, благоро́дный.

**noble-mindedness** [′noubl′maindidnis] *n* великоду́шие, благоро́дство.

**nobleness** [′noublnis] *n* благоро́дство *и пр.* [*см.* noble I, 1].

**noblesse** [nou′bles] *фр. n* дворя́нство (*особенно иностранное*);◇ ~ oblige положе́ние обя́зывает.

**noblewoman** [′noubl,wumən] *n редк.* дворя́нка; супру́га пэ́ра, ле́ди.

**nobly** [′noubli] *adv* 1) благоро́дно; 2) прекра́сно, превосхо́дно.

**nobody** [′noubədi] 1. *pron. neg.* никто́;
2. *n* 1) ничто́жество; «пусто́е ме́сто»; a mere ~ по́лное ничто́жество; titled ~ титуло́ванное ничто́жество; 2) челове́к, не име́ющий ве́са в о́бществе; ◇ ~ home *амер.* ~ не все до́ма, ви́нтика не хвата́ет.

**nock** [nɔk] 1. *n* зару́бка, вы́емка на конце́ лу́ка *или* на стреле́ (*для тетивы*);
2. *v* 1) де́лать зару́бки; 2) натя́гивать тетиву́.

**noctambulant** [,nɔk′tæmbjulənt] 1. *a* сомнамбули́ческий;
2. *n* сомна́мбула, луна́тик.

**noctambulizm** [nɔk′tæmbjulizəm] *n* сомнамбули́зм, лунати́зм.

**noctiflorous** [,nɔkti′flɔːrəs] *a бот.* цвету́щий но́чью.

**noctilucous** [,nɔkti′ljuːkəs] *a* светя́щийся но́чью; фосфоресце́нтный.

**noctovision** [,nɔktə′viʒən] *n* 1) спосо́бность ви́деть в темноте́; 2) телеви́дение в инфракра́сных луча́х.

**noctule** [′nɔktjuːl] *n зоол.* вече́рница ры́жая.

**nocturnal** [nɔk′təːnl] 1. *a* ночно́й;
2. *n астр.* пасса́жный инструме́нт.

**nocturne** [′nɔktəːn] *n* 1) *муз.* ноктю́рн; 2) *жив.* ночна́я сце́на.

**nocuous** [′nɔkjuəs] *a* 1) вре́дный; 2) ядови́тый.

**nod** [nɔd] 1. *n* 1) киво́к; 2) клева́ние но́сом; дремо́та;
2. *v* 1) кива́ть голово́й (*в знак согласия, приветствия и т. п.*); 2) дрема́ть, клева́ть но́сом; 3) прозева́ть (*что-л.*); 4) наклоня́ться, кача́ться (*о деревьях*); 5) поcoси́ться, грози́ть обва́лом (*о зданиях*); ◇

Homer sometimes ~s *посл.* ≅ на вся́кого мудреца́ дово́льно простоты́; вся́кий мо́жет ошиби́ться.

**nodal** [′noudl] *a* центра́льный; узлово́й.

**noddle** [′nɔdl] *разг.* 1. *n* башка́;
2. *v* кива́ть *или* кача́ть голово́й.

**noddy** [′nɔdi] *n* 1) проста́к, дура́к; 2) глупы́ш (*птица*).

**node** [noud] *n* 1) *бот.* у́зел; 2) *физ., филос.* узлово́й пункт; 3) *мед.* наро́ст, утолще́ние; 4) *астр.* то́чка пересече́ния орби́т; 5) *мат.* то́чка пересече́ния двух ли́ний.

**nodi** [′noudai] *pl от* nodus.

**nodical** [′noudikəl] *a астр.* относя́щийся к то́чке пересече́ния орби́т.

**nodose** [′noudous] *a* узлова́тый.

**nodosity** [nou′dɔsiti] *n* 1) узлова́тость; 2) утолще́ние.

**nodular, nodulated** [′nɔdjulə, -leitid] *a* 1) узелко́вый, узлова́тый, желва́чный; 2) почкови́дный; ~ ore почкови́дная руда́.

**nodule** [′nɔdjuːl] *n* 1) узело́к; 2) *мед.* узелко́вое утолще́ние; 3) *геол.* ру́дная по́чка, желва́к, конкре́ция, дру́за; валу́н, га́лька; 4) *с.-х.* наро́ст на расте́нии, кап.

**nodulose, nodulous** [′nɔdjulous, -ləs] *a* узлова́тый.

**nodus** [′noudəs] *n* (*pl* nodi) 1) у́зел; 2) затрудне́ние; сло́жное сплете́ние обстоя́тельств; у́зел (*интриги*).

**noetic** [nou′etik] *a* 1) духо́вный; интеллектуа́льный; 2) абстра́ктный.

**nog I** [nɔg] *n* 1) деревя́нный клин *или* гвоздь; на́гель; 2) *горн.* распо́рка рудни́чной кре́пи.

**nog II** [nɔg] *n* 1) род кре́пкого пи́ва; 2) = egg-flip.

**noggin** [′nɔgin] *n* 1) ма́ленькая кру́жка; 2) че́тверть пи́нты (*мера жидкости = 0,12–0,14 л*); 3) *разг.* голова́.

**no go** [′nou′gou] *n* безвы́ходное положе́ние, тупи́к [*см. тж.* go 2, 7)].

**no good** [′nou′gud] *n амер.* нестоя́щий челове́к *или* -ая вещь.

**nohow** [′nouhau] *adv* ника́к, нико́им о́бразом.

**noil** [nɔil] *n текст.* гребе́нный очёс, очёски, уга́р гребнечеса́ния.

**noise** [nɔiz] 1. *n* 1) шум, гам, гро́хот; гвалт; to make a ~ about smth. поднима́ть шум из-за чего́-л.; to make a ~ in the world устра́ивать, вызыва́ть мно́го шу́ма, то́лков; 2) звук (*обыкн. неприятный*); 3) *радио* искаже́ние зву́ка; 4) *уст.* слух, молва́; ◇ a big ~ хозя́ин, «ши́шка»; to be a lot of ~ *амер.* быть болтуно́м, пустоме́лей;
2. *v* 1) разглаша́ть; распространя́ть; обнаро́довать; 2) *редк.* шуме́ть, крича́ть.

**noise-killer** [′nɔiz,kilə] *n* шумоглуши́тель.

**noiseless** [′nɔizlis] *a* 1) бесшу́мный, ти́хий; 2) беззву́чный, безмо́лвный.

**noisette I** [nwɑ′zet] *фр. n* (*обыкн. pl*) тёфтели.

**noisette II** [nwɑ′zet] *n бот.* ро́за нуазе́товая.

**noisome** [′nɔisəm] *a* 1) вре́дный; нездоро́вый; 2) злово́нный; 3) отврати́тельный.

**noisy** ['nɔızı] *a* 1) шу́мный, шумли́вый; галдя́щий; 2) крича́щий, я́ркий (*о цвете, костюме и т. п.*).

**nolens volens** ['noulenz'voulenz] = will-ly-nilly.

**noli me tangere** ['noulaımiː'tændʒəriː] *лат.* (*букв.*: не прикаса́йся ко мне) *n* 1) недо-тро́га; 2) *бот.* недотро́га; 3) *мед.* волча́нка.

**nolle prosequi** ['nɔlı'prɔsekwaı] *лат. юр.* 1. *n* отка́з истца́ от и́ска *или* от ча́сти его́; 2. *v амер.* отказа́ться от обвине́ния (*обыкн. только* nolle *или* nolle prosse).

**no-load** ['nouloud] *n тех.* холосто́й ход, нулева́я нагру́зка.

**nomad** ['nɔməd] 1. *n* 1) коче́вник; 2) стра́нник; бродя́га; 2. *a* = nomadic.

**nomadic** [nou'mædık] *a* 1) кочево́й, кочу́ющий; 2) бродя́чий.

**nomadism** ['nɔmədızəm] *n* кочево́й о́браз жи́зни.

**nomadize** ['nɔmədaız] *v* кочева́ть, вести́ кочево́й о́браз жи́зни.

**nom de plume** ['nɔ̃ːmdə'pluːm] *фр. n* псевдони́м.

**nomenclative** ['noumen,kleıtıv] *a* 1) номенклату́рный; 2) терминологи́ческий.

**nomenclature** [nou'menklətʃə] *n* 1) номенклату́ра; 2) терминоло́гия.

**nominal** ['nɔmınl] *a* 1) номина́льный; ~ price номина́льная цена́; ~ sentence усло́вный пригово́р; 2) именно́й (*тж. грам.*); 3) нарица́тельный.

**nominalism** ['nɔmınəlızəm] *n филос.* номинали́зм.

**nominally** ['nɔmınəlı] *adv* номина́льно.

**nominate** ['nɔmıneıt] *v* 1) выставля́ть, предлага́ть кандида́та (*на выборах*); 2) назнача́ть (*дату и т. п.; тж. на должность*); 3) *уст.* именова́ть, называ́ть.

**nominating** ['nɔmıneıtıŋ] 1. *pres. p. от* nominate; 2. *a*: ~ convention *амер.* съезд для вы́боров кандида́та в президе́нты.

**nomination** [,nɔmı'neıʃən] *n* 1) назначе́ние (*на должность*); 2) выставле́ние кандида́та (*на выборах*); 3) пра́во назначе́ния *или* выставле́ния кандида́та (*при выбо-рах на должность*); 4) *attr.*: ~ day день, когда́ происхо́дит выдвиже́ние кандида́тов.

**nominatival** [,nɔmınə'taıvəl] *a грам.* относя́щийся к имени́тельному падежу́.

**nominative** ['nɔmınətıv] 1. *n* 1) *грам.* имени́тельный паде́ж; 2) [*тж.*'nɔmı,neıtıv] лицо́, назна́ченное (на до́лжность); 2. *a* 1) *грам.* имени́тельный; 2) назна́-ченный (на до́лжность).

**nominator** ['nɔmıneıtə] *n* лицо́, предлага́ющее кандида́та (*при выборах*) *или* назнача́ющее на до́лжность.

**nominee** [,nɔmı'niː] *n* кандида́т, предло́-женный на каку́ю-л. до́лжность *или* вы́-двинутый на вы́борах.

**non-** [nɔn-] *pref* означа́ет *отрицание*; *напр.*: non-conductor непроводни́к — con-ductor проводни́к; non-essential несуще́-ственный — essential суще́ственный.

**non-acceptance** ['nɔnək'septəns] *n* не-приня́тие.

**non-access** ['nɔn'ækses] *n* невозмо́жность полово́го обще́ния (*юр. термин в исках об отцовстве*).

**non-affiliated** ['nɔnə'fılıeıtıd] *a*: ~ union *амер.* профсою́з, не входя́щий ни в одно́ профсою́зное объедине́ние.

**nonage** ['nounıdʒ] *n* несовершенноле́тие; незре́лость.

**nonagenarian** [,nounədʒı'nɛərıən] 1. *n* челове́к в во́зрасте ме́жду 89 и 100 года́ми; 90-ле́тний (стари́к, -няя стару́ха); 2. *a* в во́зрасте ме́жду 89 и 100 года́ми.

**non-aggression pact** ['nɔnəg'reʃən'pækt] *n* догово́р, пакт о ненападе́нии.

**non-aggressive** ['nɔnə'gresıv] *a* неагресси́вный.

**non-alcoholic** ['nɔn,ælkə'hɔlık] *a* безалкого́льный.

**non-appearance** ['nɔnə'pıərəns] *n юр.* нея́вка в суд.

**nonary** ['nounərı] 1. *n* гру́ппа из девяти́; 2. *a* девяти́чный (*о системе счисления*).

**non-attendance** ['nɔnə'tendəns] *n* непосе-ще́ние заня́тий.

**non-believer** ['nɔnbı'liːvə] *n* 1) неве́-рующий; 2) ске́птик.

**non-belligerence** ['nɔnbı'lıdʒərəns] *n* неуча́стие в войне́.

**non-belligerent** ['nɔnbı'lıdʒərənt] *a* невою́-ющий, не находя́щийся в состоя́нии войны́.

**non-capital ship** ['nɔn'kæpıtl'ʃıp] *n мор.* кора́бль не лине́йного кла́сса.

**nonce** [nɔns] *n*: for the ~ специа́льно для да́нного слу́чая; в да́нное вре́мя; вре́менно.

**nonce-word** ['nɔnswəːd] *n* сло́во, образо́-ванное то́лько для да́нного слу́чая.

**nonchalance** ['nɔnʃələns] *n* 1) бесстра́ст-ность; безразли́чие; 2) беззабо́тность; бес-пе́чность; небре́жность.

**nonchalant** ['nɔnʃələnt] *a* 1) безразли́ч-ный; бесстра́стный; 2) беззабо́тный; бес-пе́чный; небре́жный.

**non-claim** ['nɔn,kleım] *n юр.* просро́чка в предъявле́нии и́ска.

**non-com** [,nɔn'kɔm] *n* (*сокр. от* non--commissioned officer) *разг.* у́нтер-офице́р, сержа́нт.

**non-combatant** [nɔn'kɔmbətənt] *a* не-строево́й, тылово́й; не уча́ствующий в бое-вы́х опера́циях.

**non-commissioned officer** ['nɔnkə'mı-ʃənd'ɔfısə] *n* военнослу́жащий сержа́нт-ского соста́ва.

**non-committal** ['nɔnkə'mıtl] 1. *n* укло́н-чивость; 2. *a* укло́нчивый.

**non-communicable** ['nɔnkə'mjuːnıkəbl] *a* незара́зный.

**non-compliance** ['nɔnkəm'plaıəns] *n* 1) неподчине́ние; 2) несогла́сие; 3) несоблю-де́ние (with—*чего-л.*).

**non compos (mentis)** [,nɔn'kɔmpəs('men-tıs)] *a юр.* невменя́емый.

**non-conducting** ['nɔnkən'dʌktıŋ] *a физ.* непроводя́щий.

**non-conductor** ['nɔnkən,dʌktə] *n физ.* не-проводни́к, диэле́ктрик.

**nonconformist** ['nɔnkən'fɔːmıst] *n* сек-та́нт, диссиде́нт.

**nonconformity** ['nɔnkən'fɔːmɪtɪ] *n* 1) непринадлёжность к госудáрственной цéркви; 2) неподчинéние; 3) *собир.* диссидéнты.

**non-content** ['nɔnkən'tent] *n* 1) недовóльный; несоглáсный; 2) голосýющий прóтив предложéния (*в палате лордов*).

**non-co-operation** ['nɔnkou,ɔpə'reɪʃən] *n* полúтика бойкóта, неповиновéния, откáз от сотрýдничества.

**nondescript** ['nɔndɪskrɪpt] 1. *n* человéк *или* предмéт неопределённого вúда;
2. *a* неопределённого вúда, трýдно определúмый, неописýемый.

**nondurable** ['nɔn'djuərəbl] *a* 1) недолговрéменный, недолговéчный; 2) *эк.* недлúтельного пóльзования (*о товарах*).

**none** [nʌn] 1. *pron. neg.* 1) никтó, ничтó; ни одúн; he has three daughters, ~ are (*или* is) married у негó три дóчери, ни однá не зáмужем; 2) никакóй; ◇ ~ but никтó крóме, тóлько; ~ of that! перестáнь!;
2. *adv* нискóлько, совсéм не; I slept ~ that night *амер.* в ту ночь я совсéм не спал; ◇ I am ~ the better for it мне от áтого не лéгче; ~ the less нискóлько не мéньше; тем не мéнее.

**non-effective** ['nɔnɪ'fektɪv] 1. *a* недействúтельный, непригóдный;
2. *n* солдáт *или* матрóс, негóдный к строевóй слýжбе (*вследствие ранения и т. п.*).

**nonentity** [nɔ'nentɪtɪ] *n* 1) небытиé; 2) несуществýющая вещь, фúкция; 3) ничтóжество, «пустóе мéсто» (*о человеке*).

**nones** [nounz] *n pl* нóны (*в древнеримском календаре 5-е число месяца, но 7-е число марта, мая, июля, октября*).

**non-essential** ['nɔnɪ'senʃəl] 1. *a* несущéственный;
2. *n* 1) пустяк; 2) незначúтельный человéк.

**nonesuch** ['nʌnsʌtʃ] = nonsuch.

**nonet** [nou'net] *n муз.* нонéт.

**nonexpendable** ['nɔnɪks'pendəbl] *a тех.* не расхóдующийся при употреблéнии.

**non-feasance** ['nɔn'fiːzəns] *n юр.* невыполнéние обязáтельства, дóлга.

**non-ferrous** ['nɔn'ferəs] *a* цветнóй (*о металле*).

**non-freezing** ['nɔn'friːzɪŋ] *a* незамерзáющий; морозостóйкий.

**non-fulfilment** ['nɔnful'fɪlmənt] *n* невыполнéние.

**non-inductive** ['nɔnɪn'dʌktɪv] *a* неиндуктúвный; безындукциóнный.

**non-intervention** ['nɔn,ɪntə'venʃən] *n* невмешáтельство.

**nonius** ['nouniəs] *n* нóниус, верньéр.

**non-lending** ['nɔn'lendɪŋ] *a* без выдачи книг нá дом (*о библиотеке*).

**non-metal** ['nɔn,metl] *n* металлóид, неметаллúческий элемéнт.

**non-moral** ['nɔn'mɔrəl] *a* 1) не относящийся к вопрóсам морáли; не связанный с морáлью и áтикой; 2) аморáльный.

**non-observance** ['nɔnəb'zəːvəns] *n* несоблюдéние (*правил и т. п.*).

**nonpareil** ['nɔnpərel] 1. *n* 1) сорт яблок; 2) *полигр.* нонпарéль;
2. *a* беcподóбный, несравнéнный.

**non-partisan** [nɔn,pɑːtɪ'zæn] *a* 1) стоящий вне пáртий; беспартúйный; 2) беcпристрáстный.

**non-party** [nɔn'pɑːtɪ] *a* беспартúйный.

**non-persistent** ['nɔnpə'sɪstənt] *a* нестóйкий; ~ gas нестóйкий газ, нестóйкое отравляющее веществó.

**nonplus** ['nɔn'plʌs] 1. *n* замешáтельство, затруднúтельное положéние; at a ~ в тупикé;
2. *v* приводúть в замешáтельство; стáвить в тупúк, в затруднúтельное положéние.

**non-pollution** ['nɔnpə'luːʃən] *n* систéма санитáрно-технúческих мер (*против загрязнения воздуха и т. п.*).

**non-productive** [,nɔnprə'dʌktɪv] *a* 1) непроизводящий; 2) непроизводúтельный; непродуктúвный.

**non-prosequitur** ['nɔnprou'sekwɪtə] *лат. n юр.* решéние, вúнесенное прóтив истцá при егó неявке в суд.

**non-resident** ['nɔn'rezɪdənt] *n* человéк, не проживáющий постоянно в однóм мéсте; владéлец, не проживáющий в своём помéстье; свящéнник, не проживáющий в своём прихóде.

**non-resistance** [,nɔngɪ'zɪstəns] *n* непротивлéние; пассúвное подчинéние.

**non-resistant** [,nɔngɪ'zɪstənt] 1. *n* непротивлéнец;
2. *a* не окáзывающий сопротивлéния, несопротивляющийся.

**non-rigid** ['nɔn'rɪdʒɪd] *a* 1) *ав.* мягкий, нежёсткий (*о дирижабле*); 2) *тех.* эластúчный.

**nonsense** ['nɔnsəns] 1. *n* 1) вздор, ерундá, чепухá, бессмúслица; clotted (*или* flat) ~ совершéнная ерундá; to talk ~ говорúть глýпости, нестú чушь; 2) сумасбрóдство; бессмúсленные постýпки; 3) абсýрд, абсýрдность; 4) пустяки;
2. *int* ерундá!, вздор!, глýпости, чушь!

**nonsensical** [nɔn'sensɪkəl] *a* бессмúсленный, нелéпый, глýпый.

**non-skid** ['nɔn'skɪd] 1. *n* приспособлéние прóтив буксовáния колёс;
2. *a* нескользящий, небуксýющий.

**non-standard** ['nɔn'stændəd] *a* не соотвéтствующий устанóвленным нóрмам (*о языке*).

**non-stop** ['nɔn'stɔp] 1. *n* 1) пóезд, автóбус *и т. п.*, идýщий без останóвок; 2) безостанóвочный прóбег;
2. *a* 1) безостанóвочный; 2) *ав.* беспосáдочный.

**nonsuch** ['nʌnsʌtʃ] *n* 1) верх совершéнства, образéц; 2) *бот.* люцéрна хмелевúдная.

**nonsuit** ['nɔn'sjuːt] *юр.* 1. *n* прекращéние úска;
2. *v* откáзывать в úске; прекращáть дéло.

**non-term** ['nɔn'təːm] *n редк.* перерúв мéжду судéбными сéссиями.

**non-union** I ['nɔn'juːnjən] *a* не состоящий члéном профсоюза; to employ ~ labour принимáть на рабóту не члéнов профсоюза.

**non-union** II ['nɔn'juːnjən] *n мед.* несрастáние (*перелома*).

**non-unionist** ['nɔn'juːnjənɪst] *n* не член профсоюза.

**nonviolence** [nɔn'vaɪələns] *n* отказ от применения насильственных методов.

**noodle** I ['nuːdl] *n разг.* 1) балда, простак, дурень, олух; 2) голова, башка.

**noodle** II ['nuːdl] *n (обыкн. pl)* лапша.

**nook** [nuk] *n* 1) угол; 2) укромный уголок, закоулок; 3) глухое, удалённое место; 4) бухточка.

**noon** [nuːn] *n* 1) полдень; 2) *поэт.* полночь; 3) зенит, расцвет.

**noonday** ['nuːndeɪ] *n* 1) полдень, время около полудня; 2) время наибольшего подъема, процветания; 3) *attr.* полуденный.

**no one** ['nouwʌn] *pron. neg.* никто.

**nooning** ['nuːnɪŋ] *n амер.* 1) полдень; 2) полуденный перерыв; 3) отдых, еда *(в полдень)*

**noontide** ['nuːntaɪd] *n* 1) полдень, время около полудня; 2) *перен.* зенит, расцвет; 3) *attr.* полуденный.

**noontime** ['nuːntaɪm] *n* полдень.

**noose** [nuːs] **1.** *n* 1) петля; аркан; лассо; 2) ловушка, силок; 3) узы супружества; ◇ to put one's neck into the ~ ≅ самому в петлю лезть;

**2.** *v* 1) поймать арканом, силком; заманить в ловушку; 2) повесить *(преступника)*.

**nopal** ['noupəl] *n* мексиканский кактус.

**nope** [noup] *adv амер. разг.* нет.

**nor** [nɔ] *cj* 1) *употр. для выражения отрицания в последующих отриц. предложениях, если в первом содержится* not, never *или* по и... не, также... не; you don't seem to be well. Nor am I вы, по-видимому, нездоровы, и я тоже (нездоров); 2) *употр. для усиления утверждения в отриц. предложении, следующем за утвердительным* также, тоже... не; we are young, ~ are they old мы молоды, и они также не стары; 3): neither... ~ ни... ни; neither hot ~ cold ни жарко ни холодно; 4) *(вместо* neither *в конструкции* neither nor) ни; ~ he ~ I was there ни его, ни меня не было; 5) *поэт. (при опущении предшествующего* neither) ни; thou ~ I have made the world ни ты, ни я не создали мира.

**nor'-** [nɔ-] *в сложных словах означает* северо-; *напр.:* nor'east северо-восток; nor'west северо-запад.

**Nordic** ['nɔːdɪk] *этн.* **1.** *a* северный, нордический, скандинавский.

**2.** *n* представитель нордической расы.

**Norfolk Howard** ['nɔːfək'hauəd] *n sl.* клоп.

**Norfolk jacket** ['nɔːfək'dʒækɪt] *n* широкая куртка *(с поясом)*.

**noria** ['nouriə] *n тех.* нория; многоковшовый элеватор.

**norland** ['nɔːlənd] *n* северный район.

**norm** [nɔːm] *n* норма; образец, стандарт.

**normal** ['nɔːməl] **1.** *a* 1) нормальный, обыкновенный; обычный; 2) средний, среднеарифметический; 3) *геом.* перпендикулярный;

**2.** *n* 1) нормальное состояние; 2) нормальный тип, образец, размер; 3) *геом.* нор-

маль, перпендикуляр; 4) *мед.* нормальная температура; 5) *хим.* нормальный раствор.

**normalcy** ['nɔːməlsɪ] = normality.

**normality** [nɔː'mælɪtɪ] *n* нормальность, обычное состояние.

**normalization** [,nɔːməlaɪ'zeɪʃən] *n* нормализация.

**normalize** ['nɔːməlaɪz] *v* нормализовать; нормировать; стандартизировать.

**normal school** ['nɔːməl'skuːl] *n* педагогическое училище.

**Norman** ['nɔːmən] **1.** *n* 1) нормандец; 2) *ист.* норманн; 3) = ~ French *(см.* 2, 2)]; **2.** *a* 1) норманадский; 2) *ист.* норманский; the ~ Conquest завоевание Англии норманнами *(1066 г.);* ~ French норманский диалект; ~ style английская архитектура XII в.

**Norn** [nɔːn] *n (обыкн. pl)* норна *(богиня судьбы в скандинавской мифологии).*

**Norse** [nɔːs] **1.** *n* 1) *ист.*, *поэт.* норвежский язык; Old ~ древнескандинавский язык; 2) *собир.* скандинавы; норвежцы; **2.** *a* 1) норвежский; 2) древнескандинавский.

**Norseman** ['nɔːsmən] *n* 1) норвежец; 2) древний скандинав.

**north** [nɔːθ] **1.** *n* 1) север; *мор.* норд; 2) (N.) северная часть страны *(Англии — к северу от залива Хамбер; США — севернее р. Огайо);* 3) норд, северный ветер; **2.** *a* 1) северный; 2) обращённый к северу; **3.** *adv* к северу, на север, в северном направлении; ~ about *мор.* северным путём, огибая Шотландию; ~ of к северу от; lies ~ and south тянется (в направлении) с севера на юг; **4.** *v* двигаться к северу.

**north-east** [nɔːθ'iːst, *мор.* 'nɔːr'iːst] **1.** *n* северо-восток; *мор.* норд-ост; **2.** *a* северо-восточный; **3.** *adv* к северо-востоку, на северо-восток.

**north-easter** [nɔːθ'iːstə, *мор.* nɔːr'iːstə] *n* сильный северо-восточный ветер, норд-ост.

**north-easterly** [nɔːθ'iːstəlɪ, *мор.* nɔːr'iːstəlɪ] **1.** *a* 1) расположенный к северо-востоку от; 2) дующий с северо-востока; **2.** *adv* к северо-восточному направлении.

**north-eastern** [nɔːθ'iːstən] *a* северо-восточный.

**north-eastward** [nɔːθ'iːstwəd] **1.** *adv* в северо-восточном направлении; к северо-востоку; **2.** *a* расположенный на северо-востоке; **3.** *n* северо-восток.

**north-eastwards** [nɔːθ'iːstwədz] = north-eastward 1.

**norther** ['nɔːðə] *n* сильный северный ветер *(дующий осенью и зимой на юге США).*

**northerly** ['nɔːðəlɪ] **1.** *a* 1) северный *(о ветре);* 2) направленный, обращённый к северу; **2.** *adv* к северу.

**northern** ['nɔːðən] **1.** *a* 1) северный; 2) дующий с севера; **2.** *n* 1) житель севера; 2) северный ветер.

**northerner** [ˈnɔːðənə] *n* 1) северя́нин; жи́тель се́вера; 2) (N.) жи́тель се́верных шта́тов США.

**northern lights** [ˈnɔːðənˈlaɪts] *n pl* се́верное сия́ние.

**northernmost** [ˈnɔːðənmoust] *a* са́мый се́верный.

**northing** [ˈnɔːθɪŋ] *n мор.* 1) но́рдовая ра́зность широ́т; 2) дрейф на се́вер.

**Northland** [ˈnɔːθlənd] *n* 1) *поэт.* се́верные стра́ны; 2) се́верные райо́ны (*страны́*); 3) скандина́вский полуо́стров.

**north light(s)** [ˈnɔːθˈlaɪt(s)] *n (pl)* = northern lights.

**Northman** [ˈnɔːθmən] *n* 1) жи́тель се́верной Евро́пы; 2) *ист.* дре́вний скандина́в; 3) *ист.* норма́нн.

**north-polar** [ˈnɔːθˈpoulə] *a* се́верный, поля́рный, аркти́ческий.

**Northumbrian** [nɔːˈθʌmbrɪən] 1. *a* норту́мбрский;
2. *n* 1) жи́тель дре́вней Норту́мбрии *или* совреме́нного Норта́мберленда; 2) се́верный диале́кт а́нгло-саксо́нского языка́; 3) совреме́нный норта́мберлендский диале́кт англи́йского языка́.

**northward** [ˈnɔːθwəd] 1. *adv* к се́веру, на се́вер;
2. *a* расположенный к се́веру от; обращённый на се́вер;
3. *n* се́верное направле́ние.

**northwardly** [ˈnɔːθwədlɪ] 1. *adv* к се́веру, на се́вер;
2. *a* 1) напра́вленный на се́вер; расположенный на се́вере; 2) се́верный (*о ве́тре*).

**northwards** [ˈnɔːθwədz] = northward 1.

**north-west** [ˈnɔːθˈwest, *мор.* nɔːˈwest] 1. *n* се́веро-за́пад; *мор.* норд-ве́ст;
2. *a* се́веро-за́падный;
3. *adv* к се́веро-за́паду, на се́веро-за́пад.

**north-wester** [ˈnɔːθˈwestə, *мор.* nɔːˈwestə] *n* си́льный се́веро-за́падный ве́тер, норд-ве́ст.

**north-westerly** [ˈnɔːθˈwestəlɪ, *мор.* nɔːˈwestəlɪ] 1. *a* 1) расположенный к се́веро-за́паду от; 2) ду́ющий с се́веро-за́пада;
2. *adv* в се́веро-за́падном направле́нии.

**north-western** [ˈnɔːθˈwestən] *a* се́веро-за́падный.

**north-westward** [ˈnɔːθˈwestwəd] 1. *adv* в се́веро-за́падном направле́нии;
2. *a* расположенный на се́веро-за́паде;
3. *n* се́веро-за́пад.

**north-weastwards** [ˈnɔːθˈwestwədz] = north-weastward 1.

**norwards** [ˈnɔːwədz] = northward 1.

**Norwegian** [nɔːˈwiːdʒən] 1. *a* норве́жский;
2. *n* 1) норве́жец; норве́жка; 2) норве́жский язы́к.

**nor'-wester** [ˈnɔːˈwestə] *n* 1) = north-wester; 2) стака́н кре́пкого вина́; 3) *мор.* зюйдве́стка.

**nose** [nouz] 1. *n* 1) нос; to blow one's ~ сморка́ться; to speak through one's ~ гнуса́вить; говори́ть в нос; 2) обоня́ние, чутьё; to have a good ~ име́ть хоро́шее чутьё; to follow one's ~ а) руково́дствоваться ню́хом, чутьём, инсти́нктом; б) ид-

ти́ пря́мо вперёд; 3) но́сик, ры́льце (*ча́йника*); го́рлышко; 4) нос, пере́дняя часть (*ло́дки, самолёта, маши́ны*); 5) *sl.* осведоми́тель, доно́счик; ◇ to count (*или* to tell) ~s а) подсчи́тывать число́ прису́тствующих; б) подсчи́тывать число́ голосо́в; в) подсчи́тывать число́ свои́х сторо́нников; to bite (*или* to snap) smb.'s ~ off огрызну́ться, ре́зко отве́тить; to make one's ~ swell вызыва́ть си́льную за́висть *или* ре́вность; to pay through the ~ плати́ть бе́шеную це́ну; переплачивать; to wipe another's ~ обма́нывать, надува́ть кого́-л.; to cut off one's ~ to spite one's face в поры́ве зло́сти де́йствовать во вред самому́ себе́; причиня́ть вред себе́, жела́я досади́ть друго́му; white ~ небольша́я волна́ с бе́лым гре́бнем; as plain as the ~ on one's face соверше́нно я́сно; to get it on the ~ получи́ть взбу́чку; to turn up one's ~ at относи́ться с презре́нием к; задира́ть нос пе́ред ке́м-л.;
2. *v* 1) обоня́ть, чу́ять, ню́хать; 2) разню́хать, вы́ведать (*тж.* ~ out); вы́искивать, высле́живать (after, for); 3) тере́ться но́сом; 4) осторо́жно продвига́ться вперёд (*о су́дне*); 5) сова́ть (свой) нос (into); □ ~ over *ав.* капоти́ровать; ~ up *ав.* задира́ть самолёт.

**nosebag** [ˈnouzbæg] *n* 1) то́рба (*для ло́шади*); 2) *sl.* противога́з; 3) *sl.* корзи́нка *или* су́мка с за́втраком.

**noseband** [ˈnouzbænd] *n* перено́сье, нахра́пник (*узде́чки*).

**nose-bleed** [ˈnouzbliːd] *n* 1) кровотече́ние из но́са; 2) *бот.* тысячеле́тник.

**nosedive** [ˈnouzdaɪv] 1. *n* 1) *ав.* пики́рование, пике́; to fall into a ~ пики́ровать; 2) неожи́данное нападе́ние;
2. *v* пики́ровать.

**nosegay** [ˈnouzgeɪ] *n* буке́т цвето́в.

**nose-heavy** [ˈnouzˈhevɪ] *a ав.* перетяжелённый на́ нос.

**noseless** [ˈnouzlɪs] *a* безно́сый.

**nose-over** [ˈnouzˌouvə] *n ав.* капоти́рование.

**nose-piece** [ˈnouzpiːs] *n* 1) = noseband; 2) носо́к (*дви́гателя*); пере́дняя часть; 3) *тех.* наконе́чник, сопло́, брандспо́йт.

**noser** [ˈnouzə] *n* 1) си́льный встре́чный ве́тер; 2) *sl.* челове́к, кото́рый всю́ду суёт свой нос.

**noserag** [ˈnouzræg] *n разг.* носово́й плато́к.

**nosering** [ˈnouzrɪŋ] *n* ноздрево́е кольцо́ (*для быко́в, воло́в*).

**nosewarmer** [ˈnouzˌwɔːmə] *n разг.* носогре́йка.

**nosey** [ˈnouzɪ] *a разг.* 1) носа́тый; 2) облада́ющий то́нким обоня́нием; 3) любопы́тный, проны́рливый; to get ~ проню́хать; N. Parker челове́к, кото́рый всю́ду суёт свой нос; 4) ду́рно па́хнущий, сопре́вший (*о се́не*); 5) арома́тный (*о ча́е*).

**nosing I** [ˈnouzɪŋ] 1. *pres. p. от* nose 2;
2. *n ав.* капоти́рование.

**nosing II** [ˈnouzɪŋ] *n* предохрани́тельная око́вка (*угло́в, ступе́нек и т. п.*).

**nosogenic** [ˌnɔsoˈdʒenɪk] *a* патоге́нный, болезнетво́рный.

**nosology** [nɔ'sɔlədʒı] *n мед.* нозоло́гия.

**nostalgia** [nɔs'tældʒıə] *n* 1) тоска́ по ро́дине, ностальги́я; 2) тоска́ по про́шлому.

**nostril** ['nɔstrıl] *n* ноздря́.

**nostrum** ['nɔstrəm] *n* 1) патенто́ванное сре́дство, реклами́руемое как панаце́я от всех боле́зней; 2) излю́бленный приём (*политической партии*).

**nosy** ['nouzı] = nosey.

**not** [nɔt] *adv* не, нет, ни (*в соединении с вспомогательными и модальными глаголами принимает в разг. речи форму* n't [nt]: isn't, don't, didn't, can't *и т. п.*); I know ~ *уст.* ( = I do ~ know) я не зна́ю; it is cold, is it ~ (*или* isn't it)? хо́лодно, не пра́вда ли?; it is ~ cold, is it? нехо́лодно, пра́вда?; ~ a few мно́гие; нема́ло; ~ too well дово́льно скве́рно; ◇ ~ at all a) ниско́лько, ничу́ть; б) не сто́ит (благода́рности); ~ a bit of it ниско́лько; ~ but, ~ but that, ~ but what хотя́; не то что́бы; ~ half о́чень, си́льно; ещё как!; ~ for the world ни за что́ на све́те; ~ in the least ниско́лько; he won't pay you, ~ he! он-то вам не запла́тит, э́то уж пове́рьте!; I won't go there, ~ I я́-то уж не пойду́ туда́.

**notability** [,noutə'bılıtı] *n* 1) знамени́тость; изве́стный, знамени́тый челове́к; 2) изве́стность; 3) значи́тельность.

**notable** ['noutəbl] 1. *a* 1) достопримеча́тельный, выдаю́щийся; 2) заме́тный; значи́тельный; 3) [*обыкн.* 'nɔtəbl] *уст.* хозя́йственный (*о женщине*);
2. *n* 1) выдаю́щийся челове́к; 2) *ист.* нота́бль.

**notably** ['noutəblı] *adv* исключи́тельно, осо́бенно, весьма́.

**notarial** [nou'tɛərıəl] *a* нотариа́льный.

**notarize** ['noutəraız] *v* заве́рить, засвиде́тельствовать нотариа́льно.

**notary** ['noutərı] *n* нота́риус.

**notation** [nou'teıʃən] *n* 1) нота́ция, изображе́ние усло́вными зна́ками, ци́фрами, бу́квами *и т. п.*; musical ~ но́тная за́пись; scale of ~ *мат.* систе́ма счисле́ния; 2) совоку́пность усло́вных зна́ков, применя́емых для сокращённого выраже́ния каки́х-л. поня́тий; 3) за́пись, запи́сывание; 4) примеча́ние.

**notch** [nɔtʃ] 1. *n* 1) вы́емка, ме́тка, зару́бка (*особ. на бирке*); зазу́брина, боро́здка, желобо́к, у́тор (*бочки*); зубе́ц (*храповика́*); пропи́л, проре́з, вы́рез, паз; 2) *уст.* очко́ (*в кри́кете*); 3) *амер.* тесни́на, уще́лье; го́рный перева́л; 4) *разг.* сте́пень; у́ровень; prices have reached the highest ~ це́ны дости́гли вы́сшего у́ровня; he is a ~ above the others он значи́тельно вы́ше други́х;
2. *v* заруба́ть, де́лать ме́тку; прореза́ть.

**notch wheel** ['nɔtʃwıl] *n тех.* храпови́к, храпово́е колесо́.

**note** [nout] 1. *n* 1) (*обыкн. pl*) заме́тка, за́пись; to take (*или* to make) a ~ of smth. приня́ть что-л. к све́дению; to take ~s of a lecture запи́сывать ле́кцию; to lecture from ~s чита́ть ле́кцию по запи́скам; 2) примеча́ние; сно́ска; 3) запи́ска; 4) распи́ска; ~ of hand, promissory ~ долгова́я

распи́ска; 5) банкно́т, ба́нковский биле́т; 6) (дипломати́ческая) но́та; 7) *муз.* но́та; 8) звук, пе́ние; крик; the raven's ~ крик (*или* ка́рканье) во́рона; 9) *поэт.* му́зыка, мело́дия; 10) сигна́л; a ~ of warning предупрежде́ние; 11) характе́рный при́знак; но́тка, тон; there's a ~ of assurance in his voice в его́ го́лосе слы́шится уве́ренность; to change one's ~ переме́нить тон, заговори́ть по-ино́му; to strike the right ~ взять ве́рный тон; попа́сть в тон; 12) значе́ние, си́мвол, знак; 13) знак (*тж.* поли́гр.); ~ of interrogation (exclamation) вопроси́тельный (восклица́тельный) знак; 14) клеймо́; 15) репута́ция; изве́стность; a man of ~ выдаю́щийся челове́к; 16) внима́ние; to take ~ of smth. обрати́ть внима́ние на что-л.; worthy of ~ досто́йный внима́ния; ◇ to compare ~s обме́ниваться мне́ниями, впечатле́ниями;
2. *v* 1) де́лать заме́тки, примеча́ния; запи́сывать; 2) замеча́ть, обраща́ть внима́ние, отмеча́ть; 3) упомина́ть; 4) ука́зывать, обознача́ть; 5) анноти́ровать (*кни́гу и т.п.*); 6) *фин.* опротесто́вывать.

**notebook** ['noutbuk] *n* записна́я кни́жка.

**notecase** ['noutkeıs] *n* бума́жник.

**noted** ['noutıd] 1. *p.p. от* note 2;
2. *a* знамени́тый, (хорошо́) изве́стный.

**notedly** ['noutıdlı] *adv* в значи́тельной сте́пени; заме́тно.

**noteless** ['noutlıs] *a* 1) незаме́тный; 2) немузыка́льный.

**note magnifier** ['nout'mægnıfaıə] *n ра́дио* усили́тель звуково́й частоты́.

**note-paper** ['nout,peıpə] *n* почто́вая бума́га.

**note shaver** ['nout,ʃeıvə] *n амер.* ростовщи́к.

**noteworthy** ['nout,wəːðı] *a* заслу́живающий внима́ния; достопримеча́тельный.

**nothing** ['nʌθıŋ] 1. *pron. neg.* ничто́, ничего́; ~ but то́лько; ничего́ кро́ме; ~ else than не что ино́е, как; ~ very much *разг.* ничего́ осо́бенного; ~ of the kind ничего́ подо́бного; all to ~ всё ни к чему́; to come to ~ ко́нчиться ниче́м; не име́ть после́дствий; for ~ зря, без по́льзы; да́ром; из-за пустяка́; to get smth. for ~ получи́ть что-л. да́ром; to have ~ to do with не каса́ться, не име́ть никако́го отноше́ния к; не име́ть ничего́ о́бщего с; to make ~ of smth. a) ника́к не испо́льзовать что-л.; б) не поня́ть чего́-л.; в) пренебрега́ть чем-л., легко́ относи́ться к чему́-л.; next to ~ почти́ ничего́; о́чень ма́ло; ◇ по ~ реши́тельно ничего́; ~ doing ничего́ не вы́йдет, но́мер не пройдёт; to be for ~ in не игра́ть никако́й ро́ли в; не ока́зывать никако́го влия́ния на; ~ venture ~ have *посл.* ≅ волко́в боя́ться — в лес не ходи́ть; кто не риску́ет, тот не име́ет;
2. *n* 1) пустяки́, ме́лочи; a mere ~ пустя́к; the little ~s of life ме́лочи жи́зни; 2) небытие́, нереа́льность; 3) ноль; пусто́е ме́сто; 4) *мат.* ноль;
3. *adv* ниско́лько, совсе́м нет; it differs ~ from э́то ниско́лько не отлича́ется от; ~ less than пря́мо-таки, положи́тельно.

**nothingarian** [ˌnʌθɪŋˈɛərɪən] *n* человéк, не вéрящий ни во что.

**nothingness** [ˈnʌθɪŋnɪs] *n* 1) ничтó, небытиé; 2) несущéственность; пустякú; 3) ничтóжество.

**notice** [ˈnoutɪs] **1.** *n* 1) извещéние, уведомлéние; предупреждéние; to give smb. a month's (a week's) ~ предупредúть когó-л. (*часто об увольнéнии*) за мéсячный (недéльный) срок; to give ~ а) извещáть, уведомлять; б) предупреждáть о предстоящем увольнéнии; at (*или* on) short ~ тóтчас же; at a moment's ~ немéдленно; till further ~ до осóбого распоряжéния; 2) наблюдéние; to take ~ а) наблюдáть, примечáть; б) проявлять прúзнаки соображéния (*о ребёнке*); 3) внимáние; to bring to smb.'s ~ а) привлекáть чьё-л. внимáние к; б) доводúть до свéдения когó-л.; to come into ~ привлéчь внимáние; to take no ~ of smb., smth. не замечáть когó-л., чегó-л., не обращáть внимáния на когó-л., что-л.; to your ~ на вáше усмотрéние; 4) замéтка, объявлéние; obituary ~ объявлéние о смéрти; крáткий некролóг; 5) обозрéние, рецéнзия; **2.** *v* 1) замечáть, обращáть внимáние; 2) отмечáть, упоминáть; 3) предупреждáть; 4) давáть обзóр, рецензúровать; 5) *редк.* относúться внимáтельно, вéжливо.

**noticeable** [ˈnoutɪsəbl] *a* 1) достóйный внимáния; 2) замéтный, примéтный.

**noticeably** [ˈnoutɪsəblɪ] *adv* замéтно, значúтельно.

**notice-board** [ˈnoutɪsbɔːd] *n* доскá для объявлéний.

**notifiable** [ˈnoutɪfaɪəbl] *a* подлежáщий регистрáции (*о некоторых инфекционных болéзнях*).

**notification** [ˌnoutɪfɪˈkeɪʃən] *n* 1) извещéние, сообщéние; предупреждéние; нотификáция; 2) объявлéние.

**notify** [ˈnoutɪfaɪ] *v* 1) извещáть, уведомлять; 2) объявлять; доводúть до всеóбщего свéдения; 3) давáть свéдения.

**notion** [ˈnouʃən] *n* 1) понятие; представлéние; идéя; to have no ~ of smth. не имéть ни малéйшего представлéния о чём-л.; 2) взгляд, мнéние; тóчка зрéния; 3) знáние, знакóмство; 4) намéрение; I have no ~ of resigning я не собирáюсь подавáть в отстáвку; 5) *pl унив. sl.* характéрные выражéние, обычай *или* традúция студéнтов Винчéстерского коллéджа; 6) изобретéние; остроýмное приспособлéние, прибóр; 7) *pl амер.* мéлкие необходúмые предмéты — нúтки, булáвки *и пр.*; галантерéя; 8) *attr.*: ~ department галантерéйный отдéл.

**notional** [ˈnouʃənl] *a* 1) *филос.* умозрúтельный; отвлечённый; 2) воображáемый; 3) *лингв.* знáчимый, смысловóй.

**notionalist** [ˈnouʃənəlɪst] *n* 1) мыслúтель; 2) теорéтик.

**notoriety** [ˌnoutəˈraɪətɪ] *n* 1) дурнáя слáва; 2) извéстность; 3) знаменúтость; 4) человéк, пóльзующийся дурнóй слáвой.

**notorious** [nouˈtɔːrɪəs] *a* 1) извéстный; it is ~ that хорошó извéстно, что; 2) пóль-

зующийся дурнóй слáвой; отъявленный; завéдомый; преслóвутый.

**no-trump** [ˈnouˈtrʌmp] *карт.* **1.** *n* бескозырная игрá;
**2.** *a* бескозырный.

**notwithstanding** [ˌnɔtwɪθˈstændɪŋ] **1.** *prep* несмотря на, вопрекú; this ~ несмотря на это;
**2.** *adv* тем не мéнее, однáко;
**3.** *cj уст.* хотя.

**nougat** [ˈnuːgɑː] *n* нугá.

**nought** [nɔːt] *n* 1) ничтó; to bring to ~ а) разорять; б) сводúть на нéт; to come to ~ сойтú на нéт; не имéть (никакóго) успéха; for ~ дáром; зря, без пóльзы; из-за пустякá; to set at ~ ни во что не стáвить; 2) ничтóжество (*о человéке*); 3) *мат.* ноль; ~s and crosses крéстики и нóлики (*игрá*).

**noun** [naun] *n грам.* úмя существúтельное.

**nourish** [ˈnʌrɪʃ] *v* 1) питáть, кормúть; 2) питáть, лелéять (*надéжду и т. п.*); 3) *уст.* вырáщивать.

**nourishing** [ˈnʌrɪʃɪŋ] **1.** *pres. p. от* nourish;
**2.** *a* питáтельный.

**nourishment** [ˈnʌrɪʃmənt] *n* 1) питáние; 2) пúща; поддéржка.

**nous** [naus] *n* 1) *филос.* ум; рáзум, интеллéкт; 2) *разг.* здрáвый смысл; смéтка, сообразúтельность.

**nouveau riche** [ˈnuːvouˈriːʃ] *фр. n* (*pl* nouveaux riches) нуворúш, богáтый выскочка.

**nouveaux riches** [ˈnuːvouˈriːʃ] *pl от* nouveau riche.

**nova** [ˈnouvə] *лат. n* (*pl* -ae, -s [-z]) 1) *астр.* новооткрытая звездá *или* тумáнность; 2) новúнка.

**novae** [ˈnouviː] *pl от* nova.

**novation** [nouˈveɪʃən] *n* 1) нововведéние, нóвшество; 2) *юр.* новáция, замéна существýющего обязáтельства нóвым.

**novel I** [ˈnɔvəl] *n* 1) ромáн; problem ~ тенденциóзный ромáн; 2) ромáн; 3) *pl* сбóрник новéлл; 4) *юр.* новéлла, дополнúтельное узаконéние.

**novel II** [ˈnɔvəl] *a* нóвый, неизвéданный.

**novel III** [ˈnɔvəl] *n* нóвый хлеб; зернó нóвого урожáя.

**novelese** [ˌnɔvəˈliːz] *n* язык и стиль дешёвых ромáнов.

**novelet** [ˈnɔvəlet] *n* пóвесть; расскáз; новéлла.

**novelette** [ˌnɔvəˈlet] = novelet.

**novelise** [ˈnɔvəlaɪz] = novelize.

**novelist** [ˈnɔvəlɪst] *n* писáтель-ромáнúст.

**novelize I** [ˈnɔvəlaɪz] *v* придавáть (*произведéнию*) фóрму ромáна.

**novelize II** [ˈnɔvəlaɪz] *v* 1) обновлять; 2) вводúть нóвшество.

**novelty** [ˈnɔvəltɪ] *n* 1) новизнá; 2) нóвость, новúнка, нóвшество; 3) *attr.*: ~ counter прилáвок с разлóженными на нём новúнками; ~ store магазúн новúнок.

**novel-writer** [ˈnɔvəlˌraɪtə] *n* ромáнúст.

**November** [nouˈvembə] *n* 1) ноябрь; 2) *attr.* ноябрьский.

**novennial** [nouˈvenjəl] *a* повторяющийся кáждые дéвять лет.

**novercal** [nou'vɛːkəl] *a* прису́щий, сво́йственный ма́чехе (*об отношении и т. п.*).

**novice** ['nɔvɪs] *n* 1) начина́ющий, новичо́к; 2) послу́шник; послу́шница; 3) новообращённый.

**noviciate, novitiate** [nou'vɪʃɪɪt] *n* 1) послу́шничество; 2) испыта́ние, и́скус; 3) учени́чество, перио́д учени́чества; 4) послу́шник; послу́шница.

**now** [nau] 1. *adv* 1) тепе́рь, сейча́с; 2) то́тчас же, сию́ же мину́ту; 3): just (*или* but) ~ то́лько что; 4) тогда́, в то вре́мя (*в повествовании*); it was ~ clear that... тогда́ ста́ло я́сно, что...; ◇ ~ and again, ~ and then вре́мя от вре́мени; ~... ~... то... то...; ~ hot, ~ cold то жа́рко, то хо́лодно; ~ (then)! а) ну!; б) скоре́й!; дава́йте!; ~ then так вот, ита́к; 2. *cj* когда́, раз; I need not stay, ~ you are here мне не́чего остава́ться, раз вы здесь; ~ you mention it I do remember тепе́рь, когда́ вы упомяну́ли об э́том, я припомина́ю; 3. *n* настоя́щее вре́мя; да́нный моме́нт; before ~ ра́ньше; by ~ к э́тому вре́мени; ere ~ пре́жде; till ~, up to ~ до сих пор.

**nowaday** ['nauədeɪ] *a* тепе́решний.

**nowadays** ['nauədeɪz] 1. *adv* в на́ше вре́мя; в на́ши дни; тепе́рь; 2. *n* настоя́щее вре́мя.

**noway(s)** ['nouweɪ(z)] = nowise.

**nowhere** ['nouwɛə] *adv* нигде́; никуда́; ~ near а) нигде́ побли́зости; б) ни ка́пли, ниско́лько; to be (*или* to come in) ~ а) не попа́сть в спи́сок уча́стников состяза́ния; б) безнадёжно отста́ть; в) потерпе́ть пораже́ние.

**nowhither** ['nouwɪðə] *adv* *уст.* нигде́; никуда́.

**nowise** ['nouwaɪz] *adv* нико́им о́бразом, ни в ко́ем слу́чае; во́все нет.

**noxious** ['nɔkʃəs] *a* вре́дный, па́губный, нездоро́вый; ~ air ядови́тый рудни́чный во́здух; ~ plants ядови́тые расте́ния.

**noxiousness** ['nɔkʃəsnɪs] *n* вред.

**noyau** ['nwaɪou] *фр. n* ликёр (*на перси́ковых ко́сточках*).

**nozzle** ['nɔzl] *n* 1) но́сик (*напр., ча́йника*); 2) *тех.* наса́дка, сопло́, форсу́нка; выпускно́е отве́рстие; брандспо́йт, наконе́чник; 3) розе́тка (*подсве́чника*); 4) *sl.* нос; ры́ло.

**n't** [nt] *разг. см.* not.

**nth** [enθ] *a мат.* э́нный; ◇ to the ~ degree до после́дней сте́пени.

**nuance** [njuː'ãːns] *фр. n* нюа́нс, отте́нок.

**nub** [nʌb] *n* 1) *редк.* ши́шка; утолще́ние; 2) = nubble; 3) *амер. разг.* суть, соль (*де́ла, расска́за*).

**nubbin** ['nʌbɪn] *n амер.* 1) кусо́чек, комо́чек; 2) небольшо́й незре́лый поча́ток кукуру́зы.

**nubble** ['nʌbl] *n* небольшо́й комо́к, кусо́к (*особ. угля́*).

**nubbly** ['nʌblɪ] *a* 1) узлова́тый; шишкова́тый; 2) кусково́й, в куска́х.

**nubia** ['njuːbjə] *n* лёгкий же́нский шерстяно́й шарф.

**Nubian** ['njuːbjən] 1. *a* нуби́йский; 2. *n* нуби́ец.

**nubile** ['njuːbɪl] *a* 1) бра́чный (*о во́зрасте*); 2) дости́гший бра́чного во́зраста.

**nubility** [njuː'bɪlɪtɪ] *n* бра́чный во́зраст.

**nuchal** ['njuːkəl] *a* заты́лочный.

**nuciferous** [njuː'sɪfərəs] *a бот.* орехопло́дный.

**nucivorous** [njuː'sɪvərəs] *a зоол.* пита́ющийся оре́хами.

**nuclear** ['njuːklɪə] *a* 1) я́дерный; ~ energy эне́ргия а́томного ядра́; я́дерная эне́ргия, внутриа́томная эне́ргия; ~ fission а) я́дерное деле́ние; б) при́нцип устро́йства а́томной бо́мбы; ~ fuel я́дерное горю́чее, я́дерное то́пливо; ~ physics я́дерная фи́зика; ~ reactor я́дерный реа́ктор; ~ test испыта́ние термоя́дерной бо́мбы; ~ weapons я́дерное ору́жие; 2) содержа́щий ядро́.

**nucleate** ['njuːklɪeɪt] 1. *v* образо́вывать ядро́; 2. *a* = nuclear.

**nuclei** ['njuːklɪaɪ] *pl* от nucleus.

**nucleonics** [,njuːklɪ'ɔnɪks] *n pl* (*употр. как sing*) я́дерная фи́зика и те́хника.

**nucleus** ['njuːklɪəs] *лат. n* (*pl* -lei) 1) ядро́; центр; 2) ядро́ а́тома, а́томное ядро́; 3) *бот.* ко́сточка (*плода́*); 4) *биол.* заро́дыш; 5) не́рвный центр (*в головно́м мозгу́*).

**nucule** ['njuːkjuːl] *n* оре́шек, ме́лкий оре́х.

**nude** [njuːd] 1. *n* 1) обнажённая фигу́ра (*в жи́вописи, скульпту́ре*); the ~ а) обнажённая фигу́ра (*в жи́вописи, скульпту́ре*); б) обнажённое те́ло; in the ~ в го́лом ви́де; 2) *pl* то́нкие чулки́, «паути́нка»; 2. *a* 1) наго́й; обнажённый; го́лый; 2) теле́сного цве́та; 3) *бот.* лишённый ли́стьев; 4) *зоол.* лишённый воло́с, пе́рьев, чешуи́ *и т. п.*; 5) неприкры́тый, я́сный; a ~ fact очеви́дный факт; a ~ statement определённое, я́сное заявле́ние; 6) *юр.* недействи́тельный.

**nudge** [nʌdʒ] 1. *n* лёгкий толчо́к ло́ктем; to give a ~ подтолкну́ть; 2. *v* слегка́ подта́лкивать ло́ктем (*особ. чтобы привле́чь чьё-л. внима́ние*).

**nudity** ['njuːdɪtɪ] *n* 1) нагота́; 2) обнажённая часть те́ла.

**nuf sed, nuff said** ['nʌf,sed] *int амер. sl.* (*испорч.* enough said) доста́точно; я понима́ю; «договори́лись».

**nugatory** ['njuːgətərɪ] *a* 1) пустя́чный; 2) недействи́тельный; 3) бесполе́зный, тще́тный.

**nuggar** ['nʌgə] *n* ни́льская ба́ржа.

**nugget** ['nʌgɪt] *n* саморо́док (*зо́лота*).

**nuisance** ['njuːsns] *n* 1) доса́да; неприя́тность; what a ~! кака́я доса́да!; 2) надое́дливый челове́к; to make a ~ of oneself надоеда́ть; 3) поме́ха, неудо́бство; public ~ наруше́ние обще́ственного поря́дка.

**null** [nʌl] *a* 1) недействи́тельный; ~ and void потеря́вший зако́нную си́лу (*о догово́ре*); 2) несуществу́ющий; 3) нехара́ктерный, невырази́тельный.

**nullah** ['nʌlə] *n* англо-инд. 1) руче́й, пото́к; 2) уще́лье, образова́вшееся от пото́ка; 3) вы́сохшее ру́сло.

**nullification** [,nʌlɪ'keɪʃən] *n* аннули́рование, уничтоже́ние.

**nullify** [ˈnʌlɪfaɪ] v аннули́ровать; де́лать недействи́тельным; своди́ть к нулю́.

**nullity** [ˈnʌlɪtɪ] n 1) ничто́жность; 2) юр. недействи́тельность; ~ of marriage неде́йстви́тельность бра́ка; 3) ничто́жество (о чело́веке); 4) attr.:~ suit де́ло о призна́нии недействи́тельным (докуме́нта, бра́ка и т. п.).

**numb** [nʌm] 1. a 1) онеме́лый, оцепене́лый; 2) окочене́лый (от хо́лода);
2. v вызыва́ть онеме́ние или окочене́ние; перен. поража́ть, ошеломля́ть.

**number** [ˈnʌmbə] 1. n 1) число́, коли́чество; in ~ чи́сленно, коли́чеством; in (great) ~s a в большо́м коли́честве; б) значи́тельными си́лами; out of - без числа́; a ~ (или ~s) of people мно́го наро́ду; 2) но́мер; motor-car’s ~ но́мер автомаши́ны; 3) мат. су́мма, число́, ци́фра; science of ~s арифме́тика; 4) вы́пуск, но́мер, экземпля́р (журна́ла и т. п.); 5) грам. число́; 6) pl прос. стихи́; 7) прос. ритм, разме́р; 8) разг. образе́ц; ◇ ~ one (или No. 1) своё «я»; со́бственная персо́на; his ~ goes up sl. он умира́ет; to lose the ~ of one’s mess sl. умере́ть;
2. v 1) нумерова́ть; 2) воен. рассчи́тываться; to ~ off де́лать перекли́чку по номера́м; 3) чи́слиться, быть в числе́ (among, in); 4) насчи́тывать; the population ~s 5000 населе́ние составля́ет 5000 челове́к; 5) уст. счита́ть, пересчи́тывать; his days are ~ed его́ дни сочтены́; 6) причисля́ть, зачисля́ть; to be ~ed with быть сопричи́сленным к.

**numberless** [ˈnʌmbəlɪs] a 1) бесчи́сленный, неисчисли́мый; 2) не име́ющий но́мера.

**numb-fish** [ˈnʌmfɪʃ] n зоол. электри́ческий скат.

**numbness** [ˈnʌmnɪs] n 1) оцепене́ние, нечувстви́тельность; 2) окочене́ние.

**numdah** [ˈnʌmdɑ:] = numnah.

**numerable** [ˈnjuːmərəbl] a исчисли́мый, поддаю́щийся счёту.

**numeral** [ˈnjuːmərəl] 1. n 1) ци́фра; the Arabic (Roman) ~s ара́бские (ри́мские) ци́фры; 2) грам. и́мя числи́тельное;
2. a числово́й; цифрово́й.

**numerate** [ˈnjuːməreɪt] v 1) счита́ть; 2) обознача́ть ци́фрами.

**numeration** [ˌnjuːməˈreɪʃən] n 1) исчисле́ние, счёт; decimal ~ десяти́чная систе́ма счисле́ния; 2) нумера́ция.

**numerator** [ˈnjuːməreɪtə] n 1) мат. числи́тель; 2) вычисли́тель; 3) тех. нумера́тор, счётчик.

**numerical** [njuːˈmerɪkəl] a числово́й; цифрово́й.

**numerically** [njuːˈmerɪkəlɪ] adv 1) с по́мощью цифр, в ци́фрах; expressed ~ вы́раженный в ци́фрах; 2) в числово́м отноше́нии.

**numerous** [ˈnjuːmərəs] a 1) многочи́сленный; 2) уст., поэт. ритми́чный.

**numerously** [ˈnjuːmərəslɪ] adv в большо́м коли́честве.

**numismatic** [ˌnjuːmɪzˈmætɪk] a нумизмати́ческий.

**numismatics** [ˌnjuːmɪzˈmætɪks] n pl (употр. как sing) нумизма́тика.

**numismatist** [njuːˈmɪzmətɪst] n нумизма́т.

**nummary, nummulary** [ˈnʌmərɪ, ˈnʌmjuˌlərɪ] a де́нежный, моне́тный.

**numnah** [ˈnʌmnɑ:] n англо-инд. 1) во́йлок, гру́бое сукно́; 2) потни́к (под седло́м).

**numskull** [ˈnʌmskʌl] n о́лух, дура́цкая башка́, тупи́ца.

**nun** [nʌn] n 1) мона́хиня; 2) зоол. лазо́ревка.

**nun-bird** [ˈnʌnbəːd] n вдо́вушка (птица).

**nun-buoy** [ˈnʌnbɔɪ] n мор. кони́ческий буй.

**nuncheon** [ˈnʌnʃən] n диал. за́втрак.

**nunciature** [ˈnʌnʃɪətʃə] n до́лжность ну́нция.

**nuncio** [ˈnʌnʃɪou] n (pl -os [-ouz]) па́пский ну́нций.

**nuncupate** [ˈnʌŋkjuːpeɪt] v 1) де́лать у́стное завеща́ние (в присутствии свиде́телей); 2) дава́ть у́стное обеща́ние; у́стно принима́ть на себя́ обяза́тельство.

**nuncupation** [ˌnʌŋkjuːˈpeɪʃən] n у́стное завеща́ние.

**nuncupative** [ˈnʌŋkjuːpeɪtɪv] a слове́сный, у́стный (о завеща́нии).

**nundinal** [ˈnʌndɪnəl] a я́рмарочный; ры́ночный.

**nunnery** [ˈnʌnərɪ] n же́нский монасты́рь.

**nun’s veiling** [ˈnʌnzˈveɪlɪŋ] n вуа́ль (тонкая шерстяна́я ткань).

**nuptial** [ˈnʌpʃəl] 1. a бра́чный, сва́дебный;
2. n (обыкн. pl) сва́дьба.

**nurse** I [nəːs] 1. n 1) ня́ня, ня́нька; at ~ на попече́нии ня́ни; to put out to ~ отда́ть на попече́ние ня́ни; 2) корми́лица, ма́мка; 3) сиде́лка; медици́нская сестра́ (реже); брат милосе́рдия (тж. male ~); 4) ня́нченье, пе́стование; 5) перен. колыбе́ль; the ~ of liberty колыбе́ль свобо́ды; 6) зоол. рабо́чая пчела́, -ий мураве́й; 7) де́рево, поса́женное для того́, что́бы дать тень други́м дере́вьям;
2. v 1) корми́ть, выка́рмливать (ребёнка); 2) ня́нчить; 3) быть сиде́лкой; уха́живать (за больны́м); 4) лечи́ть (насморк, просту́ду); 5) выра́щивать (растение); 6) леле́ять (мысль, наде́жду); пита́ть, таи́ть (злобу); 7) уделя́ть большо́е внима́ние; стара́ться задо́брить; 8) эконо́мно хозя́йничать; 9) осторо́жно вести́ (машину); сберега́ть си́лы (лошади); 10) погла́живать, гла́дить.

**nurse** II [nəːs] n гренла́ндская или вест-и́ндская аку́ла.

**nurse-child** [ˈnəːstʃaɪld] n пито́мец, приёмыш.

**nurse-dietitian** [ˈnəːsˌdaɪɪˈtɪʃən] n диетсестра́.

**nurseling** [ˈnəːslɪŋ] n 1) пито́мец; 2) грудно́й ребёнок; 3) люби́мец; 4) молодо́е расте́ние.

**nursemaid** [ˈnəːsmeɪd] n ня́ня.

**nurse-pond** [ˈnəːspɔnd] n садо́к (для рыб).

**nursery** [ˈnəːsrɪ] n 1) де́тская (комната); 2) расса́дник, пито́мник; 3) я́сли (для детей); 4) инкуба́тор, брю́дер; 5) садо́к (для рыб).

**nursery garden** [ˈnəːsrɪˈgɑːdn] n пито́мник, садово́дство.

**nursery governess** [ˈnəːsrɪˈgʌvənɪs] n бо́нна; воспита́тельница.

**nurserymaid** ['nəːsrɪmeɪd] *n* ня́ня.

**nurseryman** ['nəːsrɪmən] *n* владе́лец пито́мника.

**nursery rhymes** ['nəːsrɪ'raɪmz] *n pl* де́тские стишки́, прибау́тки.

**nursery school** ['nəːsrɪ'skuːl] *n* де́тский сад (*для детей от двух до пяти лет*).

**nursing bottle** ['nəːsɪŋ'bɔtl] *n* рожо́к (*детский*).

**nursing home** ['nəːsɪŋhoum] *n* ча́стная лече́бница.

**nursling** ['nəːslɪŋ] = nurseling.

**nurture** ['nəːtʃə] **1.** *n* 1) воспита́ние; обуче́ние; 2) выра́щивание; 3) пита́ние, пи́ща; **2.** *v* 1) воспи́тывать; обуча́ть; 2) выра́щивать; вына́шивать (*план и т. п.*); 3) пита́ть.

**nut** [nʌt] **1.** *n* 1) оре́х; 2) *sl.* голова́; to be off one's ~ спя́тить; 3) *амер.* чуда́к; сумасбро́д; 4) *pl разг.* дурачо́к, «псих»; 5) *sl. ирон.* фат, щёголь; 6) *pl* ме́лкий у́голь; 7) *тех.* га́йка; му́фта; ◇ a hard ~ to crack a) «кре́пкий оре́шек»; «не по зуба́м»; тру́дная зада́ча; б) тру́дный челове́к; ~s! *разг.* великоле́пно!; to be ~s to *разг.* о́чень нра́виться; доста́вить большо́е удово́льствие, ра́дость; to be (dead) ~s on *разг.* a) о́чень люби́ть; б) ≅ знать как свой пять па́льцев; быть в чём-л. больши́м знатоко́м, ма́стером; not for ~s ни за что; **2.** *v* собира́ть оре́хи; to go ~ting отпра́виться по оре́хи.

**nutate** [njuː'teɪt] *v* 1) колеба́ться, пока́чиваться; 2) кива́ть (*головой*).

**nutation** [njuː'teɪʃən] *n* 1) наклоне́ние, пока́чивание (*головы*); киво́к; 2) *астр., бот.* нута́ция.

**nut-brown** ['nʌtbraun] *a* оре́хового, кори́чневого цве́та.

**nutcracker** ['nʌt,krækə] *n* 1) (*обыкн. pl*) щипцы́ для оре́хов; 2) оре́ховка (*птица*).

**nut-gall** ['nʌtgɔːl] *n* черни́льный оре́х.

**nuthatch** ['nʌthætʃ] *n зоол.* по́ползень.

**nutlet** ['nʌtlɪt] *n* оре́шек.

**nutmeg** ['nʌtmeg] *n* муска́тный оре́х.

**nut-oil** ['nʌt,ɔɪl] *n* оре́ховое ма́сло.

**nut-pine** ['nʌtpaɪn] *n* сосна́ италья́нская, пи́ния.

**nutria** ['njuːtrɪə] *n* ну́трия (*животное и мех*).

**nutrient** ['njuːtrɪənt] **1.** *n* пита́тельное вещество́; **2.** *a* пита́тельный.

**nutriment** ['njuːtrɪmənt] *n* пи́ща; корм.

**nutrition** [njuː'trɪʃən] *n* 1) пита́ние; 2) пи́ща.

**nutritious** [njuː'trɪʃəs] *a* пита́тельный.

**nutritive** ['njuːtrɪtɪv] **1.** *n* пита́тельное вещество́; **2.** *a* 1) пита́тельный; 2) пищево́й.

**nutshell** ['nʌtʃel] *n* оре́ховая скорлупа́; ◇ in a ~ кра́тко, в двух слова́х.

**nutting** ['nʌtɪŋ] **1.** *pres. p. от* nut 2; **2.** *n* сбор оре́хов.

**nut-tree** ['nʌttriː] *n* оре́шник.

**nutty** ['nʌtɪ] *a* 1) име́ющий вкус оре́ха; вку́сный; 2) интере́сный, пика́нтный; 3) *разг.* наря́дный, щегольско́й; 4) *разг.* увлека́ющийся; 5) *разг.* рехну́вшийся; 6) *амер. разг.* о́стрый; пря́ный.

**nutwood** ['nʌtwud] *n* 1) оре́шник; 2) оре́ховое де́рево (*древесина*).

**nuzzle** ['nʌzl] *v* 1) ню́хать, води́ть но́сом (*о собаках*); 2) ры́ть(ся) ры́лом; 3) сова́ть нос (at, against, into); 4) прижа́ться; приюти́ться, прикорну́ть.

**nyctalopia** [,nɪktə'loupɪə] *n мед.* 1) night-blindness; 2) (*в неправильном употреблении*) спосо́бность ви́деть то́лько но́чью.

**nylghau** ['nɪlgau] = nilgai.

**nylon** ['naɪlən] *n* 1) нейло́н; 2) *pl* нейло́новые чулки́.

**nymph** [nɪmf] *n* 1) *миф.* ни́мфа; 2) *поэт.* краси́вая, изя́щная де́вушка; 3) *куколка, нимфа, личинка (насекомого)*.

**nystagmus** [nɪs'tægməs] *n мед.* ниста́гм.

# O

**O, o I** [ou] *n* (*pl* Os, O's, Oes [ouz]) 15-я бу́ква англ. алфави́та; ◇ an o, a round o круг, нуль.

**O II** [ou] *int* (*если восклицание отделено знаком препинания* — oh): O my!, O dear me! бо́же мой!; oh, what a lie! кака́я ложь!; oh, is that so? ра́зве?

**O'** [ou-] *pref перед ирландскими именами, напр.*: O'Conner О'Ко́ннер.

**o'** [ə-] 1) *сокр. от* of; six o'clock шесть часо́в; 2) *сокр. от* on; to sleep o'nights спать по ноча́м.

**oaf** [ouf] *n* (*pl* oafs [-s], oaves) 1) уро́дливый *или* глу́пый ребёнок; дурачо́к; 2) неотёсанный, неуклю́жий челове́к; 3) *миф.* ребёнок, подменённый э́льфами.

**oafish** ['oufɪʃ] *a* 1) придуркова́тый; 2) неуклю́жий, нескла́дный.

**oak** [ouk] *n* 1) дуб; dyer's ~, black ~ краси́льный дуб; 2) древеси́на ду́ба; 3) изде́лия из ду́ба (*напр., мебель и т. п.*); 4) дубо́вые ли́стья; 5) *унив. разг.* нару́жная дверь; 6) (the Oaks) *pl* эпсо́мские ска́чки для трёхле́тних кобы́л; 7) *attr.* дубо́вый.

**oak-apple** ['ouk,æpl] *n* черни́льный оре́шек; *pl* га́ллы, наро́сты на ли́стьях ду́ба.

**oaken** ['oukən] *a* дубо́вый.

**oakery** ['oukərɪ] *n* дубня́к, дубра́ва; ме́стность, поро́сшая дубняко́м.

**oak-fig** ['oukfɪg] = oak-apple.

**oak-gall** ['oukgɔːl] = oak-apple.

**oaklet, oakling** ['ouklɪt, 'ouklɪŋ] *n* молодо́й дуб, дубо́к.

**oak-nut** ['ouknʌt] = oak-apple.

**oak-tree** ['ouktriː] = oak 1).

**oakum** ['oukəm] *n* па́кля; to pick ~ щипа́ть па́клю (*труд каторжан*).

**oak-wart** ['oukwɔːt] = oak-apple.

oak-wood ['oukwud] n 1) дубрава, дубовая роща; 2) = oak 2).

oaky ['ouki] a дубовый, крепкий.

oar [ɔ:] 1. n 1) весло (непарное); to pull a good ~ хорошо грести; to rest (или to lie) on one's ~s сушить вёсла; перен. бездействовать, почить на лаврах; ~s! мор. суши вёсла!; 2) гребец; a good ~ хороший гребец; ◊ chained to the ~ вынужденный тянуть лямку, прикованный к тяжёлой и длительной работе; to have an ~ in every man's boat постоянно лезть не в своё дело; to put in one's ~ вмешиваться в разговор или в чужие дела;
2. v грести.

oarage ['ɔ:rɪdʒ] n 1) поэт. гребля; 2) комплект вёсел.

oared [ɔ:d] 1. p. p. от oar 2;
2. a весёльный.

oarer ['ɔ:rə] = oarsman.

oarlock ['ɔ:lɔk] n уключина.

oarsman ['ɔ:zmən] n гребец.

oarsmanship ['ɔ:zmənʃɪp] n умение грести, искусство гребли.

oases [ou'eɪsi:z] pl от oasis.

oasis [ou'eɪsɪs] n (pl oases) оазис.

oast [oust] n печь для сушки хмеля или солода.

oast-house ['ousthaus] n сушилка для хмеля.

oat [out] n 1) (обыкн. pl) овёс; 2) поэт. свирель из стебля соломы; пастуший рожок; 3) пастораль; 4) attr. овсяный, овсяной; 5) attr. соломенный; ◊ to feel one's ~s а) быть весёлым, оживлённым; б) чувствовать свою силу; to smell one's ~s напрячь последние силы (при приближении к цели).

oatcake ['outkeɪk] n овсяная лепёшка.

oaten ['outn] a уст., поэт. 1) овсяный, овсяной; 2) соломенный.

oat-flakes ['outfleɪks] n геркулес (овсяная крупа).

oath [ouθ] (pl ouðz] n 1) клятва; присяга; on ~ под присягой; ~ of allegiance присяга на верность; военная присяга; ~ of office присяга при вступлении в должность; to make (или to take, to swear) an ~ дать клятву; to put smb. on ~, to administer the ~ to smb. привести кого-л. к присяге; 2) божба; 3) богохульство; проклятия, ругательства.

oath-breaker ['ouθˌbreɪkə] n клятвопреступник.

oath-breaking ['ouθˌbreɪkɪŋ] n нарушение клятвы или присяги.

oatmeal ['outmi:l] n 1) овсяная мука, толокно; 2) овсянка, овсяная каша.

oaves [ouvz] pl от oaf.

obduracy ['ɔbdjurəsɪ] n 1) закоснелость; чёрствость; ожесточение; 2) упрямство.

obdurate ['ɔbdjurɪt] a 1) закоснелый; чёрствый; ожесточённый; 2) упрямый.

obedience [o'bi:djəns] n послушание, повиновение, покорность; ◊ in ~ to согласно.

obedient [o'bi:djənt] a послушный, покорный; your ~ servant Ваш покорный слуга (в официальном письме).

obedientiary [ouˌbi:dɪ'enʃərɪ] n монах, занимающий какую-л. должность в монастыре.

obeisance [ou'beɪsəns] n 1) реверанс; почтительный поклон; 2) почтение, уважение; to do (или to make, to pay) ~ выразить почтение.

obeli ['ɔbɪlaɪ] pl от obelus.

obelisk ['ɔbɪlɪsk] 1. n 1) обелиск; 2) полигр. знак — или знак ÷ (ставится в рукописях против сомнительного слова); знак ссылки, крестик;
2. v = obelize.

obelize ['ɔbəlaɪz] v отмечать крестиком.

obelus ['ɔbɪləs] n (pl -li) = obelisk 1, 2).

obese [ou'bi:s] a тучный, полный.

obesity [ou'bi:sɪtɪ] n тучность, полнота; ожирение.

obey [ə'beɪ] v 1) повиноваться, подчиняться; слушаться; выполнять приказание; 2) мат. удовлетворять условиям уравнения.

obfuscate ['ɔbfʌskeɪt] v 1) затемнять (свет; вопрос и т. п.); 2) сбивать с толку; туманить рассудок.

obi ['oubɪ] яп. n широкий яркий пояс.

obiter ['ɔbɪtə] лат. adv между прочим, мимоходом; ~ dictum a) юр. неофициальное мнение; б) случайное замечание.

obituarist [ə'bɪtjuərɪst] n автор некролога.

obituary [ə'bɪtjuərɪ] 1. n 1) некролог; 2) список умерших;
2. a 1) похоронный; 2) некрологический

object I ['ɔbdʒɪkt] n 1) предмет; вещь; 2) объект (изучения и т. п.); 3) цель; to fail in one's ~ не достичь цели; 4) филос. объект (в противоположность субъекту); 5) грам. дополнение; 6) разг. человек или вещь необычного, жалкого, смешного и т.п. вида; what an ~ you look in that hat! ну и вид же у тебя в этой шляпе!

object II [əb'dʒekt] v 1) возражать, протестовать (to, against); I ~ to smoking я возражаю против курения; 2) не любить, не переносить.

object-finder ['ɔbdʒɪktˌfaɪndə] n фото видоискатель.

object-glass ['ɔbdʒɪktˌglɑ:s] n опт. объектив.

objectify [əb'dʒektɪfaɪ] v воплощать.

objection [əb'dʒekʃən] n 1) возражение, протест; to take ~ возражать; to raise по ~ не возражать; 2) неодобрение, нелюбовь.

objectionable [əb'dʒekʃnəbl] a 1) вызывающий возражения; нежелательный; 2) предосудительный; 3) неприятный, неудобный.

objective [əb'dʒektɪv] 1. n 1) цель; стремление; 2) воен. объект; цель; 3) грам. объектный (или косвенный) падеж; 4) опт. объектив;
2. a 1) объективный; 2) целевой; ~ point воен. цель движения, объект действий; перен. конечная цель; 3) предметный; вещественный; ~ table предметный столик (микроскопа); 4) грам. относящийся к дополнению; ~ case объектный (или кос-

ренный) падёж; 5) *филос.* объективный; реальный, действительный; ~ method индуктивный метод.

**objective-lens** [əb'dʒektɪv'lenz] *n опт.* линза объектива.

**objectivism** [əb'dʒektɪvɪzəm] *n* 1) стремление к объективности; 2) объективизм.

**objectivity** [͵ɔbdʒek'tɪvɪtɪ] *n* объективность.

**objectless** ['ɔbdʒɪktlɪs] *a* беспредметный, бесцельный.

**object-lesson** ['ɔbdʒɪkt͵lesn] *n* 1) наглядный урок, урок с демонстрацией изучаемых предметов; 2) *перен.* наглядное доказательство.

**objector** [əb'dʒektə] *n* возражающий, тот, кто возражает.

**objurgate** ['ɔbdʒəːgeɪt] *v* журить, бранить, упрекать.

**objurgation** [͵ɔbdʒəː'geɪʃən] *n* упрёк, выговор.

**objurgatory** [ɔb'dʒəːgətərɪ] *a* укоризненный.

**oblate** ['ɔbleɪt] *a* 1) *церк.* посвятивший себя (*монашеской жизни и т. п.*); 2) *геом.* сплющенный (*у полюсов*).

**oblation** [ou'bleɪʃən] *n* 1) жертва; жертвоприношение; 2) пожертвование на церковь *или* на благотворительные дела; 3) *церк.* евхаристия, причащение.

**oblational** [ou'bleɪʃənl] *a* жертвенный.

**oblatory** ['ɔblətərɪ] = oblational.

**obligate** ['ɔblɪgeɪt] *v* обязывать.

**obligation** [͵ɔblɪ'geɪʃən] *n* 1) обязательство; to repay an ~ выполнить обязательство, уплатить по обязательству; to undertake ~s принимать обязательства; 2) обязанность; долг; to be under an ~ быть в долгу (*перед кем-л.*); 3) принудительная сила, обязательность (*закона, договора и т. п.*); of ~ обязательный.

**obligatory** [ɔ'blɪgətərɪ] *a* 1) обязательный; 2) обязывающий.

**oblige** [ə'blaɪdʒ] *v* 1) обязывать; связывать обязательством; принуждать, заставлять; to be ~d быть обязанным [*ср. тж.* 3)]; 2) делать одолжение, угождать; ~ me by closing the door закройте, пожалуйста, дверь; will you ~ us with a song? не споёте ли вы нам?; 3) *разг.*: to be ~d быть благодарным [*ср. тж.* 1)]; I am much ~d (to you) очень (вам) благодарен.

**obligee** [͵ɔblɪ'dʒiː] *n юр.* лицо, по отношению к которому имеется обязательство.

**obliging** [ə'blaɪdʒɪŋ] 1. *pres. p. от* oblige; 2. *a* обязательный, услужливый, любезный.

**obligingly** [ə'blaɪdʒɪŋlɪ] *adv* любезно, услужливо; вежливо.

**obligor** [͵ɔblɪ'gɔː] *n юр.* лицо, принявшее на себя обязательство.

**oblique** [ə'bliːk] 1. *a* 1) косой, наклонный; ~ fire *воен.* косоприцельный огонь; ~ photography перспективная фотосъёмка; 2) окольный; непрямой; 3) *грам.* косвенный; ~ case косвенный падёж; ~ oration (*или* narration, speech) косвенная речь; 4) *геом.* непрямой, острый *или* тупой (*угол*); наклонный (*о плоскости*);

2. *v* 1) отклоняться (*от прямой линии*); 2) *воен.* продвигаться вкось.

**obliquity** [ə'blɪkwɪtɪ] *n* 1) косое направление; отклонение от прямого пути; 2) *тех.* скос; конусность; 3) *астр.* наклонение эклиптики.

**obliterate** [ə'blɪtəreɪt] *v* 1) вычёркивать, стирать; уничтожать; 2) изглаживать(ся); time ~s sorrow ≈ время — лучший лекарь; со временем горе проходит.

**obliteration** [ə͵blɪtə'reɪʃən] *n* 1) вычёркивание, стирание; уничтожение; 2) забвение.

**oblivion** [ə'blɪvɪən] *n* 1) забвение; Act of O. амнистия; to fall (*или* to sink) into ~ быть преданным забвению; быть забытым; 2) забывчивость.

**oblivious** [ə'blɪvɪəs] *a* 1) забывчивый; непомнящий, забывающий (of); рассеянный; 2) дающий забвение.

**oblong** ['ɔblɔŋ] 1. *a* продолговатый; удлинённый;

2. *n* продолговатая фигура, продолговатый предмет.

**obloquy** ['ɔbləkwɪ] *n* 1) злословие, поношение; оскорбление; 2) позор.

**obmutescence** [ɔbmjuː'tesəns] *n уст.* упорное молчание.

**obmutescent** [ɔbmjuː'tesənt] *a уст.* упорно молчащий, хранящий упорное молчание.

**obnoxious** [əb'nɔkʃəs] *a* 1) неприятный, противный, несносный; 2) *уст.* подверженный (*какой-л. опасности и т. п.*).

**oboe** ['oubou] *um.* = hautboy 1).

**obol** ['ɔbɔl] *n ист.* обол (*греческая монета*).

**obscene** [ɔb'siːn] *a* непристойный, бесстыдный, непотребный; неприличный, грязный.

**obscenity** [ɔb'siːnɪtɪ] *n* непристойность, бесстыдство, цинизм.

**obscurant** [ɔb'skjuərənt] *n* мракобес, обскурант.

**obscurantism** [͵ɔbskjuə'ræntɪzəm] *n* мракобесие, обскурантизм.

**obscurantist** [͵ɔbskjuə'ræntɪst] 1. *n* = obscurant.

2. *a* обскурантистский.

**obscuration** [͵ɔbskjuə'reɪʃən] *n* 1) помрачение; 2) *астр.* затмение.

**obscure** [əb'skjuə] 1. *a* 1) мрачный, тёмный; тусклый; смутный, непонятный; неразумительный; 3) незаметный; неизвестный; ничем не прославленный, безвестный; 4) скрытый, уединённый;

2. *v* 1) затемнять; 2) делать неясным (*о значении*); 3) помрачать; затмевать.

**obscure rays** [əb'skjuə'reɪz] *n pl физ.* лучи невидимой части спектра, невидимые лучи.

**obscurity** [əb'skjuərɪtɪ] *n* 1) мрак; тьма, темнота; 2) неясность, непонятность; ~ of battle *воен.* невыясненность боевой обстановки; 3) неизвестность, безвестность, незаметность.

**obsecration** [͵ɔbsɪ'kreɪʃən] *n* 1) просьба, мольба; 2) умилостивление (*богов*).

**obsequial** [ɔb'siːkwɪəl] *a* похоронный, погребальный.

**obsequies** ['ɔbsɪkwɪz] *n pl* по́хороны; погребе́ние.

**obsequious** [əb'siːkwɪəs] *a* 1) раболе́пный, подобостра́стный; 2) *уст.* послу́шный, исполни́тельный.

**obsequiousness** [əb'siːkwɪəsnɪs] *n* раболе́пие, подобостра́стие, низкопокло́нство.

**observable** [əb'zəːvəbl] *a* 1) заме́тный, различи́мый; 2) тре́бующий соблюде́ния; 3) досто́йный внима́ния.

**observance** [əb'zəːvəns] *n* 1) соблюде́ние (*зако́на, обы́чая и т. п.*; of); 2) обря́д, ритуа́л; 3) *уст.* почте́ние.

**observant** [əb'zəːvənt] **1.** *a* 1) наблюда́тельный, внима́тельный; 2) исполня́ющий (*зако́ны, предписа́ния и т. п.*); 3) исполни́тельный;
**2.** *n* францискáнец сáмого стро́гого то́лка.

**observation** [ˌɔbzəːˈveɪʃən] *n* 1) наблюде́ние; to keep under ~ держа́ть под наблюде́нием; 2) наблюда́тельность; a man of no ~ ненаблюда́тельный челове́к; 3) замеча́ние, выска́зывание; 4) определе́ние координа́т по высоте́ со́лнца; 5) *attr.* наблюда́тельный; ~ balloon *воен.* аэроста́т наблюде́ния; ~ plane *воен.* самолёт бли́жней разве́дки.

**observational** [ˌɔbzəːˈveɪʃənl] *a* наблюда́тельный.

**observatory** [əb'zəːvətrɪ] *n* 1) обсервато́рия; 2) наблюда́тельный пункт.

**observe** [əb'zəːv] *v* 1) наблюда́ть, замеча́ть; следи́ть (*за чем-л.*); 2) соблюда́ть (*зако́ны и т. п.*); to ~ good manners быть утончённо ве́жливым; to ~ silence храни́ть молча́ние; to ~ the time быть о́чень пунктуа́льным; 3) заме́тить, сказа́ть; allow me to ~ разреши́те мне заме́тить; it will be ~d прихо́дится, на́до отме́тить; 4) изуча́ть (*с по́мощью наблюде́ния*).

**observed** [əb'zəːvd] **1.** *p. p. от* observe;
**2.** *n*: the ~ of all observers центр всео́бщего внима́ния.

**observer** [əb'zəːvə] *n* 1) наблюда́тель; 2) соблюда́ющий (*что-л.*; of); an ~ of his promises челове́к, всегда́ выполня́ющий обеща́ния; 3) обозрева́тель (*в газе́те*).

**obsess** [əb'ses] *v* завладе́ть, пресле́довать, му́чить (*о навя́зчивой иде́е и т. п.*); овладе́ть, обуя́ть (*о стра́хе*).

**obsession** [əb'seʃən] *n* 1) одержи́мость (*жела́нием и т. п.*); 2) навя́зчивая иде́я.

**obsidian** [əb'sɪdɪən] *n мин.* обсидиа́н, вулкани́ческое стекло́.

**obsolescence** [ˌɔbsə'lesns] *n* устарева́ние.

**obsolescent** [ˌɔbsə'lesnt] *a* выходя́щий из употребле́ния; устарева́ющий, отжива́ющий.

**obsolete** ['ɔbsəliːt] *a* 1) вы́шедший из употребле́ния; устаре́лый; 2) изно́шенный; атрофи́рованный.

**obstacle** ['ɔbstəkl] *n* препя́тствие, поме́ха; to throw ~s in smb.'s way чини́ть препя́тствия кому́-л.; 2) *attr.*:~ course *спорт.* полоса́ препя́тствий.

**obstacle-race** ['ɔbstəklreɪs] *n* бег *или* ска́чки с препя́тствиями.

**obstetric(al)** [əb'stetrɪk(əl)] *a* родовспомога́тельный; акуше́рский.

**obstetrician** [ˌɔbste'trɪʃən] *n* акуше́р; акуше́рка.

**obstetrics** [əb'stetrɪks] *n pl* (*употр. как sing*) акуше́рство.

**obstinacy** ['ɔbstɪnəsɪ] *n* упря́мство; насто́йчивость, *реже* упо́рство.

**obstinate** ['ɔbstɪnɪt] *a* 1) упря́мый; насто́йчивый, *реже* упо́рный; 2) трудноизлечи́мый.

**obstipation** [ˌɔbstɪ'peɪʃən] *n мед.* си́льный запо́р.

**obstreperous** [əb'strepərəs] *a* шу́мный, беспоко́йный; бу́йный.

**obstruct** [əb'strʌkt] *v* 1) загражда́ть, прегражда́ть, загроможда́ть (*прохо́д*); препя́тствовать (*продвиже́нию*); 2) затрудня́ть, меша́ть; заслоня́ть; to ~ the light загора́живать свет; to ~ the view заслоня́ть вид; 3) *парл.* устра́ивать обстру́кцию; 4) *мед.* засоря́ть (*желу́док*), вызыва́ть запо́р.

**obstruction** [əb'strʌkʃən] *n* 1) затрудне́ние *или* прегражде́ние прохо́да, продвиже́ния; 2) загражде́ние, поме́ха; препя́тствие; 3) *парл.* обстру́кция; 4) *мед.* заку́порка; 5) *мед.* запо́р.

**obstructionism** [əb'strʌkʃənɪzəm] *n парл.* систе́ма борьбы́ посре́дством обстру́кции, обструкциони́зм.

**obstructionist** [əb'strʌkʃənɪst] *n парл.* обструкциони́ст.

**obstructive** [əb'strʌktɪv] **1.** *a* 1) препя́тствующий *и пр.* [см. obstruct]; 2) *парл.* обструкцио́нный;
**2.** *n* = obstructionist.

**obstructor** [əb'strʌktə] *n* тот, кто меша́ет, препя́тствует, стои́т на пути́ прогре́сса.

**obtain** [əb'teɪn] *v* 1) получа́ть; добыва́ть; приобрета́ть; to ~ a prize получи́ть приз; to ~ a commission *воен.* быть произведённым в офице́ры; получи́ть офице́рский чин, -ое зва́ние; 2) достига́ть, добива́ться; 3) существова́ть, быть в обы́чае; быть при́знанным; применя́ться; these views no longer ~ э́ти взгля́ды устаре́ли; the same rule ~s regarding... то же пра́вило отно́сится и к...

**obtainable** [əb'teɪnəbl] *a* досту́пный, достижи́мый.

**obtest** [əb'test] *v уст.* 1) призыва́ть (*не́бо*) в свиде́тели; заклина́ть; 2) протестова́ть.

**obtestation** [ˌɔbtes'teɪʃən] *n* 1) заклина́ние, мольба́; 2) проте́ст.

**obtrude** [əb'truːd] *v* 1) навя́зывать(ся) (on, upon); to ~ one's opinions навя́зывать свои́ мне́ния; to ~ oneself навя́зываться; 2) вторга́ться.

**obtruncate** [əb'trʌŋkeɪt] *v* обреза́ть; среза́ть верши́ну.

**obtrusion** [əb'truːʒən] *n* 1) навя́зывание; 2) вторже́ние.

**obtrusive** [əb'truːsɪv] *a* навя́зчивый.

**obturate** ['ɔbtjuəreɪt] *v* 1) затыка́ть, закрыва́ть; 2) уплотня́ть; 3) *арт.* обтюри́ровать.

**obturation** [ˌɔbtjuə'reɪʃən] *n* 1) закры́тие отве́рстия; 2) *арт.* обтюра́ция.

**obturator** ['ɔbtjuəreɪtə] *n* 1) заты́чка, про́бка, приспособле́ние для закры́тия отве́рстий; 2) *тех.* уплотня́ющее устро́йство; 3) *фо́то* затво́р; 4) *арт., мед.* обтюра́тор.

**obtuse** [əb'tjuːs] *a* 1) тупой;~ angle тупой угол; 2) тупой, глупый, бестолковый; 3) заглушённый (*о звуке*).

**obverse** ['ɔbvɑːs] 1. *n* 1) лицевая сторона, лицо; передняя *или* верхняя сторона; 2) дополнение; составная часть;
2. *a* 1) лицевой, обращённый наружу; 2) дополнительный, являющийся составной частью.

**obviate** ['ɔbvieit] *v* избегать, устранять, избавляться (*от опасности*).

**obvious** ['ɔbviəs] *a* очевидный, явный, ясный.

**ocarina** [ˌɔkə'riːnə] *ит. n муз.* окарина.

**occasion** [ə'keizən] 1. *n* 1) случай, возможность; to choose one's ~ выбрать подходящий момент; not the ~ for rejoicing нечему радоваться; on ~ при случае, иногда; on the ~ of... по случаю...; to profit by the ~ воспользоваться случаем; to seize the ~ *или* to take ~ (by the forelock) воспользоваться случаем; использовать благоприятный момент; 2) обстоятельство; 3) основание, причина; to give ~ to служить основанием для; 4) повод; 5) событие; this festive ~ этот праздник; 6) *pl уст.* дела; ◇ to rise to the ~ быть на высоте положения;
2. *v* служить поводом, давать повод; вызывать; причинять.

**occasional** [ə'keizənl] *a* 1) случающийся время от времени, иногда; 2) случайный, редкий; an ~ visitor случайный посетитель; 3) приуроченный к определённому событию; сделанный для определённой цели; ~ ode ода на какое-л. событие.

**occasionalism** [ə'keizənəlizəm] *n филос.* окказионализм.

**occasionally** [ə'keizənəli] *adv* изредка, время от времени; случайно.

**Occident** ['ɔksidənt] *n* Запад; страны Запада.

**occidental** [ˌɔksi'dentl] 1. *a* западный;
2. *n* 1) (O.) уроженец *или* житель Запада; 2) (O.) *уст.* западная держава.

**occidentalism** [ˌɔksi'dentəlizəm] *n* обычаи, нравы, идеалы *и т. п.* западноевропейских народов.

**occipital** [ɔk'sipitl] *a* затылочный.

**occiput** ['ɔksipʌt] *n* затылок.

**occlude** [ɔ'kluːd] *v* 1) преграждать, закрывать (*отверстие, проход*); закупоривать; 2) *хим.* поглощать (*газы*), сорбировать.

**occlusion** [ɔ'kluːʒən] *n* 1) преграждение; 2) *хим.* окклюзия; сорбция, поглощение (*газов*); 3) *мед.* закупорка.

**occult** [ɔ'kʌlt] 1. *a* 1) тайный, сокровенный; 2) таинственный, тёмный; оккультный;
2. *v астр.* заслонять, затемнять.

**occulting light** [ɔ'kʌltiŋ'lait] *n* затмевающийся огонь маяка.

**occultism** ['ɔkəltizəm] *n* оккультизм.

**occupancy** ['ɔkjupənsi] *n* 1) занятие; завладение; 2) временное владение; аренда; 3) оккупация.

**occupant** ['ɔkjupənt] *n* 1) житель; жилец; обитатель; 2) временный владелец; аренда-

тор; 3) занимающий какую-л. должность; 4) лицо, присвоившее себе имущество, не имеющее владельца; 5) оккупант.

**occupation** [ˌɔkju'peiʃən] *n* 1) (*тж. pl*) занятия; род занятий, профессия; 2) завладение; 3) временное пользование (*домом и т. п.*); период проживания; 4) занятие, оккупация; 5) *attr.*: ~ army of ~ оккупационная армия; 5) *attr.*: ~ bridge (road) мост (дорога) частного пользования; ~ franchise избирательное право арендатора.

**occupational** [ˌɔkju'peiʃənl] *a* профессиональный; ~ deferment отсрочка от призыва (по роду занятий); ~ disease профессиональное заболевание; ~ therapy трудотерапия.

**occupier** ['ɔkjupaiə] *n* 1) жилец; 2) арендатор; временный владелец.

**occupy** ['ɔkjupai] *v* 1) занимать, завладевать; оккупировать; 2) занимать (*дом, квартиру*); арендовать; 3) занимать (*пространство, время*); the garden occupies 5 acres под садом занято 5 акров земли; 4) занимать (*мысли, ум*); to ~ oneself with smth., to be occupied in smth. заниматься чем-л.; 5) занимать (*пост*).

**occur** [ə'kəː] *v* 1) встречаться, попадаться; 2) случаться, происходить; to ~ again повторяться; 3) приходить на ум; it ~red to me мне пришло в голову; 4) *геол.* залегать.

**occurrence** [ə'kʌrəns] *n* 1) случай, происшествие; an everyday ~ обычное явление; strange ~ странное происшествие; 2) местонахождение; распространение; 3) *геол.* месторождение, залегание.

**ocean** ['ouʃən] *n* 1) океан; 2) огромное пространство, огромное количество, множество, масса; an ~ of tears море слёз; 3) *attr.* океанский; относящийся к океану; ~ bed дно океана; ~ deeps *геол.* абиссальные глубины; ~ lane океанский путь.

**ocean-going** ['ouʃən,gouiŋ] *a* океанский (*о пароходе*).

**Oceanian** [ˌouʃi'einjən] 1. *a* относящийся к Океании;
2. *n* житель Океании, житель тихоокеанских островов.

**oceanic** [ˌouʃi'ænik] *a* 1) океанский; океанический; 2) (O.)= Oceanian 1.

**oceanography** [ˌouʃjə'nɔgrəfi] *n* океанография.

**ocelot** ['ousilɔt] *n зоол.* оцелот.

**ochlocracy** [ɔk'lɔkrəsi] *греч. n* охлократия.

**ochre** ['oukə] *n* 1) охра; 2) бледный коричневато-жёлтый цвет; 3) *sl.* золото, деньги.

**o'clock** [ə'klɔk]: what ~ is it? который час?; it is six ~ шесть часов.

**octa-** ['ɔktə-] *pref* восьми-.

**octagon** ['ɔktəgən] *n* восьмиугольник.

**octagonal** [ɔk'tægənl] *a* восьмиугольный.

**octahedral** [ˌɔktə'hedrəl] *a* восьмигранный.

**octahedron** ['ɔktə'hedrən] *n* восьмигранник, октаэдр.

**octal** ['ɔktəl] *a* октальный, восьмигранный.

**octane** ['ɔkteɪn] *n хим.* 1) октáн; 2) *attr.* октáновый; ~ number (*или* value) октáновое числó.

**octangular** [ɔk'tæŋgjulə] = octagonal.

**octant** ['ɔktənt] *n* 1) октáнт (*угломерный инструмент*); 2) восьмáя часть крýга, дугá в 45°.

**octarchy** ['ɔktɑːkɪ] *n* правлéние, осуществляéмое восьмью лúцами.

**octave** ['ɔktɪv] *n* 1) *муз.* октáва; 2) *прос.* восьмистúшие, октáва; 3) ['ɔkteɪv] *церк.* восьмóй день пóсле прáздника; недéля, слéдующая за прáздником; 4) вóсемь предмéтов; 5) (послéдний) приём в фехтовáнии; 6) вúнная бóчка (*ёмкостью около 61 л*).

**octavo** [ɔk'teɪvou] *n* формáт (*книги*) в ¹/₈ дóлю листá; in ~ ин-октáво, в ¹/₈ дóлю листá.

**octennial** [ɔk'tenjəl] *a* 1) восьмилéтний; 2) повторяющийся, происходящий кáждые вóсемь лет.

**octet(te)** [ɔk'tet] *n* 1) *муз.* октéт; 2) *прос.* пéрвые вóсемь стихóв сонéта.

**octillion** [ɔk'tɪljən] *n мат.* миллиóн в восьмóй стéпени (*единица с 48 нулями*).

**October** [ɔk'toubə] *n* 1) октябрь; 2) *attr.* октябрьский; the Great ~ Socialist Revolution Велúкая Октябрьская социалистúческая революция.

**octodecimo** ['ɔktou'desɪmou]*n(pl-*os[-ouz]) формáт (*книги*) в ¹/₁₈ дóлю листá.

**octogenarian** [ˌɔktoudʒɪ'nɛərɪən] 1. *a* восьмидесятилéтний;
2. *n* восьмидесятилéтний старúк, -яя старýха.

**octonarian** [ˌɔktou'nɛərɪən] *прос.* 1. *a* восьмистóпный;
2. *n* восьмистóпный стих.

**octopus** ['ɔktəpəs] *n* осьминóг, спрут.

**octoroon** [ˌɔktə'ruːn] *n* цветнóй, цветнáя (*с ¹/₈ негритянской крови*).

**octosyllabic** ['ɔktousɪ'læbɪk] 1. *a* восьмислóжный;
2. *n* восьмислóжный стих.

**octosyllable** ['ɔktou,sɪləbl] 1. *n* восьмислóжное слóво;
2. *a* = octosyllabic 1.

**octroi** ['ɔktrwɑ:] *фр. n ист.* 1) октруá, городскáя пóшлина (*на ввозимые товары*); 2) городскáя тамóжня.

**octuple** ['ɔktjuːpl] *a* восьмикрáтный; восьмерúчный.

**ocular** ['ɔkjulə] 1. *n* окуляр;
2. *a* 1) глазнóй; окулярный; 2) наглядный (*о доказательстве и т. п.*).

**oculi** ['ɔkjulaɪ] *pl om* oculus.

**oculist** ['ɔkjulɪst] *n* окулúст.

**oculus** ['ɔkjuləs] *n* (*pl* -li) *архит.* óкулус.

**odalisque** ['oudəlɪsk] *n* одалúска.

**odd** [ɔd] 1. *a* 1) нечётный; ~ and (or) even чёт и (úли) нéчет; ~ houses домá с нечётными номерáми; ~ months мéсяцы, имéющие 31 день; 2) непáрный, разрóзненный; ~ volumes разрóзненные томá; 3) лúшний, добáвочный, остающийся (*сверх суммы или определённого количества*); three pounds ~ три с лúшним фýнта; три фýнта, не считáя шúллингов и пéнсов; twenty ~ years

двáдцать с лúшним лет; forty ~ сверх сорокá, сóрок с лúшним; ~ money сдáча, мéлочь; 4) незáнятый, свобóдный; ~ moments минýты досýга; at ~ times а) на досýге, мéжду дéлом; б) врéмя от врéмени; 5) случáйный; ~ job случáйная рабóта; ~ man (*или* lad, hand) человéк, выполняющий случáйную рабóту [*ср. тж.* ◇]; 6) необычáйный, стрáнный, эксцентрúчный; that's very ~ óчень стрáнно; ◇ the ~ man решáющий гóлос [*ср. тж.* 5)]; ~ man out выбор одногó из нéскольких посрéдством бросáния монéт, покá у остальных не совпадёт орёл úли рéшка.
2. *n* 1) *карт.* решáющая взятка (*в висте*); 2) удáр, дающий перевéс (*в гольфе*) [*см. тж.* odds].

**odd-come-short** ['ɔdkʌm'ʃɔːt] *n* 1) остáток; 2) *pl* остáтки, обрывки, хлам.

**odd-come-shortly** ['ɔdkʌm'ʃɔːtlɪ] *n* (в) ближáйший день; one of these odd-come-shortlies вскóре.

**oddfellow** ['ɔd,felou] *n* член тáйного брáтства (*типа масонского ордена*).

**oddish** ['ɔdɪʃ] *a* стрáнный, чудаковáтый; эксцентрúчный;

**oddity** ['ɔdɪtɪ] *n* 1) стрáнность, чудаковáтость; 2) чудáк; 3) причýдливая вещь; стрáнный случáй.

**oddments** ['ɔdmənts] *n pl* остáтки; разрóзненные предмéты.

**odds** [ɔdz] *n pl* (*обыкн. употр. как* sing) 1) нерáвенство; рáзница; with heavy ~ against them а) прóтив значúтельно превосходящих сил; б) в исключúтельно неблагоприятных услóвиях; to make ~ even устранúть различúя; by long ~ значúтельно, решúтельно; несомнéнно; it is (*или* makes) по ~ не составляет никакóй рáзницы; несущéственно; what's the ~? а) в чём рáзница?; какóе это úмеет значéние?; б) *спорт.* какóй счёт?; 2) разноглáсие; to be at ~ with smb. не лáдить с кем-л., ссóриться с кем-л. (*about—из-за чего-л.*); 3) преимýщество; гандикáп; the ~ are in our favour перевéс на нáшей сторонé; to give (to receive) ~ предоставлять (получáть) преимýщество; 4) шáнсы; the ~ are (*или* it is ~) that he will do it вероятнее всегó, что он это сдéлает; long ~ нерáвные шáнсы; short ~ почтú рáвные шáнсы; ◇ ~ and ends остáтки; обрéзки; обрывки; хлам; случáйные предмéты и т. п.; to shout the ~ хвáстать.

**ode** [oud] *n* óда.

**odea** [ou'diːə] *pl om* odeum.

**odeum** [ou'diːəm] *n* (*pl* -s [-z], odea) 1) *др.-греч.* одеóн; 2) концéртный *или* зрúтельный зал.

**Odin** ['oudɪn] *n миф.* Óдин.

**odious** ['oudjəs] *a* 1) ненавúстный, гнýсный, отвратúтельный; 2) одиóзный.

**odium** ['oudjəm] *лат. n* 1) нéнависть; отвращéние; to bring ~ on, to expose to ~ навлéчь недоброжелáтельство; сдéлать ненавúстным; 2) позóр; to bear the ~ of... нестú позóр...; 3) одиóзность.

**odometer** [ɔ'dɔmɪtə] *n* 1) одóметр; 2) *авт.* счётчик прóйденного путú.

**odontic** [ɔ'dɔntɪk] *a* зубной.

**odontoid** [ɔ'dɔntɔɪd] *a* зубовидный.

**odontology** [,ɔdɔn'tɔlədʒɪ] *n* одонтология (*учение о зубах и их болезнях*).

**odor** ['oudə] *амер.* = odour.

**odorant** ['oudərənt] *a ист.* благоухающий, пахучий.

**odoriferous** [,oudə'rɪfərəs] *a* 1) душистый, благовонный; благоухающий; 2) *редк.* вонючий.

**odorous** ['oudərəs] *поэт. см.* odoriferous 1).

**odour** ['oudə] *n* 1) запах; аромат, благоухание; 2) душок, привкус, налёт; 3) слава, репутация; good ~ милость; bad (*или* ill) ~ немилость; to be in bad (*или* ill) ~ with быть непопулярным среди; быть в немилости у.

**odourless** ['oudəlɪs] *a* без запаха, непахнущий.

**Odysseus** [ə'dɪsjuːs] *n миф.* Одиссей.

**Odyssey** ['ɔdɪsɪ] *n* Одиссея (*тж. перен.*).

**oecumenical** [,iːkjuː'menɪkəl] *a* 1) всемирный; 2) *рел.* вселенский; ~ council вселенский собор.

**oecumenicity** [,iːkjuːmɪ'nɪsɪtɪ] *n* всемирность; всеобщность.

**oedema** [iː'diːmə] *n* (*pl* -ata) *мед.* отёк.

**oedemata** [iː'diːmətə] *pl от* oedema.

**Oedipus** ['iːdɪpəs] *n миф.* Эдип.

**o'er** ['ouə] *поэт. см.* over.

**oersted** ['əːsted] *n эл.* эрстед (*единица напряжённости магнитного поля*).

**oesophagi** [iː'sɔfəgaɪ] *pl от* oesophagus.

**oesophagus** [iː'sɔfəgəs] *n* (*pl* -gi, -es [-ɪz]) *анат.* пищевод.

**oestrum, oestrus** ['iːstrəm, 'iːstrəs] *n* 1) овод; 2) стимул, побуждение; 3) страсть; страстное желание; 4) *биол.* течка.

**of** [ɔv (*полная форма*), əv (*редуцированная форма*)] *prep* 1) *указывает на принадлежность; передаётся род. падежом:* the house of my ancestors дом моих предков; articles of clothing предметы одежды; 2) *указывает на авторство; передаётся род. падежом:* the works of Shakespeare произведения Шекспира; 3) *указывает на объект действия; передаётся род. падежом:* a creator of a new current in art создатель нового направления в искусстве; in search of a dictionary в поисках словаря; a lover of poetry любитель поэзии; *указывает на деятеля; передаётся род. падежом:* the deeds of our heroes подвиги наших героев; 5) *указывает на отношение части и целого; передаётся род. разделительным:* a pound of sugar фунт сахару; some of us некоторые из нас; a member of congress член конгресса; 6) *указывает на содержимое какого-л. вместилища; передаётся род. падежом:* a glass of milk стакан молока; a pail of water ведро воды; 7) *указывает на материал, из которого что-л. сделано* из; a dress of silk платье из шёлка; a wreath of flowers венок из цветов; 8) *указывает на качество, свойство, возраст; передаётся род. падежом:* a man of his word человек слова; a girl of ten девочка лет десяти; 9) *указывает на причину* от; из-за; в результате,

по причине; he died of pneumonia он умер от воспаления лёгких; he did it of necessity он сделал это по необходимости; 10) *указывает на источник* от, у; I learned it of him я узнал это от него; he asked it of me он просил это у меня; 11) *указывает на происхождение* из; he comes of a worker's family он из рабочей семьи; 12) *указывает на направление, положение в пространстве, расстояние* от; south of Moscow к югу от Москвы; within 50 miles of London в 50 милях от Лондона; 13) *указывает на объект избавления* от; to cure of a disease, illness вылечить от болезни; to get rid of a cold избавиться от простуды; 14) *указывает на объект лишения; передаётся род. падежом:* the loss of power потеря власти; 15) *указывает на количество единиц измерения* в; a farm of 100 acres ферма площадью в 100 акров; a fortune of 1000 pounds состояние в 1000 фунтов; 16) о, об, относительно; he thinks of his friend он думает о своём друге; I have heard of it я слышал об этом; the news of the victory весть о победе; 17) *указывает на время:* of an evening вечером; of late недавно; all of a sudden внезапно; 18) в; to suspect of theft подозревать в воровстве; to accuse of a lie обвинять во лжи; to be guilty of bribery быть виновным во взяточничестве; to be sure of the fact быть уверенным в этом (факте); 19) *указывает на вкус, запах и т. п.; передаётся твор. падежом:* to smell of flowers пахнуть цветами; he reeks of tobacco от него разит табаком; 20): it is nice of you это любезно с вашей стороны; it is clever of him to go there умно, что он туда поехал; 21) *вводит приложение:* the city of New York город Нью-Йорк; by the name of John по имени Джон; 22) *употребляется в неразложимых словосочетаниях с предшествующим определяющим существительным:* a fool of a man глупый человек, просто дурень; the devil of a worker не работник, а просто дьявол; a beauty of a girl красавица; a mouse of a woman похожая на мышку женщина; ◇ holy of holies святая святых; he of all men кто угодно, но не он; that he of all men should do it! меньше всего я ожидал этого от него.

**off** [ɔːf (*полная форма*), əf (*редуцированная форма*)] 1. *adv указывает на:* 1) *удаление, отделение:* I must be ~ я должен уходить; ~ you go!, be ~!, get ~!, ~ with you! убирайтесь!; уходите!; they are ~ они отправились; to run ~ убежать; to keep ~ держаться в отдалении; держаться в стороне; my hat is ~ у меня слетела шляпа; the cover is ~ крышка снята; the gilt is ~ позолота сошла; *перен.* наступило разочарование; 2) *расстояние:* a long way ~ далеко; five miles ~ за пять миль; в пяти милях; 3) *прекращение, перерыв, окончание действия:* to break ~ negotiations прервать переговоры; to break ~ замолчать, оборвать разговор; to cut ~ supplies прекратить снабжение; 4) *завершение действия:* to pay ~ выплатить (*до конца*); to drink ~ выпить (*до дна*); to polish ~ отполировать;

to finish ~ покончить; 5) *избавление*: to throw ~ reserve осмелеть, расхрабриться; 6) *выключение, разъединение какого-л. аппарата или механизма*: to switch ~ the light выключить свет; the radio was ~ the whole day радио не было включено весь день; 7) *снятие предмета одежды*: take ~ your coat! снимите пальто!; hats ~! шапки долой!; 8): he is badly ~ он очень нуждается; Tom is comfortably ~ Том хорошо зарабатывает, хорошо обеспечен; ◇ ~ and on время от времени, нерегулярно, с перерывами; to go ~ а) портиться; б) отправиться спать;

2. *prep указывает на*: 1) *расстояние от*; a mile ~ the road на расстоянии мили от дороги; ~ the beaten track в стороне от большой дороги; *перен.* в малоизвестных областях; ~ the coast неподалёку от берега; the street ~ the Strand улица, идущая от Стрэнда *или* выходящая на Стрэнд; 2) *удаление с поверхности* с; take your hands ~ the table убери руки со стола; he pushed me ~ my seat они столкнули меня с моего места; 3) *отклонение от нормы*: ~ one's head вне себя; сумасшедший; ~ one's balance потерявший равновесие; ~ one's feed без аппетита; ~ the point а) далеко от цели; б) не относящийся к делу; ~ the mark а) не в цель (*о выстреле*); *перен.* неправильно, неверно; б) быстро, без промедления; 4) *неучастие в чём-л.*: he is ~ gambling он не играет в азартные игры; ~ duty не при исполнении служебных обязанностей; ◇ ~ the cuff без подготовки;

3. *а* 1) дальний, более удалённый; an road отдалённая дорога: 2) свободный (*о времени, часах*); an ~ day выходной, свободный день; 3) снятый, отделённый; the wheel is ~ колесо снято, соскочило; 4) неурожайный (*о годе*); мёртвый (*о сезоне*); 5) второстепенный; an ~ street переулок; that is an ~ issue это второстепенный вопрос; 6) правый; the ~ hind leg задняя правая нога; the ~ side правая сторона; *мор.* борт корабля, обращённый к открытому морю; 7) маловероятный; on the ~ chance *разг.* на всякий случай; 8) несвежий; the fish is a bit ~ рыба не совсем свежая; I am feeling rather ~ today я сегодня неважно себя чувствую; 9) *спорт.* противоположный той, на которой стоит игрок с битой (*о части крикетного поля*);

4. *n спорт.* часть поля, противоположная той, на которой стоит игрок с битой (*в крикете*);

5. *v* 1) *разг.* прекращать (*переговоры и т. п.*); идти на попятный; 2) *мор.* удаляться от берега, уходить в открытое море;

6. *int* прочь!, вон!

**offal** [ˈɔfəl] *n* 1) отбросы; 2) требуха; гольё, потроха; 3) дешёвая рыба; 4) падаль; 5) отруби.

**off-black** [ˈɔːf,blæk] *а* не совсем чёрный (*об оттенке*).

**offcast** [ˈɔːfkɑːst] 1. *а* отвергнутый; 2. *а* отверженный.

**off-chance** [ˈɔfʧɑːns] *n* некоторый шанс.

**off colour** [ˈɔfˈkʌlə] *а* 1) необычного цве-

та; 2) имеющий нездоровый вид; 3) дурно настроенный; 4) неисправный, дефектный; 5) рискованный, сомнительный; непристойный; 6) небезупречный; his reputation was a trifle ~ у него не совсем безукоризненная репутация; 7) худшего качества; нечистой воды (*о бриллиантах*).

**offence** [əˈfens] *n* 1) обида, оскорбление; to cause ~, to give ~ (to) оскорбить, нанести обиду; to take ~ (at) обижаться (на); a just cause of ~ справедливый повод к обиде; I meant no ~, no ~ was meant я не хотел обидеть; too quick to take ~ обидчивый; without ~ не в обиду будь сказано; без намерения оскорбить; 2) проступок, нарушение (*чего-л.*; against); преступление; *воен.* нападение; наступление; 4) *библ.* камень преткновения.

**offend** [əˈfend] *v* 1) обижать, оскорблять; вызвать раздражение, отвращение; to ~ smb.'s sense of justice оскорбить чьё-л. чувство справедливости; to be ~ed быть обиженным (by, at— *чем-л.*; with— *кем-л.*); 2) погрешить; совершить проступок; нарушить (*закон*; against); to ~ against custom нарушить обычай.

**offender** [əˈfendə] *n* 1) обидчик, оскорбитель; 2) правонарушитель, преступник; first ~ преступник, судимый впервые; juvenile ~ малолетний преступник; old ~ рецидивист.

**offensive** [əˈfensiv] 1. *n воен.* наступление, наступательная операция; to act on the ~ наступать; to take the ~ перейти в наступление; *перен.* занять наступательную (*или* агрессивную) позицию;

2. *а* 1) оскорбительный, обидный; 2) отвратительный, противный; ~ sight отвратительное зрелище; 3) наступательный, агрессивный; ~ defensive *воен.* активная оборона; ~ return переход в контратаку; переход в контрнаступление; ~ stroke удар по противнику; ~ war наступательная война.

**offer** [ˈɔfə] 1. *n* 1) предложение; 2) предложение цены; 3) попытка; ◇ on ~ в продаже;

2. *v* 1) предлагать; выражать готовность; to ~ one's hand а) протянуть руку; б) сделать предложение; to ~ an opinion выразить мнение; to ~ an apology извиняться; to ~ a free pardon обещать полное прощение; to ~ battle дать бой; 2) пытаться; пробовать; to ~ resistance оказывать сопротивление; to ~ to strike пытаться ударить; 3) выдвигать, предлагать вниманию; 4) случаться, являться; as chance (*или* opportunity) ~s при случае; 5) предлагать для продажи по определённой цене; предлагать определённую цену; 6) приносить (*жертву*; *особ.* ~ up); возносить (*молитвы*); to ~ prayers молиться.

**offering** [ˈɔfərɪŋ] 1. *pres. p. от* offer 2; 2. *n* 1) предложение; 2) подношение; 3) жертва; 4) жертвоприношение.

**offertory** [ˈɔfətərɪ] *n* церковные пожертвования; деньги, собранные во время церковной службы.

**off-hand, offhand** [ˈɔːfˈhænd] 1. *а* 1) импровизированный, сделанный без подго-

тóвки, экспрóмтом; 2) бесцеремóнный; ап ~ manner бесцеремóнная манéра;
**2.** *adv* 1) экспрóмтом; тóтчас; 2) бесцеремóнно.
**offhanded** [´ɔːf´hændɪd] = off-hand 1.
**offhandedly** [´ɔːf´hændɪdlɪ] *adv* небрéжно; бесцеремóнно.
**office** [´ɔfɪs] *n* 1) слýжба, дóлжность; an ~ under Government мéсто на госудáрственной слýжбе; an honorary ~ почётная дóлжность; to hold ~ занимáть пост; to leave (*или* to resign) ~ уйти с дóлжности; to take ~, to enter upon ~ вступáть в дóлжность; to be in ~ быть у влáсти; to get (*или* to come) into ~ принять делá, приступить к исполнéнию служéбных обязанностей; 2) обязанность, долг; фýнкция; it is my ~ to open the mail в мои обязанности вхóдит вскрывáть пóчту; 3) контóра, канцелярия; *амер.* кабинéт врачá; to be in the ~ служить в контóре, в канцелярии; dentist's ~ *амер.* зубоврачéбный кабинéт; editorial ~ редáкция; publishing ~ издáтельство; recruiting ~ призывнóй пункт; public ~ учреждéние; inquiry ~ спрáвочное бюрó; 4) вéдомство, министéрство; управлéние; Foreign O. министéрство инострáнных дел (*в Англии*); Record O. госудáрственный архив; O. of Education Федерáльное управлéние просвещéния (*в США*); 5) услýга; good ~ любéзность, одолжéние; ill ~ плохáя услýга; 6) *pl* слýжбы при дóме (*кладовые и т. п.*); 7) церкóвная слýжба; обряд; O. for the Dead заупокóйная слýжба; O. of the Mass слýжба, the last ~s похорóнный обряд; 8) *sl.* намёк, знак; to give (to take) the ~ сдéлать (понять) намёк.
**office-bearer** [´ɔfɪs,bɛərə] *n* чинóвник, должностнóе лицó.
**office-boy** [´ɔfɪsbɔɪ] *n* рассыльный, посыльный.
**office-copy** [´ɔfɪs,kɔpɪ] *n* завéренная кóпия докумéнта.
**office-holder** [´ɔfɪs,houldə] = office-bearer.
**officer** [´ɔfɪsə] **1.** *n* 1) чинóвник, должностнóе лицó; слýжащий; ~ of the court судéбный исполнитель *или* судéбный пристав; the great ~s of state высшие санóвники госудáрства; medical ~, ~ of health санитáрный инспéктор; returning ~ председáтель избирáтельной комиссии (*в Англии*); 2) офицéр; *pl* офицéры, офицéрский состáв; ~ of the day дежýрный офицéр; billeting ~ квартирьéр; 3) полицéйский; 4) *мор.* капитáн на торгóвом сýдне; first ~ стáрший помóщник; mercantile-marine ~s комáндный состáв торгóвого флóта; **2.** *v* (*обыкн. pass.*) 1) обеспéчивать, укомплектóвывать офицéрским состáвом; the regiment was well ~ed полк был хорошó укомплектóван офицéрским состáвом; 2) комáндовать.
**office seeker** [´ɔfɪs,siːkə] *n* претендéнт на дóлжность.
**office studies** [´ɔfɪs,stʌdɪz] *n pl геол.* камерáльная обрабóтка.
**official** [ə´fɪʃəl] **1.** *a* 1) служéбный; связанный с исполнéнием служéбных обя-

занностей; ~ duties служéбные обязанности; 2) официáльный; ~ representative официáльный представитель; ~ statement официáльное заявлéние; 3) формáльный, «казённый»; ~ circumlocution бюрократическая волокита; ~ red tape волокита; бюрократизм; канцелярщина; 4) принятый в медицине и фармакопéе;
**2.** *n* должностнóе лицó; (крýпный) чинóвник; слýжащий (*госудáрственный, банкóвский и т. п.*).
**officialdom** [ə´fɪʃəldəm] *n* 1) чинóвничество; 2) бюрократизм.
**officialese** [ə,fɪʃə´liːz] *n* 1) канцелярский стиль; стиль официáльных докумéнтов; 2) чинóвничий, служéбный жаргóн.
**officialism** [ə´fɪʃəlɪzəm] *n* 1) = officialdom 2); 2) чинóвничье самодовóльство.
**officially** [ə´fɪʃəlɪ] *adv* официáльно.
**officiant** [ə´fɪʃɪənt] *n* свящéнник, совершáющий богослужéние.
**officiary** [ə´fɪʃɪərɪ] *a* связанный с дóлжностью (*о титуле*).
**officiate** [ə´fɪʃɪeɪt] *v* 1) исполнять обязанности; to ~ as host быть за хозяина; 2) совершáть богослужéние.
**officinal** [,ɔfɪ´saɪnl] *a* 1) лекáрственный (*о траве*); 2) = official 1,4).
**officious** [ə´fɪʃəs] *a* 1) назóйливый; навязчивый; вмéшивающийся не в свои делá; 2) официóзный, неофициáльный; 3) *уст.* услýжливый; дрýжественный.
**offing** [´ɔfɪŋ] *n* взмóрье; мóре, видимое с бéрега до горизóнта; in the ~ а) на значительном расстоянии от бéрега; в видý бéрега; б) невдалекé; в) в недалёком бýдущем; to keep a good ~ держáться в видý бéрега, не приближаясь к немý; ◇ to gain (*или* to gap) an ~ получить возмóжность.
**offish** [´ɔfɪʃ] *a разг.* 1) холóдный, сдéржанный в обращéнии, чóпорный; 2) нелюдимый, зáмкнутый.
**off-licence** [´ɔːf,laɪsəns] *n* патéнт на продáжу спиртных напитков на вынос.
**off-load** [´ɔːfloud] *v* разгружáть.
**off-position** [´ɔːfpə,zɪʃən] *n тех.* положéние выключéния.
**off-print** [´ɔːfprɪnt] *n* отдéльный óттиск (*статьи и т. п.*).
**offreckoning** [´ɔːf,rekɪŋ] *n* (*обыкн. pl*) вычет.
**offscourings** [´ɔːf,skauərɪŋz] *n pl* отбрóсы; подóнки.
**offset** [´ɔːfset] **1.** *n* 1) побéг; óтпрыск; 2) ответвлéние; 3) отрóг; 4) отрасль; 5) отвóд (*трубы*); 6) противовéс; контрáст; 7) возмещéние, вознаграждéние; 8) *полигр.* офсéт; 9) *attr. полигр.* офсéтный; ~ printing офсéтная печáть;
**2.** *v* 1) возмещáть, вознаграждáть; компенсировать; 2) сводить балáнс; 3) *полигр.* печáтать офсéтным спóсобом; ◇ to ~ the illegalities противостоять незакóнным дéйствиям; парализовáть, свести на нéт незакóнные дéйствия.
**offshoot** [´ɔːfʃuːt] *n* 1) = offset 1, 1), 2) *и* 3); 2) боковáя ветвь (*рода*).
**off-shore** [´ɔːfʃɔː] **1.** *a* находящийся на расстоянии от бéрега; двигающийся в на-

правле́нии от бе́рега; an ~ wind ве́тер с бе́рега; ◇ ~ purchases *амер.* правительственные заку́пки за грани́цей, *особ.* зака́зы прави́тельства США, свя́занные с выполне́нием вое́нной програ́ммы;
2. *adv* в откры́том мо́ре.

**off side** ['ɔːf'said] *n спорт.* (положе́ние) вне игры́.

**offspring** ['ɔːfspriŋ] *n* 1) о́тпрыск, пото́мок; 2) проду́кт, результа́т, плод.

**offspur** ['ɔːfspəː] *n* отро́г.

**off-white** ['ɔːf,wait] *a* не совсе́м бе́лый (*об оттенке*).

**oft** [ɔːft] *adv поэт.* ча́сто; many a time and ~ неоднокра́тно.

**oft-** [ɔft-] *в соединении с причастием означает* ча́сто, *напр.*: oft-recurring ча́сто повторя́ющийся; oft-told неоднокра́тно (рас)ска́занный *и т. п.*

**often** ['ɔːfn] *adv* ча́сто, мно́го раз; ~ and ~ весьма́ ча́сто.

**oftentimes** ['ɔːfntaimz] *adv* ча́сто; мно́го раз.

**oft-recurring** ['ɔftri'kəːriŋ] *a* ча́сто повторя́ющийся.

**oft-times** ['ɔːfttaimz] *поэт. см.* oftentimes.

**ogam** ['ɔgəm] = ogham.

**ogee** ['oudʒiː] *n* 1) архит. си́нус, гусёк, стре́лка (*свода*); 2) S-обра́зная крива́я.

**ogham** ['ɔgəm] *n* о́гам (*древний ирландский и кельтский алфавит*).

**ogival** [ou'dʒaivəl] *a* архит. ожива́льный, стре́льчатый.

**ogive** ['oudʒaiv] *n* архит. стре́лка (*свода*); стре́льчатый свод.

**ogle** ['ougl] 1. *n* влюблённый взгляд; 2. *v* не́жно погля́дывать; стро́ить гла́зки.

**ogre** ['ougə] *n* велика́н-людое́д.

**ogress** ['ougris] *n* велика́нша-людое́дка.

**oh** [ou] *см.* O II.

**ohm** [oum] *n эл.* ом (*единица измерения сопротивления*).

**oho** [ou'hou] *int* ого́!

**oil** [ɔil] 1. *n* 1) ма́сло (*обыкн. растительное или минеральное*); sweet ~ прова́нское, оли́вковое ма́сло; whale ~ кито́вый жир; ~ of vitriol купоро́сное ма́сло; ~ of turpentine скипида́рное ма́сло; blasting ~ нитроглицери́н; fixed ~s жи́рные масла́; volatile ~s эфи́рные масла́; 2) нефть; 3) жи́дкая сма́зка; 4) *обыкн. pl* ма́сляная кра́ска; to paint in ~(s) писа́ть ма́слом; 5) *attr.* ма́сляный; нефтяно́й; ◇ ~ and vinegar неprimири́мые противополо́жности; ~ of birch ≈ берёзовая ка́ша, по́рка; to pour ~ on troubled waters умиротворя́ть; успока́ивать волне́ние;
2. *v* 1) сма́зывать; to ~ the wheels сма́зать колёса; *перен.* ула́дить де́ло (*взяткой и т. п.*); to ~ smb.'s hand (*или* fist, palm) «подма́зать», дать кому́-л. взя́тку; to ~ one's tongue льстить; 2) пропи́тывать ма́слом; 3) заправля́ть(ся).

**oil-bearing** ['ɔil,bɛəriŋ] *a* нефтено́сный.

**oilcake** ['ɔilkeik] *n* жмых.

**oilcan** ['ɔilkæn] *n тех.* маслёнка, бидо́н для ма́сла.

**oil-car** ['ɔil'kɑː] *n ж.-д.* нефтеналивна́я цисте́рна.

**oilcloth** ['ɔilklɔθ] *n* клеёнка; род линоле́ума; прома́сленная ткань.

**oil-coat** ['ɔilkout] *n* дождеви́к.

**oil-colour** ['ɔil,kʌlə] *n* (*обыкн. pl*) ма́сляная кра́ска.

**oil-derrick** ['ɔil,derik] *n* нефтяна́я вы́шка.

**oiled** [ɔild] 1. *p. p. от* oil 2;
2. *a* пропи́танный ма́слом, прома́сленный; ◇ well ~ *sl.* изря́дно вы́пивший.

**oil(-)engine** ['ɔil,endʒin] *n тех.* дви́гатель жи́дкого то́плива.

**oiler** ['ɔilə] *n* 1) сма́зчик; 2) маслодёл; 3) маслоторго́вец; 4) = oilskin 2); 5) *амер.* = oil-well; 6) нефтенали́вное су́дно; нефтяно́й та́нкер; 7) = oil(-)engine; 8) *тех.* маслёнка.

**oilfield** ['ɔilfiːld] *n* 1) месторожде́ние не́фти; 2) нефтяно́й про́мысел.

**oil-filler** ['ɔil,filə] *n тех.* маслёнка; маслоналивно́й па́трубок.

**oil-gland** ['ɔilglænd] *n* са́льная железа́.

**oil-hole** ['ɔilhoul] *n тех.* сма́зочное отве́рстие.

**oilman** ['ɔilmən] *n* 1) продаве́ц ма́сел и ма́сляных кра́сок, москате́льщик; 2) сма́зчик; 3) *амер.* рабо́чий-нефтя́ник.

**oil-meal** ['ɔilmiːl] = oilcake.

**oil-paint** ['ɔil'peint] = oil-colour.

**oil-painting** ['ɔil'peintiŋ] *n* 1) карти́на, напи́санная ма́сляными кра́сками; 2) жи́вопись ма́сляными кра́сками.

**oil-paper** ['ɔil,peipə] *n* прома́сленная бума́га; вощáнка.

**oilplant** ['ɔil'plɑːnt] *n* масли́чное расте́ние.

**oil-press** ['ɔilpres] *n* пресс для выжима́ния ма́сла.

**oil seal** ['ɔil'siːl] *n тех.* са́льник.

**oilskin** ['ɔilskin] *n* 1) клеёнка; 2) *pl* клеёнчатый костю́м; *мор.* дождево́е пла́тье; 3) *attr.* клеёнчатый.

**oil-stained** ['ɔil,steind] *a* пропи́танный не́фтью.

**oil station** ['ɔil'steiʃən] *n* (бензо)запра́вочный пункт.

**oil-stone** ['ɔilstoun] *n* осело́к, точи́льный ка́мень.

**oil-tanker** ['ɔil,tæŋkə] *n* нефтенали́вное су́дно, та́нкер.

**oil tar** ['ɔil'tɑː] *n* дёготь.

**oil-well** ['ɔilwel] *n* нефтяна́я сква́жина.

**oily** ['ɔili] *a* 1) ма́сляный, масляни́стый, жи́рный; 2) еле́йный, льсти́вый, вкра́дчивый.

**ointment** ['ɔintmənt] *n* мазь; пома́да; притира́ние.

**O. K.** ['ou'kei] *разг.* 1. *n* одобре́ние;
2. *a predic.* всё в поря́дке; хорошо́; пра́вильно;
3. *v* (*past и p. p.* O. K.'d [-d]) одобря́ть (*устно или письменно*);
4. *int* хорошо́!, ла́дно!, есть!, идёт!

**okapi** [ou'kɑːpi] *n зоол.* ока́пи.

**okay** ['ou'kei] *v* = O. K.

**okie** ['ouki] *n амер.* стра́нствующий сельскохозя́йственный рабо́чий (*преим. из шта́та Оклахо́ма*).

**okie doke** ['ouki'douk] *амер.* = O. K. 4.

**old** [ould] 1. *a* (older [-ə], elder; oldest;

[-ıst], eldest) 1) ста́рый; ~ people старики́; ~ age ста́рость; to grow ~ ста́риться; ~ campaigner ста́рый служа́ка, ветера́н; *перен.* быва́лый челове́к; an ~ shoe *шутл.* ста́рая кало́ша; an ~ head on young shoulders му́дрость не по во́зрасту; 2) ста́рческий, старообра́зный; 3) занима́вшийся дли́тельное вре́мя (*чем-л.*); о́пытный; an ~ hand о́пытный челове́к (*в чём-л.*); 4) *при вопросе о возрасте и при указании возраста*: how ~ is he? ско́лько ему́ лет?; he is ten years ~ ему́ де́сять лет; 5) стари́нный, давни́шний; an ~ family стари́нный род; of the ~ school старомо́дный; 6) бы́вший, пре́жний; ~ boy бы́вший учени́к шко́лы [*ср. тж.* 10)]; 7) ста́рый, вы́держанный; 8) поно́шенный, потрёпанный, обветша́лый; 9) закоренелый (*тж.* ~ in, ~ at); 10) *придаёт ласкательное или усилительное значение существительному*: ~ boy дружи́ще [*ср. тж.* 6)]; ~ thing голу́бушка, дружо́к; ~ man старина́; *мор. sl.* капита́н; *разг.* стари́к (*муж или отец*); ~ woman стару́ха (*жена*); ~ lady мать (*в обращении и в третьем лице*); to have a rare ~ time *разг.* хорошо́ повесели́ться; ◇ ~ as the hills старо́, как мир; о́чень ста́рый; ~ bean *sl.* старина́, дружи́ще; ~ bird стре́ляный воробе́й; о́пытный, осторо́жный челове́к; ~ bones *шутл.* a) ста́рость; she wouldn't make ~ bones она́ не доживёт до ста́рости; б) стари́к; стару́ха; the ~ country ро́дина, оте́чество; ~ man of the sea неотвя́зный челове́к; ~ Harry, O. Gentleman, O. Nick дья́вол; the O. Lady of Threadneedle Street Англи́йский банк; ~ soldier *sl.* a) быва́лый челове́к; б) пуста́я буты́лка; в) оку́рок; O. Tom сорт джи́на.

2. *n* 1) (the ~) *pl собир.* старики́; 2): of ~ пре́жде, в пре́жнее вре́мя; from of ~ и́сстари; in the days of ~ в старину́; men of ~ лю́ди пре́жнего вре́мени.

old-age [´ould͵eıdʒ] *a*: ~ pension пе́нсия по ста́рости.

old-clothesman [´ould´kloudzmæn] *n* старьёвщик.

old-clothesshop [´ould´kloudzʃɔp] *n* ла́вка поде́ржанных веще́й.

olden [´ouldən] 1. *a уст.* ста́рый, было́й; бо́лее ра́ннего пери́ода;
2. *v редк.* старе́ть.

old-established [´ouldıs´tæblıʃt] *a* давно́ устано́вленный, давни́шний.

old-fashioned [´ould´fæʃənd] *a* устаре́лый, старомо́дный; стари́нный.

old-gold [´ould´gould] *a* цве́та ста́рого зо́лота.

old-hat [´ould´hæt] *a разг.* устаре́лый.

oldish [´ouldıʃ] *a* старова́тый.

old-maidish [´ould´meıdıʃ] *a* стародеви́чий.

old man's beard [´ould´mænz´bıəd] *n бот.* 1) ломоно́с виноградноли́стный; 2) луизиа́нский мох.

oldster [´ouldstə] *n разг.* пожило́й челове́к.

old-time [´ouldtaım] *a* стари́нный, пре́жних времён.

old-timer [´ould´taımə] *n* старожи́л.

Old World [´ouldwə:ld] *n* Ста́рый Свет, Восто́чное полуша́рие.

old-world [´ouldwə:ld] *a* 1) стари́нный, дре́вний, относя́щийся к старине́; 2) *амер.* относя́щийся к Ста́рому Све́ту.

oleaginous [͵oulı´ædʒınəs] *a* 1) масляни́стый; жи́рный; 2) еле́йный.

oleander [͵oulı´ændə] *n бот.* олеа́ндр.

oleaster [͵oulı´æstə] *n бот.* 1) ди́кая масли́на; 2) лох узколи́стный.

oleograph [´oulıougra:f] *n* олеогра́фия.

oleomargarine [´oulıou͵ma:dʒə´ri:n] *n* олеомаргари́н.

olericulture [´ɔlərı͵kʌlʧə] *n* овощево́дство, выра́щивание зе́лени.

oleum [´oulıəm] *n хим.* о́леум, дымя́щая се́рная кислота́.

olfact [ɔl´fækt] *v уст.* ню́хать, обоня́ть.

olfactory [ɔl´fæktərı] 1. *a* обоня́тельный; ~ organ о́рган обоня́ния, нос;
2. *n* (*обыкн. pl*) о́рган(ы) обоня́ния.

olid [´ɔlıd] *a* зловонный.

oligarch [´ɔlıga:k] *греч. n* олига́рх.

oligarchic(al) [͵ɔlı´ga:kık(əl)] *греч. a* олигархи́ческий.

oligarchy [´ɔlıga:kı] *греч. n* олига́рхия.

olio [´oulıou] *n* (*pl* -os [-ouz]) 1) смесь, вся́кая вся́чина; 2) *муз.* попурри́; 3) *уст.* мя́со, тушёное с овоща́ми.

olitory [´ɔlıtərı] *a уст.* овощно́й, огоро́дный.

olivaceous [͵ɔlı´veıʃəs] *a* оли́вковый, оли́вкового цве́та.

olivary [´ɔlıvərı] *a анат.* име́ющий фо́рму масли́ны, ова́льный.

olive [´ɔlıv] 1. *n* 1) масли́на, оли́ва (*дерево и плод*); 2) = olive-branch; 3) оли́вковая ро́ща; 4) *pl* блю́до из мя́са, напомина́ющее голубцы́ *или* лу́ковники; 5) застёжка (*в форме масли́ны*); 6) оли́вковый цвет;
2. *a* оли́вковый, оли́вкового цве́та.

olive-branch [´ɔlıvbra:nʧ] *n* 1) оли́вковая, масли́чная ветвь (*как символ мира*); to hold out the ~ де́лать ми́рные предложе́ния; пыта́ться ула́дить де́ло ми́ром; 2) (*обыкн. pl*) *шутл.* де́ти.

olive oil [´ɔlıv´ɔıl] *n* оли́вковое, прова́нское ма́сло.

olive-tree [´ɔlıvtri:] *n* оли́ва, масли́на (*дерево*).

olivet(te) [´ɔlıvet] = olive 1,5).

olive-wood [´ɔlıvwud] *n* 1) древеси́на оли́вкового де́рева; 2) оли́вковая ро́ща.

olla podrida [´ɔlɔpɔ´dri:də] *исп.* = olio.

ology [´ɔlədʒı] *n* (*обыкн. pl*) *шутл.* нау́ка, нау́ки.

olympiad [ou´lımpıæd] *n* олимпиа́да.

Olympian [ou´lımpıən] 1. *a* 1) олимпи́йский; 2) вели́чественный; снисходи́тельный;
2. *n* гре́ческий бог, олимпи́ец.

Olympic [ou´lımpık] *a* олимпи́йский; ~ games олимпи́йские и́гры; ◇ ~ green *мин.* медя́нка; изумру́дная *или* малахи́товая зе́лень.

Olympus [ou´lımpəs] *n миф.* Оли́мп.

ombre [´ɔmbə] *n карт.* ло́мбер.

omega [´oumıgə] *n* 1) оме́га (*последняя буква греческого алфавита*); 2) коне́ц, заверше́ние [*см. тж.* alpha].

**omelet(te)** ['ɔmlɪt] *n* омле́т, яи́чница; savoury ~ омле́т с души́стыми тра́вами; sweet ~ омле́т с варе́ньем *или* с са́харом; ◇ you can't make an ~ without breaking eggs *посл.*≅ лес ру́бят—ще́пки летя́т.

**omen** ['oumen] 1. *n* предзнаменова́ние, знак; to be of good (ill) ~ служи́ть хоро́шей (дурно́й) приме́той;
2. *v* служи́ть предзнаменова́нием, предвеща́ть.

**ominous** ['ɔmɪnəs] *a* злове́щий, угрожа́ющий.

**omissible** [ou'mɪsɪbl] *a* тако́й, кото́рым мо́жно пренебре́чь.

**omission** [ou'mɪʃən] *n* 1) про́пуск; 2) упуще́ние; опло́шность.

**omit** [ou'mɪt] *v* 1) пренебрега́ть, упуска́ть; to ~ doing (*или* to do) smth. не сде́лать чего́-л.; 2) пропуска́ть, не включа́ть.

**omnibus** ['ɔmnɪbəs] 1. *n* 1) о́мнибус; 2) авто́бус; 3) объёмистый сбо́рник, однотомник (*в дешёвом издании*);
2. *a* 1) охва́тывающий не́сколько предме́тов *или* пу́нктов; an ~ bill a) законопрое́кт по ра́зным вопро́сам; б) счёт по ра́зным статья́м; ~ box теа́тр. о́чень больша́я ло́жа; ~ edition по́лное собра́ние сочине́ний; an ~ resolution о́бщая резолю́ция по це́лому ря́ду вопро́сов; ~ train пассажи́рский по́езд, остана́вливающийся на всех ста́нциях; 2) общедосту́пный.

**omnidirectional, omnidirective** [,ɔmnɪdɪ'rekʃənl, ,ɔmnɪdɪ'rektɪv] *a* тех. де́йствующий по всем направле́ниям; не име́ющий определённого направле́ния де́йствия.

**omnifarious** [,ɔmnɪ'fɛərɪəs] *a* всевозмо́жный; разнообра́зный.

**omnigraph** ['ɔmnɪgrɑːf] *n* радио автомати́ческий переда́тчик.

**omnipotence** [ɔm'nɪpətəns] *n* всемогу́щество.

**omnipotent** [ɔm'nɪpətənt] *a* всемогу́щий.

**omnipresence** ['ɔmnɪ'prezəns] *n* вездесу́щность.

**omnipresent** ['ɔmnɪ'prezənt] *a* вездесу́щий.

**omnirange** ['ɔmnɪreɪndʒ] *n* всенапра́вленный радиомая́к.

**omniscience** [ɔm'nɪsɪəns] *n* всеве́дение.

**omniscient** [ɔm'nɪsɪənt] *a* всеве́дущий.

**omnium gatherum** ['ɔmnɪəm'gæðərəm] *n* шутл. 1) меша́нина, смесь; вся́кая вся́чина; 2) сме́шанное, пёстрое о́бщество.

**omnivorous** [ɔm'nɪvərəs] *a* 1) всея́дный; всепожира́ющий; 2) усва́ивающий, поглоща́ющий всё; an ~ reader чита́тель, глота́ющий кни́ги.

**omphalocele** ['ɔmfələ,siːl] *n* мед. пупо́чная гры́жа.

**omphalos** ['ɔmfələs] греч. *n* 1) пуп, пупо́к; 2) центра́льный пункт; средото́чие; 3) ступи́ца (колеса́).

**omul** ['ɔməl] *n* зоол. о́муль.

**on** [ɔn] 1. *prep* 1) *в простра́нственном значе́нии ука́зывает на:* а) *нахожде́ние на пове́рхности како́го-л. предме́та* на; the cup is on the table ча́шка на столе́; the picture hangs on the wall карти́на виси́т на стене́; he has a blister on the sole of his foot у него́ волды́рь на пя́тке; б) *нахожде́ние около како́го-л. во́дного простра́нства* на, у; the town lies on lake Michigan го́род нахо́дится на о́зере Мичига́н; a house on the river дом у реки́; в) *направле́ние* на; the boy threw the ball on the floor ма́льчик бро́сил мяч на́ пол; the door opens on a lawn дверь выхо́дит на лужа́йку; on the North на се́вере; 2) *во вре́менном значе́нии ука́зывает на:* а) *определённый день неде́ли, определённую да́ту, то́чный моме́нт* в; on Tuesday во вто́рник; on another day в друго́й день; on the 5th of December 5-го декабря́; on Christmas eve в кану́н рождества́; on the morning of the 5th of December у́тром 5-го декабря́; on time во́время; on the minute то́чно; on the instant то́тчас; б) *после́довательность, очерёдность наступле́ния де́йствий* по, по́сле; on my return I met many friends по возвраще́нии я встре́тил мно́го друзе́й; on examining the box closer I found it empty внима́тельно осмотре́в я́щик, я убеди́лся, что в нём ничего́ нет; в) *одновреме́нность де́йствий* во вре́мя, в тече́ние; on my way home по пути́ домо́й; 3) *ука́зывает на цель, объе́кт де́йствия* по, на; he went on business он отпра́вился по де́лу; on errand a) на посы́лках; б) по поруче́нию; they rose on their enemies они́ подня́лись на свои́х враго́в; 4) *ука́зывает на состоя́ние, проце́сс, хара́ктер де́йствия* в, на; on fire в огне́; the dog is on the chain соба́ка на цепи́; on sale в прода́же; on duty при исполне́нии служе́бных обя́занностей; на дежу́рстве; to be on the go a) быть в движе́нии, в рабо́те; б) собира́ться уходи́ть; (to be) on the move a) (быть) на нога́х, в движе́нии; б) (быть) в разви́тии; to be on strike бастова́ть; on leave в о́тпуске; on trial на испыта́нии; на трла под сле́дствием; 5) *ука́зывает на основа́ние, причи́ну, исто́чник* из, на, в, по, у; it is all clear on the evidence всё я́сно из показа́ний; on good authority из достове́рного исто́чника; on that ground на э́том основа́нии; on no account без вся́кой причи́ны; I heard it on some air show я слы́шал э́то в како́й-то радиопостано́вке; on suspicion по подозре́нию; he borrowed money on his friend он за́нял де́ньги у своего́ дру́га; 6) в (соста́ве, числе́); on the commission в соста́ве коми́ссии; on the delegation в соста́ве делега́ции; on the jury в числе́ прися́жных; on the list в спи́ске; 7) о, об, относи́тельно, каса́тельно, по; to talk on many subjects говори́ть о мно́гом; my opinion on that question моё мне́ние по э́тому вопро́су; a book on phonetics кни́га по фоне́тике; a joke on me шу́тка на мой счёт; I congratulate you on your success поздравля́ю вас с успе́хом; 8) *ука́зывает на направле́ние де́йствия; передаётся дат. падежо́м:* he turned his back on them он поверну́лся к ним спино́й; she smiled on me она́ мне улыбну́лась; 9) за (что-л.), на (что-л.); to live on 5 £ a week жить на 5 фу́нтов в неде́лю; she got it on good terms она́ получи́ла э́то на вы́годных усло́виях; interest on capital проце́нт на капита́л;

tax on imports налóг на ймпорт; ◊ on high вверхý, на высотé; to be on it быть подготóвленным, искýсным (в чём-л.);

**2.** *adv* указывает на: 1) *движение* дáльше, дáлее, вперёд; to send one's luggage on послáть багáж вперёд, зарáнее; on and on не останáвливаясь; 2) *продолжение или развитие действия* to walk on продолжáть идтй; go on! продолжáй(те)!; the battle is on сражéние продолжáется; 3) *отправную точку или момент*: from this day on с этого дня; 4): Macbeth is on tonight сегóдня идёт Мáкбет; what is on in London this spring? какие пьéсы идýт этой веснóй в Лóндоне?; 5) *включение, соединение (об аппарате, механизме)*: turn on the gas! включй газ!; the light is on свет горйт, включён; 6) *наличие какой-л. одежды на ком-л.*: what had he on? во что он был одéт?; she had a green hat on на ней былá зелёная шляпа; ◊ he goes on two емý скóро испóлнится два гóда; on and off врéмя от врéмени, иногдá; and so on и так дáлее.

**3.** *a* 1) *амер. sl.* знáющий тáйну, секрéт; 2) *sl.* желáющий принять учáстие (*особ.* в рискóванном дéле); 3) *спорт.* на котóрой стоит игрóк с битóй (*о части крикетного поля*).

**onager** ['ɔnəgə] *n* (*pl* -s [-z] -gri) *зоол.* онáгр.

**onagri** ['ɔnəgraɪ] *pl от* onager.

**once** [wʌns] **1.** *adv* 1) (одйн) раз; ~ again, ~ more ещё раз; ~ and again a) нéсколько раз; б) иногдá, йзредка; ~ every day раз в день; ~ (and) for all раз (и) навсегдá; ~ in a while (*или* way) иногдá, йзредка; ~ or twice нéсколько раз; more than ~ не раз, неоднокрáтно; not ~ ни рáзу, никогдá; 2) нéкогда, когдá-то; однáжды; ~ (upon a time) ≈ жил-был (*начало сказок*); I was ~ very fond of him я когдá-то óчень любйл егó; 3) *служит для усиления*: (if) ~ you hesitate you are lost стóит вам заколебáться, и вы пропáли; when ~ he understands стóит емý тóлько понять; ◊ all at ~ неожйданно; at ~ a) срáзу; do it at ~, please сдéлайте это немéдленно, пожáлуйста; б) в то же врéмя, вмéсте с тем; at ~ stern and tender стрóгий и вмéсте с тем нéжный; ~ bit twice shy ≈ обжёгшись на молокé, бýдешь дуть и нá воду; пýганая ворóна кустá бойтся;

**2.** *n* одйн раз; for (this) ~ на этот раз, в вйде исключéния; ~ is enough for me одногó рáза с меня вполнé достáточно;

**3.** *a уст.* прéжний, тогдáшний; my ~ master мой прéжний учйтель *или* хозяин.

**once-over** ['wʌns,ouvə] *n амер. разг.* бéглый (предварйтельный) осмóтр; быстрый, но внимáтельный взгляд.

**oncer** ['wʌnsə] *n разг.* тот, кто посещáет цéрковь тóлько по воскресéньям.

**oncological** [,ɔnkə'lɔʒɪkəl] *a* онкологйческий.

**oncology** [ɔn'kɔlədʒɪ] *n* онкологйя.

**oncoming** ['ɔn,kʌmɪŋ] **1.** *n* приближéние; **2.** *a* надвигáющийся, приближáющийся.

**oncost** ['ɔnkɔst] = overhead 3.

**ondatra** [ɔn'dætrɑ:] *n зоол.* ондáтра.

**ondometer** [ɔn'dɔmɪtə] *n радио* волномéр.

**one** [wʌn] **1.** *num. card.* 1) одйн; ~ hundred сто, сóтня; ~ in a thousand одйн на тысячу; рéдкостный; 2) нóмер одйн, пéрвый; room ~ кóмната нóмер одйн; volume ~ пéрвый том; 3): I'll meet you at ~ я встрéчу тебя в час; Pete will be ~ in a month Пéте чéрез мéсяц испóлнится год; ◊ ~ too many слйшком мнóго; ~ or two немнóго, нéсколько; number ~ сам, сóбственная персóна;

**2.** *n* 1) едйница, числó одйн; write down two ~s напишйте две едйницы; 2) одйн, одинóчка; ~ by ~ поодинóчке; they came by ~s and twoes приходйли по однóму и пó двое; 3) *употр. как слово-заместитель*: a) *во избежание повторения ранее упомянутого существительного*: I am through with this book, will you let me have another ~? я кóнчил эту кнйгу, не дадйте ли вы мне другýю?; б) *в знач.* «человéк»: he is the ~ I mean он тот сáмый (человéк), котóрого я имéю в видý; the little ~s дéти; the great ~s and the little ~s большйе и мáлые; my little ~ дитя моё (*в обращении*); the great ~s of the earth велйкие мйра сегó; ◊ at ~ в соглáсии; all in ~ всё вмéсте; to be made ~ поженйться, повенчáться; I for ~ что касáется меня; ~ up to smb. однó очкó (одйн гол *и т. п.*) в чью-л. пóльзу; ~ down to smb. однó очкó (одйн гол *и т. п.*) не в чью-л. пóльзу;

**3.** *a* 1) едйнственный; there is only ~ way to do it есть едйнственный спóсоб это сдéлать; 2) едйный; to cry out with ~ voice еднодýшно восклйкнуть; ~ and undivided едйный и неделймый; 3) одинáковый, такóй же; it is all ~ to me мне совершéнно безразлйчно; to remain for ever ~ остáваться всегдá самйм собóй; 4) неопределённый, какóй-то; at ~ time I lived in Moscow однó врéмя (прéжде) я жил в Москвé; ~ fine morning в однó прекрáсное ýтро;

**4.** *pron. indef.* 1) нéкто, нéкий, ктó-то; I showed the ring to ~ Jones я показáл кольцó нéкоему Джóнсу; ~ knows what may happen никогдá не знáешь, что мóжет случйться; if ~ wants a thing done had best do it himself éсли хóчешь, чтóбы дéло было сдéлано, сдéлай егó сам; ~ must observe the rules нýжно соблюдáть прáвила; ◊ ~ in the year ~ óчень давнó.

**one-aloner** ['wʌnə'lounə] *n* совершéнно одинóкий человéк, одинóчка.

**one-decker** ['wʌn,dekə] *n* однопáлубное сýдно.

**one-eyed** ['wʌn'aɪd] *a* 1) одноглáзый; кривóй; 2) *sl.* нечéстный, недобросóвестный.

**one-figure** ['wʌn,fɪgə] *n* однознáчное числó.

**onefold** ['wʌnfould] *a* 1) простóй, неслóжный; 2) простóй, простодýшный, йскренний.

**one-handed** ['wʌn'hændɪd] *a* 1) однорýкий; 2) сдéланный однóй рукóй; рассчйтанный на рабóту однóй рукóй.

**one-horse(d)** ['wʌn'hɔːs(t)] *a* 1) имéющий однý лóшадь; однокóнный; 2) в однý лошадйную сйлу); 3) маломóщный; 4) *разг.*

бе́дный; второстепе́нный; незначи́тельный; ме́лкий; захолу́стный.

**one-idea'd, one-ideaed** [ʹwʌnaɪʹdɪəd] *a* 1) одержи́мый одно́й иде́ей; 2) у́зкий (*о мировоззре́нии*); ограни́ченный (*о челове́ке*).

**one-legged** [ʹwʌnʹlegd] *a* 1) одноно́гий; 2) *перен.* односторо́нний, однобо́кий; полови́нчатый.

**one-man** [ʹwʌnʹmæn] *a* 1) одино́чный; относя́щийся к одному́ челове́ку; 2) произво́димый одни́м челове́ком; ~ show представле́ние с одни́м де́йствующим лицо́м; 3) одноме́стный.

**oneness** [ʹwʌnnɪs] *n* 1) еди́нство; то́ждество; неизменя́емость; 2) исключи́тельность; 3) одино́чество; 4) согла́сие.

**one-piece** [ʹwʌnʹpiːs] *a* состоя́щий из одного́ куска́.

**oner** [ʹwʌnə] *n* 1) *sl.* ре́дкий челове́к *или* предме́т; 2) *sl.* тяжёлый уда́р; caught him a ~ on the head здо́рово хвати́л его́ по голове́; 3) *sl.* на́глая ложь; 4) *разг.* уда́р со счётом в одно́ очко́ (*особ. в кри́кете*).

**onerous** [ʹɔnərəs] *a* обремени́тельный; затрудни́тельный, тя́гостный.

**oneself** [wʌnʹself] *pron* 1) *refl.* себя́; -ся; себе́; to excuse ~ извиня́ться; 2) *emph.* сам, (самому́) себе́; (самого́) себя́; one might wear the articles ~ челове́к мо́жет и сам носи́ть свои́ ве́щи; there are things one can't do for ~ есть ве́щи, кото́рые нельзя́ сде́лать для самого́ себя́.

**one-sided** [ʹwʌnʹsaɪdɪd] *a* 1) однобо́кий; односторо́нний; кривобо́кий; ~ street у́лица, застро́енная дома́ми то́лько с одно́й стороны́; 2) односторо́нний, ограни́ченный (*о челове́ке*); 3) пристра́стный, несправедли́вый.

**one-time** [ʹwʌnʹtaɪm] *a* бы́вший; было́й; про́шлый.

**one-track** [ʹwʌnʹtræk] *a* 1) *ж.-д.* одноколе́йный; 2): ~ mind челове́к с у́зким кругозо́ром.

**one-way** [ʹwʌnʹweɪ] *a* односторо́нний (*о свя́зи, движе́нии*).

**onfall** [ʹɔnfɔːl] *n* нападе́ние.

**onflow** [ʹɔnfləu] *n* тече́ние.

**ongoings** [ʹɔnˏgouɪŋz] = goings-on.

**onhanger** [ʹɔnˏhæŋə] = hanger-on.

**onion** [ʹʌnjən] **1.** *n* 1) лук; лу́ковица; 2) *sl.* голова́; to be off one's ~ потеря́ть го́лову, спя́тить; 3) *воен. sl.* зажига́тельная раке́та;
2. *v* 1) приправля́ть лу́ком; 2) натира́ть себе́ глаза́ лу́ком (*что́бы вы́звать слёзы*).

**onion-skin** [ʹʌnjənskɪn] *n* 1) лу́ковичная шелуха́; 2) то́нкая гла́дкая бума́га.

**oniony** [ʹʌnjənɪ] *a* лу́ковый; лу́ковичный.

**onlay** [ʹɔnleɪ] *n* накла́дка; отде́лка.

**on-licence** [ʹɔnˏlaɪsəns] *n* пате́нт на прода́жу спиртны́х напи́тков распи́вочно (*не на вы́нос*).

**onlooker** [ʹɔnˏlukə] *n* зри́тель, наблюда́тель.

**only** [ʹounlɪ] **1.** *a* еди́нственный; an ~ son еди́нственный сын; one and ~ оди́н еди́нственный; уника́льный;
2. *adv* то́лько, исключи́тельно; еди́нственно; ◇ ~ just то́лько что; to be ~ just in

time едва́ поспе́ть; ~ not чуть не, едва́ не, почти́; I am ~ too pleased я о́чень рад; if ~ е́сли бы то́лько;
3. *cj* но; I would do it with pleasure, ~ I am too busy я сде́лал бы э́то с удово́льствием, но я сли́шком за́нят; ~ that за исключе́нием того́, что; е́сли бы не то, что.

**onomatopoeia** [ˏɔnoumætouʹpiːə] *n лингв.* звукоподража́ние; ономатопе́я (*напр.*, cuckoo, buzz).

**onomatopoeic(al)** [ˏɔnoumætouʹpiːɪk(əl)] *a* звукоподража́тельный.

**on-position** [ʹɔnprəˏzɪʃən] *n тех.* рабо́чее положе́ние.

**onrush** [ʹɔnrʌʃ] *n* ата́ка, на́тиск.

**onset** [ʹɔnset] *n* 1) на́тиск, ата́ка, нападе́ние; ~ of wind поры́в ве́тра; 2) нача́ло; at the first ~ сра́зу же.

**onslaught** [ʹɔnslɔːt] *n* бе́шеная ата́ка; нападе́ние.

**onto** [ʹɔntu] *prep* на; to get ~ a horse сесть на ло́шадь; the boat was driven ~ the rocks ло́дку вы́бросило на ска́лы.

**ontogenesis** [ˏɔntouʹdʒenɪsɪs], **ontogeny** [ɔnʹtɔdʒɪnɪ] *n биол.* онтогене́з.

**ontology** [ɔnʹtɔlədʒɪ] *греч. n филос.* онтоло́гия.

**onus** [ʹounəs] *лат. n* (*тк. sing*) бре́мя; отве́тственность; долг.

**onward** [ʹɔnwəd] **1.** *a* продвига́ющийся, иду́щий вперёд; прогресси́вный; ~ movement движе́ние вперёд;
2. *adv* вперёд, впереди́, да́лее.

**onwards** [ʹɔnwədz] = onward 2.

**onyx** [ʹɔnɪks] *n мин.* о́никс.

**oodles** [ʹuːdlz] *n pl разг.* огро́мное коли́чество, мно́жество; ~ of money ку́ча де́нег.

**oof** [uːf] *n sl.* де́ньги, бога́тство.

**oofy** [ʹuːfɪ] *a sl.* бога́тый.

**oolite** [ʹouəlaɪt] *n геол.* оoли́т.

**oolitic** [ˏouəʹlɪtɪk] *a геол.* оoли́товый.

**oology** [ouʹɔlədʒɪ] *n* коллекциони́рование *или* изуче́ние пти́чьих яи́ц.

**oolong** [ʹuːlɔŋ] *n* сорт чёрного кита́йского ча́я.

**oon** [uːn] *диал.* = one.

**oont** [uːnt] *n англо-инд.* верблю́д.

**ooze** [uːz] **1.** *n* 1) ли́пкая грязь; ил, ти́на; 2) ме́дленное тече́ние; проса́чивание, выделе́ние вла́ги; 3) дуби́льный отва́р, дуби́льная жи́дкость;
2. *v* 1) ме́дленно течь; ме́дленно вытека́ть; сочи́ться; 2) *перен.* утека́ть, убыва́ть; исчеза́ть; his strength ~d away си́лы покинули его́; the secret ~d out секре́т откры́лся.

**oozy** [ʹuːzɪ] *a* 1) и́листый, ти́нистый; 2) выделя́ющий вла́гу.

**opacity** [ouʹpæsɪtɪ] *n* 1) непрозра́чность; acoustic ~ звуконепроница́емость; 2) затенённость, темнота́; 3) нея́сность, сму́тность (*мы́сли, о́браза*).

**opal** [ʹoupəl] *n* 1) *мин.* опа́л; 2) *attr.* опа́ловый; с моло́чным отте́нком; ~ glass моло́чное стекло́.

**opalescent** [ˏoupəʹlesnt] *a* опа́ловый, име́ющий моло́чный отли́в.

**opalesque** [ˏoupəʹlesk] = opalescent.

**opaline 1.** *n* ['ouрəli:n] 1) молóчное стеклó; 2) *мин.* опалин;
  **2.** *a* ['ouрəlain] = opalescent.
**opaque** [ou'peik] **1.** *a* 1) непрозрáчный, светонепроницáемый; тёмный; 2) тупóй, глýпый;
  **2.** *n* (the ~) темнотá, мрак.
**ope** [oup] *поэт. см.* open 3.
**open** ['ouрən] **1.** *a* 1) откры́тый; ~ sore откры́тая рáна; я́зва; *перен.* злоупотреблéние; общéственное зло; ~ question откры́тый вопрóс; in the ~ air на откры́том вóздухе; to break (*или* to throw) ~ распахнýть (*дверь, окно*); to tear ~ распечáтывать (*письмо, пакет*); with ~ eyes с откры́тыми глазáми; *перен.* сознáтельно, учи́тывая все послéдствия; ~ boat беспáлубное сýдно; ~ bridge мост с ездóй пóнизу; ~ circuit *эл.* разóмкнутая цепь; ~ country, ~ ground откры́тая мéстность; ~ market вóльный ры́нок; the post is still ~ мéсто ещё не зáнято; ~ to persuasion поддаю́щийся убеждéнию; ~ season сезóн охóты; 3) откры́тый, откровéнный; и́скренний; ~ contempt я́вное презрéние; an ~ countenance откры́тое лицó; to be ~ with smb. быть откровéнным с кем-л.; ~ свобóдный (*о пути*); ~ water водá, очи́стившаяся от льда; 5) откры́тый, непересечённый (*о местности*); ~ field откры́тое пóле; ~ space незагорóженное мéсто; 6) щéдрый; гостеприи́мный; to welcome with ~ arms встречáть теплó, радýшно; an ~ house откры́тый дом; an ~ hand щéдрая рукá; 7) мя́гкий (*о земле*); 8) *фон.* откры́тый (*о слоге*); ◇ he is an ~ book егó легкó поня́ть; to force an ~ door ломи́ться в откры́тую дверь; ~ champion победи́тель в откры́том состязáнии; ~ ice лёд, не мешáющий навигáции; ~ order *воен.* расчленённый строй; ~ verdict *юр.* признáние нали́чия преступлéния без установлéния престýпника; ~ weather (winter) мя́гкая погóда (зимá);
  **2.** *n* 1) отвéрстие; 2) (the ~) откры́тое прострáнство *или* перспекти́ва; откры́тое мóре; 3): in the ~ на откры́том вóздухе; ◇ to come into the ~ быть откровéнным;
  **3.** *v* 1) открывáть(ся); раскрывáть(ся); to ~ an abscess вскрывáть нары́в; to ~ the bowels очи́стить кишéчник; to ~ a prospect открывáть перспекти́ву, бýдущность; to ~ the door to smth. *перен.* откры́ть путь чемý-л.; сдéлать что-л. возмóжным; to ~ the mind расши́рить кругозóр; to ~ one's mind to подели́ться свои́ми мы́слями с; 2) начинáть(ся); to ~ the ball открывáть бал; *перен.* начинáть дéйствовать; брать на себя́ инициати́ву; to ~ the debate откры́ть прéния; to ~ an attack *воен.* начинáть наступлéние; to ~ fire откры́ть огóнь; 3) открывáть, оснóвывать; to ~ a shop откры́ть магази́н; to ~ an account откры́ть счёт (*в банке*); □ ~ **into** сообщáться с (*о комнатах*); вести́ в (*о двери*); ~ **on** выходи́ть, открывáться на; ~ **out** развёртывать(ся); раскрывáть(ся); to ~ out one's arms открывáть объя́тия; to ~ out the wings расправля́ть кры́лья; ~ **up** а) сдéлать(ся) достýпным; раскрывáть(ся); обнарýживаться; б)

разоткровéнничаться; ◇ to ~ ground а) вспáхивать *или* вскáпывать зéмлю; б) подготáвливать пóчву; начинáть дéйствовать.
**open-air** ['oupn'еə] *a:* an ~ life жизнь на откры́том вóздухе.
**open-armed** ['oupn'a:md] *a* с распростёртыми объя́тиями; an ~ welcome радýшный приём.
**opencast** ['oupənka:st] *a горн.* добы́тый откры́тым спóсобом; ~ mining откры́тые гóрные рабóты.
**open-eared** ['oupn'iəd] *a* внимáтельно слýшающий.
**opener** ['oupnə] *n* ключ *или* маши́нка для открывáния консéрвных бáнок.
**open-eyed** ['oupn'aid] *a* 1) с широкó раскры́тыми (от удивлéния) глазáми; 2) бди́тельный.
**open-faced** ['oupn'feist] *a* имéющий откры́тое лицó.
**open-field** ['oupn'fi:ld] *a ист.*: ~ system систéма неогорóженных учáстков, превращáемых пóсле сня́тия урожáя в óбщий вы́гон.
**open-handed** ['oupn'hændid] *a* щéдрый.
**open-hearted** ['oupən,ha:tid] *a* 1) с откры́той душóй, чистосердéчный; 2) великодýшный.
**opening** ['oupniŋ] **1.** *pres. p. от* open 3;
  **2.** *n* 1) отвéрстие; щель; 2) расщéлина; прохóд (*в горах*); 3) начáло; вступлéние; вступи́тельная часть; 4) откры́тие (*выставки, конференции и т. п.*); 5) удóбный слýчай, благоприя́тная возмóжность; 6) вакáнсия; 7) *амер.* вы́ставка мод в универмáгах; 8) *амер.* вы́рубка (*в лесу*); 9) *юр.* предвари́тельное изложéние дéла защи́тником; 10) *шахм.* дебю́т; 11) канáл; проли́в; 12) *радио* размыкáние; 13) *полигр.* разворóт;
  **3.** *a* 1) начáльный, пéрвый; the ~ day of the exhibition день откры́тия вы́ставки; 2) вступи́тельный, открывáющий; 3) исхóдный.
**openly** ['oupnli] *adv* 1) откры́то, публи́чно; 2) откровéнно.
**open-minded** ['oupn'maindid] *a* 1) с широ́ким кругозóром; 2) непредубеждённый; 3) восприи́мчивый.
**open-mouthed** ['oupn'mauðd] *a* 1) рази́нув(ший) рот от удивлéния; 2) жáдный.
**openness** ['oupnnis] *n* 1) откровéнность; прямотá; 2) я́вность.
**open work, open-work** ['oupnwə:k] *n* 1) прорезнáя *или* ажýрная гладь, стрóчка; мерéжка; 2) *горн.* откры́тые рабóты, откры́тая разрабóтка; 3) *attr.* ажýрный; ~ cloth ажýрная ткань.
**opera** ['ɔpərə] *n* 1) óпера; 2) (*обыкн.* the ~) опéрное искýсство.
**operable** ['ɔpərəbl] *a* 1) дéйствующий, находя́щийся в дéйствии; 2) *мед.* операбéльный.
**opera-cloak** ['ɔpərəklouk] *n* мантó для вы́ездов, наки́дка.
**opera-glass(es)** ['ɔpərə,glɑ:s(iz)] *n* (*pl*) театрáльный бинóкль.
**opera-hat** ['ɔpərəhæt] *n* шапокля́к, складнóй цили́ндр.

**opera-house** ['ɔpərəhaus] *n* óперный теáтр.

**operand** ['ɔpərənd] *n мат.* исхóдное числó.

**operate** ['ɔpəreɪt] *v* 1) рабóтать; дéйствовать; to ~ under a theory дéйствовать на основáнии какóй-л. теóрии; 2) управля́ть, завéдовать; 3) оказывать влия́ние, дéйствовать (on, upon); the medicine did not ~ лекáрство не подéйствовало; 4) *хир.* опери́ровать (on); 5) производи́ть операции (*стратеги́ческие, финáнсовые*); 6) приводи́ть(ся) в движéние; управля́ть(ся); эксплуати́ровать (*маши́ну и т. п.*); 7) разрабáтывать, эксплуати́ровать.

**operated** ['ɔpəreɪtɪd] 1. *p.p. от* operate;
2. *a* управля́емый; remotely ~ с дистанциóнным управлéнием, управля́емый на расстоя́нии.

**operatic** [,ɔpə'rætɪk] *a* óперный; an ~ singer óперный певéц.

**operating** ['ɔpəreɪtɪŋ] 1. *pres. p. от* operate;
2. *a* 1) операциóнный; ~ knife хирурги́ческий нож; ~ table операциóнный стол; ~ surgeon *хир.* оператор; 2) *амер.* текýщий; ~ costs текýщие расхóды; эксплуатациóнные расхóды; 3) рабóчий (*о режи́ме и т. п.*); ~ personnel техни́ческий персонáл, обслýживающий персонáл.

**operating-room** ['ɔpəreɪtɪŋrum] *n* операциóнная.

**operating-theatre** ['ɔpəreɪtɪŋ,θɪətə] *n* операциóнная (*для показáтельных операций*).

**operation** [,ɔpə'reɪʃən] *n* 1) дéйствие, операция; рабóта; приведéние в дéйствие; to come into ~ начáть дéйствовать; to call into ~ привести́ в дéйствие; in ~ в дéйствии; 2) процéсс; 3) операция (*хирурги́ческая*); 4) проведéние óпыта, эксперимéнта; 5) *мат.* дéйствие; 6) разрабóтка, эксплуатация; 7) управлéние (*предприя́тием и т. п.*); 8) *attr.* эксплуатациóнный; ~ costs расхóды по эксплуатации.

**operative** ['ɔpərətɪv] 1. *a* 1) дéйствующий; действи́тельный; дéйственный; to become ~ входи́ть в си́лу (*о закóне*); 2) операти́вный; 3) *хир.* операциóнный; операти́вный; ~ treatment операти́вное вмешáтельство; 4) дéйствующий, рабóтающий, дви́жущий; ~ condition испрáвное состоя́ние, рабóчее состоя́ние;
2. *n* 1) рабóчий-станóчник; 2) ремéсленник.

**operatize** ['ɔpərətaɪz] *v* написáть óперу по какóму-л. произведéнию.

**operator** ['ɔpəreɪtə] *n* 1) рабóтающий на маши́не, управля́ющий маши́ной *или* механи́змом; ~'s position рабóчее мéсто; 2) телефони́ст; телеграфи́ст; ради́ст; связи́ст; 3) то, что окáзывает дéйствие; 4) *хир.* оператор; 5) биржевóй мáклер *или* делéц; 6) *амер.* владéлец предприя́тия *или* егó управля́ющий; 7) срéдство управлéния; ◇ big ~s *амер.* крýпные чинóвники; big-time ~ первоклáссный жýлик.

**opercula** [ɔ'pəkjuːlə] *pl от* operculum.

**operculum** [ɔ'pəkjuːləm] *n* (*pl* -la) 1) *зоол.* жáберная крышка; 2) *бот.* оболóчка (*спорáнгиев спорóвых растéний*).

**operetta** [,ɔpə'retə] *n* оперéтта.

**operose** ['ɔpərous] *a уст.* 1) трудолюби́вый; дéятельный; зáнятый; 2) многотрýдный, тя́гостный.

**ophidian** [ɔ'fɪdɪən] *зоол.* 1. *a* относя́щийся к отря́ду змей;
2. *n* змея́.

**ophiolatry** [,ɔfɪ'ɔlətrɪ] *n* змеепоклóнство.

**ophite** ['ɔfaɪt] *n мин.* офи́т.

**ophthalmia** [ɔf'θælmɪə] *n мед.* офтальми́я, воспалéние глáза.

**ophthalmic** [ɔf'θælmɪk] *a мед.* глазнóй.

**ophthalmologist** [,ɔfθæl'mɔlədʒɪst] *n* офтальмóлог.

**ophthalmology** [,ɔfθæl'mɔlədʒɪ] *n* офтальмолóгия.

**opiate** ['oupɪt] 1. *n* опиáт; наркóтик; *перен.* óпиум;
2. *a уст., поэт.* 1) содержáщий óпиум; 2) снотвóрный, наркоти́ческий;
3. *v редк.* 1) смéшивать с óпиумом; 2) усыпля́ть.

**opine** [ou'paɪn] *v* выскáзывать мнéние, полагáть.

**opinion** [ə'pɪnjən] *n* 1) мнéние; public ~ общéственное мнéние; to be of ~ that полагáть, что; to have no settled ~s не имéть определённых взгля́дов; to have no ~ of быть невысóкого мнéния о; in my ~ по моемý мнéнию, по-мóему; 2) мнéние, заключéние специали́ста; counsel's ~ мнéние адвокáта о дéле; to have the best ~ обрати́ться к лýчшему специали́сту (*врачý и т. п.*); to have (*или* to get) another ~ приглашáть ещё одногó специали́ста; ◇ ~s differ *посл.* о вкýсах не спóрят; a matter of ~ спóрный вопрóс.

**opinionated** [ə'pɪnjəneɪtɪd] *a* чрезмéрно самоувéренный; упря́мый, своевóльный.

**opium** ['oupjəm] *n* óпиум, óпий.

**opium den** ['oupjəmden] *n* кури́льня óпиума.

**opium-eater** ['oupjəm,iːtə] *n* кури́льщик óпиума.

**opium joint** ['oupjəmdʒɔɪnt] *амер.* = opium den.

**opodeldoc** [,ɔpou'deldɔk] *n фарм.* оподельдóк.

**opossum** [ə'pɔsəm] *n зоол.* опóссум; сýмчатая крыса [*см. тж.* possum].

**oppidan** ['ɔpɪdən] *n* 1) *редк.* горожáнин, 2) учени́к Итóнского коллéджа, живýщий на чáстной кварт

и́ре;
2. *a редк.* городскóй.

**opponent** [ə'pounənt] 1. *n* оппонéнт, проти́вник;
2. *a* 1) располóженный напрóтив, противополóжный; 2) враждéбный.

**opportune** ['ɔpətjuːn] *a* своеврéменный, благоприя́тный; подходя́щий; an ~ moment подходя́щий момéнт; ~ rain своеврéменный дождь.

**opportunism** ['ɔpətjuːnɪzəm] *n* оппортуни́зм.

**opportunist** ['ɔpətjuːnɪst] 1. *n* оппортуни́ст;
2. *a* оппортуни́стический.

**opportunity** [,ɔpə'tjuːnɪtɪ] *n* удóбный слýчай; благоприя́тная возмóжность; to take the ~ (of) воспóльзоваться слýчаем.

**opposable** [ə'pouzəbl] *a* 1) представляющий возможность для оказания противодействия; 2) могущий быть противопоставленным.

**oppose** [ə'pouz] *v* 1) противопоставлять (with, against); 2) оказывать сопротивление, сопротивляться, противиться; 3) препятствовать; мешать; to ~ the resolution отклонить резолюцию.

**opposed** [ə'pouzd] 1. *p. p.* от oppose; 2. *a* 1) противоположный, противный; 2) встречающий сопротивление; ~ landing *мор.* высадка десанта с боем; 3) враждебный (to).

**opposeless** [ə'pouzlɪs] *a поэт.* непреоборимый.

**opposite** ['ɔpəzɪt] 1. *a* 1) расположенный, находящийся напротив, противоположный; 2) противоположный; обратный; ~ poles *эл.* разноимённые полюсы; ◇ ~ number лицо, занимающее такую же должность в другом учреждении, государстве *и т. п.*; 2. *n* противоположность; direct ~ прямая противоположность; 3. *adv* напротив; the house ~ дом напротив; ~ prompter *театр.* справа от -актёра (*т. е.* в левой части сцены); 4. *prep* 1) против, напротив; 2) на; the cheque was made ~ my name чек был выписан на моё имя.

**opposition** [,ɔpə'zɪʃən] *n* 1) контраст, противоположность; противоположение; 2) сопротивление, противодействие; вражда; 3) оппозиция; his Majesty's ~ *парл.* оппозиция его Величества; 4) *астр.* противостояние; 5) *attr.* относящийся к оппозиции; the ~ benches *парл.* скамьи оппозиции.

**oppositionist** [,ɔpə'zɪʃənɪst] *n* оппозиционер.

**oppress** [ə'pres] *v* 1) притеснять, угнетать; to feel ~ed with the heat томиться от жары; 2) удручать, угнетать; 3) *уст.* сокрушать.

**oppression** [ə'preʃən] *n* 1) притеснение, угнетение, гнёт; 2) угнетённость, подавленность; томление.

**oppressive** [ə'presɪv] *a* 1) гнетущий, угнетающий, тягостный; ~ weather душная, знойная погода; 2) деспотический.

**oppressiveness** [ə'presɪvnɪs] *n* гнетущая атмосфера.

**oppressor** [ə'presə] *n* угнетатель, притеснитель.

**opprobrious** [ə'proubrɪəs] *a* 1) оскорбительный; ~ language ругательства; 2) *редк.* позорящий.

**opprobrium** [ə'proubrɪəm] *n* позор; посрамление.

**oppugn** [ɔ'pjuːn] *v* 1) возражать (*против чего-л.*), оспаривать; 2) *редк.* нападать; вести борьбу; 3) *редк.* сопротивляться.

**opt** [ɔpt] *v редк.* выбирать.

**optation** [ɔp'teɪʃən] *n* выбор; оптация.

**optative** ['ɔptətɪv] *грам.* 1. *n* оптатив, желательное наклонение; 2. *a* оптативный, желательный; ~ mood оптатив, желательное наклонение.

**optic** ['ɔptɪk] 1. *a* глазной, зрительный; 2. *n шутл.* глаз.

**optical** ['ɔptɪkəl] *a* зрительный, оптический; ~ illusion оптический обман; ~ disc *тех.* стробоскоп.

**optician** [ɔp'tɪʃən] *n* оптик.

**optics** ['ɔptɪks] *n pl* (*употр. как sing*) оптика.

**optimism** ['ɔptɪmɪzəm] *n* оптимизм.

**optimist** ['ɔptɪmɪst] *n* оптимист.

**optimistic(al)** [,ɔptɪ'mɪstɪk(əl)] *a* оптимистичный, оптимистический.

**optimum** ['ɔptɪməm] *n* 1) наиболее благоприятные условия; 2) *attr.* оптимальный.

**option** ['ɔpʃən] *n* 1) выбор, право выбора *или* замены; I have no ~ but to у меня нет другого выбора, как; 2) *юр.* оптация; 3) *ком.* опцион; приобретаемая при уплате известной премии привилегия на покупку товара по заранее установленной цене в определённый срок.

**optional** ['ɔpʃənl] *a* необязательный; факультативный; ~ exercises *спорт.* произвольные упражнения.

**optophone** ['ɔptəfoun] *n* оптофон (*прибор для чтения печатного текста слепыми*).

**opulence** ['ɔpjuləns] *n* изобилие, богатство; состоятельность.

**opulent** ['ɔpjulənt] *a* 1) богатый; обильный; 2) пышный; an ~ vegetation роскошная растительность; 3) напыщенный (*о стиле*).

**opus** ['oupəs] *лат. n* (*тк. sing*) музыкальное произведение, опус; ~ magnum крупное *или* главное произведение (*обыкн. литературное*).

**opuscule** [ɔ'pʌskjuːl] *n* небольшое литературное *или* музыкальное произведение.

**or** I [ɔː] *cj* или; or else иначе; make haste or else you will be late торопитесь, иначе вы опоздаете.

**or** II [ɔː] *cj уст.* прежде чем, до (*обыкн. поэт.* or ever, or e'er).

**or** III [ɔː] *n геральд.* золотой *или* жёлтый цвет.

**orach** ['ɔrɪtʃ] *n бот.* лебеда (поникшая).

**oracle** ['ɔrəkl] *n* 1) оракул; 2) предсказание, прорицание; 3) непреложная истина; 4) *библ.* святая святых; ◇ to work the ~ нажать тайные пружины; использовать влияние.

**oracular** [ɔ'rækjulə] *a* 1) пророческий; 2) претендующий на непогрешимость; догматический; 3) двусмысленный; 4) неясный, загадочный.

**oral** ['ɔːrəl] 1. *a* 1) устный; словесный; 2) *мед.* стоматический; 2. *n разг.* устный экзамен.

**orally** ['ɔːrəlɪ] *adv* устно.

**Orange** ['ɔrɪndʒ] *n ист.* 1) Оранская династия; 2) *attr.*: ~ lodge Оранжистская ложа [*см.* Orangeman].

**orange** ['ɔrɪndʒ] 1. *n* 1) апельсин; blood ~ апельсин-королёк; 2) апельсинное дерево; 3) оранжевый цвет; ~s and lemons название детской песенки и игры; Blenheim ~ крупный сорт десертных яблок; 2. *a* оранжевый; ◇ ~ book отчёт министерства земледелия (*в оранжевом переплёте*).

**orangeade** ['ɔrɪndʒ'eɪd] *n* оранжад (*напиток*).

**orange-blossom** ['ɔrɪndʒ,blɔsəm] *n* 1) померанцевый цвет; 2) флёрдоранж (*украшение невесты*).

**orange-fin** ['ɔrɪndʒfɪn] *n зоол.* разновидность форели.

**orange lily** ['ɔrɪndʒ'lɪlɪ] *n бот.* красная лилия; шафранная лилия.

**Orangeman** ['ɔrɪndʒmən] *n ист.* оранжист (*член Ирландской ультрапротестантской партии*).

**orange melon** ['ɔrɪndʒ'melən] *n бот.* дыня цукатная.

**orange-peel** ['ɔrɪndʒpiːl] *n* 1) апельсинная корка; 2) апельсинный цукат.

**orangery** ['ɔrɪndʒərɪ] *n* 1) апельсинный сад *или* -ая плантация; 2) оранжерея (*для выращивания апельсинных деревьев*).

**orange-tip** ['ɔrɪndʒtɪp] *n зоол.* белянка.

**orang-outang, orang-utan** ['ɔrəŋ'uːtæŋ, 'uːtæn] *n зоол.* орангутанг.

**orate** [ɔ'reɪt] *v шутл.* произносить речь, ораторствовать, разглагольствовать.

**oration** [ɔ'reɪʃən] *n* 1) речь (*особ.* торжественная); 2) *грам.*: direct ~ прямая речь; indirect ~ косвенная речь.

**orator** ['ɔrətə] *n* оратор; he is no ~ он плохой оратор; Public O. официальный представитель университета в торжественных случаях.

**oratorical** [,ɔrə'tɔrɪkəl] *a* 1) ораторский; 2) риторический.

**oratorio** [,ɔrə'tɔːrɪou] *n* (*pl* -os [-ouz]) *муз.* оратория.

**oratory** I ['ɔrətərɪ] *n* красноречие; ораторское искусство, риторика.

**oratory** II ['ɔrətərɪ] *n* часовня, молельня.

**orb** [ɔːb] *n* 1) шар; сфера; 2) небесное светило; 3) орбита; круг, оборот; 4) держава (*королевская регалия*); 5) *поэт.* глаз, глазное яблоко; 6) *архит.* глухая аркада; 2. *v* заключить в круг *или* в шар.

**orbed** [ɔːbd] 1. *p. p. от* orb 2;
2. *a* округлый, шарообразный, сферический.

**orbicular** [ɔː'bɪkjulə] *a* 1) сферический, шаровой, круглый; ~ muscle *анат.* кольцевой мускул; 2) образующий законченное целое.

**orbit** ['ɔːbɪt] 1. *n* 1) орбита; 2) *анат.* глазная впадина; 3) сфера, размах деятельности;
2. *v* 1) выводить на орбиту; 2) выходить на орбиту.

**Orcadian** [ɔː'keɪdjən] 1. *a* оркнейский;
2. *n* уроженец, житель Оркнейских островов.

**orchard** ['ɔːtʃəd] *n* фруктовый сад.

**orcharding** ['ɔːtʃədɪŋ] *n* плодоводство.

**orchardman** ['ɔːtʃədmən] *n* садовод.

**orchestic** [ɔː'kestɪk] *a* танцевальный.

**orchestics** [ɔː'kestɪks] *n pl* (*употр. как sing*) танцевальное искусство.

**orchestra** ['ɔːkɪstrə] *n* 1) оркестр; 2) место для оркестра *или* хора; 3) *амер.* партер (*тж.* ~ chairs, ~ stalls); 4) орхестра (*место хора в др.-греч. театре*).

**orchestral** [ɔː'kestrəl] *a* оркестровый.

**orchestrate** ['ɔːkɪstreɪt] *v* оркестровать, инструментовать.

**orchestration** [,ɔːkes'treɪʃən] *n* оркестровка, инструментовка.

**orchestrelle** ['ɔːkɪstrəl] *n амер.* 1) небольшой оркестр; 2) эстрадный оркестр.

**orchestrion** [ɔː'kestrɪən] *n муз.* оркестрион.

**orchid** ['ɔːkɪd] *n бот.* орхидея.

**orchidaceous** [,ɔːkɪ'deɪʃəs] *a* орхидейный.

**orchil** ['ɔːtʃɪl] *n* орсель (*фиолетово-красная краска*).

**orchis** ['ɔːkɪs] *n бот.* ятрышник.

**ordain** [ɔː'deɪn] *v* 1) посвящать в духовный сан; 2) предопределять; предписывать; 3) *уст.* распоряжаться.

**ordeal** [ɔː'diːl] *n* 1) тяжёлое испытание; 2) *ист.* «суд божий» (*испытание огнём и водой*).

**order** ['ɔːdə] 1. *n* 1) порядок; последовательность; 2) порядок, исправность; to get out of ~ испортиться; in bad ~ в неисправности; 3) хорошее физическое состояние; his liver is out of ~ у него больная печень; 4) порядок; спокойствие; to keep ~ соблюдать порядок; to call to ~ призвать к порядку [*см. тж.* 5)]; ~!, ~! к порядку!; 5) порядок (*ведения собрания и т. п.*); регламент; устав; ~ of business, ~ of the day повестка, порядок дня [*см. тж.* 8)]; breach of ~ нарушение регламента; to call to ~ *амер.* открыть (*собрание*) [*см. тж.* 4)]; to rise to a point of ~ взять слово к порядку ведения собрания; 6) *воен.* строй, боевой порядок; close ~ сомкнутый строй; extended ~ рассыпной строй; marching ~ а) походный порядок; б) походная форма; parade ~ развёрнутый строй на смотру; 7) слой общества; социальная группа; the lower ~s простой народ; 8) приказ, распоряжение; предписание; O. in Council закон, издаваемый от имени английского короля и тайного совета и прошедший через парламент без обсуждения; ~ of the day *воен.* приказ по части *или* соединению [*см. тж.* 5)]; one's ~s *амер. воен.* полученные распоряжения; under the ~s of... под командой...; 9) заказ; made to ~ сделанный на заказ; on ~ заказанный, но не доставленный; repeat ~ повторный заказ; 10) ордер; cheque to (a person's) ~ *фин.* ордерный чек; postal (*или* money) ~ почтовый перевод; 11) ордер; разрешение; пропуск; 12) заказ порционного блюда (*в ресторане*); 13) знак отличия, орден; O. of Lenin орден Ленина; 14) рыцарский *или* религиозный орден; 15) род, сорт; свойство; talent of another ~ талант иного порядка; 16) ранг; 17) *церк.* духовный сан; to be in (to take) ~s быть (стать) духовным лицом; to confer ~s рукополагать; 18) *мат.* порядок; степень; 19) *зоол., бот.* подкласс; 20) *архит.* ордер; ◇ in ~ *амер.* надлежащим образом; in ~ that с тем, чтобы; in ~ to для того, чтобы; out of the ~ of примерно; in short ~ *амер.* немедленно, тотчас же; to be under ~s *воен.* дожидаться назначения;
2. *v* 1) приводить в порядок; 2) приказывать; предписывать; распоряжаться; 3) направлять; to be ~ed abroad быть на-

пра́вленным за грани́цу; 4) зака́зывать; 5) назнача́ть, пропи́сывать (*лека́рство и т. п.*); 6) предопределя́ть; ☐ ~ about кома́ндовать, помыка́ть.

**order-book** ['ɔ:dəbuk] *n* 1) кни́га зака́зов; 2) *воен.* кни́га распоряже́ний; прика́зная кни́га.

**order-form** ['ɔ:dəfɔ:m] *n* бланк зака́за, бланк тре́бования.

**orderliness** ['ɔ:dəlɪnɪs] *n* 1) аккура́тность, поря́док; 2) подчине́ние зако́нам.

**orderly** ['ɔ:dəlɪ] **1.** *n* 1) *воен.* вестово́й, ордина́рец; санита́р; 2) убо́рщик у́лиц (*тж.* street ~);
**2.** *a* 1) аккура́тный, опря́тный; 2): ~ bin му́сорная у́рна (*на улице*); 3) споко́йный; благонра́вный, хоро́шего поведе́ния; дисциплини́рованный; 4) организо́ванный; 5) регуля́рный, методи́чный; пра́вильный; 6) дежу́рный; ~ book = order-book 2); ~ man *воен.* вестово́й; днева́льный; санита́р (*в госпитале*); ~ officer дежу́рный офице́р; *редк.* ордина́рец.

**orderly-room** ['ɔ:dəlɪrum] *n* канцеля́рия ро́ты *или* батальо́на.

**ordinal** ['ɔ:dɪnl] **1.** *a* поря́дковый;
**2.** *n* поря́дковое числи́тельное.

**ordinance** ['ɔ:dɪnəns] *n* 1) ука́з, декре́т; *амер.* ме́стное муниципа́льное постановле́ние; 2) обря́д, та́инство; 3) план, расположе́ние часте́й.

**ordinarily** ['ɔ:dɪnrɪlɪ] *adv* обы́чно; обыкнове́нным, обы́чным путём.

**ordinary** ['ɔ:dnrɪ] **1.** *a* 1) обы́чный, обыкнове́нный; привы́чный; просто́й; норма́льный; ~ seaman матро́с 2 кла́сса; ~ call *тел.* ча́стный разгово́р; 2) зауря́дный, посре́дственный;
**2.** *n* 1) резе́рв; 2) дежу́рное блю́до; 3): in ~ постоя́нный; out of the ~ необы́чный; Surgeon in O. to the King лейб-ме́дик; professor in ~ ордина́рный профе́ссор; 4) *церк.* тре́бник; уста́в церко́вной слу́жбы; 5) *юр.*, *церк.* судья́, исполня́ющий обы́чную для него́ суде́бную обя́занность (*ме́стный судья́ или (архи)епископ в своей епархии, священник в своём приходе*); 6) *уст.* таве́рна с о́бщим столо́м за твёрдую пла́ту.

**ordination** [,ɔ:dɪ'neɪʃən] *n* посвяще́ние, рукоположе́ние в духо́вный сан.

**ordnance** ['ɔ:dnəns] *n* 1) артиллери́йские ору́дия, артилле́рия; материа́льная часть артилле́рии; артиллери́йское и техни́ческое снабже́ние; naval ~ морска́я артилле́рия; 2) *attr.* артиллери́йский; ◇ O. Survey Госуда́рственное картографи́ческое управле́ние (*в Англии*); ~ survey вое́нно-топографи́ческая съёмка.

**ordure** ['ɔ:djuə] *n* 1) наво́з; отбро́сы; грязь; 2) грязь, распу́тство; 3) скверносло́вие; 4) непристо́йность.

**ore** [ɔ:] *n* 1) руда́; 2) *поэт.* (драгоце́нный) мета́лл; 3) *attr.* ру́дный; ~ mining ру́дное де́ло.

**oread** ['ɔ:rɪæd] *n* *миф.* ореа́да (*нимфа гор*).

**ore body** ['ɔ:'bɔdɪ] *n* *геол.* ру́дный шток, сплошно́е месторожде́ние.

**ore-dressing** ['ɔ:,dresɪŋ] *n* обогаще́ние руд;

механи́ческая обрабо́тка поле́зных иско́паемых.

**organ** ['ɔ:gən] *n* 1) о́рган; ~s of speech о́рганы ре́чи; 2) о́рган, учрежде́ние; governmental ~s прави́тельственные о́рганы; 3) го́лос; 4) *муз.* орга́н; American ~ фисгармо́ния; mouth ~ губна́я гармо́ника; street ~ шарма́нка; 5) печа́тный о́рган; газе́та.

**organ-blower** ['ɔ:gən,blouə] *n* раздува́льщик мехо́в (*у орга́на*).

**organdie, organdy** ['ɔ:gəndɪ] *n* то́нкая кисея́, орга́нди.

**organ-grinder** ['ɔ:gən,graɪndə] *n* шарма́нщик.

**organic** [ɔ:'gænɪk] *a* 1) органи́ческий; входя́щий в органи́ческую систе́му; 2) организо́ванный; систематизи́рованный; 3) согласо́ванный; взаимозави́симый; 4) *амер.* *юр.*: ~ law основно́й зако́н, конститу́ция; ~ act зако́н об образова́нии но́вой «террито́рии» *или* превраще́нии «террито́рии» в штат.

**organism** ['ɔ:gənɪzəm] *n* органи́зм.

**organist** ['ɔ:gənɪst] *n* органи́ст.

**organization** [,ɔ:gənaɪ'zeɪʃən] *n* 1) организа́ция; 2) устро́йство; 3) органи́зм; 4) *амер.* избра́ние гла́вных должностны́х лиц и коми́ссий конгре́сса; 5) *амер.* парти́йный аппара́т; 6) *attr.* организацио́нный.

**organization chart** [,ɔ:gənaɪ'zeɪʃən'tʃɑ:t] *n* уста́в.

**organize** ['ɔ:gənaɪz] *v* 1) организо́вывать; устра́ивать; 2) *амер.* проводи́ть организацио́нные мероприя́тия; to ~ the House избира́ть гла́вных должностны́х лиц и коми́ссии конгре́сса; 3) де́лать(ся) органи́ческим, превраща́ть(ся) в живу́ю ткань.

**organized** ['ɔ:gənaɪzd] **1.** *p. p. om* organize;
**2.** *a* 1) организо́ванный; ~ labour чле́ны профсою́за; 2): ~ matter жива́я мате́рия.

**organizer** ['ɔ:gənaɪzə] *n* организа́тор.

**organ-loft** ['ɔ:gənlɔft] *n* галере́я в це́ркви для орга́на, хо́ры.

**organotherapy** [,ɔ:gənou'θerəpɪ] *n* *мед.* органотерапи́я.

**organ-player** ['ɔ:gən,pleɪə] = organist.

**orgasm** ['ɔ:gæzəm] *n* оргазм.

**orgeat** ['ɔ:ʒæt] *n* орша́д (*напиток*).

**orgy** ['ɔ:dʒɪ] *n* 1) о́ргия; разгу́л; 2) верени́ца, мно́жество (*развлечений и т. п.*); a regular ~ of parties and concerts бесконе́чные вечера́ и конце́рты.

**oriel** ['ɔ:rɪəl] *n* *архит.* 1) углубле́ние, алько́в; 2) закры́тый балко́н, э́ркер.

**orient 1.** *n* ['ɔ:rɪənt] 1) (the O.) Восто́к; стра́ны Восто́ка; 2) вы́сший сорт же́мчуга;
**2.** *a* ['ɔ:rɪənt] 1) *поэт.* восто́чный; 2) восходя́щий, поднима́ющийся; the ~ sun восходя́щее со́лнце; 3) блестя́щий, я́ркий; 4) вы́сшего ка́чества (*о жемчуге*);
**3.** *v* ['ɔ:rɪənt] 1) ориенти́ровать; определя́ть местонахожде́ние (*по компасу*); to ~ oneself ориенти́роваться; 2) стро́ить зда́ние фаса́дом на восто́к.

**oriental** [,ɔ:rɪ'entl] **1.** *a* восто́чный, азиа́тский;
**2.** *n* (O.) жи́тель Восто́ка.

orientalism [‚ɔːrɪ'entəlɪzəm] n 1) обычаи или выражения, характерные для Востока; 2) востоковедение.

orientalist [‚ɔːrɪ'entəlɪst] n востоковед.

orientalize [‚ɔːrɪ'entəlaɪz] v придавать или приобретать восточный или азиатский характер.

orientate ['ɔːrɪenteɪt] = orient 3.

orientation [‚ɔːrɪen'teɪʃən] n ориентировка, ориентация, ориентирование.

orifice ['ɔrɪfɪs] n 1) отверстие; 2) устье, выход; проход; 3) тех. сопло, насадка, жиклёр.

oriflamme ['ɔrɪflæm] n ист. орифламма.

origan, origanum ['ɔrɪɡən, ɔ'rɪɡənəm] n бот. душица обыкновенная.

origin ['ɔrɪdʒɪn] n 1) источник; начало; 2) происхождение; of humble ~ незнатного происхождения.

original [ə'rɪdʒənl] 1. n 1) подлинник, оригинал; 2) первоисточник; 3) чудак, оригинал; 2. a 1) первоначальный; the ~ edition первое издание; ~ sin рел. первородный грех; 2) подлинный; the ~ picture подлинник картины; 3) оригинальный; самобытный; 4) новый, свежий; 5) творческий.

originality [ə‚rɪdʒɪ'nælɪtɪ] n 1) подлинность; 2) оригинальность; самобытность; 3) новизна, свежесть.

originally [ə'rɪdʒnəlɪ] adv 1) первоначально; 2) по происхождению; 3) оригинально.

originate [ə'rɪdʒɪneɪt] v 1) давать начало, порождать; создавать; 2) брать начало, происходить, возникать (from, in — от чего-л.; from, with — от кого-л.).

origination [ə‚rɪdʒɪ'neɪʃən] n 1) начало, происхождение; 2) порождение.

originative [ə'rɪdʒɪneɪtɪv] a 1) дающий начало, порождающий; 2) изобретательный.

originator [ə'rɪdʒɪneɪtə] n 1) автор; создатель, изобретатель; 2) инициатор.

orinasal [‚ɔːrɪ'neɪzəl] a ротоносовой; ~ vowel фон. назализированный гласный.

oriole ['ɔːrɪoul] n 1) иволга; 2) амер. вид скворца.

Orion [ə'raɪən] n астр. созвездие Ориона.

orison ['ɔrɪzən] n (обыкн. pl) поэт. молитва.

orlop ['ɔːlɔp] n мор. 1) нижняя палуба; 2) ист. кубрик.

orlop-deck ['ɔːlɔpdek] = orlop.

ormolu ['ɔːməluː] n 1) сплав меди, олова и свинца для золочения; позолотная бронза; порошкообразное золото для золочения; 2) золочёная бронза; 3) мебель с украшениями из золочёной бронзы.

ornament 1. n ['ɔːnəmənt] 1) украшение, орнамент; 2) (обыкн. pl) церковная утварь, ризы; 2. v ['ɔːnəment] украшать.

ornamental [‚ɔːnə'mentl] a служащий украшением, орнаментальный; декоративный.

ornamentation [‚ɔːnəmen'teɪʃən] n 1) украшение (действие); 2) собир. украшения.

ornate [ɔː'neɪt] a 1) богато украшенный; 2) витиеватый (о стиле).

ornithic [ɔː'nɪθɪk] = ornithological.

ornithological [‚ɔːnɪθə'lɔdʒɪkl] a орнитологический.

ornithologist [‚ɔːnɪ'θɔlədʒɪst] n орнитолог.

ornithology [‚ɔːnɪ'θɔlədʒɪ] n орнитология.

ornithopter [‚ɔːnɪ'θɔptə] n ав. орнитоптер.

ornithorhyncus [‚ɔːnɪθou'rɪŋkəs] n зоол. утконос.

orogenesis [‚ɔrou'dʒenɪsɪs] n геол. горообразование, орогенезис.

orographic(al) [‚ɔrou'ɡræfɪk(əl)] a геол. орографический.

orography [ɔ'rɔɡrəfɪ] n орография.

oroide ['ourouɪd] n золотистый сплав меди и цинка.

orotund ['ɔroutʌnd] a 1) звучный, полнозвучный; 2) высокопарный, напыщенный; претенциозный.

orphan ['ɔːfən] 1. n сирота; 2. a сиротский; 3. v делать сиротой; лишать родителей.

orphanage ['ɔːfənɪdʒ] n 1) сиротство; 2) приют для сирот.

orphaned ['ɔːfənd] 1. p. p. от orphan 3; 2. a осиротелый, лишившийся родителей.

orphanhood ['ɔːfənhud] n сиротство.

Orphean [ɔː'fiːən] a чарующий, как музыка Орфея.

Orpheus ['ɔːfjuːs] n миф. Орфей.

Orphic ['ɔːfɪk] a 1) орфический; 2) пророческий.

orpin(e) ['ɔːpɪn] n бот. заячья капуста.

Orpington ['ɔːpɪŋtən] n орпингтон (порода кур).

orrery ['ɔrərɪ] n планетарий.

orris ['ɔrɪs] n 1) бот. касатик флорентийский; 2) фиалковый корень; 3) порошок из фиалкового корня.

orris-powder ['ɔrɪs‚paudə] = orris 3).

orris-root ['ɔrɪsruːt] = orris 2).

orthodox ['ɔːθədɔks] a 1) ортодоксальный; правоверный; общепринятый; 2) рел. православный.

orthodoxy ['ɔːθədɔksɪ] n 1) ортодоксальность; 2) рел. православие.

orthoepy ['ɔːθouepɪ] n лингв. орфоэпия.

orthogenesis [‚ɔːθou'dʒenɪsɪs] n биол. ортогенез.

orthogonal [ɔː'θɔɡənəl] a прямоугольный, ортогональный.

orthographic(al) [‚ɔːθə'ɡræfɪk(əl)] a орфографический.

orthography [ɔː'θɔɡrəfɪ] n орфография, правописание.

orthop(a)edic [‚ɔːθou'piːdɪk] a мед. ортопедический.

orthop(a)edist [‚ɔːθou'piːdɪst] n ортопед.

orthop(a)edy ['ɔːθoupiːdɪ] n мед. ортопедия.

orthoptic [ɔː'θɔptɪk] a для нормального зрения.

ortolan ['ɔːtələn] n 1) садовая овсянка (птица); 2) амер. = bobolink.

oryctognosy [‚ɔrɪk'tɔɡnəsɪ] n минералогия.

oryx ['ɔrɪks] n зоол. антилопа бейза.

oscillate ['ɔsɪleɪt] v 1) качать(ся); 2) вибрировать; колебаться (тж. перен.).

oscillation [ˌɔsɪˈleɪʃən] n 1) качáние; вибрáция, колебáние; 2) attr. колебáтельный; ~ frequency частотá колебáний.

oscillator [ˈɔsɪleɪtə] n 1) тех. осциллятор, вибрáтор; 2) радио генерáтор колебáний.

oscillatory [ˈɔsɪlətərɪ] a колебáтельный; ~ circuit радио колебáтельный кóнтур.

oscillograph [ɔˈsɪləgrɑːf] n осциллóграф.

oscillotron [ɔˈsɪlətrɔn] n электрóнно-лучевáя трýбка.

osculant [ˈɔskjulənt] a 1) соприкасáющийся; касáющийся; касáтельный; 2) биол. промежýточный.

oscular [ˈɔskjulə] a 1) анат. ротовóй; 2) шутл. целовáльный.

oscularity [ˌɔskjuˈlærɪtɪ] n редк. 1) целовáние, лобызáние; 2) поцелýи.

osculate [ˈɔskjuleɪt] v 1) шутл. целовáться, лобызáться; 2) соприкасáться.

osculation [ˌɔskjuˈleɪʃən] n 1) шутл. лоб(ы)зáние, поцелýй; 2) соприкосновéние.

osier [ˈouʒə] n 1) ива; 2) лозá (ивы); 3) attr. ивовый.

osier-bed [ˈouʒəbed] n ивняк.

Osiris [ouˈsaɪərɪs] n миф. Озúрис.

osmium [ˈɔzmɪəm] n хим. óсмий.

osmose, osmosis [ˈɔsmous,ɔzˈmousɪs] n физ. óсмос.

osmotic [ɔzˈmɔtɪk] a физ. осмотúческий.

osmund, osmunda [ˈɔzmənd, ɔzˈmʌndə] n бот. чистоýст.

osophone [ˈɔsəfoun] n отофóн (прибор для тугоýхих).

osprey [ˈɔsprɪ] n 1) зоол. скопá; 2) эгрéт (из перьев цáпли).

osseous [ˈɔsɪəs] a 1) костúстый; 2) кóстный.

ossicle [ˈɔsɪkl] n анат. кóсточка.

ossification [ˌɔsɪfɪˈkeɪʃən] n окостенéние.

ossifrage [ˈɔsɪfrɪdʒ] n = osprey 1).

ossify [ˈɔsɪfaɪ] v превращáть(ся) в кость; костенéть.

ossuary [ˈɔsjuərɪ] n 1) склеп; пещéра с костями; 2) кремациóнная ýрна.

osteitis [ˌɔstɪˈaɪtɪs] n мед. воспалéние кóсти.

ostensible [ɔsˈtensəbl] a 1) слýжащий предлóгом; мнúмый; показнóй; ~ purpose официáльная цель; 2) уст. очевúдный, явный.

ostensory [ɔsˈtensərɪ] n церк. дарохранúтельница.

ostentation [ˌɔstenˈteɪʃən] n показнóе проявлéние; хвастовствó.

ostentatious [ˌɔstenˈteɪʃəs] a показнóй; нарочúтый.

osteography [ˌɔstɪˈɔgrəfɪ] n остеогрáфия.

osteology [ˌɔstɪˈɔlədʒɪ] n остеолóгия.

ostler [ˈɔslə] n кóнюх (на постоялом дворе).

ostracism [ˈɔstrəsɪzəm] n 1) остракúзм; 2) изгнáние из óбщества.

ostracize [ˈɔstrəsaɪz] v 1) подвергáть остракúзму; 2) изгонять из óбщества.

ostreiculture [ˈɔstrɪˌkʌltʃə] n развéдение ýстриц.

ostrich [ˈɔstrɪtʃ] n стрáус; ◇ the digestion of an ~ ≅ «лужёный» желýдок; ~

policy полúтика, оснóванная на самообмáне.

ostrich-farm [ˈɔstrɪtʃfɑːm] n фéрма, где разводят стрáусов.

ostrich-plume [ˈɔstrɪtʃpluːm] n стрáусовое перó; стрáусовые пéрья.

Ostrogoth [ˈɔstrəgɔθ] n ист. остгóт.

other [ˈʌðə] 1. a 1) другóй, инóй; ~ things being equal при прóчих рáвных услóвиях; the ~ world потусторóнний мир, «тот свет»; every ~ day чéрез день; ~ times, ~ manners иные временá — иные нрáвы; 2) (с сущ. во мн. ч.) остальные; the ~ students остальные студéнты; ◇ the ~ day на днях, недáвно;

2. pron. indef. другóй; no ~ than никтó другóй, как; someone (something) or ~ ктó-нибудь (чтó-нибудь); one or ~ of us will be there ктó-л. из нас бýдет там; some day (или some time) or ~ когдá-нибудь, рáно úли пóздно; you are the man of all ~s for the work вы сáмый подходящий человéк для этого дéла; think of ~s не будь эгоúстом;

3. adv (сокр. от otherwise) инáче; I can't do ~ than accept я не могý не принять.

othergates [ˈʌðəgeɪts] уст. 1. adv инáче, по-другóму;

2. a инóй, другóй.

otherguess [ˈʌðəges] = othergates 2.

otherness [ˈʌðənɪs] n редк. различие, отлúчие; непохóжесть.

otherwhence [ˈʌðəwens] adv редк. из другóго мéста.

otherwhere(s) [ˈʌðəwɛə(z)] adv поэт. в другóм мéсте; в другóе мéсто.

otherwhile(s) [ˈʌðəwaɪl(z)] adv уст. 1) в другóй раз, когдá-нибудь; 2) иногдá.

otherwise [ˈʌðəwaɪz] adv 1) инáче, иным спóсобом; иным óбразом, по-другóму; 2) в другúх отношéниях; 3) úли же, в протúвном слýчае; go at once, ~ you will miss your train идúте немéдленно, инáче опоздáете на пóезд; 4): tracts agricultural and ~ пáхотные и прóчие зéмли.

otherwise-minded [ˈʌðəwaɪzˌmaɪndɪd] a инакомыслящий.

other-worldly [ˈʌðəˌwəːldlɪ] a 1) «не от мúра сегó»; 2) духóвный; 3) потусторóнний.

otic [ˈoutɪk] a анат. ушнóй; слуховóй.

otiose [ˈouʃious] a 1) бесполéзный, ненýжный; 2) прáздный, ленúвый.

otioseness [ˈouʃiousnɪs] n 1) бесполéзность, тщéтность; 2) прáздность.

otiosity [ˌouʃɪˈɔsɪtɪ] n = otioseness.

otologist [ouˈtɔlədʒɪst] n специалúст по ушным болéзням.

otology [ouˈtɔlədʒɪ] n отолóгия (учение о стрóении, фýнкциях и болéзнях ýха).

otophone [ˈoutəfoun] n отофóн (прибор для тугоýхих).

otoscope [ˈoutəskoup] n мед. отоскóп.

otter [ˈɔtə] n 1) выдра; 2) мех выдры; 3) рыболóвная снасть (рéйка-поплавóк с многочúсленными крючкáми с нажúвкой).

otter-dog [ˈɔtədɔg] n выдровая собáка.

otter-hound [ˈɔtəhaund] = otter-dog.

otto [ˈɔtou] = attar.

**Ottoman** ['ɔtəmən] **1.** *n* оттома́н, ту́рок; **2.** *a* оттома́нский, туре́цкий.

**ottoman** ['ɔtəmən] *n* оттома́нка, тахта́, дива́н.

**oubliette** [,uːblɪ'et] *фр. n* потайна́я, подзе́мная темни́ца с лю́ком.

**ouch** I [autʃ] *n уст.* 1) пря́жка; брошка; 2) опра́ва драгоце́нного ка́мня.

**ouch** II [autʃ] *int* ай!, ой!

**ought** I [ɔːt] *n разг. см.* nought.

**ought** II [ɔːt] *v модальный глагол выража́ет:* 1) *долженствова́ние:* I ~ to go there мне сле́довало бы пойти́ туда́; 2) *вероя́тность:* the telegram ~ to reach him within two hours он, вероя́тно, полу́чит телегра́мму не по́зже, чем че́рез два часа́; 3) *упрёк:* you ~ to have written to her тебе́ сле́довало написа́ть ей (а ты э́того не сде́лал).

**ounce** I [auns] *n* 1) у́нция (=*28,3 г*); 2) ка́пля, чу́точка; he hasn't got an ~ of sense у него́ нет ни ка́пли здра́вого смы́сла; ◇ an ~ of practice is worth a pound of theory ≅ день пра́ктики сто́ит го́да тео́рии.

**ounce** II [auns] *n* барс; *распр. тж.* рысь.

**our** ['auə] *pron. poss. (употр. атрибути́вно; ср.* ours) наш.

**ours** ['auəz] *pron. poss.* (абсолю́тная фор́ма, *не употр. атрибути́вно; ср.* our) наш; ~ is a large family на́ша семья́ больша́я; this garden is ~ э́тот сад наш; it is no business of ~ э́то не на́ше де́ло; Jones of ~ Джо́унз из на́шего полка́.

**ourself** [,auə'self] *pron см.* ourselves.

**ourselves** [,auə'selvz] *pron* 1) *refl.* себя́, -ся; себе́; we shall only harm ~ мы то́лько повреди́м себе́; 2) *emph.* са́ми; let us do it ~ дава́йте сде́лаем э́то са́ми.

**ousel** ['uːzl] = ouzel.

**oust** [aust] *v* 1) выгоня́ть, занима́ть (*чьё-л.*) ме́сто; вытесня́ть; to ~ the worms выгоня́ть глисто́в; 2) *юр.* выселя́ть.

**ouster** ['austə] *n юр.* выселе́ние, отня́тие иму́щества (*особ. незако́нное*).

**out** [aut] **1.** *adv* 1) вне, снару́жи; нару́жу; вон; *передаётся тж.* приста́вкой вы-; to be ~ не быть до́ма; he is ~ он вы́шел; the chicken is ~ цыплёнок вы́лупился; the book is ~ кни́га вы́шла из печа́ти; the eruption is ~ all over him сыпь вы́ступила у него́ по всему́ те́лу; the floods are ~ река́ вы́ступила из берего́в; ~ at sea в откры́том мо́ре; ~ with him! вон его́!; the journey ~ путеше́ствие «туда́» (*в противоп.* «обра́тно»); ~ and home туда́ и обра́тно; the ball is ~ мяч за преде́лами по́ля; the secret is ~ та́йна раскры́та; 2) *придаёт де́йствию хара́ктер заверше́нности; передаётся приста́вкой* вы-; to pour ~ вы́лить; to fill ~ а) заполня́ть(ся); б) расширя́ть(ся); 3) *означа́ет оконча́ние, заверше́ние чего́-л.:* before the week is ~ до конца́ неде́ли; 4) *означа́ет истоще́ние, прекраще́ние де́йствия чего́-л.:* the money is ~ де́ньги вы́шли; the fire (candle) is ~ ого́нь (све́чка) поту́х(ла); the lease is ~ срок аре́нды ко́нчился; 5) *означа́ет уклоне́ние от како́й-л. нормы, правил, истины:* crinolines are ~ криноли́ны вы́шли из мо́ды; my watch is five minutes ~ мои́ часы́ «врут» на 5 мину́т; to be ~ быть без

созна́ния, потеря́ть созна́ние; ◇ ~ and about попра́вившийся по́сле боле́зни; ~ and away несравне́нно, намно́го, гора́здо; ~ and in = in and ~ [*см.* in 2 ◇]; ~ and ~ а) вполне́; б) несомне́нно; to be ~ for, to be ~ to все́ми си́лами стреми́ться к *чему́-л.;* to be ~ with smb. быть с кем-л. в ссо́ре, не в лада́х;

**2.** *prep:* ~ of *указывает на:* а) *положе́ние вне друго́го предме́та* вне, за, из; he lives ~ of town он живёт за го́родом; б) *движе́ние за каки́е-л.* ⁴ *преде́лы* из; they moved ~ of town они́ вы́ехали из го́рода; she took the money ~ of the bag она́ вы́нула де́ньги из су́мки; в) *материа́л, из кото́рого сде́лан предме́т* из; this table is made ~ of different kinds of wood э́тот стол сде́лан из разли́чных поро́д де́рева; г) *соотноше́ние ча́сти и це́лого* из; five pupils ~ of thirty were absent отсу́тствовало пять ученико́в из тридцати́; д) *причину, основа́ние де́йствия* из-за, всле́дствие; ~ of envy из за́висти; ~ of necessity по необходи́мости; е) *отсу́тствие како́го-л. предме́та или при́знака* без, вне; ~ of money без де́нег; ~ of work без рабо́ты; ~ of time а) несвоевре́менно; β) не в такт; ~ of date устаре́вший; ~ of fashion немо́дный, вы́шедший из мо́ды; ~ of use неупотреби́тельный, вы́шедший из употребле́ния; ~ of health больно́й; ~ of mind а) из па́мяти вон; β) забы́тый; to be ~ of one's mind быть не в своём уме́;

**3.** *a* 1) вне́шний, кра́йний, нару́жный; ~ match выездно́й матч; 2) необы́чный; ~ size-разме́р бо́льше обы́чного; 3) *тех.* вы́ключенный.

**4.** *n* 1) вы́ход; лазе́йка; 2) (the ~s) *pl парл.* оппози́ция; 3) *полигр.* про́пуск; 4) *амер.* недоста́ток; ◇ at ~s, on the ~s в натя́нутых, дурны́х отноше́ниях;

**5.** *int уст.* вон!; ~ upon you! стыди́тесь!;

**6.** *v разг.* 1) выгоня́ть; ~ that man! вы́ставьте э́того челове́ка!; 2) нокаути́ровать; he was ~ed in the first round его́ нокаути́ровали в пе́рвом ра́унде.

**out-** [aut-] *pref* 1) *придаёт глаго́лам значе́ние:* а) *превосхо́дства* пере-; to outshout перекрича́ть; to outrun перегна́ть; б) *заверше́нности* вы-; to outspeak выска́зывать (-ся); 2) *существи́тельным и прилага́тельным придаёт значе́ние:* а) *вы́хода, проявле́ния:* outburst взрыв чувств *и т. п.;* б) *отдалённости:* outbuilding надво́рное строе́ние; outlying отдалённый.

**outage** ['autɪdʒ] *n* 1) просто́й; остано́вка рабо́ты; 2) утру́ска, уте́чка; 3) выпускно́е отве́рстие, вы́пуск.

**out-and-out** ['autən'aut] *a* соверше́нный, по́лный.

**out-and-outer** ['autən'autə] *n* 1) *разг.* превосхо́дный экземпля́р; что-л., не име́ю́щее себе́ подо́бного *или* ра́вного; 2) *sl.* первосте́пенный негодя́й.

**out-argue** [aut'ɑːgjuː] *v* переспо́рить.

**outbade** [aut'beɪd] *past от* outbid.

**outbalance** [aut'bæləns] *v* 1) переве́шивать; 2) превосходи́ть.

**outbid** [aut'bɪd] *v* (outbid, outbade; outbid, outbidden) 1) перебива́ть це́ну; 2) превзойти́, перещеголя́ть.

**outbidden** [aut'bɪdn] *p. p. om* outbid.

**outboard** ['autbɔd] *adv* за бортом; ближе к борту.

**outbound** ['autbaund] *a* 1) уходящий в дальнее плавание *или* за границу (*о корабле*); 2) подлежащий отправке *или* отгрузке (*о товаре*).

**outbrave** [aut'breɪv] *v* 1) превосходить храбростью; 2) относиться пренебрежительно *или* вызывающе; 3) не побояться, выдержать угрозу.

**outbreak** ['autbreɪk] 1. *n* 1) взрыв, вспышка (*гнева*); 2) (внезапное) начало (*войны, болезни и т. п.*); вспышка (*эпидемии*); массовое появление (*с.-х. вредителей*); ~ of hostilities начало военных действий; 3) восстание; возмущение; 4) *геол.* выход пласта на поверхность; 5) *геол.* изверже́ние, выброс;
2. *v поэт.* = break out [*см.* break I, 2].

**outbuilding** ['aut,bɪldɪŋ] = outhouse.

**outburst** ['autbɜst] *n* взрыв, вспышка; ~ of tears поток слёз.

**outcast** ['autkɑst] 1. *n* 1) изгнанник, пария; 2) отбросы;
2. *a* 1) изгнанный, отверженный; бездомный; 2) негодный.

**outclass** [aut'klɑs] *v* 1) оставить далеко позади; превзойти; 2) *спорт.* принадлежать к более высокому классу.

**outcollege** ['aut'kɔlɪdʒ] *a* живущий не в колледже, а на частной квартире.

**outcome** ['autkʌm] *n* 1) результат, последствие, исход; 2) выход, выпускное отверстие.

**outcrop** ['autkrɔp] 1. *n* 1) *геол.* обнажение пород; 2) выявление;
2. *v* 1) *геол.* обнажаться, выходить на поверхность; 2) случайно выявляться, обнаруживаться.

**outcry** ['autkraɪ] 1. *n* 1) громкий крик; выкрик; 2) протест;
2. *v* 1) громко кричать, выкрикивать; 2) протестовать; 3) перекричать.

**outdance** [aut'dɑns] *v* протанцевать дольше других; танцевать лучше других.

**outdare** [aut'dɛə] *v* превосходить дерзостью, смелостью.

**outdated** [aut'deɪtɪd] *a* устарелый, устаревший.

**outdid** [aut'dɪd] *past om* outdo.

**out-distance** [aut'dɪstəns] *v* обогнать; перегнать.

**outdo** [aut'du] *v* (outdid, outdone) 1) превзойти; 2) изощряться.

**outdone** [aut'dʌn] *p. p. om* outdo.

**outdoor** ['autdɔ] *a* 1) находящийся *или* совершающийся вне дома, на открытом воздухе; ~ games игры на открытом воздухе; an ~ life жизнь вне дома (*связанная с нахождением в лесу, поле и т. п.*); 2) внешний, наружный; ~ aerial *радио* наружная антенна; ~ pick-up внестудийная радиопередача; ◇ an ~ agitation агитация вне парламента; ~ relief пособие бедняку, не живущему в богадельне *или* работном доме; ~ hands обветренные руки.

**outdoors** ['aut'dɔz] 1. *adv* на открытом воздухе;

2. *n* двор, улица (*в противоположность закрытому помещению*); the ~ lighted на улице посветлело; ◇ all ~ *амер.* весь мир, всё.

**outdrive** [aut'draɪv] *v* (outdrove; outdriven) обогнать.

**outdriven** [aut'drɪvn] *p. p. om* outdrive.

**outdrove** [aut'drouv] *past om* outdrive.

**outer** ['autə] 1. *a* 1) внешний, наружный; ~ coverings наружные покровы; the ~ world a) внешний, материальный мир; б) внешний мир, общество, люди; the ~ man внешний вид, костюм; the ~ wood опушка леса; 2) физический (*в противоп. психическому*); 3) *филос.* объективный;
2. *n воен.* 1) внешний круг мишени; 2) попадание во внешний круг мишени.

**outermost** ['autəmoust] *a* самый дальний от середины, от центра.

**outerwear** ['autəwɛə] *n* верхняя одежда.

**outface** [aut'feɪs] *v* 1) смутить, сконфузить пристальным *или* дерзким взглядом; 2) держаться нагло, вызывающе.

**outfall** ['autfɔl] *n* 1) устье; 2) водоотвод; канава, жёлоб.

**outfield** ['autfild] *n* 1) отдалённое поле; 2) неизведанная, неизученная область; 3) *спорт.* часть поля, отдалённая от воротцев (*в крикете*).

**outfit** ['autfɪt] 1. *n* 1) снаряжение (*для экспедиции*); экипировка; 2) обмундирование; 3) агрегат; оборудование, принадлежности, набор (*приборов, инструментов*); a carpenter's ~ инструменты плотника; 4) *амер. разг.* организованная группа; компания, экспедиция; *воен.* часть, подразделение; ◇ mental ~ умственный багаж;
2. *v* 1) снаряжать, экипировать; 2) обмундировать; 3) снабжать оборудованием.

**outfitter** ['aut,fɪtə] *n* 1) поставщик снаряжения, обмундирования; 2) розничный торговец, продающий одежду, галантерею *и т. п.*; a gentleman's ~ торговец принадлежностями мужского туалета.

**outflank** [aut'flæŋk] *v* 1) *воен.* охватывать фланг, обходить фланг, выйти во фланг (*противника*); 2) перехитрить.

**outflow** 1. *n* ['autflou] истечение; выход; an ~ of language поток слов;
2. *v* [aut'flou] истекать, вытекать.

**outgeneral** [aut'dʒenərəl] *v* добиться преимущества благодаря превосходству тактики.

**outgiving** ['aut,gɪvɪŋ] *n* заявление, высказывание.

**outgo** 1. *n* ['autgou] (*pl* -oes[-ouz]) 1) уход, выход; отъезд, отправление; 2) расход, издержки;
2. *v* [aut'gou] (outwent; outgone) превосходить, опережать.

**outgoing** [aut'gouɪŋ] 1. *pres. p. om* outgo 2;
2. *a* 1) уходящий; уезжающий, отбывающий; 2) исходящий (*о бумагах, почте*); 3) *тех.* отработанный, отходящий;
3. *n pl* издержки.

**outgone** [aut'gɔn] *p. p. om* outgo 2.

**outgrew** [aut'gru] *past om* outgrow.

**outgrow** [aut'grou] *v* (outgrew; outgrown) 1) перерастать; вырастать (*из платья*);

my family has ~n our house дом стал тесен для моей разросшейся семьи; 2) отделываться с возрастом (*от дурной привычки и т. п.*).

**outgrown** [aut'groun] *p. p. от* outgrow.

**outgrowth** ['autgrouθ] *n* 1) отросток; отпрыск; 2) продукт, результат; 3) нарост.

**out-Herod** [aut'herəd] *v* превзойти Ирода в жестокости; быть воплощением какого-л. дурного качества.

**outhouse** ['authaus] *n* 1) надворное строение, службы; 2) крыло здания; флигель; 3) *амер.* уборная в отдельной постройке.

**outing** ['autiŋ] *n* 1) загородная прогулка, экскурсия, пикник; 2) *редк.* выход; извержение.

**out-jockey** [aut'dʒɔki] *v разг.* перехитрить, превзойти ловкостью.

**outlaid** [aut'leid] *past и p. p. от* outlay 2.

**outlandish** [aut'lændiʃ] *a* 1) заморский, чужестранный, чужеземный; 2) странный, диковинный, необычайный; 3) нелепый, чудной; 4) малокультурный; глухой (*о местности*).

**outlast** [aut'lɑːst] *v* 1) продолжаться дольше, чем (*что-л.*); 2) пережить (*что-л.*); 3) прожить; he will not ~ six months он не протянет и шести месяцев.

**outlaw** ['autlɔː] 1. *n* 1) человек вне закона; изгой; изгнанник; беглец; *распр.* разбойник; 2) организация, объявленная вне закона; 3) *амер. sl.* рабочий, попавший в «чёрный список»; 2. *a* незаконный; ~ strike *амер.* забастовка, не согласованная с профсоюзом; 3. *v* 1) объявлять (*кого-л.*) вне закона; изгонять из общества; 2) *амер.* лишать законной силы.

**outlawry** ['autlɔːri] *n* объявление вне закона, изгнание из общества.

**outlay** 1. *n* ['autlei] издержки, расходы; 2. *v* [aut'lei] (outlaid) тратить.

**outlet** ['autlet] *n* 1) выпускное *или* выходное отверстие; 2) *перен.* выход, отдушина; 3) сток, вытекание; 4) рынок сбыта; 5) *тех.* штепсельная розетка.

**outlier** ['aut,laiə] *n* 1) солдат, не живущий в казармах (по месту службы); 2) посторонний; 3) *геол.* останец тектонического покрова, холмик-свидетель.

**outline** ['autlain] 1. *n* 1) (*часто pl*) очертание, контур; абрис; in ~ а) в общих чертах; б) контурный (*о рисунке*); 2) набросок; эскиз; очерк; 2) схема, план, конспект; 4) *pl* основы; основные принципы; 2. *v* 1) нарисовать контур; обрисовать, наметить в общих чертах; сделать набросок.

**outlive** [aut'liv] *v* 1) пережить (*кого-л., что-л.*); 2) выжить.

**outlook** ['autluk] *n* 1) вид, перспектива; 2) перспектива; виды на будущее; 3) наблюдение; 4) наблюдательный пункт; 5) точка зрения; world ~ мировоззрение; 6) кругозор.

**outlying** ['aut,laiŋ] *a* удалённый, далёкий; отдалённый.

**outmachine** [,autmə'ʃiːn] *v воен.* иметь пре-

восходство в технике, *особ.* в бронесилах.

**outmanoeuvre** [,autmə'nuːvə] *v* 1) получить преимущество более искусным маневрированием; 2) перехитрить.

**outmarch** ['aut'mɑːʃ] *v* 1) маршировать *или* двигаться быстрее (*кого-л.*); пройти дальше (*кого-л.*); 2) опередить.

**outmatch** [aut'mætʃ] *v* превосходить.

**outmoded** [aut'moudid] *a* вышедший из моды, старомодный.

**outmost** ['autmoust]=outermost

**outness** ['autnis] *n* внешний мир; объективная действительность.

**outnumber** [aut'nʌmbə] *v* превосходить численностью, количеством.

**out-of-date** ['autəv'deit] *a* устарелый; старомодный.

**out-of-door(s)** ['autəv'dɔː(z)] 1. *a* = outdoor; 2. *adv* = outdoors 1; 3. *n* = outdoors 2.

**out-of-the-way** ['autəvðə'wei] *a* 1) отдалённый; далёкий; трудно находимый; 2) странный, необычный.

**out-of-truth** ['autəv'truːθ] *тех.* 1. *a* плохо установленный; плохо пригнанный; 2. *adv* неправильно.

**out-of-work** ['autəv'wəːk] 1. *a* безработный, не имеющий работы; 2. *n* безработный.

**outpace** [aut'peis] *v* опережать, идти быстрее.

**out-patient** ['aut,peiʃənt] *n* амбулаторный больной.

**outperform** [,autpə'fɔːm] *v* делать лучше, чем другой.

**outplay** [aut'plei] *v* обыграть.

**outpost** ['autpoust] *n* 1) аванпост; 2) *pl* (*амер. sing*) *воен.* сторожевое охранение; сторожевая застава.

**outpour** I. *n* ['autpɔː] 1) поток; 2) излияние; 2. *v* [aut'pɔː] 1) выливать; 2) изливать.

**outpouring** ['aut,pɔːriŋ] 1. *pres. p. от* outpour 2; 2. *n* (*обыкн. pl*) излияние (*чувств*).

**output** ['autput] *n* 1) продукция; продукт; выпуск; выработка; the literary ~ of the year литературная продукция за год; 2) *тех.* производительность; мощность; отдача; пропускная способность; ёмкость; 3) *горн.* добыча; 4) *мат.* результат вычисления.

**outrage** ['autreidʒ] 1. *n* 1) грубое нарушение закона *или* чужих прав; 2) насилие; 3) поругание; оскорбление; 2. *v* 1) преступать, нарушать закон; 2) производить насилие; 3) оскорбить; надругаться.

**outrageous** [aut'reidʒəs] *a* 1) нейстовый, жестокий; 2) возмутительный; оскорбительный.

**outran** [aut'ræn] *past от* outrun.

**outrange** [aut'reindʒ] *v* 1) *воен.* бить дальше (*чем другое орудие*); 2) перегнать (*судно в состязании*).

**outrank** [aut'ræŋk] *v* 1) иметь более высокий ранг *или* чин; быть старше в звании; 2) превосходить.

**outré** ['u:treɪ] *фр. a* 1) переступающий границы, нарушающий (*приличия и т. п.*); эксцентричный; an ~ dress эксцентричный костюм; 2) преувеличенный.

**out-relief** ['autrɪ,li:f] = outdoor relief [*см.* outdoor ◇].

**outridden** [aut'rɪdn] *p. p. от* outride.

**outride** [aut'raɪd] *v* (outrode; outridden) 1) перегнать, опередить; 2) выдержать, стойко перенести (*шторм; несчастье и т.п.*).

**outrider** ['aut,raɪdə] *n* 1) верховой, сопровождающий экипаж; 2) коммивояжёр.

**outrigger** ['aut,rɪgə] *n* 1) *мор.* утлегарь; 2) аутригер (*шлюпка с выносными уключинами*); 3) *стр.* консольная балка; 4) валёк (*для постромок*); 5) выносная стрела (*подъёмного крана*).

**outright** 1. *a* ['autraɪt] 1) прямой, открытый; 2) полный, совершенный; he gave an ~ denial он наотрез отказался; an ~ rogue отъявленный мошенник;
2. *adv* [aut'raɪt] 1) вполне, совершенно; до конца; 2) открыто; прямо; 3) сразу; 4) раз навсегда.

**outrival** [aut'raɪvəl] *v* превзойти.

**outrode** [aut'roud] *past от* outride.

**outrun** [aut'rʌn] *v* (outran; outrun) 1) перегнать; опередить; обогнать; 2) убежать (*от кого-л.*); 3) преступать пределы *или* границы.

**outrunner** ['autrʌnə] *n* 1) скороход; 2) пристяжная лошадь; 3) собака-вожак (*в упряжке*).

**outsail** [aut'seɪl] *v* перегнать (*о судне*).

**outsat** [aut'sæt] *past и p.p. от* outsit.

**outsell** [aut'sel] *v* (outsold) продаваться лучше *или* дороже, чем другой товар.

**outset** ['autset] *n* 1) отправление, начало; at the ~ вначале; from the ~ с самого начала; 2) устье шахты, возвышающееся над почвой; 3) боковик; заголовок, помещённый на полях страницы; маргинал.

**outshine** [aut'ʃaɪn] *v* (outshone) затмить.

**outshone** [aut'ʃɔn] *past и p. p. от* outshine.

**outside** ['aut'saɪd] 1. *n* 1) наружная часть *или* сторона; внешняя поверхность; the ~ of an omnibus империал омнибуса; 2) внешний мир; объективная реальность; impressions from the ~ впечатления внешнего мира; 3) наружность, внешность; rough ~ грубая внешность; 4) крайность; at the (very) ~ самое большее; в крайнем случае; 5) пассажир империала; 6) *pl* наружные листы (*в стопе бумаги*);
2. *a* 1) наружный, внешний; ~ repairs наружный ремонт; ~ work работа на воздухе; ~ broadcast радиопередача не из студии; 2) крайний; находящийся с краю; ~ seat крайнее место; ~ left (right) *спорт.* левый (правый) крайний (нападающий); 3) внешний; посторонний; не связанный с учреждением; ~ help помощь извне; ~ broker маклер, не являющийся членом биржи; 4) наибольший, предельный, крайний; ~ prices крайние цены;
3. *adv* 1) снаружи, извне; наружу; put those flowers ~ выставьте (из комнаты)

эти цветы; 2) на (открытом) воздухе; на дворе; 3) *мор.* в открытом море; ◇ come ~! *sl.* выходи! (*вызов на драку*);
4. *prep* 1) вне, за пределами, за пределы (*тж.* ~ of); ~ the door за дверью; 2) кроме (*тж.* ~ of); no one knows it ~ one or two persons никто этого не знает, за исключением одного или двух человек; ◇ ~ a horse *sl.* верхом; to get ~ of *sl.* а) съесть, выпить; б) *амер. разг.* постичь.

**outsider** ['aut'saɪdə] *n* 1) посторонний (человек), не принадлежащий к данному учреждению, кругу, партии; 2) аутсайдер; 3) неспециалист, любитель; профан; 4) *разг.* невоспитанный человек; 5) спортсмен, не имеющий шансов на успех в состязании; скаковая *или* беговая лошадь, не являющаяся фаворитом.

**outsit** [aut'sɪt] *v* (outsat) пересидеть (*других гостей*); засидеться.

**outsized** ['autsaɪzd] *a* больше стандартного размера (*особ. о готовом платье*); нестандартный.

**outskirts** ['autskɛ:ts] *n pl* 1) окраина, предместья (*города*); 2) опушка (*леса*).

**outsmart** [aut'sma:t] *v амер. разг.* перехитрить.

**outsold** [aut'sould] *past и p. p. от* outsell.

**outspan** [aut'spæn] *v южно-афр.* распрягать.

**outspoken** [aut'spoukən] *a* 1) высказанный; выраженный; 2) искренний, откровенный, прямой.

**outspread** ['aut'spred] 1. *n* распространение; расширение;
2. *a* распростёртый, расстилающийся; разбросанный;
3. *v* (outspread) 1) распространять(ся); 2) простирать(ся); расстилать(ся).

**outstanding** [aut'stændɪŋ] *a* 1) выдающийся, знаменитый; 2) выступающий (*над чем-л.*); 3) неуплаченный; просроченный; 4) невыполненный; остающийся неразрешённым, спорным.

**outstay** [aut'steɪ] *v* 1) = outsit; to ~ smb.'s welcome злоупотреблять гостеприимством, оставаться дольше, чем приятно хозяевам; 2) превосходить выносливостью; выдержать, выстоять.

**outstep** [aut'step] *v* переступать (границы); выходить за пределы.

**outstretched** [aut'stretʃt] *a* 1) протянутый; 2) растянувшийся, растянутый.

**outstrip** [aut'strɪp] *v* 1) обгонять, опережать; 2) превосходить (*в чём-л.*).

**out-talk** [aut'tɔk] *v* заговорить (*кого-л.*); не дать сказать слова (*другому*).

**out-to-out** ['auttə'aut] *n тех.* наибольший габаритный размер.

**out-top** [aut'tɔp] *v* 1) быть выше (*кого-л., чего-л.*); 2) превосходить.

**out-turn** ['auttə:n] = output 1), 2) *и* 3).

**outvalue** [aut'vælju:] *v* стоить дороже.

**outvie** [aut'vaɪ] *v* превзойти в состязании.

**outvoice** [aut'vɔɪs] *v* перекричать.

**outvote** [aut'vout] *v* 1) иметь перевес голосов; 2) забаллотировать.

**outvoter** [ˈautˌvoutə] *n парл.* избира́тель, не живу́щий в избира́тельном о́круге.

**outwalk** [autˈwɔːk] *v* идти́ да́льше *или* быстре́е (кого́-л.).

**outward** [ˈautwəd] **1.** *a* 1) вне́шний, нару́жный; пове́рхностный; ~ form вне́шность; ~ things окружа́ющий мир; to ~ seeming су́дя по вне́шности; 2) напра́вленный нару́жу; 3) ви́димый; ◊ the ~ man а) те́ло; б) *шутл.* оде́жда;
**2.** *n* 1) вне́шний вид, вне́шность; 2) *pl* вне́шний мир;
**3.** *adv* = outwards.

**outward-bound** [ˈautwədˈbaund] *a мор.* уходя́щий в пла́вание *или* за грани́цу (*о корабле*).

**outwardly** [ˈautwədlɪ] *adv* вне́шне, снару́жи, на вид.

**outwardness** [ˈautwədnɪs] *n* 1) вне́шность; 2) объекти́вность.

**outwards** [ˈautwədz] *adv* нару́жу, за преде́лы.

**outwash** [autˈwɔʃ] *v* отмыва́ть; смыва́ть; отчища́ть.

**outwatch** [autˈwɔtʃ] *v* 1) не ложи́ться спать до́льше *кого́-л.*; бо́дрствовать (*всю ночь*); 2) следи́ть (*за предме́том, пока он не исче́знет из ви́ду*).

**outwear** [autˈwɛə] *v* (outwore; outworn) 1) изна́шивать; 2) (*обыкн. p. p.*) истоща́ть (*терпе́ние*); 3) быть прочне́е, носи́ться до́льше (*о вещи*).

**outweigh** [autˈweɪ] *v* 1) быть тяжеле́е, превосходи́ть в ве́се; 2) переве́шивать; быть бо́лее влия́тельным, ва́жным *и т. п.*

**outwent** [autˈwent] *past от* outgo 2.

**outwit** [autˈwɪt] *v* перехитри́ть; провести́ (*кого́-л.*).

**outwore** [autˈwɔː] *past от* outwear.

**outwork 1.** *n* [ˈautwəːk] 1) рабо́та вне мастерско́й; 2) *воен.* вне́шнее укрепле́ние;
**2.** *v* [autˈwəːk] рабо́тать лу́чше и быстре́е (*чем кто́-л.*).

**outworker** [ˈautˌwəːkə] *n* надо́мник; надо́мница.

**outworn 1.** [autˈwɔːn] *p. p. от* outwear;
**2.** *a* [ˈautwɔːn] 1) изно́шенный; него́дный к употребле́нию; 2) устаре́лый (*о поня́тиях*); 3) изнуре́нный.

**ouzel** [ˈuːzl] *n* дрозд (*особ.* чёрный).

**ova** [ˈouvə] *pl от* ovum.

**oval** [ˈouvəl] **1.** *a* ова́льный;
**2.** *n* ова́л.

**ovariotomy** [ouˌvɛərɪˈɔtəmɪ] *n мед.* удале́ние яи́чника, овариотоми́я.

**ovary** [ˈouvərɪ] *n* 1) *анат.* яи́чник; 2) *бот.* за́вязь.

**ovate** [ˈouveɪt] *бот. см.* oval 1.

**ovation** [ouˈveɪʃən] *n* ова́ция.

**oven** [ˈʌvn] *n* 1) печь; 2) *attr.:* ~ loss упёк.

**oven-bird** [ˈʌvnbəːd] *n зоол.* 1) печни́к (*птица*); 2) ополо́вник, длиннохво́стая сини́ца.

**over** [ˈouvə] **1.** *prep* 1) *ука́зывает на взаи́мное положе́ние предме́тов:* а) над, вы́ше; ~ our heads α) над на́шими голова́ми; β) сверх, вы́ше на́шего понима́ния; γ) *разг.* не посове́товавшись с на́ми; б) че́рез; a bridge ~ the river мост че́рез ре́ку;
в) по ту сто́рону, за, че́рез; a village ~ the river дере́вня по ту сто́рону реки́; he lives ~ the road он живёт че́рез доро́гу; г) у, при, за; they were sitting ~ the fire они́ сиде́ли у ками́на; 2) *ука́зывает на хара́ктер движе́ния:* а) че́рез, о; he jumped ~ the ditch он перепры́гнул че́рез кана́ву; to flow ~ the edge бежа́ть че́рез край; to stumble ~ a stone споткну́ться о ка́мень; б) пове́рх, на; he pulled his hat ~ his eyes он надви́нул шля́пу на глаза́; в) по, по всей пове́рхности; ~ the whole country, all ~ the country по всей стране́; 3) *ука́зывает на промежу́ток вре́мени, в тече́ние кото́рого происходи́ло де́йствие* за, в тече́ние; he packed ~ two hours он собра́лся за два часа́; to stay ~ the whole week остава́ться в тече́ние всей неде́ли; 4) *ука́зывает на коли́чественное или числово́е превыше́ние* свы́ше, сверх, бо́льше; ~ two years бо́льше двух лет; ~ five millions свы́ше пяти́ миллио́нов; 5) *ука́зывает на превосхо́дство в положе́нии, старшинство́ и т. п.* над; a general is ~ a colonel генера́л ста́рше по чи́ну, чем полко́вник; they want a good chief ~ them им ну́жен хоро́ший нача́льник; 6) *ука́зывает на исто́чник, сре́дство и т. п.* че́рез, че́рез посре́дство, по; I heard it ~ the radio я слы́шал э́то по ра́дио; 7) относи́тельно, каса́тельно; to talk ~ the matter говори́ть относи́тельно э́того де́ла; ◊ ~ the signature за по́дписью; she was all ~ him она́ не зна́ла, как лу́чше угоди́ть ему́;
**2.** *adv* 1) *ука́зывает на движе́ние че́рез что́-л.; передаётся приста́вками пере-, вы-;* to jump ~ перепры́гнуть; to swim ~ переплы́ть; to boil ~ *разг.* убега́ть (*о молоке́ и т. п.*); 2) *ука́зывает на повсеме́стность или всеохва́тывающий хара́ктер де́йствия или состоя́ния:* hills covered all ~ with snow холмы́, сплошь покры́тые сне́гом; paint the cup ~ покра́сь всю ча́шку; 3) *ука́зывает на доведе́ние де́йствия до конца́; передаётся приста́вкой про-;* to read the story ~ прочита́ть расска́з до конца́; to think ~ продума́ть; 4) *ука́зывает на оконча́ние, прекраще́ние де́йствия:* the meeting is ~ собра́ние око́нчено; it is all ~ всё ко́нчено; всё пропа́ло; 5) сно́ва, вновь, ещё раз; the work is badly done, it must be done ~ рабо́та сде́лана пло́хо, её ну́жно передéлать; 6) вдоба́вок, сверх, сли́шком, чересчу́р; I paid my bill and had five shillings ~ я заплати́л по счёту, и у меня́ ещё оста́лось пять ши́ллингов; he is ~ polite он чрезвыча́йно любе́зен; 7) *име́ет уси́лительное значе́ние:* ~ there вон там; let him come ~ here пусть-ка он придёт сюда́; take it ~ to the post-office отнеси́-ка э́то на по́чту; hand it ~ to them переда́й-ка им э́то; ☐ ~ against а) про́тив, напро́тив; б) по сравне́нию с; ◊ ~ and ~ (again) мно́го раз, сно́ва и сно́ва; ~ and above а) в добавле́ние, к тому́ же; б) с лихво́й; it can stand ~ э́то мо́жет подожда́ть; that is Tom all ~ э́то так хара́ктерно для То́ма, э́то так похо́же на То́ма;
**3.** *n* 1) изли́шек, припла́та; 2) *воен.* перелёт;

**4.** *a* 1) ве́рхний; 2) вышестоя́щий; 3) из-
ли́шний, избы́точный; 4) чрезме́рный.

**over-** [ˈouvə-] *pref* сверх-, над-, чрез-
ме́рно, пере-

**overabundance** [ˈouvərəˈbʌndəns] *n* сверх-
изоби́лие; избы́ток.

**overabundant** [ˈouvərəˈbʌndənt] *a* избы́-
точный.

**overact** [ˈouvərˈækt] *v* переи́грывать
(*роль*).

**over-active** [ˈouvərˈæktɪv] *a* сверхакти́в-
ный.

**overage** [ˈouvəreɪdʒ] *n* перерасто́к.

**overall 1.** *n* [ˈouvərɔːl] рабо́чий хала́т;
спецоде́жда; прозоде́жда; *pl* широ́кие ра-
бо́чие *или* кавалери́йские брю́ки; комбине-
зо́н;

**2.** *a* [ˈouvərɔːl] 1) по́лный, о́бщий, пре-
де́льный; ~ dimensions габари́тные раз-
ме́ры; ~ housing *стр.* тепля́к; 2) всео́бщий;
всеобъе́млющий; всеохва́тывающий;

**3.** *adv* [ˌouvərˈɔːl] 1) повсю́ду; повсе-
ме́стно; 2) по́лностью.

**overanxious** [ˈouvərˈæŋkʃəs] *a* 1) сли́ш-
ком обеспоко́енный; пани́чески настро́ен-
ный; 2) о́чень стара́тельный.

**overarch** [ˌouvərˈɑːtʃ] *v* 1) покрыва́ть сво́-
дом; 2) образо́вывать свод, а́рку.

**overarm** [ˈouvərɑːm] *n* *спорт.* овера́рм
(*стиль плавания*).

**overate** [ˌouvərˈet] *past от* overeat.

**overawe** [ˌouvərˈɔː] *v* держа́ть в благого-
ве́йном стра́хе; внуша́ть благогове́йный
страх.

**overbalance** [ˌouvəˈbæləns] **1.** *n* переве́с;
избы́ток;

**2.** *v* 1) переве́шивать, превосходи́ть;
2) вы́вести из равнове́сия; 3) потеря́ть
равнове́сие и упа́сть.

**overbear** [ˌouvəˈbɛə] *v* (overbore; overborne) 1) переси́ливать; превозмога́ть; 2)
подавля́ть; he overbore all my arguments
его́ до́воды оказа́лись убеди́тельнее всех
мои́х; он меня́ переубеди́л; 3) превосхо-
ди́ть.

**overbearing** [ˌouvəˈbɛərɪŋ] **1.** *pres. p. от*
overbear;

**2.** *a* вла́стный, повели́тельный.

**overblown** [ˈouvəˈbloun] *a* 1) пронёс-
ши́йся (*о буре и т. п.*); 2) непоме́рно раз-
ду́тый.

**overboard** [ˈouvəbɔːd] *adv* за́ борт; за
бо́ртом; man ~! челове́к за бо́ртом!; to
throw ~ выбра́сывать за́ борт; *перен.* по-
кида́ть, броса́ть.

**overboil** [ˈouvəˈbɔɪl] *v* перекипе́ть; *разг.*
убежа́ть (*о молоке и т. п.*).

**overbold** [ˈouvəˈbould] *a* 1) сли́шком
сме́лый, де́рзкий; 2) опроме́тчивый.

**overbore** [ˌouvəˈbɔː] *past от* overbear.

**overborne** [ˌouvəˈbɔːn] *p. p. от* overbear.

**overbought** [ˌouvəˈbɔːt] *past и p. p. от*
overbuy.

**overbridge** [ˈouvəbrɪdʒ] *n* *стр.* путепро-
во́д.

**overbrim** [ˈouvəˈbrɪm] *v* переполня́ть
(-ся); перелива́ть(ся) че́рез край.

**overbuild** [ˈouvəˈbɪld] *v* (overbuilt) 1) над-
стра́ивать; 2) (чрезме́рно) застра́ивать.

**overbuilt** [ˈouvəˈbɪlt] *past и p. p. от*
overbuild.

**overburden** [ˌouvəˈbəːdn] *v* 1) перегру-
жа́ть; 2) отягоща́ть.

**overbuy** [ˌouvəˈbaɪ] *v* (overbought) 1) *уст.*
покупа́ть сли́шком до́рого; 2) покупа́ть
в сли́шком большо́м коли́честве.

**overcame** [ˌouvəˈkeɪm] *past от* overcome.

**over-capitalize** [ˌouvəˈkæpɪtəlaɪz] *v* опре-
деля́ть капита́л (*компании и т. п.*) сли́ш-
ком высоко́.

**overcast** [ˈouvəkɑːst] **1.** *a* покры́тый обла-
ка́ми; мра́чный, хму́рый (*о небе*);

**2.** *v* (overcast) 1) покрыва́ть(ся), закры-
ва́ть(ся); затемня́ть; 2) темне́ть; 3) запо-
шива́ть (*край*); сшива́ть че́рез край.

**overcharge** [ˈouvəˈtʃɑːdʒ] **1.** *v* 1) брать
*или* запра́шивать чрезме́рную це́ну; 2) пе-
регружа́ть; 3) загроможда́ть дета́лями, пре-
увели́чивать (*в описании и т. п.*); 4) *эл.*
перезаряжа́ть; 5) *тех.* перегружа́ть; 6) *воен.*
заряжа́ть уси́ленным заря́дом;

**2.** *n* 1) сли́шком высо́кая цена́, запро́с;
2) *эл.* перезаря́д.

**overcloud** [ˌouvəˈklaud] *v* 1) застила́ть
(-ся) облака́ми; 2) омрача́ть(ся).

**overcoat** [ˈouvəkout] *n* 1) пальто́; 2) ши-
не́ль.

**overcoating** [ˈouvəkoutɪŋ] *n* материа́л на
пальто́.

**over-colour** [ˈouvəˈkʌlə] *v* сгуща́ть кра́с-
ки; преувели́чивать.

**overcome** [ˌouvəˈkʌm] *v* (overcame; overcome) 1) поборо́ть, победи́ть; превозмо́чь;
преодоле́ть; 2) охвати́ть, обуя́ть (*о чувстве*); 3) *pass.* истощи́ть, лиши́ть самообла-
да́ния; ~ by hunger истощённый го́лодом; ~
by (*или* with) drink пья́ный; 4): he was ~
его́ стошни́ло.

**overcrop** [ˌouvəˈkrɔp] *v* истоща́ть зе́млю.

**overcrow** [ˌouvəˈkrou] *v* торжествова́ть
(*над соперником и т. п.*).

**overcrowd** [ˌouvəˈkraud] *v* 1) перепол-
ня́ть (*помещение и т. п.*); 2) толпи́ться.

**overdevelop** [ˈouvədɪˈveləp] *v* *фото* пере-
держа́ть (*при проявлении*).

**overdid** [ˌouvəˈdɪd] *past от* overdo.

**overdo** [ˌouvəˈduː] *v* (overdid; overdone)
1) заходи́ть сли́шком далеко́; «перебор-
щи́ть», перестара́ться; переусе́рдствовать;
2) утри́ровать; преувели́чивать; 3) пере-
жа́ривать; 4) переутомля́ть.

**overdone 1.** [ˌouvəˈdʌn] *p. p. от* overdo;

**2.** *a* [ˈouvəˈdʌn] 1) преувели́ченный,
утри́рованный; 2) пережа́ренный.

**overdose 1.** *n* [ˈouvədous] сли́шком боль-
ша́я, вре́дная до́за;

**2.** *v* [ˈouvəˈdous] дава́ть сли́шком боль-
шу́ю, вре́дную до́зу.

**overdraft** [ˈouvədrɑːft] *n* 1) превыше́ние
своего́ креди́та в ба́нке; 2) *тех.* ве́рхнее
дутье́.

**overdrank** [ˌouvəˈdræŋk] *past от* overdrink.

**overdraw** [ˈouvəˈdrɔː] *v* (overdrew; overdrawn) 1) превы́сить свой креди́т в ба́нке;
2) преувели́чивать.

**overdrawn** [ˈouvəˈdrɔːn] *p. p. от* overdraw.

**overdress 1.** *n* [ˈouvədres] вéрхняя одéжда;
**2.** *v* [ˈouvəˈdres] одевáться слишком нарядно.

**overdrew** [ˈouvəˈdruː] *past om* overdraw.

**overdrink** [ˈouvəˈdriŋk] *v* (overdrank; overdrunk) 1) слишком мнóго пить; выпить бóльше другóго; 2) *refl.* перепиться.

**overdrive** [ˈouvəˈdraiv] *v* (overdrove; overdriven) 1) переутомлять, изнурять; 2) загнáть (*лошадь*).

**overdriven** [ˈouvəˈdrivn] *p. p. om* overdrive.

**overdrove** [ˈouvəˈdrouv] *past om* overdrive.

**overdrunk** [ˈouvəˈdrʌŋk] *p. p. om* overdrink.

**overdue** [ˈouvəˈdjuː] *a* 1) запоздáлый; the train is ~ пóезд запáздывает; 2) просрóченный.

**overdye** [ˌouvəˈdai] *v* 1) перекрáсить в другóй цвет; 2) сдéлать слишком тёмным.

**overeat** [ˈouvərˈiːt] *v refl.* (overate; overeaten) переедáть, объедáться.

**overeaten** [ˈouvərˈiːtn] *p. p. om* overeat.

**over-estimate 1.** *n* [ˈouvərˈestimit] 1) слишком высóкая оцéнка; 2) раздýтая смéта;
**2.** *v* [ˈouvərˈestimeit] 1) переоцéнивать; 2) составлять раздýтую смéту.

**over-expose** [ˈouvəriksˈpouz] *v фото* передержáть (*при съёмке*).

**over-exposure** [ˈouvəriksˈpouʒə] *n фото* передéржка (*при съёмке*).

**overfall** [ˈouvəfɔːl] *n* 1) водослив; 2) *мор.* быстринá.

**overfed** [ˈouvəˈfed] *past и p. p. om* overfeed.

**overfeed** [ˈouvəˈfiːd] *v* (overfed) 1) перекáрмливать; 2) *refl.* объедáться, переедáть.

**overfill** [ˌouvəˈfil] *v* переполнять.

**overfish** [ˈouvəˈfiʃ] *v* ловить рыбу до истощéния водоёма.

**overflow 1.** *n* [ˈouvəflou] 1) вытекáние чéрез край; 2) разлив; 3) избыток; 4) *attr.*: ~ weir *гидр.* водосливная плотина;
**2.** *v* [ˌouvəˈflou] 1) переливáться (*через край*); 2) заливáть, затоплять; разливáться (*о реке*); 3) переполнять; to ~ with smth. быть переполненным чем-л.; to ~ with kindness быть преисполненным добротыʹ.

**overflowing** [ˌouvəˈflouiŋ] **1.** *pres. p. om* overflow;
**2.** *a* 1) льющийся чéрез край; бьющий чéрез край; 2) переполненный.

**overfreight** [ˈouvəˌfreit] = overload.

**overfulfil** [ˈouvəfulˈfil] *v* перевыполнять.

**overfulfilment** [ˈouvəfulˈfilmənt] *n* перевыполнéние.

**overgild** [ˈouvəˈgild] *v* (overgilded[-id], overgilt) позолотить.

**overgilt** [ˈouvəˈgilt] *past и p. p. om* overgild.

**overgrew** [ˈouvəˈgruː] *past om* overgrow.

**overground I** [ˈouvəgraund] *a* надзéмный; ◇ still ~ *разг.* ещё здрáвствующий.

**overground II** [ˌouvəˈgraund] *a* измóлотый *или* измельчённый до пыли.

**overgrow** [ˈouvəˈgrou] *v* (overgrew; overgrown) 1) расти слишком быстро; to ~ oneself чрезмéрно вытягиваться (*о детях*); 2) перерастáть (*что-л.*); вырастáть (*из чего-л.*); to ~ one's clothes вырастáть из плáтья; 3) заглушáть (*о растениях*).

**overgrown** [ˈouvəˈgroun] **1.** *p. p. om* overgrow;
**2.** *a* 1) перерóсший; 2) растýщий без ухóда, не подстриженный (*о растениях*); 3) зарóсший.

**overgrowth** [ˈouvəgrouθ] *n* 1) чрезмéрный, беспорядочный рост; 2) нарóст.

**overhang 1.** *n* [ˈouvəhæŋ] выступ, свес;
**2.** *v* [ˈouvəˈhæŋ] (overhung) выступáть над чем-л., нависáть (*тж. перен.*); выдавáться, свéшиваться; overhung with creepers покрытый вьющимися растéниями.

**overhaul 1.** *n* [ˈouvəhɔːl] 1) подрóбный осмóтр; ревизия; 2) капитáльный ремóнт; 3) пересмóтр;
**2.** *v* [ˌouvəˈhɔːl] 1) разбирáть, тщáтельно осмáтривать (*часто с целью ремóнта*); to ~ state of accounts произвести ревизию бухгалтéрии; to be ~ed by a doctor быть на осмóтре у врачá; 2) капитáльно ремонтировать, перестрáивать, реконструировать; 3) *мор.* догонять, гнáть.

**overhead 1.** *a* [ˈouvəhed] 1) вéрхний; 2) воздýшный; надзéмный; ~ wire воздýшный провóд; ~ railway надзéмная желéзная дорóга; ~ road эстакáда; ~ irrigation дождевáние; ~ crane мостовóй кран; 3): ~ charges, ~ costs, ~ expenses накладныʹе расхóды;
**2.** *adv* [ˈouvəˈhed] наверхý, над головóй; в вéрхнем этажé; на нéбе;
**3.** *n* [ˈouvəhed] накладныʹе расхóды.

**overhear** [ˌouvəˈhiə] *v* (overheard) 1) подслýшивать; 2) нечáянно услыʹшать.

**overheard** [ˌouvəˈhəːd] *past и p. p. om* overhear.

**overheat** [ˈouvəˈhiːt] **1.** *n* перегрéв;
**2.** *v* перегревáть(ся).

**overhung** [ˈouvəˈhʌŋ] *past и p. p. om* overhang.

**over-indulgence** [ˈouvərinˈdʌldʒəns] *n* чрезмéрное увлечéние, злоупотреблéние.

**overissue** [ˈouvərˈisjuː] *фин.* **1.** *n* чрезмéрный выʹпуск;
**2.** *v* выпускáть сверх дозвóленного колúчества (*акции, банкнóты и т. п.*).

**overjoy** [ˌouvəˈdʒɔi] *v* осчастливить, óчень обрáдовать.

**overjoyed** [ˌouvəˈdʒɔid] **1.** *p. p. om* overjoy;
**2.** *a* вне себя от рáдости, óчень довóльный, счастливый (at).

**overjump** [ˈouvəˈdʒʌmp] *v* 1) перепрыгивать, перескáкивать; 2) пропускáть, игнорировать.

**overknee** [ˈouvəˈniː] *a* доходящий выʹше колéн.

**overlabour** [ˌouvəˈleibə] *v* 1) переутомлять рабóтой; 2) слишком тщáтельно отдéлывать.

**overladen** [ˌouvəˈleidn] *a* перегрýженный.

**overlaid** [ˌouvə'leid] *past* и *p. p. om* overlay I, 2.

**overlain** [ˌouvə'lein] *p. p. om* overlie.

**overland** 1. *a* ['ouvəlænd] сухопутный; проходящий целиком *или* большей частью по суше;
2. *adv* [ˌouvə'lænd] по суше, на суше.

**overlap** 1. *v* [ˌouvə'læp] 1) частично покрывать; заходить один за другой; перекрывать; 2) частично совпадать;
2. *n* ['ouvəlæp] *тех.* нахлёстка, перекрышка.

**overlay** I 1. *n* ['ouvəlei] 1) покрышка; 2) *шотл.* галстук; 3) *полигр.* приправка;
2. *v* [ˌouvə'lei] (overlaid) 1) покрывать (*краской* и *т. п.*); 2) *непр. вм.* overlie.

**overlay** II [ˌouvə'lei] *past om* overlie.

**overleaf** ['ouvə'liːf] *adv* на обратной стороне листа, на обороте страницы.

**overleap** [ˌouvə'liːp] *v* 1) перепрыгивать; перескакивать; 2) пропускать; ◇ to ~ oneself переоценить свои возможности.

**overlie** [ˌouvə'lai] *v* (overlay; overlain) 1) лежать на *чём-л.*, над *чем-л.*; 2) задушить (*ребёнка*) во время сна, заспать.

**overling** ['ouvəliŋ] *n* влиятельное *или* высокопоставленное лицо.

**overlive** [ˌouvə'liv] *v* 1) пережить; 2) прожигать жизнь.

**overload** 1. *n* ['ouvəloud] перегрузка;
2. *v* ['ouvə'loud] перегружать.

**overlook** [ˌouvə'luk] *v* 1) возвышаться (*над городом, местностью* и *т. п.*); 2) обозревать; смотреть сверху (*на что-л.*); a view ~ing the town вид на город сверху; 3) выходить на, в; my windows ~ the garden мои окна выходят в сад; 4) надзирать; смотреть (*за чем-л.*); 5) не заметить, проглядеть; не обратить внимания; 6) смотреть сквозь пальцы; to ~ an offence прощать, не взыскивать за проступок *или* обиду; 7) *разг.* сглазить.

**overlord** ['ouvələːd] 1. *n* сюзерен; верховный владыка; повелитель, господин;
2. *v* доминировать; господствовать.

**overly** ['ouvəli] *adv* 1) *разг.* чрезмерно; 2) *шотл.* случайно.

**overman** I ['ouvəmæn] *n* 1) десятник, надзиратель; 2) арбитр; 3) «сверхчеловек».

**overman** II ['ouvəmæn] *v* нанимать слишком много рабочих; раздувать штаты.

**overmantel** ['ouvəˌmæntl] *n* резное украшение над камином.

**overmasted** [ˌouvə'maːstid] *a* имеющий слишком высокие *или* слишком тяжёлые мачты.

**overmaster** [ˌouvə'maːstə] *v* 1) покорить, подчинить себе; 2) овладеть всецело.

**overmastering** [ˌouvə'maːstəriŋ] 1. *pres. p. om* overmaster;
2. *a* непреодолимый; an ~ passion непреодолимая страсть.

**overmatch** [ˌouvə'mætʃ] 1. *n* тот, кто превосходит другого;
2. *v* превосходить силой, умением.

**overmature** ['ouvəmə'tjuə] *a* перезрелый; ~ forest перестойный лес.

**over-measure** ['ouvəˌmeʒə] *n* 1) придача, излишек; 2) припуск.

**overmuch** ['ouvə'mʌtʃ] *adv* чрезмерно, слишком много.

**over-nice** ['ouvə'nais] *a* 1) слишком разборчивый; придирчивый; 2) изощрённый.

**overnight** ['ouvə'nait] 1. *a* происходивший накануне вечером; an ~ conversation беседа накануне вечером;
2. *adv* 1) накануне вечером; 2) с вечера (и всю ночь); всю ночь; to stay ~ ночевать; 3) быстро, скоро.

**overpaid** ['ouvə'peid] *past* и *p. p. om* overpay.

**overpass** [ˌouvə'paːs] *v* 1) переходить, проходить, пересекать; 2) преодолевать; 3) превосходить, превышать; 4) оставлять без внимания, проходить мимо.

**overpast** ['ouvə'paːst] *a* прошедший, прошлый.

**overpay** ['ouvə'pei] *v* (overpaid) переплачивать.

**overpeer** [ˌouvə'piə] *v* 1) возвышаться; 2) превосходить; 3) смотреть свысока.

**overpeopled** [ˌouvə'piːpld] *a* перенаселённый.

**over-persuade** ['ouvəpə'sweid] *v* переубеждать; склонять (*к чему-л.*).

**overplus** ['ouvəplʌs] *n* излишек, избыток.

**overpoise** ['ouvə'poiz] 1. *n* перевес;
2. *v* перевешивать.

**overpopulation** ['ouvəˌpɔpju'leiʃən] *n* перенаселённость.

**overpower** [ˌouvə'pauə] *v* пересиливать, брать верх; подавлять; the heat ~ed me жара одолела меня.

**overpowering** [ˌouvə'pauəriŋ] 1. *pres. p. om* overpower;
2. *a* непреодолимый, подавляющий.

**overpraise** ['ouvə'preiz] *v* перехваливать, захваливать.

**overpressure** ['ouvəˌpreʃə] *n* 1) чрезмерное давление; избыточное давление; 2) слишком большое умственное *или* нервное напряжение.

**overprize** ['ouvə'praiz] *v* 1) переоценивать; 2) *уст.* быть более ценным.

**over-produce** ['ouvəprə'djuːs] *v* перепроизводить.

**over-production** ['ouvəprə'dʌkʃən] *n* перепроизводство.

**over-proof** ['ouvə'pruːf] *a* выше установленного градуса (*о спирте* и *т. п.*).

**overran** [ˌouvə'ræn] *past om* overrun.

**overrate** ['ouvə'reit] *v* переоценивать.

**overreach** 1. *n* ['ouvəˌriːtʃ] 1) обман; 2) засечка (*у лошади*).
2. *v* [ˌouvə'riːtʃ] 1) достигать; распространять(ся); выходить за пределы; 2) перехитрить; to ~ oneself просчитаться, обмануться; 3) достичь незаконным, мошенническим путём; 4) овладевать (*аудиторией* и *т. п.*); 5) *refl.* взять на себя непосильную задачу, зарваться; 6) *refl.* растянуть себе сухожилие; засекаться (*о лошади*).

**over-refine** ['ouvəri'fain] *v* вдаваться в излишние тонкости.

**overrent** [ˌouvə'rent] *v* брать слишком высокую арендную *или* квартирную плату.

**overridden** [ˌouvə'ridn] *p. p. om* override.

**override** [,ouvə'raɪd] *v* (overrode; overridden) 1) переéхать, задавить лóшадью; 2) попирáть (ногáми); 3) отвергáть, не принимáть во внимáние; 4) заéздить (*верховую лошадь*).

**overripe** ['ouvə'raɪp] *a* перезрéлый; перестóйный; ~ wood перестóйный лес.

**overrode** [,ouvə'roud] *past от* override.

**overrotten** ['ouvə'rɔtn] *a* перегнивший.

**overrule** [,ouvə'ruːl] *v* 1) госпóдствовать, верховéнствовать; 2) брать верх; 3) аннулировать, считáть недействительным; 4) отвергáть, отклонять предложéние.

**overrun** [,ouvə'rʌn] *v* (overran; overrun) 1) переливáться чéрез край; наводнять; 2) переходить дозвóленные границы *или* устанóвленные срóки; 3) кишéть; 4) заполнять; глушить (*о сорных травах*); 5) опустошáть (*страну—о неприятеле*); 6) *полигр.* перебрáсывать.

**oversaw** ['ouvə'sɔː] *past от* oversee.

**oversea(s)** ['ouvə'siː(z)] 1. *a* замóрский, заокеáнский; заграничный; ~ trade внéшняя торгóвля; ~ contingents войскá колóний и доминиóнов; ~ service служба радиовещáния для зарубéжных стран (*в Англии*); 2. *adv* зá морем, чéрез мóре; за границей, за границу; to go ~ éхать зá море, за океáн.

**oversee** ['ouvə'siː] *v* (oversaw; overseen) 1) надзирáть, наблюдáть; 2) подсмáтривать; 3) случáйно увидеть.

**overseen** ['ouvə'siːn] *p. p. от* oversee.

**overseer** ['ouvəsɪə] *n* надзирáтель; надсмóтрщик; ~ of the poor *ист.* завéдующий призрéнием бéдных (*в приходе*).

**oversell** [,ouvə'sel] *v* (oversold) запродáть бóльше (*акций, товара*), чем имéется в налично сти.

**overset** [,ouvə'set] *v* (overset) 1) нарушáть лорядок; 2) повергáть в смущéние, расстрóйство; 3) опрокидывать(ся).

**oversew** [,ouvə'sou] *v* (oversewed [-d]; oversewed, oversewn) сшивáть чéрез край.

**oversewn** [,ouvə'soun] *p. p. от* oversew.

**overshadow** [,ouvə'ʃædou] *v* 1) затемнять, затмевáть; 2) омрачáть; 3) *редк.* защищáть от нападéния.

**overshoe** ['ouvəʃuː] *n* галóша, бóт(ик).

**overshoot** ['ouvə'ʃuːt] *v* (overshot) 1) промахнуться (*при стрельбе*); to ~ the mark, to ~ oneself взять выше *или* дáльше цéли; *перен.* зайти слишком далекó; «пересолить»; впасть в ошибку (*см. тж.* 3)]; 2) стрелять лучше (*кого-л.*); 3) превышáть, превосходить; to ~ the mark превысить, превзойти (*определённый*) уровень [*см. тж.* 1)].

**overshot** ['ouvə'ʃɔt] *past и p. p. от* overshoot.

**overshot wheel** ['ouvə'ʃɔt'wiːl] *n* наливнóе (*или* верхнебóйное) колесó.

**overside** ['ouvə'saɪd] *мор.* 1. *a* грузящийся чéрез борт; ~ delivery выгрузка на другóе сýдно; 2. *adv* чéрез борт, зá борт.

**oversight** ['ouvəsaɪt] *n* 1) недосмóтр, оплóшность; 2) *редк.* надзóр.

**over-simplify** [,ouvə'sɪmplɪfaɪ] *v* упрощáть; понимáть слишком упрощённо.

**oversize(d)** ['ouvəsaɪz(d)] *a* 1) бóльше

обычного размéра; 2) *тех.* с преувеличéнием прóтив допустимых предéлов.

**overslaugh** ['ouvəslɔː] *v* 1) *воен.* освобождáть от какóй-л. обязанности ввидý наличия бóлее вáжной; 2) *амер. воен.* обойти чином, не дать хорóшего назначéния; 3) *амер. полит.* препятствовать прохождéнию законопроéкта.

**oversleep** ['ouvə'sliːp] *v refl.* (overslept) проспáть, заспáться.

**oversleeve** ['ouvəsliːv] *n* нарукáвник.

**overslept** ['ouvə'slept] *past и p. p. от* oversleep.

**oversmoke** [,ouvə'smouk] *v* 1) слишком мнóго курить; 2) *refl.* накуриться (*до одурéния*).

**oversold** [,ouvə'sould] *past и p. p. от* oversell.

**overspend** ['ouvə'spend] *v* (overspent) 1) трáтить чрезмéрно мнóго; сорить деньгáми; 2) *refl.* расстрóить своё состояние *или* здорóвье.

**overspent** ['ouvə'spent] *past и p. p. от* overspend.

**overspill** ['ouvəspɪl] *n* 1) то, что прóлито; 2) (эмигрирующий) избыток населéния.

**overspread** [,ouvə'spred] *v* (overspread) 1) покрывáть; 2) распространять(ся); 3) простирáть(ся); 4) разбрáсывать.

**overstaid** ['ouvə'steɪd] *уст. past и p. p. от* overstay.

**overstate** ['ouvə'steɪt] *v* преувеличивать.

**overstatement** ['ouvə'steɪtmənt] *n* преувеличéние.

**overstay** ['ouvə'steɪ] *v* (overstayed [-d], overstaid) загоститься, засидéться; to ~ smb.'s welcome злоупотреблять чьим-л. гостеприимством.

**overstep** ['ouvə'step] *v* 1) переступить, перешагнуть; 2) *перен.* переходить границы.

**overstock** ['ouvə'stɔk] 1. *n* излишний запáс, избыток (*товара*); 2. *v* дéлать слишком большóй запáс; забивáть товáром (*магазин, рынок*).

**overstrain** 1. *n* ['ouvəstreɪn] чрезмéрное напряжéние; 2. *v* ['ouvə'streɪn] переутомлять, перенапрягáть; to ~ oneself переутомляться; this argument is greatly ~ed э́то слишком натянутый аргумéнт.

**overstrung** ['ouvə'strʌŋ] *a* слишком напряжённый (*о нервах и т. п.*).

**oversubscribe** ['ouvəseb'skraɪb] *v* превысить намéченную сýмму (*при подписке и т. п.*); подписáться на бóльшую сýмму, чем трéбуется.

**overt** ['ouvəːt] *a* 1) открытый; неприкрытый; 2) явный, очевидный, нескрывáемый.

**overtake** [,ouvə'teɪk] *v* (overtook; overtaken) 1) догнáть, наверстáть; it's a job you could doubtless ~ with the others э́то дéло, котóрое вы могли бы несомнéнно выполнить одноврéменно с другими; 2) застигнуть врасплóх; 3) овладевáть; to be ~n by terror быть охвáченным страхом; ~n in (*или* with) drink пьяный.

**overtaken** [,ouvə'teɪkən] *p. p. от* overtake.

**overtask** [ˈouvəˈtɑːsk] *v* перегружа́ть рабо́той; дава́ть непоси́льное зада́ние.

**overtax** [ˈouvəˈtæks] *v* 1) обременя́ть чрезме́рными нало́гами; 2) сли́шком напряга́ть си́лы *и т. п.*

**overthrew** [ˌouvəˈθruː] *past om* overthrow 2.

**overthrow** 1. *n* [ˈouvəθrou] пораже́ние; ниспроверже́ние;
2. *v* [ˌouvəˈθrou] (overthrew; overthrown) 1) опроки́дывать; 2) сверга́ть; побежда́ть; уничтожа́ть.

**overthrown** [ˌouvəˈθroun] *p. p. om* overthrow 2.

**overtime** [ˈouvətaim] 1. *n* 1) сверхуро́чные часы́; сверхуро́чное вре́мя; 2) *attr.* сверхуро́чный; ~ pay сверхуро́чная опла́та;
2. *adv* сверхуро́чно;
3. *v* 1) передержа́ть; 2) перевари́ть.

**overtly** [ˈouvətli] *adv* откры́то, публи́чно.

**overtone** [ˈouvətoun] *n муз.* оберто́н.

**overtook** [ˌouvəˈtuk] *past om* overtake.

**overtop** [ˈouvəˈtɔp] *v* 1) превыша́ть; превосходи́ть; 2) превосходи́ть, затмева́ть.

**overtrain** [ˌouvəˈtrein] *v спорт.* надорва́ться во вре́мя трениро́вки, перетрениро́ваться.

**overtrump** [ˈouvəˈtrʌmp] *v* перекрыва́ть ста́ршим ко́зырем.

**overture** [ˈouvətjuə] *n* 1) (*обыкн. pl*) нача́ло перегово́ров; официа́льное предложе́ние; 2) *муз.* увертю́ра.

**overturn** 1. *n* [ˈouvətəːn] 1) пораже́ние; ниспроверже́ние; сверже́ние; 2) *амер.* переворо́т;
2. *v* [ˌouvəˈtəːn] 1) опроки́дывать(ся); па́дать; 2) ниспроверга́ть, сверга́ть; 3) подрыва́ть; уничтожа́ть; опроверга́ть; to ~ a theory опрове́ргнуть тео́рию.

**overvalue** [ˈouvəˈvæljuː] 1. *n* переоце́нка;
2. *v* переоце́нивать, сли́шком высоко́ оце́нивать; придава́ть сли́шком большо́е значе́ние.

**overwatched** [ˌouvəˈwɔtʃt] *a* изнурённый чрезме́рным бо́дрствованием *или* бессо́нницей.

**overweening** [ˌouvəˈwiːniŋ] *a* высокоме́рный, самонаде́янный; ~ ambition чрезме́рное тщесла́вие.

**overweight** 1. *n* [ˈouvəweit] 1) изли́шек ве́са, избы́точный вес; 2) переве́с, преоблада́ние;
2. *a* [ˌouvəˈweit] ве́сящий бо́льше но́рмы; тяжеле́е обы́чного; ~ luggage опла́чиваемый изли́шек багажа́;
3. *v* [ˈouvəˈweit] (*обыкн. p. p.*) перегружа́ть; обременя́ть.

**overwhelm** [ˌouvəˈwelm] *v* 1) овладева́ть, переполня́ть (*о чувстве*; with); 2) потряса́ть, ошеломля́ть, поража́ть; his kindness quite ~ed me его́ доброта́ меня́ про́сто порази́ла; 3) подавля́ть; сокруша́ть, разбива́ть (*неприятеля*); 4) губи́ть, разоря́ть; 5) забра́сывать (*вопросами и т. п.*); 6) зали́вать; 7) зава́ливать.

**overwhelming** [ˌouvəˈwelmiŋ] 1. *pres. p. om* overwhelm;
2. *a* 1) несме́тный; 2) подавля́ющий; ~ majority подавля́ющее большинство́; 3) непреодоли́мый.

**overwind** [ˌouvəˈwaind] *v* перекрути́ть заво́д (*часов и т. п.*).

**overwinter** [ˌouvəˈwintə] *v* перезимова́ть.

**overwork** 1. *n* 1) [ˈouvəwəːk] чрезме́рная *или* сверхуро́чная рабо́та; 2) [ˈouvəˈwəːk] перегру́зка, перенапряже́ние; переутомле́ние;
2. *v* [ˈouvəˈwəːk] 1) сли́шком мно́го рабо́тать; переутомля́ться (*тж.* ~ oneself); 2) переутомля́ть.

**overwrite** [ˌouvəˈrait] *v* (overwrote; overwritten) 1) сли́шком мно́го писа́ть (*о чём-л.*); 2) *refl.* испи́сываться (*о писа́теле и т. п.*).

**overwritten** [ˌouvəˈritn] *p. p. om* overwrite.

**overwrote** [ˌouvəˈrout] *past om* overwrite.

**overwrought** [ˈouvəˈrɔːt] *a* 1) переутомлённый рабо́той; 2) возбуждённый (*о не́рвах*); 3) перегру́женный деталя́ми; 4) сли́шком тща́тельно отде́ланный.

**oviduct** [ˈouvidʌkt] *n анат.* яйцево́д; фалло́пиева труба́.

**oviform** [ˈouvifɔːm] *a* яйцеви́дный, яйцеобра́зный, ова́льный.

**ovine** [ˈouvain] *a* ове́чий.

**oviparous** [ouˈvipərəs] *a* яйцено́сный.

**oviposit** [ˌouviˈpɔzit] *v зоол.* откла́дывать я́йца.

**ovipositor** [ˌouviˈpɔzitə] *n зоол.* яйцекла́д.

**ovoid** [ˈouvɔid] *a* яйцеви́дный, яйцеобра́зный.

**ovule** [ˈouvjuːl] *n* 1) *бот.* семяпо́чка; 2) *биол.* кле́тка яйца́.

**ovum** [ˈouvəm] *n* (*pl* ova) *биол.* яйцо́.

**owe** [ou] *v* 1) быть до́лжным (*кому-л.*); быть в долгу́ (*перед кем-л.*); 2) быть обя́занным; we ~ to Newton the principle of gravitation открытием зако́на тяготе́ния мы обя́заны Нью́тону.

**owing** [ˈouiŋ] 1. *pres. p. om* owe;
2. *a* 1) до́лжный, причита́ющийся, оста́вшийся неупла́ченным; how much is ~ to you? ско́лько вам ещё причита́ется?; 2) обя́занный (*кому-л.*); 3) происходя́щий (to — от);
3. : ~ to (*употр. как prep*) по причи́не, всле́дствие, благодаря́.

**owl** [aul] *n* 1) сова́; 2) о́лух; 3) полуно́чник; ◇ ~ train *амер.* ночно́й по́езд; ~ car *амер.* a) ночно́й трамва́й; б) ночно́е такси́.

**owlet** [ˈaulit] *n* молода́я сова́, совёнок.

**owlish** [ˈauliʃ] *a* похо́жий на сову́.

**owl-light** [ˈaullait] *n* су́мерки.

**own** [oun] 1. *a* (*по́сле притяжа́тельных местоиме́ний и существи́тельных в possessive case*) 1) свой со́бственный; to love truth for its ~ sake люби́ть пра́вду ра́ди неё само́й; name your ~ price назови́те свою́ це́ну; to make one's ~ clothes шить само́й себе́; he is his ~ man он сам себе́ хозя́ин; 2) родно́й; my ~ father мой родно́й оте́ц; 3) люби́мый; излю́бленный; farewell my ~ проща́й, дорого́й; 4) со́бственный, оригина́льный; it was his ~ idea э́то была́ его́ со́бственная иде́я;
2. *n*: to come into one's ~ получи́ть до́лжное; to hold one's ~ сохраня́ть свои́ пози́ции, своё досто́инство, самооблада́ние;

стоя́ть на своём; the patient is holding his ~ больно́й бо́рется с неду́гом; I have nothing of my ~ у меня́ ничего́ нет (*никако́й со́бственности*); on one's ~ *разг.* самостоя́тельно, на со́бственную отве́тственность; **3.** *v* 1) владе́ть; име́ть, облада́ть; to ~ lands владе́ть землёй; 2) признава́ть; to ~ a child признава́ть своё отцо́вство; to ~ one's faults признава́ть свои́ недоста́тки; to ~ to smth. признава́ться в чём-л.; to ~ to the theft признава́ться в кра́же; ▢ ~ up *разг.* а) открове́нно признава́ться; б) безро́потно подчиня́ться; ◇ to ~ it *охот.* напа́сть на след.

**owner** ['ounə] *n* 1) владе́лец; со́бственник, хозя́ин; joint ~ совладе́лец; 2) (the ~) *мор. sl.* команди́р корабля́.

**ownerless** ['ounəlis] *a* 1) бесхозя́йный, бесхо́зный; 2) беспризо́рный.

**ownership** ['ounəʃip] *n* 1) со́бственность; владе́ние; 2) пра́во со́бственности.

**ox** [ɔks] *n* (*pl* oxen) 1) бык; 2) *всякий представитель семейства быков*: вол, бу́йвол, бизо́н *и т. п.*; ◇ the black ox а) ста́рость; б) несча́стье; the black ox has trodden on my foot меня́ пости́гло несча́стье; you cannot flay the same ox twice *посл.* с одного́ вола́ двух шкур не деру́т.

**oxalic** [ɔk'sælik] *a хим.* щаве́левый.

**oxbow** ['ɔksbou] *n* 1) ярмо́; 2) ста́рица, слепо́й рука́в реки́; за́водь.

**oxcart** ['ɔksɑːt] *n* пово́зка, запряжённая вола́ми.

**oxen** ['ɔksən] *n pl* 1) *pl om* ox; 2) *собир.* рога́тый скот.

**oxer** ['ɔksə] = ox-fence.

**ox-eye** ['ɔksai] *n* 1) бы́чий *или* воло́вий глаз; 2) *архит.* кру́глое *или* ова́льное окно́; 3) больша́я сини́ца; 4) *бот.* теле́кия; yellow ~ нивя́ник посевно́й.

**ox-eyed** ['ɔksaid] *a* волоо́кий, большегла́зый.

**ox-driver** ['ɔks,draivə] *n* пого́нщик воло́в.

**ox-fence** ['ɔksfens] *n* и́згородь для рога́того скота́.

**oxford** ['ɔksfəd] *n* 1) полуботи́нок (*тж.* O. shoe); 2) (O.) *attr.* оксфо́рдский; O. man челове́к, получи́вший образова́ние в О́ксфордском университе́те; O. gray се́рый, стально́й цвет.

**oxherd** ['ɔkshəːd] *n* пасту́х.

**oxhide** ['ɔkshaid] *n* воло́вья шку́ра.

**oxidate** ['ɔksideit] = oxidize.

**oxidation** [,ɔksi'deiʃən] *n* окисле́ние.

**oxide** ['ɔksaid] *n хим.* о́кись, о́ксел.

**oxidization** [,ɔksidai'zeiʃən] = oxidation.

**oxidize** ['ɔksidaiz] *v* окисля́ть(ся); оксиди́ровать.

**Oxonian** [ɔk'sounjən] **1.** *n* студе́нт (*тж.* бы́вший) О́ксфордского университе́та; **2.** *a* оксфо́рдский.

**oxtail** ['ɔksteil] *n* 1) воло́вий хвост; 2) *attr.*: ~ soup суп из воло́вьего хвоста́.

**oxter** ['ɔkstə] *шотл.* **1.** *n* подмы́шки; вну́тренняя часть плеча́;
**2.** *v* 1) подде́рживать, взя́вши за́ руки *или* под мы́шки; 2) обнима́ть, сжима́ть в объя́тиях.

**oxygen** ['ɔksidʒən] *n хим.* ~ 1) кислоро́д; 2) *attr.* кислоро́дный; ~ mask кислоро́дная ма́ска; ~ welding *мех.* автоге́нная сва́рка.

**oxygenate** [ɔk'sidʒineit] *v* окисля́ть; насыща́ть кислоро́дом.

**oxygenize** [ɔk'sidʒinaiz] = oxygenate.

**oxygenous** [ɔk'sidʒinəs] *a* кислоро́дный.

**oxygon** ['ɔksigən] *n* остроуго́льный треуго́льник.

**oxymoron** [,ɔksi'mɔːrɔn] *n ритор.* окси́морон.

**oyster** ['ɔistə] *n* у́стрица; ◇ close as an ~ ≅ нем как ры́ба.

**oyster-bank** ['ɔistəbæŋk] *n* у́стричная о́тмель; у́стричный садо́к.

**oyster-bed** ['ɔistəbed] = oyster-bank.

**oyster-farm** ['ɔistəfɑːm] *n* у́стричный садо́к.

**ozocerite, ozokerite** [ou'zoukərit] *n геол.* озокери́т.

**ozone** ['ouzoun] *n хим.* озо́н.

**ozonize** ['ouzənaiz] *v хим.* озони́ровать.

# P

**P,p** [piː] *n* (*pl* Ps, P's [piːz]) *16-я бу́ква англ. алфавита.*

**pa** [pɑː] *n* (*сокр. от* papa) *разг.* па́па, па́почка.

**pabular(y)** ['pæbjulə(ri)] *a* пищево́й, съестно́й; кормово́й.

**pabulum** ['pæbjuləm] *n* пи́ща (*преим. перен.*); mental ~ пи́ща для ума́.

**pace** I [peis] **1.** *n* 1) шаг; длина́ ша́га; 2) шаг, похо́дка, по́ступь; snail's ~ черепа́ший шаг; to put on ~ прибавля́ть ша́гу; to mend one's ~ ускоря́ть шаг; ~ of the warp *текст.* ход осно́вы; 3) ско́рость, темп; to go (*или* to hit) the ~ мча́ться; *перен.* прожига́ть жизнь; to keep ~ with идти́ наравне́ с, не отстава́ть от; to set the ~ задава́ть темп (*в гребле и т. п.*); *перен.* задава́ть тон; 4) аллю́р (*лошади*); 5) ино-

ходь; 6) возвыше́ние на полу́; площа́дка, широ́кая ступе́нька (*лестницы*); ◇ to put smb. through his ~s, to try smb.'s ~s подве́ргнуть кого́-л. испыта́нию; «прощу́пать» кого́-л.;
**2.** *v* 1) шага́ть; расха́живать, 2) измеря́ть шага́ми (*тж.* ~ out); 3) идти́ и́ноходью (*о лошади*); 4) задава́ть темп, вести́ (*в состязании*).

**pace** II ['peisi] *лат. prep* с позволе́ния (*кого-л.*).

**pace-maker** ['peis,meikə] *n* задаю́щий темп.

**pacer** ['peisə] *n* 1) иноходе́ц; 2) = pace-maker.

**pacha** ['pɑːʃə] = pasha.

**pachyderm** ['pækidəːm] *n зоол.* толстоко́жее (*живо́тное*).

**pachydermatous** [ˌpækɪˈdɜːmətəs] *a* толстокожий.

**pacific** [pəˈsɪfɪk] **1.** *a* 1) спокойный, тихий; 2) мирный, миролюбивый; 3) (P.) тихоокеанский;
**2.** *n* (the P.) Тихий океан.

**pacification** [ˌpæsɪfɪˈkeɪʃən] *n* 1) умиротворение, успокоение; 2) усмирение.

**pacificator** [ˌpæsɪfɪˈkeɪtə] *n* миротворец.

**pacificatory** [pəˈsɪfɪkətərɪ] *a* примирительный; успокойтельный.

**pacificism** [pəˈsɪfɪsɪzəm] = pacifism.

**pacificist** [pəˈsɪfɪsɪst] = pacifist.

**pacifism** [ˈpæsɪfɪzəm] *n* пацифизм.

**pacifist** [ˈpæsɪfɪst] *n* пацифист.

**pacify** [ˈpæsɪfaɪ] *v* 1) умиротворять, успокаивать; укрощать (*гнев*); 2) восстанавливать порядок *или* мир; 3) усмирять.

**pack** [pæk] **1.** *n* 1) тюк; вьюк; связка, кипа, узел; пакет; пачка; 2) *воен.* сумка, ранец; 3) группа; банда; ~ of eyed ~ кучка богачей; ~ of crooks банда жуликов; 4) множество, масса; ~ of lies сплошная ложь; 5) свора (*гончих*); стая (*волков и т. п.*); ~ of submarines *воен.* подразделение подводных лодок; 6) колода (*карт*); 7) = pack-ice; 8) *ком.* кипа (*мера веса*); 9) количество заготовленных в течение сезона консервов (*рыбных, фруктовых*); 10) *горн.* закладка; 11) тампон; 12) *стр.* бутовая кладка; 13) *attr.* упаковочный; ~ paper обёрточная бумага; 14) *attr.* вьючный;
**2.** *v* 1) упаковывать(ся), запаковывать (-ся), тюковать (*часто* ~ up); 2) (легко) укладываться, (хорошо) поддаваться упаковке; 3) консервировать; 4) заполнять, набивать, переполнять (*пространство*; with); 5) уплотнять(ся), скучивать(ся); 6) сворить (*гончих*); 7) собираться стаями (*о волках*); 8) навьючивать (*лошадь*); 9) заполнять своими сторонниками (*собрание, съезд и т. п.*); подбирать состав присяжных (*для вынесения противозаконного решения*); 10) *мед.* завёртывать в (мокрые) простыни (*пациента*); □ ~ off выпроваживать, прогонять; ~ up *разг.* а) упаковывать(ся); б) испортиться, выйти из строя (*о механизме*); в) умереть; ◇ to send smb. ~ing выпроводить, уволить кого-л.; to ~ a thing up покончить с чем-л.; ~ it up! *груб.* (по)придержи язык!

**package** [ˈpækɪdʒ] **1.** *n* 1) тюк; кипа; посылка; место (*багажа*); 2) пакет, свёрток; пачка (*сигарет*); 3) упаковка; 4) расходы по упаковке; 5) пошлина с товарных тюков;
**2.** *v* упаковывать.

**pack-animal** [ˈpækˌænɪməl] *n* вьючное животное.

**pack-artillery** [ˈpækɑːˌtɪlərɪ] *n воен.* вьючная артиллерия.

**packer** [ˈpækə] *n* 1) упаковщик (*особ. на пищевом комбинате*); 2) (*преим. амер.*) заготовитель; экспортёр пищевых продуктов (*особ. мясных*); 3) *амер.* рабочий (мясо-) консервного завода; 4) машина для упаковки; 5) *разг.* шулер.

**packet** [ˈpækɪt] *n* 1) пакет, связка; 2) = packet-boat; 3) *sl.* сумма денег, куш;

4) *воен. sl.* пуля; снаряд; to stop (*или* to catch) a ~ быть раненным *или* убитым (пулей, осколком *и т. п.*).

**packet-boat** [ˈpækɪtbout] *n* почтовый пароход, пакетбот.

**pack-horse** [ˈpækhɔːs] *n* вьючная лошадь.

**pack-ice** [ˈpækaɪs] *n* масса плавучего льда; паковый лёд, пак.

**packing** [ˈpækɪŋ] **1.** *pres. p. от* pack 2;
**2.** *n* 1) упаковка; укупорка; I must do my ~ я должен собрать вещи, уложиться; ~ not included цена без упаковки, без тары; 2) упаковочный материал; 3) *тех.* набивка (*сальника и т. п.*); прокладка; уплотнение; 4) *attr.* упаковочный.

**packing-case** [ˈpækɪŋkeɪs] *n* ящик (*для упаковки*).

**packing-needle** [ˈpækɪŋˌniːdl] *n* упаковочная, кулевая игла.

**packing-sheet** [ˈpækɪŋʃiːt] *n* 1) упаковочный холст; 2) *мед.* мокрая простыня, влажная ткань.

**packman** [ˈpækmən] *n* разносчик.

**pack-saddle** [ˈpækˌsædl] *n* вьючное седло.

**packthread** [ˈpækθred] *n* бечёвка, шпагат.

**pack-train** [ˈpæktreɪn] *n* караван, вьючный обоз.

**pact** [pækt] *n* пакт, договор; Pact of Peace Пакт Мира; non-aggression ~ договор о ненападении; to enter into a ~ заключить договор.

**pad I** [pæd] **1.** *n* 1) мягкая прокладка *или* набивка; 2) подушка; подушечка; sanitary ~ *мед.* гигиеническая подушечка; 3) мягкое седло; седёлка; 4) турнюр; 5) блокнот промокательной, почтовой, рисовальной бумаги; бювар; 6) лапа (*зайца и т. п.*); 7) подушечка (*на подошве некоторых животных*); 8) *бот.* плавающий лист (*кувшинки и т. п.*); 9) *тех.* лапа, подкладка, буртик;
**2.** *v* 1) подбивать *или* набивать волосом *или* ватой; подкладывать что-л. мягкое (*тж.* ~ out); 2) перегружать пустыми словами, излишними подробностями (*рассказ, речь и т. п.*; *обыкн.* ~ out); 3) раздувать (*штаты и т. п.*).

**pad II** [pæd] **1.** *n* 1) *sl.* дорога; gentleman (*или* knight, squire) of the ~ разбойник с большой дороги; 2) спокойная лошадь;
**2.** *v* брести, идти пешком; to ~ it, to ~ the hoof *разг.* ходить, бродить по дорогам.

**pad III** [pæd] *n* корзинка (*как мера*).

**pad IV** [pæd] *n амер. sl.* притон, курильня опиума *и т. п.*

**padded** [ˈpædɪd] **1.** *p. p. от* pad I, 2;
**2.** *a* 1): ~ cell палата, обитая войлоком (*для психически больных*); 2): ~ bills раздутые счета.

**padding I** [ˈpædɪŋ] **1.** *pres. p. от* pad I, 2;
**2.** *n* 1) набивка, набивочный материал; 2) литературный материал, вставляемый для заполнения места, «вода»; многословие; 3) текст. плюсование; 4) *тех.* наварка «подушки».

**padding II** [ˈpædɪŋ] *pres. p. от* pad II, 2.

**paddle I** [ˈpædl] **1.** *n* 1) гребок (*короткое весло с широкой лопастью*); double

~ двусторо́ннее весло́; 2) гре́бля; 3) ло́пасть *или* лопа́тка (*гребного колеса*); 4) лопа́тка (*для размешивания*); валёк (*для стирки белья*); 5) затво́р (*шлюза*); 6) *зоол.* плавни́к; ласт; пла́вательная пласти́нка;
2. *v* 1) грести́ одни́м весло́м; плыть на байда́рке; 2) передвига́ться при по́мощи гребны́х колёс; ◇ to ~ one's own canoe ни от кого́ не зави́сеть; де́йствовать незави́симо.

**paddle II** ['pædl] 1. *n амер.* трость для наказа́ний;
2. *v* 1) шлёпать по воде́, плеска́ться; 2) не́рвно тереби́ть па́льцы (in, on, about); 3) ковыля́ть (*о ребёнке*); 4) *амер.* отшлёпать.

**paddle-boat** ['pædlbout] *n* колёсный парохо́д.

**paddle-box** ['pædlbɔks] *n* кожу́х гребно́го колеса́.

**paddle-wheel** ['pædlwi:l] *n* гребно́е колесо́.

**paddock** ['pædək] *n* 1) вы́гон, заго́н (*особ. при ко́нном заво́де*); 2) лужо́к (*при ипподро́ме*); 3) *австрал.* огоро́женный уча́сток земли́; 4) *горн.* квадра́тный шурф.

**Paddy** ['pædɪ] *n разг.* ирла́ндец.

**paddy I** ['pædɪ] *n* рис (*на корню́ и́ли в шелухе́*).

**paddy II** ['pædɪ] *n разг.* при́ступ гне́ва, я́рость.

**paddy III** ['pædɪ] *n* бурово́й инструме́нт.

**paddywhack** ['pædɪwæk] = paddy II.

**Padishah** ['pɑːdɪʃɑː] *перс. n* пади́ша́х.

**padlock** ['pædlɔk] 1. *n* вися́чий замо́к; 2. *v* запира́ть на вися́чий замо́к.

**padre** ['pɑːdrɪ] *исп. n разг.* 1) полково́й *или* судово́й свяще́нник; 2) католи́ческий свяще́нник.

**padrone** [pəˈdrouni] *ит. n* (*pl* -ni) 1) капита́н (*средиземномо́рского торго́вого су́дна*); 2) хозя́ин италья́нской гости́ницы; 3) предприни́матель, эксплуати́рующий у́личных музыка́нтов, ни́щенствующих дете́й, рабо́чих-эмигра́нтов.

**padroni** [pɑːˈdrouniː] *pl от* padrone.

**padronism** [pɑːˈdrounizəm] *n* эксплуата́ция у́личных музыка́нтов и пр. [*см.* padrone 3)].

**Padshah** ['pɑːdʃɑː] = Padishah.

**paean** ['piːən] *n* пеа́н; побе́дная песнь.

**paederasty** ['piːdəræstɪ] *n* педера́стия.

**paediatrician** [ˌpiːdɪəˈtrɪʃən] *n* педиа́тр, врач по де́тским боле́зням.

**paediatrics** [ˌpiːdɪˈætrɪks] *n pl* (*употр. как sing*) педиатри́я, уче́ние о де́тских боле́знях.

**paedology** [pɪˈdɔlədʒɪ] *n* педоло́гия.

**paeon** ['piːən] *n прос.* пеа́н.

**pagan** ['peɪgən] 1. *n* 1) язы́чник; 2) тёмный, непросвещённый челове́к;
2. *a* язы́ческий.

**pagandom** ['peɪgəndəm] *n* язы́ческий мир.

**paganish** ['peɪgənɪʃ] *a* язы́ческий.

**paganism** ['peɪgənɪzəm] *n* язы́чество.

**paganize** ['peɪgənaɪz] *v* 1) обраща́ть в язы́чество; 2) придава́ть язы́ческий хара́ктер.

**page I** [peɪdʒ] 1. *n* страни́ца; 2. *v* нумерова́ть страни́цы.

**page II** [peɪdʒ] *n* 1) паж; 2) ма́льчик-слуга́; 3) *амер.* служи́тель (*в законода́тельном собра́нии*);
2. *v* 1) сопровожда́ть в ка́честве пажа́; 2) *амер.* вызыва́ть (*кого́-л.*), гро́мко выкли́кая фами́лию; ~ Dr. Jones! вы́зовите до́ктора Джо́унза!

**pageant** ['pædʒənt] *n* 1) пы́шное зре́лище; пы́шная проце́ссия; 2) карнава́льное ше́ствие; маскара́д; 3) инсцениро́вка; жива́я карти́на (*представля́ющая истори́ческий эпизо́д*); 4) показно́е, бессодержа́тельное зре́лище, пусто́й блеск; 5) *ист.* подвижна́я сце́на (*на колёсиках*).

**pageantry** ['pædʒəntrɪ] *n* 1) пы́шное зре́лище, великоле́пие, блеск; шик; по́мпа; 2) пуста́я ви́димость; фи́кция, блеф.

**pagehood** ['peɪdʒhud] *n* положе́ние пажа́.

**pageship** ['peɪdʒɪp] *n* до́лжность пажа́.

**paginal** ['pædʒɪnl] *a* (по)страни́чный; ~ reference ссы́лка на страни́цу.

**paginate** ['pædʒɪneɪt] *v* нумерова́ть страни́цы.

**pagination** [ˌpædʒɪˈneɪʃən] *n* нумера́ция страни́ц.

**pagoda** [pəˈgoudə] *n* 1) па́года; 2) назва́ние стари́нной инди́йской золото́й моне́ты с изображе́нием па́годы; 3) лёгкая постро́йка, кио́ск для прода́жи газе́т, табака́ и т. п. (*напомина́ющие по фо́рме па́году*).

**pagoda-tree** [pəˈgoudətriː] *n* инди́йская смоко́вница; ◇ to shake the ~ бы́стро разбогате́ть.

**pagurian** [pəˈgjuːrɪən] *зоол.* 1. *n* рак-отше́льник;
2. *a* из семе́йства ра́ков-отше́льников.

**pah I** [pɑː] *int* тьфу!, фу!

**pah II** [pɑː] *n* укреплённая тузе́мная дере́вня (*в Но́вой Зела́ндии*).

**paid** [peɪd] 1. *past и p. p. от* pay I, 2; 2. *a* опла́чиваемый; на́нятый.

**paideutics** [peɪˈdjuːtɪks] *n pl* (*употр. как sing*) педаго́гика.

**paid-up** ['peɪdʌp] *a* опла́ченный, вы́плаченный; ~ capital опла́ченная часть акционе́рного капита́ла; ~ shares по́лностью опла́ченные а́кции.

**pail** [peɪl] *n* ведро́; бадья́.

**pailful** ['peɪlful] *n* по́лное ведро́.

**paillasse** [pælˈjæs] = palliasse.

**paillette** [pælˈjet] *n* 1) фо́льга, подкла́дываемая под эма́ль; 2) блёстка.

**pain** [peɪn] *n* 1) боль, страда́ние; 2) страда́ние, огорче́ние, го́ре; to be in ~ испы́тывать боль, страда́ть; 3) *pl* стара́ния, труды́; уси́лия; to take ~s, to be at the ~s прилага́ть уси́лия; брать на себя́ труд, стара́ться; to be a fool for one's ~s, to have one's labour for one's ~s напра́сно потруди́ться; to save one's ~s эконо́мить свои́ си́лы; 4): on (*или* under) ~ of death под стра́хом сме́ртной ка́зни; 5) *pl* родовы́е му́ки; ◇ ~s and penalties наказа́ния и взыска́ния; to give smb. a ~ (in the neck) докуча́ть кому́-л.; раздража́ть кого́-л.; a ~ in the neck надое́дливый челове́к;

**2.** *v* 1) му́чить, огорча́ть; 2) причиня́ть боль; боле́ть; my tooth doesn't ~ me now сейча́с зуб у меня́ не боли́т.

**pained** [peɪnd] **1.** *p. p. om* pain 2;
**2.** *a* огорчённый; оби́женный; he looked ~ его́ лицо́ выража́ло страда́ние.

**painful** [ˈpeɪnful] *a* 1) причиня́ющий боль, мучи́тельный, боле́зненный; ~ problem больно́й вопро́с; 2) тя́гостный, тяжёлый; 3) тру́дный.

**pain-killer** [ˈpeɪnˌkɪlə] *n разг.* болеутоля́ющее сре́дство.

**painless** [ˈpeɪnlɪs] *a* безболе́зненный; ~ dentistry безболе́зненное лече́ние и удале́ние зубо́в.

**painstaking** [ˈpeɪnzˌteɪkɪŋ] **1.** *n* стара́ние, усе́рдие;
**2.** *a* 1) стара́тельный, усе́рдный; 2) тща́тельный, кропотли́вый.

**paint** [peɪnt] **1.** *n* 1) кра́ска; окра́ска; 2) *pl* кра́ски; a box of ~s набо́р кра́сок; 3) румя́на; ◇ as smart, pretty, *etc.* as ~ о́чень краси́вый, очарова́тельный, как карти́нка;
**2.** *v* 1) писа́ть кра́сками, занима́ться жи́вописью; 2) кра́сить, окра́шивать; распи́сывать *(стену и т. п.)*; 3) опи́сывать, изобража́ть; to ~ in bright colours опи́сывать я́ркими кра́сками; *перен.* предста́вить в ро́зовом све́те; приукра́сить; 4) кра́ситься, румя́ниться; □ ~ in впи́сывать кра́сками; ~ out закра́шивать *(надпись и т. п.)*; ◇ to ~ the lily пыта́ться укра́сить *или* улу́чшить что-л. уже́ доста́точно хоро́шее; занима́ться беспло́дным де́лом.

**paint-box** [ˈpeɪntbɒks] *n* коро́бка кра́сок.

**paintbrush** [ˈpeɪntbrʌʃ] *n* маля́рная кисть.

**painted** [ˈpeɪntɪd] **1.** *p. p. om* paint 2;
**2.** *a* 1) покра́шенный; разукра́шенный; 2) притво́рный; ◇ ~ sepulchre a) *библ.* гроб пова́пленный; б) лицеме́р.

**Painted Lady** [ˈpeɪntɪd ˈleɪdɪ] *n* репе́йница *(бабочка)*.

**painter** I [ˈpeɪntə] *n* 1) живопи́сец, худо́жник; 2) маля́р; ◇ ~'s colic *мед.* отравле́ние свинцо́м.

**painter** II [ˈpeɪntə] *n мор.* фа́линь; бакшто́в; ◇ to cut the ~ порва́ть связь, отдели́ться; отложи́ться от метропо́лии *(о коло́нии)*.

**painting** [ˈpeɪntɪŋ] **1.** *pres. p. om* paint 2;
**2.** *n* 1) жи́вопись; 2) ро́спись; карти́на; 3) окра́ска; 4) маля́рное де́ло.

**paintress** [ˈpeɪntrɪs] *n* худо́жница.

**painty** [ˈpeɪntɪ] *a* 1) свежевы́крашенный; a ~ smell за́пах кра́ски; 2) перегру́женный кра́сками *(о карти́не)*.

**pair** [pɛə] **1.** *n* 1) па́ра; in ~s па́рами; a carriage and ~ каре́та, запряжённая па́рой; 2) вещь, состоя́щая из двух часте́й; па́рные предме́ты; па́ра; a ~ of scissors (spectacles, compasses, scales) но́жницы (очки́, ци́ркуль, весы́); a ~ of socks (shoes, gloves) па́ра носко́в (боти́нок, перча́ток); 3) (супру́жеская) чета́; жени́х с неве́стой; 4): ~ of stairs, ~ of steps ма́рши, эта́ж; 5) *pl* партнёры *(в ка́ртах)*; 6) *парл.* два чле́на проти́вных па́ртий, не уча́ствующие в голосова́нии по соглаше́нию; 7) сме́на; брига́да *(рабо́чих)*; 8) *attr.* па́рный;

**2.** *v* 1) располага́ть(ся) па́рами; подбира́ть под па́ру; 2) соединя́ть(ся) по́ двое; 3) сочета́ть(ся) бра́ком; 4) спа́ривать(ся), случа́ть; □ ~ off a) разделя́ть(ся) на па́ры; уходи́ть па́рами; б) *разг.* жени́ться, вы́йти за́муж (with).

**-pair** [-pɛə] *в сло́жных слова́х означа́ет* ко́мната; one- (two-, three-)~ front (back) ко́мната во второ́м (тре́тьем, четвёртом) этаже́ на у́лицу (во двор).

**pair-horse** [ˈpɛəhɔːs] *a* па́рный, для па́ры лошаде́й.

**pair-oar** [ˈpɛərɔː] *n спорт.* дво́йка, двухвесе́льная ло́дка.

**pajamas** [pəˈdʒɑːməz] = pyjamas.

**Pakistani** [ˌpɑːkɪsˈtɑːnɪ] **1.** *n* пакиста́нец; **2.** *a* пакиста́нский.

**pal** [pæl] *разг.* **1.** *n* това́рищ, прия́тель; **2.** *v* дружи́ть, подружи́ться *(обы́кн.* ~ up; with, to—с кем-л.).

**palace** [ˈpælɪs] *n* 1) дворе́ц, черто́г; 2) роско́шное зда́ние, особня́к; 3) официа́льная резиде́нция *(высокопоста́вленного духо́вного лица́)*; 4) *attr.* дворцо́вый.

**paladin** [ˈpælədɪn] *n ист.* палади́н; ры́царь.

**palaeogene** [ˈpælɪədʒiːn] *n геол.* палеоге́н, палеоге́новый пери́од.

**palaeographer** [ˌpælɪˈɒɡrəfə] *n* палео́граф.

**palaeography** [ˌpælɪˈɒɡrəfɪ] *n* палеогра́фия.

**palaeolith** [ˈpælɪəlɪθ] *n геол.* палеоли́т, палеолити́ческий пери́од.

**palaeolithic** [ˌpælɪouˈlɪθɪk] *a* палеолити́ческий.

**palaeontologist** [ˌpælɪɒnˈtɒlədʒɪst] *n* палеонто́лог.

**palaeontology** [ˌpælɪɒnˈtɒlədʒɪ] *n* палеонтоло́гия.

**palaeozoic** [ˌpælɪouˈzouɪk] *геол.* **1.** *a* палеозо́йский;
**2.** *n* палеозо́й, палеозо́йская э́ра.

**palaestra** [pəˈlestrə] *n (pl* -trae) *др.-греч.* пале́стра.

**palaestrae** [pəˈlestriː] *pl om* palaestra.

**palankeen, palanquin** [ˌpælənˈkiːn] *n* паланки́н, носи́лки.

**palatable** [ˈpælətəbl] *a* 1) вку́сный, аппети́тный; 2) прия́тный.

**palatal** [ˈpælətl] **1.** *a* 1) нёбный; 2) *фон.* палата́льный;
**2.** *n фон.* палата́льный звук.

**palatalization** [ˌpælətəlaɪˈzeɪʃən] *n фон.* смягче́ние, палатализа́ция.

**palatalize** [ˈpælətəlaɪz] *v фон.* смягча́ть, палатализова́ть.

**palate** [ˈpælɪt] *n* 1) *анат.* нёбо; 2) вкус; 3) скло́нность, интере́с.

**palatial** [pəˈleɪʃəl] *a* 1) дворцо́вый; 2) роско́шный, великоле́пный.

**palatinate** [pəˈlætɪnɪt] *n ист.* палатина́т; пфальцгра́фство.

**palatine** I [ˈpælətaɪn] *n* 1) (P.) *ист.* пфальцгра́ф *(тж.* Count *или* Earl P.); County P. пфальцгра́фство; 2) паланти́н, мехова́я пелери́на.

**palatine** II [ˈpælətaɪn] *анат.* **1.** *a* нёбный; ~ bones нёбные ко́сти;
**2.** *n pl* нёбные ко́сти.

**palaver** [pə'lɑːvə] **1.** *n* 1) совещáние, переговóры (*особ. в Африке с туземцами*); 2) пустáя болтовня; 3) лесть; лжúвые словá; 4) *sl.* дéло;
**2.** *v* 1) болтáть; 2) льстить; заговáривать зýбы.

**pale** I [peɪl] **1.** *n* 1) кол; свáя; 2) *редк.* частокóл; огрáда; 3) граница, чертá, предéлы; чертá осéдлости; beyond the ~ of smth. за предéлами чего́-л.; within the ~ of smth. в предéлах чего́-л.; 4): the (English) P. *ист.* часть Ирлáндии, подвлáстная Áнглии; 5) *геральд.* широкая вертикáльная полосá посредúне щитá;
**2.** *v* обносúть палисáдом, огрáдой, частокóлом, огорáживать.

**pale** II [peɪl] **1.** *a* 1) блéдный; 2) слáбый, тýсклый (*о свете, цвете и т. п.*);
**2.** *v* 1) бледнéть; 2) тускнéть; 3) застáвить побледнéть; бледнúть.

**paleaceous** [ˌpeɪlɪ'eɪʃəs] *a* мякúнный, похóжий на мякúну.

**paled** I [peɪld] 1. *p. p. om* pale I, 2;
**2.** *a* огорóженный (*частокóлом*).

**paled** II [peɪld] *p. p. om* pale II, 2.

**pale-face** ['peɪlfeɪs] *n* бледнолúцый, человéк бéлой рáсы (*в романах из жизни американских индéйцев*).

**Palestinian** [ˌpæles'tɪnɪən] **1.** *a* палестúнский;
**2.** *n* жúтель Палестúны.

**palestra** [pə'lestrə] = palaestra.

**paletot** ['pæltou] *фр. n* свобóдное, ширóкое пальтó.

**palette** ['pælɪt] *n* 1) палúтра; 2) *тех.* груднóй упóр для коловорóта.

**palette-knife** ['pælɪtnaɪf] *n жив.* мастихúн.

**palfrey** ['pɔːlfrɪ] *n уст.,* поэт. верховáя лóшадь (*преим.* дáмская).

**Pali** ['pɑːlɪ] *n* пáли (*индийский диалект, священный язык буддистов*).

**palimpsest** ['pælɪmpsest] *греч.* **1.** *n* палимпсéст;
**2.** *a* напúсанный на мéсте прéжнего тéкста.

**palindrome** ['pælɪndroum] *греч. n* палиндрóм.

**paling** I ['peɪlɪŋ] **1.** *pres. p. om* pale I, 2;
**2.** *n* 1) палисáд, забóр, частокóл; тын; 2) кол; кóлья.

**paling** II ['peɪlɪŋ] *pres. p. om* pale II, 2.

**palingenesis** [ˌpælɪn'dʒenɪsɪs] *n* 1) возрождéние, перерождéние; 2) *биол.* палингенéз(ис), возрождéние, регенерáция органúзма *или* его́ чáсти.

**palinode** ['pælɪnoud] *греч. n* 1) палинóдия; 2) отречéние, откáз от свои́х слов, взгля́дов.

**palisade** [ˌpælɪ'seɪd] **1.** *n* 1) частокóл, палисáд; 2) кол (*для палисада*); 3) *pl амер.* ряд отвéсных скал;
**2.** *v* обносúть частокóлом.

**palisander** [ˌpælɪ'sændə] *n бот.* палисáндр; палисáндровое дéрево.

**palish** ['peɪlɪʃ] *a* бледновáтый.

**pall** I [pɔːl] **1.** *n* 1) покрóв (*на гробе*); 2) завéса, пеленá; покрóв; 3) мáнтия, облачéние;

**2.** *v* 1) покрывáть, окýтывать покрóвом; 2) затемня́ть.

**pall** II [pɔːl] *v* 1) надоедáть (*обыкн.* ~ on); 2) пресыщáть(ся).

**palladia** [pə'leɪdjə] *pl om* palladium I.

**palladium** I [pə'leɪdjəm] *n* (*pl* -dia) залóг безопáсности; щит, защúта.

**palladium** II [pə'leɪdjəm] *n хим.* паллáдий.

**Pallas** ['pæləs] *n миф.* Паллáда.

**pallet** I ['pælɪt] *n* 1) солóменная постéль, солóменный тюфя́к; 2) кóйка, нáры.

**pallet** II ['pælɪt] *n* 1) = palette; 2) *тех.* подпя́тник; шпáтель; плúтка (*конвéйера*); 3) я́корь телегрáфного аппарáта.

**pallet-bed** ['pælɪtbed] *n* 1) = pallet I, 1); 2) жáлкое лóже, жёсткое лóже *и т. п.*

**pallia** ['pælɪə] *pl om* pallium.

**palliasse** [pæl'jæs] *n* солóменный тюфя́к.

**palliate** ['pælɪeɪt] *v* 1) врéменно облегчáть (*болезнь*); 2) извиня́ть, смягчáть (*преступление, вину*); 3) покрывáть, замáлчивать.

**palliation** [ˌpælɪ'eɪʃən] *n* 1) врéменное облегчéние (*болезни*); 2) оправдáние (*преступления*).

**palliative** ['pælɪətɪv] **1.** *a* 1) паллиатúвный; 2) смягчáющий;
**2.** *n* 1) паллиатúв, полумéра; 2) смягчáющее обстоя́тельство.

**pallid** ['pælɪd] *a* (мéртвенно-)блéдный.

**pallidness** ['pælɪdnɪs] *n* ужасáющая блéдность.

**pallium** ['pælɪəm] *лат. n* (*pl* pallia) 1) плащ; 2) *зоол.* мáнтия (*моллюсков*).

**pall-mall** ['pel'mel] *n название старинной игры в шáры.*

**pallor** ['pælə] *n* блéдность.

**pally** ['pælɪ] *a разг.* дрýжеский, дрýжественный.

**palm** I [pɑːm] **1.** *n* 1) ладóнь; 2) *мор.* лáпа (*якоря*); 3) лóпасть (*весла*); ◊ to grease (*или* to oil) smb.'s ~ дать взя́тку кому́-л., подмáзать кого́-л.; to have an itching ~ быть взя́точником; быть корыстолюбúвым, жáдным;
**2.** *v* 1) пря́тать в рукé (*карты и т. п.*); 2) трóгать ладóнью, глáдить; 3) подкупáть; ☐ ~ off всучáть; сбывáть, подсóвывать (оп, *упоп—кому́-л.*).

**palm** II [pɑːm] *n* 1) пáльма, пáльмовое дéрево; 2) пáльмовая ветвь; *перен.* побéда, триýмф; to bear (*или* to carry) the ~ получúть пáльму пéрвенства; одержáть побéду; to yield the ~ уступúть пáльму пéрвенства; признáть себя́ побеждённым; 3) вéточка вéрбы *и т. п.*; 4) *attr.* пáльмовый; ◊ P. Sunday *церк.* вéрбное воскресéнье.

**palmaceous** [pæl'meɪʃəs] *a бот.* пáльмовый.

**Palma Christi** ['pælmə'krɪstɪ] *n бот.* клещевúна.

**palmar** ['pælmə] *a анат.* ладóнный.

**palmary** ['pælmərɪ] *a* заслýживающий пáльму пéрвенства, превосхóдный.

**palmate**, **palmated** ['pælmɪt, -ɪd] *a* 1) *бот.* лáпчатый, пáльчатый; 2) *зоол.* снабжённый плáвательной перепóнкой (*о ногах птицы*).

**palm-cat** ['pɑːmkæt] = palm-civet.
**palm-civet** ['pɑːm,sɪvɪt] n зоол. пáльмовая куни́ца, страннохвóст.
**palmcrist** ['pɑːmkrɪst] = Palma Christi.
**palmer** ['pɑːmə] n 1) палóмник; 2) зоол. гу́сеница.
**palmetto** [pæl'metou] n (pl -os [-ouz]) бот. кáрликовая пáльма; ◇ P. State амер. шутли́вое название штата Южная Каролина.
**palmful** ['pɑːmful] n гóрсть.
**palm-grease** ['pɑːmgriːs] = palm-oil 2).
**palmiped(e)** ['pælmɪped (-piːd)] зоол. 1. a лапчатонóгий;
2. n лапчатонóгая пти́ца.
**palmist** ['pɑːmɪst] n хиромáнт.
**palmistry** ['pɑːmɪstrɪ] n хиромáнтия.
**palmitic** [pæl'mɪtɪk] a хим. пальмити́новый.
**palm-oil** ['pɑːmɔɪl] n 1) пáльмовое мáсло; 2) разг. взя́тка.
**palm-tree** ['pɑːmtriː] = palm II,1).
**palm-worm** ['pɑːmwəːm] = palmer 2).
**palmy** ['pɑːmɪ] a 1) поэт. пáльмовый; изоби́лующий пáльмами; 2) счастли́вый, цвету́щий; (one's) ~ days перио́д расцвéта.
**palmyra** [pæl'maɪərə] n бот. пáльма-пальми́ра.
**palp** [pælp] n зоол. щу́пальце.
**palpability** [,pælpə'bɪlɪtɪ] n 1) осязáемость; 2) очеви́дность.
**palpable** ['pælpəbl] a 1) осязáемый, ощути́мый; 2) очеви́дный, я́вный.
**palpal** ['pælpəl] a зоол. осязáтельный.
**palpate** ['pælpeɪt] v ощу́пывать.
**palpation** [pæl'peɪʃən] n ощу́пывание.
**palpi** ['pælpaɪ] pl от palpus.
**palpitate** ['pælpɪteɪt] v 1) би́ться, пульси́ровать; 2) трепетáть; дрожáть (от страха, радости и т. n.; with).
**palpitating** ['pælpɪteɪtɪŋ] 1. pres. p. от palpitate;
2. a животрепéщущий; ~ interest животрепéщущий интерéс.
**palpitation** [,pælpɪ'teɪʃən] n 1) сердцебиéние; пульсáция; 2) трéпет, дрожь.
**palpus** ['pælpəs] n (pl -pi) = palp.
**palsgrave** ['pɔːlzgreɪv] n ист. пфальцгрáф.
**palstave** ['pɔːlsteɪv] n археол. кáменное или брóнзовое долотó.
**palsy** ['pɔːlzɪ] 1. n 1) парали́ч; 2) парали́чное дрожáние; 3) перен. состоя́ние пóлной беспóмощности;
2. v 1) парализовáть; разбивáть параличóм; 2) перен. дéлать беспóмощным.
**palter** ['pɔːltə] v 1) криви́ть душóй; плутовáть, хитри́ть; to ~ with facts уви́ливать от прáвды; 2) торговáться; 3) занимáться пустякáми.
**paltry** ['pɔːltrɪ] a 1) пустякóвый, ничтóжный, мéлкий, незначи́тельный; 2) жáлкий; 3) презрéнный.
**paludal** [pæ'ljuːdl] a 1) болóтный; болóтистый; 2) маляри́йный.
**paludicolous** [,pælju'dɪkələs] a болóтный, расту́щий на болóте.
**paludism** ['pæljudɪzəm] n болóтная лихорáдка, маляри́я.

**paly** ['peɪlɪ] a поэт. блéдный; бледновáтый.
**pampas** ['pæmpəz] n pl пампáсы.
**pampas-grass** ['pæmpəzgrɑːs] n пампáсовая травá.
**pamper** ['pæmpə] v баловáть, изнéживать.
**pampero** I [pɑːm'peɪrou] исп. n (pl -os [-ouz]) индéец из óбласти пампáсов.
**pampero** II [pɑːm'peɪrou] исп. n (pl -os [-ouz]) пампéро (холодный ветер, дующий с Анд к Атлантическому океану).
**pamphlet** ['pæmflɪt] n 1) брошю́ра; 2) памфлéт; 3) техни́ческий проспéкт.
**pamphleteer** [,pæmflɪ'tɪə] 1. n 1) áвтор (полеми́ческих) брошю́р; 2) памфлети́ст;
2. v 1) писáть брошю́ры; 2) полемизи́ровать.
**Pan** [pæn] n 1) миф. Пан; 2) язы́чество.
**pan** [pæn] 1. n 1) кастрю́ля; ми́ска, таз; сковородá; прóтивень; 2) чáшка (весов); 3) котлови́на; 4) небольшáя плаву́чая (бли́нчатая) льди́на; 5) амер. sl. головá; 6) тех. лотóк, поддóн; ковш; 7) геол. поднóчвенный пласт; ортштéйн; 8) метал. под пéчи, вáнна; 9) пóлка (в кремнёвом ружье);
2. v 1) готóвить или подавáть в кастрю́ле; 2) промывáть (золотоносный песок); 3) разг. задáть жáру, подвéргнуть рéзкой кри́тике; ☐ ~ out а) намывáть; б) давáть зóлото (о песке); в) преуспевáть; удавáться; устрáиваться; the business did not ~ out дéло не вы́горело, не удалóсь.
**panacea** [,pænə'sɪə] n панацéя, универсáльное срéдство.
**panache** [pə'næʃ] n 1) плюмáж, султáн; 2) рисóвка, щегольствó.
**panada** [pə'nɑːdə] n хлéбный пу́динг.
**Panama** [,pænə'mɑː] n 1) панáма (шляпа; тж. ~ hat); 2) панáма, крупное мошéнничество.
**Panamanian** [,pænə'meɪnjən] 1. a панáмский;
2. n жи́тель Панáмы.
**Pan-American** ['pænə'merɪkən] a панамерикáнский.
**pancake** ['pænkeɪk] 1. n 1) блин; олáдья; flat as a ~ совершéнно плóский; 2) ав. sl. потéря скóрости из-за преждеврéменного вырáвнивания при посáдке, парашюти́рование;
2. v ав. sl. потеря́ть скóрость из-за преждеврéменного вырáвнивания при посáдке, парашюти́ровать.
**panchayat** [pʌn'tʃaɪət] n англо-инд. тузéмный сéльский суд или совéт (из пяти заседателей).
**panchromatic** ['pænkrou'mætɪk] a фото панхромати́ческий.
**pancratium** [pæn'kreɪʃɪəm] n др.-греч. атлети́ческое состязáние.
**pancreas** ['pæŋkrɪəs] n анат. поджелу́дочная железá.
**panda** ['pændə] n пáнда, кошáчий медвéдь; giant ~ гигáнтская пáнда.
**pandal** ['pændəl] n навéс, сарáй, шалáш.
**Pandean** [pæn'diːən] a: ~ pipe свирéль Пáна.

**pandect** ['pændekt] *n* (*обыкн. pl*) **1)** *ист.* Юстиниа́новы панде́кты; **2)** ко́декс зако́нов.

**pandemic** [pæn'demɪk] *мед.* **1.** *n* пандеми́я; **2.** *a* пандеми́ческий.

**pandemonium** [,pændɪ'mounjəm] *n* **1)** обита́лище де́монов; ад; **2)** ад кроме́шный, столпотворе́ние.

**pander** ['pændə] **1.** *n* **1)** сво́дник; **2)** посо́бник;
**2.** *v* **1)** сво́дничать; **2)** потво́рствовать (to — *чему́-л.*).

**pandit** ['pʌndɪt] = pundit.

**pandora, pandore** [pæn'dɔːrə, pæn'dɔː] *n* банду́ра.

**Pandora's box** [pæn'dɔːrəz'bɔks] *n миф.* я́щик Пандо́ры, исто́чник вся́ческих бед.

**pandowdy** [pæn'daudɪ] *n амер. разг.* я́блочный пу́динг *или* пиро́г.

**pane** [peɪn] *n* **1)** око́нное стекло́; **2)** кле́тка (*в узоре*); **3)** грань (*брилья́нта, га́йки*); **4)** *тех.* лицо́ (*или* бо́ек) молотка́; **5)** = panel 1, 1).

**panegyric** [,pænɪ'dʒɪrɪk] **1.** *n* панеги́рик, похвала́;
**2.** *a* хвале́бный.

**panegyrical** [,pænɪ'dʒɪrɪkəl] *a* хвале́бный.

**panegyrist** [,pænɪ'dʒɪrɪst] *n* панегири́ст.

**panegyrize** ['pænɪdʒɪraɪz] *v* восхваля́ть.

**panel** ['pænl] **1.** *n* **1)** пане́ль, филёнка; **2)** то́нкая доска́ для жи́вописи; панно́; **3)** полоса́ друго́го материа́ла *или* цве́та в пла́тье; **4)** фотосни́мок большо́го форма́та; **5)** полоса́ перга́мента; **6)** спи́сок прися́жных (заседа́телей); прися́жные заседа́тели; **7)** *шотл.* подсуди́мый; обвиня́емый; **8)** спи́сок враче́й страховы́х касс; **9)** ли́чный соста́в, персона́л; коми́ссия; **10)** *тех.* щит управле́ния; распредели́тельная доска́; прибо́рная доска́; **11)** *тех.* кессо́н, я́щик;
**2.** *v* **1)** обшива́ть пане́лями, филёнками; **2)** отде́лывать полосо́й друго́го материа́ла *или* цве́та; **3)** составля́ть спи́сок прися́жных (заседа́телей); включа́ть в спи́сок прися́жных (заседа́телей); **4)** *шотл.* предъявля́ть обвине́ние.

**panel doctor** ['pænl'dɔktə] *n* врач страхка́ссы.

**panelling** ['pænlɪŋ] **1.** *pres. p. от* panel 2; **2.** *n* пане́льная обши́вка.

**panful** ['pænful] *n* по́лная кастрю́ля *и пр.* [*см.* pan 1,1)].

**pang** [pæŋ] *n* **1)** внеза́пная о́страя боль; **2)** *pl* угрызе́ния (со́вести).

**pangolin** [pæŋ'goulɪn] *n зоол.* я́щер.

**panhandle** ['pæn,hændl] **1.** *n* **1)** ру́чка кастрю́ли; **2)** *амер.* дли́нный у́зкий вы́ступ террито́рии ме́жду двумя́ други́ми террито́риями; ◇ P. State *амер. шутливое назва́ние штата Западная Виргиния*;
**2.** *v амер. разг.* проси́ть ми́лостыню.

**panhandler** ['pæn,hændlə] *n амер. разг.* ни́щий, попроша́йка.

**panic I** ['pænɪk] **1.** *n* па́ника;
**2.** *a* пани́ческий;
**3.** *v* **1)** пуга́ть, наводи́ть па́нику; **2)** *sl.* приводи́ть в восто́рг (*публику*); вызыва́ть аплодисме́нты.

**panic II** ['pænɪk] *n бот.* щети́нник италья́нский, мога́р, про́со италья́нское.

**panicky** ['pænɪkɪ] *a разг.* пани́ческий.

**panicle** ['pænɪkl] *n бот.* метёлка.

**panic-monger** ['pænɪk,mʌŋgə] *n* паникёр.

**panic-stricken** ['pænɪk,strɪkən] *a* охва́ченный па́никой.

**paniculate** [pə'nɪkjuleɪt] *a бот.* метёльчатый.

**panjandrum** [pən'dʒændrəm] *n ирон.* ва́жная персо́на, «ши́шка».

**panmixia** [pæn'mɪksɪə] *n биол.* беспоря́дочное скре́щивание.

**pannage** ['pænɪdʒ] *n* **1)** пастьба́ свине́й в лесу́; **2)** пла́та за пастьбу́ свине́й в лесу́; **3)** плодоко́рм (*жёлуди, кашта́ны, оре́хи*).

**panne** [pæn] *n* панба́рхат.

**pannier** ['pænɪə] *n* **1)** корзи́на (*особ. на вьючном живо́тном*); ко́роб; **2)** панье́ (*часть юбки*); **3)** *ист.* плетёный щит (*лучника*).

**pannikin** ['pænɪkɪn] *n* **1)** жестяна́я кру́жка; кастрю́лька; ми́сочка; **2)** *sl.* голова́.

**panoplied** ['pænəplɪd] *a* во всеору́жии.

**panoply** ['pænəplɪ] *n* доспе́хи (*часто перен.*).

**panopticon** [pæn'ɔptɪkən] *n* **1)** пано́птикум; **2)** кру́глая тюрьма́ с помеще́нием для смотри́теля в це́нтре.

**panorama** [,pænə'rɑːmə] *n* панора́ма.

**panoramic** [,pænə'ræmɪk] *a* панора́мный.

**pan-pipe** ['pænpaɪp] *n* свире́ль.

**pansy** ['pænzɪ] **1.** *n* **1)** аню́тины гла́зки, фиа́лка трёхцве́тная; **2)** *разг.* же́нственный мужчи́на; гомосексуали́ст;
**2.** *a* мо́дный, лю́бящий наряжа́ться.

**pant** [pænt] **1.** *v* **1)** ча́сто и тяжело́ дыша́ть, задыха́ться; **2)** пыхте́ть; **3)** стра́стно жела́ть, тоскова́ть (for, after — о чём-л.); **4)** трепета́ть, си́льно би́ться (о се́рдце); **5)** говори́ть задыха́ясь; выпа́ливать (*обыкн.* ~ out);
**2.** *n* **1)** оды́шка; тяжёлое, затруднённое дыха́ние; **2)** пыхте́ние; **3)** бие́ние (се́рдца).

**pantalet(te)s** [,pæntə'lets] *n pl* де́тские *или* да́мские пантало́ны.

**pantaloon** [,pæntə'luːn] *n* **1)** *pl* (*особ. амер.*) брю́ки; *редк.* кальсо́ны; **2)** (*тж. pl*) *ист.* пантало́ны в обтя́жку; *pl* рейту́зы; **3)** (P.) Пантало́не (*персонаж италья́нской коме́дии*); **4)** (P.) второ́й кло́ун.

**pantechnicon** [pæn'teknɪkən] *n* **1)** склад для хране́ния ме́бели; **2)** фурго́н для ме́бели (*тж.* ~ van).

**pantheism** ['pænθiɪzəm] *n* пантеи́зм.

**pantheist** ['pænθiɪst] *n* пантеи́ст.

**pantheistic(al)** [,pænθiː'ɪstɪk(əl)] *a* пантеисти́ческий.

**pantheon** [pæn'θiən] *n* пантео́н.

**panther** ['pænθə] *n зоол.* **1)** панте́ра; леопа́рд; барс; **2)** *амер.* пу́ма; кугуа́р; ягуа́р.

**panties** ['pæntɪz] *n pl разг.* де́тские штани́шки; пантало́ны.

**pantile** ['pæntaɪl] *n* голла́ндская черепи́ца, желобча́тая кро́вельная черепи́ца.

**panto-** ['pæntə-] *pref* все-, обще-, панто-.

**pantograph** ['pæntəgrɑːf] *n* **1)** панто́граф (*прибор для пересъёмки чертежей и рисунков в другом масштабе*); **2)** *эл.* панто́граф, токоприёмник.

**pantomime** ['pæntəmaɪm] 1. *n* 1) панто-
ми́ма; 2) представле́ние для дете́й (*на
рождестве́ в Англии*); 3) язы́к же́стов;
to express oneself in ~ объясня́ться же́-
стами; 4) *ист.* мими́ческий актёр;
2. *v* объясня́ться же́стами.

**pantomimic** [,pæntə'mɪmɪk] *a* пантоми-
ми́ческий.

**pantry** ['pæntrɪ] *n* 1) буфе́тная (*для по-
су́ды и т. п.*); 2) кладова́я (*для прови́зии*).

**pantryman** ['pæntrɪmən] *n* буфе́тчик.

**pants** [pænts] *n pl* (*сокр. от* pantaloons)
1) *амер. разг.* брю́ки, штаны́; 2) кальсо́ны;
3) *ав. sl.* обтека́тели сто́ек шасси́.

**panzer** ['pæntsə] *нем.* 1. *n pl разг.* броне-
си́лы;
2. *a* брониро́ванный; (броне)та́нковый; ~
troops бронета́нковые войска́.

**pap** I [pæp] *n* 1) ка́шка (*для дете́й или
больны́х*); 2) полужи́дкая ма́сса, па́ста,
эму́льсия; 3) *амер. разг.* дохо́ды *или* при-
виле́гии, получа́емые от госуда́рственной
слу́жбы.

**pap** II [pæp] *n* 1) *уст.* сосо́к (*груди*);
2) *тех.* сту́пица, вту́лка.

**papa** [pə'pɑː] *n детск.* па́па.

**papacy** ['peɪpəsɪ] *n* па́пство.

**papal** ['peɪpəl] *a* па́пский.

**papalism** ['peɪpəlɪzəm] *n* папи́зм.

**papaveraceous** [pə,peɪvə'reɪʃəs] *a бот.*
из семе́йства ма́ковых.

**papaverous** [pə'peɪvərəs] *a* ма́ковый.

**papaya** [pə'paɪə] *n* 1) ды́нное де́рево;
2) плод ды́нного де́рева.

**paper** ['peɪpə] 1. *n* 1) бума́га; correspondence ~ пи́счая бума́га высо́кого ка́чества;
ruled ~ лино́ванная бума́га; section ~ бу-
ма́га в кле́тку; rotogravure ~ *полигр.* бума́га
для глубо́кой печа́ти; 2) газе́та; 3) нау́ч-
ный докла́д; статья́; диссерта́ция; 4) экза-
менацио́нный биле́т; 5) обо́и; 6) бума́жный
паке́т; a ~ of needles паке́тик иго́лок;
7) *собир.* векселя́, банкно́ты, креди́тные
бума́ги; бума́жные де́ньги; 8) докуме́нт;
мемора́ндум; *pl* ли́чные *или* служе́бные
докуме́нты; to send in one's ~s пода́ть
в отста́вку; first ~s *амер.* пе́рвые доку-
ме́нты, подава́емые уроже́нцем друго́й стра-
ны́, хода́тайствующим о приня́тии в граж-
да́нство США; 9) *pl* папильо́тки; 10) *sl.*
про́пуск, контрама́рка; 11) *sl.* контрама́-
рочники;
2. *a* 1) бума́жный; ~ money, ~ currency
бума́жные де́ньги; ~ shot *арт.* снаря́д из
бума́жной ма́ссы (*испыта́тельный*); ~ work
а) канцеля́рская рабо́та; б) прове́рка до-
кумента́ции, пи́сьменных рабо́т *и т. п.*;
2) существу́ющий то́лько на бума́ге; 3) га-
зе́тный; ~ war, ~ warfare газе́тная война́;
4) то́нкий как бума́га;
3. *v* 1) завёртывать в бума́гу; 2) окле́и-
вать обо́ями, бума́гой; 3) *sl.* заполня́ть
теа́тр контрама́рочниками.

**paper-back** ['peɪpəbæk] *n* кни́га в обло́ж-
ке.

**paper-boy** ['peɪpəbɔɪ] = news-boy.

**paper-chase** ['peɪpətʃeɪs] *n спорт.* кросс,
в кото́ром бегу́щие впереди́ оставля́ют за
собо́й след из клочко́в бума́ги.

**paper-cutter** ['peɪpə,kʌtə] *n* 1) = paper-
-knife; 2) бумагоре́зальная маши́на.

**paper-fastener** ['peɪpə,fɑːsnə] *n* скре́пка
для бума́г.

**paper-hanger** ['peɪpə,hæŋə] *n* обо́йщик.

**paper-hangings** ['peɪpə,hæŋɪŋz] *n pl* обо́и.

**paper-knife** ['peɪpənaɪf] *n* разрезно́й нож,
нож для бума́ги.

**paper-mill** ['peɪpəmɪl] *n* бума́жная фа́б-
рика.

**paper-stainer** ['peɪpə,steɪnə] *n* 1) фабри-
ка́нт обо́ев; 2) *шутл.* бумагомара́ка.

**paper-weight** ['peɪpəweɪt] *n* пресс-папье́.

**papery** ['peɪpərɪ] *a* похо́жий на бума́гу,
то́нкий.

**papier mâché** ['pæpjeɪ'mɑːʃeɪ] *фр.* *n*
папье́-маше́.

**papilionaceous** [pə,pɪlɪə'neɪʃəs] *a бот.*
мотылько́вый.

**papilla** [pə'pɪlə] *n* (*pl* -lae) *анат., зоол.,
бот.* сосо́чек, бугоро́к.

**papillae** [pə'pɪliː] *pl от* papilla.

**papillary** [pə'pɪlərɪ] *a* сосковидный.

**papillate** [pə'pɪleɪt] *a* покры́тый сосо́ч-
ками; сосковидный.

**papillose** ['pæpɪlous] *a* покры́тый сосо́ч-
ками; бугорчатый.

**papist** ['peɪpɪst] *n* папи́ст.

**papistic(al)** [pə'pɪstɪk(əl)] *a* папи́стский.

**papistry** ['peɪpɪstrɪ] *n* папи́зм.

**papoose** [pə'puːs] *n* инде́йский ребёнок.

**pappose** ['pæpous] *a бот.* снабжённый хо-
холко́м.

**pappus** ['pæpəs] *n бот.* хохоло́к.

**pappy** ['pæpɪ] *a* 1) кашицеобра́зный;
2) мя́гкий, не́жный.

**paprika** ['pæprɪkə] *венг. n* плоды́ струч-
ко́вого (*кра́сного*) пе́рца, кра́сный пе́рец.

**Papuan** ['pæpjuən] 1. *a* папуа́сский;
2. *n* папуа́с; папуа́ска.

**papula** ['pæpjulə] *n* (*pl* -lae) *мед.* па́пула,
пры́щик.

**papulae** ['pæpjuliː] *pl от* papula.

**papular** ['pæpjulə] *a мед.* папулёзный.

**papule** ['pæpjuːl] = papula.

**papulose, papulous** ['pæpjulous, -ləs] *a* 1)
*мед.* папулёзный; бугорко́вый; 2) *бот.*
бугорчатый.

**papyraceous** [,pæpɪ'reɪʃəs] *a* похо́жий
на бума́гу.

**papyri** [pə'paɪəraɪ] *pl от* papyrus.

**papyrus** [pə'paɪərəs] *n* (*pl* -ri) папи́рус.

**par** I [pɑː] *n* 1) ра́венство; on a ~ наравне́;
на одно́м у́ровне (with); 2) парите́т, нор-
ма́льный сравни́тельный курс двух валю́т
(*обы́кн.* ~ of exchange); 3) номина́льная
сто́имость; at ~ по номина́льной сто́и-
мости, альпа́ри; above (below) ~ вы́ше
(ни́же) номина́льной сто́имости; 4) нор-
ма́льное состоя́ние; on a ~ в сре́днем; I feel
below (*или* under) ~ я себя́ пло́хо чу́вст-
вую; up to ~ в норма́льном состоя́нии.

**par** II [pæ] *n* (*сокр. от* paragraph) *разг.*
газе́тная заме́тка.

**par** III [pɑː] = parr.

**parable** ['pærəbl] *n* при́тча, иносказа́-
ние; to take up one's ~ нача́ть говори́ть,
рассужда́ть.

**parabola** [pə'ræbələ] *n геом.* пара́бола.

**parabolic** [͵pærə'bɔlɪk] *a* 1) *геом.* параболический; 2) = parabolical 1).

**parabolical** [͵pærə'bɔlɪkəl] *a* 1) иносказательный; 2) *редк.* = parabolic 1).

**paraboloid** [pə'ræbəlɔɪd] *n геом.* параболоид.

**paracentric(al)** [͵pærə'sentrɪk(əl)] *a* парацентрический, эллиптический.

**parachronism** [pə'rækrənɪzəm] *n* парахронизм, хронологическая ошибка (*отнесение какого-л. события к более позднему времени*).

**parachute** ['pærəʃuːt] 1. *n* 1) парашют; 2) *attr.* парашютный; ~ jump прыжόк с парашютом; ~ landing a) приземлéние с парашютом; б) парашютный десáнт; ~ troops парашютно-десáнтные войскá;
2. *v* парашютировать; спускáться с парашютом; сбрáсывать на парашюте; to ~ to safety спастись на парашюте.

**parachute-jumper** ['pærəʃuːt͵dʒʌmpə] = parachutist.

**parachuter** ['pærəʃuːtə] *n* парашютист.

**parachutist** ['pærəʃuːtɪst] *n* парашютист.

**paraclete** ['pærəkliːt] *n* заступник, утешитель.

**parade** [pə'reɪd] 1. *n* 1) парáд; 2) выставлéние напокáз; to make a ~ of smth. выставлять что-л. напокáз, щеголять, кичиться чем-л.; 3) *воен.* построéние; 4) плац-парáд; 5) мéсто для гулянья; 6) гуляющая публика; 7) *амер.* процéссия;
2. *v* 1) *воен.* стрóить(ся); проходить стрóем; маршировáть; 2) выставлять напокáз; 3) шéствовать; разгýливать.

**parade-ground** [pə'reɪdgraund] *n* плац-парáд, учéбный плац.

**paradigm** ['pærədaɪm] *n* 1) примéр, обрáзец; 2) *грам.* парадигма.

**paradisaic(al)** [͵pærədɪ'seɪk(əl)] = paradisiac(al).

**paradise** ['pærədaɪs] *n* 1) рай; 2) *sl.* галёрка, раёк (*в театре*); 3) декоратúвный сад.

**paradisiac(al), paradisial, paradisian, paradisic(al)** [͵pærə'dɪsɪæk (͵pærədɪ'saɪəkəl), -'dɪsɪəl, -'dɪzɪən, -'dɪzɪk(əl)] *a* рáйский.

**parados** ['pærədɔs] *n воен.* тыльный трáверс.

**paradox** ['pærədɔks] *n* парадóкс.

**paradoxical** [͵pærə'dɔksɪkəl] *a* парадоксáльный.

**paraffin** ['pærəfɪn] 1. *n* 1) *хим.* парафин; 2) керосин; 3) *attr.* парафиновый;
2. *v* покрывáть *или* пропитывать парафином.

**paraffin oil** ['pærəfɪn͵ɔɪl] *n* парафиновое мáсло; керосин.

**paragon** ['pærəgən] 1. *n* 1) образéц (*совершéнства, добродéтели*); 2) алмáз без изъянов, вéсом свыше 100 карáтов; 3) *полигр.* парагóн (*шрифт размéром в 20 пунктов*);
2. *v поэт.* 1) срáвнивать; 2) быть рáвным, соотвéтствовать.

**paragraph** ['pærəgrɑːf] 1. *n* 1) абзáц; to begin a new (*или* fresh) ~ начáть с нóвой строки; 2) парáграф, пункт; 3) *полигр.* корректýрный знак, трéбующий абзáца; 4) газéтная замéтка;

2. *v* 1) помещáть мáленькую замéтку; 2) разделять на абзáцы.

**paragraphic(al)** [͵pærə'græfɪk(əl)] *a* состоящий из парáграфов, пýнктов *или* отдéльных замéток.

**paraguay** ['pærəgwaɪ] *n бот.* матé, парагвáйский чай (*тж.* P. tea).

**Paraguayan** [͵pærə'gwaɪən] 1. *a* парагвáйский;
2. *n* парагвáец; парагвáйка.

**parakeet** ['pærəkiːt] *n зоол.* длиннохвóстый попугáй.

**parakite** ['pærəkaɪt] *n ав.* систéма воздýшных змéев для подъёма наблюдáтеля.

**parallax** ['pærəlæks] *n астр.* параллáкс.

**parallel** ['pærəlel] 1. *n* 1) параллéль; соотвéтствие, аналóгия; in ~ параллéльно; to draw a ~ between срáвнивать с; 2) параллéльная линия; 3) *геогр.* параллéль; 4) *эл.* параллéльное соединéние; 4) *полигр.* знак ‖;
2. *a* 1) параллéльный (to); 2) подóбный, аналогичный; ~ instance подóбный слýчай;
3. *v* 1) проводить параллéль (*между чем-л.*); срáвнивать (with); 2) находить параллéль (*чему-л.*); 3) соотвéтствовать; 4) быть параллéльным, проходить параллéльно; the road ~s the river дорóга прохóдит параллéльно рекé; 5) *эл.* (при)соединять параллéльно, шунтировать.

**parallelepiped** [͵pærəle'lepɪped] *n геом.* параллелепипед.

**parallelism** ['pærəlelɪzəm] *n* параллелизм.

**parallelogram** [͵pærə'leləgræm] *n геом.* параллелогрáмм.

**paralogism** [pə'rælədʒɪzəm] *n* паралогизм, непрáвильное умозаключéние.

**paralogize** [pə'rælədʒaɪz] *v* дéлать лóжное умозаключéние.

**paralyse** ['pærəlaɪz] *v* поражáть параличóм, парализовáть.

**paralyses** [pə'rælisiːz] *pl от* paralysis.

**paralysis** [pə'rælisɪs] *n* (*pl* -yses) паралич.

**paralytic** [͵pærə'lɪtɪk] 1. *a* паралáчный, бессильный;
2. *n* паралитик.

**paramagnetic** [͵pærəmæg'netɪk] *a* парамагнетический.

**paramatta** [͵pærə'mætə] *n* лёгкая полушерстянáя ткань.

**parameter** [pə'ræmɪtə] *n мат., тех.* парáметр.

**paramo** ['pærəmou] *исп. n* (*pl-* os [-ouz]) безлéсное плоскогóрье (*в Южной Амéрике*).

**paramount** ['pærəmaunt] *a* верхóвный; высший; первостепéнный; of ~ importance первостепéнной вáжности; his influence became ~ егó влияние сдéлалось преоблáдающим; ~ agm *воен.* основнóй род войск.

**paramour** ['pærəmuə] *n* любóвник; любóвница.

**parang** ['pɑːræŋ] *n* большóй малáйский нож.

**paranoia** [͵pærə'nɔɪə] *n мед.* паранóйя, паранóидная шизофрения.

**parapack** ['pærəpæk] *n* рáнец парашюта.

**parapet** ['pærəpɪt] *n* 1) парапéт, перила; 2) тротуáр; 3) *воен.* брýствер.

**paraph** [ˈpærəf] **1.** *n* росчерк;
**2.** *v* парафировать, подписывать инициалами (*договор*).

**paraphernalia** [ˌpærəfəˈneɪljə] *n pl* 1) личное имущество; 2) убранство; 3) принадлежности.

**paraphrase** [ˈpærəfreɪz] **1.** *n* пересказ, парафраза;
**2.** *v* пересказывать, парафразировать.

**paraphrastic** [ˌpærəˈfræstɪk] *a* парафрастический.

**paraplegia** [ˌpærəˈpliːdʒɪə] *n мед.* параплегия.

**paraselenae** [ˌpærəsɪˈliːniː] *pl от* paraselene.

**paraselene** [ˌpærəsɪˈliːnɪ] *n* (*pl* -nae) *астр.* параселена, ложная луна.

**parashoot** [ˈpærəʃuːt] *v* стрелять по парашютистам.

**parasite** [ˈpærəsaɪt] *n* 1) *биол.* паразит; 2) паразит, тунеядец.

**parasitic** [ˌpærəˈsɪtɪk] *a* паразитический, паразитный.

**parasiticide** [ˌpærəˈsɪtɪsaɪd] *n* средство для уничтожения паразитов.

**parasitism** [ˈpærəsaɪtɪzəm] *n* паразитизм.

**parasitize** [ˈpærəsaɪtaɪz] *v биол.* паразитировать.

**parasol** [ˌpærəˈsɔl] *n* 1) небольшой зонтик (*от солнца*); 2) *ав.* самолёт с крылом парасоль.

**parataxis** [ˌpærəˈtæksɪs] *n грам.* паратаксис, бессоюзное сочинение *или* подчинение.

**parathyroid** [ˌpærəˈθaɪrɔɪd] *n анат.* околощитовидная железа.

**paratrooper** [ˈpærəˌtruːpə] *n* парашютист.

**paratroops** [ˈpærətruːps] *n pl* парашютные части.

**paratyphoid** [ˌpærəˈtaɪfɔɪd] *n мед.* паратиф.

**paravane** [ˈpærəveɪn] *n мор.* параван.

**par avion** [ˈpɑːr ɑːvjˈɔːŋ] *фр. adv* воздушной почтой.

**parboil** [ˈpɑːbɔɪl] *v* 1) обваривать кипятком, слегка проваривать; 2) перегревать, перекалять; 3) жарить, печь (*о солнце*).

**parbuckle** [ˈpɑːˌbʌkl] **1.** *n* 1) приспособление для подъёма *или* спуска бочек; 2) подъёмный строп;
**2.** *v* поднимать *или* опускать на стропе.

**parcel** [ˈpɑːsl] **1.** *n* 1) пакет, свёрток; тюк, узел; 2) посылка; 3) партия (*товара*); 4) участок (*земли*); 5) of scamps шайка негодяев; 6) *уст.* часть; part and ~ неотъемлемая часть;
**2.** *adv уст.* частично; ~ gilt позолоченный только изнутри (*о посуде*);
**3.** *v* 1) делить на части, дробить (*обыкн.* ~ out); 2) завёртывать в пакет; 3) *мор.* класть клетневину.

**parcelling** [ˈpɑːslɪŋ] **1.** *pres. p. от* parcel 3;
**2.** *n мор.* клетневина.

**parcel post** [ˈpɑːslˈpoust] *n* почтово-посылочная служба.

**parcenary** [ˈpɑːsənərɪ] *n юр.* сонаследование.

**parcener** [ˈpɑːsənə] *n юр.* сонаследник.

**parch** [pɑːtʃ] *v* 1) слегка поджаривать (*ячмень и т. п.*); 2) иссушать, палить, жечь (*о солнце*); 3) пересыхать (*о языке, горле*); запекаться (*о губах*); □ ~ up высыхать, сохнуть.

**parched** **1.** *p. p. от* parch;
**2.** *a* 1) сожжённый, опалённый; 2) пересохший; ~ wayfarer томимый жаждой путник.

**parching** [ˈpɑːtʃɪŋ] **1.** *pres. p. от* parch;
**2.** *a* палящий.

**parchment** [ˈpɑːtʃmənt] *n* 1) пергамент; 2) рукопись на пергаменте; 3) пергаментная бумага; 4) кожура кофейного боба; 5) *attr.* пергаментный.

**parcook** [ˈpɑːˌkuk] *v* слегка проварить, наполовину сварить.

**pard** I [pɑːd] *n уст., поэт.* леопард.

**pard** II [pɑːd] *n амер. sl* компаньон, товарищ.

**pardon** [ˈpɑːdn] **1.** *n* 1) прощение, извинение; I beg your ~ извините; 2) *юр.* помилование; general ~ амнистия; 3) *ист.* индульгенция;
**2.** *v* 1) прощать, извинять; ~ me прошу прощения, извините меня; 2) (по)миловать; оставлять без наказания.

**pardonable** [ˈpɑːdnəbl] *a* простительный.

**pardoner** [ˈpɑːdnə] *n ист.* продавец индульгенций.

**pare** [pɛə] *v* 1) подрезать (*ногти*); срезать корку, кожуру; чистить, обчищать; 3) урезывать, сокращать (*часто* ~ away, ~ down); □ ~ away, ~ off a) срезать, обчищать; б) урезывать, сокращать.

**paregoric** [ˌpærɪˈɡɔrɪk] *мед.* **1.** *a* болеутоляющий;
**2.** *n* болеутоляющее средство.

**parenchyma** [pəˈreŋkɪmə] *n анат., бот.* паренхима.

**parent** [ˈpɛərənt] *n* 1) родитель; родительница; 2) *pl* родители; 3) праотец; предок; 4) животное *или* растение, от которого произошли другие; 5) источник, причина (*зла и т. п.*); 6) *attr.* родительский; 7) *attr.* исходный; являющийся источником; ~ rock *геол.* материнская, маточная порода; жильная порода; ~ plant *с.-х.* исходное растение (*при гибридизации*); 8) *attr.* основной; ~ metal основной металл; ~ shop *воен.* основная мастерская; ~ station *ав.* своя база, свой аэродром; ◇ ~ state метрополия.

**parentage** [ˈpɛərəntɪdʒ] *n* 1) происхождение, линия родства, родословная; 2) *редк.* отцовство; материнство; 3) *собир. редк.* родители.

**parental** [pəˈrentl] *a* 1) родительский; отцовский; материнский (*о чувстве*); 2) являющийся источником.

**parentheses** [pəˈrenθɪsiːz] *pl от* parenthesis.

**parenthesis** [pəˈrenθɪsɪs] *n* (*pl* -theses) 1) *грам.* вводное слово *или* предложение; 2) (*обыкн. pl*) круглые скобки; 3) интермедия, эпизод; интервал.

**parenthesize** [pəˈrenθɪsaɪz] *v* 1) вставлять (*вводное слово*); 2) заключать в скобки.

**parenthetic(al)** [ˌpærənˈθetɪk(əl)] *a* 1) вводный, заключённый в скобки; 2) изобилующий вводными предложениями; 3) вставленный мимохо́дом; 4) *шутл.* криво́й (*о ногах и т. п.*).

**parenthood** [ˈpɛərənthud] *n* отцо́вство; матери́нство.

**paresis** [ˈpærɪsɪs] *n мед.* паре́з, полупарали́ч.

**par excellence** [pɑːrˈeksəlɑ̃ns] *фр. adv* по преиму́ществу; гла́вным о́бразом; в осо́бенности.

**parfleche** [pɑːˈfleʃ] *фр. n* 1) бу́йволовая ко́жа; 2) изде́лие из бу́йволовой ко́жи.

**parget** [ˈpɑːdʒɪt] 1. *n* 1) штукату́рка, обма́зка, гипс; 2) бели́ла; 2. *v* 1) штукату́рить; 2) украша́ть ле́пкой.

**pargetting** [ˈpɑːdʒɪtɪŋ] 1. *pres. p. от* parget 2; 2. *n* (орна́ментная) штукату́рка.

**parhelia** [pɑːˈhiːljə] *pl от* parhelion.

**parhelion** [pɑːˈhiːljən] *n* (*pl* -lia) *астр.* парге́лий, ло́жное со́лнце.

**pariah** [ˈpærɪə] *n* па́рия.

**pariah-dog** [ˈpærɪədɔg] *n* бродя́чая соба́ка.

**Parian** [ˈpɛərɪən] 1. *a* паро́сский; 2. *n* род фарфо́ра.

**paries** [ˈpeɪrɪiːz] *n* (*pl* -etes) *биол.* сте́нка (по́лости о́ргана, лабири́нта).

**parietal** [pəˈraɪɪtl] *a* 1) *анат.* темення́й; 2) *бот.* присте́нный, присте́ночный, стенно́й.

**parietes** [pəˈraɪɪtiːz] *pl от* paries.

**paring** [ˈpɛərɪŋ] 1. *pres. p. от* pare; 2. *n* 1) подреза́ние, сре́зывание; 2) *pl* обре́зки, кожура́, ко́рка, шелуха́; очи́стки.

**Paris** [ˈpærɪs] *n миф.* Пари́с [*см. тж. Список географических названий*].

**Paris doll** [ˈpærɪsdɔl] *n* манеке́н; ку́кла, на кото́рой демонстри́руется моде́ль оде́жды.

**parish** [ˈpærɪʃ] *n* 1) церко́вный прихо́д; 2) прихожа́не; 3) (гражда́нский) о́круг; 4) *attr.* прихо́дский; ~ clerk псало́мщик; ◇ to go on the ~ получа́ть посо́бие по бе́дности; ~ lantern *шутл.* луна́.

**parishioner** [pəˈrɪʃənə] *n* прихожа́нин; прихожа́нка.

**parish register** [ˈpærɪʃˈredʒɪstə] *n* метри́ческая кни́га.

**Parisian** [pəˈrɪzjən] 1. *a* пари́жский; 2. *n* парижа́нин; парижа́нка.

**parity I** [ˈpærɪtɪ] *n* 1) ра́венство; 2) паралле́ли́зм, анало́гия; соотве́тствие; by ~ of reasoning по анало́гии; 3) *эк.* парите́т, равноце́нность.

**parity II** [ˈpærɪtɪ] *n мед.* спосо́бность к деторожде́нию.

**park** [pɑːk] 1. *n* 1) парк (*тж.* автомоби́льный, артилле́рийский *и т. п.*); 2) запове́дник; 3) у́стричный садо́к; 4) *амер.* высокого́рная доли́на; 2. *v* 1) разбива́ть парк, огора́живать под парк (*землю*); 2) ста́вить на (дли́тельную) стоя́нку (*автомобиль*); 3) *разг.* оставля́ть; 4) *воен.* ста́вить па́рком (*артиллерию*).

**parka** [ˈpɑːkə] *n* па́рка (*одежда эскимосов*).

**parkin** [ˈpɑːkɪn] *n* пиро́г из овся́ной муки́ на па́токе.

**parking** [ˈpɑːkɪŋ] 1. *pres. p. от* park 2; 2. *n* 1) стоя́нка; no ~ (allowed) стоя́нка

автотра́нспорта запрещена́ (*надпись*); 2) *амер.* газо́н (с дере́вьями), тя́нущийся посреди́не у́лицы.

**parkway** [ˈpɑːkweɪ] *n амер.* алле́я, бульва́р.

**parky** [ˈpɑːkɪ] *a разг.* холо́дный (*о погоде*).

**parlance** [ˈpɑːləns] *n* язы́к, мане́ра говори́ть *или* выража́ться; in legal ~ на юриди́ческом языке́; in common ~ в простореч́ии.

**parlay** [ˈpɑːleɪ] *амер.* 1. *n* пари́; 2. *v* держа́ть пари́.

**parley** [ˈpɑːlɪ] 1. *n* перегово́ры (*особ. воен.*); to beat (*или* to sound) a ~ воен. дава́ть сигна́л бараба́нным бо́ем *или* зву́ком трубы́ о жела́нии вступи́ть в перегово́ры; 2. *v* 1) вести́ переговоры, догова́риваться; 2) говори́ть (*на иностранном языке*).

**parleyvoo** [ˌpɑːlɪˈvuː] (*испорч. фр.* parlez-vous) *шутл.* 1. *n* 1) францу́зский язы́к; 2) францу́з; 2. *v* болта́ть по-францу́зски.

**parliament I** [ˈpɑːləmənt] *n* 1) парла́мент; 2) *attr.* парла́ментский.

**parliament II** [ˈpɑːləmənt] *n* имби́рный пря́ник.

**parliamentarian** [ˌpɑːləmenˈtɛərɪən] 1. *n* 1) парламента́рий; 2) знато́к парла́ментской пра́ктики; 3) *ист.* сторо́нник парла́мента (*в Англии*); 2. *a* парла́ментский.

**parliamentarism** [ˌpɑːləˈmentərɪzəm] *n* парламентари́зм.

**parliamentary** [ˌpɑːləˈmentərɪ] *a* 1) парла́ментский, парламента́рный; old ~ hand о́пытный парламента́рий; ~ language язы́к, допусти́мый в парла́менте; 2) *разг.* ве́жливый; ◇ ~ train *уст.* устано́вленный парла́ментом дешёвый по́езд 3-го кла́сса.

**parliament-cake** [ˈpɑːləməntkeɪk] = parliament II.

**parlo(u)r** [ˈpɑːlə] *n* 1) скро́мная гости́ная, о́бщая ко́мната; 2) приёмная (*в гостинице*); 3) *амер.* зал, ателье́, кабине́т; hairdresser's ~ парикма́херская; photographer's ~ фотоателье́.

**parlo(u)r boarder** [ˈpɑːlə,bɔːdə] *n* шко́льник-пансионе́р, живу́щий в семье́ хозя́ина пансио́на.

**parlo(u)r car** [ˈpɑːləkɑː] *n амер. ж.-д.* сало́н-ваго́н.

**parlo(u)rmaid** [ˈpɑːləmeɪd] *n* го́рничная.

**parlous** [ˈpɑːləs] *уст., шутл.* 1. *a* 1) опа́сный; 2) затрудни́тельный; 3) сли́шком у́мный *или* хи́трый; 4) ужа́сный, потряса́ющий; 2. *adv* о́чень, ужа́сно.

**parly** [ˈpɑːlɪ] *sl. сокр. от* parliamentary train [*см.* parliamentary ◇].

**Parmesan** [ˌpɑːmɪˈzæn] *n* пармеза́н (*сыр*).

**Parnassian** [pɑːˈnæsɪən] *лит.* 1. *a* парна́сский; 2. *n* парна́сец.

**Parnassus** [pɑːˈnæsəs] *n миф.* Парна́с.

**parochial** [pəˈroukjəl] *a* 1) прихо́дский; 2) ме́стный, у́зкий, ограни́ченный.

**parochialism** [pə'roukjəlɪzəm] *n* ограниченность интересов, узость.

**parodist** ['pærədɪst] *n* пародист.

**parody** ['pærədɪ] 1. *n* пародия; 2. *v* пародировать.

**parole** [pə'roul] 1. *n* 1) честное слово, обещание (*тж.* ~ of honour); on ~ (освобождённый) под честное слово; 2) обязательство пленных не участвовать в военных действиях; 3) *воен.* пароль; 4) *attr.*: ~ officer *амер.* офицер, имеющий право давать льготы арестованным; ~ system *амер.* система, по которой заключённые освобождаются на известных условиях досрочно; 2. *v* освобождать под честное слово.

**parolee** [pə,rou'liː] *n* освобождённый под честное слово.

**paronomasia** [,pærənou'meɪzɪə] *греч. n* каламбур, игра слов.

**paronym** ['pærənɪm] *n* 1) *лингв.* пароним, производное слово того же корня; 2) *лингв. редк.* омофон; 3) *шутл.* однофамилец, тёзка.

**paroquet** ['pærəkɪt] = parakeet.

**parotid** [pə'rɔtɪd] *анат.* 1. *n* околоушная железа; 2. *a* околоушный.

**parotitis** [,pærə'taɪtɪs] *n мед.* воспаление околоушных желёз, свинка.

**paroxysm** ['pærəksɪzəm] *n* пароксизм, припадок, приступ (*болезни, смеха*).

**paroxysmal** [,pærək'sɪzməl] *a* появляющийся пароксизмами; судорожный.

**parpen** ['pɑːpən] *n архит.* камень во всю толщину стены.

**parquet** ['pɑːkeɪ] 1. *n* 1) паркет; 2) передние ряды партера; 3) *attr.* паркетный; ◊ ~ circle задние ряды партера, амфитеатр; 2. *v* настилать паркет.

**parquetry** ['pɑːkɪtrɪ] *n* паркет.

**parr** [pɑː] *n* молодой лосось.

**parrel** ['pɑːrəl] *n мор.* бейфут.

**parricidal** [,pærɪ'saɪdl] *a* отцеубийственный.

**parricide** ['pærɪsaɪd] *n* 1) отцеубийца; матереубийца; 2) изменник родины; 3) отцеубийство; матереубийство; 4) измена родине.

**parrot** ['pærət] 1. *n* попугай; 2. *v* 1) повторять как попугай (*тж.* ~ it); 2) учить (*кого-л.*) бессмысленно повторять (*что-л.*).

**parrotry** ['pærətrɪ] *n* бессмысленное повторение чужих слов.

**parry** ['pærɪ] 1. *n* парирование, отражение удара, увёртка. 2. *v* отражать, парировать (*удар*); to ~ a question уклоняться от ответа, отвечать на вопрос вопросом.

**parse** [pɑːz] *v* делать грамматический разбор.

**Parsee** [pɑː'siː] *n* парс (*последователь учения Зороастра в Индии*).

**Parseeism** [pɑː'siːɪzəm] *n* парсизм, религия парсов.

**parsimonious** [,pɑːsɪ'mounjəs] *a* 1) бережливый, экономный; 2) скупой.

**parsimony** ['pɑːsɪmənɪ] *n* 1) бережливость, экономия; to exercise ~ (of phrase) быть скупым на слова; 2) скупость, скряжничество.

**parsing** ['pɑːzɪŋ] 1. *pres. p. om* parse; 2. *n* грамматический разбор.

**parsley** ['pɑːslɪ] *n бот.* петрушка кудрявая.

**parsnip** ['pɑːsnɪp] *n бот.* пастернак посевной.

**parson** ['pɑːsn] *n* 1) приходский священник, пастор; 2) *разг.* священник, проповедник.

**parsonage** ['pɑːsnɪdʒ] *n* дом приходского священника, пасторат.

**parsonic** [pɑː'sɔnɪk] *a* пасторский.

**parson's nose** ['pɑːsnz'nouz] *n разг.* гузка [*ср.* pope's nose; *см.* pope I, ◊].

**part** [pɑːt] 1. *n* 1) часть, доля; for the most ~ большей частью; in ~ частично, частью; 2) часть (*книги*); выпуск; 3) часть тела, член, орган; the (privy) ~s половые органы; 4) участие, доля в работе; обязанность, дело; to take ~ (*или* to have) ~ in smth. участвовать в чём-л.; it was not my ~ to interfere не моё было дело вмешиваться; to do one's ~ (с)делать своё дело; 5) роль; to play (*или* to act) a ~ а) играть роль; б) притворяться; 6) сторона (*в споре и т. п.*); for my ~ с моей стороны, что касается меня; on the ~ of smb. с чьей-л. стороны; to take the ~ of smb., to take ~ with smb. стать на чью-л. сторону; 7) *pl* края, местность; in foreign ~s в чужих краях; 8) запасная часть; 9) *pl уст.* способности; a man of (good) ~s способный человек; 10) *амер.* пробор (*в волосах*); 11) *грам.*: ~ of speech часть речи; ~ of the sentence член предложения; 12) *муз.* партия, голос; 13) *архит.* 1/30 часть модуля; ◊ on the one ~... on the other ~... с одной стороны..., с другой стороны...; to have neither ~ nor lot in smth. не иметь ничего общего с чем-л.; in good ~ без обиды; благосклонно; милостиво; in bad (*или* evil) ~ с обидой; неблагосклонно; to take in good ~ не обидеться; to take in bad (*или* evil) ~ обидеться; 2. *adv* частью, отчасти; частично; 3. *v* 1) разделять(ся); отделять(ся); расступаться; разрывать(ся); разнимать; разлучать(ся); let us ~ friends расстанемся друзьями; 2) расчёсывать на пробор; 3) *разг.* расставаться (*с деньгами и т. п.*); платить; he won't ~ он не заплатит; 4) *уст.* делить (*между кем-л.*); 5) умирать; □ ~ from расстаться (*или* распрощаться) с кем-л.; ~ with а) with smb. расстаться с кем-л.; б) отдавать, передавать что-л.; в) отпускать (*прислугу*); ◊ to ~ brass rags with smb. *мор. sl.* порвать дружбу с кем-л.; to ~ company with расстаться с; прекратить знакомство с.

**partake** [pɑː'teɪk] *v* (partook; partaken) 1) принимать участие (in, of—в чём-л.); разделять (with — с кем-л.); 2) воспользоваться (*гостеприимством и т. п.*; of); 3) отведать, съесть, выпить (of—что-л.); 4) иметь примесь (*чего-л.*); отзываться (*чем-л.*); the vegetation ~s of a tropical character растительность имеет до некоторой степени тропический характер.

**partaken** [pɑː'teɪkən] *p. p. от* partake.

**partaker** [pɑː'teɪkə] *n* участник.

**partan** ['pɑːtn] *n шотл.* краб.

**parted** ['pɑːtɪd] 1. *p. p. от* part 3;
2. *a* 1) разделённый; ~ lips полуоткрытый рот; 2) разлучённый..

**parterre** [pɑː'teə] *фр. n* 1) партер; 2) *амер.* задние ряды партера, амфитеатр; 3) цветник.

**parthenogenesis** ['pɑːθɪnou'dʒenɪsɪs] *n биол.* партеногенез.

**Parthian** ['pɑːθjən] *a* парфянский; ~ shaft (*или* shot, arrow) *перен.* парфянская стрела (*замечание и т. п., приберегаемое к моменту ухода*).

**parti** ['pɑː'tiː] *фр. n* партия (*в браке*).

**partial** ['pɑːʃəl] *a* 1) частичный, неполный; частный; 2) пристрастный; 3) неравнодушный (to —к *чему-л.*, *кому-л.*); he is very ~ to sport он очень любит спорт.

**partiality** [,pɑːʃɪ'ælɪtɪ] *n* 1) пристрастие; 2) склонность (for—к).

**partible** ['pɑːtɪbl] *a* 1) делимый; 2) подлежащий делению (*особ. о наследстве*).

**participant** [pɑː'tɪsɪpənt] *n* участник, участвующий.

**participate** [pɑː'tɪsɪpeɪt] *v* 1) участвовать (in); 2) разделять (in — *что-л.*) — с *кем-л.*); 3) пользоваться (in—*чем-л.*); 4) *редк.* иметь общее (of—с *чем-л.*).

**participation** [pɑː,tɪsɪ'peɪʃən] *n* участие; соучастие.

**participator** [pɑː'tɪsɪpeɪtə] *n* участник.

**participial** [,pɑːtɪ'sɪpɪəl] *a грам.* причастный; деепричастный.

**participle** ['pɑːtsɪpl] *n грам.* причастие; деепричастие.

**particle** ['pɑːtɪkl] *n* 1) частица; крупица; ~ of dust пылинка; 2) *грам.* неизменяемая частица; суффикс; префикс; 3) статья (*документа*).

**particoloured** ['pɑːtɪ,kʌləd] *a* пёстрый, разноцветный.

**particular** [pə'tɪkjulə] 1. *a* 1) специфический, особый, особенный; определённый; 2) индивидуальный, частный, отдельный; 3) особый, исключительный; заслуживающий особого внимания; it is of no ~ importance особой важности это не имеет; he is a ~ friend of mine он мой близкий друг; for no ~ reason без особого основания; 4) подробный, детальный, обстоятельный; 5) тщательный; to be ~ in one's speech тщательно выбирать выражения; очень следить за своей речью; 6) разборчивый, привередливый; ~ about what (*или* ~ as to what) one eats разборчивый в еде;
2. *n* 1) частность; подробность, деталь; in ~ в частности, в особенности; to go into ~s вдаваться в подробности; 2) *pl* подробный отчёт; to give all the ~s давать подробный отчёт; ◇ London ~ *разг.* лондонский туман.

**particularism** [pə'tɪkjulərɪzəm] *n* 1) исключительная приверженность (*к кому-л.*, *чему-л.*); 2) *полит.* партикуляризм, сепаратизм.

**particularity** [pə,tɪkju'lærɪtɪ] *n* 1) подробность; особенность; специфика; 2) тщательность; обстоятельность; 3) *редк.* разборчивость.

**particularize** [pə'tɪkjuləraɪz] *v* подробно останавливаться (*на чём-л.*), вдаваться в подробности.

**particularly** [pə'tɪkjuləlɪ] *adv* 1) очень, чрезвычайно; особенно, в особенности; 2) особенно, особым образом; 3) индивидуально, лично; в отдельности; generally and ~ в общем и в частности; 4) подробно, детально.

**parting** ['pɑːtɪŋ] 1. *pres. p. от* part 3;
2. *n* 1) расставание, разлука; отъезд; прощание; at ~ на прощание; 2) разделение; разветвление; the ~ of the ways разветвление дороги; перепутье, распутье (*часто перен.*); 3) пробор (*в волосах*); 4) *уст.* смерть; 5) *тех.* отделение, отрезание (*резцом*); 6) *геол.* отдельность, разделяющая пласты; пустая порода;
3. *a* 1) прощальный; 2) уходящий, умирающий; угасающий; ~ day день, склоняющийся к вечеру; 3) разделяющий; разветвляющийся, расходящийся (*о дороге*).

**parti pris** [,pɑː'tiː'priː] *фр. n* предвзятое мнение.

**partisan** I [,pɑːtɪ'zæn] 1. *n* 1) приверженец, сторонник; ~s of peace сторонники мира; 2) партизан;
2. *a* 1) партизанский; 2) фанатичный; слепо верящий (*чему-л.*).

**partisan** II ['pɑːtɪzn] *n ист.* протазан, алебарда.

**partisanship** [,pɑːtɪ'zænʃɪp] *n* приверженность.

**partite** ['pɑːtaɪt] *a бот., зоол.* дольный, раздельный.

**partition** [pɑː'tɪʃən] 1. *n* 1) расчленение; разделение; 2) раздел; 3) часть, подразделение; 4) отделение (*в ящике стола, в шкафу и т. п.*); ячейка; 5) перегородка, переборка, простенок, внутренняя стена (*в строении*);
2. *v* 1) делить; 2) расчленять, разделять; □ ~ off отделять, отгораживать перегородкой.

**partitive** ['pɑːtɪtɪv] 1. *a* 1) *грам.* разделительный, партитивный; ~ genitive родительный разделительный; 2) дробный; частный;
2. *n грам.* разделительное слово.

**Partlet** ['pɑːtlɪt] *n уст.* 1) курица; 2) (старая) женщина.

**partly** ['pɑːtlɪ] *adv* 1) частью, частично; 2) отчасти, до некоторой степени.

**partner** ['pɑːtnə] 1. *n* 1) участник; соучастник (in, of — в *чём-л.*); товарищ (*по делу, работе*; with); 2) компаньон; secret (*или* sleeping, dormant) ~ компаньон, не участвующий активно в деле и мало известный; silent ~ компаньон, не участвующий активно в деле, но имеющий право голоса; predominant ~ «главный компаньон» (*Англия как часть Великобритании*); 3) контрагент; 4) супруг(а); 5) партнёр (*в танцах, игре*); напарник; 6) *pl мор.* пяртнерс;

**2.** *v* 1) ста́вить в па́ру (with — с *кем-л.*); де́лать (*чьим-л.*) партнёром; 2) быть партнёром.

**partnership** ['pɑ:tnəʃɪp] *n* 1) уча́стие; 2) това́рищество, компа́ния.

**partook** [pɑ:'tuk] *past от* partake.

**part-owner** ['pɑ:t,ounə] *n* совладе́лец.

**partridge** ['pɑ:trɪdʒ] *n зоол.* 1) (се́рая) куропа́тка; 2) ке́клик.

**partridge-wood** ['pɑ:trɪdʒwud] *n* кра́сное де́рево (*древесина некоторых тропических деревьев*).

**part-song** ['pɑ:tsɔŋ] *n муз.* вока́льное произведе́ние для трёх *или* бо́лее голосо́в.

**part time** ['pɑ:t'taɪm] *n* непо́лный рабо́чий день.

**part-time** ['pɑ:t'taɪm] *a:* ~ worker рабо́чий, за́нятый непо́лный рабо́чий день.

**part-timer** ['pɑ:t'taɪmə] = part-time worker [*см.* part-time].

**parturient** [pɑ:'tjuərɪənt] *a* 1) разреша́ющаяся от бре́мени, рожа́ющая; 2) свя́занный с ро́дами; родово́й; послеродово́й; ~ infection роди́льная горя́чка; 3) тво́рческий (*об уме*); в му́ках тво́рчества; на гра́ни откры́тия.

**parturifacient** [pɑ:,tjuərɪ'feɪʃənt] *n мед.* сре́дство, вызыва́ющее *или* облегча́ющее ро́ды.

**parturition** [,pɑ:tjuə'rɪʃən] *n* ро́ды.

**party I** ['pɑ:tɪ] **1.** *n* па́ртия; the Communist Party of the Soviet Union Коммунисти́ческая па́ртия Сове́тского Сою́за;
**2.** *a* парти́йный; ~ affiliation парти́йная принадле́жность; ~ card парти́йный биле́т; ~ dues парти́йные взно́сы; ~ leader вождь па́ртии; ~ man (*или* member) член па́ртии; ~ membership парти́йность, принадле́жность к па́ртии; ~ organization парти́йная организа́ция; ~ local (*или* unit) ме́стная, низова́я парти́йная организа́ция; ~ nucleus парти́йная яче́йка.

**party II** ['pɑ:tɪ] *n* 1) отря́д, кома́нда; гру́ппа, па́ртия; 2) компа́ния; 3) приём госте́й; ве́чер, вечери́нка; to give a ~ устро́ить вечери́нку; 4) сопровожда́ющие ли́ца; the minister and his ~ мини́стр и сопровожда́ющие его́ ли́ца; 5) *юр.* сторона́; the parties to a contract догова́ривающиеся сто́роны; 6) уча́стник; to be a ~ to smth. уча́ствовать, принима́ть уча́стие в чём-л.; 7) *груб.* челове́к, осо́ба, субъе́кт (*тж. шутл.*); an old ~ with spectacles старика́шка в очка́х; 8) *воен. sl.* возду́шный бой.

**party-coloured** ['pɑ:tɪ,kʌləd] = particoloured.

**party line I** ['pɑ:tɪlaɪn] *n* ли́ния па́ртии.

**party line II** ['pɑ:tɪlaɪn] *n* 1) грани́ца ме́жду ча́стными владе́ниями; 2) = party wire.

**party-liner** ['pɑ:tɪ,laɪnə] *n* сторо́нник ли́нии па́ртии.

**party wall** ['pɑ:tɪ'wɔ:l] *n* о́бщая стена́ (*двух смежных зданий*).

**party wire** ['pɑ:tɪ,waɪə] *n амер.* о́бщий телефо́нный про́вод (*у нескольких абонентов*).

**parvenu** ['pɑ:vənju:] *фр. n* вы́скочка, парвеню́.

**parvis** ['pɑ:vɪs] *n* 1) церко́вный двор; 2) па́перть.

**pas** [pɑ:] *фр. n* 1) пе́рвенство, преиму́щество; to give the ~ уступи́ть пе́рвенство; to take the ~ име́ть преиму́щество (of — пе́ред *кем-л.*); 2) па (*в танцах*).

**paschal** ['pɑ:skəl] *a* пасха́льный.

**pas de deux** ['pɑ:də'də:] *фр. n* па-де-де́, бале́тный но́мер, исполня́емый двумя́ партнёрами.

**pash** [pæʃ] *n* (*сокр. от* passion) *sl.*: to have a ~ for smb., smth. быть стра́стно увлечённым кем-л., чем-л.; име́ть пристра́стие к чему́-л.

**pasha** ['pɑ:ʃə] *тур. n* паша́; ~ of three tails (of two tails, of one tail) *ист.* трёх- (двух-, одно)бунчу́жный паша́, паша́ 1-го (2-го, 3-го) ра́нга (*по числу бунчуков*).

**pashm** [pʌʃm] *перс. n* подшёрсток кашми́рской козы́ (*употребляется для шалей*).

**pasque-flower** ['pæsk,flauə] *n бот.* простре́л.

**pasquinade** [,pæskwɪ'neɪd] **1.** *n* па́сквиль;
**2.** *v* высме́ивать в па́сквиле.

**pass** [pɑ:s] **1.** *v* 1) дви́гаться вперёд; проходи́ть, проезжа́ть (by — ми́мо *чего-л.*; along — вдоль *чего-л.*; across, over — че́рез *что-л.*); протека́ть; минова́ть; no food has ~ed my lips во рту ма́ковой роси́нки не́ было, я ничего́ не ел; a change ~ed over his countenance у него́ измени́лось выраже́ние лица́; 2) пересека́ть; переходи́ть, переезжа́ть (через *что-л.*); переправля́ть(-ся); to ~ a mountain range перевали́ть че́рез хребе́т; 3) перевози́ть; 4) превраща́ться, переходи́ть (*из одного состояния в другое*); it has ~ed into a proverb э́то вошло́ в погово́рку; 5) переходи́ть (*в другие руки и т. п.*; into, to); 6) происходи́ть, случа́ться, име́ть ме́сто; I saw (heard) what was ~ing я ви́дел (слы́шал), что происходи́ло; 7) произноси́ть; few words ~ed бы́ло ма́ло ска́зано; 8) обгоня́ть, опережа́ть; 9) превыша́ть, выходи́ть за преде́лы; he has ~ed sixteen ему́ уже́ бо́льше шестна́дцати; it ~es my comprehension э́то вы́ше моего́ понима́ния; it ~es belief э́то невероя́тно; 10) вы́держать, пройти́ (*испытание*); удовлетвори́ть (*требованиям*); to ~ the tests (*или* standard) сдава́ть но́рмы; to ~ muster пройти́ осмо́тр; вы́держать испыта́ние; оказа́ться го́дным; 11) вы́держать экза́мен (in — по *какому-л. предмету*); 12) ста́вить зачёт; пропуска́ть (*экзаменующегося*); 13) проводи́ть (*время, лето и т. п.*); 14) проходи́ть (*о времени*); time ~es rapidly вре́мя бы́стро лети́т; 15) передава́ть; read this and ~ it on прочти́те (э́то) и переда́йте да́льше; to ~ the word передава́ть приказа́ние; 16) принима́ть (*закон, резолюцию и т. п.*); 17) быть при́нятым, получа́ть одобре́ние (*законодательного органа*); the bill ~ed the Commons пала́та о́бщин утверди́ла законопрое́кт; 18) выноси́ть (*решение, приговор*; upon, on); 19) быть вы́несенным (*о приговоре*); the verdict ~ed for the plaintiff реше́ние бы́ло вы́несено в по́льзу истца́; 20) пуска́ть в обраще́ние; 21) быть в обращении, иметь хождение (*о деньгах*); this coin will not ~ эту монету не примут; 22) исчезать; прекращаться; the pain ~ed боль прошла; to ~ out of sight исчезать из виду; to ~ out of use выходить из употребления; 23) пропускать; опускать; 24) кончаться, умирать (*обыкн.* ~ hence, ~ from among us, *etc.*); 25) проходить незамеченным, сходить; but let that ~ не будем об этом говорить; that won't ~ это недопустимо; 26) проводить; he ~ed his hand across his forehead он провёл рукой по лбу; 27): ~ your eyes (*или* glance) over this letter просмотрите это письмо; 28) *карт., спорт.* пасовать; 29) *спорт.* делать выпад (*в фехтовании*); 30) давать (*слово, клятву, обещание*); to ~ one's word обещать; ручаться, поручиться (for); 31) *амер.* не объявлять (*дивиденды*); ☐ ~ away а) исчезать, прекращаться, проходить; б) скончаться, умереть; в) проходить, истекать (*о времени*); ~ by а) проходить мимо; б) оставлять без внимания, пропускать; to ~ by in silence обходить молчанием; ~ for считаться, слыть кем-л.; ~ in умереть (*тж.* ~ in one's checks); ~ into превращаться в, переходить в; делаться; ~ off а) постепенно прекращаться, проходить (*об ощущениях и т. п.*); б) пронестись, пройти (*о дожде, буре*); в) хорошо пройти (*о мероприятии, событии*); г) сбывать, подсовывать (upon); д) выдавать (for, as—за *кого-л.*); he ~ed himself off as a doctor он выдавал себя за доктора; е) отвлекать внимание от *чего-л.*; ж) оставлять без внимания, пропускать мимо ушей; з) *разг.* сдать (*экзамен*); ~ on а) проходить дальше; ~ on, please! проходите!, не останавливайтесь!; б) переходить (*к другому вопросу и т. п.*); в) передавать дальше; г) умереть; д) выносить (*решение*); ~ out а) успешно пройти (*курс обучения*); б) сбыть, продать (*товар*); в) *амер. sl.* напиться до потери сознания; г) *амер. sl.* умереть; ~ over а) проходить; переправляться (в) б) передавать; в) умереть; г) пропускать, оставлять без внимания; обходить молчанием (*тж.* ~ over in silence); д) *хим.* дистиллироваться; ~ round а) передавать друг другу; пустить по кругу; to ~ round the hat пустить шапку по кругу, устроить сбор пожертвований; б) обматывать; обводить; to ~ a rope round a cask обмотать бочонок канатом; ~ through а) пересекать; переходить; б) проходить через *что-л.*, испытывать, переживать; they are ~ing through times of troubles они переживают беспокойное время; в) пропускать, просеивать, процеживать сквозь *что-л.*; г) продевать; д) пронзать; ~ up *амер.* отказываться от *чего-л.*; отвергать *что-л.*; ◇ to ~ by the name of... быть известным под именем..., называться...; to ~ by on the other side не оказать помощи, не проявить сочувствия; to ~ on the torch передавать знания, традиции; to ~ the buck *амер.* свалить ответственность на другого;

2. *n* 1) проход; 2) ущелье, дефиле; перевал; 3) фарватер, пролив, судоходное русло (*особ. в устье реки*); 4) проход для рыбы в плотине; 5) сдача экзамена без отличия; посредственная оценка; 6) пропуск; 7) бесплатный билет; контрамарка; 8) пасс (*движение рук гипнотизёра*); 9) фокус; 10) (критическое) положение; to bring to ~ совершать, осуществлять; to come to ~ произойти, случиться; things have come to a pretty ~ дела приняли скверный оборот; 11) *карт., спорт.* пас; 12) *спорт.* выпад (*в фехтовании*); to make a ~ at smb. а) делать выпад против кого-л.; б) *sl.* приставать к кому-л.; 13) *воен.* разрешение не присутствовать на поверке; *амер.* краткосрочный отпуск; 14) *тех.* калибр; ручей; ◇ ~ in review *амер. воен.* прохождение на смотру, прохождение торжественным маршем; to hold the ~ защищать своё дело; to sell the ~ обмануть доверие; изменить своему делу, совершить предательство.

**passable** ['pɑːsəbl] *a* 1) проходимый; проезжий; судоходный; 2) сносный, удовлетворительный; 3) имеющий хождение.

**passado** [pə'sɑːdou] *n* (*pl* -os, -oes [-ouz]) *спорт.* выпад (*в фехтовании*).

**passage I** ['pæsidʒ] 1. *n* 1) прохождение; проход, проезд, переход; 2) переезд; рейс (*морской или воздушный*); поездка (*по морю*); a rough ~ переезд, переход по бурному морю; to book (*или* to pay, to take) one's ~ взять билет на пароход; 3) перелёт (*птиц*); bird of ~ перелётная птица; 4) путь, дорога, проход, перевал, переправа; 5) коридор, пассаж, галерея; передняя; 6) вход, выход; право прохода; по ~ проезд закрыт, прохода нет (*надпись*); he was refused a ~ его не пропустили; 7) ход, течение (*событий, времени*); 8) переход, превращение; 9) проведение, утверждение (*закона*); 10) происшествие, событие, эпизод; 11) *pl* разговор; стычка; to have stormy ~s with smb. иметь крупный разговор с кем-л.; ~ of (*или* at) arms стычка, столкновение; 12) место, отрывок (*из книги и т. п.*); 13) *муз.* пассаж; 14) *attr.*: ~ days *мор.* дни, проведённые в море;

2. *v* совершать переезд; пересекать (*море, канал и т. п.*).

**passage II** ['pæsidʒ] *v* 1) принимать вправо *или* влево, двигаться боком (*о лошади или всаднике*); 2) заставлять (*лошадь*) принимать вправо *или* влево.

**passage boat** ['pæsidʒbout] *n* паром.

**passage-way** ['pæsidʒwei] *n* 1) коридор, проход; пассаж; 2) *горн.* откаточный путь; 3) *тех.* перепускной канал; уравнительный канал.

**passant** ['pæsənt] *a геральд.* идущий с поднятой правой передней лапой и смотрящий вправо (*о животном*).

**passbook** ['pɑːsbuk] *n* 1) банковская расчётная книжка; 2) *амер.* заборная книжка.

**pass-check** ['pɑːstʃek] = pass-out.

**passé** ['pɑːsei] *фр. a* 1) поблёкший; 2) устарелый, устаревший.

**passée** ['pɑːsei] *ж. к* passé.

**passementerie** [pæs'mentri] *фр. n* отделка басоном, бисером, галуном.

**passenger** [′pæsɪndʒə] *n* 1) пассажи́р; седо́к; 2) *разг.* плохо́й гребе́ц; 3) неспосо́бный член (*организации, команды и т. п.*); 4) *attr.* пассажи́рский.

**passenger-pigeon** [′pæsɪndʒə,pɪdʒɪn] *n* зоол. стра́нствующий го́лубь.

**passe-partout** [′pæspɑtuː] *фр. n* 1) отмы́чка; 2) карто́нная ра́мка; паспарту́.

**passer** [′pɑːsə] *n* 1) = passer-by; 2) челове́к, сда́вший экза́мены без отли́чия; 3) контролёр гото́вой проду́кции; брако́вщик.

**passer-by** [′pɑːsə′baɪ] *n* (*pl* passers-by) (случа́йный) прохо́жий, проезжий.

**passerine** [′pæsərаɪn] 1. *a* воробьи́ный; 2. *n* пти́ца из отря́да воробьи́ных.

**passers-by** [′pɑːsəz′baɪ] *pl от* passer-by.

**pas seul** [,pɑː′səːl] *фр. n* со́льный бале́тный но́мер.

**passible** [′pæsɪbl] *a* спосо́бный чу́вствовать *или* страда́ть.

**passim** [′pæsɪm] *лат. adv* повсю́ду, везде́; в ра́зных места́х (*употр. при ссылке на автора и т. п.*).

**passimeter** [pə′sɪmɪtə] *n* автома́т для прода́жи железнодоро́жных биле́тов.

**passing** [′pɑːsɪŋ] 1. *pres. p. от* pass 1; 2. *n* 1) прохожде́ние; in ~ мимохо́дом; ме́жду про́чим; 2) протека́ние, полёт; the ~ of time полёт вре́мени; 3) брод; 4) *поэт.* смерть;
3. *a* 1) преходя́щий, мимолётный, мгнове́нный; 2) бе́глый, случа́йный; a ~ reference упомина́ние мимохо́дом; 3) *уст.* превосходя́щий;
4. *adv уст.* о́чень, чрезвыча́йно; ~ rich чрезвыча́йно бога́тый.

**passing-bell** [′pɑːsɪŋbel] *n* похоро́нный звон.

**passingly** [′pɑːsɪŋlɪ] *adv* 1) мимохо́дом; 2) *уст.* о́чень.

**passing-note** [′pɑːsɪŋnout] *n муз.* перехо́дная но́та.

**passing track** [′pɑːsɪŋ,træk] *n ж.-д.* разъездно́й путь.

**passion** [′pæʃən] 1. *n* 1) страсть, стра́стное увлече́ние (*for — чем-л., кем-л.*); 2) страсть, пыл, стра́стность, энтузиа́зм; 3) предме́т стра́сти; 4) взрыв чувств; си́льное душе́вное волне́ние; she burst into a ~ of tears она́ разрыда́лась; a ~ of grief при́ступ го́ря; 5) вспы́шка гне́ва; to fall (*или* to fly) into a ~ вспыли́ть, прийти́ в я́рость; 6) *редк.* пасси́вное состоя́ние; 7) (the P.) *рел.* стра́сти госпо́дни, кре́стные му́ки; 8) *attr. рел.*: P. Sunday 5-е воскресе́нье вели́кого поста́; P. Week страстна́я неде́ля, 6-я неде́ля вели́кого поста́; 2. *v поэт.* чу́вствовать *или* выража́ть страсть.

**passional I** [′pæʃənl] *n* жития́ му́чеников и святы́х.

**passional II** [′pæʃənl] *a* стра́стный.

**passionary** [′pæʃnərɪ] = passional I.

**passionate** [′pæʃənɪt] *a* 1) стра́стный, пы́лкий; 2) влюблённый; 3) вспы́льчивый, горя́чий.

**passion-flower** [′pæʃən,flauə] *n бот.* страстоцве́т, пассифло́ра.

**passionless** [′pæʃənlɪs] *a* бесстра́стный, невозмути́мый.

**passion-play** [′pæʃənpleɪ] *n ист.* мисте́рия, представля́ющая стра́сти госпо́дни.

**passivation** [,pæsɪ′veɪʃən] *n тех.* пасси́вирование, пове́рхностная протра́вка, декапиро́вка.

**passive** [′pæsɪv] 1. *a* 1) пасси́вный, ине́ртный; безде́ятельный; 2) поко́рный; 3) *грам.* страда́тельный (*о залоге*); 4) беспроце́нтный (*о долге и т. п.*);
2. *n грам.* страда́тельный зало́г; пасси́вная фо́рма.

**passivity** [pæ′sɪvɪtɪ] *n* 1) пасси́вность, ине́ртность; безде́ятельность; 2) поко́рность.

**passkey** [′pɑːskiː] *n* 1) отмы́чка; 2) ключ от францу́зского замка́; 3) *attr.*: ~ man вор-взло́мщик.

**passman** [′pɑːsmæn] *n* получа́ющий дипло́м *или* сте́пень без отли́чия.

**pass-out** [′pɑːs,aut] *n* контрама́рка (*для обра́тного вхо́да*).

**pass-out check** [′pɑːs,aut′tʃek] *амер.* = pass-out.

**passover** [′pɑːs,ouvə] *n* 1) евре́йская па́сха; 2) пасха́льный а́гнец.

**passport** [′pɑːspɔːt] *n* 1) па́спорт; 2) ли́чные ка́чества, дарова́ния челове́ка, кото́рые це́нят окружа́ющие.

**password** [′pɑːswəːd] *n* паро́ль, про́пуск.

**past** [pɑːst] 1. *n* 1) про́шлое; it is now a thing of the ~ э́то де́ло про́шлого; a man with a ~ челове́к с (дурны́м) про́шлым; 2) *грам.* (обыкн. the ~) проше́дшее вре́мя;
2. *a* 1) про́шлый, мину́вший; исте́кший; for some time ~ (за) после́днее вре́мя; his prime is ~ его́ мо́лодость прошла́; 2) *грам.* проше́дший; ~ participle прича́стие проше́дшего вре́мени;
3. *adv* ми́мо; he walked ~ он прошёл ми́мо; the years flew ~ го́ды пролете́ли;
4. *prep* 1) ми́мо; he ran ~ the house он пробежа́л ми́мо до́ма; 2) за, по ту сто́рону; the station is ~ the river ста́нция нахо́дится за реко́й; 3) по́сле, за; it is ~ two тепе́рь тре́тий час; he stayed till ~ two o'clock бы́ло бо́льше двух, когда́ он ушёл; half ~ two полови́на тре́тьего; the train is ~ due по́езд опозда́л; he is ~ sixty ему́ за шестьдеся́т; 4) свы́ше, сверх; за преде́лами (досяга́емого); ~ the wit of man свы́ше челове́ческого разуме́ния; he is ~ cure он неизлечи́м; it is ~ endurance э́то нестерпи́мо.

**paste** [peɪst] 1. *n* 1) те́сто (*сдо́бное*); 2) пастила́, халва́ *и т. п.*; 3) па́ста; масти́ка; 4) клей; кле́йстер; 5) страз; 6) мя́тая гли́на; 7) *эл.* акти́вная ма́сса (*для аккумуля́торных пласти́н*); 8) *sl.* уда́р кулако́м;
2. *v* 1) накле́ивать, прикле́ивать *или* скле́ивать кле́йстером; обкле́ивать (with); 2) *sl.* изби́ть, исколоти́ть; □ ~ up раскле́ивать; to ~ up notices раскле́ивать объявле́ния.

**pasteboard** [′peɪstbɔːd] *n* 1) карто́н; 2) *sl.* визи́тная ка́рточка; 3) *sl.* игра́льная ка́рта; 4) *sl.* железнодоро́жный биле́т; 5) *attr.* карто́нный; *перен.* непро́чный, ша́ткий.

**pastel** ['pæs'tel] *n* 1) пастéль; 2) *бот.* вáйда; 3) сúняя крáска из вáйды.

**pastel(l)ist** ['pæstəlıst] *n* худóжник, рисýющий пастéлью.

**paster** ['peıstə] *n* 1) *амер.* клéйкая полóска бумáги (*особ. для заклéивания фамилии в избирáтельном спúске*); 2) рабóчий, наклéивающий ярлыкú.

**pastern** ['pæstə:n] *n* 1) бáбка (*лóшади*); 2) *уст.* пýты.

**pasteurization** [,pæstəraı'zeıʃən] *n* пастеризáция.

**pasteurize** ['pæstəraız] *v* 1) пастеризовáть (*молокó*); 2) дéлать привúвку по мéтоду Пастéра (*преим. от бéшенства*).

**pasteurizer** ['pæstəraızə] *n* пастеризáтор, аппарáт для пастеризáции.

**pasticcio, pastiche** [pæs'tıtʃou, -'tíːʃ] *n* 1) смесь; попуррú; 2) худóжественная имитáция, стилизáция (*особ. литератýрная*).

**pastil(le)** [pæs'tíːl] *n* 1) курúтельная свéчка; 2) лепёшка, таблéтка.

**pastime** ['pɑːstaım] *n* приятное времяпрепровождéние, развлечéние; игрá.

**pastiness** ['peıstınıs] *n* клéйкость, лúпкость.

**past master** ['pɑːst'mɑːstə] *n* (непревзойдённый) мáстер (in — в *чём-л.*).

**pastor** ['pɑːstə] *n* 1) пáстырь; 2) пáстор; 3) рóзовый скворéц.

**pastoral** ['pɑːstərəl] 1. *a* 1) пастýшеский; 2) пасторáльный;
2. *n* 1) пасторáль; 2) *церк.* послáние.

**pastorale** [,pæstə'rɑːlı] *n* (*pl* -li, -s [-z]) *муз.* пасторáль.

**pastorali** [,pæstə'rɑːliː] *pl om* pastorale.

**pastorate** ['pɑːstərıt] *n* 1) пáсторство; 2) *собир.* пáсторы.

**pastorship** ['pɑːstəʃıp] = pastorate 1).

**pastry** ['peıstrı] *n* 1) кондúтерские издéлия (*пирóжные, печéнье и т. п.*); 2) пирóжное.

**pastry-cook** ['peıstrıkuk] *n* кондúтер.

**pasturable** ['pɑːstʃərəbl] *a* пáстбищный.

**pasturage** ['pɑːstjurıdʒ] *n* 1) пáстбище; 2) поднóжный корм; 3) пастьбá.

**pasture** ['pɑːstʃə] 1. *n* 1) пáстбище, вы́гон; 2) поднóжный корм;
2. *v* пастú(сь).

**pasty I** ['pæstı] *n* 1) паштéт; 2) пирóг (*особ. с мясом*).

**pasty II** ['peıstı] *a* 1) тестообрáзный; вязкий; 2) блéдный, одутловáтый.

**pasty-faced** ['peıstı,feıst] = pasty II, 2).

**Pat** [pæt] *n разг.* ирлáндец.

**pat I** ['pæt] 1. *n* 1) похлóпывание; хлóпанье, шлёпанье; 2) хлопóк, шлепóк (*звук*); 3) кусóк, кружóчек (*сбúтого мáсла*);
2. *v* шлёпать, похлóпывать; to ~ smb. on the back похлóпать когó-л. по спинé, вы́разить комý-л. одобрéние.

**pat II** [pæt] 1. *adv* 1) кстáти; «в тóчку»; своеврéменно; удáчно; the story came ~ to the occasion рассказ оказáлся óчень кстáти; 2) бы́стро, свобóдно; с готóвностью; to know a lesson off ~ хорошó знать урóк; 3) *карт.*: to stand ~ не менять карт в пóкере; *перен.* протúвиться перемéнам; не

менять своéй позúции, держáться своегó решéния; проводúть свою лúнию;
2. *a* подходящий; умéстный; удáчный; своеврéменный.

**patball** ['pætbɔːl] *n* игрá, напоминáющая бейсбóл.

**patch** [pætʃ] 1. *n* 1) заплáта; 2) обры́вок, клочóк, лоскýт; 3) пятнó непрáвильной фóрмы; 4) кусóчек наклéенного плáстыря; 5) мýшка (*на лицé*); 6) повязка (*на глазý*); 7) небольшóй учáсток землú; a ~ of potatoes учáсток под картóфелем; 8) *геол.* включéние порóды; ◇ a purple ~ лýчшее мéсто (*в литератýрном произведéнии*); not a ~ on smth. *разг.* ничтó в сравнéнии с чем-л.;
2. *v* латáть; стáвить заплáты; hills ~ed with snow холмы́, местáми покры́тые снéгом; □ ~ up а) чинúть на скóрую рýку; задéлывать; б) улáживать (*ссóру*).

**patchouli** ['pætʃulı] *n* пачýли (*растéние и дýхи*).

**patch-pocket** ['pætʃ,pɔkıt] *n* накладнóй кармáн.

**patchwork** ['pætʃwəːk] *n* 1) лоскýтная рабóта; одеяло, кóврик и т. п. из разноцвéтных лоскутóв; 2) мешанúна; ералáш; 3) *attr.* сшúтый из лоскутóв, лоскýтный, пёстрый.

**patchy** ['pætʃı] *a* 1) испещрённый пятнами, пятнúстый; 2) неоднорóдный, пёстрый, разношёрстный; 3) обры́вочный, случáйный (*о знáниях*).

**pate** [peıt] *n разг.* 1) головá, башкá; 2) макýшка; 3) ум, рассýдок.

**pâté** [pɑː'teı] *фр. n* паштéт.

**paten** ['pætən] *n* 1) металлúческий кружóк, диск; 2) *церк.* дúскос.

**patency** ['peıtənsı] *n* 1) явность, очевúдность; 2) *мед.* раскры́тое состояние.

**patent** ['peıtənt] 1. *a* 1) откры́тый; достýпный; 2) явный, очевúдный; 3) патентóванный; 4) сóбственного изобретéния; 5) *разг.* остроýмный; нóвый;
2. *n* (*часто* 'pætənt) 1) жáлованная грáмота; диплóм; патéнт; 2) прáво (*на что-л.*), получáемое благодаря патéнту; исключúтельное прáво; 3) знак, печáть (*умá, гениáльности*); 4) *амер.* пожáлование землú прáвительством; *attr.*: ~ office бюрó патéнтов; ~ right *амер.* патéнт;
3. *v* (*тж.* 'pætənt) патентовáть; брать патéнт (*на что-л.*).

**patentee** [,peıtən'tiː] *n* владéлец патéнта.

**patenting** ['peıtəntıŋ, *тж.* 'pætəntıŋ] 1. *pres. p. от* patent 3;
2. *n* 1) патентовáние; 2) *тех.* закáлка с охлаждéнием в метáллах (*напр., в свинцé*).

**patent leather** ['peıtənt'leðə] *n* лакирóванная кóжа, лак.

**patent-leather** ['peıtənt,leðə] *a* лакирóванный.

**patent letters** ['peıtənt'letəz] *n pl* жáлованная грáмота; патéнт.

**patently** ['peıtəntlı] *adv* явно, очевúдно; откры́то.

**pater** ['peıtə] *n шкóл. sl.* отéц.

**patera** ['pætərə] *n* (*pl* -ae) *архит.* пáтера, крýглый орнáмент (*в вúде тарéлки*).

**paterae** ['pætəriː] *pl om* patera.

**paterfamilias** ['peɪtəfə'mɪlɪæs] *n* (*pl* patresfamilias) *шутл.* отец семейства, хозяин дома.

**paternal** [pə'tɜːnl] *a* 1) отцовский; 2) родственный по отцу; ~ aunt тётка со стороны отца; 3) отеческий; ◇ ~ legislation излишне мелочное законодательство.

**paternalism** [pə'tɜːnəlɪzəm] *n* отеческое попечение, излишне мелочная опека.

**paternity** [pə'tɜːnɪtɪ] *n* 1) отцовство; 2) происхождение по отцу; the ~ of the child is unknown неизвестно, кто отец ребёнка; 3) *перен.* авторство; источник.

**paternoster** ['pætə'nɒstə] *n* 1) «отче наш»; 2) заклятие; магическая формула; 3) чётки; 4) рыболовная леса с рядом крючков; 5) *тех.* патерностер, лифт с несколькими непрерывно движущимися кабинками.

**path** [pɑːθ; *pl* pɑːðz] *n* 1) тропинка; тропа; дорожка; 2) гаревая (*или* беговая) дорожка; 3) путь; стезя; to enter on (*или* to take) the ~ вступить на путь; to cross smb.'s ~ стать кому-л. поперёк дороги; 4) линия поведения *или* действия; 5) траектория.

**pathetic** [pə'θetɪk] *a* 1) трогательный, жалкий; 2) душераздирающий; 3) *уст.* патетический; ◇ ~ the ~ fallacy олицетворение природы; ~ strike забастовка солидарности.

**pathetics** [pə'θetɪks] *n pl* (*употр. как sing*) патетика.

**pathfinder** ['pɑːθ,faɪndə] *n* 1) исследователь (*малоизученной страны*); следопыт; 2) указатель курса (*в радиолокации*); 3) *ав.* вооружённый радиолокационной станцией головной самолёт.

**pathless** ['pɑːθlɪs] *a* 1) бездорожный, непроходимый; 2) непроторённый; неисследованный.

**pathological** [,pæθə'lɒdʒɪkəl] *a* патологический.

**pathologist** [pə'θɒlədʒɪst] *n* патолог.

**pathology** [pə'θɒlədʒɪ] *n* патология.

**pathos** ['peɪθɒs] *n* 1) что-л., вызывающее грусть, печаль *или* сострадание; 2) пафос; 3) чувство.

**pathway** ['pɑːθweɪ] *n* 1) тропа; тропинка; дорожка; дорога, путь; 2) траектория; 3) *тех.* мостки для сообщения, рабочий мосток.

**patience** ['peɪʃəns] *n* 1) терпение, терпеливость; I have no ~ with him он меня выводит из терпения; I am out of ~ with him я потерял 'с ним всякое терпение; 2) настойчивость; 3) *карт.* пасьянс; to play ~ раскладывать пасьянс.

**patient** ['peɪʃənt] 1. *a* 1) терпеливый; he is ~ under adversity он терпеливо переносит несчастье; 2) упорный; настойчивый; 3) терпящий, допускающий (of); the facts are ~ of various interpretations факты допускают различное толкование; 2. *n* пациент, больной.

**patina** ['pætɪnə] *n* патина (*налёт на бронзе*), чернь.

**patio** ['pɑːtɪoʊ] *исп. n* (*pl* -os [-ouz]) внутренний дворик.

**patois** ['pætwɑː] *фр. n* местный говор.

**patresfamilias** ['peɪtriːzfə'mɪlɪæs] *pl от* paterfamilias.

**patriarch** ['peɪtrɪɑːk] *n* 1) глава рода, общины, семьи; 2) родоначальник; основатель; 3) *церк.* патриарх.

**patriarchal** [,peɪtrɪ'ɑːkəl] *a* 1) патриархальный; 2) патриарший; 3) почтенный.

**patriarchate** ['peɪtrɪɑːkɪt] *n* 1) патриаршество; 2) резиденция патриарха; патриархия.

**patriarchy** ['peɪtrɪɑːkɪ] *n* 1) патриархат; 2) = patriarchate 1).

**patrician** [pə'trɪʃən] 1. *n* 1) патриций; 2) аристократ; 2. *a* 1) патрицианский; 2) аристократический.

**patricidal** [,pætrɪ'saɪdəl] = parricidal.

**patricide** ['pætrɪsaɪd] *n* 1) отцеубийство; 2) отцеубийца.

**patrimonial** [,pætrɪ'mounjəl] *a* родовой, наследственный.

**patrimony** ['pætrɪmənɪ] *n* 1) родовое, наследственное имение, вотчина; 2) *распр.* наследство; 3) наследие.

**patriot** ['peɪtrɪət] *n* патриот.

**patriotic** [,pætrɪ'ɒtɪk] *a* патриотический; the Great P. War Великая Отечественная война.

**patriotism** ['pætrɪətɪzəm] *n* патриотизм.

**patristic** [pə'trɪstɪk] *a* принадлежащий «отцам церкви».

**patrol** [pə'troul] 1. *n* 1) *воен.* дозор; разъезд; патруль; on ~ в дозоре; 2) патрулирование; 3) *attr.* патрульный, дозорный; ~ wagon *амер.* тюремная карета; 2. *v* патрулировать; охранять *или* осматривать дозорами.

**patrol-bomber** [pə'troul,bɔmə] *n мор.* разведчик-бомбардировщик дальнего действия.

**patrolman** [pə'troulmæn] *n амер.* полицейский.

**patron** ['peɪtrən] *n* 1) покровитель; патрон, шеф; заступник; 2) постоянный покупатель, клиент; постоянный посетитель.

**patronage** ['pætrənɪdʒ] *n* 1) покровительство, попечительство, шефство; заступничество; 2) право назначения на должности; 3) клиентура; постоянные покупатели *или* посетители (*определённого театра, кино и т. п.*); 4) покровительственное отношение; покровительственный вид; 5) частная финансовая поддержка (*учреждений, предприятий, отдельных лиц и т. п.*).

**patroness** ['peɪtrənɪs] *n* покровительница, патронесса.

**patronize** ['pætrənaɪz] *v* 1) покровительствовать, опекать; 2) относиться свысока, покровительственно, снисходительно; 3) быть постоянным покупателем *или* посетителем (*определённого заведения*); 4) оказывать частную финансовую поддержку (*учреждениям, предприятиям, отдельным лицам и т. п.*).

**patronymic** [,pætrə'nɪmɪk] 1. *a* 1) образованный от имени отца, предка (*об имени*); 2) указывающий на происхождение (*о префиксе или суффиксе, как напр.:* Mac-, O', -son);

**2.** *n* 1) фами́лия, образо́ванная от и́мени пре́дка; родово́е и́мя; 2) о́тчество.

**patten** ['pætn] *n* 1) деревя́нный башма́к; башма́к на деревя́нной подо́шве, укреплённой желе́зным кольцо́м (*вместо калош*); 2) *стр.* ба́за коло́нны.

**patter** I ['pætə] **1.** *n* 1) усло́вный язы́к, жарго́н; 2) говоро́к; скорогово́рка; 3) *разг.* слова́ пе́сни, коме́дии; 4) *разг.* болтовня́, красноба́йство;

**2.** *v* говори́ть скорогово́ркой; тарато́рить; бормота́ть (*часто молитвы*).

**patter** II ['pætə] **1.** *n* 1) стук (*дождевых капель*); 2) топота́ние;

**2.** *v* 1) бараба́нить, стуча́ть (*о дождевых каплях*); 2) топота́ть, семени́ть (*о ребёнке*).

**pattern** ['pætən] **1.** *n* 1) образе́ц, приме́р; 2) моде́ль, шабло́н; 3) обра́зчик; 4) вы́кройка; to take a ~ of скопи́ровать; снять вы́кройку с *чего-л.*; 5) рису́нок, узо́р (*на материи и т. п.*); 6) стиль, хара́ктер (*литературного произведения и т. п.*); 7) *амер.* отре́з, купо́н на пла́тье; 8) *тех.* шабло́н, лека́ло; 9) *метал.* моде́ль (*для литья*); 10) *attr.* образцо́вый, приме́рный;

**2.** *v* 1) де́лать по образцу́, копи́ровать (after, on, upon); 2) *редк.* сле́довать приме́ру (by); 3) украша́ть узо́ром.

**pattern-maker** ['pætən‚meikə] *n* метал. моде́льщик.

**pattern-shop** ['pætənʃɔp] *n метал.* моде́льный цех, моде́льная мастерска́я.

**patty** ['pæti] *n* пирожо́к; лепёшечка.

**pattypan** ['pætipæn] *n* фо́рма для пирожко́в.

**paucity** ['pɔsiti] *n* малочи́сленность, ма́лое коли́чество.

**paunch** [pɔnʃ] **1.** *n* 1) живо́т, пу́зо; брюшко́; 2) пе́рвый желу́док, рубе́ц (*у жвачных*);

**2.** *v* потроши́ть.

**paunchy** ['pɔnʃi] *a* с брюшко́м.

**pauper** ['pɔpə] *n* 1) бедня́к, ни́щий; 2) живу́щий на посо́бие.

**pauperism** ['pɔpərizəm] *n* нищета́; паупери́зм.

**pauperization** [‚pɔpərai'zeiʃən] *n* обнища́ние, пауперизáция.

**pauperize** ['pɔpəraiz] *v* доводи́ть до нищеты́.

**pause** [pɔz] **1.** *n* 1) па́уза, переры́в, остано́вка; переме́на, переды́шка; 2) замеша́тельство; to give ~ приводи́ть в нереши́тельность; at ~ в нереши́тельности, неподви́жно; мо́лча; 3) *лит.* цезу́ра; 4) *муз.* ферма́та;

**2.** *v* 1) де́лать па́узу, остана́вливать(ся) (on, upon); to ~ upon smth. задержа́ться на чём-л.; to ~ upon a note продли́ть но́ту; 2) находи́ться в нереши́тельности; ме́длить.

**pavan** ['pævən] *n* пава́на (*старинный испанский танец*).

**pave** [peiv] *v* 1) мости́ть, зама́щивать; 2) выстила́ть (*пол*); 3) устила́ть (*цветами и т. п.*); ◇ to ~ the way прокла́дывать путь, подготовля́ть по́чву (for, to — для проведе́ния чего-л.).

**pavement** ['peivmənt] *n* 1) тротуа́р, пане́ль; 2) пол, вы́ложенный моза́икой

и т. п.; 3) *амер.* мостова́я; 4) *горн., геол.* по́чва; ◇ on the ~ без приста́нища, на у́лице.

**pavement-artist** ['peivmənt‚ɑtist] *n* худо́жник, рису́ющий на тротуа́ре, что́бы зарабо́тать на жизнь.

**paver** ['peivə] *n* 1) мости́льщик; 2) ка́мень, кирпи́ч и т. п. для моще́ния; 3) *стр.* доро́жная бетономеша́лка.

**pavilion** [pə'viljən] **1.** *n* 1) пала́тка, шатёр; 2) павильо́н; 3) госпита́льный бара́к;

**2.** *v* 1) укрыва́ть(ся) (*в павильоне, палатке и т. п.*); 2) стро́ить павильо́ны; разбива́ть пала́тки.

**paving** ['peiviŋ] **1.** *pres. p. om* pave.

**2.** *n* 1) мостова́я; доро́жное покры́тие; 2) материа́л для мостово́й; 3) *attr.:* ~ stone булы́жник, брусча́тка.

**paviour** ['peivjə] *n редк.* мости́льщик.

**Pavlovian** [pæv'louvjən] *a:* ~ reflex усло́вный рефле́кс.

**pavonine** ['pævənain] *a* 1) павли́ний; 2) ра́дужный.

**paw** [pɔ] **1.** *n* 1) ла́па; 2) *разг.* рука́; по́черк;

**2.** *v* 1) тро́гать, скрести́ ла́пой; 2) бить копы́том (*о лошади*); 3) *разг.* хвата́ть рука́ми, ла́пать, ша́рить (*часто ~ over*).

**pawky** ['pɔki] *a шотл.* лука́вый, ирони́ческий.

**pawl** [pɔl] **1.** *n* 1) *тех.* соба́чка; предохрани́тель; 2) *мор.* пал (*шпиля*);

**2.** *v тех.* остана́вливать посре́дством соба́чки.

**pawn** I [pɔn] *n шахм.* пе́шка (*тж. перен.*).

**pawn** II [pɔn] **1.** *n* зало́г, закла́д; in ~, at ~ в закла́де;

**2.** *v* закла́дывать, отдава́ть в зало́г; 2) руча́ться; to ~ one's word дава́ть сло́во; to ~ one's life руча́ться жи́знью.

**pawnbroker** ['pɔn‚broukə] *n* ростовщи́к, ссужа́ющий де́ньги под зало́г; at the ~'s в ломба́рде.

**pawnee** [pɔ'ni] *n* закла́дчик.

**pawnshop** ['pɔnʃɔp] *n* ломба́рд, ссу́дная ка́сса.

**pax** [pæks] *лат.* **1.** *n* мир; си́мвол ми́ра;

**2.** *int школ. sl.* мир!, переми́рие!; чур-чура́!, чур меня́!; ти́ше!

**pay** I [pei] **1.** *n* 1) пла́та, вы́плата, упла́та; 2) жа́лованье, за́работная пла́та; what is the ~? како́е жа́лованье?; in the ~ of smb. на жа́лованье у кого́-л.; на́нятый кем-л.; deferred ~ а) посо́бие, выпла́чиваемое военнослу́жащему при увольне́нии *или* его́ семье́ по́сле его́ сме́рти; б) пе́нсия госуда́рственного слу́жащего; take-home ~ *амер. разг.* зарпла́та, получа́емая рабо́чим на́ руки (*после вычетов*); call ~ гаранти́рованный ми́нимум зарпла́ты (*при вынужденном простое*); 3) отпла́та, возме́здие; 4) плате́льщик до́лга; good ~ *разг.* испра́вный плате́льщик; 5) *attr. амер.* пла́тный; 6) *attr.* рента́бельный, вы́годный для разрабо́тки; промы́шленный (*о месторождении*);

**2.** *v* (paid) 1) плати́ть (for—за что-л.); 2) упла́чивать (*долг, налог*); опла́чивать (*работу, счёт*); to ~ in kind плати́ть нату́ рой; 3) вознаграждать, отплачивать; возмещать; 4) окупаться, быть выгодным; приносить доход; it will never ~ to work this mine разработка этого рудника не окупится; the shares ~ 5 per cent акции приносят 5% дохода; 5) поплатиться; who breaks ~s ≅ сам заварил кашу, сам и расхлёбывай; виновный должен поплатиться; 6) оказывать, обращать (*внимание*; to—на); свидетельствовать (*почтение*); делать (*комплимент*); наносить (*визит*); to ~ serious consideration обращать серьёзное внимание; ~ attention to what I tell you слушайте, что я вам говорю; he ~s attention (*или* his addresses, court) to her он ухаживает за ней; he went to ~ his respects to them он пошёл засвидетельствовать им своё почтение; □ ~ away = ~ out в); ~ back а) возвращать (*деньги*); б) отплачивать; ~ down платить наличными; ~ for а) оплачивать; окупать; it has been paid for за это было очень дорого заплачено; ~ in вносить на текущий счёт; ~ off а) расплачиваться сполна; рассчитываться с кем-л.; покрывать (*долг*); б) отплатить, отомстить; в) распускать (*команду корабля*); увольнять (*рабочих*); г) мор. уклоняться, уваливаться под ветер; ~ out а) выплачивать; б) отплачивать; в) мор. (*past и p. p. тж.* payed) травить; ~ up а) выплачивать сполна (*недоимку и т. п.*); б) выплачивать вовремя; ◇ to ~ for a dead horse платить за что-л., потерявшее свою цену; to ~ (down) on the nail платить немедленно; to ~ one's way жить по средствам; to ~ the piper нести расходы и распоряжаться; he who ~s the piper calls the tune *посл.* кто платит, тот и распоряжается; to ~ smb. back in his own coin отплатить кому-л. той же монетой; не остаться у кого-л. в долгу.

**pay II** [peɪ] *v мор.* смолить.

**payable** [ˈpeɪəbl] *a* 1) подлежащий уплате; 2) доходный, выгодный; промышленный (*о рудном месторождении и т. п.*); 3) *редк.* могущий быть уплаченным.

**pay-bill** [ˈpeɪbɪl] = pay-sheet.

**pay-box** [ˈpeɪbɔks] *n амер.* театральная касса.

**pay-day** [ˈpeɪdeɪ] *n* день платежа, платёжный день; день выплаты жалованья.

**pay-desk** [ˈpeɪdesk] = pay-office.

**pay-dirt** [ˈpeɪdɑːt] *n горн.* богатая рудная полоса, богатая струя в россыпи.

**payee** [peɪˈiː] *n* получатель (*денег*); предъявитель чека (*или векселя*).

**pay-envelope** [ˈpeɪˌenvɪloup] *n* конверт с заработной платой; получка.

**payer** [ˈpeɪə] *n* плательщик.

**paying I** [ˈpeɪɪŋ] **1.** *pres. p. от* pay I, 2; **2.** *a* выгодный, доходный.

**paying II** [ˈpeɪɪŋ] *pres. p. от* pay II.

**paying capacity** [ˈpeɪɪŋkəˈpæsɪtɪ] *n* платёжеспособность.

**pay-list** [ˈpeɪlɪst] = pay-sheet.

**pay load** [ˈpeɪloud] *n* 1) полезный груз; 2) платный *или* коммерческий груз.

**paymaster** [ˈpeɪˌmɑːstə] *n* 1) кассир, казначей; 2) лицо, покрывающее издержки.

**paymaster general** [ˈpeɪˌmɑːstəˈdʒenərəl] *n* главный казначей.

**payment** [ˈpeɪmənt] *n* 1) уплата, платёж, плата; 2) вознаграждение; возмездие.

**pay-off** [ˈpeɪˌɔf] *n амер.* 1) выплата; 2) время выплаты; 3) *разг.* что-л. неожиданное *или* непостижимое; неожиданный результат.

**pay-office** [ˈpeɪˌɔfɪs] *n* касса.

**pay-out** [ˈpeɪˌaut] *n* выплата.

**pay-packet** [ˈpeɪˌpækɪt] = pay-envelope.

**pay phone** [ˈpeɪfoun] *n амер.* телефон-автомат.

**pay-roll** [ˈpeɪroul] = pay-sheet; to be off the ~ быть безработным *или* уволенным.

**pay-sheet** [ˈpeɪʃiːt] *n* платёжная ведомость.

**pea** [piː] *n* 1) горох; горошина; split ~s лущёный горох; 2) = pea-jacket; ◇ as like as two ~s ≅ как две капли воды.

**peace** [piːs] *n* 1) мир; ~ will triumph over war мир победит войну; ~ with honour почётный мир; at ~ with в мире с; to make ~ а) заключать мир; б) мирить(ся); to make one's ~ with smb. мириться с кем-л.; 2) спокойствие, тишина, общественный порядок (*тж.* the ~); ~ of mind спокойствие духа; ~! тише!, замолчите!; to hold one's ~ а) молчать; б) соблюдать спокойствие; in ~ в покое; to keep the ~ сохранять мир; соблюдать порядок; 3) мир, покой; may he rest in ~! мир праху его!; 4) (*обыкн.* P.) мирный договор; 5) *attr.* мирный; ~ treaty мирный договор; ~ movement движение за мир; ~ establishment штаты мирного времени; ◇ to be sworn of the ~ быть назначенным мировым судьёй; commission of the ~ а) патент на звание мирового судьи; б) коллегия мировых судей.

**peaceable** [ˈpiːsəbl] *a* миролюбивый, мирный.

**peaceful** [ˈpiːsful] *a* мирный, спокойный.

**peace-lover** [ˈpiːsˌlʌvə] *n* сторонник мира.

**peace-loving** [ˈpiːsˌlʌvɪŋ] *a* миролюбивый.

**peacemaker** [ˈpiːsˌmeɪkə] *n* 1) примиритель, миротворец; 2) *шутл.* револьвер; 3) *шутл.* военное судно и *т. п.*

**peace-offering** [ˈpiːsˌɔfərɪŋ] *n* 1) умилостивительная жертва; 2) искупительная жертва.

**peace-officer** [ˈpiːsˌɔfɪsə] *n* блюститель порядка (*полицейский*).

**peace-pipe** [ˈpiːspaɪp] *n* трубка мира.

**peace-time** [ˈpiːstaɪm] *n* 1) мирное время; 2) *attr.* относящийся к мирному времени; мирного времени; ~ strength численность армии мирного времени.

**peach I** [piːtʃ] *n* 1) персик; 2) персиковое дерево; 3) *разг.* «первый сорт»; 4) *разг.* красавица; 5) *attr.* персиковый.

**peach II** [piːtʃ] *v sl.* ябедничать, доносить (against, on, upon —на *сообщника*).

**peach-coloured** [ˈpiːtʃˌkʌləd] *a* персикового цвета.

**pea-chick** [ˈpiːtʃɪk] *n* молодой павлин *или* -ая пава.

**peach stone** [ˈpiːtʃstoun] *n мин.* хлоритовый сланец.

**peach-tree** [ˈpiːtʃtriː] *n* персиковое дерево.

**peachy** ['pi:tʃɪ] *a* 1) пе́рсиковый, похо́жий на пе́рсик; 2) *разг.* прия́тный, превосхо́дный, отли́чный.

**pea coal** ['pi:koul] *n* «горо́шек» (*вид антрацита*).

**pea-coat** ['pi:kout] = pea-jacket.

**peacock** ['pi:kɔk] **1.** *n* 1) павли́н; proud as a ~ спеси́вый; ва́жный как павли́н; 2) *attr.* павли́ний;

2. *v* 1) ва́жничать, чва́ниться; задава́ться; 2) ва́жно расха́живать; пози́ровать.

**peacock blue** ['pi:kɔk'blu:] *n* перели́вчатый си́ний цвет.

**peacockery** ['pi:kɔkərɪ] *n* чва́нство; позёрство.

**peafowl** ['pi:faul] *n* павли́н; па́ва.

**peahen** ['pi:'hen] *n* па́ва.

**pea-jacket** ['pi:,dʒækɪt] *n* 1) *мор.* бушла́т; 2) ку́ртка, тужу́рка.

**peak I** [pi:k] *n* 1) пик; остроконе́чная верши́на; остриё; 2) вы́сшая то́чка, ма́ксимум; верши́на (*кривой*); 3) козырёк (*кепки, фуражки*); 4) ко́нчик (*бороды*); 5) гре́бень (*волны*); 6) *мор.* форпи́к *или* ахтерпи́к; нок (*гафеля*); нок-бе́нзельный у́гол (па́руса); 7) *тех.* ма́ксимум (*нагрузки*).

**peak II** [pi:k] *v* 1) *мор.* отопи́ть (*реи*); 2) брать «на валёк» (*вёсла*); 3) поднима́ть хвост пря́мо вверх (*о ките*).

**peak III** [pi:k] *v* ча́хнуть, слабе́ть; to ~ and pine ча́хнуть и томи́ться.

**peaked I** [pi:kt] *a* остроконе́чный; ~ cap фура́жка, ке́пка.

**peaked II** [pi:kt] **1.** *p. p. от* peak III; **2.** *a* осу́нувшийся, измождённый.

**peaked III** [pi:kt] *p. p. от* peak II.

**peaky I** ['pi:kɪ] = peaked I.

**peaky II** ['pi:kɪ] = peaked II.

**peal** [pi:l] **1.** *n* 1) звон колоколо́в; трезво́н; 2) подбо́р колоколо́в; 3) раска́т (*грома*); гро́хот (*орудий*); ~ of laughter взрыв сме́ха;

2. *v* 1) раздава́ться, греме́ть, трезво́нить; 2) возвеща́ть трезво́ном (*часто* ~ out); to ~ smb.'s fame труби́ть о чьей-л. сла́ве.

**peanut** ['pi:nʌt] *n* 1) ара́хис, земляно́й оре́х; 2) *attr.* ара́хисовый; ◇ ~ politician *амер.* ме́лкий, прода́жный политика́н.

**pear** [pɛə] *n* 1) гру́ша; 2) гру́шевое де́рево.

**pearl** [pə:l] **1.** *n* 1) же́мчуг; жемчу́жина, перл; Venetian ~ иску́сственный же́мчуг; 2) перламу́тр; 3) крупи́нка, зёрнышко; 4) ка́пля росы́; слеза́; 5) *полигр.* перл (*шрифт в 5 пунктов*); 6) *attr.* же́мчужный; перламу́тровый; ◇ to cast ~s before swine мета́ть би́сер пе́ред сви́ньями;

2. *v* 1) иска́ть (*или* добыва́ть) же́мчуг; 2) осыпа́ть, украша́ть жемчу́жными ка́плями; ~ed with dew покры́тый жемчу́жными ка́плями росы́; 3) выступа́ть жемчу́жными ка́плями; 4) де́лать похо́жим на же́мчуг; 5) ру́шить (*ячмень и т. п.*); □ ~ off отсе́ивать.

**pearl-ash** ['pə:læʃ] = potash.

**pearl-barley** ['pə:l'bɑ:lɪ] *n* перло́вая крупа́.

**pearl-button** ['pə:l'bʌtn] *n* перламу́тровая пу́говица.

**pearl-diver** ['pə:l,daɪvə] *n* иска́тель, ловец же́мчуга; водола́з, добыва́ющий же́мчуг.

**pearler** ['pə:lə] = pearl-fisher.

**pearl-fisher** ['pə:l,fɪʃə] *n* ловец же́мчуга.

**pearl-fishery** ['pə:l,fɪʃərɪ] *n* ло́вля же́мчуга.

**pearlies** ['pə:lɪz] *n pl* 1) перламу́тровые пу́говицы; 2) оде́жда у́личного торго́вца, укра́шенная мно́жеством перламу́тровых пу́говиц.

**pearl-oyster** ['pə:l,ɔɪstə] *n* жемчу́жница (*моллюск*).

**pearl-powder** ['pə:l,paudə] *n* жемчу́жные бели́ла (*косметика*).

**pearl-sago** ['pə:l,seɪgou] *n* cáro (*крупа*).

**pearl-shell** ['pə:lʃel] *n* перламу́тр.

**pearl type** ['pə:l'taɪp] = pearl 1, 5).

**pearl-white** ['pə:lwaɪt] *n хим.* 1) основно́й азотноки́слый ви́смут, ви́смутовые бели́ла; 2) хлоро́кись ви́смута.

**pearly** ['pə:lɪ] *a* 1) же́мчужный; похо́жий на же́мчуг; 2) укра́шенный же́мчугом.

**pear-shaped** ['pɛəʃeɪpt] *a* грушеви́дный.

**peart** [pɪət] *a разг.* 1) в хоро́шем расположе́нии ду́ха, весёлый, оживлённый; 2) ло́вкий; 3) сообрази́тельный, бы́стро схва́тывающий.

**pear-tree** ['pɛətri:] *n* гру́шевое де́рево.

**peasant** ['pezənt] *n* 1) крестья́нин; 2) *attr.* крестья́нский, се́льский; ~ woman крестья́нка.

**peasantry** ['pezəntrɪ] *n* крестья́нство.

**pease** [pi:z] *n* 1) горо́х; 2) *attr.* горо́ховый.

**pease-pudding** ['pi:z,pudɪŋ] *n* горо́ховый пу́динг.

**peashooter** ['pi:,ʃu:tə] *n* игру́шечное (духово́е) ружьё.

**pea soup** ['pi:'su:p] *n* горо́ховый суп.

**pea-souper** ['pi:,su:pə] *n разг.* густо́й жёлтый тума́н.

**pea-soupy** ['pi:'su:pɪ] *a* густо́й и жёлтый (*о тумане*).

**peat** [pi:t] *n* 1) торф; 2) брике́т то́рфа; 3) *attr.* торфяно́й.

**peatbog** ['pi:tbɔg] *n* торфяни́к, торфяно́е боло́то.

**peatery** ['pi:tərɪ] *n* торфяны́е разрабо́тки.

**peat-hag** ['pi:thæg] *n* забро́шенные (*или* вы́работанные) торфяны́е разрабо́тки.

**pea-time** ['pi:taɪm] *n амер.*: the last of ~ после́дний эта́п (*чего-л.*); коне́ц жи́зни; ~'s past де́ло ко́нчено.

**peatman** ['pi:tmən] *n* 1) рабо́чий-торфяни́к; 2) продаве́ц то́рфа.

**peatmoss** ['pi:t'mɔs] *n* торфяно́й мох.

**peaty** ['pi:tɪ] *a* торфяно́й; похо́жий на торф.

**pebble** ['pebl] **1.** *n* 1) голы́ш, га́лька; булы́жник; 2) го́рный хруста́ль, употребля́емый для очко́в; 3) ли́нза из го́рного хрусталя́; 4) вид ага́та;

2. *v* мости́ть булы́жником; посыпа́ть га́лькой.

**pebblestone** ['peblstoun] = pebble 1, 1).

**pebbly** ['peblɪ] *a* покры́тый га́лькой.

**pecan** [pɪ'kæn] *n бот.* оре́х пека́н.

**peccability** [,pekə'bɪlɪtɪ] *n* гре́шность, грехо́вность.

**peccable** ['pekəbl] *a* гре́шный, грехо́вный.

**peccadillo** [ˌpekə'dɪlou] n (pl -oes, -os [-ouz]) грешóк; пустячный простýпок.

**peccancy** ['pekənsɪ] n 1) грéшность, грехóвность; 2) грех, прегрешéние; простýпок.

**peccant** ['pekənt] a 1) грéшный, грехóвный; 2) непрáвильный; the ~ string детонирующая струнá; 3) вызывáющий болéзнь; нездорóвый, врéдный.

**peccary** ['pekərɪ] n пéкари (разновидность американской дикой свиньи).

**peck** I [pek] n 1) мéра сыпýчих тел (=¹/₄ бушеля или 9,08 л); 2) мнóжество, мáсса, кýча; a ~ of troubles мáсса неприятностей.

**peck** II [pek] 1. n 1) клевóк; 2) шутл. лёгкий поцелýй; 3) sl. пища;
2. v 1) клевáть (at), долбить клювом; to ~ a hole продолбить дырку; 2) шутл. легкó поцеловáть; 3) разг. отщипывать (пищу); мáло есть; 4) копáть киркóй (обыкн. ~ up, ~ down).

**peck** III [pek] v sl. бросáть (камни); бросáться камнями (at).

**pecker** ['pekə] n 1) птица, котóрая долбит (обыкн. в сложных словах, напр.: wood-~ дятел); 2) кирка; 3) sl. клюв; нос; keep your ~ up! не вéшай нóса!; 4) sl. едóк; обжóра; ◇ to put up smb.'s ~ рассердить когó-л.; вывести когó-л. из себя.

**peckish** ['pekɪʃ] a разг. голóдный; to feel ~ проголодáться.

**Pecksniff** ['peksnɪf] n елéйный лицемéр (по имени персонажа из романа Диккенса «Мартин Чезлвит»).

**pectin** ['pektɪn] n хим. пектин.

**pectinate, pectinated** ['pektɪneɪt, -ɪd] a бот., зоол. гребéнчатый.

**pectination** [ˌpektɪ'neɪʃən] n гребéнчатость; грéбень.

**pectoral** ['pektərəl] 1. n 1) нагрýдное украшéние; 2) pl грудные плавники;
2. a 1) груднóй; относящийся к груднóй клéтке; 2) дéйствующий на óрганы груднóй клéтки; 3) идýщий от души; субъективный, внýтренний; 4) нагрýдный; церк. напéрсный.

**peculate** ['pekjuleɪt] v присвáивать, растрáчивать общéственные дéньги.

**peculation** [ˌpekju'leɪʃən] n растрáта, казнокрáдство.

**peculator** ['pekjuleɪtə] n растрáтчик, казнокрáд, расхититель.

**peculiar** [pɪ'kjuːljə] 1. a 1) специфический; осóбенный, своеобрáзный; необычный; a point of ~ interest момéнт, представляющий осóбый интерéс; 2) принадлежáщий или свóйственный исключительно (to—кому-л., чему-л.); личный, сóбственный; my own ~ property моё личное имýщество; 3) стрáнный, эксцентричный; he has ~ ways он со стрáнностями; ◇ ~ people библ. «избранный нарóд»; P. People религиóзная сéкта без церкóвной организáции;
2. n 1) личная сóбственность; 2) осóбая привилéгия.

**peculiarity** [pɪˌkjuːlɪ'ærɪtɪ] n 1) специфич-

ность; осóбенность; 2) личное кáчество, свóйство; характéрная чертá; 3) стрáнность.

**peculiarly** [pɪ'kjuːljəlɪ] adv 1) осóбенно; бóльше обычного; 2) стрáнно; 3) личнo; he is ~ interested in that affair он личнo заинтересóван в этом дéле.

**pecuniary** [pɪ'kjuːnjərɪ] a 1) дéнежный; ~ aid дéнежная пóмощь; 2) облагáемый штрáфом.

**pedagogic(al)** [ˌpedə'gɔdʒɪk(əl)] a педагогический.

**pedagogics** [ˌpedə'gɔdʒɪks] n pl (употр. как sing) педагóгика.

**pedagogue** ['pedəgɔg] n 1) учитель, педагóг (обыкн. неодобр.); 2) педáнт.

**pedagogy** ['pedəgɔgɪ] n педагóгика.

**pedal** ['pedl] 1. n педáль; ножнóй рычáг;
2. a 1) педáльный; 2) анат., зоол. ножнóй;
3. v 1) нажимáть педáли, рабóтать педáлями; 2) разг. éхать на велосипéде.

**pedant** ['pedənt] n 1) педáнт; 2) доктринёр.

**pedantic** [pɪ'dæntɪk] a педантичный.

**pedantry** ['pedəntrɪ] n педантичность, педантизм.

**peddle** ['pedl] v 1) торговáть вразнóс; 2) занимáться пустякáми, размéниваться на мéлочи; 3) разносить слýхи и т. п.; перескáзывать всем встрéчным.

**peddler** ['pedlə] = pedlar.

**peddlery** ['pedlərɪ] = pedlary.

**peddling** ['pedlɪŋ] 1. pres. p. от peddle;
2. n мелочнáя торгóвля;
3. a 1) мéлочный; 2) пустякóвый, несущéственный.

**pedestal** ['pedɪstl] 1. n 1) пьедестáл, поднóжие, подстáвка, цóколь; 2) бáза, основáние, оснóва; 3) тýмбочка для ночнóго горшкá; ночнóй столик;
2. v стáвить, водружáть на пьедестáл.

**pedestrian** [pɪ'destrɪən] 1. a 1) пéший, пешехóдный; 2) прозаический, скýчный;
2. n 1) пешехóд; 2) участник соревновáний по спортивной ходьбé.

**pediatrics** [ˌpiːdɪ'ætrɪks] n pl (употр. как sing) педиатрия.

**pedicel** ['pedɪsəl] n бот. стебелёк, (цвето)нóжка.

**pedicellate** ['pedɪsəleɪt] a бот. стебельковый, стеблевóй.

**pedicle** ['pedɪkl] = pedicel.

**pedicular** [pɪ'dɪkjulə] a вшивый.

**pediculous** [pɪ'dɪkjuləs] = pedicular.

**pedicure** ['pedɪkjuə] 1. n педикюр;
2. v дéлать педикюр.

**pedigree** ['pedɪgriː] n 1) родослóвная, генеалóгия; 2) происхождéние; этимолóгия (слова); 3) attr. племеннóй (о скоте).

**pedigreed** ['pedɪgriːd] a порóдистый.

**pediment** ['pedɪmənt] n архит. фронтóн.

**pedlar** ['pedlə] n 1) коробéйник, разнóсчик; 2) мéлочный сплéтник, сплéтник; ◇ ~'s French воровскóй жаргóн.

**pedlary** ['pedlərɪ] n 1) торгóвля вразнóс; 2) товáры ýличного торгóвца; мéлкий товáр.

**pedology** I [pɪ'dɔlədʒɪ] = paedology.

**pedology** II [pɪ'dɔlədʒɪ] *n* почвоведе́ние.

**pedometer** [pɪ'dɔmɪtə] *n* шагоме́р, педо́метр.

**peduncle** [pɪ'dʌŋkl] *n бот.* цветоно́жка; плодоно́жка.

**peduncular, pedunculate** [pɪ'dʌŋkjulə, -leɪt] *a бот.* снабжённый но́жкой, стебелько́м.

**peek** [piːk] **1.** *n* взгляд укра́дкой; бы́стрый взгляд;
**2.** *v* загля́дывать (*обыкн.* ~ in); выгля́дывать (*обыкн.* ~ out).

**peek-a-boo** ['piːkə'buː] *n амер. вид игры в прятки, распространённый в США.*

**peel** I [piːl] **1.** *n* корка, ко́жица, шелуха́;
**2.** *v* 1) снима́ть ко́рку, ко́жицу, шелуху́; очища́ть (*фрукты, овощи*); 2) шелуши́ться, лупи́ться, сходи́ть (*о коже; тж.* ~ off); 3) *sl.* раздева́ть(ся).

**peel** II [piːl] *n ист.* четырёхуго́льная ба́шня на грани́це А́нглии и Шотла́ндии.

**peel** III [piːl] *n* 1) пе́карская лопа́та; 2) *амер.* ло́пасть весла́.

**peeler** I ['piːlə] *n* инструме́нт *или* маши́на для удале́ния шелухи́, коры́ *и т. п.*; обди́рочная маши́на.

**peeler** II ['piːlə] *n sl.* полице́йский.

**peeling** ['piːlɪŋ] **1.** *pres. p. om* peel I, 2;
**2.** *n* 1) ко́рка, ко́жа, шелуха́; potato ~s карто́фельные очи́стки; 2) отста́вший слой.

**peep** I [piːp] *n* 1) взгляд укра́дкой; to get a ~ of уви́деть; to have (*или* to take) a ~ at smth. взгляну́ть на что-л.; 2) пе́рвое появле́ние; про́блеск; ~ of day (*или* of dawn, of morning) рассве́т; 3) сква́жина, щель; 4) = peeper 2);
**2.** *v* 1) загля́дывать; смотре́ть прищу́рясь (at, into); смотре́ть сквозь ма́ленькое отве́рстие (through); подгля́дывать; 2) прогля́дывать, появля́ться, выгля́дывать (*о солнце*); 3) проявля́ться (*о качестве и т. п.; часто* ~ out); □ ~ **into** загля́дывать, заходи́ть (*куда-л.*); ~ **out** выгля́дывать.

**peep** II [piːp] **1.** *n* писк; чири́канье;
**2.** *v* чири́кать; пища́ть.

**peeper** ['piːpə] *n* 1) подсма́тривающий; 2) *sl.* глаз.

**peep-hole** ['piːphoul] *n* глазо́к; смотрово́е отве́рстие *или* щель.

**Peeping Tom** ['piːpɪŋ'tɔm] *n* чрезме́рно любопы́тный челове́к.

**peep-show** ['piːpʃou] *n* кинетоско́п.

**peer** I [pɪə] **1.** *n* 1) ро́вня, ра́вный; you will not find his ~ вы не найдёте ра́вного ему́; without ~ несравне́нный; to be tried by one's ~s быть суди́мым ра́вными (себе́ по ра́нгу); 2) пэр, лорд;
**2.** *v* 1) равня́ться (*с кем-л.*), быть ра́вным; 2) де́лать пэ́ром.

**peer** II [pɪə] *v* 1) вгля́дываться, всма́триваться (at, into, through); 2) пока́зываться, прогля́дывать, выгля́дывать (*о солнце*).

**peerage** ['pɪərɪdʒ] *n* 1) сосло́вие пэ́ров; знать; 2) зва́ние пэ́ра; 3) кни́га пэ́ров.

**peeress** ['pɪərɪs] *n* супру́га пэ́ра, ле́ди.

**peerless** ['pɪəlɪs] *a* несравне́нный, бесподо́бный.

**peeve** [piːv] *разг.* **1.** *n* 1) раздража́ющее

обстоя́тельство; 2) жа́лоба; ◇ my pet ~ ≅ люби́мая мозо́ль, больно́е ме́сто;
**2.** *v* (*обыкн. p. p.*) раздража́ть, надоеда́ть.

**peeved** [piːvd] **1.** *p. p. om* peeve 2;
**2.** *a разг.* раздражённый.

**peevish** ['piːvɪʃ] *a* 1) сварли́вый, раздражи́тельный, брюзгли́вый; 2) капри́зный, неужи́вчивый; 3) свиде́тельствующий о дурно́м хара́ктере, настрое́нии *и т. п.* (*о замеча́нии, взгля́де и т. п.*).

**peewit** ['piːwɪt] = pewit.

**peg** [peg] *n* 1) ко́лышек; деревя́нный гвоздь; заты́чка, вту́лка (*бочки*); 2) ве́шалка; крючо́к (*вешалки*); 3) конья́к с со́довой водо́й; 4) *разг.* зуб; 5) *разг.* нога́; 6) *sl.* деревя́нная нога́; 7) колок (*музыка́льного инструме́нта*); 8) *тех.* на́гель, шпи́лька, штифт, чека́; ◇ a ~ to hang a thing on предло́г, заце́пка, те́ма (*для ре́чи и т. п.*); to take smb. down a ~ — *or* two осади́ть кого́-л., сбить спесь с кого́-л.; to come down a ~ сба́вить тон; a round ~ in a square hole, a square ~ in a round hole челове́к не на своём ме́сте; to buy (clothes) off the ~ покупа́ть гото́вое (пла́тье);
**2.** *v* 1) прикрепля́ть ко́лышком (*обыкн.* ~ down, ~ in, ~ out); 2) *бирж.* иску́сственно подде́рживать це́ну на одно́м у́ровне; охраня́ть от колеба́ний (*курс, це́ну*); 3) *разг.* швыря́ть, броса́ть; 4) протыка́ть; □ ~ **at** *разг.* це́литься во что-л.; броса́ть камня́ми в; ~ **away** упо́рно, насто́йчиво добива́ться; упо́рно рабо́тать, корпе́ть (at); ~ **down** а) закрепля́ть ко́лышками; б) свя́зывать, стесня́ть, ограни́чивать; in(to) вбива́ть, вкола́чивать; ~ **out** а) отмеча́ть ко́лышками (*участок*); б) убить шар (*в кроке́те в конце́ игры́*); в) вы́дохнуться; умере́ть; г) быть разорённым.

**pegamoid** ['pegəmɔɪd] *n* пегамо́ид (*иску́сственная ко́жа*).

**Pegasus** ['pegəsəs] *n миф.* Пега́с (*тж. перен.*).

**pegging** ['pegɪŋ] **1.** *pres. p. om* peg 2;
**2.** *n* 1) ко́лья; материа́л для ко́лье?; 2) закрепле́ние ко́льями *или* ко́лышками, 3): ~ of prices иску́сственное поддержа́ние цен на определённом у́ровне.

**pegmatite** ['pegmətaɪt] *n мин.* пегмати́т.

**peg-top** ['pegtɔp] *n* юла́, волчо́к (*игру́шка*); ◇ trousers брю́ки широ́кие в бёдрах и у́зкие внизу́, галифе́.

**peignoir** ['peɪnwɑː] *фр. n* пеньюа́р.

**pejorative** ['piːdʒə,reɪtɪv] *a* уничижи́тельный.

**Pekinese, Pekingese** I [,piːkɪ'niːz, ,piːkɪŋ'iːz] **1.** *a* пеки́нский;
**2.** *n* жи́тель Пеки́на.

**Pekinese, Pekingese** II [,piːkɪ'niːz, ,piːkɪŋ'iːz] *n* кита́йский мопс (*поро́да соба́к*).

**pekoe** ['piːkou] *n* вы́сший сорт чёрного ча́я.

**pelage** ['pelɪdʒ] *n* мех, шку́ра, шерсть (*живо́тных*).

**pelagian** [pɪ'leɪdʒɪən] **1.** *a* пелаги́ческий;
**2.** *n* живо́тные и расте́ния, населя́ющие откры́тое мо́ре.

**pelagic** [pe'lædʒɪk] *a* пелаги́ческий (*о фа́циях*), морско́й, океани́ческий; ~ sealing охо́та на тюле́ней в откры́том мо́ре.

**pelargonium** [ˌpelə'gounjəm] *n бот.* пеларгóния; герáнь.

**Pelasgian, Pelasgic** [pe'læzgıən, -gık] *a ист.* пелазгúческий.

**pelerine** ['pelərín] *n* пелерúна.

**pelf** [pelf] *n* 1) *презр.* дéньги, презрéнный метáлл; богáтство; 2) *уст.* крáденое добрó.

**pelican** ['pelikən] *n зоол.* пеликáн.

**pelisse** [pe'líːs] *n* 1) длúнная мантúлья; ротóнда; 2) дéтское пальтó; 3) гусáрский мéнтик.

**pellagra** [pı'lægrə] *n мед.* пеллáгра.

**pellet** ['pelıt] 1. *n* 1) шáрик, кáтышек (*из бумаги, хлеба и т. п.*); 2) пилюля; 3) дробúнка; пýлька;
2. *v* обстрéливать (*бумажными катышками и т. п.*).

**pellicle** ['pelıkl] *n* кóжица, плевá, плёнка.

**pell-mell** ['pel'mel] 1. *n* пýтаница; мешанúна; неразберúха;
2. *a* беспорядочный;
3. *adv* 1) беспорядочно, вперемéшку, как попáло; 2) очертя гóлову.

**pellucid** [pe'ljuːsıd] *a* 1) прозрáчный; 2) ясный, понятный.

**pelt I** [pelt] *n* 1) шкýра; кóжа; 2) *шутл.* человéческая кóжа.

**pelt II** [pelt] 1. *n* 1) обстрéл; 2) сúльный удáр; ◇ (at) full ~ пóлным хóдом;
2. *v* 1) бросáть (*в кого-л.*), забрáсывать (*камнями, грязью*); обстрéливать; 2) колотúть, барабáнить (*о граде и т. п.*); лить (*о дожде*); 3) обрýшиться (*на кого-л. с упрёками и т. п.*); 4) *амер. разг.* спешúть.

**peltate** ['pelteıt] *a бот.* щитовúдный.

**pelting** ['peltıŋ] 1. *pres. p. от* pelt II, 2;
2. *a* проливнóй; ~ rain проливнóй дождь.

**peltry** ['peltrı] *n* 1) мехá, пушнúна; 2) шкýрка пушнóго звéря.

**pelves** ['pelvíːz] *pl от* pelvis.

**pelvic** ['pelvık] *a анат.* тáзовый.

**pelvis** ['pelvıs] *n* (*pl* -ves) *анат.* 1) таз; 2) пóчечная лохáнка.

**Pembroke table** ['pembruk‚teıbl] *n* раскладнóй стол.

**pemphigus** ['pemfıgəs] *n мед.* пузырчáтка, пéмфигус.

**pen I** [pen] 1. *n* 1) перó (*писчее*); рýчка с перóм; рейсфéдер (*чертёжный*); 2) литератýрный труд; литератýрный стиль; fluent ~ бóйкое перó; to live by one's ~ жить литератýрным трудóм; to put ~ to paper взяться за перó, начáть писáть; 3) писáтель; the best ~s of the day лýчшие совремéнные писáтели;
2. *v* писáть, сочинять.

**pen II** [pen] *n* 1) небольшóй загóн (*для скота, птицы*); 2) небольшáя огорóженная площáдка *и т. п.*; ~ for the accomodation of submarines *мор.* убéжище для подвóдных лóдок; 3) плантáция, фéрма (*на Ямайке*); 4) помещéние для арестóванных при полицéйском учáстке;
2. *v* (penned [-d], pent) 1) запирáть, заключáть (*часто* ~ up, ~ in); 2) загонять (*скот*) в загóн.

**pen III** [pen] *n* сáмка лéбедя.

**penal** ['píːnl] *a* 1) уголóвный; карáтель-

ный; ~ servitude кáторжные рабóты; 2) уголóвно-наказýемый (*о преступлении*).

**penalize** ['píːnəlaız] *v* 1) дéлать наказýемым; накáзывать; штрафовáть; 2) стáвить в невыгодное положéние; 3) *спорт.* штрафовáть.

**penalty** ['penltı] *n* 1) наказáние; взыскáние; штраф; on (*или* under) ~ of под стрáхом (*такого-то наказания*); 2) *спорт.* штраф; 3) *attr.* наказýемый; ~ envelope *амер.* специáльный конвéрт для правúтельственной корреспондéнции (*использование которого для других целей карается законом*); 4) *attr. спорт.* штрафнóй; ~ area штрафнáя площáдка; ~ kick одиннадцатиметрóвый удáр; ~ goal гол, забúтый в результáте одиннадцатиметрóвого удáра.

**penance** ['penəns] 1. *n* епитимья;
2. *v* налагáть епитимью.

**pen and ink** ['penənd'ıŋk] *n* 1) пúсьменные принадлéжности; 2) литератýрная рабóта.

**pen-and-ink** ['penənd'ıŋk] *a* сдéланный перóм (*о рисунке*); напúсанный перóм; пúсьменный.

**Penates** [pe'neıtíːz] *n pl др.-рим. миф.* пенáты.

**pence** [pens] *pl от* penny 1).

**penchant** ['pɑ̃ːŋʃɑ̃ːŋ] *фр. n* склóнность (for—к чему-л., кому-л.); a slight ~ мáленькое увлечéние.

**pencil** ['pensl] 1. *n* 1) карандáш; in ~ (напúсанный) карандашóм; 2) кисть (*живописца*); 3) манéра, стиль (*живописца*); 4) *опт.* (сходящийся) пучóк лучéй;
2. *v* 1) рисовáть, писáть карандашóм; вычéрчивать; 2) (*обыкн. p. p.*) тушевáть; наклáдывать.

**pencil-case** ['penslkeıs] *n* пенáл.

**penciler** ['penslə] = penciller.

**pencilled** ['pensld] 1. *p. p. от* pencil 2;
2. *a* тóнко очéрченный.

**penciller** ['penslə] *n sl.* помóщник букмéкера (*на скачках*).

**pencraft** ['penkrɑːft] *n* 1) искýсство письмá; 2) литератýрный стиль.

**pendant** ['pendənt] 1. *n* 1) подвéска; висúлька; кулóн, брелóк; 2) *архит.* орнамéнтная отдéлка в вúде подвéски; 3) пáра (*к какому-л. предмету*); дополнéние; 4) *мор.* вымпел; 5) *мор.* шкéнтель;
2. *a* = pendent 2.

**pendency** ['pendənsı] *n* состояние неопределённости, нерешённость.

**pendent** ['pendənt] 1. *n* = pendant 1;
2. *a* 1) висячий, свисáющий; нависáющий; 2) нерешённый, ожидáющий решéния; 3) *грам.* незакóнченный (*о предложении*).

**pending** ['pendıŋ] 1. *a* 1) висячий, свéшивающийся; 2) незакóнченный, ожидáющий решéния; a suit was then ~ в то врéмя шла тяжба; patent ~ патéнт заявлен (*заявка на патент сделана*); 3) предстоящий, неминýемый;
2. *prep* 1) в продолжéние; в течéние; these negotiations покá продолжáются эти переговóры; 2) (вплоть) до; в ожидáнии; ~ the completion of the agreement до заключéния соглашéния; ~ his return в ожидáнии его возвращéния.

**pen-driver** ['pen,draɪvə] *n презр.* клерк; канцеляри́ст; писа́ка.

**pendulate** ['pendjuleɪt] *v* 1) кача́ться как ма́ятник; 2) колеба́ться; быть нереши́тельным.

**pendulous** ['pendjuləs] *a* 1) подвесно́й; вися́чий (*о гнезде, цветке*); 2) кача́ющийся.

**pendulum** ['pendjuləm] *n* 1) ма́ятник; swing of the ~ а) кача́ние ма́ятника; б) *перен.* чередова́ние стоя́щих у вла́сти полити́ческих па́ртий; the ~ of public opinion swung in his favour обще́ственное мне́ние измени́лось в его́ по́льзу; the ~ swung положе́ние измени́лось; 2) неусто́йчивый челове́к *или* предме́т.

**Penelope** [pɪ'neləpɪ] *n миф.* Пенело́па; (*нарицательно тж.*) ве́рная жена́.

**peneplain** [,piːnə'pleɪn] *n геол.* пенепле́н, преде́льная равни́на.

**penes** ['piːniːz] *pl от* penis.

**penetrability** [,penɪtrə'bɪlɪtɪ] *n* проница́емость.

**penetrable** ['penɪtrəbl] *a* проница́емый.

**penetralia** [,penɪ'treɪljə] *n pl* святи́лище; та́йники.

**penetrate** ['penɪtreɪt] *v* 1) проника́ть внутрь, проходи́ть сквозь, пронизывать; 2) входи́ть, проходи́ть (into, through, to); 3) пропи́тывать (*чем-л.*; with); 4) глубо́ко тро́гать; охва́тывать (with); 5) постига́ть, понима́ть; вника́ть (*во что-л.*).

**penetrating** ['penɪtreɪtɪŋ] 1. *pres. p. от* penetrate;
2. *a* 1) проника́ющий; 2) проница́тельный; о́стрый (*о взгляде и т. п.*); 3) пронзи́тельный, ре́зкий (*о звуке*).

**penetration** [,penɪ'treɪʃən[ *n* 1) проника́ние; проникнове́ние; 2) проница́емость; 3) проница́тельность; острота́ (*взгляда и т. п.*); 4) *тех.* глубина́ разруше́ния; прова́р; 5) *воен.* наступле́ние с це́лью прорыва; прорыв.

**penetrative** ['penɪtrətɪv] *a* 1) проника́ющий; 2) пронзи́тельный, ре́зкий (*о звуке*); 3) проница́тельный.

**pen-feather** ['pen,feðə] *n* махово́е перо́.

**pen friend** ['penfrend] *n* знако́мый *или* друг по перепи́ске.

**penguin** ['peŋgwɪn] *n* 1) *зоол.* пингви́н; 2) *ав.* уче́бный маке́т самолёта.

**penholder** ['pen,houldə] *n* ру́чка (*для пера*).

**penicillin** [,penɪ'sɪlɪn] *n фарм.* пеницилли́н.

**peninsula** [pɪ'nɪnsjulə] *n* полуо́стров; the P. Пирене́йский полуо́стров.

**peninsular** [pɪ'nɪnsjulə] 1. *a* полуостровно́й;
2. *n* жи́тель полуо́строва.

**penis** ['piːnɪs] *n* (*pl* penes) *анат.* полово́й член.

**penitence** ['penɪtəns] *n* раска́яние; пока́яние.

**penitent** ['penɪtənt] 1. *a* раска́ивающийся; ка́ющийся;
2. *n* ка́ющийся гре́шник.

**penitential** [,penɪ'tenʃəl] *a* пока́янный.

**penitentiary** [,penɪ'tenʃərɪ] 1. *n* 1) испра́вительный дом; 2) ка́торжная тюрьма́; 3) па́пский трибуна́л;

2. *a* 1) исправи́тельный; 2) пенитенциа́рный.

**penknife** ['pennaɪf] *n* перочи́нный но́жик.

**penman** ['penmən] *n* 1) каллигра́ф, писе́ц; he is a good ~ у него́ хоро́ший по́черк; 2) писа́тель.

**penmanship** ['penmənʃɪp] *n* 1) каллигра́фия; чистописа́ние; иску́сство письма́; 2) по́черк; 3) стиль *или* мане́ра писа́теля.

**pen-name** ['penneɪm] *n* литерату́рный псевдони́м.

**pennant** ['penənt] *n* 1) = pendant 1, 4) *и* 5); 2) = pennon; 3) *амер.* зна́мя (*приз в состязании*).

**pennies** ['penɪz] *pl от* penny.

**penniless** ['penɪlɪs] *a* без гроша́, безде́нежный; нужда́ющийся; бе́дный.

**pennon** ['penən] *n* флажо́к (*часто с длинным узким полотнищем; иногда треуго́льной формы*); флаг; вы́мпел.

**penn'orth** ['penəθ] *разг. см.* pennyworth.

**penny** ['penɪ] *n* 1) (*pl* пенсе—о де́нежной су́мме, пишется слитно с числительным от* twopence *до* elevenpence; pennies—об отде́льных моне́тах*) пе́нни, пенс (*бро́нзовая моне́та = ¹/₁₂ ши́ллинга, усло́вное обозначе́ние после ци́фр—d., от denarius, напр., 6d. шесть пе́нсов*); 2) (*pl* pennies) *амер. разг.* моне́та в 1 цент; ◇ a pretty ~ кру́гленькая су́мма, изря́дная су́мма; to turn a useful ~ (by) неплохо́ зараба́тывать (*чем-л.*); to turn an honest ~ a) че́стно зараба́тывать; б) подраба́тывать (*тж.* to turn a ~); not a ~ to bless oneself with ни гроша́ за душо́й; not a ~ the worse ниско́лько не ху́же; ~ blood (*или* dreadful) *sl.* дешёвый сенсацио́нный рома́н; a ~ for your thoughts! о чём заду́мались?; a ~ saved is a ~ gained *посл.* пе́нни сбережённое всё равно́, что пе́нни зарабо́танное; a ~ soul never came to twopence *посл.* ≅ ме́лочный челове́к никогда́ не дости́гнет успе́ха; in for a ~, in for a pound *посл.* ≅ назва́лся грузде́м, полеза́й в ку́зов.

**penny-a-line** ['penɪə'laɪn] *a* дешёвый, низкопро́бный (*о произведении*).

**penny-a-liner** ['penɪə'laɪnə] *n* наёмный писа́ка.

**pennydog** ['penɪdɔg] *n разг.* помо́щник ма́стера.

**penny-in-the-slot(machine)** ['penɪɪndə-'slɔt(mə'ʃiːn)] *n* автома́т для прода́жи штучных това́ров (*в который опуска́ют пенни*).

**penny post** ['penɪ'poust] *n* почто́вая опла́та в 1 пе́нни.

**pennyroyal** ['penɪ'rɔɪəl] *n бот.* 1) мя́та боло́тная; 2) *амер.* блохо́вник.

**pennyweight** ['penɪweɪt] *n* 24 гра́на (= *1,5552г*).

**penny wise** ['penɪ'waɪz] *a* ме́лочный; ◇ ~ and pound foolish эконо́мный в мелоча́х и расточи́тельный в кру́пном.

**pennywort** ['penɪwəːt] *n бот.* пупо́чная трава́ (*тж.* wall ~).

**pennyworth, penny-worth** ['penəθ] *n* 1) коли́чество това́ра, кото́рое мо́жно купи́ть на 1 пе́нни; 2) *attr.* грошо́вый; ◇ a good (bad) ~ вы́годная (невы́годная) сде́лка;

not a ~ ни чу́точки; to get one's ~ *разг.* а) получи́ть сполна́; б) получи́ть нагоня́й.

**penology** [pi'nɔlədʒɪ] *n* нау́ка о наказа́ниях и тюрьмах, пеноло́гия.

**pensile** ['pensɪl] *a* 1) вися́чий (*о гнезде и т. п.*); свиса́ющий; 2) стро́ящий вися́чие гнёзда (*о птице*).

**pension** 1. *n* 1) ['penʃən] пе́нсия; посо́бие; 2) ['pãːŋsɪɔ̃ːŋ] пансио́н;

2. *v* ['penʃən] назнача́ть пе́нсию; субсиди́ровать; □ ~ off увольня́ть на пе́нсию.

**pensionable** ['penʃənəbl] *a* 1) даю́щий пра́во на пе́нсию; 2) име́ющий пра́во на пе́нсию.

**pensionary** ['penʃənərɪ] 1. *n* 1) пенсионе́р; 2) наёмник;

2. *a* пенсио́нный.

**pensioner** ['penʃənə] *n* 1) пенсионе́р; 2) студе́нт, опла́чивающий обуче́ние и содержа́ние (*в Кембриджском университете*); 3) *уст.* наёмник.

**pensive** ['pensɪv] *a* заду́мчивый; печа́льный.

**penstock** ['penstɔk] *n* 1) шлюз, шлю́зный затво́р; 2) жёлоб; 3) *тех.* напо́рный трубопрово́д; подводя́щий кана́л (*для турбин*).

**pen-swan** ['penswɔn] = pen III.

**pent** [pent] 1. *past и p. p. от* pen II, 2;

2. *a* заключённый, за́пертый.

**penta-** ['pentə-] *pref* пяти-.

**pentachord** ['pentəkɔːd] *n* пентахо́рд (*пятиструнный музыкальный инструмент*).

**pentad** ['pentæd] *n* 1) число́ пять; 2) гру́ппа из пяти́; 3) промежу́ток вре́мени в пять дней *или* пять лет; 4) *хим.* пятивале́нтный элеме́нт.

**pentagon** ['pentəgən] *n* 1) пятиуго́льник; 2) (the P.) зда́ние вое́нного министе́рства, вое́нное министе́рство США; *перен.* америка́нский милитари́зм.

**pentagonal** [pen'tægənl] *a* пятиуго́льный.

**pentagram** ['pentəgræm] *n* пентагра́мма.

**pentahedral** [,pentə'hiːdrəl] *a геом.* пятигра́нный.

**pentahedron** [,pentə'hiːdrən] *n геом.* пента́эдр, пятигра́нник.

**pentameter** [pen'tæmɪtə] *n прос.* пента́метр.

**pentangular** [pen'tæŋgjuələ] *a* пятиуго́льный.

**pentasyllable** ['pentə,sɪləbl] *n* пятисло́жное сло́во.

**Pentateuch** ['pentətjuːk] *n библ.* пятикни́жие.

**pentathlon** [pen'tæθlɔn] *n спорт.* пятибо́рье.

**Pentecost** ['pentɪkɔst] *n церк.* пятидеся́тница.

**penthouse** ['penthaus] *n* наве́с; тент; надстро́йка на кры́ше; зонт над дверьми́.

**pentode** ['pentoud] *n эл.* пятиэлектро́дная ла́мпа, пенто́д.

**penult(imate)** [pɪ'nʌlt(ɪmɪt)] *грам.* 1. *a* предпосле́дний;

2. *n* предпосле́дний слог.

**penumbra** [pɪ'nʌmbrə] *n* полуте́нь, полусве́т.

**penurious** [pɪ'njuərɪəs] *a* 1) скупо́й; 2) бе́дный, ску́дный.

**penury** ['penjurɪ] *n* 1) бе́дность, нужда́; 2) недоста́ток, отсу́тствие (of).

**penwiper** ['pen,waɪpə] *n* перочи́стка.

**peon** I ['piːən] *n* 1) пехоти́нец; 2) полице́йский; 3) вестово́й.

**peon** II ['piːən] *n* батра́к, подёнщик, пео́н (*в Южной Америке*).

**peonage** ['piːənɪdʒ] *n* крепостно́й труд пео́нов; батра́чество; кабала́.

**peony** ['pɪənɪ] *n бот.* пио́н.

**people** ['piːpl] 1. *n* 1) наро́д, на́ция; 2) (*употр. как pl*) лю́ди; населе́ние; жи́тели; young ~ молодёжь; country ~ дереве́нские жи́тели; ~ say that говоря́т, что; 3) (*употр. как pl*) родны́е, ро́дственники, роди́тели (*обыкн.* my ~, his ~ *и т. п.*); 4) сви́та; слу́ги, слу́жащие; (вооружённые) сторо́нники; прихожа́не; 5) (P.) *амер. юр.* обще́ственное обвине́ние, госуда́рство (*как сторона на процессе*);

2. *v* заселя́ть, населя́ть.

**pep** [pep] *разг.* 1. *n* бо́дрость ду́ха, эне́ргия, си́ла;

2. *v* уси́ливать, подгоня́ть, оживля́ть, стимули́ровать, вселя́ть бо́дрость ду́ха (*обыкн.* ~ up).

**peperino** [,pepə'riːnou] *n мин.* пепери́но.

**pepper** ['pepə] 1. *n* 1) пе́рец; 2) острота́, е́дкость; 3) вспы́льчивость; 4) жи́вость; эне́ргия, темпера́мент;

2. *v* 1) пе́рчить; 2) усыпа́ть; осыпа́ть; 3) брани́ть, распека́ть; «зада́ть пе́рцу».

**pepper-and-salt** ['pepərənd'sɔlt] 1. *n* кра́пчатая шерстяна́я мате́рия;

2. *a* 1) кра́пчатый; 2) с про́седью (*о волосах*).

**pepperbox** ['pepəbɔks] *n* 1) пе́речница; 2) *шутл.* ба́шенка.

**pepper-caster, pepper-castor** ['pepə,kɑːstə] = pepperbox 1).

**peppercorn** ['pepəkɔːn] *n* зёрнышко пе́рца, перчи́нка; ◇ ~ rent номина́льная аре́ндная пла́та.

**peppermint** ['pepəmɪnt] *n* 1) *бот.* пе́речная мя́та; 2) мя́тная лепёшка.

**pepper-pot** ['pepərɔt] *n* 1) = pepperbox 1); 2) вест-и́ндское пря́ное ку́шанье из мя́са *или* ры́бы; 3) *sl.* вспы́льчивый челове́к; 4) *прозвище жителя Ямайки*.

**peppery** ['pepərɪ] *a* 1) напе́рченный; о́стрый, е́дкий; 2) вспы́льчивый, раздражи́тельный.

**peppy** ['pepɪ] *a sl.* энерги́чный; бо́дрый; в хоро́шем настрое́нии.

**pepsin** ['pepsɪn] *n физиол.* пепси́н.

**peptic** ['peptɪk] 1. *a физиол.* 1) пищевари́тельный; 2) пепси́новый;

2. *n pl шутл.* пищевари́тельные о́рганы.

**peptone** ['peptoun] *n физиол.* пепто́ны.

**per** [pəː] *prep* 1) по, че́рез, посре́дством; ~ post (rail, steamer, carrier) по по́чте (по желе́зной доро́ге, парохо́дом, че́рез посы́льного); 2) согла́сно (*обыкн.* as ~); as ~ usual *шутл.* по обыкнове́нию; 3) за, на, в, с (*каждого*); 60 miles ~ hour 60 миль в час; a shilling ~ man по ши́ллингу с челове́ка; 4) в лати́нских выраже́ниях: ~ capita [pəː'kæpɪtə] на челове́ка, на ду́шу, за ка́ждого; ~ contra [pə'kɔntrə] на другóй сторонé счёта; с другóй стороны; ~ diem [pə:'daiem] в день; ~ annum [pər'ænəm] в год, ежегóдно; ~ mensem [pə:'mensəin] в мéсяц; ~ mille [pə:'mil] на тысячу, °/₀₀; ~ procurationem ['pə:prɔkjuəreiʃi'ounem] чéрез своегó представителя, чéрез посрéдство (*сокр.* per pro., per proc., p.p., *напр.*, Jones & Co. p. p. A. Smith по поручéнию Джóунза и K° подписáл A. Смит); ~ saltum [pə:'sæltəm] срáзу, одним мáхом; ~ se [pə:'si:] сам по себé, по существý.

**peradventure** [pərəd'ventʃə] *уст.* **1.** *n* неизвéстность; сомнéние; beyond (*или* without) (all) ~ несомнéнно;
**2.** *adv* возмóжно, мóжет быть; if ~ éсли бы; lest ~ чтó бы ни случилось.

**perambulate** [pə'ræmbjuleit] *v* 1) ходить взад и вперёд, расхáживать; 2) обходить границы (*владéний и т. п.*); объезжáть (*территóрию с цéлью провéрки, инспектировáния и т. п.*); 3) катáть коляску.

**perambulation** [pə,ræmbju'leiʃən] *n* 1) ходьбá, прогýлка; 2) обхóд (*осóб. границ*); поéздка с цéлью осмóтра и инспектировáния.

**perambulator** ['præmbjuleitə] *n* 1) дéтская коляска; 2) шагомéр.

**percale** [pə:'kɑ:l] *n текст.* перкáль.

**perceive** [pə'si:v] *v* 1) постигáть, воспринимáть, понимáть, осознавáть; 2) ощущáть; чýвствовать, различáть.

**per cent** [pə'sent] *n* процéнт, на сóтню, %; three ~ три процéнта.

**percentage** [pə'sentidʒ] *n* 1) процéнт; процéнтное отношéние; процéнтное содержáние; 2) *разг.* часть, количество.

**percept** ['pə:sept] *n филос.* объéкт *или* результáт перцéпции.

**perceptibility** [pə,septə'biliti] *n* ощутимость, воспринимáемость.

**perceptible** [pə'septəbl] *a* ощутимый, замéтный; различимый.

**perception** [pə'sepʃən] *n* 1) восприятие, ощущéние; сознавáние; понимáние; 2) *филос.* перцéпция; 3) *юр.* сбор.

**perceptional** [pə'sepʃənl] *a* перцептивный.

**perceptive** [pə'septiv] *a* воспринимáющий, воспримчивый.

**perceptivity** [,pə:sep'tiviti] *n* восприимчивость, понятливость.

**perch I** [pə:tʃ] **1.** *n* 1) жердь, шест, вéха; 2) насéст; 3) высóкое *или* прóчное положéние; 4) дрогá, дрожина (*в телéге*); 5) мéра длины (=5,03 *м*); square ~ мéра площади (=25,3 *м²*); 6) *архит.* карниз, выступ; ◇ come off your ~ не задирáйте нóса; to hop the ~ умерéть;
**2.** *v* 1) садиться (*о птице*); 2) усéсться, взгромоздиться; опербться (*обо чтó-л.*); 3) сажáть на насéст; 4) (*обыкн. p. p.*) помещáть высокó; town ~ed on a hill гóрод, располóженный на холмé.

**perch II** [pə:tʃ] *n* óкунь.

**perchance** [pə'tʃɑ:ns] *adv уст.* 1) случáйно; 2) быть мóжет, возмóжно.

**perchloric** [pə:'klɔrik] *a:* ~ acid *хим.* хлóрная кислотá.

**percipient** [pə:'sipiənt] **1.** *a* воспринимáющий, спосóбный воспринимáть, сознавáть;
**2.** *n* человéк, спосóбный легкó воспринимáть, осознавáть.

**percolate** ['pə:kəleit] *v* 1) просáчиваться, проникáть сквозь; 2) процéживать, фильтровáть; перколировáть; 3) выщелáчивать.

**percolation** [,pə:kə'leiʃən] *n* 1) просáчивание; 2) процéживание, фильтровáние.

**percolator** ['pə:kəleitə] *n* 1) процéживатель; фильтровáльная машина; фильтр; 2) ситечко в кофéйнике; 3) кофéйник с ситечком.

**percuss** [pə:'kʌs] *v мед.* выстýкивать.

**percussion** [pə:'kʌʃən] *n* 1) столкновéние (*двух тел*), удáр; сотрясéние; 2) *мед.* выстýкивание, перкýссия; 3) *собир. муз.* удáрные инструмéнты; 4) *attr.* удáрный, взрывнóй; ~ action удáрное дéйствие (*снаряда*); ~ cap пистóн, кáпсюль; ~ fuze удáрный взрывáтель; ~ instrument *муз.* удáрный инструмéнт; ~ boring (*или* drilling) удáрное бурéние.

**percussive** [pə:'kʌsiv] *a* удáрный.

**percutaneous** [,pə:kju:'teinjəs] *a* подкóжный (*о впрыскивании и т. п.*).

**perdition** [pə:'diʃən] *n* 1) гибель; погибель; 2) *рел.* смерть без надéжды на воскресéние, вéчная смерть; 3) проклятие.

**perdu(e)** [pə:'dju:] *a predic.* притайвшийся; to lie ~ a) *уст.* лежáть в засáде; б) притайться; в) старáться не быть в цéнтре внимáния.

**perdurable** [pə'djuərəbl] *a* óчень прóчный; вéчный; постоянный.

**peregrinate** ['perigrineit] *v шутл.* путешéствовать, стрáнствовать.

**peregrination** [,perigri'neiʃən] *n шутл.* путешéствие, стрáнствие.

**peregrinator** ['perigrineitə] *n шутл.* стрáнник.

**peregrin(e)** ['perigrin] **1.** *n зоол.* сапсáн (*тж.* ~ falcon).
**2.** *a уст.* чужезéмный; привезённый из-за границы.

**peremptory** [pə'remptəri] **1.** *a* 1) безапелляциóнный, не допускáющий возражéния; 2) повелительный, влáстный; 3) догматический; доктринёрский; 4) *юр.* окончáтельный, безуслóвный;
**2.** *n юр.* отвóд присяжного.

**perennial** [pə'renjəl] **1.** *a* 1) длящийся круглый год; 2) не пересыхáющий лéтом; 3) вéчный, неувядáемый; 4) *бот.* многолéтний;
**2.** *n бот.* многолéтнее растéние.

**perennially** [pə'renjəli] *adv* всегдá, вéчно; постоянно.

**perfect 1.** *a* ['pə:fikt] 1) совершéнный, идеáльный, безупрéчный; 2) закóнченный, цéльный; 3) тóчный; абсолютный, пóлный; ~ fifth *муз.* чистая квинта; ~ square тóчный квадрáт; a ~ stranger совсéм чужóй человéк; 4) настоящий, истинный; 5) хорошó подготóвленный; достигший совершéнства; 6) *грам.* перфéктный, обозначáющий дéйствие, ужé закóнченное по отношéнию к дáнному врéмени;
**2.** *n* ['pə:fikt] *грам.* перфéкт;

**3.** *v* [pə'fekt] 1) совершенствовать; улучшать; 2) завершать, заканчивать, выполнять.

**perfectibility** [pə,fektı'bılıtı] *n* способность к совершенствованию.

**perfectible** [pə'fektəbl] *a* способный к совершенствованию.

**perfection** [pə'fekʃən] *n* 1) совершенство, безупречность; to ~ в совершенстве; 2) законченность; 3) высшая ступень, верх (*чего-л.*; of); 4) завершение; 5) совершенствование.

**perfectly** ['pə:fıktlı] *adv* совершенно, вполне, отлично; ~ well отлично.

**perfidious** [pə:'fıdıəs] *a* вероломный, предательский.

**perfidy** ['pə:fıdı] *n* вероломство, измена, предательство.

**perforate** ['pə:fəreıt] *v* 1) просверливать или пробивать отверстия, пробуравливать; 2) проникать (into, through).

**perforated** ['pə:fəreıtıd] 1. *p. p. om* perforate;
2. *a* перфорированный, дырчатый, просверлённый.

**perforation** [,pə:fə'reıʃən] *n* 1) просверливание, пробивание отверстий, пробуравливание; 2) отверстие; 3) *мед.* прободение.

**perforator** ['pə:fəreıtə] *n* 1) бурав, сверло; перфоратор; 2) *редк.* сверлильный станок; 3) дыропробивной станок.

**perforce** [pə'fɔ:s] 1. *adv* по необходимости, волей-неволей;
2. *n редк.* необходимость; of ~, by ~ по необходимости.

**perform** [pə'fɔ:m] *v* 1) исполнять, выполнять (*обещание, приказание и т. п.*); совершать; 2) представлять; играть, исполнять (*пьесу, роль и т. п.*); 3) делать трюки (*о дрессированных животных*); 4) *спорт.* достигнуть, показать результат.

**performance** [pə'fɔ:məns] *n* 1) исполнение, выполнение; 2) игра, исполнение; 3) действие; поступок; подвиг; 4) *театр.* представление; 5) трюки; 6) *спорт.* достижение; 7) *тех.* характеристика (*работы машины и т. п.*); эксплуатационные качества; 8) *тех.* работа, производительность; коэффициент полезного действия; 9) *ав.* лётные данные, лётные качества.

**performer** [pə'fɔ:mə] *n* исполнитель.

**performing** [pə'fɔ:mıŋ] 1. *pres. p. om* perform;
2. *a* дрессированный, учёный (*о животном*).

**perfume 1.** *n* ['pə:fju:m] 1) благоухание, аромат; запах; 2) духи;
2. *v* [pə'fju:m] душить (*духами и т. п.*); делать благоуханным.

**perfumed 1.** [pə'fju:md] *p. p. om* perfume 2;
2. *a* ['pə:fju:md] 1) надушенный; 2) душистый; благоуханный.

**perfumer** [pə'fju:mə] *n* парфюмер.

**perfumery** [pə'fju:mərı] *n* парфюмерия.

**perfunctory** [pə'fʌŋktərı] *a* поверхностный, невнимательный, механический, небрежный; ~ inspection поверхностный осмотр; *a ~ manner* небрежно.

**perfuse** [pə'fju:z] *v* 1) обрызгивать (with); 2) заливать (*светом и т. п.*).

**pergameneous** [,pə:gə'mi:nıəs] *a* пергаментный.

**pergola** ['pə:gələ] *n* беседка *или* крытая аллея из вьющихся растений.

**perhaps** [pə'hæps, præps] 1. *adv* может быть, возможно;
2. *n* предположение, возможность.

**peri** ['pıərı] *перс. n* 1) *миф.* пери; 2) красавица.

**perianth** ['perıænθ] *n бот.* околоцветник.

**periapt** ['perıæpt] *n* амулет.

**pericardia** [,perı'kɑ:dıə] *pl om* pericardium.

**pericarditis** [,perıkɑ:'daıtıs] *n мед.* перикардит.

**pericardium** [,perı'kɑ:djəm] *n* (*pl* -dia) *анат.* околосердечная сумка, перикард(ий).

**pericarp** ['perıkɑ:p] *n бот.* перикарпий, околоплодник.

**pericope** [pe'rıkəpı] *n* короткий отрывок, абзац; отрывок из священного писания, который читают во время богослужения.

**pericrania** [,perı'kreınıə] *pl om* pericranium.

**pericranium** [,perı'kreınıəm] *n* (*pl* -nia) 1) *анат.* надкостница черепа; 2) *шутл.* череп; мозг; ум.

**peridot** ['perıdət] *n мин.* перидот, оливин.

**perigee** ['perıdʒ:] *n астр.* перигей.

**perihelia** [,perı'hi:ljə] *pl om* perihelion.

**perihelion** [,perı'hi:ljən] *n* (*pl* -lia) *астр.* перигелий.

**peril** ['perıl] 1. *n* опасность; риск; at the ~ of one's life с опасностью для жизни; at one's ~ на свой собственный риск;
2. *v* подвергать опасности.

**perilous** ['perıləs] *a* опасный, рискованный.

**perimeter** [pə'rımıtə] *n* 1) *геом.* периметр; 2) внешняя граница лагеря *или* укрепления; 3) *attr.* круговой.

**perimorph** ['perımɔ:f] *n геол.* периморфоза.

**perinea** [,perı'ni:ə] *pl om* perineum.

**perineum** [,perı'ni:əm] *n* (*pl* -nea) *анат.* промежность.

**period** ['pıərıəd] 1. *n* 1) период; промежуток времени; 2) время, эпоха; the girl of the ~ тип современной девушки; 3) круг, цикл; 4) *pl* риторическая речь; 5) *pl* менструации; 6) *грам.* период, большое сложное законченное предложение; 7) пауза в конце периода; точка; to put a ~ to smth. поставить точку; положить конец чему-л.; 8) *мат., астр., геол.* период;
2. *a* относящийся к определённому периоду (*о мебели, платье и т. п.*).

**periodic I** [,pıərı'ɔdık] *a* 1) периодический; ~ law периодическая система элементов Менделеева; 2) циклический; 3) *разг.* периодический, встречающийся (*или появляющийся*) время от времени; 4) риторический (*о стиле*).

**periodic II** [,pə:raı'ɔdık] *a*: ~ acid *хим.* йодноватая кислота.

**periodical** [,pıərı'ɔdıkəl] 1. *a* периодический; появляющийся через определённые промежутки времени; выпускаемый через определённые промежутки времени;
2. *n* периодическое издание.

**periodically** [͵pɪərɪ'ɔdɪkəlɪ] *adv* 1) через определённые промежутки времени; периодически; 2) время от времени.

**periodicity** [͵pɪərɪə'dɪsɪtɪ] *n* 1) периодичность, частота; 2) *эл.* число периодов, периодичность.

**periostea** [͵perɪ'ɔstɪə] *pl от* periosteum.

**periosteum** [͵perɪ'ɔstɪəm] *n* (*pl*-tea) *анат.* надкостница.

**periostitis** [͵perɪɔs'taɪtɪs] *n мед.* периостит, воспаление надкостницы.

**peripatetic** [͵perɪpə'tetɪk] **1.** *a* 1) (*обыкн.* P.) *филос.* аристотелевский, перипатетический; 2) странствующий;
**2.** *n* 1) *филос.* перипатетик; 2) *шутл.* странник; странствующий торговец.

**peripeteia, peripetia** [͵perɪpə'taɪjə] *n* перипетия.

**peripheral** [pə'rɪfərəl] *a* периферийный, окружной; ~ speed окружная скорость, скорость по окружности.

**periphery** [pə'rɪfərɪ] *n* периферия, окружность.

**periphrases** [pə'rɪfrəsiːz] *pl от* periphrasis.

**periphrasis** [pə'rɪfrəsɪs] *n* (*pl* -ses) перифраз(а).

**periphrastic** [͵perɪ'fræstɪk] *a* 1) изобилующий перифразами; околичный; иносказательный; 2) *грам.*: ~ conjugation спряжение с помощью вспомогательного глагола.

**peripteral** [pə'rɪptərəl] *a* окружённый колоннами (*особ. об античном храме*).

**periscope** ['perɪskoup] *n* перископ.

**perish** ['perɪʃ] *v* 1) погибать, умирать; 2) безвременно погибнуть *или* скончаться; 3) (*обыкн. pass.*) губить; изнурять; we were ~ed with hunger (cold *etc.*) мы страдали от голода (холода *и т. п.*).

**perishable** ['perɪʃəbl] *a* 1) тленный, бренный, непрочный; 2) скоропортящийся;
**2.** *n pl* скоропортящийся товар *или* груз.

**perisher** ['perɪʃə] *n sl.* неприятный, нудный человек.

**perishing** ['perɪʃɪŋ] **1.** *pres. p. от* perish; **2.** *a sl.* ужасный, сковывающий (*о холоде*); in ~ cold в ужасном холоде.

**peristalsis** [͵perɪ'stælsɪs] *n физиол.* перистальтика.

**peristaltic** [͵perɪ'stæltɪk] *a физиол.* перистальтический.

**peristyle** ['perɪstaɪl] *n архит.* перистиль.

**periton(a)eum** [͵perɪtou'niːəm] *n* (*pl* -nea) *анат.* брюшина.

**peritonea** [͵perɪtou'niːə] *pl от* periton(a)eum.

**peritoneal** [͵perɪtə'niːəl] *a анат.* брюшинный.

**peritonitis** [͵perɪtə'naɪtɪs] *n мед.* воспаление брюшины, перитонит.

**periwig** ['perɪwɪg] *n* парик.

**periwigged** ['perɪwɪgd] *a* в парике.

**periwinkle** I ['perɪ͵wɪŋkl] *n бот.* барвинок малый.

**periwinkle** II ['perɪ͵wɪŋkl] *n зоол.* литорина (*моллюск*).

**perjure** ['pəːdʒə] *v refl.* ложно клясться, лжесвидетельствовать; нарушать клятву.

**perjured** ['pəːdʒəd] **1.** *p. p. от* perjure;

**2.** *a* виновный в клятвопреступлении, клятвопреступный.

**perjurer** ['pəːdʒərə] *n* клятвопреступник, лжесвидетель.

**perjury** ['pəːdʒərɪ] *n* 1) клятвопреступление, лжесвидетельство; 2) вероломство, нарушение клятвы.

**perk** I [pəːk] *v разг.* (*тж.* ~ up) 1) задирать (*голову*) кверху с бойким *или* нахальным видом; 2) воспрянуть духом, оживиться; 3) прихорашиваться.

**perk** II [pəːk] *sl.* (*обыкн. pl*) *сокр. от* perquisite.

**perky** ['pəːkɪ] *a* 1) весёлый, бойкий; 2) дерзкий; самоуверенный, наглый.

**perm** [pəːm] *n разг.* (*сокр. от* permanent wave) «перманент».

**permalloy** ['pəːmələɪ] *n метал.* пермаллой.

**permanence** ['pəːmənəns] *n* неизменность, прочность, постоянство.

**permanency** ['pəːmənənsɪ] *n* 1) = permanence; 2) постоянная работа, постоянная организация *и т. п.*

**permanent** ['pəːmənənt] *a* 1) постоянный, неизменный; долговременный; перманентный; ~ secretary непременный секретарь; ~ wave завивка «перманент»; ~ way железнодорожное полотно; ~ teeth коренные зубы; ~ repair текущий ремонт; 2) остаточный; ~ magnetism остаточный магнетизм.

**permanently** ['pəːmənəntlɪ] *adv* постоянно, надолго, навсегда.

**permanganate** [pəː'mæŋgənɪt] *n хим.* перманганат, соль марганцовой кислоты.

**permanganic** [͵pəːmæŋ'gænɪk] *a хим.*: ~ acid марганцовая кислота.

**permeability** [͵pəːmjə'bɪlɪtɪ] *n* проницаемость.

**permeable** ['pəːmjəbl] *a* проницаемый.

**permeance** ['pəːmɪəns] *n эл.* магнитная проницаемость.

**permeate** ['pəːmɪeɪt] *v* 1) проникать, проходить сквозь, пропитывать; 2) распространяться (among, through, into).

**permeation** [͵pəːmɪ'eɪʃən] *n* проникание.

**Permian** ['pəːmɪən] *a геол.* пермский.

**permissibility** [pəː͵mɪsɪ'bɪlɪtɪ] *n* позволительность.

**permissible** [pə'mɪsəbl] *a* позволительный, допустимый.

**permission** [pə'mɪʃən] *n* позволение, разрешение.

**permissive** [pə'mɪsɪv] *a* 1) дозволяющий; позволяющий, разрешающий; 2) рекомендующий (но не предписывающий в обязательном порядке); 3) факультативный, необязательный.

**permit 1.** *n* ['pəːmɪt] 1) пропуск; 2) разрешение.
**2.** *v* [pə'mɪt] 1) позволять, разрешать, давать разрешение; I may be ~ted я позволю себе, я беру на себя смелость; 2) позволять, давать возможность; the words hardly ~ doubt после этих слов едва ли можно сомневаться в том...; weather ~ting если погода будет благоприятствовать; 3) допускать (of).

**permittance** [pə'mɪtəns] *n* 1) *уст.* разрешéние, позволéние; 2) *эл.* ёмкостная проводимость; 3) *эл.* ёмкость.

**permittivity** [,pɜːmɪ'tɪvɪtɪ] *n* *эл.* 1) диэлектрическая постоянная; диэлектрическая проницáемость; 2) удéльная проводимость.

**permutation** [,pɜːmjuː'teɪʃən] *n* 1) перемéна, изменéние; 2) *мат.* перестановка.

**permute** [pə'mjuːt] *v* переставлять; менять порядок.

**pern** [pɜːn] *n* осоéд (*птица*).

**pernicious** [pɜː'nɪʃəs] *a* пáгубный, врéдный; ~ anaemia злокáчественная анемия.

**pernickety** [pə'nɪkɪtɪ] *a* *разг.* 1) придирчивый, разборчивый, привередливый; 2) педантичный; 3) суетливый; 4) тонкий, трéбующий осторожности и тщáтельности; щекотливый.

**perorate** ['perəreɪt] *v* 1) орáторствовать; разглагольствовать; 2) дéлать заключéние в рéчи, резюмировать.

**peroration** [,perə'reɪʃən] *n* 1) разглагольствование; 2) заключéние, заключительная часть рéчи.

**peroxide** [pə'rɔksaɪd] *n* *хим.* пéрекись, *часто* пéрекись водорода.

**perpend** [pɜː'pend] *v* *уст.*, *шутл.* обдýмывать, размышлять.

**perpendicular** [,pɜːpən'dɪkjulə] 1. *n* 1) перпендикуляр; отвéс; out of the ~ не вертикáльный, не под прямым углом; 2) *sl.* закýсывание стоя, едá стоя; 2. *a* 1) перпендикулярный; 2) почти вертикáльный, крутой.

**perpendicularity** ['pɜːpən,dɪkju'lærɪtɪ] *n* перпендикулярность.

**perpetrate** ['pɜːpɪtreɪt] *v* совершáть (*преступлéние, ошибку и т. п.*); ◇ to ~ a pun сочинить каламбýр.

**perpetration** [,pɜːpɪ'treɪʃən] *n* 1) совершéние (*преступлéния*); 2) преступлéние.

**perpetrator** ['pɜːpɪtreɪtə] *n* нарушитель, престýпник.

**perpetual** [pə'petjuəl] *a* 1) вéчный, бесконéчный; ~ motion «вéчное движéние», перпéтуум-мобиле; 2) пожизненный; бессрочный; 3) *разг.* беспрестáнный, непрекращáющийся; постоянный; нескончáемый; this ~ nagging это вéчное нытьё.

**perpetuate** [pə'petjueɪt] *v* увековéчивать; сохранять навсегдá.

**perpetuation** [pə,petju'eɪʃən] *n* увековéчение; сохранéние навсегдá.

**perpetuity** [,pɜːpɪ'tjuːɪtɪ] *n* 1) вéчность, бесконéчность; in (*или* to, for) ~ навсегдá; навéчно; 2) владéние на неограниченный срок; 3) пожизненная рéнта.

**perplex** [pə'pleks] *v* 1) стáвить в тупик, приводить в недоумéние; смущáть; ошеломлять, сбивáть с толку; 3) запýтывать, усложнять.

**perplexed** [pə'plekst] 1. *p. p. от* perplex;
2. *a* 1) ошеломлённый, сбитый с толку, растéрянный; 2) запýтанный; сложный; a ~ question запýтанный вопрос.

**perplexedly** [pə'pleksɪdlɪ] *adv* недоумéнно; растéрянно.

**perplexity** [pə'pleksɪtɪ] *a* 1) недоумéние; растéрянность; смущéние; 2) затруднéние, дилéмма.

**perquisite** ['pɜːkwɪzɪt] *n* 1) прирáботок; случáйный доход; 2) то, что по использовании переходит в распоряжéние подчинённых, слуг; 3) чаевые.

**perquisition** [,pɜːkwɪ'zɪʃən] *n* 1) тщáтельный обыск; 2) опрос; расслéдование.

**perron** ['perən] *n* *архит.* нарýжная лéстница подъéзда, крыльцá.

**perry** ['perɪ] *n* грýшевый сидр.

**perse** [pɜːs] *a* *уст.* серовáто-синий.

**persecute** ['pɜːsɪkjuːt] *v* 1) преслéдовать, подвергáть гонéниям (*особ. за убеждéния*); 2) докучáть, надоедáть.

**persecution** [,pɜːsɪ'kjuːʃən] *n* 1) преслéдование, гонéние; 2) *attr.*: ~ complex мáния преслéдования.

**persecutor** ['pɜːsɪkjuːtə] *n* преслéдователь, гонитель.

**Perseus** ['pɜːsjuːs] *n* *миф.* Персéй.

**perseverance** [,pɜːsɪ'vɪərəns] *n* настойчивость, стойкость, упорство.

**persevere** [,pɜːsɪ'vɪə] *v* стойко, упорно продолжáть, упорно добивáться (in, with).

**persevering** [,pɜːsɪ'vɪərɪŋ] 1. *pres. p. от* persevere;
2. *a* упорный, стойкий.

**Persian** ['pɜːʃən] 1. *a* персидский; ирáнский; ~ rug (*или* carpet) персидский ковёр; ◇ ~ blinds жалюзи;
2. *n* 1) перс; персиянка; the ~s *pl собир.* пéрсы; 2) персидский язык.

**persiennes** [,pɜːsɪ'enz] *фр. n pl* жалюзи.

**persiflage** ['pɜːsɪflɑːʒ] *фр. n* подшýчивание; лёгкая шýтка.

**persilicic** [,pɜːsɪ'lɪsɪk] *a* *мин.* кислый (*об извéрженных породах*).

**persimmon** [pɜː'sɪmən] *n* *бот.* персиммон, хурмá японская.

**persist** [pə'sɪst] *v* 1) упорствовать, настойчиво, упорно продолжáть (in); he ~ed in his opinion он упорно стоял на своём; 2) оставáться, продолжáть существовáть, устоять; the tendency still ~s эта тендéнция всё ещё существýет.

**persistence, -cy** [pə'sɪstəns, -sɪ] *n* 1) упорство, настойчивость; 2) выносливость; живýчесть; 3) постоянство; продолжительность; 4) сохранéние эффéкта после устранéния причины, вызвавшей егó; ~ of vision инéрция зрительного восприятия.

**persistent** [pə'sɪstənt] *a* 1) упорный, настойчивый; 2) стойкий; устойчивый; постоянный; 3) *бот.* неопадáющий (*о листвé и т. п.*); ~ leaf многолéтний, неопадáющий лист.

**persnickety** [pə'snɪkɪtɪ] *разг. см.* pernickety.

**person** ['pɜːsn] *n* 1) человéк; личность, особа; субъéкт; in (one's own) ~ лично, собственной персоной; not a single ~ ни одной души, никого; 2) внéшность; he has a fine ~ он красив; 3) дéйствующее лицо; персонáж; 4) *грам.* лицó; 5) юридическое лицó; 6) *зоол.* особь.

**persona** [pɜː'sounə] *лат. n*: ~ (non) grata *дип.* персóна (нон) грáта.

**personable** ['pɜːsnəbl] *a* краси́вый, с привлека́тельной вне́шностью; представи́тельный.

**personage** ['pɜːsnɪdʒ] *n* 1) выдаю́щаяся ли́чность; (ва́жная) персо́на; 2) челове́к; осо́ба; 3) персона́ж, де́йствующее лицо́.

**personal** ['pɜːsnl] 1. *a* 1) ли́чный; ~ labour ли́чный труд; ~ opinion ли́чное мне́ние; 2) задева́ющий, затра́гивающий ли́чности; ~ remarks замеча́ния, име́ющие це́лью заде́ть *или* оби́деть кого́-л.; to become ~ задева́ть кого́-л., переходи́ть на ли́чности; 3) *грам.* ли́чный; ~ pronoun ли́чное местоиме́ние; 4) *юр.* дви́жимый (*об имуществе*); 2. *n* (*обыкн.* *pl*) *амер.* заме́тка в газе́те о ли́чных дела́х.

**personality** [ˌpɜːsə'nælɪtɪ] *n* 1) ли́чность, индивидуа́льность; 2) ли́чные сво́йства, осо́бенности хара́ктера; 3) (изве́стная) ли́чность, персо́на; 4) (*обыкн.* *pl*) вы́пад(ы) (*против кого́-л.*).

**personalize** ['pɜːsənəlaɪz] *v* олицетворя́ть.

**personally** ['pɜːsnlɪ] *adv* 1) ли́чно, со́бственной персо́ной, сам; 2) что каса́ется меня́ (его́ *и т. п.*); ~ I differ from you что каса́ется меня́, то я расхожу́сь с ва́ми во мне́нии.

**personalty** ['pɜːsnltɪ] *n* *юр.* дви́жимое иму́щество.

**personate** ['pɜːsəneɪt] *v* 1) игра́ть роль; 2) выдава́ть себя́ за кого́-л.

**personation** [ˌpɜːsə'neɪʃən] *n* 1) выдава́ние себя́ за друго́го; 2) воплоще́ние.

**personification** [pɜːˌsɔnɪfɪ'keɪʃən] *n* олицетворе́ние; воплоще́ние.

**personify** [pɜː'sɔnɪfaɪ] *v* олицетворя́ть; воплоща́ть.

**personnel** [ˌpɜːsə'nel] 1. *n* 1) персона́л, ли́чный соста́в; 2) *attr.* *воен.*: ~ bomb оско́лочная бо́мба; ~ mine противопехо́тная ми́на; ~ shelter укры́тие для ли́чного соста́ва; ~ target жива́я цель; 2. *v* укомплекто́вывать ли́чным соста́вом.

**perspective** [pə'spektɪv] 1. *n* 1) перспекти́ва; 2) вид; 2. *a* перспекти́вный; ~ geometry аксономе́трия.

**perspicacious** [ˌpɜːspɪ'keɪʃəs] *a* проница́тельный.

**perspicacity** [ˌpɜːspɪ'kæsɪtɪ] *n* проница́тельность.

**perspicuity** [ˌpɜːspɪ'kjuːɪtɪ] *n* 1) я́сность, поня́тность; 2) прозра́чность; 3) проница́тельность.

**perspicuous** [pə'spɪkjuəs] *a* 1) я́сный, поня́тный; 2) я́сно выража́ющий свои́ мы́сли; 3) прозра́чный.

**perspirable** [pəs'paɪərəbl] *a* 1) пропуска́ющий испа́рину; 2) выходя́щий испа́риной.

**perspiration** [ˌpɜːspə'reɪʃən] *n* 1) поте́ние; 2) пот, испа́рина.

**perspire** [pəs'paɪə] *v* поте́ть; быть в испа́рине.

**persuadable** [pə'sweɪdəbl] *a* поддаю́щийся убежде́нию.

**persuade** [pə'sweɪd] *v* 1) убежда́ть (that — в чём-л.); I am ~d that it is true я убеждён, что э́то ве́рно; 2) склони́ть, уговори́ть

(into); 3) отговори́ть (from, out of — от чего́-л.).

**persuader** [pə'sweɪdə] *n* 1) убежда́ющий, угова́ривающий; 2) *pl* *sl.* шпо́ры; 3) *разг.* рекла́мная литерату́ра.

**persuasion** [pə'sweɪʒən] *n* 1) убежде́ние; 2) убеди́тельность; 3) вероиспове́дание; 4) *шутл.* род, сорт.

**persuasive** [pə'sweɪsɪv] 1. *a* убеди́тельный; 2. *n* побужде́ние, моти́в.

**persuasiveness** [pə'sweɪsɪvnɪs] *n* убеди́тельность.

**pert** [pɜːt] *a* де́рзкий; наха́льный; бо́йкий; развя́зный.

**pertain** [pə'teɪn] *v* 1) принадлежа́ть, име́ть отноше́ние (to — к чему́-л.); 2) подходи́ть, подоба́ть.

**pertinacious** [ˌpɜːtɪ'neɪʃəs] *a* упря́мый, неусту́пчивый.

**pertinacity** [ˌpɜːtɪ'næsɪtɪ] *n* упря́мство, неусту́пчивость.

**pertinence, -cy** ['pɜːtɪnəns, -sɪ] *n* 1) уме́стность (*замечания и т. п.*); 2) связь, отноше́ние; it is of no ~ to us э́то нас не каса́ется.

**pertinent** ['pɜːtɪnənt] 1. *a* 1) уме́стный, подходя́щий; 2) име́ющий отноше́ние, относя́щийся к де́лу; ~ remark замеча́ние по существу́; 2. *n* (*обыкн.* *pl*) принадле́жности.

**perturb** [pə'tɜːb] *v* 1) возмуща́ть, приводи́ть в смяте́ние, наруша́ть (споко́йствие); 2) волнова́ть, беспоко́ить, смуща́ть.

**perturbation** [ˌpɜːtə'beɪʃən] *n* 1) волне́ние, расстро́йство, смяте́ние; 2) *астр.*, *тех.* пертурба́ция, возмуще́ние.

**peruke** [pə'ruːk] *n* пари́к.

**perusal** [pə'ruːzəl] *n* 1) внима́тельное чте́ние; прочте́ние; 2) *редк.* рассма́тривание.

**peruse** [pə'ruːz] *v* 1) внима́тельно прочи́тывать; 2) внима́тельно рассма́тривать (*лицо́ человека и т. п.*).

**Peruvian** [pə'ruːvjən] 1. *a* перуа́нский; ◇ ~ bark хи́нная ко́рка; 2. *n* перуа́нец; перуа́нка.

**pervade** [pɜː'veɪd] *v* 1) распространя́ться, охва́тывать; пропи́тывать; наполня́ть собо́й; 2) *редк.* проходи́ть (по, через).

**pervasion** [pɜː'veɪʒən] *n* распростране́ние и пр. [*см.* pervade].

**pervasive** [pɜː'veɪsɪv] *a* проника́ющий, распространя́ющийся повсю́ду.

**perverse** [pə'vɜːs] *a* 1) упря́мый, упо́рствующий (*особ.* в свое́й непра́воте); несгово́рчивый, капри́зный; 2) поро́чный; извращённый; 3) превра́тный; оши́бочный (*о пригово́ре и т. п.*).

**perversion** [pə'vɜːʃən] *n* 1) извраще́ние; искаже́ние; 2) извращённость.

**perversity** [pə'vɜːsɪtɪ] *n* 1) упря́мство, своенра́вие; несгово́рчивость; 2) извращённость; поро́чность.

**perversive** [pə'vɜːsɪv] *a* извраща́ющий.

**pervert** 1. *n* ['pɜːvɜːt] 1) отсту́пник, ренега́т; 2) извращённый челове́к; челове́к, страда́ющий половы́м извраще́нием; 2. *v* [pə'vɜːt] 1) извраща́ть; 2) совраща́ть, развраща́ть.

**pervertible** [pə'vɜːtəbl] *a* изврати́мый.

**pervious** ['pə:vjəs] *a* 1) проходи́мый, проница́емый (to); пропуска́ющий (*влагу и т. п.*); 2) поддаю́щийся (*влия́нию и т. п.*); восприи́мчивый.

**peseta** [pə'setə] *исп. n* песе́та, пезе́та (*испанская монета*).

**pesky** ['peskı] *a амер. разг.* надое́дливый, доку́чливый; доса́дный.

**peso** ['peısou] *исп. n* (*pl* -os [-ouz]) пе́со (*монета, имеющая хождение в некоторых странах Латинской Америки и на Филиппинах*).

**pessary** ['pesərı] *n мед.* песса́рий.

**pessimism** ['pesımızəm] *n* пессими́зм.

**pessimist** ['pesımıst] *n* пессими́ст.

**pessimistic** [,pesı'mıstık] *a* пессимисти́ческий.

**pest** [pest] *n* 1) бич; я́зва, парази́т; ~s of society туне́ядцы, парази́ты; 2) что-л. надое́дливое; надое́дливый челове́к; 3) парази́т, вреди́тель; 4) *уст. мор.* чума́.

**pester** ['pestə] *v* докуча́ть, надоеда́ть.

**pesthole** ['pesthoul] *n* оча́г зара́зы, эпиде́мии.

**pest-house** ['pesthaus] *n уст.* больни́ца для зара́зных больны́х; чумно́й бара́к.

**pesticide** ['pestısaıd] *n с.-х.* (хими́ческое) сре́дство для борьбы́ с вреди́телями.

**pestiferous** [pes'tıfərəs] *a* 1) распространя́ющий зара́зу; зловре́дный; 2) вре́дный, опа́сный; 3) *разг.* надое́дливый, доку́чливый.

**pestilence** ['pestıləns] *n* 1) (бубо́нная) чума́; мор; 2) эпиде́мия, пове́трие.

**pestilent** ['pestılənt] *a* 1) смертоно́сный; ядови́тый; 2) па́губный, вре́дный; тлетво́рный; 3) *разг.* назо́йливый, надое́дливый, неприя́тный.

**pestilential** [,pestı'lenʃəl] *a* 1) чумно́й, распространя́ющий зара́зу; злово́нный; 2) тлетво́рный, па́губный; 3) *разг.* отврати́тельный.

**pestle** ['pesl] 1. *n* пе́стик (*ступки*); 2. *v* толо́чь.

**pet I** [pet] 1. *n* 1) люби́мец, ба́ловень; 2) люби́мое живо́тное; люби́мая вещь; 3) *attr.* люби́мый; ~ name ласка́тельное и́мя; 4) *attr.* ручно́й, ко́мнатный (*о живо́тном*); ◊ one's ~ aversion са́мая си́льная антипа́тия; ~ corn *шутл.* люби́мая мозо́ль; 2. *v* 1) балова́ть, ласка́ть; 2) *амер.* предава́ться ла́скам; обнима́ть, целова́ть *и т. п.*

**pet II** [pet] *n* оби́да, раздраже́ние; дурно́е настрое́ние; in a ~ серди́ться, ду́ться; быть в дурно́м настрое́нии.

**petal** ['petl] *n бот.* лепесто́к.

**petard** [pe'tɑːd] *n* 1) пета́рда; 2) род фейерве́рка, хлопу́шка.

**peter** ['piːtə] *v sl.:* ~ out исся́кать, истоща́ться; бедне́ть, уменьша́ться (*о запасах*).

**Peter's fish** ['piːtəzfıʃ] *n зоол.* пи́кша.

**petersham** ['piːtəʃəm] *n* 1) то́лстое сукно́; 2) пальто́ *или* брюки из грубошёрстного сукна́; 3) ре́псовая ле́нта.

**Peter('s)-penny** ['piːtə(z)'penı] *n ист.* «ле́пта св. Петра́» (*ежегодная подать в папскую казну*).

**petiole** ['petıoul] *n бот.* черешо́к (*листа*).

**petition** [pı'tıʃən] 1. *n* 1) пети́ция; проше́ние, хода́тайство; a ~ in bankruptcy за-

явле́ние о банкро́тстве; 2) моли́тва; 3) мольба́;
2. *v* 1) обраща́ться с пети́цией; подава́ть проше́ние, хода́тайствовать; 2) умоля́ть.

**petitionary** [pı'tıʃnərı] *a* содержа́щий про́сьбу, проси́тельный.

**petitioner** [pı'tıʃnə] *n* 1) проси́тель; 2) *юр.* исте́ц.

**petrel** ['petrəl] *n зоол.* 1) вилохво́стая качу́рка; 2): stormy ~ буреве́стник.

**petrifaction** [,petrı'fækʃən] *n* 1) окамене́ние; 2) окамене́лость; 3) оцепене́ние.

**petrify** ['petrıfaı] *v* 1) превраща́ть(ся) в ка́мень, окаменева́ть; 2) приводи́ть в оцепене́ние, поража́ть, ошеломля́ть; 3) остолбене́ть, оцепене́ть.

**petrographer** [pı'trɔgrəfə] *n* петро́граф.

**petrography** [pı'trɔgrəfı] *n* петрогра́фия.

**petrol** ['petrəl] 1. *n* 1) бензи́н; ~ заправля́ться горю́чим; 2) *уст.* = petroleum; 3) *attr.* бензи́новый, кероси́новый; ~ container балло́н, цисте́рна для горю́чего; 2. *v* снабжа́ть бензи́ном.

**petrolatum** [,petrə'leıtəm] *n* вазели́н.

**petroleum** [pı'trouljəm] *n* 1) нефть; 2) кероси́н; 3) *attr.* нефтяно́й.

**petrolic** [pı'trɔlık] *a* бензи́новый; нефтяно́й.

**petroliferous** [,petrə'lıfərəs] *a геол.* нефтено́сный.

**petrology** [pı'trɔlədʒı] *n* петроло́гия.

**petrous** ['petrəs] *a* окамене́лый, затверде́вший, твёрдый как ка́мень.

**petticoat** ['petıkout] *n* 1) (ни́жняя) ю́бка; де́тская ю́бочка; I have known him since he was in ~s ≅ я зна́ю его́ с пелёнок; 2) *шутл.* же́нщина, де́вушка; *pl* же́нский пол; 3) *тех.* ко́локол; труба́ с кони́ческим растру́бом; 4) *attr.* же́нский; ~ influence *разг.* же́нское влия́ние; ~ government ≅ ба́бье ца́рство.

**petties** ['petız] *n pl* ме́лкие расхо́ды.

**pettifog** ['petıfɔg] *v* 1) занима́ться крючкотво́рством, кля́узами; сутя́жничать; 2) вздо́рить из-за пустяко́в.

**pettifogger** ['petıfɔgə] *n* крючкотво́р, кля́узник.

**pettifogging** ['petıfɔgıŋ] 1. *pres. p. от* pettifog;
2. *a* 1) занима́ющийся крючкотво́рством; 2) ме́лкий, ничто́жный; ме́лочный.

**pettish** ['petıʃ] *a* оби́дчивый; раздражи́тельный.

**pettitoes** ['petıtouz] *n pl* свины́е но́жки (*кушанье*).

**petty** ['petı] *a* 1) ме́лкий, незначи́тельный, малова́жный; ~ cash ме́лкие статьи́ (*прихода, расхода*); 2) ме́лкий, небольшо́й; ~ farmer ме́лкий фе́рмер; ~ warfare ма́лая война́; 3) ме́лочный; у́зкий, ограни́ченный; ◊ ~ officer старшина́ (*во флоте*).

**petty jury** ['petı'dʒuərı] *n* 12 прися́жных, выно́сящих верди́кт по гражда́нским и уголо́вным дела́м.

**petulance** ['petjuləns] *n* раздраже́ние; капри́зность, раздражи́тельность; нетерпели́вость.

**petulant** ['petjulənt] *a* 1) раздражи́тельный, нетерпели́вый, оби́дчивый; 2) *редк.* де́рзкий, на́глый.

**petunia** [pɪ'tjuːnjə] *n* 1) *бот.* пету́ния, пету́нья; 2) *attr.* тёмно-фиоле́товый, пурпу́рный.

**petuntse** [pe'tuntsə] *n* *мин.* кита́йский ка́мень.

**pew** [pjuː] *n* 1) церко́вная скамья́ со спи́нкой; 2) постоя́нное ме́сто в це́ркви (*занимаемое важным лицом и т. п.*); 3) *разг.* сиде́нье, стул; take a ~ сади́тесь; ◇ in the right church but in the wrong ~ ≅ в о́бщем пра́вильно, но неве́рно в дета́лях.

**pewit** ['piːwɪt] *n* *зоол.* чи́бис, пи́галица.

**pewit (gull)** ['piːwɪt('ɡʌl)] *n* *зоол.* ча́йка обыкнове́нная.

**pew-rent** ['pjuːrent] *n* пла́та за ме́сто в це́ркви.

**pewter** ['pjuːtə] *n* 1) сплав о́лова со свинцо́м; сплав на оловя́нной осно́ве; 2) оловя́нная посу́да; оловя́нная кру́жка; 3) *sl.* приз; призовы́е де́ньги; 4) *attr.* оловя́нный.

**pfennig, pfenning** ['pfenɪɡ, 'pfenɪŋ] *нем. n* пфе́нниг (*немецкая монета = 0,01 марки*).

**phaeton** ['feitn] *n* фаэто́н.

**phagocyte** ['fæɡəsait] *n* *физиол.* фагоци́т.

**phalange** ['fælændʒ] = phalanx 3).

**phalanges** ['fælændʒɪz] *pl от* phalanx 3).

**phalanstery** ['fælənstəri] *n* фалансте́р.

**phalanx** ['fælæŋks] *n* (*pl* -xes [-ksɪz]) 1) фала́нга; 2) = phalanstery; 3) (*pl обыкн.* -nges) *анат., зоол.* фала́нга, суста́в па́льца.

**phalli** ['fælai] *pl от* phallus.

**phallus** ['fæləs] *n* (*pl* -li) фа́ллос.

**phanerogam** ['fænəroʊɡæm] *n* *бот.* явнобра́чное расте́ние.

**phanerogamic, phanerogamous** [,fænəroʊ-'ɡæmɪk, ,fænə'rɔɡəməs] *a* *бот.* явнобра́чный.

**phantasm** ['fæntæzəm] *n* 1) · фанто́м, при́зрак; 2) иллю́зия; ка́жущееся схо́дство.

**phantasmagoria** [,fæntæzmə'ɡɔriə] *n* фантасмаго́рия.

**phantasmagoric** [,fæntæzmə'ɡɔrik] *a* фантасмагори́ческий.

**phantasmal** [fæn'tæzməl] *a* при́зрачный.

**phantasy** ['fæntəsi] = fantasy.

**phantom** ['fæntəm] *n* 1) фанто́м, при́зрак; 2) иллю́зия; 3) *attr.* при́зрачный, иллюзо́рный; 4) *attr.* *тех.* прозра́чный (*об изображении*).

**Pharaoh** ['fɛəroʊ] *n* *ист.* фарао́н.

**Pharisaic(al)** [,færɪ'seɪɪk(əl)] *a* фарисе́йский, ха́нжеский.

**Pharisaism** ['færɪseɪɪzəm] *n* фарисе́йство.

**Pharisee** ['færɪsiː] *n* фарисе́й, ханжа́.

**pharmaceutical** [,fɑːmə'sjuːtɪkəl] *a* фармацевти́ческий; ~ scales апте́карские весы́.

**pharmaceutics** [,fɑːmə'sjuːtɪks] *n* *pl(употр. как sing)* фармаце́втика.

**pharmaceutist** [,fɑːmə'sjuːtɪst] *n* фармаце́вт.

**pharmacologist** [,fɑːmə'kɔlədʒɪst] *n* фармако́лог.

**pharmacology** [,fɑːmə'kɔlədʒi] *n* фармаколо́гия.

**pharmacopoeia** [,fɑːməkə'piːə] *n* фармакопе́я.

**pharmacy** ['fɑːməsi] *n* 1) фармаци́я; 2) апте́ка.

**pharos** ['fɛərɔs] *греч. n* *поэт., ритор.* мая́к, све́точ.

**pharyngitis** [,færɪn'dʒaitɪs] *n* *мед.* фаринги́т.

**pharynx** ['færɪŋks] *n* *анат.* гло́тка, зев.

**phase** [feiz] 1. *n* 1) фа́за; 2) пери́од, ста́дия; 3) аспе́кт; 4) *астр., физ.* фа́за; 5) *геол.* фа́ция; разнови́дность; 2. *v* фази́ровать.

**phasic** ['feizik] *a* фа́зный, стади́йный.

**pheasant** ['feznt] *n* *зоол.* фаза́н.

**phenol** ['fiːnɔl] *n* *хим.* фено́л, карбо́ловая кислота́.

**phenology** [fiː'nɔlədʒi] *n* феноло́гия.

**phenomena** [fɪ'nɔminə] *pl от* phenomenon.

**phenomenal** [fɪ'nɔminl] *a* феномена́льный, необыкнове́нный.

**phenomen(al)ism** [fɪ'nɔmin(əl)izəm] *n* *филос.* феноменали́зм.

**phenomenon** [fɪ'nɔminən] *n* (*pl* -ena) 1) явле́ние; 2) необыкнове́нное явле́ние; фено́мен; infant ~ вундерки́нд, чу́до-ребёнок.

**phew** [fjuː] *int* фу!; ну и ну́!

**phi** [fai] *n* фита́ (*греческая буква* Ф).

**phial** ['faiəl] *n* 1) скля́нка, пузырёк; 2) фиа́л.

**philander** [fɪ'lændə] *v* флиртова́ть; волочи́ться.

**philanderer** [fɪ'lændərə] *n* волоки́та, уха-жёр, донжуа́н.

**philanthrope** ['filənθroup] = philanthropist.

**philanthropic** [,filən'θrɔpik] *a* филантропи́ческий.

**philanthropist** [fɪ'lænθrəpist] *n* филантро́п.

**philanthropize** [fɪ'lænθrəpaiz] *v* 1) занима́ться филантро́пией; 2) покрови́тельствовать (*кому-л.*).

**philanthropy** [fɪ'lænθrəpi] *n* филантро́пия.

**philatelic** [,filə'telik] *a* филателисти́ческий.

**philatelist** [fɪ'lætəlist] *n* филатели́ст.

**philately** [fɪ'lætəli] *n* филатели́я.

**philharmonic** [,filɑː'mɔnik] 1. *a* 1) лю́бящий му́зыку; 2) филармони́ческий, музыка́льный (*об обществе*); 2. *n* 1) филармо́ния; 2) *разг.* конце́рт; 3) мелома́н.

**philhellenic** [,filhe'liːnik] *a* филэ́ллинский.

**philippic** [fɪ'lipik] *n* (*обыкн. pl*) фили́ппика, обличи́тельная речь.

**Philippine** ['filipiːn] *a* филиппи́нский.

**Philistine** ['filistain] 1. *n* 1) филисте́р, обыва́тель, меща́нин; 2) *шутл.* (*беспоща́дный*) враг (*напр., критик, бейлиф и т. п.*); 3) *библ.* филисти́млянин; ◇ to fall among ~s ≅ попа́сть в переде́лку, попа́сть в тяжёлое положе́ние; 2. *a* фили́стерский, обыва́тельский, меща́нский.

**Philistinism** ['filistinizəm] *n* филисте́рство, меща́нство.

**Philistinize** ['filistinaiz] *v* де́лать фили́стером.

**philobiblic** [ˌfɪlə'bɪblɪk] *a* любящий книги.

**philogynist** [fɪ'lɔdʒɪnɪst] *n* женолюб.

**philological** [ˌfɪlə'lɔdʒɪkəl] *a* филологический, языковедческий.

**philologist** [fɪ'lɔlədʒɪst] *n* филолог, языковед.

**philologize** [fɪ'lɔlədʒaɪz] *v* заниматься филологией.

**philology** [fɪ'lɔlədʒɪ] *n* филология.

**Philomel, Philomela** ['fɪləmel, ˌfɪlou'miːlə] *n поэт.* филомела, соловей.

**philoprogenitive** [ˌfɪləprə'dʒenɪtɪv] *a* 1) плодовитый; 2) чадолюбивый.

**philosopher** [fɪ'lɔsəfə] *n* 1) философ; natural ~ физик; естествоиспытатель; ~'s stone философский камень; 2) человек с философским подходом к жизни.

**philosophic(al)** [ˌfɪlə'sɔfɪk(əl)] *a* философский.

**philosophize** [fɪ'lɔsəfaɪz] *v* философствовать, умствовать; морализировать.

**philosophy** [fɪ'lɔsəfɪ] *n* философия; Marxist-Leninist ~ марксистско-ленинская философия.

**philtre** ['fɪltə] *n* любовный напиток, приворотное зелье.

**phiz** [fɪz] *n* (*сокр. от* physiognomy) *разг.* лицо, физиономия, «физия».

**phlebitis** [flɪ'baɪtɪs] *n мед.* воспаление вены, флебит.

**phlebotomize** [flɪ'bɔtəmaɪz] *v мед.* пускать кровь.

**phlebotomy** [flɪ'bɔtəmɪ] *n мед.* кровопускание.

**phlegm** [flem] *n* 1) мокрота, слизь; 2) флегма, флегматичность; хладнокровие, бесстрастие.

**phlegmatic** [fleg'mætɪk] *a* флегматичный, вялый.

**phlegmon** ['flegmɔn] *n мед.* флегмона.

**phloem** ['flouəm] *n бот.* флоэма.

**phlogistic** [flɔ'dʒɪstɪk] *a мед.* воспалительный.

**phlogiston** [flɔ'dʒɪstən] *n* флогистон.

**phlox** [flɔks] *n бот.* флокс.

**phobia** ['foubɪə] *n мед.* невроз страха.

**Phoebe** ['fiːbiː] *n* 1) *миф.* Феба; 2) *поэт.* луна.

**Phoebus** ['fiːbəs] *n* 1) *миф.* Феб; 2) *поэт.* солнце.

**Phoenician** [fɪ'nɪʃɪən] **1.** *a* финикийский; **2.** *n* 1) финикиянин; финикиянка; 2) финикийский язык.

**phoenix** ['fiːnɪks] *n* 1) *миф.* феникс; 2) образец совершенства, чудо.

**phonal** ['founəl] *a* голосовой.

**phone** I [foun] *n фон.* звук речи.

**phone** II [foun] *разг.* **1.** *n* 1) телефон (-ная трубка); on the ~ у телефона; by (*или* over) the ~ по телефону; to get smb. on the ~ дозвониться к кому-л. по телефону; to hang up the ~ повесить трубку; 2) *ак.* фон;
**2.** *v* телефонировать.

**phoneme** ['founiːm] *n лингв.* фонема.

**phonemic** [fou'niːmɪk] *a лингв.* фонематический.

**phonetic** [fou'netɪk] *a* фонетический.

**phonetician** [ˌfounɪ'tɪʃən] *n* фонетист.

**phoneticize** [fou'netɪsaɪz] *v* транскрибировать фонетически.

**phonetics** [fou'netɪks] *n pl* (*употр. как sing*) фонетика.

**phoney** ['founɪ] *см.* phony.

**phonic** ['founɪk] *a* 1) акустический, фонический; 2) голосовой.

**phonics** ['founɪks] *n pl* (*употр. как sing*) акустика.

**phonogram** ['founəgræm] *n* 1) фонограмма; звукозапись; 2) телефонограмма; 3) граммофонная пластинка.

**phonograph** ['founəgrɑːf] *n* 1) фонограф; 2) *амер.* граммофон, патефон.

**phonographic** [ˌfounə'græfɪk] *a* фонографический.

**phonography** [fou'nɔgrəfɪ] *n* 1) фонография; 2) стенография по системе Питмена.

**phonologic(al)** [ˌfounə'lɔdʒɪk(əl)] *a* фонологический.

**phonology** [fou'nɔlədʒɪ] *n* фонология.

**phonometer** [fou'nɔmɪtə] *n* фонометр.

**phonopathy** [fou'nɔpəθɪ] *n мед.* расстройство органов речи.

**phonoscope** ['founəskoup] *n* фоноскоп.

**phony** ['founɪ] *разг.* **1.** *a* ложный, поддельный; фальшивый; дутый (*об акциях*); **2.** *n* 1) обман; подделка; 2) жулик, обманщик.

**phosgene** ['fɔzdʒiːn] *n хим.* фосген.

**phosphate** ['fɔsfeɪt] *n хим.* **1.** *n* фосфат, соль (орто)фосфорной кислоты; **2.** *a* фосфорнокислый.

**phosphide** ['fɔsfaɪd] *n хим.* фосфористое соединение, фосфид.

**phosphite** ['fɔsfaɪt] *n хим.* соль фосфористой кислоты.

**Phosphor** ['fɔsfɔː] *n поэт.* утренняя звезда.

**phosphorate** ['fɔsfəreɪt] *v хим.* насыщать фосфором, соединять с фосфором.

**phosphor-bronze** ['fɔsfəbrɔnz] *n метал.* фосфористая бронза.

**phosphoresce** [ˌfɔsfə'res] *v* фосфоресцировать, светиться.

**phosphorescence** [ˌfɔsfə'resns] *n* фосфоресценция, свечение.

**phosphorescent** [ˌfɔsfə'resnt] *a* фосфоресцирующий.

**phosphoric** [fɔs'fɔrɪk] *a* 1) фосфорический; фосфоресцирующий; 3) *хим.* фосфорный.

**phosphorite** ['fɔsfəraɪt] *n мин.* фосфорит.

**phosphorous** ['fɔsfərəs] *a хим.* фосфористый.

**phosphorus** ['fɔsfərəs] *n хим.* фосфор.

**phot** [fɔt] *n физ.* фот, единица освещённости.

**photic** ['foutɪk] *a* световой, относящийся к свету.

**photo** ['foutou] *n* (*pl* -os [-ouz]) *сокр. разг. от* photograph 1.

**photoactive** ['foutə'æktɪv] *a* светочувствительный.

**photobiotic** ['foutəbaɪ'ɔtɪk] *a биол.* способный жить только при свете.

**photocell** ['foutəsel] = photo-electric cell [*см.* photo-electric].

**photochemistry** [ˌfoutə'kemɪstrɪ] *n* фотохимия.

**photochromy** ['foutəkroumɪ] *n* цветна́я фотогра́фия, фотохро́мия.

**photoconductivity** ['foutəkɔndʌk'tɪvɪtɪ] *n* фотопроводи́мость.

**photo-electric** [,foutər'lektrɪk] *a* фотоэлектри́ческий; ~ cell фотоэлеме́нт.

**photo-electricity** ['foutə,elɪk'trɪsɪtɪ] *n* фотоэлектри́чество.

**photofinish** [,foutə'fɪnɪʃ] *n* спорт. фотофи́ниш.

**photogenic** [,foutə'dʒenɪk] *a* 1) фотогени́чный; 2) *биол.* фосфоресци́рующий.

**photograph** ['foutəgrɑːf] 1. *n* фотографи́ческий сни́мок, фотогра́фия;
2. *v* 1) фотографи́ровать, снима́ть; 2) выходи́ть на фотогра́фии (*хорошо, плохо*); I always ~ badly я всегда́ пло́хо выхожу́ на фотогра́фиях.

**photographer** [fə'tɔgrəfə] *n* фото́граф.

**photographic** [,foutə'græfɪk] *a* фотографи́ческий.

**photography** [fə'tɔgrəfɪ] *n* фотографи́рование, фотогра́фия.

**photogravure** [,foutəgrə'vjuə] 1. *n* фотогравю́ра;
2. *v* фотогравирова́ть.

**photolithography** [,foutəlɪ'θɔgrəfɪ] *n* фотолитогра́фия.

**photolysis** [fou'tɔlɪsɪs] *n* хим. разложе́ние под влия́нием све́та, фото́лиз.

**photomechanical** ['foutəmə'kænɪkl] *a* фотомехани́ческий.

**photomechanics** [,foutəmɪ'kænɪks] *n pl* (*употр. как sing*) фотомеха́ника.

**photometer** [fou'tɔmɪtə] *n* фото́метр.

**photometric** [,foutə'metrɪk] *a* фотометри́ческий.

**photometry** [fou'tɔmɪtrɪ] *n* фотоме́трия.

**photomicrograph** [,foutə'maɪkrougrɑːf] *n* микрофотографи́ческий сни́мок.

**photomicrography** [,foutəmaɪ'krɔgrəfɪ] *n* микрофотогра́фия, микрофотографи́рование.

**photomontage** ['foutəmɔn'tɑːʒ] *n* фотомонта́ж.

**photon** ['foutɔn] *n* физ. фото́н.

**photophobia** [,foutə'foubɪə] *n* мед. светобоя́знь, фотофо́бия.

**photoplay** ['foutəpleɪ] *n* фильм-спекта́кль.

**photoprint** ['foutəprɪnt] *n* фотогравю́ра.

**photosensitive** ['foutə'sensɪtɪv] *a* светочувстви́тельный.

**photosphere** ['foutousfɪə] *n* астр. фотосфе́ра.

**photostat** ['foutoustæt] *n* фотоста́т.

**photosynthesis** [,foutə'sɪnθɪsɪs] *n* биол. фотоси́нтез.

**phototelegraphy** [,foutətɪ'legrəfɪ] *n* фототелегра́фия, бильдтелегра́фия.

**phototherapy** ['foutə'θerəpɪ] *n* светолече́ние.

**phototube** [,foutə'tjuːb] *n* фотоэлеме́нт.

**phototype** ['foutətaɪp] *n* полигр. 1) фототи́пия; 2) *attr.* фототипи́ческий; ~ edition фототипи́ческое изда́ние.

**photovision** ['foutəvɪʒən] *n* телеви́дение.

**photoxylography** [,foutəzaɪ'lɔgrəfɪ] *n* полигр. фотоксилогра́фия.

**photozincography** [,foutəzɪŋ'kɔgrəfɪ] *n полигр.* фотоцинкогра́фия.

**phrase** [freɪz] 1. *n* 1) фра́за, выраже́ние; оборо́т; идиомати́ческое выраже́ние; 2) фразиро́вка, язы́к, стиль; in simple ~ просты́ми слова́ми, просты́м языко́м; 3) *pl* пусты́е слова́; 4) *муз.* фра́за;
2. *v* 1) выража́ть (слова́ми); thus he ~d it вот как он э́то вы́разил; 2) *муз.* фрази́ровать.

**phrase-book** ['freɪzbuk] *n* (двуязы́чный) слова́рь специфи́ческих оборо́тов и идиомати́ческих выраже́ний.

**phrase-man** ['freɪzmən] = phrase-monger.

**phrase-monger** ['freɪz,mʌŋgə] *n* фразёр.

**phrase-mongering** ['freɪz,mʌŋgərɪŋ] 1. *n* фразёрство;
2. *a* фразёрский; ~ statement краси́вая фра́за.

**phraseological** [,freɪzɪə'lɔdʒɪkəl] *a* фразеологи́ческий.

**phraseology** [,freɪzɪ'ɔlədʒɪ] *n* 1) фразеоло́гия; 2) язы́к, слог.

**phrenetic** [frɪ'netɪk] 1. *a* 1) исступлённый, нейстовый; маниака́льный, безу́мный; 2) фанати́чный;
2. *n* манья́к.

**phrenic** ['frenɪk] *a* анат. относя́щийся к диафра́гме, грудобрю́шный.

**phrenological** [,frenə'lɔdʒɪkəl] *a* френологи́ческий.

**phrenologist** [frɪ'nɔlədʒɪst] *n* френо́лог.

**phrenology** [frɪ'nɔlədʒɪ] *n* френоло́гия.

**Phrygian** ['frɪdʒɪən] 1. *a* фриги́йский; ~ сар фриги́йский колпа́к;
2. *n* фриги́ец.

**phthisical** ['θaɪsɪkəl] *a* мед. туберкулёзный; чахо́точный.

**phthisis** ['θaɪsɪs] *n* мед. чахо́тка.

**phut** [fʌt] 1. *n* свист, треск;
2. *adv*: to go ~ ло́пнуть; потерпе́ть крах, неуда́чу; ко́нчиться ниче́м.

**phyla** ['faɪlə] *pl om* phylum.

**phylactery** [fɪ'læktərɪ] *n* 1) *рел.* филакте́рия; 2) амуле́т, талисма́н; ◇ to make broad one's ~ (*или* phylacteries) выставля́ть напока́з свою́ на́божность.

**phyllophagous** [fɪ'lɔfəgəs] *a* листоя́дный.

**phylloxera** [,fɪlɔk'sɪərə] *n* зоол. филлоксе́ра.

**phylogenesis** [,faɪlə'dʒenɪsɪs] *n* биол. филогене́з.

**phylum** ['faɪləm] *n* (*pl* phyla) биол. тип.

**physic** ['fɪzɪk] 1. *n* 1) медици́на; 2) *разг.* лека́рство, *обыкн.* слаби́тельное; 3) *sl.* взбу́чка;
2. *v* 1) дава́ть лека́рство; лечи́ть; 2) *sl.* всы́пать, зада́ть жа́ру; 3) *sl.* «облегчи́ть» от де́нег (*кого-л. в карт. игре*).

**physical** ['fɪzɪkəl] *a* физи́ческий; материа́льный, теле́сный; ~ chemistry физи́ческая хи́мия; ~ culture физи́ческая культу́ра; ~ training физи́ческая подгото́вка; ~ examination враче́бный (*или* медици́нский) осмо́тр; ~ exercise моцио́н; ~ drill, *sl.* ~ jerks гимнасти́ческие упражне́ния; ~ therapy лече́ние физи́ческими ме́тодами, физиотерапи́я.

**physician** [fɪ'zɪʃən] *n* 1) врач, до́ктор; 2) (ис)цели́тель.

**physicist** ['fızısıst] *n* физик.
**physicky** ['fızıkı] *a* отзыва́ющийся лека́рством.
**physics** ['fızıks] *n pl (употр. как sing)* фи́зика.
**physiocrat** ['fızıəkræt] *n* физиокра́т.
**physiognomic(al)** [,fızıə'nɔmık(əl)] *a* физиономи́ческий.
**physiognomist** [,fızı'ɔnəmıst] *n* физиономи́ст.
**physiognomy** [,fızı'ɔnəmı] *n* 1) физиогно́мика; 2) физионо́мия, тип лица́; 3) *груб.* ро́жа, фи́зия; 4) *редк.* о́блик.
**physiographer** [,fızı'ɔgrəfə] *n* физио́граф.
**physiographic(al)** [,fızıə'græfık(əl)] *a* физиографи́ческий.
**physiography** [,fızı'ɔgrəfı] *n* физи́ческая геогра́фия, физио́графия.
**physiologic(al)** [,fızıə'lɔdʒık(əl)] *a* физиологи́ческий.
**physiologist** [,fızı'ɔlədʒıst] *n* физио́лог.
**physiology** [,fızı'ɔlədʒı] *n* физиоло́гия.
**physiotherapy** [,fızıə'θerəpı] *n* лече́ние физи́ческими ме́тодами, физиотерапи́я.
**physique** [fı'zi:k] *n* телосложе́ние, конститу́ция, вне́шность.
**phytogeny** [faı'tɔdʒını] *n* происхожде́ние и тео́рия разви́тия расте́ний.
**phytophagous** [faı'tɔfəgəs] *a* растениея́дный.
**pi** I [paı] *n* 1) пи *(греч. бу́ква π)*; 2) *мат.* π (= 3,1415926).
**pi** II [paı] *a школ. sl.* на́божный, религиозный; ◇ *pi* jaw нравоуче́ние.
**piaffe** [pı'æf] *v* идти́ ме́дленной ры́сью.
**pia mater** ['paıə'meıtə] *n* 1) *анат.* мя́гкая мозгова́я оболо́чка; 2) мозг, ум.
**pianette** [pıə'net] *n* ма́ленькое пиани́но.
**pianino** [,pıə'ni:nou] *n (pl -os [-ouz])* пиани́но.
**pianissimo** [pjæ'nısımou] *ит. adv, n муз.* пиани́ссимо.
**pianist** ['pjænıst] *n* пиани́ст; пиани́стка.
**piano** I ['pjænou] *n (pl -os [-ouz])* фортепья́но.
**piano** II ['pja:nou] *ит. adv, n муз.* пиа́но.
**pianoforte** [,pjænou'fɔ:tı] = piano I.
**pianola** [pjæ'noulə] *n муз.* пиано́ла.
**piano organ** ['pjænou,ɔ:gən] *n* шарма́нка.
**piano-player** ['pjænou,pleıə] *n* 1) пиани́ст; 2) пиано́ла.
**piaster** [pı'æstə] = piastre.
**piastre** [pı'æstə] *n* пиа́стр *(моне́та в Ту́рции, Румы́нии, Еги́пте)*.
**piazza** [pı'ædzə] *ит. n* 1) (база́рная) пло́щадь *(особ. в Ита́лии)*; 2) *амер.* вера́нда.
**pibroch** ['pi:brɔk] *n шотл.* 1) *муз.* вариа́ции для волы́нки; 2) *шутл.* волы́нка.
**pica** I ['paıkə] *n мед., вет.* извращённый аппети́т.
**pica** II ['paıkə] *n полигр.* ци́церо.
**picador** [,pıkə'dɔ:] *исп. n* пикадо́р.
**picaresque** [,pıkə'resk] *a* авантю́рный, плутовско́й *(обыкн. о рома́не)*.
**picaroon**-[,pıkə'ru:n] 1. *n* 1) плут, авантюри́ст; 2) пира́т; 3) пира́тский кора́бль; 2. *v* 1) жить плутовство́м; 2) соверша́ть пира́тские набе́ги.
**picayune** [,pıkə'ju:n] *амер.* 1. *n* 1) *ист.*

назва́ние серебряно́й моне́ты (= 5 це́нтам); 2) *разг.* пустя́к;
2. *a* 1) пустяко́вый, ерундо́вый; 2) ни́зкий, презре́нный.
**piccalilli** ['pıkəlılı] *n* о́стрые пи́кули с пря́ностями.
**piccaninny** ['pıkənını] 1. *n* негритёнок; 2. *a* о́чень ма́ленький.
**piccolo** ['pıkəlou] *n (pl -os [-ouz]) муз.* пи́кколо, ма́лая фле́йта.
**pice** [paıs] *n англо-инд.* назва́ние ме́дной моне́ты (= 1/4 а́нны).
**pichiciago** [,pıtʃısı'eıgou] *n зоол.* па́нцирная мышь, щитоно́сец.
**pick** I [pık] *n* 1) кирка́; кайла́; киркомоты́га; 2) остроко́нечный инструме́нт; 3) зубочи́стка; 4) *текст.* уда́р *или* ки́дка челнока́; 5) *полигр.* нечистота́ на ли́терах *(при печа́тании)*.
**pick** II [pık] 1. *v* 1) выбира́ть, отбира́ть, подбира́ть; to ~ one's words тща́тельно подбира́ть слова́; to ~ one's way *(или* one's steps*)* выбира́ть доро́гу *(чтобы не попа́сть в грязь)*; to ~ and choose быть разбо́рчивым; 2) иска́ть, выи́скивать; to ~ a quarrel with выи́скивать по́вод для ссо́ры с; 3) собира́ть, снима́ть *(плоды́)*; срыва́ть *(цветы́, фру́кты)*; подбира́ть *(зерно́—о пти́цах)*; 4) долби́ть, прода́лбливать, протыка́ть, просве́рливать; пробура́вливать; 5) ковыря́ть; сковы́ривать; to ~ one's teeth ковыря́ть в зуба́х; 6) разрыхля́ть *(кирко́й)*; 7) обгла́дывать *(кость)*; 8) чи́стить *(я́годы)*; очища́ть, обдира́ть; ощи́пывать *(пти́цу)*; 9) обворо́вывать, красть; очища́ть *(карма́ны)*; to ~ and steal занима́ться ме́лкими кра́жами; to ~ smb.'s brains присва́ивать чужи́е мы́сли; 10) открыва́ть замо́к отмы́чкой *(тж.* ~ a lock*)*; 11) расщи́пывать; to ~ to pieces распа́рывать; *перен.* раскритикова́ть; разнести́ в пух и прах; 12) клева́ть *(зёрна)*; есть *(ма́ленькими кусо́чками)*, отщи́пывать; *разг.* есть; 13) *амер.* перебира́ть стру́ны *(банджо и т. п.)*; ☐ ~ at *амер.* а) придира́ться; б) ворча́ть, пили́ть; в) верте́ть в рука́х, перебира́ть; ~ off а) отрыва́ть, сдира́ть; б) стреля́ть, тща́тельно прице́ливаясь, снима́ть; подстре́ли́ть; в) перестреля́ть *(одного́ за други́м)*; ~ on а) выбира́ть, отбира́ть; б) докуча́ть, дразни́ть; ~ out а) выдёргивать; б) выбира́ть; в) различа́ть; г) понима́ть, схва́тывать *(значе́ние)*; д) подбира́ть по слу́ху *(моти́в)*; е) оттеня́ть; ~ over отбира́ть *(лу́чшие экземпля́ры)*; выбира́ть; ~ up а) разрыхля́ть *(кирко́й)*; б) поднима́ть, подбира́ть; to ~ oneself up подня́ться по́сле паде́ния; в) заезжа́ть за кем-л.; I'll ~ you up at five o'clock я зае́ду за ва́ми в пять часо́в; г) приобрета́ть; to ~ up a livelihood зараба́тывать на пропита́ние; to ~ up flesh пополне́ть; д) пойма́ть *(проже́ктором, по ра́дио и т. п.)*; е) подцепи́ть *(выраже́ние)*; научи́ться *(приёмам)*; ж) добыва́ть *(сведе́ния)*; з) сно́ва найти́ *(доро́гу)*; и) познако́миться *(with—с кем-л.)*; к) выздора́вливать; восстана́вливать си́лы; л) подбодри́ть, подня́ть настрое́ние; м) *амер.* прибира́ть ко́мнату; н) ускоря́ть *(движе́ние)*; ◇ to have

a bone to ~ with smb. иметь счёты с кем-л.;
to ~ up the thread of возобновить знакомство с; to ~ holes in выискивать недостатки в; критиковать;

2. *n* 1) выбор; take your ~ выбирайте;
2) что-л. отборное, лучшая часть (*чего-л.*);
the ~ of the basket, ~ of the bunch лучшая часть чего-л.; the ~ of the Army цвет армии, отборные войска; 3) удар (*чем-л. острым*).

**pick-a-back** ['pɪkəbæk] *adv* на спине, за плечами.

**pickaninny** ['pɪkənɪnɪ] = piccaninny.

**pickax(e)** ['pɪkæks] 1. *n* кирка, мотыга; кайла́;
2. *v* разрыхлять киркомотыгой.

**picked** [pɪkt] 1. *p. p. от* pick II, 1;
2. *a* 1) отобранный, подобранный; собранный; 2) отборный; ~ troops отборные войска; 3) *уст.* остроконечный; 4) *с.-х.* пересаженный.

**picker** ['pɪkə] *n* 1) сборщик хлопка; сборщик фруктов; 2) сортировщик; 3) кирка, мотыга; кайла; 4) *горн.* забурник; 5) кайловщик; 6) *горн.* породоотборочная машина; 7) *текст.* трепальная машина; 8) *текст.* гонок.

**pickerel** ['pɪkərəl] *n* молодая щука, щучка.

**picket** ['pɪkɪt] 1. *n* 1) кол; 2) пикет; 3) пикетчик; 4) *воен.* сторожевая застава;
2. *v* 1) выставлять пикет(ы); расставлять заставы *и т. п.*; 2) пикетировать; 3) обносить частоколом; 4) привязывать к колу.

**picking** ['pɪkɪŋ] 1. *pres. p. от* pick II, 1;
2. *n* 1) собирание, отбор; сбор; 2) воровство; ~ and stealing мелкая кража; 3) *pl* мелкая пожива; 4) *pl* остатки, объедки; 5) *горн.* ручная рудоразборка, сортировка.

**pickle** ['pɪkl] 1. *n* 1) рассол; уксус для маринада; 2) (*обыкн. pl*) соленье, маринад, пикули; солёные *или* маринованные огурцы; 3) неприятное положение; плачевное состояние; to be in a pretty ~ попасть в беду; 4) *разг.* шалун, озорник; 5) *амер. sl.* опьянение; 6) *тех.* протрава, кислотная ванна; ◇ to have a rod in ~ (for) держать розгу наготове;
2. *v* 1) солить, мариновать; 2) *амер. sl.* опьянять; 3) *уст.* натирать солью, уксусом (*после порки*); 4) *тех.* травить кислотой; протравлять, декапировать.

**pickled** ['pɪkld] 1. *p. p. от* pickle 2;
2. *a* 1) солёный; маринованный; 2) *амер. sl.* пьяный.

**picklock** ['pɪklɔk] *n* 1) взломщик; 2) отмычка.

**pick-me-up** ['pɪkmiːʌp] *n* возбуждающее средство; что-л., поднимающее настроение.

**pickpocket** ['pɪkˌpɔkɪt] *n* вор-карманник.

**pickthank** ['pɪkθæŋk] *n уст.* льстец, угодник.

**pick-up** ['pɪkʌp] *n* 1) случайное знакомство; 2) что-л., полученное по случаю; удачная покупка; 3) *разг. см.* pick-me-up;
4) улучшение; восстановление; 5) *авт.*

пикап; 6) *тех.* захватывающее приспособление; датчик; 7) процесс ускорения движения; ускорение; 8) *радио* чувствительность, восприятие; 9) телевизионная передающая трубка; 10) *радио* адаптер, звукосниматель; 11) микрофон; 12) *с.-х.* пикап, подборщик (*хлеба*).

**Pickwickian** [pɪk'wɪkɪən] *a*: in a ~ sense не буквально, не прямо; не совсем ясно.

**picnic** ['pɪknɪk] 1. *n* 1) пикник; 2) приятное времяпрепровождение; удовольствие; по ~ нелёгкое дело; 3) *attr.*: ~ hamper корзина с провизией для пикника;
2. *v* 1) участвовать в пикнике; 2) вести беспорядочный образ жизни.

**picnicker** ['pɪknɪkə] *n* участник пикника.

**picotee** [ˌpɪkə'tiː] *n бот.* садовая гвоздика (*белая или жёлтая*).

**picric** ['pɪkrɪk] *a хим.* пикриновый.

**pictography** [pɪk'tɔgrəfɪ] *n* пиктография.

**pictorial** [pɪk'tɔːrɪəl] 1. *a* 1) живописный; изобразительный; ~ art живопись;
2) иллюстрированный; 3) яркий, живой (*о стиле и т. п.*);
2. *n* иллюстрированное периодическое издание.

**picture** ['pɪktʃə] 1. *n* 1) картина; изображение; рисунок; 2) портрет; *перен. тж.* копия; she is a ~ of her mother она вылитая мать; 3) что-л. очень красивое, картинка; 4) воплощение, олицетворение (*здоровья, отчаяния и т. п.*); he is the (very) ~ of health он олицетворение, воплощение здоровья; 5) *кино* съёмочный кадр; moving ~s, the ~s кино; ◇ out of (*или* not in) the ~ дисгармонирующий; to pass from the ~ сойти со сцены; to put (*или* to keep) smb. in the ~ осведомлять, информировать кого-л.; держать кого-л. в курсе дела;
2. *v* 1) изображать на картине; 2) описывать, живописать; 3) представлять себе (*тж.* ~ to oneself).

**picture-book** ['pɪktʃəbuk] *n* детская книжка с картинками.

**picture-card** ['pɪktʃəkɑːd] *n карт.* фигурная карта, фигура.

**picture-gallery** ['pɪktʃəˌgælərɪ] *n* картинная галерея.

**picture-palace** ['pɪktʃəˌpælɪs] *n* кинотеатр.

**picture postcard** ['pɪktʃə'poustkɑːd] *n* художественная открытка.

**picture show** ['pɪktʃə'ʃou] *n* 1) = picture-palace; 2) кинофильм.

**picturesque** [ˌpɪktʃə'resk] *a* 1) живописный; 2) колоритный; 3) яркий, образный (*о языке*).

**picture-theatre** ['pɪktʃəˌθɪətə] = picture-palace.

**picture-writing** ['pɪktʃəˌraɪtɪŋ] *n* раннее иероглифическое письмо.

**piddle** ['pɪdl] *v* 1) *уст.* заниматься пустяками; 2) *разг.* мочиться.

**piddling** ['pɪdlɪŋ] 1. *pres. p. от* piddle;
2. *a* мелкий, пустячный.

**piddock** ['pɪdək] *n зоол.* фалада, камнеточец.

**Pidgin English** ['pɪdʒɪn'ɪŋglɪʃ] *n* (*непр. вм.* business English) ломаный англо-китайский жаргон.

**pie** I [paɪ] *n* 1) паштет; пирог, пирожок; 2) *амер.* торт, сладкий пирог; Eskimo ~ эскимо (*мороженое*); 3) *sl.* что-л. очень хорошее *или* лёгкое; ◇ to have a finger in the ~ быть замешанным в каком-л. деле.

**pie** II [paɪ] *n* сорока.

**pie** III [paɪ] *n* полигр. груда смешанного шрифта (*тж.* printer's ~); *перен.* хаос, ералаш.

**pie** IV [paɪ] *n* англо-инд. *название самой мелкой медной монеты* (= 1/12 анны).

**piebald** ['paɪbɔːld] 1. *a* 1) пегий (*о лошади*); 2) *перен.* пёстрый; разношёрстный; 2. *n* пегая лошадь; пегое животное.

**piece** [piːs] 1. *n* 1) кусок, часть; a ~ of water пруд, озерко; ~ by ~ по кускам, постепенно, частями; 2) обломок, обрывок; a ~ of paper клочок бумаги; in ~s разбитый на части; to ~s на части, вдребезги [*см. тж.* ◇]; 3) участок (*земли*); 4) штука, кусок, определённое количество; ~ of wallpaper рулон обоев; 5) отдельный предмет, штука; a ~ of furniture мебель (*отдельная вещь, напр., стул, стол и т. п.*); a ~ of plate посудина; by the ~ поштучно, сдельно; 6) картина; литературное *или* музыкальное произведение (*обыкн.* короткое); пьеса; a ~ of art художественное произведение; a ~ of poetry стихотворение; a dramatical ~ драма, драматическое произведение; a museum ~ музейная вещь *или* редкость (*тж. перен.*); 7) образец, пример; a ~ of impudence образец наглости; 8): a ~ of luck удача; a ~ of news новость; a ~ of work (*отдельно выполненная*) работа, произведение; 9) шахматная фигура; 10) монета (*тж.* ~ of money); 11) *воен.* орудие, огневое средство; винтовка; 12) *амер.* музыкальный инструмент; 13) бочонок вина; 14) вставка, заплата; 15) *тех.* обрабатываемое изделие, патубок; 16) *sl.* девушка, женщина [*см. тж.* ◇]; ◇ of a ~, of one ~ with a) одного и того же качества с; б) в согласии с *чем-л.*; в) образующий единое целое с *чем-л.*; all to ~s a) вдребезги; б) измученный, в изнеможении; в) совершенно, полностью, сначала до конца [*см. тж.* 2)]; to give a ~ of one's mind высказаться напрямик; отчитать (*кого-л.*); [*см. тж.* give 1 ◇]; to go to ~s пропасть, погибнуть; a ~ of goods *шутл.* девушка, женщина [*см. тж.* 16)]; 2. *v* 1) чинить, латать (*платье; тж.* ~ up); 2) соединять в одно целое, собирать из кусочков; комбинировать; 3) присучивать (*нить*); ☐ ~ down надставлять (*одежду*); ~ on прилаживать (to—к *чему-л.*); ~ out a) восполнять; б) надставлять; в) составлять (*целое из частей*); ~ together соединять; ~ up починять, латать.

**piece-goods** ['piːsgudz] *n pl* штучный товар; ткани в кусках.

**piecemeal** ['piːsmiːl] 1. *adv* 1) по частям, постепенно (*тж.* by ~); 2) штука ~ работать сдельно; 3) на куски, на части; 2. *a* 1) сделанный по частям; ~ action несогласованные действия; 2) частичный, постепенный.

**piece-rate** ['piːsreɪt] *a* сдельный (*об оплате*).

**piece-work** ['piːswək] *n* 1) сдельная работа, сдельщина; штучная работа; 2) *attr.*: ~ man = piece-worker.

**piece-worker** ['piːs,wəkə] *n* сдельщик.

**piecrust** ['paɪkrʌst] *n* корочка пирога; ◇ promises are like ~, made to be broken *посл.* ≅ обещания для того и дают, чтобы их не выполнять.

**pied** [paɪd] *a* пёстрый; разноцветный.

**pieman** ['paɪmən] *n* пирожник; продавец паштетов.

**pieplant** ['paɪplɑːnt] *n* бот. ревень овощной.

**pier** [pɪə] *n* 1) устой, столб, контрфорс; 2) бык (*моста*); волнолом; 3) простенок; междуоконный столб; 4) мол, волнорез; дамба; 5) *мор.* пирс; 6) пристань.

**pierage** ['pɪərɪdʒ] *n* плата за пользование пристанью.

**pierce** [pɪəs] *v* 1) пронзать, протыкать, прокалывать; 2) пробуравливать, просверливать; пробивать отверстие; 3) проникать (through, into); 4) пронизывать (*о холоде, взгляде и т. п.*); 5) прорываться, проходить (*сквозь что-л.*).

**piercer** ['pɪəsə] *n тех.* пробойник; бородок; шило; бурав.

**piercing** ['pɪəsɪŋ] 1. *pres. p. от* pierce; 2. *n* 1) прокол, укол; 2) *тех.* диаметр в свету; 3. *a* 1) пронзительный; острый; 2) пронизывающий (*о взгляде, холоде*); 3) проницательный; *воен.* бронебойный.

**pier-glass** ['pɪəglɑːs] *n* трюмо.

**Pierian** [paɪ'erɪən] *a* пиерийский, относящийся к музам; ~ spriŋg источник вдохновения.

**pierrette** [pɪə'ret] *фр. n* Пьеретта.

**pierrot** ['pɪərou] *фр. n* Пьеро.

**pietism** ['paɪətɪzəm] *n* пиетизм; ложное, притворное благочестие, ханжество.

**pietist** ['paɪətɪst] *n* пиетист.

**piety** ['paɪətɪ] *n* 1) благочестие, набожность; 2) почтительность к родителям.

**piezochemistry** [paɪ'iːzou'kemɪstrɪ] *n* пьезохимия.

**piezoelectricity** [paɪ'iːzou,ɪlek'trɪsɪtɪ] *n* пьезоэлектричество.

**piezometer** [,paɪiː'zɔmɪtə] *n* пьезометр.

**piffle** ['pɪfl] *разг.* 1. *n* болтовня, вздор; 2. *v* 1) болтать пустяки; 2) действовать необдуманно; глупо поступать.

**pig** [pɪg] 1. *n* 1) (молодая) свинья; поросёнок; 2) свинья, нахал; 3) *шутл.* свинина; поросятина; 4) долька, ломтик (*апельсина*); 5) *sl.* офицер полиции; сыщик; провокатор; 6) *тех.* болванка, чушка; штык; брусок; 7) *ж.-д.* толкач; 8) *ав. sl.* аэростат заграждения; ◇ in ~ супоросая (*о свинье*); to make a ~ of oneself объедаться, обжираться; to buy a ~ in a poke ≅ покупать кота в мешке; ~s might fly *шутл.* бывает, что коровы летают; 2. *v* 1) пороситься; 2) жить по-свински, в грязи (*часто* ~ it).

**pigeon** ['pɪdʒɪn] 1. *n* 1) голубь; 2) простак, шляпа; to pluck a ~ обобрать простака; ◇ that's my (his *etc.*) ~ это уж моё (его *и т. д.*) дело; little ~s can carry great messages *посл.* ≅ мал, да удал; ~'s milk «птичье молоко»;

2. *v* надувать, обманывать.

**pigeon-breasted** [ˈpɪdʒɪnˌbrestɪd] *a* с куриной грудью (*о человеке*).

**Pigeon English** [ˈpɪdʒɪnˈɪŋglɪʃ] = Pidgin English.

**pigeongram** [ˈpɪdʒɪngræm] *n* сообщение, посланное с голубем.

**pigeon-hearted** [ˈpɪdʒɪnˈhɑːtɪd] *a* трусливый, робкий.

**pigeon-hole** [ˈpɪdʒɪnhoul] 1. *n* 1) голубиное гнездо; 2) отделение письменного стола, ящика (*для бумаг*);

2. *v* 1) раскладывать (*бумаги*) по ящикам; 2) класть под сукно, откладывать в долгий ящик; 3) классифицировать, приклеивать ярлыки.

**pigeon pair** [ˈpɪdʒɪnpɛə] *n* мальчик и девочка (*близнецы или единственные дети в семье*).

**pigeonry** [ˈpɪdʒɪnrɪ] *n* голубятня.

**pigeon-toed** [ˈpɪdʒɪnˌtoud] *a* с пальцами ног, обращёнными внутрь.

**piggery** [ˈpɪgərɪ] *n* свинарник, хлев.

**piggish** [ˈpɪgɪʃ] *a* 1) свинский, грязный; 2) жадный; 3) упрямый.

**piggy** [ˈpɪgɪ] *n* 1) свинка, поросёнок; 3) игра в чижи.

**piggy-wiggy** [ˈpɪgɪˌwɪgɪ] *n* 1) свинка, поросёнок; 2) грязнуля, поросёнок (*о ребёнке*).

**pigheaded** [ˈpɪgˈhedɪd] *a* тупоумный; упрямый.

**pig-iron** [ˈpɪgˌaɪən] *n* чугун в чушках *или* штыках.

**pigling** [ˈpɪglɪŋ] *n* поросёнок.

**pigment** [ˈpɪgmənt] *n* пигмент.

**pigmental, pigmentary** [pɪgˈmentl, ˈpɪgmentərɪ] *a* пигментный.

**pigmentation** [ˌpɪgmənˈteɪʃən] *n* пигментация.

**pigmy** [ˈpɪgmɪ] = pygmy.

**pignut** [ˈpɪgnʌt] *n* земляной каштан.

**pigpen** [ˈpɪgpen] = pigsty.

**pigskin** [ˈpɪgskɪn] *n* 1) свиная кожа; 2) *разг.* седло; 3) *амер. разг.* футбольный мяч.

**pigsticker** [ˈpɪgˌstɪkə] *n* 1) охотник на кабанов; 2) большой карманный нож.

**pigsticking** [ˈpɪgˌstɪkɪŋ] *n* охота на кабанов с копьём.

**pigsty** [ˈpɪgstaɪ] *n* свинарник; хлев.

**pig's wash** [ˈpɪgzˈwɔʃ] *n* помои.

**pigtail** [ˈpɪgteɪl] *n* 1) косичка, коса; 2) табак, свёрнутый в трубочку.

**pigwash** [ˈpɪgwɔʃ] = pig's wash.

**pigweed** [ˈpɪgwiːd] *n бот.* марь.

**pike I** [paɪk] *n* щука.

**pike II** [paɪk] 1. *n* 1) пика, копьё; 2) пик (*в местных геогр. названиях*); 3) *диал.* кирка; 4) шип, колючка; 5) вилы;

2. *v* закалывать пикой.

**pike III** [paɪk] *n* 1) застава, где взимается подорожный сбор; 2) подорожный сбор.

**pikelet** [ˈpaɪklɪt] *n* булочка.

**piker** [ˈpaɪkə] *n амер.* 1) осторожный *или* робкий (биржевой) игрок; 2) трус.

**pikestaff** [ˈpaɪkstɑːf] *n* древко пики; ◇ plain as a ~ ≅ ясный как день, очевидный.

**pilaff** [ˈpɪlæf] *перс. n* пилав, плов.

**pilaster** [pɪˈlæstə] *n архит.* пилястра.

**pilau, pilaw** [pɪˈlau, pɪˈlɔ, pɪˈlou] = pilaff.

**pilch** [pɪltʃ] *n* фланелевая пелёнка *или* фланелевый подгузник.

**pilchard** [ˈpɪltʃəd] *n зоол.* сардина.

**pile I** [paɪl] 1. *n* 1) куча, груда; штабель; столбик (*монет*); кипа (*бумаг*); пачка, связка, пакет; 2) погребальный костёр (*тж.* funeral ~); 3) огромное здание; громада зданий; 4) *разг.* множество, большое количество; 5) *разг.* состояние; to make one's ~ нажить состояние; 6) *эл.* батарея; 7) ядерный реактор (*тж.* atomic ~); 8) *воен.* ружейная пирамида;

2. *v* 1) складывать, сваливать в кучу; to ~ arms *воен.* составлять винтовки в козлы; 2) накоплять (*часто* ~ up); 3) нагружать; заваливать; громоздить (on, upon); □ ~ on: to ~ it on перейти границу (*в критике, упрёках и т. п.*); ~ up а) нагромождать(-ся); б) накоплять; в) перегружать (*подробностями*); г) перепутывать; д) наскочить на мель (*о корабле*).

**pile II** [paɪl] 1. *n* свая, столб, кол;

2. *v* вбивать, вколачивать сваи.

**pile III** [paɪl] *n* 1) шерсть, волос, пух; 2) ворс.

**pile IV** [paɪl] *n мед.* 1) геморроидальная шишка; 2) *pl* геморрой.

**pile V** [paɪl] *n уст.* обратная сторона монеты; cross or ~ орёл или решка.

**piled I, II** [paɪld] *p. p. от* pile I, 2 *и* II, 2.

**piled III** [paɪld] *a* ворсистый (*о ткани*).

**pile-driver** [ˈpaɪlˌdraɪvə] *n тех.* копёр.

**pile-dwelling** [ˈpaɪlˌdwelɪŋ] *n* свайная постройка.

**pilfer** [ˈpɪlfə] *v* воровать, таскать; стянуть.

**pilferage** [ˈpɪlfərɪdʒ] *n* мелкая кража.

**pilferer** [ˈpɪlfərə] *n* мелкий жулик.

**pilgrim** [ˈpɪlgrɪm] *n* пилигрим, паломник, странник; ◇ P. Fathers *ист.* английские колонисты, поселившиеся в Америке в 1620 г.

**pilgrimage** [ˈpɪlgrɪmɪdʒ] 1. *n* паломничество;

2. *v* паломничать.

**pill I** [pɪl] 1. *n* 1) пилюля; 2) *разг.* ядро; пуля; шарик; мяч; баллотировочный шар; 3) *pl* бильярд; 4) *разг.* неприятный человек (*тж. pl* ~s) *sl.* доктор (*тж.* ~ shooter); ◇ a ~ to cure an earthquake жалкая полумера; a bitter (*или* hard) ~ to swallow горькая пилюля, тягостная необходимость;

2. *v* 1) давать пилюли; 2) *sl.* забаллотировать.

**pill II** [pɪl] *v* 1) *уст.* грабить, мародёрствовать; 2) *разг.* обобрать, обставить.

**pillage** [ˈpɪlɪdʒ] 1. *n* грабёж, мародёрство;

2. *v* грабить, мародёрствовать.

**pillar** [ˈpɪlə] *n* 1) столб, колонна; стойка, опора, подпора; 2) столп, опора; ~s of society столпы общества; 3) *горн.* целик; 4) *мор.* пиллерс; ◇ Pillars of Hercules Геркулесовы столбы, Гибралтарский пролив; from ~ to post a) от одной трудности

к другóй, от одногó дéла к другóму; б) ту-
дá-сюдá;
2. *v* подпирáть, поддéрживать; украшáть
колóннами.
**pillar-box** ['pɪləbɔks] *n* почтóвый ящик.
**pillbox** ['pɪlbɔks] *n* 1) корóбочка для пи-
люль; 2) *шутл.* какóе-л. небольшóе соору-
жéние; небольшóй экипáж, мáленький автомобиль; дóмик; 3) *воен.* дот; 4) *амер. sl.*
врач.
**pillion** ['pɪljən] *n* 1) дáмское седлó; *уст.*
седéльная подýшка; 2) зáднее сидéнье
(*мотоцикла*).
**pilliwinks** ['pɪlɪwɪŋks] *n ист.* орýдие
пытки для стискивания пáльцев.
**pillory** ['pɪlərɪ] 1. *n* позóрный столб;
to be in the ~ быть посмéшищем; to put
(*или* to set) in the ~ пригвоздить к позóр-
ному столбý, сдéлать посмéшищем;
2. *v* 1) постáвить, пригвоздить к позóр-
ному столбý; 2) выставить на посмеяние.
**pillow** ['pɪlou] 1. *n* 1) подýшка; 2) *тех.*
подшипник, вклáдыш; подклáдка, подýшка;
◇ to take counsel of one's ~ ≅ ýтро вé-
чера мудренéе; отложить решéние до утрá;
2. *v* 1) класть гóлову на *что-л.*; 2) служить подýшкой; 3) подложить подýшку.
**pillow-block** ['pɪloublɔk] *n тех.* 1) (опóрный) подшипник; 2) подýшка, опóрная
плитá.
**pillow-case** ['pɪloukeɪs] *n* нáволочка.
**pillow-sham** ['pɪlouʃæm] *n* накидка ·(на
подýшку).
**pillow-slip** ['pɪlouslɪp] = pillow-case.
**pillowy** ['pɪlouɪ] *a* мягкий; подáтливый.
**pilule** ['pɪljuːl] = pilule.
**pilose** ['paɪlous] *a бот., зоол.* волоси-
стый, мохнáтый, шерстистый.
**pilot** ['paɪlət] 1. *n* 1) лóцман; 2) *ав.*
пилóт, лётчик; 3) óпытный проводник;
4) *поэт.* кóрмчий; 5) *амер. ж.-д.* ското-
сбрáсыватель; 6) *тех.* вспомогáтельный
клáпан, механизм; 7) *attr.*: ~ plant óпытный
завóд, óпытная устанóвка; 8) *attr.* лóцманский; штýрманский; ~ chart штýрманская
кáрта; ◇ to drop the ~ отвéргнуть вéрного
совéтчика.
2. *v* вести, управлять; пилотировать; to
~ one's way проклáдывать себé дорóгу.
**pilotage** ['paɪlətɪdʒ] *n* 1) провóдка судóв;
лóцманское дéло; 2) лóцманский сбор;
3) *ав.* пилотирование; 4) руковóдство.
**pilot-balloon** ['paɪləbəˌluːn] *n* 1) *ав.*
шар-пилóт; 2) *перен.* прóбный шар.
**pilot-cloth** ['paɪlətklɔθ] *n* тóлстое синее
сукнó.
**pilot engine** ['paɪlətˌerdʒɪn] *n* 1) вспомогáтельный двигатель; 2) *ж.-д.* снегоочиститель; 3) маневрóвый локомотив.
**pilot-fish** ['paɪlətfɪʃ] *n зоол.* рыба-лóцман.
**pilot-house** ['paɪləthaus] *n* рулевáя рýбка.
**pilous** ['paɪləs] = pilose.
**pilule** ['pɪljuːl] *n* небольшáя пилюля.
**pimento** [pɪ'mentou] *n* (*pl* -os [-ouz])
стручкóвый (крáсный) пéрец.
**pimp** [pɪmp] 1. *n* свóдник;
2. *v* свóдничать.
**pimpernel** ['pɪmpənel] *n бот.* óчный цвет
(полевóй).

**pimping I** ['pɪmpɪŋ] *pres. p. от* pimp 2.
**pimping II** ['pɪmpɪŋ] *a* 1) мáленький;
жáлкий; 2) болéзненный, слáбый.
**pimple** ['pɪmpl] *n* прыщ, пáпула, ýгорь.
**pimpled**, **pimply** ['pɪmpld, 'pɪmplɪ] *a*
прыщевáтый, прыщáвый.
**pin** [pɪn] 1. *n* 1) булáвка; шпилька;
прищéпка; кнóпка; 2) *pl разг.* нóги; he is quick on his ~s он быстро
бéгает; he is weak on his ~s он плóхо дéр-
жится на ногáх; 3) бочóнок в 4¹/₂ галлóна;
4) кéгля; 5) брóшка, значóк; 6) *муз.* ко-
лóк; 7) шпиль; 8) скáлка; 9) пробóйник;
10) *тех.* пáлец; штифт, болт; шквóрень, ось;
цáпфа; шéйка; пятá; чекá, шплинт; 11) *радио*
вывод, штырёк; ◇ in (a) merry ~ в весёлом
настроéнии; ~s and needles колотьé в
конéчностях (*после онемения*); to be on ~s
and needles сидéть как на игóлках; I don't
care a ~ мне наплевáть; not a ~ to choose
between them они похóжи как две кáпли
воды; not worth a row of ~s никудá не годится; you might have heard a ~ fall ≅
слышно было, как мýха пролетит;
2. *v* 1) прикáлывать (*обыкн.* ~ up; to,
on); скреплять булáвкой (*обыкн.* ~ together); 2) прокáлывать; пробивáть; 3)при-
гвождáть; 4) прижимáть (*к стене и т. п.*;
against); to ~ down (to a promise) связывать (обещáнием); ◇ to ~ smth. on smb.
возлагáть на когó-л. винý за что-л.; to ~
one's faith on smb., smth. слéпо полагáться
на когó-л., что-л.
**pinafore** ['pɪnəfɔː] *n* передник (*особ.*
дéтский), фáртук.
**pinaster** [paɪ'næstə] *n* примóрская соснá.
**pince-nez** ['pɛ̃:nspeɪ] *фр. n* пенснé.
**pincers** ['pɪnsəz] *n* (*pl*) (*тж.* a pair of ~)
клéщи; щипцы; щипчики; пинцéт; 2) клеш-
ни; 3) = pincers movement.
**pincers movement** ['pɪnsəzˈmuːvmənt]. =
*воен.* двусторóнний охвáт, клещи.
**pincette** [ˌpæŋ'set] *фр. n* щипчики, пинцéт.
**pinch** [pɪntʃ] 1. *n* 1) щипóк; щепóтка
(*соли и т. п.*); 3) крáйняя нуждá; стеснённое положéние; at a ~ в слýчае нужды,
в крáйнем слýчае; 4) сужéние, сжáтие;
5) *sl.* крáжа; 6) *sl.* арéст; 7) *амер. sl.* «изюминка»; «соль»; 8) *геол.* выклинивание;
9) лом; рычáг (*тж.* ~ bar); 10) щипцы,
клéщи;
2. *v* 1) ущипнýть; прищемить; ущемить;
2): to be ~ed with cold (hunger) иззяб-
нуть (изголодáться); 3) сдáвливать, сжимáть; жать (*напр., об обуви*); 4) ограничивать, стеснять; 5) подгонять (*лошадь,
особ. на скачках*); 6) скупиться; 7) вымогáть (*деньги*); 8) *sl.* укрáсть; огрáбить;
9) *sl.* арестовáть, «зацáпать»; 10) передвигáть тяжести рычагóм, вáгой; ◇ that is
where the shoe ~es ≅ вот в чём загвóздка.
**pinchbeck** ['pɪntʃbek] 1. *n* 1) томпáк;
2) фальшивые драгоцéнности, поддéлка;
2. *a* поддéльный, показнóй.
**pinchers** ['pɪntʃəz] = pincers 1).
**pincushion** ['pɪnˌkuʃɪn] *n* подýшечка
для булáвок.
**Pindaric** [pɪn'dærɪk] 1. *a* пиндарический;

**2.** *n* (*обыкн. pl*) пиндарические стихи́, о́ды.

**pine I** [pain] *n* 1) сосна́; 2) *разг. см.* pineapple; 3) *attr.* сосно́вый; ~ bath хво́йная ва́нна.

**pine II** [pain] *v* 1) ча́хнуть, томи́ться; изнемога́ть, изныва́ть, иссыха́ть (*тж.* ~ away); 2) жа́ждать (*чего-л.*), тоскова́ть (for, after— по *чему-л.*).

**pineal** ['pɪnɪəl] *a анат.* шишкови́дный.

**pineapple** ['paɪnˌæpl] *n* 1) анана́с; 2) *воен. sl.* ручна́я грана́та, «лимо́нка»; бо́мба; 3) *attr.* анана́сный.

**pine-cone** ['paɪnkoun] *n* сосно́вая ши́шка.

**pine-needle** ['paɪnˌniːdl] *n* (*обыкн. pl*) сосно́вая хво́я.

**pinery** ['paɪnərɪ] *n* 1) сосно́вое насажде́ние; 2) анана́сная тепли́ца.

**pine spruce** ['paɪnˌspruːs] *n* ель кана́дская (*или* бе́лая).

**pine-tree** ['paɪntriː] = pine I, 1).

**pinfold** ['pɪnfould] 1. *n* заго́н для скота́; 2. *v* держа́ть (скот) в заго́не.

**ping** [pɪŋ] 1. *n* свист (*пули*); гуде́ние (*комара*);

2. *v* свисте́ть; гуде́ть.

**ping-pong** ['pɪŋpɔŋ] *n* насто́льный те́ннис, пинг-по́нг.

**pirguid** ['pɪŋgwɪd] *a* 1) жи́рный, масляни́стый (*обыкн. шутл.*); 2) бога́тый, плодоро́дный (*о почве*).

**pin-head** ['pɪnhed] *n* 1) була́вочная голо́вка; 2) ме́лочь; 3) *sl.* тупи́ца, дура́к.

**pin-hole** ['pɪnhoul] *n* 1) була́вочное отве́рстие; 2) *тех.* отве́рстие под штифт; отве́рстие ма́лого диа́метра.

**pinion I** ['pɪnjən] *n тех.* 1) шестерня́, ме́ньшее зубча́тое колесо́ па́ры; 2) *ист.* зубе́ц стены́.

**pinion II** ['pɪnjən] 1. *n* 1) оконе́чность пти́чьего крыла́; 2) перо́; 3) *поэт.* крыло́;

2. *v* 1) подре́зать кры́лья; 2) свя́зывать (*руки*); 3) кре́пко привя́зывать.

**pink I** [pɪŋk] 1. *n* 1) *бот.* гвозди́ка; 2) ро́зовый цвет; 3) (the ~) верх, вы́сшая сте́пень; in the ~ *разг.* в прекра́сном состоя́нии (*о здоровье*); the ~ of perfection верх соверше́нства; 4) кра́сный камзо́л (*надева́емый при охоте на лисиц*); охо́тник в кра́сном камзо́ле; 5) уме́ренный радика́л;

2. *a* 1) ро́зовый; 2) либера́льничающий;

**pink II** [pɪŋk] 1. *n* глазо́к, очко́;

2. *v* 1) протыка́ть, прока́лывать; 2) украша́ть ды́рочками, фесто́нами, зубца́ми (*тж.* ~ out).

**pink III** [pɪŋk] *v* рабо́тать с детона́цией (*о двигателе*).

**pink IV** [pɪŋk] *n* молодо́й ло́сось.

**pink V** [pɪŋk] *n мор.* пи́нка.

**pink-eye** ['pɪŋkaɪ] *n мед., вет.* о́стрый инфекцио́нный конъюнктиви́т.

**pinkish** ['pɪŋkɪʃ] *a* розова́тый.

**Pinkster** ['pɪŋkstə] *n амер. церк.* тро́ицын день.

**pinkster flower** ['pɪŋkstəˌflauə] *n амер. бот.* ро́зовая аза́лия.

**pinky** ['pɪŋkɪ] = pinkish.

**pin-money** ['pɪnˌmʌnɪ] *n* де́ньги на ме́лкие расхо́ды, на була́вки.

**pinna** ['pɪnə] *n* (*pl* pinnae) *анат.* ушна́я ра́ковина.

**pinnace** ['pɪnɪs] *n мор.* 1) пина́с, полубарка́с; 2) *ист.* пина́сса.

**pinnacle** ['pɪnəkl] 1. *n* 1) островерхо́нечная ба́шенка, бельведе́р, шпиц; 2) верши́на; кульминацио́нный пункт;

2. *v* 1) возноси́ть; 2) украша́ть ба́шенками.

**pinnae** ['pɪniː] *pl от* pinna.

**pinnate, pinnated** ['pɪnɪt, 'pɪneɪtɪd] *a бот.* пери́стый.

**pinner** ['pɪnə] *n* 1) *уст.* род че́пчика; 2) *диал.* пере́дник.

**pinniped** ['pɪnɪped] *зоол.* 1. *a* ластоно́гий;

2. *n* ластоно́гое живо́тное.

**pinnothere** ['pɪnəθɪə] *n зоол.* раку́шковый краб.

**pinnule** ['pɪnjuːl] *n* дио́птр (*угломерного инструмента*).

**pinny** ['pɪnɪ] *n дет.* пере́дничек.

**pinoc(h)le** ['piːnəkl] *n* ка́рточная игра́ вро́де бе́зика.

**pinole** [pɪ'noulɪ] *n исп.-ам.* ку́шанье из поджа́ренного ма́иса с са́харом *и т. п.*

**pin-point** ['pɪnpɔɪnt] 1. *n* 1) остриё була́вки; 2) что-л. о́чень ма́ленькое, незначи́тельное;

2. *a воен.* то́чный, прице́льный;

3. *v воен.* 1) то́чно определи́ть положе́ние це́ли; 2) попада́ть в цель с большо́й то́чностью; 3) указа́ть то́чно.

**pinprick** ['pɪnprɪk] *n* 1) була́вочный уко́л; 2) ме́лкая неприя́тность, доса́да.

**pint** [paɪnt] *n* пи́нта (*мера ёмкости: в Англии = 0,57 л; в США = 0,47 л для жидкостей и 0,55 л для сыпучих тел*); ◇ to make a ~ measure hold a quart стара́ться сде́лать что-л. невозмо́жное.

**pintado** [pɪn'tɑːdou] *n* (*pl* -os [-ouz]) *зоол.* 1) ка́пский голубо́к (*тж.* ~ bird, ~ petrel); 2) цеса́рка.

**pintail** ['pɪnteɪl] *n зоол.* 1) шилохво́сть; 2) рябо́к белобрю́хий.

**pintle** ['pɪntl] *n* 1) *тех.* ось; ца́пфа, штифт; болт; шкво́рень; 2) *мор.* рулево́й крюк.

**pinto** ['pɪntou] *a амер.* пе́гий, пятни́стый.

**pin-up** ['pɪnʌp] 1. *n* 1) хоро́шенькая, очарова́тельная де́вушка; 2) портре́т хоро́шенькой де́вушки;

2. *a* хоро́шенький, очарова́тельный (*о женщине*).

**piny** ['paɪnɪ] *a* сосно́вый; поро́сший со́снами.

**pioneer** [ˌpaɪə'nɪə] 1. *n* 1) пионе́р, пе́рвый поселе́нец *или* иссле́дователь; инициа́тор; 2) пионе́р (*член пионерской организации*); 3) *воен.* сапёр; 4) *attr.* пионе́рский; 5) *attr. воен.* сапёрный; 6) *attr. горн.*: ~ well разве́дочная сква́жина;

2. *v* 1) прокла́дывать путь, быть пионе́ром; 2) вести́, руководи́ть.

**pious** ['paɪəs] 1. *a* набо́жный, благочести́вый; религио́зный;

2. *n* (the ~) *pl собир.* благочести́вые; *ирон.* свято́ши.

**pip** I [pɪp] *n* типу́н (*птичья болезнь*); ◇ to have the ~ *разг.* чу́вствовать себя́ пло́хо, быть не в свое́й таре́лке; быть в плохо́м настрое́нии.

**pip** II [pɪp] *n* ко́сточка, зёрнышко (*плода*).

**pip** III [pɪp] *n* 1) очко́ (*в ка́ртах, доми́но*); 2) звёздочка (*на пого́нах*); 3) *тех.* бобы́шка, отро́сток, сосо́к.

**pip** IV [pɪp] *v разг.* 1) подстрели́ть, ра́нить; 2) положи́ть коне́ц, пресе́чь; 3) победи́ть; разру́шить (*чьи-л.*) пла́ны; 4) забаллоти́ровать.

**pip** V [pɪp] 1. *n* высо́кий коро́ткий звук радиосигна́ла;
2. *v* пища́ть, чири́кать.

**pipage** [ˈpaɪpɪdʒ] *n* 1) перека́чка по трубопрово́ду (*не́фти, га́за и т. п.*); 2) пла́та, взима́емая за перека́чку по трубопрово́ду.

**pipe** [paɪp] 1. *n* 1) труба́; трубопрово́д; the ~s радиа́тор; 2) кури́тельная тру́бка; 3) свире́ль; ду́дка; свисто́к; 4) *pl* волы́нка; 5) *мор.* бо́цманская ду́дка; 6) пе́ние; свист; 7) *pl* дыха́тельные пути́; 8) бо́чка (*для вина́ или ма́сла; тж. ме́ра* ≅ *491 л*); 9) *метал.* уса́дочная ра́ковина; ◇ to smoke the ~ of peace вы́курить тру́бку ми́ра; помири́ться; King's (*или* Queen's) ~ *ист.* печь для сжига́ния контраба́ндного табака́; to hit the ~ *амер.* кури́ть о́пиум; put that in your ~ and smoke it ≅ намота́йте себе́ э́то на ус;
2. *v* 1) игра́ть на свире́ли; 2) призыва́ть свире́лью; прима́нивать ва́биком; 3) *мор.* вызыва́ть ду́дкой, свиста́ть; 4) свисте́ть (*о ве́тре и т. п.*); 5) петь (*о пти́це*); 6) пища́ть (*о челове́ке*); 7) *разг.* пла́кать, реве́ть (*тж.* ~ one's eye); 8) отде́лывать ка́нтом (*пла́тье*); 9) снабжа́ть тру́бами; 10) пуска́ть по труба́м; 11) *метал.* дава́ть уса́дочные ра́ковины.; ☐ ~ away *мор.* дава́ть сигна́л к отплы́тию; ~ down сни́зить тон, стать ме́нее самоуве́ренным; ~ up а) заигра́ть, запе́ть; б) *sl.* запе́ть, заговори́ть.

**pipeclay** [ˈpaɪpkleɪ] 1. *n* 1) бе́лая тру́бочная гли́на (*употр. тж. для чи́стки снаряже́ния*); 2) *воен. разг.* увлече́ние вне́шней вы́правкой; 3) *attr.* сде́ланный из бе́лой гли́ны;
2. *v* бели́ть тру́бочной гли́ной.

**pipe dream** [ˈpaɪpdriːm] *n* несбы́точная мечта́; план, постро́енный на песке́.

**pipe-fish** [ˈpaɪpfɪʃ] *n зоол.* морска́я игла́.

**pipefitter** [ˈpaɪpˌfɪtə] *n* сле́сарь-водопрово́дчик.

**pipeful** [ˈpaɪpful] *n* по́лная тру́бка (*таба́ку*).

**pipe-laying** [ˈpaɪpˌleɪŋ] *n* 1) прокла́дка труб; 2) *амер. sl.* полити́ческие интри́ги.

**pipeline** [ˈpaɪplaɪn] 1. *n* трубопрово́д; нефтепрово́д;
2. *v* 1) перека́чивать по трубопрово́ду; 2) прокла́дывать трубопрово́д.

**pip emma** [pɪpˈemə] *sl. см.* post meridiem.

**piper** [ˈpaɪpə] *n* 1) волы́нщик, ду́дочник, игро́к на свире́ли, флейти́ст; 2) запалённая ло́шадь; 3) *горн.* тре́щина проса́чивания рудни́чного га́за.

**pipette** [pɪˈpet] 1. *n* пипе́тка;

2. *v* ка́пать из пипе́тки; ☐ ~ off отса́сывать пипе́ткой.

**piping** [ˈpaɪpɪŋ] 1. *pres. p. om* pipe 2;
2. *n* 1) игра́ (*на ду́дке и т. п.*); 2) насви́стывание; писк; 3) пе́ние (*птиц*); 4) трубопрово́д; тру́бы, систе́ма труб; 5) кант (*на пла́тье*); 6) са́харный узо́р (*на то́рте*); 7) *метал.* уса́дочная ра́ковина; образова́ние уса́дочных ра́ковин;
3. *a* пронзи́тельный, пискли́вый; ◇ ~ hot ≅ а) с пы́лу, с жа́ру; о́чень горя́чий; б) соверше́нно но́вый *или* све́жий; the ~ time(s) of peace ми́рные времена́;
4. *adv* со сви́стом, с шипе́нием.

**pipit** [ˈpɪpɪt] *n* конёк, щеври́ца (*пти́ца*).

**pipkin** [ˈpɪpkɪn] *n* гли́няный горшо́чек, ми́сочка.

**pippin** [ˈpɪpɪn] *n* 1) пепи́н (*сорт я́блок*); 2) *разг.* куми́р.

**pippin-faced** [ˈpɪpɪnˌfeɪst] *a* с кру́глым кра́сным лицо́м.

**pip-squeak** [ˈpɪpskwiːk] *n sl.* что-л. незначи́тельное, презре́нное.

**pipy** [ˈpaɪpɪ] *a* 1) тру́бчатый; 2) ре́зкий, зы́чный.

**piquancy** [ˈpiːkənsɪ] *n* пика́нтность, острота́.

**piquant** [ˈpiːkənt] *a* пика́нтный, о́стрый.

**pique** [piːk] 1. *n* 1) заде́тое самолю́бие; оби́да, доса́да, раздраже́ние; 2) *редк.* размо́лвка;
2. *v* 1) уколо́ть, заде́ть (*самолю́бие*); 2) возбужда́ть (*любопы́тство*); 3) *св.* пики́ровать; ◇ to ~ oneself on smth. горди́ться, чва́ниться чем-л.

**piqué** [ˈpiːkeɪ] *фр. n* пике́ (*ткань*).

**piquet** I [pɪˈket] *n карт.* пике́т.

**piquet** II [ˈpɪkɪt] = picket.

**piracy** [ˈpaɪərəsɪ] *n* 1) пира́тство; 2) наруше́ние а́вторского пра́ва.

**piragua** [pɪˈrægwə] *n* пиро́га (*ло́дка*).

**pirate** [ˈpaɪərɪt] 1. *n* 1) пира́т; 2) пира́тское су́дно; 3) наруши́тель а́вторского пра́ва; 4) (ча́стный) авто́бус, курси́рующий по чужи́м маршру́там;
2. *v* 1) занима́ться пира́тством; гра́бить; обкра́дывать; 2) самово́льно переиздава́ть, наруша́ть а́вторское пра́во.

**piratic(al)** [paɪˈrætɪk(əl)] *a* пира́тский; ~ edition незако́нно переи́зданная кни́га.

**pirn** [pəːn] *n текст.* це́вка, шпу́лька.

**pirogue** [pɪˈroug] = piragua.

**pirouette** [ˌpɪruˈet] 1. *n* пируэ́т;
2. *v* де́лать пируэ́ты.

**piscatorial, piscatory** [ˌpɪskəˈtɔːrɪəl, ˈpɪskətərɪ] *a* 1) рыболо́вный; 2) рыба́цкий.

**Pisces** [ˈpɪsiːz] *n pl* Ры́бы (*созве́здие и знак зодиа́ка*).

**pisciculture** [ˈpɪsɪkʌltʃə] *n* рыбово́дство.

**pisciculturist** [ˌpɪsɪˈkʌltʃərɪst] *n* рыбово́д.

**piscina** [pɪˈsiːnə] *n* (*pl* -nae, -s [-z]) 1) ры́бный садо́к; 2) *др.-рим.* бассе́йн для купа́ния; 3) *церк.* умыва́льница (*в ри́знице*).

**piscinae** [pɪˈsiːniː] *pl om* piscina.

**piscine** I [ˈpɪsiːn] *n* бассе́йн для купа́ния.

**piscine** II [ˈpɪsaɪn] *a* ры́бный.

**piscivorous** [pɪˈsɪvərəs] *a* рыбоя́дный.

**pisé** [pɪ'zeɪ] *фр. n* 1) би́тая гли́на; 2) *attr.* глиноби́тный; ~ building глиноби́тная постро́йка.

**pish** [pɪʃ] 1. *int* тьфу!; фи!;
2. *v* говори́ть «тьфу», «фи».

**pishogue** [pɪ'ʃoug] *ирл. n* колдовство́; заклина́ние.

**pisiform** ['pɪsɪfɔːm] *a* име́ющий фо́рму горо́шины; горохови́дный; ~ bone *анат.* горохови́дная кость.

**pismire** ['pɪsmaɪə] *n* мураве́й.

**pisolite** ['paɪsoulaɪt] *n мин.* горо́ховый ка́мень; известко́вый натёк, ооли́т.

**piss** [pɪs] *груб.* 1. *n* моча́;
2. *v* 1) мочи́ться; 2) выделя́ть с мочо́й.

**pissed** [pɪst] 1. *p. p. от* piss 2;
2. *a sl.* пья́ный.

**piss-pot** ['pɪspɔt] *n* ночно́й горшо́к.

**pistachio** [pɪs'tɑːʃiou] *n* (*pl* -os [-ouz]) 1) *бот.* фиста́шка настоя́щая; 2) фиста́шка (*плод*); 3) фиста́шковый цвет.

**pistil** ['pɪstɪl] *n бот.* пе́стик.

**pistillate** ['pɪstɪleɪt] *a бот.* пе́стиковый, пе́стичный.

**pistol** ['pɪstl] 1. *n* пистоле́т; револьве́р;
2. *v* стреля́ть из пистоле́та *или* револьве́ра.

**pistole** [pɪs'toul] *n ист.* писто́ль (*исп. золотая монета*).

**pistolgraph** ['pɪstlgrɑːf] *n уст.* аппара́т для момента́льных сни́мков.

**pistol-shot** ['pɪstlʃɔt] *n* пистоле́тный вы́стрел.

**piston** ['pɪstən] *n* 1) *mex.* по́ршень; плу́нжер; 2) писто́н, кла́пан (*корнет-а-писто́на*).

**piston-rod** ['pɪstənrɔd] *n mex.* поршнево́й шток, шату́н.

**pit** II [pɪt] 1. *n* 1) я́ма; углубле́ние; впа́дина; air ~ возду́шная я́ма; 2) ша́хта, копь; карье́р, шурф; open ~ карье́р, откры́тая разрабо́тка; 3) во́лчья я́ма; западня́; 4) (the ~) преиспо́дняя (*тж.* the ~ of hell); 5) *анат.* я́мка, впа́дина; the ~ of the stomach подло́жечная я́мка; in the ~ of the stomach под ло́жечкой; 6) о́спина, ряби́на (*на коже*); 7) ра́ковина (*на отливке*); 8) аре́на для петуши́ных бое́в; 9) парте́р (*особ. задние ряды за креслами*); 10) ме́сто для орке́стра (*в театре*); 11) амер. отде́л това́рной би́ржи; 13) *уст.* тюрьма́; ~ and gallow *шотл. ист.* баро́нов топи́ть *или* ве́шать престу́пников; 14) *attr.* ша́хтный; ~ mouth у́стье ша́хты; ~ wood *горн.* крепёжный лес; ◊ to dig a ~ for smb. рыть кому́-л. я́му;
2. *v* 1) скла́дывать в я́му (*для хранения; особ. об овощах и т. п.*); 2) рыть я́мы; 3) (*особ. p. p.*) покрыва́ть(ся) я́мками; ~ted with smallpox рябо́й; 4) стра́вливать (*петухов*); выставля́ть в ка́честве проти́вника (against); to ~ one's strength against an enemy срази́ться с враго́м; to ~ oneself against heavy odds боро́ться с огро́мными тру́дностями.

**pit** II [pɪt] *амер.* 1. *n* фрукто́вая ко́сточка;
2. *v* вынима́ть ко́сточки.

**pit-a-pat** ['pɪtə'pæt] 1. *adv:* to go ~

затрепета́ть (*о сердце*): his feet went ~ но́ги у него́ подкоси́лись;
2. *n* бие́ние, тре́пет.

**pitch** I [pɪtʃ] 1. *n* смола́; древе́сная смола́, вар; пек; ◊ ~ darkness тьма кроме́шная;
2. *v* смоли́ть.

**pitch** II [pɪtʃ] 1. *n* 1) паде́ние; килева́я ка́чка (*судна*); the ship gave a ~ кора́бль зары́лся но́сом; 2) высота́ (*тона, звука и т. п.*); сте́пень, у́ровень, напряже́ние; absolute ~ a) абсолю́тная высота́ то́на; б) абсолю́тный слух; the noise rose to a deafening ~ шум сде́лался оглуши́тельным; 3) укло́н, скат, накло́н, пока́тость; у́гол накло́на; 4) бросо́к; 5) *спорт.* пода́ча; 6) па́ртия това́ра; 7) обы́чное ме́сто (*уличного торговца и т. п.*); 8) *спорт.* часть кри́кетного по́ля ме́жду ли́ниями подаю́щих; 9) накло́н самолёта относи́тельно попере́чной оси́; 10) *mex.* шаг винтово́й ли́нии, шаг винтово́й резьбы́; диаметра́льный шаг; шаг заклёпочного шва *и т. п.*; 11) *горн.* накло́нный прожи́лок;
2. *v* 1) разбива́ть (*палатки, лагерь*); располага́ться ла́герем; to ~ one's tent поселя́ться; 2) ста́вить (*крикетные воротца и т. п.*); 3) броса́ть; кида́ть; 4) *спорт.* подава́ть; 5) выставля́ть на прода́жу; 6) па́дать (on, into); погружа́ться; 7) подверга́ться килево́й ка́чке (*о корабле*); 8) *муз.* дава́ть основно́й тон; 9) придава́ть определённую высоту́; 10) *sl.* расска́зывать (*сказки*); to ~ it strong *разг.* преувели́чивать; the description is ~ed too high описа́ние преувели́чено; 11) мости́ть бруса́ткой; 12) *mex.* зацепля́ть (*о зубцах*); □ ~ in *разг.* энерги́чно бра́ться за что́-л., налега́ть на что́-л.; ~ into *разг.* набра́сываться; напада́ть; ~ upon случа́йно выбира́ть; остана́вливаться на чём-л.

**pitch-and-toss** ['pɪtʃən'tɔs] *n* игра́ в расшиба́лочку (*типа орлянки*).

**pitch black** ['pɪtʃ'blæk] *a* чёрный как смоль.

**pitchblende** ['pɪtʃblend] *n мин.* урани́т, ура́новая смоляна́я обма́нка (*урановая руда*).

**pitch-dark** ['pɪtʃ'dɑːk] *a* о́чень тёмный.

**pitched** I [pɪtʃt] 1. *p. p. от* pitch II, 2;
2. *a* 1) ~ a high ~ voice высо́кий го́лос; 2): the roof is ~ кры́ша сли́шком крута́; 3): ~ battle зара́нее подгото́вленное сраже́ние на определённом уча́стке.

**pitched** II [pɪtʃt] *p.p. от* pitch I, 2.

**pitcher** I ['pɪtʃə] *n* кувши́н; ◊ little ~s have long ears ≅ a) де́ти лю́бят подслу́шивать; б) сте́ны име́ют у́ши; the ~ goes often to the well (but is broken at last) *посл.* пова́дился кувши́н по́ воду ходи́ть (тут ему́ и го́лову сломи́ть).

**pitcher** II ['pɪtʃə] *n* 1) *спорт.* подаю́щий мяч; 2) у́личный торго́вец (*торгующий на определённом месте*); 3) ка́менный брусо́к.

**pitchfork** ['pɪtʃfɔːk] 1. *n* 1) ви́лы; 2) камерто́н; ◊ it rains ~s *амер.* льёт как из ведра́; идёт проливно́й дождь;
2. *v* 1) взбра́сывать ви́лами; 2) посади́ть на неподходя́щую до́лжность; 3) поста́вить в неожи́данное положе́ние.

**pitch indicator** ['pɪtʃ'ɪndɪkeɪtə] *n* 1) *ав.* указа́тель продо́льного кре́на; 2) *тех.* измери́тель ша́га винта́.

**pitchman** ['pɪtʃmən] *амер.* = pitcher II, 2).

**pitch-pine** ['pɪtʃpaɪn] *n* смоли́стая сосна́.

**pitch-pipe** ['pɪtʃpaɪp] *n* камерто́н-ду́дка.

**pitchy** ['pɪtʃɪ] *a* 1) смоли́стый; 2) смоляно́й; 3) чёрный как смоль.

**pit coal** ['pɪtkoul] *n* ка́менный, битуми́нозный у́голь.

**piteous** ['pɪtɪəs] *a* жа́лкий, жа́лобный, досто́йный сожале́ния.

**pitfall** ['pɪtfɔːl] *n* 1) во́лчья я́ма; 2) ры́твина; 3) *перен.* лову́шка, западня́.

**pith** [pɪθ] 1. *n* 1) сердцеви́на (*растения*); 2) спинно́й мозг; 3) суть, су́щность (*часто* the ~ and marrow of); значе́ние; 4) си́ла, эне́ргия;
2. *v* убива́ть (живо́тных) посре́дством прока́лывания спинно́го мо́зга.

**pithecanthrope** [,pɪθɪkæn'θroup] *n* питека́нтроп, обезья́ночелове́к.

**pithecoid** [pɪ'θiːkɔɪd] *a* обезья́ноподо́бный.

**pith fleck** ['pɪθflek] *n* червото́чина.

**pithily** ['pɪθɪlɪ] *adv* в то́чку, по существу́.

**pithless** ['pɪθlɪs] *a* 1) без сердцеви́ны; 2) бесхребе́тный; сла́бый, вя́лый; 3) бессодержа́тельный.

**pithy** ['pɪθɪ] *a* 1) с сердцеви́ной; гу́бчатый; 2) си́льный, энерги́чный; 3) содержа́тельный; сжа́тый (*о стиле*).

**pitiable** ['pɪtɪəbl] *a* жа́лкий, несча́стный, ничто́жный.

**pitiful** ['pɪtɪful] *a* 1) сострада́тельный, жа́лостливый; 2) жа́лостный; 3) жа́лкий, ничто́жный, презре́нный.

**pitiless** ['pɪtɪlɪs] *a* безжа́лостный.

**pitman** ['pɪtmən] *n* 1) (*pl* pitmen) шахтёр; углеко́п; подзе́мный рабо́чий; 2) (*pl* pitmans) *тех.* со́шка, шату́н, соедини́тельная тя́га.

**pit-pat** ['pɪt'pæt] = pit-a-pat.

**pittance** ['pɪtəns] *n* 1) ску́дное вспомоществова́ние *или* жа́лованье; жа́лкие гроши́ (*обыкн.* a mere ~); 2) небольша́я часть *или* небольшо́е коли́чество.

**pitter-patter** ['pɪtə,pætə] 1. *n* 1) ча́стое лёгкое посту́кивание;
2. *adv* ча́сто и легко́ (*ударять, стучать и т. n.*).

**pittite** ['pɪtaɪt] *n* зри́тель после́дних рядо́в парте́ра.

**pituitary** [pɪ'tjuːɪtərɪ] *a* сли́зистый; ~ body (*или* gland) *анат.* гипофи́з.

**pity** ['pɪtɪ] 1. *n* 1) жа́лость, сострада́ние, сожале́ние; for ~'s sake! умоля́ю вас!; to take ~, to have ~ сжа́литься (on—над *кем-л.*); 2) печа́льный факт; it is a ~ жаль; it is a thousand pities о́чень жаль; more's the ~ тем ху́же; what a ~!, the ~ of it! как жа́лко!;
2. *v* жале́ть, соболе́зновать.

**pitying** ['pɪtɪɪŋ] 1. *pres. p. от* pity 2;
2. *a* выража́ющий *или* испы́тывающий жа́лость, сожале́ние.

**pityingly** ['pɪtɪɪŋlɪ] *adv* с жа́лостью, с сожале́нием.

**pivot** ['pɪvət] 1. *n* 1) то́чка враще́ния, то́чка опо́ры; 2) сте́ржень, коро́ткая ось; шкво́рень; 3) *перен.* основно́й пункт, центр;
2. *v* 1) наде́ть на сте́ржень; 2) верте́ться; враща́ться (*тж. перен.*; upon).

**pivotal** ['pɪvətl] *a* 1) центра́льный; осево́й; 2) *перен.* кардина́льный, основно́й; центра́льный.

**pixie** ['pɪksɪ] *n диал.* эльф, фе́я.

**pixilated** ['pɪksɪleɪtɪd] *a* 1) одержи́мый, со стра́нностями; 2) *sl.* пья́ный.

**pixy** ['pɪksɪ] = pixie.

**pizzicato** [,pɪtsɪ'kɑːtou] *ит. adv, n муз.* пиццика́то.

**placability** [,plækə'bɪlɪtɪ] *n* кро́тость, незлопа́мятность; благоду́шие.

**placable** ['plækəbl] *a* кро́ткий, незлопа́мятный; благоду́шный.

**placard** ['plækɑːd] 1. *n* афи́ша, плака́т;
2. *v* 1) раскле́ивать (*объявления*); 2) испо́льзовать плака́ты для рекла́мы.

**placate** [plə'keɪt] *v* 1) умиротворя́ть; располага́ть в свою́ по́льзу; 2) *амер.* задо́брить; дать отступно́го (*противнику*); заручи́ться подде́ржкой (*противника*).

**place** [pleɪs] 1. *n* 1) ме́сто; to give ~ to smb. уступи́ть ме́сто кому́-л.; to take the ~ of smb. заня́ть чьё-л. ме́сто, замести́ть кого́-л.; in ~ a) на ме́сте; б) уме́стный; out of ~ a) не на ме́сте; б) неуме́стный [*ср. тж.* 5)]; 2) жили́ще; уса́дьба, за́городный дом; come down to my ~ tonight приходи́ ко мне сего́дня ве́чером; 3) го́род, месте́чко, селе́ние; what ~ do you come from? отку́да вы ро́дом?; 4) пло́щадь (*в названиях*, *напр.*, Gloucester P.); 5) положе́ние, до́лжность, ме́сто, слу́жба; out of ~ безрабо́тный [*ср. тж.* 1)]; 6) сиде́нье, ме́сто (*в экипаже, за столом и т. n.*); six ~s were laid стол был накры́т на шесть прибо́ров; to engage (*или* to secure) ~s заказа́ть биле́ты; 7) ме́сто в кни́ге, страни́ца, отры́вок; 8) *мат.*: calculated to five decimal ~s с то́чностью до одно́й стоты́сячной; 9) *спорт.* одно́ из пе́рвых мест (*в состязании*); to get a ~ прийти́ к фи́нишу в числе́ пе́рвых; 10) *горн.* забо́й; ◇ in ~ of вме́сто; in the first (in the second) ~ во-пе́рвых (во-вторы́х); in the next ~ зате́м; to keep smb. in his ~ не дава́ть кому́-л. зазнава́ться; to know one's ~ знать своё ме́сто; to take ~ случа́ться, име́ть ме́сто; there is no ~ like home ≈ в гостя́х хорошо́, а до́ма лу́чше; another ~ *парл.* друга́я пала́та;
2. *v* 1) помеща́ть, размеща́ть; ста́вить, класть; to ~ in the clearest light по́лностью освети́ть (*вопрос, положение и т. n.*); 2) помеща́ть на до́лжность, устра́ивать; 3) определя́ть ме́сто, положе́ние, да́ту; относи́ть к определённым обстоя́тельствам; 4) сбыва́ть (*товар*); 5) *спорт.* заня́ть одно́ из призовы́х мест; 6) *спорт.* присуди́ть одно́ из пе́рвых мест; to be ~d прийти́ к фи́нишу в числе́ пе́рвых трёх; 7) *амер.*: to ~ a call заказа́ть разгово́р по телефо́ну; ◇ to ~ confidence in smb. дове́риться кому́-л.

**placebo** [plə'siːbou] *n* (*pl* -os, -oes [-ouz]) безвре́дное лека́рство, пропи́сываемое для успокое́ния больно́го.

**place-card** ['pleɪskɑːd] *n* ка́рточка на официа́льном приёме, ука́зывающая ме́сто го́стя за столо́м.

**place-hunter** ['pleɪs,hʌntə] *n* карьери́ст.

**placeman** ['pleɪsmən] *n* должностно́е лицо́, чино́вник (*обыкн. пренебр.*).

**placenta** [plə'sentə] *n* (*pl* -s [-z], -tae) 1) де́тское ме́сто, после́д, плаце́нта; 2) *бот.* семяно́сец.

**placentae** [plə'sentiː] *pl om* placenta.

**place of arms** ['pleɪsəv'ɑːmz] *n* плацда́рм.

**placer** ['pleɪsə] *n* (золото́й) при́иск, ро́ссыпь.

**placet** ['pleɪset] *лат.* 1. *n* го́лос «за»; 2. *int* за!

**placid** ['plæsɪd] *a* споко́йный, ми́рный, безмяте́жный.

**placidity** [plæ'sɪdɪtɪ] *n* споко́йствие, безмяте́жность.

**placket** ['plækɪt] *n* 1) карма́н в ю́бке; 2) разре́з в ю́бке (*сверху*); разре́з карма́на (*в ю́бке*).

**placket-hole** ['plækɪthoul] = placket 2).

**plafond** [plɑːˈfɔ̃ːŋ] *фр. n* архит. плафо́н, потоло́к.

**plage** [plɑːʒ] *фр. n* пляж.

**plagiarism** ['pleɪdʒjərɪzəm] *n* плагиа́т.

**plagiarist** ['pleɪdʒjərɪst] *n* плагиа́тор.

**plagiarize** ['pleɪdʒjəraɪz] *v* занима́ться плагиа́том, заи́мствовать (*чужо́е*).

**plagiary** ['pleɪdʒjərɪ] *n редк.* 1) плагиа́т; 2) плагиа́тор.

**plague** [pleɪg] 1. *n* 1) чума́, морова́я я́зва; мор; the ~ бубо́нная чума́; 2) бе́дствие, бич, наказа́ние; а ~ of rats наше́ствие крыс; 3) *разг.* неприя́тность, доса́да; беспоко́йство; ◇ ~ on him! чтоб ему́ пу́сто бы́ло!;
2. *v* 1) зачумля́ть; 2) насыла́ть бе́дствие, му́чить; 3) *разг.* досажда́ть, надоеда́ть, беспоко́ить.

**plaguesome** ['pleɪgsəm] *a разг.* неприя́тный, доса́дный, надое́дливый.

**plague-spot** ['pleɪgspɔt] *n* 1) чумно́е пятно́; 2) зачумлённая ме́стность; 3) *перен.* исто́чник зара́зы; 4) при́знак мора́льного разложе́ния.

**plaguy** ['pleɪgɪ] *разг.* 1. *a* неприя́тный, доса́дный; черто́вский;
2. *adv* черто́вски, о́чень.

**plaice** [pleɪs] *n* ка́мбала.

**plaid** [plæd] *n* 1) плед; 2) *текст.* шотла́ндка.

**plain I** [pleɪn] 1. *a* 1) я́сный, я́вный, очеви́дный; to make it ~ вы́явить, разъясни́ть; 2) просто́й; поня́тный; ~ writing разбо́рчивый по́черк; 3) незамыслова́тый, обыкнове́нный; ~ water обыкнове́нная вода́; ~ card нефигу́рная игра́льная ка́рта; ~ clothes штатское пла́тье; ~ work просто́е шитьё (*в отли́чие от вышива́ния*); 4) одноцве́тный, без узо́ра (*о мате́рии*); 5) гла́дкий, ро́вный (*о ме́стности*); 6) просто́й, скро́мный (*о пи́ще и т. п.*); 7) прямо́й, откро́венный; ~ dealing прямота́, че́стность; ~ speaking разгово́р в откры́тую; to be ~ with smb. говори́ть кому́-л. неприя́тную пра́вду; 8) некраси́вый; ◇ ~ sailing а)

мор. пла́вание по локсодро́мии; б) лёгкий, просто́й путь; it will be all ~ sailing ≈ всё пойдёт как по ма́слу;
2. *n* 1) равни́на; 2) *поэт.* по́ле; 3) пло́скость;
3. *adv* 1) я́сно, разбо́рчиво, отчётливо; 2) откро́венно.

**plain II** [pleɪn] *v поэт.* се́товать; жа́ловаться; пла́каться; хны́кать.

**plain-clothes man** ['pleɪn,klouðz'mæn] *n* сы́щик; переоде́тый полице́йский; шпик.

**plainly** ['pleɪnlɪ] *adv* пря́мо, открове́нно.

**plainness** ['pleɪnnɪs] *n* 1) простота́; поня́тность; 2) очеви́дность; 3) прямота́; 4) некраси́вость.

**plainsman** ['pleɪnzmən] *n* жи́тель равни́н.

**plain-song** ['pleɪnsɔŋ] *n* просто́е хорово́е церко́вное пе́ние.

**plain-spoken** ['pleɪn'spoukən] *a* открове́нный, прямо́й.

**plaint** [pleɪnt] *n* 1) *юр.* иск; 2) *поэт.* се́тование, плач, стена́ние.

**plaintiff** ['pleɪntɪf] *n юр.* исте́ц; исти́ца.

**plaintive** ['pleɪntɪv] *a* жа́лобный, уны́вный.

**plait** [plæt] 1. *n* 1) коса́ (*во́лос*); 2) скла́дка (*на пла́тье*);
2. *v* 1) заплета́ть, плести́; 2) закла́дывать скла́дки.

**plan** [plæn] 1. *n* 1) план; прое́кт; counter ~ встре́чный план; 2) за́мысел, наме́рение; предположе́ние; 3) спо́соб де́йствий; 4) схе́ма, диагра́мма, чертёж; 5) систе́ма; ◇ American ~ *амер.* (гости́ница) с обяза́тельным пансио́ном; European ~ *амер.* (гости́ница) с необяза́тельным пансио́ном;
2. *v* 1) составля́ть план, плани́ровать, проекти́ровать; 2) стро́ить пла́ны; наде́яться; намерева́ться; затева́ть.

**planch** [plɑːnʃ] *n* доще́чка, пла́нка.

**plane I** [pleɪn] 1. *n* 1) пло́скость (*тж. перен.*); on a new ~ на но́вой осно́ве; 2) прое́кция; 3) у́ровень (*разви́тия, зна́ний и т. п.*); 4) *разг.* самолёт; 5) *ав.* пло́скость, несу́щая пове́рхность; крыло́ (*самолёта*); 6) *горн.* укло́н, бре́мсберг, гла́вная отка́точная вы́работка);
2. *a* пло́ский; пло́скостный;
3. *v* 1) *ав.* скользи́ть; плани́ровать; идти́ на реда́н; 2) *разг.* путеше́ствовать в самолёте.

**plane II** [pleɪn] 1. *n* 1) *тех.* руба́нок; шерхе́бель; фуга́нок; струг; нож; 2) *стр.* гладѝлка, мастеро́к;
2. *v* 1) строга́ть, выра́внивать; выска́бливать; выгла́живать; 2) *полигр.* выкола́чивать (*фо́рму*); ▢ ~ away, ~ down состру́гивать.

**plane III** [pleɪn] *n* плата́н.

**plane geometry** ['pleɪndʒɪ'ɔmɪtrɪ] *n* планиме́трия.

**planer** ['pleɪnə] *n* 1) *тех.* строга́льный стано́к; 2) строга́льщик (*рабо́чий*); 3) *полигр.* выколотка; 4) доро́жный утю́г.

**planet** ['plænɪt] *n* плане́та; major (minor) ~s больши́е (ма́лые) плане́ты.

**plane-table** ['pleɪn,teɪbl] *геод.* 1. *n* ме́нзула;
2. *v* производи́ть ме́нзульную съёмку.

**planetaria** [ˌplænɪˈtɛərɪə] *pl* *om* planetarium.

**planetarium** [ˌplænɪˈtɛərɪəm] *n* (*pl* -ria) планета́рий.

**planetary** [ˈplænɪtərɪ] *a* 1) плане́тный, плане́тарный; ~ system со́лнечная систе́ма; 2) находя́щийся в орби́те какой-л. плане́ты; *перен.* находя́щийся в сфе́ре влия́ния; 3) блужда́ющий.

**plane-tree** [ˈpleɪntriː] = plane III.

**planetoid** [ˈplænɪtɔɪd] *n* ма́лая плане́та.

**planet-stricken** [ˈplænɪtˌstrɪkən] *a* охва́ченный па́никой, запу́ганный.

**planet-struck** [ˈplænɪtˌstrʌk] = planet-stricken.

**plangent** [ˈplændʒənt] *a* 1) с шу́мом разбива́ющийся о бе́рег (*о прибое*); 2) протя́жный; зву́чный.

**planish** [ˈplænɪʃ] *v* 1) пра́вить; выправля́ть, рихтова́ть (*металл*); 2) шлифова́ть, полирова́ть, лощи́ть; нака́тывать (*фотографии*).

**plank** [plæŋk] 1. *n* 1) (обшивна́я) доска́, пла́нка; 2) пункт парти́йной програ́ммы; 2. *v* 1) настила́ть; выстила́ть, обшива́ть до́сками; 2) *sl.* выкла́дывать, плати́ть (*обыкн.* ~ down, ~ out); 3) *амер.* жа́рить ры́бу *или* пти́цу, нани́зывая её на па́лочки.

**plank bed** [ˈplæŋkbed] *n* на́ры.

**planking** [ˈplæŋkɪŋ] 1. *pres. p. om* plank 2; 2. *n* 1) обши́вка до́сками, покры́тие до́сками; 2) *собир.* до́ски.

**plankton-** [ˈplæŋktən] *n* биол. планкто́н.

**planned** [plænd] 1. *p. p. om* plan 2; 2. *a* пла́новый; плани́рованный; ~ production пла́новое произво́дство.

**planner** [ˈplænə] *n* 1) плани́ровщик; 2) планови́к; 3) либретти́ст (*в кино*).

**planoconcave** [ˌpleɪnouˈkɔnkeɪv] *a* пло́ско-во́гнутый.

**planoconvex** [ˌpleɪnouˈkɔnveks] *a* пло́ско-вы́пуклый.

**plant** [plɑːnt] 1. *n* 1) расте́ние; са́женец; in ~ расту́щий; в соку́; 2) заво́д, фа́брика; 3) обору́дование; устано́вка; компле́кт маши́н; агрега́т; 5) *sl.* лову́шка; моше́нничество; надува́тельство; 6) *sl.* сы́щик; 7) *sl.* полице́йская заса́да; 2. *v* 1) сажа́ть (*растения*); заса́живать (with); насажда́ть (*сад*); 2) пуска́ть (*рыбу*) для разведе́ния; 3) про́чно ста́вить, устана́вливать (in, on); to ~ a standard водрузи́ть зна́мя; to ~ oneself стать, заня́ть пози́цию; 4) вса́живать, втыка́ть; 5) осно́вывать (*колонию и т. п.*); заселя́ть; поселя́ть; 6) внедря́ть, насажда́ть (in); 7) приста́вить (*кого-л., особ.* как шпио́на); 8) внуша́ть (*мысль*); 9) наноси́ть (*удар*); 10) *sl.* пря́тать (*добычу*); 11) *sl.* подстра́ивать (*махинацию*); 12) броса́ть, покида́ть; 13) *sl.* хорони́ть; □ ~ on подсо́вывать, сбыва́ть; ~ out выса́живать в грунт.

**plantain I** [ˈplæntɪn] *n* бот. подоро́жник.

**plantain II** [ˈplæntɪn] *n* бот. бана́н плодо́вый.

**plantar** [ˈplæntə] *a* анат. подо́швенный.

**plantation** [plænˈteɪʃən] *n* 1) планта́ция; 2) насажде́ние; 3) *ист.* колониза́ция; 4) *ист.* коло́ния.

**planter** [ˈplɑːntə] *n* 1) планта́тор; 2) учреди́тель, основа́тель; 3) *с.-х.* сажа́лка; 4) *с.-х.* сажа́льщик.

**plantigrade** [ˈplæntɪɡreɪd] *зоол.* 1. *a* стопоходя́щий; 2. *n* стопоходя́щее живо́тное.

**plant-louse** [ˈplɑːntˌlaus] *n* тля.

**plantocracy** [plænˈtɔkrəsɪ] *n* 1) планта́торы; земе́льная аристокра́тия; 2) власть планта́торов.

**plant pathology** [ˈplɑːntpəˈθɔlədʒɪ] *n* фитопатоло́гия.

**plaque** [plɑːk] *n* 1) металли́ческий *или* фарфо́ровый диск, таре́лка (*как стенное украшение*); 2) дощечка, пласти́нка с фами́лией *или* назва́нием учрежде́ния; memorial ~ мемориа́льная доска́; 3) почётный значо́к; 4) *мед.* бля́шка.

**plash I** [plæʃ] 1. *n* 1) плеск, всплеск; 2) лу́жа; 2. *v* плеска́ть(ся).

**plash II** [plæʃ] *v* сплета́ть; плести́.

**plasm** [ˈplæzəm] = plasma.

**plasma** [ˈplæzmə] *n* 1) физиол. пла́зма; 2) биол. протопла́зма; 3) мин. гелиотро́п, зелёный халцедо́н.

**plaster** [ˈplɑːstə] 1. *n* 1) штукату́рка; Paris ~, ~ of Paris (обожжённый) гипс; алеба́стр; 2) пла́стырь; 2. *v* 1) штукату́рить; 2) накла́дывать пла́стырь; 3) нама́зывать; покрыва́ть; 4) гру́бо льстить (*тж.* ~ with praise); 5) па́чкать; 6) подме́шивать гипс (*в вино*); 7) дать сда́чи, отомсти́ть.

**plastered** [ˈplɑːstəd] 1. *p. p. om* plaster 2; 2. *a* *sl.* пья́ный; to get ~ напи́ться, наклюка́ться.

**plasterer** [ˈplɑːstərə] *n* штукату́р.

**plastic** [ˈplæstɪk] 1. *a* 1) пласти́ческий; ~ skill иску́сство вая́ния; ~ surgery пласти́ческая (*или* восстанови́тельная) хирурги́я; ~ flow *тех.* пласти́ческая теку́честь; 2) пласти́чный, ги́бкий; ~ clay а) сугли́нок; б) гли́на для ле́пки, горше́чная гли́на; 3) ле́пный, скульпту́рный; 4) послу́шный, пода́тливый; 2. *n* 1) (*тж.* pl) пластма́сса; 2) пласти́чность.

**plasticine** [ˈplæstɪsiːn] *n* пластели́н.

**plasticity** [plæsˈtɪsɪtɪ] *n* пласти́чность, ги́бкость.

**plastron** [ˈplæstrən] *n* 1) пластро́н, мани́шка; 2) *ист.* ла́тный нагру́дник; 3) ни́жний щит черепа́хи.

**plat I** [plæt] 1. *n* 1) (небольшо́й) уча́сток земли́; 2) *амер.* план, ка́рта; съёмка в горизонта́льной прое́кции; 3) *метал.* ру́дный двор; 2. *v* *амер.* снима́ть план.

**plat II** [plæt] = plait 1, 1) *и* 2, 1).

**plat III** [plɑː] *n* блю́до с едо́й.

**platan** [ˈplætən] = plane III.

**platband** [ˈplætbænd] *n* 1) *стр.* нали́чник (*двери*); прито́лока; 2) *архит.* гла́дкий по́яс.

**plate** [pleɪt] 1. *n* 1) пласти́нка; дощечка; 2) таре́лка; 3) столо́вое серебро́; металли́ческая (*преим. серебряная или золотая*) посу́да; 4) фотопласти́нка; 5) плита́, лист, полоса́ (*металла*); листово́е желе́зо; 6)

гравю́ра, эста́мп; 7) вкле́йка, иллюстра́ция на отде́льном листе́; 8) экслибрис; 9) *полигр.* печа́тная фо́рма; доска́ (*гравирова́льная*, *стереоти́пная*); 10) призово́й ку́бок; 11) ска́чки на приз; 12) вставна́я че́люсть; 13) *радио* ано́д ла́мпы; 14) *стр.* подстропи́льная вя́зка;
2. *v* 1) око́вывать, бронирова́ть; 2) накла́дывать серебро́, зо́лото; луди́ть; 3) *полигр.* стереотипи́ровать; 4) плю́щить (*металл*), раска́тывать в листы́; 5) гальванизи́ровать, покрыва́ть мета́ллом.

**plateau** ['plætou] *n* (*pl* -s [-z], -x) плато́, пло́ская возвы́шенность, плоского́рье.

**plateaux** ['plætouz] *pl* *от* plateau.

**plate-basket** ['pleɪt,bɑːskɪt] *n* корзи́нка для ви́лок, ноже́й *и т. п.*

**plateful** ['pleɪtful] *n* по́лная таре́лка.

**plate glass** ['pleɪtglɑːs] *n* зерка́льное стекло́.

**platelayer** ['pleɪt,leɪə] *n* ремо́нтный *или* доро́жный рабо́чий; укла́дчик ре́льсового пути́.

**plate-mark** ['pleɪtmɑːk] *n* проби́рное клеймо́, про́ба.

**platen** ['plætən] *n* 1) *полигр.* пиа́н; 2) ва́лик (*пи́шущей маши́ны*); 3) стол (*станка́*); сто́лик (*прибо́ра*).

**plate-powder** ['pleɪt,paudə] *n* 1) порошо́к для чи́стки серебра́; 2) пласти́нчатый по́рох.

**plater** I ['pleɪtə] *n* луди́льщик.

**plater** II ['pleɪtə] *n* ло́шадь, пока́зываемая на ска́чках при ко́нном заво́де (*особ.* с це́лью прода́жи).

**plate-rack** ['pleɪtræk] *n* суши́лка для посу́ды.

**platform** ['plætfɔːm] *n* 1) платфо́рма; перро́н; 2) платфо́рма; помо́ст; 3) трибу́на; сце́на; 4) полити́ческая платфо́рма, пози́ция; 5) площа́дка (*трамва́я, железнодоро́жного ваго́на*); 6) оруди́йная площа́дка; 7) пло́ская возвы́шенность; 8) *attr.*: ~ ticket перро́нный биле́т; ~ car ваго́н-платфо́рма.

**plating** ['pleɪtɪŋ] 1. *pres. p. от* plate 2; 2. *n* 1) покры́тие мета́ллом; никелиро́вка, золоче́ние, серебре́ние; 2) листова́я обши́вка.

**platinize** ['plætɪnaɪz] *v* покрыва́ть пла́тиной, платини́ровать.

**platinoid** ['plætɪnɔɪd] *n* сплав ме́ди, ци́нка, ни́келя и вольфра́ма.

**platinum** ['plætɪnəm] *n* 1) пла́тина; 2) *attr.* пла́тиновый; ~ metal мета́лл пла́тиновой гру́ппы; ~ black пла́тиновая чернь; ~ blonde *разг.* о́чень све́тлая блонди́нка.

**platitude** ['plætɪtjuːd] *n* бана́льность, пло́скость, по́шлость.

**platitudinarian** ['plætɪ,tjuːdɪ'nɛərɪən] 1. *a* бана́льный, по́шлый; 2. *n* челове́к, говоря́щий по́шлости, пло́скости, бана́льности; пошля́к.

**platitudinous** [,plætɪ'tjuːdɪnəs] *a* пло́ский, по́шлый, бана́льный.

**Plato** ['pleɪtou] *n* Плато́н.

**Platonic** [plə'tɔnɪk] 1. *a* 1) платони́ческий; 2) ограни́чивающийся слова́ми, теорети́ческий;

2. *n* 1) учени́к Плато́на; 2) *pl разг.* платони́ческие разгово́ры.

**platoon** [plə'tuːn] *n воен.* 1) взвод; 2) полице́йский отря́д.

**platter** ['plætə] *n уст., амер.* 1) деревя́нная таре́лка; 2) доска́ для хле́ба.

**platypus** ['plætɪpəs] *n зоол.* утконо́с.

**plaudit** ['plɔːdɪt] *n* (*обыкн. pl*) 1) рукоплеска́ния, аплодисме́нты; 2) си́льное выраже́ние одобре́ния.

**plausibility** [,plɔːzə'bɪlɪtɪ] *n* 1) правдоподо́бие; вероя́тность; 2) благови́дность; 3) уме́ние внуша́ть дове́рие.

**plausible** ['plɔːzəbl] *a* 1) правдоподо́бный; вероя́тный; 2) благови́дный; 3) уме́ющий внуша́ть дове́рие.

**play** [pleɪ] 1. *n* 1) игра́; заба́ва, шу́тка; they are at ~ они́ игра́ют; out of ~ вне игры́; 2) аза́ртная игра́; 3) пье́са, дра́ма; представле́ние, спекта́кль; to go to the ~ идти́ в теа́тр; 4) шу́тка; a ~ upon words игра́ слов, каламбу́р; in ~ в шу́тку; 5) поведе́ние; fair ~ че́стность; 6) де́йствие, де́ятельность; to bring (*или* to call) into ~ приводи́ть в де́йствие, пуска́ть в ход; to come into ~ начи́ть де́йствовать; in full ~ в де́йствии, в разга́ре; 7) свобо́да, просто́р; to give free ~ to one's imagination дать по́лный просто́р своему́ воображе́нию; 8) перели́вы, игра́; плеск (*воды́*); ~ of colours перели́вы кра́сок; ~ of the waves плеск волн; 9) *диал.* прекраще́ние рабо́ты, забасто́вка; 10) *тех.* зазо́р; игра́; люфт; мёртвый ход; шата́ние (*частей механи́зма, прибо́ра*); отклоне́ние от норма́льного положе́ния;
2. *v* 1) игра́ть, резви́ться, забавля́ться; the cat ~s with its tail ко́шка игра́ет со свои́м хвосто́м; 2) игра́ть (*во что́-л., на что́-л.*), уча́ствовать в игре́; to ~ tennis игра́ть в те́ннис; to ~ in a set of tennis уча́ствовать в игре́ в те́ннис; I ~ed him for championship я игра́л с ним на зва́ние чемпио́на; 3) игра́ть в аза́ртные и́гры; 4) исполня́ть (*роль, музыка́льное произведе́ние*); she ~ed Juliet она́ игра́ла роль Джулье́тты; the boy ~ed a concerto ма́льчик исполня́л конце́рт; 5) игра́ть на музыка́льном инструме́нте; he ~s the violin он игра́ет на скри́пке; 6) игра́ть роль (*кого́-л.*), быть (*кем-л.*); to ~ the fool валя́ть дурака́; to ~ the man поступа́ть, как подоба́ет мужчи́не; 7) дава́ть представле́ние (*о тру́ппе*); 8) сыгра́ть (*шу́тку*), разыгра́ть; he ~ed a practical joke on us он над на́ми подшути́л; to ~ a trick on smb. наду́ть, обману́ть кого́-либо; 9) поступа́ть, де́йствовать; to ~ fair поступа́ть че́стно; to ~ foul поступа́ть нече́стно, жу́льничать; to ~ false преда́ть (*кого́-л.*), поки́нуть в беде́; 10) подходи́ть для игры́, быть в хоро́шем состоя́нии; the ground ~s well спорти́вная площа́дка в хоро́шем состоя́нии; the piano ~s well у э́того роя́ля хоро́ший звук; the drama ~s well э́та дра́ма о́чень сцени́чна; 11) порха́ть, носи́ться; танцева́ть; butterflies ~ among flowers среди́ цвето́в порха́ют ба́бочки; 12) перелива́ться, игра́ть; мелька́ть; lightning ~s in the sky в не́бе сверка́ет мо́лния; a smile ~ed on his lips на его́ губа́х игра́ла

улы́бка; 13) свобо́дно дви́гаться (*о части механизма*); де́йствовать, приходи́ть в движе́ние, идти́ (*о машине, механизме*); 14) свобо́дно владе́ть; to ~ a good stick хорошо́ дра́ться на шпа́гах; to ~ a good knife and fork упи́сывать за о́бе щёки; есть с аппети́том; 15) приводи́ть в де́йствие, пуска́ть; to ~ a record поста́вить пласти́нку; 16) бить (*о фонтане*); 17) направля́ть (*свет и т. п.*; on, over, along — на *что-л.*); обстре́ливать (on, upon); to ~ a searchlight upon a boat напра́вить прожёктор на ло́дку; to ~ guns upon the fort обстре́ливать форт; to ~ a hose полива́ть водо́й из пожа́рного рукава́; 18) ходи́ть (*шашкой, картой*); 19) принима́ть в игру́ (*игрока*); 20) *спорт.* отбива́ть, подава́ть (*мяч*); 21) дать (*вре́мя*) (*рыбе*) хорошо́ клю́нуть (*тж. перен.*); 22) *диал.* бастова́ть; □ ~ along подыгры́вать, подда́кивать; ~ around *разг.* флиртова́ть, заводи́ть любо́вную интри́жку; ~ off а) разы́грывать (*кого-л.*); б) заставля́ть прояви́ть себя́ с невы́годной стороны́; в) выдава́ть за *что-л.*; г) натра́вливать (against—на); to ~ off one person against another стра́вливать кого́-л. в свои́х интере́сах; д) сыгра́ть повто́рную па́ртию по́сле ничье́й; ~ on = ~ upon; ~ up а) принима́ть де́ятельное уча́стие (*в разговоре, деле*); б) *амер.* реклами́ровать; в) вести́ себя́ му́жественно, геро́йски; ~ upon игра́ть (на *чьих-л. чувствах*); to ~ upon words каламбу́рить; ~ up to подыгрывать; *перен.* подли́зываться; ◇ to ~ smb. up а) дразни́ть, пристава́ть; б) *амер.* испо́льзовать; to ~ fast and loose а) де́йствовать безотве́тственно; быть непосле́довательным; говори́ть одно́, а де́лать друго́е; вести́ двойну́ю игру́; б) наруша́ть (*обеща́ния, обяза́тельства*); to ~ for time оття́гивать вре́мя, пыта́ться вы́играть вре́мя; to ~ havoc (*или* hell, the devil, the mischief) производи́ть дья́вольский беспоря́док, перевора́чивать всё вверх дном; разруша́ть, губи́ть; to ~ one's cards well испо́льзовать обстоя́тельства наилу́чшим о́бразом; to ~ the wrong card *перен.* сде́лать неве́рную ста́вку; to ~ one's hand for all it is worth по́лностью испо́льзовать обстоя́тельства; пусти́ть в ход все сре́дства; to ~ into the hands of smb. сыгра́ть на́ руку кому́-л.; to ~ it low on smb. *разг.* по́дло поступи́ть по отноше́нию к кому́-л.; to ~ politics вести́ полити́ческую игру́; to ~ safe де́йствовать наверняка́; to ~ ball *амер.* сотру́дничать; to ~ both ends against the middle в со́бственных интере́сах натра́вливать друг на дру́га сопе́рничающие гру́ппы.

**playable** ['pleɪəbl] *a* го́дный, подходя́щий для игры́ (*о площа́дке*).

**play-actor** ['pleɪˌæktə] *n* 1) пренебр. актёр, комедиа́нт; 2) нейскренний челове́к.

**playbill** ['pleɪbɪl] *n* 1) театра́льная афи́ша; 2) театра́льная програ́мма.

**play-boy** ['pleɪbɔɪ] *n* пове́са.

**play-by-play** ['pleɪbaɪ'pleɪ] *a амер.*: ~ story репорта́ж по ра́дио (*о состязании, матче*).

**play-day** ['pleɪdeɪ] *n* пра́здник, нерабо́-

чий день; день, свобо́дный от заня́тий в шко́ле.

**played-out** ['pleɪd'aut] *a разг.* измо́танный, вы́дохшийся; устаре́вший, бо́льше ни на что не го́дный.

**player** ['pleɪə] *n* 1) игро́к; 2) актёр; музыка́нт.

**playfellow** ['pleɪˌfelou] *n* друг де́тства; това́рищ де́тских игр.

**play-field** ['pleɪfiːld] = playing-field.

**playful** ['pleɪful] *a* игри́вый, весёлый, шутли́вый, шаловли́вый.

**playgame** ['pleɪgeɪm] *n* де́тская игра́, пустяки́, ерунда́.

**playgoer** ['pleɪˌgouə] *n* театра́л.

**playground** ['pleɪgraund] *n* площа́дка для игр; спорти́вная площа́дка.

**playhouse** ['pleɪhaus] *n* теа́тр (*драмати́ческий*).

**playing-card** ['pleɪŋkɑːd] *n* игра́льная ка́рта.

**playing-field** ['pleɪŋfiːld] *n* спортплоща́дка, футбо́льное по́ле *и т. п.*

**playlet** ['pleɪlɪt] *n* небольша́я пье́са.

**playmate** ['pleɪmeɪt] *n* 1) = playfellow; 2) партнёр (*в спортивных играх*).

**play-off** ['pleɪˌɔːf] *n спорт.* повто́рная игра́ по́сле ничье́й.

**plaything** ['pleɪθɪŋ] *n* игру́шка (*тж. перен.*).

**playtime** ['pleɪtaɪm] *n* вре́мя о́тдыха, развлече́ния.

**playwright** ['pleɪraɪt] *n* драмату́рг.

**plaza** ['plɑːzə] *исп. n* (ры́ночная) пло́щадь.

**plea** [pliː] *n* 1) оправда́ние, ссы́лка, предло́г; до́вод; a ~ was advanced бы́ло вы́двинуто положе́ние; on the ~ of под предло́гом; 2) мольба́; про́сьба; 3) *юр.* сло́во для защи́ты.

**pleach** [pliːtʃ] *v* сплета́ть (*особ. ветви*).

**plead** [pliːd] *v* (pleaded [-ɪd], pled) 1) отвеча́ть на обвине́ние; обраща́ться к суду́; to ~ (not) guilty (не) призна́ть себя́ вино́вным (to—в *чём-л.*); 2) защища́ть (*в суде*); 3) проси́ть, умоля́ть (with—*кого-л.*, for—о *чём-л.*); 4) обраща́ться с про́сьбой, хода́тайствовать; 5) ссыла́ться (на *что-л.*), приводи́ть (*что-л.*) в оправда́ние.

**pleader** ['pliːdə] *n* 1) защи́тник, адвока́т; 2) проси́тель; хода́тай.

**pleading** ['pliːdɪŋ] 1. *pres. p. от* plead; 2. *n* 1) защи́та; 2) засту́пничество, хода́тайство; мольба́; 3) *pl юр.* заявле́ния истца́ и отве́тчика; суде́бные пре́ния; суде́бная процеду́ра;

3. *a* умоля́ющий, проси́тельный.

**pleasance** ['plezəns] *n уст.* 1) удово́льствие; 2) сад (*в имении*).

**pleasant** ['pleznt] *a* 1) прия́тный; 2) ми́лый, сла́вный; 3) весёлый, оживлённый; 4) *уст.* шутли́вый.

**pleasantly** ['plezntlɪ] *adv* 1) любе́зно; 2) ве́село, прия́тно.

**pleasantness** ['plezntnɪs] *n* прия́тность.

**pleasantry** ['plezntrɪ] *n* 1) шутли́вость; 2) шу́тка; шутли́вое замеча́ние; коми́ческая вы́ходка.

**please** [pliːz] *v* 1) нра́виться; 2) *pass.* получа́ть удово́льствие; I shall be ~d to do it я с удовольствием сделаю это; 3) угождать, доставлять удовольствие; радовать; to ~ oneself делать по своему желанию; 4) хотеть, изволить; it ~d him to do so ему было угодно это сделать; let him say what he ~s пусть (он) говорит, что угодно; (may it) ~ your honour с вашего разрешения; если вам будет угодно; ~! пожалуйста!, будьте добры!; if you ~! a) с вашего позволения, если вы разрешите; б) *ирон.* (только) представьте себе!; to be ~d to do smth. соизволить, соблаговолить сделать что-л.

**pleasing** ['pliːzɪŋ] 1. *pres. p. от* please; 2. *a* 1) приятный, доставляющий удовольствие; 2) нравящийся, привлекательный.

**pleasurable** ['pleʒərəbl] *a* доставляющий удовольствие; приятный.

**pleasure** ['pleʒə] 1. *n* 1) удовольствие, наслаждение; развлечение; man of ~ жуир; сибарит; to take ~ in smth. находить удовольствие в чём-л.; 2) воля, соизволение; желание; what is your ~? что вам угодно?; I shall not consult his ~ я не буду считаться с его желаниями; at ~ по желанию; during smb.'s ~ так долго, как кому-л. угодно; 3) *attr.* увеселительный; ~ car спортивный автомобиль для прогулок; ~ trip увеселительная поездка. 2. *v* 1) доставлять удовольствие; 2) находить удовольствие (in); 3) *разг.* искать развлечений.

**pleasure-boat** ['pleʒəbout] *n* лодка, яхта для катания, для прогулок.

**pleasure-ground** ['pleʒəgraund] *n* 1) площадка для игр; 2) сад, парк.

**pleat** [pliːt] 1. *n* складка (*на платье*); 2. *v* делать складки; плиссировать.

**pleb** [pleb] *sl. сокр. от* plebeian 1.

**plebeian** [plɪ'biːən] 1. *n* плебей; 2. *a* плебейский.

**plebiscite** ['plebɪsɪt] *n* плебисцит.

**pled** [pled] *разг., диал., амер. past и р. р. от* plead.

**pledge** [pledʒ] 1. *n* 1) залог; заклад; to put in ~ заложить; to take out of ~ выкупить из заклада; ~ of love, ~ of union залог любви, союза (*ребёнок*); 2) поручительство; 3) дар, подарок; 4) тост; 5) обет; обещание; under ~ of secrecy с обязательством сохранения тайны; 6): to take the ~ дать зарок воздержания от спиртных напитков; 7) *полит.* публичное обещание лидера партии придерживаться определённой политики; 2. *v* 1) отдавать в залог, закладывать; 2) связывать обещанием; давать торжественное обещание; to ~ one's word, to ~ one's honour ручаться, давать слово; 3) пить за (*чьё-л.*) здоровье.

**pledgee** [,ple'dʒiː] *n* залогоприниматель.

**pledget** ['pledʒɪt] *n* компресс; тампон.

**Pleiad** ['plaɪəd] *n* (*pl* -ds [-dz], -des) 1) *pl астр.* Плеяды; 2) (*тж.* p.) *перен.* плеяда.

**Pleiades** ['plaɪədiːz] *pl от* Pleiad.

**pleistocene** ['plaɪstousiːn] *n геол.* плейстоцен.

**plena** ['pliːnə] *pl от* plenum 1.

**plenary** ['pliːnərɪ] *a* 1) полный, неограниченный, безоговорочный; ~ powers полномочия; 2) пленарный (*о заседании и т. п.*).

**plenipotentiary** [,plenɪpə'tenʃərɪ] 1. *a* 1) полномочный; 2) неограниченный, абсолютный; ~ power неограниченная власть; 2. *n* полномочный представитель; посол.

**plenishing** ['plenɪʃɪŋ] *n* (*обыкн. pl*) *шотл.* домашняя утварь и мебель.

**plenitude** ['plenɪtjuːd] *n* полнота; изобилие; in the ~ of one's power в расцвете сил.

**plenteous** ['plentjəs] *a поэт.* 1) изобильный; 2) урожайный.

**plentiful** ['plentɪful] *a* 1) обильный, изобильный; examples are ~ за примерами далеко ходить не приходится; 2) богатый (*чем-л.*).

**plenty** ['plentɪ] 1. *n* 1) (из)обилие; достаток; horn of ~ рог изобилия; 2) множество; избыток; of ~ много; to be in ~ of time (food) располагать достаточным запасом времени (пищи); 2. *a амер.* обильный; многочисленный; 3. *adv разг.* 1) вполне; довольно; 2) очень, чрезвычайно; крепко, основательно.

**plenum** ['pliːnəm] 1. *n* (*pl* -s [-z], -na) 1) пленум; 2) полнота; 3) *стр.* приточная вентиляция воздуха; 2. *a тех.* нагнетательный (*о вентиляции*).

**pleonasm** ['pliːənæzəm] *n лингв.* плеоназм.

**pleonastic** [pliə'næstɪk] *a* излишний, многословный.

**plethora** ['pleθərə] *n* 1) *мед.* полнокровие; 2) изобилие, большой избыток.

**plethoric** [ple'θɔrɪk] *a* 1) полнокровный; 2) бьющий через край.

**pleura** ['pluərə] *n* (*pl* -ae) *анат.* плевра.

**pleurae** ['pluəriː] *pl от* pleura.

**pleurisy** ['pluərɪsɪ] *n мед.* плеврит.

**pleuritic** [pluə'rɪtɪk] *a мед.* плевритный.

**pleuro-pneumonia** ['pluərounjuː'mounjə] *n мед.* плевропневмония.

**plexiglass** ['pleksɪglɑːs] *n* плексиглас, синтетическое стекло.

**plexor** ['pleksə] *n мед.* молоточек для выстукивания.

**plexus** ['pleksəs] *n* 1) сплетение (*нервов и т. п.*); 2) переплетение, запутанность.

**pliability** [,plaɪə'bɪlɪtɪ] *n* 1) гибкость, пластичность, ковкость; 2) = pliancy 2).

**pliable** ['plaɪəbl] *a* 1) = pliant 1); 2) легко поддающийся влиянию; уступчивый, сговорчивый (*часто в отрицательном смысле*).

**pliancy** ['plaɪənsɪ] *n* 1) гибкость; 2) податливость, уступчивость.

**pliant** ['plaɪənt] *a* 1) гибкий; 2) податливый, уступчивый, мягкий.

**plica** ['plaɪkə] *n* (*pl* plicae) 1) *анат.* складка; 2) *мед.* колтун.

**plicae** ['plaɪsiː] *pl от* plica.

**plicate, plicated** [plaɪ'keɪt, -'keɪtɪd] *a бот., зоол.* складчатый.

**plication** [plɪ'keɪʃən] *n* 1) складка; 2) *pl геол.* складки.

**pliers** ['plaɪəz] *n pl* щипцы; клещи; плоскогубцы.

**plight** I [plaɪt] 1. *n* 1) обязательство; 2) помолвка;

2. *v* 1) связывать обещанием; 2) помолвить; ~ed lovers помолвленные; 3) давать в залог.

**plight** II [plaɪt] *n* состояние, положение (*обыкн.* плохое, затруднительное).

**Plimsoll line** ['plɪmsəl'laɪn] *n* *мор.* грузовая марка (*на торговых судах*).

**plimsolls** ['plɪmsəlz] *n* *pl* дешёвые парусиновые туфли на резиновой подошве.

**Plimsoll's mark** ['plɪmsəlz'mɑːk]=Plimsoll line.

**plinth** [plɪnθ] *n* *стр.* нижний обрез стены.

**pliocene** ['plaɪəsiːn] *n* *геол.* плиоцен.

**pliofilm** ['plaɪəfɪlm] *n* плиофильм (*прозрачный материал, идущий на плащи, обёртки и т. п.*).

**plod** [plɔd] 1. *n* 1) тяжёлая походка; 2) тяжёлая работа;

2. *v* 1) брести, тащиться (on, along); 2) упорно работать, корпеть (at).

**plodder** ['plɔdə] *n* 1) труженик, работяга; 2) флегматичный, скучный человек.

**plodding** ['plɔdɪŋ] 1. *pres. p. om* plod 2;

2. *a* 1) медленный и тяжёлый (*о походке*); 2) трудолюбивый, усидчивый.

**plonk** [plɔŋk] *v* *sl.* бросать, швырять.

**plop** [plɔp] 1. *n* 1) звук от падения в воду без всплеска; 2) падение в воду;

2. *adv* 1) без всплеска; 2) внезапно;

3. *v* булытхнуть(ся), хлопнуть(ся), шлёпнуться;

4. *int* бултых!, шлёп!

**plosive** ['plousɪv] *фон.* 1. *a* взрывной (*о согласном звуке*);

2. *n* взрывной звук.

**plot** [plɔt] 1. *n* 1) участок земли; делянка; 2) *амер.* план, чертёж; набросок; график, диаграмма; 3) заговор; интрига; 4) фабула, сюжет;

2. *v* 1) составлять план; 2) наносить (*на план*); чертить, вычерчивать кривую или диаграмму; 3) составлять заговор; замышлять, интриговать; придумывать; ☐ ~ out делить на участки, распределять.

**plotter** ['plɔtə] *n* 1) заговорщик; интриган; 2) съёмщик, прибор для механического решения треугольников.

**plotting paper** ['plɔtɪŋ‚peɪpə] *n* миллиметровая бумага.

**plough** [plau] 1. *n* 1) плуг; 2) снегоочиститель; 3) вспаханное поле; 4) *sl.* провал (*на экзамене*); 5) (the P.) *астр.* Большая Медведица; 6) *эл.* токосниматель; ◇ to put one's hand to the ~ взяться за работу;

2. *v* 1) пахать; 2) поддаваться вспашке; the land ~s hard after the drought после засухи землю трудно пахать; 3) бороздить; 4) пробивать, прокладывать с трудом (*тж.* ~ through); to ~ one's way прокладывать себе путь; 5) рассекать (*волны*); 6) *sl.* провалиться (*на экзамене*); ☐ ~ through а) продвигаться с трудом; б) осилить (*книгу*); ~ under а) выкорчёвывать; б) подрывать; ~ up взрывать (*землю*); ◇ to ~ a lonely furrow ≙ одиноко следовать своим собственным путём; to ~ the sand(s) ≙

переливать из пустого в порожнее; зря трудиться; заниматься бесполезным делом.

**plough-boy** ['plaubɔɪ] *n* 1) поводырь при лошадях с плугом; 2) крестьянский парень.

**plough-land** ['plaulænd] *n* пахотная земля.

**ploughman** ['plaumən] *n* 1) пахарь; 2) рабочий на ферме.

**ploughshare** ['plauʃɛə] *n* *с.-х.* лемех.

**plough-tail** ['plauteɪl] *n* ручки плуга; at the ~ за плугом, в полевой работе; from the ~ от сохи.

**plover** ['plʌvə] *n* *зоол.* ржанка, зуёк.

**plow** [plau] = plough.

**ploy** [plɔɪ] *n* *сев.* 1) поездка; 2) дело, работа; 3) проделка; приключение.

**pluck** [plʌk] 1. *n* 1) дерганье, дёргающее усилие; 2) ливер; потроха; 3) смелость, отвага; мужество; 4) провал (*на экзамене*);

2. *v* 1) срывать, собирать (*цветы*); 2) выдёргивать (*волос, перо*); 3) щипать, перебирать (*струны*); 4) ощипывать (*птицу*); 5) обирать; обмануть; to ~ a pigeon обобрать простака; 6) проваливать (*на экзамене*); ☐ ~ at дёргать; хватать(ся); ~ up: to ~ up one's heart (*или* courage, spirits) собираться с духом, набраться храбрости.

**plucky** ['plʌkɪ] *a* смелый, отважный; решительный.

**plug** [plʌg] 1. *n* 1) затычка, пробка; втулка; стопор; 2) (пожарный) кран; 3) прессованный табак (*для жевания*); 4) *тех.* болт, штифт, палец; 5) *эл.* штепсель; штепсельная вилка; пробка; 6) *радио* штеккер; 7) *амер. воен.* поршневой затвор; 8) *геол.* масса изверженной породы, застывшая в воронке вулкана; 9) *амер. sl.* цилиндр (*шляпа*); 10) *амер. sl.* назойливая реклама; 12) *sl.* удар; 13) *sl.* книга, не имеющая сбыта; 14) *амер. sl.* кляча;

2. *v* 1) затыкать, закупоривать (*часто* ~ up); законопачивать; 2) *разг.* корпеть (*часто* ~ away); 3) *разг.* популяризировать, вводить в моду (*о песне*); 4) *разг.* назойливо рекламировать; 5) *sl.* застрелить, подстрелить; 6) *sl.* ударить кулаком; ☐ ~ in вставлять штепсель; ~ up закупоривать.

**plug-chain** ['plʌgtʃeɪn] *n* цепочка стопора ванны, умывальника *и т. п.*

**plug-hat** ['plʌghæt] = plug 1, 10).

**plug-switch** ['plʌgswɪtʃ] *n* штепсельный выключатель.

**plug-ugly** ['plʌg‚ʌglɪ] *n* *амер. sl.* хулиган.

**plum** I [plʌm] *n* 1) слива; French ~ чернослив; 2) сливовое дерево; 3) изюм; 4) лакомый кусочек; нечто самое лучшее; «сливки»; to pick (*или* to take) the ~s отобрать самое лучшее; 5) тёмно-фиолетовый цвет; 6) *sl.* сто тысяч фунтов стерлингов; 7) *attr.* сливовый.

**plum** II [plʌm] *a* *диал.* полный, тучный.

**plumage** ['pluːmɪdʒ] *n* оперение, перья.

**plumb** [plʌm] 1. *n* 1) отвес; 2) лот, грузило; ◇ off ~, out of ~ не вертикально;

2. *a* 1) вертикальный, отвесный; 2) абсолютный, явный;

**3.** *adv* 1) отве́сно; 2) то́чно, как раз; 3) *амер. sl.* соверше́нно, оконча́тельно, совсе́м; ~ crazy абсолю́тно ненорма́льный;

**4.** *v* 1) ста́вить по отве́су, устана́вливать вертика́льно; 2) измеря́ть глубину́, броса́ть лот; 3) вскрыва́ть; проника́ть в глубь (*чего-л.*); 4) рабо́тать водопрово́дчиком.

**plumbaginous** [plʌm'bædʒɪnəs] *a* графи́тный.

**plumbago** [plʌm'beɪgou] *n* (*pl* -os [-ouz]) 1) *мин.* графи́т; 2) рису́нок карандашо́м; 3) *бот.* свинцо́вый ко́рень.

**plumbeous** ['plʌmbɪəs] *a* свинцо́вый, свинцо́вого цве́та.

**plumber** ['plʌmə] *n* 1) водопрово́дчик; 2) пая́льщик.

**plumbery** ['plʌmərɪ] *n* 1) водопрово́дное де́ло; 2) *редк.* пая́льная мастерска́я.

**plumbic** ['plʌmbɪk] *a хим.* свинцо́вый, содержа́щий свине́ц.

**plumbing** ['plʌmɪŋ] **1.** *pres. p. om* plumb 4; **2.** *n* 1) водопрово́д, водопрово́дная систе́ма; 2) водопрово́дное де́ло; 3) *разг.* убо́рная; 4) измере́ние глубины́ (*океана*).

**plumbless** ['plʌmlɪs] *a поэт.* бездо́нный.

**plumb-line** ['plʌmlaɪn] *n* 1) отве́с, лот, грузи́ло; 2) мери́ло, крите́рий.

**plumbum** ['plʌmbəm] *n* свине́ц.

**plum cake** ['plʌmkeɪk] *n* кекс с изю́мом.

**plum duff** ['plʌmdʌf] *n* пу́динг с изю́мом.

**plume** [pluːm] *n* 1) перо́; 2) плюма́ж, султа́н; 3) стру́йка па́ра изо рта́ в холо́дную пого́ду; a ~ of smoke дымо́к; ◇ in borrowed ~s ≈ «воро́на в павли́ньих пе́рьях»;

**2.** *v* 1) украша́ть плюма́жем; 2) чи́стить клю́вом (*перья*); 3) ощи́пывать; ◇ to ~ oneself on smth. кичи́ться чем-л.

**plumelet** ['pluːmlɪt] *n* пёрышко.

**plummer-block** ['plʌməblɔk] *n тех.* подши́пник скольже́ния; опо́рный подши́пник.

**plummet** ['plʌmɪt] *n* 1) свинцо́вый отве́с; ги́рька отве́са; 2) лот; грузи́ло (*удочки*); 3) *перен.* тя́жесть, мёртвый груз.

**plummy** ['plʌmɪ] *a* 1) изоби́лующий сли́вами; 2) *разг.* хоро́ший, вы́годный; зави́дный.

**plumose** ['pluːmous] *a* опере́нный; пери́стый.

**plump I** [plʌmp] **1.** *a* по́лный, то́лстый, окру́глый, пу́хлый;
**2.** *v* 1) вска́рмливать (*тж.* ~ up); 2) толсте́ть, полне́ть (*тж.* ~ out, ~ up).

**plump II** [plʌmp] **1.** *a* прямо́й, реши́тельный, безогово́рочный (*об отказе и т. п.*);
**2.** *adv* внеза́пно; he fell ~ into the water он бултыхну́лся в во́ду; 2) пря́мо, без обиняко́в;
**3.** *n* тяжёлое паде́ние;
**4.** *v* 1) бу́хать(ся); 2) попа́сть, вло́паться (into); 3) нагря́нуть (upon); 4) голосова́ть то́лько за одного́, реши́тельно предпочита́ть (for).

**plumper** ['plʌmpə] *n* 1) голосу́ющий то́лько за одного́ кандида́та; 2) *sl.* на́глая ложь.

**plum pudding** ['plʌm'pudɪŋ] *n* пу́динг с изю́мом (*тж. рождественский*).

**plum-tree** ['plʌmtriː] = plum I, 2).

**plumule** ['pluːmjuːl] *n* 1) пёрышко; 2) *бот.* перви́чная листова́я по́чка.

**plumy** ['pluːmɪ] *a* 1) пери́стый; 2) покры́тый *или* укра́шенный пе́рьями.

**plunder** ['plʌndə] **1.** *n* 1) грабёж; 2) награ́бленное добро́, добы́ча; 3) *sl.* бары́ш;
**2.** *v* гра́бить (*особ. на войне*); ворова́ть; расхища́ть.

**plunderage** ['plʌndərɪdʒ] *n* 1) грабёж; 2) хище́ние това́ров на корабле́; 3) добы́ча.

**plunge** [plʌndʒ] **1.** *n* 1) ныря́ние; 2) погруже́ние; ◇ to take the ~ сде́лать реши́тельный шаг;
**2.** *v* 1) ныря́ть; 2) окуна́ть(ся); погружа́ть(ся); 3) броса́ться, врыва́ться (into); to ~ into a difficulty попа́сть в тру́дное положе́ние; 4) вверга́ть (in, into); to ~ one's family into poverty довести́ свою́ семью́ до нищеты́; 5) броса́ться вперёд (*о лошади*); 6) *разг.* аза́ртно игра́ть; влеза́ть в долги́; □ ~ down кру́то спуска́ться (*о дороге и т. п.*); ~ up кру́то поднима́ться (*о дороге и т. п.*).

**plunge-bath** ['plʌndʒbɑːθ] *n* глубо́кая ва́нна.

**plunger** ['plʌndʒə] *n* 1) *разг.* аза́ртный игро́к; 2) *sl.* кавалери́ст; 3) *тех.* плу́нжер, ска́лка, ска́льчатый по́ршень; 4) *тех.* штё́мпель пре́сса; 5) водола́з.

**plunging** ['plʌndʒɪŋ] **1.** *pres. p. om* plunge 2;
**2.** *a воен.* наве́сный (*огонь*).

**plunk** [plʌŋk] **1.** *n* 1) звон; перебо́р (*струн*); 2) *разг.* си́льный уда́р; 3) *амер. sl.* до́ллар;
**2.** *v* 1) бу́хнуть(ся); шлёпнуть(ся); 2) ре́зко толкну́ть, бро́сать; си́льно ударя́ть; 3) звене́ть; 4) перебира́ть (*струны*).

**pluperfect** ['pluː'pəːfɪkt] *грам.* **1.** *n* давнопроше́дшее вре́мя (*то же что Past Perfect*);
**2.** *a* давнопроше́дший, предпроше́дший.

**plural** ['pluərəl] **1.** *a* мно́жественный; многочи́сленный; ~ offices не́сколько до́лжностей по совмести́тельству; ~ vote пода́ча го́лоса одни́м лицо́м в не́скольких избира́тельных округа́х;
**2.** *n грам.* 1) мно́жественное число́; 2) сло́во, стоя́щее во мно́жественном числе́.

**pluralism** ['pluərəlɪzəm] *n* 1) совмести́тельство; 2) *филос.* плюрали́зм.

**plurality** [pluə'rælɪtɪ] *n* 1) мно́жественность; 2) мно́жество; 3) совмести́тельство (*часто о священнике, обслуживающем несколько приходов*); 4) большинство́ голосо́в; 5) *амер.* относи́тельное большинство́ голосо́в.

**plus** [plʌs] **1.** *n* 1) знак плюс; 2) доба́вочное коли́чество; 3) положи́тельная величина́; to total all the ~es подвести́ ито́г; 4) положи́тельное ка́чество; 5) *арт.* перелёт;
**2.** *a* 1) доба́вочный, дополни́тельный; 2) *ком.:* on the ~ side of the account на прихо́де счёта; 3) *мат., эл.* положи́тельный;
**3.** *prep* плюс.

**plus-fours** ['plʌs'fɔːz] *n pl* брю́ки гольф.

**plush** [plʌʃ] *n* 1) ворсова́я ткань, плюш, плис; 2) *pl* пли́совые штаны́; 3) *attr.* плю́шевый, пли́совый.

**Pluto** ['pluːtou] *n* 1) *миф.* Плуто́н; 2) *астр.* плане́та Плуто́н.

**plutocracy** [pluː'tɔkrəsɪ] *n* плутокра́тия.

**plutocrat** ['pluːtəkræt] *n* плутокра́т.

**Plutonian** [pluː'tounjən] *a* 1) плуто́нов, а́дский; 2) = Plutonic 1).

**Plutonic** [pluː'tɔnɪk] *a* 1) *геол.* плутони́ческий, глуби́нный; 2) = Plutonian 1).

**plutonium** [pluː'tounjəm] *n хим.* плуто́ний.

**pluvial** ['pluːvjəl] **1.** *a* 1) дождево́й; 2) *геол.* плювиа́льный;
**2.** *n церк. уст.* ри́за свяще́нника.

**pluviometer** [ˌpluːvɪ'ɔmɪtə] *n* дождеме́р.

**pluvious** ['pluːvjəs] *a* дождли́вый.

**ply** I [plaɪ] *n* 1) сгиб, скла́дка, слой; 2) прядь (*троса*); 3) оборо́т, пе́тля, вито́к (*верёвки и т. п.*); 4) укло́н; скло́нность, спосо́бность, жи́лка; to take a ~ взять укло́н, направле́ние.

**ply** II [plaɪ] *v* 1) усе́рдно рабо́тать (*чем-л.*); to ~ one's oars налега́ть на вёсла; 2) занима́ться (*работой, ремеслом*); 3) засыпа́ть, забра́сывать (*вопросами*); 4) по́тчевать, усиленно угоща́ть; 5) курси́ровать (between — ме́жду, from... to— от... до); to ~ a voyage соверша́ть рейс (*о корабле*); 6) стоя́ть в ожида́нии нанима́теля, покупа́теля; иска́ть покупа́телей; 7) *мор.* лави́ровать; 8) *тех.* эксплуати́ровать (*машину*).

**Plymouth Rock** ['plɪməθ'rɔk] *n* плимутро́к (*порода кур*).

**plywood** ['plaɪwud] *n* (клеёная) фане́ра.

**pneumatic** [njuː'mætɪk] **1.** *a* пневмати́ческий; возду́шный; ~ hammer пневмати́ческий мо́лот;
**2.** *n* пневмати́ческая ши́на.

**pneumatics** [njuː'mætɪks] *n pl* (*употр. как sing*) пневма́тика.

**pneumonia** [njuː'mounjə] *n мед.* воспале́ние лёгких, пневмони́я.

**pneumonic** [njuː'mɔnɪk] *a мед.* пневмони́ческий; ~ plague лёгочная чума́.

**poach** I [poutʃ] *v* 1) браконье́рствовать, незако́нно охо́титься; вторга́ться в чужи́е владе́ния; 2) вме́шиваться; to ~ in other people's business вме́шиваться в чужи́е дела́; to ~ on smb.'s preserves вме́шиваться в ли́чную жизнь кого́-л.; 3) перенима́ть (*чужие идеи*); захва́тывать не по пра́вилам (*преимущество в состязании*); 4) взрыва́ть копы́тами; 5) де́латься изры́тым (*о почве*); 6) мять (*глину*); 7) отбе́ливать бума́жную ма́ссу.

**poach** II [poutʃ] *v* вари́ть (*яйца*) без скорлупы́ в кипятке́.

**poached egg** ['poutʃt,eg] *n* яйцо́-пашо́т.

**poacher** I ['poutʃə] *n* браконье́р.

**poacher** II ['poutʃə] *n* сосу́д для ва́рки яиц без скорлупы́.

**poachy** ['poutʃɪ] *a* вла́жный, сыро́й.

**pochard** ['poutʃəd] *n зоол.* ныро́к красноголо́вый.

**pock** [pɔk] *n* 1) о́спина; 2) вы́боина, щерби́на.

**pocket** ['pɔkɪt] **1.** *n* 1) карма́н; карма́шек; *перен.* де́ньги; empty ~s безде́нежье; deep ~ бога́тство; to be out of ~ a) быть в убы́тке, потеря́ть, прогада́ть; б) не име́ть де́нег; to be in ~ a) быть в вы́игрыше, вы́гадать; б) име́ть де́ньги, быть при деньга́х;

to put one's hand in one's ~ раскоше́ливаться; 2) мешо́к (*особ. как мера*); 3) лу́за (*бильярда*); 4) возду́шная я́ма; 5) *амер.* ложби́на; 6) ларь, бу́нкер; 7) вы́боина (*на дорожной поверхности*); 8) *горн., геол.* карма́н, гнездо́, небольша́я за́лежь; 9) *attr.* карма́нный; ◇ in ~s в рука́х у кого́-л.; to keep hands in ~s ло́дырничать; to put one's pride in one's ~ подави́ть самолю́бие; проглоти́ть оби́ду; to be in one another's ~s быть вы́нужденным не расстава́ться; торча́ть друг у дру́га на глаза́х;
**2.** *v* 1) класть в карма́н; 2) присва́ивать, прикарма́нивать; 3) проглоти́ть (*обиду*); 4) подавля́ть (*гнев и т. п.*); 5) загоня́ть в лу́зу (*в бильярде*); 6) *амер.* заде́рживать подписа́ние законопроекта до ро́спуска конгре́сса; класть под сукно́.

**pocket-book** ['pɔkɪtbuk] *n* 1) бума́жник; 2) записна́я кни́жка.

**pocket-camera** ['pɔkɪt,kæmərə] *n* карма́нный, портати́вный, малогабари́тный фотоаппара́т.

**pocketful** ['pɔkɪtful] *n* по́лный карма́н (*чего-л.*).

**pocket-knife** ['pɔkɪtnaɪf] *n* карма́нный нож.

**pocket-money** ['pɔkɪt,mʌnɪ] *n* де́ньги на ме́лкие расхо́ды, карма́нные де́ньги, ме́лочь.

**pocket-piece** ['pɔkɪtpiːs] *n* моне́тка, кото́рую на сча́стье но́сят в карма́не.

**pocket-pistol** ['pɔkɪt,pɪstl] *n* 1) карма́нный пистоле́т; 2) *шутл.* карма́нная фля́жка (*для спиртного*).

**pocket-size** ['pɔkɪtsaɪz] *a* карма́нного разме́ра; уме́ньшенных габари́тов; миниатю́рный.

**pocket veto** ['pɔkɪt'viːtou] *n амер.* заде́ржка президе́нтом подписа́ния законопроекта до ро́спуска конгре́сса.

**pockety** ['pɔkɪtɪ] *a* ду́шный, за́тхлый.

**pock-mark** ['pɔkmaːk] = pock 1).

**pock-marked** ['pɔk,maːkt] *a* рябо́й.

**pocky** ['pɔkɪ] = pock-marked.

**pococurante** ['poukoukjuə'ræntɪ] *ит.* **1.** *a* равноду́шный, безразли́чный;
**2.** *n* равноду́шный, безразли́чный челове́к.

**pod** I [pɔd] **1.** *n* 1) стручо́к; шелуха́, кожура́; 2) ко́кон (*шелковичного червя*); 3) ве́рша (*для угрей*); 4) *груб.* брю́хо;
**2.** *v* 1) покрыва́ться стручка́ми; 2) лущи́ть (*горох*).

**pod** II [pɔd] *n* 1) небольшо́е ста́до (*китов, моржей*); 2) ста́йка.

**podagra** [pə'dægrə] *n* пода́гра.

**podagric** [pə'dægrik] *a* подагри́ческий.

**podded** ['pɔdɪd] **1.** *p. p. от* pod I, 2;
**2.** *a* 1) стручко́вый; 2) состоя́тельный.

**poddy** ['pɔdɪ] *n австрал.* телёнок (*отня́тый от ма́тери*).

**podge** [pɔdʒ] *n разг.* толстя́к-коротышка.

**podgy** ['pɔdʒɪ] *a разг.* 1) призе́мистый и то́лстый; 2) коро́ткий и то́лстый (*о пальцах*).

**podzol** [pɔd'zɔl] *рус. а* подзо́листый (*о почве*).

**poem** ['pouɪm] *n* 1) поэ́ма; стихотворе́ние; 2) что-л. прекра́сное, поэти́ческое.

**poesy** ['pɔuizı] *n уст.* 1) поэ́зия; 2) стихотворе́ние.

**poet** ['pɔuit] *n* поэ́т; Poet's Corner а) часть Вестми́нстерского абба́тства, где нахо́дятся гробни́цы поэ́тов; б) *шутл.* отде́л поэ́зии (*в газете*).

**poetaster** [,pɔui'tæstə] *n* рифмоплёт.

**poetess** ['pɔuitıs] *n* поэте́сса.

**poetic** [pɔu'etık] *a* 1) поэти́ческий; 2) поэти́чный; 3) = poetical 1).

**poetical** [pɔu'etıkəl] *a* 1) стихотво́рный; 2) = poetic 1); 3) = poetic 2).

**poeticize** [pɔu'etısaız] *v* поэтизи́ровать.

**poetics** [pɔu'etıks] *n pl* (*употр. как sing*) поэ́тика.

**poetize** ['pɔuitaız] *v* 1) писа́ть стихи́; 2) воспева́ть в стиха́х; 3) = poeticize.

**poetry** ['pɔuitrı] *n* 1) поэ́зия; стихи́; 2) поэти́чность.

**poignancy** ['pɔinənsı] *n* 1) острота́, е́дкость, пика́нтность; 2) мучи́тельность; 3) ре́зкость (*боли*); 4) проница́тельность, острота́.

**poignant** ['pɔinənt] *a* 1) о́стрый, е́дкий, пика́нтный; 2) го́рький, мучи́тельный; 3) ре́зкий (*о боли*); 4) проница́тельный, о́стрый; ~ wit о́стрый ум; 5) живо́й (*об интересе*).

**poignantly** ['pɔinəntlı] *adv* 1) о́стро, ко́лко, е́дко; 2) мучи́тельно.

**point** [pɔint] **1.** *n* 1) то́чка; four ~ six (4.6) четы́ре и шесть деся́тых (4,6); full ~ то́чка (*знак препина́ния*); exclamation ~ *амер.* восклица́тельный знак; 2) пункт, моме́нт, вопро́с; де́ло; sore ~ больно́й вопро́с; fine ~ дета́ль, ме́лочь; то́нкость; ~ of honour де́ло че́сти; 3) гла́вное; то, о чём идёт речь; суть; «соль» (*рассказа, шутки*); смысл; that is just the ~ в э́том-то и де́ло; he does not see my ~ он не понима́ет меня́; to come to the ~ дойти́ до гла́вного, до су́ти де́ла; his remarks lack ~ его́ замеча́ния пло́ски; there is no ~ in doing that не име́ет смы́сла де́лать э́то; 4) то́чка, ме́сто, пункт; *амер.* ста́нция; а ~ of departure пункт отправле́ния; 5) моме́нт (*времени*); at this ~ he went out в э́тот моме́нт он вы́шел; at the ~ of death при сме́рти; 6) очко́; to give ~s to дава́ть не́сколько очко́в вперёд; *перен.* ≅ заткну́ть за́ пояс; 7) преиму́щество, досто́инство; he has got ~s у него́ есть досто́инства; singing was not his strong ~ он не был силён в пе́нии; 8) ко́нчик; 9) ко́нчик; остриё, о́стрый коне́ц; наконе́чник; 10) ответвле́ние оле́ньего ро́га; а buck of eight ~s оле́нь с рога́ми, име́ющими во́семь ответвле́ний; 11) мыс, выступа́ющая морска́я коса́; стре́лка; 12) верши́на горы́; 13) (гравирова́льная) игла́, резе́ц (*гравёра*); 14) стре́лка, перо́ *или* сова́ железнодоро́жной стре́лки; 15) деле́ние шкалы́; 16) *мор.* румб; 17) едини́ца продово́льственной *или* промтова́рной ка́рточки; free from ~s ненормиро́ванный; 18) вид кру́жева; 19) *мор.* ре́дька (*оплетённый коне́ц сна́сти*); риф-се́зень; 20) *ист.* шнуро́к с наконе́чником (*заменя́вший пу́говицы*); 21) статья́ (*живо́тного*); *pl* экстерье́р (*ло́шади*); 22) *охот.* сто́йка

(*соба́ки*); to come to a ~, to make a ~ де́лать сто́йку [*ср. тж.* ◇]; 23) *воен.* головна́я заста́ва; 24) *pl амер. воен.* зна́ки разли́чия; 25) *полигр.* пункт (*едини́ца измере́ния*); 26) *attr.:* ~s verdict *спорт.* присужде́ние побе́ды по очка́м (*в бо́ксе*); ◇ ~ of view то́чка зре́ния; ~ of war *уст.* вое́нный сигна́л (*на трубе*); at the ~ of the sword си́лой ору́жия; at all ~s а) во всех отноше́ниях; б) повсю́ду; armed at all ~s во всеору́жии; at ~ гото́вый (*к чему́-л.*); to be on the ~ of doing smth. собира́ться сде́лать что-л.; to carry one's ~ отстоя́ть свои́ пози́ции; доби́ться своего́; to gain one's ~ дости́чь це́ли; off the ~ некста́ти; to the ~ кста́ти, уме́стно; in ~ подходя́щий; in ~ of в отноше́нии; in ~ of fact факти́чески; to make a ~ доказа́ть положе́ние [*ср. тж.* 22)]; to make a ~ of smth. счита́ть что-л. обяза́тельным для себя́; not to put too fine a ~ upon it говоря́ напрями́к;

**2.** *v* 1) пока́зывать па́льцем; ука́зывать (*тж.* ~ out; at, to); 2) направля́ть (*ору́жие*; at); наводи́ть, це́литься, прице́ливаться; 3) быть напра́вленным; 4) говори́ть, свиде́тельствовать (to—о); 5) (за)точи́ть, (за)остри́ть; наточи́ть; 6) чини́ть (*каранда́ш*); 7) оживля́ть; придава́ть остроту́; 8) ста́вить зна́ки препина́ния; 9) де́лать сто́йку (*о соба́ке*); 10) *стр.* расши́вить швы; □ ~ off отделя́ть то́чкой; ~ out ука́зывать; пока́зывать; обраща́ть (*чьё-л.*) внима́ние.

**point-blank** ['pɔint'blæŋk] **1.** *a* 1) реши́тельный, ре́зкий, категори́ческий; 2) *воен.* горизонта́льный (*о вы́стреле*);

**2.** *adv* 1) пря́мо, реши́тельно, ре́зко, категори́чески, наотре́з; 2) *воен.* прямо́й наво́дкой, в упо́р.

**point-device** ['pɔintdı,vaıs] *уст.* **1.** *a* тща́тельный, аккура́тный, то́чный;

**2.** *adv* тща́тельно, аккура́тно, то́чно.

**point-duty** ['pɔint,djuːtı] *n* 1) дежу́рство на посту́; 2) обя́занности регулиро́вщика (*движе́ния*).

**pointed** ['pɔintıd] **1.** *p. p. от* point 2;

**2.** *a* 1) острокопе́чный; ~ arch стре́льчатая а́рка, готи́ческая а́рка; the ~ style готи́ческий стиль; 2) о́стрый, заострённый; 3) ко́лкий, крити́ческий (*о замеча́нии*); 4) подчёркнутый; соверше́нно очеви́дный; 5) напра́вленный про́тив (*о выска́зывании, эпигра́мме и т. п.*); 6) наведённый (*об ору́дии*).

**pointedly** ['pɔintıdlı] *adv* 1) о́стро; 2) по существу́; 3) стара́ясь подчеркну́ть; многозначи́тельно.

**pointer** ['pɔintə] *n* 1) указа́тель; 2) стре́лка (*часо́в, весо́в и т. п.*); 3) ука́зка; 4) по́йнтер (*поро́да соба́к*); 5) *разг.* своевре́менный намёк, указа́ние; 6) *pl астр.* две звезды́ Большо́й Медве́дицы, находя́щиеся на одно́й ли́нии с Поля́рной звездо́й; 7) *воен.* наво́дчик; 8) *attr.* стре́лочный; ~ instrument стре́лочный прибо́р.

**pointful** ['pɔintful] *a* уме́стный; уда́чный, подходя́щий.

**pointing** ['pɔintıŋ] **1.** *pres. p. от* point 2;

**2.** *n* 1) указа́ние (*направле́ния, ме́ста и т. п.*); 2) *разг.* намёк; 3) пунктуа́ция, расстано́вка зна́ков препина́ния; 4) *стр.* расши́вка швов.

**pointless** ['pɔɪntlɪs] *a* 1) неостроу́мный, пло́ский; 2) бессмы́сленный; бесце́льный; 3) *спорт.* не вы́игравший ни одного́ очка́; 4) *редк.* тупо́й.

**pointsman** ['pɔɪntsmən] *n* 1) стре́лочник; 2) постово́й полице́йский, регулиро́вщик.

**poise** [pɔɪz] 1. *n* 1) равнове́сие; 2) уравнове́шенность; стаби́льность; 3) поса́дка головы́; оса́нка; 4) состоя́ние нереши́тельности, колеба́ние; 5) ги́ря; 6) *уст.* вес, тя́жесть;
2. *v* 1) уравнове́шивать; 2) баланси́ровать; держа́ть равнове́сие; 3) держа́ть (*го́лову*); 4) висе́ть в во́здухе; 5) пари́ть (*в во́здухе*); 6) подня́ть для броска́ (*копьё, пи́ку*); 7) *перен.* взве́шивать.

**poison** ['pɔɪzn] 1. *n* яд, отра́ва; cumulative (*или* slow) ~ яд кумуляти́вного де́йствия (*де́йствующий при повто́рных приёмах*); ◇ to hate like ~ смерте́льно ненави́деть;
2. *a* 1) ядови́тый; 2) отравля́ющий;
3. *v* 1) отравля́ть; 2) по́ртить, развраща́ть.

**poisoner** ['pɔɪznə] *n* отрави́тель.

**poison gas** ['pɔɪzn'gæs] *n* ядови́тый газ.

**poisoning** ['pɔɪzɪŋ] 1. *pres. p. от* poison 3;
2. *n* 1) отравле́ние; 2) по́рча, развраще́ние.

**poisonous** ['pɔɪznəs] *a* 1) ядови́тый; 2) *разг.* отврати́тельный, проти́вный.

**poison pen** ['pɔɪznpen] *n* анони́мный писа́ка, пасквиля́нт.

**poke** I [pouk] 1. *n* 1) толчо́к, тычо́к; 2) выступа́ющее вперёд по́ле высо́кой же́нской шля́пы; 3) *разг.* лентя́й, ло́дырь; копу́ша;
2. *v* 1) сова́ть, пиха́ть, ты́кать, толка́ть (*тж.* ~ in, ~ up, ~ down, *etc.*); 2) протыка́ть (*тж.* ~ through); 3) меша́ть (*кочерго́й*); шурова́ть (*то́пку*); 4) идти́ *или* иска́ть (*что-л.*) о́щупью (*тж.* ~ around); 5) *sl.* уда́рить кулако́м; ▢ ~ about любопы́тствовать; ~ into иссле́довать, разузнава́ть; ~ through проткну́ть; ~ up a) сова́ть, пиха́ть; толка́ть; б) *разг.* запира́ть (*в те́сном помеще́нии*); ◇ to ~ (one's nose) into other people's business, to ~ and pry сова́ть нос в чужи́е дела́; to ~ fun at smb. подшу́чивать над кем-л.; to ~ one's head суту́литься.

**poke** II [pouk] *n диал.* мешо́к.

**poker** I ['poukə] 1. *n* 1) кочерга́; 2) прибо́р для выжига́ния по де́реву; ◇ as stiff as a ~ чо́порный; ≈ сло́вно арши́н проглоти́л; by the holy ~! *шутл.* ≈ кляну́сь бородо́й проро́ка!;
2. *v* выжига́ть по де́реву.

**poker** II ['poukə] *n* по́кер (*ка́рточная игра́*).

**poker face** ['poukəfeɪs] *n* бесстра́стное, ничего́ не выража́ющее лицо́.

**poker-work** ['poukəwə:k] *n* выжига́ние по де́реву.

**poky** ['pouki] *a* 1) те́сный, убо́гий; a ~ hole of a place захолу́стье, дыра́; 2) незначи́тельный, ме́лкий, се́рый; 3) неря́шливый,

неопря́тный (*об оде́жде*); 4) лени́вый, медли́тельный.

**polar** ['poulə] *a* 1) поля́рный; 2) по́люсный; 3) диаметра́льно противополо́жный; ◇ ~ beaver *sl.* седоборо́дый челове́к.

**polar bear** ['poulə'bɛə] *n* бе́лый медве́дь.

**polar fox** ['poulə'fɔks] *n* песе́ц.

**polarity** [pou'lærɪtɪ] *n* 1) *физ.* поля́рность; 2) соверше́нная противополо́жность.

**polarization** [,poulərɑɪ'zeɪʃən] *n физ.* поляриза́ция.

**polarize** ['poulərɑɪz] *v* 1) *физ.* поляризова́ть; 2) придава́ть произво́льное значе́ние *или* направле́ние.

**polar lights** ['poulə'laɪts] *n* се́верное сия́ние.

**polder** ['pɔldə] *голл. n* по́льдер (*плодоро́дный уча́сток су́ши, располо́женный ни́же у́ровня мо́ря и изре́занный кана́лами*).

**Pole** [poul] *n* поля́к; по́лька; the ~s *pl собир.* поля́ки.

**pole** I [poul] 1. *n* 1) столб, шест, жердь; кол, ве́ха; 2) баго́р; 3) ды́шло; 4) ме́ра длины́ (=5,029 *м*); ◇ under bare ~s *мор.* без парусо́в; up the ~ *sl.* a) не в своём уме́; б) пья́ный; в) в безвы́ходном положе́нии;
2. *v* 1) подпира́ть шеста́ми; 2) передвига́ть су́дно багра́ми.

**pole** II [poul] *n* 1) по́люс; unlike ~s *физ.* разноимённые по́люсы; 2) *attr.* по́люсный; ~ extension *эл.* по́люсный наконе́чник, по́люсный башма́к; ◇ to be ~s asunder быть диаметра́льно противополо́жным; as wide as the ~s apart диаметра́льно противополо́жные.

**pole-ax(e)** ['poulæks] 1. *n* 1) боево́й топо́р, берды́ш; секи́ра, алеба́рда; 2) реза́к мясника́;
2. *v* 1) убива́ть бердышо́м *и т. п.*; 2) ре́зать (*скот*).

**polecat** ['poulkæt] *n зоол.* хорёк (*или* хорь) чёрный.

**pole jump** ['poul'dʒʌmp] = pole vault.

**pole-jump** ['pouldʒʌmp] = pole-vault.

**pole-jumping** ['poul,dʒʌmpɪŋ] = pole-vaulting.

**polemic** [pɔ'lemɪk] 1. *a* полеми́ческий; 2. *n* 1) поле́мика, спор, диску́ссия; 2) *pl* полемизи́рование; иску́сство поле́мики; 3) полеми́ст.

**polemical** [pɔ'lemɪkəl] = polemic 1.

**polenta** [pɔ'lentə] *ит. n* поле́нта (*ка́ша из кукуру́зы, ячменя́*).

**pole-star** ['poulstɑ:] *n* 1) Поля́рная звезда́; 2) *перен.* путево́дная звезда́.

**pole vault** ['poul'vɔ:lt] *n* прыжо́к с шесто́м.

**pole-vault** ['poulvɔ:lt] *v* пры́гать с шесто́м.

**pole-vaulting** ['poul,vɔ:ltɪŋ] *n* прыжки́ с шесто́м.

**police** [pɔ'li:s] 1. *n* 1) поли́ция; military ~ вое́нная поли́ция; 2) (*употр. с гл. во мн. ч.*) полице́йские; 3) *воен.* наря́д; 4) *амер. воен.* убо́рка, поддержа́ние чистоты́; 5) *attr.* полице́йский; ~ constable полице́йский; power *амер.* охра́на госуда́рственного правово́го поря́дка;
2. *v* 1) охраня́ть; 2) подде́рживать поря́док (*в стране́*); 3) обеспе́чивать поли́цией

(*город, район*); 4) *перен.* управля́ть; 5) *амер. воен.* чи́стить, приводи́ть в поря́док.

**police-court** [pə'li:skɔ:t] *n* полице́йский суд.

**police-magistrate** [pə'li:s,mædʒɪstrɪt] *n* председа́тель полице́йского суда́.

**policeman** [pə'li:smən] *n* полице́йский, полисме́н.

**police-office** [pə'li:s,ɔfɪs] *n* полице́йское управле́ние (*города*).

**police-officer** [pə'li:s,ɔfɪsə] *n* полице́йский.

**police-station** [pə'li:s,steɪʃən] *n* полице́йский уча́сток.

**policlinic** [,pɔlɪ'klɪnɪk] *n* поликли́ника.

**policy** I ['pɔlɪsɪ] *n* 1) поли́тика; peace ~ поли́тика ми́ра, ми́рная поли́тика; for reasons of ~ по полити́ческим соображе́ниям; tough ~ твёрдая поли́тика; 2) поли́тика, ли́ния поведе́ния, курс; 3) благоразу́мие, полити́чность; хи́трость, ло́вкость; 4) *шотл.* парк (*вокруг усадьбы*); 5) *attr.*: ~ statement официа́льное прави́тельственное заявле́ние.

**policy** II ['pɔlɪsɪ] *n* 1) страхово́й по́лис; 2) *амер.* род аза́ртной игры́.

**policy-holder** ['pɔlɪsɪ,houldə] *n* владе́лец (*или* держа́тель) страхово́го по́лиса.

**policy-shop** ['pɔlɪsɪ,ʃɔp] *n* иго́рный дом.

**polio** ['pouliou] *n разг.* 1) *сокр. от* poliomyelitis; 2) больно́й полиомиели́том.

**poliomyelitis** ['pouliomaɪə'laɪtɪs] *n* полиомиели́т, де́тский парали́ч.

**Polish** ['pouliʃ] 1. *a* по́льский;
2. *n* по́льский язы́к.

**polish** ['pɔliʃ] 1. *n* 1) гля́нец; 2) полиро́вка, шлифо́вка; чи́стка; 3) политу́ра; лак; вещество́ для чи́стки; 4) лоск, изы́сканность; 5) отде́лка;
2. *v* 1) полирова́ть, шлифова́ть, наводи́ть лоск, гля́нец; 2) станови́ться гла́дким, шлифо́ванным; 3) чи́стить (*обувь*); 4) отёсывать, де́лать изы́сканным, отде́лывать (*тж.* ~ up); □ ~ off *разг.* а) поко́нчить, бы́стро спра́виться (*с чем-л.*); to ~ off a bottle of sherry распи́ть буты́лку хе́реса; б) изба́виться (*от конкурента и т. п.*).

**polished** ['pɔliʃt] 1. *p. p. от* polish 2;
2. *a* 1) (от)полиро́ванный; гла́дкий, блестя́щий; 2) изы́сканный; элега́нтный; ~ manners изы́сканные мане́ры; 3) безупре́чный.

**polite** [pə'laɪt] *a* 1) ве́жливый, любе́зный, благовоспи́танный; the ~ thing *разг.* благовоспи́танно; to do the ~ *разг.* стара́ться вести́ себя́ благовоспи́танно; 2) изя́щный; ~ letters (*или* literature) изя́щная литерату́ра, беллетри́стика; ~ learning класси́ческое образова́ние; 3) изы́сканный (*об обществе, компании*); 4) *редк.* гла́дкий.

**politely** [pə'laɪtlɪ] *adv* ве́жливо, любе́зно.

**politeness** [pə'laɪtnɪs] *n* ве́жливость, воспи́танность.

**politic** ['pɔlɪtɪk] *a* 1) расчётливый, обду́манный; 2) ло́вкий, хи́трый, полити́чный; ◇ ~ body госуда́рство.

**political** [pə'lɪtɪkəl] *a* 1) полити́ческий; госуда́рственный; ~ science госуда́рственное пра́во; ~ agent, ~ resident полити́ческий аге́нт.

**political economy** [pə'lɪtɪkəlɪ'kɔnəmɪ] *n* политэконо́мия.

**politically** [pə'lɪtɪkəlɪ] *adv* 1) с госуда́рственной *или* полити́ческой то́чки зре́ния; 2) расчётливо, обду́манно, хи́тро.

**politician** [,pɔlɪ'tɪʃən] *n* 1) поли́тик; 2) госуда́рственный де́ятель; 3) политика́н.

**politicize** [pə'lɪtɪsaɪz] *v* 1) обсужда́ть полити́ческие вопро́сы; 2) принима́ть уча́стие в полити́ческой де́ятельности; 3) придава́ть полити́ческий хара́ктер.

**politico** [pə'lɪtɪkou] *n амер.* политика́н.

**politics** ['pɔlɪtɪks] *n pl* 1) поли́тика; to go into ~ посвяти́ть себя́ полити́ческой де́ятельности; 2) полити́ческие убежде́ния; what are his ~? каковы́ его́ полити́ческие убежде́ния?; 3) *амер.* полити́ческие махина́ции.

**polity** ['pɔlɪtɪ] *n* 1) госуда́рственное устро́йство, о́браз правле́ния; 2) госуда́рство.

**polk** [pɔlk] *v* танцева́ть по́льку.

**polka** ['pɔlkə] *n* 1) по́лька (*танец и музыкальная форма*); 2) облега́ющий жаке́т (*обыкн.* вя́заный).

**polka-dot** ['pɔlkədɔt] *n* 1) отде́льная кра́пинка в узо́ре «в горо́шек»; 2) материа́л в горо́шек.

**Poll** I [pɔl] *n обычная кличка попугая* (≅ по́пка).

**Poll** II [pɔl] *n унив. sl.* 1) (the ~) *pl собир.* студе́нты, око́нчившие без отли́чия (*в Ке́мбридже*); to go out in the ~ получи́ть сте́пень без отли́чия; 2) *attr.*: ~ degree сте́пень без отли́чия.

**poll** [poul] 1. *n* 1) спи́сок избира́телей; 2) регистра́ция избира́телей; 3) голосова́ние; баллотиро́вка; to go to the ~s а) идти́ на вы́боры (*голосовать*); б) выставля́ть свою́ кандидату́ру (*на выборах*); exclusion from the ~ лише́ние пра́ва го́лоса; 4) подсчёт голосо́в; 5) число́ голосо́в; heavy (light) ~ высо́кий (ни́зкий) проце́нт уча́стия в вы́борах; 6) (*обыкн.* pl) *амер.* помеще́ние для голосова́ния, избира́тельный пункт; 7) *диал., шутл.* голова́; 8) безро́гое живо́тное;
2. *v* 1) проводи́ть голосова́ние; подсчи́тывать голоса́; the constituency was ~ed to the last man все до после́днего челове́ка уча́ствовали в вы́борах; 2) получа́ть (*голоса*); he ~ed a large majority он получи́л подавля́ющее большинство́ голосо́в; 3) голосова́ть (*тж.* ~ one's vote); 4) подреза́ть верху́шку (*дерева*); 5) (*особ. р. р.*) среза́ть рога́; 6) *уст.* стричь во́лосы.

**pollack** ['pɔlək] *n* са́йда (*рыба*).

**pollard** ['pɔləd] 1. *n* 1) подстри́женное де́рево; 2) безро́гое живо́тное; оле́нь, сбро́сивший рога́; 3) о́труби (*с мукой*);
2. *v* подстрига́ть (*дерево*).

**poll-beast** ['poulbi:st] = poll 1, 8).

**poll-cow** ['poulkau] *n* безро́гая, комо́лая коро́ва.

**pollen** ['pɔlɪn] 1. *n бот.* пыльца́;
2. *v* опыля́ть.

**pollinate** ['pɔlɪneɪt] *v бот.* опыля́ть.

**pollination** [,pɔlɪ'neɪʃən] *n бот.* опыле́ние.

**polling** ['pouliŋ] 1. *pres. p. от* poll 2;
2. *n* голосова́ние.

**polling-booth** [ˈpouliŋbuːð] *n* кабина для голосования.
**pollock** [ˈpɔlək] = pollack.
**poll-ox** [ˈpoulɔks] *n* безрогий вол.
**poll parrot** [ˈpoul͵pærət] *n разг.* прирученный попугай.
**poll-tax** [ˈpoultæks] *n* 1) подушный налог; 2) избирательный налог.
**pollute** [pəˈluːt] *v* 1) загрязнять; 2) осквернять; 3) развращать.
**pollution** [pəˈluːʃən] *n* 1) загрязнение; 2) осквернение; 3) *физиол.* поллюция.
**Polly** [ˈpɔli] = Poll I.
**polo** [ˈpoulou] *n* поло *(игра)*.
**polo mallet** [ˈpoulouˈmælit] = polo-stick.
**polonaise** [͵pɔləˈneiz] *n* полонез *(танец и музыкальная форма)*.
**polonium** [pəˈlouniəm] *n хим.* полоний.
**polony** [pəˈlouni] *n* польская колбаса.
**polo-stick** [ˈpouloustik] *n* клюшка для игры в поло.
**poltroon** [pɔlˈtruːn] *n* трус.
**poltroonery** [pɔlˈtruːnəri] *n* трусость.
**poly-** [ˈpɔli-] *в сложных словах означает* много-, поли-; polysemantic полисемантичный, многозначный.
**polyadelphous** [͵pɔliəˈdelfəs] *a бот.* многобрачный.
**polyandry** [ˈpɔliændri] *n* многомужие.
**polyanthus** [͵pɔliˈænθəs] *n бот.* 1) первоцвет высокий; 2) нарцисс константинопольский, нарцисс тацетта.
**polyatomic** [͵pɔliəˈtɔmik] *a* многоатомный.
**polychromatic** [͵pɔlikrəˈmætik] *a* многоцветный, многокрасочный.
**polychrome** [ˈpɔlikroum] 1. *a* = polychromatic;
2. *n* раскрашенная статуя, ваза *и т. п.*
**polygamous** [pɔˈligəməs] *a* многобрачный.
**polygamy** [pɔˈligəmi] *n* полигамия, многобрачие.
**polyglot** [ˈpɔliglɔt] 1. *n* полиглот;
2. *a* многоязычный; говорящий на многих языках.
**polygon** [ˈpɔligən] *n* многоугольник.
**polygonal** [pɔˈligənl] *a* многоугольный.
**polygyny** [pɔˈlidʒini] *n* многоженство.
**polyhedra** [ˈpɔliˈhedrə] *pl от* polyhedron.
**polyhedral** [ˈpɔliˈhedrəl] *a* многогранный.
**polyhedron** [ˈpɔliˈhedrən] *n (pl* -ra, -rons [-rənz]) многогранник.
**polyhistor** [͵pɔliˈhistə] *n* эрудит.
**polymer** [ˈpɔlimə] *n хим.* полимер.
**polymeric** [͵pɔliˈmerik] *a хим.* полимерный, состоящий из укрупнённых молекул.
**polymerization** [͵pɔliməriˈzeiʃən] *n хим.* полимеризация.
**polymerize** [ˈpɔliməraiz] *v хим.* полимеризировать(ся).
**polymorphism** [͵pɔliˈmɔːfizəm] *n* полиморфизм.
**polymorphous** [͵pɔliˈmɔːfəs] *a* полиморфный.
**Polynesian** [͵pɔliˈniːzjən] 1. *a* полинезийский;
2. *n* полинезиец; полинезийка.

**polynia** [pouˈlinjɑː] *рус. n* полынья.
**polynomial** [͵pɔliˈnoumjəl] *мат.* 1. *a* многочленный;
2. *n* многочлен.
**polyp(e)** [ˈpɔlip] *n зоол.* полип.
**polyphonic** [͵pɔliˈfɔnik] *a* 1) многоголос(н)ый; 2) соответствующий нескольким звукам *(о букве в разных положениях)*; 3) *муз.* полифонический.
**polyphony** [pɔˈlifəni] *n* 1) многозвучие; 2) *муз.* полифония.
**polypi** [ˈpɔlipai] *pl от* polypus.
**polypody** [ˈpɔlipədi] *n бот.* многоножка.
**polypoid, polypous** [ˈpɔlipɔid, -pəs] *a зоол.*, *мед.* полипообразный.
**polypus** [ˈpɔlipəs] *n (pl* -pi, -es [-iz]) *мед.* полип *(нарост)*.
**polysemantic** [͵pɔlisiˈmæntik] *a* многозначный, полисемантический.
**polysemy** [ˈpɔlisimi] *n* многозначность, полисемия.
**polyspast** [ˈpɔlispæst] *n тех.* таль, полиспаст.
**polysyllabic** [ˈpɔlisiˈlæbik] *a* многосложный.
**polysyllable** [ˈpɔli͵siləbl] *n* многосложное слово.
**polytechnic** [͵pɔliˈteknik] 1. *a* политехнический;
2. *n* политехникум.
**polytheism** [ˈpɔliθiːizəm] *n* политеизм, многобожие.
**polyvalent** [pɔˈlivələnt] *a хим.* многовалентный.
**polyzonal** [͵pɔliˈzounl] *a* многозональный.
**pom** [pɔm] *сокр. от* Pomeranian 2.
**pomace** [ˈpʌmis] *n* 1) яблочные выжимки *(при изготовлении сидра)*; 2) рыбные остатки, тук *(после отжимания жира, используемые в качестве удобрения)*; 3) жмых.
**pomade** [pəˈmɑːd] 1. *n* помада;
2. *v* помадить.
**pomander** [pouˈmændə] *n ист.* 1) ароматический шарик *(как средство против заразы)*; 2) золотой, серебряный *и т. п.* круглый футлярчик, в котором носили ароматический шарик.
**pomatum** [pəˈmeitəm] = pomade.
**pomegranate** [ˈpɔm͵grænit] *n* 1) гранат *(плод)*; 2) гранатовое дерево.
**pomelo** [ˈpɔmilou] *n (pl* -os [-ouz]) *бот.* грейпфрут.
**Pomeranian** [͵pɔməˈreinjən] 1. *a* померанский;
2. *n* шпиц *(собака; тж.* ~ dog).
**pomiculture** [ˈpoumi͵kʌltʃə] *n* плодоводство.
**pommel** [ˈpʌml] 1. *n* 1) головка *(эфеса шпаги)*; 2) передняя лука *(седла)*;
2. *v* бить, колотить, расколачивать; разминать *(напр., кожу)*.
**pommy** [ˈpɔmi] *n sl.* англичанин, иммигрировавший в Австралию *или* Новую Зеландию.
**pomology** [pəˈmɔlədʒi] *n* помология *(наука о сортах плодовых деревьев и кустарников)*.
**pomp** [pɔmp] *n* помпа, великолепие, пышность.

**pompier (ladder)** ['pɔmpjə('læda)] *n* пожа́рная ле́стница.

**pom-pom** ['pɔmpɔm] *n* 37—40-мм автомати́ческая пу́шка.

**pompon** ['pɔ:mpɔ:ŋ] *фр. n* помпо́н.

**pomposity** [pɔm'pɔsɪtɪ] *n* напы́щенность, помпе́зность.

**pompous** ['pɔmpəs] *a* 1) напы́щенный; 2) *редк.* пы́шный, великоле́пный.

**ponce** [pɔns] *n sl.* сутенёр.

**ponceau** [pɔŋ'sou] *фр. n* пунцо́вый цвет, цвет кра́сного ма́ка.

**poncho** ['pɔntʃou] *n (pl* -os [-ouz]) по́нчо (*южноамериканский плащ*).

**pond** [pɔnd] **1.** *n* 1) пруд; водоём, бассе́йн; запру́да; 2) *уст.* садо́к, сажа́лка (*для разведения рыбы*); 3) *шутл.* мо́ре;
**2.** *v* 1) запру́живать; 2) образо́вывать пруд.

**pondage** ['pɔndɪdʒ] *n* запа́с воды́ в пруде́ *или* резервуа́ре.

**ponder** ['pɔndə] *v* обду́мывать, взве́шивать, размышля́ть (on, upon, over).

**ponderability** [,pɔndərə'bɪlɪtɪ] *n* весо́мость.

**ponderable** ['pɔndərəbl] **1.** *a* 1) весо́мый; 2) могу́щий быть оценённым, взве́шенным; предви́димый;
**2.** *n pl* то, что мо́жно зара́нее взве́сить, предусмотре́ть.

**ponderate** ['pɔndərɪt] *a* осторо́жный, обду́манный.

**ponderation** [,pɔndə'reɪʃən] *n* взве́шивание (*тж. перен.*).

**ponderosity** [,pɔndə'rɔsɪtɪ] *n* 1) вес, тя́жесть; 2) тяжелове́сность.

**ponderous** ['pɔndərəs] *a* 1) тяжёлый; громо́здкий; уве́систый; 2) тяжелове́сный; 3) ску́чный, тягу́чий; a ~ speech ску́чный, ну́дный докла́д.

**pone** [poun] *n* 1) кукуру́зная лепёшка; 2) сдо́ба.

**pongee** [pɔn'dʒi:] *n* шёлковая ткань ти́па чесучи́.

**pongo** ['pɔŋɡou] *n зоол.* больша́я человекообра́зная африка́нская обезья́на.

**poniard** ['pɔnjəd] **1.** *n* кинжа́л;
**2.** *v* зака́лывать кинжа́лом.

**pontiff** ['pɔntɪf] *n* 1) ри́мский па́па (*тж.* sovereign ~); 2) епи́скоп, архиере́й; 3) первосвяще́нник; ◇ the ~s of science жрецы́ нау́ки.

**pontifical** [pɔn'tɪfɪkəl] **1.** *a* 1) па́пский; 2) епископа́льный; епи́скопский; 3) первосвяще́ннический;
**2.** *n* 1) архиере́йский обря́дник; 2) *pl* епи́скопское облаче́ние.

**pontificalia** [pɔn,tɪfɪ'keɪlɪə] *лат. n pl* епи́скопское *или* па́пское облаче́ние.

**pontificate** [pɔn'tɪfɪkɪt] *n* понтифика́т.

**ponton** ['pɔntən] *амер.* = pontoon I.

**pontoon** I [pɔn'tu:n] *n* 1) понто́н; понто́нный мост, наплавно́й мост (*тж.* ~ bridge); 2) плашко́ут; 3) кессо́н; 4) поплаво́к (*напр., гидросамолёта*).

**pontoon** II [pɔn'tu:n] *n карт.* два́дцать одно́.

**pony** ['pounɪ] **1.** *n* 1) по́ни, малоро́слая ло́шадь; Jerusalem ~ *шутл.* осёл; 2) *sl.*

25 фу́нтов сте́рлингов; 3) *разг.* небольшо́й стака́нчик для вина́ *или* пи́ва, сто́пка; 4) *амер. разг.* подстро́чник, шпарга́лка;
**2.** *a* 1) ма́ленький, ма́лого разме́ра; ~ size ма́лого разме́ра, уме́ньшенного габари́та; 2) *тех.* вспомога́тельный, дополни́тельный;
**3.** *v амер. разг.* отвеча́ть уро́к по шпарга́лке; переводи́ть, по́льзуясь подстро́чником.

**pooch** [pu:tʃ] *n амер. sl.* соба́ка, дворня́жка.

**pood** [pu:d] *рус. n* пуд.

**poodle** ['pu:dl] *n* пу́дель.

**poogye** ['pu:gi:] *n* инди́йская фле́йта.

**pooh** [pu] *int* уф!; тьфу!

**Pooh-Bah** ['pu:'bɑ:] *n* занима́ющий не́сколько должносте́й; совмести́тель (*по имени персонажа в комической опере «Микадо»*).

**pooh-pooh** [pu:'pu:] *v разг.* относи́ться с пренебреже́нием *или* презре́нием (*к чему-л.*).

**pool** I [pu:l] *n* 1) лу́жа, прудо́к; 2) о́мут; за́водь; 3) *спорт.* (пла́вательный) бассе́йн (*тж.* swimming ~); 4) *гидр.* бьеф; 5) *геол.* месторожде́ние, нефтяна́я за́лежь.

**pool** II [pu:l] **1.** *n* 1) объединённый фонд; объединённый резе́рв; 2) пул (*соглашение между предпринимателями для устранения конкуренции*); 3) гру́ппа предпринима́телей *или* не́сколько фирм, объедини́вшихся для борьбы́ с конкуре́нцией; 4) совоку́пность ста́вок (*в картах, на скачках*), пу́лька (*в карточной игре*); 5) пул, род билья́рдной игры́;
**2.** *v* объединя́ть в о́бщий фонд, скла́дываться; to ~ interests де́йствовать сообща́.

**poolroom** ['pu:lrum] *n амер.* 1) помеще́ние для игры́ в пул; 2) ме́сто, где заключа́ют пари́ (*перед скачками, спортивными состязаниями и т. п.*).

**poop** I [pu:p] *мор.* **1.** *n* полуют; корма́;
**2.** *v* 1) захлёстывать корму́ (*о волне*); 2) черпну́ть кормо́й (*о судне*).

**poop** II [pu:p] *sl. см.* nincompoop.

**poop** III [pu:p] = pope II.

**poor** [puə] **1.** *a* 1) бе́дный, неиму́щий; ~ peasant крестья́нин-бедня́к; 2) бе́дный (in —*чем-л.*); 3) несча́стный; ~ fellow! бедня́га!; 4) жа́лкий, невзра́чный; 5) ни́зкий, плохо́й, скве́рный (*об урожае; о качестве*); 6) неплодоро́дный (*о почве*); 7) ску́дный, жа́лкий, плохо́й; ничто́жный; убо́гий; in my ~ opinion *шутл.* по моему́ скро́мному мне́нию; a ~ £ 1 a week жа́лкий фунт сте́рлингов в неде́лю; 8) недоста́точный, непита́тельный (*о пище*); ◇ ~ fish *амер.* простофи́ля;
**2.** *n* (the ~) *pl собир.* бе́дные, бедняки́, беднота́, неиму́щие.

**poor-box** ['puəbɔks] *n* кру́жка для сбо́ра на бе́дных.

**poor-house** ['puəhaus] *n* богаде́льня; рабо́тный дом.

**poor-law** ['puəlɔ:] *n* зако́н о бе́дных.

**poorly** ['puəlɪ] **1.** *adv* ску́дно, пло́хо, жа́лко; неуда́чно;
**2.** *a predic.* нездоро́вый; I feel rather ~ мне нездоро́вится.

**poor-rate** ['puəreɪt] *n* налог в пользу бедных.

**poor-spirited** ['puə'spɪrɪtɪd] *a* робкий, трусливый.

**pop** I [pɔp] **1.** *n* 1) отрывистый звук (*хлопушки и т. п.*); 2) выстрел; 3) *разг.* шипучий напиток; 4) *sl.* заклад; 5) *сокр. от* poppycock;

**2.** *v* 1) хлопать, выстреливать (*о пробке*); 2) трескаться (*о каштанах в огне и т. п.*); 3) палить, стрелять (*тж.* ~ off); 4) совать, всовывать (in, into); 5) бросаться; шнырять; 6) *разг.* внезапно спросить, огорошить вопросом; 7) *sl.* закладывать; 8) *амер.* поджаривать кукурузные зёрна; □ ~ **in** внезапно появиться; ~ **out** a) внезапно удалиться, отправиться; б) внезапно погаснуть; ◇ **to** ~ **the question** сделать предложение о браке; **to** ~ **off** (the hooks) ≅ протянуть ноги, умереть;

**3.** *adv* с шумом, внезапно; **to go** ~ a) хлопнуть, выстрелить; б) внезапно умереть; в) разориться; ◇ ~ **goes the weasel** *название деревенского танца;*

**4.** *int* хлоп!

**pop** II [pɔp] *n разг.* популярный концерт.

**pop** III [pɔp] *n амер. разг.* 1) папа; 2) папаша (*в обращении*).

**popcorn** ['pɔpkɔn] *n амер.* жареные кукурузные зёрна.

**pope** I [poup] *n* 1) римский папа; 2) священник; поп; ◇ ~'s **eye** жирная часть бараньей ноги; ~'s **head** метла для обметания потолка; ~'s **nose** *разг.* гузка (жареной) птицы [*ср.* parson's nose]; P. Joan *название карточной игры.*

**pope** II [poup] **1.** *n* пах;

**2.** *v* ударить в пах.

**popery** ['poupərɪ] *n пренебр.* папизм, католицизм.

**pop-eyed** ['pɔp,aɪd] *a амер. разг.* 1) с широко открытыми глазами, напуганный, удивлённый; 2) пучеглазый.

**popgun** ['pɔpɡʌn] *n* 1) пугач (*игрушка*); 2) плохое ружьё.

**popinjay** ['pɔpɪndʒeɪ] *n* 1) фат, хлыщ, щёголь; 2) *диал., амер.* дятел; 3) *уст.* попугай.

**popish** ['poupɪʃ] *a* папистский.

**poplar** ['pɔplə] *n* тополь; black ~ чёрный тополь, осокорь.

**poplin** ['pɔplɪn] *n* поплин (*ткань*).

**popliteal** [pɔp'lɪtɪəl] *a анат.* подколенный.

**poppa** ['pɔpə] = pop III.

**poppet** ['pɔpɪt] *n* 1) *уст.* кукла; 2) *диал.* крошка, милашка (*особ. как обращение* my ~); 3) *тех.* задняя бабка станка; 4) *тех.* тарельчатый клапан (*тж.* ~ valve).

**poppet-head** ['pɔpɪthed] = poppet 3.

**poppied** ['pɔpɪd] *a* 1) поросший маком; 2) снотворный, сонный.

**popple** ['pɔpl] **1.** *n* плескание, плеск;

**2.** *v* 1) плескаться, волноваться; 2) вскипать, бурлить.

**poppy** ['pɔpɪ] *n бот.* 1) мак; 2) *attr.* маковый.

**poppycock** ['pɔpɪkɔk] *n амер. разг.* вздор, чепуха.

**popshop** ['pɔpʃɔp] *n* ломбард.

**populace** ['pɔpjuləs] *n* 1) простой народ; массы; 2) население.

**popular** ['pɔpjulə] *a* 1) народный; 2) популярный; he is ~ with his pupils он пользуется любовью своих учеников; 3) общедоступный; at ~ prices по общедоступным ценам; 4) общераспространённый.

**popularity** [,pɔpju'lærɪtɪ] *n* популярность.

**popularization** [,pɔpjuləraɪ'zeɪʃən] *n* популяризация.

**popularize** ['pɔpjuləraɪz] *v* 1) популяризировать; 2) излагать в общедоступной форме.

**popularly** ['pɔpjulələɪ] *adv* 1) всем народом, всенародно; 2) популярно.

**populate** ['pɔpjuleɪt] *v* населять; заселять.

**population** [,pɔpju'leɪʃən] *n* 1) (народо-) население; жители; 2) заселение.

**populist** ['pɔpjulɪst] *n* 1) *ист.* популист (*в США*); 2) *ист.* народник (*в России*).

**populous** ['pɔpjuləs] *a* густо населённый; (много)людный.

**porbeagle** ['pɔːbiːɡl] *n зоол.* сельдевая акула.

**porcelain** ['pɔːslɪn] *n* 1) фарфор; 2) фарфоровое изделие; 3) *attr.* фарфоровый; *перен.* хрупкий; изящный; ~ **clay** фарфоровая глина, каолин.

**porcellaneous** [,pɔːsə'leɪnɪəs] *a* фарфоровый.

**porch** [pɔːtʃ] *n* 1) подъезд, крыльцо; 2) портик; крытая галерея; 3) *амер.* веранда; балкон.

**porcine** ['pɔːsaɪn] *a* 1) свиной; 2) свинский.

**porcupine** ['pɔːkjupaɪn] *n* 1) *зоол.* дикобраз; 2) *текст.* ножовый барабан.

**pore** I [pɔː] *n* пора, скважина.

**pore** II [pɔː] *v* 1) сосредоточенно изучать, обдумывать (over, upon); poring over books погрузившись, углубившись в книги; 2) *уст.* сосредоточенно разглядывать (at, on, over).

**poriferous** [pɔ'rɪfərəs] *a* пористый, имеющий много пор.

**pork** [pɔːk] *n* 1) свинина; 2) *амер. разг.* «кормушка»; 3) *разг.* правительственные дотации, привилегии *и т. п.*, предоставляемые по политическим соображениям; 4) *attr.* сделанный из свинины, свиной.

**porker** ['pɔːkə] *n* откормленная на убой свинья (*особ. молодая*).

**pork pie** ['pɔːkpaɪ] *n* пирог со свининой.

**pork pie hat** ['pɔːkpaɪ'hæt] *n* шляпа с круглой плоской тульей и загнутыми полями.

**porky** ['pɔːkɪ] *a* 1) свиной; 2) *разг.* жирный, мясистый.

**pornographic** [,pɔːnə'ɡræfɪk] *a* порнографический.

**pornography** [pɔː'nɔɡrəfɪ] *n* порнография.

**porosity** [pɔː'rɔsɪtɪ] *n* пористость.

**porous** ['pɔːrəs] *a* пористый; скважистый, ноздреватый; губчатый.

**porphyry** ['pɔːfɪrɪ] *n мин.* порфир.

**porpoise** ['pɔːpəs] 1. *n* морская свинья; бурый дельфин;
2. *v ав.* подпрыгивать, барсить, козлить.
**porpoising** ['pɔːpəsɪŋ] 1. *pres. p. от* porpoise 2;
2. *n ав.* барс (*подпрыгивание при взлёте*).
**porridge** ['pɔrɪdʒ] *n* (овсяная) каша; ◇ to keep one's breath to cool one's ~ помалкивать, не соваться с советом.
**porringer** ['pɔrɪndʒə] *n* суповая чашка, мисочка.
**port** I [pɔːt] *n* 1) порт, гавань; ~ of entry, ~ of destination, ~ of call порт назначения; P. of London Authority управление лондонского порта; close ~ морской порт на реке; free ~ вольная гавань, порто-франко; 2) приют, убежище; 3) *attr.* портовый; ◇ any ~ in a storm ≅ в беде любой выход хорош.
**port** II [pɔːt] *n* 1) *уст., шотл.* ворота; 2) = porthole; 3) *тех.* отверстие; проход.
**port** III [pɔːt] 1. *n* 1) *уст., шотл.* осанка, манера держаться; 2) *воен.* положение винтовки к осмотру;
2. *v воен.* держать (*оружие*) перед собой (для осмотра); ~ arms! на грудь!
**port** IV [pɔːt] *мор.* 1. *n* 1) левый борт; (put the) helm to ~! лево руля!; 2) *attr.* левый;
2. *v* поворачивать *или* класть (руля) налево.
**port** V [pɔːt] *n* портвейн.
**portability** [,pɔːtə'bɪlɪtɪ] *n* портативность.
**portable** ['pɔːtəbl] *a* портативный, переносный, передвижной; съёмный, складной, разборный; ~ engine локомобиль.
**port admiral** ['pɔːt'ædmərəl] *n* командир порта.
**portage** ['pɔːtɪdʒ] 1. *n* 1) переноска, перевозка; провоз, транспорт; 2) стоимость перевозки; 3) волок; 4) жалованье матросам во время стоянки в порту;
2. *v* переправлять волоком.
**portal** I ['pɔːtl] 1. *n* 1) портал, главный вход; ворота; 2) тамбур (*дверей*); 3) *тех.* портальная рама; 4) *attr.* портальный;
2. *a*: ~ crane портальный кран.
**portal** II ['pɔːtl] *a*: ~ vein *анат.* воротная вена.
**portative** ['pɔːtətɪv] *a* портативный, передвижной.
**portcrayon** [,pɔːt'kreɪən] *фр. n* рейсфедер (*для карандаша*).
**portcullis** [pɔːt'kʌlɪs] *n* опускная решётка (*в крепостных воротах*).
**Porte** [pɔːt] *n*: The (Sublime *или* Ottoman) ~ *ист.* Блистательная (Высокая *или* Оттоманская) Порта (*название султанской Турции*).
**portend** [pɔː'tend] *v* предвещать, предзнаменовать.
**portent** ['pɔːtənt] *n* 1) предзнаменование, знамение; ~s of war предвестники войны; 2) чудо.
**portentous** [pɔː'tentəs] *a* 1) предсказывающий дурное; зловещий; 2) удивительный, необыкновенный; 3) важный, напыщенный (*о человеке*).
**porter** I ['pɔːtə] *n* привратник, швейцар.

**porter** II ['pɔːtə] *n* 1) носильщик; грузчик; ~'s knot наплечная подушка грузчика; 2) *амер.* проводник (*спального вагона*).
**porter** III ['pɔːtə] *n* портер (*чёрное пиво*).
**porterage** ['pɔːtərɪdʒ] *n* 1) переноска груза; 2) плата носильщику.
**porter-house** ['pɔːtəhaus] *n* 1) пивная; ресторан; 2) отборная часть филея (*тж.* ~ steak).
**portfire** ['pɔːtfaɪə] *n* запал, огнепроводный шнур.
**portfolio** [pɔːt'fouljou] *n* (*pl* -os [-ouz]) 1) портфель; 2) папка, «дело»; 3) должность министра; minister without ~ министр без портфеля; 4) портфель ценных бумаг (*банка и т. п.*).
**porthole** ['pɔːthoul] *n мор.* орудийный порт; амбразура (*башни*).
**portico** ['pɔːtikou] *n* (*pl* -oes, -os [-ouz]) *архит.* портик, галерея.
**portière** [pɔː'tjɛə] *фр. n* портьера.
**portion** ['pɔːʃən] 1. *n* 1) часть, доля; надел; 2) порция; 3) приданое; 4) удел, участь;
2. *v* 1) делить на части; 2) выделять часть, долю; 3) наделять, давать приданое (with); □ ~ out производить раздел (*имущества*).
**portionless** ['pɔːʃənlɪs] *a* без приданого (*о невесте*).
**Portland (cement)** ['pɔːtlənd (sɪ'ment)] *n* портланд-цемент.
**portliness** ['pɔːtlɪnɪs] *n* 1) тучность, полнота; 2) солидность; представительность.
**portly** ['pɔːtlɪ] *a* 1) полный, дородный; 2) представительный; осанистый.
**portmanteau** [pɔːt'mæntou] *n* (*pl* -s [-z], -x) 1) чемодан; 2) языковая контаминация (*искусственное слово, составленное из двух слов, напр.:* slanguage = slang + language).
**portmanteaux** [pɔːt'mæntouz] *pl от* portmanteau.
**portrait** ['pɔːtrɪt] *n* 1) портрет; 2) изображение; описание.
**portraitist** ['pɔːtrɪtɪst] *n* портретист.
**portraiture** ['pɔːtrɪtʃə] *n* 1) портретная живопись; 2) портрет; 3) *собир.* портреты; 4) описание, изображение.
**portray** [pɔː'treɪ] *v* 1) рисовать портрет; 2) подражать; 3) изображать; описывать; 4) изображать на сцене.
**portrayal** [pɔː'treɪəl] *n* 1) срисовывание; рисование (портрета); 2) изображение; описание.
**portreeve** ['pɔːtriːv] *n* 1) помощник мэра (*в некоторых городах*); 2) *ист.* мэр города (*преим. Лондона*).
**portress** ['pɔːtrɪs] *n* привратница.
**Portuguese** [,pɔːtju'giːz] 1. *a* португальский;
2. *n* 1) португалец; португалка; the ~ *pl собир.* португальцы; 2) португальский язык.
**pose** I [pouz] *v* 1) формулировать, излагать; 2) ставить, предлагать (*вопрос, задачу*); 3) ставить в определённую позу (*натурщика*); 4) позировать; 5) принимать позу, вид (*кого-л.*); as);
2. *n* поза (*тж. перен.*).
**pose** II [pouz] *v* (по)ставить в тупик, озадачить.

**poser** ['pouzə] *n* тру́дный вопро́с, тру́дная зада́ча, пробле́ма.

**poseur** [pou'zɑː] *фр. n* позёр.

**posh** [pɔʃ] *sl.* 1. *n* де́ньги (*ме́лочь*); 2. *a* превосхо́дный, шика́рный.

**posit** ['pɔzit] *v* 1) класть в осно́ву до́водов, постули́ровать; утвержда́ть; 2) ста́вить.

**position** [pə'ziʃən] 1. *n* 1) положе́ние, местоположе́ние; ме́сто; расположе́ние, пози́ция; in (out of) ~ в пра́вильном (непра́вильном) ме́сте; 2) *перен.* положе́ние, пози́ция; to put in a false ~ поста́вить в ло́жное положе́ние; 3) обы́чное, пра́вильное ме́сто; the players were in ~ игроки́ бы́ли на свои́х места́х; 4) возмо́жность; to be in a ~ to do smth. быть в состоя́нии, име́ть возмо́жность сде́лать что-л.; 5) положе́ние; до́лжность; 6) отноше́ние, то́чка зре́ния; to define one's ~ on smth. определи́ть своё отноше́ние к чему́-л.; to take up the ~ (that) стать на то́чку зре́ния (что), утвержда́ть (что);
2. *v* 1) ста́вить, помеща́ть; 2) определя́ть местоположе́ние.

**positional** [pə'ziʃənl] *a* позицио́нный.

**positive** ['pɔzətiv] 1. *a* 1) положи́тельный; 2) определённый, то́чный; 3) уве́ренный; I am ~ that this is so я уве́рен, что э́то так; 4) самоуве́ренный; 5) *разг.* абсолю́тный, в по́лном смы́сле сло́ва; 6) позити́вный; ~ philosophy позитиви́зм; 7) *грам.* положи́тельный (*о степени*); 8) *мат.* положи́тельный; ~ sign знак плюс; 9) *фото* позити́вный; 10) *тех.* с принуди́тельным движе́нием; нагнета́тельный;
2. *n* 1) *грам.* положи́тельная сте́пень; 2) *фото* позити́в.

**positively** ['pɔzətivli] *adv* 1) положи́тельно, несомне́нно, с уве́ренностью; 2) реши́тельно, категори́чески; безусло́вно.

**positivism** ['pɔzitivizəm] *n* *филос.* позитиви́зм.

**positron** ['pɔzitrɔn] *n* *физ.* позитро́н.

**posse** ['pɔsi] *n* 1) ополче́ние, созыва́емое шери́фом (*для подавле́ния беспоря́дков*); 2) отря́д (*полице́йских*); 3) гру́ппа вооружённых люде́й, наделённая определёнными права́ми.

**possess** [pə'zes] *v* 1) облада́ть, владе́ть; to be ~ed of smth. облада́ть чем-л.; every human being ~ed of reason вся́кий разу́мный челове́к; to ~ oneself of smth. овладе́ть чем-л.; to ~ oneself (*или* one's soul, one's mind) владе́ть собо́й; запасти́сь терпе́нием; 2) овладева́ть, захва́тывать (*о чу́встве, настрое́нии и т. п.*); to be ~ed by (*или* with) smth. быть одержи́мым чем-л.; you are surely ~ed вы с ума́ сошли́; what ~ed him to do it? что его́ дёрнуло сде́лать э́то?

**possessed** [pə'zest] 1. *p. p. от* possess; 2. *a* одержи́мый; ненорма́льный; рехну́вшийся.

**possession** [pə'zeʃən] *n* 1) владе́ние, облада́ние; in ~ of smth. владе́ющий чем-л.; in the ~ of smb., in smb.'s ~ в чьём-л. владе́нии; to take ~ of вступа́ть во владе́ние; овладе́ть; 2) *pl* со́бственность; иму́щество; 3)(*часто pl*) владе́ния, зави́симая тер-

рито́рия; 4) самооблада́ние; 5) одержи́мость.

**possessive** [pə'zesiv] *a* 1) со́бственнический; 2) *грам.* притяжа́тельный; ~ case притяжа́тельный паде́ж; ~ pronoun притяжа́тельное местоиме́ние.

**possessor** [pə'zesə] *n* владе́лец, облада́тель.

**possessory** [pə'zesəri] *a* владе́льческий.

**posset** I ['pɔsit] *n* горя́чий напи́ток из молока́, вина́ и пря́ностей.

**posset** II ['pɔsit] *v* свёртываться (*о молоке́, крови́*).

**possibility** [,pɔsə'biliti] *n* возмо́жность, вероя́тность.

**possible** ['pɔsəbl] 1. *a* 1) возмо́жный, вероя́тный; if ~ е́сли э́то возмо́жно; as early as ~ как мо́жно ра́ньше; ~ ore *геол.* возмо́жные неразве́данные запа́сы руды́; 2) *разг.* сно́сный, терпи́мый;
2. *n* возмо́жное; to do one's ~ сде́лать всё возмо́жное.

**possibly** ['pɔsəbli] *adv* возмо́жно; мо́жет быть; how can I ~ do it? как я могу́ сде́лать э́то?

**possum** ['pɔsəm] *n* *разг.* опо́ссум; ◇ to play ~ а) притворя́ться больны́м *или* мёртвым; б) прики́дываться не понима́ющим *или* не зна́ющим (*чего́-л.*); to play ~ with a person обману́ть кого́-л.

**post** I [poust] 1. *n* 1) столб, сто́йка, ма́чта, сва́я, подпо́рка; starting ~ ста́ртовый столб; 2) *спорт.* столб у фи́ниша; to be beaten on the ~ отста́ть на са́мую ма́лость; 3) це́лик у́гля *или* руды́; 4) *геол.* известня́к с то́нкими просло́йками сла́нца, мелкозерни́стый песча́ник; ◇ as deaf as a ~ глухо́й как пень, соверше́нно глухо́й;
2. *v* 1) выве́шивать, раскле́ивать (*афи́ши; обы́кн.* ~ up); реклами́ровать с по́мощью афи́ш и плака́тов; 2) закле́ивать афи́шами *или* плака́тами (*сте́ну и т. п.*); 3) объявля́ть о ги́бели су́дна; 4) *амер.* объявля́ть о запреще́нии охо́ты; 5) включа́ть в вы́вешенные спи́ски имена́ провали́вшихся на экза́мене студе́нтов.

**post** II [poust] 1. *n* 1) по́чта; 2) почто́вое отделе́ние; 3) почто́вый я́щик; 4) доста́вка по́чты; by return of ~ с обра́тной по́чтой; 5) форма́т бума́ги (*писче́й — 15$^1$/$_2$ д. × 19 д.; печа́тной — 15$^1$/$_2$ д. × 19$^1$/$_2$ д.*); 6) *attr.* почто́вый; ◇ Job's ~ челове́к, принося́щий дурны́е ве́сти;
2. *v* 1) отправля́ть по по́чте; опусти́ть в почто́вый я́щик; 2) е́хать на почто́вых; 3) спеши́ть, мча́ться; 4) (*часто pass.*) осведомля́ть, дава́ть по́лную информа́цию (*тж.* ~ up); to be ~ed as to smth. быть в ку́рсе чего́-л.; 5) *бухг.* переноси́ть (*за́пись*) в гроссбу́х (*тж.* ~ up);
3. *adv* 1) по́чтой; 2) на почто́вых; 3) поспе́шно.

**post** III [poust] 1. *n* 1) пост, до́лжность; положе́ние; 2)*воен.* пост; пози́ция; укреплённый у́зел; форт; 3) *амер. воен.* гарнизо́н; постоя́нная стоя́нка; 4) *ж.-д.* блокпо́ст; 5) *тех.* пункт управле́ния;
2. *v* 1) располага́ть, расставля́ть, ста́вить (*солда́т и т. п.*); 2) *воен.* назнача́ть

post- [poust-] *pref* после-, по-; ~-glacial *геол.* послеледниковый.

postage ['poustɪdʒ] *n* почтовая оплата, почтовые расходы; inland ~ внутренний почтовый тариф.

postage stamp ['poustɪdʒ'stæmp] *n* почтовая марка.

postal ['poustəl] 1. *a* почтовый; ~ card *амер.* почтовая открытка; ~ order денежный перевод по почте; (Universal) P. Union Международный почтовый союз; 2. *n амер. разг.* открытка.

post-bag ['poustbæg] *n* сумка почтальона.

post-bellum ['poust'beləm] *a* послевоенный; происшедший после войны, *особ.* после гражданской войны в США.

post-boy ['poustbɔɪ] *n* 1) почтальон; 2) форейтор.

post captain ['poust'kæptɪn] *n мор. ист.* 1) командир корабля с 20 пушками; 2) капитан 1 ранга.

postcard ['poustkɑːd] *n* 1) почтовая карточка, открытка; 2) *амер.* открытка, изданная частным лицом.

post-chaise ['poustʃeɪz] *n* почтовая карета, дилижанс.

post-coach ['poustkoutʃ] = post-chaise.

post-date ['poust'deɪt] 1. *n* дата, проставленная более поздним числом; 2. *v* датировать более поздним числом.

postdiluvial ['poustdaɪ'luːvjəl] *a* 1) *геол.* постделювиальный; 2) *библ.* после потопа.

post-diluvian ['poustdaɪ'luːvjən] = postdiluvial 2).

poster ['poustə] 1. *n* 1) расклейщик афиш; 2) объявление, плакат, афиша; 3) мяч, проходящий над штангой при попытке забить гол (*в футболе*); 2. *v* 1) рекламировать; 2) оклеивать рекламами.

poste restante ['poust'restɑːnt] *фр. n* 1) отделение на почте для корреспонденции до востребования; 2) «до востребования» (*надпись на конверте*).

posterior [pɔs'tɪərɪə] 1. *a* 1) задний; 2) последующий; позднейший; 2. *n* зад, ягодицы.

posteriority [pɔs,tɪərɪ'ɔrɪtɪ] *n* следование (*за чем-л.*); позднейшее обстоятельство.

posteriorly [pɔs'tɪərɪəlɪ] *adv* сзади.

posterity [pɔs'terɪtɪ] *n* потомство; последующие поколения.

postern ['poustən] *n уст.* 1) задняя дверь; 2) боковая дорога *или* боковой вход; 3) *attr.* задний.

Post Exchange ['poustɪks'tʃeɪndʒ] *n амер.* гарнизонная лавка.

post-free ['poust'friː] *a, adv* без почтовой оплаты.

post-glacial ['poust'gleɪsjəl] *a геол.* послеледниковый.

post-graduate ['poust'grædjuɪt] 1. *n* аспирант; 2. *a* 1) изучаемый, проходимый после окончания университета; ~ courses курсы усовершенствования; 2) аспирантский.

post-haste ['poust'heɪst] *adv* с большой поспешностью, сломя голову.

post-horse ['pousthɔːs] *n* почтовая лошадь.

post-house ['pousthaus] *n* почтовая станция.

posthumous ['pɔstjuməs] *a* 1) посмертный; 2) рождённый после смерти отца.

postil(l)ion [pəs'tɪljən] *n* форейтор.

postman ['poustmən] *n* почтальон.

postmark ['poustmɑːk] 1. *n* почтовый штемпель; 2. *v* штемпелевать (*письмо*).

postmaster ['poust,mɑːstə] *n* почтмейстер; начальник почтового отделения.

Postmaster General ['poust,mɑːstə'dʒenərəl] *n* министр почт.

postmeridian ['poustmə'rɪdɪən] *a* послеполуденный.

post meridiem ['poustmə'rɪdɪəm] *лат. adv* после полудня (*обыкн. сокр.* p. m.).

postmistress ['poust,mɪstrɪs] *n* женщина—начальник почтового отделения.

post mortem ['poust'mɔːtem] *лат. adv* после смерти.

post-mortem ['poust'mɔːtem] 1. *n* 1) вскрытие трупа, аутопсия; 2) *шутл.* обсуждение игры (*особ. карточной*) после её окончания; 2. *a* посмертный; 3. *v* подвергать вскрытию, производить вскрытие (*трупа*).

post-natal ['poust'neɪtl] *a* происходящий после рождения, послеродовой.

post-nuptial ['poust'nʌpʃəl] *a* после заключения брака.

post-obit ['poust,ɔbɪt] 1. *n* обязательство уплатить кредитору по получении наследства; 2. *a* вступающий в силу после смерти (*кого-л.*).

Post-Office ['poust,ɔfɪs] *n* министерство почт.

post-office ['poust,ɔfɪs] *n* 1) почта, почтовая контора; почтовое отделение; general ~ почтамт; 2) *attr.* почтовый; ~ order денежный перевод; ~ box абонементный почтовый ящик; ~ savings-bank сберегательная касса при почтовом отделении.

post-paid ['poust'peɪd] *a* с оплаченными почтовыми расходами.

postpone [poust'poun] *v* 1) откладывать, отсрочивать; 2) *уст.* считать второстепенным.

postponement [poust'pounmənt] *n* отсрочка.

postposition ['poustpə'zɪʃən] *n* 1) помещение позади; 2) *лингв.* постпозиция; энклитика (*напр.*, -wards); послелог.

postpositive ['poust'pɔzɪtɪv] *a грам.* постпозитивный, постпозиционный.

post-postscript ['poust'pousskrɪpt] *n* второй постскриптум (*сокр.* P. P. S.).

postprandial ['poust'prændɪəl] *a шутл.* послеобеденный.

postscript ['pousskrɪpt] *n* постскриптум (*сокр.* P.S.).

post-town ['pousttaun] *n* город, имеющий почтамт.

postulant ['pɔstjulənt] *n* кандидат (*особ. на поступление в религиозный орден*).

postulate 1. *n* ['pɔstjulɪt] 1) постулат; 2) предварительное условие;

**2.** *v* ['pɔstjuleɪt] 1) постулировать, принимать без доказательства; 2) ставить условием (for); 3) (*обыкн. p. p.*) требовать.

**posture** ['pɔstʃə] **1.** *n* 1) поза, положение; 2) состояние, положение; the present ~ of affairs (настоящее) положение вещей;
**2.** *v* 1) ставить в позу; 2) позировать.

**post-war** ['poust'wɔ:] *a* послевоенный.

**posy** ['pouzi] *n* 1) букет цветов; 2) *уст.* девиз (*на кольце и т. п.*).

**pot** [pɔt] **1.** *n* 1) горшок; котелок; банка; кружка; 2) ночной горшок; 3) *спорт. разг.* кубок, приз; 4) *разг.* нок; 5) *разг.* крупная сумма; ~ (*или* ~s) of money большая сумма; куча денег; 6) *разг.* совокупность ставок (*на скачках, в картах*); 7) *тех.* тигель; 8) дефлектор, зонт дымовой трубы; 9) *геол.* купол; ◇ a big ~ важная персона, «шишка»; to go to ~ *sl.* а) вылететь в трубу, разориться, погибнуть; б) разрушиться; all gone to ~ ≅ всё пошло к чертям; to keep the ~ boiling (*или* on the boil) а) зарабатывать на пропитание; б) энергично продолжать; to make the ~ boil, to boil the ~ а) зарабатывать средства к жизни; б) подрабатывать, халтурить; the ~ calls the kettle black ≅ не смейся горох, не лучше бобов; уж кто бы говорил, а ты бы помалкивал (*т. е.* сам тоже хорош);
**2.** *v* 1) класть в горшок *или* котелок; 2) консервировать, заготовлять впрок; 3) варить в котелке; 4) сажать в горшок (*цветы*); 5) загонять в лузу (*шар в бильярде*); 6) стрелять, застрелить (*на близком расстоянии*); 7) захватывать, завладевать.

**potability** [,poutə'bɪlɪtɪ] *n* пригодность для питья.

**potable** ['poutəbl] **1.** *a* годный для питья; питьевой; ~ water питьевая вода;
**2.** *n pl* напитки.

**potash** ['pɔtæʃ] *n хим.* поташ, углекислый калий.

**potash-soap** ['pɔtæʃ'soup] *n* калийное мыло, зелёное мыло.

**potass** ['pɔtæs] *уст.* = potash.

**potassium** [pə'tæsjəm] *n хим.* 1) калий; 2) *attr.* калийный.

**potation** [pou'teɪʃən] *n* 1) питьё; выпивка; 2) (*обыкн. pl*) пьянство; 3) глоток; 4) спиртной напиток.

**potato** [pə'teɪtou] *n* (*pl* -oes [-ouz]) 1) картофель (*растение*); 2) картофелина; *pl* картофель; 3) *pl амер. sl.* деньги; 4) *attr.* картофельный; ◇ small ~es а) пустяки; б) мелкие людишки; quite the ~ *разг.* как раз то, что надо; not (quite) the clean ~ *разг.* подозрительная личность, непорядочный человек.

**potato-box** [pə'teɪtouboks] *n sl.* рот.

**potatory** ['poutətərɪ] *a* питейный.

**potato-trap** [pə'teɪtoutræp] = potato-box.

**pot-belly** ['pɔt,belɪ] *n* 1) большой живот; 2) пузатый человек.

**pot-boiler** ['pɔt,bɔɪlə] *n разг.* 1) халтура; 2) халтурщик.

**pot-boy** ['pɔtbɔɪ] *n* мальчик, прислуживающий в кабаке.

**poteen** [pɔ'tiːn] *n* ирландский самогон.

**potency** ['poutənsɪ] *n* сила, могущество.

**potent** ['poutənt] *a* 1) могущественный; мощный; 2) сильнодействующий; крепкий (*о спиртных напитках*); ~ drug сильнодействующее лекарство; 3) убедительный.

**potentate** ['poutənteɪt] *n* властелин, монарх.

**potential** [pə'tenʃəl] **1.** *n* 1) возможность; 2) потенциал; 3) *эл.* потенциал, напряжение;
**2.** *a* 1) потенциальный; возможный; 2) *эл.*: ~ difference разность потенциалов.

**potentiality** [pə,tenʃɪ'ælɪtɪ] *n* потенциальность; возможность.

**potentiate** [pə'tenʃɪeɪt] *v* 1) придавать силу; 2) делать возможным.

**potentiometer** [pə,tenʃɪ'ɔmɪtə] *n эл.* потенциометр.

**pot hat** ['pɔthæt] *n* котелок (*шляпа*).

**potheen** [pɔ'tiːn] = poteen.

**pother** ['pɔðə] **1.** *n* 1) удушливый дым; 2) облако пыли; 3) шум; 4) суматоха, волнение;
**2.** *v* 1) волновать; беспокоить; 2) волноваться, суетиться.

**pot-herb** ['pɔthəːb] *n* овощ, зелень.

**pot-hole** ['pɔthoul] *n* рытвина, выбоина.

**pot-hook** ['pɔthuk] *n* 1) крюк над очагом; 2) крючок с длинной ручкой (*чтобы доставать из очага котелки и т. п.*); 3) ~s and hangers крючки и палочки (*в обучении письму*); каракули.

**pot-house** ['pɔthaus] *n* пивная, кабак.

**pot-hunter** ['pɔt,hʌntə] *n* 1) охотник, убивающий всякую дичь без разбора; 2) *спорт.* любитель призов.

**potion** ['pouʃən] *n* доза лекарства *или* яда.

**pot luck** ['pɔt'lʌk] *n* всё, что имеется на обед; come and take ~ with us ≅ чем богаты, тем и рады, пообедайте с нами.

**potman** ['pɔtmən] *n* подручный в кабаке.

**pot paper** ['pɔt,peɪpə] = pott.

**pot-pourri** [pou'puːrɪ] *фр. n* 1) ароматическая смесь (*из сухих лепестков*); 2) смесь, мешанина; 3) попурри.

**pot-roast** ['pɔtroust] *n* тушёное мясо (*обыкн. говядина*).

**potsherd** ['pɔtʃəːd] *n* черепок.

**pot-shot** ['pɔt'ʃɔt] *n* 1) выстрел по близкой *или* неподвижной цели; 2) выстрел наугад; 3) попытка «на авось».

**pot-still** ['pɔtstɪl] *n* перегонный куб.

**pott** [pɔt] *n* формат писчей бумаги (12,5 *д.* × 15,5 *д.*).

**pottage** ['pɔtɪdʒ] *n уст.* похлёбка.

**pottah** ['pɔtə] *n англо-инд.* документ, удостоверяющий право пользования.

**potted** ['pɔtɪd] **1.** *p. p. от* pot 2;
**2.** *a* 1) консервированный; ~ meat мясные консервы; 2) *sl.* пьяный.

**potter I** ['pɔtə] *n* гончар; ~'s clay гончарная *или* горшечная глина; ~'s lathe гончарный станок; ~'s wheel гончарный круг.

**potter II** ['pɔtə] *v* 1) работать беспорядочно (at, in — над *чем-л.*); 2) работать лениво, лодырничать (*тж.* ~ about); 3) бесцельно тратить время.

**pottery** ['pɔtərɪ] *n* 1) гли́няные изде́лия, фая́нс; 2) кера́мика, гонча́рное де́ло; 3) гонча́рня, гонча́рная мастерска́я.

**pottle** ['pɔtl] *n* 1) *уст.* полгалло́на; кру́жка в полгалло́на; 2) корзи́нка (*для ягод*).

**potto** ['pɔtou] *n* (*pl* -os [-ouz]) *зоол.* 1) западноафрика́нский лему́р; 2) кинка́жу, цепкохво́стый ено́т.

**potty** I ['pɔtɪ] *дет. см.* pot 1, 2).

**potty** II ['pɔtɪ] *a разг.* 1) ме́лкий, захуда́лый; 2) лёгкий, пустя́чный; 3) ненорма́льный, не в своём уме́.

**pot-valiant** ['pɔt,væljənt] *a* хра́брый во хмелю́.

**pot valour** ['pɔt,vælə] *n* хмельно́й задо́р.

**pouch** [pautʃ] 1. *n* 1) су́мка; мешо́чек; 2) *воен.* подсу́мок; 3) кисе́т; 4) мешо́к с по́чтой; 5) *шотл.* карма́н; 6) *уст.* кошелёк; 2. *v* 1) класть в су́мку; 2) присва́ивать, прикарма́нивать; 3) *sl.* дава́ть на чай; 4) де́лать на́пуск (*на платье*); 5) висе́ть мешко́м.

**pouchy** ['pautʃɪ] *a* мешкова́тый.

**poulard** [puː'lɑːd] *фр. n* пуля́рка.

**poult** [poult] *n* цыплёнок, индюшо́нок *и т. п.*

**poulterer** ['poultərə] *n* торго́вец дома́шней пти́цей.

**poultice** ['poultɪs] 1. *n* припа́рка; 2. *v* класть припа́рки.

**poultry** ['poultrɪ] *n* 1) дома́шняя пти́ца; 2) *attr.*: ~ farm птицево́дческая фе́рма; ~ house пти́чник; ~ yard пти́чий двор; вольё́р (а).

**pounce** I [pauns] 1. *n* 1) ко́готь (*я́стреба и т. п.*); 2) внеза́пный прыжо́к, наско́к; 2. *v* 1) набра́сываться, налета́ть, обру́шиваться, внеза́пно атакова́ть (on, upon, at); 2) схвати́ть в ко́гти; 3) ухвати́ться (upon — за), воспо́льзоваться (*оши́бкой, прома́хом и т. п.*; upon); 4) придира́ться (upon).

**pounce** II [pauns] 1. *n* 1) *тех.* сандара́к; 2) у́гольный порошо́к; 2. *v* 1) затира́ть сандара́ком; 2) переводи́ть, копи́ровать (*узо́р*) у́гольным порошко́м.

**pounce** III [pauns] 1. *n* вы́тисненное *или* вы́резанное отве́рстие (*узо́ра*); 2. *v* пробива́ть, просве́рливать.

**pound** I [paund] *n* 1) фунт (*англ.* = 453,6 *г*); 2) фунт сте́рлингов (= 20 *ши́ллингам*); five shillings in the ~ пять ши́ллингов *или* 25% с ка́ждого фу́нта; 3) фунт (*де́нежная едини́ца Австра́лии, Еги́пта, Ирла́ндии и не́которых др. стран*); ◇ ~ of flesh то́чное коли́чество, причита́ющееся по зако́ну.

**pound** II [paund] 1. *n* 1) заго́н (*для скота́*); 2) тюрьма́; 2. *v* 1) загоня́ть в заго́н; 2) заключа́ть в тюрьму́.

**pound** III [paund] 1. *v* 1) толо́чь; 2) бить, колоти́ть; 3) колоти́ться, си́льно биться (*о се́рдце*); 4) бомбардирова́ть (at, on); 5) тяжело́ скака́ть, с трудо́м продвига́ться (along); □ ~ out а) расплю́щивать, распрямля́ть (*уда́рами*); б) колоти́ть (*по роя́лю*);

2. *n* тяжёлый уда́р.

**poundage** ['paundɪdʒ] *n* 1) проце́нт с фу́нта сте́рлингов; 2) пла́та, взима́емая за перево́д де́нег по по́чте в зави́симости от переводи́мой су́ммы; 3) по́шлина с ве́са.

**pound-cake** ['paundkeɪk] *n* торт, в кото́ром по фу́нту *или* по́ровну основны́х составны́х часте́й.

**pounder** I ['paundə] *n* предме́т ве́сом в оди́н фунт.

**pounder** II ['paundə] *n* 1) пе́стик; 2) сту́пка; дроби́лка.

**-pounder** [-'paundə] *в сло́жных слова́х означа́ет*: а) ве́сящий сто́лько-то фу́нтов; б) со снаря́дом, ве́сящим сто́лько-то фу́нтов (*о пу́шке*); *напр.*: опе-~ 37-мм пу́шка; в) сто́ящий сто́лько-то фу́нтов (*о предме́те*); г) облада́ющий состоя́нием, ра́вным сто́льким-то фу́нтам.

**pound foolish** ['paund,fuːlɪʃ] *a*: penny wise and ~ *см.* penny wise.

**pour** [pɔː] 1. *v* 1) лить(ся), влива́ть(ся); it is ~ing (wet *или* with rain) льёт как из ведра́; 2) налива́ть (into); 3) разлива́ть (*чай и т. п.*); □ ~ forth изверга́ть (*слова́*), сы́пать (*слова́ми*); ~ in а) вали́ть в дыме́, о толпе́); б) сы́паться (*о новостя́х и т. п.*); letters ~ in from all quarters пи́сьма сы́плются отовсю́ду; ~ out а) налива́ть, разлива́ть (*чай, вино́*); отлива́ть, вылива́ть; б) вали́ть нару́жу (*о толпе́*); ~ through ли́ться сквозь (*о све́те*); ◇ to ~ cold water on smb. расхола́живать кого́-л.; it never rains but it ~s *посл.* ≈ беда́ не прихо́дит одна́;

2. *n* 1) ли́вень; 2) *метал.* отли́вка, литьё́; ли́тник.

**pouring** ['pɔːrɪŋ] 1. *pres. p. от* pour 1; 2. *a* проливно́й (*о дожде́*).

**pourparler** [puə'pɑːleɪ] *фр. n* (*обыкн. pl*) предвари́тельные неофициа́льные перего́воры.

**pout** [paut] 1. *n* недово́льная грима́са; to be in the ~s ду́ться; 2. *v* наду́ть гу́бы.

**pouter** ['pautə] *n* 1) недово́льный, наду́тый челове́к; 2) зоба́стый го́лубь.

**poverty** ['pɔvətɪ] *n* 1) бе́дность; 2) ску́дность, оскуде́ние.

**poverty-stricken** ['pɔvətɪ,strɪkən] *a* бе́дный.

**powder** ['paudə] 1. *n* 1) порошо́к; пыль; 2) пу́дра; 3) по́рох; smokeless ~ безды́мный по́рох; ◇ food for ~ пу́шечное мя́со; not worth ~ and shot ≈ овчи́нка вы́делки не сто́ит; не сто́ит уси́лий; put more ~ into it! бе́йте сильне́е!; smell of ~ боево́й о́пыт; 2. *v* 1) посыпа́ть (*порошко́м*); соли́ть; 2) пу́дрить(ся); припу́дривать; 3) испещря́ть; 4) превраща́ть в порошо́к, толо́чь.

**powdered** ['paudəd] 1. *p. p. от* powder 2; 2. *a* 1) порошкообра́зный; ~ milk моло́чный порошо́к; ~ soap мы́льный порошо́к; ~ sugar са́харная пу́дра; 2) *диал.* солё́ный; ~ beef солони́на.

**powder-flask** ['paudəflɑːsk] *n* пороховни́ца.

**powder-horn** ['paudəhɔːn] *n* пороховой рог.

**powder-magazine** ['paudəmægə‚zi:n] *n* 1) пороховóй пóгреб; 2) *мор.* зарядный пóгреб; крюйт-кáмера.

**powder·mill** ['paudəmıl] *n* пороховóй завóд.

**powder-monkey**['paudə'mʌŋkı] *n мор. ист.* мáльчик, подносящий пóрох.

**powder-puff** ['paudəpʌf] *n* пухóвка.

**powder-room** ['paudərum] *n* i) дáмская туалéтная кóмната; 2) *мор.* зарядный пóгреб.

**powdery** ['paudərı] *a* 1) рассыпчатый; порошкообрáзный; похóжий на пýдру; 2) посыпанный порошкóм.

**power** ['pauə] **1.** *n* 1) сила; мóщность; энéргия; производительность; by ~ механической силой, привóдом от двигателя; without ~ с выключенным двигателем; the mechanical ~s простые машины; 2) могýщество, власть (*тж.* госудáрственная); supreme ~ верхóвная власть; the party in ~ пáртия, стоящая у влáсти; 3) полномóчие; the ~ of attorney мандáт; 4) держáва; the Great Powers великие держáвы; 5) спосóбность; возмóжность; I will do all in my ~ я сдéлаю всё, что в моих силах; it is beyond my ~ это не в моéй влáсти; 6) *разг.* мнóго, мнóжество; a ~ of money кýча дéнег; a ~ of good мнóго пóльзы; 7) *мат.* стéпень; eight is the third ~ of two вóсемь предстáвляет собóй два в трéтьей стéпени; 8) *опт.* сила увеличéния (*линзы, микроскопа и т. п.*); 9) *attr.* силовóй, энергетический; мотóрный; маши́нный; ◇ ~ politics политика с позиции силы; more ~ to your elbow! желáю успéха!; the ~s that be влáсти предержáщие; merciful ~s! силы небéсные!;

2. *v* снабжáть силовым двигателем.

**power-boat** ['pauəbout] *n* мотóрный кáтер.

**power circuit** ['pauə‚sə:kıt] *n эл.* силовáя цепь.

**power-dive** ['pauədaıv] *n ав.* пикировáние с рабóтающим двигателем.

**powerful** ['pauəful] *a* 1) сильный, могýчий, мóщный; 2) могýщественный; 3) сильнодéйствующий; 4) яркий (*о речи, описании*).

**power-house** ['pauəhaus] *n* 1) электрическая стáнция; 2) *разг.* óчень энергичный человéк.

**powerless** ['pauəlıs] *a* бессильный.

**power-plant** ['pauəpla:nt] *n* 1) силовáя устанóвка; 2) электростáнция.

**power-saw** ['pauəsɔ:] *n тех.* мотопилá.

**power-shovel** ['pauə‚ʃʌvl] *n* экскавáтор.

**power-station** ['pauə‚steıʃən] = power-house 1).

**powwow** ['pauwau] **1.** *n* 1) знáхарь, колдýн (*у североамериканских индéйцев*); 2) собрáние (*у индéйцев*); 3) *амер.* совещáние, конферéнция; обсуждéние;

2. *v* 1) занимáться знáхарством; 2) совещáться, разговáривать; обсуждáть.

**pox** [pɔks] *n разг.* сифилис.

**pozzy** ['pɔzı] *n sl.* варéнье, джем.

**praam** [pra:m] = pram I.

**practicability** [‚præktıkə'bılıtı] *n* 1) осуществимость; 2) целесообрáзность; 3) проходимость.

**practicable** ['præktıkəbl] *a* 1) осуществимый, реáльный; 2) полéзный; могýщий быть использованным; 3) проходимый, проéзжий (*о дороге*); 4) *театр.* настоящий, не декоративный (*об окне, двери и т. п.*).

**practical** ['præktıkəl] *a* 1) практический; 2) целесообрáзный, полéзный; 3) практичный; 4) фактический; ◇ ~ joke (грýбая) шýтка (*сыгранная с кем-л.*).

**practically** ['præktıkəlı] *adv* 1) практически; 2) [-klı] фактически; ~ speaking в сýщности; 3) почти; ~ no changes почти никаких изменéний.

**practice** ['præktıs] **1.** *n* 1) прáктика, дéйствие, применéние; in ~ на прáктике, на дéле; to put in(to) ~ осуществлять; 2) прáктика, упражнéние, тренирóвка; to be out of ~ не упражняться, не имéть прáктики; 3) привычка, обычай; установленный порядок; it was then the ~ это было тогдá принято; to put into ~ ввести в обихóд, в обращéние; 4) прáктика, дéятельность по специáльности (*юриста, врача*); 5) (*обыкн. pl*) прóиски, интриги; corrupt ~s взяточничество; discreditable ~s тёмные делá; sharp ~ мошéнничество; 6) *воен.* учéние; учéбная стрельбá; 7) *attr.* учéбный, практический; óпытный; ~ ground а) *воен.* учéбный плац; б) *с.-х.* óпытное пóле; ~ march учéбный марш; ◇ ~ makes perfect *посл.* ≅ нáвык мáстера стáвит;

2. *v* = practise.

**practician** [præk'tıʃən] *n* прáктик.

**practise** ['præktıs] *v* 1) применять, осуществлять; to ~ what one preaches жить соглáсно свои́м взглядам; 2) занимáться (*чем-л.*), практиковáть; to ~ law быть юристом; 3) практиковáть(ся), упражнять(ся); тренировáть(ся); □ ~ upon обмáнывать; злоупотреблять *чем-л.*

**practised** ['præktıst] **1.** *p. p. от* practise;

2. *a* óпытный, умéлый.

**practitioner** [præk'tıʃnə] *n* 1) практикýющий врач *или* юрист; general ~ врач óбщей прáктики (*терапéвт и хирýрг*); 2) *редк.* профессионáл.

**praepostor** [pri:'pɔstə] *n* стáрший ученик, наблюдáющий за дисциплиной.

**praetor** ['pri:tə] *n др.-рим. ист.* прéтор.

**praetorian** [pri:'tɔ:rıən] *др.-рим. ист.* **1.** *a* преториáнский;

2. *n* преториáнец.

**pragmatic** [præg'mætık] *a* 1) *филос.* прагматический; 2) *редк.* = pragmatical 1) *и* 2).

**pragmatical** [præg'mætıkəl] *a* 1) назóйливый, вмéшивающийся в чужи́е делá; 2) догматичный; 3) *редк.* = pragmatic 1).

**pragmatism** ['prægmətızəm] *n* 1) *филос.* прагматизм; 2) назóйливость; 3) догматизм.

**prairie** ['prɛərı] *n* 1) прéрия, степь; 2) *attr.* степнóй, живýщий в прéрии.

**prairie-chicken** ['prɛərı‚tʃıkın] *n зоол.* лугово́й тéтерев.

**prairie-dog** ['prɛərıdɔg] *n зоол.* степнáя собáка.

**prairie-hen** ['prɛərıhen] *n* сáмка луговóго тéтерева.

**prairie-schooner** ['prɛərɪ'skuːnə] *n амер. ист.* фургóн переселéнцев.

**prairie-wolf** ['prɛərɪwulf] *n* койóт, луговóй волк.

**praise** [preɪz] 1. *n* хвалá; восхвалéние; beyond ~ вы́ше вся́кой похвалы́; to be loud in one's ~s, to sing one's ~s восхваля́ть;

2. *v* хвали́ть; восхваля́ть; превозноси́ть; to ~ to the skies превозноси́ть до небéс.

**praiseworthy** ['preɪz,wəðɪ] *a* достóйный похвалы́; похвáльный.

**Prakrit** ['prɑːkrɪt] *n лингв.* пракри́т.

**praline** ['prɑːlɪn] *n* пралинé (*кондитерские изделия*).

**pram** I [prɑːm] *n* плоскодóнное сýдно, плашкóут.

**pram** II [præm] *разг. см.* perambulator 1).

**prance** [prɑːns] 1. *n* 1) скачóк; 2) гóрдая похóдка; 3) надмéнная манéра, надмéнность;

2. *v* 1) станови́ться на дыбы́, гарцевáть; 2) ходи́ть гóголем, вáжничать, задавáться; 3) *разг.* танцевáть; пры́гать.

**prancing** ['prɑːnsɪŋ] 1. *pres. p. om* prance 2);

2. *a* 1) скáчущий; 2) вáжный (*о похóдке, манере держаться*).

**prandial** ['prændɪəl] *a шутл.* обéденный.

**prang** [præŋ] *ав. sl.* 1. *n* 1) бомбардирóвка; 2) авáрия;

2. *v* порази́ть; разрýшить; разбомби́ть; сбить (*самолёт*).

**prank** I [præŋk] *n* вы́ходка, прокáза, продéлка, шáлость; шýтка; to play ~s а) откáлывать штýки; б) капри́зничать (*о машине*).

**prank** II [præŋk] *v* украшáть; наряжáть (-ся), разряжáться (*часто* ~ out, ~ up).

**prankish** ['præŋkɪʃ] *a* 1) шаловли́вый; озорнóй; 2) шутли́вый.

**praps** [præps] *разг. см.* perhaps.

**prase** [preɪz] *n мин.* прáзем, зеленовáтый кварц.

**praseodymium** [,preɪzɪou'dɪmɪəm] *n хим.* празеоди́мий.

**prate** [preɪt] 1. *n* пустослóвие, болтовня́; 2. *v* болтáть, нести́ чепухý; разбáлтывать.

**praties** ['preɪtɪz] *n pl ирл. разг.* картóфель.

**pratincole** ['prætɪŋkoul] *n* тиркýшка луговáя (*птица*).

**pratique** ['prætiːk] *фр. n мор.* свидéтельство о сня́тии каранти́на; разрешéние на сообщéние с бéрегом.

**prattle** ['prætl] 1. *n* 1) лéпет; 2) болтовня́; 2. *v* 1) лепетáть; 2) болтáть.

**prattler** ['prætlə] *n* 1) ребёнок; 2) болтýн.

**prawn** [prɔːn] 1. *n зоол.* пи́льчатая кревéтка;

2. *v* лови́ть кревéток.

**praxis** ['præksɪs] *n* 1) прáктика; 2) обы́чай; 3) *грам.* приме́ры (*для упражнения*).

**pray** [preɪ] *v* 1) моли́ться; 2) проси́ть, моли́ть, умоля́ть; ~! пожáлуйста!, прошý вас!; to ~ in aid of smb. *уст.* призывáть когó-л. на пóмощь.

**praya** ['praɪə] *n англо-инд.* нáбережная.

**prayer** I [prɛə] *n* 1) моли́тва; 2) прóсьба; мольбá.

**prayer** II ['preɪə] *n* 1) моля́щийся; 2) проси́тель.

**prayer-book** ['prɛəbuk] *n* трéбник.

**prayerful** ['prɛəful] *a* 1) богомóльный; 2) моли́твенный.

**praying** ['preɪŋ] 1. *pres. p. om* pray;

2. *n* молéние; ◇ he is beyond ~ он безнадёжен (*о больном или шутл.—о глупце*).

**pre-** [priː-] *pref* до-, пред-, впереди́, зарáнее; *напр.*: prehistoric доистори́ческий; preheat предвари́тельно нагревáть.

**preach** [priːtʃ] *v* проповéдовать; поучáть; ☐ ~ down выступáть прóтив *чего-л.*; осуждáть; ~ up восхваля́ть.

**preacher** ['priːtʃə] *n* проповéдник.

**preaching** ['priːtʃɪŋ] 1. *pres. p. om* preach;

2. *n* 1) проповéдование; 2) прóповедь.

**preachment** ['priːtʃmənt] *n* прóповедь (*особ.* скýчная); нравоучéние.

**preachy** ['priːtʃɪ] *a* лю́бящий проповéдовать, поучáть.

**pre-admission** [,priːəd'mɪʃən] *n тех.* предварéние впýска (*пара, горючей смеси*).

**preamble** [priː'æmbl] 1. *n* 1) преáмбула; 2) предислóвие, вступлéние;

2. *v* дéлать предислóвие.

**pre-arrange** ['priːə'reɪndʒ] *v* зарáнее подготáвливать, плани́ровать.

**pre-arranged** ['priːə'reɪndʒd] 1. *p. p. om* pre-arrange;

2. *a* плáновый, зарáнее подготóвленный.

**pre-audience** [priː'ɔːdjəns] *n юр.* прáво (*адвоката*) быть вы́слушанным рáньше другóго.

**prebend** ['prebənd] *n* 1) пребéнда (*в католической церкви*); 2) земля́ *или* налóг, даю́щие пребéнду.

**prebendary** ['prebəndərɪ] *n* пребендáрий.

**pre-capitalist** ['priː'kæpɪtəlɪst] *a* докапиталисти́ческий.

**precarious** [prɪ'kɛərɪəs] *a* 1) случáйный; ненадёжный, непрóчный; 2) рискóванный, опáсный; 3) необоснóванный.

**precatory** ['prekətərɪ] *a* проси́тельный.

**precaution** [prɪ'kɔːʃən] *n* 1) предосторóжность; to take ~s against smth. приня́ть мéры предосторóжности прóтив чегó-л.; 2) предостережéние.

**precautionary** [prɪ'kɔːʃnərɪ] *a* предупреди́тельный; ~ measures мéры предосторóжности.

**precede** [priː'siːd] *v* 1) предшéствовать, стоя́ть *или* идти́ пéред (*чем-л.*), впереди́ (*кого-л.*); 2) превосходи́ть (*по важности и т. п.*); занимáть бóлее высóкое положéние (*по должности*); быть впереди́ (*в каком-л. отношении*); 3) предпосылáть (by); расчищáть путь (with, by—для *чего-л.*).

**precedence** [priː'siːdəns] *n* 1) предшéствование; 2) пéрвенство, превосхóдство (*в знаниях и т. п.*); бóлее высóкое положéние (*по должности*); старшинствó; to take ~ of предвосходи́ть; б) предшéствовать.

**precedent** 1. *n* ['presɪdənt] прецедéнт;

2. *a* [prɪ'siːdənt] *редк.* предшéствующий; condition ~ предвари́тельное услóвие.

**preceding** [prɪ'siːdɪŋ] 1. *pres. p. om* precede;
2. *a* предшествующий.
**precentor** [prɪ'sentə] *n* регент хора.
**precept** ['priːsept] *n* 1) наставление, правило, указание; инструкция; 2) заповедь; 3) *юр.* предписание.
**preceptive** [prɪ'septɪv] *a* наставительный.
**preceptor** [prɪ'septə] *n* наставник.
**preceptorial** [ˌpriːsep'tɔːrɪəl] *a* наставнический.
**preceptress** [prɪ'septrɪs] *n* наставница.
**precession** [prɪ'seʃən] *n астр.* прецессия (*тж.* ~ of the equinoxes).
**pre-Christian** ['priː'krɪstjən] *a* дохристианский.
**precinct** ['priːsɪŋkt] *n* 1) огороженная территория, прилегающая к зданию (*особ. к церкви*); 2) *pl* окрестности; 3) *амер.* полицейский *или* избирательный участок, округ; 4) предел, граница.
**preciosity** [ˌpreʃɪ'ɔsɪtɪ] *n* изысканность, утончённость, изощрённость (*языка, стиля*).
**precious** ['preʃəs] 1. *a* 1) драгоценный; ~ stone драгоценный камень; 2) дорогой; любимый; a ~ friend you have been! *ирон.* хорош друг!; 3) манерно-изысканный; 4) *разг. употр. для усиления*: do not be in such a ~ hurry не спешите так; he has got into a ~ mess он попал в весьма трудное положение;
2. *n* любимый; my ~ мой милый;
3. *adv* очень, здорово.·
**precipice** ['presɪpɪs] *n* обрыв, пропасть.
**precipitance**, **-cy** [prɪ'sɪpɪtəns, -sɪ] *n* 1) стремительность; 2) опрометчивость.
**precipitant** [prɪ'sɪpɪtənt] *a* 1) стремительный; 2) действующий опрометчиво.
**precipitate** 1. *n* [prɪ'sɪpɪtɪt] *хим.* осадок;
2. *a* [prɪ'sɪpɪtɪt] 1) стремительный; 2) опрометчивый, неосмотрительный;
3. *v* [prɪ'sɪpɪteɪt] 1) низвергать, повергать; бросать; to ~ oneself броситься вниз головой; 2) ускорять, торопить; 3) *хим.* осаждать(ся); отмучивать.
**precipitation** [prɪˌsɪpɪ'teɪʃən] *n* 1) низвержение; 2) стремительность; 3) ускорение, увеличение (*темпа*); 4) *хим.* осаждение; 5) *метеор.* выпадение осадков; осадки; annual ~ годовое количество осадков.
**precipitous** [prɪ'sɪpɪtəs] *a* крутой; обрывистый; отвесный.
**précis** ['preɪsiː] *фр.* 1 *n* краткое изложение, конспект;
2. *v* составлять конспект.
**precise** [prɪ'saɪs] *a* 1) точный; определённый; 2) аккуратный, пунктуальный; 3) чёткий, ясный; 4) тщательный; 5) педантичный; щепетильный.
**precisely** [prɪ'saɪslɪ] *adv* 1) точно; 2) именно, совершенно верно (*как ответ*).
**precisian** [prɪ'sɪʒən] *n* формалист, педант.
**precisianism** [prɪ'sɪʒənɪzəm] *n* формализм, педантизм.
**precision** [prɪ'sɪʒən] *n* 1) точность; чёткость; 2) меткость; 3) *attr.* точный; меткий; ~ balance точные весы; ~ instrument точный инструмент, прецизионный инстру-

мент; ~ bombing прицельное бомбометание; ~ fire точный огонь, меткий огонь.
**preclude** [prɪ'kluːd] *v* 1) предотвращать, устранять; 2) мешать (from); this will ~ me from coming это помешает мне прийти.
**preclusion** [prɪ'kluːʒən] *n* препятствие, помеха.
**precocious** [prɪ'kouʃəs] *a* 1) рано развившийся; не по годам развитой; 2) преждевременный.
**precocity** [prɪ'kɔsɪtɪ] *n* раннее развитие, скороспелость.
**preconceive** ['priːkən'siːv] *v* представлять себе заранее.
**preconceived** ['priːkən'siːvd] 1. *p. p. om* preconceive;
2. *a* предвзятый; ~ notion предвзятое мнение.
**preconception** ['priːkən'sepʃən] *n* предвзятое мнение; предубеждение.
**pre-concert** ['priːkən'sɜːt] *v* услáвливаться заранее.
**pre-concerted** ['priːkən'sɜːtɪd] 1. *p. p. om* pre-concert;
2. *a* обусловленный заранее.
**pre-condemn** ['priːkən'dem] *v* заранее осуждать.
**pre-condition** ['priːkən'dɪʃən] *n* предварительное *или* непременное условие, предпосылка.
**pre-conquest** ['priː'kɔŋkwest] *a ист.* донорманский, относящийся к периоду до норманского завоевания 1066 г.
**pre-contract** [priː'kɔntrækt] 1. *n* более ранний контракт (*как препятствие к заключению нового*);
2. *v* заключить контракт заранее.
**pre-costal** [priː'kɔstəl] *a анат.* предрёберный.
**precursor** [priː'kɜːsə] *n* 1) предтеча, предшественник; 2) предвестник.
**precursory** [priː'kɜːsərɪ] *a* 1) предвещающий (of); предшествующий; 2) предварительный.
**predacious** [prɪ'deɪʃəs] *a* хищный; хищнический.
**predator** ['predətə] *n* хищник (*тж. перен.*).
**predatory** ['predətərɪ] *a* 1) грабительский; 2) хищный.
**predawn** [priː'dɔːn] *a* предутренний.
**predecease** ['priːdɪ'siːs] 1. *n* смерть (*кого-л.*), предшествовавшая смерти другого;
2. *v* умереть раньше другого.
**predecessor** ['priːdɪsesə] *n* 1) предшественник; 2) предок.
**predestination** [priːˌdestɪ'neɪʃən] *n* предопределение.
**predestine** [priː'destɪn] *v* предопределять.
**predetermine** ['priːdɪ'tɜːmɪn] *v* 1) предопределять, предрешать; 2) повлиять (*на кого-л.*); направить (*чьи-л.*) действия и т. п. в определённую сторону.
**predial** ['priːdɪəl] 1. *n уст.* крепостной;
2. *a* 1) земельный; сельский; аграрный; 2) прикреплённый к земле (о крепостном).
**predicament** [prɪ'dɪkəmənt] *n* 1) затруднительное положение; затруднение; what a ~! какая досада!; 2) *лог.* категория.

**predicant** ['predɪkənt] **1.** *n* проповедник; **2.** *a* проповеднический.

**predicate 1.** *n* ['predɪkɪt] 1) *грам.* сказуемое, предикат; 2) *лог.* утверждение; **2.** *v* ['predɪkeɪt] 1) утверждать (*тж.* *лог.*; of, about); 2) *амер.* основываться (upon).

**predication** [,predɪ'keɪʃən] *n* 1) утверждение (*тж.* *лог.*); 2) *грам.* предикация, сказуемостность.

**predicative** [prɪ'dɪkətɪv] *грам.* **1.** *a* предикативный; **2.** *n* предикативный член, именная часть составного сказуемого.

**predict** [prɪ'dɪkt] *v* предсказывать.

**predicted** [prɪ'dɪktɪd] **1.** *p. p. от* predict; **2.** *a:* ~ fire *воен.* стрельба по исчисленным данным; ~ interval *воен.* величина упреждения.

**prediction** [prɪ'dɪkʃən] *n* 1) предсказание; прогноз; 2) *воен.* вычисление данных для стрельбы; определение упреждения.

**predictive** [prɪ'dɪktɪv] *a* предсказывающий; пророческий.

**predictor** [prɪ'dɪktə] *n* предсказатель.

**predilection** [,priːdɪ'lekʃən] *n* пристрастие, склонность (for—к *чему-л.*).

**predispose** ['priːdɪs'pouz] *v* предрасполагать (to—к *чему-л.*).

**predisposition** ['priː,dɪspə'zɪʃən] *n* предрасположение, склонность.

**predominance** [prɪ'dɔmɪnəns] *n* превосходство, преобладание, господство.

**predominant** [prɪ'dɔmɪnənt] *a* преобладающий, доминирующий, господствующий (over—над).

**predominate** [prɪ'dɔmɪneɪt] *v* 1) господствовать, преобладать (over—над).

**predominatingly** [prɪ'dɔmɪ,neɪtɪŋlɪ] *adv* преимущественно.

**pre-election** [,priː'lekʃən] *n* 1) предварительные выборы; 2) *attr.* предвыборный.

**pre-eminence** [prɪ'emɪnəns] *n* (огромное) превосходство.

**pre-eminent** [prɪ'emɪnənt] *a* выдающийся, превосходящий других.

**pre-empt** [priː'empt] *v* 1) покупать раньше других; 2) завладевать раньше других; 3) *амер.* приобретать преимущественное право на покупку государственной земли.

**pre-emption** [priː'empʃən] *n* 1) покупка прежде других; 2) преимущественное право на покупку (*амер.* на покупку государственной земли).

**preen** [priːn] *v* 1) чистить (*перья*) клювом; 2) (*обыкн. refl.*) прихорашиваться.

**pre-establish** ['priːɪs'tæblɪʃ] *v* устанавливать заранее.

**pre-exist** ['priːɪg'zɪst] *v* существовать до (*чего-л.*).

**pre-existence** ['priːɪg'zɪstəns] *n* предсуществование.

**prefab** ['priːfæb] *сокр. разг. от* prefabricated house [*см.* prefabricated 2].

**prefabricate** ['priː'fæbrɪkeɪt] *v* изготовлять заранее, изготовлять заводским способом.

**prefabricated** ['priː'fæbrɪkeɪtɪd] **1.** *p. p. от* prefabricate;

2. *a* изготовленный заранее, изготовленный заводским способом; ~ house сборный, стандартный дом.

**preface** ['prefɪs] **1.** *n* 1) предисловие; вводная часть; 2) *перен.* пролог; **2.** *v* 1) снабжать (*книгу и т. п.*) предисловием; 2) начинать (by, with); предпосылать; 3) делать предварительные замечания.

**prefatory** ['prefətərɪ] *a* вступительный, вводный.

**prefect** ['priːfekt] *n* 1) префект; 2) *школ.* старший ученик, следящий за дисциплиной.

**prefecture** ['priːfektjuə] *n* префектура.

**prefer** [prɪ'fəː] *v* 1) предпочитать; 2) повышать (*в чине*); продвигать (*по службе*); 3) представлять, подавать (*прошение, жалобу*); выдвигать (*требование*).

**preferable** ['prefərəbl] *a* предпочтительный.

**preferably** ['prefərəblɪ] *adv* предпочтительно, лучше.

**preference I** ['prefərəns] *n* 1) предпочтение; for ~ предпочтительно; 2) то, чему отдаётся предпочтение; of the two, this is my ~ из этих двух я предпочитаю вот это; 3) преимущественное право (*особ. на оплату долга*); 4) льготная таможенная пошлина; imperial ~ имперские преференции; взаимные таможенные льготы Великобритании и доминионов; 5) *attr.* привилегированный; ~ share привилегированная акция.

**preference II** ['prefərəns] *n карт.* преферанс.

**preferential** [,prefə'renʃəl] *a* 1) пользующийся предпочтением; предпочтительный; ~ shop *амер.* предприятие, администрация которого обязуется по договору с профсоюзом отдавать предпочтение членам профсоюза (*при приёме на работу, повышении в должности и т. п.*); 2) льготный (*о ввозных пошлинах*).

**preferment** [prɪ'fəːmənt] *n* продвижение по службе, повышение.

**preferred** [prɪ'fəːd] **1.** *p. p. от* prefer; **2.** *a эк.* привилегированный; ~ stock *амер.* привилегированные акции.

**prefix 1.** *n* ['priːfɪks] 1) *грам.* префикс, приставка; 2) слово, стоящее перед именем и указывающее на звание, положение и т. п. (*напр.*, Dr., Sir *и т. п.*); **2.** *v* [priː'fɪks] 1) предпосылать; 2) приставлять спереди; прибавлять префикс.

**preform** [priː'fɔːm] *v* формировать заранее.

**pregnable** ['pregnəbl] *a* не неприступный (*о крепости и т. п.*); уязвимый.

**pregnancy** ['pregnənsɪ] *n* 1) беременность; 2) чреватость; 3) богатство (*воображения и т. п.*); содержательность.

**pregnant** ['pregnənt] *a* 1) беременная; 2) чреватый (with); 3) богатый (*о воображении и т. п.*); содержательный; 4) полный смысла, значения.

**preheat** [priː'hiːt] *v* предварительно нагревать, подогревать.

**prehensile** [prɪ'hensaɪl] *a зоол.* цепкий; приспособленный для хватания; хватательный.

**prehension** [prɪ'henʃən] *n* 1) *зоол.* хвата́ние; схва́тывание, захва́тывание; 2) спосо́бность схва́тывать, понима́ние.

**prehistoric** ['priːhɪs'tɔrɪk] *a* доистори́ческий.

**pre-human** [priː'hjuːmən] *a* существова́вший на земле́ до появле́ния челове́ка.

**prejudge** ['priː'dʒʌdʒ] *v* осужда́ть, не вы́слушав; предреша́ть.

**prejudice** ['predʒudɪs] **1.** *n* 1) предубежде́ние; ~ in favour of smb. пристра́стное, незаслу́женно хоро́шее отноше́ние к кому́-л.; 2) предрассу́док; 3) уще́рб, вред; to the ~ of, in ~ of в уще́рб; without ~ to без уще́рба для (*кого́-л., чего́-л.*);
**2.** *v* 1) предубежда́ть (against—про́тив); 2) располага́ть (in favour of smb.—в чью-л. по́льзу); 3) ста́вить под сомне́ние; 4) наноси́ть уще́рб, причиня́ть вред.

**prejudicial** [,predʒu'dɪʃəl] *a* наноси́щий уще́рб, вре́дный, па́губный.

**prelacy** ['preləsɪ] *n* 1) прела́тство; 2) епископа́льное управле́ние це́рковью.

**prelate** ['prelɪt] *n* 1) прела́т; 2) *амер.* свяще́нник.

**prelect** [prɪ'lekt] *v* чита́ть ле́кцию.

**prelection** [prɪ'lekʃən] *n* ле́кция (*особ. в университе́те*).

**prelector** [prɪ'lektə] *n* ле́ктор.

**prelim** [prɪ'lɪm] *сокр. разг. от* preliminary examination [*см.* preliminary 2].

**preliminary** [prɪ'lɪmɪnərɪ] **1.** *n* 1) (*часто pl*) подготови́тельное мероприя́тие; 2) *pl* предвари́тельные перегово́ры, преминина́рии; 3) = ~ examination [*см.* 2].
**2.** *a* предвари́тельный; ~ examination вступи́тельный экза́мен.

**prelude** ['preljuːd] **1.** *n* 1) вступле́ние; 2) *муз.* прелю́дия;
**2.** *v* 1) служи́ть вступле́нием; 2) начина́ть (with).

**prelusive** [prɪ'ljuːsɪv] *a* вступи́тельный.

**premature** [,premə'tjuə] **1.** *a* преждевре́менный; поспе́шный, непроду́манный;
**2.** *n воен.* преждевре́менный разры́в (*снаря́да и т. п.*).

**prematurity** [,premə'tjuərɪtɪ] *n* преждевре́менность.

**premeditate** [priː'medɪteɪt] *v* обду́мывать, проду́мывать зара́нее.

**premeditated** [priː'medɪteɪtɪd] **1.** *p. p. от* premeditate;
**2.** преднаме́ренный, обду́манный зара́нее.

**premeditation** [priː,medɪ'teɪʃən] *n* преднаме́ренность.

**premier** ['premjə] **1.** *n* 1) премье́р-мини́стр; 2) *амер.* госуда́рственный секрета́рь;
**2.** *a* пе́рвый.

**première** [prə'mjɛə] *фр. n театр.* премье́ра.

**premise 1.** *n* ['premɪs] 1) *лог.* (пред)посы́лка; 2) *pl юр.* вступи́тельная часть докуме́нта; 3) *pl* помеще́ние, дом (*с прилега́ющими пристро́йками и уча́стком*); ◇ to be consumed (*или* drunk) on the ~s прода́ётся распи́вочно; to be drunk to the ~s ≅ допи́ться до чёртиков; to see smb. off the ~s вы́проводить кого́-л.;
**2.** *v* [prɪ'maɪz] предпосыла́ть (that).

**premiss** ['premɪs] = premise 1, 1).

**premium** ['priːmjəm] *n* 1) награ́да; пре́мия; to put a ~ on smth. поощря́ть что-л., подстрека́ть к чему́-л.; 2) пла́та (*за обуче́ние и т. п.*); 3) страхова́я пре́мия; 4) *фин.* а́жио, лаж; ◇ at a ~ a) вы́ше номина́льной сто́имости; б) в большо́м спро́се, в большо́м почёте.

**premonition** [,priːmə'nɪʃən] *n* 1) предупрежде́ние; 2) предчу́вствие.

**premonitory** [prɪ'mɔnɪtərɪ] *a* 1) предваря́ющий; предостерега́ющий; 2) *мед.* продрома́льный.

**pre-natal** ['priː'neɪtl] *a* происше́дший до рожде́ния; предродово́й; внутриутро́бный; ~ care наблюде́ние за бере́менной же́нщиной; гигие́на бере́менной.

**prentice** ['prentɪs] *n уст.* подмасте́рье; ◇ a ~ hand a) неуме́лая рука́; б) нело́вкая попы́тка (*сде́лать что-л.*).

**preoccupation** [priː,ɔkju'peɪʃən] *n* 1) заня́тие (*ме́ста*) ра́ньше (*кого́-л.*); 2) рассе́янность, озабо́ченность.

**preoccupied** [prɪ'ɔkjupaɪd] **1.** *p. p. от* preoccupy;
**2.** *a* поглощённый мы́слями; озабо́ченный.

**preoccupy** [priː'ɔkjupaɪ] *v* 1) заня́ть, захвати́ть ра́ньше (*кого́-л.*); 2) занима́ть, поглоща́ть внима́ние.

**pre-ordain** ['priːɔː'deɪn] *v* предопределя́ть.

**preordination** [priː,ɔːdɪ'neɪʃən] *n* предопределе́ние.

**prep** [prep] **1.** *n школ. sl.* 1) приготовле́ние уро́ков; 2) приготови́тельная шко́ла;
**2.** *a разг.* приготови́тельный.

**prepacks** [priː'pæks] *n pl* расфасо́ванные това́ры; полуфабрика́ты.

**prepaid** ['priː'peɪd] *past и p. p. от* prepay.

**preparation** [,prepə'reɪʃən] *n* 1) приготовле́ние, подгото́вка; to make ~s for гото́виться к, проводи́ть подгото́вку к; 2) приготовле́ние уро́ков; 3) препара́т; 4) лека́рство; 5) *горн.* обогаще́ние.

**preparative** [prɪ'pærətɪv] **1.** *a* приготови́тельный, подготови́тельный; подгота́вливающий;
**2.** *n* приготовле́ние.

**preparatory** [prɪ'pærətərɪ] **1.** *a* 1) приготови́тельный, предвари́тельный; подготови́тельный; 2): ~ to (*употр. как prep*) пре́жде чем, до того́ как;
**2.** *n* приготови́тельная шко́ла.

**prepare** [prɪ'pɛə] *v* 1) приготавливать(ся); I am not ~d to say я ещё не могу́ сказа́ть; 2) гото́вить(ся), подгота́вливать(ся); 3) гото́вить (*обе́д, лека́рство*); составля́ть (*смесь и т. п.*).

**preparedness** [prɪ'pɛədnɪs] *n* гото́вность, подгото́вленность.

**prepay** ['priː'peɪ] *v* (prepaid) 1) плати́ть вперёд; 2) франки́ровать.

**prepense** [prɪ'pens] *a* предумы́шленный; of malice ~ со злым у́мыслом.

**pre-plan** [priː'plæn] *v* предвари́тельно плани́ровать, намеча́ть зара́нее.

**preponderance** [prɪ'pɔndərəns] *n* переве́с, превосхо́дство, преоблада́ние.

**preponderant** [prɪ'pɔndərənt] *a* преобла́дающий, име́ющий переве́с, превосхо́дство.

**preponderate** [prɪ'pɔndəreɪt] *v* 1) перевешивать, иметь перевес; 2) превосходить, превышать (over—*что-л.*), преобладать.

**preposition** *n грам.* 1) [‚prepə'zɪʃən] предлог; 2) [‚prɪːpə'zɪʃən] препозиция.

**prepositional** [‚prepə'zɪʃənl] *a грам.* предложный.

**prepositive** [prɪ'pɔzɪtɪv] *a грам.* препозитивный, препозиционный.

**prepossess** [‚prɪːpə'zes] *v* 1) овладевать (*о чувстве, идее, мысли и т. п.*); 2) вдохновлять; внушать (*чувство, мнение и т. п.*); 3) производить благоприятное впечатление; располагать к себе; 4) предрасполагать; 5) иметь предубеждение.

**prepossessing** [‚prɪːpə'zesɪŋ] 1. *pres. p. от* prepossess;
2. *a* располагающий.

**prepossession** [‚prɪːpə'zeʃən] *n* 1) предвзятое отношение; предубеждение; 2) предрасположение.

**preposterous** [prɪ'pɔstərəs] *a* несообразный, нелепый, абсурдный.

**prepotency** [prɪ'poutənsɪ] *n биол.* преобладание, доминирование (*признаков*).

**prepotent** [prɪ'poutənt] *a* 1) очень могущественный; 2) более сильный; 3) *биол.* преобладающий, доминантный, доминирующий.

**prepuce** ['prɪːpjuːs] *n анат.* крайняя плоть.

**Pre-Raphaelite** ['prɪː'ræfəlaɪt] *иск.* 1. *n* прерафаэлит;
2. *a* прерафаэлитский.

**prerequisite** ['prɪː'rekwɪzɪt] 1. *n* предпосылка;
2. *a* необходимый как условие.

**prerogative** [prɪ'rɔgətɪv] *n* прерогатива, исключительное право; привилегия.
2. *a* обладающий прерогативой; ~ right преимущественное право.

**presage** ['presɪdʒ] 1. *n* 1) предзнаменование, предсказание; 2) предчувствие;
2. *v* 1) предзнаменовать, предвещать; предсказывать; 2) предчувствовать.

**presbyopia** [‚prezbɪ'oupjə] *n* пресбиопия; старческая дальнозоркость.

**presbyter** ['prezbɪtə] *n рел.* пресвитер; священник; старейшина.

**Presbyterian** [‚prezbɪ'tɪərɪən] *рел.* 1. *n* пресвитерианин;
2. *a* пресвитерианский.

**presbytery** ['prezbɪtərɪ] *n рел.* 1) пресвитерия; 2) собрание старейшин; 3) дом католического священника.

**preschool** ['prɪː'skuːl] *a* дошкольный; ~ child дошкольник, ребёнок дошкольного возраста.

**prescience** ['presɪəns] *n* предвидение.

**prescient** ['presɪənt] *a* предвидящий.

**prescind** [prɪ'sɪnd] *v* 1) отделять; 2) отвлекать внимание (from); 3) абстрагировать.

**prescribe** [prɪs'kraɪb] *v* 1) предписывать; 2) прописывать (*лекарство*; to, for—*кому-л.*; for—против *чего-л.*); 3) *юр.* требовать на основании права давности.

**prescript** ['prɪːskrɪpt] *n* предписание, постановление.

**prescription** [prɪs'krɪpʃən] *n* 1) предписы-

вание; предписание; 2) *мед.* рецепт; 3) *юр.* право давности (*тж.* positive ~); negative ~ ограничение срока, в продолжение которого право имеет силу; 4) неписаный закон.

**prescriptive** [prɪs'krɪptɪv] *a* 1) предписывающий; 2) основанный на праве давности *или* давнем обычае.

**preselection** [‚prɪːsɪ'lekʃən] *n* предварительный отбор; предварительный подбор.

**presence** ['prezns] *n* 1) присутствие; наличие; ~ of mind присутствие духа; 2) присутствие, соседство, непосредственная близость; общество (*какого-л. лица*); I was admitted to his ~ я был допущен к нему; in this ~ в присутствии этого лица; 3) осанка, внешний вид.

**presence-chamber** ['prezns‚tʃeɪmbə] *n* приёмный зал.

**present I** ['preznt] 1. *n* 1) настоящее время; at ~ в данное время; for the ~ на этот раз, пока; 2) *юр.*: these ~s сей документ; know all men by these ~s настоящим объявляется; 3): those (here) ~ присутствующие; 4) = ~ tense [*см.* 2, 5)];
2. *a* 1) присутствующий, имеющийся налицо; to be ~ at присутствовать на (*собрании и т. п.*); to be ~ to the imagination жить в воображении; 2) теперешний, настоящий; современный; существующий; ~ boundaries существующие границы; 3) данный; этот самый; the ~ volume данная книга; the ~ writer пишущий эти строки; 4) *уст.* быстрый, надёжный; 5) *грам.*: ~ tense настоящее время; ~ participle причастие настоящего времени; ◇ ~ company excepted о присутствующих не говорят; all ~ and correct a) *воен.* все налицо (*доклад начальнику*); б) всё в порядке.

**present II** 1. *n* ['preznt] подарок; to make a ~ of smth. дарить что-л.;
2. *v* [prɪ'zent] 1) преподносить; дарить (with); to ~ one's compliment (*или* regards) свидетельствовать своё почтение; to ~ with a fait accompli […‚feɪtʃ‚kɔːŋ'plɪː] ставить перед совершившимся фактом; 2) подавать; передавать на рассмотрение (*заявление, законопроект, прошение и т. п.*); 3) представлять (to—*кому-л.*); to ~ oneself представляться, являться; 4) представлять, являть собой; they ~ed a different aspect они выглядели иначе; 5) ставить (*пьесу*).

**present III** [prɪ'zent] *воен.* 1. *n* 1) взятие на караул; 2) взятие на прицел;
2. *v* 1) держать на караул; 2) целиться.

**presentable** [prɪ'zentəbl] *a* приличный; презентабельный.

**presentation** [‚prezen'teɪʃən] *n* 1) представление (to—*кому-л.*); 2) подношение (*подарка*); 3) подарок; 4) *театр.* представление; 5) *attr.*: ~ copy экземпляр, подаренный автором.

**present-day** ['preznt'deɪ] *a* современный.

**presentee** I [‚prezən'tɪː] *n* получатель подарка.

**presentee II** [‚prezən'tɪː] *n* 1) кандидат (*на должность*); 2) лицо, представленное ко двору.

**presentiment** [prɪ'zentɪmənt] *n* предчувствие (*особ. дурное*).

**presently** [ˈprezntlɪ] *adv* 1) вскóре, немнóго врéмени спустя́; 2) тепéрь, сейчáс.

**presentment** [prɪˈzentmənt] *n* 1) представлéние, исполнéние (*в теáтре*); 2) изложéние, изображéние; 3) *юр.* заявлéние (*присяжных*); 4) официáльная жáлоба епи́скопу.

**preservation** [ˌprezəːˈveɪʃən] *n* 1) сохранéние; предохранéние; 2) сохрáнность; in (a state of) fair ~ хорошó сохрани́вшийся; 3) консерви́рование; 4) *уст.* заповéдник.

**preservative** [prɪˈzəːvətɪv] 1. *a* предохрани́тельный;
2. *n* предохрани́тельное срéдство.

**preserve** [prɪˈzəːv] 1. *n* 1) (*обыкн. pl*) консéрвы; варéнье; 2) охóтничий *или* рыболóвный заповéдник;
2. *v* 1) сохраня́ть, охраня́ть; оберегáть; 2) храни́ть (*óвощи, продýкты*); **3) заготовля́ть впрок; консерви́ровать; 4) охраня́ть** от браконьéров.

**preside** [prɪˈzaɪd] *v* 1) председáтельствовать (at, over—на); 2) осуществля́ть контрóль, руковóдство.

**presidency** [ˈprezɪdənsɪ] *n* 1) председáтельство; 2) президéнтство; 3) *ист.* óкруг (*в Индии*).

**president** [ˈprezɪdənt] *n* 1) председáтель; 2) президéнт; 3) рéктор (*коллéджа*); 4) *амер.* президéнт, председáтель правлéния бáнка *или* компáнии; 5) *ист.* губернáтор (*колóнии*).

**president elect** [ˈprezɪdəntɪˈlekt] *n* и́збранный, но ещё не вступи́вший в дóлжность президéнт.

**presidential** [ˌprezɪˈdenʃəl] *a* президéнтский; ~ year год вы́боров президéнта.

**presidio** [prɪˈsɪdɪou] *исп. n* (*pl* -os [-ouz]) крéпость, форт.

**presidium** [prɪˈsɪdɪəm] *n* прези́диум; the Presidium of the Supreme Soviet of the USSR Прези́диум Верхóвного Совéта СССР.

**press I** [pres] 1. *n* 1) дáвка; свáлка; 2) толпá; 3) спéшка; there is a great ~ of work мнóго неотлóжной рабóты; 4) надáвливание; give it a slight ~ слегкá нажми́те; 5) *тех.* пресс; 6) *спорт.* жим, вы́жим штáнги; 7) печáтный станóк; печáтная маши́на; 8) типогрáфия; 9) печáть, печáтание; to correct the ~ прáвить корректýру; 10) печáть, прéсса; to have a good ~ получи́ть благоприя́тные óтзывы в прéссе; in the ~ в печáти; yellow ~ жёлтая прéсса; 11) шкаф (*чáсто в стенé*); 12) *мор.*: ~ of sail максимáльное кол
и́чество парусóв;
2. *v* 1) жать, нажимáть, прижимáть; 2) дави́ть, надáвливать, выжимáть; to ~ home *тех.* вы́жать до концá, до откáза; 3) прессовáть; выдáвливать, штамповáть; 4) толкáть (*тж.* ~ up, ~ down); 5) *уст.* тесни́ть(ся) (*тж.* ~ round, ~ up); 6) (*чáсто pass.*) стесня́ть, затрудня́ть; hard ~ed в трýдном положéнии; to be ~ed for money испы́тывать дéнежные затруднéния; to be ~ed for time располагáть незначи́тельным врéменем, óчень торопи́ться; 7) торопи́ть, трéбовать немéдленных дéйствий; time ~es врéмя не тéрпит; nothing remains that ~es бóльше не остáлось ничегó спéшного; 8) настáивать; to ~ the words настáивать на буквáльном значéнии слов; 9) навя́зывать (оп, upon); 10) глáдить (*утюгóм*); 11) *спорт.* жать, выжимáть штáнгу; ☐ ~ down вти́скивать; ~ forward протáлкиваться; ~ on спеши́ть; ~ out а) выжимáть; б) реши́тельно продолжáть; ~ to понуждáть; ~ upon тяготи́ть.

**press II** [pres] *ист.* 1. *v* 1) вербовáть си́лой, наси́льно; to ~ into the service of *перен.* испóльзовать для; 2) реквизи́ровать;
2. *n* вербóвка си́лой.

**press agency** [ˈpresˌeɪʤənsɪ] *n* газéтное агéнтство.

**press agent** [ˈpresˌeɪʤənt] *n* агéнт по печáти и реклáме.

**press-bed** [ˈpresbed] *n* **складнáя кровáть** (*убирáющаяся в шкаф*).

**press-box** [ˈpresbɔks] *n* **местá для представи́телей печáти** (*на состяза́ниях, спектáклях и т. п.*).

**press-button** [ˈpresˌbʌtn] *n* 1) контáктная кнóпка; 2) *attr.* кнóпочный.

**press-clipping** [ˈpresˌklɪpɪŋ] = press-cutting.

**press-conference** [ˈpresˌkɔnfərəns] *n* пресс-конферéнция.

**press-corrector** [ˈpreskəˌrektə] *n* *полигр.* коррéктор.

**press-cutting** [ˈpresˌkʌtɪŋ] *n* 1) газéтная вы́резка; 2) *attr.*: ~ agency бюрó вы́резок.

**press-gallery** [ˈpresˌgælərɪ] *n* местá для представи́телей печáти (*в парлáменте, на съéзде и т. п.*).

**press-gang** [ˈpresgæŋ] *n* *ист.* отря́д вербóвщиков.

**pressing I** [ˈpresɪŋ] 1. *pres. p. от* press I, 2;
2. *a* 1) неотлóжный, спéшный; 2) настоя́тельный;
3. *n* óттиск (*в звукозáписи*).

**pressing II** [ˈpresɪŋ] *pres. p. от* press II, 1.

**pressman** [ˈpresmən] *n* 1) журнали́ст, репортёр, газéтчик; 2) печáтник; 3) прессовщи́к.

**pressmark** [ˈpresmɑːk] *n* шифр (*кни́ги*).

**press proof** [ˈprespruːf] *n* *полигр.* свóдка.

**pressroom** [ˈpresrum] *n* 1) кóмната для журнали́стов; 2) *полигр.* печáтный цех.

**pressure** [ˈpreʃə] *n* 1) давлéние; 2) сжáтие, сти́скивание; 3) *перен.* давлéние; to act under ~ дéйствовать под давлéнием, недоброво́льно; to bring ~ to bear upon smb., to put ~ upon smb. окáзывать давлéние на когó-л.; 4) стеснённость, затрудни́тельные обстоя́тельства; financial ~ дéнежные затруднéния; 5) гнёт; 6) *уст.* отпечáток; 7) *физ.* давлéние; сжáтие; 8) *метеор.* атмосфéрное давлéние; 9) *тех.* прессовáние; тиснéние; 10) *эл.* напряжéние; 11) *attr.*: ~ group влия́тельная кли́ка, окáзывающая давлéние на поли́тику (*преим.* путём закули́сных инт
ри́г); ◇ to work at high (low) ~ рабóтать бы́стро, энерги́чно (вя́ло, с прохлáдцей).

**pressure-cooker** [ˈpreʃəˌkukə] *n* гермети́ческая кастрю́ля для бы́строго приготовлéния пи́щи.

**pressure-cooking** [ˈpreʃəˌkukɪŋ] *n* приготовлéние пи́щи в гермети́ческой кастрю́ле.

**pressure-gauge** ['preʃə,geɪdʒ] *n тех.* манóметр.

**prestidigitation** ['prestɪ,dɪdʒɪ'teɪʃən] *n* лóвкость рук; покáзывание фóкусов.

**prestidigitator** [,prestɪ'dɪdʒɪteɪtə] *n* фóкусник.

**prestige** [pres'tiːʒ] *фр. n* престúж.

**presto** ['prestou] *um. adv, n муз.* прéсто.

**presumable** [prɪ'zjuːməbl] *a* возмóжный, вероя́тный.

**presumably** [prɪ'zjuːməblɪ] *adv* предположúтельно; по-вúдимому.

**presume** [prɪ'zjuːm] *v* 1) предполагáть, полагáть; допускáть; считáть докáзанным; 2) осмéливаться, позволя́ть себé; □ ~ **upon** а) слúшком полагáться на; б) злоупотребля́ть; to ~ upon a short acquaintance фамилья́рничать.

**presumedly** [prɪ'zjuːmɪdlɪ] *adv* предположúтельно; вероя́тно.

**presuming** [prɪ'zjuːmɪŋ] 1. *pres. p. om* presume;
2. *a* самонадéянный.

**presumption** [prɪ'zʌmpʃən] *n* 1) самонадéянность; 2) предположéние; 3) основáние для предположéния; вероя́тность; there's a strong ~ against it э́то маловероя́тно; 4) *юр.* презýмпция.

**presumptive** [prɪ'zʌmptɪv] *a* предполагáемый; предположúтельный; ~ evidence показáния, оснóванные на догáдках.

**presumptuous** [prɪ'zʌmptjuəs] *a* самонадéянный; нахáльный.

**presuppose** [,priːsə'pouz] *v* 1) предполагáть; 2) заключáть в себé, включáть в себя́.

**presupposition** [,priːsʌpə'zɪʃən] *n* предположéние.

**pretence** [prɪ'tens] *n* 1) отговóрка; under the ~ of под предлóгом; под вúдом; 2) притвóрство; обмáн; on (*или* under) false ~s обмáнным путём; 3) претéнзия; трéбование; to make no ~ of smth. не претендовáть на что-л.; 4) претенциóзность.

**pretend** [prɪ'tend] *v* 1) ссылáться на, испóльзовать в кáчестве предлóга; 2) притворя́ться, дéлать вид; симулúровать; 3) претендовáть (to—на *что-л.*); 4) решúться, позвóлить себé; 5) прикúдываться, разы́грывать из себя́.

**pretended** [prɪ'tendɪd] 1. *p. p. om* pretend;
2. *a* поддéльный, притвóрный, лицемéрный.

**pretender** [prɪ'tendə] *n* 1) притвóрщик, симуля́нт; 2) претендéнт; the Old (the Young) P. *ист.* стáрший сын (внук) Иáкова II.

**pretense** [prɪ'tens] *амер.* = pretence.

**pretension** [prɪ'tenʃən] *n* 1) претéнзия, притязáние; предъявлéние прав (to—на *что-л.*); 2) притвóрство; 3) претенциóзность.

**pretentious** [prɪ'tenʃəs] *a* претенциóзный.

**pretentiousness** [prɪ'tenʃəsnɪs] *n* претенциóзность.

**preterhuman** [,priːtə'hjuːmən] *a* нечеловéческий, сверхчеловéческий.

**preterit(e)** ['pretərɪt] *n грам.* фóрма прошéдшего врéмени.

**pretermission** [,priːtə'mɪʃən] *n* 1) **упущé-**

ние, небрéжность; ~ of duty нерадéние по слýжбе; 2) переры́в, прóпуск.

**pretermit** [,priːtə'mɪt] *v* 1) пропустúть, не упомянýть; 2) пренебрéчь; брóсить; 3) прервáть.

**preternatural** [,priːtə'nætʃrəl] *a* сверхъестéственный; противоестéственный.

**pretext** 1. *n* ['priːtekst] предлóг, отговóрка; on (*или* under, upon) the ~ of (*или* that) под тем предлóгом, что;
2. *v* [prɪ'tekst] приводúть в кáчестве отговóрки.

**prettify** ['prɪtɪfaɪ] *v* принаряжáть, украшáть.

**prettily** ['prɪtɪlɪ] *adv* красúво; привлекáтельно.

**pretty** ['prɪtɪ] 1. *a* 1) хорóшенький, прелéстный; 2) прия́тный; хорóший (*тж. ирон.*); a ~ business! хорóшенькое дéло!; 3) *разг.* значúтельный, изря́дный; a ~ penny, a ~ sum крýгленькая сýмма;
2. *n* 1): my ~ дýшка (*в обращении*); 2) *pl* красúвые вéщи, плáтья; 3) *амер.* бездéлушка, хорóшенькая вещúца;
3. *adv разг.* довóльно, достáточно (*тк. с прил. и нареч.*); ~ much óчень, в большóй стéпени; I feel ~ sick about it мне э́то óчень надоéло; I'm feeling ~ well я хорошó себя́ чýвствую; that is ~ much the same thing э́то почтú то же сáмое.

**pretty-pretty** ['prɪtɪ,prɪtɪ] *разг.* 1. *a* аффектúрованный, слащáво красúвый; just a ~ face кýкольное лúчико;
2. *n pl* бездéлушки.

**prevail** [prɪ'veɪl] *v* 1) преобладáть, госпóдствовать, превалúровать (over); 2) превозмогáть, одолевáть; 3) торжествовáть (over); достигáть цéли; 4) существовáть; быть распространённым; □ ~ (up)on убедúть, уговорúть.

**prevailing** [prɪ'veɪlɪŋ] 1. *pres. p. om* prevail;
2. *a* 1) госпóдствующий; превалúрующий; преобладáющий; 2) широкó распространённый.

**prevalence** ['prevələns] *n* 1) широкóе распространéние; распространённость; 2) *редк.* госпóдство, преобладáние.

**prevalent** ['prevələnt] *a* 1) (широкó) распространённый; 2) *редк.* преобладáющий; превалúрующий.

**prevaricate** [prɪ'værɪkeɪt] *v* говорúть *или* дéйствовать уклóнчиво; увúливать, кривúть душóй.

**prevarication** [prɪ,værɪ'keɪʃən] *n* увúливание; уклóнчивость.

**prevaricator** [prɪ'værɪkeɪtə] *n* лукáвый человéк; человéк, уклоня́ющийся от úстины.

**prevenance** ['previnəns] *n* 1) услýжливость; вéжливость; 2) одолжéние.

**prevent** [prɪ'vent] *v* 1) предотвращáть, предохраня́ть, предупреждáть; 2) мешáть, препя́тствовать (from — *чему-л.*); не допускáть.

**preventer** [prɪ'ventə] *n мор.* предохранúтель (*тросовый или цепной*); предохранúтельный трос.

**prevention** [prɪ'venʃən] *n* предотвращéние, предохранéние, предупреждéние; ~ of accidents тéхника безопáсности; ◇ ~ is better than cure *посл.* предупреждёние лýчше лечёния.

**preventive** [prɪ'ventɪv] **1.** *a* 1) предупредѝтельный; ~ measure предупредѝтельная мёра; 2) *мед.* профилактѝческий; 3) превентѝвный; 4) противоконтрабáндный; P. Service слýжба береговóй охрáны; **2.** *n* 1) предупредѝтельная мёра; 2) *мед.* профилактѝческое срёдство; 3) береговáя охрáна.

**preview** ['priːvjuː] *n* 1) закрытый просмóтр кинофѝльма до покáза егó на экрáнах; закрытый просмóтр нóвых мод *и т. п.*; 2) реклáмный покáз отрывков из кинокартѝны, предназнáченной к демонстрѝрованию в ближáйшем бýдущем.

**previous** ['priːvjəs] **1.** *a'* 1) предыдýщий; предшéствующий (to); 2) *разг.* преждеврéменный, поспéшный, опромéтчивый; ◇ P. Examination пéрвый экзáмен на стéпень бакалáвра (*в Кембрѝджском университéте*); the ~ question *парл.* вопрóс о постанóвке на голосовáние глáвного пýнкта обсуждéния (*в Англии—с цéлью отклонéния глáвного вопрóса без голосовáния, в США — с цéлью сокращéния прéний и ускорéния голосовáния*); **2.** *adv:* ~ to до, прéжде, рáнее.

**previously** ['priːvjəslɪ] *adv* зарáнее, предварѝтельно.

**previse** [priː'vaɪz] *v редк.* 1) предвѝдеть; 2) предостерегáть.

**prevision** [priː'vɪʒən] *n* предвѝдение.

**pre-war** ['priː'wɔː] *a* довоéнный.

**prex** [preks] *n амер. sl.* главá (*колледжа, университéта*).

**prexy** ['preksɪ] = prex.

**prey** [preɪ] **1.** *n* 1) добыча; 2) жéртва; to be (to become, to fall) a ~ to smth. быть (сдéлаться) жéртвой чегó-л.; **2.** *v* (*обыкн.* ~ on, ~ upon) 1) охóтиться, ловѝть; 2) обмáнывать, вымогáть; 3) грáбить; 4) терзáть, мýчить; his misfortune ~s on his mind егó несчáстье гнетёт егó.

**price** [praɪs] **1.** *n* 1) ценá; above (*или* beyond, without) ~ бесцéнный; at a ~ по дорогóй ценé; of great ~ *уст.* драгоцéнный; 3) ценá, жéртва; at any ~ любóй ценóй, во чтó бы то ни стáло; not at any ~ ни за чтó; **2.** *v* назначáть цéну, оцéнивать.

**price-boom** ['praɪsbuːm] *n* высóкий ýровень цен.

**price current** ['praɪs,kʌrənt] *n* прейскурáнт.

**price-cutting** ['praɪs,kʌtɪŋ] *n* снижéние цен.

**priced** [praɪst] **1.** *p. p. от* price 2; **2.** *a* оценённый; ~ catalogue каталóг с расцéнкой.

**priceless** ['praɪslɪs] *a* 1) бесцéнный; неоценѝмый; 2) *sl.* óчень забáвный; абсýрдный, нелéпый.

**price level** ['praɪs,levl] *n* ýровень цен.

**price-list** ['praɪslɪst] = price current.

**price-ring** ['praɪsrɪŋ] *n эк.* монополистѝческое объединéние промышленников с цéлью повышéния цен *или* удержáния их на определённом ýровне.

**price-slashing** ['praɪs,slæʃɪŋ] = price-cutting.

**price-wave** ['praɪsweɪv] *n* колебáние цен.

**prick** [prɪk] **1.** *n* 1) укóл, прокóл; 2) острие, иглá (*для прочѝстки*); 3) *бот.* шип, колючка, иглá; 4) óстрая боль (как) от укóла; 5) *груб.* половóй член; ◇ the ~s of conscience угрызéния сóвести; to kick against the ~s ≅ лезть на рожóн; сопротивляться во вред себé; **2.** *v* 1) (у)колóть(ся); 2) прокáлывать; просвéрливать, прочищáть (*отвéрстие*); 3) мýчить, терзáть; my toe is ~ing with the gout у меня подагрѝческая боль в пáльце ногѝ; my conscience ~ed me меня мýчила сóвесть; 4) накáлывать (*узóр*); 5) дéлать помéтки (*в спѝске и т. п.*); to ~ smb. for sheriff назначáть когó-л. шерѝфом (*отмечáя егó имя в спѝске*); 6) заковáть (*лóшадь*); 7) *уст.* пришпóривать (*тж.* ~ on, ~ forward); □ ~ in, ~ off сажáть рассáду; пикировáть сéянцы; ~ out a) ~ in, ~ off; б) покáзываться, появляться (в вѝде тóчек); ◇ to ~ a (*или* the) bladder (*или* bubble) показáть пустотý, ничтóжество (*когó-л., чегó-л.*); to ~ up one's ears навострѝть ýши, насторожѝться.

**prick-eared** ['prɪk,ɪəd] *a* 1) с торчáщими вверх ушáми, остроýхий; 2) с открытыми ушáми (*прóзвище пуритáн XVII в.*).

**prick-ears** ['prɪk'ɪəz] *n pl* 1) остроконéчные ýши; 2) *перен.* «ýшки на макýшке».

**pricker** ['prɪkə] *n* 1) óстрый инструмéнт, шѝло *и т. п.*; 2) бодéц, стрекáло.

**pricket** ['prɪkɪt] *n* 1) годовáлый олéнь; 2) острие, на котóрое насáживается свечá.

**pricking** ['prɪkɪŋ] **1.** *pres. p. от* prick 2; **2.** *n* 1) прокáлывание; 2) покáлывание.

**prickle** ['prɪkl] **1.** *n* шип, колючка; ѝглы (*ежá, дикобрáза и т. п.*); **2.** *v* 1) колóть, прокáлывать; 2) испытывать покáлывание, колотьё; 3) подстрекáть.

**prickly** ['prɪklɪ] *a* 1) имéющий шипы, колючки; 2) колючий.

**prickly heat** ['prɪklɪ'hiːt] *n мед.* тропѝческий лишáй; потнѝца.

**prickly pear** ['prɪklɪ'pɛə] *n* опýнция (*род кáктуса*).

**pride** [praɪd] **1.** *n* 1) гóрдость; чýвство удовлетворéния; to take (a) ~ in smth. а) гордѝться чем-л.; испытывать чýвство гóрдости за чтó-л.; б) получáть удовлетворéние от чегó-л.; 2) гордыня; спесь; ~ of place высóкое положéние; упоённость собствеными положéнием; высокомéрие; 3) чýвство сóбственного достóинства (*тж.* proper ~); false ~ чвáнство; тщеслáвие; 4) предмéт гóрдости; 5) верх, высшая стéпень; сáмое лýчшее состояние *или* положéние; in the ~ of one's youth в расцвéте сил; ◇ ~ of the morning тумáн *или* дождь на рассвéте; to put one's ~ in one's pocket, to swallow one's ~ подавѝть самолюбие; проглотѝть обѝду; **2.** *v refl.* гордѝться (on, upon — кем-л., чем-л.).

**priest** [priːst] *n* 1) свящéнник; 2) жрец.

**priestcraft** ['priːstkrɑːft] *n* вмешáтельство духовéнства в свéтские делá; интрѝги и кóзни духовéнства.

**priestess** ['priːstɪs] *n* жрица.

**priesthood** ['priːsthud] *n* 1) священство; 2) духовенство.

**priestling** ['priːstlɪŋ] *n пренебр.* попик, поп.

**priestly** ['priːstlɪ] *a* священнический; приличествующий духовному лицу.

**priest-ridden** ['priːst,rɪdn] *a* находящийся под властью духовенства, испытывающий на себе тиранию церкви.

**prig** [prɪg] **1.** *n* 1) педант, формалист; ограниченный и самодовольный человек; 2) *sl.* вор;
**2.** *v sl.* воровать.

**priggish** ['prɪgɪʃ] *a* педантичный; самодовольный.

**prill** [prɪl] *n горн.* самородок; небольшой кусок руды; образец, проба.

**prim** [prɪm] **1.** *a* 1) чопорный; натянутый; 2) аккуратный; ◇ ~ and proper жеманный;
**2.** *v* 1) принимать натянутый вид; 2): to ~ one's lips поджимать губы.

**primacy** ['praɪməsɪ] *n* 1) первенство; 2) сан архиепископа.

**prima donna** ['priːmə'dɔnə] *ит. n* (*pl* prima donnas) примадонна.

**primaeval** [praɪ'miːvəl] = primeval.

**primage** ['praɪmɪdʒ] *n мор.* прибавка к фрахту (*за пользование грузовыми устройствами судна*); вознаграждение капитану с фрахта.

**primal** ['praɪməl] *a* 1) примитивный, первобытный; 2) главный, основной.

**primarily** ['praɪmərɪlɪ] *adv* 1) первоначально, сперва, сначала; 2) первым делом, главным образом.

**primary** ['praɪmərɪ] **1.** *n* 1) что-л. имеющее первостепенное значение; 2) *амер.* предвыборное собрание избирателей, принадлежащих к одной политической партии, для выдвижения кандидатов; 3) основной цвет; 4) *астр.* планета, вращающаяся вокруг солнца; 5) *эл.* первичная обмотка (*трансформатора*); 6) *геол.* палеозойская эра;
**2.** *a* 1) первоначальный, первичный; ~ school начальная школа; ~ rocks *геол.* первичные породы; 2) основной; важнейший, главный; ~ colours основные цвета; the ~ planets планеты, вращающиеся вокруг солнца; 3) ~ importance первостепенной важности; 3) *биол.* простейший.

**primate** ['praɪmɪt] *n* архиепископ, примас.

**primates** [praɪ'meɪtiːz] *n pl зоол.* приматы.

**prime** [praɪm] **1.** *n* 1) расцвет; in the ~ of life во цвете лет; 2) лучшая часть, цвет; 3) начало, весна; the ~ of the year весна; 4) *церк.* заутреня (*у католиков*); 5) первая позиция (*в фехтовании*); 6) *мат.* простое число;
**2.** *a* 1) главный; P. Minister премьер-министр; 2) основной, важнейший; ~ advantage важнейшее преимущество; 3) превосходный, лучший; in ~ condition в прекрасном состоянии; ~ crop первоклассный урожай; 4) первоначальный, первич-

ный; ~ cause первопричина; ~ cost *полит.-эк.* себестоимость; ~ mover *тех.* первичный двигатель; пусковой двигатель; *перен.* душа какого-л. дела; ~ number *мат.* простое число;
**3.** *v* 1) наполнять; ~d with a hearty meal плотно поевши; 2) закладывать мину; вставлять запал *или* взрыватель; 3) *жив., стр.* грунтовать; 4) заливать (*двигатель и т. п. перед пуском*); 5) заранее снабжать информацией, инструкциями *и т. п.*; натаскивать, учить готовым ответам; 6) *воен. уст.* затравливать порохом.

**primely** ['praɪmlɪ] *adv разг.* превосходно.

**primer I** ['praɪmə] *n* 1) букварь; начальный учебник; 2) ['prɪmə] *полигр.:* great ~ шрифт в 18 пунктов; long ~ корпус; 3) *жив., стр.* грунтовка.

**primer II** ['praɪmə] *n* пистон; капсюль, запал; инициирующее взрывчатое вещество.

**primeval** [praɪ'miːvəl] *a* первобытный.

**priming** ['praɪmɪŋ] **1.** *pres. p. от* prime 3;
**2.** *n* 1) *жив., стр.* грунт, грунтовка; 2) *тех.* заправка, заливка, заполнение; 3) *воен. уст.* затравка.

**primitive** ['prɪmɪtɪv] **1.** *a* 1) примитивный; 2) первобытный; 3) старомодный; простой, грубый; 4) основной; 5) *геол.* первозданный;
**2.** *n* 1) основной цвет; 2) *жив.* примитив; 3) *жив.* примитивист.

**primness** ['prɪmnɪs] *n* чопорность; жеманство.

**primogenitor** [,praɪmou'dʒenɪtə] *n* (древнейший) предок.

**primogeniture** [,praɪmou'dʒenɪtʃə] *n* 1) первородство; 2) право старшего сына на наследование недвижимости.

**primordial** [praɪ'mɔːdjəl] *a* 1) изначальный, исконный; 2) первобытный.

**primrose** ['prɪmrouz] *n* 1) *бот.* первоцвет; 2) *attr.* бледно-жёлтый; ◇ P. Day 19-е апреля (*день памяти Дизраэли*); the ~ path путь наслаждений.

**primula** ['prɪmjulə] *n бот.* первоцвет, примула.

**primus** ['praɪməs] *n* примус.

**prince** [prɪns] *n* 1) принц; P. of Wales принц Уэльский, наследник английского престола; 2) князь; 3) *уст.* государь, правитель; 4) выдающийся деятель (*литературы, искусства и т. п.*); 5) король, магнат, крупный предприниматель *и т. п.*; ◇ P. of the Church кардинал; P. of darkness (*или* of the air, of the world) сатана; Hamlet without the P. of Denmark что-л. лишённое самого важного, самой сути.

**princeling** ['prɪnslɪŋ] *n пренебр.* князёк.

**princely** ['prɪnslɪ] *a* 1) царственный; 2) великолепный, роскошный.

**princess I** [prɪn'ses] *n* принцесса; княгиня; княжна; ~ royal ['prɪnses'rɔɪəl] старшая дочь английского короля.

**princess II** [prɪn'ses] *n* сорт кровельной черепицы.

**principal** ['prɪnsəpəl] **1.** *n* 1) глава, начальник; патрон; принципал; 2) ректор университета; директор колледжа *или* школы; 3) *театр.* главное действующее ли-

цо́; 4) *юр.* гла́вный вино́вник; 5) *эк.* основна́я су́мма, капита́л (*сумма, на которую начисляются проценты*); 6) *стр.* стропи́льная фе́рма;
2. *a* 1) гла́вный, основно́й; ~ sum основно́й капита́л; 2) веду́щий; 3) *грам.* гла́вный; ~ clause гла́вное предложе́ние; ~ parts of the verb основны́е фо́рмы глаго́ла.

**principality** [͵prɪnsɪˈpælɪtɪ] *n* кня́жество; the P. Уэ́льс.

**principally** [ˈprɪnsəplɪ] *adv* гла́вным о́бразом; преиму́щественно.

**principle** [ˈprɪnsəpl] *n* 1) при́нцип; пра́вило; зако́н; unanimity ~ при́нцип единогла́сия; in ~ в при́нципе; on ~ из при́нципа; of ~ принципиа́льный; a question of ~ принципиа́льный вопро́с; a man of no ~s беспринци́пный челове́к; 2) первопричи́на; причи́на, исто́чник; 3) *хим.* составна́я часть, элеме́нт; 4) при́нцип устро́йства (*машины и т. п.*).

**principled** [ˈprɪnsəpld] *a* принципиа́льный; с твёрдыми усто́ями.

**pringle** [ˈprɪŋgl] *v* 1) неприя́тно пока́лывать, пощи́пывать; 2) издава́ть неприя́тный звук.

**prink** [prɪŋk] *v* 1) чи́стить пе́рья (*о птицах*); 2) наряжа́ть(ся), прихора́шивать(ся).

**print** [prɪnt] 1. *n* 1) о́ттиск; отпеча́ток; след; 2) шрифт, печа́ть; small (large, close) ~ ме́лкая (кру́пная, убо́ристая) печа́ть; 3) печа́тание, печа́ть; in ~ а) в печа́ти; б) в прода́же (*о книге, брошюре и т. п.*); out of ~ распро́данный; разоше́дшийся; to rush into ~ отдава́ть сли́шком поспе́шно материа́л в печа́ть (*особ. недоста́точно обрабо́танный*); 4) гравю́ра, эста́мп; 5) (*преим. амер.*) печа́тное изда́ние; газе́та; 6) штамп; 7) фотографи́ческая ка́рточка; 8) набивна́я ткань, си́тец; 9) *attr.* си́тцевый; 10) *attr.* печа́тный; ~ hand письмо́ печа́тными бу́квами;
2. *v* 1) печа́тать; 2) запечатлева́ть; 3) писа́ть печа́тными бу́квами; 4) *фото* отпеча́тывать(ся) (*тж.* ~ out, ~ off); 5) набива́ть (*ситец*).

**printer** [ˈprɪntə] *n* 1) печа́тник; типо́граф; 2) *текст.* набо́йщик; ◇ to spill ~'s ink печа́таться; ~'s devil учени́к в типогра́фии.

**printing** [ˈprɪntɪŋ] 1. *pres. p.* от print 2;
2. *n* 1) печа́тание, печа́ть; 2) печа́тное изда́ние; 3) тира́ж; 4) печа́тное де́ло.

**printing-house** [ˈprɪntɪŋ͵haus] *n* типогра́фия.

**printing-ink** [ˈprɪntɪŋ͵ɪŋk] *n полигр.* печа́тная кра́ска.

**printing-machine** [ˈprɪntɪŋmə͵ʃiːn] = printing-press.

**printing-press** [ˈprɪntɪŋ͵pres] *n* печа́тный стано́к, печа́тная маши́на.

**print-seller** [ˈprɪnt͵selə] *n* продаве́ц гравю́р.

**print-shop** [ˈprɪntʃɔp] *n* 1) типогра́фия; 2) магази́н гравю́р.

**print-works** [ˈprɪntwəːks] *n pl* (*употр. как sing и как pl*) ситценаби́вная фа́брика.

**prior** I [ˈpraɪə] *a* 1) пре́жний; предше́ствующий; 2) бо́лее ва́жный, ве́ский; a ~ claim бо́лее ве́ская прете́нзия; 3): ~ to

(*употр. как prep*) ра́ньше, пре́жде, до; ~ to my arrival до моего́ прие́зда.

**prior** II [ˈpraɪə] *n* настоя́тель, прио́р.

**prioress** [ˈpraɪərɪs] *n* настоя́тельница.

**priority** [praɪˈɔrɪtɪ] *n* 1) приорите́т, старшинство́; 2) поря́док сро́чности, очерёдности; to take ~ of... а) предше́ствовать...; б) по́льзоваться преиму́ществом...

**priory** [ˈpraɪərɪ] *n* монасты́рь, приора́т.

**prise** [praɪz] = prize III.

**prism** [ˈprɪzəm] *n* при́зма.

**prismatic** [prɪzˈmætɪk] *a* призмати́ческий.

**prison** [ˈprɪzn] 1. *n* 1) тюрьма́; 2) *attr.* тюре́мный; ~ hospital тюре́мная больни́ца; ~ camp ла́герь военноплённых;
2. *v поэт.* заключа́ть в тюрьму́.

**prison-breaker** [ˈprɪzn͵breɪkə] *n* бежа́вший из тюрьмы́.

**prison-breaking** [ˈprɪzn͵breɪkɪŋ] *n* побе́г из тюрьмы́.

**prisoner** [ˈprɪznə] *n* 1) заключённый, подсуди́мый, аресто́ванный (*тж.* ~ at the bar); ~ on bail подсуди́мый, отпу́щенный на пору́ки; ~ of State госуда́рственный престу́пник, полити́ческий заключённый; 2) (военно)плённый (*тж.* ~ of war); 3) *перен.* лишённый свобо́ды де́йствия; he is a ~ to his chair он прико́ван (боле́знью) к кре́слу.

**prison-house** [ˈprɪznhaus] *n ритор.* тюрьма́.

**pristine** [ˈprɪstaɪn] *a* 1) дре́вний, первонача́льный; 2) чи́стый, нетро́нутый; неиспо́рченный.

**prithee** [ˈprɪðiː] *int* (*сокр. от* I pray thee) *уст.* прошу́.

**privacy** [ˈpraɪvəsɪ] *n* 1) уедине́ние, уединённость; 2) та́йна, секре́тность; in the ~ of one's thoughts в глубине́ души́.

**private** [ˈpraɪvɪt] 1. *a* 1) ча́стный, ли́чный; ~ bill парла́ментский законопрое́кт, каса́ющийся отде́льных лиц *или* корпора́ций; ~ life ча́стная жизнь; ~ means ли́чное состоя́ние; ~ property ча́стная со́бственность; ~ office ли́чный кабине́т; ~ (medical) practitioner частнопрактику́ющий врач; ~ secretary ли́чный секрета́рь; ~ view просмо́тр карти́н (*до официа́льного открытия выставки*); 2) не находя́щийся на госуда́рственной слу́жбе, не занима́ющий официа́льного поста́; ~ member член парла́мента, не занима́ющий никако́го госуда́рственного поста́; 3) уединённый; 4) та́йный, конфиденциа́льный; for one's own ~ ear по секре́ту; to keep a thing ~ держа́ть что-л. в та́йне; ◇ a ~ soldier рядово́й;
2. *n* 1) рядово́й; 2) *pl* половы́е о́рганы; ◇ in ~ а) наедине́; конфиденциа́льно; б) в ча́стной жи́зни; в дома́шней обстано́вке.

**privateer** [͵praɪvəˈtɪə] *n ист.* 1) ка́пер; 2) капита́н *или* член экипа́жа ка́пера.

**privateering** [͵praɪvəˈtɪərɪŋ] *ист.* 1. *n* ка́перство;
2. *a* занима́ющийся ка́перством.

**privation** [praɪˈveɪʃən] *n* 1) лише́ние, нужда́; 2) недоста́ток, отсу́тствие (*чего-л.*).

**privative** [ˈprɪvətɪv] *a грам.* отрица́тельный (*об аффиксах и т. п.*).

**privet** [ˈprɪvɪt] *n бот.* бирючи́на.

**privilege** ['prɪvɪlɪdʒ] **1.** *n* привиле́гия; преиму́щество; ~ of Parliament депута́тская неприкоснове́нность и не́которые други́е привиле́гии чле́нов парла́мента; breach of ~ наруше́ние прав парла́мента; bill of ~ пети́ция пэ́ра о том, что́бы его́ суди́л суд пэ́ров; writ of ~ прика́з об освобожде́нии из-под аре́ста привилегиро́ванного лица́, арестованного по гражда́нскому де́лу; to listen to him was a ~ слу́шать его́ бы́ло исключи́тельным удово́льствием; **2.** *v* дава́ть привиле́гию; освобожда́ть (*от чего-л.*).

**privileged** ['prɪvɪlɪdʒd] **1.** *p. p. от* privilege ·2; **2.** *a* привилегиро́ванный; ◇ ~ communication а) све́дения, сообщённые пацие́нтом врачу́; б) све́дения, сообщённые адвока́ту его́ клие́нтом.

**privity** ['prɪvɪtɪ] *n* 1) секре́тность, та́йна; 2) осведомлённость; соуча́стие, прикосно́венность (to); with (without) the ~ с (без) ве́дома.

**privy** ['prɪvɪ] **1.** *a* 1) та́йный, сокрове́нный; скры́тый; конфиденциа́льный; P. Council та́йный сове́т; ~ councillor (*или* counsellor) член та́йного сове́та; 2) ча́стный; уединённый; 3) посвящённый (to — во *что-л.*); ~ to a contract уча́ствующий в контра́кте; 4): ~ parts половы́е о́рганы; ◇ ~ purse а) су́ммы, ассигно́ванные на ли́чные расхо́ды короля́; б) храни́тель де́нег на ли́чные расхо́ды короля́; P. Seal а) ма́лая госуда́рственная печа́ть; б) лорд храни́тель печа́ти (*тж.* Lord P. Seal); **2.** *n* 1) *уст.* убо́рная; 2) *юр.* заинтересо́ванное лицо́.

**prize** I [praɪz] **1.** *n* 1) награ́да, приз, пре́мия; the International Lenin Peace P. Междунаро́дная Ле́нинская пре́мия ми́ра; 2) вы́игрыш; нахо́дка, неожи́данное сча́стье; 3) предме́т вожделе́ний; жела́нная добы́ча; the ~s of life бла́га жи́зни; 4) *attr.* премиро́ванный, удосто́енный пре́мии, награ́ды; ~ poem стихотворе́ние, удосто́енное пре́мии; ~ fellowship стипе́ндия, назна́ченная за отли́чные успе́хи; 5) *attr.* прекра́сный, досто́йный награ́ды (*тж. иро́н.*); **2.** *v* 1) высоко́. цени́ть; 2) оце́нивать.

**prize** II [praɪz] *n мор.* 1) приз, трофе́й, захва́ченное су́дно *или* иму́щество; to become a ~ (of) быть захва́ченным; to make (a) ~ of... захвати́ть...; to place in ~ рассма́тривать в ка́честве при́за; 2) *attr.* призово́й; ~ proceeding призово́е судопроизво́дство; naval ~ law морско́е призово́е пра́во.

**prize** III [praɪz] **1.** *n* рыча́г; **2.** *v* вскрыва́ть, взла́мывать *или* передвига́ть посре́дством рычага́ (*обыкн.* ~ open, ~ up).

**prize-court** ['praɪzkɔːt] *n* призово́й суд.

**prize-fight** ['praɪzfaɪt] *n* состяза́ние профессиона́льных боксёров на приз.

**prize-fighter** ['praɪz,faɪtə] *n* боксёр-профессиона́л.

**prize-fighting** ['praɪz,faɪtɪŋ] *n* профессиона́льный бокс.

**prizeman** ['praɪzmən] *n* челове́к, получи́вший пре́мию *или* приз; лауреа́т.

**prize-money** ['praɪz,mʌnɪ] *n* призовы́е де́ньги.

**prize-ring** ['praɪzrɪŋ] *n спорт.* 1) ринг; 2) = prize-fighting.

**prizewinner** ['praɪz,wɪnə] *n* челове́к, получи́вший пре́мию *или* приз; лауреа́т.

**pro** [prou] *сокр. разг. от* professional 2.

**pro-** [prou-] *pref со значением:* а) *являющийся сторонником за, про-;* pro-tariff-reform явля́ющийся сторо́нником тари́фных рефо́рм; б) *замещающий вместо;* pro-rector проре́ктор, замести́тель ре́ктора.

**proa** ['prouə] *n* про́а (*малайское парусное судно*).

**pro and con** ['prouənd'kɔn] *adv* за и про́тив.

**probability** [,prɔbə'bɪlɪtɪ] *n* 1) вероя́тность; in all ~ по всей вероя́тности; 2) правдоподо́бие.

**probable** ['prɔbəbl] **1.** *a* 1) вероя́тный, возмо́жный; 2) предполага́емый; 3) правдоподо́бный; **2.** *n* вероя́тный кандида́т, вы́бор *и т. п.*

**probably** ['prɔbəblɪ] *adv* вероя́тно.

**probate** ['proubeɪt] **1.** *n* 1) официа́льное утвержде́ние завеща́ния; 2) заве́ренная ко́пия завеща́ния; **2.** *v амер.* утвержда́ть завеща́ние.

**probation** [prə'beɪʃən] *n* 1) испыта́ние, стажи́рование; 2) испыта́тельный срок; 3) *юр.* усло́вное освобожде́ние на пору́ки несовершенноле́тнего престу́пника; 4) *церк.* послу́шничество; и́скус.

**probationary** [prə'beɪʃnərɪ] *a* 1) испыта́тельный; ~ sentence усло́вный пригово́р; ~ ward *мед.* изоля́тор; 2) находя́щийся на испыта́нии, подверга́ющийся испыта́нию, испыту́емый.

**probationer** [prə'beɪʃnə] *n* 1) испыту́емый; стажёр; кандида́т в чле́ны (*тж.* ~ member); 2) *юр.* усло́вно осуждённый престу́пник; 3) *церк.* послу́шник.

**probation officer** [prə'beɪʃən'ɔfɪsə] *n* инспе́ктор, наблюда́ющий за поведе́нием усло́вно осуждённых несовершенноле́тних престу́пников.

**probative** ['proubətɪv] *a* 1) доказа́тельный; 2) слу́жащий для испыта́ния.

**probe** [proub] **1.** *n* 1) *мед.* зонд; 2) *тех.* зонд, щуп; 3) зонди́рование; 4) *амер.* рассле́дование; **2.** *v* 1) *мед.* зонди́ровать; 2) иссле́довать; рассле́довать (into).

**probity** ['proubɪtɪ] *n* че́стность; непод-ку́пность.

**problem** ['prɔbləm] *n* 1) пробле́ма; вопро́с; зада́ча; 2) сло́жная ситуа́ция; 3) тру́дный слу́чай; 4) *мат.* зада́ча; 5) *attr* пробле́мный; ~ novel проблемный рома́н; 6) *attr.*: ~ child тру́дный ребёнок.

**problematic(al)** [,prɔblɪ'mætɪk(əl)] *a* проблемати́чный; сомни́тельный.

**problematically** [,prɔblɪ'mætɪkəlɪ] *adv* проблемати́чно; сомни́тельно.

**problem(at)ist** ['prɔblɪm(ət)ɪst] *n* тот, кто составля́ет *или* реша́ет зада́чи (*особ.* ша́хматные).

**proboscidean, proboscidian** [ˌproubə'sɪdɪən]
1. *a* хоботный;
2. *n* хоботное животное.
**proboscis** [prə'bɔsɪs] *n* 1) хобот; 2) хоботок (*насекомых*); 3) *шутл.* нос.
**procedural** [prə'siːdʒərəl] *a* процедурный.
**procedure** [prə'siːdʒə] *n* 1) образ действия; 2) процесс производства работы, технологический процесс; 3) методика проведения (*опыта, анализа*); 4) *юр., парл.* процедура.
**proceed** [prə'siːd] *v* 1) продолжать (говорить); please ~ продолжайте, пожалуйста; 2) отправляться (дальше); 3) возобновлять (*дело, игру и т. п.*; with, in); приступить, перейти (to—к *чему-л.*; *тж.* c *inf.*); to ~ to go to bed отправиться спать; he ~ed to give me a good scolding он принялся меня бранить; 4) происходить; развиваться; исходить (from); from what direction did the shots ~? откуда слышались выстрелы? 5) действовать, поступать; 6) преследовать судебным порядком (against); 7) получать учёную степень.
**proceeding** [prə'siːdɪŋ] 1. *pres. p. от* proceed;
2. *n* 1) поступок; 2) *pl:* legal ~s судопроизводство; to take (*или* to institute) legal ~s (against) начать судебное преследование; 3) *pl* работа (*комиссии*), заседание; 4) *pl* труды, записки (*научного об-ва*).
**proceeds** ['prousiːdz] *n pl* доход, вырученная сумма.
**process 1.** *n* ['prouses] 1) процесс; состояние, стадия; changes are in ~ происходят перемены; 2) движение, течение; in ~ of time с течением времени; 3) *юр.* вызов (*в суд*); предписание; судебный процесс; 4) *анат., зоол., бот.* отросток; 5) *тех.* технологический процесс, приём, способ; 6) *полигр.* фотомеханический способ;
2. *v* [prə'ses] 1) *юр.* возбуждать процесс; 2) подвергать (какому-л. техническому) процессу; обрабатывать; 3) *амер.* оформлять; 4) *разг.* участвовать в процессии; 5) *полигр.* воспроизводить фотомеханическим способом.
**process cheese** ['prouses'tʃiːz] *n* плавленый сыр.
**processing** [prə'sesɪŋ] 1. *pres. p. от* process 2;
2. *n* обработка; переработка продуктов.
**procession** [prə'seʃən] 1. *n* процессия;
2. *v* участвовать в процессии.
**processional** [prə'seʃənl] 1. *a* относящийся к процессии;
2. *n* 1) обрядовая церковная книга (*у католиков*); 2) церковный гимн.
**processionist** [prə'seʃənɪst] *n* участник процессии.
**process-server** ['prouses,səːvə] *n* посыльный из суда, вручающий повестки, предписания и т. п.
**procès-verbal** [prə'seɪve'bɑːl] *фр. n* (*pl* -verbaux) протокол.
**procès-verbaux** [prə'seɪve'bou] *pl от* procès-verbal.
**proclaim** [prə'kleɪm] *v* 1) провозглашать; объявлять; 2) свидетельствовать,

говорить (*о чём-л.*); his manners ~ed him a military man его манеры обличали в нём военного; 3) объявлять на чрезвычайном положении; 4) запрещать (*собрание и т. п.*); объявлять вне закона.
**proclamation** [ˌprɔklə'meɪʃən] *n* 1) воззвание; 2) послание; 3) официальное объявление; декларация; провозглашение.
**proclitic** [prou'klɪtɪk] *лингв.* 1. *a* проклитический;
2. *n* проклитика.
**proclivity** [prə'klɪvɪtɪ] *n* склонность, наклонность (to, towards).
**proconsul** [prou'kɔnsəl] *n* 1) *др.-рим.* проконсул; 2) *ритор.* губернатор колонии.
**proconsular** [prou'kɔnsjulə] *a* проконсульский.
**proconsulate** [prou'kɔnsjulɪt] *n* проконсульство.
**procrastinate** [prou'kræstɪneɪt] *v* откладывать (со дня на день), мешкать.
**procrastination** [prouˌkræstɪ'neɪʃən] *n* откладывание со дня на день.
**procreate** ['proukrɪeɪt] *v* 1) производить потомство; 2) порождать.
**procreation** [ˌproukrɪ'eɪʃən] *n* 1) произведение потомства; 2) порождение.
**Procrustean** [prou'krʌstɪən] *a:* ~ bed прокрустово ложе.
**proctor** ['prɔktə] *n* 1) проктор; инспектор (*в Оксфордском и Кембриджском университетах*); 2) поверенный (*особ. в церковном суде*).
**proctorial** [prɔk'tɔːrɪəl] *a* прокторский.
**proctorship** ['prɔktəʃɪp] *n* звание, должность проктора.
**proctoscope** ['prɔktəskoup] *n мед.* ректоскоп.
**procumbent** [prou'kʌmbənt] *a* 1) лежащий ничком, распростёртый; 2) *бот.* стелющийся.
**procurable** [prə'kjuərəbl] *a* доступный, могущий быть приобретённым.
**procuration** [ˌprɔkjuə'reɪʃən] *n* 1) ведение дел по доверенности; 2) полномочие, доверенность; 3) приобретение, получение; 4) сводничество.
**procurator** ['prɔkjuəreɪtə] *n* 1) *юр.* поверенный; 2) *юр.* прокурор (*тж.* public ~); the ~'s office прокуратура; 3) *др.-рим.* прокуратор.
**procure** [prə'kjuə] *v* 1) доставать, доставлять; добывать; обеспечивать; 2) сводничать; 3) *поэт., уст.* производить; причинять.
**procurement** [prə'kjuəmənt] *n* 1) приобретение; 2) *амер.* закупка, заготовка; 3) сводничество.
**procurer** [prə'kjuərə] *n* 1) поставщик; 2) сводник.
**procuress** [prə'kjuərɪs] *n* сводница, сводня.
**prod** [prɔd] 1. *n* 1) тычок; a ~ with a bayonet укол штыком; 2) инструмент для прокалывания: шило и т. п.; 3) стрекало; 2. *v* 1) колоть; пронзать; 2) подгонять; подстрекать.
**prodigal** ['prɔdɪgəl] 1. *a* 1) расточительный; 2) щедрый; ~ of favours щедрый

на ми́лости; 3) чрезме́рный, оби́льный; ◇ the ~ son *библ.* блу́дный сын;

2. *n* мот, пове́са.

**prodigality** [,prɔdɪ'gælɪtɪ] *n* 1) расточи́тельность, мотовство́; 2) ще́дрость; 3) изоби́лие.

**prodigally** ['prɔdɪgəlɪ] *adv* 1) расточи́тельно; 2) бога́то, оби́льно.

**prodigious** [prə'dɪdʒəs] *a* 1) удиви́тельный, изуми́тельный; 2) грома́дный, огро́мный; 3) чудо́вищный.

**prodigy** ['prɔdɪdʒɪ] *n* 1) чу́до; 2) одарённый челове́к; an infant ~ чу́до-ребёнок, вундерки́нд; 3) *attr.* необыкнове́нно одарённый; ~ violinist замеча́тельный скрипа́ч.

**prodrome** ['prɔudrɔum] *n* 1) кни́га *или* статья́, явля́ющиеся введе́нием к бо́лее обши́рному труду́; 2) *редк.* предве́стник; 3) *мед.* при́знак, предше́ствующий нача́лу заболева́ния; продрома́льное явле́ние.

**produce** 1. *n* ['prɔdjuːs] 1) проду́кция, проду́кт; 2) результа́т;

2. *v* [prə'djuːs] 1) производи́ть, дава́ть; выраба́тывать; создава́ть; to ~ on the line осуществля́ть ма́ссовое произво́дство; 2) написа́ть, изда́ть (*книгу*); 3) поста́вить (*пьесу, кинокартину*); 4) вызыва́ть, быть причи́ной; hard work ~s success успе́х явля́ется результа́том упо́рного труда́; 5) предъявля́ть, представля́ть; to ~ reasons привести́ до́воды; to ~ one's ticket предъяви́ть биле́т; 6) достава́ть; 7) *геом.* продолжа́ть (*линию или плоскость*).

**producer** [prə'djuːsə] *n* 1) производи́тель, поставщи́к; 2) режиссёр, постано́вщик; 3) *амер.* хозя́ин *или* дире́ктор теа́тра; владе́лец киносту́дии; 4) *тех.* (газо)генера́тор; 5) *attr.* генера́торный.

**producible** [prə'djuːsəbl] *a* могу́щий быть произведённым; производи́мый.

**product** ['prɔdəkt] *n* 1) проду́кт; проду́кция; изде́лие, фабрика́т; 2) результа́т, плоды́; 3) *мат.* произведе́ние; 4) *хим.* проду́кт реа́кции.

**production** [prə'dʌkʃən] *n* 1) произво́дство; изготовле́ние; 2) проду́кция; изде́лие; 3) производи́тельность; вы́работка, добы́ча; 4) (худо́жественное) произведе́ние; постано́вка (*пьесы, кинокартины*); 6) *attr.* производ́ственный.

**productive** [prə'dʌktɪv] *a* 1) производ́и́тельный, продукти́вный; 2) плодоро́дный; 3) плодови́тый; 4) производя́щий; 5) причиня́ющий, влеку́щий за собо́й (of); 6) плодотво́рный (*о влиянии*).

**productivity** [,prɔdʌk'tɪvɪtɪ] *n* производ́и́тельность, продукти́вность; labour ~ производ́и́тельность труда́.

**proem** ['prɔuem] *n* 1) предисло́вие, введе́ние; вступле́ние; 2) нача́ло; прелю́дия.

**prof** [prɔf] *сокр. разг. от* professor 1).

**profanation** [,prɔfə'neɪʃən] *n* профана́ция; оскверне́ние, опошле́ние.

**profane** [prə'feɪn] 1. *a* 1) мирско́й; све́тский; 2) непосвящённый; 3) нечести́вый, богоху́льный; 4) язы́ческий;

2. *v* оскверня́ть; профани́ровать.

**profanity** [prə'fænɪtɪ] *n* богоху́льство.

**profess** [prə'fes] *v* 1) откры́то признава́ть(ся), заявля́ть; 2) испове́довать (*веру*); 3) претендова́ть (*на учёность и т. п.*); 4) притворя́ться, изобража́ть; 5) занима́ться како́й-л. де́ятельностью, избра́ть свое́й профе́ссией; 6) обуча́ть, преподава́ть; 7) (*обыкн. pass.*) принима́ть в религио́зный о́рден.

**professed** [prə'fest] 1. *p. p. от* profess; 2. *a* 1) откры́тый, откры́то зая́вленный; 2) мни́мый, я́кобы существу́ющий.

**professedly** [prə'fesɪdlɪ] *adv* я́вно, откры́то; по со́бственному призна́нию.

**profession** [prə'feʃən] *n* 1) профе́ссия; the learned ~s богосло́вие, пра́во, медици́на; liberal ~s свобо́дные профе́ссии; 2) ли́ца како́й-л. профе́ссии; the ~ *театр. sl.* актёры; 3) заявле́ние (*о своих чувствах и т. п.*); 4) (веро)испове́дание; 5) вступле́ние в религио́зный о́рден; обе́т.

**professional** [prə'feʃənl] 1. *a* 1) профессиона́льный; 2) име́ющий профе́ссию *или* специа́льность; the ~ classes адвока́ты, учителя́ *и т. п.*;

2. *n* 1) профессиона́л; 2) специали́ст.

**professionalism** [prə'feʃnəlɪzəm] *n* 1) профессионали́зм; 2) профессионализа́ция.

**professionalize** [prə'feʃnəlaɪz] *v* превраща́ть (*какое-л. занятие*) в профе́ссию.

**professionally** [prə'feʃnəlɪ] *adv* профессиона́льно; как специали́ст; we consulted him ~ мы обрати́лись к нему́ как к специали́сту.

**professor** [prə'fesə] *n* 1) профе́ссор; преподава́тель; 2) испове́дующий (*религию*).

**professorate** [prə'fesərɪt] *n* 1) профе́ссорство; 2) *собир.* профессу́ра.

**professorial** [,prɔfe'sɔːrɪəl] *a* профе́ссорский.

**professoriate** [,prɔfe'sɔːrɪɪt] *n собир.* профессу́ра.

**professorship** [prə'fesəʃɪp] *n* профессу́ра (*должность, звание*).

**proffer** ['prɔfə] 1. *n* предложе́ние;

2. *v* предлага́ть.

**proficiency** [prə'fɪʃənsɪ] *n* о́пытность; уме́ние, сноро́вка.

**proficient** [prə'fɪʃənt] 1. *a* иску́сный, уме́лый, о́пытный;

2. *n* знато́к, специали́ст.

**profile** ['prɔufiːl] 1. *n* 1) про́филь; 2) очерта́ние, ко́нтур; габари́т; 3) кра́ткий биографи́ческий о́черк; 4) *тех.* вертика́льный разре́з, сече́ние; 5) *attr. тех.* фасо́нный.

2. *v* 1) рисова́ть в про́филь; изобража́ть в про́филе, в разре́зе; 2) *тех.* профили́ровать, обраба́тывать по шабло́ну.

**profiler** ['prɔufiːlə] *n тех.* копирова́льно-фре́зерный стано́к.

**profiling machine** ['prɔufiːlɪŋmə'ʃiːn] = profiler.

**profit** ['prɔfit] 1. *n* 1) по́льза, вы́года; to make a ~ on извле́чь вы́году из; 2) (*обыкн. pl*) при́быль; дохо́д; бары́ш; gross ~s валово́й дохо́д; net ~ чи́стый дохо́д; 3) проце́нты, начисле́ния;

2. *v* 1) приноси́ть по́льзу, быть поле́зным; it ~s little to advise him бесполе́зно дава́ть ему́ сове́ты; 2) по́льзоваться, извле-

кать пользу; 3) воспользоваться (by—*чем-либо*).

**profitable** ['prɔfɪtəbl] *a* 1) прибыльный, выгодный, доходный; 2) полезный; благоприятный.

**profitably** ['prɔfɪtəblɪ] *adv* выгодно; с выгодой, с прибылью.

**profiteer** [,prɔfɪ'tɪə] **1.** *n* спекулянт; барышник;

**2.** *v* спекулировать.

**profit-sharing** ['prɔfɪt,ʃɛərɪŋ] *n* участие в прибылях.

**profligacy** ['prɔflɪgəsɪ] *n* 1) распутство; 2) расточительность.

**profligate** ['prɔflɪgɪt] **1.** *a* 1) распутный; 2) расточительный;

**2.** *n* 1) распутник; 2) расточитель.

**profound** [prə'faund] **1.** *a* 1) глубокий; to make a ~ reverence отвесить низкий поклон; 2) глубокий; мудрый; 3) полный, абсолютный; ~ ignorance полное невежество; 4) проникновенный;

**2.** *n поэт.* глубина.

**profoundness** [prə'faundnɪs] = profundity.

**profundity** [prə'fʌndɪtɪ] *n* 1) (огромная) глубина; 2) пропасть.

**profuse** [prə'fjuːs] *a* 1) изобильный, богатый (*чем-л.*); 2) щедрый; расточительный (in).

**profusely** [prə'fjuːslɪ] *adv* обильно, щедро; чрезмерно.

**profusion** [prə'fjuːʒən] *n* 1) изобилие, богатство; избыток; 2) чрезмерная роскошь; 3) щедрость, расточительность.

**prog** I [prɔg] *n sl.* еда; пища; провизия на дорогу *или* для пикника.

**prog** II [prɔg] *студ. sl. см.* proctor 1).

**progenitive** [prou'dʒenɪtɪv] *a* способный дать потомство.

**progenitor** [prou'dʒenɪtə] *n* 1) прародитель; основатель рода; 2) предшественник.

**progenitress, progenitrix** [prou'dʒenɪtrɪs, -trɪks] *n* прародительница.

**progeny** ['prɔdʒɪnɪ] *n* 1) потомство; потомок; 2) последователи, ученики; 3) результат, исход.

**proggins** ['prɔgɪnz] *студ. sl. см.* proctor 1).

**prognathous** [prɔg'neɪθəs] *a* 1) с выдающимися челюстями; 2) выдающийся (*о челюсти*).

**prognoses** [prɔg'nousiːz] *pl om* prognosis.

**prognosis** [prɔg'nousɪs] *n* (*pl* -ses) прогноз.

**prognostic** [prɔg'nɔstɪk] **1.** *a* служащий предвестником; предвещающий;

**2.** *n* 1) предвестие, предзнаменование; предвестник; 2) предвещание, предсказание.

**prognosticate** [prɔg'nɔstɪkeɪt] *v* предсказывать, предвещать.

**prognostication** [prɔg,nɔstɪ'keɪʃən] *n* 1) предзнаменование; 2) предсказание.

**program(me)** ['prougræm] **1.** *n* 1) программа; 2) афиша; 3) план; 4) *разг.*: what is the ~? ну, чем займёмся?; a full ~ множество занятий, дел *и т. п.*; 5) *attr.* программный;

**2.** *v* составлять программу *или* план.

**program-music** ['prougræm,mjuːzɪk] *n* программная музыка.

**progress** **1.** *n* ['prougres] 1) прогресс, развитие; движение вперёд; to be in ~ выполняться, быть в процессе становления, в развитии; changes are in ~ вводятся изменения; preparations are in ~ ведутся приготовления; 2) продвижение; 3) достижения, успехи; to make ~ делать успехи; 4) течение, ход событий; 5) *редк.* странствие, путешествие; 6) *ист.* путешествие короля по стране;

**2.** *v* [prə'gres] 1) прогрессировать, развиваться; совершенствоваться; 2) продвигаться; 3) делать успехи.

**progression** [prə'greʃən] *n* 1) продвижение; движение, ход вперёд; 2) последовательность (*событий и т. п.*); 3) *редк.* прогресс; 4) *мат.* прогрессия.

**progressionist** [prə'greʃnɪst] *n* 1) прогрессист; 2) человек, убеждённый в непрерывности прогресса.

**progressive** [prə'gresɪv] **1.** *a* 1) прогрессивный; 2) поступательный (*о движении*); ~ rotation вращательно-поступательное движение; 3) прогрессирующий; 4) постепенный;

**2.** *n* 1) прогрессивный деятель; 2) (Р.) член прогрессивной партии.

**prohibit** [prə'hɪbɪt] *v* 1) запрещать; 2) препятствовать, мешать (from).

**prohibition** [,proui'bɪʃən] *n* 1) запрещение; 2) запрещение продажи спиртных напитков.

**prohibitionist** [,proui'bɪʃnɪst] *n* сторонник запрещения продажи спиртных напитков.

**prohibitive** [prə'hɪbɪtɪv] *a* 1) запретительный; 2) препятствующий, запрещающий.

**prohibitory** [prə'hɪbɪtərɪ] = prohibitive.

**project** **1.** *n* ['prɔdʒekt] 1) проект, план; 2) новостройка; осуществляемое строительство;

**2.** *v* [prə'dʒekt] 1) проектировать; составлять проект, обдумывать план; 2) бросать, отражать (*тень, луч света и т. п.*); 3) выбрасывать, выпускать (*снаряд*); 4) выдаваться, выступать; 5) *refl.* перенестись мысленно (*в будущее и т. п.*).

**projectile** **1.** *n* ['prɔdʒɪktaɪl] снаряд, пуля; **2.** *a* [prə'dʒektaɪl] метательный.

**projection** [prə'dʒekʃən] *n* 1) метание, бросание; 2) проектирование; 3) проект, план; 4) проекция; 5) выступ, выдающаяся часть; 6) *кино, телев.* проекция изображения.

**projector** [prə'dʒektə] *n* 1) проектировщик; составитель проектов, планов; 2) прожектёр; 3) проекционный, «волшебный» фонарь; 4) прожектор; 5) *воен.* газомёт.

**prolapse** ['proulæps] *мед.* **1.** *n* пролапс, выпадение какого-л. органа;

**2.** *v* выпадать.

**prolapsus** ['proulæpsəs] = prolapse 1.

**prolate** ['prouleɪt] *a* 1) вытянутый (*подобно сфероиду*); растянутый; 2) широко распространённый.

**prolegomena** [,proule'gɔmɪnə] *n pl* введение, предварительные сведения.

**proletarian** [,prəule'tɛərɪən] **1.** *n* пролета́рий;
**2.** *a* пролета́рский.

**proletarianization** [,prəule,tɛərɪənaɪ'zeɪ-ʃən] *n* пролетариза́ция.

**proletariat(e)** [,prəule'tɛərɪət] *n* пролетариа́т.

**proletary** ['prəulɪtərɪ] = proletarian.

**proliferate** [prəu'lɪfəreɪt] *v* 1) *биол.* пролифери́ровать, размножа́ться, разраста́ться путём новообразова́ний; 2) распространя́ться (*о знаниях и т. п.*); 3) бы́стро увели́чиваться.

**proliferation** [prə,lɪfɪ'reɪʃən] *n* 1) *биол.* пролифера́ция, размноже́ние, разраста́ние путём новообразова́ний; 2) бы́строе увеличе́ние; ~ of radio frequencies усиле́ние радиочасто́тности.

**proliferous** [prə'lɪfərəs] *a* *бот.* о́тпрысковый, бы́стро размножа́ющийся.

**prolific** [prə'lɪfɪk] *a* 1) плодоро́дный; 2) плодови́тый; 3) изоби́лующий (in, of — чем-л.).

**prolificacy** [prə'lɪfɪkəsɪ] *n* 1) плодоро́дность; 2) плодови́тость.

**prolix** ['prəulɪks] *a* 1) многосло́вный; ну́дный, тягу́чий; ску́чный; 2) (изли́шне) подро́бный.

**prolixity** [prəu'lɪksɪtɪ] *n* многосло́вие; ну́дность, тягу́честь.

**prolocutor** [prəu'lɔkjutə] *n* 1) ора́тор; 2) председа́тель (*особ.* церко́вного собо́ра).

**prologize** ['prəuləgaɪz] *v* писа́ть *или* произноси́ть проло́г.

**prologue** ['prəulɔg] *n* проло́г.

**prolong** [prə'lɔŋ] *v* 1) продлева́ть; 2) продолжа́ть, протя́гивать да́льше.

**prolongation** [,prəulɔŋ'geɪʃən] *n* 1) продле́ние; пролонга́ция; отсро́чка; 2) продолже́ние (*линии и т. п.*).

**prolonged** [prə'lɔŋd] **1.** *p. p. от* prolong; **2.** *a* затяну́вшийся, дли́тельный; ~ visit затяну́вшееся посеще́ние.

**prolusion** [prə'ljuːʒən] *n* 1) вступи́тельная статья́; предвари́тельные замеча́ния; 2) предвари́тельная попы́тка.

**promenade** [,prɔmɪ'nɑːd] **1.** *n* 1) прогу́лка; гуля́нье; 2) ме́сто для гуля́нья; 3) ве́рхняя па́луба; 4) *разг.* бал, весёлье; *амер.* студе́нческий курсово́й бал; 5) *attr.*: ~ deck = 3); ~ concert конце́рт, во вре́мя кото́рого пу́блика мо́жет свобо́дно ходи́ть по за́лу, входи́ть и выходи́ть; **2.** *v* 1) прогу́ливаться; разгу́ливать; 2) води́ть гуля́ть, выводи́ть на прогу́лку.

**Promethean** [prə'miːθɪən] *a*: ~ fire промете́ев ого́нь.

**Prometheus** [prə'miːθjuːs] *n миф.* Промете́й.

**prominence** ['prɔmɪnəns] *n* 1) вы́ступ; 2) вы́пуклость, неро́вность, возвыше́ние; 3) выдаю́щееся положе́ние; 4) = protuberance 1).

**prominency** ['prɔmɪnənsɪ] = prominence 1), 2) *и* 3).

**prominent** ['prɔmɪnənt] *a* 1) выдаю́щийся; ви́дный, изве́стный; 2) выступа́ющий; торча́щий; 3) вы́пуклый, релье́фный.

**promiscuity** [,prɔmɪs'kjuːɪtɪ] *n* 1) разноро́дность; разношёрстность; 2) сме́шанность;

3) беспоря́дочность, неразбо́рчивость (*в знако́мствах, связях и т. п.*); 4) промискуите́т.

**promiscuous** [prə'mɪskjuəs] *a* 1) разноро́дный; разношёрстный; 2) сме́шанный; ~ bathing совме́стное купа́ние; 3) беспоря́дочный, неразбо́рчивый (*в знако́мствах, связях и т. п.*); 4) *разг.* случа́йный.

**promise** ['prɔmɪs] **1.** *n* 1) обеща́ние; to make a ~ обеща́ть; to keep one's ~ сдержа́ть обеща́ние, исполня́ть обе́щанное; to break one's ~ не сдержа́ть обеща́ния; 2) перспекти́ва; a young man of ~ многообеща́ющий молодо́й челове́к; a pupil of ~ in music учени́к, подаю́щий больши́е наде́жды в му́зыке; ◇ land of ~ — *библ.* земля́ обетова́нная; **2.** *v* 1) обеща́ть; 2) *разг.* уверя́ть; I ~ you уверя́ю вас; 3) подава́ть наде́жды.

**promised** ['prɔmɪst] **1.** *p.p. от* promise 2; **2.** *a* обе́щанный; ◇ ~ land = land of promise [*см.* promise 1, ◇].

**promisee** [,prɔmɪ'siː] *n* *юр.* лицо́, кото́рому даю́т обеща́ние.

**promising** ['prɔmɪsɪŋ] **1.** *pres. p. от* promise 2; **2.** *a* многообеща́ющий, подаю́щий наде́жды.

**promisor** ['prɔmɪsə] *n* лицо́, даю́щее обеща́ние *или* обяза́тельство.

**promissory** ['prɔmɪsərɪ] *a* заключа́ющий в себе́ обеща́ние *или* обяза́тельство; ~ note долгово́е обяза́тельство; ве́ксель.

**promontory** ['prɔməntrɪ] *n* *геогр.* мыс.

**promote** [prə'mout] *v* 1) спосо́бствовать, помога́ть, подде́рживать; соде́йствовать распростране́нию, разви́тию *и т. п.*; 2) выдвига́ть; продвига́ть; повыша́ть в чи́не *или* зва́нии; he was ~d major (*или* to the rank of major) ему́ присво́или зва́ние майо́ра; 3) переводи́ть в сле́дующий класс (*ученика́*); 4) *хим.* ускоря́ть (*реа́кцию*).

**promoter** [prə'moutə] *n* 1) тот, кто *или* то, что спосо́бствует (*чему-л.*); покрови́тель, патро́н; 2) подстрека́тель; 3) *хим.* актива́тор.

**promotion** [prə'mouʃən] *n* 1) продвиже́ние; поощре́ние; соде́йствие; 2) повыше́ние в зва́нии; произво́дство в чин; 3) перево́д (*ученика́*) в сле́дующий класс.

**promotion man** [prə'mouʃən'mæn] *n* посре́дник, аге́нт.

**prompt I** [prɔmpt] **1.** *a* 1) прово́рный, бы́стрый; исполни́тельный; 2) бы́стро *или* неме́дленно сде́ланный; ~ assistance неме́дленная по́мощь; 3) опла́ченный *или* доста́вленный неме́дленно; for ~ cash за нали́чный расчёт; **2.** *adv* 1) бы́стро; 2) то́чно; ро́вно.

**prompt II** [prɔmpt] **1.** *n* 1) напомина́ние; 2) подска́зка; **2.** *v* 1) побужда́ть; толка́ть; внуша́ть; вызыва́ть (*мысль и т. п.*); 2) подска́зывать; 3) *теа́тр.* суфли́ровать.

**prompt-book** ['prɔmptbuk] *n* суфлёрский экземпля́р пье́сы.

**prompt-box** ['prɔmptbɔks] *n* суфлёрская бу́дка.

**prompter** ['prɔmptə] *n* 1) суфлёр; 2) *разг.* подска́зчик; 3) лицо́, побужда́ющее к де́йствию.

**prompting** ['prɔmptɪŋ] 1. *pres. p. от* prompt II, 2;
2. *n* побуждение.
**promptitude** ['prɔmptɪtjuːd] *n* быстрота; проворство; готовность; ~ in paying аккуратность во взносе платежей.
**promptly** ['prɔmptlɪ] *adv* 1) сразу, быстро; 2) точно.
**prompt side** ['prɔmpt'saɪd] *n* 1) левая (*от актёра*) сторона сцены; 2) *амер.* правая (*от актёра*) сторона сцены.
**promulgate** ['prɔmǝlgeɪt] *v* 1) объявлять, провозглашать, опубликовывать; обнародовать; 2) распространять.
**promulgation** [,prɔmǝl'geɪʃǝn] *n* 1) обнародование; опубликование; 2) распространение.
**prone** [proun] *a* 1) (лежащий) ничком; распростёртый; to fall ~ пасть ниц; 2) наклон(ён)ный, покатый; 3) (*обыкн. predic.*) склонный; he is ~ to prompt action он склонен к быстрым действиям; ~ to anger вспыльчивый.
**prong** [prɔŋ] 1. *n* 1) зубец (*вилки и т. п.*); зуб; 2) заострённый инструмент; 3) выступ; 4) вилы; 5) *амер.* рукав (*реки*);
2. *v* 1) поднимать, поворачивать вилами; 2) протыкать.
**pronged** [prɔŋd] 1. *p. p. от* prong 2;
2. *a* снабжённый зубцами, остриём *и т. п.*
**pronominal** [prǝ'nɔmɪnl] *a* грам. местоименный.
**pronoun** ['prounaun] *n* грам. местоимение.
**pronounce** [prǝ'nauns] *v* 1) произносить, выговаривать; 2) объявлять; заявлять; to ~ a sentence объявить приговор; to ~ a curse (upon) проклинать; 3) высказываться (on—о; for—за; against—против).
**pronounceable** [prǝ'naunsǝbl] *a* удобопроизносимый.
**pronounced** [prǝ'naunst] 1. *p. p. от* pronounce;
2. *a* 1) резко выраженный; 2) ясный, определённый, явный; ~ tendency явная тенденция.
**pronouncedly** [prǝ'naunstlɪ] *adv* 1) определённо, явно; 2) подчёркнуто; решительно.
**pronouncement** [prǝ'naunsmǝnt] *n* 1) произнесение, объявление (*решения или приговора*); 2) решение, ·официальное заявление.
**pronouncing** [prǝ'naunsɪŋ] 1. *pres. p. от* pronounce;
2. *n* 1) произношение; произнесение; 2) объявление, заявление; 3) *attr.*: ~ dictionary орфоэпический словарь, словарь с указанием произношения.
**pronto** ['prɔntou] *adv* исп.-ам. разг. быстро, без промедления.
**pronunciation** [prǝ,nʌnsɪ'eɪʃǝn] *n* 1) произношение; выговор; 2) произнесение.
**proof** [pruːf] 1. *n* 1) доказательство; this requires no ~ это не требует доказательства; 2) свидетельское показание; 3) испытание; проба; to put smth. to the ~ испытать что-л., подвергнуть что-л. испытанию; 4) установленный градус крепости спирта; above (under) ~ выше (ниже) установленного градуса; 5) пробирка; 6)

*мат.* проверка; 7) корректура; гранка; пробный оттиск (*гравюры*);
2. *a* 1) непроницаемый (against); непробиваемый; 2) недоступный, не поддающийся (*лести и т. п.*); 3) установленного градуса;
3. *v* делать непроницаемым *и пр.* [*см.* 2].
**-proof** [-pruːf] *в сложных словах означает* устойчивый, непроницаемый, не поддающийся действию (*чего-л.*); waterproof водонепроницаемый.
**proof-read** ['pruːf,riːd] *v* держать корректуру, читать гранки.
**proof-reader** ['pruːf,riːdǝ] *n* корректор; ~'s mark *полигр.* корректурный знак.
**proof-reading** ['pruːf,riːdɪŋ] 1. *pres. p. от* proof-read;
2. *n* читка корректуры.
**proof-room** ['pruːfrum] *n* корректорская.
**proof-sheet** ['pruːfʃiːt] *n* корректурный оттиск, гранка.
**prop** I [prɔp] 1. *n* 1) подпорка; опора; стойка; подставка; 2) опора, столп; 3) *pl* горн. рудничный лес; крепь, стойки; 4) *pl sl.* ноги;
2. *v* (*тж.* ~ up) 1) подпирать; снабжать подпорками; 2) поддерживать, помогать.
**prop** II [prɔp] *сокр. школ. sl. см.* proposition 3).
**prop** III [prɔp] *сокр. ав. sl. см.* propeller.
**prop** IV [prɔp] *сокр. театр. sl. см.* property 3).
**propaedeutic(al)** [,proupiː'djuːtɪk(ǝl)] *a* пропедевтический, вводный.
**propaedeutics** [,proupiː'djuːtɪks] *n pl* (*употр. как sing*) пропедевтика, вводный курс.
**propaganda** [,prɔpǝ'gændǝ] *n* пропаганда.
**propagandist** [,prɔpǝ'gændɪst] *n* пропагандист.
**propagandize** [,prɔpǝ'gændaɪz] *v* пропагандировать.
**propagate** ['prɔpǝgeɪt] *v* 1) размножать (-ся); разводить; to ~ by seeds размножаться семенами; 2) распространять(ся); 3) передавать по наследству (*качества, свойства*); 4) *физ.* передавать на расстояние через среду (*звук, свет, тепло*).
**propagation** [,prɔpǝ'geɪʃǝn] *n* 1) размножение; разведение; 2) распространение (*тж. физ.*); ~ of sound распространение звука.
**propel** [prǝ'pel] *v* 1) продвигать вперёд; толкать; приводить в движение; 2) двигать; стимулировать.
**propellent** [prǝ'pelǝnt] 1. *n* метательное взрывчатое вещество;
2. *a* двигательный, способный двигать; метательный.
**propeller** [prǝ'pelǝ] *n* 1) двигатель; 2) пропеллер, воздушный *или* гребной винт; 3) *attr.* двигательный; ~ turbine турбовинтовой двигатель.
**propelling** [prǝ'pelɪŋ] 1. *pres. p. от* propel;
2. *a* движущий; метательный.
**propensity** [prǝ'pensɪtɪ] *n* склонность, расположение (to—к чему-л.); пристрастие (for—к чему-л.).

**proper** ['prɔpə] a 1) присущий, свойственный; 2) правильный, должный; надлежащий; подходящий; ~ behaviour приличное поведение; in the ~ way надлежащим образом; ~ fraction мат. правильная дробь; 3) пристойный, приличный; 4) точный, истинный; 5) употреблённый в собственном смысле слова; architecture ~ архитектура в узком смысле слова; China ~ собственно Китай; 6) разг. совершенный, настоящий; he was in a ~ rage он был в совершённом бешенстве; 7) уст. собственный; with my own ~ eyes своими собственными глазами; 8) уст. красивый; 9) грам. собственный; ~ name, ~ noun имя собственное.

**properly** ['prɔpəlɪ] adv 1) должным образом; как следует; правильно; 2) пристойно; прилично; 3) разг. здорово; хорошенько; 4) собственно; в узком смысле слова; ~ speaking собственно говоря; строго говоря.

**propertied** ['prɔpətɪd] a имеющий собственность; имущий; the ~ classes имущие классы.

**property** ['prɔpətɪ] n 1) имущество; собственность; хозяйство; a ~ земельная собственность, поместье; имение; a man of ~ собственник; богач; the news soon became a common ~ известие вскоре стало всеобщим достоянием; 2) свойство, качество; the chemical properties of iron химические свойства железа; 3) (обыкн. pl) театр. бутафория; реквизит; 4) attr. имущественный; ~ qualification имущественный ценз; ~ tax поимущественный налог.

**property-man** ['prɔpətɪmæn] n бутафор.

**property-master** ['prɔpətɪ,mɑːstə] = property-man.

**property-room** ['prɔpətɪrum] n бутафорская.

**prophecy** ['prɔfɪsɪ] n пророчество.

**prophesy** ['prɔfɪsaɪ] v пророчить, предсказывать.

**prophet** ['prɔfɪt] n 1) пророк; the Prophets книги пророков Ветхого завета; 2) предсказатель; 3) sl. «жучок» (на скачках).

**prophetess** ['prɔfɪtɪs] n пророчица.

**prophetic(al)** [prə'fetɪk(əl)] a пророческий.

**prophylactic** [,prɔfɪ'læktɪk] 1. a профилактический; предохранительный; 2. n профилактическое средство, профилактическая мера.

**prophylaxis** [,prɔfɪ'læksɪs] n профилактика.

**prophylaxy** ['prɔfɪlæksɪ] = prophylaxis.

**propinquity** [prə'pɪŋkwɪtɪ] n 1) близость; 2) подобие; родство.

**propitiate** [prə'pɪʃɪeɪt] v 1) умилостивлять; умиротворять; 2) примирять.

**propitiation** [prə,pɪʃɪ'eɪʃən] n 1) умилостивление; 2) уст. умилостивительная жертва.

**propitiator** [prə'pɪʃɪeɪtə] n умиротворитель; примиритель.

**propitiatory** [prə'pɪʃɪətərɪ] a умилостивительный.

**propitious** [prə'pɪʃəs] a 1) благосклонный; 2) благоприятный; подходящий; ~ weather благоприятная погода.

**propolis** ['prɔpəlɪs] n прополис (пчелиный клей).

**propone** [prə'poun] v шотл. 1) излагать; 2) предлагать на обсуждение.

**proponent** [prə'pounənt] n 1) защитник, сторонник; 2) предлагающий что-л. на обсуждение.

**proportion** [prə'pɔːʃən] 1. n 1) пропорция; соотношение; количественное отношение; 2) правильное соотношение, соразмерность; in ~ to соразмерно; соответственно; out of ~ to несоразмерно, несоизмеримо; чрезмерно; 3) pl размер(ы); 4) часть, доля; 5) мат. пропорция; 6) мат. тройное правило; 2. v 1) соразмерять (to—с чем-л.); 2) распределять.

**proportionable** [prə'pɔːʃnəbl] редк. = proportional 1.

**proportional** [prə'pɔːʃnl] 1. a пропорциональный; ~ representation система пропорционального представительства; 2. n мат. член пропорции.

**proportionality** [prə,pɔːʃə'nælɪtɪ] n пропорциональность.

**proportionate** 1. a [prə'pɔːʃnɪt] соразмерный, пропорциональный (to); 2. v [prə'pɔːʃneɪt] соразмерять, делать пропорциональным.

**proposal** [prə'pouzəl] n 1) предложение; план; 2) предложение (о браке); 3) амер. заявка на подряд.

**propose** [prə'pouz] v 1) предлагать; вносить предложение; to ~ the health of smb. провозгласить тост за кого-л.; to ~ a riddle загадать загадку; the object I ~ to myself цель, которую я себе ставлю; 2) предполагать, намереваться; I ~ to make a journey this summer летом я намерен попутешествовать; 3) делать предложение (о браке; to); 4) представлять (кандидата на должность).

**proposition** [,prɔpə'zɪʃən] n 1) предложение; 2) утверждение, заявление; 3) мат. теорема; доказательство теоремы; 4) план, проект; задача; 5) редк. предприятие; 6) амер. разг. дело, проблема; he's a tough ~ с ним трудно иметь дело.

**propound** [prə'paund] v 1) предлагать на обсуждение; 2) уст. выдвигать (теорию, проблему); 3) юр. предъявлять завещание на утверждение.

**propraetor** [prou'priːtə] n др.-рим. пропретор.

**proprietary** [prə'praɪətərɪ] 1. a 1) собственнический; составляющий чью-л. собственность; частный; ~ rights права собственности; 2): ~ medicine патентованное средство; 2. n 1) право собственности; 2) собственник; 3) класс собственников (тж. the ~ classes); 4) патентованное средство.

**proprietor** [prə'praɪətə] n собственник, владелец; хозяин.

**proprietorship** [prə'praɪətəʃɪp] n собственность.

**proprietress** [prə'praɪətrɪs] *n* собственница, владе́лица; хозя́йка.

**propriety** [prə'praɪətɪ] *n* 1) пра́вильность, уме́стность; 2) присто́йность; the proprieties прили́чия; 3) *уст.* пра́во со́бственности.

**props** [prɔps] *n pl* (*сокр. от* properties) *театр. sl.* реквизи́т, бутафо́рия.

**propulsion** [prə'pʌlʃən] *n* 1) продвиже́ние, движе́ние вперёд; 2) толчо́к; 3) дви́жущая си́ла (*тж. перен.*).

**propulsive** [prə'pʌlsɪv] *a* приводя́щий в движе́ние; продвига́ющий, побужда́ющий; пропульси́вный; ~ force дви́жущая си́ла, пропульси́вная си́ла; ~ coefficient а) *мор.* пропульси́вный коэффицие́нт; б) *ав.* коэффицие́нт тя́ги, тя́говый коэффицие́нт поле́зного де́йствия.

**pro rata** ['prou'rɑːtə] *adv* в соотве́тствии, в пропо́рции, пропорциона́льно.

**pro-rate** [,prou'reɪt] *v* (*преим. амер.*) распределя́ть пропорциона́льно.

**prorogation** [,prourə'geɪʃən] *n* 1) переры́в в рабо́те парла́мента по короле́вскому прика́зу; 2) отсро́чка.

**prorogue** [prə'roug] *v* 1) назна́чить переры́в в рабо́те парла́мента; 2) отсро́чить, отложи́ть.

**pros** [prouz] *n pl*: the ~ and cons до́воды за́ и про́тив.

**prosaic** [prou'zeɪk] *a* 1) прозаи́ческий; 2) прозаи́чный, ску́чный; повседне́вный; ~ speaker ску́чный ора́тор.

**prosaically** [prou'zeɪkəlɪ] *adv* прозаи́чно.

**prosaism** ['prouzeɪzəm] *n* прозаи́зм.

**prosaist** ['prouzeɪɪst] *n* 1) проза́ик; 2) ску́чный, прозаи́ческий челове́к.

**proscenia** [prou'siːnjə] *pl от* proscenium.

**proscenium** [prou'siːnjəm] *n* (*pl* -ia) 1) авансце́на; 2) *ист.* просце́ниум.

**proscribe** [prous'kraɪb] *v* 1) объявля́ть вне зако́на; изгоня́ть; высыла́ть; 2) осуди́ть и запрети́ть; 3) *ист.* оглаша́ть (*фами́лии престу́пников*).

**proscription** [prous'krɪpʃən] *n* 1) объявле́ние вне зако́на; изгна́ние; опа́ла; 2) *ист.* проскри́пция.

**prose** [prouz] **1.** *n* 1) про́за; 2) прозаи́чность; the ~ of existence про́за жи́зни; 3) *attr.* прозаи́чный;
**2.** *v* 1) ску́чно говори́ть *или* писа́ть; 2) писа́ть про́зой; 3) перекла́дывать стихи́ на про́зу.

**prosector** [prou'sektə] *n* прозе́ктор.

**prosecute** ['prɔsɪkjuːt] *v* 1) вести́, проводи́ть; выполня́ть; продолжа́ть (*заня́тие и т. п.*); to ~ an inquiry проводи́ть рассле́дование; 2) пресле́довать суде́бным поря́дком; to ~ a claim for damages возбуди́ть иск об убы́тках.

**prosecution** [,prɔsɪ'kjuːʃən] *n* 1) веде́ние; выполне́ние; рабо́та (of—над *чем-л.*); ~ of war веде́ние войны́; 2) суде́бное пресле́дование; 3) *юр.* сторона́, предъявля́ющая иск; to appear for the ~ выступа́ть от лица́ и́стца; 4) (the ~) обвине́ние (*сторона́ в суде́бном проце́ссе*).

**prosecutor** ['prɔsɪkjuːtə] *n* 1) обвини́тель; public ~ прокуро́р; 2) истец.

**proselyte** ['prɔsɪlaɪt] **1.** *n* новообращённый, прозели́т;
**2.** *v редк.* = proselytize.

**proselytize** ['prɔsɪlɪtaɪz] *v* обраща́ть в свою́ ве́ру.

**prosify** ['prouzɪfaɪ] *v* 1) перекла́дывать стихи́ на про́зу; 2) писа́ть про́зой; 3) сде́лать прозаи́чным, обы́денным.

**prosit** ['prousɪt] *лат. int* пью (пьём) за Ва́ше здоро́вье!

**prosody** ['prɔsədɪ] *n* просо́дия.

**prosopopoeia** [,prɔsoupou'piːə] *n* *ритор.* просопопе́я; олицетворе́ние.

**prospect** **1.** *n* ['prɔspekt] 1) вид; панора́ма; перспекти́ва; 2) (*часто pl*) перспекти́ва; наде́жда; ви́ды, пла́ны на бу́дущее; in ~ в дальне́йшем, в перспекти́ве; what are your ~s for tomorrow? что вы собира́етесь де́лать за́втра?; no ~s of success никаки́х наде́жд на успе́х; a man of no ~s челове́к, не име́ющий никаки́х наде́жд на бу́дущее; 3) предполага́емый клие́нт, подпи́счик *и т. п.*; 4) *горн., геол.* изыска́ние, разве́дка; 5) *горн.* рудни́к, це́нность кото́рого ещё не изве́стна;
**2.** *v* [prəs'pekt] *горн.* 1) иссле́довать; де́лать изыска́ния; разве́дывать; to ~ for gold иска́ть зо́лото; 2) быть перспекти́вной (*о ша́хте и т. п.*).

**prospective** [prəs'pektɪv] *a* 1) бу́дущий; ожида́емый; предполага́емый; 2) относя́щийся к бу́дущему, каса́ющийся бу́дущего; this law is purely ~ э́тот зако́н не име́ет обра́тной си́лы.

**prospector** [prəs'pektə] *n* *горн., геол.* разве́дчик, изыска́тель; стара́тель; золотоиска́тель.

**prospectus** [prəs'pektəs] *n* (*pl* -es [-ɪz]) проспе́кт (*кни́ги*); прое́кт.

**prosper** ['prɔspə] *v* 1) процвета́ть, преуспева́ть; 2) благоприя́тствовать.

**prosperity** [prɔs'perɪtɪ] *n* 1) процвета́ние, благосостоя́ние; 2) проспе́рити; 3) *pl редк.* благоприя́тные обстоя́тельства.

**prosperous** ['prɔspərəs] *a* 1) процвета́ющий; 2) име́ющий уда́чу, успе́шный; 3) состоя́тельный, зажи́точный; 4) благоприя́тный; попу́тный (*о ве́тре*).

**prostate** ['prɔsteɪt] *n* *анат.* предста́тельная железа́, проста́та.

**prosthesis** ['prɔsθɪsɪs] *n* 1) проте́з; 2) протези́рование; 3) *грам.* префикс.

**prosthetic** [prɔs'θetɪk] *a* проте́зный; ~ appliance проте́з.

**prostitute** ['prɔstɪtjuːt] **1.** *n* 1) проститу́тка; публи́чная же́нщина; 2) найми́т, прода́жный челове́к; челове́к, продаю́щий свои́ убежде́ния;
**2.** *v* 1) занима́ться проститу́цией; 2) проституи́ровать.

**prostitution** [,prɔstɪ'tjuːʃən] *n* 1) проститу́ция; 2) проституи́рование.

**prostrate** **1.** *a* ['prɔstreɪt] 1) распростёртый; 2) пове́рженный; по́пранный; 3) изнеможённый, обесси́ленный; в простра́ции; ~ with grief уби́тый го́рем; 4) *бот.* сте́лющийся;
**2.** *v* [prɔs'treɪt] 1) поверга́ть ниц; подчиня́ть; унижа́ть; 2) *refl.* па́дать ниц;

унижа́ться; 3) истоща́ть (*о болезни, горе и т. п.*).

**prostration** [prɔsˈtreɪʃən] *n* 1) распростёртое положе́ние; 2) изнеможе́ние; упа́док сил; простра́ция; 3) пове́рженное состоя́ние.

**prostyle** [ˈproustaɪl] *n архит.* прости́ль.

**prosy** [ˈprouzɪ] *a* 1) прозаи́чный, бана́льный; ску́чный; 2) прозаи́ческий.

**protactinium** [ˌproutækˈtɪnɪəm] *n хим.* протоакти́ний.

**protagonist** [prouˈtægənɪst] *n* 1) гла́вный геро́й; 2) актёр, игра́ющий гла́вную роль; 3) *непр.* побо́рник.

**protases** [ˈprɔtəsiːz] *pl от* protasis.

**protasis** [ˈprɔtəsɪs] *n* (*pl* -ses) *грам.* часть усло́вного предложе́ния, содержа́щая усло́вие.

**protean** [prouˈtiːən] *a* подо́бный Проте́ю; многообра́зный, изме́нчивый.

**protect** [prəˈtekt] *v* 1) защища́ть (from—от, against—про́тив); огражда́ть; 2) предохраня́ть; 3) покрови́тельствовать.

**protection** [prəˈtekʃən] *n* 1) защи́та; огражде́ние; 2) предохране́ние; 3) прикры́тие; 4) покрови́тельство; охра́на; охране́ние; 5) охра́нная гра́мота; про́пуск; па́спорт; 6) = protectionism; ◇ to live under the ~ of smb. быть чьей-л. содержа́нкой.

**protectionism** [prəˈtekʃənɪzəm] *n эк.* протекциони́зм.

**protectionist** [prəˈtekʃənɪst] *n* сторо́нник протекциони́зма.

**protective** [prəˈtektɪv] *a* 1) защи́тный; прикрыва́ющий; ~ device защи́тное устро́йство; ~ barrage *воен.* огнева́я заве́са, загради́тельный ого́нь; ~ deck *мор.* бронева́я па́луба; 2) *эк.* защи́тный, огради́тельный, защити́тельный; покрови́тельственный; ~ tariff покрови́тельственный тари́ф; 3) *зоол., бот.*: ~ colouration (*или* colouring) покрови́тельственная, защи́тная окра́ска.

**protector** [prəˈtektə] *n* 1) защи́тник; 2) покрови́тель; 3) *ист.* ре́гент А́нглии; 4) (P.) *ист.* протеќтор (*титул Оливера Кромвеля и его сына Ричарда; тж.* Lord P.); 5) защи́тное устро́йство; предохрани́тель; чехо́л; 6) *тех.* проте́ктор.

**protectorate** [prəˈtektərɪt] *n* протектора́т.

**protectorship** [prəˈtektəʃɪp] *n* 1) протектора́т; 2) покрови́тельство; патрона́т; 3) *ист.* зва́ние ре́гента; 4) *ист.* пери́од ре́гентства.

**protectory** [prəˈtektərɪ] *n* заведе́ние для беспризо́рных дете́й и несовершенноле́тних правонаруши́телей.

**protectress** [prəˈtektrɪs] *n* защи́тница, покрови́тельница.

**protégé** [ˈprouteʒeɪ] *фр. n* (*ж. -ée*) протеже́.

**protégée** [ˈprouteʒeɪ] *ж. к* protégé.

**proteid** [ˈproutɪd] *уст.* = protein.

**protein** [ˈproutiːn] *n хим.* протеи́н, бело́к.

**pro tem** [prouˈtem] = pro tempore.

**pro tempore** [prouˈtempərə] *лат. adv* на вре́мя, пока́.

**protest 1.** *n* [ˈproutest] 1) проте́ст; to enter (*или* to lodge) a ~ заявля́ть проте́ст;

under ~ вы́нужденно, про́тив во́ли; 2) опротестова́ние, проте́ст (*векселя*); 3) *юр.* торже́ственное заявле́ние;

2. *v* [prəˈtest] 1) протестова́ть, возража́ть; заявля́ть проте́ст (against); 2) опротесто́вывать (*вексель*); 3) *юр.* торже́ственно заявля́ть; to ~ one's innocence заявля́ть о свое́й невино́вности; 4) *уст., разг.* уверя́ть, говори́ть; I ~ I'm sick of the whole business уверя́ю вас, мне всё э́то надое́ло.

**Protestant** [ˈprɔtɪstənt] *рел.* 1. *n* протеста́нт;

2. *a* протеста́нтский.

**protestant** [ˈprɔtɪstənt] 1. *n* тот, кто протесту́ет, протесту́ющий;

2. *a* протесту́ющий.

**Protestantism** [ˈprɔtɪstəntɪzəm] *n рел.* протеста́нтство.

**protestantize** [ˈprɔtɪstəntaɪz] *v рел.* 1) обраща́ть в протеста́нтство; 2) испове́довать протеста́нтство.

**protestation** [ˌproutesˈteɪʃən] *n* 1) торже́ственное заявле́ние (of—о; that); 2) *редк.* проте́ст, возраже́ние (against).

**Proteus** [ˈproutjuːs] *n миф.* Проте́й.

**protista** [prouˈtɪstə] *n pl биол.* проти́сты, просте́йшие однокле́точные органи́змы.

**protocol** [ˈproutəkɔl] 1. *n* 1) протоко́л; 2) *дип.* протоко́л; прелимина́рные усло́вия догово́ра *или* соглаше́ния; дополни́тельное междунаро́дное соглаше́ние; 3) (the P.) протоко́льный отде́л министе́рства иностра́нных дел; 4) пра́вила дипломати́ческого этике́та;

2. *v* протоколи́ровать, вести́ протоко́л.

**proton** [ˈprouton] *n физ.* прото́н.

**protoplasm** [ˈproutəplæzəm] *n биол.* протопла́зма.

**protoplasmatic** [ˌproutəplæzˈmætɪk] = protoplasmic.

**protoplasmic** [ˌproutəˈplæzmɪk] *a биол.* протопла́зменный.

**protoplast** [ˈproutəplæst] *n* 1) пе́рвый челове́к; 2) прототи́п, первообра́з; 3) оригина́л, образе́ц; 4) *биол.* протопла́ст.

**protoplastic** [ˌproutəˈplæstɪk] *a* 1) первообра́зный; первонача́льный; 2) *биол.* протопла́зменный.

**prototype** [ˈproutətaɪp] *n* прототи́п.

**protoxide** [prouˈtɔksaɪd] *n хим.* за́кись, ни́зшая о́кись.

**protozoa** [ˌproutəˈzouə] *n pl зоол.* протозо́а, просте́йшие однокле́точные живо́тные органи́змы.

**protozoology** [ˌproutəzouˈɔlədʒɪ] *n* протозооло́гия.

**protract** [prəˈtrækt] *v* 1) тяну́ть; затя́гивать; ме́длить; 2) черти́ть (*план*); 3) продолжа́ть, откла́дывать (*линию*); 4) *редк.* растя́гивать.

**protracted** [prəˈtræktɪd] 1. *p.p. от* protract; 2. *a* 1) затяну́вшийся; 2) дли́тельный, затяжно́й.

**protractedly** [prəˈtræktɪdlɪ] *adv* дли́тельно.

**protractile** [prəˈtræktɪl] *a* растя́гиваемый; подве́рженный растяже́нию (*об органе и т. п.*).

**protraction** [prə'trækʃən] *n* 1) проволо́чка, промедле́ние; 2) удлине́ние; продолже́ние; 3) нанесе́ние на план *или* чертёж; начерта́ние; 4) де́йствие разгиба́тельной мы́шцы.

**protractor** [prə'træktə] *n* 1) *тех.* транспорти́р; угломе́р; 2) *анат.* разгиба́тельная мы́шца; 3) *хир.* инструме́нт для удале́ния из ра́ны иноро́дного те́ла.

**protrude** [prə'truːd] *v* 1) высо́вывать(ся); 2) выдава́ться, торча́ть.

**protruding** [prə'truːdɪŋ] 1. *pres. p. от* protrude;

2. *a* 1) выдаю́щийся, выступа́ющий вперёд, торча́щий; 2) вы́сунутый нару́жу.

**protrusion** [prə'truːʒən] *n* 1) вы́ступ; 2) высо́вывание.

**protrusive** [prə'truːsɪv] *a* выдаю́щийся вперёд; выступа́ющий, торча́щий.

**protuberance** [prə'tjuːbərəns] *n* 1) вы́пуклость; 2) опу́хлость; о́пухоль; 3) *астр.* протубера́нец.

**protuberant** [prə'tjuːbərənt] *a* вы́пуклый, выдаю́щийся вперёд.

**proud** [praud] *a* 1) го́рдый; испы́тывающий зако́нную го́рдость; the ~ father счастли́вый оте́ц; to be ~ горди́ться (of, *тж. c inf.*); 2) го́рдый, надме́нный, высокоме́рный, самодово́льный; 3) великоле́пный; гордели́вый, велича́вый; 4) подня́вшийся (*об уровне воды*); вздýвшийся; ~ sea вздыма́ющееся мо́ре; ◇ ~ flesh ди́кое мя́со; ~ horse *поэт.* рети́вый конь; to do smb. ~ ока́зывать честь кому́-л.; you do me ~ вы ока́зываете мне честь.

**proudly** ['praudlɪ] *adv* го́рдо; с го́рдостью; вели́чественно.

**proud-spirited** ['praud'spɪrɪtɪd] *a* го́рдый, надме́нный, зано́счивый.

**proud-stomached** ['praud'stʌməkt] *a* надме́нный, высокоме́рный, зано́счивый.

**prove** [pruːv] *v* 1) дока́зывать; удостоверя́ть; the exception ~s the rule исключе́ние лишь подтвержда́ет пра́вило; 2) испы́тывать, про́бовать; 3) ока́зываться; the play ~d a success пье́са име́ла успе́х; 4) *мат.* проверя́ть; 5) *юр.* утвержда́ть (*завещание*); 6) *полигр.* де́лать про́бный о́ттиск; ☐ ~ out подтвержда́ть(ся).

**proven** ['pruːvən] *a* дока́занный; not ~ *шотл. юр.* (преступле́ние) не дока́зано.

**provenance** ['prɔvɪnəns] *n* происхожде́ние; исто́чник.

**Provençal** [,prɔvaːn'saːl] *фр.* 1. *a* прова́нский;

2. *n* 1) провансáлец; 2) провансáльский язы́к.

**provender** ['prɔvɪndə] *n* 1) корм, фура́ж; 2) *шутл.* пи́ща.

**provenience** [prou'viːnɪəns] = provenance.

**proverb** ['prɔvəb] *n* 1) посло́вица; 2) *pl* игра́ в посло́вицы; 3): Book of Proverbs *библ.* Кни́га при́тчей Соломо́новых; ◇ to a ~ преде́льно, в вы́сшей сте́пени; he is avaricious to a ~ его́ скýпость вошла́ в погово́рку.

**proverbial** [prə'vəːbjəl] *a* воше́дший в погово́рку; общеизве́стный; легенда́рный.

**provide** [prə'vaɪd] *v* 1) заготовля́ть, запаса́ть(ся); to ~ an excuse (зара́нее)

приго́товить извине́ние; 2) снабжа́ть; обеспе́чивать; he has well ~d for his family он хорошо́ обеспе́чил семью́; 3) доставля́ть, дава́ть; his father ~d him with a good education оте́ц дал ему́ хоро́шее образова́ние; 4) принима́ть ме́ры (against—про́тив чего́-л.); предусма́тривать (for); 5) ста́вить усло́вием (that).

**provided** I [prə'vaɪdɪd] 1. *p. p. от* provide;

2. *a* обеспе́ченный; ~ school нача́льная шко́ла, кото́рая соде́ржится на ме́стные сре́дства.

**provided** II [prə'vaɪdɪd] *cj* при усло́вии, е́сли то́лько, в том слу́чае, е́сли.

**providence** ['prɔvɪdəns] *n* 1) предусмотри́тельность; 2) бережли́вость; 3) (P.) провиде́ние.

**provident** ['prɔvɪdənt] *a* 1) предусмотри́тельный; осторо́жный; 2) расчётливый; бережли́вый.

**providential** [,prɔvɪ'denʃəl] *a* 1) провиденциа́льный; предопределённый; 2) счастли́вый, благоприя́тный.

**providently** ['prɔvɪdəntlɪ] *adv* 1) предусмотри́тельно, осторо́жно; 2) расчётливо.

**provider** [prə'vaɪdə] *n* поставщи́к.

**providing** I [prə'vaɪdɪŋ] *pres. p. от* provide.

**providing** II [prə'vaɪdɪŋ] = provided II.

**province** ['prɔvɪns] *n* 1) о́бласть, прови́нция; 2) *pl* прови́нция, перифери́я; the ~s вся страна́ за исключе́нием столи́цы; 3) о́бласть (*знаний и т. п.*); сфе́ра де́ятельности, компете́нция; it is out of my ~ э́то вне мое́й компете́нции; 4) архиепи́скопская епа́рхия.

**provincial** [prə'vɪnʃəl] 1. *a* провинциа́льный; ме́стный;

2. *n* 1) провинциа́л; 2) *церк.* архиепи́скоп.

**provincialism** [prə'vɪnʃəlɪzəm] *n* 1) провинциа́льность; 2) провинциали́зм, областно́е выраже́ние.

**provinciality** [prə,vɪnʃɪ'ælɪtɪ] *n* провинциа́льность.

**provincialize** [prə'vɪnʃəlaɪz] *v* де́лать провинциа́льным.

**provision** [prə'vɪʒən] 1. *n* 1) снабже́ние, обеспе́чение; to make ample ~ for one's family вполне́ обеспе́чить семью́; 2) заготовле́ние, загото́вка; 3) *pl* прови́зия; запа́сы провиа́нта; 4) положе́ние, усло́вие (*договора и т. п.*); постановле́ние; on the following ~s прийти́ к соглаше́нию по сле́дующим пу́нктам; 5) ме́ра предосторо́жности (for, against); to make ~s предусма́тривать, постановля́ть;

2. *v* снабжа́ть продово́льствием.

**provisional** [prə'vɪʒənl] *a* 1) вре́менный; 2) предвари́тельный, усло́вный.

**provisionality** [prə,vɪʒə'nælɪtɪ] *n* вре́менность.

**proviso** [prə'vaɪzou] *n* (*pl* -os [-ouz], -oes [-ouz]) усло́вие, огово́рка.

**provisory** [prə'vaɪzərɪ] *a* 1) усло́вный; 2) вре́менный.

**provitamin** [prou'vaɪtəmɪn] *n* провитами́н.

**provocation** [,prɔvə'keɪʃən] *n* 1) вы́зов; побужде́ние; 2) провока́ция; 3) раздраже́ние.

**provocative** [prə'vɔkətɪv] **1.** *a* 1) вызыва́ющий (*о поведении и т. п.*); 2) провокацио́нный; 3) возбужда́ющий (*of—что-л.*); стимули́рующий; 4) раздража́ющий;
**2.** *n* 1) возбуди́тель; 2) возбужда́ющее сре́дство.

**provoke** [prə'vouk] *v* 1) вызыва́ть, возбужда́ть; 2) провоци́ровать; 3) серди́ть, раздража́ть; 4) побужда́ть.

**provoking** [prə'voukɪŋ] **1.** *pres. p. от* provoke;
**2.** *a* раздража́ющий; доса́дный; неприя́тный.

**provost** ['prɔvəst] *n* 1) ре́ктор (*в некоторых университетских колледжах*); 2) *шотл.* мэр; 3) *церк.* настоя́тель; 4) *воен.* [prə'vou] офице́р вое́нной поли́ции; 5) *attr.* вое́нно-полице́йский; ~ marshal нача́льник вое́нной поли́ции; ~ prison вое́нная тюрьма́; ~ corps вое́нная поли́ция, полева́я жандарме́рия.

**prow** [prau] *n* 1) нос (*судна, самолёта*); 2) *поэт.* кора́бль.

**prowess** ['prauɪs] *n* до́блесть, у́даль, отва́га.

**prowl** [praul] **1.** *v* кра́сться, броди́ть (*в поисках добычи; тж.* ~ about); идти́ кра́дучись;
**2.** *n*: on the ~ кра́дучись; to take a ~ round the streets пойти́ броди́ть по у́лицам.

**prowl car** ['praul'kɑ:] *n* маши́на полице́йского патруля́.

**prowler** ['praulə] *n* 1) бродя́га; 2) мародёр.

**proximate** ['prɔksɪmɪt] *a* ближа́йший; непосре́дственный; сле́дующий.

**proximity** [prɔk'sɪmɪtɪ] *n* бли́зость; ~ of blood бли́зкое родство́.

**proximo** ['prɔksɪmou] *лат. a* сле́дующего ме́сяца; on the 10th ~ 10-го числа́ сле́дующего ме́сяца.

**proxy** ['prɔksɪ] *n* 1) полномо́чие; переда́ча го́лоса; by ~ по дове́ренности; to vote by ~ а) переда́ть свой го́лос; б) голосова́ть за друго́го (*по доверенности*); 2) замести́тель, дове́ренный, уполномо́ченный; to be (*или* to stand) ~ for smb. быть чьим-л. представи́телем, уполномо́ченным; 3) *attr.* сде́ланный, совершённый, вы́данный по дове́ренности.

**prude** [pru:d] *n* жема́нница; не в ме́ру щепети́льная, притво́рно стыдли́вая же́нщина.

**prudence** ['pru:dəns] *n* 1) благоразу́мие, предусмотри́тельность; 2) осторо́жность, осмотри́тельность; 3) расчётливость, бережли́вость.

**prudent** ['pru:dənt] *a* 1) благоразу́мный, предусмотри́тельный; 2) осторо́жный; 3) расчётливый, бережли́вый.

**prudential** [pru:'denʃəl] **1.** *a* продикто́ванный благоразу́мием, благоразу́мный;
**2.** *n* (*обыкн. pl*) благоразу́мное сообра́жение; благоразу́мный подхо́д.

**prudery** ['pru:dərɪ] *n* притво́рная стыдли́вость; изли́шняя щепети́льность.

**prudish** ['pru:dɪʃ] *a* не в ме́ру щепети́льный, не в ме́ру стыдли́вый.

**prune I** [pru:n] *n* 1) черносли́в; 2) красно-

ва́то-лило́вый цвет; ◇ ~s and prism(s) жема́нная мане́ра говори́ть.

**prune II** [pru:n] *v* 1) обреза́ть; подреза́ть (*деревья и т. п.*); 2) сокраща́ть; 3) удаля́ть (*всякого рода излишества*), упроща́ть (*обыкн.* ~ away, ~ down).

**prunella** [pru:'nelə] *n* прюне́ль (*материя*).

**prurience, -cy** ['pruərɪəns, -sɪ] *n* 1) непреодоли́мое жела́ние; 2) похотли́вость.

**prurient** ['pruərɪənt] *a* похотли́вый.

**Prussian** ['prʌʃən] **1.** *a* пру́сский; ◇ P. blue берли́нская лазу́рь;
**2.** *n* пруссáк.

**prussic acid** ['prʌsɪk'æsɪd] *n* сини́льная кислота́.

**pry I** [praɪ] **1.** *n* любопы́тный (*шутл. тж.* Paul P.);
**2.** *v* 1) подгля́дывать, подсма́тривать (*часто* ~ about, ~ into); 2) осма́тривать с изли́шним любопы́тством; любопы́тствовать; 3) сова́ть нос (*в чужие дела; обыкн.* ~ into); ▢ ~ out допы́тываться, выве́дывать.

**pry II** [praɪ] **1.** *n* 1) рыча́г; 2) сре́дство достиже́ния це́ли;
**2.** *v* 1) поднима́ть, передвига́ть, вскрыва́ть *или* взла́мывать при по́мощи рычага́; 2) извлека́ть с трудо́м.

**pryism** ['praɪɪzəm] *n*: Paul P. *шутл.* любопы́тство.

**psalm** [sɑ:m] *n* псало́м.

**psalmist** ['sɑ:mɪst] *n* псалмопе́вец.

**psalmody** ['sælmədɪ] *n* пе́ние псалмо́в.

**psalter** ['sɔ:ltə] *n* псалты́рь.

**psaltery** ['sɔ:ltərɪ] *n* псалтерио́н (*древний муз. инструмент типа цитры*).

**pseud(o)-** ['psju:dou-] *pref* псевдо-, ло́жно-.

**pseudomorphism** ['psju:dou'mɔ:fɪzəm] *n* *мин.* псевдоморфи́зм.

**pseudonym** ['psju:dənɪm] *n* псевдони́м.

**pseudonymous** [psju:'dɔnɪməs] *a* пи́шущий *или* изда́нный под псевдони́мом.

**pshaw** [pʃɔ:] **1.** *int* выража́ет пренебреже́ние *или* нетерпе́ние;
**2.** *v* выража́ть пренебреже́ние, фы́ркать (*часто* ~ at).

**psittacosis** [,psɪtə'kousɪs] *n* *мед.* попуга́йная боле́знь, пситтако́з.

**psora** ['psourə] *n* *мед.* 1) чесо́тка; 2) = psoriasis.

**psoriasis** [psɔ'raɪəsɪs] *n* *мед.* псориа́з.

**Psyche** ['saɪkɪ] *n* *миф.* Психе́я.

**psyche** ['saɪkɪ] *n* высо́кое зе́ркало на но́жках, психе́.

**psychiatric(al)** [,saɪkɪ'ætrɪk(əl)] *a* психиатри́ческий.

**psychiatrist** [saɪ'kaɪətrɪst] *n* психиа́тр.

**psychiatry** [saɪ'kaɪətrɪ] *n* психиатри́я.

**psychic** ['saɪkɪk] **1.** *a* = psychical;
**2.** *n* ме́диум.

**psychical** ['saɪkɪkəl] *a* психи́ческий.

**psychics** ['saɪkɪks] *n pl* (*употр. как sing*) психоло́гия.

**psycho** ['saɪkou] *n* *разг.* сумасше́дший, психи́к.

**psycho-analysis** [,saɪkouə'næləsɪs] *n* психоана́лиз.

**psycho-analyst** [,saɪkou'ænəlɪst] *n* специали́ст по психоана́лизу.

**psychological** [ˌsaɪkə'lɔdʒɪkəl] *a* психологи́ческий; ~ moment *шутл.* са́мый удо́бный моме́нт.

**psychologist** [saɪ'kɔlədʒɪst] *n* 1) психо́лог; 2) лицо́, занима́ющееся психоана́лизом.

**psychology** [saɪ'kɔlədʒɪ] *n* психоло́гия.

**psychopath** ['saɪkoupæθ] *n* психопа́т.

**psychoses** [saɪ'kousiːz] *pl om* psychosis.

**psychosis** [saɪ'kousis] *n* (*pl* -ses) психо́з.

**psychosomatic** [ˌsaɪkousə'mætɪk] *a* психосомати́ческий.

**ptarmigan** ['tɑːmɪgən] *n* бе́лая куропа́тка.

**pterodactyl** [ˌpterou'dæktɪl] *n зоол.* птеродакти́ль.

**pterosaur** ['pterəsɔː] *n зоол.* птероза́вр.

**ptisan** [tɪ'zæn] *n* 1) пита́тельный (*особ.* ячме́нный) отва́р; 2) чай из рома́шки.

**Ptolemaic** [ˌtɔlɪ'meɪɪk] *a* птолеме́ев.

**ptomaine** ['toumeɪn] *n* птома́йн, тру́пный яд.

**pub** [pʌb] *n* (*сокр. от* public house) 1) *разг.* пивна́я, каба́к; тракти́р; 2) *sl.* гости́ница.

**puberty** ['pjuːbətɪ] *n* полова́я зре́лость.

**pubescence** [pjuː'besns] *n* 1) полово́е созрева́ние; 2) пушо́к (*на расте́ниях*).

**pubescent** [pjuː'besnt] *a* 1) достига́ющий *или* дости́гший полово́й зре́лости; 2) *бот., зоол.* покры́тый пушко́м, воло́сиками.

**public** ['pʌblɪk] **1.** *a* 1) обще́ственный; госуда́рственный; ~ man обще́ственный де́ятель; ~ office госуда́рственное, муниципа́льное *или* обще́ственное учрежде́ние; ~ official госуда́рственный слу́жащий; ~ opinion обще́ственное мне́ние; ~ peace обще́ственный поря́док; ~ debt госуда́рственный долг; 2) наро́дный, общенаро́дный; ~ ownership общенаро́дное досто́яние; ~ spirit дух патриоти́зма; 3) публи́чный, общедосту́пный; ~ library публи́чная библиоте́ка; ~ lecture публи́чная ле́кция; ~ road больша́я доро́га; 4) коммуна́льный; ~ service коммуна́льные услу́ги; ~ utilities а) коммуна́льные сооруже́ния, предприя́тия; б) коммуна́льные услу́ги; 5) откры́тый, гла́сный; ~ protest откры́тый проте́ст; to give smth. ~ utterance преда́ть что-л. гла́сности;
**2.** *n* 1) пу́блика; обще́ственность; to appeal to the ~ обрати́ться, апелли́ровать к о́бществу; in ~ откры́то, публи́чно; 2) наро́д; the British ~ англи́йский наро́д; 3) *разг. см.* public house.

**publican** ['pʌblɪkən] *n* 1) тракти́рщик; 2) *др.-рим.* откупщи́к; 3) *библ.* мы́тарь.

**publication** [ˌpʌblɪ'keɪʃən] *n* 1) опубли́кова́ние, изда́ние; 2) оглаше́ние; публика́ция; 3) изда́ние (*кни́га и т. п.*).

**public enemy** ['pʌblɪk'enɪmɪ] *n* 1) вра́жеская страна́; 2) социа́льно опа́сный элеме́нт.

**public health** ['pʌblɪk'helθ] *n* здравоохране́ние; санита́рное де́ло.

**public house** ['pʌblɪk'haus] *n* тракти́р; каба́к, пивна́я; пивна́я.

**publicist** ['pʌblɪsɪst] *n* 1) специали́ст по междунаро́дному пра́ву; 2) публици́ст; журнали́ст; 3) аге́нт по рекла́ме.

**publicity** [pʌb'lɪsɪtɪ] *n* 1) публи́чность, гла́сность; to give ~ to разглаша́ть *что-л.*; предава́ть *что-л.* гла́сности; 2) рекла́ма; 3) *attr.*: ~ agent аге́нт по рекла́ме.

**publicize** ['pʌblɪsaɪz] *v* 1) реклами́ровать; 2) разглаша́ть; оглаша́ть; 3) оповеща́ть; извеща́ть.

**publicly** ['pʌblɪklɪ] *adv* публи́чно; откры́то.

**public relations** ['pʌblɪkrɪ'leɪʃənz] *n* 1) обще́ственная информа́ция; 2) *attr.* рекла́мный, относя́щийся к рекла́ме *или* информа́ции; ~ department а) пресс-бюро́; отде́л информа́ции; б) отде́л информа́ции комме́рческого предприя́тия; ~ officer слу́жащий отде́ла информа́ции; ~ unit *воен.* подразделе́ние информа́ции; ~ man аге́нт по рекла́ме.

**public school** ['pʌblɪk'skuːl] *n* 1) закры́тое сре́днее уче́бное заведе́ние для ма́льчиков (*в Англии*); 2) беспла́тная госуда́рственная шко́ла (*в США, Шотла́ндии и коло́ниях*).

**publish** ['pʌblɪʃ] *v* 1) публикова́ть; оглаша́ть; 2) издава́ть, опублико́вывать; 3) печа́тать свой произведе́ния, печа́таться (*об а́вторе*); 4) *амер.* пуска́ть в обраще́ние.

**publisher** ['pʌblɪʃə] *n* 1) изда́тель; 2) *амер.* владе́лец газе́ты.

**publishing** ['pʌblɪʃɪŋ] **1.** *pres. p. om* publish;
**2.** *a*: ~ house (*или* office) изда́тельство.

**publishment** ['pʌblɪʃmənt] *n* 1) изда́ние, вы́пуск в свет; опубликова́ние; 2) *амер.* официа́льное объявле́ние о предстоя́щем бракосочета́нии.

**puce** [pjuːs] **1.** *n* краснова́то-кори́чневый цвет;
**2.** *a* краснова́то-кори́чневый.

**Puck** [pʌk] *n* эльф, дух-прока́зник (*в фолькло́ре*).

**puck** [pʌk] *n спорт.* ша́йба (*в хокке́е*).

**pucka** ['pʌkə] *a* а́нгло-инд. настоя́щий; первокла́ссный; полнове́сный.

**pucker** ['pʌkə] **1.** *n* 1) морщи́на; 2) скла́дка; сбо́рка; 3) *разг.* раздражённое состоя́ние; смуще́ние; растеря́нность; беспоко́йство;
**2.** *v* 1) мо́рщить(ся); 2) де́лать скла́дки, собира́ть в сбо́рку.

**puckish** ['pʌkɪʃ] *a* 1) плуто́вской; хи́трый; 2) прока́зливый.

**pud** [pʌd] *n дет.* ру́чка; ла́пка.

**puddening** ['pudnɪŋ] *n мор.* кра́нец.

**pudding** ['pudɪŋ] *n* 1) пу́динг; 2) что-л., напомина́ющее пу́динг (*по фо́рме, консисте́нции*); 3) вид колбасы́; 4) = puddening; ◇ ~ face то́лстая кру́глая физионо́мия; more praise than ~ ≈ из спаси́ба шу́бу не сошьёшь; благода́рность на слова́х; the proof of the ~ is in the eating ≈ не попро́буешь, не узна́ешь.

**pudding-head** ['pudɪŋhed] *n* о́лух, болва́н.

**pudding-stone** ['pudɪŋstoun] *n геол.* швейца́рский песча́ник.

**puddingy** ['pudɪŋɪ] *a* 1) похо́жий на пу́динг; 2) *перен.* тяжелове́сный; тупо́й.

**puddle** ['pʌdl] **1.** *n* 1) лу́жа; 2) *разг.* грязь; 3) водонепроница́емая обкла́дка *или* об-

мазка из глины с гравием для дна прудов
*и т. п.*; 4) *метал.* пудлинговая крица;
  2. *v* 1) мутить (*воду*); 2) барахтаться
в воде (*тж.* ~ about, ~ in); 3) месить
(*глину*); 4) обкладывать (*дно канала и
т. п.*) смесью глины и гравия; 5) *перен.*
пачкать; 6) смущать, сбивать с толку;
7) трамбовать; 8) *метал.* пудлинговать.
  **puddling furnace** ['pʌdlɪŋ'fəːnɪs] *n* пудлинговая печь.
  **puddly** ['pʌdlɪ] *a* покрытый лужами.
  **pudency** ['pjuːdənsɪ] *n* стыдливость.
  **pudenda** [pjuː'dendə] *pl от* pudendum.
  **pudendum** [pjuː'dendəm] *n* (*pl* -da; *обыкн.
pl*) половые органы.
  **pudge** [pʌdʒ] *n разг.* толстяк; коротышка.
  **pudgy** ['pʌdʒɪ] *a* коротенький и толстый.
  **pueblo** [pu'eblou] *исп. n* (*pl* -os [-ouz])
1) индейская деревня *или* поселение; 2)
житель индейской деревни.
  **puerile** ['pjuəraɪl] *a* ребяческий; пустой.
  **puerility** [pjuə'rɪlɪtɪ] *n* ребячество.
  **puerperal** [pjuː'əːpərəl] *a* родильный; ~
fever родильная горячка.
  **Puerto Rican** ['pwɑːtou'riːkən] 1. *a* пуэр-
ториканский;
  2. *n* пуэрториканец; пуэрториканка.
  **puff** [pʌf] 1. *n* 1) дуновение (*ветра*);
2) порыв, струя воздуха; 3) дымок, клуб
дыма; 4) пуховка; 5) буф (*на платье*);
6) слойка; jam ~ слоёный пирожок с вареньем; 7) незаслуженная похвала; дутая
реклама;
  2. *v* 1) дуть порывами; 2) пыхтеть; to
~ and blow, to ~ and pant тяжело дышать;
to be ~ed запыхаться; 3) дымить, пускать
клубы дыма; 4) курить; 5) преувеличенно
расхваливать, рекламировать; 6) кичиться,
важничать; □ ~ away а) двигаться, оставляя за собой клубы дыма; б): to ~ away
at a cigar попыхивать сигарой; ~ out
а) задувать (*свечу*); б) надувать, выпячивать; ~ed out with self-importance полный
чванства; в) выбиваться порывами, клубами; ~ up а) подниматься клубами (*о дыме и т. п.*); б): ~ed up самодовольный,
полный самомнения.
  **puff-adder** ['pʌf͵ædə] *n* африканская
гадюка.
  **puff-ball** ['pʌfbɔːl] *n* дождевик (*гриб*).
  **puff-box** ['pʌfbɔks] *n* пудреница.
  **puffed** [pʌft] 1. *p. p. от* puff 2;
  2. *a* 1) с буфами (*о рукавах*); 2) запыхавшийся.
  **puffery** ['pʌfərɪ] *n* рекламирование; дутая
реклама.
  **puffin** ['pʌfɪn] *n зоол.* 1) тупик; 2) топо-
рок.
  **puff paste** ['pʌf'peɪst] *n* слоёное тесто.
  **puffy** ['pʌfɪ] *a* 1) порывистый (*о ветре*);
2) одутловатый; отёкший; толстый; 3) запыхавшийся; страдающий одышкой; 4) *редк.*
надутый, важный; кичливый; 5) напыщенный, высокопарный; ~ style напыщенный
стиль.
  **pug** I [pʌg] *n* 1) мопс; 2) = pug-nose.
  **pug** II [pʌg] 1. *n* 1) мятая глина; 2) обмазка глиной;
  2. *v* мять глину.

  **pug** III [pʌg] *англо-инд.* 1. *n* след зверя;
2. *v* идти по следам, преследовать.
  **pug** IV [pʌg] *sl. сокр. от* pugilist.
  **pug-dog** ['pʌgdɔg] = pug I, 1).
  **pugg(a)ree** ['pʌg(ə)rɪ] *n англо-инд.* 1)
лёгкий тюрбан; 2) шарф вокруг шляпы,
спущенный сзади (*для защиты шеи от
солнца*).
  **pugilism** ['pjuːdʒɪlɪzəm] *n* бокс; кулачный
бой.
  **pugilist** ['pjuːdʒɪlɪst] *n* 1) боксёр; 2) яростный спорщик.
  **pugilistic** [͵pjuːdʒɪ'lɪstɪk] *a* кулачный.
  **pug-mill** ['pʌgmɪl] *n* глиномялка.
  **pugnacious** [pʌg'neɪʃəs] *a* драчливый.
  **pugnacity** [pʌg'næsɪtɪ] *n* драчливость.
  **pug-nose** ['pʌgnouz] *n* курносый нос.
  **pug-nosed** ['pʌgnouzd] *a* 1) курносый;
2) с приплюснутым носом.
  **puisne** ['pjuːnɪ] 1. *a* 1) *юр.* младший;
P. judge младший судья; 2) *уст.* = puny;
  2. *a* младший судья.
  **puissance** ['pjuːɪsns] *n уст., поэт.* могущество.
  **puissant** ['pjuːɪsnt] *a уст., поэт.* могущественный; влиятельный.
  **puke** [pjuːk] 1. *n* рвота;
  2. *v* рвать, тошнить.
  **pukka(h)** ['pʌkə] = pucka.
  **pulchritude** ['pʌlkrɪtjuːd] *лат. n* красота,
миловидность.
  **pule** [pjuːl] *v* хныкать; скулить; пищать.
  **pull** [pul] 1. *n* 1) тяга, натяжение; тя-
нущая сила; to give a ~ at the bell дёрнуть
звонок; 2) тяга (*дымовой трубы*); 3) растяжение; 4) напряжение; a long ~ uphill
трудный подъём в гору; 5) гребля; прогулка
на лодке; 6) удар весла; 7) глоток; затяжка
(*табачным дымом*); to have a ~ at the
bottle глотнуть, выпить (*спиртного*); 8)
шнурок, ручка (*звонка и т. п.*); 9) притяжение; 10) *разг.* протекция, влияние;
11) *разг.* преимущество (on, upon, over-
перед *кем-л.*); 12) *полигр.* пробный оттиск;
  2. *v* 1) тянуть, тащить; натягивать;
to ~ a cart везти тележку; to ~ the horse
натягивать поводья, вожжи; the horse ~s
лошадь натягивает поводья, вожжи; 2)
надвигать, натягивать; he ~ed his hat
over his eyes он нахлобучил шляпу на
глаза; 3) вытаскивать, выдёргивать; to
~ a cork вытащить пробку; to have two
teeth ~ed ему удалили два зуба; 4) дёргать;
to ~ smb.'s hair дёргать кого-л. за волосы;
to ~ a bell звонить; 5) растягивать; разрывать; to ~ to pieces разорвать на куски;
*перен.* раскритиковать, разнести; he ~ed
his muscle in the game во время игры он
растянул мышцу; 6) рвать, собирать
(*цветы, фрукты*); 7) тянуть, иметь тягу;
my pipe ~s badly моя трубка плохо тянет;
8) притягивать, присасывать; 9) грести,
идти на вёслах; плыть (*о лодке с гребцами*);
to ~ a good oar быть хорошим гребцом;
10) *разг.* совершать налёт; 11) *sl.* аресто-
вывать; 12) *полигр.* делать оттиски; 13)
*спорт.* отбивать, посылать мяч (*влево-
в крикете, гольфе*); □ ~ about а) таскать
туда и сюда; б) грубо обращаться; ~ apart

а) разрыва́ть; б) придира́ться, критикова́ть; ~ **at** а) дёргать; б) затя́гиваться (*папиросой и т. п.*); в) тяну́ть (*из буты́лки*); ~ **back** а) оття́гивать; б) отступа́ть; в) таба́нить; ~ **down** а) сноси́ть (*зда́ние*); б) сбива́ть (*спесь*); в) понижа́ть, снижа́ть (*в цене́, чине и т. п.*); г) изнуря́ть, ослабля́ть; ~ **in** а) оса́живать (*ло́шадь*); б) втя́гивать; *перен.* зараба́тывать, загреба́ть; I don't know what you are ~ing in now не зна́ю, ско́лько вы тепе́рь зараба́тываете; в) сде́рживать себя́; г) сокраща́ть (*расхо́ды*); д) *sl.* аресто́вывать; е) прибыва́ть (*на ста́нцию и т. п.—о по́езде*); ~ **off** а) снима́ть, ста́скивать; б) доби́ться, несмотря́ на тру́дности; в) вы́играть (*приз, состяза́ние*); г) удаля́ться; the boat ~ed off from the shore ло́дка отча́лила от бе́рега; the horseman ~ed off the road вса́дник съе́хал с доро́ги; ~ **on** а) натя́гивать; б) тяну́ть ру́чку на себя́, к себе́; ~ **out** а) выта́скивать; удаля́ть (*зу́бы*); the drawer won't ~ out я́щик не выдвига́ется; б) вырыва́ть; выщи́пывать; в) удлиня́ть; г) удаля́ться; отходи́ть (*от ста́нции—о по́езде*); д) выходи́ть на вёслах; е) *ав.* выходи́ть из пике́; ~ **over** а) надева́ть че́рез го́лову; б) перета́скивать; перетя́гивать; ~ **round** а) поправля́ться (*по́сле боле́зни*); б) выле́чивать; the doctors tried in vain to ~ him round врачи́ безуспе́шно стара́лись спасти́ его́; ~ **through** а) вы́жить; б) спасти́(сь) от (*опа́сности и т. п.*), вы́путать(ся); преодоле́ть (*тру́дности и т. п.*); we shall ~ through somehow мы уж ка́к-нибудь вы́вернемся; ~ **together** а) рабо́тать дру́жно; б) *refl.* взять себя́ в ру́ки; встряхну́ться; ~ **up** а) выдёргивать; б) подтя́гивать; в) идти́ впереди́ други́х *или* наравне́ с други́ми (*в состяза́ниях*); г) остана́вливать(ся); д) сде́рживаться; е) оса́живать; ж) *sl.* аресто́вывать; з) де́лать вы́говор; ◇ to ~ the strings (*или* the ropes, the wires) нажима́ть та́йные пружи́ны; влия́ть на ход де́ла; быть скры́тым дви́гателем (*чего-л.*); to ~ one's weight исполня́ть свою́ до́лю рабо́ты; to ~ anchor сня́ться с я́коря, отпра́виться; to ~ a face, to ~ faces грима́сничать, стро́ить ро́жи; he ~ed a long face у него́ вы́тянулась физионо́мия; у него́ был огорчённый, уны́лый вид; ~ devil!, ~ baker! поднажми́!, дава́й!, а ну ещё! (*возгла́сы одобре́ния на состяза́ниях*); to ~ smb.'s leg моро́чить, одура́чивать, мистифици́ровать кого́-л.; to ~ the nose (о)дура́чить.

**pull-back** ['pulbæk] *n* 1) препя́тствие; поме́ха; 2) невы́годное положе́ние; 3) приспособле́ние для оття́гивания.

**pulled** [puld] **1**. *p. p. om* pull 2;
**2**. *a:* ~ bread суха́ри из хле́бного мя́киша; ~ chicken ощи́панный цыплёнок; ~ figs прессо́ванный инжи́р, ви́нные я́годы.

**puller** ['pulə] *n* 1) тот, кто та́щит; 2) гребе́ц; 3) приспособле́ние для выта́скивания (*клещи, што́пор и т. п.*); инструме́нт для выта́скивания; съёмник; 4) *ав.* самолёт с тя́нущим винто́м.

**pullet** ['pulɪt] *n* моло́дка (*ку́рица*).

**pulley** ['pulɪ] **1**. *n* шкив, блок; во́рот; driving ~ веду́щий шкив;
**2**. *v* де́йствовать посре́дством бло́ка, шки́ва.

**pullicate** ['pʌlɪkɪt] *n* 1) материа́л для цветны́х носовы́х платко́в; 2) цветно́й носово́й плато́к.

**Pullman** ['pulmən] *n* пу́льмановский спа́льный ваго́н (*тж.* ~ car).

**pull-out** ['pulaut] *n* 1) *ав.* вы́ход из пики́рования; 2) *полигр.* вкле́йка большо́го форма́та.

**pull-over** ['pul͵ouvə] *n* пуло́вер, сви́тер.

**pull-through** ['pulθruː] *n военн.* проти́рка.

**pullulate** ['pʌljuleɪt] *v* 1) прораста́ть; размножа́ться; 2) кише́ть; 3) возника́ть, появля́ться (*о тео́риях и т. п.*).

**pull-up** ['pulʌp] *n* 1) натяже́ние (*про́водов*); 2) *ав.* перехо́д к набо́ру высоты́; 3) зае́зжий двор, гости́ница; 4) *attr.* складно́й; а ~ chair складно́й стул.

**pully-hauly** ['pulɪ͵hɔːlɪ] *n мор. разг.* такела́жное де́ло.

**pulmonary** ['pʌlmənərɪ] *a мед.* лёгочный.

**pulmotor** ['pulmoutə] *n* аппара́т для произво́дства иску́сственного дыха́ния.

**pulp** [pʌlp] *n* 1) мя́коть плода́; 2) мя́гкая бесфо́рменная ма́сса; кашица; 3) *анат.* пу́льпа; 4) бума́жная, древе́сная ма́сса; 5) *метал.* шлам; ил; пу́льпа; ◇ to beat smb. to a ~ изби́ть кого́-л. до неузнава́емости; to be reduced to a ~ быть соверше́нно измоча́ленным, обесси́леть;
**2**. *v* 1) превраща́ть(ся) в мя́гкую ма́ссу; 2) очища́ть от мя́коти.

**pulpit** ['pulpɪt] *n* 1) ка́федра (*пропове́дника*); 2) (the ~) церко́вное красноре́чие; 3) *pl собир.* пропове́дники; 4) *ав. sl.* каби́на лётчика.

**pulpiteer** [͵pulpɪ'tɪə] *пренебр.* **1**. *n* пропове́дник;
**2**. *v* быть пропове́дником, пропове́довать.

**pulpy** ['pʌlpɪ] *a* мя́гкий, мяси́стый.

**pulsate** [pʌl'seɪt] *v* 1) пульси́ровать, би́ться; вибри́ровать; 2) волнова́ться.

**pulsatile** ['pʌlsətaɪl] *a* 1) пульси́рующий; 2) *муз.* уда́рный (*об инструме́нте*).

**pulsation** [pʌl'seɪʃən] *n* 1) пульса́ция; 2) *эл.* углова́я частота́.

**pulsatory** ['pʌlsətərɪ] *a* пульси́рующий.

**pulse** I [pʌls] **1**. *n* 1) пульс; пульса́ция; бие́ние; to feel the ~ щу́пать пульс; *перен.* разу́знава́ть наме́рения, жела́ния, «прощу́пывать»; 2) бие́ние (*жи́зни и т. п.*); 3) и́мпульс; толчо́к; 4) чу́вство, настрое́ние; 5) ритм уда́ров (*ве́сел и т. п.*); 6) *муз., прос.* ритм;
**2**. *v* пульси́ровать, би́ться.

**pulse** II [pʌls] *n собир. бот.* бобо́вые.

**pulton, pultun** ['pʌltʌn] *n* инди́йский пехо́тный полк.

**pulverization** [͵pʌlvəraɪ'zeɪʃən] *n* 1) пульвериза́ция; 2) превраще́ние в порошо́к.

**pulverize** ['pʌlvəraɪz] *v* 1) растира́ть, размельча́ть; превраща́ть(ся) в порошо́к; 2) распыля́ть(ся); 3) сокруша́ть, разбива́ть (*до́воды проти́вника*).

**pulverizer** ['pʌlvəraɪzə] *n* 1) распыли́тель, пульвериза́тор; 2) форсу́нка.

**pulverulent** [pʌl'verulənt] *a* пылеви́дный.
**pulwar** [pʌl'wɑː] *n* англо-инд. лёгкая
ло́дка.
**puma** ['pjuːmə] *n* зоол. пу́ма, кугуа́р.
**pumice** ['pʌmɪs] 1. *n* пе́мза;
2. *v* чи́стить, шлифова́ть пе́мзой.
**pumice-stone** ['pʌmɪsstoun] = pumice 1.
**pummel** ['pʌml] *v* бить (*особ.* кулака́-
ми); тузи́ть.
**pump** I [pʌmp] 1. *n* 1) насо́с; по́мпа;
2) *attr.*: ~ duty рабо́та *или*
производи́тельность насо́са;
2. *v* 1) рабо́тать насо́сом; кача́ть; выка́-
чивать; 2) нагнета́ть (*воздух и т. п.*);
3) (*обыкн. р. р.*) приводи́ть в изнеможе́ние
(*тж.* ~ out); ☐ ~ out а) выка́чивать;
б) выве́дывать, выспра́шивать (of); ~ up
нака́чивать; to ~ up a tire нака́чивать
ши́ну; ◇ to ~ lead into smb. *sl.* вса́живать
в кого́-л. пу́лю за пу́лей.
**pump** II [pʌmp] *n* лёгкая ба́льная ту́фля
(*обыкн.* лакиро́ванная).
**pump-handle** ['pʌmp,hændl] 1. *n* ру́чка
насо́са;
2. *v* разг. до́лго трясти́ (*чью-л.*) ру́ку.
**pumpkin** ['pʌmpkɪn] *n* ты́ква (обыкно-
ве́нная).
**pump-room** ['pʌmprum] *n* 1) галере́я
на куро́ртах, где отпуска́ются минера́ль-
ные во́ды; 2) насо́сное отделе́ние.
**pun** [pʌn] 1. *n* игра́ слов; каламбу́р;
2. *v* каламбу́рить.
**Punch** [pʌntʃ] *n* 1) Панч (*Петрушка*);
~ and Judy персона́жи куко́льной коме́дии;
2) «Панч» (*название английского юмористи́-
ческого журнала*); ◇ as pleased as ~ о́чень
дово́льный; as proud as ~ о́чень го́рдый.
**punch** I [pʌntʃ] 1. *n* 1) уда́р кулако́м;
2) *разг.* си́ла, эне́ргия; эффекти́вность;
2. *v* 1) бить кулако́м; 2) *амер.* гнать скот.
**punch** II [pʌntʃ] 1. *n* 1) компо́стер;
*тех.* ке́рнер, пробо́йник; пуансо́н; штём-
пель; 3) = punch press; 4) *полигр.* пуансо́н;
2. *v* проде́лывать *или* пробива́ть отве́р-
стия; 'компости́ровать; штампова́ть; ☐ ~
in вбива́ть (*гвоздь и т. п.*); ~ out выби-
ва́ть (*гвоздь и т. п.*).
**punch** III [pʌntʃ] *n* пунш.
**punch** IV [pʌntʃ] *n* 1) ломова́я ло́шадь,
тяжелово́з (*особ.* Suffolk ~); 2) коре-
на́стый *или* по́лный челове́к небольшо́го
ро́ста; коро́тышка.
**punch-bowl** ['pʌntʃboul] *n* ча́ша для
пу́нша.
**puncheon** I ['pʌntʃən] *n* уст. больша́я
бо́чка.
**puncheon** II ['pʌntʃən] *n* 1) подпо́рка;
2) *редк.* пуансо́н; чека́н; пробо́йник.
**puncher** ['pʌntʃə] *n* 1) компо́стер; 2)
*амер.* ковбо́й; 3) *тех.* пробо́йник, дыро-
ко́л; перфора́тор; пневмати́ческий молото́к;
4) *горн.* уда́рная вру́бовая маши́на.
**punch house** ['pʌntʃhaus] *n* англо-инд.
гости́ница, тракти́р (*особ. для моряков*).
**Punchinello** [,pʌntʃɪ'nelou] *ит. n* (*pl* -os
[-ouz]) полишине́ль.
**punching-ball** ['pʌntʃɪŋbɔːl] *n* спорт.
пенчингбо́л, гру́ша (*для тренировки боксёра*).

**punch press** ['pʌntʃ'pres] *n* 1) дыропро-
бивно́й стано́к; штампо́вочный пресс; 2)
*attr.*: ~ operator штампо́вщик; штампо́в-
щица.
**punctate(d)** ['pʌŋkteɪt(ɪd)] *a бот., зоол.*
пятни́стый.
**punctilio** [pʌŋk'tɪlɪou] *n* (*pl* -os [-ouz])
форма́льность, педанти́чность; щепети́ль-
ность.
**punctilious** [pʌŋk'tɪlɪəs] *a* педанти́чный,
щепети́льный до мелоче́й.
**punctual** ['pʌŋktjuəl] *a* пунктуа́льный,
то́чный.
**punctuality** [,pʌŋktju'ælɪtɪ] *n* пункту-
а́льность, то́чность.
**punctuate** ['pʌŋktjueɪt] *v* 1) ста́вить зна́ки
препина́ния; 2) подчёркивать, акценти́-
ровать; 3) прерыва́ть, перемежа́ть; the
audience ~d the speech by outbursts of
applause собра́ние сопровожда́ло речь взры́-
вами аплодисме́нтов.
**punctuation** [,pʌŋktju'eɪʃən] *n* 1) пун-
ктуа́ция; 2) *attr.* пунктуацио́нный; ~ marks
зна́ки препина́ния.
**puncture** ['pʌŋktʃə] 1. *n* 1) проко́л
(*особ. шины*); 2) *эл.* пробо́й (*изоляции*);
2. *v* 1) прока́лывать; пробива́ть отве́р-
стие; 2) получа́ть проко́л; the tire ~d
a mile from home ши́на ло́пнула в ми́ле
от до́ма.
**punctured** ['pʌŋktʃəd] 1. *p. p. от* puncture 2;
2. *a* проко́лотый, ко́лотый; ~ wound
ко́лотая ра́на.
**pundit** ['pʌndɪt] *n* 1) англо-инд. учёный
инду́с, брами́н; 2) *шутл.* учёный муж.
**pungency** ['pʌndʒənsɪ] *n* острота́, е́дкость;
~ of pepper о́стрый вкус пе́рца; ~ of wit
острота́, цепкость ума́.
**pungent** ['pʌndʒənt] *a* о́стрый, пика́нт-
ный; е́дкий.
**Punic** ['pjuːnɪk] *a* пуни́ческий; карфа-
ге́нский; ◇ ~ faith вероло́мство; ~ apple
*бот. уст.* грана́т.
**punish** ['pʌnɪʃ] *v* 1) нака́зывать; налага́ть
взыска́ние; 2) *разг.* зада́ть пе́рцу; при-
чиня́ть поврежде́ния; наноси́ть уда́ры; су-
ро́во обраща́ться (*с кем-л.*); 3) *разг.* изну-
ря́ть, изма́тывать (*противника и т. п.*);
4) мно́го есть, навали́ться на еду́.
**punishable** ['pʌnɪʃəbl] *a* наказу́емый,
заслу́живающий наказа́ния.
**punishment** ['pʌnɪʃmənt] *n* 1) наказа́ние;
2) *воен.* взыска́ние; 3) *разг.* суро́вое обра-
ще́ние.
**punitive** ['pjuːnɪtɪv] *a* кара́тельный; ~
expedition кара́тельная экспеди́ция.
**Punjabi** [pʌn'dʒɑːbɪ] 1. *a* пенджа́бский;
2. *n* 1) пенджа́бец; 2) пенджа́би (*язык*).
**punk** [pʌŋk] 1. *n* 1) *амер.* гнило́е де́рево;
гнилу́шка; гнильё; трут; 2) что-л. нену́ж-
ное, никчёмное; чепуха́; 3) *sl.* нео́пытный
юне́ц; 4) *амер. sl.* хлеб;
2. *a амер. sl.* плохо́й.
**punka(h)** ['pʌŋkə] *n* англо-инд. подве́-
шенное опаха́ло.
**punnet** ['pʌnɪt] *n* кру́глая корзи́нка
(*для фруктов*).
**punster** ['pʌnstə] *n* остря́к, каламбури́ст.

**punt** I [pʌnt] **1.** *n* плоскодо́нная ло́дка; **2.** *v* плыть (на плоскодо́нке), отта́лкиваясь песто́м.

**punt** II [pʌnt] *спорт.* **1.** *n* уда́р ного́й (*по мячу*); выбива́ние (*мяча*) из рук; **2.** *v* поддава́ть ного́й (*мяч*); выбива́ть (*мяч*) из рук.

**punt** III [pʌnt] **1.** *n* ста́вка; **2.** *v* **1)** *карт.* понти́ровать; **2)** ста́вить ста́вку на ло́шадь.

**punter** [ˈpʌntə] *n* профессиона́льный игро́к; понтёр.

**puny** [ˈpjuːnɪ] *a* ма́ленький, сла́бый, хи́лый, тщеду́шный.

**pup** [pʌp] **1.** *n* **1)** щено́к; **2)** *pl разг.* соба́чьи го́нки; ◇ to sell smb. a ~ *разг.* наду́ть при прода́же; **2.** *v* щени́ться.

**pupa** [ˈpjuːpə] *n* (*pl* -ae) *зоол.* ку́колка.

**pupae** [ˈpjuːpiː] *pl от* pupa.

**pupal** [ˈpjuːpəl] *a:* ~ chamber ко́кон.

**pupate** [ˈpjuːpeɪt] *v зоол.* превраща́ться в ку́колку, оку́кливаться.

**pupation** [pjuːˈpeɪʃən] *n зоол.* образова́ние ку́колки, оку́кливание.

**pupil** I [ˈpjuːpl] *n* **1)** учени́к; уча́щийся; восп́итанник; **2)** *юр.* малоле́тний.

**pupil** II [ˈpjuːpl] *n* зрачо́к.

**pupil(l)age** [ˈpjuːpɪlɪdʒ] *n* **1)** учени́чество; малоле́тство, несовершенноле́тие.

**pupil(l)ary** I [ˈpjuːpɪləгɪ] *a* **1)** учени́ческий; **2)** находя́щийся под опе́кой.

**pupil(l)ary** II [ˈpjuːpɪləгɪ] *a* зрачко́вый.

**puppet** [ˈpʌpɪt] *n* **1)** марионе́тка, ку́кла; **2)** *attr.* ку́кольный (*о теа́тре*); **3)** *attr.* марионе́точный (*о прави́тельстве и т. п.*).

**puppet-play** [ˈpʌpɪtpleɪ] *n* **1)** ку́кольная коме́дия; **2)** ку́кольный теа́тр.

**puppetry** [ˈpʌpɪtrɪ] *n* **1)** ку́кольная коме́дия; **2)** лицеме́рие; ханжество́.

**puppet-show** [ˈpʌpɪtʃou] *n* ку́кольный теа́тр.

**puppy** [ˈpʌpɪ] *n* **1)** щено́к; **2)** молодо́й морж; **3)** молокосо́с; глу́пый юне́ц; самодово́льный фат.

**pappyism** [ˈpʌpɪɪzəm] *n* фатовство́.

**purblind** [ˈpəːblaɪnd] *a* **1)** подслепова́тый; **2)** недальнови́дный; тупо́й.

**purchasable** [ˈpəːtʃəsəbl] *a* **1)** могу́щий быть приобретённым за де́ньги; **2)** прода́жный; подку́пный.

**purchase** [ˈpəːtʃəs] **1.** *n* **1)** поку́пка; заку́пка; приобрете́ние; **2)** ку́пленная вещь; **3)** годово́й дохо́д с земли́; the land is bought at 20 years' ~ име́ние оку́пится в тече́ние 20 лет; **4)** це́нность, сто́имость; the man's life is not worth a day's ~ он и дня не прожи́вёт; **5)** вы́игрыш в си́ле; **6)** механи́ческое приспособле́ние для подня́тия и перемеще́ния гру́зов (*напр., та́ли, рыча́г, во́рот и т. п.*); **7)** то́чка опо́ры; то́чка приложе́ния си́лы; to get a ~ with one's feet найти́ то́чку опо́ры для ног; **8)** *attr.:* ~ department отде́л снабже́ния; **2.** *v* **1)** покупа́ть, закупа́ть; приобрета́ть; **2)** приобрести́, завоева́ть (*дове́рие*); **3)** *тех.* тяну́ть лебёдкой; поднима́ть рычаго́м.

**purchaser** [ˈpəːtʃəsə] *n* покупа́тель.

**purchasing power** [ˈpəːtʃəsɪŋˈpauə] *n эк.* покупа́тельная спосо́бность.

**purdah** [ˈpəːdɑː] *n англо-инд.* **1)** занаве́ска; **2)** паранджа́; чадра́; **3)** затво́рничество же́нщин; **4)** полоса́тая мате́рия для занаве́сок.

**pure** [pjuə] *a* **1)** чи́стый; беспри́месный; **2)** чистокро́вный; **3)** просто́й (*о сти́ле*); отчётливый; я́сный (*о зву́ке*); **4)** непоро́чный, целому́дренный; **5)** безупре́чный; ~ taste безупре́чный вкус; **6)** чисте́йший, полне́йший; ~ imagination чисте́йшая вы́думка; ~ accident соверше́нная случа́йность.

**purebred** [ˈpjuəbred] *a* чистокро́вный, поро́дистый.

**purée** [ˈpjuəreɪ] *фр. n* суп-пюре́; пюре́.

**purely** [ˈpjuəlɪ] *adv* **1)** исключи́тельно, соверше́нно, целико́м, вполне́; **2)** чи́сто.

**pure-minded** [ˈpjuəˈmaɪndɪd] *a* чи́стый се́рдцем.

**purfle** [ˈpəːfl] *уст.* **1.** *n* вы́шитая кайма́ (*на оде́жде*); **2.** *v* украша́ть каймо́й.

**purgation** [pəːˈgeɪʃən] *n* очище́ние.

**purgative** [ˈpəːgətɪv] **1.** *a* **1)** слаби́тельный; **2)** очисти́тельный; **2.** *n* слаби́тельное (*лека́рство*).

**purgatorial** [ˌpəːgəˈtɔːrɪəl] *a* очисти́тельный; искупи́тельный.

**purgatory** [ˈpəːgətərɪ] **1.** *n* **1)** чисти́лище; **2)** ме́сто пы́ток и муче́ний; ад; **3)** *амер.* уще́лье; **2.** *a* очисти́тельный.

**purge** [pəːdʒ] **1.** *n* **1)** очище́ние; очистка; **2)** *полит.* чистка; **3)** слаби́тельное; **2.** *v* **1)** очища́ть (of, from—от *чего́-л.*); прочища́ть; счища́ть, удаля́ть (*что-л.*); *обыкн.* ~ away, ~ off, ~ out) **2)** освобожда́ть, избавля́ть (of—от *кого́-л.*); **3)** искупа́ть (*вину́*); опра́вдываться; to ~ oneself of suspicion снять с себя́ подозре́ние; **4)** *полит.* проводи́ть чи́стку; **5)** дава́ть слаби́тельное; **6)** сла́бить.

**purification** [ˌpjuərɪfɪˈkeɪʃən] *n* **1)** очище́ние, очистка; **2)** *хим.* ректифика́ция.

**purificatory** [ˈpjuərɪfɪkeɪtərɪ] *a* очисти́тельный.

**purifier** [ˈpjuərɪfaɪə] *n тех., хим.* очисти́тель.

**purify** [ˈpjuərɪfaɪ] *v* **1)** очища́ть(ся) (of, from—от *чего́-л.*); **2)** *церк.* соверша́ть обря́д очище́ния.

**purism** [ˈpjuərɪzəm] *n* пури́зм.

**purist** [ˈpjuərɪst] *n* пури́ст.

**puristic** [pjuəˈrɪstɪk] *a* скло́нный к пури́зму; пуристи́ческий.

**Puritan** [ˈpjuərɪtən] **1.** *n* **1)** пурита́нин; **2)** (p.) свято́ша; **2.** *a* (p.) пурита́нский.

**puritanic(al)** [ˌpjuərɪˈtænɪk(əl)] *a* пурита́нский.

**Puritanism** [ˈpjuərɪtənɪzəm] *n* **1)** пурита́нство; **2)** (p.) стро́гие нра́вы.

**purity** [ˈpjuərɪtɪ] *n* **1)** чистота́; **2)** непоро́чность; **3)** беспри́месность; **4)** про́ба (*драгоце́нных мета́ллов*).

**purl** I [pəːl] **1.** *n* **1)** галу́н; бахрома́; вы́шивка; **2)** вяза́ние с наки́дкой;

2. *v* 1) нашивать галун; 2) вязать с накидкой.

**purl II** [pə:l] **1.** *n* журчание;
**2.** *v* журчать.

**purl III** [pə:l] *n* горячее пиво с джином и полынью.

**purl IV** [pə:l] **1.** *n* разг. падение вниз головой;
**2.** *v* перевернуть(ся); упасть вниз головой; тяжело шлёпнуться.

**purler** ['pə:lə] *n* = purl IV, 1; to come (*или* to take) a ~ упасть вниз головой.

**purlieu** ['pə:lju:] *n* 1) *pl* окрестности, окраины; предместье, пригород; 2) трущобы; 3) *ист.* участки земли, смежные с королевским лесом.

**purlin** ['pə:lɪn] *n стр.* обрешётина.

**purloin** [pə:'lɔɪn] *v* воровать, похищать.

**purple** ['pə:pl] **1.** *n* 1) пурпурный цвет, пурпур; ancient ~ багрец (*краска из багрянки*); 2) фиолетовый цвет; 3) порфира; 4) одеяние *или* сан кардинала; to raise to the ~ сделать кардиналом;
**2.** *a* 1) пурпурный; багровый; to turn ~ with rage побагроветь от ярости; 2) фиолетовый; 3) пышный; изобилующий украшениями; 4) *поэт.* порфироносный; царский;
**3.** *v* 1) окрашивать в пурпурный цвет; 2) багроветь.

**purple-fish** ['pə:plfɪʃ] *n* багрянка (*моллюск*).

**purport** ['pə:pət] **1.** *n* 1) смысл, содержание; 2) *юр.* текст документа; 3) *редк.* цель, намерение;
**2.** *v* 1) свидетельствовать, говорить; this book ~s to be... содержание этой книги показывает, что...; 2) означать; подразумевать; this letter ~s to be written by you письмо это написано якобы вами; 3) *редк.* иметь целью.

**purpose** ['pə:pəs] **1.** *n* 1) намерение, цель, назначение; novel with a ~ тенденциозный роман; of set ~ с умыслом, предумышленно; on ~ нарочно; on ~ to... с целью...; to answer (*или* to serve) the ~ годиться, отвечать цели; to the ~ кстати; к делу; beside the ~ нецелесообразно; 2) результат; успех; to little ~ почти безрезультатно; to no ~ напрасно, тщетно; to some ~ не без успеха; 3) целеустремлённость, воля; wanting in ~ слабовольный, нерешительный;
**2.** *v* иметь целью; намереваться; I ~ to go to Moscow я намереваюсь отправиться в Москву.

**purposeful** ['pə:pəsful] *a* 1) целеустремлённый; имеющий намерение; 2) умышленный; преднамеренный; 3) полный значения, важный.

**purposefulness** ['pə:pəsfulnɪs] *n* 1) целеустремлённость, целенаправленность; 2) преднамеренность; 3) значительность, важность.

**purposeless** ['pə:pəslɪs] *a* 1) бесцельный; бесполезный; 2) непреднамеренный.

**purposely** ['pə:pəslɪ] *adv* нарочно, с целью; преднамеренно.

**purposive** ['pə:pəsɪv] *a* 1) служащий определённой цели; 2) намеренный; 3) решительный.

**purr** [pə:] **1.** *n* мурлыканье;
**2.** *v* мурлыкать.

**purree** ['pə:ri:] *n* жёлтое красящее вещество, употребляемое в Индии и Китае.

**purse** [pə:s] **1.** *n* 1) кошелёк; to open one's ~ раскошеливаться; the public ~ казна; to have a common ~ делить поровну все расходы; 2) деньги, богатство (*тж.* fat ~, heavy ~, long ~); lean (*или* light, slender) ~ бедность; 3) денежный фонд; собранные средства; приз, премия; to make up a ~ собрать деньги (*по подписке*); to give (*или* to put up) a ~ присуждать премию, давать деньги; 4) мешок, сумка (*тж. зоол.*); ~s under the eyes мешки под глазами; 5) мотня (*в неводе*);
**2.** *v* морщить(ся) (*часто* ~ up); to ~ (up) one's mouth поджать губы.

**purse-bearer** ['pə:s,bɛərə] *n* казначей.

**purse-proud** ['pə:spraud] *a* гордый своим богатством; зазнавшийся (*богач*).

**purser** ['pə:sə] *n* казначей, эконом (*на корабле*).

**purse-strings** ['pə:sstrɪŋz] *n pl* ремешки, которыми в старину затягивался кошелёк; to hold the ~ распоряжаться расходами; to tighten (to loosen) the ~ скупиться, экономить, сокращать (не скупиться, увеличивать) расходы.

**purslane** ['pə:slɪn] *n бот.* портулак.

**pursuance** [pə'sju:əns] *n* 1) выполнение; исполнение; in ~ of smth. выполняя что-л., следуя чему-л., согласно чему-л.; во исполнение чего-л.; 2) преследование.

**pursuant** [pə'sju:ənt] *adv*: ~ to (*употр. как prep*) соответственно, согласно (*чему-л.*).

**pursue** [pə'sju:] *v* 1) преследовать; следовать неотступно за; гнаться; гнаться за; ill health ~d him till death плохое здоровье мучило его всю жизнь; 2) преследовать (*цель*); следовать по намеченному пути; to ~ a scheme выполнять план, проект, программу; to ~ the policy of peace вести, проводить политику мира; to ~ pleasure искать удовольствий; 3) продолжать (*обсуждение, занятие, поездку, путешествие*); 4) заниматься (*чем-л.*); иметь профессию; 5) (*преим. шотл.*) *юр.* вести (*следствие*).

**pursuer** [pə'sju:ə] *n* 1) преследователь; преследующий; 2) гонитель; 3) *шотл. юр.* истец.

**pursuit** [pə'sju:t] *n* 1) преследование; погоня; the ~ of happiness поиски счастья; in ~ of в поисках; в погоне за, преследуя; 2) занятие; daily ~s повседневные дела, занятия.

**pursuit plane** [pə'sju:t'pleɪn] *n амер. ав.* истребитель.

**pursuivant** ['pə:sɪvənt] *n* 1) *поэт.* последователь; 2) служащий в коллегии герольдии.

**pursy I** ['pə:sɪ] *a* 1) страдающий одышкой; 2) тучный.

**pursy II** ['pə:sɪ] *a* 1) богатый, гордый своим богатством; 2) сморщенный.

**purtenance** ['pə:tɪnəns] *n уст.* потроха, внутренности животного.

**purulent** ['pjuərulənt] *a* гнойный, гноящийся.

**purvey** [pə:'veɪ] *v* 1) поставлять, снабжать (*особ. провизией*); 2) быть поставщиком; 3) заготовлять.

**purveyance** [pə:'veɪəns] *n* 1) ·поставка, снабжение; 2) запасы; 3) заготовка; 4) *ист.* реквизиция для нужд королёвского двора́.

**purveyor** [pə:'veɪə] *n* поставщик.

**purview** ['pə:vju:] *n* 1) *юр.* часть статута, заключающая самое постановление; 2) сфера, компетенция, область (действия); границы; 3) кругозор.

**purwannah** [pʌ'wɑ:nɑ:] *n* англо-инд. 1) приказ; 2) пропуск.

**pus** [pʌs] *n* гной.

**push** [puʃ] 1. *v* 1) толкать; to ~ aside all obstacles устранять, сметать все препятствия; to ~ a door то закрыть дверь; 2) нажимать; 3) продвигать (ся); проталкивать (ся); выдвигать (ся); to ~ one's claims выставлять свой притязания; to ~ one's fortune всячески улучшать своё благосостояние; to ~ oneself стараться выдвинуться, «вылезать»; to ~ one's way протискиваться; прокладывать себе путь; 4) рекламировать; to ~ one's wares рекламировать свой товары; 5): to be ~ed for time (money) иметь мало времени (денег); 6) притеснять; торопить (*должника и т. п.*); □ ~ away отталкивать; ~ forward а) торопиться; стремиться вперёд; б) продвигать; способствовать осуществлению; ~ in приближаться (*к берегу—о лодке и т. п.*); ~ off а) отталкиваться (*от берега*); б) отталкивать; в) *разг.* убираться, исчезать; г) сбывать (*товары*); ~ on а) спешить (*вперёд*); б) проталкивать, ускорять; to ~ things on ускорять ход вещей; ~ out а) выпускать; б) давать ростки (*о растении*); в) выступать, выдаваться вперёд; ~ through проталкивать (ся); пробиваться; to ~ the matter through довести дело до конца; ~ upon: to ~ smth. upon smb. навязывать что-л. кому-л.; ◇ to ~ to the wall припереть к стенке.
2. *n* 1) толчок; удар; 2) давление, нажим; напор; натиск; напряжение; 3) усилие, энергичная попытка; to make a ~ приложить большое усилие; 4) *воен.* атака; 5) поддержка; протекция; 6) критическое положение; решающий момент; 7) *разг.* увольнение; to give the ~ увольнять; to get the ~ быть уволенным; 8) *sl.* шайка, банда (*воров, хулиганов*); 9) *тех.* нажимная кнопка.

**push-ball** ['puʃbɔ:l] *n* спорт. пушбол.

**push-bicycle** ['puʃ‚baɪsɪkl] *n* велосипед (*в противоположность мотоциклу*).

**push-button** ['puʃ‚bʌtn] *n* кнопка (*звонка и т. п.*); 2) *attr.* кнопочный (*об управлении*).

**push-cart** ['puʃkɑ:t] *n* 1) ручная тележка; 2) *attr.*: ~ man *амер.* уличный торговец.

**push-chair** ['puʃtʃeə] *n* детский складной стул на колёсиках.

**pusher** ['puʃə] *n* 1) толкач; толкатель; эжектор, выбрасыватель; 2) самоуверенный, напористый человек; 3) *ав.* самолёт

с толкающим винтом; 4) толкающий воздушный винт; 5) маневровый паровоз.

**pushful** ['puʃful] *a* очень предприимчивый, сверхинициативный.

**pushing** ['puʃɪŋ] 1. *pres. p. от* push 1; 2. *a* 1) предприимчивый, энергичный, инициативный; 2) напористый.

**pushover** ['puʃ‚ouvə] *n амер. разг.* 1) пустяковое дело; 2) слабый игрок; слабый противник.

**push-pin** ['puʃpɪn] *n* 1) *амер.* кнопка (*для прикрепления бумаги*); 2) название детской игры.

**push-pull** ['puʃpul] *a радио* двухтактный.

**Pushtoo, Pushtu** ['pʌʃtu:] *n* язык пушту; афганский язык.

**push-up** ['puʃʌp] *n амер. воен. sl.* зарядка.

**pusillanimity** [‚pju:sɪlə'nɪmɪtɪ] *n* малодушие, трусость.

**pusillanimous** [‚pju:sɪ'lænɪməs] *a* малодушный.

**puss** [pus] *n* 1) кошечка, киска; 2) *охот.* заяц; 3) *шутл.* кокетливая девушка (*особ.* sly ~); ◇ ~ in the corner игра в «свой соседи»; P. in Boots кот в сапогах.

**pussy I** ['pʌsɪ] *a* гнойный; гноевидный.

**pussy II** ['pusɪ] *n* 1) = puss; 2) серёжка на вербе; 3) мягкий, пушистый предмет.

**pussy-cat** ['pusɪkæt] *n* кошка, кошечка, киска.

**pussyfoot** ['pusɪfut] *амер. sl.* 1. *n* 1) осторожный человек; 2) сторонник сухого закона; 3) сухой закон;
2. *v* 1) красться по-кошачьи; 2) действовать осторожно.

**pussy-willow** ['pusɪ‚wɪlou] *n* ‚верба.

**pustular** ['pʌstjulə] *a* прыщавый.

**pustulate** 1. *v* ['pʌstjuleɪt] покрываться прыщами;
2. *a* ['pʌstjulɪt] покрытый прыщами.

**pustule** ['pʌstju:l] *n мед.* пустула, прыщ.

**pustulous** ['pʌstjuləs] = pustular.

**put I** [put] *v* (put) 1) класть, положить; (по)ставить; ~ more sugar in your tea положи ещё сахару в чай; to ~ a thing in its right place поставить вещь на место; to ~ smb. in charge of... поставить кого-л. во главе...; to ~ a child to bed уложить ребёнка спать; 2) помещать; сажать; to ~ to prison сажать в тюрьму; it's time he was ~ to school пора определить его в школу; to ~ a boy as apprentice определить мальчика в ученики; ~ yourself in his place поставь себя на его место; to ~ on the market выпускать в продажу; he ~ his money into land он поместил свой деньги в земельную собственность; ~ it out of your mind выкинь это из головы; 3) двигать в определённом направлении; пододвигать, прислонять; to ~ a glass to one's lips поднести стакан к губам; 4) выражать (*словами, в письменной форме*); излагать; переводить (*from... into—с одного языка на другой*); класть (*слова на музыку*); to ~ it in black and white написать чёрным по белому; I don't know how to ~ it не знаю, как это выразить; I ~ it to you that... я говорю вам, что...; 5) предлагать, ставить на обсуждение; to ~ a question задать вопрос; to ~ to vote поставить на голосование; 6) направлять, заставлять делать; to ~ a horse to (*или* at) a fence заставить лошадь взять барьер; to ~ one's mind on (*или* to) a problem думать над разрешением проблемы; to ~ smth. to use использовать что-л.; 7) *спорт.* бросать, метать; толкать; 8) всаживать; to ~ a knife into засадить нож в; to ~ a bullet through smb. застрелить кого-л.; 9) снабжать; to ~ a new handle to a knife приделать новую рукоятку к ножу; 10) приводить (*в определённое состояние или положение*); to ~ in order приводить в порядок; to ~ an end to smth. прекратить что-л.; to ~ a stop to smth. остановить что-л.; to ~ to sleep усыпить; to ~ to the blush заставить покраснеть от стыда, пристыдить; to ~ to shame пристыдить; to ~ out of countenance приводить в замешательство, смущать; to ~ to death предавать смерти, убивать, казнить; to ~ to flight обратить в бегство; to ~ into a rage разгневать; to ~ a man wise (about, on) вывести кого-л. из заблуждения; to ~ smb. at his ease дать кому-л. почувствовать себя непринуждённо; to ~ the horse to the cart запрягать лошадь; 11) подвергать (to); to ~ to torture подвергнуть пытке, пытать; to ~ to expense ввести в расход; to ~ to inconvenience причинить неудобство; to ~ to test подвергнуть испытанию; to ~ to trial предать суду; 12) оценивать, исчислять, определять (at—в); считать; I ~ his income at ₤ 5000 a year я определяю его годовой доход в 5000 фунтов стерлингов; ☐ ~ about a) распространять (*слух и т. п.*); б) (*обыкн. p. p.*) *разг.* надоедать, беспокоить; в) *мор.* изменять курс, поворачивать(ся) в другую сторону; ~ across а) перевозить, переправлять (*на лодке, пароме*); б) проводить (*какие-л. мероприятия*); ~ aside а) отстранять; б) откладывать (в сторону); в) отводить (*довод*); г) копить (*деньги*); ~ away а) убирать; прятать; б) отделываться, избавляться; в) откладывать (*сбережения*); г) оставлять (*привычку и т. п.*); д) *разг.* помещать (в тюрьму, сумасшедший дом и т. п.); е) *разг.* убивать; ж) *разг.* поглощать; съедать; выпивать; з) *разг.* закладывать; ~ back а) ставить на место; б) задерживать; в) передвигать назад (*стрелки часов*); г) *мор.* возвращаться (в гавань, к берегу); ~ by а) отстранять; б) откладывать на чёрный день; в) избегать (*разговора*); г) стараться не замечать; ~ down а) записывать; б) подписываться на определённую сумму; в) подавлять (*восстание и т. п.*); г) заставить замолчать; д) урезывать (*расходы*); снижать (*цены*); е) *уст.* понижать (*в должности и т. п.*); свергать; ж) считать; I ~ him down for a fool я считаю его глупым; з) приписывать (*чему-л.*); и) *разг.* пить потихоньку; к) *ав.* снизиться; совершить посадку; л) сбить (*самолёт противника*); ~ forth

а) напрягать (*силы*); использовать; б) проявлять; в) пускать (*побеги*); г) пускать в ход, в обращение; д) пускаться (*в море*); ~ forward а) выдвигать, предлагать; б) способствовать, содействовать; в) передвигать вперёд (*о стрелках часов*); ~ in а) вставлять, всовывать; б) представлять (*документ*); в) предъявлять (*претензию*); подавать (*жалобу*); г) вводить (*в действие*); to ~ in the attack предпринять наступление; д) *разг.* исполнять (*работу*); е) *разг.* проводить время (*за каким-л. делом*); ж) поставить (*у власти, на должность*); з) выдвинуть свою кандидатуру, претендовать (for—на); и) *мор.* входить в порт; ~ off а) снимать с себя *что-л.*; б) откладывать; в) отделываться; to ~ off with a jest отделаться шуткой; г) вызывать отвращение; her face quite ~s me off её лицо меня отталкивает; д) отговаривать (from—от *чего-л.*); е) подсовывать, всучивать (upon—*кому-л.*); ж) *мор.* отчаливать; ~ on а) надевать (б): to ~ on face употреблять косметику; приводить себя в порядок (*пудриться, румяниться и т. п.*); в) принимать вид; напускать на себя; to ~ on airs and graces манерничать; важничать; his modesty is all ~ on его скромность напускная; г) ставить (*на сцене*); to ~ a play on the stage поставить пьесу; ~ on an act *амер.* разыграть сцену; д) ставить (*на лошадь и т. п.*); е) облагать (*налогом*); ж) возлагать; to ~ the blame on smb. возлагать вину на кого-л.; з) прибавлять(ся); to ~ on flesh (*или* weight) толстеть; to ~ on the pace прибавлять шагу; to ~ it on α) повышать цену; β) преувеличивать (*свои чувства, боль и т. п.*); и) передвигать вперёд (*стрелки часов*); к) побуждать; to ~ smb. on doing smth. побуждать кого-л. (с)делать что-л.; to ~ smb. on his honour not to do smth. взять с кого-л. честное слово не делать чего-л.; л) использовать; применять; to ~ on more trains пустить больше поездов; ~ out а) выгонять; удалять, устранять; убирать; б) выкладывать (*вещи*); в) вытянуть (*руку*); высовывать (*рожки—об улитке*); г) давать побеги (*о растении*); д) вывихнуть (*плечо и т. п.*); е) тушить (*огонь*); ж) мешать *кому-л.*; з) раздражать; и) *амер.* отправляться; к) выпускать, издавать; л) давать деньги под определённый процент (at); м) выходить в море; н) *спорт.* запятнать; ~ over а) переправить(ся); б) успешно осуществить (*постановку и т. п.*); в) *refl.* произвести впечатление, добиться успеха у публики; г) *амер.* завершить (*что-л.*); достичь цели; ~ through а) выполнить, закончить (*работу*); б) соединить (*по телефону*); ~ together а) соединять; сопоставлять; б) компилировать; в) собирать (*механизм*); ~ up а) поднимать; б) строить, воздвигать (*здание и т. п.*); в) ставить (*пьесу*); г) показывать, выставлять; вывешивать (*объявление*); д) возносить (*молитвы*); е) продавать с аукциона; ж) прятать, упаковывать (*вещи*); класть в ножны (*меч*); з) выставлять (*кандидатуру на выборах*); и) принима́ть, дава́ть прию́т (*гостя́м*); к) остана́вливаться в гости́нице *и т. п.* (at); л) закла́дывать (*в ломбарде*); м) терпе́ть; мири́ться, примири́ться (with—с); н) фабрикова́ть; ~ upon а) обременя́ть; б) обма́нывать; ◇ to ~ one's hand to бра́ться за рабо́ту над; to ~ it across smb. а) нака́зывать кого́-л., своди́ть счёты с кем-л.; б) беспоща́дно критикова́ть кого́-л.; в) *амер. sl.* вводи́ть в заблужде́ние; to ~ heads together совеща́ться; to ~ two and two together сообрази́ть, сде́лать вы́вод из фа́ктов; to ~ on paper запи́сывать; to ~ smb. up to smth. а) открыва́ть кому́-л. глаза́ на что-л.; б) побужда́ть, подстрека́ть кого́-л. к чему́-л.; to ~ smb. up to the ways of the place знако́мить кого́-л. с ме́стными обы́чаями; to ~ smb. on his guard предостере́чь кого́-л.; to ~ smb. off his guard усыпи́ть чье́-л. внима́ние, бди́тельность; to ~ one's best foot forward а) приба́вить ша́гу; поторопи́ться; б) де́лать всё возмо́жное, всё от себя́ зави́сящее; to ~ one's foot down быть по́лным реши́мости; to ~ one's hand into one's pocket раскоше́ливаться; to ~ in the picture осведомля́ть, информи́ровать; to ~ one's name to ока́зывать подде́ржку; to ~ smb.'s back up серди́ть, раздража́ть кого́-л.; to ~ in one's оаг вме́шиваться.

**put** II [put] *n* мета́ние (*камня и т. п.*).

**put** III [pʌt] = putt.

**putative** ['pjuːtətɪv] *a* предполага́емый, мни́мый.

**putlog** ['putlɔg] *n стр.* па́лец строи́тельных лесо́в.

**put-off** ['put,ɔf] *n* 1) уло́вка; 2) откла́дывание.

**putrefaction** [,pjuːtrɪ'fækʃən] *n* гние́ние; разложе́ние; гни́лость.

**putrefactive** [,pjuːtrɪ'fæktɪv] *a* вызыва́ющий гние́ние.

**putrefy** ['pjuːtrɪfaɪ] *v* 1) гнить, разлага́ться (*о трупе*); 2) вызыва́ть гние́ние; 3) разлага́ться (*морально*); подве́ргнуться де́йствию корру́пции.

**putrescence** [pjuː'tresns] *n* гние́ние.

**putrescent** [pjuː'tresnt] *a* 1) по́ртящийся, гнию́щий, разлага́ющийся; 2) воню́чий.

**putrid** ['pjuːtrɪd] *a* 1) гнило́й; 2) воню́чий; 3) испо́рченный; 4) *sl.* отврати́тельный; ~ fever *уст.* сыпно́й тиф.

**putridity** [pjuː'trɪdɪtɪ] *n* гниль; гни́лость.

**putsch** [putʃ] *нем. n* путч.

**putt** [pʌt] 1. *n* уда́р, загоня́ющий мяч в лу́нку (*в гольфе*);
2. *v* гнать мяч в лу́нку (*в гольфе*).

**puttee** ['pʌtɪ] *n* 1) ножна́я обмо́тка; 2) кра́га.

**putter** I ['pʌtə] *n* коро́ткая клю́шка (*для гольфа*).

**putter** II ['pʌtə] *v* труди́ться впусту́ю (over—над); □ ~ about броди́ть без це́ли.

**puttie** ['pʌtɪ] = puttee.

**puttier** ['pʌtɪə] *n* стеко́льщик.

**putting** ['putɪŋ] 1. *pres. p. от* put I;
2. *n спорт.* толка́ние; ~ the shot толка́ние ядра́.

**putting-green** ['pʌtɪŋgriːn] *n* ро́вная лужа́йка (*вокруг лунки в гольфе*).

**putting-stone** ['putɪŋstoun] *n спорт.* ядро́.

**putty** ['pʌtɪ] 1. *n* 1) (око́нная) зама́зка, шпаклёвка (*тж.* glazier's ~); 2) порошо́к, масти́ка *или* смесь для шлифо́вки *или* полиро́вки (*тж.* jeweller's ~); ◇ ~ medal незначи́тельная награ́да за незначи́тельные услу́ги;
2. *v* зама́зывать зама́зкой; шпаклева́ть.

**put-up** ['put'ʌp] *a разг.* заду́манный, зара́нее сплани́рованный; сфабрико́ванный; а ~ affair (*или* job) махина́ция, суде́бная инсцениро́вка; подстро́енное де́ло.

**puzzle** ['pʌzl] 1. *n* 1) недоуме́ние, затрудне́ние; замеша́тельство; 2) вопро́с, ста́вящий в тупи́к; зага́дка, головоло́мка; 3) головоло́мка (*игрушка*); Chinese ~ кита́йская головоло́мка;
2. *v* 1) приводи́ть в затрудне́ние, ста́вить в тупи́к; озада́чивать; to ~ one's brains over smth. лома́ть себе́ го́лову над чем-л.; би́ться над чем-л.; 2) запу́тывать; усложня́ть; □ ~ out распу́тать (*что-л.*), разобра́ться в (*чём-л.*).

**puzzle-headed** ['pʌzl,hedɪd] *a* запу́тавшийся; не разбира́ющийся в са́мых просты́х веща́х; сумбу́рный.

**puzzlement** ['pʌzlmənt] *n* замеша́тельство; смуще́ние.

**puzzle-pated** ['pʌzl,peɪtɪd] = puzzle-headed.

**puzzler** ['pʌzlə] *n* тру́дная зада́ча; тру́дный вопро́с.

**puzzling** ['pʌzlɪŋ] 1. *pres. p. от* puzzle 2;
2. *a* приводя́щий в замеша́тельство; сбива́ющий с то́лку.

**pyaemia** [paɪ'iːmɪə] *n мед.* пиеми́я.

**pyedog** ['paɪdɔg] *n англо-инд.* бродя́чая соба́ка.

**pygm(a)ean** [pɪg'miːən] *a* ка́рликовый.

**pygmy** ['pɪgmɪ] *n* 1) пигме́й, ка́рлик; 2) ничто́жество, пигме́й; 3) *attr.* ка́рликовый.

**pyjamas** [pə'dʒɑːməz] *n pl* пижа́ма.

**pylon** ['paɪlən] *n* 1) *архит.* пило́н, опо́ра; 2) *ав.* каба́нчик.

**pylorus** [paɪ'lourəs] *n анат.* привра́тник желу́дка.

**pyramid** ['pɪrəmɪd] 1. *n* 1) пирами́да; 2) что-л. напомина́ющее по фо́рме пирами́ду; 3) *pl* пирами́да, игра́ на билья́рде в 15 шаро́в;
2. *v* 1) *амер. бирж.* увели́чивать, нака́пливать (*запас акций*); 2) ста́вить на ка́рту, рискова́ть.

**pyramidal** [pɪ'ræmɪdl] *a* пирамида́льный.

**pyre** ['paɪə] *n* погреба́льный костёр.

**pyretic** [paɪ'retɪk] *a* 1) лихора́дочный; 2) жаропонижа́ющий.

**pyrites** [paɪ'raɪtiːz] *n* се́рный *или* желе́зный колчеда́н, пири́т.

**pyro-electricity** ['paɪrou,ɪlek'trɪsɪtɪ] *n* пироэлектри́чество.

**pyrometer** [paɪ'rɔmɪtə] *n тех.* пиро́метр.

**pyrotechnic(al)** [,paɪrou'teknɪk(əl)] *a* пиро技ни́ческий; ~ pistol раке́тный пистоле́т.

**pyrotechnics** [,paɪroʊ'tekniks] *n pl* (*употр. как sing*) пиротéхника.

**pyrotechnist** [,paɪroʊ'teknɪst] *n* пиротéхник.

**pyroxene** ['paɪrɔksɛn] *n хим.* пироксéны.

**pyroxylin** [paɪ'rɔksɪlɪn] *n хим.* пироксилúн.

**Pyrrhic I** ['pɪrɪk] *n* 1) древнегрéческий вóенный тáнец; 2) *прос.* пиррúхий (*тж.* ~ foot).

**Pyrrhic II** ['pɪrɪk] *a:* ~ victory пиррова побéда.

**Pyrrhonism** ['pɪrənɪzəm] *n* учéние грéческого филóсофа Пиррóна; скептицúзм.

**Pyrrhonist** ['pɪrənɪst] *n* послéдователь Пиррóна; скéптик.

**Pythagorean** [paɪ,θægə'rɪən] 1. *a* пифагорéйский; ~ proposition *геом.* пифагóрова теорéма;
2. *n* пифагорéец.

**Pythian** ['pɪθɪən] *a* пифúческий.

**python** ['paɪθən] *n* 1) *зоол.* питóн; 2) *миф.* Пифóн; 3) прорицáтель.

**pythoness** ['paɪθənes] *n* пифúя; прорицáтельница, вещýнья.

**pyx** [pɪks] 1. *n* 1) *церк.* дарохранúтельница; 2) ящик для прóбной монéты (*на монéтном дворé*); the trial of the ~ пробирóвка, прóба монéт; 3) *мор.* нактóуз;
2. *v* производúть прóбу (*монéт*).

**pyxis** ['pɪksɪs] *лат. n* мáленький ящичек (*для драгоцéнностей и т. п.*).

# Q

**Q, q** [kjuː] *n* (*pl* Qs, Q's [kjuːz]) *17-я бýква англ. алфавúта;* ◇ Q and reverse Q конькобéжная фигýра «восьмёрка»; Q department *разг.* управлéние глáвного квартирмéйстера.

**Q-boat** ['kjuːbout] = Q-ship.

**Q-ship** ['kjuːʃɪp] *n мор. ист.* противолóдочное сýдно-ловýшка.

**qua** [kweɪ] *лат. adv* в кáчестве.

**quack I** [kwæk] 1. *n* 1) кряканье (*ýток*); 2) *разг.* кряква, ýтка;
2. *v* 1) крякать (*об ýтках*); 2) трещáть, болтáть.

**quack II** [kwæk] 1. *n* 1) знáхарь; шарлатáн; 2) *attr.* шарлатáнский; ~ doctor врач-шарлатáн; ~ medicine, ~ remedy шарлатáнское срéдство *или* лекáрство;
2. *v* 1) лечúть снáдобьями; 2) шарлатáнить, мошéнничать.

**quackery** ['kwækərɪ] *n* шарлатáнство, знáхарство.

**quack-quack** ['kwæk'kwæk] *n дет.* кря-кря, ýтка.

**quacksalver** ['kwæk,sælvə] = quack II, 1.

**quad** [kwɔd] *n* 1) *сокр. от* quadrangle; 2) *сокр. от* quadrat; 3) четвёрка (*лошадéй*); 4) *эл.* четвёрка (*скрýченные вмéсте четыре изолúрованные жúлы в кабеляx связи*); 5) артиллерúйский грузовúк-тягáч.

**quadragenarian** [,kwɔdrədʒɪ'neərɪən] 1. *a* сорокалéтний;
2. *n* сорокалéтний человéк.

**Quadragesima** [,kwɔdrə'dʒesɪmə] *n рел.* 1) воскресéнье пéрвой недéли велúкого постá (*тж.* ~ Sunday); 2) *уст.* велúкий пост.

**quadragesimal** [,kwɔdrə'dʒesɪməl] *a* 1) сорокаднéвный, длящийся сóрок дней (*особ. о велúком пóсте*); 2) *рел.* великопóстный.

**quadrangle** ['kwɔ,dræŋgl] *n* 1) четырёхугóльник; 2) четырёхугóльный двор.

**quadrangular** [kwɔ'dræŋgjulə] *a* четырёхугóльный.

**quadrant** ['kwɔdrənt] *n* 1) квадрáнт, чéтверть крýга, сéктор в 90°; 2) *тех.* гитáра, большóй трéнзель; 3) *эл.* единúца самоиндýкции.

**quadrat** ['kwɔdrət] *n полигр.* шпáция.

**quadrate** 1. *n* ['kwɔdrɪt] 1) квадрáт; 2) *мат. уст.* квадрáт, 2-ая стéпень; 3) *анат.* квадрáтная кость;
2. *a* ['kwɔdrɪt] квадрáтный, четырёхугóльный (*преим. о мышце úли кóсти*);
3. *v* [kwɔ'dreɪt] 1) дéлать квадрáтным; 2) согласовáть(ся); соотвéтствовать (with, to).

**quadratic** [kwə'drætɪk] *мат.* 1. *a* квадрáтный; квадратúческий; ~ equation квадрáтное уравнéние, уравнéние вторóй стéпени;
2. *n* = ~ equation [*см.* 1].

**quadrature** ['kwɔdrətʃə] *n мат., астр.* квадратýра; ~ of the circle квадратýра крýга.

**quadrennial** [kwɔd'renɪəl] *a* 1) длящийся четыре гóда; 2) происходящий раз в четыре гóда; ~ election выборы, происходящие кáждые четыре гóда.

**quadriga** [kwə'drɪgə] *n* (*pl* -gae) др.-рúм. квадрúга (*двухколёсная колеснúца, запряжённая четвёркой лошадéй*).

**quadrigae** [kwə'drɪdʒɪ] *pl от* quadriga.

**quadrilateral** [,kwɔdrɪ'lætərəl] 1. *n* четырёхугóльник;
2. *a* четырёхсторóнний.

**quadrille** [kwə'drɪl] *n* кадрúль.

**quadrillion** [kwɔ'drɪljən] *n мат.* квадрильóн.

**quadripartite** [,kwɔdrɪ'pɑːtaɪt] *a* состоящий из четырёх частéй; разделённый на четыре чáсти.

**quadripole** ['kwɔdrɪpoul] *n эл.* четырёхпóлюсник.

**quadrisyllable** ['kwɔdrɪ,sɪləbl] *n* четырёхслóжное слóво.

**quadrivalent** [kwɔd'rɪvələnt] *a хим.* четырёхвалéнтный.

**quadroon** [kwɔ'druːn] *n* квартерóн (*родúвшийся от мулáтки и бéлого*).

**quadruped** ['kwɔdruped] 1. *n* четверонóгое живóтное (*особ. млекопитáющее*);
2. *a* четверонóгий.

**quadrupedal** [kwɔ'druːpɪdəl] *a* 1) четверонóгий; 2) на четверéньках (*о человéке*).

**quadruple** ['kwɔdrupl] 1. *n* учетверённое количество;
2. *a* 1) четверно́й; 2) учетверённый (of, to); 3) состоя́щий из четырёх часте́й; 4) четырёхсторо́нний (*о соглаше́нии*); 5) четырёхкра́тный (*о буквопеча́тающем аппара́те*);
3. *v* учетверя́ть.

**quadruplets** ['kwɔdruplɪts] *n pl* четверня́.

**quadruplicate** 1. *n* [kwɔ'druːplɪkɪt] 1): in ~ в четырёх экземпля́рах; 2) *pl* четы́ре одина́ковых экземпля́ра;
2. *a* [kwɔ'druːplɪkɪt] учетверённый;
3. *v* [kwɔ'druːpleɪt] учетверя́ть, мно́жить на четы́ре; де́лать в четырёх экземпля́рах.

**quads** [kwɔdz] *разг. см.* quadruplets.

**quaere** ['kwɪərɪ] *лат.* 1. *n* вопро́с;
2. *v* жела́тельно знать, спра́шивается; most interesting, but ~, is it true? э́то о́чень интере́сно, но, спра́шивается, ве́рно ли э́то?

**quaestor** ['kwiːstə] *n др.-рим.* кве́стор.

**quaff** [kwɑːf] *v* пить больши́ми глотка́ми; осуша́ть за́лпом.

**quag** [kwæg] = quagmire 1).

**quagga** ['kwægə] *n зоол.* ква́гга (*зебра*).

**quaggy** ['kwægɪ] *a* 1) тряси́нный, то́пкий, боло́тистый; 2) теку́щий по боло́тистой ме́стности; 3) дря́блый (*о теле*).

**quagmire** ['kwægmaɪə] *n* 1) боло́то, тряси́на; 2) затрудни́тельное положе́ние.

**quail** I [kweɪl] *n* 1) пе́репел; 2) *амер. унив. sl.* студе́нтка.

**quail** II [kweɪl] *v* 1) дро́гнуть; стру́сить, спасова́ть (before, to); 2) *редк.* запуга́ть; 3) *уст.* свёртываться, створа́живаться.

**quail-call** ['kweɪlkɔːl] = quail-pipe.

**quail-pipe** ['kweɪlpaɪp] *n* ду́дочка для прима́нивания перепело́в.

**quaint** [kweɪnt] *a* 1) стра́нный, необы́чный; 2) стра́нный, но привлека́тельный; причу́дливый.

**quake** [kweɪk] 1. *n* 1) дрожа́ние; дрожь; 2) *разг.* подзе́мный уда́р, землетрясе́ние; обва́л;
2. *v* трясти́сь, дрожа́ть; to ~ with cold дрожа́ть от хо́лода.

**Quaker** ['kweɪkə] *n* 1) ква́кер; 2) (q.) = quaker-gun; 3) *attr.* ква́керский; Q. City *амер. разг. г.* Филаде́льфия.

**Quakeress** ['kweɪkərɪs] *n* ква́керша.

**quaker-gun** ['kweɪkəgʌn] *n амер.* бутафо́рское ору́дие.

**Quakerish** ['kweɪkərɪʃ] *a* ква́керский; по-ква́керски скро́мный.

**Quakerism** ['kweɪkərɪzəm] *n* ква́керство.

**Quaker-meeting** ['kweɪkə'miːtɪŋ] = quakers' meeting.

**Quakers' meeting** ['kweɪkəz'miːtɪŋ] *n* 1) собра́ние ква́керов; 2) собра́ние, в кото́ром разгово́р *или* пре́ния не кле́ятся.

**quaking** ['kweɪkɪŋ] 1. *pres. p. om* quake 2;
2. *a* дрожа́щий, трясу́щийся; ◇ ~ ash (*или* asp) оси́на.

**quaking-grass** ['kweɪkɪŋgrɑːs] *n бот.* трясу́нка.

**quaky** ['kweɪkɪ] *a* дрожа́щий, трясу́щийся.

**qualification** [ˌkwɔlɪfɪ'keɪʃən] *n* 1) квалифика́ция; приго́дность; 2) осо́бое сво́йство, ка́чество; 3) ограниче́ние; огово́рка; 4) определе́ние, характери́стика (*де́ятельности, взгля́дов и т. п.*); 5) избира́тельный ценз; 6) *спорт.* квалификацио́нные соревнова́ния.

**qualificatory** ['kwɔlɪfɪkətərɪ] *a* 1) квалифици́рующий; 2) ограни́чивающий.

**qualified** ['kwɔlɪfaɪd] 1. *p. p. om* qualify;
2. *a* 1) подходя́щий, приго́дный; 2) ограни́ченный.

**qualify** ['kwɔlɪfaɪ] *v* 1) определя́ть; квалифици́ровать; называ́ть (as); 2) гото́вить(ся); де́лать(ся) правомо́чным (as, for); 3) ограни́чивать; 4) видоизменя́ть; ослабля́ть, смягча́ть; 5) разбавля́ть; 6) *грам.* определя́ть.

**qualifying** ['kwɔlɪfaɪɪŋ] 1. *pres. p. om* qualify;
2. *a* квалификацио́нный; ~ examination экза́мен на получе́ние како́й-л. квалифика́ции.

**qualitative** ['kwɔlɪtətɪv] *a* ка́чественный.

**quality** ['kwɔlɪtɪ] *n* 1) ка́чество (*тж. филос.*); сорт; of good ~ высокосо́ртный; 2) сво́йство; осо́бенность; характе́рная черта́; to give a taste of one's ~ показа́ть себя́, свои́ спосо́бности *и т. п.*; 3) высо́кое ка́чество, досто́инство; 4) *уст.* положе́ние в о́бществе; people of ~, the ~ вы́сшие кла́ссы о́бщества, знать, господа́ (*противоп.* the common people); a lady of ~ зна́тная да́ма; 5) *уст.* актёрская профе́ссия; *собир.* актёры; 6) *ак.* тембр; the ~ of a voice тембр го́лоса.

**qualm** [kwɔːm] *n* 1) при́ступ дурноты́, тошноты́; 2) при́ступ малоду́шия *или* растеря́нности; 3) (*обыкн. pl*) сомне́ние в свое́й правоте́; ~s of conscience угрызе́ния со́вести.

**qualmish** ['kwɔːmɪʃ] *a* 1) чу́вствующий при́ступ тошноты́; 2) испы́тывающий угрызе́ния со́вести.

**qualmishness** ['kwɔːmɪʃnɪs] *n* тошнота́.

**quandary** ['kwɔndərɪ] *n* затрудни́тельное положе́ние; затрудне́ние; недоуме́ние; to be in a ~ быть в затрудне́нии, не знать, как поступи́ть.

**quant** [kwɔnt] 1. *n* шест с ди́ском, кото́рым отта́лкиваются на ло́дках, ба́ржах;
2. *v* дви́гаться, отпи́хиваясь шесто́м.

**quanta** ['kwɔntə] *pl om* quantum.

**quantify** ['kwɔntɪfaɪ] *v* определя́ть коли́чество.

**quantitative** ['kwɔntɪtətɪv] *a* коли́чественный.

**quantity** ['kwɔntɪtɪ] *n* 1) коли́чество (*тж. филос.*); разме́р; negligible ~ незначи́тельное коли́чество; величина́, кото́рой мо́жно пренебре́чь; *перен.* челове́к, с кото́рым не счита́ются; челове́к, не име́ющий ве́са; 2) *мат.* величина́; incommensurable quantities несоизмери́мые величи́ны; unknown ~ a) неизве́стное; б) челове́к, о кото́ром ничего́ не изве́стно *или* де́йствия кото́рого нельзя́ предусмотре́ть; 3) большо́е коли́чество; a ~ of мно́жество; in quantities в большо́м коли́честве; 4) *фон.* долгота́ зву́ка, количество звука; 5) *attr.*: ~ production массовое производство.

**quantum** ['kwɔntəm] *лат.* *n* (*pl* -ta) 1) количество, сумма; 2) доля, часть; 3) *физ.* квант; 4) *attr.* квантовый; ~ theory квантовая теория; ~ number квантовое число.

**quarantine** ['kwɔrəntɪn] **1.** *n* 1) карантин; 2) *юр. ист.* сорокадневный период; 3) *attr.*: ~ flag жёлтый карантинный флаг; **2.** *v* 1) подвергать карантину; 2) подвергать изоляции (*страну и т. п.*).

**quarenden, quarender** ['kwɔrəndən, -də] *n* ранний сорт яблок.

**quarrel I** ['kwɔrəl] **1.** *n* ссора, перебранка (with, between); повод к вражде; раздоры, спор; to espouse another's ~ заступаться за кого-л.; to seek (*или* to pick) a ~ with искать повод для ссоры с; to make up a ~ помириться, перестать враждовать; to find ~ in a straw быть придирчивым; **2.** *v* 1) ссориться (with—с *кем-л.*, about, for—из-за *чего-л.*); 2) придираться, спорить; I would find difficulty to ~ with this statement трудно не согласиться с этим утверждением; ◇ to ~ with one's bread and butter бросать занятие, дающее средства к существованию, идти против собственных интересов.

**quarrel II** ['kwɔrəl] *n ист.* стрела самострела.

**quarrelsome** ['kwɔrəlsəm] *a* вздорный, сварливый, придирчивый; драчливый.

**quarry I** ['kwɔrɪ] **1.** *n* 1) каменоломня, открытая разработка, карьер; 2) источник сведений; **2.** *v* 1) разрабатывать карьер, добывать (*камень из карьера*); 2) рыться (*в книгах и т. п.*); выискивать (*что-л.*; for).

**quarry II** ['kwɔrɪ] *n* 1) добыча; преследуемый зверь; 2) намеченная жертва; 3) внутренности дичи, бросаемые собакам; 4) *уст.* куча убитой дичи.

**quart** *n* 1) [kwɔːt] кварта (=¹/₄ *галлона* = 2 *пинтам* = 1,14 *л*); сосуд ёмкостью в 1 кварту; to try to put a ~ into a pint pot ≅ стараться сделать невозможное; 2) [kɑːt] кварта (*четвёртая позиция или фигура в фехтовании*); 3) [kɑːt] *карт.* кварт (*четыре карты одной масти подряд в пикете*).

**quartan** ['kwɔːtn] *a*: ~ ague, ~ fever перемежающаяся лихорадка с приступами через каждые три дня.

**quarter** ['kwɔːtə] **1.** *n* 1) четверть (of); a ~ of a century четверть века; to divide into ~s разделить на четыре части; for a ~ (of) the price, for ~ the price за четверть цены; 2) четверть часа; a ~ to one, *амер.* a ~ of one без четверти час; a bad ~ of an hour несколько неприятных минут; неприятное переживание; 3) квартал (*года*); *школ.* четверть; to be several ~s in arrear задолжать за несколько кварталов (*квартирную плату и т. п.*); 4) квартал (*города*); residential ~ квартал жилых домов; 5) страна света; 6) *pl* квартира, помещение, жилище; at close ~s в тесном соседстве (*ср. тж.* ◇); to beat up the ~s

of навещать (*кого-л.*); to take up one's ~s with smb. поселиться у кого-л. *или* с кем-л.; 7) *pl воен.* квартиры, казармы; стоянка; *мор.* пост; to beat to ~s *мор.* бить сбор; to sound off ~s *мор.* бить отбой; 8) место, сторона; from every ~ со всех сторон; from no ~ ниоткуда, ни с чьей стороны; we learned from the highest ~s мы узнали из авторитетных источников; 9) пощада; to ask for ~, to cry ~ просить пощады; to give ~ пощадить жизнь (*сдавшегося на милость победителя*); no ~ to be given пощады не будет; 10) приём; обхождение; 11) четверть (*туши*); fore ~ лопатка; hind ~ задняя часть; horse's (hind) ~s ляжки лошади; 12) четверть (*мера сыпучих тел = 2,9 гектолитра; мера веса = 12,7 кг; мера длины*: ¹/₄ *ярда* = 22,86 *см*, ¹/₄ *мили* = 402,24 *м*); 13) *мор.* четверть румба; from what ~ does the wind blow? откуда дует ветер?; 14) *амер.* (монета в) 25 центов; 15) бег на четверть мили; 16) *мор.* кормовая часть судна; 17) задник (*сапога*); 18) *геральд.* четверть геральдического щита; 19) *стр.* деревянный четырёхгранный брус; ◇ not a ~ so good as далеко не так хорош, как; at close ~s в непосредственном соприкосновении (*особ. с противником*) (*ср. тж.* 6)]; to come to close ~s a) вступить в рукопашную; б) сцепиться в споре; в) столкнуться лицом к лицу; **2.** *v* 1) делить на четыре (равные) части; 2) *ист.* четвертовать; 3) расквартировывать (*особ. войска*); помещать на квартиру; 4) квартировать (at); 5) рыскать по всем направлениям (*об охотничьих собаках*); 6) уступать дорогу, сворачивать, чтобы разъехаться; 7) *геральд.* делить (щит) на четверти; помещать в одной из четвертей щита.

**quarterage** ['kwɔːtərɪdʒ] *n* 1) расквартирование; 2) выплата (пенсии *и т. п.*) по кварталам.

**quarter-bill** ['kwɔːtəbɪl] *n мор.* боевое расписание.

**quarter binding** ['kwɔːtə'baɪndɪŋ] *n* переплёт с кожаным корешком.

**quarter-day** ['kwɔːtədeɪ] *n* день, начинающий квартал года (*срок платежей*).

**quarter-deck** ['kwɔːtədek] *n мор.* шканцы; ют.

**quarterly** ['kwɔːtəlɪ] **1.** *n* журнал, выходящий раз в три месяца; **2.** *a* трёхмесячный, квартальный; **3.** *adv* раз в квартал, раз в три месяца.

**quartermaster** ['kwɔːtə,mɑːstə] *n* 1) *воен.* квартирмейстер; начальник (хозяйственного) снабжения; интендант; 2) *мор.* старшина-рулевой.

**quartern** ['kwɔːtən] *n* 1) четырёхфунтовый хлеб (*тж.* ~ loaf); 2) четверть пинты; 3) четверть листа (*бумаги*).

**quarter-plate** ['kwɔːtəpleɪt] *n* фотографическая пластинка 3¹/₄ × 4¹/₄ дюйма.

**quarter sessions** ['kwɔːtə'seʃənz] *n* сессии мировых судей (*раз в три месяца*).

**quarterstaff** ['kwɔːtəstɑːf] *n* дубина 1,8 — 2,4 *м*.

**quartet(te)** [kwɔː'tet] *n муз.* квартет.

**quarto** ['kwɔːtou] *n* (*pl* -os [-ouz]) (*сокр.*
4$^{to}$) 1) четвертушка листа; 2) книга в четвёртую долю листа.

**quartz** [kwɔːts] *n мин.* кварц.

**quash** [kwɔʃ] *v* 1) *юр.* аннулировать, отменять; 2) подавлять.

**quasi** ['kwɑːzɪ] *лат. adv* как будто; как бы, якобы; почти.

**quasi-** ['kwɑːzɪ-] *pref* квази-; почти.

**quasi-conductor** ['kwɑːzɪkən'dʌktə] *n* полупроводник.

**Quasimodo** [,kwæsɪ'moudou] *n рел.* фомино воскресенье.

**quassia** ['kwɔʃə] *n* 1) *бот.* квассия; 2) горький отвар из квассии.

**quater-centenary** ['kwætəsen'tiːnərɪ] *n* 400-летний юбилей; 400-летие.

**quaternary** [kwə'tɑːnərɪ] 1. *a* 1) состоящий из четырёх частей; четвертной; 2) *геол.* четвертичный;
2. *n* 1) комплект из четырёх предметов; четвёрка; 2) (Q.) *геол.* четвертичный период, четвертичная система.

**quaternion** [kwə'tɑːnjən] *n* 1) четвёрка, четыре; 2) *мат.* кватернион.

**quatrain** ['kwɔtreɪn] *n* четверостишие.

**quaver** ['kweɪvə] 1. *n* 1) дрожание голоса; 2) трель; 3) *муз.* восьмая ноты;
2. *v* 1) дрожать, вибрировать; 2) делать трели; 3) произносить дрожащим голосом.

**quavery** ['kweɪvərɪ] *a* дрожащий.

**quay** [kiː] *n* мол, причал, набережная (*для причала судов*).

**quayage** ['kiːɪdʒ] *n* 1) сбор за причал к набережной; 2) длина причальной линии.

**quayside** ['kiːsaɪd] *n* мол; пристань.

**quean** [kwiːn] *n* 1) *уст.* распутница; 2) *шотл.* здоровая молодая женщина, девушка.

**queasily** ['kwiːzɪlɪ] *adv* 1) тошнотворно; 2) в состоянии дурноты; 3) привередливо.

**queasy** ['kwiːzɪ] *a* 1) слабый (*о желудке*); 2) испытывающий тошноту, недомогание; 3) вызывающий тошноту; 4) щепетильный; деликатный; 5) привередливый, разборчивый.

**quebracho** [kə'brɑːtʃou] *n* 1) квебрахо (*очень твёрдая древесина некоторых южноамериканских деревьев*); 2) кора квебрахо (*применяется в медицине и в качестве дубителя*).

**queek** [kwiːk] *v* кричать (*о сове*).

**queen** [kwiːn] *n* 1) королева; Queen's head *sl.* марка с головой королевы; 2) дама сердца; 3) *карт.* дама; ~ of hearts а) дама червей; б) покорительница сердец; 4) *шахм.* ферзь; 5) матка (*у пчёл*); ◇ Queen Anne is dead! ≅ открыл Америку! (*ответ на запоздавшую новость*); when Queen Anne was alive ≅ при царе Горохе;
2. *v* 1) делать королевой; 2) править (over), быть королевой; царить (*тж.* ~ it); 3) *шахм.* проводить (*пешку*) *или* проходить в ферзи.

**queen-apple** ['kwiːn,æpl] *n* ранет.

**queenhood** ['kwiːnhud] *n* 1) положение королевы; 2) период царствования королевы.

**queening I** ['kwiːnɪŋ] *pres. p. от* queen 2.

**queening II** ['kwiːnɪŋ] *n название сорта яблок.*

**queenly** ['kwiːnlɪ] *a* подобающий королеве, царственный.

**queer** [kwɪə] 1. *a* 1) странный, чудаковатый, эксцентричный; · ~ customer чудак, странный человек; ~ bird чудак, человек с причудами, со странностями; 2) чувствующий недомогание, головокружение *и т. п.*; 3) сомнительный, подозрительный; something ~ about him с ним что-то неладно; в нём есть что-то странное, подозрительное; 4) *sl.* пьяный; 5) поддельный; подложный; ~ money фальшивые деньги; ◇ in Queer street *sl.* а) в затруднительном положении; в беде; б) в долгах;
2. *n pl* сумасшедшие.
3. *v sl.* 1) портить; to ~ the pitch for smb. ≅ подложить свинью кому-л.; расстроить чьи-л. планы; to ~ oneself with smb. поставить себя в неловкое положение перед кем-л.; 2) надувать, обманывать.

**quell** [kwel] *v* подавлять, уничтожать.

**quench** [kwentʃ] *v* 1) гасить, тушить; 2) утолять (*жажду*); 3) охлаждать (*пыл*); 4) закаливать (*сталь*); 5) быстро охлаждать; 5) подавлять (*желание, чувства*); 6) *sl.* заставить замолчать, заткнуть рот.

**quencher** ['kwentʃə] *n* 1) гаситель, тушитель *и пр.* [*см.* quench]; 2) *sl.* питьё.

**quenchless** ['kwentʃlɪs] *a* неугасимый; неутолимый.

**quenelle** [kə'nel] *n кул.* кнель.

**quercitron** ['kwɜːsɪtrən] *n* 1) *амер.* дуб бархатистый (*или* красильный); 2) кора этого дерева; кверцитрон (*жёлтое красящее вещество*).

**querist** ['kwɪərɪst] *n* задающий вопросы.

**quern** [kwɜːn] *n* ручная мельница.

**querulous** ['kwerʊləs] *a* постоянно недовольный, жалующийся, ворчливый; раздражительный.

**query** ['kwɪərɪ] 1. *n* 1) вопрос; I have heard the rumour, but ~, is it true? я слышал этот слух, но спрашивается, верен ли он?; 2) вопросительный знак;
2. *v* 1) спрашивать (if, whether); осведомляться; 2) выражать сомнение, подвергать сомнению (about; as to); 3) ставить вопросительный знак.

**quest** [kwest] 1. *n* 1) поиски; in ~ of в поисках; 2) искомый предмет; 3) отъезд рыцаря на поиски приключений (*в рыцарских романах*); 4) *уст.* дознание; crowner's ~ (*непр. вм.* coroner's inquest) дознание коронера;
2. *v* 1) искать; производить поиски, разыскивать; 2) искать дичь (*о собаках*); искать пищу (*о животных*); 3) производить сбор подаяний (*в католической церкви*).

**question** ['kwestʃən] 1. *n* 1) вопрос; ask me no ~s не задавайте мне вопросов; to put a ~ to задавать вопрос [*см. тж.* 2)]; indirect (*или* oblique) ~ косвенный вопрос; leading ~ наводящий вопрос; 2) проблема, дело, обсуждаемый вопрос;

nice ~ щекотливый вопрос; the ~ is дело в том; that is not the ~ дело не в этом; this is out of the ~ об этом не может быть и речи; it is merely a ~ of time это уже только вопрос времени; it is only a ~ of (*doing smth.*) дело только в том (*чтобы*); to come into ~ подвергаться обсуждению; to go into the ~ заняться вопросом; the person (the matter) in ~ лицо (вопрос), о котором идёт речь; to put the ~ ставить на голосование [*см. тж.* 1)]; 3) сомнение; beyond all (*или* out of, past, without) ~ вне сомнения; to call in ~ подвергать сомнению; возражать; требовать доказательств; to make no ~ of не сомневаться, вполне допускать; 4) *ист.* пытка; to put to the ~ пытать;

2. *v* 1) спрашивать, задавать вопрос; вопрошать; 2) допрашивать; 3) исследовать (*явления, факты*); 4) подвергать сомнению, сомневаться; to ~ the honesty of smb. сомневаться в чьей-л. честности;

3. *int*: ~! а) к делу!; б) это ещё вопрос!

**questionable** ['kwestʃənəbl] *a* сомнительный; подозрительный; пользующийся плохой репутацией.

**questioner** ['kwestʃənə] *n* 1) тот, кто спрашивает, ведёт допрос *и пр.* [*см.* question 2]; 2) интервьюёр, корреспондент.

**questionless** ['kwestʃənlıs] 1. *a* несомненный; бесспорный. 2. *adv* несомненно; бесспорно.

**question-mark** ['kwestʃənmɑːk] *n* знак вопроса, вопросительный знак.

**questionnaire** [ˌkwestɪə'nɛə] *фр. n* вопросник, анкета.

**quetzal** [ket'sɑːl] *n* кветцал (*денежная единица Гватемалы*).

**queue** [kjuː] 1. *n* 1) коса (*волос*); косичка (*парика*); 2) очередь, хвост; to stand in a ~ стоять в очереди;

2. *v* 1) заплетать (в) косу; 2) стоять в очереди, становиться в очередь (*часто* ~ on, ~ up); 3) следовать, идти за.

**quibble** ['kwıbl] 1. *n* 1) игра слов; каламбур; 2) софизм; увёртка.

2. *v* 1) *уст.* играть словами; 2) уклоняться от сути вопроса, уклоняться от прямого ответа посредством софизма.

**quick** [kwık] 1. *a* 1) быстрый, скорый; ~ step скорый шаг; ~ luncheon завтрак на скорую руку; ~ fire *амер.* беглый огонь; ~ march *воен.* скорый шаг (*особ. как команда*); ~ time *воен.* движение скорым шагом (*4 мили в час*); to be ~ спешить; do be ~! поторопитесь!; 2) быстрый, проворный, живой; ~ to sympathize отзывчивый; ~ to take offence обидчивый; 3) сообразительный, смышлёный; находчивый; a ~ child смышлёный ребёнок; ~ to learn быстро схватывающий; 4) острый (*о зрении, слухе, уме*); to have ~ wit иметь острый ум; 5) *уст.* живой; ~ with child (*первонач.* with ~ child) беременная; 6) плывучий, сыпучий; мягкий (*о породе*); 7) отрывистый;

2. *adv* быстро; скоро; please come ~ идите скорей;

3. *n* 1) (the ~) *pl собир.* живые; the ~ and the dead живые и мёртвые; 2) «жи-

вое мясо», чувствительное место; to cut (*или* to touch) to the ~ задеть за живое; to the ~ до мозга костей;

4. *int* скорее; now then, ~! живо!

**quick bread** ['kwık'bred] *n* печенье из пресного теста.

**quick-change** ['kwık'tʃeındʒ] *a*: ~ artist трансформатор (*артист*).

**quicken** I ['kwıkən] *v* 1) оживлять(ся); оживать; 2) начинать чувствовать движение плода (*при беременности*); 3) возбуждать, стимулировать; 4) разжигать; 5) ускорять(ся); his pulse ~ed его пульс участился.

**quicken** II ['kwıkən] *n* рябина обыкновенная.

**quick-fence** ['kwıkfens] *n* живая изгородь.

**quick-firer** ['kwık,faıərə] *n воен.* скорострельное оружие.

**quick-firing** ['kwık,faıərıŋ] *a* скорострельный.

**quick-freeze** ['kwıkfriːz] *v* быстро замораживать (*продукты*); быстро замерзать (*о продуктах*).

**quickie** ['kwıkı] *n разг.* халтура, наспех выпущенная, недоброкачественная продукция (*гл. обр., литературная, театральная или кино*).

**quicklime** ['kwıklaım] *n* негашёная известь.

**quickly** ['kwıklı] *adv* быстро.

**quickness** ['kwıknıs] *n* быстрота *и пр.* [*см.* quick 1].

**quicksand** ['kwıksænd] *n* плывун, зыбучий песок.

**quickset** ['kwıkset] *n* 1) черенок (*особ. боярышника*); 2) живая изгородь.

**quicksilver** ['kwık,sılvə] 1. *n* ртуть; ◇ to have ~ in one's veins быть очень живым, подвижным человеком;

2. *v* наводить ртутную амальгаму.

**quicktempered** ['kwık'tempəd] *a* вспыльчивый, раздражительный.

**quickwitted** ['kwık'wıtıd] *a* находчивый, остроумный.

**quid** I [kwıd] *n* кусок прессованного табака для жевания.

**quid** II [kwıd] *n* (*pl без измен.*) *sl.* соверен; фунт стерлингов.

**quiddity** ['kwıdıtı] *n* 1) сущность; 2) = quibble 1.

**quidnunc** ['kwıdnʌŋk] *лат. n* сплетник.

**quid pro quo** ['kwıdprou'kwou] *лат. n* 1) услуга за услугу, компенсация; 2) квипрокво, недоразумение, основанное на принятии одной вещи за другую.

**quiescence, -cy** [kwaı'esns, -sı] *n* покой, неподвижность.

**quiescent** [kwaı'esnt] *a* находящийся в покое, неподвижный; ~ load *тех.* статическая нагрузка, постоянная нагрузка.

**quiet** ['kwaıət] 1. *a* 1) спокойный; тихий, бесшумный; неслышный; keep ~ не шумите; the sea is ~ море спокойно; 2) спокойный, скромный; a ~ dinner-party интимный обед; a ~ wedding скромная свадьба; 3) неяркий, не бросающийся в глаза; ~ colours спокойные цвета; 4) тайный, скрытый; укро́мный; to keep smth. ~ ута́ивать, ума́лчивать; in a ~ corнер в укро́мном уголке́; 5) ми́рный, споко́йный, ниче́м не наруша́емый; a ~ cup of tea ча́шка чая, выпитая на досу́ге, в тишине́;

2. *n* тишина́, безмо́лвие; поко́й, споко́йствие; мир; ◇ on the ~ (*сокр. sl.* on the q. t.) а) тайко́м, втихомо́лку; под больши́м секре́том; б) в тиши́;

3. *v* успока́ивать(ся); to ~ down утиха́ть, успока́иваться;

4. *int* ти́ше!, не шуме́ть!

quieten ['kwaɪətn] *v разг.* успока́ивать (-ся).

quietism ['kwaɪɪtɪzəm] *n филос.* квиети́зм.

quietly ['kwaɪətlɪ] *adv* споко́йно, ти́хо.

quietness ['kwaɪətnɪs] *n* споко́йствие, тишина́, поко́й.

quietude ['kwaɪɪtjuːd] *n* поко́й, тишина́, мир.

quietus [kwaɪ'iːtəs] *n* 1) коне́ц, смерть; to get one's ~ умере́ть; 2) *sl.* после́дний уда́р; 3) *уст.* квита́нция, распи́ска в упла́те (до́лга).

quill [kwɪl] 1. *n* 1) пти́чье перо́; ствол пера́; 2) игла́ дикобра́за; 3) сте́ржень поплавка́ (*удочки*); 4) зубочи́стка; 5) перо́, употребля́емое как плектр; 6) (гуси́ное) перо́ для письма́; to drive a ~ быть писа́телем; 7) кру́глая скла́дка; 8) *текст.* шпу́лька, кату́шка, це́вка; 9) *тех.* вту́лка; челно́к, пусто́телый вал;

2. *v* 1) гофрирова́ть, плойть; 2) *текст.* нама́тывать на кату́шку.

quill-driver ['kwɪl,draɪvə] *n шутл. или пренебр.* щелкопёр, писе́ц, писа́ка.

quillet ['kwɪlɪt] *уст.* = quibble 1.

quilling ['kwɪlɪŋ] 1. *pres. p. от* quill 2; 2. *n* рюш.

quilt [kwɪlt] 1. *n* стёганое одея́ло;

2. *v* 1) стега́ть; подбива́ть ва́той; 2) заши́вать в подкла́дку пла́тья, в по́яс *и т. п.*; 3) *разг.* компили́ровать; 4) *sl.* колоти́ть.

quinary ['kwaɪnərɪ] *a* пятери́чный, состоя́щий из пяти́.

quince [kwɪns] *n бот.* айва́.

quincentenary [,kwɪnsen'tiːnərɪ] *n* 500-ле́тний юбиле́й; 500-ле́тие.

quincunx ['kwɪnkʌŋks] *n* расположе́ние по угла́м квадра́та с пя́тым предме́том посреди́не; расположе́ние в ша́хматном поря́дке;

2. *v* располага́ть в ша́хматном поря́дке.

quinine [kwɪ'niːn] *n* хини́н.

quininize ['kwɪniːnaɪz] *v* хинизи́ровать.

quinism ['kwɪnɪzəm] *n* шум в уша́х от чрезме́рного употребле́ния хини́на.

quinize ['kwɪnaɪz] = quininize.

quinquagenarian ['kwɪŋkwədʒɪ'nɛərɪən] 1. *a* пятидесятиле́тний;

2. *n* челове́к пяти́десяти лет.

quinquennia [kwɪŋ'kwenɪə] *pl от* quinquennium.

quinquennial [kwɪŋ'kwenɪəl] 1. *a* пятиле́тний;

2. *n* пятиле́тие.

quinquennium [kwɪŋ'kwenɪəm] *n* (*pl* -nia) пятиле́тие.

quinquina [kwɪŋ'kwaɪnə] *n* хи́нное де́рево.

quinquivalent [kwɪŋ'kwɪvələnt] *a хим.* пятивале́нтный.

quinsy ['kwɪnzɪ] *n мед.* анги́на; гно́йный тонзилли́т.

quint *n* 1) [kwɪnt] *муз.* кви́нта; 2) [kɪnt] *карт.* квинт (*пять карт одно́й ма́сти в пике́те*); 3) [kɪnt] кви́нта (*пятая фигу́ра или пози́ция в фехтова́нии*).

quintain ['kwɪntɪn] *n ист.* столб с мише́нью для уда́ра копьём.

quintal ['kwɪntl] *n* це́нтнер, квинта́л (*англ. = 50,8 кг; амер. = 45,36 кг; метри́ческий = 100 кг*).

quintan ['kwɪntən] 1. *n* перемежа́ющаяся лихора́дка с при́ступами че́рез ка́ждые четы́ре дня;

2. *a* пятидне́вный.

quintessence [kwɪn'tesns] *n* квинтэссе́нция.

quintessential [,kwɪntɪ'senʃəl] *a* явля́ющийся квинтэссе́нцией.

quintet(te) [kwɪn'tet] *n муз.* квинте́т.

quintuple ['kwɪntjupl] 1. *a* 1) пятикра́тный; 2) состоя́щий из пяти́ предме́тов, часте́й;

2. *v* увели́чивать(ся) в пять раз.

quintuplet ['kwɪntjuplɪt] *n* 1) набо́р из пяти́ предме́тов; 2) *pl* пять близнецо́в.

quip [kwɪp] *n* 1) саркасти́ческое замеча́ние; эпигра́мма; 2) уве́ртка, софи́зм; 3) что-л. стра́нное;

2. *v* де́лать ко́лкие замеча́ния; насмеха́ться.

quire I ['kwaɪə] *n* 1) десть (*бума́ги*); 2) (сфальцо́ванный) печа́тный лист; in ~s не сброшюро́ванный, не переплетённый, в листа́х.

quire II ['kwaɪə] = choir.

quirk [kwəːk] *n* 1) игра́ слов, каламбу́р; 2) причу́да; вы́верт; 3) ро́счерк пера́; 4) *архит.* небольшо́й желобо́к; га́лтель.

quirt [kwəːt] 1. *n* ара́пник;

2. *v* хлеста́ть, поро́ть ара́пником.

quisle ['kwɪzl] *v* быть преда́телем, де́йствовать преда́тельски.

quisling ['kwɪzlɪŋ] *n* кви́слинг, преда́тель.

quit [kwɪt] 1. *n* ухо́д с рабо́ты, со слу́жбы;

2. *a predic.* свобо́дный, отде́лавшийся (*от чего-л., от кого-л.*); to get ~ of one's debts разде́латься с долга́ми; he was ~ for a cold in the head он отде́лался на́сморком;

3. *v* (quitted [-ɪd], *амер. разг.* quit) 1) покида́ть, оставля́ть; to ~ the army выходи́ть в отста́вку; to ~ hold of отпуска́ть, выпуска́ть (*из рук*); to ~ a house съе́хать с кварти́ры, вы́ехать из до́ма; 2) броса́ть, прекраща́ть (*рабо́ту, слу́жбу*); 3) *поэт.* отпла́чивать; *редк.* погаша́ть (*долг*); to ~ love with hate плати́ть не́навистью за любо́вь; death ~s all scores смерть прекраща́ет все счёты; 4) *уст.* вести́ себя́.

quitch [kwɪtʃ] *n бот.* пыре́й ползу́чий.

quitch-grass ['kwɪtʃgrɑːs] = quitch.

**quitclaim** ['kwɪtkleɪm] **1.** *n* формальный отказ от права.
**2.** *v* отказаться от права.

**quite** [kwaɪt] *adv* вполне, совершенно, совсем; полностью; всецело; ~ a long time довольно долго; ~ a long time ago очень давно; ~ so! совершенно верно!; ~ some много; ~ a few довольно много, порядочно; it is ~ the thing это модно, это так полагается; not ~ the thing to do это не совсем прилично; oh, ~! o, да!, вполне!; ~ another совсем другой.

**quits** [kwɪts] *a predic.*: to be ~ расквитаться, быть в расчёте (*с кем-л.*); I will be ~ with him some day я ему когда-нибудь отплачу; to cry ~ a) предложить мировую, пойти на мировую; б) расквитаться; ~! (будем) квиты!

**quittance** ['kwɪtəns] *n уст.* 1) квитанция; 2) возмещение, отплата; 3) освобождение (*от обязательства, платы и т. п.*).

**quitter** ['kwɪtə] *n амер. разг.* 1) человек без выдержки, легко бросающий начатое дело; трус; 2) прогульщик, лодырь.

**quiver** I ['kwɪvə] **1.** *n* 1) дрожь, трепет; 2) *редк.* дрожание голоса.
**2.** *v* дрожать мелкой дрожью, трепетать; трястись; колыхаться.

**quiver** II ['kwɪvə] *n* колчан; an arrow left in one's ~ *перен.* средство, оставшееся про запас; ◇ a ~ full of children *см.* quiverful 2).

**quiverful** ['kwɪvəful] *n* 1) количество стрел, которое умещается в колчане; 2) *шутл.* большая семья.

**qui vive** [kɪ'viːv] *фр. n*: on the ~ настороже.

**Quixote, quixote** ['kwɪksət] *n* донкихот.
**quixotic** [kwɪk'sɔtɪk] *a* донкихотский.
**quixotics** [kwɪk'sɔtɪks] = quixotism.
**quixotism, quixotry** ['kwɪksətɪzəm, -trɪ] *n* донкихотство.

**quiz** I [kwɪz] **1.** *n* 1) насмешка; шутка; мистификация; 2) насмешник; 3) *уст.* чудак;
**2.** *v* 1) насмехаться *или* подшучивать (*над чем-л.*); 2) смотреть насмешливо *или* с любопытством.

**quiz** II [kwɪz] *амер.* **1.** *n* 1) предвари-

тельный экзамен; 2) проверочные вопросы; опрос;
**2.** *v* 1) производить опрос; 2) проводить проверочные испытания.

**quizzee** [kwɪ'ziː] *n амер. разг.* 1) участвующий в опросе; 2) участник проверочного испытания.

**quizzical** ['kwɪzɪkəl] *a* 1) насмешливый, шутливый; лукавый; 2) чудаковатый.

**quizzing-glass** ['kwɪzɪŋglɑːs] *n уст.* монокль.

**quoad** ['kwouæd] *лат. prep* что касается, по отношению.

**quod** [kwɔd] *sl.* **1.** *n* тюрьма;
**2.** *v* сажать в тюрьму.

**quoin** [kɔɪn] *n* 1) внешний угол здания; 2) угловой камень *или* кирпич; 3) *редк.* замок свода; 4) клин.

**quoit** [kɔɪt] *n* 1) метательное кольцо с острыми краями; 2) *pl* метание колец в цель (*игра*).

**quondam** ['kwɔndæm] *лат. a* бывший.
**Quonset hut** ['kwɔnsɪt'hʌt] *n амер.* сборный цельнометаллический дом казарменного типа.

**quorum** ['kwɔːrəm] *лат. n* кворум.
**quota** ['kwoutə] *n* доля, часть, квота.
**quotable** ['kwoutəbl] *a* 1) заслуживающий цитирования; 2) допускающий цитирование.

**quotation** [kwou'teɪʃən] *n* 1) цитирование; 2) цитата; 3) *бирж.* котировка, курс.

**quotation-marks** [kwou'teɪʃən'mɑːks] *n pl* кавычки.

**quote** [kwout] **1.** *v* 1) цитировать; ссылаться (*на кого-л.*); 2) открывать кавычки; брать в кавычки; 3) назначать цену; давать расценку; котировать (at);
**2.** *n разг.* 1) цитата; 2) *pl* кавычки.

**quoth** [kwouθ] *v уст.* (я, он *и т. д.*) сказал, (про)молвил.

**quotha** ['kwouθə] *int уст. ирон.* действительно!, нечего сказать!

**quotidian** [kwɔ'tɪdɪən] **1.** *a* 1) ежедневный; 2) банальный.
**2.** *n* малярия с ежедневными приступами.

**quotient** ['kwouʃənt] *n* 1) *мат.* частное; 2) коэффициент.

**quotum** ['kwoutəm] *n* квота.

# R

**R, r** [ɑː] *n* (*pl* Rs, R's [ɑːz]) *18-я буква англ. алфавита;* ◇ the three R's *разг.* чтение, письмо и арифметика (reading, (w)riting, (a)rithmetic).

**rabbet** ['ræbɪt] **1.** *n* 1) желобок, фальц, шпунт, выемка; 2) *стр.* оконный притвор, четверть; 3) копь, рудник;
**2.** *v* вырезать желобок, делать шпунт, шпунтовать.

**rabbi** ['ræbaɪ] *n* раввин; равви (*обращение*).

**rabbin** ['ræbɪn] *n* раввин.
**rabbinate** ['ræbɪneɪt] *n* сан раввина.
**rabbinic(al)** [ræ'bɪnɪk(əl)] *a* раввинский.

**rabbit** ['ræbɪt] **1.** *n* 1) кролик; 2) трусливый, слабый человек; 3) *sl.* плохой, слабый игрок; 4) *sl.* простофиля; ◇ to breed like ~s быстро размножаться; Welsh ~ гренки с сыром [*см. тж.* rarebit];
**2.** *v* охотиться на кроликов (*тж.* to go ~ing).

**rabbit-fever** ['ræbɪt,fiːvə] *n мед.* туляремия.

**rabbit-fish** ['ræbɪtfɪʃ] *n* химера (*рыба*).
**rabbit-hutch** ['ræbɪthʌtʃ] *n* клетка для домашних кроликов.

**rabbit-warren** ['ræbɪt,wɔrɪn] *n* кроличий садок.

**rabbity** [ˈræbɪtɪ] *a* 1) изобилующий кроликами; 2) кроличий.

**rabble** I [ˈræbl] *n* 1) толпа; 2) (the ~) сброд, чернь.

**rabble** II [ˈræbl] *n* метал. механическая мешалка (*в печи*), кочерга.

**rabid** [ˈræbɪd] *a* 1) неистовый, яростный; ~ hatred безумная ненависть; 2) бешеный (*о собаке*).

**rabidity** [ræˈbɪdɪtɪ] *n* ярость, бешенство, неистовство.

**rabies** [ˈreɪbiːz] *n* бешенство, водобоязнь.

**raccoon** [rəˈkuːn] = racoon.

**race** I [reɪs] *n* 1) состязание в беге, в скорости; гонки; Marathon ~ марафонский бег; ~ for power борьба за власть; armaments (*или* arms) ~ гонка вооружений; 2) *pl* скачки; obstacle ~s скачки с препятствиями; 3) быстрое движение, быстрое течение (*в море, реке*); стремительный поток; 4) путь; жизненный путь; his ~ is nearly over его жизненный путь почти окончен; 5) *ав.* поток, струя за винтом; 6) (искусственное) русло; быстроток, подводящий канал; 7) *тех.* обойма подшипника; дорожка качения на кольце подшипника; 8) *attr.*: ~ reader радиокомментатор по скачкам;
2. *v* 1) состязаться в скорости (with); 2) участвовать в скачках (*о лошадях*); 3) увлекаться скачками; 4) мчаться; 5) гнать (*лошадь*); давать полный газ (*двигателю*); гнать машину; □ ~ away промотать на скачках (*состояние и т. п.*); ◇ to ~ the bill through the House протащить, провести законопроект в спешном порядке через парламент.

**race** II [reɪs] *n* 1) раса; the human ~ человечество, род человеческий; 2) потомство, род; 3) происхождение; 4) порода, сорт; 5) особый аромат, особый стиль; ~ of wine букет вина.

**race** III [reɪs] *n* корень (*особ. имбиря*).

**race-card** [ˈreɪskɑːd] *n* программа скачек.

**racecourse** [ˈreɪskɔːs] *n* 1) беговая дорожка, трек; 2) скаковой круг, ипподром.

**race-hatred** [ˈreɪsˌheɪtrɪd] *n* расовая, национальная вражда.

**racehorse** [ˈreɪshɔːs] *n* скаковая лошадь.

**racemation** [ˌræsɪˈmeɪʃən] *n* уст. 1) кисть, гроздь (*напр., винограда*); 2) сбор винограда.

**raceme** [rəˈsiːm] *n* бот. кисть.

**race-meeting** [ˈreɪsˌmiːtɪŋ] *n* день скачек.

**racemose** [ˈræsɪmous] *a* бот. кистеносный.

**racer** [ˈreɪsə] *n* 1) гонщик; 2) скаковая *или* беговая лошадь; гоночная яхта, гоночный автомобиль *и т. п.*; 3) *амер.* змея (*Coluber constrictor*); 4) *тех.* обойма *или* кольцо подшипника.

**race-suicide** [ˈreɪsˌsjuːɪsaɪd] *n* вымирание, вырождение народа.

**racetrack** [ˈreɪstræk] = racecourse.

**race-way** [ˈreɪsweɪ] *амер.* = mill-race.

**rachitis** [ræˈkaɪtɪs] *n* мед. рахит.

**racial** [ˈreɪʃəl] *a* расовый.

**racialism** [ˈreɪʃəlɪzəm] *n* расизм.

**racialist** [ˈreɪʃəlɪst] *n* расист.

**racing** [ˈreɪsɪŋ] 1. *pres. p. от* race I, 2; 2. *n* 1) игра на бегах, на скачках; 2) *тех.* разбег (двигателя), разнос.

**racism** [ˈreɪsɪzəm] *n* расизм.

**racist** [ˈreɪsɪst] *n* расист.

**rack** I [ræk] 1. *n* 1) кормушка; 2) вешалка; 3) подставка, полка; стеллаж; сетка для вещей (*в железнодорожных вагонах*); 4) стойка; штатив; рама; каркас; козлы; 5) решётка; 6) *тех.* зубчатая рейка; кремальера; 7) *горн.* рудопромывочный аппарат; 8) *ав.* бомбодержатель; ◇ ~ of bones *амер. sl.* кожа да кости;
2. *v* 1) класть (*что-л.*) в сетку, на полку (*железнодорожного вагона и т. п.*); to ~ hay класть сено в ясли; to ~ plates ставить тарелки на полку; 2) *тех.* перемещать при помощи зубчатой рейки.

**rack** II [ræk] 1. *n* ист. дыба; перен. пытка, мучение; to be on the ~ мучиться; to put to the ~ подвергать пытке, мучениям;
2. *v* 1) пытать, мучить; 2) заставлять работать сверх сил, изнурять; истощать; to ~ tenants драть с арендаторов *или* жильцов непомерно высокую плату; to ~ one's brains (*или* wits) ломать себе голову.

**rack** III [ræk] *v* сцеживать вино (*часто* ~ off).

**rack** IV [ræk] *n* 1) несущиеся облака; 2) разорение; ~ and ruin полное разорение; to go to ~(and ruin) разориться, погибнуть.

**rack** V [ræk] 1. *n* иноходь;
2. *v* идти иноходью.

**racket** I [ˈrækɪt] *n* 1) ракетка (*для игры в теннис*); 2) *pl* род тенниса.

**racket** II [ˈrækɪt] *n* 1) шум, гам; to kick up a ~, to make a ~ поднять шум, скандал; 2) рассеянный образ жизни; to go on the ~ вести рассеянный образ жизни, окунуться в вихрь удовольствий; 3) *амер.* предприятие, организация, основанные с целью получения доходов жульническим путём; 4) *амер.* шантаж, вымогательство; мошенничество, обман; 5) *амер. sl.* лёгкий заработок, сомнительный источник дохода; ◇ to stand (*или* to face) the ~ а) расплачиваться, отвечать за что-л.; б) выпутаться, удачно отделаться;
2. *v* вести шумный, разгульный образ жизни (*часто* ~ about).

**racketeer** [ˌrækɪˈtɪə] *n амер.* 1) участник жульнического предприятия [*см.* racket II, 1, 3)]; 2) гангстер; бандит-вымогатель.

**racketeering** [ˌrækɪˈtɪərɪŋ] *n амер.* 1) участие в предприятии жульнического характера [*см.* racket II, 1, 3)]; 2) бандитизм; политический подкуп и террор; вымогательство.

**rackety** [ˈrækɪtɪ] *a* шумный, беспорядочный, рассеянный.

**racking** I [ˈrækɪŋ] 1. *pres. p. от* rack II, 2; 2. *a* мучительный; a ~ headache сильная головная боль.

**racking** II [ˈrækɪŋ] *pres. p. от* rack I, 2.

**racking** III [ˈrækɪŋ] *pres. p. от* rack III.

**racking** IV [ˈrækɪŋ] *pres. p. от* rack V, 2.

**rack-rail** [ˈrækreɪl] *n* зубчатый рельс.

**rack-railway** ['ræk,reɪlweɪ] *n* зубчáтая желéзная дорóга.

**rack-rent** ['rækrent] **1.** *n* непомéрная арéндная *или* квартúрная плáта;
**2.** *v* взимáть непомéрную арéндную *или* квартúрную плáту.

**rack-wheel** ['rækwi:l] *n* зубчáтое колесó.

**racoon** [rə'ku:n] *n* енóт.

**racquet** ['rækɪt] = racket I.

**racy** ['reɪsɪ] *a* 1) характéрный, сохранúвший слéды своегó происхождéния; ~ of the soil a) простóй, нарóдный; б) колорúтный (*о речи*); 2) крéпкий; душúстый; пикáнтный, прáный, вкýсный; 3) *амер.* скабрёзный; 4) *амер.* похотлúвый, сладострáстный.

**radar** ['reɪdə] *n* 1) радиолокáтор, радáр; радиолокациóнная устанóвка; 2) радиолокáция.

**raddle** ['rædl] = ruddle.

**raddled** ['rædld] *a sl.* пья́ный.

**radial** ['reɪdjəl] *a* 1) радиáльный; лучúстый; звездообрáзный; 2) *анат.* лучевóй.

**radian** ['reɪdjən] *n мат.* радиáн.

**radiance, -cy** ['reɪdjəns, -sɪ] *n* 1) сия́ние; 2) великолéпие, блеск.

**radiant** ['reɪdjənt] **1.** *a* 1) лучúстый, излучáющий; ~ energy лучúстая энéргия; 2) сия́ющий, лучезáрный;
**2.** *n* 1) *физ.* истóчник теплá, свéта; 2) *астр.* истóчник дождя́ метеóров, радиáнт.

**radiate 1.** *a* ['reɪdɪɪt] лучúстый; лучевóй.
**2.** *v* ['reɪdɪeɪt] 1) исходúть из цéнтра (*о лучáх*); расходúться из цéнтра подóбно рáдиусам; 2) излучáть (*свет, теплó*); сия́ть (*тж. перен.*); she ~s health онá пы́шет здорóвьем.

**radiation** [,reɪdɪ'eɪʃən] *n* 1) излучéние, лучеиспускáние, радиáция; atomic ~ áтомная радиáция; 2) сия́ние; 3) *attr.* лучевóй; ~ illness (*или* sickness) лучевáя болéзнь; ~ hazard опáсность пораже́ния лучевóй болéзни.

**radiative** ['reɪdɪətɪv] *a* 1) излучáющий; 2) излучённый.

**radiator** ['reɪdɪeɪtə] *n тех.* 1) радиáтор; батарéя (*отопления*); 2) излучáтель.

**radical** ['rædɪkəl] **1.** *n* 1) *полит.* радикáл; 2) *мат.* знак кóрня, кóрень (*числа*); 3) *хим.* радикáл; 4) *лингв.* кóрень (*слóва*);
**2.** *a* 1) кореннóй; основнóй; 2) фундаментáльный, пóлный; радикáльный; 3) *бот.* растýщий из кóрня, корневóй; 4) *мат.* относя́щийся к кóрню числá; ~ sign знак кóрня; 5) *лингв.* корневóй.

**radicalism** ['rædɪkəlɪzəm] *n полит.* радикалúзм.

**radices** ['reɪdɪsi:z] *pl om* radix.

**radicle** ['rædɪkl] *n* 1) корешóк; 2) *анат.* начáльное разветвлéние нéрва, вéны; 3) *бот.* корешóк, зарóдышевый кóрень (*в сéмени*).

**radii** ['reɪdɪaɪ] *pl om* radius.

**radio** ['reɪdɪou] **1.** *n* 1) рáдио; радиовещáние; 2) радиоприёмник; 3) радиогрáмма;
**2.** *v* передавáть по рáдио; посылáть радиогрáмму, радúровать.

**radio-** ['reɪdɪou-] *в слóжных словáх* радио-.

**radio-active** ['reɪdɪou'æktɪv] *a* радиоактúвный.

**radio-activity** ['reɪdɪouæk'tɪvɪtɪ] *n* радиоактúвность.

**radio aerial** ['reɪdɪou'ɛərɪəl] *n* 1) радиосéть; 2) антéнна.

**radio beacon** ['reɪdɪou'bi:kən] *n* радиомáяк.

**radio-controlled** ['reɪdɪoukən'trould] *a* управля́емый по рáдио.

**radiogenic** ['reɪdɪou'dʒenɪk] *a* 1) *физ.* радиогéнный; 2) удóбный для передáчи по рáдио.

**radiogram I** ['reɪdɪougræm] *n* 1) радиогрáмма; 2) рентгéновский снúмок.

**radiogram II** ['reɪdɪougræm] *n* (*сокр. от* radiogramophone) радиóла.

**radiograph** ['reɪdɪougrɑ:f] **1.** *n* = radiogram I, 2);
**2.** *v* дéлать рентгéновский снúмок.

**radio-location** ['reɪdɪoulou'keɪʃən] *n* радиолокáция.

**radio-locator** ['reɪdɪoulou'keɪtə] *n* радиолокáтор.

**radiology** [,reɪdɪ'ɔlədʒɪ] *n* радиолóгия, рентгенолóгия.

**radioman** ['reɪdɪoumən] *n* радúст.

**radiometer** [,reɪdɪ'ɔmɪtə] *n* радиóметр.

**radio net(work)** ['reɪdɪou'net('wə:k)] *n* радиосéть.

**radiophare** ['reɪdɪoufɛə] *n* радиомáяк, радиопрожéктор.

**radiophone** ['reɪdɪoufoun] *n* радиотелефóн.

**radioscopy** [,reɪdɪ'ɔskəpɪ] *n* исслéдование рентгéновыми лучáми.

**radiosensitive** [,reɪdɪou'sensɪtɪv] *a мед.* чувствúтельный к лучевóй энéргии, поддáющийся лечéнию рентгéном.

**radio show** ['reɪdɪou,ʃou] *n* радиопостанóвка.

**radiosonde** ['reɪdɪousɔnd] *n метеор.* радиозóнд.

**radiospectroscopy** ['reɪdɪou,spek'trɔskəpɪ] *n* радиоспектроскопúя, тéхника панорáмного приёма (*электромагнитной энергии*).

**radio-telegraph** ['reɪdɪou'telɪgrɑ:f] *n* радиотелегрáф.

**radio-therapeutics** ['reɪdɪou,θerə'pju:tɪks] *n pl* (*употр. как sing*) лечéние рáдием *или* рентгéновыми лучáми; радиотерапúя; рентгенотерапúя.

**radio-therapy** ['reɪdɪou'θerəpɪ] = radio-therapeutics.

**radiotrician** [,reɪdɪou'trɪʃən] *n* радиотéхник.

**radiotron** ['reɪdɪoutrɔn] *n физ.* радиотрóн (*трёхэлектродная лампа*).

**radish** ['rædɪʃ] *n* редúска.

**radium** ['reɪdjəm] *n хим.* рáдий.

**radius** ['reɪdjəs] *n* (*pl* radii) 1) рáдиус; within a ~ of three miles from Oxford на 3 мúли вокрýг Óксфорда; within the ~ of knowledge в предéлах познáния; 2) спúца (*колеса*); 3) *анат.* лучевáя кость; 4) *тех.* закруглéние; вы́лет (*стрелы и т. п.*); 5) лимб (*угломерного инструмента*).

**radix** ['reɪdɪks] *n* (*pl* radices) 1) кóрень; 2) истóчник; 3) *мат.* основáние системы счислéния.

**radon** ['reɪdɔn] *n хим.* радóн, эманáция рáдия.

**rafale** [‚rɑːˈfɑːl] *n воен.* шквáльный огóнь; огневóй шквал.

**raff** [ræf] **1.** *n* = riff-raff 1; **2.** *v* беспýтничать.

**raffia** [ˈræfɪə] *n* рáфия.

**raffish** [ˈræfɪʃ] *a* 1) беспýтный; 2) нúзкий; 3) вульгáрный.

**raffle** [ˈræfl] **1.** *n* лотерéя; **2.** *v* 1) разýгрывать в лотерéе; 2) учáствовать в лотерéе.

**raft I** [rɑːft] **1.** *n* 1) плот; 2) парóм; **2.** *v* 1) составлять *или* гнать плот; сплавлять (*лес*); 2) переправлять(ся) на парóме.

**raft II** [rɑːft] *n амер.* 1) *разг.* ýйма, кýча; мнóжество; мáсса; 2) толпá; 3) *sl.* многожéнство.

**rafter I** [ˈrɑːftə] *n* 1) плотовщúк; 2) парóмщик.

**rafter II** [ˈrɑːftə] **1.** *n стр.* стропúло; бáлка;◇ from cellar to ~ во всём дóме, свéрху дóнизу; **2.** *v стр.* снабжáть стропúлами.

**rafting** [ˈrɑːftɪŋ] **1.** *pres. p. om* raft I, 2; **2.** *n* лесосплáв; сплóтка лéса.

**raftsman** [ˈrɑːftsmən] = rafter I.

**rag I** [ræg] *n* 1) трýпка, лоскýт; 2) *pl* трýпье, вéтошь; 2) *pl* отрéпья; лохмóтья; in ~s a) разóрванный; б) в лохмóтьях; glad ~s *sl.* лýчшее плáтье; 4) *пренебр.* трýпка (*о театрáльном занáвесе*); лоскýт ( *о парýсе*); бумáжки (*о деньгáх*); листóк (*о газéте и т. п.*); 5) обрýвок, клочóк, *перен.* небольшóе колúчество, незначúтельный остáток; there is not a ~ of evidence нет ни малéйших улúк; 6) *attr.* трýпочный, трупúчный; a ~ doll трупúчная кýкла; ◇ to chew the ~ *sl.* завестú волýнку; пилúть (*когó-л.*); твердúть ворчлúво об однóм и том же; to cram on every ~ поднýть все парусá; to get one's ~ out *разг.* разозлúться, выйти из себú; he has not a ~ to his back у негó совсéм нет одéжды; емý нéчего носúть.

**rag II** [ræg] *sl.* **1.** *n* 1) грýбые шýтки, грýбое весéлье; to say smth. only for a ~ сказáть что-л. в шýтку; 2) (студéнческий) скандáл; шум; **2.** *v* 1) бранúть; дразнúть; 2) устрáивать кавардáк, шум, скандáл.

**rag III** [ræg] *n* твёрдый, слóистый известнýк, крупнозернúстый песчáник; **2.** *v* 1) дробúть кáмни; дробúть рудý (*для сортирóвки*); 2) *тех.* снимáть заусéнцы.

**ragamuffin** [ˈrægəˌmʌfɪn] *n* оборвáнец.

**rag-and-bone-man** [‚rægənˈbɔunmæn] *n* трупúчник, старьéвщик.

**rag-baby** [ˈrægˌbeɪbɪ] *n* трупúчная кýкла.

**rag-bolt** [ˈrægbɔult] *n тех.* áнкерный болт, ёрш.

**rage** [reɪdʒ] **1.** *n* 1) úрость, гнев; прúступ сúльного гнéва; нéистовство; to fly into a ~ прийтú в úрость; 2) повáльное увлечéние (*чем-л., кем-л.*); предмéт óбщего увлечéния; all the ~ послéдний крик мóды; bicycles were (all) the ~ then в те дни все помешáлись на велосипéдах; **2.** *v* 1) бéситься, злúться (at, against); 2) бушевáть, свирéпствовать (*о бýре, эпи-*

демии); 3) *refl.:* to ~ itself out успокóиться, затúхнуть (*гл. обр. о бýре*).

**rag fair** [ˈrægfɛə] *n* барахóлка, толкýчка.

**ragged I** [ˈrægɪd] *a* 1) нерóвный, зазýбренный; шероховáтый; 2) рвáный, изóрванный; понóшенный; 3) одéтый в лохмóтья; обóрванный; 4) нечёсаный, космáтый; 5) небрéжный, неотдéланный (*о стúле*); 6) рвáный (*о рáне*).

**ragged II, III** [rægd] *p. p. om* rag II, 2 *и* II, 2.

**ragged robin** [ˈrægɪdˈrɔbɪn] *n бот.* горицвéт, кукýшкин цвет.

**raggery** [ˈrægərɪ] *n разг.* одéжда (*осóб. жéнская*), трúпки.

**ragging I** [ˈrægɪŋ] **1.** *pres. p. om* rag III, 2; **2.** *n горн.* дроблéние рудý.

**ragging II** [ˈrægɪŋ] *pres. p. om* rag II, 2.

**raging** [ˈreɪdʒɪŋ] **1.** *pres. p. om* rage 2; **2.** *a* úростный, сúльный; ~ pain сúльная боль.

**raglan** [ˈræglən] *n* пальтó-реглáн; reversible ~ двойнóй реглáн (*двухсторóнний*).

**ragman** [ˈrægmən] = rag-and-bone-man.

**ragout** [ˈræguː] *фр. n* рагý.

**rag paper** [ˈrægˌpeɪpə] *n* трупúчная бумáга.

**rag-picker** [ˈrægˌpɪkə] *n* трупúчник, старьéвщик.

**rags-to-riches** [ˈrægztəˈrɪtʃɪz] *a:* ~ story расскáз, в котóром геройня из бéдной семьú станóвится богáтой.

**ragtag** [ˈrægtæg] *n разг.* сброд, подóнки óбщества, шýшера (*тж.* ~ and bobtail).

**ragtime** [ˈrægtaɪm] *n* синкопúрованный танцевáльный ритм.

**ragweed** [ˈrægwiːd] *n бот.* 1) крестóвник лугувóй; 2) *амер.* амбрóзия полыннолúстная.

**rag-wheel** [ˈrægwiːl] *n тех.* цепнóе колесó.

**ragwort** [ˈrægwɔːt] = ragweed 1).

**rah** [rɑː] *int* (*сокр. om* hurrah) *sl.* урá!

**rah-rah boys** [ˈrɑːˈrɑːˈbɔɪz] *n амер.* студéнты, предпочитáющие занútиям весёлое времяпрепровождéние; бездéльники.

**raid** [reɪd] **1.** *n* 1) налёт; облáва; 2) набéг, рейд; **2.** *v* 1) дéлать налёт, набéг, облáву; 2) вторгáться (into); to ~ the market произвестú пáнику на рýнке.

**raider** [ˈreɪdə] *n* 1) учáстник налёта, набéга, облáвы; 2) *мор.* рéйдер; 3) *ав.* самолёт, совершáющий налёт.

**rail I** [reɪl] **1.** *n* 1) перúла; огрáда; пóручни; 2) рельс; железнодорóжный путь; by ~ по желéзной дорóге; off the ~s сошéдший с рéльсов; *перен.* дезорганизóванный, выбитый из колéй; 3) поперéчина, переклáдина; полосá, брусóк; 4) вéшалка; 5) *pl ком.* железнодорóжные áкции; ◇ thin as a ~ худóй как щéпка; **2.** *v* 1) обносúть перúлами, забóром, отгорáживать (*обыкн.* ~ in, ~ off); 2) путешéствовать по желéзной дорóге; 3) перевозúть *или* посылáть по желéзной дорóге; 4) проклáдывать рéльсы.

**rail II** [reɪl] *v* ругáть(ся), бранúть(ся) (at, against).

**rail** III [reɪl] *n* водяной пастушóк (*птица*).

**railage** ['reɪlɪdʒ] *n* 1) перевóзка по желéзной дорóге; 2) оплáта железнодорóжной перевóзки.

**rail-chair** ['reɪltʃɛə] *n* ж.-д. рéльсовая подýшка.

**railhead** ['reɪlhed] *n* 1) врéменный конéчный пункт стрóящейся желéзной дорóги; 2) *воен.* стáнция снабжéния; 3) головка рéльса.

**railing** I ['reɪlɪŋ] 1. *pres. p. от* rail I, 2; 2. *n* огрáда, перила.

**railing** II ['reɪlɪŋ] *pres. p. от* rail II.

**raillery** ['reɪlərɪ] *n* добродýшная насмéшка, шýтка, подшýчивание.

**rail mill** ['reɪlmɪl] *n* рельсопрокáтный стан.

**railroad** ['reɪlroud] *амер.* 1. *n* 1) желéзная дорóга; 2) *attr.* железнодорóжный; 2. *v* 1) путешéствовать по желéзной дорóге; 2) перевозить *или* посылáть по желéзной дорóге; 3) стрóить желéзную дорóгу; 4) провести (*законопроект*) в спéшном порядке; протолкнýть (*дело*); 5) *sl.* посадить в тюрьмý по лóжному обвинéнию.

**railroader** ['reɪlroudə] *n* амер. 1) железнодорóжник; 2) владéлец желéзной дорóги.

**railrolling mill** ['reɪl,roulɪŋ'mɪl] = rail mill.

**railway** ['reɪlweɪ] 1. *n* 1) желéзная дорóга; железнодорóжный путь; рéльсовый путь; 2) *attr.* железнодорóжный; ~ bed железнодорóжное полотнó; ~ mounting *воен.* железнодорóжная орудийная устанóвка; ~ system железнодорóжная сеть; at ~ speed óчень быстро; 2. *v* 1) стрóить желéзную дорóгу; 2) путешéствовать по желéзной дорóге.

**railway-yard** ['reɪlweɪ,jɑːd] *n* сортирóвочная стáнция, железнодорóжный парк.

**raiment** ['reɪmənt] *n поэт., ритор.* одéжда, одеяние.

**rain** [reɪn] 1. *n* 1) дождь; ~ or shine какáя бы ни былá погóда; *перен.* чтó бы ни было; the ~s период тропических дождéй; to be caught in the ~ попáсть под дождь, быть застигнутым дождём; to keep the ~ out укрыться от дождя; ручьй (*слёз*), град (*ударов*) *и т. п.*; 3) капёж; ◇ right as ~ *разг.* совершéнно здорóвый; в пóлном порядке; 2. *v* 1) (*в безл. оборотах*): it ~s, it is ~ing идёт дождь; 2) сыпать(ся); литься; blows ~ed upon him удáры сыпались на негó грáдом; ◇ it ~s cats and dogs, *амер.* it ~s pitchforks ≈ дождь льёт как из ведрá; it never ~s but it pours *посл.* ≈ пришлá бедá — растворяй ворóта.

**rainbow** ['reɪnbou] *n* 1) рáдуга; 2) *attr.* рáдужный, многоцвéтный; ◇ ~ hunt погóня за недосягáемым; to come to the end of one's ~ дойти до тóчки, до предéла.

**rainbow trout** ['reɪnbou'traut] *n зоол.* рáдужная форéль.

**raincoat** ['reɪnkout] *n* непромокáемое пальтó, плащ.

**raindrop** ['reɪndrɔp] *n* дождевáя кáпля.

**rainfall** ['reɪnfɔːl] *n* 1) ливень; 2) колúчество осáдков.

**rain-gauge** ['reɪngeɪdʒ] *n метеор.* дождемéр.

**rain-glass** ['reɪnglɑːs] *n* барóметр.

**rainless** ['reɪnlɪs] *a* засýшливый; без дождя.

**rainproof** ['reɪnpruːf] *a* непроницáемый для дождя, непромокáемый.

**rain-storm** ['reɪnstɔːm] *n* ливень с урагáном.

**raintight** ['reɪntaɪt] = rainproof.

**rain-water** ['reɪn,wɔːtə] *n* дождевáя водá.

**rainwear** ['reɪnwɛə] *n* непромокáемая одéжда.

**rain-worm** ['reɪnwəːm] *n* дождевóй червь.

**rainy** ['reɪnɪ] *a* 1) дождлúвый; ~ weather дождлúвая погóда; 2) дождевóй (*о туче, ветре*); ◇ for a ~ day на чёрный день.

**raise** [reɪz] 1. *v* 1) поднимáть; to ~ one's glass to smb.'s health пить за чьё-л. здорóвье; to ~ anchor снимáться с якоря; to ~ bread стáвить тéсто на дрожжáх; to ~ the eyebrows (удивлённо) поднимáть брóви; to ~ an issue, to ~ a point выдвигáть, поднимáть вопрóс; to ~ a claim предъявить претéнзию; 2) будить; 3) воздвигáть (*здание и т. п.*); 4) вырáщивать; 5) извлекáть, добывáть из земли; 6) воспúтывать; вырáщивать; 7) повышáть; возвышáть; 8) поднимáть (*на защиту и т. п.*); 9) вызывáть (*смех*); 10) собирáть (*налоги и т. п.*); to ~ money добывáть дéньги; to ~ troops набирáть войскá; to ~ a unit *воен.* сформировáть часть; 11) запéть, начáть (*песню*); издáть (*крик*); 12) *текст.* ворсовáть, начёсывать; ◇ to ~ Cain, to ~ hell, to ~ the devil, *амер.* to ~ a big smoke, to ~ the roof поднять шум, начáть буянить, скандáлить; to ~ the wind раздобыть дéнег; to ~ a check *амер* поддéлать чек; to ~ the blockade снимáть блокáду; to ~ the siege снимáть осáду; to ~ a ghost вызвать дýха.

2. *n* 1) подъём; 2) повышéние, поднятие; увеличéние; 3) *горн.* гезéнк; ◇ to make a ~ раздобыть, получить взаймы.

**raised** [reɪzd] 1. *p. p. от* raise 1; 2. *a* 1) постáвленный на дрожжáх; 2) рельéфный, лепнóй.

**raisin** ['reɪzn] *n* 1) (*обыкн. pl*) изюм; 2) изюминка.

**rait** [reɪt] = ret.

**raj** [rɑːdʒ] *n англо-инд.* госпóдство; владычество.

**raja(h)** ['rɑːdʒə] *n англо-инд.* рáджа.

**Rajpoot, Rajput** ['rɑːdʒpuːt] *n англо-инд.* раджпýт.

**rake** I [reɪk] 1. *n* 1) грáбли; скребóк; 2) кочергá; 3) лопáточка крупьé; 4) óчень худóй человéк, скелéт; as lean as a ~ худ как щéпка.

2. *v* 1) сгребáть, загребáть; зарáвнивать; подчищáть грáблями (*тж.* ~ level, ~ clean); чистить скребкóм; 2) собирáть (*обыкн.* ~ up, ~ together); 3) тщáтельно искáть, рыться (in, among — в чём-л.); 4) *воен., мор.* обстрéливать продóльным огнём, сметáть; □ ~ out выгребáть;

**перен.** выискивать, добывать с трудом; to ~ out the fire выгребать уголь, золу; ~ **up** а) сгребать; to ~ up the fire шуровать уголь в топке; загребать жар; б) оживлять *или* растравлять *(старые воспоминания)*; ◊ to ~ over the coals делать выговор.

**rake II** [reik] 1. *n* 1) *мор.* наклон *(мачты и т. n.)*; 2) отклонение от перпендикуляра; уклон от отвесной линии; 3) *тех.* передний угол *(резца)*, угол уклона; 4) *тех.* скос; 2. *v* отклоняться от отвесной линии.

**rake III** [reik] 1. *n* повеса, распутник; 2. *v* вести распутный образ жизни, повесничать.

**rakehell** ['reikhel] *уст.* = rake III, 1.

**rake-off** ['reik,ɔf] *n амер. разг.* доля посредника в доходе; взятка.

**raker** ['reikə] *n* 1) грабли; 2) работающий граблями; 3) *разг.* гребёнка.

**rakish I** ['reikiʃ] *a* 1) распутный; распущенный; 2) щегольской; лихой, ухарский.

**rakish II** ['reikiʃ] *a мор.* быстроходный.

**râle** [rɑ:l] *фр. n мед.* хрип.

**rallicar(t)** ['rælikɑ:(t)] *n* рессорная двуколка для четверых.

**rally I** ['ræli] 1. *n* 1) восстановление *(сил, энергии)*; 2) объединение; 3) съезд, собрание, слёт; *амер.* массовый митинг; 4) оживление *(на бирже, на рынке)*; 5) быстрый обмен ударами *(в теннисе)*; 6) *воен.* сбор;
2. *v* 1) вновь собирать(ся) *или* сплачивать(ся) *(для совместных усилий)*; возобновлять борьбу *после поражения*; 2) овладевать собой, оправляться *(от страха, горя, болезни)*; 3) повышаться в спросе *(о товарах)*.

**rally II** ['ræli] *v* шутить, иронизировать *(над кем-л.)*.

**ram** [ræm] 1. *n* 1) баран; 2) (the R.) Овен *(созвездие и знак зодиака)*; 3) таран; 4) *тех.* чугунная баба, гидравлический таран; 5) *метал.* коксовыталкиватель; 6) *тех.* ползун, плунжер; 7) подъёмник, силовой цилиндр;
2. *v* 1) таранить; 2) забивать, вколачивать; to ~ into smb. вбивать кому-л. в голову; to ~ it home убедить, доказать; 3) трамбовать, утрамбовывать.

**ramble** ['ræmbl] 1. *n* 1) прогулка, поездка *(без определённой цели)*; 2) экскурсия;
2. *v* 1) бродить без цели, для удовольствия; 2) говорить бессвязно, перескакивать с одной мысли на другую; 3) ползти, виться *(о растениях)*.

**rambler** ['ræmblə] *n* 1) праздношатающийся; 2) ползучее растение, *особ.* вьющаяся роза.

**rambling** ['ræmbliŋ] 1. *pres. p. om* ramble 2;
2. *a* 1) слоняющийся; бродячий; 2) разбросанный, беспорядочно выстроенный; 3) бессвязный; 4) ползучий *(о растении)*.

**rambunctious** [ræm'bʌŋkʃəs] *a амер. разг.* 1) сердитый, раздражительный; 2) непокорный; буйный; 3) очень шумный.

**ramie** ['ræmi:] *n* 1) рами, китайская крапива; 2) волокно из китайской крапивы.

**ramification** [,ræmifi'keiʃən] *n* 1) разветвление; ответвление; отросток; 2) *собир.* ветви дерева.

**ramify** ['ræmifai] *v* разветвляться.

**rammaged** ['ræmidʒd] *a sl.* пьяный.

**rammer** ['ræmə] *n* 1) трамбовка, баба; 2) *арт.* прибойник; шомпол; 3) *sl.* рука.

**rammish** ['ræmiʃ] *a* 1) дурно пахнущий; 2) похотливый.

**ramose** ['reimous] *a* ветвистый.

**ramp I** [ræmp] *n* 1) скат, уклон; наклонная плоскость; аппарель; 2) *ж.-д.* остряк *(рельса)*; 3) *авт.* борт; 4) лестница на колёсах для посадки в самолёт;
2. *v* 1) стоять на задних лапах *(о геральдическом животном)*; принимать угрожающую позу; 2) *шутл.* неистовствовать, бросаться, бушевать; угрожать; 3) злобно коситься; ползти, виться *(о растениях)*.

**ramp II** [ræmp] *sl.* 1. *n* 1) вымогательство; непомерная цена; 2) ограбление;
2. *v* 1) вымогать; 2) грабить.

**rampage** [ræm'peidʒ] 1. *n* сильное возбуждение; неистовство, ярость; буйство; to be on the ~ неистовствовать;
2. *v* быть в сильном возбуждении, неистовствовать, буйствовать.

**rampageous** [ræm'peidʒəs] *a* неистовый, буйный.

**rampancy** ['ræmpənsi] *n* 1) неистовство, чрезмерность; 2) агрессивность.

**rampant** ['ræmpənt] 1. *a* 1) неистовый, безудержный; 2) буйно разросшийся; 3) сильно распространённый, гнездящийся *(о болезнях, пороках)*; 4) стоящий на задних лапах *(о геральдическом животном)*; 5) *архит.* с устоями, расположенными не на одном уровне *(о своде)*;
2. *n архит., стр.* 1) ползучий свод, ползучая арка; 2) парапетная стенка; 3) пандус.

**rampart** ['ræmpɑ:t] 1. *n* 1) (крепостной) вал; 2) оплот, защита;
2. *v* защищать, укреплять валом.

**ramper** ['ræmpə] *n sl.* 1) вымогатель; 2) грабитель.

**ramping I** ['ræmpiŋ] 1. *pres. p. om* ramp I, 2;
2. *a* буйный, неистовый.

**ramping II** ['ræmpiŋ] *pres. p. om* ramp II, 2.

**ramrod** ['ræmrɔd] *n* 1) шомпол; 2) *арт.* прибойник.

**ramshackle** ['ræm,ʃækl] *a* 1) ветхий, разваливающийся; 2) еле живой.

**ran** [ræn] *past om* run 2.

**ranch** [rɑ:ntʃ] 1. *n* ранчо, американская *или* канадская скотоводческая ферма *(в западных штатах — любая ферма)*;
2. *v* 1) заниматься скотоводством; 2) жить на ферме.

**rancher** ['rɑ:ntʃə] *n* 1) хозяин ранчо; 2) работник на ранчо.

**ranchman** ['rɑ:ntʃmən] = rancher.

**rancid** ['rænsid] *a* прогорклый, протухший.

**rancidity** [ræn'siditi] *n* прогорклость.

**rancidness** ['rænsidnis] = rancidity.

**rancorous** ['ræŋkərəs] *a* злобный, враждебный.

**rancour** ['ræŋkə] *n* злоба, затаённая вражда.

**rand** [rænd] *n* край; рант.

**randan** I [ræn'dæn] *n* четырёхвесёльная лодка при трёх гребцах.

**randan** II [ræn'dæn] *n sl.* попойка, кутёж; to go on the ~ кутить.

**random** ['rændəm] 1. *n:* at ~ наугад, наобум, наудачу;
2. *a* сделанный *или* выбранный наугад, случайный; беспорядочный; ~ bullet шальная пуля.

**randy** ['rændɪ] *сев.* 1. *a* грубый, крикливый;
2. *n* 1) сварливая женщина; 2) бродяга; назойливый нищий.

**ranee** ['rɑːniː] *n англо-инд.* супруга раджи.

**rang** [ræŋ] *past om* ring II, 2.

**range** [reɪndʒ] 1. *n* 1) ряд, линия (*домов*); цепь (*гор и т. п.*); 2) линия, направление; 3) обширное пастбище; 4) область распространения (*растения, животного*); сфера, зона; 5) предел, амплитуда; диапазон (*голоса*); 6) сфера, область, круг; that is out of my ~ это не по моей части; в этой области я не специалист; 7) протяжение, пространство; радиус действия; ~ of vision кругозор, поле зрения; (to be) in ~ of... (быть) в пределах досягаемости...; 8) кухонная плита (*тж.* kitchen ~); 9) решето; сито; 10) стрельбище, полигон, тир; 11) *мор.* створ; 12) *воен.* дальность, дальнобойность, досягаемость; 13) *радио* дальность передачи; 14) *ав.* дальность полёта; 15) *ав.* относ. бомбы; 16) *attr. воен.* ~ card схема ориентиров; ~ elevation установка прицела; ~ table таблица стрельбы;
2. *v* 1) выстраивать(ся) в ряд; ставить, располагать в порядке; 2) классифицировать; 3) *refl.* примыкать, присоединяться; 4) бродить; странствовать, скитаться; рыскать (*обыкн.* ~ over, ~ through); 5) колебаться в известных пределах; prices ~ from a shilling to a pound цены от шиллинга до фунта; 6) плыть (*обыкн.* ~ along, ~ with); 7) простираться; тянуться (*обыкн.* ~ along, ~ with); the path ~s with the brook дорожка тянется вдоль ручья; 8) *зоол., бот.* водиться, встречаться в определённых границах; 9) быть на одном уровне; he ~s with the great writers его можно поставить в один ряд с великими писателями; 10) *воен.* пристреливаться; бить на какое-л. расстояние.

**range-finder** ['reɪndʒ,faɪndə] *n воен.* 1) дальномер; 2) дальномерщик; 3) *фото* экспонометр.

**range-pole** ['reɪndʒpoul] *n геод.* дальномерная рейка; створная веха.

**ranger** ['reɪndʒə] *n* 1) бродяга; скиталец; странник; 2) лесничий королевского парка; 3) *pl* кавалерийская часть; 4) *амер. воен.* боец диверсионно-десантной группы.

**rangy** ['reɪndʒɪ] *a* 1) бродячий; 2) стройный, мускулистый (*о животных*); 3) обширный, пространный; 4) *австрал.* гористый, горный.

**rani** ['rɑːni] = ranee.

**rank** I [ræŋk] 1. *n* 1) ряд; 2) звание, чин; of higher ~ выше чином, вышестоящий; honogary ~ почётное звание; to hold ~ занимать должность, иметь чин; 3) категория, ранг, разряд, степень, класс; a poet of the highest ~ первоклассный поэт; to take ~ with быть в одной категории с; 4) высокое положение; persons of ~ аристократия; ~ and fashion высшее общество; 5) *воен.* шеренга; to break ~s выйти из строя, нарушить строй; to fall into ~ построиться (*о солдатах и т. п.*); ◇ the ~s, the ~ and file a) солдаты, рядовые; б) рядовые члены партии *и т. п.*; в) рядовые люди, масса; to rise from the ~s a) *воен.* выдвинуться из рядовых в офицеры; б) *разг.* выйти в люди;
2. *v* 1) строить(ся) в шеренгу, выстраивать(ся) в ряд, в линию; 2) классифицировать; давать определённую оценку; I ~ his abilities very high я высоко ценю его способности; 3) занимать какое-л. место; he ~s high as a lawyer (scholar) он видный адвокат (учёный); a general ~s with an admiral генерал по чину (*или* званию) равняется адмиралу; 4) *амер.* занимать первое *или* более высокое место; стоять выше других; a captain ~s a lieutenant капитан по чину (*или* званию) выше лейтенанта.

**rank** II [ræŋk] *a* 1) роскошный, буйный (*о растительности*); 2) заросший; a garden ~ with weeds сад, заросший сорными травами; 3) жирный, плодородный (*о почве*); 4) прогорклый (*о масле*); 5) отвратительный, противный; грубый; циничный; 6) явный, сущий; отъявленный; ~ nonsense явная чушь.

**ranker** ['ræŋkə] *n* унтер-офицер, выдвинувшийся из рядовых.

**rankle** ['ræŋkl] *v* 1) гноиться (*о ране*); 2) терзать, мучить (*об обиде, ревности, зависти*); the memory of the insult still ~s in his heart воспоминание об оскорблении всё ещё гложет его сердце.

**ransack** ['rænsæk] *v* 1) искать; обыскивать (*дом, комнату*); рыться в поисках потерянного; to ~ one's brains *амер.* ломать (себе) голову; стараться вспомнить; 2) очистить (*квартиру*), ограбить.

**ransom** ['rænsəm] 1. *n* 1) выкуп; to hold smb. to ~ требовать выкупа за кого-л.; a king's ~ огромная сумма, большой куш; 2) *церк.* искупление;
2. *v* 1) выкупать, освобождать за выкуп; 2) искупать.

**rant** [rænt] 1. *n* 1) напыщенная речь; громкие слова; декламация; 2) шумная проповедь; *шотл.* кутёж;
2. *v* 1) говорить напыщенно; декламировать; 2) проповедовать; 3) *шотл.* шумно веселиться; пьяно петь.

**ranter** ['ræntə] *n* 1) говорящий напыщенно, высокопарно; 2) напыщенный проповедник.

**ranunculi** [rə'nʌŋkjulaɪ] *pl om* ranunculus.

**ranunculus** [rə'nʌŋkjuləs] *n* (*pl* -ses [-sɪz], -li) лютик.

**rap** I [ræp] **1.** *n* 1) лёгкий удáр; to get (to give) a ~ over (*или* on) the knuckles а) получи́ть (удáрить) по рукáм; б) получи́ть (сдéлать) вы́говор, замечáние; 2) стук; a ~ on the window негро́мкий стук в окно́; 3) *амер. sl.* обвинéние;
**2.** *v* 1) слегкá ударя́ть; 2) стучáть (at, on); 3) выстýкивать (*о духах на спиритическом сеансе*); 4) рéзко отвечáть (*обыкн.* ~ out); 5) дéлать вы́говор; □ ~ out а) вы́крикнуть, испусти́ть крик; б) вы́ругаться.
**rap** II [ræp] *n ист.* мéлкая обесцéненная монéта (*в Ирлáндии в XVIII в.*); ◇ not a ~ ≅ ни грошá; I don't care a ~ мне на э́то наплевáть; it does not matter a ~ э́то не имéет никако́го значéния.
**rap** III [ræp] *n* мото́к пря́жи в 120 я́рдов.
**rapacious** [rə'peɪʃəs] *a* 1) жáдный, 2) прожо́рливый; 3) хи́щный (*о животных*).
**rapacity** [rə'pæsɪtɪ] *n* 1) жáдность; 2) прожо́рливость.
**rape** I [reɪp] **1.** *n* 1) изнаси́лование; 2) *поэт.* похищéние;
**2.** *v* 1) наси́ловать; 2) *поэт.* похищáть.
**rape** II [reɪp] *n бот.* 1) рапс; 2) капýста полевáя, сурéпица.
**rape** III [reɪp] *n* вы́жимки виногрáда, испо́льзуемые для изготовлéния ýксуса.
**rape-oil** ['reɪpɔɪl] *n* сурéпное, рáпсовое мáсло.
**rapid** ['ræpɪd] **1.** *a* 1) бы́стрый, ско́рый; 2) круто́й (*о склоне*);
**2.** *n* (*обыкн. pl*) поро́г реки́, стремни́на.
**rapid-firing** ['ræpɪd,faɪərɪŋ] *a* скорострéльный.
**rapidity** [rə'pɪdɪtɪ] *n* быстротá, ско́рость; ~ of fire *воен.* скорострéльность.
**rapier** ['reɪpjə] *n* рапи́ра.
**rapier-thrust** ['reɪpjəθrʌst] *n* 1) удáр рапи́рой; 2) *перен.* ло́вкий вы́пад; остроýмный, нахо́дчивый отвéт.
**rapine** ['ræpaɪn] *n* 1) грабёж; 2) похищéние.
**rappee** [ræ'piː] *n* сорт крéпкого нюхáтельного табакá.
**rapport** [ræ'rɔ:] *фр. n* связь, взаимоотношéния.
**rapprochement** [rə'prɔʃmɑ̃:ŋ] *фр. n* восстановлéние *или* возобновлéние дрýжественных отношéний (*особ. между государствами*).
**rapscallion** [ræp'skæljən] *n* моше́нник, бездéльник.
**rapt** [ræpt] *a* 1) восхищéнный, увлечéнный; 2) поглощéнный (*мыслью и т. п.*); he is ~ in reading он поглощён чтéнием; ~ attention сосредото́ченное внимáние; 3) похи́щенный; 4) *библ.* взя́тый живы́м на нéбо.
**raptorial** [ræp'tɔːrɪəl] *a* хи́щный (*о пти́цах, живо́тных*).
**rapture** ['ræptʃə] *n* 1) восто́рг, выражéние восто́рга; экстáз; to be in ~s, to go into ~s (over smth.) быть в восто́рге, приходи́ть в восто́рг (от чего́-л.); 2) похищéние; 3) *библ.* взя́тие живы́м на нéбо.
**rapturous** ['ræptʃərəs] *a* восто́рженный.
**rara avis** ['rɛərə'eɪvɪs] *n* (*лат.* «рéдкая

пти́ца») рéдкость, дико́вина, человéк *или* вещь, рéдко встречáющиеся.
**rare** I [rɛə] **1.** *a* 1) рéдкий, разрежённый, негусто́й; ~ gas *хим.* инéртный газ; the ~ atmosphere of the mountain tops разрежённый во́здух на го́рных верши́нах; 2) рéдкий, необы́чный, необыкновéнный; 3) исключи́тельно хоро́ший, замечáтельный, превосхо́дный; to have a ~ time (*или* fun) здо́рово повесел́ться;
**2.** *adv разг.* исключи́тельно; a ~ fine view исключи́тельно краси́вый вид.
**rare** II [rɛə] *a амер.* недожáренный, недовáренный (*о мясе*); ~ eggs *уст.* я́йца всмя́тку.
**rarebit** ['rɛəbɪt] *n* грéнки с сы́ром (*тж.* Welsh ~).
**raree-show** ['rɛəriː,ʃou] *n* 1) кýкольный теáтр; раёк (*ящик с передвижными картинками*); 2) зрéлище; 3) ýличное представлéние.
**rarefaction** [,rɛərɪ'fækʃən] *n* 1) разрежéние, разжижéние; 2) разрежённость.
**rarefy** ['rɛərɪfaɪ] *v* 1) разрежáть(ся), разжижáть(ся); 2) *перен.* очищáть, утончáть.
**rarely** ['rɛəlɪ] *adv* 1) рéдко, не чáсто; 2) необычáйно, исключи́тельно; we dined ~ мы исключи́тельно хорошо́ пообéдали.
**rareness** ['rɛənɪs] *n* рéдкостность; рéдкость.
**rareripe** ['rɛəraɪp] **1.** *a* скороспéлый, рáнний;
**2.** *n* скороспéлка.
**rarity** ['rɛərɪtɪ] *n* 1) рéдкость; 2) антиквáрная вещь; 3) разрежённость (*воздуха*).
**rascal** ['rɑːskəl] *n* 1) моше́нник; 2) *шутл.*: you lucky ~! ах ты, счастли́вец!
**rascaldom** ['rɑːskəldəm] *n* 1) моше́нничество; 2) *собир.* моше́нники.
**rascality** [rɑːs'kælɪtɪ] *n* моше́нничество.
**rascally** ['rɑːskəlɪ] *a* моше́ннический, нечéстный.
**rase** [reɪz] = raze.
**rash** I [ræʃ] *a* стреми́тельный; поспéшный; опромéтчивый, необдýманный, неосторо́жный.
**rash** II [ræʃ] *n* сыпь.
**rash** III [ræʃ] *n* шуршáние.
**rasher** ['ræʃə] *n* то́нкий ло́мтик беко́на *или* ветчины́.
**rashness** ['ræʃnɪs] *n* стреми́тельность *и пр.* [*см.* rash I].
**rasp** [rɑːsp] **1.** *n* 1) дребезжáние; скрéжет; скребýщий звук; 2) *тех.* рáшпиль;
**2.** *v* 1) скрести́, терéть; подпи́ливать, соскáбливать, строгáть (*обыкн.* ~ off, ~ away); 2) дребезжáть, издавáть рéзкий, скрежéщущий звук; 3) раздражáть, рéзать ýхо; 4) пили́кать (*на скри́пке и т. п.*).
**raspberry** ['rɑːzbərɪ] *n* 1) мали́на; 2) *sl.* прищёлкивание языко́м в знак пренебрежéния; 3) *sl.* неприя́тность; нагоня́й, головомо́йка.
**raspberry-cane** ['rɑːzbərɪkeɪn] *n* (*обыкн. pl*) кусты́ мали́ны, мали́нник.
**rasper** ['rɑːspə] *n* 1) большо́й рáшпиль *или* тёрка; 2) человéк, рабо́тающий рáшпилем; 3) *разг.* неприя́тный, рéзкий человéк *или* харáктер.

**rasping** ['rɑːspɪŋ] 1. *pres. p. om* rasp 2; 2. *n (обыкн. pl) тех.* опилки.

**rat I** [ræt] 1. *n* 1) крыса; 2) предатель; штрейкбрехер; человек, покидающий организацию в тяжёлое время; 3) *разг.* шпион; доносчик; перебежчик; 4): ~s! *sl.* вздор!, чепуха!; 5) *attr.* крысиный, мышиный; ~ гасе мышиная возня; ◇ like a drowned ~ промокший до костей; like a ~ in a hole в безвыходном положении; to smell a ~ чуять недоброе; подозревать; 2. *v* 1) истреблять крыс *(обыкн. собаками)*; 2) предать; покинуть организацию в тяжёлое время; to ~ on smb. предать кого-л., донести на кого-л.

**rat II** [ræt] = drat.

**ratable** ['reɪtəbl] *a* 1) подлежащий обложению налогом, сбором; 2) *уст.* пропорциональный.

**ratafee, ratafia** [,rætə'fiː, -'fɪə] *n* 1) род наливки; 2) миндальное печенье.

**ratal** ['reɪtəl] *n* сумма обложения.

**rataplan** [,rætə'plæn] 1. *n* 1) барабанный бой; 2) стук; 2. *v* бить в барабан.

**rat-catcher** ['ræt,kætʃə] *n* крысолов *(о человеке)*.

**ratch(et)** ['rætʃ(ɪt)] *n тех.* трещотка, храповик, храповой механизм.

**ratchet-wheel** ['rætʃɪtwiːl] *n тех.* храповое колесо, храповик.

**rate I** [reɪt] 1. *n* 1) норма; ставка, тариф; расценка, цена; the ~ of wages per week ставка недельной заработной платы; ~ of exchange валютный курс; ~ of surplus value *полит.-эк.* норма прибавочной стоимости; average ~ of profit *полит.-эк.* средняя норма прибыли; at an easy ~ дёшево, легко; to live at a high ~ жить на широкую ногу; 2) соответственная часть; пропорция; коэффициент, степень, процент; доля; 3) местный налог; темп; ход, скорость; at the ~ of 40 miles an hour со скоростью 40 миль в час; ~ of fire *воен.* скорость стрельбы; режим огня; ~ of climb *ав.* скороподъёмность, вертикальная скорость; 5) разряд, класс; сорт; 6) паёк; порция; 7) *тех.* расход *(воды)*; ◇ at any ~ во всяком случае; по меньшей мере; at this *(или* that) ~ в таком случае; при таких условиях; 2. *v* 1) оценивать, исчислять, определять, устанавливать; the copper coinage was then ~d above its real value медная монета стоила тогда выше своей реальной стоимости; 2) считать; расценивать; рассматривать; he was ~d the best poet of his time его считали лучшим поэтом эпохи; I ~ his speech very high я считаю его речь очень удачной; 3) *(преим. pass.)* облагать *(местным)* налогом; 4) определять класс, категорию.

**rate II** [reɪt] *v* бранить; задавать головомойку.

**rate III** [reɪt] = ret.

**rateable** ['reɪtəbl] = ratable.

**ratepayer** ['reɪt,peɪə] *n* налогоплательщик.

**rater** ['reɪtə] *n* ругатель.

**-rater** [-,reɪtə] *n в сложных словах*: first-

-rater яхта, судно первого разряда; ten--rater яхта в 10 тонн.

**rat-face** ['rætfeɪs] *n амер. sl.* хитрый, опасный человек, бестия.

**rath** [rɑːθ] = rathe.

**rathe** [reɪð] *a поэт.* 1) утренний; 2) ранний; 3) быстрый, стремительный.

**rather** ['rɑːðə] *adv* 1) скорее, предпочтительно, лучше, охотнее; would you ~ take tea or coffee? что вы предпочитаете: чай или кофе?; I'd ~ you came tomorrow мне больше устроило бы, если бы вы пришли завтра; 2) вернее, скорее, правильнее; this is not the result, ~ it is the cause это не результат, а скорее (вернее) причина; late last night or ~ early this morning вчера поздно ночью или, правильнее сказать, сегодня рано утром; 3) до некоторой степени, слегка, несколько, пожалуй, довольно; I feel ~ better today мне сегодня пожалуй лучше; I know him ~ well я его довольно хорошо знаю; 4) *разг. (в ответ на вопрос, предложение)* конечно, да; ещё бы!; do you know him?—Rather! вы его знаете?—Да, конечно; ◇ the ~ that... тем более, что.

**rathe-ripe** ['reɪðraɪp] = rareripe.

**rathskeller** ['rɑːts,kelə] *нем. n* пивная *или* ресторан в подвальном этаже.

**ratification** [,rætɪfɪ'keɪʃən] *n* утверждение, ратификация.

**ratify** ['rætɪfaɪ] *v* утверждать, ратифицировать; скреплять *(подписью, печатью)*.

**ratine** [ræ'tiːn] *фр. n текст.* 1) эпонж; букле; 2) ратин.

**rating I** ['reɪtɪŋ] 1. *pres. p. om* rate I, 2; 2. *n* 1) оценка, отнесение к тому или иному классу, разряду; 2) обложение налогом; сумма налога *(особ. городского)*; 3) положение; класс, разряд, ранг; 4) *амер.* отметка *(в школе)*; 5) *мор.* звание рядового *или* старшинского состава; 6) класс *(яхты)*; 7) *тех.* мощность; производительность; номинальное значение какого--либо параметра.

**rating II** ['reɪtɪŋ] 1. *pres. p. om* rate II; 2. *n* выговор, нагоняй; to give smb. a severe ~ дать кому-л. здоровый нагоняй.

**ratio** ['reɪʃɪou] *n (pl* -os [-ouz]) 1) *мат.* отношение, пропорция; коэффициент; соотношение; ~ of exchange *эк.* (количественное) меновое отношение; in direct ~ прямо пропорционально; in inverse ~ обратно пропорционально; 2) *тех.* передаточное число.

**ratiocinate** [,rætɪ'ɔsɪneɪt] *v* рассуждать формально, логически; использовать силлогизмы в рассуждениях.

**ratiocination** [,rætɪɔsɪ'neɪʃən] *n* логическое рассуждение.

**ration** ['ræʃən] 1. *n* 1) паёк, порция, рацион; emergency ~, iron ~ неприкосновенный запас; 2) *pl* провизия, пища, продовольствие; 2. *v* 1) выдавать паёк; снабжать продовольствием; 2) *редк.* получать паёк; 3) нормировать *(продукты, промтовары)*

**rational** ['ræʃənl] 1. *a* 1) разумный; целесообразный, рациональный; 2) *мат.*

рациона́льный; ~ fraction пра́вильная дробь; 3) уме́ренный;

2. *n pl* удо́бная, соотве́тствующая оде́жда.

**rationale** [ræʃɪə'nɑːlɪ] *n* 1) разу́мное объясне́ние; 2) рассужде́ние, размышле́ние; 3) основна́я причи́на.

**rationalism** ['ræʃnəlɪzəm] *n* рационали́зм.

**rationalist** ['ræʃnəlɪst] 1. *n* рационали́ст;

2. *a* рационалисти́ческий.

**rationalistic** [ˌræʃnə'lɪstɪk] = rationalist 2.

**rationality** [ˌræʃə'nælɪtɪ] *n* разу́мность, рациона́льность; норма́льность.

**rationalization** [ˌræʃnəlaɪ'zeɪʃən] *n* 1) рационализа́ция; 2) рационалисти́ческое объясне́ние; 3) *мат.* освобожде́ние от иррациона́льности.

**rationalize** ['ræʃnəlaɪz] *v* 1) рационализи́ровать; 2) дава́ть рационалисти́ческое объясне́ние; 3) *мат.* освобожда́ть от иррациона́льности.

**rationalizer** ['ræʃnəlaɪzə] *n* рационализа́тор.

**rationally** ['ræʃnəlɪ] *adv* рациона́льно; разу́мно.

**ration book** ['ræʃənbuk] *n* продово́льственная *или* промтова́рная кни́жка, забо́рная кни́жка (*на нормиро́ванные това́ры*).

**ration-card** ['ræʃənkɑːd] *n* продово́льственная *или* промтова́рная ка́рточка.

**rationing** ['ræʃnɪŋ] 1. *pres. p. от* ration 2;

2. *n* нормирова́ние проду́ктов *или* промтова́ров.

**ratlin(e)** ['rætlɪn] *n* (*обыкн. pl*) *мор.* вы́бленка; вы́бленочный трос; линь.

**ratsbane** ['rætsbeɪn] *n* 1) отра́ва для крыс; крыси́ный яд; 2) *разг.* ядови́тое расте́ние.

**rat's-tail** ['rætsteɪl] *n* 1) крыси́ный хвост; 2) что-л. похо́жее на крыси́ный хвост; что-л. име́ющее су́живающийся коне́ц; 3) *attr.*:~ file *тех.* кру́глый то́нкий напи́льник.

**rattan** [rə'tæn] *n* 1) рота́нг (*род па́льмы*); 2) трость из рота́нга.

**rat-tat** ['ræt'tæt] *n* (гро́мкий) стук в дверь.

**ratteen** [ræ'tiːn] = ratine.

**ratten** ['rætn] *v* саботи́ровать; по́ртить *или* пря́тать маши́ны, что́бы доби́ться усту́пок.

**ratter** ['rætə] *n* крысоло́в (*особ. о соба́ке*).

**rattle** ['rætl] 1. *n* 1) треск, гро́хот; дребезжа́ние; стук; 2) шу́мная болтовня́, весе́лье, сумато́ха; 3) де́тская погрему́шка; 4) трещо́тка (*ночно́го сто́рожа и т. п.*); 5) ко́льца на хвосте́ грему́чей змеи́; 6) трещо́тка, болту́н, пустоме́ля.

2. *v* 1) треща́ть, грохота́ть; греме́ть (*посу́дой, ключа́ми и т. п.*); дребезжа́ть; си́льно стуча́ть; мча́ться *или* па́дать с гро́хотом (*обыкн.* ~ down, ~ over, ~ along, ~ past); the train ~d past по́езд с гро́хотом промча́лся ми́мо; 3) говори́ть бы́стро, гро́мко, болта́ть (*обыкн.* ~ on,

~ away, ~ along); отбараба́нить (*уро́к, речь, стихи́, муз. пье́су*; *обыкн.* ~ out, ~ away, ~ over, ~ off); 4) поспе́шно де́лать (*что-л.*); ускоря́ть (*что-л.*); to ~ the bill through the House протащи́ть, провести́ в спе́шном поря́дке законопрое́кт че́рез парла́мент; 5) пресле́довать, заставля́ть убега́ть (*ли́су и т. п.*); 6) *разг.* смуща́ть, волнова́ть, пуга́ть; to get ~d теря́ть споко́йствие, не́рвничать.

**rattle-box** ['rætlbɔks] *n* 1) де́тская погрему́шка; 2) *бот.* погремо́к; 3) *разг.* болту́н, трещо́тка, пустоме́ля.

**rattlebrained** ['rætlbreɪnd] *a* пустоголо́вый и крикли́вый.

**rattleheaded** ['rætl'hedɪd] = rattlebrained.

**rattler** ['rætlə] *n* 1) *разг.* что-л. грохо́чущее: ста́рый, громо́здкий экипа́ж; по́езд; 2) болту́н, трещо́тка; 3) *амер. разг.* грему́чая змея́; 4) необыча́йное происше́ствие, сенса́ция; 5) сокруши́тельный уда́р; 6) победи́тель (*на ска́чках*); великоле́пная ло́шадь; 7) *горн.* ке́ннельский га́зовый у́голь; 8) *тех.* бараба́н для очи́стки отли́вок.

**rattlesnake** ['rætlsneɪk] *n* грему́чая змея́.

**rattletrap** ['rætltræp] 1. *n* 1) расша́танный, ве́тхий экипа́ж; 2) = rattle-box 3); 3) *sl.* рот; 4) *pl* безделу́шки;

2. *a* расша́танный, дребезжа́щий, ве́тхий.

**rattling** ['rætlɪŋ] 1. *pres. p. от* rattle 2;

2. *a* 1) грохо́чущий, шу́мный; 2) си́льный (*о ве́тре*); бы́стрый, энерги́чный (*о похо́дке, движе́ниях*); 3) *разг.* замеча́тельный; we had a ~ time мы великоле́пно провели́ вре́мя.

**rat-trap** ['rættræp] *n* 1) крысоло́вка; 2) велосипе́дная педа́ль с зубца́ми; 3) *sl.* рот, пасть.

**ratty** ['rætɪ] *a* 1) крыси́ный; 2) киша́щий кры́сами; 3) *sl.* жа́лкий, мизе́рный; 4) *sl.* серди́тый, раздражи́тельный.

**raucous** ['rɔːkəs] *a* хри́плый.

**raupo** ['rɑːupou] *n бот.* рого́з узколи́стный.

**ravage** ['rævɪdʒ] 1. *n* 1) опустоше́ние, уничтоже́ние; ~ of weeds уничтоже́ние сорняко́в; 2) (*обыкн. pl*) разруши́тельное де́йствие;

2. *v* опустоша́ть, разоря́ть.

**rave** [reɪv] 1. *v* 1) бре́дить, говори́ть бессвя́зно; 2) нейстовствовать (about, of, against); to ~ against one's fate проклина́ть судьбу́; to ~ oneself hoarse договори́ться до хрипоты́; 3) говори́ть восто́рженно, с энтузиа́змом (about); 4) нейстовствовать, реве́ть, выть, бушева́ть (*о мо́ре, ве́тре*);

2. *n* рёв, шум (*ве́тра, мо́ря*).

**ravel** ['rævəl] 1. *n* 1) пу́таница; 2) обры́вок ни́тки;

2. *v* 1) запу́тывать(ся); усложня́ть (*вопро́с и т. п.*); 2) разрыва́ть, распу́тывать (*обыкн.* ~ out); 3) протира́ться (*о тка́ни*); ☐ ~ out а) разделя́ть на воло́кна; to ~ all this matter out распу́тать всё э́то де́ло; б) распо́лзаться по швам.

**ravelin** ['rævlɪn] *n воен.* равели́н.

**raven** I ['reɪvn] 1. *n* во́рон;

2. *a* чёрный с блестящим отливом; цвета воронова крыла.

**raven** II ['rævn] *v* 1) грабить; искать добычу (after); набрасываться (*на что-л.*); 2) пожирать; 3) есть с жадностью; иметь волчий аппетит (for).

**ravenous** ['rævinəs] *a* 1) грабительский; 2) хищный; жадный; 3) прожорливый; ~ appetite волчий аппетит.

**ravin** ['rævin] *n уст., поэт.* 1) добыча; 2) грабёж.

**ravine** [rə'viːn] *n* ущелье; овраг, лощина; дефиле.

**raving** ['reiviŋ] 1. *pres. p. от* rave 1; 2. *n* 1) бред; 2) нейстовство; рёв (*бури*); 3. *a* бредовой; ~ madness буйное сумасшествие.

**ravish** ['ræviʃ] *v* 1) похищать; 2) (из-) насиловать; 3) приводить в восторг, восхищать.

**ravishing** ['ræviʃiŋ] 1. *pres. p. от* ravish; 2. *a* восхитительный.

**ravishment** ['ræviʃmənt] *n* 1) изнасилование; 2) похищение (*обыкн.* женщины); 3) восторг, восхищение.

**raw** [rɔː] 1. *a* 1) сырой, недоваренный; непропечённый, недожаренный; 2) необработанный; необогащённый (*о руде*); ~ material (*или* stuff) сырьё; ~ brick необожжённый кирпич; ~ hide а) недублёная, сыромятная кожа; б) кнут из сыромятной кожи; ~ ore необогащённая руда; ~ spirit неразбавленный спирт; he drank it ~ он выпил (*спирт, виски и т. п.*), не добавляя воды; ~ sugar нерафинированный сахар; ~ silk шёлк-сырец; 3) необученный; неопытный; 4) ободранный, лишённый кожи, кровоточащий; чувствительный (*о ране, коже*); 5) сырой, холодный (*о ветре, погоде*); 6) *амер. sl.* нечестный; а ~ deal нечестная сделка; ◇ to pull a ~ *амер. sl.* рассказать неприличный анекдот; ~ head and bloody bones изображение черепа с двумя скрещёнными костями; что-л. страшное (*особ. для детей*); 2. *n* 1) что-л. необработанное, сырое; 2) ссадина; больное место; to touch smb. on the ~ задеть кого-л. за живое; 3. *v* сдирать кожу.

**raw-boned** ['rɔː'bound] *a* очень худой, костлявый.

**rawhide** ['rɔːhaid] 1. *n* = raw hide [*см.* raw 1, 2)];
2. *a* сделанный из сыромятной кожи.

**rawness** ['rɔːnis] *n* 1) необработанность; 2) неопытность; 3) ссадина; больное место; 4) промозглая сырость.

**rax** [ræks] *v шотл.* 1) растягивать(ся), протягивать(ся); потягиваться (*после сна*); 2) *refl.* напрягаться.

**ray** I [rei] 1. *n* 1) луч; 2) проблеск; not a ~ of hope ни малейшей надежды; 3) *зоол.* луч (*в плавниках рыбы*); 4) *редк.* радиус;
2. *v* 1) излучать(ся); 2) расходиться лучами; 3) подвергать действию лучей, облучать.

**ray** II [rei] *n* скат (*рыба*).

**Rayah** ['raiɑ] *n* турецкий подданный немагометанин.

**rayon** ['reiɔn] *n* искусственный шёлк, вискоза.

**raze** [reiz] *v* 1) разрушать до основания; сносить; to ~ a town to the ground стереть город с лица земли; 2) *редк.* соскребать; 3) изглаживать; стирать, вычёркивать (*обыкн. перен.*); 4) скользить по поверхности, слегка касаться, задевать.

**razee** [rei'ziː] *ист.* 1. *n* корабль со срезанной верхней палубой;
2. *v* 1) срезать верхнюю палубу (*корабля*); 2) *перен.* сокращать.

**razor** ['reizə] 1. *n* бритва;
2. *v редк.* брить, пользоваться бритвой.

**razor-back** ['reizəbæk] *n* 1) острый хребет; 2) полосатик (*вид кита*).

**razor-bill** ['reizəbil] *n зоол.* гагарка.

**razor-edge** ['reizər'edʒ] *n* 1) острие бритвы, ножа; острый край (*чего-л.*); 2) острый горный кряж; 3) резкая грань; to keep on the ~ of smth. не переходить грани чего-л.; 4) опасное положение; to be on a ~ (*или* razor's edge) быть в опасности, на краю гибели.

**razor-strop** ['reizəstrɔp] *n* ремень для правки бритв.

**razz** [ræz] *амер. sl.* 1. *v* дразнить; подшучивать; высмеивать, насмехаться;
2. *n*: to get the ~ for fair быть высмеянным.

**razzia** ['ræziə] *араб. n* 1) набег; 2) полицейская облава.

**razzle-dazzle** ['ræzl,dæzl] *n sl.* 1) суетня, суматоха; 2) кутёж; to go on the ~ кутить; 3) карусель.

**re** I [riː] *n муз.* ре.

**re** II [riː] *prep юр., ком.* относительно, по, ссылаясь на (*тж.* in re); *разг.* касательно; re your letter of the 2nd instant... касательно вашего письма от второго сего месяца...

**re-** ['riː-] *pref* снова, заново, ещё раз, обратно; re-collect снова собирать; re-form заново формировать; re-import ввозить обратно; re-read перечитывать; renew возобновлять.

**reach** I [riːtʃ] 1. *n* 1) протягивание (*руки и т. п.*); to make a ~ for smth. протянуть руку, потянуться за чем-л.; 2) предел досягаемости, досягаемость; within easy ~ of the railway неподалёку от железной дороги; within ~ of one's hand под рукой; out of ~ of the guns вне досягаемости огня орудий; 3) область влияния, охват; кругозор; сфера; such subtleties are beyond my ~ такие тонкости выше моего понимания; 4) протяжение, пространство; а ~ of woodland широкая полоса лесов; 5) плёс, колено реки; 6) бьеф; 7) *мор.* галс; 8) радиус действия;
2. *v* 1) протягивать, вытягивать (*часто* ~ out); to ~ one's hand across the table протянуть руку через стол; 2) доставать; брать; 3) передавать, подавать; ~ me the mustard, please передайте мне, пожалуйста, горчицу; 4) достигать, доходить; he is so tall he ~es the ceiling он так высок, что достаёт до потолка; to ~ old age дожить до старости; as far as the eye can ~ наскаль-

ко мо́жет охвати́ть взор; the memory ~es back over many years в па́мяти сохраня́ется далёкое про́шлое; your letter ~ed me yesterday ва́ше письмо́ дошло́ (то́лько) вчера́; 5) заста́ть, насти́гнуть; 6) доезжа́ть до; the train ~es Oxford at six по́езд прихо́дит в О́ксфорд в 6 часо́в; 7) простира́ться; 8) составля́ть (су́мму); 9) тро́гать; ока́зывать влия́ние; 10) связа́ться (с кем-л., напр., по телефо́ну); устана́вливать конта́кт; сноси́ться, сообща́ться (с кем-л.); □ ~ after тяну́ться за чем-л.; перен. стреми́ться к чему-л.; ~ for протя́гивать ру́ку за чем-л., доставать что-л. (с по́лки, со шка́фа).

**reach** II [riːtʃ] = retch 2.

**reachless** ['riːtʃlɪs] a недостижи́мый.

**reach-me-down** ['riːtʃmɪ'daun] разг. 1. n гото́вое пла́тье;
2. a гото́вый (о пла́тье).

**react** [rɪ'ækt] v 1) реаги́ровать; 2) взаимоде́йствовать (on, upon); 3) хим. вызыва́ть реа́кцию; 4) противоде́йствовать; ока́зывать сопротивле́ние; стреми́ться в обра́тном направле́нии или наза́д (against); 5) воен. производи́ть контрата́ку.

**reactance** [rɪ'æktəns] n эл. реакти́вное сопротивле́ние.

**reaction** I [rɪ'ækʃən] n 1) реа́кция; chain ~ цепна́я реа́кция; what was his ~ to this news? как он реаги́ровал на э́то?; to suffer a ~ си́льно реаги́ровать; 2) обра́тное де́йствие; реакти́вное де́йствие; ~ propelled с реакти́вным дви́гателем, реакти́вный; 3) взаимоде́йствие; 4) противоде́йствие; action and ~ де́йствие и противоде́йствие; 5) ра́дио де́йствие обра́тной свя́зи; 6) воен. контруда́р; 7) attr. реакти́вный.

**reaction** II [rɪ'ækʃən] n полит. реа́кция.

**reactionary** I [rɪ'ækʃnərɪ] a противоде́йствующий, даю́щий обра́тную реа́кцию.

**reactionary** II [rɪ'ækʃnərɪ] полит. 1. n реакционе́р;
2. a реакцио́нный.

**reactionist** [rɪ'ækʃənɪst] = reactionary II, 1.

**reactive** [rɪ'æktɪv] a 1) реаги́рующий; 2) противоде́йствующий, возвра́тный; 3) эл. реакти́вный.

**reactivity** [ˌriːæk'tɪvɪtɪ] n реакти́вность.

**reactor** [rɪ'æktə] n 1) реа́ктор, а́томный котёл; 2) эл. стабилиза́тор.

**read** I [riːd] 1. v (read) 1) чита́ть; to ~ aloud, to ~ out (loud) чита́ть вслух; to ~ smb. to sleep усыпля́ть кого́-л. чте́нием; to ~ oneself hoarse (stupid) дочита́ться до хрипоты́ (одуре́ния); to ~ to oneself чита́ть про себя́; to ~ a piece of music муз. разобра́ть пье́су; the bill was read парл. законопрое́кт был предста́влен на обсужде́ние; 2) толкова́ть; объясня́ть; my silence is not to be read as consent моё молча́ние не сле́дует принима́ть за согла́сие; it is intended to be read... э́то на́до понима́ть в том смы́сле, что...; to ~ one's thoughts into a poet's words вкла́дывать со́бственный смысл в слова́ поэ́та; to ~ a riddle разга́дать зага́дку; to ~ the cards гада́ть на ка́ртах; 3) гласи́ть; the passage quoted ~s as follows цита́та гласи́т сле́дующее; 4) пока́зывать

(о прибо́ре и т. п.); the thermometer ~s three degrees above freezing-point термо́метр пока́зывает три гра́дуса вы́ше нуля́; 5) снима́ть показа́ния (прибо́ра и т. п.); to ~ the electric meter снима́ть показа́ния электри́ческого счётчика; to ~ smb.'s blood pressure измеря́ть кровяно́е давле́ние; 6) изуча́ть; he is ~ing law он изуча́ет пра́во; to ~ for the bar гото́виться к адвокату́ре; □ ~ off разг. объясня́ть, выража́ть; his face doesn't ~ off его́ лицо́ ничего́ не выража́ет; ~ up специа́льно изуча́ть; to ~ up for examinations гото́виться к экза́менам; ~ with занима́ться с кем-л.; ◇ to ~ smb. a lesson сде́лать вы́говор, внуше́ние кому́-л.;
2. n чте́ние; вре́мя, проведённое в чте́нии.

**read** II [red] 1. past и p.p. от read I, 1;
2. a (в сочета́ниях) начи́танный, све́дущий, зна́ющий, образо́ванный; he is poorly ~ in history он сла́бо зна́ет исто́рию.

**readability** [ˌriːdə'bɪlɪtɪ] n 1) удобочита́емость; 2) чита́бельность.

**readable** ['riːdəbl] a 1) чёткий; a ~ handwriting разбо́рчивый по́черк; 2) хорошо́ напи́санный, интере́сный.

**reader** ['riːdə] n 1) чита́тель; люби́тель книг; he is not much of a ~ он не осо́бенно лю́бит чте́ние; 2) чтец; 3) рецензе́нт; 4) корре́ктор; 5) ле́ктор; 6) хрестома́тия; 7) sl. записна́я кни́жка.

**readership** ['riːdəʃɪp] n 1) до́лжность ле́ктора; 2) собир. чита́тели.

**readily** ['redɪlɪ] adv 1) охо́тно, бы́стро, ве́село, с гото́вностью; 2) легко́, без труда́; the facts may ~ be ascertained фа́кты мо́жно легко́ установи́ть.

**readiness** ['redɪnɪs] n 1) гото́вность, охо́та; 2) подгото́вленность; all is in ~ всё гото́во; 3) нахо́дчивость, быстрота́, жи́вость; 4) согла́сие.

**reading** ['riːdɪŋ] 1. pres. p. от read I, 1;
2. n 1) чте́ние; close ~ внима́тельное чте́ние; 2) начи́танность, зна́ния; a man of wide ~ челове́к, начи́танный в ра́зных областя́х; 3) публи́чное чте́ние; ле́кция; penny ~ ле́кция с пла́той за вход в 1 пе́нни; 4) вариа́нт те́кста, разночте́ние; 5) показа́ние, отсчёт показа́ний измери́тельного прибо́ра; 6) толкова́ние, понима́ние (чего́-л.); what is your ~ of the facts? как вы понима́ете, толку́ете э́ти фа́кты?; 7) чте́ние (законопрое́кта) в парла́менте; first, second, third ~ пе́рвое, второ́е, тре́тье чте́ние.

**reading-desk** ['riːdɪŋdesk] n пюпи́тр.

**reading-glass** ['riːdɪŋglɑːs] n большо́е увеличи́тельное стекло́.

**reading-lamp** ['riːdɪŋlæmp] n насто́льная ла́мпа.

**reading-room** ['riːdɪŋrum] n 1) чита́льный зал, чита́льня; 2) корре́кторская.

**readjust** ['riːə'dʒʌst] v 1) переде́лывать, исправля́ть (за́ново), изменя́ть; сно́ва приводи́ть в поря́док; 2) (за́ново) приспоса́бливать, пригоня́ть, прила́живать; 3) подрегули́ровать.

**readjustee** ['riːədʒʌs'tiː] n амер. разг. челове́к, верну́вшийся по́сле до́лгого пребыва́ния в а́рмии и приспосо́бившийся вновь к гражда́нской жи́зни.

**readjustment** [ˈriːəˈdʒʌstmənt] *n* 1) переделка, исправление; 2) приспособление; регулировка; 3) реорганизация; перегруппировка.

**ready** [ˈredɪ] 1. *a* 1) готовый, приготовленный; to get (*или* to make) ~ приготовлять; 2) согласный, готовый (*на что-л.*); податливый, склонный; he gave a ~ assent он охотно согласился; he is ~ to go anywhere он готов пойти куда угодно; 3) лёгкий, быстрый; проворный; to have a ~ answer for any question иметь на всё готовый ответ; ≅ не лезть за словом в карман; to have a ~ wit быть находчивым; he is too ~ to suspect он страдает излишней подозрительностью; ~ solubility in water быстрая растворимость в воде; 4): ~ at hand, ~ to hand(s) находящийся под рукой; тут же, под рукой;
2. *n* (the ~) 1) *sl.* наличные (деньги); 2) *воен.* положение винтовки наготове;
3. *v sl.* 1): to ~ a horse тренировать лошадь; 2) платить быстро, платить наличными, звонкой монетой; 3) подкупать.

**ready-for-service** [ˈredɪfəˈsəːvɪs] *амер.* = ready-made.

**ready-made** [ˈredɪˈmeɪd] *a* готовый; ~ clothes готовое платье; ~ shop магазин готового платья.

**ready money** [ˈredɪˈmʌnɪ] *n* наличные деньги.

**ready reckoner** [ˈredɪˈreknə] *n* (арифметические) таблицы (*готовых расчётов*).

**ready-to-cook** [ˈredɪtəˈkuk] *a* ~ food полуфабрикаты.

**ready-to-serve** [ˈredɪtəˈsəːv] *a:* ~ food кулинарные изделия.

**ready-to-wear** [ˈredɪtəˈwɛə] *амер.* = ready-made.

**ready-witted** [ˈredɪˈwɪtɪd] *a* сообразительный, находчивый.

**reaffirm** [ˈriːəˈfəːm] *v* вновь подтверждать.

**reagent** [riːˈeɪdʒənt] *n* *хим.* реактив; реагент.

**real** I [rɪəl] 1. *a* 1) действительный, настоящий, реальный, подлинный, истинный, неподдельный, несомненный; ~ state of affairs действительное положение вещей; the actor drank ~ wine on the stage актёр пил настоящее вино на сцене; 2) недвижимый (*об имуществе*); ~ property, ~ estate недвижимость; ◇ the ~ thing первоклассная вещь; the ~ Simon Pure не подделка, нечто настоящее;
2. *n* (the ~) действительность;
3. *adv* *амер. разг.* очень, действительно, совсем.

**real** II [reɪˈɑːl] *n* реал (*старая испанская монета*).

**realgar** [rɪˈælɡə] *n* *хим.* реальгар.

**realign** [ˈriːəˈlaɪn] *v* перестраивать.

**realignment** [ˈriːəˈlaɪnmənt] *n* перестройка.

**realism** [ˈrɪəlɪzm] *n* реализм.

**realist** [ˈrɪəlɪst] 1. *n* реалист;
2. *a* = realistic.

**realistic** [rɪəˈlɪstɪk] *a* реалистичный; реалистический.

**reality** [rɪˈælɪtɪ] *n* 1) действительность, реальность; нечто реальное; in ~ действительно, фактически, на самом деле; 2) истинность; подлинная сущность; 3) неподдельность; 4) реализм.

**realizable** [ˈrɪəlaɪzəbl] *a* 1) могущий быть реализованным; осуществимый; 2) поддающийся пониманию *или* осознанию.

**realization** [ˌrɪəlaɪˈzeɪʃən] *n* 1) осознание, понимание; to have a true ~ of one's danger ясно сознавать опасность; 2) осуществление; выполнение (*плана и т. п.*); 3) реализация.

**realize** [ˈrɪəlaɪz] *v* 1) представлять себе; понимать (ясно, в деталях); 2) осуществлять; выполнять (*план, намерение*); 3) реализовать; 4) приносить доход (*об имуществе*); 5) получать прибыль; накапливать (*состояние*).

**really** [ˈrɪəlɪ] *adv* действительно, в самом деле, право; ~ and truly да право же; ~? вы так думаете? это так?

**realm** [relm] *n* 1) королевство, государство; *перен.* царство; 2) область, сфера; the ~s of fancy область фантазии, воображения.

**realtor** [ˈrɪəltə] *n* *амер.* агент по продаже недвижимости.

**realty** [ˈrɪəltɪ] *n* недвижимое имущество.

**ream** I [riːm] *n* 1) стопа (*бумаги*); 2) *pl* большое количество бумаги; ~s of verses *пренебр.* куча стихов.

**ream** II [riːm] *v* 1) *тех.* рассверливать, развёртывать; 2) *горн.* расширять скважину.

**reamer** [ˈriːmə] *n* 1) *тех.* развёртка, зенковка; 2) *горн.* инструмент для расширения скважин.

**reanimate** [rɪˈænɪmeɪt] *v* оживить, вернуть к жизни; вдохнуть новую жизнь, воодушевить.

**reap** [riːp] *v* 1) жать, снимать урожай; 2) пожинать плоды; to ~ as one has sown ≅ что посеешь, то и пожнёшь; to ~ where one has not sown пожинать плоды чужого труда.

**reaper** [ˈriːpə] *n* 1) жнец; жница; 2) жатвенная машина, жатка.

**reaping-hook** [ˈriːpɪŋˌhuk] *n* серп.

**reaping-machine** [ˈriːpɪŋməˌʃiːn] *n* жатвенная машина, жатка.

**reappear** [ˈriːəˈpɪə] *v* снова появляться, показываться.

**rear** I [rɪə] *v* 1) поднимать (*голову, руку*); возвышать (*голос*); возносить; 2) воздвигать; сооружать; 3) воспитывать; выводить, культивировать, выращивать; 4) становиться на дыбы (*обыкн.* up).

**rear** II [rɪə] *n* 1) тыл; to bring up the ~, to follow in the ~ замыкать шествие; to take in the ~ нападать с тыла; 2) задняя сторона; at the ~ of the house позади дома; 3) спина(?); 4) огузок; 5) *разг.* уборная; 6) *attr.* задний, расположенный сзади; тыльный; *воен.* тыловой; ~ arch задняя лука седла; ~ sight *воен.* прицел; ~ party *воен.* тыльная застава.

**rear-admiral** [ˈrɪəˈædmərəl] *n* контр-адмирал.

**rearer** ['rɪərə] *n* 1) *с.-х.* культива́тор; 2) инкуба́тор; 3) задо́к (*телеги*); 4) норо́вистая ло́шадь.

**rearguard** ['rɪəgɑːd] *n* арьерга́рд; ~ action арьерга́рдный бой.

**rearm** ['riː'ɑːm] *v* перевооружа́ть(ся).

**rearmament** ['riː'ɑːməmənt] *n* перевооруже́ние.

**rearmost** ['rɪəmoust] *a* са́мый за́дний, после́дний; ты́льный.

**rearmouse** ['rɪəmaus] *n* летучая мышь.

**rear-view mirror** ['rɪəvjuː'mɪrə] *n авт.* зе́ркало за́дней обзо́рности.

**rearward** ['rɪəwəd] 1. *n* тыл; замыка́ющая часть; арьерга́рд;
2. *a* за́дний; тыловой;
3. *adv* = rearwards.

**rearwards** ['rɪəwədz] *adv* наза́д, в тыл, в сто́рону тыла.

**reason** ['riːzn] 1. *n* 1) ра́зум, рассу́док; благоразу́мие; to bring to ~ образу́мить; to hear (*или* to listen to) ~ дать убеди́ть себя́; it stands to ~ я́сно, очеви́дно; to lose one's ~ сойти́ с ума́; bereft of ~ a) умалишённый; б) без созна́ния, без чувств; 2) причи́на, по́вод, основа́ние; соображе́ние, моти́в; до́вод, аргуме́нт; оправда́ние; by ~ of по причи́не; из-за; by ~ of its general sense по своему́ о́бщему смыслу; with ~, not without ~ не без основа́ния; he complains with ~ он име́ет все основа́ния жа́ловаться; to give ~s for smth. объясни́ть причи́ны чего́-л., сообщи́ть свои́ соображе́ния по по́воду чего́-л.;
2. *v* 1) рассужда́ть (about, of, upon— о чём-л.); 2) обсужда́ть; 3) убежда́ть, угова́ривать (into); to ~ out of smth. разубежда́ть в чём-л.; 4) резюми́ровать, заключа́ть; □ ~ out продумать до конца́.

**reasonable** ['riːznəbl] *a* 1) (благо)разу́мный; рассуди́тельный; уме́ренный; 2) прие́млемый, сно́сный; недорого́й (*о цене*); 3) облада́ющий ра́зумом.

**reasonably** ['riːznəblɪ] *adv* 1) разу́мно; 2) уме́ренно; 3) прие́млемо, сно́сно.

**reasoning** ['riːznɪŋ] 1. *pres. p. om* reason 2; 2. *n* 1) рассужде́ние; 2) объясне́ния; аргумента́ция; the pupils understood the teacher's ~ ученики́ по́няли объясне́ния учи́теля;
3. *a* мы́слящий, спосо́бный рассужда́ть.

**reassert** ['riːə'səːt] *v* подтвержда́ть, вновь заявля́ть; заверя́ть.

**reassurance** [ˌriːə'ʃuərəns] *n* 1) увере́ние, завере́ние; успока́ивание; увеща́ние; 2) восстано́вленное дове́рие; 3) вновь обретённая уве́ренность, сме́лость.

**reassure** [ˌriːə'ʃuə] *v* заверя́ть, уверя́ть, убежда́ть; успока́ивать; увещева́ть.

**Réaumur** ['reɪəmjuə] *n* термо́метр Реомю́ра; температу́рная шкала́ Реомю́ра.

**reave** [riːv] *v* (reft) *уст., поэт.* 1) похища́ть (*обыкн.* ~ away, from); отнима́ть; 2) = reive.

**reaver** ['riːvə] = reiver.

**rebate** 1. *n* ['riːbeɪt] 1) скидка, уступка; 2) *тех.* шпунт, фальц, усту́п;
2. *v* [rɪ'beɪt] *уст.* 1) уменьша́ть, сбавля́ть, сокраща́ть (*силу, энергию*); 2) де-

лать скидку, уступку; 3) притупля́ть, тупи́ть; 4) *тех.* де́лать шпунт *или* фальц.

**rebec(k)** ['riːbek] *n* стари́нная трёхстру́нная скри́пка.

**rebel** 1. *n* ['rebl] 1) повста́нец; 2) бунто́вщи́к; мяте́жник; 3) *амер. sl.* жи́тель южных шта́тов; 4) *attr.* мяте́жный; бунта́рский; повста́нческий;
2. *v* [rɪ'bel] 1) восстава́ть (against); 2) протестова́ть, противоде́йствовать; ока́зывать сопротивле́ние; 3) *разг.* возмуща́ться (against—чем-л.).

**rebellion** [rɪ'beljən] *n* 1) восста́ние; бунт; the Great R. гражда́нская война́ в А́нглии (*1642—60 гг.*); 2) сопротивле́ние; 3) возмуще́ние.

**rebellious** [rɪ'beljəs] *a*·1) мяте́жный; повста́нческий, бунту́ющий; бунта́рский; 2) недисциплини́рованный; непослу́шный; упо́рный; не поддаю́щийся лече́нию (*о боле́зни*).

**rebellow** ['riː'belou] *v поэт.* отдава́ться гро́мким э́хом.

**rebound** [rɪ'baund] 1. *n* 1) отско́к, отда́ча, рикоше́т; to hit on the ~ бить *или* ударя́ть рикоше́том; 2) реа́кция, пода́вленность после возбужде́ния; to take smb. on (*или* at) the ~ оказа́ть давле́ние на кого́-либо, воспо́льзовавшись его́ сла́бостью;
2. *v* 1) отска́кивать, рикошети́ровать; 2) отпря́нуть, отступи́ть; 3) нака́тываться (*об арт. орудиях*); 4) име́ть обра́тное де́йствие.

**rebuff** [rɪ'bʌf] 1. *n* 1) отпо́р, ре́зкий отка́з; 2) неожи́данная неуда́ча;
2. *v* 1) дава́ть отпо́р; 2) отка́зывать на́отрез; 3) *воен.* отража́ть ата́ку.

**rebuild** ['riː'bɪld] *v* (rebuilt) отстро́ить за́ново, восстанови́ть.

**rebuilt** ['riː'bɪlt] *past u p. p. om* rebuild.

**rebuke** [rɪ'bjuːk] 1. *n* 1) упрёк; without ~ безупре́чный; 2) вы́говор;
2. *v* 1) упрека́ть; 2) де́лать вы́говор.

**rebus** ['riːbəs] *n* ре́бус.

**rebut** [rɪ'bʌt] *v* 1) дава́ть отпо́р; отража́ть; 2) опроверга́ть (*обвинение и т. п.*).

**rebutment** [rɪ'bʌtmənt] *n* опроверже́ние (*обвинения и т. п.*).

**rebutter** [rɪ'bʌtə] *n юр.* возраже́ние истца́ на заявле́ние отве́тчика.

**recalcitrance, -cy** [rɪ'kælsɪtrəns, -sɪ] *n* непоко́рность; упо́рство.

**recalcitrant** [rɪ'kælsɪtrənt] 1. *a* непоко́рный; упо́рный; упо́рствующий в неподчине́нии (*чему-л.*);
2. *n* непоко́рный челове́к.

**recalcitrate** [rɪ'kælsɪtreɪt] *v* упо́рствовать; сопротивля́ться.

**recalescence** [ˌriːkə'lesəns] *n метал.* рекалесце́нция.

**recall** [rɪ'kɔːl] 1. *n* 1) призы́в верну́ться; 2) отозва́ние (*депутата, посланника и т. п.*); letters of ~ отзывны́е гра́моты; 3) *воен.* сигна́л к возвраще́нию; отбо́й; 4) *театр.* вы́зов исполни́теля на бис; ◇ beyond ~, past ~ a) непоправи́мый; б) забы́тый;
2. *v* 1) призыва́ть обра́тно; 2) отзыва́ть (*депутата, должностное лицо*); 3) выво-

**дить** (*из задумчивости*); 4) вспоминать (*сказанное*); напоминать, воскрешать (*в памяти*); 5) отменять (*приказ и т. п.*); 6) **брать обратно** (*подарок*; *свои слова*); 7) *воен.* призывать (*запасных*).

**recant** [rɪ'kænt] *v* отрекаться; отказываться от своего мнения (*особ. публично*).

**recantation** [ˌriːkæn'teɪʃən] *n* отречение.

**recap** ['riː'kæp] *v авт.* возобновить протектор, наложить новый протектор (на покрышку).

**recapitulate** [ˌriːkə'pɪtjuleɪt] *v* 1) повторять, перечислять; 2) резюмировать, суммировать; конспектировать.

**recapitulation** ['riːkəˌpɪtju'leɪʃən] *n* краткое повторение; суммирование; вывод, резюме.

**recapitulative** [ˌriːkə'pɪtjulətɪv] *a* повторительный; конспективный; суммирующий.

**recapitulatory** [ˌriːkə'pɪtjuleɪtəɪ] = recapitulative.

**recaption** ['riː'kæpʃən] *n юр.* возвращение мирным путём товаров *и т. п.*, несправедливо захваченных другим лицом.

**recapture** ['riː'kæptʃə] 1. *n* 1) взятие обратно; 2) то, что взято обратно; 2. *v* брать обратно.

**recast** ['riː'kɑːst] 1. *n* 1) придание (*чему-либо*) новой, исправленной формы; 2) переделка; 2. *v* (recast) 1) придавать новую форму (*чему-л.*), исправлять; to ~ a book переделать книгу; to ~ a play заново поставить пьесу, поставить пьесу с новым составом исполнителей; 2) пересчитывать; 3) *тех.* отлить заново.

**re-cede** ['riː'siːd] *v* возвращать захваченное.

**recede** [riː'siːd] *v* 1) отступать, удаляться; ретироваться; to ~ into the background а) отойти на задний план; б) терять значение, интерес; 2) отказываться (*от договорённости, от мнения*); 3) падать в цене.

**receipt** [rɪ'siːt] 1. *n* 1) расписка в получении; квитанция; 2) получение; on ~ по получении; 3) (*обыкн. pl*) приход; ~s and expenses приход и расход; 4) рецепт (*особ.* кулинарный); 5) средство для достижения какой-л. цели; 6) средство для излечения; 2. *v* дать расписку в получении; to ~ a bill расписаться на счёте.

**receipt-book** [rɪ'siːtbuk] *n* квитанционная книжка.

**receivable** [rɪ'siːvəbl] *a* могущий быть полученным; годный к приёмке.

**receive** [rɪ'siːv] *v* 1) получать; 2) принимать; to ~ stolen goods укрывать краденое; 3) воспринимать; 4) вмещать; 5) признавать правильным, принимать; 6) принимать (*гостей*).

**received** [rɪ'siːvd] 1. *p. p. от* receive; 2. *a* общепринятый, общепризнанный, считающийся правильным, истинным.

**receiver** [rɪ'siːvə] *n* 1) получатель; 2) *юр.* судебный исполнитель; 3) укрыватель краденого; 4) телефонная трубка; 5) радиоприёмник; 6) *тех.* приёмник; резервуар; ресивер; 7) ствольная коробка (*винтовки*).

**receiving-order** [rɪ'siːvɪŋˌɔːdə] *n* исполнительный лист.

**recency** ['riːsnsɪ] *n* новизна, свежесть.

**recension** [rɪ'senʃən] *n* 1) просмотр и исправление текста; 2) просмотренный и исправленный текст.

**recent** ['riːsnt] *a* недавний, последний; новый, свежий, современный.

**recently** ['riːsntlɪ] *adv* недавно; на днях.

**receptacle** [rɪ'septəkl] *n* 1) вместилище; приёмник; хранилище; 2) коробка, ящик; мешок; сосуд; 3) штепсельная розетка, патрон; 4) *бот.* цветоложе.

**reception** [rɪ'sepʃən] *n* 1) получение; 2) приём (*тж. в члены*); принятие; warm ~ горячий приём; *ирон.* сильное сопротивление; the play met with a cold ~ пьеса была холодно принята; 3) приём (*гостей*); вечеринка, встреча; 4) восприятие; 5) *радио, тел.* приём.

**receptionist** [rɪ'sepʃənɪst] *n* секретарь в приёмной (*у врача, фотографа и т. п.*).

**reception-room** [rɪ'sepʃənrum] *n* гостиная, приёмная.

**receptive** [rɪ'septɪv] *a* 1) восприимчивый; 2) рецептивный.

**receptivity** [ˌrisep'tɪvɪtɪ] *n* 1) восприимчивость; 2) *тех.* поглощательная способность; ёмкость.

**recess** [rɪ'ses] 1. *n* 1) перерыв в занятиях (*особ. парламента*); 2) *амер.* каникулы (*в школе, университете*); 3) *амер.* (большая) перемена в школе; 4) уединённое место; глухое место; укромный уголок; in the secret ~es of the heart в тайниках, в глубине души; 5) углубление; ниша, альков; in the ~ в глубине; 6) маленькая бухта; 7) *анат., бот.* углубление; ямка; 8) *тех.* шейка, прорезь, выемка; выточка; 2. *v* 1) делать углубление; 2) помещать в укромном месте; 3) отодвигать назад; 4) делать перерыв в занятиях; 5) *тех.* делать выемку, углублять.

**recession** [rɪ'seʃən] *n* 1) удаление, уход; 2) отступление (*моря, ледника*); 3) углубление; 4) *амер.* спад, снижение цены.

**recessional** [rɪ'seʃənl] *a* каникулярный.

**recessive** [rɪ'sesɪv] *a* удаляющийся, отступающий.

**réchauffé** [ˌrɪ, ʃou'feɪ] *фр. n* 1) разогретое кушанье; 2) что-л., переделанное из старого; переработка своего *или* чужого литературного произведения.

**recherché** [rə'ʃeəʃeɪ] *фр. a* отборный; изысканный (*о вкусе, о блюдах и т. п.*).

**recidivism** [rɪ'sɪdɪvɪzəm] *n* рецидивизм.

**recidivist** [rɪ'sɪdɪvɪst] *n* рецидивист.

**recipe** ['resɪpɪ] *n* 1) рецепт (*тж. кулинарный*); 2) средство; способ (*достигнуть чего-л.*).

**recipience, -cy** [rɪ'sɪpɪəns, -sɪ] *n* 1) получение; 2) восприимчивость.

**recipient** [rɪ'sɪpɪənt] 1. *n* 1) получатель; 2) приёмник; 2. *a* 1) получающий; 2) восприимчивый.

**reciprocal** [rɪ'sɪprəkəl] 1. *a* 1) взаимный, обоюдный; ответный; 2) эквивалентный; соответственный; 3) *юр.* взаимно обязыιaоций; 4) *грам.* взаимный (*о местоимениях*); 5) *мат.* обратный;

2. *n мат.* обратная величина.

**reciprocate** [rɪ'sɪprəkeɪt] *v* 1) двигать(ся) взад и вперёд; иметь возвратно-поступательное движение; 2) отплачивать; to ~ smb.'s feeling отвечать взаимностью (на чьё-л. чувство); to every attack he ~d with a blow на каждое нападение он отвечал ударом; 3) обмениваться (*услугами, любезностями*).

**reciprocating engine** [rɪ'sɪprəkeɪtɪŋ'endʒɪn] *n* поршневая машина; машина с возвратно-поступательным движением.

**reciprocation** [rɪ,sɪprə'keɪʃən] *n* 1) возвратно-поступательное движение; 2) ответное действие; 3) взаимный обмен (*услугами, любезностями*).

**reciprocity** [,resɪ'prɔsɪtɪ] *n* 1) взаимность; 2) взаимодействие; 3) взаимный обмен (*услугами и т. п.*); 4) *attr.*: ~ principle принцип обратимости.

**recital** [rɪ'saɪtl] *n* 1) изложение, повествование; 2) подробное перечисление фактов; 3) рассказ, описание; 4) концерт одного артиста; концерт, посвящённый одному композитору.

**recitation** [,resɪ'teɪʃən] *n* 1) декламация; публичное чтение; 2) проработка материала на семинаре; опрос учеников; 3) *attr.*: ~ room аудитория.

**recitative** [,resɪtə'tiːv] *n* речитатив.

**recite** [rɪ'saɪt] *v* 1) декламировать; повторять по памяти; 2) рассказывать, излагать; 3) перечислять факты; 4) отвечать урок.

**reciter** [rɪ'saɪtə] *n* 1) декламатор; чтец; 2) хрестоматия для декламации.

**reck** [rek] *v поэт., уст. (тк. в отриц. и вопр. предложениях)* обращать внимание (*на что-л.*), принимать во внимание (*of — что-л.*); he ~ed not of the danger он и не думал об опасности; it ~s him not what others think ему безразлично, что другие думают; what ~s him that..? какое ему дело, что..?

**reckless** ['reklɪs] *a* 1) безрассудный, опрометчивый; 2) отважный; 3) пренебрегающий правилами (*езды и т. п.*).

**reckling** ['reklɪŋ] *диал.* 1. *n* 1) слабый, маленький, нуждающийся в уходе детёныш; 2) младший ребёнок в семье; 3) безрассудный человек;

2. *a* слабый, чахлый.

**reckon** ['rekən] *v* 1) считать; подсчитывать, исчислять; подводить итог (*обыкн.* ~ up); насчитывать; 2) рассматривать, считать за; думать, предполагать, придерживаться мнения; to be ~ed a clever person считаться умным человеком; 3) полагаться, рассчитывать (upon); 4) рассчитываться, расплачиваться, сводить счёты (with — с *кем-л.*); 5) принимать во внимание (with); he is to be ~ed with с ним надо считаться; □ ~ among, ~ in причислять к; ~ up подсчитывать; ◇ ~ without one's host недооценивать трудности; просчитаться.

**reckoner** ['reknə] *n* 1) человек, делающий подсчёты; 2) = ready reckoner.

**reckoning** ['rekənɪŋ] 1. *pres. p. от* reckon; 2. *n* 1) счёт, расчёт, вычисление; by my ~ по моему расчёту; to make no ~ of smth. не принимать в расчёт что-л.; не придавать значения чему-л.; to be good at ~ хорошо считать; to be out in one's ~ ошибиться в расчётах; 2) счёт, *особ.* счёт в гостинице; 3) расплата; 4) определение местонахождения *или* счисление пути (*в штурманском деле*).

**re-claim** ['riː'kleɪm] *v* требовать обратно.

**reclaim** [rɪ'kleɪm] 1. *v* 1) исправлять; восстанавливать; 2) приручать; смягчать; цивилизовать; 3) поднимать (*неудобные, заброшенные земли*); проводить мелиорацию; 4) регенерировать; 5) утилизировать, использовать;

2. *n*: it is beyond (*или* past) ~ это неисправимо.

**reclamation** [,reklə'meɪʃən] *n* 1) исправление; 2) подъём (*неудобных, заброшенных земель*); осушка, мелиорация (*земли*); 3) *ком.* рекламация, заявление претензий.

**réclame** [,reɪ'klɑːm] *фр. n* реклама.

**recline** [rɪ'klaɪn] *v* 1) облокачивать(ся); откидываться назад; опираться; to ~ against smth. полулежать, опираться на что-л.; сидеть, откинувшись на что-л.; 2) полагаться (on—на); 3) откидывать (*голову*).

**recluse** [rɪ'kluːs] 1. *n* 1) затворник; затворница; отшельник; отшельница;

2. *a* живущий в уединении; уединённый.

**recoal** ['riː'koul] *v* брать, грузить свежий запас угля.

**recognition** [,rekəg'nɪʃən] *n* 1) узнавание; опознание; 2) признание; одобрение; to win (to receive, to meet with) ~ from the public завоевать (получить) признание публики; 3) официальное признание (*независимости и суверенитета страны*).

**recognizable** ['rekəgnaɪzəbl] *a* могущий быть узнанным.

**recognizance** [rɪ'kɔgnɪzəns] *n* 1) признание; 2) обязательство (*данное суду*); 3) залог.

**recognize** ['rekəgnaɪz] *v* 1) узнавать; 2) признавать (*кем-л.*; as); 3) выражать признание, одобрение; 4) осознавать; to ~ one's duty понимать свой долг.

**recoil** [rɪ'kɔɪl] 1. *n* 1) отскок; отдача, откат; 2) ужас; отвращение (к *чему-л.*);

2. *v* 1) отскочить; отпрянуть, отшатнуться; 2) отдавать (*о ружье*); откатываться (*об орудии*); 3) испытывать ужас (*перед чем-л.*); чувствовать отвращение (from— к *чему-л.*); 4) *редк.* отступать.

**re-collect** ['riːkə'lekt] *v* 1) вновь собрать, объединить; 2) *refl.* прийти в себя, опомниться.

**recollect** [,rekə'lekt] *v* вспоминать, припоминать.

**recollection** [,rekə'lekʃən] *n* 1) воспоминание; память; within my ~ на моей памяти; outside my ~ не на моей памяти; 2) *pl* мемуары.

**recommend** [,rekə'mend] *v* 1) рекомендовать; советовать; 2) представлять (к *награде и т. п.*); 3) поручать (*чьему-л.*) попечению; 4) говорить в (*чью-л.*) пользу.

**recommendation** [ˌrekəmen'deiʃən] *n* 1) рекомендáция; совéт; 2) представлéние (*for—к нагрáде и т. п.*); 3) кáчества, говор́ящие в пóльзу (*кого-л.*).

**recommendatory** [ˌrekə'mendətərɪ] *a* рекомендáтельный.

**recommit** [ˌriːkə'mɪt] *v парл.* возвращáть законопроéкт в комúссию на вторúчное рассмотрéние.

**recommitment** [ˌriːkə'mɪtmənt]=recommittal.

**recommittal** [ˌriːkə'mɪtl] *n парл.* возвращéние законопроéкта на вторúчное рассмотрéние в комúссию.

**recompense** ['rekəmpens] **1.** *n* вознаграждéние; компенсáция; **2.** *v* вознаграждáть; компенсúровать; отплáчивать.

**reconcilability** [ˌrekənsailə'bɪlɪtɪ] *n* примирúмость; совместúмость.

**reconcilable** ['rekənsailəbl] *a* примирúмый; совместúмый.

**reconcile** ['rekənsail] *v* 1) примир́ять (with, to); to ~ oneself, to become (*или to be*) ~d to примир́яться с; 2) улáживать (*ссóру, спор*); 3) согласóвывать (*мнéния, заявлéния*).

**reconcilement** ['rekən‚sailmənt] *n* 1) примирéние; 2) улáживание; 3) согласовáние.

**reconciliation** [ˌrekənsilɪ'eiʃən] *n* примирéние.

**recondite** [rɪ'kɔndait] *a* 1) тёмный, нея́сный; трýдный для понимáния; 2) малопоня́тный (*о писáтеле*).

**recondition** [ˌriːkən'diʃən] *v* 1) ремонтúровать, переоборýдовать, приводúть в испрáвное состоя́ние (*особ. сýдно*); 2) передéлывать, перестрáивать; 3) восстанáвливать сúлы, здорóвье.

**reconnaissance** [rɪ'kɔnisəns] *n* 1) развéдка; рекогносцирóвка; 2) развéдывательная пáртия; 3) *attr.* развéдывательный.

**reconnoitre** [ˌrekə'nɔitə] *v* производúть, вестú развéдку, развéдывать.

**reconsider** ['riːkən'sidə] *v* пересмáтривать (зáново).

**reconstruct** ['riːkəns'trʌkt] *v* 1) перестрáивать, реконструúровать; 2) восстанáвливать (*по дáнным*), воссоздавáть.

**reconstruction** ['riːkəns'trʌkʃən] *n* 1) перестрóйка, реконстрýкция; реорганизáция; 2) восстановлéние, воссоздáние; 3) (R.) *амер.* реконстрýкция Юга пóсле граждáнской войны́; 4) что-л. перестрóенное; 5) *attr.*: ~ area мéстность, восстанáвливаемая пóсле войны́.

**reconversion** ['riːkən'vəːʃən] *n* возвращéние к услóвиям мúрного врéмени.

**record 1.** *n* ['rekɔːd] 1) зáпись; лéтопись; мемуáры, расскáз о собы́тиях; to bear ~ to свидéтельствовать, удостоверя́ть úстинность (*фáктов и т. п.*); a matter of ~ зарегистрúрованный факт; (up)on ~ запúсанный, зарегистрúрованный; 2) протокóл (*заседáния и т. п.*); to enter on the ~ вноси́ть в протокóл; 3) официáльный докумéнт, зáпись, отчёт; off the ~ *амер.* а) не подлежáщий оглашéнию (*в печáти*); б) неофициáльно, неофициáльным путём; 4): to keep to

the ~ держáться сýти дéла; to travel out of the ~ вводúть что-л., не относя́щееся к дéлу; 5) фáкты, дáнные (*о ком-л.*); характерúстика; to have a good (bad) ~ имéть хорóшую (плохýю) репутáцию; his ~ is against him егó прóшлое говорúт прóтив негó; ~ of service послужнóй спúсок; трудовáя кнúжка; 6) пáмятник прóшлого; 7) граммофóнная пластúнка; зáпись на граммофóнной пластúнке; 8) рекóрд; to beat (*или* to break, to cut) the ~ побúть рекóрд; 9) *юр.* докумéнт, даю́щий прáво на владéние; 10) *attr.* рекóрдный; 11) *attr.*: (Public) R. Office Государственный архúв;

**2.** *v* [rɪ'kɔːd] 1) запúсывать, регистрúровать; протоколúровать; заносúть в спúсок, в протокóл; 2) запúсывать на пластúнку, на плёнку; 3) увековéчивать.

**recorder** [rɪ'kɔːdə] *n* 1) регистрáтор; протоколúст; учётчик; 2) глáвный (уголóвный) судья́ гóрода; 3) *тех.* регистрúрующий, самопúшущий прибóр; пúшущий телегрáфный аппарáт; фототелегрáфный приёмник; 4) род старúнной флéйты; 5) *кино* звукозапúсывающий аппарáт.

**record film** ['rekɔːd'film] *n* документáльный фильм.

**record-holder** ['rekɔːd‚houldə] *n* обладáтель рекóрда, рекордсмéн.

**recording** [rɪ'kɔːdiŋ] **1.** *pres. p. om* record 2; **2.** *n* регистрáция, зáпись; **3.** *a* регистрúрующий, запúсывающий.

**record-player** ['rekɔːd‚pleiə] *n* проúгрыватель граммофóнных пластúнок.

**recordsman** ['rekɔːdzmən] *n* рекордсмéн.

**re-count** ['riː'kaunt] **1.** *n* пересчёт голосóв при вы́борах; **2.** *v* пересчúтывать (*особ.* голосá при вы́борах).

**recount** [rɪ'kaunt] *v* расскáзывать, излагáть подрóбно.

**recoup** [rɪ'kuːp] *v* 1) компенсúровать, возмещáть; to ~ a person for loss (*или* damage) возмещáть комý-л. убы́тки; 2) *юр.* удéрживать часть дóлжного, вычитáть.

**recoupment** [rɪ'kuːpmənt] *n* 1) возмещéние (*убы́тков и т. п.*), компенсáция; 2) *юр.* удержáние чáсти дóлжного.

**recourse** [rɪ'kɔːs] *n* 1) обращéние за пóмощью; to have ~ to прибегáть к пóмощи; 2) прибéжище; his last ~ will be... едúнственным вы́ходом, послéдним прибéжищем для негó бýдет...

**re-cover** ['riː'kʌvə] *v* снóва покрывáть, перекрывáть.

**recover** [rɪ'kʌvə] *v* 1) обретáть снóва, возвращáть себé, получáть обрáтно; to ~ control of one's temper овладéть собóй; to ~ oneself, to ~ consciousness приходúть в себя́; to ~ one's feet (*или* one's legs) встать (*пóсле падéния, болéзни*); 2) выздорáвливать, оправля́ться (from); to ~ one's health восстановúть здорóвье; 3) навёрстывать; 4) *юр.* добивáться возвращéния (*чего-либо*) *или* возмещéния (*убы́тков*); вы́играть (*дéло*); получúть по судý оправдáние, возмещéние убы́тков и т. п.; 5) *воен.* вновь овладéть, отбúть; 6) *воен.* держáть (*орýжие*) «подвысь»; 7) *тех.* регенери́ровать; извлека́ть (*из скважин*); утилизи́ровать (*отходы*); 8) *горн.* добыва́ть.

**recovered** [rɪ'kʌvəd] 1. *p. p. от* recover; 2. *a* вы́здоровевший.

**recovery** [rɪ'kʌvərɪ] *n* 1) выздоровле́ние; 2) восстановле́ние; 3) возмеще́ние; возвраще́ние (*утраченного*); 4) *тех.* регенера́ция; извлече́ние материа́ла, испо́льзование отхо́дов; 5) *горн.* добыва́ние, добы́ча; 6) *тех.* восстановле́ние первонача́льного объёма или фо́рмы; 7) *ав.* вы́ход или вы́вод самолёта из што́пора.

**recreancy** ['rekrɪənsɪ] *n поэт.* 1) тру́сость; малоду́шие; 2) изме́на, отсту́пничество.

**recreant** ['rekrɪənt] *поэт.* 1. *n* 1) трус; 2) отсту́пник, изме́нник; 2. *a* 1) трусли́вый, малоду́шный; 2) преда́тельский, отсту́пнический.

**re-create** ['ri:krɪ'eɪt] *v* вновь создава́ть.

**recreate** ['rekrɪeɪt] *v* 1) восстана́вливать си́лы, освежа́ть; 2) *refl.* отдыха́ть, освежа́ться; 3) занима́ть, развлека́ть; 4) *refl.* развлека́ться.

**re-creation** ['ri:krɪ'eɪʃən] *n* созда́ние за́ново.

**recreation** [,rekrɪ'eɪʃən] *n* 1) восстановле́ние сил, освеже́ние; 2) развлече́ние, о́тдых; 3) переме́на (*между уроками*); 4) *attr.*: ~ centre клуб, дворе́ц культу́ры; ~ center *амер. воен.* ба́за о́тдыха; ~ ground площа́дка для игр.

**recreative** ['rekrɪeɪtɪv] *a* 1) восстана́вливающий си́лы, освежа́ющий; 2) развлека́ющий, занима́ющий; заба́вный; занима́тельный.

**recrement** ['rekrɪmənt] *n* 1) отбро́сы, оста́тки; 2) шлак; ока́лина; при́меси в руде́; 3) *физиол.* секрето́рный проду́кт, кото́рый части́чно сно́ва вса́сывается в кровь.

**recriminate** [rɪ'krɪmɪneɪt] *v* обвиня́ть друг дру́га; отвеча́ть обвине́нием.

**recrimination** [rɪ,krɪmɪ'neɪʃən] *n* взаи́мное или встре́чное обвине́ние.

**recriminative** [rɪ'krɪmɪnətɪv] = recriminatory.

**recriminatory** [rɪ'krɪmɪnətərɪ] *a* отвеча́ющий обвине́нием на обвине́ние.

**recrudesce** [,ri:kru:'des] *v* 1) сно́ва открыва́ться, появля́ться или обостря́ться (*после временного улучшения—о ране, нарыве, болезни*); рецидиви́ровать; 2) сно́ва появля́ться, оживля́ться, распространя́ться.

**recrudescence** [,ri:kru:'desns] *n* 1) *мед.* рециди́в, но́вая вспы́шка; 2) рециди́в, втори́чное проявле́ние.

**recruit** [rɪ'kru:t] 1. *n* 1) ре́крут, новобра́нец; 2) но́вый член (*партии, общества и т. п.*); 3) новичо́к (*часто* raw ~); 2. *v* 1) вербова́ть (*новобранцев*); 2) комплектова́ть (*часть*); пополня́ть (*ряды, запасы*); 3) укрепля́ть (*здоровье*); take a holiday and try to ~ возьми́те о́тпуск и постара́йтесь попра́виться.

**recruital** [rɪ'kru:təl] *n* набо́р, вербо́вка, рекрути́рование.

**recruitment** [rɪ'kru:tmənt] *n* 1) набо́р новобра́нцев; 2) пополне́ние, подкрепле́ние; 3) восстановле́ние здоро́вья.

**recta** ['rektə] *pl от* rectum.

**rectal** ['rektəl] *a анат.* относя́щийся к прямо́й кишке́; прямокише́чный.

**rectangle** ['rek,tæŋgl] *n* прямоуго́льник.

**rectangular** [rek'tæŋgjulə] *a* прямоуго́льный; ~ axes прямоуго́льная систе́ма координа́т, координа́тные о́си; ~ timber ока́нто́ванный пилёный лесоматериа́л.

**rectification** [,rektɪfɪ'keɪʃən] *n* 1) исправле́ние; 2) *хим.* ректифика́ция, очище́ние; 3) *эл.* выпрямле́ние (*тока*); 4) *радио* детекти́рование.

**rectifier** ['rektɪfaɪə] *n* 1) *хим.* ректифика́тор, очисти́тель; 2) *эл.* выпрями́тель; 3) *радио* детектор; 4) приспособле́ние или стано́к для пра́вки инструме́нта.

**rectify** ['rektɪfaɪ] *v* 1) исправля́ть; to ~ a chronometer выверя́ть хроно́метр; 2) *хим.* ректифици́ровать, очища́ть; 3) *эл.* выпрямля́ть (*ток*); 4) *радио* детекти́ровать.

**rectilineal** [,rektɪ'lɪnɪəl] *a* прямолине́йный.

**rectilinear** [,rektɪ'lɪnɪə] = rectilineal.

**rection** ['rekʃən] *n грам.* управле́ние.

**rectitude** ['rektɪtju:d] *n* 1) че́стность, прямота́; высо́кая нра́вственность; 2) *редк.* пра́вильность.

**recto** ['rektou] *n* (*pl* -os [-ouz]) *полигр.* пра́вая страни́ца.

**rector** ['rektə] *n* 1) ре́ктор; 2) прихо́дский па́стор или свяще́нник (*получающий деся́тину*).

**rectorial** [rek'tɔrɪəl] *a* ре́кторский.

**rectorship** ['rektəʃɪp] *n* до́лжность или зва́ние ре́ктора.

**rectory** ['rektərɪ] *n* 1) дохо́д свяще́нника; 2) дом свяще́нника, па́стора.

**rectum** ['rektəm] *n* (*pl* -ta) *анат.* пряма́я кишка́.

**recumbency** [rɪ'kʌmbənsɪ] *n* лежа́чее положе́ние.

**recumbent** [rɪ'kʌmbənt] *a* лежа́чий; лежа́щий, отки́нувшийся (*на что-л.*).

**recuperate** [rɪ'kju:pəreɪt] *v* 1) восстана́вливать си́лы, оправля́ться; выздора́вливать; 2) *тех.* восстана́вливать, регенери́ровать, рекупери́ровать.

**recuperation** [rɪ,kju:pə'reɪʃən] *n* 1) восстановле́ние сил; выздоровле́ние; 2) *тех.* восстановле́ние, регенера́ция, рекупера́ция; 3) *эл.* возвраще́ние эне́ргии в сеть.

**recuperative** [rɪ'kju:pərətɪv] *a* 1) восстана́вливающий си́лы, укрепля́ющий; 2) *тех.* рекуперати́вный.

**recuperator** [rɪ'kju:pəreɪtə] *n* 1) *тех.* рекупера́тор; 2) *воен.* нака́тник.

**recur** [rɪ'kə:] *v* 1) возвраща́ться (to — к чему-л.); сно́ва приходи́ть на ум; сно́ва возника́ть; 2) повторя́ться, происходи́ть вновь; 3) *мед.* рецидиви́ровать.

**recurrence** [rɪ'kʌrəns] *n* 1) возвраще́ние, повторе́ние; 2) возвра́т, рециди́в; 3) *уст.* обраще́ние за по́мощью; to have ~ to... обраща́ться за по́мощью к...

**recurrent** [rɪ'kʌrənt] *a* 1) повторя́ющийся вре́мя от вре́мени, периоди́ческий; 2) *мед.* возвра́тный, рециди́вный; ~ fever возвра́тный тиф.

**recurring decimal** [rɪ'kəːrɪŋ'desɪməl] *n* мат. периодическая бесконечная десятичная дробь.

**recurvate** [riː'kəːveɪt] *a* бот. загнутый, отогнутый назад (*о листе или стебле*).

**recurvature** [riː'kəːvətʃə] *n* бот. изгиб назад.

**recurve** [riː'kəːv] *v* загибаться назад, в обратном направлении.

**recusancy** ['rekjuzənsɪ] *n* 1) неподчинение; 2) *ист.* учение нонконформистов.

**recusant** ['rekjuzənt] 1. *a* отказывающийся подчиняться законам, власти; 2. *n ист.* нонконформист.

**red I** [red] 1. *a* 1) красный; ~ flag, ~ banner красный флаг; 2) багровый, румяный; ~ cheeks румяные щёки; ~ eyes покрасневшие глаза; to become ~ in the face побагроветь; ~ with anger побагровевший от гнева; 3) рыжий; 4) окровавленный; ~ hands окровавленные руки; ◇ to see ~ обезуметь, прийти в ярость, в бешенство; to paint the town ~ предаваться весёлью, устраивать шумную попойку; 2. *n* 1) красный цвет; Turkey ~ красный цвет с оранжевым оттенком; 2) (the Reds) *pl амер.* индейцы; 3) красный шар (*в бильярде*); «красный» (*в рулетке*); 4) железный сурик; 5) *sl.* золото; ◇ to be in (the) ~ a) *амер.* быть убыточным, приносить дефицит; б) иметь задолженность, быть должником; to go into (the) ~ *амер.* приносить дефицит, становиться убыточным.

**red II** [red] 1. *a* революционный, красный; 2. *n* (the Reds) *pl* революционеры, красные.

**redact** [rɪ'dækt] *v* облекать в литературную форму, редактировать, готовить к печати.

**redaction** [rɪ'dækʃən] *n* 1) редактирование; 2) новое, пересмотренное издание.

**redactor** [rɪ'dæktə] *n* редактор.

**red admiral** ['red'ædmərəl] *n* адмирал (*бабочка*).

**redan** [rɪ'dæn] *n* уступ, редан.

**Red Army** ['red'ɑːmɪ] *n* Красная Армия.

**Red Army Man** ['red'ɑːmɪ'mæn] *n* красноармеец.

**redbait** ['red,beɪt] *v амер.* преследовать прогрессивные элементы.

**redbaiting** ['red,beɪtɪŋ] *амер.* 1. *pres. p. от* redbait; 2. *n* травля, преследование прогрессивных элементов.

**red bark** ['red'bɑːk] *n* красная перуанская кора (*разновидность хинной коры*).

**red bilberry** ['red'bɪlbərɪ] *n* брусника.

**red-blindness** ['red,blaɪndnɪs] *n мед.* дальтонизм, слепота на красный цвет.

**red-blooded** ['red'blʌdɪd] *a амер.* 1) сильный, энергичный, храбрый; 2) полный событий, захватывающий (*о романе и т. п.*).

**red box** ['red'bɔks] *n* ящик для официальных бумаг членов английского правительства.

**red brass** ['red'brɑːs] *n* томпак, красная латунь.

**redbreast** ['redbrest] *n* малиновка (*птица*).

**red cedar** ['red'siːdə] *n* 1) красный кедр; 2) кедровый вереск; 3) виргинский можжевельник.

**red cent** ['red'sent] *n амер.* (медная) монета в 1 цент; ◇ I don't care a ~ (for) мне наплевать (на); not worth a ~ гроша медного не стоит.

**redcoat** ['redkout] *n* английский солдат.

**Red Crescent** ['red'kresnt] *n* Красный Полумесяц.

**Red Cross** ['red'krɔs] *n* 1) Красный Крест; 2) крест св. Георгия (*национальная эмблема Англии*).

**red currant** ['red'kʌrənt] *n* красная смородина.

**red deer** ['red'dɪə] *n зоол.* благородный олень.

**redden** ['redn] *v* 1) окрашивать(ся) в красный цвет; 2) краснеть.

**reddening** ['rednɪŋ] 1. *pres. p. от* redden; 2. *n* покраснение.

**reddish** ['redɪʃ] *a* красноватый.

**reddle** ['redl]=ruddle.

**rede** [riːd] *уст.* 1. *n* 1) совет; рассуждение; 2) план; 3) рассказ; поговорка, изречение; 4) объяснение, разгадка; 2. *v* 1) советовать; 2) рассказывать; 3) объяснять, разгадывать.

**redeem** [rɪ'diːm] *v* 1) выкупать (*заложенные вещи и т. п.*); выплачивать (*долг по закладной*); 2) возмещать; 3) возвращать; to ~ one's good name вернуть себе доброе имя; 4) выполнять (*обещание*); 5) искупать (*грехи и т. п.*); to ~ an error исправить ошибку; 6) спасать, избавлять, освобождать (за выкуп); to ~ a prisoner освободить заключённого.

**redeemer** [rɪ'diːmə] *n* 1) избавитель, спаситель; 2) искупитель.

**redemption** [rɪ'dempʃən] *n* 1) выкуп; выплата; 2) искупление; 3) освобождение; спасение; beyond ~, past ~ без надежды на исправление, улучшение.

**re-deploy** ['riːdɪ'plɔɪ] *v воен.* передислоцировать(ся).

**re-deployment** ['riːdɪ'plɔɪmənt] *n воен.* передислокация.

**redeye** ['redaɪ] *n амер. sl.* крепкое дешёвое виски.

**red gum** ['red'gʌm] *n* 1) сыпь у детей; 2) бот. австралийский эвкалипт; красное камедное дерево; 3) акароидная смола.

**red-handed** ['red'hændɪd] *a* 1) с окровавленными руками; 2) в момент преступления; to be caught ~ быть пойманным на месте преступления, быть захваченным с поличным.

**red hardness** ['red'hɑːdnɪs] *n тех.* красностойкость.

**red herring** ['red'herɪŋ] *n* 1) копчёная селёдка; 2) *уст. sl.* солдат; ◇ to draw a ~ across the path отвлекать внимание от обсуждаемого вопроса.

**red-hot** ['red'hɔt] *a* 1) накалённый докрасна; 2) разгорячённый, возбуждённый; 3) горячий, пламенный.

**red huckleberry** ['red'hʌklberɪ]=red bilberry.

**re-did** ['riː'dɪd] *past от* re-do.

**Red Indian** ['red'ɪndjən] *n* (североамериканский) индеец, краснокожий.

**redintegrate** [re'dɪntɪgreɪt] *v* восстанавливать (*цельность, единство*); воссоединять.

**redistribute** ['riːdɪs'trɪbjuːt] *v* перераспределять.

**redistribution** ['riː,dɪstrɪ'bjuːʃən] *n* перераспределение, передел.

**red lamp** ['red'læmp] *n* 1) красный фонарь, горящий ночью у квартиры доктора *или* у дверей аптеки; 2) красный свет как сигнал опасности на железной дороге ночью; 3) *sl.* красный фонарь, публичный дом.

**red lane** ['red'leɪn] *n* горло.

**red lead** ['red'led] *n* свинцовый сурик.

**red-legged** ['red'legd] *a* красноногий; ~ partridge каменная куропатка.

**red-letter** ['red'letə] *a* отмеченный красными буквами *или* цифрами в календаре; праздничный; *перен.* памятный, счастливый; ~ day праздничный *или* счастливый день.

**red light** ['red'laɪt] *n* 1) красный свет (*сигнал опасности*); to see the ~ предчувствовать приближение опасности, беды *и т. п.*; 2) *амер.* = red lamp 3).

**red-light** ['red'laɪt] *a амер.*: ~ district квартал публичных домов.

**red liquor** ['red'lɪkə] *n* 1) уксуснокислый алюминий (*протрава*); 2) *амер. sl.* крепкий напиток, *особ.* виски.

**redly** ['redlɪ] *adv* красновато.

**red man** ['red'mæn] *n* краснокожий, (североамериканский) индеец.

**red meat** ['red'miːt] *n* чёрное мясо (*баранина, говядина*).

**redneck** ['rednek] *n амер. разг.* неотёсанный человек, деревенщина.

**red-necked** ['red'nekt] *a* 1) имеющий красную шею; 2) *амер. sl.* сердитый, злой.

**redness** ['rednɪs] *n* краснота.

**re-do** ['riː'duː] *v* (re-did; re-done) делать вновь, переделывать.

**red ochre** ['red'oukə] *n* красная охра, железный сурик.

**redolence** ['redouləns] *n* благоухание, аромат.

**redolent** ['redoulənt] *a* 1) издающий (сильный) запах; ароматный, благоухающий; flowers ~ of springtime цветы, распространяющие весеннее благоухание; 2) напоминающий, вызывающий воспоминания (of—о чём-л.).

**re-done** ['riː'dʌn] *p. p. от* re-do.

**re-double** ['riː'dʌbl] *v* 1) вторично удваивать(ся); 2) сложить ещё раз.

**redouble** [rɪ'dʌbl] *v* 1) усиливать(ся), увеличивать(ся), возрастать; to ~ one's efforts удваивать свои усилия; 2) усугублять(ся); 3) складывать(ся) вдвое.

**redoubt** [rɪ'daut] *n воен.* редут.

**redoubtable** [rɪ'dautəbl] *a* грозный, устрашающий, опасный.

**redoubted** [rɪ'dautɪd] *уст.* = redoubtable.

**redound** [rɪ'daund] *v* 1) способствовать, содействовать, помогать (to—чему-л.); to ~ to smb.'s advantage благоприятствовать кому-л., способствовать чьей-л. выгоде; that ~s to his honour это делает ему честь

2) стремиться назад, возвращаться (upon); these crimes will ~ upon their authors эти преступления падут на голову тех, кто их совершил.

**redpoll** ['redpoul] *n* 1) чечётка (*птица*); 2) *pl* красный комолый скот (*порода*).

**red rag** ['red'ræg] *n* 1) «красная тряпка»; то, что приводит в бешенство (*как быка красный цвет*); 2) *sl.* язык.

**redress** [rɪ'dres] 1. *n* 1) исправление; восстановление; 2) возмещение, удовлетворение;

2. *v* 1) исправлять; восстанавливать; to ~ the balance восстанавливать равновесие; 2) возмещать, компенсировать; to ~ a wrong заглаживать обиду; 3) *радио* выпрямлять; 4) выравнивать (*самолёт*).

**red-rogue** ['redroug] *n sl.* золотая монета.

**red rot** ['red'rɔt] *n* краснуха, красная гниль (*древесины*).

**redshank** ['redʃæŋk] *n зоол.* травник, красноножка; to run like a ~ бежать очень быстро.

**red-short** ['red'ʃɔːt] *a тех.* красноломкий.

**redskin** ['redskɪn] *n* (североамериканский) индеец, краснокожий.

**red soil** ['red'sɔɪl] *n* краснозём.

**redstart** ['redstɑːt] *n зоол.* горихвостка.

**red tape** ['red'teɪp] *n* бюрократизм, канцелярщина, волокита.

**red-tape** ['red'teɪp] *a* бюрократический, канцелярский.

**reduce** [rɪ'djuːs] *v* 1) понижать, ослаблять, уменьшать, сокращать; to ~ one's expenditure сокращать свои расходы; to ~ prices снижать цены; to ~ the length of a skirt укоротить юбку; to ~ the term of imprisonment сократить срок тюремного заключения; to ~ the temperature снизить температуру; to ~ the vitality понижать жизнеспособность; 2) понижать в должности *и т. п.*; to ~ to the ranks разжаловать в рядовые; 3) приводить в определённое состояние, сводить, приводить (to—к); to ~ to begging довести до нищеты; to ~ to silence заставить замолчать; to ~ to submission принудить к повиновению; to ~ to an absurdity доводить до абсурда; to ~ to elements разложить на части; 4) ослабить; вызвать похудание; he is greatly ~d by illness во время болезни он очень похудел; 5) похудеть; to be ~d to a shadow (*или* to a skeleton) быть измученным, истощённым; 6) покорять, побеждать; 7) *мед.* вправлять (вывих); исправлять положение обломков кости; 8) *мат.* превращать (*именованные числа*); приводить к общему знаменателю; 9) *хим.* раскислять, восстанавливать; 10) *тех.* прокатывать (*железо*).

**reduced** [rɪ'djuːst] 1. *p. p. от* reduce;

2. *a* 1) уменьшенный, пониженный; 2) стеснённый; ~ circumstances стеснённые обстоятельства; 3) покорённый.

**reducible** [rɪ'djuːsəbl] *a* допускающий уменьшение *и пр.* [*см.* reduce].

**reducing agent** [rɪ'djuːsɪŋ'eɪdʒənt] *n хим.* восстановитель.

**reducing gear** [rɪ'djuːsɪŋ'gɪə] *n тех.* замедляющая передача, редуктор.

**reduction** [rɪ'dʌkʃ ən] *n* 1) снижéние, понижéние; уменьшéние, сокращéние; ~ of armaments сокращéние вооружéний; 2) понижéние в дóлжности *и т. п.*; ~ from rank *воен.* разжáлование; ~ in rank снижéние в чúне; ~ to the ranks разжáлование в рядовы́е; 3) скúдка; 4) превращéние; изменéние фóрмы *или* состоя́ния; 5) покорéние, подавлéние; 6) уменьшённая кóпия (*с картины и т. п.*); 7) *мед.* вправлéние (вы́виха); 8) *хим.* раскислéние, восстановлéние; 9) *мат.* приведéние к одномý знаменáтелю; превращéние (*именованных чисел*); 10) *тех.* обжáтие; 11) *метал.* процéсс отделéния метáлла от руды́; передéл.

**redundance, -cy** [rɪ'dʌndəns, -sɪ] *n* 1) чрезмéрность; избы́ток; 2) многослóвие.

**redundant** [rɪ'dʌndənt] *a* 1) излúшний, чрезмéрный; лúшний; 2) многослóвный.

**reduplicate** [rɪ'djuːplɪkeɪt] *v* 1) удвáивать; повторя́ть; 2) *грам.* удвáивать.

**reduplication** [rɪ,djuːplɪ'keɪʃ ən] *n* 1) удвоéние; повторéние; 2) *грам.* удвоéние.

**reduplicative** [rɪ'djuːplɪkətɪv] *a* удвáивающийся.

**red-wing** ['redwɪŋ] *n зоол.* дрозд белобрóвый.

**redwood** ['redwud] *n* 1) *лес.* разлúчные дерéвья с краснóватой древесúной; 2) *бот.* секвóйя вечнозелёная.

**ree** [riː] = reeve I.

**re-echo** ['riː'ekou] 1. *n* э́хо, повтóрное э́хо; 2. *v* отдавáть э́хом.

**reed** [riːd] 1. *n* 1) тростнúк, камы́ш; тростникóвые зáросли; 2) тростнúк *или* солóма для крыш; 3) *поэт.* стрелá; 4) свирéль; 5) букóлическая поэ́зия; 6) *муз.* язычóк; 7) *pl* язы́ковые музыкáльные инструмéнты; 8) *горн.* запáльный шнур; 9) *текст.* бёрдо; ◊ a broken ~ a) ненадёжный человéк; б) непрóчная вещь; to lean on a ~ полагáться на что-л. ненадёжное. 2. *v* покрывáть (*крыши*) тростникóм *или* солóмой.

**reeded** ['riːdɪd] 1. *p. p. от* reed 2; 2. *a* 1) зарóсший тростникóм; 2) кры́тый тростникóм; 3) *муз.* язычкóвый.

**re-edify** ['riː'edɪfaɪ] *v* 1) вновь стрóить, отстрáивать; 2) восстанáвливать; возрождáть (*надежды и т. п.*).

**reed-mace** ['riːdmeɪs] *n бот.* рогóз широколúстный.

**reed-pipe** ['riːdpaɪp] *n* 1) свирéль; 2) *муз.* язычкóвая трýбка оргáна.

**reed-stop** ['riːdstɔp] *n муз.* оргáнный регúстр с язычкóвыми трýбками.

**re-educate** ['riː'edjuːkeɪt] *v* перевоспúтывать.

**re-education** ['riː,edjuː'keɪʃ ən] *n* перевоспитáние.

**reedy** ['riːdɪ] *a* 1) зарóсший тростникóм; 2) тростникóвый; 3) тóнкий, стрóйный как тростнúк (*обыкн. поэт.*); 4) пронзúтельный.

**reef I** [riːf] *n* 1) риф, подвóдная скалá; 2) рýдная жúла; золотонóсный пласт; 3) *геол.* пусты́е слáнцы, окружáющие алмазосодержáщую брéкчию.

**reef II** [riːf] 1. *n* риф (*на парусе*); to let out a ~ a) отпускáть риф; б) *разг.* распу-

стúть пóяс (*после сытного обеда*); to take in a ~ a) брать риф; б) дéйствовать осторóжно; в) *разг.* затянýть, подтянýть пóяс; 2. *v мор.* брать рúфы.

**reefer** ['riːfə] *n* 1) матрóс, берýщий рúфы; 2) *мор.* гардемарúн, корабéльный курсáнт; 3) двубóртная тужýрка; бушлáт.

**reef-knot** ['riːfnɔt] *n* рúфовый ýзел.

**reefy** ['riːfɪ] *a* опáсный из-за мнóжества рúфов.

**reek** [riːk] 1. *n* 1) пар; 2) испарéния; 3) вонь, зáтхлость; 4) *.поэт., шотл.* дым; 5) *sl.* дéньги; 2. *v* 1) дымúть, курúться; 2) испускáть пар, испарéния; 3) отдавáть чем-л. неприя́тным, воня́ть (of); it ~s of murder тут пáхнет убúйством.

**Reekie** ['riːkɪ] *n*: Auld ~ *шотл. разг. г.* Эдинбург.

**reeky** ['riːkɪ] *a* 1) дымя́щийся; испускáющий пар; 2) ды́мный; закопчённый.

**reel I** [riːl] 1. *n* 1) *текст.* катýшка, шпýлька, бобúна; 2) *тел.* катýшка для прóвода; 3) *тех.* барабáн, вóрот, кабестáн; 4) *с.-х.* мотовúло; 5) мукомóльный бурáт; 6) рулéтка; 7) *кино* катýшка для фúльма, часть кинофúльма (*обыкн. около 1000 фýтов*); ◇ off the ~ безостанóвочно, без перерыва; 2. *v* 1) намáтывать на катýшку (*тж.* ~ in, ~ up); размáтывать, смáтывать (*тж.* ~ off); 2) расскáзывать *или* читáть бы́стро, без останóвки, трещáть (*тж.* ~ off).

**reel II** [riːl] 1. *n* 1) шатáние, колебáние; 2) вихрь; 3) рил (*быстрый шотландский танец*); 2. *v* 1) кружúться, вертéться; everything ~ed before his eyes всё завертéлось у негó пéред глазáми; 2) танцевáть рил; 3) чýвствовать головокружéние; 4) качáться; покачнýться (*от удара*); 5) шатáться, идтú пошáтываясь, спотыкáться.

**re-elect** ['riːɪ'lekt] *v* переизбирáть, избирáть снóва.

**re-election** ['riːɪ'lekʃ ən] *n* переизбрáние, вторúчное избрáние.

**re-engage** ['riːɪn'geɪdʒ] *v* 1) *тех.* вновь сцепля́ть(ся), вновь включáть; 2) *воен.* снóва вводúть в бой; 3) *воен.* оставáться на сверхсрóчной слýжбе; снóва поступáть на воéнную слýжбу.

**re-entrant** [riː'entrənt] *геом.* 1. *a* входя́щий; 2. *n* входя́щий ýгол.

**re-establish** ['riːɪs'tæblɪʃ] *v* восстанáвливать.

**reeve I** [riːv] *n* сáмка турухтáна.

**reeve II** [riːv] *n* 1) *ист.* глáвный магистрáт (*города или округа в Англии*); 2) *уст.* управля́ющий имéнием; 3) церкóвный старостá; 4) председáтель сéльского *или* городскóго совéта (*в Канаде*); 5) стáрший шахтёр.

**reeve III** [riːv] *v* (rove, reeved [-d]) *мор.* пропускáть(ся), проводúть, быть пропýщенным, проходúть (*о тросе*).

**refection** [rɪ'fekʃ ən] *n* закýска.

**refectory** [rɪ'fektərɪ] *n* трáпезная (*в монастыре*); столóвая (*в университете, школе*).

**refer** [rɪ'fəː] *v* 1) посылáть, отсылáть (to- к кому-л., чему-л.); направля́ть (за информацией и т. п.); I was ~red to the secretary меня напра́вили к секретарю́; the asterisk ~s to the foot-note звёздочка отсыла́ет к подстро́чному примеча́нию; 2) передава́ть на рассмотре́ние; 3) обраща́ться; he ~red to me for help он обрати́лся ко мне за по́мощью; 4) наводи́ть спра́вку, справля́ться; 5) припи́сывать (чему-л.), объясня́ть (чем-либо); 6) име́ть отноше́ние, относи́ться; his words ~red to me only его́ слова́ относи́лись то́лько ко мне; 7) ссыла́ться (to — на кого-л., на что-л.); 8) говори́ть (о чём-л.), упомина́ть; 9) уст. откла́дывать; ◇ ~ to drawer обрати́тесь к чекода́телю (отметка банка на неоплаченном чеке).

**referable** [rɪ'fəːrəbl] a могу́щий быть припи́санным или отнесённым (to—к кому-л., чему-л.).

**referee** [ˌrefə'riː] 1. n 1) трете́йский судья́; 2) спорт. судья́;
2. v спорт. быть судьёй, суди́ть.

**reference** ['refrəns] 1. n 1) ссы́лка; сно́ска; cross ~ перекрёстная ссы́лка; with ~ to ссыла́ясь на [ср. тж. 6)]; to make ~ ссыла́ться; 2) спра́вка; a book of ~ спра́вочник; 3) упомина́ние; намёк; to make no ~ to не упомяну́ть о чём-л.; 4) рекоменда́ция; highest ~s required необходи́мы отли́чные рекоменда́ции; 5) лицо́, даю́щее рекоменда́цию; 6) отноше́ние; in (или with) ~ to относи́тельно; что каса́ется [ср. тж. 1)]; without ~ to безотноси́тельно к; незави́симо от; 7) переда́ча на рассмотре́ние в другу́ю инста́нцию, арбитру́ и т. п.; 8) полномо́чия, компете́нция арбитра́ или инста́нции; terms of ~ компете́нция, ве́дение; 9) этало́н; 10) attr. спра́вочный; ~ book спра́вочник; ~ library спра́вочная библиоте́ка (без выдачи книг на дом); ~ point ориенти́р;
2. v 1) снабжа́ть (текст) ссы́лками; 2) находи́ть по ссы́лке, справля́ться.

**reference mark** ['refrəns'mɑːk] n полигр. знак сно́ски.

**referendary** [ˌrefə'rendərɪ] n ист. рефере́нда́рий; храни́тель печа́ти.

**referendum** [ˌrefə'rendəm] n полит. рефере́ндум.

**refill** 1. n ['riːfɪl] дополне́ние, пополне́ние; ~ of fuel запра́вка горю́чим;
2. v ['riː'fɪl] наполня́ть вновь; пополня́ть (-ся) горю́чим.

**refine** [rɪ'faɪn] v 1) очища́ть, рафини́ровать; повыша́ть ка́чество; облагора́живать; 2) де́лать(ся) бо́лее изя́щным, утончённым; 3) усоверше́нствовать (upon, on); 4) вдава́ться в то́нкости.

**refined** [rɪ'faɪnd] 1. p. p. от refine;
2. a 1) очи́щенный, рафини́рованный; ~ oil рафини́рованное ма́сло; ~ salt очи́щенная соль, столо́вая соль; ~ sugar са́хар-рафина́д; 2) усоверше́нствованный; 3) утончённый, изя́щный, изы́сканный; ~ manners изя́щные мане́ры.

**refinement** [rɪ'faɪnmənt] n 1) очище́ние, рафини́рование; обрабо́тка, отде́лка; повыше́ние ка́чества; 2) усоверше́нствование; 3) утончённость, изя́щество; изы́сканность; ~ of cruelty утончённая жесто́кость.

**refiner** [rɪ'faɪnə] n 1) метал. рафини́ровочная печь; 2) кри́чный ма́стер; 3) рафинёр (в бумажном производстве); 4) рез. рифа́йнер.

**refinery** [rɪ'faɪnərɪ] n очисти́тельный заво́д; рафини́ровочный заво́д; рафина́дный заво́д.

**refit** ['riː'fɪt] 1. n 1) почи́нка, ремо́нт; 2) снаряже́ние;
2. v 1) снаряжа́ть за́ново; 2) ремонти́ровать.

**refitment** ['riː'fɪtmənt] = refit 1, 2).

**reflect** [rɪ'flekt] v 1) отража́ть (свет, тепло, звук); 2) отража́ть(ся), дава́ть отраже́ние (о зеркале; тж. перен.); 3) отража́ть, изобража́ть (в литературе и т. п.); 4) броса́ть тень (on, upon—на); his conduct ~s great dishonour on him его́ поведе́ние позо́рит его́; 5) размышля́ть, разду́мывать (on).

**reflection** [rɪ'flekʃən] n 1) отраже́ние; о́тблеск; о́тсвет; 2) физ. рефле́ксия; 3) отраже́ние, о́браз; 4) размышле́ние, обду́мывание; разду́мье; on ~ поду́мав; 5) порица́ние; 6) тень, пятно́.

**reflective** [rɪ'flektɪv] a 1) отража́ющий; 2) размышля́ющий, мы́слящий; 3) заду́мчивый (о виде).

**reflector** [rɪ'flektə] n физ., тех. рефле́ктор, отража́тель; экра́н.

**reflet** [re'fle] фр. n перели́вчатая глазу́рь на гли́няной посу́де.

**reflex** ['riːfleks] 1. n 1) отраже́ние, о́браз; 2) о́тсвет; о́тблеск; 3) жив. рефле́кс; 4) физиол. рефле́кс;
2. a 1) рефлекто́рный; непроизво́льный; 2) интроспекти́вный; 3) отражённый; представля́ющий собо́й реа́кцию.

**reflexion** [rɪ'flekʃən] = reflection.

**reflexive** [rɪ'fleksɪv] грам. 1. a возвра́тный;
2. n 1) возвра́тный глаго́л; 2) возвра́тное местоиме́ние.

**refluent** ['refluənt] a отлива́ющий.

**reflux** ['riːflʌks] n отли́в.

**reforest** [rɪ'fɔrɪst] v восстана́вливать лесны́е масси́вы, насажда́ть леса́.

**reforestation** [rɪˌfɔrɪ'steɪʃən] n восстановле́ние лесны́х масси́вов, лесонасажде́ние.

**re-form** ['riː'fɔːm]=reform II.

**reform** I [rɪ'fɔːm] 1. n 1) рефо́рма, преобразова́ние; 2) исправле́ние, улучше́ние; 3) attr.: R. Bill (или Act) рефо́рма избира́тельной систе́мы в Англии (1831—32 гг.);
2. v 1) улучша́ть(ся); реформи́ровать, преобразо́вывать; 2) искореня́ть (злоупотребления); 3) исправля́ть(ся) (о людях).

**reform** II ['riː'fɔːm] v 1) вновь формирова́ть, переде́лывать; 2) воен. перестра́ивать(ся).

**reformation** [ˌrefə'meɪʃən] n 1) преобразова́ние; 2) исправле́ние (моральное); 3) (the R.) ист. Реформа́ция.

**reformative** [rɪ'fɔːmətɪv] a 1) реформи́рующий; преобразу́ющий; 2) исправи́тельный.

**reformatory** [rɪ'fɔːmətərɪ] 1. n исправи́тельное заведе́ние для малоле́тних престу́пников;
2. a исправи́тельный.

**reformed** I [rɪ'fɔːmd] 1. p.p. от reform I, 2;
2. a 1) испра́вленный, преобразо́ванный;

2) испра́вившийся; ◊ R. Faith протестан-
ти́зм.

**reformed** II ['riː'fɔːmd] *p.p. om* reform II.

**reformer** [rɪ'fɔːmə] *n* 1) преобразова́тель,
реформа́тор; 2) *ист.* де́ятель эпо́хи Рефор-
ма́ции; 3) сторо́нник рефо́рмы избира́тель-
ной систе́мы в А́нглии (*1831—32 гг.*).

**reformist** [rɪ'fɔːmɪst] *n полит.* реформи́ст.

**refract** [rɪ'frækt] *v физ.* преломля́ть
(*лучи*).

**refraction** [rɪ'frækʃən] *n физ.* преломле́-
ние, рефра́кция.

**refractional** [rɪ'frækʃənl] = refractive.

**refractive** [rɪ'fræktɪv] *a* преломля́ющий;
~ medium преломля́ющая среда́.

**refractor** [rɪ'fræktə] *n* рефра́ктор.

**refractoriness** [rɪ'fræktərɪnɪs] *n* 1) строп-
ти́вость, непоко́рность; упо́рство; 2) *тех.*
тугопла́вкость; огнеупо́рность, огнестой-
кость.

**refractory** [rɪ'fræktərɪ] 1. *n* огнеупо́рный
строи́тельный материа́л, огнеупо́р(ы);
2. *a* 1) упря́мый, непоко́рный; 2) упо́р-
ный (*о болезни*); 3) кре́пкий (*об организме*); 4) *тех.* тугопла́вкий; огнесто́йкий,
огнеупо́рный.

**refrain** I [rɪ'freɪn] *v* 1) возде́рживаться
(from—*от чего-л.*); удержа́ться (from—*от
чего-л.*); he could not ~ from saying (going,
*etc.*) он не мог не сказа́ть (не пойти́ *и т. п.*);
2) *уст.* сде́рживать; обу́здывать; уде́ржи-
вать (from—*от чего-л.*).

**refrain** II [rɪ'freɪn] *n* припе́в, рефре́н.

**refrangible** [rɪ'frændʒɪbl] *a* преломля́емый
(*о лучах*).

**refresh** [rɪ'freʃ] *v* 1) освежа́ть, оживля́ть;
подкрепля́ть(ся); to ~ oneself подкреп-
ля́ться (*едой, питьём*); I ~ed his memory
я напо́мнил ему́; 2) за́ново снабжа́ть
припа́сами; 3) подновля́ть, подправля́ть.

**refresher** [rɪ'freʃə] *n* 1) что-л. освежа́ю-
щее; освежа́ющий напи́ток; 2) напомина́-
ние; па́мятка; повтори́тельный курс; 3) до-
полни́тельный гонора́р адвока́ту (*в затя-
ну́вшемся проце́ссе*); 4) *разг.* вы́пивка;
5) *attr.* повто́рный; ~ course ку́рсы повы-
ше́ния квалифика́ции.

**refreshment** [rɪ'freʃmənt] *n* 1) подкрепле́-
ние; восстановле́ние сил; о́тдых; 2) что-л.
освежа́ющее, восстана́вливающее си́лы;
3) (*обыкн. pl*) заку́ска; освежа́ющий напи́-
ток; 4) *attr.*: ~ room буфе́т (*на вокза́ле
и т. п.*); ~ car ваго́н-рестора́н.

**refrigerant** [rɪ'frɪdʒərənt] 1. *n* 1) охлаж-
да́ющее вещество́, охлади́тель; 2) *мед.*
жаропонижа́ющее сре́дство.
2. *a* охлажда́ющий, холоди́льный.

**refrigerate** [rɪ'frɪdʒəreɪt] *v* 1) охлажда́ть
(-ся); замора́живать; 2) храни́ть в холо́д-
ном ме́сте.

**refrigeration** [rɪ,frɪdʒə'reɪʃən] *n* охлажде́-
ние; замора́живание.

**refrigerator** [rɪ'frɪdʒəreɪtə] *n* 1) холоди́ль-
ник, рефрижера́тор; 2) конденса́тор.

**refrigerator-car** [rɪ'frɪdʒəreɪtə'kɑː] *n* ва-
го́н-холоди́льник.

**refrigeratory** [rɪ'frɪdʒərətərɪ] 1. *n* 1) кон-
денса́тор; 2) рефрижера́тор;
2. *a* холоди́льный.

**reft** [reft] *past и p. p. om* reave.

**refuel** ['riː'fjuəl] *v* заправля́ться горю́чим
*или* то́пливом.

**refuge** ['refjuːdʒ] 1. *n* 1) убе́жище; *перен.*
прибе́жище; to take ~ найти́ убе́жище; to
give ~ дать убе́жище; to take ~ in lying
прибе́гнуть ко лжи; to take ~ in silence
отма́лчиваться; 2) «острово́к спасе́ния»
(*на у́лицах с больши́м движе́нием*).
2. *v редк.* 1) дава́ть убе́жище; *перен.*
служи́ть прибе́жищем; 2) находи́ть убе́-
жище.

**refugee** [,refjuː'dʒiː] *n* 1) бе́женец; 2) эми-
гра́нт.

**refulgence** [rɪ'fʌldʒəns] *n* сия́ние, я́ркость.

**refulgent** [rɪ'fʌldʒənt] *a* сия́ющий, свер-
ка́ющий.

**refund** 1. *n* ['riːfʌnd] 1) упла́та; 2) воз-
враще́ние (*денег*); возмеще́ние (*расхо́дов*);
2. *v* [riː'fʌnd] возвраща́ть, возмеща́ть.

**refundment** [riː'fʌndmənt]=refund 1.

**refusal** [rɪ'fjuːzəl] *n* 1) отка́з; to take no
~ не принима́ть отка́за, быть насто́йчивым;
2) пра́во пе́рвого вы́бора; to have (to give)
the ~ of smth. име́ть (предоставля́ть) пра́во
выбира́ть что-л. пе́рвым.

**re-fuse** ['riː'fjuːz] *v* вновь пла́вить; пере-
плавля́ть.

**refuse** I [rɪ'fjuːz] *v* 1) отка́зывать, отвер-
га́ть; 2) отка́зываться; отрица́ть; 3) заарта́-
читься (*о лошади перед препя́тствием*).

**refuse** II ['refjuːs] 1. *n* 1) отбро́сы, оста́т-
ки; му́сор; вы́жимки, подо́нки; брак;
2) *текст.* очёски, уга́р; 3) *горн.* отва́л
поро́ды.
2. *a* него́дный; ничего́ не сто́ящий.

**refutable** ['refjutəbl] *a* опровержи́мый.

**refutation** [,refjuː'teɪʃən] *n* опроверже́ние.

**refute** [rɪ'fjuːt] *v* опроверга́ть.

**regain** [rɪ'geɪn] *v* 1) получи́ть обра́тно;
вновь приобрести́; to ~ consciousness оч-
ну́ться, прийти́ в себя́; to ~ one's health
попра́виться; 2) сно́ва дости́чь (*бе́рега, дома*); возврати́ться; 3) *воен.* сно́ва завладе́ть.

**regal** ['riːgəl] *a* 1) короле́вский, ца́рский;
2) ца́рственный.

**regale** [rɪ'geɪl] 1. *n* 1) пир; угоще́ние;
2) изы́сканное блю́до;
2. *v* 1) угоща́ть, по́тчевать (with; *тж.
ирон.*); 2) пирова́ть; 3) ласка́ть, услажда́ть
(*слух, зре́ние*).

**regalia** I [rɪ'geɪljə] *n pl* 1) рега́лии;
2) *ист.* короле́вские права́ и привиле́гии.

**regalia** II [rɪ'geɪljə] *исп. n* больша́я сига́ра
хоро́шего ка́чества.

**regality** [rɪ'gælɪtɪ] *n* 1) короле́вский су-
верените́т; 2) *ист.* короле́вские привиле́-
гии.

**regally** ['riːgəlɪ] *adv* по-ца́рски.

**regard** [rɪ'gɑːd] 1. *n* 1) взгляд, взор (*при-
ста́льный, многозначи́тельный*); 2) вни-
ма́ние, забо́та; ~ must be paid to... необхо-
ди́мо обрати́ть внима́ние на...; to pay no
~ to... не обраща́ть внима́ния на..., пре-
небрега́ть; 3) уваже́ние, расположе́ние;
to have a great ~ for smb. быть о́чень
располо́женным к кому́-л.; to have high
(low) ~, to hold a high (low) ~ быть высо́-
кого (ни́зкого) мне́ния; out of ~ for smb.

из уваже́ния к кому́-л.; 4) *pl* покло́н, приве́т; give my best ~s (to) переда́йте мой серде́чный приве́т; 5) отноше́ние; in (*или* with) ~ to относи́тельно; в отноше́нии; что каса́ется; in this ~ в э́том отноше́нии; 2. *v* 1) смотре́ть на (*кого-л., что-л.*), разгля́дывать; 2) принима́ть во внима́ние, счита́ться (*с кем-л., чем-л.*; *обыкн. с отрица́нием*); he is much ~ed он по́льзуется больши́м уваже́нием; I do not ~ his opinion я не счита́юсь с его́ мне́нием; 3) рассма́тривать; счита́ть; 4) относи́ться; I still ~ him kindly я по-пре́жнему отношу́сь к нему́ хорошо́; 5) каса́ться, име́ть отноше́ние (*к кому-л., чему-л.*); it does not ~ me э́то меня́ не каса́ется; as ~s что каса́ется.

**regardant** [rɪ'gɑːdənt] *a* 1) при́стально наблюда́ющий; 2) *геральд.* смотря́щий наза́д.

**regardful** [rɪ'gɑːdful] *a* внима́тельный; забо́тливый.

**regarding** [rɪ'gɑːdɪŋ] 1. *pres. p. от* regard 2; 2. *prep* относи́тельно, о.

**regardless** [rɪ'gɑːdlɪs] *a* 1) не обраща́ющий внима́ния, не счита́ющийся (of); 2): ~ of (*употр. как adv*) a) не обраща́я внима́ния, не ду́мая; б) не взира́я на; не счита́ясь с; ~ of danger не счита́ясь с опа́сностью.

**regatta** [rɪ'gætə] *n* па́русные *или* гребны́е го́нки, рега́та.

**regelate** [ˈriːdʒɪleɪt] *v* смерза́ться.

**regency** [ˈriːdʒənsɪ] *n* ре́гентство.

**regenerate** 1. *a* [rɪ'dʒenərɪt] 1) возрождённый духо́вно; 2) преобразо́ванный, улу́чшенный;
2. *v* [rɪ'dʒenəreɪt] 1) сно́ва порожда́ть; 2) перерожда́ть(ся); возрожда́ть(ся) духо́вно; 3) *тех., хим.* регенери́ровать; восстана́вливать.

**regeneration** [rɪ,dʒenə'reɪʃən] *n* 1) духо́вное возрожде́ние; 2) *тех., хим.* регенера́ция, рекупера́ция; восстановле́ние.

**regenerative** [rɪ'dʒenərətɪv] *a* 1) возрожда́ющий, восстана́вливающий; 2) *тех.* регенерати́вный, рекуперати́вный.

**regenerator** [rɪ'dʒenəreɪtə] *n тех.* регенера́тор; преобразова́тель; восстанови́тель.

**regent** [ˈriːdʒənt] *n* 1) ре́гент; 2) *амер.* член правле́ния в не́которых америка́нских университе́тах.

**regicide** [ˈredʒɪsaɪd] *n* 1) цареуби́йца; 2) цареуби́йство.

**régie** [reɪ'ʒiː] *фр. n* госуда́рственная монопо́лия, *особ.* на таба́к и соль.

**régime, regime** [reɪ'ʒiːm] *фр. n* 1) режи́м, строй; 2) прави́тельство.

**regimen** [ˈredʒɪmen] *n* 1) *уст.* правле́ние, систе́ма правле́ния; 2) *мед.* режи́м; дие́та; 3) *грам.* управле́ние.

**regiment** [ˈredʒɪmənt] 1. *n* 1) полк (*в Англии тж.*) батальо́н; 2) (*часто pl*) ма́сса, мно́жество; 3) *уст.* правле́ние.
2. *v* 1) формирова́ть полк, своди́ть в полк; 2) организо́вывать, распределя́ть по гру́ппам.

**regimental** [,redʒɪ'mentl] *a* полково́й; (*в Англии тж.*) батальо́нный.

**regimentals** [,redʒɪ'mentlz] *n pl* полкова́я фо́рма.

**regimentation** [,redʒɪmen'teɪʃən] *n* 1) сведе́ние в полк(и́); формирова́ние полко́в; 2) организа́ция групп; 3) регламента́ция; 4) субордина́ция, па́лочная дисципли́на.

**region** [ˈriːdʒən] *n* 1) страна́; край; о́бласть; о́круга; *перен.* сфе́ра, о́бласть; in the ~ of а) побли́зости; б) в сфе́ре, в о́бласти; 2) райо́н (*страны*); слой (*атмосфе́ры*); 4) зо́на, полоса́; the abdominal ~ брюшна́я по́лость.

**regional** [ˈriːdʒənl] *a* областно́й; ме́стный; региона́льный; райо́нный.

**register** [ˈredʒɪstə] 1. *n* 1) журна́л (*за́писей*); официа́льный спи́сок; о́пись; рее́стр; метри́ческая кни́га; to be on the ~ *амер.* находи́ться под подозре́нием; быть взя́тым на заме́тку; ship's ~ судово́й реги́стр; 2) за́пись (*в журна́ле и т. п.*); 3) *муз.* реги́стр; 4) *тех.* счётчик, счётный механи́зм; cash ~ ка́ссовый аппара́т; 5) засло́нка (*в печи́ и т. п.*); 6) *полигр.* приво́дка; 7) *attr.*: ~ office=registry 1); ~ ton реги́стровая то́нна (=2, 8 м³);
2. *v* 1) регистри́ровать(ся); заноси́ть в спи́сок; to ~ oneself а) вноси́ть своё и́мя в спи́сок избира́телей; б) зарегистри́роваться, отме́титься; 2) пока́зывать, отмеча́ть, регистри́ровать (*о прибо́ре*); 3) сдава́ть на хране́ние (*бага́ж*); 4) *кино* выража́ть ми́микой; 5) запечатлева́ть(ся).

**registered** [ˈredʒɪstəd] 1. *p. p. от* register 2;
2. *a* зарегистри́рованный; отме́ченный; ~ letter заказно́е письмо́.

**registrant** [ˈredʒɪstrənt] *n* лицо́, получи́вшее пате́нт (*на что-л.*).

**registrar** [,redʒɪs'trɑː] *n* 1) архива́риус; 2) чино́вник-регистра́тор.

**registration** [,redʒɪs'treɪʃən] *n* 1) регистра́ция; за́пись; 2) *воен.* пристре́лка (*тж.* fire).

**registry** [ˈredʒɪstrɪ] *n* 1) регистрату́ра; отде́л за́писи а́ктов гражда́нского состоя́ния (*тж.* ~ office); servants' ~ бюро́ по прииска́нию мест для прислу́ги; 2) регистра́ция; регистрацио́нная за́пись; 3) журна́л за́писей, рее́стр.

**Regius** [ˈriːdʒjəs] *a*: ~ Professor профе́ссор, ка́федра кото́рого учреждена́ одни́м из англи́йских короле́й.

**regnal** [ˈregnəl] *a* относя́щийся к ца́рствованию короля́; ~ year год, в кото́ром коро́ль вступи́л на престо́л; ~ day день вступле́ния на престо́л.

**regnant** [ˈregnənt] *a* 1) ца́рствующий; 2) преоблада́ющий; широко́ распространённый.

**regorge** [rɪ'gɔːdʒ] *v* 1) изрыга́ть; 2) течь обра́тно; 3) *редк.* сно́ва прогла́тывать.

**regress** 1. *n* [ˈriːgres] 1) возвраще́ние; обра́тное движе́ние; 2) регре́сс; упа́док.
2. *v* [rɪ'gres] 1) дви́гаться обра́тно; регресси́ровать; 2) *астр.* дви́гаться с восто́ка на за́пад.

**regression** [rɪ'greʃən] *n* 1) = regress 1; 2) возвраще́ние в пре́жнее состоя́ние; возвраще́ние к бо́лее ра́нней ста́дии разви́тия.

**regressive** [rɪ'gresɪv] *a* регресси́вный; обра́тный.

**regret** [rɪ'gret] **1.** *n* 1) сожале́ние, го́ре; 2) раска́яние, сожале́ние; to my ~ к моему́ сожале́нию; 3) (*обыкн. pl*) извине́ния; to express ~ for smth. сожале́ть о чём-л., извиня́ться, проси́ть проще́ния за что-л.; he sent his ~s он присла́л свои́ извине́ния; **2.** *v* 1) сожале́ть, горева́ть (*о чём-л.*); I ~ to say к сожале́нию, до́лжен сказа́ть; 2) раска́иваться.

**regretful** [rɪ'gretful] *a* 1) по́лный сожале́ния, опеча́ленный; 2) раска́ивающийся, по́лный раска́яния.

**regrettable** [rɪ'gretəbl] *a* приско́рбный.

**regroup** ['riː'gruːp] *v* перегруппиро́вывать.

**regrouping** ['riː'gruːpɪŋ] **1.** *pres. p. от* regroup;
**2.** *n* перегруппиро́вка.

**regulable** ['regjuləbl] *a* регули́руемый.

**regular** ['regjulə] **1.** *a* 1) пра́вильный, норма́льный; регуля́рный; системати́ческий; he keeps ~ hours, he is a ~ man он ведёт регуля́рный о́браз жи́зни; 2) очередно́й, обы́чный; 3) квалифици́рованный; профессиона́льный; 4) согла́сный с этике́том, форма́льный; официа́льный; 5) постоя́нный; army регуля́рная а́рмия, постоя́нная а́рмия; 6) *разг.* настоя́щий, су́щий; a ~ guy, a ~ fellow *амер.* молоде́ц; сла́вный ма́лый; 7) мона́шеский; ~ clergy чёрное духове́нство; 8) *грам.* пра́вильный;
**2.** *n* 1) (*обыкн. pl*) мона́х; 2) (*обыкн. pl*) солда́т регуля́рной а́рмии; ка́дровый военнослу́жащий; 3) *pl* регуля́рные войска́; 4) *амер.* пре́данный сторо́нник (*какой-л. па́ртии*).

**regularity** [,regju'lærɪtɪ] *n* 1) пра́вильность, регуля́рность; 2) непреры́вность; 3) поря́док, систе́ма.

**regularize** ['regjuləraɪz] *v* де́лать пра́вильным, упоря́дочивать.

**regulate** ['regjuleɪt] *v* 1) регули́ровать, упоря́дочивать; 2) приспоса́бливать (*к тре́бованиям, усло́виям*); соразмеря́ть; 3) выверя́ть, регули́ровать (*механи́зм и т. п.*).

**regulation** [,regju'leɪʃən] *n* 1) регули́рование; приведе́ние в поря́док; ~ of currency *эк.* регули́рование средств обраще́ния; 2) предписа́ние, пра́вило; 3) *pl* уста́в, инстру́кция, обяза́тельные постановле́ния; 4) *attr.* предпи́санный; устано́вленный; устано́вленного образца́; *воен.* строево́го образца́, фо́рменный; to exceed the ~ speed превыша́ть устано́вленную ско́рость; of the ~ size поло́женного разме́ра.

**regulative** ['regjulətɪv] *a* регули́рующий.

**regulator** ['regjuleɪtə] *n* 1) тот, кто регули́рует; регулиро́вщик; 2) *тех.* регуля́тор.

**reguli** ['regjulaɪ] *pl от* regulus.

**regulus** ['regjuləs] *n* (*pl* -li) *метал.* 1) королёк (*мета́лла*); 2) штейн.

**regurgitate** [rɪ'gəːdʒɪteɪt] *v* 1) хлы́нуть обра́тно; 2) изверга́ть(ся); изрыга́ть.

**rehabilitate** [,riə'bɪlɪteɪt] *v* 1) реабилити́ровать; 2) восстана́вливать в права́х; 3) исправля́ть, перевоспи́тывать (*престу́пника*); 4) ремонти́ровать; реконструи́ровать; восстана́вливать; 5) восстана́вливать здоро́вье.

**rehabilitation** ['riə,bɪlɪ'teɪʃən] *n* 1) реабилита́ция; 2) восстановле́ние в права́х; 3) ремо́нт; реконстру́кция, восстановле́ние.

**rehandle** [riː'hændl] *v* переде́лывать.

**rehash** ['riː'hæʃ] **1.** *n* переде́лка (*чего-л. ста́рого*) на но́вый лад;
**2.** *v* переде́лывать; перекра́ивать (по-но́вому); переска́зывать (*что-л. ста́рое*) по-но́вому.

**rehear** ['riː'hɪə] *v* (reheard) 1) слу́шать втори́чно (*суде́бное де́ло*); 2) вновь слы́шать.

**reheard** ['riː'həːd] *past и p.p. от* rehear.

**rehearsal** [rɪ'həːsəl] *n* 1) репети́ция; dress ~ генера́льная репети́ция; 2) повторе́ние; перечисле́ние; 3) переска́з.

**rehearse** [rɪ'həːs] *v* 1) репети́ровать; 2) повторя́ть; перечисля́ть; 3) переска́зывать.

**reheat** ['riː'hiːt] *v* втори́чно нагрева́ть; подогрева́ть.

**rehouse** ['riː'hauz] *v* переселя́ть в но́вые дома́.

**rehousing** ['riː'hauzɪŋ] **1.** *pres. p. от* rehouse;
**2.** *n* 1) переселе́ние в но́вый дом; предоставле́ние но́вого жилья́; 2) *attr.*: ~ problem пробле́ма обеспе́чения жи́телей трущо́б но́выми жили́щами.

**Reichschancellor** [raɪks'tʃɑːnsələ] *нем.* *n* рейхска́нцлер.

**Reichstag** ['raɪkstɑːg] *нем.* *n* рейхста́г.

**reif** [riːf] *n* *шотл.* грабёж.

**reify** ['riːɪfaɪ] *v* материализова́ть, превраща́ть в не́что конкре́тное.

**reign** [reɪn] **1.** *n* 1) ца́рствование; in the ~ of smb. в ца́рствование кого́-л.; 2) власть; under the ~ под вла́стью; the ~ of law власть зако́на;
**2.** *v* 1) ца́рствовать (over); 2) цари́ть, госпо́дствовать.

**reimburse** [,riːɪm'bəːs] *v* возвраща́ть, возмеща́ть (*су́мму*).

**reimbursement** [,riːɪm'bəːsmənt] *n* компенса́ция, возмеще́ние.

**rein** [reɪn] **1.** *n* (*ча́сто pl*) 1) по́вод, пово́дья; вожжа́; to draw ~ а) натяну́ть пово́дья; б) уме́ньшить ско́рость; останови́ть ло́шадь; *перен.* останови́ться, сократи́ть расхо́ды; to give horse the ~(s) отпусти́ть пово́дья, отда́ть по́вод; 2) узда́; то, что сде́рживает; сре́дство контро́ля; the ~s of government бразды́ правле́ния; a tight ~ стро́гая дисципли́на; to keep a tight ~ on smb. стро́го контроли́ровать, держа́ть в узде́ кого́-л.; to give ~ (*или* the ~s) to one's imagination (passions) дать во́лю воображе́нию (чу́вствам); 3) *тех.* ру́чка, рукоя́ть клеще́й *и т. п.*;
**2.** *v* 1) пра́вить, управля́ть вожжа́ми; 2) управля́ть, сде́рживать; держа́ть в узде́ (*тж.* ~ in); □ ~ up остана́вливать(ся).

**reincarnate** **1.** *v* [riː'ɪnkɑːneɪt] перевоплоща́ть, воплоща́ть сно́ва;
**2.** *a* ['riː'ɪnkɑːnɪt] перевоплощённый.

**reincarnation** ['riːɪnkɑː'neɪʃən] *n* перевоплоще́ние.

**reindeer** ['reɪndɪə] *n* 1) се́верный оле́нь; 2) *attr.* оле́ний; ~ moss, ~ lichen оле́ний мох, я́гель.

**reinforce** [ˌriːɪnˈfɔːs] **1.** *v* 1) усиливать; подкреплять; укреплять; 2) *стр.* армировать *(бетон)*;
**2.** *n* 1) что-л., служащее для укрепления; 2) *воен.* утолщённая казённая часть ствола.
**reinforced concrete** [ˌriːɪnˈfɔːstˈkɔnkriːt] *n* железобетон.
**reinforcement** [ˌriːɪnˈfɔːsmənt] *n* 1) укрепление; 2) *(обыкн. pl)* *воен.* усиление; подкрепление; пополнение; 3) *стр.* арматура *(железобетона)*; 4) *attr.*: ~ bar *стр.* стержень арматуры.
**reinless** [ˈreɪnlɪs] *a* 1) без вожжей, без поводьев; 2) без контроля, без управления, без узды.
**reins** [reɪnz] *n pl уст.* 1) почки; 2) поясница; чресла.
**reinstate** [ˈriːɪnˈsteɪt] *v* 1) восстанавливать в прежнем положении, в правах (in, to); 2) восстанавливать *(порядок)*; 3) поправлять, восстанавливать *(здоровье)*.
**reinstatement** [ˈriːɪnˈsteɪtmənt] *n* восстановление *и пр.* [см. reinstate].
**reinsurance** [ˈriːɪnˈʃuərəns] *n* перестраховка, вторичная страховка.
**reinsure** [ˈriːɪnˈʃuə] *v* перестраховывать, вторично страховать.
**reinterment** [ˈriːɪnˈtɜːmənt] *n* вторичное захоронение; перенос останков на новое место захоронения.
**reiterate** [riːˈɪtəreɪt] *v* повторять; делать снова и снова.
**reiteration** [riːˌɪtəˈreɪʃən] *n* 1) повторение *(многократное)*; 2) то, что повторяется.
**reiterative** [riːˈɪtərətɪv] *a* повторяющийся.
**reive** [riːv] *v* опустошать, грабить.
**reiver** [ˈriːvə] *n* грабитель.
**reject 1.** *n* [ˈriːdʒekt] 1) признанный негодным *(особ. к военной службе)*; 2) уценённый товар;
**2.** *v* [rɪˈdʒekt] 1) отвергать, отказывать; to ~ an offer отклонять предложение; отказываться; 2) отбрасывать, забраковывать; 3) извергать, изрыгать.
**rejectamenta** [rɪˌdʒektəˈmentə] *лат. n pl* 1) отбросы; 2) экскременты.
**rejectee** [ˌrɪdʒekˈtiː] *n амер.* негодный к военной службе.
**rejection** [rɪˈdʒekʃən] *n* 1) отказ; отклонение, непринятие; 2) отсортировка, браковка; признание негодным; 3) извержение; 4) отражение *(тж. тех.)*.
**rejector** [rɪˈdʒektə] *n* 1) тот, кто отвергает, отказывает; 2) *тех.* отражатель; 3) *эл.* заграждающий фильтр; *радио* фильтр-пробка.
**rejoice** [rɪˈdʒɔɪs] *v* 1) радовать(ся), веселиться; праздновать *(событие)*; to ~ in *(или at)* smth. наслаждаться чем-л., радоваться чему-л.; 2) *шутл.* обладать (in—чем-л.).
**rejoicing** [rɪˈdʒɔɪsɪŋ] **1.** *pres. p. от* rejoice;
**2.** *n (часто pl)* веселье; празднование.
**rejoicingly** [rɪˈdʒɔɪsɪŋlɪ] *adv* радостно, с радостью; весело.
**re-join** [ˈriːˈdʒɔɪn] *v* снова соединять(ся), воссоединять(ся).
**rejoin** [rɪˈdʒɔɪn] *v* 1) возвращаться к; to ~ the colours *воен.* явиться из запаса на

действительную службу; 2) присоединиться, примкнуть; you go on and I will ~ you later вы идите, а я приду немного погодя; 3) отвечать, возражать; 4) *юр.* отвечать на обвинение.
**rejoinder** [rɪˈdʒɔɪndə] *n* 1) ответ, возражение; 2) *юр.* возражения ответчика в ответ на возражение истца.
**rejuvenate** [rɪˈdʒuːvɪneɪt] *v* омолаживать (-ся).
**rejuvenation** [rɪˌdʒuːvɪˈneɪʃən] *n* омоложение; восстановление сил, здоровья.
**rejuvenescence** [ˌriːdʒuːvɪˈnesns] *n* 1) омолаживание; восстановление здоровья и сил; 2) *биол.* образование новых клеток из протоплазмы старых.
**rejuvenescent** [ˌriːdʒuːvɪˈnesnt] *a* 1) молодеющий; 2) придающий жизненную силу, живость.
**relapse** [rɪˈlæps] **1.** *n* повторение; рецидив *(особ. мед.)*;
**2.** *v (снова)* впадать *(в какое-л. состояние)*; *(снова, вторично)* заболевать; *(снова)* предаваться *(пьянству и т. п.)*; to ~ into silence снова замолчать.
**relapsing fever** [rɪˈlæpsɪŋˈfiːvə] *n мед.* возвратный тиф.
**relate** [rɪˈleɪt] *v* 1) рассказывать; 2) приводить в связь, устанавливать отношение (to, with—между чем-л.); 3) *(обыкн. р.р.)* быть связанным, состоять в родстве; we are distantly ~d мы дальние родственники; 4) относиться, иметь отношение.
**related** [rɪˈleɪtɪd] **1.** *р. р. от* relate;
**2.** *a* 1) связанный; 2) родственный.
**relation** [rɪˈleɪʃən] *n* 1) отношение; связь, зависимость; ~ of forces соотношение сил; ~s of production *полит.-эк.* производственные отношения; it is out of all ~ to, it bears no ~ to это не имеет никакого отношения к; strained ~s натянутые отношения; 2) повествование, изложение; рассказ; 3) родственник; родственница; 4) *редк.* родство; ◇ in ~ to относительно; что касается.
**relational** [rɪˈleɪʃənl] *a* относительный.
**relationship** [rɪˈleɪʃənʃɪp] *n* 1·) родство; 2) *собир.* родня, родственники; 3) отношение, взаимоотношение; связь.
**relatival** [ˌreləˈtaɪvəl] *a грам.* относительный.
**relative** [ˈrelətɪv] **1.** *n* 1) родственник; родственница; a remote ~ дальний родственник; 2) *грам.* относительное местоимение *(тж.* ~ pronoun);
**2.** *a* 1) относительный; сравнительный; ~ surplus value *полит.-эк.* относительная прибавочная стоимость; 2) соотносительный, взаимный; связанный один с другим; 3) соответственный; 4) *грам.* относительный.
**relatively** [ˈrelətɪvlɪ] *adv* 1) относительно, по поводу; 2) относительно, сравнительно; 3) соответственно.
**relativism** [ˈrelətɪvɪzəm] *n филос.* релятивизм.
**relativity** [ˌreləˈtɪvɪtɪ] *n* 1) относительность; 2) теория относительности.
**relax** [rɪˈlæks] *v* 1) ослаблять(ся); уменьшать напряжение; расслаблять; to ~

international tension смягчи́ть междунаро́дную напряжённость; 2) слабе́ть; 3) де́лать переды́шку; 4) смягча́ть(ся), де́лать (-ся) ме́нее стро́гим; 5) де́лать(ся) ме́нее церемо́нным; ◇ to ~ the bowels очи́стить кише́чник.

**relaxing** [rɪ'læksɪŋ] 1. *pres. p. om* relax; 2. *a* смягча́ющий, расслабля́ющий; ~ climate расслабля́ющий кли́мат.

**relaxation** [ˌriːlæk'seɪʃən] *n* 1) ослабле́ние; уменьше́ние напряже́ния; 2) о́тдых от рабо́ты, переды́шка; развлече́ние; 3) смягче́ние; 4) *юр.* части́чное *или* по́лное освобожде́ние от штра́фа.

**re-lay** ['riː'leɪ] *v* сно́ва класть; перекла́дывать.

**relay** 1. *n* [rɪ'leɪ] 1) сме́на (*особ. лоша-де́й*); 2) сме́на (*рабо́чих*); 3) *спорт.* эстафе́та; 4) ['riː'leɪ] *эл.* реле́; переключа́тель; 5) ['riː'leɪ] *радио* (ре)трансля́ция; 6) *attr.*: ~ system систе́ма смен (*на предприя́тии*); 7) *attr.*: ~ box эл. коро́бка реле́; 2. *v* [rɪ'leɪ] 1) сменя́ть, обеспе́чивать сме́ну; 2) передава́ть (*да́льше*); 3) ['riː'leɪ] *радио* трансли́ровать; 4) *эл.* устра́ивать защи́ту, ста́вить реле́.

**relay-race** ['riːleɪreɪs] *n* эстафе́тный бег, эстафе́та.

**relay station** ['riːleɪ'steɪʃən] *n* радио ретрансляцио́нная ста́нция.

**release** [rɪ'liːs] 1. *n* 1) освобожде́ние (*из заключе́ния*); 2) освобожде́ние, избавле́ние (*от забо́т, обя́занностей и т. п.*); 3) облегче́ние (*бо́ли, страда́ний*); 4) оправда́тельный докуме́нт, распи́ска; докуме́нт о переда́че пра́ва *или* иму́щества; 5) *тех.* выключа́ющий автома́т; расцепля́ющий механи́зм; 6) *тех.* разъедине́ние; разобще́ние, расцепле́ние; 7) отбо́й; 8) сбра́сывание (*авиабо́мбы*); 2. *v* 1) освобожда́ть, выпуска́ть на во́лю; 2) избавля́ть (from); 3) облегча́ть (*боль, страда́ния*); 4) *воен.* увольня́ть, демобилизова́ть; 5) отпуска́ть, выпуска́ть, пуска́ть; сбра́сывать (*авиабо́мбы*); to ~ an arrow from a bow пусти́ть стрелу́ из лу́ка; 6) выпуска́ть (*из печа́ти и т. п.*); выпуска́ть фильм (*на экра́н*); 7) проща́ть (*долг*); отка́зываться (*от пра́ва*); передава́ть друго́му (*иму́щество*); 8) раскрыва́ть (*парашю́т*); 9) *тех.* разобща́ть, расцепля́ть.

**release gear** [rɪ'liːs'gɪə] *n ав.* бомбосбра́сыватель.

**relegate** ['relɪgeɪt] *v* 1) отсыла́ть, направля́ть; to ~ to the reserve перевести́ в запа́с; 2) предава́ть забве́нию, сдава́ть в архи́в; 3) разжа́ловать; 4) ссыла́ть, высыла́ть; 5) передава́ть (*де́ло, вопро́с*) для реше́ния *или* исполне́ния.

**relegation** [ˌrelɪ'geɪʃən] *n* 1) вы́сылка, изгна́ние; 2) разжа́лование; 3) переда́ча (*де́ла, вопро́са*) для реше́ния *или* исполне́ния.

**relent** [rɪ'lent] *v* смягча́ться.

**relentless** [rɪ'lentlɪs] *a* 1) безжа́лостный, непрекло́нный, неумоли́мый; 2) неослабева́ющий, неосла́бный; неуста́нный; неотсту́пный.

**relevance, -cy** ['relɪvəns, -sɪ] *n* уме́стность.

**relevant** ['relɪvənt] *a* уме́стный, относя́щийся к де́лу.

**reliability** [rɪˌlaɪə'bɪlɪtɪ] *n* 1) надёжность; про́чность; 2) достове́рность; 3) *attr.*: ~ trial про́бный, испыта́тельный пробе́г (*автомоби́ля и т. п.*).

**reliable** [rɪ'laɪəbl] *a* 1) надёжный; 2) про́чный; 3) заслу́живающий дове́рия, достове́рный.

**reliance** [rɪ'laɪəns] *n* 1) дове́рие, уве́ренность (upon, on, in); to place (*или* to have, to feel) ~ in (*или* upon, on) smb., smth. наде́яться на кого́-л., что́-л.; 2) опо́ра, наде́жда.

**reliant** [rɪ'laɪənt] *a* 1) уве́ренный; 2) самоуве́ренный, самонаде́янный.

**relic** ['relɪk] *n* 1) след, оста́ток; пережи́ток; 2) *pl* мо́щи; 3) *pl* рели́квии; 4) сувени́р; 5) *pl* поэт. оста́нки; 6) *геол.* рели́кт.

**relict** ['relɪkt] 1. *n уст., шутл.* вдова́; 2. *a геол.* рели́ктовый.

**reliction** [rɪ'lɪkʃən] *n* 1) ме́дленное и постепе́нное отступа́ние воды́ с образова́нием су́ши; 2) земля́, обнажённая отступи́вшим мо́рем.

**relief I** [rɪ'liːf] *n* 1) облегче́ние (*бо́ли, страда́ния, беспоко́йства*); по́мощь; утеше́ние; to bring (*или* to give) ~ принести́ облегче́ние; 2) посо́бие (*безрабо́тным*); indoor ~ по́мощь, ока́зываемая бе́дным в рабо́тных дома́х; to put on ~ включи́ть в спи́сок для получе́ния посо́бия по безрабо́тице; 3) разнообра́зие, переме́на (*прия́тная*); 4) освобожде́ние (*от упла́ты штра́фа*); 5) подкрепле́ние; 6) сме́на (*дежу́рных, карау́льных*); освобожде́ние (*от обя́занностей*); in the ~ при сме́не, во вре́мя сме́ны; 7) *воен.* сня́тие оса́ды; 8) *attr.*: ~ cut сокраще́ние посо́бия; ~ fund фонд по́мощи.

**relief II** [rɪ'liːf] *n* 1) релье́ф (*изображе́ние*); релье́фность; in ~ релье́фно, вы́пукло; in ~ against the sky выступа́ющий на фо́не не́ба; 2) релье́ф, хара́ктер ме́стности; 3) *attr.* релье́фный; ~ work чека́нная рабо́та.

**reliefer** [rɪ'liːfə] *n* получа́ющий посо́бие.

**relief-works** [rɪ'liːfwəːks] *n pl* обще́ственные рабо́ты для безрабо́тных.

**relieve I** [rɪ'liːv] *v* 1) облегча́ть, уменьша́ть (*тя́жесть, давле́ние*); ослабля́ть (*напряже́ние*); to ~ a person of his cash (*или* of his purse) *шутл.* обокра́сть кого́-л.; 2) успока́ивать; to ~ one's feelings отвести́ ду́шу; 3) ока́зывать по́мощь, выруча́ть; 4) *воен.* снима́ть оса́ду; 5) сменя́ть (*на посту́*); to ~ a guard сменя́ть карау́л; 6) лиша́ть; освобожда́ть (*от чего́-либо*); увольня́ть; to ~ a person of his position лиши́ть кого́-л. ме́ста; освободи́ть кого́-л. от до́лжности; 7) вноси́ть разнообра́зие, оживля́ть; 8) *тех.* деблоки́ровать; ◇ to ~ nature испражни́ться; помочи́ться.

**relieve II** [rɪ'liːv] *v* 1) де́лать релье́фным; 2) быть релье́фным, выступа́ть (*на фо́не*).

**relieving officer** [rɪ'liːvɪŋ'ɔfɪsə] *n* попечи́тель, ве́дающий по́мощью бе́дным (*в прихо́де, в райо́не*).

**relievo** [rɪ'liːvou] *um.* = relief II.

**relight** ['rɪ'laɪt] v 1) снова зажечь; 2) снова загореться.

**religion** [rɪ'lɪdʒən] n 1) религия; to get ~ разг. стать религиозным; 2) монашество; to enter into ~ постричься в монахи; to be in ~ быть монахом; 3) культ, святыня; to make a ~ of smth. считать что-л своей священной обязанностью; сделать культ из чего-л.

**religioner** [rɪ'lɪdʒənə] n 1) религиозный человек; 2) монах

**religionism** [rɪ'lɪdʒənɪzəm] n чрезмерная религиозность.

**religious** [rɪ'lɪdʒəs] 1. a 1) религиозный; 2) монашеский; 3) благоговейный;

2. n (pl. без измен.) монах.

**religiousness** [rɪ'lɪdʒəsnɪs] n религиозность.

**relinquish** [rɪ'lɪŋkwɪʃ] v 1) сдавать; 2) оставлять (надежду); 3) бросать (привычку); 4) отказываться (от права); уступать, передавать (кому-л.); 5) выпускать; to ~ one's hold выпускать из рук

**reliquary** ['relɪkwərɪ] n рака, гробница, ковчег (для мощей).

**reliquiae** [rɪ'lɪkwɪɛ] лат. n pl 1) реликвии, останки; 2) литературное наследие автора. 3) геол. окаменелости животных и растений.

**relish** ['relɪʃ] 1. n 1) (приятный) вкус, привкус, запах; 2) приправа, соус; 3) привлекательность; to lose its ~ терять свою прелесть; 4) стимул; 5) пристрастие, вкус, склонность (for—к чему-л.); with great ~ с удовольствием, с увлечением; ◊ hunger is the best ~ ≅ голод—лучший повар;

2. v 1) служить приправой придавать вкус, делать острым; 2) получать удовольствие (от чего-л.), наслаждаться, смаковать, находить приятным; I do not ~ the prospect мне не улыбается эта перспектива; 3) иметь вкус, отзываться (of — чем-л.).

**reload** ['rɪ'loud] v 1) перегружать, нагружать снова; 2) перезаряжать.

**reluctance** [rɪ'lʌktəns] n 1) неохота, нежелание; нерасположение, отвращение; with ~ неохотно; 2) эл. магнитное сопротивление.

**reluctant** [rɪ'lʌktənt] a 1) делающий (что-л.) с неохотой; неохотный, вынужденный (о согласии и т. п.); 2) сопротивляющийся; 3) упорный, не поддающийся (лечению и т. п.).

**reluctantly** [rɪ'lʌktəntlɪ] adv неохотно, с неохотой, без желания.

**reluctivity** [ˌrɪlʌk'tɪvɪtɪ] n эл. удельное магнитное сопротивление.

**relume** [rɪ'ljuːm] v уст., поэт. 1) снова зажигать; 2) вновь освещать.

**rely** [rɪ'laɪ] v полагаться, доверять, быть уверенным (on, upon); on that you may ~ можете положиться на это; ~ upon it будьте уверены в этом; уверяю вас.

**remade** [rɪ'meɪd] past и p.p. от remake 1.

**remain** [rɪ'meɪn] v оставаться; I ~ yours truly остаюсь преданный вам (в заключение письма); let it ~ as it is пусть всё остаётся, как есть.

**remainder** [rɪ'meɪndə] 1. n 1) остаток;

2) нераспроданные остатки тиража книги; 3) юр. право наследования титула; 4) attr оставшийся; остальной;

2. v распродавать остатки тиража книги по дешёвой цене.

**remains** [rɪ'meɪnz] n pl 1) остаток; остатки; 2) реликвии, следы прошлого; 3) пережитки; 4) останки, прах; 5) посмертные произведения

**remake** ['rɪ'meɪk] 1. v (remade) переделывать, делать заново;

2. n 1) переделывание, переделка; 2) что-л переделанное, особ. переснятый фильм.

**reman** ['rɪ'mæn] v 1) воен., мор. (вновь) укомплектовывать людьми; подкреплять людьми; 2) воен вновь занять (войсками, гарнизоном); 3) подбодрять, вселять мужество.

**remand** [rɪ'mɑːnd] 1. n 1) юр. отсылка (заключённого) под стражу; a person on ~ подследственный; 2) воен. отчисление, исключение из списков;

2. v 1) юр. отсылать обратно под стражу (для продолжения следствия); 2) уст. отсылать снова или обратно; отзывать; 3) воен. отчислять.

**remark** [rɪ'mɑːk] 1. n 1) замечание; to make no ~ ничего не сказать; to pass a ~ высказать своё мнение; 2) заметка; 3) примечание; пометка; ссылка;

2. v 1) замечать, наблюдать, отмечать; 2) делать замечание, высказываться (on, upon—о чём-л.).

**remarkable** [rɪ'mɑːkəbl] a 1) замечательный, удивительный; 2) выдающийся.

**remarkably** [rɪ'mɑːkəblɪ] adv замечательно, удивительно; в высшей степени; необыкновенно.

**remediable** [rɪ'miːdjəbl] a поправимый, излечимый.

**remedial** [rɪ'miːdjəl] a 1) лечебный, излечивающий; исправляющий; 2) исправительный; 3) тех. ремонтный.

**remediless** ['remɪdɪlɪs] a поэт. неисправимый, неизлечимый.

**remedy** ['remɪdɪ] 1. n 1) средство от болезни, лекарство; 2) средство, мера (против чего-л.); 3) юр. возмещение ущерба, удовлетворение;

2. v 1) вылечивать; 2) исправлять; 3) возмещать.

**remember** [rɪ'membə] v 1) помнить, вспоминать; to ~ oneself опомниться; 2) передавать привет; ~ me to your father передайте привет вашему отцу; 3) дарить; завещать; давать на чай; to ~ a child on its birthday послать подарок ребёнку ко дню рождения; to ~ smb. in one's will завещать кому-л.

**remembrance** [rɪ'membrəns] n 1) воспоминание; память; to put in ~ напоминать; 2) pl привет (через кого-л.); 3) сувенир, подарок на память; 4) attr.: ~ card открытка с напоминанием о чём-л.

**remilitarize** ['rɪ'mɪlɪtəraɪz] v ремилитаризировать.

**remilitarization** ['rɪˌmɪlɪtəraɪ'zeɪʃən] n ремилитаризация.

**remind** [rɪ'maɪnd] v напомина́ть (of).

**reminder** [rɪ'maɪndə] n напомина́ние; gentle ~ намёк.

**remindful** [rɪ'maɪndful] a напомина́ющий; вызыва́ющий воспомина́ния.

**reminiscence** [ˌremɪ'nɪsns] n 1) воспомина́ние; 2) черта́, напомина́ющая что-л.; 3) pl мемуа́ры, воспомина́ния.

**reminiscent** [ˌremɪ'nɪsnt] a 1) вспомина́ющий; скло́нный к воспомина́ниям; 2) напомина́ющий (of); вызыва́ющий воспомина́ния.

**remise** [rɪ'maɪz] v юр. уступа́ть, передава́ть (право, имущество).

**remiss** [rɪ'mɪs] a 1) неради́вый, невнима́тельный; 2) вя́лый, сла́бый; 3) тех. раство́рённый, разжижённый.

**remissible** [rɪ'mɪsɪbl] a прости́тельный, позволи́тельный.

**remission** [rɪ'mɪʃən] n 1) проще́ние; отпуще́ние (грехов); 2) освобожде́ние от упла́ты, от наказа́ния; отме́на или смягче́ние (приговора); 3) уменьше́ние, ослабле́ние.

**remissive** [rɪ'mɪsɪv] a 1) проща́ющий; освобожда́ющий; 2) ослабля́ющий, уменьша́ющий.

**remit** [rɪ'mɪt] v 1) проща́ть; отпуска́ть (грехи); 2) возде́рживаться (от наказа́ния, взыскания долга); слага́ть (недоимки); 3) уменьша́ть(ся); смягча́ть(ся); ослабля́ть(ся) (об усилиях и т. п.); прекраща́ть (-ся); 4) юр. откла́дывать (дело); отсыла́ть обра́тно в ни́зшую инста́нцию; 5) передава́ть на реше́ние како́му-л. авторите́тному лицу́; 6) пересыла́ть (товары); посыла́ть по по́чте (деньги); kindly ~ to Mr. N прошу́ (или про́сим) уплати́ть ми́стеру N.

**remittance** [rɪ'mɪtəns] n 1) пересы́лка, перево́д де́нег; воен. перево́д де́нег по аттеста́ту; 2) переводи́мые де́ньги, де́нежный перево́д.

**remittance-man** [rɪ'mɪtənsmæn] n эмигра́нт, живу́щий на де́ньги, присыла́емые с ро́дины.

**remittee** [ˌrɪmɪ'tiː] n получа́тель де́нежного перево́да; получа́тель де́нег по аттеста́ту.

**remittent** [rɪ'mɪtənt] 1. a перемежа́ющийся; ~ fever=2;

2. n перемежа́ющаяся лихора́дка.

**remitter** [rɪ'mɪtə] n 1) отправи́тель де́нежного перево́да; 2) юр. переда́ча де́ла из одно́й инста́нции в другу́ю.

**remnant** ['remnənt] n 1) оста́ток; отре́зок; 2) елед, оста́ток; 3) пережи́ток.

**remodel** [ˈriː'mɔdl] v переде́лывать; реконструи́ровать.

**remonstrance** [rɪ'mɔnstrəns] n 1) проте́ст; возраже́ние; 2) увеща́ние.

**remonstrant** [rɪ'mɔnstrənt] 1. a протесту́ющий, возража́ющий;

2. n тот, кто протесту́ет, возража́ет.

**remonstrate** [rɪ'mɔnstreɪt] v 1) протестова́ть, возража́ть (against); 2) убежда́ть, увещева́ть (with—кого-л.).

**remorse** [rɪ'mɔːs] n 1) угрызе́ние со́вести; раска́яние; 2) сожале́ние, жа́лость; without ~ безжа́лостно, беспоща́дно, бессерде́чно.

**remorseful** [rɪ'mɔːsful] a 1) по́лный рас-

**каяния**; 2) по́лный сожале́ния, сострада́тельный.

**remorseless** [rɪ'mɔːslɪs] a 1) безжа́лостный, беспоща́дный; 2) не испы́тывающий раска́яния.

**remote** [rɪ'mout] a 1) отдалённый, да́льний; уединённый; the ~ past далёкое про́шлое; 2) сла́бый; not the ~st idea ни мале́йшего поня́тия; ~ resemblance отдалённое схо́дство; 3) маловероя́тный; not the ~st chance of success ни мале́йшего ша́нса на успе́х; 4) тех. дистанцио́нный; де́йствующий на расстоя́нии; ~ control дистанцио́нное управле́ние, телеуправле́ние.

**remount** I [rɪ'maunt] v 1) сно́ва всходи́ть, поднима́ться (по лестнице и т. п.); 2) сно́ва сесть на ло́шадь; 3) восходи́ть (к более раннему периоду).

**remount** II 1. n ['riːmaunt] 1) запасна́я ло́шадь; 2) воен. ремо́нтная ло́шадь или ремо́нтные ло́шади, ко́нский ремо́нт, ко́нское пополне́ние;

2. v [riː'maunt] воен. ремонти́ровать (кавалерию).

**removability** [rɪˌmuːvə'bɪlɪtɪ] n сменя́емость; перемеща́емость, подви́жность.

**removable** [rɪ'muːvəbl] 1. a 1) передвига́емый; подвижно́й; съёмный; 2) устрани́мый; сменя́емый; 3) тех. сме́нный;

2. n сменя́емый судья́ (в Ирландии).

**removal** [rɪ'muːvəl] n 1) перемеще́ние; переéзд; ~ of furniture вы́воз ме́бели (из дома); 2) смеще́ние (судьи и т. п.); 3) убо́рка, удале́ние; снос; 4) устране́ние; 5) горн. вскры́ша; вы́емка.

**removal-van** [rɪ'muːvəl'væn] n грузови́к, фурго́н для перево́зки ме́бели.

**remove** [rɪ'muːv] 1. n 1) ступе́нь, шаг; сте́пень отдале́ния; at many ~s на далёком расстоя́нии; but one ~ from всего́ оди́н шаг до; 2) поколе́ние, коле́но; 3) перево́д ученика́ в сле́дующий класс; he has not got his ~ он оста́лся на второ́й год; 4) класс (в некоторых английских школах); 5) сле́дующее блю́до (за обедом);

2. v 1) передвига́ть; перемеща́ть; убира́ть, уноси́ть; to ~ oneself удали́ться; 2) снима́ть; to ~ one's hat снять шля́пу (для приветствия); 3) отодвига́ть, убира́ть; to ~ one's hand убра́ть ру́ку; to ~ one's eyes отвести́ глаза́; 4) устраня́ть, удаля́ть; to ~ all doubts уничто́жить все сомне́ния; 5) стира́ть; выводи́ть (пятна); 6) увольня́ть, смеща́ть; 7) переезжа́ть; she removed to Glasgow она́ перее́хала в Гла́зго; ◇ to ~ mountains го́ру сдви́нуть, де́лать чудеса́.

**removed** [rɪ'muːvd] 1. p.p. от remove 2;

2. a 1) удалённый, отдалённый; несвя́занный; far ~ from далёкий от; 2): once ~ двою́родный; twice ~ трою́родный.

**remover** [rɪ'muːvə] n 1) перево́зчик ме́бели (тж. furniture ~); 2) раствори́тель, удали́тель (пятен и т. п.); пятновыводи́тель; 3) тех. съёмник.

**remunerate** [rɪ'mjuːnəreɪt] v вознагражда́ть, опла́чивать, компенси́ровать.

**remuneration** [rɪˌmjuːnə'reɪʃən] n вознагражде́ние, опла́та, компенса́ция; за́работная пла́та.

**remunerative** [rɪ'mjuːnərətɪv] *a* 1) вознаграждающий; 2) хорошо оплачиваемый, выгодный.

**renaissance** [rə'neɪsəns] *n* 1) (R.) эпоха Возрождения, Ренессанс; 2) возрождение, оживление; 3) (R.) *attr.* относящийся к эпохе Возрождения; R. architecture архитектура Возрождения.

**renal** ['riːnəl] *a* почечный.

**rename** ['riː'neɪm] *v* дать новое имя; переименовать.

**renascence** [rɪ'næsns] *n* 1) возрождение, оживление, возобновление; 2) (R.) = renaissance 1).

**renascent** [rɪ'næsnt] *a* возрождающийся; ~ enthusiasm новый энтузиазм.

**rencontre** [ren'kɔntə] *фр. n* 1) дуэль, стычка, столкновение; 2) случайная встреча.

**rencounter** [ren'kauntə] 1. *n уст.* = rencontre;
2. *v* 1) встречаться враждебно; 2) случайно сталкиваться.

**rend** [rend] 1. *n редк.* щель, трещина;
2. *v* (rent) 1) рвать, раздирать; разрывать; it ~s my heart это терзает меня; 2) расщеплять, раскалывать; делить; ☐ ~ away, ~ from отрывать.

**render** ['rendə] 1. *n* 1) отдача; оплата; 2) штукатурка; 3) растопленное сало, жиры;
2. *v* 1) воздавать, платить, отдавать; to ~ good for evil платить добром за зло; 2) оказывать (*помощь и т. п.*); to ~ a service оказать услугу; 3) представлять; to ~ thanks приносить благодарность; to ~ judgement выносить приговор; to ~ an account for payment представлять счёт к оплате; to ~ an account докладывать, давать отчёт; 4) делать (*чем-л.*); обращать, превращать (*во что-л.*); to ~ active активизировать; to be ~ed speechless with rage онеметь от ярости; climbing ~s me giddy подъём вызывает у меня головокружение; 5) воспроизводить, изображать, передавать; 6) исполнять (*роль*); 7) переводить (*на другой язык*); 8) *уст.* сдавать(ся) (*часто* ~ up); 9) топить (*сало*); 10) *мор.* травить канат через блок; 11) *стр.* штукатурить; обмазывать.

**rendering** ['rendərɪŋ] 1. *pres. p. от* render 2;
2. *n* 1) перевод, передача; 2) исполнение; изображение; толкование (*образа произведения*); 3) оказание (*услуги, помощи и т. п.*); 4) вытапливание (*сала*); 5) *стр.* штукатурка без драни, обмазка; 6) *мор.* пропускание троса через блок.

**rendezvous** ['rɔndɪvuː] *фр.* 1. *n* 1) свидание; 2) место свидания; место встреч; 3) сбор войск *или* кораблей в назначенном месте;
2. *v* встречаться в назначенном месте.

**rendition** [ren'dɪʃən] *n* 1) перевод; толкование; передача; изображение; 2) *редк.* передача, выдача (*особ. беглых преступников иностранному правительству*).

**renegade** ['renɪɡeɪd] 1. *n* ренегат, изменник; отступник; перебежчик;

2. *a* предательский, изменнический.

**renew** [rɪ'njuː] *v* 1) обновлять; восстанавливать; реставрировать; заменять новым; 2) повторять; 3) возрождать; возобновлять; to ~ correspondence возобновить переписку; 4) оживить, вызвать вновь (*чувства и т. п.*); 5) продлить срок действия (*договора об аренде и т. п.*); 6) пополнять запас.

**renewal** [rɪ'njuːəl] *n* 1) возобновление, возрождение, восстановление; 2) повторение; 3) обновление; 4) замена изношенного оборудования новым; капитальный, восстановительный ремонт.

**rennet** I ['renɪt] *n* сычужок.

**rennet** II ['renɪt] *n* ранет (*сорт яблок*).

**renounce** [rɪ'nauns] 1. *v* 1) отказываться (*от своих прав, требований, привычек и т. п.*); 2) отрекаться (*от друзей*); 3) не признавать (*власть*); отвергать, отклонять (*мнение и т. п.*); 4) *карт.* делать ренонс;
2. *n карт.* ренонс.

**renouncement** [rɪ'naunsmənt] *n* отречение, отказ.

**renovate** ['renouveɪt] *v* восстанавливать, починять, подновлять, освежать.

**renovation** [ˌrenou'veɪʃən] *n* восстановление, починка; реконструкция.

**renovator** ['renouveɪtə] *n* 1) восстановитель; 2) реставратор; 3) *разг.* портной, принимающий платье в починку, перелицовку.

**renown** [rɪ'naun] *n* слава, известность; a man of ~ знаменитый человек.

**renowned** [rɪ'naund] *a* известный, знаменитый, прославленный.

**rent** I [rent] 1. *past и p.p. от* rend 2;
2. *n* 1) дыра, прореха; прорезь; щель; 2) разрыв (*в облаках*); 3) расселина, трещина; 4) пройма; 5) несогласие, разрыв.

**rent** II [rent] 1. *n* 1) арендная плата; квартирная плата; 2) рента; ground ~ земельная рента; ~ in kind натуральная рента; 3) *амер.* наём, прокат; плата за прокат; for ~ внаём; напрокат; 4) *sl.* грабёж;
2. *v* 1) брать в аренду, нанимать; 2) сдавать в аренду; *амер.* давать напрокат; 4) *sl.* грабить на дорогах.

**rentable** ['rentəbl] *a* 1) могущий быть сданным в аренду; 2) могущий приносить рентный доход.

**rental** ['rentl] *n* 1) сумма арендной платы; рентный доход; 2) список арендаторов.

**renter** ['rentə] *n* съёмщик; арендатор.

**rent-free** ['rent'friː] 1. *a* освобождённый от арендной *или* квартирной платы;
2. *adv* с освобождением от арендной *или* квартирной платы.

**rentier** ['rɔntɪeɪ] *фр. n* рантье.

**rent-ower** ['rent,ouə] *n* лицо, задолжавшее арендную *или* квартирную плату.

**rent-roll** ['rentroul] *n* 1) список земель и доходов от их аренды; 2) доход, получаемый от сдачи в аренду.

**renumber** ['riː'nʌmbə] *v* перенумеровать.

**renunciation** [rɪ,nʌnsɪ'eɪʃən] *n* отказ, (само)отречение.

**renunciative** [rɪ'nʌnʃɪətɪv] = renunciatory.

**renunciatory** [rɪ'nʌnʃɪətərɪ] *a* содержащий отказ, уступку, отречение.

**reopen** ['ri:'oupən] *v* 1) открыва́ть(ся) вновь; 2) возобнови́ть, нача́ть сно́ва.

**reorganization** ['ri:ɔ:gənai'zeiʃən] *n* реорганиза́ция, преобразова́ние.

**reorganize** ['ri:'ɔ:gənaiz] *v* реорганизо́вывать, преобразо́вывать; to ~ a ministry реорганизова́ть министе́рство.

**rep** I [rep] *n* репс (ткань).

**rep** II [rep] *школ. sl. сокр. от* repetition 2).

**rep** III [rep] *sl. см.* repertory theatre.

**re-paid** ['ri:'peid] *past и p.p. от* re-pay.

**repaid** [ri:'peid] *past и p.p. от* repay.

**repair** I [ri'pɛə] 1. *n* 1) (часто pl) ремо́нт; почи́нка; under ~ в ремо́нте; ~s done while you wait ремо́нт в прису́тствии зака́зчика; closed during ~s закры́то на ремо́нт; 2) восстановле́ние; ~ of one's health восстановле́ние здоро́вья, сил; 3) го́дность, испра́вность; in good ~ в хоро́шем состоя́нии; in bad ~, out of ~ в неиспра́вном состоя́нии; to keep in ~ содержа́ть в испра́вности; 4) *attr.* запа́сный, запасно́й; ~ parts запасны́е ча́сти; 5) *attr.* ремо́нтный; ~ shop ремо́нтная мастерска́я;

2. *v* 1) ремонти́ровать; починя́ть, исправля́ть; to ~ a house ремонти́ровать дом; to ~ clothes чини́ть бельё; 2) восстана́вливать; to ~ one's health восстанови́ть своё здоро́вье; 3) возмеща́ть; 4) исправля́ть; to ~ an injustice испра́вить несправедли́вость.

**repair** II [ri'pɛə] *v* 1) отправля́ться, направля́ться; they ~ed homewards они́ напра́вились домо́й; 2) посеща́ть, навеща́ть; 3) прибега́ть (to—к чему́-л.).

**repairable** [ri'pɛərəbl] *a* поддаю́щийся ремо́нту; the house is not ~ дом уже́ нельзя́ отремонти́ровать.

**repairer** [ri'pɛərə] *n* производя́щий почи́нку *или* ремо́нт, ма́стер; watch ~ часово́й ма́стер, часовщи́к; cabinet ~ ма́стер по ремо́нту ме́бели.

**reparable** ['repərəbl] *a* поправи́мый; a ~ mistake поправи́мая оши́бка.

**reparation** [,repə'reiʃən] *n* 1) исправле́ние; 2) (обыкн. pl) возмеще́ние, репара́ции.

**repartee** [,repɑ:'ti:] *n* 1) остроу́мный отве́т; 2) остроу́мие, нахо́дчивость.

**repast** [ri'pɑ:st] *n* 1) еда́ (обед, ужин и т. п.); 2) тра́пеза; пи́ршество.

**repatriable** [ri:'pætriəbl] *a* подлежа́щий репатриа́ции.

**repatriate** [ri:'pætrieit] 1. *n* репатриа́нт; 2. *v* возвраща́ть на ро́дину, репатрии́ровать.

**repatriation** ['ri:pætri'eiʃən] *n* возвраще́ние на ро́дину, репатриа́ция.

**re-pay** ['ri:'pei] *v* (re-paid) плати́ть вто́рично.

**repay** [ri:'pei] *v* (repaid) 1) отдава́ть долг (to); 2) отпла́чивать; вознагражда́ть; возмеща́ть; I don't know how to ~ you for your kindness не зна́ю, как отблагодари́ть вас за ва́шу доброту́; 3) возвраща́ть; to ~ a visit отда́ть визи́т.

**repayable** [ri:'peiəbl] *a* подлежа́щий упла́те, возмеще́нию.

**repayment** [ri:'peimənt] *n* 1) опла́та; 2) возмеще́ние, вознагражде́ние.

**repeal** [ri'pi:l] 1. *n* аннули́рование, отме́на; 2. *v* аннули́ровать, отменя́ть (закон и т. п.).

**repealer** [ri'pi:lə] *n* 1) тот, кто отменя́ет; 2) *ист.* сторо́нник расторже́ния у́нии ме́жду Великобрита́нией и Ирла́ндией.

**repeat** [ri'pi:t] 1. *n* 1) разг. повторе́ние; то, что повторя́ется; 2) исполне́ние на бис; 3) амер. sl. репети́ция; 4) амер. унив. sl. студе́нт-второго́дник; 5) муз. повторе́ние; знак повторе́ния; 6) повторе́ние радиопрогра́ммы;

2. *v* 1) повторя́ть; 2) refl. повторя́ться; he does nothing but ~ himself он то́лько повторя́ется; history ~s itself исто́рия повторя́ется; 3) говори́ть наизу́сть; to ~ one's lesson отвеча́ть уро́к; 4) повторя́ться; вновь случа́ться; 5) передава́ть, расска́зывать; to ~ a secret рассказа́ть (кому́-л.) секре́т; 6) незако́нно голосова́ть на вы́борах не́сколько раз; 7) мор. репетова́ть (сигналы).

**repeated** [ri'pi:tid] 1. *p.p. от* repeat 2; 2. *a* повто́рный; ча́стый; on ~ occasions неоднокра́тно.

**repeatedly** [ri'pi:tidli] *adv* повто́рно, не́сколько раз, неоднокра́тно.

**repeater** [ri'pi:tə] *n* 1) тот, кто *или* то, что повторя́ет; 2) амер. разг. студе́нт-второго́дник; 3) рецидиви́ст; 4) репети́р, часы́ с репети́цией; 5) амер. sl. незако́нно голосу́ющий не́сколько раз на вы́борах; 6) мат. непреры́вная дробь; 7) магази́нная винто́вка; 8) радио трансляцио́нный усили́тель; 9) эл. реле́, переда́тчик, каска́д усиле́ния.

**repeating rifle** [ri'pi:tiŋ'raifl] *n* магази́нная винто́вка.

**repeating watch** [ri'pi:tiŋ'wɔtʃ] *n* репети́р, часы́ с репети́цией.

**repel** [ri'pel] *v* 1) отгоня́ть; отта́лкивать, отбра́сывать, отража́ть; to ~ an attack отрази́ть нападе́ние; 2) отверга́ть, отклоня́ть; to ~ an offer отклони́ть предложе́ние; to ~ an accusation отве́ргнуть обвине́ние; 3) вызыва́ть отвраще́ние, неприя́знь; 4) физ. отта́лкивать; 5) амер. спорт. sl. победи́ть.

**repellent** [ri'pelənt] *a* 1) вызыва́ющий отвраще́ние, отта́лкивающий; возмути́тельный; 2) водоотта́лкивающий (о материале).

**repent** I ['ri:pənt] *a* 1) бот. ползу́чий; 2) зоол. пресмыка́ющийся.

**repent** II [ri'pent] *v* раска́иваться; сокруша́ться; сожале́ть; I ~ я раска́иваюсь; I ~ me (или it ~s me) that I did it уст. сожале́ю, что сде́лал э́то; you shall ~ this (или of this) вы раска́етесь в э́том, вы пожале́ете об э́том; he has nothing to ~ of ему́ не́ в чем раска́иваться.

**repentance** [ri'pentəns] *n* покая́ние; раска́яние, сожале́ние.

**repentant** [ri'pentənt] *a* 1) ка́ющийся, раска́ивающийся; 2) выража́ющий раска́яние; ~ tears слёзы раска́яния.

**repercussion** [,ri:pə'kʌʃən] *n* 1) отда́ча (после удара); 2) о́тзвук; э́хо; 3) отраже́ние; влия́ние (события и т. п.).

**repertoire** ['repətwɑ:] *фр. n* репертуа́р.

**repertory** ['repətərɪ] *n* 1) склад, храни́лище; 2) спра́вочник, сбо́рник; рее́стр, катало́г; 3) репертуа́р.

**repertory theatre** ['repətərɪ 'θɪətə] *n* теа́тр с постоя́нной тру́ппой и подгото́вленным для сезо́на репертуа́ром.

**repetition** [,repɪ'tɪʃən] *n* 1) повторе́ние; 2) повторе́ние наизу́сть; зау́чивание наизу́сть; 3) отры́вок, зау́ченный наизу́сть *или* для зау́чивания наизу́сть; 4) *редк.* ко́пия.

**repetition work** [,repɪ'tɪʃən'wɜːk] *n тех.* ма́ссовое произво́дство; сери́йное произво́дство; шабло́нная рабо́та.

**repine** [rɪ'paɪn] *v* ропта́ть, жа́ловаться (at, against).

**replace** [rɪ'pleɪs] *v* 1) ста́вить *или* класть обра́тно на ме́сто; 2) верну́ть; восстанови́ть; to ~ money borrowed верну́ть за́нятые де́ньги; 3) заменя́ть, замеща́ть (by, with); impossible to ~ незамени́мый.

**replaceable** [rɪ'pleɪsəbl] *a* замени́мый.

**replacement** [rɪ'pleɪsmənt] *n* 1) замеще́ние, заме́на; 2) *воен.* пополне́ние; прибы́вший на пополне́ние; 3) *геол.* замеще́ние (*руды́*); выполне́ние (*ма́гмой*).

**replant** ['ri:'plɑːnt] *v* переса́живать (*расте́ние*).

**replay** ['ri:'pleɪ] *v* переигра́ть (*матч и т. п.*).

**replenish** [rɪ'plenɪʃ] *v* сно́ва наполня́ть, пополня́ть (with).

**replenishment** [rɪ'plenɪʃmənt] *n* наполне́ние, пополне́ние.

**replete** [rɪ'pliːt] *a* 1) напо́лненный, насы́щенный; перепо́лненный (with); пресы́щенный; to be ~ (with) изоби́ловать; 2) хорошо́ обеспе́ченный *или* снабжённый (*чем-ли́бо*; with).

**repletion** [rɪ'pliːʃən] *n* пресыще́ние, переполне́ние.

**replica** ['replɪkə] *n* 1) *жив.* ре́плика, то́чная ко́пия; репроду́кция; 2) *тех.* моде́ль, копи́р.

**replicate** ['replɪkeɪt] *v жив.* повторя́ть, де́лать ре́плику, копи́ровать.

**replication** [,replɪ'keɪʃən] *n* 1) *жив.* ко́пия, ре́плика; 2) копи́рование; 3) отве́т, возраже́ние; 4) *юр.* возраже́ние истца́ отве́тчику.

**reply** [rɪ'plaɪ] **1.** *n* отве́т; in ~ в отве́т; in ~ to your letter в отве́т на ва́ше письмо́; ~ paid с опла́ченным отве́том; **2.** *v* 1) отвеча́ть; 2) *юр.* возража́ть; □ ~ for отвеча́ть за *кого́-л.*, за *что́-л.*; ~ to отвеча́ть на *что́-л.*

**report** [rɪ'pɔːt] **1.** *n* 1) отчёт (on—о); сообще́ние, докла́д; 2) *воен.* донесе́ние; ра́порт; 3) молва́, слух; the ~ goes говоря́т; хо́дит слух; 4) репута́ция, сла́ва; 5) та́бель успева́емости; 6) звук взры́ва, вы́стрела;
**2.** *v* 1) сообща́ть; расска́зывать, опи́сывать; it is ~ed a сообща́ется; б) говоря́т; 2) де́лать официа́льное сообще́ние; докла́дывать; представля́ть отчёт; to ~ a bill докла́дывать законопрое́кт в парла́менте пе́ред тре́тьим чте́нием; the Commission ~s tomorrow коми́ссия де́лает докла́д за́втра; 3) *воен.* доноси́ть; рапортова́ть; 4) яв-

ля́ться; to ~ oneself заявля́ть о своём прибы́тии (to); to ~ for work явля́ться на рабо́ту; to ~ to the police регистри́роваться в поли́ции; 5) передава́ть что́-л., ска́занное други́м лицо́м; 6) составля́ть, дава́ть отчёт (*для пре́ссы*); to ~ (badly) well дава́ть (не)благоприя́тный о́тзыв (*о чём-л.*); 7) жа́ловаться на, выставля́ть обвине́ние; ◇ to ~ progress a) сообща́ть о положе́нии дел; б) *парл.* прекраща́ть пре́ния по законопрое́кту с тем, что́бы перенести́ их на друго́е вре́мя; до бо́лее подходя́щего вре́мени; to move to ~ progress *парл.* внести́ предложе́ние о прекраще́нии деба́тов (*ча́сто с це́лью обстру́кции*).

**reportage** [,repɔː'tɑːʒ] *фр. n* репорта́ж.

**report card** [rɪ'pɔːt'kɑːd]=report 1, 5).

**report centre** [rɪ'pɔːt'sentə] *n амер. воен.* пункт сбо́ра донесе́ний.

**reported** [rɪ'pɔːtɪd] **1.** *p.p. от* report 2; **2.** *а грам.*: ~ speech ко́свенная речь.

**reporter** [rɪ'pɔːtə] *n* 1) докла́дчик; 2) репортёр.

**reposal I** [rɪ'pouzl] *n* упова́ние, наде́жды; ~ of trust, ~ of confidence оказа́ние дове́рия.

**reposal II** [rɪ'pouzl] *n уст.* о́тдых, отдохнове́ние.

**repose I** [rɪ'pouz] *v:* to ~ trust in (*или* on) smb. доверя́ться кому́-л., полага́ться на кого́-л.

**repose II** [rɪ'pouz] **1.** *n* 1) о́тдых, переды́шка; 2) сон; поко́й; 3) тишина́, споко́йствие; ◇ angle of ~ *тех.* у́гол есте́ственного отко́са;
**2.** *v* 1) отдыха́ть, ложи́ться отдохну́ть (*тж.* to ~ oneself); 2) дава́ть о́тдых; класть; to ~ one's head on the pillow положи́ть го́лову на поду́шку; 3) лежа́ть, поко́иться (on—на); 4) остана́вливаться, заде́рживаться (on—на *чём-л.*; *о па́мяти, воспомина́ниях*); his mind ~d on the past его́ мы́сли задержа́лись на про́шлом; 5) полага́ться (in—на *что-л.*), быть уве́ренным (in—в *чём-л.*); 6) осно́вываться, держа́ться (on—на).

**reposeful** [rɪ'pouzful] *a* 1) успокои́тельный; 2) споко́йный.

**repository** [rɪ'pɔzɪtərɪ] *n* 1) храни́лище; вмести́лище; склад; 2) тот, кому́ что-л. доверя́ют.

**repoussé** [rə'puːseɪ] *фр.* **1.** *n* штампо́ванное изде́лие; барелье́ф на мета́лле; штампо́вка; **2.** *a* штампо́ванный (*о мета́лле*).

**repp** [rep]=rep I.

**reprehend** [,reprɪ'hend] *v* де́лать вы́говор; порица́ть.

**reprehensible** [,reprɪ'hensəbl] *a* досто́йный порица́ния, предосуди́тельный.

**reprehension** [,reprɪ'henʃən] *n* порица́ние, осужде́ние.

**represent** [,reprɪ'zent] *v* 1) изобража́ть, представля́ть в определённом све́те (as); 2) представля́ть, олицетворя́ть, выража́ть; 3) символизи́ровать; олицетворя́ть; 4) исполня́ть (*роль*); 5) быть представи́телем, представля́ть (*како́е-л. лицо́ или организа́цию*).

**representation** [,reprɪzen'teɪʃən] *n* 1) изображе́ние; о́браз; 2) представле́ние (*тж.*

*театральное*); 3) утвержде́ние, заявле́ние; 4) представи́тельство.

**representative** [ˌreprɪˈzentətɪv] **1.** *n* 1) представи́тель; делега́т; уполномо́ченный; 2) образе́ц, типи́чный представи́тель; 3) *амер.* член пала́ты представи́телей; House of Representatives пала́та представи́телей;
**2.** *a* 1) характе́рный, показа́тельный; 2) представля́ющий, изобража́ющий; символизи́рующий; 3) *полит.* представи́тельный.

**repress** [rɪˈpres] *v* 1) подавля́ть (*восста́ние и т. п.*); 2) сде́рживать (*слёзы и т. п.*).

**represser** [rɪˈpresə] *n* 1) угнета́тель, тира́н; 2) усмири́тель.

**repression** [rɪˈpreʃən] *n* 1) подавле́ние; репре́ссия; 2) сде́рживание (*чувств, импульсов*); 3) *тех.* допрессо́вка (*кирпича*).

**repressive** [rɪˈpresɪv] *a* репресси́вный.

**reprieve** [rɪˈpriːv] **1.** *n* 1) *юр.* отме́на *или* заме́на (сме́ртного) пригово́ра; отсро́чка в исполне́нии пригово́ра; 2) переды́шка, вре́менное облегче́ние;
**2.** *v* 1) *юр.* откла́дывать исполне́ние (сме́ртного) пригово́ра; 2) дать челове́ку переды́шку, доста́вить вре́менное облегче́ние.

**reprimand** [ˈreprɪmɑːnd] **1.** *n* вы́говор, замеча́ние;
**2.** *v* де́лать *или* объявля́ть вы́говор.

**reprint** [ˈriːˈprɪnt] **1.** *n* 1) переизда́ние; перепеча́тка; но́вое неизменённое изда́ние; 2) отде́льный о́ттиск (*статьи и т. п.*);
**2.** *v* выпуска́ть но́вое изда́ние, переиздава́ть; перепеча́тывать.

**reprisal** [rɪˈpraɪzəl] *n* репресса́лия.

**reproach** [rɪˈprəutʃ] **1.** *n* 1) упрёк; попрёк; уко́р; to heap ~es on засы́пать упрёками; 2) позо́р; срам; to bring ~ on позо́рить;
**2.** *v* упрека́ть, укоря́ть, попрека́ть, брани́ть (with).

**reproachful** [rɪˈprəutʃful] *a* 1) укори́зненный; 2) заслу́живающий упрёков; позо́рный, недосто́йный, посты́дный.

**reproachfully** [rɪˈprəutʃfulɪ] *adv* укори́зненно.

**reprobate** [ˈreprəubeɪt] **1.** *n* 1) распу́тник; 2) негодя́й, подле́ц; 3) нечести́вец;
**2.** *a* 1) безнра́вственный, распу́тный; 2) по́длый, ни́зкий; 3) *рел.* отве́рженный, косне́ющий в грехе́;
**3.** *v* 1) порица́ть, осужда́ть, кори́ть; 2) *рел.* лиша́ть спасе́ния; не принима́ть в своё ло́но.

**reprobation** [ˌreprəuˈbeɪʃən] *n* порица́ние, осужде́ние.

**reprocess** [rɪˈprəuses] *v* подве́ргнуть перерабо́тке *или* повто́рной обрабо́тке.

**reproduce** [ˌriːprəˈdjuːs] *v* 1) воспроизводи́ть; to ~ a play возобнови́ть постано́вку; 2) де́лать ко́пию; 3) производи́ть, порожда́ть; to ~ oneself размножа́ться; 4) восстана́вливать; lobsters are able to ~ claws when these are torn off у ра́ков вновь отраста́ют оторванные клешни.

**reproducer** [ˌriːprəˈdjuːsə] *n* 1) воспроизводи́тель; 2) репроду́ктор, громкоговори́тель; 3) воспроизводя́щее устро́йство; colour ~ цветовоспроизводя́щее устро́йство.

**reproduction** [ˌriːprəˈdʌkʃən] *n* 1) воспроизведе́ние, размноже́ние; 2) ко́пия, репроду́кция; 3) *эк.* воспроизво́дство; simple ~ просто́е воспроизво́дство.

**reproductive** [ˌriːprəˈdʌktɪv] *a* 1) воспроизводи́тельный; ~ organs *биол.* о́рганы размноже́ния; 2) плодови́тый.

**reproof** [rɪˈpruːf] *n* порица́ние; вы́говор, уко́р, упрёк; with ~ с укори́зной.

**reprove** [rɪˈpruːv] *v* порица́ть; де́лать вы́говор, кори́ть; брани́ть.

**reprover** [rɪˈpruːvə] *n* тот, кто порица́ет, осужда́ет; хули́тель.

**reps** [reps]=rep I.

**reptile** [ˈreptaɪl] **1.** *n* 1) пресмыка́ющееся; 2) раболе́пный, по́длый челове́к, подхали́м;
**2.** *a* 1) пресмыка́ющийся; 2) по́длый, прода́жный; the ~ press прода́жная пре́сса.

**reptilian** [repˈtɪlɪən] **1.** *n* репти́лия, пресмыка́ющееся;
**2.** *a* относя́щийся к репти́лиям, подо́бный репти́лиям.

**republic** [rɪˈpʌblɪk] *n* 1) респу́блика; People's ~ наро́дная респу́блика; 2) гру́ппа люде́й с о́бщими интере́сами; the ~ of letters литерату́рный мир.

**republican** [rɪˈpʌblɪkən] **1.** *a* 1) республика́нский; 2) (R.) *амер.* республика́нский, свя́занный с республика́нской па́ртией;
**2.** *n* 1) республика́нец; 2) (R.) *амер.* член республика́нской па́ртии.

**republicanism** [rɪˈpʌblɪkənɪzəm] *n* 1) республика́нство, республика́нский дух; 2) республика́нская систе́ма правле́ния.

**repudiate** [rɪˈpjuːdɪeɪt] *v* 1) отрека́ться от (*чего-л.*); 2) отверга́ть, не признава́ть (*тео́рию и т. п.*); 3) отка́зываться призна́ть (*что-л.*) *или* подчини́ться (*чему-л.*); 4) дать разво́д жене́; 5) отка́зываться от упла́ты до́лга, от обяза́тельства.

**repudiation** [rɪˌpjuːdɪˈeɪʃən] *n* 1) отрица́ние; отрече́ние (*от чего-л.*); 2) отка́з призна́ть *или* подчини́ться; 3) разво́д, дава́емый му́жем жене́; 4) отка́з от до́лга, от обяза́тельств; аннули́рование долго́в.

**repugnance, -cy** [rɪˈpʌɡnəns, -sɪ] *n* 1) отвраще́ние, антипа́тия; нерасположе́ние (for, to, against); 2) противоре́чие, несовмести́мость; непосле́довательность (between, of).

**repugnant** [rɪˈpʌɡnənt] *a* 1) проти́вный, отврати́тельный, невыноси́мый (to); 2) несовмести́мый, противоре́чащий (with, to).

**repulse** [rɪˈpʌls] **1.** *n* 1) отпо́р, отраже́ние; to suffer a ~ терпе́ть пораже́ние; 2) отка́з;
**2.** *v* 1) отража́ть (*ата́ку*), разбива́ть (*проти́вника*); 2) отверга́ть, опроверга́ть (*обвине́ния*); 3) отта́лкивать; не принима́ть; to ~ a request отка́зывать в про́сьбе.

**repulsion** [rɪˈpʌlʃən] *n* 1) отвраще́ние, антипа́тия; 2) *физ.* отта́лкивание.

**repulsive** [rɪˈpʌlsɪv] *a* 1) отта́лкивающий, омерзи́тельный; 2) отража́ющий; отверга́ющий; 3) *уст., поэт.* сопротивля́ющийся; 4) *физ.:* ~ force си́ла отта́лкивания.

**repurchase** [riːˈpəːtʃeɪs] *v* покупа́ть обра́тно (*ра́нее про́данный това́р*).

**reputable** ['repjutəbl] *a* почтённый, достойный уважёния.

**reputation** [,repjuː'teiʃən] *n* репутация; слава, доброе имя, почтённость; to have a ~ for wit славиться остроумием; a person of ~ почтённый человёк; a person of no ~ тёмная личность; a scientist of world-wide ~ извёстный всему миру учёный, учёный с мировым именем.

**repute** [rɪ'pjuːt] 1. *n* общее мнёние, репутация; authors of ~ извёстные, знаменитые писатели; bad ~ дурная слава; a firm of ~ извёстная фирма;
2. *v* (*обыкн. pass.*) считать, полагать.

**reputed** [rɪ'pjuːtɪd] 1. *p.p. от* repute 2;
2. *a* 1) имёющий хорошую репутацию; извёстный; 2) считающийся (*кем-л.*); предполагаемый; his ~ father его предполагаемый отёц, человёк, которого считают его отцом.

**request** [rɪ'kwest] 1. *n* 1) просьба; трёбование; at (*или* by) ~ по просьбе; to make a ~ обратиться с просьбой [*ср. тж.* 2)]; 2) запрос; заявка; to make a ~ сдёлать заявку [*ср. тж.* 1)]; 3) ком. спрос; in great ~ в большом спросе, популярный;
2. *v* 1) просить позволёния, просить (*о чём-л.*); 2) запрашивать; 3) предлагать (*вёжливо приказывать*); I must ~ you to obey orders предлагаю вам выполнить приказания; your presence is ~ed immediately вас просят немёдленно явиться.

**requiem** ['rekwiem] *n* рёквием.

**require** [rɪ'kwaiə] *v* 1) приказывать, трёбовать; you are ~d to go there вам приказано отправиться туда; 2) нуждаться (*в чём-л.*); трёбовать; it ~s careful consideration это трёбует тщательного рассмотрёния; 3) зависеть, находиться в зависимости (*от чего-л.*).

**required** [rɪ'kwaiəd] 1. *p.p. от* require;
2. *a* необходимый, обязательный; ~ studies *амер. унив.* обязательные курсы.

**requirement** [rɪ'kwaiəmənt] *n* 1) трёбование; необходимое условие; what are his ~s? каковы его условия?; 2) нужда, потрёбность.

**requisite** ['rekwizit] 1. *n* то, что необходимо; всё необходимое; the ~s for a long journey всё необходимое для длительного путешёствия;
2. *a* трёбуемый, необходимый; the number of votes ~ for election необходимое для избрания число голосов.

**requisition** [,rekwɪ'zɪʃən] 1. *n* 1) официальное предписание; 2) трёбование, заявка; спрос; to be in ~ пользоваться спросом; 3) реквизиция (*особ. для армии*); to put in ~, to bring (*или* to call) into ~ a) реквизировать; б) пускать в оборот, использовать; 4) *attr.:* ~ forms бланки заявок, трёбований;
2. *v* 1) реквизировать; 2) представлять заявку.

**requital** [rɪ'kwaitl] *n* 1) воздаяние; вознаграждёние; отплата; 2) возмёздие.

**requite** [rɪ'kwait] *v* 1) отплачивать (for — за *что-л.*; with—*чем-л.*); вознаграждать;

to ~ like for like ≅ платить той же монётой; 2) мстить, отомстить.

**re-read** ['riː'riːd] *v* (re-read ['riː'red]) перечитывать.

**resale** [rɪ'seil] *n* перепродажа.

**rescind** [rɪ'sind] *v* аннулировать, отменять.

**rescission** [rɪ'sɪʒən] *n* аннулирование, отмёна.

**rescript** ['riːskript] *n* рескрипт.

**rescue** ['reskjuː] 1. *n* 1) спасёние; освобождёние, избавлёние; to come (*или* to go) to the ~ помогать, приходить на помощь; 2) *attr.* спасательный; ~ party спасательная экспедиция;
2. *v* 1) спасать; избавлять, освобождать; выручать; 2) *юр.* незаконно освобождать (*арестованного*); 3) *юр.* отнимать силой (*имущество*).

**rescuer** ['reskjuə] *n* спаситель, избавитель.

**research** [rɪ'səːʃ] 1. *n* 1) (*обыкн. pl*) (научное) исслёдование; изучёние; изыскание; исслёдовательская работа; to be engaged in ~ заниматься научно-исслёдовательской работой; his ~es have been fruitful его изыскания были плодотворными; 2) тщательные поиски (after, for); 3) *attr.* исслёдовательский; ~ work (научно-)исслёдовательская работа;
2. *v* исслёдовать; заниматься исслёдованиями (into).

**researcher** [rɪ'səːʃə] *n* исслёдователь.

**reseat** ['riː'siːt] *v* 1) посадить обратно; 2) сдёлать новое сидёнье к стулу; 3) поставить новые крёсла, ряды (*в театре и т. п.*); 4) *тех.* пригонять, притирать.

**resect** [rɪ'sekt] *v* хир. произвести резёкцию.

**resection** [rɪ'sekʃən] *n* 1) хир. резёкция; 2) топ. засёчка.

**reseda** ['residə] *n* резеда.

**resell** ['riː'sel] *v* (resold) перепродавать.

**resemblance** [rɪ'zembləns] *n* сходство; to bear (*или* to show) ~ имёть сходство, быть похожим; to have a strong ~ to smb. быть очень похожим на кого-л.

**resemble** [rɪ'zembl] *v* походить, имёть сходство.

**resent** [rɪ'zent] *v* негодовать, возмущаться; обижаться.

**resentful** [rɪ'zentful] *a* 1) обиженный; возмущённый; 2) злопамятный; затаивший злобу; обидчивый.

**resentment** [rɪ'zentmənt] *n* негодование, возмущёние; чувство обиды; to have no ~ against smb. не чувствовать обиды на кого-л.; не тайть злобы против кого-л.

**reservation** [,rezə'veiʃən] *n* 1) оговорка; without ~ безоговорочно; with the mental ~ мысленно сдёлав оговорку, подумав про себя; 2) скрывание; сокрытие; 3) (со)хранёние в запасе; 4) сдёржанность; 5) резервирование; 6) *амер.* предварительный заказ (*мест на пароходе, в гостинице и т. п.*); to make a ~ заброни́ровать; 7) (*тж. pl*) заранее заказанное мёсто (*на пароходе, в гостинице и т. п.*); 8) *юр.* сохранёние какого-л. права; 9) территория, отведённая для индейцев (*в США*), резервация; 10) заповедник (*в США и Канаде*).

**reserve** [rɪ'zəːv] **1.** *n* 1) запас, резерв; the gold ~ золотой запас; in ~ в запасе; to keep a ~ иметь запас; 2) (*тж. pl*) *воен.*, *мор.* резерв; запас; 3) заповедник; 4) оговорка, условие, исключение, изъятие; ограничение; without ~ безоговорочно, полностью [*ср. тж.* 6)]; 5) сдержанность, скрытность; осторожность; 6) умолчание; without ~ откровенно, ничего не скрывая [*ср. тж.* 4)]; 7) *фин.* резервный фонд; 8) *спорт.* запасной игрок; 9) *attr.* запасный, запасной, резервный; 10) *attr.*: ~ price резервированная цена; низшая отправная цена (*ниже которой продавец отказывается продать свой товар на аукционе*); **2.** *v* 1) сберегать, приберегать; откладывать; запасать; to ~ oneself for беречь свои силы для *чего-л.*; 2) резервировать; заказывать заранее; to ~ a seat a) заранее взять *или* заказать билет; б) занять *или* обеспечить место; 3) предназначать (for); a great future is ~d for you вас ожидает большое будущее; 4) откладывать (*на будущее*), переносить (*на более отдалённое время*); 5) *юр.* сохранять за собой (*право владения или контроля*); оговаривать; to ~ the right оговаривать право; сохранять право.

**reserved** [rɪ'zəːvd] **1.** *p.p. от* reserve 2; **2.** *a* 1) скрытный, сдержанный, замкнутый, необщительный; осторожный; 2) заказанный заранее; ~ seat a) нумерованное место; б) плацкарта; в) заранее взятый билет в театр; 3) резервный, запасный, запасной; ~ list список морских офицеров запаса.

**reservedly** [rɪ'zəːvɪdlɪ] *adv* осторожно, сдержанно.

**reservist** [rɪ'zəːvɪst] *n* резервист, запасной (*солдат или матрос*).

**reservoir** ['rezəvwɑː] *фр.* **1.** *n* 1) резервуар; бассейн; водохранилище; 2) запас, источник (*знаний, энергии и т. п.*); склад, сокровищница; ~ of strength источник силы; **2.** *v* хранить в резервуаре.

**reset** ['riː'set] *v* (reset) 1) вновь устанавливать; 2) (вновь) вставлять в *т. п.*; 3) вправлять (*сломанную руку и т. п.*).

**reshape** ['riː'ʃeɪp] *v* 1) приобретать новый вид *или* иную форму; меняться; 2) придавать новый вид *или* иную форму.

**reside** [rɪ'zaɪd] *v* 1) проживать, жить (*где-л.*); пребывать, находиться (in, at); 2) принадлежать (*о правах и т. п.*; in—*кому-л.*); 3) быть присущим, свойственным (in); 4) *хим. уст.* осаждаться на дно.

**residence** ['rezɪdəns] *n* 1) местожительство; резиденция; местопребывание; to take up one's ~ поселиться; to have one's ~ проживать; 2) проживание; пребывание; ~ is required a) должностное лицо должно жить по месту службы; б) учащийся должен жить в учебном заведении; in ~ a) проживающий по месту службы; б) проживающий по месту учёбы; 3) время, длительность пребывания; 4) *хим. уст.* осадок, отстой.

**residency** ['rezɪdənsɪ] *n* резидентство (*местопребывание представителя колониальной державы в полузависимой стране*).

**resident** ['rezɪdənt] **1.** *n* 1) постоянный житель; 2) резидент; 3) неперелётная птица; **2.** *a* 1) проживающий; постоянно живущий; ~ physician врач, живущий при больнице; the ~ population постоянное население; 2) неперелётный (*о птице*); 3) присущий; ◇ ~ minister дипломатический представитель (*тж.* minister ~).

**residential** [ˌrezɪ'denʃəl] *a* 1) состоящий из жилых домов (*о районе города*); 2): ~ rental *амер.* квартирная плата; 3) связанный с местом жительства; ~ qualification ценз оседлости.

**residentiary** [ˌrezɪ'denʃərɪ] *a* 1) относящийся к местожительству; связанный с местом жительства; 2) обязанный проживать в своём приходе.

**residua** [rɪ'zɪdjuə] *pl от* residuum.

**residual** [rɪ'zɪdjuəl] **1.** *n* остаток; разность; **2.** *a* 1) оставшийся необъяснённым (*об ошибке в вычислении*); 2) оставшийся после вычитания; 3) остаточный; 4)=residuary.

**residuary** [rɪ'zɪdjuərɪ] *a* оставшийся; остающийся; ~ legatee *юр.* наследник имущества, оставшегося после уплаты долгов и налогов.

**residue** ['rezɪdjuː] *n* 1)=residuum 1) и 2); 2) *юр.* наследство, очищенное от долгов и налогов.

**residuum** [rɪ'zɪdjuəm] *n* (*pl* -dua) 1) остаток; 2) *хим.* осадок; отстой; вещество, оставшееся после сгорания *или* выпаривания; 3) *мат.* остаток от вычитания; 4) = residue 2); 5) *уст.* низшие классы; подонки общества.

**resign I** [rɪ'zaɪn] *v* 1) отказываться (*от должности, права*); слагать (*с себя обязанности*); уходить в отставку; 2) отказываться (*от мысли*); оставлять (*надежду*); to ~ all hope оставить всякую надежду; 3) уступать, передавать (*обязанности, права*; to ~ — *кому-л.*); 4): to ~ oneself подчиняться, покоряться (to—*чему-л.*), примиряться (to—с *чем-л.*).

**resign II** ['riː'saɪn] *v* вновь подписывать.

**resignation** [ˌrezɪg'neɪʃən] *n* 1) отказ (*или* уход с) должности; отставка; 2) заявление об отставке; to send in one's ~ подать прошение об отставке; 3) покорность, смирение; with ~ покорно.

**resigned I** [rɪ'zaɪnd] **1.** *p.p. от* resign I; **2.** *a* покорный, безропотный; смирившийся.

**resigned II** ['riː'saɪnd] *p.p. от* resign II.

**resilience, -cy** [rɪ'zɪlɪəns, -sɪ] *n* 1) упругость, эластичность; 2) способность быстро восстанавливать физические и душевные силы; 3) *тех.* упругая деформация; ударная вязкость.

**resilient** [rɪ'zɪlɪənt] *a* 1) упругий, эластичный; 2) жизнерадостный, неунывающий.

**resin** ['rezɪn] **1.** *n* смола, камедь; **2.** *v* 1) смолить; 2) канифолить (*смычок*).

**resinaceous** [ˌrezɪ'neɪʃəs]=resinous.

**resinous** [´rezɪnəs] *a* смоли́стый.

**resist** [rɪ´zɪst] *v* 1) сопротивля́ться; проти́виться; препя́тствовать; 2) противостоя́ть; устоя́ть про́тив (*чего-л.*); не поддава́ться; to ~ disease не поддава́ться боле́зни; thatch ~s heat better than tiles соло́менная кры́ша предохраня́ет от жары́ лу́чше черепи́чной; 3) отбива́ть, отбра́сывать; the enemy was ~ed неприя́тель был отби́т; 4) (*обыкн. с отрицанием*) возде́рживаться (*от чего-л.*); he can never ~ making a joke он не мо́жет не пошути́ть.

**resistance** [rɪ´zɪstəns] *n* 1) сопротивле́ние; противоде́йствие; to offer ~ ока́зывать сопротивле́ние; line of least ~ ли́ния наиме́ньшего сопротивле́ния; 2) сопротивля́емость (*организма*); 3) *тех.* сопротивле́ние; ~ to wear сопротивле́ние изно́су, про́чность на изно́с; 4) = resistor.

**resistant** [rɪ´zɪstənt] *a* сопротивля́ющийся; сто́йкий, про́чный.

**resistible** [rɪ´zɪstɪbl] *a* отрази́мый.

**resistive** [rɪ´zɪstɪv] *a* 1) могу́щий оказа́ть сопротивле́ние; 2) эл. име́ющий сопротивле́ние.

**resistivity** [ˌrɪzɪs´tɪvɪtɪ] *n* эл. уде́льное сопротивле́ние.

**resistless** [rɪ´zɪstlɪs] *a* 1) непреодоли́мый; неизбе́жный; 2) неспосо́бный сопротивля́ться.

**resistor** [rɪ´zɪstə] *n* эл. сопротивле́ние (*в электри́ческой цепи*); кату́шка сопротивле́ния.

**resold** [´riː´sould] *past и p.p. от* resell.

**resole** [´riː´soul] *v* ста́вить но́вые подмётки.

**resoluble** [rɪ´zɔljubl] *a* разложи́мый (into—на); раствори́мый.

**resolute** [´rezəluːt] *a* твёрдый, реши́тельный, непоколеби́мый.

**resolution** [ˌrezə´luːʃən] *n* 1) реше́ние, резолю́ция; 2) реши́тельность, реши́мость, твёрдость (*характера*); 3) разложе́ние на составны́е ча́сти (into); ана́лиз; 4) раство́р; 5) разбо́рка, демонта́ж; 6) разреше́ние (*пробле́мы*); 7) *мед.* разреше́ние, расса́сывание; прекраще́ние воспали́тельных явле́ний; 8) *прос.* заме́на до́лгого сло́га двумя́ коро́ткими; 9) *муз.* разреше́ние, перехо́д в консона́нс.

**resolve** [rɪ´zɔlv] **1.** *n* 1) реше́ние; to make good ~s быть по́лным до́брых наме́рений; 2) *поэт.* реши́тельность, сме́лость, реши́мость; **2.** *v* 1) реша́ть(ся); принима́ть реше́ние; to be ~d твёрдо реши́ться; the question ~s itself into this вопро́с сво́дится к э́тому; 2) реша́ть голосова́нием; 3) побужда́ть; 4) разреша́ть (*сомне́ния и т. п.*); 5) распада́ться, разлага́ть(ся) (into—на); растворя́ть(ся); 6) *мед.* расса́сывать(ся); 7) *муз.* разреша́ть(ся) в консона́нс.

**resolved** [rɪ´zɔlvd] **1.** *p.p. от* resolve 2; **2.** *a* реши́тельный, твёрдый.

**resolvent** [rɪ´zɔlvənt] *n* 1) *хим.* раствори́тель; 2) *мед.* противовоспали́тельное сре́дство.

**resonance** [´reznəns] *n* резона́нс.

**resonant** [´reznənt] *a* 1) раздаю́щийся, звуча́щий; 2) резони́рующий (with); с хоро́шим резона́нсом.

**resonator** [´rezəneɪtə] *n* резона́тор.

**re-sort** [´riː´sɔːt] *v* пересортирова́ть.

**resort** [rɪ´zɔːt] **1.** *n* 1) прибе́жище; утеше́ние; наде́жда; in the last ~ в кра́йнем слу́чае; как после́днее сре́дство; without ~ to force не прибега́я к наси́лию; 2) обраще́ние (*за по́мощью*); 3) посеща́емое ме́сто; куро́рт (*тж.* health ~); summer ~ да́чное ме́сто;

**2.** *v* 1) прибега́ть (*к чему́-л.*), обраща́ться за по́мощью (to); to ~ to force, to compulsion прибе́гнуть к наси́лию, принужде́нию; 2) посеща́ть.

**resound** [rɪ´zaund] *v* 1) звуча́ть, оглаша́ть (-ся) (with); 2) повторя́ть, отража́ть (*звук*); 3) греме́ть; производи́ть сенса́цию; 4) прославля́ть; to ~ smb.'s praises петь хвалу́ кому́-л.

**resource** [rɪ´sɔːs] *n* 1) (*обыкн. pl*) ресу́рсы, сре́дства, запа́сы, возмо́жности; natural ~s есте́ственные бога́тства; 2) ресу́рс, спо́соб, сре́дство; to be at the end of one's ~s исчерпа́ть все возмо́жности; 3) спо́соб времяпрепровожде́ния; развлече́ние; reading is a great ~ in illness чте́ние — хоро́шее заня́тие во вре́мя боле́зни; 4) нахо́дчивость, изобрета́тельность; full of ~ изобрета́тельный.

**resourceful** [rɪ´sɔːsful] *a* нахо́дчивый, изобрета́тельный.

**resourcefulness** [rɪ´sɔːsfulnɪs] *n* нахо́дчивость, изобрета́тельность.

**respect** [rɪs´pekt] **1.** *n* 1) уваже́ние; to hold in ~ уважа́ть; to be held in ~ по́льзоваться уваже́нием; to have ~ for one's promise держа́ть сло́во; 2) *pl* почте́ние; my best ~s to him переда́йте ему́ мой приве́т; to pay one's ~s засвиде́тельствовать своё почте́ние; 3) отноше́ние; каса́тельство; to have ~ to a) каса́ться; б) принима́ть во внима́ние; without ~ to безотноси́тельно, не принима́я во внима́ние; in ~ of (*или* to), with ~ to что каса́ется; in all ~s во всех отноше́ниях; in ~ that учи́тывая, принима́я во внима́ние; ◊ ~ of persons лицеприя́тие; without ~ of persons не взира́я на ли́ца;

**2.** *v* 1) уважа́ть; почита́ть; to ~ oneself уважа́ть себя́; 2) щади́ть, бере́чь.

**respectability** [rɪsˌpektə´bɪlɪtɪ] *n* почте́нность, прили́чие; респекта́бельность (*тж. ирон.*); поря́дочность, че́стность.

**respectable** [rɪs´pektəbl] *a* 1) почте́нный; представи́тельный; поря́дочный; респекта́бельный (*тж. ирон.*); 2) заслу́живающий уваже́ния; 3) прили́чный, прие́млемый, сно́сный; 4) поря́дочный, значи́тельный (*о коли́честве и т. п.*).

**respecter** [rɪs´pektə] *n* уважа́ющий други́х, почти́тельный челове́к; ~ of persons проявля́ющий пристра́стное отноше́ние; he is no ~ of persons он беспристра́стный челове́к; он не смо́трит на чины́ и зва́ния.

**respectful** [rɪs´pektful] *a* почти́тельный; ве́жливый; at a ~ distance на почти́тельном расстоя́нии.

**respectfully** [rɪs´pektfulɪ] *adv* почти́тельно; yours ~ с уваже́нием (*в пи́сьмах перед по́дписью*).

**respectfulness** [rıs'pektfulnıs] *n* почти́-
тельность.
**respecting** [rıs'pektıŋ] 1. *pres. p. от* respect 2;
2. *prep* относи́тельно.
**respective** [rıs'pektıv] *a* соотве́тственный;
in their ~ places ка́ждый на своём ме́сте.
**respectively** [rıs'pektıvlı] *adv* 1) относи́-
тельно ка́ждого в отде́льности; 2) соот-
ве́тственно, в ука́занном поря́дке.
**respiration** [,respə'reıʃən] *n* 1) дыха́ние;
2) вдох и вы́дох.
**respirator** ['respəreıtə] *n* 1) респира́тор;
2) противога́з.
**respiratory** [rıs'paıərətərı] *a* дыха́тельный.
**respire** [rıs'paıə] *v* 1) дыша́ть; 2) отды-
ша́ться, переводи́ть дыха́ние; 3) приобод-
ри́ться, воспря́нуть ду́хом.
**respite** ['respaıt] 1. *n* 1) переды́шка;
2) отсро́чка; вре́менная приостано́вка (*особ.*
ка́зни);
2. *v* 1) дать отсро́чку; to ~ a condemned
man отложи́ть казнь; 2) доста́вить вре́-
менное облегче́ние; 3) *воен. уст.* задержа́ть
(*вы́дачу де́нег*).
**resplendence**, **-cy** [rıs'plendəns, -sı] *n*
блеск, блиста́ние; великоле́пие.
**resplendent** [rıs'plendənt] *a* блестя́щий,
блиста́тельный; сверка́ющий, великоле́п-
ный.
**respond** [rıs'pɔnd] *v* 1) отвеча́ть; to ~
with a blow нанести́ отве́тный уда́р; 2) реа-
ги́ровать, отзыва́ться (to); to ~ to kindness отзыва́ться на доброту́; to ~ to treatment поддава́ться лече́нию; 3) *редк.* соот-
ве́тствовать; быть подходя́щим.
**respondent** [rıs'pɔndənt] 1. *a* 1) отвеча́ю-
щий; реаги́рующий; 2) отзы́вчивый; 3) *юр.*
выступа́ющий отве́тчиком;
2. *n юр.* отве́тчик.
**response** [rıs'pɔns] *n* 1) отве́т; in ~ to
в отве́т на; 2) отве́тное чу́вство; о́тклик,
реа́кция.
**responsibility** [rıs,pɔnsə'bılıtı] *n* 1) от-
ве́тственность; a position of ~ отве́тствен-
ное положе́ние; on one's own ~ по со́б-
ственной инициати́ве, на свой страх; to take
the ~ взять на себя́ отве́тственность; 2) обя́-
занности; обяза́тельства.
**responsible** [rıs'pɔnsəbl] *a* 1) отве́тствен-
ный (to—пе́ред *кем-л.*); to be ~ for smth.
а) быть отве́тственным за что-л.; б) быть
инициа́тором, а́втором чего-л.; they are
~ for increased output благодаря́ им был
увели́чен вы́пуск проду́кции; 2) разу́мный;
досто́йный дове́рия; 3) отве́тственный; ва́ж-
ный; a ~ post отве́тственный пост.
**responsive** [rıs'pɔnsıv] *a* 1) отве́тный;
2) отзы́вчивый; легко́ реаги́рующий; чув-
стви́тельный.
**ressala** [rə'sɑːlɑː] *n* кавалери́йский эс-
кадро́н (*в Индии*).
**ressaldar** [,resəl'dɑː] *n* капита́н кавале́-
рии (*в Индии*).
**rest I** [rest] 1. *n* 1) поко́й, о́тдых; сон; at
~ а) в поко́е; б) неподви́жный; мёртвый; to
go (*или* to retire) to ~ ложи́ться отдыха́ть,
спать; to take a ~ спать, отдыха́ть; without ~ без о́тдыха, без переды́шки; to

set smb.'s mind at ~ успока́ивать кого-л.;
to set a question at ~ ула́живать вопро́с;
day of ~ день о́тдыха, выходно́й день,
воскресе́нье; 2) крова́ть; ло́же; 3) моги́ла;
he has gone to his ~ он у́мер; to lay to ~
хорони́ть; 4) неподви́жность; to bring to
~ остана́вливать (*экипа́ж и т. п.*); 5) ме́сто
для о́тдыха и развлече́ния; 6) *муз., прос.*
па́уза; переры́в; 7) опо́ра; подста́вка, под-
по́рка; упо́р; сто́йка; 8) *тех.* су́ппорт;
2. *v* 1) покои́ться, лежа́ть; отдыха́ть;
to ~ from one's labours отдыха́ть от трудо́в;
never let your enemy ~ не дава́йте поко́я
врагу́; 2) дава́ть о́тдых, поко́й; ~ your
men for an hour да́йте лю́дям передохну́ть
часо́к; 3) остава́ться без измене́ний; let
the matter ~ не бу́дем э́то тро́гать, оста́вим
так, как есть; the matter cannot ~ here
де́ло должно́ быть продо́лжено; 4) держа́ть
(-ся), осно́вывать(ся), лежа́ть на; опира́ть-
ся (on, upon — на); to ~ one's elbow on
the table опира́ться ло́ктем о стол; 5) по-
ко́иться (*о взгля́де*); остана́вливаться, быть
прико́ванным (*о внима́нии, мы́слях*; on,
upon); 6) находи́ться, остава́ться; 7) возла-
га́ть наде́жды (in — на); 8) *с.-х.* остава́ться,
находи́ться под па́ром.
**rest II** [rest] 1. *n* 1) (the ~) оста́ток;
остально́е; остальны́е, други́е; the ~ of
us остальны́е; the ~ (*или* all the ~) of it
и всё друго́е, остально́е, и про́чее; for the
~ что до остально́го, что же каса́ется
остально́го; 2) *фин.* резе́рвный фонд;
2. *v* 1) остава́ться; this ~s a mystery
э́то остаётся та́йной; you may ~ assured
мо́жете быть уве́рены; 2): it ~s with you
to decide за ва́ми пра́во реше́ния; the next
move ~s with you сле́дующий шаг за ва́ми;
3) *амер. юр.* заключа́ть (*обвине́ние и т. п.*).
**rest III** [rest] *n ист.* со́шка (*подпо́рка для
мушке́та*).
**restate** ['riː'steıt] *v* вновь заяви́ть.
**restaurant** ['restərɔ̃ːŋ] *фр. n* рестора́н;
столо́вая.
**rest-cure** ['restkjuə] *n* лече́ние поко́ем.
**rest-day** ['restdeı] *n* день о́тдыха.
**rested I** ['restıd] *p.p. от* rest I, 2;
2. *a* отдохну́вший; to feel thoroughly ~
отли́чно отдохну́ть.
**rested II** ['restıd] *p.p. от* rest II, 2.
**restful** ['restful] *a* 1) успокои́тельный;
успока́ивающий; 2) споко́йный, ти́хий; a
~ life споко́йная жизнь.
**rest-harrow** ['rest,hærou] *n бот.* сталь-
ник па́шенный.
**rest(-)home** ['resthoum] *n* дом о́тдыха.
**rest-house** ['resthaus] *n* гости́ница для
путеше́ственников.
**resting-place** ['restıŋpleıs] *n* 1) ме́сто
о́тдыха; one's last ~ моги́ла; 2) площа́дка
на ле́стнице.
**restitution** [,restı'tjuːʃən] *n* 1) возвраще́-
ние (*утра́ченного*); восстановле́ние; 2) удо-
влетворе́ние; возмеще́ние убы́тков; рести-
ту́ция; to make ~ возмести́ть убы́тки; 3) *физ.*
восстановле́ние.
**restive** ['restıv] *a* 1) своенра́вный, упря́-
мый (*о челове́ке*); 2) норови́стый (*о ло́шади*);
3) *непр.* беспоко́йный.

**restless** ['restlıs] *a* 1) беспокойный, неугомонный; 2) неспокойный; нетерпеливый.

**restlessness** ['restlısnıs] *n* неугомонность; нетерпеливость.

**restock** ['riː'stɔk] *v* пополнять запасы.

**restoration** [,restə'reıʃən] *n* 1) реставрация; the R. *ист.* реставрация монархии (*в 1660 г. в Англии*); 2) восстановление, возобновление, реконструкция.

**restorative** [rıs'tɔrətıv] 1. *a* укрепляющий, тонический; 2. *n* укрепляющее лекарство.

**restore** [rıs'tɔː] *v* 1) восстанавливать(ся); 2) возвращать (на прежнее место); отдавать обратно; возмещать; 3) реставрировать (*картину и т. п.*); 4) реконструировать; 5) возрождать (*обычаи, традиции и т. п.*).

**restorer** [rıs'tɔːrə] *n* реставратор.

**re-strain** ['riː'streın] *v* снова затягивать.

**restrain** [rıs'treın] *v* 1) сдерживать, держать в границах; обуздывать; удерживать (from); to ~ one's temper подавлять своё раздражение; сдерживаться; 2) ограничивать; 3) подвергать заключению; задерживать; изолировать; mad people have to be ~ed сумасшедших приходится изолировать.

**re-strained** ['riː'streınd] *p.p. от* re-strain.

**restrained** [rıs'treınd] 1. *p. p. от* restrain; 2. *a* 1) сдержанный, умеренный; 2) ограниченный.

**restraint** [rıs'treınt] *n* 1) сдержанность, самообладание; 2) замкнутость; 3) строгость (*литературного стиля*); 4) ограничение; стеснение; обуздание, сдерживающее начало *или* влияние; the ~s of poverty тиски нужды; without ~ а) свободно; б) без удержу; 5) мера пресечения; заключение (*в тюрьму и т. п.*); 6) сжатие, суживание, стягивание.

**restrict** [rıs'trıkt] *v* ограничивать; заключать (*в пределы*); to ~ to a diet посадить на диету.

**restricted** [rıs'trıktıd] 1. *p.p. от* restrict; 2. *a* узкий, ограниченный; a ~ application узкое применение; ~ (publication) (издание) для служебного пользования; ~ hotel гостиница для ограниченного круга лиц, *часто* только для белых.

**restriction** [rıs'trıkʃən] *n* ограничение; without ~ без ограничения; to impose ~s вводить ограничения; to lift ~s снимать ограничения.

**restrictive** [rıs'trıktıv] *a* 1) ограничительный; 2) сдерживающий.

**rest-room** ['restrum] *n* 1) комната отдыха, помещение для отдыха; 2) уборная (*в театре и т. п.*).

**result** [rı'zʌlt] 1. *n* 1) результат, исход; следствие; without ~ безрезультатно; as a ~ of в результате; 2) результат вычисления, итог; 2. *v* 1) следовать, происходить в результате, проистекать (from); nothing has ~ed from my efforts из моих усилий ничего не

вышло; 2) кончаться, иметь результатом (in).

**resultant** [rı'zʌltənt] 1. *a* 1) получающийся в результате; проистекающий; 2) *физ.* равнодействующий; 2. *n физ.* равнодействующая (*тж.* ~ force).

**resume** [rı'zjuːm] *v* 1) возобновлять, продолжать (*после перерыва*); to ~ a story продолжать прерванный рассказ; well, to ~ ну, значит, дальше; 2) получать, брать обратно; to ~ one's health поправиться; 3) подводить итог, резюмировать.

**résumé** ['rezjuːmeı] *фр. n* резюме; итог, сводка; конспект.

**resumption** [rı'zʌmpʃən] *n* 1) возобновление; продолжение (*после перерыва*); 2) возвращение; получение обратно.

**resumptive** [rı'zʌmptıv] *a* суммирующий, обобщающий.

**re-surface** ['riː'səːfıs] *v* 1) покрывать заново; 2) вновь заасфальтировать; 3) вновь всплыть на поверхность воды (*о подводной лодке*).

**resurgence** [rı'səːdʒəns] *n* 1) возрождение (*надежд и т. п.*); 2) восстановление (*сил*).

**resurgent** [rı'səːdʒənt] *a* 1) возрождающийся (*о надеждах и т. п.*); 2) оправляющийся (*после поражения*); оживающий; 3) восстающий.

**resurrect** [,rezə'rekt] *v разг.* 1) воскресать; 2) воскрешать (*старый обычай, память о чём-л.*); 3) *редк.* вырывать (*тело из могилы*).

**resurrection** [,rezə'rekʃən] *n* 1) воскресение (*из мёртвых*); 2) воскрешение (*обычая и т. п.*); восстановление; 3) *редк.* выкапывание трупов; 4) *attr.*: ~ man = resurrectionist; ◇ ~ pie пирог из остатков.

**resurrectionist** [,rezə'rekʃənıst] *n уст.* человек, похищающий трупы из могил для продажи в анатомические театры.

**resuscitate** [rı'sʌsıteıt] *v* 1) воскрешать, оживлять; 2) воскресать, оживать.

**ret** [ret] *v* мочить (*лён, коноплю и т. п.*).

**retail** 1. *n* ['riːteıl] 1) розничная продажа; at ~ в розницу; *attr.* розничный; ~ price розничная цена; ~ dealer розничный торговец; ~ stock расходный запас; 2. *v* ['riː'teıl] 1) продавать(ся) в розницу; 2) распространять, пересказывать (*новости*); to ~ gossip передавать сплетни; 3) разделять на части; 3. *adv* ['riːteıl] в розницу.

**retailer** [riː'teılə] *n* 1) мелочной торговец, лавочник; 2) сплетник; болтун.

**retain** [rı'teın] *v* 1) удерживать, поддерживать; 2) сохранять; 3) помнить; 4) приглашать, нанимать (*особ. адвоката*).

**retainer** [rı'teınə] *n* 1) *юр.* договор с адвокатом; 2)=retaining fee; 3) *ист.* слуга; вассал; 4) приверженец; 5) *тех.* обойма (*подшипника*); 6) *тех.* замок, стопор.

**retaining fee** [rı'teınıŋ'fiː] *n* предварительный гонорар адвокату.

**retaining wall** [rı'teınıŋ'wɔːl] *n* подпорная стенка.

**retaliate** [rı'tælıeıt] *v* 1) отплачивать, отвечать тем же самым; мстить; 2) предъявлять встречное обвинение; 3) применять репрессалии, вести таможенную войну.

**retaliation** [rɪ,tælɪ'eɪʃən] *n* 1) отплата, воздаяние, возмездие; 2) репрессалия.

**retaliatory** [rɪ'tælɪətərɪ] *a* 1) ответный; 2) репрессивный; ~ tariff карательный тариф.

**retard** [rɪ'tɑːd] *v* 1) задерживать, замедлять; тормозить (*развитие и т. п.*); 2) запаздывать; отставать.

**retardation** [,riːtɑː'deɪʃən] *n* 1) замедление, задержка, задерживание; помеха; препятствие; 2) запаздывание; опаздывание.

**retardment** [rɪ'tɑːdmənt]=retardation.

**retch** [riːtʃ] 1. *n* рвота, позывы на рвоту; 2. *v* рыгать; тужиться (*при рвоте*).

**retention** [rɪ'tenʃən] *n* 1) удерживание, удержание; сохранение; 2) *мед.* задержание, задержка (*мочи*).

**retentive** [rɪ'tentɪv] *a* 1) удерживающий, сохраняющий; ~ of хорошо удерживающий (*влажность и т. п.*); 2) хороший (*о памяти*).

**reticence** ['retɪsəns] *n* 1) сдержанность; 2) скрытность, молчаливость; 3) умалчивание.

**reticent** ['retɪsənt] *a* 1) сдержанный; 2) скрытный; 3) умалчивающий (*о чём-л.*).

**reticle** ['retɪkl] *n* сетка, перекрестье, крест визирных нитей (*оптического прибора*).

**reticulate** 1. *a* [rɪ'tɪkjulɪt] сетчатый; 2. *v* [rɪ'tɪkjuleɪt] покрывать сетчатым узором.

**reticulated** [rɪ'tɪkjuleɪtɪd] 1. *p.p. от* reticulate 2; 2. *a* сетчатый.

**reticulation** [rɪ,tɪkju'leɪʃən] *n* сетчатый узор; сетчатое строение.

**reticule** ['retɪkjuːl] *n* 1) сумочка, ридикюль; 2)=reticle.

**retina** ['retɪnə] *n* (*pl* -s [-z], -ae) *анат.* сетчатка, сетчатая оболочка (*глаза*).

**retinae** ['retɪniː] *pl от* retina.

**retinue** ['retɪnjuː] *n* свита, кортеж.

**retip** [rɪ'tɪp] *v* отбивать (*косу, сошник у плуга*).

**retire** [rɪ'taɪə] 1. *v* 1) удаляться, уходить; to ~ for the night ложиться спать; 2) оставлять (*должность*); уходить в отставку; 3) уединяться; to ~ into oneself уходить в себя; 4) *воен.* отступать; дать приказ об отступлении; 5) увольнять(ся); 6) *эк.* изымать из обращения;
2. *n воен.* приказ об отступлении; сигнал «отхода», отбой.

**retired** [rɪ'taɪəd] 1. *p.p. от* retire 1;
2. *a* 1) удалившийся от дел, отставной, в отставке; ~ list список офицеров, находящихся в отставке; ~ pay пенсия офицерам, находящимся в отставке; 2) уединённый; 3) замкнутый, скрытный.

**retirement** [rɪ'taɪəmənt] *n* 1) отставка; 2) уединение; уединённая жизнь; 3) *воен.* отступление, отход; 4) *attr.*: ~ age пенсионный возраст.

**retiring** [rɪ'taɪərɪŋ] 1. *pres. p. от* retire 1;
2. *a* 1) скромный, застенчивый; 2) склонный к уединению.

**retiring-room** [rɪ'taɪərɪŋruːm] *n* уборная.

**retool** [riː'tuːl] *v* приспосабливать оборудование предприятия для выпуска новой продукции; оснащать новой техникой.

**retort** I [rɪ'tɔːt] 1. *n* 1) возражение; резкий ответ; 2) остроумная реплика, находчивый ответ; 3) отплата; отместка;
2. *v* 1) резко возражать; отпарировать (*колкость*); 2) отвечать на оскорбление *или* обиду тем же; бить противника его же оружием.

**retort** II [rɪ'tɔːt] *хим.* 1. *n* реторта;
2. *v* перегонять.

**retortion** [rɪ'tɔːʃən] *n* 1) загибание назад; 2) репрессалия (*по отношению к иностранцам*).

**retouch** ['riːtʌtʃ] 1. *n* ретушь; ретуширование;
2. *v* 1) ретушировать; 2) подкрашивать (*о волосах, ресницах*); 3) делать поправки (*в картине, стихах и т. п.*).

**retoucher** ['riːtʌtʃə] *n* ретушёр.

**retrace** [rɪ'treɪs] *v* 1) проследить (*что-л.*) до источника; 2) восстанавливать в памяти; 3) возвращаться по пройденному пути; to ~ one's steps вернуться; 4) повторять (*сказанное ранее*); 5) сделать снова.

**retract** [rɪ'trækt] *v* 1) втягивать; оттягивать, отводить назад; the cat ~s its claws кошка прячет когти; 2) брать назад (*слова и т. п.*), отрекаться, отказываться (*от чего-л.*); отменять.

**retractation** [,riːtræk'teɪʃən] *n* отречение, отказ (*от своих слов и т. п.*).

**retractile** [riː'træktaɪl] *a* способный сокращаться, втягиваться.

**retractility** [,riːtræk'tɪlɪtɪ] *n* способность сокращаться, втягиваться.

**retraction** [rɪ'trækʃən] *n* 1) втягивание; 2) стягивание, сокращение; 3)=retractation.

**retractive** [rɪ'træktɪv] *a* 1) *анат.* сократительный; 2) втяжной.

**retractor** [rɪ'træktə] *n анат.* сократительная мышца.

**retraining** [rɪ'treɪnɪŋ] *n* переподготовка.

**retranslate** ['riːtrænsleɪt] *v* 1) вновь перевести; 2) сделать обратный перевод.

**re-tread** ['riːtred] *авт.* 1. *n* новая покрышка; новый протектор;
2. *v* сменить покрышку; возобновить протектор.

**retreat** I [rɪ'triːt] 1. *n* 1) отступление; to intercept the ~ (of) отрезать путь к отступлению; to make good one's ~ благополучно отступить; *перен.* удачно отделаться; 2) *воен.* сигнал к отступлению, отбой; to sound the ~ трубить отступление, отбой; to beat a ~ бить отбой; *перен.* идти на попятный; 3) уединение; 4) убежище; приют, пристанище; 5) *воен.* вечерняя заря; спуск флага; 6) засада;
2. *v* 1) уходить, отходить; отступать; 2) удаляться.

**retreat** II [riː'triːt] *горн.* 1. *n* переработка;
2. *v* перерабатывать.

**retreating** I [rɪ'triːtɪŋ] 1. *pres. p. от* retreat I, 2;
2. *a*: ~ chin срезанный подбородок; ~ forehead покатый лоб.

**retreating** II [rɪ'trɪːtɪŋ] *pres. p. от* retreat II, 2.

**retrench** [rɪ'trentʃ] *v* 1) сокращáть, урéзывать; эконóмить; 2) *воен.* окáпываться.

**retrenchment** [rɪ'trentʃmənt] *n* 1) сокращéние (*расходов и т. п.*); эконóмия; 2) *воен. ист.* ретраншемéнт, окóп.

**retrial** ['riːtraɪəl] *n* пересмóтр судéбного дéла.

**retribution** [ˌretrɪ'bjuːʃən] *n* возмéздие, воздаяние, кáра.

**retributive** [rɪ'trɪbjutɪv] *a* карáтельный.

**retrievable** [rɪ'triːvəbl] *a* восстановимый; поправимый.

**retrieval** [rɪ'triːvəl] *n* 1) возвращéние; 2) исправлéние; 3) нахóдка.

**retrieve** [rɪ'triːv] 1. *v* 1) (снóва) найти; вернýть себé; взять обрáтно; 2) восстанáвливать; исправлять; 3) возвращáть в прéжнее состояние; 3) реабилитировать, восстанáвливать; to ~ one's character восстановить свою репутáцию; 4) спасáть; 5) находить и подавáть (*дичь—о собаке*). 2. *n*: beyond ~, past ~ безвозврáтно, непоправимо.

**retriever** [rɪ'triːvə] *n* 1) охóтничья собáка; 2) человéк, занимáющийся сбóром чегó-л.; 3) *attr.*: ~ company *амер. воен.* рóта по сбóру механизированных срéдств на пóле бóя.

**retroaction** [ˌretrou'ækʃən] *n* 1) обрáтная реáкция; обрáтное дéйствие; 2) *юр.* обрáтная сила (*закона*); 3) *радио* обрáтная связь.

**retrograde** ['retrougreɪd] 1. *a* 1) напрáвленный назáд; 2) ретрогрáдный; реакциóнный; 3) *воен.* отступáтельный; 2. *v* 1) двигаться назáд; 2) регрессировать; 3) ухудшáться; 4) *воен.* отступáть, отходить.

**retrogress** [ˌretrou'gres] *v* 1) двигаться назáд; 2) регрессировать; 3) ухудшáться.

**retrogression** [ˌretrou'greʃən] *n* 1) обрáтное движéние; 2) регрéсс, упáдок.

**retrogressive** [ˌretrou'gresɪv] *a* 1) возвращáющийся обрáтно; 2) регрессирующий.

**retroject** ['riːtrədʒekt] *v* брóсáть, выбрáсывать обрáтно.

**retrospect** ['retrouspekt] *n* 1) взгляд назáд, в прóшлое; in ~ ретроспективно; 2) обозрéние прошéдшего.

**retrospection** [ˌretrou'spekʃən] *n* размышлéние о прóшлом.

**retrospective** [ˌretrou'spektɪv] *a* 1) ретроспективный; 2) относящийся к прóшлому; 3) *юр.* имéющий обрáтную силу.

**retroussé** [rə'truːseɪ] *фр. a* вздёрнутый, курнóсый (*о носе*).

**retry** ['riːtraɪ] *v* снóва разбирáть (*судéбное дело*).

**rettery** ['retərɪ] *n* мочильня.

**return** [rɪ'təːn] 1. *n* 1) возвращéние; обрáтный путь; by ~ of post обрáтной пóчтой; 2) отдáча, возврáт; возмещéние; in ~ в оплáту; в обмéн [*ср. тж.* 3)]; 3) возражéние, отвéт; in ~ в отвéт [*ср. тж.* 3)]; 4) оборóт; дохóд, прибыль; small profits and quick ~s небольшáя прибыль, но быстрый оборóт; 5) официáльный отчёт; рáпорт; tax ~ налóговая декларáция (*по-*

давáемая налогоплатéльщиком для исчислéния причитáющегося с негó налóга); 6) результáт выборов; 7) отдáча мяча (*в теннисе и т. п.*); 8) *pl* низший сорт трýбочного табакá; 9) *эл.* обрáтный прóвод; обрáтная цéпь; 10) *горн.* вентиляциóнный прóсек или ходóк; 11) *attr.* обрáтный; ~ ticket обрáтный билéт; ~ match (*или* game) *спорт.* ревáнш; ~ water *гидр.* обрáтная или отработáвшая водá; ◇ many happy ~s (of the day) ≅ поздравляю с днём рождéния, желáю вам дóлгих лет жизни;

2. *v* 1) возвращáть; отдавáть, отплáчивать; to ~ a ball отбить мяч (*в теннисе и т. п.*); to ~ a bow отвéтить на поклóн; *перен.* поддéрживать (*чьё-л.*) начинáние; to ~ thanks a) прочéсть молитву (*после обеда*); б) отвечáть на тост; to ~ smb.'s love (*или* affection) отвечáть комý-л. взаимностью; 2) возвращáться; идти обрáтно; 3) повторяться (*о приступах болезни*); 4) приносить (*доход*); 5) отвечáть, возражáть; 6) давáть отвéт, доклáдывать; официáльно заявлять; to ~ guilty признáть винóвным; to ~ a soldier as killed внести солдáта в список убитых; 7) избирáть (*в парламент*); 8) *карт.*: to ~ one's lead ходить в масть; *перен.* поддéрживать (*чьё-л.*) начинáние; ◇ to ~ like for like ≅ платить той же монéтой; ~ swords! *воен.* шáшки в нóжны!

**returnee** [rɪtə'niː] *n* демобилизóванный, возвращáющийся домóй.

**returning officer** [rɪ'təːnɪŋ'ɔfɪsə] *n* чинóвник, контролирующий парлáментские выборы.

**reunify** ['riː'juːnɪfaɪ] *v* воссоединять.

**reunion** ['riː'juːnjən] *n* 1) воссоединéние; 2) собрáние; встрéча друзéй; вечеринка; a family ~ сбор всей семьи; 3) примирéние.

**reunite** ['riːjuː'naɪt] *v* 1) (вос)соединять(-ся); 2) собирáться.

**rev** [rev] *разг.* 1. *n* оборóт (*мотора*); 2. *v* 1) вращáть(ся); 2) *ав.* быстро кружить; □ ~ up увеличивать скóрость, числó оборóтов.

**revamp** [rɪ'væmp] *v* починять, поправлять, ремонтировать.

**revanche** [re'vɑːnʃ] *фр. n* ревáнш.

**reveal** I [rɪ'viːl] *v* 1) открывáть; разоблачáть; to ~ a secret выдать секрéт; 2) покáзывать, обнарýживать; to ~ itself появиться, обнарýжиться.

**reveal** II [rɪ'viːl] *n стр.* притóлока, чéтверть (*окна или двери*).

**reveille** [rɪ'vælɪ] *n воен.* побýдка, подъём, ýтренняя заря.

**revel** ['revl] 1. *n* 1) весéлье; 2) (*часто pl*) пирýшка; 3) *pl уст.* (придвóрные)театрáльные прáзднества; 2. *v* 1) пировáть, брáжничать; кутить; 2) веселиться; упивáться, наслаждáться (in).

**revelation** [ˌrevɪ'leɪʃən] *n* 1) открóвение; the Revelations *библ.* апокáлипсис; 2) открытие; обнарýжение.

**revelry** ['revlrɪ] *n* пирýшка, попóйка, гулянка, весéлье; разгýл.

revenge [rɪ'vendʒ] **1.** *n* 1) мщéние, месть, отмщéние; to take (one's) ~ on (*или* upon) smb. отомстúть комý-л.; in ~ в отмéстку; 2) ревáнш; to give smb. his ~ дать ревáнш, дать возмóжность отыгрáться;
**2.** *v* мстить, отомстúть; to ~ an insult отомстúть за оскорблéние; to ~ oneself отомстúть (on, upon—*комý-л.*; for—за *что-л.*).
revengeful [rɪ'vendʒful] *a* мстúтельный.
revenger [rɪ'vendʒə] *n* мстúтель.
revenue ['revɪnjuː] *n* 1) годовóй дохóд (*особ.* госудáрственный); 2) *pl* дохóдные статьú; 3) департáмент госудáрственных сбóров; 4) *attr.* тамóженный; ~ cutter сторожевóе тамóженное сýдно; ~ officer тамóженный чинóвник.
reverberant [rɪ'vɜːbərənt] *a* *поэт.* отражáющий (*звук и т. п.*).
reverberate [rɪ'vɜːbəreɪt] *v* 1) отражáть (-ся); отдавáться (*о звуке*); 2) плáвить (*в отражáтельной печи*); 3) *редк.* отскáкивать (*о мяче*); 4) *редк.* воздéйствовать, влиять.
reverberating [rɪ'vɜːbəreɪtɪŋ] **1.** *pres. p. om* reverberate;
**2.** *a* отражáющийся; ~ furnace = reverberatory furnace; 2) звучáщий; ~ peal of thunder грохóчущий раскáт грóма; 3) гремящий; грóмкий (*о слáве и т. п.*).
reverberation [rɪ,vɜːbə'reɪʃən] *n* 1) отражéние; реверберáция; 2) раскáт (*грóма*); 3) áхо, óтзвук.
reverberator [rɪ'vɜːbəreɪtə] *n* 1) рефлéктор; 2)=reverberatory furnace.
reverberatory furnace [rɪ'vɜːbərətərɪ'fɜːnɪs] *n* *метал.* отражáтельная печь.
revere [rɪ'vɪə] *v* уважáть; почитáть, чтить; благоговéть.
reverence ['revərəns] **1.** *n* 1) почтéние, почтúтельность; благоговéние; to hold in ~, to regard with ~ почитáть; 2) поклóн, ревéранс; 3) *уст., шутл.*: your R. препо-дóбие (*обращéние к свящéннику*);
**2.** *v* почитáть, уважáть.
reverend ['revərənd] *a* 1) почтéнный; 2) (R.) преподóбный (*тúтул свящéнника*); the R. gentleman свящéнник, о котóром идёт речь.
reverent ['revərənt] *a* почтúтельный; пóлный благоговéния.
reverential [,revə'renʃəl]=reverent.
reverie ['revərɪ] *n* 1) мечтáтельность, задýмчивость; 2) мечты; to be lost in ~ мечтáть; to indulge in ~ предавáться мечтáм.
reversal [rɪ'vɜːsəl] *n* 1) изменéние; перестанóвка; 2) отмéна, аннулúрование; the ~ of judgement отмéна решéния судá; 3) *ав.* изменéние направлéния вéтра на 180° по мéре увеличéния высотý; 4) *тех.* перемéна направлéния движéния на обрáтное. К рéверс.
reverse [rɪ'vɜːs] **1.** *n* 1) (the ~) противопо-лóжное, обрáтное; quite the ~, very much the ~ совсéм наоборóт; 2) обрáтная сторонá (*монéты и т. п.*); 3) перемéна (*к хýдшему*); 4) неудáча, преврáтность; to meet with a ~ потерпéть неудáчу; to have (*или* to experience) ~s понестú дéнежные потéри; 5) *воен.* поражéние, провáл; 6) зáдний *или*

обрáтный ход; in ~, on the ~ зáдним хóдом; 7) тыл; to take in the ~ *воен.* атаковáть *или* открыть огóнь с тыла; 8) *тех.* реверсúрование; механúзм перемéны хóда.
**2.** *a* обрáтный; перевёрнутый; противопо-лóжный; ~ side обрáтная сторонá; ~ motion движéние в обрáтную стóрону; ~ fire *воен.* тыльный огóнь; ~ turn *ав.* иммельмáн;
**3.** *v* 1) перевёртывать; вывёртывать; переставлять; to ~ arms *воен.* повернýть винтóвку приклáдом вверх; 2) менять, изменять; positions are ~d позúции переменúлись; to ~ a policy изменúть полúтику; to ~ the order постáвить в обрáтном порядке; 3) опрокúдывать; 4) аннулúровать, отменять; 5) *тех.* дать зáдний *или* обрáтный ход (*машúне*); реверсúровать.
reversibility [rɪ,vɜːsə'bɪlɪtɪ] *n* 1) обратúмость; 2) *тех.* реверсúвность.
reversible [rɪ'vɜːsəbl] *a* 1) обратúмый; 2) одинáковый с двух сторóн (*о ткáни*); 3) *тех.* с передним и зáдним хóдом, реверсúвный.
reversion [rɪ'vɜːʃən] *n* 1) возвращéние (*к прéжнему состоянию*); 2) *биол.* атавúзм (*тж.* ~ to type); 3) *юр.* возвращéние имéния к дарúтелю *или* егó наслéдникам; 4) страхóвка, выплáчиваемая пóсле смéрти.
reversionary [rɪ'vɜːʃnərɪ] *a* обрáтный.
revert [rɪ'vɜːt] *v* 1) возвращáться (*в прéжнее состояние*); 2) возвращáться (*к рáнее выскáзанной мысли*); 3) *юр.* переходúть к прéжнему владéльцу; 4) *редк.* повернýть назáд; to ~ the eyes а) посмотрéть назáд; б) отвернýться; отвестú глазá.
revet [rɪ'vet] *v* облицóвывать, выклáдывать кáмнем; to ~ a trench одевáть траншéю мешкáми с пескóм *и т. п.*
revetment [rɪ'vetmənt] *n* облицóвка, обшúвка; покрытие, одéжда откóсов.
review [rɪ'vjuː] **1.** *n* 1) обзóр; обозрéние; to pass in ~ рассмáтривать, обозревáть [*ср. тж.* 6)]; 2) просмóтр, провéрка; 3) рецéнзия; 4) периодúческий журнáл; обозрéние; 5) *шкóл.* повторéние; 6) *воен.* смотр; парáд; to pass in ~ дéлать смотр; пропускáть торжéственным мáршем [*ср. тж.* 1)]; 7) *юр.* пересмóтр; 8) *теáтр.* обозрéние;
**2.** *v* 1) обозревáть; осмáтривать; 2) просмáтривать, проверять; 3) пересмáтривать; 4) рецензúровать, дéлать (критúческий) обзóр; 5) повторять; 6) производúть смотр (*вóйскам и т. п.*); принимáть парáд.
reviewer [rɪ'vjuːə] *n* обозревáтель; рецензéнт.
revile [rɪ'vaɪl] *v* оскорблять; ругáть(ся).
revise [rɪ'vaɪz] **1.** *n* вторáя корректýра; свéрка;
**2.** *v* 1) исправлять, проверять; 2) изменять, пересмáтривать; перерабáтывать.
revised [rɪ'vaɪzd] **1.** *p. p. om* revise 2;
**2.** *a* испрáвленный; ~ edition = revision 3).
reviser [rɪ'vaɪzə] *n* ревизиóнный корректор.
revision [rɪ'vɪʒən] *n* 1) пересмóтр; 2) осмóтр; ревúзия; 3) просмóтренное и испрáвленное издáние.

**revisionism** [rɪ'vɪʒənɪzəm] *n полит.* ревизиони́зм.

**revisionist** [rɪ'vɪʒənɪst] **1.** *n* ревизиони́ст; **2.** *a* ревизиони́стский.

**revisit** ['riː'vɪzɪt] *v* сно́ва посети́ть.

**revisory** [rɪ'vaɪzərɪ] *a* ревизио́нный.

**revival** [rɪ'vaɪvəl] *n* **1)** возрожде́ние; оживле́ние; R. of learning эпо́ха Возрожде́ния; **2)** восстановле́ние (*сил, энергии*); **3)** возобновле́ние (*постановки*); **4)** *attr.*: R. style *архит.* стиль Ренесса́нс.

**revive** [rɪ'vaɪv] *v* **1)** приходи́ть в себя́; **2)** приводи́ть в чу́вство; **3)** ожива́ть, воскреса́ть (*о надеждах и т. п.*); **4)** оживля́ть; возрожда́ть, воскреша́ть (*моду и т. п.*); **5)** восстана́вливать (*силы, энергию*); **6)** восстана́вливать, возобновля́ть; to ~ a play возобновля́ть постано́вку.

**reviver** [rɪ'vaɪvə] *n* **1)** тот, кто оживля́ет, возрожда́ет *и пр.* [*см.* revive]; **2)** *sl.* кре́пкий напи́ток.

**revivification** [riː,vɪvɪfɪ'keɪʃən] *n* **1)** возвраще́ние к жи́зни, оживле́ние; **2)** *хим.* восстановле́ние; регенера́ция.

**revivify** [riː'vɪvɪfaɪ] *v* **1)** оживля́ть; **2)** *хим.* восстана́вливать(ся).

**revocable** ['revəkəbl] *a* подлежа́щий отме́не.

**revocation** [,revə'keɪʃən] *n* отме́на, аннули́рование (*закона и т. п.*).

**revoke** [rɪ'vouk] **1.** *v* **1)** отменя́ть (*закон, приказ и т. п.*); **2)** брать наза́д (*обещание*); **3)** *карт.* объявля́ть рено́нс при нали́чии тре́буемой ма́сти; **2.** *n карт.* рено́нс при нали́чии тре́буемой ма́сти.

**revolt** [rɪ'voult] **1.** *n* **1)** восста́ние, мяте́ж; in ~ восста́вший; охва́ченный восста́нием; to rise in ~ восстава́ть; **2)** отвраще́ние; **2.** *v* **1)** восстава́ть (against); **2)** отпа́сть, отложи́ться (from); **3)** отвора́чиваться, чу́вствовать отвраще́ние (at); **4)** испы́тывать возмуще́ние (against, from); **5)** отта́лкивать; возмуща́ть.

**revolted** [rɪ'voultɪd] **1.** *p.p. от* revolt 2; **2.** *a* восста́вший.

**revolting** [rɪ'voultɪŋ] **1.** *pres. p. от* revolt 2; **2.** *a* отврати́тельный; возмути́тельный; отта́лкивающий.

**revolution I** [,revə'luːʃən] *n* **1)** револю́ция; **2)** переворо́т; palace ~ дворцо́вый переворо́т.

**revolution II** [,revə'luːʃən] *n* **1)** кругово́е враще́ние; **2)** по́лный оборо́т; ~s per minute число́ оборо́тов в мину́ту; **3)** периоди́ческое возвраще́ние; the ~ of the seasons сме́на времён го́да; **4)** севооборо́т; **5)** *attr.*: ~ counter *тех.* счётчик оборо́тов.

**revolutionary I** [,revə'luːʃnərɪ] **1.** *n* революционе́р; **2.** *a* революцио́нный; ~ ideas революцио́нные иде́и; ~ discoveries откры́тия, производя́щие переворо́т в нау́ке.

**revolutionary II** [,revə'luːʃnərɪ] *a* враща́ющийся.

**revolutionism** [,revə'luːʃnɪzəm] *n* революцио́нность.

**revolutionist** [,revə'luːʃnɪst] *n* революционе́р.

**revolutionize** [,revə'luːʃnaɪz] *v* **1)** революционизи́ровать; **2)** производи́ть коренну́ю ло́мку.

**revolve** [rɪ'vɔlv] *v* **1)** враща́ть(ся); верте́ть(ся); **2)** периоди́чески возвраща́ться *или* сменя́ться; **3)** обду́мывать (*тж.* ~ in the mind).

**revolver** [rɪ'vɔlvə] *n* **1)** револьве́р; **2)** *тех.* бараба́н.

**revolving** [rɪ'vɔlvɪŋ] **1.** *pres. p. от* revolve; **2.** *a* **1)** обраща́ющийся; **2)** враща́ющийся, поворо́тный; ~ door враща́ющаяся (*или* поворо́тная) дверь.

**revue** [rɪ'vjuː] *фр. n театр.* обозре́ние.

**revulsion** [rɪ'vʌlʃən] *n* **1)** внеза́пное си́льное измене́ние (*чувств и т. п.*); **2)** *мед.* отвлече́ние (*боли и т. п.*); отли́в (*крови*).

**revulsive** [rɪ'vʌlsɪv] *мед.* **1.** *a* отвлека́ющий; **2.** *n* отвлека́ющее сре́дство.

**reward** [rɪ'wɔːd] **1.** *n* **1)** награ́да; **2)** вознагражде́ние; in ~ for smth. в награ́ду за что-л.; **3)** *редк.* возме́здие; **2.** *v* **1)** награжда́ть; **2)** вознагражда́ть; воздава́ть (*за что-л.*).

**rewarding** [rɪ'wɔːdɪŋ] **1.** *pres. p. от* reward 2; **2.** *a* сто́ящий.

**reword** ['riː'wɔːd] *v* **1)** вы́разить други́ми слова́ми *или* в друго́й фо́рме; **2)** повтори́ть.

**rewrite** ['riː'raɪt] *v* (rewrote; rewritten) **1)** переписа́ть; **2)** переде́лать, перерабо́тать.

**rewritten** ['riː'rɪtn] *p.p. от* rewrite.

**rewrote** ['riː'rout] *past от* rewrite.

**Reynard** ['renəd, 'reɪnɑːd] *n прозвище лисы в фолькло́ре.*

**rhapsode** ['ræpsoud] *греч. n* рапсо́д.

**rhapsodic(al)** [ræp'sɔdɪk(əl)] *a* **1)** восто́рженный; напы́щенный; **2)** *уст.* сумбу́рный.

**rhapsodize** ['ræpsədaɪz] *v* говори́ть *или* писа́ть напы́щенно (*обыкн.* ~ about, ~ on).

**rhapsody** ['ræpsədɪ] *n* **1)** рапсо́дия; **2)** восто́рженная *или* напы́щенная речь.

**Rhenish** ['riːnɪʃ] *уст.* **1.** *a* ре́йнский; **2.** *n*=Rhine wine.

**rhenium** ['riːnɪəm] *n хим.* ре́ний.

**rheostat** ['riːoustæt] *n* **1)** *эл.* реоста́т; **2)** пусково́е устро́йство.

**rhesus** ['riːsəs] *n зоол.* ре́зус.

**rhetor** ['riːtə] *др.-греч. n* **1)** ри́тор; **2)** профессиона́льный ора́тор.

**rhetoric** ['retərɪk] *n* рито́рика.

**rhetorical** [rɪ'tɔrɪkəl] *a* ритори́ческий.

**rhetorician** [,retə'rɪʃən] *n* ри́тор; красноба́й.

**rheum** [ruːm] *n уст.* **1)** выделе́ния (*слизистых оболочек*); **2)** на́сморк.

**rheumatic** [ruː'mætɪk] **1.** *a* ревмати́ческий; **2.** *n* **1)** ревма́тик; **2)** *pl разг.* ревмати́зм.

**rheumaticky** [ruː'mætɪkɪ] *a разг.* ревмати́ческий.

**rheumatism** ['ruːmətɪzəm] *n* ревмати́зм.

**rheumatiz** ['ruːmətɪz] *непр. вм.* rheumatism.

**Rhinestone** ['raɪnstoun] *n* фальшивый бриллиа́нт.

**Rhine wine** ['raɪn'waɪn] *n* ре́йнское (вино́), рейнве́йн.

**rhino** I ['raɪnou] *n* (*pl* -os [-ouz]) *sl.* сокр. от rhinoceros.

**rhino** II ['raɪnou] *n sl.* де́ньги.

**rhinoceros** [raɪ'nɔsərəs] *n* носоро́г.

**rhodium** ['roudjəm] *n хим.* ро́дий.

**rhododendron** [,roudə'dendrən] *n бот.* рододе́ндрон.

**rhodonite** ['roudənaɪt] *n мин.* родони́т.

**rhomb** [rɔm] *n* ромб.

**rhombi** ['rɔmbaɪ] *pl от* rhombus.

**rhombic** ['rɔmbɪk] *a* ромби́ческий.

**rhomboid** ['rɔmbɔɪd] *n* ромбо́ид.

**rhombus** ['rɔmbəs] *n* (*pl* -buses [-bəsɪz], -bi) ромб.

**rhubarb** ['ruːbɑːb] *n* реве́нь.

**rhumb** [rʌm] *n мор.* румб.

**rhyme** [raɪm] **1.** *n* 1) ри́фма, рифмо́ванный стих; double (*или* female, feminine) ~ же́нская ри́фма; single (*или* male, masculine) ~ мужска́я ри́фма; imperfect ~ непо́лная ри́фма; 2) (*часто pl*) рифмо́ванное стихотворе́ние; 3) поэ́зия; ◇ neither ~ nor reason ни скла́ду ни ла́ду; without ~ or reason без смы́сла, необъясни́мо; **2.** *v* 1) писа́ть рифмо́ванные стихи́; 2) рифмова́ть (with, to—c).

**rhymed** [raɪmd] **1.** *p.p. от* rhyme 2; **2.** *a* рифмо́ванный.

**rhymer** ['raɪmə] *n пренебр.* рифмоплёт.

**rhymester** ['raɪmstə]=rhymer.

**rhyming** ['raɪmɪŋ] **1.** *pres. p. от* rhyme 2; **2.** *a* рифму́ющий; ~ dictionary слова́рь рифм.

**rhythm** ['rɪðəm] *n* 1) ритм; 2) разме́р (*стиха*).

**rhythmic(al)** ['rɪðmɪk(əl)] *a* ритми́ческий, ритми́чный, ме́рный.

**rial** ['raɪəl] *n* риа́л (*денежная единица Ирана*).

**riant** ['raɪənt] *a* улыба́ющийся, весёлый (*о лице, глазах*).

**rib** [rɪb] **1.** *n* 1) ребро́; false (*или* floating, short) ~ ло́жное ребро́; 2) о́стрый край; ребро́ (*чего-л.*); 3) *шутл.* жена́; 4) *бот.* жи́лка листа́; 5) *стр.* ребро́; 6) *мор.* шпангоу́т; 7) *тех.* ребро́ (*жёсткости*), скрепа́; 8) *ав.* нервю́ра; 9) *горн.* столб, цели́к; 10) по́ле наре́за (*в стволе орудия*); **2.** *v* 1) укрепля́ть, уси́ливать, придава́ть жёсткость; 2) *sl.* высме́ивать, шути́ть, иронизи́ровать, разы́грывать.

**ribald** ['rɪbəld] **1.** *n* 1) скверносло́в; грубия́н; 2) *уст.* распу́тник, развра́тник; **2.** *a* гру́бый, непристо́йный, неприли́чный; поха́бный.

**ribaldry** ['rɪbəldrɪ] *n* 1) скверносло́вие; поха́бство; непристо́йное поведе́ние; 2) *уст.* распу́тство, развра́т.

**riband** ['rɪbənd] = ribbon.

**ribband** ['rɪbənd] *n* строи́тельная ры́бина (*в судостроении*).

**ribbed** ['rɪbd] **1.** *p.p. от* rib 2; **2.** *a* 1) ребри́стый; ру́бчатый; рифлёный; с насе́чкой; 2) полоса́тый.

**ribbing** ['rɪbɪŋ] **1.** *pres. p. от* rib 2;

2. *n* 1) рёбра; 2) ребри́стость; 3) *тех.* укрепле́ние рёбрами.

**ribbon** ['rɪbən] **1.** *n* 1) ле́нта; у́зкая поло́ска; typewriter ~ ле́нта для пи́шущей маши́нки; 2) *pl* кло́чья; ~s of mist кло́чья тума́на; torn to ~s разо́рванный в кло́чья; 3) *pl разг.* во́жжи; to handle (*или* to take) the ~s пра́вить; 4) *attr.* ле́нточный; из ле́нт(ы); ◇ R. Society североирла́ндское та́йное католи́ческое о́бщество (*начала XIX в.*); blue ~ а) ле́нта о́рдена Подвя́зки; б) отли́чие, награ́да; гла́вный приз; в) приз кораблю́ за ско́рость; г) значо́к тре́звенника; red ~ ле́нта о́рдена Ба́ни; **2.** *v* украша́ть ле́нтами.

**ribboned** ['rɪbənd] **1.** *p.p. от* ribbon 2; **2.** *a* укра́шенный ле́нтами.

**rice** [raɪs] *n* 1) рис; 2) *attr.* ри́совый; ~ field ри́совое по́ле.

**rice-flakes** ['raɪsfleɪks] *n pl кул.* ри́совые хло́пья.

**rice-paper** ['raɪs,peɪpə] *n* ри́совая бума́га.

**rice-water** ['raɪs,wɔːtə] *n* ри́совый отва́р.

**rich** [rɪtʃ] **1.** *a* 1) бога́тый (in — чем-л.); 2) роско́шный; 3) це́нный; стоя́щий; a suggestion це́нное предложе́ние; 4) обильный, изоби́лующий; плодоро́дный; ~ soil ту́чная по́чва; ~ harvest бога́тый урожа́й; 5) жи́рный; сдо́бный; ~ milk жи́рное молоко́; ~ dish пита́тельное блю́до; ~ cream густы́е сли́вки; 6) пря́ный; 7) мя́гкий, ни́зкий, глубо́кий (*о тоне*); густо́й (*о красках*); 8) со́чный (*о фруктах*); 9) *разг.* заба́вный (*о происшествии, мысли, предложении и т. п.*); that's ~ вот это заба́вно!; **2.** *n* (the ~) *pl собир.* богачи́, бога́тые.

**Richard Roe** ['rɪtʃəd'rou] *n юр.* отве́тчик в суде́бном проце́ссе (*употр. нарицательно*) [*см. тж.* John Doe].

**riches** ['rɪtʃɪz] *n pl* 1) бога́тство, оби́лие; 2) бога́тства, сокро́вища; the ~ of the soil сокро́вища недр.

**richly** ['rɪtʃlɪ] *adv* 1) бога́то, роско́шно; 2) вполне́, основа́тельно; по́лностью; he ~ deserves punishment он вполне́ заслу́живает наказа́ния.

**richness** ['rɪtʃnɪs] *n* 1) бога́тство (*чего-л.*); я́ркость, жи́вость (*красок и т. п.*); 2) плодоро́дие; 3) сдо́бность, жи́рность (*пищи*); 4) со́чность (*плода*).

**rick** I [rɪk] **1.** *n* стог; скирда́; **2.** *v* скла́дывать в стог.

**rick** II [rɪk]=wrick.

**rickets** ['rɪkɪts] *n* (*употр. как sing и как pl*) *мед.* рахи́т.

**rickety** ['rɪkɪtɪ] *a* 1) рахити́чный; 2) рассла́бленный; хру́пкий (*о здоровье*); 3) ша́ткий, неусто́йчивый (*о мебели*).

**ricksha(w)** ['rɪkʃɔ] *яп. n* ри́кша.

**ricochet** ['rɪkəʃet] **1.** *n* рикоше́т; **2.** *v* де́лать рикоше́т, бить рикоше́том.

**rictus** ['rɪktəs] *лат. n* ротово́е отве́рстие.

**rid** [rɪd] *v* (rid, ridded [-ɪd]) освобожда́ть, избавля́ть (of — от чего-л.); to get ~ of smb., smth. отде́лываться, избавля́ться от кого́-л., чего́-л.

**ridable** ['raɪdəbl] *a* приго́дный для верхово́й езды́.

**riddance** ['rɪdəns] *n* избавле́ние; устране́-
ние; a good ~ избавле́ние (*от чего-л. неприятного*); good ~! тем лу́чше, хорошо́,
что изба́вились!; ≅ ска́тертью доро́га.
**riddel** ['rɪdəl] *n церк.* заве́са (у алтаря́).
**ridden** ['rɪdn] *p.p. от* ride 2.
**-ridden** [-ˌrɪdn] *в сложных словах означает* под вла́стью (*чего-л.*); одержи́мый
(*чем-л.*); bed-ridden прико́ванный к посте́-
ли; fear-ridden охва́ченный стра́хом.
**riddle I** ['rɪdl] **1.** *n* зага́дка; to talk in
~s говори́ть зага́дками;
   **2.** *v* 1) говори́ть зага́дками; 2) разга́ды-
вать (*загадки*).
**riddle II** ['rɪdl] **1.** *n* 1) решето́, гро́хот;
си́то; 2) экра́н; щит;
   **2.** *v* 1) просе́ивать, грохоти́ть; 2) изре-
ше́чивать (*пулями*); 3) забра́сывать возра-
же́ниями; подверга́ть суро́вой кри́тике; до-
ка́зывать непра́воту.
**ride** [raɪd] **1.** *n* 1) прогу́лка (*особ. верхом,
на велосипеде*); to go for a ~ прокати́ться;
to take smb. for a ~, to give smb. a ~
a) прокати́ть кого́-л.; б) *амер. sl.* уби́ть,
прико́нчить кого́-л.; в) *sl.* отчита́ть, вы́-
бранить кого́-л.; г) *sl.* подня́ть кого́-л. на́
смех; 2) езда́; пое́здка; 3) доро́га, алле́я
(*особ. для верховой езды*);
   **2.** *v* (rode; ridden) 1) е́хать верхо́м;
сиде́ть верхо́м (*на чём-л.*); to ~ full speed
скака́ть во весь опо́р; to ~ a race уча́ство-
вать в ска́чках; to ~ a horse to death за-
гна́ть ло́шадь; to ~ a joke to death *шутл.*
зае́здить шу́тку; 2) е́хать (*в автобусе,
в трамвае, на велосипеде, в поезде, на пароходе и т. п.*); 3) ката́ть (*на спине и т. п.*);
4) носи́ться, плыть; скользи́ть; the moon
was riding high луна́ плыла́ высоко́; the
ship ~s the waves су́дно скользи́т по вол-
на́м; 5) стоя́ть на я́коре; the ship ~s (at
anchor) кора́бль стои́т на я́коре; 6) управ-
ля́ть; 7) угнета́ть; 8) быть приго́дным для
верхово́й езды́; 9) ве́сить (*о всаднике*);
10) *разг.* насмеха́ться; 11) *разг.* жесто́ко
критикова́ть; ☐ ~ at направля́ть на; to ~
one's horse at a fence вести́ ло́шадь на барь-
е́р; ~ **down** a) нагна́ть верхо́м; оста́вить
далеко́ позади́; б) сшиби́ть с ног, задави́ть;
~ **out** a) благополу́чно перенести́ (*шторм —
о корабле*); б) вы́йти из затрудни́тельного
положе́ния; ◇ to ~ to hounds охо́титься
верхо́м с соба́ками; to ~ hell for leather
нести́сь во весь опо́р; to ~ for a fall a) нес-
ти́сь, как безу́мный, неосторо́жно е́здить
верхо́м; б) де́йствовать безрассу́дно; обре-
ка́ть себя́ на неуда́чу; to ~ off on a side
issue заговори́ть о второстепе́нном, чтобы
увильну́ть от гла́вного (*вопро́са*); to ~
a hobby сесть на своего́ люби́мого конька́;
to ~ the whirlwind держа́ть в рука́х и на-
правля́ть что-л. (*восстание и т. п.*); let
it ~ пусто́е, нева́жно; каки́е пустяки́.
**ridel** ['rɪdəl]=riddle.
**rider** ['raɪdə] *n* 1) нае́здник, вса́дник;
2) седо́к; 3) доба́вочная статья́, дополне́-
ние, попра́вка (*к документу*); 4) вы́вод,
заключе́ние; *юр.* осо́бое мне́ние; 5) *редк.*
коммивояжёр; 6) *мат.* дополни́тельная
зада́ча для прове́рки зна́ний уча́щегося;

дополни́тельная теоре́ма, необходи́мая для
доказа́тельства основно́й; 7) *мор.* ри́дерс;
8) ре́йтер, нае́здник (*в весах*).
**riderless** ['raɪdəlɪs] *a* без вса́дника (*о лошади, потерявшей всадника*).
**ridge** [rɪdʒ] **1.** *n* 1) гре́бень горы́; го́рный
кряж, хребе́т; гряда́ гор; водоразде́л;
2) подво́дная скала́; 3) конёк (*крыши*);
4) гря́дка; гре́бень борозды́; 5) ру́бчик (*на
материи*); то́лстая кро́мка; край, ребро́;
6) *sl.* де́ньги, гине́я; 7) *горн.* потоло́к вы́-
работки;
   **2.** *v* образо́вывать скла́дки *или* бо́розды;
топо́рщиться.
**ridged** [rɪdʒd] **1.** *p.p. от* ridge 2;
   **2.** *a* 1) остроконе́чный, хребтообра́зный;
2) конько́вый (*о крыше*).
**ridge-pole** ['rɪdʒpoul] *n* растя́жка, распо́р-
ка (*у палатки*).
**ridgy** ['rɪdʒɪ]=ridged 2.
**ridicule** ['rɪdɪkjuːl] **1.** *n* 1) осмея́ние; на-
сме́шка; to hold up to ~ де́лать посме́ши-
щем; 2) *уст.* смехотво́рность;
   **2.** *v* осме́ивать; высме́ивать, поднима́ть
на́ смех.
**ridiculous** [rɪˈdɪkjuləs] *a* смехотво́рный,
смешно́й, неле́пый; don't be ~ не бу́дьте
смешны́.
**riding I** ['raɪdɪŋ] **1.** *pres. p. от* ride 2;
   **2.** *n* 1) верхова́я езда́; 2) доро́га для вер-
хово́й езды́;
   **3.** *a* верхово́й; для верхово́й езды́; ~
horse верхова́я ло́шадь.
**riding II** ['raɪdɪŋ] *n* администрати́вная
едини́ца гра́фства Йо́ркшир.
**riding-breeches** ['raɪdɪŋˌbrɪtʃɪz] *n pl*
рейту́зы.
**riding-habit** ['raɪdɪŋˌhæbɪt] *n* амазо́нка
(*дамский костюм для верховой езды*).
**riding-hag** ['raɪdɪŋhæg] *n sl.* кошма́р.
**riding hall** ['raɪdɪŋˈhɔːl] *n* (кры́тый) ма-
не́ж.
**riding-master** ['raɪdɪŋˌmɑːstə] *n* инстру́к-
тор по верхово́й езде́; бере́йтор.
**Riesling** ['rɪslɪŋ] *n* ри́слинг.
**rife** [raɪf] *a predic.* 1) обы́чный, ча́стый;
распространённый; to be (to grow *или* to
wax) ~ быть (де́латься) обы́чным; 2) изо-
би́лующий; his language is ~ with maxims
его́ язы́к изоби́лует изрече́ниями.
**riffle** ['rɪfl] *n тех.* желобо́к, кана́вка.
**riff-raff** ['rɪfræf] **1.** *n* подо́нки о́бщества,
отбро́сы;
   **2.** *a разг.* никчёмный, никуды́шный.
**rifle** ['raɪfl] **1.** *n* 1) винто́вка; нарезно́е
ору́жие; 2) *pl воен.* стрелко́вая часть;
стрелки́; 3) *attr.* руже́йный; стрелко́вый;
винто́вочный; ~ company стрелко́вая ро́та;
   **2.** *v* 1) стреля́ть из винто́вки; 2) нареза́ть
(*ствол оружия*); 3) обы́скивать с це́лью
грабежа́; 4) обдира́ть (*кору и т. п.*).
**rifle(-)green** ['raɪflgriːn] *a* тёмно-зелёный
(*цвета мундира английских стрелков*).
**rifle-grenade** ['raɪflgrɪˌneɪd] *n* руже́йная
грана́та.
**rifleman** ['raɪflmən] *n воен.* стрело́к;
expert ~ отли́чный стрело́к.
**rifle-pit** ['raɪflpɪt] *n* стрелко́вая яче́йка,
одино́чный око́пчик.

**rifle-range** [ˈraɪflreɪndʒ] n тир, стрельбище.

**rifle-shot** [ˈraɪflʃɔt] n 1) ружейный выстрел; 2) дальность ружейного выстрела; 3) стрелок из винтовки.

**rifling** [ˈraɪflɪŋ] 1. pres. p. от rifle 2; 2. n нарезка (в оружии).

**rift** [rɪft] 1. n 1) трещина; расселина; щель; скважина; a ~ in the lute перен. незначительное обстоятельство, ведущее к разладу, распаду; начало разлада или болезни; 2) ущелье; 3) порог, перекат (реки); 4) геол. отдельность, спайность, кливаж;
2. v раскалывать(ся); расщеплять(ся).

**rig** I [rɪg] 1. n 1) оснастка; парусное вооружение; снаряжение; 2) одежда, костюм, внешний вид человека; 3) выезд, упряжка; 4) буровая вышка; буровой станок; 5) борозда; 6) тех. приспособления; оборудование;
2. v оснащать; вооружать (судно); □ ~ out снаряжать; ~ged out разодетый; ~ up снаряжать или строить наспех, из чего попало.

**rig** II [rɪg] 1. n 1) проделка, уловка; плутни; to run a ~ уст. резвиться, откалывать штучки; плутовать, надувать; 2) разг. плут, жулик; 3) спекулятивная скупка товаров.
2. v действовать плутовством, нечестно; to ~ the market искусственно повышать или понижать цены.

**rigger** [ˈrɪgə] n 1) такелажник; 2) авиамеханик.

**rigging** I [ˈrɪgɪŋ] 1. pres. p. от rig I, 2;
2. n 1) мор. такелаж, оснастка, снасти; 2) разг. снаряжение; 3) одежда, «тряпки».

**rigging** II [ˈrɪgɪŋ] pres. p. от rig II, 2.

**riggish** [ˈrɪgɪʃ] a уст. распущенный, беспутный.

**right** [raɪt] 1. n 1) право; справедливое требование (to); ~ to work право на труд; ~s and duties права и обязанности; by ~ of по праву (чего-л.); to be in the ~ быть правым; in one's own ~ в своём праве; to reserve the ~ оставлять за собой право; Declaration (или Bill) of Rights ист. Декларация прав (1689 г. в Англии); under a ~ in international law в соответствии с нормами международного права; 2) справедливость; правильность; to do smb. ~ отдавать кому-л. должное, справедливость; 3) (обыкн. pl) истинное положение, действительность; the ~s of the case положение дела; 4) pl порядок; to set (или to put) to ~s навести порядок; привести в порядок; to be to ~s быть в порядке; 5) правая сторона; правая рука; to the ~ направо (куда); on the ~ направо (где); 6) (the Rights) pl собир. полит. правые;
◇ by ~ or wrong всеми правдами и неправдами;
2. a 1) правый, справедливый; to be ~ быть правым; 2) верный, правильный; use of words правильное употребление слов; to do what is ~ делать то, что правильно; he is always ~ он всегда прав; ~ you are!

разг. а) верно!, ваша правда; б) идёт!, есть такое дело!; 3) правый (в противоположность левому); ~ hand, ~ arm правая рука; to the ~ hand направо (куда); on (или at) the ~ hand направо (где); 4) правый, лицевой; ~ side up лицом кверху; 5) именно тот, который нужен (или имеется в виду); подходящий, надлежащий; уместный; be sure you bring the ~ book смотрите, принесите ту книгу, которую нужно; the ~ size нужный размер; the ~ man in the ~ place человек на своём месте, подходящий для данного дела; not the ~ Mr Jones не тот м-р Джоунз; 6) прямой (о линии, об угле); at the ~ angle под прямым углом; 7) здоровый, в хорошем состоянии; исправный; to put ~ исправить; are you ~ now? удобно ли вам теперь?; I feel all ~ я чувствую себя хорошо; to be all ~ а) быть в порядке; б) чувствовать себя хорошо; if it's all ~ with you если это вас устраивает, если вы согласны; in one's ~ mind в здравом уме; 8) полит. правый, реакционный;
◇ on the ~ side of thirty моложе 30 лет;
3. adv 1) правильно, верно; справедливо; to get it ~ понять правильно; to get (или to do) a sum ~ верно решить задачу; to guess ~ правильно угадать; it serves him ~ поделом ему, так ему и надо; to set (или to put) oneself ~ with smb. а) снискать чью-л. благосклонность; б) помириться с кем-л.; 2) надлежащим или должным образом; 3) прямо; go ~ ahead идите прямо вперёд; 4) направо; ~ form! воен. направо стройся!; ~ and left а) справа и слева; б) во все стороны; ~ turn! воен. направо!; 5) точно, как раз; ~ in the middle как раз в середине; 6) совершенно, полностью; ~ to the end до самого конца; 7) очень; I know ~ well я очень хорошо знаю; 8) в титулах: the R. Honourable достопочтенный (о пэрах); the R. Reverend его высокопреподобие; □ ~ away, ~ off сразу; немедленно; off the bat амер. с места в карьер; сразу же; ◇ ~ here а) как раз здесь; б) в эту минуту; ~ now в этот момент; come in амер. входите;
4. v 1) выпрямлять(ся); исправлять(ся); to ~ oneself а) восстановить своё равновесие; б) реабилитировать себя; to ~ a wrong исправить несправедливость; загладить обиду; 2) защищать права; to ~ the oppressed заступаться за угнетённых;
5. int 1): ~!, all ~!, ~ oh! разг. ладно!, хорошо!; 2) амер. воен. есть!, слушаюсь!, так точно!

**right-about** [ˈraɪtəbaut] 1. a: ~ face а) поворот (направо) кругом; б) перен. крутой поворот; полная перемена; ~ turn поворот направо кругом;
2. n: to send (to the) ~(s) прогнать, выпроводить.

**right-and-left** [ˈraɪtənd'left] 1. n выстрел из обоих стволов; удар обеими руками;
2. a имеющий правый и левый ход.

**right-angled** [ˈraɪt'æŋgld] a прямоугольный.

**right-down** [ˈraɪt'daun] a разг. совершенный; отъявленный.

**righteous** ['raɪtʃəs] *a* 1) пра́ведный; 2) справедли́вый; ~ indignation справедли́вое негодова́ние.

**righteousness** ['raɪtʃəsnɪs] *n* 1) пра́ведность; 2) справедли́вость.

**rightful** ['raɪtful] *a* 1) зако́нный; ~ heir зако́нный насле́дник; 2) принадлежа́щий по пра́ву; 3) справедли́вый.

**right-hand** ['raɪthænd] *a* 1) пра́вый; ~ man а) сосе́д спра́ва (*в строю*); б) «пра́вая рука́», помо́щник; 2) *тех.* с пра́вым хо́дом; с пра́вой наре́зкой.

**right-handed** ['raɪt'hændɪd] *a* 1) по́льзующийся пра́вой руко́й; 2) правосторо́нний.

**right-hander** ['raɪt'hændə] *n разг.* уда́р пра́вой руко́й.

**rightist** ['raɪtɪst] *n полит.* пра́вый, реакционе́р.

**right-lined** ['raɪt'laɪnd] *a* образо́ванный прямы́ми ли́ниями.

**rightly** ['raɪtlɪ] *adv* 1) справедли́во; 2) пра́вильно; 3) до́лжным о́бразом.

**right-minded** ['raɪt'maɪndɪd] *a* 1) благонаме́ренный; 2) уравнове́шенный.

**right-of-way** ['raɪtəv'weɪ] *n* 1) пра́во прохо́да *или* прое́зда че́рез чужу́ю зе́млю; 2) полоса́ отчужде́ния.

**rightwards** ['raɪtwədz] *adv* напра́во.

**right-wing** ['raɪt'wɪŋ] *a полит.* пра́вый, реакцио́нный.

**rigid** ['rɪdʒɪd] *a* 1) жёсткий, негну́щийся, неги́бкий; твёрдый; неподви́жный; 2) непрекло́нный, сто́йкий; суро́вый; ~ discipline суро́вая дисципли́на; ~ economy стро́гая эконо́мия; 3) ко́сный.

**rigidity** [rɪ'dʒɪdɪtɪ] *n* 1) жёсткость; твёрдость; 2) сто́йкость, непрекло́нность; стро́гость.

**rigman** ['rɪgmən]=rigger.

**rigmarole** ['rɪgməroul] *n* 1) болтовня́; вздор; 2) *attr.* бессвя́зный.

**rigor** ['raɪgɔː] *n мед.* озно́б; ◇ ~ mortis тру́пное окочене́ние.

**rigorism** ['rɪgərɪzəm] *n* 1) стро́гость (*поведения*); ригори́зм; 2) высо́кие тре́бования (*к сти́лю*).

**rigorous** ['rɪgərəs] *a* 1) суро́вый; ~ climate суро́вый кли́мат; 2) стро́гий; 3) то́чный; ~ scientific method то́чный нау́чный ме́тод.

**rigour** ['rɪgə] *n* 1) суро́вость; 2) стро́гость; 3) *pl* стро́гие ме́ры.

**rigsdag** ['rɪgzdɑːg] *дат. n* ригсда́г.

**riksdag** ['rɪksdɑːg] *швед. n* риксда́г.

**rile** [raɪl] *v разг.* 1) серди́ть, раздража́ть; 2) мути́ть (*во́ду и т. п.*).

**rill** [rɪl] 1. *n* ручеёк; родни́к, исто́чник; 2. *v* течь ручейко́м; струи́ться.

**rim** [rɪm] 1. *n* 1) ободо́к, край; обо́д (*колеса́*); банда́ж (*обо́да*); опра́ва (*очко́в*); 2) скоба́, кольцо́; 3) *мор.* во́дная пове́рхность; 2. *v* 1) снабжа́ть ободко́м, ободо́м *и т. п.*; 2) служи́ть обо́дом, обрамля́ть.

**rime I** [raɪm]=rhyme.

**rime II** [raɪm] *поэт.* 1. *n* и́ней; и́зморозь; 2. *v* покрыва́ть и́неем.

**rimer** ['raɪmə]=reamer.

**rimless** ['rɪmlɪs] *a* не име́ющий о́бода *или* опра́вы; ~ eye-glasses пенсне́ *или* очки́ без опра́вы.

**-rimmed** [-rɪmd] *в сло́жных слова́х означа́ет* в опра́ве; gold-~ spectacles очки́ в золото́й опра́ве.

**rimy** ['raɪmɪ] *a* заиндеве́вший, моро́зный.

**rind** [raɪnd] 1. *n* 1) кора́; кожура́; 2) ко́рка; 2. *v* сдира́ть кору́; очища́ть ко́жицу, снима́ть кожуру́.

**rinderpest** ['rɪndəpest] *n* чума́ рога́того скота́.

**ring I** [rɪŋ] 1. *n* 1) кольцо́; круг; о́бруч, ободо́к; 2) опра́ва (*очко́в*); 3) циркова́я аре́на; площа́дка (*для борьбы́*), ринг; бегово́й круг; 4) (the R.) бокс; 5) (the ~) *pl собир.* профессиона́льные игроки́ на ска́чках, букме́керы; 6) объедине́ние предпринима́телей для совме́стного контро́ля над ры́нком; 7) кли́ка; ша́йка; ба́нда; 8) *тех.* фла́нец, обо́йма, хому́т; 9) годи́чное кольцо́ (*де́рева*); годи́чный слой (*древеси́ны*); 10) *архит.* архиво́льт (*а́рки*); 11) *мор.* рым; ◇ to run (*или* to make) ~s (a)round *разг.* за́ пояс заткну́ть; намно́го опереди́ть, обогна́ть; to keep (*или* to hold) the ~ соблюда́ть нейтралите́т; 2. *v* 1) окружа́ть кольцо́м (*обыкн.* ~ in, ~ round, ~ about); обводи́ть кружко́м; 2) надева́ть кольцо́; 3) продева́ть кольцо́ в нос (*живо́тному*); ◇ to ~ the rounds *разг.* опереди́ть, обогна́ть.

**ring II** [rɪŋ] 1. *n* 1) звон; звуча́ние; the ~ of his voice звук его́ го́лоса; 2) (телефо́нный) звоно́к; to give a ~ позвони́ть по телефо́ну; 3) подбо́р колоколо́в (*в це́ркви*); благове́ст; 4) впечатле́ние, намёк на; it has the ~ of truth about it э́то звучи́т правдоподо́бно; 2. *v* (rang, *редк.* rung; rung) 1) звене́ть; звуча́ть; to ~ true (false *или* hollow) звуча́ть и́скренне (фальши́во); 2) огла́шаться (with); the air rang with shouts во́здух огласи́лся кри́ками; 3) раздава́ться; 4) звони́ть; to ~ the alarm ударя́ть в наба́т; to ~ the bell звони́ть (в ко́локол); to ~ a chime прозвони́ть (*о ба́шенных часа́х*); to ~ the knell of чита́ть отхо́дную; to ~ a peal трезво́нить; □ ~ at звони́ть (*у двере́й до́ма и т. п.*); ~ down: to ~ the curtain down дать звоно́к к спу́ску за́навеса; *перен.* положи́ть коне́ц (*чему́-л.*) [*ср. тж.* ~ up в)]; ~ for тре́бовать *или* вызыва́ть звонко́м; ~ in а) *разг.* вводи́ть, представля́ть; б) ознамено́вывать колоко́льным зво́ном; ~ off дава́ть отбо́й (*по телефо́ну*); ве́шать тру́бку; ~ off! *груб.* замолчи́(те), заткни́(те)сь!; ~ out а) прозвуча́ть; б) провожа́ть колоко́льным зво́ном; ~ up а) разбуди́ть звонко́м; б) звони́ть, вызыва́ть по телефо́ну; в): to ~ the curtain up дать звоно́к к подня́тию за́навеса; *перен.* нача́ть (*что́-л.*) [*ср. тж.* ~ down]; ◇ to ~ the bell (with smb.) име́ть успе́х (у кого́-л.); to ~ (the) changes (on smth.) повторя́ть (одно́ и то же) на все лады́.

**ring-bolt** ['rɪŋboult] *n мор.* рым-бо́лт.

**ring-bone** ['rɪŋboun] *n* мозо́листый наро́ст на ба́бке (*ло́шади*).

**ring-dove** ['rɪŋdʌv] *n зоол.* 1) вяхирь, витютень; 2) горлица кольчатая.

**ringed** [rɪŋd] 1. *p. p. om* ring I, 2;
2. *a* 1) отмеченный кружком; 2) с кольцом, в кольцах; *перен.* обручённый (*с кем-либо*); женатый; замужняя.

**ringer** ['rɪŋə] *n* 1) звонок (*телефонный*); 2) звонарь; 3) тот, кто звонит; 4) *разг.* первоклассная вещь; замечательный человек; 5) *амер. sl.* лошадь, незаконно участвующая в состязании; спортсмен, незаконно участвующий в матче; 6) *амер. sl.* человек, незаконно голосующий несколько раз; 7) *амер. sl.* точная копия (*кого-л.*); he is a ~ for his father он вылитый отец.

**ring-fence** ['rɪŋfens] *n* ограда (*окружающая что-л. со всех сторон*).

**ring-finger** ['rɪŋ,fɪŋgə] *n* безымянный палец (*особ. на левой руке*).

**ringing** I ['rɪŋɪŋ] *pres. p. om* ring I, 2.

**ringing** II ['rɪŋɪŋ] 1. *pres. p. om* ring II, 2;
2. *n* 1) звон, трезвон; 2) вызов; посылка вызова *или* вызывного сигнала;
3. *a* звонкий; звучный; громкий; a ~ cheer громкое ура; a ~ frost трескучий мороз.

**ringleader** ['rɪŋ,liːdə] *n* главарь, вожак, зачинщик, коновод.

**ringlet** ['rɪŋlɪt] *n* 1) колечко; 2) локон.

**ringleted, ringlety** ['rɪŋlɪtɪd, -tɪ] *a* завитой, в локонах; курчавый.

**ring-mail** ['rɪŋmeɪl] *n* кольчуга.

**ring-master** ['rɪŋ,mɑːstə] *n* инспектор манежа (*в цирке*).

**ring-net** ['rɪŋnet] *n* сачок для ловли бабочек.

**ring ouzel** ['rɪŋ'uːzl] *n* дрозд белозобый.

**ringtail** ['rɪŋteɪl] *n зоол.* самка луня.

**ringworm** ['rɪŋwəːm] *n мед.* стригущий лишай.

**rink** [rɪŋk] 1. *n* каток, скейтинг-ринк;
2. *v* кататься на роликах.

**rinse** [rɪns] 1. *n* 1) полоскание; to give a ~ прополоскать; 2) *sl.* питьё, напиток;
2. *v* полоскать, промывать (*часто* ~ out); to ~ out one's mouth выполоскать рот.

**rinsing** ['rɪnsɪŋ] 1. *pres. p. om* rinse 2;
2. *n* 1) полоскание; 2) *pl* вода, оставшаяся после полоскания; 3) *pl* остатки, последние капли.

**riot** ['raɪət] 1. *n* 1) бунт; мятеж; 2) *юр.* нарушение общественной тишины и порядка; 3) разгул; необузданность; to run ~ а) вести себя буйно; б) свирепствовать (*о болезни*); в) буйно разрастись; the grass ran ~ in our garden трава буйно разрослась в нашем саду; г) давать волю (*фантазии и т. п.*); his fancy ran ~ он дал волю своему воображению; 4) *attr.:* R. Act закон о нарушении общественной тишины и порядка; to read the R. Act а) предупредить толпу о необходимости разойтись; б) *разг.* дать нагоняй; ~ call *амер.* вызов подкрепления для подавления восстания; ◇ ~ of colours изобилие, богатство красок;
2. *v* 1) бунтовать; принимать участие в бунте; 2) буйствовать, шуметь; предаваться разгулу.

**rioter** ['raɪətə] *n* мятежник; бунтовщик.

**riotous** ['raɪətəs] *a* буйный; шумливый; разгульный.

**rip** I [rɪp] 1. *n* разрыв, разрез;
2. *v* 1) разрезать, распарывать, рвать (*одним быстрым движением; тж.* ~ up); 2) раскалывать (*дрова*); 3) рваться, пороться; cloth that ~s at once материя, которая сразу разлезается; 4) лопаться, раскалываться; 5) распиливать вдоль волокон (*дерево*); 6) мчаться, нестись вперёд; let her (*или* it) ~ *разг.* а) давай полный ход; б) не вмешивайтесь; в) не задерживайте; □ ~ off сдирать; ~ out а) выдирать; вырывать; б) испускать (*крик*); в) отпускать (*ругательство*); ~ up а) распарывать; б) вскрывать; to ~ up old wounds бередить старые раны; ◇ to let things ~ быть беспечным.

**rip** II [rɪp] *n* 1) кляча; 2) распутник.

**riparian** [raɪ'peərɪən] 1. *a* прибрежный;
2. *n* владелец прибрежной полосы.

**rip-cord** ['rɪp'kɔːd] *n* вытяжной трос (*парашюта*); разрывная верёвка (*аэростата*).

**ripe** [raɪp] *a* 1) спелый; ~ lips губы (красные) как вишни; 2) зрелый, возмужалый; of ~ age зрелого возраста; persons of ~ years взрослые, возмужалые люди; 3) выдержанный; ~ cheese выдержанный сыр; 4) готовый (for); time is ~ for наступило время для.

**ripen** ['raɪpən] *v* 1) зреть; созревать; 2) делать зрелым.

**ripeness** ['raɪpnɪs] *n* 1) зрелость; 2) законченность.

**riposte** [rɪ'poust] 1. *n* ответный выпад (*в фехтовании*); *перен. тж.* находчивый ответ;
2. *v* парировать удар (*в фехтовании; тж. перен.*).

**ripper** ['rɪpə] *n* 1) тот, кто распарывает; Jack the R. *ист.* Джек-Потрошитель; 2) *разг.* превосходный человек; превосходная вещь; 3) = rip-saw; 4) *стр.* рыхлитель, риппер.

**ripping** ['rɪpɪŋ] 1. *pres. p. om* rip I, 2;
2. *a* великолепный, превосходный;
3. *adv* чрезвычайно; a ~ good story превосходнейшая история.

**ripple** I ['rɪpl] 1. *n* 1) рябь, зыбь; 2) волнистость (*волос*); 3) журчание; a ~ of laughter серебристый смех; 4) пульсация;
2. *v* 1) покрывать(ся) рябью; 2) струиться; 3) журчать.

**ripple** II ['rɪpl] 1. *n* мыканица, чесалка (*для льна*).
2. *v* мыкать, чесать (*лён*).

**ripply** ['rɪplɪ] *a* 1) покрытый рябью; 2) волнистый.

**riprap** ['rɪpræp] *n стр.* отсыпь, каменная наброска.

**rip-saw** ['rɪpsɔː] *n тех.* продольная пила.

**rise** [raɪz] 1. *n* 1) повышение, возвышение, подъём, поднятие; увеличение; to be on the ~ подниматься (*о ценах и т. п.*); *перен.* идти в гору; the ~ to power приход к власти; 2) рост (*влияния*); приобретение веса (*в обществе*); улучшение (*положения*); 3) прибавка (*к жалованью*); 4) выход на поверхность; 5) восход (*солнца, луны*);

6) возвы́шенность, холм; to look down from the ~ смотре́ть с горы́; 7) происхожде́ние, нача́ло; to give ~ to smth. a) вызыва́ть что-л.; дава́ть нача́ло чему́-л.; б) дава́ть по́вод к чему́-л.; to take its ~ in smth. брать нача́ло в чём-л.; 8) исто́к (*реки*); 9) *горн.*, *геол.* вы́работка вверх; восста́ние (*пласта*); 10) *тех.*, *стр.* стрела́ (*арки, провеса, подъёма*); вы́нос, провёс (*провода*); 11) *лес.* сбег (*ствола, бревна*); ◇ to take (*или* to get) a ~ out of smb. раздразни́ть кого́-л.; вы́вести кого́-л. из себя́;

2. *v* (rose; risen) 1) поднима́ться; встава́ть; 2) возвыша́ться; to ~ above smth. a) возвыша́ться над чем-л.; б) *перен.* быть вы́ше чего́-л.; to ~ above the prejudices быть вы́ше предрассу́дков; 3) встава́ть, в(о)сходи́ть; the sun ~s со́лнце всхо́дит; 4) поднима́ться (*о ценах, уровне и т. п.*); увели́чиваться; 5) приобрета́ть вес, влия́ние (*в обществе*); to ~ in the world преуспева́ть; 6) восстава́ть; to ~ in arms восстава́ть с ору́жием в рука́х; 7) закрыва́ться, прекраща́ть рабо́ту (*о съезде, сессии и т. п.*); Parliament will ~ next week се́ссия парла́мента закрыва́ется на бу́дущей неде́ле; 8) происходи́ть, начина́ться (in, from); the river ~s in the hills река́ берёт своё нача́ло в гора́х; 9) поднима́ться на пове́рхность; 10) поднима́ться, подходи́ть (*о те́сте*); ◇ to ~ to smth. оказа́ться соотве́тствующим чему́-л., быть в состоя́нии спра́виться с чем-л.; to ~ to the occasion быть на высоте́ положе́ния; to ~ to the bait (*или* to the fly) попа́сться на у́дочку; to ~ to it отве́тить на вызыва́ющее замеча́ние; his gorge (*или* stomach) ~s он чу́вствует отвраще́ние; ему́ прети́т; to ~ in applause встреча́ть ова́цией.

**risen** ['rɪzn] *p.p. от* rise 2.

**riser** ['raɪzə] *n* 1) тот, кто встаёт; he is an early ~ он встаёт ра́но; 2) *стр.* подступе́нь ле́стницы; подъём ступе́ни ле́стницы; стоя́к (*вертикальная труба*); 3) *эл.* колле́кторный гребешо́к *или* петушо́к; 4) *ж.-д.* поду́шка; 5) *метал.* вы́пор; при́быль (*на отливке*).

**risibility** [ˌrɪzɪ'bɪlɪtɪ] *n* смешли́вость.

**risible** ['rɪzɪbl] *a* 1) смешли́вый; 2) *редк.* смешно́й; смехотво́рный.

**rising** ['raɪzɪŋ] 1. *pres. p. от* rise 2;

2. *n* 1) восста́ние; 2) встава́ние; 3) восхо́д; the ~ of the sun восхо́д со́лнца; 4) возвыше́ние, повыше́ние; подня́тие; 5) прыщик; о́пухоль;

3. *a* 1) возраста́ющий; 2) поднима́ющийся, восходя́щий; the ~ generation подраста́ющее поколе́ние; 3) приобрета́ющий вес, влия́ние *и т. п.*; ~ lawyer (doctor) юри́ст (врач), начина́ющий приобрета́ть изве́стность; 4) приближа́ющийся к определённому во́зрасту; ~ forty приближа́ющийся к сорока́ года́м, под со́рок.

**rising arch** ['raɪzɪŋ'ɑːtʃ] *n стр.* ползу́чая а́рка.

**risk** [rɪsk] 1. *n* риск; at one's own ~ на свой страх и риск; at the ~ of one's life риску́я жи́знью; to take ~s, to run ~s рискова́ть; at owner's ~ *ком.* на риск владе́льца;

2. *v* 1) рискова́ть (*чем-л.*); to ~ one's health рискова́ть здоро́вьем; 2) отва́живаться (*на что-л.*); to ~ a stab in the back подставля́ть спи́ну под уда́р.

**riskiness** ['rɪskɪnɪs] *n* риско́ванность, опа́сность.

**risky** ['rɪskɪ] *a* риско́ванный, опа́сный.

**risqué** [ˌriːs'keɪ] *фр. a* риско́ванный (*об остроте, шутке*).

**rissole** ['rɪsoul] *n* котле́та.

**rite** [raɪt] *n* обря́д, церемо́ния; ритуа́л; the ~s of hospitality обы́чаи гостеприи́мства.

**ritual** ['rɪtjuəl] 1. *n* 1) ритуа́л; 2) *церк.* тре́бник;

2. *a* обря́довый, ритуа́льный; ◇ ~ talk арго́, жарго́н.

**ritualism** ['rɪtjuəlɪzəm] *n* обря́дность.

**ritualist** ['rɪtjuəlɪst] *n* приве́рженец обря́дности.

**rival** ['raɪvəl] 1. *n* 1) сопе́рник; конкуре́нт; without a ~ a) не име́ющий сопе́рника; б) вне конкуре́нции; 2) *воен.* проти́вник;

2. *a* сопе́рничающий; конкури́рующий; ~ firms конкури́рующие фи́рмы;

3. *v* сопе́рничать; конкури́ровать.

**rivalry** ['raɪvəlrɪ] *n* сопе́рничество; конкуре́нция; friendly ~ дру́жеское соревнова́ние.

**rive** [raɪv] 1. *n* тре́щина, щель;

2. *v* (rived [-d]; rived, riven) раска́лывать(ся); расщепля́ть(ся); разруба́ть; разрыва́ть(ся), отрыва́ть(ся) (*тж.* ~ away, ~ off; from).

**rivel** ['rɪvl] *v уст.* коро́бить(ся).

**riven** ['rɪvən] 1. *p.p. от* rive 2;

2. *a поэт.* раско́лотый.

**river** ['rɪvə] *n* 1) река́; пото́к; to cross the ~ a) перепра́виться че́рез ре́ку; б) *перен.* преодоле́ть препя́тствие; в) умере́ть; 2) *attr.* речно́й.

**riverain** ['rɪvəreɪn] 1. *n* челове́к, живу́щий на берегу́ реки́;

2. *a* речно́й, прибре́жный.

**river-bed** ['rɪvə'bed] *n* ру́сло реки́.

**river-horse** ['rɪvəhɔːs] *n* 1) бегемо́т, гиппопота́м; 2) *миф.* водяно́й.

**riverine** ['rɪvəraɪn] = riverain 2.

**riverside** ['rɪvəsaɪd] *n* 1) прибре́жная полоса́, бе́рег реки́; 2) *attr.* прибре́жный, находя́щийся на берегу́; ~ villa ви́лла на берегу́ реки́.

**rivet** ['rɪvɪt] 1. *n* заклёпка;

2. *v* 1) клепа́ть, заклёпывать; 2) прико́вывать (*взор, внимание*).

**rivière** ['riːvjɛə] *фр. n* ожере́лье (*обыкн. из нескольких нитей*).

**rivulet** ['rɪvjulɪt] *n* руче́й; речу́шка.

**roach** I [routʃ] *n зоол.* плотва́ (*тж.* European ~); ◇ as sound as a ~ ≅ здоро́в как бык.

**roach** II [routʃ] *n мор.* вы́емка (*у паруса*).

**roach** III [routʃ] *сокр. от* cockroach.

**road** [roud] *n* 1) доро́га, путь; шоссе́; country ~ просёлочная доро́га; to be on the ~ a) быть в доро́ге, в пути́; б) быть на гастро́лях, соверша́ть турне́; to take the ~ a) отпра́виться в путь; б) вести́ бродя́-

чий óбраз жи́зни; сде́латься бродя́гой, бро-
дя́чим актёром; to take to the ~ *уст.* стать
разбо́йником с большо́й доро́ги; to be in
the ~, to get in one's ~ стоя́ть поперёк
доро́ги; меша́ть, препя́тствовать; get out
of my ~ уйди́те с мое́й доро́ги; 2) *амер.*
желе́зная доро́га; 3) у́лица, мостова́я
(*в противоположность тротуáру*); to cross
the ~ перейти́ у́лицу; 4) путь (*к чему́-л.*),
спо́соб (*достиже́ния чего́-л.*); по royal ~
to smth. нелёгкий спо́соб достиже́ния чегó-л.; 5) (*обыкн. pl*) *мор.* рейд; 6) *горн.*
ходово́й *или* отка́точный штрек; 7) *attr.*
доро́жный.

**road-bed** ['roudbed] *n* полотно́ доро́ги.

**Road-Board** ['roudbɔːd] *n* управле́ние
шоссе́йных доро́г.

**road-book** ['roudbuk] *n* доро́жный спра́-
вочник.

**road clearance** ['roud'klɪərəns] *n* *авт.*
доро́жный просве́т, кли́ренс.

**road hog** ['roudhɔg] *n* неосторо́жный авто-
мобили́ст, лиха́ч, наруши́тель доро́жных
пра́вил.

**road house** ['roudhaus] *n* придоро́жная
заку́сочная, буфе́т.

**roadless** ['roudlɪs] *a* бездоро́жный.

**roadman** ['roudmən] *n* доро́жный рабо́чий.

**road-metal** ['roud‚metl] *n* ще́бень.

**road roller** ['roud'roulə] *n* тяжёлый до-
ро́жный като́к.

**road scraper** ['roud'skreɪpə] *n* *тех.* скре́-
пер.

**road-show** ['roudʃou] *n* 1) представле́ние
гастроли́рующей тру́ппы; 2) гастроли́рую-
щая эстра́дная тру́ппа.

**roadside** ['roudsaɪd] 1. *n* край доро́ги,
обо́чина;
2. *a* придоро́жный.

**roadstead** ['roudsted] *n* *мор.* рейд.

**roadster** ['roudstə] *n* 1) завзя́тый путе-
ше́ственник (*по дорога́м*); 2) доро́жный ве-
лосипе́д; экипа́ж *или* ло́шадь для да́льних
пое́здок; 3) ро́дстер (*автомоби́ль с откры́-
тым двухме́стным ку́зовом, скла́дным верхом и откидны́м за́дним сиде́ньем*); 4) ко-
ра́бль, стоя́щий на рейде.

**road-test** ['roudtest] *v* *амер. разг.* испы́-
тывать автомаши́ну в есте́ственных усло́-
виях.

**Road up** ['roud'ʌp] *n* «путь закры́т»
(*доро́жный знак*).

**roadway** ['roudweɪ] *n* шоссе́; мостова́я;
прое́зжая часть доро́ги.

**roam** [roum] 1. *n* стра́нствование, скита́-
ние;
2. *v* броди́ть, стра́нствовать, скита́ться.

**roan I** [roun] 1. *n* ча́лая ло́шадь;
2. *a* ча́лый.

**roan II** [roun] *n* мя́гкая ове́чья ко́жа (*для
переплётов*).

**roar** [rɔː] 1. *n* 1) рёв; шум; 2) хо́хот; ~s
of laughter взры́вы сме́ха, хо́хота;
2. *v* 1) реве́ть, ора́ть; рыча́ть; to ~ with
laughter хохота́ть во всё го́рло; to ~ with
pain реве́ть от бо́ли; 2) храпе́ть (*о больно́й
ло́шади*).

**roarer** ['rɔːrə] *n* 1) *разг.* крику́н, горло-
па́н; 2) *вет.* запалённая ло́шадь.

**roaring** ['rɔːrɪŋ] 1. *pres. p. от* roar 2;
2. *n* 1) рёв; свист; шум; 2) *вет.* запа́л
(*боле́знь лошаде́й*);
3. *a* 1) шу́мный, бу́йный, бу́рный; the
~ forties *мор.* от 40—50° се́верной широты́
в Атланти́ческом океа́не (*о́бласть распро-
стране́ния си́льных ве́стовых ве́тров*);
2) живо́й; кипу́чий; ~ trade оживлённая
торго́вля.

**roast** [roust] 1. *n* 1) жарко́е, жа́реное;
*амер.* большо́й кусо́к мя́са; 2) *амер.* жёсткая кри́тика; 3) *тех.* о́бжиг; ◇ to rule the
~ задава́ть тон; возглавля́ть де́ло; руково-
ди́ть;
2. *a* жа́реный; ~ beef ро́стбиф;
3. *v* 1) жа́рить(ся); печь(ся); греть(ся);
2) *разг.* высме́ивать (*кого́-л.*); издева́ться;
дразни́ть; 3) *амер.* жесто́ко критикова́ть;
4) следи́ть, не спуска́я глаз; 5) *тех.* обжи-
га́ть; выжига́ть; кальцини́ровать.

**roaster** ['roustə] *n* 1) жаро́вня; 2) *мета́л.*
обжига́тельная печь; 3) моло́чный поросёнок *или* молодо́й петушо́к (*для жарко́го*).

**roasting-jack** ['roustɪŋdʒæk] *n* ве́ртел.

**rob** [rɔb] *v* 1) гра́бить; обкра́дывать;
2) отнима́ть; лиша́ть (*чего́-л.*); to ~ smb.
of his rights лиши́ть кого́-л. прав; 3) *горн.*
вести́ очи́стные рабо́ты; хи́щнически вы-
раба́тывать (бога́тую) руду́;. ◇ to ~ the
cradle совраща́ть младе́нца; to ~ Peter to
pay Paul облагоде́тельствовать одного́ за
счёт друго́го.

**robber** ['rɔbə] *n* граби́тель, разбо́йник.

**robbery** ['rɔbərɪ] *n* кра́жа; грабёж; *перен. тж.* непоме́рно высо́кая цена́.

**robe** [roub] 1. *n* 1) (*обыкн. pl*) ма́нтия;
широ́кая оде́жда; the long ~ ма́нтия судьи́;
ря́са свяще́нника; gentlemen of the (long)
~ су́дьи, юри́сты; 2) *амер.* хала́т; 3) *уст.,
амер.* же́нское пла́тье; де́тское пла́тьице;
4) *поэт.* одея́ние; 5) *амер.* мехова́я по́лость
(*у сане́й*);
2. *v* облача́ть(ся), надева́ть.

**robin** ['rɔbɪn] *n* 1) *зоол.* мали́новка (*тж.* ~
redbreast); 2) *sl.* пе́нни.

**robot** ['roubɔt] *n* 1) ро́бот, автома́т со
сло́жными фу́нкциями; 2) автомати́ческий
сигна́л у́личного движе́ния; 3) *attr.* авто-
мати́ческий; ~ bomb реакти́вный снаря́д
да́льнего де́йствия; ~ tank танке́тка-тор-
пе́да; ~ plane управля́емый на расстоя́-
нии самолёт.

**robust** [rə'bʌst] *a* 1) кре́пкий, здоро́вый;
си́льный, дю́жий; 2) здра́вый, я́сный (*об
уме́*).

**robustious** [rou'bʌstʃəs] *a* *уст., шутл.*
бу́йный, шу́мный; экспанси́вный.

**гос** [rɔk] *араб.* *n* рух (*огро́мная ска́зочная
пти́ца*).

**rocambole** ['rɔkəmboul] *n* лук причесно́ч-
ный, лук-рокамбо́ль.

**rochet** ['rɔtʃit] *n* 1) стиха́рь с у́зкими ру-
кава́ми; 2) ма́нтия англи́йских пэ́ров.

**rock I** [rɔk] *n* 1) скала́, утёс; 2) (the R.)
Гибралта́р; 3) опо́ра, не́что надёжное;
4) го́рная поро́да; 5) *амер.* ка́мень; булы́ж-
ник; 6) твёрдая конфе́та; 7) (*обыкн. pl*)
*амер. разг.* де́ньги; 8) *разг.* брилья́нт;
9) *attr.* го́рный; ка́менный; ◇ on the ~s

≅ «на мели́»; в стеснённых обстоя́тельствах; to run (или to go) upon the ~s а) потерпе́ть круше́ние; б) натыка́ться на непреодоли́мые препя́тствия; to see ~s ahead ви́деть пе́ред собо́й опа́сности.

**rock II** [rɔk] v 1) кача́ть(ся), колеба́ть(ся); трясти́(сь); he ~ed with laughter он затря́сся от сме́ха; 2) ука́чивать, убаю́кивать; ◇ ~ed in security беспе́чный, не подозрева́ющий об опа́сности.

**rock III** [rɔk] n уст. пря́лка.

**rock-and-roll** ['rɔkn'roul] = rock'n'roll.

**rock-bottom** ['rɔk'bɔtəm] n 1) твёрдое основа́ние; 2) attr. разг. о́чень ни́зкий (о ценах).

**rock-cork** ['rɔkkɔːk] n мин. про́бковый ка́мень.

**rock-crystal** ['rɔk,krɪstl] n го́рный хруста́ль.

**rock-drill** ['rɔkdrɪl] n долото́ для буре́ния, перфора́тор.

**rocker** ['rɔkə] n 1) кача́лка (колыбели); 2) кре́сло-кача́лка; 3) лото́к (для промыва́ния золота); 4) конёк с си́льно изо́гнутым по́лозом; 5)=rocking-turn; 6) sl. голова́; off one's ~ поме́шанный; 7) тех. баланси́р, коромы́сло; кули́са, шату́н; 8) текст. трепа́ло.

**rocket I** ['rɔkɪt] 1. n 1) раке́та; 2) attr. раке́тный; реакти́вный; ~ projector раке́тный стано́к; реакти́вный миномёт; ~ airplane реакти́вный самолёт; ~ bomb раке́тный снаря́д; ~ site ба́за раке́тных снаря́дов;
2. v 1) взмыва́ть, взлета́ть; 2) пуска́ть раке́ты.

**rocket II** ['rɔkɪt] n бот. вече́рница—ночна́я фиа́лка.

**rocketer** ['rɔkɪtə] n пти́ца, взлета́ющая пря́мо вверх.

**rocket-launcher** ['rɔkɪt,lɔːntʃə] n воен. реакти́вное противота́нковое ружьё.

**rock-hewn** ['rɔkhjuːn] a вы́сеченный из ка́мня.

**Rockies** ['rɔkɪz] n pl амер. разг. (сокр. от Rocky Mountains) Скали́стые го́ры.

**rocking-chair** ['rɔkɪŋtʃɛə] n кре́сло-кача́лка.

**rocking-horse** ['rɔkɪŋhɔːs] n игру́шечная ло́шадь-кача́лка.

**rocking-turn** ['rɔkɪŋtəːn] n «крюк» (сложная конькобежная фигура).

**rock'n'roll** ['rɔkn'roul] n рок-н-ро́лл.

**rock-oil** ['rɔkɔil] n нефть.

**rock-salt** ['rɔksɔːlt] n ка́менная соль.

**rock-tar** ['rɔktɑː] n сыра́я нефть.

**rocky I** ['rɔkɪ] a 1) скали́стый, камени́стый; 2) кре́пкий, твёрдый, непоколеби́мый; неподатливый.

**rocky II** ['rɔkɪ] a 1) неусто́йчивый, кача́ющийся (о предмете); 2) разг. пошатну́вшийся (о здоровье, делах и т. п.).

**rococo** [rə'koukou] 1. n стиль рококо́;
2. a 1) вы́держанный в сти́ле рококо́; 2) безвку́сно пы́шный, вы́чурный, претенцио́зный; 3) уст. устаре́вший.

**rod** [rɔd] n 1) жезл; прут; сте́ржень; брус; 2) ро́зга; перен. наказа́ние; the ~ по́рка ро́згами; 3) у́дочка; 4) ме́ра длины́ (≅ 5 м);

5) па́лочка (микроб); 6) анат. па́лочка (сетчатой оболочки); 7) тех. ре́йка, тя́га, шток; рыча́г; sounding ~ футшто́к; 8) амер. sl. револьве́р; ◇ to kiss the ~ безро́потно переноси́ть наказа́ние; to make a ~ for one's own back наказа́ть самого́ себя́; to rule with a ~ of iron управля́ть желе́зной руко́й; to spare the ~ and spoil the child ≅ пожале́ешь ро́згу, испо́ртишь ребёнка, баловство́м по́ртить ребёнка.

**rode** [roud] past от ride 2.

**rodent** ['roudənt] n грызу́н.

**rodeo** [rou'deiou] исп. n (pl -os [-ouz]) 1) заго́н для клейме́ния скота́; 2) фигу́рная езда́, состяза́ния ковбо́ев в верхово́й езде́, набра́сывании лассо́ и т. п.

**rodomontade** [,rɔdəmɔn'teid] 1. n хвастовство́, бахва́льство;
2. a хвастли́вый;
3. v бахва́литься.

**roe I** [rou] n косу́ля.

**roe II** [rou] n 1) икра́ (тж. hard ~); 2) моло́ки (тж. soft ~); 3) косослой (в древесине).

**roebuck** ['roubʌk] n саме́ц косу́ли.

**roentgen** ['rɔntjən] n физ. рентге́н.

**Roentgen rays** ['rɔntjən'reiz] n pl рентге́новы лучи́.

**roe-stone** ['roustoun] n мин. икряно́й ка́мень, ооли́т.

**rogation** [rou'geiʃən] n моле́бствие.

**Roger** ['rɔdʒə] n 1) название английского деревенского танца (тж. Sir ~ de Coverley); 2): the jolly ~ пира́тский флаг (череп и две скрещенные кости на чёрном фоне); 3) ав. sl. всё в поря́дке; сигна́л по́нят.

**rogue** [roug] n 1) жу́лик, моше́нник; него́дяй; 2) бродя́га; 3) шутл. плути́шка, шалу́н; прока́зник; to play the ~ прока́зничать; 4) с.-х. сортова́я при́месь; иноро́дная культу́ра, при́месь; 5) пугли́вая скакова́я ло́шадь или охо́тничья соба́ка; ◇ ~ house тюрьма́.

**roguery** ['rougərɪ] n 1) моше́нничество; жу́льничество; 2) прока́зы.

**roguish** ['rougiʃ] a 1) жуликова́тый; 2) прока́зливый; шаловли́вый.

**roil** [rɔil] v 1) мути́ть (воду); взба́лтывать; 2) досажда́ть, серди́ть, раздража́ть.

**roily** ['rɔilɪ] a му́тный.

**roister** ['rɔistə] v бесчи́нствовать.

**roisterer** ['rɔistərə] n гуля́ка, бра́жник.

**roistering** ['rɔistəriŋ] 1. pres. p. от roister;
2. n бесчи́нство;
3. a шу́мный; бу́йный.

**Roland** ['roulənd] n ист. Рола́нд; ◇ a ~ for an Oliver досто́йный отве́т; to give smb. a ~ for an Oliver дать досто́йный отве́т, уда́чно отпари́ровать; отве́тить уда́ром на уда́р.

**role** [roul] фр. n роль.

**roll** [roul] 1. n 1) сви́ток; свёрток (материи, бумаги и т. п.); свя́зка (соломы); 2) ка́тышек (масла, воска); 3) руло́н; катушка; 4) ре́естр, катало́г; спи́сок; ве́домость; to be on the ~s быть, состоя́ть в спи́ске; ~ of honour спи́сок уби́тых на войне́; the Rolls уст. архи́в; Master of the

Rolls хранитель судебного архива; to call the ~ делать перекличку; вызывать по списку; to strike off the ~s дисквалифицировать юриста; 5) вращение; катание; качка; крен; 6) булочка; 7) *pl разг.* булочник, пекарь; 8) бортовая качка; 9) походка вразвалку; 10) раскат грома *или* голоса; грохот барабана; 11) *амер. sl.* деньги, *особ.* пачка денег; 12) *воен.* скатка; 13) *тех.* валок (*прокатного стана*); вал, барабан, цилиндр, ролик; вальцы; каток; 14) *ав.* бочка, двойной переворот через крыло; 15) *архит.* завиток ионической капители;

2. *v* 1) катить(ся); вертеть(ся), вращать (-ся); to ~ downhill (с)катиться с горы́; to ~ in the mud валяться в грязи; to ~ in money купаться в золоте; to ~ one's eyes вращать глазами; 2) свёртывать(ся); завёртывать (*тж.* ~ up); to ~ a cigarette скрутить папиросу; to ~ oneself up закутаться; завернуться (in — во *что-л.*); to ~ oneself in a rug закутаться в плед; to ~ smth. in a piece of paper завернуть что-л. в бумагу; to ~ wool into a ball смотать шерсть в клубок; the kitten ~ed itself into a ball котёнок свернулся в клубок; 3) укатывать (*дорогу и т. п.*); 4) раскатывать (*тесто*); 5) прокатывать (*металл*); вальцевать, плющить; 6) испытывать бортовую качку; 7) идти покачиваясь *или* вразвалку (*часто* ~ along); 8) волноваться (*о море*); 9) плавно течь, катить свои волны; 10) быть холмистым (*о местности*); 11) греметь, грохотать; произносить громко; to ~ one's r's раскатисто произносить звук «р»; □ ~ away а) откатывать(ся); б) рассеиваться (*о тумане*); ~ back а) откатывать(ся) назад; б) снижать цены до прежнего уровня; ~ by = ~ on; ~ in a) приходить в большом количестве; offers ~ed in предложения так и посыпались; б) *разг.* иметь в большом количестве, изобиловать; ~ on проходить (*о времени и т. п.*); ~ out a) раскатывать; б) произносить отчётливо, внушительно; ~ over а) перекатывать(ся); ворочаться; б) опрокинуть кого-л.; ~ up a) скатывать, свёртывать(ся); завёртывать; б) *разг.* появиться (*на сцене*); в) *разг.* появиться внезапно, заявиться; ◇ to ~ logs for smb. делать тяжёлую работу за кого-л.

**roll-call** ['roulkɔːl] *n* перекличка.
**roll cloud** ['roul'klaud] *n метеор.* шквало́вый воротник.
**roll-collar** ['roul͵kɔlə] *n* отложной воротничок.
**rolled** [rould] 1. *p.p. от* roll 2;
2. *a тех.* листовой, катаный; ~ gold накладное золото, позолота.
**roller** ['roulə] *n* 1) волна, вал, бурун; 2) *разг. см.* roll-call; 3) машина для стрижки газонов; 4) *зоол.* сизоворонка; 5) *тех.* вращающийся цилиндр, ролик; вал; бегунок; 6) *мор.* роульс; 7) *attr. тех.* роликовый; вальцовый; ~ bearing роликовый подшипник.
**roller-skate** ['rouləskeit] 1. *n* конёк на роликах;
2. *v* кататься на роликах.

**roller towel** ['roulə'tauəl] *n* полотенце на ролике.
**rolley** ['rɔlɪ]=rulley.
**rollick** ['rɔlɪk] 1. *n* 1) веселье; 2) шальная выходка.
2. *v* веселиться, резвиться, шуметь.
**rollicking** ['rɔlɪkɪŋ] 1. *pres. p. от* rollick 2;
2. *a* 1) бесшабашный (*о людях*); 2) разухабистый (*о песнях и т. п.*).
**rolling** ['roulɪŋ] 1. *pres. p. от* roll 2;
2. *n* 1) бортовая качка; 2) *тех.* катание, прокатывание, прокатка;
3. *a* холмистый.
**rolling-mill** ['roulɪŋmɪl] *n тех.* прокатный стан.
**rolling-pin** ['roulɪŋpɪn] *n* скалка.
**rolling-stock** ['roulɪŋstɔk] *n ж.-д.* подвижной состав.
**rolling-stone** ['roulɪŋstoun] *n* перекати-поле (*о человеке*).
**roll-top desk** ['roultɔp'desk] *n* письменный стол-бюро с крышкой на роликах.
**roly-poly** ['rouli'pouli] 1. *n* 1) пудинг с вареньем (*тж.* ~ pudding); 2) коротышка (*о человеке*);
2. *a* пухлый (*о ребёнке*).
**Rom** [rɔm] *n* (*pl* Roma) цыган.
**Roma** ['rɔmə] *pl от* Rom.
**Romaic** [rou'meiik] 1. *a* новогреческий;
2. *n* новогреческий язык.
**Roman** ['roumən] 1. *n* 1) римлянин; 2) католик; 3) прямой светлый шрифт;
2. *a* 1) римский; ~ alphabet латинский алфавит; ~ candles римские свечи (*фейерверк*); ~ cement *тех.* роман-цемент; ~ law *юр.* римское право; ~ letters (*или* type) *полигр.* прямой светлый шрифт; ~ nose орлиный нос; ~ numerals римские цифры; 2) католический.
**Roman balance** ['roumən'bæləns] *n* безмен, пружинные весы́.
**Roman Catholic** ['roumən'kæθəlik] 1. *n* католик;
2. *a* католический.
**Roman-Catholicism** ['roumənkə'θɔlisizəm] *n* католичество.
**Romance** [rə'mæns] 1. *n собир.* романские языки;
2. *a* романский.
**romance** [rə'mæns] 1. *n* 1) рыцарский роман (*обыкн. в стихах*); 2) роман (*героического жанра; противоп.* novel роман бытовой); 3) романический эпизод, любовная история; 4) *муз.* романс; 5) романтика; 6) выдумка, небылица.
2. *v* 1) преувеличивать, приукрашивать действительность; 2) выдумывать, фантазировать, сочинять.
**romancer** [rə'mænsə] *n* 1) сочинитель средневековых романов; 2) фантазёр, выдумщик.
**Romanes** ['rɔmənes] *n* цыганский язык.
**Romanesque** [͵roumə'nesk] *архит.* 1. *a* романский (*о стиле*).
2. *n* романский стиль.
**Romanic** [rou'mænik] 1. *a* романский;
2. *n* романские языки.
**Romanism** ['roumənizəm] *n* католицизм.

**Romanist** ['roumənɪst] *n* като́лик.

**Romanize** ['roumənaɪz] *v* 1) романизи́ровать, латинизи́ровать; 2) обраща́ть в католи́чество; 3) переходи́ть в католи́чество.

**romantic** [rə'mæntɪk] 1. *a* 1) романти́чный; романти́ческий; 2) фантасти́ческий (*о проекте и т. п.*);
2. *n* 1) рома́нтик; 2) *pl* преувели́ченные чу́вства и ре́чи.

**romanticism** [rə'mæntɪsɪzəm] *n* романти́зм.

**romanticist** [rə'mæntɪsɪst] *n* рома́нтик.

**Romany** ['rɔmənɪ] 1. *n* 1) цыга́н; цыга́нка; the ~ *собир.* цыга́не; 2) цыга́нский язы́к;
2. *a* цыга́нский.

**Romish** ['roumɪʃ] *a* папи́стский.

**romp** [rɔmp] 1. *n* 1) возня́, шу́мная игра́; 2) сорване́ц, сорвиголова́;
2. *v* 1) вози́ться, шу́мно игра́ть (*о детях*); 2): to ~ home *sl.*, to ~ in, to ~ away вы́играть с лёгкостью (*о лошади*); to ~ past, to ~ along легко́ бежа́ть (*о лошади*).

**romper** ['rɔmpə] *n* (*обыкн. pl*) де́тский комбинезо́н.

**rondeau** ['rɔndou] *n прос.* рондо́.

**rondel** ['rɔndl] = rondeau.

**rondo** ['rɔndou] *n* (*pl* -os [-ouz]) *муз.* ро́ндо.

**rondure** ['rɔndjuə] *n поэт.* круг.

**röntgen** ['rɔntjən] = roentgen.

**Röntgen rays** ['rɔntjən'reɪz] = Roentgen rays.

**rood** [ruːd] *n* 1) че́тверть а́кра; 2) клочо́к земли́; 3) = rod 4) 4) *уст.* крест; распя́тие.

**rood-loft** ['ruːdlɔft] *n* хо́ры в це́ркви.

**rood-screen** ['ruːdskriːn] *n* перегоро́дка, отделя́ющая алта́рь от це́ркви.

**roof** [ruːf] 1. *n* 1) кры́ша, кро́вля; *перен.* кров; under a ~ под кры́шей; under one's ~ в своём до́ме; the ~ of the mouth нёбо; the ~ of heaven свод не́ба; ~ of the world кры́ша ми́ра (*о высокой горной цепи*); under a ~ of foliage под се́нью листвы́; 2) империа́л (*дилижанса и т. п.*); 3) *ав.* кры́ша; 4) *горн.* кро́вля (*выработки*); вися́чий бок;
2. *v* 1) крыть, настила́ть кры́шу; 2) покрыва́ть (*тж.* ~ in); служи́ть кры́шей, кро́вом.

**roofer** ['ruːfə] *n* 1) кро́вельщик; 2) *разг.* письмо́, выража́ющее благода́рность за гостеприи́мство.

**roofing** ['ruːfɪŋ] 1. *pres. p. от* roof 2;
2. *n* 1) кро́вельный материа́л; 2) покры́тие кры́ши; кро́вельные рабо́ты; 3) кро́вля.

**roofless** ['ruːflɪs] *a* 1) без кры́ши; 2) не име́ющий кро́ва; бездо́мный.

**rooinek** ['ruːɪnek] *n* 1) вновь прибы́вший в Ю́жную А́фрику эмигра́нт; 2) *прозвище, данное бурами английским солдатам* (*букв.* кра́сная ше́я).

**rook I** [ruk] *n шахм.* ладья́.

**rook II** [ruk] 1. *n* 1) грач; 2) моше́нник, шу́лер;
2. *v* обма́нывать; нечестно игра́ть (*в карты*); выма́нивать де́ньги; обдира́ть (*покупа́теля*).

**rookery** ['rukərɪ] *n* 1) грачёвник; 2) ме́сто, где пингви́ны *или* тюле́ни выра́щивают детёнышей; 3) пти́чий база́р; 4) густонаселённый ве́тхий дом; трущо́бы; ку́ча доми́шек; 5) прито́н (*воровской, игорный*).

**rookie** ['rukɪ] *n воен. sl.* новобра́нец, нови́чок, ре́крут.

**rooky** ['rukɪ] *амер.* = rookie.

**room** [rum] 1. *n* 1) ко́мната; ка́мера; 2) *pl* помеще́ние; кварти́ра; 3) ме́сто, простра́нство; there is ~ for one more in the car в маши́не есть ме́сто ещё для одного́ челове́ка; to make ~ for посторони́ться, дать ме́сто; no ~ to turn in, no ~ to swing a cat не́где поверну́ться; 4) возмо́жность; there is ~ for improvement могло́ бы быть и лу́чше; there is no ~ for dispute нет по́чвы для разногла́сий; ◇ in the ~ of вме́сто; to keep the ~ hole ~ laughing развлека́ть всё о́бщество; to prefer a man's ~ to his presence предпочита́ть не ви́деть кого́-л.; I would rather have his ~ than his company я предпочита́ю, что́бы он ушёл;
2. *v амер.* жить на кварти́ре; занима́ть ко́мнату; to ~ with smb. жить с кем-л. (*в одной комнате*).

**room-and-pillar-system** ['rumənd'pɪlə-'sɪstɪm] *n горн.* ка́мерно-столбова́я систе́ма разрабо́тки.

**-roomed** [-rumd] *в сложных словах означа́ет* состоя́щий из сто́льких-то ко́мнат; one-roomed одноко́мнатный; three-roomed трёхко́мнатный.

**roomer** ['rumə] *n* жиле́ц.

**roomette** [ruː'met] *n* купе́.

**roomful** ['rumful] *n* по́лная ко́мната.

**roominess** ['rumɪnɪs] *n* вмести́тельность, ёмкость.

**rooming-house** ['rumɪŋhaus] *n амер.* меблиро́ванные ко́мнаты.

**room-mate** ['rummeɪt] *n* това́рищ по ко́мнате, сожи́тель.

**roomy** ['rumɪ] *a* просто́рный, свобо́дный; вмести́тельный.

**roost** [ruːst] 1. *n* 1) насе́ст; at ~ на насе́сте [*ср. тж.* 2)]; 2) спа́льня, посте́ль; to go to ~ удали́ться на поко́й; ложи́ться спать; at ~ в посте́ли [*ср. тж.* 1)]; ◇ to rule the ~ кома́ндовать, распоряжа́ться; задаьа́ть тон; curses come home to ~ *посл.* ≅ не рой друго́му я́му, сам в неё попадёшь; прокля́тия ру́шатся на го́лову проклина́ющего;
2. *v* 1) уса́живаться на насе́ст; 2) устра́иваться на ночле́г; посели́ться.

**rooster** ['ruːstə] *n* пету́х.

**root** [ruːt] 1. *n* 1) ко́рень; ~ of a mountain подно́жие горы́; to lay axe to ~ выкорчёвывать; to take (*или* to strike) ~ пуска́ть ко́рни, укореня́ться; to pull up by the ~s вырыва́ть с ко́рнем; подруби́ть под са́мый ко́рень; выкорчёвывать; 2) *pl* корнепло́ды; 3) причи́на, исто́чник, ко́рень; the ~ of the matter су́щность вопро́са; 4) *мат.* ко́рень; square (*или* second) ~ квадра́тный ко́рень; cube (*или* third) ~ куби́ческий ко́рень; 5) *тех.* верши́на (*сварочного шва*); ко́рень, основа́ние, но́жка (*зуба шестерни*); 6) *attr.* коренно́й, основно́й; the ~ principle основно́й при́нцип; ◇ ~ and branch основа́тельно, коренны́м о́бразом;

**2.** *v* 1) пускáть кóрни; вкореня́ть(ся); 2) прикóвывать; пригвождáть; fear ~ed him to the ground страх приковáл егó к мéсту; 3) *амер.* поддéрживать; поощря́ть, ободря́ть (for); 4) рыть зéмлю ры́лом, подрывáть кóрни (*о свинье*); □ ~ away = ~ out a); ~ **out**, ~ **up** вырывáть с кóрнем, уничтожáть; б) вы́искивать.

**root crop** ['ruːt'krɔp] *n* корнеплóд.

**rooted** ['ruːtɪd] **1.** *p.p. от* root 2;
**2.** *a* 1) вкорени́вшийся; кореня́щийся (in—в *чём-л.*); прóчный; 2) глубóкий (*о чувстве*).

**rooter** ['ruːtə] *n* 1) живóтное, рóющееся в землé; 2) тот, кто искореня́ет, вырывáет с кóрнем; 3) дорóжный плуг; 4) *амер. спорт. sl.* болéльщик.

**rootless** ['ruːtlɪs] *a* без корнéй, не имéющий корнéй.

**rootlet** ['ruːtlɪt] *n* корешóк.

**rooty I** ['ruːtɪ] *a* корни́стый; с мнóжеством корнéй.

**rooty II** ['ruːtɪ] *n воен. sl.* хлеб.

**rope** [roup] **1.** *n* 1) канáт; верёвка; трос; on the ~ свя́занные верёвкой (*об альпини́стах*); the ~s канáты, ограждáющие арéну (*в цирке*); 2) ни́тка, вя́зка; a ~ of onion вя́зка лýка; a ~ of hair жгут волóс; a ~ of pearls ни́тка жéмчуга; 3) *pl мор.* снáсти, такелáж; оснáстка; 4) тягýчая клéйкая жи́дкость; 5) *attr.* канáтный; верёвочный; ◇ to know (*или* to learn) the ~s хорошó ориенти́роваться (*в чём-л.*); знать все ходы́ и вы́ходы; ~ of sand обмáнчивая прóчность; иллю́зия; give a fool ~ enough and he'll hang himself *посл.* дай дуракý вóлю, он сам себя́ загýбит; to give smb. (plenty of) ~ дать комý-л. свобóду дéйствий (*рассчи́тывая, что он соверши́т оши́бку*); on the high ~s a) в припóднятом настроéнии; б) надмéнный;
**2.** *v* 1) привя́зывать (канáтом); свя́зывать верёвкой; to ~ a box перевязáть я́щик верёвкой; 2) связáть(ся) друг с дрýгом верёвкой (*об альпини́стах*); 3) тянýть на верёвке, канáте; 4) ловúть аркáном; 5) умы́шленно отставáть (*в состяза́нии*); 6) густéть, станови́ться клéйким (*о жи́дкости*); 7) *sl.* вéшать; □ ~ **in** a) окружáть канáтом; б) замáнивать, втя́гивать, вовлекáть; to ~ smb. in втя́гивать когó-л. в предприя́тие; б) надмéнный; ~ **off** = ~ in a).

**rope-dancer** ['roup,dɑːnsə] *n* канатохóдец, канáтный плясýн.

**rope-drive** ['roupdraɪv] *n тех.* канáтная передáча.

**rope-ladder** ['roup,lædə] *n* 1) верёвочная лéстница; 2) *мор.* штормтрáп.

**ropemanship** ['roupmənʃɪp] *n* 1) искýсство хождéния по канáту; 2) искýсство альпини́стов.

**roper** ['roupə] *n* 1) канáтный мáстер; 2) упакóвщик; 3) *амер. диал.* ковбóй.

**rope's-end** ['roups'end] *n мор.* линёк.

**rope-walker** ['roup,wɔːkə] = rope-dancer.

**ropeway** ['roupweɪ] *n* канáтная дорóга.

**rope-yarn** ['roupjɑːn] *n мор.* кáболка.

**ropy** ['roupɪ] *a* тягýчий, клéйкий (*о жи́дкости*); ли́пкий.

**Roquefort** ['rɔkfɔː] *n* рокфóр (*сорт сы́ра*).

**roquet** ['roukɪ] **1.** *n* крокирóвка;
**2.** *v* крокировáть (*в крокéте*).

**rorqual** ['rɔːkwəl] *n* полосáтик (*кит*).

**rorty** ['rɔːtɪ] *a sl.* 1) весёлый, благодýшный (*о человéке*); 2) прия́тный, весёлый (*о врéмени и т. п.*).

**rosace** ['rouzeɪs] *n* 1)=rose window; 2) розéтка (*орнáмент*).

**rosaceous** [rou'zeɪʃəs] *a бот.* принадлежáщий к семéйству роз.

**rosarian** [rou'zeɪrɪən] *n* люби́тель роз.

**rosarium** [rou'zɛərɪəm] *n* розáрий.

**rosary** ['rouzərɪ] *n* 1) сад *или* гря́дка с рóзами, розáрий; 2) чётки; 3) венóк, гирля́нда; 4) антолóгия.

**rose I** [rouz] **1.** *n* 1) рóза (*тж. как эмблéма Áнглии*); the ~ of the pérвая красáвица в; 2) *pl* румя́нец; she has ~s in her cheeks румя́нец игрáет на её щекáх, онá пы́шет здорóвьем; 3) рóзовый цвет; 4) розéтка; 5) сéтка (*дýша или лéйки*); разбры́згиватель; 6) = rose window; 7) (the ~) рóжа, рóжистое воспалéние; ◇ bed of ~s, path strewn with ~s лёгкая, прия́тная жизнь; life is not all ~s в жи́зни не одни́ тóлько удовóльствия; under the ~ по секрéту, тайкóм; втихомóлку; born under the ~ рождённый вне брáка, «незаконнорождённый»;
**2.** *a* рóзовый;
**3.** *v* дéлать рóзовым, придавáть рóзовый оттéнок.

**rose II** [rouz] *past от* rise 2.

**roseate** ['rouzɪɪt] *a* 1) рóзовый; 2) свéтлый, рáдостный.

**rosebud** ['rouzbʌd] *n* 1) бутóн рóзы; 2) краси́вая молодéнькая дéвушка; 3) *амер.* дебютáнтка; 4) *attr.* похóжий на (*или* свéжий, как) бутóн рóзы.

**rose-bush** ['rouzbuʃ] *n* рóзовый куст, куст рóзы.

**rose-colour** ['rouz,kʌlə] *n* 1) рóзовый цвет; 2) привлекáтельный вид; 3) что-л. прия́тное.

**rose-coloured** ['rouz,kʌləd] *a* 1) рóзовый; 2) рáдужный; жизнерáдостный; to see things (*или* everything) through ~ spectacles смотрéть сквозь рóзовые очки́; 3): starling рóзовый скворéц.

**rose-drop** ['rouzdrɔp] *n* рóзовая сыпь.

**rose-leaf** ['rouzliːf] *n* лепестóк рóзы; ◇ crumpled ~ пустякóвая неприя́тность, омрачáющая óбщую рáдость.

**rosemary** ['rouzmərɪ] *n бот.* розмари́н.

**roseola** [rou'ziːələ] *n мед.* 1) розеóла; 2) краснýха.

**rose-rash** ['rouzræʃ] *n* 1) розеóльная сыпь; 2)=roseola 2).

**rose-tree** ['rouztriː] *n* рóзовый куст.

**rosette** [rou'zet] *n* 1) розéтка; 2) рóзочка.

**rose-water** ['rouz,wɔːtə] *n* 1) рóзовая водá; 2) притвóрная чувстви́тельность; при́торная любéзность.

**rose window** ['rouz'wɪndou] *n архит.* крýглое окнó с радиáльными горбы́льками; крýглое окнó, запóлненное ажýрными кáменными элемéнтами.

**rosewood** ['rouzwud] *n* палисáндровое дéрево, рóзовое дéрево (*древеси́на*).

**rosin** ['rɔzɪn] 1. *n* смола́, канифо́ль; 2. *v* натира́ть канифо́лью (*смычок*).

**roster** ['roustə] *n* 1) *воен.* расписа́ние наря́дов, дежу́рств; 2) спи́сок.

**rostra** ['rɔstrə] *pl от* rostrum.

**rostral** ['rɔstrəl] *a* 1) ростра́льный (*о коло́нне*); 2) *зоол.* относя́щийся к клю́ву; клювови́дный.

**rostrate(d)** ['rɔstreɪt(ɪd)] *a* 1) = rostral 1); 2) *зоол.* име́ющий клюв.

**rostriform** ['rɔstrɪfɔːm] *a* клювообра́зный.

**rostrum** ['rɔstrəm] *n* (*pl* -ra, -rums [-rəmz]) 1) трибу́на; ка́федра; 2) нос корабля́; 3) клюв.

**rosy** ['rouzɪ] *a* 1) ро́зовый; румя́ный; цвету́щий (*о челове́ке*); 2) я́сный, све́тлый; 3) ра́дужный; благоприя́тный.

**rot** [rɔt] 1. *n* 1) гние́ние, гниль; труха́; 2) шелуди́вость; боле́знь пе́чени (*у ове́ц*); 3) *разг.* вздор, неле́пость (*тж.* tommy ~); don't talk ~ не мели́те вздо́ра; 4) прова́л, неуда́ча (*в состяза́ниях*); a ~ set in начала́сь полоса́ неуда́ч; 2. *v* 1) гнить; по́ртиться; *перен.* разлага́ться; 2) гнои́ть; по́ртить; 3) *sl.* дразни́ть; подшу́чивать; иронизи́ровать; 4) *sl.* дура́чить, обма́нывать; □ ~ about растра́чивать вре́мя; ~ away ги́бнуть; ~ off увяда́ть.

**rota** ['routə] *n* расписа́ние дежу́рств.

**rotaplane** ['routəpleɪn] *n ав.* ротопла́н.

**rotary** ['routərɪ] *a* враща́тельный; ротацио́нный; ~ engine ротацио́нная маши́на; ~ press *полигр.* рота́ция; ~ pump центробе́жный насо́с; ~ current *эл.* многофа́зный ток.

**rotate** 1. *v* [rou'teɪt] 1) враща́ть(ся); 2) чередова́ть(ся); сменя́ть(ся) по о́череди; 2. *a* ['routeɪt] *бот.* колесови́дный.

**rotation** [rou'teɪʃən] *n* 1) враще́ние; 2) чередова́ние; периоди́ческое повторе́ние; ~ of crops севооборо́т; by (*или* in) ~ попереме́нно; по о́череди.

**rotational** [rou'teɪʃənl] *a* 1) переме́нный, череду́ющийся; 2) враща́ющийся.

**rotative** ['routətɪv] *a* 1) = rotational; 2) враща́тельный.

**rotator** [rou'teɪtə] *n* 1) *анат.* враща́ющая мы́шца; 2) *метал.* враща́ющаяся отража́тельная печь.

**rotatory** ['routətərɪ] *a* 1) враща́тельный, коловра́тный; ~ current *эл.* многофа́зный ток; 2) враща́ющий.

**rote** I [rout] *n* шум прибо́я.

**rote** II [rout] *n* механи́ческое запомина́ние; by ~ наизу́сть (*не понима́я существа́ вопро́са, де́ла и т. п.*).

**rotograph** ['routəɡrɑːf] *n* рото́граф; отпеча́ток на светочувстви́тельной бума́ге (*без негати́ва*).

**rotor** ['routə] *n* 1) *тех.* ро́тор; рабо́чее колесо́ турби́ны; 2) *эл.* я́корь; 3) *ав.* ро́тор геликопте́ра.

**rotor plane** ['routə'pleɪn] *n ав.* автожи́р.

**rotten** ['rɔtn] *a* 1) гнило́й, прогни́вший; испо́рченный, ту́хлый; 2) нра́вственно испо́рченный; нече́стный; 3) него́дный, сла́бый; 4) *разг.* неприя́тный, отврати́тельный; to feel ~ отврати́тельно себя́ чу́вствовать;

5) мя́гкий, сла́бый, вы́ветрившийся (*о го́рной поро́де*); ◇ ~ borough *ист.* «гнило́е месте́чко» (*го́род, кото́рый факти́чески уже́ не существова́л, но от и́мени кото́рого продолжа́ли посыла́ть депута́тов в парла́мент*).

**rottenness** ['rɔtnnɪs] *n* 1) гни́лость; испо́рченность; 2) ни́зость, нече́стность.

**rotter** ['rɔtə] *n sl.* дрянь (*о челове́ке*).

**rotund** [rou'tʌnd] *a* 1) по́лный, то́лстый; кру́глый, пу́хлый; 2) зву́чный; полнозву́чный; 3) округлённый (*о фра́зе*); высокопа́рный (*о сти́ле*); 4) *редк.* кру́глый, сфери́ческий, шарообра́зный.

**rotunda** [rou'tʌndə] *n архит.* рото́нда.

**rotundity** [rou'tʌndɪtɪ] *n* полнота́, округлённость.

**rouble** ['ruːbl] *рус. n* рубль.

**roué** [ruː'eɪ] *фр. n* пове́са, распу́тник.

**rouge** I [ruːʒ] *фр.* 1. *n* 1) румя́на; 2) губна́я пома́да; 2. *v* 1) румя́ниться; 2) кра́сить гу́бы.

**rouge** II [ruːʒ] *n* схва́тка вокру́г мяча́ (*в футбо́ле*).

**rouge-et-noir** [ˌruːʒeɪ'nwɑː] *фр. n* «кра́сное и чёрное» (*аза́ртная ка́рточная игра́*).

**rough** [rʌf] 1. *a* 1) гру́бый; ~ food гру́бая пи́ща; 2) неро́вный, шерша́вый; камени́стый (*о доро́ге*); ~ country пересечённая ме́стность; ~ edge зазу́бренный край; 3) космма́тый; 4) бу́рный (*о мо́ре*); ре́зкий (*о ве́тре, пого́де*); суро́вый (*о кли́мате*); ~ passage перее́зд по бу́рному мо́рю; 5) ре́жущий у́хо (*о зву́ке*); 6) гру́бый, неотёсанный, грубова́тый; неве́жливый, неделика́тный; a ~ customer a) гру́бый челове́к; б) тру́дный субъе́кт; ~ usage гру́бое обраще́ние; 7) те́рпкий; 8) неотде́ланный, необрабо́танный, черново́й; приблизи́тельный; ~ copy черновико́; ~ draft эски́з, набро́сок; ~ diamond неотшлифо́ванный алма́з; *перен.* челове́к, облада́ющий вну́тренними досто́инствами, но грубова́тый в обраще́нии *и т. п.*; ~ estimate приблизи́тельная сме́та; ~ and ready a) сде́ланный ко́е-ка́к, на́спех; б) грубова́тый, но энерги́чный; 9) тяжёлый; ~ labour тяжёлый физи́ческий труд; 10) тру́дный, го́рький, неприя́тный; ~ luck го́рькая до́ля, неуда́ча; невезе́ние; it is ~ on him э́то незаслу́женно тяжёлая у́часть для него́; to have a ~ time терпе́ть лише́ния *или* плохо́е обраще́ние; ◇ to take over a ~ road *амер.* a) дава́ть нагоня́й; б) (по)ста́вить в тяжёлое положе́ние;

2. *n* 1) неро́вность (*ме́стности*); 2) гру́бость, неотде́ланность; in the ~ в незако́нченном ви́де; 3) черново́й набро́сок; 4) неприя́тная сторона́ (*чего́-л.*); to take the ~ with the smooth сто́йко переноси́ть превра́тности судьбы́; споко́йно встреча́ть невзго́ды; 5) буя́н, грубия́н; хулига́н, головоре́з; 6) *спорт.* неро́вное по́ле (*в го́льфе*); 7) шип (*в подко́ве*).

3. *adv* гру́бо *и пр.* [*см.* 1.]; to live ~ жить без удо́бств; to treat ~ суро́во обходи́ться (*с кем-л.*);

4. *v* 1) отде́лывать вчерне́; 2) подко́вывать на шипы́; 3) объезжа́ть (*ло́шадь*);

4) допускать грубость (*особ. в футболе; тж.* ~ up); 5): to ~ it мириться с лишениями, обходиться без (*обычных*) удобств; □ ~ in набрасывать; ~ out чертить начерно; ~ up а) всклокочивать (*волосы*); б) взъерошивать (*перья*); в) *разг.* раздражать (*кого-л.*).

**roughage** ['rʌfɪdʒ] *n* 1) грубые корма; 2) грубая пища; 3) грубый, жёсткий материал.

**rough-and-tumble** ['rʌfənd'tʌmbl] **1.** *n* 1) свалка, драка; 2) суматоха, неразбериха;

**2.** *a* беспорядочный.

**roughcast** ['rʌfkɑ:st] **1.** *n* 1) первоначальный набросок; грубая модель; 2) грубая штукатурка простым намётом;

**2.** *a* 1) начерно разработанный (*о плане*); 2) грубо оштукатуренный;

**3.** *v* 1) набрасывать (*план*), намечать; 2) штукатурить намётом.

**rough-draft** ['rʌfdrɑ:ft] *v* делать черновой чертёж.

**rough-dry** ['rʌf'draɪ] **1.** *a* высушенный, но не выглаженный (*о белье*);

**2.** *v* сушить без глаженья.

**roughen** ['rʌfn] *v* делать(ся) грубым, шероховатым; грубеть.

**rough-hew** ['rʌf'hju:] *v* грубо обтёсывать.

**rough house** ['rʌf'haus] *n sl.* скандал, шум.

**rough-house** ['rʌfhaus] *v sl.* 1) обращаться плохо; 2) буянить, хулиганить, скандалить.

**roughly** ['rʌflɪ] *adv* 1) грубо; небрежно; 2) неровно; 3) бурно, резко; 4) грубо, невежливо; 5) приблизительно; ~ speaking примерно.

**rough-neck** ['rʌfnek] *n амер. разг.* хулиган, буян.

**roughness** ['rʌfnɪs] *n* 1) грубость; неотделанность; 2) неровность; шершавость; 3) бурность, резкость; 4) грубость, грубоватость; 5) терпкость.

**rough-rider** ['rʌf,raɪdə] *n* берейтор.

**roughshod** ['rʌfʃɔd] *a* подкованный на шипы (*о лошади*); ◇ to ride ~ over действовать деспотически, самоуправствовать, обходиться грубо.

**rough-spoken** ['rʌf'spoukən] *a* выражающийся грубо.

**roulade** [ru:'lɑ:d] *фр. n* рулада.

**rouleau** [ru:'lou] *фр. n* (*pl* -leaus [-louz], -leaux) 1) стопка монет, завёрнутых в бумагу; 2) (монетный) столбик из эритроцитов (*в крови*).

**rouleaux** [ru:'louz] *pl от* rouleau.

**roulette** [ru:'let] *фр. n* рулетка (*игра*).

**Roumanian** [ru:'meɪnjən] **1.** *a* румынский;

**2.** *n* 1) румын; румынка; 2) румынский язык.

**round I** [raund] **1.** *a* 1) круглый; шарообразный; сферический; ~ back (*или* shoulders) сутулость; ~ hand (*или* text) круглый почерк; *полигр.* рондо; ~ timber кругляк, круглый лесоматериал; ~ arch *архит.* полукруглая арка; 2) круговой;

~ dance вальс; ~ game игра в карты, в которой принимает участие неограниченное количество игроков; ~ tour круговая поездка; ~ towel = roller towel; ~ trip *амер.* поездка туда и обратно; поездка в оба конца; 3) мягкий, низкий, бархатистый (*о голосе*); 4) полный; 5) круглый, кругленький (*о сумме*); 6) круглый (*о цифрах*); округлённый (*о числах*); 7) закруглённый, округлённый (*о фразе*); гладкий, плавный (*о стиле*); 8) приятный (*о вине*); 9) прямой, откровенный, искренний; грубоватый; а ~ oath крепкое ругательство; in ~ terms в сильных выражениях; 10): а ~ trot крупная рысь; at а ~ pace крупным аллюром; 11) *фон.* округлённый; ◇ а ~ peg in a square hole человек не на своём месте;

**2.** *n* 1) круг, окружность; очертание; контур; 2) круговое движение; цикл; 3) обход; прогулка; to go the ~s идти в обход, совершать обход; to go (*или* to make) the ~ of обходить; циркулировать; to go for a good (*или* long) ~ предпринять длинную прогулку; visiting ~s проверка часовых; дозор для связи; 4) цикл, ряд; the daily ~ круг ежедневных занятий; 5) тур; раунд; рейс; 6) ломтик, кусочек; ~ of toast круглый ломтик поджаренного хлеба; ~ of beef ссек говядины; 7) ступенька лестницы (*тж.* ~ of a ladder); 8) *воен.* патрон; выстрел; очередь; 20 ~s of ball cartridges 20 боевых патронов; 9) снаряд; ракетный снаряд; ballistic ~ баллистический снаряд; ◇ ~ of cheers взрыв аплодисментов;

**3.** *v* 1) округлять(ся) (*тж.* ~ off); to ~ a sentence закруглить фразу; 2) огибать; обходить кругом; повёртывать(ся); 3) *фон.* округлять; □ ~ off округлять(ся), закруглять(ся); to ~ off the evening with a dance закончить вечер танцами; ~ on а) сделать неожиданное возражение; б) *разг.* доносить; ~ out закруглять(ся), делать(ся) круглым; ~ to *мор.* приводить к ветру; ~ up а) сгонять (*скот*); б) окружать, производить облаву; ~ upon внезапно и предательски нападать на;

**4.** *adv* 1) вокруг; ~ about вокруг (да около); ~ and ~ кругом; со всех сторон; to argue ~ and ~ the subject вертеться вокруг да около, говорить не по существу; all (*или* right) ~ кругом; all the year ~ круглый год; a long way ~ кружным путём; to sleep the clock ~ проспать 12 часов *или* сутки подряд; the wheel turns ~ колесо вращается; the wind has gone to the north ветер повернул на север; 2) кругом; 3) обратно; 4): to bring ~ подать, принести, привести; to come ~ а) приходить, заходить; б) приходить в себя;

**5.** *prep* вокруг, кругом; ~ the world вокруг света; ~ the corner за угол, за углом.

**round II** [raund] *v уст.* говорить шёпотом, таинственно.

**roundabout** ['raundəbaut] **1.** *a* 1) окольный; кружный; обходный; 2) толстый, добродный;

**2.** *n* 1) окóльный путь; 2) карусéль; 3) *амер.* кýртка, жакéт;

**3.** *adv* примéрно, приблизи́тельно.

**roundel** ['raundl] *n* 1) что-л. кру́глое (*напр.*, кружóк, медальóн, кру́глый поднóс); 2) = rondeau.

**roundelay** ['raundıleı] *n* 1) корóтенькая пéсенка с припéвом; 2) пéние пти́цы; 3) хоровóдный тáнец.

**rounders** ['raundəz] *n* *pl* англи́йская лаптá.

**roundhead** ['raundhed] *n* *ист.* круглоголóвый, пуритáнин.

**round-house** ['raundhaus] *n* 1) *мор.* кормовáя ру́бка; 2) *амер.* ж.-д. паровóзное депó; 3) *уст.* арестáнтская.

**roundish** ['raundıʃ] *a* кругловáтый, окру́глый.

**roundly** ['raundlı] *adv* 1) кру́гло; 2) напрями́к, рéзко, откровéнно; 3) энерги́чно, основáтельно; пóлностью, окончáтельно.

**round robin** ['raund 'rɔbın] *n* пети́ция с пóдписями, располóженными кружкóм (*чтобы скрыть, кто подписался первым*).

**round-shot** ['raundʃɔt] *n* пу́шечное ядрó.

**round-shouldered** ['raund 'ʃouldəd] *a* сутýлый.

**roundsman** ['raundzmən] *n* 1) торгóвый агéнт, сбóрщик закáзов; 2) *амер.* стáрший полицéйский, полицéйский инспéктор.

**round-table** ['raund 'teıbl] *a* (происходя́щий) за кру́глым столóм.

**round-the-clock** ['raundðəklɔk] *a* круглосу́точный.

**round-trip** ['raund 'trıp] *a* *амер.* обрáтный; ~ ticket обрáтный билéт.

**round-up** ['raundʌp] *n* 1) округлéние, закруглéние; 2) *амер.* загóн скотá (*для клеймения и т. п.*); 3) облáва; 4) свóдка новостéй (*по радио, в газете*); press ~ обзóр печáти; 5) *уст.* сбóрище; a ~ of old friends встрéча стáрых друзéй.

**roup I** [ru:p] *шотл.* **1.** *n* аукциóн; **2.** *v* продавáть с аукциóна.

**roup II** [ru:p] *n* óспа—дифтери́я птиц.

**rouse I** [rauz] **1.** *v* 1) буди́ть; 2) пробуждáться (*тж.* ~ up); 3) побуждáть (to); воодушевля́ть; возбуждáть; to ~ oneself стряхну́ть лень, встряхну́ться; 4) вспу́гивать дичь; 5) раздражáть, выводи́ть из себя́; **2.** *n* *воен.* подъём, побу́дка.

**rouse II** [rauz] *амер.* уст. 1) тост; to give a ~ пить за здорóвье; 2) попóйка.

**rousing** ['rauzıŋ] **1.** *pres. p. от* rouse I, 1; **2.** *a* 1) воодушевля́ющий; возбуждáющий; a ~ welcome горя́чий, востóрженный приём; 2) *разг.* порази́тельный;

**3.** *n* встря́ска; he wants ~ ему́ нáдо встряхну́ться.

**roustabout** ['raustə,baut] *n* *амер.* рабóчий (*на пристани, на пароходе*), подсóбный рабóчий.

**rout I** [raut] **1.** *n* разгрóм, поражéние; беспоря́дочное бéгство; to put to ~ разгроми́ть нáголову, обрати́ть в бéгство; **2.** *v* разби́ть нáголову; обращáть в бéгство.

**rout II** [raut] *n* 1) пиру́шка, шу́мное сбóрище; 2) *уст.* рáут.

**rout III** [raut] *v* взрывáть зéмлю (*рылом*); ☐ ~ out вытáскивать; выкáпывать.

**route** [ru:t] **1.** *n* маршру́т, курс, путь, дорóга; en route [ɑ:ŋ'ru:t] по пути́, по дорóге; в пути́;

**2.** *v* [*часто* raut] *амер.* 1) направля́ть (*по определённому маршруту*); 2) распределя́ть.

**route-march** ['ru:tmɑ:tʃ] *n* 1) марш в ми́рной обстанóвке *или* в тылу́; 2) *амер.* похóдный поря́док, движéние в похóдном поря́дке.

**routine** [ru:'ti:n] *n* 1) заведённый поря́док; установи́вшаяся прáктика; определённый режи́м; 2) рути́на; шаблóн; 3) *воен.* распоря́док слу́жбы; 4) *attr.* определённый, устанóвленный, обы́чный, шаблóнный; теку́щий (*об осмотре, ремонте и т. п.*).

**rove I** [rouv] *n* стрáнствие;

**2.** *v* 1) скитáться; стрáнствовать; броди́ть; 2) блуждáть (*о взгляде*).

**rove II** [rouv] *n* 1) *тех.* шáйба; 2) *текст.* рóвница.

**rove III** [rouv] *past и p. p. от* reeve III.

**rover** ['rouvə] *n* 1) скитáлец; стрáнник; 2) пирáт, морскóй разбóйник; 3) разбóйник (*в крокете*).

**row I** [rou] *n* 1) ряд; in a ~ в ряд; in ~s ряда́ми; 2) ряд домóв, у́лица; ◇ to have a hard ~ to hoe *амер.* стоя́ть пéред тру́дной задáчей; it does not amount to a ~ of beans (*или* pins) *амер.* ≈лóманого грошá не стóит.

**row II** [rou] **1.** *n* 1) грéбля; 2) прогу́лка на лóдке; to go for a ~ катáться на лóдке;

**2.** *v* 1) грести́; to ~ a race учáствовать в гребны́х гóнках; 2) перевози́ть в лóдке; ☐ ~ down перегнáть на лóдке (*в гребле*); ~ out устáть от грéбли; ~ over легкó победи́ть в гóнке; ◇ to ~ up Salt River *амер. sl.* «прокати́ть» на вы́борах; нанести́ поражéние.

**row III** [rau] *разг.* **1.** *n* 1) шум, гвалт; to kick up (*или* to make) a ~ поднимáть сканда́л, шум; протестовáть; what's the ~? в чём дéло?; 2) спор; ссóра; свáлка; to have a ~ with smb. поссóриться с кем-л.; 3) нагоня́й; to get into a ~ получи́ть нагоня́й;

**2.** *v* 1) сканда́лить, шумéть; 2) *разг.* дéлать вы́говор; отчи́тывать.

**rowan** ['rauən] *n* *шотл.* ряби́на.

**rowan-tree** ['rauəntri:] = rowan.

**row-boat** ['roubout] *n* гребнáя лóдка; *мор.* гребнáя шлю́пка.

**rowdy** ['raudı] **1.** *n* хулигáн, буя́н; головорéз;

**2.** *a* шу́мный; бу́йный.

**rowdyism** ['raudıızəm] *n* хулигáнство.

**rowel** ['rauəl] *n* колёсико шпóры.

**rower** ['rouə] *n* гребéц.

**rowing I** ['rouıŋ] **1.** *pres. p. от* row II, 2; **2.** *n* грéбля.

**rowing II** ['rauıŋ] **1.** *pres. p. от* row III, 2; **2.** *n* нагоня́й, вы́говор.

**rowing-boat** ['rouıŋbout] = row-boat.

**rowlock** ['rɔlək] *n* уключина.

**royal** ['rɔıəl] **1.** *a* 1) королéвский; цáрский; R. Society Королéвское óбщество (*содействия успéхам естествознáния*); R.

Standard королевский штандарт; 2) британский (о флоте, войсках, авиации и т. п.); 3) великолепный; царственный; ◇ ~ blue чистый, яркий оттенок синего цвета; R. Exchange здание лондонской биржи; ~ mast мор. бом-брам-стеньга; ~ road самый лёгкий путь (к достижению чего-л.);

2. n 1) (the Royals) pl собир. уст. первый пехотный полк; 2) разг. член королевской семьи; 3) большой формат бумаги (тж. ~ paper); 4) = ~ stag; 5) = ~ mast [см. 1 ◇].

**royalist** [ˈrɔɪəlɪst] n 1) роялист; 2) амер. твердолобый; 3) attr. роялистский.

**royalistic** [ˌrɔɪəˈlɪstɪk] a роялистский.

**royal stag** [ˈrɔɪəlˈstæɡ] n благородный олень (не моложе шести лет).

**royalty** [ˈrɔɪəltɪ] n 1) королевское достоинство; королевская власть; 2) член(ы) королевской семьи; 3) (обыкн. pl) королевские привилегии и прерогативы; 4) величие, царственность; 5) авторский гонорар (процент с каждого проданного экземпляра); отчисление автору пьесы (за каждую постановку); отчисления владельцу патента; 6) ист. арендная плата землевладельцу за разработку недр.

**rub** [rʌb] 1. n 1) трение; 2) натирание; растирание; give it a ~! потрите!; 3) стирание; the ~ of a brush чистка щёткой; 4) натёртое место; 5) неровность почвы (мешающая игре); 6) разг. затруднение, препятствие; помеха; камень преткновения; there is the ~ ≅ вот где собака зарыта, тут-то и загвоздка; 7) диал. оселок;

2. v 1) тереть(ся) (against, on, over — обо что-л.); to ~ one's hands потирать руки; to ~ the wrong way гладить против шерсти; раздражать; 2) натирать, начищать (тж. ~ up); 3) стирать(ся) (тж. ~ away, ~ off); 4) протирать; 5) натирать; to ~ sore натирать до крови; 6) соприкасаться; задевать; to ~ elbows with smb. якшаться с кем-л.; to ~ shoulders with smb. сталкиваться, общаться с кем-л.; 7) копировать рисунок (с меди или камня), притирая к нему бумагу карандашом; ☐ ~ along a) ладить, уживаться; б) разг. продвигаться, пробираться с трудом, продираться; ~ away a) стирать (ворс); б) перен. лишать(ся) новизны, стираться; ~ down a) вытирать досуха; б) чистить лошадь; в) стирать шероховатости; г) точить, шлифовать; ~ in a) втирать (мазь); б) убеждать; вдалбливать (особ. что-л. неприятное); don't ~ it in не растравляйте рану; ~ off стирать(ся), выводить (пятно); ~ through протирать (сквозь сито); ~ together тереть (предметы) друг о друга; ~ up a) начищать, полировать; б) освежать (в памяти что-л.); в) растирать (краску); ◇ to ~ smb.'s nose into the fact амер. разг. ткнуть кого-л. носом, указать кому-л. на факт.

**rub-a-dub** [ˈrʌbəˌdʌb] n барабанный бой; ≅ трам-там-там.

**rubber I** [ˈrʌbə] 1. n 1) резина; каучук; 2) резинка; 3) pl галоши; 4) pl резиновые изделия; 5) массажист; to have a ~ подвергаться массажу; 6) оселок; 7) приспособление для трения; 8) attr. резиновый; прорезиненный; ◇ it's a ~ drum that you beat with a sponge это совершенно бесполезно;

2. v 1) покрывать резиной, прорезинивать; 2) амер. sl. вытягивать шею (из любопытства); глазеть; любопытствовать.

**rubber II** [ˈrʌbə] n карт. роббер.

**rubber-insulated cable** [ˈrʌbəˌɪnsjuleɪtɪdˈkeɪbl] n кабель с резиновой изоляцией.

**rubberized** [ˈrʌbəraɪzd] a 1) прорезиненный; покрытый резиной; 2) вулканизированный.

**rubberneck** [ˈrʌbənek] амер. sl. 1. n 1) любопытный человек (особ. о туристе); 2) attr.: ~ car, ~ auto, ~ bus автомобиль или автобус для туристов;

2. v = rubber I, 2, 2).

**rubber plant** [ˈrʌbəˈplɑːnt] n каучуконосное растение, каучуконос.

**rubber-stamp** [ˈrʌbəstæmp] v 1) ставить печать; 2) перен. штамповать.

**rubber tree** [ˈrʌbəˈtriː] n каучуковое дерево, каучуконос.

**rubber-vine** [ˈrʌbəvaɪn] = rubber tree.

**rubbing** [ˈrʌbɪŋ] 1. pres. p. от rub 2; 2. n 1) трение; натирание; 2) рисунок, копированный притиранием [см. rub 2, 7)]; to take (или to make) ~s срисовывать, делать копии; 3) текст. ссучивание.

**rubbish** [ˈrʌbɪʃ] n 1) хлам; мусор; 2) вздор; ерунда; oh, ~! чепуха!; 3) sl. деньги; 4) горн. пустая порода, закладка.

**rubbishy** [ˈrʌbɪʃɪ] a дрянной; никуда не годный; пустяковый; вздорный.

**rubble** [ˈrʌbl] n 1) бут, булыжник, рваный камень; балласт; 2) галька, валун; 3) геол. обломочные россыпи.

**rube** [ruːb] n амер. разг. деревенщина.

**rubefy, rubify** [ˈruːbɪfaɪ] v делать красным; мед. вызывать покраснение.

**Rubicon** [ˈruːbɪkən] n Рубикон; to pass (или to cross) the ~ перейти Рубикон.

**rubicund** [ˈruːbɪkənd] a румяный.

**rubidium** [ruːˈbɪdɪəm] n хим. рубидий.

**rubiginous** [ruːˈbɪdʒɪnəs] a ржавого цвета.

**rubious** [ˈruːbɪəs] a поэт. рубинового цвета.

**ruble** [ˈruːbl] = rouble.

**rubric** [ˈruːbrɪk] n 1) рубрика; заголовок; 2) абзац; 3) мин. красный железняк.

**rubricate** [ˈruːbrɪkeɪt] v 1) разбивать на абзацы; 2) снабжать подзаголовками.

**ruby** [ˈruːbɪ] 1. n 1) рубин; 2) ярко-красный цвет; 3) красный прыщик; 4) красное вино; 5) полигр. рубин (кегль, шрифт размером 5½ пунктов, амер. 3½ пункта); ◇ above rubies неоценимый; 2. a рубиновый, ярко-красный; 3. v окрашивать в ярко-красный цвет.

**ruche** [ruːʃ] фр. n рюш.

**ruck I** [rʌk] n 1) толпа; давка; 2) вздор, чепуха; 3) спорт. лошади, оставшиеся за флагом.

**ruck II** [rʌk] = ruckle I.

**ruckle I** [ˈrʌkl] 1. n складка, морщина; 2. v делать складки, морщины.

**ruckle II** ['rʌkl] **1.** *n* хрип, хрипе́ние (*особ. умира́ющего*);
**2.** *v* хрипе́ть, издава́ть хрипя́щие зву́ки.
**rucksack** ['ruksæk] *нем. n* рюкза́к, похо́дный мешо́к.
**ruction** ['rʌkʃən] *n разг.* 1) препира́тельство, возраже́ния, проте́ст; 2) гам, го́мон, гвалт.
**rudder** ['rʌdə] *n* 1) руль; 2) *ав.* руль поворо́та; elevating ~ руль высоты́; 3) руково́дящий при́нцип.
**rudderless** ['rʌdəlıs] *a* без руля́; *перен.* без руково́дства.
**rudder-post** ['rʌdəpoust] *n* 1) *мор.* ру́дерпост; ру́дерпис; 2) *ав.* рулева́я сто́йка.
**ruddiness** ['rʌdınıs] *n* 1) краснота́; 2) румя́нец.
**ruddle** ['rʌdl] **1.** *n* кра́сная *или* жжёная о́хра.
**2.** *v* 1) кра́сить о́хрой; 2) ме́тить (*овец*).
**ruddock** ['rʌdək] *n* мали́новка (*птица*).
**ruddy** ['rʌdı] **1.** *a* 1) румя́ный; 2): ~ health цвету́щее здоро́вье; 3) я́рко-кра́сный; 4) краснова́то-кори́чневый; 5) *sl.* прокля́тый;
**2.** *v* де́лать(ся) кра́сным.
**rude** [ru:d] *a* 1) гру́бый; невоспи́танный; оскорби́тельный; to be ~ to smb. груби́ть кому́-л.; 2) суро́вый; жесто́кий; свире́пый; 3) си́льный, ре́зкий; 4) неотде́ланный, неотёсанный; 5) примити́вный, гру́бый; 6) внеза́пный; ~ shock внеза́пный уда́р; ~ reminder неожи́данное напомина́ние; ~ awakening си́льное разочарова́ние; 7) кре́пкий (*о здоро́вье*).
**rudeness** ['ru:dnıs] *n* 1) гру́бость; 2) неучти́вость; 3) суро́вость; жесто́кость; свире́пость.
**rudiment** ['ru:dımənt] *n* 1) рудимента́рный о́рган; 2) *pl* нача́тки, зача́тки; элемента́рные зна́ния.
**rudimentary** [,ru:dı'mentərı] *a* 1) зача́точный, рудимента́рный, недора́звитый; 2) элемента́рный.
**rue I** [ru:] **1.** *n уст.* 1) сострада́ние, жа́лость; 2) раска́яние, сожале́ние; crowned with ~ *поэт.* по́лный раска́яния;
**2.** *v* раска́иваться, сожале́ть; печа́литься, горева́ть; I ~d the day when... я про́клял тот день, когда́...
**rue II** [ru:] *n бот.* ру́та (души́стая).
**rueful** ['ru:ful] *a* уны́лый, печа́льный; жа́лкий; жа́лобный; го́рестный; разочаро́ванный; a ~ countenance печа́льный о́блик.
**ruefully** ['ru:fulı] *adv* 1) печа́льно, уны́ло; 2) с сожале́нием, с сочу́вствием.
**ruff I** [rʌf] *n* 1) брыжи; рюш; 2) кольцо́ пе́рьев *или* ше́рсти вокру́г ше́и (*у птиц и животных*); 3) турухта́н (*птица*); 4) *тех.* гре́бень, кругово́й вы́ступ на валу́.
**ruff II** [rʌf] *n* ёрш (*рыба*).
**ruff III** [rʌf] *карт.* **1.** *n* ко́зырь;
**2.** *v* бить ко́зырем.
**ruffed I** [rʌft] *p. p. om* ruff III, 2.
**ruffed II** [rʌft] *a* гри́вистый (*о птицах*).
**ruffian** ['rʌfjən] *n* хулига́н, головоре́з, негодя́й.
**ruffianism** ['rʌfjənızəm] *n* хулига́нство, гру́бость.

**ruffianly** ['rʌfjənlı] *a* хулига́нский.
**ruffle I** ['rʌfl] **1.** *n* 1) рябь; 2) кружевна́я гофриро́ванная манже́тка, обо́рка; 3) сумато́ха, волне́ние; without ~ or excitement без суеты́, споко́йно; 4) *sl.* нару́чник;
**2.** *v* 1) ряби́ть (*во́ду*); 2) еро́шить (*во́лосы*); 3) наруша́ть споко́йствие; a man impossible to ~ челове́к, кото́рого невозмо́жно вы́вести из себя́; 4) гофрирова́ть, собира́ть сбо́рки; 5) *разг.* пререка́ться; 6) *разг.* хорохо́риться, вести́ себя́ зано́счиво, задо́рно; to ~ it out чва́ниться, вести́ себя́ высокоме́рно; 7) трепыха́ться.
**ruffle II** ['rʌfl] *n* дробь бараба́на.
**ruffler** ['rʌflə] *n* 1) хвасту́н; 2) зади́ра; хулига́н.
**rufous** ['ru:fəs] *a* краснова́то-кори́чневый; ры́жий.
**rug** [rʌg] *n* 1) ковёр, ко́врик; 2) плед; 3) мехова́я по́лость.
**Rugby** ['rʌgbı] *n спорт.* ре́гби (*тж.* ~ football).
**rugged** ['rʌgıd] *a* 1) неро́вный, негла́дкий; шерохова́тый; шерша́вый; ~ verses неотде́ланные стихи́; ~ country, *амер.* ~ terrain *воен.* пересечённая ме́стность; 2) суро́вый, ре́зкий; бу́рный, нена́стный; 3) гру́бый; морщи́нистый; ~ features гру́бые, ре́зкие черты́ лица́; 4) про́чный, масси́вный; 5) бу́рный, я́ростный; 6) тяжёлый, тру́дный (*о жи́зни*); 7) *амер.* си́льный, кре́пкий.
**rugger** ['rʌgə] *разг. см.* Rugby.
**rugose** ['ru:gous] *a* морщи́нистый; скла́дчатый.
**rugosity** [ru:'gɔsıtı] *n* 1) морщи́нистость; 2) морщи́на.
**rugous** ['ru:gəs] = rugose.
**ruin** ['ruin] **1.** *n* 1) ги́бель; круше́ние (*наде́жд и т. п.*); разоре́ние; крах; 2) (*часто pl*) разва́лина; руи́ны; in ~s в разва́линах; 3) причи́на ги́бели;
**2.** *v* 1) разруша́ть, разоря́ть; to ~ oneself разори́ться; 2) (по)губи́ть; to ~ a girl обесче́стить де́вушку; 3) по́ртить; 4) *поэт.* ру́хнуть.
**ruination** [rui'neıʃən] *n разг.* (по)ги́бель; круше́ние; по́лное разоре́ние.
**ruinous** ['ruinəs] *a* 1) разори́тельный; губи́тельный, разруши́тельный; 2) разру́шенный, развали́вшийся.
**rule** [ru:l] **1.** *n* 1) пра́вило; уста́в; при́нцип; но́рма; образе́ц; it is a ~ with us у нас тако́е пра́вило; ~ of the road а) пра́вила движе́ния; б) *мор.* пра́вила расхожде́ния судо́в; ~ of three *мат.* тройно́е пра́вило; ~s of the game пра́вила игры́; ~ of decorum пра́вила прили́чия, пра́вила этике́та; as a ~ как пра́вило, обы́чно; by ~ по (устано́вленным) пра́вилам; hard and fast ~ то́чный крите́рий, твёрдо устано́вленная фо́рма; international ~s in force де́йствующие но́рмы междунаро́дного пра́ва; standing ~ постоя́нно де́йствующие пра́вила; пра́вила, устано́вленные како́й-л. корпора́цией; to make ~s устана́вливать пра́вила; to make it a ~ взять за пра́вило; I make it a ~ to get up early я обы́чно ра́но встаю́; 2) постановле́ние, реше́ние суда́

*или* судьй; ~ absolute *юр.* судебное постановление, прекращающее действие условного постановления; ~ nisi *см.* nisi; 3) правление, власть; владычество, господство; the ~ of the people власть народа; the ~ of force власть силы; 4) устав (*общества, ордена*); 5) (масштабная) линейка; наугольник; масштаб; 6) *полигр.* линейка; шпон; ◇ ~ of thumb a) кустарный способ; б) приближённый подсчёт;
2. *v* 1) управлять, править, властвовать; руководить; господствовать; 2) постановлять (that); устанавливать правило; 3) линовать, графить; 4) стоять на определённом уровне (*о ценах*); □ ~ out исключать.

**ruler** I ['ruːlə] *n* правитель.
**ruler** II ['ruːlə] *n* линейка.
**ruling** ['ruːliŋ] 1. *pres. p. от* rule 2;
2. *n* 1) управление; 2) постановление; судебное решение; постановление судьи;
3. *a* господствующий, преобладающий; ~ passion преобладающая страсть; ~ gradient *ж.-д.* руководящий подъём.
**rulley** ['ruli] *n* ломовая телега.
**rum** I [rʌm] *n* 1) ром; 2) *амер.* спиртной напиток.
**rum** II [rʌm] *a разг.* странный, чудной; подозрительный; ~ customer странный, подозрительный субъект; ~ member чудак; ~ start удивительный случай; he feels ~ ему не по себе.
**Rumanian** [ruːˈmeinjən] = Roumanian.
**rumba** ['rʌmbə] 1. *n* румба (*танец и музыкальная форма*);
2. *v* танцевать румбу.
**rumble** I ['rʌmbl] 1. *n* 1) громыхание, грохотанье, грохот; 2) сиденье *или* место для багажа *или* слуги позади экипажа; 3) *авт.* откидное сиденье (*тж.* ~ seat);
2. *v* 1) громыхать, грохотать; 2) сказать громко (*тж.* ~ out, ~ forth); 3) урчать.
**rumble** II ['rʌmbl] *v разг.* видеть насквозь, всё понимать.
**rumble-tumble** ['rʌmbl,tʌmbl] *n* 1) тряска; 2) громоздкий тряский экипаж.
**rumbustious** [rʌmˈbʌstjəs] *a разг.* шумливый, шумный.
**rumen** ['ruːmen] *n* рубец (*первый отдел желудка жвачных*).
**ruminant** ['ruːminənt] 1. *a* 1) жвачный; 2) задумчивый.
2. *n* жвачное животное.
**ruminate** ['ruːmineit] *v* 1) жевать жвачку; 2) раздумывать, размышлять (over, of, on, about—*о чём-л.*).
**rumination** [,ruːmiˈneiʃən] *n* 1) жевание жвачки; 2) размышление.
**rummage** ['rʌmidʒ] 1. *n* 1) поиски, обыск; обшаривание; таможенный осмотр; 2) хлам, всякая ерунда;
2. *v* 1) рыться, искать (*обыкн.* ~ about, ~ in); 2) вылавливать, вытаскивать (*обыкн.* ~ out, ~ up).
**rummage sale** ['rʌmidʒ'seil] *n* распродажа случайных вещей (*обыкн.* с благотворительной целью).
**rummer** ['rʌmə] *n* кубок.
**rummy** ['rʌmi] = rum II.

**rumormongering** ['ruːmə,mʌŋgəriŋ] *n амер.* распространение слухов.
**rumour** ['ruːmə] 1. *n* слух, молва, толки; ~s are about (*или* afloat) ходят слухи; there is a ~ говорят;
2. *v* распространять слухи; рассказывать новости; it is ~ed that ходят слухи, что.
**rumoured** ['ruːməd] 1. *p. p. от* rumour 2;
2. *a*: the ~ disaster бедствие, о котором прошёл слух.
**rump** [rʌmp] *n* 1) крестец; огузок; 2) (the R.) *ист.* «охвостье», остатки Долгого парламента.
**rumple** ['rʌmpl] *v* 1) мять; приводить в беспорядок; 2) ерошить волосы.
**rump steak** ['rʌmpsteik] *n* кусок вырезки, ромштекс.
**rumpus** ['rʌmpəs] *n разг.* суматоха; шум; гам; ссора.
**rumpus room** ['rʌmpəsrum] *n* комната для игр и развлечений (*в квартире*).
**rumrunner** ['rʌm,rʌnə] *n амер. разг.* перевозчик запрещённых спиртных напитков.
**rum-tum** ['rʌm'tʌm] *n* лёгкая лодка (*на Темзе*).
**run** [rʌn] 1. *n* 1) бег, пробег; at a ~ бегом [*см. тж.* ◇]; on the ~ на ходу, в движении; on the ~ all day весь день в беготне; to keep smb. on the ~ не давать кому-л. остановиться; to go for a ~ пробежаться; to give smb. a ~ дать пробежаться; to come down with a ~ быстро падать; 2) короткая поездка; a ~ up to town кратковременная поездка в город; 3) ход, работа, действие (*машины, мотора*); 4) течение, продолжение; период времени; ряд; линия; ~ of luck полоса везения, удачи; a long ~ of power долгое пребывание у власти; the play has a ~ of 50 nights пьеса идёт 50 вечеров подряд; 5) спрос; ~ on the bank наплыв в банк требований о возвращении вкладов; the book has a considerable ~ книга хорошо распродаётся; 6) средний тип *или* разряд; the common ~ of men обыкновенные люди; 7) стая (*рыб*); партия (*изделий*); 9) огороженное место (*для кур и т. п.*); загон *или* пастбище для овец; 10) *амер.* ручей, поток; 11) жёлоб, лоток, труба *и т. п.*; 12) разрешение пользоваться (*чем-л.*); to have the ~ of smb.'s books иметь право пользоваться чьими-л. книгами; 13) направление; the ~ of the hills is N. E. холмы тянутся на северо-восток; the ~ of the market общая тенденция рыночных цен; 14) уклон; трасса; 15) *амер.* спустившаяся петля на чулке; 16) *муз.* рулада; 17) *ж.-д.* пробег (*паровоза, вагона*); отрезок пути; прогон; 18) *ав.* заход на цель; 19) *горн.* бремсберг; 20) длина (*провода*); 21) *геол.* направление жилы руды; 22) кормовое заострение (*корпуса*); 23) *тех.* погон, фракция (*напр., нефти*); ◇ at a ~ подряд [*см. тж.* 1)]; in the long ~ в конце концов, в общем; to go with a ~ ≅ идти как по маслу; to take the ~ for one's money получить полное удовольствие за свои деньги; to be out of the ~ *амер.* выйти из колеи, отстать;

**2.** *v* (гап; run) 1) бежа́ть; бе́гать; a cold shiver ran down his spine холо́дная дрожь пробежа́ла у него́ по спине́; 2) дви́гаться, передвига́ться (*обыкн. быстро*); things must ~ their course на́до предоста́вить собы́тия их есте́ственному хо́ду; to ~ counter идти́ про́тив; to ~ before the wind *мор.* идти́ на фордеви́нд; 3) ходи́ть; курси́ровать; пла́вать; 4) кати́ться; 5) спаса́ться бе́гством, убега́ть; to ~ for it *разг.* иска́ть спасе́ния в бе́гстве; 6) бы́стро распространя́ться (*об огне, пламени; о новостях*); 7) проходи́ть, бежа́ть, лете́ть (*о времени*); пронести́сь, промелькну́ть (*о мысли*); how fast the years ~ by! как бы́стро летя́т го́ды!; 8) течь, ли́ться, сочи́ться, струи́ться; 9) пролива́ть(ся) (*о крови*); 10) расплыва́ться (*о чернилах*); линя́ть (*о рисунке на материи*); 11) тяну́ться, проходи́ть, простира́ться, расстила́ться; to ~ zigzag располага́ть(ся) зигзагообра́зно; 12) тяну́ться, расти́, обвива́ться (*о растениях*); 13) враща́ться, рабо́тать, де́йствовать, нести́ нагру́зку (*о машине*); to leave the engine (of a motor-car) ~ning не выключа́ть мото́ра; 14) идти́ гла́дко; all my arrangements ran smoothly всё шло как по ма́слу; 15) гласи́ть (*о докуме́нте, те́ксте*); this is how the verse ~s вот как звучи́т стих; 16) быть действи́тельным на изве́стный срок; the lease ~s for seven years аре́нда действи́тельна на семь лет; 17) идти́ (*о пьесе*); the play ran for six months пье́са шла шесть ме́сяцев; 18) *употр. как глагол-связка:* to ~ cold (по-)холоде́ть; to ~ dry высыха́ть; иссяка́ть; to ~ mad сходи́ть с ума́; to ~ high a) поды́ма́ться (*о приливе*); б) волнова́ться (*о море*); в) возраста́ть (*о ценах*); г) разгора́ться (*о страстях*); to ~ low a) понижа́ться, опуска́ться; б) истоща́ться, иссяка́ть (*о пище, деньгах и т. п.*); to ~ a fever лихора́дить; 19) уча́ствовать (*в соревнова́ниях, ска́чках, бега́х*); 20) выставля́ть (свою́) кандидату́ру на вы́борах (for); 21) *амер.* спусти́ться (*о петле*); her stocking ran у неё на чулке́ спусти́лась пе́тля; 22) напра́вить движе́ние *или* тече́ние (*чего-л.*); заста́вить дви́гаться; to ~ the car in the garage ввести́ автомоби́ль в гара́ж; 23) направля́ть; управля́ть (*маши́ной*); to ~ the vacuum sweeper чи́стить пылесо́сом; 24) вести́ (*де́ло, предприя́тие*), эксплуати́ровать; to ~ a hotel держа́ть гости́ницу; 25) быть инициа́тором; 26) гнать, подгоня́ть; 27) пла́вить, лить (*мета́лл*); выпуска́ть мета́лл (*из печи*); 28) нака́пливаться, образова́ться (*о долге*); to ~ (up) a bill задолжа́ть (at — портно́му и т. п.); 29) втыка́ть, вонза́ть (into); продева́ть (*нитку в иголку*); 30) пресле́довать, трави́ть (*зве́ря*); 31) пуска́ть ло́шадь (*на бега или скачки*); 32) прорыва́ть; пробива́ться сквозь; to ~ the blockade прорва́ть блока́ду; ☐ ~ about a) суети́ться, бе́гать туда́-сюда́; б) игра́ть, резви́ться (*о де́тях*); ~ across (случа́йно) встре́титься с кем-л., натолкну́ться на кого-л.; ~ after a) пресле́довать; б) бе́гать, уха́жи-

вать за кем-л.; ~ against ста́лкиваться; ната́лкиваться на; to ~ one's head against a wall сту́кнуться голово́й об сте́ну; *перен.* прошиба́ть лбом сте́ну; ~ at набра́сываться, наки́дываться на кого-л.; ~ away a) убега́ть (with—с кем-л., чем-л.); похища́ть; б) понести́ (*о лошади*); в) намно́го обогна́ть (*других участников соревнова́ния*); ~ away with a) заста́вить потеря́ть самооблада́ние; his temper ran away with him он не суме́л сдержа́ться; б) увле́чься мы́слью; в) приня́ть необду́манное реше́ние; ~ back a) восходи́ть к (*определённому периоду;* to); б) просле́живать до (*источника, начала и т. п.;* to); ~ down a) сбежа́ть; б) съе́здить ненадо́лго; съе́здить из Ло́ндона в прови́нцию; в) остана́вливаться (*о машине, часах и т. п.*); г) догна́ть, насти́гнуть; д) столкну́ться; е) уника́ть, относи́ться презри́тельно; ж) уничтожа́ть; з) переутомля́ть(ся); истоща́ть(ся), изнуря́ть(ся); и) опроки́дывать; к) (*обыкн. р. р.*) перее́хать, задави́ть; ~ in a) броса́ться врукопа́шную; б) *разг.* провести́ кандида́та (*на выборах*); в) *разг.* аресто́вать и посади́ть в тюрьму́; г) навести́ть, загляну́ть; д) втя́гивать, убира́ть внутрь; е) соглаша́ться, сходи́ться, совпада́ть (with—с); ж): ~ in debt влеза́ть в долги́; з) *тех.* запусти́ть мото́р; ~ into a) впада́ть в; to ~ into debt влеза́ть в долги́; б) нае́хать, наскочи́ть; в) доходи́ть до, достига́ть; the book ran into five editions кни́га вы́держала пять изда́ний; ~ off a) удира́ть, убега́ть; сбега́ть (with—с); б) сходи́ть (с ре́льсов); в) отце́живать; г) отвлека́ться от предме́та (*разговора*); д) строчи́ть стихи́; гла́дко деклами́ровать; е) реша́ть исхо́д го́нки; ~ on a) продолжа́ть; б) говори́ть без у́молку; в) постоя́нно возвраща́ться (*к теме, мысли и т. п.*); г) полигр. набира́ть «в подбо́р»; д) писа́ться сли́тно (*о буквах*); ~ out a) выбега́ть; б) вытека́ть; в) истоща́ться; истека́ть (*о времени*); г) выдвига́ться, выступа́ть (*о строении и т. п.*); д) зако́нчить го́нку; ~ out of истоща́ть свой запа́с; ~ over a) перелива́ться че́рез край; б) перее́хать, задави́ть (*кого-л.*); в) просма́тривать; повторя́ть; г) пробега́ть (*глазами, па́льцами по клавишам и т. п.*); to ~ an eye over smth. оки́нуть взгля́дом, бе́гло осмотре́ть что-л.; д) съе́здить, сходи́ть; ~ through a) прока́лывать; б) промота́ть (*состояние*); в) бе́гло прочи́тать *или* просма́тривать; г) зачеркну́ть (*написанное*); ~ to a) достига́ть (*суммы, цифры*); б) ударя́ться в кра́йность и т. п.; to ~ to extremes впада́ть в кра́йности; в) идти́ (*в листья, семена*); to ~ to fat превраща́ться в жир; *разг.* жире́ть, толсте́ть; to ~ to seed пойти́ в семена́; *перен.* переста́ть развива́ться; опусти́ться; пойти́ пра́хом; ~ up a) съе́здить (*в город*); б) бы́стро расти́; увели́чиваться; в) поднима́ть(ся); г) вздува́ть (*це́ны*); д) доходи́ть (то—до); е) скла́дывать (*столбец цифр*); ж) возводи́ть спе́шно (*постройку*); ~ upon a) верте́ться вокру́г чего-л., возвраща́ться к чему-л. (*о мыслях*);

б) неожиданно *или* внезапно встретиться; ◇ to ~ a risk рисковать; to ~ errands (*или* messages) быть на посылках; to ~ in the blood быть наследственным; to ~ it close (*или* fine) иметь в обрез (*времени, денег и т. п.*); to ~ up(on) the rocks a) потерпеть крушение; б) наткнуться на непреодолимые препятствия; to ~ riot *см.* riot 1,3); to ~ a thing close быть почти равным (*по качеству и т. п.*); to ~ a person close а) быть чьим-л. опасным соперником; б) быть почти равным кому-л.; to ~ a person off his legs загонять кого-л. до изнеможения; to ~ too far заходить слишком далеко.

**runabout** ['rʌnəbaut] **1.** *n* 1) бродяга; праздношатающийся; 2) небольшой автомобиль; 3) моторная лодка;
**2.** *a* скитающийся; бродячий.

**runagate** ['rʌnəgeit] *n уст.* бродяга.

**runaway** ['rʌnəwei] **1.** *n* 1) беглец; 2) дезертир; 3) лошадь, несущаяся закусив удила; 4) стремительный, неудержимый рост;
**2.** *a* 1) убежавший; беглый; ~ marriage свадьба уводом; 2) неудержимый, быстро растущий; ~ inflation безудержная инфляция; 3) лёгкий, доставшийся легко; ~ victory *спорт.* лёгкая победа.

**run-down** ['rʌndaun] **1.** *n* краткое изложение;
**2.** *a* 1) захудалый, жалкий; 2) уставший, истощённый.

**rune** [ru:n] *n лингв.* руна.

**rung** I [rʌŋ] *n* 1) ступенька; перекладина; грядка приставной лестницы; 2) спица колеса; 3) *attr.*: ~ ladder стремянка.

**rung** II [rʌŋ] *past и p. p. от* ring II, 2.

**runic** ['ru:nik] *a лингв.* рунический.

**run-in** ['rʌn'in] *n* схватка, ссора.

**runlet** I ['rʌnlit] *n* ручеёк.

**runlet** II ['rʌnlit] *n уст.* винный боченок.

**runnables** ['rʌnəblz] *n pl разг.* трикотажные изделия.

**runnel** ['rʌnl] *n* 1) ручеёк; 2) канава, сток.

**runner** ['rʌnə] *n* 1) бегун, участник состязания в беге; a poor ~ плохой бегун; a fast ~ хороший бегун; 2) скороход; 3) посыльный; гонец; 4) *уст.* полицейский; 5) контрабандист; 6) полоз (*саней*); 7) дорожка (*на столе; на полу*); 8) *тех.* бегунок; ходовой ролик; рабочее колесо (*турбины*); ротор, верхний жёрнов; 9) ползучее растение; стелющийся побег (*с корнями*); 10) ус (*земляники, клубники*); 11) *мор.* ходовой конец (*снасти*).

**runner-up** ['rʌnər'ʌp] *n* участник состязания, занявший второе место.

**running** ['rʌniŋ] **1.** *pres. p. от* run 2;
**2.** *n* 1) беганье; бег (а), беготня; 2) ход, работа, действие; вращение (*машины, мотора и т. п.*); состояние установившегося движения; 3) течь, выделение; ◇ to be in the ~ иметь шансы на выигрыш; to be out of the ~ не иметь шансов на выигрыш; to make the ~ а) добиться хороших результатов (*о жокее, скаковой лошади*); б) добиться успеха, преуспевать; to make

good one's ~ не отставать; преуспевать; to take up the ~ а) вести (*в гонке*); б) брать инициативу в свои руки;
**3.** *a* 1) бегущий; 2) беговой; ~ track, ~ path беговая дорожка; 3) текущий; ~ account текущий счёт; 4) последовательный, непрерывный; ~ commentary радиорепортаж; ~ fire беглый огонь; ~ hand беглый почерк; 5) плавный; 6) текучий; 7): ~ eyes слезящиеся глаза; ~ sore гноящаяся рана; 8) ползучий, вьющийся (*о растении*); 9) подвижной, работающий; ~ rigging *мор.* бегучий такелаж; 10) *predic.* последовательный, идущий подряд; four days ~ четыре дня подряд; 11) *тех.* эксплуатационный.

**running-board** ['rʌniŋbɔ:d] *n* подножка (*автомобиля*).

**running knot** ['rʌniŋ'nɔt] *n* затяжной узел, удавка.

**running mate** ['rʌniŋ'meit] *n* 1) человек, которого часто видят в компании другого; 2) *амер.* кандидат на пост вице-президента.

**running title** ['rʌniŋ'taitl] *n полигр.* колонтитул.

**runny** ['rʌni] *a* 1) текучий, жидкий; 2) слезящийся.

**run-on** ['rʌn'ɔn] **1.** *n* приложение;
**2.** *a* дополнительный.

**run-out** ['rʌn'aut] *n* 1) изнашивание, износ; 2) выход, выпуск; 3) движение по инерции; 4) *тех.* диффузор.

**runt** [rʌnt] *n* 1) малорослое животное; 2) *разг.* человек низкого роста; коротышка.

**run-through** ['rʌn,θru:] *n* 1) просмотр; 2) *разг.* репетиция.

**run-up** ['rʌn,ʌp] *n* 1) разбег; 2) *ав.* заход на цель.

**runway** ['rʌnwei] *n* 1) *ав.* взлётно-посадочная дорожка; 2) спуск для гидросамолётов; 3) *тех.* подкрановый путь; *ж.-д.* подъездной путь; 4) *спорт.* дорожка для разбега; 5) тропинка к водопою; дорожка, проход.

**rupee** [ru:'pi:] *n* рупия (*денежная единица Индии, Пакистана, Индонезии, Цейлона*).

**rupture** ['rʌptʃə] **1.** *n* 1) перелом; пролом; 2) разрыв; ~ between friends ссора друзей; 3) *мед.* грыжа; прободение; разрыв; the ~ of a blood-vessel разрыв кровеносного сосуда; 4) *эл.* пробой (*изоляции*);
**2.** *v* 1) прорывать (*оболочку*); 2) порывать (*связь, отношения*); 3) *мед.* вызывать грыжу.

**rural** ['ruərəl] **1.** *a* сельский, деревенский; ~ economy сельское хозяйство;
**2.** *n pl* сельская местность.

**ruse** [ru:z] *n* уловка, хитрость.

**rush** I [rʌʃ] *n* 1) *бот.* тростник; камыш; ситник, рогоз; 2) совершенный пустяк, мелочь; not to care a ~ быть равнодушным; not to give a ~ for smth. не придавать значения чему-л.; it's not worth a ~ ≈ гроша не стоит; 3) *attr.* тростниковый; камышовый.

**rush** II [rʌʃ] **1.** *n* 1) стремительное движение; бросок; натиск, наплыв, напор; we saw his ~ for the door мы видели, как он бросился к двери; ~ for wealth погоня

за бога́тством; ~ of armaments го́нка вооруже́ний; gold ~ золота́я лихора́дка; flowers came out with a ~ цветы́ бу́йно распусти́лись; 2) *воен.* стреми́тельная ата́ка; 3) *воен.* перебе́жка; 4) *амер. унив.* состяза́ние, соревнова́ние; 5) *горн.* внеза́пная оса́дка кро́вли; 6) *attr.* спе́шный, сро́чный, тре́бующий бы́стрых де́йствий; ~ work *амер.* напряжённая, спе́шная рабо́та; ~ meeting *амер.* на́спех со́званное собра́ние;
2. *v* 1) броса́ться, мча́ться, нести́сь, устремля́ться (*тж. перен.*); an idea ~ed into my mind мне вдруг пришло́ на ум; words ~ed to his lips слова́ так и посыпа́лись из его́ уст; 2) де́йствовать, выполня́ть сли́шком поспе́шно; to ~ to a conclusion де́лать поспе́шный вы́вод; to ~ into an undertaking необду́манно броса́ться в како́е-л. предприя́тие; to ~ into print сли́шком поспе́шно отдава́ть в печа́ть; to ~ a bill through the House провести́ в спе́шном поря́дке законопрое́кт че́рез парла́мент; 3) устреми́ться, хлы́нуть; 4) увлека́ть, стреми́тельно тащи́ть, торопи́ть; to refuse to be ~ed отка́зываться де́лать (*что-л.*) второпя́х; 5) *воен.* брать стреми́тельным на́тиском; to be ~ed подве́ргнуться внеза́пному нападе́нию; 6) дуть поры́вами (*о ветре*); 7) *sl.* обдира́ть (*покупа́теля*).
**rush candle** ['rʌʃ'kændl] = rushlight 1).
**rush-hours** ['rʌʃ,auəz] *n pl* часы́ пик.
**rushlight** ['rʌʃlaɪt] *n* 1) свеча́ с фитилём из сердцеви́ны си́тника; 2) сла́бый свет; сла́бый про́блеск (*разума и т. п.*); скудные све́дения.
**rushy** ['rʌʃɪ] *a* 1) заро́сший камышо́м, тростнико́м; 2) тростнико́вый; камышо́вый.
**rusk** [rʌsk] *n* суха́рь.
**russet** ['rʌsɪt] 1. *n* 1) краснова́то-кори́чневый цвет; 2) кори́чневое я́блоко; 3) гру́бая краснова́то-кори́чневая ткань;
2. *a* 1) краснова́то-кори́чневый; 2) *уст.* дереве́нский, просто́й.
**Russian** ['rʌʃən] 1. *a* ру́сский;
2. *n* 1) ру́сский; ру́сская; the ~s *pl собир.* ру́сские; 2) ру́сский язы́к.
**russule** ['rʌsjuːl] *n бот.* сыроёжка.
**rust** [rʌst] 1. *n* 1) ржа́вчина; 2) *бот.* ржа; головня́;
2. *v* 1) ржа́веть, де́латься ржа́вым; 2) ржа́вить, де́лать ржа́вым; 3) по́ртиться, притупля́ться (*от безде́йствия*).
**rust-free** ['rʌst'friː] *a* нержаве́ющий.
**rustic** ['rʌstɪk] 1. *a* 1) просто́й, просто-

ва́тый; гру́бый; 2) се́льский, дереве́нский; 3) гру́бо срабо́танный; неотёсанный; нескла́дный; ~ masonry кла́дка из неотёсанного ка́мня, русто́вка;
2. *n* 1) се́льский жи́тель, крестья́нин; 2) гру́бо отёсанный ка́мень, руст.
**rusticate** ['rʌstɪkeɪt] *v* 1) удали́ться в дере́вню, жить в дере́вне; 2) вре́менно исключа́ть (*студе́нта*) из университе́та; 3) *стр.* рустова́ть.
**rustication** [,rʌstɪ'keɪʃən] *n* 1) удале́ние в дере́вню; 2) вре́менное исключе́ние (*студе́нта*) из университе́та; 3) *стр.* русто́вка.
**rusticity** [rʌs'tɪsɪtɪ] *n* 1) безыску́сственность, простота́; 2) дереве́нские нра́вы.
**rustle** ['rʌsl] 1. *n* ше́лест, шо́рох; шурша́ние;
2. *v* 1) шелесте́ть; шурша́ть; 2) *амер. разг.* де́йствовать бы́стро и энерги́чно; 3) *амер.* красть (*скот*).
**rustler** ['rʌslə] *n амер.* 1) челове́к, занима́ющийся кра́жей и клейме́нием чужо́го скота́; 2) *sl.* деле́ц, не теря́ющий ни мину́ты; энерги́чный челове́к.
**rustless** ['rʌstlɪs] = rustproof.
**rustproof** ['rʌstpruːf] *a* нержаве́ющий.
**rusty** I ['rʌstɪ] *a* 1) заржа́вленный, ржа́вый; 2) цве́та ржа́вчины; порыже́вший (*о мате́рии*); 3) запу́щенный; his French is a little ~ он немно́го забы́л францу́зский язы́к; 4) устаре́вший; 5) хри́плый; 6) *разг.* угрю́мый, гру́бый; to turn ~ наду́ться; to cut up ~ *sl.* разозли́ться, рассвирепе́ть.
**rusty** II ['rʌstɪ] *a* прого́рклый.
**rut** I [rʌt] 1. *n* 1) колея́, борозда́; 2) привы́чка; что-л. обы́чное, привы́чное; to move in a ~ идти́ по прото́ренной доро́ге; 3) *тех.* жёлоб, фальц, вы́емка;
2. *v* оставля́ть коле́й, проводи́ть бо́розды.
**rut** II [rʌt] *зоол.* 1. *n* те́чка;
2. *v* быть в охо́те.
**rutabaga** [,ruːtə'beɪgə] *n амер.* брю́ква.
**ruth** [ruːθ] *n уст.* жа́лость, сострада́ние.
**ruthenium** [ruː'θiːnɪəm] *n хим.* руте́ний.
**ruthless** ['ruːθlɪs] *a* безжа́лостный, жесто́кий.
**rutted** I ['rʌtɪd] 1. *p. p. от* rut I, 2;
2. *a* изре́занный коле́ями.
**rutted** II ['rʌtɪd] *p. p. от* rut II, 2.
**rutty** ['rʌtɪ] = rutted I, 2.
**rye** [raɪ] *n* 1) рожь; 2) *амер.* хле́бная во́дка; 3) *attr.* ржано́й; ◇ ~ on the rocks *амер.* кокте́йль (*ви́ски со льдо́м*).
**rye-bread** ['raɪbred] *n* ржано́й хлеб.
**ryot** ['raɪət] *n* инди́йский крестья́нин; земледе́лец.

# S

**S, s** [es] *n* (*pl* Ss, S's ['esɪz]) 1) 19-я бу́ква англ. алфави́та; 2) предме́т или ли́ния в ви́де бу́квы S; the river makes a great S река́ прихотли́во извива́ется.
**'s** [z *после гласных и звонких согласных*, s *после глухих согласных*] *сокр. разг.* 1) =

is *в форме Present Continuous, в функции глагола-связки в сложном сказуемом или в обороте* there is: he's (= he is) going to London one of these days он на дня́х е́дет в Ло́ндон; she's (= she is) gone она́ ушла́; it's (= it is) time to get up пора́ вставáть; there's (= there is) no use не стóит; 2) = has *в форме Present Perfect*: she's (= she has) taken it oná взялá э́то; 3) = us *в сочетании* let us: let's (= let us) have a look давáйте посмóтрим; 4) = does *в вопр. предл.*: what's (= what does) he say about it? что он говорит по э́тому пóводу?

**sabbath** ['sæbəθ] *n* 1) суббóта (*у евреев*); 2) воскресéнье (*у протестантов*); 3) врéмя óтдыха; 4) шáбаш ведьм (*тж.* witches' ~).

**sabbath school** ['sæbəθ'skuːl] *n* воскрéсная шкóла.

**sabbatic(al)** [sə'bætɪk(əl)] *a* 1) суббóтний (*у евреев*); 2) воскрéсный (*у протестантов*); ◇ ~ year a) *библ.* кáждый седьмóй год; б) *амер.* (кáждый седьмóй) год, когдá профéссор университéта свобóден от лéкций.

**saber** ['seɪbə] *амер.* = sabre.

**sable** I ['seɪbl] *n* 1) сóболь; 2) собóлий мех; 3) *attr.* собóлий.

**sable** II ['seɪbl] *поэт.* 1. *n* 1) чёрный цвет; 2) *pl* трáур; 2. *a* чёрный, трáурный; мрáчный; ◇ his ~ Majesty дья́вол.

**sabot** ['sæbou] *фр. n* деревя́нный башмáк.

**sabotage** ['sæbətɑːʒ] *фр.* 1. *n* 1) саботáж; 2) диверсия; act of ~ диверсиóнный акт; 2. *v* саботировать.

**saboteur** [,sɑːbə'təː] *фр. n* диверсáнт.

**sabre** ['seɪbə] 1. *n* 1) сáбля, шáшка; 2) *pl* кавалеристы; 2. *v* рубить сáблей.

**sabre-rattle** ['seɪbə,rætl] *v* бряцáть оружием.

**sabre-rattling** ['seɪbə,rætlɪŋ] 1. *pres. p. от* sabre-rattle. 2. *n* бряцáние оружием.

**sabretache** ['sæbətæʃ] *n воен. ист.* тáшка.

**sabre-tooth** ['seɪbətuːθ] *n* (ископáемый) саблезу́бый тигр.

**sabulous** ['sæbjuləs] *a* песчáный.

**sac** [sæk] *n* 1) *биол.* мешóчек, сýмка; 2) сак (*пальто*).

**saccate** ['sækeɪt] *a биол.* 1) мешкообрáзный; 2) заключённый в мешóчек.

**saccharic** [sə'kærɪk] *a*: ~ acid *хим.* сáхарная кислотá.

**saccharify** [sə'kærɪfaɪ] *v хим.* превращáть (*крахмал*) в сáхар.

**saccharin** ['sækərɪn] *n* сахарин.

**saccharine** I ['sækərɪn] = saccharin.

**saccharine** II ['sækəraɪn] *a* сáхарный, сáхаристый.

**saccharose** ['sækərous] *n хим.* сахарóза, тростникóвый сáхар.

**sacciform** ['sæksɪfɔːm] *a биол.* мешкообрáзный.

**sacerdotage** [,sæsə'doutɪdʒ] *n пренебр.* засилье духовéнства.

**sacerdotal** [,sæsə'doutl] *a* священнический, жрéческий.

**sachem** ['seɪtʃəm] *n амер.* 1) вождь индéйцев; 2) вáжная персóна; 3) (политический) заправила.

**sack** I [sæk] 1. *n* 1) мешóк, куль; 2) вещевóй мешóк; 3) сак (*пальто*); 4) *sl.*

спáльный мешóк; постéль; ◇ to get the ~ быть увóленным; to give smb. the ~ увóлить когó-л.; 2. *v* 1) класть *или* ссыпáть в мешóк; 2) *разг.* увóлить; 3) *разг.* победить (*в состязании*).

**sack** II [sæk] 1. *n* разграблéние; to put to ~ разгрáбить; 2. *v* 1) грáбить; 2) отдавáть на разграблéние (*побеждённый город*).

**sack** III [sæk] *n уст.* бéлое сухóе винó, импортировавшееся из Испáнии и с Канáрских острóвов.

**sackcloth** ['sækklɔθ] *n* 1) холст; мешковина; 2) дерю́га; 3) *библ.* власяница.

**sack-coat** ['sækkout] *n* ширóкое, свобóдное пальтó.

**sackful** ['sækful] *n* пóлный мешóк (*чего-л.*); ~s of grain пóлные мешки зернá.

**sacking** I ['sækɪŋ] 1. *pres. p. от* sack I, 2; 2. *n* 1) материáл для мешкóв, мешковина; 2) насы́пка в мешки́.

**sacking** II ['sækɪŋ] *pres. p. от* sack II, 2.

**sack-race** ['sækreɪs] *n спорт.* бег в мешкáх.

**sacra** ['seɪkrə] *pl от* sacrum.

**sacral** ['seɪkrəl] *a* 1) свя́занный с религиóзными обря́дами, сакрáльный; 2) *анат.* крестцóвый.

**sacrament** ['sækrəmənt] 1. *n* 1) *церк.* тáинство; причáстие; 2) символ, знак; 3) кля́тва; 2. *v* (*особ. p. p.*) свя́зывать кля́твой.

**sacramental** [,sækrə'mentl] *a* 1) сакраментáльный, свящéнный; 2) кля́твенный.

**sacred** ['seɪkrɪd] *a* 1) свящéнный; святóй; it's my ~ duty to do this мой свящéнный долг сдéлать э́то; ~ music духóвная му́зыка; 2) неприкосновéнный; 3) посвящённый (to).

**sacrifice** ['sækrɪfaɪs] 1. *n* 1) жéртва; to make a ~ приносить жéртву; at a ~ of smth. пожéртвовав чем-л.; the great ~, the last ~ смерть в бою́ за рóдину; to sell at a ~ продавáть себé в убы́ток; 2) жертвоприношéние; 2. *v* 1) приносить в жéртву, жéртвовать; to ~ oneself жéртвовать собóй; 2) совершáть жертвоприношéние.

**sacrificial** [,sækrɪ'fɪʃəl] *a* жéртвенный.

**sacrilege** ['sækrɪlɪdʒ] *n* святотáтство, кощýнство.

**sacrilegious** [,sækrɪ'lɪdʒəs] *a* святотáтственный, кощýнственный.

**sacring** ['seɪkrɪŋ] *n уст.* 1) *рел.* освящéние дарóв; 2) посвящéние (*епископа*); 3) коронáние.

**sacrist, sacristan** ['sækrɪst, 'sækrɪstən] *n церк.* ризничий.

**sacristy** ['sækrɪstɪ] *n церк.* ризница.

**sacrosanct** ['sækrousæŋkt] *a* свящéнный.

**sacrum** ['seɪkrəm] *n* (*pl* -rums [-rəmz], -га) *анат.* крестéц.

**sad** [sæd] *a* 1) печáльный; уны́лый; грýстный; *a* ~ mistake досáдная ошибка; 2) *разг., шутл.* ужáсный, отчáянный; ~ coward отчáянный трус; he writes ~ stuff он пишет ужáсно; 3) тяжёлый, с закáлом (*о хлебе*); 4) ту́склый, тёмный (*о краске*);

5) *уст.* серьёзный; ◇ in ~ earnest совершённо серьёзно; ~ dog повеса, шалопай.

**sadden** ['sædn] *v* печалить(ся).

**saddle** ['sædl] **1.** *n* 1) седло; 2) седёлка; 3) *геол.* свод, антиклинальная складка; седловина (*в горной цепи*); 4) *стр.* подушка на вершине пилона висячего моста; 5) *тех.* подкладка, подпятник, башмак; салазки; суппорт (*станка*); гнездо (*клапана*); 6) союзка (*башмака*); white shoes with brown ~s белые туфли с коричневыми союзками; 7) *кул.* седло; ~ of mutton седло барашка; ◇ to put the ~ on the right horse обвинять кого следует; обвинять справедливо; to be in the ~ a) верховодить; б) работать с увлечением;

**2.** *a* вьючный;

**3.** *v* 1) седлать (*тж.* ~ up); садиться в седло; 2) взваливать (upon); обременять (with).

**saddleback** ['sædlbæk] **1.** *n* седловина (*горы*);

**2.** *a* седлистый; с седловиной:

**3.** *adv* на спине.

**saddle-bag** ['sædlbæg] *n* 1) седельный вьюк; перемётная сума; 2) ковровая материя.

**saddle-blanket** ['sædl,blæŋkɪt] *n* потник.

**saddle-bow** ['sædlbou] *n* седельная лука.

**saddle-cloth** ['sædlklɔθ] *n* чепрак.

**saddlefast** ['sædlfɑːst] *a* крепко держащийся в седле.

**saddle-girth** ['sædlgəθ] *n* подпруга.

**saddle-horse** ['sædlhɔːs] *n* верховая лошадь.

**saddle-pillar**, **saddle-pin** ['sædl,pɪlə, -pɪn] *n* опорная стойка седла (*у велосипеда и т. п.*).

**saddler** ['sædlə] *n* 1) седельный мастер, шорник; 2) *амер.* верховая лошадь.

**saddlery** ['sædlərɪ] *n* 1) шорное дело; 2) шорная мастерская; 3) седельное снаряжение.

**saddle shoes** ['sædl'ʃuːz] *n pl* туфли с цветными союзками.

**saddle-spring** ['sædlsprɪŋ] *n* седельный амортизатор (*у велосипеда и т. п.*).

**saddle strap** ['sædl'stræp] *n* вьючный ремень.

**saddle-tree** ['sædltriː] *n* 1) каркас сиденья (*велосипеда и т. п.*); 2) *бот.* лириодендрон тюльпанный, тюльпанное дерево.

**sad-iron** ['sæd,aɪən] *n* массивный утюг.

**sadism** ['sædɪzəm] *n* садизм.

**sadist** ['sædɪst] *n* садист.

**sadness** ['sædnɪs] *n* печаль, уныние.

**safari** [sə'fɑːrɪ] *араб. n* охотничья экспедиция.

**safe** [seɪf] **1.** *n* 1) сейф, несгораемый ящик *или* шкаф; 2) холодильник;

**2.** *a* 1) невредимый; ~ and sound цел(ый) и невредим(ый); 2) сохранный; в безопасности; now we are (can feel) ~ теперь мы (можем чувствовать себя) в безопасности; 3) безопасный; верный, надёжный; ~ method надёжный метод; ~ place надёжное место; it is ~ to say можно с уверенностью сказать; I have got him ~ он

не убежит; он ничего не сможет сделать; for the sake of being on the ~ side на всякий случай; для большей верности; 4) осторожный; положительный (*о человеке*); as ~ as houses ≅ можно положиться как на каменную стену; совершённо надёжный.

**safe clearance** ['seɪf'klɪərəns] *n тех.* допускаемый габарит; допускаемый зазор.

**safe conduct** ['seɪf'kɔndəkt] *n* охранное свидетельство.

**safe-conduct** ['seɪf'kɔndəkt] *v* снабжать охранным свидетельством.

**safe deposit** ['seɪfdɪ,pɔzɪt] *n* хранилище, сейф.

**safeguard** ['seɪfgɑːd] **1.** *n* 1) гарантия; охрана; 2) охранное свидетельство; 3) предосторожность; 4) предохранитель; предохранительное устройство;

**2.** *v* охранять, гарантировать (against).

**safely** ['seɪflɪ] *adv* 1) в сохранности; 2) безопасно; благополучно; it may ~ be said можно с уверенностью сказать.

**safety** ['seɪftɪ] *n* безопасность; сохранность; with ~ безопасно, без риска; in ~ в безопасности; to play for ~ избегать риска; ~ first! соблюдайте осторожность! ◇ there is ~ in numbers *посл.* ≅ один в поле не воин.

**safety-belt** ['seɪftɪbelt] *n* 1) спасательный пояс; 2) *ав.* привязной ремень.

**safety-bolt** ['seɪftɪboult] *n* предохранительный болт.

**safety curtain** ['seɪftɪ,kəːtn] *n театр.* противопожарный асбестовый занавес.

**safety film** ['seɪftɪfɪlm] *n* безопасная, невоспламеняющаяся киноплёнка.

**safety fuse** ['seɪftɪ'fjuːz] *n* 1) *горн.* безопасный зажигательный шнур, бикфордов шнур; 2) *эл.* плавкий предохранитель.

**safety glass** ['seɪftɪglɑːs] *n* небьющееся, безосколочное стекло.

**safety island** ['seɪftɪ'aɪlənd] *n* «островок спасения».

**safety-lamp** ['seɪftɪlæmp] *n* безопасная лампа, рудничная лампа.

**safety match** ['seɪftɪmætʃ] *n* (безопасная) спичка.

**safety-nut** ['seɪftɪnʌt] *n тех.* контргайка.

**safety-pin** ['seɪftɪpɪn] *n* безопасная, английская булавка.

**safety razor** ['seɪftɪ,reɪzə] *n* безопасная бритва.

**safety strip** ['seɪftɪstrɪp] *n* полоса безопасности (*вырубка для предупреждения распространения лесного пожара*).

**safety-valve** ['seɪftɪvælv] *n* 1) предохранительный клапан; 2) *перен.* выход, отдушина; to sit on the ~ а) не давать выхода страстям, чувствам *и т. п.*; б) проводить политику репрессий.

**saffian** ['sæfɪən] *рус.* сафьян.

**saffron** ['sæfrən] **1.** *n* 1) *бот.* шафран посевной; 2) шафранный цвет;

**2.** *a* шафранный, шафрановый;

**3.** *v* окрашивать шафраном *или* в шафрановый цвет.

**sag** [sæg] **1.** *n* 1) прогиб, провес; 2) перекос; оседание; 3) падение цен; 4) *тех.*

стрела прогиба *или* провеса; 5) *мор.* уваливание *или* дрейф под ветер; уклонение от курса;

2. *v* 1) прогибать(ся); the beams have begun to ~ балки начинают прогибаться; 2) осесть; покоситься; 3) свисать; обвисать; the dress ~s at the back платье обвисает сзади; 4) *амер.* ослабевать; 5) тащиться, плестись; 6) падать в цене; 7) *мор.* отклоняться от курса; уваливаться под ветер.

**saga** ['sɑːgə] *n* сага, сказание.

**sagacious** [sə'geiʃəs] *a* 1) проницательный; дальновидный; прозорливый; 2) сообразительный, смышлёный; 3) умный (*о животном*).

**sagacity** [sə'gæsiti] *n* 1) проницательность; прозорливость; 2) сообразительность, находчивость; 3) практический ум.

**sagamore** ['sægəmɔː] = sachem.

**sage** I [seidʒ] *n бот.* 1) шалфей аптечный; 2) = sage-brush.

**sage** II [seidʒ] 1. *n* мудрец;

2. *a* мудрый, глубокомысленный (*часто ирон.*).

**sage-brush** ['seidʒbrʌʃ] *n бот.* разновидность полыни (*покрывающая солончаковые пустыни северо-запада США*).

**sage-green** ['seidʒ'griːn] 1. *a* серовато-зелёный;

2. *n* серовато-зелёный цвет (*цвет шалфейного листа*).

**sage tea** ['seidʒ'tiː] *n* настой шалфея.

**saggar, sagger** ['sægə] *n* капсюль для обжига фаянсовых изделий.

**sagittal** ['sædʒitl] *a* 1) стреловидный; 2) *анат.* сагиттальный.

**Sagittarius** [,sædʒi'tɛəriəs] *n* Стрелец (*созвездие и знак зодиака*).

**sago** ['seigou] *n* (*pl* -os [-ouz]) 1) саго (*крупа*); 2) *attr.*: ~ palm саговая пальма.

**sahib** ['sɑːhib] *п англо-инд.* 1) титул, прибавляемый к именам высокопоставленных *или* должностных лиц (Raja S., the Colonel S.); 2) (S.) сагиб, европеец.

**said** [sed] 1. *past u p. p. om* say 1;

2. *а*: the ~ (выше)упомянутый, (выше)указанный; the ~ witness вышеуказанный свидетель; the ~ sum of money вышеупомянутая сумма.

**sail** [seil] 1. *n* 1) парус(а); to hoist (*или* to make) ~ ставить паруса; *перен.* уходить, убираться восвояси; it's time to hoist ~ пора уходить (*или* идти); to crowd ~ форсировать паруса; ставить все наличные паруса; to carry ~ нести паруса (*о корабле*); to shorten ~ убавлять парусов; to strike ~ убрать паруса; *перен.* признать свою неправоту; признать себя побеждённым; (in) full ~ на всех парусах; under ~ под парусами; to set ~ отправляться в плавание; to take in ~ а) убирать паруса; б) умерить пыл; сбавить спеси; 2) парусное судно; ~ ho! виден корабль!; 3) *собир.* парусные суда; a fleet of 30 ~ флотилия из 30 кораблей; 4) плавание; we went for a ~ мы отправились кататься на парусной лодке; 5) крыло ветряной мельницы;

2. *v* 1) идти под парусами; 2) плавать; отплывать; to ~ **uncharted** seas плавать по

неисследованным морям; 3) нестись, лететь; 4) плавно двигаться, выступать, «плыть»; шествовать; 5) управлять (*судном*); 6) пускать (*кораблики*); ▢ ~ in принять решительные меры, вмешаться; ~ into *разг.* набрасываться.

**sail-arm** ['seilɑːm] *n* крыло ветряка.

**sail-axle** ['seil,æksl] *n тех.* ось ветряка.

**sailboat** ['seilbout] *n* парусная шлюпка.

**sail-cloth** ['seilklɔθ] *n* парусина.

**sailer** ['seilə] *n* парусное судно; bad (good) ~ плохой (хороший) ходок (*о парусном судне*).

**sailing** ['seiliŋ] 1. *pres. p. om* sail 2;

2. *n* 1) плавание; мореходство; 2) отход, отплытие; 3) кораблевождение; навигация; 4) парусный спорт;

3. *a* 1) парусный; 2) относящийся к рейсу корабля; ~ orders инструкция капитану перед выходом в море.

**sailing-craft** ['seiliŋkrɑːft] *n* парусное судно.

**sailing-master** ['seiliŋ,mɑːstə] *n* штурман.

**sailing-ship** ['seiliŋʃip] *n* парусное судно, парусник.

**sailing-vessel** ['seiliŋ,vesl] = sailing-ship.

**sailor** ['seilə] *n* 1) матрос, моряк; fresh-water ~ новичок, неопытный моряк; ~ before the mast (рядовой) матрос; 2) *attr.* матросский; ~ suit матроска; ~ hat дамская соломенная шляпа с низкой тульёй и узкими *или* поднятыми полями; ◇ I am a bad ~ я очень подвержен морской болезни.

**sailor-man** ['seiləmæn] *n груб., шутл.* моряк.

**sail-plane** ['seilplein] *n* планёр.

**sainfoin** ['sænfɔin] *n бот.* эспарцет виколистный *или* посевной.

**saint** [seint, *перед именем* snt, sint] *n* святой [*см. тж. ниже* St].

**sainted** ['seintid] *a* 1) святой; 2) канонизированный.

**sainthood** ['seinthud] *n* святость.

**saintlike** ['seintlaik] = saintly.

**saintly** ['seintli] *a* безгрешный, святой.

**saith** [seθ] *уст.* 3-е л. ед. ч. *настоящего времени гл.* to say.

**sake** [seik] *n*: for the ~ of, for one's ~ ради; do it for Mary's ~ сделайте это ради Мэри; for our ~s ради нас; for God's ~, for goodness ~ ради бога, ради всего святого (*для выражения раздражения, досады, мольбы*); for pity's ~ умоляю вас; for conscience' ~ для успокоения совести; for old ~'s ~ в память прошлого; for the ~ of glory ради славы; for the ~ of making money из-за денег; ◇ ~s alive! *амер.* вот тебе раз!, ну и ну!; вот так так!

**sal** [sæl] *n хим., фарм.* соль [*ср.* sal volatile].

**salaam** [sə'lɑːm] 1. *n* селям (*восточное приветствие*).

2. *v* приветствовать.

**salable** ['seiləbl] *a* 1) пользующийся спросом; ходкий (*о товаре*); 2) сходный (*о цене*).

**salacious** [sə'leɪʃəs] *a* 1) похотли́вый, сладостра́стный; 2) непристо́йный.

**salacity** [sə'læsɪtɪ] *n* 1) похотли́вость, сладостра́стие; 2) непристо́йность.

**salad** ['sæləd] *n* сала́т; винегре́т.

**salad-bowl** ['sælədboul] *n* сала́тница.

**salad-days** ['sælæddeɪz] *n* пора́ ю́ношеской нео́пытности.

**salad-dressing** ['sæləd,dresɪŋ] *n* запра́вка к сала́ту.

**salad-oil** ['sæləd,ɔɪl] *n* прова́нское ма́сло; ма́сло для сала́та.

**salamander** ['sælə,mændə] *n* 1) *зоол.* салама́ндра; 2) *метал.* козёл; на́стыль; 3) жаро́вня.

**salame** [sɑː'lɑːmɪ] *ит. n* саля́ми (*сорт копчёной колбасы*).

**sal-ammoniac** [,sælə'mouпɪæk] *n* наша-ты́рь.

**salariat** [sə'lɛərɪæt] *n* слу́жащие, получа́ющие жа́лованье.

**salaried** ['sælərɪd] *a* получа́ющий жа́лованье, находя́щийся на жа́лованье, окла́де; ~ personnel слу́жащие.

**salary** ['sælərɪ] 1. *n* жа́лованье; 2. *v* плати́ть жа́лованье.

**sale** [seɪl] *n* 1) прода́жа; сбыт; to be for (*или* on) ~ продава́ться; 2) аукцио́н; to put up for ~ продава́ть с молотка́; 3) распрода́жа по пони́женной цене́ в конце́ сезо́на (*тж.* bargain ~, clearance ~).

**saleable** ['seɪləbl] = salable.

**sale-price** ['seɪlpraɪs] *n* 1) *эк.* прода́жная цена́; 2) сни́женная цена́; to sell at ~ продава́ть по цене́ сезо́нной распрода́жи.

**sale-room** ['seɪlrum] *n* помеще́ние, где происхо́дит аукцио́н.

**saleslady** ['seɪlz,leɪdɪ] *амер. разг. см.* saleswoman 1).

**salesman** ['seɪlzmən] *n* 1) продаве́ц; 2) комиссионе́р; *амер.* коммивояжёр (*тж.* travelling ~).

**salesmanship** ['seɪlzmənʃɪp] *n* 1) иску́сство находи́ть покупа́телей; уме́ние продава́ть, показа́ть това́р лицо́м; 2) *перен.* уме́ние убежда́ть; уме́ние пода́ть материа́л.

**salespeople** ['seɪlz,piːpl] *n pl собир. амер.* продавцы́.

**salesroom** ['seɪlzrum] = sale-room.

**saleswoman** ['seɪlz,wumən] *n* 1) продавщи́ца; 2) комиссионе́рша.

**Salic** ['sælɪk] *a ист., геол.* сали́ческий.

**salicylic** [,sælɪ'sɪlɪk] *a*: ~ acid салици́ловая кислота́.

**salience** ['seɪljəns] *n* 1) вы́пуклость; 2) вы́ступ; клин.

**salient** ['seɪljənt] 1. *a* 1) выдаю́щийся, выступа́ющий; ~ angle выступа́ющий у́гол, ребро́; 2) вы́пуклый, заме́тный; those were the ~ points in his speech э́ти моме́нты в его́ ре́чи бы́ли наибо́лее вы́пуклыми; 2. *n* вы́ступ; релье́ф.

**saline** 1. *n* [sə'laɪn] 1) солонча́к; солёное о́зеро; солёный исто́чник; 2) *хим.* соль; 3) *мед.* физиологи́ческий раство́р; 2. *a* ['seɪlaɪn] 1) соляно́й, солево́й; 2) солёный.

**salinity** [sə'lɪnɪtɪ] *n* солёность.

**saliva** [sə'laɪvə] *n* слюна́.

**salivary** ['sælɪvərɪ] *a* слю́нный; ~ glands слю́нные же́лезы.

**salivate** ['sælɪveɪt] *v* 1) вызыва́ть слюнотече́ние; 2) выделя́ть слюну́.

**salivation** [,sælɪ'veɪʃən] *n* слюнотече́ние.

**sallow I** ['sælou] *n бот.* и́ва.

**sallow II** ['sælou] 1. *a* желтова́тый, боле́зненный (*о цве́те лица́*); 2. *v* де́лать(ся) жёлтым, желте́ть.

**sally** ['sælɪ] 1. *n* 1) *воен.* вы́лазка; 2) прогу́лка, экску́рсия; 3) вспы́шка (*гне́ва и т. п.*); 4) неожи́данная ре́плика, остро́та; 2. *v* 1) *воен.* де́лать вы́лазку (*часто* out); 2) отправля́ться (*обыкн.* ~ forth, ~ out).

**Sally Lunn** ['sælɪ'lʌn] *n разг.* сла́дкая бу́лочка.

**sally-port** ['sælɪpɔːt] *n* воро́та для вы́лазок (*в укрепле́нии*).

**salmagundi** [,sælmə'gʌndɪ] *фр. n* 1) ку́шанье из ру́бленого мя́са, яи́ц, лу́ка; 2) смесь, вся́кая вся́чина.

**salmi** ['sælmiː] *фр. n* рагу́ из ди́чи.

**salmon** ['sæmən] 1. *n* (*pl без измен.*) лосо́сь; сёмга; dog ~ *амер.* ке́та; red (*или* blueback) ~ не́рка; humpback ~ *амер.* горбу́ша; 2. *a* ора́нжево-ро́зовый, цве́та сомо́н.

**salmon-coloured** ['sæmən'kʌləd] = salmon 2.

**salmon trout** ['sæmən'traut] *n зоол.* ку́мжа, лосо́сь-таймéнь.

**salon** ['sælɔ̃ːŋ] *фр. n* 1) гости́ная; приёмная; 2) сало́н; 3) (the S.) ежего́дная вы́ставка изобрази́тельного иску́сства в Пари́же; 4) *attr.* сало́нный.

**saloon** [sə'luːn] *n* 1) зал; 2) сало́н (*на парохо́де*); 3) сало́н-ваго́н; 4) *амер.* тракти́р; бар, пивна́я; 5) *авт.* седа́н (*тип закры́того ку́зова*).

**saloon-car, saloon-carriage** [sə'luːn,kɑː, sə'luːn,kærɪdʒ] = saloon 3).

**saloon deck** [sə'luːn'dek] *n* пассажи́рская па́луба 1 кла́сса.

**saloon-keeper** [sə'luːn,kiːpə] *n амер.* тракти́рщик; содержа́тель пивно́й.

**Salopian** [sə'loupjən] *n* уроже́нец гра́фства Шро́пшир *или* го́рода Шру́сбери.

**salsify** ['sælsɪfɪ] *n бот.* козлоборо́дник порреоли́стный, овся́ный ко́рень.

**salt** [sɔːlt] 1. *n* 1) соль, пова́ренная соль; white ~ пищева́я соль; table ~ столо́вая соль; in ~ засо́ленный; 2) засо́ленность (*по́чвы*); 3) *pl мед.* нюха́тельная соль; слаби́тельная соль; 4) остроу́мие; 5) *разг.* быва́лый моря́к, морско́й волк (*часто* old ~); ◇ above (below) the ~ а) на ве́рхнем (ни́жнем) конце́ стола́; б) высо́кое (весьма́ скро́мное) положе́ние в о́бществе; to eat smb.'s ~ а) быть чьим-л. го́стем; б) зави́сеть от кого́-л.; to earn one's ~ не да́ром есть хлеб; true to one's ~ пре́данный своему́ хозя́ину; to put ~ on smb.'s tail *шутл.* насы́пать со́ли на хвост; излови́ть, пойма́ть; the ~ of the earth *библ.* соль земли́; not worth one's ~ никуда́ не го́дный; ничего́ не сто́ящий; to take smth.

with a grain of ~ относиться к чему-л. критически, недоверчиво; to take a story with a grain of ~ считать рассказ преувеличенным, сомнительным; I am not made of ~ ≅ не сахарный, не растаю;

**2.** *a* 1) солёный; ~ as brine (*или* as a herring) очень солёный; ≅ одна соль; 2) жгучий, едкий; ~ tears горькие слёзы; 3) засоленный (*о почве*); 4) морской; ~ water морская вода; *перен.* слёзы; 5) *sl.* слишком дорогой;

**3.** *v* 1) солить; 2) солить, засаливать; 3) *ком. sl.* преувеличивать (*приход и т. п.*); to ~ prices назначать цены с запросом; □ ~ away, ~ down *a*) копить, откладывать; *б*) *амер.* задать головомойку; вздуть; ◇ to ~ a mine искусственно повысить содержание проб с целью выдать рудник за более богатый (*при продаже*).

**saltation** [sæl'teɪʃən] *n* 1) прыганье, пляска; 2) скачок, прыжок; 3) неожиданное изменение движения, развития.

**saltatory** ['sæltətərɪ] *a* 1) прыгательный; 2) скачкообразный, резко меняющийся; ~ evolution скачкообразное развитие.

**salt beef** ['sɔ:lt'bi:f] *n* солонина.

**salt-cake** ['sɔ:ltkeɪk] *n хим.* сернокислый натрий.

**salt-cat** ['sɔ:ltkæt] *n* приманка для голубей.

**salt-cellar** ['sɔ:lt,selə] *n* солонка.

**salted** ['sɔ:ltɪd] **1.** *p. p. от* salt 3; **2.** *a* 1) солёный; 2) закалённый, прожжённый.

**saltern** ['sɔ:ltən] *n* солеварня.

**salt-glaze** ['sɔ:ltgleɪz] *n* обливка, глазурь.

**salt-horse** ['sɔ:lt'hɔ:s] *sl. см.* salt beef.

**salting** ['sɔ:ltɪŋ] **1.** *pres. p. от* salt 3; **2.** *n* искусственное повышение содержания проб [*см.* salt 3 ◇].

**salt junk** ['sɔ:ltdʒʌŋk] *n мор. sl.* солонина.

**salt-lick** ['sɔ:ltlɪk] *n* место, где собираются дикие животные, привлекаемые выступающей на поверхность земли солью.

**salt-marsh** ['sɔ:ltmɑ:ʃ] *n* солончак; низина, затопляемая солёной водой.

**salt-mine** ['sɔ:ltmaɪn] *n* соляная шахта.

**salt-pan** ['sɔ:ltpæn] *n* 1) чрен, варница; 2) соляное озеро.

**saltpetre** ['sɔ:lt,pi:tə] *n хим.* селитра.

**salt-pond** ['sɔ:ltpɔnd] *n* соляной пруд.

**salt-spoon** ['sɔ:ltspu:n] *n* ложечка для соли.

**salt-water** ['sɔ:lt'wɔ:tə] *a* морской.

**salt-works** ['sɔ:ltwɜ:ks] = saltern.

**saltwort** ['sɔ:ltwɜ:t] *n бот.* солянка, солерос.

**salty** ['sɔ:ltɪ] *a* солёный.

**salubrious** [sə'lu:brɪəs] *a* здоровый, полезный для здоровья.

**salubrity** [sə'lu:brɪtɪ] *n* 1) крепкое здоровье; 2) условия *или* свойства, благоприятные для здоровья.

**salutary** ['sæljutərɪ] *a* целительный; благотворный, полезный.

**salutation** [,sælju:'teɪʃən] *n* приветствие.

**salutatory** [sə'lju:tətərɪ] *a* приветственный.

**salute** [sə'lu:t] **1.** *n* 1) приветствие; 2) салют; 3) *воен.* отдание чести; 4) *уст., шутл.* поцелуй;

**2.** *v* 1) приветствовать, здороваться; 2) салютовать; 3) *воен.* отдавать честь; 4) *уст.* целовать; 5) встречать; находить; a gloomy view ~d us нам представилось мрачное зрелище.

**salvage** ['sælvɪdʒ] **1.** *n* 1) спасение имущества (*на море или от огня*); 2) вознаграждение за спасение имущества; 3) спасённое имущество; to make ~ (of) спасать (*что-л.*); 4) подъём затонувших судов; 5) сбор и использование утильсырья; 6) *воен.* трофеи; сбор трофеев, оружия и боевого утиля;

**2.** *v* 1) спасать (*корабль, имущество*); 2) *воен.* собирать трофеи, оружие и боевой утиль; вывозить подбитую машину; 3) *воен. sl.* присваивать, красть.

**salvation** [sæl'veɪʃən] *n* спасение.

**Salvation Army** [sæl'veɪʃən'ɑ:mɪ] *n* Армия спасения (*религиозно-благотворительная организация в Англии и США*).

**Salvationist** [sæl'veɪʃnɪst] *n* член Армии спасения.

**salve I** [sɑ:v] **1.** *n* 1) *уст.* целебная мазь; 2) средство для успокоения; *поэт.* бальзам;

**2.** *v* 1) *уст.* смазывать (*мазью*); врачевать; 2) успокаивать (*совесть*); 3) сглаживать, разрешать (*трудности, сомнения*).

**salve II** [sælv] = salvage 2, 1).

**salver** ['sælvə] *n* поднос.

**salvo I** ['sælvou] *n* (*pl* -os [-ouz]) 1) оговорка; with an express ~ с особой оговоркой; 2) увёртка; слабая отговорка, слабое оправдание.

**salvo II** ['sælvou] *n* (*pl* -oes, -os [-ouz]) 1) залп, батарейная очередь; 2) бомбовый залп; 3) групповой прыжок с парашютами; 4) взрыв аплодисментов.

**sal volatile** [,sælvə'lætəlɪ] *n* кислый углекислый аммоний, нюхательная соль.

**salvor** ['sælvə] *n* 1) спасательный корабль; 2) человек, участвующий в спасении (*корабля, имущества*).

**samara** ['sæmərə] *n бот.* крылатка.

**samarium** [sə'meɪrɪəm] *n хим.* самарий.

**sambo** ['sæmbou] *n* (*pl* -os, -oes [-ouz]) 1) самбо, потомство от смешанных браков между неграми и индейцами; 2) (S.) *разг.* негр.

**Sam Browne** ['sæm'braun] *n* 1) офицерский походный поясной ремень (*тж.* ~ belt); 2) *амер. разг.* офицер.

**same I** [seɪm] *pron. demonstr.* **1.** *как прил.* тот (же) самый; одинаковый; the ~ causes produce the ~ effects одни и те же причины порождают одинаковые следствия; the ~ observations are true of the others also эти же наблюдения верны и в отношении других случаев; they belong to the ~ family они принадлежат к одной и той же семье; to say the ~ thing twice over повторять одно и то же дважды; to me she was always the ~ little girl для меня она оставалась всё той же маленькой девочкой; a symptom of the ~ nature аналогичный симптом; the ~ as так же, как; to give the ~ answer as before ответить так же, как и раньше; all the ~ a) всё-таки; тем не менее; thank you all the ~ всё же разрешите поблагодарить вас; б) всё равно; безразлично; it is all the ~ to me мне всё равно; just the ~ a) точно такой же; I want just the ~ hat you have мне хочется точно такую же шляпу, как у вас; б) всё-таки; в) всё равно; much the ~ почти такой же; the patient is much about the ~ состояние больного почти такое же; the very ~ точно такой же;

2. *как сущ.* одно и то же, то же самое; we must all say (do) the ~ мы все должны говорить (делать) одно и то же; he would do the ~ again он бы снова сделал то же самое.

**same** II [seim] 1. *a* однообразный; the life is perhaps a little ~ жизнь, пожалуй, довольно однообразна;

2. *n юр., ком.* вышеупомянутый; он, его *и т. п.*

**samel** ['sæməl] *a* плохо обожжённый, мягкий (*о черепице, кирпиче и т. п.*).

**sameness** ['seimnis] *n* 1) одинаковость, сходство, единообразие; тождество; 2) однообразие.

**samisen** ['sæmisen] *n* трёхструнная японская гитара.

**samite** ['sæmait] *n уст.* парча.

**samlet** ['sæmlit] *n* молодой лосось.

**Sammy** ['sæmi] *n sl.* 1) *воен. прозвище американского солдата;* 2) блух.

**samp** [sæmp] *n амер.* майсовая крупа *или* каша.

**sampan** ['sæmpæn] *n* сампан, китайская лодка.

**samphire** ['sæmfaiə] *n бот.* 1) солерос европейский; 2) критмум морской.

**sample** ['sɑːmpl] 1. *n* 1) образец, образчик; book of ~s альбом образцов; 2) проба; 3) шаблон, модель;

2. *v* 1) отбирать образцы, брать образчик; 2) подбирать, сравнивать; 3) пробовать, испытывать.

**sampler** ['sɑːmplə] *n* 1) образчик вышивки; 2) *тех.* модель, шаблон; 3) *тех.* коллектор, пробоотборщик.

**sampling** ['sɑːmpliŋ] 1. *pres. p. от* sample 2;

2. *n* отбор проб *или* образцов.

**Sam(p)son** ['sæm(p)sn] *n библ.* Самсон.

**Samuel** ['sæmjuəl] *n библ.* Самуил.

**samurai** ['sæmurai] *яп. n* (*pl без измен.*) самурай.

**sanative** ['sænətiv] *a* целебный, оздоровляющий.

**sanatoria** [ˌsænə'tɔːriə] *pl от* sanatorium.

**sanatorium** [ˌsænə'tɔːriəm] *n* (*pl* -ria) санаторий.

**sanatory** ['sænətəri] = sanative.

**sanctified** ['sæŋktifaid] 1. *p. p. от* sanctify;

2. *a* 1) посвящённый; освящённый; 2) ханжеский.

**sanctify** ['sæŋktifai] *v* 1) освящать; 2) очищать от порока; 3) посвящать; 4) санкционировать.

**sanctimonious** [ˌsæŋkti'mouniəs] *a* ханжеский.

**sanctimony** ['sæŋktiməni] *n* ханжество.

**sanction** ['sæŋkʃən] 1. *n* 1) санкция; утверждение; 2) одобрение, поддержка (*чего-л.*); 3) (*обыкн. pl*) санкция, карательное мероприятие; 4) *юр.* санкция;

2. *v* 1) санкционировать, утвердить; 2) одобрить.

**sanctity** ['sæŋktiti] *n* 1) святость; 2) *pl* святые обязанности.

**sanctuary** ['sæŋktjuəri] *n* 1) святилище; 2) убежище; to break the ~ нарушать право убежища; to take ~ искать убежища; 3) заповедник; bird ~ птичий заповедник.

**sanctum (sanctorum)** ['sæŋktəm(sæŋk-'tɔːrəm)] *n* 1) *рел.* святая святых; 2) кабинет.

**sand** [sænd] 1. *n* 1) песок; гравий; 2) песчинка; numberless as the ~(s) бесчисленные, как песок морской; 3) *pl* песчаный пляж; отмель; 4) *pl* пески; пустыня; shifting ~s зыбучие, движущиеся пески; 5) *pl* время; the ~s are running out a) время подходит к концу; б) дни сочтены; конец близок; 6) *амер. разг.* настойчивость; мужество, стойкость; 7) песочный цвет; ◇ built on ~ построенный на песке; непрочный; ~ in the wheels *амер.* ≅ ставить палки в колёса; создавать искусственные препятствия;

2. *v* 1) посыпать песком; зарывать в песок; 2) чистить *или* шлифовать песком; 3) подмешивать песок.

**sandal** ['sændl] 1. *n* 1) сандалия; 2) ремешок (*сандалии и т. п.*);

2. *v* (*особ. p. р.*) надевать сандалии.

**sandal (wood)** ['sændl(wud)] *n* сандаловое дерево.

**sandarac(h)** ['sændəræk] *n* 1) *хим. уст.* реальгар, минерал сернистый мышьяк; 2) сандарак.

**sand-bag** ['sændbæg] *n* 1) мешок с песком; 2) балластный мешок; 3) орудие оглушения жертвы.

**sandbag** ['sændbæg] *v* 1) защищать мешками с песком; 2) оглушать ударом мешка с песком.

**sandbank** ['sændbæŋk] *n* песчаная отмель, банка.

**sand-bar** ['sændbɑː] *n* отмель в устье реки.

**sand-bath** ['sændbɑːθ] *n тех.* песчаная баня.

**sand-bed** ['sændbed] *n* 1) песчаное дно, русло; 2) *метал.* литейный двор.

**sand-blast** ['sændblɑːst] *тех.* 1. *n* струя воздуха с песком, выбрасываемая пескоструйным аппаратом;

2. *v* обдувать песочной струёй.

**sand-blast machine** ['sændblɑːstmə'ʃiːn] *n тех.* пескоструйный аппарат.

**sand-blind** ['sænd'blaind] *a* плохо видящий; подслеповатый.

**sand-box** ['sænd'bɔks] *n* 1) *ж.-д.* песочница; 2) *ист.* песочница с промокательным песком; 3) литейная форма с песком.

**sandboy** ['sændbɔi] •*n:* jolly (*или* happy) as a ~ жизнерадостный, беззаботный.

sand-crack ['sændkræk] n 1) трещина· на копыте у лошади; 2) трещина в кирпиче (до обжига).

sand-dune ['sænddjuːn] n дюна.

sanded ['sændɪd] 1. p.p. от sand 2; 2. a 1) посыпанный, покрытый песком; 2) смешанный с песком.

sand-eel ['sændˌiːl] n пескорой (рыба).

sanders(wood) ['saːndəz(wud)] = sandal (wood).

sand-glass ['sændglaːs] n песочные часы.

sand-hill ['sændhil] n дюна.

sand hog ['sændˈhɔg] n амер. sl. рабочий, занятый на кессонных и подземных работах.

sandman ['sændmæn] n: the ~ is about шутл. ≅ детям пора спать.

sand-martin ['sændˈmaːtɪn] n ласточка береговая.

sandpaper ['sændˌpeɪpə] n наждачная бумага, шкурка.

sandpiper ['sændˌpaɪpə] n зоол. перевозчик (птица).

sand-pit ['sændpɪt] n песчаный карьер.

sand-shoes ['sændʃuːz] n текстильные туфли на резиновой подошве для пляжа.

sand-spout ['sændspaut] n песчаный смерч.

sandstone ['sændstoun] n песчаник.

sand-storm ['sændstɔːm] n самум; песчаная буря.

sandwich ['sænwɪdʒ] 1. n 1) сандвич, бутерброд; ham (egg, caviare, etc.) ~ бутерброд с ветчиной (яйцом, икрой и т. п.); 2): to ride (to sit) ~ ехать (сидеть) втиснутым между двумя соседями; 3) = sandwich-man; 4) attr. mex. многослойный; 2. v помещать посередине, вставлять (между).

sandwich-board ['sænwɪdʒbɔːd] n реклама на досках (прикрепляемых спереди и сзади к несущему их человеку).

sandwich-man ['sænwɪdʒmæn] n человек-реклама [см. тж. sandwich-board].

Sandy ['sændɪ] n прозвище шотландца.

sandy ['sændɪ] a 1) песчаный; песочный; 2) рыжеватый.

sane [seɪn] a 1) нормальный, в своём уме; 2) здравый; здравомыслящий; разумный.

sanforize ['sænfəraɪz] v текст. подвергать механической обработке для предотвращения усадки.

sanforized ['sænfəraɪzd] 1. p. p. от sanforize;
2. a текст. безусадочной отделки.

sang [sæŋ] past от sing 1.

sanga(r) ['sæŋgə] n англо-инд. каменный бруствер.

sanguinary ['sæŋgwɪnərɪ] a 1) кровавый, кровопролитный; 2) кровожадный; 3) проклятый.

sanguine ['sæŋgwɪn] 1. a 1) сангвинический; 2) оптимистический; ~ of success уверенный в успехе; 3) румяный; 4) поэт. кроваво-красный;
2. n иск. сангвин(а);
3. v поэт. окрасить(ся) в кроваво-красный цвет.

sanguineous [sæŋˈgwɪnɪəs] a 1) полнокровный; 2) мед. кровяной; 3) бот. кроваво-красный.

sanguivorous [ˌsæŋˈgwɪvərəs] a кровососущий (о насекомых).

sanhedrim ['sænɪdrɪm] n ист. синедрион.

sanies ['seɪnɪːz] n сукровица.

sanitaria [ˌsænɪˈtɛərɪə] pl от sanitarium.

sanitarian [ˌsænɪˈtɛərɪən] 1. n 1) санитарный инспектор; 2) гигиенист;
2. a санитарный.

sanitarium [ˌsænɪˈtɛərɪəm] n (pl -ia, -s [-z]) амер. = sanatorium.

sanitary ['sænɪtərɪ] a санитарный, гигиенический; ~ belt гигиенический пояс; ~ engineering санитарная техника.

sanitate ['sænɪteɪt] v 1) улучшать санитарное состояние; 2) оборудовать санитарный узел в помещении.

sanitation [ˌsænɪˈteɪʃən] n оздоровление, улучшение санитарных условий, санитария.

sanitize ['sænɪtaɪz] = sanitate.

sanity ['sænɪtɪ] n 1) здоровье; 2) нормальная психика; 3) здравый ум, здравомыслие.

sank [sæŋk] past от sink 2.

sans [sænz] prep уст., поэт. без; ~ teeth беззубый.

Sanscrit ['sænskrɪt] 1. n санскрит;
2. a санскритский.

sansculotte [ˌsɑːŋkjuˈlɔt] фр. n санкюлот.

Sanskrit ['sænskrɪt] = Sanscrit.

Santa Claus [ˌsæntəˈklɔːz] n Санта Клаус, дед-мороз, рождественский дед.

Saorstat Eireann ['sɛəstɔːtˈɛərən] ирл. n Ирландское свободное государство.

sap I [sæp] 1. n 1) сок (растений); живица; 2) жизненные силы; жизнеспособность; 3) поэт. кровь; 4) = sap-wood; 5) разг. простак; дурак;
2. v 1) лишать сока; сушить; 2) истощать; 3) стёсывать заболонь; 4) разг. оказаться в дураках.

sap II [sæp] 1. n 1) воен. сапа, подкоп; крытая траншея; 2) перен. подрыв;
2. v воен. вести сапу (-ы), подкапывать; подрывать (тж. перен.).

sap III [sæp] школ. sl. 1. n 1) зубрила; 2) зубрёжка; скучная работа; it is such a ~, it is too much a ~ скучнейшее занятие;
2. v корпеть (над чем-л.), зубрить.

sap-green ['sæpgriːn] n зелёная краска из ягод крушины.

sap-head ['sæphed] n 1) воен. голова сапы; 2) разг. блух, дурак.

sapid ['sæpɪd] a 1) вкусный; 2) интересный, содержательный.

sapidity [səˈpɪdɪtɪ] n 1) вкус; 2) содержательность.

sapience ['seɪpjəns] n мудрость (обыкн. ирон.).

sapient ['seɪpjənt] a мудрый. мудрствующий (обыкн. ирон.).

sapiential [ˌseɪpɪˈenʃəl] a мудрый, поучительный.

**sapless** ['sæplıs] *a* 1) худосо́чный; истощённый; 2) бессодержа́тельный.

**sapling** ['sæplıŋ] *n* 1) молодо́е деревцо́; 2) молодо́е существо́; 3) борза́я одноле́тка.

**saponaceous** [,sæpoʊ'neıʃəs] *a* 1) мы́льный; 2) *шутл.* еле́йный.

**saponify** [sə'pɒnıfaı] *v хим.* омыля́ть(ся).

**sapor** ['seıpə] *n* вкус.

**sapper** ['sæpə] *n* сапёр.

**sapphire** ['sæfaıə] 1. *n* сапфи́р; 2. *a* тёмно-си́ний.

**sappy** ['sæpı] *a* 1) со́чный; 2) си́льный, молодо́й; по́лный сил, в соку́; 3) *разг.* глу́пый.

**saprogenic, saprogenous** [,sæproʊ'dʒenık, sə'prɒdʒınəs] *a* вызыва́ющий гние́ние; гнилостный.

**saprophyte** ['sæprəfaıt] *n биол.* сапрофи́т.

**sap-rot** ['sæprɒt] *n* червото́чина.

**sap-wood** ['sæpwud] *n бот.* за́болонь.

**saraband** ['særəbænd] *n* сараба́нда (*танец и музыкальная форма*).

**Saracen** ['særəsn] *n ист.* сараци́н; ◇ ~ corn гречи́ха.

**Saracenic** [,særə'senık] *a ист.* сараци́нский.

**sarafan** [,sɑːrɑː'fɑːn] *рус. n* сарафа́н.

**Saratoga** [,særə'toʊgə] *n* большо́й чемода́н, доро́жный сунду́к (*тж.* ~ trunk).

**sarcasm** ['sɑːkæzəm] *n* сарка́зм.

**sarcastic** [sɑː'kæstık] *a* саркасти́ческий.

**sarcenet** ['sɑːsnıt] *n* подкла́дочный шёлк.

**sarcoma** [sɑː'koʊmə] *n* (*pl* ¹-ata) *мед.* сарко́ма.

**sarcomata** [sɑː'koʊmətə] *pl от* sarcoma.

**sarcophagi** [sɑː'kɒfəgaı] *pl от* sarcophagus.

**sarcophagus** [sɑː'kɒfəgəs] *n* (*pl* -agi) саркофа́г.

**Sard** [sɑːd] = Sardinian.

**sardine** [sɑː'diːn] *n* сарди́на; ◇ packed like ~s ≅ (наби́ты) как сельди́ в бо́чке.

**Sardinian** [sɑː'dınjən] 1. *a* сарди́нский; 2. *n* 1) сарди́нец; 2) сарди́нский диале́кт италья́нского языка́.

**sardonic** [sɑː'dɒnık] *a* сардони́ческий.

**sardonyx** ['sɑːdənıks] *n мин.* сардони́кс.

**sargasso** [sɑː'gæsoʊ] *n* (*pl* -os, -oes [-oʊz]) *бот.* сарга́ссум.

**sari** ['sɑːriː] *n* са́ри (*индийская женская одежда из лёгкой ткани, окутывающая фигуру*).

**sarong** [sə'rɒŋ] *малайск. n* саро́нг (*кусок полосатой или клетчатой ткани, носимой вокруг бёдер мужчинами и женщинами*).

**sarsaparilla** [,sɑːsəpə'rılə] *n бот.* сассапаре́ль.

**sarsenet** ['sɑːsnıt] = sarcenet.

**sartor** ['sɑːtə] *n шутл.* портно́й.

**sartorial** [sɑː'tɔːrıəl] *a* портня́жный, портно́вский.

**sash** I [sæʃ] 1. *n* куша́к, шарф; 2. *v* украша́ть ле́нтой, по́ясом.

**sash** II [sæʃ] *n* 1) око́нный переплёт; 2) скользя́щая ра́ма в око́нном окне́.

**sash-door** ['sæʃdɔː] *n* застеклённая дверь.

**sash-frame** ['sæʃfreım] = sash II, 2).

**sash-tool** ['sæʃtuːl] *n* небольша́я маля́рная кисть.

**sash-window** ['sæʃ,wındoʊ] *n* подъёмное окно́.

**saskatoon** [,sæskə'tuːn] *n бот.* ирга́ ольхоли́стная (*тж.* ~ berry).

**sassafras** ['sæsəfræs] *n бот.* сассафра́с.

**Sassenach** ['sæsənæk] *n ирл., шотл.* англича́нин.

**sat** [sæt] *past и p. p. от* sit.

**Satan** ['seıtən] *n* сатана́.

**Satanic** [sə'tænık] *a* сатани́нский.

**satchel** ['sætʃəl] *n* су́мка, ра́нец (*для книг*).

**satchelled** ['sætʃəld] *a* с ра́нцем, с су́мкой.

**sate** [seıt] *v* 1) насыща́ть; 2) пресыща́ть; to ~ oneself with smth. пресы́титься чем-л.

**sateen** [sæ'tiːn] *n* сати́н.

**sateless** ['seıtlıs] *a поэт.* ненасы́тный.

**satellite** ['sætəlaıt] *n* 1) приспе́шник, приве́рженец; сателли́т; 2) *астр.* спу́тник; 3) *attr.* второстепе́нный, втори́чный.

**satellite town** ['sætəlaıt'taun] *n* го́род-спу́тник.

**satiable** ['seıʃjəbl] *a редк.* насыти́мый.

**satiate** ['seıʃıeıt] 1. *v* = sate; 2. *a* пресы́щенный.

**satiation** [,seıʃı'eıʃən] *n* 1) насыще́ние; 2) пресыще́ние.

**satiety** [sə'taıətı] *n* насыще́ние; пресыще́ние; to ~ до́сыта, до отва́ла; до отка́за.

**satin** ['sætın] 1. *n* 1) атла́с; 2) *бот.* лу́нник (*тж.* white ~); 3) *sl.* джин (*тж.* white ~); a yard of ~ стака́н джи́на; 4) *attr.* атла́сный, атла́систый; 2. *v* сатини́ровать.

**satinet(te)** [,sætı'net] *n текст.* сатине́т.

**satin-flower** ['sætın,flauə] = satin 1, 2).

**satin paper** ['sætın,peıpə] *n* сатини́рованная бума́га.

**satin-wood** ['sætınwud] *n* атла́сное де́рево *или* его́ древеси́на.

**satiny** ['sætını] *a* атла́систый, шелкови́стый.

**satire** ['sætaıə] *n* 1) сати́ра; 2) иро́ния, насме́шка (on, upon).

**satiric(al)** [sə'tırık(əl)] *a* сатири́ческий.

**satirist** ['sætərıst] *n* сати́рик.

**satirize** ['sætəraız] *v* высме́ивать.

**satis** ['sætıs] *лат. adv* доста́точно.

**satisfaction** [,sætıs'fækʃən] *n* 1) удовлетворе́ние (at, with); to the ~ of smb. к чьему́-л. удовлетворе́нию; if you can prove it to my ~ е́сли вы мо́жете убеди́ть меня́ в э́том; it is a ~ to know that прия́тно знать, что; to demand ~ тре́бовать извине́ния и́ли дуэли; to give ~ а) удовлетворя́ть, с су́мкой удовлетворе́ние; б) приня́ть вы́зов на дуэ́ль; 2) упла́та до́лга; исполне́ние обяза́тельства; in ~ of в упла́ту; to make ~ возмеща́ть; 3) *уст.* распла́та (for).

**satisfactory** [,sætıs'fæktərı] *a* 1) удовлетвори́тельный; доста́точный; 2) прия́тный, хоро́ший.

**satisfy** ['sætısfaı] *v* 1) удовлетворя́ть; соотве́тствовать, отвеча́ть (*требованиям*); to rest satisfied удовлетворя́ться; не предпринима́ть дальне́йших шаго́в, не предъявля́ть но́вых тре́бований; 2) утоля́ть (*голод, любопытство и т. п.*); 3) погаша́ть (*долг*); 4) выполня́ть (*обязательство*); 5) убежда́ть (of—в; that); to ~ oneself убеди́ться; I am satisfied that я бо́льше не сомнева́юсь, что; 6) рассе́ивать (*страх и т. п.*).

**satrap** ['sætrəp] *n* сатра́п.

**satrapy** ['sætrəpı] *n* сатра́пия.

**saturate** ['sæt∫əreıt] 1. *v* 1) насыща́ть, пропи́тывать; 2) *хим.* нейтрализова́ть; 3) нейтрализова́ть, подавля́ть (*огонь проти́вника*) пло́тной бомбёжкой; 2. *a поэт.* насы́щенный.

**saturated** ['sæt∫əreıtıd] 1. *p.p. от* saturate 1; 2. *a* глубо́кий, ро́вный (*об окраске, цвете*).

**saturation** [,sæt∫ə'reı∫ən] *n* 1) насыще́ние, насы́щенность; to ~ до (по́лного) насыще́ния; 2) *attr.* поглоща́тельный; ~ capacity поглоща́тельная спосо́бность.

**Saturday** ['sætədı] *n* суббо́та.

**Saturn** ['sætən] *n астр., миф.* Сату́рн.

**saturnalia** [,sætə'neıljə] *n pl* 1) (S.) *др.-рим.* сатурна́лии; 2) (*часто употр. как sing*) разгу́л, вакхана́лия.

**saturnine** ['sætənaın] *a* 1) мра́чный; 2) свинцо́вый; ~ red су́рик.

**saturnism** ['sætənızəm] *n мед.* отравле́ние свинцо́м.

**satyr** ['sætə] *n* сати́р.

**satyric** [sə'tırık] *a* сатири́ческий.

**sauce** [sɔ:s] 1. *n* 1) со́ус; *перен.* припра́ва; 2) *разг.* гарни́р из овоще́й (*тж.* garden ~); 3) на́глость, де́рзость; none of your ~! ну, ну, без наха́льства!; 4) то, что придаёт интере́с, остроту́; 5) *амер.* фрукто́вое пюре́; 6) *амер. разг.* спиртно́е, спиртно́й напи́ток; to get on the ~ пристрасти́ться к алкого́лю; ◇ to serve with the same ~ отплати́ть той же моне́той; what's ~ for the goose is ~ for the gander *посл.* ме́рка, применя́мая к одному́, должна́ применя́ться и к друго́му; 2. *v* 1) приправля́ть со́усом; *перен.* придава́ть пика́нтность; 2) *разг.* дерзи́ть.

**sauce-boat** ['sɔ:sbout] *n* со́усник.

**saucebox** ['sɔ:sbɔks] *n* наха́л (ка).

**saucepan** ['sɔ:spən] *n* кастрю́ля.

**saucer** ['sɔ:sə] *n* 1) блю́дце; 2) поддо́нник; 3) *тех.* пята́; 4) *attr.:* ~ eyes больши́е, кру́глые глаза́.

**saucy** ['sɔ:sı] *a* 1) де́рзкий, наха́льный; 2) живо́й, весёлый; 3) *sl.* наря́дный; мо́дный.

**sauerkraut** ['sauəkraut] *нем. n* ки́слая капу́ста.

**saunter** ['sɔ:ntə] 1. *n* прогу́лка; 2. *v* прогу́ливаться, проха́живаться, фла́нировать.

**sauntering** ['sɔ:ntərıŋ] 1. *pres. p. от* saunter 2; 2. *n* прогу́лка; 3. *a* лени́вый (*о походке*).

**saurel** ['sɔ:rəl] *n* ставри́да (*рыба*).

**saurian** ['sɔ:rıən] *n* живо́тное из отря́да я́щеровых.

**saury** ['sɔ:rı] *n зоол.* макрелещу́ка.

**sausage** ['sɔsıdʒ] *n* 1) колбаса́; соси́ска; 2) *воен. sl.* привязно́й аэроста́т, колбаса́.

**sausage-meat** ['sɔsıdʒ'mi:t] *n* фарш (*для колбас и т. п.*).

**sausage-poisoning** ['sɔsıdʒ'pɔıznıŋ] *n мед.* ботули́зм, отравле́ние колба́сным я́дом.

**sausage roll** ['sɔsıdʒ'roul] *n* пирожо́к с (колба́сным) фа́ршем.

**savage** ['sævıdʒ] 1. *a* 1) ди́кий, первобы́тный; 2) свире́пый, жесто́кий, беспоща́дный; 3) *разг.* взбешённый; 2. *n* дика́рь; 3. *v* 1) жесто́ко обходи́ться, применя́я си́лу; *разг.* куса́ть, топта́ть (*о лошади*).

**savagery** ['sævıdʒrı] *n* 1) ди́кость; 2) жесто́кость.

**savanna(h)** [sə'vænə] *n* сава́нна.

**savant** ['sævənt] *фр. n* учёный.

**save** [seıv] 1. *v* 1) спаса́ть; my life was ~d by good nursing моя́ жизнь была́ спасена́ благодаря́ хоро́шему ухо́ду; to ~ the situation спасти́ положе́ние; 2) бере́чь; to ~ time эконо́мить вре́мя; to ~ oneself бере́чь себя́; бере́чь си́лы; to ~ one's pains не труди́ться понапра́сну; 3) откла́дывать, эконо́мить (*тж.* ~ up); to ~ one's pocket стара́ться не тра́тить ли́шнего; 4) избавля́ть (*от чего-либо*); предупрежда́ть (*что-л.*); you have ~d me trouble вы изба́вили меня́ от хлопо́т; 5) успе́ть во́время, не опозда́ть, не пропусти́ть; 6) отбива́ть нападе́ние (*в футболе*); □ ~ up де́лать сбереже́ния; копи́ть; ◇ to ~ appearances соблюда́ть ви́димость, прили́чия; де́лать вид, что ничего́ не произошло́; to ~ one's bacon спаса́ть свою́ шку́ру; ~ the mark с позволе́ния сказа́ть; бо́же сохрани́ (чтобы); to ~ one's face избежа́ть позо́ра, спасти́ репута́цию, прести́ж; to ~ one's breath промолча́ть, не тра́тить ли́шних слов; ~ us! *восклицание изумления;* 2. *n* предотвраще́ние проры́ва (*в футболе, крикете*); 3. *prep, cj уст., поэт.* 1) за исключе́нием, кро́ме, без; ~ and except исключа́я; 2) е́сли бы не.

**saveloy** ['sævılɔı] *n* вы́держанная суха́я колбаса́.

**saver** ['seıvə] *n* 1) бережли́вый челове́к; 2) вещь, помога́ющая сбере́чь де́ньги, труд *и т. п.*; a washing-machine is a ~ of time and strength стира́льная маши́на эконо́мит вре́мя и си́лы.

**savin** ['sævın] *n бот.* можжеве́льник каза́цкий.

**saving** ['seıvıŋ] 1. *pres. p. от* save 1; 2. *a* 1) спаси́тельный; the ~ grace of humour спаси́тельная си́ла ю́мора; 2) сберега́ющий; бережли́вый, эконо́мный; 3) внося́щий огово́рку; ~ clause статья́, содержа́щая огово́рку; 3. *n* 1) спасе́ние; 2) эконо́мия, сбереже́ние; at a ~ с вы́годой; 3) *pl* сбереже́ния; 4. *prep* исключа́я, кро́ме; ◇ ~ your presence, ~ your reverence извини́те за выраже́ние; 5. *cj* е́сли не счита́ть, исключа́я.

**savings-bank** ['seıvıŋzbæŋk] *n* сберега́тельная ка́сса.

**savior** ['seıvjə] *амер.* = saviour.

**saviour** ['seıvjə] *n* спаси́тель.

**savor** ['seıvə] *амер.* = savour.

**savory I** ['seıvərı] *n бот.* чабёр садо́вый.

**savory II** ['seıvərı] *амер.* = savoury.

**savour** ['seɪvə] **1.** *n* 1) вкус, при́вкус; 2) *уст.* арома́т; 3) пика́нтность; 4) отте́нок; при́месь; 5) *поэт.* репута́ция;
**2.** *v* 1) отзыва́ться (of—*чем-л.*; *тж. перен.*); the soup ~s of onion суп попа́хивает лу́ком; his remarks ~ of insolence в его́ замеча́ниях сквози́т высокоме́рие; 2) смакова́ть; 3) *уст.* приправля́ть.
**savourless** ['seɪvəlɪs] *a* пре́сный (*тж. перен.*).
**savoury** ['seɪvərɪ] **1.** *a* 1) вку́сный; 2) пика́нтный; 3) прия́тный, привлека́тельный (*обыкн. ирон. или с отриц.*); ~ reputation подмо́ченная репута́ция;
**2.** *n* о́страя заку́ска.
**savoy** [sə'vɔɪ] *n* саво́йская капу́ста.
**Savoyard** [sə'vɔɪɑːd] *n* саво́яр, уроже́нец Саво́йи.
**savvey, savvy** ['sævɪ] *разг.* **1.** *n* сообрази́тельность, ум;
**2.** *v* понима́ть, знать; по ~ не понима́ю, не понима́ешь *и т. д.*
**saw** I [sɔː] *past om* see I.
**saw** II [sɔː] *n* погово́рка (*обыкн. в сочета́нии* old *или* wise ~ ста́рая *или* му́драя погово́рка).
**saw** III [sɔː] **1.** *n* пила́; cross-cut ~ попере́чная пила́; crown ~ продо́льная пила́; cylinder ~ цилиндри́ческая пила́; musical ~, singing ~ обы́чная двуру́чная пила́, из кото́рой с по́мощью скрипи́чного смычка́ мо́жно извлека́ть музыка́льные зву́ки;
**2.** *v* (sawed [-d]; sawed, sawn) пили́ть (-ся); распи́ливать; ◇ to ~ the air разма́хивать рука́ми; си́льно жестикули́ровать; to ~ wood *амер.* занима́ться со́бственными дела́ми.
**saw-blade** ['sɔːbleɪd] *n* полотно́ пилы́.
**sawbones** ['sɔːbəunz] *n разг., шутл.* хиру́рг.
**saw-buck** ['sɔːbʌk] = saw-horse.
**sawder** ['sɔːdə] *n* лесть, комплиме́нты (*тж.* soft ~).
**sawdust** ['sɔːdʌst] *n* опи́лки; ◇ to let the ~ out of smb. сбить спесь с кого́-л.
**saw-edged** ['sɔː'edʒd] *a* зазу́бренный; пилообра́зный.
**sawfish** ['sɔːfɪʃ] *n* пила́-ры́ба.
**saw-fly** ['sɔːflaɪ] *n* пили́льщик (*насеко́мое*).
**saw-frame** ['sɔːfreɪm] *n mex.* лесопи́льная ра́ма.
**saw-gate** ['sɔːgeɪt] = saw-frame.
**saw-gin** ['sɔːdʒɪn] *n mекст.* пи́льный волокноотдели́тель.
**saw-horse** ['sɔːhɔːs] *n* ко́злы для пи́лки дров.
**sawing jack** ['sɔːɪŋ'dʒæk] = saw-horse.
**sawmill** ['sɔːmɪl] *n* лесопи́льный заво́д; лесопи́лка.
**sawn** [sɔːn] *p.p. om* saw III, 2.
**Sawney** ['sɔːnɪ] *n* 1) *презр.* шотла́ндец; 2) проста́к, простофи́ля.
**saw-set** ['sɔːset] *n* разво́дка для пилы́ (*инструме́нт*).
**saw-tones** ['sɔːtəunz] *n pl* визгли́вый тон, го́лос; to speak (*или* to utter) in ~ говори́ть визгли́вым го́лосом.
**saw-tooth** ['sɔːtuːθ] *n* зуб пилы́.

**saw-wort** ['sɔːwɔːt] *n бот.* серпу́ха краси́льная.
**saw-wrest** ['sɔːrest] = saw-set.
**sawyer** ['sɔːjə] *n* 1) пи́льщик; 2) уса́ч (*насеко́мое*); 3) *амер.* коря́га (*в реке́*).
**sax** [sæks] *n* молото́к для кро́вельных рабо́т.
**Saxe** [sæks] *n* 1) сакс (*сорт фарфо́ра*); 2) = Saxon blue.
**saxhorn** ['sækshɔːn] *n* саксго́рн (*муз. инструме́нт*).
**saxifrage** ['sæksɪfrɪdʒ] *n бот.* камнело́мка.
**Saxon** ['sæksn] **1.** *n* 1) *ист.* сакс; 2) англича́нин (*в противополо́жность ирла́ндцу или валли́йцу*); 3) шотла́ндец из Ю́жной Шотла́ндии (*в противополо́жность шотла́ндцу-го́рцу*); 4) саксо́нец; 5) англосаксо́нский язы́к; герма́нский элеме́нт в англи́йском языке́; ◇ plain ~ безыску́сная речь; in plain ~ без обиняко́в;
**2.** *a* (англо)саксо́нский; герма́нский.
**Saxon blue** ['sæksn'bluː] *n* тёмно-голубо́й цвет (*о кра́ске; тж.* Saxe blue).
**saxony** ['sæksnɪ] *n* то́нкая шерстяна́я пря́жа *или* ткань.
**say** [seɪ] **1.** *v* (said) 1) говори́ть, сказа́ть; they ~, it is said говоря́т; it ~s in the book в кни́ге говори́тся; what do you ~ to a game of billiards? не хоти́те ли сыгра́ть в билья́рд?; (let us) ~ ска́жем, наприме́р; a few of them, ~ a dozen не́сколько из них, ска́жем, дю́жина; well, ~ it were true, what then? ну, допу́стим, что э́то ве́рно, что же из э́того?; to ~ a good word for замо́лвить слове́чко за; to ~ no a) отрица́ть; б) отказа́ть; to ~ no more замолча́ть; to ~ nothing of не говоря́ о; to ~ smb. nay отказа́ть кому́-л. в про́сьбе; to have nothing to ~ for oneself a) не име́ть, что сказа́ть в свою́ защи́ту; б) *разг.* быть неразгово́рчивым; 2) произноси́ть, повторя́ть наизу́сть; деклами́ровать; to ~ one's lesson отвеча́ть уро́к; to ~ grace проче́сть моли́тву (*перед тра́пезой*); to ~ the word отда́ть приказа́ние; □ ~ on продолжа́ть говори́ть; ~ out открове́нно вы́сказать; ~ over повторя́ть; ◇ I ~! *тж. амер.* ~! послу́шайте!; ну и ну!; you don't ~ (so)! да ну!, не мо́жет быть!; you said it *разг.* вот и́менно; you may well ~ so соверше́нно ве́рно; what I ~ is по-мо́ему; I should ~ a) я полага́ю; б) ничего́ себе́, не́чего сказа́ть; I should ~ so ещё бы, коне́чно; to hear ~ слы́шать; no sooner said than done сде́лано — сде́лано; that is to ~ то́ есть; easier said than done ле́гче сказа́ть, чем сде́лать; before you could ~ Jack Robinson (*или* knife) момента́льно; не успе́ешь огляну́ться, как; и опо́мниться не успе́ешь, как; ~s you *амер. sl.* расска́зывайте, я вам не ве́рю;
**2.** *n* мне́ние, сло́во; пра́во го́лоса; let him have his ~ пусть он вы́скажется; to have the ~ *амер.* распоряжа́ться; to have no ~ in the matter не уча́ствовать в обсужде́нии.
**saying** ['seɪɪŋ] **1.** *pres. p. om* say 1;
**2.** *n* погово́рка, присло́вье; as the ~ is (*или* goes) как говори́тся; it goes without ~ само́ собо́й разуме́ется; there is no ~ тру́дно, невозмо́жно сказа́ть.

**saying-lesson** ['seɪŋ,lesn] *n* заученный урок; to recite a ~ повторять заученный урок.

**scab** [skæb] 1. *n* 1) струп (*на язве*); 2) парша, чесотка, короста; 3) болезнь растений (*характеризующаяся коркообразными пятнами*); corky ~ парша обыкновенная; 4) штрейкбрехер; 5) *уст.* негодяй; 6) *метал.* раковина; 7) соединительная планка, скоба;
2. *v* 1) покрываться струпьями; 2) быть штрейкбрехером; 3) тесать камень.

**scabbard** ['skæbəd] *n* ножны; to throw away the ~ вступать в решительный бой.

**scabby** ['skæbɪ] *a* 1) покрытый струпьями; шелудивый; 2) паршивый.

**scabies** ['skeɪbɪiz] *n мед.* чесотка.

**scabious** ['skeɪbjəs] *n бот.* скабиоза.

**scabrous** ['skeɪbrəs] *a* 1) шершавый, шероховатый; 2) скабрёзный.

**scad** [skæd] = saurel.

**scads** [skædz] *n pl амер. sl.* 1) деньги; 2) очень большое количество.

**scaffold** ['skæfəld] 1. *n* 1) эшафот; плаха; to go to (*или* to mount) the ~ сложить голову на плахе; окончить жизнь на виселице; to bring to the ~ довести до виселицы; to send to the ~ приговорить к смерти; 2) подмостки; 3) = scaffolding 2;
2. *v* 1) обстраивать лесами; 2) поддерживать, подпирать, нести (на себе) нагрузку.

**scaffolding** ['skæfəldɪŋ] 1. *pres.p. от* scaffold 2;
2. *n стр.* леса, подмости.

**scalar** ['skeɪlə] *a мат.* скалярный.

**scalawag** ['skæləwæg] = scallywag.

**scald** I [skɔːld] 1. *n* ожог (*кипящей жидкостью или паром*);
2. *v* 1) обваривать, ошпаривать; 2) пастеризовать.

**scald** II [skɔːld] *n* скальд.

**scald** III [skɔːld] *n уст.* короста.

**scalded** ['skɔːldɪd] 1. *p.p. от* scald I, 2;
2. *a* 1) обваренный; 2) пастеризованный; ~ cream пастеризованные сливки.

**scald-head** ['skɔːldhed] = scald III.

**scalding** ['skɔːldɪŋ] 1. *pres. p. от* scald I, 2;
2. *a* 1) обжигающий; 2) жгучий; ~ tears жгучие слёзы.

**scale** I [skeɪl] 1. *n* 1) чешуя (*у рыб и т. п.*); 2) *pl перен.* пелена; ~s fell from his eyes пелена спала с его глаз; 3) *pl* щёчки, накладки (*на рукоятке складного ножа*); 4) чешуя; 5) камень (*на зубах*); 6) *тех.* окалина; накипь;
2. *v* 1) чистить, соскабливать чешую; 2) лущить; 3) снимать окалину, ·накипь *и т. п.*; 4) образовывать окалину, накипь; 5) шелушиться.

**scale** II [skeɪl] 1. *n* 1) чаш(к)а весов; to turn the ~ at so many pounds весить столько-то фунтов; to turn the ~ склонить чашу весов, оказаться решающим фактором; 2) *pl* весы; 3) (the Scales) = Libra; ◇ the turning of a ~ чуть-чуть; немного; to hold the ~s even судить беспристрастно;
2. *v* 1) взвешивать; 2) весить.

**scale** III [skeɪl] 1. *n* 1) лестница; to be high in the social ~ занимать высокое положение в обществе; to sink in the ~ опуститься на низкую ступень; утратить (прежнее) значение, опуститься; 2) масштаб; размер; on a large (*или* grand) ~ в большом масштабе; on a small ~ в маленьком масштабе; the ~ to be 1 : 50 000 в масштабе 1 : 50 000; to ~ по масштабу; 3) шкала; ~ of wages шкала заработной платы; rate ~ шкала расценок; 4) линейка; 5) *муз.* гамма; 6) *мат.* система счисления (*тж.* ~ of notation);
2. *v* 1) подниматься, взбираться (*по лестнице и т. п.*); 2) сводить к определённому масштабу; определять масштаб; to ~ down prices понижать цены; to ~ up wages повышать заработную плату; 3) быть соизмеримыми, сопоставимыми.

**scale-beam** ['skeɪlbɪm] *n* коромысло (*весов*).

**scale-board** ['skeɪlbɔd] *n* тонкая доска, защищающая зеркало *или* холст картины с обратной стороны.

**scale-borer** ['skeɪl,bɔrə] *n тех.* шарошка, абразивный круг для снятия накипи в трубках паровых котлов.

**scaled** I [skeɪld] 1. *p.p. от* scale I, 2;
2. *a* = scaly.

**scaled** II, III [skeɪld] *p.p. от* scale II, 2 *и* III, 2.

**scalene** ['skeɪlɪn] *a геом.* неравносторонний, косоугольный.

**scale-winged** ['skeɪl'wɪŋd] *зоол.* 1. *n собир.* чешуекрылые, бабочки;
2. *a* чешуекрылый.

**scale-work** ['skeɪlwək] *n* орнамент в виде чешуи.

**scaling-ladder** ['skeɪlɪŋ,lædə] *n* 1) стремянка; 2) пожарная лестница.

**scallop** ['skɔləp] 1. *n* 1) *зоол.* гребешок (*моллюск*); 2) створка раковины гребешка; 3) фарфоровая посуда в форме раковины; 4) *pl* фестоны, зубцы;
2. *v* 1) запекать в раковине; 2) украшать фестонами; вырезывать зубцы.

**scalloping** ['skɔləpɪŋ] 1. *pres. p. от* scallop 2;
2. *n* фестоны, зубцы.

**scallop-shell** ['skɔləpʃel] *n* раковина гребешка [*ср.* scallop 1, 1)].

**scallywag** ['skælɪwæg] *n* 1) заморыш (*о животном*); 2) *разг.* бездельник, прохвост.

**scalp** [skælp] 1. *n* 1) кожа головы; 2) скальп; to be out for ~s *перен.* быть агрессивно *или* очень критически настроенным; to take smb.'s ~ одержать верх над кем-л.;
2. *v* 1) скальпировать; 2) обдирать (*напр.*, шелуху); обнажать, лишать травяного покрова; 3) раскритиковать; 4) *амер. разг.* лишать влияния *или* положения; 5) *sl.* наживаться путём мелкой спекуляции.

**scalpel** ['skælpəl] *n хир.* скальпель.

**scalper** ['skælpə] *n* 1) *с.-х.* обдирочный постав; 2) *амер. разг.* спекулянт железнодорожными *или* театральными билетами.

**scaly** ['skeɪlɪ] *a* 1) чешуйчатый; чешуеобразный; 2) покрытый накипью, отложениями.

**scamp I** [skæmp] *n* безде́льник, мерза́вец.
**scamp II** [skæmp] *v* рабо́тать спустя́ рукава́, ко́е-ка́к.
**scamper** [´skæmpə] **1.** *n* 1) поспе́шное бе́гство; 2) гало́п; 3) бе́глое чте́ние; **2.** *v* бежа́ть стремгла́в; удира́ть.
**scampish** [´skæmpiʃ] *a* беспу́тный, непу́тёвый; плутова́тый.
**scan** [skæn] **1.** *v* 1) скандировать(ся); 2) при́стально разгля́дывать, огля́дывать, изуча́ть; 3) *телев.* разлага́ть изображе́ние; **2.** *n телев.* развёртка *или* разложе́ние изображе́ния.
**scandal** [´skændl] *n* 1) позо́р; неприли́чный посту́пок; (публи́чный) сканда́л; what a ~!, it is a perfect ~! како́й позо́р!; 2) злосло́вие, спле́тни; to talk ~ злосло́вить, спле́тничать.
**scandal-bearer** [´skændl,bɛərə] = scandalmonger.
**scandalize I** [´skændəlaiz] *v* скандализи́ровать, шоки́ровать.
**scandalize II** [´skændəlaiz] *v мор. разг.* непо́лностью убра́ть па́рус.
**scandalmonger** [´skændl,mʌŋgə] *n* спле́тник.
**scandalous** [´skændələs] *a* 1) сканда́льный; 2) клеветни́ческий.
**Scandinavian** [,skændi´neivjən] **1.** *a* скандина́вский; **2.** *n* 1) скандина́в; скандина́вка; 2) скандина́вские языки́.
**scandium** [´skændiəm] *n хим.* ска́ндий.
**scanner** [´skænə] *n телев.* 1) развёртывающий механи́зм; 2) = scanning-disk.
**scanning** [´skæniŋ] **1.** *pres. p. от* scan 1; **2.** *n телев.* 1) развёртывающий механи́зм; развёртка; 2) разложе́ние изображе́ния; **3.** *a телев.* развёртывающий, разлага́ющий.
**scanning-disk** [´skæniŋdisk] *n телев.* развёртывающий диск.
**scansion** [´skænʃən] *n* сканди́рование.
**scansorial** [skæn´sɔːriəl] *a зоол.* 1) ла́зающий; 2) це́пкий.
**scant** [skænt] **1.** *a* ску́дный, недоста́точный, ограни́ченный; жи́денький; ~ eyebrows ре́дкие бро́ви; ~ foothold ненадёжная опо́ра; with ~ courtesy нелюбе́зно; ~ of breath задыха́ющийся; **2.** *v уст.* скупи́ться (*на что-л.*); ограни́чивать.
**scantling** [´skæntliŋ] *n* 1) образе́ц; трафаре́т; 2) весьма́ небольшо́е коли́чество; 3) ме́ра, разме́р; 4) пило- *или* лесоматериа́л ме́лких разме́ров; 5) стелла́ж для бо́чек.
**scanty** [´skænti] *a* ску́дный, недоста́точный, ограни́ченный.
**scape I** [skeip] *n* 1) сте́бель (*растения*); черешо́к; 2) сте́ржень.
**scape II** [skeip] *уст.* = escape.
**scapegoat** [´skeipgout] *n* козёл отпуще́ния.
**scapegrace** [´skeipgreis] *n* пове́са, шалопа́й, него́дник.
**scaphander** [skə´fændə] *n* 1) скафа́ндр, водола́зный костю́м; 2) про́бковый по́яс.
**scaphoid** [´skæfɔid] *a анат.* ладьеобра́зный.

**scapula** [´skæpjulə] *n* (*pl* -lae) *анат.* лопа́тка.
**scapulae** [´skæpjuliː] *pl от* scapula.
**scapular** [´skæpjulə] **1.** *a анат.* плечево́й; **2.** *n* (мона́шеский) наплёчник.
**scar I** [skɑː] **1.** *n* шрам, рубе́ц; **2.** *v* 1) покрыва́ть рубца́ми; 2) рубцева́ться, зарубцо́вываться.
**scar II** [skɑː] *n* утёс, скала́.
**scarab** [´skærəb] *n* скарабе́й.
**scaramouch** [´skærəmauʃ] *n уст.* 1) шут, фигля́р; 2) хвастли́вый трус.
**scarce** [skɛəs] **1.** *a* 1) (*обыкн. predic.*) недоста́точный, ску́дный; money is ~ де́нег ма́ло; 2) ре́дкий, ре́дко встреча́ющийся; дефици́тный; ~ book ре́дкая кни́га; ◇ to make oneself ~ *разг.* ретирова́ться; удали́ться, уйти́; не попада́ться на глаза́; **2.** *adv поэт. см.* scarcely.
**scarcely** [´skɛəsli] *adv* 1) едва́, как то́лько; то́лько что; he had ~ arrived when he was told that едва́ (*или* как то́лько) он вошёл, ему́ сказа́ли, что; 2) не; едва́, вряд ли; I ~ think so не ду́маю; I ~ know what to say я пря́мо не зна́ю, что сказа́ть; you will ~ maintain that едва́ ли вы ста́нете утвержда́ть э́то.
**scarcity** [´skɛəsiti] *n* 1) недоста́ток, нехва́тка (of); дефици́т; 2) го́лод; 3) ре́дкость.
**scare** [skɛə] **1.** *n* внеза́пный испу́г; па́ника; to throw a ~ (into) *амер.* пуга́ть, запу́гивать; to get a ~ перепуга́ться; **2.** *v* 1) пуга́ть; 2) отпу́гивать, вспу́гивать (*тж.* ~ away, ~ off); □ ~ up *амер. разг.* отыска́ть.
**scarecrow** [´skɛəkrou] *n* пу́гало.
**scared** [skɛəd] **1.** *p.p. от* scare 2; **2.** *a* испу́ганный; ~ face, ~ expression испу́ганное лицо́.
**scare-head(ing)** [´skɛə,hed(iŋ)] *n* сенсацио́нный заголо́вок (*в газете*).
**scaremonger** [´skɛə,mʌŋgə] *n*-нанике́р.
**scare story** [´skɛə´stɔːri] *n* сенсацио́нный материа́л (*в газете*).
**scarf I** [skɑːf] *n* (*pl* -s [-s], scarves) 1) шарф; 2) га́лстук.
**scarf II** [skɑːf] **1.** *n* 1) скос, косо́й край *или* срез; 2) соедине́ние замко́м; **2.** *v* 1) ре́зать вкось, ска́шивать; отёсывать, углы́; 2) де́лать пазы́, вы́емки; 3) соединя́ть замко́м, сра́щивать; 4) сдира́ть ко́жу (*при разделке туши кита*).
**scarf-pin** [´skɑːfpin] *n* була́вка для га́лстука.
**scarf-skin** [´skɑːfskin] *n* нару́жный слой ко́жи, эпиде́рма.
**scarf-weld** [´skɑːfweld] *n тех.* сва́рка внахлёстку.
**scarification** [,skɛərifi´keiʃən] *n* 1) *хир.* насе́чка; 2) *с.-х.* разрыхле́ние по́чвы скарифика́тором.
**scarifier** [´skɛərifaiə] *n с.-х.* скарифика́тор.
**scarify** [´skɛərifai] *v* 1) *хир.* де́лать насе́чки, надре́зы; 2) раскритикова́ть; 3) *с.-х.* разрыхля́ть по́чву скарифика́тором.
**scarlet** [´skɑːlit] **1.** *n* 1) а́лый цвет; 2) ткань *или* оде́жда а́лого цве́та; **2.** *a* а́лый; to turn ~ гу́сто покрасне́ть.
**scarlet-bean** [´skɑːlitbiːn] = scarlet runner.

**scarlet fever** [ˈskɑːlɪtˈfiːvə] *n* 1) скарлатина; 2) *шутл.* пристрастие к военным.

**scarlet hat** [ˈskɑːlɪtˈhæt] *n* кардинальская шапка.

**scarlet runner** [ˈskɑːlɪtˈrʌnə] *n бот.* огненные бобы.

**scarlet whore** [ˈskɑːlɪtˈhɔː] *n* 1) *библ.* блудница в пурпуре; 2) *презр.* римско-католическая церковь; папизм.

**scarlet woman** [ˈskɑːlɪtˈwumən] = scarlet whore.

**scarp** [skɑːp] 1. *n* 1) крутой откос; 2) *воен.* эскарп;
2. *v* 1) делать отвесным *или* крутым; 2) *воен.* эскарпировать; 3) *sl.* украсть.

**scarring** [ˈskɑːrɪŋ] 1. *pres. p. om* scar I, 2;
2. *n* 1) рубцевание; 2) рубцы.

**scarves** [skɑːvz] *pl om* scarf I.

**scary** [ˈskɛərɪ] *a разг.* 1) жуткий; 2) пугливый.

**scat** I [skæt] 1. *n* ливень (с ветром);
2. *adv:* to go ~ а) рассыпаться, развалиться; б) обанкротиться.

**scat** II [skæt] *int* брысь!; (поди) прочь!;
◇ (it will be over) before you can say ~ ≅ и рта раскрыть не успеешь (, как всё будет кончено).

**scathe** [skeɪð] 1. *n уст.* ущерб, вред; without ~ невредимый;
2. *v* причинять вред, губить.

**scatheless** [ˈskeɪðlɪs] *a (обыкн. predic.)* невредимый.

**scathing** [ˈskeɪðɪŋ] 1. *pres. p. om* scathe 2;
2. *a* едкий, злой, жестокий; ~ criticism резкая критика; ~ sarcasm едкий сарказм; ~ look уничтожающий взгляд.

**scatter** [ˈskætə] *v* 1) разбрасывать (on, over); 2) посыпать (with); 3) разбрызгивать; 4) рассеивать, разгонять; the police ~ed the demonstration полиция разогнала демонстрацию; 5) рассеиваться; бросаться врассыпную; 6) расточать; сорить (деньгами); to ~ one's inheritance промотать наследство; 7) разбиваться, терпеть крах; all our hopes and plans were ~ed все наши надежды рассеялись, планы потерпели крах.

**scatter-brain** [ˈskætəbreɪn] *n* вертопрах, ветреник.

**scatter-brained** [ˈskætəˈbreɪnd] *a* легкомысленный, ветреный.

**scattered** [ˈskætəd] 1. *p.p. om* scatter;
2. *a* 1) рассыпанный, разбросанный (*о домах, предметах*); 2) отдельный, разрозненный; ~ instances отдельные, изолированные случаи; ~ clouds разорванные облака.

**scatter-gun** [ˈskætəgʌn] *n* ружьё-дробовик.

**scattery** [ˈskætərɪ] *a разг.* рассеянный, разбросанный.

**scaup(-duck)** [ˈskɔːp(-dʌk)] *n зоол.* чернеть морская.

**scaur** [skɔː] = scar II.

**scavenge** [ˈskævɪndʒ] *v* 1) убирать мусор (*с улиц*); 2) *тех.* продувать (*цилиндр*); удалять отработанные газы.

**scavenger** [ˈskævɪndʒə] 1. *n* 1) уборщик мусора, метельщик улиц; 2) животное,

питающееся падалью; 3) писатель, находящий удовольствие в грязных темах;
2. *v* 1) убирать мусор; 2) *разг.* досматривать прибывающие грузы.

**scavenger's daughter** [ˈskævɪndʒəzˈdɔːtə] *n ист.* ≈ тиски (*орудие пытки, по своему действию противоположное дыбе*).

**scavenging** [ˈskævɪndʒɪŋ] 1. *pres. p. om* scavenge;
2. *n* 1) уборка мусора; 2) *тех.* продувка (*цилиндра*).

**scenario** [sɪˈnɑːriou] *ит. n (pl -os [-ouz])* сценарий.

**scenarist** [ˈsiːnərist] *n* сценарист.

**scene** [siːn] *n* 1) место действия; the ~ is laid in France действие происходит во Франции; the ~ of operations театр военных действий; 2) сцена, явление (*пьесы*); carpenter ~ *театр.* проходная сцена, игремая на просцениуме; 3) декорация; behind the ~s за кулисами; 4) пейзаж, картина, зрелище; a woodland ~ лес; striking ~ потрясающее зрелище; 5) сцена, скандал; to make a ~ устроить сцену; 6) *уст.* сцена; to appear on the ~ появиться на сцене; to quit the ~ сойти со сцены; *перен.* умереть; 7) *телев.* объект передачи.

**scene-designer** [ˈsiːndɪˌzaɪnə] *n* художник-декоратор.

**scene-dock** [ˈsiːndɔk] *n* склад декораций.

**scene-painter** [ˈsiːnˌpeɪntə] *n* художник-декоратор.

**scenery** [ˈsiːnərɪ] *n* 1) пейзаж; 2) декорации.

**scene-shifter** [ˈsiːnˌʃɪftə] *n* рабочий сцены.

**scenic(al)** [ˈsiːnɪk(əl)] *a* 1) сценический; сценичный; театральный; 2) живописный; 3) декоративный.

**scent** [sent] 1. *n* 1) запах; 2) духи; 3) след; to be on the ~ идти по следу; *перен.* быть на правильном пути; to get the ~ (of) напасть на след (*тж. перен.*); to put (*или* to throw) off the ~ сбить со следа; hot blazing ~ свежий, горячий след; false ~ ложный след; 4) чутьё, нюх;
2. *v* 1) чуять; 2) нюхать; 3) наполнять благоуханием *или* зловонием; 4) душить (*платок и т. п.*); 5) идти по следу; □ ~ out узнать, разнюхать.

**sceptic** [ˈskeptɪk] *n* скептик.

**sceptical** [ˈskeptɪkəl] *a* скептический.

**scepticism** [ˈskeptɪsɪzəm] *n* скептицизм.

**sceptre** [ˈseptə] *n* скипетр; to wield the ~ править, царствовать.

**schedule** [ˈʃedjuːl, *амер.* ˈskedjuːl] 1. *n* 1) расписание, таблица, график; план; to be behind ~ запаздывать; on ~ точно, вовремя; 2) опись, инвентарь, список, перечень; 3) *тех.* режим;
2. *v* 1) составлять (*или* включать в) расписание; 2) назначать, намечать; планировать; the journey is ~d for five days путешествие рассчитано на пять дней.

**schematic** [skɪˈmætɪk] *a* схематический.

**scheme** [skiːm] 1. *n* 1) план, проект; программа; to lay a ~ составлять план, задумывать, замышлять; 2) схема; 3) система; under the present ~ of society при совре-

мённом устройстве общества; 4) интрига, происки; bubble ~ дутое предприятие;
**2.** *v* 1) планировать, проектировать; 2) замышлять (*что-л. плохое*); интриговать, вести интриги.

**schemer** ['skiːmə] *n* 1) интриган; 2) прожектёр.

**Schiedam** [skiːˈdæm] *n* голландский джин.

**schilling** [ˈʃɪlɪŋ] *нем. n* шиллинг (*денежная единица Австрии*).

**schism** [ˈsɪzəm] *n* схизма, раскол, ересь.

**schismatic** [sɪzˈmætɪk] **1.** *a* раскольнический;
**2.** *n* раскольник, схизматик.

**schist** [ʃɪst] *n* сланец, шифер, аспид.

**schistose, schistous** [ˈʃɪstous, -təs] *a* 1) сланцевый; 2) слоистый.

**schizocarp** [ˈskɪzoukɑːp] *n бот.* распадающийся плод.

**scholar** [ˈskɔlə] *n* 1) учёный; 2) филолог-классик; 3) *разг.* грамотей; I'm not much of a ~ я не очень-то грамотен; 4) *разг.* знаток (*языка*); 5) стипендиат; 6) ученик; 7) *уст., разг.* школьник; школьница.

**scholarly** [ˈskɔləlɪ] *a* учёный; свойственный учёным.

**scholarship** [ˈskɔləʃɪp] *n* 1) учёность, эрудиция; 2) стипендия.

**scholastic** [skəˈlæstɪk] **1.** *a* 1) схоластический; 2) учительский, школьный; a ~ institution учебное заведение; 3) учёный; ~ degree учёная степень;
**2.** *n* схоласт.

**scholasticism** [skəˈlæstɪsɪzəm] *n* схоластика.

**scholia** [ˈskouljə] *pl om* scholium.

**scholiast** [ˈskouliæst] *n* комментатор (*древних авторов*).

**scholium** [ˈskouljəm] *n* (*pl* -lia) комментарий (*древнего грамматика*), схолия.

**school** I [skuːl] *n.* 1. *n* школа; secondary ~, *амер.* high ~ средняя школа; higher ~ высшая школа; elementary ~, primary ~ начальная школа; to go to ~ а) ходить в школу; б) поступить в школу; to go to ~ to smb. учиться у кого-л.; to attend ~ ходить в школу; учиться в школе; to leave ~ кончить учение в школе; 2) класс (*помещение*); 3) занятия в школе; there will be no ~ today сегодня занятий не будет; 4) (the ~)s *pl* средневековые университеты; 5) школа (*в науке, литературе, искусстве*); of the old ~ а) старой школы (*о произведениях искусства и т. п.*); б) старомодный; 6) *собир.* учащиеся одной школы; 7) *attr.* школьный, учебный; ~ house а) квартира учителя; б) пансионат при школе;
**2.** *v* 1) дисциплинировать, обуздывать; приучать; школить; 2) учить(ся) в школе.

**school** II [skuːl] **1.** *n* стая, косяк (*рыб*);
**2.** *v* собираться стаями.

**schoolable** [ˈskuːləbl] *a* подлежащий обязательному школьному обучению.

**school-board** [ˈskuːlbɔːd] *n* местный школьный совет.

**school-book** [ˈskuːlbuk] *n* учебник, учебное пособие.

**schoolboy** [ˈskuːlbɔɪ] *n* 1) школьник; 2) *attr.* школьнический, мальчишеский.

**schoolfellow** [ˈskuːlˌfelou] *n* школьный товарищ, соученик.

**school form** [ˈskuːlfɔːm] *n* парта.

**schoolgirl** [ˈskuːlgəːl] *n* школьница.

**schoolhouse** [ˈskuːlhaus] *n* здание школы.

**schooling** [ˈskuːlɪŋ] **1.** *pres. p. om* school I, 2;
**2.** *n* 1) (школьное) обучение; 2) плата за обучение; 3) выговор.

**school-leaves** [ˈskuːlliːvz] *n pl* оканчивающие школу.

**school-ma'am** [ˈskuːlmɑːm] *n разг.* учительница.

**schoolman** [ˈskuːlmən] *n* 1) схоластик; 2) *амер.* = schoolmaster.

**school-marm** [ˈskuːlmɑːm] =school-ma'am.

**schoolmaster** [ˈskuːlˌmɑːstə] *n* школьный учитель; педагог, руководитель; наставник.

**schoolmasterly** [ˈskuːlˌmɑːstəlɪ] *a* наставнический.

**school-mate** [ˈskuːlmeɪt] *n* школьный товарищ.

**school miss** [ˈskuːlˈmɪs] *n* 1) школьница; 2) застенчивая, наивная девочка.

**schoolmistress** [ˈskuːlˌmɪstrɪs] *n* школьная учительница.

**school pence** [ˈskuːlˈpens] *n* еженедельный взнос за учение в начальной школе.

**schoolroom** [ˈskuːlrum] *n* класс; аудитория; классная комната.

**schools** [skuːlz] *n pl* экзамены на учёную степень.

**school-ship** [ˈskuːlʃɪp] *n мор.* учебное судно.

**school-teacher** [ˈskuːlˌtiːtʃə] *n* школьный учитель, педагог.

**schoolteacherly** [ˈskuːlˈtiːtʃəlɪ] *a* наставнический, учительский.

**school-time** [ˈskuːltaɪm] *n* 1) часы занятий; 2) годы учения, школьные годы.

**schooner** I [ˈskuːnə] *n* 1) шхуна; 2) = prairie-schooner.

**schooner** II [ˈskuːnə] *n разг.* высокий стакан для пива.

**sciagram, sciagraph** [ˈskaɪəgræm, -grɑːf] *n* рентгенограмма.

**sciagraphy** [skaɪˈægrəfɪ] *n* 1) рентгенография; 2) наложение теней (*в рисунке*).

**sciatic** [saɪˈætɪk] *a анат.* седалищный.

**sciatica** [saɪˈætɪkə] *n мед.* невралгия седалищного нерва, ишиас.

**science** [ˈsaɪəns] *n* 1) наука; man of ~ учёный; applied ~ прикладная наука; 2) естественные науки (*тж.* natural ~ *или* ~s, physical ~s); 3) умение, ловкость; 4) *уст.* познания.

**sciential** [saɪˈenʃəl] *a* 1) научный; 2) знающий.

**scientific** [ˌsaɪənˈtɪfɪk] *a* 1) научный; 2) искусный, умелый.

**scientist** [ˈsaɪəntɪst] *n* 1) учёный; Honoured S. заслуженный деятель науки; 2) естествоиспытатель, натуралист.

**scilicet** [ˈsaɪlɪset] *лат. adv* то есть; а именно.

**scimitar** [ˈsɪmɪtə] *n* кривая восточная сабля.

**scintilla** [sɪn'tɪlə] *n* и́скра; крупи́нка; not a ~ of smth. ни ка́пельки чего́-л., ни намёка на что-л.

**scintillate** ['sɪntɪleɪt] *v* 1) сверка́ть; и́скриться; to ~ pleasure (*или* delight) сия́ть от удово́льствия; to ~ anger вспы́хнуть от гне́ва; 2) мерца́ть.

**scintillation** [ˌsɪntɪ'leɪʃən] *n* 1) сверка́ние, вспы́шка; 2) мерца́ние.

**sciolism** ['saɪəlɪzəm] *n* мни́мая учёность; пове́рхностное зна́ние; всезна́йство.

**sciolist** ['saɪəlɪst] *n* дилета́нт; лжеучёный; всезна́йка.

**scion** ['saɪən] *n* 1) побе́г (*растения*); черено́к; 2) о́тпрыск, пото́мок.

**scission** ['sɪʒən] *n* разреза́ние, разделе́ние.

**scissor** ['sɪzə] *v разг.* 1) ре́зать но́жницами (*обыкн.* ~ off, ~ up); выреза́ть но́жницами (*обыкн.* ~ out); 2) *разг.* идти́ бы́стрым, реши́тельным ша́гом.

**scissors** ['sɪzəz] *n pl* 1) но́жницы (*тж.* a pair of ~); ~ and paste компиля́ция; 2) *воен. sl.* стереотруба́.

**Sclav, Sclavonic** [sklɑːv,sklɑː'vɒnɪk]= Slav, Slavonic.

**scleroses** [sklɪə'rousiːz] *pl от* sclerosis.

**sclerosis** [sklɪə'rousɪs] *n* (*pl* -ses) *мед.* склеро́з.

**sclerotic** [sklɪə'rɔtɪk] 1. *a* пло́тный, твёрдый; склероти́ческий;
2. *n анат.* склера.

**scobs** [skɔbz] *n pl* 1) опи́лки, стру́жки; 2) шлак, ока́лина.

**scoff** [skɔf] 1. *n* 1) насме́шка; 2) посме́шище; 3) *sl.* еда́, пи́ща;
2. *v* 1) глуми́ться, насмеха́ться, издева́ться; 2) *sl.* есть жа́дно.

**scoffer** ['skɔfə] *n* 1) насме́шник; 2) безбо́жник.

**scold** [skould] 1. *v* брани́ть(ся), распека́ть;
2. *n* сварли́вая же́нщина.

**scolding** ['skouldɪŋ] 1. *pres. p. от* scold 1;
2. *n* нагоня́й; брань.

**scollop** ['skɔləp] = scallop.

**scon** [skɔn] = scone.

**sconce I** [skɔns] *n* 1) наве́с; шала́ш; бу́дка; 2) убе́жище, прию́т; укры́тие, закры́тие; 3) *воен.* ша́нец, реду́т, форт.

**sconce II** [skɔns] *n* 1) канделя́бр; подсве́чник; 2) *уст.* фона́рь.

**sconce III** [skɔns] *n* 1) шлем; 2) *уст. шутл.* голова́, башка́.

**sconce IV** [skɔns] 1. *n* штраф (*обыкн. кружка пива за наруше́ние пра́вил за столо́м в Оксфордском университете*);
2. *v* штрафова́ть [*см.* 1].

**scone** [skɔn] *n* ячме́нная *или* пшени́чная лепёшка.

**scoop** [skuːp] 1. *n* 1) сово́к, лопа́тка; 2) черпа́к, ковш (*тж. экскаватора*); ло́жка; 3) черпа́ние; with a ~, at one ~ одни́м взма́хом; 4) *хир.* ло́жечка; 5) котлова́н, углубле́ние, впа́дина; 6) *sl.* большо́й куш; больша́я при́быль; 7) *sl.* сенсацио́нная но́вость, опублико́ванная в газе́те до её появле́ния в други́х газе́тах; 8) *тех.* диапазо́н измере́ний (*измерительных приборов*);
2. *v* 1) че́рпать, заче́рпывать; вычёрпывать (*обыкн.* ~ up, ~ out); 2) копа́ть; выка́пывать; 3) выда́лбливать, высве́рливать; 4) *sl.* сорва́ть куш; 5) *sl.* обста́вить (*конкурента*); □ ~ in собира́ть; ~ up собра́ть, подня́ть.

**scoop-net** ['skuːpnet] *n* сачо́к.

**scoop shovel** ['skuːp ˌʃʌvl] *n* экскава́тор; землечерпа́лка.

**scoot** [skuːt] *v sl.* бежа́ть; бро́ситься бежа́ть; удира́ть.

**scooter** ['skuːtə] *n* 1) самока́т (*игрушка*); 2) *спорт.* ску́тер.

**scop** [skɔp] *n* средневеко́вый англи́йский поэ́т; менестре́ль.

**scope I** [skoup] *n* 1) кругозо́р; сфе́ра; разма́х, охва́т; просто́р; a mind of wide ~ широ́кий ум; it is beyond my ~ э́то вне мое́й компете́нции; he has full (*или* free) ~ ему́ предоста́влена по́лная свобо́да де́йствий; ~ of fire *воен.* по́ле обстре́ла; 2) *уст.* цель.

**scope II** [skoup] *n* 1) (*сокр. от* telescope) вся́кий опти́ческий прибо́р; 2) (*сокр. от* periscope) periscope) периско́п.

**scorbute** ['skɔːbjuːt] *n мед. уст.* цинга́, скорбу́т.

**scorbutic** [skɔː'bjuːtɪk] *мед.* 1. *a* цинго́тный;
2. *n* цинго́тный больно́й.

**scorch** [skɔːtʃ] 1. *n* 1) ожо́г; 2) *sl.* бе́шеная езда́; 3) пригора́ние, подгора́ние;
2. *v* 1) опаля́ть(ся), подпа́ливать(ся); обжига́ть; выжига́ть; 2) выгора́ть; коро́биться (от жары́); 3) ре́зко критикова́ть, руга́ть; 4) *sl.* бе́шено нести́сь, «жа́рить».

**scorched** [skɔːtʃt] 1. *p.p. от* scorch 2;
2. *a* спалённый, вы́жженный; ~ earth policy *воен.* страте́гия вы́жженной земли́.

**scorcher** ['skɔːtʃə] *n* 1) жа́ркий день; 2) *разг.* лиха́ч (*об автомобилисте и т. п.*).

**scorching** ['skɔːtʃɪŋ] 1. *pres. p. от* scorch 2;
2. *a* 1) паля́щий; зно́йный; 2) жесто́кий, суро́вый (*о критике*).

**score** [skɔː] *n* 1) зару́бка, боро́здка, ме́тка; черта́; 2) счёт (*особ. отметка на двери в таверне*); 3) счёт очко́в (*в игре*); to keep the ~ вести́ счёт; 4) острота́ на чужо́й счёт; he is given to making ~s он лю́бит остри́ть на чужо́й счёт; 5) уда́ча; what a ~! повезло́!; 6) два деся́тка; three ~ and ten се́мьдесят лет; a ~ or two of instances не́сколько деся́тков приме́ров; 7) *pl* мно́жество; ~s of times мно́го раз; 8) причи́на, основа́ние; on the ~ of по э́той причи́не; on that ~ на э́тот счёт, в э́том отноше́нии; 9) *муз.* партиту́ра; ◇ to go off at full ~, to start off from ~ ри́нуться; с жа́ром начина́ть (что-л.); to make a ~ off one's own bat сде́лать что-л. без по́мощи други́х; to pay off (*или* to wipe off) old ~s свести́ счёты;
2. *v* 1) де́лать зару́бки, отме́тки; отмеча́ть; 2) боро́здить; 3) *перен.* оставля́ть след; 4) засчи́тывать (*тж.* ~ up); вести́ счёт (в *игре*); 5) запомина́ть (*обиду*); 6) выи́грывать; име́ть успе́х, уда́чу; to ~ a point вы́играть очко́; to ~ an advantage (a success) получи́ть преиму́щество (до-

стигнуть успéха); you have ~d вам повезлó; we ~d heavily by it э́то нам бы́ло о́чень на́ руку; 7) *амер.* брани́ть; 8) *муз.* оркестрова́ть; ☐ ~ off *разг.* одержа́ть верх; ~ out вычёркивать; ~ under подчёркивать.

**scorer** ['skɔːrə] *n* счётчик (*в играх*), маркёр.

**scoria** ['skɔːrɪə] *n* (*pl* -ae) 1) шлак, ока́лина; 2) *pl* шла́ковые обло́мки вулкани́ческого происхожде́ния.

**scoriae** ['skɔːrɪiː] *pl* *om* scoria.

**scorify** ['skɔːrɪfaɪ] *v* *тех.* шлакова́ть.

**scorn** [skɔːn] 1. *n* 1) презре́ние; to think ~ of *уст.* презира́ть; 2) насме́шка; 3) объе́кт презре́ния;
2. *v* презира́ть; to ~ lying не унижа́ться до лжи.

**scornful** ['skɔːnful] *a* презри́тельный; насме́шливый.

**Scorpio** ['skɔːpɪou] = scorpion 2).

**scorpion** ['skɔːpjən] *n* 1) скорпио́н; to chastise with ~s бичева́ть; 2) (S.) Скорпио́н (*созвездие и знак зодиака*).

**Scot** [skɔt] *n* 1) шотла́ндец; 2) *ист.* скотт.

**scot** [skɔt] *n* *ист.* нало́г, по́дать; to pay ~ and lot плати́ть городски́е нало́ги; *перен.* нести́ о́бщее бре́мя.

**Scotch** [skɔtʃ] 1. *a* шотла́ндский; ~ broth перло́вый суп; ~ fir сосна́ лесна́я (*или* обыкнове́нная); ~ kale краснокоча́нная капу́ста;
2. *n* 1) (the ~) *pl* *собир.* шотла́ндцы; 2) шотла́ндский диале́кт; 3) *разг.* шотла́ндское ви́ски; a ~ and soda ви́ски с со́довой (водо́й).

**scotch** [skɔtʃ] 1. *n* 1) надре́з; 2) черта́ (*на земле*); 3) чу́рка, клин (*как тормоз под колесо и т. п.*);
2. *v* 1) ра́нить; кале́чить; to ~ a snake обезвре́дить змею́; 2) подави́ть; I don't ~ my mind я говорю́ пря́мо, без обиняко́в; 3) тормози́ть; 4) *уст.* надреза́ть.

**Scotchman** ['skɔtʃmən] *n* шотла́ндец; ◊ flying ~ экспре́сс Ло́ндон-Эдинбург.

**Scotchwoman** ['skɔtʃ,wumən] *n* шотла́ндка.

**scoter** ['skoutə] *n* *зоол.* синьга́ америка́нская (*или* тихоокеа́нская).

**scot-free** ['skɔt'friː] 1. *a* 1) невреди́мый; 2) ненака́занный;
2. *adv* безнака́занно.

**Scoticè** ['skɔtɪsiː] *adv* на шотла́ндском диале́кте.

**Scotland Yard** ['skɔtlənd'jɑːd] *n* Ско́тленд-Ярд (*центр английской полиции и сыскное отделение*).

**Scots** [skɔts] 1. *n* шотла́ндский диале́кт; 2. *a* шотла́ндский.

**Scotsman** ['skɔtsmən] = Scotchman.

**Scotswoman** ['skɔts,wumən] = Scotchwoman.

**Scotticè** ['skɔtɪsiː] = Scoticè.

**Scotticism** ['skɔtɪsɪzəm] *n* шотла́ндское сло́во, выраже́ние.

**Scotticize** ['skɔtɪsaɪz] *v* 1) привива́ть шотла́ндские обы́чаи *или* шотла́ндское наре́чие; 2) подража́ть шотла́ндцам.

**Scottish** ['skɔtɪʃ] *a* шотла́ндский; ~ dialect шотла́ндский диале́кт.

**scoundrel** ['skaundrəl] *n* негодя́й, подле́ц.

**scoundrelly** ['skaundrəlɪ] *a* по́длый.

**scour** I ['skauə] 1. *n* 1) чи́стка, мытьё; 2) эрози́вное де́йствие; 3) промо́ина; 4) вещество́ для мытья́ тка́ни; 5) поно́с (*у скота*);
2. *v* 1) чи́стить, прочища́ть; отчища́ть, оттира́ть; 2) мыть; смыва́ть; 3) мездри́ть (*кожу*).

**scour** II ['skauə] *v* ры́скать (*тж.* ~ about); to ~ the woods ры́скать по́ лесу.

**scourer** ['skauərə] *n* 1) мездри́льщик (*в кожевенной промышленности*); 2) металли́ческая моча́лка для чи́стки ку́хонной посу́ды.

**scourge** [skəːdʒ] 1. *n* 1) *уст.* плеть; 2) бич, бе́дствие; ка́ра, наказа́ние;
2. *v* 1) *уст.* бичева́ть; 2) кара́ть, нака́зывать.

**scout** I [skaut] 1. *n* 1) разве́дчик (*тж. о самолёте и корабле*); 2) бойска́ут; 3): on the ~ в разве́дке; 4) служи́тель (*в Оксфордском университете*); 5) *амер.* *sl.* па́рень, ма́лый;
2. *v* производи́ть разве́дку; ☐ ~ about, ~ round ры́скать в по́исках (*чего-л.*).

**scout** II [skaut] *v* отверга́ть (*что-л.*), пренебрега́ть (*чем-л.*).

**scout** III [skaut] *n* *зоол.* чи́стик, ту́пик, ка́йра.

**scoutmaster** ['skaut,mɑːstə] *n* нача́льник отря́да бойска́утов.

**scow** [skau] *n* шала́нда.

**scowl** [skaul] 1. *n* хму́рый вид; серди́тый взгляд;
2. *v* хму́риться, смотре́ть серди́то (at, on).

**scrab** [skræb] *v* цара́пать.

**scrabble** ['skræbl] 1. *n* кара́кули;
2. *v* 1) цара́пать; писа́ть кара́кулями; 2) ры́ться (*обыкн.* ~ about); 3) кара́бкаться; 4) сгреба́ть.

**scrag** [skræg] 1. *n* 1) живо́й скеле́т, коще́й; то́щее живо́тное; хи́лое расте́ние; 2) бара́нья ше́я; 3) *sl.* ше́я;
2. *v* 1) *спорт.* зажима́ть ше́ю (*противника*) под мы́шкой; 2) *sl.* вздёрнуть на ви́селице; задуши́ть; сверну́ть ше́ю.

**scraggy** ['skrægɪ] *a* то́щий.

**scram** [skræm] *int* *амер.* *разг.* уходи́(те)!, убира́йся!

**scramble** ['skræmbl] 1. *n* 1) сва́лка, дра́ка, борьба́ (*за захват чего-л.*); 2) кара́бканье;
2. *v* 1) кара́бкаться; продира́ться, проти́скиваться; 2) ползти́; цепля́ться (*о растениях*); 3) дра́ться, боро́ться за захва́т (for — *чего-л.*); 4) швыря́ть в толпу́ (*монеты*); 5) сгреба́ть; 6) де́лать яи́чницу-болту́нью.

**scrambled eggs** ['skræmbld'egz] *n* *pl* яи́чница-болту́нья.

**scran** [skræn] *n* *sl.* еда́, пи́ща; объе́дки; ◊ bad ~ to you! *ирл.* ≅ чтоб тебе́ пу́сто бы́ло!

**scranch** [skræntʃ] *v* грызть, хрусте́ть.

**scrannel** ['skrænl] *a* *уст.* 1) то́щий; жа́лкий; 2) скрипу́чий.

**scranny** ['skrænɪ] = scrawny.

**scrap** I [skræp] 1. *n* 1) клочо́к, кусо́чек, лоскуто́к; 2) *pl* оста́тки, объе́дки; 3) вырезка из газе́ты; 4) *собир.* металли́ческий лом, скрап; 5) (*тж. pl*) ры́бные отжи́мки; 2. *v* 1) отдава́ть на слом; превраща́ть в лом; 2) выбра́сывать.

**scrap** II [skræp] *sl.* 1. *n* дра́ка; сты́чка; ссо́ра;
2. *v* дра́ться.

**scrap-book** ['skræpbuk] *n* альбо́м газе́тных вы́резок.

**scrape** [skreɪp] 1. *n* 1) скобле́ние *и пр.* [*см.* 2]; 2) цара́пина; 3) скрип; 4) ша́рканье; 5) затрудне́ние, беда́; to get into a ~ попа́сть в переде́лку;
2. *v* 1) скобли́ть, скрести́ (сь); to ~ one's chin бри́ться; to ~ one's boots счища́ть грязь с подо́шв о желе́зную ско́бу у вхо́да; to ~ one's plate вы́скрести свою́ таре́лку; 2) задева́ть (against, along); 3) ша́ркать; 4) пили́кать (*на скри́пке*); 5) эконо́мить, ска́редничать; 6) брести́ с трудо́м; to ~ home с трудо́м добра́ться домо́й; 7) *тех.* ша́брить, пришабри́вать; обтёсывать; □ ~ away, ~ down отчища́ть, отска́бливать; ~ through a) с трудо́м пробра́ться; б) е́ле вы́держать (*экза́мен*); ~ together, ~ up наскрести́; накопи́ть по мелоча́м; ◇ to ~ acquaintance with smb. навя́зываться в знако́мые к кому́-л.; to bow and ~ раболе́пствовать.

**scrape-penny** ['skreɪp,penɪ] *n* скря́га.

**scraper** ['skreɪpə] *n* 1) желе́зная ско́ба у вхо́да для счища́ния гря́зи с подо́шв о́буви; 2) скря́га; 3) *тех.* скребо́к, ша́бер, ско́бель; 4) ки́рка, моты́га; 5) *тех.* скре́пер, волоку́ша; 6) *attr.* скребко́вый; ~ conveyance *горн.* скребко́вый транспортёр.

**scrap-heap** ['skræphiːp] *n* сва́лка, помо́йка; to throw on the ~ вы́кинуть за нена́добностью; ◇ ~ policy отбра́сывание испо́льзованного, устаре́лого.

**scrap-iron** ['skræp,aɪən]=scrap I, 1, 4).

**scrapman** ['skræpmən] *n* 1) ску́пщик металли́ческого ло́ма; 2) старьёвщик.

**scrap-metal** ['skræp,metl] = scrap I, 1, 4).

**scrapple** ['skræpl] *n* *амер.* ку́шанье из свини́ны с кукуру́зной крупо́й и коре́ньями.

**scrappy** ['skræpɪ] *a* 1) отры́вочный, бессвя́зный; 2) состоя́щий из оста́тков.

**Scratch** [skrætʃ] *n:* Old ~ дья́вол.

**scratch** [skrætʃ] 1. *n* 1) цара́пина; to get off with a ~ отде́латься цара́пиной; легко́ отде́латься; 2) ро́счерк; поме́тка; a ~ of the pen ро́счерк пера́; 3) почёсывание, расчёсывание; 4) скрип, цара́панье; 5) *спорт.* черта́, отмеча́ющая старт; to come (up) to the ~ а) подойти́ к черте́, отмеча́ющей старт; б) встре́тить проти́вника во всеору́жии; в) приня́ть определённое реше́ние, де́йствовать реши́тельно; to toe the ~ а) встать на черту́, отмеча́ющую старт; б) стро́го приде́рживаться пра́вил; подчиня́ться тре́бованиям; to start from ~ а) не име́ть преиму́щества; б) нача́ть с нача́ла; 6) *спорт.* уча́стник состяза́ния, не получа́ющий преиму́щества (*тж.* ~ man); 7) *pl вет.* мокре́ц (*у ло́шади*); 8) наре́зка, ме́тка; 9) я́сли, решётка для се́на; 10) уда́чно сы́гранный шар (*на билья́рде*); *перен.* счастли́вая случа́йность; 11) = scratch-

-wig; ◇ no great ~ не о́чень хоро́шая вещь; та́к себе, ничего́ осо́бенного; up to the ~ на до́лжной высоте́; в хоро́шем ви́де;
2. *a* 1) случа́йный; 2) разношёрстный, сбо́рный; ~ crew (*или* team, pack) *разг.* случа́йно *или* на́спех подо́бранная спорти́вная кома́нда; 3) импровизи́рованный; ~ dinner обе́д, пригото́вленный из проду́ктов, име́вшихся под руко́й;
3. *v* 1) цара́пать (ся), скрести́ (сь); расца́рапать (ся); to ~ the surface of smth. а) не проника́ть глу́бже пове́рхности чего́-л.; б) относи́ться пове́рхностно к чему́-л.; 2) нацара́пать (*письмо́, рису́нок*); 3) чеса́ть (ся); to ~ one's head почеса́ть заты́лок (*тж. перен.*); 4) рыть когтя́ми; 5) скрипе́ть (*о пере́*); 6) чи́ркать; 7) вычёркивать (*из спи́ска уча́стников, кандида́тов; тж.* ~ off, ~ out, ~ through); 8) отка́зываться (*от чего́-л.*); броса́ть; □ ~ along *sl.* перебива́ться; ~ out вычёркивать; ~ together, ~ up наскрести́, накопи́ть; ◇ ~ my back and I will ~ yours ≅ услу́га за услу́гу.

**scratch-cat** ['skrætʃkæt] *n* злю́ка, меге́ра.

**scratch-race** ['skrætʃreɪs] *n* состяза́ние без гандика́па.

**scratch-wig** ['skrætʃwɪg] *n* накла́дка из воло́с.

**scratch-work** ['skrætʃwɜːk] *n иск.* сграффи́то.

**scratchy** ['skrætʃɪ] *a* 1) гру́бый, неиску́сный (*о рису́нке*); 2) скрипу́чий, цара́пающий (*о пере́*); 3) шерша́вый (*о тка́ни*); 4) разношёрстный, пло́хо подо́бранный.

**scrawl** [skrɔːl] 1. *n* кара́кули; небре́жная запи́ска;
2. *v* писа́ть кара́кулями.

**scrawny** ['skrɔːnɪ] *a амер.* костля́вый, сухопа́рый.

**scray** [skreɪ] *n зоол.* кра́чка речна́я (*или* обыкнове́нная).

**screak** [skriːk] 1. *n* пронзи́тельный скрип;
2. *v* визжа́ть, пронзи́тельно скрипе́ть.

**scream** [skriːm] 1. *n* 1) вопль, визг; ~s of laughter неудержи́мый хо́хот; 2) *sl.* умо́ра; 3) *амер. разг.* пре́лесть, эффе́ктная, краси́вая вещь;
2. *v* пронзи́тельно крича́ть, вопи́ть; реве́ть (*о свисте́, сире́не*); to ~ with laughter неудержи́мо хохота́ть.

**screamer** ['skriːmə] *n* 1) тот, кто кричи́т, крику́н; 2) *sl.* превосхо́дный экземпля́р; 3) *разг.* кни́га, кинофи́льм *и т. п.,* производя́щие си́льное впечатле́ние *или* вызыва́ющие смех; 4) *амер.* сенсацио́нный заголо́вок; 5) *спорт.* великоле́пный уда́р, бросо́к, прыжо́к *и т. п.;* 6) *полигр. sl.* восклица́тельный знак.

**screaming** ['skriːmɪŋ] 1. *pres. p. от* scream 2;
2. *a* 1) крича́щий; 2) умори́тельный; ~ fun, ~ farce умори́тельный фарс.

**screamy** ['skriːmɪ] *a* 1) крикли́вый, истери́чный; 2) крича́щий (*о кра́сках*).

**scree** [skriː] *n* камени́стая о́сыпь; ще́бень.

**screech** [skriːtʃ] 1. *n* 1) крик; 2) скрип;
2. *v* пронзи́тельно *или* злове́ще крича́ть.

**screech-owl** ['skriːtʃaul] *n* 1) *зоол.* сипу́ха; 2) что-л., предска́зывающее несча́стье.

**screechy** ['skriːtʃɪ] *a* рéзкий, пронзйтель-ный, скрипýчий.

**screed** [skriːd] *n* 1) длйнная скýчная речь, разглагóльствование; 2) *стр.* маýк (*при штукатурных работах*); 3) разрáв-ниватель (*в дорожном деле*).

**screen** [skriːn] 1. *n* 1) шйрма; экрáн; щит; доскá (*для объявлений*); 2) *кино*, *эл.*, *радио* экрáн; 3) (the ~) кинó; 4) перего-рóдка; 5) плетéнь; 6) прикрýтие, заслóн, завéса; under (the) ~ of night под покрó-вом нóчи; to put on a ~ of indifference принýть нарочйто безразлйчный вид; 7) сéтка от насекóмых; 8) рýхот, сйто, решетó; 9) корóткий коридóр, тáмбур; 10) *attr.*: ~ time врéмя демонстрáции фйльма.
2. *v* 1) прикрывáть, укрывáть, защищáть; 2) просéивать, сортировáть, грохотйть; 3) производйть провéрку полити́ческой благонадёжности; 4) *воен.* проводйть отбóр новобрáнцев; 5) производйть киносъёмку; 6) демонстрйровать на экрáне; 7) *радио* экранйровать; 8) *горн.* обогащáть рудý.

**screening** ['skriːnɪŋ] 1. *pres. p. от* screen 2;
2. *n* 1) *pl* высевки; просéивание; 3) отсéв, отбóр; 4) провéрка полити́ческой благонадёжности; 5) экранизáция; 6) *горн.* обогащéние рудý.

**screenplay** ['skriːnpleɪ] *n* сценáрий.

**screenwriter** ['skriːn,raɪtə] *n* сценарйст.

**screw** [skruː] 1. *n* 1) винт (*тж.* male ~, exterior ~); болт, шурýп; female (*или* interior) ~ гáйка; to turn (*или* to apply) the ~, to put the ~(s) on ≅ завернýть, подкрутйть гáйку; *перен.* оказáть давлéние, нажáть; 2) *тех.* шнек, червýк; 3) = thumb-screw; 4) *ав.* (воздýшный) винт; *мор.* (греб-нóй) винт; 5) поворóт винтá; to give a nut a (good) ~ покрéпче завернýть гáйку; 6) небольшóй свёрток, бумáжный пакéт, «фýнтик»; a ~ of tobacco пáчка табакý; 7) скрýга; 8) *sl.* клýча; 9) *разг.* гонорáр; жáлованье; 10) *амер.* *sl.* придйрчивый экзаменáтор; 11) *attr.* винтовóй; ◇ he has a ~ loose у негó вйнтика не хватáет; to have a ~ loose on smth. *разг.* помешáться на чём-л.; there is a ~ loose somewhere чтó-то не в порýдке;
2. *v* 1) привйнчивать, завйнчивать, скреп-лýть винтáми; навйнчивать; to ~ the lid on the jar завинтйть крýшку бáнки; 2) нарезáть резьбý; 3) выжимáть; to ~ water out of a sponge выжать гýбку; 4) нажимáть; притеснýть; 5) скрýжничать; 6) крутйть(ся), вертéть(ся); to ~ smb.'s arm выкрýчивать комý-л. рýку; □ ~ out вымогáть (*деньги*, *согласие*; of — *у кого-л.*); ~ up a) завйн-чивать; подвйнчивать (*болт, гáйку и т. п.*); навйнчивать (*крышку и т. п.*); б) подтý-гивать, укреплýть; to ~ up one's courage подбодрйться, набрáться хрáбрости; to ~ oneself up to do smth. застáвить себý сдé-лать что-л.; в) мóрщить (*лицо*); поджимáть (*губы*); to ~ up one's eyes прищýриться; ◇ his head is ~ed on the right way он не дурáк.

**screw-ball** ['skruːbɔːl] 1. *n* 1) сумасбрóд-ство; 2) сумасбрóд.
2. *a* сумасбрóдный, эксцентрйчный.

**screw-bolt** ['skruːboult] *n* нормáльный болт.

**screw coupling** ['skruː,kʌplɪŋ] *n* *тех.* винтовáя мýфта, винтовáя стýжка.

**screw-cutter** ['skruː,kʌtə] *n* 1) = screw-die; 2) винторéзный станóк.

**screw-die** ['skruːdaɪ] *n* *тех.* винторéзная головка, клупп.

**screw-down** ['skruːdaun] *a* с завйнчиваю-щейся крýшкой (*о сосуде, отверстии и т. п.*).

**screwdriver** ['skruː,draɪvə] *n* отвёртка.

**screwed** [skruːd] 1. *p. p. от* screw 2;
2. *a* *sl.* пьýный; подвýпивший.

**screw-jack** ['skruːdʒæk] *n* винтовóй дом-крáт.

**screw-nail** ['skruːneɪl] *n* шурýп для дéрева.

**screw-nut** ['skruːnʌt] *n* гáйка.

**screw-plate** ['skruːpleɪt] *n* винтовáльная доскá.

**screw press** ['skruːpres] *n* *тех.* винтовóй пресс (*напр., переплётный*).

**screw-propeller** ['skruːprə,pelə] *n* греб-нóй винт.

**screw steamer** ['skruː,stiːmə] *n* винтовóй парохóд.

**screw-tap** ['skruːtæp] *n* *тех.* мéтчик.

**screw-thread** ['skruːθred] *n* *тех.* резьбá, винтовáя нарéзка.

**screw valve** ['skruːvælv] *n* *тех.* винтовóй клáпан.

**screw-wheel** ['skruːwiːl] *n* червýчное колесó.

**screw-wrench** ['skruːrentʃ] *n* *тех.* раздвиж-нóй гáечный ключ.

**screwy** ['skruːɪ] *a* 1) скрýченный; 2) ску-пóй; 3) никчёмный; 4) *sl.* пьýный.

**scribal** ['skraɪbəl] *a* относýщийся к пере-пйсчику, сдéланный перепйсчиком.

**scribble I** ['skrɪbl] 1. *n* карáкули; мазнý;
2. *v* 1) писáть карáкулями, небрéжно; 2) быть писáкой.

**scribble II** ['skrɪbl] *v текст.* грýбо чесáть.

**scribbler I** ['skrɪblə] *n* писáка, бумáго-марáтель.

**scribbler II** ['skrɪblə] *n текст.* пéрвая чесáльная машйна, полукáрда.

**scribe** [skraɪb] 1. *n* 1) писéц; перепйсчик; 2) грамотéй; I am no great ~ я не мáстер писáть; 3) *библ.* кнйжник; 4) *шутл.* писá-тель;
2. *v геом.* впйсывать; опйсывать.

**scrim** [skrɪm] *n* 1) *текст.* грýбый холст; 2) маскирóвочная сéтка.

**scrimmage** ['skrɪmɪdʒ] 1. *n* 1) дрáка, свáлка; ссóра; 2) *спорт.* свáлка вокрýг мячá (*в регби*);
2. *v* 1) учáствовать в схвáтке; 2) *спорт.* сгрудйться вокрýг мячá.

**scrimp** [skrɪmp] 1. *n амер. разг.* скрýга;
2. *v* 1) скупйться (*на что-л.*); урéзывать; 2) укорáчивать.

**scrimpy** ['skrɪmpɪ] *a* 1) скýдный; 2) ску-пóй.

**scrimshank** ['skrɪmʃæŋk] *v sl.* уклонýться от обýзанностей.

**scrimshaw** ['skrɪmʃɔː] 1. *n* резьбá на рá-ковинах, слонóвой кóсти и т. п.;
2. *v* вырезáть на рáковинах, слонóвой кóсти и т. п.

**scrip** I [skrɪp] *n уст.* сумá.

**scrip** II [skrɪp] *n фин.* 1) квитáнция о подпи́ске на áкции; 2) *ист.* бумáжная разме́нная моне́та (*в США*); 3) бумáжные де́ньги, выпускáемые оккупаци́онными властя́ми.

**script** [skrɪpt] 1. *n* 1) по́черк; рукопи́сный шрифт; 2) *юр.* по́длинник (*докуме́нта*); 3) пи́сьменная рабóта экзамену́ющегося; 4) *кино* сцена́рий; 5) *радио* текст ле́кции *или* бесе́ды для переда́чи по ра́дио; 2. *v* написа́ть сцена́рий (*тж. по литерату́рному произведе́нию*).

**scripter** ['skrɪptə] *n* 1) сцена́рист; 2) áвтор бесе́ды *или* ле́кции по ра́дио.

**scriptoria** [skrɪp'tɔːrɪə] *pl от* scriptorium.

**scriptorium** [skrɪp'tɔːrɪəm] *n* (*pl* -s [-z], -ria) помеще́ние для перепи́ски ру́кописей (*в средневеко́вых монастыря́х*).

**scriptural** ['skrɪptʃərəl] *a* библе́йский.

**scripture** ['skrɪptʃə] *n* 1) свяще́нное писа́ние; би́блия; Mohammedan ~s кора́н; 2) *уст.* цита́та из би́блии; 3) *уст.* на́дпись; 4) *attr.* библе́йский.

**scriptwriter** ['skrɪpt,raɪtə] = scripter.

**scrivener** ['skrɪvnə] *n уст.* 1) писе́ц; нота́риус; 2) ростовщи́к; ◇ ~'s palsy *мед.* пи́счая су́дорога.

**scrofula** ['skrɔfjulə] *n мед.* золоту́ха.

**scrofulous** ['skrɔfjuləs] *a мед.* золоту́шный.

**scroll** [skroul] 1. *n* 1) сви́ток (*перга́мента, бума́ги*); 2) *поэт.* спи́сок; 3) черновóй набрóсок; 4) инвента́рь, пе́речень; 5) изображе́ние ле́нты с на́дписью; 6) *архит.* завитóк, волю́та; 7) спира́ль; 8) *тех.* плóская резьба́; 2. *v* украша́ть завитка́ми.

**scroll-sawing** ['skroul,sɔːɪŋ] *n амер.* резнóе украше́ние.

**scroll-work** ['skroulwəːk] *n архит.* орна́мент в ви́де завиткóв.

**scroop** [skruːp] 1. *n* скрип; 2. *v* скрипе́ть.

**scrota** ['skroutə] *pl от* scrotum.

**scrotum** ['skroutəm] *n* (*pl* -ta) *анат.* мошóнка.

**scrounge** [skraundʒ] *v sl.* 1) ворова́ть; 2) попрошáйничать; 3) жить на чужóй счёт.

**scrub** I [skrʌb] 1. *n* 1) куста́рник, пóросль; 2) малорóслое существó; 3) ничтóжный челове́к; 4) *амер.* мла́дшая футбóльная *или* бейсбóльная кома́нда колле́джа; 5) *амер.* игрóк кома́нды [*см.* 4)]; 2. *a амер.* = scrubby 1.

**scrub** II [skrʌb] 1. *n* 1) чи́стка щёткой; 2) жёсткая щётка; 3) исполня́ющий тяжёлую рабóту; 2. *v* 1) тере́ть, скрести́, чи́стить, мыть щёткой; 2) *тех.* промыва́ть газ; 3) *амер.* жить скáредно; эконóмить.

**scrubber** ['skrʌbə] *n тех.* 1) газопромыва́тель; 2) скребóк.

**scrubbing-brush** ['skrʌbɪŋbrʌʃ] *n* жёсткая щётка.

**scrub-brush** ['skrʌbbrʌʃ] *амер.* = scrubbing-brush.

**scrubby** ['skrʌbɪ] *a* 1) низкорóслый; 2) ничтóжный, захуда́лый; 3) порóсший куста́рником.

**scrub-team** ['skrʌbtiːm] = scrub 1, 1, 4).

**scrub-up** ['skrʌb'ʌp] *n* основа́тельная чи́стка.

**scrubwoman** ['skrʌb,wumən] *n амер.* подёнщица для рабóты по дóму; убóрщица.

**scruff** I [skrʌf] *n* ши́ворот; to take by the ~ of the neck взять за ши́ворот.

**scruff** II [skrʌf] = scurf.

**scruffy** ['skrʌfɪ] = scurfy.

**scrum** [skrʌm] = scrummage 1.

**scrummage** ['skrʌmɪdʒ] = scrimmage.

**scrummy** ['skrʌmɪ] *a sl.* великоле́пный, превосхóдный.

**scrumptious** ['skrʌmpʃəs] *a sl.* великоле́пный, восхити́тельный.

**scrunch** [skrʌntʃ] = crunch.

**scruple** ['skruːpl] 1. *n* 1) скру́пул (*ме́ра ве́са = 20 гра́нам*); 2) *уст.* крупи́ца; 3) сомне́ния, колеба́ния; щепети́льность; угрызе́ния сóвести; to make no ~ to do smth. де́лать что-л. без колеба́ний; не постесня́ться сде́лать что-л.; without ~ без стесне́ния; to have ~s стесня́ться, сóвеститься, не реша́ться (*на что-л.*); a man of no ~s челове́к, не разбóрчивый в сре́дствах; недобросóвестный челове́к; 2. *v* стесня́ться, сóвеститься, не реша́ться (*на что-л.*).

**scrupulosity** [,skruːpju'lɔsɪtɪ] *n* 1) щепети́льность; 2) добросóвестность.

**scrupulous** ['skruːpjuləs] *a* 1) щепети́льный; 2) добросóвестный; сóвестливый; 3) тща́тельный, скрупулёзный.

**scrutator** [skruː'teɪtə] = scrutineer.

**scrutineer** [,skruːtɪ'nɪə] *n* 1) внима́тельный и добросóвестный иссле́дователь; 2) пове́рщик вы́боров; 3) инспе́ктор (*при междунарóдной организа́ции*); наблюда́тель за выполне́нием пра́вил.

**scrutinize** ['skruːtɪnaɪz] *v* 1) рассма́тривать; 2) тща́тельно иссле́довать.

**scrutiny** ['skruːtɪnɪ] *n* 1) испыту́ющий взгляд; 2) внима́тельный осмóтр; иссле́дование; 3) прове́рка пра́вильности вы́боров.

**scry** [skraɪ] *v* смотре́ть в маги́ческий криста́лл, гада́ть по стеклу́.

**scud** [skʌd] 1. *n* 1) стреми́тельный бег; 2) *школ.* быстронóгий бегу́н; 3) гони́мые ве́тром облака́; 4) *стр.* прослóек у́гля *или* гли́ны; 5) удале́ние волóс, жи́ра *и т. п.* с намóченных шкур; 2. *v* 1) нести́сь, скользи́ть, лете́ть; 2) *мор.* идти́ под ве́тром.

**scuff** [skʌf] *v* 1) идти́, волоча́ нóги; 2) *амер.* истере́ть(ся) (*от нóски, употребле́ния*).

**scuffle** ['skʌfl] 1. *n* дра́ка; 2. *v* дра́ться.

**scull** I [skʌl] 1. *n* 1) па́рное веслó; 2) кормовóе веслó; 2. *v* 1) грести́ па́рными вёслами; 2) гала́нить, юли́ть (*веслóм*).

**scull** II [skʌl] *n шотл.* большáя плóская корзи́на для прови́зии.

**sculler** ['skʌlə] *n спорт.* 1) гребе́ц; 2) ма́ленькая двухвесе́льная лóдка.

**scullery** ['skʌlərɪ] *n* 1) помеще́ние при ку́хне для мытья́ посу́ды; 2) *уст.* буфе́тная.

**scullion** ['skʌljən] *n уст.* 1) поварёнок; 2) судомóйка.

**sculp** [skʌlp] *v разг.* ваять.

**sculptor** ['skʌlptə] *n* скульптор, ваятель.

**sculptress** ['skʌlptrɪs] *n* женщина-скульптор.

**sculptural** ['skʌlptʃərəl] *a* скульптурный.

**sculpture** ['skʌlptʃə] **1.** *n* 1) скульптура, ваяние; 2) скульптура, изваяние; **2.** *v* 1) ваять, высекать, лепить; 2) украшать скульптурной работой; 3) выветривать; размывать.

**sculpturesque** [,skʌlptʃə'resk] *a* похожий на изваяние, скульптурный.

**scum** [skʌm] **1.** *n* 1) пена; накипь; 2) подонки (*общества*); 3) мерзавец; 4) *метал.* окалина;
**2.** *v* 1) снимать пену; 2) пениться.

**scumble** ['skʌmbl] *v жив.* слегка покрывать краской, лессировать.

**scummy** ['skʌmɪ] *a* пенистый.

**scunner** ['skʌnə] *сев.* **1.** *n* 1) отвращение; to take a ~ испытывать отвращение (at, against); 2) предмет, внушающий отвращение;
**2.** *v* испытывать отвращение, тошноту.

**scupper** ['skʌpə] **1.** *n мор.* шпигат;
**2.** *v воен. sl.* 1) напасть врасплох и перебить; 2) вывести из строя; 3) потопить (*судно и команду*).

**scurf** [skəːf] *n* 1) перхоть; 2) налёт, отложения; 3) инкрустация на металле; 4) *sl.* опустившийся, неопрятный человек.

**scurfy** ['skəːfɪ] *a* 1) покрытый перхотью; 2) пыльный (*об улице и т. п.*).

**scurrility** [skʌ'rɪlɪtɪ] *n* грубое шутовство; непристойность.

**scurrilous** ['skʌrɪləs] *a* грубый, непристойный.

**scurry** ['skʌrɪ] **1.** *n* 1) быстрое стремительное движение; 2) беготня; суетня; 3) что-л., быстро несущееся по воздуху; неожиданный ливень *или* снегопад с сильным ветром;
**2.** *v* 1) быстро бегать, сновать; суетиться; 2) спешить; делать кое-как, наспех.

**scurvied** ['skəːvɪd] *a* цинготный.

**scurvy** ['skəːvɪ] **1.** *n* 1) *мед.* цинга; 2) низкий, гнусный человек;
**2.** *a* низкий, подлый.

**scut** [skʌt] *n* короткий хвост (*особ. зайца, кролика, оленя*).

**scuta** ['skjuːtə] *pl от* scutum.

**scutate** ['skjuːteɪt] *a бот.* щитовидный.

**scutch** [skʌtʃ] **1.** *n* 1) трепало; 2) молоток каменщика;
**2.** *v* трепать, мять (*лён, коноплю и т. п.*).

**scutcheon** ['skʌtʃən] *n* 1) щит герба; 2) дощечка с фамилией.

**scutcher** ['skʌtʃə] *n* трепало, трепальная машина; льномялка.

**scute** [skjuːt] = scutum.

**scutter** ['skʌtə] *v* удирать.

**scuttle** I ['skʌtl] *n* ведёрко угля (*тж.* как мера).

**scuttle** II ['skʌtl] **1.** *n* 1) люк; 2) *мор.* порт (*отверстие в борту*);
**2.** *v* пробивать борт судна; затопить судно, пробив борт.

**scuttle** III ['skʌtl] **1.** *n* 1) торопливая походка; 2) стремительное бегство;

**2.** *v* 1) поспешно удирать; бежать от опасности, трудностей; 2) спешить, суетиться.

**scuttle-butt** ['skʌtlbʌt] *n* 1) *мор.* бачок с питьевой водой; 2) *амер. sl.* сплетня.

**scutum** ['skjuːtəm] *лат. n* (*pl* -ta) 1) щит; 2) *зоол.* щиток; 3) *анат.* коленная чашка.

**scythe** [saɪð] *с.-х.* **1.** *n* коса;
**2.** *v* косить.

**scytheman** ['saɪðmən] *n* косец.

**Scythian** ['sɪðɪən] **1.** *a* скифский;
**2.** *n* 1) скиф; 2) язык скифов.

**sea** [siː] *n* 1) море; at ~ в море; beyond (*или* over) the sea(s) за морем; за море; by ~ морем; by the ~ у моря; to go to ~ стать моряком; to follow the ~ быть моряком; the (high) ~s море за пределами территориальных вод; открытое море; on the ~ a) в море; б) на морском берегу; to put (*или* to stand) out to ~ пускаться в плавание; to take the ~ выйти в море; closed ~ внутреннее море; free ~ море, свободное для прохода кораблей всех стран; the four ~s четыре моря, окружающие Великобританию; the seven ~s северная и южная части Атлантического океана, северная и южная части Тихого океана, Северный Ледовитый океан, моря Антарктики и Индийский океан; 2) волнение (*на море*); волна; a high (*или* heavy, rolling) ~ сильное волнение (*на море*); a short ~ бурное море с короткими волнами; a ~ struck us нас захлестнула волна; 3) *уст.* прилив; at full ~ в прилив; 4) огромное количество (*чего-л.*); a ~ of troubles бесчисленные беды; a ~ of flame море огня; ~s of blood море крови; 5) *attr.* морской; приморский; ~ air морской воздух; ◇ when the ~ gives up its dead когда море вернёт всех погибших в нём (*т. е.* никогда); half ~s over под хмельком; there's as good fish in the ~ as ever came out of it не следует отчаиваться недостатка (*чего-л.*), всего предостаточно; ≈ хоть пруд пруди; to be all at ~ не знать, что делать, недоумевать.

**sea-anchor** ['siː,æŋkə] *n* плавучий якорь.

**sea-ape** ['siːeɪp] *n* калан, морская выдра.

**sea-bank** ['siːbæŋk] *n* 1) берег моря; 2) дамба.

**sea-bathing** ['siː,beɪðɪŋ] *n* морские купания.

**sea bear** ['siː'bɛə] *n* 1) морской котик; 2) белый медведь.

**sea-biscuit** ['siː,bɪskɪt] *n* морской сухарь.

**seaboard** ['siːbɔːd] **1.** *n* берег моря, побережье, приморье;
**2.** *a* приморский; прибрежный.

**sea-born** ['siːbɔːn] *a поэт.* рождённый морем; the ~ town Венеция.

**sea-borne** ['siːbɔːn] *a* перевозимый морем; ~ trade морская торговля.

**sea-breeze** ['siːbriːz] *n* ветер, дующий днём в сторону суши.

**sea-calf** ['siːkɑːf] *n* тюлень (обыкновенный).

**sea captain** ['siː'kæptɪn] *n* 1) капитан дальнего плавания; 2) *поэт.* флотоводец.

**seacard** ['siːkɑːd] *n* 1) картушка компаса; 2) морская карта.

**sea-chest** ['siːtʃest] *n* матросский сундучок.

**sea-cloth** [ˈsiːklɔθ] *n* *театр.* задник, изображающий море.

**sea-club** [ˈsiːklʌb] *n* дрыгалка (*дубина, которой бьют котиков*).

**sea-cock** [ˈsiːkɔk] *n* 1) *мор.* кингстон, забортный клапан; 2) морской волк.

**sea cook** [ˈsiːkuk] *n* *мор. sl.*: son of a ≈ сукин сын.

**sea-cow** [ˈsiːˈkau] *n* *зоол.* 1) ламантин; 2) дюгонь; 3) морж; 4) морская корова.

**sea-craft I** [ˈsiːkrɑːft] *n* *собир.* морские суда.

**sea-craft II** [ˈsiːkrɑːft] *n* искусство кораблевождения.

**sea cucumber** [ˈsiːˌkjuːkəmbə] *n* *зоол.* морской огурец.

**sea-dog** [ˈsiːdɔg] *n* 1) тюлень обыкновенный; 2) морской пёс, собачья акула; 3) колючая акула; 4) *перен.* морской волк.

**seadrome** [ˈsiːdroum] *n* плавучий аэродром.

**sea elephant** [ˈsiːˈelɪfənt] *n* *зоол.* морской слон.

**seafarer** [ˈsiːˌfɛərə] *n* *поэт.* моряк, мореплаватель.

**seafaring** [ˈsiːˌfɛərɪŋ] 1. *n* мореплавание; 2. *a* мореходный.

**sea-fight** [ˈsiːfait] *n* морской бой.

**sea-fire** [ˈsiːˌfaiə] *n* ночное свечение моря.

**sea-floor** [ˈsiːflɔː] *n* морское дно.

**sea-folk** [ˈsiːfouk] *n* (*употр. с гл. во мн. ч.*) моряки.

**sea-food** [ˈsiːfuːd] *n* *амер.* блюда, приготовленные из рыбы, съедобных моллюсков, крабов *и т. п.*

**sea front** [ˈsiːfrʌnt] *n* приморская часть города; приморский бульвар.

**sea-gauge** [ˈsiːgeidʒ] *n* футшток; лот.

**sea-girt** [ˈsiːgəːt] *a* *поэт.* опоясанный морями.

**seagoing** [ˈsiːˌgouiŋ] 1. *n* мореплавание; 2. *a* дальнего плавания (*о судне*), мореходный.

**sea-green** [ˈsiːgriːn] 1. *n* цвет морской волны; 2. *a* цвета морской волны.

**sea-gull** [ˈsiːgʌl] *n* чайка.

**sea-hare** [ˈsiːhɛə] *n* *зоол.* 1) лахтак, морской заяц; 2) род моллюска.

**sea-horse** [ˈsiːhɔːs] *n* 1) морской конёк; 2) морж.

**sea-jelly** [ˈsiːˌdʒelɪ] *n* медуза.

**sea kale** [ˈsiːˈkeil] *n* *бот.* крамбе приморская.

**sea-king** [ˈsiːkiŋ] *n* викинг.

**seal I** [siːl] 1. *n* 1): common ~ тюлень обыкновенный; eared ~ нерпа; сивуч; fur ~ котик; 2) котиковый мех;
2. *v* охотиться на тюленей, котиков.

**seal II** [siːl] 1. *n* 1) печать; клеймо; Great S., State S. большая государственная печать; Privy S. малая государственная печать; to receive (to return) the ~s принять (сдать) должность канцлера *или* министра; to set one's ~ to поставить печать, удостоверить; under my hand and ~ за моей собственноручной подписью и с приложением печати; under the ~ of secrecy (*или* confidence, silence) с условием хранить тайну,

молчание; 2) *тех.* изолирующий слой, изоляция; 3) *тех.* перемычка; затвор; 4) обтюратор; ◇ ~ of love печать любви (поцелуй, рождение ребёнка *и т. п.*); ~ of death in one's face печать смерти на лице;
2. *v* 1) ставить печать, скреплять печатью; 2) скреплять (*сделку и т. п.*); 3) запечатывать (*тж.* ~ up); my lips are ~ed ≈ на моих устах печать молчания; я должен молчать; 4) опечатывать, пломбировать; 5) герметически закрывать, изолировать; обтюрировать, замазывать, запаивать, закупоривать (*тж.* ~ up); 6) смежать, закрывать (*глаза*); 7) запечатлевать; отмечать печатью; his fate is ~ed его судьба решена.

**sea-lane** [ˈsiːlein] *n* 1) морской путь; морской проход (*между островами, отмелями и т. п.*); 2) свободный проход для лавирования на стоянке кораблей.

**sea lawyer** [ˈsiːˈlɔːjə] *n* *мор. sl.* придира, критикан.

**sealed I** [siːld] *p. p. от* seal I, 2.

**sealed II** [siːld] 1. *p. p. от* seal II, 2; 2. *a* 1) запечатанный; 2) неизвестный, непонятный; it is a ~ book to me это для меня книга за семью печатями.

**sea-legs** [ˈsiːlegz] *n pl*: to find (*или* to get, to have) one's ~ привыкнуть к морской качке.

**sealer** [ˈsiːlə] *n* 1) охотник на тюленей; 2) охотничье судно.

**sealery** [ˈsiːlərɪ] *n* тюленье лёжбище.

**sea-letter** [ˈsiːˌletə] *n* охранное свидетельство (*выдаваемое нейтральному кораблю*).

**seal-fishery** [ˈsiːlˌfiʃərɪ] *n* тюлений и котиковый промысел.

**sea-line I** [ˈsiːlain] *n* 1) береговая линия; 2) линия горизонта (*в море*).

**sea-line II** [ˈsiːlain] *n* 1) леса; 2) *мор.* линь.

**sealing-wax** [ˈsiːliŋwæks] *n* сургуч.

**seal-ring** [ˈsiːlriŋ] *n* перстень с печатью.

**seal-rookery** [ˈsiːlˌrukərɪ] = sealery.

**sealskin** [ˈsiːlskin] *n* котиковый мех.

**seam** [siːm] 1. *n* 1) шов; 2) рубец, морщина; 3) *геол.* прослойка, пласт; 4) *тех.* паз; спай;
2. *v* 1) бороздить; 2) сшивать.

**seaman** [ˈsiːmən] *n* моряк; матрос.

**seamanship** [ˈsiːmənʃip] *n* искусство мореплавания; морская практика.

**sea-mark** [ˈsiːmɑːk] *n* 1) маяк; береговой знак; сигнальный огонь; 2) линия уровня полной воды.

**sea-mew** [ˈsiːmjuː] = sea-gull.

**seamless** [ˈsiːmlis] *a* 1) без шва; из одного куска; 2) цельнотянутый (*о трубах*).

**seamstress** [ˈsemstris] *n* швея.

**seamy** [ˈsiːmi] *a* покрытый швами; the ~ side изнанка.

**Seanad Eireann** [ˈsænədˈɛərin] *ирл. n* сенат (*или* верхняя палата) Ирландской Республики.

**séance** [ˈseiɑːns] *фр. n* 1) заседание; собрание; 2) спиритический сеанс; 3) сеанс.

**sea-pay** [ˈsiːpei] *n* *мор.* жалованье во время плавания.

**sea-pen** ['si:pen] *n* зоол. морское перо (*полип*).

**sea-pie** ['si:pai] *n* 1) блюдо из солонины с клёцками; запеканка из солонины с овощами; 2) зоол. кулик-сорока.

**sea-piece** ['si:pi:s] *n жив.* марина, морской пейзаж.

**sea-pike** ['si:paik] *n* сарган (*рыба*).

**seaplane** ['si:plein] *n* гидросамолёт.

**seaport** ['si:pɔ:t] *n* портовый город, морской порт.

**sea power** ['si:͵pauə] *n* морская держава.

**sear I** [siə] 1. *a* увядший, сухой; ◇ the ~ and yellow leaf пожилой возраст; 2. *v* 1) *редк.* иссушать; 2) прижигать, опалять; 3) притуплять.

**sear II** [siə] *n* спусковой рычаг; (автоматический) спуск.

**search** [sə:tʃ] 1. *n* 1) поиски; I am in ~ of a house я ищу себе дом; 2) обыск; right of ~ *юр.* право обыска нейтральных судов; 3) исследование, изыскание; 4) *attr.* поисковый;
2. *v* 1) искать (*тж.* ~ out; for); 2) шарить; обыскивать; 3) исследовать; 4) зондировать (*рану*); 5) проникать; the cold ~ed his marrow он продрог до мозга костей; 6) осматривать вещи на таможне; ☐ ~ out a) искать; б) найти; ◇ ~ me! *амер. разг.* почём я знаю!

**searching** ['sə:tʃiŋ] 1. *pres. p. om* search 2; 2. *a* 1) тщательный (*об исследовании*); 2) испытующий (*о взгляде*); 3) пронизывающий (*о ветре*); 3. *n:* ~s of the heart угрызения совести.

**searchlight** ['sə:tʃlait] *n* прожектор.

**search-party** ['sə:tʃ͵pa:ti] *n* поисковая группа.

**search-warrant** ['sə:tʃ͵wɔrənt] *n* ордер на обыск.

**seared** [siəd] 1. *p. p. om* sear I, 2; 2. *a* притупленный, ослабленный; ~ conscience уснувшая совесть.

**sea-sand** ['si:sænd] *n* морской песок; прибрежный песок.

**sea-scape** ['si:skeip] = sea-piece.

**seaserpent** ['si:͵sə:pənt] *n* 1) морская змея; 2) змеевидный (морской) угорь.

**seashore** ['si:'ʃɔ:] *n* 1) морской берег; побережье; 2) *юр.* полоса берега, покрываемая приливом.

**seasickness** ['si:͵siknis] *n* морская болезнь.

**seaside** ['si:'said] *n* 1) ~ seashore 1); 2) морской курорт (*тж.* ~ resort); 3) *attr.* приморский.

**sea-snake** ['si:sneik] = sea serpent 1).

**season** ['si:zn] 1. *n* 1) время года; 2) время, период; for a ~ некоторое время; 3) *разг.* см. season-ticket; 4) сезон; the (London) ~ лондонский сезон (*май — июль*); the dead (*или* off, dull) ~ мёртвый сезон; 5) подходящее время, подходящий момент; out of ~ не вовремя; in ~ and out of ~ кстати и некстати; постоянно, всегда; a word in ~ своевременный совет; 6) *attr.* сезонный;
2. *v* 1) закалять; акклиматизировать; приучать; cattle ~ed to diseases скот, не подверженный заболеваниям; 2) выдерживать (*лесной материал, вино и т. п.*);

сушить(ся); 3) приправлять; придавать интерес, пикантность; ~ your egg with salt положите соли в яйцо; 4) *уст.* смягчать.

**seasonable** ['si:znəbl] *a* 1) своевременный; 2) по сезону.

**seasonal** ['si:zənl] *a* сезонный.

**seasoned** ['si:znd] 1. *p. p. om* season 2; 2. *a* 1) выдержанный (*о вине и т. п.*); 2) закалённый, бывалый; ~ soldier закалённый боец; with ~ eye намётанным глазом.

**seasoning** ['si:zniŋ] 1. *pres. p. om* season 2; 2. *n* 1) выдерживание (*лесного материала, вина и т. п.*); 2) приправа; 3) обработка кожи.

**season-ticket** ['si:zn'tikit] *n* сезонный билет.

**sea-stick** ['si:stik] *n* сорт копчёной селёдки.

**seat** [si:t] 1. *n* 1) сиденье; стул; to have (*или* to take) a (*или* one's) ~ садиться; garden ~ a) садовая скамейка; б) место в империале омнибуса; jump ~ откидное кресло; to keep one's ~ остаться сидеть; to keep a ~ warm for smb. приберечь место для кого-л. (*тж. перен.*); to be on the anxious ~ *амер.* сидеть, как на иголках; мучиться неизвестностью; 2) место (*в театре, парламенте и т. п.*); he has taken two ~s for Macbeth он взял два билета на Макбета; he has a ~ on the Board он член правления; to win a ~ быть избранным в парламент; to lose one's ~ не быть переизбранным в парламент; to secure (*или* to book) ~s купить, заказать билеты; 3) седалище; 4) посадка (*на лошади*); 5) местонахождение; the liver is the ~ of the disease; the disease has its ~ in the liver болезнь локализована в печени; the ~ of war театр военных действий; the ~ of the Government местопребывание правительства; 6) усадьба; 7) *тех.* гнездо *или* седло клапана; 8) *тех.* опорная поверхность, основание, подставка; подкладка; 9) *горн.* подстилающая порода; ◇ to take a back ~ стушеваться; отойти на задний план;
2. *v* 1) усаживать; to ~ oneself сесть, усесться; (pray) be ~ed присядьте; 2) проводить (*кандидата в парламент и т. п.*); 3) снабжать стульями; 4) вмещать; this hall will ~ 5000 в этом зале 5000 мест; 5) чинить сиденье; 6) поселять; 7) быть расположенным.

**-seater** [-'si:tə] *в сложных словах означает* транспортное средство на столько-то мест; two-~, four-~ двухместный, четырёхместный автомобиль *или* самолёт.

**seat-stick** ['si:tstik] *n* трость-сиденье.

**sea-turn** ['si:tə:n] *n* резкий ветер с моря.

**sea-urchin** ['si:͵ə:tʃin] *n* морской ёж.

**sea-wall** ['si:'wɔ:l] *n* дамба.

**seaward** ['si:wəd] 1. *a* направленный к морю;
2. *adv* к морю.

**seawards** ['si:wədz] = seaward 2.

**sea-way** ['si:wei] *n* 1) (открытое) море; морской путь; 2) движение судна вперёд; 3) волнение на море; in a heavy ~ в сильную волну.

**seaweed** ['si:wi:d] *n* морская водоросль.

**seaworthy** ['si:‚wə:ðɪ] *a* обладающий хорошими мореходными качествами.

**sebaceous** [sɪ'beɪʃəs] *a физиол.* сальный; ~ glands сальные железы; ~ humour секрет сальных желёз.

**sec** [sek] *фр. a* сухой (*о вине*).

**secant** ['si:kənt] *мат.* **1.** *n* секущая; секанс;
**2.** *a* секущий, пересекающий.

**secateur(s)** ['sekətə:(z)] *фр. n* (*pl*) садовые ножницы, секатор.

**secede** [sɪ'si:d] *v* отделяться, откалываться, отпадать (from — от *союза и т. п.*).

**secernent** [sɪ'sə:nənt] *физиол.* **1.** *n* 1) секреторный орган; 2) средство, усиливающее секрецию;
**2.** *a* выделительный.

**secession** [sɪ'seʃən] *n* отделение; раскол.

**secessionist** [sɪ'seʃnɪst] *n* отступник, раскольник.

**seclude** [sɪ'klu:d] *v* уединять; изолировать, отделять (from); to ~ oneself from society удаляться от общества.

**secluded** [sɪ'klu:dɪd] **1.** *p. p. om* seclude;
**2.** *a* уединённый; укромный.

**seclusion** [sɪ'klu:ʒən] *n* 1) отделение; 2) уединение; to live in ~ жить в одиночестве, в уединении.

**second I** ['sekənd] **1.** *num. ord.* второй; the ~ day of the week второй день недели; the ~ seat in the ~ row второе кресло во втором ряду;
**2.** *a* 1) второй, другой; ~ thoughts пересмотр мнения, решения; on ~ thoughts по зрелом размышлении; ~ birth возрождение; to be in ~ childhood впасть в детство; in the ~ place во-вторых; 2) вторичный; ~ ballot перебаллотировка; 3) дополнительный; a ~ pair of shoes вторая (*или* другая) пара обуви; ~ advent (*или* coming) *рел.* второе пришествие; 4) второстепенный; уступающий (to); ~ cabin каюта второго класса; ~ lieutenant младший лейтенант; the ~ officer (on a ship) старший помощник капитана; ~ division а) низший разряд государственных служащих; б) вторая (*средняя*) степень тюремного заключения (*в Англии*); at ~ hand из вторых рук; ~ violin, ~ fiddle вторая скрипка; to play ~ fiddle играть вторую скрипку; ~ string а) дублёр; б) дублет; ◇ ~ teeth постоянные (не молочные) зубы; ~ cousin троюродный брат; троюродная сестра; ~ sight ясновидение; ~ to попе непревзойдённый;
**3.** *n* 1) помощник; следующий по рангу; ~ in command *воен.* заместитель командира; 2) получивший второй приз, вторую награду; he was a good ~ он пришёл к финишу почти вместе с первым; 3) *унив.* вторая награда; 4) второй класс (*в поезде, на пароходе и т. п.*); to go ~ ехать вторым классом; 5) секундант; 6) второе число; 7) *pl* товар второго сорта, низшего качества; мука грубого помола; these stockings are ~s and have some slight defects эти чулки второго сорта и имеют незначительные дефекты; 8) *муз.* второй голос; альт;

**4.** *v* 1) поддерживать, помогать; to ~ a motion поддержать предложение; 2) подкреплять; to ~ words with deeds подкреплять слова делами; 3) быть секундантом; 4) петь партию второго голоса; 5) [*обыкн.* sɪ'kɔnd] *воен.* переводить (офицера) из строя в штаб;
**5.** *adv* 1) во-вторых; 2) вторым номером; во второй группе.

**second II** ['sekənd] *n* секунда; момент, мгновение; wait a ~ сейчас; подождите минуту.

**secondary** ['sekəndərɪ] **1.** *a* 1) вторичный, второстепенный; побочный; ~ colours составные цвета; ~ planet спутник планеты; 2) средний (*об образовании*); ~ school средняя школа; 3) *геол.* мезозойский;
**2.** *n* 1) подчинённый; 2) представитель; 3) помощник.

**second-best** ['sekənd'best] *a* второго сорта; ◇ to come off ~ потерпеть поражение.

**second-chop** ['sekənd'tʃɔp] *a sl.* второсортный.

**second-class** ['sekənd'klɑ:s] *a* второклассный, второсортный.

**seconder** ['sekəndə] *n* поддерживающий предложение, выступающий за (*проект, предложение*).

**second-hand I** ['sekənd'hænd] *a* 1) подержанный; ~ bookseller букинист; 2) из вторых рук (*об информации и т. п.*).

**second-hand II** ['sekəndhænd] *n* секундная стрелка.

**secondly** ['sekəndlɪ] *adv* во-вторых.

**second-mark** ['sekənd'mɑ:k] *n* значок секунды (").

**second-rate** ['sekənd'reɪt] *a* 1) второсортный; 2) посредственный.

**second-rater** ['sekənd'reɪtə] *n разг.* посредственная вещь (*о картине, драгоценном камне и т. п.*).

**seconds-hand** ['sekəndzhænd] = second-hand II.

**secrecy** ['si:krɪsɪ] *n* 1) тайна; секретность; in ~ в секрете, тайно; there can be no ~ about it в этом нет ничего секретного; he promised ~ он обещал хранить тайну; 2) умение держать в тайне; 3) скрытность.

**secret** ['si:krɪt] **1.** *n* тайна, секрет; to be in the ~ быть посвящённым в тайну; to keep a ~ сохранять тайну; an open ~ ≅ секрет полишинеля;
**2.** *a* 1) тайный, секретный; ~ service секретная служба, сыскная служба; разведка и контрразведка; ~ marriage тайный брак; ~ treaty тайный договор; to keep ~ держать в тайне; 2) потайной, скрытый; 3) скрытный; 4) уединённый, укромный.

**secretaire** [‚sekrɪ'tɛə] *фр. n* секретер, бюро, письменный стол.

**secretarial** [‚sekrə'tɛərɪəl] *a* секретарский.

**secretariat(e)** [‚sekrə'tɛərɪət] *n* 1) секретариат(е) *n* 1) секретариат.

**secretary I** ['sekrətrɪ] *n* 1) секретарь; ~ general генеральный секретарь; 2) министр; S. of State министр (*в Англии*); государственный секретарь, министр иностранных дел (*в США*); S. of State for Foreign Affairs министр иностранных дел (*в Англии*); S. of State for Home Affairs, Home S. министр внутренних дел; S. of State for War *уст.* военный министр; the S. of the Army (*до 1947 г.* S. of War) *амер.* военный министр; S. of Defense *амер.* министр обороны; S. of the Navy *амер.* военно-морской министр; S. of the Air Force *амер.* министр авиации.

**secretary** II ['sekrətrɪ] *амер.*=secretaire.

**secretary-bird** ['sekrətrɪ'bəːd] *n* секретарь (*птица*).

**secretaryship** ['sekrətrɪʃɪp] *n* должность, обязанности *или* квалификация секретаря.

**secrete** [sɪ'kriːt] *v* 1) *физиол.* выделять; 2) *уст.* прятать.

**secretion** [sɪ'kriːʃən] *n* 1) *физиол.* выделение, секреция; 2) *уст.* сокрытие.

**secretive** [sɪ'kriːtɪv] *a* 1) скрытный; 2) = secretory.

**secretly** ['siːkrɪtlɪ] *adv* незаметно для других; скрытно.

**secretory** [sɪ'kriːtərɪ] *a физиол.* выделительный.

**sect** [sekt] *n* секта.

**sectarian** [sek'tɛərɪən] 1. *a* сектантский; 2. *n* сектант; фанатик.

**sectarianism** [sek'tɛərɪənɪzəm] *n* сектантство.

**sectary** ['sektərɪ] *n уст.* сектант.

**section** ['sekʃən] 1. *n* 1) рассечение; 2) (поперечное) сечение, разрез (*в чертеже*); срез; microscopic ~ срез для микроскопического анализа; 3) профиль; 4) отрезок; сегмент; часть; 5) секция, отдел; часть (*стандартного сооружения, мебели и т. п.*); built in ~s разборный; 6) параграф; раздел книги; 7) *воен.* категория запаса; 8) *амер.* квартал (*города*); район; 9) участок железнодорожного пути; 10) *амер.* купе спального вагона; 11) *воен.* взвод; отделение (*в пехоте и кавалерии*); *амер.* полувзвод; 2. *v* делить на части, подразделять.

**sectional** ['sekʃənl] *a* 1) секционный; 2) групповой, местный; 3) данный в разрезе; ~ view вид в разрезе; ~ area площадь поперечного сечения; ~ drawing вид в разрезе, разрез (*чертежа*); 4) разборный.

**sectionalism** ['sekʃnəlɪzəm] *n* групповщина.

**section-mark** ['sekʃənmɑːk] *n* знак §.

**sector** ['sektə] *n* 1) сектор; 2) часть, участок; 3) *тех.* кулиса.

**secular** ['sekjulə] 1. *a* 1) вековой (*противоп.* periodical, cyclic); ~ bird *миф.* птица-феникс; 2) происходящий раз в 100 лет; 3) мирской, светский; ~ interests мирские (*т. е. не церковные*) интересы; the ~ arm *ист.* гражданская власть, приводившая в исполнение приговоры церковных судов; the ~ clergy белое духовенство; 2. *n* 1) мирянин; 2) принадлежащий к белому духовенству.

**secularism** ['sekjulərɪzəm] *n* борьба за независимую от церкви школу.

**secularist** ['sekjulərɪst] *n* сторонник светской школы.

· **secularization** ['sekjulərai'zeiʃən] *n* секуляризация.

**secularize** ['sekjulərai'z] *v* секуляризовать.

**secure** [sɪ'kjuə] 1. *a* 1) спокойный; to feel ~ about (*или* as to) the future не беспокоиться о будущем; to live a ~ life жить, ни о чём не заботясь; 2) уверенный (of — в чём-л.); ~ of success уверенный в успехе; 3) безопасный, надёжный; ~ hiding-place надёжное укрытие; the town is now ~ город теперь в безопасности; ~ from (*или* against) attack в безопасности от нападения; 4) прочный, надёжный; верный; investment верное помещение капитала; the boards of the bridge do not look ~ доски моста не производят впечатления надёжных; ~ foundation незыблемая основа; ~ stronghold неприступная твердыня; 5) (*обыкн. predic.*) сохранный, в надёжном месте; I have got him ~ он не убежит; 6) гарантированный, застрахованный; 2. *v* 1) охранять; гарантировать, обеспечивать, страховать; to ~ oneself against all risks застраховать себя от всякой случайности; loan ~d on landed property заём, обеспеченный недвижимостью; 2) обеспечивать безопасность; укреплять (*город и т. п.*); 3) закреплять, прикреплять; запирать; заграждать; to ~ a vein *хир.* перевязывать вену; to ~ a mast укрепить мачту; 4) брать под стражу; 5) доставать, получать; to ~ tickets for a play получить (*или* достать) билеты на спектакль; 6) овладевать, завладевать; 7): to ~ one's object достичь цели; to ~ a victory одержать победу; 3. *n амер.* отбой.

**securiform** [sɪ'kjuərɪfɔːm] *a* в виде топора.

**security** [sɪ'kjuərɪtɪ] *n* 1) безопасность; надёжность; 2) уверенность; 3) охрана, защита; 4) обеспечение, гарантия; залог; in ~ for в залог; to ~ в качестве гарантии; 5) поручитель; 6) *pl* ценные бумаги; 7) *attr.* относящийся к охране, защите; ~ suspect обвиняемый в подрывной деятельности; ~ officer офицер контрразведки.

**Security Council** [sɪ'kjuərɪtɪ'kaunsl] *n* Совет Безопасности.

**sedan** [sɪ'dæn] *n* 1) *авт.* седан (*тип закрытого кузова*); 2) *ист.* портшез; 3) носилки, паланкин.

**sedan-chair** [sɪ'dænʧɛə] = sedan 2).

**sedate** [sɪ'deit] *a* спокойный, степенный, уравновешенный, невозмутимый.

**sedation** [sɪ'deiʃən] *n мед.* покой.

**sedative** ['sedətiv] 1. *a* 1) успокаивающий; 2) снотворный; 2. *n* успокаивающее *или* снотворное средство.

**sedentary** ['sedntərɪ] *a* сидячий; ~ life сидячий образ жизни.

**sedge** [sedʒ] *n бот.* 1) осока; 2) камыш.

**sedgy** ['sedʒɪ] *a* 1) из осоки; похожий на осоку; 2) поросший осокой; ~ brook ручеёк, поросший осокой.

**sediment** ['sedɪmənt] *n* 1) осадок, отстой; 2) *геол.* осадочная порода, отложение.

**sedimentary** [,sedɪ'mentərɪ] *a* осадочный.

**sedimentation** [,sedɪmen'teiʃən] *n* осаждение; отложение осадка.

**sedition** [sɪ'dɪʃən] *n* 1) призы́в к мятежу́, бу́нту; антиправи́тельственная агита́ция; 2) подрывна́я де́ятельность.

**seditious** [sɪ'dɪʃəs] *a* бунта́рский, мяте́жный.

**seduce** [sɪ'djuːs] *v* соблазня́ть; обольща́ть, совраща́ть.

**seduction** [sɪ'dʌkʃən] *n* 1) обольще́ние; 2) собла́зн.

**seductive** [sɪ'dʌktɪv] *a* соблазни́тельный.

**sedulity** [sɪ'djuːlɪtɪ] *n* усе́рдие, прилежа́ние.

**sedulous** ['sedjuləs] *a* приле́жный, усе́рдный, стара́тельный.

**see I** [siː] *v* (saw; seen) 1) ви́деть; смотре́ть; гляде́ть; наблюда́ть; to ~ visions быть яснови́дящим, прови́дцем; 2) осма́тривать; to ~ the sights осма́тривать достопримеча́тельности; let me ~ the book покажи́те мне кни́гу [*ср. тж.* 4)]; the doctor must ~ him at once до́ктор до́лжен неме́дленно осмотре́ть его́; 3) понима́ть, узнава́ть, знать; уразуме́ть; I ~ я понима́ю; you see, it is like this ви́дите ли, де́ло обстои́т таки́м о́бразом; he cannot ~ the joke он не понима́ет э́той шу́тки; now you see what it is to be careless тепе́рь ты ви́дишь, что зна́чит быть неосторо́жным; as far as I can ~ наско́лько я могу́ суди́ть; don't you ~? ра́зве вы не понима́ете?; I do not ~ how to do it не зна́ю, как э́то сде́лать; 4) поду́мать, размы́слить; let me ~ да́йте поду́мать; позво́льте, посто́йте [*ср. тж.* 2)]; we must ~ what could be done сле́дует поразмы́слить, что мо́жно сде́лать; 5) вообрази́ть, предста́вить себе́; I can clearly ~ him doing it я я́сно себе́ представля́ю, как он э́то де́лает; 6) приде́рживаться определённого взгля́да; I ~ life (things) differently now я тепе́рь ина́че смотрю́ на жизнь (на ве́щи); 7) повида́ть(ся); навести́ть; we went to ~ her мы пошли́ к ней в го́сти; when will you come and ~ us? когда́ вы придёте к нам?; can I ~ you on business? могу́ я уви́деться с ва́ми по де́лу?; 8) встреча́ться; вида́ться; we have not ~n each other for ages мы давно́ не встреча́лись; to ~ much (little) of smb. ча́сто (ре́дко) быва́ть в чьём-л. о́бществе; you ought to ~ more of him вам сле́дует ча́ще с ним встреча́ться; I'll be ~ing you увиди́мся; ~ you later (*или* again, soon) до ско́рой встре́чи; 9) сове́товаться, консульти́роваться; to ~ a doctor (a lawyer) посове́товаться с врачо́м (адвока́том); 10) принима́ть (*посети́теля*); I am ~ing no one today я сего́дня никого́ не принима́ю; 11) провожа́ть; may I ~ you home? мо́жно мне проводи́ть вас домо́й?; 12) позабо́титься (*о чём-л.*); посмотре́ть (*за чем-л.*); to ~ the work done, to ~ that the work is done проследи́ть за выполне́нием рабо́ты; 13) испыта́ть, пережи́ть; to ~ life повида́ть свет; позна́ть жизнь; 14) счита́ть, находи́ть; to ~ good (*или* fit, proper, right *и т. п.*) счесть ну́жным (сде́лать что-л.); c *inf.*; □ ~ about a) позабо́титься о *чём-л.*; проследи́ть за *чем-л.*; б) поду́мать; I will ~ about it поду́маю, посмотрю́; ~ after смотре́ть, следи́ть за *чем-л.*; ~ after

the luggage присмотри́те за багажо́м; ~ into вника́ть в, рассма́тривать; ~ off провожа́ть; to ~ smb. off at the station проводи́ть кого́-л. на вокза́л; to ~ smb. off the premises вы́проводить кого́-л.; ~ out a) проводи́ть (*до две́ри*); б) пережи́ть; в) переси́деть (*кого́-л.*); г) досиде́ть до конца́; д) доводи́ть до конца́; ~ over осма́тривать (*зда́ние*); ~ through a) ви́деть наскво́зь; б) доводи́ть до конца́; to ~ smb. through smth. помога́ть кому́-л. в чём-л.; ~ to присма́тривать за, забо́титься о; ◇ he ~s double у него́ двои́тся в глаза́х; I saw stars ≅ у меня́ и́скры из глаз посы́пались; ~ here! *амер.* послу́шайте!; to ~ the colour of smb.'s money получи́ть де́ньги от кого́-л.; to ~ eye to eye with smb. сходи́ться во взгля́дах с кем-л.; to ~ the back of smb. изба́виться от чьего́-л. прису́тствия; to ~ the light a) уви́деть свет; роди́ться; б) жить; в) поня́ть; to ~ red, to ~ scarlet *sl.* прийти́ в я́рость, в бе́шенство; to ~ the red light предчу́вствовать приближе́ние опа́сности, беды́; to ~ service a) быть о́пытным служа́кой; б) быть в до́лгом употребле́нии; изно́ситься; he has ~n better days он ви́дел лу́чшие времена́; these things have ~n better days э́ти ве́щи поизноси́лись, поистрепа́лись; to ~ things галлюцини́ровать; to ~ the way to do(ing) smth. найти́ возмо́жным сде́лать что-л.; (I will) ~ you damned (*или* farther, further, somewhere) first *разг.* ≅ иди́те вы к чёрту!, как бы не так!, держи́ карма́н ши́ре!

**see II** [siː] *n* 1) епа́рхия; 2) престо́л (*епи́скопа и т. п.*); the Holy S. па́пский престо́л.

**seed** [siːd] 1. *n* 1) се́мя, зерно́; *собир.* семена́; to keep for (as) ~ храни́ть для посе́ва; to go (*или* to run) to ~ пойти́ в семена́; *перен.* переста́ть развива́ться; опусти́ться, обрю́згнуть *и т. п.*; to sow the ~s of strife (*или* discord) се́ять семена́ раздо́ра; 2) заро́дыш, нача́ло (*чего-л.*); 3) *редк.* = semen; 4) *библ.* пото́мок, пото́мство; to raise up ~ име́ть пото́мство; 2. *v* 1) семени́ться, пойти́ в се́мя; 2) роня́ть семена́; 3) се́ять, засева́ть (*по́ле*); 4) очища́ть от зёрнышек (*изю́м и т. п.*); 5) отделя́ть семена́ от волокно́н (*льна́*); 5) *спорт.* отбира́ть (*бо́лее си́льных уча́стников состяза́ния*).

**seedage** ['siːdɪdʒ] *n* размноже́ние расте́ний семена́ми *или* спо́рами.

**seed-bed** ['siːdbed] *n* гря́дка с расса́дой; парни́к.

**seed-cake** ['siːdkeɪk] *n* бу́лочка с тми́ном.

**seed-case** ['siːdkeɪs] *n* семенна́я коро́бочка.

**seed-corn** ['siːdkɔːn] *n* посевно́е зерно́.

**seed-drill** ['siːddrɪl] *n* рядова́я се́ялка.

**seeder** ['siːdə] *n* 1) се́ятель; рабо́чий на се́ялке; 2) рядова́я се́ялка; 3) приспособле́ние для удале́ния зёрен, ко́сточек из фру́ктов; 4) = seed-fish.

**seed-fish** ['siːdfɪʃ] *n* нерестя́щаяся ры́ба.

**seeding-machine** ['siːdɪŋmə‚ʃiːn] *n* се́ялка.

**seed-leaf** ['siːdliːf] *n* 1) *бот.* семядо́ля (*разви́вшаяся*); 2) *амер.* сорт табака́.

**seedless** [ˈsiːdlɪs] *a* не имеющий семян; без зёрнышек (*о винограде, хлопке и т. п.*).

**seedling** [ˈsiːdlɪŋ] *n* сеянец; рассада.

**seed-lobe** [ˈsiːdloub] *n бот.* семядоля.

**seed-oil** [ˈsiːdɔɪl] *n* растительное масло.

**seed-pearl** [ˈsiːdˈpəːl] *n* мелкий жемчуг.

**seed-plot** [ˈsiːdplɔt] *n* питомник; рассадник (*тж. перен.*).

**seed-potatoes** [ˈsiːdpəˈteɪtouz] *n pl* посевной картофель.

**seedsman** [ˈsiːdzmən] *n* торговец семенами.

**seed-time** [ˈsiːdtaɪm] *n* время посева; посевной сезон.

**seed-vessel** [ˈsiːdˌvesl] *n бот.* семенная коробочка; околоплодник, зерновик.

**seedy** [ˈsiːdɪ] *a* 1) наполненный семенами; 2) нездоровый; to feel ~ плохо себя чувствовать; to look ~ плохо выглядеть; 3) *разг.* потрёпанный, обносившийся.

**seeing** [ˈsiːɪŋ] 1. *pres. p. от* see I;
2. *n* видение; зрение, зрительный процесс; ~ is believing ≅ пока не увижу, не поверю;
3. *prep, cj* ввиду того, что; принимая во внимание, поскольку; ~ (that) it is ten o'clock, we will not wait for him any longer так как уже десять часов, мы больше не будем ждать его.

**seek** [siːk] *v* (sought) 1) искать, разыскивать; разузнавать; it is yet to ~ это ещё не найдено; этого ещё нет, это ещё поискать надо; to ~ safety искать убежища; 2) предъявлять иск; to ~ damages of smb. требовать возмещения убытков с кого-л.; 3) пытаться, стараться, стремиться (*c inf.*); to ~ to make peace пытаться помирить; □ ~ after, ~ for добиваться *чего-л.*; ~ out искать, домогаться (*чьего-л. общества*); б) разыскать *кого-л.*; ~ through обыскивать (*место и т. п.*); ◇ ~ smb.'s life покушаться на чью-л. жизнь; ~ dead! *охот.* ищи!

**seeker** [ˈsiːkə] *n разг.* самонаводящийся снаряд.

**seel I** [siːl] *v уст.* 1) охот. сомкнуть глаза (*сокола*); 2) завязать (глаза).

**seel II** [siːl] *v* дать резкий крен.

**seem** [siːm] *v* 1) казаться, представляться; they ~ to be living in here кажется, они живут здесь; he ~s to be tired он, по-видимому, устал; I ~ to hear smb. singing мне послышалось (*или* показалось), что кто-то поёт; 2) *употр. как глагол-связка:* she ~s tired она выглядит усталой; she ~s young она выглядит молодо; ◇ it ~s по-видимому, кажется; it should (*или* would) ~ казалось бы.

**seeming** [ˈsiːmɪŋ] 1. *pres. p. от* seem;
2. *a* кажущийся, ненастоящий, мнимый, притворный.

**seemingly** [ˈsiːmɪŋlɪ] *adv* 1) на вид; 2) по-видимому.

**seemly** [ˈsiːmlɪ] *a* подобающий, приличествующий, приличный.

**seen** [siːn] *p. p. от* see I.

**seep** [siːp] *v* 1) просачиваться (*тж. перен.*); протекать, капать, течь; 2) стекать.

**seepage** [ˈsiːpɪdʒ] *n* 1) просачивание; фильтрация; стекание; течь; утечка; ~ of water

**seer I** [ˈsiːə] *n* провидец, пророк.

**seer II** [sɪə] *n* 1) мера веса (*в Индии ок. 2 фунтов*); 2) мера жидкости (= *1 л*).

**seersucker** [ˈsɪəˌsʌkə] *n текст.* индийская льняная полосатая ткань.

**seesaw** [ˈsiːsɔː] 1. *n* 1) качание на доске (*игра*); to play (at) ~ качаться на доске; 2) детские качели; 3) возвратно-поступательное движение;
2. *a* двигающийся вверх и вниз *или* взад и вперёд (*как пила*); имеющий возвратно-поступательное движение; ◇ ~ policy неустойчивая политика;
3. *v* 1) качаться (на доске); 2) двигаться вверх и вниз *или* взад и вперёд; 3) проявлять нерешительность, колебаться;
4. *adv* вверх и вниз, взад и вперёд; to go ~ колебаться.

**seethe** [siːð] *v* (seethed [-d], *уст.* sod; seethed, *уст.* sodden) кипеть, бурлить; madness ~d in his brain безумие охватило его.

**segment** [ˈsegmənt] 1. *n* 1) часть, кусок, отрезок; 2) доля (*апельсина и т. п.*); 3) *геом.* сегмент, отрезок; 4) *тех.* сегмент, сектор; 5) *эл.* пластина коллектора;
2. *v* делить(ся) на сегменты.

**segregate** 1. *a* [ˈsegrɪgɪt] 1) отдельный, отделённый; 2) *зоол.* простой, одиночный;
2. *v* [ˈsegrɪgeɪt] 1) отделять(ся); выделять(ся); изолировать; 2) *тех.* зейгеровать, ликвировать; 2) *геол.* скопляться.

**segregation** [ˌsegrɪˈgeɪʃən] *n* 1) отделение, выделение, изоляция, сегрегация; 2) *тех.* сегрегация, ликвация, зейгерование.

**segregative** [ˈsegrɪgeɪtɪv] *a* 1) способствующий отделению; 2) необщительный.

**seiche** [seɪʃ] *n геогр.* сейша (*колебание уровня*).

**seigneur** [ˈseɪnjəː]=seignior.

**seignior** [ˈseɪnjə] *n ист.* феодальный властитель, сеньор; grand ~ важная персона.

**seigniorage** [ˈseɪnjərɪdʒ] *n* 1) *ист.* право сеньора; 2) налог за право чеканки монеты.

**seigniorial** [seɪˈnjɔːrɪəl] *a* сеньоральный; феодальный; барский.

**seigniory** [ˈseɪnjərɪ] *n ист.* 1) феодальное владение; 2) власть сеньора; 3) сеньория.

**seine** [seɪn] 1. *n* сеть; кошельковый невод;
2. *v* ловить неводом, сетью.

**seiner** [ˈseɪnə] *n* сейнер.

**seise** [siːz] = seize 7).

**seisin** [ˈsiːzɪn] = seizin.

**seism** [ˈsaɪzm] *n* землетрясение.

**seismic** [ˈsaɪzmɪk] *a* сейсмический.

**seismograph** [ˈsaɪzməgrɑːf] *n* сейсмограф.

**seismology** [saɪzˈmɔlədʒɪ] *n* сейсмология.

**seize** [siːz] *v* 1) хватать, схватить; 2) захватывать; завладевать; to ~ a fortress взять крепость; 3) ухватиться (*за что-л.*), воспользоваться (*случаем, предлогом; тж.* ~ upon); 4) понять (*мысль*); 5) (обыкн. *pass.*) охватить, обуять (*о страхе, панике; with*); 6) конфисковать, налагать арест (*на что-л.*); 7) (обыкн. *р. р.*) *юр.* вводить во владение; to be (*или* to stand) ~d of smth. владе́ть чем-л.; 8) *мор.* найто́вить; 9) *тех.* заеда́ть (*о подшипниках*); горе́ть (*о буксах*).

**seizin** ['siːzin] *n юр.* владе́ние земе́льной со́бственностью.

**seizing** ['siːziŋ] 1. *pres. p. от* seize; 2. *n мор.* бе́нзель.

**seizure** ['siːʒə] *n* 1) конфиска́ция, нало-же́ние аре́ста; 2) захва́т; 3) апоплекси́че-ский уда́р; припа́док.

**sejant** ['siːʒənt] *a гера́льд.* сидя́щий.

**selachian** [se'leikiən] *n* хрящепёрая ры́ба.

**seldom** ['seldəm] *adv* ре́дко.

**select** [si'lekt] 1. *a* 1) отбо́рный; и́збран-ный; 2) разбо́рчивый; 3) досту́пный то́ль-ко для и́збранных; 2. *v* отбира́ть, выбира́ть, подбира́ть, из-бира́ть.

**selected** [si'lektid] 1. *p. p. от* select 2; 2. *a* 1) ото́бранный, подо́бранный; 2) и́збранный; исключи́тельный.

**selectee** [,selek'tiː] *n амер.* при́званный на вое́нную слу́жбу.

**selection** [si'lekʃən] *n* 1) вы́бор, подбо́р; набо́р (*каких-л. вещей*); 2) сбо́рник и́з-бранных произведе́ний; 3) *биол.* отбо́р, се-ле́кция.

**selectionist** [si'lekʃənist] *n* селекционе́р.

**selective** [si'lektiv] *a* 1) отбо́рный; 2) отбира́ющий; 3) *радио* селекти́вный, из-бира́тельный; ◇ S. Service System *амер.* систе́ма призы́ва в а́рмию.

**selectman** [si'lektmən] *n амер.* член го-родско́го управле́ния (*в штатах Но́вой Англии*).

**selector** [si'lektə] *n* 1) отбо́рщик; 2) ме́л-кий фе́рмер (*в Австралии*); 3) *эл.* селе́к-тор, иска́тель; 4) *радио* ру́чка настро́йки.

**selenium** [si'liːnjəm] *n хим.* селе́н.

**selenography** [,seli'nɔgrəfi] *n* селеногра́-фия, описа́ние пове́рхности Луны́.

**self** [self] 1. *n* (*pl* selves) 1) со́бственная ли́чность, сам; the study of the ~ самоана́-лиз; my own ~, my very ~ я сам, моя́ со́бственная персо́на; to have no thought of ~ не ду́мать о себе́; one's better ~ лу́чшее, что есть в челове́ке; one's former ~ то, чем челове́к был ра́ньше; one's sec-ond ~ бли́зкий друг, пра́вая рука́; 2) *ком.* = myself *и т. д.*; cheque drawn to ~ чек, вы́писанный на себя́; your good selves Вы (*в коммерческих письмах*); ◇ ~ comes first, ~ before all ≅ своя́ руба́шка бли́же к те́лу; 2. *a* 1) сплошно́й, одноро́дный (*о цвете*); 2) одноцве́тный (*о цветке*).

**self-** [self-] *в сложных словах выражает:* 1) *направленность действия на самого себя, связь с самим собой* само-, себя-; свое-; self-violence самоуби́йство; self-love себя-лю́бие; self-will своево́лие; 2) *отсутствие посредничества, самопроизвольность, авто-матический характер действия или состоя-ния* само-; self-binder жне́йка-сноповяза́л-ка; self-loading machine автопогру́зчик; self-healing самозажива́ние; self-winding с ав-томати́ческим заво́дом.

**self-abandonment** ['selfə'bændənmənt] *n* самозабве́ние.

**self-abasement** ['selfə'beismənt] *n* само-униже́ние.

**self-abnegation** ['self,æbni'geiʃən] *n* 1) самоотрече́ние; 2) самопоже́ртвование.

**self-acting** ['self'æktiŋ] *a* автомати́че-ский, самоде́йствующий.

**self-action** ['self'ækʃən] *n* самопроиз-во́льное де́йствие.

**self-adjusting** ['selfə'dʒʌstiŋ] *a* с автома-ти́ческой регулиро́вкой (*о приборе, уст-ройстве и т. п.*).

**self-affirmation** ['self,æfəː'meiʃən] *n* са-моутвержде́ние.

**self-assertion** ['selfə'səːʃən] *n* отста́ива-ние свои́х прав, притяза́ний.

**self-assumption** ['selfə'sʌmpʃən] *n* чва́н-ство, высокоме́рие.

**self-assurance** ['selfə'ʃuərəns] *n* самоуве́-ренность; самонаде́янность.

**self-balanced** ['self'bælənst] *a* автомати́-чески уравнове́шивающийся.

**self-binder** ['self'baində] *n* 1) жне́йка--сноповяза́лка; 2) скоросшива́тель.

**self-centering** ['self'sentəriŋ] *a* самоцен-три́рующийся.

**self-centred** ['self'sentəd] *a* эгоцентри́чный.

**self-closing** ['self'klouziŋ] *a* закрыва́ю-щий(ся) автомати́чески.

**self-cocker** ['self'kɔkə] *n* пистоле́т-само-взво́д.

**self-collected** ['selfkə'lektid] *a* сде́ржан-ный, хорошо́ владе́ющий собо́й; вы́держан-ный; со́бранный.

**self-coloured** ['self'kʌləd] *a* 1) одноцве́т-ный; 2) есте́ственной окра́ски.

**self-command** ['selfkə'maːnd] *n* самообла-да́ние, уме́ние владе́ть собо́й.

**self-communion** ['selfkə'mjuːnjən] *n* раз-мышле́ние, разду́мье (*о себе́*).

**self-complacency** ['selfkəm'pleisnsi] *n* са-модово́льство.

**self-conceit** ['selfkən'siːt] *n* самомне́ние, зано́счивость.

**self-concentration** ['self,kɔnsen'treiʃən] *n* самосозерца́ние.

**self-condemnation** ['self,kɔndem'neiʃən] *n* самосужде́ние.

**self-confident** ['self'kɔnfidənt] *a* само-уве́ренный; самонаде́янный.

**self-conscious** ['self'kɔnʃəs] *a* нело́вкий, засте́нчивый.

**self-contained** ['selfkən'teind] *a* 1) не-общи́тельный, за́мкнутый; 2) *тех.* неза-ви́симый, самостоя́тельный, не тре́бующий вспомога́тельных приспособле́ний *или* ме-хани́змов; 3) *воен.* снабжённый всем необ-ходи́мым.

**self-contradiction** ['self,kɔntrə'dikʃən] *n* вну́треннее противоре́чие.

**self-control** ['selfkən'troul] *n* самообла-да́ние.

**self-cooling** ['self'kuːliŋ] *a тех.* с возду́ш-ным охлажде́нием.

**self-criticism** ['self'kritisizəm] *n* само-кри́тика.

**self-deceit, self-deception** ['selfdi'siːt, 'self-di'sepʃən] *n* самообма́н.

**self-defence** ['selfdi'fens] *n* самооборо́на, самозащи́та.

**self-denial** ['selfdı'naıəl] *n* самоотрече́ние.

**self-destruction** ['selfdıs'trʌkʃən] *n* 1) самоуничтоже́ние; 2) самоуби́йство.

**self-determination** ['selfdı,təːmı'neıʃən] *n* самоопределе́ние.

**self-determined** ['selfdı'təːmınd] *a* незави́симый, де́йствующий по своему́ усмотре́нию.

**self-devotion** ['selfdı'vouʃən] *n* 1) пре́данность, посвяще́ние себя́ всего́ (*какому-л. делу*); 2) самопоже́ртвование.

**self-drive** ['self'draıv] *a*: ~ car автомаши́на, кото́рая даётся напрока́т без шофёра.

**self-educated** ['self'edjukeıtıd] *a* вы́учившийся самостоя́тельно, самоу́чкой.

**self-effacement** ['selfı'feısmənt] *n* самоуничиже́ние; жела́ние стушева́ться.

**self-esteem** ['selfıs'tiːm] *n* уваже́ние к себе́; чу́вство со́бственного досто́инства.

**self-evident** ['self'evıdənt] *a* очеви́дный сам по себе́, самоочеви́дный.

**self-expression** ['selfıks'preʃən] *n* самовыраже́ние.

**self-feeder** ['self'fiːdə] *n* *тех.* самоподаю́щий механи́зм; автомати́ческий пита́тель.

**self-firer** ['self'faıərə] *n* *воен.* автомати́ческое ору́жие.

**self-flagellation** ['self,flædʒe'leıʃən] *n* самобичева́ние.

**self-governing** ['self'gʌvənıŋ] *a* самоуправля́ющийся.

**self-government** ['self'gʌvnmənt] *n* самоуправле́ние.

**self-heal** ['self'hiːl] *n* *бот.* черноголо́вка обыкнове́нная.

**self-healing** ['self'hiːlıŋ] *n* самозаживле́ние.

**self-help** ['self'help] *n* самопо́мощь.

**selfhood** ['selfhud] *n* *редк.* ли́чность; индивидуа́льность.

**self-humiliation** ['selfhjuː,mılı'eıʃən] *n* самоуничиже́ние.

**self-immolation** ['self,ımou'leıʃən] *n* 1) самосожже́ние; 2) самопоже́ртвование.

**self-importance** ['selfım'pɔːtəns] *n* самомне́ние, ва́жничанье.

**self-induction** ['selfın'dʌkʃən] *n* *эл.* самоинду́кция.

**self-indulgence** ['selfın'dʌldʒəns] *n* потака́ние свои́м сла́бостям, потво́рство свои́м жела́ниям.

**self-infection** ['selfın'fekʃən] *n* *мед.* аутоинфе́кция.

**self-interest** ['self'ıntrıst] *n* своекоры́стие; эгои́зм.

**self-invited** ['selfın'vaıtıd] *a* напроси́вшийся, незва́ный.

**selfish** ['selfıʃ] *a* эгоисти́чный.

**selfishness** ['selfıʃnıs] *n* эгои́зм.

**self-knowledge** ['self'nɔlıdʒ] *n* самопозна́ние.

**selfless** ['selflıs] *a* самоотве́рженный.

**self-lighting** ['self'laıtıŋ] *a* самовоспламеня́ющийся.

**self-loading** ['self'loudıŋ] *a* самозаря́дный.

**self-love** ['self'lʌv] *n* себялю́бие.

**self-luminous** ['self'luːmınəs] *a* самосветя́щийся.

**self-made** ['self'meıd] *a* обя́занный всем самому́ себе́.

**self-mastery** ['self'mɑːstərı] *n* уме́ние владе́ть собо́й.

**self-motion** ['self'mouʃən] *n* самопроизво́льное движе́ние.

**self-murder** ['self'məːdə] *n* самоуби́йство.

**self-offence** ['selfə'fens] *n* 1) то, что де́лается в уще́рб со́бственным интере́сам; 2) недооце́нка самого́ себя́.

**self-opinionated** ['selfə'pınjəneıtıd] *a* самоуве́ренный, упря́мый.

**self-pity** ['self'pıtı] *n* жа́лость к себе́.

**self-pollination** ['self,pɔlı'neıʃən] *n* *бот.* самоопыле́ние.

**self-portrait** ['self'pɔːtrıt] *n* автопортре́т.

**self-possessed** ['selfpə'zest] *a* име́ющий самооблада́ние, хладнокро́вный, вы́держанный.

**self-possession** ['selfpə'zeʃən] *n* самооблада́ние, хладнокро́вие.

**self-praise** ['self'preız] *n* самовосхвале́ние.

**self-preservation** ['self,prezəː'veıʃən] *n* самосохране́ние.

**self-propelled**, **self-propelling** ['selfprə'peld, -prə'pelıŋ] *a* самохо́дный (*об артиллерии, орудиях*).

**self-realization** ['self,rıəlaı'zeıʃən] *n* разви́тие свои́х спосо́бностей.

**self-recording** ['selfrı'kɔːdıŋ] *a* самопи́шущий.

**self-regard** ['selfrı'gɑːd] *n* эгои́зм.

**self-reliance** ['selfrı'laıəns] *n* уве́ренность в свои́х си́лах.

**self-reliant** ['selfrı'laıənt] *a* уве́ренный в себе́.

**self-renunciation** ['selfrı,nʌnsı'eıʃən] *n* самоотрече́ние.

**self-repugnant** ['selfrı'pʌgnənt] *a* непосле́довательный; содержа́щий противоре́чия.

**self-respect** ['selfrıs'pekt] *n* чу́вство со́бственного досто́инства.

**self-restraint** ['selfrıs'treınt] *n* воздержа́ние, сде́ржанность.

**self-righteous** ['self'raıtʃəs] *a* 1) самодово́льный; уве́ренный в свое́й правоте́; 2) фарисе́йский.

**self-righting** ['self'raıtıŋ] *a* осто́йчивый (*о судне*); самовыпрямля́ющийся.

**self-rigorous** ['self'rıgərəs] *a* тре́бовательный к себе́.

**self-sacrifice** ['self'sækrıfaıs] *n* самопоже́ртвование.

**selfsame** ['selfseım] *a* тот же са́мый.

**self-seeking** ['self'siːkıŋ] *a* своекоры́стный.

**self-service** ['self'səːvıs] *n* 1) самообслу́живание; 2) *attr.*: ~ shop магази́н без продавцо́в, магази́н самообслу́живания.

**self-sown** ['self'soun] *a* самосе́вный, вы́росший самосе́вом.

**self-starter** ['self'stɑːtə] *n* *тех.* автомати́ческий заво́д, ста́ртер, самопу́ск.

**self-styled** ['self'staıld] *a* самозва́нный; мни́мый.

**self-sufficiency** ['selfsə'fɪʃənsɪ] *n* 1) независимость, самостоятельность; 2) самонадеянность; 3) *эк.* самообеспеченность.

**self-sufficient** ['selfsə'fɪʃənt] *a* 1) самостоятельный; самодовлеющий; 2) независимый в экономическом отношении; 3) самонадеянный, самодовольный.

**self-sufficing** ['selfsə'faɪsɪŋ] *a* самостоятельный, самодовлеющий.

**self-suggestion** ['selfsə'dʒestʃən] *n* самовнушение.

**self-support** ['selfsə'pɔːt] *n* независимость, самостоятельность.

**self-surviving** ['selfsə'vaɪvɪŋ] *a* переживший самого себя.

**self-taught** ['self'tɔːt] *a* выучившийся самостоятельно, самоучкой.

**self-violence** ['self'vaɪələns] *n* самоубийство.

**self-will** ['self'wɪl] *n* своеволие, упрямство.

**self-willed** ['self'wɪld] *a* своевольный.

**self-winding** ['self'waɪndɪŋ] *a* с автоматическим заводом.

**sell** [sel] 1. *v* (sold) 1) продавать(ся); the house is to ~ дом продаётся; to ~ like wildfire (*или* hot cakes) быть нарасхват (*о товаре*); to ~ time *амер.* предоставлять за плату возможность выступать по радио в определённое время; 2) торговать; 3) рекламировать; популяризовать; 4) *разг.* обманывать, надувать; разыгрывать; 5) предавать (*дело и т. п.*); to ~ the pass обмануть доверие; предать, изменить своему делу, совершить предательство; 6) *амер. sl.* внушать (*мысль*); ☐ ~ off распродавать со скидкой; ~ on уговорить, уломать; couldn't I ~ you on one more coffee? неужели вы не выпьете ещё чашку кофе?; ~ out продать весь свой товар, все акции; ~ up продавать с торгов; ◊ I'm not sold on this я от этого отнюдь не в восторге; 2. *n разг.* надувательство, обман.

**seller** ['selə] *n* 1) торговец, продавец; 2) ходкий товар; ходкая книга (*тж.* best ~).

**seller's market** ['seləz'mɑːkɪt] *n эк.* рынок, на котором спрос превышает предложение.

**sell-out** ['sel,aut] *n разг.* 1) *амер.* распродажа; 2) пьеса, выставка, пользующаяся большим успехом.

**seltzer** ['seltsə] *n* сельтерская вода (*тж.* ~ water).

**selvage, selvedge** ['selvɪdʒ] *n* 1) кромка; кайма; 2) *горн.* краевая часть (*жилы*); зальбанд.

**selves** [selvz] *pl от* self 1.

**semantic** [sɪ'mæntɪk] *a лингв.* семантический.

**semantics** [sɪ'mæntɪks] *n pl* (*употр. как sing*) *лингв.* семантика.

**semaphore** ['seməfɔː] 1. *n* семафор; 2. *v* сигнализировать, семафорить.

**semasiology** [sɪ,meɪsɪ'ɔlədʒɪ] *n лингв.* семасиология.

**semblance** ['sembləns] *n* 1) вид, наружность; 2) видимость; under the ~ of под видом; to put on a ~ (of) сделать вид; 3)

подобие, сходство; a feeble ~ of smth. слабое подобие чего-л.

**semen** ['siːmen] *n* семя, сперма.

**semester** [sɪ'mestə] *n* семестр.

**semi-** ['semɪ-] *pref* полу-.

**semi-annual** ['semɪ'ænjuəl] *a* полугодовой.

**semi-automatic** ['semɪ,ɔːtə'mætɪk] 1. *a* полуавтоматический; 2. *n воен.* полуавтомат.

**semi-centennial** ['semɪsen'tenjəl] 1. *a* полувековой; 2. *n амер.* пятидесятилетний юбилей.

**semicircle** ['semɪ,səːkl] *n* полукруг.

**semicircular** ['semɪ'səːkjulə] *a* полукруглый; ~ canals *анат.* полукружные каналы.

**semicolon** ['semɪ'koulən] *n* точка с запятой.

**semiconductor** ['semɪkən'dʌktə] *n физ.* полупроводник.

**semi-conscious** ['semɪ'kɔnʃəs] *a* полубессознательный.

**semi-detached** ['semɪdɪ'tætʃt] *a:* ~ house один из двух особняков, имеющих общую стену.

**semi-diurnal** [,semɪdaɪ'əːnl] *a* полусуточный.

**semifinal** ['semɪ'faɪnl] *n спорт.* 1) полуфинал; 2) предпоследний круг (*в состязании*).

**semi-fluid** ['semɪ'fluːɪd] *a* полужидкий, вязкий.

**semilucent** ['semɪ'luːsnt] *a* полупрозрачный.

**semi-manufactured** ['semɪ,mænju'fæktʃəd] *a:* ~ goods полуфабрикаты.

**semi-monthly** ['semɪ'mʌnθlɪ] 1. *a* выходящий два раза в месяц (*о периодическом издании*); 2. *n* журнал, бюллетень *и т. п.*, выходящий два раза в месяц; 3. *adv* дважды в месяц.

**seminal** ['siːmɪnl] *a* 1) семенной; ~ fluid *физиол.* семя; 2) зародышевый; in the ~ state рудиментарный, недоразвитый; в зачаточном состоянии; 3) плодотворный.

**seminar** ['semɪnɑː] *n* семинар.

**seminary** ['semɪnərɪ] *n* 1) духовная семинария (*особ. католическая*); 2) *амер.* частная средняя школа; 3) *уст.* рассадник; питомник.

**semination** [,semɪ'neɪʃən] *n бот.* обсеменение.

**seminiferous** [,semɪ'nɪfərəs] *a бот.* семеносный.

**semioccasionally** ['semɪə'keɪʒnəlɪ] *adv амер. разг.* время от времени, иногда.

**semi-official** ['semɪə'fɪʃəl] *a* полуофициальный; официозный; ~ newspaper официоз.

**semiprecious** ['semɪ'preʃəs] *a* самоцветный; ~ stone самоцвет.

**semiquaver** ['semɪ,kweɪvə] *n муз.* шестнадцатая нота.

**semi-rigid** ['semɪ'rɪdʒɪd] *a* полужёсткий (*о дирижабле*).

**Semite** ['siːmaɪt] *n* семит.

**semitic** [sɪ'mɪtɪk] *a* семитический.

**semitone** ['semɪtoun] *n муз.* полутóн.
**semitrailer** [ˌsemɪ'treɪlə] *n* полуприцéп.
**semivowel** ['semɪˌvauəl] *n* полуглáсный (звук).
**semola** ['semələ] = semolina.
**semolina** [ˌsemə'liːnə] *n* мáнная крупá.
**sempiternal** [ˌsempɪ'təːnl] *a ритор.* вéчный.
**sempstress** ['sempstrɪs] = seamstress.
**sen** [sen] *n* япóнская мéдная монéта (= 0,01 *иены*).
**senary** ['siːnərɪ] *a* шестернóй.
**senate** ['senɪt] *n* 1) сенáт; 2) совéт (*в университетах*).
**senator** ['senətə] *n* сенáтор.
**senatorial** [ˌsenə'tɔːrɪəl] *a* сенáторский.
**send I** [send] *v* (sent) 1) посылáть, отправлять; отсылáть; to ~ a letter airmail послáть письмó воздýшной пóчтой; to ~ word сообщáть, извещáть; she sent the children into the garden онá отпрáвила детéй в сад погулять; to ~ to the chair *амер.* приговорить к кáзни на электрическом стýле; 2) ниспосылáть (*дождь*); насылáть (*чуму*); 3) бросáть, посылáть (*мяч и т. п.*); to ~ a bullet through прострелить; 4) приводить в какóе-л. состояние; to ~ flying а) сообщить предмéту стремительное движéние; б) рассéять; разбросáть; обратить в бéгство; в) отшвырнýть; to ~ smb. sprawling сбить когó-л. с ног; to ~ to sleep усыпить; 5) *радио* передавáть; □ ~ away а) посылáть, высылáть; б) прогонять; ~ down а) исключáть или врéменно отчислять из университéта; б) понижáть (*напр., цены*); ~ for посылáть за, вызывáть; ~ forth испускáть, издавáть; ~ in подавáть (*заявление*); представлять (*экспонат на выставку*); to ~ in one's name записываться (*на конкурс и т. п.*); ~ off а) отсылáть (*письмо, посылку и т. п.*); б) прогонять; в) устрáивать прóводы; г) испускáть; ~ out а) выпускáть, испускáть; излучáть; the tree ~s out leaves на дéреве распускáются листья; б) отправлять; ~ up а) направлять вверх; б) *амер. sl.* приговорить к тюрéмному заключéнию; ◇ to ~ smb. to Coventry прекратить общéние с кем-л.; бойкотировать когó-л.; to ~ smb. about his business, to ~ smb. packing, to ~ smb. to the right-about прогнáть, выпроводить когó-л.
**send II** [send] *мор.* 1. *n* толчóк, сообщáемый волнóй;
2. *v* поднимáться на грéбень волны.
**sender** ['sendə] *n* 1) отправитель; 2) передающий прибóр; телегрáфный аппарáт, передáтчик.
**send-off** ['send'ɔːf] *n* 1) прóводы; 2) хвалéбная рецéнзия.
**senega** ['senɪgə] *n бот.* сенéга.
**senescence** [se'nesəns] *n* старéние.
**senescent** [se'nesənt] *a* 1) старéющий; 2) ущерблённый (*о луне*).
**seneschal** ['senɪʃəl] *n ист.* сенешáль.
**senile** ['siːnaɪl] *a* стáрческий; дряхлый.
**senility** [sɪ'nɪlɪtɪ] *n* стáрость; дряхлость.
**senior** ['siːnjə] 1. *a* 1) стáрший (*противоп.* junior млáдший); John Smith ~ Джон Смит

отéц; he is two years ~ to me он стáрше меня на два гóда; ~ classic (wrangler) лауреáт по классической литератýре (по математике) в Кéмбриджском университéте; ~ man стáрый студéнт, не новичóк; ~ partner главá фирмы; the ~ service английский военно-морскóй флот (*старший из трёх видов вооружённых сил*); 2) *амер.* выпускнóй, послéдний (*о классе, курсе, семестре*); the ~ class послéдний год учéния в шкóле; the Senior Prom вéчер выпускников шкóлы;
2. *n* 1) пожилóй человéк; 2) стáрший; he is my ~ он стáрше меня; 3) лауреáт Кéмбриджского университéта; 4) *амер.* ученик выпускнóго клáсса; студéнт послéднего кýрса.
**seniority** [ˌsiːnɪ'ɔrɪtɪ] *n* 1) старшинствó; 2) *амер.* трудовóй стаж.
**senna** ['senə] *n фарм.* александрийский лист.
**sennet** ['senɪt] *n уст.* трýбный сигнáл (*ремарка в старых пьесах*).
**sennight** ['senaɪt] *n уст.* недéля; today ~ а) чéрез недéлю; б) недéлю томý назáд.
**sennit** ['senɪt] *n мор.* плетёнка.
**sensation** [sen'seɪʃən] *n* 1) ощущéние, чýвство; 2) сенсáция.
**sensational** [sen'seɪʃənl] *a* i) сенсационный; 2) *predic.* великолéпный, поразительный; 3) *филос.* сенсуáльный.
**sensationalism** [sen'seɪʃnəlɪzəm] *n филос.* сенсуализм.
**sensation-monger** [sen'seɪʃənˌmʌŋgə] *n* распространитель сенсациóнных слýхов.
**sense** [sens] 1. *n* 1) чýвство; ощущéние; the five ~s пять чувств; sixth ~ шестóе чýвство, интуиция; to have keen (*или* quick) ~s óстро чýвствовать, ощущáть; a ~ of duty чýвство дóлга; a ~ of humour чýвство юмора; a ~ of failure сознáние неудáчи; a ~ of proportion чýвство мéры; 2) *pl* сознáние; рáзум; in one's ~s в своём умé; have you taken leave (*или* are you out) of your ~s? с умá вы сошли?; to come to one's ~s а) прийти в себя; б) взяться за ум; to frighten (*или* to scare) smb. out of his ~s напугáть когó-л. до потéри сознáния; 3) здрáвый смысл (*тж.* common ~, good ~); ум; a man of ~ разýмный человéк; to talk ~ говорить дéльно, разýмно; he is talking ~ он дéло говорит; 4) смысл, значéние; it makes no ~ в этом нет смысла; in the strict(est) (*или* true) ~ of the word в (сáмом) тóчном значéнии слóва; in a good ~ в хорóшем смысле (слóва); in a literal ~ в буквáльном смысле слóва; in a ~ в извéстном смысле, до извéстной стéпени; in all ~s во всех смыслах, во всех отношéниях; in no ~ ни в какóм отношéнии; 5) настроéние; to take the ~s of the meeting определить настроéние собрáния посрéдством голосовáния;
2. *v* 1) ощущáть, чýвствовать; 2) понимáть.
**senseless** ['senslɪs] *a* 1) бесчýвственный, нечувствительный; to knock ~ оглушить; 2) бессмысленный; бессодержáтельный.

**sen-sen** ['sen'sen] *n* крупинки пряного вещества для удаления алкогольного запаха изо рта.

**sense-organ** ['sens‚ɔːgən] *n* орган чувств (*зрения, слуха и т. п.*).

**sensibility** [‚sensı'bılıtı] *n* 1) чувствительность; 2) точность (*прибора*).

**sensible** ['sensəbl] *a* 1) (благо)разумный, здравомыслящий; 2) сознающий, чувствующий (of); to be ~ of one's peril сознавать опасность; 3) ощутимый, заметный; a ~ change for the better заметное улучшение; a ~ difference in temperature значительная разность температур.

**sensitive** ['sensıtıv] *a* 1) чувствительный; восприимчивый; a ~ ear (болезненно) тонкий слух; ~ market *эк.* неустойчивый рынок; ~ paper светочувствительная бумага; ~ plant *бот.* мимоза стыдливая; 2) очень нежный, легко поддающийся раздражению; a ~ skin нежная кожа; 3) обидчивый; 4) *тех.* прецизионный, точный.

**sensitiveness, sensitivity** ['sensıtıvnıs, ‚sensı'tıvıtı] *n* чувствительность.

**sensitize** ['sensıtaız] *v* 1) делать чувствительным, повышать чувствительность; 2) делать светочувствительной (*бумагу*).

**sensory** ['sensərı] *a* 1) чувствительный; 2) *физиол.* сенсорный.

**sensual** ['sensjuəl] *a* 1) чувственный, плотский; 2) сладострастный; 3) *филос.* сенсуалистический.

**sensualist** ['sensjuəlıst] *n* 1) сластолюбец; 2) *филос.* сенсуалист.

**sensuality** [‚sensju'ælıtı] *n* чувственность.

**sensuous** ['sensjuəs] *a* 1) чувственный (*о восприятии*); 2) эстетический.

**sent** [sent] *past и p. p. от* send I.

**sentence** ['sentəns] 1. *n* 1) приговор; to pass ~ upon smb. выносить приговор кому-л.; to serve one's ~ отбывать срок наказания; life ~ пожизненное заключение; 2) *уст.* сентенция, изречение; 3) *грам.* предложение.
2. *v* осуждать, приговаривать.

**sententious** [sen'tenʃəs] *a* нравоучительный; сентенциозный.

**sentience** ['senʃəns] *n* чувствительность.

**sentient** ['senʃənt] *a* чувствующий, ощущающий.

**sentiment** ['sentımənt] *n* 1) чувство; отношение, настроение, мнение; the ~ of pity (of respect) чувство жалости (уважения); these are (*или шутл.* them's) my ~s вот моё мнение; 2) сентиментальность, сентименты; 3) мысль; 4) тост, пожелание.

**sentimental** [‚sentı'mentl] *a* сентиментальный.

**sentimentality** [‚sentımen'tælıtı] *n* сентиментальность.

**sentinel** ['sentınl] 1. *n* часовой; страж; to stand ~ over охранять;
2. *v* охранять, стоять на страже.

**sentry** ['sentrı] *n воен.* 1) часовой; 2) караул.

**sentry-box** ['sentrıbɔks] *n* будка часового.

**sentry-go** ['sentrıgou] *n* 1) пост (*сторожевой*); 2) дежурство на посту.

**sentry-line** ['sentrılaın] *n воен.* цепь сторожевых постов.

**sentry-unit** ['sentrı‚juːnıt] *n воен.* сторожевое подразделение.

**sepal** ['sepəl] *n бот.* чашелистик.

**separability** [‚sepərə'bılıtı] *n* отделимость.

**separable** ['sepərəbl] *a* отделимый.

**separata** [‚sepə'reıtə] *pl от* separatum.

**separate** 1. *a* ['seprıt] 1) отдельный; cut it into four ~ parts разрежьте это на четыре части; ~ maintenance содержание, назначаемое жене при разводе; 2) особый, индивидуальный; самостоятельный; these are two entirely ~ questions это два совершенно самостоятельных вопроса; 3) изолированный; уединённый; 4) сепаратный;
2. *n* ['seprıt] отдельный оттиск (*статьи*);
3. *v* ['sepəreıt] 1) отделять(ся); разделять(ся), разлучать(ся); расходиться; 2) сортировать, отсеивать; to ~ chaff from grain очищать зерно от мякины; 3) разлагать (*на части*); 4) *воен.*: to ~ from active service, *амер.* to ~ from the service увольнять, демобилизовывать.

**separatee** [‚sepərə'tiː] *n* демобилизованный.

**separation** [‚sepə'reıʃən] *n* 1) отделение, разделение; разлучение; сепарация, разобщение; 2) разложение на части; 3) раздельное жительство супругов; развод; 4) *горн.* обогащение; 5) *attr.*: ~ allowance пособие жене солдата.

**separatism** ['sepərətızəm] *n* сепаратизм.

**separatist** ['sepərətıst] *n* сепаратист.

**separator** ['sepəreıtə] *n* 1) сепаратор, сортировочный аппарат; 2) решето, сито, грохот; 3) триер, зерноочиститель; молотилка (*в комбайне*); 4) прокладка, отделитель.

**separatum** [‚sepə'reıtəm] *n* (*pl* -ta) отдельный оттиск (*статьи*).

**sepia** ['siːpjə] *n* сепия (*краска*).

**sepoy** ['siːpɔı] *n* сипай.

**sepsis** ['sepsıs] *n мед.* сепсис.

**sept** [sept] *n* (ирландский) клан.

**septa** ['septə] *pl от* septum.

**septan** ['septən] 1. *a* семидневный;
2. *n* перемежающаяся лихорадка с приступами через каждые шесть дней.

**septangle** ['septæŋgl] *n* семиугольник.

**septate** ['septeıt] *a биол.* разделённый перегородкой.

**September** [səp'tembə] *n* 1) сентябрь; 2) *attr.* сентябрьский.

**septenary** [sep'tenərı] *a* семеричный.

**septennate** [sep'teneıt] *n* семилетний срок.

**septennial** [sep'tenjəl] *a* семилетний.

**septentrional** [sep'tentrıənəl] *a уст.* северный.

**septet(te)** [sep'tet] *n муз.* септет.

**septic** ['septık] *a мед.* септический.

**septicaemia** [‚septı'siːmıə] *n мед.* заражение крови, сепсис, септицемия.

**septilateral** [‚septı'lætərəl] *a* семисторонний.

**septuagenarian** [‚septjuədʒı'nɛərıən] 1. *a* семидесятилетний; в возрасте между 69 и 80 годами;
2. *n* человек в возрасте между 69 и 80 годами.

**septum** ['septəm] *n* (*pl* -ta) *биол.* перегородка.

**septuple** ['septjupl] 1. *a* семикратный; 2. *n* семикратное количество; 3. *v* множить на семь; увеличивать в семь раз.

**sepulchral** [sɪ'pʌlkrəl] *a* могильный; погребальный; ~ mound могильный холм; ~ voice замогильный голос.

**sepulchre** ['sepəlkə] 1. *n* 1) могила, гробница; whited (*или* painted) ~ a) *библ.* гроб повапленный; б) лицемер; 2) *редк.* погребение; 2. *v* погребать, класть в гробницу.

**sepulture** ['sepəltʃə] *n* погребение.

**sequacious** [sɪ'kweɪʃəs] *a* 1) послушный, податливый; ~ zeal раболепное усердие; 2) последовательный.

**sequel** ['siːkwəl] *n* 1) продолжение; the book is a ~ to (*или* of) the author's last novel эта книга является продолжением последнего романа писателя; 2) последующее событие; in the ~ впоследствии; 3) последствие, результат.

**sequela** [sɪ'kwiːlə] *лат. n* (*pl* -lae; *обыкн. pl*) последствие, осложнение (*болезни*).

**sequelae** [sɪ'kwiːliː] *pl om* sequela.

**sequence** ['siːkwəns] *n* 1) последовательность; следование; порядок (следования); ряд; ~ of events ход событий; ~ of tenses *грам.* последовательность времён; in ~ один за другим; in historical ~ в исторической (*или* хронологической) последовательности; 2) (по)следствие, результат; 3) *муз.* секвенция; 4) *кино* эпизод.

**sequent** ['siːkwənt] *a* 1) следующий; 2) являющийся следствием.

**sequential** [sɪ'kwenʃəl] *a* 1) являющийся продолжением; 2) последовательный.

**sequester** [sɪ'kwestə] *v* 1) *редк.* уединять, изолировать; 2)= sequestrate.

**sequestered** [sɪ'kwestəd] 1. *p. p. om* sequester; 2. *a* изолированный; уединённый; ~ life уединённая жизнь.

**sequestra** [sɪ'kwestrə] *pl om* sequestrum.

**sequestrable** [sɪ'kwestrəbl] *a юр.* подлежащий секвестру.

**sequestrate** [sɪ'kwestreɪt] *v юр.* секвестровать; конфисковать.

**sequestration** [ˌsiːkwes'treɪʃən] *n* 1) *юр.* секвестр; конфискация; 2) *мед.* изоляция, карантин.

**sequestrum** [sɪ'kwestrəm] *n* (*pl* -ra) *мед.* омертвевшая часть кости, секвестр.

**sequin** ['siːkwɪn] *n* 1) *ист.* цехин (*венецианская золотая монета*); 2) блёстка на платье.

**sequoia** [sɪ'kwɔɪə] *n бот.* секвойя, мамонтово дерево.

**sera** ['sɪərə] *pl om* serum.

**seraglio** [se'rɑːliou] *n* (*pl*-os[-ouz]) сераль.

**serai** I [se'raɪ] *n* караван-сарай.

**serai** II [se'raɪ] *n англо-инд.* глиняный сосуд для воды.

**seraph** ['serəf] *n* (*pl* -phim, -phs [-fs]) серафим.

**seraphic** [se'ræfɪk] *a* серафический, ангельский, неземной.

**seraphim** ['serəfɪm] *pl om* seraph.

**Serb** [səːb] = Serbian.

**Serbian** ['səːbjən] 1. *a* сербский; 2. *n* 1) серб; сербка; 2) сербский язык.

**Serbonian bog** [səː'bounjən'bɔg] *n* 1) *название ныне высохшего огромного болота в Египте*; 2) безвыходное положение; 3) сумбур; столпотворение.

**sere** I [sɪə] *a* сухой, увядший.

**sere** II [sɪə] = sear II.

**serein** [se'reɪn] *n* моросящий дождь при безоблачном небе.

**serenade** [ˌserɪ'neɪd] 1. *n* серенада; 2. *v* исполнять серенаду.

**serene** [sɪ'riːn] 1. *a* 1) ясный, спокойный, тихий; безоблачный; безмятёжный; all ~ *разг.* всё в порядке; 2): His S. Highness его светлость (*титул*); 2. *n поэт.* безоблачное небо; спокойное море; 3. *v поэт.* прояснять.

**serenity** [sɪ'renɪtɪ] *n* 1) ясность, безмятёжность; 2) (S.) светлость (*титул*).

**serf** [səːf] *n* 1) крепостной; 2) раб.

**serfage, serfdom, serfhood** ['səːfɪdʒ, -dəm, -hud] *n* 1) крепостное право; 2) рабство.

**serge** [səːdʒ] *n текст.* 1) саржа; 2) серж (*шерстяная костюмная ткань*).

**sergeant** ['sɑːdʒənt] *n* 1) сержант; ~ major старшина (*подразделения*); first ~ *амер.* старшина (*подразделения*); staff ~ *амер.* сержант штабной службы; 2) (*обыкн.* serjeant) *уст.* адвокат высшего разряда; Common S. судейский чиновник Лондонского муниципалитета.

**Sergeant-at-arms** ['sɑːdʒəntət'ɑːmz] *n* парламентский пристав.

**serial** ['sɪərɪəl] 1. *a* 1) серийный; 2) последовательный; ~ number порядковый номер; 3) выходящий выпусками; 2. *n* роман в нескольких частях; фильм в нескольких сериях.

**serialize** ['sɪərɪəlaɪz] *v* 1) издавать выпусками (*книгу*); 2) располагать в последовательном порядке.

**seriate, seriated** ['sɪərɪeɪt, ˌsɪərɪ'eɪtɪd] *a* расположенный по порядку.

**seriatim** [ˌsɪərɪ'eɪtɪm] *adv* пункт за пунктом, по порядку; to consider (examine, discuss) ~ рассматривать (изучать, обсуждать) по пунктам.

**sericeous** [sə'rɪʃəs] *a* шелковистый.

**sericulture** ['serɪˌkʌltʃə] *n* шелководство.

**series** ['sɪəriːz] *n* (*pl без измен.*) 1) ряд; серия; a ~ of stamps (coins) серия марок (монёт); a ~ of misfortunes полоса неудач; in ~ последовательно, по порядку; 2) *геол.* свита, отдёл; группа, система; 3) *эл.* последовательное соединение; 4) *мат.* прогрессия.

**serin** ['serɪn] *n зоол.* вьюрок канареечный.

**seringa** [sɪ'rɪŋgə] *n бот.* гевея.

**serio-comic** ['sɪərɪou'kɔmɪk] *a* шутливо-серьёзный.

**serious** ['sɪərɪəs] *a* 1) серьёзный; and now to be ~ однако, шутки в сторону; 2) важный; 3) вызывающий опасение; опасный.

**seriousness** ['sɪərɪəsnɪs] *n* серьёзность.

**serjeant** ['sɑːdʒənt] = sergeant.

**Serjeant-at-law** [ˈsɑːʤəntətˈlɔː] = ser-geant 2).

**sermon** [ˈsəːmən] 1. *n* проповедь; поучение;
2. *v* читать проповедь.

**sermonize** [ˈsəːmənaɪz] *v* 1) проповедовать; 2) морализировать.

**serotinous** [seˈrɔtinəs] *a бот.* поздний.

**serous** [ˈsɪərəs] *a физиол.* серозный.

**serpent** [ˈsəːpənt] *n* 1) змея, змей; 2) злой, ядовитый человек; 3) змий, дьявол (*тж.* the old S.).

**serpent-charmer** [ˈsəːpənt͵ʧɑːmə] *n* заклинатель змей.

**serpentine** [ˈsəːpəntaɪn] 1. *a* 1) змеиный; 2) змеевидный; извивающийся, извилистый; 3) хитрый; коварный, предательский;
2. *n* 1) *мин.* серпентин, змеевик; 2) *тех.* змеевик;
3. *v* извиваться.

**serrate, serrated** [ˈserɪt, seˈreɪtɪd] *a* зубчатый; зазубренный.

**serration** [seˈreɪʃən] *n* 1) зубчатость; 2) зубец.

**serried** [ˈserɪd] *a* сомкнутый (*плечом к плечу*); in ~ ranks сомкнутыми рядами.

**serrulate, serrulated** [ˈserulet, -leɪtɪd] *a* мелкозубчатый.

**serum** [ˈsɪərəm] *n* (*pl* -s [-z], sera) *физиол.* сыворотка.

**servant** [ˈsəːvənt] *n* слуга, служитель, прислуга; civil ~ государственный служащий; public ~s должностные лица; general ~ «прислуга за всё».

**servant-maid** [ˈsəːvəntmeɪd] *n* служанка.

**serve** [səːv] 1. *v* 1) служить; быть полезным; in doing this he ~d his country делая это, он служил своей родине; to ~ as smb., smth. служить в качестве кого-л., чего-л.; 2) годиться, удовлетворять; it will ~ a) это то, что нужно; б) этого будет достаточно; as occasion ~s когда представляется случай; to ~ no purpose никуда не годиться; 3) благоприятствовать (*о ветре и т. п.*); 4) служить в армии; he ~d in North Africa он проходил военную службу в Северной Африке; to ~ in the ranks служить рядовым; to ~ under smb. служить под начальством кого-л.; 5) подавать (*на стол*); dinner is ~d! кушать подано!; 6) обслуживать; to ~ a customer заниматься с покупателем, клиентом; this busline ~s a large district эта автобусная линия обслуживает большой район; 7) обслуживать, управлять; to ~ a gun стрелять из орудия; 8) отбывать (*срок*; *тж.* to ~ one's term *или* time); 9) обходиться с, поступать; he ~d me shamefully он обошёлся со мной отвратительно; 10) *церк.* служить службу; 11) *юр.* вручать (*повестку кому-л.*; on); to ~ notice формально, официально извещать; 12) подавать мяч (*в теннисе и др. играх*); 13) *мор.* клетневать; ▢ ~ for a) годиться для чего-л.; б) служить в качестве чего-л.; the bundle ~d him for a pillow свёрток служил ему подушкой; ~ out a) раздавать, распределять; б) *разг.* отплатить; ~ round обносить кругом (*блюда*); ~ up подавать

на стол; ~ with подавать; снабжать; ◊ it ~s him (her) right! поделом ему (ей)!; to ~ with the same sauce ≈ отплатить той же монетой; to ~ smb. a trick сыграть с кем-л. штуку;
2. *n спорт.* подача (*мяча*).

**Servian** [ˈsəːvjən] = Serbian.

**service I** [ˈsəːvɪs] 1. *n* 1) служба; to take into one's ~ нанимать; to take ~ with smb. поступать на службу к кому-л.; 2) обслуживание, сервис; 3) услуга, одолжение; at your ~ к вашим услугам; to be of ~ быть полезным; 4) служба (*область работы и т. п.*); Civil S. государственная гражданская служба; National S. воинская *или* трудовая повинность (*в Англии*); 5) *воен.* род войск; the (fighting) ~s армия, флот и военная авиация; 6) сервиз; 7) судебное извещение; 8) *мор.* клетень; 9) *спорт.* подача (*мяча*); 10) действие, функция; 11) *рел.* служба; to say a ~ отправлять богослужение; 12) *фин.* проценты по государственным долгам; 13) *attr.* служебный; ~ record послужной список;
2. *v* 1) обслуживать; 2) проводить осмотр и текущий ремонт (*машины и т. п.*); 3) заправлять (*горючим*; 4) случать.

**service II** [ˈsəːvɪs] = service-tree.

**serviceable** [ˈsəːvɪsəbl] *a* 1) полезный, пригодный; 2) услужливый; 3) прочный; ~ fabric прочная материя.

**service-book** [ˈsəːvɪsbuk] *n* молитвенник.

**service dress** [ˈsəːvɪsˈdres] *n* форменная одежда.

**service entrance** [ˈsəːvɪsˈentrəns] *n* 1) служебный вход; 2) чёрный ход.

**service flat** [ˈsəːvɪsˈflæt] *n* квартира в доме с общим обслуживанием и готовым питанием.

**serviceman** [ˈsəːvɪsmæn] *n амер.* военнослужащий.

**service medal** [ˈsəːvɪsˈmedl] *n амер. воен.* памятная медаль (*за участие в какой-л. кампании или военной операции*).

**service pipe** [ˈsəːvɪsˈpaɪp] *n* домовая водопроводная *или* газопроводная труба.

**service stair** [ˈsəːvɪsˈstɛə] *n* чёрная лестница.

**service station** [ˈsəːvɪsˈsteɪʃən] *n* станция обслуживания (*автомобилей*).

**service-tree** [ˈsəːvɪstriː] *n бот.* рябина домашняя.

**service uniform** [ˈsəːvɪsˈjuːnɪfɔːm] *n амер. воен.* повседневная форма одежды.

**servidor** [ˈsəːvɪdɔː] *n амер.* дверь (*обыкн. в гостиницах*) с внутренним ящиком (*в который изнутри кладётся, а снаружи вынимается одежда для чистки, причём, дверь для этого не открывают*).

**serviette** [͵səːvɪˈet] *фр. n* салфетка.

**servile** [ˈsəːvaɪl] *a* рабский; раболепный, подобострастный, холопский.

**servility** [səːˈvɪlɪtɪ] *n* 1) рабство; 2) раболепство, подобострастие.

**servitor** [ˈsəːvɪtə] *n* 1) *уст.* слуга; приближённый; 2) *ист.* студент, работающий служителем за стипендию.

**servitude** [ˈsəːvɪtjuːd] *n* рабство; порабощение.

**servo** ['sə:vou] 1. *n сокр. разг. от* servo-
-mechanism *и* servo-motor;
2. *а* вспомогáтельный.

**servo-mechanism** ['sə:vou,mekənizəm] *n*
*тех.* вспомогáтельный механи́зм.

**servo-motor** ['sə:vou,moutə] *n* вспомогáтельный мотóр.

**sesame** ['sesəmi] *n бот.* кунжýт востóчный.

**sesquialteral** [,seskwı'æltərəl] *a* полý-
торный.

**sesquipedalian** ['seskwıpı'deıljən] *a* 1) по-
луторафýтовый; 2) óчень дли́нный, не-
удобопоня́тный (*о слове*).

**sessile** ['sesaıl] *a бот., зоол.* сидя́чий.

**session** ['seʃən] *n* 1) заседáние; to be in
~ заседáть, быть в сбóре; 2) сéссия (*пар-
ламентская, судебная*); Court of S. Шот-
лáндский Верхóвный граждáнский суд;
petty ~s коллéгия из двух-трёх мировы́х
судéй без прися́жных; 3) учéбный год
(*в шотл. и некоторых англ. университетах*);
summer ~ лéтние кýрсы при университéте; 4) *амер.* заня́тия, учéбное врéмя в шкóле; 5) *разг.* врéмя, зáнятое чем-л. (*особ.
чем-л. неприя́тным*).

**sesterce** ['sestə:s] *n ист.* сестéрций (*рим-
ская монета*).

**sestertii** [ses'tə:ʃıaı] *pl от* sestertius.

**sestertius** [ses'tə:ʃıəs] *n* (*pl* -tii) = sesterce.

**sestet** [ses'tet] *n муз.* секстéт.

**set I** [set] 1. *n* 1) направлéние (*течения, ветра*); наклóнность, тендéнция, устá-
нóвка; a ~ of public feeling тендéнция общéственного мнéния; 2) конфигурáция,
очертáние, строéние (*гор и т. п.*); 3) посáдка (*головы*); 4) покрóй; 5) искривлéние,
заги́б, сдвиг; 6) *поэт.* захóд (*солнца*);
at ~ of sun пéред захóдом сóлнца; 7) сá-
женец; 8) молодóй побéг (*растения*),
зáвязь (*плода*); 9) стóйка (*собаки*); 10)
*горн.* крепёжная рáма; 11) *воен.* ми́нная
рáма; 12) *тех.* ширинá развóда (*пилы*);
13) *стр.* осáдка; 14) *тех.* остáточная деформáция; 15) *тех.* обжи́мка, держáвка;
16) *текст.* съём; ◇ to make a dead ~ at
а) подвергáть рéзкой кри́тике; нападáть
на; б) стреми́ться подчини́ть своемý влия́-
нию;
2. *а* 1) неподви́жный, засты́вший (*о взгляде, улыбке*); 2) обдýманный (*о намерении*);
of ~ purpose с ýмыслом, предумы́шленный; 3)
зарáнее приготóвленный, состáвленный (*о
речи*); 4) устанóвленный, назнáченный;
предпи́санный; 5) пострóенный; 6) устá-
нови́вшийся; ~ fair установи́вшийся (*о погоде*); 7) твёрдый, реши́тельный, непоко-
леби́мый; 8) сложённый; a heavy ~ man
человéк плóтного сложéния; 9) сверну́в-
шийся (*о молоке*); 10) затвердéвший (*о цементе*); 11) зашéдший (*о солнце*); 12) ре-
ши́вшийся дости́чь (*чего-л.*); 13) поглó-
щённый (on, upon — *чем-л.*);
3. *v* 1) стáвить, класть, помещáть;
расставля́ть, устанáвливать; располагáть;
размещáть; to ~ foot on smth. наступи́ть
на что-л.; not to ~ foot in smb.'s house
не переступáть порóга чьегó-л. дóма; to

~ sail а) стáвить парусá; б) пускáться в плáвание; to ~ the signal подáть, установи́ть
сигнáл; to ~ the table накрывáть на стол;
to ~ to zero а) установи́ть на нуль; б)
привести́ к нулю́; to ~ on stake стáвить
на кáрту; to ~ one's name (*или* hand) to
a document постáвить свою́ пóдпись под
докумéнтом; to ~ bounds (to) ограни́чи-
вать; to ~ a limit (to) положи́ть предéл,
пресéчь; 2) приводи́ть в определённое со-
стоя́ние; to ~ in motion приводи́ть в движéние; to ~ in order приводи́ть в поря́-
док; to ~ smb. at (his) ease успокóить,
ободри́ть когó-л.; he ~ people at once
on their ease with him лю́дям в егó присýтствии срáзу дéлалось легкó и удóбно; to ~
at rest а) успокóить; б) улáдить (*вопрос*);
to ~ at variance поссóрить; вы́звать кон-
фли́кт; to ~ free освобождáть; to ~ loose
отпускáть; to ~ right а) приводи́ть в по-
ря́док, исправля́ть; б) выводи́ть из заблуж-
дéния; to ~ one's hat (tie *etc.*) straight
(*или* right) попрáвить шля́пу (гáлстук
*и т. п.*); to ~ laughing рассмеши́ть; to ~
on fire поджигáть; the news ~ her heart
beating при э́том извéстии у неё заби́лось
сéрдце; the answer ~ the audience in a roar
услы́шав отвéт, все присýтствующие раз-
рази́лись хóхотом; to ~ a machine going
пускáть маши́ну; 3) устанáвливать, на-
лáживать; to ~ the hands of a clock устa-
нови́ть стрéлки часóв; to ~ a razor прáвить
бри́тву; 4) пригоня́ть; вправля́ть, при-
крепля́ть; вставля́ть в рáму *или* оправу;
5) вправля́ть (*кость*); 6) сажáть (*растение*);
7) посади́ть (*курицу на яйца*); 8) втыкáть;
9) точи́ть, разводи́ть (*пилу*); 10) дви́гаться
в извéстном направлéнии; имéть склóнность; to ~ course лечь на курс; opinion
is ~ting against it общéственное мнéние
прóтив э́того; 11) повернýть, напрáвить;
to ~ one's face towards the sun повернýться
лицóм к сóлнцу; to ~ one's mind (*или*
brain) on (*или* to) smth. сосредотóчить
мысль на чём-л.; 12) подноси́ть, пристав-
ля́ть, приближáть; to ~ a glass to one's
lips поднести́ стакáн к губáм; to ~ a pen
to paper начáть писáть; 13) приклáдывать
(*печать*); 14) сти́скивать, сжимáть (*зубы*);
to ~ smth. устанáвливать (*цену, время
и т. п.*); to ~ the value of smth. at a certain sum оцени́ть что-л., установи́ть цéну
чегó-л.; to ~ a punishment налагáть взыскáние; 16) задавáть (*работу, задачу*); to
~ to work усади́ть за дéло; you have ~
me a difficult job вы зáдали мне трýдную
рабóту; 17) подавáть (*пример*); 18) сидéть (*о платье*); 19) садиться, заходи́ть
(*о солнце, луне; тж. перен.*); his star has
~ егó звездá закати́лась; 20) положи́ть
на мýзыку (*тж.* ~ to music); 21) дéлать
твёрдым, густы́м, прóчным; to ~ milk for
cheese сворáживать молокó для сы́ра;
22) твердéть, застывáть, затвердевáть;
схвáтываться (*о цементе, бетоне*); his
face ~ егó лицó при́няло засты́вшее выражéние; 23) офóрмиться, сложи́ться; 24)
завя́зываться (*о плоде*); 25) корóбиться;
26) дéлать стóйку (*о собаке*); 27) изготов-

лять (*чучело*); 28) *мор.* пеленгова́ть; 29) *мор.* тяну́ть (*такелаж*); 30) *полигр.* набира́ть; 31) *стр.* производи́ть кла́дку; □ ~ **about** а) начина́ть, приступа́ть к чему́-л.; б) побужда́ть (*кого-л.*) нача́ть; в) *разг.* напа́сть, нача́ть дра́ку с кем-л.; г) распространя́ть (*слух*); ~ **against** а) противопоставля́ть; б) восстана́вливать про́тив кого́-л.; ~ **apart** а) откла́дывать в сто́рону; б) прибере́гать; в) отделя́ть; г) разнима́ть (*дерущихся*); ~ **aside** а) откла́дывать; б) отверга́ть, оставля́ть без внима́ния; в) аннули́ровать; ~ **at** а) напада́ть, набра́сываться на; б) натра́вливать на; ~ **back** препя́тствовать, заде́рживать; ~ **before** представля́ть, прибере́гать (*факты*); ~ **by** откла́дывать, прибере́гать; ~ **down** а) положи́ть, бро́сить (*на зе́млю*); б) отложи́ть; в) выса́живать (*пассажи́ра*); г) запи́сывать, пи́сьменно излага́ть; д) осади́ть, обре́зать (*кого́-л.*); е): ~ **down as** счита́ть чем-л.; ж) припи́сывать (**to** — *чему́-л.*); з) предпи́сывать; и) *метал.* выса́живать, раско́вывать; ~ **forth** а) излага́ть, объясня́ть; б) отправля́ться; в) выставля́ть (*напока́з*); г) хвали́ть, рекомендова́ть; ~ **forward** а) продвига́ть; б) выдвига́ть (*предложе́ние*); в) отправля́ться; ~ **in** начина́ться; наступа́ть; устана́вливаться; the tide ~ in нача́лся прили́в; rain ~ in пошёл обложно́й дождь; установи́лась дождли́вая пого́да; ~ **off** а) отмеча́ть; размеча́ть; б) отправля́ть(ся); в) откла́дывать; г) уравнове́шивать; д) противопоставля́ть; е) выделя́ть(ся); оттеня́ть; the frame ~s off the picture карти́на в э́той ра́ме выи́грывает; ж) пуска́ть (*раке́ту*); з) побуди́ть к чему́-л.; to ~ off laughing рассмеши́ть; ~ **on** а) подстрека́ть; натра́вливать; б) напада́ть; в) навести́ (*на след*); ~ **out** а) выставля́ть напока́з; б) выставля́ть на прода́жу; в) излага́ть; г) отпра́виться, вы́ехать, вы́лететь; д) намерева́ться; ~ **over** а) ста́вить во главе́; ~ **to** а) вступа́ть в бой; б) бра́ться за (*работу, еду*); to ~ oneself to smth. принима́ться за что-л.; ~ **up** а) воздвига́ть; б) учрежда́ть; в) нача́ть *или* помо́чь нача́ть предприя́тие; г) возвы́сить(ся) (**over** — над *кем-л.*); д) причиня́ть (*боль и т. п.*); е) снабжа́ть, обеспе́чивать (**in**, with — *чем-л.*); ж) поднима́ть (*шум*); з) выдвига́ть (*тео́рию*); и) восстана́вливать си́лы, оживля́ть; к) *полигр.* набира́ть; л) *воен.* развёртывать(ся) (*о полевом учрежде́нии*); ~ **up for** выдава́ть себя́ за кого́-л.; he ~s up for a scholar он претенду́ет на учёность; ~ **upon** = ~ on; ~ **with** усы́пать (*блёстками, цвета́ми и т. п.*); ◇ to ~ the ears поссо́рить; to ~ one's face (*или* oneself) against (a proposal *etc.*) реши́тельно воспроти́виться (приня́тию предложе́ния *и т. п.*); to ~ one's face like a flint приня́ть твёрдое реше́ние, быть непрекло́нным; to ~ on foot пусти́ть в ход, нача́ть, организова́ть; to ~ smb. on his feet поста́вить кого́-л. на́ ноги; помо́чь кому́-л. в дела́х; to ~ one's heart (*или* mind) on smth. стра́стно жела́ть чего́-л.; стреми́ться к чему́-л.; to ~ one's hopes on smb., smth. возла-

га́ть наде́жды на кого́-л., что-л.; to ~ one's life on a chance рискова́ть жи́знью; to ~ one's cap at smb. добива́ться чьей-л. благоскло́нности; to ~ much by smth., to ~ store by smth. (высоко́) цени́ть что-л.; to ~ little by smth. быть невысо́кого мне́ния о чём-л.; to ~ at defiance, to ~ at naught (*или* nought) пренебрега́ть, не счита́ться; ни во что́ не ста́вить; to ~ eyes on а) уви́деть; б) уста́виться на.

**set II** [set] *n* 1) набо́р, компле́кт, гарниту́р; ~ of teeth ряд зубо́в; ~ of drawing instruments готова́льня; ~ of studs гарниту́р за́понок; ~ of fire-irons ками́нный прибо́р; 2) ряд, се́рия; систе́ма; ~ of lectures цикл ле́кций; 3) гру́ппа, компа́ния; круг (*лиц*); the literary ~ литерату́рные круги́; the racing ~ завсегда́таи ска́чек; 4) *теа́тр.* декора́ция; 5) сет (*в те́ннисе*); 6) *тех.* прибо́р, аппара́т; устано́вка, агрега́т; 7) радиоприёмник, радиоаппара́т.

**seta** ['si:tə] *n* (*pl* -tae) *бот., зоол.* щети́н(к)а.

**setaceous** [sɪ'teɪʃəs] *a бот., зоол.* щети́нистый.

**setae** ['si:ti:] *pl от* seta.

**set-back** ['setbæk] *n* заде́ржка (*разви́тия и т. п.*); регре́сс; препя́тствие.

**set-down** ['set'daun] *n* 1) отпо́р; ре́зкий отка́з; 2) упрёк; вы́говор.

**set-off** ['set'ɔf] *n* 1) украше́ние; 2) контра́ст; противопоставле́ние, противове́с; 3) *стр.* усту́п, вы́ступ.

**setose** ['si:tous] = setaceous.

**set-out** ['set'aut] *n* 1) нача́ло; at the first ~ в са́мом нача́ле; 2) вы́ставка; витри́на.

**set screw** ['set'skru:] *n тех.* устано́вочный винт.

**set square** ['set'skwɛə] *n* уго́льник.

**sett** [set] *n* брусча́тка, ка́менная ша́шка.

**settee** [se'ti:] *n* небольшо́й дива́н.

**setter** ['setə] *n* 1) се́ттер (*соба́ка*); 2) разво́дка (*для пилы́*); 3) прибо́р для устано́вки; 4) *воен.* устано́вщик.

**setterwort** ['setəwə:t] *n бот.* моро́зник воню́чий.

**setting** ['setɪŋ] 1. *pres. p. от* set I, 3; 2. *n* 1) окружа́ющая обстано́вка, окруже́ние; 2) декора́ции и костю́мы; худо́жественное оформле́ние (*спекта́кля*); 3) опра́ва (*камня*); 4) му́зыка на слова́ (*стихотворе́ния*); 5) сочине́ние му́зыки на слова́ (*стихотворе́ния*); 6) захо́д (*со́лнца*); 7) кла́дка (*ка́менная*); 8) сгуще́ние, затверде́вание, застыва́ние; схва́тывание (*цеме́нта*); 9) регули́рование, устано́вка; пуск в ход; 10) *тех.* са́дка, загру́зка.

**setting-rule** ['setɪŋru:l] *n полигр.* набо́рная лине́йка.

**setting-stick** ['setɪŋstik] *n полигр.* верста́тка.

**setting-up** ['setɪŋ'ʌp] *n тех.* сбо́рка, монта́ж.

**settle I** ['setl] *n* скамья́(-ларь).

**settle II** ['setl] *v* 1) посели́ть(ся), водвори́ть(ся), обоснова́ться (*тж.* ~ down); 2) регули́ровать(ся); приводи́ть(ся) в поря́док; ула́живать(ся); устана́вливать(ся);

to ~ one's affairs а) устро́ить свои́ дела́; б) соста́вить завеща́ние; to ~ one's feet in the stirrups вдева́ть но́ги в стремена́; things will soon ~ into shape положе́ние ско́ро определи́тся; 3) успока́ивать(ся) (*тж.* ~ down); 4) уса́живать(ся); to ~ an invalid among the pillows усади́ть больно́го в поду́шках; 5) бра́ться за определённое де́ло (*часто* ~ down); 6) реша́ть, назнача́ть, определя́ть; приходи́ть *или* приводи́ть к реше́нию; to ~ smb.'s doubts разреши́ть чьи-л. сомне́ния; that ~s the matter (*или* the question) вопро́с исче́рпан; to ~ the day определи́ть срок, назна́чить день; 7) заселя́ть, колонизова́ть; 8) отста́иваться; осажда́ться, дава́ть оса́док; 9) оседа́ть, опуска́ться ко дну; 10) дава́ть отстоя́ться; очища́ть от му́ти; 11) разде́лываться; to ~ smb.'s hash разде́латься с кем-л., уби́ть кого́-л.; погуби́ть кого́-л.; 12) опла́чивать (*счёт*); распла́чиваться; to ~ an old score свести́ ста́рые счёты; 13) *юр.* закрепля́ть (*за кем-л.*); завеща́ть; to ~ an annuity on smb. назна́чить еже́го́дную ре́нту кому́-л.; □ ~ down а) посели́ть(ся), обоснова́ться; б) успоко́иться; в) устро́иться, привы́кнуть к окружа́ющей обстано́вке; to ~ down to married life обзавести́сь семьёй; г) приступа́ть (*к чему-л.*); бра́ться (*за что-л.*); ~ in всели́ть(ся).

**settled** ['setld] 1. *p.p. от* settle II; 2. *a* 1) усто́йчивый; 2) определённый, посто́янный; 3) осе́длый; 4) споко́йный, уравнове́шенный.

**settlement** ['setlmənt] *n* 1) поселе́ние, коло́ния; 2) *ист.* се́ттльмент (*европе́йский кварта́л в не́которых города́х стран Восто́ка*); 3) упла́та, расчёт; 4) оса́дка (*гру́нта*); оседа́ние; 5) урегули́рование; реше́ние; to tear up the ~ порва́ть, нару́шить соглаше́ние; 6) да́рственная за́пись; Act of S. зако́н о престолонасле́дии в А́нглии (*1701 г.*); 7) небольшо́й посёлок, гру́ппа домо́в.

**settler** ['setlə] *n* 1) поселе́нец; 2) *sl.* реша́ющий до́вод, реша́ющий уда́р; 3) *тех.* отсто́йник; сепара́тор.

**settling** ['setlɪŋ] 1. *pres.p. от* settle II; 2. *n* 1) оса́дка, оседа́ние; 2) осажде́ние; 3) (*обыкн. pl*) оса́док, налёт; 4) стабилиза́ция.

**settling-day** ['setlɪŋdeɪ] *n* расчётный день (*на би́рже*).

**set-to** ['set'tuː] *n* (*pl* -tos, -to's [-tuːz]) *разг.* кула́чный бой; схва́тка.

**set-up** ['setʌp] 1. *n* 1) оса́нка; 2) = setting-up; 3) организа́ция, устро́йство; структу́ра, положе́ние; 4) *разг.* соревнова́ние, исхо́д кото́рого соверше́нно я́сен (*т. к. си́лы уча́стников не равны́*); 5) *разг.* что-л. о́чень лёгкое.
2. *a* 1) сло́женный (*о челове́ке*); a well ~ figure стро́йная фигу́ра; 2) весёлый; навеселе́.

**seven** ['sevn] 1. *num. card.* семь;
2. *n* 1) семёрка; 2) *pl* седьмо́й но́мер (*разме́р перча́ток и т. п.*).

**sevenfold** ['sevnfould] 1. *a* семикра́тный;

2. *adv* в семь раз (*бо́льше*).

**seven-league** ['sevn'liːg] *a:* ~ strides ≈ семими́льные шаги́.

**seventeen** ['sevn'tiːn] *num. card.* семна́дцать.

**seventeenth** ['sevn'tiːnθ] 1. *num. ord.* семна́дцатый;
2. *n* 1) семна́дцатая часть; 2) (the ~) семна́дцатое число́.

**seventh** ['sevnθ] 1. *num. ord.* седьмо́й;
2. *n* 1) седьма́я часть; 2) (the ~) седьмо́е число́.

**seventies** ['sevntiz] *n pl* 1) (the ~) семидеся́тые го́ды; 2) седьмо́й деся́ток (*во́зраст ме́жду 69 и 80 года́ми*).

**seventieth** ['sevntɪɪθ] 1. *num. ord.* семидеся́тый.
2. *n* семидеся́тая часть.

**seventy** ['sevntɪ] 1. *num. card.* се́мьдесят; ~-one се́мьдесят оди́н, ~-two се́мьдесят два *и т. д.*; he is over ~ ему́ за се́мьдесят;
2. *n* се́мьдесят (*едини́ц, штук*).

**sever** ['sevə] *v* 1) разъединя́ть, отделя́ть, разлуча́ть; to ~ a friendship порва́ть дру́жбу; to ~ oneself from отдели́ться, отколо́ться от; 2) рва́ть(ся); перереза́ть; отруба́ть, отка́лывать.

**several** I ['sevrəl] *pron. indef.* 1. *как прил.* не́сколько; ~ people не́сколько челове́к; the ~ members of the Board отде́льные чле́ны правле́ния;
2. *как сущ.* не́сколько, не́которое коли́чество; ~ of you не́которые из вас.

**several** II ['sevrəl] *a* отде́льный, со́бственный, свой, индивидуа́льный; each has his ~ ideal у ка́ждого свой идеа́л; they went their ~ ways ка́ждый из них пошёл свое́й доро́гой; collective and ~ responsibility солида́рная и ли́чная отве́тственность.

**severally** ['sevrəlɪ] *adv* в отде́льности.

**severance** ['sevərəns] *n* 1) отделе́ние, разделе́ние, разры́в; 2) *attr.:* ~ pay выходно́е посо́бие.

**severe** [sɪ'vɪə] *a* 1) стро́гий, суро́вый; ~ punishment суро́вое наказа́ние; to be ~ with относи́ться со стро́гостью к; to be ~ upon критикова́ть, брани́ть; 2) жесто́кий, тяжёлый (*о боле́зни, утра́те и т. п.*); ~ loss кру́пный убы́ток; 3) ре́зкий, си́льный; ~ storm си́льный шторм; ~ weather суро́вая пого́да; ~ headache си́льная головна́я боль; ~ competition жесто́кая конкуре́нция; 4) стро́гий, просто́й, сжа́тый (*о сти́ле, мане́рах, оде́жде и т. п.*); ~ pattern незате́йливый узо́р; 5) е́дкий, сарка́стический; 6) тру́дный; ~ test тяжёлое испыта́ние.

**severely** [sɪ'vɪəlɪ] *adv* стро́го и пр. [*см.* severe]; to leave (*или* to let) ~ alone оста́вить без внима́ния в знак неодобре́ния; *шутл.* оста́вить в поко́е (*что-л. тру́дное*).

**severity** [sɪ'verɪtɪ] *n* стро́гость, суро́вость; жесто́кость.

**Sèvres** [seɪvr] *n* се́врский фарфо́р.

**sew** I [sou] *v* (sewed [-d]; sewed, sewn) шить, сшива́ть, зашива́ть, пришива́ть; □ ~ down пришива́ть; ~ in вшива́ть; to ~ in a patch наложи́ть запла́тку; ~ on = ~ down; ~ together сшива́ть; ~ up а) зашивать; б) *разг.* полностью контролировать; ◇ ~ed up *sl.* a) пьяный; б) измученный.

**sew II** [sjuː] *v* 1) осушать (*пруд*), спускать (*воду*); 2): to be ~ed up *мор.* стоять на мели.

**sewage** ['sjuːɪdʒ] 1. *n* сточные воды; 2. *v* орошать, удобрять сточными водами.

**sewage-farm** ['sjuːɪdʒfɑːm] *n* поля орошения.

**sewer I** ['souə] *n* швец; швея.

**sewer II** ['sjuə] 1. *n* коллектор, канализационная труба; сточная труба; 2. *v* канализировать.

**sewer III** ['sjuə] *n ист.* мажордом.

**sewerage** ['sjuərɪdʒ] *n* канализация.

**sewing-cotton** ['souɪŋ,kɔtn] *n* бумажная нитка.

**sewing kit** ['souɪŋ'kɪt] *n воен.* пакет с принадлежностями для мелкого ремонта одежды.

**sewing-machine** ['souɪŋmə,ʃiːn] *n* швейная машина.

**sewing silk** ['souɪŋ'sɪlk] *n* кручёные шёлковые нитки.

**sewn** [soun] *p.p. от* sew I.

**sex** [seks] *n биол.* 1) пол; the ~ *шутл.* женщины; the sterner (*или* stronger) ~ мужчины; 2) *attr.* половой; ~ instinct половой инстинкт; ~ intergrade гермафродит.

**sexagenarian** [,seksədʒɪ'nɛərɪən] 1. *a* шестидесятилетний (*в возрасте между 59 и 70 годами*); 2. *n* человек в возрасте между 59 и 70 годами.

**sexagenary** [sek'sædʒɪnərɪ] 1. *a* 1) относящийся к шестидесяти; образующий шестьдесят; ~ cycle шестидесятилетний *или* шестидесятитидневный период; 2) = sexagenarian 1; 2. *n* = sexagenarian 2.

**sexagesimal** [,seksə'dʒesɪməl] 1. *a* шестидесятый; 2. *n* шестидесятая часть.

**sex appeal** ['seksə'piːl] *n* физическая привлекательность.

**sexennial** [seks'enɪəl] *a* шестилетний; происходящий каждые шесть лет.

**sexiness** ['seksɪnɪs] *n* чувственность.

**sexless** ['sekslɪs] *a* 1) бесполый; 2) холодный в сексуальном отношении.

**sextain** ['seksteɪn] *n прос.* строфа из шести строк.

**sextan** ['sekstən] 1. *a* происходящий на шестой день; шестидневный; 2. *n* шестидневная лихорадка.

**sextant** ['sekstənt] *n* 1) секстант; 2) шестая часть окружности.

**sextet(te)** [seks'tet] *n муз.* секстет.

**sexto** ['sekstou] *n* (*pl* -os [-ouz]) формат книги в ¹/₆ долю листа.

**sextodecimo** ['sekstou'desɪmou] *n* (*pl* -os [-ouz]) формат книги в ¹/₁₆ долю листа.

**sexton** ['sekstən] *n* церковный сторож; пономарь; могильщик.

**sextuple** ['sekstjupl] *a* шестикратный.

**sexual** ['seksjuəl] *a* половой, сексуальный.

**Seym** [seɪm] *польск. n* сейм.

**sgraffito** [zgrɑː'fiːtou] *ит. n архит.* сграффито.

**shabby** ['ʃæbɪ] *a* 1) потёртый, потрёпанный; поношенный; 2) обносившийся; 3) запущенный, захудалый, убогий (*о доме и т. п.*); 4) жалкий; ничтожный; 5) низкий, подлый; ~ treatment гнусное обращение.

**shabby-genteel** ['ʃæbɪdʒen'tiːl] *a* старающийся замаскировать бедность.

**shabrack** ['ʃæbræk] *n* чепрак.

**shack I** [ʃæk] *n* 1) лачуга, хижина; 2) будка.

**shack II** [ʃæk] 1. *n диал.* падалица (опавшие жёлуди, орехи; осыпавшееся зерно из колосьев *и т. п.*); 2. *v* падать, выпадать.

**shack III** [ʃæk] *n* отбросы улова рыбы, употребляемые для приманки.

**shack IV** [ʃæk] *v амер. разг.* перехватить, отбить (*мяч и т. п.*).

**shack V** [ʃæk] 1. *n* бродяга; 2. *v* скитаться, бродяжничать.

**shackle** ['ʃækl] 1. *n* 1) (*обыкн. pl*) кандалы; 2) *pl* оковы, узы; 3) *тех.* хомут(ик); карабин; вертлюг; соединительная скоба; 2. *v* 1) заковывать в кандалы; 2) мешать, стеснять; сковывать; 3) сцеплять, соединять.

**shad** [ʃæd] *n* шэд (*западноевропейская сельдь*).

**shadberry** ['ʃædbərɪ] *n бот.* ирга.

**shaddock** ['ʃædək] *n бот.* грейпфрут, пампельмус.

**shade** [ʃeɪd] 1. *n* 1) тень; полумрак; light and ~ *жив.* свет и тени (*тж. перен.*); to throw (*или* to cast, to put) into the ~ затмевать; 2) тень, намёк; оттенок, нюанс; незначительное отличие; silks in all ~s of blue шёлковые нитки всех оттенков синего цвета; people of all ~s of opinion люди всевозможных убеждений; a ~ better чуть-чуть лучше; there is not a ~ of doubt нет и тени сомнения; the shadow of a ~ нечто совершенно нереальное; 3) *миф., поэт.* бесплотный дух; тень умершего; among the ~s в царстве теней; 4) экран, щит; абажур; стеклянный колпак; 5) маркиза, полотняный навес над витриной магазина; 6) *амер.* штора; 7) защитное стекло (*на опт. приборе*); бленда; 8) тень, прохлада; in the ~ of a tree в тени дерева; 2. *v* 1) заслонять от света; затенять; 2) омрачать, отуманивать; 3) штриховать; тушевать; 4) незаметно переходить (into — в *другой цвет*); незаметно исчезать (*обыкн.* ~ away, ~ off); смягчать (*обыкн.* ~ away, ~ down); 5) *амер.* слегка понижать (*цену*).

**shadoof** [ʃə'duːf] *араб. n* колодец.

**shadow** ['ʃædou] 1. *n* 1) тень; to cast a ~ отбрасывать *или* бросать тень; to be afraid of one's own ~ бояться собственной тени; to live in the ~ оставаться в тени; the ~s of evening ночные тени; 2) тень, полумрак; her face was in deep ~ лицо её скрывалось в глубокой тени; to sit in the ~ сидеть в полумраке, не зажигать огня; 3) тот, кто следует по пятам *или* следит тайно; he is his mother's ~ он как тень ходит за матерью; 4) призрак; to catch at ~s гоняться за призраками, мечтать о несбыточном; a ~ of death призрак смерти; he is a mere ~

of his former self от него осталась одна тень; 5) тень, намёк; there is not a ~ of doubt нет ни малейшего сомнения; 6) сень, защита;
2. *v* 1) *поэт.* осенять, затенять; 2) излагать туманно *или* аллегорически (*обыкн.* ~ forth, ~ out); 3) следовать по пятам; следить тайно.

**shadow-boxing** [ˈʃædouˌbɔksiŋ] *n* 1) *спорт.* тренировочный бой с воображаемым противником (*в боксе*); 2) показная борьба, видимость борьбы.

**shadow cabinet** [ˈʃædouˈkæbinit] *n полит.* «теневой кабинет» (*состав кабинета министров, намечаемый лидерами оппозиции*).

**shadow factory** [ˈʃædouˈfæktəri] *n* предприятие, построенное на случай войны и временно законсервированное.

**shadowgraph** [ˈʃædougrɑːf] *n* рентгеновский снимок.

**shadow pantomime** [ˈʃædouˈpæntəmaim] *n театр.* представление театра теней (*тж.* shadow play).

**shadowy** [ˈʃædoui] *a* 1) призрачный; 2) смутный, неясный; ~ past туманное прошлое; 3) тенистый, тёмный; 4) мрачный.

**shady** [ˈʃeidi] *a* 1) тенистый; 2)- сомнительный; ~ transaction тёмное дело; 3) плохой; ~ egg несвежее яйцо; ◇ on the ~ side of forty (fifty *etc.*) за сорок (пятьдесят *и т. д.*) лет.

**shaft** [ʃɑːft] *n* 1) древко (*копья*); 2) *поэт.* копьё; стрела (*тж. перен.*); ~s of satire стрелы сатиры; 3) ручка, рукоятка; черенок; 4) луч (*света*); 5) вспышка молнии; 6) ствол, стебель; 7) колонна; стержень колонны; столб; 8) шпиль, шпиц; 9) дышло, оглобля; 10) печная труба; 11) *горн.* шахта, ствол шахты; 12) *тех.* вал, ось, шпиндель.

**shaft furnace** [ˈʃɑːftˈfəːnis] *n тех.* шахтная печь.

**shaft-horse** [ˈʃɑːfthɔːs] *n* коренная лошадь, коренник.

**shafting** [ˈʃɑːftiŋ] *n тех.* трансмиссионная передача; приводные валы.

**shag** I [ʃæg] *n* 1) лохматая шевелюра; 2) *уст.* жёсткая мохнатая шерсть; 3) махорка.

**shag** II [ʃæg] *n зоол.* баклан хохлатый *или* длинноносый.

**shagged** [ˈʃægid] *a* 1) косматый; 2) шершавый; 3) *разг.* измученный.

**shaggy** [ˈʃægi] *a* 1) косматый, лохматый; 2) волосатый· 3) шершавый.

**shag-haired** [ˈʃægˈhɛəd] *a* косматый.

**shagreen** [ʃæˈgriːn] *n* шагрень.

**shah** [ʃɑː] *перс. n* шах.

**shake** [ʃeik] 1. *n* 1) встряска; 2) *разг.* толчок, потрясение, шок; 3) кивок; with a ~ of the head кивнув головой; 4) рукопожатие; 5) дрожь; all of a ~ дрожа; 6) the ~s *разг.* а) лихорадка, озноб; б) страх; to give smb. the ~s нагнать на кого-л. страху; 7) трещина; 8) *разг.* мгновение; in a brace of ~s, in two ~s в один миг; 9) *лес.* ветреница; морозобоина; 10) *муз.* трель; ◇ no great ~s неважный, нестоящий;
2. *v* (shook; shaken) 1) трясти(сь); встряхивать; сотрясать(ся); качать(ся);

to ~ hands пожать руки друг другу; обменяться рукопожатием; to ~ smb. by the hand пожать руку кому-л.; to ~ oneself free from smth. стряхнуть с себя что-л.; to ~ one's head покачать головой (*в знак неодобрения или отрицания*); to ~ one's sides трястись от смеха; to ~ dice встряхивать кости в руке (*перед тем, как бросить*); 2) дрожать; to ~ with fear (cold) дрожать от страха (холода); 3) потрясать, волновать; 4) поколебать, ослабить; ☐ ~ down а) стряхивать (*плоды с дерева*); б) разрушать (*дом*); в) постилать (*на полу солому, одеяло и т. п.*); г) утрясать(ся); д) освоиться; сжиться; е) вымогать (*деньги*); заставить раскошелиться; ~ off а) стряхивать (*пыль*); to ~ off the dust from one's feet отрясти прах от ног своих; б) избавляться; ~ out а) вытряхивать; to ~ smth. out of one's head выбросить что-л. из головы; отмахнуться от неприятной мысли о чём-л.; б) развёртывать (*парус, флаг*); в): to ~ out into a fighting formation *воен.* развернуться в боевой порядок; ~ up а) встряхивать; б) *перен.* расшевелить; в) *sl.* разругать; ◇ to ~ in one's shoes дрожать от страха; to ~ a leg *разг.* танцевать; ~ a leg! живей!, живей поворачивайся!; to ~ the plum-tree *амер. разг.* раздавать должности.

**shakedown** [ˈʃeikˈdaun] *n* 1) импровизированная постель (*из соломы и т. п.*); 2) *амер.* вымогание (*денег*); 3) *attr. мор.:* ~ cruise первый рейс, пробное плавание.

**shaken** [ˈʃeikən] *p.p. от* shake 2.

**shaker** [ˈʃeikə] *n* 1) (S.) шейкер (*член американской религиозной секты*); 2) *тех.* качающийся грохот; 3) сосуд для приготовления коктейля.

**Shakespearian** [ʃeiksˈpiəriən] *a* шекспировский; ~ scholar шекспировед, шекспиролог.

**shake-up** [ˈʃeikˈʌp] *n амер.* 1) встряска; 2) перемещение должностных лиц; чистка государственного аппарата.

**shako** [ˈʃækou] *n* (*pl* -os [-ouz]) *воен.* кивер.

**shaky** [ˈʃeiki] *a* 1) шаткий, нетвёрдый; to feel ~ чувствовать себя плохо, неуверенно; to be ~ on one's pins нетвёрдо держаться на ногах; 2) трясущийся; 3) тряский; 4) ненадёжный; сомнительный; 5) дрожащий, вибрирующий; 6) треснувший, растрескавшийся (*о дереве или минерале*).

**shale** [ʃeil] *n мин.* (глинистый) сланец, сланцеватая глина.

**shale-gas** [ˈʃeilˈgæs] *n* промышленный газ из сланцев.

**shale-oil** [ˈʃeilˈɔil] *n* сланцевое масло; нефть из сланцев.

**shall** [ʃæl] (*полная форма*); [ʃəl], [ʃl] (*редуцированные формы*) *v* (should) 1) *вспомогательный глагол; служит для образования будущего времени в 1 л. ед. и мн. ч.*: I ~ go я пойду; 2) *модальный глагол; выражает намерение, уверенность, приказание во 2 и 3 л. ед. и мн. ч.*: you ~ not catch me again я вам не дам себя поймать снова; he ~ be told about it ему непременно скажут об этом.

**shalloon** [ʃə'luːn] *n* лёгкая шерстяная материя.

**shallop** ['ʃæləp] *n поэт.* лодка, ладья.

**shallot** [ʃə'lɔt] *n бот.* шалот (*лук*).

**shallow** ['ʃælou] **1.** *a* 1) мелкий; ~ draft *мор.* небольшая осадка; 2) поверхностный, пустой; ~ mind поверхностный, неглубокий ум;
2. *n* мелкое место, мель; отмель;
3. *v* 1) мелеть; 2) уменьшать глубину.

**shalt** [ʃælt] *уст. 2-е л. гд. ч. настоящего времени гл.* shall.

**sham** [ʃæm] **1.** *n* 1) притворство; 2) обман, мошенничество; 3) подделка; 4) притворщик, симулянт; 5) обманщик; мошенник;
2. *a* 1) притворный; 2) поддельный; ~ diamond поддельный брильянт; 3) бутафорский; ~ fight, *амер.* ~ battle показной, учебный бой; 4) притворяющийся, прикидывающийся; ~ doctor врач-шарлатан;
3. *v* притворяться, прикидываться, симулировать; to ~ illness, to ~ Abraham притворяться больным, симулировать.

**shaman** ['ʃæmən] *n* шаман.

**shamble** I ['ʃæmbl] **1.** *n* неуклюжая походка;
2. *v* волочить ноги, тащиться.

**shamble** II ['ʃæmbl] *n* 1) прилавок, стойка мясника на рынке; 2) *pl* мясной рынок; мясные ряды; 3) *pl* (*часто употр. как sing*) бойня (*тж. перен.*).

**shame** [ʃeɪm] **1.** *n* 1) стыд; ~!, for ~!, fie, for ~! стыдно!; ~ on you! как вам не стыдно!; to think ~ to do smth. постыдиться сделать что-л.; 2) позор; to put to ~ посрамить; to bring ~ to опозорить; to bring ~ to smb. покрыть позором кого-л.; 3) досада; неприятность; it is a ~ he is so clumsy жаль, что он так неловок; what a ~ you can't come earlier какая досада, что вы не можете прийти пораньше;
2. *v* 1) стыдить; пристыдить; 2) посрамить; позорить; 3) *уст.* стыдиться; ◇ (to tell the truth and) ~ the devil сказать всю правду.

**shamefaced** ['ʃeɪm,feɪst] *a* 1) застенчивый, робкий; стыдливый; 2) *поэт.* скромный, незаметный (*о цветке и т. п.*).

**shameful** ['ʃeɪmful] *a* позорный; скандальный.

**shameless** ['ʃeɪmlɪs] *a* бесстыдный.

**shammer** ['ʃæmə] *n* притворщик, симулянт.

**shammy** ['ʃæmɪ] *n* замша.

**shammy-leather** ['ʃæmɪ,leðə] = shammy.

**shampoo** [ʃæm'puː] **1.** *n* 1) мытьё головы; 2) шампунь, жидкое мыло.
2. *v* (shampooed [-d], shampoo'd [-d]) 1) мыть (*голову*); 2) массировать.

**shamrock** ['ʃæmrɔk] *n* 1) *бот.* кислица обыкновенная; 2) *бот.* клевер сомнительный; 3) трилистник (*эмблема Ирландии*).

**shandrydan** ['ʃændrɪdæn] *n шутл.* ветхая колымага.

**shandy(gaff)** ['ʃændɪ(gæf)] *n* смесь простого пива с имбирным.

**shanghai** [ʃæŋ'haɪ] *v sl.* 1) опоив, отправить матросом в плавание; 2) добиться (*чего-л.*) нечестным путём *или* принуждением.

**Shangri-La** ['ʃæŋgrɪ'lɑː] *n* 1) райский уголок; 2) секретная военно-воздушная база.

**shank** [ʃæŋk] **1.** *n* 1) голень; 2) нога; 3) плюсна; 4) узкая часть подошвы между каблуком и стопой; 5) стержень; ствол; 6) черенок, хвостовик (*инструмента*); 7) трубка (*ключа*); 8) веретено (*якоря*); 9) накидная петля для пуговицы; 10) *амер. разг.* остаток; оставшаяся часть; the ~ of the evening конец вечера; ◇ on Shanks's mare (*или* pony) на своих на двоих, пешком;
2. *v* 1) улепётывать, пуститься бежать (*тж.* ~ it); 2) опадать (*обыкн.* ~ off).

**shan't** [ʃɑːnt] *сокр. разг.* = shall not.

**shantung** [ʃæn'tʌŋ] *n текст.* род чесучи из шёлка-сырца.

**shanty** I ['ʃæntɪ] *n* 1) хибарка, лачуга; 2) *attr.* жалкий; грязный.

**shanty** II ['ʃæntɪ] *n* хоровая рабочая песнь матросов.

**shape** [ʃeɪp] **1.** *n* 1) форма, очертание; вид; образ; to get one's ideas into ~ привести в порядок свои мысли; in the ~ of smth. в форме чего-л.; a reward in the ~ of a sum of money награда в виде суммы денег; spherical in ~ сферический по форме; in no ~ or form a) ни в каком виде; б) никоим образом; to put into ~ а) придавать форму; б) приводить в порядок; to take ~ принять определённую форму, воплотиться; 2) призрак; 3) *разг.* состояние, положение; in bad ~ в плохом состоянии; in any ~ во всяком случае; 4) образец, модель, шаблон; 5) форма (*утварь*); 6) торт, желе, вынутые из формы; 7) профиль;
2. *v* 1) создавать, делать (*из чего-л.*); 2) придавать форму, формировать; делать по какому-л. образцу; to ~ into a ball придавать форму шара; to ~ one's course устанавливать курс; брать курс; 3) принимать форму, вид; получаться; to ~ well складываться удачно; 4) приспосабливать (to); 5) *уст.* кроить.

**shaped** [ʃeɪpt] **1.** *p. p. om* shape 2;
2. *a* имеющий определённую форму; ~ like a pear грушевидный.

**-shaped** [-ʃeɪpt] *в сложных словах означает* имеющий такую-то форму; *напр.:* cone-shaped конусообразный.

**shapeless** ['ʃeɪplɪs] *a* бесформенный.

**shapely** ['ʃeɪplɪ] *a* 1) хорошо сложённый; 2) приятной формы.

**shapen** ['ʃeɪpən] *уст. p. p. om* shape 2.

**shaping** ['ʃeɪpɪŋ] **1.** *pres. p. om* shape 2;
2. *n* 1) придание формы; 2) *mex.* пластическая обработка, обработка давлением.

**shaping-machine** ['ʃeɪpɪŋmə,ʃiːn] *n* поперечно-строгальный станок, шепинг.

**shard** [ʃɑːd] *n* 1) *уст.* черепок; 2) надкрылье (*жука*).

**share** I [ʃeə] **1.** *n* 1) доля, часть; he has a large ~ of self-esteem у него очень развито чувство собственного достоинства; to go ~s делиться поровну; 2) участие; he does more than his ~ of the work он делает больше, чем должен (*или* чем от него требуется); 3) акция; пай; on ~s на паях; preferred ~s

привилегирóванные áкции; ◇ ~ and ~ alike на рáвных правáх; ~s! чур, пóровну!;
2. *v* дели́ть(ся), разделя́ть; учáствовать; быть пáйщиком; to ~ profits and losses учáствовать в при́былях и убы́тках; to ~ a room with smb. жить в однóй кóмнате с кем-л.; ☐ ~ out раздавáть.
**share** II [ʃɛə] *n* лемéх, сошни́к (*плуга*).
**share bone** [ʃɛə'boun] *n* анат. лобкóвая кость.
**sharecropper** [ʃɛə,krɔpə] *n* амер. испóльщик; издóльщик.
**shareholder** [ʃɛə,houldə] *n* акционéр; пáйщик.
**share-list** [ʃɛəlɪst] *n* 1) фóндовая курсовáя таблúца; 2) спúсок áкций.
**share-out** [ʃɛəraut] *n* распределéние дивидéнда.
**sharepusher** [ʃɛə,puʃə] *n* мáклер, занимáющийся распространéнием ненадёжных áкций.
**shark** [ʃɑːk] 1. *n* 1) акýла; 2) вымогáтель; моше́нник; шýлер; 3) *амер. sl.* блестя́щий знатóк (*чего-л.*);
2. *v* 1) пожирáть; 2) моше́нничать; вымогáть.
**shark-oil** [ʃɑːkɔɪl] *n* ры́бий жир, добывáемый из печéни акýлы.
**sharkskin** [ʃɑːkskɪn] *n* 1) акýлья кóжа; 2) глáдкая блестя́щая ткань из искýсственного шёлка.
**sharny** [ʃɑːnɪ] *a диал.* навóзный; ~ peat брикéт из навóза, смéшанного с ýглем.
**sharp** [ʃɑːp] 1. *a* 1) óстрый; остроконéчный, отто́ченный; 2) определённый, отчётливый (*о различии, очертании и т. п.*); 3) крутóй (*о поворóте, подъёме и т. п.*); 4) éдкий, ки́слый (*о вкýсе*); 5) рéзкий (*о боли, звýке, вéтре*); пронзи́тельный; ~ frost си́льный морóз; 6) óстрый, тóнкий (*о зрéнии, слýхе и т. п.*); 7) кóлкий (*о замéчаниях, словáх*); раздражи́тельный (*о харáктере*); to have ~ words with smb. крýпно поговори́ть с кем-л.; 8) жестóкий (*о борьбé*); 9) óстрый, проницáтельный, наблюдáтельный; as ~ as a needle óчень ýмный, проницáтельный; 10) продувнóй, хи́трый; недобросóвестный; he was too ~ for me он меня́ перехитри́л; ~ practice моше́нничество; 11) бы́стрый, энерги́чный; ~ work горя́чая рабóта; 12) *муз.* сли́шком высóкий; имéющий диéз; ◇ ~'s the word! живéй!;
2. *n* 1) рéзкий, пронзи́тельный звук; 2) *муз.* диéз; ~s and flats диéзы и бемóли; 3) дли́нная тóнкая швéйная иглá; 4) дуэ́льная рапи́ра; 5) *pl* дуэ́ль; 6) *разг.* шýлер; 7) *амер. шутл.* знатóк; 8) *pl с.-х.* вы́севки, мéлкие óтруби;
3. *adv* 1) тóчно, рóвно; at six o'clock ~ рóвно в 6 часóв; 2) крýто; to turn ~ round крýто повернýться; 3) *муз.* в сли́шком высóком тóне; ◇ look ~! а) живéй!; б) смотри́(те) в óба!;
4. *v* плутовáть.
**sharp-cut** [ʃɑːp'kʌt] *a* 1) отто́ченный, óстрый; 2) отчётливый, отто́ченный (*о выражéнии, формулирóвке*).
**sharpen** [ʃɑːpən] *v* 1) точи́ть, заостря́ть; 2) обостря́ть;

**sharper** [ʃɑːpə] *n* 1) шýлер; жýлик; 2) жáдный (*до чего-л.*) человéк.
**sharp-eyed** [ʃɑːp'aid] *a* обладáющий óстрым зрéнием.
**sharp-ground** [ʃɑːp'graund] *a* остроотто́ченный.
**sharp-set** [ʃɑːp'set] *a* испы́тывающий óстрый гóлод.
**sharp-shooter** [ʃɑːp,ʃuːtə] *n* мéткий стрелóк, снáйпер.
**shatter** [ʃætə] 1. *v* 1) разби́ть(ся) вдрéбезги; раздробля́ть; 2) расстрáивать (*здорóвье*); разрушáть (*надéжды*); to ~ confidence подорвáть довéрие;
2. *n pl* оскóлки.
**shatter-brain** [ʃætəbrein] = scatter-brain.
**shave** [ʃeiv] 1. *n* 1) бритьё; to have a ~ побри́ться; to get a close ~ чи́сто вы́бриться; 2): close (*или* near, narrow) ~ опáсность, котóрую с трудóм удалóсь избежáть; he had a close ~ of it, he missed it by a close ~ он был на волосóк от э́того; we won by a close ~ мы чуть не проигрáли; 3) *разг.* обмáн, мистификáция; 4) стрýжка; 5) *тех.* скóбель, струг;
2. *v* (shaved [-d]; shaved, shaven) 1) брить(ся); 2) строгáть; скобли́ть; 3) срезáть, стричь; коси́ть; 4) почти́ задéть; we managed to ~ past нам удалóсь проскользнýть, не задéв; 5) *sl.* обирáть.
**shaveling** [ʃeivlɪŋ] *n уст.* «бри́тый» (*прóзвище католи́ческих монáхов*).
**shaven** [ʃeivn] *p. p. om* shave 2.
**shaver** [ʃeivə] *n* 1) тот, кто брéет(ся); 2) моше́нник, плут; 3) *разг.* юнéц, паренёк (*обыкн.* young ~).
**shavetail** [ʃeivteil] *n* 1) необъéзженный мул; 2) *воен. sl.* (млáдший) лейтенáнт (*тж.* ~ lieutenant).
**Shavian** [ʃeivjən] 1. *n* послéдователь, поклóнник Бернáрда Шóу;
2. *a* в сти́ле, в манéре Шóу; имéющий отношéние к твóрчеству *или* ли́чности Бернáрда Шóу.
**shaving** [ʃeivɪŋ] 1. *pres. p. om* shave 2;
2. *n* 1) бритьё; 2) *pl* стрýжка; 3) *тех.* шевингóвание (*зýбчатых колёс*); обрéзка (*заусéнцев*).
**shaving-brush** [ʃeivɪŋbrʌʃ] *n* ки́сточка для бритья́.
**shaving-cream** [ʃeivɪŋkriːm] *n* крем для бритья́.
**shaw** [ʃɔː] *n* 1) *поэт.* зáросль; рóща; 2) *шотл.* ботвá.
**shawl** [ʃɔːl] 1. *n* шаль, платóк;
2. *v* одевáть платóк, укýтывать в шаль.
**shawm** [ʃɔːm] *n* средневекóвый музыкáльный инструмéнт ти́па гобóя.
**shay** [ʃei] *n шутл., разг.* фаэтóн.
**she** [ʃiː] 1. *pron. pers.* 1) онá (*о существé жéнского пóла, тж. о нéкоторых неодушевлённых предмéтах при персонификáции; кóсв. п.* her её *и т. п.*); кóсв. п. употр. *в разговóрной рéчи как имени́т. п.:* that's her э́то онá; 2) *поэт.* та (котóрая); ~ of the golden hair та с золоти́стыми волосáми;
2. *n* жéнщина; the not impossible ~ бýдущая избрáнница.

**she-** [ʃiː-] *в сложных словах означает самку животного; напр.*: she-goat коза́; she-wolf волчи́ца.

**shea** [ʃiə] *n бот.* са́льное де́рево (*тж.* shea tree).

**sheading** [ʃiːdɪŋ] *n* о́круг (*на о-ве Мэн*).

**sheaf** [ʃiːf] **1.** *n* (*pl* sheaves) 1) сноп; вяза́нка; 2) па́чка, свя́зка; пучо́к; *воен.* сноп траекто́рий; батаре́йный ве́ер (*тж.* ~ of fire);
**2.** *v* вяза́ть в снопы́.

**sheaf-binder** [ʃiːf,baɪndə] *n* сноповяза́лка.

**shear** [ʃiə] **1.** *n* 1) стри́жка; 2) *pl* но́жницы; 3) *тех.* сдвиг, срез, сре́зывающее уси́лие; 4) *горн.* вертика́льный вруб (*в забое*); 5) *pl* = shear-legs 1);
**2.** *v* (sheared [-d], *уст.* shore; shorn, sheared) 1) стричь (*обыкн. овец*); 2) ре́зать; среза́ть; 3) обдира́ть как ли́пку; 4) лиша́ть чего́-л.; 5) *шотл., диал.* жать серпо́м; 6) *поэт.* рассека́ть, руби́ть; the sword shore its way меч проложи́л себе́ путь; 7) *горн.* де́лать вертика́льный вруб.

**-shear** [-ʃiə] *в сложных словах означает* стри́женный *столько-то раз; напр.*: a two-shear ram двухле́тний бара́н (*дважды стриженный*).

**shear-hulk** [ʃiəhʌlk] *n мор.* плашко́ут с подъёмной стрело́й.

**shear-legs** [ʃiəlegz] *n pl* 1) *мор.* вре́менная стрела́; 2) трено́га.

**shearling** [ʃiəlɪŋ] *n* бара́шек после пе́рвой стри́жки.

**sheat-fish** [ʃiːtfɪʃ] *n* сом.

**sheath** [ʃiːθ; *pl* ʃiːðz] *n* 1) но́жны; 2) футля́р; 3) *амер.* презервати́в; 4) *анат.* обо́лочка; 5) *зоол.* надкры́лье; 6) *тех.* обши́вка.

**sheathe** [ʃiːð] *v* 1) вкла́дывать в но́жны, в футля́р; to ~ the sword вложи́ть меч в но́жны; *перен.* ко́нчить войну́; 2) заключа́ть в оболо́чку, защища́ть; 3) *тех.* обши-ва́ть.

**sheave** I [ʃiːv] *n* 1) *тех.* шкив, блок, ро́лик; 2) шпу́ля, кату́шка; 3) *с.-х.* костра́.

**sheave** II [ʃiːv] = sheaf 2.

**sheaves** [ʃiːvz] *pl om* sheaf 1.

**shebang** [ʃɪ'bæŋ] *n амер. sl.* 1) дом, жильё; 2) заведе́ние, де́ло; 3) прито́н; публи́чный дом; 4) устро́йство, приспособ-ле́ние.

**shebeen** [ʃɪ'biːn] *ирл. n* каба́к, где незако́нно торгу́ют спиртны́ми напи́тками.

**shed** I [ʃed] *v* (shed) 1) роня́ть, теря́ть (*зубы, шерсть, волосы, листья*); сбра́сывать (*одежду, кожу*); 2) пролива́ть, лить (*слёзы, кровь*); 3) распространя́ть; излуча́ть, пролива́ть (*свет, тепло и т. п.*).

**shed** II [ʃed] *n* 1) наве́с, сара́й; 2) анга́р; э́ллинг; гара́ж; депо́; 3) *эл.* ю́бка (*изоля́тора*).

**sheen** [ʃiːn] **1.** *n* 1) блеск, сия́ние; 2) блестя́щий, сверка́ющий наря́д, одея́ние;
**3.** *a уст.* краси́вый; блестя́щий;
**3.** *v уст.* блесте́ть.

**sheeny** [ʃiːnɪ] *a* 1) блестя́щий, сия́ющий; 2) име́ющий лоск (*об одежде*).

**sheep** [ʃiːp] *n* (*pl без измен.*) 1) овца́; бара́н; to follow like ~ сле́по сле́довать (*за кем-л.*); 2) ро́бкий, засте́нчивый челове́к;

3) (*обыкн. pl*) па́ства (*часто шутл.*); 4) овчи́на; 5) шевро́ (*сорт кожи*); ◇ wolf in ~'s clothing волк в ове́чьей шку́ре; the black ~ (of a family) вы́родок (в семье́); to cast (*или* to make) ~'s eyes at smb. броса́ть влюблённые взгля́ды на кого́-л.; as well be hanged for a ~ as for a lamb ≅ семь бед — оди́н отве́т.

**sheep-cote** [ʃiːpkout] *уст.* = sheep-fold.

**sheep-dog** [ʃiːpdɔg] *n* овча́рка.

**sheep-faced** [ʃiːp'feɪst] *a* ро́бкий, засте́н-чивый.

**sheep-fold** [ʃiːpfould] *n* заго́н для ове́ц, овча́рня.

**sheep-hook** [ʃiːphuk] *n* пасту́шеский по́сох.

**sheepish** [ʃiːpɪʃ] *a* 1) ро́бкий, засте́нчи-вый; 2) глупова́тый.

**sheepman** [ʃiːpmæn] *n амер.* овцево́д.

**sheep-run** [ʃiːprʌn] *n* ове́чье па́стбище.

**sheepshank** [ʃiːpʃæŋk] *n мор.* колы́шка (*узел для временного укорочения снасти*).

**sheep's-head** [ʃiːpshed] *n* «бара́нья голо-ва́», дура́к.

**sheepskin** [ʃiːpskɪn] *n* 1) овчи́на; 2) бара́нья ко́жа; 3) перга́мент; 4) *амер. студ. разг.* дипло́м.

**sheep-walk** [ʃiːpwɔːk] = sheep-run.

**sheer** I [ʃiə] **1.** *a* 1) су́щий, я́вный; 2) абсолю́тный, полне́йший; by ~ force одно́й то́лько си́лой; ~ waste of time соверше́нно беспо́лезная тра́та вре́мени; ~ exhaustion по́лное истоще́ние; a ~ impossibility абсо-лю́тная невозмо́жность; 3) отве́сный, пер-пендикуля́рный; 4) прозра́чный, лёгкий (*о тканях*);
**2.** *adv* 1) по́лностью, абсолю́тно; 2) от-ве́сно, перпендикуля́рно.

**sheer** II [ʃiə] *мор.* **1.** *n* 1) отклоне́ние от ку́рса; 2) кривизна́, изги́б;
**2.** *v* отклоня́ться от ку́рса; □ ~ off *перен.* отходи́ть, удаля́ться, уединя́ться.

**sheer-hulk** [ʃiəhʌlk]=shear-hulk.

**sheer-legs** [ʃiəlegz]=shear-legs 1).

**sheet** I [ʃiːt] **1.** *n* 1) простыня́; between the ~s в посте́ли; as white as a ~ бле́дный как полотно́; 2) лист (*бумаги, стекла, металла*); листо́к; 3) печа́тный лист (*тж.* printer's ~); 4) газе́та; 5) широ́кая полоса́, пелена́, обши́рная пове́рхность (*воды, снега, пла-мени*); 6) ве́домость, табли́ца; 7) *мор.* па́рус; 8) *геол.* пласт; 9) *эл.* пласти́на кол-ле́ктора; 10) *attr.* листово́й; ~ iron (то́н-кое) листово́е желе́зо; ~ rubber листова́я рези́на; ◇ a clean ~ — безупре́чное про́шлое; to stand in a white ~ — публи́чно ка́яться;
**2.** *v* покрыва́ть (простынёй, брезе́нтом, сне́гом).

**sheet** II [ʃiːt] *мор.* **1.** *n* шкот; ◇ three ~s in the wind, three ~s in the wind's eye *sl.* вдры́зг пья́ный;
**2.** *v* выбира́ть шко́ты.

**sheet-anchor** [ʃiːt,æŋkə] *n* 1) *мор.* запа́с-ный станово́й я́корь; 2) я́корь спасе́ния; еди́нственная наде́жда.

**sheeted** I [ʃiːtɪd] *p. p. om* sheet I, 2;
**2.** *a* 1) покры́тый; 2) сплошно́й; ~ rain сплошна́я се́тка дождя́.

**sheeted** II [ʃiːtɪd] *p. p. om* sheet II, 2.

**sheeting** I [ʃiːtɪŋ] **1.** *pres. p. om* sheet I, 2;

2. *n* 1) защитное покрытие; 2) простынное полотно.
**sheeting** II [ˈʃiːtɪŋ] *pres. p. om* sheet II,2.
**sheet lightning** [ˈʃiːtˈlaɪtnɪŋ] *n* зарница.
**sheet music** [ˈʃiːtˈmjuːzɪk] *n* небольшое, отдельно изданное музыкальное произведение.
**sheet-proofs** [ˈʃiːtpruːfs] *n pl* корректура.
**sheet-sham** [ˈʃiːtʃæm] *n* покрывало (*на постель*).
**sheik(h)** [ʃeɪk] *араб. n* шейх.
**shekaree, shekarry** [ʃɪˈkærɪ]=shikaree.
**shekel** [ˈʃekl] *n* 1) сикель (*др.-евр. мера веса и монета*); 2) *pl разг.* деньги.
**sheldrake** [ˈʃeldreɪk] *n зоол.* печанка.
**shelf** [ʃelf] *n* (*pl* shelves) 1) полка; 2) уступ; выступ; 3) риф; (от)мель; 4) *геол.* пласт породы; шельф; 5) *мор.* привальный брус; 6) *attr.*: ~ ice плавающие массивные глыбы прибрежного льда; ◊ to lay (*или* to put) on the ~ a) сдавать в архив; б) увольнять.
**shell** [ʃel] 1. *n* 1) скорлупа, шелуха; 2) оболочка; корка; 3) раковина; 4) панцирь, щит (*черепахи*); 5) остов; каркас; 6) гильза (*патрона*); патрон; трубка (*ракеты*); 7) артиллерийский снаряд; 8) гроб; 9) *тех.* наружная часть машины; кожух; 10) *pl sl.* деньги; 11) лёгкая гоночная лодка; 12) *attr.* имеющий оболочку; ~ egg натуральное яйцо (*в противоположность яичному порошку и т. п.*); ◊ to come out of one's ~ выйти из своей скорлупы, перестать быть замкнутым, стеснительным;
2. *v* 1) очищать от скорлупы; лущить; 2) обстреливать артиллерийским огнём; □ ~ off шелушиться; ~ out a) *воен.* выбивать огнём артиллерии; б) *sl.* расковыриваться.
**shellac** [ʃəˈlæk] 1. *n* шеллак;
2. *v* 1) покрывать шеллаком; 2) *амер. sl.* побить, одержать победу в драке.
**shellback** [ˈʃelbæk] *n sl.* старый моряк, «морской волк».
**shell-body** [ˈʃelˌbɔdɪ] *n ав.* фюзеляж-монокок.
**shell crater** [ˈʃelˈkreɪtə] *n* воронка от снаряда.
**shelled** [ʃeld] 1. *p. p. om* shell 2;
2. *a* покрытый раковиной, панцирем.
**shellfish** [ˈʃelfɪʃ] *n* животное, имеющее раковину *или* панцирь (*устрица, краб и т. п.*).
**shell-gun** [ˈʃelɡʌn] *n ав.* малокалиберная автоматическая пушка.
**shell-hit** [ˈʃelhɪt] *n воен.* попадание снаряда.
**shell-hole** [ˈʃelhoul] *n* пробоина; воронка от снаряда.
**shell-pit** [ˈʃelpɪt]=shell crater.
**shell-proof** [ˈʃelpruːf] *a* защищённый от артиллерийского огня, бронированный.
**shell-shock** [ˈʃelʃɔk] *n* шок от контузии; контузия.
**shell-work** [ˈʃelwɔːk] *n* украшение из раковин.
**shelly** [ˈʃelɪ] 1. *a* 1) изобилующий раковинами; 2) похожий на раковину;
2. *n* галька.
**shelter** [ˈʃeltə] 1. *n* 1) приют, кров; убе-

жище; to find ~ найти себе приют, убежище; 2) прикрытие; укрытие; under the ~ (of) под прикрытием, под защитой; 3) бомбоубежище;
2. *v* 1) приютить, дать приют; служить убежищем, прикрытием; укрывать; прикрывать; 2) приютиться, укрыться (under, in).
**sheltered** [ˈʃeltəd] 1. *p. p. om* shelter 2;
2. *a эк.* покровительствуемый.
**shelter tent** [ˈʃeltəˈtent] *n амер. воен.* полевая палатка.
**shelve** [ʃelv] *v* 1) ставить на полку; 2) откладывать, класть в долгий ящик; 3) увольнять; 4) снабжать полками; 5) отлого спускаться.
**shelved** [ʃelvd] 1. *p.p. om* shelve;
2. *a* 1) находящийся на полке; 2) отлогий.
**shelves** [ʃelvz] *pl om* shelf.
**shepherd** [ˈʃepəd] 1. *n* 1) пастух; ~'s crook пастушеский посох с крючком; 2) пастырь; ◊ ~'s pie картофельная запеканка с мясом; ~'s plaid (шерстяная) ткань в мелкую чёрную и белую клетку;
2. *v* 1) пасти; 2) смотреть, присматривать (*за кем-л.*); 3) вести, гнать (*людей и т. п.*); 4) *sl.* тайно следить.
**shepherdess** [ˈʃepədɪs] *n* пастушка.
**Sheraton** [ˈʃerətn] *n* шератон (*стиль мебели XVIII в.*).
**sherbet** [ˈʃəːbət] *n* шербет.
**sherd** [ʃəːd]=shard.
**sheriff** [ˈʃerɪf] *n* шериф.
**sherry** [ˈʃerɪ] *n* херес.
**sherry-cobbler** [ˈʃerɪˈkɔblə] *n* шерри-коблер (*название коктейля*).
**sherry party** [ˈʃerɪˈpɑːtɪ] *n* приём с коктейлями во второй половине дня.
**shew** [ʃou] *v* (shewed [-d]; shewn)=show 2.
**shewn** [ʃoun] *p. p. om* shew.
**shibboleth** [ˈʃɪbəleθ] *n* 1) примета для опознания; 2) тайный пароль.
**shield** [ʃiːld] 1. *n* 1) щит; 2) защита; защитник; 3) *амер.* значок полицейского; 4) *тех.* экран; ◊ the other side of the ~ другая сторона вопроса;
2. *v* 1) защищать, заслонять; 2) покрывать, укрывать; 3) *тех.* экранировать.
**shieling** [ˈʃiːlɪŋ] *n шотл.* 1) пастбище; 2) хижина пастуха; 3) навес для овец.
**shier** [ˈʃaɪə] *сравнит. ст. om* shy I, 1.
**shiest** [ˈʃaɪəst] *превосх. ст. om* shy I, 1.
**shift** [ʃɪft] 1. *n* 1) изменение, перемещение, сдвиг; ~ of fire *воен.* перенос огня; 2) смена, перемена; чередование; ~ of clothes смена белья; ~ of crops севооборот; the ~s and changes of life превратности жизни; 3) (рабочая) смена; eight-hour ~ восьмичасовой рабочий день; ~s рабочие одной смены; 5) средство, способ; the last ~(s) последнее средство; 6) уловка, хитрость; to make one's way by ~s изворачиваться; to make (a) ~ a) ухитряться; б) перебиваться кое-как, довольствоваться (with — чем-л.); в) обходиться (without — без чего-л.); 7) *уст.* сорочка; 8) *геол.* косое смещение; 9) *стр.* разгонка швов в кладке;
2. *v* 1) перемещать(ся), сдвигать(ся); передавать (*другому*); перекладывать (*в другую руку*); to ~ the fire *воен.* переносить

огóнь; 2) устранять, избавлять от; перекладывать (*на кого-л.*; *тж.* ~ off); to ~ the blame свалить вину (на другóго); 3) менять(ся); колебáться; *(часто* ~ about); to ~ one's lodging переменить квартиру; to ~ one's ground переменить позицию в спóре; to ~ the scene *театр.* менять декорáции; 4) изворáчиваться, ухищряться; to ~ for oneself обходиться без посторóнней пóмощи; 5) *тех.* переключáть; переводить; □ ~ off снимáть с себя (*ответстренность и т. п.*); избавляться (*от чего-л.*).

**shifting** [ˈʃɪftɪŋ] 1. *pres. p. от* shift 2; 2. *a* 1) непостоянный, меняющийся; 2) движущийся; ~ sands движущиеся пески.

**shift-key** [ˈʃɪftkiː] *n* клáвиша в пишущей машинке для смéны регистра.

**shiftless** [ˈʃɪftlɪs] *a* 1) беспóмощный; неумéлый; 2) бесхитростный.

**shifty** [ˈʃɪftɪ] *a* 1) изобретáтельный; лóвкий; 2) изворóтливый, хитрый; 3) перемéнчивый, ненадёжный; ~ eyes бéгающие глазá.

**shikar** [ʃɪˈkɑː] *англо-инд.* 1. *n* охóта; 2. *v* .охóтиться.

**shikaree, shikari** [ʃɪˈkæɡɪ] *n англо-инд.* охóтник-тузéмец.

**shillelagh** [ʃɪˈleɪlə] *ирл. n* дубинка.

**shilling** [ˈʃɪlɪŋ] *n* 1) шиллинг (*англ. серебряная монета=*1/20 *фунта стéрлингов=* 12 *пéнсам*); every ~ всё до послéднего шиллинга; 2) *attr.:* ~ shocker=shocker 1); ◇ to cut off with a ~ лишить наслéдства; to take the King's (*или* the Queen's) ~ поступить на военную службу.

**shilling's-worth** [ˈʃɪlɪŋzwɑːθ] *n* что-л. стóимостью в шиллинг; на шиллинг чегó-л.

**shilly-shally** [ˈʃɪlɪˌʃælɪ] 1. *n* нерешительность; 2. *a* нерешительный; 3. *v* колебáться, быть нерешительным.

**shim** [ʃɪm] *тех.* 1. *n* клин; тóнкая проклáдка; шáйба; 2. *v* заклинивать.

**shimmer** [ˈʃɪmə] 1. *n* мерцáние; мерцáющий свет; 2. *v* мерцáть.

**shimmy** [ˈʃɪmɪ] 1. *n* 1) *разг.* рубáшка; 2) *тех.* вибрáция, колебáние управляемых колёс автомобиля; 2. *v* вибрировать, колебáться.

**shin** [ʃɪn] 1. *n* гóлень; 2. *v* 1) (вс)карáбкаться (*обыкн.* ~ up); 2) ударять в гóлень; ударяться гóленью; 3) *sl.* ходить, бéгать; 4) *амер. sl.* занимáть у всех дéньги.

**shin-bone** [ˈʃɪnboun] *n* большеберцóвая кость.

**shindig** [ˈʃɪndɪɡ] *n амер. sl.* весéлье; шýмное сбóрище.

**shindy** [ˈʃɪndɪ] *n* скандáл, суматóха, дрáка, свáлка; to kick up a ~ затéять свáлку; поднять шум.

**shine** [ʃaɪn] 1. *n* 1) сияние; (сóлнечный, лýнный) свет; rain or ~ при любóй погóде; 2) блеск, глянец, лоск; to get a ~ почистить сапоги (*у чистильщика*); to take the ~ out of smth. a) лишить что-л. блéска, новизны; б) затмить; 3) блеск, великолéпие; 4) *sl.*

шум, скандáл; 5) *амер. разг.* расположéние; he took a ~ to you вы ему понрáвились; 2. *v* (shone) 1) светить(ся); сиять, блестéть; 2) блистáть (*в óбществе, разговóре*); 3) (*амер. past и p. p.* shined [-d]) *разг.* придавáть блеск, полировáть; чистить (*обувь*).

**shiner** [ˈʃaɪnə] *n sl.* 1) (золотáя) монéта; 2) *pl* дéньги; 3) *амер.* подбитый глаз, «фонáрь».

**shingle** I [ˈʃɪŋɡl] 1. *n* 1) крóвельная дрань, гонт; 2) корóткая дáмская стрижка; 3) *амер. разг.* вывеска; to hang out a ~ заняться чáстной прáктикой (*о врачé, адвокáте*); 2. *v* 1) крыть, обшивáть гóнтом, крыть щепóй; 2) корóтко постричь вóлосы; обкарнáть.

**shingle** II [ˈʃɪŋɡl] *n* гáлька, голыш.

**shingles** [ˈʃɪŋɡlz] *n pl мед.* опоясывающий лишáй.

**shingly** [ˈʃɪŋɡlɪ] *a* покрытый гáлькой.

**shining** [ˈʃaɪnɪŋ] 1. *pres. p. от* shine 2; 2. *a* яркий; сияющий; блестящий; a ~ example яркий (*или* блестящий) примéр.

**shinny, shinty** [ˈʃɪnɪ, ˈʃɪntɪ] *n* род хоккéя.

**shiny** [ˈʃaɪnɪ] *a* 1) сóлнечный; 2) блестящий; 3) лоснящийся.

**ship** [ʃɪp] 1. *n* 1) корáбль, сýдно; to take ~ сесть на корáбль; 2) комáнда корабля; 3) *sl.* (гóночная) лóдка; 4) *амер.* самолёт; 5) *attr.* корабéльный, судовóй; ◇ old ~ старинá, дружище (*шутливое обращéние к моряку*); ~ of the desert «корáбль пустыни» (*верблюд*); ~s that pass in the night мимолётные, случáйные встрéчи; when my ~ comes home когдá счáстье мне улыбнётся; 2. *v* 1) грузить, производить посáдку (*на корáбль*); 2) перевозить, отправлять (*груз и т. п.*); 3) садиться на корáбль; 4) нанимáть (*матрóсов*); 5) поступáть матрóсом; 6) стáвить (*мáчту, руль*); 7) вставлять в уключины (*вёсла*); ◇ to ~ a sea черпнýть воды (*о корáбле, лóдке*).

**ship biscuit** [ˈʃɪpˈbɪskɪt] *n* корабéльный сухáрь.

**shipboard** [ˈʃɪpbɔːd] *n:* on ~ на корабле́.

**ship-broker** [ˈʃɪpˌbroukə] *n* судовóй мáклер.

**shipbuilder** [ˈʃɪpˌbɪldə] *n* кораблестройтель.

**shipbuilding** [ˈʃɪpˌbɪldɪŋ] *n* судострое́ние.

**ship-chandler** [ˈʃɪpˌtʃɑːndlə] *n* судовóй поставщик.

**shipmaster** [ˈʃɪpˌmɑːstə] *n* хозяин, капитáн *или* шкипер торгóвого сýдна.

**shipmate** [ˈʃɪpmeɪt] *n* товáрищ по плáванию.

**shipment** [ˈʃɪpmənt] *n* 1) погрýзка (*на корáбль*); отпрáвка (*товáров*); 2) груз; 3) *амер.* перевóзка товáров.

**ship-money** [ˈʃɪpˌmʌnɪ] *n ист.* корабéльная пóдать.

**shipowner** [ˈʃɪpˌounə] *n* судовладéлец.

**shipper** [ˈʃɪpə] *n* грузоотправитель.

**shipping** I [ˈʃɪpɪŋ] 1. *pres. p. от* ship 2; 2. *n* 1) (торгóвый) флот, судá; 2) погрýзка, перевóзка грýза; to take ~ сесть на корáбль.

**shipping-articles** [ˈʃɪpɪŋˌɑːtɪklz] *n pl* догово́р о на́йме на су́дно.

**shipping-bill** [ˈʃɪpɪŋbіl] *n* деклара́ция судово́го гру́за.

**shipshape** [ˈʃɪpʃeɪp] **1.** *a predic.* находя́щийся в по́лном поря́дке, аккура́тный;
**2.** *adv* в по́лном поря́дке, аккура́тно.

**ship-way** [ˈʃɪpweɪ] *n* ста́пель.

**shipwreck** [ˈʃɪprek] **1.** *n* 1) кораблекруше́ние; *перен.* круше́ние (*надежд и т. п.*); ги́бель; to make ~ погибну́ть, разори́ться; 2) обло́мки кораблекруше́ния;
**2.** *v* 1) потерпе́ть кораблекруше́ние; *перен.* потерпе́ть неуда́чу, круше́ние; 2) быть причи́ной кораблекруше́ния; 3) причини́ть вред.

**shipwright** [ˈʃɪpraɪt] *n* 1) корабе́льный пло́тник; 2) кораблестрои́тель.

**shipyard** [ˈʃɪpjɑːd] *n* верфь.

**shir** [ʃəː]=shirr.

**shire** [ˈʃaɪə] *n уст.* гра́фство; the ~s центра́льные гра́фства А́нглии.

**shirk** [ʃəːk] **1.** *v* уви́ливать, уклоня́ться (*от чего-л.*); to ~ responsibility уклоня́ться от отве́тственности;
**2.** *n*=shirker.

**shirker** [ˈʃəːkə] *n* уви́ливающий, уклоня́ющийся (*от чего-л.*).

**shirr** [ʃəː] *амер.* **1.** *n* 1) рези́новая ни́тка; 2) сбо́рки;
**2.** *v* собира́ть (*материю*) в сбо́рки.

**shirt** [ʃəːt] **1.** *n* руба́шка (*мужска́я*); блу́за; in one's ~ в одно́й руба́хе; ◇ to have not a ~ to one's back не име́ть ни гроша́ за душо́й; to have (*или* to get) one's ~ out вы́йти из себя́; to keep one's ~ on сохраня́ть споко́йствие, не волнова́ться, не не́рвничать; to put one's ~ (on a horse) поста́вить всё на ка́рту, рискну́ть всем, что име́ешь; to give smb. a wet ~ заста́вить кого́-л. рабо́тать до седьмо́го по́та; to take smb.'s ~ пристру́нить, прибра́ть к рука́м кого́-л.;
**2.** *v* надева́ть руба́ху.

**shirt-band** [ˈʃəːtbænd] *n* во́рот руба́шки.

**shirt-front** [ˈʃəːtfrʌnt] *n* 1) крахма́льная грудь руба́шки, пластро́н; 2) мани́шка.

**shirting** [ˈʃəːtɪŋ] **1.** *pres. p. от* shirt 2;
**2.** *n* мате́рия для руба́шек.

**shirt-sleeves** [ˈʃəːtsliːvz] *n pl*: in one's ~ без пиджака́ (*в жиле́те или в руба́шке*).

**shirt-tail** [ˈʃəːtˌteɪl] *n* низ руба́шки.

**shirt-waist** [ˈʃəːtweɪst] *n амер.* же́нская блу́за.

**shirty** [ˈʃəːtɪ] *a разг.* рассе́рженный, раздражённый.

**shiver I** [ˈʃɪvə] **1.** *n* (*часто pl*) дрожь, тре́пет; to give a (little) ~ поёжиться; it gives me the ~s э́то вызыва́ет у меня́ дрожь;
**2.** *v* 1) дрожа́ть, вздра́гивать; тряcти́сь; трепета́ть; 2) полоска́ть(ся) (*о паруса́х*).

**shiver II** [ˈʃɪvə] **1.** *n* 1) (*обыкн. pl*) обло́мок, оско́лок; to break to ~s разбива́ть(ся) вдре́безги; 2) *мин.* сла́нец, ши́фер;
**2.** *v* разбива́ть(ся) вдре́безги.

**shivery I** [ˈʃɪvərɪ] *a* дрожа́щий, трепе́щущий.

**shivery II** [ˈʃɪvərɪ] *a* хру́пкий, ло́мкий.

**shoal I** [ʃoul] **1.** *n* 1) ме́лкое ме́сто, мел-ково́дье; 2) мель, ба́нка; 3) (*обыкн. pl*) скры́тая опа́сность;
**2.** *a* ме́лкий, мелково́дный;
**3.** *v* меле́ть.

**shoal II** [ʃoul] **1.** *n* 1) ста́я, кося́к (*рыбы*); 2) ма́сса, толпа́, мно́жество;
**2.** *v* 1) собира́ться ста́ями (*о рыбе*); 2) толпи́ться.

**shock I** [ʃɔk] **1.** *n* 1) уда́р, толчо́к; сотрясе́ние; ~s of earthquake подзе́мные толчки́ (*при землетрясе́нии*); to collide (*или* to clash) with a tremendous ~ столкну́ться со стра́шной си́лой; 2) потрясе́ние; the news came upon him with a ~ но́вость потрясла́ его́; 3) *мед.* шок; 4) *attr.* уда́рный; сокруши́тельный; ~ wave *физ.* уда́рная взрывна́я волна́; ~ absorber амортиза́тор; ~ action а) уда́рное де́йствие; б) *воен.* ата́ка в ко́нном строю́; ~ tactics *воен.* та́ктика сокруши́тельных ата́к; ~ troops *воен.* уда́рные войска́; 5) *attr. мед.* шо́ковый; ~ treatment шокотерапи́я;
**2.** *v* 1) потряса́ть, поража́ть; 2) возмуща́ть, шоки́ровать; 3) *поэт.* ста́лкиваться, сшиба́ться.

**shock II** [ʃɔk] **1.** *n* 1) копна́ (*из 12 сно́пов*);
**2.** *v* ста́вить в ко́пны.

**shock III** [ʃɔk] *n* 1) копна́ воло́с; 2) мохна́тая соба́ка.

**shock-brigade** [ˈʃɔkbrɪˌɡeɪd] *n* уда́рная брига́да.

**shocker** [ˈʃɔkə] *n разг.* 1) дешёвый бульва́рный рома́н; 2) о́чень плохо́й экземпля́р *или* образе́ц (*чего-л.*).

**shocking I** [ˈʃɔkɪŋ] **1.** *pres. p. от* shock I, 2;
**2.** *a* потряса́ющий, сканда́льный, ужа́сный;
**3.** *adv разг.* о́чень.

**shocking II** [ˈʃɔkɪŋ] *pres. p. от* shock II, 2.

**shock-worker** [ˈʃɔkˌwəːkə] *n* уда́рник.

**shod** [ʃɔd] *past и p. p. от* shoe 2.

**shoddy** [ˈʃɔdɪ] **1.** *n* 1) иску́сственная шерсть, шо́дди; волокно́ из шерстяны́х тря́пок; 2) хлам; 3) *стр.* грани́тная плита́;
**2.** *a* 1) подде́льный; 2) дрянно́й.

**shoe** [ʃuː] **1.** *n* 1) полуботи́нок, ту́фля; *амер. тж.* боти́нок; башма́к; high ~ *амер.* боти́нок; low ~ *амер.* полуботи́нок, ту́фля; 2) подко́ва; 3) желе́зный по́лоз; 4) *тех.* коло́дка, башма́к; ◇ to be in smb.'s ~s оказа́ться в положе́нии друго́го; to know where the ~ pinches знать, в чём тру́дность; знать причи́ну беспоко́йства; to put the ~ on the right foot обвиня́ть кого́ сле́дует; справедли́во обвиня́ть; to wait for dead men's ~s наде́яться получи́ть насле́дство по́сле чьей-л. сме́рти; наде́яться заня́ть чье-л. ме́сто по́сле его́ сме́рти; to fill smb.'s ~s замени́ть кого́-л.; to step into smb.'s ~s заня́ть чье-л. ме́сто; the ~ is on the other foot а) тепе́рь не то, обстоя́тельства измени́лись; б) отве́тственность лежи́т на друго́м; that's another pair of ~s ≅ э́то совсе́м друго́е де́ло;
**2.** *v* (shod) 1) обува́ть; 2) подко́вывать; 3) подбива́ть (*чем-л.*).

**shoeblack** [ˈʃuːblæk] *n* чи́стильщик сапо́г.

**shoehorn** [ˈʃuːhɔːn] *n* рожо́к (*для обуви*).

**shoe-lace** [ˈʃuːleɪs] *n* шнуро́к для боти́нок.

**shoe-leather** ['ʃuː‚leðə] *n* сапо́жная ко́жа; ◇ as good a man as ever trod ~ прекра́снейший челове́к.

**shoeless** ['ʃuːlɪs] *a* 1) без о́буви, босико́м; 2) не име́ющий о́буви.

**shoemaker** ['ʃuː‚meɪkə] *n* сапо́жник.

**shoe-nail** ['ʃuːneɪl] *n* 1) сапо́жный гвоздь; 2) ко́вочный гвоздь.

**shoe-parlo(u)r** ['ʃuː‚paːlə] *n амер.* зал для чи́стки о́буви.

**shoe polish** ['ʃuː‚pɒlɪʃ] *n* крем для чи́стки о́буви.

**shoe-shine boy** ['ʃuːʃaɪn‚bɔɪ] *n амер.* чи́стильщик сапо́г.

**shoestring** ['ʃuːstrɪŋ] *n амер.* шнуро́к для боти́нок; on a ~ *разг.* с небольши́ми сре́дствами.

**shoe-thread** ['ʃuːθred] *n* дра́тва.

**shone** [ʃɒn] *past и p. p. от* shine 2.

**shoo** [ʃuː] 1. *int* кш-ш! *(при вспу́гивании птиц)*; 2. *v* вспу́гивать, прогоня́ть.

**shook** [ʃuk] *past от* shake 2.

**shoot** [ʃuːt] 1. *n* 1) росто́к, побе́г; 2) стремни́на; 3) охо́та; 4) состяза́ние в стрельбе́; стрельба́; 5) *тех.* накло́нный сток, жёлоб, лото́к; 6) *геол.* удлинённое ру́дное те́ло, иду́щее вниз;

2. *v* (shot) 1) стреля́ть; застрели́ть *(тж.* ~ down); расстреля́ть; he was shot in the chest пу́ля попа́ла ему́ в грудь; to ~ in sight расстре́ливать на ме́сте; 2) внеза́пно появи́ться, пронести́сь, промелькну́ть, промча́ться *(тж.* ~ along, ~ forth, ~ out, ~ past); 3) распуска́ться *(о дере́вьях, по́чках);* пуска́ть ростки́ *(тж.* ~ out); 4) боле́ть, дёргать; 5) сбра́сывать, ссыпа́ть *(мусор и т. п.);* слива́ть; выбра́сывать; 6) задвига́ть *(засов);* 7) *разг.* фотографи́ровать; 8) снима́ть фильм; 9) посыла́ть *(мяч);* □ ~ away расстреля́ть *(патро́ны);* ~ down a) сбить огнём; застрели́ть; расстреля́ть; б) вта́йне не одобря́ть; в) *разг.* одержа́ть верх в спо́ре; г) *sl.* завле́чь и обма́нуть; ~ forth a) пронести́сь, промелькну́ть; б) пуска́ть *(по́чки);* ~ in пристре́ливаться; ~ out a) выска́кивать, вылета́ть; б) выдава́ться *(о мы́се и т. п.);* в) выбра́сывать; высо́вывать; пуска́ть *(ростки́);* to ~ out one's lips презри́тельно выпя́чивать гу́бы; г): to ~ a way out проби́ться, вы́рваться *(из окруже́ния и т. п.);* ~ up a) бы́стро расти́; б) взлета́ть, вздыма́ться *(о пла́мени и т. п.);* в) *воен.* расстреля́ть; разби́ть огнём; г) терроризи́ровать стрельбо́й; ◇ to ~ dice игра́ть в ко́сти; to ~ the cat *sl.* рвать, блева́ть; to ~ fire мета́ть и́скры *(о глаза́х);* to ~ the breeze ве́село провести́ вре́мя; to ~ Niagara реши́ться на отча́янный шаг; подверга́ться огро́мному ри́ску; I'll be shot if... провали́ться мне на э́том ме́сте, е́сли...; to ~ the sun *мор.* определя́ть высоту́ со́лнца; to ~ the moon *sl.* съе́хать с кварти́ры но́чью, не плати́ть за неё; ~ craps! *sl.* прекрати́ э́то!; to ~ oneself clear *ав.* скатапульти́роваться из самолёта.

**shooter** ['ʃuːtə] *n* 1) стрело́к; 2) револьве́р; 3) *sl.* чёрная визи́тка.

**-shooter** [-‚ʃuːtə] *в сло́жных слова́х:* six-shooter шестизаря́дный револьве́р.

**shooting** ['ʃuːtɪŋ] 1. *pres. p. от* shoot 2; 2. *n* 1) стрельба́; 2) охо́та; 3) пра́во охо́ты; 4) внеза́пная о́страя боль; 5) *горн.* пале́ние шпу́ров; 6) *кино* съёмка.

**shooting-box** ['ʃuːtɪŋbɒks] *n* охо́тничий до́мик.

**shooting-gallery** ['ʃuːtɪŋ‚gælərɪ]=shooting-range.

**shooting-iron** ['ʃuːtɪŋ‚aɪən] *n sl.* огнестре́льное ору́жие.

**shooting-range** ['ʃuːtɪŋreɪndʒ] *n* тир.

**shooting-saloon** ['ʃuːtɪŋsə‚luːn] = shooting-range.

**shooting star** ['ʃuːtɪŋ'staː] *n* метео́р.

**shooting-stick** ['ʃuːtɪŋstɪk] *n* трость-табуре́т.

**shooting war** ['ʃuːtɪŋ'wɔː] *n* «горя́чая» война́ *(в противополо́жность «холо́дной» войне́).*

**shop** [ʃɒp] 1. *n* 1) ла́вка, магази́н; 2) мастерска́я, цех; closed ~ *амер.* предприя́тие, где рабо́тают то́лько чле́ны профсою́за; open ~ *амер.* предприя́тие, принима́ющее на рабо́ту не чле́нов профсою́за наряду́ с чле́нами; 3) *разг.* заведе́ние, учрежде́ние; 4) *attr.* цехово́й; ~ committee ~ chairman *амер.* цехово́й комите́т; цехово́й ста́роста; ◇ all over the ~ разбро́санный повсю́ду, в беспоря́дке; to come to the wrong ~ обрати́ться не по а́дресу; to talk ~ говори́ть (в о́бществе) о свои́х служе́бных дела́х; каса́ться у́зко профессиона́льных тем (во вре́мя о́бщего разгово́ра); to get a ~ *теа́тр.* получи́ть ангажеме́нт; to lift a ~ соверши́ть кра́жу в магази́не; to shut up ~ a) закры́ть ла́вочку; прекрати́ть всё; б) уйти́ в отста́вку;

2. *v* 1) де́лать поку́пки *(обы́кн.* go ~ping); 2) *амер.* ходи́ть по магази́нам, что́бы ознако́миться с це́нами, присмотре́ть вещь; 3) *sl.* сажа́ть в тюрьму́; 4) *sl.* выдава́ть *(соо́бщника);* 5) принима́ть на рабо́ту; 6) увольня́ть с рабо́ты; □ ~ around *амер.* иска́ть рабо́ту, ме́сто.

**shop-assistant** ['ʃɒpə‚sɪstənt] *n* продаве́ц; продавщи́ца.

**shop-girl** ['ʃɒpgəːl] *n* продавщи́ца.

**shopkeeper** ['ʃɒp‚kiːpə] *n* ла́вочник.

**shop-lifter** ['ʃɒp‚lɪftə] *n* магази́нный вор.

**shopman** ['ʃɒpmən] *n* 1) продаве́ц; 2) *редк.* ла́вочник; 3) *амер.* рабо́чий.

**shopper** ['ʃɒpə] *n* покупа́тель.

**shopping** ['ʃɒpɪŋ] 1. *pres. p. от* shop 2; 2. *n* посеще́ние магази́на с це́лью поку́пки *(чего́-л.);* to do one's ~ де́лать поку́пки.

**shoppy** ['ʃɒpɪ] 1. *a* 1) с больши́м коли́чеством магази́нов *(о райо́не го́рода);* 2) *разг.* профессиона́льный *(о разгово́ре);* 2. *n sl.* продавщи́ца.

**shop-steward** ['ʃɒpstjuəd] *n* цехово́й ста́роста.

**shopwalker** ['ʃɒp‚wɔːkə] *n* дежу́рный администра́тор универма́га.

**shop window** ['ʃɒp'wɪndou] *n* витри́на; ◇ to have everything in the ~, to have all one's goods in the ~ быть пове́рхностным челове́ком; выставля́ть всё напока́з.

**shore** I [ʃɔ:] *n* бéрег (*моря, озера*); on ~ на берегу́; in ~ у бéрега; бли́же к бéрегу.

**shore** II [ʃɔ:] 1. *n* подпóрка, опóра, подкóс; креплéние; 2. *v* подпирáть; окáзывать поддéржку (*обыкн.* ~ up).

**shore** III [ʃɔ:] *уст. past om* shear 2.

**shore-leave** ['ʃɔ:li:v] *n мор.* óтпуск на бéрег.

**shoreless** ['ʃɔ:lıs] *a* безбрéжный.

**shoreman** ['ʃɔ:mən]=shoresman.

**shore patrol** ['ʃɔрə'troul] *n амер.* береговóй дозóр.

**shoresman** ['ʃɔ:zmən] *n* 1) прибрéжный рыбáк; 2) лóдочник; 3) грýзчик.

**shoreward** ['ʃɔ:wəd] 1. *a* дви́жущийся по направлéнию к бéрегу; 2. *adv* по направлéнию к бéрегу.

**shorn** [ʃɔ:n] *p.p. om* shear 2.

**short** [ʃɔ:t] 1. *a* 1) корóткий; крáткий; краткосрóчный; a ~ way off недалекó; a ~ time ago недáвно; time is ~ врéмя не тéрпит; ~ story расскáз, новéлла; ~ cut a) сокращéние, уменьшéние пути́ *или* врéмени; б) кратчáйшее расстоя́ние; 2) ни́зкого рóста (*о человеке*); 3) недостáточный, непóлный; имéющий недостáток (of — в *чём-л.*); не достигáющий (of — *чего-л.*); ~ weight недовéс; ~ measure недомéр; in ~ supply дефици́тный; ~ sight близорýкость; ~ views недальнови́дность; ~ memory корóткая пáмять; ~ of breath запыхáвшийся; страдáющий оды́шкой; to keep smb. ~ скýдно снабжáть; we are ~ of cash у нас не хватáет дéнег; to jump ~ недопры́гнуть; to run ~ истощáться; иссякáть; не хватáть; to come (*или* to fall) ~ of smth. a) не хватáть, имéть недостáток в чём-л.; б) уступáть в чём-л.; this book is ~ of satisfactory э́та кни́га неудовлетвори́тельна; в) не дости́гнуть цéли; г) не оправдáть ожидáний; 4) крáткий; отры́вистый, сухóй (*об ответе, приёме*); грýбый, рéзкий (*о речи*); ~ word брáнное-слóво; 5) хрýпкий, лóмкий; рассы́пчатый (*о печенье, о глине*); biscuit eats ~ печéнье рассыпáется во рту; 6) *sl.* крéпкий (*о напитке*); something ~ крéпкий напи́ток; ◇ in the ~ run вскóре; at ~ notice немéдленно; ~ wind оды́шка; ~ temper несдéржанность, вспы́льчивый харáктер; to make a long story ~ корóче говоря́; to make ~ work of smth. бы́стро спрáвиться, бы́стро раздéлаться с чем-л.; this is nothing ~ of a swindle э́то пря́мо надувáтельство; ~ of a) исключáя; б) не доезжáя; somewhere ~ of London гдé-то не доезжáя Лóндона; 2. *adv* рéзко, крýто, внезáпно; преждеврéменно; to stop ~ внезáпно прекрати́ть; to cut smb. ~ прервáть, оборвáть когó-л.; 3. *n* 1) крáткость; for ~ для крáткости; in ~ корóче говоря́; вкрáтце; 2) крáткий глáсный *или* слог; 3) знак крáткости; 4) *разг.* корóткое замыкáние; 5) недолёт; 6) короткометрáжный фильм; 7) *pl* мéлкие óтруби; 8) *pl* смéтки, отхóды.

**shortage** ['ʃɔ:tıdʒ] *n* нехвáтка, недостáток.

**shortbread** ['ʃɔ:tbred] *n* песóчное печéнье.

**shortcake** ['ʃɔ:tkeık] *n* 1) = shortbread;

2) *амер.* слоёный торт с фруктóвой начи́нкой и крéмом.

**short circuit** ['ʃɔ:t'sə:kıt] *n эл.* корóткое замыкáние.

**short-circuit** ['ʃɔ:t'sə:kıt] *v эл.* 1) замкнýть нáкоротко, сдéлать корóткое замыкáние; 2) упрости́ть; укорóтить.

**shortcoming** [ʃɔ:t'kʌmıŋ] *n* 1) недостáток; дефéкт; 2) простýпок; 3) нехвáтка.

**short-cut** 1. *n* ['ʃɔ:tkʌt] 1) мéлкая крóшка (*сорт табака*); 2) = short cut [*см.* short 1, 1)]; 2. *a* ['ʃɔ:t'kʌt] 1) укорóченный; сокращённый; 2) мéлко накрóшенный (*о табаке и т. п.*).

**short-dated** ['ʃɔ:t'deıtıd] *a* краткосрóчный (*о векселе и т. п.*).

**short dead end** ['ʃɔ:t'dedend] *n ж.-д.* тупи́к.

**shorten** ['ʃɔ:tn] *v* 1) укорáчивать(ся), сокращáть(ся); 2) добавля́ть к тéсту жир для придáния ему́ рассы́пчатости.

**shortening** ['ʃɔ:tnıŋ] 1. *pres. p. om* shorten; 2. *n* жир, добавля́емый в тéсто для придáния ему́ рассы́пчатости.

**shorthand** ['ʃɔ:thænd] *n* стеногрáфия.

**short-handed** ['ʃɔ:t'hændıd] *a* испы́тывающий недостáток в рабóчих рукáх, нуждáющийся в рабóчей си́ле.

**shorthorn** ['ʃɔ:thɔ:n] *n* 1) короткорóгий скот; 2) *амер. sl.* новоприбы́вший, новичóк.

**shortlived** ['ʃɔ:t'lıvd] *a* недолговéчный; мимолётный; ~ commodities скоропóртящиеся продýкты.

**shortly** ['ʃɔ:tlı] *adv* 1) вскóре; незадóлго; 2) корóтко, сжáто; 3) отры́висто, рéзко.

**short-paid** ['ʃɔ:t'peıd] *a* доплатнóй (*о почтовом отправлении*).

**short-rib** ['ʃɔ:trıb] *n анат.* корóткое ребрó, лóжное ребрó.

**shorts** [ʃɔ:ts] *n pl* трýсики.

**short-sighted** ['ʃɔ:t'saıtıd] *a* 1) близорýкий; 2) недальнови́дный.

**short-spoken** ['ʃɔ:t'spoukən] *a* лакони́чный, лакони́ческий.

**short-tempered** ['ʃɔ:t'tempəd] *a* несдéржанный, вспы́льчивый.

**short-term** ['ʃɔ:t'tə:m] *a* краткосрóчный.

**short ton** ['ʃɔ:t'tʌn] *n* корóткая (америкáнская *или* канáдская) тóнна (=907,2 *кг*).

**short wave** ['ʃɔ:t'weıv] *n радио* корóткая волнá.

**short-wave** ['ʃɔ:t'weıv] *a радио* коротковóлновый; ~ set коротковóлновый приёмник.

**short-winded** ['ʃɔ:t'wındıd] *a* страдáющий оды́шкой.

**shorty** ['ʃɔ:tı] *n разг.* короты́шка.

**shot** I [ʃɔt] 1. *n* 1) пýшечное ядрó; 2) (*pl без измен.*) дроби́нка; *собир.* дробь; 3) *спорт.* ядрó для толкáния; 4) вы́стрел; *перен.* удáр; preliminary ~ *воен.* пристрéлка; 5) попы́тка (*угадать и т. п.*); to take (*или* to have, to try) a ~ сдéлать попы́тку; to make a good (bad) ~ at smth. отгадáть (не отгадáть) что-л.; не оши́биться (оши́биться) в чём-л.; 6) стрелóк; 7) небольшáя дóза; 8) глотóк спиртнóго; 9) *кино* кадр; 10) фотоснímок; 11) *горн.* взрыв; вы́пал (*шпура*); шпур; ◇ like a ~ бы́стро, стреми́тельно,

срáзу; в однý минýту; óчень охóтно; а ~ in the blue ≅ пáльцем в нéбо; оплóшность, прóмах; by a long ~ намнóго; not by a long ~ отнюдь не; not a ~ in the locker ≅ ни грошá в кармáне;
2. *v* 1) заряжáть; 2) подвéшивать дробúнки (*к лесе*).

**shot** II [ʃɔt] **1.** *past и p. p. от* shoot 2;
2. *a* перелúвчатый; ~ with silver с серебрúстым отлúвом.

**shot** III [ʃɔt] *n* счёт; to pay one's ~ распла́чиваться (*в гостинице*).

**shot-gun** [ʃɔtgʌn] *n* дробовúк (*ружьё*);
◇ ~ marriage вы́нужденный брак.

**shot-in-the-arm** [ʃɔtɪnðiˈɑːm] *n разг.* возбуждáющее срéдство.

**shot-up** [ʃɔtʌp] *a воен.* подбúтый (*о самолёте*).

**should** [ʃud (*полная форма*); ʃəd, ʃd (*редуцированные формы*)] (*past от* shall) 1) *вспомогательный глагол; служит для образования будущего в прошедшем в 1 л. ед. и мн. ч.*: I said I ~ be at home next week я сказáл, что бýду дóма на слéдующей недéле; 2) *вспомогательный глагол; служит для образования*: а) *условного наклонения в 1 л. ед. и мн. ч.*: I ~ be glad to play if I could я бы сыгрáл, éсли бы умéл; б) *сослагательного наклонения*: it is necessary that he ~ go home at once необходúмо, чтóбы он сейчáс же шёл домóй; 3) *модальный глагол, выражающий*: а) *долженствование*: we ~ be punctual мы должны́ быть аккурáтны; б) *некоторую неуверенность*: I ~ hardly think so насколько я могý судúть, вряд ли (это так).

**shoulder** [ʃouldə] **1.** *n* 1) плечó; ~ to ~ плечóм к плечý; 2) лопáтка (*в мясной туше*); 3) устýп, вы́ступ; 4) обóчина (*дороги*); 5) *тех.* бýртик, флáнец; поясóк; 6) плéчики для одéжды, вéшалка; ◇ head and ~s (above) намнóго (вы́ше); to lay the blame on the right ~s обвинять когó слéдует; справедлúво обвинять; to put (*или* to set) one's ~ to the wheel энергúчно взяться за рабóту; приналéчь; to rub ~s with общáться с; straight from the ~ а) сплечá; б) без утáйки; откровéнно; to give the cold ~ to smb. оказáть холóдный приём комý-л.; хóлодно встрéтить когó-л.;
2. *v* 1) оттáлкивать в стóрону; протáлкиваться (*тж.* ~ one's way); 2) взвалúть на плéчи; брать на себя́ (*ответственность, вину*); to ~ arms брать к плечý (*винтовку*);

**shoulder-belt** [ʃouldəbelt] *n* 1) пéревязь чéрез плечó; 2) *воен.* (плечевáя) портупéя.

**shoulder-blade** [ʃouldəbleid] *n анат.* лопáтка.

**shoulder-loop** [ʃouldəluːp] *амер.* = shoulder-strap 1).

**shoulder-mark** [ʃouldəmɑːk] *n мор.* наплéчный знак разлúчия (*во флоте США*).

**shoulder-strap** [ʃouldəstræp] *n* 1) *воен.* погóн; 2) *pl* бретéльки; плéчики; a dress without ~s плáтье с откры́тыми плечáми.

**shout** [ʃaut] **1.** *n* крик, вóзглас; ◇ my ~ *sl.* моя́ óчередь платúть;
2. *v* кричáть (at—на); to ~ with laughter грóмко хохотáть; □ ~ down застáвить

замолчáть; ~ for *амер* горячó поддéрживать (*возгласами и т. п.*).

**shouting** [ʃautɪŋ] **1.** *pres. p. от* shout 2; 2. *n* крúки; вóзгласы одобрéния, привéтствия; it's all over but the ~ все трýдности позадú, мóжно ликовáть.

**shove** [ʃʌv] **1.** *n* 1) толчóк; толкáние; 2) *с.-х.* кострá (*льна*);
2. *v* 1) пихáть; толкáть(ся); 2) *разг.* совáть; засóвывать; 3) *разг.* спихнýть; всучúть (onto — *кому-л.*); □ ~ off а) оттáлкиваться (*от берега* — *в лодке*); б) убирáться подобрý-поздорóву.

**shove-halfpenny** [ʃʌvˈheipni] = shovel-board.

**shovel** [ʃʌvl] **1.** *n* 1) лопáта; совóк; 2) *с.-х.* лéмех;
2. *v* 1) копáть, рыть; 2) сгребáть (*тж.* ~ up, ~ in); to ~ up food *разг.* уплетáть.

**shovelboard** [ʃʌvlbɔːd] *n* игрá, в котóрой толкáют деревя́нные *или* металлúческие дúски по размечéнной повéрхности.

**shovel hat** [ʃʌvl ˈhæt] *n* шля́па с ширóкими поля́ми (*у англ. духовных лиц*).

**shoveller** [ʃʌvlə] *n* широконóска (*птица*).

**show** [ʃou] **1.** *n* 1) показ, покáзывание; to vote by ~ of hands голосовáть подня́тием рукú; 2) зрéлище; спектáкль; moving-picture ~ киносеáнс; 3) вы́ставка; 4) витрúна; 5) внéшний вид, вúдимость; for ~ для вúдимости; there is a ~ of reason in it в э́том есть вúдимость смы́сла; he made a great ~ of zeal он дéлал вид, что óчень старáется; 6) показнáя пы́шность, парáдность; 7) *sl.* предприя́тие, организáция; to put up a good ~ добúться положúтельных результáтов; to give away the ~ *разг.* вы́дать, разболтáть секрéт; разболтáть о недостáтках (*какого-л. предприятия*); to run (*или* to boss) the ~ вестú дéло; быть хозя́ином; 8) *разг.* возмóжность прояви́ть свои́ сúлы; удóбный слýчай; 9) *воен. sl.* сражéние, кампáния;
2. *v* (showed [-d]; showed, shown) 1) покáзывать; to ~ oneself появúться в óбществе; to ~ the way провестú, показáть дорóгу; *перен.* надоумúть; 2) проявля́ть; выставля́ть, демонстрúровать; to ~ cause привестú оправдáние; докáзывать; 4) проводúть, ввестú (into — *куда-л.*); вы́вести (out of — *откуда-л.*); 5) быть вúдным; появля́ться; казáться; the stain will never ~ пятнó бýдет незамéтно; buds are just ~ing пóчки тóлько ещё появля́ются; □ ~ down откры́ть кáрты; ~ in ввестú, провестú (*в комнату*); ~ off а) покáзывать в вы́годном свéте; б) пускáть пыль в глазá; ~ out проводúть, вы́вести (*из комнаты*); ~ round показывать (*кому-л. город, музей*); ~ up а) изоблича́ть; б) выделя́ться (*на фоне*); в) *разг.* (по)явля́ться; объяви́ться неожúданно; ◇ to ~ a leg встать с постéли; to ~ smb. the door указáть комý-либо на дверь, попросúть когó-л. вы́йти вон; to ~ one's hand (*или* cards) раскры́ть свои́ кáрты; to ~ one's teeth прояви́ть враждéбность; огрызнýться; to ~ fight окáзывать сопротивлéние; to have nothing to ~ for it не достúчь никакúх результáтов.

**show-bill** ['ʃoubɪl] *n* афи́ша.

**showboat** ['ʃoubout] *n* плаву́чий теа́тр (*напр., на Миссиси́пи*).

**show-card** ['ʃoukɑːd] *n* 1) рекла́ма; 2) щито́к с образца́ми това́ров.

**show-case** ['ʃoukeɪs] *n* витри́на.

**show-down** ['ʃoudaun] *n* 1) раскры́тие карт; 2) открове́нный обме́н мне́ниями.

**shower** I ['ʃouə] *n* тот, кто пока́зывает.

**shower** II ['ʃauə] 1. *n* 1) ли́вень; а ~ of hail град; 2) душ; 3) град (*пуль, вопро́сов*); 4) *физ.* пото́к (*электро́нов*);
2. *v* 1) лить(ся) ли́внем; 2) полива́ть, ороша́ть; 3) осыпа́ть; забра́сывать; to be ~ed with telegrams быть засы́панным телегра́ммами; to be ~ed with stones быть забро́санным камня́ми; 4) приня́ть душ.

**shower-bath** ['ʃauəbɑːθ] *n* душ.

**shower-party** ['ʃauə,pɑːtɪ] *n амер.* приём (*особ.* устра́иваемый новобра́чными), на кото́ром хозя́йке до́ма преподно́сят пода́рки.

**shower stall** ['ʃauə'stɔːl] *n* душева́я.

**showery** ['ʃauərɪ] *a* дождли́вый.

**showground** ['ʃougraund] *n театр.* игрова́я площа́дка.

**showing** ['ʃouɪŋ] 1. *pres. p. от* show 2; 2. *n* 1) киносеа́нс; 2) показа́ние; on his own ~ как он сам признаёт.

**showman** ['ʃoumən] *n* хозя́ин ци́рка, аттракцио́на *и т. п.*; балага́нщик.

**shown** [ʃoun] *p. p. от* show 2.

**show-room** ['ʃourum] *n* вы́ставочный зал; демонстрацио́нный зал для пока́за образцо́в това́ра.

**showtime** ['ʃoutaɪm] *n* нача́ло сеа́нса, представле́ния.

**show-window** ['ʃou,wɪndou] *n* окно́ магази́на, витри́на.

**showy** ['ʃouɪ] *a* 1) эффе́ктный, я́ркий; 2) крича́щий; бью́щий на эффе́кт; 3) пёстрый, безвку́сный.

**shram** [ʃræm] *v* (*обыкн. р.р.*) *диал.* приводи́ть в оцепене́ние; ~med with cold окочене́вший от хо́лода.

**shrank** [ʃræŋk] *past от* shrink.

**shrapnel** ['ʃræpnl] *n* шрапне́ль.

**shred** [ʃred] 1. *n* лоскуто́к, клочо́к, кусо́к; to tear to ~s разорва́ть в клочки́; to tear an argument to ~s по́лностью опрове́ргнуть до́вод;
2. *v* (shredded [-ɪd], shred) 1) кромса́ть; ре́зать *или* рвать на клочки́; 2) располза́ться (*о мате́рии*); 3) рассе́иваться (*тж.* ~ away).

**shredded** ['ʃredɪd] 1. *p. p. от* shred 2. 2. *a* дроблёный; расщеплённый; ~ wheat *кул.* пшени́чные хло́пья.

**shrew** [ʃruː] 1. *n* 1) *зоол.* землеро́йка; 2) сварли́вая же́нщина.

**shrewd** [ʃruːd] *a* 1) проница́тельный, у́мный; хи́трый, то́нкий; 2) си́льный, жесто́кий (*о бо́ли, хо́лоде*); 3) *уст.* зло́бный; ~ tongue злой язы́к.

**shrewish** ['ʃruːɪʃ] *a* сварли́вый.

**shrew mole** ['ʃruːmoul] *n амер.* крот.

**shrew-mouse** ['ʃruːmaus] = shrew 1).

**shriek** [ʃriːk] 1. *n* пронзи́тельный крик, визг;
2. *v* пронзи́тельно крича́ть, визжа́ть; to ~ with laughter гро́мко *или* истери́чески хохота́ть.

**shrievalty** ['ʃriːvəltɪ] *n* до́лжность шери́фа.

**shrift** [ʃrɪft] *n* 1) *уст.* и́споведь; 2): short ~ коро́ткий срок ме́жду пригово́ром и ка́знью; to give short ~ to smb. бы́стро распра́виться с кем-л.

**shrike** [ʃraɪk] *n* сорокопу́т (*пти́ца*).

**shrill** [ʃrɪl] 1. *a* 1) пронзи́тельный, ре́зкий; 2) насто́йчивый, назо́йливый;
2. *v* пронзи́тельно крича́ть, визжа́ть.

**shrimp** [ʃrɪmp] 1. *n* 1) *зоол.* креве́тка; 2) малю́тка, кро́шка; 3) ничто́жество;
2. *v* лови́ть креве́ток.

**shrine** [ʃraɪn] 1. *n* 1) ра́ка; гробни́ца; 2) ме́сто поклоне́ния, святы́ня;
2. *v* 1) заключа́ть в ра́ку; 2) благогове́йно храни́ть.

**shrink** [ʃrɪŋk] *v* (shrank, shrunk; shrunk) 1) сокраща́ть(ся), смо́рщивать(ся); 2) сади́ться (*о мате́рии*), дава́ть уса́дку; 3) усыха́ть; 4) отпря́нуть, отступи́ть (*от чего-л.*); 5) избега́ть; уклоня́ться (from — от чего-л.); I ~ from telling her у меня́ не хвата́ет ду́ху сказа́ть ей; 6) *тех.* надева́ть нагре́тый банда́ж, шину́ (*обыкн.* ~ on);
◇ to ~ into oneself уйти́ в себя́.

**shrinkage** ['ʃrɪŋkɪdʒ] *n* 1) сокраще́ние; сжа́тие; 2) усу́шка, уса́дка.

**shrive** [ʃraɪv] *v* (shrived [-d], shrove; shrived, shriven) *уст.* испове́довать, отпуска́ть грехи́.

**shrivel** ['ʃrɪvl] *v* 1) смо́рщивать(ся); съёживаться, ссыха́ться; 2) де́лать(ся) бесполе́зным.

**shriven** ['ʃrɪvn] *p.p. от* shrive.

**shroff** [ʃrɔf] *n* меня́ла (*на Восто́ке*).

**shroud** [ʃraud] 1. *n* 1) са́ван; 2) пелена́; покро́в; wrapped in a ~ of mystery оку́танный та́йной; 3) *pl мор.* ва́нты; 4) *тех.* кожу́х, карка́с;
2. *v* 1) завёртывать в са́ван; 2) оку́тывать.

**shrove** [ʃrouv] *past от* shrive.

**Shrovetide** ['ʃrouvtaɪd] *n* ма́сленица.

**shrub** I [ʃrʌb] *n* куст, куста́рник.

**shrub** II [ʃrʌb] *n уст.* напи́ток из фрукто́вого со́ка и ро́ма.

**shrubbery** ['ʃrʌbərɪ] *n* 1) куста́рник; 2) алле́я, обса́женная куста́рником.

**shrubby** ['ʃrʌbɪ] *a* 1) поро́сший куста́рником; 2) куста́рниковый.

**shrug** [ʃrʌg] 1. *n* пожима́ние (*плеча́ми*); 2. *v* пожима́ть (*плеча́ми*).

**shrunk** [ʃrʌŋk] *past и p. p. от* shrink.

**shrunken** ['ʃrʌŋkən] *a* смо́рщенный.

**shuck** [ʃʌk] 1. *n* 1) шелуха́; 2) *амер.* ство́рка у́стрицы, жемчу́жницы *и т. п.*;
◇ ~! *амер. разг.* а) чёрт!; б) ерунда́! no great ~s не блестя́щий, не выдаю́щийся;
2. *v* 1) лущи́ть, очища́ть от шелухи́; 2): to ~ off from sleep стряхну́ть с себя́ сон.

**shudder** ['ʃʌdə] 1. *n* дрожь, содрога́ние; 2. *v* вздра́гивать, содрога́ться; I ~ to think of it я содрога́юсь при мы́сли об э́том.

**shuffle** ['ʃʌfl] 1. *n* 1) ша́рканье; 2) тасо́вание (*карт*); 3) трюк, уве́ртка; 4) переме́на мест;

2. *v* 1) волочи́ть (*ноги*); ша́ркать (*нога́ми*); 2) ёрзать; 3) тасова́ть (*карты*); 4) переме́шивать; перемеща́ть; 5) колеба́ться, виля́ть, извора́чиваться, хитри́ть; ☐ ~ off а) сбро́сить (*одежду*); б) свали́ть (*ответственность*); в) изба́виться; ~ on наки́нуть (*одежду*).

**shuffler** [ˈʃʌflə] *n* 1) игро́к, тасу́ющий ка́рты; 2) пройдо́ха; казуи́ст.

**shun** [ʃʌn] *v* избега́ть, остерега́ться.

**'shun** [ʃʌn] *int* (*сокр. от* attention) *воен. разг.* смирно!

**shunless** [ˈʃʌnlɪs] *a поэт.* неизбе́жный.

**shunt** [ʃʌnt] 1. *n* 1) *ж.-д.* перево́д на запа́сный путь; стре́лка; 2) *эл.* шунт;

2. *v* 1) *ж.-д.* переводи́ть *или* переходи́ть на запа́сный путь, маневри́ровать; 2) *эл.* шунти́ровать; 3) откла́дывать, класть под сукно́; 4) перебра́сывать (на другу́ю рабо́ту); 5) *разг.* удали́ться.

**shunter** [ˈʃʌntə] *n* 1) *ж.-д.* стре́лочник; сце́пщик; составитель поездо́в; 2) *sl.* уме́лый организа́тор.

**shunting-yard** [ˈʃʌntɪŋjɑːd] *n ж.-д.* сортиро́вочная ста́нция, маневро́вые пути́.

**shush** [ʃʌʃ] *v* переби́ть, не дать говори́ть; заши́кать.

**shut** [ʃʌt] 1. *v* (shut) 1) затворя́ть(ся); закрыва́ть(ся); запира́ть(ся); 2) скла́дывать, закрыва́ть; to ~ a fan сложи́ть ве́ер; to ~ an umbrella закры́ть зо́нтик; ☐ ~ down а) закрыва́ть; захло́пывать; б) прекраща́ть рабо́ту (*на предприятии*); в) выключа́ть, остана́вливать; ~ in а) запира́ть; б) загора́живать (*свет и т. п.*); ~ into а) запира́ть; б) прищемля́ть; ~ off а) выключа́ть (*воду, ток, пар и т. п.*); б) изоли́ровать (from); ~ out а) не допуска́ть; не впуска́ть; б) исключа́ть (возмо́жность); в) загора́живать; ~ to закрыва́ть(ся) на́глухо; ~ the box to закро́йте я́щик; ~ up а) забить, заколоти́ть; б) закры́ть (*магазин, предприятие*); в) заключи́ть (*в тюрьму́*); г) *разг.* (заста́вить) замолча́ть; ~ up! замолчи́!, закни́сь!; ◇ to ~ the door upon smb. не принима́ть кого́-л., чего́-л.; отка́зываться от чего́-л.; to ~ one's ears to smth. не слу́шать, игнори́ровать, пропуска́ть ми́мо уше́й; to ~ one's eyes to smth. закрыва́ть глаза́ на что́-л., не замеча́ть чего́-л.;

2. *a* закры́тый, за́пертый.

**shut-down** [ˈʃʌt,daun] *n* 1) закры́тие (*предприятия*); 2) выключе́ние.

**shut-eye** [ˈʃʌtˈai] *n разг.* сон.

**shut-in** [ˈʃʌtˈin] 1. *n амер.* больно́й, инвали́д;

2. *a* 1) больно́й; 2) за́мкнутый.

**shut-out** [ˈʃʌtˈaut] *n* лока́ут.

**shutter** [ˈʃʌtə] 1. *n* 1) ста́вень; *pl* жалюзи́; to put up the ~s *перен.* закры́ть предприя́тие; 2) задви́жка, засло́нка; затво́р (*напр., фотообъекти́ва*);

2. *v* закрыва́ть ста́внями.

**shuttle** [ˈʃʌtl] *n* 1) челно́к (*ткацкого станка́, швейной маши́ны*); 2) затво́р шлю́за; 3) *амер.* = shuttle train.

**shuttle bus** [ˈʃʌtlˈbʌs] *n* пригоро́дный авто́бус.

**shuttlecock** [ˈʃʌtlkɔk] *n* вола́н (*игра́*).

**shuttle train** [ˈʃʌtlˈtrein] *n* пригоро́дный по́езд.

**shy I** [ʃai] 1. *a* 1) пугли́вый; 2) засте́нчивый, ро́бкий; осторо́жный, нереши́тельный; to be ~ of smth. а) избега́ть чего́-л., не реша́ться на что́-л.; б) *амер.* недостава́ть, не хвата́ть (*тж.* to be ~ on smth.);

2. *n* пугли́вость;

3. *v* броса́ться в сто́рону, пуга́ться.

**shy II** [ʃai] *разг.* 1. *n* 1) бросо́к; 2) *разг.* попы́тка; to have a ~ at smth. попро́бовать доби́ться чего́-л.; 3) насме́шливое, ко́лкое замеча́ние;

2. *v* броса́ть (*камень, мяч*).

**shyer** [ˈʃaiə] *n* пугли́вая ло́шадь.

**shyster** [ˈʃaistə] *n амер. sl.* стря́пчий по тёмным дела́м.

**si** [siː] *n муз.* си.

**Siamese** [ˌsaiəˈmiːz] 1. *a* сиа́мский; ~ twins сиа́мские близнецы́;

2. *n* 1) (*pl без измен.*) сиа́мец; сиа́мка; the ~ *pl собир.* сиа́мцы; 2) сиа́мский язы́к.

**Siberian** [saiˈbiəriən] 1. *a* сиби́рский; ~ dog сиби́рская ла́йка; ~ plague сиби́рская я́зва;

2. *n* сибиря́к; сибиря́чка.

**sibilant** [ˈsibilənt] 1. *a* свистя́щий, шипя́щий;

2. *n* свистя́щий, шипя́щий звук.

**sibilate** [ˈsibileit] *v* произноси́ть с при́свистом.

**sibyl** [ˈsibil] *n* сиви́лла; предсказа́тельница; колду́нья.

**sibylline** [siˈbilain] *a* проро́ческий.

**siccative** [ˈsikətiv] 1. *a* суши́льный;

2. *n* суши́льное сре́дство, сиккати́в.

**sice I** [sais] *n* шесть очко́в (*на игра́льных костях*).

**sice II** [sais] *n* англо-инд. грум, ко́нюх.

**Sicilian** [siˈsiljən] 1. *a* сицили́йский;

2. *n* жи́тель Сици́лии.

**sick I** [sik] *a* 1) больно́й; 2) чу́вствующий тошноту́; to feel (*или* to turn) ~ испы́тывать тошноту́; to be as ~ as a dog (по)чу́вствовать себя́ скве́рно; 3) боле́зненный; 4) относя́щийся к больно́му; свя́занный с боле́знью; 5) пресы́щенный; уста́вший (of — от чего́-л.); I am ~ of waiting мне надое́ло ждать; 6) тоску́ющий (for — по чему́-л.); to be ~ at heart тоскова́ть; 7) *sl.* раздоса́дованный; 8) бле́дный, сла́бый (*о цве́те, све́те и т. п.*).

**sick II** [sik] *v*: ~ him! *охот.* ату́!, возьми́ его́!

**sick-bay** [ˈsikbei] *n мор.* лазаре́т.

**sick-bed** [ˈsikbed] *n* посте́ль больно́го.

**sick-benefit** [ˈsikˈbenifit] *n* посо́бие по боле́зни.

**sick-call** [ˈsikˈkɔːl] *n воен.* вы́зов больны́х к врачу́.

**sicken** [ˈsikn] *v* 1) заболева́ть; 2) чу́вствовать тошноту́, отвраще́ние; 3) вызыва́ть тошноту́, отвраще́ние; 4) ча́хнуть (*о расте́нии*); 5) пресы́титься (of).

**sickener** [ˈsiknə] *n* 1) *разг.* то, что вызыва́ет отвраще́ние, тошноту́; 2) *школ. sl.* неприя́тный, надое́дливый челове́к.

**sick-flag** [ˈsikflæg] *n* каранти́нный флаг.

**sick headache** ['sık'hedeık] *n* мигре́нь.

**sickle** ['sıkl] *n* серп.

**sick-leave** ['sıklı:v] *n* о́тпуск по боле́зни.

**sick-list** ['sık'lıst] *n* 1) спи́сок больны́х; 2) больни́чный лист; to be on the ~ не прису́тствовать по боле́зни, быть на больни́чном листе́.

**sickly** ['sıklı] *a* 1) боле́зненный; 2) нездоро́вый (*о климате*); 3) тошнотво́рный; 4) сентимента́льный.

**sickness** ['sıknıs] *n* 1) боле́знь; 2) тошнота́.

**sick-room** ['sıkrum] *n* ко́мната больно́го.

**side** [saıd] 1. *n* 1) сторона́; бок; край; ~ by ~ ря́дом; бок о́ бок; from all ~s, from every ~ со всех сторо́н, отовсю́ду; ~ of the page по́ле страни́цы; the right (wrong) ~ of cloth пра́вая (ле́вая) сторона́ мате́рии, лицо́ (изна́нка) мате́рии; to make a little money on the ~ подрабо́тать немно́го де́нег на стороне́; 2) пози́ция, то́чка зре́ния, подхо́д; 3) склон (*горы*); 4) полови́на те́ла, мясно́й ту́ши *и т. п.*; 5) сте́нка; 6) сторона́ (*в процессе, споре и т. п.*); 7) *мор.* борт; 8) *sl.* чва́нство, высокоме́рие; to put on ~ ва́жничать; 9) *attr.* боково́й; 10) *attr.* побо́чный; ◇ to put on one ~ игнори́ровать; to get on the right ~ of smb. расположи́ть кого́-л. к себе́; to take ~s стать на чью-л. сто́рону; примкну́ть к той и́ли друго́й па́ртии; the weather is on the cool ~ пого́да дово́льно прохла́дная; on the ~ *амер.* попу́тно, ме́жду про́чим; дополни́тельно, в прида́чу; to be on the heavy ~ утяжеля́ть, перегружа́ть; to speak out of the ~ of one's mouth сказа́ть по секре́ту; to be on the ~ of the angels приде́рживаться традицио́нных (антинау́чных) взгля́дов; 2. *v* примкну́ть к кому́-л., быть на чьей-л. стороне́ (with).

**side-arms** ['saıdɑ:mz] *n воен.* ору́жие, носи́мое на портупе́е *или* поясно́м ремне́ (*шашка, сабля, амер. тж. револьвер, пистолет*).

**sideboard** ['saıdbɔ:d] *n* 1) буфе́т; 2) подно́жка.

**sideboard-runner** ['saıdbɔ:d,rʌnə] *n* доро́жка на буфе́те.

**sideburns** ['saıdbə:nz] *n pl амер.* ба́чки.

**side-car** ['saıdkɑ:] *n* 1) коля́ска мотоци́кла; 2) род кокте́йля.

**side-issue** ['saıd,ısju:] *n* побо́чный *или* второстепе́нный, несуще́ственный вопро́с.

**sidelight** ['saıdlaıt] *n* 1) боково́й фона́рь; 2) побо́чные све́дения, пролива́ющие свет на что-л.; 3) *мор.* отличи́тельный ого́нь.

**side-line** ['saıdlaın] *n* 1) побо́чная рабо́та; 2) това́ры, не составля́ющие гла́вный предме́т торго́вли в да́нном магази́не; 3) *ж.-д.* бокова́я ве́тка; 4) *спорт.* бокова́я ли́ния игрово́го по́ля.

**sideling** ['saıdlıŋ] *a* накло́нный; непрямо́й (*тж. перен.*).

**sidelong** ['saıdlɔŋ] 1. *a* боково́й, косо́й, напра́вленный в сто́рону; *a* ~ glance косо́й взгляд; 2. *adv* вкось.

**sidereal** [saı'dıərıəl] *a* звёздный.

**siderography** [,saıdə'rɔgrəfı] *n* гравиро́ва́ние на ста́ли.

**side-saddle** ['saıd,sædl] *n* да́мское седло́.

**side-show** ['saıdʃou] *n* интерме́дия, вставно́й но́мер.

**side-slip** ['saıdslıp] 1. *n* 1) боково́е скольже́ние; 2) *ав.* скольже́ние на крыло́; 2. *v* 1) скользи́ть вбок; 2) *ав.* скользи́ть на крыло́.

**sidesman** ['saıdzmən] *n* церко́вный служи́тель.

**side-splitting** ['saıd,splıtıŋ] *a разг.* умори́тельный.

**side-step** ['saıdstep] 1. *n* 1) шаг в сто́рону; принима́ние в сто́рону; 2) *спорт.* подъём «ле́сенкой» (*на лыжах*); 2. *v* 1) отступа́ть в сто́рону; уступа́ть доро́гу; 2) сторони́ться; избега́ть; 3) *амер.* обойти́ (*вопрос и т. п.*); откла́дывать реше́ние.

**side-track** ['saıdtræk] 1. *n* запа́сный путь; разъе́зд; обхо́дный путь; 2. *v* 1) переводи́ть на запа́сный путь; 2) *амер. разг.* откла́дывать рассмотре́ние (*предложения*); 3) *разг.* перемени́ть разгово́р; to ~ attention отвле́чь внима́ние.

**side-up** ['saıd'ʌp] *adv* на́бок, бо́ком.

**side-view** ['saıdvju:] *n* про́филь, вид сбо́ку.

**sidewalk** ['saıdwɔ:k] *n* тротуа́р.

**sideward(s)** ['saıdwəd(z)] = sideways.

**sideways** ['saıdweız] *adv* в сто́рону, вкось, бо́ком.

**side wind** ['saıd'wınd] *n* 1) ве́тер сбо́ку; 2) посторо́ннее влия́ние; by a ~ стороно́ю.

**side-winder** ['saıd,waındə] *n sl.* уда́р сбо́ку.

**siding** ['saıdıŋ] 1. *pres. p. от* side 2; 2. *n* 1) *ж.-д.* запа́сный, подъездно́й путь; ве́тка; 2) бокова́я сте́нка, бокови́на; 3) *амер.* нару́жная обши́вка.

**sidle** ['saıdl] *v* (под)ходи́ть бочко́м (*тж.* ~ along, ~ up to).

**sidy** ['saıdı] *a разг.* ва́жничающий.

**siege** [si:dʒ] 1. *n* 1) оса́да; to lay ~ to осади́ть; to raise the ~ снять оса́ду; to stand a ~ выде́рживать оса́ду; 2) ме́дленно тя́нущееся, неприя́тное вре́мя; 2. *v уст.* осади́ть.

**siege-train** ['si:dʒtreın] *n воен.* оса́дный парк.

**sienna** [sı'enə] *n* сие́на, о́хра (*краска*).

**sierra** [sı'ɛrə] *исп. n* го́рная цепь.

**siesta** [sı'estə] *исп. n* сие́ста, полу́денный о́тдых (*в южных стра́нах*).

**sieve** [sıv] 1. *n* 1) си́то; 2) болту́н; 2. *v* просе́ивать.

**sift** [sıft] *v* 1) просе́ивать; отсе́ивать (from); 2) сы́пать, посыпа́ть (*сахаром и т. п.*); 3) тща́тельно рассма́тривать, анализи́ровать (*факты*); 4) па́дать (*о снеге и т. п.*).

**siftings** ['sıftıŋz] *n pl* вы́севки.

**sigh** [saı] 1. *n* вздох; 2. *v* 1) вздыха́ть; 2) тоскова́ть (for — по ком-л.).

**sight** [saıt] 1. *n* 1) зре́ние; long ~ дальнозо́ркость; short (*или* near) ~ близору́кость; loss of ~ поте́ря зре́ния, слепота́;

2) по́ле зре́ния; in ~ в по́ле зре́ния; to come in ~ появи́ться; to put out of ~ пря́тать; to lose ~ of a) потеря́ть из виду; б) забы́ть, упусти́ть из виду; out of my ~! прочь с глаз мойх!; 3) взгляд; рассма́тривание; at (*или* on) ~ при ви́де; payable at ~ подлежа́щий опла́те по предъявле́нии; at first ~ с пе́рвого взгля́да; to know by ~ знать то́лько в лицо́; to catch (*или* to gain, to get) ~ of увидеть; заме́тить; to play music at ~ *муз.* игра́ть с листа́; 4) вид; зре́лище; I hate the ~ of him я ви́деть его́ не могу́; it was a ~ to see э́то бы́ло настоя́щее зре́лище, э́то сто́ило посмотре́ть; these clothes make you look a perfect ~ *разг.* у вас стра́нный вид в э́том костю́ме; a ~ for sore eyes прия́тное зре́лище; жела́нный посети́тель; 5) *pl* достопримеча́тельности; to see the ~s осма́тривать достопримеча́тельности; 6) взгляд, то́чка зре́ния; do what is right in your own ~ де́лайте так, как счита́ете ну́жным; 7) *разг.* большо́е коли́чество; to cost a ~ of money сто́ить мно́го де́нег; a long ~ better мно́го лу́чше; 8) прице́л; to take a careful ~ тща́тельно прице́ливаться; 9) *pl разг.* очки́; 10) *геод.* маркше́йдерский знак; ◇ out of ~ out of mind ≅ с глаз доло́й — из се́рдца вон; not by a long ~ отню́дь нет; ~ unseen *амер.* загла́зно, за глаза́;
2. *v* 1) увидеть, вы́смотреть; 2) наблю́да́ть; 3) прице́ливаться; наводи́ть (*орудие*).

**sightless** ['saɪtlɪs] *a* 1) невидя́щий, слепо́й; 2) *поэт.* неви́димый.

**sightly** ['saɪtlɪ] *a* краси́вый, прия́тный на вид; ви́дный.

**sightseeing** ['saɪt,siːɪŋ] *n* осмо́тр достопримеча́тельностей; to go ~ осма́тривать достопримеча́тельности.

**sightseer** ['saɪt,siːə] *n* тури́ст, осма́тривающий достопримеча́тельности.

**sign** [saɪn] 1. *n* 1) знак; си́мвол; to give a ~ сде́лать знак; ~ and countersign паро́ль и о́тзыв; 2) при́знак; приме́та; to make no ~ a) не подава́ть при́знаков жи́зни; б) не протестова́ть; 3) зна́мение; чу́до; the ~s of the times зна́мение вре́мени; 4) вы́веска; 5) *мед.* симпто́м; 6) след;
2. *v* 1) подпи́сывать(ся); 2) выража́ть зна́ком; подава́ть знак (to — *кому-л.*); 3) отмеча́ть; ста́вить знак; □ ~ away подпи́сывать отка́з (*от прав в чью-л. пользу*); ~ off a) *радио* объявля́ть о конце́ переда́чи; б) *разг.* переста́ть разгова́ривать, замолча́ть; ~ on нанима́ть(ся) на рабо́ту.

**signal** ['sɪgnl] 1. *n* 1) сигна́л, знак; ~ of distress сигна́л бе́дствия; 2) *pl воен.* связь; войска́ свя́зи;
2. *a* 1) выдаю́щийся, замеча́тельный; ~ victory блестя́щая побе́да; ~ service a) отли́чная слу́жба; б) *воен.* слу́жба свя́зи; 2) сигна́льный; ◇ ~ punishment досто́йное наказа́ние; ~ villain отъя́вленный него́дяй;
3. *v* сигнализи́ровать, дава́ть сигна́л; the train is ~led дан сигна́л о прибы́тии по́езда.

**signal-book** ['sɪgnlbuk] *n* код, сигна́льная кни́га, сбо́рник сигна́лов.

**signal-box** ['sɪgnlbɔks] *n ж.-д.* блокпо́ст; пост централиза́ции.

**signalize** ['sɪgnəlaɪz] *v* 1) отмеча́ть; прославля́ть; ознаменова́ть; 2) сигнализи́ровать.

**signaller** ['sɪgnələ] *n воен.* 1) связи́ст; 2) сигна́льщик.

**signal letters** ['sɪgnl'letəz] *n pl* позывны́е сигна́лы.

**signal-man** ['sɪgnlmən] *n* сигна́льщик.

**signatory** ['sɪgnətərɪ] 1. *n* сторона́, подписа́вшая како́й-л. докуме́нт (*особ. договор*); joint ~ совме́стно подписа́вший;
2. *a* подписа́вший (*какой-л. документ, особ. договор*).

**signature** ['sɪgnɪtʃə] *n* 1) по́дпись; to bear the ~ (of) быть подпи́санным (*кем-л.*); over the ~ за по́дписью; 2) *полигр.* сигнату́ра; 3) *муз.* ключ; 4) *радио* музыка́льная ша́пка.

**signboard** ['saɪnbɔːd] *n* вы́веска.

**signer** ['saɪnə] *n* 1) лицо́ *или* сторона́, подписа́вшие како́й-л. докуме́нт; 2) (S.) *ист.* оди́н из пяти́десяти шести́ подписа́вших Деклара́цию незави́симости США в 1776 г.

**signet** ['sɪgnɪt] *n* печа́тка, печа́ть.

**significance** [sɪg'nɪfɪkəns] *n* 1) значе́ние; смысл; 2) ва́жность, значи́тельность; to attach ~ to smth. придава́ть значе́ние чему́-л.; 3) многозначи́тельность; вырази́тельность.

**significant** [sɪg'nɪfɪkənt] *a* 1) значи́тельный, ва́жный, суще́ственный; знамена́тельный; 2) многозначи́тельный; вырази́тельный; 3) знача́щий (*о суффиксе и т. п.*).

**signification** [,sɪgnɪfɪ'keɪʃən] *n* 1) значе́ние, смысл; 2) значи́мость.

**significative** [sɪg'nɪfɪkətɪv] *a* ука́зывающий (of — на *что-л.*); свиде́тельствующий (of — о *чём-л.*).

**signify** ['sɪgnɪfaɪ] *v* 1) зна́чить, означа́ть; 2) име́ть значе́ние; it doesn't ~ э́то не име́ет значе́ния, э́то нева́жно; 3) выска́зывать; to ~ one's consent вы́разить своё согла́сие; 4) предвеща́ть.

**sign-painter** ['saɪn,peɪntə] *n* живопи́сец вы́весок.

**signpost** ['saɪnpoust] *n* указа́тельный столб.

**sign-writer** ['saɪn,raɪtə] = sign-painter.

**Sikh** [siːk] *n* сикх (*член инди́йской рели́гиозной се́кты, после́дователь Гу́ру На́нака*); жи́тель Пенджа́ба.

**silage** ['saɪlɪdʒ] 1. *n* си́лос;
2. *v* силосова́ть.

**silence** ['saɪləns] 1. *n* 1) молча́ние; безмо́лвие, тишина́; to break (to keep) ~ наруша́ть (храни́ть) молча́ние; to put to ~ заста́вить замолча́ть; 2) забве́ние, отсу́тствие све́дений; to pass into ~ быть пре́данным забве́нию; ◇ ~ gives consent молча́ние — знак согла́сия;
2. *v* 1) заста́вить замолча́ть; 2) заглуша́ть.

**silencer** ['saɪlənsə] *n* 1) *тех.* (шу́мо)глуши́тель; 2) *муз.* сурди́нка.

**silent** ['saɪlənt] *a* 1) безмо́лвный; немо́й; ~ film немо́й фильм; 2) молчали́вый; to be (*или* to keep) ~ молча́ть; ума́лчивать; 3) не выска́зывающий; the report was ~ on that point об э́том в докла́де ничего́ не́ было ска́зано; 4) не выска́занный вслух; 5) непроизноси́мый (*о бу́кве*); 6) бесшу́мный, ти́хий; ~ approach *ав.* бесшу́мный вы́ход на цель (*плани́рование с выключен-ным мото́ром*); ◇ ~ partner *см.* partner 1, 2); the ~ service *разг.* подво́дный флот.

silhouette [ˌsɪluːˈet] *фр.* 1. *n* силуэ́т; 2. *v* (*обыкн. p. p.*) 1) изобража́ть в ви́де силуэ́та; 2) вырисо́вываться (*на фо́не чего́-л.*).

silica [ˈsɪlɪkə] *n хим., мин.* кремнезём, кварц.

silicate [ˈsɪlɪkɪt] *n* 1) силика́т; 2) *attr.* силика́товый.

siliceous [sɪˈlɪʃəs] *a* кремни́стый, кремне-зёмистый, содержа́щий кре́мний.

silicic [sɪˈlɪsɪk] *a* кре́мниевый.

silicon [ˈsɪlɪkən] *n хим.* кре́мний; сили-ко́н.

silk [sɪlk] 1. *n* 1) шёлк; 2) *pl* шёлковые ни́тки; 3) *разг.* короле́вский адвока́т; to take ~ стать короле́вским адвока́том; 2. *a* шёлковый; ~ hat цили́ндр; ~ stock-ing шёлковый чуло́к [*ср. тж.* silk--stocking].

silken [ˈsɪlkən] *a* 1) *поэт.* шёлковый; 2) шелкови́стый; 3) мя́гкий, вкра́дчивый; 4) не́жный; 5) элега́нтный, шика́рный.

silk-mill [ˈsɪlkmɪl] *n* шелкопряди́льная фа́брика.

silk-stocking [ˈsɪlkˈstɔkɪŋ] 1. *n* шика́р-ный, бога́тый челове́к; 2. *a амер.* фешене́бельный; привилеги-ро́ванный; ~ section фешене́бельный райо́н го́рода.

silkworm [ˈsɪlkwəːm] *n зоол.* ту́товый шелкопря́д.

silky [ˈsɪlkɪ] *a* 1) шелкови́стый; 2) вкра́д-чивый; 3) бархати́стый (*о вине и т. п.*).

sill [sɪl] *n* 1) подоко́нник; 2) поро́г (*две́ри, шлю́за и т. п.*); 3) *стр.* ле́жень, ни́жний брус; 4) *горн.* по́чва у́гольного пласта́.

sillabub [ˈsɪləbʌb] *n* 1) (сби́тые) сли́вки с вино́м и са́харом; 2) напы́щенный стиль.

siller [ˈsɪlə] *n шотл.* 1) серебро́; 2) де́ньги.

sillery [ˈsɪlərɪ] *n* сорт шампа́нского.

silliness [ˈsɪlɪnɪs] *n* глу́пость.

sillograph [ˈsɪləgrɑːf] *n* сати́рик.

silly [ˈsɪlɪ] 1. *a* 1) глу́пый; слабоу́мный; 2) *уст.* просто́й, бесхи́тростный; безоби́д-ный; ◇ the ~ season зати́шье в пре́ссе (*особ. в конце́ ле́та*); 2. *n разг.* глупе́ц.

silo [ˈsaɪlou] 1. *n* (*pl* -os [-ouz]) си́лос-ная я́ма; си́лос; 2. *v* силосова́ть.

silt [sɪlt] 1. *n* ил, оса́док, нано́сы; 2. *v* засоря́ть(ся) и́лом (*обыкн.* ~ up); ☐ ~ through проса́чиваться.

siltage [ˈsɪltɪdʒ] *n геол.* оса́дочная поро́да.

Silurian [saɪˈljuərɪən] *геол.* 1. *a* силури́й-ский; 2. *n* силури́йский пери́од.

silvan [ˈsɪlvən] *a* лесно́й, леси́стый.

silver [ˈsɪlvə] 1. *n* 1) серебро́; 2) сере́б-ряная моне́та; 3) сере́бряные изде́лия; table ~ столо́вое серебро́; 4) цвет серебра́; 2. *a* 1) сере́бряный; 2) серебри́стый; ~ sand то́нкий бе́лый песо́к; 3) седо́й (*о воло-сах*); ◇ the ~ streak *разг.* Ла-Ма́нш; 3. *v* 1) серебри́ть; 2) покрыва́ть (*зе́ркало*) амальга́мой рту́ти; 3) серебри́ться; 4) седе́ть.

silver fir [ˈsɪlvəˈfəː] *n* пи́хта бе́лая (*или* европе́йская, гребе́нчатая).

silver fox [ˈsɪlvəˈfɔks] *n* черно-бу́рая лиси́ца.

silver gilt [ˈsɪlvəˈgɪlt] *a* из позоло́ченного серебра́.

silvern [ˈsɪlvən] *a поэт.* сере́бряный.

silver paper [ˈsɪlvəˈpeɪpə] *n* 1) то́нкая папиро́сная бума́га; 2) сере́бряная бума́га, металлизи́рованная бума́га; 3) оловя́нная фо́льга, станио́ль.

silver-plate [ˈsɪlvəˈpleɪt] *v* покрыва́ть серебро́м, серебри́ть.

silver point [ˈsɪlvəˈpɔɪnt] *n* рису́нок сере́бряным карандашо́м.

silver side [ˈsɪlvəˈsaɪd] *n* 1) лу́чшая часть ссе́ка говя́дины; 2) солони́на из лу́чшей ча́сти ссе́ка говя́дины.

silversmith [ˈsɪlvəsmɪθ] *n* сере́бряных дел ма́стер.

silver-tongued [ˈsɪlvəˈtʌŋd] *a* сладко-зву́чный; красноречи́вый.

silverware [ˈsɪlvəwɛə] *n* изде́лия из се-ребра́; столо́вое серебро́.

silvery [ˈsɪlvərɪ] *a* серебри́стый.

silviculture [ˈsɪlvɪˌkʌltʃə] *n* лесово́дство.

simian [ˈsɪmɪən] 1. *a* обезья́ний, обезья-ноподо́бный; 2. *n* обезья́на.

similar [ˈsɪmɪlə] *a* 1) подо́бный (to); схо́дный, похо́жий; однор́одный; 2) *геом.* подо́бный; ~ triangles подо́бные треуго́ль-ники.

similarity [ˌsɪmɪˈlærɪtɪ] *n* 1) схо́дство, подо́бие; 2) *геом.* подо́бие.

similarly [ˈsɪmɪləlɪ] *adv* так же, подо́б-ным о́бразом.

simile [ˈsɪmɪlɪ] *n лит.* сравне́ние.

similitude [sɪˈmɪlɪtjuːd] *n* 1) схо́дство, подо́бие; 2) о́браз, вид; in the ~ of smb., smth. в о́бразе кого́-л., чего́-л.; to assume the ~ of приня́ть вид; 3) *редк.* = simile.

similize [ˈsɪmɪlaɪz] *v* по́льзоваться фигу́-рой сравне́ния.

simitar [ˈsɪmɪtə] = scimitar.

simmer [ˈsɪmə] 1. *n* 1) заки́па́ние; 2. *v* 1) закипа́ть; кипе́ть на ме́дленном огне́; 2) кипяти́ть на ме́дленном огне́; 3) е́ле сде́рживать (*гнев или смех*); he was ~ing with anger он е́ле сде́рживал свой гнев; ☐ ~ down перестава́ть кипе́ть, остыва́ть.

simon-pure [ˈsaɪmənˈpjuə] *a* настоя́щий, по́длинный.

simony [ˈsaɪmənɪ] *n ист.* симони́я.

simoom, simoon [sɪˈmuːm, sɪˈmuːn] *n* саму́м.

simp [sɪmp] *n* (*сокр. от* simpleton) *амер. разг.* проста́к.

simper [ˈsɪmpə] 1. *n* жема́нная *или* глу́-пая улы́бка; 2. *v* притво́рно *или* глу́по улыба́ться.

simple ['sımpl] 1. *a* 1) простой, несло́жный; 2) элемента́рный, неразложи́мый; ~ fraction *мат.* пра́вильная дробь; a ~ quantity *мат.* однозна́чное число́; ~ equation *мат.* уравне́ние 1-й сте́пени; 3) простоду́шный, наи́вный; глупова́тый; he is not so ~ as you suppose он не так прост, как вы ду́маете; ~ Simon проста́к; 4) прямо́й, че́стный; 5) незамыслова́тый, незатейливый; просто́й, скро́мный; ~ food проста́я пи́ща; 6) просто́й, незна́тный; 7) я́вный; и́стинный; it is a ~ lie э́то про́сто ложь; the ~ truth и́стинная пра́вда;
2. *n* 1) простоду́шный челове́к; 2) лека́рственная трава́; 3) *pl* осно́вы, са́мые элемента́рные све́дения.
simple-hearted ['sımpl'hɑːtɪd] *a* простоду́шный.
simple-minded ['sımpl'maındıd] = simple--hearted.
'simpleton ['sımpltən] *n* проста́к.
simplicity [sım'plısıtı] *n* 1) простота́; 2) простоду́шие, наи́вность.
simplification [ˌsımplıfı'keıʃən] *n* упроще́ние.
simplify ['sımplıfaı] *v* упроща́ть.
simplism ['sımplızəm] *n* упроще́нчество.
simply ['sımplı] *adv* 1) про́сто, легко́; I did it quite ~ я сде́лал э́то о́чень про́сто; 2) глу́по; 3) *употр. для усиления*: I ~ wouldn't stand it я про́сто не мог перенести́ э́то.
simulacra [ˌsımju'leıkrə] *pl от* simulacrum.
simulacrum [ˌsımju'leıkrəm] *лат. n* (*pl* -cra) подо́бие.
simulant ['sımjulənt] *a* име́ющий вид (of *—л.*, *чего—л.*).
simulate ['sımjuleıt] *v* 1) симули́ровать; притворя́ться; 2) име́ть вид (*чего—л.*), походи́ть (*на что—л.*).
simulation [ˌsımju'leıʃən] *n* симуля́ция; притво́рство.
simulator ['sımjuleıtə] *n* 1) притво́рщик; симуля́нт; 2) *тех.* модели́рующее, копи́рующее устро́йство.
simultaneity [ˌsıməltə'nıətı] *n* одновре́менность.
simultaneous [ˌsıməl'teınjəs] *a* одновре́менный.
sin [sın] 1. *n* грех; in ~ в незако́нном бра́ке; like ~ *sl.* о́чень си́льно;
2. *v* (со)греши́ть.
sinapism ['sınəpızəm] *n* горчи́чник.
since [sıns] 1. *adv* 1) с тех пор; I have not seen him ~ я его́ не ви́дел с тех пор; he has (*или* had) been healthy ever ~ с тех пор он (всё вре́мя) был здоро́в; 2) тому́ наза́д; he died many years ~ он у́мер мно́го лет наза́д; I saw him not long ~ я ви́дел его́ неда́вно.
2. *prep* с; по́сле; I have been here ~ ten o'clock я здесь с 10 часо́в; ~ seeing you I have (*или* had) heard по́сле того́, как я ви́дел вас, я узна́л;
3. *cj* 1) с тех пор как; it is a long time ~ I saw him last прошло́ мно́го вре́мени с тех пор, как я его́ ви́дел в после́дний раз; 2) так как; ~ you are ill, I will go alone

поско́льку вы больны́, я пойду́ оди́н; 3) хотя́.
sincere [sın'sıə] *a* и́скренний, чистосерде́чный.
sincerity [sın'serıtı] *n* и́скренность.
sinciput ['sınsıpʌt] *n анат.* пере́дняя и ве́рхняя часть че́репа, те́мя.
sine I [saın] *n мат.* си́нус.
sine II ['saını] *лат. prep* без; ~ die ['saını'daıiː] на неопределённый срок; ~ qua non ['saınıkweı'nɔn] обяза́тельное усло́вие.
sinecure ['saınıkjuə] *n* синеку́ра.
sinew ['sınjuː] 1. *n* 1) сухожи́лие; 2) *pl* мускулату́ра; физи́ческая си́ла; 3) *pl* дви́гательная си́ла; the ~s of war де́ньги и материа́льные ресу́рсы;
2. *v* служи́ть опо́рой, сде́рживать.
sinewy ['sınjuı] *a* 1) му́скулистый; 2) я́ркий, живо́й (*о стиле*).
sinful ['sınful] *a* гре́шный, грехо́вный.
sing [sıŋ] 1. *v* (sang; sung) 1) петь; to ~ flat (*или* sharp) фальши́вить; to ~ smb. to sleep убаю́кать кого́-л. пе́нием; 2) воспева́ть (*обыкн.* ~ of); 3) ликова́ть; 4) гуде́ть (*о ветре*); свисте́ть (*о пуле*); звене́ть (*в ушах*); to make one's head ~ вызвать звон в уша́х; □ ~ out выкрика́ть; крича́ть; ◇ to ~ small, to ~ another tune (*или* song) сба́вить тон; присмире́ть;
2. *n* 1) свист (*пули*); шум (*ветра*); звон (*в ушах*); 2) *разг.* спе́вка, пе́ние.
singe [sındʒ] 1. *n* ожо́г;
2. *v* опаля́ть(ся); пали́ть; to ~ one's reputation запятна́ть свою́ репута́цию; ◇ to ~ one's feathers (*или* wings) обже́чься на чём-л.
singer ['sıŋə] *n* 1) певе́ц; певи́ца; 2) поэ́т; 3) пе́вчая пти́ца.
Singhalese [ˌsıŋgə'liːz] = Sinhalese.
singing ['sıŋıŋ] 1. *pres.p. от* sing 1;
2. *n* пе́ние.
singing-master ['sıŋıŋˌmɑːstə] *n* учи́тель пе́ния.
single ['sıŋgl] 1. *a* 1) оди́н; еди́нственный; одино́кий, одино́ко стоя́щий; there is not a ~ one left не оста́лось ни одного́; in ~ file гусько́м; a ~ eye-glass моно́кль; ~ combat единобо́рство; by instalments or in a ~ sum в рассро́чку и́ли единовре́менно; 2) одино́чный, предназна́ченный для одного́; ~ bed односпа́льная крова́ть; ~ room ко́мната для одного́ челове́ка; 3) еди́ный; ~ tax *эк.* земе́льный нало́г; 4) го́дный в оди́н коне́ц (*о билете*); 5) одино́кий; холосто́й; незаму́жняя; ~ blessedness *шутл.* безбра́чие, холоста́я жизнь; 6) бесхи́тростный, и́скренний;
2. *n* 1) па́ртия (*в те́ннисе, гольфе*), в кото́рой уча́ствуют то́лько два проти́вника; 2) биле́т в оди́н коне́ц;
3. *v* выбира́ть, отбира́ть (*тж.* ~ out).
single-acting ['sıŋgl'æktıŋ] *a тех.* односторо́ннего де́йствия.
single-breasted ['sıŋgl'brestıd] *a* одноборо́тный.
single-decker ['sıŋglˌdekə] *n ав.* монопла́н.
single-eyed ['sıŋgl'aıd] *a* 1) одногла́зый; 2) че́стный, прямо́й, прямолине́йный; 3) целеустремлённый.

single-gauge ['sɪŋgl'geɪdʒ] *a* ж.-д. однопутный, одноколейный.

single-handed ['sɪŋgl'hændɪd] 1. *a* 1) однорукий; 2) сделанный без посторонней помощи;

2. *adv* без посторонней помощи.

single-hearted ['sɪŋgl'hɑ:tɪd] *a* 1) прямодушный; 2) преданный своему делу.

single-minded ['sɪŋgl'maɪndɪd] = single-hearted.

singleness ['sɪŋglnɪs] *n* 1) одиночество; 2) прямодушие, искренность; 3): ~ of purpose целеустремлённость.

single-seater ['sɪŋgl,si:tə] *n* одноместный самолёт *или* автомобиль.

single-stage ['sɪŋglsteɪdʒ] *a* одноступёнчатый.

singlestick ['sɪŋglstɪk] *n* 1) палка с рукояткой (*для фехтования*); 2) фехтование.

single-sticker ['sɪŋgl,stɪkə] *n* мор. разг. сторожевой одномачтовый корабль.

singlet ['sɪŋglɪt] *n* фуфайка.

singleton ['sɪŋgltən] *n* 1) *карт.* единственная карта данной масти; 2) одиночка; 3) единственный ребёнок.

single-tree ['sɪŋgltri:] *n* оглобля.

single-winged ['sɪŋgl'wɪŋd] *a* одностворчатый.

singly ['sɪŋglɪ] *adv* 1) отдельно, поодиночке; 2) без помощи других.

singsong ['sɪŋsɔŋ] 1. *n* 1) монотонное чтение *или* пение; 2) импровизированный концерт;

2. *a* монотонный;

3. *v* читать стихи, говорить *или* петь монотонно.

singular ['sɪŋgjulə] 1. *n* грам. 1) единственное число; 2) слово в единственном числе;

2. *a* 1) необычайный, исключительный; 2) странный, своеобразный; 3) грам. единственный.

singularity [,sɪŋgju'lærɪtɪ] *n* необычайность, странность; своеобразие; особенность.

Sinhalese [,sɪnhə'li:z] 1. *a* цейлонский; 2. *n* 1) сингалёз; 2) сингалёзский язык.

sinister ['sɪnɪstə] *a* 1) зловещий; 2) злой, дурной; 3) *уст., шутл.* левый; 4) *геральд.* находящийся на правой (*от зрителя*) стороне герба.

sink [sɪŋk] 1. *n* 1) раковина (*для стока воды*); 2) сточная труба; 3) клоака; ~ of iniquity притон, вертёп; 4) низина;

2. *v* (sank; sunk) опускать(ся), снижать(ся); падать (*о цене, стоимости, барометре и т. п.*); my spirits (*или* heart) sank я упал духом; to ~ in smb.'s estimation упасть в чьём-л. мнении; the sun sank below a cloud солнце зашло за тучу; 2) тонуть (*о корабле и т. п.*); погружаться; he sank into a chair он опустился в кресло; 3) топить (*судно*); затоплять (*местность*); 4) спадать (*о воде*); убывать, уменьшаться; the lake ~s вода в озере убывает; 5) оседать (*о фундаменте*); 6) впитываться (*о жидкостях, краске*); 7) ослабевать, гибнуть; he is ~ing он умирает; to ~ into a faint упасть в обморок; 8) впадать; западать; 9) проникать; to ~ into the mind

запасть в память; 10) опускаться, низко падать; to ~ into poverty впадать в нищету; 11) погрязнуть; 12) замалчивать (*факт*); скрывать (*своё имя и т. п.*); игнорировать; to ~ one's own interests, to ~ oneself не думать о своих интересах; to ~ the shop скрывать свои занятия, свою профессию; 13) невыгодно поместить (*капитал*); 14) погашать (*долг*); 15) проходить (*шахту*); рыть (*колодец*); прокладывать (*трубу*); 16) вырезать (*штамп*); ◇ to ~ a feud забыть вражду, помириться; ~ or swim ≈ либо пан, либо пропал.

sinker ['sɪŋkə] *n* 1) грузило; 2) *sl.* фальшивая монета; *амер.* серебряный доллар; 3) *амер. sl.* пышка, лепёшка (*часто непропечённая*); 4) *мор.* якорь (*мины, сети*); 5) *горн.* проходчик.

sinking ['sɪŋkɪŋ] 1. *pres. p. от* sink 2; 2. *n* 1) опускание *и пр.* [*см.* sink 2]; 2) внезапная слабость.

sinking-fund ['sɪŋkɪŋfʌnd] *n* амортизационный фонд, фонд погашения.

sinner ['sɪnə] *n* грешник.

Sinn Fein ['ʃɪn'feɪn] *n* ирландское националистическое движение шинфёйнеров.

Sinn Feiner ['ʃɪn'feɪnə] *n* шинфёйнер.

sin-offering ['sɪn,ɔfərɪŋ] *n* искупительная жёртва.

sinologist [sɪ'nɔlədʒɪst] *n* китаист, синолог.

sinologue ['sɪnələg] = sinologist.

sinology [sɪ'nɔlədʒɪ] *n* китаеведение.

sinter ['sɪntə] *n* 1) шлак, окалина, накипь; 2) *геол.* туф.

sinuosity [,sɪnju'ɔsɪtɪ] *n* 1) извилистость; 2) извилина, изгиб.

sinuous ['sɪnjuəs] *a* извилистый; волнообразный, волнистый.

sinus ['saɪnəs] (*pl* -es [-ɪz], sinus ['saɪnəz]) *n* 1) *анат.* пазуха; 2) *мед.* свищ.

Sioux [su:] *n* (*pl* Sioux [su:z]) сиукс (*индеец одного из североамериканских племён*).

sip [sɪp] 1. *n* маленький глоток; 2. *v* потягивать, прихлёбывать.

siphon ['saɪfən] 1. *n* сифон; 2. *v* 1) переливать через сифон; 2) течь через сифон.

sippet ['sɪpɪt] *n* 1) кусочек хлеба, обмакнутый в подливку, молоко *и т. п.*; 2) гренок.

sir [sə] *n* (*полная форма*); sə (*редуцированная форма*)] 1. *n* 1) сэр, господин, сударь (*как обращение; перед именем обозначает титул* knight *или* baronet, *напр.,* S. John); dear ~ милостивый государь;

2. *v* величать сэром.

sircar ['sə:kɑ:] *n* англо-инд. 1) индийское правительство; 2) глава правительства; 3) глава семьи.

sirdar ['sə:dɑ:] *n* 1) командир, начальник (*на Востоке*); 2) *ист.* главнокомандующий (англо-)египетской армией.

sire ['saɪə] 1. *n* 1) ваше величество (*обращение к королю*); 2) *поэт.* отец; предок; 3) производитель (*о жеребце и т. п.*);

2. *v* быть производителем (*о жеребце и т. п.*).

siren ['saɪərɪn] *n* 1) сирена; 2) сигнал воздушной тревоги; 3) *миф.* сирена; *перен.* красивая бездушная женщина.

**sirloin** ['sɜːlɔɪn] *n* филе́й.

**sirocco** [sɪ'rɔkou] *n* (*pl* -os [-ouz]) сиро́к-ко.

**sirrah** ['sɪrə] *n уст. презр.* эй, ты (су́дарь)!

**sirup** ['sɪrəp] = syrup.

**sisal** ['saɪsəl] *n* сиза́ль, обрабо́танные воло́кна текста́льных ага́в.

**siskin** ['sɪskɪn] *n* чиж.

**sissy** ['sɪsɪ] *n амер. разг.* 1) сестрёнка; 2) изне́женный ма́льчик *или* мужчи́на; не́женка; 3) *attr.* не́жный.

**sister** ['sɪstə] *n* 1) сестра́; full ~ , ~ german родна́я сестра́; half ~ сестра́ то́лько по одному́ *из* роди́телей; 2) (ста́ршая) медици́нская сестра́; сиде́лка; 3) *разг.* де́вушка (*как обраще́ние*); 4) член рели-гио́зной общи́ны; мона́хиня; 5) *attr.* ро́дственный; па́рный; материа́льно и органи-зацио́нно свя́занный (*о предприя́тии*); ~ ships одноти́пные суда́.

**sisterhood** ['sɪstəhud] *n* 1) ро́дственная связь сестёр; they lived in loving ~ они́ бы́ли лю́бящими сёстрами; 2) религио́зная сёстринская общи́на.

**sister-in-law** ['sɪstərɪnlɔː] *n* (*pl* sisters--in-law) неве́стка (*жена́ бра́та*); золо́вка; своя́ченица.

**sisterly** ['sɪstəlɪ] *a* сёстринский.

**sisters-in-law** ['sɪstəzɪnlɔː] *pl от* sister--in-law.

**Sisyphean** [ˌsɪsɪ'fiːən] *a миф.* сизи́фов (*труд*).

**sit** [sɪt] *v* (sat) 1) сиде́ть; to ~ oneself сади́ться, уса́живаться; 2) сиде́ть на я́йцах (*о пти́це*); 3) сажа́ть на я́йца (*пти́цу*); 4) пози́ровать; 5) находи́ться, быть распо-ло́женным; стоя́ть; 6) сиде́ть (*о пла́тье*); to ~ ill on пло́хо сиде́ть на; 7) обремене-ня́ть; his principles ~ loosely on him он себя́ свои́ми при́нципами не стесня́ет; 8) заседа́ть (*о суде́ или парла́менте; тж.* ~ in session); 9) быть арендáтором; 10) при-сма́тривать за ребёнком в отсу́тствие роди́-телей (*тж.* ~ in); 11) держа́ться на ло́ша-ди; 12) име́ть пра́вильную пози́цию (*о греб-це́*); 13) прожива́ть, арендова́ть; □ ~ **back** безде́льничать, ≅ сиде́ть у мо́ря и ждать пого́ды; ~ **down** а) сади́ться; б) сиде́ть; в) *разг.* приземля́ться, де́лать поса́дку (*о самолёте*); г): to ~ down before a town (a fortress) обложи́ть го́род (кре́пость); ~ **for** а) представля́ть в парла́менте (*о́круг*); б): to ~ for an examination экзаменова́ть-ся; ~ **in** а) присма́тривать за ребёнком в отсу́тствие роди́телей; б) заседа́ть, быть чле́ном комите́та, коми́ссии *и т. п.* (on); ~ **on** а) быть чле́ном (*коми́ссии*); б) раз-бира́ть (*де́ло*); в) *sl.* осади́ть; вы́бранить; ~ **out** а) не уча́ствовать (*в та́нцах*); б) вы́сидеть, пересиде́ть; to ~ smb. out переси-де́ть кого́-л.; ~ **through** вы́держать, вы́-сидеть до конца́; ~ **under** слу́шать про́по-веди; ~ **up** а) приподня́ться, сесть (*в по-сте́ли*); б) не ложи́ться спать; заси́жи-ваться до по́здней но́чи; бо́дрствовать; в) сиде́ть пря́мо; to make smb. ~ up *перен. разг.* а) зада́ть тяжёлую рабо́ту кому́-л.; б) дать кому́-л. встря́ску; в) *разг.* (вне-

за́пно) заинтересова́ться (*тж.* ~ up and take notice); ~ **upon** = ~ on; ◇ to ~ in judgement осужда́ть; критикова́ть; to ~ tight *разг.* твёрдо держа́ться; не сдава́ть свои́х пози́ций; to ~ on one's hands не аплоди́ровать; возде́рживаться от выра-же́ния одобре́ния; to ~ at smb.'s feet быть в по́лной зави́симости от кого́-л.; прислу́-живать, предупрежда́ть чьё-л. мале́йшее жела́ние; to ~ down hard on smth. реши́-тельно воспроти́виться чему́-л.; to ~ **down under** (an insult) безотве́тно стерпе́ть (оби́ду).

**sit-down** ['sɪtdaun] *n* 1) сиде́ние; стоя́-ние на ме́сте; 2) *attr.* сидя́чий; ~ strike италья́нская забасто́вка.

**site** [saɪt] 1. *n* 1) местоположе́ние, ме-стонахожде́ние; 2) уча́сток (*для строи́-тельства*); 3) склон, бок, сторона́; 2. *v* 1) располага́ть; 2) выбира́ть ме́сто.

**sitringee** [ˌsɪtrɪn'dʒiː] *n англо-инд.* (поло-са́тый) цветно́й поло́вик.

**sitter** ['sɪtə] *n* 1) тот, кто пози́рует ху-до́жнику, фото́графу; нату́рщик; 2) на-се́дка; 3) = sitter-in; 4) сидя́щая дичь; 5) *разг.* гости́ная; 6) *разг.* лёгкая рабо́та, несло́жное де́ло.

**sitter-in** ['sɪtər'ɪn] *n* ня́ня, присма́три-вающая за детьми́ в отсу́тствие роди́телей.

**sitting** ['sɪtɪŋ] 1. *pres. p. от* sit; 2. *n* 1) заседа́ние; 2) сеа́нс; at a ~ в оди́н присе́ст; 3) высе́живание цыпля́т.

**sitting-room** ['sɪtɪŋrum] *n* 1) о́бщая ко́м-ната в кварти́ре; гости́ная; 2) ме́сто, по-ме́щение для сиде́ния.

**situated** ['sɪtjueɪtɪd] *a* располо́женный; находя́щийся в определённых обстоя́тель-ствах, усло́виях; thus ~ в таки́х обстоя́-тельствах.

**situation** [ˌsɪtju'eɪʃən] *n* 1) местополо-же́ние, ме́сто; 2) положе́ние, состоя́ние, ситуа́ция; to come out of a difficult ~ with credit с че́стью вы́йти из тру́дного поло-же́ния; to do with the ~ быть на высоте́ положе́ния; спра́виться с положе́нием; 3) слу́жба, до́лжность, ме́сто (*особ. о при́с-луге*); to find a ~ найти́ рабо́ту, устро́иться на ме́сто; 4) *воен.* обстано́вка.

**sitzkrieg** ['zɪtskriːg] *нем. n* «сидя́чая» война́ (*о нача́льном пери́оде второ́й миро-во́й войны́*).

**six** [sɪks] 1. *num. card.* шесть; 2. *n* 1) шестёрка; 2) *pl* шесто́й но́мер (*разме́р перча́ток и т. п.*); ◇ at ~es and sevens в беспоря́дке, вверх дном; it is ~ of one and half a dozen of the other э́то одно́ и то́ же, ра́зница то́лько в назва́нии.

**six-by-six** ['sɪksbaɪ'sɪks] *n амер. sl.* шестиколёсный грузови́к.

**sixer** ['sɪksə] *n разг.* шесть очко́в.

**sixfold** ['sɪksfould] 1. *a* шестикра́тный; 2. *adv* вше́стеро.

**six-footer** ['sɪks'futə] *n разг.* 1) челове́к шести́ фу́тов ро́стом; 2) гроб.

**sixpence** ['sɪkspəns] *n* сере́бряная моне́та в 6 пе́нсов *или* ¹/₂ ши́ллинга; ◇ it doesn't matter ~ нева́жно, не обраща́йте внима́ния.

**six-shooter** ['sɪks'ʃuːtə] *n* шестизаря́дный револьве́р.

**sixteen** ['sɪks'tiːn] *num. card.* шестна́дцать.

**sixteenmo** [sɪks'tiːnmou] = sextodecimo.

**sixteenth** ['sɪks'tiːnθ] 1. *num. ord.* шестна́дцатый;
2. *n* 1) шестна́дцатая часть; 2) (the ~) шестна́дцатое число́.

**sixth** [sɪksθ] 1. *num. ord.* шесто́й; ◇ ~ column a) «шеста́я коло́нна», пособники «пя́той коло́нны»; б) организа́ция, бо́рющаяся про́тив «пя́той коло́нны»;
2. *n* 1) шеста́я часть; 2) (the ~) шесто́е число́.

**sixthly** ['sɪksθlɪ] *adv* в-шесты́х.

**sixties** ['sɪkstɪz] *n pl* 1) (the ~) шестидеся́тые го́ды; 2) седьмо́й деся́ток (*возраст между 59 и 70 годами*).

**sixtieth** ['sɪkstɪɪθ] 1. *num. ord.* шестидеся́тый;
2. *n* шестидеся́тая часть.

**sixty** ['sɪkstɪ] 1. *num. card.* шестьдеся́т; ~-one шестьдеся́т оди́н; ~-two шестьдеся́т два *и т. д.*; he is over ~ ему́ за шестьдеся́т;
2. *n* шестьдеся́т (*единиц, штук*); ◇ like a ~ *амер. sl.* стреми́тельно, с большо́й си́лой; чрезвыча́йно.

**sizable** ['saɪzəbl] *a* поря́дочного разме́ра.

**sizar** ['saɪzə] *n* студе́нт, освобождённый от пла́ты за обуче́ние, пита́ние *и т. п.*

**size I** [saɪz] 1. *n* 1) разме́р, величина́; объём; 2) форма́т, кали́бр; 3) *полигр.* кегль; 4) но́мер (*перчаток и т. п.*); 5) *разг.* и́стинное положе́ние веще́й; ◇ that's about the ~ of it вот что э́то тако́е;
2. *v* сортирова́ть по величине́; □ ~ up a) определя́ть разме́р, величину́; б) *разг.* соста́вить мне́ние (*о ком-л.*).

**size II** [saɪz] 1. *n* клей, шли́хта;
2. *v* проклё́ивать, шлихтова́ть.

**sizzle** ['sɪzl] *разг.* 1. *n* 1) шипе́ние; 2) испепеля́ющий жар;
2. *v* шипе́ть.

**sizzling** ['sɪzlɪŋ] 1. *pres.p.* от sizzle 2;
2. *a* испепеля́ющий, обжига́ющий; ~ hot раскалё́нный.

**sjambok** ['ʃæmbɔk] *южно-афр.* 1. *n* плеть, бич;
2. *v* стега́ть бичо́м.

**skald** [skɔːld] = scald II.

**skat** [skɑːt] *n карт.* скат.

**skate I** [skeɪt] *n* скат (*рыба*).

**skate II** [skeɪt] 1. *n* 1) конё́к; 2) ката́ние на конька́х;
2. *v* 1) ката́ться на конька́х; 2) скользи́ть; to ~ over smth. упомяну́ть что-л. вскользь.

**skater** ['skeɪtə] *n* 1) тот, кто ката́ется на конька́х; 2) конькобе́жец.

**skating-rink** ['skeɪtɪŋrɪŋk] *n* скэ́тинг-ри́нк; като́к.

**skedaddle** [skɪ'dædl] *v разг.* удира́ть, улепётывать.

**skein** [skeɪn] *n* 1) мото́к пря́жи; tangled ~ *перен.* паути́на; запу́танный клубо́к; 2) ста́я ди́ких гусе́й.

**skeletal** ['skelɪtl] *a* 1) скеле́тный; 2) скелетообра́зный.

**skeleton** ['skelɪtn] 1. *n* 1) скеле́т, костя́к; о́стов, карка́с; 2) набро́сок, план; ◇ ~ at

the feast то, что по́ртит удово́льствие; ~ in the cupboard, family ~ семе́йная та́йна; та́йна, тща́тельно скрыва́емая от посторо́нних;
2. *a* решё́тчатый, ажу́рный.

**skeletonize** ['skelɪtənaɪz] *v* 1) препари́ровать скеле́т; 2) де́лать набро́сок.

**skeleton key** ['skelɪtn'kiː] *n* отмы́чка.

**skeptic** ['skeptɪk] = sceptic.

**skerry** ['skerɪ] *n* шхе́ра, риф.

**sketch** [sketʃ] 1. *n* 1) эски́з, набро́сок; кроки́; 2) бе́глый о́черк; отры́вок; 3) *театр.* скетч;
2. *v* рисова́ть эски́зы, де́лать набро́ски.

**sketch-book** ['sketʃbuk] *n* альбо́м.

**sketch-map** ['sketʃmæp] *n* схемати́ческая ка́рта.

**sketchy** ['sketʃɪ] *a* 1) эски́зный; отры́вочный; to be on the ~ side быть негла́дким, неро́вным (*о речи*); 2) пове́рхностный.

**skew** [skjuː] 1. *n* 1) укло́н; 2) уко́с;
2. *a* 1) косо́й; 2) асимметри́чный;
3. *v* 1) уклоня́ться, отклоня́ться; свора́чивать в сто́рону; 2) перека́шивать; 3) искажа́ть; извраща́ть; 4) *диал.* смотре́ть и́скоса; коси́ть глаза́ми.

**skewbald** ['skjuːbɔːld] *a* пе́гий.

**skewer** ['skjuə] 1. *n* 1) небольшо́й ве́ртел; 2) *шутл.* шпа́га; 3) *текст.* неподви́жное веретено́; шпи́лька для ро́вницы;
2. *v* 1) наса́живать (*на что-л.*); 2) прона́зать.

**skew-eyed** ['skjuːaɪd] *a* косогла́зый.

**ski** [skiː] 1. *n* (*pl* skis *или без измен.*) лы́жа;
2. *v* (ski'd) ходи́ть на лы́жах.

**skiagram, skiagraph** ['skaɪəgræm, -grɑːf] *n* рентге́новский сни́мок.

**skibby** ['skɪbɪ] *n амер. презр. прозвище японца.*

**skiborne** ['skiːbɔːn] *a воен.* передвига́ющийся на лы́жах (*о войсках*).

**skid** [skɪd] 1. *n* 1) тормозна́я коло́дка; 2) направля́ющая ре́йка, направля́ющий рельс; доска́ (*для спуска груза*); 3) юз, буксова́ние, скольже́ние колё́с; 4) *ав.* хвостово́й косты́ль; 5) *авт.* зано́с, забра́сывание; ◇ to put the ~s under *амер.* изба́виться, бы́стро отде́латься; on the ~s обречё́нный на прова́л, ги́бель *и т. п.*;
2. *v* 1) тормози́ть; 2) буксова́ть; 3) *авт.* заноси́ть; the car ~ded маши́ну занесло́.

**ski'd** [skiːd] *past и p. p. om* ski 2.

**skier** ['skiːə] *n* лы́жник.

**skiff** [skɪf] *n* я́лик; *спорт.* скиф.

**skiffle-group** ['skɪflgruːp] *n* самодея́тельный инструмента́льно-вока́льный анса́мбль.

**skiffle-player** ['skɪfl,pleɪə] *n* арти́ст самодея́тельного инструмента́льно-вока́льного анса́мбля.

**ski-joring** ['skiː,dʒɔːrɪŋ] *n* бег на лы́жах на букси́ре.

**ski-jumping** ['skiː,dʒʌmpɪŋ] *n* прыжки́ на лы́жах.

**skilful** ['skɪlful] *a* иску́сный, уме́лый.

**skill** [skɪl] 1. *n* иску́сство, мастерство́; уме́ние; ло́вкость;
2. *v*: it ~s not *уст.* а) э́то безразли́чно; б) э́то бесполе́зно.

**skilled** [skɪld] *a* квалифици́рованный, иску́сный.

**skillet** [ˈskɪlɪt] *n* 1) небольша́я кастрю́ля с дли́нной ру́чкой; 2) сковорода́.

**skilly** [ˈskɪlɪ] *n* жи́дкая похлёбка.

**skim** [skɪm] 1. *v* 1) снима́ть (*накипь и т. п.*); to ~ milk снима́ть сли́вки с молока́; to ~ the cream off снима́ть сли́вки (*тж. перен.*); 2) едва́ каса́ться, нести́сь, скользи́ть (along, over — по *чему-л.*); 3) бе́гло прочи́тывать; перели́стывать (*кни́гу*).
2. *a*: ~ milk снято́е молоко́.

**skimble-skamble** [ˈskɪmblˈskæmbl] *a* бессвя́зный.

**skimmer** [ˈskɪmə] *n* 1) шумо́вка; 2) сепара́тор; 3) *ав. разг.* гли́ссер; гидросамолёт.

**skimming-dish** [ˈskɪmɪŋdɪʃ] *n sl.* плоскодо́нная го́ночная я́хта.

**skimp** [skɪmp] *v* ску́дно снабжа́ть; уре́зывать; скупи́ться.

**skimpy** [ˈskɪmpɪ] *a* 1) ску́дный; 2) у́зкий; 3) худо́й.

**skin** [skɪn] 1. *n* 1) ко́жа; шку́ра; outer ~ *анат.* эпиде́рма; 2) кожура́, ко́жица; 3) нару́жный слой, оболо́чка; 4) мех (*для вина́*); 5) *sl.* кля́ча; 6) *амер. sl.* скря́га; 7) *sl.* жу́лик; 8) *метал.* плена́ (*при прока́тке*); ко́рка (*сли́тка*); ◇ in (*или* with) a whole ~ цел и невреди́м; to escape with (*или* by) the ~ of one's teeth е́ле-е́ле спасти́сь; to get under the ~ досажда́ть, раздража́ть, де́йствовать на не́рвы; to jump out of one's ~ а) быть вне себя́ (*от ра́дости, удивле́ния*); б) подскочи́ть, вздро́гнуть (*от ра́дости, неожи́данности*); to change one's ~ неузнава́емо измени́ться; to have a thick (thin) ~ быть нечувстви́тельным (о́чень чувстви́тельным); to keep a whole ~, to save one's ~ спасти́ свою́ шку́ру; mere (*или* only) ~ and bone ко́жа да ко́сти.
2. *v* 1) покрыва́ть(ся) ко́жей (*обы́кн.* ~ over); зарубцева́ться (*обы́кн.* ~ over); 2) сдира́ть ко́жу, шку́ру; снима́ть кожуру́; 3) *sl.* обобра́ть до́чиста; 4) *sl.* вы́сосать, вы́пить (*напи́ток*); ◇ to ~ a flint скря́жничать, быть скаре́дным; to keep one's eyes ~ned *sl.* смотре́ть в о́ба.

**skin-deep** [ˈskɪnˈdiːp] 1. *a* пове́рхностный;
2. *adv* пове́рхностно.

**skin-diver** [ˈskɪnˌdaɪvə] *n* ловец же́мчуга.

**skinflint** [ˈskɪnflɪnt] *n* скря́га.

**skinful** [ˈskɪnful] *n* по́лный мех (*вина́*).

**skin-game** [ˈskɪngeɪm] *n* 1) бой без перча́ток (*в бо́ксе*); 2) борьба́ не на жизнь, а на смерть; 3) *амер. sl.* моше́нничество, обма́н.

**skin-grafting** [ˈskɪnˌɡrɑːftɪŋ] *n мед.* переса́дка ко́жи.

**skinner** [ˈskɪnə] *n* 1) скорня́к; 2) *амер.* пого́нщик вью́чного живо́тного; 3) *разг.* обма́нщик.

**skinny** [ˈskɪnɪ] *a* то́щий, ко́жа да ко́сти.

**skip I** [skɪp] 1. *n* прыжо́к, скачо́к;
2. *v* 1) скака́ть, пры́гать; 2) переска́кивать (*в разгово́ре; обы́кн.* ~ off, ~ from); to ~ a grade перескочи́ть че́рез класс (*в шко́ле*); 3) пропуска́ть; he ~s as he reads

он чита́ет не всё подря́д; 4) *разг.* съе́здить;
5) *sl.* удра́ть; ◇ ~ it! ла́дно!, нева́жно!

**skip II** [skɪp] *n горн.* бадья́; скип; ваго́нетка с отки́дывающимся ку́зовом.

**skipjack** [ˈskɪpdʒæk] *n* 1) пры́гающая игру́шка; 2) *общее назва́ние пры́гающих жуко́в и рыб*.

**skipper** [ˈskɪpə] *n* шки́пер, капита́н (*торго́вого су́дна*); *мор. разг.* команди́р корабля́; ◇ ~'s daughters высо́кие во́лны с бе́лыми гре́бнями.

**skipping-rope** [ˈskɪpɪŋɡroup] *n* скака́лка.

**skirl** [skɑːl] 1. *n* звук волы́нки;
2. *v* издава́ть звук на волы́нке.

**skirmish** [ˈskəːmɪʃ] 1. *n* 1) сты́чка, схва́тка; перестре́лка; 2) *attr.*: ~ line стрелко́вая цепь;
2. *v* 1) перестре́ливаться; 2) сража́ться ме́лкими отря́дами.

**skirmisher** [ˈskəːmɪʃə] *n* 1) стрело́к в цепи́; 2) *ист.* застре́льщик.

**skirt** [skəːt] 1. *n* 1) ю́бка; divided ~ широ́кие брю́ки; 2) пола́, подо́л; 3) *sl.* же́нщина; 4) (*ча́сто pl*) край, окра́ина; on the ~s of the wood на опу́шке ле́са; 5) *тех.* ю́бка (*по́ршня, изоля́тора*);
2. *v* 1) быть располо́женным на опу́шке, на краю́; 2) грани́чить; 3) идти́ вдоль кра́я, окаймля́ть, опоя́сывать.

**skirting-board** [ˈskəːtɪŋbɔːd] *n архит.* пли́нтус; пане́ль.

**ski-run** [ˈskiːrʌn] *n* лыжня́.

**ski-running** [ˈskiːˌrʌnɪŋ] *n* ходьба́ на лы́жах.

**skit I** [skɪt] *n* 1) шу́тка, сати́ра, паро́дия; 2) скетч.

**skit II** [skɪt] *n разг.* мно́жество, толпа́.

**skitter** [ˈskɪtə] *v* нести́сь с пле́ском по воде́ (*о пти́це*).

**skittish** [ˈskɪtɪʃ] *a* 1) игри́вый *или* пугли́вый (*о ло́шади*); 2) живо́й, игри́вый; коке́тливый; капри́зный.

**skittle** [ˈskɪtl] 1. *n pl* ке́гли; ◇ ~! *разг.* вздор!; not all beer and ~s не всё заба́вы и развлече́ния.
2. *v*: to ~ away *разг.* растранжи́рить; упусти́ть.

**skittle-alley** [ˈskɪtlˌælɪ] *n* кегельба́н.

**skittle-ground** [ˈskɪtlɡraund] = skittle-alley.

**skive** [skaɪv] *v* 1) разреза́ть ко́жу; 2) ста́чивать (*грань драгоце́нного ка́мня*).

**skiver** [ˈskaɪvə] *n* 1) нож для разреза́ния ко́жи; 2) то́нкая ко́жа.

**skivvies** [ˈskɪvɪz] *n pl мор. sl.* ни́жнее бельё.

**skivvy** [ˈskɪvɪ] *n разг. пренебр.* прислу́га.

**sklent** [sklent] 1. *n* 1) непра́вда; 2) *attr.* лжи́вый, неве́рный;
2. *v* лгать.

**skoal** [skoul] *int* ва́ше здоро́вье!

**skua** [ˈskjuə] *n зоол.* помо́рник большо́й.

**skulduggery** [skʌlˈdʌɡərɪ] = skullduggery.

**skulk** [skʌlk] *v* 1) скрыва́ться; пря́таться (за чужу́ю спи́ну); уклоня́ться от отве́тственности, рабо́ты *и т. п.*; 2) кра́сться.

**skull** [skʌl] *n* че́реп; ~ and cross-bones че́реп и ко́сти (*эмблема сме́рти*); ◇ thick ~ ≅ ме́дный лоб, ту́пость.

**skull-cap** [ˈskʌlkæp] *n* ермо́лка, тюбе-
те́йка.

**skullduggery** [ˈskʌlˌdʌɡərɪ] *n* *шутл.* на-
дува́тельство.

**skunk** [skʌŋk] **1.** *n* 1) *зоол.* воню́чка,
скунс; 2) ску́нсовый мех; 3) *разг.* под-
ле́ц; 4) *амер. разг.* по́лное пораже́ние;
**2.** *v* *амер. разг.* нанести́ пораже́ние; обыг-
ра́ть в пух и прах.

**sky** [skaɪ] **1.** *n* 1) не́бо, небеса́; 2) кли́мат;
under warmer ~ в бо́лее тёплом кли́мате;
◇ to laud (*или* to extol, to praise) to the
skies превозноси́ть до небе́с; if the ~ fall
we shall catch larks *разг.* ≅ е́сли бы, да
кабы́; out of a clear ~ соверше́нно неожи́-
данно; ни с того́ ни с сего́;
**2.** *v* 1) высоко́ забро́сить (*мяч*); 2) ве́-
шать под потоло́к (*картину*).

**sky army** [ˈskaɪˈɑːmɪ] *n* авиавойска́.

**sky-blue** [ˈskaɪˈbluː] **1.** *n* лазу́рь;
**2.** *a* лазу́рный.

**sky-born** [ˈskaɪˈbɔːn] *a* *поэт.* боже́ст-
венного (*или* небе́сного) происхожде́ния.

**sky-clad** [ˈskaɪklæd] *a* *шутл.* наго́й.

**skyer** [ˈskaɪə] *n* высоко́ забро́шенный мяч.

**skyey** [ˈskaɪɪ] *a* 1) небе́сный; небе́сно-го-
лубо́й; 2) возвы́шенный.

**sky-high** [ˈskaɪˈhaɪ] **1.** *a* высо́кий, до-
стига́ющий не́ба.
**2.** *adv* до небе́с; о́чень высо́ко.

**skylark** [ˈskaɪlɑːk] **1.** *n* жа́воронок;
**2.** *v* забавля́ться, выки́дывать шту́ки,
резви́ться.

**skylight** [ˈskaɪlaɪt] *n* *стр.* 1) ве́рхний
свет, застеклённая кры́ша; 2) *мор.* све́т-
лый люк.

**skyline** [ˈskaɪlaɪn] *n* 1) горизо́нт, ли́ния
горизо́нта; 2) очерта́ние на фо́не не́ба.

**sky pilot** [ˈskaɪˈpaɪlət] *n* 1) *sl.* свяще́н-
ник; 2) пило́т.

**sky-rocket** [ˈskaɪˌrɔkɪt] **1.** *n* раке́та (*в пи-
ротехнике*);
**2.** *v* 1) устремля́ться ввысь; 2) *амер.* стре-
ми́тельно поднима́ться, бы́стро расти́
(*о ценах, продукции и т. п.*).

**skyscape** [ˈskaɪskeɪp] *n* карти́на, изобра-
жа́ющая не́бо.

**sky-scraper** [ˈskaɪˌskreɪpə] *n* небоскрёб.

**sky truck** [ˈskaɪˈtrʌk] *n* *амер. разг* тра́нс-
портный самолёт.

**skyward(s)** [ˈskaɪwəd(z)] *adv* к не́бу.

**sky wave** [ˈskaɪˈweɪv] *n* *радио* волна́,
отражённая от ве́рхних слоёв атмосфе́ры.

**sky-wave** [ˈskaɪˌweɪv] *a*: ~ communication связь на отражённой волне́.

**skyways** [ˈskaɪˌweɪz] *n* *pl* возду́шные пути́.

**sky-writer** [ˈskaɪˌraɪtə] *n* самолёт для воз-
ду́шной рекла́мы.

**sky-writing** [ˈskaɪˌraɪtɪŋ] *n* дымова́я
на́дпись, вычёрчиваемая в во́здухе самолётом; возду́шная рекла́ма.

**slab** [slæb] **1.** *n* 1) плита́; пласти́на; 2)
*разг.* ломо́ть; 3) *стр.* горбы́ль; 4) *метал.*
сляб; пло́ская загото́вка.
**2.** *v* спи́ливать горбы́ль.

**slab-sided** [ˈslæbˈsaɪdɪd] *a* 1) име́ющий
пло́ские сто́роны; 2) *разг.* худоща́вый;
высо́кий и то́нкий.

**slack I** [slæk] **1.** *a* 1) сла́бый; дря́блый;

to feel ~ чу́вствовать себя́ разви́нченным;
2) вя́лый (*о торговле, рынке*); a ~ season
пери́од зати́шья; 3) ненатя́нутый (*о канате,
вожжах*); ненапряжённый (*о мышцах*);
to keep a ~ hand (*или* a ~ rein) опусти́ть
пово́дья; 4) ме́дленный; at a ~ расе ме́д-
ленным ша́гом; ~ water а) стоя́чая вода́;
б) вре́мя ме́жду прили́вом и отли́вом; 5)
*разг.* расхля́банный; небре́жный; ~ in duty неради́вый; 6) недопечённый (*о хлебе*);
7) откры́тый (*о гласном*); 8) расслабля́ю-
щий (*о погоде*);
**2.** *n* 1) осла́бнувшая верёвка, слабина́;
2) зати́шье (*в торговле*); 3) безде́йствие;
безде́лье; to have a good ~ безде́льничать,
ничего́ не де́лать; 4) = ~ water [*см.* 1,
4)];
**3.** *v* 1) ослабля́ть, распуска́ть; 2) слаб-
нуть; 3) замедля́ть(ся); 4) утоля́ть (*жажду*); 5) *разг.* ло́дырничать; 6) гаси́ть (*известь*); □ ~ away *мор.* трави́ть, по-
тра́вливать; ~ off а) ослабля́ть своё рве́-
ние, напряже́ние *и т. п.*; б) = ~ away;
~ up замедля́ть ход.

**slack II** [slæk] *n* у́гольная пыль.

**slack-baked** [ˈslækˈbeɪkt] *a* 1) недопечённый; 2) недора́звитый.

**slacken** [ˈslækən] *v* 1) ослабля́ть; 2) слаб-
нуть; 3) замедля́ть.

**slacker** [ˈslækə] *n* *разг.* 1) ло́дырь, без-
де́льник; 2) *воен.* уклоня́ющийся от при-
зы́ва.

**slack lime** [ˈslækˈlaɪm] *n* гашёная и́з-
весть.

**slacks** [slæks] *n* *pl* широ́кие (спорти́в-
ные) брю́ки.

**slack suit** [ˈslækˈsjuːt] *n* широ́кий костю́м
спорти́вного покро́я.

**slag** [slæɡ] *n* шлак, вы́гарки, ока́лина.

**slain** [sleɪn] *p.p.* *от* slay I.

**slake** [sleɪk] *v* 1) утоля́ть (*жажду*); 2)
гаси́ть (*известь*); 3) туши́ть (*огонь*).

**slalom** [ˈsleɪləm] *n* *спорт.* сла́лом.

**slam** [slæm] **1.** *n* 1) хло́панье (*дверьми*);
2) *карт.* шлем; 3) *разг.* кри́тика.
**2.** *v* 1) хло́пать, захло́пывать(ся); 2) *sl.*
уда́рить; 3) *разг.* раскритикова́ть.

**slander** [ˈslɑːndə] **1.** *n* клевета́, злосло́вие;
**2.** *v* клевета́ть, поро́чить репута́цию.

**slanderous** [ˈslɑːndərəs] *a* клеветни́че-
ский.

**slang** [slæŋ] **1.** *n* слэнг, жарго́н;
**2.** *a* относя́щийся к слэ́нгу, вульга́рный;
~ word вульгари́зм;
**3.** *v* *разг.* обруга́ть.

**slanguage** [ˈslæŋɡwɪdʒ] *шутл. см.* slang 1.

**slangy** [ˈslæŋɪ] *a* 1) жарго́нный, вуль-
га́рный; 2) употребля́ющий жарго́нные
выраже́ния, слэнг; 3) крича́щий (*о платье*).

**slant** [slɑːnt] **1.** *n* 1) склон, укло́н; on the
~ ко́со; в накло́нном положе́нии; 2) *амер.*
бы́стрый взгляд; to take a ~ взгляну́ть;
3) *амер.* то́чка зре́ния; скло́нность; тен-
де́нция;
**2.** *a* косо́й; накло́нный;
**3.** *v* 1) идти́ вкось; 2) направля́ть вкось;
3) искажа́ть, тенденцио́зно представля́ть.

**slantingdicular** [ˌslɑːntɪŋˈdɪkjuːlə] *a* *шутл.*
косо́й.

**slantwise** ['slɑːntwaɪz] *adv* ко́со.
**slap** [slæp] **1.** *n* шлепо́к; a ~ in the face пощёчина; *перен.* ре́зкий отпо́р; оскорбле́ние;
**2.** *v* хло́пать, шлёпать;
**3.** *adv разг.* вдруг; пря́мо; to hit smb. ~ in the eye уда́рить кого́-л. пря́мо в глаз; to run ~ into smb. налете́ть с разма́ху на кого́-л.
**slap-bang** ['slæp'bæŋ] *adv* со всего́ разма́ха; с шу́мом.
**slapdash** ['slæpdæʃ] **1.** *a* стреми́тельный, поспе́шный;
**2.** *adv* очертя́ го́лову, как попа́ло, кое-ка́к.
**slapjack** ['slæpdʒæk] *n* 1) *амер.* блин, ола́дья; 2) де́тская ка́рточная игра́.
**slapper** ['slæpə] *n разг.* не́что сногсшиба́тельное.
**slapping** ['slæpɪŋ] **1.** *pres.p. от* slap 2;
**2.** *a разг.* сногсшиба́тельный.
**slapstick** ['slæpstɪk] *n* 1) хлопу́шка; 2) фарс (*тж.* ~ comedy).
**slap-up** ['slæpʌp] *a sl.* шика́рный.
**slash** I [slæʃ] **1.** *n* 1) уда́р сплеча́; 2) разре́з; про́резь; 3) ра́на; 4) вы́рубка;
**2.** *v* 1) руби́ть (*са́блей*); полосова́ть; 2) коси́ть; 3) хлеста́ть; 4) ре́зко критикова́ть; 5) *амер.* сокраща́ть; снижа́ть (*це́ны, нало́ги и т. п.*); 6) де́лать разре́зы (*в пла́тье*).
**slash** II [slæʃ] *n амер.* боло́тистое ме́сто.
**slashing** ['slæʃɪŋ] **1.** *pres. p. от* slash I, 2;
**2.** *n* ру́бка са́блей; се́ча;
**3.** *a* 1) стреми́тельный, си́льный; ~ rain хле́щущий дождь; 2) сокруши́тельный, ре́зкий; ~ criticism беспоща́дная кри́тика; 3) *разг.* огро́мный; ~ dinner о́чень сы́тный обе́д.
**slat** I [slæt] *n* 1) перекла́дина, пла́нка; филёнка, дощёчка; 2) *ав.* предкры́лок; 3) *pl sl.* рёбра.
**slat** II [slæt] *v* хло́пать (*о па́русе*).
**slate** [sleɪt] **1.** *n* 1) *мин.* сла́нец, ши́фер; ши́ферная плита́; 2) грифе́льная доска́; 3) *амер.* спи́сок кандида́тов (*на вы́борах*); 4) се́ро-голубо́й цвет; ◇ a clean ~ безупре́чная репута́ция; to have a ~ loose ≈ ви́нтика не хвата́ет; to clean the ~, to wipe off the ~ изба́виться от всех ста́рых обяза́тельств;
**2.** *v* 1) крыть ши́ферными пли́тами; 2) *амер.* выдвига́ть в кандида́ты; 3) заноси́ть в спи́сок; 4) *разг.* раскритикова́ть; вы́бранить.
**slate-club** ['sleɪtklʌb] *n* ка́сса взаимопо́мощи.
**slate-pencil** ['sleɪt,pensl] *n* грифе́ль.
**slater** ['sleɪtə] *n* 1) кро́вельщик; 2) суро́вый кри́тик.
**slather** ['slæðə] **1.** *n* (*обыкн. pl*) *амер. разг.* большо́е коли́чество;
**2.** *v* тра́тить, расхо́довать в больши́х коли́чествах.
**slattern** ['slætən] *n* неря́ха, грязну́ля.
**slatternly** ['slætənlɪ] *a* неря́шливый.
**slaty** ['sleɪtɪ] *a* 1) сла́нцевый; ши́ферный; 2) тёмно-се́рый; 3) сло́истый, пласти́нчатый.

**slaughter** ['slɔːtə] **1.** *n* 1) резня́, кровопроли́тие; избие́ние; 2) убо́й (*скота́*);
**2.** *v* 1) устра́ивать резню́, кровопроли́тие; 2) убива́ть, ре́зать (*скот*).
**slaughter-house** ['slɔːtəhaus] *n* бо́йня.
**slaughterous** ['slɔːtərəs] *a ритор.* 1) кровопроли́тный; 2) кровожа́дный.
**Slav** [slɑːv] **1.** *n* славяни́н; славя́нка; the ~s *pl собир.* славя́не;
**2.** *a* славя́нский.
**Slavdom** ['slɑːvdəm] *n* славя́нство.
**slave** [sleɪv] **1.** *n* 1) раб, нево́льник; 2) *attr.* ра́бский; ~ labour поднево́льный труд;
**2.** *v* рабо́тать как раб.
**slave-born** ['sleɪvbɔːn] *a* рождённый в ра́бстве.
**slave-driver** ['sleɪv,draɪvə] *n* 1) надсмо́трщик над раба́ми; 2) эксплуата́тор.
**slave-holder** ['sleɪv,houldə] *n* рабовладе́лец.
**slaver** I ['sleɪvə] *n* 1) работорго́вец; 2) = slave-ship.
**slaver** II ['slævə] **1.** *n* 1) слю́ни; 2) гру́бая лесть;
**2.** *v* 1) пуска́ть слюну́; слюня́вить; 2) подли́зываться.
**slavery** ['sleɪvərɪ] *n* 1) ра́бство; 2) тяжёлый поднево́льный труд.
**slave-ship** ['sleɪvʃɪp] *n* нево́льничье су́дно.
**slave-trade** ['sleɪvtreɪd] *n* работорго́вля.
**slavey** ['sleɪvɪ] *n разг.* служа́нка.
**Slavic** ['slævɪk] = Slavonic.
**slavish** ['sleɪvɪʃ] *a* ра́бский; ~ imitation ра́бское подража́ние.
**Slavonian** [slə'vounɪən] **1.** *a* 1) слове́нский; 2) славя́нский;
**2.** *n* 1) слове́нец; слове́нка; 2) славяни́н; славя́нка; 3) гру́ппа славя́нских языко́в.
**Slavonic** [slə'vɔnɪk] **1.** *a* славя́нский;
**2.** *n* гру́ппа славя́нских языко́в.
**Slavophil** ['slævəfɪl] *n* славянофи́л.
**Slavophobe** ['slævəfoub] *n* славянофо́б.
**slaw** [slɔː] *n амер.* сала́т из капу́сты.
**slay** I [sleɪ] *v* (slew; slain) убива́ть.
**slay** II [sleɪ] *n текст.* бата́н.
**slayer** ['sleɪə] *n* уби́йца.
**sleazy** ['sliːzɪ] *a* то́нкий, непро́чный (*о тка́ни; тж. перен.*).
**sled** [sled] = sledge I.
**sledding** ['sledɪŋ] *n* 1) езда́, ката́ние на саня́х; 2) са́нный путь; ◇ hard ~ *амер.* тру́дное положе́ние, затрудне́ние.
**sledge** I [sledʒ] **1.** *n* са́ни, сала́зки;
**2.** *v* 1) е́хать на саня́х; 2) вози́ть на саня́х.
**sledge** II [sledʒ] = sledge-hammer.
**sledge-car** ['sledʒkɑː] *n* автоса́ни.
**sledge-hammer** ['sledʒ,hæmə] *n* 1) кува́лда, кузне́чный мо́лот; 2) *attr.* сокруши́тельный; ~ blow сокруши́тельный уда́р; ~ argument уничтожа́ющий аргуме́нт.
**sleek** [sliːk] **1.** *a* 1) гла́дкий, лосня́щийся; прили́занный; 2) еле́йный;
**2.** *v* пригла́живать; наводи́ть лоск.
**sleeken** ['sliːkən] = sleek 2.
**sleeky** ['sliːkɪ] *a* 1) гла́дкий, прили́занный; 2) вкра́дчивый; хи́трый.

**sleep** [sliːp] 1. *n* 1) сон; to go to ~ заснуть; to get a ~ поспать; in one's ~ во сне; to **send** smb. to ~ усыпить кого-л.; to put to ~ уложить спать; the last ~, ~ that knows not breaking вечный сон, смерть; 2) спячка; 2. *v* (slept) 1) спать, засыпать; to ~ with one eye open чутко спать; to ~ like a log (*или* top) спать мёртвым сном; to ~ the sleep of the just спать сном праведника; to ~ the clock round проспать двенадцать часов; 2) покоиться (*в могиле*); 3) ночевать (at, in); 4) предоставлять ночлег; the hotel can ~ 300 men в гостинице могут разместиться 300 человек; □ ~ away проспать; ~ in a) ночевать на работе; б): to be slept in быть занятым, использованным для сна; his bed has not been slept in он не ночевал дома; ~ off отоспаться; ~ on, ~ over отложить рассмотрение *чего-л.* до утра.

**sleeper** [ˈsliːpə] *n* 1) спящий; light (heavy) ~ спящий чутко (крепко); 2) соня; 3) = sleeping-car; 4) нечто, неожиданно приносящее большую прибыль (*напр., лошадь, неожиданно пришедшая первой на скачках, неожиданно нашумевшая книга, кинокартина и т. п.*); 5) ж.-д. шпала.

**sleeperette** [ˌsliːpəˈret] *n* откидывающееся кресло в самолёте *или* междугородном автобусе.

**sleeping-bag** [ˈsliːpɪŋbæg] *n* спальный мешок.

**sleeping-car** [ˈsliːpɪŋkɑː] *n* спальный вагон.

**sleeping-draught** [ˈsliːpɪŋdrɑːft] *n* снотворное средство.

**sleeping partner** [ˈsliːpɪŋˈpɑːtnə] *см.* partner 1, 2).

**sleeping-pills** [ˈsliːpɪŋpɪlz] *n pl* снотворные таблетки.

**sleeping-sickness** [ˈsliːpɪŋˌsɪknɪs] *n* сонная болезнь.

**sleepless** [ˈsliːplɪs] *a* бессонный; бодрствующий.

**sleep-walker** [ˈsliːpˌwɔːkə] *n* лунатик.

**sleepy** [ˈsliːpɪ] *a* 1) сонный, сонливый; a ~ little town тихий, сонный городок; ~ sickness эпидемический энцефалит; 2) перезрелый (*о фруктах*).

**sleepyhead** [ˈsliːpɪhed] *n разг.* соня.

**sleet** [sliːt] 1. *n* дождь со снегом, крупа; 2. *v* (*в безл. оборотах*): it ~s идёт дождь со снегом.

**sleety** [ˈsliːtɪ] *a* слякотный.

**sleeve** [sliːv] *n* 1) рукав; to turn (*или* to roll) up one's ~s засучить рукава; *перен.* приготовиться к борьбе, к работе; 2) *тех.* муфта, втулка, гильза; ◇ to have smth. up one's ~ незаметно держать что-л. наготове; иметь что-л. про запас; he has smth. up his ~ у него что-то на уме; to laugh in one's ~ смеяться в кулак, исподтишка; радоваться втихомолку.

**sleeveprotectors** [ˈsliːvprəˌtektəz] *n pl* нарукавники.

**sleigh** [sleɪ] = sledge I.

**sleigh-bell** [ˈsleɪbel] *n* бубенчик.

**sleight** [slaɪt] *n уст.* ловкость; фокус.

**sleight-of-hand** [ˈslaɪtəvˈhænd] *n* ловкость рук, жонглёрство.

**slender** [ˈslendə] *a* 1) тонкий, стройный;

2) скудный, слабый; небольшой, незначительный; ~ means скудные средства; ~ income маленький доход; ~ hope слабая надежда.

**slenderize** [ˈslendəraɪz] *v* 1) худеть, терять в весе; 2) делать тонким.

**slept** [slept] *past и p.p. от* sleep 2.

**sleuth** [sluːθ] 1. *n* 1) собака-ищейка; 2) *разг.* сыщик; 2. *v* быть сыщиком.

**sleuth-hound** [ˈsluːθˈhaund] = sleuth 1.

**slew I** [sluː] 1. *n* поворот, поворотное движение; 2. *v* поворачивать(ся); вращать(ся).

**slew II** [sluː] *past от* slay I.

**slew III** [sluː] *n амер.* заводь; болото.

**slew IV** [sluː] *n амер. разг.* большое количество, очень много.

**slice** [slaɪs] 1. *n* 1) ломтик, ломоть; тонкий слой (*чего-л.*); 2) часть; a ~ of territory (of the profits) часть территории (прибыли); 3) широкий нож; 4) неправильный удар (*в гольфе*);

2. *v* 1) резать ломтиками (*тж.* ~ up); отрезать; 2) делить на части; 3) неправильно ударять (*по воде веслом, по мячу в гольфе*).

**slick** [slɪk] *разг.* 1. *a* 1) гладкий, блестящий; 2) ловкий; быстрый; 3) хитрый; 4) *sl.* превосходный; привлекательный;

2. *adv* прямо, ловко, гладко; the machine goes very ~ машина работает без перебоев;

3. *v* 1) делать гладким, блестящим; 2) *амер. разг.* убирать, прикрашивать; приводить в порядок (*обыкн.* ~ up);

4. *n амер. sl.* роскошный журнал (*тж.* ~ paper).

**slicker** [ˈslɪkə] *n амер.* 1) макинтош; 2) *разг.* ловкий обманщик.

**slid** [slɪd] *past и p. p. от* slide 2.

**slide** [slaɪd] 1. *n* 1) скольжение; 2) ледяная гора *или* дорожка; каток; 3) спускной жёлоб; наклонная плоскость; 4) оползень; 5) диапозитив; 6) предметное стекло (микроскопа); 7) затворная рама пулемёта; 8) *тех.* скользящая часть механизма; суппорт; салазки; золотник; 9) *attr.*: ~ lecture лекция, сопровождаемая демонстрацией диапозитивов;

2. *v* (slid) 1) скользить; to ~ over delicate questions обойти щекотливые вопросы; 2) кататься по льду; 3) поскользнуться; выскользнуть; 4) незаметно проходить мимо; the years ~ past, the years ~ by годы проходят незаметно; 5) идти беспрепятственно, гладко; to let things ~ a) предоставлять вещи их естественному ходу; б) относиться к чему-л. небрежно; 6) незаметно переходить из одного состояния в другое; 7) вдвигать, всовывать; to ~ the drawer into its place задвинуть ящик (шкафа, комода);

**slide-block** [ˈslaɪdblɔk] *n тех.* ползун, крейцкопф.

**slide-fastener** [ˈslaɪdˌfɑːsnə] *n* застёжка-молния.

**slide rule** [ˈslaɪdˈruːl] = sliding rule.

**slide-valve** [ˈslaɪdvælv] *n тех.* золотник.

**sliding rule** [ˈslaɪdɪŋˈruːl] *n* логарифмическая линейка.

**sliding scale** ['slaidɪŋ'skeil] *n* 1) скользящая шкала́; 2) подвижна́я счётная табли́ца.

**sliding seat** ['slaidɪŋ'si:t] *n* слайд (*подвижное сиденье гребной гоночной лодки*).

**slight** [slait] 1. *n* пренебреже́ние, неуваже́ние, невнима́ние; to put a ~ upon smb. вы́сказать неуваже́ние к кому́-л.;

2. *a* 1) незначи́тельный, лёгкий, сла́бый; not the ~est doubt ни мале́йшего сомне́ния; a ~ cold небольшо́й на́сморк; not by the ~est ни на йо́ту; 2) то́нкий; хру́пкий;

3. *v* пренебрега́ть; трети́ровать; to ~ one's work недобросо́вестно относи́ться к свои́м обя́занностям.

**slightly** ['slaitlɪ] *adv* слегка́, немно́го; I know him ~ я немно́го зна́ю его́.

**slim** [slim] 1. *a* 1) то́нкий, стро́йный; 2) сла́бый, ску́дный; a ~ chance of success сла́бая наде́жда на успе́х; 3) *амер.* лёгкий (*о завтраке и т. п.*); 4) *диал.* хи́трый;

2. *v* (по)худе́ть, (по)теря́ть в ве́се.

**slime** [slaim] 1. *n* слизь; ли́пкий ил; шлам, муть;

2. *v* 1) покрыва́ть сли́зью; 2) *sl.* проскользну́ть (*обыкн.* ~ through); ускользну́ть (*обыкн.* ~ away, ~ past).

**slimy** ['slaimɪ] *a* 1) сли́зистый, вя́зкий; ско́льзкий; 2) *разг.* подобостра́стный, еле́йный.

**sling I** [sliŋ] 1. *n* 1) праща́; *амер. тж.* рога́тка; 2) бросо́к; уда́р; 3) реме́нь, кана́т; 4) пе́ревязь; he had his arm in a ~ у него́ рука́ была́ на пе́ревязи; 5) *мор.* строп;

2. *v* (slung) 1) швыря́ть; to ~ a man out of the room вы́швырнуть кого́-л. из ко́мнаты; 2) мета́ть из праще́й; 3) подве́шивать (*гамак и т. п.*); 4) ве́шать че́рез плечо́; 5) *воен.* взять на реме́нь; 6) поднима́ть с по́мощью ремня́, кана́та; ◇ to ~ ink *sl.* ча́сто выступа́ть в печа́ти.

**sling II** [sliŋ] *n* напи́ток из джи́на, воды́, са́хара, муска́тного оре́ха.

**slingshot** ['sliŋʃɔt] *n* рога́тка.

**slink I** [sliŋk] *v* (slunk) кра́сться, идти́ кра́дучись (*обыкн.* ~ off, ~ away, ~ by).

**slink II** [sliŋk] 1. *n* недоно́сок (*о животном*);

2. *v* вы́кинуть (*о животном*).

**slip** [slip] 1. *n* 1) скольже́ние; to give smb. the ~ *разг.* ускользну́ть, улизну́ть от кого́-л.; 2) сдвиг; смеще́ние; 3) оши́бка, про́мах; ~ of the pen (tongue) опи́ска (обмо́лвка); 4) ли́фчик; 5) ни́жняя ю́бка; комбина́ция (*бельё*); 6) де́тский пере́дник; 7) на́волочка; 8) *pl* пла́вки; 9) побе́г, черено́к; 10) поэ́т. о́тпрыск; 11) дли́нная у́зкая поло́ска (*чего-л.*); лучи́на, щепа́; a ~ of paper поло́ска бума́ги; 12) листо́к, бланк; ка́рточка (*регистрационная и т. п.*); to get the pink ~ *разг.* получи́ть уведомле́ние об увольне́нии; 13) (*обыкн. pl*) сво́ра (*для охотничьих собак*); 14) *амер.* дли́нная, у́зкая скамья́; 15) *pl театр.* кули́сы; 16); a ~ of a girl худе́нькая *или* стро́йная де́вочка; a boy худе́нький *или* стро́йный ма́льчик; bastard ~ внебра́чный ребёнок; 17) *полигр.* гра́нка (*оттиск*); 18) *мор.* э́ллинг, ста́пель; 19) *тех.* уменьше́ние числа́ оборо́тов (*ко-*

*леса и т. п.*); буксова́ние; скольже́ние (*винта*); ◇ there is many a ~ 'twixt the cup and the lip ≅ не говори́ «гоп», пока́ не перепры́гнешь;

2. *v* 1) скользи́ть; поскользну́ться; my foot ~ped я поскользну́лся; 2) проскользну́ть; исче́знуть; 3) вы́скользнуть; соскользну́ть (*тж.* ~ off); ускользну́ть (*тж.* ~ away); the knot ~ped у́зел развяза́лся; the dog ~ped the chain соба́ка сорвала́сь с це́пи; it has ~ped my attention я э́того ка́к-то не заме́тил; it ~ped my memory, it ~ped from my mind я совсе́м забы́л об э́том; to let the chance ~ упусти́ть удо́бный слу́чай; 4) проноси́ться, лете́ть (*о времени; тж.* ~ away); 5) пла́вно переходи́ть (*из одного состояния в другое, от одного к другому*); the tango ~ped into a waltz та́нго перешло́ в вальс; 6) су́нуть (*руку в карман, записку в книгу и т. п.*); she ~ped the letter into her pocket она́ су́нула письмо́ в карма́н; 7) де́лать (*ошибки*); he ~s in his grammar он де́лает граммати́ческие оши́бки; 8) *разг.* ухудша́ться, уменьша́ться; 9) буксова́ть (*о колёсах*); 10) вы́травить (*якорную цепь*); 11) спуска́ть (*собак*); 12) выпуска́ть (*стрелу*); 13) вы́кинуть (*о животном*); □ **~ along** мча́ться; **~ away** а) ускользну́ть; б) уйти́, не проща́ясь; в) проноси́ться, лете́ть (*о времени*); **~ by** бежа́ть (*о времени*); **~ in** а) вкра́сться (*об ошибке*); б) незаме́тно войти́; в) легко́ задвига́ться (*о ящике*); **~ off** ускользну́ть; б) соскользну́ть; в) сбро́сить (*платье*); **~ on** наки́нуть, наде́ть; **~ out** а) вы́скользнуть, незаме́тно уйти́; б) легко́ выдвига́ться (*о ящике*); **~ up** а) споткну́ться; б) соверши́ть оши́бку.

**slip-carriage** ['slip,kæridʒ] *n* ваго́н, отцепля́емый на ста́нции без остано́вки по́езда.

**slip-cover** ['slip,kʌvə] *n* 1) чехо́л (*для мебели*); 2) суперобло́жка.

**slip-knot** ['slipnɔt] *n* 1) скользя́щий у́зел; 2) передвижна́я пе́тля на верёвке.

**slip-on** ['slip,ɔn] 1. *n* 1) сви́тер; блу́зка (*надевающаяся через голову*); 2) свобо́дное пла́тье;

2. *a* 1) надева́ющийся че́рез го́лову; 2) широ́кий, свобо́дный.

**slipover** ['slip,ouvə] *n* 1) футля́р; 2) сви́тер, пуло́вер.

**slipper** ['slipə] 1. *n* 1) ко́мнатная ту́фля; 2) *тех.* ползу́н, кре́йцкопф; 3) то́рмоз;

2. *v разг.* отшлёпать ту́флей.

**slippery** ['slipərɪ] *a* 1) ско́льзкий; 2) увёртливый; 3) ненадёжный.

**slippy** ['slipɪ] *a разг.* ско́льзкий; ◇ to look (*или* to be) ~ *sl.* спеши́ть, торопи́ться.

**slipshod** ['slipʃɔd] *a* 1) неря́шливо оде́тый; в сто́птанных башмака́х; 2) неря́шливый, небре́жный.

**slipslop** ['slipslɔp] *разг.* 1. *n* 1) сла́бый напи́ток; по́йло; бурда́; 2) глу́пая *или* сентимента́льная болтовня́; 3) неря́шливая рабо́та;

2. *a* 1) вздо́рный, глу́пый; сентимента́льный (*о книге, болтовне*); 2) неря́шливый.

**slipsole** ['slipsoul] *n* сте́лька.

**slip-up** ['slip,ʌp] *n разг.* оши́бка, про́мах; неуда́ча.

**slipway** ['slɪpwei] *n мор.* слип, судоподъёмный эллинг.

**slit** [slɪt] **1.** *n* 1) длинный разрез; щель; 2) *attr.*: ~ skirt юбка с разрезом;
**2.** *v* (slitted [-ɪd], slit) 1) разрезать в длину; нарезать узкими полосами; 2) рваться; 3) расщеплять, раскалывать.

**slither** ['slɪðə] *v* скользить; скатываться.

**slit trench** ['slɪt'trentʃ] *n воен.* щелевое убежище.

**sliver** ['slɪvə] **1.** *n* 1) щепка, лучина; 2) лента; 3) прядь (*шерсти*); 4) ветвь, отросток;
**2.** *v* откалывать(ся), расщеплять(ся).

**slob** [slɔb] *n* 1) грязь, слякоть; 2) *презр.* неряха; слюнтяй.

**slobber** ['slɔbə] **1.** *n* 1) слюни; 2) сентиментальная болтовня;
**2.** *v* 1) пускать слюни, слюнявить; 2) распустить нюни; 3) плохо выполнять какое-л. дело, плохо работать.

**slobbery** ['slɔbərɪ] *a* слюнявый.

**sloe** [slou] *n* тёрн, терновая ягода.

**slog** [slɔg] **1.** *n* сильный удар;
**2.** *v* 1) сильно ударять; 2) упорно работать (*тж.* ~ at one's work; ~ away, ~ on).

**slogan** ['slougən] *n* 1) лозунг, призыв; девиз; 2) боевой клич (*шотл. горцев*).

**sloop** [slu:p] *n мор.* 1) шлюп; 2) сторожевой корабль; ~ of war военный шлюп.

**slop** I [slɔp] **1.** *n* 1) лужа; 2) *pl* помои; to empty the ~s выносить помои; 3) *pl* жидкая пища; 4) *pl* сентименты, излияния (*чувств*);
**2.** *v* проливать(ся), расплёскивать(ся) (*часто* ~ over, ~ out); □ ~ over ныть, плакаться; изливать свои чувства.

**slop** II [slɔp] *n sl.* полицейский.

**slop-basin** ['slɔp‚beɪsn] *n* полоскательница.

**slope** [sloup] **1.** *n* 1) наклон, склон, скат; ~ of a roof скат крыши; ~ of a river падение реки; 2) *горн.* наклонная выработка, бремсберг; 3) *воен.* положение с винтовкой на плечо;
**2.** *v* 1) клониться; иметь наклон; отлого подниматься (*обыкн.* ~ up) *или* опускаться (*обыкн.* ~ down); 2) ставить в наклонное положение; 3) скашивать; срезывать; 4) *sl.* удрать; 5) слоняться (*обыкн.* ~ about).

**sloping** ['sloupɪŋ] **1.** *pres. p. от* slope 2;
**2.** *a* наклонный, покатый; ~ face *горн.* крутопадающий пласт.

**slop-pail** ['slɔp‚peɪl] *n* помойное ведро.

**sloppy** ['slɔpɪ] *a* 1) покрытый лужами, мокрый (*о дороге*); забрызганный, залитый (*о столе, скатерти*); 2) жидкий (*о пище*); 3) неряшливый, небрежный (*о работе и т. п.*); 4) сентиментальный.

**slops** [slɔps] *n pl* 1) широкая, свободная одежда; 2) дешёвая готовая одежда; 3) *уст.* широкие штаны.

**slop-shop** ['slɔpʃɔp] *n* магазин дешёвого готового платья.

**slopwork** ['slɔpwə:k] *n* 1) производство дешёвого готового платья; 2) неряшливо, наспех сделанная работа.

**slosh** [slɔʃ] = slush.

**slot** I [slɔt] **1.** *n* 1) щёлка, прорез, паз; отверстие (*автомата*) для опускания монеты; 2) *ав.* щель *или* разрез крыла; 3) *театр.* люк; 4) запор, засов;
**2.** *v* прорезать, желобить, продалбливать.

**slot** II [slɔt] *n* след (*зверя*).

**sloth** [slouθ] *n* 1) лень, леность; 2) медлительность; 3) *зоол.* ленивец.

**sloth-bear** ['slouθbɛə] *n* медведь-губач.

**slothful** ['slouθful] *a* ленивый.

**slot-machine** ['slɔtmə‚ʃi:n] *n* автомат (*выбрасывающий при опускании монеты определённый предмет*).

**slouch** [slautʃ] **1.** *n* 1) неуклюжая походка; 2) сутулость; 3) увалень; he is no ~ он молодец; 4) опущенные поля (*шляпы*);
**2.** *v* 1) свисать; 2) неуклюже держаться, сутулиться; 3) надвигать (*шляпу*); опускать поля; □ ~ about слоняться.

**slouch hat** ['slautʃ'hæt] *n* шляпа с широкими опущенными полями.

**slough** I [slau] *n* 1) болото, топь, трясина; омут; 2) депрессия, уныние, отчаяние (*тж.* the S. of Despond).

**slough** II [slʌf] **1.** *n* 1) сброшенная кожа (*змеи*); 2) струп; 3) забытая привычка;
**2.** *v* 1) сбрасывать (*кожу*), линять; 2) сходить (*о коже*), шелушиться (*часто* ~ off, ~ away).

**sloughy** I ['slauɪ] *a* топкий.

**sloughy** II ['slʌfɪ] *a* струпный.

**Slovak** ['slouvæk] **1.** *n* 1) словак; словачка; 2) словацкий язык;
**2.** *a* словацкий.

**sloven** ['slʌvn] *n* неряха.

**Slovene** ['slouvi:n] *n* словенец; словенка.

**Slovenian** [slou'vi:njən] **1.** *a* словенский;
**2.** *n* словенский язык.

**slovenly** ['slʌvnlɪ] *a* неряшливый.

**slovenry** ['slʌvnrɪ] *n* неряшество.

**slow** [slou] **1.** *a* 1) медленный, тихий; постепенный; 2) медлительный, неторопливый; 3) неспешащий; he was ~ in arriving он запоздал; he is not ~ to defend himself он себя в обиду не даст; 4) (*обыкн. predic.*): the clock is 20 minutes ~ часы отстают на 20 минут; 5) идущий с малой скоростью (*о поезде и т. п.*); 6) тупой, несообразительный (*тж.* ~ of wit); 7) скучный, неинтересный; 8) *амер.* отсталый; 9) вялый (*о торговле*); ◇ ~ but steady медленно, но верно; ~ and steady wins the race ≈ тише едешь, дальше будешь;
**2.** *adv* медленно; to go ~ быть осмотрительным;
**3.** *v* замедлять(ся) (*обыкн.* ~ down, ~ up, ~ off).

**slowcoach** ['sloukoutʃ] *n* медлительный, туповатый *или* отсталый человек.

**slowdown** ['sloudaun] *n разг.* замедление.

**slow goods** ['slou'gudz] *n pl* груз малой скорости.

**slow-match** ['slou'mætʃ] *n* бикфордов шнур.

**slow-poke** ['sloupouk] *n разг.* копуша.

**slow-witted** ['slou'wɪtɪd] *a* тупой.

**slow-worm** ['slouwə:m] *n зоол.* веретеница ломкая.

**slubber** ['slʌbə] *v* 1) слюнявить, пачкать; 2) делать небрежно.

**sludge** [slʌdʒ] *n* 1) густа́я грязь; 2) са́ло *(плавающий лёд)*; 3) ти́на, ил; 4) отсто́й, шлам; 5) *attr.*: ~ ритр *горн.* жело́нка.

**sludgy** [ˈslʌdʒɪ] *a* гря́зный.

**slue** [sluː] = slew I.

**slug** I [slʌg] **1.** *n* 1) *зоол.* сли́зень полево́й; 2) кусо́к мета́лла *(неправильной формы)*, саморо́док; 3) пу́ля; 4) *амер.* жето́н сто́имостью в 5 це́нтов *(для телефонов-автома́тов)*; 5) *амер.* глото́к; 6) *полигр.* строка́, отли́тая на линоти́пе; 7) *полигр.* шпон; **2.** *v* 1) истребля́ть сли́зней; 2) *разг.* прохлажда́ться; 3) *воен.* обстре́ливать.

**slug** II [slʌg] = slog.

**slug-abed** [ˈslʌgəˌbed] *n* уст. со́ня, лежебо́ка, лентя́й.

**sluggard** [ˈslʌgəd] *n* лентя́й, безде́льник.

**sluggish** [ˈslʌgɪʃ] *a* 1) ме́дленный, вя́лый; 2) медли́тельный; ине́ртный.

**sluice** [sluːs] **1.** *n* 1) шлюз, перемы́чка; затво́р шлю́за; воро́та до́ка; 2) (иску́сственный) кана́л; 3) промы́вка; 4) *горн.* рудопромыва́льный жёлоб; **2.** *v* 1) снабжа́ть шлю́зами; шлюзова́ть; 2) отводи́ть во́ду шлю́зами, выпуска́ть, спуска́ть (че́рез шлюз) *(обыкн.* ~ off); 3) зали́вать; облива́ть; 4) вытека́ть *(обыкн.* ~ out).

**sluice-gate (door)** [ˈsluːsgeɪt (dɔː)] *n* щитово́й затво́р шлю́за, шлю́зные воро́та.

**sluice-way** [ˈsluːsweɪ]=sluice 1, 2).

**slum** I [slʌm] **1.** *n (обыкн. pl)* трущо́ба; **2.** *v* посеща́ть трущо́бы *(с благотвори́тельной це́лью; обыкн.* go ~ming).

**slum** II [slʌm] *n воен. sl.* похлёбка.

**slumber** [ˈslʌmbə] **1.** *n (часто pl)* сон; дремо́та; **2.** *v* спать, дрема́ть; ☐ ~ away проспа́ть, да́ром потеря́ть вре́мя.

**slumberette** [ˌslʌmbəˈret] *n* кре́сло с откидыва́ющейся спи́нкой в самолёте *или* автобу́се.

**slumberous** [ˈslʌmbərəs] *a* 1) навева́ющий сон; 2) со́нный.

**slumber-suit** [ˈslʌmbəsjuːt] *n* пижа́ма.

**slummock** [ˈslʌmək] *v разг.* 1) жа́дно прогла́тывать; 2) говори́ть бессвя́зно, сумбу́рно.

**slump** [slʌmp] **1.** *n* 1) ре́зкое паде́ние цен, спро́са *или* интере́са; кри́зис; 2) паде́ние в во́ду *или* в грязь; 3) ополза́ние *(грунта)*; 4) *уст.* уса́дка *(бетона)*; **2.** *v* 1) ре́зко па́дать; 2) тяжело́ опуска́ться *(на стул)*; 3) *уст., диал.* прова́ливаться; терпе́ть неуда́чу.

**slung** [slʌŋ] *past и p.p. от* sling I, 2.

**slunk** [slʌŋk] *past и p.p. от* slink I.

**slur** [slɜː] **1.** *n* 1) пятно́ *(на репута́ции)*; to put a ~ (upon) опоро́чить; 2) (расплы́вшееся) пятно́; 3) *полигр.* мара́шка; 4) слия́ние *(звуков, слов)*; 5) *муз.* лега́то; **2.** *v* 1) слива́ть; глота́ть *(слова)*; 2) писа́ть неразбо́рчиво; 3) сма́зывать, стира́ть *(различие и т. п.; часто* ~ over); 4) опуска́ть, пропуска́ть; 5) *уст.* черни́ть, умаля́ть; 6) *муз.* свя́зывать но́ты.

**slurry** [ˈslɜːɪ] *n стр.* жи́дкое цеме́нтное те́сто; жи́дкая гли́на.

**slush** [slʌʃ] **1.** *n* 1) сля́коть, грязь; 2) та́лый снег; шуга́, ледяно́е са́ло; 3) *разг.* (сентимента́льный) вздор; 4) оста́тки, отбро́сы жи́ра; 5) *тех.* смесь свинцо́вых бели́л с и́звестью; 6) *тех.* защи́тное покры́тие; **2.** *v* 1) сма́зывать; 2) ока́тывать гря́зью *или* водо́й; 3) *стр.* цементи́ровать *(обыкн.* ~ up); 4) *стр.* расшива́ть швы.

**slush fund** [ˈslʌʃˈfʌnd] *n* 1) *воен., мор.* экономи́ческие су́ммы; 2) *амер.* де́ньги, предназна́ченные для взя́ток.

**slushy** [ˈslʌʃɪ] **1.** *a* 1) сля́котный; 2) *разг.* сентимента́льный; **2.** *n мор. sl.* корабе́льный по́вар, кок.

**slut** [slʌt] *n* 1) неря́ха *(о же́нщине)*; 2) *шутл.* девчо́нка; 3) су́ка.

**sluttery** [ˈslʌtərɪ] *n* неря́шество.

**sluttish** [ˈslʌtɪʃ] *a* неря́шливый.

**sly** [slaɪ] **1.** *a* 1) хи́трый, лука́вый; лицеме́рный; ~ dog челове́к, скрыва́ющий свои́ грешки́; 2) доброду́шно подшу́чивающий, ирони́ческий; ~ humour иро́ния; 3) та́йный, незако́нный, запрещённый; **2.** *n*: on the ~ тайко́м.

**slyboots** [ˈslaɪbuːts] *n шутл.* хитре́ц, плут.

**slype** [slaɪp] *n* кры́тая арка́да.

**smack** I [smæk] **1.** *n* 1) вкус; при́вкус; за́пах; при́месь; 2) немно́го еды́, глото́к питья́; **2.** *v* 1) па́хнуть, отдава́ть, отзыва́ться *(чем-л.)*; име́ть при́месь (of — *чего-л.*); 2) име́ть отдалённое схо́дство.

**smack** II [smæk] **1.** *n* 1) чмо́канье; 2) зво́нкий поцелу́й; 3) гро́мкий уда́р; зво́нкий шлепо́к; **2.** *v* 1) чмо́кать губа́ми *(тж.* ~ one's lips); 2) щёлкать *(бичо́м)*; 3) хло́пать, шлёпать; **3.** *adv разг.* 1) с тре́ском; 2) в са́мую то́чку, пря́мо.

**smack** III [smæk] *n мор.* смэк *(одномачтовое рыболо́вное судно)*.

**smacker** [ˈsmækə] *n sl.* 1) зво́нкий поцелу́й *или* шлепо́к; 2) кру́пный экземпля́р чего́-л.; 2) *амер.* до́ллар.

**small** [smɔːl] **1.** *a* 1) ма́ленький; небольшо́й; ~ boy малы́ш; ~ craft ло́дки; ~ capitals *полигр.* капите́ль; ~ tools ручно́й инструме́нт, слеса́рный инструме́нт; 2) ме́лкий; ~ change ме́лкие де́ньги, ме́лочь; *перен.* ме́лочи; ~ coal штыб, у́гольная пыль; ~ rock щёбень; 3) незначи́тельный; ма́лый, ничто́жный; he has ~ Latin он пло́хо зна́ет латы́нь; he drank a ~ whiskey он вы́пил глото́к ви́ски; in a ~ way в небольшо́м масшта́бе, скро́мно; on the ~ side бо́лее чем скро́мных разме́ров; 4) ничто́жный, жа́лкий, прини́женный; to feel ~ чу́вствовать себя́ прини́женным; чу́вствовать себя́ нело́вко; to look ~ име́ть глу́пый вид; 5) то́нкий; ~ waist то́нкая та́лия; 6) сла́бый; ~ beer *уст.* сла́бое пи́во; *перен.* пустяки́; мелюзга́, ничто́жество; to chronicle ~ beer отмеча́ть ме́лкие ме́лочи; занима́ться пустяка́ми; to think no ~ beer of oneself быть о себе́ высо́кого мне́ния; ~ voice сла́бый го́лос; 7) ме́лочный; it is ~ of you э́то ме́лко с ва́шей стороны́; 8) немногочи́сленный; 9) непродолжи́тельный; 10) небре́жный; ~ hand небре́жный, неразбо́рчивый по́черк; ◇ (and) ~ wonder (и) неудиви́тельно, нет ничего́ удиви́тельного; the ~ hours глубо́кая ночь (*время от часу до 4 часов утра*); the still ~ voice со́весть; ~ fry *шутл.* мелкота́; мелюзга́; ме́лкая со́шка; ~ potatoes а) пустяки́; б) ме́лкие люди́шки; in ~ а) в небольши́х разме́рах; б) *жив.* в миниатю́ре; ~ talk пусто́й, бессодержа́тельный, све́тский разгово́р;

2. *n* 1): ~ of the back поясни́ца; 2) *pl* = small-clothes; 3) *pl разг.* пе́рвый экза́мен на сте́пень бакала́вра (*в Оксфорде*).

**small and early** [ˈsmɔːləndˈɜːlɪ] *n* ра́но зака́нчивающаяся вечери́нка с небольши́м число́м приглашённых.

**small arms** [ˈsmɔːlˈɑːmz] *n pl* стрелко́вое ору́жие.

**small-bore** [ˈsmɔːlbɔː] *a воен.* малокали́берный.

**small-clothes** [ˈsmɔːlˌklouðz] *n pl ист.* коро́ткие штаны́ в обтя́жку.

**small holder** [ˈsmɔːlˌhouldə] *n* ме́лкий со́бственник; ме́лкий аренда́тор.

**small-minded** [ˈsmɔːlˈmaɪndɪd] *a* ме́лкий, ме́лочный.

**smallpox** [ˈsmɔːlpɔks] *n* о́спа.

**small-sword** [ˈsmɔːlsɔːd] *n* рапи́ра, шпа́га.

**small-tooth comb** [ˈsmɔːlˌtuːθˈkoum] *n* ча́стый гре́бень.

**smalt** [smɔːlt] *n* сма́льта.

**smarm** [smɑːm] *v* 1) прили́зывать, пригла́живать; 2) ублажа́ть; прислу́живаться, подли́зываться.

**smarmy** [ˈsmɑːmɪ] *a разг.* льсти́вый; еле́йный, вкра́дчивый.

**smart** [smɑːt] 1. *n* жгу́чая боль; ◇ right ~ of smth. мно́го, большо́е коли́чество чего́-л.;

2. *a* 1) ре́зкий, си́льный (*об ударе, боли*); 2) суро́вый (*о наказании*); 3) бы́стрый, прово́рный; you'd better be pretty ~ about the job с э́тим вам ну́жно поспеши́ть; to make a ~ job of it бы́стро и хорошо́ вы́полнить рабо́ту; 4) остроу́мный, нахо́дчивый; 5) ло́вкий, продувно́й; 6) щеголева́тый; наря́дный; мо́дный; the ~ set *разг.* фешене́бельное о́бщество; ◇ a ~ few *амер.* дово́льно мно́го;

3. *adv* изя́щно, щеголева́то;

4. *v* 1) испы́тывать жгу́чую боль; боле́ть; страда́ть; 2) причиня́ть жгу́чую боль; the insult ~s yet оби́да ещё жива́; □ ~ for поплати́ться за *что-л.*

**smart aleck** [ˈsmɑːtˈælɪk] *n амер. разг.* самоуве́ренный челове́к; хлыщ.

**smart-alecky** [ˈsmɑːtˈælɪkɪ] *a амер. разг.* наха́льный; развя́зно-самоуве́ренный.

**smarten** [ˈsmɑːtn] *v* 1) прихора́шивать(ся); 2) отшлифова́ть (*манеры и т. п.*).

**smart-money** [ˈsmɑːtˌmʌnɪ] *n* 1) компенса́ция за уве́чье; 2) отступны́е де́ньги; 3) штраф.

**smash** [smæʃ] 1. *n* 1) битьё вдре́безги; 2) внеза́пное паде́ние; гро́хот; 3) столкнове́ние; катастро́фа; 4) банкро́тство; 5) сокруши́тельный уда́р; 6) уда́р по мячу́ све́рху вниз, смэш (*в теннисе*);

2. *v* 1) разбива́ть(ся) вдре́безги (*часто* ~

up); 2) ста́лкиваться (into); 3) разби́ть, сокруши́ть проти́вника; 4) обанкро́титься; 5) *разг.* ударя́ть изо все́х сил; 6) ударя́ть по мячу́ све́рху вниз, гаси́ть (*в теннисе*); 7) *sl.* де́лать фальши́вые де́ньги; □ ~ in вломи́ться, ворва́ться си́лой; to ~ in a door взла́мывать дверь; ~ up разбива́ть(ся) вдре́безги;

3. *adv* с разма́ху; вдре́безги; to go (*или* to come) ~ а) вре́заться с разма́ху; б) потерпе́ть по́лный прова́л; разори́ться.

**smasher** [ˈsmæʃə] *n разг.* 1) не́что сногсшиба́тельное; 2) сокруши́тельный уда́р *или* до́вод; 3) фальшивомоне́тчик.

**smashing** [ˈsmæʃɪŋ] 1. *pres. p. om* smash 2; 2. *a* 1) сокруши́тельный; ~ blow сокруши́тельный уда́р; 2) *разг.* превосхо́дный; великоле́пный.

**smatterer** [ˈsmætərə] *n* 1) дилета́нт; 2) всезна́йка.

**smattering** [ˈsmætərɪŋ] *n* 1) пове́рхностное зна́ние; 2) *разг.* небольшо́е число́; ко́е-что́.

**smear** [smɪə] 1. *n* 1) вя́зкое *или* ли́пкое вещество́; 2) пятно́; мазо́к; 3) клевета́, бесче́стье;

2. *v* 1) ма́зать, па́чкать; 2) позо́рить, бесче́стить; 3) *амер. sl.* (раз)громи́ть; пода́вить.

**smeary** [ˈsmɪərɪ] *a* гря́зный.

**smectite** [ˈsmektaɪt] *n* сукнова́льная гли́на.

**smeech** [smiːtʃ] *n диал.* гарь, чад.

**smell** [smel] 1. *n* 1) обоня́ние; 2): to take a ~ (at) поню́хать; 3) за́пах;

2. *v* (smelt, smelled [-d]) 1) чу́вствовать за́пах, чу́ять; обоня́ть; 2) ню́хать (at); 3) па́хнуть (of); □ ~ about приню́хиваться; разню́хивать, высле́живать; ~ out разню́хать, вы́следить, учу́ять; ◇ to ~ a rat чу́ять недо́брое; подозрева́ть; to ~ powder «поню́хать по́роху»; to ~ of the lamp (*или* of the candle, of oil) быть вы́мученным (*о слоге и т. п.*).

**smeller** [ˈsmelə] *n sl.* 1) нос; 2) уда́р по́ носу; 3) не́что замеча́тельное по си́ле; 4) челове́к, су́ющий нос в чужи́е дела́.

**smelling-bottle** [ˈsmelɪŋˌbɔtl] *n* флако́н с ню́хательной со́лью.

**smelling-salts** [ˈsmelɪŋsɔːlts] *n* ню́хательная соль.

**smelly** [ˈsmelɪ] *a разг.* злово́нный.

**smelt I** [smelt] 1. *n* пла́вка, распла́вленный мета́лл;

2. *v* пла́вить (*руду*); выплавля́ть (*металл*).

**smelt II** [smelt] *n* корю́шка.

**smelt III** [smelt] *past и p.p. om* smell 2.

**smelter** [ˈsmeltə] *n* 1) сталева́р; плави́льщик; 2) плави́льня.

**smeltery** [ˈsmeltərɪ] *n* плави́льня, плави́льный заво́д.

**smew** [smjuː] *n* лу́ток (*птица*).

**smile** [smaɪl] 1. *n* 1) улы́бка; to be all ~s име́ть дово́льный вид; 2) благоволе́ние; the ~s of fortune ≅ улы́бка форту́ны;

2. *v* 1) улыба́ться; 2) выража́ть улы́бкой (*согласие и т. п.*); to ~ farewell улыбну́ться на проща́ние; 3) *амер. sl.* выпива́ть (with—с *кем-л.*); □ ~ at пренебрега́ть *чем-л.*; ~ on, ~ upon выка́зывать благо-

воле́ние; благоприя́тствовать; fortune has ~d upon him from his birth сча́стье улыба́лось ему́ с рожде́ния.

**smirch** [sməːʧ] 1. *n* пятно́;
2. *v* па́чкать, пятна́ть.

**smirk** [sməːk] 1. *n* самодово́льная, де́ланная *или* глу́пая улы́бка;
2. *v* ухмыля́ться.

**smitch** [smɪʧ] = smeech.

**smite** [smaɪt] 1. *v* (smote; smitten) 1) *поэт.*, *шутл.* ударя́ть; 2) разбива́ть; разруша́ть; to ~ (enemies) hip and thigh беспоща́дно бить (враго́в), разби́ть (врага́) на́голову; 3) *(обыкн. р. р.)* охва́тывать, поража́ть; smitten with palsy разби́тый парали́чо́м; smitten with fear охва́ченный стра́хом; he seems to be quite smitten with her он, ка́жется, без па́мяти влюблён в неё; an idea smote her её осени́ло; 4) кара́ть; нака́зывать; his conscience smote him он почу́вствовал угрызе́ния со́вести; 5) убива́ть;
2. *n разг.* 1) си́льный уда́р; 2) попы́тка.

**smith** [smɪθ] 1. *n* 1) кузне́ц; 2) меха́ник; 3) сле́сарь;
2. *v* кова́ть.

**smithereens** ['smɪðə'riːnz] *n pl* оско́лки; черепки́; to smash to *(или* into) ~ разби́ть вдре́безги.

**smithery** ['smɪθərɪ] *n* 1) кузне́чное де́ло; 2) ку́зница.

**smithy** ['smɪðɪ] *n* 1) ку́зница; 2) *амер.* накова́льня.

**smitten** ['smɪtn] *p. р. от* smite 1.

**smock** [smɔk] 1. *n* 1) де́тский хала́т; 2) = smock-frock; 3) *уст.* же́нская руба́шка;
2. *v* 1) наки́нуть *(или* набро́сить) хала́т; 2) украша́ть обо́рками.

**smock-frock** ['smɔk'frɔk] *n* холщёвый хала́т *(для работы).*

**smog** [smɔg] *n* густо́й тума́н с ды́мом и ко́потью.

**smoke** [smouk] 1. *n* 1) дым, ко́поть; 2) куре́ние; to have a ~ покури́ть; 3) *разг.* сигаре́та, папиро́са, сига́ра; 4) *редк.* пары́, испаре́ние; 5) *амер.* ви́ски; ◇ to end *(или* to go up) in ~ ко́нчиться ниче́м; like ~ а) бы́стро, момента́льно; б) с лёгкостью; there is no ~ without fire нет ды́ма без огня́; from ~ into smoke ≅ из огня́ да в по́лымя; to sell ~ занима́ться моше́нничеством;
2. *v* 1) дыми́ть(ся); 2) копти́ть *(о лампе и т. п.);* 3) кури́ть; 4) оку́ривать; 5) выку́ривать *(тж.* ~ out); 6) подверга́ть копче́нию; 7) *школ. sl.* красне́ть; 8) подозрева́ть, чу́ять; 9) обнару́живать, раскрыва́ть; 10) *уст.* дразни́ть.

**smoke-ball** ['smoukbɔːl] *n воен.* дымово́й снаря́д, дымова́я бо́мба.

**smoke-black** ['smoukblæk] *n* са́жа.

**smoke-cloud** ['smoukklaud] *n* дымово́е о́блако, дымова́я заве́са.

**smoke-consumer** ['smoukkən,sjuːmə] *n* дымопоглоща́ющее устро́йство.

**smoked** [smoukt] 1. *р.р. от* smoke 2;
2. *a* = smoke-dried.

**smoke-dried** ['smouk'draɪd] *a* копчёный.

**smoke-dry** ['smouk,draɪ] *v* копти́ть.

**smoke-ho** ['smoukhou] *n австрал. разг.* коро́ткий переры́в для куре́ния во вре́мя рабо́ты, переку́р.

**smoke-house** ['smoukhaus] *n* копти́льня.

**smokeless** ['smouklɪs] *a* безды́мный; ~ powder безды́мный по́рох.

**smoker** ['smoukə] *n* 1) кури́льщик; 2) копти́льщик; 3) = smoking-car.

**smoke-screen** ['smoukskriːn] *n воен.* дымова́я заве́са *(тж. перен.).*

**smoke-stack** ['smoukstæk] *n* дымова́я труба́.

**smoke-tube** ['smouktjuːb] *n тех.* дымога́рная труба́ *(в котле).*

**smoking-car** ['smoukɪŋ,kɑː] *n* ваго́н для куря́щих.

**smoking-carriage** ['smoukɪŋ,kærɪdʒ]=smoking-car.

**smoking-room** ['smoukɪŋ,rum] *n* кури́тельная (ко́мната).

**smoky** ['smoukɪ] *a* 1) ды́мный; закопте́лый; коптя́щий; 2) ды́мчатый.

**smolder** ['smouldə] *амер.* = smoulder.

**smooth** 1. *a* [smuːð] 1) гла́дкий, ро́вный; 2) одноро́дный; ~ paste те́сто без комко́в; 3) пла́вный, споко́йный; беспрепя́тственный; to get to ~ water вы́браться из затрудне́ний; 4) нете́рпкий *(о вине);* 5) уравнове́шенный, споко́йный; 6) вкра́дчивый, льсти́вый; 7) *sl.* о́чень прия́тный, привлека́тельный;
2. *n* [smuːð] 1) прила́живание; 2) гла́дкая пове́рхность.
3. *v* [smuːð] 1) прила́живать; сгла́живать(ся), разгла́живать(ся) *(часто* ~ out, ~ over, ~ down, ~ away); 2) смягча́ть, сма́зывать *(обыкн.* ~ over); 3) успока́ивать (-ся) *(обыкн.* ~ down); 4) *тех.* полирова́ть, шлифова́ть, лощи́ть.

**smooth-bore** ['smuːðbɔː] *n* гладкосте́нное ружьё.

**smoothfaced** ['smuːðfeɪst] *a* 1) бри́тый; 2) моложа́вый; 3) вкра́дчивый.

**smoothspoken** ['smuːð,spoukən] = smooth-tongued.

**smooth-tongued** ['smuːðtʌŋd] *a* сладкоречи́вый, льсти́вый.

**smote** [smout] *past от* smite 1.

**smother** ['smʌðə] 1. *v* 1) души́ть; 2) задохну́ться; 3) туши́ть; 4) подавля́ть *(зевок, гнев);* 5) замя́ть *(факт);* 6) гу́сто покрыва́ть; 7) оку́тывать *(дымом);* 8) уку́тывать;
2. *n уст.* 1) тле́ющая зола́; 2) густо́е о́блако ды́ма *или* пы́ли.

**smothered mate** ['smʌðəd'meɪt] *n шахм.* спёртый мат.

**smothery** ['smʌðərɪ] *a* ду́шный; удушли́вый.

**smoulder** ['smouldə] 1. *n* тле́ющий ого́нь;
2. *v* тлеть.

**smouldering** ['smouldərɪŋ] 1. *pres. p. от* smoulder 2;
2. *a* тле́ющий; раскалённый под пе́плом; ~ hatred затаённая не́нависть.

**smudge** I [smʌdʒ] 1. *n* гря́зное пятно́;
2. *v* па́чкать(ся), ма́зать(ся).

**smudge** II [smʌdʒ] 1. *n* костёр *(зажига́емый, чтобы отогна́ть насеко́мых);*
2. *v* 1) отгоня́ть ды́мом; 2) оку́ривать.

**smudgy** ['smʌdʒɪ] *a* гря́зный.

**smug** [smʌg] 1. *a* 1) опря́тный, подтя́нутый; щеголева́тый; 2) самодово́льный, ограни́ченный; 3) чо́порный.
2. *n* 1) *sl.* необщи́тельный челове́к; 2) *унив. sl.* не спортсме́н; студе́нт, отдаю́щий всё своё вре́мя заня́тиям и избега́ющий развлече́ний.

**smuggle** [ˈsmʌgl] *v* 1) занима́ться контраба́ндой; 2) протащи́ть (into); вы́тащить (out of); □ ~ away спря́тать.

**smuggler** [ˈsmʌglə] *n* контрабанди́ст.

**smut** [smʌt] 1. *n* 1) са́жа; 2) гря́зное пятно́; 3) что-л. непристо́йное; 4) *с.-х.* ржа́вчина, головня́.
2. *v* 1) па́чкать(ся) са́жей; 2) повреждáться головнёй *или* ржа́вчиной.

**smutch** [smʌtʃ] = smudge I.

**smutty** [ˈsmʌtɪ] *a* 1) гря́зный, чёрный; 2) непристо́йный; 3) *с.-х.* заражённый ржа́вчиной.

**snack** [snæk] *n* 1) лёгкая заку́ска; to have a ~ перекуси́ть на ходу́; 2) до́ля, часть; to go ~s дели́ться; ~s! чур, по́ровну!

**snack bar** [ˈsnækˈbɑː] *n* заку́сочная, буфе́т.

**snaffle I** [ˈsnæfl] *n* тре́нзель, узде́чка; ◇ to ride smb. on the ~ мя́гко управля́ть кем-л.

**snaffle II** [ˈsnæfl] *v sl.* 1) сворова́ть; стяну́ть; урва́ть; 2) пойма́ть, задержа́ть.

**snaffle-bit** [ˈsnæflbɪt] = snaffle I.

**snag** [snæg] 1. *n* 1) коря́га, топля́к (*на дне реки́*); сучо́к, пенёк; 2) обло́манный зуб; 3) препя́тствие.
2. *v* 1) налете́ть на коря́гу; 2) очища́ть от коря́г *или* от сучко́в.

**snaggy** [ˈsnægɪ] *a* 1) сучкова́тый; 2) изоби́лующий коря́гами, засорённый (*о реке́*).

**snail** [sneɪl] *n* 1) ули́тка; 2) *разг.* тихохо́д; медли́тельный челове́к; 3) *тех.* спира́ль; ◇ at the ~'s pace (*или* gallop) ≅ черепа́шьим ша́гом.

**snake** [sneɪk] *n* 1) змея́; 2) зло́бный, неблагода́рный челове́к; ◇ ~ in the grass скры́тая опа́сность; скры́тый враг; to raise (*или* to wake) ~s подня́ть сканда́л; to see ~s *разг.* ≅ допи́ться до чёртиков.

**snakebite** [ˈsneɪkbaɪt] *n* уку́с ядови́той змеи́.

**snake-charmer** [ˈsneɪkˌtʃɑːmə] *n* закли́натель змей.

**snake-headed** [ˈsneɪkˈhedɪd] *a амер.* разгне́ванный, серди́тый.

**snaky** [ˈsneɪkɪ] *a* 1) змеи́ный; 2) кишáщий зме́ями; 3) изви́листый; 4) кова́рный.

**snap** [snæp] 1. *n* 1) щёлканье; треск; 2) застёжка; защёлка; 3) сухо́е хрустя́щее пече́нье; 4) род ка́рточной игры́; 5) внеза́пное похолода́ние (*обыкн.* cold ~); 6) энерги́чность, жи́вость; 7) момента́льный сни́мок; 8) *амер. sl.* лёгкая рабо́та (*обыкн.* soft ~); 9) *тех.* зажи́м, клéмма; обжи́мка (*клепа́льная*); 10) *attr.* поспе́шный; неожи́данный, без предупрежде́ния (*особ. о голосова́нии в парла́менте*); 11) *амер. sl.* просто́й, лёгкий; ◇ not a ~ ниско́лько; ничу́ть.
2. *v* 1) щёлкать (*чем-л.*); the pistol ~ped пистоле́т дал осе́чку; 2) защёлкивать(ся) (*тж.* ~ to); 3) ца́пнуть, укуси́ть (at); 4) огрыза́ться (at); 5) ухвати́ться

(at—за *предложе́ние и т. п.*); 6) слома́ть(-ся), порва́ть(ся); 7) де́лать момента́льный сни́мок; □ ~ off а) отлома́ться; б) откуси́ть; ~ out отрéзать; ~ to защёлкивать(ся); ~ up а) подхвати́ть, перехвати́ть; б) ре́зко останов́ить, переби́ть (*говоря́щего*); ◇ to ~ one's fingers at smb. игнори́ровать, «плева́ть» на кого́-л.; to ~ off smb.'s nose (*или* head) оборва́ть кого́-л.; огрызну́ться, ре́зко отве́тить кому́-л.; to ~ into it *амер. sl.* бро́ситься бежа́ть; to ~ out of it *амер. sl.* отде́латься от привы́чки; освободи́ться (от дурно́го настрое́ния *и т. п.*);
3. *adv* внеза́пно, с тре́ском; ~ went an oaг весло́ с тре́ском слома́лось.

**snap-beans** [ˈsnæpbiːnz] *n pl* ло́мкая фасо́ль.

**snapdragon** [ˈsnæpˌdrægən] *n* 1) *бот.* льви́ный зев; 2) рожде́ственская игра́, в кото́рой хвата́ют изю́минки с блю́да с горя́щим спи́ртом.

**snappish** [ˈsnæpɪʃ] *a* 1) куса́ющийся; 2) раздражи́тельный, приди́рчивый.

**snappy** [ˈsnæpɪ] *a* 1) = snappish; 2) живо́й, энерги́чный; 3) *разг.* мо́дный, щегольско́й.

**snap-roll** [ˈsnæproul] *n ав.* бо́чка.

**snap shot** [ˈsnæpˈʃɔt] *n* вы́стрел без прице́ла.

**snapshot** [ˈsnæpʃɔt] 1. *n* момента́льный сни́мок;
2. *v* де́лать момента́льный сни́мок.

**snare** [snɛə] *n* 1) сило́к, западня́, лову́шка;
2. *v* пойма́ть в лову́шку.

**snarl I** [snɑːl] 1. *n* 1) рыча́ние; 2) ворча́ние;
2. *v* 1) рыча́ть; огрыза́ться; 2) серди́то ворча́ть.

**snarl II** [snɑːl] 1. *n* 1) спу́танные ни́тки, клубо́к; 2) *амер.* пу́таница, беспоря́док;
2. *v* 1) сме́шивать, спу́тывать; 2) *амер.* приводи́ть в беспоря́док.

**snatch** [snætʃ] 1. *n* 1) хвата́ние; to make a ~ at smth. пыта́ться схвати́ть что-л.; 2) обры́вок; 3) (*обыкн. pl*) коро́ткий промежу́ток (*вре́мени*); to work in (*или* by) ~es рабо́тать уры́вками;
2. *v* 1) хвата́ть(ся); урыва́ть; ухвати́ть(-ся) (at); 2) срыва́ть; вырыва́ть; 3) протя́гивать ру́ки, что́бы схвати́ть что-л.

**snatchy** [ˈsnætʃɪ] *a* отры́вистый; отры́вочный.

**snath** [snæθ] *n* косови́ще.

**snathe** [sneɪð] = snath.

**sneak** [sniːk] 1. *n* 1) трус; подле́ц; 2) *шко́л. sl.* я́бедник, фиска́л; 3) *sl.* вори́шка; 4) бро́шенный по земле́ мяч (*в криќете*).
2. *v* 1) кра́сться; to ~ out of danger ускользну́ть от опа́сности; 2) *шко́л. sl.* я́бедничать, фиска́лить; 3) *sl.* стащи́ть, укра́сть.

**sneakers** [ˈsniːkəz] *n pl* та́почки, ту́фли на рези́новой подо́шве; те́ннисные ту́фли.

**sneaking** [ˈsniːkɪŋ] 1. *pres. p. от* sneak 2;
2. *a* 1) по́длый; 2) та́йный; 3) необъясни́мый (*о чу́встве*).

**sneaky** [ˈsniːkɪ] *a* трусли́вый; по́длый.

**sneck** [snek] *шотл.* 1. *n* задви́жка, запо́р;
2. *v* запира́ть.

**sneer** [snɪə] 1. *n* 1) усмéшка; 2) насмéшка; глумлéние;
2. *v* 1) усмехáться; 2) насмéшливо улыбáться; насмехáться, глумиться (at — над).

**sneering** ['snɪərɪŋ] 1. *pres. p. от* sneer 2;
2. *a* насмéшливый.

**sneeze** [sniːz] 1. *n* чихáнье;
2. *v* чихáть; ◇ he is not to be ~d at с ним нáдо считáться; to ~ into a basket *эвф.* быть гильотинированным.

**sneezing gas** ['sniːzɪŋ'gæs] *n воен.* чихáтельное отравляющее веществó.

**snick** [snɪk] 1. *n* надрéз, зарýбка;
2. *v* слегкá надрéзать; ◇ to ~ and snee дрáться на ножáх и шпáгах.

**snicker** ['snɪkə] 1. *n* 1) ржáние; 2) хихиканье, смешóк;
2. *v* 1) тихо ржать; 2) хихикать.

**snickersnee** ['snɪkə'sniː] *n шутл.* длинный нож, кинжáл.

**snide** [snaɪd] *sl.* 1. *n* фальшивая драгоцéнность *или* монéта;
2. *a* фальшивый.

**snidesman** ['snaɪdzmən] *n sl.* фальшивомонéтчик.

**sniff** [snɪf] 1. *n* 1) сопéние; 2) (презрительное) фыркание; 3) вдох нóсом;
2. *v* 1) сопéть; 2) (презрительно) фыркать; 3) вдыхáть нóсом; 4) нюхать, чýять.

**sniffy** ['snɪfɪ] *a разг.* 1) фыркающий, презрительный; 2) подпáхивающий.

**snifter** ['snɪftə] *n* 1) сильный удáр; 2) *pl* нáсморк; 3) глубóкий вздох; 4) *sl.* глотóк спиртнóго; 5) *sl.* бокáл с винóм.

**snifting-valve** ['snɪftɪŋvælv] *n* всáсывающий *или* фыркающий клáпан.

**snigger** ['snɪgə] 1. *n* хихиканье, подáвленный смешóк;
2. *v* хихикать.

**sniggle** ['snɪgl] *v* ловить угрéй.

**snip** [snɪp] 1. *n* 1) надрéз; 2) обрéзок; кусóк; 3) *разг.* портнóй; 4) *pl* нóжницы (*для металла, проволоки*); 5) *sl.* пóлная увéренность (*на скачках*);
2. *v* рéзать (нóжницами).

**snipe** [snaɪp] 1. *n* 1) (*pl без измен.*) бекáс; great (*или* double) ~ дýпель; half ~ гáршнеп; 2) простофиля; 3) *амер. sl.* окýрок;
2. *v* 1) стрелять бекáсов; 2) *воен.* стрелять из укрытия.

**sniper** ['snaɪpə] *n* мéткий стрелóк, снáйпер.

**snipper** ['snɪpə] *n* 1) портнóй; 2) *воен.* рéзчик прóволоки.

**snipper-snapper** ['snɪpə'snæpə] *n* нестóящий человéк, надýтое ничтóжество.

**snippet** ['snɪpɪt] *n* 1) отрéзок; лоскýт; 2) *pl* обрывки (свéдений *и т. п.*).

**snippy** ['snɪpɪ] *a* 1) обрывочный; крáткий; 2) *диал.* скупóй, мéлочный; 3) *разг.* надмéнный, вáжничающий; 4) раздражительный.

**snip-snap-snorum** [,snɪp,snæp'snɔːrəm] *n* род кáрточной игры.

**snitch** [snɪtʃ] *v sl.* 1) укрáсть, стащить; 2) ябедничать, доносить.

**snivel** ['snɪvl] 1. *n* 1) хныканье; 2) лицемéрная болтовня; 3) сóпли;
2. *v* 1) хныкать, плáкаться; 2) притвóрно раскáиваться; 3) пускáть сóпли.

**snob** [snɔb] *n* сноб.

**snobbery** ['snɔbərɪ] *n* снобизм.

**snood** [snuːd] *n шотл., поэт.* лéнта (*на голове*); сéтка (*для волос*).

**snook** [snuːk] *n sl.* нос; to cock (*или* to make, to cut) a ~ (*или* ~s) at smb. показáть длинный нос комý-л.

**snooker** ['snuːkə] *n* вид бильярдной игры.

**snoop** [snuːp] *амер. разг.* 1. *n* человéк, вéчно сýющий нос не в своё дéло;
2. *v* совáть нос в чужие делá.

**snoopy** ['snuːpɪ] *a амер. разг.* навязчивый, назóйливый.

**snoot** [snuːt] *разг.* 1. *n* 1) = snout 1); 2) = snout 2); 3) гримáса; to make a ~ гримáсничать;
2. *v* гримáсничать.

**snooty** ['snuːtɪ] *a разг.* презрительный, высокомéрный.

**snooze** [snuːz] *разг.* 1. *n* корóткий сон (*днём*);
2. *v* вздремнýть.

**snore** [snɔː] 1. *n* храп;
2. *v* храпéть.

**snore-piece** ['snɔːpiːs] *n* храпóк, всáсывающая трубá насóса.

**snort** [snɔːt] 1. *n* фыркание; храпéние;
2. *v* фыркать; храпéть; 2) пыхтéть (*о машине*).

**snorter** ['snɔːtə] *n разг.* 1) нéчто сногсшибáтельное, óчень шýмное, большóе *и т. п.*; 2) сильный шторм.

**snorting** ['snɔːtɪŋ] 1. *pres. p. от* snort 2;
2. *a* необыкновéнный, сногсшибáтельный.

**snot** [snɔt] *n груб.* сóпли.

**snot-rag** ['snɔtræg] *n груб.* носовóй платóк.

**snotty** ['snɔtɪ] 1. *a груб.* 1) сопливый; 2) противный;
2. *n мор. sl.* корабéльный гардемарин, корабéльный курсáнт.

**snout** [snaut] *n* 1) рыло; мóрда; 2) *пренебр.* нос; 3) *тех.* сопло, дýльце, мундштýк.

**snow I** [snou] 1. *n* 1) снег; to be caught in the ~ попáсть в сильные занóсы в метéль; 2) *поэт.* белизнá; седина; 3) *sl* кокаин; 4) *attr.* снéжный;
2. *v* 1) (*в безл. оборотах*): it ~s, it is ~ing идёт снег; 2) сыпаться (как снег); 3) (*обыкн. р. р.*) заносить снéгом (*часто* ~ up, ~ in, ~ under); □ ~ under *амер.* провалить (*огрóмным большинствóм*).

**snow II** [snou] *n мор. ист.* снóу, брɪɡ с грот-трисéлем.

**snowball** ['snoubɔːl] 1. *n* 1) снежóк, снéжный ком; 2) дéнежный сбор, при котóром кáждый учáстник обязуется привлéчь ещё нéскольких учáстников;
2. *v* игрáть в снежки.

**snow-bank** ['snoubæŋk] *n* снéжный занóс, сугрóб.

**snow-bird** ['snoubəd] *n* 1) пýночка (*птица*); 2) рябинник (*птица*); 3) *sl.* кокаинист.

**snow-blind** ['snou'blaɪnd] *a* ослеплённый сверкáющим снéгом.

**snow-boots** ['snoubu:ts] *n pl* сукóнные бóты.

**snow-bound** ['snoubaund] *a* 1) заснежённый, занесённый снéгом; 2) задéржанный снéжными занóсами.

**snow-break** ['snoubreik] *n* 1) óттепель; тáяние снéга; 2) снегозащи́тное заграждéние (*у шоссе, полотна железной дороги*).

**snow-broth** ['snoubrɔθ] *n* 1) снéжная сля́коть; 2) *амер.* си́льно охлаждённый спиртнóй напи́ток.

**snowbunny** ['snou‚bʌnı] *n* неóпытная лы́жница.

**snow-capped** ['snoukæpt] *a* покры́тый снéгом (*о горах*).

**snow-drift** ['snoudrıft] *n* снéжный сугрóб.

**snowdrop** ['snoudrɔp] *n бот.* подснéжник (снеговóй).

**snow-fall** ['snoufɔ:l] *n* снегопáд.

**snow-fence** ['snoufens] *n ж.-д.* снегозащи́тное заграждéние.

**snow-flake** ['snoufleik] *n* снежи́нка; *pl* хлóпья снéга.

**snow man** ['snou'mæn] *n* ≅ снéжная бáба.

**snowman** ['snoumən] *n* снéжный человéк.

**snow-plough** ['snou'plau] *n* 1) снеговóй плуг; снегоочисти́тель; 2) *спорт.* «плуг».

**snow-shoes** ['snouʃuːz] *n pl* 1) снегостýпы; 2) *редк.* лы́жи.

**snow-slide** ['snouslaid] = snow-slip.

**snow-slip** ['snouslıp] *n* лави́на.

**snow-storm** ['snoustɔːm] *n* метéль, бурáн.

**snow-white** ['snou'wait] *a* белоснéжный.

**snowy** ['snouı] *a* 1) снéжный, покры́тый снéгом; 2) белоснéжный.

**snub I** [snʌb] **1.** *n* 1) пренебрежи́тельное обхождéние; 2) вы́говор; 3) внезáпная останóвка;
**2.** *v* 1) осади́ть, обрéзать; уни́зить; 2) дéлать вы́говор, отчи́тывать; 3) *тех., мор.* крýто застопóрить; погаси́ть инéрцию хóда.

**snub II** [snʌb] *a* вздёрнутый (*о носе*).

**snub-nosed** ['snʌbnouzd] *a* курнóсый.

**snuff I** [snʌf] **1.** *n* 1) нюхательный табáк *или* порошóк; 2) понюшка; to take ~ ню́хать табáк; ◇ he is up to ~ *sl.* егó не проведёшь;
**2.** *v* 1) вдыхáть; 2) нюхать (*табак*).

**snuff II** [snʌf] **1.** *n* нагáр на свечé;
**2.** *v* снимáть нагáр (*со свечи*); ☐ ~ out *a*) потуши́ть (*свечу*); *б*) *sl.* разру́шить; подави́ть; *в*) *sl.* умерéть.

**snuff-box** ['snʌfbɔks] *n* табакéрка.

**snuff-colour** ['snʌf‚kʌlə] *n* табáчный цвет.

**snuffer** ['snʌfə] *n* тот, кто нюхает табáк.

**snuffers** ['snʌfəz] *n pl* щипцы́ (*для снятия нагара*).

**snuffle** ['snʌfl] **1.** *n* 1) сопéние; 2) гнуса́вость; 3) (the ~s) *pl* нáсморк;
**2.** *v* 1) сопéть; 2) говори́ть в нос, гнуса́вить.

**snuffle valve** ['snʌfl'vælv] *n тех.* выдувнóй *или* фы́ркающий клáпан.

**snuffy** ['snʌfı] *a* 1) пожелтéвший от ню́хательного табака́; 2) *разг.* серди́тый; неприя́тный.

**snug** [snʌg] **1.** *a* 1) уютный; удóбный; 2) аккурáтный, чи́стый; 3) достáточный;

a ~ income прили́чный дохóд; 4) плóтно лежáщий, прилегáющий; 5) скры́тый, укры́тый; ◇ to be as ~ as a bug in a rug óчень уютно устрóиться;
**2.** *v* приводи́ть в поря́док, придавáть уют; устрáивать уютно, удóбно.

**snuggery** ['snʌgərı] *n* уютная кóмната.

**snuggle** ['snʌgl] *v* прижáть(ся), уютно устрóить(ся), укýтать(ся), сверну́ться.

**so** [sou] **1.** *adv* 1) так, таки́м óбразом; if so! раз так!; is that so? рáзве?; 2) тóже, тáкже; you are young and so am I вы мóлоды и я тóже; 3) так, настóлько; why are you so late? почему́ вы так опоздáли?; 4) итáк; so you are back итáк, вы верну́лись; 5) поэ́тому, таки́м óбразом; так что; I was ill and so I could not come я был бóлен, поэ́тому и не мог прийти́; 6) *употр. для усиления*: why so? почему́?; how so? как так?; 7): or so (*после указания количества*) приблизи́тельно, óколо э́того; he must be forty or so ему́ лет сóрок и́ли чтó-то в э́том рóде; ☐ so as, so that с тем чтóбы; I tell you that so as to avoid trouble я предупреждáю вас об э́том, с тем чтобы избежáть неприя́тностей; so far as настóлько, нáсколько; so far as I know нáсколько мне извéстно; ◇ so be it быть по сему́; so far до сих пóр; пока́; so much for that довóльно (говори́ть) об э́том; so that's that *разг.* тáк-то вот; so to say так сказáть; and so on, and so forth и так дáлее, и тому́ подóбное;
**2.** *pron* so; так; I don't think so я не ду́маю; ◇ you don't say so не мóжет быть;
**3.** *cj уст.* éсли тóлько; so it be done, it matters not how лишь бы э́то бы́ло сдéлано, невáжно как;
**4.** *int* так!, лáдно!

**soak** [souk] **1.** *n* 1) промáчивание, мóчка; to give a ~ вы́мочить; 2) впи́тывание, всáсывание; 3) *разг.* проливнóй дождь; 4) *разг.* вы́пивка; 5) *разг.* пья́ница; 6) *sl.* заклáд; to put in ~ отдавáть в заклáд; 7) *амер. sl.* си́льный удáр;
**2.** *v* 1) впи́тывать(ся), всáсывать(ся) (*тж.* ~ up, ~ in); 2) пропи́тывать(ся); погружáть в жи́дкость; промáчивать насквóзь (*о дожде*); to ~ oneself in a subject тщáтельно изучи́ть предмéт; 3) просáчиваться; 4) *разг.* пья́нствовать; 5) *sl.* выкáчивать дéньги (*с помощью высоких цен, налогов и т. п.*); 6) *sl.* отдавáть в заклáд; 7) *амер. sl.* отколоти́ть, отду́ть.

**soaker** ['soukə] *n разг.* 1) проливнóй дождь; 2) пья́ница.

**so-and-so** ['souənsou] **1.** *n* тако́й-то (*вместо имени*);
**2.** *adv* тáк-то.  К

**soap** [soup] **1.** *n* 1) мы́ло; Castille ~ марсéльское мы́ло; 2) *разг.* лесть; 3) *амер. sl.* дéньги; взя́тка; ◇ to wash one's hands in invisible ~ потирáть ру́ки; по ~ *sl.* не пойдёт;
**2.** *v* 1) намы́ливать; мыть(ся) мы́лом; 2) *разг.* льсти́ть.

**soap-boiler** ['soup‚bɔılə] *n* мыловáр.

**soap-box** ['soupbɔks] *n* 1) я́щик для мы́ла; 2) импровизи́рованная трибу́на; 3) *attr.*: ~ orator = soapboxer.

**soapboxer** ['soup͵bɔksə] *n амер.* у́личный ора́тор.

**soap-bubble** ['soup͵bʌbl] *n* мы́льный пузы́рь.

**soap opera** ['soup͵ɔpərə] *n амер. разг.* рекла́мная радиопостано́вка (*для дома́шних хозя́ек*).

**soap-stone** ['soupstoun] *n* мы́льный ка́мень.

**soap-suds** ['soupsʌdz] *n pl* мы́льная пе́на, обмы́лки.

**soap-works** ['soupwɜːks] *n pl* (*употр. как sing и как pl*) мылова́ренный заво́д.

**soapy** ['soupɪ] *a* 1) мы́льный; 2) *разг.* еле́йный, вкра́дчивый.

**soar** [sɔː] *v* 1) пари́ть, высоко́ лета́ть; поднима́ться ввысь; 2) (стреми́тельно) повыша́ться; поднима́ться (*выше обы́чного у́ровня*); 3) *ав.* плани́ровать.

**soaring** ['sɔːrɪŋ] 1. *pres. p. от* soar; 2. *n ав.* паре́ние, паря́щий полёт (*тж.* ~ flight);
3. *a* 1) паря́щий; летя́щий ввысь; 2) высо́кий, вы́ше обы́чного у́ровня.

**s-o-b** [sɔb] *n* (*pl* s-o-b's) (*сокр. от* son of a bitch) *амер. разг.* су́кин сын.

**sob** [sɔb] 1. *n* рыда́ние; всхли́пывание; 2. *v* рыда́ть; всхли́пывать.

**sober** ['soubə] 1. *a* 1) тре́звый; 2) уме́ренный; 3) рассуди́тельный; здра́вый; 4) споко́йный (*о кра́сках*); ◇ as ~ as a judge абсолю́тно тре́звый;
2. *v* вытрезвля́ть(ся); отрезвля́ть (*тж. перен.*).

**sober-blooded** ['soubə'blʌdɪd] *a* споко́йный, хладнокро́вный.

**sober-minded** ['soubə'maɪndɪd] *a* уравнове́шенный.

**sober-sides** ['soubəsaɪdz] *n разг.* степе́нный челове́к.

**sobriety** [sou'braɪətɪ] *n* 1) тре́звость; 2) уме́ренность; 3) здра́вость, уравнове́шенность.

**sobriquet** ['soubrɪkeɪ] *фр. n* прозва́ние, про́звище, кли́чка.

**sob-sister** ['sɔb͵sɪstə] *n амер.* писа́тельница сентимента́льно-сенсацио́нных стате́й, расска́зов.

**sob-stuff** ['sɔbstʌf] *n амер.* сентимента́льщина.

**so-called** ['sou'kɔːld] *a* так называ́емый.

**soccer** ['sɔkə] = socker.

**sociability** [͵souʃə'bɪlɪtɪ] *n* общи́тельность.

**sociable** ['souʃəbl] 1. *a* 1) общи́тельный; 2) дру́жеский (*о встре́че и т. п.*);
2. *n* 1) откры́тый экипа́ж с боковы́ми сиде́ньями друг про́тив дру́га; 2) трёхколёсный велосипе́д с двумя́ сиде́ньями; 3) козе́тка; 4) *амер. разг.* вечери́нка.

**social** ['souʃəl] 1. *a* 1) обще́ственный; социа́льный; ~ science социоло́гия; ~ security a) социа́льное страхова́ние; б) социа́льное обеспе́чение; ~ welfare a) социа́льное обеспе́чение; б) патрона́ж (*с благотвори́тельными и воспита́тельными целя́ми*); ~ evil проститу́ция; 2) общи́тельный; 3) све́тский; ~ evening вечери́нка;
2. *n* 1) обще́ственное собра́ние; 2) *разг.* вечери́нка.

**social democracy** ['souʃəldɪ'mɔkrəsɪ] *n* социа́л-демокра́тия.

**social democrat** ['souʃəl'deməkræt] *n* социа́л-демокра́т.

**social democratic** ['souʃəl͵demə'krætɪk] *a* социа́л-демократи́ческий.

**socialism** ['souʃəlɪzəm] *n* социали́зм.

**socialist** ['souʃəlɪst] 1. *n* социали́ст; 2. *a* социалисти́ческий; ~ emulation социалисти́ческое соревнова́ние; ~ revolution социалисти́ческая револю́ция.

**socialistic** [͵souʃə'lɪstɪk] *a* социалисти́ческий.

**socialite** ['souʃəlaɪt] *n амер. разг.* лицо́, занима́ющее ви́дное положе́ние в о́бществе.

**sociality** [͵souʃɪ'ælɪtɪ] *n* 1) обще́ственность; обще́ственный хара́ктер; обще́ственный инсти́нкт; 2) общи́тельность.

**socialization** [͵souʃəlaɪ'zeɪʃən] *n* обобществле́ние, социализа́ция.

**socialize** ['souʃəlaɪz] *v* 1) обобществля́ть, социализи́ровать; 2) обща́ться.

**socially** ['souʃəlɪ] *adv* 1) социа́льно; ~ necessary labour time *эк.* обще́ственно необходи́мое рабо́чее вре́мя; 2) в о́бществе; 3) приве́тливо.

**society** [sə'saɪətɪ] *n* 1) о́бщество; socialist ~ социалисти́ческое о́бщество; 2) обще́ственность; 3) свет, све́тское о́бщество; 4) о́бщество, объедине́ние, организа́ция; 5) *attr.* све́тский; ◇ S. of Jesus иезуи́ты.

**sociologist** [͵sousɪ'ɔlədʒɪst] *n* социо́лог.

**sociology** [͵sousɪ'ɔlədʒɪ] *n* социоло́гия.

**sock** I [sɔk] *n* 1) носо́к; 2) стелька; 3) *ист.* санда́лия коми́ческого актёра (*в гре́ческом теа́тре*); ◇ the buskin and the ~ траге́дия и коме́дия.

**sock** II [sɔk] *sl.* 1. *n* уда́р; to give one ~(s) вздуть кого́-л.;
2. *v* швырну́ть (at—в); хвати́ть, уда́рить (*ка́мнем*);
3. *adv* с разма́ху, пря́мо.

**sock** III [sɔk] *n школ. sl.* еда́, *особ.* сла́дкое, сла́дости.

**sock** IV [sɔk] *n с.-х.* ле́мех, со́шник.

**sockdolager, sockdologer** [sɔk'dɔlədʒə] *n амер. sl.* 1) реша́ющий уда́р *или* до́вод; 2) не́что огро́мное.

**socker** ['sɔkə] *n* футбо́л.

**socket** ['sɔkɪt] *n* 1) впа́дина; углубле́ние; гнездо́; 2) патро́н (*электри́ческой ла́мпы*); розе́тка; 3) *тех.* му́фта, растру́б, па́трубок.

**socket-joint** ['sɔkɪtdʒɔɪnt] *n тех.* шарни́рное соедине́ние.

**socle** ['sɔkl] *n* 1) цо́коль, ту́мба, пьедеста́л; 2) плинтус.

**sod** I [sɔd] 1. *n* 1) дёрн; дерни́на; 2) *поэт.* земля́; under the ~ в моги́ле;
2. *v* обкла́дывать дёрном.

**sod** II [sɔd] *past om* seethe.

**sod** III [sɔd] *груб. см.* sodomite.

**soda** ['soudə] *n* 1) со́да, углеки́слый на́трий; 2) со́довая вода́.

**soda biscuit** ['soudə'bɪskɪt] *n* пече́нье на со́де.

**soda-fountain** ['soudə͵fauntɪn] *n* сатура́тор, теле́жка с сатура́тором для прода́жи газиро́ванной воды́; сто́йка, где продаётся газиро́ваннaя вода́.

**soda jerk(er)** ['soudə'dʒɜːk(ə)] *n* продавец газированной воды.
**sodality** [sou'dælıtı] *n* братство, община.
**soda-water** ['soudə,wɔːtə] = soda 2).
**sodden** I ['sɔdn] 1. *a* 1) промокший, пропитанный; 2) непропечённый, сырой (*о хлебе*); 3) отупевший (*от усталости, пьянства*); 2. *v* пропитывать(ся); мокнуть.
**sodden** II ['sɔdn] *p. p. от* seethe.
**sodium** ['soudjəm] *n хим.* натрий.
**sodomite** ['sɔdəmaıt] *n* педераст, гомосексуалист.
**sodomy** ['sɔdəmı] *n* педерастия.
**soever** [sou'evə] *adv* 1) любым способом; 2) *присоединяясь к словам* who, what, when, how, *служит для усиления*: in what place ~ где бы то ни было.
**sofa** ['soufə] *n* софа, диван.
**sofa bed** ['soufə'bed] *n* диван-кровать.
**soffit** ['sɔfıt] *n архит.* соффит.
**soft** [sɔft] 1. *a* 1) мягкий; ~ palate заднее (*или* мягкое) нёбо; 2) нежный; тихий (*о звуке*); ~ nothings комплименты, нежности; ~ things (*или* words) нежности; 3) приятный; 4) отзывчивый, кроткий; 5) влюблённый (*о взгляде*); 6) неустойчивый; легко поддающийся влиянию; 7) дряблый, изнеженный; 8) слабый, слабого здоровья; 9) неяркий (*о цвете и т. п.*); 10) мягкий (*о линии*); неконтрастный (*о фотоснимке*); 11) дождливый, сырой (*о погоде*); а ~ day сырой, но тёплый день; а ~ breeze тёплый влажный ветерок; 12) *разг.* слабоумный, придурковатый; 13) *разг.* лёгкий; ~ thing, *амер.* ~ snap лёгкая работа; 14) *разг.* безалкогольный (*о напитках*); 15) *фон.* палатализованный, смягчённый; 16) *тех.* ковкий; гибкий; ◇ ~ corn мокнущая мозоль; to boil an egg ~ варить яйцо всмятку; ~er sex слабый пол;
2. *n* придурковатый человек;
3. *adv* мягко, тихо; to lie ~ лежать на мягкой постели;
4. *int* тише!, тихонько!
**soften** ['sɔfn] *v* 1) смягчать(ся); 2) *воен.* ослаблять сопротивление противника (*тж.* ~ up).
**softening** ['sɔfnıŋ] 1. *pres. p. от* soften; 2. *n* 1) смягчение; 2) *фон.* палатализация; ◇ ~ of the brain размягчение мозга.
**soft goods** ['sɔft'gudz] *n pl* текстильные изделия.
**softhead** ['sɔfthed] *n* дурачок, придурковатый человек.
**soft-headed** ['sɔft,hedıd] *a* придурковатый.
**softhearted** ['sɔft'hɑːtıd] *a* мягкосердечный, отзывчивый.
**soft money** ['sɔft'mʌnı] *n амер. разг.* бумажные деньги.
**soft pedal** ['sɔft'pedl] *n* 1) *муз.* педаль; 2) *sl.* запрет, ограничение.
**soft-pedal** ['sɔft'pedl] *v* 1) *муз.* нажимать на педаль; 2) *sl.* смягчать.
**soft sawder** ['sɔft'sɔːdə] *n* лесть, комплименты.
**soft soap** ['sɔft'soup] 1. *n* 1) мягкое, жидкое мыло; зелёное мыло; 2) *разг.* лесть; 2. *v* 1) мыть жидким мылом; 2) *разг.* льстить.

**soft-spoken** ['sɔft,spoukən] *a* 1) произнесённый тихо; 2) сладкоречивый.
**softwood** ['sɔftwud] *n* мягкая древесина.
**softy** ['sɔftı] *n разг.* 1) дурак; 2) слабый человек.
**soggy** ['sɔgı] *a* 1) сырой, мокрый, пропитанный водой; 2) *амер. ав.* трудно управляемый.
**soil** I [sɔıl] *n* почва, земля; one's native ~ родина.
**soil** II [sɔıl] 1. *n* грязь; пятно; 2. *v* пачкать(ся), грязнить(ся); *перен.* запятнать; to ~ one's hands with smth. марать руки чем-л.
**soil** III [sɔıl] *v* кормить свежескошенной травой.
**soilage** ['sɔılıdʒ] *n* корм из свежескошенной травы.
**soilless** ['sɔıllıs] *a* незапятнанный.
**soil-pipe** ['sɔılpaıp] *n* канализационная труба.
**soirée** ['swɑːreı] *фр. n* вечеринка.
**sojourn** ['sɔdʒəːn] 1. *n* (временное) пребывание.
2. *v* (временно) жить, проживать.
**Sol** [sɔl] *n шутл.* солнце.
**sol** I [sɔl] *n муз.* соль.
**sol** II [sɔl] *n хим.* золь.
**sol** III [sɔl] *n* соль (*денежная единица Перу*).
**solace** ['sɔləs] 1. *n* утешение;
2. *v* утешать; развлекать.
**solan(-goose)** ['soulən(guːs)] *n* олуша, глупыш (*морская птица*).
**solar** ['soulə] *a* солнечный; ◇ ~ plexus *анат.* солнечное сплетение.
**solaria** [sou'lɛərıə] *pl от* solarium.
**solarium** [sou'lɛərıəm] *лат. n* (*pl* -ria) солярий.
**solarize** ['souləraız] *v* 1) подвергать воздействию солнца; 2) *фото* передержать.
**solatia** [sou'leıʃjə] *pl от* solatium.
**solatium** [sou'leıʃjəm] *лат. n* (*pl* -tia) возмещение, компенсация.
**sold** [sould] *past u p.p. от* sell 1.
**solder** ['sɔldə] 1. *n* припой (*обыкн.* мягкий);
2. *v* паять, спаивать.
**soldering-iron** ['sɔldərıŋ,aıən] *n* паяльник.
**soldi** ['sɔldiː] *pl от* soldo.
**soldier** ['souldʒə] 1. *n* 1) солдат; рядовой; to go for a ~ *разг.* поступить в армию; to play at ~s играть в солдатики; 2) военный; 3) воин; 4) полководец; 5) *sl.* копчёная селёдка; ◇ ~ of fortune наёмник; кондотьер; old ~ a) бывалый человек; to come the old ~ over командовать (*кем-л.*) на правах опытного человека; б) пустая бутылка; в) окурок;
2. *v* 1) служить в армии; 2) чистить (*снаряжение*); 3) увиливать от работы; притворяться больным.
**soldier crab** ['souldʒə'kræb] *n* рак-отшельник.
**soldierlike** ['souldʒəlaık] = soldierly.
**soldierly** ['souldʒəlı] *a* 1) воинский; с военной выправкой; 2) воинственный; храбрый; решительный.

**soldiership** [ˈsouldʒəʃɪp] n военное искусство.

**soldiery** [ˈsouldʒərɪ] n собир. солдаты; военные.

**soldo** [ˈsɔldou] n (pl -di) сольдо (итальянская монета, равная ¹/₂₀ лиры).

**sole I** [soul] 1. n 1) подошва; 2) подмётка; 3) нижняя часть; 4) тех. дно, лёжень, пята, основание;
2. v ставить подмётку.

**sole II** [soul] n морской язык (рыба).

**sole III** [soul] a 1) единственный; 2) исключительный; 3) уст., поэт. одинокий; уединённый; ◇ ~ weight собственный вес.

**solecism** [ˈsɔlɪsɪzəm] n 1) солецизм, грамматическая ошибка; 2) нарушение приличий.

**solely** [ˈsoullɪ] adv единственно; только, исключительно.

**solemn** [ˈsɔləm] a 1) торжественный; on ~ occasions в торжественных случаях; 2) важный; серьёзный; 3) формальный; законный; отвечающий всем требованиям закона; to take a ~ oath торжественно поклясться; 4) тёмный, мрачный; ◇ ~ fool напыщенный дурак.

**solemnity** [sɔˈlemnɪtɪ] n 1) торжественность; 2) важность, серьёзность; 3) (обыкн. pl) торжество, торжественная церемония; 4) юр. формальность.

**solemnization** [ˈsɔləmnaɪˈzeɪʃən] n празднование.

**solemnize** [ˈsɔləmnaɪz] v 1) праздновать; торжественно отмечать; 2) придавать серьёзность, торжественность.

**solenoid** [ˈsoulɪnɔɪd] n эл. соленоид.

**sol-fa** [sɔlˈfɑ] муз. 1. n сольфеджио; 2. v петь сольфеджио.

**soli** [ˈsouliː] pl от solo.

**solicit** [səˈlɪsɪt] v 1) просить, упрашивать; выпрашивать; 2) требовать, ходатайствовать; 3) приставать (к мужчине на улице).

**solicitation** [sə‚lɪsɪˈteɪʃən] n 1) настойчивая просьба, ходатайство; 2) приставание (на улице).

**solicitor** [səˈlɪsɪtə] n 1) стряпчий (дающий советы клиентам и подготовляющий дела для адвоката, но имеющий право выступать только в низших судах); поверенный; 2) амер. агент фирмы, домогающийся заказов; 3) проситель, ходатай.

**Solicitor-General** [səˈlɪsɪtəˈdʒenərəl] n 1) заместитель министра юстиции, защищающий интересы государства в судебных процессах; 2) амер. главный прокурор (некоторых штатов).

**solicitous** [səˈlɪsɪtəs] a 1) полный желания (сделать что-л.), желающий (of—чего-л.); 2) добивающийся (чего-л.), стремящийся (к чему-л.); 3) заботливый, беспокоящийся (about, concerning, for).

**solicitude** [səˈlɪsɪtjuːd] n заботливость, озабоченность; беспокойство, забота (for—о чём-л.).

**solid** [ˈsɔlɪd] 1. a 1) твёрдый (не жидкий, не газообразный); ~ state твёрдое состояние; to become ~ on cooling твердеть при охлаждении; 2) сплошной; цельный; ~ colour

сплошной, ровный цвет; ~ printing полигр. набор без шпонов; ~ square воен. (сплошное) каре; ~ tire сплошная шина; 3) непрерывный; ~ line of defence непрерывная линия обороны; for a ~ hour (day) в течение часа (дня) без перерыва; 4) массивный (не полый); 5) прочный, крепкий; плотный, солидный; to have a ~ meal плотно поесть; a man of ~ build человек плотного сложения; 6) основательный, надёжный; солидный; веский; ~ argument веский довод; ~ grounds реальные основания; a man of ~ sense человек трезвого ума; 7) сплочённый, единогласный; ~ party сплочённая партия; the decision was passed by a ~ vote решение было принято единогласно; to be ~ for стоять твёрдо за; 8) пишущийся вместе, без дефиса; 9) sl. хороший, отличный; 10) мат. трёхмерный, пространственный, кубический; ~ angle телесный угол, пространственный угол; ~ foot кубический фут; ~ geometry стереометрия; ◇ to be ~ with амер. быть в милости у кого-л.;
2. n 1) физ. твёрдое тело; 2) геометрическое тело; regular ~ правильное геометрическое тело; 3) массивная резиновая шина; 4) целик, порода, массив (угля или руды);
3. adv единогласно; to vote ~ голосовать единогласно.

**solidarity** [‚sɔlɪˈdærɪtɪ] n солидарность; сплочённость.

**solid-hoofed** [ˈsɔlɪdˈhuːft] a зоол. однокопытный.

**solidify** [səˈlɪdɪfaɪ] v делать(ся) твёрдым, твердеть, застывать.

**solidity** [səˈlɪdɪtɪ] n твёрдость и пр. [см. solid 1].

**soliloquize** [səˈlɪləkwaɪz] v 1) произносить монолог; 2) говорить с самим собой.

**soliloquy** [səˈlɪləkwɪ] n 1) монолог; 2) разговор с самим собой.

**solipsism** [ˈsoulɪpsɪzəm] n филос. солипсизм.

**solitaire** [‚sɔlɪˈtɛə] n 1) солитер (брильянт); 2) игра для одного человека; 3) амер. пасьянс; 4) редк. отшельник.

**solitary** [ˈsɔlɪtərɪ] 1. a 1) одинокий; уединённый; a ~ life уединённая жизнь; 2) единичный, отдельный; ~ instance единичный случай; ~ confinement одиночное заключение.
2. n 1) отшельник; 2) sl. см. solitary confinement [см. 1, 2)].

**solitude** [ˈsɔlɪtjuːd] n 1) одиночество, уединение; 2) уединённое место.

**solo** [ˈsoulou] 1. n (pl -os [-ouz], -li) 1) муз. соло, сольный номер; 2) attr. сольный; 3) attr. ав. одиночный, самостоятельный (о полёте без инструктора или механика);
2. v ав. летать в одиночку.

**soloing** [ˈsoulouɪŋ] 1. pres.p. от solo 2;
2. n ав. самостоятельный полёт (без инструктора или механика).

**soloist** [ˈsoulouɪst] n 1) солист; 2) лётчик, летающий в одиночку (без инструктора или механика).

**Solomon** [ˈsɔləmən] n библ. Соломон.

**Solomon's Seal** [ˈsɔləmənzˈsiːl] *n* 1) шестиконечная звезда, образованная из двух переплетённых треугольников; 2) *бот.* купена.

**so long** [ˈsouˈlɔŋ] *int разг.* пока!, до свидания!

**solstice** [ˈsɔlstɪs] *n астр.* солнцестояние.

**solubility** [ˌsɔljuˈbɪlɪtɪ] *n* растворимость.

**soluble** [ˈsɔljubl] *a* 1) растворимый; 2) разрешимый, объяснимый.

**solus** [ˈsouləs] *лат. a predic.* один, в единственном числе.

**solute** [ˈsɔljuːt] *n* раствор.

**solution** [səˈluːʃən] *n* 1) раствор; 2) растворение; распускание; 3) решение, разрешение (*вопроса и т. п.*); объяснение; his ideas are in ~ его взгляды ещё не установились; 4) *мед.* окончание болезни, разрешение; 5) *мед.* микстура, жидкое лекарство.

**solvability** [ˌsɔlvəˈbɪlɪtɪ] *n* разрешимость.

**solvable** [ˈsɔlvəbl] *a* 1) разрешимый; 2) *редк.* растворимый.

**solve** [sɔlv] *v* 1) решать, разрешать (*проблему и т. п.*); находить выход; объяснять; 2) оплатить (*долг*); 3) *редк.* растворять.

**solvency** [ˈsɔlvənsɪ] *n* платёжеспособность.

**solvent** [ˈsɔlvənt] 1. *n* растворитель; *перен.* то, что смягчает; 2. *a* 1) растворяющий; 2) платёжеспособный.

**somatic** [souˈmætɪk] *a* телесный, соматический.

**sombre** [ˈsɔmbə] *a* 1) тёмный, мрачный; ~ sky пасмурное небо; 2) угрюмый; a man of ~ character угрюмый человек.

**sombrero** [sɔmˈbrɛərou] *исп. n* (*pl* -os [-ouz]) сомбреро (*широкополая шляпа*).

**some** [sʌm] *pron. indef.* 1. *как сущ.* 1) кое-кто, некоторые, одни, другие; ~ came early некоторые пришли рано; 2) *амер.* большое количество; and (then) ~ *sl.* и ещё много в придачу; вдобавок; ◇ ~ of these days вскоре, на днях, в ближайшие дни; когда-нибудь;

2. *как прил.* 1) некий, некоторый, какой-то, какой-нибудь; I saw it in ~ book (or other) я видел это в какой-то книге; ~ day, ~ time (or other) когда-нибудь; ~ one какой-нибудь (один); ~ people некоторые люди; ~ way out какой-нибудь выход; 2) некоторый, несколько; *часто не переводится*; I have ~ money to spare у меня есть лишние деньги; I saw ~ people in the distance я увидел людей вдали; I would like ~ strawberries мне хотелось бы клубники; 3) несколько, немного; ~ few несколько; ~ miles more to go осталось пройти ещё несколько миль; ~ years ago несколько лет тому назад; 4) немало, порядочно; you'll need ~ courage вам потребуется немало мужества; 5) *разг.* замечательный, в полном смысле слова, стоящий (*часто ирон.*); ~ battle крупное сражение; ~ scholar! ну и учёный!; this is ~ picture! вот это действительно картина!;

3. *как нареч.* 1) *разг.* несколько, до некоторой степени, отчасти; ~ colder немного

холодней; he seemed annoyed ~ он казался немного раздосадованным; 2) около, приблизительно; there were ~ 20 persons present присутствовало около 20 человек.

**somebody** [ˈsʌmbədɪ] 1. *pron. indef.* кто-то, кто-нибудь;

2. *n* важная персона.

**somehow** [ˈsʌmhau] *adv* как-нибудь; как-то; почему-то; ~ or other так или иначе.

**someone** [ˈsʌmwʌn] = somebody 1.

**someplace** [ˈsʌmpleɪs] *adv разг.* где-нибудь, куда-нибудь.

**somersault** [ˈsʌməsɔːlt] 1. *n* прыжок кувырком, кувырканье; to turn a ~ перекувырнуться;

2. *v* кувыркаться.

**somerset** [ˈsʌməsɪt] = somersault.

**something** [ˈsʌmθɪŋ] *pron. indef.* 1. *как сущ.* что-то, кое-что, нечто, что-нибудь; ~ else что-нибудь другое; to be up to ~ замышлять что-то недоброе; he is ~ in the Record Office он занимает какую-то должность в Архиве; he is ~ of a painter он до некоторой степени художник; I felt there was a little ~ wanting я чувствовал, что чего-то не хватает; it is ~ to be safe home again приятно вернуться домой целым и невредимым; there is ~ about it in the papers об этом упоминается в газетах; there is ~ in what you say в ваших словах есть доля правды; ◇ to think oneself ~, to think ~ of oneself быть высокого мнения о себе;

2. *как нареч. разг.* 1) до некоторой степени, несколько, немного; ~ like немного похожий; ~ too much of this слишком много этого; 2) приблизительно; it must be ~ like six o'clock должно быть около шести часов; 3) великолепно; that's ~ like a hit! вот это удар!

**some time** [ˈsʌmˈtaɪm] 1. *n* некоторое время;

2. *adv* 1) в течение некоторого времени; 2) = sometime 1, 1).

**sometime** [ˈsʌmtaɪm] 1. *adv* 1) когда-нибудь; 2) *уст.* когда-то; некогда, прежде; 2. *a* бывший, прежний.

**sometimes** [ˈsʌmtaɪmz] *adv* иногда, по временам.

**someway** [ˈsʌmweɪ] *adv* каким-то образом; как-нибудь.

**somewhat** [ˈsʌmwɔt] *pron. indef.* 1. *как сущ.* что-то; кое-что; he is ~ of a connoisseur он до некоторой степени знаток;

2. *как нареч.* отчасти, до некоторой степени; he answered ~ hastily он ответил несколько поспешно; it is ~ difficult это довольно трудно.

**somewhere** [ˈsʌmwɛə] *adv* где-то; куда-то, куда-нибудь; ~ else где-то в другом месте.

**somewise** [ˈsʌmwaɪz] *adv:* in ~ каким-то образом.

**somite** [ˈsoumaɪt] *n зоол.* сегмент, сомит.

**sommelier** [ˌsɔməˈljeɪ] *фр. n* дворецкий.

**somnambulism** [sɔmˈnæmbjulɪzəm] *n* сомнамбулизм, лунатизм.

**somnambulist** [sɔmˈnæmbjulɪst] *n* лунатик.

**somnifacient** [ˌsɔmnɪˈfeɪʃənt] 1. *a* снотворный;

2. *n* снотво́рное сре́дство.

**somniferous** [sɔm'nɪfərəs] *a* снотво́рный, усыпля́ющий.

**somnolence, -cy** ['sɔmnələns, -sɪ] *n* сонли́вость; дремо́та, со́нное состоя́ние.

**somnolent** ['sɔmnələnt] *a* 1) со́нный, дре́млющий; 2) усыпля́ющий.

**son** [sʌn] *n* 1) сын; ~ and heir ста́рший сын; he is a true ~ of his father, he is his father's own ~ он вы́литый оте́ц; 2) сыно́к (*в обращении*); 3): ~ of the soil a) ме́стный уроже́нец; б) земледе́лец; ~ of toil труди́щийся; тру́женик; the ~s of men челове́ческий род; ◇ ~ of a bitch *груб.* су́кин сын.

**sonant** ['sounənt] *фон.* 1. *a* зво́нкий; 2. *n* зво́нкий согла́сный.

**sonar** ['souna:] *n радио* сона́р (*система звуковой локации в США*).

**sonata** [sə'na:tə] *n муз.* сона́та.

**song** [sɔŋ] *n* 1) пе́ние; to burst forth (*или* to break) into ~ запе́ть; 2) пе́сня, рома́нс; 3) стихотворе́ние; ◇ to buy (*или* to get) for a mere ~ (*или* for an old ~) купи́ть за бесце́нок; not worth an old ~ грош цена́; nothing to make a ~ about что-л. не заслу́живающее внима́ния; there is no use making a ~ about it из э́того не сто́ит создава́ть исто́рии.

**song-bird** ['sɔŋbə:d] *n* пе́вчая пти́ца.

**songful** ['sɔŋful] *a* мелоди́чный.

**songster** ['sɔŋstə] *n* 1) певе́ц; 2) пе́вчая пти́ца; 3) поэ́т.

**songstress** ['sɔŋstrɪs] *n* певи́ца.

**sonic** ['sɔnɪk] *a* звуково́й; име́ющий ско́рость зву́ка.

**soniferous** [sə'nɪfərəs] *a* 1) передаю́щий звук; звуча́щий; 2) зву́чный, зво́нкий.

**son-in-law** ['sʌnɪnlɔ:] *n* (*pl* sons-in-law) зять (*муж дочери*).

**sonnet** ['sɔnɪt] *n* соне́т.

**sonneteer** [ˌsɔnɪ'tɪə] 1. *n* сочини́тель соне́тов; *пренебр.* стихопле́т; 2. *v* писа́ть соне́ты.

**sonny** ['sʌnɪ] *n разг.* сыно́к (*в обращении*).

**sonometer** [sou'nɔmɪtə] *n* прибо́р для иссле́дования слу́ха.

**sonority** [sə'nɔrɪtɪ] *n* зву́чность, зво́нкость.

**sonorous** [sə'nɔːrəs] *a* 1) зву́чный, зво́нкий; 2) высокопа́рный (*о стиле, языке*).

**sons-in-law** ['sʌnzɪnlɔ:] *pl от* son-in-law.

**sonsy** ['sɔnsɪ] *a шотл.* пу́хлый, по́лный и доброду́шный.

**soojee** ['suːʤɪ] *n англо-инд.* мука́ из инди́йской пшени́цы.

**soon** [suːn] *adv* 1) ско́ро, вско́ре; бы́стро; as ~ as как то́лько, не по́зже; do it as ~ as possible сде́лайте э́то как мо́жно быстре́е; so ~ as (ever) как то́лько; no ~er than как то́лько; he had no ~er got well than he fell ill again не успе́л он вы́здороветь, как сно́ва заболе́л; 2) ра́но; if we come too ~ we'll have to wait е́сли мы придём сли́шком ра́но, нам придётся ждать; the ~er, the better чем ра́ньше, тем лу́чше; ~er or later ра́но и́ли по́здно, в конце́ концо́в; 3) охо́тно; I would just as ~ not go я охо́тно не пошёл бы совсе́м; ◇ no ~er said than done ≡ ска́зано—сде́лано.

**soot** [sut] 1. *n* са́жа; ко́поть; 2. *v* 1) покрыва́ть са́жей; 2) удобря́ть са́жей.

**sooth** [suːθ] *n уст.* и́стина, пра́вда; in (good) ~ в са́мом де́ле, пои́стине; ~ to say по пра́вде говоря́.

**soothe** [suːð] *v* 1) успока́ивать, утеша́ть; 2) смягча́ть; облегча́ть (*боль*); 3) те́шить (*тщеславие*).

**soother** ['suːðə] *n* 1) льстец; 2) пусты́шка, со́ска.

**soothing** ['suːðɪŋ] 1. *pres. p. от* soothe; 2. *a* успокои́тельный; успока́ивающий.

**soothsay** ['suːθˌseɪ] *v* предска́зывать.

**soothsayer** ['suːθˌseɪə] *n* предсказа́тель.

**soot pit** ['sutˈpɪt] *n тех.* зо́льник.

**sooty** ['sutɪ] *a* 1) покры́тый ко́потью, запа́чканный са́жей, закопчённый; 2) чёрный как са́жа; 3) чернова́тый.

**sooty shearwater** ['sutɪ ˈʃɪəwɔːtə] *n зоол.* буреве́стник се́рый.

**sop** [sɔp] 1. *n* 1) кусо́к (*хлеба и т. п*), обмакну́тый в подли́вку, молоко́ и т. п.; ~ in the pan поджа́ренный хлеб; 2) подли́вка; 3) взя́тка; to give (*или* to throw) a ~ to Cerberus умиротворя́ть взя́ткой; 2. *v* 1) мака́ть, обма́кивать (*хлеб и т. п*.); 2) впи́тывать, вбира́ть; to ~ up подбира́ть жи́дкость (*губкой и т. п*.); 3) нама́чивать, мочи́ть; 4) промока́ть; his clothes are ~ping wet его́ оде́жда промо́кла до ни́тки.

**soph** [sɔf] *сокр. разг. от* sophomore.

**sophism** ['sɔfɪzəm] *n* софи́зм.

**sophist** ['sɔfɪst] *n* софи́ст.

**sophistic(al)** [sə'fɪstɪk(əl)] *a* софисти́ческий.

**sophisticate** [sə'fɪstɪkeɪt] 1. *v* 1) извраща́ть, подде́лывать; 2) фальсифици́ровать, по́ртить; 3) лиша́ть простоты́; де́лать иску́шённым в жите́йских дела́х; 2. *n* искушённый челове́к.

**sophisticated** [sə'fɪstɪkeɪtɪd] 1. *p. p. от* sophisticate 1; 2. *a* 1) лишённый найвности *или* простоты́; искушённый в жите́йских дела́х; 2) усложнённый, утончённый; ~ apparatus сло́жная аппарату́ра.

**sophistication** [səˌfɪstɪ'keɪʃən] *n* 1) софи́стика; 2) фальсифика́ция; извраще́ние.

**sophistry** ['sɔfɪstrɪ] *n* софи́стика.

**sophomore** ['sɔfəmɔː] *n амер.* студе́нт-второку́рсник.

**sopor** ['soupə] *n* тяжёлый, кре́пкий сон.

**soporific** [ˌsoupə'rɪfɪk] 1. *a* усыпля́ющий, наркоти́ческий; 2. *n* снотво́рное сре́дство, нарко́тик.

**sopping** ['sɔpɪŋ] 1. *pres. p. от* sop 2; 2. *a* мо́крый, промо́кший (насквозь).

**soppy** ['sɔpɪ] *a* 1) мо́крый, промо́кший насквозь; 2) *разг.* сентимента́льный, сла́ща́вый; to be ~ on smb. быть влюблённым в кого́-л.

**soprani** [sə'prɑːniː] *pl от* soprano.

**soprano** [sə'prɑːnou] *n* (*pl* -os [-ouz], -ni) сопра́но; дискант.

**sorb** [sɔːb] *n* ряби́на.

**sorbefacient** [ˌsɔːbɪ'feɪʃənt] *мед.* 1. *a* спо́собствующий вса́сыванию; 2. *n* сре́дство, спосо́бствующее вса́сыванию.

**sorcerer** ['sɔːsərə] *n* колду́н, чароде́й, волше́бник.

**sorceress** ['sɔːsərɪs] *n* колду́нья, чароде́йка.

**sorcery** ['sɔːsərɪ] *n* колдовство́, волшебство́; ча́ры.

**sord** [sɔːd] *уст.* = sward.

**sordid** ['sɔːdɪd] *a* 1) гря́зный, проти́вный; 2) жа́лкий, убо́гий; 3) ни́зкий, по́длый; коры́стный; ~ desires ни́зменные жела́ния.

**sordine** ['sɔːdɪn] *n муз.* сурди́нка.

**sore** [sɔː] 1. *n* боля́чка, ра́на, я́зва; an open ~ откры́тая ра́на; *перен.* злоупотребле́ние; to re-open old ~s береди́ть ста́рые ра́ны;
2. *a* 1) чувстви́тельный, боле́зненный; 2) больно́й, воспалённый; ~ feet стёртые, уста́лые от ходьбы́ но́ги; I have a ~ throat у меня́ боли́т го́рло; 3) огорчённый, оби́женный; to feel ~ about smth. страда́ть, му́читься, быть оби́женным чем-л.; with a ~ heart с тяжёлым се́рдцем, с бо́лью в се́рдце; 4) раздража́ющий; тя́гостный; ~ point, ~ subject больно́й вопро́с; 5) *поэт.* тя́жкий, мучи́тельный; to be in ~ need of о́чень нужда́ться в; ◇ like a bear with a ~ head о́чень серди́тый;
3. *adv поэт.* жесто́ко, тя́жко; ~ afflicted в большо́м го́ре.

**sorehead** ['sɔːhed] *амер. разг.* 1. *n* ны́тик, брюзга́;
2. *a* раздражённый и разочаро́ванный.

**sorely** ['sɔːlɪ] *adv* глубоко́, тя́жко, о́чень; I am ~ perplexed я в кра́йнем недоуме́нии.

**soreness** ['sɔːnɪs] *n* 1) чувстви́тельность, боле́зненность; 2) раздражи́тельность; 3) чу́вство оби́ды.

**sorgho** ['sɔːgou] = sorghum.

**sorghum** ['sɔːgəm] *n* со́рго (*хлебный злак*).

**sorgo** ['sɔːgou] = sorghum.

**sori** ['sourai] *pl* от sorus.

**sorites** [sou'raitiːz] *n филос.* сори́т.

**sorority** [sə'rɔrɪtɪ] *n* 1) сестри́нская общи́на; 2) *амер.* университе́тский же́нский клуб.

**sorra** ['sɔrə] *ирл. adv разг.* 1) ни; ~ a bit ни кусо́чка; ~ a one ни одного́; 2) никогда́.

**sorrel** I ['sɔrəl] *n* щаве́ль.

**sorrel** II ['sɔrəl] 1. *n* гнеда́я ло́шадь;
2. *a* гнедо́й.

**sorrel-top** ['sɔrəltɔp] *n амер.* рыжеволо́сый челове́к.

**sorrow** ['sɔrou] 1. *n* 1) печа́ль, го́ре, скорбь; to feel ~ испы́тывать печа́ль; 2) сожале́ние, грусть; to express ~ at (*или* for) smth. вы́разить сожале́ние по по́воду чего́-л.;
2. *v* горева́ть, скорбе́ть, печа́литься.

**sorrowful** ['sɔrəful] *a* 1) печа́льный; уби́тый го́рем; огорчённый; 2) ско́рбный; 3) тра́урный; зауны́вный.

**sorry** ['sɔrɪ] *predic.* огорчённый, по́лный сожале́ния; (I'm), (I'm) so ~ винова́т, прости́те; to feel ~ (co)жале́ть; you will be ~ for this some day вы пожале́ете об э́том когда́-нибудь; I am так мне так жаль; I am ~ to say he is ill он, к сожале́нию, бо́лен; 2) жа́лкий, несча́стный; пло-

хо́й; ~ excuse неуда́чное оправда́ние; ~ sight жа́лкое зре́лище; 3) мра́чный, гру́стный.

**sort** [sɔːt] 1. *n* 1) род, сорт, вид, разря́д; of ~s ра́зных сорто́в, сме́шанный; all ~s and conditions of men, people of every ~ and kind всевозмо́жные лю́ди; 2) ка́чество, хара́ктер; a good ~ *разг.* сла́вный ма́лый; the better ~ *разг.* выдаю́щиеся лю́ди; he's not my ~ *разг.* он не в моём ду́хе; 3) *редк.* о́браз, мане́ра; after a ~ а) не́которым о́бразом; б) по о́бразу и подо́бию; in ~ в изве́стной ме́ре; 4) *pl полигр.* ли́теры; ◇ ~ of как бы, как бу́дто; he ~ of hinted *разг.* он как бу́дто намекну́л; a ~ of что-то вро́де; that ~ of thing тому́ подо́бное; nothing of the ~ ничего́ подо́бного; to be out of ~s а) быть не в ду́хе; б) пло́хо себя́ чу́вствовать; that's your ~! вот э́то здо́рово!;
2. *v* 1) сортирова́ть; разбира́ть; классифици́ровать; 2) *уст.* соотве́тствовать; his actions ~ ill with his professions его́ де́йствия пло́хо согласу́ются с его́ слова́ми; □ ~ out распределя́ть по сорта́м, рассортиро́вывать.

**sorter** ['sɔːtə] *n* сортиро́вщик.

**sortie** ['sɔːtɪ] *фр. n* 1) *воен.* вы́лазка; 2) *ав.* вы́лет, самолётовы́лет.

**sortilege** ['sɔːtɪlɪdʒ] *n* колдовство́; ворожба́, гада́ние.

**sortition** [sɔː'tɪʃən] *n* жеребьёвка; распределе́ние по жре́бию.

**sorus** ['sourəs] *n* (*pl* sori) *бот.* спорокучка (па́поротника), со́рус.

**SOS** ['es'ou'es] 1. *n* (ра́дио)сигна́л бе́дствия;
2. *v* дава́ть (ра́дио)сигна́л бе́дствия.

**so-so** ['sousou] 1. *a predic.* нева́жный; так себе́, сно́сный;
2. *adv* так себе́, нева́жно.

**sot** [sɔt] 1. *n* го́рький пья́ница;
2. *v* пить, выпива́ть.

**sottish** ['sɔtɪʃ] *a* отупе́вший от пья́нства.

**sotto voce** ['sɔtou'voutʃɪ] *ит. adv* вполго́лоса; про себя́.

**sou** [suː] *фр. n* су (*мелкая монета*); he hasn't a ~ *разг.* у него́ нет ни гроша́.

**sou'** [sau-] *в сложных словах* юго-; sou'-east юго-восто́к; sou'west юго-за́пад.

**souchong** ['suː'ʃɔŋ] *кит. n* отбо́рный чай.

**Soudanese** [,suːdə'niːz] = Sudanese.

**sou'easter** ['sau'iːstə] *мор.* = south-easter.

**souffle** ['suːfl] *n мед.* шум; дыха́тельный шум.

**soufflé** ['suːfleɪ] *фр. n* суфле́.

**sough** I [sau] 1. *n* ше́лест, лёгкий шум (*ветра*);
2. *v* шелесте́ть.

**sough** II [sau] *n* 1) сто́чный кана́л; дрена́жная труба́; 2) *горн.* водоотли́вная што́льня.

**sought** [sɔːt] *past и p. p. от* seek.

**sought-after** ['sɔːt'ɑːftə] *a* 1) име́ющий большо́й спрос (*о товаре*); 2) по́льзующийся успе́хом; жела́нный.

**soul** [soul] *n* 1) душа́, дух; I wonder how he keeps body and ~ together удивля́юсь, в чём у него́ душа́ де́ржится; twin ~ родственная душа́; 2) челове́к; be a good ~ and help me будь добр, помоги́ мне; he is a simple (an honest) ~ он простоду́шный (че́стный) челове́к; the poor little ~ бедня́жка; the ship was lost with two hundred ~s on board поги́б парохо́д, на борту́ кото́рого бы́ло две́сти пассажи́ров; don't tell a ~ никому́ не говори́; 3) воплоще́ние, образе́ц; she is the ~ of kindness она́ воплоще́ние доброты́; 4) эне́ргия, энтузиа́зм; she put her whole ~ into her work она́ вкла́дывала всю ду́шу в свою́ рабо́ту; ◇ not to be able to call one's ~ one's own быть в по́лном подчине́нии; upon my ~! a) че́стное сло́во!, кляну́сь!; б) не мо́жет быть!

soulful ['soulful] a эмоциона́льный; сентимента́льный.

soulless ['soullis] a безду́шный.

sound I [saund] 1. n 1) звук; шум; within ~ of на расстоя́нии слы́шимости; 2) значе́ние, содержа́ние (чего-л. услы́шанного, прочи́танного и т. п.); 3) attr. звуково́й;
2. v 1) звуча́ть, издава́ть звук, звене́ть; it ~s like thunder похо́же на гром; the trumpets ~ раздаю́тся зву́ки труб; 2) извлека́ть звук; дава́ть сигна́л; to ~ the alarm бить трево́гу; to ~ a bell звони́ть в ко́локол; 3) звуча́ть, име́ть смысл; the excuse ~s very hollow извине́ние звучи́т о́чень фальши́во; 4) произноси́ть; the h in hour is not ~ed в сло́ве hour h не произно́сится; 5) разглаша́ть; прославля́ть; 6) высту́кивать (о колесе вагона и т. п.); 7) мед. выслу́шивать; высту́кивать (больного); □ ~ off разг. болта́ть, шуме́ть.

sound II [saund] 1. a 1) здоро́вый, кре́пкий; 2) неиспо́рченный; про́чный; ~ fruit неиспо́рченные фру́кты; ~ machine испра́вная маши́на; 3) кре́пкий, глубо́кий (о сне); 4) пра́вильный, здра́вый, логи́чный; ~ argument обосно́ванный до́вод; ~ scholar серьёзный учёный; 5) си́льный, хоро́ший; ~ flogging здоро́вая по́рка; 6) глубо́кий, тща́тельный (об анализе и т. п.); 7) платёжеспосо́бный, надёжный; his financial position is perfectly ~ его́ фина́нсовое положе́ние о́чень про́чно; 8) юр. зако́нный, действи́тельный; ~ title to land зако́нное пра́во на зе́млю; ◇ ~ as a bell вполне́ здоро́вый; ~ in life and limb невреди́мый;
2. adv кре́пко; to be ~ asleep кре́пко спать.

sound III [saund] 1. n зонд; щуп;
2. v 1) измеря́ть глубину́ (лотом); 2) мед. иссле́довать (рану и т. п.); 3) зонди́ровать, осторо́жно выспра́шивать (on, as to, about); стара́ться вы́яснить (мнение, взгляд); 4) испыта́ть, прове́рить; 5) ныря́ть (особ. о ките); опуска́ться на дно.

sound IV [saund] n 1) у́зкий проли́в; 2) пла́вательный пузы́рь (у рыб).

sound engineer ['saund,endʒi'niə] n звукоопера́тор.

sounder I ['saundə] n слухово́й телегра́фный аппара́т, кло́пфер.

sounder II ['saundə] n уст. ста́до ди́ких свине́й.

sound-film ['saundfilm] n звуково́й фильм.

sounding I ['saundiŋ] 1. pres. p. от sound I, 2;
2. a 1) звуча́щий, издаю́щий звук; 2) зву́чный; гро́мкий; 3) пусто́й, зво́нкий; ~ promises гро́мкие обеща́ния; ~ rhetoric треску́чие фра́зы.

sounding II ['saundiŋ] 1. pres. p. от sound III, 2;
2. n 1) проме́р глубины́ ло́том; 2) глубина́ по ло́ту; 3) pl ме́сто, где возмо́жен проме́р ло́том; 4) запро́с с це́лью выясне́ния; выспра́шивание.

sounding-balloon ['saundiŋbə,luːn] n метеор. шар-зонд.

sounding-board ['saundiŋbɔːd] n резона́тор, де́ка.

soundless ['saundlis] a беззву́чный.

sound-locator ['saundlou,keitə] n звукоула́вливатель; звукопеленга́тор, шумопеленга́тор.

sound man ['saund'mæn] n амер. ра́дио, телев. 1) звукоопера́тор; 2) звукорежиссёр.

sound-proof ['saundpruːf] 1. a звуконепроница́емый;
2. v придава́ть звуконепроница́емость.

sound rocket ['saund'rɔkit] n воен. звуковая сигна́льная раке́та.

sound-track ['saundtræk] n кино звукова́я доро́жка.

sound-wave ['saundweiv] n звукова́я волна́.

soup I [suːp] n 1) суп; 2) sl. густо́й тума́н; 3) sl. нитроглицери́н; ◇ in the ~ sl. в затрудне́нии.

soup II [suːp] v sl.: ~ up a) увели́чивать мо́щность (двигателя и т. п.); б) увели́чивать ско́рость (самолёта, ракеты и т. п.); в) придава́ть си́лу, жи́вость.

soup-kitchen ['suːp,kitʃin] n 1) беспла́тная столо́вая для нужда́ющихся; 2) амер. воен. разг. похо́дная ку́хня.

soup-plate ['suːppleit] n глубо́кая таре́лка.

soupspoon ['suːpspuːn] n столо́вая ло́жка.

soup-stock ['suːpstɔk] = stock I, 16.

soup-ticket ['suːp,tikit] n тало́н на беспла́тный обе́д.

sour ['sauə] 1. a 1) ки́слый; ~ cream смета́на; 2) проки́сший; 3) серди́тый, раздражи́тельный; угрю́мый; 4) ки́слый, боло́тистый (о почве); 5) сыро́й и холо́дный (о погоде); 6) амер. sl. ничего́ не сто́ящий, невыго́дный; ~ contract необду́манно заключённый контра́кт; ◇ the grapes are ~ ≅ зе́лен виногра́д;
2. v 1) закиса́ть, прокиса́ть; скиса́ть; 2) заква́шивать; 3) де́лать(ся) раздражи́тельным; озлобля́ть(ся); ~ed by misfortune озло́бленный жи́зненными неуда́чами; 4) хим. окисля́ть.

source [sɔːs] n 1) исто́к, верхо́вье; 2) ключ, исто́чник; 3) первопричи́на, нача́ло, исто́чник; reliable ~ of information надёжный исто́чник све́дений.

sourdine [suə'diːn] = sordine.

sour dock ['sauədɔk] n щаве́ль.

sourdough ['sauədou] n 1) диал. заква́ска; 2) амер. старожи́л (на Аля́ске).

souse I [saus] **1.** *n* 1) рассо́л; 2) соле́нье; 3) погруже́ние в во́ду, в рассо́л; 4) *sl.* опьяне́ние; 5) *амер. sl.* пья́ница;

**2.** *v* 1) соли́ть, маринова́ть; 2) окуна́ть (-ся); ока́чивать; мочи́ть; промочи́ть; to ~ to the skin промо́кнуть до косте́й; 3) *sl.* напива́ться пья́ным.

souse II [saus] **1.** *n* 1) устремле́ние вниз; 2) *ав.* пики́рование;

**2.** *v* 1) *редк.* устремля́ться вниз, броса́ться с налёту (*о птице*); 2) *ав.* пики́ровать; **3.** *adv* с налёту, стреми́тельно, пря́мо.

soused I [saust] **1.** *p. p. om* souse I, 2; **2.** *a sl.* пья́ный.

soused II [saust] *p. p. om* souse II, 2.

sousing I ['sausɪŋ] **1.** *pres. p. om* souse I, 2; **2.** *n*: to get a (thorough) ~ промо́кнуть до ни́тки.

sousing II ['sausɪŋ] *pres. p. om* souse II, 2.

soutache [suː'tɑːʃ] *фр. n* сута́ж.

soutane [suː'tɑːn] *n* сута́на.

souteneur [ˌsuːtə'nəː] *фр. n* сутенёр.

south [sauθ] **1.** *n* 1) юг; *мор.* зюйд; 2) (S). ю́жная часть страны́, *особ.* юг, ю́жные шта́ты США; 3) зюйд; ю́жный ве́тер;

**2.** *a* 1) ю́жный; 2) обращённый к ю́гу; **3.** *adv* на юг, к ю́гу, в ю́жном направле́нии;

**4.** *v [тж.* sauð] 1) дви́гаться к ю́гу; 2) *астр.* пересека́ть меридиа́н.

southdown ['sauθdaun] *n* англи́йская поро́да безро́гих короткошёрстных ове́ц.

south-east ['sauθ'iːst] **1.** *n* юго-восто́к; *мор.* зюйд-о́ст;

**2.** *a* юго-восто́чный;

**3.** *adv* на юго-восто́к, в юго-восто́чном направле́нии, к юго-восто́ку.

south-easterly [sauθ'iːstə] *n* юго-восто́чный ве́тер; *мор.* зюйд-о́ст.

south-easterly [sauθ'iːstəlɪ, *мор.* sau'iːstəlɪ] **1.** *a* 1) располо́женный к юго-восто́ку; 2) ду́ющий с юго-восто́ка;

**2.** *adv* в юго-восто́чном направле́нии.

south-eastern [sauθ'iːstən] *a* юго-восто́чный.

south-eastward ['sauθ'iːstwəd] **1.** *adv* в юго-восто́чном направле́нии;

**2.** *a* располо́женный на юго-восто́ке; **3.** *n* юго-восто́к.

south-eastwards [sauθ'iːstwədz] = south-eastward 1.

souther ['sauðə] *n* си́льный ю́жный ве́тер.

southerly ['sʌðəlɪ] **1.** *a* ю́жный;

**2.** *adv* к ю́гу, в ю́жном направле́нии.

southern ['sʌðən] **1.** *a* ю́жный;

**2.** *n* = southerner.

southerner ['sʌðənə] *n* 1) южа́нин; жи́тель ю́га; 2) (S.) жи́тель ю́жных шта́тов США.

southernmost ['sʌðənmoust] *a* са́мый ю́жный.

southernwood ['sʌðənwud] *n бот.* куста́рниковая полы́нь.

southing ['sauðɪŋ] **1.** *pres. p. om* south 4; **2.** *n* 1) *мор.* ю́жная ра́зность широ́т; продвиже́ние на юг; 2) *астр.* прохожде́ние че́рез меридиа́н.

southland ['sauθlənd] *n* страна́, о́бласть на ю́ге.

southpaw ['sauθpɔː] *a спорт. sl.* по́льзующийся ле́вой руко́й (*при толкании ядра, ударе и т. п.*).

southron ['sʌðrən] *n шотл.* 1) южа́нин; 2) англича́нин.

southward ['sauθwəd] **1.** *adv* к ю́гу, на юг;

**2.** *a* располо́женный к ю́гу от; обращённый на юг;

**3.** *n* ю́жное направле́ние.

southwardly ['sauθwədlɪ] *adv* к ю́гу, на юг.

southwards ['sauθwədz] = southward 1.

south-west ['sauθ'west] **1.** *n* юго-за́пад; *мор.* зюйд-ве́ст;

**2.** *a* юго-за́падный;

**3.** *adv* на юго-за́пад, в юго-за́падном направле́нии, к юго-за́паду.

south-wester [sauθ'westə] *n* юго-за́падный ве́тер; *мор.* зюйд-ве́ст.

south-westerly [sauθ'westəlɪ, *мор.* sau'westəlɪ] **1.** *a* 1) располо́женный к юго-за́паду от; 2) ду́ющий с юго-за́пада;

**2.** *adv* в юго-за́падном направле́нии.

south-western [sauθ'westən] *a* юго-за́падный.

south-westward [sauθ'westwəd] **1.** *adv* в юго-за́падном направле́нии;

**2.** *a* располо́женный на юго-за́паде; **3.** *n* юго-за́пад.

south-westwards [sauθ'westwədz] = south-westward 1.

souvenir ['suːvənɪə] *фр. n* 1) сувени́р, пода́рок на па́мять; 2) *воен. шутл.* пу́ля, снаря́д.

sou'wester [sau'westə] *n мор.* 1) = south-wester; 2) зюйд-ве́стка.

sovereign ['sɔvrɪn] **1.** *n* 1) мона́рх; повели́тель; 2) сове́рен (*золотая монета в один фунт стерлингов*);

**2.** *a* 1) верхо́вный, наивы́сший; ~ power верхо́вная власть; 2) сувере́нный, держа́вный, полновла́стный; незави́симый; ~ States суве́ренные госуда́рства; 3) высокоме́рный; ~ contempt беспреде́льное презре́ние; 4) превосхо́дный; ~ remedy велико́лепное сре́дство.

sovereignty ['sɔvrəntɪ] *n* 1) верхо́вная власть; 2) суверените́т; 3) суве́ренное госуда́рство.

Soviet ['souviet] *рус.* **1.** *n* сове́т (*орган государственной власти в СССР*);

**2.** *a* сове́тский; ~ Government Сове́тское прави́тельство; ~ power сове́тская власть; ~ Union Сове́тский Сою́з; ~ man сове́тский челове́к.

sow I [sou] *v* (sowed [-d]; sown, sowed) 1) се́ять; засева́ть; to ~ the field with wheat засе́ять по́ле пшени́цей; 2) се́ять, распространя́ть; насажда́ть; to ~ (the seeds of) dissention се́ять раздо́р; □ ~ out высева́ть; ◇ to ~ the wind and to reap the whirlwind ≅ посе́ешь ве́тер — пожнёшь бу́рю; понести́ жесто́кое возме́здие.

sow II [sau, *амер.* sou] *n* 1) свинья́; свинома́тка; 2) *метал.* козёл; на́стыль; сви́нка; чу́шка; ◇ to take (*или* to get) the wrong ~ by the ear ≅ попа́сть па́льцем в не́бо; ошиби́ться; обрати́ться не по а́дресу; на-

пасть не на того, на кого следует; to take
(*или* to get) the right ~ by the ear ≅ попасть в точку; напасть на нужного человека
*или* вещь.

**sowar** ['souwɑ:] *n* кавалерист, конный
полицейский, конный ординарец (*в Индии*).

**sowbelly** ['sau,belɪ] *n амер. разг.* бекон.

**sowbread** ['saubred] *n бот.* цикламен.

**sower** ['souə] *n* 1) сеятель; 2) сеялка.

**sowing** ['souɪŋ] 1. *pres. p. om* sow I;
2. *n* 1) посев; засев; засевание; 2) *attr.*:
~ time сев.

**sowing-machine** ['souɪŋmə,ʃɪn] *n* сеялка.

**sown** [soun] *p.p. om* sow I; the sky ~
with stars небо, усеянное звёздами.

**sow-thistle** ['sou,θɪsl] *n бот.* осот.

**soy** [sɔɪ] *n* соя.

**soya** ['sɔɪə] *n* соевый боб.

**soy-bean** ['sɔɪbɪn] *редк.* = soya.

**sozzle** ['sɔzl] *амер., диал.* 1. *n* 1) помои;
2) неряшливость; 3) неряха;
2. *v* 1) мочить; плескать; 2) опьянять;
to be ~d быть под хмельком; 3) делать
(*что-л.*) неряшливо.

**spa** [spɑ:] *n* 1) курорт с минеральными
водами; 2) минеральный источник; 3)
*амер.* место продажи прохладительных
напитков.

**space** [speɪs] 1. *n* 1) пространство; to
vanish into ~ исчезать; 2) расстояние;
протяжение; for the ~ of a mile на протяжении мили; 3) место, площадь; for want
of ~ за недостатком места; open ~s откры-
тые пространства, пустыри; 4) интервал;
промежуток времени, срок; after a short
~ вскоре; within the ~ of в течение (определённого промежутка времени); in the
~ of an hour в течение часа; через час;
5) место, сиденье (*в поезде, самолёте и т. п.*);
6) количество строк, отведённое под объявления (*в газете, журнале*); 7) *полигр.*
шпация;
2. *v* 1) оставлять промежутки, расставлять с промежутками; 2) *полигр.*
разбивать на шпации; набирать в раз-
рядку (*часто* ~ out).

**space-bar** ['speɪsbɑ:] *n* клавиша для ин-
тервалов (*на пишущей машинке*).

**space fiction** ['speɪs'fɪkʃən] *n* фанта-
стические романы и рассказы о межпла-
нётных путешествиях.

**spaceless** ['speɪslɪs] *a* 1) бесконечный,
беспредельный; 2) замкнутый, закрытый,
лишённый пространства.

**spacer** ['speɪsə] *n* 1) распорка, прокладка;
2) = space-bar.

**space-rate** ['speɪsreɪt] *n* построчная оплата.

**space rocket** ['speɪs'rɔkɪt] *n* космическая ракета.

**space satellite** ['speɪs'sætəlaɪt] *n* искусственный спутник Земли.

**spaceship** ['speɪsʃɪp] *n* межпланетный
корабль.

**space-writer** ['speɪs,raɪtə] *n* репортёр,
получающий построчный гонорар.

**spacious** ['speɪʃəs] *a* 1) просторный,
обширный; поместительный; 2) *перен.* широкий, большой; ~ mind широкий кругозор.

**spade** I [speɪd] 1. *n* 1) лопата; заступ;
2) *pl карт.* пики; 3) *воен.* сошник орудия;
◇ to call a ~ a ~ называть вещи своими
именами;
2. *v* копать лопатой.

**spade** II [speɪd] = spado.

**spadeful** ['speɪdful] *n* полная лопата.

**spade-work** ['speɪdwək] *n* кропотливая
подготовительная работа.

**spadger** ['spædʒə] *n sl.* воробей; воро-
бушек.

**spado** ['speɪdou] *лат. n (pl* -dones)
1) кастрат; 2) кастрированное животное;
3) *юр.* импотент.

**spadones** [speɪ'douniːz] *pl om* spado.

**spaghetti** [spə'getɪ] *ит. n* спагетти.

**spake** [speɪk] *уст. past om* speak.

**spall** [spɔːl] 1. *n* 1) осколок; обломок;
2) щепка, лучина;
2. *v* 1) откалывать; 2) расщеплять;
3) *горн.* дробить руду (для ручной сорти-
ровки).

**spalpeen** [spɔːl'piːn] *ирл. n* негодяй.

**spam** [spæm] *n разг.* американские консервы.

**span** I [spæn] *past om* spin 2.

**span** II [spæn] 1. *n* 1) пядь (= 9 дюймам); 2) короткий промежуток времени;
период времени; his life had well-nigh
completed its ~ жизнь его уже близилась
к концу; 3) короткое расстояние; 4) длина
моста, ширина реки, размах рук *и т. п.*;
5) *ав.* размах (крыльев); 6) пролёт (*моста*);
расстояние между опорами (*арки, свода*);
7) *мор.* штаг-корнак; топреп; 8) *амер.*
пара лошадей, волов *и т. п.* (*как упряжка*); 9) *ж.-д.* перегон; 10) *мат.* хорда;
2. *v* 1) измерять пядями; *перен.* измерять;
охватывать; his eye ~ned the intervening
space он глазами смерил расстояние; 2)
перекрывать (*об арке, крыше и т. п.*);
соединять берега (*о мосте*); to ~ a river
with a bridge построить мост через реку;
3) *муз.* взять октаву; 4) *мор.* крепить;
привязывать; затягивать.

**spandrel** ['spændrəl] *n архит.* пазуха
свода; надсводное строение.

**spang** [spæŋ] *adv разг.* прямо; he ran ~
into me он наткнулся на меня.

**spangle** ['spæŋgl] 1. *n* блёстка;
2. *v* 1) украшать блёстками; the heavens
~d with stars небо, усыпанное звёздами;
2) блестеть.

**Spaniard** ['spænjəd] *n* испанец; испанка.

**spaniel** ['spænjəl] *n* спаньель (*порода
собак*); ◇ a tame ~ низкопоклонник,
льстец.

**Spanish** ['spænɪʃ] 1. *a* испанский; ◇
~ fly шпанская муха;
2. *n* испанский язык.

**spank** [spæŋk] 1. *n* шлепок;
2. *v* 1) хлопать, (от)шлёпать (*ладонью*);
2) торопить, подгонять (*шлепками*); 3)
быстро двигаться (*тж.* ~ along); быстро
бежать (*о лошади*).

**spanker** ['spæŋkə] *n* 1) тот, кто шлёпает;
2) хороший бегун; рысак; 3) *разг.* выдающийся экземпляр (*чего-л.*); 4) *разг.* человек, чем-л. отличающийся от других.

**spanking** ['spæŋkɪŋ] 1. *pres. p. om* spank 2; 2. *n* си́льные шлепки́; трёпка; 3. *a* 1) бы́стрый; ~ trot кру́пная рысь; 2) *разг.* све́жий, си́льный (*о ветре*); 3) *разг.* превосхо́дный.

**spanless** ['spænlɪs] *a поэт.* неизмери́мый, необъя́тный.

**spanner** ['spænə] *n* 1) га́ечный ключ; 2) перекла́дина.

**span-new** ['spæn'njuː] *a* соверше́нно но́вый; то́лько что ку́пленный.

**span roof** ['spæn'ruːf] *n* двуска́тная кры́ша.

**span-worm** ['spænwəːm] *n зоол.* гу́сеница пяде́ницы.

**spar** I [spɑː] 1. *n* 1) *мор.* ранго́утное де́рево; 2) *ав.* лонжеро́н (крыла́); 2. *v мор.* устана́вливать перекла́дины.

**spar** II [spɑː] *n мин.* шпат.

**spar** III [spɑː] 1. *n* 1) трениро́вочное состяза́ние в бо́ксе; 2) наступа́тельный *или* оборони́тельный приём в бо́ксе; 3) петуши́ный бой; 2. *v* 1) бокси́ровать, дра́ться, би́ться на кула́чках; де́лать (притво́рный) вы́пад кулако́м (at); 2) дра́ться шпо́рами (*о петуха́х*); 3) спо́рить, препира́ться; to ~ at each other пики́роваться, пререка́ться друг с дру́гом.

**sparable** ['spærəbl] *n* ме́лкий сапо́жный гвоздь.

**spar-deck** ['spɑːdek] *n мор.* спарде́к.

**spare** [spɛə] 1. *n* 1) запа́с, резе́рв; 2) запасна́я часть (*маши́ны*); 3) запасна́я ко́мната; запасно́е помеще́ние; 4) *спорт.* запасно́й игро́к; 2. *a* 1) запасно́й, запа́сный; резе́рвный; ли́шний, свобо́дный; ~ cash ли́шние де́ньги; ~ parts запасны́е ча́сти; ~ room ко́мната для госте́й; ~ time свобо́дное вре́мя; 2) скудный, скромный; ~ diet скудное пита́ние; 3) худоща́вый; ~ frame сухоща́вое телосложе́ние; 3. *v* 1) эконо́мить, жале́ть; to ~ neither trouble nor expense не жале́ть ни трудо́в, ни расхо́дов; 2) обходи́ться (*без чего́-л.*); уделя́ть (*что-л. кому-л.*); I have no time to ~ today у меня́ нет сего́дня свобо́дного вре́мени; I cannot ~ another shilling мне нужны́ все мои́ де́ньги до после́днего ши́ллинга; 3) щади́ть, бере́чь; избавля́ть (*от чего-л.*); ~ his blushes не заставля́йте его́ красне́ть; ~ me пощади́те меня́; to ~ oneself не утружда́ть себя́; not to ~ oneself а) быть тре́бовательным к себе́; б) не жале́ть свои́х сил; 4) *редк.* возде́рживаться (*от чего-л.*); you need not ~ to ask my help не стесня́йтесь проси́ть меня́ о по́мощи; ◇ if I am ~d е́сли мне суждено́ ещё прожи́ть.

**sparge** [spɑːdʒ] *v* разбры́згивать, бры́згать.

**sparger** ['spɑːdʒə] *n* разбры́згиватель.

**sparing** ['spɛərɪŋ] 1. *pres. p. om* spare 3; 2. *a* 1) скудный, недоста́точный; 2) уме́ренный; 3) бережли́вый.

**spark** I [spɑːk] 1. *n* 1) и́скра; the vital ~ жизнь; 2) вспы́шка, про́блеск; he showed not a ~ of interest он не вы́сказал ни мале́йшего интере́са; 3) *pl* (Sparks) *разг.* ради́ст; 4) *attr.*: ~ guard *амер.* ками́нная

решётка; ◇ to strike ~s out of smb. заста́вить кого́-л. блесну́ть (*чем-л.*; *особ. в разгово́ре*); 2. *v* 1) и́скриться; 2) зажига́ть и́скрой; 3) искри́ть, дава́ть и́скры; вспы́хивать; 4) зажига́ть, воодушевля́ть други́х свои́м приме́ром.

**spark** II [spɑːk] 1. *n* 1) щёголь; a gay young ~ молодо́й франт; 2): to play the ~ to уха́живать за; 2. *v* 1) щеголя́ть; 2) уха́живать.

**spark-arrester** ['spɑːkə,restə] *n тех.* искроулови́тель, искрогаси́тель.

**spark-coil** ['spɑːkkɔɪl] *n эл.* индукцио́нная кату́шка.

**sparker** ['spɑːkə] *n* искроулови́тель.

**spark-gap** ['spɑːkgæp] *n эл.* 1) и́скровый промежу́ток; 2) разря́дник.

**sparking-plug** ['spɑːkɪŋplʌg] *n* запа́льная свеча́.

**sparkle** ['spɑːkl] 1. *n* 1) и́скорка; 2) блеск, сверка́ние; 3) искре́ние; 2. *v* 1) и́скриться; 2) сверка́ть; 3) игра́ть, и́скриться (*о вине́*).

**sparklet** ['spɑːklɪt] *n* и́скорка.

**sparkling** ['spɑːklɪŋ] 1. *pres. p. om* sparkle 2; 2. *a* 1) сверка́ющий, блестя́щий; 2) шипу́чий, искри́стый, и́скрящийся.

**spark-plug** ['spɑːkplʌg] *n амер.* 1) = sparking-plug; 2) челове́к, заража́ющий други́х свое́й кипу́чей эне́ргией.

**sparring** I ['spɑːrɪŋ] *pres. p. om* spar I, 2.

**sparring** II ['spɑːrɪŋ] 1. *pres. p. om* spar III, 2; 2. *a* уче́бный, трениро́вочный (*в бо́ксе*); ~ bout уче́бный бой; ~ partner партнёр для трениро́вки; ~ ring уче́бно-трениро́вочный ринг; ~ gloves трениро́вочные перча́тки.

**sparrow** ['spærou] *n* воробе́й.

**sparrow-grass** ['spærougrɑːs] *n разг.* спа́ржа.

**sparrow-hawk** ['spærouhɔːk] *n* я́стреб-перепеля́тник.

**sparry** ['spɑːrɪ] *a мин.* шпа́товый.

**sparse** [spɑːs] *a* ре́дкий, разбро́санный.

**Spartacist** ['spɑːtəsɪst] *n ист.* спарта́ковец.

**Spartan** ['spɑːtən] 1. *a* спарта́нский; 2. *n* спарта́нец.

**spasm** ['spæzəm] *n* 1) спа́зма, су́дорога; 2) при́ступ; поры́в.

**spasmodic** [spæz'mɔdɪk] *a* 1) спазмати́ческий, су́дорожный; 2) перемежа́ющийся; характеризу́ющийся сме́ной подъёма и упа́дка (*настрое́ния и т. п.*).

**spastic** ['spæstɪk] *a мед.* спасти́ческий.

**spat** I [spæt] 1. *n* 1) у́стричная икра́; 2) молода́я у́стрица; 2. *v* мета́ть икру́ (*об у́стрицах*).

**spat** II [spæt] *past и p. p. om* spit II, 2.

**spat** III [spæt] *амер.* 1. *n* лёгкая ссо́ра; 2. *v* 1) похло́пать, пошлёпать; 2) побрани́ться, слегка́ поссо́риться.

**spatchcock** ['spætʃkɔk] 1. *n* заре́занная и сра́зу зажа́ренная (на ра́шпере) пти́ца; 2. *v* 1) жа́рить свежезаре́занную пти́цу; 2) *разг.* на́спех вставля́ть (*фра́зу в телегра́мму и т. п.*).

**spate** [speɪt] *n* 1) (внеза́пный) разли́в реки́, наводне́ние; 2) внеза́пный ли́вень; 3) неудержи́мый пото́к красноре́чия.

**spathic** [ˈspæθɪk] *a* шпа́товый.

**spatial** [ˈspeɪʃəl] *a* простра́нственный.

**spatio-temporal** [ˈspeɪʃɪou'tempərəl] *a* простра́нственно-временно́й.

**spats** [spæts] *сокр. от* spatterdashes.

**spattee** [spæ'tiː] = spatterdashes.

**spatter** [ˈspætə] 1. *n* 1) бры́зги (*гря́зи, дождя́*); 2) бры́зганье;
2. *v* 1) забры́згивать, разбры́згивать, бры́згать; расплёскивать; 2) возводи́ть клевету́, черни́ть; to ~ a man's good name опоро́чить челове́ка.

**spatterdashes** [ˈspætə,dæʃɪz] *n pl* ге́тры.

**spatter-dock** [ˈspætədɔk] *n бот.* кубы́шка прише́льца.

**spatula** [ˈspætjulə] *n* шпа́тель, лопа́точка.

**spavin** [ˈspævɪn] *n вет.* шпат.

**spavined** [ˈspævɪnd] *a вет.* страда́ющий шпа́том.

**spawn** [spɔːn] 1. *n* 1) икра́; 2) *презр.* пото́мство, порожде́ние, отро́дье; 3) *бот.* мице́лий, грибни́ца;
2. *v* 1) мета́ть икру́; 2) размножа́ться, плоди́ться (*презр. о лю́дях*).

**spawning** [ˈspɔːnɪŋ] 1. *pres. p. от* spawn 2;
2. *n* нере́ст.

**spay** [speɪ] *v* удаля́ть яи́чники (*у живо́тных*).

**speak** [spiːk] *v* (spoke, *уст.* spake; spoken) 1) говори́ть, разгова́ривать; to ~ by the book, to ~ like a book говори́ть как по пи́саному; to ~ without book говори́ть по па́мяти; to ~ smb. fair любе́зно говори́ть с кем-л.; English is spoken here здесь говоря́т по-англи́йски; Dixon ~ing Ди́ксон у телефо́на; 2) сказа́ть; выска́зывать(ся); сообща́ть; to ~ ill (*или* evil) of smb. ду́рно отзыва́ться о ком-л.; to ~ one's mind выска́зываться открове́нно; to ~ the word вы́разить жела́ние; to ~ for oneself a) говори́ть о со́бственных чу́вствах; б) говори́ть за себя́; ~ for yourself не говори́те за други́х, не припи́сывайте други́м ва́ших мне́ний; 3) произноси́ть речь, выступа́ть (*на собра́нии*); 4) говори́ть, свиде́тельствовать; the facts ~ for themselves фа́кты говоря́т са́ми за себя́; this ~s him generous э́то говори́т о его́ ще́дрости; to ~ volumes (for) говори́ть красноречи́вее вся́ких слов (о); быть весьма́ многозначи́тельным; 5): legally ~ing с юриди́ческой то́чки зре́ния; strictly ~ing стро́го говоря́; generally ~ing вообще́ говоря́; roughly ~ing в о́бщих черта́х; 6) звуча́ть (*о музыка́льных инструме́нтах*); 7) *мор.* оклика́ть; перегова́риваться с други́м су́дном; □ ~ at выгова́ривать *кому́-л.*; ~ for a) говори́ть за (*или от лица́*) *кого́-л.*; б): to ~ well for говори́ть в по́льзу; ~ of упомина́ть; nothing to ~ of су́щий пустя́к; ~ out a) выска́зываться; б) говори́ть гро́мко; ~ to a) обраща́ться к *кому́-л.*, говори́ть с *кем-л.*; б) подтвержда́ть *что-л.*; ~ up a) говори́ть гро́мко и отчётливо; б) вы́сказаться; ◇ to ~ straight from the shoulder ≅ ру-

би́ть с плеча́; ре́зко выска́зывать своё мне́ние; so to ~ так сказа́ть.

**speak-easy** [ˈspiːk,iːzɪ] *n амер. sl.* бар, где незако́нно торгу́ют спиртны́ми напи́тками.

**speaker** [ˈspiːkə] *n* 1) ора́тор; he is no ~ он плохо́й ора́тор; 2) тот, кто говори́т, говоря́щий; 3) (the S.) спи́кер (*председа́тель пала́ты общи́н в А́нглии, председа́тель пала́ты представи́телей в США*); 4) *ра́дио* ди́ктор; 5) громкоговори́тель; 6) ру́пор.

**speakies** [ˈspiːkɪz] = talkies.

**speaking** [ˈspiːkɪŋ] 1. *pres. p. от* speak;
2. *a* говоря́щий; ~ acquaintance, ~ terms знако́мство, даю́щее пра́во на разгово́р; not on ~ terms в ссо́ре; ~ likeness живо́й портре́т; ~ look вырази́тельный взгляд;
3. *n* разгово́р; plain ~ разгово́р начисто́ту; in a manner of ~ е́сли мо́жно так вы́разиться; course in public ~ курс ора́торского иску́сства.

**speaking-trumpet** [ˈspiːkɪŋ,trʌmpɪt] *n* ру́пор.

**speaking-tube** [ˈspiːkɪŋtjuːb] *n* перегово́рная тру́бка.

**spear** [spɪə] 1. *n* 1) копьё; дро́тик; 2) острога́; гарпу́н; 3) *поэт.* копе́йщик; 4) *бот.* побе́г, о́тпрыск; стре́лка; ◇ ~ side мужска́я ли́ния (ро́да);
2. *v* 1) пронза́ть копьём; 2) бить острого́й (*ры́бу*); 3) пойти́ в стре́лку, выбра́сывать стре́лку.

**spearhead** [ˈspɪəhed] *n* 1) острие́, наконе́чник копья́; 2) *воен.* передово́й отря́д, острие́ кли́на (*тж.* ~ of the attack).

**spearman** [ˈspɪəmən] *n* копьено́сец.

**spearmint** [ˈspɪəmɪnt] *n бот.* мя́та курча́вая.

**spec** [spek] *n разг.* спекуля́ция; on ~ a) науда́чу, на риск; б) с расчётом на вы́году.

**special** [ˈspeʃəl] 1. *a* 1) специа́льный; осо́бый; to be of ~ interest представля́ть осо́бый интере́с; ~ course of study специа́льный курс; ~ anatomy анато́мия отде́льных о́рганов; ~ hospital специализи́рованная больни́ца; ~ correspondent специа́льный корреспонде́нт; ~ licence разреше́ние на венча́ние без оглаше́ния; ~ pleading предвзя́тая односторо́нняя аргумента́ция; 2) осо́бенный; индивидуа́льный; my chair мой люби́мый стул; 3) э́кстренный; ~ delivery *амер.* сро́чная доста́вка (*почто́вого отправле́ния*); ~ edition э́кстренный вы́пуск; ~ train э́кстренный по́езд; специа́льный по́езд; 4) определённый;
2. *n* 1) э́кстренный вы́пуск; 2) э́кстренный по́езд; 3) специа́льный корреспонде́нт.

**specialism** [ˈspeʃəlɪzəm] *n* 1) специализа́ция; 2) о́бласть специализа́ции.

**specialist** [ˈspeʃəlɪst] *n* специали́ст.

**speciality** [,speʃɪ'ælɪtɪ] *n* 1) специа́льность; to make a ~ of smth. специализи́роваться в чём-л.; 2) отличи́тельная черта́, осо́бенность; 3) *pl* дета́ли, подро́бности; 4) специа́льный ассортиме́нт (*това́ров*).

**specialization** [,speʃəlaɪ'zeɪʃən] *n* специализа́ция.

**specialize** ['speʃəlaɪz] v 1) де́лать специфи́чным; 2) ограни́чивать, су́живать; 3) специализи́ровать(ся) (in); 4) приспосо́бливать(ся); 5) *биол.* приспоса́бливать(ся), адапти́роваться.

**specially** ['speʃəlɪ] adv 1) специа́льно; 2) осо́бенно.

**specialty** ['speʃəltɪ] n 1) осо́бенность; 2) специа́льность; 3) специа́льный ассортиме́нт; 4) *юр.* докуме́нт; догово́р.

**specie** ['spiːʃiː] n 1) (тк. sing) зво́нкая моне́та; 2) attr.: ~ payments упла́та зво́нкой моне́той.

**species** ['spiːʃiːz] n (pl без измен.) 1) *биол.* вид; 2) род; поро́да; the ~, our ~ челове́ческий род; 3) вид, разнови́дность; ~ of cunning своего́ ро́да хи́трость.

**specific** [sprɪ'sɪfɪk] 1. a 1) осо́бый, осо́бенный, специфи́ческий; with no ~ aim без како́й-л. осо́бой це́ли; ~ cause специфи́ческая причи́на (определённой болезни); ~ remedy (medicine) специфи́ческое сре́дство (лека́рство); 2) характе́рный, осо́бенный; 3) определённый, то́чный, конкре́тный; ограни́ченный; ~ aim определённая цель; ~ statement то́чно сформули́рованное утвержде́ние; 4) *биол.* видово́й; ~ difference видово́е разли́чие; the ~ name of a plant видово́е назва́ние расте́ния; 5) *физ.* уде́льный; ~ gravity, ~ weight уде́льный вес; ~ heat уде́льная теплоёмкость.
2. n 1) специфи́ческое сре́дство, лека́рство; 2) специа́льное сре́дство.

**specification** [ˌspesɪfɪ'keɪʃən] n 1) специфика́ция, детализа́ция; детализи́рование; 2) дета́ль, подро́бность (контракта и т. п.); 3) pl специфика́ция, инстру́кция по обраще́нию.

**specify** ['spesɪfaɪ] v 1) то́чно определя́ть, устана́вливать; he specified the reasons of their failure он проанализи́ровал причи́ны их неуда́чи; 2) ука́зывать, отмеча́ть; 3) специа́льно упомина́ть; 4) специфици́ровать, дава́ть специфика́цию; приводи́ть номина́льные или па́спортные да́нные; 5) придава́ть осо́бый хара́ктер.

**specimen** ['spesɪmɪn] n 1) образе́ц, обра́зчик; экземпля́р; 2) разг. *ирон.* субъе́кт, тип; what a ~! вот так тип!; a queer ~ чуда́к; 3) attr. про́бный; ~ page про́бная страни́ца.

**speciology** [ˌspeʃɪ'ɔlədʒɪ] n нау́ка о происхожде́нии и разви́тии ви́дов.

**specious** ['spiːʃəs] a 1) благови́дный, правдоподо́бный; ~ excuse благови́дный предло́г; ~ tale правдоподо́бный расска́з; 2) показно́й.

**speck I** [spek] 1. n 1) пя́тнышко, кра́пинка; 2) части́чка, крупи́нка; ~ of dust пыли́нка.
2. v пятна́ть, испещря́ть.

**speck II** [spek] n амер., южно-афр. 1) во́рвань; 2) жи́рное мя́со, шпик, беко́н.

**speckle** ['spekl] 1. n пя́тнышко, кра́пинка.
2. v пятна́ть, испещря́ть.

**speckled** ['spekld] 1. p. p. от speckle 2; 2. a кра́пчатый; ~ hen пёстрая, ряба́я ку́рица.

**specs** [speks] n pl разг. очки́.

**spectacle** ['spektəkl] n 1) зре́лище; to be a sad ~ возбужда́ть жа́лость; to make a ~ of oneself обраща́ть на себя́ внима́ние; 2) pl очки́ (тж. pair of ~s); to see through rose-coloured ~s ви́деть всё в ро́зовом све́те; 3) pl цветны́е стёкла светофо́ра.

**spectacled** ['spektəkld] a 1) нося́щий очки́, в очка́х; 2) очко́вый (о змее).

**spectacular** [spek'tækjulə] 1. a 1) эффе́ктный, импоза́нтный; 2) захва́тывающий;
2. n эффе́ктное зре́лище.

**spectator** [spek'teɪtə] n 1) зри́тель; 2) очеви́дец, наблюда́тель.

**spectatress** [spek'teɪtrɪs] n зри́тельница.

**spectra** ['spektrə] pl от spectrum.

**spectral** ['spektrəl] a 1) при́зрачный; 2) *физ.* спектра́льный.

**spectre** ['spektə] n привиде́ние, при́зрак.

**spectrometer** [spek'trɔmɪtə] n спектро́метр.

**spectroscope** ['spektrəskoup] n спектроско́п.

**spectrum** ['spektrəm] n (pl -ra) *физ.* 1) спектр; 2) attr. спектра́льный; ~ analysis спектра́льный ана́лиз.

**specula** ['spekjulə] pl от speculum.

**specular** ['spekjulə] a 1) зерка́льный; ~ surface отража́ющая пове́рхность; 2) *мед.* произведённый с по́мощью расшири́теля.

**speculate** ['spekjuleɪt] v 1) размышля́ть, разду́мывать, де́лать предположе́ния (on, upon, about); 2) спекули́ровать; игра́ть на би́рже; to ~ in shares спекули́ровать а́кциями.

**speculation** [ˌspekju'leɪʃən] n 1) размышле́ние; 2) тео́рия, предположе́ние; 3) спекуля́ция; игра́ на би́рже; on ~ = on spec [см. spec].

**speculative** ['spekjulətɪv] a 1) умозри́тельный; 2) теорети́ческий; 3) спекуляти́вный; 4) риско́ванный.

**speculator** ['spekjuleɪtə] n 1) мысли́тель; 2) спекуля́нт; игра́ющий на би́рже.

**speculum** ['spekjuləm] n (pl -la) 1) рефле́ктор; 2) *мед.* расшири́тель, зе́ркало; 3) глазо́к (на крыле́ пти́цы).

**sped** [sped] past и p. p. от speed 2.

**speech** [spiːtʃ] n 1) речь, спосо́бность ре́чи; речева́я де́ятельность; 2) го́вор, произноше́ние; мане́ра говори́ть; to be slow of ~ говори́ть ме́дленно; his ~ is indistinct он говори́т невня́тно, у него́ плоха́я ди́кция; 3) речь, ора́торское выступле́ние; to deliver (или to make, to give) a ~ произноси́ть речь; set ~ зара́нее соста́вленная речь; ~ from the throne тро́нная речь; 4) язы́к; диале́кт; 5) *театр.* ре́плика; 6) звуча́ние (муз. инструме́нта); 7) attr. речево́й; ~ habits речевы́е на́выки.

**speech-day** ['spiːtʃdeɪ] n акт, а́ктовый день.

**speechify** ['spiːtʃɪfaɪ] v 1) *ирон.* ора́торствовать, разглаго́льствовать; 2) амер. разг. произноси́ть напы́щенную речь.

**speechless** ['spiːtʃlɪs] a 1) немо́й; 2) безмо́лвный; ~ entreaty нема́я мольба́; 3) онеме́вший; ~ with rage онеме́вший от я́рости; 4) невырази́мый; 5) *sl.* мертве́цки пья́ный.

**speed** [spiːd] **1.** *n* 1) ско́рость; ско́рость хо́да; быстрота́; with all ~ поспе́шно; at full ~ по́лным хо́дом; at great ~ на большо́й ско́рости; to gather ~ ускоря́ть ход, набира́ть ско́рость; to put in the first (second) ~ включи́ть пе́рвую (втору́ю) ско́рость; 2) *уст.* успе́х; to wish good ~ жела́ть успе́ха; 3) *тех.* число́ оборо́тов;

**2.** *v* (sped) 1) спеши́ть, идти́ поспе́шно; an arrow sped past ми́мо пролете́ла стрела́; he sped down the street он поспе́шно напра́вился вниз по у́лице; 2) ускоря́ть (*особ.* ~ up); 3) (speeded [-ɪd]) устана́вливать ско́рость; 4) увели́чивать (*выпуск проду́кции*); 5) *уст.* успева́ть; преуспева́ть; to ~ well преуспева́ть; how have you sped? как ва́ши дела́?; 6) *уст.* соде́йствовать (*чему́-л.*).

-**speed** [-spiːd] *в сло́жных слова́х*: three--speed engine трёхскоростно́й дви́гатель.

**speed-boat** ['spiːdbout] *n* быстрохо́дный ка́тер.

**speed-cop** ['spiːdkɔp] *n sl.* полице́йский, следя́щий за ско́ростью движе́ния.

**speeder** ['spiːdə] *n* 1) *тех.* переда́ча; регуля́тор ско́рости; 2) *текст.* банка-брош.

**speedily** ['spiːdɪlɪ] *adv* бы́стро, поспе́шно.

**speeding** ['spiːdɪŋ] **1.** *pres. p. от* speed 2;

**2.** *n* 1) поспе́шность; 2) увеличе́ние ско́рости; 3) езда́ на большо́й ско́рости; 4) успе́х.

**speed-limit** ['spiːd,lɪmɪt] *n* дозво́ленная ско́рость (*езды́*).

**speedometer** [spɪ'dɔmɪtə] *n* спидо́метр.

**speed-reducer** ['spiːdrɪ,djuːsə] *n тех.* реду́ктор.

**speedster** ['spiːdstə] *n* 1) *разг.* быстрохо́дное су́дно; 2) *авт.* спи́дстер.

**speed-up** ['spiːd,ʌp] *n* 1) ускоре́ние; 2) увеличе́ние вы́пуска проду́кции, производи́тельности труда́.

**speed-up system** ['spiːd,ʌp'sɪstɪm] = sweating system.

**speedway** ['spiːdweɪ] *n* доро́жка для мотоцикле́тных го́нок, го́ночный трек.

**speedwell** ['spiːdwel] *n бот.* верони́ка.

**speedy** ['spiːdɪ] *a* 1) бы́стрый, ско́рый; прово́рный; 2) поспе́шный.

**spelaean** [spɪ'liːən] *a* пеще́рный, живу́щий в пеще́ре.

**spell I** [spel] **1.** *n* 1) заклина́ние; 2) ча́ры; обая́ние; under a ~ зачаро́ванный; to cast a ~ on (*или* over) smb. очарова́ть, околдова́ть кого́-л.

**2.** *v* очаро́вывать.

**spell II** [spel] *v* (spelt, spelled [-d]) 1) писа́ть *или* произноси́ть (*сло́во*) по бу́квам; чита́ть (*сло́во*) по склада́м; how do you ~ your name? как пи́шется ва́ше и́мя?; we do not pronounce as we ~ мы произно́сим не так, как пи́шем; to ~ backward писа́ть *или* чита́ть (*бу́квы сло́ва*) в обра́тном поря́дке; *перен.* извраща́ть смысл, толкова́ть непра́вильно; 2) образо́вывать, составля́ть (*сло́во по бу́квам*; *напр.*: o-n-e ~s one); 3) означа́ть, влечь за собо́й; □ ~ out а) чита́ть по склада́м, с трудо́м; б) расши-

фрова́ть, разобра́ть (*обыкн.* с трудо́м); в) продиктова́ть *или* произнести́ по бу́квам; ◇ to ~ for an invitation напроси́ться на приглаше́ние; to ~ baker *амер.* выполня́ть тру́дную зада́чу, ста́лкиваться с тру́дностями.

**spell III** [spel] **1.** *n* 1) коро́ткий промежу́ток вре́мени; ~ of fine weather пери́од хоро́шей пого́ды; ~ of illness при́ступ боле́зни; leave it alone for a ~ оста́вьте э́то в поко́е на вре́мя; 2) переры́в; 3) сме́на; 4) коро́ткое расстоя́ние;

**2.** *v амер.*, *редк.* 1) сменя́ть; заменя́ть; 2) дать переды́шку; 3) передохну́ть, отдохну́ть.

**spellbind** ['spelbaɪnd] *v* (spellbound) очаро́вывать.

**spellbinder** ['spel,baɪndə] *n амер.* ора́тор, увлека́ющий свою́ аудито́рию.

**spellbound** ['spelbaund] **1.** *past и p. p. от* spellbind;

**2.** *a* 1) очаро́ванный; 2) ошеломлённый.

**speller** ['spelə] *n* 1): a good (bad) ~ гра́мотно (негра́мотно) пи́шущий челове́к; 2) = spelling-book.

**spelling I** ['spelɪŋ] *pres. p. от* spell I, 2.

**spelling II** ['spelɪŋ] **1.** *pres. p. от* spell II;

**2.** *n* правописа́ние, орфогра́фия; variant ~ of a word друго́е написа́ние (одного́) сло́ва.

**spelling III** ['spelɪŋ] **1.** *pres. p. от* spell III, 2;

**2.** *n* 1) тот, кто замеща́ет, заменя́ет (*кого́-л.*); 2) о́тдых от рабо́ты, переды́шка.

**spelling-bee** ['spelɪŋbiː] *n* ко́нкурсный дикта́нт.

**spelling-book** ['spelɪŋbuk] *n* 1) орфографи́ческий спра́вочник; 2) сбо́рник упражне́ний по правописа́нию.

**spelt I** [spelt] *n бот.* пшени́ца спе́льта, по́лба.

**spelt II** [spelt] *past и p. p. от* spell II.

**spelter** ['speltə] *n* 1) техни́ческий цинк (*в чу́шках или пли́тках*); 2) *тех.* ци́нковый припо́й.

**spencer** ['spensə] *n* спе́нсер (*коро́ткая шерстяна́я ку́ртка*).

**spend** [spend] *v* (spent) 1) тра́тить, расхо́довать; to ~ much trouble on smth. тра́тить нема́ло труда́ на что-л.; 2) проводи́ть (*вре́мя*); to ~ a sleepless night провести́ бессо́нную ночь; 3) истоща́ть; to ~ oneself устра́ть, вы́мотаться; the storm has spent itself бу́ря улегла́сь; 4) мета́ть икру́; 5) *мор.* потеря́ть (*ма́чту*).

**spender** ['spendə] *n* мот, транжи́ра.

**spendthrift** ['spendθrɪft] **1.** *n* расточи́тель, мот;

**2.** *a* расточи́тельный.

**Spenserian** [spen'sɪərɪən] *a*: ~ stanza *прос.* спе́нсерова строфа́.

**spent** [spent] **1.** *past и p. p. от* spend;

**2.** *a* 1) истощённый; испо́льзованный; ~ bullet пу́ля на изле́те; ~ steam отрабо́танный пар; the night is far ~ *поэт.* ночь на исхо́де; a well ~ life хорошо́ прожи́тая жизнь; 2) уста́лый.

**sperm I** [spəːm] *n биол.* спе́рма.

**sperm II** [spəːm] = sperm-whale.

**spermaceti** [ˌspəːmə'setɪ] *n* спермацёт.
**spermatic** [spəː'mætɪk] *a биол.* семеннóй.
**spermatorrhoea** [ˌspəːmətə'rɪə] *n мед.* сперматорёя.
**spermatozoa** [ˌspəːmətou'zouə] *pl от* spermatozoon.
**spermatozoon** [ˌspəːmətou'zouɔn] *n* (*pl* -zoa) *биол.* сперматозóид.
**sperm-whale** [ˈspəːmweɪl] *n зоол.* кашалóт.
**spew** [spjuː] 1. *n* рвóта, блевóтина;
2. *v* 1) блевáть, изрыгáть; 2) *тех.* шприцевáть, выдáвливать; 3) *воен.* опускáться, прогибáться (*о дульной части*).
**sphacelate** [ˈsfæsɪleɪt] *v* вызывáть гангрёну, омертвлéние.
**sphagna** [ˈsfægnə] *pl от* sphagnum.
**sphagnum** [ˈsfægnəm] *n* (*pl* -na) *бот.* сфáгнум.
**sphenoid** [ˈsfiːnɔɪd] *анат.* 1. *a* клиновйдный;
2. *n* основнáя, клиновйдная кость.
**spheral** [ˈsfɪrəl] *a* 1) сферйческий; 2) симметрйчный; гармонйчный;
**sphere** [sfɪə] 1. *n* 1) сфéра; шар; doctrine of the ~ сферйческая геомéтрия и тригономéтрия; 2) глóбус; 3) планéта; небéсное светйло; 4) *поэт.* нéбо, небесá; 5) небéсная сфéра (*тж.* celestial ~); 6) сфéра, круг, пóле деятельности; he has done much in his particular ~ он мнóгое сдéлал в своéй óбласти; that is out of my ~ это вне моéй компетéнции; 7) социáльная средá, круг; he moves in quite another ~ он вращáется в совершéнно другóй средé;
2. *v* 1) замыкáть в круг; 2) придавáть фóрму шáра; 3) *поэт.* превозносйть (до небéс).
**spheric** [ˈsferɪk] *a поэт.* небéсный.
**spherical** [ˈsferɪkəl] *a* сферйческий, шарообрáзный.
**sphericity** [sfɪ'rɪsɪtɪ] *n* сферйчность, шарообрáзность.
**spherics** [ˈsferɪks] *n pl* (*употр. как sing*) сферйческая геомéтрия и тригономéтрия.
**spheroid** [ˈsfɪərɔɪd] *n* сферóид.
**spheroidal** [sfɪə'rɔɪdl] *a* сфероидáльный, шаровйдный.
**spherule** [ˈsferjuːl] *n* шáрик, небольшóй шар.
**sphincter** [ˈsfɪŋktə] *n анат.* сфйнктер.
**sphinges** [ˈsfɪndʒiːz] *pl от* sphinx.
**sphinx** [sfɪŋks] *n* (*pl* -es [-ɪz], sphinges) 1) сфинкс; 2) загáдочное существó; непонятный человéк.
**spice** [spaɪs] 1. *n* 1) спéция, прáность; *собир.* спéции; 2) оттéнок (*чего-л.*); прйвкус, прймесь (of);
2. *v* 1) приправлять (*пряностями*); 2) придавáть пикáнтность.
**spicery** [ˈspaɪsərɪ] *n* прáности.
**spick and span** [ˈspɪkənd'spæn] *a* щегольскóй, с игóлочки.
**spicy** [ˈspaɪsɪ] *a* 1) прáный, аромáтичный; 2) пикáнтный; óстрый; ~ bits of scandal злые сплéтни; 3) *амер. sl.* вспыльчивый.
**spider** [ˈspaɪdə] *n* 1) паýк; ~'s web= spider-web; 2) тагáн; 3) *тех.* звездá; крестовйна.
**spider-crab** [ˈspaɪdəkræb] *n зоол.* морскóй паýк.

**spider-web** [ˈspaɪdəweb] *n* паутйна.
**spidery** [ˈspaɪdərɪ] *a* 1) паýчий, паукообрáзный; 2) тóнкий.
**spiel** [spiːl] *нем.* 1. *n амер. sl.* 1) игрá; 2) разговóр; 3) речь в пóльзу (*кого-л.*); 4) объявлéние; 5) *attr.*: ~ truck агитациóнный автомобйль;
2. *v амер. sl.* расскáзывать; орáторствовать.
**spieler** [ˈspiːlə] *нем. n амер. sl.* 1) орáтор; 2) зазывáла.
**spier** [ˈspaɪə] *n* шпиóн.
**spigot** [ˈspɪgət] *n тех.* 1) втýлка, втýлочное соединéние, прóбка (*крана*); центрйрующий выступ; 2) *амер.* кран.
**spike** [spaɪk] 1. *n* 1) óстрый выступ, остриё; 2) шип, гвоздь (*на подошве*); 3) костыль, гвоздь; 4) клин; 5) *воен.* ёрш для забйвки запáла; 6) *бот.* кóлос, колосовóе цветорасположéние;
2. *v* 1) снабжáть острйями, шипáми; 2) закреплять *или* прибивáть гвоздями *или* шипáми; 3) пронзáть, прокáлывать; 4) выводйть из стрóя, дéлать бесполéзным; to ~ smb.'s plans расстрóить чьи-л. плáны; to ~ smb.'s guns расстрóить чьи-л. (злые) зáмыслы; 5) *воен.* забивáть (запáл) ершóм; ◇ to ~ a rumour *амер. sl.* а) опровергáть слух; б) заставлять замолчáть.
**spiked** [spaɪkt] 1. *p. p. от* spike 2;
2. *a* с острйями, с шипáми; ~ shoes ботйнки на шипáх.
**spikenard** [ˈspaɪknɑːd] *n* нард (*растение и ароматическое масло*).
**spikewise** [ˈspaɪkwaɪz] *adv* в вйде острия.
**spiky** [ˈspaɪkɪ] *a* 1) заострённый, остроконéчный; усáженный острйями; 2) сварлйвый; обйдчивый; 3) *разг.* непримирймый в вопрóсах цéркви.
**spile** [spaɪl] *n* 1) втýлка, затычка; 2) кол, свáя.
**spill** I [spɪl] 1. *n* 1) *разг.* падéние; to have (*или* to get) a ~ упáсть; 2) *разг.* потóк, лйвень; 3) = spillway;
2. *v* (spilt, spilled [-d]) 1) проливáть (-ся), разливáть(ся), расплёскивать(ся); рассыпáть(ся); to ~ blood проливáть кровь; to ~ the blood of smb. убйть когó-л.; 2) болтáть; to ~ the beans *sl.* разболтáть секрéт; 3) *разг.* сбрóсить, вывалить (*седока*); 4) *sl.* пройгрывать (*пари и т. п.*); 5) *мор.* обезвéтрить (*парус*).
**spill** II [spɪl] *n* 1) лучйна; скрýченный кусóчек бумáги (*для зажигания трубки и т. п.*); 2) затычка, деревянная прóбка; 3) *метал.* непровáр; волосовйна.
**spillikin** [ˈspɪlɪkɪn] *n* 1) бирюлька; 2) *pl* игрá в бирюльки.
**spillway** [ˈspɪlweɪ] *n гидр.* водослйв.
**spilt** [spɪlt] *past и p. p. от* spill I, 2.
**spilth** [spɪlθ] *n уст.* то, что прóлито.
**spin** [spɪn] 1. *n* 1) кружéние, верчéние; 2) корóткая прогýлка, быстрая ездá (*на автомашине, велосипеде, лодке*); to go for a ~ in a car прокатйться на автомашйне; 3) *ав.* штóпор; 4) *физ.* спин;
2. *v* (spun, span; spun) 1) прясть, сучйть; 2) прясть, плестй (*о пауке*); to ~ a cocoon запрясться (*о шелковичном черве*); 3) кру-

ти́ть(ся), верте́ть(ся), опи́сывать круги́; пуска́ть волчо́к; to ~ a coin подбра́сывать моне́ту; to send smb. ~ning отбро́сить кого́-л. уда́ром; 4) *sl.* прова́ливать (*на экза́мене*); 5) *разг.* нести́сь, бы́стро дви́гаться (*на велосипеде и т. п.*); 6) лови́ть (*рыбу*); 7) *тех.* прока́тывать (*на станке*); □ ~ in *ав.* войти́ в што́пор; ~ off *ав.* вы́йти из што́пора; ~ out растя́гивать; до́лго и ну́дно расска́зывать *что-л.*; ◇ to ~ a story, to ~ a yarn расска́зывать, приду́мывать исто́рию; расска́зывать небыли́цы.

**spinach, spinage** ['spɪnɪdʒ] *n* шпина́т.

**spinal** ['spaɪnl] *a* *анат.* спинно́й; ~ column спинно́й хребе́т; позвоно́чный столб; ~ cord спинно́й мозг; ~ fluid спинномозгова́я жи́дкость.

**spindle** ['spɪndl] 1. *n* 1) веретено́; 2) *амер.* иго́лка для нака́лывания бума́г; 3) ме́ра пря́жи; 4) сто́йка пери́л; 5) *тех.* ось, вал, шпи́ндель; ◇ ~ side же́нская ли́ния (ро́да);
2. *v* вытя́гиваться; де́латься дли́нным и то́нким.

**spindle-legged** ['spɪndl,legd] *a* 1) с журавли́ными нога́ми (*о человеке*); 2) с то́нкими но́жками (*о столе и т. п.*).

**spindle-legs** ['spɪndl,legz] *n pl* (*употр. как sing*) *разг.* долгвя́зый челове́к.

**spindle-shanked** ['spɪndl,ʃæŋkt] = spindle-legged 1).

**spindle-shanks** ['spɪndlʃæŋks] = spindle-legs.

**spindling** ['spɪndlɪŋ] 1. *pres. p. om* spindle 2;
2. *n* 1) долгвя́зый челове́к; 2) то́нкий побе́г; то́нкое и высо́кое де́рево;
3. *a* 1) худо́й и высо́кий (*о человеке*); 2) то́нкий и высо́кий (*о дереве и т. п.*).

**spindly** ['spɪndlɪ] *a* дли́нный и то́нкий; веретенообра́зный.

**spindrift** ['spɪndrɪft] *n* 1) пе́на *или* бры́зги морско́й воды́; 2) *attr.*: ~ clouds пери́стые облака́.

**spine** [spaɪn] *n* 1) *анат.* спинно́й хребе́т; позвоно́чный столб; 2) су́щность; 3) *бот.* шип, игла́, колю́чка; 4) *зоол.* игла́; 5) гре́бень (*горы*); 6) корешо́к (*переплёта*).

**spinel** [spɪ'nel] *n* *мин.* шпине́ль.

**spineless** ['spaɪnlɪs] *a* 1) *зоол.* беспозво́ночный; 2) бесхребе́тный, бесхара́ктерный; мягкоте́лый; 3) *бот., зоол.* не име́ющий колю́чек *или* игл.

**spinet** [spɪ'net] *n* спине́т (*род клавикордов*).

**spinnaker** ['spɪnəkə] *n* *мор.* спи́накер (*треугольный парус*).

**spinner** ['spɪnə] *n* 1) пряди́льщик; пряди́льщица; 2) пря́ха; 3) пряди́льная маши́на; 4) пряди́льный о́рган (*у паука, шелкови́чного червя*); 5) *ав.* обтека́тель втýлки возду́шного винта́.

**spinneret** ['spɪnəret] = spinner 4).

**spinney** ['spɪnɪ] *n* ро́щица, за́росль.

**spinning** ['spɪnɪŋ] 1. *pres. p. om* spin 2;
2. *n* пряде́ние;
3. *a* пряди́льный.

**spinning-jenny** ['spɪnɪŋ,dʒenɪ] *n* пряди́льный стано́к периоди́ческого де́йствия.

**spinning-machine** ['spɪnɪŋmə,ʃiːn] *n* пряди́льная маши́на.

**spinning-wheel** ['spɪnɪŋwiːl] *n* пря́лка, самопря́лка.

**spinster** ['spɪnstə] *n* ста́рая де́ва; *юр.* незаму́жняя (же́нщина).

**spinthariscope** [spɪn'θærɪskoup] *n* спинтарископ, прибо́р для иссле́дования радиоакти́вных излуче́ний.

**spiny** ['spaɪnɪ] *a* 1) колю́чий; покры́тый шипа́ми *или* и́глами; 2) затрудни́тельный, щекотли́вый.

**spiracle** ['spaɪərəkl] *n* 1) отду́шина; 2) ды́хальце (*у насекомых*); 3) дыха́тельное отве́рстие (*у кита*).

**spiraea** [spaɪ'rɪə] *n* *бот.* та́волга.

**spiral** ['spaɪərəl] 1. *n* 1) спира́ль; heating ~ нагрева́тельный змееви́к; 2) *ав.* спира́льный спуск; 3) *эк.* постепе́нно ускоря́ющееся паде́ние *или* повыше́ние (*цен, зарплаты и т. п.*);
2. *a* спира́льный, винтово́й, винтообра́зный; ~ balance пружи́нные весы́, безме́н.

**spirant** ['spaɪərənt] *n* *фон.* спира́нт.

**spire** I ['spaɪə] *n* 1) шпиль, шпиц; 2) остриё, стре́лка; 3) остроконе́чная верши́на; го́рный пик.

**spire** II ['spaɪə] *n* 1) спира́ль; 2) вито́к.

**spirilla** [spaɪ'rɪlə] *pl om* spirillum.

**spirillum** [spaɪ'rɪləm] *n* (*pl* -la) *бакт.* спири́лла.

**spirit** ['spɪrɪt] 1. *n* 1) дух; духо́вное нача́ло; душа́; in (the) ~ мы́сленно, в душе́; 2) привиде́ние, дух; 3) челове́к (*с точки зрения душевных или нравственных качеств*); one of the greatest ~s of his day оди́н из велича́йших умо́в своего́ вре́мени; 4) смысл; to take smth. in the wrong ~ непра́вильно толкова́ть что-л.; 5) хара́ктер; a man of an unbending ~ несгиба́емый челове́к, непрекло́нный хара́ктер; 6) мне́ние; public ~ обще́ственное мне́ние; 7) (*часто pl*) настрое́ние, душе́вное состоя́ние; to be in high (*или* good) ~s быть в весёлом, припо́днятом настрое́нии; to be in low ~s быть в пода́вленном настрое́нии; it shows a kindly ~ э́то пока́зывает доброжела́тельное отноше́ние; to keep up smb.'s ~s поднима́ть чье-л. настрое́ние, ободря́ть кого́-л.; 8) хра́брость; воодушевле́ние, жи́вость; to go at smth. with ~ энерги́чно взя́ться за что-л.; people of ~ му́жественные, хра́брые лю́ди; to speak with ~ говори́ть с жа́ром; 9) дух, о́бщая тенде́нция; the ~ of progress дух прогре́сса; the ~ of times дух вре́мени; 10) (*обыкн. pl*) алкого́ль, спирт, спиртно́й напи́ток; ~ of camphor камфа́рный спирт; ~(s) of wine ви́нный спирт; 11) *редк.* бензи́н; 12) *attr.* спирити́ческий; 13) *attr.* спиртово́й;
2. *v* 1) воодушевля́ть, ободря́ть; одобря́ть (*часто* ~ up); 2) та́йно похища́ть (*обыкн.* ~ away, ~ off).

**spirited** ['spɪrɪtɪd] 1. *p. p. om* spirit 2;
2. *a* живо́й, сме́лый, энерги́чный; горя́чий (*о лошади*); ~ reply бо́йкий отве́т; ~ translation я́ркий перево́д; ~ speech воодушевлённая речь.

**-spirited** [-ˌspɪrɪtɪd] *в сложных словах означает* имеющий *такой-то* характер *или* находящийся в *таком-то* расположении духа; low-spirited в подавленном состоянии.

**spiritism** [ˈspɪrɪtɪzəm] *n* спиритизм.

**spirit-lamp** [ˈspɪrɪtlæmp] *n* спиртовка.

**spiritless** [ˈspɪrɪtlɪs] *a* 1) безжизненный, вялый; 2) робкий.

**spirit-level** [ˈspɪrɪtˌlevl] *n* спиртовой уровень.

**spirit-rapping** [ˈspɪrɪtˌræpɪŋ] *n* столоверчение, спиритизм.

**spiritual** [ˈspɪrɪtjuəl] 1. *a* 1) духовный; 2) одухотворённый; 3) религиозный, церковный; ~ court церковный суд; lords ~ епископы—члены парламента;
2. *n* 1) *амер.* религиозная песнь негров; 2) *pl* церковные дела.

**spiritualism** [ˈspɪrɪtjuəlɪzəm] *n* 1) *филос.* спиритуализм; 2) = spiritism.

**spiritualistic** [ˌspɪrɪtjuəˈlɪstɪk] *a* 1) *филос.* спиритуалистический; 2) спиритический.

**spirituality** [ˌspɪrɪtjuˈælɪtɪ] *n* 1) духовность; 2) одухотворённость.

**spiritualize** [ˈspɪrɪtjuəlaɪz] *v* одухотворять.

**spirituous** [ˈspɪrɪtjuəs] *a* спиртной, алкогольный (*о напитках*).

**spirt** [spəːt] 1. *n* = spurt 1, 1);
2. *v* = spurt 2, 1).

**spit I** [spɪt] 1. *n* 1) вертел; 2) длинная отмель; намывная коса, стрелка; 3) лопата, заступ; 4) слой земли в глубину, который можно захватить лопатой;
2. *v* насаживать на вертел; пронзать, протыкать.

**spit II** [spɪt] 1. *n* 1) плевание; 2) слюна, плевок; 3) небольшой дождик *или* снег; ◇ ~ and polish а) *воен. разг.* чистка оружия; б) *мор.* идеальная чистота; the ~ and image of smb. живой портрет, точная копия кого-л.; to be the dead (*или* the very) ~ быть точной копией; he is the very ~ of his father он вылитый отец;
2. *v* (spat) 1) плевать(ся); to ~ blood харкать кровью; 2) фыркать; 3) трещать, шипеть (*об огне, свечке и т. п.*); 4) моросить; брызгать; ▢ ~ at проявлять враждебность к *кому-л.*; ~ out а) выплёвывать; б) *амер. sl.* выдавать (*секрет*); в): to ~ it out *sl.* говорить, высказывать; ~ it out! говорите громче!; ~ upon наплевать на *что-л.*; относиться с презрением к *кому-л.*

**spite** [spaɪt] 1. *n* 1) злоба, злость; to have a ~ against smb. иметь зуб против кого-л.; in (*или* for, from) ~ назло; 2): in ~ of (*употр. как prep и cj*) несмотря на;
2. *v* досаждать, делать назло.

**spiteful** [ˈspaɪtful] *a* 1) злобный; 2) злорадный, недоброжелательный; 3) язвительный.

**spitfire** [ˈspɪtfaɪə] *n* злючка; вспыльчивый, раздражительный человек.

**spittle** [ˈspɪtl] *n* слюна; плевок.

**spittoon** [spɪˈtuːn] *n* плевательница.

**spitz** [spɪts] *n* шпиц.

**spitz-dog** [ˈspɪtsdɔg] = spitz.

**spiv** [spɪv] *n sl.* 1) спекулянт; тот, кто занимается тёмными делишками; 2) *attr.* спекулятивный.

**spivvery** [ˈspɪvərɪ] *n sl.* спекуляция; тёмные делишки.

**splanchnic** [ˈsplæŋknɪk] *a* относящийся к внутренностям.

**splash** [splæʃ] 1. *n* 1) брызги, брызганье; 2) плеск, всплеск; to fall into water with a ~ бултыхнуться в воду; 3) пятно грязи; 4) красочное пятно; 5) пудра для лица; 6) немного, небольшое количество (*обыкн.* a ~ of); 7) показ, возможность проявить себя; ◇ to make a ~ вызвать сенсацию;
2. *v* 1) забрызгивать; брызгать(ся); to ~ a page with ink залить страницу чернилами; 2) плескать(ся); 3) шлёпать (*по грязи или воде; обыкн.* ~ through, ~ across); to ~ one's way through the mud шлёпать по грязи; 4) шлёпнуться, бултыхнуться (into); 5) расцвечивать отдельными пятнами; fields ~ed with poppies поля, усеянные маками.

**splash-board** [ˈsplæʃbɔːd] *n* 1) крыло, щиток (*экипажа*); 2) *гидр.* шлюзный щит.

**splasher** [ˈsplæʃə] *n* грязевой щиток; крыло автомашины.

**splatter** [ˈsplætə] *v* 1) плескаться; журчать; 2) говорить невнятно, бормотать.

**splay** [spleɪ] 1. *n* 1) скос, откос; 2) *тех.* набров (*колеса*);
2. *a* 1) косой, скошенный, расширяющийся; 2) вывернутый наружу; 3) неуклюжий;
3. *v* 1) скашивать края (*отверстия*); 2) скашиваться; 3) вывихнуть; 4) выворочивать носки наружу (*при ходьбе*).

**splay-foot(ed)** [ˈspleɪˌfut(ɪd)] *a* косолапый, имеющий плоские вывернутые ступни.

**spleen** [spliːn] *n* 1) *анат.* селезёнка; 2) сплин, хандра; 3) злоба; раздражение; to vent one's ~ upon smb. сорвать злобу на ком-л.

**spleenful** [ˈspliːnful] *a* мрачный, жёлчный.

**splendent** [ˈsplendənt] *a* блестящий, сверкающий.

**splendid** [ˈsplendɪd] *a* великолепный; роскошный; блестящий.

**splendiferous** [splenˈdɪfərəs] *a* шутл. отличный, превосходный.

**splendour** [ˈsplendə] *n* 1) блеск; 2) великолепие; пышность; 3) красота, благородство.

**splenetic** [splɪˈnetɪk] 1. *a* 1) селезёночный; 2) раздражительный, жёлчный; хандрящий;
2. *n* 1) страдающий болезнью селезёнки; 2) раздражительный, сердитый человек; 3) *мед.* средство против болезни селезёнки.

**splenic** [ˈspliːnɪk] *a* селезёночный.

**splice** [splaɪs] 1. *n* 1) *мор.* сплесень; 2) *стр.* соединение внакрой, сращивание;
2. *v* 1) *мор.* сплеснивать, сращивать (*концы тросов*); 2) *стр.* соединять внакрой; сращивать; 3) *разг.* (по)женить(ся).

**splint** [splınt] 1. *n* 1) оско́лок; щепа́; 2) лубо́к (*для плетения корзин*); 3) *хир.* лубо́к, ши́на; 4) = splinter-bone; 5) *вет.* накостник; 6) *тех.* чека́, шплинт;
2. *v хир.* накла́дывать ши́ну.

**splinter** ['splıntə] 1. *n* 1) оско́лок; 2) зано́за; 3) ще́пка, лучи́на; 4) *attr.* оско́лочный; ~ effect *воен.* оско́лочное де́йствие;
2. *v* расщепля́ть(ся); раска́лывать(ся); разбива́ться.

**splinter-bone** ['splıntəboun] *n анат.* малоберцо́вая кость.

**splintery** ['splıntərı] *a* 1) похо́жий на ще́пку *или* оско́лок; 2) легко́ расщепля́ющийся *или* разлета́ющийся на оско́лки.

**split** [splıt] 1. *n* 1) раска́лывание; 2) тре́щина, щель, расще́лина; про́резь; 3) раско́л; 4) ще́пка, лучи́на (*для корзин*); 5) пол-буты́лки газиро́ванной воды́; полстака́на, по́рция коньяка́ *и т. п.*; 6) эл. разветвле́ние; 7) *pl спорт.* шпага́т; 8) сла́дкое блю́до (*из фруктов, мороженого, орехов*);
2. *a* расщеплённый, расколотый; раздро́бленный; разделённый попола́м; ~ decision реше́ние, при кото́ром голоса́ раздели́лись; ~ second кака́я-то до́ля секу́нды;
3. *v* (split) 1) раска́лывать(ся); расщепля́ть(ся) (*тж.* ~ asunder); 2) разбива́ть (-ся), тре́скаться; to ~ smb.'s ears оглуша́ть кого́-л.; to ~ one's forces дроби́ть си́лы; my head is ~ting у меня́ раска́лывается голова́ от бо́ли; 3) дели́ть на ча́сти; to ~ one's vote (*или* ticket) голосова́ть одновре́менно за кандида́тов ра́зных па́ртий; to ~ the profits подели́ть дохо́ды; to ~ the difference а) брать сре́днюю величину́; б) идти́ на компроми́сс; 4) *разг.* дели́ться (*чем-л.*); 5) поссо́рить; раска́лывать (*на группы, фракции и т. п.*); 6) распи́ть (*вино*); ▢ ~ off отка́лывать(ся); отделя́ть; ~ on *sl.* выдава́ть (*сообщника*); ~ up разделя́ть(ся), раска́лывать(ся); ◇ to ~ hairs, to ~ straws спо́рить о мелоча́х; вдава́ться в сли́шком ме́лкие подро́бности; быть педанти́чным; to ~ one's sides надрыва́ться от хо́хота; the rock on which we ~ ка́мень преткнове́ния; причи́на несча́стий.

**split infinitive** ['splıtın'fınıtıv] *n грам.* инфинити́в с отделённой части́цей to (*напр.*, I wish to highly recommend him).

**split key** ['splıt'kiː] *n тех.* разводна́я чека́.

**split pin** ['splıt'pın] *n тех.* шплинт.

**split ring** ['splıt'rıŋ] *n* кольцо́ для ключе́й.

**splitter** ['splıtə] *n* 1) раско́льник; 2) челове́к, придаю́щий изли́шнее значе́ние мелоча́м; 3) тяжёлая головна́я боль.

**splitting** ['splıtıŋ] 1. *pres. p. om* split 3;
2. *a* 1) пронзи́тельный, оглуши́тельный; 2) головокружи́тельный; 3) тяжёлый, си́льный (*о головной боли*); 4) раско́льнический.

**splodge** [splɔdʒ] = splotch.

**splosh** [splɔʃ] *n sl.* де́ньги; незако́нные дохо́ды.

**splotch** [splɔtʃ] *n* гря́зное пятно́.

**splotchy** ['splɔtʃı] *a* покры́тый пя́тнами; запа́чканный.

**splurge** [splɜːdʒ] *разг.* 1. *n* выставле́ние напока́з, хвастовство́;

2. *v* выставля́ть напока́з, хва́стать.

**splutter** ['splʌtə] = sputter.

**spoil** [spɔıl] 1. *n* 1) (*обыкн. pl или собир.*) добы́ча, награ́бленное добро́; the ~s of war вое́нная добы́ча, трофе́и; 2) при́быль, вы́года, полу́ченная в результа́те конкуре́нции с кем-л.; 3) предме́т иску́сства, ре́дкая кни́га *и т. п.*, приобретённые с трудо́м; 4) *pl амер.* госуда́рственные до́лжности, распределя́емые среди́ сторо́нников па́ртии, победи́вшей на вы́борах; ~s system распределе́ние госуда́рственных до́лжностей среди́ сторо́нников па́ртии, победи́вшей на вы́борах; предоставле́ние госуда́рственных до́лжностей за полити́ческие услу́ги; 5) земля́, вы́нутая при земляны́х рабо́тах; пуста́я поро́да;
2. *v* (spoilt, spoiled [-d]) 1) по́ртить; 2) балова́ть; 3) по́ртиться (*о продуктах*); 4) *sl.* искале́чить; уби́ть; 5) *уст., книжн.* гра́бить, отбира́ть; to ~ the Egyptians *библ.* обкра́дывать свои́х враго́в *или* угнета́телей; пожи́виться за счёт врага́; ◇ to be ~ing for *разг.* жела́ть чего́-л.; изголода́ться по *чему-л.*; to be ~ing for a fight лезть в дра́ку.

**spoilage** ['spɔılıdʒ] *n* 1) по́рча; 2) испо́рченный това́р.

**spoilsman** ['spɔılzmən] *n амер.* челове́к, получа́ющий до́лжность в награ́ду за полити́ческие услу́ги.

**spoil-sport** ['spɔılspɔːt] *n* тот, кто по́ртит удово́льствие.

**spoilt** [spɔılt] 1. *past и p. p. om* spoil 2;
2. *a* испо́рченный; избало́ванный; the ~ child of fortune ба́ловень судьбы́.

**spoke I** [spouk] 1. *n* 1) спи́ца (*колеса*); 2) ступе́нька, перекла́дина (*приставной лестницы*); 3) па́лка (*для тормо́жения колеса*); ◇ to put a ~ in smb.'s wheel ста́вить кому́-л. па́лки в колёса;
2. *v* 1) снабжа́ть спи́цами; 2) тормози́ть (*па́лкой*).

**spoke II** [spouk] *past om* speak.

**spoke-bone** ['spoukboun] *n анат.* лучева́я кость.

**spoken** ['spoukən] 1. *p. p. om* speak.
2. *a* у́стный; ~ language у́стная речь.

**spokesman** ['spouksmən] *n* представи́тель, делега́т; ора́тор (*от группы лиц*).

**spoliation** [,spouli'eıʃən] *n* 1) грабёж, захва́т иму́щества (*особ. нейтра́льных судо́в во вре́мя войны́*); 2) *юр.* преднаме́ренное уничтоже́ние *или* искаже́ние докуме́нта (*чтобы он не мог служить доказа́тельством*).

**spondaic** [spɔn'deıık] *a прос.* спонде́йческий.

**spondee** ['spɔndiː] *n прос.* спонде́й.

**spondulicks** [spɔn'djuːlıks] *n pl амер. sl.* де́ньги.

**spondyl(e)** ['spɔndıl] *n* позвоно́к.

**sponge** [spʌndʒ] 1. *n* 1) гу́бка; 2) гу́бчатое вещество́; 3) обтира́ние гу́бкой; to have a ~ down обтере́ться гу́бкой; 4) что-л. похо́жее на гу́бку, *напр.* ноздрева́тый подня́вшееся те́сто, взби́тые белки́ *и т. п.*; 5) прижива́льщик; парази́т, нахле́бник; 6) «гу́бка», челове́к, легко́ воспринима́ющий *что-л.*,

быстро усва́ивающий зна́ния; ◊ to pass the
~ over smth. преда́ть забве́нию что-л.;
to chuck (*или* to throw up) the ~ призна́ть
себя́ побеждённым;
2. *v* 1) вытира́ть, мыть, чи́стить гу́бкой;
2) собира́ть гу́бки; □ ~ down обтира́ть(ся)
мо́крой гу́бкой; ~ off чи́стить гу́бкой;
~ on жить на чужо́й счёт; ~ out а) сти-
ра́ть гу́бкой; б) изгла́дить; ~ up впи́тывать
гу́бкой; ◊ to ~ it *амер. sl.* прости́ть.

**sponge-cake** ['spʌndʒ'keɪk] *n* бискви́т.

**sponger** ['spʌndʒə] *n* 1) = sponge 1, 5);
2) тот, кто собира́ет гу́бки.

**sponging-house** ['spʌndʒɪŋhaus] *n ист.*
дом предвари́тельного заключе́ния для
должнико́в.

**spongy** ['spʌndʒɪ] *a* 1) гу́бчатый, по́ристый,
ноздрева́тый; 2) то́пкий, боло́тистый.

**sponsion** ['spɔnʃən] *n* поручи́тельство.

**sponsor** ['spɔnsə] 1. *n* 1) поручи́тель; 2) по-
печи́тель, покрови́тель; 3) крёстный (оте́ц);
крёстная (мать); 4) устро́йтель; организа́-
тор; 5) зака́зчик радиорекла́мы;
2. *v* 1) руча́ться (*за кого-л.*); 2) устра́-
ивать, организо́вывать (*концерты, митин-
ги и т. п.*); 3) подде́рживать; субсиди́ро-
вать.

**spontaneity** [ˌspɔntə'niːɪtɪ] *n* 1) самопро-
изво́льность, спонта́нность; 2) непосре́д-
ственность.

**spontaneous** [spɔn'teɪnjəs] *a* 1) самопро-
изво́льный, спонта́нный; ~ combustion
самовозгора́ние; ~ generation самозарожд-
де́ние; 2) доброво́льный; 3) непосре́дствен-
ный, непринуждённый; стихи́йный; ~ enthusiasm и́скренний энтузиа́зм; ~ movement
а) поры́в; б) стихи́йное движе́ние.

**spontoon** [spɔn'tuːn] *n воен. ист.* эспон-
то́н, полупи́ка.

**spoof** [spuːf] *разг.* 1. *n* 1) мистифика́ция;
шу́тка; надува́тельство; 2) *attr.* вы́думан-
ный; шутли́вый;
2. *v* мистифици́ровать; обма́нывать, на-
дува́ть.

**spook** [spuːk] *n шутл.* привиде́ние.

**spool** [spuːl] 1. *n* шпу́лька, кату́шка;
2. *v* нама́тывать на кату́шку, шпу́льку.

**spoon** I [spuːn] 1. *n* 1) ло́жка; 2) широ́кая
изо́гнутая ло́пасть (*весла*); 3) *спорт.* род
клю́шки; 4) блесна́; 5) *стр.* ло́жечный
бур; жело́нка; ◊ to be born with a silver
~ in one's mouth ≡ роди́ться в соро́чке;
2. *v* 1) че́рпать ло́жкой (*обыкн.* ~ up,
~ out); 2) *спорт.* подта́лкивать (*шар в крокете*); слегка́ подки́дывать мяч (*в крикете*); 3) лови́ть ры́бу на блесну́.

**spoon** II [spuːn] 1. *n* 1) простофи́ля, про-
ста́к; 2) глу́по *или* сентимента́льно влюблённый челове́к; *pl* влюблённые; 3) влюблённость; сентимента́льность; to be ~s on smb.
быть влюблённым в кого-л.; to be on the
~ уха́живать;
2. *v* уха́живать.

**spoon-bait** ['spuːnbeɪt] *n* блесна́.

**spoon-bill** ['spuːnbɪl] *n зоол.* колпи́ца.

**spoon-drift** ['spuːndrɪft] = spindrift.

**spoonerism** ['spuːnərɪzəm] *n* непроизво́ль-
ная перестано́вка зву́ков (*напр.,* blushing
crow *вм.* crushing blow).

**spoon-fed** ['spuːnfed] *a* 1) получа́ющий
пи́щу с ло́жки (*о больном и т. п.*); 2) нужда́-
ющийся в постоя́нной опе́ке и по́мощи;
иску́сственно подде́рживаемый (*о промышленности*); 3) *амер. разг.* избало́ванный.

**spoonful** ['spuːnful] *n* по́лная ло́жка.

**spoon-meat** ['spuːnmiːt] *n* жи́дкая пи́ща,
пи́ща для младе́нца.

**spoons** [spuːnz] *n pl амер. sl.* де́ньги.

**spoony** ['spuːnɪ] 1. *a* 1) глу́пый; 2) влюблённый; сентимента́льный;
2. *n* 1) простофи́ля, ду́рень; 2) влюблённый.

**spoor** [spuə] 1. *n* след (*зверя*);
2. *v* выслеживать, идти́ по сле́ду.

**sporadic(al)** [spə'rædɪk(əl)] *a* споради́-
ческий.

**sporangia** [spə'rændʒɪə] *pl от* sporangium.

**sporangium** [spə'rændʒɪəm] *n* (*pl* -gia)
*бот.* спора́нгий.

**spore** [spɔː] *n биол.* спо́ра.

**sporran** ['spɔrən] *n* ко́жаная су́мка с ме́-
хом (*часть костюма шотландского горца*).

**sport** [spɔːt] 1. *n* 1) спорт; охо́та; рыбная
ло́вля; спорти́вные и́гры; athletic ~s атле́-
тика; спорти́вные и́гры; to go in for ~s
занима́ться спо́ртом; to have good ~ хоро-
шо́ поохо́титься; 2) *pl* спорти́вные состяза́-
ния; 3) *разг.* спортсме́н; 4) *разг.* сла́вный
ма́лый; 5) *амер.* игро́к; 6) заба́ва, развле-
че́ние, шу́тка; to become the ~ of fortune
стать игру́шкой судьбы́; in ~ в шу́тку;
what ~! как ве́село! 7) посме́шище; to
make ~ of высме́ивать; 8) *разг.* боле́льщик;
9) фат, щёголь; 10) *биол.* отклоне́ние от
норма́льного ти́па; разнови́дность;
2. *a* спорти́вный; ~ clothes спорти́вная
оде́жда;
3. *v* 1) игра́ть, весели́ться, резви́ться;
развлека́ться; 2) занима́ться спо́ртом; 3)
шути́ть; 4) носи́ть, выставля́ть напока́з; to
~ a rose in one's buttonhole щеголя́ть ро́зой
в петли́це; 5) *биол.* отклоня́ться от норма́ль-
ного ти́па; □ ~ away прома́тывать, рас-
тра́чивать; ◊ to ~ one's oak *унив. sl.* за-
кры́ть дверь для посети́телей; to ~ a stone
house *sl.* жить в ка́менном до́ме.

**sportful** ['spɔːtful] *a* весёлый; заба́вный.

**sporting** ['spɔːtɪŋ] 1. *pres. p. от* sport 3;
2. *a* 1) спорти́вный; охо́тничий; 2) пред-
прии́мчивый; ~ chance риско́ванный шанс;
◊ ~ house а) иго́рный дом; б) публи́чный
дом.

**sporting goods** ['spɔːtɪŋ'gudz] *n pl амер.*
спорти́вные принадле́жности.

**sportive** ['spɔːtɪv] *a* 1) игри́вый, весёлый;
2) спорти́вный.

**sports** [spɔːts] = sport 2.

**sportsman** ['spɔːtsmən] *n* 1) спортсме́н;
охо́тник; рыболо́в; 2) че́стный, поря́доч-
ный челове́к.

**sportsmanlike** ['spɔːtsmənlaɪk] *a* 1) спорт-
сме́нский; 2) че́стный, поря́дочный, благо-
ро́дный; му́жественный.

**sportsmanship** ['spɔːtsmənʃɪp] *n* 1) спор-
ти́вная ло́вкость; 2) увлече́ние спо́ртом;
3) че́стность, прямота́.

**sportswoman** ['spɔːts,wumən] *n* спорт-
сме́нка.

**sporty** ['spɔ:tɪ] *a* 1) спортсме́нский; 2) лихо́й, удало́й; 3) показно́й, щегольско́й.

**spot** [spɔt] 1. *n* 1) пятно́; пя́тнышко; кра́пинка; 2) позо́р, пятно́; without a ~ on his reputation с незапя́тнанной репута́цией; 3) пры́щик; a face covered with ~s прыщева́тое лицо́; 4) кра́пчатая мате́рия; 5) ме́сто; a retired ~ уединённое ме́сто; on the ~ на ме́сте; сра́зу, неме́дленно [*ср. тж.* 7)]; to act on the ~ де́йствовать без промедле́ния; to be on the ~ а) быть очеви́дцем; б) не зева́ть; быть на высоте́ положе́ния; the people on the ~ лю́ди, живу́щие на ме́сте и знако́мые с обстоя́тельствами; tender (*или* weak) ~ перен. больно́е ме́сто; to touch the ~ попа́сть в цель; blind ~ а) мёртвая то́чка; б) *радио* зо́на молча́ния; 6) *разг.* небольшо́е коли́чество еды́ *или* питья́; how about a ~ of lunch? не поза́втракать ли?; won't you have a ~ of whisky? не вы́пьете ли?; 7) *амер. sl.* затрудни́тельное положе́ние; on (*или* upon) the ~ в опа́сности, в затрудни́тельном положе́нии [*ср. тж.* 5)]; 8) *pl* = ~ goods [*см.* 9)]; 9) *attr.* нали́чный; име́ющийся на скла́де; ~ cash нали́чный расчёт; ~ goods нали́чный това́р; това́р, сдава́емый сра́зу по́сле прода́жи; ~ price цена́ при усло́вии неме́дленной упла́ты нали́чными; 10) *attr. радио* ме́стный; ~ broadcasting переда́ча ме́стной ста́нции.
2. *v* 1) пятна́ть, па́чкать, покрыва́ть(ся) пя́тнами; this silk ~s with water на э́том шёлке от воды́ остаю́тся пя́тна; 2) пятна́ть, позо́рить; 3) *разг.* уви́деть, узна́ть; отмеча́ть, опознава́ть; to ~ the cause of the trouble определи́ть причи́ну непола́док; to ~ the winner определи́ть зара́нее бу́дущего победи́теля в состяза́нии; I ~ted his roguery as soon as I met him я догада́лся о его́ моше́нничестве, как то́лько его́ уви́дел; 4) *воен.* корректи́ровать стрельбу́; □ ~ out очища́ть от пя́тен.

**spotless** ['spɔtlɪs] *a* 1) без еди́ного пя́тнышка; 2) безупре́чный; незапя́тнанный.

**spotlight** ['spɔtlaɪt] 1. *n* 1) *театр.* прожёктор для подсве́тки; 2) центр внима́ния; выдаю́щееся положе́ние; to be in the ~ быть в це́нтре внима́ния; 3) *авт.* подвижна́я фа́ра.
2. *v* освети́ть, оттени́ть.

**spotted** ['spɔtɪd] 1. *p. p. от* spot 2;
2. *a* 1) пятни́стый, кра́пчатый; 2) запа́чканный, запя́тнанный.

**spotted fever** ['spɔtɪd'fiːvə] *n* 1) сыпно́й тиф; 2) цереброспина́льный менинги́т.

**spotter** ['spɔtə] *n* 1) *sl.* наво́дчик; 2) *амер.* сы́щик, детекти́в; 3) самолёт-корректиро́вщик; 4) *арт.* наблюда́тель за разры́вами.

**spotty** ['spɔtɪ] *a* 1) пятни́стый; пёстрый; 2) прыщева́тый; 3) неодноро́дный.

**spouse** [spauz] *n* 1) супру́г; супру́га; 2) *pl* супру́жеская чета́.

**spout** [spaut] 1. *n* 1) но́сик, го́рлышко, ры́льце; 2) водосто́чная труба́ *или* жёлоб; рука́в; выпускно́е отве́рстие; 3) жёлоб *или* небольшо́й лифт в ломба́рде для подъёма зало́женных веще́й; 4) *sl.* ломба́рд; up the ~ в закла́де; *перен.* разорённый; ко́нчен-

ный, сда́нный в архи́в; to put up the ~ закла́дывать; 5) струя́; столб воды́; водяно́й смерч; 6) *зоол.* дыха́тельное отве́рстие (*у кита*);
2. *v* 1) бить струёй; струи́ться, ли́ться пото́ком; испуска́ть струю́; the volcano ~s lava вулка́н изверга́ет ла́ву; 2) *разг.* разглаго́льствовать, ора́торствовать; to ~ poetry деклами́ровать стихи́; 3) *sl.* закла́дывать.

**spraddle** ['sprædl] *v* широко́ расставля́ть но́ги.

**sprain** [spreɪn] 1. *n* растяже́ние свя́зок;
2. *v* растяну́ть свя́зки.

**sprang** [spræŋ] *past от* spring I, 2.

**sprat** [spræt] *n* 1) ки́лька, шпро́та; вся́кая ме́лкая ры́ба, похо́жая на ки́льку; 2) *шутл.* ма́ленький ребёнок; *презр.* челове́чек; ◇ to throw (*или* to risk) a ~ to catch a whale *или* ~ рискну́ть пустяко́м ра́ди большо́го барыша́.

**sprat-day** ['sprætdeɪ] *n* 9 ноября́, день нача́ла ло́вли ки́льки.

**sprawl** [sprɔːl] 1. *n* неуклю́жая по́за; неуклю́жее движе́ние;
2. *v* 1) растяну́ть(ся); развали́ться (*о челове́ке*); to send one ~ing сбить кого́-л. с ног; 2) раски́дывать (*руки, ноги*) небре́жно *или* неуклю́же; 3) располза́ться во все сто́роны.

**sprawling** ['sprɔːlɪŋ] 1. *pres. p. от* sprawl 2;
2. *a* располза́ющийся; ползу́чий; ~ handwriting разма́шистый по́черк; ~ shoots сте́лющиеся побе́ги.

**spray I** [spreɪ] *n* 1) ве́тка, побе́г; 2) узо́р в ви́де ве́точки.

**spray II** [spreɪ] 1. *n* 1) водяна́я пыль, бры́зги; 2) жи́дкость для пульвериза́ции; 3) пульвериза́тор, распыли́тель; 4) *воен.* разлёт оско́лков снаря́дов;
2. *v* 1) распыля́ть, пульверизи́ровать; 2) обры́згивать, опыля́ть.

**sprayer** ['spreɪə] *n* 1) пульвериза́тор, распыли́тель; 2) *тех.* форсу́нка.

**spread** [spred] 1. *n* 1) распростране́ние; the ~ of learning распростране́ние зна́ний; 2) разма́х (*крыльев и т. п.*); 3) протяже́ние, простра́нство; объём, простира́ние; протяжённость; a wide ~ of country широ́кий просто́р; 4) то, что мо́жно нама́зать на хлеб (*варенье, ма́сло и т. п.*); 5) *разг.* оби́льное угоще́ние, пир горо́й; he gave us no end of a ~ он нас роско́шно угости́л; 6) расшире́ние, растяже́ние; 7) покрыва́ло; ска́терть; 8) материа́л *или* объявле́ние (*длино́й в не́сколько газе́тных столбцо́в*); 9) разворо́т газе́ты; 10) *амер. эк.* ра́зница ме́жду себесто́имостью и прода́жной цено́й.
2. *v* (spread) 1) развёртывать(ся); раски́дывать(ся); простира́ться; расстила́ть(ся); to ~ a banner разверну́ть зна́мя; to ~ one's hands to the fire протяну́ть ру́ки к огню́; to ~ a sail подня́ть па́рус; a broad plain ~s before us пе́ред на́ми расстила́ется широ́кая равни́на; the peacock ~s its tail павли́н распуска́ет хвост; the river here ~s to a width of half a mile ширина́ реки́ в э́том ме́сте достига́ет полуми́ли; 2) распространя́ть(ся), разноси́ть(ся); to ~ oneself а) разбра́сываться; б) *sl.* говори́ть зано́счиво *или* о́чень

подро́бно; в) стара́ться понра́виться; г) *амер. sl.* угоща́ть; to ~ rumours распространя́ть слу́хи; to ~ disease распространя́ть боле́знь; 3) покрыва́ть, устила́ть, усе́ивать; to ~ the table накрыва́ть на стол; to ~ a carpet on the floor расстила́ть ковёр на полу́; to ~ manure over a field разбра́сывать навоз по́ полю; a meadow ~ with daisies луг, усе́янный маргари́тками; 4) разма́зывать(ся); нама́зывать(ся); to ~ butter on bread нама́зать хлеб ма́слом; the paint ~s well кра́ска хорошо́ ложи́тся; 5) продолжа́ться; продлева́ть; the course of lectures ~s over a year курс ле́кций продолжа́ется год; 6) *амер.* запи́сывать; to ~ on the records внести́ в за́писи; 7) *тех.* растя́гивать, расширя́ть, вытя́гивать, расплю́щивать; □ ~ out a) развёртывать(ся); to ~ out a map разложи́ть ка́рту; to ~ out one's legs вы́тянуть но́ги; the branches ~ out like a fan ве́тви расхо́дятся ве́ером; б) разбра́сывать.
spread eagle ['spred'ɪgl] *n* орёл с распростёртыми кры́льями (*на государственных гербах*).
spread-eagle ['spred'ɪgl] 1. *a разг.* высокопа́рный; хвастли́вый; ура́-патриоти́ческий;
2. *v* распласта́ть.
spread-eagleism ['spred,ɪglɪzəm] *n разг.* ура́-патриоти́зм.
spreader ['spredə] *n* 1) распространи́тель; 2) *тех.* приспособле́ние для раскла́дки; распредели́тель; распо́рка; 3) *с.-х.* разбра́сыватель; 4) *ж.-д.* спре́дер; 5) *рез.* шпре́динг-маши́на, шпре́дер.
spree [spriː] 1. *n* весёлье, ша́лости; кутёж; to go (*или* to be) on the ~ кути́ть; what a ~! как ве́село!;
2. *v* кути́ть.
sprig [sprɪg] 1. *n* 1) ве́точка, побе́г; 2) узо́р в ви́де ве́точки; 3) шти́фтик, гвоздь без шля́пки; 4) молодо́й челове́к, ю́ноша; 5) *шутл., пренебр.* о́тпрыск;
2. *v* 1) украша́ть узо́ром в ви́де ве́точек; 2) прибива́ть шти́фтиками.
sprightly ['spraɪtlɪ] 1. *a* оживлённый, весёлый;
2. *adv* оживлённо, ве́село.
spring I [sprɪŋ] 1. *n* 1) прыжо́к, скачо́к; to take a ~ пры́гнуть; to rise with a ~ подскочи́ть; 2) пружи́на; рессо́ра; 3) упру́гость, эласти́чность; 4) жи́вость, эне́ргия; his mind has lost its ~ он потеря́л вся́кую инициати́ву; 5) исто́чник, родни́к, ключ; 6) моти́в, причи́на; нача́ло; the ~s of action побуди́тельные причи́ны; 7) *мор.* тре́щина; течь;
2. *v* (sprang, sprung; sprung) 1) пры́гать, вска́кивать; броса́ться; to ~ at (*или* upon) smb. набро́ситься на кого́-л.; to ~ to one's feet вскочи́ть на́ ноги; to ~ over a fence перескочи́ть че́рез забо́р; to ~ up into the air подскочи́ть в во́здух; to ~ бить ключо́м; 3) брать нача́ло; происходи́ть, возника́ть (*обыкн.* ~ up); his mistakes ~ from carelessness его́ оши́бки — результа́т небре́жности; 4) появля́ться; many new houses have sprung in this district в э́том райо́не появи́лось

мно́го но́вых домо́в; where do you ~ from? отку́да вы появи́лись?; 5) возвыша́ться; 6) бы́стро и неожи́данно перейти́ в друго́е состоя́ние; to ~ into fame стать изве́стным; 7) дава́ть ростки́, побе́ги; прораста́ть; всходи́ть; the buds are ~ing появля́ются по́чки; 8) коро́биться (*о доске*); 9) дава́ть тре́щину, тре́скаться, раска́лывать(ся); to ~ a leak дать течь (*о судне*); 10) взорва́ть (-ся) (*о мине*); 11) вспу́гивать (*дичь*); 12) отпуска́ть пружи́ну; the door sprang to дверь захло́пнулась (*на пружи́не*); 13) пружи́нить; 14) броса́ться (*в го́лову*); бры́знуть (*о крови*); 15) внеза́пно *или* неожи́данно откры́ть, сообщи́ть (upon); to ~ surprises де́лать сюрпри́зы; the news was sprung upon me но́вость заста́ла меня́ враспло́х; 16) *sl.* вы́пустить из тюрьмы́; 17) *тех.* подве́шивать, снабжа́ть пружи́ной *или* рессо́рами, подрессо́ривать; устана́вливать на пружи́не; □ ~ back отпряну́ть; ~ out *перен.* следовать (*из чего-л.*); ~ up a) возника́ть (*об обычае и т. п.*); б) внеза́пно выраста́ть, появля́ться.
spring II [sprɪŋ] *n* 1) весна́; 2) *attr.* весе́нний.
spring balance ['sprɪŋ'bæləns] *n* пружи́нные весы́, безме́н.
spring bed ['sprɪŋ'bed] *n* пружи́нный матра́ц.
spring-board ['sprɪŋbɔːd] *n* 1) трампли́н; 2) *воен.* плацда́рм.
springbok ['sprɪŋbɔk] *n* 1) *зоол.* прыгу́н, южноафрика́нская газе́ль; 2) (Springboks) *pl шутл.* южноафрика́нцы, *особ.* южноафрика́нские спортсме́ны.
springbuck ['sprɪŋbʌk] = springbok.
spring chicken ['sprɪŋ'tʃɪkɪn] *n* 1) цыплёнок; 2) наи́вный, нео́пытный челове́к (*особ. о женщине*).
springe [sprɪndʒ] *n* сило́к, западня́.
springer ['sprɪŋə] *n* 1) прыгу́н; 2) = springbok 1); 3) соба́ка из поро́ды спание́лей; 4) цыплёнок; 5) *стр.* пя́товый ка́мень а́рки.
spring-halt ['sprɪŋhɔːlt] *n вет.* шпат.
springhead ['sprɪŋhed] *n* исто́чник.
springization [,sprɪŋɡɪ'zeɪʃən] *n* яровиза́ция.
spring tide ['sprɪŋ'taɪd] *n мор.* сизиги́йный прили́в.
springtide ['sprɪŋtaɪd] *n поэт.* весна́.
springtime ['sprɪŋtaɪm] *n* весна́, весе́нняя пора́.
spring water ['sprɪŋ'wɔːtə] *n* ключева́я вода́.
springy ['sprɪŋɪ] *a* 1) упру́гий, эласти́чный; 2) пружи́нный.
sprinkle ['sprɪŋkl] 1. *n* небольшо́е коли́чество (of); ~ of rain не́сколько ка́пель дождя́; ~ of snow лёгкий снежо́к, поро́ша;
2. *v* 1) бры́згать, кропи́ть; 2) посыпа́ть (with—чем-л.); разбра́сывать (on); 3) бры́згать, накра́пывать.
sprinkler ['sprɪŋklə] *n* 1) разбры́згиватель; 2) = sprinkling-machine; street ~ автоцисте́рна с приспособле́нием для поли́вки у́лиц, поли́вочная маши́на; 3) *attr.:* ~ system противопожа́рная систе́ма.

**sprinkling** ['sprɪŋklɪŋ] 1. *pres. p. om* sprinkle 2;

2. *n* = sprinkle 1.

**sprinkling-machine** ['sprɪŋklɪŋmə,ʃiːn] *n* дождевальная установка; машина для дождевания.

**sprint** [sprɪnt] 1. *n* бег на короткую дистанцию, спринт;

2. *v* бежать на короткую дистанцию, спринтовать.

**sprinter** ['sprɪntə] *n* бегун на короткие дистанции, спринтер.

**sprit** [sprɪt] *n мор.* шпринтов.

**sprite** [spraɪt] *n* эльф.

**sprocket** ['sprɔkɪt] *n тех.* цепное *или* зубчатое колесо.

**sprocket-wheel** ['sprɔkɪtwiːl] *n тех.* цепное колесо.

**sprout** [spraut] 1. *n* 1) отросток, росток, побег; 2) *pl* брюссельская капуста (*тж.* Brussels ~s).

2. *v* 1) пускать ростки, расти; 2) отращивать.

**spruce I** [spruːs] 1. *a* щеголеватый; элегантный, нарядный;

2. *v* 1) приводить в порядок (*обыкн.* ~ up); 2) наряжаться.

**spruce II** [spruːs] *n* ель.

**sprue I** [spruː] *n метал.* вертикальный литник; литниковый канал.

**sprue II** [spruː] *n мед.* язвенный стоматит, молочница.

**spruit** ['spruːɪt] *n южно-афр.* ручеёк (*обыкн.* пересохший).

**sprung** [sprʌŋ] 1. *past и p. p. om* spring I, 2;

2. *a* 1) треснувший (*о бите, ракетке*); 2) *разг.* захмелевший.

**spry** [spraɪ] *a* 1) живой, подвижный; проворный; look ~! шевелитесь!; 2) сметливый, сообразительный.

**spud** [spʌd] 1. *n* 1) мотыга; небольшая лопата; 2) *разг.* картофелина; *pl* картошка; 3) *тех.* прижимная планка.

2. *v* копать, вскапывать.

**spuddle** ['spʌdl] *v диал.* мотыжить; копаться в земле;

**spue** [spjuː] = spew.

**spume** [spjuːm] 1. *n* пена; накипь;

2. *v* пениться.

**spumous** ['spjuːməs] *a* пенистый; покрытый пеной.

**spumy** ['spjuːmɪ] = spumous.

**spun** [spʌn] 1. *past и p. p. om* spin 2;

2. *a:* ~ casting *метал.* центробежное литьё; ~ cotton бумажная пряжа; ~ gold канитель, золотая нить; ~ yarn *мор.* шкимушка.

**spunk** [spʌŋk] *n* 1) трут; 2) пыл; мужество; 3) раздражительность, гнев.

**spunky** ['spʌŋkɪ] *a* мужественный, храбрый; пылкий.

**spur** [spəː] 1. *n* 1) шпора; to put (*или* to set) ~s to пришпоривать; to win one's ~s *ист.* заслужить звание рыцаря; *перен.* добиться признания, приобрести имя; 2) *рост.* росток (*на крыле или ноге*); петушиная шпора; 3) вершина, отрог *или* уступ горы; 4) стимул, побуждение; on the ~ of the mo-

ment a) под влиянием минуты; б) экспромтом, сразу; 5) *горн.* ответвление жилы; 6) *бот.* спорынья; 7) = ~ line; ◇ to need the ~ быть медлительным;

2. *v* 1) пришпоривать; 2) снабжать шпорами; 3) побуждать, подстрекать (to — к *чему-л.*); 4) спешить, мчаться (*тж.* ~ on, ~ forward); ◇ to ~ a willing horse ≅ ломиться в открытую дверь; быть излишне настойчивым.

**spurge** [spəːdʒ] *n бот.* молочай.

**spur gear** ['spəːˈgɪə] *n тех.* цилиндрическая шестерня.

**spurious** ['spjuərɪəs] *a* 1) поддельный, подложный; ~ coin фальшивая монета; ~ manuscript неподлинная рукопись; ~ sentiment притворное чувство; 2) незаконный; 3) *бот.* ложный.

**spur line** ['spəːˈlaɪn] *n* железнодорожная ветка, подъездной путь.

**spurn** [spəːn] 1. *v* 1) отвергать с презрением; отталкивать; 2) отпихивать ногой; to ~ the ground прыгнуть;

2. *n* 1) презрительный отказ, отклонение; 2) пинок ногой.

**spurrier** ['spʌrɪə] *n* рабочий-шпорник.

**spurt** [spəːt] 1. *n* 1) струя; 2) внезапное спазматическое усилие; рывок; 3) порыв ветра;

2. *v* 1) бить струёй (*тж.* ~ down, ~ out); выбрасывать (*пламя*); 2) делать внезапное усилие, наддать ходу.

**spur track** ['spəːˈtræk] = spur line.

**spur-wheel** ['spəːwiːl] = spur gear.

**sputa** ['spjuːtə] *pl om* sputum.

**sputter** ['spʌtə] 1. *n* 1) брызги; 2) шипение; 3) бессвязная речь, лопотанье; 4) суматоха; шум;

2. *v* 1) брызгать слюной, плеваться; 2) шипеть, трещать (*об огне*); 3) говорить быстро *или* бессвязно; лопотать.

**sputum** ['spjuːtəm] *n* (*pl* -ta) 1) слюна; 2) *мед.* мокрота.

**spy** [spaɪ] 1. *n* шпион; тайный агент;

2. *v* 1) шпионить, следить; 2) заметить, увидеть, разглядеть; to ~ faults замечать недостатки; □ ~ into расследовать тайно; ~ out выслеживать, разузнавать; to ~ out the land исследовать местность; ~ upon следить за *кем-л.*

**spyglass** ['spaɪglɑːs] *n* подзорная труба.

**spyhole** ['spaɪhoul] *n* глазок.

**squab** [skwɔb] 1. *n* 1) неоперившийся голубь *или* грач; 2) невысокого роста толстяк *или* толстушка; 3) туго набитая подушка; 4) кушетка;

2. *a* короткий и толстый; приземистый.

**squabble** ['skwɔbl] 1. *n* перебранка, ссора из-за пустяков;

2. *v* 1) вздорить, пререкаться из-за пустяков; 2) *полигр.* рассыпать(ся) (*о наборе*).

**squabby** ['skwɔbɪ] *a* короткий и толстый.

**squab pie** ['skwɔbˈpaɪ] *n* 1) пирог с голубями; 2) пирог с бараниной, яблоками и луком.

**squad** [skwɔd] 1. *n* 1) *воен.* группа; команда; *амер.* отделение; орудийный расчёт; awkward ~ *разг.* взвод новобранцев; *перен.* новички, неопытные люди; flying ~

а) лету́чий отря́д; б) дежу́рная полице́йская маши́на; 2) брига́да (рабо́чих); 3) амер. спорти́вная кома́нда;

2. v воен. своди́ть в уче́бные гру́ппы.

**squad car** ['skwɔd'kɑː] n полице́йская автомаши́на.

**squad drill** ['skwɔd'drɪl] n обуче́ние новобра́нцев стро́ю.

**squadron** ['skwɔdrən] 1. n 1) воен. эскадро́н; амер. кавалери́йский дивизио́н; 2) мор. эска́дра, соедине́ние (корабле́й); 3) ав. эскадри́лья; 4) attr. воен. эскадро́нный; амер. дивизио́нный; 5) attr. мор. эска́дренный;

2. v воен. своди́ть в эскадро́ны.

**squadron-leader** ['skwɔdrən,liːdə] n команди́р эскадри́льи; майо́р авиа́ции.

**squalid** ['skwɔlɪd] a 1) гря́зный, запу́щенный; 2) ни́щенский; жа́лкий; убо́гий; ~ lodgings убо́гая кварти́ра; 3) проти́вный; опусти́вшийся.

**squall I** [skwɔːl] 1. n вопль, пронзи́тельный крик; визг;

2. v 1) вопи́ть, пронзи́тельно крича́ть; визжа́ть (о де́тях); 2) петь ре́зким го́лосом.

**squall II** [skwɔːl] n 1) шквал; 2) разг. волне́ние, беспоря́дки; ◇ look out for ~s береги́тесь опа́сности; бу́дьте насторо́же.

**squally** ['skwɔːlɪ] a бу́рный, поры́вистый.

**squalor** ['skwɔlə] n 1) грязь, запу́щенность; 2) нищета́; убо́жество.

**squama** ['skweɪmə] n (pl -mae) чешуя́.

**squamae** ['skweɪmiː] pl от squama.

**squander** ['skwɔndə] 1. n расточи́тельство;

2. v расточа́ть, прома́тывать; to ~ time тра́тить вре́мя зря.

**square** [skwɛə] 1. n 1) квадра́т; 2) прямоуго́льник; кле́тка; ~ of glass кусо́к стекла́; 3) пло́щадь, сквер; 4) кварта́л (го́рода); 5) воен. каре́; 6) науго́льник; 7) мат. квадра́т числа́; three ~ is nine три в квадра́те ра́вно девяти́; 8) ме́ра пове́рхности (= 100 фута́м² = 9,29 м²); 9) пло́тная еда́; ◇ on the ~ че́стно, без обма́на; out of ~ непра́вильно, не в поря́дке;

2. a 1) квадра́тный; в квадра́те; ~ inch квадра́тный дюйм; a table four feet ~ стол в 4 фу́та в длину́ и 4 в ширину́; 2) прямоуго́льный; 3) паралле́льный или перпендикуля́рный (with, to—чему-л.); keep your face ~ to the camera держи́те лицо́ пря́мо про́тив фотоаппара́та; the picture is not ~ with the ceiling карти́на виси́т кри́во; 4) пра́вильный; ро́вный, то́чный; to get one's accounts ~ привести́ счета́ в поря́док; to get ~ with smb. свести́ счёты с кем-л.; to call it ~ рассчита́ться, рассчита́ться; 5) че́стный, прямо́й, недвусмы́сленный; ~ deal че́стная сде́лка; ~ refusal категори́ческий отка́з; 6) пло́тный, оби́льный; to have a ~ meal пло́тно пое́сть;

3. adv 1) пря́мо; to stand ~ стоя́ть пря́мо; 2) че́стно; 3) лицо́м к лицу́; 4) пря́мо, непосре́дственно; 5) твёрдо;

4. v 1) придава́ть квадра́тную фо́рму; де́лать прямоуго́льным; to ~ the circle иска́ть квадрату́ру кру́га; перен. добива́ться я́вно невозмо́жного; 2) поднима́ть, распрямля́ть; to ~ one's elbows вы́ставить лок-

ти; to ~ one's shoulders распра́вить пле́чи; 3) обтёсывать по науго́льнику (бревно́); 4) приводи́ть в поря́док или опла́чивать (счёт); to ~ accounts with smb. свести́ счёты с кем-л., отомсти́ть кому́-л.; 5) согласо́вывать(ся), принора́вливать(ся); his description does not ~ with yours его́ опиcа́ние не схо́дится с ва́шим; I decline to ~ my conduct to (или with) his principles я отка́зываюсь сообразова́ть своё поведе́ние с его́ при́нципами; 6) удовлетворя́ть (напр., кредито́ров); 7) разг. подкупа́ть; 8) мат. возводи́ть в квадра́т; □ ~ off a) станови́ться в по́зу (в бо́ксе); б) пригото́виться к нападе́нию или к защи́те; в) наце́ливаться; г) ав. пики́ровать; ~ up а) приня́ть вертика́льное положе́ние; б) расплати́ться, урегули́ровать расчёты (с кем-л.); в) приня́ть оборони́тельное положе́ние; г) = ~ off а); д) реши́тельно бра́ться за что-л.

**square-built** ['skwɛə'bɪlt] a корена́стый, широкопле́чий.

**squarehead** ['skwɛəhed] n амер. разг. 1) скандина́в; 2) не́мец.

**square-rigged** ['skwɛə'rɪgd] a мор. с прямы́м па́русным вооруже́нием.

**square shooter** ['skwɛə'ʃuːtə] n разг. че́стный, справедли́вый челове́к.

**square-toed** ['skwɛə'toud] a 1) с тупы́ми, широ́кими носка́ми (об о́буви); 2) педанти́чный; щепети́льный; 3) старомо́дный.

**square-toes** ['skwɛətouz] n 1) формали́ст; педанти́чный челове́к; 2) старомо́дный челове́к.

**squarrose** ['skwærous] a 1) бот., зоол. име́ющий чешуеобра́зный покро́в; 2) мед. покры́тый стру́пьями.

**squarson** ['skwɑːsn] n (сокр. от squire и parson) шутл. свяще́нник-поме́щик.

**squash I** [skwɔʃ] 1. n 1) разда́вленная ма́сса, «ка́ша»; 2) фрукто́вый напи́ток; lemon ~ лимона́д; orange ~ апельси́новый напи́ток; 3) толпа́; да́вка; су́толока; 4) игра́ в мяч (вро́де те́нниса; тж. ~ rackets);

2. v 1) разда́вливать, расплю́щивать, сжима́ть; 2) толпи́ться; 3) прота́лкиваться; вти́скиваться; 4) заста́вить замолча́ть, обре́зать; 5) подави́ть.

**squash II** [skwɔʃ] n бот. кабачо́к; ты́ква.

**squash hat** ['skwɔʃ'hæt] n мя́гкая фе́тровая шля́па.

**squashy** ['skwɔʃɪ] a мя́гкий, мяси́стый.

**squat** [skwɔt] 1. n 1) сиде́нье на ко́рточках; 2) нора́, берло́га;

2. v 1) сиде́ть на ко́рточках; припада́ть к земле́ (о живо́тных); 2) сели́ться само́вольно на чужо́й земле́; незако́нно вселя́ться в дом; 3) амер., австрал. сели́ться на госуда́рственной земле́; 4) разг. сади́ться;

3. a коро́ткий и то́лстый; призе́мистый.

**squatter** ['skwɔtə] n 1) сидя́щий на ко́рточках; 2) посели́вшийся незако́нно на неза́нятой земле́; незако́нно всели́вшийся в дом; 3) амер., австрал. посели́вшийся на госуда́рственной земле́ с це́лью её приобрете́ния; 4) австрал. овцево́д.

**squatty** ['skwɔtɪ] = squat 3.

**squaw** [skwɔː] n 1) индиа́нка (жи́тельница Аме́рики); 2) амер. шутл. же́нщина, жена́.

**squawk** [skwɔːk] **1.** *n* 1) пронзи́тельный крик (*птицы*); 2) *sl.* жа́лоба, проте́ст; **2.** *v* 1) пронзи́тельно крича́ть (*о птице*); 2) *sl.* жа́ловаться, протестова́ть.

**squaw-man** ['skwɔː'mæn] *n амер.* бе́лый, жена́тый на индиа́нке.

**squeak** [skwiːk] **1.** *n* 1) писк; 2) скрип; ✧ to have a narrow (*или* a near) ~ быть на волосо́к (*от гибели и т. п.*);
**2.** *v* 1) пища́ть; пропища́ть; 2) скрипе́ть; 3) *sl.* доноси́ть, выдава́ть.

**squeaker** ['skwiːkə] *n* 1) пискýн; 2) птене́ц (*обыкн.* го́лубя); 3) *sl.* доно́счик.

**squeaky** ['skwiːkɪ] *a* 1) пискли́вый; 2) скрипу́чий.

**squeal** [skwiːl] **1.** *n* 1) визг, пронзи́тельный крик; 2) *sl.* доно́счик;
**2.** *v* 1) визжа́ть, пронзи́тельно крича́ть; визгли́во произноси́ть; 2) *sl.* жа́ловаться, протестова́ть; 3) *sl.* доноси́ть; выдава́ть (on —*кого-л.*); to make smb. ~ шантажи́ровать, вымога́ть де́ньги.

**squealer** ['skwiːlə] *n* 1) визгу́н; 2) = squeaker; 3) *sl.* ны́тик.

**squeamish** ['skwiːmɪʃ] *a* 1) подве́рженный тошноте́; сла́бый (*о желудке*); I feel ~ меня́ тошни́т; 2) щепети́льный; брезгли́вый, приве́редливый, разбо́рчивый; 3) оби́дчивый.

**squeegee** ['skwiːˈdʒiː] *n* 1) деревя́нный скребо́к с рези́новой пласти́нкой; 2) *фото* накатно́й ро́лик.

**squeezability** [ˌskwiːzə'bɪlɪtɪ] *n* сжима́емость.

**squeezable** ['skwiːzəbl] *a* 1) могу́щий быть сжа́тым *или* вы́давленным; 2) легко́ поддаю́щийся давле́нию; пода́тливый, усту́пчивый; ~ person пода́тливый челове́к.

**squeeze** [skwiːz] **1.** *n* 1) сжа́тие, пожа́тие; давле́ние, сда́вливание; to give a ~ пожа́ть (ру́ку); 2) вы́давленный сок; 3) *разг.* давле́ние, принужде́ние; вымога́тельство; шанта́ж; 4) теснота́, да́вка; 5) *разг.* тяжёлое положе́ние; затрудне́ние (*тж.* tight ~); 6) о́ттиск (*монеты и т. п.*); 7) *горн.* оса́дка кро́вли;
**2.** *v* 1) сжима́ть; сда́вливать; сти́скивать; to ~ smb.'s hand пожа́ть кому́-л. ру́ку; to ~ moist clay мять сыру́ю гли́ну; 2) выжима́ть(ся); выда́вливать; the sponge ~s well э́та гу́бка легко́ выжима́ется; to ~ out a tear притво́рно пла́кать; 3) вынужда́ть; вымога́ть (out of); to ~ a confession вы́нудить призна́ние; 4) обременя́ть (*налогами и т. п.*); 5) вти́скивать, впи́хивать (in, into); проти́скиваться (past, through); 6) де́лать о́ттиск (*монеты и т. п.*).

**squeezed** [skwiːzd] **1.** *p.p. от* squeeze 2;
**2.** *a* вы́жатый; ✧ ~ orange ≋ «вы́жатый лимо́н»; нену́жный бо́льше (*или* испо́льзованный) челове́к.

**squeezer** ['skwiːzə] *n* 1) тот, кто сжима́ет, выжима́ет *и пр.* [*см.* squeeze 2]; 2) выжима́лка (*для сока*); 3) *pl* игра́льные ка́рты с обозначе́нием досто́инства в пра́вом ве́рхнем углу́; 4) *тех.* фальцо́вочный стано́к; отжима́ная маши́на.

**squelch** [skwelʃ] **1.** *n* 1) хлю́панье; 2) сокруши́тельный уда́р; 3) уничтожа́ющий отве́т, остроу́мная ре́плика;
**2.** *v* 1) хлю́пать по гря́зи; 2) раздави́ть ного́й, уничто́жить; 3) *амер.* подави́ть восста́ние (*часто* ~ out); 4) привести́ в замеша́тельство, заста́вить замолча́ть.

**squelcher** ['skwelʃə] = squelch 1, 3).

**squib** [skwɪb] **1.** *n* 1) пета́рда, шути́ха; 2) эпигра́мма; памфле́т; па́сквиль; 3) *воен.* запа́л;
**2.** *v* 1) писа́ть памфле́ты, эпигра́ммы, па́сквили; 2) взрыва́ться; 3) мета́ться.

**squiffed** [skwɪft] *a sl.* пья́ный.

**squiffer** ['skwɪfə] *n sl.* концерти́но (*шестигранная гармоника*).

**squiffy** ['skwɪfɪ] *a sl.* слегка́ подвы́пивший.

**squill** [skwɪl] *n бот.* морско́й лук.

**squint** [skwɪnt] **1.** *n* 1) косогла́зие; to have a bad ~ си́льно коси́ть; 2) взгляд укра́дкой, и́скоса; let me have a ~ at it да́йте мне погляде́ть;
**2.** *v* 1) коси́ть (*глаза́ми*); 2) *разг.* (при-) щу́риться (*от избы́тка све́та и т. п.*); 3) смотре́ть и́скоса, укра́дкой (at); 4) *амер.* намека́ть;
**3.** *a* косо́й, раско́сый.

**squint-eyed** ['skwɪntaɪd] *a* 1) косо́й, косогла́зый; 2) зло́бный, злой; 3) подозри́тельный; предубеждённый.

**squire** ['skwaɪə] **1.** *n* 1) сквайр, поме́щик; the ~ а) гла́вный землевладе́лец прихо́да; б) *амер. ве́жливая фо́рма обраще́ния к како-му-л. выдаю́щемуся граждани́ну шта́та, преим. к мирово́му судье́*; 2) *ист.* оружено́сец; 3) гала́нтный кавале́р;
**2.** *v* уха́живать; to ~ a dame сопровожда́ть да́му.

**squirearchy** ['skwaɪərɑːkɪ] *n* 1) агра́рии, поме́щичий класс; 2) заси́лие землевладе́льцев.

**squireen** [ˌskwaɪə'riːn] *n* мелкопоме́стный поме́щик (*преим. в Ирла́ндии*).

**squirm** [skwɜːm] **1.** *n* изги́б, изви́в; to give a ~ извива́ться;
**2.** *v разг.* 1) извива́ться (как червя́к); ко́рчиться; 2) проявля́ть си́льное смуще́ние *или* неудово́льствие.

**squirrel** ['skwɪrəl] *n* бе́лка.

**squirt** [skwɜːt] **1.** *n* 1) струя́; to take a ~ at smb. *воен.* обстреля́ть кого́-л.; 2) шприц; спринцо́вка; 3) *разг.* ме́лкий, самодово́льный челове́к; вы́скочка; нагле́ц; 4) *sl. см.* squirt-plane.
**2.** *v* 1) пуска́ть струю́, бить струёй; 2) спринцева́ть; разбры́згивать.

**squirt-plane** ['skwɜːtpleɪn] *n* реакти́вный самолёт.

**squish** [skwɪʃ] *n разг.* мармела́д.

**squit** [skwɪt] *n sl.* ничто́жный челове́к, мелюзга́.

**St** [sənt, sɪnt, snt] *сокр. от* Saint; ✧ St Bernard сенберна́р (*поро́да соба́к*); St John's evil эпиле́псия; St Luke's summer, St Martin's summer ≋ ба́бье ле́то (*примерно между 18 октября́ и 11 ноября́*); St Stephen's пала́та общи́н; St Vitus's dance *мед.* ви́ттова пля́ска.

**stab** [stæb] **1.** *n* 1) уда́р (*о́стрым ору́жием*); ~ in the back а) уда́р в спи́ну, преда́тельское нападе́ние; б) клевета́; 2) внеза́пная о́страя боль; 3) *амер. разг.* попы́тка; to have (*или* to make) a ~ at smth. попыта́ться сде́лать что-л.;

2. *v* 1) вонза́ть (into); ра́нить (*острым оружием*), зака́лывать; наноси́ть уда́р (*кинжалом и т. п.*; at); to ~ in the back a) вса́дить нож в спи́ну; нанести́ преда́тельский уда́р; б) злосло́вить за спино́й; 2) напада́ть; вреди́ть; наноси́ть уще́рб; to ~ smb.'s reputation повреди́ть чьей-л. репута́ции; 3) стреля́ть, пульси́ровать (*о боли*); 4) *амер. разг.* пыта́ться.

**stability** [stə'bɪlɪtɪ] *n* 1) усто́йчивость, стаби́льность; постоя́нство; 2) про́чность, усто́йчивость; 3) твёрдость, непоколеби́мость (*характера, решения*); 4) *мор.* осто́йчивость.

**stabilization** [ˌsteɪbɪlaɪ'zeɪʃən] *n* 1) стабилиза́ция, упроче́ние; 2) *воен.* образова́ние про́чного фро́нта; перехо́д к позицио́нной войне́.

**stabilizator** [ˌsteɪbɪlaɪ'zeɪtə] = stabilizer.

**stabilize** ['steɪbɪlaɪz] *v* стабилизи́ровать, де́лать усто́йчивым.

**stabilized** ['steɪbɪlaɪzd] 1. *p. p. от* stabilize;

2. *a* стаби́льный, усто́йчивый; ~ warfare позицио́нная война́.

**stabilizer** ['steɪbɪlaɪzə] *n ав.* стабилиза́тор.

**stable** I ['steɪbl] *a* 1) сто́йкий; усто́йчивый; 2) про́чный, кре́пкий; ~ foundation кре́пкий фунда́мент; 3) постоя́нный; 4) твёрдый, непоколеби́мый; реши́тельный.

**stable** II ['steɪbl] 1. *n* 1) коню́шня; хлев; 2) беговы́е ло́шади, принадлежа́щие одному́ владе́льцу, коню́шня;

2. *v* ста́вить в коню́шню *или* хлев; держа́ть в коню́шне *или* в хлеву́.

**stable-companion** ['steɪblkəm,pænjən] *n* 1) ло́шадь той же коню́шни; 2) *разг.* това́рищ (*по школе, клубу*); однока́шник.

**stable-man** ['steɪblmən] *n* ко́нюх.

**stabling** ['steɪblɪŋ] 1. *pres. p. от* stable II, 2;

2. *n* коню́шня; коню́шни.

**staccato** [stə'kɑːtou] *ит. adv, n муз.* стакка́то.

**stack** [stæk] 1. *n* 1) стог, скирда́, омёт; 2) ку́ча, гру́да; ~ of wood шта́бель дров; поле́нница; ~ of papers ку́ча бума́г; 3) *разг.* ма́сса, мно́жество; ~s (*или* a whole ~) of work ма́сса рабо́ты; ~ of bones *амер. sl.* измождённый челове́к, «скеле́т», ко́жа да ко́сти; 4) *воен.* винто́вки, соста́вленные в ко́злы; 5) стелла́ж; книгохрани́лище; 6) стек (*единица объёма для дров и угля = 4 ярда³ = 3,05 м³*); 7) дымова́я труба́ (*особ.* парово́зная *или* парохо́дная; ряд дымовы́х труб); 8) *тех.* гради́рня;

2. *v* 1) скла́дывать в стог *и пр.* [*см.* 1]; 2) *воен.*: ~ arms! соста́вь! the cards подтасо́вывать ка́рты (*тж. перен.*); □ ~ up располага́ть(ся) один над други́м.

**stack-yard** ['stækjɑːd] *n* гумно́.

**stadholder** ['stæd,houldə] = stadtholder.

**stadia** I ['steɪdɪə] *n* дальноме́рная лине́йка.

**stadia** II ['steɪdjə] *pl от* stadium.

**stadium** ['steɪdjəm] *n* (*pl* -dia) 1) стадио́н;

2) ста́дий (*др.-греч. мера длины*); 3) *мед.* ста́дия.

**stadtholder** ['stæd,houldə] *n ист.* штатга́льтер.

**staff** I [stɑːf] *n* 1) (*pl тж.* staves) по́сох, па́лка; with swords and staves с меча́ми и дреко́льем; 2) жезл; 3) флагшто́к; дре́вко; 4) столп, опо́ра, подде́ржка; 5) (*pl* staves) *муз.* пять но́тных лине́ек; 6) *геод.* нивели́рная ре́йка; ◇ ~ of life хлеб.

**staff** II [stɑːf] 1. *n* 1) штат слу́жащих; служе́бный персона́л; to be on the ~ быть в шта́те; the ~ of a newspaper сотру́дники газе́ты; 2) *воен.* штаб;

2. *a* 1) шта́тный; ~ writer шта́тный сотру́дник газе́ты; 2) *воен.* штабно́й; 3) испо́льзуемый персона́лом; ~ room преподава́тельская (ко́мната); 4): ~ suggestion scheme систе́ма рационализа́торских предложе́ний;

3. *v* укомплекто́вывать шта́ты; обеспе́чивать персона́лом.

**stag** [stæg] 1. *n* 1) оле́нь-саме́ц (*с пятого года*); 2) вол; 3) биржево́й спекуля́нт; 4) холостя́цкая вечери́нка; 5) кавале́р без да́мы (*на вечеринке и т. п.*); 6) *attr.* холостя́цкий;

2. *v* 1) спекули́ровать на би́рже; 2) приходи́ть на вечери́нку без да́мы; 3) *sl.* следи́ть, шпио́нить, высле́живать.

**stag-beetle** ['stæg,biːtl] *n* жук-оле́нь.

**stage** [steɪdʒ] 1. *n* 1) подмо́сти, помо́ст; платфо́рма; hanging ~ лю́лька (*для маляров*); 2) сце́на, эстра́да, театра́льные подмо́стки; 3) теа́тр, драмати́ческое иску́сство, профе́ссия актёра; to be (to go) on the ~ быть (сде́латься) актёром; to quit the ~ уйти́ со сце́ны; *перен.* умере́ть; 4) аре́на, по́прище; 5) ме́сто де́йствия, аре́на; 6) фа́за, ста́дия, пери́од, эта́п, ступе́нь; initial ~ нача́льная ста́дия; final ~ коне́чная ста́дия; 7) перего́н; остано́вка, ста́нция; 8) = stage-coach; 9) *эл.* каска́д; 10) предме́тный сто́лик (*микроскопа*); ◇ by easy ~s a) не торопя́сь, с ча́стыми остано́вками; б) не спеша́, с переры́вами;

2. *v* 1) ста́вить (*пьесу*); инсцени́ровать; 2) быть сцени́чным; the play ~s well э́та пье́са сцени́чна; 3) подготавливать и осуществля́ть.

**stage-coach** ['steɪdʒkoutʃ] *n* почто́вая каре́та, дилижа́нс.

**stagecraft** ['steɪdʒkrɑːft] *n* мастерство́ драмату́рга *или* режиссёра.

**stage direction** ['steɪdʒdɪ'rekʃən] *n* 1) сцени́ческая рема́рка; 2) режиссёрское иску́сство.

**stage director** ['steɪdʒdɪ'rektə] *n* режиссёр, постано́вщик.

**stage door** ['steɪdʒ'dɔː] *n* вход на сце́ну.

**stage effect** ['steɪdʒɪ'fekt] *n* сцени́ческий эффе́кт.

**stage fever** ['steɪdʒ'fiːvə] *n* непреодоли́мое влече́ние к сце́не.

**stage fright** ['steɪdʒfraɪt] *n* волне́ние пе́ред вы́ходом на сце́ну.

**stagehand** ['steɪdʒhænd] *n* рабо́чий сце́ны.

**stage-manage** ['steɪdʒ,mænɪdʒ] *v* быть распоряди́телем (*на свадьбе и т. п.*).

**stage manager** ['steɪdʒ'mænɪdʒə] *n* режиссёр.

**stager** ['steɪdʒə] *n* о́пытный, быва́лый челове́к (*обыкн.* old ~).

**stage right** ['steɪdʒ'raɪt] *n* исключи́тельное пра́во теа́тра на постано́вку пье́сы.

**stage-struck** ['steɪdʒstrʌk] *a* увлека́ющийся теа́тром, стремя́щийся к сцени́ческой де́ятельности.

**stage whisper** ['steɪdʒ'wɪspə] *n* 1) театра́льный шёпот; 2) слова́, предназна́ченные не тому́, к кому́ они обращены́.

**stagey** ['steɪdʒɪ] = stagy.

**stagger** ['stægə] 1. *n* 1) шата́ние, пош́атывание; 2) *pl* головокруже́ние; 3) зигзагообра́зное расположе́ние; 4) *амер. sl.* попы́тка; 5) *pl вет.* ко́лер (*у лошаде́й*); верти́чка (*у ове́ц*); 6) *ав.* вы́нос крыла́;
2. *v* 1) шата́ться; идти́ шата́ясь; 2) расшата́ть, лиши́ть усто́йчивости; 3) колеба́ться, быть в нереши́тельности; 4) поколеба́ть; вы́звать сомне́ния; 5) потряса́ть, поража́ть; ошеломля́ть; 6) располага́ть зигзагообра́зно, располага́ть ступе́нями *или* усту́пами; 7) регули́ровать часы́ рабо́ты (*учрежде́ния, магази́нов и т. п.*); 8) *тех.* соверша́ть комбини́рованные движе́ния вокру́г продо́льной и попере́чной оси́.

**staggerer** ['stægərə] *n* 1) шата́ющийся; 2) си́льный уда́р; потряса́ющее изве́стие *или* собы́тие; 3) тру́дный вопро́с.

**stagger formation** ['stægəfə'meɪʃən] *n ав.* эшелони́рованный строй (*зве́ньев, эскадри́лий*).

**stag-horn** ['stæghɔːn] *n бот.* роголи́стный па́поротник.

**staging** ['steɪdʒɪŋ] 1. *pres. p. от* stage 2;
2. *n* 1) постано́вка пье́сы; 2) *стр.* подмо́сти, леса́.

**stagnancy** ['stægnənsɪ] *n* 1) засто́йность, ко́сность; 2) ине́ртность.

**stagnant** ['stægnənt] *a* 1) сто́ячий (*о воде*); 2) ко́сный; 3) ине́ртный, вя́лый; тупо́й.

**stagnate** ['stægneɪt] *v* 1) де́латься засто́йным, заста́иваться (*о воде*); 2) косне́ть, быть безде́ятельным; остана́вливаться (*о жизни*).

**stagnation** [stæg'neɪʃən] *n* 1) засто́й, засто́йность; 2) ко́сность.

**stag-party** ['stæg,pɑːtɪ] = stag 1, 4).

**stagy** ['steɪdʒɪ] *a* театра́льный, неесте́ственный.

**staid** [steɪd] *a* положи́тельный, степе́нный, уравнове́шенный.

**stain** [steɪn] *n* 1) пятно́; 2) позо́р, пятно́; without a ~ on one's character с незапя́тнанной репута́цией; 3) кра́ска, кра́сящее вещество́; цветна́я политу́ра, протра́ва;
2. *v* 1) па́чкать(ся); 2) пятна́ть, по́ртить (*репута́цию и т. п.*); 3) кра́сить; окра́шивать(ся); 4) набива́ть (*рису́нок*).

**stained** [steɪnd] 1. *p.p. от* stain 2;
2. *a* 1) испа́чканный, в пя́тнах; 2) запя́тнанный, опозо́ренный; 3) окра́шенный, подкра́шенный; ~ glass цветно́е стекло́.

**stainless** ['steɪnlɪs] *a* 1) че́стный; 2) безупре́чный, незапя́тнанный; 3) нержаве́ющий; ~ steel нержаве́ющая сталь.

**stair** [steə] *n* 1) ступе́нька (*ле́стницы*); 2) ле́стничный марш (*тж.* flight of ~s);

3) (*преим. pl*) ле́стница; схо́дни; *мор.* трап; the ~s are steep ле́стница крута́я; winding ~ винтова́я ле́стница; below ~s a) в полуподва́льном помеще́нии; б) ку́хня и помеще́ние для прислу́ги.

**staircase** ['stəəkeɪs] *n* 1) ле́стница; corkscrew ~, spiral ~ винтова́я ле́стница; principal ~ пара́дная ле́стница; 2) ле́стничная кле́тка.

**stairhead** ['stəəhed] *n* ве́рхняя площа́дка ле́стницы.

**stair-rod** ['stəərɔd] *n* металли́ческий прут для укрепле́ния ковра́ на ле́стнице.

**stairway** ['stəəweɪ] = staircase.

**stake** [steɪk] 1. *n* 1) кол, столб; сто́йка; 2) столб, к кото́рому привя́зывали присуждённого к сожже́нию; 3) (the ~) смерть на костре́, сожже́ние за́живо; 4) небольша́я перено́сная накова́льня; 5) (*ча́сто pl*) ста́вка (*в ка́ртах и т. п.*); закла́д (*в пари́*); to be at ~ быть поста́вленным на ка́рту; быть в опа́сности; he plays for high (low) ~s он игра́ет по большо́й (по ма́ленькой); 6) до́ля капита́ла в предприя́тии; 7) *pl* приз (*на ска́чках и т. п.*); 8) *pl* ска́чки на приз; ◇ to pull up ~s *амер.* сня́ться с ме́ста; смота́ть у́дочки;
2. *v* 1) укрепля́ть *или* подпира́ть колбм, сто́йкой; 2) сажа́ть на́ кол; 3) ста́вить на ка́рту, рискова́ть (*чем-л.*); 4) *карт.* де́лать ста́вку; 5) *sl.* подде́рживать материа́льно, финанси́ровать (*что-л.*); □ ~ in огора́живать ко́льями; ~ off, ~ out отмеча́ть грани́цу (*чего-л.*) ве́хами; to ~ out a claim a) отмеча́ть ве́хами грани́цу уча́стка (*на при́исках и т. п.*); б) заявля́ть свой права́ (*на что-л.*); ~ up загора́живать ко́льями.

**stalactite** ['stæləktaɪt] *n геол.* сталакти́т.

**stalagmite** ['stæləgmaɪt] *n геол.* сталагми́т.

**stale I** [steɪl] 1. *a* 1) несве́жий; ~ bread чёрствый хлеб; 2) спёртый; ~ air спёртый, тяжёлый во́здух; 3) выдохшийся; перетрени́рова́вшийся (*о спортсме́не*); 4) изби́тый, утра́тивший новизну́;
2. *v* 1) изна́шивать(ся); 2) лиша́ть(ся) све́жести, черстве́ть; 3) утра́чивать новизну́, станови́ться неинтере́сным.

**stale II** [steɪl] 1. *n* моча́ (*скота́*);
2. *v* мочи́ться (*о скоте́*).

**stale III** [steɪl] *n уст.* 1) прима́нка; 2) обма́нутый проста́к, посме́шище.

**stale IV** [steɪl] *n уст.* ру́чка, рукоя́тка, дре́вко.

**stalemate** ['steɪl'meɪt] 1. *n* 1) *шахм.* пат; 2) мёртвая то́чка; безвы́ходное положе́ние;
2. *v* 1) *шахм.* де́лать пат; 2) поста́вить в безвы́ходное положе́ние.

**stalk I** [stɔːk] *n* 1) сте́бель, черено́к; cabbage ~ кочеры́жка; 2) *зоол.* но́жка; 3) но́жка (*рю́мки и т. п.*); 4) ствол (*пера́*); 5) фабри́чная труба́.

**stalk II** [stɔːk] 1. *n* 1) надме́нная, велича́вая по́ступь; 2) подкра́дывание;
2. *v* 1) ше́ствовать, го́рдо выступа́ть (*ча́сто ~ along*); 2) подкра́дываться (*к ди́чи*); идти́ кра́дучись.

**stalking-horse** ['stɔːkɪŋhɔːs] *n* 1) *охот.* заслонная лошадь; 2) личина; предлог, отговорка.

**stall** [stɔːl] 1. *n* 1) стойло; 2) ларёк, палатка, прилавок; 3) кресло в партере; orchestra ~ кресло в первых рядах; pit ~ кресло в задних рядах; 4) сиденье в алтаре (*для духовных лиц*); 5) сан каноника; 6) место стоянки автомашин; 7) *амер. sl.* увёртка, предлог; 8) = finger-stall; 9) *горн.* забой; 10) *ав.* потеря скорости;
2. *v* 1) ставить в стойло; 2) делать стойло в конюшне; 3) застревать (*в грязи, глубоком снеге и т. п.*); the car was ~ed in the mud машина застряла в грязи; 4) *амер.* останавливать, задерживать; 5) *разг.* вводить в заблуждение, обманывать; уклоняться; 6) *ав.* терять скорость.

**stall-feed** ['stɔːlfiːd] *v с.-х.* 1) поставить на откорм; 2) откармливать грубыми кормами.

**stallion** ['stæljən] *n* жеребец.

**stalwart** ['stɔːlwət] 1. *n* 1) человек крепкого здоровья; 2) стойкий член партии;
2. *a* 1) рослый, дюжий, здоровенный; 2) стойкий, верный, решительный.

**stamen** ['steɪmen] *n бот.* тычинка.

**stamina** ['stæmɪnə] *n* запас жизненных сил, выносливость, выдержка.

**stammer** ['stæmə] 1. *n* заикание;
2. *v* 1) заикаться; 2) запинаться (*тж.* ~ out); to ~ out an excuse заикаясь, запинаясь, произнести извинение.

**stammerer** ['stæmərə] *n* заика.

**stamp** [stæmp] 1. *n* 1) штамп, штемпель, печать; клеймо; 2) оттиск, отпечаток; 3) пломба *или* ярлык (*на товаре*); 4) марка; postage ~ почтовая марка; 5) характерное отличие, печать; the statement bears the ~ of truth утверждение похоже на правду; 6) род, сорт; men of that ~ люди такого склада; 7) топанье, топот; 8) *горн.* толчея;
2. *v* 1) штамповать, штемпелевать; клеймить, чеканить; 2) отпечатывать, оттискивать; 3) запечатлевать(ся); отражать(ся); the scene is ~ed on my memory эта сцена запечатлелась в моей памяти; 4) характеризовать; his acts ~ him as an honest man его поступки характеризуют его как честного человека; 5) топать ногой; бить копытами (*о лошади*); to ~ the grass flat примять траву; 6) наклеивать марку; 7) дробить (*руду и т. п.*); 8) вырезать штампом (*обыкн.* ~ out); 9) *тех.* тиснить; ☐ ~ down притоптать; ~ out а) подавлять, уничтожать; to ~ a fire out потушить огонь; to ~ out a rebellion подавить восстание; б) вырезать штампом.

**stamp act** ['stæmp'ækt] *n* закон о гербовом сборе.

**stamp-collector** ['stæmpkə,lektə] *n* коллекционер почтовых марок.

**stamp-duty** ['stæmp,djuːti] *n* гербовый сбор.

**stampede** [stæm'piːd] 1. *n* 1) паническое бегство; 2) стихийное массовое движение;
2. *v* обращать(ся) в паническое бегство.

**stamped paper** ['stæmpt'peɪpə] *n* гербовая бумага.

**stamping-ground** ['stæmpɪŋgraund] *n* часто посещаемое место.

**stamp-mill** ['stæmpmɪl] = stamp 1, 8).

**stanch** I [stɑːntʃ] *v* останавливать кровотечение (*из раны*).

**stanch** II [stɑːntʃ] = staunch I.

**stanchion** ['stɑːnʃən] *n* 1) стойка; столб; подпорка; 2) *мор.* пиллерс.

**stand** [stænd] 1. *n* 1) остановка; to be (*или* to come) to a ~ остановиться; to bring to a ~ остановить; 2) сопротивление; to make a ~ сопротивляться (against); 3) позиция, место; to take one's ~ а) занять место; б) основываться (оп, upon — на) [*ср. тж.* 5)]; 4) стоянка (*такси и т. п.*); 5) взгляд, точка зрения; to take one's ~ стать на какую-л. точку зрения [*ср. тж.* 3)]; 6) пьедестал; подставка; этажерка; подпора, консоль, стойка; 7) ларёк, киоск; *амер.* стенд; 8) трибуна (*на скачках и т. п.*); 9) = standing 2, 1); 10) урожай на корню; a good ~ of clover густой клевер; 11) лесонасаждение; 12) *амер.* место свидетеля в суде; 13) *театр.* остановка в каком-л. месте для гастрольных представлений; место гастрольных представлений; 14) *тех.* станина; ◊ ~ of arms вооружение одного солдата; ~ of colours знамёна полка;
2. *v* (stood) 1) стоять; to ~ in smb.'s light загораживать кому-л. свет; *перен.* мешать, стоять на чьей-л. дороге; to ~ in one's own light вредить самому себе; to ~ out of the path сойти с дороги; to ~ on end стоять дыбом (*о волосах*); 2) ставить, помещать; вставать (*обыкн.* ~ up); at the first note all stood как только зазвучала первая нота, все встали; 4) останавливаться (*обыкн.* ~ still); 5) быть высотой в...; he ~s six feet three его рост 6 футов 3 дюйма; 6) быть расположенным, находиться; 7) держаться; быть устойчивым, прочным; устоять; to ~ fast стойко держаться; the house still ~s дом ещё держится; these boots have stood a good deal of wear эти сапоги хорошо послужили; this colour will ~ эта краска не слиняет; not a stone was left ~ing камня на камне не осталось; 8) выдерживать, выносить; терпеть; подвергаться; to ~ fire а) *воен.* выдерживать огонь неприятеля; б) *тех.* выдерживать высокие температуры (*при обжиге в печи*); б) выдерживать критику, испытание; to ~ the test выдержать испытание; how does he ~ pain? как он переносит боль?; I can't ~ him я его не выношу; 9) находиться в каком-л. состоянии; to ~ in awe of smth. бояться чего-л.; to ~ convicted of treason быть осуждённым за измену; to ~ corrected признать ошибку; (о)сознать справедливость (*замечания и т. п.*); to ~ in need of нуждаться в; to ~ one's friend быть другом; to ~ ready быть наготове; to ~ well with smb. а) быть в хороших отношениях с кем-л.; б) быть на хорошем счету у кого-л.; the factory is ~ing idle фабрика не работает; 10) (*обыкн. как глагол-связка*) занимать определённое место, положение; he ~s first in his class он занимает первое место в классе; to ~ alone а) быть одиноким; б) быть выдающимся,

непревзойдённым; to ~ aloof держа́ться в стороне́, поо́даль; to ~ aside отступа́ть в сто́рону; to ~ clear отойти́; to ~ high а) быть в почёте; б): corn ~s high this year в э́том году́ це́ны на кукуру́зу высо́кие; 11) занима́ть определённую пози́цию; here I — вот моя́ то́чка зре́ния; 12) остава́ться в си́ле, быть действи́тельным (тж. ~ good); that translation may ~ э́тот перево́д мо́жет оста́ться без измене́ний; 13) де́лать сто́йку (о соба́ке); 14) мор. идти́, держа́ть курс; 15) разг. угоща́ть; to ~ treat заплати́ть за угоще́ние; to ~ dinner угости́ть обе́дом; ☐ ~ against проти́виться, сопротивля́ться; ~ away, ~ back отступа́ть, держа́ться сза́ди; ~ behind отстава́ть; ~ between быть посре́дником ме́жду; ~ by а) прису́тствовать; быть безуча́стным зри́телем; б) защища́ть, помога́ть, подде́рживать; to ~ by one's friend быть ве́рным дру́гом; в) держа́ть, выполня́ть; приде́рживаться; to ~ by one's promise сдержа́ть обеща́ние; г) быть наго́тове; д) радио быть гото́вым нача́ть или принима́ть переда́чу; ~ down покида́ть свиде́тельское ме́сто (в суде́); ~ for а) подде́рживать, стоя́ть за; б) символизи́ровать, означа́ть; в) быть кандида́том; г) разг. терпе́ть, выноси́ть; ~ in а) сто́ить; б) быть в хоро́ших отноше́ниях, подде́рживать хоро́шие отноше́ния; в) принима́ть уча́стие, помога́ть (with); г) мор. идти́ к бе́регу, подходи́ть к по́рту; д) связа́ть свою́ судьбу́ (with); ~ off а) держа́ться на рассто́янии от; отодви́нуться от; б) отби́ть (ата́ку); в) мор. удаля́ться от бе́рега; ~ on а) наста́ивать на чём-л.; б) осно́вываться на чём-л.; зави́сеть от чего́-л.; в) мор. идти́ пре́жним ку́рсом; г) то́чно соблюда́ть; to ~ on cere-mony церемо́ниться; ~ out а) выделя́ться, выступа́ть; to ~ out against a background выделя́ться на фо́не; б) не сдава́ться; держа́ться; he stood out for better terms on стара́лся доби́ться лу́чших усло́вий; в) мор. удаля́ться от бе́рега; ~ over остава́ться нерешённым; быть отло́женным, отсро́ченным; let the matter ~ over отложи́те э́то де́ло; ~ to а) держа́ться чего́-л.; to ~ to one's colours не отступа́ть, твёрдо держа́ться свои́х при́нципов; to ~ to it твёрдо наста́ивать на чём-л.; б) подде́рживать что-л.; в) держа́ть, выполня́ть (обеща́ние и т. п.); ~ up а) встава́ть; б) ока́зываться удовлетвори́тельным, про́чным и т. п.; в) sl.: to ~ smb. up подвести́ кого́-л.; ~ up for защища́ть, отста́ивать; ~ upon = ~ on; to ~ upon one's right отста́ивать (или стоя́ть за) свои́ права́; ~ up to сме́ло встреча́ть; быть на высоте́; ♢ ~ Sam sl. плати́ть за угоще́ние; how do matters ~? как обстоя́т дела́?; to ~ on one's head быть эксцентри́чным; to ~ on one's own bottom быть незави́симым; полага́ться то́лько на себя́; to have not a leg to ~ on не быть доста́точно обосно́ванным, не име́ть оправда́ния, извине́ния; ~ and deliver! ру́ки вверх!; «кошеле́к и́ли жизнь!»; to ~ one in good stead быть поле́зным, пригоди́ться; to ~ to lose идти́ на ве́рное пораже́ние; to ~ to reason быть я́сным, очеви́дным для вся́кого);

it ~s to reason that само́ собо́й разуме́ется, что; to ~ to win име́ть все ша́нсы на вы́игрыш.

**standard** ['stændəd] 1. n 1) зна́мя, штанда́рт; to march under the ~ of smb. перен. быть после́дователем кого́-л.; to raise the ~ of revolt подня́ть зна́мя восста́ния; 2) станда́рт, но́рма, образе́ц, мери́ло; ~ of culture, ~ of education культу́рный у́ровень; ~ of height но́рма ро́ста; ~ of life, ~ of living жи́зненный у́ровень; ~ of price эк. у́ровень цен; ~s of weight ме́ры ве́са; to fall short of accepted ~s не соотве́тствовать при́нятым но́рмам; up to (below) ~ соотве́тствует (не соотве́тствует) при́нятому станда́рту; 3) коло́нна, сто́йка, подста́вка; 4) класс (в нача́льной шко́ле); 5) штамбовое расте́ние; 6) де́нежная систе́ма, де́нежный станда́рт; 7) тех. стани́на.
2. a 1) станда́ртный, типово́й; норма́льный; ~ shape (size) станда́ртная фо́рма (разме́р); ~ gauge ж.-д. норма́льная колея́; 2) образцо́вый; the ~ book on the subject образцо́вый труд по да́нному вопро́су; ~ English образцо́вый англи́йский язы́к (особ. в смы́сле произноше́ния); 3) стоя́чий; ~ lamp стоя́чая ла́мпа; 4) штамбовый (о расте́ниях).
**standard-bearer** ['stændəd,bɛərə] n 1) знамено́сец; 2) руководи́тель движе́ния и т. п.
**standardization** [,stændədai'zeiʃən] n стандартиза́ция, нормализа́ция.
**standardize** ['stændədaiz] v стандартизи́ровать; калиброва́ть.
**standard time** ['stændəd'taim] n поясно́е вре́мя.
**stand-by** ['stændbai] 1. n 1) надёжная опо́ра; 2) запа́с;
2. a запа́сный, запасно́й, резе́рвный.
**standee** [stæn'di:] n амер. разг. 1) стоя́щий пассажи́р; 2) театр. стоя́щий зри́тель.
**standfast** ['stændfɑ:st] 1. n про́чное положе́ние;
2. a про́чный, твёрдый; надёжный.
**stand-in** ['stænd'in] n 1) благоприя́тное положе́ние; 2) кино́ дублёр (заменя́ющий актёра, пока́ иду́т приготовле́ния к съёмке).
**standing** ['stændiŋ] 1. pres. p. от stand 2;
2. n 1) стоя́ние; 2) положе́ние, вес; a person of high ~ высокопоста́вленное лицо́; 3) продолжи́тельность; a quarrel of long ~ давни́шняя ссо́ра; 4) стаж; 5) нахожде́ние, (ме́сто)положе́ние; ♢ to have no ~ не име́ть ве́са; быть неубеди́тельным;
3. a 1) стоя́щий; ~ corn хлеб на корню́; 2) постоя́нный; устано́вленный; ~ army постоя́нная а́рмия; ~ committee постоя́нная коми́ссия; ~ dish дежу́рное блю́до; перен. обы́чная те́ма; ~ jest неистощи́мый объе́кт для шу́ток; ~ menace ве́чная угро́за; 3) неподви́жный; несдвига́емый; ~ barrage воен. неподви́жный загради́тельный ого́нь; 4) проста́ивающий, нерабо́тающий; 5) произво́димый из стоя́чего положе́ния; ~ jump прыжо́к с ме́ста; 6) стоя́чий, непрото́чный (о воде́).
**standing gear** ['stændiŋ'giə] = standing rigging.

**standing order** ['stændɪŋ'ɔːdə] *n* 1) *воен.* приказ-инструкция; 2) *pl парл.* правила процедуры.

**standing rigging** ['stændɪŋ'rɪgɪŋ] *n мор.* стоячий такелаж.

**standing-room** ['stændɪŋrum] *n* место для стояния (*особ. в театре*).

**standing-vice** ['stændɪŋvaɪs] *n тех.* стуловые тиски.

**standish** ['stændɪʃ] *n уст.* чернильный прибор; чернильница.

**stand-off** ['stændɔːf] **1.** *n* 1) *спорт.* ничья;
2. *a* сдержанный; холодный.

**stand-offish** ['stænd'ɔːfɪʃ] *a* сдержанный; непривётливый; надменный.

**stand-out** ['stænd'aut] *n* 1) что-л. замечательное (*по качеству, вкусу и т. п.*);
2) *разг.* человек, упрямо настаивающий на своём.

**standpatter** ['stænd‚pætə] *n амер. разг.*
1) сторонник неизменности партийных установок; 2) противник реформ, в особенности в отношении тарифов.

**stand-pipe** ['stændpaɪp] *n тех.* напорная *или* водоподъёмная труба.

**standpoint** ['stændpɔɪnt] *n* точка зрения.

**standstill** ['stændstɪl] *n* остановка, бездействие, застой; to come to a ~ оказаться в тупике; work was at a ~ работа остановилась на мёртвой точке.

**stand-up** ['stændʌp] *a* 1) прямой; 2) стоячий; ~ collar стоячий воротничок; 3): ~ fight кулачный бой; ~ meal закуска стоя, на ходу; ~ buffet буфёт, где едят стоя.

**stanhope** ['stænəp] *n* лёгкий открытый одноместный экипаж.

**stank** [stæŋk] *past om* stink 2.

**stannary** ['stænərɪ] *n* оловянный рудник.

**stannic** ['stænɪk] *a хим.* оловянный.

**stanniferous** [stæ'nɪfərəs] *a* содержащий олово.

**stanza** ['stænzə] *n прос.* строфа, станс.

**staple I** ['steɪpl] *n* скобка, скоба, крюк; колено; ушко.

**staple II** ['steɪpl] **1.** *n* 1) главный продукт *или* один из главных продуктов, производимых в данном районе; 2) основной предмёт торговли; 3) главный элемёнт (*чего-л.*); the ~ of conversation главная тёма разговора; 4) сырьё; 5) *уст.* важнейший рынок, торговый центр; 6) *текст.* волокно; качество волокна *или* нити;
2. *a* основной.

**star** [stɑː] **1.** *n* 1) звезда; светило; fixed ~s неподвижные звёзды; shooting ~ падающая звезда; 2) *перен.* светило; звезда; film ~ кинозвезда; 3) *полигр.* звёздочка; 4) что-л. напоминающее звезду; звёздочка (*белая отметина на лбу животного*); 5) судьба, рок; to have one's ~ in the ascendant преуспевать; to thank (*или* to bless) one's ~s благодарить судьбу; ◇ ~s and stripes государственный флаг США; I saw ~s ≅ у меня искры посыпались из глаз; my ~! *восклицание, выражающее удивление*;
2. *a* 1) звёздный; 2) выдающийся; великолёпный; ведущий; ~ witness главный свидётель; 3): ~ system *театр.* труппа

с одним, двумя первоклассными актёрами и слабым ансамблем;
3. *v* 1) украшать звёздами; 2) отмечать звёздочкой; 3) *театр.* быть звездой; to ~ in the provinces гастролировать в провинции в главных ролях; 4) предоставлять главную роль; to ~ it выступать в главной роли.

**starboard** ['stɑːbəd] *мор.* **1.** *n* правый борт;
2. *a* лежащий направо; правого борта;
3. *v* класть руль направо.

**starch** [stɑːtʃ] **1.** *n* 1) крахмал; 2) чопорность, церемонность; 3) *амер. sl.* энёргия, живость; ◇ to take the ~ out of smb. *амер.* осадить, сбить спесь с кого-л.;
2. *v* крахмалить.

**Star Chamber** ['stɑː'tʃeɪmbə] *n ист.* Звёздная палата.

**starchy** ['stɑːtʃɪ] *a* 1) крахмалистый, содержащий крахмал; 2) накрахмаленный; 3) чопорный.

**star connection** ['stɑːkə‚nekʃən] *n эл.* соединение звездой.

**stardom** ['stɑːdəm] *n* 1) ведущее положение в театре *или* кино, положение звезды; 2) *собир.* звёзды (*в театре, кино*).

**stare** [steə] **1.** *n* изумлённый *или* пристальный взгляд;
2. *v* 1) смотреть пристально; глазеть; таращить *или* пялить глаза (at, upon—на); to ~ smb. in the face а) смотреть (*на кого-л.*) неузнающим *или* дёрзким взглядом; б) быть явным, очевидным; ruin ~s him in the face ему угрожает гибель; to ~ smb. out of countenance смутить кого-л. пристальным взглядом; to ~ straight before one смотреть в одну точку; to ~ with astonishment широко открыть глаза от удивления; to make people ~ удивлять, поражать людёй; 2) торчать (*о волосах и т. п.*); □ ~ down смутить взглядом.

**starfish** ['stɑːfɪʃ] *n зоол.* морская звезда.

**star-gazer** ['stɑː‚geɪzə] *n* 1) астролог; звездочёт; 2) *шутл.* астроном; 3) идеалист, мечтатель.

**star-gazing** ['stɑː‚geɪzɪŋ] *n* 1) созерцание звёзд; 2) *шутл.* астрономия; 3) мечтательность; 4) рассеянность.

**staring** ['steərɪŋ] **1.** *pres. p. om* stare 2;
2. *a* 1) широко раскрытый (*о глазах*); пристальный (*о взгляде*); 2) кричащий, бросающийся в глаза, яркий;
3. *adv*: ~ mad совершённо сумасшёдший.

**stark** [stɑːk] **1.** *a* 1) окоченёвший, застывший; 2) полный, абсолютный; ~ nonsense чистёйший вздор; 3) *поэт.* сильный, решительный, непреклонный;
2. *adv* совершённо.

**starless** ['stɑːlɪs] *a* беззвёздный.

**starlet** ['stɑːlɪt] *n* 1) небольшая звезда; 2) талантливая молодая киноактриса, будущая звезда.

**starlight** ['stɑːlaɪt] **1.** *n* свет звёзд;
2. *a* звёздный; ~ night звёздная ночь.

**starling I** ['stɑːlɪŋ] *n* скворец.

**starling II** ['stɑːlɪŋ] *n* водорёз, ледорёз, волнорёз.

**starlit** ['stɑːlɪt] *a* звёздный, освещённый светом звёзд.

**starred** [stɑːd] 1. *p. p. om* star 3;
2. *a* 1) усе́янный, усы́панный звёздами; укра́шенный, отме́ченный звездо́й; 2) *театр., кино* явля́ющийся звездо́й.

**starry** ['stɑːrɪ] *a* 1) звёздный; 2) я́ркий, сия́ющий как звёзды, лучи́стый (*о глаза́х*); 3) звездообра́зный.

**star shell** ['stɑː'ʃel] *n воен.* освети́тельный снаря́д.

**star-spangled** ['stɑːˌspæŋgld] *a* усы́панный звёздами; the ~ banner госуда́рственный флаг США.

**start** [stɑːt] 1. *n* 1) отправле́ние, нача́ло; to make a ~ нача́ть; отпра́виться; from ~ to finish с нача́ла до конца́; a ~ in life нача́ло карье́ры; to give smb. a ~ in life помо́чь встать на́ ноги; 2) *спорт.* старт; 3) преиму́щество; to get the ~ of smb. опереди́ть кого́-л., получи́ть преиму́щество пе́ред кем-л.; he gave me a ~ of 10 yards он дал мне фо́ру 10 я́рдов; 4) пуск в ход; тро́гание с ме́ста; 5) *ав.* взлёт; 6) вздра́гивание; толчо́к; to give smb. a ~ испуга́ть кого́-л.; to give a ~ вздро́гнуть; ◇ by fits and ~s уры́вками; неравноме́рно;
2. *v* 1) начина́ть; бра́ться (*за что-л.*); to ~ a quarrel затея́ть ссо́ру; to ~ a subject нача́ть разгово́р о чём-л.; to ~ working взя́ться за рабо́ту; 2) начина́ться; the fire ~ed in the kitchen снача́ла загоре́лось в ку́хне; 3) отправля́ться, пуска́ться в путь; тро́гаться (*о трамва́е, по́езде и т. п.*); the train has just ~ed по́езд то́лько что ушёл; to ~ on a journey отпра́виться путеше́ствовать; to ~ for Leningrad отпра́виться в Ленингра́д; 4) учрежда́ть, открыва́ть (*предприя́тие и т. п.*); 5) пуска́ть (*маши́ну; тж.* ~ up); 6) *спорт.* дава́ть старт; 7) *спорт.* стартова́ть; 8) помога́ть (*кому́-л.*) нача́ть (*како́е-л. де́ло и т. п.*); 9) *ав.* взлета́ть; 10) вздра́гивать, содрога́ться; to ~ in one's seat привскочи́ть на сту́ле; 11) вскочи́ть, бро́ситься (*тж.* ~ up); ~ back отпря́нуть, отскочи́ть наза́д; to ~ forward бро́ситься вперёд; 12) вспу́гивать; to ~ a hare охот. подня́ть за́йца; 13) расшата́ть(-ся); 14) коро́биться (*о де́реве*); 15) разойти́сь (*о шве*); □ ~ in *разг.* начина́ть, принима́ться; just ~ in and clean the room прими́тесь-ка за убо́рку ко́мнаты; ~ out а) *разг.* собира́ться сде́лать (*что-л.*); he ~ed out to write a book он собира́лся написа́ть кни́гу; б) отпра́виться в путь; в) *амер.* начина́ть; ~ up а) вска́кивать; б) появля́ться; a new idea has ~ed up возникла́ но́вая иде́я; в) пуска́ть в ход; to ~ up an engine запусти́ть мото́р; ~ with а) to ~ with нача́ть с того́...; пре́жде всего́; you have no right to go there, to ~ with ну́жно нача́ть с того́, что вы не име́ете пра́ва ходи́ть туда́; б) начина́ть с чего́-л.; we had six members to ~ with у нас снача́ла бы́ло шесть чле́нов; ◇ to ~ another hare подня́ть но́вый вопро́с для обсужде́ния; перемени́ть те́му разгово́ра.

**starter** ['stɑːtə] *n* 1) *спорт.* ста́ртер, стартёр; 2) уча́стник состяза́ния; 3) *тех.* пусково́й прибо́р; ста́ртер (*у автомоби́ля*); 4) диспе́тчер.

**starting-gate** ['stɑːtɪŋgeɪt] *n* барье́р на ста́рте.

**starting-lever** ['stɑːtɪŋˌliːvə] *n тех.* пусково́й рыча́г.

**starting-point** ['stɑːtɪŋpɔɪnt] *n* отправно́й пункт, отправна́я то́чка.

**starting-post** ['stɑːtɪŋpoust] *n* ста́ртовый столб.

**startle** ['stɑːtl] 1. *n* испу́г;
2. *v* 1) испуга́ть, си́льно удиви́ть; I was ~d by the news я был поражён изве́стием; 2) возбужда́ть; to ~ a person out of his apathy вы́вести кого́-л. из состоя́ния апа́тии; 3) вздра́гивать.

**startler** ['stɑːtlə] *n* сенсацио́нное собы́тие или заявле́ние.

**startling** ['stɑːtlɪŋ] 1. *pres. p. om* startle 2;
2. *a* 1) потряса́ющий, ужаса́ющий; 2) порази́тельный.

**star turn** ['stɑː'təːn] *n* гла́вный но́мер програ́ммы.

**starvation** [stɑː'veɪʃən] *n* 1) го́лод; голода́ние; 2) голо́дная смерть.

**starve** [stɑːv] *v* 1) умира́ть от го́лода; 2) голода́ть; 3) *разг.* чу́вствовать го́лод; 4) мори́ть го́лодом; to ~ into surrender взять измо́ром; 5) лиша́ть пи́щи, истоща́ть (*тж. перен.*); 6) жа́ждать (for—чего́-л.); 7) *уст.* умира́ть; to ~ with cold умира́ть от хо́лода.

**starveling** ['stɑːvlɪŋ] 1. *n* 1) изнурённый, голо́дный челове́к; истощённое живо́тное; 2) замо́рыш;
2. *a* голо́дный, изнурённый.

**stash** [stæʃ] *v амер. sl.* 1) копи́ть, откла́дывать (*тж.* ~ away); 2) прекраща́ть.

**state I** [steɪt] 1. *n* 1) состоя́ние; ~ of mind душе́вное состоя́ние; things were in an untidy ~ всё бы́ло в беспоря́дке; in a ~ a) в беспоря́дке; б) в затрудне́нии; в) в волне́нии, в возбужде́нии; to work oneself into a ~ взвинти́ть себя́; what a ~ you are in! в како́м вы ви́де!; of emergency чрезвыча́йное положе́ние; 2) строе́ние, структу́ра, фо́рма; 3) положе́ние, ранг; in a style befitting his ~ как подоба́ет челове́ку его́ положе́ния; persons in every ~ of life лю́ди ра́зного зва́ния; 4) великоле́пие, пы́шность; in ~ с по́мпой; to lie in ~ быть вы́ставленным для проща́ния (*о поко́йнике*); to receive in ~ устра́ивать торже́ственный приём;
2. *a* пара́дный; торже́ственный; ~ coach пара́дная каре́та;
3. *v* 1) заявля́ть, сообща́ть; this condition was expressly ~d э́то усло́вие бы́ло специа́льно оговорено́; 2) констати́ровать; формули́ровать; излага́ть; to ~ one's case изложи́ть своё де́ло; 3) *мат.* формули́ровать; выража́ть зна́ками.

**state II** [steɪt] 1. *n* 1) (*тж.* S.) госуда́рство; 2) штат; States General *ист.* Генера́льные шта́ты;
2. *a* 1) госуда́рственный; S. Department госуда́рственный департа́мент (*министе́рство иностра́нных дел США*); ~ business де́ло госуда́рственной ва́жности; ~ prisoner госуда́рственный престу́пник; ~ trial суд над госуда́рственным престу́пником; 2) *амер.* относя́щийся к отде́льному шта́ту

(*в отличие от* federal); S. rights автономия отдельных штатов США; S. Board of Education управление по делам образования в штате.

**state-aided** ['steɪt,eɪdɪd] *a* получающий субсидию от государства.

**statecraft** ['steɪtkrɑːft] *n* искусство управлять государством.

**stated** ['steɪtɪd] 1. *p. p. от* state I, 3; 2. *a* 1) установленный; назначенный; регулярный; at ~ intervals через определённые промежутки времени; ~ office hours определённые часы работы (*в учреждении*); 2) сформулированный; зафиксированный; 3) высказанный.

**State-house** ['steɪthaus] *n амер.* здание законодательного органа штата.

**stately** ['steɪtlɪ] *a* величавый, величественный, полный достоинства.

**statement** ['steɪtmənt] *n* 1) утверждение, заявление; to make a ~ заявлять, делать заявление; 2) изложение, формулировка; 3) официальный отчёт, бюллетень.

**state-room** ['steɪtrum] *n* 1) парадный зал; 2) отдельная каюта; 3) *амер.* купе.

**stateside** ['steɪtsaɪd] *разг.* 1. *a* относящийся к США; полученный из США; направляющийся в США; 2. *adv* из США; в США.

**statesman** ['steɪtsmən] *n* 1) государственный (*амер. тж.* политический) деятель; 2) мелкий землевладелец в Северной Англии.

**statesmanship** ['steɪtsmənʃɪp] = statecraft.

**static(al)** ['stætɪk(əl)] *a* статический, стационарный, неподвижный.

**statics** I ['stætɪks] *n pl* (*употр. как sing*) статика.

**statics** II ['stætɪks] *n pl радио* атмосферные помехи.

**station** ['steɪʃən] 1. *n* 1) место, пост; battle ~ боевой пост; he took up a convenient ~ он занял удобную позицию; they returned to their several ~s они вернулись на свои места; 2) станция, пункт; dressing ~ перевязочный пункт; wireless ~ радиостанция; 3) остановка (*автобуса и т. п.*); 4) железнодорожная станция, вокзал (*тж.* railway ~); 5) *амер.* почтовое отделение; 6) военно-морская база (*тж.* naval ~); 7) военный пост *или* форт (*в Индии*); 8) *австрал.* овцеводческая ферма; овечье пастбище; 9) геодезический пункт; 10) общественное положение; профессия, звание; 11) *биол.* ареал; 12) *attr.* станционный;

2. *v* 1) ставить на (*определённое*) место; помещать; to ~ oneself расположиться; 2) *воен.* размещать; to ~ a guard выставить караул.

**stationary** ['steɪʃnərɪ] *a* 1) неподвижный, закреплённый, стационарный; ~ troops местные войска; 2) постоянный, неизменный; ~ air воздух, остающийся в лёгких после нормального выдоха; ~ temperature постоянная температура; 3); ~ warfare позиционная война.

**stationer** ['steɪʃnə] *n* 1) торговец канце-

лярскими принадлежностями; 2) *уст.* книгоиздатель; книготорговец.

**stationery** ['steɪʃnərɪ] *n* 1) канцелярские принадлежности; 2) писчебумажный магазин.

**station-house** ['steɪʃənhaus] *n* полицейский участок.

**station-master** ['steɪʃən,mɑːstə] *n ж.-д.* начальник станции.

**station-wagon** ['steɪʃən,wægən] *n* большой автомобиль (*с багажником и откидным сиденьем*).

**statist** ['steɪtɪst] = statistician.

**statistic(al)** [stə'tɪstɪk(əl)] *a* статистический.

**statistician** [,stætɪs'tɪʃən] *n* статистик.

**statistics** [stə'tɪstɪks] *n pl* 1) (*употр. как sing*) статистика; 2) статистические данные.

**statuary** ['stætjuərɪ] 1. *n* 1) *собир.* скульптура; 2) скульптура (*вид искусства*); 3) скульптор; 2. *a* 1) скульптурный; 2) пригодный для скульптурных работ (*о материале*).

**statue** ['stætjuː] *n* статуя, изваяние.

**statuesque** [,stætju'esk] *a* величавый.

**statuette** [,stætju'et] *n* статуэтка.

**stature** ['stætʃə] *n* рост, стан, фигура; to grow in ~ расти; above average ~ выше среднего роста.

**status** ['steɪtəs] *n* 1) статус, общественное положение; 2) состояние, положение дел; *юр.* установленное законом отношение лица к другим лицам *или* к государству.

**status quo** ['steɪtəs'kwou] *лат. n* статус кво.

**statute** ['stætjuːt] *n* 1) статут; закон, законодательный акт парламента; 2) устав.

**statute-book** ['stætjuːtbuk] *n* свод законов.

**statute law** ['stætjuːt'lɔː] *n* писаный закон (*противоп.* common law).

**statutory** ['stætjutərɪ] *a* установленный (законом).

**staunch** I [stɔːntʃ] *a* 1) водонепроницаемый; 2) верный, стойкий; лояльный; 3) прочный, основательный.

**staunch** II [stɔːntʃ] = stanch I.

**stave** [steɪv] 1. *n* 1) бочарная доска, клёпка; 2) перекладина (*приставной лестницы*); 3) *прос.* строфа; 4) = staff I,5); 2. *v* (staved [-d], stove) снабжать бочарными клёпками; □ ~ in разбить, проломить (*бочку, лодку и пр.*); ~ off а) предотвратить *или* отсрочить (*бедствие и т. п.*); б) отбросить (*противника*).

**staves** [steɪvz] *pl от* staff I, 5).

**stay** I [steɪ] 1. *n* 1) пребывание; I shall make a week's ~ there я пробуду там неделю; 2) остановка; стоянка; 3) узда, преграда; 4) *юр.* отсрочка, приостановка судопроизводства; 5) выносливость; выдержка; 6) опора, поддержка; 7) связь; оттяжка; 8) *pl* корсет (*тж.* pair of ~s); 9) *тех.* люнет;

2. *v* 1) останавливать, сдерживать; задерживать; to ~ one's hand воздержаться от действия; 2) оставаться, задерживаться (*тж.* ~ on); ~ here till I return побудьте

здесь, пока я не вернусь; to ~ put *амер.* а) оставаться неподвижным, замереть на месте; б) оставаться неизменным; to ~ calm (cool) сохранять спокойствие (хладнокровие); to come to ~ войти в употребление, укорениться, привиться, получить признание; it has come to ~ *разг.* это надолго; 3) останавливаться; жить (at); гостить (with); 4) (*особ. в повел. накл.*) ждать, медлить; ~! not so fast! подождите!, не так быстро!; куда вы торопитесь?; 5) *разг.* выдерживать, выносить, быть в состоянии продолжать; не отставать; 6) придавать жёсткость, стойкость *или* прочность конструкции; поддерживать, укреплять, связывать; 7) поддерживать; 8) затягивать в корсет; 9) утолять (*боль, голод и т. п.*); to ~ one's stomach ≈ заморить червячка; 10) *юр.* приостанавливать судопроизводство; □ ~ away не приходить, не являться; to ~ away from smth., smb. держаться подальше от чего-л., кого-л.; ~ in оставаться дома, не выходить; ~ on продолжать оставаться; задерживаться; ~ out а) не возвращаться домой; б) отсутствовать; в) пересидеть (*других гостей*); ~ up не ложиться;

**stay** II [steɪ] *мор.* 1. *n* штаг; a ship in ~s лавирующее судно;
2. *v* 1) укреплять; оттягивать; 2) делать поворот оверш타г.

**stay-at-home** ['steɪəthoum] 1. *n* домосед(ка);
2. *a:* he is not the ~ sort он не любит сидеть дома.

**stay-bolt** ['steɪboult] *n тех.* анкерный болт, распорный болт.

**stay-down** ['steɪ'daun] *a:* ~ strike итальянская забастовка.

**stayed** I [steɪd] 1. *p. p. от* stay I, 2;
2. *a* затянутый в корсет.

**stayed** II [steɪd] *p. p. от* stay II, 2.

**stayer** ['steɪə] *n* 1) выносливый человек *или* животное; 2) *спорт.* стайер.

**staying** I ['steɪɪŋ] 1. *pres. p. от* stay I, 2;
2. *a* 1) останавливающий(ся), задерживающий(ся); сдерживающий(ся); 2) остающийся неизменным; неослабевающий; ~ power(s) выносливость, выдержка; способность к длительному действию с неослабевающей силой.

**staying** II ['steɪɪŋ] *pres. p. от* stay II, 2.

**stay-lace** ['steɪleɪs] *n* шнуровка для корсета.

**staysail** ['steɪsl] *n мор.* стаксель.

**stead** [sted] *n:* in smb.'s ~, in ~ of smb. вместо кого-л., за кого-л.; to stand smb. in good ~ пригодиться, оказаться полезным кому-л.

**steadfast** ['stedfəst] *a* 1) твёрдый; прочный; устойчивый; ~ gaze пристальный взгляд; 2) стойкий, непоколебимый; ~ faith непоколебимая вера.

**steading** ['stedɪŋ] *n* ферма, усадьба, хутор.

**steady** ['stedɪ] 1. *a* 1) устойчивый; установившийся; 2) равномерный, ровный; 3) постоянный, неизменный, неуклонный; ~ flow of talk непрерывный поток слов;

4) твёрдый, верный, непоколебимый; ~ hand a) твёрдая рука; б) твёрдое руководство; ~ resolve непреклонное решение; ~ as a rock твёрдый как скала; 5) степенный, спокойный; a ~ young fellow уравновешенный молодой человек; 6) трёзвый, серьёзный, надёжный;
2. *v* 1) делать(ся) твёрдым, устойчивым; the boat steadied лодка пришла в равновесие; 2) остепениться; he will soon ~ (down) он скоро остепенится;
3. *n* 1) *амер. разг.* жених; невеста; возлюбленный; возлюбленная; 2) *тех.* опора, люнет;
4. *int* осторожно!

**steak** [steɪk] *n* 1) кусок мяса *или* рыбы (*для жаренья*); 2) бифштекс.

**steal** [stiːl] 1. *v* (stole; stolen) 1) воровать, красть; 2) сделать (*что-л.*) незаметно, украдкой; тайком добиться (*чего-л.*); to ~ a glance взглянуть украдкой; to ~ a ride ехать зайцем; to ~ a march on smb. опередить кого-л. (*в чём-л.*); 3) красться, прокрадываться (*тж.* ~ up); 4) постепенно овладевать, захватывать (*о чувстве и т. п.*); a sense of peace stole over him им овладело чувство спокойствия; 5) овладевать, завладевать, добиваться (*тж.* ~ away); □ ~ away а) незаметно ускользнуть; б) овладевать, завладевать, добиваться; ~ by проскользнуть мимо; ~ in войти крадучись; ~ out улизнуть; ~ up подкрасться;
2. *n разг.* 1) воровство; 2) украденный предмет; 3) что-л., купленное очень дёшево.

**stealing** ['stiːlɪŋ] 1. *pres. p. от* steal I;
2. *n* 1) воровство; 2) (*обыкн. pl*) украденное, краденые вещи.

**stealth** [stelθ] *n:* by ~ украдкой, втихомолку, тайком.

**stealthily** ['stelθɪlɪ] *adv* украдкой, тайно, втихомолку.

**stealthy** ['stelθɪ] *a* 1) тайный, скрытый; ~ glance взгляд украдкой; ~ whisper осторожный шёпот; 2) бесшумный.

**steam** [stiːm] 1. *n* 1) пар; live ~ острый пар; saturated ~ насыщенный пар; wet ~ влажный пар; full ~ ahead! вперёд на всех парах!; to get up ~ развести пары; *перен.* собраться с силами; развить энергию; to let (*или* to blow) off ~ выпустить пары; *перен.* дать выход своим чувствам; to put on ~ подбавить пару; 2) испарение; 3) *разг.* энтузиазм; энергия;
2. *a* паровой;
3. *v* 1) выпускать пар; 2) подниматься в виде пара; 3) двигаться посредством пара; идти под парами; 4) *разг.* развивать большую энергию, «жарить»; 5) варить на пару; 6) запотевать, отпотевать; 7) подвергать действию пара; парить, выпаривать; to ~ open отклеивать с помощью пара; □ ~ away выкипать.

**steamboat** ['stiːmbout] *n* пароход.

**steam-boiler** ['stiːm,bɔɪlə] *n* паровой котёл.

**steam-coal** ['stiːmkoul] *n* паровичный уголь.

**steam-driven** ['stiːm,drɪvn] *a* приводимый в движение паром.

**steam-engine** ['stiːm,endʒɪn] *n* паровая машина, паровой двигатель.

**steamer** ['stiːmə] *n* 1) пароход; 2) котёл для варки на пару.

**steam-gauge** ['stiːmgeɪdʒ] *n* манометр.

**steam-hammer** ['stiːm'hæmə] *n* паровой молот; ◇ to use a ~ to crack nuts≈ стрелять из пушек по воробьям.

**steam-heat** ['stiːmhiːt] *n* тепло, отдаваемое паром при конденсации.

**steam-jacket** ['stiːm,dʒækɪt] *n тех.* паровая рубашка.

**steam-launch** ['stiːmlɔːntʃ] *n* паровой катер.

**steam navvy** ['stiːm'nævɪ] *n* землечерпалка, механический экскаватор.

**steam-power** ['stiːm,pauə] *n* энергия пара.

**steam-roller** ['stiːm,roulə] *n* 1) паровой каток; 2) *перен.* непреодолимая сила.

**steamship** ['stiːmʃɪp] *n* пароход.

**steamshop** ['stiːmʃɔp] *n* котельная, кочегарка.

**steam shovel** ['stiːm'ʃʌvl] = steam navvy.

**steam table** ['stiːm'teɪbl] *n* мармит (*подогревательный шкаф в столовых, ресторанах*).

**steam-tight** ['stiːmtaɪt] *a* паронепроницаемый.

**steam-turbine** ['stiːm,təːbɪn] *n* паровая турбина.

**steamy** ['stiːmɪ] *a* 1) парообразный; 2) насыщенный парами; 3) испаряющийся.

**stearin** ['stɪərɪn] *n* стеарин.

**steatite** ['stɪətaɪt] *n мин.* мыльный камень, стеатит, жировик.

**steed** [stiːd] *n поэт., шутл.* конь.

**steel** [stiːl] **1.** *n* 1) сталь; a grip of ~ железная хватка; true as ~ абсолютно преданный и верный; 2) меч, шпага; cold ~ холодное оружие; a foeman worthy of one's ~ достойный противник; 3) точило; 4). огниво; 5) стальная планшётка; 6) *тех.* стальной бур;
2. *a* 1) стальной; 2) жестокий;
3. *v* 1) покрывать сталью; снабжать стальным наконечником *и т. п.*; закалять; ожесточать; to ~ one's heart, to ~ oneself against pity (fear) заставить себя забыть жалость (страх).

**steel-blue** ['stiːl'bluː] **1.** *n* синевато-стальной цвет;
2. *a* синевато-стального цвета.

**steel-clad** ['stiːlklæd] *a* бронированный, закованный в броню.

**steel-engraving** ['stiːlɪn'greivɪŋ] *n* гравюра на стали.

**steel-gray** ['stiːl'greɪ] **1.** *n* серый цвет с голубым отливом;
2. *a* серый с голубым отливом.

**steel-plated** ['stiːl'pleɪtɪd] *a* бронированный; обшитый сталью.

**steel wool** ['stiːl'wul] *n* тонкая стальная стружка для чистки кастрюль *и т. п.*

**steelwork** ['stiːlwəːk] *n* 1) *собир.* стальные изделия; 2) стальная конструкция, ферма *и т. п.*; 3) *pl* (*употр. как sing и как pl*) сталелитейный завод.

**steely** ['stiːlɪ] *a* 1) стальной, из стали; 2) непреклонный, суровый; твёрдый как сталь.

**steelyard** ['stiːljɑːd] *n* безмен.

**steep I** [stiːp] **1.** *a* 1) крутой; 2) *разг.* чрезмерный, непомерно высокий; it seems a bit ~ это уже слишком; 3) невероятный, преувеличенный, неправдоподобный;
2. *n* круча, стремнина.

**steep II** [stiːp] **1.** *n* 1) погружение (в жидкость); пропитка; 2) ванна для пропитки;
2. *v* 1) погружать (в жидкость); пропитывать; 2) погружаться, уходить с головой; погрязнуть; to ~ in prejudice погрязнуть в предрассудках; to ~ in slumber погрузиться в сон; to be ~ed in literature уйти с головой в литературу; 3) бучить, выщелачивать.

**steepen** ['stiːpən] *v* делать(ся) круче.

**steeple** ['stiːpl] *n* 1) пирамидальная крыша, шпиц, шпиль; 2) колокольня.

**steeplechase** ['stiːpltʃeɪs] *n* бег *или* скачки с препятствиями.

**steeplechaser** ['stiːpl,tʃeɪsə] *n* 1) участник скачек *или* бега с препятствиями; 2) лошадь, участвующая в скачках с препятствиями.

**steeplejack** ['stiːpldʒæk] *n* верхолаз.

**steer I** [stɪə] **1.** *v* 1) править рулём, управлять (*автомобилем и т. п.*); вести судно; 2) слушаться управления; this car ~s easily этой машиной легко править; 3) направляться; *перен.* предпринимать шаги в известном направлении; to ~ clear избегать, сторониться; to ~ a middle course избегать крайностей; to ~ a steady course неуклонно идти своей дорогой; 4) направлять усилия, контролировать действия, руководить;
2. *n амер. sl.* намёк, подсказка.

**steer II** [stɪə] *n* кастрированный бычок; молодой вол.

**steerage** ['stɪərɪdʒ] *n* 1) управление рулём; 2) сила руля; 3) четвёртый класс (*палубные пассажирские места на пароходе*).

**steering committee** ['stɪərɪŋkə'mɪtɪ] *n* комиссия по выработке регламента.

**steering-gear** ['stɪərɪŋgɪə] *n* рулевой механизм; *мор.* рулевое устройство.

**steering-wheel** ['stɪərɪŋwiːl] *n* 1) рулевое колесо; 2) *мор., ав.* штурвал, колесо штурвала.

**steersman** ['stɪəzmən] *n* рулевой.

**stein** [staɪn] *нем. n* пивная кружка.

**stelae** ['stiːliː] *pl от* stele I.

**stele I** ['stiːlɪ] *греч. n* (*pl* -ae) 1) надгробный обелиск, колонна; 2) *бот.* стела.

**stele II** [stiːl] *n* рукоятка; древко копья.

**stellar** ['stelə] *a* 1) звёздный; 2) звездообразный; 3) ведущий, главный (*об артисте, роли и т. п.*).

**stellate, stellated** ['stelɪt, 'steleɪtɪd] *a* звездообразный, расходящийся лучами в виде звезды.

**stellular** ['steljuːlə] *a* 1) = stellate; 2) усыпанный, покрытый звёздочками.

**stem I** [stem] **1.** *n* 1) ствол; стебель; 2) черенок, рукоятка (*инструмента*); 3) ножка (бокала и т. п.); 4) головка часов; 5) род; племя; 6) гроздь (или соплодие) бананов; 7) грам. основа; 8) мор. форштевень, нос; from ~ to stern по всему судну; 9) тех. стержень, вал; короткая соединительная деталь; 10) полигр. вертикальный штрих буквы;

2. v 1) происходить (from, out of); 2) чистить ягоды; 3) приделывать стебельки (к искусственным цветам); 4) уст. расти прямо (как стебель).

**stem II** [stem] 1. v 1) запруживать; задерживать; to ~ the tide становиться на пути, препятствовать развитию, движению и т. п.; 2) идти против течения, сопротивляться; to ~ difficulties бороться с трудностями; 3) спорт. тормозить лыжами;

2. n = stem-turn.

**stem-plough** ['stemplau] n спорт. поворот на лыжах «в плуге».

**stem-turn** ['stemtə:n] n спорт. поворот (на лыжах) упором.

**stench** [stentʃ] n зловоние.

**stencil** ['stensl] 1. n 1) шаблон, трафарет; 2) узор или надпись по трафарету;

2. v наносить узор или надпись по трафарету.

**stencil-plate** ['stenslpleit] = stencil 1, 1).

**stenograph** ['stenəgra:f] 1. n 1) стенографический знак; 2) стенографическая запись;

2. v стенографировать.

**stenographer** [ste'nɔgrəfə] n стенографист(ка).

**stenographic** [,stenɔ'græfik] a стенографический.

**stenography** [ste'nɔgrəfi] n стенография.

**stenosis** [sti'nousis] n мед. стеноз.

**stentorian** [sten'tɔ:riən] a громовой, зычный (о голосе).

**step** [step] 1. n 1) шаг; ~ by ~ шаг за шагом; at every ~ на каждом шагу; in ~ a) в ногу; б): to be in ~ соответствовать; out of ~ не в ногу; to keep ~ with идти в ногу с; to turn one's ~s направиться; to bring into ~ согласовать во времени; 2) звук шагов; 3) поступь, походка; 4) след (ноги); to follow smb.'s ~s, to tread in the ~s of smb. перен. идти по чьим-л. стопам; 5) короткое расстояние; it is but a few ~s to my house до моего дома всего два шага; 6) па (в танцах); 7) шаг, поступок; мера; a false ~ ложный шаг; to take ~s принимать меры; to watch one's ~s действовать осторожно; 8) ступень, ступенька; подножка, приступка; порог; подъём; flight of ~s марш лестницы; 9) pl стремянка (тж. a pair of ~s); 10) мор. степс, гнездо (мачты); 11) тех. ход (спирали); ◇ to get one's ~ получить повышение; it is the first ~ that costs посл. ≅ труден только первый шаг;

2. v 1) шагать, ступать; to ~ high высоко поднимать ноги (особ. о рысаке); to ~ short не рассчитать длину шага; to ~ lightly ступать легко; to ~ out briskly идти быстро; ~ lively! амер. живей!; поторапливайтесь!; 2) делать па (в танце); to ~ it a)

танцевать; б) идти пешком; 3) измерять шагами (тж. ~ out); 4) мор. ставить мачту в степс; 5) эл. трансформировать (ток); □ ~ aside посторониться; перен. уступить дорогу другому; ~ back a) отступить; б) уступить; ~ down a) спуститься; б) выйти (из экипажа); в) эл. понижать напряжение; ~ in a) входить; б) включаться (в дело и т. п.); в) вмешиваться; ~ into входить; ~ off a) сходить; б) амер. sl. сделать ошибку; б) умереть; ~ on выпать на ноги (в танце и т. п.; тж. перен.); I hate to be ~ped on я не переношу толкотни; ~ out a) выходить (особ. ненадолго); б) шагать большими шагами; прибавлять шагу; в) мерить шагами; ~ up a) подойти; б) амер. продвигать; подводить; в) амер. увеличивать(ся); ускорять(ся); г) эл. повышать напряжение; ◇ ~ on it! разг. живей!, поторапливайся!, поворачивайся!

**stepbrother** ['step,brʌðə] n сводный брат.

**stepchild** ['steptʃaild] n пасынок; падчерица.

**stepdame** ['stepdeim] уст. = stepmother.

**stepdaughter** ['step,dɔ:tə] n падчерица.

**step-down transformer** ['step'dauntræns-'fɔ:mə] n эл. понижающий трансформатор.

**stepfather** ['step,fɑ:ðə] n отчим.

**step-in** ['step'in] n предмет дамского белья (резиновый пояс и т. п.).

**step-ladder** ['step,lædə] n (лестница-)стремянка.

**stepmother** ['step,mʌðə] n мачеха.

**stepmotherly** ['step,mʌðəli] a незаботливый; неприязненный.

**stepney** ['stepni] n запасное автомобильное колесо.

**steppe** [step] рус. n степь.

**stepping-stone** ['stepiŋstoun] n 1) камень, положенный для перехода через речку; 2) что-л., способствующее улучшению положения или состояния; средство к достижению цели.

**stepsister** ['step,sistə] n сводная сестра.

**stepson** ['stepsʌn] n пасынок.

**step-up transformer** ['step'ʌptræns'fɔ:mə] n эл. повышающий трансформатор.

**stereo** ['stiəriou] n сокр. разг. 1) см. stereoscope; 2) см. stereoscopic; 3) см. stereotype.

**stereochemistry** [,stiəri'kemistri] n стереохимия.

**stereography** [,stiəri'ɔgrəfi] n стереография.

**stereometry** [,stiəri'ɔmitri] n стереометрия.

**stereophonic** [,stiəriə'fɔnik] a стереофонический.

**stereoscope** ['stiəriəskoup] n стереоскоп.

**stereoscopic** [,stiəriəs'kɔpik] a стереоскопический; ~ telescope стереотруба.

**stereotype** ['stiəriətaip] 1. n полигр. стереотип.

2. a полигр. стереотипный (тж. перен.);

3. v 1) полигр. стереотипировать; 2) полигр. печатать со стереотипа; 3) устанавливать постоянную форму (чего-л.); придавать шаблонность.

**stereotyped** ['stiəriətaipt] 1. p.p. от stereotype 3;

**2.** *a* 1) *полигр.* стереоти́пный; 2) стерео-ти́пный, неоригина́льный, шабло́нный.

**sterile** ['sterail] *a* 1) беспло́дный, неспосо́бный к оплодотворе́нию; 2) безрезульта́тный; 3) стери́льный, стерилизо́ванный.

**sterility** [ste'rılıtı] *n* 1) беспло́дие; 2) беспло́дность; 3) стери́льность.

**sterilization** [,sterılaı'zeıʃən] *n* стерилиза́ция.

**sterilize** ['sterılaız] *v* 1) де́лать беспло́дным; 2) стерилизова́ть.

**sterilizer** ['sterılaızə] *n* стерилиза́тор.

**sterlet** ['stɑːlıt] *рус. n* стёрлядь.

**sterling** ['stɑːlıŋ] 1. *a* 1) устано́вленной про́бы, полнове́сный, полноце́нный (*об англ. монетах*); pound ~ фунт сте́рлингов; in ~ coin of the realm полнове́сной англи́йской моне́той; 2) надёжный; соли́дный; ~ fellow надёжный челове́к; a work of ~ merit произведе́ние высо́кого досто́инства; 2. *n* 1) англи́йская валю́та; 2) *attr.* стер-линговый; ~ area сте́рлинговая зо́на.

**stern** I [stɑːn] *a* стро́гий, суро́вый; неумоли́мый; ~ resolve непрекло́нное реше́ние; the ~er sex си́льный пол (*мужчины*).

**stern** II [stɑːn] *n* 1) *мор.* корма́; 2) зад (*живо́тного*); 3) хвост, пра́вило (*у го́нчей*); 4) *attr.* кормово́й, за́дний.

**sterna** ['stɑːnə] *pl от* sternum.

**stern-post** ['stɑːnpoust] *n* 1) *мор.* ахтер-штéвень; 2) *ав.* хвостова́я замыка́ющая сто́йка.

**sternum** ['stɑːnəm] *n* (*pl* -na) *анат.* гру-ди́на.

**sternutation** [,stɑːnjuːteıʃən] *n* чиха́нье.

**sternutative, sternutatory** [stɑː'njutətıv, -tərı] *a* вызыва́ющий чиха́нье.

**stertorous** ['stɑːtərəs] *a* тяжёлый, хри-пя́щий, затруднённый (*о дыха́нии*).

**stethoscope** ['steθəskoup] *мед.* 1. *n* сте-тоско́п; 2. *v* выслу́шивать стетоско́пом.

**stevedore** ['stiːvıdɔː] 1. *n* порто́вый гру́зчик; 2. *v* быть порто́вым гру́зчиком.

**stew** I [stjuː] 1. *n* 1) тушёное мя́со; Irish ~ тушёная бара́нина с лу́ком и карто́фелем; 2) *разг.* беспоко́йство, волне́ние; in a ~ в беспоко́йстве; как на иго́лках; 2. *v* 1) туши́ть(ся), вари́ть(ся); 2) поте́ть, изнемога́ть от жары́; 3) волнова́ться, беспоко́иться; взви́нчивать себя́ (*тж.* ~ up); ◊ ~ in one's own juice а) вари́ться в со́бственном соку́; б) страда́ть от свои́х со́бственных де́йствий.

**stew** II [stjuː] *n* живоры́бный *или* у́стричный садо́к.

**stew** III [stjuː] *n уст.* 1) (*обыкн. pl*) публи́чный дом; 2) проститу́тка.

**steward** ['stjuəd] *n* 1) управля́ющий (*имением и т. п.*); 2) заве́дующий хозя́йством, эконо́м (*клуба и т. п.*); 3) официа́нт (*на парохо́де*); 4) распоряди́тель (*на ска́чках, бала́х и т. п.*); 5) сенеша́ль; Lord High S. of England а) лорд-распоряди́тель на корона́ции; б) председа́тель суда́ пэ́ров; Lord S. of the Household гла́вный камерге́р.

**stewardess** ['stjuədıs] *n* го́рничная (*на парохо́де*); стюарде́сса, бортпроводни́ца.

**stewardship** ['stjuədʃıp] *n* 1) до́лжность управля́ющего *и пр.* [*см.* steward]; 2) управле́ние.

**stewed** [stjuːd] 1. *p. p. от* stew I, 2; 2. *a* 1) тушёный; ~ fruit компо́т; 2) *sl.* пья́ный.

**stew-pan** ['stjuːpæn] *n* кастрю́ля; со-те́йник.

**stew-pot** ['stjuːpɔt] = stew-pan.

**stick** [stık] 1. *n* 1) па́лка; прут; трость; стек; колы́шек; по́сох; жезл; 2) брусо́к, па́лочка (*сургуча́, мы́ла для бритья́ и т. п.*); ~ of chocolate пли́тка шокола́да; ~ of chewing gum пли́точка жева́тельной рези́н-ки; 3) ве́точка, ве́тка; 4) *разг.* вя́лый *или* тупова́тый челове́к; тупи́ца; недалёкий *или* ко́сный челове́к; 5) *муз.* дирижёр-ская па́лочка; 6) *тех.* рукоя́тка; 7) *текст.* трепа́ло, мя́лка; 8) *полигр.* верста́тка; 9) *мор. разг.* ма́чта; 10) *воен.* се́рия (*бомб*); ◊ to cut one's ~ *sl.* удра́ть, улизну́ть; 2. *v* (stuck) 1) втыка́ть, вка́лывать, вонза́ть; натыка́ть, наса́живать (*на остриё*); утыка́ть; 2) торча́ть (*тж.* ~ out); 3) коло́ть, зака́лывать; to ~ pigs а) зака́лывать свине́й; б) охо́титься на каба́нов верхо́м с копьём; 4) *разг.* класть, ста́вить, сова́ть; 5) прикле́ивать; накле́ивать, раскле́ивать; 6) ли́пнуть; приса́сываться; прикле́иваться; to be stuck with smth. не име́ть возмо́ж-ности отде́латься от чего́-л.; the envelope won't ~ конве́рт не закле́ивается; the nickname stuck (to him) про́звище приста́ло к нему́; to ~ on (a horse) *разг.* кре́пко сиде́ть (на ло́шади); 7) остава́ться; to ~ at home торча́ть до́ма; 8) держа́ться, приде́рживаться (*to—чего-л.*); упо́рствовать (*to—в чём-л.*); остава́ться ве́рным (*дру́гу, сло́-ву, до́лгу; to*); to ~ to one's friends in trouble не оставля́ть друзе́й в беде́; friends ~ together друзья́ де́ржатся вме́сте; to ~ to business не отвлека́ться; to ~ to it упо́рствовать, стоя́ть на чём-л.; to ~ to the point держа́ться бли́же к де́лу; 9) за-стря́ть, завя́знуть; to ~ fast основа́тельно застря́ть; the door ~s дверь заеда́ет; the key has stuck in the lock ключ застря́л в замке́; 10) *разг.* терпе́ть, выде́рживать; to ~ it терпели́во выноси́ть; I could not ~ it any longer я бо́льше не смог э́того вы-терпе́ть; 11) озада́чить, поста́вить в тупи́к; 12) залежа́ться (*о това́ре*); 13) *разг.* обма́нывать; 14) *разг.* заста́вить (*кого-л.*) заплати́ть; 15) *полигр.* вставля́ть в вер-ста́тку; ☐ ~ around *sl.* слоня́ться по-бли́зости, не уходи́ть; ~ at упо́рно продол-жа́ть; ~ at a piece of work насто́йчиво рабо́тать над каки́м-л. объе́ктом; to ~ at nothing ни перед чем не остана́вливать-ся; ~ on припи́сывать к счёту; ~ out а) высо́вывать(ся); торча́ть; б) ~ out one's chest выпя́чивать грудь; б) не подда-ва́ться; в) бастова́ть; ~ out for наста́и-вать на чём-л.; ~ up а) подыма́ться, тор-ча́ть; his hair stuck up on end у него́ во́лосы стоя́ли торчко́м; б) ста́вить торчко́м; в) *sl.* ста́вить в тупи́к; г) *sl.* остана́вливать с це́лью ограбле́ния; ~ up for защища́ть, поддёрживать; to ~ up for one's rights защища́ть свои права́; ~ up to не подчиня́ться; ока́зывать сопротивле́ние; ◊ to ~ out a mile быть соверше́нно очеви́дным; to ~ smb. for money кля́нчить у кого́-л., пыта́ться одолжи́ть де́ньги; stuck on *амер. sl.* влюблённый.

**sticker** ['stɪkə] *n* 1) колю́чка, шип; 2) расклейщик афи́ш; 3) *амер.* афи́ша; объявле́ние (*расклеиваемое на улице*); 4) заси-де́вшийся гость; 5) упо́рный, насто́йчивый челове́к; 6) забасто́вщик.

**stickful** ['stɪkful] *n полигр.* по́лная верста́тка.

**sticking-plaster** ['stɪkɪŋ,plɑːstə] *n* ли́пкий пла́стырь.

**stick-in-the-mud** ['stɪkɪnðəmʌd] 1. *n* 1) ко́сный челове́к; отста́лый челове́к; 2) *sl.*: Mr S. как бишь его́;
2. *a* отста́лый; ко́сный.

**stickjaw** ['stɪkdʒɔː] *n разг.* тяну́чка.

**stickle** ['stɪkl] *v* 1) возража́ть, упря́мо спо́рить; 2) сомнева́ться, колеба́ться.

**stickleback** ['stɪklbæk] *n* ко́люшка (*рыба*).

**stickler** ['stɪklə] *n* я́рый сторо́нник, защи́тник (for—*чего-л.*).

**stickpin** ['stɪkpɪn] *n амер.* була́вка для га́лстука.

**stick-up** ['stɪkʌp] *n* 1) *разг.* стоя́чий воротни́к; 2) *sl.* налёт, ограбле́ние.

**sticky** ['stɪkɪ] *a* 1) ли́пкий, кле́йкий; 2) нереши́тельный; 3) приди́рчивый, нетерпи́мый; 4) жа́ркий и вла́жный; 5) *разг.* о́чень неприя́тный; ~ end катастро́фа; неприя́тность; ~ wicket сло́жная обстано́вка, щекотли́вое положе́ние.

**stiff** [stɪf] 1. *a* 1) туго́й, неги́бкий, неэласти́чный; жёсткий; ~ cardboard негну́щийся карто́н; 2) окостене́вший; одеревене́лый; ~ in death окочене́вший (*о трупе*); ~ joints окостене́вшие суста́вы; I have a ~ neck мне наду́ло ше́ю; I feel ~ у меня́ всё те́ло ное́т; 3) пло́тный, густо́й; ~ dough густо́е те́сто; 4) непрекло́нный, непоколеби́мый; ~ denial реши́тельный отка́з; 5) натя́нутый, принуждённый, чо́порный; ~ bow холо́дный покло́н; 6) тру́дный; ~ task нелёгкая зада́ча; ~ examination тру́дный экза́мен; 7) си́льный (*о ветре*); 8) сильноде́й-ствующий; кре́пкий (*о напитке*); a ~ doze of medicine си́льная до́за лека́рства; 9) чрезме́рный (*о требовании и т. п.*); 10) высо́кий (*о ценах*); усто́йчивый (*о ценах, рынке*); 11) стро́гий (*о наказании, пригово́ре и т. п.*); 12) *predic. разг.* до изнеможе́ния, до сме́рти; they bored me ~ я чуть не у́мер от тоски́, ску́ки; I was scared ~ я перепуга́лся до́ сме́рти; ◊ to keep a ~ upper lip а) проявля́ть твёрдость, упо́рство; б) не теря́ть му́жества; as ~ as a poker ≅ сло́вно арши́н проглоти́л; чо́порный; that's a bit ~! *разг.* э́то несправедли́во!; a ~ un *sl.* труп;
2. *n sl.* 1) бума́жные де́ньги; 2) труп; 3) неуклю́жий челове́к; 4) безнадёжный, неисправи́мый челове́к.

**stiffen** ['stɪfn] *v* де́лать(ся) неги́бким, жёстким *и пр.* [*см.* stiff 1]; to ~ linen with starch крахма́лить бельё; his resolution ~ed его́ реше́ние ста́ло бо́лее твёрдым.

**stiff-necked** ['stɪf'nekt] *a* упря́мый.

**stifle** I ['staɪfl] *v* 1) души́ть, удуша́ть; 2) задыха́ться; 3) туши́ть (*огонь*); 4) замя́ть (*дело и т. п.*); 5) подавля́ть; to ~ rebellion подавля́ть восста́ние; 6) остана́вливать; to ~ a yawn подави́ть зево́к.

**stifle** II ['staɪfl] *n* коле́нная ча́шка (*у лоша́ди*); коле́нный суста́в (*у лоша́ди*).

**stifle-joint** ['staɪfldʒɔɪnt] = stifle II.

**stifling** ['staɪflɪŋ] 1. *pres. p. от* stifle I; 2. *a* ду́шный.

**stigma** ['stɪɡmə] *n* (*pl* -mas [-məz], -mata) 1) *ист.* вы́жженное клеймо́ (*у преступника*); 2) позо́р, пятно́; 3) (*pl* -ata; *обыкн. pl*) *церк.* стигма́ты; 4) трахея (*насекомого*); 5) *бот.* ры́льце.

**stigmata** ['stɪɡmətə] *pl от* stigma.

**stigmatize** ['stɪɡmətaɪz] *v* клейми́ть, поноси́ть, бесче́стить.

**stile** [staɪl] *n* 1) ступе́ньки для перехо́да че́рез забор *или* сте́ну; перела́з; 2) турнике́т.

**stiletto** [stɪ'letou] *ит. n* (*pl* -os, -oes [-ouz]) стиле́т.

**still** I [stɪl] 1. *a* 1) ти́хий, бесшу́мный; to keep ~ не шуме́ть; 2) неподви́жный, споко́йный; to stand ~ останови́ться; 3) не игри́стый (*о вине*); ◊ ~ waters run deep ≅ в ти́хом о́муте че́рти во́дятся;
2. *n* 1) тишина́, безмо́лвие; in the ~ of night в ночно́й тиши́; 2) = still picture; 3) *разг. см.* still life;
3. *v* 1) успока́ивать; утихоми́ривать; to ~ a child убаю́кивать ребёнка; 2) успока́ивать, утоля́ть; to ~ hunger утоли́ть го́лод; 3) *редк.* успока́иваться; when the tempest ~s когда́ бу́ря ути́хнет;
4. *adv* 1) до сих пор, (всё) ещё, по-пре́жнему; 2) всё же, тем не ме́нее, одна́ко; 3) ещё (*в сравнении*); ~ longer ещё дли́ннее; ~ further ещё да́льше; бо́лее того́.

**still** II [stɪl] 1. *n* 1) перего́нный куб; дистилля́тор; 2) винокуренный заво́д;
2. *v* перегоня́ть, опресня́ть, дистилли́ровать.

**still** III [stɪl] *n* 1) рекла́мный кадр; 2) кадр диапозити́ва.

**still birth** ['stɪlbəːθ] *n* рожде́ние мёртвого пло́да.

**still-born** ['stɪlbɔːn] *a* мертворождённый.

**still life** ['stɪl'laɪf] *n жив.* натюрмо́рт.

**still picture** ['stɪl'pɪktʃə] *n* фотосни́мок.

**still-room** ['stɪlrum] *n* 1) помеще́ние для перего́нки; 2) кладова́я.

**stilly** ['stɪlɪ] 1. *adv* ти́хо, безмо́лвно; 2. *a поэт.* ти́хий.

**stilt** [stɪlt] *n* 1) (*обыкн. pl*) ходу́ли; on ~s на ходу́лях; *перен.* высокопа́рный; 2) *pl* дли́нные но́ги; 3) ходу́лочник (*птица*).

**stilt-bird** ['stɪltbəːd] = stilt 3).

**stilted** ['stɪltɪd] *a* ходу́льный. напы́щенный, высокопа́рный.

**Stilton** ['stɪltn] *n* сти́лтон (*сорт жи́рного сыра; тж.* ~ cheese).

**stilt-plover** ['stɪlt,plʌvə] = stilt 3).

**stimulant** ['stɪmjulənt] 1. *n* 1) возбужда́ющее сре́дство; 2) спиртно́й напи́ток; he never takes ~s он никогда́ не употребля́ет спиртны́х напи́тков; 3) сти́мул;
2. *a* возбужда́ющий, стимули́рующий.

stimulate ['stɪmjuleɪt] v 1) побуждать; 2) возбуждать; стимулировать; 3) поощрять.

stimulation [‚stɪmju'leɪʃən] n 1) возбуждение; 2) поощрение.

stimuli ['stɪmjulaɪ] pl om stimulus.

stimulus ['stɪmjuləs] n (pl -li) 1) стимул, побудитель; влияние; 2) возбудитель.

sting [stɪŋ] 1. n 1) жало; 2) бот. жгучий волосок; 3) укус; ожог крапивой; 4) муки; острая боль; the ~s of hunger муки голода; 5) ядовитость, колкость; 6) острота, сила; the breeze has a ~ in it воздух приятно бодрит;
2. v (stung) 1) жалить; жечь (о крапиве и т. п.); 2) причинять острую боль; 3) чувствовать острую боль; 4) уязвлять; терзать; to be stung by remorse мучиться угрызениями совести; 5) возбуждать; побуждать; the insult stung him into a reply оскорбление побудило его ответить; 6) sl. обмануть, надуть; обобрать, «нагреть».

stinger ['stɪŋə] n 1) жало (насекомого); 2) жалящее насекомое и т. п.; 3) разг. резкий удар; 4) язвительный ответ; 5) sl. виски с содой.

stinging ['stɪŋɪŋ] 1. pres. p. om sting 2; 2. a 1) жалящий; жгучий; ~ words язвительные слова; 2) имеющий жало.

stingo ['stɪŋgou] n уст. крепкое пиво.

stingy ['stɪndʒɪ] a 1) скаредный, скупой; 2) необильный, скудный; ~ crop скудный урожай.

stink [stɪŋk] 1. n 1) зловоние, вонь; 2) pl sl. естественные науки; ◊ to raise a ~ a) критиковать; б) жаловаться; причинять неприятности;
2. v (stank, stunk; stunk) 1) вонять; смердеть; to ~ in smb.'s nostrils быть отвратительным кому-л.; to ~ of money sl. быть очень богатым; 2) sl. узнавать по запаху; □ ~ out выгонять, выкуривать.

stinkard ['stɪŋkəd] n 1) низкий, подлый человек; 2) зоол. вонючка.

stink-ball ['stɪŋkbɔːl] n ручная бомба с удушливыми газами.

stinker ['stɪŋkə] n 1) = stinkpot; 2) = stinkard.

stinking ['stɪŋkɪŋ] 1. pres. p. om stink 2; 2. a 1) вонючий; 2) разг. противный, отвратительный.

stinkpot ['stɪŋkpɔt] n 1) = stink-ball; 2) груб. гадина.

stink-stone ['stɪŋkstoun] n вонючий известняк.

stink-wood ['stɪŋkwud] n стинк-дерево, африканский орех.

stint [stɪnt] 1. n 1) ограничение; предел, граница; to labour without ~ работать, не жалея сил; 2) урочная работа, урок; to do one's daily ~ выполнить дневной урок;
2. v урезывать, скупиться; ограничивать; he does not ~ his praise он не скупится на похвалы.

stipe [staɪp] n бот. ножка, пенёк (гриба).

stipend ['staɪpend] n 1) жалованье (особ. священника); 2) стипендия.

stipendiary [staɪ'pendjərɪ] 1. a 1) оплачиваемый; 2) получающий жалованье;

2. n 1) должностное лицо, находящееся на жалованье правительства; 2) стипендиат.

stipple ['stɪpl] 1. n работа, гравирование пунктиром;
2. v рисовать или гравировать пунктиром.

stipulate ['stɪpjuleɪt] v ставить условием, оговаривать в качестве особого условия (that); □ ~ for выговаривать себе что-л.

stipulation [‚stɪpju'leɪʃən] n 1) обусловливание; 2) условие, соглашение.

stipule ['stɪpjuːl] n бот. прилистник.

stir I [stəː] 1. n 1) шевеление; движение; not a ~ ничто не шелохнётся; 2) размешивание; 3) суматоха, суета, переполох; to create a ~ произвести сенсацию; to make a ~ возбудить общий интерес;
2. v 1) шевелить(ся); двигать(ся); to ~ one's stumps разг. пошевеливаться, поторапливаться; he never ~s out of the house он никогда не выходит из дому; 2) мешать, помешивать, размешивать; взбалтывать; 3) волновать, возбуждать (тж. ~ up); to ~ the blood возбуждать энтузиазм; □ ~ up a) хорошенько размешивать, взбалтывать; б) возбуждать (любопытство и т. п.); в) раздувать (ссору).

stir II [stəː] n sl. тюрьма, кутузка.

stir-about ['stəːrə‚baut] 1. n каша; 2. a шумный, суетливый.

stirrer-up ['stəːrər'ʌp] n виновник; возбудитель.

stirring ['stəːrɪŋ] 1. pres. p. om stir I, 2; 2. n помешивание, взбалтывание; 3. a 1) деятельный, активный; занятый; 2) волнующий; ~ times времена, полные событий.

stirrup ['stɪrəp] n 1) стремя; 2) тех. скоба, серьга, бугель, хомут; 3) мор. подпёрток.

stirrup-cup ['stɪrəpkʌp] n прощальный кубок.

stirrup-leather ['stɪrəp‚leðə] n путлище, стремянный ремень.

stitch [stɪtʃ] 1. n 1) стежок, стёжка, шов; to put in several ~es хир. наложить швы; to take out the ~es хир. снять швы; 2) петля (в вязанье); to drop a ~ спустить петлю; to take up a ~ поднять петлю; 3) разг. малость, немножко; he has not done a ~ of work он не сделал ровно ничего; without a ~ of clothing, not a ~ on совершенно голый; 4) острая боль, колотьё в боку; ◊ he has not a dry ~ on он промок до нитки; he has not a ~ to his back ≅ гол как сокол; a ~ in time saves nine посл. один стежок, сделанный вовремя, стоит девяти;
2. v шить; стегать; вышивать; □ ~ up a) зашивать; б) полигр. брошюровать.

stitcher ['stɪtʃə] n 1) строчильщик; 2) строчильная машина; 3) брошюровщик.

stithy ['stɪðɪ] n уст., поэт. 1) кузница; 2) наковальня.

stiver ['staɪvə] n голл. n самая мелкая монета; not worth a ~ гроша не стоит.

St-John's-wort [snɪ'dʒɔnz'wəːt] n бот. зверобой.

**stoat** I [stout] *n* горностай (*в летнем одеянии*).

**stoat** II [stout] *v* зашивать, штопать, штуковать.

**stock** [stɔk] **1.** *n* 1) главный ствол (*дерева*); 2) опора, подпора; 3) ручка; ружейная ложа; 4) *уст.* пень; бревно; 5) род, семья; of good ~ из хорошей семьи; 6) *биол.* порода; племя; 7) группа родственных языков; 8) запас; инвентарь; word ~ запас слов; basic word ~ основной словарный фонд; dead ~ (мёртвый) инвентарь; in ~ в наличии (*о товарах и т. п.*); под рукой; out of ~ распродано; to lay in ~ делать запасы; to take ~ a) инвентаризировать; делать переучёт; б) критически оценивать, рассматривать (of—*что-л.*); приглядываться (of—к *чему-л.*); 9) ассортимент (*товаров*); 10) скот, поголовье скота (*тж.* live ~); 11) парк (*вагонов и т. п.*); подвижной состав; 12) сырьё; paper ~ бумажное сырьё (*тряпьё и т. п.*); 13) *эк.* акционерный капитал (*тж.* joint ~); акции; основной капитал; фонды; the ~s государственный долг; to take ~ in a) покупать акции; вступать в пай; б) *разг.* верить; 14) левкой; 15) широкий галстук *или* шарф; 16) крепкий бульон из костей; 17) *sl.* интерес, значение; to set great ~ by smth. придавать большое значение чему-л.; 18) часть колоды карт, не розданная игрокам; 19) = ~ company 2); 20) *pl ист.* колодки; 21) *pl мор.* стапель; to be on the ~s стоять на стапеле; *перен.* готовиться; 22) *горн.* среднесуточная добыча; 23) *тех.* бабка (*станка*); 24) *тех.* припуск; 25) шток (*якоря*); 26) *метал.* шихта, колоша; 27) *бот.* подвой; привой; ◊ lock, ~ and barrel целиком, полностью; всё вместе взятое; ~s and stones а) неодушевлённые предметы; б) бесчувственные люди;

**2.** *v* 1) снабжать; to ~ a farm оборудовать хозяйство; 2) иметь в наличии, в продаже; the shop ~s only cheap goods лавка держит только дешёвые товары; 3) хранить на складе; 4) приделывать ручку и т. п.;

**3.** *a* 1) имеющийся в наличии, наготове; 2) избитый, шаблонный, заезженный;

**stockade** [stɔ'keid] **1.** *n* 1) частокол; 2) *амер.* каторжная тюрьма;

**2.** *v* огораживать *или* укреплять частоколом.

**stock-breeder** ['stɔk,bri:də] *n* животновод.

**stockbroker** ['stɔk,broukə] *n* биржевой маклер.

**stock-car** ['stɔk,kɑ:] *n* вагон для скота.

**stock company** ['stɔk'kʌmpəni] *n* 1) акционерная компания; 2) театральная труппа, обычно выступающая в театре; театральная труппа со средним составом актёров (*без звёзд*).

**stockdove** ['stɔkdʌv] *n* клинтух (*птица*).

**stock exchange** ['stɔkiks'tʃeindʒ] *n* фондовая биржа.

**stock-farm** ['stɔkfɑ:m] *n* животноводческое хозяйство, скотоводческая ферма.

**stockfish** ['stɔkfiʃ] *n* вяленая треска.

**stockholder** ['stɔk,houldə] *n* акционер.

**stockinet** [,stɔki'net] *n* трикотаж, трикотажное полотно.

**stocking** I ['stɔkiŋ] *n* 1) чулок; a horse with one white ~ лошадь с белым чулком; 2) *attr.*: ~ cap детская *или* спортивная вязаная шапочка; in one's ~ feet в одних чулках.

**stocking** II ['stɔkiŋ] *pres. p. om* stock 2.

**stockinged** ['stɔkiŋd] *a* в чулке.

**stock-in-trade** ['stɔkin'treid] *n* 1) запас товаров; 2) шаблонные уловки *или* манеры, присущие определённым лицам; 3) оборудование, инвентарь.

**stockjobber** ['stɔk,dʒɔbə] *n* биржевой спекулянт, маклер.

**stockjobbery, stockjobbing** ['stɔk,dʒɔbəri, -,dʒɔbiŋ] *n* спекулятивные биржевые сделки.

**stocklist** ['stɔklist] *n* биржевой бюллетень.

**stockman** ['stɔkmæn] *n* (*преим. австрал.*) скотовод.

**stock-market** ['stɔk,mɑ:kit] *n* 1) фондовая биржа; 2) уровень цен на бирже.

**stockpile** ['stɔkpail] **1.** *n* 1) запас, резерв; 2) *горн.* штабель; отвал;

**2.** *v* 1) накапливать, делать запасы; 2) *горн.* штабелировать.

**stockpiling** ['stɔk,pailiŋ] **1.** *pres. p. om* stockpile 2;

**2.** *n* накопление.

**stock-raising** ['stɔk,reiziŋ] **1.** *n* животноводство, скотоводство;

**2.** *a* животноводческий, скотоводческий.

**stockrider** ['stɔk,raidə] *n* австрал. конный пастух, ковбой.

**stockroom** ['stɔkrum] *n* склад, кладовая.

**stock-still** ['stɔk'stil] *adv* неподвижно; как столб; he stood ~ он стоял как вкопанный.

**stock-taking** ['stɔk,teikiŋ] *n* 1) переучёт товара; проверка инвентаря; 2) обзор результатов.

**stock-whip** ['stɔkwip] *n* бич пастуха.

**stocky** ['stɔki] *a* приземистый, коренастый.

**stockyard** ['stɔkjɑ:d] *n* скотопригонный двор.

**stodge** [stɔdʒ] *школ. sl.* **1.** *n* тяжёлая *или* сытная еда;

**2.** *v* жадно есть, уплетать.

**stodgy** ['stɔdʒi] *a* 1) тяжёлый (*о пище*); 2) набитый до отказа; 3) перегруженный (*деталями*); скучный; тяжеловесный.

**stoep** [stu:p] *n* южно-афр. веранда перед домом.

**stogie, stogy** ['stougi] *n* амер. 1) тяжёлый сапог; 2) дешёвая сигара.

**stoic** ['stouik] **1.** *n* стоик;

**2.** *a* стоический.

**stoical** ['stouikəl] = stoic 2.

**stoicism** ['stouisizəm] *n* стоицизм.

**stoke** [stouk] *v* 1) поддерживать огонь (*в топке*); забрасывать топливо; шуровать; топить; 2) *разг.* закусывать (*наспех*); □ ~ up поддерживать, придавать силы.

**stokehold** ['stoukhould] *n* кочегарка.

**stokehole** ['stoukhoul] = stokehold.

**stoker** ['stoukə] *n* 1) кочегáр; истопнúк; котéльный машинúст; 2) механúческая тóпка, стóкер.

**stole I** [stoul] *n* 1) *др.-рим.* стóла; 2) боá, меховáя накúдка; 3) *церк.* епитрахúль, орáрь.

**stole II** [stoul] *past om* steal 1.

**stolen** ['stoulən] *p. p. om* steal 1.

**stolid** ['stɔlid] *a* флегматúчный, бесстрáстный, вя́лый, тупóй.

**stolidity** [stɔ'lɪdɪtɪ] *n* флегматúчность *и пр.* [*см.* stolid].

**stomach** ['stʌmək] 1. *n* 1) желýдок; in the pit of the ~ под лóжечкой; to turn one's ~ вызывáть тошнотý; 2) живóт; 3) аппетúт, вкус (*к чему-л.*); to have ~ for имéть желáние; 4) *уст.* отвáга, мýжество; ◇ proud (*или* high) ~ высокомéрие;
2. *v* 1) быть в состоя́нии съесть; быть в состоя́нии перевари́ть; 2) стерпéть, снести́; to ~ an insult проглоти́ть оби́ду.

**stomach-ache** ['stʌməkeɪk] *n* боль в животé.

**stomacher** ['stʌməkə] *n ист.* сýживающийся кни́зу перéд корсáжа; корсáж.

**stomachic** [stə'mækɪk] 1. *a* 1) желýдочный; 2) возбуждáющий пищеварéние;
2. *n* желýдочное срéдство.

**stomach-pump** ['stʌməkrʌmp] *n* желýдочный зонд.

**stomach-tooth** ['stʌməktuːθ] *n* нúжний клык (*молочный*).

**stomatitis** [,stoumə'taɪtɪs] *n мед.* стоматúт.

**stomatology** [,stoumə'tɔlədʒɪ] *n* стоматолóгия.

**stone** [stoun] 1. *n* 1) кáмень; to break ~s бить щéбень; *перен.* выполня́ть тяжёлую рабóту; зарабáтывать тяжёлым трудóм; 2) драгоцéнный кáмень; 3) кáмень (*материал*); to build of ~ стрóить из кáмня; heart of ~ кáменное сéрдце; 4) кóсточка (*сливы и т. п.*); зёрнышко (*плода*); 5) грáдина; 6) *мед.* кáмень; 7) кáменная болéзнь; 8) (*pl обыкн. без измен.* стоун (*мера веса = 14 англ. фунтам = 6,34 кг*); ◇ to leave no ~ unturned испрóбовать всевозмóжные срéдства; приложúть все старáния;
2. *a* кáменный; ~ implements кáменные орýдия;
3. *v* 1) облицóвывать *или* мостúть кáмнем; 2) вынимáть кóсточки (*из фрýктов*); 3) побивáть камня́ми.

**Stone Age** ['stoun'eɪdʒ] *n* кáменный век.

**stone-blind** ['stoun'blaɪnd] *a* совершéнно слепóй.

**stone-broke** ['stoun'brouk] *a sl.* пóлностью разорённый, остáвшийся без каки́х-л. срéдств.

**stone-cast** ['stounkɑːst] *n* расстоя́ние, на котóрое мóжно брóсить кáмень.

**stone-chat** ['stounʃæt] *n зоол.* лазóревка; чекáн черноголóвый.

**stone-coal** ['stounkoul] *n* антрацúт.

**stone-cold** ['stoun'kould] *a* холóдный как лёд.

**stonecrop** ['stounkrɔp] *n бот.* очúток éдкий.

**stone-cutter** ['stoun,kʌtə] *n* каменотёс.

**stoned** [stound] 1. *p.p. om* stone 3;
2. *a* очúщенный от кóсточек.

**stone-dead** ['stoun'ded] *a* мёртвый.

**stone-deaf** ['stoun'def] *a* совершéнно глухóй.

**stone-fruit** ['stounfruːt] *n бот.* костя́нка, кóсточковый плод.

**stone-jug** ['stoundʒʌg] *n sl.* тюрьмá.

**stone-mason** ['stoun,meɪsn] *n* кáменщик.

**stone-pine** ['stounpaɪn] *n бот.* соснá итальянская, пúния; соснá кедрóвая еврoпéйская, кедр европéйский.

**stone-pit** ['stounpɪt] *n* каменолóмня, карьéр.

**stone's cast** ['stounzkɑːst] = stone-cast.

**stone's throw** ['stounz'θrou] = stone-cast.

**stone-still** ['stoun'stɪl] *a* как вкóпанный.

**stonewalling** ['stoun'wɔːlɪŋ] *n* (*особ. австрал.*) парлáментская обстрýкция; оппозúция, сопротивлéние.

**stoneware** ['stounwɛə] *n* гончáрные издéлия из кремнúстой глúны, глúняная посýда.

**stonework** ['stounwəːk] *n* кáменная клáдка; кáменные рабóты.

**stony** ['stounɪ] *a* 1) каменúстый; 2) кáменный; твёрдый; 3) холóдный, неподвúжный; ~ stare неподвúжный, не узнаю́щий взгляд; 4) = stone-broke.

**stony-broke** ['stounɪbrouk] = stone-broke.

**stony-hearted** ['stounɪ,hɑːtɪd] *a* жестокосéрдный.

**stood** [stud] *past и p. p. om* stand 2.

**stooge** [stuːdʒ] *разг.* 1. *n* 1) лицó, игрáющее подчинённую роль; марионéтка; 2) посмéшище; 3) подставнóе лицó;
2. *v* 1) игрáть подчинённую роль; быть марионéткой; 2) быть посмéшищем; 3) быть подставны́м лицóм.

**stook** [stuk] *сев.* 1. *n* копнá;
2. *v* стáвить кóпны.

**stool** [stuːl] *n* 1) табурéтка; ~ of repentance *ист.* позóрный стул в шотлáндских цéрквах; *перен.* публúчное унижéние; 2) скамéечка; 3) сýдно, стульчáк; 4) *мед.* стул, дéйствие кишéчника; to go to ~ испражня́ться; 5) кóрень *или* пень, пускáющий побéги; ◇ to fall between two ~s сесть мéжду двух стýльев.

**stool-ball** ['stuːlbɔːl] *n* старúнная игрá врóде крикéта.

**stool-pigeon** ['stuːl,pɪdʒɪn] *n* 1) гóлубь, слýжащий для примáнивания другúх голубéй; 2) провокáтор, осведомúтель.

**stoop I** [stuːp] 1. *n* 1) сутýлость; 2) *уст., поэт.* стремúтельный полёт вниз, падéние (*сокола и т. п.*); 3) *горн.* предохранúтельный цéлик;
2. *v* 1) наклоня́ть(ся), нагибáть(ся); 2) сутýлить(ся); 3) унижáть(ся); 4) снисходúть (to—до); 5) *уст., поэт.* устремля́ться вниз (*тж.* ~ down).

**stoop II** [stuːp] *n амер.* крыльцó со стýпеньками; верáнда.

**stop** [stɔp] 1. *n* 1) останóвка, задéржка, прекращéние; конéц; to bring to a ~ останови́ть; to come to a ~ останови́ться; to put a ~ to smth. положúть чемý-л. конéц;

the train goes through without a ~ поезд
идёт без остановок; 2) пауза, перерыв;
3) короткое пребывание, остановка; 4) остановка (*трамвая и т. п.*); 5) гостиница; 6)
знак препинания; full ~ точка; to come to
a full ~ *перен.* зайти в тупик; 7) тон, манера
разговора; 8) = stopper 1, 1); 9) *муз.* клапан, вентиль (*духового инструмента*), лад
(*струнного инструмента*); клавиша, педаль (*органа*); 10) *фон.* взрывной согласный
звук (*тж.* ~ consonant); 11) = stop-order
1); 12) *тех.* останов, ограничитель, стопор; 13) *фото* диафрагма;
2. *v* 1) останавливать(ся); to ~ short,
to ~ dead внезапно, резко остановиться;
not to ~ short of anything ни перед чем не
останавливаться; ~ the thief! держи вора!; do
not ~ продолжайте; the train ~s five minutes
поезд стоит пять минут; ~ a moment!
постойте!; 2) прекращать(ся); кончать
(-ся); ~ grumbling! перестаньте ворчать!; to
~ payment прекратить платежи, обанкротиться; 3) *разг.* останавливаться, оставаться непродолжительное время; гостить;
to ~ with friends гостить у друзей; to ~ at
home оставаться дома; 4) удерживать,
вычитать; урезывать; the cost must be
~ped out of his salary стоимость должна
быть удержана из его жалованья; 5) удерживать (from—от чего-л.); I could not ~
him from doing it я не мог удержать его
от этого; 6) преграждать; блокировать;
to ~ the way преграждать дорогу; 7) затыкать, заделывать (*тж.* ~ up); замазывать, шпаклевать; to ~ a gap заполнить
пробел; to ~ a hole заделывать отверстие;
to ~ a leak остановить течь; to ~ one's
ears затыкать уши; to ~ smb.'s mouth
заткнуть кому-л. рот; to ~ a tooth запломбировать зуб; to ~ a wound останавливать
кровотечение из раны; 8) ставить знаки
препинания; 9) отражать (*удар в боксе*);
10) *муз.* зажимать струну, клапан *или* вентиль музыкального инструмента; 11) *мор.*
стопорить, закреплять; □ ~ by *амер.* заглянуть, зайти; ~ down *фото* затемнять
линзу диафрагмой; ~ in = ~ by; ~ off *амер.*
остановиться в пути; ~ out покрывать
предохранительным слоем (*при травлении
на металле*); ~ over = ~ off; ~ up а)
затыкать, заделывать; б) *разг.* не ложиться
спать; ◇ to ~ a blow with one's head *шутл.*
получить удар в голову; to ~ a bullet, to ~ a shell *sl.* быть раненым *или*
убитым.
**stopcock** ['stɔpkɔk] *n* запорный кран.
**stopgap** ['stɔpgæp] *n* 1) затычка; 2) временная мера (*тж.* ~ measure); паллиатив; 3) замена; временный заместитель.
**stop-light** ['stɔplait] *n* 1) красный сигнал светофора; 2) *авт.* стоп-сигнал.
**stop-off** ['stɔp,ɔːf] = stop-over.
**stop-order** ['stɔp,ɔːdə] *n* 1) инструкция
банку о прекращении платежей; 2) поручение биржевому маклеру продать *или*
купить ценные бумаги в связи с изменением курса на бирже.
**stop-over** ['stɔp,ouvə] *n амер.* 1) остановка в пути (*с правом использования того*

*же билета*); 2) билет, допускающий остановку в пути; транзитный билет; 3) *sl.*
краткосрочное тюремное заключение.
**stoppage** ['stɔpidʒ] *n* 1) остановка, задержка; 2) *тех.* засорение; 3) прекращение работы, забастовка; 4) вычет, удержание.
**stopper** ['stɔpə] 1. *n* 1) пробка; затычка;
to put a ~ on smth. *разг.* положить конец
чему-л.; 2) *мор.* стопор.
2. *v* закупоривать; затыкать пробкой.
**stopping** ['stɔpiŋ] 1. *pres. p. от* stop 2;
2. *n* 1) остановка, затыкание *и пр.* [*см.*
stop 2]; 2) зубная пломба.
**stopple** ['stɔpl] *редк.* 1. *n* затычка, пробка;
2. *v* затыкать, закупоривать.
**stop-press** ['stɔp,pres] *n* экстренное сообщение в газете, «в последнюю минуту».
**stop-watch** ['stɔpwɔʧ] *n* секундомер.
**storage** ['stɔːridʒ] *n* 1) хранение; 2) склад,
хранилище; cold ~ а) холодильник; б)
хранение в холодильнике; 3) плата за хранение в холодильнике *или* на складе;
4) накопление; аккумулирование.
**storage battery** ['stɔːridʒ'bætəri] *n эл.*
аккумуляторная батарея.
**storage reservoir** ['stɔːridʒ'rezəvwɑː] *n*
водохранилище.
**store** [stɔː] 1. *n* 1) запас; изобилие; in ~
наготове, про запас; to lay in ~ for the
winter запасать на зиму; I have a surprise
in ~ for you у меня для вас приготовлен
сюрприз; 2) *pl* запасы, припасы; имущество; marine ~s старые корабельные материалы; 3) склад, пакгауз; to deposit
one's furniture in a ~ сдать мебель на хранение на склад; 4) *амер.* магазин, лавка;
5) (the ~s) *pl* универмаг; 6) большое количество; 7) *attr.* запасный, запасной; оставленный про запас; оставленный для использования впоследствии; 8) *attr. амер.* готовый,
купленный в магазине; clothes готовое
платье; ◇ to set (great) ~ by придавать
(большое) значение; (высокое) ценить;
2. *v* 1) снабжать; наполнять; his mind
is well ~d with knowledge он очень сведущ; 2) запасать, откладывать (*тж.* ~
up); the harvest has been ~d урожай убран;
3) отдавать на хранение, хранить на
складе; 4) вмещать.
**store cattle** ['stɔː'kætl] *n* скот, предназначенный для откорма.
**storehouse** ['stɔːhaus] *n* 1) склад; амбар;
кладовая; 2) сокровищница; кладезь.
**storekeeper** ['stɔː,kiːpə] *n* 1) *амер.* лавочник; 2) кладовщик.
**store-room** ['stɔːrum] *n* кладовая; цейхгауз.
**store-ship** ['stɔːʃip] *n мор.* транспорт
с запасами.
**storey** ['stɔːri] *n* этаж; ярус; ◇ the upper
~ *шутл.* мозги; he is a little wrong in the
upper ~ у него не все дома, он немного
не в своём уме.
**-storeyed** [-'stɔːrid] *в сложных словах*
-этажный; one-storeyed одноэтажный.
**storied** ['stɔːrid] *a* 1) легендарный; известный по преданиям; 2) украшенный

историческими *или* легендáрными сюжéтами.

**-storied** [-'stɔːrɪd] = -storeyed.

**storiette** [ˌstɔːrɪ'et] *n* корóткий расскáз.

**stork** [stɔːk] *n* áист.

**storm** [stɔːm] 1. *n* 1) бýря, грозá, урагáн; *мор.* шторм; 2) взрыв, град (*чего-л.*); ~ of applause взрыв аплодисмéнтов; ~ of arrows град стрел; ~ of shells урагáн снарядов; 3) сúльное волнéние, смятéние; 4) *воен.* штурм; to take by ~ взять штýрмом; *перен.* увлéчь, захватúть; 5) *радио* возмущéние; ◇ a ~ in a teacup бýря в стакáне водьí;
2. *v* 1) бушевáть, свирéпствовать; 2) кричáть, горячúться (at); 3) стремúтельно нестúсь, проносúться; 4) *воен.* брать прúступом, штурмовáть.

**storm-beaten** ['stɔːmˌbiːtn] *a* 1) потрёпанный бýрей (-ями); 2) мнóго пережúвший, видáвший вúды.

**storm-belt** ['stɔːmbelt] *n* пóяс бурь.

**storm-boat** ['stɔːmbout] *n* быстрохóдная штурмовáя лóдка.

**stormbound** ['stɔːmbaund] *a* задéржанный штóрмом.

**storm-centre** ['stɔːmˌsentə] *n* 1) *метеор.* центр циклóна; 2) центр спóров; 3) очáг (*восстания, эпидемии*).

**storm-cloud** ['stɔːmklaud] *n* 1) грозовáя тýча; 2) тýча на горизóнте, нéчто, предвещáющее бедý.

**storm-cone** ['stɔːmkoun] *n* штормовóй сигнáл.

**storm-drum** ['stɔːmdrʌm] *n* штормовóй сигнáльный цилúндр.

**storm-finch** ['stɔːmfɪntʃ] = stormy petrel.

**storm-ladder** ['stɔːmˌlædə] *n мор.* штормтрáп.

**stormovik** ['stɔːməvɪk] *рус. n ав.* штурмовúк.

**storm-petrel** ['stɔːmˌpetrəl] = stormy petrel.

**storm-proof** ['stɔːmpruːf] *n* спосóбный выдержать шторм.

**storm-troops** ['stɔːmtruːps] *n pl* штурмовьíе отряды; удáрные чáсти.

**storm-window** ['stɔːmˌwɪndou] *n* вторáя окóнная рáма.

**stormy** ['stɔːmɪ] *a* 1) бýрный; штормовóй; 2) предвещáющий бýрю (*тж. перен*); ~ sunset закáт, предвещáющий бýрю; 3) ярстный, нейстовый.

**stormy petrel** ['stɔːmɪ'petrəl] *n зоол.* буревéстник, качýрка мáлая.

**stort(h)ing** ['stɔːtɪŋ] *n* стóртинг (*парламент Норвегии*).

**story** I ['stɔːrɪ] *n* 1) расскáз, пóвесть; short ~ корóткий расскáз, новéлла; a good (*или* funny) ~ анекдóт; Canterbury ~ = Canterbury tale [*см.* ~ tale ◇]; 2) истóрия; предáние; скáзка; the ~ goes that предáние гласúт; his is an eventful ~ егó биогрáфия богáта собьíтиями; according to his ~ по егó словáм; tell me a ~! расскажúте мне скáзку!; they all tell the same ~ онú все говорят однó и тó же; 3) фáбула, сюжéт; 4) *разг.* вьíдумка, ложь; don't tell stories не сочиняйте; 5) *амер.* газéт-

ный материáл; ◇ that is another ~ это другóе дéло; it is quite another ~ now положéние тепéрь изменúлось; to make a long ~ short корóче говоря.

**story** II ['stɔːrɪ] = storey.

**story-book** ['stɔːrɪbuk] *n* сбóрник расскáзов, скáзок.

**story-teller** ['stɔːrɪˌtelə] *n* 1) расскáзчик; 2) áвтор расскáзов; 3) скáзочник; 4) лгун, вьíдумщик.

**stoup** [stuːp] *n уст.* стóпка, бокáл для винá.

**stout** [staut] 1. *a* 1) крéпкий, прóчный, плóтный; 2) отвáжный, решúтельный, сúльный; ~ heart смéлость; ~ opponent стóйкий протúвник; ~ resistance упóрное сопротивлéние; 3) пóлный, тýчный, дорóдный;
2. *n* 1) пóлный человéк; 2) крéпкий пóртер.

**stout-hearted** ['staut'hɑːtɪd] *a* стóйкий, смéлый.

**stoutness** ['stautnɪs] *n* 1) прóчность, крéпость; 2) отвáга, стóйкость; 3) полнотá, тýчность.

**stove** I [stouv] *n* 1) печь, пéчка; кýхонная плитá; 2) теплúца; 3) сушúлка; 4) *attr.* печнóй; ~ heating печнóе отоплéние.

**stove** II [stouv] *past и p. p. от* stave 2.

**stove-pipe** ['stouvpaɪp] *n* 1) дымохóд, желéзная дымовáя трубá; 2) *амер. разг.* цилúндр (*шляпа; тж.* ~ hat).

**stover** ['stouvə] *n* (сухóй) корм для скотá.

**stow** [stou] *v* 1) уклáдывать, склáдывать; 2) наполнять, набивáть (with); to ~ a ship грузúть сýдно; 3) *sl.* прекращáть; ~ that nonsense брóсьте эти глýпости; □ ~ away а) прятать; б) éхать на парохóде без билéта.

**stowage** ['stouɪdʒ] *n* 1) склáдывание, уклáдка; 2) *мор.* штúвка; 3) склáдочное мéсто; 4) плáта за уклáдку *или* хранéние на склáде; 5) *горн.* заклáдка.

**stowaway** ['stouəweɪ] *n* безбилéтный пассажúр (*особ.* на парохóде).

**straddle** ['strædl] 1. *n* 1) стояние, сидéние *или* ходьбá с ширóко расстáвленными ногáми; 2) *разг.* колебáния, двóйственная полúтика; 3) *арт.* накрывáющая грýппа (разрьíвов снарядов); *мор.* накрывáющий залп;
2. *v* 1) ширóко расставлять нóги; 2) *разг.* колебáться, вестú двóйственную полúтику; 3) *арт.* захвáтывать (цель) в вúлку.

**strafe** [strɑːf] *нем.* 1. *n sl.* 1) урагáнный огóнь; 2) наказáние;
2. *v sl.* 1) бомбардировáть, обстрéливать; наносúть поражéние; 2) разносúть, ругáть; накáзывать; oh, ~ you! ах, чтоб тебя!

**straggle** ['strægl] 1. *n* разбрóсанная грýппа (*предметов*);
2. *v* 1) отставáть, идтú вразбрóд, двúгаться в беспорядке; 2) быть разбрóсанным, тянýться беспорядочно; 3) растú одинóко (о *дереве и т. п.*).

**straggler** ['stræglə] *n* 1) отстáвший (солдáт); отстáвшее сýдно; 2) *амер. уст.* бродяга.

**straggling** ['stræglɪŋ] 1. *pres. p. om* straggle 2;

2. *n* разбро́санный, беспоря́дочный; ~ village широко́ раски́нувшаяся дере́вня.

**straight** [streɪt] 1. *a* 1) прямо́й, неизо́гнутый; 2) прямо́й, невью́щийся (*о волоса́х*); 3) пра́вильный, находя́щийся в поря́дке; ~ eye ве́рный глаз; put the picture ~ попра́вьте карти́ну; to put a room ~ привести́ ко́мнату в поря́док; 4) че́стный, прямо́й, и́скренний; a ~ question прямо́й вопро́с; ~ dealing че́стность; ~ talk открове́нный разгово́р; ~ fight че́стный бой; ~ speaking и́скренность; прямота́; ~ goods *амер. sl.* надёжный, че́стный челове́к; to keep ~ остава́ться че́стным; 5) *разг.* надёжный, ве́рный; ~ tip све́дения из достове́рных исто́чников; 6) *амер. полит.* неукло́нно подде́рживающий реше́ния свое́й па́ртии; пре́данный свое́й па́ртии; to vote the ~ ticket голосова́ть за спи́сок кандида́тов свое́й па́ртии; 7) *амер.* неразба́вленный; ~ whisky неразба́вленное ви́ски; 8) *амер. sl.* поштучный (*о цене́*); cigars ten cents ~ сига́ры сто́имостью де́сять це́нтов за шту́ку; ◇ ~ face ничего́ не выража́ющее лицо́;

2. *adv* 1) пря́мо, по прямо́й ли́нии; to ride ~ е́хать напрями́к; to hit ~ нанести́ прямо́й уда́р; 2) пра́вильно, то́чно, ме́тко; to shoot ~ ме́тко стреля́ть; 3) пря́мо, че́стно, откры́то; tell me ~ what you think скажи́те мне пря́мо, что вы ду́маете; to run ~ че́стно вести́ себя́; 4) неме́дленно, сра́зу; □ ~ away *разг.* сра́зу, то́тчас; off сра́зу, не обду́мав; ~ out напрями́к, пря́мо;

3. *n* 1) прямизна́; 2) пряма́я ли́ния; 3) пряма́я (*перед фи́нишем на ска́чках*); 4) (the ~) *амер.* пра́вда, и́стина; ве́рное, пра́вильное утвержде́ние.

**straightaway** ['streɪtəweɪ] *a* 1) прямо́й; 2) че́стный.

**straight-cut** ['streɪt'kʌt] *a* продо́льно наре́занный (*о табаке́*).

**straight-edge** ['streɪtedʒ] *n* лине́йка, пра́вило.

**straighten** ['streɪtn] *v* 1) выпрямля́ть(ся); 2) выправля́ть, приводи́ть в поря́док; 3) *амер. sl.* испра́виться.

**straightforward** [streɪt'fɔːwəd] 1. *a* 1) прямо́й; дви́жущийся *или* веду́щий пря́мо вперёд; 2) че́стный, прямо́й, открове́нный; 3) просто́й; ~ style просто́й стиль.

2. *adv* пря́мо, откры́то.

**straight-out** ['streɪt'aut] *a амер. разг.* 1) прямо́й, откры́тый; 2) без компроми́ссов и огово́рок, по́лный.

**straightway** ['streɪtweɪ] 1. *a амер.* иду́щий по прямо́й;

2. *adv уст.* сра́зу, неме́дленно.

**strain I** [streɪn] 1. *n* 1) натяже́ние, растяже́ние; the rope broke under the ~ верёвка ло́пнула от натяже́ния; 2) напряже́ние; to bear the ~ выде́рживать напряже́ние; 3) *тех.* деформа́ция; 4) состоя́ние теку́чести (*мета́лла*);

2. *v* 1) натя́гивать; растя́гивать(ся); to ~ a tendon растяну́ть сухожи́лие; 2) напряга́ть(ся); переутомля́ть(ся); стара́ться

изо всех сил; the masts ~ and groan ма́чты гну́тся и скрипя́т; to ~ under a load напря́чь уси́лия под тя́жестью но́ши; 3) превыша́ть; злоупотребля́ть; наси́ловать; to ~ the law допусти́ть натя́жку в истолкова́нии зако́на; to ~ a person's patience испы́тывать чье-л. терпе́ние; 4) обнима́ть, сжима́ть; to ~ smb. in one's arms сжать кого́-л. в объя́тиях; to ~ to one's heart прижа́ть к се́рдцу; 5) проце́живать(ся); фильтрова́ть(ся); проса́чиваться; 6) *тех.* сгиба́ть, скру́чивать, деформи́ровать; □ ~ after тяну́ться за *чем-л.*; стреми́ться к *чему-л.*; ~ at натя́гивать, тяну́ть изо всех сил; the rowers ~ at the oars гребцы́ налега́ют на вёсла; ~ off отце́живать; ◇ to ~ at a gnat переоце́нивать ме́лочи; быть ме́лочным.

**strain II** [streɪn] *n* 1) поро́да, пле́мя, род; 2) насле́дственная черта́; черта́ хара́ктера; накло́нность; a ~ of cruelty не́которая жесто́кость, элеме́нт жесто́кости; 3) *биол.* штамм; 4) стиль, тон ре́чи; much more in the same ~ и мно́го ещё в том же ду́хе; he spoke in a dismal ~ он говори́л в меланхоли́ческом то́не; 5) (*обыкн. pl*) *муз., поэт.* напе́в, мело́дия; поэ́зия, стихи́; the ~s of the harp зву́ки а́рфы; martial ~s во́инственные напе́вы.

**strained** [streɪnd] 1. *p. p. om* strain I, 2;

2. *a* 1) натя́нутый, напряжённый; неесте́ственный; ~ cordiality напускна́я серде́чность; ~ relations натя́нутые отноше́ния; ~ smile де́ланная улы́бка; 2) иска́жённый; 3) профильтро́ванный, проце́женный; 4) *тех.* деформи́рованный.

**strainer** ['streɪnə] *n* 1) си́то; фильтр; 2) стя́жка; натяжно́е приспособле́ние.

**straining** ['streɪnɪŋ] 1. *pres. p. om* strain I, 2;

2. *n* напряже́ние и пр. [*см.* strain I, 2]; do your best without ~ сде́лайте, что мо́жете, но не напряга́йтесь.

**strait** [streɪt] 1. *n* 1) (*ча́сто pl*) проли́в; 2) (*обыкн. pl*) затрудни́тельное положе́ние, стеснённые обстоя́тельства, нужда́; in great ~s в бе́дственном положе́нии; 3) *редк.* переше́ек.

2. *a уст.* 1) у́зкий, те́сный; 2) стро́гий.

**straiten** ['streɪtn] *v* 1) су́живать, ограни́чивать; 2) стесня́ть.

**straitened** ['streɪtnd] 1. *p. p. om* straiten;

2. *a* стеснённый; ~ circumstances стеснённые обстоя́тельства.

**strait jacket** ['streɪt'dʒækɪt] *n* смири́тельная руба́шка.

**strait-laced** ['streɪtleɪst] *a* 1) стро́гий, пурита́нский, нетерпи́мый в вопро́сах нра́вственности; 2) *уст.* ту́го затя́нутый, зашнуро́ванный.

**strait waistcoat** ['streɪt'weɪskout] = strait jacket.

**stramineous** [strə'mɪnɪəs] *a* 1) соло́менный; 2) соло́менно-жёлтый; 3) не име́ющий значе́ния, ве́са.

**stramonium** [strə'mounɪəm] *n* 1) *бот.* дурма́н; 2) *фарм.* страмо́ний.

**strand I** [strænd] 1. *n* бе́рег, прибре́жная полоса́;

2. *v* 1) сесть на мель (*тж. перен.*); 2) посадить на мель (*тж. перен.*); 3) выбросить на берег.

**strand** II [strænd] 1. *n* 1) прядь; стренга (*троса, кабеля*); ~s of hair пряди волос; 2) нитка (*бус*); 3) черта характера; 2. *v* вить, скручивать.

**stranded** I ['strændɪd] 1. *p. p. от* strand I, 2;
2. *a* 1) сидящий на мели; выброшенный на берег; 2) без средств, в затруднительном положении.

**stranded** II ['strændɪd] 1. *p. p. от* strand II, 2;
2. *a* скрученный, витой.

**strange** [streɪndʒ] *a* 1) чужой; чуждый; незнакомый, неизвестный; чужеземный; in ~ lands в чужих краях; this handwriting is ~ to me этот почерк мне неизвестен; 2) странный, необыкновенный; удивительный; ~ to say удивительно, что; 3) *predic.* непривычный, незнакомый; to feel ~ in company стесняться в обществе; he is ~ to the job он незнаком с делом; I feel ~ мне не по себе; 4) сдержанный, холодный; ◇ ~ woman блудница.

**stranger** ['streɪndʒə] *n* 1) чужестранец, чужой; незнакомец; посторонний (человек); the little ~ *шутл.* новорождённый; you are quite a ~ here вы редко здесь показываетесь; 2) человек, незнакомый с чем-л.; he is a ~ to fear он не знает страха; he is no ~ to sorrow он знает, что такое горе; 3) *амер. разг.* сударь; ◇ to make a ~ of smb. холодно обходиться с кем-л.; to spy (*или* to see) ~s *парл.* требовать удаления посторонней публики из палаты.

**strangle** ['stræŋgl] *v* 1) задушить, удавить; 2) задыхаться; 3) жать (*о воротничке и т. п.*); 4) подавлять.

**stranglehold** ['stræŋglhould] *n* удушение (*обыкн. перен.*).

**strangulate** ['stræŋgjuleɪt] *v* 1) *мед.* сжимать, перехватывать (*кишку, вену и т. п.*); 2) *редк.* душить.

**strangulation** [ˌstræŋgju'leɪʃən] *n* 1) *мед.* зажимание, перехватывание; ущемление; 2) удушение.

**strangury** ['stræŋgjurɪ] *n* болезненное, затруднённое мочеиспускание.

**strap** [stræp] 1. *n* 1) ремень, ремешок; 2) полоска материи *или* металла; ширинка; 3) завязка; 4) *воен.* погон; 5) ремень для правки бритв; 6) (the ~) порка ремнём; 7) *тех.* крепительная планка; скоба; 8) *мор., ав.* строп.
2. *v* 1) стягивать ремнём (*тж.* ~ down, ~ up); 2) править (бритву) на ремне; 3) хлестать ремнём; 4) стягивать края раны липким пластырем.

**straphanger** ['stræpˌhæŋə] *n разг.* 1) стоящий пассажир, держащийся за ремень; 2) лёгкое чтиво.

**strap-oil** ['stræpɔɪl] *n* порка.

**strapontin** [ˌstræpɔn'tæŋ] *фр. n* приставной стул (*в театре*); откидное сиденье.

**strappado** [strə'peɪdou] *n* (*pl* -os, -oes [-ouz]) дыба.

**strapper** ['stræpə] *n* 1) здоровяк, здоровый, рослый парень; 2) чудовищная ложь.

**strapping** ['stræpɪŋ] 1. *pres. p. от* strap 2;
2. *n* 1) *собир.* ремни; 2) прикрепление *или* стягивание ремнями; 3) липкий пластырь в виде ленты; 4) наложение повязки из липкого пластыря; 5) порка ремнём;
3. *a* рослый; сильный.

**strata** ['strɑːtə] *pl от* stratum.

**stratagem** ['strætɪdʒəm] *n* (военная) хитрость; уловка; he devised a ~ он придумал уловку.

**strategic(al)** [strə'tiːdʒɪk(əl)] *a* стратегический; оперативный; ~ map оперативная карта; ~ raw material стратегическое сырьё.

**strategics** [strə'tiːdʒɪks] *n pl* (*употр. как sing*) стратегия.

**strategist** ['strætɪdʒɪst] *n* стратег.

**strategy** ['strætɪdʒɪ] 1. *n* стратегия; оперативное искусство;
2. *v редк.* маневрировать.

**strath** [stræθ] *n шотл.* широкая горная долина с протекающей по ней рекой.

**strathspey** [stræθ'speɪ] *n быстрый шотландский танец* (*медленнее, чем* reel).

**strati** ['streɪtaɪ] *pl от* stratus.

**stratification** [ˌstrætɪfɪ'keɪʃən] *n геол.* стратификация; напластование, залегание.

**stratify** ['strætɪfaɪ] *v геол.* наслаиваться, напластовываться.

**stratigraphy** [strə'tɪgrəfɪ] *n* стратиграфия (*отдел геологии*).

**stratocracy** [strə'tɔkrəsɪ] *n* диктатура военщины.

**stratosphere** ['strætousfɪə] *n* стратосфера.

**stratum** ['strɑːtəm] *n* (*pl* -ta) 1) *геол.* пласт, напластование, формация; 2) (*обыкн. pl*) слой (*общества*).

**stratus** ['streɪtəs] *n* (*pl* -ti) слоистые облака.

**straw** [strɔː] 1. *n* 1) солома; соломка; 2) соломинка; 3) соломенная шляпа; 4) пустяк, мелочь; not worth a ~ ничего не стоящий; ◇ to catch at a ~ хвататься за соломинку; the last ~ последняя капля; a man of ~ а) соломенное чучело; б) ненадёжный человек; в) подставное, фиктивное лицо; г) воображаемый противник; not to care a ~ относиться совершенно безразлично; a ~ in the wind намёк, указание;
2. *a* 1) соломенный; 2) желтоватый, цвета соломы; 3) ненадёжный, сомнительный; ~ bail *амер. sl.* ненадёжное, «липовое» поручительство; ◇ ~ vote *амер.* предварительное голосование (*для выяснения настроения*).

**strawberry** ['strɔːbərɪ] *n* 1) земляника; клубника; wild ~ лесная земляника; crushed ~ цвет давленой землянйки; 2) *attr.* земляничный; клубничный; ~ leaves земляничные листья; *перен.* герцогское достоинство (*от эмблемы в виде листьев земляники на герцогской короне*).

**strawberry-mark** ['strɔːbərɪmɑːk] *n* красноватое родимое пятно.

**strawberry-tree** ['strɔːbərɪtriː] *n бот.* земляничник крупноплодный.

**strawberry vine** ['strɔːbərɪ'vaɪn] *n* ус земляни́чного куста́.

**straw-colour** ['strɔːˌkʌlə] *n* бле́дно-жёлтый, соло́менный цвет.

**straw-coloured** ['strɔː'kʌləd] *a* бле́дно-жёлтый.

**strawy** ['strɔːɪ] *a* 1) соло́менный, похо́жий на соло́му; 2) травяни́стый (*о вкусе чая и т. п.*); 3) пусто́й, ничто́жный.

**stray** [streɪ] 1. *n* 1) заблуди́вшееся *или* отби́вшееся от ста́да живо́тное; 2) заблуди́вшийся ребёнок; 3) *pl юр.* вы́морочное иму́щество; 4) *pl радио* парази́тная ёмкость; поме́хи;
2. *a* 1) заблуди́вшийся, заблу́дший; бездо́мный; 2) случа́йный; ~ bullet шальна́я пу́ля; ~ thoughts бессвя́зные мы́сли; a few ~ instances не́сколько отде́льных приме́ров;
3. *v* 1) сби́ться с пути́, заблуди́ться; отби́ться; don't ~ from the road не сбе́йтесь с доро́ги; the sheep has ~ed from the flock овца́ отби́лась от ста́да; 2) *поэт.* блужда́ть; броди́ть, скита́ться; 3) сби́ться с пути́ и́стинного.

**strayed** [streɪd] 1. *p. p. от* stray 3;
2. *a* заблуди́вшийся.

**streak** [striːk] 1. *n* 1) поло́ска (*обыкн. неровная, изогнутая*); жи́лка, прожи́лка; a ~ of lightning вспы́шка мо́лнии; like a ~ of lightning с быстрото́ю мо́лнии; 2) черта́ (*характера*); he has a ~ of obstinacy ему́ прису́ще (не́которое) упря́мство; yellow ~ *амер.* скло́нность к вероло́мству, тру́сости; 3) желобо́к; 4) цара́пина; 5) ступе́нька приставно́й ле́стницы; 6) *амер. разг.* пери́од, промежу́ток; ~ of luck везе́ние, пери́од, полоса́ уда́ч; ◇ the silver ~ Ла-Ма́нш; to go a good ~ *амер.* мча́ться;
2. *v* 1) проводи́ть по́лосы, испещря́ть; прочерти́ть (*о молнии*); 2) проноси́ться, мелька́ть.

**streaked** [striːkt] 1. *p. p. от* streak 2;
2. *a* покры́тый поло́сами; ~ with dirt вы́мазанный гря́зью.

**streaky** ['striːkɪ] *a* 1) полоса́тый; 2) с просло́йками; 3) изме́нчивый, непостоя́нный; 4) *sl.* раздражи́тельный.

**stream** [striːm] 1. *n* 1) пото́к, река́, руче́й; струя́; a ~ of blood (lava) пото́к кро́ви (ла́вы); the ~ of time тече́ние вре́мени; in a ~, in ~s пото́ком, ручья́ми; 2) пото́к, вереница; a ~ of cars пото́к маши́н; 3) шко́ла, тече́ние; 4) *школ.* параллельный класс, сформиро́ванный с учётом спосо́бностей уча́щихся (*в англ. школах*); ◇ to go with (against) the ~ плыть по тече́нию (про́тив тече́ния);
2. *v* 1) течь, вытека́ть, ли́ться, стру́йться; light ~ed through the window свет стру́йлся в окно́; people ~ed out of the building пу́блика пото́ком повали́ла из зда́ния; 2) лить, источа́ть; his eyes ~ed tears слёзы текли́ по его́ щека́м; wounds ~ing blood кровоточа́щие ра́ны; 3) развева́ть(ся); 4) проноси́ться.

**streamer** ['striːmə] *n* 1) вы́мпел; дли́нная у́зкая ле́нта; 2) транспара́нт, ло́зунг; 3) *амер. sl.* газе́тный загол́овок во всю

ширину́ страни́цы, «ша́пка»; 4) столб се́верного сия́ния.

**stream-gold** ['striːmgould] *n* рассыпно́е зо́лото.

**streaming** ['striːmɪŋ] 1. *pres. p. от* stream 2;
2. *a* теку́чий и пр. [*см.* stream 2]; ~ eyes слезя́щиеся глаза́;
3. *n* распределе́ние уча́щихся по паралле́льным кла́ссам с учётом их спосо́бностей (*в англ. школах*).

**streamlet** ['striːmlɪt] *n* ручеёк.

**streamline** ['striːmlaɪn] 1. *n* 1) направле́ние (*воздушного течения*); 2) ли́ния обтека́ния, ли́ния возду́шного пото́ка; 3) *воен.* речно́й рубе́ж;
2. *a* обтека́емый;
3. *v* 1) придава́ть обтека́емую фо́рму; 2) *амер.* ускоря́ть, рационализи́ровать (*производственные процессы и т. п.*).

**streamlined** ['striːmlaɪnd] 1. *p.p. от* streamline 3;
2. *a* 1) обтека́емый; 2) *амер.* хорошо́ нала́женный.

**streamliner** ['striːmˌlaɪnə] *n* автобус, самолёт *или* по́езд обтека́емой фо́рмы.

**streamy** ['striːmɪ] *a* 1) изоби́лующий ручья́ми, пото́ками; 2) стру́ящийся, бегу́щий.

**street** [striːt] *n* 1) у́лица; on the ~s живу́щая проститу́цией; in the ~ на у́лице (*особ. о внебиржевых сделках*); 2) (the S.) *амер.* биржевики́, фина́нсовые круги́; *attr.* у́личный; ~ fighting у́личные бои́; ~ cries кри́ки разно́счиков; ◇ the man in the ~ обыва́тель; заура́дный челове́к; he's ~s ahead of anyone in the field он опереди́л всех в э́той о́бласти; to be in the same ~ with smb. быть в одина́ковом положе́нии с кем-л.; not in the same ~ with несравне́нно ни́же, слабе́е *или* ху́же.

**street arab** ['striːt'ærəb] *n* беспризо́рник.

**streetcar** ['striːtkɑː] *n амер.* трамва́й.

**street-door** ['striːtdɔː] *n* пара́дное, пара́дная дверь.

**street orderly** ['striːt'ɔːdəlɪ] *n* мете́льщик у́лиц.

**street-railway** ['striːtˌreɪlweɪ] *n амер.* трамва́йная ли́ния.

**street-singer** ['striːtˌsɪŋə] *n* у́личный певе́ц.

**street-sweeper** ['striːtˌswiːpə] *n* 1) маши́на для подмета́ния у́лиц; 2) мете́льщик у́лиц.

**streetwalker** ['striːtˌwɔːkə] *n* проститу́тка.

**strength** [streŋθ] *n* 1) си́ла; ~ of mind си́ла ду́ха; on the ~ of в си́лу, на основа́нии; 2) про́чность; кре́пость; 3) *тех.* сопротивле́ние; ~ of materials сопротивле́ние материа́лов; 4) непристу́пность; 5) чи́сленность, чи́сленный соста́в; in full ~ в по́лном соста́ве; on the ~ *воен.* в шта́те, в спи́сках; what is your ~? ско́лько вас?

**strengthen** ['streŋθən] *v* уси́ливать(ся); укрепля́ть(ся); крепи́ть.

**strenuous** ['strenjuəs] *a* си́льный, энерги́чный; усе́рдный; напряжённый; тре́бующий уси́лий; ~ efforts всеме́рные уси́лия; ~ life де́ятельная жизнь.

streptococci [,streptou'kɔkaɪ] pl om streptococcus.

streptococcus [,streptou'kɔkəs] n (pl -ci) стрептококк.

streptomycin [,streptou'maɪsɪn] n фарм. стрептомицин.

stress [stres] 1. n 1) давление, нажим; under the ~ of poverty под гнётом нищеты; under the ~ of weather под влиянием непогоды; 2) напряжение; 3) ударение; перен. значение; to lay ~ on подчёркивать, придавать особое (или большое) значение; 4) муз. акцент;
2. v 1) подчёркивать; ставить ударение; 2) тех. подвергать напряжению или давлению.

stretch [stretʃ] 1. n 1) вытягивание, растягивание, удлинение; with a ~ and a yawn потягиваясь и зевая; 2) напряжение; nerves on the ~ напряжённые нервы; 3) натяжка; преувеличение; ~ of authority превышение власти; a ~ of imagination полёт фантазии; 4) промежуток времени; at a ~ без перерыва, подряд; в один присест; 5) протяжение, простирание; пространство; of open country открытая местность; home ~ последний, заключительный этап; 6) прогулка, разминка; 7) sl. срок заключения; 8) мор. галс в бейдевинд;
2. v 1) растягивать(ся), вытягивать(ся); удлинять; тянуть(ся); to ~ oneself потягиваться; 2) натягивать; 3) иметь протяжение, простираться, тянуться; 4) увеличивать, усиливать; 5) напрягать, превышать; to ~ the law допустить натяжку в истолковании закона; to ~ a point выйти за пределы дозволенного; не так строго соблюдать правила; превышать свои права; заходить далеко в уступках; 6) преувеличивать (тж. ~ the truth); 7) разг. вешать; to ~ hemp sl. быть повешенным; 8) sl. свалить, повалить (ударом); to ~ smb. on the ground повалить кого-л.; □ ~ out а) протягивать; б) удлинять шаг; ◇ to ~ one's legs размять ноги, прогуляться.

stretcher ['stretʃə] n 1) приспособление для растягивания; 2) носилки; 3) упор для ног гребца; 4) ложок (кирпичная кладка); 5) жив. подрамник; 6) разг. преувеличение, ложь.

stretcher-bearer ['stretʃə,bɛərə] n носилочный санитар.

stretch-out ['stretʃ'aut] n амер. разг. система, при которой рабочий выполняет дополнительную работу без особой оплаты или за незначительную оплату.

strew [struː] v (strewed [-d]; strewed, strewn) 1) разбрасывать; разбрызгивать; 2) посыпать (песком), усыпать (цветами); 3) расстилать.

strewn [struːn] p. p. om strew.

stria ['straɪə] n (pl striae) биол. полоска, бороздка.

striae ['straɪiː] pl om stria.

striated [straɪ'eɪtɪd] a биол. бороздчатый, полосатый.

striation [straɪ'eɪʃən] n биол. бороздчатость, полосатость.

stricken ['strɪkən] 1. p. p. om strike I, 1; 2. a 1) больной, нетрудоспособный; раненый; ~ in years уст. престарелый; ~ with paralysis разбитый параличом; 2) амер. вычеркнутый (обыкн. ~ out); ◇ ~ field решительное сражение; поле брани.

-stricken [-strɪkən] в сложных словах означает охваченный, поражённый чем-л., подвергшийся чему-л.; awe-stricken охваченный ужасом; drought-stricken поражённый засухой.

strickle ['strɪkl] n 1) гребок (для сгребания лишнего зерна в мере); 2) точильный брусок, оселок; 3) скобель.

strict [strɪkt] a 1) точный, определённый; ~ truth истинная правда; in the ~ sense в строгом смысле; 2) строгий, требовательный; he was given ~ orders ему было строго-настрого приказано.

stricture ['strɪktʃə] n 1) (обыкн. pl) строгая критика, осуждение; 2) мед. сужение сосудов.

stridden ['strɪdn] p. p. om stride 2.

stride [straɪd] 1. n 1) большой шаг; to take an obstacle in one's ~ а) перешагнуть одним махом; б) преодолеть трудности без усилия; 2) расстояние между расставленными ногами; 3) pl успехи; to make great (или rapid) ~s делать большие успехи; great ~s in education большие успехи в области образования; ◇ to get into one's ~ приниматься за дело;
2. v (strode; stridden) 1) шагать (большими шагами); 2) перешагнуть (тж. ~ across, ~ over); 3) редк. сидеть верхом.

strident ['straɪdnt] a резкий, скрипучий.

strife [straɪf] n борьба; спор, раздор.

strike I [straɪk] 1. v (struck; struck, уст. stricken) 1) ударять(ся); бить; to ~ a blow нанести удар; to ~ back нанести ответный удар, дать сдачи; to ~ a blow for smb, smth. выступить в защиту кого-л., чего-л.; to ~ the first blow быть зачинщиком; the ship struck a rock судно наскочило на скалу; 2) ударять (по клавишам, струнам); to ~ a note перен. вызвать определённое впечатление; 3) бить (о часах); it has just struck four только что пробило четыре; the hour has struck пробил час, настало время; his hour has struck его смертный час пробил; 4) высекать (огонь), зажигать(ся); to ~ a match чиркнуть спичкой, зажечь спичку; the match won't ~ спичка не зажигается; 5) чеканить, выбивать; 6) найти; наткнуться на, случайно встретить; to ~ the eye бросаться в глаза; to ~ oil открыть нефтяной источник; перен. достичь успеха; преуспевать; 7) приходить в голову; an idea suddenly struck me меня внезапно осенила мысль; 8) производить впечатление; the story ~s me as ridiculous рассказ поражает меня своей нелепостью; how does it ~ you? что вы об этом думаете?; how does his playing ~ you? как вам нравится его игра?; 9) вселять (ужас и т. п.); 10) поражать, сражать; to ~ dumb лишить дара слова; ошарашить (кого-л.); to ~ smb. all of a heap разг. ошеломлять кого-л.; 11) спускать (флаг);

убира́ть (*паруса и т. п.*); to ~ one's flag а) *мор.* сдава́ть кома́ндование; б) сдава́ться, покоря́ться; to ~ camp, to ~ one's tent сня́ться с ла́геря; 12) подводи́ть (*баланс*); заклю-ча́ть (*сделку*); to ~ an average выводи́ть сре́днее число́; 13) *амер. sl.* шантажи́ро-вать, вымога́ть; 14) *sl.* проси́ть, иска́ть проте́кции; he struck his friend for a job он попроси́л прия́теля подыска́ть ему́ рабо́ту; 15) пуска́ть (*корни*); 16) сажа́ть; 17) направля́ться (*тж.* ~ out); ~ to the left поверни́те нале́во; 18) проника́ть; прони́зывать; the light ~s through the darkness свет пробива́ется сквозь темноту́; 19) рав-ня́ть гребко́м (*меру зерна́*); 20) подсе-ка́ть (*рыбу*); 21) *эл.* образо́вывать дугу́; □ ~ at наноси́ть уда́р, напада́ть; ~ down свали́ть с ног, срази́ть; ~ in вме́шиваться (*в разгово́р*); ~ into a) вонза́ть; б) вселя́ть (*у́жас и т. п.*); в) направля́ться, углуб-ля́ться; г) начина́ть; to ~ into a gallop пуска́ться в гало́п; ~ off a) отруба́ть (*уда́ром меча́, топора́*); б) вычёркивать; в) вычита́ть (*из счёта*); г) импровизи́ро-вать; д) *полигр.* отпеча́тывать; ~ out а) вы́черкнуть; б) изобрести́, приду́мать; to ~ out a new idea изобрести́ но́вый план; в) направля́ться; to ~ out for the shore направля́ться к бе́регу; ~ through зачёр-кивать; ~ up a) начина́ть; to ~ up an acquaintance завяза́ть знако́мство; the band struck up орке́стр заигра́л; б) *амер. sl.* случа́йно встре́титься (with); ~ upon а) па́дать на (*о све́те*); б) достига́ть (*о зву́ке*); в) приду́мывать (*план*); г) напа́сть на (*мысль*); ◇ to ~ it rich a) напа́сть на жи́лу; б) преуспева́ть; to ~ out in a line of one's own a) быть самобы́тным; б) быть само-стоя́тельным; to ~ home a) попа́сть в цель; б) бо́льно заде́ть, заде́ть за живо́е; to ~ hands *уст.* уда́рить по рука́м; to ~ an at-titude приня́ть (теа́тра́льную) по́зу; ~ the iron while it is hot *посл.* куй желе́зо, пока́ горячо́;
2. *n* 1) откры́тие месторожде́ния не́фти *или* руды́; 2) неожи́данная уда́ча; 3) *амер. sl.* вымога́тельство; 4) *геол.* простира́ние жи́лы *или* пласта́; 5) ме́ра ёмкости (*раз-ная в ра́зных райо́нах Англии*).

**strike II** [straɪk] **1.** *n* 1) забасто́вка, ста́чка; to be on ~ бастова́ть; to go on ~ объявля́ть забасто́вку, забастова́ть; 2) кол-лекти́вный отка́з (*от чего́-л.*), бойко́т; buyers' ~ бойкоти́рование покупа́телями определённых това́ров *или* магази́нов; 3) *attr.* забасто́вочный, ста́чечный; ~ struggle ста́чечная борьба́;
2. *v* бастова́ть; объявля́ть забасто́вку; to ~ work прекраща́ть рабо́ту.

**strike benefit** [ˈstraɪkˈbenɪfɪt] = strike pay.

**strikebound** [ˈstraɪkˌbaund] *a* охва́чен-ный забасто́вкой.

**strike-breaker** [ˈstraɪkˌbreɪkə] *n* штрейк-бре́хер.

**strike-breaking** [ˈstraɪkˌbreɪkɪŋ] *n* подав-ле́ние забасто́вки.

**strike-committee** [ˈstraɪkkəˈmɪtɪ] *n* ста́-чечный комите́т.

**strike pay** [ˈstraɪkˈpeɪ] *n* посо́бие, выдава́е-мое профсою́зом свои́м бастую́щим чле́нам.

**striker I** [ˈstraɪkə] *n* 1) молотобо́ец; 2) *воен.* уда́рник; 3) *амер. воен.* ордина́-рец; 4) гарпунёр.

**striker II** [ˈstraɪkə] *n* забасто́вщик.

**striking I** [ˈstraɪkɪŋ] **1.** *pres. p. от* strike I, 1;
2. *a* 1) (по)рази́тельный, замеча́тельный; 2) уда́рный; ~ force *воен.* уда́рная гру́ппа; 3): ~ distance досяга́емость, преде́л до-сяга́емости; beyond ~ distance вне преде́-лов досяга́емости.

**striking II** [ˈstraɪkɪŋ] *pres. p. от* strike II, 2.

**string** [strɪŋ] **1.** *n* 1) верёвка, бечёвка; тесёмка, завя́зка, шнуро́к; to pull the ~s *перен.* нажима́ть та́йные пружи́ны; влия́ть на ход де́ла; быть скры́тым дви́гателем; 2) тетива́ (*лу́ка*); 3) *муз.* струна́; to touch the ~s игра́ть (*на а́рфе и т. п.*); to harp on the same ~ *перен.* тяну́ть всё ту же пе́с-ню; to touch a ~ *перен.* затро́нуть стру́нку; 4) *pl муз.* стру́нные инструме́нты орке́стра; 5) ни́тка (*бус и т. п.*); 6) верени́ца, ряд; a ~ of people верени́ца люде́й; a ~ of bursts пулемётная о́чередь; 7) волокно́, жи́лка; 8) *амер. разг.* усло́вие, ограниче́ние; 9) *sl.* обма́н, мистифика́ция; 10) ло́шади, при-надлежа́щие одному́ владе́льцу (*на ска́ч-ках*); 11) тетива́, косо́ур (*ле́стницы*); 12) *attr.* стру́нный; ~ band стру́нный ор-ке́стр; ◇ on a ~ в по́лной зави́симости; под контро́лем; first ~ гла́вный ресу́рс; second ~ a) запасно́й ресу́рс; б) *теа́тр.* дублёр; to have two ~s to one's bow име́ть на вся́кий слу́чай каки́е-л. дополни́тель-ные ресу́рсы, сре́дства;
2. *v* (strung) 1) завя́зывать, привя́зы-вать; шнурова́ть; 2) снабжа́ть струно́й, тетиво́й *и т. п.*; 3) натя́гивать (*струну́*); 4) напряга́ть (*тж.* ~ up); 5) нани́зывать (*бу́сы*); 6) ве́шать; to ~ a picture пове́сить карти́ну; 7) *амер. sl.* обма́нывать; води́ть за́ нос; □ ~ along with быть пре́данным кому́-л.; сле́довать за ке́м-л.; ~ out растя́-гивать(ся) верени́цей; the programme was strung out too long програ́мма была́ сли́ш-ком растя́нута; ~ together свя́зывать; ~ up a) взви́нчивать, напряга́ть (*не́рвы и т. п.*); б) *разг.* вздёрнуть, пове́сить.

**string-bag** [ˈstrɪŋbæɡ] *n* се́тка (*су́мка для проду́ктов*).

**string-course** [ˈstrɪŋkɔːs] *n архит.* поя-со́к.

**stringed** [strɪŋd] *a* стру́нный.

**stringency** [ˈstrɪndʒənsɪ] *n* 1) стро́гость; 2) недоста́ток де́нег; 3) убеди́тельность, ве́скость.

**stringent** [ˈstrɪndʒənt] *a* 1) стро́гий; обя-за́тельный, то́чный; ~ regulations обяза́-тельные постановле́ния; 2) стеснённый недоста́тком средств; 3) убеди́тельный, ве́ский.

**stringer** [ˈstrɪŋə] *n* 1) продо́льная ба́лка; тетива́ (*ле́стницы*); 2) *мор., ав.* стри́нгер.

**string-halt** [ˈstrɪŋhɔːlt] = spring-halt.

**stringy** [ˈstrɪŋɪ] *a* 1) волокни́стый; 2) тя-гу́чий, вя́зкий.

**strip** [strɪp] 1. *n* 1) длинный узкий кусок; полоса; лента; полоска; ~ of board планка; ~ of garden полоска сада; 2) страничка юмора (*в газете, журнале*); 3) взлётно-посадочная площадка (*тж.* air ~, landing ~); 4) порча, разрушение;
2. *v* 1) сдирать, обдирать; снимать; обнажать; 2) лишать (*чего-л.*); ~ped of fine names, it is a swindle выражаясь попросту — это надувательство; 3) отнимать; грабить; 4) раздевать(ся); ~ped to the skin раздетый донага; to be ~ped of leaves стоять голым (*о дереве*); 5) разбирать (на части); 6) разоружать; 7): to ~ a cow выдаивать корову; 8) *тех.* свернуть *или* сорвать нарезку (*у винта*); □ ~ off сдирать; соскабливать.

**stripe** [straɪp] 1. *n* 1) полоса; 2) нашивка; шеврон; to get (to lose) one's ~s быть произведённым (разжалованным); 3) *уст.* удар бичом; *pl* порка; 4) полосатый материал; 5) *амер.* тип, характер; 6) *pl разг.* тигр;
2. *v* испещрять полосами.

**striped** [straɪpt] 1. *p. p. от* stripe 2;
2. *a* полосатый.

**striper** ['straɪpə] *n амер. sl.* морской офицер.

**-striper** [-,straɪpə] *амер. в сложных словах означает* имеющий *столько-то* нашивок (*о морском офицере*); four-striper капитан 2 ранга.

**stripling** ['strɪplɪŋ] *n* юноша, подросток.

**strip map** ['strɪp'mæp] *n* карта маршрута, фотоплан маршрута.

**strip mining** ['strɪp'maɪnɪŋ] *n* открытая добыча угля.

**strip-tease** ['strɪp,tiːz] *n театр.* представление-бурлеск, в котором актриса постепенно раздевается на сцене.

**strive** [straɪv] *v* (strove; striven) 1) стараться; прилагать усилия; to ~ for victory стремиться к победе; 2) бороться (against, with—против).

**striven** ['strɪvn] *p. p. от* strive.

**strode** [stroud] *past от* stride 2.

**stroke** [strouk] 1. *n* 1) удар; a finishing ~ а) удар, сражающий противника; б) решающий довод; [*ср. тж.* 6)]; 2) *мед.* удар, паралич; heat ~ тепловой удар; he had a ~ у него был удар; 3) взмах; отдельное движение *или* усилие; the ~ of an oar взмах весла; they have not done a ~ of work ≅ они палец о палец не ударили; with one ~ of the pen одним росчерком пера; 4) приём, ход; a clever ~ ловкий ход; it was a ~ of genius это было гениально; a ~ of luck удача; 5) *тех.* ход поршня; up (down) ~ ход поршня вверх (вниз); 6) штрих, мазок, черта; finishing ~s последние штрихи, отделка [*ср. тж.* 4)]; to portray with a few ~s обрисовать несколькими штрихами; 7) бой часов; it is on the ~ of nine сейчас пробьёт девять; 8) поглаживание (*рукой*); 9) загребной; to row (*или* to pull) the ~ задавать такт гребцам;
2. *v* 1) гладить (*рукой*), поглаживать, ласкать; to ~ smb. down успокоить чьё-л. раздражение; 2) задавать такт (*гребцам*); ◊ to ~ smb. the wrong way, to ~ smb.'s

hair (*или* fur) the wrong way гладить кого-л. против шерсти; раздражать кого-л.

**stroll** [stroul] 1. *n* прогулка;
2. *v* 1) прогуливаться, бродить; 2) странствовать, давая представления (*о труппе*).

**stroller** ['stroulə] *n* 1) прогуливающийся; 2) бродяга; 3) странствующий актёр; 4) лёгкая детская коляска.

**strolling** ['stroulɪŋ] 1. *pres. p. от* stroll 2;
2. *a* бродячий; ~ musicians бродячие музыканты.

**strong** [strɔŋ] 1. *a* 1) сильный, обладающий большой физической силой; 2) здоровый; are you quite ~ again? вы вполне окрепли?; 3) сильный; имеющий силу, преимущество, шансы и *т. п.*; ~ candidate кандидат, имеющий большие шансы; ~ literary style энергичный, выразительный стиль; 4) сильный (*в чём-л.*); he is ~ in chemistry он хорошо знает химию; 5) решительный, энергичный; крутой, строгий; ~ measures крутые меры; ~ man а) властный человек; б) решительный администратор; 6) прочный, выносливый; ~ castle хорошо укреплённый замок; ~ design прочная конструкция; 7) крепкий; неразведённый; ~ coffee крепкий кофе; ~ remedy сильнодействующее средство; ~ drinks, ~ waters спиртные напитки; 8) острый, едкий; ~ cheese острый сыр; 9) крепкий, грубый; ~ language сильные выражения; 10) твёрдый, убеждённый; ревностный, усердный (*приверженец, сторонник и т. п.*); 11) сильный, веский; глубоко прочувствованный; ~ sense of disappointment сильное разочарование; ~ reason веская причина; 12) ясный, сильный, определённый; a ~ resemblance сильное сходство; 13) громкий (*о голосе*); 14) устойчивый, твёрдый (*о рынке, ценах*); растущий (*о ценах*); 15) обладающий определённой численностью; battalions a thousand ~ батальоны численностью в тысячу человек каждый; how many ~ are you? сколько вас?; 16) *грам.* сильный; ◊ by the ~ arm (*или* hand) силой; ~ meat ≅ орёх не по зубам;
2. *n* (the ~) *pl собир.* 1) сильные, здоровые; 2) сильные, власть имущие;
3. *adv разг.* сильно, решительно; to be going ~ *sl.* быть в полной силе; to go it ~ *sl.* а) действовать решительно; б) поступать безрассудно; to come it ~ *sl.* а) зайти слишком далеко; хватить через край; б) сильно преувеличивать.

**strong-arm** ['strɔŋ'ɑːm] *разг.* 1. *a* применяющий силу;
2. *v* применять силу.

**strong-box** ['strɔŋbɔks] *n* сейф.

**stronghold** ['strɔŋhould] *n* 1) крепость, твердыня, цитадель; оплот; the Soviet Union is the ~ of peace Советский Союз — оплот мира; 2) *воен.* опорный пункт.

**strong-minded** ['strɔŋ'maɪndɪd] *a* энергичный, умный (*особ. о женщине*).

**strong point** ['strɔŋ'pɔɪnt] *n* 1) *воен.* опорный пункт; огневая точка, дот *или* дзот; 2) *перен.* сильное место.

**strong-room** ['strɔŋ'rum] *n* кладовая (*для хранения ценностей в банке и т. п.*).

**strong-willed** ['strɔŋ'wɪld] *a* 1) реши́тельный; волево́й; 2) упря́мый.

**strontium** ['strɔnʃjəm] *n хим.* стро́нций.

**strop** [strɔp] 1. *n* 1) реме́нь для пра́вки бритв; 2) *мор.* строп;
2. *v* пра́вить *(бритву)*.

**strophe** ['strouɪ] *n прос.* строфа́.

**strove** [strouv] *past от* strive.

**struck** [strʌk] *past и p. p. от* strike I,1.

**structural** ['strʌktʃərəl] *a* 1) структу́рный; ~ formula структу́рная фо́рмула; 2) строи́тельный; ~ features конструкти́вные дета́ли; ~ mechanics строи́тельная меха́ника.

**structure** ['strʌktʃə] *n* 1) структу́ра; устро́йство; social ~ социа́льный строй; the ~ of a language строй языка́; the ~ of a sentence структу́ра предложе́ния; 2) зда́ние, сооруже́ние, строе́ние.

**struggle** ['strʌgl] 1. *n* 1) борьба́; class ~ кла́ссовая борьба́; the ~ for existence борьба́ за существова́ние; 2) напряже́ние, уси́лие;
2. *v* 1) боро́ться; to ~ for peace боро́ться за мир; to ~ against difficulties боро́ться с тру́дностями; to ~ for one's living би́ться из-за куска́ хле́ба; 2) би́ться, отбива́ться; 3) де́лать уси́лия; стара́ться изо всех сил; to ~ to one's feet с трудо́м встать на́ ноги; to ~ with a mathematical problem би́ться над зада́чей; he ~d to make himself heard он вся́чески стара́лся, чтобы его́ услы́шали; 4) пробива́ться (through).

**strum** [strʌm] 1. *n* бренча́ние, тре́ньканье;
2. *v* бренча́ть, тре́нькать.

**strumpet** ['strʌmpɪt] *n* проститу́тка.

**strung** [strʌŋ] *past и p. p. от* string 2.

**strut** I [strʌt] 1. *n* ва́жная *или* неесте́ственная похо́дка;
2. *v* ходи́ть с ва́жным, напы́щенным ви́дом.

**strut** II [strʌt] 1. *n* подпо́рка, сто́йка; *стр.* подко́с, сжа́тый элеме́нт;
2. *v* подпира́ть.

**strutter** ['strʌtə] *n разг.* задава́ка.

**strychnine** ['strɪkniːn] *n* стрихни́н.

**stub** [stʌb] 1. *n* 1) пень; 2) обло́мок; 3) коро́ткий тупо́й обло́мок *или* оста́ток; 4) ко́рень *(зуба)*; 5) огры́зок *(карандаша)*; 6) оку́рок; 7) *амер.* корешо́к *(квитанцио́нной кни́жки и т. п.)*; 8) *тех.* голо́вка шатуна́;
2. *v* 1) выкорчёвывать, вырыва́ть с ко́рнем *(тж.* ~ up); 2) удара́ться ного́й обо что-л. твёрдое; to ~ one's toe on *(или* against) smth. споткну́ться обо что-л.; 3) погаси́ть оку́рок *(тж.* ~ out).

**stubble** ['stʌbl] *n* 1) жнивьё, стерня́; 2) ко́ротко остри́женные во́лосы; давно́ небри́тая борода́, щети́на.

**stubbly** ['stʌblɪ] *a* 1) по́жнивный, покры́тый стернёй; 2) торча́щий, щети́нистый *(о бороде и т. п.)*.

**stubborn** ['stʌbən] *a* 1) упря́мый, неподатливый; 2) упо́рный; ~ resistance упо́рное сопротивле́ние.

**stubbornness** ['stʌbənnɪs] *n* 1) упря́мство; 2) упо́рство.

**stubby** ['stʌbɪ] *a* 1) усе́янный пня́ми; 2) похо́жий на обру́бок; корена́стый; a short ~ figure корена́стая фигу́ра.

**stucco** ['stʌkou] 1. *n (pl* -oes [-ouz]) нару́жная штукату́рка;
2. *v* штукату́рить.

**stucco-work** ['stʌkouwəːk] *n* лепна́я рабо́та.

**stuck** [stʌk] *past и p. p. от* stick 2.

**stuck-up** ['stʌk'ʌp] *a разг.* высокоме́рный, самодово́льный, зано́счивый.

**stud** I [stʌd] 1. *n* 1) гвоздь с большо́й шля́пкой; штифт; кно́пка; 2) за́понка; 3) *тех.* распо́рка *(в звене цепи)*; 4) сто́йка *(в деревя́нной перегоро́дке)*;
2. *v* 1) обива́ть; 2) усе́ивать, усыпа́ть.

**stud** II [stʌd] *n* 1) ко́нный заво́д; коню́шня; 2) *амер.* = stud-horse.

**stud-book** ['stʌdbuk] *n* племенна́я кни́га *(лошаде́й)*.

**studding-sail** ['stʌdɪŋseɪl] *n мор.* ли́сель.

**student** ['stjuːdənt] *n* 1) студе́нт; 2) изуча́ющий *(что-л.; of)*; учёный; 3) стипендиа́т *(в некоторых английских колле́джах)*.

**studentship** ['stjuːdəntʃɪp] *n* 1) студе́нческие го́ды; 2) стипе́ндия.

**stud farm** ['stʌd'fɑːm] *n* ко́нный заво́д.

**stud-horse** ['stʌdhɔːs] *n* племенно́й жеребе́ц.

**studied** ['stʌdɪd] 1. *p. p. от* study 2;
2. *a* 1) обду́манный, преднаме́ренный; ~ insult умы́шленное оскорбле́ние; 2) де́ланный; ~ politeness нарочи́тая любе́зность; 3) изуча́емый; 4) *редк.* начи́танный, зна́ющий.

**studio** ['stjuːdiou] *n (pl* -os [-ouz]) 1) сту́дия; ателье́, мастерска́я; 2) радиосту́дия; киносту́дия; телесту́дия.

**studio couch** ['stjuːdiou'kautʃ] *n* тахта́-крова́ть.

**studious** ['stjuːdjəs] *a* 1) за́нятый нау́кой; 2) стара́тельный, приле́жный, усе́рдный; 3) = studied 2,1) и 2).

**study** ['stʌdɪ] 1. *n* 1) изуче́ние, иссле́дование (of); нау́чные заня́тия; to make a ~ of тща́тельно изуча́ть; much given to ~ увлека́ющийся нау́чными заня́тиями; 2) *(обыкн. pl)* приобрете́ние зна́ний; обуче́ние; to begin one's studies приступа́ть к учёбе; 3) нау́ка; о́бласть нау́ки; 4) предме́т *(досто́йный)* изуче́ния; his face was a perfect ~ на его́ лицо́ сто́ило посмотре́ть; 5) цель уси́лий; стара́ние; her constant ~ was to work well она́ всегда́ стара́лась хорошо́ рабо́тать; 6) нау́чная рабо́та, моногра́фия; 7) глубо́кая заду́мчивость; in a brown ~ в (мра́чном) разду́мье; в размышле́нии; 8) рабо́чий кабине́т; 9) о́черк; 10) *иск.* этю́д, эски́з, набро́сок; 11) *муз.* этю́д, упражне́ние; 12) *театр.* тот, кто зау́чивает роль; he is a good ~ он бы́стро зау́чивает роль;
2. *v* 1) изуча́ть, иссле́довать; рассма́тривать; обду́мывать; 2) занима́ться; учи́ться; 3) гото́виться (к экза́мену и т. п.; for); he is ~ing for the bar он гото́вится к карье́ре адвока́та; 4) забо́титься *(о чём-л.)*; стреми́ться *(к чему́-л.)*, стара́ться; ~ to wrong по nan стара́йтесь никого́ не оби́деть;

to ~ another's comfort заботиться об удобстве других; to ~ one's own interests преследовать собственные интересы; 5) заучивать наизусть; 6) *уст.* размышлять; □ ~ out выяснить; разобрать; ~ up готовиться к экзамену.

**stuff** [stʌf] 1. *n* 1) материал; вещество; to collect the ~ for a book собирать материал для книги; raw ~ сырьё; green ~, garden ~ овощи; he is made of sterner ~ than his father у него более решительный характер, чем у его отца; a man with plenty of good ~ in him человек больших достоинств; this book is poor ~ эта книга ничего не стоит; 2) вещи, имущество; 3) лекарство (*тж.* doctor's ~); 4) дрянь, хлам, чепуха; ~ and nonsense! вздор!; do you call this ~ butter? неужели вы называете эту дрянь маслом?; 5) материя (*особ.* шерстяная); 6) *тех.* набивочный материал, прокладочный материал; 7) обращение, поведение; this is the sort of ~ to give them так и надо поступать с ними; они не заслуживают лучшего обращения; 8) *разг.* обман, надувательство; ◇ small ~ мелочи жизни, пустяки;
2. *v* 1) набивать, заполнять, забивать; начинять, фаршировать; 2) втискивать, засовывать; to ~ one's clothes into a suitcase запихивать вещи в чемодан; 3) затыкать; he ~ed his fingers into his ears он заткнул уши пальцами; 4) объедаться; жадно есть; 5) закармливать, кормить на убой; to ~ a child with sweets пичкать ребёнка сладостями; 6) пломбировать зуб; 7) *разг.* мистифицировать, обманывать; 8) *амер.* наполнять избирательные урны фальшивыми бюллетенями.

**stuffed shirt** ['stʌft'ʃɜːt] *n sl.* напыщенное ничтожество.

**stuffing** ['stʌfɪŋ] 1. *pres. p. от* stuff 2; 2. *n* 1) набивка (*подушки и т. п.*); прокладка; 2) начинка; 3) *амер.* наполнение избирательных урн фальшивыми бюллетенями.

**stuffing-box** ['stʌfɪŋbɔks] *n тех.* сальник.

**stuffy** ['stʌfɪ] *a* 1) спёртый, душный; 2) *разг.* щепетильный, обидчивый; 3) *разг.* строгий, пуританский.

**stultification** [,stʌltɪfɪ'keɪʃən] *n* выставление в смешном виде *и пр.* [*см.* stultify].

**stultify** ['stʌltɪfaɪ] *v* 1) выставлять в смешном виде; 2) сводить на нет (*результат работы и т. п.*).

**stum** [stʌm] 1. *n* муст, виноградное сусло; 2. *v* предупреждать *или* прекращать брожение.

**stumble** ['stʌmbl] 1. *n* 1) спотыкание; запинка; задержка; 2) ложный шаг, ошибка; 2. *v* 1) спотыкаться, оступаться (*тж. перен.*); 2) запинаться; ошибаться; to ~ through a lesson отвечать урок с запинкой; □ ~ across, ~ against случайно найти, натолкнуться на; ~ along ковылять; идти спотыкаясь; ~ at усомниться в чём-л.; сомневаться, колебаться; ~ (up)on натолкнуться на.

**stumbling-block** ['stʌmblɪŋblɔk] *n* камень преткновения.

**stumbling-stone** ['stʌmblɪŋstoun] *редк.* = stumbling-block.

**stumer** ['stjuːmə] *n sl.* 1) поддельная монета, банкнот *или* чек; 2) негодный человек.

**stump** [stʌmp] 1. *n* 1) пень; 2) обрубок; культя, ампутированная конечность; 3) пенёк (*зуба*); 4) окурок; 5) огрызок (*карандаша*); 6) коротышка; 7) *pl шутл.* ноги; to stir one's ~s *разг.* потора́пливаться, пошевеливаться; 8) тяжёлый шаг; 9) импровизированная трибуна; to go (*или* to be) on the ~ вести агитацию; 10) *амер.* вызов на соревнование (*в спорте, танце и т. п.*); 11) спица крикетных ворот; to draw ~s кончать игру (*в крикете*); 12) растушёвка, палочка для тушёвки; 13) *горн.* целик; ◇ to be up a ~ находиться в безвыходном положении, в растерянности;
2. *v* 1) срубать (*дерево*); обрубать (*сучья*); 2) корчевать; 3) ковылять, тяжело ступать (*тж.* ~ along); 4) *разг.* ставить в тупик; I am ~ed for an answer не знаю, что ответить; 5) совершать поездки, выступая с речами, агитировать; 6) *амер.* вызывать на соревнование; подзадоривать; 7) выбивать из игры (*в крикете*); □ ~ up *sl.* выкладывать деньги, платить; переплачивать.

**stumper** ['stʌmpə] *n разг.* озадачивающий вопрос; трудная работа.

**stump orator** ['stʌmp'ɔrətə] *n* оратор, выступающий с импровизированной трибуны; агитатор.

**stump oratory** ['stʌmp'ɔrətərɪ] *n* зажигательные речи; ходульные речи.

**stump puller** ['stʌmp'pulə] *n* корчеватель.

**stump speech** ['stʌmp'spiːtʃ] *n* 1) речь с импровизированной трибуны; 2) напыщенная, ходульная речь.

**stumpy** ['stʌmpɪ] *a* коренастый, приземистый; короткий и толстый; ~ fingers короткие, толстые пальцы.

**stun** [stʌn] *v* оглушать, ошеломлять.

**stung** [stʌŋ] *past и p. p. от* sting 2.

**stunk** [stʌŋk] *past и p. p. от* stink 2.

**stunner** ['stʌnə] *n sl.* 1) изумительный экземпляр; 2) замечательный человек; 3) потрясающее зрелище.

**stunning** ['stʌnɪŋ] 1. *pres. p. от* stun; 2. *a* 1) оглушающий, ошеломляющий; a ~ blow ужасное потрясение; 2) *разг.* сногсшибательный; 3) *разг.* великолепный.

**stunt** I [stʌnt] 1. *n* остановка в росте, задержка роста; 2. *v* останавливать рост.

**stunt** II [stʌnt] *разг.* 1. *n* 1) выступление (*на спортивных соревнованиях*); 2) штука, трюк, фокус; 3) *ав.* фигура высшего пилотажа;
2. *v* 1) демонстрировать смелость, ловкость; 2) показывать фокусы; 3) *ав.* совершать фигурные полёты.

**stunted** I ['stʌntɪd] 1. *p. p. от* stunt I, 2; 2. *a* низкорослый, чахлый.

**stunted** II ['stʌntɪd] *p. p. от* stunt II, 2.

**stupe** I [stjuːp] 1. *n* припарка; 2. *v* класть припарку.

**stupe** II [stjuːp] *n sl.* дурак.

**stupefaction** [ˌstjuːpɪ'fækʃən] *n* оцепенёние, остолбенёние.

**stupefy** ['stjuːpɪfaɪ] *v* 1) изумлять, поражать; ошеломлять; 2) притуплять ум *или* чувства.

**stupendous** [stjuː'pendəs] *a* изумительный; громадный; огромной важности.

**stupid** ['stjuːpɪd] *a* 1) глупый, тупой, бестолковый; дурацкий; 2) оцепенёвший; ~ with sleep осовёлый.

**stupidity** [stjuː'pɪdɪtɪ] *n* глупость, тупость.

**stupor** ['stjuːpə] *n* 1) оцепенёние, остолбенёние; 2) *мед.* ступор.

**sturdy** I ['stəːdɪ] *a* 1) сильный, крёпкий, здоровый; a ~ child крепыш; 2) стойкий, твёрдый.

**sturdy** II ['stəːdɪ] *n* вет. вертячка.

**sturgeon** ['stəːdʒən] *n* осётр.

**stutter** ['stʌtə] 1. *n* заикание; 2. *v* заикаться; запинаться; to ~ an apology неувёренно пробормотать извинёние.

**stutterer** ['stʌtərə] *n* заика.

**sty** I [staɪ] *n* 1) свиной хлев; 2) грязное помещёние.

**sty** II [staɪ] *n* мед. ячмёнь (*на глазу*).

**stye** [staɪ] = sty II.

**Stygian** ['stɪdʒɪən] *a* миф. стигийский; *перен.* адский, мрачный.

**style** [staɪl] 1. *n* 1) стиль; слог; манёра (*петь и т. п.*); 2) направлёние, школа (*в искусстве*); 3) мода, фасон; покрой; 4) изящество, вкус; шик, блеск; in ~ с шиком; to live in grand ~ жить на широкую ногу; 5) род, сорт, тип; that ~ of thing такого рода вещь; a gentleman of the old ~ джентльмён старой школы; 6) стиль (*способ летосчисления*); 7) стиль (*остроконечная палочка для писания у древних греков и римлян*); 8) поэт. перо, карандаш; 9) граммофонная иголка; 10) гравировальная игла; 11) *мед.* игла; 12) титул; give him his full ~ величайте его полным титулом; 2. *v* 1) титуловать; величать; 2) шить по моде; вводить в моду.

**stylet** ['staɪlɪt] *n* стилёт.

**stylish** ['staɪlɪʃ] *a* модный, элегантный; шикарный.

**stylist** ['staɪlɪst] *n* 1) стилист; 2) модельёр; 3) декоратор (*по украшению помещёний и т. п.*).

**stylistic** [staɪ'lɪstɪk] *a* стилистический.

**stylize** ['staɪlaɪz] *v* иск. изображать в традиционном стиле.

**stylo** ['staɪlou] *сокр. разг. см.* stylograph.

**stylograph** ['staɪləɡrɑːf] *n* 1) стилограф; 2) вёчное перо.

**stylus** ['staɪləs] *n* граммофонная иголка.

**stymie, stymy** ['staɪmɪ] *v* срывать; задёрживать (*план и т. п.*).

**styptic** ['stɪptɪk] 1. *a* кровоостанавливающий;
2. *n* кровоостанавливающее срёдство.

**Styx** [stɪks] *n* миф. Стикс; ◇ to cross the ~ умерёть.

**suability** [ˌsjuːə'bɪlɪtɪ] *n* подсудность.

**suable** ['sjuːəbl] *a* 1) ответственный пёред судом; 2) подсудный.

**suasion** ['sweɪʒən] *n* уговаривание; moral ~ увещевание.

**suave** [swɑːv] *a* 1) учтивый, обходительный; вкрадчивый; 2) мягкий (*о вине и т.п.*).

**suavity** ['swævɪtɪ] *n* обходительность и пр. [*см.* suave].

**sub** [sʌb] *сокр. разг.* 1. *n* 1) *см.* submarine; 2) *см.* subordinate 1; 3) *см.* subway; 4) *см.* subaltern 1; 5) *см.* sublieutenant; 6) *см.* subscription; 7) *см.* subscriber; 8) *см.* substitute 1;
2. *v см.* substitute 2.

**sub-** [sʌb-] *pref указывает на:* 1) *положение ниже чего-л. или под чем-л.:* subway а) подзёмная желёзная дорога; б) подзёмный ход; subcutaneous подкожный; 2) *подчинёние по службе, низший чин:* subeditor помощник редактора; 3) *более мелкое подразделёние:* subcommittee подкомиссия; subdivide подразделять(ся); 4) *передачу другому лицу:* subcontract передовёренный контракт; sublease субарёнда; 5) *недостаточное количество вещества в данном соединёнии:* suboxide недокись; 6) *незначительную стёпень, малое количество:* subaudible едва слышный.

**subahdar** [ˌsuːbɑː'dɑː] *n* англо-инд. ист. субадар, старший офицёр-индус роты сипаев.

**subaltern** ['sʌbltən] 1. *n* воен. младший офицёр;
2. *a* подчинённый.

**subaqueous** ['sʌb'eɪkwɪəs] *a* подводный.

**subarctic** ['sʌb'ɑːktɪk] *a* субарктический, предполярный.

**subaudition** ['sʌbɔː'dɪʃən] *n* подразумевание.

**subchaser** ['sʌb'tʃeɪsə] *n* амер. (морской) охотник (*корабль*).

**subchloride** ['sʌb'klɔːraɪd] *n* хим. закись хлора.

**sub-commissioner** ['sʌbkə'mɪʃnə] *n* помощник комиссара.

**subcommittee** ['sʌbkə,mɪtɪ] *n* подкомиссия.

**subconscious** ['sʌb'kɔnʃəs] *a* подсознательный.

**subcontract** 1. *n* ['sʌb'kɔntrækt] передовёренный контракт *или* договор;
2. *v* ['sʌbkən'trækt] заключать передовёренный контракт *или* договор.

**subcutaneous** ['sʌbkjuː'teɪnjəs] *a* подкожный.

**subdivide** ['sʌbdɪ'vaɪd] *v* подразделять (-ся).

**subdivisible** ['sʌbdɪ'vɪzəbl] *a* поддающийся дальнёйшему подразделёнию.

**subdivision** ['sʌbdɪ,vɪʒən] *n* подразделёние.

**subdual** [səb'djuəl] *n* подчинёние, покорёние.

**subduct** [səb'dʌkt] *v* редк. вычитать.

**subdue** [səb'djuː] *v* 1) подчинять, покорять; to ~ nature покорять природу; 2) смягчать; снижать, ослаблять; to ~ the enemy fire подавить огонь противника; 3) обрабатывать зёмлю.

**subdued** [səb'djuːd] 1. *p. p. от* subdue;
2. *a* 1) подчинённый, покорённый; 2) пониженный, ослабленный; мягкий; ~

spirits пониженное настроение; ~ voices приглушённые голоса.

**subedit** ['sʌb'edɪt] v редактировать отдёл (газеты и т. п.).

**subeditor** ['sʌb'edɪtə] n редактор отдёла; помощник редактора.

**subfamily** ['sʌb,fæmɪlɪ] n биол. подсемейство.

**subgroup** ['sʌbgruːp] n подгруппа.

**subhead** ['sʌbhed] n 1) подзаголовок; 2) заместитель директора школы.

**subjacent** [sʌb'dʒeɪsənt] a расположенный ниже, у основания.

**subject** 1. n ['sʌbdʒɪkt] 1) тёма; предмёт разговора; сюжёт; to dwell on a sore ~ останавливаться на больном вопросе; to change the ~ переменить тёму разговора; to traverse a ~ обсудить вопрос; 2) повод (for—к чему-л.); on the ~ of по поводу; 3) объёкт, предмёт (of); 4) предмёт, дисциплина; mathematics is my favourite ~ математика мой любимый предмёт; 5) подданный; 6) субъёкт, человёк; 7) грам. подлежащее; 8) филос. субъёкт; 9) муз. главная тёма; 10) труп (для вскрытия в анатомическом театре);

2. a ['sʌbdʒɪkt] 1) подчинённый, подвластный; ~ nations несамостоятельные государства; 2) подвёрженный (to); 3) подлежащий (to); 4): ~ to (употр. как adv) при условии, допуская, ёсли;

3. v [səb'dʒekt] 1) подчинять, покорять (to); 2) подвергать (воздействию, влиянию и т. п.); 3) представлять; to ~ a plan for consideration представить план на рассмотрёние.

**subject-heading** ['sʌbdʒɪkt,hedɪŋ] n предмётный указатель, индекс.

**subjection** [səb'dʒekʃən] n 1) покорёние, подчинёние; 2) зависимость; 3) подвергание.

**subjective** [sʌb'dʒektɪv] a 1) субъективный; 2) грам. свойственный подлежащему; ~ case именительный падёж.

**subjectivism** [sʌb'dʒektɪvɪzəm] n филос. субъективизм.

**subjectivity** [,sʌbdʒek'tɪvɪtɪ] n субъективность.

**subject-matter** ['sʌbdʒɪkt,mætə] n тёма, содержание (книги, разговора и т. п.); предмёт (дискуссии, обсуждения и т. п.).

**subjoin** ['sʌb'dʒɔɪn] v добавлять; приписывать в концё.

**subjugate** ['sʌbdʒugeɪt] v покорять, порабощать, подчинять.

**subjugation** [,sʌbdʒu'geɪʃən] n покорёние, подчинёние.

**subjugator** ['sʌbdʒugeɪtə] n покоритель, поработитель.

**subjunctive** [səb'dʒʌŋktɪv] грам. 1. n сослагательное наклонёние;

2. a сослагательный.

**sublease** ['sʌb'liːs] 1. n субарёнда;

2. v 1) брать на правах субарёнды; 2) сдавать на правах субарёнды.

**sublessee** ['sʌble'siː] n субарендатор.

**sublessor** ['sʌble'sɔː] n отдающий в субарёнду.

**sublet** ['sʌb'let] v передавать в субарёнду.

**sublibrarian** ['sʌblaɪ'brɛərɪən] n помощник библиотёкаря.

**sublieutenant** ['sʌble'tenənt] n мор. младший лейтенант.

**sublimate** 1. n ['sʌblɪmɪt] хим. 1) сублимат, возгон; 2) сулема;

2. v ['sʌblɪmeɪt] 1) хим. сублимировать, возгонять; 2) перен. возвышать, очищать.

**sublimation** [,sʌblɪ'meɪʃən] n хим. возгонка, сублимация.

**sublime** [sə'blaɪm] 1. a 1) величественный, высокий, возвышенный, грандиозный; the S. Porte см. Porte; 2) гордый, надмённый; ~ indifference высокомёрное равнодушие;

2. n: the ~ возвышенное, великое;

3. v = sublimate 2.

**subliminal** [sʌb'lɪmɪnl] a подсознательный.

**sublimity** [sə'blɪmɪtɪ] n возвышенность, величественность.

**sublunar** [sʌb'luːnə] редк. = sublunary.

**sublunary** [sʌb'luːnərɪ] a подлунный, земной.

**submachine-gun** ['sʌbmə'ʃiːngʌn] n пистолёт-пулемёт, автомат.

**submarine** ['sʌbməriːn] 1. n 1) подводная лодка; 2) подводное растёние или животное;

2. a подводный; ~ speed скорость под водой; ~ force подводный флот; ~ base база подводных лодок; ~ chaser морской охотник (корабль);

3. v потопить подводной лодкой.

**submerge** [səb'məːdʒ] v 1) затоплять; 2) погружать(ся).

**submerged** [səb'məːdʒd] 1. p. p. от submerge;

2. a 1) затопленный; погружённый; 2) обременённый долгами; the ~ tenth беднёйшая часть населёния.

**submergence** [səb'məːdʒəns] n 1) погружёние в воду; 2) затоплёние.

**submerse** [səb'məːs] 1. a = submersed 2;

2. v редк. погружать в воду.

**submersed** [səb'məːst] 1. p. p. от submerse 2;

2. a растущий под водой, подводный.

**submersible** [səb'məːsɪbl] 1. a пригодный для дёйствия под водой;

2. n редк. подводная лодка.

**submersion** [səb'məːʃən] = submergence.

**submission** [səb'mɪʃən] n 1) покорёние; 2) повиновёние, покорность; with all due ~ с должным смирёнием и уважёнием; 3) представлёние, подача (документов и т. п.).

**submissive** [səb'mɪsɪv] a покорный; смирённый.

**submit** [səb'mɪt] v 1) подчинять(ся), покорять(ся); I will not ~ to such treatment я не потерплю такого обращёния; 2) представлять на рассмотрёние; to ~ a question задать вопрос в письменном виде; 3) почтительно указывать; I ~ that a material fact has been passed over я смёю утверждать, что существенный факт был пропущен.

**submontane** [sʌb'mɔnteɪn] a находящийся у подножия горы.

**subnormal** ['sʌb'nɔːməl] 1. a ниже нормального;

2. n мат. поднормаль.

**suborder** ['sʌb'ɔːdə] *n* биол. подотряд.

**subordinate 1.** *a* [sə'bɔːdnɪt] 1) подчинённый (to); 2) второстепенный, низший; 3) *грам.* придаточный; ~ clause придаточное предложение;
2. *n* [sə'bɔːdnɪt] подчинённый;
3. *v* [sə'bɔːdɪneɪt] подчинять.

**subordination** [sə,bɔːdɪ'neɪʃən] *n* 1) подчинение, субординация; подчинённость; 2) *грам.* подчинение.

**suborn** [sʌ'bɔːn] *v* подкупать; склонять к (клятво)преступлению.

**subornation** [,sʌbɔː'neɪʃən] *n* подкуп; попытка склонить к незаконному действию (*особ.* к клятвопреступлению).

**suborner** [sə'bɔːnə] *n* дающий взятку, взяткодатель.

**suboxide** [sʌb'ɔksɪd] *n* хим. недокись.

**subpoena** [səb'piːnə] 1. *n* повестка с вызовом в суд;
2. *v* вызывать в суд.

**subpolar** ['sʌb'poulə] *a* субполярный.

**subreption** [sʌb'repʃən] *n* искажение фактов; неправильная интерпретация.

**subscribe** [səb'skraɪb] *v* 1) подписывать (-ся) (*под чем-л.*); 2) подписываться (to, for—на *газеты, журналы и т. п.*); 3) жертвовать деньги; 4) присоединяться, соглашаться (to).

**subscriber** [səb'skraɪbə] *n* 1) подписчик; 2) абонент; 3) жертвователь.

**subscription** [səb'skrɪpʃən] *n* 1) подписание; 2) подпись (*на документе*); 3) подписка; взнос; to take up (*или* to make) a ~ собирать деньги (*для кого-л.*); 4) общая сумма подписки; 5) *attr.* подписной; ~ list подписной лист.

**subsection** ['sʌb,sekʃən] *n* подсекция.

**subsequent** ['sʌbsɪkwənt] *a* последующий; ~ to his death после его смерти; ~ upon являющийся результатом; ~ reinforcement *воен.* пополнения из тыла.

**subsequently** ['sʌbsɪkwəntlɪ] *adv* впоследствии, потом, позже.

**subserve** [səb'səːv] *v* содействовать.

**subservience, -cy** [səb'səːvjəns, -sɪ] *n* 1) подхалимство, раболепство; 2) полезность, содействие (*цели*).

**subservient** [səb'səːvjənt] *a* 1) раболепный; 2) служащий средством, содействующий (to).

**subside** [səb'saɪd] *v* 1) падать, убывать; the fever has ~d температура спала; 2) утихать, умолкать; the gale ~d буря утихла; 3) оседать (*о почве и т. п.*); 4) (*обыкн. шутл.*) опускаться; he ~d into an arm-chair он опустился в кресло.

**subsidence** [səb'saɪdəns] *n* падение и пр. [*см.* subside].

**subsidiary** [səb'sɪdjərɪ] 1. *a* 1) вспомогательный, дополнительный; 2) субсидируемый;
2. *n* = subsidiary company.

**subsidiary company** [səb'sɪdjərɪ'kʌmpənɪ] *n* филиал.

**subsidize** ['sʌbsɪdaɪz] *v* субсидировать.

**subsidy** ['sʌbsɪdɪ] *n* субсидия, денежное ассигнование, дотация.

**subsist** [səb'sɪst] *v* 1) существовать;

2) жить, кормиться (*пищей*; on); жить (by—*чем-л.*); 3) прокормить; содержать.

**subsistence** [səb'sɪstəns] *n* 1) существование, пропитание; 2) средства к существованию (*тж.* means of ~).

**subsoil** ['sʌbsɔɪl] *n* подпочва.

**substance** ['sʌbstəns] *n* 1) вещество; 2) *филос.* материя, вещество, субстанция; 3) сущность, суть, содержание; in ~ по существу, по сути; devoid of ~ лишённый основания; to have no ~ не иметь основания; 4) реальность, действительность; реальная ценность; 5) имущество, состояние; a man of ~ состоятельный человек.

**substandard** ['sʌb'stændəd] *a* 1) ниже установленного стандарта; 2) *лингв.* не соответствующий языковой норме.

**substantial** [səb'stænʃəl] *a* 1) реальный, вещественный; 2) существенный, важный, значительный; ~ contribution большой вклад; ~ improvement заметное улучшение; 3) прочный, крепкий; 4) состоятельный; 5) питательный.

**substantiality** [səb,stænʃɪ'ælɪtɪ] *n* реальность и пр. [*см.* substantial].

**substantially** [səb'stænʃəlɪ] *adv* 1) по существу, в основном; в значительной степени; 2) прочно, основательно.

**substantiate** [səb'stænʃɪeɪt] *v* 1) приводить достаточные основания, доказывать, подтверждать; this view is ~d эта точка зрения подтверждается; 2) придавать конкретную форму, делать реальным.

**substantiation** [səb,stænʃɪ'eɪʃən] *n* 1) доказывание; 2) доказательство.

**substantival** [,sʌbstən'taɪvəl] *a* грам. употребляемый как существительное, относящийся к существительному.

**substantive** ['sʌbstəntɪv] 1. *a* 1) самостоятельный, независимый; ~ rank *воен.* действительный чин, звание; 2) *грам.*: ~ verb глагол to be; noun ~ имя существительное;
2. *n* грам. имя существительное.

**substation** [sʌb'steɪʃən] *n* эл. подстанция.

**substitute** ['sʌbstɪtjuːt] 1. *n* 1) заместитель; 2) замена; 3) заменитель; суррогат; 2. *v* 1) заменять; замещать (for—*кого-л.*); 2) подставлять.

**substitution** [,sʌbstɪ'tjuːʃən] *n* 1) замена, замещение; 2) *мат.* подстановка; 3) *attr.* подстановочный; ~ tables подстановочные таблицы.

**substrata** ['sʌb'strɑːtə] *pl om* substratum.

**substratosphere** [sʌb'strætousfɪə] *n* субстратосфера.

**substratum** ['sʌb'strɑːtəm] *n* (*pl* -ta) 1) нижний слой; 2) основание; 3) подпочва; 4) *филос.* субстрат.

**substruction** ['sʌb'strʌkʃən] = substructure.

**substructure** ['sʌb,strʌktʃə] *n* фундамент, основание.

**subsume** ['sʌb'sjuːm] *v* относить к какой-л. категории.

**subsurface** ['sʌb'səːfɪs] *a* 1) находящийся, лежащий под поверхностью; 2) подводный.

**subtenant** ['sʌb'tenənt] *n* субарендатор.

**subtend** [səb'tend] v *геом.* стя́гивать (дугу́); противолежа́ть.

**subtense** [səb'tens] n *геом.* хо́рда *или* сторона́ треуго́льника (*противоположная углу*).

**subterfuge** ['sʌbtəfjuːdʒ] n уве́ртка, отгово́рка.

**subterranean** [,sʌbtə'reɪnjən] a 1) подзе́мный; 2) секре́тный, подпо́льный.

**subterraneous** [,sʌbtə'reɪnjəs] = subterranean.

**subtil(e)** ['sʌtl] *уст.* = subtle.

**subtilize** ['sʌtɪlaɪz] v 1) утонча́ть; 2) вдава́ться в то́нкости, мудри́ть.

**subtitle** ['sʌb,taɪtl] n 1) подзаголо́вок; 2) субти́тр.

**subtle** ['sʌtl] a 1) то́нкий, не́жный, неулови́мый; 2) о́стрый, то́нкий (*об уме, замечании и т. п.*); 3) утончённый; ~ delight утончённое наслажде́ние; 4) иску́сный; ~ device хитроу́мное приспособле́ние; ~ fingers ло́вкие па́льцы; 5) тру́дный, запу́танный; 6) хи́трый, кова́рный; вкра́дчивый.

**subtlety** ['sʌtltɪ] n 1) то́нкость, не́жность; 2) острота́, то́нкость (*ума, восприя́тия*); 3) утончённость; 4) то́нкое разли́чие; 5) иску́сность; 6) хи́трость, кова́рство.

**subtorrid** [sʌb'tɔrɪd] = subtropical.

**subtract** [səb'trækt] v *мат.* вычита́ть.

**subtraction** [səb'trækʃən] n *мат.* вычита́ние.

**subtrahend** ['sʌbtrəhend] n *мат.* вычита́емое.

**subtropical** ['sʌb'trɔpɪkəl] a субтропи́ческий.

**subulate** ['sjuːbjuːleɪt] a шилови́дный.

**suburb** ['sʌbəːb] n 1) при́город; 2) pl предме́стья, окре́стности; 3) *attr.* при́городный.

**suburban** [sə'bəːbən] 1. a 1) при́городный; 2) у́зкий, ограни́ченный, провинциа́льный; 2. n жи́тель при́города.

**suburbanite** ['sʌbəːbənaɪt] n жи́тель при́города.

**subvene** [sʌb'viːn] v соде́йствовать, помога́ть, случа́йно оказа́вшись поблизости.

**subvention** [səb'venʃən] n субси́дия, дота́ция.

**subversion** [sʌb'vəːʃən] n ниспроверже́ние, сверже́ние; ги́бель.

**subversive** [sʌb'vəːsɪv] a 1) разруши́тельный, ги́бельный, губи́тельный; 2) подрывно́й; ~ activities подрывна́я де́ятельность.

**subvert** [sʌb'vəːt] v сверга́ть, ниспроверга́ть; разруша́ть.

**subway** ['sʌbweɪ] n 1) тонне́ль; 2) *амер.* метрополите́н.

**succeed** [sək'siːd] v 1) сле́довать за *чем-л.*, *кем-л.*; быть прее́мником, сменя́ть; the generation that ~s us бу́дущее поколе́ние; 2) *амер.*: to ~ oneself быть переизбра́нным; 3) насле́довать (to); 4) достига́ть це́ли, преуспева́ть (in); име́ть успе́х; to ~ in life преуспе́ть в жи́зни, сде́лать карье́ру, вы́двинуться.

**success** [sək'ses] n 1) успе́х, уда́ча; to be crowned with ~ увенча́ться успе́хом; 2) челове́к, по́льзующийся успе́хом; произведе́ние, получи́вшее призна́ние *и т. п.*;

the experiment is a ~ о́пыт уда́лся; I count that book among my ~es я счита́ю, что э́та кни́га моя́ больша́я уда́ча; she was a great ~ as a singer её пе́ние име́ло большо́й успе́х; ◇ nothing succeeds like ~ *посл.* успе́х влечёт за собо́й но́вый успе́х; ~ is never blamed *посл.* ≅ победи́теля не су́дят.

**successful** [sək'sesful] a 1) успе́шный, уда́чный; to be ~ име́ть успе́х; 2) уда́чливый, преуспева́ющий; I was not ~ я не доби́лся успе́ха.

**succession** [sək'seʃən] n 1) после́довательность; 2) непреры́вный ряд; in ~ подря́д; a ~ of disasters непреры́вная цепь несча́стий; 3) прее́мство, прее́мственность; пра́во насле́дования; поря́док престолонасле́дия; in ~ to smb. в ка́честве чьего́-л. прее́мника, насле́дника; 4) *attr.*: ~ duties нало́г на насле́дство; ◇ the S. States *ист.* госуда́рства, образова́вшиеся по́сле распа́да Австро-Ве́нгрии.

**successive** [sək'sesɪv] a 1) после́дующий; 2) сле́дующий оди́н за други́м, после́довательный; it has rained for three ~ days дождь идёт три дня подря́д.

**successor** [sək'sesə] n прее́мник, насле́дник (to, of).

**succinct** [sək'sɪŋkt] a 1) сжа́тый, кра́ткий; 2) *поэт.* опоя́санный.

**succinite** ['sʌksɪnaɪt] n *мин.* сукцини́т; *уст.* янта́рь.

**succory** ['sʌkərɪ] n цико́рий.

**succotash** ['sʌkətæʃ] n *амер.* блю́до из зелёной кукуру́зы, бобо́в и солёной свини́ны.

**succour** ['sʌkə] 1. n 1) по́мощь, ока́занная в тяжёлую мину́ту; 2) pl *уст.* подкрепле́ния. 2. v помога́ть, приходи́ть на по́мощь; подде́рживать.

**succulence** ['sʌkjuləns] n со́чность, мяси́стость.

**succulent** ['sʌkjulənt] a со́чный.

**succumb** [sə'kʌm] v 1) быть побеждённым; уступа́ть, не выде́рживать (to); to ~ to temptation подда́ться искуше́нию; 2) умере́ть (to—от *чего-л.*); to ~ to pneumonia умере́ть от воспале́ния лёгких.

**such** [sʌtʃ] 1. a 1) тако́й; don't be in a hurry не спеши́те так; there are no ~ doings now тепе́рь подо́бных веще́й не быва́ет; and ~ things и тому́ подо́бное; ~ as a) как наприме́р; б) тако́й, как; her conduct was ~ as might be expected она́ вела́ себя́ так, как э́того мо́жно бы́ло ожида́ть; в) тот, кото́рый; he will have no books but ~ as I'll let him have он не полу́чит никаки́х книг, кро́ме тех, кото́рые я разрешу́ ему́ взять; 2) тако́й далёкий, тако́й многочи́сленный *и т. п.*; it was ~ miles away э́то бы́ло так далеко́; ◇ ~ master ~ servant *посл.* како́в хозя́ин, тако́в и слуга́.

2. *pron. demonstr.* таково́й; ~ was the agreement таково́ бы́ло соглаше́ние; all ~ таки́е лю́ди; and ~ *разг.* и тому́ подо́бные; as ~ как таково́й; по существу́; there are no hotels as ~ in this town в э́том го́роде нет настоя́щих гости́ниц; we note your remarks and in reply to ~... мы принима́ем

к све́дению ва́ши замеча́ния и в отве́т на них...

**such-and-such** ['sʌtʃənsʌtʃ] *a* тако́й-то.

**suchlike** ['sʌtʃlaɪk] 1. *a* подо́бный, тако́й; 2. *n*: and ~ и тому́ подо́бные.

**suck** [sʌk] 1. *n* 1) соса́ние; to take a ~ пососа́ть; 2) вса́сывание, заса́сывание; 3) небольшо́й глото́к; 4) матери́нское моло́ко; to give ~ (to) корми́ть гру́дью; 5) *школ. sl.* неприя́тность; прова́л; what a ~ (*или* ~s)! попа́лся!; 6) *школ. sl.* сла́сти; 2. *v* 1) соса́ть; вса́сывать (*тж.* ~ in); the pump ~s насо́с вбира́ет во́здух вме́сто воды́; 2): to ~ dry вы́сосать, истощи́ть; □ ~ at соса́ть, поса́сывать (*трубку и т. п.*); ~ in a) вса́сывать, впи́тывать (*тж. знания и т. п.*); б) заса́сывать (*о водоворо́те*); в) *sl.* обману́ть, обста́вить; г) *амер. разг.* всему́ ве́рить; ~ out выса́сывать; to ~ advantage out of smth. извлека́ть вы́году из чего́-л.; ~ up a) вса́сывать; поглоща́ть; б) *школ. sl.* подли́зываться; ◇ to ~ smb.'s brain присва́ивать чужи́е мы́сли.

**sucked** [sʌkt] 1. *p. p. от* suck 2; 2. *a* вы́сосанный; a ~ orange ≅ «вы́жатый лимо́н».

**sucker** ['sʌkə] *n* 1) сосу́н(о́к) (*особ. моло́чный поросёнок или детёныш кита́*); 2) леденец на па́лочке; 3) *разг.* парази́т; 4) *sl.* молокосо́с, проста́к; 5) *зоол.* присо́сок; 6) *бот.* отро́сток; боково́й побе́г; 7) *тех.* по́ршень насо́са; 8) вса́сывающая труба́.

**sucking** ['sʌkɪŋ] 1. *pres. p. от* suck 2; 2. *a* 1) грудно́й (*о ребёнке*); 2) нео́пытный, начина́ющий; 3) *тех.* вса́сывающий.

**sucking-pig** ['sʌkɪŋpɪg] *n* моло́чный поросёнок.

**suckle** ['sʌkl] *v* 1) корми́ть гру́дью; 2) дава́ть соса́ть вы́мя; 2) вска́рмливать.

**suckling** ['sʌklɪŋ] *n* 1) грудно́й ребёнок; 2) сосу́н(о́к).

**suck-up** ['sʌkʌp] *n школ. sl.* подли́за.

**sucre** ['suːkreɪ] *n* сукре́ (*денежная едини́ца Эквадо́ра*).

**suction** ['sʌkʃən] *n* 1) соса́ние, вса́сывание; приса́сывание; 2) *attr.* вса́сывающий.

**suctorial** [sʌk'tɔːrɪəl] *a зоол.* сосу́щий; приспосо́бленный для соса́ния.

**Sudanese** [ˌsuːdə'niːz] 1. *a* суда́нский; 2. *n* суда́нец; суда́нка; the ~ *pl собир.* суда́нцы.

**Sudani** [suː'dɑːnɪ] 1. *n* суда́нский диале́кт ара́бского языка́; 2. *a* = Sudanese 1.

**sudatoria** [ˌsjuːdə'tɔːrɪə] *pl от* sudatorium.

**sudatorium** [ˌsjuːdə'tɔːrɪəm] *n* (*pl* -ria) пари́льня (*в бане*).

**sudd** [sʌd] *n* ма́сса плаву́чих расте́ний на Бе́лом Ни́ле.

**sudden** ['sʌdn] 1. *a* 1) внеза́пный, неожи́данный; 2) стреми́тельный, поспе́шный; to be ~ in one's actions быть о́чень стреми́тельным в свои́х де́йствиях; 2. *n*: (all) of a ~, on a ~ внеза́пно, вдруг.

**suddenly** ['sʌdnlɪ] *adv* внеза́пно, вдруг.

**sudoriferous** [ˌsjuːdə'rɪfərəs] *a* 1) *анат.* потово́й; 2) *мед.* потого́нный.

**sudorific** [ˌsjuːdə'rɪfɪk] 1. *a* потого́нный; 2. *n* потого́нное сре́дство.

**suds** [sʌdz] *n pl* мы́льная пе́на *или* вода́; ◇ to be in the ~ быть в затрудне́нии, в замеша́тельстве.

**sudsy** ['sʌdsɪ] *a* мы́льный, пе́нистый.

**sue** [sjuː] *v* 1) пресле́довать суде́бным поря́дком; возбужда́ть де́ло (*против кого́-л.*); to ~ a person for libel возбужда́ть про́тив кого́-л. де́ло за клевету́; 2) проси́ть (to— кого́-л., for— о чём-л.); to ~ to a law-court for redress иска́ть защи́ты у суда́; □ ~ out выхло́потать (*в суде*).

**suède** [sweɪd] *фр. n* 1) за́мша; 2) *attr.* за́мшевый.

**suet** [sjuɪt] *n* по́чечное *или* нутряно́е са́ло.

**suffer** ['sʌfə] *v* 1) страда́ть; испы́тывать, претерпева́ть; he ~s from headaches он страда́ет от головны́х бо́лей; to ~ a loss потерпе́ть убы́ток; 2) позволя́ть, дозволя́ть, терпе́ть, сноси́ть; I cannot ~ him я его́ не выношу́; 3) *уст.* быть казнённым.

**sufferance** ['sʌfərəns] *n* 1) терпе́ние, терпели́вость; it is beyond ~ э́то невозмо́жно терпе́ть; 2) *уст.* молчали́вое согла́сие, попусти́тельство; he is here on (*или* upon) ~ его́ здесь те́рпят.

**sufferer** ['sʌfərə] *n* 1) страда́лец; 2) пострада́вший.

**suffering** ['sʌfərɪŋ] 1. *pres. p. от* suffer; 2. *n* страда́ние; 3. *a* страда́ющий.

**suffice** [sə'faɪs] *v* быть доста́точным, хвата́ть; удовлетворя́ть; ~ it to say доста́точно сказа́ть.

**sufficiency** [sə'fɪʃənsɪ] *n* 1) доста́точность; доста́ток; 2) *уст.* спосо́бность, уме́ние.

**sufficient** [sə'fɪʃənt] 1. *a* 1) доста́точный; he had not ~ courage for it у него́ не хвати́ло сме́лости; 2) име́ющий (*что-л.*) в доста́точном коли́честве; 3) *уст.* уме́лый, подходя́щий; 2. *n разг.* доста́точное коли́чество.

**suffix** ['sʌfɪks] *грам.* 1. *n* су́ффикс; 2. *v* прибавля́ть (су́ффикс).

**suffocant** ['sʌfəkənt] 1. *a* уду́шливый, удуша́ющий; 2. *n* отравля́ющее вещество́ удуша́ющего де́йствия.

**suffocate** ['sʌfəkeɪt] *v* 1) души́ть, удуша́ть; 2) задыха́ться.

**suffocation** [ˌsʌfə'keɪʃən] *n* 1) удуше́ние; 2) уду́шье.

**suffragan** ['sʌfrəgən] *n* вика́рный епи́скоп (*тж.* ~ bishop).

**suffrage** ['sʌfrɪdʒ] *n* 1) пра́во го́лоса, избира́тельное пра́во; manhood (womanhood) ~ избира́тельное пра́во для всех взро́слых мужчи́н (же́нщин); universal ~ всео́бщее избира́тельное пра́во; 2) го́лос (*особ. в защи́ту чего́-л.*); 3) одобре́ние, согла́сие; 4) (*тж. pl*) *церк.* ектенья́.

**suffragette** [ˌsʌfrə'dʒet] *n* суффражи́стка.

**suffragist** ['sʌfrədʒɪst] *n* сторо́нник равнопра́вия же́нщин.

**suffuse** [sə'fjuːz] *v* залива́ть (*слеза́ми*); покрыва́ть (*румя́нцем, кра́ской*).

**suffusion** [sə'fjuːʒən] *n* 1) кра́ска, румя́нец; 2) покры́тие.

**sugar** ['ʃugə] 1. *n* 1) са́хар; 2) лесть; 3) *хим.* сахаро́за; 4) *attr.* са́харный;

**2.** *v* 1) обса́харивать, подсла́щивать; 2) льстить; 3) *sl.* рабо́тать с прохла́дцей, выезжа́ть на други́х.

**sugar-basin** [ˈʃugəˌbeɪsn] *n* са́харница.

**sugar-beet** [ˈʃugəbiːt] *n* са́харная свёкла.

**sugar-bowl** [ˈʃugəboul] = sugar-basin.

**sugar candy** [ˈʃugəˈkændɪ] *n* ледене́ц.

**sugar-cane** [ˈʃugəkeɪn] *n* са́харный тростни́к.

**sugar-coat** [ˈʃugəkout] *v* 1) покрыва́ть са́харом; 2) приукра́шивать.

**sugar-daddy** [ˈʃugəˌdædɪ] *n амер. sl.* пожило́й покло́нник молодо́й же́нщины, де́лающий бога́тые пода́рки.

**sugar-house** [ˈʃugəhaus] *n* са́харный заво́д.

**sugar-loaf** [ˈʃugəlouf] *n* 1) голова́ са́хару; 2) со́пка, остроконе́чный холм; 3) шля́па с конусообра́зной тулье́й.

**sugar-pine** [ˈʃugəpaɪn] *n* сосна́ са́харная.

**sugarplum** [ˈʃugəplʌm] *n* 1) кру́глый ледене́ц; 2) комплиме́нт; пода́рок; 3) *разг.* взя́тка.

**sugar-refinery** [ˈʃugərɪˌfaɪnərɪ] *n* рафина́дный заво́д.

**sugar-tongs** [ˈʃugətɔŋz] *n* щипцы́ для са́хара.

**sugary** [ˈʃugərɪ] *a* 1) са́харный, сла́дкий; 2) сахари́стый; 3) при́торный, льсти́вый.

**suggest** [səˈdʒest] *v* 1) предлага́ть, сове́товать (that); 2) внуша́ть, вызыва́ть; подска́зывать *(мысль)*; намека́ть; наводи́ть на мысль; говори́ть о, означа́ть; does the name ~ nothing to you? ра́зве э́то и́мя вам ничего́ не говори́т?; an idea ~ed itself to me мне пришла́ в го́лову мысль; it will not be ~ed тру́дно допусти́ть.

**suggestibility** [səˌdʒestɪˈbɪlɪtɪ] *n* внуша́емость.

**suggestible** [səˈdʒestɪbl] *a* 1) поддаю́щийся внуше́нию; 2) могу́щий быть внушённым.

**suggestion** [səˈdʒestʃən] *n* 1) сове́т, предложе́ние; to make a ~ a) пода́ть мысль; б) внести́ предложе́ние; 2) намёк, указа́ние; there was a ~ of truth in what he said в его́ слова́х была́ до́ля пра́вды; full of ~ многозначи́тельный; наводя́щий на размышле́ние; 3) внуше́ние; 4) собла́зн.

**suggestive** [səˈdʒestɪv] *a* 1) вызыва́ющий мы́сли; this book is very ~ э́та кни́га заставля́ет ду́мать; 2) намека́ющий на что-л. непристо́йное; неприли́чный.

**suicidal** [sjuɪˈsaɪdl] *a* 1) самоуби́йственный; 2) уби́йственный; губи́тельный, ги́бельный.

**suicide** [ˈsjuɪsaɪd] **1.** *n* 1) самоуби́йство; to commit ~ поко́нчить с собо́й; 2) самоуби́йца; 3) прова́л пла́нов, крах наде́жд *и т. п.* по со́бственной вине́;
**2.** *v амер.* поко́нчить с собо́й.

**suit** [sjuːt] **1.** *n* 1) проше́ние; хода́тайство; ~ for pardon хода́тайство о поми́ловании; to grant smb.'s ~ испо́лнить чью-л. про́сьбу; to make a ~ to smth. смире́нно проси́ть; 2) сватовство́; уха́живание; to press one's ~ добива́ться благоскло́нности; to prosper in one's ~ доби́ться успе́ха в сватовстве́; 3) *юр.* тя́жба, проце́сс; to bring a ~ against smb. предъяви́ть иск кому́-л.; to be at ~ су-

ди́ться; 4) набо́р, компле́кт; 5) мужско́й костю́м *(тж.* ~ of clothes); a ~ of dittos по́лный костю́м из одного́ материа́ла; dress ~ мужско́й вече́рний туале́т, фрак; a two-piece ~ да́мский костю́м *(юбка и жакет)*; 6) согла́сие, гармо́ния; in ~ with smb. заодно́ с кем-л.; of a ~ with smth. схо́дный, гармони́рующий с чем-л.; 7) *карт.* масть; to follow ~ ходи́ть в масть; *перен.* сле́довать приме́ру; подража́ть; long ~ си́льная масть; short ~ сла́бая масть; ◇ in one's birthday ~ го́лый, в чём мать родила́;
**2.** *v* 1) удовлетворя́ть тре́бованиям; быть удо́бным, устра́ивать; will that time ~ you? э́то вре́мя вас устро́ит?; to ~ oneself выбира́ть по вку́су; ~ yourself де́лайте, как вам нра́вится; 2) быть поле́зным, приго́дным; meat does not ~ me мя́со мне вре́дно; 3) годи́ться; соотве́тствовать, подходи́ть; быть к лицу́; 4) приспоса́бливать; to ~ the action to the word подкрепля́ть слова́ дела́ми; приводи́ть в исполне́ние; he is not ~ed to be *(или* for) a teacher учи́теля из него́ не полу́чится.

**suitable** [ˈsjuːtəbl] *a* подходя́щий, соотве́тствующий, го́дный.

**suitcase** [ˈsjuːtkeɪs] *n* небольшо́й пло́ский чемода́н; ◇ to live out of a ~ быть коммивояжёром.

**suite** [swiːt] *n* 1) сви́та; 2) набо́р, компле́кт; ~ of furniture гарниту́р ме́бели; ~ of rooms a) анфила́да ко́мнат, апарта́менты; б) ко́мнаты, занима́емые одни́м челове́ком *(в гостинице)*; поко́и; 3) *муз.* сюи́та; 4) *геол.* се́рия, сви́та.

**suited** [ˈsjuːtɪd] **1.** *p. p. от* suit 2;
**2.** *a* подходя́щий, соотве́тствующий, го́дный.

**suiting** [ˈsjuːtɪŋ] **1.** *pres. p. от* suit 2;
**2.** *n (часто pl)* материа́л для костю́мов.

**suitor** [ˈsjuːtə] *n* 1) покло́нник; 2) проси́тель; 3) *юр.* исте́ц.

**sulfa** [ˈsʌlfə] = sulpha.

**sulfa drugs** [ˈsʌlfəˈdrʌgz] = sulpha drugs.

**sulk** [sʌlk] **1.** *n (обыкн. pl)* дурно́е настрое́ние; to take the ~s дуться; быть серди́тым; in the ~s в плохо́м настрое́нии;
**2.** *v* ду́ться; быть серди́тым, мра́чным.

**sulky I** [ˈsʌlkɪ] *a* 1) наду́тый, угрю́мый, мра́чный; 2) мра́чный, гнету́щий *(о погоде и т. п.)*; a ~ day су́мрачный день.

**sulky II** [ˈsʌlkɪ] *n* одноме́стная двуко́лка.

**sullen** [ˈsʌlən] **1.** *a* 1) угрю́мый, за́мкнутый, серди́тый; 2) мра́чный, нея́ркий *(о цвете)*; приглушённый *(о звуке)*; злове́щий; 4) ме́дленный;
**2.** *n (the ~s) pl* = sulk 1.

**sully** [ˈsʌlɪ] *v* па́чкать, пятна́ть.

**sulpha** [ˈsʌlfə] **1.** *a фарм.* сульфами́дный;
**2.** = sulpha drugs.

**sulpha drugs** [ˈsʌlfəˈdrʌgz] *n pl фарм.* лека́рственные сульфами́дные препара́ты.

**sulphate** [ˈsʌlfeɪt] *n хим.* соль се́рной кислоты́, сульфа́т; ~ of copper (iron, zinc) ме́дный (желе́зный, ци́нковый) купоро́с.

**sulphide** [ˈsʌlfaɪd] *n хим.* сульфи́д, серни́стое соедине́ние.

**sulphite** [ˈsʌlfaɪt] *n хим.* сульфи́т, соль серни́стой кислоты́.

**sulphur** ['sʌlfə] 1. *n* 1) *хим.* céра; flowers of ~ сéрный цвет; 2) зеленовáто-жёлтый цвет; 3) бáбочка из семéйства беля́нок; 2. *a* зеленовáто-жёлтый; 3. *v* окýривать сéрой.

**sulphurate** ['sʌlfjureit] *v* 1) пропи́тывать сéрой; 2) окýривать сéрой. •

**sulphureous** [sʌl'fjuərɪəs] *a* 1) *хим.* серни́стый; 2) зеленовáто-жёлтый.

**sulphuretted** ['sʌlfjuretɪd] *a хим.* сульфи́рованный; ~ hydrogen сероводорóд.

**sulphuric** [sʌl'fjuərɪk] *a хим.* сéрный; ~ acid сéрная кислотá.

**sulphurize** ['sʌlfəraɪz] = sulphurate.

**sulphurous** ['sʌlfərəs] *a* 1)=sulphureous; 2) *перен.* накалённый; 3) *перен.* стрáстный; óгненный.

**sulphur-spring** ['sʌlfəsprɪŋ] *n* сéрный истóчник.

**sulphury** ['sʌlfərɪ] *a* похóжий на сéру; сéрный, серни́стый.

**sultan** ['sʌltən] *n* 1) султáн; 2) порóда бéлых кур.

**sultana** [sʌl'tɑːnə] *n* 1) султáнша; женá, дочь, сестрá *или* мать султáна; 2) фаворúтка; 3) [səl'tɑːnə] сорт бессемя́нного изю́ма.

**sultanate** ['sʌltənɪt] *n* султанáт, султáнство, владéния *и* власть султáна.

**sultriness** ['sʌltrɪnɪs] *n* духотá.

**sultry** ['sʌltrɪ] *a* 1) знóйный, дýшный; 2) стрáстный (*о темперáменте и т. п.*).

**sum** [sʌm] 1. *n* 1) сýмма, колúчество; итóг; ~ total óбщая сýмма; 2) сýщность; ~ and substance сáмая суть; in ~ — в óбщем, кóротко говоря́; 3) арифметúческая задáча; to do ~s решáть задáчи; 4) *pl* арифмéтика, решéние задáч; he is good at ~s он силён в арифмéтике; 2. *v* склáдывать, подводúть итóг (*часто* ~ up); □ ~ up резюмúровать, суммúровать.

**sumach** ['suːmæk] *n бот.* сумáх.

**summarize** ['sʌmərаɪz] *v* суммúровать, резюмúровать, подводúть итóг.

**summary** ['sʌmərɪ] 1. *n* крáткое изложéние, резюмé, конспéкт, свóдка; 2. *a* 1) суммáрный, крáткий; ~ account крáткий отчёт; 2) сдéланный без дальнéйших отлагáтельств и промедлéния; 3): ~ court дисциплинáрный суд; ~ punishment дисциплинáрное взыскáние.

**summation** [sʌ'meɪʃən] *n* 1) подведéние итóга, суммúрование; 2) совокýпность, итóг.

**summer** I ['sʌmə] 1. *n* 1) лéто; 2) расцвéт, перúод процветáния; 3) *поэт.* год; a woman of some twenty ~s жéнщина лет двадцатú; 4) *attr.* лéтний; ~ house дáча; ~ time «лéтнее врéмя» (*когда часы переведены на час вперёд*) [*ср. тж.* summer-time]; 2. *v* 1) проводúть лéто; 2) пастú (*скот*) лéтом.

**summer** II ['sʌmə] *n стр.* бáлка, переклáдина.

**summer-house** ['sʌməhaus] *n* бесéдка.

**summer lightning** ['sʌmə'laɪtnɪŋ] *n* зарнúца.

**summerly** ['sʌməlɪ] *a* лéтний.

**summersault** ['sʌməsɔːlt] = somersault.

**summer school** ['sʌmə'skuːl] *n* сéрия лéкций в университéте (*во время лéтних канúкул*).

**summerset** ['sʌməset] = somersault.

**summer-time, summertime** ['sʌmətaɪm] *n* лéтнее врéмя, лéто [*ср. тж.* summer I, 1, 4)].

**summer-tree** ['sʌmətriː] = summer II.

**summit** ['sʌmɪt] *n* 1) вершúна; 2) предéл; верх; 3) *полит.* вы́сшие сфéры; 4) *attr. полит.* проходя́щий на высóком ýровне; ~ talks переговóры глав прави́тельств; ~ conference (*или* meeting) встрéча глав прави́тельств.

**summon** ['sʌmən] *v* 1) вызывáть (*в суд*); 2) трéбовать исполнéния (*чего-л.*); to ~ the garrison to surrender трéбовать сдáчи крéпости; 3) созывáть (*собрание и т. п.*); 4) собирáть, призывáть (*часто* ~ up); to ~ up courage собрáться с дýхом.

**summons** ['sʌmənz] 1. *n* 1) вы́зов (*особ.* в суд); 2) судéбная повéстка; to serve a witness with a ~ вызывáть свидéтеля повéсткой в суд; 3) *воен.* предложéние сдáться; 2. *v* вызывáть в суд повéсткой.

**sump** [sʌmp] *n* 1) клоáка; 2) *тех.* грязевúк, грязеотстóйник; маслосбóрник; 3) *горн.* зумпф, отстóйник.

**sumpter** ['sʌmptə] *n уст.* вью́чное живóтное; вью́чная лóшадь.

**sumpter-horse** ['sʌmptəhɔːs] *n* вью́чная лóшадь.

**sumption** ['sʌmpʃən] *n лог.* большáя посы́лка (*силлогизма*).

**sumptuary** ['sʌmptjuərɪ] *a* касáющийся расхóдов, регулúрующий расхóды.

**sumptuous** ['sʌmptjuəs] *a* 1) роскóшный; дорогостóящий; 2) пы́шный; великолéпный.

**sun** [sʌn] 1. *n* 1) сóлнце; against the ~ прóтив часовóй стрéлки; with the ~ по часовóй стрéлке; to take (*или* to shoot) the ~ *мор.* измеря́ть высотý сóлнца секстáнтом; mock ~ *астр.* лóжное сóлнце; under the ~ а) под сóлнцем, на нáшей планéте, в э́том мúре; б) *употр. для усилéния:* nothing under the ~ ничтó на свéте; nothing new under the ~ ≅ ничтó не нóво под лунóй; 2) сóлнечный свет; сóлнечные лучи́; ~'s backstays (*или* eyelashes), ~ drawing water *мор.* сóлнечные лучи́, прорезáющие облакá; in the ~ на сóлнце; to bask in the ~ грéться на сóлнце; to take the ~ загорáть; to live in the ~ жить в тёплых края́х; to close the shutters to exclude the ~ закры́ть стáвни, чтóбы затемнúть кóмнату; 3) *уст.* восхóд *или* закáт сóлнца; to rise with the ~ рáно вставáть; from ~ to ~ от восхóда (и) до закáта (сóлнца); 4) *поэт.* год, день; ◇ to hail (*или* to adore) the rising ~ зáйскивать пéред нóвой влáстью; his ~ is rising егó звездá восхóдит; his ~ is set егó звездá закатúлась; a place in the ~ ≅ тёпленькое местéчко; вы́годное положéние; to hold a candle to the ~ занимáться ненýжным дéлом, зря трáтить сúлы; to see the ~ родúться; let not the ~ go down upon your wrath *шутл.* не сердúтесь бóльше однóго дня; the morning ~ never lasts a day *посл.* ≅ ничтó не вéчно под лунóй;

2. *v* 1) греть(ся) на солнце; to ~ oneself греться; 2) выставлять на солнце; подвергать действию солнца.

**sun-and-planet gear** ['sʌnənd,plænɪt'gɪə] *n тех.* планетарная передача.

**sun-baked** ['sʌnbeɪkt] *a* высушенный на солнце.

**sun-bath** ['sʌnbɑːθ] *n* солнечная ванна.

**sunbeam** ['sʌnbiːm] *n* солнечный луч.

**sun-blind** ['sʌnblaɪnd] *n* маркиза, тент.

**sun-blinkers** ['sʌn,blɪŋkəz] *n pl* защитные очки от солнца.

**sunburn** ['sʌnbəːn] *n* загар.

**sunburnt** ['sʌnbəːnt] *a* загорелый.

**sunburst** ['sʌnbəːst] *n* 1) яркие солнечные лучи, неожиданно появившиеся из-за туч; 2) ювелирное изделие в виде солнца с лучами.

**sun-cult** ['sʌnkʌlt] *n* поклонение солнцу, культ солнца.

**sun-cured** ['sʌn'kjuəd] *a* вяленый на солнце.

**sundae** ['sʌndeɪ] *n* сливочное мороженое с фруктами, сиропом, орехами *и т. п.*

**Sunday** ['sʌndɪ] *n* 1) воскресенье; 2) *attr.* воскресный; ~ best *шутл.* лучший костюм *или* платье; праздничное платье; ◇ to look two ways to find ~ *разг.* косить *(глазами)*.

**Sunday-school** ['sʌndɪskuːl] *n* воскресная школа.

**sunder** ['sʌndə] *v поэт.* разделять(ся); разъединять, разлучать.

**sundew** ['sʌndjuː] *n бот.* росянка.

**sun-dial** ['sʌndaɪəl] *n* солнечные часы.

**sun-dog** ['sʌndɔg] *n астр.* ложное солнце.

**sundown** ['sʌndaun] *n* 1) закат, заход солнца; 2) *амер.* дамская широкополая шляпа; 3) *attr.*: ~ party ранняя вечеринка.

**sundowner** ['sʌn,daunə] *n* 1) *амер.* специалист, состоящий на государственной службе и занимающийся частной практикой во внеслужебное время; 2) *австрал.* лентяй, приходящий на ферму после окончания рабочего дня прямо к ужину; 3) выпивка после захода солнца.

**sun-dried** ['sʌn'draɪd] *a* высушенный на солнце; вяленый.

**sundry** ['sʌndrɪ] 1. *a* различный, разный *(обыкн. шутл.)*; to talk of ~ matters говорить о разных вещах;
2. *n* 1) *pl* всякая всячина, разное; 2) *разг., шутл.*: all and ~ все вместе и каждый в отдельности; все без исключения.

**sunfish** ['sʌnfɪʃ] *n* луна-рыба.

**sunflower** ['sʌn,flauə] *n* 1) подсолнечник; 2) *attr.* подсолнечный; ~ seeds семечки; to nibble ~ seeds грызть семечки.

**sung** [sʌŋ] *p. p. от* sing 1.

**sun-hat** ['sʌnhæt] *n* широкополая шляпа от солнца.

**sunk** [sʌŋk] 1. *p. p. от* sink 2;
2. *a* ниже уровня; погружённый, потопленный; ~ fence изгородь по дну канавы.

**sunken** ['sʌŋkən] *a* 1) затонувший; погружённый; ~ rock подводная скала; ~ battery *воен.* батарея, врытая в землю; 2) осевший; 3) впалый, запавший; ~ cheeks впалые щёки; ~ eyes запавшие глаза.

**sunlight** ['sʌnlaɪt] *n* солнечный свет.

**sunlit** ['sʌnlɪt] *a* освещённый солнцем.

**sunn** [sʌn] *n бот.* кроталярия индийская *(тж.* ~ hemp).

**sunny** ['sʌnɪ] *a* 1) солнечный, освещённый солнцем; 2) радостный, весёлый; ~ disposition жизнерадостный характер; to look on the ~ side of things смотреть бодро на жизнь, быть оптимистом; ◇ she is on the ~ side of forty (fifty *etc.*) ей ещё нет сорока (пятидесяти *и т. д.*) (лет).

**sun-parlour** ['sʌn,pɑːlə] *n* застеклённая терраса; комната с большим количеством окон, расположенная на солнечной стороне.

**sunproof** ['sʌnpruːf] *a* 1) непроницаемый для солнечных лучей; 2) не выгорающий на солнце.

**sunrise** ['sʌnraɪz] *n* 1) восход солнца; утренняя заря; 2) восток.

**sunset** ['sʌnset] *n* 1) заход солнца; закат; вечерняя заря; 2) цвет закатного неба; 3) запад; 4) закат, конец; последний период; 5) *attr.* закатный; *перен.* преклонный.

**sunshade** ['sʌnʃeɪd] *n* 1) зонтик (*от солнца*); 2) навес, тент.

**sunshine** ['sʌnʃaɪn] *n* 1) солнечный свет; in the ~ на солнце; 2) хорошая погода; 3) веселье, радость; процветание.

**sun-spot** ['sʌnspɔt] *n* 1) *астр.* пятно на солнце; 2) веснушка; 3) *attr.*: ~ activity действие солнечных пятен.

**sun-stone** ['sʌnstoun] *n* солнечный камень.

**sunstroke** ['sʌnstrouk] *n* солнечный удар.

**sun-tan** ['sʌntæn] *n* загар; to get a ~ загорать.

**sun-up** ['sʌn'ʌp] *n диал.* восход солнца.

**sunward** ['sʌnwəd] 1. *a* обращённый к солнцу;
2. *adv* по направлению к солнцу.

**sunwards** ['sʌnwədz] = sunward 2.

**sunwise** ['sʌnwaɪz] *adv* по часовой стрелке.

**sun-worship** ['sʌn,wəːʃɪp] *n* солнцепоклонничество.

**Suomi** ['swɔːmiː] *n* 1) финский язык; 2) *pl* финны.

**sup** [sʌp] 1. *n* глоток; ◇ neither bit(e) nor ~ не пивши, не евши;
2. *v* 1) отхлёбывать, прихлёбывать; to ~ sorrow хлебнуть горя; 2) ужинать; 3) кормить ужином.

**super** ['sjuːpə] 1. *n разг.* 1) (*сокр. от* supernumerary) *театр.* статист; 2) лишний *или* ненужный человек; 3) (*сокр. от* superintendent) директор, управляющий; 4) первоклассный товар; 5) *см.* super-film;
2. *a* 1) высшего качества; 2) квадратный (*о мерах*).

**super-** ['sjuːpə-] *pref* над-, сверх-; supernatural сверхъестественный; superimpose накладывать.

**superannuate** [,sjuːpə'rænjueɪt] *v* 1) увольнять по старости, переводить на пенсию; *перен.* сдавать в архив; 2) исключать из школы как переростка.

**superannuated** [,sjuːpə'rænjueɪtɪd] 1. *p. p. от* superannuate;
2. *a* 1) престарелый; 2) устарелый.

**superannuation** [ˌsjuːpə,rænjuˈeɪʃən] *n* 1) увольнéние по стáрости; 2) пéнсия лицý, увóленному по стáрости.

**superb** [sjuːˈpəːb] *а* великолéпный, роскóшный, прекрáсный; благорóдный, велúчественный.

**superbomb** [ˈsjuːpəbɔm] *n* водорóдная бóмба.

**supercargo** [ˈsjuːpə,kɑːgou] *n* (*pl* -oes [-ouz]) *мор.* завéдующий приёмом и вы́дачей грýзов (*на сýдне*).

**supercharge** [ˈsjuːpəˈtʃɑːdʒ] *v тех.* 1) перегружáть; 2) рабóтать с наддýвом.

**supercharger** [ˈsjuːpə,tʃɑːdʒə] *n тех.* нагнетáтель.

**superciliary** [ˌsjuːpəˈsɪlɪərɪ] *а анат.* брóвный, надглáзный.

**supercilious** [ˌsjuːpəˈsɪlɪəs] *а* высокомéрный, презрúтельный, надмéнный.

**superconductivity** [ˈsjuːpə,kɔndʌkˈtɪvɪtɪ] *n физ.* сверхпроводúмость.

**supercool** [ˌsjuːpəˈkuːl] *v* переохлаждáть (-ся).

**superelevation** [ˌsjuːpər,elɪˈveɪʃən] *n* 1) попéречный уклóн дорóги на кривóй; возвышéние нарýжного рéльса на кривóй; 2) *арт.* рáзность настоя́щего и упреждённого углóв мéста.

**supererogation** [ˌsjuːpər,eraˈgeɪʃən] *n* превышéние трéбований дóлга; выполнéние излúшнего.

**supererogatory** [ˈsjuːpəreˈrɔgətərɪ] *а* превышáющий трéбование дóлга; излúшний, дополнúтельный.

**superfatted** [ˌsjuːpəˈfætɪd] *а* пережúренный (*о мы́ле и т. п.*).

**superficial** [ˌsjuːpəˈfɪʃəl] *а* 1) повéрхностный, неглубóкий, внéшний; ~ knowledge повéрхностные знáния; 2) *геол.* нанóсный, аллювиáльный.

**superficiality** [ˌsjuːpə,fɪʃɪˈælɪtɪ] *n* повéрхностность.

**superficies** [ˌsjuːpəˈfɪʃiːz] *n* (*pl без измен.*) повéрхность.

**super-film** [ˈsjuːpəfɪlm] *n кино* боевúк.

**superfine** [ˈsjuːpəˈfaɪn] *а* 1) чрезмéрно утончённый; слúшком тóнкий; 2) вы́сшего сóрта; тончáйший.

**superfluidity** [ˈsjuːpəfluːˈɪdɪtɪ] *n физ.* сверхтекýчесть.

**superfluity** [ˌsjuːpəˈfluːɪtɪ] *n* 1) избы́точность, обúлие; 2) избы́ток; излúшек; 3) (*обы́кн. pl*) излúшество.

**superfluous** [sjuːˈpəːfluəs] *а* излúшний, чрезмéрный, ненýжный.

**superfortress** [ˌsjuːpəˈfɔːtrɪs] *n ав.* сверхмóщная летáющая крéпость.

**superheat** [ˌsjuːpəˈhiːt] **1.** *n* перегрéв; **2.** *v* перегревáть.

**superheater** [ˌsjuːpəˈhiːtə] *n тех.* пароперегревáтель.

**superheterodyne** [ˈsjuːpəˈheterədaɪn] *n рáдио* супергетеродúн; супергетеродúнный приёмник.

**superhuman** [ˌsjuːpəˈhjuːmən] *а* сверхчеловéческий.

**superimpose** [ˌsjuːpərɪmˈpouz] *v* 1) наклáдывать; 2) переносúть, наносúть (на кáрту, схéму *и т. п.*).

**superincumbent** [ˌsjuːpərɪnˈkʌmbənt] *а* лежáщий, покóящийся (*на чём-л.*).

**superinduce** [ˌsjuːpərɪnˈdjuːs] *v* вводúть дополнúтельно, привносúть.

**superintend** [ˌsjuːprɪnˈtend] *v* управля́ть, завéдовать (of); смотрéть (of—за *чем-л.*); надзирáть.

**superintendence** [ˌsjuːprɪnˈtendəns] *n* надзóр; завéдование, управлéние.

**superintendent** [ˌsjuːprɪnˈtendənt] *n* 1) завéдующий, управля́ющий, дирéктор; 2) стáрший полицéйский офицéр (*слéдующий чин пóсле инспéктора*).

**superior** [sjuːˈpɪərɪə] **1.** *а* 1) вы́сший, стáрший; 2) лýчший, вы́сшего кáчества; made of ~ cloth сдéланный из сукнá вы́сшего кáчества; а very ~ man незауря́дный человéк; 3) превосхóдный; превосходя́щий; бóльший; ~ forces превосходя́щие сúлы; strength превосходя́щая сúла; 4) самодовóльный, высокомéрный; 5) недосягáемый, стоя́щий вы́ше; to be ~ to prejudice быть вы́ше предрассýдков; 6) *зоол.* вéрхний, располóженный над другúм óрганом; ~ wings надкры́лья (*у насекóмых*); 7) *астр.* отстоя́щий от сóлнца дáльше, чем земля́; 8) *полигр.* надстрóчный.
**2.** *n* 1) стáрший, начáльник; 2) превосходя́щий другóго; he has no ~ in wit никтó егó не превзойдёт в остроýмии; 3) настоя́тель(ница); Father S. игýмен; Mother S. игýменья; 4) *полигр.* надстрóчный знак.

**superioress** [sjuːˈpɪərɪərɪs] *n рéдк.* игýменья, настоя́тельница монасты́ря.

**superiority** [sjuːˌpɪərɪˈɔrɪtɪ] *n* 1) старшинствó; превосхóдство; 2) завúсящая от стáжа очерёдность при получéнии дóлжности (*на желéзных дорóгах*); 3) *attr.:* ~ complex *психол.* чýвство превосхóдства над окружáющими.

**superiorly** [sjuːˈpɪərɪəlɪ] *adv* свéрху, вы́ше; лýчше.

**superlative** [sjuːˈpəːlətɪv] **1.** *а* 1) величáйший, высочáйший; а ~ chapter in the history of architecture блестя́щая страницá в истóрии зóдчества; 2) *грам.* превосхóдный (*о стéпени*);
**2.** *n* 1) вершúна, кульминáция, вы́сшая тóчка; 2) *грам.* превосхóдная стéпень; *грам.* прилагáтельное *или* нарéчие в превосхóдной стéпени; to speak in ~s преувелúчивать.

**superlunary** [ˌsjuːpəˈluːnərɪ] *а* 1) *астр.* надлýнный; 2) неземнóй.

**superman** [ˈsjuːpəmæn] *n* 1) сверхчеловéк; 2) супермéн, герóй америкáнских кóмиксов.

**supermarket** [ˈsjuːpə,mɑːkɪt] *n* магазúн без продавцóв; магазúн самообслýживания.

**supermundane** [ˌsjuːpəˈmʌndeɪn] *а* неземнóй; не от мúра сегó.

**supernaculum** [ˌsjuːpəˈnækjuːləm] *лат. adv* до послéдней кáпли (*до днá*).

**supernal** [sjuːˈpəːnl] *а поэт.* божéственный, небéсный; высóкий, возвы́шенный.

**supernatant** [ˌsjuːpəˈneɪtənt] *а* всплывáющий, плáвающий на повéрхности.

**supernatural** [ˌsjuːpəˈnætʃrəl] *а* сверхъестéственный.

**supernormal** ['sjuːpə'nɔːməl] *a* превышающий норму (*по количеству, качеству и т. п.*); ~ pupil одарённый ученик.

**supernumerary** [ˌsjuːpə'njuːmərərɪ] 1. *n* 1) сверхштатный работник; временный заместитель; 2) *театр.* статист; статистка; 2. *a* сверхштатный, лишний; дополнительный.

**superphosphate** [ˌsjuːpə'fɔsfeɪt] *n хим.* суперфосфат.

**superpose** ['sjuːpə'pouz] *v* накладывать (*одну вещь на другую*).

**superposition** [ˌsjuːpəpə'zɪʃən] *n* 1) *мат.* наложение; 2) *геол.* напластование.

**superprofit** ['sjuːpə'prɔfɪt] *n* сверхприбыль.

**superrealism** [ˌsjuːpə'rɪəlɪzəm] = surrealism.

**supersaturate** [ˌsjuːpə'sætjureɪt] *v* перенасыщать (*раствор*).

**superscribe** ['sjuːpə'skraɪb] *v* надписывать, адресовать, делать надпись сверху.

**superscription** [ˌsjuːpə'skrɪpʃən] *n* надпись (*на чём-л.*); адрес.

**supersede** [ˌsjuːpə'siːd] *v* 1) заменять; смещать, увольнять (*работника*); 2) вытеснять; занимать (*чьё-л.*) место.

**supersensible** [ˌsjuːpə'sensəbl] *a* сверхчувственный.

**supersonic** [ˌsjuːpə'sɔnɪk] *a* сверхзвуковой.

**supersound** ['sjuːpəsaund] *n физ.* ультразвук.

**superstition** [ˌsjuːpə'stɪʃən] *n* суеверие, религиозный предрассудок.

**superstitious** [ˌsjuːpə'stɪʃəs] *a* суеверный.

**superstrata** [ˌsjuːpə'streɪtə] *pl от* superstratum.

**superstratum** [ˌsjuːpə'streɪtəm] *n* (*pl* -ta) *геол.* вышележащий пласт *или* слой.

**superstructure** ['sjuːpə,strʌktʃə] *n* 1) надстройка; часть здания выше фундамента; 2) *филос.* надстройка; 3) пролётное строение (*моста*); 4) верхнее строение (*ж.-д. пути*); 5) *мор.* надпалубные сооружения, *обыкн.* орудийные башни боевого корабля.

**supertax** ['sjuːpətæks] *n* налог на сверхприбыль.

**supervacaneous** ['sjuːpəvə'keɪnɪəs] *a* излишний, ненужный.

**supervene** [ˌsjuːpə'viːn] *v* происходить вслед за чем-л.; вытекать из чего-л., следовать за чем-л.

**supervenient** [ˌsjuːpə'viːnjənt] *a* следующий за чем-л.; возникающий как нечто новое в дополнение к прежнему *или* известному.

**supervention** [ˌsjuːpə'venʃən] *n* появление в дополнение к чему-л., за чем-л.; действие и т. п., возникающее как следствие другого.

**supervise** ['sjuːpəvaɪz] *v* смотреть, наблюдать (*за чем-л.*); надзирать; заведовать.

**supervising** ['sjuːpəvaɪzɪŋ] 1. *pres. p. от* supervise;
2. *a* наблюдающий, надзирающий (*за чем-л., кем-л.*); ~ instructor классный наставник.

**supervision** [ˌsjuːpə'vɪʒən] *n* надзор, наблюдение; заведование; under the ~ of smb.

в ведении кого-л.; под наблюдением, под руководством кого-л.

**supervisor** ['sjuːpəvaɪzə] *n* 1) надсмотрщик, надзиратель; контролёр; 2) инспектор школы.

**supervisory** [ˌsjuːpə'vaɪzərɪ] *a* наблюдательный, контролирующий; a ~ body контрольный орган.

**supine** I [sjuː'paɪn] *a* 1) лежащий навзничь; 2) ленивый, косный; 3) безразличный, инертный, вялый.

**supine** II ['sjuːpaɪn] *n грам.* супин.

**supper** ['sʌpə] *n* ужин.

**supplant** [sə'plɑːnt] *v* выжить, вытеснить; занять (*чьё-л.*) место (*особ. хитростью*).

**supple** ['sʌpl] 1. *a* 1) гибкий; ~ leather мягкая кожа; 2) податливый, уступчивый; ~ horse хорошо выезженная лошадь; 3) льстивый; угодливый; 4) ловкий; 2. *v* делать(ся) гибким, мягким.

**supple-jack** ['sʌpldʒæk] *n* 1) несколько видов ползучих растений, отличающихся прочным гибким стеблем; 2) трость из стеблей ползучих растений.

**supplement** 1. *n* ['sʌplɪmənt] 1) добавление, дополнение; приложение; 2) *геом.* дополнительный угол; 2. *v* ['sʌplɪment] пополнять, добавлять.

**supplemental** [ˌsʌplɪ'mentl] *a* дополнительный; ~ angle = supplement 1, 2); S. Estimates дополнительные бюджетные ассигнования.

**supplementary** [ˌsʌplɪ'mentərɪ] = supplemental.

**suppliant** ['sʌplɪənt] 1. *a* умоляющий, просительный;
2. *n* проситель.

**supplicant** ['sʌplɪkənt] = suppliant.

**supplicate** ['sʌplɪkeɪt] *v* молить, просить.

**supplication** [ˌsʌplɪ'keɪʃən] *n* мольба, просьба.

**supplicatory** ['sʌplɪkətərɪ] *a* умоляющий, просительный.

**supply** I [sə'plaɪ] 1. *n* 1) снабжение; поставка; 2) *pl* припасы, продовольствие, провиант (*особ. для армии*); 3) запас; 4) *эк.* предложение; ~ and demand спрос и предложение; 5) *pl* содержание (*денежное*); 6) *pl* утверждённые парламентом ассигнования; 7) временный заместитель (*напр., учителя*); 8) *тех.* подача, питание, приток, подвод; 9) *attr.* питающий, подающий; снабжающий; ~ canal подводящий канал; ~ pressure *эл.* напряжение в сети; ~ ship, ~ train и т. п. транспорт снабжения;
2. *v* 1) снабжать (with); 2) поставлять; доставлять; давать; 3) восполнять, возмещать (*недостаток*); удовлетворять (*нужду*); 4) замещать; to ~ the place of smb. заменять кого-л.; 5) *тех.* подавать, подводить (*напр., ток*); питать.

**supply** II ['sʌplɪ] *adv* гибко и пр. [*см.* supple 1].

**support** [sə'pɔːt] 1. *n* 1) поддержка; in ~ of в подтверждение; to speak in ~ of поддерживать, защищать…; to lend (*или* to give) ~ (to) оказывать поддержку; 2) кормилец (семьи); 3) опора, оплот; 4) подста́вка; подпо́рка; опо́рная сто́йка; су́ппорт (*станка*); 5) *воен.* прикры́тие артилле́рии;

2. *v* 1) подде́рживать; спосо́бствовать; соде́йствовать; 2) помога́ть, подде́рживать (*материально*); содержа́ть (*напр.*, *семью*); to ~ an institution же́ртвовать на учрежде́ние; 3) подде́рживать, подкрепля́ть; подтвержда́ть; 4) подде́рживать; подпира́ть; 5) выде́рживать, сноси́ть; 6) *театр. редк.* игра́ть (*роль*).

**supporter** [sə'pɔːtə] *n* 1) сторо́нник, приве́рженец; 2) *геральд.* живо́тное на гербе́ (*обыкн.* подде́рживающее щит).

**supporting** [sə'pɔːtɪŋ] 1. *pres. p. om* support 2;

2. *a* подде́рживающий, помога́ющий; ~ point опо́рный пункт.

**suppose** [sə'pouz] *v* 1) предполага́ть; полага́ть, допуска́ть, ду́мать; I ~ so вероя́тно, должно́ быть; what do you ~ this means? что э́то, по-ва́шему, зна́чит?; 2) *в imp. выражает предложение*: ~ we go to the theatre! а не пойти́ ли нам в теа́тр?; 3) *pass.*: to be ~d (*c inf.*) име́ть определённые обя́занности, забо́ты *и т. п.*; she is not ~d to do the cooking приготовле́ние пи́щи не вхо́дит в её обя́занности.

**supposed** [sə'pouzd] 1. *p. p. om* suppose; 2. *a* 1) мни́мый; 2) предполага́емый.

**supposedly** [sə'pouzɪdlɪ] *adv* по о́бщему мне́нию; предположи́тельно.

**supposing** [sə'pouzɪŋ] 1. *pres. p. om* suppose;

2. *cj* е́сли (бы); ~ it were true, how we should laugh! как бы мы смея́лись, е́сли бы э́то была́ пра́вда!; always ~ при усло́вии, что.

**supposition** [ˌsʌpə'zɪʃən] *n* предположе́ние; on the ~ of smth. в ожида́нии чего́-л., предполага́я что-л.

**suppositional** [ˌsʌpə'zɪʃənl] *a* предположи́тельный; предполага́емый.

**supposititious** [sə,pɔzɪ'tɪʃəs] *a* подде́льный, подло́жный, фальши́вый; подменённый.

**suppository** [sə'pɔzɪtərɪ] *n* мед. суппозито́рий, свеча́.

**suppress** [sə'pres] *v* 1) пресека́ть; сде́рживать; to ~ a yawn подави́ть зево́ту; 2) подавля́ть (*восстание и т. п.*); 3) запреща́ть (*газету*); конфискова́ть, изыма́ть из прода́жи (*книгу и т. п.*); 4) скрыва́ть, зама́лчивать (*правду и т. п.*).

**suppression** [sə'preʃən] *n* 1) подавле́ние *и пр.* [*см.* suppress]; 2) *юр.*: ~ of civic rights пораже́ние в права́х.

**suppurate** ['sʌpjuəreɪt] *v* гнои́ться.

**suppuration** [ˌsʌpjuə'reɪʃən] *n* нагное́ние.

**supra** ['sjuːprə] *лат. adv* вы́ше, ра́нее (*в книгах, документах и т. п.*).

**supremacy** [sju'preməsɪ] *n* 1) верхове́нство; верхо́вная власть; Act of S. зако́н о главе́нстве англи́йского короля́ над це́рковью; 2) превосхо́дство.

**supreme** [sju'priːm] *a* 1) верхо́вный; вы́сший; Supreme Soviet of the USSR Верхо́вный Сове́т СССР; 2) высоча́йший; кра́йний; наибо́лее ва́жный; at the ~ moment в после́дний, крити́ческий моме́нт.

**sura(h)** ['sjuərə] *n* су́ра (*глава корана*).

**surcease** [sə'siːs] *уст.* 1. *n* прекраще́ние, остано́вка;

2. *v* прекраща́ть(ся).

**surcharge** 1. *n* ['səːtʃɑːdʒ] 1) доба́вочная нагру́зка, перегру́зка; 2) припла́та, допла́та (*за письмо*); 3) штраф, пе́ня; 4) перерасхо́д, изде́ржки сверх сме́ты; 5) надпеча́тка (*на марке*); 6) *эл.* перезаря́дка;

2. *v* [səː'tʃɑːdʒ] 1) перегружа́ть; 2) штрафова́ть; взы́скивать (*перерасходованные су́ммы*); 3) надпеча́тывать (*марку*); 4) *эл.* перезаряжа́ть.

**surcingle** ['səːsɪŋgl] 1. *n* подпру́га;

2. *v* стя́гивать подпру́гой.

**surd** [səːd] *n* 1) *мат.* иррациона́льное число́; 2) *фон.* глухо́й звук;

2. *a* 1) *мат.* иррациона́льный; 2) *фон.* глухо́й.

**sure** [ʃuə] 1. *a* 1) ве́рный, безоши́бочный; надёжный, безопа́сный; a ~ method ве́рный ме́тод; ~ shot ме́ткий стрело́к; 2) (*обыкн. predic.*) несомне́нный; to be ~ разуме́ется, коне́чно; be ~ to tell me непреме́нно скажи́те мне; he is ~ to come он обяза́тельно придёт; ~ thing! наверняка́!, коне́чно!, несомне́нно!; 3) уве́ренный; ~ of убеждённый в; ~ of oneself самоуве́ренный; to feel ~ (that) быть уве́ренным (что); to make ~ a) убеди́ться, удостове́риться; б) обеспе́чить; I must make ~ of a house for winter я до́лжен обеспе́чить себе́ жильё на зи́му; ◇ well, to be ~! вот те ра́з!; одна́ко!; a ~ draw a) лес, в кото́ром наверняка́ есть лиси́цы; б) замеча́ние, кото́рое рассчи́тано на то, что́бы заста́вить кого́-л. проболта́ться, вы́дать себя́; ~ bind, ~ find *посл.* ≅ кре́пче запрёшь, верне́е найдёшь;

2. *adv* 1) коне́чно, несомне́нно, действи́тельно (*уст. за исключением выражений*: ~ enough действи́тельно, коне́чно; as ~ as ве́рно, как); 2) *употр. для усиления*: I ~ am sorry about it я о́чень сожале́ю об э́том; ◇ as ~ as eggs is eggs *шутл.* ≅ как два́жды два четы́ре; as ~ as a gun *sl.* безусло́вно; as ~ as fate, as ~ as death несомне́нно;

3. *int* безусло́вно!

**sure-fire** ['ʃuə,faɪə] *a амер. разг.* безоши́бочный, ве́рный.

**sure-footed** ['ʃuə'futɪd] *a* усто́йчивый, не спотыка́ющийся (*тж. перен.*).

**surely** ['ʃuəlɪ] *adv* 1) несомне́нно, ве́рно; неизбе́жно; slowly but ~ ме́дленно, но ве́рно; 2) коне́чно, наве́рно; to know full ~ знать наверняка́; 3) безопа́сно; надёжно; 4) *уст.* обяза́тельно, непреме́нно (*в ответах*).

**surety** ['ʃuətɪ] *n* 1) пору́ка, поручи́тель; to stand ~ for smb. взять кого́-л. на пору́ки; поручи́ться за кого́-л.; 2) *редк.* зало́г, поручи́тельство; 3) *уст.* уве́ренность; of a ~ наве́рно, несомне́нно.

**surf** [səːf] *n* прибо́й; буруны́.

**surface** ['səːfɪs] 1. *n* 1) пове́рхность; an uneven ~ неро́вная пове́рхность; 2) вне́шность; he looks at the ~ only он обраща́ет внима́ние то́лько на вне́шнюю сто́рону веще́й; on the ~ вне́шне; 3) *геом.* пове́рхность; 4) *attr.* вне́шний; пове́рхностный; ~ politeness показна́я любе́зность;

**2.** *v* 1) отде́лывать пове́рхность; отёсывать; 2) всплыва́ть на пове́рхность (*о подводной лодке*); 3) заста́вить всплыть.

**surface-car** [ˈsəːfɪskɑː] *n* амер. трамва́йный ваго́н (*в отличие от вагонов воздушной и подземной железных дорог*).

**surface-man** [ˈsəːfɪsmən] *n* 1) железнодоро́жный сто́рож, путево́й обхо́дчик; 2) горн. рабо́чий на пове́рхности.

**surface-tension** [ˈsəːfɪsˌtenʃən] *n* пове́рхностное натяже́ние.

**surface-to-air** [ˈsəːfɪstəˈɛə] *a*: ~ (guided) missile управля́емый снаря́д кла́сса «земля́ (*или* вода́)—во́здух».

**surface-to-surface** [ˈsəːfɪstəˈsəːfɪs] *a*: ~ (guided) missile межконтинента́льный управля́емый снаря́д кла́сса «земля́ (*или* вода́) — земля́ (*или* вода́)».

**surface-water** [ˈsəːfɪsˌwɔːtə] *n* геол. пове́рхностная вода́, ве́рхняя вода́.

**surfeit** [ˈsəːfɪt] **1.** *n* 1) изли́шество, неуме́ренность (*особ. в пище и питье*); a ~ of advice сли́шком мно́го сове́тов; 2) пресыще́ние;

**2.** *v* 1) перееда́ть, объеда́ться; 2) пресыща́ть(ся) (with); 3) перека́рмливать.

**surge** [səːdʒ] **1.** *n* 1) больша́я волна́; во́лны; a ~ of anger волна́ гне́ва; 2) поэт. мо́ре;

**2.** *v* 1) поднима́ться, вздыма́ться; 2) волнова́ться (*о толпе*); 3) мор. трави́ть, ослабля́ть (*снасти*); □ ~ forward ри́нуться вперёд.

**surgeon** [ˈsəːdʒən] *n* 1) хиру́рг; 2) вое́нный, вое́нно-морско́й врач, офице́р медици́нской слу́жбы.

**surgeoncy** [ˈsəːdʒənsɪ] *n* обя́занности вое́нного врача́; до́лжность вое́нного врача́.

**surgery** [ˈsəːdʒərɪ] *n* 1) хирурги́я; 2) каби́нет *или* приёмная врача́ с апте́кой.

**surgical** [ˈsəːdʒɪkəl] *a* хирурги́ческий; ~ treatment хирурги́ческое вмеша́тельство; ~ fever травмати́ческая лихора́дка; ~ bag санита́рная су́мка.

**surly** [ˈsəːlɪ] *a* угрю́мый, серди́тый; гру́бый.

**surma** [ˈsuəmə] *n* англо-инд. сурьма́.

**surmise 1.** *n* [ˈsəːmaɪz] предположе́ние, подозре́ние, дога́дка;

**2.** *v* [səːˈmaɪz] предполага́ть, подозрева́ть, выска́зывать дога́дку.

**surmount** [səːˈmaunt] *v* 1) преодолева́ть; to ~ difficulties (an obstacle) преодолева́ть тру́дности (препя́тствие); 2) (*преим. pass.*) уве́нчивать; peaks ~ed with snow остроконе́чные сне́жные верши́ны.

**surmountable** [səːˈmauntəbl] *a* преодоли́мый.

**surmullet** [səːˈmʌlɪt] *n* барабу́лька (обыкнове́нная) (*рыба*).

**surname** [ˈsəːneɪm] **1.** *n* 1) фами́лия; 2) про́звище.

**2.** *v* дава́ть про́звище.

**surpass** [səːˈpɑːs] *v* 1) превосходи́ть, превыша́ть; 2) перегоня́ть.

**surpassing** [səːˈpɑːsɪŋ] **1.** *pres. p. om* surpass;

**2.** *a* превосхо́дный, исключи́тельный.

**surplice** [ˈsəːpləs] *n* церк. стиха́рь.

**surplice-fee** [ˈsəːpləsˌfiː] *n* вознагражде́ние, получа́емое духо́вным лицо́м за обря́д бракосочета́ния, похоро́н и т. п.

**surplus** [ˈsəːpləs] **1.** *n* изли́шек, оста́ток; **2.** *a* 1) изли́шний, избы́точный; доба́вочный; ~ kit амер. воен. запасно́е обмундирова́ние; 2) полит.-эк. приба́вочный; ~ value приба́вочная сто́имость.

**surplusage** [ˈsəːpləsɪdʒ] *n* изли́шек, избы́ток.

**surprise** [səˈpraɪz] **1.** *n* 1) удивле́ние; to my great ~ к моему́ велича́йшему удивле́нию; to show ~ удиви́ться; 2) неожи́данность, сюрпри́з; 3) неожи́данное нападе́ние; by ~ враспло́х; to take smb. by ~ захвати́ть кого́-л. враспло́х; 4) attr. неожи́данный, внеза́пный; a ~ visit неожи́данный визи́т; ~ effect эффе́кт внеза́пности; ~ attack внеза́пная ата́ка;

**2.** *v* 1) удивля́ть, поража́ть; I am ~d at you вы меня́ удивля́ете; I shouldn't be ~d if... меня́ ниско́лько не удиви́ло бы, е́сли...; 2) нагря́нуть неожи́данно; напада́ть *или* заста́ва́ть враспло́х; I ~d him in the act я накры́л его́ на ме́сте преступле́ния; □ ~ into вы́нудить (*неожиданным вопросом и т. п.*); to ~ a person into a confession вы́нудить призна́ние у кого́-л., заста́в его́ враспло́х.

**surprising** [səˈpraɪzɪŋ] **1.** *pres. p. om* surprise 2;

**2.** *a* неожи́данный; удиви́тельный, порази́тельный.

**surprisingly** [səˈpraɪzɪŋlɪ] *adv* удиви́тельно, необыча́йно; неожи́данно.

**surra** [ˈsuːrə] *n* вет. трипаносо́мбоз.

**surrealism** [səˈrɪəlɪzəm] *n* иск. сюрреали́зм.

**surrebutter** [ˌsʌrɪˈbʌtə] *n* юр. отве́т истца́ на возраже́ние отве́тчика.

**surrejoinder** [ˌsʌrɪˈdʒɔɪndə] *n* юр. отве́т истца́ на отве́тное возраже́ние отве́тчика.

**surrender** [səˈrendə] **1.** *n* 1) капитуля́ция; 2) отка́з (*от чего-л.*); 3) сда́ча (ча́сти) проду́кции госуда́рству по твёрдой цене́; 4) attr.: ~ value су́мма, причита́ющаяся (*или* часть пре́мии, возвраща́емая) отказа́вшемуся от страхово́го по́лиса;

**2.** *v* 1) сдава́ть(ся); to ~ at discretion сдава́ться на ми́лость победи́теля; 2) уступа́ть, подчиня́ться; to ~ one's bail яви́ться в срок, бу́дучи отпу́щенным на пору́ки; 3) refl. поддава́ться, предава́ться; to ~ oneself to despair впасть в отча́яние; to ~ oneself over to smb.'s influence подпа́сть под чье́-л. влия́ние; 4) отка́зываться; to ~ hope отка́зываться от наде́жды; to ~ a right отка́зываться от пра́ва; 5) сдава́ть часть произведённой проду́кции госуда́рству по твёрдой цене́.

**surreptitious** [ˌsʌrəpˈtɪʃəs] *a* та́йный; сде́ланный тайко́м, исподтишка́; ~ look взгляд исподтишка́; by ~ methods та́йными ме́тодами.

**surrey** [ˈsʌrɪ] *n* амер. лёгкий двухме́стный экипа́ж.

**surrogate** [ˈsʌrəgɪt] **1.** *n* 1) замести́тель; 2) замени́тель, суррога́т; 3) амер. судья́ по дела́м о насле́дстве и опе́ке;

**2.** *v* замеща́ть; заменя́ть.

**surround** [sə'raund] *v* окружа́ть; обступа́ть.

**surrounding** [sə'raundıŋ] 1. *pres. p. om* surround;

2. *a* близлежа́щий, сосе́дний.

**surroundings** [sə'raundıŋz] *n pl* 1) окре́стности; 2) среда́; окруже́ние.

**surtax** ['sɜ:tæks] 1. *n* доба́вочный подохо́дный нало́г;

2. *v* облага́ть доба́вочным подохо́дным нало́гом.

**surveillance** [sɜ:'veıləns] *n* надзо́р, наблюде́ние (*за подозреваемым в чём-л.*); under ~ под надзо́ром (*полиции*).

**survey** 1. *n* ['sɜ:veı] 1) обозре́ние, осмо́тр; 2) обозре́ние, обзо́р; 3) обсле́дование; инспекти́рование; 4) отчёт об обсле́довании; 5) межева́ние, съёмка; проме́р; 6) план; 7) топографи́ческое управле́ние; 8) *attr.* обзо́рный; a ~course in history обзо́рные ле́кции по исто́рии;

2. *v* [sɜ:'veı] 1) обозрева́ть, осма́тривать; изуча́ть с какой-л. це́лью; to ~ the situation ознако́миться с положе́нием; 2) инспекти́ровать; 3) производи́ть землеме́рную съёмку; межева́ть; 4) производи́ть изыска́ния *или* иссле́дования.

**surveyor** [sɜ:'veıə] *n* 1) землеме́р; топо́граф, маркше́йдер; съёмщик; 2) инспе́ктор; ~ of weights and measures контролёр мер и весо́в; 3) *амер.* тамо́женный чино́вник.

**survival** [sə'vaıvəl] *n* 1) выжива́ние; the ~ of the fittest *биол.* есте́ственный отбо́р; 2) пережи́ток.

**survive** [sə'vaıv] *v* 1) пережи́ть (*современников, свою славу и т. п.*); he ~d his wife for many years он пережи́л свою́ жену́ на мно́го лет; 2) пережи́ть, вы́держать, перенести́; 3) оста́ться в живы́х; продолжа́ть существова́ть; уцеле́ть; the custom still ~s э́тот обы́чай ещё существу́ет.

**survivor** [sə'vaıvə] *n* оста́вшийся в живы́х, уцеле́вший.

**susceptibility** [sə,septə'bılıtı] *n* 1) впечатли́тельность, восприи́мчивость; 2) чувстви́тельность; оби́дчивость; 3) *pl* больно́е, уязви́мое ме́сто.

**susceptible** [sə'septəbl] *a* 1) впечатли́тельный, восприи́мчивый; 2) чувстви́тельный (to); 3) влю́бчивый; 4) *predic.* допуска́ющий; поддаю́щийся (of); a theory ~ of proof легко́ доказу́емая тео́рия.

**susceptive** [sə'septıv] *a* восприи́мчивый.

**suslik** ['suslık] *рус. n* су́слик.

**suspect** 1. *n* ['sʌspekt] подозрева́емый *или* подозри́тельный челове́к;

2. *a predic.* ['sʌspekt] подозри́тельный; подозрева́емый;

3. *v* [səs'pekt] 1) подозрева́ть; to ~ smb. of smth. подозрева́ть кого́-л. в чём-л.; 2) сомнева́ться в и́стинности, не доверя́ть; I ~ the authenticity of the document я сомнева́юсь в по́длинности докуме́нта; 3) ду́мать, полага́ть, предполага́ть; you are pretty tired after your journey, I ~ я полага́ю, вы о́чень уста́ли от пое́здки.

**suspend** [səs'pend] *v* 1) ве́шать, подве́шивать; 2) приостана́вливать; откла́дывать; (вре́менно) прекраща́ть; to ~ judgement откла́дывать пригово́р; to ~ one's judgement воздержа́ться от реше́ния; to ~ payment прекрати́ть платежи́; призна́ть себя́ неплатёжеспосо́бным; 3) (вре́менно) отстраня́ть от до́лжности; to ~ a student вре́менно отстрани́ть студе́нта от заня́тий.

**suspended** [səs'pendıd] 1. *p.p. om* suspend;

2. *a* 1) подве́шенный, вися́щий; 2) подвесно́й, вися́чий; 3) приостано́вленный; 4) *хим.* взве́шенный; ~ matter взвесь.

**suspender** [səs'pendə] *n* 1) подвя́зка; 2) *pl* (*особ. амер.*) подтя́жки, по́мочи.

**suspense** [səs'pens] *n* 1) неизве́стность, неопределённость; беспоко́йство; ожида́ние; нереши́тельность; the question is in ~ вопро́с ещё не решён; 2) вре́менное прекраще́ние, приостано́вка.

**suspension** [səs'penʃən] *n* 1) ве́шание; подве́шивание; 2) приостано́вка; прекраще́ние; вре́менная отста́вка; ~ of arms *воен.* коро́ткое переми́рие; 3) *эк.* прекраще́ние платеж́й; банкро́тство; 4) *хим.* взве́шенное состоя́ние, суспе́нзия; 5) *attr.* подвесно́й, вися́чий; ~ bridge вися́чий мост.

**suspension point** [səs'penʃən'pɔınt] *n* многото́чие.

**suspensive** [səs'pensıv] *a* 1) приостана́вливающий; 2) нереши́тельный.

**suspensory** [səs'pensərı] *мед.* 1. *a* подде́рживающий, подве́шивающий;

2. *n* подде́рживающая повя́зка; суспензо́рий.

**suspicion** [səs'pıʃən] *n* 1) подозре́ние; his character is above ~ он вы́ше подозре́ний; оn ~ по подозре́нию; 2) чу́точка; при́вкус, отте́нок.

**suspicious** [səs'pıʃəs] *a* подозри́тельный.

**suspire** [səs'paıə] *v поэт.* вздыха́ть.

**sustain** [səs'teın] *v* 1) подде́рживать, подпира́ть; 2) подкрепля́ть, подде́рживать; to ~ life подде́рживать жизнь; to ~ a conversation подде́рживать разгово́р; 3) испы́тывать, выноси́ть; выде́рживать; to ~ injuries потерпе́ть уве́чье; to ~ a loss понести́ поте́рю; 4) подтвержда́ть, дока́зывать; подде́рживать; the court ~ed his claim суд реши́л в его́ по́льзу; to ~ a theory подде́рживать, подтвержда́ть тео́рию; 5) выде́рживать (*роль, хара́ктер и т. п.*).

**sustained** [səs'teınd] 1. *p. p. om* sustain;

2. *a* дли́тельный, непреры́вный; ~ effort дли́тельное уси́лие; ~ fire непреры́вный ого́нь; ~ defence стаби́льная оборо́на.

**sustaining** [səs'teınıŋ] 1. *pres. p. om* sustain;

2. *a* 1) подде́рживающий, подпира́ющий; ~ power сто́йкость, выно́сливость; ~ program радиопрогра́мма, составля́емая и опла́чиваемая радиокомпа́нией; 2) подтвержда́ющий, дока́зывающий.

**sustenance** ['sʌstınəns] *n* 1) сре́дства к существова́нию; 2) пита́ние; пи́ща; 3) подде́ржка, подде́ржка.

**sustentation** [,sʌstən'teıʃən] *n* 1) подде́ржание жи́зни; 2) подде́ржка; прокормле́ние.

**sustention** [səs'tenʃən] *n* поддержка; поддержание в том же состоянии.

**sustentive** [səs'tentɪv] *a* дающий, оказывающий поддержку; подкрепляющий.

**susurration** [ˌsjuːsə'reɪʃən] *n редк.* 1) шёпот; 2) лёгкий шорох.

**sutler** ['sʌtlə] *n* маркитант.

**Sutra** ['suːtrə] *санскр. n* сутры, собрание изречений (*в древней санскритской литературе*).

**suttee** ['sʌtiː] *n англо-инд.* 1) обычай самосожжения вдовы вместе с трупом мужа; 2) вдова, сжигающая себя вместе с трупом мужа.

**suture** ['sjuːtʃə] **1.** *n* 1) *анат., бот.* шов; 2) *хир.* наложение шва; 3) нить для сшивания раны;
**2.** *v хир.* накладывать шов, зашивать.

**suzerain** ['suːzəreɪn] *n* 1) феодальный властитель, сюзерен; 2) сюзеренное государство.

**suzerainty** ['suːzəreɪntɪ] *n* 1) власть сюзерена; 2) сюзеренитет.

**svelte** [svelt] *a* стройный, гибкий.

**swab** [swɔb] **1.** *n* 1) швабра; 2) *мед.* тампон; 3) *мор. sl.* погон; 4) *мор. sl.* моряк; *амер.* офицер; 5) *мор. sl.* увалень; 6) *воен.* щётка банника; 7) *метал.* кисть для формовочных чернил, помазок;
**2.** *v* мыть шваброй (*тж.* ~ down); подтирать шваброй (*тж.* ~ up).

**swabber** ['swɔbə] *n* 1) уборщик; 2) увалень.

**swad** [swɔd] *n амер. sl.* солдат.

**swaddle** ['swɔdl] **1.** *n* = swaddling-clothes.
**2.** *v* пеленать, свивать (*младенца*).

**swaddling-bands** ['swɔdlɪŋbændz] = swaddling-clothes.

**swaddling-clothes** ['swɔdlɪŋklouðz] *n* 1) *pl* свивальники, пелёнки; 2) ограничение, контроль; ◇ still in ~, hardly (*или* just) out of ~ ≅ ещё молоко на губах не обсохло.

**Swadeshi** [swə'deɪʃɪ] *n* свадеши (*движение за бойкот английских товаров с целью поощрения индийской промышленности*).

**swag** [swæg] *n sl.* 1) награбленное добро; добыча; 2) взятка; 3) *австрал.* пожитки, поклажа.

**swage** [sweɪdʒ] *тех.* **1.** *n* 1) штамповочный молот; ковочный штамп; матрица; 2) обжимка;
**2.** *v* штамповать в горячем виде.

**swagger** ['swægə] **1.** *n* 1) важная походка; чванство; 2) развязность; 3) щегольство;
**2.** *v* 1) расхаживать с важным видом (*тж.* ~ about, ~ in, ~ out); важничать; чваниться; 2) хвастать (about);
**3.** *a разг.* щегольской, нарядный, шикарный.

**swagger-cane** ['swægəkeɪn] *n* тросточка.

**swaggerer** ['swægərə] *n* 1) хвастун; 2) щёголь.

**swagger-stick** ['swægəstɪk] = swagger-cane.

**swain** [sweɪn] *n* 1) деревенский парень; 2) пастушок (*в буколической поэзии*); 3) *шутл.* обожатель.

**swale** [sweɪl] *n амер.* болотистая низина.

**swallow** I ['swɔlou] **1.** *n* 1) глоток; at a ~ одним глотком; залпом; 2) глотание; 3) глотка; 4) *геол.* рыхлая *или* пористая часть жилы;
**2.** *v* 1) глотать, проглатывать; 2) поглощать (*обыкн.* ~ up); 3) стерпеть; to ~ an insult проглотить обиду; 4) принимать на веру; ◇ to ~ the bait ≅ попасться на удочку; to ~ one's words брать свои слова обратно.

**swallow** II ['swɔlou] *n* ласточка; ◇ one ~ does not make a summer *посл.* одна ласточка ещё не делает весны.

**swallow dive** ['swɔloudaɪv] *n* прыжок в воду ласточкой.

**swallow-tail** ['swɔlouteɪl] *n* 1) раздвоенный хвост; 2) (*тж. pl*) *разг.* фрак (*тж.* swallow-tailed coat).

**swam** [swæm] *past om* swim 2.

**swamp** [swɔmp] **1.** *n* 1) болото, топь; 2) *attr.* болотный; болотистый; ~ fever малярия; ~ ore болотная железная руда, лимонит;
**2.** *v* 1) заливать, затоплять; 2) (*обыкн. р.р.*) засыпать, заваливать (*письмами, заявлениями и т. п.*); 3) (*обыкн. р.р.*) засасывать.

**swamper** ['swɔmpə] *n амер.* 1) уборщик; 2) мойщик машин, рабочий на автобусной станции.

**swampy** ['swɔmpɪ] *a* болотистый.

**swan** [swɔn] *n* 1) лебедь; black ~ чёрный лебедь; *перен.* аномалия, странное явление; mute ~ лебедь-шипун; whooping ~ лебедь-кликун; 2) (S.) *астр.* созвездие Лебедя; ◇ the S. of Avon Шекспир.

**swank** [swæŋk] *sl.* **1.** *n* хвастовство, бахвальство;
**2.** *a* шикарный, роскошный.
**3.** *v* хвастать, бахвалиться.

**swanky** ['swæŋkɪ] *a sl.* шикарный, модный, щегольской.

**swannery** ['swɔnərɪ] *n* садок для лебедей.

**swan's-down** ['swɔnzdaun] *n* 1) лебяжий пух; 2) мягкая шерстяная *или* вигоневая ткань; пике с подчёсом.

**swan-shot** ['swɔnʃɔt] *n* крупная дробь.

**swan-skin** ['swɔnskɪn] *n* вид мягкого сукна.

**swan song** ['swɔn'sɔŋ] *n* лебединая песнь.

**swap** [swɔp] = swop.

**Swaraj** [swɑː'rɑːdʒ] *санскр. n ист.* движение за самоуправление Индии.

**Swarajist** [swɑː'rɑːdʒɪst] *санкр. n ист.* сторонник самоуправления Индии.

**sward** [swɔːd] **1.** *n* газон; дёрн;
**2.** *v* покрывать дёрном, травой; засаживать газон.

**sware** [swɛə] *уст. past om* swear 2.

**swarf** [swɔːf] *n* мелкая металлическая стружка; мелкие металлические опилки.

**swarm** I [swɔːm] **1.** *n* 1) рой; стая; толпа; 2) пчелиный рой; 3) (*часто pl*) куча, масса;
**2.** *v* 1) толпиться; to ~ over the position *воен.* прорваться массой через позицию; 2) кишеть (with); 3) роиться.

**swarm** II [swɔːm] *v* лезть, карабкаться (*тж.* ~ up).

**swart** [swɔːt] *уст.* = swarthy.

**swarthy** ['swɔːðɪ] *a* смуглый; тёмный.

**swash** [swɔʃ] **1.** *n* 1) плеск; 2) прибой, сильное течение; 3) отмель; 4) *уст.* сильный удар;
**2.** *v* 1) плескать(ся); 2) *уст.* ударять с силой.

**swashbuckler** ['swɔʃˌbʌklə] *n* головорез.

**swasher** ['swɔʃə] = swashbuckler.

**swashing** ['swɔʃɪŋ] **1.** *pres. p. om* swash 2;
**2.** *a* сильный (*об ударе*).

**swastika** ['swæstɪkə] *n* свастика.

**swat** [swɔt] **1.** *n* сильный, тяжёлый удар;
**2.** *v* тяжело ударять.

**swatch** [swɔtʃ] *n* (*преим. сев.*) образчик (*ткани*).

**swath** [swɔːθ] *n* 1) полоса скошенной травы, прокос, ряд; 2) *редк.* взмах косы; ◇ to cut a ~ *амер.* щеголять, красоваться; бахвалиться, пускать пыль в глаза.

**swathe** [sweɪð] **1.** *n* бинт; обмотка;
**2.** *v* 1) бинтовать; 2) закутывать, обматывать, пеленать.

**swatter** ['swɔtə] *n* хлопушка для мух.

**sway** [sweɪ] **1.** *n* 1) качание, колебание; взмах; 2) власть, влияние; правление;
**2.** *v* 1) качать(ся), колебать(ся); to ~ to and fro вестись с переменным успехом (*о бое*); 2) иметь влияние (*на кого-л., что-л.*); he is not to be ~ed by argument or entreaty его нельзя поколебать ни доводами, ни мольбой; 3) *поэт.* управлять; править; to ~ the sceptre царствовать; 4) *тех.* направлять, перетягивать; поворачивать в горизонтальном направлении.

**sway-beam** ['sweɪbiːm] *n тех.* балансир.

**swear** [sweə] **1.** *n разг.* 1) клятва; божба; 2) богохульство; ругательство;
**2.** *v* (swore, *уст.* sware; sworn) 1) клясться; присягать; to ~ an oath давать клятву; to ~ allegiance клясться в верности; to ~ a charge (*или* accusation) against smb. обвинять кого-л. под присягой; 2) ручаться; 3) заставлять поклясться (to—в *чём-л.*); приводить к присяге (*тж.* ~ in); to ~ a person to secrecy (fact) заставить кого-л. поклясться в сохранении тайны (в правильности факта); to ~ (in) a witness привести свидетеля к присяге; 4) ругаться; ругать (at—*кого-л.*); богохульствовать; □ ~ by а) клясться *чем-л.*; б) *разг.* постоянно обращаться к *чему-л.*, рекомендовать *что-либо*; безгранично верить *чему-л.*; he ~s by quinine for malaria он очень рекомендует принимать хинин от малярии; ~ in вводить к присяге при вступлении в должность; ~ off *разг.* давать зарок; to ~ off drink дать зарок не пить; ~ to утверждать под присягой; ◇ it is enough to make smb. ~ этого достаточно, чтобы вывести кого-л. из себя; (not) enough to ~ by ≅ кот наплакал; незначительное количество.

**swear-word** ['sweəwəːd] *n* ругательство, бранное слово.

**sweat** [swet] **1.** *n* 1) пот, испарина; in (*или* by) the ~ of one's brow (*или* face) в поте лица своего; in a ~ весь в поту; *перен.* полный нетерпения; 2) потение;

3) *разг.* тяжёлый труд, чёрная работа; трудное упражнение; 4) *разг.* опасение, беспокойство; 5) запотевание, выделение *или* осаждение влаги (*на поверхности чего-л.*);
**2.** *v* 1) потеть; to ~ blood покрываться кровавым потом; to ~ with fear обливаться холодным потом от страха; 2) заставлять потеть; to ~ a horse загнать лошадь; 3) трудиться; исполнять чёрную работу; «потеть» (*над чем-л.*); 4) эксплуатировать; 5) быть в ужасе; испытывать страдание, раскаяние *и т. п.*; 6) выделять влагу; сыреть; запотевать (*о стекле*); 7) *амер. sl.* допрашивать с применением пыток; 8) *тех.* припаивать (in, on); □ ~ out вымогать; выманивать.

**sweat-band** ['swetbænd] *n* кожаная лента внутри шляпы.

**sweat-box** ['swetbɔks] *n разг.* карцер.

**sweat-cloth** ['swetklɔθ] *n* потник.

**sweated** ['swetɪd] **1.** *past и p. p. om* sweat 2;
**2.** *a* 1) потогонный *или* применяющий потогонную систему; ~ industry отрасль промышленности, в которой применяется потогонная система; 2) подвергающийся жестокой эксплуатации, являющийся жертвой потогонной системы.

**sweater** I ['swetə] *n* свитер.

**sweater** II ['swetə] *n* эксплуататор.

**sweater girl** ['swetəˌɡəːl] *n разг.* девушка с высоким бюстом.

**sweat-gland** ['swetɡlænd] *n анат.* потовая железа.

**sweating system** ['swetɪŋˈsɪstɪm] *n* усиленная эксплуатация; потогонная система.

**sweat shirt** ['swetˌʃəːt] *n* бумажный спортивный свитер.

**sweat-shop** ['swetʃɔp] *n* предприятие, на котором существует потогонная система.

**sweaty** ['swetɪ] *a* потный.

**Swede** [swiːd] *n* швед; шведка.

**swede** [swiːd] *n бот.* брюква (рутабага).

**swedge** [swedʒ] *n тех.* оправка.

**Swedish** ['swiːdɪʃ] **1.** *a* шведский;
**2.** *n* шведский язык.

**Swedish turnip** ['swiːdɪʃˈtəːnɪp] = swede.

**sweeny** ['swiːnɪ] *n амер. вет.* атрофия мускула (*особ. плечевого у лошади*).

**sweep** [swiːp] **1.** *n* 1) размах, взмах; 2) охват, кругозор; 3) распространение, охват; развитие; 4) течение; непрестанное движение; 5) протяжение, пролёт; 6) кривая; изгиб; поворот (*дороги*); the graceful ~ of draperies красивые складки драпри; 7) выметание; подметание; чистка; to make a clean ~ of smth. избавиться от чего-л.; окончательно отделаться от чего-л.; 8) трубочист; a regular little ~ чумазый ребёнок; 9) *pl* мусор; 10) *разг. см.* sweepstake(s); 11) чертёжное лекало; 12) длинное весло; 13) крыло ветряной мельницы; 14) журавль (*колодца*); 15) *тех.* шаблон; 16) *ав.* снос (*ветром*);
**2.** *v* (swept) 1) нестись, мчаться, проноситься (*тж.* ~ along, ~ over); the cavalry swept down the valley кавалерия устремилась по долине; to ~ the seas избороздить

все моря и океаны [*ср. тж.* 8)]; 2) обуять, охватить; a deadly fear swept over him его обуял смертельный страх; 3) охватывать; окидывать взглядом; he swept the valley он окинул взглядом долину; 4) касаться, проводить (*рукой*); to ~ one's hand across one's face провести рукой по лицу; 5) простираться, тянуться; 6) ходить величаво; 7) гнуть в дугу; изгибать(ся); 8) мести, подметать, чистить, прочищать; to ~ a chimney чистить дымоход; to ~ (out) a room подметать комнату; to ~ the seas очистить море от неприятеля [*ср. тж.* 1)]; 9) сметать, уничтожать, сносить; смывать (*волной*) (*тж.* ~ away, ~ off, ~ down); he was swept off his feet by a wave волна сбила его с ног; to ~ the board *карт.* сорвать банк, завладеть всем; to ~ away slavery уничтожить рабство; 10) увлекать (*тж.* ~ along, ~ away); he swept his audience along with him он увлёк своих слушателей; to ~ a constituency получить большинство голосов; 11) *мор.* тралить (*мины*); 12) *воен.* обстреливать, простреливать.

**sweeping** ['swiːpɪŋ] **1.** *pres. p. om* sweep 2; **2.** *n* 1) уборка, подметание; 2) *pl* мусор; **3.** *a* 1) широкий, с большим охватом; ~ changes радикальные перемены; 2) стремительный, быстрый; 3) не делающий различий, огульный; ~ statements огульные утверждения.

**sweep-net** ['swiːpnet] *n* 1) невод; 2) сачок для бабочек.

**sweepstake(s)** ['swiːpsteɪk(s)] *n* пари на скачках, тотализатор.

**sweet** [swiːt] **1.** *a* 1) сладкий; 2) душистый; 3) свежий; неиспорченный; ~ butter несолёное масло; ~ water пресная вода; is the milk ~? молоко не скисло?; to keep the room ~ хорошо проветривать комнату; 4) мелодичный, благозвучный; 5) любимый; милый, приятный; ласковый; ~ disposition мягкий характер; ~ face привлекательное лицо; ~ words ласковые слова; ~ one любимый, любимая (*в обращении*); 6) *разг.* бесшумный (*о моторе и т. п.*); легко управляемый; 7) плодородный (*о почве*); ◇ a ~ one *sl.* сильный удар кулаком; to have a ~ tooth быть сластёной; at one's own ~ will как вздумается, наугад; to be ~ on smb. быть влюблённым в кого-л.; **2.** *n* 1) леденец; конфета; 2) (*обыкн. pl*) сладкое (*как блюдо*); 3) сладость, сладкий вкус; 4) *pl* наслаждения; 5) (*обыкн. pl*) ароматы; 6) возлюбленный; возлюбленная.

**sweet bay** ['swiːt'beɪ] *n бот.* 1) лавр благородный; 2) магнолия виргинская.

**sweet-bow** ['swiːtbau] *n* ранний сорт яблок.

**sweetbread** ['swiːtbred] *n* сладкое мясо.

**sweet-briar** ['swiːt'braɪə] = sweet-brier.

**sweet-brier** ['swiːt'braɪə] *n* роза эглантерия.

**sweeten** ['swiːtn] *v* 1) подслащивать; 2) наполнять благоуханием; 3) смягчать; 4) освежать, проветривать; 5) удобрять; 6) *карт.* увеличивать ставку.

**sweetening** ['swiːtnɪŋ] **1.** *pres. p. om* sweeten; **2.** *n* 1) подслащивание; 2) то, что придаёт сладость.

**sweetheart** ['swiːthɑːt] *n* возлюбленный, возлюбленная; дорогой, дорогая (*в обращении*).

**sweetie** ['swiːtɪ] *разг. см.* sweetheart.

**sweeting** ['swiːtɪŋ] *n* 1) сорт сладких яблок; 2) *уст.* = sweetheart.

**sweetish** ['swiːtɪʃ] *a* сладковатый.

**sweetly** ['swiːtlɪ] *adv* 1) сладко *и пр.* [*см.* sweet 1]; ~ pretty очаровательный; 2) гладко, плавно (*о ходе машины*).

**sweetmeat** ['swiːtmiːt] *n* 1) конфета; леденец; 2) *pl* засахаренные фрукты.

**sweet oil** ['swiːt'ɔɪl] *n* прованское масло.

**sweet pea** ['swiːt'piː] *n бот.* чина душистая, душистый горошек.

**sweet-root** ['swiːtruːt] *n бот.* солодка голая.

**sweet-scented** ['swiːt'sentɪd] *a* душистый.

**sweet-shop** ['swiːtʃɔp] *n* кондитерская.

**sweet-stuff** ['swiːtstʌf] *n* сласти.

**sweet-tempered** ['swiːt'tempəd] *a* ласковый, с мягким характером.

**sweet-william** ['swiːt,wɪljəm] *n бот.* турецкая гвоздика, гвоздика бородатая.

**sweety** ['swiːtɪ] *n* конфетка.

**swell** [swel] **1.** *n* 1) возвышение, выпуклость; the ~ of the ground пригорок, холм(ик); 2) *редк.* нарастание, разбухание; 3) опухоль; 4) волнение, зыбь; 5) усиление и ослабление звука; 6) *разг.* щёголь; светский человек; 7) *разг.* важная персона, шишка; **2.** *a разг.* 1) щегольской; шикарный; 2) отличный, превосходный; some ~ fellows замечательные ребята; ~ society высшее общество; **3.** *v* (swelled [-d]; swollen) 1) надувать (-ся); раздуваться, подниматься; 2) увеличивать(ся); разрастаться; набухать; the river is swollen река вздулась; 3) быть преисполненным чувствами; the heart ~s сердце переполнено; to ~ with indignation едва сдерживать негодование; to ~ with pride надуться от гордости; 4) *разг.* важничать; 5) нарастать (*о звуке*); 6) то усиливаться, то затухать (*о звуке*).

**swell-box** ['swelbɔks] *n* педаль органа.

**swelldom** ['sweldəm] *n sl.* фешенебельное общество.

**swelled head** ['sweld'hed] *n разг.* самомнение.

**swelling** ['swelɪŋ] **1.** *pres. p. om* swell 3; **2.** *n* 1) опухоль; 2) выпуклость, возвышение; 3) разбухание, увеличение; **3.** *a* 1) вздымающийся, набухающий; нарастающий; 2) высокопарный; ~ oratory напыщенное красноречие.

**swell mob** ['swel'mɔb] *n sl.* шикарно одетые жулики; аферисты.

**swelter** ['sweltə] **1.** *n* зной, духота; **2.** *v* изнемогать от зноя.

**swept** [swept] *past и p. p. om* sweep 2.

**swerve** [swəːv] **1.** *n* отклонение; **2.** *v* отклоняться от прямого пути, сворачивать в сторону.

**swift** [swɪft] **1.** *a* скóрый, быстрый; ~ anger скоропрохóдящий гнев; ~ to anger вспыльчивый; ~ to take offence обидчивый; ◇ be ~ to hear, slow to speak побóльше слýшай, помéньше говорй;
**2.** *adv* быстро, поспéшно;
**3.** *n* 1) *зоол.* стриж; 2) *текст.* барабáн, мотовйло, шпýлька;
**4.** *v мор.* 1) зарифить; 2) обтягивать; стягивать.

**swift-handed** ['swɪft'hændɪd] *a* скóрый, лóвкий.

**swig** [swɪg] *sl.* **1.** *n* глотóк (*спиртного*); to take a ~ at smth. выпить что-л.;
**2.** *v* потягивать (*вино*).

**swill** [swɪl] **1.** *n* 1) полоскáние, обливáние водóй; 2) помóи (*для свиней*), пóйло;
**2.** *v* 1) полоскáть, обливáть водóй (*часто* ~ out); 2) жáдно пить, лакáть.

**swim** [swɪm] **1.** *n* 1) плáвание; to go for a ~ (пойтй) поплáвать; to have (*или* to take) a ~ поплáвать; 2) óмут, в котóром вóдится рыба; 3) головокружéние; обмóрок; 4) *редк.* = swimming-bladder; ◇ to be in the ~ быть в кýрсе дéла; быть в цéнтре (*событий, общественной жизни и т. п.*); to be out of the ~ быть не в кýрсе дéла; стоять вне жйзни; to put smb. in the ~ ввестй когó-л. в курс дéла;
**2.** *v* (swam; swum) 1) плáвать, плыть; переплывáть; to ~ like a stone *шутл.* ≃ плáвать как топóр; идтй ко дну; to ~ a person a hundred yards состязáться с кем-л. в плáвании на сто ярдов; to ~ a race учáствовать в состязáнии по плáванию; 2) заставлять плыть; to ~ a horse across a river застáвить лóшадь переплыть рéку; 3) быть залйтым (in, with — *чем-л.*); the meat ~s in gravy мясо залйто подлйвкой; to ~ in luxury утопáть в рóскоши; 4) чýвствовать головокружéние; кружйться (*о голове*); everything swam before his eyes всё поплыло у негó пéред глазáми; ◇ to ~ with (*или* down) the tide (*или* the stream) примкнýть к большинствý; to ~ against the stream идтй прóтив большинствá; sink or ~ *см.* sink 2, ◇.

**swimmer** ['swɪmə] *n* 1) пловéц; 2) поплавóк.

**swimming** ['swɪmɪŋ] **1.** *pres. p. от* swim 2;
**2.** *n* 1) плáвание; 2) головокружéние;
**3.** *a* 1) плáвающий; 2) предназнáченный для плáвания, плáвательный; 3) залйтый; ~ eyes глазá, залйтые слезáми; 4) испытывающий головокружéние.

**swimming-bath** ['swɪmɪŋbɑːθ] = swimming-pool.

**swimming-bladder** ['swɪmɪŋˌblædə] *n* плáвательный пузырь (*у рыб*).

**swimmingly** ['swɪmɪŋlɪ] *adv* глáдко, без помéх; превосхóдно; things went ~ всё шло как по мáслу.

**swimming-pool** ['swɪmɪŋpuːl] *n* бассéйн для плáвания.

**swindle** ['swɪndl] **1.** *n* надувáтельство;
**2.** *v* обмáнывать, надувáть; to ~ money out of a person выманить у когó-л. дéньги.

**swindler** ['swɪndlə] *n* мошéнник, жýлик.

**swine** [swaɪn] *n* (*pl без измен.*) 1) *уст.* = pig 1, 1; 2) *pl* свйньи; 3) свинья, нахáл.

**swine-bread** ['swaɪnbred] *n* трюфель (*гриб*).

**swine-breeding** ['swaɪnˌbriːdɪŋ] *n* свиновóдство.

**swineherd** ['swaɪnhɜːd] *n* свинопáс.

**swinery** ['swaɪnərɪ] *n* свинáрник.

**swing** [swɪŋ] **1.** *n* 1) качáние; колебáние; 2) размáх; взмах; ход; in full ~ в пóлном разгáре; to give full ~ to smth. дать вóлю чемý-л.; 3) естéственный ход; let it have its ~ пусть исчéрпает свой запáс энéргии; 4) свобóда дéйствий; he gave us a full ~ in the matter в этом дéле он предостáвил нам пóлную свобóду дéйствий; 5) ритм; 6) мéрная, ритмйчная похóдка; 7) качéли; 8) *физ.* амплитýда качáния; 9) *тех.* максимáльное отклонéние стрéлки (*прибора*), 10) свинг (*в боксе*); 11) = swing music; ◇ to go with a ~ идтй как по мáслу; what you lose on the ~s you make up on the roundabouts потéри в однóм возмещáются выигрышем в другóм;
**2.** *v* (swung) 1) качáть(ся), колебáть(ся); размáхивать; to ~ a bell раскáчивать кóлокол; to ~ one's legs болтáть ногáми; to ~ one's arms размáхивать рукáми; 2) вéшать, подвéшивать; *разг.* быть повéшенным; he shall ~ for it *разг.* егó повéсят за это; 3) вертéть(ся); повáрачивать (-ся); to ~ into line *воен.* развёртывать (-ся) в шерéнгу; to ~ a ship about поворáчивать сýдно; to ~ open распáхиваться; to ~ shut, to ~ to захлóпываться; 4) идтй мéрным шáгом; 5) *амер.* успéшно провестй (*что-л.*); 6) исполнять джáзовую мýзыку; ◇ to ~ the lead *sl.* симулйровать; по room to ~ a cat in ≃ яблоку нéгде упáсть; повернýться нéгде.

**swing bridge** ['swɪŋ'brɪdʒ] *n* поворóтный мост.

**swing-door** ['swɪŋdɔː] *n* вращáющаяся дверь, дверь, открывáющаяся в любýю стóрону (*обыкн. двустворчатая*).

**swinge** [swɪndʒ] *v уст.* сйльно ударять.

**swingeing** ['swɪndʒɪŋ] **1.** *pres. p. от* swinge;
**2.** *a* 1) сйльный, ошеломляющий (*об ударе*); 2) *разг.* громáдный; ~ majority подавляющее большинствó; 3) замечáтельный, первоклáссный.

**swinging** ['swɪŋɪŋ] **1.** *pres. p. от* swing 2;
**2.** *n* качáние, колебáние; размáхивание;
**3.** *a* качáющийся, колéблющийся; поворóтный.

**swing joint** ['swɪŋ'dʒɔɪnt] *n тех.* шарнйрное соединéние.

**swingle** ['swɪŋgl] **1.** *n* трепáло;
**2.** *v* трепáть (*лён*).

**swingletree** ['swɪŋgltriː] = swing-tree.

**swing music** ['swɪŋ'mjuːzɪk] *n* разновйдность джáзовой мýзыки.

**swing shift** ['swɪŋ'ʃɪft] *n* вторáя смéна на фáбрике *или* завóде (*с 4 часов дня до 12 ночи*).

**swing-span** ['swɪŋspæn] *n амер.* разводнóй пролёт поворóтного мóста.

**swing-tree** ['swɪŋtriː] *n тех.* вáга.

**swinish** ['swaɪnɪʃ] *a* свинский.

**swipe** [swaɪp] 1. *n* 1) сильный удар; 2) *тех.* ворот, коромысло; 2. *v* 1) ударять с силой; 2) *амер. sl.* красть.

**swipes** [swaɪps] *n pl* водянистое мутное пиво, испорченное пиво.

**swirl** [swəːl] 1. *n* 1) водоворот; кружение; 2) воронки (*на воде*); след судна; клубы дыма; 2. *v* 1) кружить(ся) в водовороте; 2) образовывать водоворот.

**swish** I [swɪʃ] 1. *n* 1) свист (*хлыста и т. п.*); взмах (*косы и т. п.*) со свистом; 2) шелест, шуршание; ◇ to have a ~ on *sl.* спешить, торопиться; 2. *v* 1) рассекать воздух со свистом; 2) размахивать (*тростью, палкой*); 3) сечь (*розгой*); □ ~ off скашивать, сбивать со свистом.

**swish** II [swɪʃ] *a sl.* шикарный.

**Swiss** [swɪs] 1. *a* швейцарский; ◇ ~ roll рулет с вареньем; 2. *n* швейцарец; швейцарка; the ~ *pl собир.* швейцарцы.

**switch** [swɪtʃ] 1. *n* 1) прут; хлыст; 2) фальшивая коса; накладка (*волос*); 3) веничек, сбивалка (*для яиц, сливок*); 4) эл. выключатель; переключатель; коммутатор; 5) ж.-д. стрелка; 2. *v* 1) ударять прутом *или* хлыстом; отстегать прутом; 2) махать, размахивать; 3) сбивать (*яйца, сливки*); 4) внезапно направить (*мысли, разговор*) в другую сторону, изменить направление (*тж.* ~ off); 5) переводить (*поезд*) на другой путь; 6) эл. переключать; включать; выключать; □ ~ off а) выключать ток; б) разъединять телефонного абонента; в) давать отбой; г) выключать радиоприёмник; ~ on а) включать ток; б) соединять абонента; ~ onto настроиться на радиопередачу.

**switchback** ['swɪtʃbæk] *n* американские горы.

**switchboard** ['swɪtʃbɔːd] *n* эл. коммутатор; распределительный щит.

**switch-fuse** ['swɪtʃfjuːz] *n* эл. плавкий предохранитель-распределитель.

**switch lamp** ['swɪtʃ'læmp] *n* ж.-д. стрелочный фонарь.

**switch-lever** ['swɪtʃ,levə] *n* ж.-д. переводной рычаг стрелки.

**switch-man** ['swɪtʃmən] *n* стрелочник.

**switch-over** ['swɪtʃ,ouvə] *n* переход. (*к чему-л.*).

**switch-plug** ['swɪtʃplʌg] *n* эл. стенная штепсельная розетка с выключателем; штепсель.

**switch-tender** ['swɪtʃ,tendə] = switch-man.

**switch tower** ['swɪtʃ'tauə] *n* амер. будка стрелочника.

**switchyard** ['swɪtʃjɑːd] *амер.* = shunting-yard.

**swivel** ['swɪvl] *n* 1) тех. вертлюг, шарнирное соединение; 2) attr. вращающийся; поворотный; ~ seat поворотное сиденье.

**swivel-eyed** ['swɪvl'aɪd] *a разг.* косящий; раскосый.

**swizzle** ['swɪzl] 1. *n* род алкогольного напитка; 2. *v* опьянять; to get ~d выпить, напиться.

**swob** [swɔb] = swab.

**swollen** ['swoulən] 1. *p. p. от* swell 3; 2. *a* вздутый, раздутый; непомерно высокий.

**swoon** [swuːn] 1. *n* обморок; 2. *v* 1) падать в обморок; 2) поэт. замирать (*о звуке*).

**swoop** [swuːp] 1. *n* устремление вниз; внезапное нападение, налёт; at (*или* in) one fell ~ одним ударом, одним махом; 2. *v* 1) устремляться вниз (*обыкн.* ~ down); налетать, бросаться (*обыкн.* on, ~ upon); 2) хватать, подхватывать (*обыкн.* ~ up); □ ~ down ав. пикировать.

**swop** [swɔp] *разг.* 1. *n* обмен; 2. *v* менять, обмениваться; will you ~ places? не поменяетесь ли местами?; ◇ never ~ horses while crossing the stream не следует производить крупные перемены в неподходящее время.

**sword** [sɔːd] *n* 1) меч; шпага, рапира; палаш; шашка; сабля; cavalry ~ сабля; court ~ шпага; duelling ~ рапира; the ~ of justice меч правосудия, судебная власть; at ~s' points на ножах; враждебный, готовый к враждебным действиям; to cross (*или* to measure) ~s начать борьбу; скрестить мечи; to draw the ~ обнажить меч; *перен.* начать войну; to put to the ~ предать мечу; to sheathe the ~ вложить меч в ножны; *перен.* кончить войну; to throw one's ~ into the scale бросить меч на весы; поддержать свои притязания силой оружия; 2) (the ~) сила оружия; война; 3) воен. sl. штык.

**sword-arm** ['sɔːd,ɑːm] *n* правая рука.

**sword-bayonet** ['sɔːd,beɪənɪt] *n* клинковый штык, штык-тесак.

**sword-bearer** ['sɔːd,bɛərə] *n* 1) оруженосец; меченосец; 2) милитарист.

**sword-belt** ['sɔːdbelt] *n* портупея.

**sword-cane** ['sɔːdkeɪn] *n* трость с вкладной шпагой.

**sword-cut** ['sɔːdkʌt] *n* 1) резаная рана; 2) рубец.

**sword-dance** ['sɔːddɑːns] *n* танец с мечами.

**sword-fish** ['sɔːdfɪʃ] *n* меч-рыба.

**sword-guard** ['sɔːdgɑːd] *n* чашка шпаги.

**sword-hand** ['sɔːdhænd] *n* = sword-arm.

**sword-hilt** ['sɔːdhɪlt] *n* эфес.

**sword-knot** ['sɔːdnɔt] *n* темляк.

**sword-law** ['sɔːdlɔː] *n* право сильного.

**sword-lily** ['sɔːd,lɪlɪ] *n бот.* гладиолус, шпажник.

**sword-play** ['sɔːdpleɪ] *n* 1) фехтование; 2) пикировка; состязание в остроумии.

**swordsman** ['sɔːdzmən] *n* фехтовальщик.

**swordsmanship** ['sɔːdzmənʃɪp] *n* искусство фехтования.

**sword-stick** ['sɔːdstɪk] = sword-cane.

**swore** [swɔː] *past от* swear 2.

**sworn** [swɔːn] 1. *p. p. от* swear 2; 2. *a* присягнувший; поклявшийся; ~ broker присяжный маклер; ~ brothers назва́ные бра́тья; побрати́мы; ~ friends закады́чные друзья́; ~ enemies закля́тые враги́; ~ evidence (*или* oath) показа́ния под прися́гой.

**swot** [swɔt] *sl.* 1. *n* 1) тру́дная рабо́та; 2) зубрёжка; 3) зубри́ла-му́ченик; 2. *v* зубри́ть, долби́ть; подзубри́ть (*обыкн.* ~ up).

**swim** [swʌm] *p. p. от* swim 2.

**swung** [swʌŋ] *past и p. p. от* swing 2.

**sybarite** ['sıbəraıt] *n* сибари́т.

**sybaritic** [ˌsıbə'rıtık] *a* сибари́тский; изне́женный.

**sybil** ['sıbıl] = sibyl.

**sycamine** ['sıkəmaın] *n библ.* смоко́вница.

**sycamore** ['sıkəmɔː] *n бот.* 1) сикомо́р (*тж.* ~ fig); 2) клён я́вор (*тж.* ~ maple); 3) плата́н.

**syce** [saıs] = sice II.

**sycophancy** ['sıkəfənsı] *n* низкопокло́нство, лесть.

**sycophant** ['sıkəfənt] *n* льстец, подхали́м; лизоблю́д.

**sycosis** [saı'kousıs] *n мед.* сико́з.

**syenite** ['saıınaıt] *n мин.* сиени́т.

**syllabary** ['sıləbərı] *n* слогова́я а́збука.

**syllabi** ['sıləbaı] *pl от* syllabus.

**syllabic** [sı'læbık] *a* слогово́й; силлаби́ческий.

**syllabicate** [sı'læbıkeıt] *v* разделя́ть на сло́ги; произноси́ть по слога́м.

**syllabication** [sıˌlæbı'keıʃən] = syllabification.

**syllabification** [sıˌlæbıfı'keıʃən] *n* разделе́ние на сло́ги.

**syllabify** [sı'læbıfaı] = syllabicate.

**syllabize** ['sıləbaız] = syllabicate.

**syllable** ['sıləbl] 1. *n* 1) слог; 2) *перен.* звук, сло́во; he never uttered a ~ он не произнёс ни зву́ка; 2. *v* произноси́ть по слога́м.

**-syllabled** [-'sıləbld] *в сло́жных слова́х означа́ет* состоя́щий из сто́льких-то слого́в; one-syllabled односло́жный; two-syllabled двусло́жный *и т. п.*

**syllabub** ['sıləbʌb] = sillabub.

**syllabus** ['sıləbəs] *n* (*pl* -bi, -es [-ız]) 1) програ́мма (*ку́рса, ле́кций*); 2) конспе́кт, план; 3) расписа́ние.

**syllogism** ['sılədʒızəm] *n* 1) *лог.* силлоги́зм; 2) то́нкий, хи́трый ход для подтвержде́ния *или* доказа́тельства (*чего́-л.*).

**syllogize** ['sılədʒaız] *v* выража́ть в фо́рме силлоги́зма.

**sylph** [sılf] *n* 1) сильф; 2) грацио́зная же́нщина.

**sylvan** ['sılvən] = silvan.

**sylviculture** ['sılvıˌkʌltʃə] = silviculture.

**symbiosis** [ˌsımbı'ousıs] *n биол.* симбио́з.

**symbol** ['sımbəl] *n* 1) си́мвол, эмбле́ма; 2) обозначе́ние, знак.

**symbolic(al)** [sım'bɔlık(əl)] *a* символи́ческий.

**symbolism** ['sımbəlızəm] *n* символи́зм.

**symbolist** ['sımbəlıst] *n* символи́ст.

**symbolize** ['sımbəlaız] *v* 1) символизи́ровать; 2) изобража́ть символи́чески.

**symmetric(al)** [sı'metrık(əl)] *a* симметри́чный, симметри́ческий.

**symmetrize** ['sımıtraız] *v* де́лать симметри́чным; располага́ть симметри́чно.

**symmetry** ['sımıtrı] *n* 1) симметри́я; 2) соразме́рность.

**sympathetic** [ˌsımpə'θetık] *a* 1) сочу́вственный; по́лный сочу́вствия; вы́званный сочу́вствием; 2) симпати́чный; 3) *физиол.* симпати́ческий; 4) *физ.* отве́тный; ~ vibration отве́тная вибра́ция.

**sympathetic ink** [ˌsımpə'θetık'ıŋk] *n* симпати́ческие черни́ла.

**sympathize** ['sımpəθaız] *v* 1) сочу́вствовать, выража́ть сочу́вствие (with); 2) симпатизи́ровать (with).

**sympathizer** ['sımpəθaızə] *n* сочу́вствующий; сторо́нник.

**sympathy** ['sımpəθı] *n* 1) сочу́вствие (with); сострада́ние (for); симпа́тия; a man of ready ~ отзы́вчивый челове́к; 2) взаи́мное понима́ние; о́бщность (*в чём-л.*); in ~ with в по́лном согла́сии с; out of ~ в разла́де.

**symphonic** [sım'fɔnık] *a* симфони́ческий; ~ music симфони́ческая му́зыка; симфони́ческое произведе́ние.

**symphony** ['sımfənı] *n* 1) симфо́ния; 2) *attr.* симфони́ческий; ~ orchestra симфони́ческий орке́стр.

**symposia** [sım'pouzjə] *pl от* symposium.

**symposium** [sım'pouzjəm] *n* (*pl* -sia) 1) филосо́фская *или* ина́я дру́жеская бесе́да; 2) сбо́рник стате́й разли́чных а́второв на о́бщую те́му; 3) *др.-греч.* пир.

**symptom** ['sımptəm] *n* симпто́м; при́знак.

**symptomatic** [ˌsımptə'mætık] *a* симптома́тический.

**synagogue** ['sınəgɔg] *n* синаго́га.

**sync, synch** [sıŋk] *кино, телев. разг.* 1. *n* 1) синхрониза́ция; 2) синхрониза́тор; 2. *v* синхронизи́ровать.

**synchrocyclotron** ['sıŋkrou'saıklɔutrɔn] *n физ.* синхроциклотро́н.

**synchronism** ['sıŋkrənızəm] *n* синхрони́зм, одновре́менность.

**synchronize** ['sıŋkrənaız] *v* 1) синхронизи́ровать; совпада́ть во вре́мени; 2) координи́ровать, согласо́вывать во вре́мени; 3) устана́вливать одновре́менность собы́тий; 4) пока́зывать одина́ковое вре́мя (*о часа́х*); 5) сверя́ть (*часы́*).

**synchronizer** ['sıŋkrənaızə] *n* синхрониза́тор.

**synchronoscope** [sıŋ'krɔnəˌskoup] = synchroscope.

**synchronous** ['sıŋkrənəs] *a* синхро́нный, одновре́менный.

**synchrophasotron** ['sıŋkrou'feızɔutrɔn] *n физ.* синхрофазотро́н.

**synchroscope** ['sıŋkrouskoup] *n ав.* синхроско́п.

**synchrotron** ['sıŋkroutrɔn] *n физ.* синхротро́н.

**syncopate** ['sıŋkəpeıt] *v* 1) *грам.* сокраща́ть сло́во, опуска́я звук *или* слог в середи́не его́; 2) *муз.* синкопи́ровать.

**syncope** ['sıŋkəpı] *n* 1) *грам., муз.* синко́па; 2) *мед.* о́бморок.

**syncretism** ['sıŋkrətızəm] *n филос.* синкретизм.

**syncro-mesh** ['sıŋkrou'meʃ] *n авт.* синхронизатор, синхронизирующее приспособление.

**syndetic** [sın'detık] *a грам.* союзный; соединительный; ~ word союзное слово.

**syndic** ['sındık] *n* синдик, старшина; член магистрата.

**syndicalism** ['sındıkəlızəm] *n* синдикализм.

**syndicalist** ['sındıkəlıst] *n* синдикалист.

**syndicate** 1. *n* ['sındıkıt] 1) синдикат; 2) организация, приобретающая информацию, статьи *и т. п.* и продающая их различным газетам для одновременной публикации;
2. *v* ['sındıkeıt] 1) объединять в синдикаты, синдицировать; 2) приобретать информацию *и пр.* [*см.* 1, 2)].

**syndrome** ['sındroum] *n мед.* синдром, комплекс симптомов.

**syne** [saın] *шотл.* = since.

**synecdoche** [sı'nekdəkı] *n прос.* синекдоха.

**syngenesis** [sın'dʒenısıs] *n* 1) *биол.* половое размножение; 2) *геол.* сингенез.

**synod** ['sınəd] *n* 1) собор духовенства; синод; 2) съезд, совет.

**synonym** ['sınənım] *n* синоним.

**synonymic** [,sınə'nımık] = synonymous.

**synonymous** [sı'nonıməs] *a* синонимический, синонимичный.

**synonymy** [sı'nonımı] *n* 1) синонимичность; 2) синонимика.

**synopses** [sı'nopsiːz] *pl om* synopsis.

**synopsis** [sı'nopsıs] *n* (*pl* -ses) конспект, краткий обзор; синопсис.

**synoptic(al)** [sı'noptık(əl)] *a* синоптический, конспективный.

**syntactic(al)** [sın'tæktık(əl)] *a* синтаксический.

**syntax** ['sıntæks] *n* синтаксис.

**syntheses** ['sınθısiːz] *pl om* synthesis.

**synthesis** ['sınθısıs] *n* (*pl* -ses) синтез.

**synthetic(al)** [sın'θetık(əl)] *a* 1) *лингв.,* *хим.* синтетический; 2) искусственный.

**synthetics** [sın'θetıks] *n pl* синтетические материалы (*пластмассы и др.*).

**syntonic** [sın'tonık] *a радио* синтонический, настроенный в тон.

**syntonize** ['sıntənaız] *v радио* настраивать в тон, на волну.

**syphilis** ['sıfılıs] *n* сифилис.

**syphilitic** [,sıfı'lıtık] *a* сифилитический.

**syphon** ['saıfən] = siphon.

**syren** ['saıərın] = siren.

**Syriac** ['sırıæk] 1. *a* древнесирийский (*тк. о языке*);
2. *n* древнесирийский язык.

**Syrian** ['sırıən] 1. *a* сирийский;
2. *n* сириец; сирийка.

**syringa** [sı'rıŋgə] *n бот.* чубушник.

**syringe** ['sırındʒ] 1. *n* 1) шприц; спринцовка; hypodermic ~ шприц для подкожных впрыскиваний; 2) пожарный насос;
2. *v* спринцевать; впрыскивать.

**syringes** I ['sırındʒız] *pl om* syringe 1.

**syringes** II [sı'rındʒiːz] *pl om* syrinx.

**syringitis** [,sırın'dʒaıtıs] *n мед.* воспаление евстахиевой трубы.

**syrinx** ['sırıŋks] *n* (*pl* -es [-ız], -inges) 1) свирель (Пана); флейта; 2) нижняя гортань певчих птиц; 3) *анат.* евстахиева труба; 4) *хир.* фистула, свищ.

**syrup** ['sırəp] *n* 1) сироп; 2) очищенная патока; golden ~ светлая патока.

**systaltic** [sıs'tæltık] *a* попеременно расширяющийся и сокращающийся; пульсирующий, систальтический.

**system** ['sıstım] *n* 1) система; ~ of axes система координат; what ~ do you go on? какому методу вы следуете?; 2) сеть (*дорог и т. п.*); 3) организм; 4) мир, вселенная; 5) *геол.* система, формация.

**systematic** [,sıstı'mætık] *a* систематический.

**systematize** ['sıstımətaız] *v* систематизировать.

**systemic** [sıs'temık] *a физиол.* систематический; относящийся ко всему организму; соматический.

**systole** ['sıstəlı] *n физиол.* систола.

# T

**T, t** [tiː] *n* (*pl* Ts, T's [tiːz]) 20-я буква англ. алфавита; ◇ to mark with a T *ист.* выжигать вору клеймо в виде буквы T (*по первой букве слова* thief); to cross the T's *перен.* ≅ ставить точку над i; (right) to a T в совершенстве; точь-в-точь; как раз; в точности.

**T-** [tiː-] *в сложных словах, обозначающих предметы, имеющие форму буквы* T, *напр.:* T-beam тавровая балка; T-joint тройник(овая муфта); T-square рейсшина.

**'t** [t] *сокр. разг.* = it *в сочетаниях* 'tis, 'twas, on't *и т. п.*

**tab** [tæb] 1. *n* 1) вешалка; петелька; ушко; 2) наконечник; 3) ухо (*шапки*); 4) петлица (*на воротнике*); red ~ *перен.* штабной офицер; 5) *амер. разг.* счёт; чек;

to keep ~(s) on a) вести счёт; б) *перен.* следить за; в) *ав.* триммер;
2. *v разг.* 1) фиксировать; 2) располагать в виде таблиц, диаграмм.

**tabard** ['tæbəd] *n ист.* 1) плащ, носимый рыцарями поверх лат; 2) камзол герольда.

**tabby** ['tæbı] *n* 1) муар; 2) пёстрая кошка; 3) сплетница, *особ.* болтливая старая дева; 4) *стр.* смесь гравия, песка и ракушек, скреплённая известкой; смесь глины, песка и щебня, земляной бетон.

**tabernacle** ['tæbə,nækl] *n* 1) временное переносное жильё; шатёр; 2) сосуд, человек (*как вместилище души*); 3) молельня (*протестантских сектантов*); 4) *церк.* дарохранительница; 5) *церк.* рака; 6) tab — 1003 — tac

*библ.* скиния; ◇ Feast of Tabernacles праздник кущей.

**tabes** ['teɪbiːz] *n мед.* табес, сухотка спинного мозга.

**tabescence** [tə'besəns] *n мед.* исхудание, истощение.

**tabetic** [tə'betɪk] *мед.* 1. *n* табетик; 2. *a* страдающий табесом.

**table** ['teɪbl] 1. *n* 1) стол; to be (*или* to sit) at ~ быть за столом, обедать *и т. п.*; 2) пища, стол; to keep a good ~ держать хороший стол; unfit for ~ несъедобный; 3) общество за столом; to keep the ~ amused развлекать гостей за столом; 4) доска (*тж. для настольных игр*); 5) плита; дощечка; надпись на плите, дощечке; скрижаль; the ten ~s *библ.* десять заповедей; 6) таблица; расписание; табель; ~ of contents оглавление; 7) плоская поверхность; 8) горное плато, плоскогорье; 9) *тех.* стол (*станка*); планшайба; рольганг; 10) *attr.* столовый; ◇ to lay on the ~ *парл.* отложить обсуждение (*законопроекта*); to lie (up)on the ~ *парл.* быть отложенным, не обсуждаться (*о законопроекте*); upon the ~ публично обсуждаемый; общеизвестный; to take from the ~ *амер.* вернуться к обсуждению (*законопроекта*); to turn the ~s on (*или* upon) smb. бить противника его же оружием; поменяться ролями; under the ~ «под столом», в состоянии опьянения;

2. *v* 1) класть на стол; 2) представлять отчёт, доклад; 3) составлять таблицы, расписание; 4) *амер.* откладывать в долгий ящик.

**tableau** ['tæblou] *фр. n* (*pl* -x) 1) живописная картина, яркое изображение; 2) живая картина (*тж.* ~ vivant); 3) неожиданная сцена; ◇ ~ curtains *театр.* раздвижной занавес.

**tableaux** ['tæblouz] *pl от* tableau.

**table-beer** ['teɪbl,bɪə] *n* столовое пиво.

**table-book** ['teɪblbuk] *n* 1) хорошо изданная книга с иллюстрациями (*лежащая обычно на столе*); 2) сборник таблиц *и т. п.*

**table-cloth** ['teɪblklɔθ] *n* скатерть.

**table-cover** ['teɪbl,kʌvə] *n* нарядная скатерть.

**table d'hôte** ['tɑːbl'dout] *фр. n* табльдот.

**table-flap** ['teɪblflæp] *n* откидная доска стола.

**tableful** ['teɪblful] *n* полный стол (*угощений*).

**table-knife** ['teɪblnaɪf] *n* столовый нож.

**tableland** ['teɪbllænd] *n* плоскогорье, плато.

**table-leaf** ['teɪblliːf] *n* 1) вкладная доска раздвижного стола; 2) = table-flap.

**table-linen** ['teɪbl,lɪnɪn] *n* столовое бельё.

**tableman** ['teɪblmən] *n* табельщик.

**table-money** ['teɪbl,mʌnɪ] *n воен.* добавочные деньги на представительство.

**table-napkin** ['teɪbl,næpkɪn] *n* салфетка.

**table-spoon** ['teɪblspuːn] *n* столовая ложка.

**table-stone** ['teɪblstoun] *n археол.* дольмен.

**tablet** ['tæblɪt] *n* 1) дощечка (*с надписью*); 2) блокнот; 3) таблетка; 4) кусок (*мыла и т. п.*).

**table-talk** ['teɪbltɔːk] *n* застольная беседа.

**table tennis** ['teɪbl'tenɪs] *n* настольный теннис.

**table-ware** ['teɪblwɛə] *n* посуда, вилки, ложки *и т. п.*

**table-water** ['teɪbl,wɔːtə] *n* минеральная вода (*для стола*).

**table-work** ['teɪblwɜːk] *n полигр.* табличный набор.

**tabloid** ['tæblɔɪd] 1. *n* 1) таблетка; 2) бульварная газета;

2. *a* сжатый; in ~ form а) в сжатом виде; б) в форме таблетки.

**taboo** [tə'buː] 1. *n* табу; запрещение; остракизм;

2. *a* 1) запрещённый; 2) священный;

3. *v* подвергать табу; бойкотировать; запрещать.

**tabor** ['teɪbə] *ист.* 1. *n* маленький барабан;

2. *v* барабанить.

**tabouret** ['tæbərɪt] *n* 1) скамеечка, табурет; 2) пяльцы.

**tabu** [tə'buː] = taboo.

**tabular** ['tæbjulə] *a* 1) в виде таблиц, табличный; 2) имеющий плоскую форму *или* поверхность; 3) пластинчатый, слоистый.

**tabulate** ['tæbjuleɪt] 1. *v* 1) располагать в виде таблиц и диаграмм; 2) придавать плоскую поверхность.

2. *a* плоский; пластинчатый.

**tabulation** [,tæbju'leɪʃən] *n* составление таблиц, сведение в таблицы.

**tabulator** ['tæbjuleɪtə] *n* 1) тот, кто составляет таблицы; 2) табулятор (*в пишущих машинках*).

**tachometer** [tæ'kɔmɪtə] *n тех.* тахометр.

**tacit** ['tæsɪt] *a* 1) не выраженный словами; подразумеваемый; 2) молчаливый.

**taciturn** ['tæsɪtɜːn] *a* молчаливый, неразговорчивый.

**taciturnity** [,tæsɪ'tɜːnɪtɪ] *n* молчаливость, неразговорчивость.

**tack I** [tæk] 1. *n* 1) гвоздик с широкой шляпкой; кнопка; 2) стежок (*особ. при намётке*); *pl* намётка (*при шитье*); 3) *мор.* галс; 4) курс, политическая линия; to take a wrong (right) ~ взять неправильный (правильный) курс; 5) липкость, клейкость;

2. *v* 1) прикреплять гвоздиками, кнопками (*часто* ~ down); 2) смётывать на живую нитку (*тж.* ~ together); примётывать (to); 3) добавлять, присоединять (to, on to); *парл.* присоединять к законопроекту дополнительную статью финансового характера, чтобы обеспечить его принятие палатой лордов; 4) *мор.* поворачивать на другой галс; 5) изменить линию поведения; изменить мнение; менять политический курс; □ ~ about *мор.* делать поворот оверштаг.

**tack II** [tæk] *n мор.* пища; hard ~ морской сухарь; soft ~ хлеб.

**tackle** ['tækl] **1.** *n* 1) принадлежности, инструмент; оборудование; *разг.* снаряжение; 2) *разг.* цепочка для карманных часов; 3) *мор.* такелаж; тали; 4) *тех.* полиспаст; 5) нападающий (*в футболе*); **2.** *v* 1) закреплять снастями; 2) схватить, пытаться удержать; 3) энергично браться (*за что-л.*); биться (*над чем-л.*); we ~d the cold beef мы набросились на холодную говядину; to ~ the problem взяться за дело, за решение задачи; 4) пытаться убедить (*кого-л.*); 5) перехватывать мяч, овладевать мячом (*в футболе*).

**tacky** ['tækɪ] *a* липкий.

**tact** [tækt] *n* 1) такт, тактичность; 2) *муз.* такт.

**tactful** ['tæktful] *a* тактичный.

**tactical** ['tæktɪkəl] *a* 1) *воен.* тактический; боевой; ~ efficiency боеспособность; 2) ловкий.

**tactician** [tæk'tɪʃən] *n* 1) тактик; 2) ловкий, умелый администратор, организатор.

**tactics** ['tæktɪks] *n pl* (*употр. как sing и как pl*) тактика.

**tactile** ['tæktaɪl] *a* осязательный; осязаемый.

**tactless** ['tæktlɪs] *a* бестактный.

**tactual** ['tæktjuəl] *a* осязательный.

**tad** [tæd] *n амер.* ребёнок.

**Ta(d)jik** [tɑː'dʒɪk] **1.** *a* таджикский; **2.** *n* 1) таджик; таджичка; the ~(s) *pl собир.* таджики; 2) таджикский язык.

**tadpole** ['tædpoul] *n* головастик.

**ta'en** [teɪn] *поэт. см.* taken.

**tafferel** ['tæfərəl] *n мор.* гакаборт.

**taffeta** ['tæfɪtə] *n* тафта.

**taffrail** ['tæfreɪl] = tafferel.

**Taffy** ['tæfɪ] *n разг.* валлиец.

**taffy** ['tæfɪ] *n амер.* 1) = toffee; 2) *разг.* лесть.

**tafia** ['tæfɪə] *n* вид дешёвого рома.

**tag** [tæg] **1.** *n* 1) свободный, болтающийся конец; 2) ярлычок, этикетка; 3) петля, ушко; 4) металлический наконечник на шнурке; 5) кончик хвоста (*животного*); 6) избитая фраза, цитата; 7) припев; 8) игра в салки, в пятнашки; 9) *театр.* реплика *или* окончание реплики партнёра; 10) *театр.* заключительные слова, обращённые к публике; мораль (*пьесы и т. п.*); **2.** *v* 1) прикреплять ярлык, ушко; 2) *разг.* следовать по пятам (after—за); 3) поймать игрока (*в салках*).

**tag day** ['tæg'deɪ] *амер.* = flag-day.

**tagged** ['tægd] **1.** *p. p. от* tag 2; **2.** *a* 1) снабжённый ярлыком, этикеткой; 2) *физ.* меченый; ~ atoms меченые атомы.

**tagger** ['tægə] *n* 1) водящий (*в салках*); 2) *pl* (очень) тонкие листы железа.

**taiga** ['taɪgə] *рус. n* тайга.

**tail I** [teɪl] **1.** *n* 1) хвост; at the ~ of smb., close on smb.'s ~ следом, по пятам за кем-л.; 2) коса, косичка; 3) нижняя задняя часть, оконечность; ~ of a cart задок телеги; ~ of one's eye внешний угол глаза; out of (*или* with) the ~ of one's eye украдкой, уголком глаза; 4) пола, фалда; *pl* фрак; to go into ~s начать носить одежду взрослых (*о мальчиках*); 5) свита; 6) очередь, «хвост»; 7) хвостик (*буквы, нотного знака и т. п.*); 8) менее влиятельная часть (*политической партии*); более слабая часть (*спортивной команды*); 9) *pl sl.* зад; 10) *ав.* хвостовое оперение, хвост; 11) (*обыкн. pl*) обратная сторона (*монеты*); 12) *полигр.* нижний обрез страницы; 13) *attr.* задний; хвостовой; ◊ ~s up *разг.* весёлый; в хорошем настроении; to turn ~ дать стрекача, удрать, убежать (*струсив*); to have the ~ between the legs поджать хвост, струсить; **2.** *v* 1) снабжать хвостом; 2) отрубать *или* подрезать хвост; остригать хвостики плодов, ягод; 3) идти следом; выслеживать; 4) тянуться длинной лентой (*о процессии и т. п.*); □ ~ after неотступно следовать за кем-л., тащиться за кем-л.; ~ away а) отставать, исчезать вдали; б) убывать; ~ off = away; ~ on присоединять(ся) (to — к чему-л.); ~ out поспешно уйти, улизнуть.

**tail II** [teɪl] *юр.* **1.** *n* ограничительное условие наследования имущества; ~ male (female) владение с правом передачи только по мужской (женской) линии; **2.** *a* ограниченный определённым условием при передаче по наследству.

**tail-board** ['teɪlbɔːd] *n* откидной задок (*телеги*); откидной борт (*грузовика*).

**tail-coat** ['teɪl'kout] *n* фрак.

**tail-end** ['teɪl'end] *n* конец; хвост (*процессии*).

**tailings** ['teɪlɪŋz] *n pl* 1) остатки; отбросы; 2) *метал.* остаток после обогащения; хвосты; 3) *с.-х.* сходы, охвостье, недомолоченные колосья.

**tail-lamp** ['teɪllæmp] = tail-light.

**tailless** ['teɪllɪs] *a* бесхвостый.

**tail-light** ['teɪllaɪt] *n* 1) ж.-д. буферный фонарь (*красный*); 2) *авт.* задний фонарь; 3) *ав.* хвостовой огонь.

**tailor** ['teɪlə] **1.** *n* портной; ◊ the ~ makes the man *посл.* ≅ наряди пень, и пень хорош будет; одежда красит человека; **2.** *v* 1) портняжничать; 2) специально приготавливать; приспособлять, изменять (*для определённой цели*).

**tailored** ['teɪləd] **1.** *p. p. от* tailor 2; **2.** *a* сделанный портным; a faultlessly ~ man безупречно одетый человек.

**tailoring** ['teɪlərɪŋ] **1.** *pres. p. от* tailor 2; **2.** *n* портняжное дело.

**tailor-made** ['teɪləmeɪd] **1.** *a* 1) мужского покроя (*особ. о строгой женской одежде*); 2) специально приготовленный, сделанный по заказу; приспособленный (*для определённой цели*); a score ~ for radio музыка, написанная по заказу радио; 3) фабричного производства; машинной набивки (*о папиросе*); **2.** *n разг.* папироса фабричного производства.

**tailpiece** ['teɪlpiːs] *n* 1) заключительная часть (*чего-л.*); 2) *полигр.* концовка.

**tail-plane** ['teɪlpleɪn] *n ав.* стабилиза́тор; хвостово́е опере́ние.
**tail-slide** ['teɪlslaɪd] *n ав.* скольже́ние на хвост.
**tail-spin** ['teɪlspɪn] *n ав.* што́пор на хвост.
**tail-wind** ['teɪlwɪnd] *n* попу́тный ве́тер.
**tain** [teɪn] *n* оловя́нная амальга́ма.
**taint** [teɪnt] **1.** *n* 1) пятно́, поро́к; 2) *уст.* налёт (*чего-л. нежела́тельного, неприя́тного*); 3) зара́за; испо́рченность; 4) боле́знь в скры́том состоя́нии;
**2.** *v* заража́ть(ся), по́ртить(ся).
**tainted** ['teɪntɪd] **1.** *p. p. от* taint 2;
**2.** *a* испо́рченный.
**taintless** ['teɪntlɪs] *a* безупре́чный.
**take** [teɪk] **1.** *v* (took; taken) 1) брать; 2) взять, захвати́ть, овладе́ть; to ~ prisoner взять в плен; to ~ in charge арестова́ть; 3) лови́ть; to ~ fish лови́ть ры́бу; to ~ in the act (of) заста́ть на ме́сте преступле́ния; 4) получи́ть; вы́играть; to ~ a prize получи́ть приз; 5) достава́ть, добыва́ть; to ~ coal добыва́ть у́голь; 6) принима́ть, соглаша́ться (*на что-л.*); to ~ an offer приня́ть предложе́ние; they will not ~ such treatment они́ не поте́рпят тако́го отноше́ния; 7) потребля́ть; принима́ть внутрь, глота́ть; to ~ wine пить вино́; to ~ medicine принима́ть лека́рство; 8) занима́ть, отнима́ть (*место, время; тж.* ~ up); тре́бовать (*терпе́ния, хра́брости и т. п.*); it will ~ two hours to translate this article перево́д э́той статьи́ займёт два часа́; he took half an hour over his dinner обе́д о́тнял у него́ полчаса́; 9) по́льзоваться (*транспортом*); испо́льзовать (*сре́дства передвиже́ния*); to ~ a train (a bus, a ship) сесть в по́езд (в автобус, на парохо́д); е́хать по́ездом (автобусом, парохо́дом); 10) снима́ть (*кварти́ру, да́чу и т. п.*); 11) выбира́ть (*путь, спо́соб*); to ~ the shortest way вы́брать кратча́йший путь; 12) доставля́ть (*куда-л.*); брать с собо́й; I'll ~ her to the theatre я поведу́ её в теа́тр; 13) полага́ть, счита́ть; понима́ть; you were late, I ~ it вы опозда́ли, на́до полага́ть; do you ~ me? *разг.* вы меня́ понима́ете?; 14) принима́ть; реаги́ровать (*на что-л.*); относи́ться (*к чему-л.*); how did he ~ it? как он отнёсся к э́тому?; to ~ coolly относи́ться хладнокро́вно; 15) де́йствовать, ока́зывать де́йствие; the vaccination did not ~ приви́вка не поде́йствовала; 16) име́ть успе́х; нра́виться, увлека́ть; the play didn't ~ пье́са не име́ла успе́ха; 17) подверга́ться; поддава́ться (*отде́лке и т. п.*); воспринима́ть; I ~ cold easily я легко́ просту́живаюсь; 18) покупа́ть; получа́ть регуля́рно (*тж.* ~ in); I ~ a newspaper and two magazines я получа́ю газе́ту и два журна́ла; 19) отнима́ть, вычита́ть (*тж.* ~ off; from); 20) фотографи́ровать; изобража́ть; рисова́ть; 21) выходи́ть на фотогра́фии; he does not ~ well он пло́хо выхо́дит на ка́рточках; 22) измеря́ть; to ~ one's temperature измеря́ть температу́ру; to ~ measurements снима́ть ме́рку; 23) *тех.* тверде́ть, схва́тываться (*о цеме́нте и т. п.*); 24) *образу́ет с ря́дом конкре́тных*

*и абстра́ктных существи́тельных фразо́вые глаго́лы:* to ~ a walk гуля́ть; to ~ action де́йствовать; принима́ть ме́ры; to ~ part уча́ствовать, принима́ть уча́стие; to ~ effect вступи́ть в си́лу; возыме́ть де́йствие; to ~ a holiday отдыха́ть; to ~ leave уходи́ть; проща́ться (of); to ~ notice замеча́ть; to ~ vote голосова́ть; to ~ a breath вдохну́ть; перевести́ дыха́ние; to ~ root пусти́ть ко́рни; to ~ place случа́ться; to ~ shelter укры́ваться; to ~ a shot вы́стрелить; to ~ a step шагну́ть; to ~ steps принима́ть ме́ры; to ~ a seat сади́ться, занима́ть ме́сто; to ~ pity on smb. сжа́литься над кем-л.; to ~ an oath кля́сться; to ~ offense обижа́ться; to ~ a run at smth. *разг.* попыта́ться заня́ться чем-л.; to ~ a tan загоре́ть; □ ~ **aback** захвати́ть враспло́х; порази́ть, ошеломи́ть; ~ **after** походи́ть на (*кого-л.*; ~ **away** a) удаля́ть; б) вычита́ть; в) отнима́ть; ~ **down** a) снима́ть (*со стены́, по́лки и т. п.*); б) сноси́ть, разруша́ть; в) разбира́ть (*маши́ну и т. п.*); г) *полигр.* разбира́ть (*набо́р*); д) запи́сывать; е) прогла́тывать; ж) сни́жать (*це́ну*), уступа́ть; ~ **for** принима́ть за; ~ **in** а) принима́ть го́стя; б) брать (*жильца́, рабо́ту на дом и т. п.*); в) регуля́рно получа́ть; г) занима́ть (*террито́рию*); д) включа́ть, содержа́ть; е) поня́ть су́щность (*фа́кта, до́вода*); ж) пове́рить (*ло́жным заявле́ниям*); з) обману́ть; to be ~n in быть обма́нутым; и) ушива́ть (*оде́жду*); к) убира́ть (*паруса́*); л) смотре́ть, ви́деть; м) *амер.* посети́ть, побыва́ть; осма́тривать (*достопримеча́тельности*); to ~ in a movie пойти́ в кино́; ~ **off** a) снима́ть; to ~ off one's hands изба́виться (*от чего-л.*); сбыть с рук; б) уменьша́ть(ся); потеря́ть (*в ве́се*); в) сбавля́ть (*це́ну*); г) уничтожа́ть, губи́ть, убива́ть; д) подража́ть; передра́знивать; е) *ав.* взлете́ть, оторва́ться от земли́ *или* воды́; ~ **on** a) принима́ть на слу́жбу; б) поступа́ть на слу́жбу; в) *мор.* принима́ть на борт; г) предпринима́ть (*де́ло*); д) ва́жничать, задира́ть нос; е) име́ть успе́х, станови́ться популя́рным; ж) полне́ть; з) си́льно волнова́ться, огорча́ться, расстра́иваться; и) *воен.* откры́ть ого́нь; ~ **out** a) вынима́ть; б) выводи́ть (*пятно́*); в) выводи́ть на прогу́лку; г) пригласи́ть, повести́ (*в теа́тр, рестора́н*); д) выбира́ть, выпи́сывать (*цита́ты*); е) брать (*пате́нт*); ~ **over** a) принима́ть (*до́лжность и т. п.*) от друго́го; б) перевози́ть на друго́й бе́рег; ~ **through** заста́вить сде́лать (*уро́ки, зада́ние и т. п.*); ~ **to** a) пристрасти́ться к чему-л.; приобрести́ привы́чку; б) прибе́гнуть к чему-л.; to ~ to one's bed заболе́ть, слечь; ~ **up** a) поднима́ть; б) занима́ть, принима́ть; to ~ up an attitude заня́ть пози́цию; в) занима́ть, отнима́ть (*вре́мя, ме́сто и т. п.*); г) принима́ть (*пассажи́ра*); д) принима́ть под покрови́тельство; е) бра́ться за что-л.; ж) возвраща́ться к на́чатому; з) прерва́ть; одёрнуть; и) аресто́вывать; к) впи́тывать вла́гу; л): to ~ up with smb. а) сближа́ться с кем-л.; β) быть дово́льным, удовлетворённым кем-л.; ~ **upon**: to ~ upon oneself брать на себя́; ◇ to ~ the

chair быть председателем; to ~ it получать удары, побои; to ~ it into one's head забрать себе в голову, возыметь желание; to ~ part with smb., to ~ the part of smb., to ~ sides with smb. встать на чью-л. сторону; to ~ badly, to ~ to heart принимать близко к сердцу; to ~ oneself off уходить, уезжать; to ~ the sea a) выходить в море; б) быть спущенным на воду; to ~ a back seat отойти на задний план, стушеваться, занять скромное положение; to ~ earth a) скрыться в нору (*о лисице и т. п.*); б) спрятаться; притаиться; to ~ a hand in smth. вмешиваться во что-л.; принимать участие в чём-л.; оказывать влияние на что-л.; to ~ in hand предпринимать, браться за что-л.; to ~ it easy a) не спешить, не усердствовать; б) относиться спокойно, не принимать близко к сердцу, проще смотреть на вещи; to ~ down a peg or two сбить спесь; to ~ the measure of a person's foot стараться распознать человека, узнать его слабые стороны; to ~ smb.'s dust *амер.* отставать, плестись в хвосте; to ~ leave of one's senses спятить; to ~ the field a) начать военные действия; б) выйти на поле (*о футбольной команде*); to ~ to the woods *амер.* уклоняться от своих обязанностей (*особ. от голосования*); ~ it from me *разг.* верьте мне; to ~ one's time действовать не спеша; не торопиться; to ~ for granted считать само собой разумеющимся; принимать на веру; to ~ too much for granted быть слишком самонадеянным; позволять себе лишнее; to ~ one's hook *sl.* дать тягу, улизнуть, смыться; to ~ too much злоупотреблять спиртными напитками; to ~ the biscuit *sl.* взять первый приз; to ~ the wind распространяться, становиться известным; to ~ the wind out of smb.'s sails ≡ выбить почву из-под ног; поставить в безвыходное положение; помешать; ~ it or leave it как хотите; либо да, либо нет;
2. *n* 1) улов (*рыбы*); добыча (*на охоте*); 2) сбор (*театральный*); 3) *pl* барыши, получка; 4) *полигр.* урок наборщика; 5) *кино* часть сцены, заснятая за один приём.
take-down ['teɪk'daun] 1. *n* 1) унижение; 2) разборка.
2. *a* разборный.
take-in ['teɪk'ɪn] *n* обман.
taken ['teɪkən] *p. p. om* take 1.
take-off ['teɪkɔːf] *n* 1) подражание; карикатура; 2) место, от которого отталкивается делающий прыжок; 3) *ав.* взлёт.
taker ['teɪkə] *n* 1) берущий и пр. [*см.* take 1]; 2) вор; 3) тот, кто принимает пари.
taking ['teɪkɪŋ] 1. *pres. p. om* take 1; 2. *n* 1) захват; 2) арест; 3) *разг.* волнение, беспокойство; 4) *pl* барыши; 5) улов; 3. *a* 1) привлекательный, заманчивый; 2) заразный.
talari ['tɑːlərɪ] *n* талари (*денежная единица Эфиопии*).
talc [tælk] 1. *n мин.* тальк, жировик, стеатит;
2. *v* посыпать, обрабатывать тальком.

talcum ['tælkəm] *n* 1)=talc 1; 2) тальк, гигиеническая пудра (*тж.* ~ powder).
tale [teɪl] *n* 1) рассказ; повесть; a twice told ~ старая история; 2) (*часто pl*) выдумки, россказни; 3) сплетня; to tell ~s сплетничать; to tell ~s out of school ≡ выносить сор из избы; 4) *уст., поэт.* число, количество; the ~ is complete все в сборе; ◇ Canterbury ~ вымысел, сказки, басни.
talebearer ['teɪl,beərə] *n* 1) сплетник; 2) ябедник; доносчик.
talent ['tælənt] *n* 1) талант; 2) *собир.* талантливые люди; 3) талант (*самая крупная в древности денежная и весовая единица Греции, Месопотамии, Сирии и Египта*).
talented ['tæləntɪd] *a* талантливый, одарённый.
talentless ['tæləntlɪs] *a* бездарный, лишённый таланта.
tales ['teɪliːz] *лат. n pl юр.* 1) (*употр. как sing*) вызов запасных присяжных заседателей для участия в судебном заседании; 2) список запасных присяжных.
talesman ['teɪliːzmən] *n* запасной присяжный заседатель.
taleteller ['teɪl,telə] *n* 1) рассказчик; выдумщик; 2)=tellbearer.
tali I, II ['teɪlaɪ] *pl om* talus I *и* II.
taliped ['tælɪped] *a мед.* страдающий косолапостью.
talipes ['tælɪpiːz] *n мед.* изуродованная ступня; косолапость.
talipot ['tælɪpɔt] *n* талипотовая пальма.
talisman ['tælɪzmən] *n* талисман.
talk [tɔːk] 1. *n* 1) разговор; беседа; it will end in ~ это не пойдёт дальше разговоров; a heart-to-heart ~ разговор по душам; to fall into ~ разговориться; 2) *pl* переговоры; 3) слух; there is a ~ of... есть слух...; 4) предмет разговоров; 5) *attr.* говорящий; ~ film звуковой фильм; ◇ the ~ of the town ≡ притча во языцех; all ~ and no cider шуму много, а толку мало;
2. *v* 1) говорить; разговаривать (about, of—*о чём-л.*; with—с *кем-л.*); to ~ English говорить по-английски; to ~ oneself hoarse договориться до хрипоты; to ~ from the point отвлечься (*от темы, вопроса и т. п.*); to ~ politics говорить о политике; 2) разговаривать; 3) сплетничать, распространять слухи; 4) обсуждать, совещаться; □ ~ away заговориться, заболтаться; продолжать разговаривать; ~ back разговаривать дерзить; ~ down перекричать (*кого-л.*); ~ into уговорить, убедить; to ~ smb. into doing smth. уговорить кого-л. сделать что-л.; ~ out *парл.* затягивать прения с тем, чтобы отсрочить голосование; ~ out of отговорить, разубедить; to ~ smb. out of doing smth. отговорить кого-л. от чего-л.; ~ over a) обсудить (подробно); б) убедить; ~ round a) говорить пространно, избегая касаться основной цели разговора; б) переубедить (*кого-л.*); в) исчерпать тему; to ~ up a) выговаривать, бранить; ~ up a) хвалить, расхваливать; б) говорить громко и ясно; ◇ to ~ big (*или* large, tall) a) хвастать; б) разговаривать высокомерно, над-

ме́нно; ~ of the devil (and he is sure to appear)! лёгок на помине!; to ~ against time а) говорить с це́лью заде́ржки (*напр., ради обстру́кции*) *или* чтобы вы́играть вре́мя; б) стара́ться уложи́ться в устано́вленное вре́мя (*об ора́торе*); to ~ smb.'s head off, to ~ a donkey's hind leg off заговори́ть до́ сме́рти; how you ~! расска́зывай!, ври бо́льше!; to ~ turkey *амер.* а) говори́ть де́ло, разгова́ривать по-делово́му; б) говори́ть начистоту́; в) говори́ть неприя́тные ве́щи; now you are ~ing! *sl.* вот э́то де́ло!; you can't ~ *sl.* не тебе́ говори́ть, ты бы лу́чше пома́лкивал; to ~ at smb. говори́ть о ком-л. ду́рно в расчёте на то, что он э́то услы́шит; ~ing of it кста́ти.

**talkative** ['tɔːkətɪv] *a* болтли́вый.

**talkee-talkee** ['tɔːkɪ'tɔːkɪ] *n* 1) болтовня́; 2) ло́маный англи́йский язы́к.

**talker** ['tɔːkə] *n* 1) тот, кто говори́т; 2) разгово́рчивый челове́к; болту́н; 3) хоро́ший ора́тор; ◇ good ~s are little doers *посл.* тот, кто мно́го говори́т, ма́ло де́лает.

**talkies** ['tɔːkɪz] *n pl разг.* звуково́е кино́.

**talking** ['tɔːkɪŋ] **1.** *pres. p. om* talk 2; **2.** *a* 1) говоря́щий; ~ film звуково́й фильм; 2) разгово́рчивый; 3) вырази́тельный; ~ eyes вырази́тельные глаза́.

**talking machine** ['tɔːkɪŋmə'ʃiːn] *n* граммофо́н; фоно́граф.

**talking-to** ['tɔːkɪŋtuː] *n* вы́говор.

**tall** [tɔːl] **1.** *a* 1) высо́кий; 2) *sl.* невероя́тный; чрезме́рный; экстравага́нтный; a ~ story небыли́ца; a ~ order тру́дная зада́ча; чрезме́рное тре́бование; 3) *sl.* хвастли́вый; ~ talk а) хвастовство́; б) преувеличе́ние; **2.** *adv sl.* хвастли́во.

**tallboy** ['tɔːlbɔɪ] *n* 1) высо́кий комо́д; 2) бока́л на высо́кой но́жке.

**talliar** ['tælɪə] *n англо-инд.* сто́рож.

**tallow** ['tælou] **1.** *n* 1) жир, са́ло (*для свече́й, мы́ла*); 2) коломазь; **2.** *a* жи́рный; **3.** *v* 1) сма́зывать са́лом; 2) отка́рмливать (*скот*).

**tallow-chandler** ['tælou,tʃɑːndlə] *n* торго́вец са́льными свеча́ми.

**tallow-face** ['tæloufeɪs] *n* челове́к с бле́дным одутлова́тым лицо́м.

**tallowy** ['tælouɪ] *a* 1) са́льный; 2) жи́рный.

**tally** ['tælɪ] **1.** *n* 1) би́рка; 2) ко́пия, дублика́т; 3) опознава́тельный ярлы́к (*на това́ре*); доще́чка с назва́нием расте́ния; 4) едини́ца счёта (*напр., деся́ток, дю́жина, два́дцать штук*); **2.** *v* 1) подсчи́тывать (*ча́сто* ~ up); *уст.* вести́ счёт по би́ркам; 2) соотве́тствовать, совпада́ть (with); 3) прикрепля́ть ярлы́к.

**tally-ho** ['tælɪ'hou] **1.** *int охот.* ату́!; **2.** *v* нау́ськивать соба́к; **3.** *n* больша́я каре́та, запряжённая четвёркой.

**tally-shop** ['tælɪʃɔp] *n* магази́н, где това́ры продаю́тся в рассро́чку.

**tally trade** ['tælɪ'treɪd] *n* торго́вля с рассро́чкой платежа́.

**talma** ['tælmə] *фр. n* та́льма.

**talon** ['tælən] *n* 1) (*обыкн. pl*) ко́готь; 2) тало́н (*от квита́нции, биле́та*); 3) ка́рты, оста́вшиеся в коло́де по́сле сда́чи.

**taluk** [tɑː'iuk] *n англо-инд.* 1) нало́говый о́круг; 2) насле́дственное име́ние.

**talukdar** [,tɑː'luk'dɑː] *n англо-инд.* 1) нало́говый чино́вник; 2) поме́щик, землевладе́лец.

**talus I** ['teɪləs] *n (pl -li)* 1) *анат.* тара́нная кость; 2) бе́дренная кость (*у живо́тных*).

**talus II** ['teɪləs] *n (pl -li)* 1) отко́с, скат; овра́г; 2) *геол.* о́сыпь, делю́вий; 3) *стр.* ка́менная набро́ска.

**tamable** ['teɪməbl] *a* укроти́мый.

**tamarack** ['tæməræk] *n бот.* ли́ственница америка́нская.

**tamarind** ['tæmərɪnd] *n бот.* тамари́нд.

**tamarisk** ['tæmərɪsk] *n бот.* тамари́ск, тамари́кс.

**tambour** ['tæmbuə] **1.** *n* 1) бараба́н; 2) кру́глые пя́льцы (*для вышива́ния*); 3) вы́шивка та́мбурным швом; 4) *стр.* та́мбур; **2.** *v* вышива́ть (*на пя́льцах*).

**tambourine** [,tæmbə'riːn] *n* тамбури́н, бу́бен.

**tame** [teɪm] **1.** *a* 1) ручно́й; приручённый; 2) поко́рный, пасси́вный; 3) ску́чный, неинтере́сный; бана́льный; 4) *с.-х.* культу́рный, культиви́руемый (*о расте́нии*); **2.** *v* 1) прируча́ть, дрессирова́ть; 2) смиря́ть(ся); 3) смягча́ть; 4) де́лать неинтере́сным.

**tameable** ['teɪməbl]=tamable.

**tameless** ['teɪmlɪs] *a* 1) ди́кий, неприручённый; 2) неукроти́мый.

**tamer** ['teɪmə] *n* укроти́тель; дрессиро́вщик.

**Tamil** ['tæmɪl] **1.** *n* 1) тами́л; 2) тами́льский язы́к; **2.** *a* тами́льский.

**Tamilian** [tə'mɪljən] *a* тами́льский.

**Tammany** ['tæmənɪ] *n амер.* 1) организа́ция демократи́ческой па́ртии в Нью-Йо́рке; 2) систе́ма по́дкупов в полити́ческой жи́зни.

**Tammany Hall** ['tæmənɪ'hɔːl] *n амер.* 1) штаб демократи́ческой па́ртии в Нью-Йо́рке; 2) = Tammany 1).

**tammy I** ['tæmɪ] = tam-o'-shanter.

**tammy II** ['tæmɪ] *n* цеди́лка, си́то (*из тка́ни*).

**tam-o'-shanter** [,tæmə'ʃæntə] *n* шотла́ндский бере́т.

**tamp** [tæmp] *v* 1) трамбова́ть; набива́ть; 2) *горн.* забива́ть шпур гли́ной *и т. п.*; 3) *ж.-д.* подбива́ть.

**tampan** ['tæmpæn] *n* южноафрика́нский ядови́тый клещ.

**tamper I** ['tæmpə] *v* 1) вме́шиваться; вноси́ть самово́льные измене́ния (with); 2) тро́гать, по́ртить; smb. had ~ed with the lock кто́-то пыта́лся откры́ть замо́к; 3) подде́лывать (*докуме́нт*; with); 4) подкупа́ть, ока́зывать та́йное давле́ние (with).

**tamper II** ['tæmpə] *n* трамбо́вка; пест.

**tampion** ['tæmpɪən] *n* 1) затычка, втулка; 2) *воен.* ду́льная про́бка.

**tampon** ['tæmpən] *мед.* **1.** *n* тампо́н; **2.** *v* вставля́ть тампо́н, тампони́ровать.

**tamtam** ['tæmtæm]=tomtom.

**tan** [tæn] **1.** *n* 1) корьё, толчёная дубо́вая кора́; 2) рыжева́то-кори́чневый цвет; 3) зага́р; 4) (the ~) *sl.* цирк; **2.** *a* рыжева́то-кори́чневый; **3.** *v* 1) дуби́ть (*ко́жу*); 2) загора́ть; 3) обжига́ть ко́жу (*о со́лнце*); 4) *разг.* дуба́сить; to ~ smb.'s hide отколоти́ть, исполосова́ть кого́-л.

**tana** ['ta:na:] *n англо-инд.* 1) полице́йский уча́сток; 2) вое́нный пост.

**tanadar** [,ta:na:'da:] *n англо-инд.* нача́льник полице́йского уча́стка *или* вое́нного поста́.

**tandem** ['tændəm] **1.** *n* 1) экипа́ж, запряжённый па́рой лошаде́й цу́гом; 2) та́ндем (*велосипе́д для двои́х или трои́х*); 3)*тех.* та́ндем, расположе́ние гусько́м; **2.** *adv* цу́гом, гусько́м.

**tang I** [tæŋ] *n* 1) часть инструме́нта, прила́живаемая к ру́чке; сте́ржень, хвост (*стаме́ски, напи́льника и т. п.*); 2) ре́зкий при́вкус; осо́бый вкус.

**tang II** [tæŋ] **1.** *n* звон; **2.** *v* 1) звене́ть; гро́мко звуча́ть; 2) звони́ть.

**tangent** ['tændʒənt] **1.** *n* 1) *мат.* каса́тельная; 2) *мат.* та́нгенс; 3) *амер. разг.* прямолине́йный уча́сток железнодоро́жного пути́; ◇ to fly (*или* to go) off at a ~ внеза́пно отклони́ться (*от те́мы и т. п.*); **2.** *a мат.* каса́тельный.

**tangential** [tæn'dʒenʃəl] *a мат.* 1) напра́вленный по каса́тельной к да́нной криво́й; 2) тангенциа́льный.

**Tangerine** [,tændʒə'ri:n] *n* урожде́нец Танже́ра.

**tangerine** [,tændʒə'ri:n] *n* мандари́н (*плод*).

**tangibility** [,tændʒɪ'bɪlɪtɪ] *n* 1) осяза́емость; 2) реа́льность.

**tangible** ['tændʒəbl] **1.** *a* 1) осяза́емый, материа́льный; 2) я́сный; ощути́тельный, заме́тный; реа́льный; **2.** *n pl* не́что ощути́мое, реа́льное, осяза́емое.

**tangle** ['tæŋgl] **1.** *n* 1) спу́танный клубо́к; 2) сплете́ние, пу́таница, неразбери́ха; in a ~ запу́танный; 3) дра́га для иссле́дования морско́го дна; 4) ламина́рия; **2.** *v* запу́тывать(ся), усложня́ть(ся).

**tanglefoot** ['tæŋglfut] *n амер.* 1) *sl.* ви́ски; 2) ли́пкая бума́га от мух.

**tangleleg** ['tæŋglleg]=tanglefoot.

**tangly** ['tæŋglɪ] *a* запу́танный.

**tango** ['tæŋgou] *n* (*pl* -os [-ouz]) та́нго.

**tan-house** ['tænhaus]=tannery.

**tank I** [tæŋk] **1.** *n* 1) цисте́рна, бак, резервуа́р; 2) водоём (*в Индии*); 3) *радио* колеба́тельный ко́нтур; **2.** *v* 1) налива́ть в бак; 2) сохраня́ть в ба́ке; обраба́тывать в ба́ке.

**tank II** [tæŋk] *n* 1) танк; 2) *attr.* та́нковый; ~ destroyer самохо́дное противота́нковое ору́дие.

**tankage** ['tæŋkɪdʒ] *n* 1) ёмкость цисте́рны, ба́ка *и т. п.*; 2) хране́ние в цисте́рнах, ба́ках *и т. п.*; 3) пла́та за хране́ние в ци-

сте́рнах; 4) оса́док в ба́ке; 5) отбро́сы бо́ен, иду́щие на удобре́ние (*мя́со-ко́стная мука́*).

**tankard** ['tæŋkəd] *n* высо́кая пивна́я кру́жка (*ча́сто с кры́шкой*); cold (*или* cool) ~ прохлади́тельный напи́ток (*из вина́, воды́ и лимо́нного со́ка*).

**tank-borne** ['tæŋkbɔ:n] *a:* ~ infantry та́нковый деса́нт.

**tank-car** ['tæŋkka:] *n* 1) *ж.-д.* цисте́рна; 2) автоцисте́рна.

**tanked** [tæŋkt] **1.** *p. p. от* tank I, 2; **2.** *a амер. sl.* пья́ный.

**tank engine** ['tæŋk'endʒɪn] *n* 1) парово́з без те́ндера, танк-парово́з; 2) та́нковый мото́р.

**tanker I** ['tæŋkə] *n* 1) та́нкер, (нефте-) наливно́е су́дно; 2) *ж.-д. амер.* цисте́рна; 3) *тех.* топливозапра́вщик.

**tanker II** ['tæŋkə] *n* танки́ст (*в а́рмии США*).

**tankman** ['tæŋkmən] *n* танки́ст.

**tanna** ['ta:na:] = tana.

**tanner I** ['tænə] *n* дуби́льщик.

**tanner II** ['tænə] *n sl.* моне́та в 6 пе́нсов.

**tannery** ['tænərɪ] *n* сыромя́тня.

**tannin** ['tænɪn] *n* тани́н.

**tansy** ['tænzɪ] *n бот.* пижма обыкнове́нная, ди́кая ряби́на.

**tantalize** ['tæntəlaɪz] *v* подверга́ть танта́ловым му́кам, дразни́ть ло́жными наде́ждами.

**tantalum** ['tæntələm] *n хим.* танта́л.

**Tantalus** ['tæntələs] *n миф.* Танта́л.

**tantalus** ['tæntələs] *n* стекля́нный шка́фчик для графи́нов с вино́м (*из кото́рого их нельзя́ вы́нуть без ключа́*).

**tantamount** ['tæntəmaunt] *a* равноси́льный, равноце́нный (to).

**tantivy** [tæn'tɪvɪ] **1.** *n* бы́стрый гало́п; **2.** *a* бы́стрый; **3.** *adv* вскачь.

**tantrum** ['tæntrəm] *n разг.* вспы́шка раздраже́ния; to fly into a ~ вспы́хнуть, разрази́ться гне́вом.

**tap I** [tæp] **1.** *n* 1) вту́лка; 2) кран; on ~ а) распи́вочно (*о вине́*); б) *перен.* гото́вый к неме́дленному употребле́нию, испо́льзованию, находя́щийся под руко́й; 3) сорт, ма́рка (*вина́, пи́ва*); beer of the first ~ пи́во вы́сшего со́рта; 4) = taproom; 5) *тех.* ме́тчик, виндоре́з; 6) *эл.* отво́д, ответвле́ние; зажи́м; **2.** *v* 1) вставля́ть кран, починя́ть бочо́нок; 2) налива́ть пи́во, прислу́живать в ба́ре; 3) де́лать проко́л (*для выпуска́ния жи́дкости у больно́го*); 4) де́лать надре́з на де́реве; 5) перехва́тывать (*сообще́ния*); to ~ the wire перехва́тывать телегра́фные сообще́ния; to ~ the line подслу́шивать телефо́нный разгово́р; 6) выпра́шивать де́ньги; 7) *тех.* нареза́ть вну́треннюю резьбу́; 8) *мета́л.* пробива́ть лётку; выпуска́ть распла́вленный мета́лл (*из пе́чи*); ◇ to ~ the house соверши́ть кра́жу со взло́мом.

**tap II** [tæp] **1.** *n* 1) лёгкий стук *или* уда́р; 2) *pl амер.* сигна́л туши́ть огни́ (*в каза́рмах, дортуа́рах*); 3) набо́йка (*на каблуке́*);

**2.** *v* 1) стуча́ть, посту́кивать, обсту́кивать; хло́пать; to ~ at the door тихо́нько постуча́ть в дверь; to ~ on the shoulder похло́пать по плечу́; 2) набива́ть набо́йку (*на каблу́к*).

**tap-dance** ['tæpdɑːns] *n* чечётка.

**tape** [teɪp] **1.** *n* 1) тесьма́; 2) телегра́фная ле́нта; 3) ле́нточка у фи́ниша; to breast the ~ прийти́ к фи́нишу; 4)=tape-line; 5) *сокр. от* red tape; 6) *sl.* джин, спиртно́й напи́ток;
**2.** *v* 1) свя́зывать шнуро́м, тесьмо́й; 2) измеря́ть руле́ткой; □ ~ up бинтова́ть, забинто́вывать.

**tape-line** ['teɪplaɪn] *n* руле́тка, ме́рная ле́нта.

**tape-machine** ['teɪpməˌʃiːn] =tape-recorder.

**tape-measure** ['teɪpˌmeʒə] =tape-line.

**tape needle** ['teɪp'niːdl] *n* амер. упако́вочная игла́.

**taper** ['teɪpə] **1.** *n* 1) то́нкая све́чка; 2) сла́бый свет; 3) кони́ческая фо́рма;
**2.** *a* 1) су́живающийся к одному́ концу́, конусообра́зный; 2) то́нкий и дли́нный (*напр., о па́льцах руки́*);
**3.** *v* су́живать(ся) к концу́ (*часто* ~ off, ~ down, ~ away); заостря́ть.

**tape-recorder** ['teɪprɪˌkɔːdə] *n* магнитофо́н.

**tapestry** ['tæpɪstrɪ] **1.** *n* 1) за́тканная от руки́ мате́рия; гобеле́н; 2) обо́и *или* ткань, имити́рующие гобеле́н;
**2.** *v* (*особ. p.p.*) украша́ть, уве́шивать гобеле́нами.

**tapeworm** ['teɪpwəːm] *n* мед. ле́нточный червь, солитёр.

**tap-hole** ['tæphoul] *n* метал. лётка; выпускно́е отве́рстие.

**taphouse** ['tæphaus]=taproom.

**tapioca** [ˌtæpɪ'oukə] *n* тапио́ка (*крупа́*).

**tapir** ['teɪpə] *n* зоол. тапи́р.

**tapis** ['tæpiː] *фр. n:* to be (*или* to come) on (*или* upon) the ~ быть на рассмотре́нии, обсужда́ться.

**tapper** ['tæpə] *n* телегра́фный ключ.

**tappet** ['tæpɪt] *n* тех. толка́тель кла́пана, кулачо́к.

**taproom** ['tæprum] *n* пивна́я, бар.

**tap-root** ['tæpruːt] *n* бот. стержнево́й ко́рень.

**tapster** ['tæpstə] *n* буфе́тчик; каба́тчик.

**tar I** [tɑː] *n* 1) смола́; дёготь; гудро́н; to beat the ~ out of smb. изби́ть до полусме́рти, исколоти́ть, исколошма́тить кого́-л.;
**2.** *v* ма́зать дёгтем; смоли́ть; to ~ and feather вы́мазав дёгтем, обваля́ть в пе́рьях (*спо́соб самосу́да в США*); ◇ ~red with the same brush (*или* stick) ≅ одни́м ми́ром ма́заны; одни́м лы́ком ши́ты.

**tar II** [tɑː] *n* разг. моря́к.

**taradiddle** ['tærədɪdl] *разг.* **1.** *n* ложь, враньё;
**2.** *v* врать.

**tarantella** [ˌtærən'telə] *n* таранте́лла.

**tarantula** [tə'ræntjulə] *n зоол.* тара́нтул.

**taraxacum** [tə'ræksəkəm] *n* 1) *бот.* одува́нчик; 2) *мед.* лека́рство из одува́нчика.

**tarboosh** [tɑː'buːʃ] *n* фе́ска.

**tar-brush** ['tɑːbrʌʃ] *n* кисть для сма́зки дёгтем.

**tardigrade** ['tɑːdɪɡreɪd] *a зоол.* ме́дленный, передвига́ющийся ме́дленно.

**tardy** ['tɑːdɪ] *a* 1) медли́тельный; 2) запозда́лый, по́здний; to make a ~ appearance прийти́ с опозда́нием; 3) отста́лый.

**tare I** [tɛə] *n* 1) *бот.* ви́ка (посевна́я), горо́шек посевно́й; 2) *pl* пле́велы.

**tare II** [tɛə] **1.** *n* 1) вес та́ры, та́ра; 2) ски́дка на та́ру; ~ and tret ски́дка на та́ру и утёчку;
**2.** *v* 1) тари́ровать, определя́ть вес та́ры; 2) де́лать ски́дку на та́ру.

**targe** [tɑːdʒ] *n ист.* ма́ленький кру́глый щит.

**target** ['tɑːɡɪt] *n* 1) цель, мише́нь (*тж. перен.*); off the ~ ми́мо це́ли; 2) зада́ние, план; to beat the ~ перевы́полнить зада́ние; 3)=targe; 4) *ж.-д.* сигна́льный диск, сигна́л (*стре́лочный*); 5) *attr.* пла́новый;~ figure пла́новое зада́ние; 6) *attr. воен.*: ~ hit попада́ние в цель *или* мише́нь; ~ practice стрельба́ по мише́ням.

**Tarheel(er)** ['tɑːˌhiːl(ə)] *n амер. разг.* прозвище уроже́нца *или* жи́теля Се́верной Кароли́ны.

**tariff** ['tærɪf] **1.** *n* 1) тари́ф; preferential ~ преференциа́льный тамо́женный тари́ф; 2) расце́нка; 3) *attr.* тари́фный; ~ reform протекциони́стская рефо́рма (*в А́нглии*);
**2.** *v* 1) включи́ть в тари́ф; 2) произвести́ оце́нку; установи́ть расце́нку.

**tarlatan** ['tɑːlətən] *n* тарлата́н (*си́льно прокрахма́ленная кисея́*).

**tarmac** ['tɑːmæk] *сокр. см.* tar macadam.

**tar macadam** ['tɑːmə'kædəm] *n* гудрони́рованное шоссе́.

**tarn** [tɑːn] *n* небольшо́е го́рное о́зеро.

**tarnation** [tɑː'neɪʃən] = damnation.

**tarnish** ['tɑːnɪʃ] **1.** *n* 1) ту́склость; 2) *перен.* пятно́;
**2.** *v* 1) лиша́ть(ся) бле́ска, тускне́ть; 2) поро́чить.

**tar paper** ['tɑːˌpeɪpə] *n стр.* толь.

**tarpaulin** [tɑː'pɔːlɪn] *n* 1) брезе́нт, просмолённая паруси́на; 2) матро́сская ша́пка *или* ку́ртка; 3) *уст.* моря́к; матро́с.

**tarpon** ['tɑːpən] *n* больша́я морска́я ры́ба из семе́йства сельдевы́х.

**tarragon** ['tærəɡən] *n бот.* полы́нь эстраго́н.

**tarrock** ['tærək] *n назва́ние не́скольких се́верных морски́х птиц:* кра́чка (настоя́щая, хохла́тая, чёрная), трёхпа́лая ча́йка.

**tarry I** ['tærɪ] *v кни́жн.* 1) ме́длить, ме́шкать; 2) ждать, дожида́ться (for); 3) жить, прожива́ть (at, in).

**tarry II** ['tɑːrɪ] *a* покры́тый *или* вы́мазанный дёгтем.

**tarsi** ['tɑːsaɪ] *pl om* tarsus.

**tarsia** ['tɑːsɪə] *ит. n* инта́рсия, деревя́нная моза́ика.

**tarsus** ['tɑːsəs] *n* (*pl* -si) 1) *анат.* предплюсна́; 2) *зоол.* го́лень пти́цы; ни́жний чле́ник ла́пки насеко́мого.

**tart I** [tɑːt] *a* 1) ки́слый; те́рпкий; е́дкий; 2) ре́зкий, ко́лкий (*отве́т, возраже́ние и т. п.*).

**tart** II [tɑːt] *n* 1) пиро́г (*с фру́ктами, я́годами и́ли варе́ньем*), дома́шний торт; jam ~ пиро́г с варе́ньем; 2) кусо́чек то́рта; фрукто́вое пиро́жное.

**tart** III [tɑːt] *n sl.* проститу́тка.

**tartan** ['tɑːtən] *n* 1) клетчатая шерстяна́я мате́рия, шотла́ндка; 2) шотла́ндский плед; 3) шотла́ндский го́рец; 4) *attr.* сде́ланный из шотла́ндки.

**Tartar** ['tɑːtə] 1. *n* 1) тата́рин; тата́рка; 2) челове́к неприя́тного раздражи́тельного нра́ва; бурбо́н; 3) меге́ра, фу́рия; ◊ young ~ тру́дный, капри́зный ребёнок; to catch a ~ столкну́ться с бо́лее си́льным проти́вником, встре́тить си́льный отпо́р; 2. *a* тата́рский.

**tartar** ['tɑːtə] *n* ви́нный ка́мень.

**Tartarean** [tɑː'tɛərɪən] *a* а́дский.

**tartar emetic** ['tɑːtəɪ'metɪk] *n* рво́тный ка́мень.

**Tartarian** [tɑː'tɛərɪən] *a* тата́рский.

**Tartarus** ['tɑːtərəs] *n миф.* та́ртар, преиспо́дняя.

**tartlet** ['tɑːtlɪt] *n* тартале́тка, небольшо́й откры́тый пиро́г.

**task** [tɑːsk] 1. *n* 1) уро́чная рабо́та; зада́ча; зада́ние; уро́к; to set a ~ before smb. дать зада́ние, поста́вить зада́чу пе́ред кем-л.; ~ in hand а) нача́тая рабо́та; б) ближа́йшая зада́ча; 2) *амер.* но́рма (*рабо́чего*); ◊ to take (*и́ли* to call) smb. to ~ сде́лать вы́говор, дать нагоня́й кому́-л.; ~ force *воен.* отря́д осо́бого назначе́ния; 2. *v* 1) зада́ть рабо́ту; 2) *редк.* обременя́ть, перегружа́ть; it ~s my power э́то мне не под си́лу, э́то сли́шком тру́дно.

**taskmaster** ['tɑːsk͵mɑːstə] *n* 1) бригади́р, деся́тник; 2) надсмо́трщик.

**taskwork** ['tɑːskwəːk] *n* 1) уро́чная рабо́та; 2) сде́льная рабо́та.

**tassel** ['tæsəl] *n* 1) ки́сточка (*как украше́ние*); 2) закла́дка (*в кни́ге*).

**taste** [teɪst] 1. *n* 1) вкус; to the ~ на вкус; 2) вкус; скло́нность; a man of ~ челове́к со вку́сом; a man of bad ~ безвку́сно; in good ~ со вку́сом; very much to my ~ как раз то, что мне по вку́су; to have a ~ for (music, literature, *etc.*) име́ть скло́нность к (му́зыке, литерату́ре *и т. п.*); ~s differ, there is no accounting for ~s ≅ о вку́сах не спо́рят, у вся́кого свой вкус; 3) небольшо́й кусо́чек; про́ба; give me a ~ of the pudding да́йте мне кусо́чек пу́динга; 4) представле́ние; пе́рвое знако́мство (*с чем-л.*); to give a ~ of smth. дава́ть не́которое представле́ние о чём-л.; ◊ a ~ *разг.* чу́точку; a higher чу́точку вы́ше; to leave a nasty ~ in the mouth оста́вить неприя́тное впечатле́ние;

2. *v* 1) (по)про́бовать (на вкус); отве́дать; *перен.* вкуси́ть, испыта́ть; to ~ of danger *уст.* подве́ргнуться опа́сности; 2) чу́вствовать вкус; 3) име́ть вкус, при́вкус; to ~ sour быть ки́слым на вкус, име́ть ки́слый вкус; the soup ~s of onions в су́пе (о́чень) чу́вствуется лук; 4) быть профессиона́льным дегуста́тором.

**tasteful** ['teɪstful] *a* 1) сде́ланный со вку́сом; 2) облада́ющий вку́сом.

**tasteless** ['teɪstlɪs] *a* 1) безвку́сный; 2) лишённый вку́са; 3) беста́ктный; 4) дурно́го то́на.

**taster** ['teɪstə] *n* 1) дегуста́тор; 2) реценэе́нт изда́тельства; 3) дегустацио́нный бока́л.

**tasty** ['teɪstɪ] *a* 1) вку́сный; 2) прия́тный; 3) *редк.* име́ющий хоро́ший вкус; 4) изя́щный.

**tat** I [tæt] *v* плести́ кру́жево.

**tat** II [tæt] *n sl.* игра́льная кость.

**Tatar** ['tɑːtə] = Tartar.

**tatter** ['tætə] 1. *n* 1) (*обы́кн. pl*) лохмо́тья, кло́чья; to tear to ~s изорва́ть в кло́чья; *перен.* разби́ть в пух и прах; 2) *разг.* оборва́нец; 3) старьёвщик;

2. *v* превраща́ть(ся) в лохмо́тья; рвать (-ся) в кло́чья.

**tatterdemalion** [͵tætədə'meɪljən] *n* оборва́нец.

**tattered** ['tætəd] 1. *p. p.* *от* tatter 2; 2. *a* обо́рванный, в лохмо́тьях.

**tatting** ['tætɪŋ] 1. *pres. p.* *от* tat I; 2. *n* плетёное кру́жево.

**tattle** ['tætl] 1. *n* болтовня́; пусто́й разгово́р; спле́тни;

2. *v* болта́ть, суда́чить; спле́тничать.

**tattler** ['tætlə] *n* болту́н; спле́тник.

**tattoo** I [tə'tuː] 1. *n* сигна́л вече́рней зари́;

2. *v* 1) бить, игра́ть зо́рю; 2) бараба́нить па́льцами; отбива́ть такт ного́й (*тж.* beat the devil's ~).

**tattoo** II [tə'tuː] 1. *n* татуиро́вка;

2. *v* 1) татуи́ровать; 2) очерни́ть.

**tatty** ['tætɪ] *n англо-инд.* намо́ченная цино́вка из души́стой травы́ (*ве́шается на окно́ и́ли на дверь для охлажде́ния во́здуха в ко́мнате*).

**taught** [tɔːt] *past и p. p.* *от* teach.

**taunt** I [tɔːnt] 1. *n* 1) насме́шка, язви́тельное замеча́ние; «шпи́лька»; 2) предме́т насме́шек;

2. *v* насмеха́ться, говори́ть ко́лкости.

**taunt** II [tɔːnt] *a мор.* о́чень высо́кий (*о ма́чте*).

**tauromachy** [tɔː'rɔməkɪ] *греч. n* бой быко́в.

**Taurus** ['tɔːrəs] *n* Теле́ц (*созве́здие и знак зодиа́ка*).

**taut** [tɔːt] *a* 1) ту́го натя́нутый, упру́гий; 2) в хоро́шем состоя́нии; испра́вный; подтя́нутый; аккура́тный; 3) стро́гий; неукосни́тельно выполня́ющий долг.

**taut airship** ['tɔːt'ɛəʃɪp] *n* дирижа́бль мя́гкой систе́мы.

**tauten** ['tɔːtn] *v* ту́го натя́гивать(ся).

**tautologize** [tɔː'tɔlədʒaɪz] *v* повторя́ться.

**tautology** [tɔː'tɔlədʒɪ] *n* тавтоло́гия.

**tavern** ['tævən] *n* 1) таве́рна; 2) небольша́я гости́ница.

**taw** I [tɔː] *n* 1) ша́рики (*де́тская игра́*); 2) черта́, с кото́рой броса́ют ша́рики.

**taw** II [tɔː] *v* выде́лывать ко́жу без дубле́ния.

**tawdry** ['tɔːdrɪ] 1. *a* мишу́рный, крича́ще безвку́сный;

2. *n* дешёвый шик; безвку́сные украше́ния.

**tawny** ['tɔːnɪ] *a* рыжевáто-корúчневый.

**tawny owl** ['tɔːnɪ'aul] *n* зоол. неясыть сéрая *или* обыкновéнная.

**tax** [tæks] **1.** *n* 1) (госудáрственный) налóг; пóшлина; сбор; direct (indirect) ~es прямы́е (кóсвенные) налóги; single ~ едúный земéльный налóг; to levy ~es взимáть налóги; heavy ~ большóй, обременúтельный налóг; nuisance ~ *амер.* мéлкий кóсвенный налóг; 2) напряжéние, брéмя, испытáние; it is a great ~ on my time э́то трéбует от меня слúшком мнóго врéмени; **2.** *v* 1) облагáть налóгом; таксúровать; 2) чрезмéрно напрягáть, подвергáть испытáнию; утомля́ть; the work ~es my powers э́та рабóта слúшком тяжелá для меня; I cannot ~ my memory не могý вспóмнить; 3) испы́тывать (*терпéние и т. п.*); 4) *амер. разг.* спрáшивать, назначáть цéну; what will you ~ me? скóлько э́то бýдет (мне) стóить?; 5) обвиня́ть, осуждáть (with); 6) *юр.* определя́ть размéр убы́тков, штрáфа *и т. п.*; определя́ть размéр судéбных издéржек.

**taxability** [,tæksə'bɪlɪtɪ] *n* облагáемость.

**taxable** ['tæksəbl] *a* облагáемый налóгом; подлежáщий обложéнию налóгом.

**taxation** [tæk'seɪʃ(ə)n] *n* 1) обложéние налóгом; взимáние налóга; 2) размéр, сýмма налóга.

**tax-collector** ['tækskə,lektə] *n* сбóрщик налóгов.

**taxed cart** ['tækst'kɑːt] *n* двукóлка фéрмера *или* торгóвца (*назвáние свя́зано со стáрой систéмой налóгового обложéния*).

**tax-farmer** ['tæks,fɑːmə] *n* откупщúк.

**tax-free** ['tæks'friː] *a* освобождённый от налóгов.

**tax-gatherer** ['tæks,gæðərə] = tax-collector.

**taxi** ['tæksɪ] **1.** *n* таксú; **2.** *v* 1) éхать на таксú; 2) везтú на таксú; 3) *ав.* рулúть.

**taxi-cab** ['tæksɪkæb]=taxi 1.

**taxi-dance hall** ['tæksɪ,dɑːns'hɔːl] *n амер.* третьеразря́дный дáнсинг с профессионáльными партнёршами *или* партнёрами.

**taxi-dancer** ['tæksɪ,dɑːnsə] *n амер.* профессионáльная партнёрша, профессионáльный партнёр (*в дáнсинге, кабарé и т. п.*).

**taxidermist** ['tæksɪdɜːmɪst] *n* набúвщик чýчел.

**taxidermy** ['tæksɪdɜːmɪ] *n* набúвка чýчел.

**taxi-driver** ['tæksɪ,draɪvə] *n* шофёр таксú.

**taxi-man** ['tæksɪmən]=taxi-driver.

**taximeter** ['tæksɪ,miːtə] *n* таксомéтр, счётчик.

**taxing** ['tæksɪŋ] **1.** *pres. p. om* tax 2; **2.** *n* обложéние налóгом; **3.** *a* налóговый; ~ district *амер.* налóговый óкруг.

**taxing-master** ['tæksɪŋ,mɑːstə] *n* чинóвник, определя́ющий размéры судéбных издéржек.

**taxis** ['tæksɪs] *n* 1) *ист.* подразделéние в древнегрéческой áрмии; 2) *биол.* отвéтная реáкция органúзма.

**taxpayer** ['tæks,peɪə] *n* налогоплатéльщик.

**tea** [tiː] *n* 1) чай; afternoon ~, high (*или* meat) ~ плóтный ýжин с чáем; low ~ *амер.* лёгкий ýжин с чáем; tile ~ кирпúчный, плúточный чай; broken ~ спитóй чай; Russian ~ чай с лимóном без молокá (*подаётся в стакáнах*); 2) настóй; крéпкий отвáр *или* бульóн; ◊ to take ~ with smb. a) общáться с кем-л.; б) схватúться с кем-л.; not smb.'s cup of ~ *sl.* не по вкýсу комý-л.; another cup of ~ совсéм другóе дéло.

**tea-biscuit** ['tiː,bɪskɪt] *n* печéнье к чáю.

**tea-board** ['tiːbɔːd] = tea-tray.

**tea-bread** ['tiːbred] *n* сдóбный хлéбец *или* бýлочка к чáю.

**tea-cake** ['tiːkeɪk] *n* бýлочка к чáю.

**teach** [tiːtʃ] *v* (taught) 1) учúть, обучáть; давáть урóки, преподавáть; to ~ smb. French обучáть когó-л. францýзскому языкý; to ~ school *амер.* занимáться преподавáтельской дéятельностью, быть преподавáтелем; 2) учúть, приучáть; 3) проучúть; I will ~ him a lesson я проучý егó.

**teachable** ['tiːtʃəbl] *a* 1) подлежáщий обучéнию; 2) спосóбный к учéнию; поня́тливый; прилéжный.

**teacher** ['tiːtʃə] *n* учúтель(ница); преподавáтель(ница).

**teaching** ['tiːtʃɪŋ] **1.** *pres. p. om* teach; **2.** *n* 1) обучéние; to take up ~ стать преподавáтелем; 2) учéние, доктрúна.

**tea-clipper** ['tiː,klɪpə] *n* быстрохóдное сýдно, перевозя́щее чай.

**tea-cloth** ['tiːklɔθ] *n* 1) чáйная скáтерть *или* салфéтка; 2) полотéнце для чáйной посýды.

**tea-cosy** ['tiː,kouzɪ] *n* стёганый чехóльчик (*на чáйник*).

**teacup** ['tiːkʌp] *n* (чáйная) чáшка.

**tea-dealer** ['tiː,diːlə] *n* чаеторгóвец.

**tea-fight** ['tiːfaɪt] *разг. см.* tea-party 1).

**tea-garden** ['tiː,gɑːdn] *n* 1) чáйная с сáдом; ресторáн на откры́том вóздухе; 2) чáйная плантáция.

**tea-ho** ['tiːhou] *n австрал.* перерыв на чай.

**tea-house** ['tiːhaus] *n* чáйная, закýсочная.

**teak** [tiːk] *n* тúк(овое дéрево).

**tea-kettle** ['tiː,ketl] *n* чáйник (*для кипячéния воды́*).

**teal** [tiːl] *n зоол.* чирóк.

**tea-leaf** ['tiːliːf] *n* 1) чáйный лист; 2) *pl* спитóй чай.

**team** [tiːm] **1.** *n* 1) упря́жка, запря́жка (*лошадéй, волóв*); *амер.* упря́жка с экипáжем, вы́езд; 2) спортúвная комáнда; 3) бригáда, артéль (*рабóчих*); 4) экипáж сýдна; 5) *воен.* грýппа из рáзных родóв войск; усúленная часть; **2.** *v* 1) запрягáть; 2) объединя́ться в бригáду, комáнду *и т. п.*; to ~ up with smb. *амер.* объединúться с кем-л.; 3) быть погóнщиком, возúцей.

**team-mate** ['tiːm,meɪt] *n* игрóк той же комáнды; член той же бригáды, звенá *и т. п.*

**teamster** ['tiːmstə] *n* погóнщик; возúца.

**teamwise** ['tiːmwaɪz] *adv* 1) сообщá, вмéсте; 2) бригáдами, бригáдным мéтодом.

**team-work** ['tiːmwəːk] *n* 1) совме́стная брига́дная *или* конве́йерная рабо́та; 2) согласо́ванная рабо́та; совме́стные уси́лия; взаимоде́йствие.

**tea-party** ['tiːˌpɑːtɪ] *n* 1) зва́ный чай; 2) о́бщество, приглашённое на чай.

**teapot** ['tiːpɔt] *n* ча́йник (*для зава́рки*).

**teapoy** ['tiːpɔɪ] *n* англо-инд. небольшо́й сто́лик (*особ. для ча́я*).

**tear I** [tɛə] 1. *n* 1) проре́з, дыра́, проре́ха; 2) устремле́ние; full ~ о́прометью; 3) неи́стовство; 4) *амер. sl.* кутёж; 5) *тех.* задира́ние, изно́с;

2. *v* (tore; torn) 1) рва́ть(ся), срыва́ть, отрыва́ть(ся) (*тж.* ~ off); to ~ asunder (*или* in two) разорва́ть на́двое; to ~ in (*или* to) pieces изорва́ть в клочки́; *перен.* ≅ разби́ть в пух и прах; раскритикова́ть; 2) отнима́ть; выхва́тывать (*тж.* ~ out); 3) пора́нить, оцара́пать; I have torn my finger я пора́нил себе́ па́лец; 4) *перен.* раздира́ть; a heart torn by anxiety се́рдце, разрыва́ющееся от трево́ги; to be torn between разрыва́ться на ча́сти; колеба́ться ме́жду (*двумя́ жела́ниями и т. п.*); 5) рва́ться; изна́шиваться, сраба́тываться; 6) мча́ться (*тж.* ~ along, ~ down); □ ~ about носи́ться; ~ along броса́ться, устремля́ться; ~ along the street мча́ться по у́лице; ~ at тащи́ть, тяну́ть с си́лой; ~ away отрыва́ть; to ~ oneself away с трудо́м оторва́ться; ~ down a) срыва́ть, сноси́ть (*постро́йку*); б) опроверга́ть (*пункт за пу́нктом*); в) нести́сь, мча́ться; ~ out вырыва́ть; выхва́тывать; ~ up a) вы́рвать; a tree torn up by the roots де́рево, вы́рванное с ко́рнем; б) изорва́ть; ◇ to ~ it *sl.* расстро́ить пла́ны; to ~ off a strip *sl.* отруга́ть, сде́лать замеча́ние.

**tear II** [tɪə] *n* 1) слеза́; in ~s в слеза́х; bitter (*или* poignant) ~s го́рькие слёзы; to break into ~s зали́ться слеза́ми, разрыда́ться; to give smb. a ~ пыта́ться разжа́лобить кого́-л.; 2) ка́пля (*росы́*).

**tear-drop** ['tɪədrɔp] *n* слеза́, слези́нка.

**tear-duct** ['tɪədʌkt] *n* анат. слёзный прото́к.

**tearful** ['tɪəful] *a* 1) пла́чущий; 2) по́лный слёз; гото́вый распла́каться; 3) печа́льный.

**tear-gas** ['tɪəˈgæs] *n* слезоточи́вый газ.

**tearing** ['tɛərɪŋ] 1. *pres. p. от* tear I, 2; 2. *a разг.* неи́стовый, бе́шеный.

**tearless** ['tɪəlɪs] *a* 1) без слёз; 2) бесчу́вственный.

**tea-room** ['tiːrum] *n* кафе́-конди́терская.

**tea-rose** ['tiːrouz] *n* ча́йная ро́за.

**tear-sheet** ['tɛəʃiːt] *n* амер. рекла́мное объявле́ние в газе́те, кото́рое мо́жет быть вы́резано чита́телем и напра́влено фи́рме в ка́честве зака́за.

**tear-shell** ['tɪəˈʃəl] *n* снаря́д со слезоточи́вым га́зом.

**tear-stained** [ˈtɪəsteɪnd] *a* со следа́ми слёз, запла́канный.

**tease** [tiːz] 1. *v* 1) дразни́ть; поддра́знивать; 2) надоеда́ть, пристава́ть; надоеда́ть про́сьбами; выпра́шивать; 3) чеса́ть (*шерсть*); 4) ворси́ть;

2. *n* 1) = teaser 1); 2) попы́тка раздразни́ть.

**teasel** ['tiːzl] 1. *n* 1) *бот.* ворся́нка; 2) *текст.* ворси́льная ши́шка, ворсова́льная ши́шка;

2. *v* ворси́ть.

**teaseler** ['tiːzlə] *n* ворси́льщик.

**teaser** ['tiːzə] *n* 1) люби́тель подразни́ть; задира́; 2) *разг.* тру́дная зада́ча, головоло́мка; 3) попроша́йка; 4) *разг.* рекла́мное объявле́ние; 5) = teaseler.

**tea-service** ['tiːˌsəːvɪs] *n* ча́йный серви́з.

**tea-set** ['tiːset] = tea-service.

**tea-shop** ['tiːʃɔp] *n* магази́н ча́я.

**tea-spoon** ['tiːspuːn] *n* ча́йная ло́жка.

**tea-strainer** ['tiːˌstreɪnə] *n* ча́йное си́течко.

**teat** [tiːt] *n* 1) сосо́к; 2) *тех.* бобы́шка; ца́пфа.

**tea-table** ['tiːˌteɪbl] *n* 1) ча́йный стол; 2) о́бщество за ча́ем; 3) *attr.*: ~ conversation бесе́да за ча́ем.

**tea-things** ['tiːθɪŋz] *n pl* ча́йный серви́з.

**tea-tray** ['tiːtreɪ] *n* ча́йный подно́с.

**tea-urn** ['tiːəːn] *n* кипяти́льник, тита́н; бак для воды́.

**tea wagon** ['tiːˈwægən] *n* сто́лик на колёсиках для ча́я и лёгкой заку́ски.

**teazel, teazle** ['tiːzl] = teasel.

**technical** ['teknɪkəl] 1. *a* 1) техни́ческий; промы́шленный; 2) специа́льный; относя́щийся к определённой о́бласти зна́ний *или* определённому ви́ду иску́сства (*о термино́логии*); ~ terms of law юриди́ческая терминоло́гия;

2. *n pl* 1) специа́льная терминоло́гия; 2) техни́ческие подро́бности.

**technicality** [ˌteknɪˈkælɪtɪ] *n* 1) техни́ческая сторона́ де́ла; 2) *pl* техни́ческие дета́ли, форма́льности; 3) *pl* специа́льная терминоло́гия.

**technician** [tekˈnɪʃən] *n* челове́к, хорошо́ знако́мый с те́хникой своего́ де́ла.

**Technicolor** ['teknɪˌkʌlə] *n* 1) цветна́я фотогра́фия; цветно́е кино́; 2) *attr.* цветно́й; ~ film цветно́й фильм.

**technics** ['teknɪks] *n pl* (*употр. как sing*) 1) те́хника, техни́ческие нау́ки; 2) = technique; 3) = technology 3).

**technique** [tekˈniːk] *n* те́хника, техни́ческие приёмы.

**technologist** [tekˈnɔlədʒɪst] *n* техно́лог.

**technology** [tekˈnɔlədʒɪ] *n* 1) те́хника, техни́ческие и прикладны́е нау́ки; 2) техноло́гия; 3) специа́льная терминоло́гия.

**techy** ['tetʃɪ] *a* 1) оби́дчивый; раздражи́тельный; 2) ~ horse ло́шадь с но́ровом; ◇ ~ subject щекотли́вая те́ма.

**tectonic** [tekˈtɔnɪk] *a* 1) структу́рный; архитекту́рный; 2) *геол.* тектони́ческий.

**tectonics** [tekˈtɔnɪks] *n pl* (*употр. как sing*) строи́тельные нау́ки и иску́сство.

**ted** [ted] *v* вороши́ть (*се́но*).

**tedder** ['tedə] *n* сеновороши́лка.

**Teddy bear** ['tedɪˈbɛə] *n* медвежо́нок (*де́тская игру́шка*).

**teddy boy** ['tedɪˈbɔɪ] *n* пижо́н, стиля́га.

**tedious** ['tiːdjəs] *a* ску́чный, утоми́тельный.

**tedium** ['tiːdjəm] *n* скука, утомительность.

**tee I** [tiː] 1. *n* 1) *название буквы* T; 2) вещь, имеющая форму буквы T; тройник; 2. *a тех.* тавровый; T-образный.

**tee II** [tiː] 1. *n* мишень (*в играх*); метка для мяча в гольфе; to a ~ точно; 2. *v* класть мяч для первого удара; ☐ ~ off, ~ up делать первый удар (*в гольфе*).

**teem I** [tiːm] *v* 1) кишеть, изобиловать (with — *чем-л.*); 2) быть плодовитым; быть плодородным.

**teem II** [tiːm] *v метал.* разливать.

**teeming I** ['tiːmɪŋ] 1. *pres. p. от* teem I; 2. *a* переполненный, битком набитый.

**teeming II** ['tiːmɪŋ] *pres. p. от* teem II.

**teen** [tiːn] *n уст.* горе, несчастье.

**teen-age** ['tiːneɪdʒ] *a* находящийся в возрасте от 13 до 19 лет.

**teen-ager** ['tiːneɪdʒə] *n* подросток.

**teener** ['tiːnə] = teen-ager.

**teens** [tiːnz] *n pl* возраст от 13 до 19 лет; she is still in her ~ ей ещё нет 20 лет; she is out of her ~ ей уже исполнилось двадцать лет.

**teeny** ['tiːnɪ] *a разг.* крошечный.

**teeny-weeny** ['tiːnɪ'wiːnɪ] = teeny.

**teeter** ['tiːtə] *амер., диал.* 1. *n* детские качели; 2. *v* 1) качаться на качелях; 2) *разг.* качаться, колебаться; 3) делать зигзаги.

**teeth** [tiːθ] *pl от* tooth 1.

**teethe** [tiːð] *v* 1) прорезываться (*о зубах*); 2) начинаться; намечаться.

**teethridge** ['tiːθrɪdʒ] *n* 1) альвеолярные лунки; 2) *фон.* альвеолярная выпуклость.

**teetotal** [tiː'toutl] *a* 1) трёзвый, непьющий; 2) *разг.* полный, абсолютный.

**teetotal(l)er** [tiː'toutlə] *n* трёзвенник.

**teetotum** ['tiːtou'tʌm] *n* вид волчка.

**teg** [teg] *n* 1) овца по второму году; 2) *уст.* оленья самка по второму году.

**tegular** ['tegjulə] *a* черепичный.

**tegument** ['tegjumənt] *n* (*сокр. от* integument) оболочка, покров.

**tehee** [tiː'hiː] 1. *n* хихиканье; 2. *v* хихикать.

**telautogram** [te'lɔːtəgræm] *n* телеавтограмма (*переданный на расстояние рисунок, письмо и т. п.*); фототелеграмма.

**telautograph** [te'lɔːtəgraːf] *n* телеавтограф; фототелеграф.

**tele** ['telɪ] *сокр. от* television.

**telecast** ['telɪkaːst] 1. *n* телевизионная передача; телевизионное вещание; 2. *v* передавать телевизионную программу.

**telecasting** ['telɪkaːstɪŋ] 1. *pres. p. от* telecast 2; 2. *n* 1) = telecast 1; 2) *attr.* телевизионный; ~ studio телевизионная студия.

**telecommunication** ['telɪkə,mjuːnɪ'keɪʃən] *n* дальняя связь.

**telecontrol** [,telɪkən'troul] *n* телеуправление, дистанционное управление.

**telecruiser** [,telɪ'kruːzə] *n* передвижная телевизионная станция.

**telefilm** ['telɪfɪlm] *n* фильм, передаваемый по телевидению.

**telegenic** [,telɪ'dʒenɪk] *a* подходящий для телевизионной передачи, «телегеничный».

**telegram** ['telɪgræm] *n* телеграмма.

**telegraph** ['telɪgraːf] 1. *n* 1) телеграф; 2) *attr.* телеграфный; 2. *v* 1) телеграфировать; 2) сигнализировать.

**telegrapher** [tɪ'legrəfə] = telegraphist.

**telegraphese** ['telɪgra:'fiːz] *n разг.* «телеграфный» стиль.

**telegraphic** [,telɪ'græfɪk] *a* телеграфный.

**telegraphist** [tɪ'legrəfɪst] *n* телеграфист.

**telegraph-line** ['telɪgra:flaɪn] *n* телеграфная линия.

**telegraph-pole** ['telɪgra:fpoul] *n* телеграфный столб.

**telegraph-post** ['telɪgra:fpoust] = telegraph-pole.

**telegraph-wire** ['telɪgra:f,waɪə] *n* телеграфный провод.

**telegraphy** [tɪ'legrəfɪ] *n* телеграфия; телеграфирование.

**telemechanics** [,telɪmɪ'kænɪks] *n pl* (*употр. как sing*) телемеханика.

**telemeter** [te'lemɪtə] *n* дальномер.

**telemetering** [,telɪ'miːtərɪŋ] *n* дистанционное измерение.

**teleology** [,telɪ'ɔlədʒɪ] *n* телеология.

**telepathy** [tɪ'lepəθɪ] *n* телепатия.

**telephone** ['telɪfoun] 1. *n* 1) телефон; 2) *attr.* телефонный; 2. *v* телефонировать.

**telephonee** [,telɪfou'niː] *n* тот, кому звонят.

**telephone set** ['telɪfoun'set] *n* телефонный аппарат; deckstand ~ настольный телефонный аппарат; dial ~ телефонный аппарат с диском; call-back ~ телефонный аппарат с кнопкой для наведения справок.

**telephonic** [,telɪ'fɔnɪk] *a* телефонный.

**telephonist** [tɪ'lefənɪst] *n* телефонист(ка).

**telephony** [tɪ'lefənɪ] *n* телефония; телефонирование.

**telephotography** ['telɪfə'tɔgrəfɪ] *n* телефотография.

**teleprinter** ['telɪ,prɪntə] *n* буквопечатающий телеграф.

**telescope** ['telɪskoup] 1. *n* оптическая (подзорная) труба; телескоп; ◇ ~ word = portmanteau (2). 2. *v* 1) складывать(ся) (*подобно телескопу*); 2) сталкиваться, врезаться (*о поездах*).

**telescreen** ['telɪskriːn] *n* экран телевизора.

**teleshow** ['telɪʃou] *n амер.* телевизионная программа *или* передача.

**teletype** ['telɪtaɪp] *n* телетайп.

**teleview** ['telɪvjuː] *v* смотреть, принимать телевизионную передачу.

**televiewer** ['telɪvjuːə] *n* телевизионный зритель, телезритель.

**televise** ['telɪvaɪz] *v* передавать телевизионную программу.

**television** ['telɪ,vɪʒən] *n* 1) телевидение; 2) *attr.* телевизионный; ~ viewer = televiewer; ~ broadcasting телевизионная передача; ~ receiver (*или* set) телевизор.

**televisional** ['telɪ,vɪʒənəl] *a* телевизионный.

**televisor** ['telɪvaɪzə] *n* телевизор.

**televisual** [,telɪ'vɪʒjuəl] = televisional.

**telewriter** ['telɪ,raɪtə] *n* дальнопишущий аппарат.

**telex** ['teliks] *n* абонентская телеграфная связь через телефонную станцию.

**tell** [tel] *v* (told) 1) рассказывать; to ~ a lie (*или* a falsehood) говорить неправду; to ~ the truth говорить правду; this fact ~s its own tale (*или* story) этот факт говорит сам за себя; 2) говорить, сказать; I am told мне сказали, я слышал; to ~ good-bye *амер.* прощаться; 3) указывать, объяснять; 4) уверять; заверять; 5) сообщать, выдавать (*тайну*), выбалтывать; 6) приказывать; I was told to show my passport у меня потребовали паспорт; 7) считать; считать голоса; all told в общей сложности, в общем; включая всех *или* всё; to ~ so many years *уст.* насчитывать столько-то лет; to ~ noses подсчитывать количество присутствующих; 8) отличать, различать; he can be told by his dress его можно отличить *или* узнать по одежде; to ~ apart понимать разницу, различать; to ~ one thing from another отличать одну вещь от другой; 9) выделяться; her voice ~s remarkably in the choir её голос удивительно выделяется в хоре; 10) сказываться, отзываться (on); the strain begins to tell on her напряжение начинает сказываться на ней; 11) делать сообщение, докладывать (of); ☐ ~ off а) отбирать; six of us were told off to get fuel шестеро из нас были отряжены за топливом; б) *воен.* производить строевой расчёт; в) *sl.* выругать, «отделать» (*кого-л.*); ~ on доносить; ябедничать, фискалить; ~ over пересчитывать; ◇ don't (*или* never) ~ me не рассказывайте сказок; to ~ smb. where to get off *амер.* поставить кого-л. на место, осадить; дать нагоняй; to ~ the world а) открыто заявлять; б) категорически утверждать; to ~ fortunes гадать; do ~! *амер.* вот те на!, не может быть!; I'll ~ you what *разг.* знаете что; you never can ~ ~ всякое бывает; почём знать; you ~ing me! ещё бы, я сам знаю.

**tellable** ['teləbl] *a* 1) могущий быть рассказанным, передаваемый; 2) стоящий того, чтобы о нём рассказали.

**teller** ['telə] *n* 1) рассказчик; 2) *парл.* счётчик голосов; 3) кассир (*в банке*); 4) *воен.* диктор радиолокационной станции ПВО.

**tellies** ['teliz] *n pl разг.* звуковое кино.

**telling** ['telɪŋ] 1. *pres. p. от* tell; 2. *a* 1) выразительный, многоговорящий, многозначительный; 2) *разг.* основательный; a ~ blow тяжёлый удар; 3. *n*: to take a ~ a) с первого раза делать так, как велено; б) получать выговор.

**telling-off** ['telɪŋ'ɔːf] *n разг.* выговор, нагоняй.

**telltale** ['telteɪl] 1. *n* 1) сплетник, болтун; 2) доносчик; 3) *тех.* контрольное, сигнальное *или* регистрирующее устройство; часы-табель; 2. *a* 1) предательский; 2) *тех.* сигнальный, контрольный.

**tellurian** [te'ljʊərɪən] 1. *n* житель Земли; 2. *a* относящийся к Земле, земной.

**telluric** [te'ljuːrɪk] *a* теллурический, земной.

**tellurium** [te'ljuərɪəm] *n хим.* теллурий.

**telly** ['telɪ] *n разг.* телевизор.

**telpher** ['telfə] 1. *n тех.* тельфер; 2. *v* перевозить по подвесной (железной) дороге.

**telpherage** ['telfərɪdʒ] *n* 1) перемещение грузов по подвесной дороге; 2) электрическая подвесная дорога.

**temblor** [tem'blɔː] *n амер.* землетрясение.

**temerarious** [,temə'rɛərɪəs] *a книжн.* безрассудный; безрассудно смелый; отчаянный.

**temerity** [tɪ'merɪtɪ] *n* безрассудство, опрометчивость; безрассудная смелость.

**temper** ['tempə] 1. *n* 1) нрав, характер; quick (*или* short) ~ вспыльчивость, горячность; 2) настроение; to keep (*или* to control) one's ~ владеть собой; to lose one's ~ выйти из себя; to recover (*или* to regain) one's ~ успокоиться, овладеть собой; in a bad (good) ~ в плохом (хорошем) настроении; 3) раздражение, гнев; to show ~ проявлять раздражение; to get into a ~ рассердиться; to put smb. out of ~ разозлить кого-л.; 4) смесь, раствор; 5) *метал.* содержание углерода; степень закалки, степень твёрдости и упругости; 2. *v* 1) регулировать, умерять, смягчать; 2) делать смесь; 3) *муз.* модулировать; 4) *метал.* отпускать, закалять(ся) (*тж. перен.*); ~ed in battle закалённый в бою.

**tempera** ['tempərə] *n жив.* темпера, живопись темперой.

**temperament** ['tempərəmənt] *n* темперамент.

**temperamental** [,tempərə'mentl] *a* 1) темпераментный; 2) свойственный определённому темпераменту.

**temperance** ['tempərəns] *n* 1) сдержанность, умеренность (*особ. в еде и употреблении спиртных напитков*); трезвенность; 2) *attr.*: ~ hotel гостиница, в которой не подаются спиртные напитки.

**temperate** ['tempərɪt] *a* 1) умеренный, воздержанный; 2) умеренный (*о климате, зоне и т. п.*).

**temperature** ['temprɪtʃə] *n* 1) температура; степень нагрева; to take one's ~ измерять температуру; 2) *разг.* повышенная температура; to have (*или* to run) a ~ иметь повышенную температуру.

**tempest** ['tempɪst] 1. *n* буря; ~ in a teapot буря в стакане воды; 2. *v* бушевать.

**tempestuous** [tem'pestjuəs] *a* бурный, буйный.

**tempi** ['tempiː] *pl от* tempo.

**templar** ['templə] *n* 1) *ист.* тамплиер, храмовник (*тж.* Knight T.); 2) юрист, живущий в Темпле [*см.* temple I, 2)].

**template** ['templɪt] = templet.

**temple** I ['templ] *n* 1) храм; 2) (the T.) Темпл, одно из двух лондонских обществ адвокатов и здание, в котором оно помещается [*см.* inn, Inns of Court].

**temple** II ['templ] *n* висок.

**temple** III ['templ] *n* 1) *текст.* шпарýтка; 2) *тех.* прижимная плáнка.

**templet** ['templɪt] *n* шаблóн, лекáло.

**tempo** ['tempou] *n* (*pl* -os [-ouz], -pi) 1) *муз.* темп; 2) ритм, темп (*жизни и т. п.*).

**temporal** I ['tempərəl] *a* 1) врéменный; преходящий; 2) свéтский, мирскóй; ~ peers, lords ~ свéтские члéны палáты лóрдов; 3) *грам.* временнóй.

**temporal** II ['tempərəl] *анат.* 1. *a* висóчный;
2. *n* висóчная кость.

**temporality** [,tempə'rælɪtɪ] *n* 1) врéменный харáктер; 2) *pl* церкóвные владéния и дохóды.

**temporary** ['tempərərɪ] 1. *a* врéменный;
2. *n* врéменный рабóчий.

**temporize** ['tempəraɪz] *v* 1) приспособляться ко врéмени и обстоятельствам; 2) старáться выиграть врéмя; мéдлить, колебáться.

**tempt** [tempt] *v* 1) искушáть, соблазнять; to ~ fate искушáть судьбý; one is ~ed to ask the question невóльно напрáшивается вопрóс; 2) *уст.* испытывать, проверять.

**temptation** [temp'teɪʃən] *n* искушéние, соблáзн.

**tempter** ['temptə] *n* искуситель.

**tempting** ['temptɪŋ] 1. *pres. p. от* tempt;
2. *a* замáнчивый, соблазнительный.

**temptress** ['temptrɪs] *n* искусительница.

**ten** [ten] 1. *num. card.* дéсять; ~ times as big в дéсять раз бóльше; ◇ ~ to one почти навернякá;
2. *n* 1) десяток; in ~s десятками; 2) *pl* десятый нóмер (*размер перчаток и т. п.*); 3) *разг.* десятидоллáровая бумáжка; 4) *карт.* десятка; ◇ the upper ~ (thousand) верхýшка óбщества, аристокрáтия.

**tenable** ['tenəbl] *a* 1) прóчный; устóйчивый; 2) обороноспосóбный; 3) пригóдный (*для жилья*); 4) понятный, логичный.

**tenacious** [tɪ'neɪʃəs] *a* 1) цéпкий, крéпкий; ~ memory хорóшая пáмять; 2) упóрный; ~ of life живýчий; 3) вязкий, липкий.

**tenacity** [tɪ'næsɪtɪ] *n* 1) цéпкость; 2) упóрство, стóйкость, твёрдость вóли; 3) вязкость, липкость; 4) крéпость, прóчность.

**tenancy** ['tenənsɪ] *n* 1) наём помещéния; (врéменное) владéние; 2) срок арéнды; 3) арендóванная земля; арендóванный дом.

**tenant** ['tenənt] 1. *n* 1) нанимáтель, арендáтор; (врéменный) владéлец; съёмщик; ~ at will арендáтор, не имéющий договóра с владéльцем; 2) жúтель, жилéц; 3) *юр.* владéлец недвúжимого имýщества;
2. *v* нанимáть, арендовáть.

**tenantry** ['tenəntrɪ] *n собир.* арендáторы, нанимáтели.

**tench** [tenʃ] *n* линь (*рыба*).

**tend** I [tend] *v* 1) направляться; вести (*к чему-л.*); клониться (*к чему-л.*); it ~s to become cold at night похóже на то, что нóчью стáнет хóлодно; 2) имéть склóнность, тендéнцию (*к чему-л.*).

**tend** II [tend] *v* (*сокр. от* attend) 1) заботиться (*о ком-л.*); ухáживать (*за больным, за растéниями и т. п.*); 2) обслýживать (*машину*).

**tendance** ['tendəns] *n* (*сокр. от* attendance) 1) забóта (*о ком-л.*); присмóтр; 2) свúта.

**tendency** ['tendənsɪ] *n* 1) стремлéние; наклóнность, тендéнция; a ~ to corpulence склóнность к полнотé; 2) *attr.* тенденциóзный; ~ writings тенденциóзные статьи.

**tendentious** [ten'denʃəs] *a* тенденциóзный.

**tender** I ['tendə] 1. *n* 1) предложéние (*официáльное*); 2) заявка на подряд; 3) сýмма (*вносимая в уплáту дóлга и т. п.*); legal ~ *юр.* закóнное платёжное срéдство;
2. *v* 1) предлагáть; to ~ one's thanks приносить благодáрность; to ~ an apology принести извинéния; to ~ one's resignation подавáть в отстáвку; 2) предоставлять; вносить (*дéньги*); 3) подавáть заявку (*на торгáх*); подавáть заявлéние о подпúске (*на цéнные бумáги*); 4) *амер.* наносить (*увéчье, обиду*); 5) *амер.* устрáивать (*напр., обéд*); 6) *амер.* присуждáть (*стéпень, прéмию и т. п.*).

**tender** II ['tendə] *n* 1) лицó, присмáтривающее за больными, детьми и т. п.; baby ~ няня; invalid ~ сидéлка; 2) *ж.-д.* тéндер; 3) *мор.* посыльное сýдно; *амер.* плавýчая бáза.

**tender** III ['tendə] *a* 1) нéжный; ~ touch лёгкое прикосновéние; of ~ years нéжного вóзраста; 2) хрýпкий, слáбый (*о здорóвье*); 3) нéжный, любящий; ~ passion (*или* sentiment) любóвь, нéжные чýвства; ~ heart дóброе сéрдце; 4) чувствительный, болéзненный; уязвúмый; ~ spot (*или* place) уязвúмое мéсто; 5) деликáтный, щекотлúвый; 6) чýткий, забóтливый; to be ~ of smb. нéжно *или* забóтливо относиться к комý-л.; 7) нéжный, мягкий (*о тóне, цвéте, крáске*); 8) мягкий (*о мясе*).

**tender-eyed** ['tendər'aɪd] *a* 1) с нéжными глазáми; с мягким взглядом; 2) имéющий слáбое зрéние.

**tenderfoot** ['tendəfut] *n разг.* новоприбывший, не освóившийся с нóвой обстанóвкой, не привыкший к трýдностям; новичóк.

**tender-hearted** ['tendə'haːtid] *a* дóбрый, мягкосердéчный; чувствительный.

**tenderling** ['tendəlɪŋ] *n* 1) нéженка; 2) мáленький ребёнок.

**tenderloin** ['tendələɪn] *n амер.* 1) филéй, вырезка; 2) (T.) городскóй райóн, пóльзующийся дурнóй слáвой.

**tenderness** ['tendənɪs] *n* нéжность *и пр.* [*см.* tender III].

**tendinous** ['tendɪnəs] *a* жúлистый; мýскулистый.

**tendon** ['tendən] *n анат.* сухожúлие.

**tendril** ['tendrɪl] *n бот.* ýсик.

**tenebrous** ['tenɪbrəs] *a уст.* тёмный, мрáчный.

**tenement** ['tenɪmənt] *n* 1) арендýемое имéние; арендýемая земля; 2) арендýемое помещéние; квартúра (*снимáемая семьёй*); 3) многоквартúрный дом; 4) *поэт.* обúтель.

**tenet** ['tiːnet] *лат. n* дóгмат, прúнцип, доктрúна.

**tenfold** ['tenfould] 1. *a* десятикрáтный;
2. *adv* вдéсятеро.

**tenner** ['tenə] *n* 1) *разг.* банкнот в 10 фунтов; банкнот в 10 долларов; 2) *sl.* десять лет (тюремного заключения).

**tennis** ['tenɪs] *n спорт.* (лаун-)теннис.

**tennis-ball** ['tenɪsbɔːl] *n* теннисный мяч.

**tennis-court** ['tenɪskɔːt] *n* (теннисный) корт.

**tenon** ['tenən] 1. *n* 1) *стр.* шип; замок с шипом; 2) *тех.* шпилька, язычок, лапка; 2. *v* соединять на шипах; нарезать шипы.

**tenor I** ['tenə] *n* 1) течение, направление; уклад (*жизни*); 2) общее содержание, смысл речи, статьи *и т. п.*; 3) *юр.* истинное намерение; 4) *юр.* точная копия; 5) *горн.* состав, содержание руд.

**tenor II** ['tenə] *n муз.* 1) тенор; 2) *attr.* теноровый.

**tenpins** ['tenpɪnz] *n pl* (*употр. как sing*) кегли.

**tense I** [tens] *n грам.* время.

**tense II** [tens] 1. *a* 1) натянутый; 2) возбуждённый, напряжённый; 2. *v* 1) натягивать(ся); 2) создавать напряжение.

**tensely** ['tenslɪ] *adv* с напряжением, напряжённо.

**tensile** ['tensaɪl] *a* растяжимый; ~ strength *тех.* предел прочности на разрыв.

**tensility** [ten'sɪlɪtɪ] *n* растяжимость.

**tension** ['tenʃən] *n* 1) напряжение, напряжённое состояние; international ~ международная напряжённость; to ease (*или* to relax, to reduce, to slacken) ~ ослабить напряжение; 2) натянутость, неловкость; 3) растяжение, натяжение, натягивание; 4) *эл.* напряжение; high (low) ~ высокое (низкое) напряжение; 5) *тех.* упругость; давление (*пара*).

**tensity** ['tensɪtɪ] *n* напряжённое состояние, напряжение.

**tensive** ['tensɪv] *a* создающий напряжение.

**ten-spot** ['tenspɔt] *n амер. разг.* десятидолларовая бумажка.

**ten-strike** ['tenstraɪk] *n амер.* 1) удар, сбивающий сразу все кегли; 2) *разг.* сокрушительный удар; крупный успех.

**tent I** [tent] 1. *n* палатка; шатёр; навес; тент; 2. *v* разбить палатку; жить в палатках.

**tent II** [tent] 1. *n* тампон; 2. *v* вставлять тампон.

**tent III** [tent] *n* красное испанское вино (*типа кагора*).

**tentacle** ['tentəkl] *n* 1) *зоол.* щупальце; 2) *бот.* железистый волосок.

**tentacled** ['tentəkld] *a* снабжённый щупальцами.

**tentacular** [ten'tækjulə] *a* имеющий форму щупальца; подобный щупальцу.

**tentative** ['tentətɪv] 1. *a* пробный, опытный, экспериментальный; 2. *n* попытка, проба, опыт.

**tent-bed** ['tentbed] *n* походная кровать.

**tent-cloth** ['tentklɔθ] *n* палаточная ткань; тик.

**tenter** ['tentə] *n текст.* 1) ширильная рама; 2) натяжной крючок; ◇ to be on the ~s *уст.* = to be on tenterhooks [*см.* tenterhooks].

**tenterhooks** ['tentəhuks] *n pl текст.* натяжные крючки; ◇ to be on ~ ≅ сидеть как на иголках; мучиться неизвестностью; to keep smb. on ~ держать кого-л. в состоянии неизвестности *или* беспокойства.

**tenth** [tenθ] 1. *num. ord.* десятый; ~ wave ≅ девятый вал; 2. *n* 1) десятая часть; 2) (the ~) десятое число.

**tent-peg** ['tentpeg] *n* палаточный приколыш.

**tenuity** [te'njuɪtɪ] *n* 1) разрежённость (*воздуха*); 2) тонкость; 3) бедность; нужда; скудость; 4) слабость (*звука*); 5) простота (*стиля*).

**tenuous** ['tenjuəs] *a* 1) незначительный, очень тонкий; 2) разрежённый (*о воздухе*).

**tenure** ['tenjuə] *n* 1) владение; 2) пребывание (*в должности*) на длительный срок; 3) срок владения; срок пребывания (*в должности*).

**tepee** ['tiːpiː] *n* вигвам североамериканских индейцев.

**tepefy** ['tepɪfaɪ] *v* подогревать(ся).

**tephrite** ['tefraɪt] *n геол.* тефрит.

**tepid** ['tepɪd] *a* тепловатый; *перен.* прохладный.

**teratology** [,terə'tɔlədʒɪ] *n биол.* тератология, наука, изучающая врождённые уродства.

**terbium** ['təːbɪəm] *n хим.* тербий.

**tercel** ['təːsəl] *n* сокол (*самец*).

**tercentenary** [,təːsen'tiːnərɪ] 1. *n* трёхсотлётняя годовщина; 2. *a* трёхсотлётний.

**tercentennial** [,təːsen tenjəl] = tercentenary.

**tercet** ['təːsɪt] *n* 1) *прос.* трёхстишие; терцина; 2) *муз.* терцет.

**terebinth** ['terəbɪnθ] *n* терпентинное дерево.

**teredo** [te'riːdou] *n зоол.* корабельный червь (*или* древоточец), морской шашень.

**terete** [te'riːt] *a* цилиндрический, круглый в сечении.

**tergal** ['təːgəl] *a зоол.* спинной.

**tergiversate** ['təːdʒɪvəːseɪt] *v* 1) быть отступником, предателем; 2) увёртываться, увиливать.

**tergiversation** [,təːdʒɪvəː'seɪʃən] *n* 1) отступничество; ренегатство; 2) увёртка.

**term** [təːm] 1. *n* 1) срок, определённый период; for ~ of life пожизненно; ~ of office срок полномочий (*президента, сенатора и т. п.*); to serve one's ~ отбыть срок наказания; 2) заранее назначенный день, *особ.* день уплаты аренды [*см.* ter-day]; 3) предел, срок окончания; граница; 4) термин; *pl* выражения, язык; in set ~s определённо; to speak in ~s говорить ясно; in the simplest ~s самым простым, понятным образом; in round ~s в сильных выражениях; in ~s of a) на языке, с точки зрения; в переводе на; б) ценой; 5) *pl* условия соглашения; договор; to come to ~s (*или* to make ~s) with smb. прийти к соглашению с кем-л.; to bring smb. to ~s

заставить кого-л. принять условия; to stand upon one's ~s настаивать на выполнении условий; 6) семестр; 7) судебная сессия; 8) *pl* условия оплаты; гонорар; inclusive ~s цена, включающая оплату услуг (*в гостинице и т. п.*); ~s of trade соотношение импортных и экспортных цен; 9) *pl* личные отношения; to be on good (bad) ~s быть в хороших (плохих) отношениях; not on speaking terms в плохих отношениях, в ссоре; 10) *мед.* срок разрешения от бремени; 11) *мат.* член;
2. *v* выражать, называть.

**termagant** ['tə:məgənt] 1. *n* грубая, сварливая женщина, мегера;
2. *a* сварливый.

**termer** ['tə:mə] *n* преступник, отбывающий наказание (*обычно в сочетаниях:* first ~ отбывающий заключение в первый раз *и т. п.*).

**terminable** ['tə:minəbl] *a* 1) ограниченный сроком, срочный; ~ ten years from now действителен на десять лет с настоящего момента; 2) определимый.

**terminal** ['tə:minl] 1. *n* 1) конечная станция; конечный пункт; 2) *pl* плата за погрузку товаров на конечной железнодорожной станции; 3) конечный слог *или* слово; 4) экзамен в конце семестра; 5) *эл.* клемма; ввод *или* вывод;
2. *a* 1) заключительный, конечный; ~ station конечная станция; 2) пограничный; 3) семестровый.

**terminate** ['tə:mineit] *v* 1) ставить предел, положить конец; 2) кончать (ся), завершать (-ся) (in); 3) ограничивать.

**termination** [,tə:mi'neiʃən] *n* 1) конец; окончание, истечение срока, предел; 2) *грам.* окончание; 3) *тех.* конечное устройство.

**termini** ['tə:minai] *pl от* terminus.

**terminology** [,tə:mi'nɔlədʒi] *n* терминология.

**terminus** ['tə:minəs] *n* (*pl* -es[-iz], -ni) 1) конечная станция; вокзал (*на конечной станции*); 2) *редк.* предел; 3) цель.

**termitary** ['tə:mitəri] *n* термитник, гнездо термитов.

**termite** ['tə:mait] *n зоол.* термит.

**termless** ['tə:mlis] *a* 1) не имеющий границ, безграничный; 2) бессрочный; 3) не ограниченный условиями, независимый; 4) невыразимый.

**term-time** ['tə:mtaim] *n* период занятий (*в школе, колледже и т. п.*).

**tern** I [tə:n] *n* крачка (*птица*).

**tern** II [tə:n] *n* три предмета; три числа; три номера, которые нужно вытащить, чтобы получить крупный выигрыш в лотерее.

**ternary** ['tə:nəri] 1. *n* три, тройка, триада;
2. *a* 1) тройной; 2) *хим., мин.* состоящий из трёх составных частей.

**Terpsichore** [tə:p'sikəri] *n миф.* Терпсихора.

**terra** ['terə] *лат. n* земля; ~ incognita а) неизвестная страна; б) неизвестная область (*знания и т. п.*).

**terrace** ['terəs] 1. *n* 1) терраса; насыпь; уступ; берма; 2) терраса, веранда; 3) ряд домов; *амер.* газон посреди улицы; улица

(*особ.* обсаженная зеленью); 4) плоская крыша;
2. *v* устраивать в виде террасы.

**terracotta** ['terə'kɔtə] 1. *n* терракота;
2. *a* терракотовый.

**terrain** ['terein] *n* 1) местность, территория; ~ of attack *амер.* район наступления; 2) почва, грунт; 3) *attr.* земной; ~ flying полёт по земным ориентирам.

**terraneous** [te'reiniəs] *n бот.* наземный.

**terrapin** ['terəpin] *n* 1) североамериканская черепаха; 2) *воен.* «черепаха» (*машина-амфибия*).

**terraqueous** [te'reikwiəs] *a* 1) состоящий из земли и воды; 2) земноводный; 3) сухопутно-морской (*о путешествии*).

**terrene** [te'ri:n] 1. *a* земной;
2. *n* поверхность земли.

**terrestrial** [ti'restriəl] 1. *a* 1) земной; ~ magnetism земной магнетизм; 2) *зоол.* сухопутный;
2. *n* обитатель земли.

**terrible** ['terəbl] *a* 1) внушающий страх, ужас; 2) *разг.* (*с усилит. знач.*) страшный, ужасный; громадный.

**terrier** I ['teriə] *n* 1) терьер (*порода собак*); 2) *разг.* солдат территориальной армии.

**terrier** II ['teriə] *n ист.* поземельная книга.

**terrific** [tə'rifik] *a* 1) ужасающий; 2) *разг.* (*с усилит. знач.*) огромный, страшный, великолепный *и т. п.*

**terrify** ['terifai] *v* ужасать, вселять ужас.

**territorial** [,teri'tɔ:riəl] 1. *a* 1) земельный; 2) территориальный; T. Army, T. Force территориальная армия; ~ waters территориальные воды; ~ department *амер.* военный округ;
2. *n* солдат территориальной армии.

**territory** ['teritəri] *n* 1) территория; земля; 2) (T.) *амер.* территория, административная единица, не имеющая прав штата (*в США*) *или* не имеющая прав провинции (*в Канаде и Австралии*); 3) область, сфера (*науки и т. п.*).

**terror** ['terə] *n* 1) страх, ужас; 2) террор; 3) лицо *или* вещь, внушающие страх; 4) *разг.* тяжёлый человек; беспокойный ребёнок; а holy ~ а) скучный, нудный человек; б) надоедливый, плохо воспитанный ребёнок; ◇ the king of ~s смерть.

**terror-haunted** ['terə,hɔ:ntid] *a* преследуемый страхом.

**terrorism** ['terərizəm] *n* терроризм.

**terrorist** ['terərist] *n* террорист.

**terrorize** ['terəraiz] *v* 1) терроризировать; 2) вселять страх.

**terror-stricken, terror-struck** ['terə,strikən, -,strʌk] *a* поражённый *или* охваченный ужасом.

**terry** ['teri] *n текст.* 1) неразрезной бархат; 2) = terry-cloth.

**terry-cloth** ['teriklɔθ] *n* ворсистый материал (*для купальных халатов, простынь и т. п.*).

**terry-cloth robe** ['teriklɔθ'roub] *n* купальный халат.

**terse** [tə:s] *a* сжатый, выразительный (*о стиле*).

**tertian** ['tə:ʃən] *n* мед. малярия, трёхдневная лихорадка.

**tertiary** ['tə:ʃəri] *a* геол., мед. третичный.

**terza rima** ['tetsɑ:'ri:mɑ:] *n* (*pl* -ze -me) терцина.

**terze rime** ['tetsɑ:'ri:mei] *pl* от terza rima.

**terzetto** [tə:t'setou] *n* муз. терцет.

**tessellated** ['tesileitid] *a* мозаичный; мощёный разноцветными плитками.

**tessellation** [,tesi'leiʃən] *n* мозаичная работа в шахматную клетку.

**tessera** ['tesərə] *n* (*pl* -гае) кубик (в мозаике).

**tesserae** ['tesəri:] *pl* от tessera.

**tessitura** [,tesi'tu:rɑ:] *n* муз. тесситура.

**test I** [test] **1.** *n* 1) испытание; to put to the ~ подвергать испытанию; to stand (*или* to bear) the ~ выдержать испытание; 2) мерило; критерий; 3) проверочная, контрольная работа; a ~ in English контрольная работа по английскому языку; 4) мед., хим. исследование, анализ; проверка; a ~ for the amount of butter in milk определение жирности молока; 5) хим. реактив; 6) *attr.* испытательный, пробный; контрольный, проверочный; ~ hop пробный полёт; ~ station контрольная станция; **2.** *v* 1) подвергать испытанию, проверке; 2) хим. подвергать действию реактива; 3) производить опыты.

**test II** [test] *n* щиток, раковина, панцирь (*беспозвоночных животных*).

**testaceous** [tes'teiʃəs] *a* 1) зоол. черепокожный; 2) кирпичного цвета (*о животных и растениях*).

**testament** ['testəmənt] *n* 1) (T.) церк. завет (*обыкн.* Новый завет, евангелие; тж. New T.); Old T. Ветхий завет; 2) юр. редк. завещание.

**testamentary** [,testə'mentəri] *a* завещательный, переданный по завещанию.

**testamur** [tes'teimə] лат. *n* удостоверение о сдаче университетского экзамена.

**testate** ['testit] **1.** *a* оставивший по смерти завещание; to die ~ умереть, оставив завещание; **2.** *n* умерший завещатель.

**testator** [tes'teitə] *n* завещатель.

**testatrices** [tes'teitrisi:z] *pl* от testatrix.

**testatrix** [tes'teitriks] *n* (*pl* -rices) завещательница.

**tester I** ['testə] *n* 1) лицо, производящее испытание, анализ; лаборант; 2) прибор для испытания; щуп.

**tester II** ['testə] *n* балдахин над кроватью.

**tester III** ['testə] *n* уст., шутл. монета в 6 пенсов.

**test-fly** ['testflai] *v* ав. испытывать (*в полёте*).

**testicle** ['testikl] *n* анат. яичко.

**testification** [,testifi'keiʃən] *n* 1) дача показаний; 2) показания.

**testify** ['testifai] *v* 1) давать показания, свидетельствовать (to — в пользу, against — против), клятвенно утверждать; 2) торжественно заявлять (*о своих убеждениях, о вере*); 3) проявлять, выражать (*желание и т. п.*).

**testily** ['testili] *adv* раздражительно, вспыльчиво.

**testimonial** [,testi'mounjəl] **1.** *n* 1) аттестат, свидетельство; 2) рекомендательное письмо; рекомендация; 3) приветственный адрес; 4) подношение, награда (*особ. преподнесённая публично*); **2.** *a* благодарственный; приветственный; ~ dinner обед *или* банкет в честь кого-л.

**testimony** ['testiməni] *n* 1) устное показание; письменное свидетельство, доказательство; give (*или* bear) ~ а) свидетельствовать (*о чём-л.*); б) показывать, давать показания; 2) утверждение; (торжественное) заявление; 3) *pl* библ. скрижали.

**test-mixer** ['test,miksə] *n* мензурка.

**test-paper** ['test,peipə] *n* 1) хим. реактивная бумага, индикаторная бумага; 2) школ. предварительный письменный экзамен.

**test pilot** ['test'pailət] *n* лётчик-испытатель.

**test pit** ['test'pit] *n* геол. пробный шурф, разведочная скважина.

**test-tube** ['testtju:b] *n* 1) пробирка; 2) культура бактерий в питательной среде.

**test-type** ['testtaip] *n* таблицы для определения остроты зрения.

**testy** ['testi] *a* вспыльчивый, раздражительный.

**tetanic** [ti'tænik] *a* мед. столбнячный.

**tetanus** ['tetənəs] *n* мед. столбняк.

**tetchy** ['tetʃi]=techy.

**tête-à-tête** ['teitɑ:'teit] фр. **1.** *n* 1) свидание *или* разговор наедине; 2) небольшой диван для двоих; **2.** *a* конфиденциальный, частный; a ~ conversation разговор с глазу на глаз; **3.** *adv* с глазу на глаз, наедине.

**tether** ['teðə] **1.** *n* 1) привязь (*пасущегося животного*); 2) перен. предел; граница; to come to the end of one's ~ дойти до предела (сил); дойти до точки; **2.** *v* 1) привязать (*пасущееся животное*); 2) перен. ограничивать, ставить предел.

**tetra-** ['tetrə-] *pref* четырёх-.

**tetragon** ['tetrəgən] *n* геом. четырёхугольник; regular ~ квадрат.

**tetragonal** [te'trægənəl] *a* геом. четырёхугольный.

**tetrahedron** ['tetrə'hedrən] *n* геом. четырёхгранник, тетраэдр.

**tetralogy** [te'trælədʒi] *n* 1) тетралогия (*четыре произведения, объединённые общим замыслом или темой*); 2) др.-греч. иск. тетралогия.

**tetrameter** [te'træmitə] *n* четырёхстопный размер, тетраметр.

**tetrastich** ['tetrəstik] *n* строфа, эпиграмма, стихотворение из четырёх строк.

**tetrasyllable** ['tetrə,siləbl] *n* четырёхсложное слово.

**tetter** ['tetə] *n* лишай, экзема, парша; eating ~ волчанка.

**Teuton** ['tju:tən] *n* 1) тевтон; 2) тевтонец.

**Teutonic** [tju:'tɔnik] **1.** *a* древнегерманский, тевтонский; **2.** *n* германский (*особ. прагерманский*) язык.

**text** [tekst] *n* 1) текст; 2) цита́та из би́блии; 3) те́ма (*речи, проповеди*); to stick to one's ~ избега́ть не относя́щегося к де́лу; 4) кру́пный кру́глый по́черк; 5) *полигр.* текст (*шрифт*); 6) *сокр. от* textbook.

**textbook** ['tekstbuk] *n* уче́бник, руково́дство.

**text-hand** ['teksthænd]=text 4.

**textile** ['tekstaɪl] 1. *a* тексти́льный; тка́цкий;
2. *n* (*обыкн. pl*) тексти́ль(ное изде́лие); ткань.

**textual** ['tekstjuəl] *a* 1) тексто́вой; относя́щийся к те́ксту; ~ criticism крити́ческое изуче́ние те́кста (*особ. с целью восстановления его первоначальной формы*); 2) текстуа́льный, буква́льный.

**texture** ['tekstʃə] *n* 1) ткань; coarse (fine) ~ гру́бая (то́нкая) ткань; 2) ка́чество, сте́пень пло́тности тка́ни; 3) строе́ние (*кожи, растения, кости и т. п.*); макро- *или* микроструктура, текстура; 4) *биол.* ткань.

**thaler** ['tɑ:lə] *n уст.* та́лер (*немецкая серебряная монета*).

**Thalia** [θə'laɪə] *n миф.* Та́лия.

**thallium** ['θælɪəm] *n хим.* та́ллий.

**than** [ðæn (*полная форма*); ðən, ðn, n (*редуцированные формы*)] *cj* чем; he is taller ~ you are он вы́ше вас; I'd rather stay ~ go я предпочёл бы оста́ться; ◇ none other ~ не кто ино́й, как; four eyes see more ~ two *посл.* ≅ ум хорошо́, а два лу́чше.

**thane** [θeɪn] *n ист.* тан.

**thank** [θæŋk] 1. *n* (*обыкн. pl*) 1) благода́рность; ~s спаси́бо; many ~s большо́е спаси́бо; to give ~s благодари́ть; to return ~s a) прочесть моли́тву; б) отвеча́ть на тост; 2): ~s to (*употр. как prep*) благодаря́;
2. *v* благодари́ть; ~ you благодарю́; ~ you ever so much *разг.* о́чень вам благода́рен; ~ you for nothing спаси́бо и на том! (*иронически, в ответ на отказ*); you may ~ yourself for that вы са́ми в э́том винова́ты; ~ing you in anticipation зара́нее благодарю́ (*в конце письма, содержащего просьбу*).

**thankee** ['θæŋkɪ] *сокр. разг. от* thank you [*см.* thank 2].

**thankful** ['θæŋkful] *a* благода́рный.

**thankless** ['θæŋklɪs] *a* неблагода́рный; ~ job неблагода́рная рабо́та.

**thank-offering** ['θæŋk,ɔfərɪŋ] *n* благода́рственная же́ртва.

**thanksgiving** ['θæŋks,ɡɪvɪŋ] *n* 1) благода́рственный моле́бен; 2) благодаре́ние;
◇ T. Day *амер.* официа́льный пра́здник в па́мять пе́рвых колони́стов Массачусе́тса (*в последний четверг ноября*).

**thankworthy** ['θæŋk,wə:ðɪ] *a* заслу́живающий благода́рности.

**that** 1. *pron* (*pl* those) 1) [ðæt] *demonstr.* тот, та, то (*иногда* э́тот *и пр.*): а) ука́зывает на лицо́, поня́тие, собы́тие, предме́т, де́йствие, отдалённые по ме́сту или вре́мени: ~ house beyond the river тот дом за реко́й; ~ day тот день; ~ man тот челове́к; б) *противополагается* this: this wine is better than ~ э́то вино́ лу́чше того́; we talked of this and ~ мы болта́ли о вся́кой вся́чине; в) *указывает на что-л. уже* из-

вестное говоря́щему: ~ is true э́то пра́вда; ~'s done it э́то реши́ло де́ло, перепо́лнило ча́шу; г) *заменяет сущ. во избежание его повторения*: the climate here is like ~ of France зде́шний кли́мат похо́ж на кли́мат Фра́нции; 2) [ðæt (*полная форма*); ðət, ðt (*редуцированные формы*)] *rel.* а) кото́рый, кто, тот кото́рый *и т. п.*; the members ~ were present те из чле́нов, кото́рые прису́тствовали; the book ~ I'm reading кни́га, кото́рую я чита́ю; б) *часто* = in (*или* on, at, for *и т. п.*) which: the year ~ he died год его́ сме́рти; the book ~ I spoke of кни́га, о кото́рой я говори́л; ◇ and all ~ и тому́ подо́бное; by ~ тем са́мым, э́тим; like ~ таки́м о́бразом; ~'s that *разг.* ничего́ не поде́лаешь; та́к-то вот; ~ is (to say) то́ есть; not ~ не потому́ (*или* не то, чтобы); ~'ll do дово́льно, доста́точно; ~ won't do так де́ло не пойдёт; this and ~ ра́зные; I went to this doctor and ~ я обраща́лся к ра́зным врача́м; now ~ тепе́рь, когда́; with ~ вме́сте с тем;
2. *adv* [ðæt] так, до тако́й сте́пени; ~ far настолько далеко́; на тако́е расстоя́ние; ~ much сто́лько; he was ~ angry he couldn't say a word он был до того́ рассе́ржен, что сло́ва не мог вы́молвить;
3. *cj* [ðæt (*полная форма*); ðət (*редуци́рованная форма*)] что, чтобы (*служит для введения придаточных предложений дополнительных, цели, следствия и др.*); I know ~ it was so я зна́ю, что э́то бы́ло так; we eat ~ we may live мы еди́м, чтобы подде́рживать жизнь; the explosion was so loud ~ he was deafened взрыв был насто́лько си́лен, что оглуши́л его́; ◇ oh, ~ I knew the truth! о, е́сли бы я знал пра́вду!

**thatch** [θætʃ] 1. *n* 1) соло́менная *или* тростнико́вая кры́ша, кры́ша из па́льмовых ли́стьев; 2) соло́ма *или* тростни́к (*для кровли*); 3) *разг.* густы́е во́лосы;
2. *v* крыть соло́мой *или* тростнико́м.

**thaumaturge** ['θɔ:mətə:dʒ] *n* чудотво́рец.

**thaw** [θɔ:] 1. *n* 1) о́ттепель, та́яние; 2) простота́ и серде́чность;
2. *v* 1) та́ять; отта́ивать; *перен.* согрева́ться; it is ~ing та́ет; 2) растопля́ть (*снег и т. п.*); 3) оставля́ть чо́порность, станови́ться про́ще, серде́чнее.

**the** [ðі: (*полная форма*); ðɪ (*редуцирован-ная форма, употр. перед гласными*); ðə (*редуцированная форма, употр. перед согласными*)] 1. *определённый член, артикль* 1) *употр. перед сущ. для выделения предмета или явления внутри данной категории, данного класса предметов и явлений*: the book you mention упомина́емая ва́ми кни́га; I'll speak to the teacher я поговорю́ с преподава́телем (*тем, который преподает в нашем классе*); 2) *указывает на то, что данный предмет или лицо известны говорящему*: I dislike the man я не люблю́ э́того челове́ка; how is the score? како́й сейча́с счёт?; what is the time? кото́рый час?; 3) *указывает на то, что данный предмет или лицо являются исключительными, наиболее подходящими, самыми лучшими и т. п.*: (of all the men I know) he is the man for the position (из всех, кого я зна́ю), он са́мый подходя́щий челове́к для э́того поста́; 4) *придаёт сущ. значение родового понятия*: the horse is a useful animal ло́шадь — поле́зное живо́тное; 5) *употр. перед сущ., обозначающими предметы или понятия, являющиеся единственными в своём роде*: the sun со́лнце, the moon луна́; 6) *служит грамматическим средством оформления частично субстантивизиро́ванных прилагательных*: а) *с абстрактным значением*: it is only a step from the sublime to the ridiculous от вели́кого до смешно́го то́лько оди́н шаг; б) *с собир. значением*: the poor бедняки́; the wise мудрецы́; 7) *придаёт конкретному сущ. обобщающее значение*: the stage сцени́ческая де́ятельность; the saddle верхова́я езда́.

2. *adv употр. при сравнит. ст. со значением* чем... тем; тем; the more the better чем бо́льше, тем лу́чше; the less said the better чем ме́ньше слов, тем лу́чше; (so much) the worse for him тем ху́же для него́.

**theater** [ˈθɪətə] *амер.* = theatre.

**theatre** [ˈθɪətə] *n* 1) теа́тр; 2) аудито́рия в ви́де амфитеа́тра; 3) по́ле де́йствий; the ~ of operations (*или* war) теа́тр вое́нных де́йствий; 4) *собир.* драмати́ческая литерату́ра, пье́сы; 5) *predic.*: the play is good ~ пье́са о́чень сцени́чна.

**theatre-goer** [ˈθɪətəɡəʊə] *n* театра́л.

**theatrical** [θɪˈætrɪkəl] **1.** *a* 1) театра́льный, сцени́ческий; ~ column театра́льный отде́л в газе́те; 2) театра́льный, неесте́ственный; напы́щенный; показно́й;

2. *n pl* 1) театра́льное де́ло; 2) спекта́кль (*особ. любительский*).

**theatricality** [θɪˌætrɪˈkælɪtɪ] *n* театра́льность, неесте́ственность.

**theatricalize** [θɪˈætrɪkəlaɪz] *v* инсцени́ровать, театрализи́ровать.

**theatricize** [θɪˈætrɪsaɪz] *v* держа́ться неесте́ственно, игра́ть роль (*в жизни*).

**theatrics** [θɪˈætrɪks] *n pl* (*употр. как sing*) сцени́ческое иску́сство.

**thé dancant** [ˌteɪdɑːˈsɑːⁿ] *фр. n* вече́рний чай (*или* файвоклóк) с та́нцами.

**thee** [ðiː] *pron. pers.* (*косв. п. от* thou) *уст., поэт.* тебя́, тебе́.

**theft** [θeft] *n* 1) воровство́, кра́жа; 2) укра́денные ве́щи, покра́жа.

**their** [ðɛə] *pron. poss.* (*употр. атрибутивно; ср.* theirs) их; свой, свой.

**theirs** [ðɛəz] *pron. poss.* (*абсолютная форма; не употр. атрибутивно; ср.* their) их; this book is ~ э́то их кни́га; ~ is a good house их дом хоро́ш.

**theism** [ˈθiːɪzəm] *n* тейзм.

**them** [ðem (*полная форма*); ðəm, ðm (*редуцированные формы*)] *pron. pers. косв. п. от* they.

**thematic** [θɪˈmætɪk] *a* темати́ческий; ~ catalogue предме́тный катало́г.

**theme** [θiːm] *n* 1) те́ма, предме́т (*разговора, сочинения*); 2) *школ.* сочине́ние на за́данную те́му; 3) *муз.* те́ма; 4) *грам.* осно́ва; 5) *радио* музыка́льная ша́пка.

**Themis** [ˈθiːmɪs] *n миф.* Феми́да.

**themselves** [ðəmˈselvz] *pron* 1) *refl.*

себя́, -ся; себе́; they wash ~ они́ мо́ются; they have built ~ a house они́ вы́строили себе́ дом; 2) *emph.* са́ми; they built the house ~ они́ са́ми постро́или дом.

**then** [ðen] **1.** *adv* 1) тогда́; he was a little boy ~ тогда́ он был ребёнком; 2) пото́м, зате́м; the noise stopped and ~ began again шум прекрати́лся, зате́м начался́ сно́ва; 3) в тако́м слу́чае, тогда́; if you are tired ~ you'd better stay at home е́сли вы уста́ли, лу́чше остава́йтесь до́ма; 4) кро́ме того́, к тому́ же; ~ what about your lessons? have you prepared them? ну, а как у тебя́ дела́ с уро́ками? пригото́вил?; 5) *употр. для усиления значения при выражении согласия*: all right ~, do as you like ну ла́дно, поступа́йте, как хоти́те;

2. *n* то вре́мя; by ~ к тому́ вре́мени; since ~ с того́ вре́мени; every now and ~ вре́мя от вре́мени;

3. *a* тогда́шний, существова́вший в то вре́мя.

**thence** [ðens] *adv* 1) *уст., книжн.* отту́да; 2) отсю́да, из э́того; 3) с того́ вре́мени.

**thenceforth** [ˈðensˈfɔːθ] *adv* с э́того вре́мени, впредь.

**thenceforward** [ˈðensˈfɔːwəd]=thenceforth.

**theocracy** [θɪˈɔkrəsɪ] *n* теокра́тия.

**theocratic** [θɪəˈkrætɪk] *a* теократи́ческий.

**theodolite** [θɪˈɔdəlaɪt] *n геод.* теодоли́т.

**theologian** [θɪəˈloudʒjən] *n* богосло́в.

**theological** [θɪəˈlɔdʒɪkəl] *a* богосло́вский.

**theology** [θɪˈɔlədʒɪ] *n* богосло́вие.

**theorbo** [θɪˈɔːbou] *n* (*pl* -os [-ouz]) тео́рб (*род большой лютни XVII в.*).

**theorem** [ˈθɪərəm] *n* теоре́ма.

**theoretic(al)** [θɪəˈretɪk(əl)] *a* теорети́ческий.

**theoretics** [θɪəˈretɪks] *n pl* (*употр. как sing*) тео́рия (*в противоп. практике*).

**theorist** [ˈθɪərɪst] *n* теоре́тик.

**theorize** [ˈθɪəraɪz] *v* теоретизи́ровать.

**theory** [ˈθɪərɪ] *n* 1) тео́рия; толкова́ние; 2) *разг.* предположе́ние.

**therapeutic(al)** [ˌθerəˈpjuːtɪk(əl)] *a* терапевти́ческий.

**therapeutics** [ˈθerəˈpjuːtɪks] *n pl* (*употр. как sing*) терапи́я.

**therapeutist** [ˌθerəˈpjuːtɪst] *n* терапе́вт.

**therapy** [ˈθerəpɪ] = therapeutics.

**there I** [ðɛə] **1.** *adv* 1) там; I shall meet you ~ я бу́ду ждать вас там; are you ~? вы слу́шаете? (*по телефону*); 2) туда́; 3) здесь, тут, на э́том ме́сте; he came to the fourth chapter and ~ he stopped он дошёл до четвёртой главы́ и на ней застря́л; ◇ ~ and then тóтчас же, на ме́сте; ~ it is таково́й дела́; ~ you are! а) вот вы где!; б) вот и вы!; в) вот вам; вот то, что вам ну́жно; держи́те, получа́йте!; г) и вот что получи́лось!; to get ~ дости́чь це́ли; преуспе́ть; not all ~ не в своём уме́; ~ or thereabouts о́коло э́того, приблизи́тельно;

2. *n* (*после предлога*): from ~ отту́да; up to ~ до того́ ме́ста; (he lives) near ~ (он живёт) в тех места́х, побли́зости;

3. *int* ну, вот; ~!, ~! ~ now! ну, ну, не плачь(те)!; ~! I have put my foot in it! ну, вот я и попа́лся!; so ~! тáк-то вот!

**there** II [ðɛə (*полная форма*); ðə (*реду-цированная форма*)] *лишённое лексического знач. слово, употр. в основном с гл.* to be (~ is, ~ are *есть, имеется, имеются*) *и также с различными другими глаголами существования и движения*: to live, to exist, to come, to pass, to fall *и т. п.*; ~ are many universities in our country в нашей стране много университетов; ~ came a knock on the door раздался стук в дверь; ◇ ~ is a good fellow (boy *etc.*) вот это хорошо, за это спасибо; ~ is no telling (understanding *etc.*) нельзя, трудно сказать (понять *и т. п.*).

**thereabout(s)** ['ðɛərəbaut(s)] *adv* 1) поблизости; 2) около этого; приблизительно.

**thereafter** [ðɛər'ɑ:ftə] *adv уст.* 1) с этого времени; 2) согласно этому (образцу).

**thereat** [ðɛər'æt] *adv уст.* 1) там; туда; 2) при этом; по поводу этого.

**thereby** ['ðɛə'baɪ] *adv* 1) около (*какого-л.* места); 2) посредством этого; 3) в связи с этим; вследствие этого; (and) ~ hangs a tale к этому можно ещё кое-что прибавить.

**therefor** [ðɛə'fɔ:] *adv уст.* за это; I am grateful ~ благодарю за это.

**therefore** ['ðɛəfɔ:] *adv* поэтому, следовательно.

**therefrom** [ðɛə'frɔm] *adv уст.* оттуда.

**therein** [ðɛər'ɪn] *adv уст.* 1) здесь, там, в этом, в том *и т. д.*; the earth and all ~ земной шар и всё на нём существующее; 2) в этом отношении.

**thereof** [ðɛər'ɔv] *adv уст.* 1) из этого, из того; 2) этого; того; чего.

**thereon** [ðɛər'ɔn] *adv уст.* 1) на том, на этом; 2) после того, вслед за тем.

**thereout** [ðɛər'aut] *adv уст.* 1) оттуда; 2) из того.

**there's** [ðɛəz (*полная форма*); ðəz (*редуцированная форма*)] *сокр. разг.* = there is, there has.

**thereto** [ðɛə'tu:] *adv уст.* 1) к тому, к этому; туда; 2) кроме того, к тому же, вдобавок.

**theretofore** [,ðɛətu'fɔ:] *adv уст.* до того времени.

**thereunder** [ðɛər'ʌndə] *a* нижеупомянутый; помещённый *или* находящийся ниже.

**thereunto** [ðɛər'ʌntu:] *adv уст.* к тому же, вдобавок.

**thereupon** ['ðɛərə'pɔn] *adv* 1) *уст.* на том, на этом; по этому поводу; 2) после того, вслед за тем; 3) вследствие того.

**therewith** [ðɛə'wɪθ] *adv уст.* 1) с тем, с этим; к тому же; 2) тотчас, немедленно.

**therewithal** [,ðɛəwɪ'ðɔ:l] = therewith.

**therm** [θə:m] *n* 1) терм (*единица теплоты*); 2) большая калория; *амер.* малая калория.

**thermae** ['θə:mi:] *лат. n pl* 1) горячие источники; 2) термы, античные общественные бани.

**thermal** ['θə:məl] *a* 1) термический, тепловой; калорический; 2) горячий, термальный (*об источнике*).

**thermal capacity** ['θə:məlkə'pæsɪtɪ] *n* теплоёмкость.

**thermal conductivity** ['θə:məlkɔn'dʌktɪvɪtɪ] *n* теплопроводность.

**thermal engineer** ['θə:məl,endʒɪ'nɪə] *n* инженер-теплотехник.

**thermal unit** ['θə:məl'ju:nɪt] *n* единица теплоты, калория.

**thermic** ['θə:mɪk] *a* тепловой, термический.

**thermit** ['θə:mɪt] *n тех.* термит.

**thermite** ['θə:maɪt]=thermit.

**thermo-** ['θə:moʊ-] *в сложных словах* термо-; thermodynamics термодинамика.

**thermoanaesthesia** ['θə:moʊ,ænɪs'θi:zjə] *n мед.* потеря чувствительности к теплу и холоду.

**thermochemistry** ['θə:moʊ'kemɪstrɪ] *n* термохимия.

**thermo-couple** ['θə:moʊ,kʌpl] *n эл.* термоэлемент, термопара.

**thermodynamics** ['θə:moʊdaɪ'næmɪks] *n pl* (*употр. как sing*) термодинамика.

**thermo-electric** ['θə:moʊɪ'lektrɪk] *a* термоэлектрический.

**thermo-electricity** ['θə:moʊ,ɪlek'trɪsɪtɪ] *n* термоэлектричество.

**thermograph** ['θə:moʊgrɑ:f] *n* термограф, самопишущий термометр.

**thermolysis** [θə'mɔlɪsɪs] *n хим.* термолиз; диссоциация, разложение нагреванием.

**thermometer** [θə'mɔmɪtə] *n* термометр, градусник.

**thermonuclear** ['θə:moʊ'nju:klɪə] *a* термоядерный; ~ weapon термоядерное оружие; ~ bomb водородная бомба.

**thermopile** ['θə:moʊpaɪl] *n* термоэлемент; термопреобразователь.

**thermoplastic** ['θə:moʊ'plæstɪk] 1. *a* термопластический; 2. *n* термопласт (*материал*).

**thermoplegia** ['θə:moʊ'pli:dʒɪə] *n мед.* тепловой *или* солнечный удар.

**thermos** ['θə:mɔs] *n* термос (*тж.* ~ bottle, ~ flask, ~ jug).

**thermostable** [,θə:moʊ'steɪbl] *a* теплоустойчивый.

**thermostat** ['θə:moʊstæt] *n* термостат.

**thermotechnics** ['θə:moʊ,teknɪks] *n pl* (*употр. как sing*) теплотехника.

**thermotropism** [θə'mɔtrəpɪzm] *n бот.* термотропизм.

**thesauri** [θi:'sɔ:raɪ] *pl от* thesaurus.

**thesaurus** [θi:'sɔ:rəs] *n* (*pl* -ri) 1) сокровищница, источник (*сведений и т. п.*); 2) словарь; энциклопедия.

**these** [ði:z] *pl от* this.

**theses** ['θi:si:z] *pl от* thesis.

**thesis** ['θi:sɪs] *n* (*pl* -ses) 1) тезис; 2) диссертация; 3) школьное сочинение; 4) [*тж.* 'θesɪs] *прос.* безударная часть стопы.

**Thespian** ['θespɪən] 1. *n* драматический, трагический актёр *или* актриса; 2. *a* драматический, трагический.

**Thetis** ['θetɪs] *миф.* Фетида.

**theurgy** ['θi:ədʒɪ] *n* 1) чудо; 2) волшебство.

**thews** [θju:z] *n pl* 1) мускулы; 2) мускульная сила; 3) сила ума.

**they** [ðeɪ] *pron. pers.* 1) они; *косв. п.* them их, им *и т. п.*; ~ who те, кто; 2) (*в неопределённо-личных оборотах*): ~ say говорят.

**they'd** [ðeɪd] *сокр. разг.* = they had; they would.

**they'll** [ðeɪl] *сокр. разг.* = they will; they shall.

**they're** [ðeə] *сокр. разг.* = they are.

**thick** [θɪk] **1.** *a* 1) то́лстый; a foot ~ толщино́й в оди́н фут; 2) жи́рный (*о шрифте, почерке и т. п.*); 3) густо́й, ча́стый; ~ hair густы́е во́лосы; ~ forest густо́й лес; ~ as blackberries ≅ хоть пруд пруди́; в изоби́лии; 4) пло́тный; густо́й; ~ soup густо́й суп; 5) изобилующий (*чем-л.*), запо́лненный (*чем-л.*); the air was ~ with snow шёл си́льный снег; 6) ча́стый, повторя́ющийся; ~ shower of blows сы́плющиеся гра́дом уда́ры; 7) му́тный (*о жидкости*); 8) ту́склый; нея́сный, тума́нный (*о погоде*); 9) хри́плый, приглушённый; 10) глу́пый, тупо́й; 11) *predic.* бли́зкий, неразлу́чный; to be ~ with a person дружи́ть с кем-л.; to be ~ as thieves быть закады́чными друзья́ми; 12) двусмы́сленный, неприли́чный; ◇ to lay it on ~ *разг.* преувели́чивать, переса́ливать; хвати́ть че́рез край; that is a bit (*или* too) ~ это чересчу́р, это изли́шне; это невыноси́мо; **2.** *n* 1) ча́ща; *перен.* гу́ща; in the ~ of it a) в са́мой гу́ще; б) в разга́ре; 2) *школ. разг.* тупи́ца; ◇ through ~ and thin упо́рно, несмотря́ на все препя́тствия; **3.** *adv* 1) гу́сто; оби́льно; 2) ча́сто; 3) нея́сно, заплета́ющимся языко́м; хри́пло; ◇ ~ and fast бы́стро, стреми́тельно, оди́н за други́м.

**thick-and-thin** ['θɪkənd'θɪn] *a* сто́йкий, непоколеби́мый, пре́данный до конца́.

**thicken** ['θɪkən] *v* 1) сгуща́ть(ся); 2) уча́щаться; 3) мутне́ть; 4) расти́, прибавля́ться; the crowd is ~ing толпа́ растёт; 5) усложня́ться.

**thicket** ['θɪkɪt] *n* ча́ща; за́росли.

**thickhead** ['θɪk'hed] *n* тупи́ца.

**thick-headed** ['θɪk'hedɪd] *a* тупоголо́вый.

**thickly** ['θɪklɪ] = thick 3.

**thickness** ['θɪknɪs] *n* 1) толщина́, пло́тность *и пр.* [*см.* thick 1]; 2) слой.

**thickset** ['θɪk'set] **1.** *a* 1) гу́сто наса́женный; 2) корена́стый; **2.** *n* густа́я за́росль.

**thick-skinned** ['θɪk'skɪnd] *a* толстоко́жий (*тж. перен.*).

**thick-skulled** ['θɪk'skʌld] *a* глу́пый, тупоголо́вый.

**thick-witted** ['θɪk'wɪtɪd] = thick-skulled.

**thief** I [θiːf] *n* (*pl* thieves) вор.

**thief** II [θiːf] *n* нага́р.

**thieve** [θiːv] *v* (у)кра́сть, (с)ворова́ть.

**thievery** ['θiːvərɪ] *n* профессиона́льное воровство́; a ~ покра́жа.

**thieves** [θiːvz] *pl от* thief I.

**thievish** ['θiːvɪʃ] *a* ворова́тый.

**thievishly** ['θiːvɪʃlɪ] *adv* 1) ворова́то; 2) бесче́стно.

**thigh** [θaɪ] *n* бедро́.

**thigh-bone** ['θaɪboun] *n* бе́дренная кость.

**thill(er)** ['θɪl(ə)] *n* огло́бля.

**thimble** ['θɪmbl] *n* 1) напёрсток; 2) наконе́чник; *тех.* му́фта, вту́лка; 3) *мор.* ко́уш.

**thimbleful** ['θɪmblful] *n* глото́чек, щепо́тка, небольшо́е коли́чество.

**thin** [θɪn] **1.** *a* 1) то́нкий; ~ sheet то́нкий лист; 2) худо́й, худоща́вый; ~ as a lath (*или* a rail, a whipping-post) худо́й как ще́пка; 3) ре́дкий (*о волосах, лесе*); 4) малочи́сленный (*о населении, публике*); 5) незапо́лненный, полупусто́й; ~ house полупусто́й теа́тр; 6) ме́лкий (*о дожде*); 7) разрежённый (*о газах*); 8) жи́дкий, сла́бый, водяни́стый (*о чае, супе и т. п.*); разба́вленный, разведённый; ненасы́щенный; 9) неубеди́тельный, ша́ткий; ~ excuse (story) неубеди́тельная отгово́рка (исто́рия); 10) *разг.* неприя́тный, разочаро́вывающий; to have ~ time неприя́тно провести́ вре́мя; ◇ that is too ~ это бе́лыми ни́тками ши́то; ~ captain сорт просто́го пече́нья. **2.** *v* 1) худе́ть, заостря́ть(ся) (*тж.* ~ down); 2) утонча́ться; 3) оскудева́ть; реде́ть; разжижа́ться; пусте́ть (*о помещении, месте*); 4) прорежива́ть (*растения, посевы; тж.* ~ out); □ ~ down худе́ть, заостря́ть(ся); ~ out a) реде́ть; б) проре́живать.

**thin-blooded** ['θɪn'blʌdɪd] *a* хи́лый, немощный.

**thine** [ðaɪn] *pron. poss. уст.* 1) = thy; 2) (абсолютная форма; не употр. атрибутивно; *ср.* thy) твой.

**thin-faced** ['θɪn'feɪst] *a* с то́нкими черта́ми лица́.

**thing** [θɪŋ] *n* 1) вещь, предме́т; what are those black ~s in the field? что э́то там черне́ется в по́ле?; the real ~ *разг.* первокла́ссная вещь; ~ in itself *филос.* вещь в себе́; 2) де́ло, факт, слу́чай, обстоя́тельство; ~s look promising положе́ние обнадёживающее; other ~s being equal при про́чих ра́вных усло́виях; a strange ~ стра́нное де́ло; how are ~s? *разг.* ну, как дела́?; as ~s go при сложи́вшихся обстоя́тельствах; all ~s considered учи́тывая всё (*или* все обстоя́тельства); 3) *pl* ве́щи (*дорожные*); бага́ж; 4) *pl* оде́жда; ли́чные ве́щи; take off your ~s сними́те пальто́, разде́ньтесь; 5) *pl* у́тварь, принадле́жности; 6) литерату́рное, худо́жественное *или* музыка́льное произведе́ние; расска́з, анекдо́т; 7) (*презр. или сочувственно о живом существе*): he is a mean ~ он по́длая тварь; oh, poor ~! о бедня́жка!; dumb ~s бессло́весные живо́тные; 8) не́что са́мое ну́жное, ва́жное, подходя́щее, настоя́щее; it is just the ~ э́то как раз то (что на́до); a good rest is just the ~ for you хоро́ший о́тдых — вот что вам ну́жное де́ло; the best ~ са́мое лу́чшее, лу́чше всего́; the next best ~ сле́дующий по ка́честву, лу́чший из остальны́х; it is not at all the ~ to laugh at people нехорошо́ смея́ться над людьми́; ◇ to see ~s бре́дить, галлюцини́ровать; above all ~s пре́жде всего́, са́мое гла́вное; among other ~s ме́жду про́чим; and ~s и тому́ подо́бное; to know a ~ or two ко́е-что знать; понима́ть что к чему́; no such ~ ничего́ подо́бного, во́все нет; near ~ опа́сность, кото́рую едва́ удало́сь избежа́ть; good ~s ла́комства; to make a good ~ of smth. извле́чь по́льзу из чего́-л.; make a regular ~ of smth. регуля́рно занима́ться чем-л.; it amounts to the same ~ это одно́ и то же;

I am not quite the ~ today мне сегодня нездоро́вится.

**thingamy, thingumbob, thingummy** ['θɪŋəmɪ, 'θɪŋəmbɔb, 'θɪŋəmɪ] *n употр. вм. слова (особ. вм. имени), которое не можешь вспомнить* ≅ как бишь его?

**think** [θɪŋk] **1.** *v* (thought) 1) ду́мать, обду́мывать (about, of — *о ком-л., чём-л.*); мы́слить; to ~ twice хороше́нько поду́мать; 2) приду́мывать, находи́ть (of); I cannot ~ of the right word не могу́ приду́мать подходя́щего сло́ва; 3) счита́ть, полага́ть; to ~ fit (*или* good) счесть возмо́жным, уме́стным; 4) понима́ть, представля́ть себе́; I can't ~ how you did it не могу́ предста́вить, как вы э́то сде́лали; I cannot ~ what he means не могу́ поня́ть, что он хо́чет сказа́ть; 5) име́ть в виду́ , намерева́ться; to ~ no harm не име́ть дурны́х наме́рений; 6) вспомина́ть; I ~ how we were once friends я вспомина́ю о том, как мы когда́-то дружи́ли; 7) постоя́нно ду́мать, мечта́ть; to ~ airplanes ду́мать, мечта́ть то́лько о самолётах; □ ~ out продумать до конца́; ~ over обсуди́ть, обду́мать; ~ up вы́думать, сочини́ть, приду́мать; ~ with быть одного́ мне́ния с *кем-л.*; ◇ to ~ much of быть высо́кого мне́ния; высоко́ цени́ть; to ~ well (highly, badly) of smb. быть хоро́шего (высо́кого, дурно́го) мне́ния о ком-л.; to ~ no end of smb. о́чень высоко́ цени́ть кого́-л.; to ~ better of a переду́мать, перемени́ть мне́ние о чём-л.; б) быть лу́чшего мне́ния о *ком-л.*; he ~s he is it *sl.* он о себе́ высо́кого мне́ния; I ~ little (*или* nothing) of 30 miles a day де́лать 30 миль в день для меня́ су́щий пустя́к; I don't ~ (*прибавляется к ирон. утверждению*) не́чего сказа́ть; ни дать ни взять;

**2.** *n разг.* мысль, мне́ние.

**thinkable** ['θɪŋkəbl] *a* 1) мы́слимый; 2) осуществи́мый, возмо́жный.

**thinker** ['θɪŋkə] *n* мысли́тель.

**thinking** ['θɪŋkɪŋ] **1.** *pres. p. от* think 1;

**2.** *n* 1) размышле́ние; 2) мне́ние; to my ~ по моему́ мне́нию;

**3.** *a* мы́слящий, разу́мный; ◇ to put on one's ~ cap серьёзно обду́мывать; ~ part *театр.* роль без слов.

**think piece** ['θɪŋk'piːs] *n разг.* корреспонде́нция, предназна́ченная не для печа́ти, а для све́дения реда́кции.

**think-tank** ['θɪŋk,tæŋk] *n sl.* голова́, башка́.

**thinning** ['θɪnɪŋ] **1.** *pres. p. от* thin 2; **2.** *n с.-х.* проре́живание посе́вов.

**thin-skinned** ['θɪn'skɪnd] *a* 1) тонкоко́жий; 2) оби́дчивый, чувстви́тельный; раздражи́тельный.

**third** [θəːd] **1.** *num. ord.* тре́тий; ~ person а) *грам.* тре́тье лицо́; б) *юр.* тре́тья сторона́, свиде́тель (*тж.* ~ party); ◇ ~ house «тре́тья пала́та», (неви́димые) факти́ческие законода́тели; ~ degree *амер.* допро́с с примене́нием пы́ток;

**2.** *n* 1) треть, тре́тья часть; 2) (the ~) тре́тье число́; 3) *муз.* те́рция.

**thirdly** ['θəːdlɪ] *adv* в-тре́тьих.

**third-rate** ['θəːd'reɪt] *a* третьесо́ртный, третьестепе́нный; плохо́й.

**thirst** [θəːst] **1.** *n* жа́жда; ~ for knowledge жа́жда зна́ний;

**2.** *v* 1) жа́ждать (for, after — *чего-л.*); 2) *уст.* хоте́ть пить.

**thirsty** ['θəːstɪ] *a* 1) томи́мый жа́ждой; I am ~ я хочу́ пить; 2) *разг.* вызыва́ющий жа́жду; 3) иссо́хший (*о почве*); 4) жа́ждущий (for — *чего-л.*).

**thirteen** ['θəː'tiːn] *num. card.* трина́дцать.

**thirteenth** ['θəː'tiːnθ] **1.** *num. ord.* трина́дцатый;

**2.** *n* 1) трина́дцатая часть; 2) (the ~) трина́дцатое число́.

**thirties** ['θəːtɪz] *n pl* 1) (the ~) тридца́тые го́ды; 2) четвёртый деся́ток (*возраст между 29 и 40 годами*); she is just out of her ~ ей то́лько что ми́нуло 40 лет.

**thirtieth** ['θəːtɪɪθ] **1.** *num. ord.* тридца́тый;

**2.** *n* 1) тридца́тая часть; 2) (the ~) тридца́тое число́.

**thirty** ['θəːtɪ] **1.** *num. card.* три́дцать; ~-one три́дцать оди́н; ~-two три́дцать два *и т. д.*; he is over ~ ему́ за три́дцать;

**2.** *n* три́дцать (*единиц, штук*).

**this** [ðɪs] *pron. demonstr.* (*pl* these) э́тот, э́та, э́то: а) *указывает на лицо, понятие, событие, предмет, действие, близкие по месту или времени:* ~ day сего́дня; ~ week на э́той неде́ле; ~ day week (month, year) ро́вно че́рез неде́лю (ме́сяц, год); ~ day last week ро́вно неде́лю наза́д; ~ country страна́, в кото́рой мы живём, находи́мся (*обыкн. переводится названием страны, в которой находится говорящий или пишущий*); ~ house *парл.* э́та пала́та (*палата общин или лордов в зависимости от того, к какой палате обращается выступающий*); б) *противополагается* that: take ~ book and I'll take that one возьми́те э́ту кни́гу, а я возьму́ ту; в) *указывает на что-л., уже известное говорящему:* ~ is what I think вот что я ду́маю; ~ will never do э́то (ника́к) не годи́тся, не подхо́дит; ◇ ~ much сто́лько, так мно́го; ~ long так до́лго, столь до́лго; ~ side (of) ра́ньше, до (*определённого срока*); ~ side of midnight до полу́ночи; ~ way сюда́; like ~ так, вот так; таки́м о́бразом; ~, that and the other всевозмо́жные *или* разли́чные ве́щи.

**thistle** ['θɪsl] *n бот.* чертополо́х (*тж. как эмблема Шотландии*).

**thistle-down** ['θɪsldaun] *n бот.* пушо́к семя́н чертополо́ха; ◇ as light as ~ ≅ лёгкий как пух.

**thistle-finch** ['θɪslfɪntʃ] *n* щего́л.

**thistly** ['θɪslɪ] *a* 1) заро́сший чертополо́хом; 2) колю́чий.

**thither** ['ðɪðə] *adv уст.* туда́, в ту сто́рону.

**thitherto** ['θɪðə'tuː] *adv уст.* до того́ вре́мени.

**thitherward(s)** ['ðɪðəwəd(z)] *adv уст.* в ту сто́рону, туда́.

**tho'** [ðou] = though.

**thole** I [θoul] *n* уклю́чина.

**thole** II [θoul] *n архит.* ку́пол.

**thole-pin** ['θoulpin] = thole I.

**Thomas** ['tɔməs] *n библ.* Фома́.

**thong** [θɔŋ] 1. *n* реме́нь; плеть; 2. *v* стега́ть.

**thorax** ['θɔːræks] *n анат.* грудна́я кле́тка.

**thorite** ['θɔuraɪt] *n мин.* тори́т.

**thorium** ['θɔːrɪəm] *n хим.* то́рий.

**thorn** [θɔːn] *n* 1) шип, колю́чка; 2) ста́рое назва́ние руни́ческой бу́квы, соотве́тствующей th; ◇ to be (*или* to sit) on ~s сиде́ть как на иго́лках; a ~ in one's side (*или* flesh) ≅ бельмо́ на глазу́; исто́чник постоя́нного раздраже́ния.

**thorn-apple** ['θɔːn,æpl] *n бот.* дурма́н.

**thornback** ['θɔːnbæk] *n зоол.* морска́я лиси́ца.

**thorny** ['θɔːnɪ] *a* 1) колю́чий; 2) терни́стый, тяжёлый; 3) тру́дный, противоречи́вый (*вопрос и т. п.*); a ~ subject щекотли́вая, опа́сная те́ма.

**thorough** ['θʌrə] 1. *a* 1) по́лный, соверше́нный; основа́тельный, доскона́льный; тща́тельный; 2) зако́нченный, по́лный; a ~ scoundrel зако́нченный негодя́й; 2. *prep уст.* = through 1; 3. *adv уст.* = through 2.

**thorough-bass** ['θʌrə'beɪs] *n муз.* 1) генера́л-ба́с; 2) *распр.* гармо́ния.

**thoroughbred** ['θʌrəbred] 1. *a* 1) чистокро́вный, поро́дистый; 2) хорошо́ воспи́танный; 2. *n* чистокро́вное, поро́дистое живо́тное.

**thoroughfare** ['θʌrəfɛə] *n* 1) прохо́д; прое́зд; путь сообще́ния; no ~ прое́зд закры́т (*надпись*); 2) оживлённая у́лица; гла́вная арте́рия (*города*).

**thoroughgoing** ['θʌrə,gouɪŋ] *a* 1) иду́щий напроло́м, без компроми́ссов; 2) радика́льный.

**thoroughly** ['θʌrəlɪ] *adv* вполне́, соверше́нно, до конца́; основа́тельно, тща́тельно.

**thoroughness** ['θʌrənɪs] *n* основа́тельность, доскона́льность.

**thoroughpaced** ['θʌrəpeɪst] *a* 1) хорошо́ вы́езженный; 2) соверше́нный, отъя́вленный.

**thorp** [θɔːp] *n уст.* (*в настоящее время в названиях*) дере́вня.

**those** [ðouz] *pl от* that 1.

**thou** [ðau] *pron. pers.* (*косв. п.* thee) *уст.*, *поэт.* ты.

**though** [ðou] 1. *cj* 1) хотя́, несмотря́ на; 2) да́же е́сли бы, хотя́ бы; it is worth attempting, ~ we fail сто́ит попыта́ться, хотя́ бы нам и не удало́сь; 2. *adv* тем не ме́нее; одна́ко (же); всё-таки.

**thought** I [θɔːt] *n* 1) мысль; мышле́ние; размышле́ние; to collect (*или* to compose) one's ~s собра́ться с мы́слями; (lost) in ~ погружённый в размышле́ния; to read smb.'s ~s чита́ть чьи-л. мы́сли; to take ~ заду́маться; опеча́литься; 2) наме́рение; 3) забо́та; внима́тельность; to take (*или* to show) ~ for smb. забо́титься о ком-л.; thank you for your kind ~ of me благодарю́ вас за внима́ние ко мне; 4) (a ~) чу́точка

(*обыкн. употр. как adv* чу́точку); a ~ more polite чуть ве́жливей; ◇ (as) quick as ~ ≅ с быстрото́й мо́лнии; мгнове́нно; (up)on second ~s по зре́лом размышле́нии; пораски́нув умо́м; second ~s are best *посл.* ≅ семь раз отме́рь, оди́н раз отре́жь.

**thought** II [θɔːt] *past и p. p. от* think 1.

**thoughtful** ['θɔːtful] *a* 1) заду́мчивый, погружённый в размышле́ния; 2) глубо́кий (*о книге*); глубокомы́сленный; 3) мы́слящий; 4) забо́тливый, внима́тельный (of — к дру́гим).

**thoughtless** ['θɔːtlɪs] *a* 1) беспе́чный, безрассу́дный; 2) необду́манный, глу́пый; 3) невнима́тельный (of — к дру́гим).

**thought-reading** ['θɔːt,riːdɪŋ] *n* чте́ние чужи́х мы́слей.

**thought-transference** ['θɔːt,trænsfərəns] *n* переда́ча мы́слей на расстоя́нии, телепа́тия.

**thousand** ['θauzənd] 1. *num. card.* ты́сяча; 2. *n* 1) ты́сяча; one in a ~ — оди́н на ты́сячу, исключи́тельный; 2) мно́жество; many ~s of times (*или* a ~ times) мно́жество раз; a ~ and one cares ма́сса забо́т.

**thousandfold** ['θauzəndfould] 1. *a* в ты́сячу раз бо́льший; 2. *adv* в ты́сячу раз бо́льше.

**thousandth** ['θauzəntθ] 1. *num. ord.* ты́сячный; 2. *n* ты́сячная часть.

**thraldom** ['θrɔːldəm] *n уст.* ра́бство.

**thrall** [θrɔːl] 1. *n* 1) раб; 2) *уст.* ра́бство; to hold smb. in ~ плени́ть, зачарова́ть кого́-л.; 2. *v уст.* порабоща́ть.

**thrash** [θræʃ] *v* 1) бить; 2) победи́ть (*в борьбе*, *состязании*); 3) = thresh 1); ▭ ~ about мета́ться (*о больном*); ~ out тща́тельно обсужда́ть, выясня́ть, прораба́тывать (*вопросы и т. п.*).

**thrasher** ['θræʃə] *n* 1) тот, кто бьёт; 2) = thresher 1); 3) = thresher 2); 4) *зоол.* морска́я лиси́ца.

**thrashing** ['θræʃɪŋ] 1. *pres. p. от* thrash; 2. *n* 1) па́лочные уда́ры; *тж.* взбу́чка; to give smb. a (sound) ~ си́льно изби́ть кого́-л.; 2) = threshing 2, 1).

**thrashing-floor** ['θræʃɪŋflɔː] = threshing-floor.

**thrashing-machine** ['θræʃɪŋmə,ʃiːn] = threshing-machine.

**thrasonical** [θreɪ'sɔnɪkəl] *a* хвастли́вый.

**thread** [θred] 1. *n* 1) ни́тка; нить (*тж. перен.*); to hang by a ~ висе́ть на ни́точке; the ~ of the story основна́я нить, ли́ния расска́за; to lose the ~ of потеря́ть нить (*рассказа и т. п.*); to resume (*или* to take up) the ~ (of) возобнови́ть (*беседу, рассказ*); the ~ of life нить жи́зни; to pick up the ~ (of acquaintance with smb.) возобнови́ть (знако́мство с кем-л.); 2) *тех.* резьба́, наре́зка; ход (*винта́*); 3) *эл.* жи́ла про́вода; 4) *геол.* прожи́лок; 5) *attr.* ни́тяный; нитеви́дный; ◇ ~ and thrum всё вме́сте: и хоро́шее и дурно́е; worn to the ~ потёртый, изно́шенный; потрёпанный; 2. *v* 1) продева́ть ни́тку (*в иголку*); 2) нани́зывать (*бусы и т. п.*); 3) пробира́ться;

to ~ one's way осторóжно пробирáться; 4) *тех.* нарезáть (*резьбу́*).

**threadbare** ['θredbɛə] *a* 1) потёртый, изнóшенный; 2) бéдно одéтый; 3) избитый (*о шу́тке, дóводе и т. п.*).

**threaded** ['θredɪd] 1. *p. p. от* thread 2; 2. *a тех.* с нарéзкой, с резьбóй, нарезнóй.

**threader** ['θredə] *n* винторéзный станóк.

**threadlike** ['θredlaɪk] *a* 1) нитевидный; 2) волокнистый.

**thread-mark** ['θredmɑːk] *n* водянóй знак (*на деньгáх и цéнных бумáгах*).

**thread-needle** ['θred,niːdl] *n* «ручеёк» (*дéтская игра́*).

**thread-paper** ['θred,peɪpə] *n* 1) полóска бумáги, котóрой обмáтывались моткú; 2) что-л. длинное и у́зкое; as thin as a ~ ≅ худ как щéпка.

**threadworm** ['θredwɑːm] *n* острица (*глист*).

**thready** ['θredɪ] *a* 1) тóнкий как нитка; 2) волокнистый.

**threat** [θret] *n* угрóза; there is a ~ of rain собирáется дождь.

**threaten** ['θretn] *v* грозить, угрожáть (with — *чем-л.*); to ~ punishment угрожáть наказáнием.

**threatening** ['θretnɪŋ] 1. *pres. p. от* threaten; 2. *a* угрожáющий, грозящий; нависший (*об опáсности и т. п.*).

**threatful** ['θretful] *a рéдк.* грóзный.

**three** [θriː] 1. *num. card.* три; ~ times ~ а) трижды три; б) девятикрáтное ура́; 2. *n* 1) трóйка; in ~s пó три; 2) *pl* трéтий нóмер, размéр; 3) три очкá.

**three-colour process** ['θriː,kʌlə'prouses] *n полигр.* фотомеханический спóсоб трёхцвéтной печáти, трёхцвéтная автотипия.

**three-cornered** ['θriː'kɔːnəd] *a* 1) треугóльный; 2) происходящий с учáстием трёх человéк, пáртий и т. п. (*о борьбе́, диспу́те и т. п.*); 3) *перен.* несклáдный, угловáтый.

**three-decker** ['θriː'dekə] *n* 1) трёхпáлубное су́дно; 2) трилóгия; трёхтóмный ромáн.

**three-dimensions movie** ['θriːdɪ'menʃənz-'muːvɪ] (*сокр.* 3-D movie) стереоскопическое кинó.

**three-field** ['θriːfiːld] *a с.-х.* трёхпóльный; ~ system трёхпóльная систéма полевóдства, трёхпóлье.

**threefold** ['θriːfould] 1. *a* утрóенный; тройнóй; 2. *adv* втрóе, втройнé.

**three halfpence** ['θriː'heɪpəns] *n* полторá пéнни.

**three-handed** ['θriː'hændɪd] *a* происходящий с учáстием трёх игрокóв.

**three-ha'pence** ['θriː'heɪpəns] = three halfpence.

**three-lane** ['θriːleɪn] *n* у́лица, достáточно ширóкая для движéния трáнспорта в три ряда́.

**three-legged** ['θriː'legd] *a* треногий.

**three-master** ['θriː,mɑːstə] *n* трёхмáчтовое су́дно.

**three-mile** ['θriː,maɪl] *a* трёхмильный; ~

limit граница трёхмильной полосы́ (*территориáльных вод*).

**threepence** ['θrepəns] *n* три пéнса; трёхпéнсовая монéта.

**threepenny** ['θrepənɪ] *a* 1) стóящий три пéнса; ~ bit, ~ piece серéбряная монéта в три пéнса; 2) дешёвый, плохóго кáчества.

**three-per-cents** ['θriːpə'sents] *n pl* англ. лийские госудáрственные трёхпроцéнтные облигáции.

**three-phase** ['θriːfeɪz] *a эл.* трёхфáзный.

**three-piece** ['θriːpiːs] *a* состоящий из трёх предмéтов (*обы́кн. о дáмском костю́ме*).

**three-ply** 1. *n* ['θriːplaɪ] трёхслóйная фанéра; 2. *a* ['θriːplaɪ] трёхслóйный (*о фанéре*).

**three-quarter** ['θriː'kwɑːtə] *a* 1) трёхчетвертнóй; 2) с поворóтом лица́ в три чéтверти (*о портрéте, фотогрáфии*).

**threescore** ['θriː'skɔː] *n* шестьдесят; ~ and ten сéмьдесят.

**threesome** ['θriːsəm] 1. *n* 1) три лица́, трóйка; 2) гольф (*или другáя игра́*) для трёх игрокóв; 2. *a* состоящий из трёх; осуществляемый тремя́.

**three-throw** ['θriː,θrou] *a тех.* стрóенный, трёхходовóй.

**three-way** ['θriː,weɪ] *a* 1) *тех.* трёхходовóй; 2) *ж.-д.* трёхпу́тный.

**thremmatology** [,θremə'tɔlədʒɪ] *n* животновóдство и растениевóдство (*как наука*).

**threnode, threnody** ['θrenoud, 'θrenədɪ] *n* погребáльная песнь; погребáльное пéние.

**thresh** [θreʃ] *v* 1) молотить; 2) = thrash 1); 3) = thrash 2); ◇ to ~ over old straw ≅ толóчь вóду в сту́пе.

**thresher** ['θreʃə] *n* 1) молотильщик; 2) молотилка; 3) = thrasher 4).

**threshold** ['θreʃhould] *n* порóг (*тж. перен.*); преддвéрие; *перен. тж.* отправнóй пункт; stumble on (*или* at) the ~ плóхо начáть (*дéло*).

**threshing** ['θreʃɪŋ] 1. *pres. p. от* thresh; 2. *n* 1) молотьбá; 2) = thrashing 2, 1).

**threshing-floor** ['θreʃɪnflɔː] *n с.-х.* ток.

**threshing-machine** ['θreʃɪŋmə,ʃiːn] *n с.-х.* молотилка.

**threw** [θruː] *past от* throw 2.

**thrice** [θraɪs] *adv уст., книжн.* трижды; в высóкой стéпени; ~ happy óчень счáстлив.

**thrice-** [θraɪs-] *в слóжных словáх означáет* в вы́сшей стéпени, óчень; thrice-told мнóго раз расскáзанный; thrice-noble в вы́сшей стéпени благорóдный.

**thrift** [θrɪft] *n* 1) экóномность, бережливость; 2) *уст.* процветáние, зажиточность; 3) *рéдк.* быстрый, бу́йный рост; 4) *бот.* армéрия обыкновéнная.

**thriftless** ['θrɪftlɪs] *a* расточительный, неэкономный.

**thrifty** ['θrɪftɪ] *a* 1) экóномный, бережливый; 2) цвету́щий, процветáющий; 3) быстро, бу́йно расту́щий (*о растéнии*).

**thrill** [θrɪl] 1. *n* 1) глубóкое волнéние; 2) нéрвная дрожь, трéпет; 3) *разг.* сенсáция; 4) *разг.* нашумéвшая книга;

**2.** *v* 1) вызыва́ть тре́пет; си́льно взволнова́ть; 2) испы́тывать тре́пет; си́льно взволнова́ться; 3) дрожа́ть (*от стра́ха, ра́дости и т. п.*); трепета́ть; my heart ~ed with joy моё се́рдце затрепета́ло от ра́дости; 4) *уст.* сверли́ть; протыка́ть отве́рстие.

**thrilled** [θrɪld] 1. *p. p. от* thrill 2; **2.** *a* 1) взволно́ванный, возбуждённый; 2) заинтриго́ванный, захва́ченный.

**thriller** ['θrɪlə] *n разг.* 1) сенсацио́нный (*особ.* детекти́вный) рома́н, фильм; боеви́к; 2) мелодра́ма.

**thrilling** ['θrɪlɪŋ] 1. *pres. p. от* thrill 2; **2.** *a* 1) волну́ющий, захва́тывающий; 2) дрожа́щий, вибри́рующий.

**thrive** [θraɪv] *v* (throve, *редк.* -d [-d]; thriven, *редк.* -d [-d]) 1) процвета́ть, преуспева́ть; 2) бу́йно, пы́шно расти́, разраста́ться.

**thriven** ['θrɪvn] *p. p. от* thrive.

**thro, thro'** [θruː] = through.

**throat** [θrout] 1. *n* 1) го́рло, горта́нь, гло́тка; a ~ of brass гро́мкий *или* гру́бый го́лос; to clear one's ~ отка́шливаться; full to the ~ сыт по го́рло; to stick in one's ~ а) застря́ть в го́рле (*о слова́х*); б) прети́ть; 2) у́зкий прохо́д, у́зкое отве́рстие; жерло́ вулка́на; 3) *тех.* горлови́на, зев, соедини́тельная часть; расчётный разме́р (в свету́); 4) *метал.* колошни́к (*до́мны*); горлови́на (*конве́ртора*); ше́йка; 5) *мор.* пя́тка (*га́феля*); ◇ to cut one another's ~s разоря́ть друг дру́га конкуре́нцией; to give smb. the lie in his ~ изоблича́ть кого́-л. в гру́бой лжи; to lie in one's ~ на́гло лгать, лгать пря́мо в глаза́; to jump down smb.'s ~ перебива́ть кого́-л., возража́ть; to thrust smth. down smb.'s ~ си́лой навя́зать что-л. кому́-л.

**2.** *v* 1) бормота́ть; 2) напева́ть хри́плым го́лосом.

**throaty** ['θroutɪ] *a* горта́нный; хри́плый.

**throb** [θrɔb] 1. *n* 1) бие́ние, пульса́ция; 2) тре́пет, волне́ние; **2.** *v* 1) си́льно би́ться *или* пульси́ровать; 2) трепета́ть, волнова́ться.

**throe** [θrou] *n* (*обыкн. pl*) 1) си́льная боль; in the ~s of в му́ках (*тво́рчества и т. п.*); 2) аго́ния; 3) родовы́е му́ки; **2.** *v редк.* страда́ть, му́читься.

**Throgmorton Street** [θrɔg'mɔːtn'striːt] *n* 1) у́лица в Ло́ндоне, где располо́жена би́ржа; 2) ло́ндонская би́ржа; биржевики́.

**thrombosis** [θrɔm'bousɪs] *n мед.* тромбо́з, тромб.

**throne** [θroun] 1. *n* 1) трон; престо́л; 2) короле́вская, ца́рская власть; 3) высо́кое положе́ние; **2.** *v* 1) возводи́ть на престо́л; 2) *редк.* занима́ть высо́кое положе́ние.

**throng** [θrɔŋ] 1. *n* толпа́, толчея́; **2.** *v* толпи́ться; заполня́ть (*о толпе́*); переполня́ть (*помеще́ние*).

**throstle** ['θrɔsl] *n* 1) *поэт., шотл.* пе́вчий дрозд; 2) *текст.* рогу́лечная пряди́льная маши́на.

**throttle** ['θrɔtl] 1. *n* 1) гло́тка, горта́нь; 2) *тех.* дро́ссель; ◇ at full ~ на по́лной ско́рости, на по́лной мо́щности;

**2.** *v* 1) души́ть; 2) задыха́ться; 3) *тех.* дросселли́ровать, мять (*пар*); ▢ ~ down уме́ньшить газ.

**through** [θruː] 1. *prep* 1) *ука́зывает на простра́нственные отноше́ния* че́рез, сквозь, по; ~ the gate че́рез воро́та; they marched ~ the town они́ прошли́ по го́роду; ~ this country по всей стране́; 2) *ука́зывает на вре́менные отноше́ния*: а) в тече́ние, в продолже́ние; ~ the night всю ночь; to wait ~ ten long years прожда́ть де́сять до́лгих лет; б)· включи́тельно; May 10 ~ June 15 с 10 ма́я по 15 ию́ня включи́тельно; 3) *в сочета́ниях, име́ющих перено́сное значе́ние* в, че́рез; to flash ~ the mind промелькну́ть в голове́; to go ~ many trials пройти́ че́рез мно́го испыта́ний; 4) че́рез (посре́дство), от; I heard of you ~ your sister я слы́шал о вас от ва́шей сестры́; he was examined ~ an interpreter его́ допра́шивали че́рез перево́дчика; 5) по причи́не, всле́дствие, из-за, благодаря́; it all came about ~ his not knowing the way всё э́то случи́лось из-за того́, что он не знал доро́ги;

**2.** *adv* 1) наскво́зь; соверше́нно; I am wet ~ я наскво́зь промо́к; 2) от нача́ла до конца́; *в сочета́нии с глаго́лами передаётся приста́вками* пере-, про-; he slept the whole night ~ он проспа́л всю ночь; to carry ~ довести́ до конца́; I have read the book ~ я прочёл всю кни́гу; to get ~ пройти́; to look ~ просмотре́ть; ◇ to be ~ (with) поко́нчить (с *чем-л.*); зако́нчить (*что-л.*); to put a person ~ а) отруга́ть кого́-л.; б) стро́го экзаменова́ть кого́-л.; в) соедини́ть кого́-л. (*по телефо́ну*).

**3.** *a* 1) прямо́й, беспереса́дочный; ~ ticket сквозно́й биле́т; ~ service беспереса́дочное сообще́ние; 2) свобо́дный, беспрепя́тственный; ~ passage свобо́дный прохо́д.

**through and through** ['θruːənd'θruː] *adv* 1) соверше́нно, до конца́, вполне́; 2) сно́ва и сно́ва.

**throughly** ['θruːlɪ] *уст.* = thoroughly.

**throughout** [θruː'aut] 1. *adv* 1) во всех отноше́ниях; 2) повсю́ду; на всём протяже́нии; the dictionary has been revised ~ слова́рь был с нача́ла до конца́ пересмо́трен; **2.** *prep* 1) в продолже́ние (*всего́ вре́мени и т. п.*); ~ the 19th century че́рез весь XIX век.

**through-put** ['θruːput] *n* коли́чество сырья́ (материа́ла *и т. п.*), израсхо́дованного за определённый срок.

**throve** [θrouv] *past от* thrive.

**throw** [θrou] 1. *n* 1) броса́ние; бросо́к; 2) да́льность броска́; расстоя́ние, на кото́рое мо́жно метну́ть диск *и т. п.*; a stone's ~ а) расстоя́ние, на кото́рое мо́жно бро́сить ка́мень; б) небольшо́е расстоя́ние; 3) риск, риско́ванное де́ло; 4) подъём (*напр., моста́*); 5) *разг.* шарф, ша́рфик; 6) *спорт.* паде́ние (*при борьбе́*); 7) гонча́рный круг; 8) *геол.* высота́ сбро́са; 9) *тех.* ход (*по́ршня, шатуна́*); эксцентрисите́т, разма́х; **2.** *v* (threw; thrown) 1) броса́ть, кида́ть; мета́ть; набра́сывать (*тж.* ~ on); to ~

oneself бросáться, кидáться; to ~ oneself at smb. бросáться комý-л. на шéю; to ~ oneself at the head of *разг.* вéшаться на шéю; to ~ stones at smb. швырять в когó-л. камнями; *перен.* осуждáть когó-л.; бросáть тень на чью-л. репутáцию; to ~ a glance брóсить взгляд; to ~ kisses at smb. посылáть комý-л. воздýшные поцелýи; to ~ light on the matter разъяснить вопрóс; 2) сбрáсывать (*всáдника*); 3) менять (*кожу о змее*); 4) (бы́стро, неожи́данно) приводи́ть (into — в *определённое состояние*); to ~ into confusion приводи́ть в смятéние; to ~ open раскрывáть, распáхивать; 5) метáть (*детёнышей*), отели́ться, ожереби́ться *и т. п.*; 6) вертéть; крути́ть (*шёлк*); 7) положи́ть на óбе лопáтки (*в борьбé*); 8) *спорт. разг.* проигрáть (*по небрéжности или нарóчно*); 9) навести́ (*мост*); 10) *воен.* бы́стро передвигáть, перебрáсывать (*войскá*); □ ~ about а) разбрáсывать; б) трáтить зря; ~ aside отбрáсывать, отстранять; ~ away а) бросáть, отбрáсывать; б) трáтить зря; ~ back а) отбрáсывать назáд; б) замедлять развитие; в) (рéзко) отвергáть; ~ down а) сбрáсывать; бросáть; to ~ oneself down брóситься, лечь на зéмлю; to ~ down one's arms сдавáться; to ~ down one's tools забастовáть; б) сноси́ть, разрушáть (*здáние*); в) ниспровергáть; г) *хим.* осаждáть (*ся*); *амер.* отклонять (*предложéние и т. п.*); отвергáть; to ~ down one's brief *юр.* откáзываться от дальнéйшего ведéния дéла; ~ in а) добавлять, вставлять (*замечáние*); б) *тех.* включáть; в) бросáть (*в крикете*); ~ off а) отвергáть; б) свергáть; в) сбрáсывать; избавляться; to ~ off an illness попрáвиться, вы́лечиться; г) извергáть; д) легкó и бы́стро набросáть (*эпигрáмму и т. п.*); е) *охот.* спускáть собáк; ж) начинáть (*что-либо*); з) *разг.* сказáть невзначáй; сдéлать остроýмное замечáние; и) *тех.* выключáть; ~ on а) наки́нуть, надéть (*пальтó и т. п.*); б) подбрáсывать, подбавлять; to ~ on coals подбрáсывать ýголь (*в тóпку*); ~ out а) выбрáсывать; б) выгонять, увольнять; в) производи́ть, давáть; г) мимохóдом выскáзывать (*предложéние*); д) *парл.* отвергáть (*законопроéкт*); е) выводи́ть из себя, из равновéсия; ж) *воен.* выставлять, высылáть; з) *спорт.* перегонять; и) пристрáивать; to ~ out a new wing пристрóить нóвое крылó (*к здáнию*); ~ over а) бросáть; покидáть (*друзéй*); б) откáзываться (*от плáна, намéрения и т. п.*); в) *тех.* переключáть; ~ together а) нáспех собирáть, компили́ровать; б) своди́ть вмéсте, стáлкивать (*о людях*); ~ up а) извергáть; *разг.* рвать; б) вски́дывать (*глазá*), поднимáть (*руки*); в) возводи́ть, бы́стро стрóить (*дом, баррикáды*); г) выделять, оттенять; д) откáзываться от учáстия; е) обвинять, упрекáть, ругáть; ◇ to ~ in (one's lot) with связáть свою судьбý с *кем-л.*; раздели́ть чью-л. судьбý; to ~ (in) a party устрóить вечери́нку, задáть бал; to ~ the great cast сдéлать реши́тельный шаг; to ~ a fit прийти́ в ярость; to ~ up one's cards (*или the sponge*) пасовáть; сдавáться; признавáть

себя побеждённым; to ~ the cap over the mill пускáться во все тяжкие; to ~ the bull *амер.* болтáть, трещáть без ýмолку; врать; to ~ a chest *разг.* выпячивать грудь; to ~ good money after bad, to ~ the handle after the blade рисковáть послéдним; упóрствовать в безнадёжном дéле; to ~ cold water on (a plan *etc.*) см. cold I, ◇; to ~ smb. for a loss *амер.* затирáть когó-л.; одéрживать побéду над кем-л.

throwaway ['θrouə,weɪ] 1. *n* 1) реклáмное объявлéние (*вручáемое покупáтелям в магази́не, рассылáемое по пóчте и т. п.*); 2) путеводи́тель по магази́ну *и т. п.*; 2. *a* ни́зкий, брóсовый (*о цéнах*).

throw-back ['θroubæk] *n* 1) регрéсс; возврáт к прóшлому; 2) атави́зм.

throw-down ['θroudaun] *n амер.* 1) откáз; 2) поражéние.

thrower ['θrouə] *n* 1) метáльщик; гранатомётчик; discus ~ метáтель ди́ска, дискобóл; 2) гончáр; 3) = throwster; 4) метáтельный аппарáт.

throw-in ['θrouɪn] *n* ввод мячá в игрý (*в футбóле*).

thrown [θroun] 1. *р. р. от* throw 2; 2. *a* кручёный (*шёлк и т. п.*).

throw-off ['θrou,ɔf] *n* начáло (*охóты, бегóв*).

throw-out ['θrou,aut] *n разг.* отбрóсы; что-л. ненýжное.

throwster ['θroustə] *n текст.* крути́льщик, шёлкокрути́льщик.

thru [θru:] *амер.* = through.

thrum I [θrʌm] *n текст.* 1) отрéзок *или* конéц ни́ти; 2) бахромá.

thrum II [θrʌm] 1. *n* бренчáние; 2. *v* 1) бренчáть, трéнькать; 2) барабáнить пáльцами.

thrush I [θrʌʃ] *n* дрозд.

thrush II [θrʌʃ] *n* 1) *мед.* молóчница (*болéзнь*); 2) *вет.* намѝнка (*у лóшади*).

thrust [θrʌst] 1. *n* 1) толчóк; 2) удáр, вы́пад; a home ~ мéткий удáр; *перен.* éдкое замечáние; 3) опóра, упóр; 4) *тех.* осевóе давлéние; напóр, нажи́м; 5) *геол.* горизонтáльное *или* боковóе давлéние; надви́г; 2. *v* (thrust) 1) толкáть; ты́кать; 2) колóть, пронзáть; 3) пробивáть; проти́скиваться, врывáться; to ~ one's way пробивáть себé дорóгу; to ~ oneself forward лезть вперёд, старáться обрати́ть на себя внимáние; 4) бросáть (*с си́лой*); □ ~ aside оттáлкивать, отбрáсывать; ~ forth вытáлкивать; протáлкивать; ~ from сбрáсывать; ~ in(to) втыкáть, всóвывать, вонзáть; to ~ in a word встáвить слóво; to ~ one self into the society of навязываться (*кому-л.*); втирáться в какóе-л. óбщество; ~ on надéть, набрóсить; ~ out выгонять, выселять; вы́швырнуть; ~ through а) пронзáть; прокáлывать; б) пробивáться; ~ together сжимáть; ~ upon навязывать.

thud [θʌd] 1. *n* глухóй звук, стук (*от падéния тяжёлого тéла*); 2. *v* свали́ться, шлёпнуться, бýхнуться, упáсть со стýком, с глухи́м шýмом.

thug [θʌg] *n англо-инд.* 1) *ист.* разбóйник-души́тель (*член религиóзной сéкты в северной Индии*); 2) убийца; головорез.

**thuggee, thuggery** ['θʌɡɪ, 'θʌɡərɪ] *n* англо-инд. удушение.

**thuja** ['θjuːdʒə] *n бот.* туя.

**thulium** ['θjuːlɪəm] *n хим.* тулий.

**thumb** [θʌm] 1. *n* большой палец (*руки*); палец (*рукавицы*); ◊ under smb.'s ~ всецело под влиянием *или* во власти кого-л.; под башмаком; Tom T. мальчик с пальчик; ~s up! *sl.* недурно!, подходяще!; 2. *v* 1) захватать, загрязнить; 2) делать что-л. неловко, неуклюже; 3) *амер. разг.* остановить проезжающий автомобиль, подняв большой палец (*тж.* ~ a ride); 4) перелистать, просмотреть (*журнал, книгу; тж.* ~ through).

**thumb-index** ['θʌm,ɪndeks] *n* буквенный указатель (*на переднем обрезе справочника, словаря и т. п.*).

**thumb-mark** ['θʌmmɑːk] *n* 1) след пальцев (*на страницах книги*); 2) = thumb-print.

**thumb-nail** ['θʌmneɪl] 1. *n* 1) ноготь большого пальца; 2) что-л., имеющее размер ногтя; 2. *a* маленький, короткий.

**thumb-print** ['θʌmprɪnt] *n* отпечаток большого пальца (*в дактилоскопии*).

**thumbscrew** ['θʌmskruː] *n* 1) *ист.* тиски для больших пальцев (*орудие пытки*); 2) *тех.* винт с рифлёной головкой.

**thumb-tack** ['θʌmtæk] *амер.* 1. *n* чертёжная кнопка; 2. *v* прикреплять чертёжной кнопкой.

**thumb-thumper** ['θʌm,θʌmpə] *n разг.* уличный оратор.

**thump** [θʌmp] 1. *n* тяжёлый удар (*кулаком, дубинкой*); глухой звук (*удара*); 2. *v* 1) наносить тяжёлый удар, ударять; стучать; 2) падать тяжело, с глухим шумом; his heart ~ed его сердце глухо билось.

**thumper** ['θʌmpə] *n разг.* 1) что-л. очень большое; 2) явная ложь.

**thumping** ['θʌmpɪŋ] 1. *pres. p. om* thump 2; 2. *a* громадный, подавляющий; ~ majority явное большинство; 3. *adv разг.* очень; ~ good play чертовски хорошая пьеса.

**thunder** ['θʌndə] 1. *n* 1) гром; 2) грохот, шум; 3) *pl* резкое осуждение, угрозы (*обыкн. со стороны газет, официальных лиц и т. п.*). 2. *v* 1) греметь (*тж. в безл. оборотах*); it ~s гром гремит; 2) стучать, колотить; 3) громить, грозить (against); метать громы и молнии; 4) говорить громогласно.

**thunderbolt** ['θʌndəboult] *n* 1) удар молнии; *перен.* гром среди ясного неба; to come like a ~, to be a ~ поразить, быть совершенно неожиданным; 2) белемнит, чёртов палец (*остатки ископаемых моллюсков*).

**thunderclap** ['θʌndəklæp] *n* удар грома; *перен.* неожиданное событие; ужасная новость.

**thundercloud** ['θʌndəklaud] *n* грозовая туча.

**thunderer** ['θʌndərə] *n* мечущий громы и молнии; громовержец.

**thunder-head** ['θʌndəhed] *n* тёмная грозовая туча.

**thundering** ['θʌndərɪŋ] 1. *pres. p. om* thunder 2; 2. *a* 1) громоподобный; оглушающий; 2) *разг.* громадный; ~ ass ужасный болван.

**thunderous** ['θʌndərəs] *a* 1) грозовой, предвещающий грозу; 2) громовой, оглушительный.

**thunder-peal** ['θʌndəpiːl] *n* удар *или* раскат грома.

**thunderstorm** ['θʌndəstɔːm] *n* гроза.

**thunderstroke** ['θʌndəstrouk] *n* удар грома.

**thunderstruck** ['θʌndəstrʌk] *a* 1) сражённый ударом молнии; 2) ошеломлённый, оглушённый; как громом поражённый.

**thundery** ['θʌndərɪ] = thunderous 1).

**thurible** ['θjuərɪbl] *n* кадило.

**thurify** ['θjuərɪfaɪ] *v* кадить.

**Thursday** ['θəːzdɪ] *n* четверг.

**thus** [ðʌs] *adv* 1) так, таким образом; поэтому (*амер. тж.* ~ and so); ~ and ~ так-то и так-то; 2) до, до такой степени; ~ far до сих пор; ~ much столько; ~ much at least is clear хоть это, по крайней мере, ясно.

**thwack** [θwæk] 1. *n* (сильный) удар; 2. *v* бить, пороть.

**thwart** [θwɔːt] 1. *n* 1) банка на гребной шлюпке; 2) распор; 2. *a* 1) поперечный; 2) несговорчивый, упрямый; 3) неблагоприятный; 3. *v* 1) (по)мешать исполнению (*желаний*); расстраивать, разрушать (*планы и т. п.*); 2) перечить; 3) *уст.* пересекать.

**thy** [ðaɪ] *pron. poss. уст. (употр. атрибутивно; ср.* thine) твой.

**thyme** [taɪm] *n бот.* чабрец, чебрец.

**thyroid** ['θaɪrɔɪd] *анат.* 1. *n* щитовидная железа; 2. *a* щитовидный; ~ cartilage щитовидный хрящ; ~ gland а) щитовидная железа; б) препарат щитовидной железы; ~ deficiency недостаточность щитовидной железы.

**thyrsi** ['θəːsaɪ] *pl om* thyrsus.

**thyrsus** ['θəːsəs] *греч. n* (*pl* -si) *миф.* тирс, жезл Вакха.

**thyself** [ðaɪ'self] *уст. pron* 1) *refl.* себя, -ся; 2) *emph.* сам, сама.

**tiara** [tɪ'ɑːrə] *n* тиара.

**tiara'd, tiaraed** [tɪ'ɑːrəd] *a* с тиарой на голове.

**tibia** ['tɪbɪə] *лат. n* (*pl* -ae) *анат.* большеберцовая кость.

**tibiae** ['tɪbɪiː] *pl om* tibia.

**tic** [tɪk] *n мед.* тик; ~ douloureux [-duːluː'rə:] невралгия тройничного нерва.

**ticca** ['tɪkə] *a* англо-инд. наёмный.

**ticca-gharry** ['tɪkə,ɡærɪ] *n* англо-инд. экипаж, нанятый по часам.

**tick I** [tɪk] *n* 1) чехол (*матраца, подушки*); 2) тик (*материя*).

**tick II** [tɪk] 1. *n* 1) тиканье; 2) отметка, птичка, значок «V»; 3) *разг.* мгновение; in a ~ моментально, немедленно; to (*или* on) the ~ точно, пунктуально; 2. *v* 1) тикать; 2) делать отметку, ставить птичку (*тж.* ~ off); □ ~ off а) отмечáть, стáвить гáлочку; б) *sl.* отдéлать, разбранить; ~ out выстýкивать (*о телегрáфном аппарáте*); ~ over *авт.* а) рабóтать на холостóм ходý; б) перевести на мáлый газ.

**tick III** [tɪk] **1.** *n* 1) *разг.* кредит; to go (on) ~, to run (on) ~ брать в кредит; влезáть в долги; to buy (to sell) on ~ покупáть (продавáть) в кредит; 2) счёт; .2. *v* 1) брать в долг, на книжку; 2) отпускáть в долг, на книжку.

**tick IV** [tɪk] *n зоол.* клещ.

**ticker** ['tɪkə] *n* 1) мáятник; 2) *разг.* часы; 3) *шутл.* сéрдце; 4) *радио* тиккер; 5) *тел.* пищик, зýммер; 6) телегрáфный аппарáт; stock ~ *ком.* аппарáт, автоматически печáтающий на лéнте послéдние биржевые нóвости.

**ticket** ['tɪkɪt] **1.** *n* 1) билéт; single ~ билéт в один конéц; return (*или* round-trip) ~ обрáтный билéт; open-date ~ некомпостированный билéт; omnibus ~ билéт на нéсколько человéк; 2) ярлык; price ~ этикéтка с ценóй; 3) объявлéние (*о сдáче в наём*); 4) удостоверéние; кáрточка; квитáнция; pawn ~ залóговая квитáнция; to get a ~ быть оштрафóванным за нарушéние прáвил ýличного движéния; to get one's ~ *воен. sl.* получить увольнéние; ~ of discharge *воен.* увольнительное свидéтельство; to work one's ~ *разг.* а) добивáться увольнéния из áрмии, освобождéния от рабóты (*часто нечéстным путём*); б) отрабóтать свой проéзд на парохóде; 5) *амер.* список кандидáтов какóй-л. пáртии на выборах; *перен.* принципы политической пáртии; straight ~ избирáтельный бюллетéнь с именáми кандидáтов какóй-л. однóй пáртии; mixed (*или* split) ~ бюллетéнь с кандидáтами из спискóв рáзных пáртий; scratch ~ бюллетéнь с нéсколькими вычеркнутыми фамилиями; to split a ~ голосовáть за кандидáтов из рáзных спискóв; to carry a ~ провести своих кандидáтов; to be ahead (behind) of one's ~ получить наибóльшее (наимéньшее) количество голосóв по списку своéй пáртии; 6) *attr.* билéтный; ~ scalper (*или* skinner) спекулянт билéтами; ~ window *амер.* кáсса (*железнодорóжного, воздýшного или автóбусного сообщéния*); ◇ the ~ то, что нáдо; that's the ~ как раз то, что нýжно; not quite the ~ не совсéм то; непрáвильно; what's the ~? ну, каковы вáши плáны?;

**2.** *v* 1) прикреплять ярлык; 2) *амер.* снабжáть билéтами.

**ticket of leave** ['tɪkɪtəv'liːv] *n* досрóчное освобождéние заключённого.

**ticket-of-leave** ['tɪkɪtəv'liːv] *a:* ~ man (*или* convict) досрóчно освобождённый.

**ticking I** ['tɪkɪŋ] = tick II, 1, 2).

**ticking II** ['tɪkɪŋ] *pres. p. от* tick II, 2.

**ticking III** ['tɪkɪŋ] *pres. p. от* tick III, 2.

**tickle** ['tɪkl] **1.** *n* щекотáние, щекóтка;

**2.** *v* 1) щекотáть; 2) чýвствовать щекотáние; my nose ~s у меня щекóчет в носý; 3) угождáть; доставлять удовóльствие;

веселить; to ~ to death а) уморить сó смеху; б) угодить как нельзя лýчше; дó смерти обрáдовать; 4) *амер.* рáдовать(ся); 5) ловить (*форéль*) рукáми; ◇ to ~ the palm of smb. давáть комý-л. на чай; подкупáть когó-л.

**tickler** ['tɪklə] *n* 1) затруднéние; щекотливое положéние; 2) трýдная задáча.

**ticklish** ['tɪklɪʃ] *a разг.* 1) смешливый; 2) обидчивый, 3) трýдный, деликáтный, щекотливый; рискóванный; a ~ question щекотливый вопрóс.

**tick-tack** ['tɪk'tæk] *n* 1) тиканье, тик-тáк; 2) *дет.* часы, чáсики; 3) звук биéния сéрдца; 4) ручнáя сигнализáция помóщника букмéкера о хóде скáчек.

**tick-tack-toe** [,tɪktæk'tou] *n* игрá в крéстики и нóлики.

**ticpolonga** [,tɪkpə'lɔŋgə] *n* дабóйа (*змея*).

**tidal** ['taɪdl] *a* связанный с приливом и отливом; приливо-отливный; подвéрженный дéйствию приливов; ~ boat сýдно, прихóд и отправлéние котóрого связаны с приливом; ~ river приливо-отливная рекá; ~ waters вóды прилива; ~ wave стоячая волнá; *перен.* взрыв óбщего чýвства; волнá увлечéния; ~ breath количество вóздуха, обмéниваемого за одно дыхáние.

**tidbit** ['tɪdbɪt] *амер.* = titbit.

**tiddly-winks** ['tɪdlɪwɪŋks] *n pl* игрá в блóшки.

**tide** [taɪd] **1.** *n* 1) морскóй прилив и отлив; high ~ пóлная водá; low ~ мáлая водá; 2) потóк, течéние, направлéние; the ~ turns события принимáют инóй оборóт; to go with the ~ *перен.* плыть по течéнию; 3) *уст.* врéмя, периóд; ~ of battle периóд бóя; 4) *поэт.* потóк, мóре; ◇ double ~s óчень напряжённо; нéистово; to work double ~s рабóтать день и ночь; рабóтать не покладáя рук;

**2.** *v уст.* 1) плыть по течéнию; 2) случáться; □ ~ over а) помогáть; б) преодолевáть; to ~ over a difficulty преодолéть затруднéние.

**-tide** [-taɪd] *в слóжных словáх означáет* врéмя гóда, сезóн; Christmas-tide святки.

**tide-gauge** ['taɪdgeɪdʒ] *n гидр.* мареóграф, приливомéр.

**tide-waiter** ['taɪd,weɪtə] *n* чинóвник портóвой тамóжни.

**tidewater** ['taɪd,wɔːtə] *n* 1) вóды прилива; 2) морскóй бéрег; 3) *attr.* примóрский, прибрéжный.

**tideway** ['taɪdweɪ] *n мор.* направлéние приливо-отливного течéния; фарвáтер, подвéрженный приливам и отливам.

**tidiness** ['taɪdɪnɪs] *n* опрятность.

**tidings** ['taɪdɪŋz] *n pl* (*часто употр. как* sing) *уст.* нóвость, извéстие; нóвости, извéстия.

**tidy** ['taɪdɪ] **1.** *a* 1) опрятный, аккурáтный; 2) *разг.* значительный; a ~ sum крýгленькая сýмма; 3) *разг.* неплохóй, довóльно харóший;

**2.** *n* 1) салфéточка (*на спинке мягкой мéбели, на столé*); 2) *диал.* дéтский перéдник; 3) мешóчек для лоскутóв и всякой всячины;

3. *v* убирáть, приводи́ть в поря́док (*тж.* ~ up).

**tie** [taɪ] 1. *n* 1) связь, соединéние; у́зел; 2) *pl* у́зы; the ~s of friendship у́зы дрýжбы; 3) гáлстук; 4) завя́зка, шнурóк; 5) *pl* полуботи́нки; 6) тяготá, обýза; 7) рáвный счёт (*голосóв избирáтелей или очкóв в игрé*); игрá вничью́; матч мéжду победи́телями предшéствующих состязáний; 8) *амер.* шпáла; to count the ~s *sl.* идти́ по шпáлам; 9) *муз.* ли́га; 10) *стр.* растя́нутый элемéнт, затя́жка; 11) *тех.* связь, распóрка; ◇ old school — чрезмéрная привéрженность мéлким мéстным интерéсам;

2. *v* 1) завя́зывать(ся); привя́зывать (*тж.* ~ down; to — к *чему-л.*); шнуровáть (*боти́нки*); перевя́зывать (*гóлову и т. п.*; *чáсто* ~ up); ~ it in a knot завяжи́те узлóм; 2) скрепля́ть; 3) свя́зывать, стесня́ть свобóду; обя́зывать (*тж.* ~ down, ~ up); ~d to (*или* for) time свя́занный врéменем; 4) ограни́чивать услóвиями (перехóд имýщества по наслéдству); 5) сравня́ть счёт, сыгрáть вничью́; прийти́ головá в гóлову (*о лошадя́х на бегáх или скáчках*); the teams ~d комáнды сыгрáли вничью́; ☐ ~ **down** а) привязáть; б) ограни́чить свобóду дéйствий; ~ **in** а) присоедини́ть; б) связáться (with — с *кем-л.*); ~ **up** а) привязáть; перевязáть; связáть; I don't ~ it up э́то не вызывáет у меня́ никаки́х ассоциáций, воспоминáний; б) ограни́чить свобóду дéйствий; мешáть, препя́тствовать; to be ~d up быть свя́занным; в) совпадáть, сходи́ться; г) объединя́ться, соединя́ть уси́лия (with); тéсно примыкáть (with).

**tie-beam** ['taɪbiːm] *n* áнкерная бáлка.

**tie-plate** ['taɪpleɪt] *n тех.* 1) áнкерная плитá; 2) рéльсовая подклáдка.

**tier I** ['taɪə] *n* 1) тот, кто (*или* то, что) свя́зывает; 2) креплéние; 3) дéтский фáртук.

**tier II** [tɪə] 1. *n* 1) ряд; я́рус; 2) бýхта (*канáта*);

2. *v* располагáть я́русами.

**tierce** [tɪəs] *n* 1) бóчка (*ок. 200 л*); 2) тéрция (*трéтья пози́ция или фигýра в фехтовáнии*); 3) *муз.* тéрция; 4) [təs] *карт.* терц, три кáрты однóй мáсти подря́д.

**tiercel** ['təːsəl] = tercel.

**tie-up** ['taɪʌp] *n* 1) свя́занность; 2) *амер.* связь, сою́з; 3) остановка, *амер. осóб.* прекращéние движéния (*в результáте забастóвки железнодорóжников, полóмки маши́н и т. п.*); 4) шнурóк.

**tie-wig** ['taɪwɪg] *n* пари́к, перевя́занный сзáди лéнтой.

**tiff I** [tɪf] 1. *n* размóлвка; сты́чка;

2. *v* слегкá повздóрить; надýться.

**tiff II** [tɪf] 1. *n* глотóк спиртнóго;

2. *v* пить мéдленно, небольши́ми глоткáми.

**tiff III** [tɪf] *n мин.* кальци́т.

**tiffany** ['tɪfənɪ] *n тéкст.* шёлковый газ.

**tiffin** ['tɪfɪn] *англо-инд.* 1. *n* лёгкая óстрая закýска (*обы́кн. блю́да с кэ́рри и фрýкты*); зáвтрак;

2. *v* закýсывать, зáвтракать.

**tig** [tɪg] 1. *n* 1) прикосновéние; 2) игрá в сáлки;

2. *v* «сáлить».

**tiger** ['taɪgə] *n* 1) тигр; 2) жестóкий человéк; си́льный проти́вник (*в тéннисе, гóльфе*); 3) зад́ира, хулигáн; 4) *уст.* ливрéйный грум; 5) *амер. sl.* вóзглас одобрéния.

**tiger-cat** ['taɪgəkæt] *n зоол.* тигрóвая кóшка, оцелóт, сервáл.

**tiger-eye** ['taɪgər'aɪ] = tiger's-eye.

**tigerish** ['taɪgərɪʃ] *a* свирéпый и кровожáдный, как тигр.

**tiger-moth** ['taɪgəmɔθ] *n* медвéдица (*бáбочка*).

**tiger's-eye** ['taɪgəz'aɪ] *n* тигрóвый глаз (*полудрагоцéнный кáмень*).

**tight** [taɪt] 1. *a* 1) плóтный, компáктный; сжáтый; ~ fit *тех.* плóтная пригóнка; 2) непроницáемый; 3) тугóй; тýго натя́нутый; ~ knot тýго завя́занный (*узел*); 4) плóтно прилегáющий, тéсный (*о плáтье, обýви*); 5) трýдный, тяжёлый; ~ squeeze *разг.* тяжёлое или опáсное положéние; затруднéние; 6) скупóй; 7) скýдный, недостáточный (*о срéдствах и т. п.*); 8) сжáтый (*о стиле и т. п.*); 9) аккурáтный, опря́тный (*об одéжде*); 10) *разг.* пья́ный; ~ as a drum (*или* a brick) мертвéцки пья́ный; ◇ to keep a ~ rein (*или* hand) on a person держáть когó-л. в уздé, в ежóвых рукави́цах, в чёрном тéле; to get smb. in a ~ corner загнáть когó-л. в ýгол, прижáть когó-л. к стéнке;

2. *adv* 1) тéсно; 2) тýго, плóтно; 3) крéпко; to sit ~ твёрдо держáться; не сдавáть свои́х пози́ций.

**-tight** [-taɪt] *в слóжных словáх означáет* непроницáемый; water-tight водонепроницáемый.

**tighten** ['taɪtn] *v* сжимáть(ся); натя́гивать(ся), уплотня́ть; to ~ one's belt потýже затянýть пóяс.

**tightener** ['taɪtnə] *n тех.* натяжнóе устрóйство.

**tight-fisted** ['taɪt'fɪstɪd] *a* скупóй, скáредный.

**tight-lipped** ['taɪt'lɪpt] *a* молчали́вый.

**tightly** ['taɪtlɪ] = tight 2.

**tightness** ['taɪtnɪs] *n* напряжённость; ~ in the air напряжённая атмосфéра.

**tightrope** ['taɪtroup] *n* тýго натя́нутый канáт; тýго натя́нутая прóволока.

**tightrope-dancer** ['taɪtroup'dɑːnsə] *n* канатохóдец.

**tights** [taɪts] *n pl* трикó.

**tightwad** ['taɪtwɔd] *n амер. sl.* скупéц, скря́га.

**tigress** ['taɪgrɪs] *n* тигри́ца.

**tigrish** ['taɪgrɪʃ] = tigerish.

**tike** [taɪk] = tyke.

**til** [tɪl] *n бот.* сезáм, кунжýт.

**tilbury** ['tɪlbərɪ] *n уст.* тильбюри́, лёгкий откры́тый двухколёсный экипáж.

**tilde** ['tɪld] *n* ти́льда, знак в словарé при повторéнии слóва *или* егó чáсти (~); знак над бýквой n, обозначáющий мя́гкость (ñ) (*в испáнском языкé*).

**tile** [taɪl] 1. *n* 1) черепи́ца; 2) кáфель; изразéц; пустотéлый кирпи́ч; 3) *разг.* цили́ндр (*шля́па*); to fly a ~ *sl.* сбить шля́пу (*с когó-л.*); 4) гончáрная трубá; ◇ to have

a ~ loose ≅ винтика не хватáет; to go on
the ~s sl. кутúть, дебошúрить;

**2.** *v* 1) крыть черепúцей; 2) обеспéчить
тáйность (*проведения собрания и т. п.*).

**tiler** ['taɪlə] *n* черепúчный мáстер; крó-
вельщик черепúчных крыш.

**tilery** ['taɪlərɪ] *n* черепúчный завóд.

**tiling** ['taɪlɪŋ] **1.** *pres. p.* от tile 2;
**2.** *n* черепúчная крóвля.

**till I** [tɪl] **1.** *prep* 1) до; ~ now (then)
до сих (тех) пóр; 2) до, не рáньше; he did
not write ~ last week до прóшлой недéли
он ничегó не писáл нам;

**2.** *cj* (до тех пор,) покá; wait ~ I come
подождú, покá я придý.

**till II** [tɪl] *n* дéнежный ящик, кáсса
(*в прилавке*).

**till III** [tɪl] *v* воздéлывать зéмлю, пахáть.

**till IV** [tɪl] *n ,еол.* тиль; валýнная глúна.

**tillable** ['tɪləbl] *a с.-х.* пáхотный.

**tillage** ['tɪlɪdʒ] *n* 1) обрабóтка землú;
2) воздéланная земля; пáшня.

**tiller I** ['tɪlə] *n* 1) земледéлец; 2) *с.-х.*
культивáтор.

**tiller II** ['tɪlə] *n* 1) *мор.* рýмпель; 2)
*тех.* рукоятка.

**tiller III** ['tɪlə] *бот.* **1.** *n* побéг;
**2.** *v* пускáть росткú, побéги.

**tilt I** [tɪlt] **1.** *n* 1) наклóн(ное положéние);
to give a ~ наклонúть; 2) ссóра, потáсов-
ка; 3) *ист.* нападéние с копьём наперевéс;
удáр копьём; ◇ (at) full ~ изо всéх сил,
пóлным хóдом;

**2.** *v* 1) наклоня́ть(ся); 2) опрокúдывать(ся);
откúдывать, повора́чивать; 3) ковáть; 4)
*ист.* бúться на кóпьях, сражáться на тур-
нúре; to ~ at (*или* against) борóться с (*особ.
на турнире*); дéлать вы́пад; *перен.* ломáть
кóпья.

**tilt II** [tɪlt] **1.** *n* покры́шка, парусúно-
вый навéс (*над телегой, лодкой, ларьком*);
**2.** *v* покрывáть парусúновым навéсом.

**tilth** [tɪlθ] *n* 1) обрабóтка землú; 2) пáшня; 3) глубинá воздéланного слóя.

**tilt-hammer** ['tɪlt,hæmə] *n тех.* хвостовó-
вóй мóлот.

**tilt-yard** ['tɪltjɑːd] *n ист.* арéна для тур-
нúров.

**timber** ['tɪmbə] **1.** *n* 1) лесоматериáлы;
строевóй лес; 2) бревнó, брус; бáлка; 3)
*разг.* спúчка; 4) *амер.* лúчное кáчество, достóинство; a man of the right sort of ~ человéк высóких кáчеств; 5) *охот.* úзгородь;
6) *мор.* тúмберс; шпангóут; 7) *горн.* крепёжный лес;

**2.** *v уст.* 1) стрóить из дéрева; 2) плóтни-
чать, столя́рничать.

**timbered** ['tɪmbəd] **1.** *p. p.* от timber 2;
**2.** *a* 1) деревя́нный; 2) лесúстый.

**timber-headed** ['tɪmbə'hedɪd] *a sl.* глýпый, тупóй.

**timbering** ['tɪmbərɪŋ] **1.** *pres. p.* от
timber 2;

**2.** *n* 1) лесоматериáлы; 2) плóтничество,
столя́рничество; 3) *стр.* деревя́нная констрýкция, опáлубка (*для бетонных работ*); 4) *горн.* крепь, креплéние.

**timber-land** ['tɪmbə,lænd] *n* лесны́е учáст-
ки.

**timber-line** ['tɪmbəlaɪn] *n* вéрхняя гра-
нúца распространéния лéса.

**timber-man** ['tɪmbəmən] *n* крепúльщик.

**timber-toe(s)** ['tɪmbətou(z)] *n шутл.* 1)
человéк с деревя́нной ногóй; 2) человéк
с тяжёлой пóступью.

**timber-yard** ['tɪmbəjɑːd] *n* леснóй склад.

**timbre** [tẽːmbr] *фр. n муз.* тембр.

**timbrel** ['tɪmbrəl] *n* бýбен, тамбурúн.

**time** [taɪm] **1.** *n* 1) врéмя; what is the ~?
котóрый час?; the ~ of day врéмя дня, час;
from ~ to ~ врéмя от врéмени; in ~ во-
врéмя; to be in ~ поспéть, прийтú вóвремя;
in course of ~ со врéменем; out of ~ не-
своеврéменно; to have a good ~, to make
a ~ of it хорошó провестú врéмя; in good
~ тóчно, своеврéменно; to be in good ~
прийтú вóвремя, рáно; all in good ~ всё
в своё врéмя; to be in bad ~ прийтú пóздно; to keep (good) ~ идтú хорошó (*о часах*); to keep bad ~ идтú плóхо (*о часах*);
in nо ~ необыкновéнно бы́стро, моментáль-
но; before ~ слúшком рáно; in a short ~
в скóром врéмени; for a short ~ на корóткое врéмя, ненадóлго; to while away the ~
корóтать врéмя; ~ presses врéмя не ждёт;
порá; to have ~ on one's hands располагáть врéменем; there is nо ~ to lose нельзя́
теря́ть ни минýты; in one's own ~ в свобóдное врéмя; to make ~ а) найтú врéмя;
б) наверстáть упýщенное; в) *амер.* прийтú
вóвремя, по расписáнию; on ~ *амер.* тóчно, вóвремя; at one ~ нéкогда; at ~s вре-
менáми; some ~ or other когдá-нибудь; at
no ~ никогдá; at the same ~ а) в то же сáмое врéмя; б) вмéсте с тем; тем не мéнее;
for the being покá, на врéмя; 2) срок;
it is ~ we were going нам порá идтú; ~ is
up срок истёк; to serve one's ~ а) отбы́ть
срок слýжбы; б) отбы́ть срок наказáния;
to do ~ sl. отбывáть тюрéмное заключéние;
she is near her ~ онá скóро родúт, онá
на сносях; 3) (*часто pl*) эпóха, временá;
hard ~s тяжёлые временá; from ~ immemorial, ~ out of mind с незапáмятных времён;
Shakespeare's ~s эпóха Шекспúра; before
one's ~ до когó-л.; до чьегó-л. рождéния;
~s to come бýдущее; as ~s go по нынéш-
ним временáм; before (behind) the ~s (*или
one's ~*) передовóй (отстáлый) по взгля́-
дам; 4) рабóчее врéмя; плáта за рабóту
(*особ. повремéнную*); to be on full ~ рабóтать пóлную рабóчую недéлю; to be on
short ~ рабóтать непóлную недéлю; 5)
жизнь, век; it will last my ~ этого на мой
век хвáтит; 6): at my ~ of life в мой гóды,
в моём вóзрасте; 7) раз; six ~s five is thirty
шестью́ пять — трúдцать; ten ~s as large
в дéсять раз бóльше; ~ after ~ раз за рá-
зом; повтóрно; ~ and again неоднократно;
то и дéло; ~s out of (*или* without) number
бесчúсленное колúчество раз; many a ~
чáсто, мнóго раз; 8) *муз.* темп; такт; to beat
~ отбивáть такт; to keep ~ а) вести́ такт
~; б) выдéрживать такт; 9): ~! врéмя!
(*в боксе*); 10) *attr.* относя́щийся к опре-
дёлённому врéмени; 11) *attr.* повремéнный; ◇
it beats my ~ это вы́ше моегó понимáния;
**to sell ~** *амер.* предоставля́ть врéмя для

выступления по радио (за *плату*); lost ~ is never found again *посл.* потерянного времени не воротишь; one (two) at a ~ по одному (по двое); to pass (*или* to give) smb. the ~ of day здороваться; обмениваться приветствиями; so that's the ~ of day! такие-то дела!; take your ~! не спешите!; to mark the ~ шагать на месте;
2. *v* 1) удачно выбирать время; рассчитывать (по времени); приурочивать; to ~ to the minute рассчитывать до минуты; 2) назначать время; the train ~d to leave at 6.30 поезд, отходящий по расписанию в 6 ч. 30 м.; 3) отмечать по часам время (*гонки, бега*), хронометрировать; 4) отбивать такт.

-time [-taɪm] *в сложных словах означает* период, пора; summer-time лето.

time-and-a-half ['taɪmǝndǝ'hɑːf] *n* оплата сверхурочной работы в полуторном размере.

time-bargain ['taɪm,bɑːgɪn] *n* бирж. сделка на срок, срочная сделка.

time-bill ['taɪmbɪl] = time-table.

time bomb ['taɪm'bɔm] *n* воен. бомба замедленного действия.

time-book ['taɪmbuk] = time-card.

time-card ['taɪmkɑːd] *n* карточка учёта прихода на работу и ухода с работы.

time-clock ['taɪmklɔk] *n* 1) часы-табель; 2) *тех.* специальные часы, фиксирующие время, затраченное на определённую операцию.

time-expired ['taɪmɪks,paɪǝd] *a* воен., мор. отслуживший срок.

time-exposure ['taɪmɪks,pouʒǝ] *n* фото выдержка.

time-fire ['taɪm,faɪǝ] *n* воен. дистанционная стрельба.

time-fuse ['taɪmfjuːz] *n* воен. дистанционная трубка, дистанционный взрыватель.

time-honoured ['taɪm,ɔnǝd] *a* освящённый веками.

timekeeper ['taɪm,kiːpǝ] *n* 1) табельщик; 2) часы; хронометр; 3) *спорт.* хронометрист.

timeless ['taɪmlɪs] *a* 1) несвоевременный; 2) не относящийся к определённому времени; 3) *поэт.* вечный.

timeliness ['taɪmlɪnɪs] *n* своевременность.

timely ['taɪmlɪ] *a* своевременный.

time-office ['taɪm,ɔfɪs] *n* отдел хронометража на шахте.

time-out ['taɪm,aut] *n* перерыв (*в работе, спортивной игре и т. п.*).

time-outs ['taɪm,auts] *n pl* (*употр. как sing*) = time-out.

timepiece ['taɪmpiːs] *n* часы; хронометр.

time-pleaser ['taɪm,pliːzǝ] = time-server.

timer ['taɪmǝ] *n* 1) хронометрист (*на скачках*); 2) часы; хронометр; 3) *тех.* автоматический прибор, регулирующий продолжительность операции.

-timer [-,taɪmǝ] *в сложных словах означает* занятый столько-то времени; half-timer рабочий, занятый неполную неделю.

time-saving ['taɪm,seɪvɪŋ] *a* экономя-

щий время, ускоряющий; ~ device *тех.* усовершенствование, дающее экономию времени.

time-server ['taɪm,sǝːvǝ] *n* приспособленец; оппортунист.

time-serving ['taɪm,sǝːvɪŋ] 1. *n* приспособленчество; оппортунизм; 2. *a* приспособляющийся; оппортунистический; приспособленческий.

time-signal ['taɪm,sɪgnl] *n* сигнал точного времени, проверка времени.

time-study ['taɪm,stʌdɪ] *n* хронометраж.

time-table ['taɪm,teɪbl] *n* расписание.

time-work ['taɪmwǝːk] *n* повременная работа; подённая *или* почасовая работа.

time-worker ['taɪm,wǝːkǝ] *n* повременщик; рабочий, занятый на подённой *или* почасовой работе.

time-worn ['taɪm'wɔːn] *a* 1) поношенный, обветшалый; 2) старый, устаревший.

timid ['tɪmɪd] *a* робкий; застенчивый.

timidity [tɪ'mɪdɪtɪ] *n* робость, застенчивость.

timing ['taɪmɪŋ] 1. *pres. p. от* time 2; 2. *n* 1) выбор определённого времени; 2) расчёт времени; 3) согласование действие; синхронность (*тж. тех.*); 4) расписание; 5) регулирование момента зажигания (*в двигателях внутреннего сгорания*).

timorous ['tɪmǝrǝs] *a* робкий, очень боязливый.

timothy ['tɪmǝθɪ] *n бот.* тимофеевка луговая (*тж.* ~ grass).

timpani ['tɪmpǝnɪ] *pl от* timpano.

timpano ['tɪmpǝnou] *um. n* (*pl* -ni) *муз.* тимпан, бубны.

tin [tɪn] 1. *n* 1) олово; 2) белая жесть; 3) оловянная посуда; 4) жестянка; консервная банка; a ~ of sardines коробка сардин; 5) *sl.* деньги; богатство; ◇ straight from the ~ из первых рук, свеженький.
2. *a* 1) оловянный; 2) незначительный; 3) ненастоящий, поддельный; ◇ ~ Lizzie *амер. разг.* фордик, дешёвый автомобиль; ~ wedding десятая годовщина свадьбы;
3. *v* 1) лудить, покрывать оловом; 2) консервировать.

tinct [tɪŋkt] *уст., поэт.* 1. *n* цвет, оттенок; 2. *a* окрашенный.

tinctorial [tɪŋk'tɔːrɪǝl] *a* красильный.

tincture ['tɪŋktʃǝ] 1. *n* 1) оттенок; примесь (*какого-л. цвета*); 2) *фарм.* тинктура, настойка; 3) привкус; примесь; 4) *перен.* налёт;
2. *v* 1) окрашивать; 2) пропитывать (with); придавать (*запах, вкус и т. п.*).

tinder ['tɪndǝ] *n* 1) трут; 2) сухое гнилое дерево.

tinder-box ['tɪndǝbɔks] *n* 1) *ист.* трутница (*металлическая коробка с куском трута, стали и кремнём для высекания огня*); 2) легковоспламеняющийся предмет; 3) вспыльчивый человек.

tindery ['tɪndǝrɪ] *a* легковоспламеняющийся.

tine [taɪn] *n* зубец вил, бороны; остриё.

tinea ['tɪnɪǝ] *n* 1) моль; 2) *мед.* опоясывающий лишай.

tin fish ['tɪn'fɪʃ] *n мор. sl.* торпеда.

**tin foil** ['tɪn'fɔɪl] *n* оловянная фольга, станиоль.

**tin-foil** ['tɪnfɔɪl] *v* покрывать фольгой.

**ting** [tɪŋ] *разг. см.* tinkle.

**tinge** [tɪndʒ] **1.** *n* 1) лёгкая окраска; оттенок, тон; 2) привкус;
**2.** *v* слегка окрашивать, придавать оттенок.

**tingle** ['tɪŋgl] **1.** *n* звон в ушах; покалывание, пощипывание; колотьё;
**2.** *v* 1) испытывать звон в ушах; испытывать покалывание (*в онемевших частях тела*), пощипывание (*на морозе*), зуд *и т. п.*; the reply ~d in her ears ответ ещё звенел в её ушах; 2) вызывать ощущение колотья, щипать *и т. п.*; 3) гореть (with~ *от стыда, негодования*); 4) дрожать, трепетать (with— от); 5) *редк.* = tinkle 2.

**tin hat** ['tɪn'hæt] *n воен. sl.* стальной шлем; ◇ to put the ~ on a) закончить, довести до конца; б) хватить через край.

**tinhorn** ['tɪnhɔːn] *амер. sl.* **1.** *n* хвастун;
**2.** *a* показной, дешёвый.

**tinker** ['tɪŋkə] **1.** *n* 1) медник, лудильщик; 2) плохой работник; 3) попытка кое-как починить что-л.; плохая работа;◇ I don't care a ~'s damn мне совершенно наплевать; not worth a ~'s damn гроша ломаного не стоит;
**2.** *v* 1) лудить, паять; 2) чинить кое-как, на скорую руку (*тж.* ~ up; at); to ~ at smth. чинить что-л., возиться с чем-л.

**tinkle** ['tɪŋkl] **1.** *n* звон колокольчика *или* металлических предметов друг о друга; звяканье;
**2.** *v* звенеть; звонить; звякать.

**tinkler I** ['tɪŋklə] *n* колокольчик.

**tinkler II** ['tɪŋklə] *n* 1) медник, лудильщик (*особ. бродячий*); 2) бродяга, цыган.

**tinman** ['tɪnmən] *n* жестян(щ)ик.

**tinned** [tɪnd] **1.** *p. p. от* tin 3;
**2.** *a* 1) запаянный в жестяную коробку; консервированный; ~ goods консервы; 2) покрытый слоем олова; ◇ ~ music музыка в механической записи.

**tinner** ['tɪnə] *n* 1) рабочий на оловянных рудниках; 2) = tinman; 3) рабочий консервной фабрики.

**tinnitus** [tɪ'naɪtəs] *n* звон в ушах.

**tinny** ['tɪnɪ] *a* 1) оловоносный, оловосодержащий; 2) имеющий привкус жести; 3) звучащий, как жесть при постукивании; 4) *жив.* жёсткий (*о колорите*).

**tin-opener** ['tɪnˌoupnə] *n* консервный нож.

**tin-pan** ['tɪnˌpæn] *a* металлический, резкий, неприятный (*о звуке*).

**tin-pan alley** ['tɪnpæn'ælɪ] *n* авторы и издатели лёгкой музыки.

**tin panny** ['tɪn'pænɪ] = tin-pan.

**tin-plate** ['tɪnpleɪt] **1.** *n* (белая) жесть;
**2.** *v* лудить.

**tinsel** ['tɪnsəl] **1.** *n* 1) фольга; 2) блёстки, мишура; 3) показной блеск;
**2.** *a* мишурный; показной;
**3.** *v* (*обыкн. р. р.*) украшать мишурой.

**tin-smith** ['tɪnsmɪθ] = tinman.

**tinstone** ['tɪnstoun] *n мин.* касситерит, оловянный камень.

**tint** [tɪnt] **1.** *n* 1) краска; оттенок, тон; 2) смешанный тон, в котором преобладает белый цвет (*в картине*);
**2.** *v* слегка окрашивать; подцвечивать.

**tinted** ['tɪntɪd] **1.** *p. p. от* tint 2;
**2.** *a* окрашенный; ~ paper тоновая окрашенная бумага; ~ glasses тёмные очки.

**tintinnabulation** ['tɪntɪˌnæbjuˈleɪʃən] *n* звон колоколов.

**tintometer** [tɪn'tɔmɪtə] *n тех.* колориметр.

**tintype** ['tɪntaɪp] *n фото* ферротипия.

**tinware** ['tɪnwɛə] *n* жестяные изделия; оловянная посуда.

**tiny** ['taɪnɪ] *a* очень маленький, крошечный (*часто* ~ little).

**tip I** [tɪp] **1.** *n* 1) тонкий конец; кончик; I had it on the ~ of my tongue у меня это вертелось на языке; to have smth. at the ~s of one's fingers иметь что-л. наготове; to walk on the ~s of one's toes ходить на цыпочках; to touch with the ~s of one's fingers слегка коснуться, едва дотронуться; 2) наконечник (*напр., зонта*); 3) верхушка (*горы*);
**2.** *v* 1) приставлять *или* надевать наконечник; 2) срезать верхушки (*куста, дерева*); стричь (*волосы*).

**tip II** [tɪp] **1.** *n* 1) лёгкий толчок, прикосновение; 2) наклон; 3) место свалки;
**2.** *v* 1) наклонять(ся); the boat ~ped лодка накренилась; 2) перевешивать; иметь преимущество; to ~ the balance (*или* the scales) ≅ склонить чашу весов; решить исход дела; 3) слегка касаться *или* ударять; 4) опрокидывать; сваливать, сбрасывать; опорожнять; 5) *ав.* запрокидывать; □ ~ off наливать из сосуда; ~ out выливать(ся); ~ over, ~ up опрокидывать (-ся); to ~ up a seat откидывать сиденье; ◇ to ~ over the perch протянуть ноги, умереть.

**tip III** [tɪp] **1.** *n* 1) чаевые; to give a ~ давать «на чай» [*см. тж.* 2)]; 2) намёк, совет; the straight ~ надёжный, хороший совет; take my ~ послушайтесь меня; to give a ~ намекнуть [*см. тж.* 1)]; 3) сведения, полученные частным образом (*особ. на бегах или в биржевых делах*); ◇ to miss one's ~ а) не достичь успеха; не добиться цели; б) *театр. sl.* плохо играть;
**2.** *v* 1) давать «на чай»; угощать; 2) давать частную информацию; 3) *sl.* петь; исполнять, представлять; □ ~ off *разг.* предупреждать; to ~ the wink сделать (*кому-л.*) знак украдкой, подмигнуть.

**tip-cart** ['tɪpkɑːt] *n тех.* опрокидывающаяся тележка.

**tipcat** ['tɪpkæt] *n* игра в чижи.

**tip lorry** ['tɪpˌlɔrɪ] *n* самосвал.

**tip-off** ['tɪpˌɔf] *n* намёк, предупреждение; to give a ~ намекнуть; вовремя предупредить.

**tip-over** ['tɪpˌouvə] *a* опрокидывающийся.

**tipper** ['tɪpə] *n* опрокидыватель, самосвал.

**tippet** ['tɪpɪt] *n уст.* 1) палантин; 2) капюшон; ◇ Tyburn ~ петля, верёвка (*на виселице*).

tipping I ['tɪpɪŋ] = ripping 2.
tipping II ['tɪpɪŋ] *pres. p. om* tip I, 2.
tipping III ['tɪpɪŋ] *pres. p. om* tip II, 2.
tipping IV ['tɪpɪŋ] *pres. p. om* tip III, 2.
tipple I ['tɪpl] 1. *n* спиртной напиток;
2. *v* пить, пьянствовать.
tipple II ['tɪpl] *амер.* 1) надшахтное
сооружение; 2) приспособление для разгрузки вагонов.
tippler ['tɪplə] *n* пьяница.
tippy ['tɪpɪ] *a разг.* наклоняющийся;
нетвёрдый.
tipstaff ['tɪpstɑːf] *n* 1) жезл (*с металлическим наконечником*) как эмблема должности помощника шерифа; 2) помощник
шерифа.
tipster ['tɪpstə] *n* «жучок» (*на скачках*).
tipsy ['tɪpsɪ] *a* подвыпивший; *a* ~ lurch
нетвёрдая походка.
tipsy-cake ['tɪpsɪkeɪk] *n* пропитанный
ромом *или* вином бисквит с вареньем и
кремом.
tiptoe ['tɪptou] 1. *n* пальцы ног; кончики
пальцев ног, цыпочки; on ~ а) на цыпочках; б) украдкой; в) в ожидании; to be
on ~ with curiosity сгорать от любопытства;
to keep smb. on ~ а) держать кого-л. в напряжении; б) быть взыскательным, требовательным (*по отношению к подчинённому*);
2. *v* 1) ходить на цыпочках; 2) красться;
3. *adv* = on ~ [*см.* 1].
tiptop ['tɪp'tɔp] 1. *n* высшая точка,
предел;
2. *a разг.* превосходный, первоклассный;
3. *adv разг.* превосходно.
tip-truck ['tɪptrʌk] = tip lorry.
tirade ['taɪreɪd] *n* тирада.
tirailleur [ˌtiːraɪ'ə] *фр. n* снайпер.
tire I ['taɪə] = tyre I.
tire II ['taɪə] *уст.* 1. *n* головной убор,
одежда;
2. *v* одевать (*кого-л.*); наряжать; украшать.
tire III ['taɪə] *v* 1) утомлять(ся), уставать (of — от *чего-л.*); I am ~d я устал;
2) надоедать; прискучить, наскучить.
tired I ['taɪəd] 1. *p. p. om* tire III;
2. *a* усталый, утомлённый; пресыщенный; ~ out измученный, изнурённый.
tired II ['taɪəd] *p. p. om* tire II, 2.
tireless ['taɪəlɪs] *a* неутомимый, неустанный.
tiresome ['taɪəsəm] *a* 1) надоедливый,
утомительный; 2) скучный.
tirewoman ['taɪəˌwumən] *n* 1) *уст.* камеристка; 2) одевальщица (*в театре*).
tiring I ['taɪərɪŋ] 1. *pres. p. om* tire III;
2. *a* утомительный, изнурительный.
tiring II ['taɪərɪŋ] *pres. p. om* tire II, 2.
tiring-house ['taɪərɪŋhaus] = tiring-
-room.
tiring-room ['taɪərɪŋrum] *n уст.* артистическая уборная.
tiro ['taɪərou] *лат. n* (*pl* -os [-ouz]) новичок.
tirocinium [ˌtaɪrou'sɪnɪəm] *лат. n* ученичество, обучение.

'tis [tɪz] *сокр. разг.* = it is.
tisane [ti'zæn] = ptisan.
tissue ['tɪsjuː] *n* 1) *текст.* (тонкая) ткань;
2) *биол.* ткань; 3) = tissue-paper; 4) сплетение (*лжи и т. п.*).
tissue-paper ['tɪsjuːˌpeɪpə] *n* китайская
шёлковая бумага; папиросная бумага.
tit I [tɪt] *n* 1) синица; 2) *уст.* лошадёнка;
3) *уст.* девушка, женщина (*часто пренебр.*).
tit II [tɪt] *n:* ~ for tat «зуб за зуб», отплата.
tit III [tɪt] *разг. см.* teat.
Titan ['taɪtən] *n* 1) *миф.* Титан; 2) (t.)
титан, колосс, исполин.
titanic I [taɪ'tænɪk] *a* титанический, колоссальный.
titanic II [taɪ'tænɪk] *a хим.* содержащий
титан.
titanium [taɪ'teɪnjəm] *n хим.* титан.
titbit ['tɪtbɪt] *n* 1) лакомый кусок;
2) пикантная новость.
tithe [taɪð] 1. *n* 1) десятая часть; 2) *разг.*
крошечка, капелька; 3) церковная десятина;
2. *v* 1) уплачивать церковную десятину; 2) облагать церковной десятиной.
titian ['tɪʃɪən] *a* золотисто-каштановый
(*особ. о волосах*).
titillate ['tɪtɪleɪt] *v* щекотать; приятно
возбуждать.
titivate ['tɪtɪveɪt] *v разг.* прихорашивать
(-ся), наряжать(ся).
titlark ['tɪtlɑːk] *n* луговая щеврица
(*птица*).
title ['taɪtl] 1. *n* 1) заглавие, название;
2) титул; звание; 3) право (to — на
*что-л.*); *юр.* право собственности (to —
на *что-л.*); документ, дающий право собственности; 4) *кино* надпись, титр; 5) *спорт.*
звание чемпиона; 6) = title-page;
2. *v* 1) называть, давать заглавие; 2) *кино* снабжать титрами.
titled ['taɪtld] 1. *p. p. om* title 2;
2. *a* титулованный.
title-deed ['taɪtldiːd] *n* документ, устанавливающий право собственности.
title-holder ['taɪtlˌhouldə] *n спорт.* чемпион.
title-page ['taɪtlpeɪdʒ] *n полигр.* титульный лист.
title-role ['taɪtlroul] *n* заглавная роль.
titmouse ['tɪtmaus] *n* синица.
titrate ['taɪtreɪt] *v хим.* титровать.
titter ['tɪtə] 1. *n* 1) хихиканье; 2) *sl.*
девушка, молодая женщина;
2. *v* хихикать.
tittle ['tɪtl] *n* 1) малейшая частица;
чуточка; *перен.* безделица; to a ~ точь-в-
-точь, тютелька в тютельку; 2) точка, чёрточка над буквой *или* фонетическим знаком.
tittlebat ['tɪtlbæt] *n* колюшка (*рыба*).
tittle-tattle ['tɪtlˌtætl] 1. *n* 1) сплетни,
болтовня, слухи; 2) сплетник;
2. *v* сплетничать, распространять слухи.
tittup ['tɪtəp] 1. *n* 1) веселье, резвость;
2) семенящая походка; 3) лёгкий галоп;
2. *v* 1) веселиться, подпрыгивать; 2) семенить ногами; 3) идти лёгким галопом
(*о лошади*).

**titubate** ['tɪtjubeɪt] *v уст.* 1) заика́ться, запина́ться; 2) идти́ нетвёрдой похо́дкой.

**titular** ['tɪtjulə] 1. *a* 1) титуло́ванный; 2) номина́льный; 3) свя́занный с ти́тулом *или* с занима́емой до́лжностью; полага́ющийся по до́лжности;
2. *n* лицо́, номина́льно нося́щее ти́тул *или* име́ющее зва́ние.

**titulary** ['tɪtjulərɪ] *редк.* = titular.

**tizzy** I ['tɪzɪ] *n sl.* шестипе́нсовая моне́та.

**tizzy** II ['tɪzɪ] *n разг.* волне́ние, трево́га (*особенно по пустякам*); to get (*или* to work) oneself into a ~ взволнова́ться, встрево́житься.

**tmesis** ['tmiːsɪs] *греч. n* тме́зис (*расчленение сложного слова посредством вставления другого слова, напр.*: what man soever *вм.* whatsoever man).

**to** [tuː (*полная форма*); tu (*редуцированная форма, употр. перед гласными*); tə (*редуцированная форма, употр. перед согласными*)] 1. *prep* 1) *указывает на направление* к, в, на; the way to Moscow доро́га в Москву́; turn to the right поверни́те напра́во; I am going to the University я иду́ в университе́т; the windows look to the south о́кна выхо́дят на юг; 2) *указывает на предел движения, расстояния, времени, количества* в, до; to climb to the top взобра́ться на верши́ну; (from Saturday) to Monday (с суббо́ты) до понеде́льника; he could be anywhere from 40 to 60 ему́ мо́жно дать и 40 и 60 лет; 3) *указывает на высшую степень (точности, аккуратности, качества и т. п.)* до, в; to the best advantage наилу́чшим о́бразом; в са́мом вы́годном све́те; to the best of my belief наско́лько мне изве́стно; to a hair в то́чности; to the minute мину́та в мину́ту; с то́чностью до мину́ты; 4) *указывает на цель действия* на, для; to the rescue на по́мощь; to that end с э́той це́лью; 5) *указывает на лицо, по отношению к которому или в интересах которого совершается действие; передаётся дат. падежом*: a letter to a friend письмо́ дру́гу; a party was thrown to the children де́тям устро́или пра́здник; 6) *передаётся род. падежом и указывает на отношения*: а) *родственные*: he has been a good father to them он был им хоро́шим отцо́м; б) *подчинения по службе*: secretary to the director секрета́рь дире́ктора; assistant to the professor ассисте́нт профе́ссора; 7) *указывает на результат, к которому приводит данное действие, или на изменение состояния* на, к, до; to bring to poverty довести́ до бе́дности; to fall to decay (*или* ruin) разру́шиться, прийти́ в упа́док; to fall to pieces распада́ться на куски́; (to go) from bad to worse непреры́вно ухудша́ться, станови́ться всё ху́же и ху́же; 8) *указывает на принадлежность к чему-л. или на прикрепление к чему-л.* к; to fasten to the wall прикрепи́ть к стене́; key to the door ключ от две́ри; there is an outpatient department attached to our hospital при на́шей больни́це есть поликли́ника; 9) *указывает на сравнение, числовое соотношение или пропорцию* перед.

к; 3 is to 4 as 6 is to 8 три отно́сится к четырём, как шесть к восьми́; ten to one he will find it out де́вять из десяти́ за то, что он э́то узна́ет; the score was 1 to 3 *спорт.* счёт был 1: 3; it was nothing to what I had expected э́то пустяки́ в сравне́нии с тем, что я ожида́л; 10) *указывает на близость, соседство* к, в; shoulder to shoulder плечо́ к плечу́; face to face лицо́м к лицу́; they told him to his face ему́ сказа́ли пря́мо; 11) *указывает на*: а) *связь между действием и ответным действием* к, на; to this he answered на э́то он отве́тил; deaf to all entreaties глух ко всем про́сьбам; б) *эмоциональное восприятие* к; to my surprise к моему́ изумле́нию; to my disappointment к моему́ разочарова́нию; в) *соответствие* по, в; to one's liking по вку́су; 12) под (*аккомпанемент*); в (*сопровождении*); to dance to music танцева́ть под му́зыку; he sang to his guitar он пел под гита́ру;
2. *adv указывает на приведение в определённое состояние*: shut the door to закро́йте дверь; I can't get the lid of the trunk quite to я не могу́ закры́ть кры́шку сундука́; ◇ to come to прийти́ в созна́ние; to bring to привести́ в созна́ние; to and fro взад и вперёд;
3. 1) *частица при инфинитиве*; 2) *употребляется вместо подразумеваемого инфинитива, чтобы избежать повторения*: «I am sorry I can't come today», «Oh! but you have promised to» «Извини́те, но я не могу́ прийти́ сего́дня»—«Но ведь вы обеща́ли».

**toad** [toud] *n* 1) жа́ба; 2) отврати́тельный челове́к, га́дина; ◇ ~ in the hole бифште́кс, запечённый в те́сте; to eat smb.'s ~s быть чьим-л. прижива́льщиком.

**toad-eater** ['toud͵iːtə] *n* льстец, подхали́м, низкопокло́нник.

**toad-eating** ['toud͵iːtɪŋ] 1. *n* низкопокло́нство;
2. *a* низкопоклонни́чающий, уго́дливый, льсти́вый.

**toadflax** ['toudflæks] *n бот.* льня́нка.

**toadstool** ['toudstuːl] *n* пога́нка (*гриб*).

**toady** ['toudɪ] 1. *n* подхали́м; прижива́льщик; лизоблю́д;
2. *v* льстить, низкопоклонни́чать (to).

**toadyism** ['toudɪɪzəm] *n* 1) раболе́пство, льсти́вость; 2) прожива́ние на чужо́й счёт.

**toast** I [toust] 1. *n* 1) ло́мтик хле́ба, подрумя́ненный на огне́; грено́к; 2) *уст.* подрумя́ненный хлеб в вине́; ◇ as warm as a ~ о́чень тёплый, согре́вшийся; to have smb. on ~ *sl.* довести́ кого́-л. в свое́й вла́сти;
2. *v* 1) приготовля́ть гренки́; 2) жа́рить, поджа́ривать; 3) суши́ться, гре́ться (*у огня*); to ~ one's feet (*или* toes) греть но́ги.

**toast** II [toust] 1. *n* 1) тост; предложе́ние то́ста; to drink a ~ to smb. пить за чье́-л. здоро́вье; 2) лицо́, учрежде́ние, собы́тие, в честь *или* па́мять кото́рого предлага́ется тост;
2. *v* пить *или* провозглаша́ть тост за (*чьё-л.*) здоро́вье; to ~ smb. пить за кого́-л.

**toaster** I ['toustə] *n* прибо́р для поджа́ривания гренко́в.

**toaster** II ['toustə] *n* 1) = toast-master; 2) провозглашáющий тост (*в честь кого-л.*).

**toasting-fork** ['toustɪŋfɔːk] *n* 1) длúнная металлúческая вúлка для поджáривания хлéба на огнé; 2) *шутл.* шпáга.

**toasting-iron** ['toustɪŋ,aɪən] = toasting-fork.

**toast-master** ['toust,mɑːstə] *n* лицó, котóрое провозглашáет тóсты (*на официáльных приёмах*); тамадá.

**tobacco** [tə'bækou] (*pl* -os [-ouz]) *n* 1) табáк; 2) *attr.* табáчный.

**tobacco-box** [tə'bækoubɔks] *n* табакéрка.

**tobacconist** [tə'bækənɪst] *n* 1) владéлец табáчной фáбрики; 2) торгóвец табáчными издéлиями.

**tobacco-pipe** [tə'bækoupaɪp] *n* (курúтельная) трýбка.

**tobacco-pouch** [tə'bækoupautʃ] *n* кисéт.

**to-be** [tu'biː] 1. *n* бýдущее; 2. *a* бýдущий.

**toboggan** [tə'bɔgən] 1. *n* тобóгган, сáни; 2. *v* катáться на салáзках (*особ. с горы*).

**toboggan-shoot** [tə'bɔgənʃuːt] = toboggan-slide.

**toboggan-slide** [tə'bɔgənslaɪd] *n* горá для катáния на салáзках.

**toby** I ['toubɪ] *n* 1) пивнáя крýжка (*изображающая толстяка в костюме XVIII в.*); 2) (T.) учёная собáка в англúйских кýкольных теáтрах; 3) *sl.* зад; 4) *attr.*: collar гофрúрованный воротничóк.

**toby** II ['toubɪ] *sl.* 1. *n* 1) большáя дорóга; 2) грабёж на большóй дорóге; 2. *v* грáбить на большóй дорóге.

**tobyman** ['toubɪmən] *n sl.* грабúтель, разбóйник.

**toccata** [tə'kɑːtə] *n муз.* токкáта.

**tocher** ['tɔkə] *n шотл.* придáное.

**toco** ['toukou] *n sl.* пóрка, наказáние.

**tocology** [tə'kɔlədʒɪ] *n* акушéрство.

**to-come** [tu'kʌm] *n* грядýщее.

**tocsin** ['tɔksɪn] *n* 1) набáт; 2) набáтный кóлокол.

**tod** I [tɔd] *n диал.* лисúца.

**tod** II [tɔd] *n уст.* куст.

**today, to-day** [tə'deɪ] 1. *adv* 1) сегóдня; 2) в нáши дни;
2. *n* сегóдняшний день; the writers of ~ совремéнные писáтели.

**toddle** ['tɔdl] 1. *n* 1) ковылянье; 2) *разг.* прогýлка; 3) *разг. см.* toddler.
2. *v* 1) ковылять, учúться ходúть; 2) *разг.* прогýливаться, бродúть; 3) уходúть.

**toddler** ['tɔdlə] *n* ребёнок, начинáющий ходúть.

**toddy** ['tɔdɪ] *n* 1) тóдди, пунш; 2) пáльмовый сок (*особ. перебродúвший*).

**to-do** [tə'duː] *n* суматóха, суетá, шум.

**tody** ['toudɪ] *n* тóди (*птица*).

**toe** [tou] 1. *n* 1) пáлец на ногé (*у человека, животного, птицы*); 2) носóк (*ноги, башмака, чулка*); to turn one's ~s out (in) выворáчивать нóги носкáми нарýжу (внутрь); 3) нúжний конéц, нúжняя часть (*чего-л.*); 4) передняя часть копýта; 5) *тех.* пятá, подпятник; ◇ from top to ~ с головý до пят; с ног до головы; to tread on a person's ~s наступúть комý-л. на любú-

мую мозóль; бóльно задéть когó-л.; задéть чьи-л. чýвства; to turn up one's ~s *sl.* протянýть нóги, умерéть; to be on one's ~s а) быть жизнерáдостным; б) быть деятельным; в) быть решúтельным;
2. *v* 1) касáться, удáрять носкóм *или* (*в гольфе*) кóнчиком клюшки; to ~ the line (*или* the mark, the scratch) встать на стáртовую чертý; стать в шерéнгу; *перен.* стрóго придéрживаться прáвил; подчинýться трéбованиям; 2) надвязывать носóк (*чулка*); 3) крúво забивáть (*гвоздь и т. п.*);
□ ~ in стáвить носкú внутрь; ~ out стáвить носкú врозь.

**toe-cap** ['toukæp] *n* носóк (*обуви*).

**toe-in** ['tou,ɪn] *n авт.* сходúмость перéдних колёс.

**toe-nail** ['touneɪl] *n* 1) нóготь на пáльце ногú; 2) кóсо забúтый гвоздь.

**toff** [tɔf] *n sl.* 1) джентльмéн; the ~s «слúвки óбщества»; 2) франт.

**toffee, toffy** ['tɔfɪ] *n* конфéта из сáхара и мáсла; ◇ not for ~ *разг.* а) вóвсе нет; б) ни за что; he can't shoot for ~ стрелóк он никудышный.

**toft** [tɔft] *n* 1) *диал.* хóлмик; 2) *уст.* усáдьба.

**tog** [tɔg] *sl.* 1. *n* (*обыкн. pl*) одéжда;
2. *v* одевáть.

**toga** ['tougə] *лат. n* 1) тóга; 2) *разг.* официáльная одéжда.

**toga'd, togaed** ['tougəd] *a* 1) одéтый в тóгу; 2) величéственный.

**together** [tə'geðə] *adv* 1) вмéсте; сообщá; to get ~ а) собирáть(ся); б) накоплять; в) объединяться; 2) друг с дрýгом; compared ~ срáвнивая однó с дрýгим; the foes rushed ~ враги столкнýлись; 3) подряд, непрерывно; for hours ~ часáми; 4) одноврéменно; 5) *разг. как усил. слово после некоторых глаголов*: to add ~ прибавлять; to join ~ объединять(ся); to cooperate ~ сотрýдничать; □ ~ with вмéсте с, нарядý с; в добавлéние к.

**toggery** ['tɔgərɪ] *n разг.* одéжда (*особ. специáльная*); bishop's ~ епúскопское облачéние.

**toggle** ['tɔgl] 1. *n* 1) кляп; 2) *тех.* колéнчатый рычáг, колéно; 3) *стр.* костыль; 4) *эл.* лягýшка;
2. *v* стягивать верёвку при пóмощи кляпа;
3. *a тех.* колéнчатый.

**toggle-joint** ['tɔgldʒɔɪnt] *n тех.* колéнно-рычáжное соединéние.

**toil** [tɔɪl] 1. *n* тяжёлый труд;
2. *v* 1) усúленно трудúться (at, on, through — над *чем-л.*); 2) с трудóм идтú, тащúться (*обыкн.* ~ up, ~ along).

**toiler** ['tɔɪlə] *n* трýженик.

**toilet** ['tɔɪlɪt] *n* 1) туалéт, одевáние; 2) туалéт, костюм; 3) туалéтный стóлик с зéркалом; 4) убóрная; 5) *attr.* туалéтный, относящийся к туалéту; ~ soap туалéтное мыло; ~ water туалéтная водá; ~ stall кабúна в убóрной.

**toilet-paper** ['tɔɪlɪt,peɪpə] *n* туалéтная бумáга.

**toiletry** ['tɔɪlɪtrɪ] *n амер.* принадлéжности туалéта.

**toilet-service** ['tɔilit,səːvis] = toilet-set.

**toilet-set** ['tɔilitset] *n* туалётный прибóр.

**toilette** [twɑːˈlet] *фр.* = toilet 1) *и* 2).

**toiletware** ['tɔilitwɛə] *n* кувшины, тазы.

**toilful** ['tɔilful] *a* трýдный.

**toilless** ['tɔillis] *a* лёгкий, нетрýдный.

**toils** [tɔilz] *n pl* 1) сеть, тенёта; 2) *перен.* ловýшка; taken (*или* caught) in the ~ a) пóйманный; б) очарóванный.

**toilsome** ['tɔilsəm] *a* трýдный, утомúтельный.

**toil-worn** ['tɔil'wɔːn] *a* изнурённый тяжёлым трудóм.

**Tokay** [tou'kei] *n* токáйское (винó).

**toke** [touk] *n sl.* пúща, едá.

**token** ['toukən] *n* 1) знак; in ~ of respect в знак уважéния; 2) примéта, прúзнак; 3) подáрок на пáмять; 4) талóн, жетóн; 5) опознавáтельный знак; · 6) *attr.* имéющий вúдимость, подóбие (*чего-л.*); кáжущийся; ~ smile подóбие улыбки; ~ resistance вúдимость сопротивлéния; 7) *attr.* предварúтельный; ~ payment задáток; ~ vote *парл.* голосовáние ассигновáния с дальнéйшим уточнéнием сýммы; ◊ by the same ~, by this ~, (more) by ~ к томý же; крóме тогó; и ещё лúшнее доказáтельство тогó, что; ~ money *фин.* биллóнные дéньги.

**toko** ['toukou] = toco.

**tokology** [tə'kɔlədʒi] = tocology.

**tola** ['toulɑː] *n* единúца вéса в Йндии (=*180 гран*).

**tolbooth** ['tɔlbuːθ] = tollbooth.

**told** [tould] *past и p. p. om* tell.

**tolerable** ['tɔlərəbl] *a* 1) снóсный; терпúмый; 2) удовлетворúтельный, довóльно харóший; 3) *разг.* чýвствующий себя вполнé удовлетворúтельно.

**tolerance** ['tɔlərəns] *n* 1) терпúмость; 2) *фин.* допустúмое отклонéние от стандáртного размéра и вéса монéты; 3) *тех.* дóпуск; 4) *мед.* толерáнтность.

**tolerant** ['tɔlərənt] *a* 1) терпúмый; 2) *мед.* толерáнтный.

**tolerate** ['tɔləreit] *v* 1) терпéть, выносúть; 2) допускáть, дозволять; 3) быть терпúмым; 4) *мед.* быть толерáнтным.

**toleration** [,tɔlə'reiʃən] *n* терпúмость.

**toll I** [toul] 1. *n* 1) (колокóльный) звон; блáговест; 2) погребáльный звон.
2. *v* 1) мéдленно и мéрно ударять в кóлокол, блáговестить; 2) звонúть по покóйнику; 3) отбивáть часы.

**toll II** [toul] 1. *n* 1) пóшлина; *перен.* дань; 2) плáта за междугорóдный телефóнный разговóр, проéзд по желéзной дорóге *и т. п.*; 3) прáво взимáния пóшлины *и т. п.*; 4) удержáние (*мéльником*) чáсти зернá за помóл; to take ~ of удéрживать часть (*чего-л.*); *перен.* отражáться на (*здорóвье и т. п.*); 4) наносúть тяжёлый урóн (*чему-л.*); 5) *воен.* колúчество потéрь; heavy ~ большúе потéри; ◊ road ~ несчáстные слýчаи в результáте дорóжных происшéствий; 2. *v* 1) *редк.* взимáть пóшлину *и т. п.*; 2) уплáчивать пóшлину *и т. п.*

**tollable** ['touləbl] *a* подлежáщий пóшлине, облагáемый пóшлиной.

**tollage** ['toulidʒ] *n* 1) взимáние пóшлины *и т. п.*; 2) уплáта пóшлины, сбóра; 3) размéр пóшлины, сбóра.

**toll-bar** ['toulbɑː] *n* застáва, шлагбáум, где взимáется сбор.

**tollbooth** ['tɔlbuːθ] *n* шотл. *уст.* городскáя тюрьмá.

**toll call** ['toul'kɔːl] *n* 1) телефóнный разговóр с прúгородом; 2) *амер.* междугорóдный телефóнный разговóр.

**toller I** ['toulə] *n* 1) звонáрь; 2) кóлокол.

**toller II** ['toulə] *n* редк. сбóрщик пóшлин.

**toll-gate** ['toulgeit] = toll-bar.

**tollhouse** ['toulhaus] *n* контóра у застáвы, где взимáется дорóжный сбор.

**toll line** ['toul'lain] *n* 1) прúгородная телефóнная лúния; 2) *амер.* междугорóдная телефóнная лúния.

**tollman** ['toulmən] *n* сбóрщик пóшлины, налóгов.

**tol-lol** [,tɔl'lɔl] *a разг.* снóсный; тáк себе.

**tolly** ['tɔli] *n* школ. *sl.* свечá.

**toluene** ['tɔljuːin] *n* хим. толуóл.

**Tom** [tɔm] *n* 1): ~, Dick and Harry a) всякий, кáждый, пéрвый встрéчный; б) обыкновéнные, срéдние люди; 2) *название большóго кóлокола или орýдия*; Long ~ *ист.* «длúнный Том»; 3) *в названиях спиртных напúтков, напр.*: Old ~ крéпкий джин.

**tom-** [tɔm-] *в названиях живóтных и птиц означает самцá, напр.*: tom-cat кот; tom-turkey индюк.

**tomahawk** ['tɔməhɔːk] 1. *n* томагáвк; ◊ to bury the ~ заключúть мир;
2. *v* 1) бить *или* убивáть томагáвком; 2) жестóко критиковáть.

**toman** [tou'mɑːn] перс. *n* тумáн (*или* томáн) (*ирáнская монéта*).

**tomato** [tə'mɑːtou] *n* (*pl* -oes [-ouz]) помидóр, томáт(ы).

**tomb** [tuːm] 1. *n* 1) могúла; the ~ смерть; 2) надгрóбный пáмятник;
2. *v* хоронúть, класть в могúлу.

**tombac, tombak** ['tɔmbæk] *n* томпáк, мéдно-цúнковый сплав.

**tombola** ['tɔmbələ] *ит. n* вид лотерéи (*где разыгрываются безделýшки*).

**tomboy** ['tɔmbɔi] *n* дéвочка с мальчúшескими ухвáтками, сорванéц.

**tombstone** ['tuːmstoun] *n* надгрóбный пáмятник, надгрóбная плитá.

**tom-cat** ['tɔm'kæt] *n* кот.

**tome** [toum] *n* том, большáя кнúга.

**tomfool** ['tɔm'fuːl] 1. *n* 1) дурáк; 2) шут;
2. *v* дурáчиться, валять дуракá.

**tomfoolery** [tɔm'fuːləri] *n* 1) дурáчества; шутовствó; 2) ерундá, чепухá.

**tomjon** ['tɔmdʒɔn] = tonjon.

**tommy** ['tɔmi] *n* 1) солдáт, рядовóй (*прóзвище англúйского солдáта; тж.* T., T. Atkins); 2) *разг.* пúща; 3) *мор. разг.* хлеб; soft ~ свéжий, мягкий хлеб; 4) товáры, выдавáемые рабóчему вмéсто дéнег; 5) *тех.* рýчка.

**tommy-bar** ['tɔmibɑː] *n тех.* рычáг.

**tommy-gun** ['tɔmigʌn] *n воен.* пистолéт-пулемёт.

**tommy rot** ['tɔmɪ'rɔt] *n разг.* вздор, чепуха.

**tommy-shop** ['tɔmɪʃɔp] *n* лавка, принадлежащая хозяину завода, где заработная плата рабочим принудительно выдаётся товарами.

**tomnoddy** ['tɔm‚nɔdɪ] *n* простак, дурак.

**tomorrow, to-morrow** [tə'mɔrou] 1. *adv* завтра;
2. *n* 1) завтрашний день; 2) *attr.* завтрашний; ~ morning завтра утром.

**tomtit** ['tɔm'tɪt] *n* 1) синица; 2) малыш, крошка.

**tomtom** ['tɔmtɔm] *n* 1) тамтам (*примитивный барабан*); 2) гонг.

**ton** I [tʌn] *n* 1) тонна (*мера веса, мера вместимости или объёма*); long ~, gross ~ длинная тонна (=*1016 кг*); metric ~ метрическая тонна (=*1000 кг*); short (*или* net) ~ короткая тонна (= *907,2 кг*); displacement ~ тонна водоизмещения (=*весу 35 футов³ воды*); freight ~ фрахтовая тонна (=*1,12 м³*); register ~ регистровая тонна (=*2,83 м³*); 2) *разг.* масса; ~s of people масса народа.

**ton** II [tɔ:ŋ] *фр. n* мода, стиль.

**tonality** [tou'nælɪtɪ] *n* тональность.

**tone** [toun] 1. *n* 1) тон; deep (thin) ~ низкий (высокий) тон; heart ~s *мед.* тоны сердца; 2) тон, выражение; стиль; to give ~ (to), to set the ~ придавать характер; задавать тон; 3) общая атмосфера, моральная обстановка; 4) интонация, модуляция (*голоса*); ударение; 5) настроение; 6) *мед.* тонус; to give ~ придавать силы; 7) *жив.* градация тонов; преобладающий тон.
2. *v* 1) придавать желательный тон (*звуку или краске*); изменять (*тон, цвет*); 2) настраивать (*муз. инструмент*); 3) гармонировать (*тж.* ~ in with); ☐ ~ down смягчать (*краски, выражение*); смягчаться, ослабевать; ~ up усиливать, повышать тон (*чего-л.*).

**tone-arm** ['toun‚ɑːm] *n* звукосниматель проигрывателя.

**toneless** ['tounlɪs] *a* невыразительный; равнодушный.

**tonga** ['tɔŋgə] *n англо-инд.* лёгкая двуколка.

**tongs** [tɔŋz] *n pl* 1) щипцы; клещи; 2) *уст. разг.* брюки, спецовка, рабочий комбинезон; ◇ I wouldn't touch him with a pair of ~ ≅ я не хочу иметь с ним никакого дела.

**tongue** [tʌŋ] *n* 1) язык; furred (*или* dirty, foul, coated) ~ обложенный язык (*у больного*); to put out one's ~ показывать язык (*врачу или из озорства*); his ~ failed him у него отнялся язык; 2) язык (*речь*); the mother ~ родной язык; 3) речь, манера говорить; glib ~ бойкая речь; 4) язык (*как кушанье*); smoked ~ копчёный язык; 5) что-л., имеющее форму языка, напоминающее язык, *напр.*, язык пламени, колокола; язычок (*духового инструмента, обуви*); 6) *геогр.* коса; 7) стрелка весов; 8) *тех.* шпунт, шип; 9) дышло; 10) *ж.-д.* остряк стрелки; ◇ to give ~ а) говорить, высказываться; б) подавать голос (*о собаках на охоте*); to have too much ~ ≅ что на уме, то и на языке; to speak with one's ~ in one's cheek, to put one's ~ in one's cheek а) говорить неискренне; б) говорить с насмешкой, иронически; he has a ready ~ он за словом в карман не полезет; to find one's ~ снова заговорить; (снова) обрести дар речи; to hold one's ~, to keep a still ~ in one's head молчать; держать язык за зубами; to keep a civil ~ in one's head быть вежливым, учтивым; his ~ is too long for his teeth у него слишком длинный язык; to oil one's ~ льстить.

**tongue-in-cheek** ['tʌŋɪn'ʧiːk] *a* неискренний; насмешливый; ~ candour напускная откровенность.

**tongue-tacked** ['tʌŋ'tækt] = tongue-tied.

**tongue-tied** ['tʌŋtaɪd] *a* 1) косноязычный; 2) не умеющий высказать, выразить (*свои мысли и т. п.*).

**tonic** ['tɔnɪk] 1. *n* 1) *мед.* тонизирующее, укрепляющее средство; 2) *муз.* основной тон;
2. *a* 1) *мед.* тонизирующий, укрепляющий; 2) *муз.* тонический.

**tonight, to-night** [tə'naɪt] 1. *adv* сегодня вечером (*реже* ночью);
2. *n* сегодняшний вечер, наступающая ночь.

**tonjon** ['tɔndʒɔn] *n англо-инд.* паланкин.

**tonk** [tɔŋk] *v sl.* 1) сильно ударить; 2) легко одолеть.

**tonkin** ['tɔnkɪn] *n* наиболее крепкий бамбук.

**tonnage** ['tʌnɪdʒ] *n* 1) тоннаж; грузовместимость; 2) корабельный сбор, грузовая пошлина.

**tonne** [tʌn] *n* метрическая тонна (= *1000 кг*).

**-tonner** [-'tʌnə] *в сложных словах означает* водоизмещением во столько-то тонн; two-thousand-tonner водоизмещением в две тысячи тонн.

**tonometer** [tou'nɔmɪtə] *n* 1) *муз.* камертон; 2) *мед.* прибор для измерения кровяного давления, тонометр.

**tonsil** ['tɔnsl] *n* миндалевидная железа.

**tonsillitis** [‚tɔnsɪ'laɪtɪs] *n мед.* воспаление миндалин, тонзиллит.

**tonsure** ['tɔnʃə] 1. *n* тонзура;
2. *v* выбривать тонзуру.

**tontine** [tɔn'tiːn] *um. n фин.* тонтина.

**tony** ['tounɪ] *a амер. разг.* изысканный, фешенебельный; аристократичный.

**too** [tuː] *adv* 1) слишком; ~ good to be true невероятно, слишком хорошо, чтобы можно было поверить; it is ~ much (of a good thing) ≅ хорошенького понемножку; это уже чересчур; попе ~ pleasant не слишком приятный; 2) очень; ~ bad очень жаль; I am only ~ glad я очень, очень рад; 3) также, тоже, к тому же; won't you come ~? не придёте ли и вы?; 4) действительно; they say he is the best student. And he is ~ говорят, он лучший студент, и это действительно так.

**took** [tuk] *past om* take 1.

**tool** [tuːl] 1. *n* 1) рабочий (ручной) инструмент; резец; 2) орудие (*в чьих-л.*

*руках*); 3) станок; ◇ to sharpen one's ~s готовиться, подготавливаться; to play with edged ~s ≅ играть с огнём; a bad workman quarrels with his ~s ≅ мастер глуп, нож туп; у плохого мастера всегда инструмент виноват;

2. *v* 1) действовать (*орудием, инструментом*); 2) обтёсывать (*камень*); обрабатывать резцом (*металл*); 3) оборудовать; 4) вытиснять узор (*на переплёте, коже и т. п.*); 5) *разг.* ехать в экипаже; 6) *разг.* везти в экипаже.

**tooled** [tu:ld] 1. *p. p. om* tool 2;

2. *a тех.* 1) механически обработанный; 2) оборудованный (*инструментами*); 3) налаженный (*станок*).

**tooling** ['tu:lɪŋ] 1. *pres. p. om* tool 2;

2. *n* механическая обработка.

**toolroom** ['tu:lrum] *n* инструментальный цех.

**toon** [tu:n] *n* индийское красное дерево.

**toot** [tu:t] 1. *n* 1) звук рога, гудок; 2) *амер.* кутёж, весёлье.

2. *v* трубить в рог *или* в рожок, давать гудок; ◇ to ~ one's horn *амер.* бахвалиться, заниматься саморекламой.

**tooth** [tu:θ] *n* (*pl* teeth) 1) зуб; crown (neck) of the ~ коронка (шейка) зуба; fang (*или* root) of the ~ корень зуба; natural teeth «свои», не вставные зубы; a loose ~ шатающийся зуб; he cut a ~ у него прорезался зуб; to set (*или* to clench) one's teeth стиснуть зубы; to pull a ~ out выдернуть зуб; *перен.* обезоружить, сделать безащитным; I had my ~ out мне выдернули зуб; 2) *тех.* зуб, зубец; ◇ to show one's teeth ≅ показывать когти; говорить угрожающим тоном; огрызаться; ~ and nail изо всех сил; to go at it ~ and nail энергично приняться за что-л.; to get one's teeth into smth. горячо взяться за что-л.; to cast in smb.'s teeth бросать в лицо (упрёк); in the teeth of наперекор, вопреки; in the teeth of the wind против ветра; fed to the teeth ≅ сыт по горло; надоело, осточертело; to set smb.'s teeth on edge вызывать у кого-л. отвращение; бросать кого-л. в дрожь; to have a sweet ~ быть сластёной;

2. *v* 1) нарезать зубцы; 2) зацеплять(ся).

**toothache** ['tu:θeɪk] *n* зубная боль.

**tooth-brush** ['tu:θbrʌʃ] *n* зубная щётка.

**tooth-comb** ['tu:θkoum] 1. *n* частый гребень;

2. *v* расчёсывать частым гребнем.

**toothed** [tu:θt] 1. *p. p. om* tooth 2;

2. *a* 1) имеющий зубы; 2) зубчатый.

**toother** ['tu:θə] *n разг.* удар в зубы.

**toothful** ['tu:θful] *n* глоток спиртного.

**toothing** ['tu:θɪŋ] 1. *pres. p. om* tooth 2;

2. *n тех.* зубчатое зацепление, зубчатый венец.

**toothless** ['tu:θlɪs] *a* беззубый.

**tooth-paste** ['tu:θpeɪst] *n* зубная паста.

**toothpick** ['tu:θpɪk] *n* 1) зубочистка; 2) *разг.* дубинка.

**tooth-powder** ['tu:θ,paudə] *n* зубной порошок.

**toothsome** ['tu:θsəm] *a* приятный на вкус.

**tootle** ['tu:tl] 1. *n* 1) звук трубы, флейты *и т. п.*; 2) болтовня, пустословие;

2. *v* 1) издавать негромкие звуки, негромко трубить, играть на флейте; 2) писать многословно.

**tootsy(-wootsy)** ['tu:tsɪ('wu:tsɪ)] *n дет.* ножка.

**top** I [tɔp] 1. *n* 1) верхушка, вершина (*горы*); макушка (*головы, дерева*); 2) верхний конец, верхняя поверхность; верх (*экипажа, лестницы, страницы*); крышка (*кастрюли*); верхний обрез (*книги*); гребень (*плотины*); ~ of milk пёнка молока; from ~ to toe с ног до головы; с головы до пят; from ~ to bottom сверху донизу; 3) (*обыкн. pl*) ботва (*корнеплодов*); 4) шпиц, шпиль; 5) высшее, первое место; the ~ of the class первый ученик (*в классе*); to come out on ~ победить в состязании, выйти на первое место; б) преуспевать в жизни; to come (*или* to rise) to the ~ всплыть на поверхность, *перен.* отличиться; to take the ~ of the table сидеть во главе стола; б) высшая ступень, высшая степень; высшее напряжение; at the ~ of one's voice (speed) во весь голос (опор); 7) *pl* отвороты (*сапог*); высокие сапоги с отворотами; 8) *pl карт.* две старшие карты какой-л. масти (*в бридже*); 9) *горн.* кровля (*пласта*); устье шахты; 10) *метал.* колошник; 11) *мор.* марс; ◇ (a little bit) off the ~ не в своём уме; to go over the ~ а) *воен.* идти в атаку; б) сделать решительный шаг; начать решительно действовать; on ~ of everything else в добавление ко всему; to be (*или* to sit) on ~ of the world быть на седьмом небе;

2. *a* 1) верхний; the ~ shelf верхняя полка; 2) наивысший, максимальный; ~ speed самая большая скорость; ~ price самая высокая цена; 3) самый главный; ~ men люди, занимающие главенствующее положение; ◇ ~ secret совершенно секретно;

3. *v* 1) покрывать (*сверху*); снабжать верхушкой, куполом *и т. п.*; the mountain was ~ped with snow вершина горы была покрыта снегом; to ~ one's fruit «закрашивать» фрукты (*т. е. укладывать наверх лучшие*); 2) подняться на вершину; перевалить (*через гору*); перепрыгнуть (*через что-л.*); 3) покрывать (*новой краской и т. п.*); 4) увенчивать, доводить до совершенства; to ~ one's part прекрасно сыграть свою роль; 5) превосходить; быть во главе, быть первым; this picture ~s all I have ever seen эта картина — лучшее из того, что я когда-либо видел; 6) превышать; достигать какой-л. величины, веса *и т. п.*; he ~s his father by a head он на целую голову выше отца; he ~s six feet он шести футов ростом; 7) обрезать верхушку (*дерева и т. п.*; *тж.* ~ up); 8) *разг.* обезглавить, повесить (*тж.* ~ up); 9) *с.-х.* покрывать; □ ~ off a) отделывать; украшать; б) заканчивать, завершать; they ~ped off their dinner with fruit в конце обеда были поданы фрукты.

**top** II [tɔp] *n* волчок (*игрушка*); the ~ sleeps, the ~ is asleep волчок вертится так, что враще́ние его́ незаме́тно; ◇ to sleep like a ~ кре́пко спать; спать мёртвым сном; old ~ старина́, дружи́ще.

**topaz** [ˈtoupæz] *n* топа́з.

**top-boot** [ˈtɔpˈbuːt] *n* высо́кий сапо́г с отворо́том.

**topcoat** [ˈtɔpˈkout] *n* пальто́.

**top-drawer** [ˈtɔpˌdrɔːə] *a разг.* принадлежа́щий к вы́сшему о́бществу; великоле́пный, первокла́ссный.

**top-dress** [ˈtɔpˈdres] *v* 1) *с.-х.* пове́рхностно вноси́ть удобре́ние; 2) подходи́ть пове́рхностно (*к чему-л.*).

**tope I** [toup] *n* се́рая аку́ла.

**tope II** [toup] *v редк.* пья́нствовать.

**tope III** [toup] *n англо-инд.* ро́ща (*преим. ма́нговая*).

**topee** [touˈpiː] = topi.

**toper** [ˈtoupə] *n* пья́ница.

**topflight** [ˈtɔpflait] *a амер.* высокопоста́вленный, вы́сший, руководя́щий (*о должностном лице*).

**topfull** [ˈtɔpˈful] *a* по́лный до краёв, до́верху.

**topgallant** [tɔpˈgælənt] 1. *n* 1) *мор.* брам-сте́ньга, бра́мсель; 2) *перен.* верх, вы́сшая то́чка; зени́т;
2. *a перен.* возвы́шенный.

**top gas** [ˈtɔpˈgæs] *n метал.* колошнико́вый газ.

**top hat** [ˈtɔpˈhæt] *n* цили́ндр (*шляпа*).

**top-heavy** [ˈtɔpˈhevi] *a* 1) переве́шивающий в свое́й ве́рхней ча́сти; неусто́йчивый; 2) *разг.* вы́пивший.

**tophi** [ˈtoufai] *pl от* tophus.

**top-hole** [ˈtɔpˈhoul] *a разг.* первокла́ссный, превосхо́дный.

**tophus** [ˈtoufəs] *n* (*pl* tophi) *мед.* 1) подагри́ческие отложе́ния в суста́вах; 2) отложе́ние виннока́менной кислоты́ на зуба́х.

**topi** [ˈtoupi] *n англо-инд.* тропи́ческий шлем (*от солнца*).

**topiary** [ˈtoupjəri] 1. *n* 1) иску́сство фигу́рной стри́жки садо́вых дере́вьев; 2) сад с подстри́женными дере́вьями;
2. *a*: ~ art = 1,1); ~ garden = 1,2).

**topic** [ˈtɔpik] *n* те́ма, предме́т; the ~ of the day злободне́вная те́ма.

**topical** [ˈtɔpikəl] *a* 1) ме́стный (*тж. мед.*); име́ющий лишь ме́стное *или* вре́менное значе́ние; 2) темати́ческий; 3) актуа́льный, животрепе́щущий.

**topicality** [ˌtɔpiˈkæliti] *n* актуа́льность.

**topknot** [ˈtɔpnɔt] *n* 1) пучо́к пе́рьев, лент; 2) чуб, хохоло́к (*на голове*); 3) *разг.* голова́; 4) вид ка́мбалы.

**top level** [ˈtɔpˈlevl] *n*: negotiations at ~ перегово́ры на са́мом высо́ком у́ровне.

**top-light** [ˈtɔplait] *n мор.* то́повый (*или* фла́гманский) ого́нь.

**top liner** [ˈtɔpˈlainə] *n амер.* популя́рный актёр, «звезда́».

**toplofty** [ˈtɔpˈlɔfti] *a разг., шутл.* презри́тельный; зано́счивый; напы́щенный.

**topmast** [ˈtɔpmɑːst] *n мор.* сте́ньга.

**topmost** [ˈtɔpmoust] *a* 1) са́мый ве́рхний; 2) са́мый ва́жный.

**top-notch** [ˈtɔpˈnɔtʃ] 1. *n* наивы́сшая

то́чка (*чего-л.*); he is a ~ above his fellows он гора́здо вы́ше свои́х това́рищей;
2. *a* превосхо́дный, первокла́ссный.

**topographer** [təˈpɔgrəfə] *n* топо́граф.

**topography** [təˈpɔgrəfi] *n* топогра́фия.

**toponymy** [təˈrɔnimi] *n геогр., лингв.* топони́мия.

**topper** [ˈtɔpə] *n разг.* 1) цили́ндр (*шляпа*); 2) то, что лежи́т наверху́ корзи́ны, я́щика (*обыкн. о фруктах*); 3) превосхо́дный челове́к; превосхо́дная вещь; 4) широ́кое да́мское пальто́.

**topping** [ˈtɔpiŋ] 1. *pres. p. от* top I, 3;
2. *n* 1) верху́шка, ве́рхняя часть; 2) удале́ние верху́шки (*дерева*), прощи́пывание (*растения*); 3) *pl* ча́сти, сре́занные с верху́шки (*дерева и т. п.*); 4) *тех.* оде́жда (*дороги*);
3. *a* 1) вздыма́ющийся; 2) главе́нствующий, первенству́ющий; 3) *разг.* превосхо́дный; 4) *амер.* высокоме́рный; ◇ ~ cheat *sl.* ви́селица; ~ cove *sl.* пала́ч.

**toppingly** [ˈtɔpiŋli] *adv разг.* великоле́пно, превосхо́дно.

**topple** [ˈtɔpl] *v* 1) вали́ться, па́дать (голово́й вниз); опроки́дывать(ся) (*часто ~ over, ~ down*); 2) грози́ть паде́нием.

**tops** [tɔps] 1. *n pl* верху́шка, «сли́вки о́бщества»;
2. *a predic. разг.* прекра́сный, великоле́пный, отли́чный.

**topsail** [ˈtɔpsl] *n мор.* ма́рсель.

**top-sawyer** [ˈtɔpˌsɔːjə] *n* 1) ве́рхний из двух пи́льщиков; 2) челове́к, занима́ющий высо́кое положе́ние.

**top sergeant** [ˈtɔpˈsɑːdʒənt] *n амер. воен. разг.* старшина́ ро́ты.

**topside** [ˈtɔpˈsaid] *adv* 1) на па́лубе; 2) в главе́нствующей ро́ли.

**top-soil** [ˈtɔpsɔil] *n с.-х.* па́хотный слой по́чвы.

**topsyturvy** [ˈtɔpsiˈtəːvi] 1. *n* неразбери́ха, кутерьма́, «дым коромы́слом»;
2. *a* переве́рнутый вверх дном, поста́вленный ды́бом;
3. *adv* вверх дном, ши́ворот-навы́ворот;
4. *v* переве́ртывать всё вверх дном.

**topsyturvydom** [ˈtɔpsiˈtəːvidəm] = topsyturvy 1.

**toque** [touk] *фр. n* 1) ток (*женская шляпа без полей*); 2) мака́ка.

**tor** [tɔː] *n* скали́стая верши́на холма́.

**torch** [tɔːtʃ] 1. *n* 1) фа́кел; electric ~ перено́сный электри́ческий фона́рь; to put to the ~ преда́ть огню́; 2) *перен.* све́точ; to hand on the ~ передава́ть зна́ния, тради́ции; 3) *тех.* пая́льная ла́мпа; горе́лка;
2. *v* освеща́ть фа́келами.

**torchère** [tɔːˈʃɛə] *фр. n* торше́р.

**torch-fishing** [ˈtɔːtʃˌfiʃiŋ] *n* луче́ние ры́бы.

**torchlight** [ˈtɔːtʃlait] *n* свет фа́кела; свет электри́ческого фонаря́.

**torchon** [ˈtɔːʃən] *фр. n* 1) род гру́бого ре́дкого кру́жева (*тж. ~ lace*); 2) торшо́н (*плотная крупнозерни́стая бума́га; тж. ~ paper*).

**tore I** [tɔː] *past от* tear I, 2.

**tore II** [tɔː] = torus 1).

**toreador** [ˈtɔriədɔː] *исп. n* тореадо́р.

**torero** [touˈreirou] = toreador.

**toreutic** [tou'ruːtɪk] *a* резно́й, чека́нный, вы́битый (*о металле*).

**tori** ['touraɪ] *pl от* torus.

**torment** 1. *n* ['tɔːmənt] 1) муче́ние, му́ка; to suffer ~s испы́тывать му́ки; 2) исто́чник муче́ний;
2. *v* [tɔː'ment] 1) му́чить; причиня́ть боль; 2) досажда́ть, изводи́ть, раздража́ть.

**tormentor** [tɔː'mentə] *n* 1) мучи́тель; 2) колёсная борона́; 3) *театр.* пе́рвая кули́са.

**tormentress** [tɔː'mentrɪs] *n* мучи́тельница.

**tormina** ['tɔːmɪnə] *n pl* ре́зкая боль в животе́.

**torn** [tɔːn] *p. p. от* tear I, 2.

**tornado** [tɔː'neɪdou] *исп. n* (*pl* -oes, -os [-ouz]) 1) торна́до (*смерч*); 2) взрыв, урага́н, бу́ря (*аплодисментов и т. п.*).

**torpedo** [tɔː'piːdou] 1. *n* (*pl* -oes [-ouz]) 1) торпе́да; 2) *зоол.* электри́ческий скат; 3) *ж.-д.* сигна́льная пета́рда; 4) *attr.* торпе́дный;
2. *v* 1) подорва́ть торпе́дой, торпеди́ровать; 2) *перен.* уничто́жить, разби́ть, подорва́ть.

**torpedo-boat** [tɔː'piːdoubout] *n* миноно́сец; торпе́дный ка́тер.

**torpedo-boat destroyer** tɔː'piːdouboutdɪs'trɔɪə] *n* эска́дренный миноно́сец, эсми́нец.

**torpedo-net(ting)** [tɔː'piːdou,net(ɪŋ)] *n* противоми́нная сеть.

**torpedo-plane** [tɔː'piːdoupleɪn] *n* самолёт--торпедоно́сец.

**torpedo-tube** [tɔː'piːdoutjuːb] *n* торпе́дный аппара́т; труба́ торпе́дного аппара́та.

**torpid** I ['tɔːpɪd] *a* 1) онеме́лый, оцепене́вший; 2) безде́ятельный, вя́лый, апати́чный; 3) *зоол.* находя́щийся в спя́чке.

**torpid** II ['tɔːpɪd] *n pl* гребны́е го́нки вторы́х кома́нд в Оксфо́рдском университе́те (*после рождественских каникул*).

**torpidity** [tɔː'pɪdɪtɪ] *n* онеме́лость *и пр.* [*см.* torpid I].

**torpor** ['tɔːpə] *n* 1) онеме́лость, оцепене́ние; 2) безразли́чие, апа́тия; 3) ту́пость, глу́пость.

**torque** [tɔːk] *n* 1) *археол.* кручёное металли́ческое ожере́лье; 2) *мех.* моме́нт враще́ния; скру́чивающее уси́лие.

**torrefy** ['tɔrɪfaɪ] *v* 1) суши́ть (*на огне и т. п.*); 2) обжига́ть.

**torrent** ['tɔrənt] *n* 1) стреми́тельный пото́к; 2) *pl* ли́вень; 3) пото́к (*ругательств и т. п.*).

**torrential** [tɔ'renʃəl] *a* 1) теку́щий бы́стрым пото́ком; 2) проливно́й; 3) оби́льный.

**Torricellian** [,tɔrɪ'tʃeliən] *a*: ~ vacuum торриче́ллиева пустота́.

**torrid** ['tɔrɪd] *a* жа́ркий, зно́йный, вы́жженный со́лнцем; ~ zone тропи́ческий по́яс.

**torse** [tɔːs] *n геральд.* гирля́нда.

**torsi** ['tɔːsiː] *pl от* torso.

**torsion** ['tɔːʃən] *n* 1) *тех.* круче́ние; перека́шивание; скру́чивание; 2) скру́ченность.

**torsion balance** ['tɔːʃən'bæləns] *n* крути́льные весы́.

**torso** ['tɔːsou] *ит. n* (*pl* -os [-ouz], -si) 1) ту́ловище; торс (*статуи*); 2) фрагме́нт (*произведения*); 3) *архит.* коло́нна с виты́м сте́ржнем.

**tort** [tɔːt] *n юр.* не свя́занное с наруше́нием контра́кта *или* догово́ра правонаруше́ние, даю́щее основа́ние предъяви́ть иск.

**torticollis** [,tɔːtɪ'kɔlɪs] *фр. n* ревмати́ческая боль в ше́йных му́скулах.

**tortile** ['tɔːtɪl] *a* кручёный, скру́ченный.

**tortilla** [tou'tiːjɑː] *исп. n* пло́ская майсо́вая лепёшка (*заменяющая в Мексике хлеб*).

**tortoise** ['tɔːtəs] *n* черепа́ха (*сухопу́тная*).

**tortoise-shell** ['tɔːtəs,ʃel] *n* 1) щит черепа́хи; 2) черепа́ха (*материал*); 3) *attr.* черепа́ховый.

**tortuosity** [,tɔːtju'ɔsɪtɪ] *n* 1) извили́стость; кривизна́; 2) отсу́тствие прямоты́, укло́нчивость; нейскренность.

**tortuous** ['tɔːtjuəs] *a* 1) изви́листый; 2) укло́нчивый, нейскренний.

**torture** ['tɔːtʃə] 1. *n* i) пы́тка; to put to the ~ подверга́ть пы́тке; 2) му́ки, аго́ния;
2. *v* 1) пыта́ть; 2) му́чить; he is ~d with headaches его́ му́чат головны́е бо́ли; 3) искривля́ть; искажа́ть, коверка́ть.

**torturer** ['tɔːtʃərə] *n* мучи́тель; пала́ч.

**torus** ['tɔurəs] *n* (*pl* -ri) 1) *стр.* то́рус; тор; полукру́глый фриз; 2) *бот.* цветоло́же, плодо́вое ло́же.

**Tory** ['tɔːrɪ] *n* 1) то́ри, консерва́тор; 2) *attr.* консервати́вный.

**toryism** ['tɔːrɪzəm] *n* тори́зм, консервати́зм.

**tosh** [tɔʃ] *n* 1) *sl.* вздор, ерунда́; 2) прорези́ненная мате́рия.

**tosher** ['tɔʃə] *n sl.* студе́нт, не занима́ющийся в да́нном колле́дже, а лишь сдаю́щий в нём экза́мены.

**toss** [tɔs] *n* 1) мета́ние, броса́ние *и пр.* [*см.* 2]; ~ and catch *амер.* = pitch-and--toss; the ~ of the coin жеребьёвка; to win the ~ а) вы́играть в орля́нку; б) вы́играть пари́; 2) толчо́к; сотрясе́ние; 3) = toss-up; 4) сумато́ха, переполо́х, смяте́ние;
2. *v* (-ed [-t], *поэт.* tost) 1) броса́ть, кида́ть; мета́ть; подбра́сывать; to ~ (up) a coin а) игра́ть в орля́нку; б) реша́ть пари́ *или* како́й-л. спор подбра́сыванием моне́ты; разы́грывать воро́та (*в футболе*); 2) отбра́сывать, швыря́ть (*тж.* ~ away, ~ aside); 3) поднима́ться и опуска́ться (*о судне*); носи́ться (*по волнам*); ре́ять; 4) беспоко́йно мета́ться (*о больном; часто* ~ about); 5) вски́дывать (*голову*); поднима́ть на рога́ (*о быке*); 6) сбра́сывать (*седока*); 7) *горн.* промыва́ть (*руду*); ▢ ~ off а) сде́лать на́спех; б) вы́пить за́лпом; ~ up а) = to ~ a coin [*см.* 1)]; б) на́скоро пригото́вить (*еду*).

**tosspot** ['tɔspɔt] *n уст.* пья́ница.

**toss-up** ['tɔsʌp] *n* 1) подбра́сывание моне́ты (*в орлянке*); жеребьёвка; 2) что-л. неопределённое, сомни́тельное; it's a ~ whether he comes or not это́ ещё вопро́с, придёт он йли нет.

**tossy** ['tɔsɪ] *a* де́рзкий, бо́йкий.

**tost** [tɔst] *past и p. p. от* toss 2.

**tot I** [tɔt] *n* 1) малыш; 2) *разг.* маленькая рюмка (*вина и т. п.*); глоток вина.

**tot II** [tɔt] *разг.* 1. *n* сумма;
2. *v* суммировать, складывать.

**total** ['toutl] 1. *n* целое, сумма; итог; the grand ~ общий итог;
2. *a* 1) весь, целый; 2) полный, абсолютный; ~ eclipse полное затмение; ~ failure полная неудача; 3) совокупный, суммарный; 4) тотальный;
3. *v* 1) подводить итог, подсчитывать; 2) доходить до, равняться, насчитывать (*о сумме, числе*).

**totalitarian** [ˌtoutælɪ'tɛərɪən] *a* тоталитарный; тотальный.

**totality** [tou'tælɪtɪ] *n* вся сумма целиком, всё количество.

**totalizator** ['toutəlaɪzeɪtə] *n* тотализатор (*аппарат*).

**totalize** ['toutəlaɪz] *v* 1) соединять воедино; 2) подводить общую сумму.

**totalizer** ['toutəlaɪzə] 1) = totalizator; 2) суммирующее счётное устройство.

**tote I** [tout] *n sl. сокр. от* totalizator.

/**tote II** [tout] (*преим. амер.*) 1. *v* вести, нести; перевозить;
2. *n разг.* 1) груз; 2) перевозка.

**totem** ['toutəm] *n* тотем.

**tother, t'other** ['tʌðə] *разг.* = the other.

**totter** ['tɔtə] *v* 1) идти неверной, дрожащей походкой, ковылять; 2) трястись; колебаться, шататься; угрожать падением; 3) гибнуть, разрушаться.

**tottering** ['tɔtərɪŋ] 1. *pres. p. от* totter; 2. *a* нетвёрдый (*о походке*).

**tottery** ['tɔtərɪ] *a* трясущийся; грозящий падением.

**totty** ['tɔtɪ] *a* 1) нетвёрдый; 2) подвыпивший.

**toty** ['toutɪ] *n англо-инд.* человек на побегушках.

**toucan** ['tuːkən] *n зоол.* тукан, перцеяд (*птица*).

**touch** [tʌʧ] 1. *n* 1) прикосновение; 2) соприкосновение, общение; in ~ with smb. в контакте с кем-л.; to get in ~ with smb. связаться с кем-л.; to lose ~ with smb. потерять связь, контакт с кем-л.; 3) осязание; soft to the ~ мягкий на ощупь; 4) штрих; черта; to put the finishing ~es делать последние штрихи, отделывать; заканчивать; personal ~ характерные черты (*человека*); 5) чуточка; примесь; оттенок, налёт; there was a ~ of bitterness in what he said в его словах чувствовалась горечь; 6) лёгкий приступ (*болезни*); небольшой ушиб *и т. п.*; a ~ of the sun перегрев; 7) манера, приёмы (*художника и т. п.*); 8) проба, испытание; to put (*или* to bring) to the ~ подвергнуть испытанию; 9) получение денег обманным путём; 10) салки (*детская игра; тж.* ~ and run); 11) *уст.* пробный камень; 12) *муз.* туше; 13) *спорт.* площадь, лежащая за боковыми линиями футбольного поля; in ~ за боковой линией; ◇ ~ typist машинистка, работающая по слепому методу; common ~ чувство локтя; in (*или* within) ~ а) близко, под рукой; б) доступно, достижимо; near ~

опасность, которую едва удалось избежать; по ~ to smth. ничто по сравнению с чем-л., не выдерживает никакой критики;
2. *v* 1) (при)касаться, трогать, притрагиваться; соприкасаться, to ~ bottom а) коснуться дна; б) дойти до предельно низкого уровня (*о ценах*); в) *перен.* опуститься; г) добраться до сути дела; to ~ one's hat to smb. приветствовать кого-л., приподнимая шляпу; 2) притрагиваться к еде, есть; he has not ~ed food for two days он два дня ничего не ел; I couldn't ~ anything я не был голоден; 3) касаться, слегка затрагивать (*тему, вопрос*); 4) (*обыкн. pass.*) слегка портиться; leaves are ~ed with frost листья тронуты морозом; he is slightly ~ed ≅ у него не все дома; 5) оказывать воздействие; nothing will ~ these stains этих пятен ничем не выведешь; 6) трогать, волновать, задевать за живое; 7) касаться, иметь отношение (*к чему-л.*); how does this ~ me? какое это имеет отношение ко мне?; 8) *разг.* получать, добывать (*деньги, особ. в долг или мошенничеством; for*); he ~ed me for a large sum of money он занял, выклянчил у меня большую сумму (*денег*); 9) получать (*жалованье*); he ~es £ 2 6 s a week он получает 2 фунта 6 шиллингов в неделю; 10) сравниться; достичь такого же высокого уровня; there is nothing to ~ sea air for bracing you up нет ничего полезнее морского воздуха для укрепления здоровья; 11) слегка окрашивать; придавать оттенок; clouds ~ed with rose розоватые облака; 12) *геом.* касаться, быть касательной; □ ~ at *мор.* заходить (*в порт*); ~ down а) землиться, коснуться земли; ~ off а) быстро набросать; передать сходство; б) выпалить (*из пушки*); в) дать отбой (*по телефону*); ~ on а) затрагивать, касаться вкратце (*вопроса и т. п.*); б) граничить с чем-л. (*напр., с дерзостью*); ~ up а) исправлять, заканчивать, отделывать, класть последние штрихи, мазки; б) подстегнуть (*лошадь*); в) напомнить, натолкнуть; г) взволновать; ~ upon = on; ◇ to ~ shore подплыть к берегу; to ~ pitch иметь дело с сомнительным предприятием *или* субъектом; to ~ the spot попасть в цель; соответствовать своему назначению; to ~ to the quick, to ~ smb. home, to ~ smb. on a raw (*или* sore, tender) place задеть кого-л. за живое; he ~es six feet он шести футов ростом; to ~ wood пытаться умилостивить судьбу, предотвратить дурное предзнаменование.

**touchable** ['tʌʧəbl] *a* осязательный, осязаемый.

**touch-and-go** ['tʌʧən'gou] 1. *n* рискованное, опасное дело *или* положение;
2. *a* рискованный, неверный.

**touch-down** ['tʌʧˌdaun] *n* 1) *ав.* посадка; to make a ~ совершить посадку; 2) *амер. спорт.* гол (*в регби*).

**touched** [tʌʧt] 1. *p. p. от* touch 2;
2. *a* 1) взволнованный, тронутый; 2) слегка помешанный, «тронутый» (*тж.* ~ in the upper storey); ◇ ~ in the wind страдающий одышкой.

**toucher** ['tʌtʃə] *n* тот, кто прикасается; ◇ near ~ опасность, которую едва удалось избежать; as near as a ~ близко, почти, на волосок от; to a ~ точно.

**touchiness** ['tʌtʃɪnɪs] *n* обидчивость *и пр.* [*см.* touchy].

**touching** ['tʌtʃɪŋ] 1. *pres. p. от* touch 2; 2. *a* трогательный; 3. *prep уст., книжн.* касательно, относительно (*тж.* as ~).

**touch-line** ['tʌtʃlaɪn] *n спорт.* боковая линия (*в футболе*).

**touch-me-not** ['tʌtʃmɪ'nɔt] *n* 1) недотрога; 2) запрещённая тема; 3) *бот.* недотрога.

**touch-needle** ['tʌtʃˌniːdl] *n* пробирная игла.

**touchstone** ['tʌtʃstoun] *n* 1) пробирный камень; оселок; 2) критерий; пробный камень.

**touchwood** ['tʌtʃwud] *n* 1) трут; 2) детская игра, в которой нельзя ловить того, кто успел прикоснуться к дереву.

**touchy** ['tʌtʃɪ] *a* 1) обидчивый; раздражительный; 2) повышенно чувствительный; 3) легковоспламеняющийся.

**tough** [tʌf] 1. *a* 1) жёсткий; плотный, упругий; (as) ~ as leather (жёсткий) как подошва (*о мясе и т. п.*); 2) вязкий; 3) крепкий, сильный, несгибаемый; 4) стойкий, выносливый, упорный; 5) трудный, упрямый, несговорчивый; ~ customer *разг.* человек, с которым трудно иметь дело; непокладистый человек; 6) *амер. разг.* преступный, хулиганский, бандитский; 7) *геол.* крепкий (*о породе*); 2. *n амер.* опасный хулиган, головорез, бандит.

**toughen** ['tʌfn] *v* делать(ся) жёстким *и т. д.* [*см.* tough 1].

**toupee** ['tuːpeɪ] *n* 1) хохол; тупей; 2) небольшой парик, фальшивый локон, накладка из искусственных волос.

**tour** [tuə] 1. *n* 1) путешествие; поездка; турне; экскурсия; to make a ~ of the Soviet Union путешествовать по Советскому Союзу; a foreign ~ путешествие за границу; the grand ~ *уст.* путешествие по Франции, Италии, Швейцарии и др. странам для завершения образования; 2) тур, объезд; 3) обход караула; 4) обращение, оборот; цикл; 5) круг (*обязанностей*); 6) смена (*на фабрике и т. п.*); 7): ~ of duty стажировка; пребывание в должности; очередь несения службы; 2. *v* 1) совершать путешествие, театральное *и т. п.* турне (through, about, of); to ~ (through) a country путешествовать по стране; 2) совершать объезд, обход; 3) *театр.* показывать (спектакль) на гастролях; they ~ed «Othello» они играли «Отелло» на гастролях.

**tourer** ['tuərə] *n* 1) туристский автомобиль *или* самолёт; 2) = tourist.

**touring** ['tuərɪŋ] 1. *pres. p. от* tour 2; 2. *n* туризм; 3. *a* туристский; ~ car легковой автомобиль для туризма.

**tourist** ['tuərɪst] *n* 1) турист, путешественник; 2) *attr.* туристский, относящийся к туризму, путешествиям; ~ agency бюро путешествий; ~ class второй класс (*на океанском пароходе*); ~ ticket обратный билет без указания даты (*действительный в течение определённого времени*).

**tourmalin** ['tuəməlɪn] *n мин.* турмалин.

**tourmaline** ['tuəməliːn] = tourmalin.

**tournament** ['tuənəmənt] *n* турнир.

**tournay** [ˌtuː'peɪ] *n* драпировочная ткань.

**tourney** ['tunɪ] *ист.* 1. *n* (средневековый) турнир; 2. *v* сражаться на турнире.

**tourniquet** ['tuənɪkeɪ] *n мед.* турникет, жгут.

**tousle** ['tauzl] *v* ерошить, взъерошивать.

**tousy** ['tauzɪ] *a* растрёпанный, взъерошенный.

**tout** [taut] 1. *n* 1) человек, усиленно предлагающий товар; коммивояжёр; человек, зазывающий клиентов в гостиницу, игорный дом *и т. п.*; 2) человек, добывающий и продающий сведения о лошадях перед скачками; 3) *sl.* наводчик; 2. *v* 1) навязывать товар; 2) заручаться голосами избирателей; 3) *амер.* обсуждать; 4) добывать и сообщать сведения о скаковых лошадях для использования их при заключении пари.

**tow** I [tou] 1. *n* 1) бечева; буксир(ный канат, трос); 2) буксировка; to take in ~ а) брать на буксир; б) брать на попечение; to take a ~ быть на буксире; to have smb. in ~ а) иметь кого-л. на своём попечении, опекать; б) иметь кого-л. в числе сопровождающих; иметь кого-л. в числе свойх поклонников; 3) судно, баржа *или* плот на буксире; 2. *v* 1) тянуть (*баржу*) на бечеве; тащить (*сломанную автомашину*); 2) буксировать.

**tow** II [tou] *n текст.* 1) очёски, кудель; 2) пакля.

**towage** ['touɪdʒ] *n* 1) буксировка; 2) оплата буксировки.

**toward** I ['touəd] *a уст.* 1) происходящий; предстоящий; 2) послушный; благонравный; 3) способный к учению;

**toward** II [tə'wɔːd] *prep поэт. см.* towards.

**towardly** ['touədlɪ] *a* 1) благоприятный; подходящий, своевременный; 2) сговорчивый, уступчивый.

**towards** [tə'wɔːdz] *prep* 1) к, по направлению к; he edged ~ the door он пробирался к двери; the windows look ~ the sea окна обращены к морю; his back was turned ~ me он стоял ко мне спиной; 2) к, по отношению к; attitude ~ art отношение к искусству; 3) *указывает на цель действия* для; с тем, чтобы; to save money ~ an education откладывать деньги для получения образования; to make efforts ~ a reconciliation стараться добиться примирения; 4) *указывает на совершение действия к определённому моменту* около, к; ~ the end of November к концу ноября; ~ morning (evening) к утру (вечеру).

**tow-boat** ['toubout] *n* буксирное судно.

**towel** ['tauəl] 1. *n* 1) полотенце; 2) *sl.* дубина, дубинка (*тж.* oaken ~); ◇ to throw in the ~ сдáться, признáть себя побеждённым;

**2.** *v* 1) вытирáть(ся) полотéнцем; 2) *sl.* бить.

**towel-horse** ['tauəlhɔːs] *n* вéшалка для полотéнец.

**towelling** ['tauəliŋ] **1.** *pres. p. om* towel 2; **2.** *n* 1) материáл для полотéнец; 2) *sl.* побóи, пóрка.

**tower** ['tauə] **1.** *n* 1) бáшня; вы́шка; *перен.* оплóт, опóра; a ~ of strength надёжная опóра; защи́тник, на котóрого мóжно пóлностью положи́ться; 2): the T. (of London) Тáуэр (*ранее—тюрьмá, где содержáлись коронóванные и др. знáтные преступники, ны́не—арсенáл и музéй средневекóвого орýжия и орýдий пы́тки*); 3) *mex.* опóра; пилóн, мáчта, вы́шка;

**2.** *v* 1) вы́ситься, вздымáться, громозд́иться (*чáсто ~* up); 2) быть вы́ше други́х (*тж. перен.; above, over*).

**towering** ['tauəriŋ] **1.** *pres. p. om* tower 2; **2.** *a* 1) высóкий, вздымáющийся; возвышáющийся (*над чем-л.*); 2) увеличивáющийся, растýщий; 3) ужáсный, нейстовый.

**tow-head** ['touhed] *n* 1) свéтлые вóлосы; 2) светловолóсый человéк.

**towing-line** ['touiŋlain] = tow-line.

**towing-path** ['touiŋpɑːθ] *n* бечевни́к (*дорóга для тя́ги судóв на бечевé*).

**towing-rope** ['touiŋroup] = tow-line.

**tow-line** ['toulain] *n* букси́р, букси́рный трос.

**town** [taun] *n* 1) гóрод; городóк; *амер. тж.* местéчко; out of ~ **а**) в дерéвне; **б**) в отъéзде (*обы́кн. из Лóндона*); 2) жи́тели гóрода; he became the talk of the ~ о нём говори́т весь гóрод; 3) административный центр (*райóна, óкруга и т. п.*); сáмый большóй из близлежáщих городóв; 4) центр деловóй *или* торгóвой жи́зни гóрода; 2) *attr.* городскóй; ~ house городскáя кварт́ира; ~ water водá из городскóго водопровóда; ~ gas свети́льный газ; ◇ on the ~ **а**) ведýщий свéтский óбраз жи́зни; **б**) *амер.* получáющий посóбие по безрабóтице; ~ and gown жи́тели Óксфорда *или* Кéмбриджа, включáя студéнтов и профессýру; to paint the ~ red *sl.* **а**) скандáлить, дебоши́рить; **б**) мáзаться, крáситься.

**town clerk** ['taun'klɑːk] *n* секретáрь городскóй корпорáции.

**town council** ['taun'kaunsl] *n* городскóй (*или* муниципáльный) совéт.

**town councillor** ['taun'kaunsilə] *n* член городскóго (*или* муниципáльного) совéта.

**townee** [tau'niː] *n* 1) *унив. sl.* жи́тель Óксфорда *или* Кéмбриджа, не имéющий отношéния к университéту; 2) *разг.* горожáнин.

**town hall** ['taun'hɔːl] *n* рáтуша.

**town planning** ['taun'plæniŋ] *n* планирóвка городóв.

**townsfolk** ['taunzfouk] *n* (*употр. с гл. во мн. ч.*) горожáне.

**township** ['taunʃip] *n* 1) *амер.* местéчко; райóн (*часть óкруга*); учáсток, восточная, южная и зáпадная грани́цы котóрого имéют в длину́ по 6 миль (*ок. 10 км*); 2) по-

сёлок, городóк; 3) учáсток, отведённый под городскóе стройтельство; 4) *ист.* церкóвный прихóд *или* помéстье (*осóб. как административная едини́ца в Áнглии*); мáленький городóк *или* дерéвня, входи́вшие в состáв большóго прихóда.

**townsman** ['taunzmən] *n* 1) горожáнин; 2) жи́тель тогó же гóрода, согражданин.

**townspeople** ['taunz,piːpl] = townsfolk.

**tow-path** ['toupɑːθ] = towing-path.

**tow-rope** ['touroup] *n* 1) = tow-line; 2) *ав.* гайдрóп.

**tow-row** ['tou'rou] *n* *разг.* шум, гам.

**toxaemia** [tɔk'siːmiə] *n* *мед.* заражéние крóви.

**toxic** ['tɔksik] **1.** *n* яд; **2.** *a* ядови́тый.

**toxicant** ['tɔksikənt] = toxic 2.

**toxicology** [,tɔksi'kɔlədʒi] *n* учéние о я́дах.

**toxicosis** [,tɔksi'kousis] *n* *мед.* токсикóз.

**toxin** ['tɔksin] *n* токси́н.

**toy** [tɔi] **1.** *n* 1) игрýшка, забáва; to make a ~ of smth. забавля́ться чем-л.; 2) безделýшка; пустя́к; 3) что-л. мáленькое, кýкольное; a ~ of a church церкóвка; 4) *sl.* часы́; ~ and tackle чáсики с цепóчкой; 5) *attr.* игрýшечный, кýкольный; миниатю́рный; ~ dog мáленькая кóмнатная собáчка; ~ fish ры́бка для аквáриума; ~ soldier оловя́нный солдáтик; *перен.* солдáт бездéйствующей áрмии;

**2.** *v* 1) игрáть, забавля́ться, несерьёзно относи́ться; to ~ with an idea несерьёзно относи́ться к мы́сли (*о чём-л.*); 2) вертéть в рукáх (with); 3) флиртовáть.

**toyman** ['tɔimən] *n* 1) торгóвец игрýшками; 2) игрýшечный мáстер.

**toyshop** ['tɔiʃɔp] *n* магази́н игрýшек.

**toze** [touz] *v* *mex.* отделя́ть óлово от пустóй порóды.

**trace I** [treis] **1.** *n* 1) след; to keep ~ of smth. следи́ть за чем-л.; without a ~ бесслéдно; hot on the ~s of smb. по чьим-л. горя́чим следáм; 2) *уст.* стезя́; 3) *амер.* (исхóженная) тропи́нка; 4) чертá; 5) незначи́тельное коли́чество, следы́; 6) чертёж на кáльке; 7) *амер. воен.* равнéние в заты́лок;

**2.** *v* 1) следи́ть (*за кем-л., чем-л.*); вы́следить; 2) проследи́ть (to, back to); this custom has been ~d to the twelfth century э́тот обы́чай восхóдит к двенáдцатому вéку; 3) рассмотрéть, различи́ть; 4) усмáтривать, находи́ть; 5) черти́ть; тщáтельно выпи́сывать, выводи́ть (*словá, бýквы*); *перен.* начертáть; 6) своди́ть (чертёж); калькúровать (*тж. ~* over); 7) восстанáвливать расположéние *или* разме́ры (*дрéвних сооружéний, пáмятников и т.п. по сохрани́вшимся разва́линам*); 8) фикси́ровать, запи́сывать (*о кардиогрáфе и т. п.*); 9) (*обы́кн. p. p.*) украшáть узóрами.

**trace II** [treis] *n* 1) (*обы́кн. pl*) постро́мка; 2) *стр.* подкóс; ◇ to kick over the ~s вы́йти из повиновéния; взбунтовáться.

**tracer I** ['treisə] *n* 1) агéнт по рóзыску утéрянных вещéй (*осóб. на желéзной дорóге*); 2) запрóс о потéрянных (*при перевóзке*) вещáх, о грýзе и т. п.; 3) чертёжник-копирóвщик; 4) исслéдователь; 5) мéченый áтом (*тж.* ~ element); 6) прибор для отыскания повреждений; 7) *воен.* трассирующий снаряд; трассирующая пуля (*тж.* ~ bullet).

**tracer** II ['treisə] *n* 1) пристяжная лошадь; 2) форейтор на пристяжной.

**tracery** ['treisəri] *n* 1) узор, рисунок; 2) ажурная работа (*особ. в средневековой архитектуре*).

**trachea** [trə'ki:ə]*n*(*pl* -cheae) *анат.* трахея.

**tracheae** [trə'ki:i:] *pl от* trachea.

**tracheotomy** [,træki'ɔtəmi] *n мед.* трахеотомия.

**trachoma** [trə'koumə] *n мед.* трахома.

**trachyte** ['treikait] *n мин.* трахит.

**tracing** ['treisiŋ] 1. *pres. p. от* trace I, 2; 2. *n* 1) прослеживание; 2) копировка, калькировка; 3) скалькированный чертёж, рисунок; 4) запись (*сейсмографа и т. п.*); 5) трассировка; 3. *a* трассирующий.

**tracing-paper** ['treisiŋ peipə] *n* восковка, калька.

**track** [træk] 1. *n* 1) след; to be on the ~ of a) преследовать; б) напасть на след; to be in the ~ of smb. идти по стопам, следовать примеру кого-л.; to lose ~ of потерять след; потерять нить; to keep ~ of следить; to keep ~ of events быть в курсе событий; 2) просёлочная дорога; тропинка; the beaten ~ проезжая дорога; *перен.* проторённый путь; рутина; 3) жизненный путь; off the ~ сбившийся с пути, на ложном пути [*ср. тж.* 4)]; 4) *ж.-д.* колея, рельсовый путь; single (double) ~ одноколейный (двухколейный) путь; to leave the ~ сойти с рельсов; off the ~ сошедший с рельсов [*ср. тж.* 3)]; *перен.* уклонившийся от темы; 5) *тех.* направляющее приспособление; 6) *спорт.* лыжня; беговая дорожка, трек; 7) *спорт.* лёгкая атлетика; 8) гусеница (*трактора, танка*); 9) *ав.* путь (самолёта относительно земли); 10) колея в грамзаписи; грамзапись, пластинка; ◊ in one's ~s на месте; немедленно, тотчас же; to make ~s *sl.* дать тягу, улизнуть, убежать; to make ~s for *sl.* преследовать; on the inside ~ в выгодном положении;
2. *v* 1) следить, прослеживать; выслеживать (*обыкн.* ~ out, ~ up, ~ down); 2) оставлять следы; наследить, напачкать; 3) прокладывать путь; намечать курс; 4) пройти, покрыть (*расстояние*); 5) катиться по колее (*о колёсах*); 6) иметь определённое расстояние между колёсами; this car ~s 46 inches у этой машины расстояние между колёсами равно 46 дюймам; 7) прокладывать колею; укладывать рельсы; 8) тянуть бечевой (*тж.* ~ up).

**trackage** ['trækidʒ] *n* 1) сеть железных дорог; 2) общая протяжённость железных дорог.

**track-and-field (athletics)** ['trækənd'fi:ld-(æθ'letiks)] *n спорт.* лёгкая атлетика.

**tracker** I ['trækə] *n* филёр.

**tracker** II ['trækə] *n* 1) бурлак; 2) буксир.

**tracklayer** ['træk,leiə] *n* рабочий по укладке железнодорожных путей.

**trackless** ['træklis] *a* 1) бездорожный; 2) непроторённый; 3) не оставляющий следов; 4) *тех.* безрельсовый; ~ trolley (line) троллейбус (ная линия).

**trackman** ['trækmən] = trackwalker.

**track-shoe** ['trækʃu:] *n* звено гусеницы, башмак гусеницы.

**trackwalker** ['træk,wɔ:kə] *n амер. ж.-д.* путевой обходчик.

**trackway** ['trækwei] *n* 1) тропинка; 2) дорога с колеёй.

**tract** I [trækt] *n* трактат; брошюра (*особ. на политические или религиозные темы*).

**tract** II [trækt] *n* 1) полоса пространства (*земли, леса, воды*); 2) *анат.* тракт; the digestive ~ желудочно-кишечный тракт; 3) *уст.* непрерывный период времени.

**tractable** ['træktəbl] *a* 1) послушный, сговорчивый; 2) легко поддающийся обработке, *напр.*, ковкий *и т. п.*

**tractate** ['trækteit] *n* трактат.

**tractile** ['træktail] *a* вытягивающийся (*в длину*).

**traction** ['trækʃən] *n* 1) тяга; волочение; electric ~ электрическая тяга; 2) сила сцепления; 3) *амер.* городской транспорт.

**traction-engine** ['trækʃən,endʒin] *n* тягач.

**tractor** ['træktə] *n* 1) трактор; 2) *ав.* самолёт с тянущим винтом.

**tractor-driven** ['træktə,drivn] *a* на тракторной тяге.

**tractor-driver** ['træktə,draivə] *n* тракторист.

**tractor-operator** ['træktə,ɔpəreitə] = tractor-driver.

**trade** [treid] 1. *n* 1) занятие; ремесло, профессия; the ~ of war военная профессия; a saddler by ~ шорник по профессии; 2) торговля; home (*или* domestic) ~ внутренняя торговля; foreign (*или* oversea) ~ внешняя торговля; fair ~ а) торговля на основе взаимной выгоды; б) *sl.* контрабанда; 3) (the ~) *pl собир.* торговцы *или* предприниматели (*в какой-л. отрасли*); *разг.* лица, имеющие право продажи спиртных напитков; пивовары, винокуры; the woollen ~ торговцы шерстью; he sells only to the ~ он продаёт только оптом, только розничным торговцам; 4) розничная торговля (*в противоположность оптовой*—commerce); магазин, лавка; his father was in ~ его отец был торговцем, имел лавку; 5) клиентура, покупатели; 6) сделка; обмен; 7) производство; 8) *pl* = trade winds; 9) *attr.* торговый; ~ balance торговый баланс; = journal торговый журнал; 10) *attr.* профсоюзный; ~(s) committee профсоюзный комитет;
2. *v* 1) торговать (in—*чем-л.*; with—*с кем-л.*); 2) извлекать выгоду, использовать в личных целях (in, on, upon); to ~ on the credulity of a client использовать доверчивость покупателя, обманывать покупателя; 3) обменивать (for — на *что-л.*); we ~d seats мы обменялись местами; ☐ ~ off а) сбывать; б) обменивать.

**Trade Board** ['treid'bɔ:d] *n* объединённый совет представителей предпринимателей и рабочих для урегулирования производственных конфликтов (*существует в некоторых отраслях промышленности*).

**trade mark** ['treɪd'mɑ:k] *n* фабри́чная ма́рка.

**trade mission** ['treɪd'mɪʃən] *n* торго́вое представи́тельство, торгпре́дство.

**trade name** ['treɪd'neɪm] *n* 1) торго́вое назва́ние това́ра; 2) назва́ние фи́рмы.

**trade price** ['treɪd'praɪs] *n* фабри́чная цена́, опто́вая цена́.

**trader** ['treɪdə] *n* 1) торго́вец (*особ.* опто́вый*); 2) торго́вое су́дно; 3) биржеви́к (*не по́льзующийся услу́гами ма́клера*).

**trade-route** ['treɪdru:t] *n* торго́вый путь.

**trade school** ['treɪd'sku:l] *n* произво́дственная шко́ла, ремёсленное учи́лище.

**tradesfolk** ['treɪdzfouk] = **tradespeople**.

**tradesman** ['treɪdzmən] *n* 1) торго́вец, ла́вочник; купе́ц; 2) ремёсленник.

**tradespeople** ['treɪdz,pi:pl] *n* *pl* купцы́, ла́вочники, их се́мьи и слу́жащие; торго́вое сосло́вие.

**tradeswoman** ['treɪdz,wumən] *n* торго́вка; купчи́ха.

**trade union** ['treɪd'ju:njən] *n* тред-юнио́н; профсою́з.

**trade-union** ['treɪd,ju:njən] *a* профсою́зный.

**trade-unionism** [,treɪd'ju:njənɪzəm] *n* тред-юниони́зм.

**trade-unionist** [,treɪd'ju:njənɪst] **1.** *n* тред-юниони́ст; член профсою́за; **2.** *a* тред-юниони́стский.

**trade wind** ['treɪd'wɪnd] *n* пасса́т.

**trading** ['treɪdɪŋ] **1.** *pres. p. om* trade 2; **2.** *n* торго́вля; комме́рция; **3.** *a* 1) занима́ющийся торго́влей; торго́вый.

**trading post** ['treɪdɪŋ'poust] *n* факто́рия.

**tradition** [trə'dɪʃən] *n* 1) тради́ция; ста́рый обы́чай; by ~ по тради́ции; 2) преда́ние.

**traditional** [trə'dɪʃənl] *a* традицио́нный; передава́емый из поколе́ния в поколе́ние, осно́ванный на обы́чае.

**traditionalism** [trə'dɪʃnəlɪzəm] *n* приве́рженность к тради́циям.

**traditionally** [trə'dɪʃnəlɪ] *adv* по тради́ции.

**traditionary** [trə'dɪʃnərɪ] = **traditional**.

**traduce** [trə'dju:s] *v* злосло́вить, клевета́ть.

**traffic** ['træfɪk] **1.** *n* 1) движе́ние; тра́нспорт; arterial ~ движе́ние по гла́вным магистра́лям го́рода; 2) торго́вля; to carry on ~ вести́ торго́влю; ~ in votes торго́вля голоса́ми (*на вы́борах*); 3) *attr.* относя́щийся к тра́нспорту; ~ manager, ~ officer, *разг.* сор полице́йский, регули́рующий у́личное движе́ние; ~ controller диспе́тчер; **2.** *v* торгова́ть (in—*чем-л.*).

**trafficator** ['træfɪkeɪtə] *n* указа́тель поворо́та.

**traffic-circle** ['træfɪk,sə:kl] *n* кругово́е движе́ние про́тив часово́й стре́лки.

**trafficker** ['træfɪkə] *n* торго́вец (*обыкн. в отриц. значении*); ~ in slaves работорго́вец.

**traffic-light** ['træfɪklaɪt] *n* светофо́р.

**tragedian** [trə'dʒi:djən] *n* 1) тра́гик, траги́ческий актёр; 2) а́втор траге́дий.

**tragédienne** [trə,dʒi:dɪ'en] *фр. n* траги́ческая актри́са.

**tragedy** ['trædʒɪdɪ] *n* 1) траге́дия; 2) *attr.* относя́щийся к траге́дии; ~ king актёр, исполня́ющий в траге́дии роль короля́; гла́вный траги́ческий актёр тру́ппы.

**tragic(al)** ['trædʒɪk(əl)] *a* 1) траги́ческий; трагеди́йный; 2) *разг.* ужа́сный; катастрофи́ческий; приско́рбный, печа́льный.

**tragicomedy** ['trædʒɪ'kɔmɪdɪ] *n* трагикоме́дия.

**tragicomic(al)** ['trædʒɪ'kɔmɪk(əl)] *a* трагикоми́ческий.

**trail** [treɪl] **1.** *n* 1) след, хвост; the car left a ~ of dust маши́на оста́вила позади́ себя́ це́лый столб пы́ли; 2) след (*челове́ка, живо́тного*); to be on the ~ of smb. выслё́живать кого́-л.; to foul the ~ запу́тывать следы́; to get on the ~ напа́сть на след; to get off the ~ сби́ться со сле́да; 3) тропа́; 4) *бот.* стё́лющийся побе́г; 5) *воен.* хо́бот лафе́та; 6) *воен.* положе́ние с винто́вкой наперевёс; *амер.* положе́ние с винто́вкой «в руке́»; 7) *ав.* отстава́ние бо́мбы (*относи́тельно самолёта*).
**2.** *v* 1) тащи́ть(ся), волочи́ть(ся); 2) отстава́ть, идти́ сза́ди; плести́сь; 3) идти́ по сле́ду; выслё́живать; 4) протопта́ть (*тро́пинку*); 5) прокла́дывать путь; 6) свиса́ть (*о волоса́х, расте́ниях*); 7) трелева́ть (*брёвна*); 8) *воен.* держа́ть (*винто́вку*) наперевёс (*в опу́щенной руке́, паралле́льно земле́*); *амер.* держа́ть (*винто́вку*) «в руке́»; ◇ to ~ one's coat держа́ться вызыва́юще, лезть в дра́ку.

**trail-blazer** ['treɪl,bleɪzə] *n* пионе́р, нова́тор.

**trail-builder** ['treɪl,bɪldə] *n* доро́жный бульдо́зер.

**trailer** ['treɪlə] *n* 1) та́щущий, волоча́щий *и пр.* [*см.* trail 2]; 2) прице́п; 3) стё́лющееся расте́ние; 4) *кино* анонс.

**trail-net** ['treɪlnet] *n мор.* тра́ловая сеть.

**train I** [treɪn] *v* 1) воспи́тывать, приуча́ть к хоро́шим на́выкам, к дисципли́не; 2) трениро́вать(ся); to ~ for races гото́виться к ска́чкам; 3) обуча́ть, гото́вить; 4) дрессирова́ть (*соба́ку*); объезжа́ть (*ло́шадь*); 5) *амер. разг.* води́ть компа́нию (with); свя́зываться (with); 6) направля́ть рост расте́ний (*обыкн.* ~ up, ~ along, ~ over); 7) *воен.* направля́ть (*ого́нь ору́дий*; upon); ☐ ~ down сбавля́ть вес специа́льной трениро́вкой.

**train II** [treɪn] **1.** *n* 1) по́езд, соста́в; by ~ по́ездом; mixed ~ това́ро-пассажи́рский по́езд; goods ~ това́рный по́езд; up ~ по́езд, иду́щий в Ло́ндон *или* в большо́й го́род; down ~ по́езд, иду́щий из Ло́ндона *или* из большо́го го́рода; long ~ по́езд да́льнего сле́дования; wild ~ по́езд, иду́щий не по расписа́нию; the ~ is off по́езд уже́ отошёл; to lose one's ~ опозда́ть на по́езд; to make (*или* to catch, to nick) the ~ поспе́ть на по́езд; 2) сва́дебный по́езд; похоро́нный корте́ж; 3) карава́н; *воен.* обо́з; 4) цепь, ряд, верени́ца (*собы́тий, мы́слей*); ~ of thought ход мы́слей; a ~ of misfortune цепь не ча́стий; 5) после́дствие; in the (*или* in its) ~ в результа́те, всле́дствие; 6) шлейф (пла́тья); хвост (павли́на, коме́ты); 7) сви́та; толпа́ (покло́нников и т. п.); 8) *метал.* прока́тный стан; 9) *тех.* зубча́тая переда́ча; механи́зм (часово́й и т. п.);

2. *v разг.* е́хать по желе́зной доро́ге.

**trainband** ['treɪnbænd] *n ист.* ополче́ние англи́йских горожа́н (в XVI—XVIII вв.).

**train-bearer** ['treɪn͵bɛərə] *n* паж.

**train-butcher** ['treɪn͵butʃə] *n амер.* разно́счик в по́езде.

**trained** [treɪnd] 1. *p. p. om* train I;

2. *a* 1) вы́ученный, вы́школенный; обу́ченный; трениро́ванный; 2) дрессиро́ванный.

**trained nurse** ['treɪnd'nəːs] *n* медсестра́.

**trainee** [treɪ'niː] *n* проходя́щий подгото́вку, обуче́ние; стажёр, практика́нт.

**trainer** ['treɪnə] *n* 1) инстру́ктор; тре́нер; 2) дрессиро́вщик; 3) *ист.* ополче́нец [*см.* trainband]; 4) *воен.* горизонта́льный наво́дчик.

**train-ferry** ['treɪn'ferɪ] *n* железнодоро́жный паро́м.

**training I** ['treɪnɪŋ] 1. *pres. p. om* train I;

2. *n* 1) воспита́ние; 2) обуче́ние; on-the--job ~ обуче́ние по ме́сту рабо́ты; 3) трениро́вка; 4) дрессиро́вка;

3. *a* трениро́вочный, уче́бный; ~ aids уче́бные посо́бия.

**training II** ['treɪnɪŋ] *pres. p. om* train II, 2.

**training-college** ['treɪnɪŋ͵kɔlɪdʒ] *n* педагоги́ческий институ́т.

**training-school** ['treɪnɪŋskuːl] *n* специа́льное учи́лище (медици́нское и т. п.).

**training-ship** ['treɪnɪŋʃɪp] *n мор.* уче́бное су́дно.

**train-man** ['treɪnmən] *n амер.* тормозно́й конду́ктор; проводни́к.

**train-master** ['treɪn͵mɑːstə] *n амер.* нача́льник по́езда; гла́вный конду́ктор.

**train-oil** ['treɪnɔɪl] *n* во́рвань.

**train-service** ['treɪn͵səːvɪs] *n ж.-д.* слу́жба движе́ния.

**train staff** ['treɪn'stɑːf] *n* поездна́я брига́да.

**train table** ['treɪn'teɪbl] *n* гра́фик движе́ния поездо́в.

**traipse** [treɪps] = trapse.

**trait** [treɪ, *амер.* treɪt] *n* 1) штрих; 2) черта́ (лица́, хара́ктера).

**traitor** ['treɪtə] *n* преда́тель, изме́нник.

**traitorous** ['treɪtərəs] *a* преда́тельский, вероло́мный.

**traitress** ['treɪtrɪs] *n* преда́тельница.

**trajectory** ['trædʒɪktərɪ] *n* траекто́рия.

**tram I** [træm] 1. *n* 1) трамва́й; 2) = tram--line; 3) = tram-car; 4) *горн.* вагоне́тка, теле́жка; 5) *attr.* трамва́йный;

2. *v* 1) е́хать в трамва́е; 2) отка́тывать на вагоне́тках.

**tram II** [træm] *n текст.* кручёный шёлк, уто́чный шёлк.

**tram III** [træm] *n тех.* разме́точный штангенци́ркуль.

**tram-car** ['træmkɑː] *n* трамва́й (ваго́н).

**tram-driver** ['træm͵draɪvə] *n* вагоновожа́тый.

**tram-line** ['træmlaɪn] *n* трамва́йная ли́ния.

**trammel** ['træməl] 1. *n* 1) не́вод; трал; 2) *уст.* се́тка для ло́вли птиц; 3) *pl* поме́ха, препя́тствие; что-л. сде́рживающее; 4) инструме́нт для выче́рчивания э́ллипсов; штангенци́ркуль; 5) крючо́к для подве́шивания котла́ над огнём;

2. *v* 1) лови́ть не́водом, се́тью; 2) меша́ть; сде́рживать.

**trammer** ['træmə] *n* 1) трамва́йщик; 2) ло́шадь в ко́нке.

**tramontane** ['træmənteɪn] 1. *a* 1) заальпи́йский; 2) иностра́нный, чужезе́мный; ва́рварский;

2. *n* иностра́нец, чужезе́мец; ва́рвар.

**tramp** [træmp] 1. *n* 1) бродя́га; 2) до́лгое и утоми́тельное путеше́ствие пешко́м; 3) звук тяжёлых шаго́в; 4) *мор.* грузово́е су́дно, не рабо́тающее на определённых ре́йсах;

2. *v* 1) тяжело́ ступа́ть, гро́мко то́пать; 2) идти́ пешко́м; тащи́ться с трудо́м, с неохо́той; 3) бродя́жничать; 4) топта́ть, ута́птывать, утрамбо́вывать.

**trample** ['træmpl] 1. *n* 1) топта́ние, то́панье; 2) попра́ние;

2. *v* 1) топта́ть (тра́ву, посе́вы); раста́птывать; 2) дави́ть (виногра́д); 3) тяжело́ ступа́ть; 4) подавля́ть, попира́ть (оп, цроп).

**trampoose** [træm'puːs] *v амер. sl.* броди́ть, шля́ться; бродя́жничать.

**tram-road** ['træmroud] *n* ре́льсовый путь (для трамва́я, ваго́нетки и т. п.).

**tramway** ['træmweɪ] = tram-line.

**trance** [trɑːns] *n* 1) *мед.* транс; 2) состоя́ние экста́за.

**tranquil** ['træŋkwɪl] *a* споко́йный.

**tranquillity** [træŋ'kwɪlɪtɪ] *n* споко́йствие.

**tranquillize** ['træŋkwɪlaɪz] *v* успока́ивать(ся).

**trans-** [træns-, trænz-] *pref* 1) за, по ту сто́рону; че́рез, транс-; transatlantic трансатланти́ческий; 2) ука́зывает на измене́ние фо́рмы, состоя́ния и т. п. пере-; to transform превраща́ть; to transplant переса́живать; to transshape изменя́ть фо́рму; 3) ука́зывает на превыше́ние преде́ла, перехо́д грани́цы пере-, пре-; to transcend превыша́ть; to transgress преступа́ть (или наруша́ть) зако́н.

**transact** [træn'zækt] *v* вести́, провести́ (де́ло); соверша́ть (сде́лку).

**transaction** [træn'zækʃən] *n* 1) де́ло; сде́лка; 2) веде́ние, отправле́ние (де́ла); 3) *pl* труды́, протоко́лы (нау́чного о́бщества); 4) *юр.* урегули́рование спо́ра путём соглаше́ния сторо́н *или* компроми́сса.

**transalpine** ['trænz'ælpaɪn] *a* трансальпи́йский, находя́щийся се́вернее Альп.

**transatlantic** ['trænzət'læntɪk] 1. *a* 1) трансатланти́ческий; ~ line трансатланти́ческая парохо́дная ли́ния; 2) америка́нский;

2. *n* трансатланти́ческий парохо́д.

**transcalent** [træns'keɪlənt] *a* теплопрово́дный.

**transceiver** [træn'siːvə] *n (сокр. om* transmitter-receiver) *амер.* приёмопереда́тчик, радиопереда́тчик и радиоприёмник в о́бщем ко́рпусе.

**transcend** [træn'send] *v* 1) переступа́ть преде́лы; 2) превосходи́ть, превыша́ть.

**transcendent** [træn'sendənt] *a* 1) превосходящий; 2) превосходный; необыкновенный; 3) = transcendental 1).

**transcendental** [,trænsen'dentl] *a* 1) филос. трансцендентальный; трансцендентный; 2) мат. трансцендентный; 3) распр. абстрактный; неясный, туманный.

**transcendentalism** [,trænsen'dentəlɪzəm] *n* трансцендентальная философия.

**transcontinental** ['trænz,kɔntɪ'nentl] *a* пересекающий континент.

**transcribe** [træns'kraɪb] *v* 1) переписывать; 2) расшифровывать стенографическую запись; 3) записывать на плёнку (для передачи); передавать по радио грамзапись; 4) фон. транскрибировать; 5) муз. транспонировать.

**transcript** ['trænskrɪpt] *n* 1) копия; 2) расшифровка (стенографической записи).

**transcription** [træns'krɪpʃən] *n* 1) переписывание; 2) копия; 3) запись; electrical ~ радио механическая запись; 4) фон. транскрипция; транскрибирование; 5) муз. транспонировка.

**transducer** [træns'djuːsə] *n* эл. 1) преобразователь; 2) датчик; приёмник.

**transect** [træn'sekt] *v* делать поперечный надрез.

**transept** ['trænsept] *n* архит. трансепт, поперечный неф готического собора.

**transfer** 1. *n* ['trænsfəː] 1) перенос; перемещение; 2) передача (имущества, права); документ о передаче; трансфер; ~ of authority передача прав, полномочий; 3) перевод рисунка и т. п. на другую поверхность; 4) *pl* переводные картинки; 5) зеркальный оттиск; 6) перевод красок на холст (при реставрировании); 7) пересадка (на железной дороге); 8) амер. пересадочный билет.

2. *v* [træns'fəː] 1) переносить, перемещать (from—из; to—в); to ~ a child to another school перевести ребёнка в другую школу; 2) передавать (имущество и т. п.); 3) переводить рисунок на другую поверхность, особ. наносить рисунок на литографский камень; 4) пересаживаться (на другой трамвай); делать пересадку (на железной дороге).

**transferable** [træns'fəːrəbl] *a* допускающий передачу, перемещение, замену; all parts of the machine were standard and ~ все части машины были стандартны и заменяемы; ~ vote голос, который может быть передан другому кандидату (при пропорциональной системе представительства).

**transferal** [træns'fəːrəl] *n* перевод, перенос, перемещение.

**transferee** [,trænsfəː'riː] *n* лицо, которому передаётся что-л. или право на что-л.

**transference** ['trænsfərəns] *n* 1) передача; 2) перенесение.

**transfer-ink** [træns'fəːr,ɪŋk] *n* типографская тушь.

**transferor** [træns'fəːrə] *n* 1) передатчик; 2) лицо, передающее права на что-л.

**transfiguration** [,trænsfɪgju'reɪʃən] *n* 1) видоизменение, преобразование; 2) (T.) церк. преображение.

**transfigure** [træns'fɪgə] *v* 1) видоизменять; 2) преображать.

**transfix** [træns'fɪks] *v* 1) пронзать; прокалывать, пронизывать; 2) перен. приковать к месту; he was ~ed with horror ужас приковал его к месту.

**transform** [træns'fɔːm] *v* 1) превращать; 2) преображать; делать неузнаваемым; to ~ beyond recognition изменить до неузнаваемости; 3) эл. преобразовать, трансформировать.

**transformation** [,trænsfə'meɪʃən] *n* 1) превращение; 2) эл. трансформация; 3) мат. преобразование; 4) женский парик.

**transformer** [træns'fɔːmə] *n* 1) преобразователь; 2) эл. трансформатор.

**transfuse** [træns'fjuːz] *v* 1) переливать; 2) делать переливание (крови); 3) передавать (свой энтузиазм и т. п.); 4) пропитывать; пронизывать.

**transfusion** [træns'fjuːʒən] *n* переливание (особ. крови).

**transgress** [træns'gres] *v* 1) переступать, нарушать (закон и т. п.); 2) переходить границы (терпения, приличия и т. п.); 3) грешить.

**transgression** [træns'greʃən] *n* 1) проступок; нарушение (закона и т. п.); 2) грех; 3) геол. трансгрессия.

**transgressor** [træns'gresə] *n* 1) правонарушитель; 2) грешник.

**tranship** [træn'ʃɪp] = trans-ship.

**transience, -cy** ['trænzɪəns, -sɪ] *n* быстротечность, мимолётность.

**transient** ['trænzɪənt] 1. *a* 1) преходящий, мимолётный, скоротечный; 2) неустановившийся; изменяемый; переменный; 3) случайный, временный; амер. разг. проезжий (о постояльце гостиницы);

2. *n* амер. временный постоялец.

**transient agent** ['trænzɪənt'eɪdʒənt] *n* нестойкое отравляющее вещество.

**transit** ['trænsɪt] 1. *n* 1) прохождение; проезд; rapid ~ быстрый переезд; 2) ком. транзит, перевозка; in ~ в пути; 3) перемена; переход (в другое состояние); 4) астр. прохождение через меридиан; 5) теодолит (угломерный инструмент); 6) attr. транзитный; 7) attr. кратковременный; преходящий;

2. *v* 1) переходить, переезжать; 2) переходить в иной мир, умирать; 3) астр. проходить через меридиан.

**transit-duty** ['trænsɪt,djuːtɪ] *n* транзитная пошлина.

**transition** [træn'sɪʒən] *n* 1) переход, перемещение; 2) переходный период; 3) attr. переходный; ~ period переходный период; ~ curve мат. переходная кривая.

**transitional** [træn'sɪʒənl] *a* переходный; промежуточный.

**transitive** ['trænsɪtɪv] *a* грам. переходный.

**transitory** ['trænsɪtərɪ] *a* мимолётный, временный, скоропреходящий; ◇ ~ action юр. дело, которое может быть возбуждено в любом судебном округе.

**transit point** ['trænsɪt'pɔɪnt] *n* физ. точка перехода, температура перехода из одного физического состояния в другое.

**translatable** [træns'leɪtəbl] *a* переводи́мый.

**translate** [træns'leɪt] *v* 1) переводи́ть(ся) (*с одного языка на другой*; from—с, into—на); poetry does not ~ easily стихи́ тру́дно переводи́ть; 2) объясня́ть, толкова́ть; 3) осуществля́ть, претворя́ть в жизнь; to ~ promises into actions выполня́ть обеща́ния; 4) *радио* трансли́ровать; 5) *sl.* лата́ть; переши́вать из ста́рого.

**translation** [træns'leɪʃən] *n* 1) перево́д *и пр.* [*см.* translate]; 2) *радио* трансля́ция; 3) перемеще́ние, смеще́ние; 4) пересчёт из одни́х мер *или* едини́ц в други́е; 5) прямолине́йное движе́ние.

**translator** [træns'leɪtə] *n* перево́дчик.

**translight** ['trænslaɪt] *n* иллюмини́рованный транспара́нт (*вид рекламы*).

**transliterate** [trænz'lɪtəreɪt] *v* транслите-ри́ровать, передава́ть бу́квами друго́го алфави́та.

**transliteration** [,trænzlɪtə'reɪʃən] *n* транс-литера́ция.

**translocate** [træns'loukeɪt] *v* смеща́ть, перемеща́ть.

**translucent** [trænz'luːsnt] *a* просве́чивающий; полупрозра́чный.

**transmarine** [,trænsmə'riːn] *a* замо́рский.

**transmigrant** [trænz'maɪgrənt] *n* инострáнец, находя́щийся в стране́ прое́здом на но́вое местожи́тельство.

**transmigrate** ['trænzmaɪgreɪt] *v* пересе-ля́ть(ся).

**transmigration** [,trænzmaɪ'greɪʃən] *n* пе-реселе́ние.

**transmissible** [trænz'mɪsəbl] *a* 1) переда-ю́щийся; 2) зара́зный.

**transmission** [trænz'mɪʃən] *n* 1) переда́ча; radio ~ радиопереда́ча; picture ~ телеви́дение; 2) пересы́лка; 3) *тех.* переда́ча, коро́бка переда́ч, трансми́ссия, при́вод; 4) *attr.* переда́точный; ~ line *эл.* ли́ния высоко-во́льтной переда́чи.

**transmit** [trænz'mɪt] *v* 1) передава́ть; 2) отправля́ть, посыла́ть; 3) передава́ть по насле́дству.

**transmitter** [trænz'mɪtə] *n* 1) отправи́тель, переда́тчик; 2) (радио)переда́тчик; 3) *тел.* микрофо́н.

**transmogrification** [,trænzmɔgrɪfɪ'keɪʃən] *n шутл.* превраще́ние, метаморфо́за.

**transmogrify** [trænz'mɔgrɪfaɪ] *v шутл.* превраща́ть(ся), изменя́ть(ся) (*необыкно-венным, таинственным образом*).

**transmutation** [,trænzmjuː'teɪʃən] *n* пре-враще́ние; ~s of fortune превра́тности судь-бы́.

**transmute** [trænz'mjuːt] *v* превраща́ть.

**transoceanic** ['trænz,ouʃɪ'ænɪk] *a* 1) заоке-а́нский; 2) транскеа́нский, пересека́ющий окeáн.

**transom** ['trænsəm] *n* 1) *стр.* фраму́га; попере́чный брусо́к; 2) *мор.* тра́нец.

**transom-bar** ['trænsəm,baː] *n стр.* и́мпост (*окна, двери*).

**transparency** [træns'pɛərənsɪ] *n* 1) прозра́ч-ность; 2) транспара́нт.

**transparent** [træns'pɛərənt] *a* 1) прозра́ч-ный, просве́чивающий; 2) я́сный, поня́т-ный; 3) очеви́дный, я́вный; 4) открове́нный.

**transpicuous** [træn'spɪkjuəs] = transpar-ent 1), 2) *и* 3).

**transpierce** [træn'spɪəs] *v* пронза́ть на-сквозь.

**transpiration** [,trænspɪ'reɪʃən] *n* испа́-рина; выделе́ние по́та.

**transpire** [træns'paɪə] *v* 1) испаря́ться; 2) проса́чиваться (*о газе*); проступа́ть в ви́де ка́пель по́та; 3) обнару́живаться, стано-ви́ться изве́стным; 4) *разг.* случа́ться.

**transplant** [træns'plɑːnt] *v* 1) переса́жи-вать; 2) переселя́ть; 3) *хир.* де́лать пере-са́дку ко́жи.

**transplantation** [,trænsplɑːn'teɪʃən] *n* пере-са́дка *и пр.* [*см.* transplant].

**transpontine** ['trænz'pɔntaɪn] *a* 1) рас-поло́женный за мо́стом; находя́щийся по ту сто́рону ло́ндонских мосто́в, к ю́гу от Те́мзы; 2) мелодрамати́ческий; ~ drama дешёвая мелодра́ма.

**transport 1.** *n* ['trænspɔːt] 1) тра́нспорт, перево́зка; 2) тра́нспорт, сре́дства сообще́-ния; тра́нспорт(ное су́дно); пассажи́р-ский *или* почто́вый самолёт; 3) увлече́ние, восто́рг, восхище́ние, *реже* у́жас; 4) *уст.* ка́торжник; 5) *attr.* тра́нспортный;
2. *v* [træns'pɔːt] 1) перевози́ть; пере-носи́ть, перемеща́ть; 2) (*обыкн. p. p.*) увле-ка́ть, приводи́ть в состоя́ние восто́рга, у́жаса *и т. п.*; ~ed with joy не по́мня себя́ от ра́дости; 3) *уст.* ссыла́ть на ка́торгу.

**transportable** [træns'pɔːtəbl] *a* подвиж-но́й, передвижно́й, перено́сный, транспор-та́бельный.

**transportation** [,trænspɔː'teɪʃən] *n* 1) пе-рево́зка, тра́нспорт; транспорти́рование; 2) тра́нспортные сре́дства; 3) *амер.* стои́-мость перево́зки; 4) *амер.* биле́т (*желез-нодоро́жный, трамва́йный и т. п.*); 5) *уст.* ссы́лка на ка́торгу.

**transporter** [træns'pɔːtə] *n тех.* транс-портёр, конве́йер.

**transpose** [træns'pouz] *v* 1) перемеща́ть; переставля́ть (*слова в предложении*); 2) *мат.* переноси́ть в другу́ю часть уравне́ния с об-ра́тным зна́ком; 3) *муз.* транспони́ровать.

**transposition** [,trænspə'zɪʃən] *n* 1) пере-меще́ние, перестано́вка; перено́с; 2) *муз.* транспониро́вка.

**trans-ship** [træns'ʃɪp] *v мор., ж.-д.* 1) пе-регружа́ть; 2) переса́живать(ся).

**trans-shipment** [træns'ʃɪpmənt] *n мор., ж.-д.* 1) перегру́зка; 2) переса́дка.

**transuranium** [,trænsjuə'reɪnjəm] *n хим.* трансура́новый элеме́нт.

**transvalue** [træns'væljuː] *v* переоце́ни-вать.

**transversal** [trænz'vəːsəl] **1.** *a* попере́ч-ный; косо́й, накло́нный;
2. *n* пересека́ющая ли́ния.

**transverse** ['trænzvəːs] *a* попере́чный; ~ section попере́чный разре́з, попере́чное сече́ние.

**tranter** ['træntə] *n диал.* во́зчик; разно́с-чик.

**trap I** [træp] **1.** *n* 1) лову́шка; сило́к; кап-ка́н, западня́; to set a ~ ста́вить лову́шку; to bait a ~ класть прима́нку в лову́шку; *перен.* зама́нивать; to fall into a ~ попа́сться в лову́шку; 2) = trapdoor; 3) *sl.* сы́щик; полице́йский; 4) рессо́рная двуко́лка; 5) *тех.* сифо́н; труба́, изо́гнутая в ви́де U; дрена́жная труба́; 6) *радио* загражда́ющий фильтр, лову́шка; 7) вентиляцио́нная дверь (*в шахте*);

2. *v* 1) ста́вить лову́шки, капка́ны; лови́ть в лову́шки, капка́ны; 2) зама́нивать; обма́нывать; 3) *тех.* заде́рживать, отделя́ть (*тж.* ~ out).

**trap** II [træp] 1. *n* (*обыкн. pl*) 1) ли́чные, дома́шние ве́щи; бага́ж; 2) *уст.* попо́на;

2. *v разг.* наряжа́ть, украша́ть.

**trap** III [træp] *n геол.* 1) трапп; 2) дислока́ция, моноклина́ль.

**trapdoor** ['træp'dɔ:] *n* люк; опускна́я дверь.

**trapes** [treɪps] = trapse.

**trapeze** [trə'pi:z] *n спорт.* трапе́ция.

**trapezia** [trə'pi:zjə] *pl от* trapezium.

**trapezium** [trə'pi:zjəm] *n* (*pl* -s [-z], -zia) *геом.* трапе́ция.

**trap-line** ['træplaɪn] *n охот.* систе́ма капка́нов.

**trapper** ['træpə] *n* охо́тник, ста́вящий капка́ны.

**trappings** ['træpɪŋz] *n pl* 1) ко́нская сбру́я, попо́на (*особ. пара́дная*); 2) официа́льный костю́м; пара́дный мунди́р; 3) украше́ния.

**trappy** ['træpɪ] *a разг.* 1) изоби́лующий капка́нами; 2) преда́тельский, опа́сный.

**trapse** [treɪps] 1. *n* 1) утоми́тельная прогу́лка; 2) неря́ха;

2. *v разг.* 1) ходи́ть без де́ла; 2) тащи́ться; 3) волочи́ть по земле́ (*подол*).

**trap-shooting** ['træp,ʃu:tɪŋ] *n* стрельба́ по летя́щей це́ли или мише́ни (*мячу, глиня́ному голубю и т. п.*).

**trash** I [træʃ] 1. *n* 1) отбро́сы, хлам; му́сор; макулату́ра; 2) *разг.* плоха́я литерату́рная или худо́жественная рабо́та; ерунда́; вздор; 3) нестоя́щие лю́ди, дрянь; white ~ *амер. презр.* бедня́к из бе́лого населе́ния ю́жных шта́тов; 4) вы́жатый са́харный тростни́к;

2. *v* 1) очища́ть от му́сора; 2) подреза́ть верху́шки дере́вьев; 3) очища́ть са́харный тростни́к от ли́стьев; 4) пренебрежи́тельно относи́ться.

**trash** II [træʃ] 1. *n* препя́тствие;

2. *v* сде́рживать, приде́рживать.

**trash-ice** ['træʃ,aɪs] *n* плаву́чие льди́ны (*во время ледохо́да*).

**trashy** ['træʃɪ] *a* дрянно́й.

**trass** [trɑ:s] *n мин.* трасс (*тонкий вулкани́ческий туф*).

**trauma** ['trɔ:mə] *греч. n* (*pl* -ata, -s [-z]) *мед.* тра́вма.

**traumata** ['trɔ:mətə] *pl от* trauma.

**traumatic** [trɔ:'mætɪk] *a мед.* травмати́ческий.

**traumatize** ['trɔ:mətaɪz] *v мед.* травми́ровать.

**travail** ['træveɪl] *уст.* 1. *n* 1) родовы́е му́ки; 2) тяжёлый труд;

2. *v* 1) му́читься в ро́дах; 2) напряга́ться, исполня́ть тру́дную рабо́ту.

**travel** ['trævl] 1. *n* 1) путеше́ствие; 2) *pl*

описа́ние путеше́ствия; 3) движе́ние; длина́ пути́; 4) движе́ние (*снаряда по кана́лу ствола́*); 5) *тех.* пода́ча, ход; длина́ хо́да (*стола́ станка́ и т. п.*);

2. *v* 1) путеше́ствовать; 2) дви́гаться; передвига́ться; 3) перемеща́ться; распространя́ться; light ~s faster than sound ско́рость све́та превыша́ет ско́рость зву́ка; 4) перебира́ть (*в па́мяти*); переходи́ть от предме́та к предме́ту (*о взгля́де*); his eye ~led over the picture он рассма́тривал карти́ну; 5) е́здить в ка́честве коммивояжёра.

**travel-bureau** ['trævlbjuə,rou] *n* бюро́ путеше́ствий.

**travel-film** ['trævlfɪlm] *n* фильм о путеше́ствиях.

**travelled** ['trævld] 1. *p. p. от* travel 2;

2. *a* 1) мно́го путеше́ствовавший; 2) прое́зжий (*о доро́ге*).

**traveller** ['trævlə] *n* 1) путеше́ственник; ~'s cheque аккредити́в; ~'s tales «охо́тничьи» расска́зы; 2) *тех.* бегуно́к; 3) *тех.* мостово́й кран; 4) *разг.* чек на все поку́пки в ра́зных отде́лах магази́на для опла́ты в одно́й ка́ссе.

**traveller's-joy** ['trævləz'dʒɔɪ] *n бот.* ломоно́с.

**travelling** ['trævlɪŋ] 1. *pres. p. от* travel 2;

2. *n* путеше́ствие;

3. *a* 1) путеше́ствующий; свя́занный с путеше́ствием; ~ salesman коммивояжёр; ~ speed ско́рость движе́ния; 2) подвижно́й; ~ kitchen похо́дная ку́хня; ~ library передвижна́я библиоте́ка.

**travelling-bag** ['trævlɪŋbæg] *n* несессе́р.

**travelling crane** ['trævlɪŋ'kreɪn] *n* мостово́й кран.

**travelling-dress** ['trævlɪŋdres] *n* доро́жный костю́м.

**travelogue** ['trævəloug] *n* 1) ле́кция о путеше́ствии с диапозити́вами или кино́; 2) = travel-film.

**traverse** ['trævəs] 1. *n* 1) попере́чина, перекла́дина; 2) препя́тствие; 3) *юр.* отрица́ние (*утвержде́ния противополо́жной стороны́*); 4) *воен.* горизонта́льная наво́дка; 5) *ав., мор.* тра́верз;

2. *v* 1) пересека́ть; класть попере́к; 2) (подро́бно) обсужда́ть; to ~ a subject обсуди́ть вопро́с со всех сторо́н; 3) возража́ть; 4) повора́чиваться на вертика́льной оси́, враща́ться; 5) *юр.* отрица́ть [*см.* 1, 3]; 6) *воен.* выполня́ть горизонта́льную наво́дку;

3. *a* попере́чный.

**travertin** ['trævətɪn] *n мин.* траверти́н, известко́вый туф.

**travertine** ['trævətɪn] = travertin.

**travesty** ['trævɪstɪ] 1. *n* паро́дия; искаже́ние;

2. *v* представля́ть паро́дию; пароди́ровать; искажа́ть.

**travolator** ['trævouleɪtə] *n* дви́жущийся тротуа́р.

**trawl** [trɔ:l] 1. *n* тра́ловая сеть;

2. *v* тащи́ть (се́ти) по дну; лови́ть ры́бу тра́ловыми сетя́ми.

**trawler** ['trɔ:lə] *n* тра́улер, тра́льщик.

**tray** [treɪ] *n* 1) поднóс; to serve (breakfast, dinner, *etc.*) on a ~ подавáть (зáвтрак, обéд *и т. п.*) в нóмер гостúницы; 2) жёлоб, лотóк; 3) корыто.

**treacherous** ['treʧərəs] *a* 1) предáтельский, веролóмный; 2) ненадёжный.

**treachery** ['treʧərɪ] *n* предáтельство, веролóмство.

**treacle** ['triːkl] 1. *n* пáтока;
2. *v* 1) намáзывать пáтокой; 2) давáть дóзу (сéры и) пáтоки (*как лекáрство*).

**treacly** ['triːklɪ] *a* 1) пáточный; 2) притóрный, елéйный.

**tread** [tred] 1. *n* 1) пóступь, похóдка; 2) спáривание (*о птицах*); 3) *стр.* ступéнь; 4) ширинá хóда, колея; 5) *тех.* повéрхность качéния (шúны); óбод (колесá); звенó (гýсеничного хóда);
2. *v* (trod; trodden) 1) ступáть, шагáть, идтú; to ~ in smb.'s steps идтú по чьим-л. стопáм; слéдовать примéру; 2) топтáть, наступáть, давúть (*тж.* ~ down; ~ upon); to ~ under foot уничтожáть, попирáть; притеснять; 3) протáптывать (*дорóжку*); 4) *уст.* танцевáть; 5) спáриваться (*о птицах*); □ ~ down давúть, топтáть, затáптывать; *перен.* попирáть; подавлять; ~ in втáптывать; ~ out а) давúть (*виногрáд*); б) затáптывать (*огóнь*); в) *перен.* подавлять; ◊ to ~ on the heels of слéдовать непосрéдственно за; to ~ on air ≅ ног под собóй не чýять; ликовáть; рáдоваться; to ~ on smb.'s corns (*или* toes) наступúть комý-л. на любúмую мозóль; бóльно задéть когó-л.; задéть чьи-л. чýвства; to ~ (as) on eggs a) ступáть, дéйствовать осторóжно; б) быть в щекотлúвом положéнии; to ~ on the neck of притеснять, подавлять; to ~ the boards (the deck) быть актёром (морякóм); to ~ lightly дéйствовать осторóжно, тактúчно; to ~ water плыть стóя.

**treadle** ['tredl] 1. *n* педáль (*велосипéда*); поднóжка (*швéйной машúны*); ножнóй привóд;
2. *v* рабóтать педáлью.

**treadmill** ['tredmɪl] *n* 1) топчáк; 2) однообрáзный механúческий труд.

**treason** ['triːzn] *n* измéна; high ~ государственная измéна.

**treasonable** ['triːznəbl] *a* измéннический.

**treasonous** ['triːznəs]=treasonable.

**treasure** ['treʒə] 1. *n* сокрóвище; buried ~ клад;
2. *v* 1) хранúть как сокрóвище; сберегáть, хранúть (*тж.* ~ up); 2) высóкó ценúть.

**treasure-house** ['treʒəhaus] *n* 1) сокрóвищница (*особ. библиотéка, музéй*); 2) казначéйство.

**treasurer** ['treʒərə] *n* 1) казначéй; Lord High T. *ист.* государственный казначéй; 2) хранúтель (*цéнностей, коллéкции и т. п.*).

**treasure trove** ['treʒə'trouv] *n* не имéющие владéльца драгоцéнности, нáйденные в землé.

**treasury** ['treʒərɪ] *n* 1) сокрóвищница; 2) (T.) государственное казначéйство; 3) казнá; 4) *attr.* казначéйский; ~ note казначéйский билéт; ◊ T. bench скамья минúстров (*в англ. парлáменте*).

**treat** [triːt] 1. *n* 1) угощéние; to stand ~ угощáть, платúть за угощéние; 2) удовóльствие, наслаждéние; 3) *школ.* пикнúк, экскýрсия;
2. *v* 1) обращáться, обходúться; относúться; he ~ed my words as a joke он обратúл мои словá в шýтку; 2) обрабáтывать, подвергáть дéйствию (with); 3) лечúть (for—от *чегó-л.*; with—чем-л.); 4) трактовáть; the book ~s of poetry в этой кнúге говорúтся о поэзии; 5) угощáть (to); приглáсить в теáтр, кинó *и т. п.* (to); 6) имéть дéло, вестú переговóры (with—с *кем-л.*; for—о *чём-л.*); 7) *горн.* обогащáть.

**treatise** ['triːtɪz] *n* 1) трактáт; 2) научный труд; курс (*учéбник*).

**treatment** ['triːtmənt] *n* 1) обращéние; 2) обрабóтка (*чем-л.*); 3) лечéние, ухóд; to take ~s проходúть курс лечéния; manipulation ~ лечéбные процедýры; 4) пропúтка, пропúтывание; 5) *горн.* обогащéние.

**treaty** ['triːtɪ] *n* 1) договóр; 2) *уст.* переговóры; 3) *attr.* договóрный, существýющий на основáнии договóра; ~ port порт, открытый для торгóвли в сúлу междунарóдных соглашéний.

**treble** ['trebl] 1. *a* 1) тройнóй, утрóенный; 2) *муз.* дискантóвый;
2. *n* 1) тройнóе колúчество; 2) *муз.* дискáнт;
3. *v* 1) утрáивать(ся); 2) *уст.* петь дискáнтом.

**trecentist** [treɪ'ʧentɪst] *ит. n* итальянский худóжник *или* писáтель XIV вéка.

**trecento** [treɪ'ʧentou] *ит. n* XIV век в итальянском искýсстве и литератýре.

**tree** [triː] 1. *n* 1) дéрево; 2) родослóвное дéрево (*тж.* family ~); 3) дрéво; the ~ of knowledge дрéво познáния; 4) *sl.* вúселица (*тж.* Tyburn ~); 5) *рéдк.* стóйка, подпóрка; 6) *тех.* вал; ◊ to be at the top of the ~ стоять во главé; занимáть вúдное положéние; up a (*или* the) ~ в безвыходном положéнии;
2. *v* 1) загнáть на дéрево; 2) влезть на дéрево; 3) постáвить в безвыходное положéние; 4) растягивать, расправлять óбувь (*на колóдке*).

**tree-creeper** ['triːˌkriːpə] *n* пищýха обыкновéнная (*птица*).

**tree-fern** ['triːfəːn] *n* древовúдный пáпоротник.

**tree-frog** ['triːfrɔg] *n* древéсная лягýшка, квáкша.

**treeless** ['triːlɪs] *a* безлéсный, гóлый, без растúтельности (*о земéльном учáстке*).

**treenail** ['triːneɪl] *n мор.* нáгель.

**trefoil** ['trefɔɪl] *n* 1) клéвер; 2) орнáмент в вúде трилúстника.

**trek** [trek] 1. *n* 1) переселéние (*особ.* в фургóнах, запряжённых волáми); 2) перехóд, путешéствие; 3) *воен.* марш, похóд; to go on the ~ выступáть в похóд;
2. *v* 1) переселяться; éхать в фургóнах, запряжённых волáми; 2) дéлать большóй перехóд; пересекáть (*пустыню, горнýю мéстность и т. п.*); 3) *воен.* совершáть марш.

**trellis** ['trelɪs] *n* 1) решётка; 2) шпалéра.

**tremble** ['trembl] **1.** *n* дрожь, дрожа́ние; all in (*или* on, of) a ~ *разг.* дрожа́, в си́льном волне́нии;
**2.** *v* 1) дрожа́ть; трясти́сь; 2) страши́ться, опаса́ться; трепета́ть; to ~ for one's life опаса́ться, дрожа́ть за свою́ жизнь; to ~ at the thought of трепета́ть при мы́сли о; 3) колыха́ться, развева́ться (*о флагах*); ◇ to ~ in the balance висе́ть на волоске́, быть в крити́ческом положе́нии.

**trembler** ['tremblə] *n* *авт.* трамблёр, прерыва́тель.

**trembly** ['tremblɪ] *a* *разг.* 1) дрожа́щий, неро́вный (*почерк и т. п.*); 2) засте́нчивый, ро́бкий.

**tremendous** [trɪ'mendəs] *a* 1) стра́шный; ужа́сный; 2) *разг.* огро́мный, грома́дный; потряса́ющий.

**tremor** ['tremə] *n* 1)=tremble 1; 2) сотрясе́ние; толчки́.

**tremulant** ['tremjulənt] = tremulous.

**tremulous** ['tremjuləs] *a* 1) дрожа́щий, неро́вный (*голос, почерк и т. п.*): 2) ро́бкий, тре́петный.

**trenail** ['triːneɪl]=treenail.

**trench** [trentʃ] **1.** *n* 1) ров, кана́ва; борозда́; котлова́н; 2) транше́я, око́п; 3) про́сека; 4) *attr.* транше́йный, око́пный; ~ stretcher транше́йные носи́лки; ~ warfare транше́йная война́;
**2.** *v* 1) рыть рвы, кана́вы, око́пы, транше́и; 2) вска́пывать; 3) прореза́ть (*желобки, борозды*); 4) проруба́ть (*просеку*); 5) посяга́ть (upon); to ~ upon smb.'s time отнима́ть чьё-л. вре́мя; 6) грани́чить; his answer ~ed (up)on insolence его́ отве́т грани́чил с де́рзостью; □ ~ about, ~ around ока́пываться.

**trenchant** ['trentʃənt] *a* 1) *поэт.* о́стрый, ре́жущий; 2) *перен.* ре́зкий; ко́лкий; о́стрый; ~ style ре́зкая мане́ра.

**trench-bomb** ['trentʃbɔm] *n* *воен.* ручна́я грана́та.

**trench coat** ['trentʃ'kout] *n* тёплая полушине́ль.

**trencher I** ['trentʃə] *n* 1) солда́т, ро́ющий транше́и; 2) = trench coat.

**trencher II** ['trentʃə] *n* доска́, на кото́рой ре́жут хлеб.

**trencherman** ['trentʃəmən] *n* 1) едо́к; a good (poor) ~ хоро́ший (плохо́й) едо́к; 2) прихлеба́тель.

**trench foot** ['trentʃ'fut] *n* *мед.* транше́йная стопа́.

**trench mortar** ['trentʃ'mɔːtə] *n* миноме́т.

**trend** [trend] **1.** *n* 1) направле́ние; 2) о́бщее направле́ние, тенде́нция;
**2.** *v* 1) отклоня́ться, склоня́ться в како́м-л. направле́нии; the road ~s to the north доро́га идёт на се́вер; 2) име́ть тенде́нцию.

**trepan I** [trɪ'pæn] **1.** *n* 1) *мед.* трепа́н; 2) *тех.* бур;
**2.** *v* *мед.* трепани́ровать.

**trepan II** [trɪ'pæn] **1.** *n* лову́шка, западня́;
**2.** *v* 1) зама́нивать; 2) обма́нывать.

**trephine** [trɪ'fiːn] *v* производи́ть трепана́цию.

**trepidation** [ˌtrepɪ'deɪʃən] *n* 1) тре́пет,

дрожь; дрожа́ние; 2) трево́га, беспоко́йное состоя́ние.

**trespass** ['trespəs] **1.** *n* 1) наруше́ние грани́ц (*обыкн. с материальным ущербом для землевладельца*); 2) *юр.* просту́пок; 3) злоупотребле́ние (on, upon—*чем-л.*); 4) *церк.* прегреше́ние;
**2.** *v* 1) нару́шить грани́цу (on, upon); 2) соверши́ть просту́пок *или* прегреше́ние (against); 3) злоупотребля́ть (on); to ~ on one's hospitality злоупотребля́ть чьим-л. гостеприи́мством.

**trespasser** ['trespəsə] *n* 1) наруши́тель грани́ц; браконье́р; 2) правонаруши́тель.

**tress** [tres] *n* 1) дли́нный ло́кон; коса́; 2) *pl* распу́щенные же́нские во́лосы.

**tressed** [trest] *a* 1) име́ющий ко́сы; 2) заплетённый.

**trestle** ['tresl] *n* эстака́да, мост на ра́мных опо́рах; ко́злы; подста́вка.

**trestle-work** ['treslwɔːk] *n* *стр.* подмости, платфо́рма; эстака́да.

**trews** [truːz] *n* *pl* кле́тчатые штаны́ (*шотл. горцев*).

**trey** [treɪ] *n* тро́йка (*в картах*); три очка́ (*на игральных костях*).

**triable** ['traɪəbl] *a* 1) допуска́ющий испыта́ние; 2) *юр.* подсу́дный.

**triad** ['traɪəd] *n* 1) что-л., состоя́щее из трёх часте́й, предме́тов; гру́ппа из трёх челове́к; триа́да; 2) *муз.* трезву́чие.

**triage** ['traɪɑːdʒ] *n* 1) сортиро́вка; 2) ко́фе ни́зшего со́рта.

**trial** ['traɪəl] *n* 1) испыта́ние, о́пыт, про́ба; to give a ~ a) взять на испыта́ние, на испыта́тельный срок (*рабочего*); б) испы́тывать (*прибор, машину и т. п.*); on ~ a) находя́щийся на испыта́тельном сро́ке; б) взя́тый на про́бу (*о предметах*); 2) пережива́ние, испыта́ние; искуше́ние; злоключе́ние; to put on ~ подверга́ть серьёзному испыта́нию [*ср. тж.* 3)]; 3) *юр.* суде́бное разбира́тельство; суде́бный проце́сс, суд; state ~ суд над госуда́рственными престу́пниками; to bring to ~, to put on ~ привлека́ть к суду́ [*ср. тж.* 2)]; to stand one's ~ быть под судо́м; to give a fair ~ суди́ть по зако́ну, справедли́во; 4) *спорт.* попы́тка; 5) *геол.* разве́дка; 6) *attr.* про́бный, испыта́тельный; ~ period испыта́тельный срок; ~ run про́бный пуск, пробе́г; ~ trip про́бное пла́вание; *перен.* экспериме́нт.

**triangle** ['traɪæŋgl] *n* треуго́льник.

**triangular** [traɪ'æŋgjulə] *a* 1) треуго́льный; 2) трёхгра́нный; ~ pyramid трёхгра́нная пирами́да; 3) происходя́щий с уча́стием трёх челове́к, па́ртий, групп и т. п.; ~ fight борьба́ трёх сторо́н ме́жду собо́й; ~ agreement трёхсторо́ннее соглаше́ние.

**triangulate** [traɪ'æŋgjuleɪt] *v* *геод.* производи́ть триангуля́цию, де́лать тригонометри́ческую съёмку.

**triarchy** ['traɪɑːkɪ] *n* триумвира́т.

**trias** ['traɪəs] *n* *геол.* триа́с.

**tribal** ['traɪbəl] *a* племенно́й, родово́й.

**tribe** [traɪb] *n* 1) пле́мя; клан; коле́но; *др.-рим.* три́ба; 2) *разг.* компа́ния; 3) *биол.* три́ба.

**tribesman** ['traɪbzmən] *n* член рода, сородич.

**tribrach** ['trɪbræk] *n прос.* трибра́хий.

**tribulation** [ˌtrɪbjuˈleɪʃən] *n* го́ре, несча́стье.

**tribunal** [traɪˈbjuːnl] *n* 1) суд; трибуна́л; 2) ме́сто судьи́; 3) *уст.* коми́ссия по освобожде́нию от призы́ва в а́рмию.

**tribunate** ['trɪbjunɪt] *n др.-рим.* трибуна́т, до́лжность трибу́на.

**tribune** I ['trɪbjuːn] *n др.-рим.* трибу́н.

**tribune** II ['trɪbjuːn] *n* эстра́да, трибу́на.

**tribunicial** [ˌtrɪbjuˈnɪʃəl] *a* трибу́нский.

**tributary** ['trɪbjutərɪ] 1. *n* 1) да́нник; госуда́рство, платя́щее дань; 2) прито́к; 2. *a* 1) платя́щий дань; подчинённый; 2) явля́ющийся прито́ком; ~ stream прито́к; 3) *геол.* второстепе́нный, подчинённый (*о породе*).

**tribute** ['trɪbjuːt] *n* дань; to lay under ~ наложи́ть дань; to pay (a) ~ to smb. хвали́ть кого́-л., отдава́ть дань кому́-л.; floral ~s цвето́чные подноше́ния.

**tricar** ['traɪkɑː] =tricycle.

**trice** I [traɪs] *n* мгнове́ние; in a ~ мгнове́нно, в оди́н миг.

**trice** II [traɪs] *v мор.* подтя́гивать и привя́зывать (*обыкн.* ~ up).

**tricentenary** ['traɪˈsentɪnərɪ]=tercentenary.

**triceps** ['traɪseps] *n анат.* трёхгла́вая мы́шца.

**trichina** [trɪˈkaɪnə] *n* (*pl* -ae) *зоол., мед.* трихи́на.

**trichinae** [trɪˈkaɪniː] *pl от* trichina.

**trichinopoli** [ˌtrɪtʃɪˈnɔpəlɪ] *n* сорт инди́йской сига́ры.

**trichinosis** [ˌtrɪkɪˈnousɪs] *n мед.* трихинеллёз.

**trichord** ['traɪkɔːd] *n* трёхстру́нный музыка́льный инструме́нт.

**trichotomy** [traɪˈkɔtəmɪ] *n* деле́ние на три ча́сти, на три элеме́нта.

**trichromatic** [ˌtraɪkrouˈmætɪk] *a* трёхцве́тный.

**trick** [trɪk] 1. *n* 1) хи́трость, обма́н; by ~ обма́нным путём; ~ of senses (imagination) обма́н чувств (воображе́ния); to play smb. a ~ обману́ть, наду́ть кого́-л.; сыгра́ть с кем-л. «шту́ку»; you shall not serve that ~ twice второ́й раз э́тот но́мер не пройдёт; 2) фо́кус, трюк; 3) шу́тка; ша́лость; вы́ходка; none of your ~s! без фо́кусов!; a dirty ~ по́длость, га́дость; shabby ~s га́дкие шу́тки; ~s of fortune превра́тности судьбы́; 4) сноро́вка, ло́вкий приём; уло́вка; don't know (*или* have not got) the ~ of it не зна́ю, как э́то де́лается, не зна́ю «секре́та»; he's done the ~ *разг.* ему́ э́то удало́сь; I know a ~ worth two of that у меня́ есть сре́дство полу́чше; all the ~s and turns все приёмы, уло́вки; ~s of the trade специфи́ческие приёмы в како́м-л. де́ле (*или* профе́ссии); 5) осо́бенность, характе́рное выраже́ние (*лица, голоса*); мане́ра, привы́чка (*часто дурна́я*); 6) *карт.* взя́тка; the odd ~ реша́ющая взя́тка; 7) *мор.* о́чередь, сме́на у руля́; to take (*или* to have, to stand) one's ~ отстоя́ть сме́ну; 8) безде

лу́шка, заба́ва, игру́шка; 9) *амер.* ребёнок (*часто* little *или* pretty ~); 10) *attr.* сло́жный; ~ lock замо́к с секре́том; ~ photography комбини́рованные съёмки; 11) *attr.* обма́нчивый;
2. *v* 1) обма́нывать, надува́ть; выма́нивать (out of); обма́ном заста́вить (*что-л. сде́лать*; into); 2) подводи́ть (*кого́-л.*); 3) иску́сно *или* причу́дливо украша́ть (*обыкн.* ~ out, ~ up, ~ off).

**trickery** ['trɪkərɪ] *n* 1) надува́тельство; обма́н; 2) хи́трость, ло́вкая проде́лка.

**tricking** ['trɪkɪŋ] 1. *pres. p. от* trick 2; 2. *n* 1)=trickery; 2) *редк.* оде́жда.

**trickle** ['trɪkl] 1. *n* стру́йка;
2. *v* течь то́нкой стру́йкой, сочи́ться (*тж.* ~ out, ~ down, ~ through, ~ along); ка́пать; the news ~d out но́вость просочи́лась.

**trickster** ['trɪkstə] *n* обма́нщик; ловка́ч.

**tricksy** ['trɪksɪ] *a* 1) шаловли́вый, игри́вый; 2) капри́зный; 3) разоде́тый, наря́дный; 4) ненадёжный, обма́нчивый.

**tricky** ['trɪkɪ] *a* 1) хи́трый, ло́вкий; нахо́дчивый, иску́сный; 2) сло́жный, мудрёный; 3) ненадёжный.

**triclinia** [traɪˈklɪnɪə] *pl от* triclinium.

**triclinium** [traɪˈklɪnɪəm] *n* (*pl* -ia) *др.-рим.* трикли́ний.

**tricolour** ['trɪkələ] 1. *n* трёхцве́тный флаг; 2. *a* трёхцве́тный.

**tricot** ['trɪkou] *фр. n* 1) трико́ (*материя*); 2) трикота́ж(ное бельё).

**tricycle** ['traɪsɪkl] 1. *n* трёхколёсный велосипе́д; мотоци́кл с коля́ской;
2. *v* е́здить на трёхколёсном велосипе́де *или* мотоци́кле.

**trident** ['traɪdənt] *n* трезу́бец.

**tried** [traɪd] 1. *past и p. p. от* try 2;
2. *a* испы́танный, прове́ренный, надёжный.

**triennial** [traɪˈenjəl] 1. *a* продолжа́ющийся три го́да, повторя́ющийся че́рез три го́да;
2. *n* 1) то, что продолжа́ется три го́да *или* случа́ется раз в три го́да; 2) трёхлетняя годовщи́на; 3) трёхле́тнее расте́ние.

**trifle** ['traɪfl] 1. *n* 1) пустя́к, ме́лочь; a ~ немно́го, слегка́; he seems a ~ annoyed он немно́жко раздражён; 2) небольшо́е коли́чество, небольша́я су́мма; it cost a ~ э́то недо́рого сто́ило; put a ~ of sugar in my tea положи́те мне немно́го са́хару в чай; 3) скро́мный пода́рок; 4) чаеви́цы; 5) бискви́т, пропи́танный вино́м и за́литый сби́тыми сли́вками;
2. *v* 1) шути́ть; обраща́ться небре́жно; he is not a man to ~ with с ним шу́тки пло́хи; 2) вести́ себя́ легкомы́сленно; занима́ться пустяка́ми; 3) игра́ть, верте́ть в рука́х, тереби́ть; he ~d with his pencil он верте́л в рука́х каранда́ш; 4) тра́тить понапра́сну (*время, силы; обыкн.* ~ away); to ~ away one's time зря тра́тить вре́мя.

**trifling** ['traɪflɪŋ] 1. *pres. p. от* trifle 2; 2. *n* 1) подшу́чивание, шутли́вая бесе́да; лёгкий разгово́р; 2) тра́та вре́мени;
3. *a* 1) пустя́чный, пустяко́вый; незначи́тельный; 2) несто́ящий, никуды́шный; неинтере́сный.

**trifocal** [traɪ'foukəl] 1. *a* трифока́льный; 2. *n pl* трифока́льные очки́.

**trifoliate** [traɪ'foulɪeɪt] *a* 1) *бот.* трёхли́стный; 2) *архит.* укра́шенный трили́стником.

**triform** ['traɪfɔːm] *a* име́ющий три фо́рмы.

**trig I** [trɪg]1. *a* 1) опря́тный; 2) наря́дный; 3) кре́пкий, здоро́вый; 4) испра́вный;
2. *n уст.* фат;
3. *v* 1) держа́ть в поря́дке, в опря́тности (*часто ~* up); 2) наряжа́ть (*часто ~* out); 3) набива́ть, наполня́ть.

**trig II** [trɪg] 1. *n* подкла́дка под колесо́ для торможе́ния;
2. *v* подкла́дывать (*что-л.*) под колёса для торможе́ния, тормози́ть.

**trig III** [trɪg] *школ. sl. сокр. от* trigonometry.

**trigger** ['trɪgə] *n* 1) *воен.*, *тех.* спусково́й крючо́к; соба́чка; to pull the ~ спусти́ть куро́к; *перен.* пусти́ть в ход, привести́ в движе́ние; 2) защёлка; ◇ easy on the ~ *амер.* вспы́льчивый, легко́ возбуди́мый; quick on the ~ бы́стро реаги́рующий.

**trigger-happy** ['trɪgə,hæpɪ] *a* 1) *воен.*: to be ~ стреля́ть, не це́лясь; 2) вой́нственный.

**trigonal** ['trɪgənəl] 1)=triangular; 2)=trigonous.

**trigonometric(al)** [,trɪgənə'metrɪk(əl)] *a* тригонометри́ческий.

**trigonometry** [,trɪgə'nɔmɪtrɪ] *n* тригонометрия.

**trigonous** ['trɪgənəs] *a* треуго́льный; име́ющий в сече́нии треуго́льник.

**trihedral** [traɪ'hiːdrəl] *a* трёхгра́нный, трёхсторо́нний.

**trihedron** [traɪ'hiːdrən] *n* трёхгра́нник.

**trilateral** ['traɪ'lætərəl] *a* трёхсторо́нний.

**trilbies** ['trɪlbɪz] *n pl sl.* но́ги.

**trilby** ['trɪlbɪ] *n* мя́гкая фе́тровая шля́па.

**trilingual** ['traɪ'lɪŋgwəl] *a* 1) трёхъязы́чный; 2) говоря́щий на трёх языка́х.

**trill** [trɪl] 1. *n* 1) *муз.* трель; 2) *фон.* вибри́рующее г;
2. *v* 1) выводи́ть трель; 2) произноси́ть звук г с вибра́цией.

**trillion** ['trɪljən] *num. card.*, *n* триллио́н; *амер.* биллио́н.

**trilobate** [traɪ'loubeɪt] *a бот.* трёхло́пастный.

**trilogy** ['trɪlədʒɪ] *n* трило́гия.

**trim** [trɪm] 1. *n* 1) состоя́ние поря́дка; in fighting ~ в боево́й гото́вности; in good ~ а) в поря́дке; б) в хоро́шей фо́рме (*о спортсме́не*); 2) наря́д; украше́ние; отде́лка; 3) *амер.* украше́ние витри́ны; 4) *амер.* калёвка, баге́т, филёнка; 5) *мор.* пра́вильное размеще́ние гру́за, балла́ста и т. п. на су́дне; 6) дифере́нт, продо́льный накло́н (*су́дна или дирижа́бля*);
2. *a* 1) аккура́тный, опря́тный, приведённый в поря́док; 2) наря́дный; 3) *уст.* в состоя́нии гото́вности;
3. *v* 1) приводи́ть в поря́док; to ~ one-

self up приводи́ть себя́ в поря́док; 2) подреза́ть (*напр.*, *фити́ль ла́мпы*); подстрига́ть; обреза́ть кро́мки; обтёсывать, торцева́ть (*до́ски*); 3) отде́лывать (*пла́тье*); украша́ть (*блю́до гарни́ром и т. п.*); 4) приспособля́ться; баланси́ровать ме́жду противополо́жными па́ртиями; 5) *разг.* отчита́ть, сде́лать вы́говор; поби́ть; 6) *разг.* обма́нывать; вымога́ть де́ньги; 7) *мор.* уравнове́шивать, удифференто́вывать (*су́дно*); 8) *тех.* снима́ть заусе́нцы; де́лать фа́ску; ◇ to ~ the sails to the wind держа́ть нос по ве́тру.

**trimester** [traɪ'mestə] *n* 1) триме́стр; 2) трёхме́сячный срок.

**trimeter** ['trɪmɪtə] *n прос.* триме́тр.

**trimmer** ['trɪmə] *n* 1) приводя́щий в поря́док и пр. [*см.* trim 3]; 2) приспособле́нец; оппортуни́ст; 3) *стр.* нака́тина, подба́лочник; 4) кочега́р.

**trimming** ['trɪmɪŋ] 1. *pres. p. от* trim 3;
2. *n* 1) (*обыкн. pl*) отде́лка (*на пла́тье*); 2) *pl* припра́ва, гарни́р; 3) очи́стка, зачи́стка, выра́внивание; 4) *разг.* побо́и; 5) обре́зки; 6) запра́вка (*ламп*); 7) *тех.* сня́тие заусе́нцев.

**trine** [traɪn] *a* тройно́й.

**Trinitarian** [,trɪnɪ'tɛərɪən] *n рел.* ве́рующий в до́гмат тро́ичности.

**trinitrotoluene** [traɪ'naɪtrou'tɔljuːn] =trinitrotoluol.

**trinitrotoluol** [traɪ'naɪtrou'tɔljuəl] *n* тринитротолуо́л (*взрывча́тое вещество́*).

**Trinity** ['trɪnɪtɪ] *n рел.* 1) тро́ица; 2) *attr.* свя́занный с тро́ицей; ~ Sunday тро́ицын день; ~ Sittings суде́бная се́ссия в нача́ле ле́та; ~ term ле́тний триме́стр (*в университе́те*); ◇ ~ House англи́йская ло́цманская ассоциа́ция; ~ Brethren чле́ны ло́цманской ассоциа́ции.

**trinket** ['trɪŋkɪt] *n* 1) безделу́шка, брело́к; 2) пустя́к.

**trinomial** [traɪ'noumjəl] 1. *a* 1) *мат.* трёхчле́нный; 2) *биол.* отмеча́ющий род, вид и разнови́дность;
2. *n мат.* трёхчле́н.

**trio** ['triːou] *n* 1) *муз.* три́о; 2) тро́е, тро́йка (*люде́й*); три (*предме́та*); 3) *ав.* тро́йка, звено́ из трёх самолётов.

**triolet** ['triːoulet] *n* трио́лет.

**trip** [trɪp] 1. *n* 1) путеше́ствие; пое́здка, экску́рсия, рейс; round ~ пое́здка туда́ и обра́тно; to take a ~ съе́здить; 2) бы́страя лёгкая похо́дка, лёгкий шаг; 3) спотыка́ние, паде́ние (*зацепи́вшись за что-л.*); 4) ло́жный шаг, оши́бка, обмо́лвка; 5) *спорт.* подно́жка; 6) *тех.* расцепля́ющее приспособле́ние; защёлка; опроки́дыватель; 7) *горн.* соста́в (*вагоне́ток*);
2. *v* 1) идти́ бы́стро и легко́, бежа́ть вприпры́жку; 2) спотыка́ться, па́дать (*зацепи́вшись за что-л.*); опроки́нуть(ся) (*тж.* over, ~ up); 3) сде́лать ло́жный шаг, обмо́лвиться, ошиби́ться, споткну́ться; 4) дать подно́жку, подстави́ть но́жку (*тж. перен.*); 5) пойма́ть, уличи́ть во лжи и т. п. (*часто ~* up); to catch a person ~ping пойма́ть кого́-л. на ме́сте преступле́ния; 6) *уст.* отправля́ться в путеше́ствие, соверша́ть экс-

ку́рсию; 7) *тех.* сцепля́ть; расцепля́ть; включа́ть; выключа́ть; 8) *мор.* вывора́чивать из гру́нта (*якорь*).

**tripartite** ['traɪ'pɑːtaɪt] *a* 1) состоя́щий из трёх часте́й; 2) тро́йственный, трёхсторо́нний; ~ conference конфере́нция трёх держа́в.

**tripe** [traɪp] *n* 1) рубе́ц (*кушанье*); 2) *уст.* вну́тренности; 3) *sl.* дрянь, хлам; халту́ра; 4) *sl.* никуды́шный челове́к.

**trip-hammer** ['trɪp,hæmə] *n тех.* механи́ческий мо́лот.

**triphibious** [traɪ'fɪbɪəs] *a* происходя́щий на земле́, на мо́ре и в во́здухе; ~ warfare война́, веду́щаяся на су́ше, на мо́ре и в во́здухе.

**triphthong** ['trɪfθɔŋ] *n фон.* трифто́нг.

**triple** ['trɪpl] **1.** *a* тройно́й; утро́енный; T. Alliance *ист.* Тро́йственный сою́з; T. Entente *ист.* Анта́нта, Тро́йственное согла́сие; ~ time *муз.* счёт на́ три.
**2.** *v* утра́ивать(ся); to ~ one's efforts утра́ивать свои́ уси́лия.

**triplet** ['trɪplɪt] *n* 1) тро́йка (*три предме́та, лица*); 2) близне́ц (*из тро́йни*); *pl* тро́йня; 3) *прос.* трипле́т.

**triplex** ['trɪpleks] **1.** *a* 1) тройно́й; состоя́щий из трёх часте́й; 2) *тех.* стро́енный; тройно́го де́йствия;
**2.** *n* 1) безоско́лочное стекло́ три́плекс; 2) *муз.* счёт на́ три.

**triplicate 1.** *n* ['trɪplɪkɪt] одна́ из трёх ко́пий; in ~ в трёх экземпля́рах;
**2.** *a* ['trɪplɪkɪt] тройно́й;
**3.** *v* ['trɪplɪkeɪt] утра́ивать; составля́ть в трёх экземпля́рах.

**triplication** [,trɪplɪ'keɪʃən] *n* утрое́ние.

**tripod** ['traɪpɔd] **1.** *n* 1) трено́жник; трено́га; 2) стул, стол на трёх но́жках;
**2.** *a* трено́гий.

**tripoli** ['trɪpəlɪ] *n мин.* тре́пел.

**tripos** ['traɪpɔs] *n* экза́мен для получе́ния отли́чия (*в Кембридже*).

**tripper** ['trɪpə] *n* экскурса́нт, тури́ст.

**tripping** ['trɪpɪŋ] **1.** *pres. p. om* trip 2;
**2.** *n* 1) лёгкая похо́дка; 2) *тех.* выпаде́ние, отключе́ние; опроки́дывание (*ваго-нетки*);
**3.** *a* 1) быстроно́гий; 2) *тех.* выключа́ющий; отключа́ющий.

**trippingly** ['trɪpɪŋlɪ] *adv* 1) бы́стро, жи́во, ло́вко; 2) бо́йко, свобо́дно (*говори́ть*).

**triptych** ['trɪptɪk] *n жив.* три́птих.

**triquetrous** [traɪ'kwiːtrəs] *a* 1) треуго́льный; 2) *бот.* трёхгра́нный (*сте́бель*).

**trireme** ['traɪriːm] *n воен. ист.* трире́ма.

**trisect** [traɪ'sekt] *v* дели́ть на три ра́вные ча́сти.

**trishaw** ['traɪʃɔː] *n* велори́кша.

**tristful** ['trɪstful] *a уст.* печа́льный.

**trisyllabic** ['traɪsɪ'læbɪk] *a* трёхсло́жный.

**trisyllable** ['traɪ'sɪləbl] *n* трёхсло́жное сло́во.

**trite** [traɪt] *a* бана́льный, изби́тый; ~ phrase изби́тая фра́за; ~ metaphor стёршаяся мета́фора.

**tritium** ['trɪtɪəm] *n хим.* три́тий.

**Triton** ['traɪtn] *n миф.* трито́н.

**triton** ['traɪtn] *n зоол.* трито́н.

**triturate** ['trɪtjuːreɪt] *v* растира́ть в порошо́к.

**triumph** ['traɪəmf] **1.** *n* триу́мф; торжество́, побе́да;
**2.** *v* 1) пра́здновать (триу́мф), ликова́ть; 2) победи́ть; восторжествова́ть (over—над).

**triumphal** [traɪ'ʌmfəl] *a* триумфа́льный.

**triumphant** [traɪ'ʌmfənt] *a* 1) победоно́сный; 2) торжеству́ющий; лику́ющий.

**triumvir** [traɪ'ʌmvə] *n* (*pl* -s [-z], -ri) *ист.* триумви́р.

**triumvirate** [traɪ'ʌmvɪrɪt] *n* триумвира́т.

**triumviri** [trɪ'umvɪrɪ] *pl om* triumvir.

**triune** ['traɪjuːn] *a* триеди́ный.

**trivet** ['trɪvɪt] *n* 1) тага́н, прикреплённый к решётке ками́на; 2) подста́вка (*для блю́да, кастрю́ли*); 3) *редк.* трено́жник; 4) *attr.* трено́гий; ~ table стол на трёх но́жках; ◇ right as a ~ а) пра́вильный; б) здоро́вый; в по́лном поря́дке.

**trivia** ['trɪvɪə] *лат. n pl* ме́лочи.

**trivial** ['trɪvɪəl] *a* 1) обы́денный, повседне́вный; тривиа́льный; the ~ round обыде́нщина, рути́на; 2) незначи́тельный, ме́лкий, пусто́й; 3) ненау́чный, наро́дный (*о назва́ниях расте́ний и живо́тных*); 4) относя́щийся к назва́нию ви́да (*в отли́чие от назва́ния ро́да*).

**triviality** [,trɪvɪ'ælɪtɪ] *n* 1) тривиа́льность; о́бщее ме́сто; 2) незначи́тельность.

**trocar** ['troukɑː] *n мед.* троака́р.

**trochaic** [trou'keɪɪk] *прос.* **1.** *a* хорей́ческий;
**2.** *n pl* хоре́й, трохе́й.

**troche** [trouʃ] *n* табле́тка.

**trochee** ['trouki:] *n прос.* хоре́й, трохе́й.

**trod** [trɔd] *past om* tread 2.

**trodden** ['trɔdn] *p. p. om* tread 2.

**troglodyte** ['trɔglədaɪt] *n* 1) троглоди́т, пеще́рный челове́к; 2) отше́льник.

**Trojan** ['troudʒən] **1.** *a* троя́нский;
**2.** *n* 1) троя́нец; 2) хра́брый, энерги́чный, выно́сливый челове́к.

**troll I** [troul] **1.** *n* 1) купле́ты, исполня́емые певца́ми поочерёдно; 2) прима́нка; 3) переда́ча по кру́гу;
**2.** *v* 1) распева́ть; петь (вступа́я по о́череди); 2) лови́ть ры́бу, волоча́ блесну́; 3) зама́нивать, завлека́ть; 4) бы́стро, бе́гло говори́ть; 5) *уст.* пусти́ть вкругову́ю.

**troll II** [troul] *n сканд. миф.* тролль.

**trolley** ['trɔlɪ] *n* 1) теле́жка (разно́счика); сто́лик на колёсиках для пода́чи пи́щи; 2) вагоне́тка; дрези́на; та́чка; 3) *амер.* трамва́й; 4) *эл.* конта́ктный ро́лик (*тж.* ~ wheel); тролле́й.

**trolley-bus** ['trɔlɪbʌs] *n* тролле́йбус.

**trolley-car** ['trɔlɪkɑː] *n амер.* трамва́й.

**trolley-pole** ['trɔlɪpoul] *n эл.* токоснима́тель.

**trollop** ['trɔləp] *n* 1) неря́ха; 2) прости-ту́тка.

**trombone** [trɔm'boun] *n* тромбо́н.

**trommel** ['trɔməl] *нем. n горн.* бараба́н, тро́ммель.

**tromometer** [trə'mɔmɪtə] *n* прибо́р для измере́ния о́чень сла́бых толчко́в землетрясе́ния.

**troop** [truːp] **1.** *n* 1) отря́д, гру́ппа люде́й, вса́дников; 2) *pl* войска́; 3) ста́до; 4) кавалери́йский взвод; батаре́я; *амер.* эскадро́н; 5) сбор (*при бараба́нном бо́е*); 6) (*особ. pl*) большо́е коли́чество; 7) *редк.* тру́ппа; **2.** *v* 1) собира́ться толпо́й (*ча́сто ~ up, ~ together*); дви́гаться (*о гру́ппе люде́й; тж. ~ along, ~ in, ~ out*); 2) проходи́ть стро́ем; to ~ the colour(s) торже́ственно встреча́ть но́вое знамя́; □ ~ away, ~ off а) удаля́ться; б) *воен.* спе́шно выступа́ть; ~ round окружи́ть (*кого́-л.*).

**troop-carrier** [ˈtruːpˌkæriə] *n* ав. (вое́нно-)тра́нспортный самолёт.

**troop duty** [ˈtruːpˈdjuːti] *n воен.* строева́я слу́жба.

**trooper** [ˈtruːpə] *n* 1) рядово́й кавале́рии; рядово́й-танки́ст; 2) = troop-horse; 3)=troopship; ◇ to swear like a ~ ≅ руга́ться как изво́зчик.

**troop-horse** [ˈtruːphɔːs] *n* кавалери́йская ло́шадь.

**trooping** [ˈtruːpiŋ] **1.** *pres. p. от* troop 2; **2.** *n* 1) перево́зка войск в коло́нии; 2) *мор.* перево́зка войск.

**troopship** [ˈtruːpʃip] *n* тра́нспорт для перево́зки войск.

**troop-train** [ˈtruːptrein] *n* во́инский эшело́н.

**trope** [troup] *n лит.* троп.

**trophic** [ˈtrɔfik] *a физиол.* трофи́ческий.

**trophy** [ˈtroufi] *n* трофе́й; добы́ча.

**tropic** [ˈtrɔpik] **1.** *n* тро́пик; the ~s тро́пики; **2.** *a*=tropical I, 1).

**tropical I** [ˈtrɔpikəl] *a* 1) тропи́ческий; 2) горя́чий, стра́стный.

**tropical II** [ˈtroupikəl] *a* фигура́льный.

**tropicalise** [ˈtrɔpikəlaiz] *v* приспоса́бливать для жи́зни *или* де́йствий в тропи́ческих усло́виях.

**troposphere** [ˈtrɔpəsfiə] *n* тропосфе́ра.

**trot** [trɔt] **1.** *n* 1) рысь (*аллю́р*); 2) бы́страя похо́дка; to keep smb. on the ~ не дава́ть поко́я; 3) ребёнок, кото́рый у́чится ходи́ть; 4) *уст.* ста́рая карга́; 5) *амер. студ. sl.* перево́д, подстро́чник; шпарга́лка; **2.** *v* 1) идти́ ры́сью; 2) пуска́ть ры́сью; to ~ a horse пусти́ть ло́шадь ры́сью; to ~ a person off his legs загоня́ть челове́ка; 3) бежа́ть, спеши́ть; □ ~ about суети́ться; ~ out а) пока́зывать рысь (*ло́шади*); б) пока́зывать (*това́ры*); в) щеголя́ть (*чем-л.*); ~ round води́ть, пока́зывать (*го́род и т. п.*).

**troth** [trouθ] *n уст.*: by my ~ че́стное сло́во; in ~ действи́тельно, в са́мом де́ле; to plight one's ~ дать сло́во (*особ. при обруче́нии*).

**trotter** [ˈtrɔtə] *n* 1) рыса́к; 2) *pl* но́жки (*свины́е и т. п.—как блю́до*); 3) *шутл.* но́ги.

**trotyl** [ˈtroutil] *n хим.* троти́л.

**troubadour** [ˈtruːbəduə] *фр. n* трубаду́р.

**trouble** [ˈtrʌbl] **1.** *n* 1) беспоко́йство, волне́ние; трево́га; забо́ты, хло́поты; to give smb. ~, to put smb. to ~ причиня́ть беспоко́йство кому́-л.; 2) затрудне́ние; уси́лие; to take the ~ потруди́ться, взять на себя́ труд; he takes much ~ он о́чень стара́ется; he did not take the ~ to come он не потруди́лся прийти́; по ~ at all ниско́лько не затрудни́т (*отве́т на про́сьбу*); I had some ~ in reading his handwriting мне бы́ло тру́дно чита́ть его́ по́черк; 3) неприя́тности, го́ре, беда́; to be in ~ быть в го́ре, в беде́; to get into ~ попа́сть в беду́; to make ~ for smb. причиня́ть кому́-л. неприя́тности; 4) волне́ния, беспоря́дки; 5) боле́знь; heart ~ боле́знь се́рдца; 6) *диал.* ро́ды; 7) *тех.* наруше́ние пра́вильности хо́да *или* де́йствия; ава́рия; поме́ха; 8) *attr.* авари́йный; ~ crew авари́йная брига́да; ◇ to ask (*или* to look) for ~ напра́шиваться на неприя́тности, лезть на рожо́н; вести́ себя́ неосторо́жно;

**2.** *v* 1) беспоко́ить(ся), трево́жить(ся); му́чить; my leg ~s me моя́ нога́ беспоко́ит меня́ (*боли́т*); 2) затрудня́ть; пристава́ть, надоеда́ть; may I ~ you to shut the door? закро́йте, пожа́луйста, дверь; may I ~ you for the salt? переда́йте, пожа́луйста, соль; 3) дава́ться с трудо́м; mathematics doesn't ~ me at all матема́тика даётся мне легко́; 4) *уст.* баламу́тить; 5) (*преим. тех.*) наруша́ть, поврежда́ть; ◇ don't trouble trouble until trouble troubles you *посл.* ≃ не буди́ ли́ха, пока́ ли́хо спит.

**troubled** [ˈtrʌbld] **1.** *p. p. от* trouble 2; **2.** *a* 1) беспоко́йный; ~ look беспоко́йный, встрево́женный взгляд; 2) штормово́й, предвеща́ющий бу́рю; ◇ ~ waters запу́танное, сло́жное положе́ние; волне́ние, беспоко́йство; to fish in ~ waters лови́ть ры́бу в му́тной воде́.

**trouble-free** [ˈtrʌblfriː] *a* беспребо́йный, рабо́тающий без ава́рий.

**troublemaker** [ˈtrʌblˌmeikə] = troubler.

**trouble man** [ˈtrʌblˈmæn] *n* авари́йный монтёр.

**troubler** [ˈtrʌblə] *n* 1) наруши́тель споко́йствия, поря́дка; смутья́н; 2) причиня́ющий хло́поты, доставля́ющий беспоко́йство, волне́ние, трево́гу.

**trouble-shooter** [ˈtrʌblˌʃuːtə] = trouble man.

**troublesome** [ˈtrʌblsəm] *a* 1) причиня́ющий беспоко́йство; беспоко́йный; тру́дный; 2) мучи́тельный; ~ cough мучи́тельный ка́шель; 3) недисциплини́рованный, беспоко́йный; ~ child беспоко́йный ребёнок.

**troublous** [ˈtrʌbləs] *a уст.* беспоко́йный, трево́жный; взволно́ванный; ~ times сму́тные времена́.

**trough** [trɔf] *n* 1) коры́то, корму́шка; 2) квашня́; 3) жёлоб, лото́к (*для сто́ка воды́*); 4) впа́дина; котлови́на; 5) подо́шва (*волны́*); 6) *геол.* му́льда, синклина́ль.

**trounce** [trauns] *v* 1) бить, поро́ть; нака́зывать; 2) суро́во брани́ть.

**troupe** [truːp] *фр. n* тру́ппа.

**trousered** [ˈtrauzəd] *a* оде́тый в брю́ки; в брю́ках.

**trousering** [ˈtrauzəriŋ] *n* брю́чный материа́л.

**trouser-leg** [ˈtrauzəleg] *n* штани́на.

**trousers** [ˈtrauzəz] *n pl* брю́ки, штаны́; шарова́ры.

**trouser-stretcher** [ˈtrauzəˌstretʃə] *n* пресс для брюк.

**trouser stripe** ['trauzə'straıp] *n* лампа́с.

**trousseau** ['truːsou] *фр. n (pl* -s [-z], -x) прида́ное.

**trousseaux** ['truːsouz] *pl от* trousseau.

**trout** [traut] *n (pl без измен.)* форе́ль.

**trouvaille** [ˌtruːˈvɑːı] *фр. n* нахо́дка.

**trover** ['trouvə] *n* 1) *юр.* присвое́ние (на́йденной) чужо́й со́бственности; 2) иск владе́льца о возвраще́нии присво́енного иму́щества (*тж.* action of ∼).

**trow** [trou] *v уст.* полага́ть, ду́мать; ве́рить.

**trowel** ['trauəl] 1. *n* 1) *стр.* ке́льня, лопа́тка, мастеро́к; 2) садо́вый сово́к; ◇ to lay (it) on with a ∼ а) гру́бо льстить; б) де́лать (что-л.) о́чень гру́бо, утри́ровать, хвати́ть че́рез край;
2. *v* накла́дывать *или* разгла́живать ке́льней.

**troy** [trɔı] *n*: ∼ weight моне́тный (тро́йский) вес (∼ *pound* = *373 г или 12 у́нциям*; *ср.* avoirdupois).

**truancy** ['truːənsı] *n* манки́рование слу́жбой, шко́лой; прогу́л.

**truant** ['truːənt] 1. *n* прогу́льщик; учени́к, прогуля́вший шко́льные часы́; лентя́й; to play ∼ прогуля́ть (*уро́ки*);
2. *a* 1) лени́вый; пра́здный; 2) манки́рующий свои́ми обя́занностями.

**truce** [truːs] *n* 1) переми́рие; ∼ of God *ист.* прекраще́ние вражде́бных де́йствий в дни, устано́вленные це́рковью (*в сре́дние века́*); 2) коне́ц; прекраще́ние; ∼ to jesting! дово́льно шу́ток!, коне́ц шу́ткам!, бу́дет шути́ть!; 3) переды́шка, зати́шье.

**truck** I [trʌk] 1. *n* 1) обме́н, ме́на; товарообме́н; 2) мелочно́й това́р; 3) = ∼ system [*см.* 8)]; 4) отноше́ния, свя́зи; to have no ∼ with smb. не подде́рживать отноше́ний с кем-л., избега́ть кого́-л.; 5) *разг.* хлам, нену́жные ве́щи; 6) *разг.* ерунда́, вздор; 7) *амер.* о́вощи (*выра́щиваемые для прода́жи*); 8) *attr.*: ∼ system опла́та труда́ това́рами вме́сто де́нег; T. Acts зако́ны, ограни́чивающие систе́му опла́ты труда́ това́рами;
2. *v* 1) обме́нивать (with—*с кем-л.*; for—на *что-л.*); вести́ мену́вую торго́влю; 2) торгова́ть вразно́с; 3) плати́ть нату́рой, това́рами; 4) *амер.* выра́щивать о́вощи, занима́ться огоро́дничеством.

**truck** II [trʌk] 1. *n* 1) грузово́й автомоби́ль, грузови́к; 2) *ж.-д.* откры́тая това́рная платфо́рма; 3) бага́жная теле́жка, вагоне́тка; 4) ходова́я часть;
2. *v* 1) перевози́ть на грузовика́х; 2) грузи́ть на платфо́рму, на грузови́к.

**truckage** I ['trʌkıdʒ] *n редк.* обме́н.

**truckage** II ['trʌkıdʒ] *n* 1) перево́зка на грузовика́х; 2) пла́та за перево́зку на грузовика́х.

**trucker** I ['trʌkə] *n амер.* фе́рмер, торгу́ющий овоща́ми.

**trucker** II ['trʌkə] *n* води́тель грузовика́.

**truck-farm** ['trʌkfɑːm] *n амер.* фе́рма, на кото́рой выра́щиваются о́вощи (*для прода́жи*).

**truckle** ['trʌkl] 1. *n* 1) ◼ truckle-bed; 2) *диал.* небольшо́й сыр цилиндри́ческой фо́рмы; 3) *уст.* колёсико;

2. *v* раболе́пствовать, трусли́во подчиня́ться (to).

**truckle-bed** ['trʌklbed] *n* ни́зенькая крова́ть (*слуги́, подмасте́рья*) на колёсиках, на́ день задвига́вшаяся под крова́ть хозя́ина.

**truckler** ['trʌklə] *n* подхали́м.

**truckman** I ['trʌkmən] = trucker I.

**truckman** II ['trʌkmən] = trucker II.

**truck tractor** ['trʌk'træktə] *n* тра́ктор-тяга́ч.

**truck-trailer** ['trʌk,treılə] *n* грузово́й автомоби́ль с прице́пом; прице́п грузовика́.

**truculent** ['trʌkjulənt] *a* 1) свире́пый; 2) гру́бый, ре́зкий; агресси́вный.

**trudge** [trʌdʒ] 1. *n* дли́нный тру́дный путь; утоми́тельная прогу́лка;
2. *v* идти́ с трудо́м, уста́ло тащи́ться.

**trudgen** ['trʌdʒən] *n* тре́джен (*стиль пла́вания*).

**true** [truː] 1. *a* 1) ве́рный, пра́вильный; ∼ сре́днее со́лнечное вре́мя; ∼ as I stand here *разг.* су́щая пра́вда; it is not ∼ э́то непра́вда; 2) и́стинный, настоя́щий, по́длинный; to come ∼ сбыва́ться; 3) ве́рный, пре́данный (to); a ∼ friend пре́данный друг; 4) правди́вый, и́скренний, непритво́рный; 5) то́чный (*об изображе́нии, ко́пии и т. п.*; to); ∼ to life реалисти́ческий, жи́зненно правди́вый; то́чно воспроизведённый; 6) зако́нный, действи́тельный; ∼ copy заве́ренная ко́пия;
2. *v* сде́лать то́чно, поста́вить (*маши́ну, столб и т. п.*) пра́вильно;
3. *adv редк.* 1) правди́во; his words ring ∼ его́ слова́ звуча́т правди́во; 2) то́чно; 3) лоя́льно; ве́рно.

**true bill** ['truːˈbıl] *n юр.* верди́кт прися́жных о преда́нии обвиня́емого суду́.

**true-blue** ['truːˌbluː] *a* 1) настоя́щего си́него цве́та; 2) настоя́щий; 3) после́довательный; надёжный; сто́йкий; ре́вностный.

**true-born** ['truːˈbɔːn] *a* чистокро́вный.

**true-bred** ['truːˈbred] *a* 1) хорошо́ воспи́танный; 2) чистокро́вный.

**true-hearted** ['truːˈhɑːtıd] *a* и́скренний, пре́данный.

**true-love** ['truːˈlʌv] *n* 1) возлю́бленный; возлю́бленная; 2) двойно́й у́зел (*тж.* ∼ knot *или* true-lover's knot).

**truepenny** ['truːˌpenı] *n уст.* че́стный, надёжный челове́к.

**truff** [trʌf] *v шотл.* обма́нывать; ворова́ть.

**truffle** ['trʌfl] *n* трю́фель.

**truffled** ['trʌfld] *a* приготовленный с трю́фелями.

**truism** ['truːızəm] *n* трюи́зм.

**trull** [trʌl] *n уст.* проститу́тка.

**truly** ['truːlı] *adv* 1) правди́во; и́скренне; 2) ве́рно; лоя́льно; 3) пои́стине; 4) то́чно; ◇ yours ∼ пре́данный вам (*в конце́ письма́*).

**trump** I [trʌmp] 1. *n* 1) ко́зырь; to play a ∼ козырну́ть; to put a person to his ∼s заста́вить козырну́ть; *перен.* заста́вить прибе́гнуть к после́днему сре́дству; to have all the ∼s in one's hand име́ть на рука́х все ко́зыри; *перен.* быть хозя́ином положе́ния; 2) *разг.* сла́вный ма́лый; 3) *attr.* козырно́й;

~ card козырь, козырная карта; *перен.* верное дело, верное средство; ◇ to turn up ~s *разг.* (неожиданно) окончиться благополучно, счастливо;

2. *v* козырять; бить козырем; ☐ ~ up выдумать; сфабриковать; to ~ up a charge against smb. сфабриковать обвинение против кого-л.

**trump II** [trʌmp] *n* 1) *уст., поэт.* трубный звук; 2) труба, раструб.

**trumpery** ['trʌmpərɪ] 1. *n* мишура; дрянь, ерунда;

2. *a* мишурный, показной; негодный.

**trumpet** ['trʌmpɪt] 1. *n* 1) труба; 2) слуховая трубка; 3) раструб; 4) рупор; 5) звук трубы; трубный звук; 6) рёв слона; ◇ to blow one's own ~ хвалиться, заниматься саморекламой;

2. *v* 1) трубить; 2) возвещать; 3) реветь (*о слоне*).

**trumpet-call** ['trʌmpɪtkɔːl] *n* звук трубы; *перен.* призыв к действию.

**trumpeter** ['trʌmpɪtə] *n* 1) трубач; 2) трубач (*о голубе*); ◇ to be one's own ~ хвалиться, заниматься саморекламой.

**trumpet major** ['trʌmpɪt'meɪdʒə] *n* штаб-трубач.

**truncate** ['trʌŋkeɪt] *v* 1) срезать верхушку; усекать, обрезать; 2) урезывать, сокращать (*речь и т. п.*).

**truncated** ['trʌŋkeɪtɪd] 1. *p. p. от* truncate;

2. *a геом.* усечённый; ~ pyramid усечённая пирамида.

**truncheon** ['trʌntʃən] *n* 1) жезл; 2) дубинка полицейского; 3) *уст.* дубина.

**trundle** ['trʌndl] 1. *n* колёсико;

2. *v* катить(ся) (*тачку*).

**trundle-bed** ['trʌndlbed] = truckle-bed.

**trunk** [trʌŋk] *n* 1) ствол (*дерева*); 2) туловище; 3) магистраль; 4) дорожный сундук; чемодан; to live in one's ~s жить на чемоданах; 5) хобот (*слона*); 6) *pl* спортивные трусы; шаровары; 7) *pl* = trunk hose; 8) *архит.* стержень колонны; 9) *анат.* главная артерия; 10) вентиляционная шахта; жёлоб; труба; 11) колчан (*ветряной мельницы*); 12) *sl.* нос; 13) *sl.* болван, тупица; 14) *attr.* главный, магистральный.

**trunk-call** ['trʌŋkkɔːl] *n* вызов по междугородному телефону.

**trunk drawers** ['trʌŋk'drɔːz] *n* кальсоны до колен.

**trunk hose** ['trʌŋk'houz] *n* короткие штаны (*XVI—XVII вв.*).

**trunk-line** ['trʌŋklaɪn] *n* магистральная линия, магистраль.

**trunk-railway** ['trʌŋk,reɪlweɪ] *n* железнодорожная магистраль.

**trunk-road** ['trʌŋkroud] *n* магистральная дорога.

**trunnion** ['trʌnjən] *n тех.* цапфа.

**truss** [trʌs] 1. *n* 1) связка; большой пук (*соломы, сена и т. п.*); 2) гроздь, кисть; пучок; 3) *мед.* бандаж; 4) *стр.* ферма, связь; стропильная ферма; 5) *мор.* борг; желизный бейфут;

2. *v* 1) увязывать в пуки (*тж.* ~ up); 2) связывать крылышки и ножки птицы

при жаренье; 3) скручивать руки; 4) *стр.* связывать, укреплять, придавать жёсткость.

**trust** [trʌst] 1. *n* 1) доверие, вера; to have (*или* to put, to repose) ~ in доверять; to take on ~ принимать на веру; 2) ответственное положение; ответственность; breach of ~ злоупотребление доверием; 3) надежда; he puts ~ in the future он надеется на будущее; 4) *ком.* кредит; to supply goods on ~ отпускать товар в кредит; 5) опека (*над имуществом и т. п.*); to have smth. in ~ получить опеку над чем-л.; 6) что-л., вверенное попечению; имущество, управляемое по доверенности; управление имуществом по доверенности; to hold in ~ сохранять; 7) трест;

2. *a* доверенный (*кому-л. или кем-л.*);

3. *v* 1) доверять(ся); полагаться (*на кого-л.*); a man not to be ~ed человек, на которого нельзя положиться; ненадёжный человек; he may be ~ed to do the work well можно быть уверенным, что он выполнит работу хорошо; 2) вверять, поручать попечению; to ~ smb. with smth., to ~ smth. to smb. поручать, вверять что-л. кому-л.; 3) надеяться; I ~ you will be better soon я надеюсь, вы скоро поправитесь; 4) давать в кредит.

**trust-deed** ['trʌstdiːd] *n юр.* доверенность.

**trustee** [trʌs'tiː] 1. *n* 1) попечитель, опекун; лицо, которому доверено, поручено управление; 2) член правления;

2. *v* передавать на попечение.

**trusteeship** [trʌs'tiːʃɪp] *n* опека, опекунство, попечительство.

**trusteeship territory** ['trʌstiːʃɪp'terɪtərɪ] = trust territory.

**trustful** ['trʌstful] *a* доверчивый.

**trustify** ['trʌstɪfaɪ] *v эк.* трестировать.

**trustiness** ['trʌstɪnɪs] *n* верность, лояльность; надёжность.

**trustingly** ['trʌstɪŋlɪ] *adv* доверчиво.

**trustless** ['trʌstlɪs] *a* ненадёжный.

**trust territory** ['trʌst'terɪtərɪ] *n полит.* подопечная территория.

**trustworthy** ['trʌst,wɜːðɪ] *a* заслуживающий доверия; надёжный.

**trusty** ['trʌstɪ] 1. *a* верный, надёжный;

2. *n* 1) надёжный человек; 2) заключённый, заслуживший определённые привилегии своим образцовым поведением.

**truth** [truːθ, *pl* -ðz] *n* 1) правда; истина; to tell the ~ а) говорить правду; б) по правде говоря; the home (*или* bitter) ~ горькая правда; the ~s of science научные истины; in ~ действительно, поистине; the ~ is that I am very tired действительно, что (*или* по правде сказать) я очень устал; 2) правдивость; 3) точность, соответствие; ~ to nature точность воспроизведения; реализм; 4) *тех.* сосность, правильность установки, пригонки.

**truthful** ['truːθful] *a* 1) правдивый (*о человеке*); 2) верный, правильный.

**truthless** ['truːθlɪs] *a* 1) ненадёжный (*о человеке*); 2) ложный.

**try** [traɪ] 1. *n* 1) попытка; to have (*или* to take) a ~ at smth. попытаться сделать

что-л.; 2) испытáние, прóба; to give smth. а ~ испытáть что-л.; to give smb. а ~ дать комý-л. возмóжность показáть, провéрить себя; 3) *спорт.* вы́игрыш трёх очкóв (*в регби*);
2. *v* 1) прóбовать, испы́тывать (*тж.* ~ out); to ~ one's fortune попытáть счáстья; 2) подвергáть испытáнию; дéлать óпыт(ы); 3) пытáться, старáться; to ~ one's best употребить все усилия; do ~ to come постарáйтесь прийти обязáтельно; 4) судить; he is tried for murder егó сýдят за уби́йство; 5) утомлять; удручáть; the small print tries my eyes э́та мéлкая печáть утомляет мой глазá; 6) раздражáть, мýчить; to ~ smb.'s patience испы́тывать чьё-л. терпéние; 7) очищáть (*металл*; *тж.* ~ out); вытáпливать (*сало*; *тж.* ~ out); 8) глáдко выстрýгивать рубáнком; прифугóвывать (*тж.* ~ up); ☐ ~ back вернýться на прéжнее мéсто (*о собаках, потерявших след*); *перен.* замéтив ошибку, начáть сначáла; ~ for добивáться, искáть; to ~ for the navy добивáться поступлéния во флот; ~ on примерять (*платье*).

**trying** ['traɪɪŋ] 1. *pres. p. от* try 2; 2. *а* 1) трýдный, тяжёлый; а ~ situation трýдное положéние; 2) раздражáющий, докучливый; мучи́тельный, трýдно выноси́мый; ~ to the health врéдный для здорóвья.

**trying-plane** ['traɪɪŋpleɪn] *n* рубáнок.

**try-on** ['traɪ'ɒn] *n* 1) примéрка; 2) *разг.* попы́тка обманýть.

**try-out** ['traɪ'aut] *n разг.* прóба, репетиция; учéбная тревóга.

**trysail** ['traɪsl] *n мор.* три́сель.

**tryst** [traɪst] *n* 1) назнáченная встрéча; to keep (to break) the ~ прийти́ (не прийти́) на свидáние; 2) мéсто встрéчи.

**tsar** [zɑː] = czar.

**tsetse** ['tsetsɪ] *n* мýха цецé.

**T-shirt** ['tiːʃət] *n* тéнниска.

**T-square** ['tiːskweə] *n* рейсши́на.

**tsunami** ['tsuː'nɑːmiː] *яп. n* цунáми, громáдная океáнская волнá; сейсми́ческая морскáя волнá.

**tub** [tʌb] 1. *n* 1) кáдка, лохáнь, бадья, ушáт; бочóнок (*тж. как мера ёмкости* ≈ *4 галлонам*); 2) *разг.* вáнна; мытьё в вáнне; 3) учéбная шлю́пка; 4) *sl.* тóлстый невысóкий человéк; 5) *амер. воен. sl.* брониро́ванная развéдывательная маши́на; 6) *горн.* шáхтная вагонéтка; я́щик для рудь; ◇ let every ~ stand on its own bottom ≈ пусть кáждый забóтится о себé сам; 2. *v* 1) *разг.* мы́ться в вáнне; 2) сажáть растéние в кáдку; 3) наклáдывать мáсло в кáдку; 4) *разг.* тренировáть гребцóв; упражняться в грéбле.

**tuba** ['tjuːbə] *n* тýба, большáя басóвая трубá.

**tubbing** ['tʌbɪŋ] 1. *pres. p. от* tub 2; 2. *n горн.* водонепроницáемая деревя́нная *или* металли́ческая крепь.

**tubby** ['tʌbɪ] *а* 1) бочкообрáзный; 2) коротконóгий и тóлстый (*о людях*); 3) издаю́щий глухóй звук (*о муз. инструменте*).

**tube** [tjuːb] 1. *n* 1) трубá, трýбка; 2) тю́бик; 3) метрополитéн (*в Лóндоне*); 4) *радио*

электрóнная лáмпа; 5) тýбус (*микроскóпа*);
2. *v* 1) заключáть в трубý; 2) придавáть трýбчатую фóрму.

**tuber** ['tjuːbə] *n бот.* клýбень.

**tubercle** ['tjuːbəkl] *n* 1) *бот.* бугорóк; 2) *мед.* туберкулёзный бугорóк.

**tubercular** [tjuː'bəkjulə] = tuberculous.

**tuberculin** [tjuː'bəkjulɪn] *n мед.* туберкули́н.

**tuberculosis** [tjuːˌbəkju'lousɪs] *n* туберкулёз.

**tuberculous** [tjuː'bəkjuləs] *а* туберкулёзный.

**tuberose** ['tjuːbərouz] *n бот.* туберóза (клубненóсная).

**tuberous** ['tjuːbərəs] *а* 1) *бот.* клубневóй; 2) *мед.* бугóрчатый.

**tubing** ['tjuːbɪŋ] 1. *pres. p. от* tube 2; 2. *n тех.* 1) *собир.* трýбы; трубопровóд; 2) изготовлéние труб; 3) тю́бинг; 4) колéно трубь; 5) обсáдные трýбы.

**tub-thumper** ['tʌbˌθʌmpə] *n* проповéдник, произнося́щий напы́щенные рéчи; орáтор, излишне мнóго жестикули́рующий.

**tub-thumping** ['tʌbˌθʌmpɪŋ] 1. *n* напы́щенные рéчи;
2. *а* напы́щенный.

**tubular** ['tjuːbjulə] *а* трýбчатый, цилиндри́ческий; ~ railway подзéмная желéзная дорóга; ~ steelwork трýбчатые металли́ческие констрýкции.

**tubulate** ['tjuːbjuleɪt] *v* 1) придавáть трýбчатую фóрму; 2) снабжáть трýбкой.

**tubule** ['tjuːbjuːl] *n* мáленькая трýбка.

**tuck I** [tʌk] 1. *n* 1) склáдка, сбóрка (*на платье*); 2) *sl.* едá, *особ.* слáсти, пирóжное; 3) *амер. sl.* энéргия, жизненная си́ла;
2. *v* 1) дéлать склáдки (*на платье*); собирáть в склáдки; 2) подгибáть; подбирáть под себя, подсóвывать, подворáчивать (*тж.* ~ in); 3) засóвывать, прятать; запрятать (*тж.* ~ away); 4) укрыть (*ребёнка*) одея́лом; подоткнýть одея́ло (*тж.* ~ up); ☐ ~ in *разг.* заглáтывать, давиться (at); ~ into сýнуть в, засýнуть; ~ up засýчивать (*рукава*), подбирáть (*подол*); to be ~ed up *разг.* устáть.

**tuck II** [tʌk] *n уст.* 1) барабáнный бой; 2) трýбный звук.

**tucker I** ['tʌkə] *n* 1) *уст.* шемизéтка; best bib and ~ лýчшая одéжда; 2) *sl.* едá, слáсти.

**tucker II** ['tʌkə] *амер. разг.* 1. *n* изнеможéние;
2. *v* утомля́ть до изнеможéния (*обыкн.* ~ out).

**tucket** ['tʌkɪt] *n уст.* фанфáры, туш.

**tuck-in** ['tʌk'ɪn] *n sl.* основáтельная закýска, плóтная едá.

**tuck-out** ['tʌk'aut] = tuck-in.

**tuck-shop** ['tʌkʃɒp] *n sl.* кондитерская.

**Tudor** ['tjuːdə] *а* тю́доровский; эпóхи Тю́доров; ~ architecture стиль пóздней англи́йской гóтики.

**Tuesday** ['tjuːzdɪ] *n* втóрник.

**tufa, tuff** ['tjuːfə, tʌf] *n мин.* туф.

**tuft** [tʌft] 1. *n* 1) пучóк; 2) хохолóк; 3) бородка клинышком; 4) *ист.* золотáя

кйсточка (*на головном уборе титулован-ного студента*); 5) титулованный студент;
2. *v* 1) стегать (*одеяло, матрац и т. п.*); 2) растй пучками.

**tufted** ['tʌftɪd] 1. *p.p. om* tuft 2; 2. *a* с хохолком.

**tuft-hunter** ['tʌft,hʌntə] *n* прихвостень титулованной знати, приспешник.

**tufty** ['tʌftɪ] *a* растущий пучками, клочками.

**tug** [tʌg] 1. *n* 1) тянущее *или* дёргающее усилие; рывок; to give а ~ at smth. дёрнуть, потянуть за что-л.; 2) = tugboat; 3) лямка; гуж; 4) дужка (*ведра*); 5) *спорт.*: ~ of war перетягивание на канате;
2. *v* 1) тащить с усилием; 2) дёргать изо всех сил (at); 3) буксйровать.

**tugboat** ['tʌgbout] *n* буксйрное судно.

**tugrik** ['tu:gri:k] *n* тугрик (*денежная единица Монгольской Народной Республики*).

**tuition** [tju:'ɪʃən] *n* 1) обучение; 2) плата за обучение.

**tuition-fee** [tju:'ɪʃənfi:] = tuition 2).

**tulip** ['tju:lɪp] *n* тюльпан.

**tulle** [tju:l] *n* тюль.

**tulwar**[tʌl'wɑ:]*n* кривая индийская сабля.

**tumble** ['tʌmbl] 1. *n* 1) падение; 2) кувырканье; 3) беспорядок, смятение; ◊ to take а ~ *амер. sl.* понять, догадаться;
2. *v* 1) падать (*тж.* ~ down); упасть, споткнувшись (over, off—обо что-л.); 2) кувыркаться, делать акробатические трюки; 3) валяться; ворочаться, метаться (*в постели*); 4) швырять (*тж.* ~ up, ~ down, ~ out); 5) приводить в беспорядок; мять; ерошить (*волосы*); 6) бросаться; выскакивать; to ~ into bed броситься в постель; to ~ out of bed выскочить из постели; □ ~ in ввалйваться; б) *разг.* ложиться спать; ~ to *sl.* понять, догадаться; заметить; ◊ to ~ home = ~ in б).

**tumbledown** ['tʌmbldaun] *a* полуразрушенный, развалившийся.

**tumbler** ['tʌmblə] *n* 1) акробат; 2) голубь-вертун; 3) бокал (*без ножки*); высокий стакан; 4) игрушка вроде ваньки--встаньки; 5) *тех.* реверсивный механизм; опрокидыватель; 6) лодыжка (*в оружии*); 7) *метал.* барабан для очистки отлйвок.

**tumblerful** ['tʌmbləful] *n* полный стакан.

**tumbler switch** ['tʌmbləswɪtʃ] *n* выключатель (*с перекидной головкой*).

**tumble-weed** ['tʌmblwi:d] *n бот.* перекатй-поле.

**tumbling** ['tʌmblɪŋ] 1. *pres. p. om* tumble 2;
2. *n* акробатика.

**tumbrel, tumbril** ['tʌmbrəl, 'tʌmbrɪl] *n* 1) двухколёсная телега с опрокйдывающимся кузовом; 2) *воен.* крытая двуколка.

**tumefaction** [,tju:mɪ'fækʃən] *n* 1) опуханье, распухание; 2) опухоль.

**tumefy** ['tju:mɪfaɪ] *v* 1) опухать; 2) вызывать опухоль.

**tumid** ['tju:mɪd] *a* 1) распухший; 2) напыщенный.

**tummy** ['tʌmɪ] *n разг.* живот(ик).

**tumour** ['tju:mə] *n* опухоль.

**tump** [tʌmp] 1. *n* холмик, бугорок; 2. *v* окапывать, окучивать.

**tumular** ['tju:mjulə] *a* опухолевйдный.

**tumuli** ['tju:mjulaɪ] *pl om* tumulus.

**tumult** ['tju:mʌlt] *n* 1) шум и крики; суматоха; 2) мятеж, буйство; 3) сильное душевное волнение; смятение чувств.

**tumultuary** [tju:'mʌltjuərɪ] *a* 1) беспорядочный; 2) шумный, буйный; 3) недисциплинйрованный.

**tumultuous** [tju:'mʌltjuəs] *a* 1) = tumultuary; 2) возбуждённый.

**tumulus** ['tju:mjuləs] *n* (*pl* -li) могильный холм, курган.

**tun-** [tʌn] 1. *n* большая бочка; 2. *v* наливать в бочку, хранить в бочке.

**tuna** ['tu:nə] *n* тунец (*рыба*).

**tunable** ['tju:nəbl] *a* 1) мелодичный; 2) настроенный, гармонйчный; 3) *радио* настраиваемый, с подстройкой.

**tundra** ['tʌndrə] *рус. n* тундра.

**tune** [tju:n] 1. *n* 1) мелодия, мотив; 2) тон, звук; 3) строй, настроенность; *перен.* тон, согласие; to sing in (out of) ~ петь в тон (не в тон); the piano is in (out of) ~ пианино настроено (расстроено); to be out of tune (with) идти в разрез (с чем-л.), быть не в ладу (с кем-л.); ◊ to sing another ~, to change one's ~ переменить тон; to speak to ~ заговорить по-иному; to call the ~ задавать тон; to the ~ of в размере; на сумму;
2. *v* 1) настраивать (*инструмент*); 2) приспосабливать (*к чему-л.*); приводить в соответствие (*с чем-л.*); 3) звучать; петь, играть; □ ~ in настраивать приёмник; ~ up a) настраивать инструменты; б) налáдить, отрегулировать машину; в) запеть, заигрáть; г) *шутл.* заплакать (*о детях*).

**tuneful** ['tju:nful] *a* мелодичный; гармонйчный.

**tuneless** ['tju:nlɪs] *a* 1) немелодичный; 2) глухой, безжизненный (*голос*); 3) беззвучный.

**tuner** ['tju:nə] *n* 1) настройщик; 2) музыкант, певец; 3) *радио* устройство для настройки.

**tung oil** ['tʌŋ'ɔɪl] *n тех.* тунговое масло.

**tungsten** ['tʌŋstən] *n хим.* вольфрам.

**tunic** ['tju:nɪk] *n* 1) туника; 2) *воен.* китель; мундир; 3) *биол.* оболочка; покров.

**tunica** ['tju:nɪkə] = tunic 3).

**tunicate** ['tju:nɪkeɪt] 1. *n зоол.* оболочники; 2. *a* покрытый оболочкой.

**tuning** ['tju:nɪŋ] 1. *pres. p. om* tune 2; 2. *n* настройка.

**tuning-fork** ['tju:nɪŋfɔ:k] *n* камертон.

**Tunisian** [tju:'nɪzɪən] 1. *a* тунисский; 2. *n* тунисец.

**tunnel** ['tʌnl] 1. *n* 1) туннель; 2) *горн.* штольня, квершлаг; 3) *воен.* минная галерея; 4) дымоход, труба; 5) воронка;
2. *v* прокладывать туннель.

**tunny** ['tʌnɪ] *n* тунец (*рыба*).

**tuny** ['tju:nɪ] *a* легко запоминающийся (*о мотиве*); мелодичный.

**tup** [tʌp] 1. *n* 1) баран; 2) *тех.* кувалда, молот, баба;
2. *v* покрывать; спариваться.

**tuppence** ['tʌpəns] *разг. см.* twopence.

**tuppenny** ['tʌpnɪ] *разг. см.* twopenny.

**tuque** [tjuːk] *n* вязаная шерстяная шапочка.

**Turanian** [tjuə'reɪnɪən] **1.** *a* урало-алтайский;

2. *n* урало-алтайские языки.

**turban** ['tɜːbən] *n* 1) тюрбан, чалма; 2) дамская *или* детская шляпа без полей.

**turbary** ['tɜːbərɪ] *n* торфяник, торфяное болото.

**turbid** ['tɜːbɪd] *a* 1) мутный (*о жидкости*); 2) туманный; запутанный.

**turbidity** [tɜː'bɪdɪtɪ] *n* мутность *и пр.* [*см.* turbid].

**turbine** ['tɜːbɪn] *n* турбина.

**turboblower** ['tɜːbou'blouə] *n* тех. турбовоздуходувка.

**turbodrill** ['tɜːboudrɪl] *n* тех. турбобур.

**turbogenerator** ['tɜːbou'dʒenəreɪtə] *n* тех. турбогенератор.

**turbo-jet** ['tɜːbou'dʒet] *a* турбореактивный.

**turbot** ['tɜːbət] *n* тюрбо (*рыба*).

**turbulence** ['tɜːbjuləns] *n* бурность *и пр.* [*см.* turbulent].

**turbulent** ['tɜːbjulənt] *a* 1) бурный, турбулентный; 2) буйный; беспокойный; непокорный.

**tureen** [tə'riːn] *n* супник, супница.

**turf** [tɜːf] **1.** *n* 1) дёрн; 2) торф; 3) (*обыкн.* the ~) беговая дорожка (*на ипподроме*); скачки; to be on the ~ быть завсегдатаем, играть на скачках;

2. *v* 1) дерновать; 2) *sl.* выбросить, вышвырнуть (*тж.* ~ out).

**turfary** ['tɜːfərɪ] *n* торфяник, торфяное болото.

**turf-clad** ['tɜːf,klæd] *a* покрытый торфом.

**turfite** ['tɜːfaɪt] *разг. см.* turfman.

**turfman** ['tɜːfmən] *n* завсегдатай скачек.

**turfy** ['tɜːfɪ] *a* покрытый дёрном *или* торфом; дернистый; торфяной.

**turgid** ['tɜːdʒɪd] *a* 1) опухший; 2) напыщенный (*о стиле*).

**Turk** [tɜːk] *n* 1) турок; турчанка; Young ~ *ист.* младотурок; 2) *редк.* мусульманин.

**turkey** ['tɜːkɪ] *n* индюк; индюшка; *кул.* индейка; ◇ Norfolk ~ житель Норфолка.

**turkey buzzard** ['tɜːkɪ'bʌzəd] *n* индюковый гриф (*птица*).

**turkey-cock** ['tɜːkɪkɔk] *n* 1) индюк; 2) надутый, важный человек.

**turkey-poult** ['tɜːkɪpoult] *n* индюшонок.

**Turkey red** ['tɜːkɪ'red] *n* ярко-красный цвет.

**Turkish** ['tɜːkɪʃ] **1.** *a* турецкий; ◇ ~ towel мохнатое полотенце.

2. *n* турецкий язык.

**Turkish delight** ['tɜːkɪʃ'dɪ'laɪt] *n* рахат-лукум.

**Turkoman** ['tɜːkəmən] *n* (*pl* -s [-z]) 1) туркмен; туркменка; 2) туркменский язык; 3) *attr.* туркменский; ~ carpet туркменский ковёр.

**turmeric** ['tɜːmərɪk] *n* бот. куркума.

**turmeric-paper** ['tɜːmərɪk,peɪpə] *n* хим. бумага, употребляемая как реактив на щёлочь.

**turmoil** ['tɜːmɔɪl] *n* шум, суматоха; беспорядок.

**turn** [tɜːn] **1.** *n* 1) оборот (*колеса*); at each ~ при каждом обороте; 2) поворот; right (left, about) ~! *воен.* направо! (налево!, кругом!); 3) изменение направления; *перен.* поворотный пункт; 4) изгиб (*дороги*); излучина (*реки*); 5) перемена; изменение (*состояния*); a ~ for the better (for the worse) изменение к лучшему (к худшему); the ~ of the tide заметное изменение к лучшему, поворотный момент в чьей-л. жизни, перемена судьбы; my affairs have taken a bad ~ мои дела приняли дурной оборот; 6) очередь; ~ and ~ about, in ~, by ~s по очереди; to take ~s делать поочерёдно, сменяться; to wait one's ~ ждать своей очереди; out of ~ вне очереди; 7) услуга; to do smb. a good (an ill) ~ оказать кому-л. хорошую (плохую) услугу; 8) очередной номер программы, выход; сценка, интермедия; 9) короткая прогулка, поездка; to take a ~, to go for a ~ прогуляться; 10) способность; склад (*характера*); стиль, манера, отличительная черта; she has a ~ for music у неё есть музыкальные способности; he is of a humorous ~ у него склонность к юмору; 11) поворот (*в фигурном катании*); 12) короткий период, небольшой промежуток времени; 13) *разг.* нервное потрясение; a ~ of anger припадок гнева; to give smb. a ~ взволновать кого-л.; 14) *разг.* работа; 15) оборот, построение (*фразы*); 16) шлаг (*оборот троса*); виток (*проволоки*); 17) *pl* менструации; 18) *полигр.* марашка; 19) *ав.* разворот; ◇ at every ~ на каждом шагу, постоянно; to serve one's ~ годиться (*для определённой цели*); to a ~ точно; (meat is) done to a ~ (мясо) зажарено как раз в меру; one good ~ deserves another *посл.* услуга за услугу; not to do a hand's ~ сидеть сложа руки;

2. *v* 1) вращать(ся), вертеть(ся); 2) поворачивать(ся); обращать(ся); повёртывать(ся); to ~ to the right повернуть направо; to ~ the corner a) завернуть за угол; б) выйти из трудного положения; благополучно перенести кризис (*болезни*); в) *воен. sl.* дезертировать; to ~ on one's heel круто повернуться (и уйти); 3) огибать, обходить; to ~ an enemy's flank a) *воен.* обойти противника с фланга; б) перехитрить кого-л.; 4) направлять, сосредоточивать (*тж. внимание, усилие*); to ~ the hose on the fire направить струю на огонь; to ~ one's hand to smth. приниматься за что-л.; to ~ one's mind to smth. думать о чём-л., обратить внимание на что-л., сосредоточиться на чём-л.; 5) перевёртывать(ся), переворачивать(ся); кувыркаться; to ~ upside down переворачивать вверх дном; 6) вспахивать, пахать; 7) выворачивать наизнанку; перелицовывать (*платье*); to ~ inside out выворачивать наизнанку; 8) расстраивать (*пищеварение и т. п.*); вызывать отвращение; to ~ sick вызывать отвращение; to ~ one's stomach вызывать тошноту; претить; 9) изменять(ся); the tides ~ приливы чередуются с отливами; *перен.*

собы́тия принима́ют друго́й оборо́т; luck has ~ed форту́на измени́ла; 10) превраща́ть(ся) (into); to ~ milk into butter сбива́ть ма́сло; 11) по́ртить(ся); the leaves ~ed early ли́стья ра́но пожелте́ли; the milk has ~ed молоко́ проки́сло; 12) переводи́ть (на друго́й язы́к; into); 13) дости́гнуть (изве́стного моме́нта, во́зраста); he is ~ed fifty ему́ за пятьдеся́т; 14) точи́ть (на тока́рном станке́); обта́чивать; 15) отта́чивать, придава́ть изя́щную фо́рму; 16) как глаго́л-свя́зка де́латься, станови́ться; to ~ red покрасне́ть; to ~ teacher стать учи́телем; □ ~ about обёртываться; поверну́ть круго́м (на 180°); ~ against а) восста́ть про́тив; б) восстанови́ть про́тив; ~ aside отстраня́ть(ся); ~ away а)'отвора́чивать(ся); отвраща́ть; б) прогоня́ть, увольня́ть; ~ back а) прогна́ть; б) поверну́ть наза́д; ~ down а) отверга́ть (предложе́ние); б) унижа́ть, подавля́ть; в) уба́вить (свет); г) загну́ть; отогну́ть; to ~ down a collar отогну́ть воротни́к; ~ in а) зайти́ мимохо́дом; б) разг. лечь спать; в) предъяви́ть, сдать властя́м (напр., на́йденную вещь и́ли вещь, подлежа́щую конфиска́ции); ~ off а) закры́ть (кран); вы́ключить (свет); б) уво́лить; в) отвле́чь внима́ние; г) бы́стро сде́лать (что-л.); д) sl. пове́сить; ~ on а) откры́ва́ть (кран, шлюз); включа́ть (свет); б) зави́сеть; much ~s on his answer мно́гое зави́сит от его́ отве́та; в) = ~ upon; ~ out а) вы́гнать, уво́лить; исключи́ть; to ~ out to grass отстрани́ть(ся) от дел; б) выпуска́ть (изде́лия); в) вывёртывать (карма́н, перча́тку); г) украша́ть, наряжа́ть; снаряжа́ть; a beautifully ~ed out woman прекра́сно оде́тая же́нщина; д) выгоня́ть в по́ле (скоти́ну); е) туши́ть (свет); ж) встава́ть (с посте́ли); з) прибы́ть; the fire-brigade~ed out as soon as the fire broke out пожа́рная кома́нда прибыла́, как то́лько начался́ пожа́р; и) ока́зываться; he ~ed out an excellent actor он оказа́лся прекра́сным актёром; it ~ed out well сошло́ благополу́чно; as it ~ed out как оказа́лось; ~ over а) перевёртывать(ся); б) опроки́дывать(ся); в) передава́ть (де́ло, дове́ренность и т. п.) друго́му; г) ком. име́ть оборо́т; д) обду́мывать; е) тех. перекрыва́ть кран; ~ round а) обора́чиваться; б) измени́ть взгля́ды, свою́ поли́тику; ~ to а) приня́ться за рабо́ту; б) обрати́ться к кому́-л.; в) преврати́ться; г) око́нчиться чем-л.; быть результа́том чего́-л.; to ~ to account извле́чь по́льзу, испо́льзовать, обрати́ть на по́льзу; ~ up а) поднима́ть вверх; загиба́ть(ся); to ~ up one's nose at smb. задира́ть нос; б) внеза́пно появля́ться; приходи́ть, приезжа́ть; в) случа́ться; to ~ up верну́ться, оказа́ться; something will ~ up что-нибудь да подвернётся; г) броса́ть, покида́ть; д) откры́ть (ка́рту); е) разг. вызыва́ть тошноту́; ~ upon внеза́пно измени́ть отноше́ние к кому́-л.; ◇ to ~ over a new leaf нача́ть но́вую жизнь; испра́виться; to ~ one's coat меня́ть свои́ убежде́ния, взгля́ды; переходи́ть на сто́рону проти́вника; to ~ the day against smb. уме́ньшить чьи-л. ша́нсы, измени́ть соот-

ноше́ние сил не в чью-л. по́льзу; to ~ smb.'s brain, to ~ smb.'s head вскружи́ть кому́-л. го́лову; to ~ a penny подрабо́тать; to ~ the tables оп поменя́ться роля́ми, бить проти́вника его́ же ору́жием; to ~ the blind eye to smth. закрыва́ть глаза́ на что-л.; to ~ a deaf ear to не слу́шать, не обраща́ть внима́ния; to ~ one's back, to ~ one's tail убежа́ть; to ~ one's back on smb., smth. отверну́ться от кого́-л., бро́сить кого́-л., что-л.; игнори́ровать кого́-л., что-л.; отказа́ться вы́полнить что-л.; to ~ yellow стру́сить; to ~ the scale (или the balance) реши́ть исхо́д де́ла; not to ~ a hair = и гла́зом не моргну́ть; to ~ smb. round one's little finger = обвести́ вокру́г па́льца; not to know which way to ~ не знать, что предприня́ть; to ~ out in the cold = окати́ть холо́дной водо́й; to ~ up one's heels sl. протяну́ть но́ги, умере́ть.

**turnabout** ['tə:nə,baut] n 1) поворо́т; 2) измене́ние пози́ции, взгля́дов и т. п.; перехо́д на другу́ю сто́рону; 3) амер. карусе́ль.

**turnagain** ['tə:nə,gen] n припе́в.

**turnback** ['tə:nbæk] n 1) малоду́шный челове́к; 2) перебе́жчик.

**turncoat** ['tə:nkout] n ренега́т, перебе́жчик.

**turncock** ['tə:nkɔk] n 1) запо́рный, сто́порный кран; 2) заве́дующий распределе́нием воды́ по водопрово́дным магистра́лям.

**turn-down** ['tə:n,daun] 1. a отложно́й (о воротнике́);
2. n 1) отложно́й воротни́к; 2) отка́з; отста́вка; непризна́ние.

**turned** [tə:nd] 1. p. p. от turn 2;
2. a 1) изгото́вленный на станке́, маши́нного произво́дства; 2) перелицо́ванный; 3) проки́сший; 4): a man ~ fifty челове́к за пятьдеся́т; 5) полигр. переврёнутый (о ли́тере).

**turned comma** ['tə:nd'kɔmə] n полигр. переврёнутая запята́я (вид кавы́чек).

**turner** ['tə:nə] n 1) то́карь; 2) амер. гимна́ст.

**turnery** ['tə:nərɪ] n 1) тока́рное ремесло́; 2) тока́рная мастерска́я; 3) тока́рные изде́лия.

**turning** ['tə:nɪŋ] 1. pres. p. от turn 2;
2. n 1) враще́ние; 2) излу́чина (реки́); перекрёсток; поворо́т (у́лицы, доро́ги); 3) тока́рное ремесло́; тока́рная рабо́та; 4) обто́чка; 5) превраще́ние; 6) вспа́шка;
3. a 1) тока́рный; ~ lathe тока́рный стано́к; 2) враща́ющийся, поворо́тный.

**turning-point** ['tə:nɪŋpɔint] n поворо́тный пункт; перело́м, кри́зис.

**turnip** ['tə:nɪp] n 1) ре́па; 2) sl. больши́е стари́нные карма́нные часы́, «лу́ковица».

**turnkey** ['tə:nkɪ] n тюре́мщик; надзира́тель (в тюрьме́).

**turn-out** ['tə:n'aut] n 1) собра́ние, пу́блика; 2) объём выпуска́емой проду́кции; 3) забасто́вка; 4) забасто́вщик; 5) вы́езд; smart ~ щегольско́й вы́езд; 6) подъём, встава́ние с посте́ли; 7) ж.-д. разъе́зд; стре́лочный перево́д.

**turnover** ['təːn,ouvə] *n* 1) опрокидывание; 2) *эк.* оборот; 3) часть газетной статьи, напечатанная на следующей странице; 4) полукруглый пирог *или* торт с начинкой; 5) небольшая шаль; 6) подмастерье, переходящий от одного мастера к другому для завершения обучения.

**turnpenny** ['təːn,peni] *n* стяжатель.

**turnpike** ['təːnpaik] *n* 1) застава, где взимается подорожный сбор; 2) *attr.*: ~ road главная магистраль.

**turn-round** ['təːnraund] *n* 1) поворот; 2) *мор.* прибытие судна в порт, погрузка, принятие на борт пассажиров, выход из порта.

**turn-screw** ['təːnskruː] *n* отвёртка.

**turnskin** ['təːnskin] *n* оборотень.

**turnsole** ['təːnsoul] *n* 1) *бот.,* хрозофора красильная; 2) *хим.* лакмус.

**turnspit** ['təːnspit] *n* тот, кто поворачивает вёртел с мясом.

**turnstile** ['təːnstail] *n* 1) турникет; 2) штурвал; крестовина.

**turn-table** ['təːn,teibl] *n* 1) *ж.-д.* поворотный круг; 2) диск (*патефона*); 3) проигрыватель.

**turn-up** ['təːn'ʌp] *n* 1) что-л. загнутое, отогнутое, завёрнутое (*манжеты, отвороты, поля шляпы и т. п.*); манжета (*на брюках*); 2) шум, драка; 3) счастливый случай, удача; неожиданность; 4) карта, открытая как козырь.

**turpentine** ['təːpəntain] 1. *n* скипидар; oil (*или* spirit) of ~ очищенный, «французский» скипидар;
2. *v* 1) натирать скипидаром; 2) *амер.* подсачивать (*дерево*); добывать скипидар.

**turpeth** ['təːpeθ] *n бот.* корень индийской ипомеи (*употр. как слабительное средство*).

**turpitude** ['təːpitjuːd] *n* позор; низость.

**turps** [təːps] *разг. см.* turpentine 1.

**turquoise** ['təːkwɑːz] *n* 1) бирюза; 2) бирюзовый цвет.

**turret** ['tʌrit] *n* 1) башенка; 2) орудийная башня; *ав.* экранированная турель; 3) *тех.* револьверная головка (*станка*).

**turret-lathe** ['tʌritleið] *n* револьверный станок.

**turtle** I ['təːtl] *n* 1) черепаха (*преим. морская*); 2) суп из черепахи; 3) *attr.* черепаховый; ◇ to turn ~ *мор. sl.* опрокинуться.

**turtle** II ['təːtl] *n уст.* горлица.

**turtle-dove** ['təːtldʌv] *n* 1) горлица; 2) преданный поклонник; человек, не скрывающий своих нежных чувств.

**turtle-neck sweater** ['təːtlnek'swetə] *n* свитер с высоким воротом.

**turtle-shell** ['təːtlʃel] = tortoise-shell.

**Tuscan** ['tʌskən] 1. *a* тосканский;
2. *n* 1) тосканец; 2) тосканский диалект.

**tush** I [tʌʃ] *n* клык (*лошади*).

**tush** II [tʌʃ] *уст.* 1. *int* фу!, тьфу!;
2. *v* выражать неодобрение.

**tusk** [tʌsk] 1. *n* клык, бивень (*слона, моржа*);
2. *v* ранить клыком.

**tusker** ['tʌskə] *n* слон *или* кабан с большими клыками.

**tussal** ['tʌsəl] = tussive.

**tussive** ['tʌsiv] *a мед.* кашлевой, вызванный *или* сопровождающийся кашлем.

**tussle** ['tʌsl] 1. *n* борьба; драка;
2. *v* бороться; драться.

**tussock** ['tʌsək] *n* 1) трава, растущая пучком; кочка; дерновина; 2) хохолок; 3) кистехвост (*бабочка*).

**tussock-moth** ['tʌsəktmɔθ] = tussock 3).

**tussore** ['tʌsɔ] *n* 1) индийский шелковичный червь; 2) тусса, туссор (*шёлк диких шелкопрядов*).

**tut** [tʌt] 1. *int* ах ты! (*выражает нетерпение, досаду или упрёк*);
2. *v* выражать нетерпение *или* досаду восклицанием.

**tutelage** ['tjuːtilidʒ] *n* 1) опекунство; опека; 2) нахождение под опекой; 3) обучение.

**tutelar(y)** ['tjuːtilə(ri)] *a* 1) опекунский; 2) охраняющий; опекающий.

**tutenag** ['tjuːtinæg] *n* неочищенный сплав цинка; *разг.* цинк.

**tutor** ['tjuːtə] 1. *n* 1) домашний учитель; репетитор; *школ.* наставник; 2) руководитель группы студентов (*в англ. университетах*); 3) *амер.* младший преподаватель высшего учебного заведения; 4) *юр.* опекун;
2. *v* 1) обучать; 2) руководить, наставлять; поучать; 3) давать частные уроки; 4) *амер. разг.* брать уроки; 5) *редк.* опекать; to ~ oneself сдерживаться; обуздывать себя.

**tutorage** ['tjuːtəridʒ] *n* 1) работа учителя; 2) должность наставника; 3) плата за обучение; 4) опекунство.

**tutoress** ['tjuːtəris] *n* 1) наставница, учительница; 2) опекунша.

**tutorial** [tjuː'tɔːriəl] 1. *a* 1) наставнический; ~ system университетская система обучения путём прикрепления студентов к отдельным консультантам; 2) опекунский;
2. *n* 1) консультация, встреча с руководителем; 2) период обучения в колледже.

**tutorship** ['tjuːtəʃip] *n* должность наставника; обязанности наставника *или* опекуна [*см.* tutor 1].

**tutsan** ['tʌtsən] *n бот.* зверобой.

**tutti-frutti** ['tuːti'fruːti] *n* мороженое с фруктами.

**tutu** ['tuːtuː] *фр. n* пачка (*балерины*)

**tu-whit** [tu'wit] = tu-whoo.

**tu-whoo** [tu'wuː] 1. *n* подражание крику совы;
2. *v* подражать крику совы.

**tux** [tʌks] *сокр. от* tuxedo.

**tuxedo** [tʌk'siːdou] *n* (*pl* -os, -oes [-ouz]) *амер.* смокинг.

**tuyère** ['twiːjəə] *фр. n метал.* фурма.

**twaddle** ['twɔdl] 1. *n* 1) пустая болтовня; 2) болтун;
2. *v* пустословить.

**twain** [twein] *уст., поэт.* 1. *пит.* card два;
2. *n* два (*предмета*); двое; in ~ надвое, пополам.

**twang** [twæŋ] 1. *n* 1) звук натянутой струны; 2) гнусавый выговор (*американцев*);

**2.** *v* 1) звучáть (*о струне*); 2) перебирáть стрýны; 3) гнусáвить.

**'twas** [twɔz (*полная форма*); twəz (*редуцированная форма*)] *сокр. разг.* = it was.

**tweak** [twiːk] 1. *n* щипóк;
**2.** *v* ущипнýть.

**tweaker** ['twiːkə] *n sl.* рогáтка (*для стрельбы*).

**tweed** [twiːd] *n* 1) твид (*материя*); 2) *pl* костюм из твида.

**tweedledum** ['twiːdl'dʌm] *n:* ~ and tweedledee двойники; две трýдно различимые вéщи; вéщи, в сýщности, различáющиеся лишь по назвáнию.

**'tween** [twiːn] *сокр. разг.* = between.

**tweeny** ['twiːnɪ] *n* молóденькая служáнка, помогáющая другим слýгам.

**tweet** [twiːt] 1. *n* птичий щéбет;
**2.** *v* щебетáть, чирикать.

**tweeter** ['twiːtə] *n радио* репродýктор для передáчи высóкого тóна.

**tweezer** ['twiːzə] *v* выщипывать пинцéтом, щипчиками.

**tweezers** ['twiːzəz] *n pl* пинцéт.

**twelfth** [twelfθ] 1.*num.ord.* двенáдцатый;
**2.** *n* 1) двенáдцатая часть; 2): the ~ а) двенáдцатое числó; б) 12 áвгуста (*начало охоты на куропáток*).

**Twelfth-day** ['twelfθ'deɪ] *n церк.* крещéние.

**Twelfth-night** ['twelfθ'naɪt] *n церк.* канýн крещéния.

**twelve** [twelv] 1. *num. card.* двенáдцать;
**2.** *n* 1) двенáдцать (*единиц, штук*); 2) (the T.) *церк.* 12 апóстолов; 3) *pl* книги в двенáдцатую дóлю листá.

**twelvefold** ['twelv,fould] 1. *a* в двенáдцать раз бóльший;
**2.** *adv* в двенáдцать раз бóльше.

**twelvemo** ['twelvmou] *n* книга в двенáдцатую дóлю листá (*пишется обычно 12 то*).

**twelvemonth** ['twelvmʌnθ] *n* год.

**twelver** ['twelvə] *n sl.* шиллинг.

**twencenter** ['twen,sentə] *n разг.* человéк ХХ вéка.

**twenties** ['twentɪz] *n pl* 1) (the ~) двадцáтые гóды; 2) трéтий десяток (*возраст между 19 и 30 годáми*).

**twentieth** ['twentɪɪθ] 1. *num. ord.* двадцáтый;
**2.** *n* 1) двадцáтая часть; 2) (the ~) двадцáтое числó.

**twenty** ['twentɪ] 1. *num. card.* двáдцать; ~-оne двáдцать один; ~-two двáдцать два *и т. д.*;
**2.** *n* двáдцать (*единиц, штук*).

**twentymo** ['twentɪmou] *n* книга в двадцáтую дóлю листá (*пишется обычно 20 то*).

**'twere** [twəː, tweə (*полные формы*); twə (*редуцированная форма*)] *сокр. разг.* = it were.

**twerp** [twəːp] *n sl.* грубиян, хам.

**twice** [twaɪs] *adv* 1) двáжды; ~ two is four двáжды два—четыре; 2) вдвóе; ~ as good вдвóе лýчше; ~ as much вдвóе бóльше; ◇ to think ~ (before doing smth.) хорошó обдýмать чтó-л. (прéжде, чем сдéлать); not to think ~ about smth. a) не дýмать бóльше, забыть о чём-л.; б) сдéлать что-л. без колебáний.

**twice-laid** ['twaɪs,leɪd] *a* сдéланный из обрéзков, отхóдов.

**twicer** ['twaɪsə] *n* рабóчий, являющийся одновремéнно набóрщиком и печáтником.

**twice-told** ['twaɪs,tould] *a* 1) расскáзанный двáжды; 2) извéстный, избитый.

**twicoloured** ['twɪ,kʌləd] *a* 1) двáжды окрáшенный; 2) разноцвéтный.

**twiddle** ['twɪdl] 1. *n* 1) верчéние; 2) завитóк, украшéние;
**2.** *v* 1) вертéть, крутить (*что-л.*), игрáть (*чем-л.*); 2) бездéльничать, бить баклýши (*тж.* ~ one's thumbs); 3) дрожáть.

**twiddler** ['twɪdlə] *n* бездéльник.

**twig I** [twɪg] *n* вéточка, прут; ◇ to hop the ~ умерéть.

**twig II** [twɪg] *v разг.* 1) наблюдáть, замечáть; 2). понять, разгадáть.

**twig III** [twɪg] *n разг.* мóда; стиль.

**twilight** ['twaɪlaɪt] *n* 1) сýмерки; потёмки (*тж. перен.*); 2) *attr.* сýмеречный, неясный; ~ vision *мед.* сýмеречное зрéние; ~ sleep *мед.* спóсоб обезбóливания рóдов.

**twill** [twɪl] *текст.* 1. *n* твил; сáржа;
**2.** *v* ткать твил, сáржу; переплетáть по диагонáли.

**'twill** [twɪl] *сокр. разг.* = it will.

**twin** [twɪn] 1. *n* 1) (*обыкн. pl*) близнецы; двóйня; 2) двойник; 3) пáрная вещь;
**2.** *a* 1) двойнóй; сдвóенный, спáренный; состоящий из двух однорóдных частéй; составляющий пáру, являющийся близнецóм; ~ soul *шутл.* рóдственная душá; ~ set гарнитýр, состоящий из жакéта и джéмпера (*одинакового цвета или гармонирующих цветов*); 2) одинáковый, похóжий; ~ tasks одинáковые задáчи;
**3.** *v* 1) родить двóйню; 2) соединять.

**twin-birth** ['twɪnbəːθ] *n* рождéние двóйни.

**twine** [twaɪn] 1. *n* 1) бечёвка, шпагáт, шнурóк; 2) *pl* кóльца (*змеи*); 3) сплетéние; скрýчивание;
**2.** *v* 1) вить; плести, сплетáть (*венок и т. п.*); свивáть, скрýчивать; 2) обвивáть (-ся) (*тж.* ~ round, ~ about); 3) опоясывать, окружáть, обносить.

**twin-engined** ['twɪn'endʒɪnd] *a* двухмотóрный (*самолёт*).

**twiner** ['twaɪnə] *n* 1) вьющееся растéние; 2) *текст.* крутильная машина периодического дéйствия.

**twinge** [twɪndʒ] 1. *n* приступ бóли; ~s of conscience угрызéния сóвести;
**2.** *v* 1) испытывать приступ бóли; 2) вызывáть приступ бóли.

**twinkle** ['twɪŋkl] 1. *n* 1) мерцáние; 2) мигáние; 3) мелькáние; 4) огонёк (*в глазáх*); 5) мгновéние;
**2.** *v* 1) мерцáть, сверкáть; 2) мигáть; 3) мелькáть.

**twinkling** ['twɪŋklɪŋ] 1. *pres. p. om* twinkle 2;
**2.** *n* 1) мерцáние; 2) мгновéние; in a ~, in the ~ of an eye, in the ~ of a bedpost в(о) мгновéние óка.

**twin-screw** ['twɪn,skruː] *a мор.* двухвинтовóй.

**twirl** [twəːl] 1. *n* 1) вращéние, кручéние; 2) вихрь; 3) рóсчерк, завитýшка;

**2.** *v* вертеть, кружить (*часто* ~ round); крутить; to ~ one's moustache теребить усы.

**twist** [twɪst] **1.** *n* 1) изгиб, поворот; 2) верёвка; шнурок; 3) кручение, крутка; скручивание, сучение; 4) что-л. свёрнутое, *напр.*, скрученный бумажный пакет; «фунтик»; 5) витой хлеб; 6) искажение, искривление; ~ of the tongue косноязычие; 7) вывих; 8) особенность (*ума, характера и т. п.*); 9) смешанный напиток; 10) обман; 11) *разг.* аппетит; 12) *тех.* ход (*витка*); ◇ ~ of the wrist ловкость рук; ловкость, сноровка;

**2.** *v* 1) крутить, сучить; сплетать(ся); 2) виться; изгибать(ся); the road ~s a good deal дорога очень извивается; 3) скручивать (*руки*); выжимать (*бельё*); 4) вертеть; поворачивать(ся); 5) искажать, искривлять; 6) *разг.* обманывать; 7) *sl.* вешать; ▢ ~ off отламывать, откручивать; ~ up скручивать (*в трубочку*).

**twister** ['twɪstə] *n* 1) сучильщик; канатный мастер; 2) сучильная машина; 3) шенкель; 4) *разг.* обманщик, лгун; 5) *разг.* ложь; преувеличение; 6) *разг.* вопрос *или* задача, ставящие в тупик.

**twit** [twɪt] **1.** *n* 1) упрёк, попрёк; 2) насмешка, колкость;

**2.** *v* 1) упрекать, попрекать (with—чем-л.); 2) насмехаться, говорить колкости.

**twitch I** [twɪtʃ] **1.** *n* 1) подёргивание, судорога; 2) *горн.* внезапное сужение жилы;

**2.** *v* 1) дёргать, тащить (at—за *что-л.*); 2) дёргаться, подёргиваться; his face ~ed with emotion у него дёргалось лицо от волнения; a horse ~es his ears лошадь прядёт ушами; ▢ ~ from выдёргивать; ~ off сдёргивать.

**twitch II** [twɪtʃ] *n бот.* пырей ползучий.

**twite** [twaɪt] *n* горная чечётка (*птица*).

**twitter** ['twɪtə] **1.** *n* 1) щебет, щебетание; 2) возбуждение, волнение; in a ~ дрожа, трепеща, в возбуждении;

**2.** *v* 1) щебетать, чирикать.

**'twixt** [twɪkst] *сокр. разг.* = betwixt.

**two** [tuː] **1.** *num. card.* два; one or ~ несколько;

**2.** *n* 1) двойка; 2) *pl* второй номер, размер; 3) двое; пара; ~ and ~, by twos, ~ by ~ по двое, попарно; in two's and three's небольшими группами; ~ of a trade два конкурента; ◇ in ~ а) надвое, пополам; б) врозь, отдельно; in ~ twos *разг.* немедленно, в два счёта; ~ by four *амер.* мелкий, незначительный; to put ~ and ~ together сообразить что к чему; ~ can play at that game посмотрим ещё, чья возьмёт.

**two-bit** ['tuːbɪt] *n амер. разг.* 1) монета в 25 центов; 2) небольшое количество; 3) что-л. незначительное, пустяшее.

**two-decker** ['tuːdekə] *n* 1) двухпалубное судно; 2) двухэтажный автобус *или* троллейбус.

**two-edged** ['tuːedʒd] *a* 1) обоюдоострый; 2) способный обернуться другой стороной; двусмысленный (*комплимент и т. п.*).

**two-faced** ['tuːfeɪst] *a* двуличный, лживый.

**two-fisted** ['tuːfɪstɪd] *a* неуклюжий.

**twofold** ['tuːfould] **1.** *a* двойной; удвоенный;

**2.** *adv* вдвое; вдвойне.

**two-footed** ]'tuːfutɪd] *a* двуногий.

**two-handed** ['tuːˈhændɪd] *a* 1) двуручный (*о мече*); 2) для двоих (*об игре*).

**two-master** ['tuːˌmɑːstə] *n* двухмачтовое судно.

**two-part** ['tuːpɑːt] *a* 1) состоящий из двух частей; 2) *муз.* для двух голосов.

**twopence** ['tʌpəns] *n* два пенса; not to care ~ относиться безразлично.

**twopenny** ['tʌpnɪ] **1.** *n* 1) *уст.* дешёвый сорт пива; 2) *sl.* голова, башка;

**2.** *a* 1) двухпенсовый; ~ tube лондонское метро; 2) дешёвый; дрянной.

**twopenny-halfpenny** ['tʌpnɪˈheɪpnɪ] *a* грошовый, дрянной, ничтожный.

**two-piece** ['tuːpiːs] *a* состоящий из двух частей *или* кусков.

**two-ply** ['tuːplaɪ] *a* двойной; двухслойный.

**two-seater** ['tuːsiːtə] *n* двухместный автомобиль *или* самолёт.

**two-sided** ['tuːsaɪdɪd] *a* двухсторонний.

**twosome** ['tuːsəm] *n* 1) *разг.* тет-а-тет; 2) *шотл.* пара; 3) игра *или* танец для двоих.

**two-step** ['tuːstep] *n* тустеп (*танец*).

**two-storied, two-story** ['tuːstɔːrɪd, 'tuːstɔːrɪ] *a* двухэтажный.

**two-time** ['tuːtaɪm] *v амер. sl.* обмануть, надуть.

**two-tongued** ['tuːtʌŋd] *a* двуличный, лживый.

**'twould** [twud] *сокр. разг.* = 'it would.

**two-way** ['tuːweɪ] *a* дву(х)сторонний; ~ deal двухсторонняя сделка, договорённость; ~ trade двухстороння торговля.

**tycoon** [taɪˈkuːn] *n амер. разг.* промышленный магнат.

**tying** ['taɪŋ] *pres. p. om* tie 2.

**tyke** [taɪk] *n* 1) дворняжка; 2) грубый, невоспитанный человек; 3) *разг.* живой шустрый ребёнок.

**tympana** ['tɪmpənə] *pl om* tympanum.

**tympanic** [tɪmˈpænɪk] *a*: ~ membrane *анат.* барабанная перепонка.

**tympanitis** [ˌtɪmpəˈnaɪtɪs] *n мед.* воспаление барабанной перепонки.

**tympanum** ['tɪmpənəm] *n* (*pl* -s [-z], -na) 1) *анат.* барабанная полость; среднее ухо; 2) *архит.* тимпан.

**type** [taɪp] **1.** *n* 1) тип; типичный образец *или* представитель (*чего-л.*); true to ~ типичный; характерный; 2) род, класс, группа; blood ~ группа крови; 3) модель, образец; символ; 4) изображение на монете *или* медали; 5) *полигр.* литера; шрифт; black (*или* bold, fat) ~ жирный шрифт; 6) *attr.*: ~ page полоса набора;

**2.** *v* писать на машинке.

**type-form** ['taɪpfɔːm] *n полигр.* форма.

**type-founder** ['taɪpˌfaʊndə] *n* словолитчик.

**type-foundry** ['taɪpˌfaʊndrɪ] *n* словолитня.

**type-metal** ['taɪpˌmetl] *n полигр.* гарт.

**typescript** ['taɪpskrɪpt] **1.** *n* напеча́танный на маши́нке текст;
**2.** *a* машинопи́сный.
**type-setter** ['taɪp‚setə] *n* 1) набо́рщик; 2) линоти́п.
**type-setting** ['taɪp‚setɪŋ] *n* 1) набо́р (*процесс*); 2) *attr.* набо́рный; ~ machine линоти́п.
**type slug** ['taɪpslʌg] *n полигр.* строка́, отли́тая на линоти́пе.
**typewrite** ['taɪpraɪt] *v* писа́ть на маши́нке.
**typewriter** ['taɪp‚raɪtə] *n* 1) пи́шущая маши́нка; 2) *редк.* машини́стка.
**typewriting** ['taɪp‚raɪtɪŋ] **1.** *pres. p. om* typewrite;
**2.** *n* = typing 2.
**typewritten** ['taɪp‚rɪtn] **1.** *p.p. om* typewrite;
**2.** *a* машинопи́сный, напеча́танный на маши́нке.
**typhlitis** [tɪf'laɪtɪs] *n* воспале́ние слепо́й кишки́.
**typhoid** ['taɪfɔɪd] **1.** *n* брюшно́й тиф;
**2.** *a* тифо́зный; ~ fever брюшно́й тиф.
**typhoon** [taɪ'fuːn] *n* тайфу́н.
**typhous** ['taɪfəs] *a* тифо́зный.
**typhus** ['taɪfəs] *n* сыпно́й тиф.
**typical** ['tɪpɪkəl] *a* 1) типи́чный (of); 2) символи́ческий.
**typify** ['tɪpɪfaɪ] *v* быть типи́чным представи́телем; служи́ть типи́чным приме́ром *или*

образцо́м; быть прообразом; олицетворя́ть.
**typing** ['taɪpɪŋ] **1.** *pres. p. om* type 2;
**2.** *n* перепи́ска на маши́нке.
**typist** ['taɪpɪst] *n* машини́стка; перепи́счик на маши́нке.
**typographer** [taɪ'pɔgrəfə] *n* печа́тник.
**typographic(al)** [‚taɪpə'græfɪk(əl)] *a* типогра́фский; книгопеча́тный.
**typography** [taɪ'pɔgræfɪ] *n* 1) книгопеча́тание; 2) оформле́ние (*книги*).
**tyrannical** [tɪ'rænɪkəl] *a* тирани́ческий; деспоти́чный; вла́стный.
**tyrannicide** [tɪ'rænɪsaɪd] *n* 1) тираноуби́йство; 2) тираноуби́йца.
**tyrannize** ['tɪrənaɪz] *v* тира́нствовать.
**tyrannous** ['tɪrənəs] = tyrannical.
**tyranny** ['tɪrənɪ] *n* 1) тирани́я, деспоти́зм; 2) тира́нство, жесто́кость.
**tyrant** ['taɪərənt] *n* тира́н; де́спот.
**tyre I** ['taɪə] **1.** *n* 1) о́бод колеса́; 2) ши́на; покры́шка;
**2.** *v* надева́ть ши́ну на колесо́.
**tyre II** ['taɪə] *n* англо-инд. простоква́ша.
**tyro** ['taɪərou] = tiro.
**Tyrolese** [‚tɪrə'liːz] **1.** *a* тиро́льский;
**2.** *n* (*pl без измен.*) тиро́лец.
**Tyrrhene, Tyrrhenian** [tɪ'riːn, tɪ'riːnjən] **1.** *a* этру́сский;
**2.** *n* этру́ск.
**tzar** [zɑː] = czar.
**Tzigane** [tsɪ'gɑːn] **1.** *a* цыга́нский;
**2.** *n* цыга́н(ка) (*особ. из Венгрии*).

# U

**U, u** [juː] *n* (*pl* Us, U's [juːz]) *21-я бу́ква англ. алфави́та*; ◇ U. P. *sl. см.* up 1; it's all U. P. всё ко́нчено, всё пропа́ло.
**ubiquitous** [juː'bɪkwɪtəs] *a* вездесу́щий; повсеме́стный.
**ubiquity** [juː'bɪkwɪtɪ] *n* вездесу́щность; повсеме́стность.
**U-boat** ['juːbout] *n* герма́нская подво́дная ло́дка.
**udder** ['ʌdə] *n* вы́мя.
**udometer** [juː'dɔmɪtə] *n* дождеме́р.
**ugh** [uh] *int* тьфу!; ах!
**uglify** ['ʌglɪfaɪ] *v* уро́довать, обезобра́живать.
**ugliness** ['ʌglɪnɪs] *n* уро́дство.
**ugly** ['ʌglɪ] *a* 1) безобра́зный; ~ as scarecrow (*или* as sin) ≅ стра́шен как сме́ртный грех; 2) неприя́тный; проти́вный; га́дкий; отта́лкивающий; an ~ task неприя́тная зада́ча; ~ duckling га́дкий утёнок; 3) угрожа́ющий, опа́сный; an ~ tongue злой язы́к; 4) *разг.* вздо́рный; скло́чный; зади́ристый; an ~ customer *разг.* неприя́тный, тру́дный *или* опа́сный челове́к.
**Ugrian** ['uːgrɪən] **1.** *a* у́грский;
**2.** *n* 1) угр; 2) у́грский язы́к.
**Ugric** ['uːgrɪk]=Ugrian 1.
**uhlan** ['uːlɑːn] *n ист.* ула́н.
**Uigur** ['wiːgur] *n* 1) уйгу́р(ка); 2) уйгу́рский язы́к.
**ukase** [uː'kɑːz] *рус. n* ука́з.

**Ukrainian** [juː'kreɪnjən] **1.** *a* украи́нский;
**2.** *n* 1) украи́нец; украи́нка; the ~s *pl собир.* украи́нцы; 2) украи́нский язы́к.
**ukulele** [‚juːkə'leɪlɪ] *n* гава́йская гита́ра.
**ulcer** ['ʌlsə] *n* я́зва; *перен. тж.* зло.
**ulcerate** ['ʌlsəreɪt] *v* 1) изъязвля́ть(ся); 2) губи́ть, по́ртить.
**ulcered, ulcerous** ['ʌlsəd, 'ʌlsərəs] *a* изъязвлённый, я́звенный.
**uliginose, uliginous** [juː'lɪdʒɪnous, -nəs] *a* 1) и́листый; боло́тистый; 2) боло́тный, расту́щий на боло́те.
**ullage** ['ʌlɪdʒ] *n* 1) незапо́лненная часть объёма (*бочки, резервуа́ра и т. п.*); 2) уте́чка, нехва́тка.
**ulna** ['ʌlnə] *n* (*pl* -nae) *анат.* локтева́я кость.
**ulnae** ['ʌlniː] *pl om* ulna.
**ulster** ['ʌlstə] *n* дли́нное свобо́дное пальто́ (*обыкн. с поясом*).
**ulterior** [ʌl'tɪərɪə] *a* 1) лежа́щий по ту сто́рону, располо́женный да́льше; 2) дальне́йший, после́дующий; ~ steps will be taken бу́дут при́няты дальне́йшие ме́ры; 3) скры́тый, невы́раженный; ~ motive (plan, object, *etc.*) скры́тый моти́в (план, цель и т. п.).
**ultima** ['ʌltɪmə] *лат.* **1.** *n лингв.* после́дний слог в сло́ве;
**2.** *a*: ~ ratio после́дний до́вод, реши́тельный аргуме́нт.

**ultimate** ['ʌltɪmɪt] *a* 1) самый отдалённый; 2) последний, конечный; предельный; окончательный; ~ result окончательный результат; 3) максимальный; предельный; ~ load предельная нагрузка; ~ output максимальная мощность; 4) первичный, элементарный; основной; ~ particle *физ.* элементарная частица; ~ analysis *хим.* полный элементарный анализ.

**ultimately** ['ʌltɪmɪtlɪ] *adv* в конечном счёте, в конце концов.

**ultimatum** [ˌʌltɪ'meɪtəm] *n* 1) ультиматум; 2) окончательная цель.

**ultimo** ['ʌltɪmou] *adv* прошлого месяца; the 20th ult. 20-го числа истекшего месяца.

**ultimogeniture** [ˌʌltɪmou'dʒenɪtʃə] *n* *юр.* переход земли к младшему сыну.

**ultra** ['ʌltrə] 1. *a* крайний (*об убеждениях, взглядах*); 2. *n* человек крайних взглядов.

**ultra-** [ʌltrə-] *pref* сверх-, ультра-; крайне; ultraconservative ультраконсервативный; ultrafashionable сверхмодный.

**ultramarine** I [ˌʌltrəmə'riːn] *a* заморский.

**ultramarine** II [ˌʌltrəmə'riːn] *n* ультрамарин.

**ultramodern** [ˌʌltrə'mɔdən] *a* сверхсовременный, крайне современный.

**ultramontane** [ˌʌltrə'mɔnteɪn] 1. *n* 1) живущий к югу от Альп; 2) сторонник абсолютного авторитета римского папы. 2. *a* 1) расположенный к югу от Альп, итальянский; 2) являющийся сторонником абсолютного авторитета римского папы.

**ultramontanist** [ˌʌltrə'mɔntɪnɪst] = ultramontane 1.

**ultra-short** [ˌʌltə'ʃɔːt] *a* ультракороткий; ~ waves ультракороткие волны.

**ultrasonic** [ˌʌltrə'sɔnɪk] *a* сверхзвуковой.

**ultrasound** [ˌʌltrə'saund] *n* ультразвук.

**ultra-violet** ['ʌltrə'vaɪəlɪt] *a* ультрафиолетовый.

**ultra vires** ['ʌltrə'vaɪəriːz] *adv*: act ~ превышать свои права, полномочия.

**ululate** ['juːljuleɪt] *v* выть, завывать.

**umbel** ['ʌmbəl] *n* *бот.* зонтик.

**umbellate** ['ʌmbəlɪt] *a* *бот.* зонтичный.

**umbelliferous** [ˌʌmbe'lɪfərəs] = umbellate.

**umber** ['ʌmbə] 1. *n* умбра (*краска*); 2. *a* тёмно-коричневый; 3. *v* красить умброй.

**umbilical** [ˌʌmbɪ'laɪkəl] *a* пупочный; ~ cord пуповина.

**umbilicus** [ʌm'bɪlɪkəs] *n* пуп.

**umbles** ['ʌmblz] *n pl уст.* внутренности (*особ. оленя*).

**umbra** ['ʌmbrə] *n астр.* полная тень.

**umbrage** ['ʌmbrɪdʒ] *n* 1) *поэт.* тень, сень; 2) обида; to give ~ обидеть; to take ~ обидеться.

**umbrageous** [ʌm'breɪdʒəs] *a* 1) тенистый; 2) *редк.* обидчивый, подозрительный.

**umbrella** [ʌm'brelə] *n* 1) зонтик; 2) *разг.* парашют; 3) *воен.* сплошное прикрытие авиацией; 4) компромиссная платформа; 5) *attr.* зонтичный; ~ antenna *радио* зонтичная антенна.

**umbrella man** [ʌm'brelə'mæn] *n разг.* парашютист.

**umbrella-stand** [ʌm'breləstænd] *n* подставка для зонтов.

**umbrella-tree** [ʌm'brelətriː] *n* магнолия трёхлепестная.

**umiak** ['uːmɪæk] *n* эскимосская лодка из шкур.

**umlaut** ['umlaut] *n лингв.* умляут.

**umpire** ['ʌmpaɪə] 1. *n* 1) посредник, третейский судья; суперарбитр; 2) *спорт.* судья, рефери.
2. *v* быть третейским судьёй *и пр.* [*см.* 1].

**umpteen** ['ʌmptiːn] *a разг.* 1) много, уйма; 2) несколько, некоторое количество.

**un-** [ʌn-] *pref* 1) *придаёт глаголу противоположное значение*: to undo уничтожить сделанное; to undeceive вывести из заблуждения; 2) *глаголам, образованным от существительных, придаёт обыкновенно значение* лишать, освобождать от: to uncage выпускать из клетки; to unmask снимать маску; 3) *придаёт прилагательным, причастиям и существительным с их производными, а тж. наречиям, отриц. значение* не-, без-; happy счастливый, unhappy несчастный; unhappily несчастливо; unsuccess неудача; 4) *усиливает отриц. значение глагола, напр.*, to unloose ослаблять.

**'un** [ʌn] *разг. см.* one 4.

**unabashed** ['ʌnə'bæʃt] *a* 1) нерастерявшийся, несмутившийся; бессовестный; 2) незапуганный.

**unabated** ['ʌnə'beɪtɪd] *a* неослабленный; неуменьшённый.

**unabbreviated** ['ʌnə'briːvɪeɪtɪd] = unabridged.

**unabiding** ['ʌnə'baɪdɪŋ] *a* преходящий.

**unable** ['ʌn'eɪbl] *a* 1) неспособный (to-к *чему-л.*); 2) *predic.*: to be ~ не быть в состоянии; I shall be ~ to go there я не смогу пойти туда.

**unabridged** ['ʌnə'brɪdʒd] *a* полный, несокращённый.

**unaccented** ['ʌnæk'sentɪd] *a* неударный (*слог, звук*).

**unacceptable** ['ʌnək'septəbl] *a* 1) неприемлемый; 2) неприятный, нежелательный.

**unaccompanied** ['ʌnə'kʌmpənɪd] *a* 1) не сопровождаемый (by, with); 2) без аккомпанемента.

**unaccomplished** ['ʌnə'kɔmplɪʃt] *a* 1) незаконченный, незавершённый; 2) неискусный, неумелый; 3) лишённый светского лоска; неотёсанный.

**unaccountable** ['ʌnə'kauntəbl] *a* 1) необъяснимый; странный; 2) безответственный.

**unaccustomed** ['ʌnə'kʌstəmd] *a* 1) не привыкший (to-к *чему-л.*); 2) непривычный, необычный.

**unachievable** ['ʌnə'tʃiːvəbl] *a* недосягаемый, недостижимый.

**unachieved** ['ʌnə'tʃiːvd] *a* недостигнутый; незавершённый.

**unacknowledged** ['ʌnək'nɔlɪdʒd] *a* 1) непризнанный; 2) оставшийся без ответа (*о поклоне, письме*).

**unacquainted** ['ʌnə'kweɪntɪd] *a* не знакомый (*с кем-л., чем-л.*), не знающий (*чего-л.*).

**unactable** [ˌʌnˈæktəbl] *a* непригóдный для сцéны.

**unacted** [ˌʌnˈæktɪd] *a* 1) невы́полненный, несдéланный; 2) не стáвившийся на сцéне (*о пьесе и т. п.*).

**unadaptable** [ˌʌnəˈdæptəbl] *a* непримени́мый, не могу́щий быть приспосóбленным, неприспосáбливаемый.

**unadmitted** [ˌʌnədˈmɪtɪd] *a* непри́знанный.

**unadulterated** [ˌʌnəˈdʌltəreɪtɪd] *a* 1) настоя́щий, нефальсифици́рованный; 2) чи́стый, чистéйший; ~ nonsense чистéйший вздор.

**unadvised** [ˌʌnədˈvaɪzd] *a* 1) поспéшный, неразу́мный; неосмотри́тельный; 2) не получи́вший совéта, консультáции.

**unadvisedly** [ˌʌnədˈvaɪzɪdlɪ] *adv* неблагоразу́мно; необду́манно.

**unaffable** [ˌʌnˈæfəbl] *a* непривéтливый; стрóгий, сдéржанный.

**unaffected** *a* 1) [ˌʌnəˈfektɪd] неподдéльный, лишённый аффектáции, непосрéдственный, и́скренний; 2) [ˌʌnəˈfektɪd] не затрóнутый (by — *чем-л.*); 3) [ˌʌnəˈfektɪd] не трóнутый (by — *чем-л.*); остáвшийся безучáстным (by—к).

**unagreeable** [ˌʌnəˈgriːəbl] *a редк.* 1) неприя́тный; 2) непослéдовательный; несоглáсный.

**unaided** [ˌʌnˈeɪdɪd] *a* лишённый пóмощи; без (посторóнней) пóмощи.

**unallowable** [ˌʌnəˈlauəbl] *a* недопусти́мый; непозволи́тельный.

**unallowed** [ˌʌnəˈlaud] *a* неразрешённый, запрещённый.

**unalloyed** [ˌʌnəˈlɔɪd] *a* 1) беспри́месный, чи́стый; 2) неомрачённый (*о счастье*).

**unalterable** [ʌnˈɔːltərəbl] *a* неизмéнный, не допускáющий перемéн; устóйчивый.

**unaltered** [ʌnˈɔːltəd] *a* неизменённый, неизмéнный.

**unambiguous** [ˌʌnæmˈbɪgjuəs] *a* недвусмы́сленный.

**unamenable** [ˌʌnəˈmiːnəbl] *a* 1) неподáтливый; 2) непослу́шный.

**un-American** [ˌʌnəˈmerɪkən] *a* 1) чу́ждый америкáнским обы́чаям *или* поня́тиям; 2) антиамерикáнский.

**unanalysable** [ˌʌnˈænəlaɪzəbl] *a* не поддаю́щийся анáлизу.

**unanimity** [ˌjuːnəˈnɪmɪtɪ] *n* единоду́шие.

**unanimous** [juːˈnænɪməs] *a* единоду́шный, единоглáсный.

**unannounced** [ˌʌnəˈnaunst] *a* (яви́вшийся) без объявлéния, без доклáда.

**unanswerable** [ʌnˈɑːnsərəbl] *a* 1) такóй, на котóрый невозмóжно отвéтить (*о вопросе и т. п.*); 2) неопровержи́мый.

**unanswered** [ʌnˈɑːnsəd] *a* остáвшийся без отвéта *или* без опровержéния.

**unappealable** [ˈʌnəˈpiːləbl] *a юр.* не допускáющий дальнéйшей апелля́ции; оконча́тельный.

**unappeasable** [ˈʌnəˈpiːzəbl] *a* 1) непримири́мый; 2) неутоми́мый, неукроти́мый.

**unappreciated** [ˈʌnəˈpriːʃɪeɪtɪd] *a* непóнятый, недооценённый.

**unapprehensive** [ˈʌnæprɪˈhensɪv] *a* 1) непоня́тливый, несообрази́тельный; 2) бесстрáшный.

**unapproachable** [ˌʌnəˈprəutʃəbl] *a* 1) недосту́пный, недостижи́мый; 2) непристу́пный; 3) непостижи́мый; 4) несравни́мый, бесподóбный, не имéющий рáвных.

**unapproving** [ˈʌnəˈpruːvɪŋ] *a* неодобри́тельный; осуждáющий.

**unapprovingly** [ˈʌnəˈpruːvɪŋlɪ] *adv* неодобри́тельно.

**unapt** [ˌʌnˈæpt] *a* 1) неподходя́щий; an ~ quotation неподходя́щая цитáта; 2) неспосóбный, неумéлый; ~ to learn не спосóбный к учéнию; ~ at games нелóвкий в и́грах; 3) несклóнный.

**unarm** [ˌʌnˈɑːm] *v* разоружáть(ся).

**unarmed** [ˌʌnˈɑːmd] 1. *p. p. от* unarm; 2. *a* 1) безору́жный; невооружённый; 2) *бот., зоол.* неколю́чий.

**unartful** [ˌʌnˈɑːtful] *a* 1) безыску́сственный; 2) неиску́сный.

**unashamed** [ˌʌnəˈʃeɪmd] *a* бессóвестный, нáглый.

**unasked** [ˌʌnˈɑːskt] *a* непрóшенный.

**unaspiring** [ˌʌnəsˈpaɪərɪŋ] *a* нечестолюби́вый, не претенду́ющий на что-л.

**unassailable** [ˌʌnəˈseɪləbl] *a* 1) непристу́пный; an ~ fortress непристу́пная крéпость; 2) неопровержи́мый.

**unassisted** [ˌʌnəˈsɪstɪd] *a* без пóмощи; he did it ~ он сдéлал э́то сам.

**unassuming** [ˌʌnəˈsjuːmɪŋ] *a* скрóмный, непритязáтельный.

**unassured** [ˈʌnəˈʃuəd] *a* 1) неувéренный; 2) сомни́тельный; ненадёжный; 3) незастрахóванный.

**unatonable** [ˌʌnəˈtounəbl] *a* невозмести́мый.

**unattached** [ˌʌnəˈtætʃt] *a* 1) непривя́занный; неприкреплённый; 2) *воен.* неприда́нный, не прикреплённый к определённому полку́; 3) явля́ющийся студéнтом университéта, но не занимáющийся в определённом коллéдже; 4) без провожáтого; 5) незаму́жняя; неженáтый; не имéющий привя́занности.

**unattainable** [ˌʌnəˈteɪnəbl] *a* недостижи́мый, недосягáемый.

**unattended** [ˌʌnəˈtendɪd] *a* 1) несопровождáемый; 2) остáвленный без ухóда; ~ wound неперевя́занная рáна.

**unattending** [ˌʌnəˈtendɪŋ] *a* невнимáтельный.

**unattractive** [ˌʌnəˈtræktɪv] *a* непривлекáтельный.

**unauthorized** [ˌʌnˈɔːθəraɪzd] *a* 1) неразрешённый; 2) неправомóчный.

**unavailable** [ˌʌnəˈveɪləbl] *a* 1) не имéющийся в нали́чии; 2) недействи́тельный.

**unavailing** [ˌʌnəˈveɪlɪŋ] *a* бесполéзный, тщéтный, бесплóдный.

**unavenged** [ˌʌnəˈvendʒd] *a* неотомщённый.

**unavoidable** [ˌʌnəˈvɔɪdəbl] *a* неизбéжный, немину́емый.

**unaware** [ˌʌnəˈwɛə] *a predic.* не знáющий, не подозревáющий (of—*чего-л.*); I was ~ of it я ничегó не знал об э́том.

**unawares** [ˌʌnəˈwɛəz] 1. *adv* 1) неожиданно, врасплóх; to catch (*или* to take) ~ застигнуть врасплóх; 2) непредумышленно, нечаянно;
2. *n*: at ~ врасплóх.

**unbacked** [ʌnˈbækt] *a* 1) не имеющий сторóнников, поддéржки; 2) такóй, на котóрого не стáвят стáвок (*напр., о лошади*); 3) необъéзженный (*о лошади*).

**unbaked** [ʌnˈbeɪkt] *a* невыпеченный; *перен. разг.* неопéрившийся, незрéлый, «зелёный».

**unbalance** [ʌnˈbæləns] *v* лишить душéвного равновéсия; вывести из равновéсия.

**unbalanced** [ʌnˈbælənst] 1. *p. p. om* unbalance;
2. *a* неуравновéшенный.

**unballast** [ʌnˈbæləst] *v мор.* выгружáть баллáст.

**unballasted** [ʌnˈbæləstɪd] 1. *p. p. om* unballast;
2. *a* 1) *мор.* не имеющий баллáста; 2) *ж.-д.* незабалластирóванный (*о пути*); 3) неустóйчивый.

**unbank** [ʌnˈbæŋk] *v* дать (*огню*) разгорéться, разгребáя золу́.

**unbar** [ʌnˈbɑː] *v* отодвинуть засóв; открыть (*дверь, путь и т. п.*).

**unbare** [ʌnˈbɛə] *v* оголять, обнажáть.

**unbearable** [ʌnˈbɛərəbl] *a* невыносимый.

**unbearded** [ʌnˈbɪədɪd] *a* 1) безборóдый; 2) *бот.* лишённый усиков, остéй.

**unbeaten** [ʌnˈbiːtn] *a* 1) не испытáвший поражéния; непревзойдённый; 2) непроторéнный; ~ track непроторéнный путь; неизвéданная óбласть (*знаний и т. п.*); 3) нетолчёный.

**unbecoming** [ˌʌnbɪˈkʌmɪŋ] *a* 1) неприличествующий, неподходящий; 2) не идущий к лицу; 3) неприличный; ~ conduct неприличное поведéние.

**unbefitting** [ˌʌnbɪˈfɪtɪŋ] *a* неподходящий.

**unbefriended** [ˌʌnbɪˈfrendɪd] *a* одинóкий, не имеющий друзéй.

**unbegun** [ˌʌnbɪˈɡʌn] *a* 1) (ещё) не нáчатый; 2) не имеющий начáла, существующий вéчно, извéчный.

**unbeknown** [ˌʌnbɪˈnoun] *a уст.* невéдомый; he did it ~ to me он сдéлал э́то без моегó вéдома.

**unbelief** [ˌʌnbɪˈliːf] *n* невéрие.

**unbelievable** [ˌʌnbɪˈliːvəbl] *a* невероятный.

**unbeliever** [ˌʌnbɪˈliːvə] *n* 1) невéрующий; 2) скéптик.

**unbelt** [ʌnˈbelt] *v* снимáть *или* расстёгивать пóяс.

**unbend** [ʌnˈbend] *v* (unbent) 1) выпрямлять(ся); разгибáть(ся); 2) ослаблять напряжéние; давáть óтдых; to ~ one's mind дать óтдых головé; 3) *refl.* стать простым, привéтливым, отбрóсить чóпорность; 4) *мор.* отвязывать; отдавáть (*снасть*); 5) *тех.* рихтовáть, прáвить.

**unbending** [ʌnˈbendɪŋ] 1. *pres. p. om* unbend;
2. *a* 1) негнущийся; 2) непреклóнный; 3) открытый, простóй, отбрóсивший чóпорность.

**unbeneficed** [ʌnˈbenɪfɪst] *a церк.* не имеющий бенефиция, прихóда.

**unbent** [ʌnˈbent] *past и p. p. om* unbend.

**unbeseeming** [ˌʌnbɪˈsiːmɪŋ] *a* неприличествующий, неподобáющий, неподходящий.

**unbetterable** [ʌnˈbetərəbl] *a* 1) непревзойдённый; 2) непоправимый.

**unbias(s)ed** [ʌnˈbaɪəst] *a* беспристрáстный.

**unbidden** [ʌnˈbɪdn] *a* 1) непрóшеный, незвáный; 2) добровóльный.

**unbind** [ʌnˈbaɪnd] *v* (unbound) 1) развязывать; распускáть; to ~ hair распускáть вóлосы; 2) освобождáть; to ~ a prisoner освобождáть заключённого; 3) срывáть переплёт (*с книги*).

**unblamable** [ʌnˈbleɪməbl] *a* безупрéчный.

**unbleached** [ʌnˈbliːtʃt] *a* небелёный, неотбелённый.

**unblemished** [ʌnˈblemɪʃt] *a* 1) не имеющий пятен, чистый; 2) незапятнанный, безупрéчный.

**unblended** [ʌnˈblendɪd] *a* чистый, несмéшанный.

**unblessed** [ʌnˈblest] *a* 1) лишённый благословéния; 2) несчáстный, злополучный.

**unblock** [ʌnˈblɔk] *v* открыть, устранить препятствие.

**unblooded** [ʌnˈblʌdɪd] *a* нечистокрóвный; an ~ horse нечистокрóвная лóшадь.

**unbloody** [ʌnˈblʌdɪ] *a* 1) не запятнанный крóвью; 2) бескрóвный; 3) некровожáдный.

**unblown I** [ʌnˈbloun] *a* 1) ещё не прозвучáвший; 2) незапыхáвшийся.

**unblown II** [ʌnˈbloun] *a* нераспустившийся, нерасцвéтший.

**unblushing** [ʌnˈblʌʃɪŋ] *a* беззастéнчивый, нáглый.

**unbodied** [ʌnˈbɔdɪd] *a* бесплóтный, бестелéсный.

**unboiled** [ʌnˈbɔɪld] *a* некипячёный; не вскипéвший.

**unbolt** [ʌnˈboult] *v* снимáть засóв, отпирáть.

**unbone** [ʌnˈboun] *v* снимáть (мясо) с костéй.

**unbooked** [ʌnˈbukt] *a* 1) незарегистрирóванный, не занесённый в книгу; 2) не закáзанный зарáнее; 3) малообразóванный; неграмотный.

**unbookish** [ʌnˈbukɪʃ] *a* 1) не увлекáющийся чтéнием; 2) почéрпнутый не из книг.

**unborn** [ʌnˈbɔːn] *a* 1) (ещё) не рождённый; 2) будущий.

**unbosom** [ʌnˈbuzəm] *v* поверять (*тайну*), изливáть (*чувства*); to ~ oneself открывáть душу.

**unbound** [ʌnˈbaund] 1. *past и p. p. om* unbind;
2. *a* 1) свобóдный, не связанный обязáтельствами; 2) непереплетённый (*о книге*).

**unbounded** [ʌnˈbaundɪd] *a* неограниченный; безграничный, беспредéльный.

**unbowed** [ʌnˈbaud] *a* непокорённый.

unbrace ['ʌn'breɪs] v ослаблять, расслаблять.

unbred ['ʌn'bred] a плохо воспитанный.

unbridle ['ʌn'braɪdl] v 1) распрягать; 2) *перен.* распускать, развязывать.

unbridled [ʌn'braɪdld] 1. *p. p. от* unbridle;
2. a разнузданный; необузданный; распущенный.

unbroken ['ʌn'broukən] a 1) неразбитый, целый; 2): ~ record непобитый рекорд; 3) непокорённый; ~ spirit несломленный дух; 4) непрерывный, продолжительный; 5) сдержанный (*об обещании и т. п.*); 6) необъезженный (*о лошади*); 7) невспаханный; ~ soil целина, новь.

unbuckle ['ʌn'bʌkl] v расстёгивать пряжку, застёжку.

unbuild ['ʌn'bɪld] v 1) разрушать, сносить; 2) *эл.* размагничивать.

unburden [ʌn'bə:dn] v 1) облегчать бремя, ношу; 2) *перен.* сбросить тяжесть; to ~ one's mind высказать то, что накопилось; to ~ oneself отвести душу.

unbusinesslike [ʌn'bɪznɪslaɪk] a неделовой, непрактичный.

unbutton ['ʌn'bʌtn] v расстёгивать.

uncage ['ʌn'keɪdʒ] v выпускать из клетки.

uncalled-for [ʌn'kɔ:ldfɔ:] a непрошеный; неуместный; ничем не вызванный; ~ remark неуместное замечание.

uncanny [ʌn'kænɪ] a жуткий, сверхъестественный.

uncap ['ʌn'kæp] v 1) снимать шляпу; 2) снимать крышку, открывать, откупоривать; 3) *воен.* вынимать капсюль.

uncared-for ['ʌn'kɛədfɔ:] a заброшенный.

uncart ['ʌn'kɑ:t] v разгружать тележку

uncase ['ʌn'keɪs] v 1) вынимать из ящика, футляра, ножен; 2) распаковывать.

uncaused ['ʌn'kɔ:zd] a 1) беспричинный; 2) извечный.

unceasing [ʌn'si:sɪŋ] a непрекращающийся, непрерывный, безостановочный.

uncelebrated ['ʌn'selɪbreɪtɪd] a 1) не пользующийся известностью; 2) неотмечаемый, несправляемый.

unceremonious ['ʌn,serɪ'mounjəs] a 1) простой; неофициальный; 2) бесцеремонный.

uncertain [ʌn'sə:tn] a 1) точно не известный; сомнительный; a lady of ~ age дама неопределённого возраста; 2) неуверенный; колеблющийся, находящийся в нерешительности; сомневающийся; 3) неопределённый; in no ~ terms в недвусмысленных выражениях; 4) изменчивый, ненадёжный.

uncertainty [ʌn'sə:tntɪ] n 1) неуверенность, нерешительность; сомнения; to be in a state of ~ сомневаться, колебаться; 2) неизвестность, неопределённость; 3) изменчивость.

unchain ['ʌn'tʃeɪn] v 1) спускать с цепи; 2) расковывать, освобождать.

unchallengeable ['ʌn'tʃælɪndʒəbl] a неоспоримый

unchancy ['ʌn'tʃɑ:nsɪ] a *шотл.* 1) не-

удачный, случившийся некстати; 2) небезопасный.

unchanged ['ʌn'tʃeɪndʒd] a неизменившийся, оставшийся прежним.

uncharitable [ʌn'tʃærɪtəbl] a жестокий, немилосердный.

uncharted ['ʌn'tʃɑ:tɪd] a не отмеченный на карте.

unchecked ['ʌn'tʃekt] a 1) необузданный; 2) беспрепятственный; 3) непроверенный.

unchurch ['ʌn'tʃə:tʃ] v отлучать от церкви.

uncial ['ʌnsɪəl] 1. a унциальный;
2. n 1) унциальный шрифт; 2) рукопись, написанная унциальным шрифтом.

uncivil ['ʌn'sɪvl] a 1) невежливый, грубый; 2) *редк.* нецивилизованный.

uncivilized ['ʌn'sɪvɪlaɪzd] a нецивилизованный, варварский.

unclasp ['ʌn'klɑ:sp] v 1) отстёгивать застёжку; 2) разжимать (*объятия*); выпускать (*из рук, из объятий*).

uncle ['ʌŋkl] n 1) дядя; 2) пожилой человек; «дядюшка» (*особ. в обращении*); 3) *sl.* ростовщик; my ~'s лавка ростовщика; ◇ U. Sam «дядя Сэм», Соединённые Штаты Америки; Welsh ~ дальний родственник; to come the ~ over smb. отчитывать, бранить кого-л.

unclean ['ʌn'kli:n] a 1) неопрятный; нечистый; 2) отвратительный, грязный; аморальный.

uncleared ['ʌn'klɪəd] a неубранный; нерасчищенный.

unclench ['ʌn'klentʃ] v разжать (*кулак и т. п.*).

uncloak ['ʌn'klouk] v 1) снимать плащ; 2) срывать маску, разоблачать.

unclose ['ʌn'klouz] v открывать(ся).

unclosed ['ʌn'klouzd] 1. *p. p. от* unclose;
2. a 1) открытый; 2) незаконченный; ~ argument спор, оставшийся незаконченным.

unclothe ['ʌn'klouð] v раздевать.

unclouded ['ʌn'klaudɪd] a безоблачный; ~ happiness безоблачное счастье.

unco ['ʌŋkou] *шотл.* 1. a странный;
2. *adv* необыкновенно; очень;
3. n (*pl* -os [-ouz]) 1) незнакомец; 2) *pl* новости.

uncock ['ʌn'kɔk] v спускать с боевого взвода без выстрела.

uncoil ['ʌn'kɔɪl] v разматывать(ся), раскручивать(ся).

uncoined ['ʌn'kɔɪnd] a 1) нечеканный; 2) подлинный, непритворный.

uncome-at-able ['ʌnkʌm'ætəbl] a *разг.* неприступный.

uncomely ['ʌn'kʌmlɪ] a 1) некрасивый, непривлекательный; 2) *уст.* непристойный.

uncomfortable [ʌn'kʌmfətəbl] a 1) неудобный; ~ chair неудобный стул; ~ position неудобное положение; 2) испытывающий неудобство, стеснённый; he felt ~ он (по)чувствовал себя неловко.

uncommon [ʌn'kɔmən] 1. a 1) необыкновенный, замечательный, недюжинный; 2) редкий, редко встречающийся *или* случающийся;
2. *adv* замечательно, удивительно.

**uncommunicative** [ˈʌnkəˈmjuːnɪkətɪv] *a* необщи́тельный, молчали́вый.

**uncompanionable** [ˈʌnkəmˈpænjənəbl] *a* необщи́тельный.

**uncomplaining** [ˈʌnkəmˈpleɪnɪŋ] *a* безро́потный.

**uncompliant** [ˈʌnkəmˈplaɪənt] *a* неподатли́вый.

**uncomplying** [ˈʌnkəmˈplaɪɪŋ] *a* не поддаю́щийся (*на что-л.*), не склоня́ющийся (*к чему-л.*).

**uncompromising** [ʌnˈkɔmprəmaɪzɪŋ] *a* 1) не иду́щий на компроми́ссы; 2) непрекло́нный, сто́йкий.

**unconcealed** [ˈʌnkənˈsiːld] *a* нескрыва́емый, я́вный.

**unconceivable** [ˈʌnkənˈsiːvəbl] = inconceivable.

**unconceived** [ˈʌnkənˈsiːvd] *a* незарождённый.

**unconcern** [ˈʌnkənˈsəːn] *n* 1) беззабо́тность; 2) равноду́шие; безразли́чие.

**unconcerned** [ˈʌnkənˈsəːnd] *a* 1) беспе́чный, беззабо́тный (about—в отноше́нии *чего-л.*); 2) равноду́шный, незаинтересо́ванный; не интересу́ющийся (with—*чем-л.*); 3) не заме́шанный (in—в *чём-л.*).

**unconditional** [ˈʌnkənˈdɪʃənl] *a* не ограни́ченный усло́виями, безогово́рочный, безусло́вный; ~ surrender безогово́рочная капитуля́ция.

**unconditioned** [ˈʌnkənˈdɪʃənd] *a* 1) неограни́ченный, неоговорённый, необусло́вленный; 2) неоспори́мый, абсолю́тный; безусло́вный; ◇ ~ reflex безусло́вный рефле́кс.

**unconforming** [ˈʌnkənˈfɔːmɪŋ] *a* не соотве́тствующий (тре́бованиям); вызыва́ющий возраже́ния.

**unconformity** [ˈʌnkənˈfɔːmɪtɪ] *n* 1) несоотве́тствие; 2) *геол.* непараллéльное несогла́сие; несогла́сное напластова́ние.

**unconnected** [ˈʌnkəˈnektɪd] *a* 1) не свя́занный (с чем-л.); 2) неро́дственный, не име́ющий свя́зей; 3) бессвя́зный.

**unconquerable** [ʌnˈkɔŋkərəbl] *a* непобеди́мый.

**unconscionable** [ʌnˈkɔnʃnəbl] *a* 1) бессо́вестный; ~ bargain *юр.* незако́нная сде́лка; 2) неуме́ренный, чрезме́рный.

**unconscious** [ʌnˈkɔnʃəs] **1.** *a* 1) не сознаю́щий (of—*чего-л.*); to be ~ of a) не сознава́ть; б) не ви́деть, не замеча́ть; 2) бессозна́тельный; she is ~ она́ без созна́ния, в о́бмороке; 3) нево́льный; неча́янный; **2.** *n* (the ~) подсозна́тельное.

**unconstrained** [ˈʌnkənˈstreɪnd] *a* 1) де́йствующий не по принужде́нию; доброво́льный; 2) непринуждённый, лёгкий.

**uncontemplated** [ʌnˈkɔntempleɪtɪd] *a* неожи́данный; непредви́денный.

**uncontented** [ˈʌnkənˈtentɪd] *a* недово́льный, неудовлетворённый.

**uncontrollable** [ˌʌnkənˈtrouləbl] *a* 1) неудержи́мый; 2) не поддаю́щийся контро́лю; 3) не поддаю́щийся регулиро́вке; 4) *уст.* неоспори́мый.

**unconventional** [ˈʌnkənˈvenʃənl] *a* чу́ждый усло́вности; нешабло́нный.

**unconversable** [ˈʌnkənˈvəːsəbl] *a* неразгово́рчивый; необщи́тельный.

**unconverted** [ˈʌnkənˈvəːtɪd] *a* 1) необменённый; 2) оста́вшийся пре́жним; 3) *рел.* необращённый.

**unconvertible** [ˈʌnkənˈvəːtəbl] = inconvertible.

**unconvincing** [ˈʌnkənˈvɪnsɪŋ] *a* неубеди́тельный.

**uncooked** [ʌnˈkukt] *a* сыро́й, непригото́вленный (*о пище*).

**uncord** [ʌnˈkɔːd] *v* развя́зывать, отвя́зывать.

**uncork** [ʌnˈkɔːk] *v* 1) отку́поривать; 2) *разг.* дава́ть вы́ход, во́лю (*чу́вствам*).

**uncorruptible** [ˈʌnkəˈrʌptəbl] *a* неподку́пный.

**uncostly** [ʌnˈkɔstlɪ] *a* дешёвый.

**uncountable** [ʌnˈkauntəbl] *a* бесчи́сленный, неисчисли́мый.

**uncounted** [ʌnˈkauntɪd] *a* несчётный, бесчи́сленный.

**uncouple** [ʌnˈkʌpl] *v* 1) расцепля́ть; разъединя́ть; 2) спуска́ть (*собак*) со сво́ры.

**uncouth** [ʌnˈkuːθ] *a* 1) неуклю́жий; 2) грубова́тый, неотёсанный; 3) *уст.* стра́нный.

**uncover** [ʌnˈkʌvə] *v* 1) снима́ть кры́шку; 2) открыва́ть (*лицо и т. п.*); 3) (*тж. refl.*) обнажа́ть го́лову; 4) обнару́живать; 5) раскрыва́ть; to ~ one's heart to smb. откры́ть кому́-л. ду́шу; 6) обнажа́ть (*фланг*).

**uncovered** [ʌnˈkʌvəd] **1.** *p. p. от* uncover; **2.** *a* 1) неприкры́тый, откры́тый; 2) с непокры́той голово́й; to stand ~ стоя́ть с непокры́той голово́й; 3) *фин.* необеспе́ченный; ~ paper тонеу необеспе́ченные бума́жные де́ньги; 4) *горн.* вскры́тый (о полезном ископаемом при разработке открытым способом).

**uncreate** I [ˈʌnkriːˈeit] *a уст.* существу́ющий изве́чно (*тж.* ~d).

**uncreate** II [ˈʌnkriːˈeit] *v* уничтожа́ть.

**uncrippled** [ʌnˈkrɪpld] *a* неповреждённый.

**uncritical** [ʌnˈkrɪtɪkəl] *a* 1) принима́ющий сле́по, без кри́тики; 2) некрити́чный; an ~ estimate некрити́чная оце́нка; 3) непра́вильный (*о подходе, принципе*).

**uncrossed** [ʌnˈkrɔst] *a* 1) неперечёркнутый; an ~ cheque некросси́рованный чек (*который необязательно оплачивается через банк*); 2) беспрепя́тственный; 3) непересечённый.

**uncrown** [ʌnˈkraun] *v* сверга́ть с престо́ла; *перен.* развенчивать.

**uncrowned** [ʌnˈkraund] **1.** *p. p. от* uncrown; **2.** *a* некорон́ованный.

**unction** [ˈʌŋkʃən] *n* 1) пома́зание (*обряд*); 2) втира́ние ма́зи; 3) мазь; 4) на́божность; 5) елéйность; 6) пыл, рве́ние.

**unctuous** [ˈʌŋktjuəs] *a* 1) масляни́стый; 2) жи́рный и ли́пкий (*о почве*); 3) елéйный.

**uncultivated** [ʌnˈkʌltɪveɪtɪd] *a* 1) невозде́ланный (*о земле*); 2) нера́звитый (*о способностях и т. п.*); 3) гру́бый, неотёсанный.

**uncultured** ['ʌn'kʌltʃəd] *a* некульту́рный, невоспи́танный.

**uncurb** ['ʌn'kɔ:b] *v* 1) разну́здывать; 2) дава́ть во́лю (*чувствам и т. п.*).

**uncurl** ['ʌn'kɔ:l] *v* развива́ть(ся) (*о локо́нах*).

**uncurtain** ['ʌn'kɔ:tn] *v* 1) раздви́нуть, подня́ть занаве́ски; 2) обнару́жить.

**uncurtained** ['ʌn'kɔ:tnd] 1. *p. p. от* uncurtain;
2. *a* незанаве́шенный; с раздви́нутыми, по́днятыми занаве́сками.

**uncustomary** ['ʌn'kʌstəməri] *a* непривы́чный.

**uncustomed** ['ʌn'kʌstəmd] *a* 1) не подлежа́щий таможенному сбо́ру; 2) не опла́ченный таможенным сбо́ром; 3) *уст.* непривы́чный.

**uncut** ['ʌn'kʌt] *a* 1) неразре́занный; 2) с необре́занными поля́ми (*о кни́ге*); 3) по́лный, несокращённый (*о те́ксте и т. п.*).

**undamped** ['ʌn'dæmpt] *a радио* недемпфи́рованный.

**undated I** ['ʌn'deitid] *a* недати́рованный.

**undated II** ['ʌndeitid] *a бот.* волни́стый.

**undaunted** [ʌn'dɔ:ntid] *a* неустраши́мый, бесстра́шный.

**undeceive** ['ʌndi'si:v] *v* выводи́ть из заблужде́ния, открыва́ть глаза́ (*на что-л.*).

**undecided** ['ʌndi'saidid] *a* 1) нереши́нный; 2) нереши́тельный; 3) не реши́вшийся, не приня́вший реше́ния; I am ~ whether to go or stay я не зна́ю, идти́ мне и́ли оста́ться; 4) не ре́зко вы́раженный; 5) неустанови́вшийся (*о пого́де*).

**undecipherable** ['ʌndi'saifərəbl] *a* 1) не поддаю́щийся расшифро́вке; 2) неразбо́рчивый.

**undecisive** ['ʌndi'saisiv] *a* нереша́ющий, неоконча́тельный.

**undeck** ['ʌn'dek] *v* снять все украше́ния, ободра́ть, оголи́ть.

**undeclared** ['ʌndi'klɛəd] *a* 1) необъя́вленный, непровозглашённый; нераскры́тый; 2) непредъя́вленный на тамо́жне (*о веща́х, подлежа́щих таможенному сбо́ру*).

**undeclinable** ['ʌndi'klainəbl] *a* 1) неизбе́жный; неотврати́мый; 2) несклоня́емый.

**undefended** ['ʌndi'fendid] *a* 1) незащищённый; 2) не подкреплённый доказа́тельствами, неаргументи́рованный; 3) *юр.* без защи́ты, без защи́тника (*об обвиня́емом*).

**undelivered** ['ʌndi'livəd] *a* 1) недоста́вленный; 2) непроизнесённый; an ~ speech непроизнесённая речь.

**undemocratic** ['ʌn,demə'krætik] *a* антидемократи́ческий, недемократи́ческий.

**undemonstrative** ['ʌndi'mɔnstrətiv] *a* сде́ржанный.

**undeniable** [,ʌndi'naiəbl] *a* 1) неоспори́мый; несомне́нный; я́вный; ~ evidence неопровержи́мая и́стина; 2) превосхо́дный.

**undenominational** ['ʌndi,nɔmi'neiʃənl] *a* без секта́нтского укло́на.

**under** ['ʌndə] 1. *prep* 1) *указывает на положение одного предмета ниже другого или на направление действия вниз* под,
ни́же; ~ the table под столо́м; ~ one's feet под нога́ми; put the suitcase ~ the table поста́вьте чемода́н под стол; 2) *указывает на нахождение под бре́менем, тя́жестью чего-л.* под; ~ the load под тя́жестью; he broke down ~ the burden of sorrow го́ре сломи́ло его́; 3) *указывает на пребыва́ние под вла́стью, контро́лем, кома́ндованием* под; to work ~ a professor рабо́тать под руково́дством профе́ссора; England ~ the Stuarts А́нглия в эпо́ху Стюа́ртов; an office ~ Government госуда́рственная слу́жба; 4) *указывает на нахожде́ние в движе́нии, проце́ссе, осуществле́нии, определённом состоя́нии и т. п.*: the question is ~ consideration вопро́с обсужда́ется; the road is ~ repair доро́га ремонти́руется; ~ arrest под аре́стом; 5) *указывает на усло́вия, обстоя́тельства, при кото́рых соверша́ется де́йствие* при, под, на; ~ fire под огнём; ~ the circumstances при да́нных обстоя́тельствах; ~ arms вооружённый; ~ sail под паруса́ми; ~ heavy penalty под стра́хом суро́вого наказа́ния; ~ the necessity of smth. под давле́нием каки́х-л. обстоя́тельств; ~ cover под прикры́тием; ~ an assumed name под вы́мышленным и́менем; ~ a mask под ма́ской; ~ the protection of smth. под защи́той чего-л.; 6) *указывает на соотве́тствие, согласо́ванность* по; ~ the present agreement по настоя́щему соглаше́нию; ~ a right in international law в соотве́тствии с междунаро́дным пра́вом; to operate (*или* to act) ~ a principle де́йствовать по при́нципу; 7) *указывает на включе́ние в графу́, пара́граф, пункт и т. п.* под, к; the subject falls ~ the head of grammar э́та те́ма отно́сится к грамма́тике; this rule goes ~ point five э́то пра́вило отно́сится к пу́нкту пя́тому; 8) *указывает на ме́ньшую сте́пень, бо́лее ни́зкую це́ну, на ме́ньший во́зраст и т. п.* ни́же, ме́ньше; ~ two hundred people were there там бы́ло ме́ньше двухсо́т челове́к; the child is ~ five ребёнку ещё нет пяти́ лет; I cannot reach the village ~ two hours я не могу́ добра́ться до дере́вни ме́ньше, чем за два часа́; ~ age не дости́гший определённого во́зраста; несовершенноле́тний; to sell ~ cost продава́ть ни́же сто́имости; 9) *указывает на испо́льзование пло́щади, уча́стка земли́ в определённых це́лях* под; land ~ perennial plants земля́ под многоле́тними расте́ниями; ◇ ~ the sun а) на земле́, в э́том ми́ре; б) *употр. в вопро́се для усиле́ния*: where ~ the sun did he go? куда́ же он всё-таки пошёл?; ~ one's own vine and fig-tree а) в родно́м до́ме; б) в безопа́сности;
2. *adv* 1) ни́же, вниз; 2) внизу́; ◇ to bring ~ подчиня́ть; to keep ~, to get ~ искореня́ть, не дава́ть распространя́ться; to go ~ а) тону́ть; ги́бнуть; исчеза́ть; б) разоря́ться; в) *амер. sl.* умира́ть;
3. *a* 1) ни́жний; 2) ни́зший, нижестоя́щий, подчинённый; 3) ме́ньший, ни́же устано́вленной но́рмы;
4. *n арт.* недолёт.

**under-** ['ʌndə-] *pref* 1) *в значе́нии* ни́же, под, *присоединя́ясь к существи́тельному,* *образует разные части речи*: underground а) под землёй; б) подземный; underclothes нижнее бельё; 2) *присоединяясь к существительному, придаёт значение подчинённости*: under-secretary товарищ, заместитель *или* помощник министра; underteacher младший учитель; 3) *присоединяясь к глаголу и прилагательному, придаёт значение недостаточности, неполноты* недо-; ниже чем; to undervalue недооценивать; to underpay оплачивать по более низкой ставке; undergripe недоспелый; underdone недожаренный.

**underact** ['ʌndər'ækt] *v* 1) исполнять роль бледно, слабо; 2) действовать недостаточно энергично.

**underaction** ['ʌndər'ækʃən] *n* 1) побочная интрига, эпизод; 2) неэнергичные действия.

**under-age** ['ʌndər'eɪdʒ] *a* несовершеннолетний; не достигший определённого возраста; *перен.* незрелый.

**underbade** ['ʌndə'beɪd] *past от* underbid.

**underbid** ['ʌndə'bɪd] *v* (underbade, underbid; underbidden, underbid) сбивать, снижать цену; назначать более низкую цену (*особ. на аукционе*).

**underbidden** ['ʌndə'bɪdn] *p. p. от* underbid.

**underbought** ['ʌndə'bɔːt] *past и p. p. от* underbuy.

**underbred** ['ʌndə'bred] *a* 1) дурно воспитанный; 2) нечистокровный, непородистый.

**underbrush** ['ʌndəbrʌʃ] = underwood.

**underbuy** ['ʌndə'baɪ] *v* (underbought) покупать ниже стоимости.

**undercarriage** ['ʌndə,kærɪdʒ] *n тех.* ходовая часть; шасси.

**undercharge** ['ʌndə'tʃɑːdʒ] 1. *n* 1) слишком низкая цена; 2) недостаточный заряд; 2. *v* 1) брать слишком дёшево; 2) заряжать неполным зарядом; 3) недогружать.

**underclass** ['ʌndəklɑːs] *n* (*обыкн. pl*) *унив.* группа первого *или* второго курса.

**underclothes** ['ʌndəkloudz] *n pl* нижнее бельё.

**underclothing** ['ʌndə,kloudɪŋ] = underclothes.

**undercoat** ['ʌndəkout] *n* 1) одежда, носимая под другой; 2) подшёрсток.

**undercooling** ['ʌndə'kuːlɪŋ] *n* 1) недостаточное охлаждение; 2) *физ.* переохлаждение.

**undercover** ['ʌndə,kʌvə] *a* тайный, секретный.

**undercroft** ['ʌndəkrɔft] *n* 1) подвал со сводами; 2) *церк.* крипта.

**undercurrent** ['ʌndə,kʌrənt] *n* 1) низовое подводное течение; 2) скрытая тенденция; не выраженное явно настроение, мнение *и т. п.*

**undercut** 1. *n* ['ʌndəkʌt] 1) вырезка (*часть туши*); 2) удар снизу вверх; 3) *тех.* передний угол; поднутрение; 4) *горн.* подрубка, зарубка; 2. *v* ['ʌndə'kʌt] (undercut) 1) подрезать; 2) сбивать цены; продавать по более низким ценам (*чем конкурент*).

**underdeveloped** ['ʌndədɪ'veləpt] *a* 1) недоразвитый; 2) *фото* недопроявленный.

**underdid** ['ʌndə'dɪd] *past от* underdo.

**underdo** ['ʌndə'duː] *v* (underdid; underdone) недожаривать.

**underdog** ['ʌndədɔg] *n* 1) собака, побеждённая в драке; 2) побеждённая *или* подчинившаяся сторона.

**underdone** ['ʌndə'dʌn] *p. p. от* underdo.

**underdose** ['ʌndədous] 1. *n* недостаточная доза; 2. *v* давать недостаточную дозу.

**underestimate** 1. *n* ['ʌndər'estɪmɪt] недооценка; 2. *v* ['ʌndər'estɪmeɪt] недооценивать.

**under-expose** ['ʌndərɪks'pouz] *v фото* недодержать.

**under-exposure** ['ʌndərɪks'pouʒə] *n фото* недодержка.

**underfed** ['ʌndə'fed] *past и p. p. от* underfeed 1.

**underfeed** ['ʌndə'fiːd] 1. *v* (underfed) 1) недокармливать; 2) недоедать; 2. *n тех.* подача *или* питание снизу.

**under-fives** ['ʌndəfaɪvz] *n pl* дошкольники.

**underfoot** [,ʌndə'fut] *adv* 1) под ногами; 2) в подчинении, под контролем; to keep smb. ~ держать кого-л. в ежовых рукавицах.

**underframe** ['ʌndəfreɪm] *n* 1) *ав.* шасси; 2) *авт.* подрамник.

**undergarment** ['ʌndə,gɑːmənt] *n* 1) нижнее платье; 2) *pl* нижнее бельё.

**undergo** [,ʌndə'gou] *v* (underwent; undergone) испытывать, переносить, подвергаться (*чему-л.*); to ~ an operation подвергнуться операции.

**undergone** [,ʌndə'gɔn] *p. p. от* undergo.

**undergraduate** [,ʌndə'grædjuɪt] *n* студент последнего курса.

**underground** 1. *n* ['ʌndəgraund] (the ~) 1) метрополитен; 2) подпольная организация; подполье; 2. *a* ['ʌndəgraund] 1) подземный; 2) тайный, подпольный; закулисный; 3. *adv* [,ʌndə'graund] 1) под землёй; 2) тайно, подпольно.

**undergrowth** ['ʌndəgrouθ] *n* подлесок, подрост, подлесье.

**underhand** ['ʌndəhænd] 1. *a* тайный, закулисный; ~ intrigues тайные интриги; 2. *adv* тайно, «за спиной».

**underhanded** [,ʌndə'hændɪd] = underhand.

**underhung** ['ʌndə'hʌŋ] *a* 1) выступающий вперёд (*о нижней челюсти*); 2) имеющий выступающую вперёд нижнюю челюсть.

**underlaid** [,ʌndə'leɪd] *past и p. p. от* underlay II.

**underlain** [,ʌndə'leɪn] *p. p. от* underlie.

**underlay** I [,ʌndə'leɪ] *past от* underlie.

**underlay** II [,ʌndə'leɪ] *v* (underlaid) подкладывать, подпирать.

**underlet** ['ʌndə'let] *v* (underlet) 1) пересдавать в аренду; 2) сдавать в аренду за более низкую плату.

**underlie** [,ʌndə'laɪ] *v* (underlay; underlain) 1) лежать под (*чем-л.*); 2) лежать в основании (*чего-л.*), крыться.

**underline 1.** *n* ['ʌndəlaɪn] 1) ли́ния, подчёркивающая сло́во; 2) *театр.* ано́нс; 3) объясни́тельная на́дпись под карти́нкой, чертежо́м *и т. п.*; 4) *pl* транспара́нт (*для письма́*);
2. *v* [ˌʌndə'laɪn] подчёркивать.
**underling** ['ʌndəlɪŋ] *n* 1) ме́лкий чино́вник; ме́лкая со́шка; 2) сла́бый ребёнок; сла́бое расте́ние; 3) слабово́льный челове́к.
**underload** [ˌʌndə'loud] *v* недоста́точно нагружа́ть, недогружа́ть.
**underloading** [ˌʌndə'loudɪŋ] 1. *pres. p.* *от* underload;
2. *a* непо́лная нагру́зка, недогру́зка.
**underlying** [ˌʌndə'laɪŋ] 1. *pres. p. от* underlie;
2. *a* 1) лежа́щий *или* располо́женный под чем-л.; 2) основно́й; 3) не броса́ющийся в глаза́; тре́бующий тща́тельного осмо́тра.
**underman** ['ʌndə'mæn] *v* снабжа́ть недоста́точным экипа́жем (*судно*).
**undermine** [ˌʌndə'maɪn] *v* 1) мини́ровать; 2) подмыва́ть (*берега́*); 3) подка́пывать, де́лать подко́п; 4) извлека́ть грунт из-под сооруже́ния; 5) разруша́ть, подрыва́ть; to ~ one's health разруша́ть здоро́вье; to ~ smb.'s reputation повреди́ть чьей-л. репута́ции.
**undermost** ['ʌndəmoust] *a* 1) са́мый ни́жний; 2) ни́зший.
**underneath** [ˌʌndə'niːθ] 1. *adv* вниз; внизу́; ни́же;
2. *prep* под.
**undernourish** [ˌʌndə'nʌrɪʃ] *v* недока́рмливать.
**underpaid** ['ʌndə'peɪd] *past и p. p. от* underpay.
**underpass** ['ʌndəpɑːs] *n* перее́зд под путя́ми; тонне́ль.
**underpay** ['ʌndə'peɪ] *v* (underpaid) опла́чивать (сли́шком) ни́зко.
**underpin** [ˌʌndə'pɪn] *v* подпира́ть (*сте́ны*); подводи́ть фунда́мент.
**underplay** ['ʌndə'pleɪ] *v* 1) *карт.* умы́шленно не брать взя́тку; 2) = underact 1).
**underplot** ['ʌndəplɔt] *n* 1) побо́чная, второстепе́нная интри́га (*в пье́се, рома́не*); 2) та́йный за́мысел.
**underpopulated** ['ʌndə'pɔpjuleɪtɪd] *a* малонаселённый (*о райо́не и т. п.*).
**underpressure** ['ʌndə'preʃə] *n* *физ.* разреже́ние, ва́куум; давле́ние ни́же атмосфе́рного.
**underprivileged** ['ʌndə'prɪvɪlɪdʒd] *a* лишённый привиле́гий, прав; подверга́ющийся дискримина́ции.
**underprize** ['ʌndə'praɪz] *v* недооце́нивать.
**underproduce** ['ʌndərə'djuːs] *v* выпуска́ть проду́кцию в недоста́точном коли́честве.
**under-production** ['ʌndərə'dʌkʃən] *n* недопроизво́дство.
**underproof** ['ʌndə'pruːf] *a*: ~ spirit спирт ни́же устано́вленного гра́дуса.
**underquote** [ˌʌndə'kwout] *v* предлага́ть по бо́лее ни́зкой цене́.
**underrate** [ˌʌndə'reɪt] *v* 1) недооце́нивать; 2) дава́ть зани́женные показа́ния (*о прибо́ре*).

**under-ripe** ['ʌndə'raɪp] *a* недоспе́лый, недозре́лый.
**underscore** [ˌʌndə'skɔː] *v* подчёркивать.
**undersea 1.** *a* ['ʌndəsiː] подво́дный;
2. *adv* [ˌʌndə'siː] под водо́й.
**under-secretary** ['ʌndə'sekrətərɪ] *n* това́рищ, замести́тель *или* помо́щник мини́стра; Parliamentary ~ замести́тель мини́стра (*член кабине́та*); permanent ~ несменя́емый помо́щник мини́стра.
**undersell** ['ʌndə'sel] *v* (undersold) продава́ть деше́вле други́х.
**underset 1.** *n* ['ʌndəset] 1) *мор.* подво́дное тече́ние, противополо́жное тече́нию на пове́рхности; 2) *геол.* ни́жняя жи́ла; 3) компле́кт ни́жнего белья́;
2. *v* [ˌʌndə'set] (underset) подпира́ть.
**under-shirt** ['ʌndəʃəːt] *n* ни́жняя руба́ха.
**undershot** ['ʌndəʃɔt] *a* 1) подливно́й (*о ме́льничном колесе́*); 2) = underhung.
**undersign** [ˌʌndə'saɪn] *v* ста́вить свою́ по́дпись, подпи́сывать (ся).
**undersigned** [ˌʌndə'saɪnd] 1. *p. p. от* undersign;
2. *a* нижеподписа́вшийся;
3. *n pl* нижеподписа́вшиеся; we the ~... мы, нижеподписа́вшиеся...
**undersized** ['ʌndə'saɪzd] *a* 1) маломе́рный; 2) ка́рликовый; 3) *воен.* низкоро́слый.
**underskirt** ['ʌndəskəːt] *n* ни́жняя ю́бка.
**undersoil** ['ʌndəsɔɪl] *n* подпо́чва.
**undersold** ['ʌndə'sould] *past и p. p. от* undersell.
**undersong** ['ʌndəsɔŋ] *n* 1) припе́в, рефре́н; сопровожда́ющая мело́дия; 2) скры́тый смысл.
**understaffed** ['ʌndə'stɑːft] *a* неукомплекто́ванный (*шта́тами*).
**understand** [ˌʌndə'stænd] *v* (understood) 1) понима́ть; to make oneself understood уме́ть объясни́ться; 2) истолко́вывать, понима́ть; по one could ~ that from my words никто́ не мог сде́лать тако́го заключе́ния из мои́х слов; 3) подразумева́ть; what do you ~ by this? что вы под э́тим подразумева́ете?; 4) (у)слы́шать, узна́ть; I ~ that you are going abroad я слы́шал, что вы е́дете за грани́цу; to give to ~ сказа́ть, дать поня́ть; 5) предполага́ть, дога́дываться; 6) усла́вливаться; it was understood we were to meet at dinner бы́ло усло́влено, что мы встре́тимся за обе́дом; 7) уме́ть, смы́слить (*в чём-л.*).
**understanding** [ˌʌndə'stændɪŋ] 1. *pres. p. от* understand;
2. *n* 1) понима́ние; to get an ~ of the question поня́ть вопро́с; 2) ра́зум, спосо́бность понима́ть; a person of ~ челове́к с голово́й; 3) соглаше́ние; взаимопонима́ние; согла́сие (*между сторона́ми*); to come to (*или* to reach) an ~ найти́ о́бщий язы́к; on the ~ that на том усло́вии, что; on this ~ при э́том усло́вии; 4) *pl шутл.* но́ги; башмаки́;
3. *a* 1) понима́ющий, разу́мный; 2) чу́ткий, отзы́вчивый.
**understate** ['ʌndə'steɪt] *v* 1) преуменьша́ть; 2) не выска́зывать откры́то, до конца́.

**understatement** ['ʌndə'steɪtmənt] *n* 1) преуменьшéние; 2) сдéржанное выскáзывание, замáлчивание.

**understock** I [,ʌndə'stɔk] *n с.-х.* привíтое растéние.

**understock** II [,ʌndə'stɔk] *v* снабжáть недостáточным инвентарём (*фéрму*), недостáточным кфличеством товáра (*магазин*) *и т. п.*

**understoke** [,ʌndə'stouk] *v тех.* подавáть тóпливо снíзу.

**understood** [,ʌndə'stud] *past и p. p. от* understand.

**understrapper** ['ʌndə,stræpə] *n разг.* млáдший агéнт *или* слýжащий.

**understratum** ['ʌndə'strɑːtəm] *n* нíжний слой.

**understudy** ['ʌndə,stʌdɪ] *театр.* 1. *n* дублёр;

2. *v* дублíровать, заменять.

**undertake** [,ʌndə'teɪk] *v* (undertook; undertaken) 1) предпринимáть; 2) брать на себя определённые обязáтельства, фýнкции *и т. п.*; to ~ a task взять на себя задáчу; to ~ too much брать на себя слíшком мнóго; 3) обязáться; ручáться; 4) ['ʌndəteɪk] быть содержáтелем похорóнного бюрó.

**undertaken** [,ʌndə'teɪkən] *p. p. от* undertake.

**undertaker** *n* 1) [,ʌndə'teɪkə] предпринимáтель; 2) ['ʌndə,teɪkə] содержáтель похорóнного бюрó; гробóвщик.

**undertaking** [,ʌndə'teɪkɪŋ] 1. *pres. p. от* undertake;

2. *n* 1) предприятие; дéло; 2) обязáтельство; соглашéние; 3) ['ʌndə,teɪkɪŋ] похорóнное бюрó; профéссия гробóвщика.

**under-tenant** ['ʌndə'tenənt] *n* субарендáтор.

**under-the-counter** ['ʌndəðə'kauntə] *a* продающийся из-под полы́.

**under-the-table** ['ʌndəðə'teɪbl] *a* тáйный, незакóнный (*о сдéлке и т. п.*).

**undertint** ['ʌndətɪnt] *n жив.* полутóн.

**undertone** ['ʌndətoun] *n* 1) полутóн (*звýка или цвéта*); to speak in ~s говорíть вполгóлоса; 2) оттéнок.

**undertook** [,ʌndə'tuk] *past от* undertake.

**undertow** ['ʌndətou] *n* 1) отлíв прибóя; 2) = underset 1, 1).

**undervalue** ['ʌndə'vælju] *v* недооцéнивать.

**underwear** ['ʌndəwɛə] *n* нíжнее бельё.

**underwent** [,ʌndə'went] *past от* undergo.

**underwit** ['ʌndəwɪt] *n* слабоýмный (человéк).

**underwood** ['ʌndəwud] *n* подлéсок, пóросль.

**underwork** 1. *n* ['ʌndəwəːk] рабóта мéнее квалифицíрованная *или* хýдшего кáчества;

2. *v* ['ʌndə'wəːk] 1) рабóтать недостáточно; 2) рабóтать за бóлее нíзкую плáту; 3) недостáточно пóлно испóльзование (*что-либо*); to ~ a machine эксплуатíровать машíну не на пóлную мóщность; 4) *уст.* подкáпываться, тáйно подрывáть.

**underworld** ['ʌndəwəːld] *n* 1) преиспóдняя; 2) «дно», престýпный мир; 3) *поэт.* антипóды.

**underwrite** ['ʌndəraɪt] *v* (underwrote; underwritten) 1) (*чáще p. p.*) подпíсывать(ся); 2) принимáть в страхóвку (*судá, товáры*); 3) гарантíровать; 4) подтверждáть (*письменно*); 5) *уст.* соглашáться.

**underwriter** ['ʌndə,raɪtə] *n* 1) страховáя компáния; страхóвщик; 2) гарáнт размещéния (*займа, áкций и т. п.*).

**underwritten** ['ʌndə,rɪtn] 1. *p. p. от* underwrite.

2. *a* 1) нижеизлóженный; 2) нижеподписáвшийся.

**underwrote** ['ʌndərout] *past от* underwrite.

**undeserved** ['ʌndɪ'zəːvd] *a* незаслýженный.

**undeservedly** ['ʌndɪ'zəːvɪdlɪ] *adv* незаслýженно.

**undeserving** ['ʌndɪ'zəːvɪŋ] *a* не заслýживающий (*чего-л.*); ~ of respect не заслýживающий уважéния.

**undesignedly** ['ʌndɪ'zaɪnɪdlɪ] *adv* неумы́шленно.

**undesirable** ['ʌndɪ'zaɪərəbl] 1. *a* 1) нежелáтельный; 2) неудóбный, неподходящий; he did it at a most ~ moment он сдéлал это в сáмый неподходящий момéнт;

2. *n* нежелáтельное лицó.

**undeterminable** ['ʌndɪ'təːmɪnəbl] *a* 1) несконцáемый; 2) неопределíмый.

**undetermined** ['ʌndɪ'təːmɪnd] *a* 1) нерешённый; неопределённый; the question remained ~ вопрóс остáлся откры́тым; 2) нерешíтельный.

**undeveloped** ['ʌndɪ'veləpt] *a* 1) нерáзвитый; 2) неразрабóтанный; 3) незастрóенный.

**undid** ['ʌn'dɪd] *past от* undo.

**undies** ['ʌndɪz] *n pl* (*сокр. от* underclothes) *разг.* жéнское *или* дéтское нíжнее бельё.

**undigested** ['ʌndɪ'dʒestɪd] *a* 1) непереварённый; 2) неусвóенный; 3) непродýманный, непослéдовательный, хаотíчный.

**undignified** [ʌn'dɪgnɪfaɪd] *a* недостóйный (*о постýпке, повéдении и т. п.*).

**undine** ['ʌndɪn] *n* ундíна, русáлка.

**undiplomatic** ['ʌn,dɪplə'mætɪk] *a* недипломатíчный; бестáктный.

**undipped** ['ʌn'dɪpt] *a* некрещёный.

**undischarged** ['ʌndɪs'tʃɑːdʒd] *a* 1) невы́полненный (*долг и т. п.*); 2) невы́плаченный, неурегулíрованный; ~ bankrupt банкрóт, не уплатíвший по свои́м обязáтельствам; 3) неразряжённый.

**undisciplined** [ʌn'dɪsɪplɪnd] *a* 1) недисциплинíрованный; 2) необýченный.

**undiscriminated** ['ʌndɪs'krɪmɪneɪtɪd] *a* 1) на рáвных основáниях; 2) неразличíмый; 3) без разбóра.

**undisguised** ['ʌndɪs'gaɪzd] *a* 1) незамаскирóванный; 2) откры́тый, явный.

**undisposed** ['ʌndɪs'pouzd] *a* 1) нерасполóженный (to); 2) нераспределённый (*об имýществе*); 3) *уст.* плóхо себя чýвствующий.

**undisputable** [ˈʌndɪsˈpjuːtəbl] *a* неоспоримый, бесспорный.

**undistinguished** [ˈʌndɪsˈtɪŋgwɪʃt] *a* 1) неразличимый, неясный; 2) невыдающийся, незаметный.

**undisturbedly** [ˈʌndɪsˈtəːbɪdlɪ] *adv* покойно.

**undiverted** [ˈʌndaɪˈvəːtɪd] *a* пристальный (*о внимании*).

**undivided** [ˈʌndɪˈvaɪdɪd] *a* 1) неразделённый, целый; 2) = undiverted.

**undo** [ˈʌnˈduː] *v* (undid; undone) 1) уничтожать сделанное; to ~ the seam распороть шов; to ~ a treaty расторгнуть договор; what is done cannot be undone сделанного не воротишь; 2) открывать, развязывать, расстёгивать; 3) *редк.* губить; портить; 4) разбирать (*машину*).

**undoing** [ˈʌnˈduːɪŋ] 1. *pres. p. от* undo; 2. *n* 1) уничтожение; гибель; 2) развязывание, расстёгивание.

**undone** [ˈʌnˈdʌn] 1. *p. p. от* undo; 2. *a* 1) несделанный; незаконченный; 2) погубленный; we are ~ мы погибли.

**undoubted** [ʌnˈdautɪd] *a* несомненный, бесспорный.

**undraw** [ˈʌnˈdrɔː] *v* открывать, раздвигать (*шторы, занавески*).

**undreamed-of, undreamt-of** [ʌnˈdremtɔv] *a* и во сне не снившийся; невообразимый; неожиданный.

**undress** [ˈʌnˈdres] 1. *n* 1) домашний костюм; 2) *воен.* повседневная форма одежды; 3) *attr.* повседневный, непарадный (*об одежде*);
2. *v* раздевать(ся).

**undressed** [ˈʌnˈdrest] 1. *p. p. от* undress 2; 2. *a* 1) раздетый, неодетый; 2) необработанный; ~ leather невыделанная кожа; ~ logs неокорённые брёвна; ~ wound неперевязанная рана; 3) неубранный (*о витрине*).

**undue** [ˈʌnˈdjuː] *a* 1) несвоевременный; неподходящий; 2) незаконный; неправильный; 3) чрезмерный; ~ haste чрезмерная поспешность; 4) по сроку не подлежащий оплате (*о векселе, долге*).

**undulate** [ˈʌndjuleɪt] 1. *a* волнистый, волнообразный;
2. *v* 1) быть волнистым; 2) быть холмистым (*о местности*).

**undulation** [ˌʌndjuˈleɪʃən] *n* 1) волнистость; 2) волнообразное движение; 3) неровность поверхности.

**unduly** [ˈʌnˈdjuːlɪ] *adv* 1) неправильно, незаконно; 2) чрезмерно.

**undying** [ʌnˈdaɪɪŋ] *a* бессмертный; вечный; ~ glory вечная слава.

**unearned** [ˈʌnˈəːnd] *a* незаработанный; ~ income *эк.* непроизводственный доход, рентный доход; ~ increment *эк.* повышение ценности имущества, *особ.* земельного, не связанное с вложением труда.

**unearth** [ˈʌnˈəːθ] *v* 1) вырыть из земли; 2) выгнать из норы; 3) *перен.* раскопать, извлечь; to ~ a mystery (a secret *etc.*) раскрыть тайну (секрет *и т. п.*).

**unearthly** [ʌnˈəːθlɪ] *a* 1) неземной, сверхъестественный; таинственный; 2) странный; абсурдный; крайне неподходящий; ~ hour *разг.* крайне неудобное время; чересчур ранний час.

**uneasiness** [ʌnˈiːzɪnɪs] *n* 1) неудобство; 2) беспокойство, тревога; 3) неловкость, стеснённость, связанность.

**uneasy** [ʌnˈiːzɪ] *a* 1) неудобный; 2) беспокойный, тревожный; I am ~ я беспокоюсь, я неспокоен; 3) неловкий, стеснённый, связанный (*о движениях и т. п.*); I felt ~ я почувствовал себя неловко.

**uneatable** [ʌnˈiːtəbl] *a* несъедобный.

**unedited** [ˈʌnˈedɪtɪd] *a* неизданный.

**uneducated** [ˈʌnˈedjukeɪtɪd] *a* необразованный, неучёный.

**unemployed** [ˈʌnɪmˈplɔɪd] 1. *a* 1) безработный; 2) незанятый; неиспользованный;
2. *n* (the ~) *pl собир* безработные.

**unemployment** [ˈʌnɪmˈplɔɪmənt] *n* 1) безработица; 2) *attr.*: ~ benefit (*или* insurance), *амер.* ~ compensation пособие по безработице.

**unencountered** [ˈʌnɪnˈkauntəd] *a* невиданный.

**unencumbered** [ˈʌnɪnˈkʌmbəd] *a* 1) необременённый; 2) незаложенный (*об имении, имуществе*).

**unending** [ʌnˈendɪŋ] *a* бесконечный, нескончаемый.

**unendowed** [ˈʌnɪnˈdaud] *a* не обеспеченный капиталом.

**unendurable** [ˈʌnɪnˈdjuərəbl] *a* нестерпимый.

**un-English** [ˈʌnˈɪŋglɪʃ] *a* неанглийский; нетипичный для англичан.

**unenlightened** [ˈʌnɪnˈlaɪtnd] *a* 1) непросвещённый; 2) неосведомлённый.

**unenlivened** [ˈʌnɪnˈlaɪvnd] *a* однообразный, не украшенный, не оживлённый (*чем-л.*).

**unenterprising** [ˈʌnˈentəpraɪzɪŋ] *a* непредприимчивый, безынициативный.

**unequable** [ˈʌnˈiːkwəbl] *a* неустойчивый; неуравновешенный.

**unequal** [ˈʌnˈiːkwəl] *a* 1) неравный; неравноценный; плохо подобранный; ~ match неравный брак; 2) несоответствующий, неадекватный; ~ to the work неподходящий для данной работы; 3) неровный (*в поведении, отношении и т. п.*).

**unequalled** [ˈʌnˈiːkwəld] *a* непревзойдённый.

**unequipped** [ˈʌnɪˈkwɪpt] *a* неподготовленный; неприспособленный; не имеющий нужных приспособлений, неэкипированный.

**unequivocal** [ˈʌnɪˈkwɪvəkəl] *a* недвусмысленный, определённый; ясный; to count for ~ support рассчитывать на определённую поддержку; to give ~ expression ясно заявить.

**unerring** [ˈʌnˈəːrɪŋ] *a* безошибочный, верный; непогрешимый; ~ judgement безошибочное суждение.

**uneven** [ˈʌnˈiːvən] *a* 1) неровный; шероховатый; 2) неуравновешенный; of ~ temper имеющий неуравновешенный характер; 3) нечётный.

**unexampled** [,ʌnɪg'zɑːmpld] *a* беспримерный; не имеющий прецедентов.

**unexcelled** ['ʌnɪk'seld] *a* непревзойдённый.

**unexceptionable** [,ʌnɪk'sepʃnəbl] *a* 1) безусловный; 2) совершённый.

**unexecuted** ['ʌn'eksɪkjuːtɪd] *a* 1) невыполненный; 2) неоформленный (*о документе*).

**unexpected** ['ʌnɪks'pektɪd] *a* неожиданный, непредвиденный; внезапный.

**unexperienced** ['ʌnɪks'pɪərɪənst] *a* неопытный.

**unexplored** ['ʌnɪks'plɔːd] *a* неисследованный.

**unfabled** ['ʌn'feɪbld] *a* невымышленный; настоящий.

**unfading** [ʌn'feɪdɪŋ] *a* 1) неувядаемый, неувядающий; 2) нелиняющий.

**unfailing** [ʌn'feɪlɪŋ] *a* 1) неизменный; верный; an ~ champion верный сторонник; 2) неисчерпаемый.

**unfair** ['ʌn'fɛə] *a* 1) несправедливый; пристрастный; неправильный; 2) нечестный; ~ player нечестный игрок.

**unfaithful** ['ʌn'feɪθful] *a* 1) неверный, вероломный; 2) не соответствующий действительности; неточный.

**unfaltering** [ʌn'fɔːltərɪŋ] *a* недрогнувший; твёрдый, решительный; with ~ steps твёрдым шагом; ~ determination непоколебимое решение.

**unfamiliar** ['ʌnfə'mɪljə] *a* 1) незнакомый, неведомый; 2) непривычный, странный; 3) незнакомый (with—с *чем-л.*), не знающий (*чего-л.*).

**unfashionable** ['ʌn'fæʃnəbl] *a* немодный.

**unfasten** ['ʌn'fɑːsn] *v* откреплять, отстёгивать, расстёгивать.

**unfathered** ['ʌn'fɑːðəd] *a* 1) незаконнорождённый; 2) неизвестного происхождения.

**unfathomable** [ʌn'fæðəməbl] *a* 1) неизмеримый, бездонный; 2) необъяснимый, непостижимый.

**unfavourable** ['ʌn'feɪvərəbl] *a* неблагоприятный.

**unfavoured** ['ʌn'feɪvəd] *a* не пользующийся благосклонностью *или* помощью.

**unfed** ['ʌn'fed] *a* некормленный, ненакормленный.

**unfee'd** ['ʌn'fiːd] *a* не оплаченный гонораром.

**unfeeling** [ʌn'fiːlɪŋ] *a* бесчувственный, жестокий.

**unfeigned** [ʌn'feɪnd] *a* неподдельный, истинный.

**unfetter** ['ʌn'fetə] *v* снимать оковы; освобождать.

**unfinished** ['ʌn'fɪnɪʃt] *a* 1) незаконченный, незавершённый; 2) грубый, необработанный, неотшлифованный.

**unfit** 1. *a* ['ʌn'fɪt] негодный, неподходящий; a house ~ to live in дом, непригодный для жилья; he is ~ for work он неспособен, не может работать;
2. *v* [ʌn'fɪt] делать непригодным (for).

**unfix** ['ʌn'fɪks] *v* 1) откреплять; 2) делать неустойчивым.

**unflagging** [ʌn'flægɪŋ] *a* неослабевающий.

**unfleshed** ['ʌn'fleʃt] *a* не знающий вкуса крови; ◇ an ~ sword меч, ещё не обагрённый кровью.

**unfold** ['ʌn'fould] *v* 1) развёртывать(ся); раскрывать(ся); 2) распускаться (*о почках*); 3) раскрывать, открывать (*секрет, планы*).

**unforeseen** ['ʌnfɔː'siːn] *a* непредвиденный.

**unforgettable** ['ʌnfə'getəbl] *a* незабвенный; незабываемый.

**unforgivable** ['ʌnfə'gɪvəbl] *a* непростительный.

**unformed** ['ʌn'fɔːmd] *a* 1) бесформенный; 2) (ещё) не сформировавшийся.

**unfortunate** [ʌn'fɔːtʃnɪt] 1. *a* 1) несчастный; несчастливый; 2) неудачный;
2. *n* 1) горемыка; неудачник; 2) проститутка.

**unfounded** ['ʌn'faundɪd] *a* неосновательный, необоснованный.

**unfreeze** ['ʌn'friːz] *v* 1) прекратить «замораживание» зарплаты; 2) снять контроль с производства *или* продажи продукции.

**unfrequented** ['ʌnfrɪ'kwentɪd] *a* редко посещаемый.

**unfriended** ['ʌn'frendɪd] *a* не имеющий друзей.

**unfriendly** ['ʌn'frendlɪ] *a* 1) недружелюбный; неприветливый; 2) *уст.* неблагоприятный.

**unfrock** ['ʌn'frɔk] *v* лишать духовного сана.

**unfulfilled** ['ʌnful'fɪld] *a* невыполненный; неосуществлённый.

**unfunded** ['ʌn'fʌndɪd] *a* текущий (*о долге*).

**ungainly** [ʌn'geɪnlɪ] *a* неловкий, неуклюжий, нескладный.

**ungear** ['ʌn'gɪə] *v тех.* выключать.

**unget-at-able** ['ʌnget'ætəbl] *a* отдалённый, недоступный.

**ungloved** ['ʌn'glʌvd] *a* без перчаток.

**ungodly** [ʌn'gɔdlɪ] *a* 1) неверующий; 2) *разг.* ужасный, немыслимый, нелепый.

**ungovernable** [ʌn'gʌvənəbl] *a* 1) неукротимый; необузданный; 2) распущенный.

**ungraceful** ['ʌn'greɪsful] *a* неизящный, неловкий.

**ungrateful** [ʌn'greɪtful] *a* 1) неблагодарный; 2) неприятный, неблагодарный (*о работе*).

**ungrounded** ['ʌn'graundɪd] *a* беспочвенный, необоснованный.

**ungrudging** [ʌn'grʌdʒɪŋ] *a* 1) щедрый, добрый; широкий (*о натуре*); 2) обильный.

**unguarded** ['ʌn'gɑːdɪd] *a* 1) беспечный; неосмотрительный; неосторожный; 2) незащищённый.

**unguent** ['ʌngwənt] *n* мазь.

**ungulate** ['ʌngjuleɪt] *зоол.* 1. *a* копытный;
2. *n* копытное животное.

**unhackneyed** ['ʌn'hæknɪd] *a* свежий, оригинальный.

**unhallowed** [ʌn'hæloud] *a* 1) неосвящённый; 2) грешный; дурной.

unhand [ʌn'hænd] *v* отнимать руки (*от чего-л.*); выпускать из рук.

unhandsome ['ʌn'hænsəm] *a* 1) уродливый; 2) нелюбезный, грубый; 3) неблагородный, невеликодушный.

unhandy ['ʌn'hændɪ] *a* 1) неудобный; 2) неуклюжий; 3) *мор.* плохо слушающийся руля.

unhang ['ʌn'hæŋ] *v* (unhung) снимать (*что-л. висящее*).

unhappy [ʌn'hæpɪ] *a* 1) несчастливый; несчастный; he looks ~ у него печальный вид; 2) неудачный; an ~ remark неудачное замечание.

unharmed ['ʌn'hɑːmd] *a* нетронутый, невредимый; he will be ~ ему не причинят вреда.

unharness ['ʌn'hɑːnɪs] *v* распрягать.

unhealthy [ʌn'helθɪ] *a* 1) болезненный; больной; ~ complexion нездоровый цвет лица; 2) вредный; ~ occupation вредное занятие; 3) *воен. разг.* опасный.

unheard ['ʌn'hɜːd] *a* 1) неслышный; 2) невыслушанный; 3) неизвестный.

unheard-of [ʌn'hɜːdɔv] *a* неслыханный.

unheeded ['ʌn'hiːdɪd] *a* незамеченный, не принятый во внимание.

unheeding ['ʌn'hiːdɪŋ] *a* невнимательный, небрежный.

unhesitating [ʌn'hezɪteɪtɪŋ] *a* решительный, неколеблющийся.

unhesitatingly [ʌn'hezɪteɪtɪŋlɪ] *adv* без колебания, решительно, уверенно.

unhewn ['ʌn'hjuːn] *a* неотделанный, нео(б)тёсанный.

unhinge [ʌn'hɪndʒ] *v* 1) снимать с петель (*дверь*); 2) внести беспорядок; расстроить; выбить из колеи.

unholy [ʌn'houlɪ] *a* 1) сверхъестественный, нечистый, дьявольский, бесовский; 2) *разг.* отвратительный, жуткий.

unhook ['ʌn'huk] *v* 1) снять с крючка; 2) расстегнуть (крючки); 3) отцепить.

unhoped ['ʌn'houpt] *a* неожиданный.

unhorse ['ʌn'hɔːs] *v* сбрасывать с лошади.

unhoused ['ʌn'hauzd] *a* бездомный, лишённый крова, изгнанный из дома.

unhung ['ʌn'hʌŋ] *past* и *p. p. от* unhang.

unhurried ['ʌn'hʌrɪd] *a* медленный, неторопливый.

unhurt ['ʌn'hɜːt] *a* целый и невредимый.

unhygienic ['ʌnhaɪ'dʒiːnɪk] *a* негигиеничный, нездоровый.

uni- ['juːnɪ-] *в сложных словах* одно-, едино-; unicameral однопалатный; unicolour одноцветный.

unicellular ['juːnɪ'seljulə] *a* 1) *биол.* одноклеточный; 2) *эл.* одноячейковый.

unicorn ['juːnɪkɔːn] *n миф.* единорог.

unicorn-fish ['juːnɪkɔːnfɪʃ] *n зоол.* нарвал.

unification [ˌjuːnɪfɪ'keɪʃən] *n* 1) объединение; 2) унификация.

uniform ['juːnɪfɔːm] 1. *n* форменная одежда, форма.
2. *a* 1) единообразный; однообразный; однородный; 2) постоянный; 3) форменный (*об одежде*).
3. *v* одевать в форму.

uniformed ['juːnɪfɔːmd] 1. *p. p. от* uniform 3;
2. *a* одетый в форму, в мундир.

uniformity [ˌjuːnɪ'fɔːmɪtɪ] *n* единообразие.

unify ['juːnɪfaɪ] *v* 1) объединять; 2) унифицировать.

unilateral ['juːnɪ'lætərəl] *a* односторонний.

unimaginable [ˌʌnɪ'mædʒɪnəbl] *a* невообразимый.

unimaginative ['ʌnɪ'mædʒɪnətɪv] *a* лишённый воображения.

unimpaired ['ʌnɪm'pɛəd] *a* нетронутый, незатронутый, непострадавший.

unimpeachable [ˌʌnɪm'piːtʃəbl] *a* безупречный.

unimpeded ['ʌnɪm'piːdɪd] *a* беспрепятственный.

unimportant ['ʌnɪm'pɔːtənt] *a* неважный.

unimprovable ['ʌnɪm'pruːvəbl] *a* 1) неисправимый; 2) безупречный, идеальный.

unimproved ['ʌnɪm'pruːvd] *a* 1) неисправленный, неулучшенный; 2) нетронутый; 3) неупотребляемый; неиспользованный; ~ opportunities неиспользованные возможности.

uninfluenced ['ʌn'ɪnfluənst] *a* непредубеждённый.

uninformed ['ʌnɪn'fɔːmd] *a* несведущий, неосведомлённый.

uninhabitable ['ʌnɪn'hæbɪtəbl] *a* непригодный для жилья.

uninhabited ['ʌnɪn'hæbɪtɪd] *a* необитаемый.

uninhibited ['ʌnɪn'hɪbɪtɪd] *a* несдерживаемый, свободный.

uninjured ['ʌn'ɪndʒəd] *a* неповреждённый, непострадавший.

uninspired ['ʌnɪn'spaɪəd] *a* 1) невдохновлённый, невоодушевлённый; 2) неинспирированный.

uninsured ['ʌnɪn'ʃuəd] *a* незастрахованный.

unintelligent ['ʌnɪn'telɪdʒənt] *a* 1) неумный; 2) невежественный.

unintelligible ['ʌnɪn'telɪdʒɪbl] *a* неразборчивый.

uninterrupted ['ʌnˌɪntə'rʌptɪd] *a* 1) непрерываемый; 2) непрерывный.

uninuclear ['juːnɪ'njuːklɪə] *a* одноядерный.

uninvited ['ʌnɪn'vaɪtɪd] *a* неприглашённый, без приглашения.

uninviting ['ʌnɪn'vaɪtɪŋ] *a* непривлекательный; неаппетитный.

union ['juːnjən] *n* 1) союз (*государственное объединение*); the Soviet Union Советский Союз; the Union а) *амер.* Соединённые Штаты; б) Соединённое Королевство; 2) объединение, соединение, союз; the Union of England and Scotland Уния Англии с Шотландией; 3) профессиональный союз; closed ~ профсоюз с ограниченным числом членов; company ~ компанейский профсоюз; to join the ~ вступить в профсоюз; 4) объединение нескольких приходов для помощи бедным; 5) единение, согласие; in perfect ~ в полном согласии; 6) брачный союз; ~ of hearts брак по любви; 7) студенческий клуб;

8) *тех.* ниппель, соединение, замок, муфта (*для труб*); 9) *attr.* профсоюзный; ~ control профсоюзный контроль; ~ shop *амер.* предприятие, на котором могут работать только члены профсоюза; ~ label этикетка, удостоверяющая, что продукция изготовлена членами профсоюза; 10) *attr. тех.*: ~ body штуцер; ~ coupling патрубок.

**union card** [ˈjuːnjənˈkɑːd] *n* профсоюзный билет.

**union cloth** [ˈjuːnjənˈklɔθ] *n* полушерстяная ткань.

**Union flag** [ˈjuːnjənˈflæg] *n* государственный флаг Соединённого Королевства.

**unionism** [ˈjuːnjənɪzət] *n* 1) тред-юнионизм; 2) *ист.* унионизм.

**unionist** [ˈjuːnjənɪst] *n* 1) член профсоюза; 2) *ист.* унионист (*противник предоставления самоуправления Ирландии; амер. сторонник федерации во время гражданской войны*).

**unionize** [ˈjuːnjənaɪz] *v* 1) объединять; 2) объединять в профсоюзы.

**Union Jack** [ˈjuːnjənˈdʒæk] = Union flag.

**union-smashing** [ˈjuːnjənˌsmæʃɪŋ] *n* разгром профсоюзов.

**union suit** [ˈjuːnjənˈsjuːt] *n* мужское бельё, мужская нательная комбинация.

**unique** [juːˈniːk] **1.** *a* 1) единственный в своём роде; уникальный; ~ feature *тех.* особенность конструкции *или* модели; 2) *разг.* необыкновенный, замечательный;
**2.** *n* уникум.

**unisexual** [ˈjuːnɪˈseksjuəl] *a бот.* однополый.

**unison** [ˈjuːnɪzn] *n* 1) *муз.* унисон; 2) согласие; in ~ в унисон; в согласии.

**unit** [ˈjuːnɪt] *n* 1) единица; целое; 2) единица измерения; a ~ of length единица длины; 3) *унив.* общее количество часов, отработанное студентом для получения зачёта; 4) *мат.* единица; 5) *воен.* часть; подразделение; large ~ *амер.* соединение; войсковая часть; 6) *тех.* агрегат, секция, блок, узел, элемент; 7) *мед.* единица; ◇ ~ rule *амер. полит.* положение, по которому все делегаты штата голосуют за кандидата большинства; to be a ~ *амер.* быть единодушным.

**unite** [juːˈnaɪt] *v* 1) соединять(ся); 2) объединять(ся); workers of the world, unite! пролетарии всех стран, соединяйтесь!

**united** [juːˈnaɪtɪd] **1.** *p. p. от* unite; **2.** *a* 1) соединённый; объединённый; 2) совместный; ~ actions совместные действия; 3) дружный; ~ family дружная семья.

**United Nations** [juːˈnaɪtɪdˈneɪʃənz] *n* Организация Объединённых Наций.

**unity** [ˈjuːnɪtɪ] *n* 1) единство; ~ of purpose единство цели; the dramatic unities единство времени, места и действия (*в классической драме*); 2) единение, сплочённость, единение; indestructible ~ of the working people нерушимое единство рабочего класса; 3) согласие, дружба; to live in ~ жить в согласии, дружбе; 4) *юр.* совместное владение; 5) *мат.* единица.

**univalve** [ˈjuːnɪvælv] *зоол.* **1.** *n* одностворчатый моллюск;
**2.** *a* одностворчатый.

**universal** [ˌjuːnɪˈvəːsəl] *a* 1) всеобщий; всемирный; 2) универсальный.

**universe** [ˈjuːnɪvəːs] *n* мир, вселенная; космос.

**university** [ˌjuːnɪˈvəːsɪtɪ] *n* 1) университет; 2) *собир.* преподаватели и студенты университета; 3) университетская спортивная команда; 4) *attr.* университетский.

**unjoin** [ˈʌnˈdʒɔɪn] *v* разъединять.

**unjust** [ˈʌnˈdʒʌst] *a* несправедливый.

**unjustifiable** [ʌnˈdʒʌstɪfaɪəbl] *a* не имеющий оправдания.

**unkempt** [ˈʌnˈkempt] *a* 1) нечёсаный; 2) неопрятный; 3) небрежный, неряшливый (*о стиле*).

**unkennel** [ˈʌnˈkenl] *v* 1) выгонять из норы *или* конуры; 2) открывать, разоблачать.

**unkind** [ʌnˈkaɪnd] *a* злой, недобрый, жестокий.

**unking** [ˈʌnˈkɪŋ] *v* свергнуть с престола.

**unknowable** [ˈʌnˈnouəbl] *a* непостижимый; непознаваемый.

**unknown** [ˈʌnˈnoun] **1.** *a* неизвестный; address ~ адрес неизвестен;
**2.** *n* (the ~) 1) неизвестное; 2) незнакомец; the Great U. прозвище В. Скотта до раскрытия его псевдонима; 3) *мат.* неизвестное, неизвестная величина;
**3.** *adv* тайно, без ведома; he did it ~ to me он сделал это тайно от меня *или* без моего ведома.

**unlaboured** [ˈʌnˈleɪbəd] *a уст.* достигнутый без усилия; лёгкий, непринуждённый, не вымученный (*особ. о стиле*).

**unlace** [ˈʌnˈleɪs] *v* расшнуровывать; распускать шнуровку.

**unlade** [ˈʌnˈleɪd] *v* (unladed [-ɪd]; unladed, unladen) разгружать.

**unladen** [ˈʌnˈleɪdn] **1.** *p. p. от* unlade; **2.** *a* не обременённый (*чем-л.*); ~ with anxieties не обременённый заботами; ~ weight вес порожняком.

**unladylike** [ˈʌnˈleɪdɪlaɪk] *a* 1) неженственный; 2) неблагопристойный, вульгарный.

**unlaid** [ˈʌnˈleɪd] *past и p. p. от* unlay.

**unlawful** [ˈʌnˈlɔːful] *a* незаконный, противозаконный; запрещённый.

**unlay** [ˈʌnˈleɪ] *v* (unlaid) распускать на пряди (*трос*).

**unlearn** [ˈʌnˈləːn] *v* (unlearnt, unlearned [-d]) разучиться; забыть, что знал.

**unlearned 1.** [ˈʌnˈləːnd] *p. p. от* unlearn;
**2.** *a* [ˈʌnˈləːnɪd] 1) неучёный, неграмотный; 2) невыученный, незаученный.

**unlearnt** [ˈʌnˈləːnt] *past и p. p. от* unlearn.

**unleash** [ˈʌnˈliːʃ] *v* 1) спускать с привязи; 2): to ~ war развязать войну.

**unless** [ənˈles] *cj* если не; I shall not go ~ the weather is fine я не поеду, если не будет хорошей погоды; ~ and until до тех пор пока.

**unlettered** [ˈʌnˈletəd] *a* неграмотный; необразованный.

unlike ['ʌn'laɪk] **1.** *a* непохо́жий на, не тако́й, как; ~ poles *физ.* разноимённые по́люсы; ~ signs *мат.* зна́ки плюс и ми́нус; ~ charges *эл.* разнозна́чные заря́ды; **2.** *adv* в отли́чие от.

unlikely [ʌn'laɪklɪ] **1.** *a* 1) неправдоподо́бный, малове́роятный; recovery is ~ выздоровле́ние малове́роятно; 2) ничего́ хоро́шего не обеща́ющий; **2.** *adv* вряд ли, едва́ ли.

unlimited [ʌn'lɪmɪtɪd] *a* безграни́чный, неограни́ченный; беспреде́льный.

unlink ['ʌn'lɪŋk] *v* разъединя́ть; расцепля́ть; размыка́ть.

unlit ['ʌn'lɪt] *a* 1) незажжённый; 2) тёмный, неосвещённый.

unlive ['ʌn'lɪv] *v* измени́ть о́браз жи́зни, жить и́наче; стара́ться загла́дить *или* забы́ть (*прошлое*).

unload ['ʌn'loʊd] *v* 1) разгружа́ть (ся); выгружа́ть; 2) *воен.* разряжа́ть; 3) отде́лываться, избавля́ться (*от чего-л. невыгодного*), *особ.* сбыва́ть а́кции.

unlock ['ʌn'lɔk] *v* 1) отпира́ть; открыва́ть; to ~ one's heart откры́ть ду́шу; 2) *тех.* размыка́ть; разблоки́ровать.

unlooked-for [ʌn'lʊktfɔː] *a* неожи́данный, непредви́денный.

unloose, unloosen ['ʌn'luːs, ʌn'luːsn] = loose 3.

unlovable ['ʌn'lʌvəbl] *a* 1) недосто́йный любви́, не вызыва́ющий симпа́тии; 2) неприя́тный, непривлека́тельный.

unlovely ['ʌn'lʌvlɪ] *a* неприя́тный, непривлека́тельный, проти́вный.

unlucky [ʌn'lʌkɪ] *a* 1) несчастли́вый; 2) неуда́чный; an ~ day for their arrival неуда́чный день для их прие́зда.

unmade ['ʌn'meɪd] *past* и *p. p. от* unmake.

unmake ['ʌn'meɪk] *v* (unmade) 1) уничтожа́ть (*сде́ланное*); аннули́ровать; 2) переде́лывать; 3) понижа́ть в чи́не, зва́нии.

unman ['ʌn'mæn] *v* 1) лиши́ть му́жественности, му́жества; 2) оста́вить без люде́й, оголи́ть.

unmanageable [ʌn'mænɪdʒəbl] *a* тру́дно поддаю́щийся контро́лю *или* обрабо́тке; тру́дный (*о ребёнке; о положении и т. п.*); непоко́рный.

unmanly ['ʌn'mænlɪ] *a* недосто́йный мужчи́ны; нему́жественный; трусли́вый; сла́бый.

unmanned ['ʌn'mænd] **1.** *p. p. от* unman; **2.** *a* 1) неукомплекто́ванный (*шта́том*); 2) безлю́дный.

unmannerly [ʌn'mænəlɪ] *a* невоспи́танный, гру́бый.

unmapped ['ʌn'mæpt] *a* не нанесённый на ка́рту.

unmarked ['ʌn'mɑːkt] *a* 1) неотме́ченный, незаме́ченный; 2) без отме́ток.

unmarketable ['ʌn'mɑːkɪtəbl] *a* него́дный для ры́нка, для прода́жи.

unmarried ['ʌn'mærɪd] *a* холосто́й, нежена́тый; незаму́жняя.

unmarrigeable ['ʌn'mærɪdʒəbl] *a* не могу́щий жени́ться; не могу́щая вы́йти за́муж; не дости́гший бра́чного во́зраста.

unmask ['ʌn'mɑːsk] *v* 1) снима́ть *или* срыва́ть ма́ску; *перен. тж.* разоблача́ть; 2) *воен.* открыва́ть; обнару́живать; 3) *воен.* демаски́ровать.

unmatched ['ʌn'mætʃt] *a* не име́ющий себе́ ра́вного, беспод́обный.

unmeaning [ʌn'miːnɪŋ] *a* бессмы́сленный.

unmeant ['ʌn'ment] *a* ненаме́ренный; неумы́шленный.

unmeasured [ʌn'meʒəd] *a* 1) неизме́ренный; 2) неизмери́мый, безме́рный.

unmeet ['ʌn'miːt] *a* неподходя́щий.

unmentionable [ʌn'menʃnəbl] **1.** *a* не могу́щий быть упомя́нутым; **2.** *n pl уст. шутл.* «невырази́мые», брю́ки, штаны́.

unmerchantable ['ʌn'mɑːtʃəntəbl] = unmarketable.

unmerciful [ʌn'mɑːsɪfʊl] *a* немилосе́рдный, безжа́лостный.

unmerited ['ʌn'merɪtɪd] *a* незаслу́женный.

unmindful [ʌn'maɪndfʊl] *a* забы́вчивый, невнима́тельный; ~ of one's duties невнима́тельный к свои́м обя́занностям.

unmistakable ['ʌnmɪs'teɪkəbl] *a* безоши́бочный, несомне́нный, я́сный, легко́ узнава́емый.

unmitigated [ʌn'mɪtɪgeɪtɪd] *a* 1) несмягчённый; неосла́бленный; 2) я́вный, абсолю́тный; an ~ liar отъя́вленный лгун.

unmoor ['ʌn'mʊə] *v мор.* отда́ть швартовы, сня́ться с я́коря.

unmoral ['ʌn'mɔrəl] *a* безнра́вственный.

unmounted ['ʌn'maʊntɪd] *a* 1) пе́ший; 2) неопра́вленный (*о драгоце́нном ка́мне*); 3) неоканто́ванный (*о карти́не*).

unmoved ['ʌn'muːvd] *a* 1) неподви́жный; 2) нерастро́ганный, оста́вшийся равноду́шным; 3) непрекло́нный; 4) неуязви́мый.

unmurmuring ['ʌn'mɑːmərɪŋ] *a* безро́потный.

unmusical ['ʌn'mjuːzɪkəl] *a* немузыка́льный.

unmuzzle ['ʌn'mʌzl] *v* 1) снима́ть намо́рдник; 2) *разг.* дать возмо́жность говори́ть, выска́зываться.

unnamed ['ʌn'neɪmd] *a* 1) безымя́нный; 2) неупомя́нутый.

unnatural [ʌn'nætʃrəl] *a* 1) неесте́ственный; 2) противоесте́ственный; чудо́вищный; 3) бессерде́чный; 4) необы́чный, стра́нный.

unnecessary [ʌn'nesɪsərɪ] *a* нену́жный, изли́шний.

unnerve ['ʌn'nɑːv] *v* лиша́ть прису́тствия ду́ха, си́лы *или* возмо́жности, расслабля́ть.

unnoted ['ʌn'noʊtɪd] *a* незаме́ченный, неотме́ченный.

unnoticed ['ʌn'noʊtɪst] *a* незаме́ченный.

unnumbered ['ʌn'nʌmbəd] *a* 1) ненумеро́ванный; несчи́танный; 2) несме́тный, бесчи́сленный, бессчётный.

unnurtured ['ʌn'nɑːtʃəd] *a* необразо́ванный; невоспи́танный.

unobjectionable ['ʌnəb'dʒekʃnəbl] *a* не вызыва́ющий возраже́ний; не вызыва́ющий неприя́тного чу́вства.

unobservant ['ʌnəb'zɑːvənt] *a* невнима́тельный, ненаблюда́тельный.

**unobstructed** [ˌʌnəbˈstrʌktɪd] *a* 1) беспрепя́тственный, свобо́дный; ~ sight по́лная ви́димость; 2) незасорённый.

**unobtainable** [ˌʌnəbˈteɪnəbl] *a* недосту́пный; тако́й, кото́рого нельзя́ доста́ть *или* получи́ть.

**unobtrusive** [ˌʌnəbˈtruːsɪv] *a* скро́мный, ненавя́зчивый.

**unoccupied** [ˈʌnˈɔkjupaɪd] *a* 1) неза́нятый, необита́емый; пусто́й; 2) свобо́дный, неза́нятый, пра́здный (*о людях*).

**unoffending** [ˌʌnəˈfendɪŋ] *a* безоби́дный, неви́нный.

**unofficial** [ˌʌnəˈfɪʃəl] *a* неофициа́льный.

**unofficially** [ˌʌnəˈfɪʃəlɪ] *adv* неофициа́льно.

**unoriginal** [ˌʌnəˈrɪdʒənl] *a* неоригина́льный; заи́мствованный.

**unostentatious** [ˌʌnɔstenˈteɪʃəs] *a* ненавя́зчивый, не броса́ющийся в глаза́, скро́мный.

**unowned** [ˈʌnˈound] *a* 1) не име́ющий владе́льца *или* хозя́ина; 2) непри́знанный.

**unpack** [ˈʌnˈpæk] *v* распако́вывать.

**unpaged** [ˈʌnˈpeɪdʒd] *a* с ненумеро́ванными страни́цами.

**unpaid** [ˈʌnˈpeɪd] *a* 1) неупла́ченный; неопла́ченный; ~ for взя́тый в креди́т; 2) не получа́ющий пла́ты; 3) беспла́тный.

**unpaired** [ˈʌnˈpɛəd] *a* непа́рный; не име́ющий па́ры.

**unpalatable** [ʌnˈpælətəbl] *a* 1) невку́сный; 2) неприя́тный.

**unparalleled** [ʌnˈpærəleld] *a* не име́ющий себе́ ра́вного, беспримс́рный, беспод о́бный.

**unpardonable** [ʌnˈpɑːdnəbl] *a* непрости́тельный.

**unparented** [ˈʌnˈpɛərəntɪd] *a* не име́ющий роди́телей; осироте́лый; бро́шенный роди́телями.

**unparliamentary** [ˈʌnˌpɑːləˈmentərɪ] *a* непарла́ментский, проти́вный парла́ментским обы́чаям; ~ language си́льные выраже́ния; язы́к, недопусти́мый в парла́менте.

**unpatriotic** [ˈʌnˌpætrɪˈɔtɪk] *a* непатриоти́чный.

**unpeg** [ˈʌnˈpeg] *v* 1) открыва́ть, освобожда́ть; 2) *бирж.* прекрати́ть иску́сственную подде́ржку у́ровня (*цен и т. п.*).

**unpenetrable** [ˈʌnˈpenɪtrəbl] *a* непроница́емый.

**unpeople** [ˈʌnˈpiːpl] *v* обезлю́дить.

**unperformed** [ˈʌnpəˈfɔːmd] *a* невы́полненный, неосуществлённый.

**unpersuadable** [ˈʌnpəˈsweɪdəbl] *a* не поддаю́щийся убежде́нию.

**unperturbed** [ˈʌnpəˈtəːbd] *a* невозмути́мый.

**unpick** [ˈʌnˈpɪk] *v* распа́рывать.

**unpicked** [ˈʌnˈpɪkt] 1. *p. p.* от unpick; 2. *a* 1) распоро́тый; 2) неподо́бранный, неото́бранный; 3) несо́рванный.

**unpin** [ˈʌnˈpɪn] *v* отка́лывать; вынима́ть була́вки (*из чего-л.*).

**unplaced** [ˈʌnˈpleɪst] *a* 1) не име́ющий ме́ста; не находя́щийся на ме́сте; 2) не назна́ченный на до́лжность; 3) не заня́вший ни одного́ из пе́рвых трёх мест (*на ска́чках или бега́х*).

**unpleasant** [ʌnˈpleznt] *a* неприя́тный, отта́лкивающий.

**unpleasantness** [ʌnˈplezntnɪs] *n* 1) неприя́тность; непривлека́тельность; 2) ссо́ра, недоразуме́ние; to have a slight ~ with smb. повздо́рить с кем-л.; 3) *амер. ирон.*: the late ~ *шутл.* гражда́нская война́ в США.

**unpointed** [ˈʌnˈpɔɪntɪd] *a* 1) тупо́й, неотто́ченный (*о карандаше и т. п.*); 2) пло́ский, неостроу́мный; 3) не относя́щийся к де́лу (*о замечании*); 4) без зна́ков препина́ния.

**unpolished** [ˈʌnˈpɔlɪʃt] *a* неотполиро́ванный; неотшлифо́ванный.

**unpolitical** [ˈʌnpəˈlɪtɪkəl] *a* 1) не относя́щийся к поли́тике; 2) неблагоразу́мный, неполити́чный; 3) апати́чный, безуча́стный.

**unpopular** [ˈʌnˈpɔpjulə] *a* непопуля́рный, не по́льзующийся любо́вью (with—у кого́-л.).

**unposted** [ˈʌnˈpoustɪd] *a* 1) (ещё) не отпра́вленный (*по почте*), не опу́щенный в почто́вый я́щик; 2) неосведомлённый.

**unpractical** [ˈʌnˈpræktɪkəl] *a* непракти́чный, небережли́вый.

**unpractised** [ʌnˈpræktɪst] *a* 1) непримснённый; 2) нео́пытный, неиску́сный.

**unprecedented** [ʌnˈpresɪdəntɪd] *a* не име́ющий прецеде́нта, беспрецеде́нтный; беспримс́рный.

**unprefaced** [ˈʌnˈprefɪst] *a* 1) без предисло́вия; 2) без предупрежде́ния.

**unprejudiced** [ʌnˈpredʒudɪst] *a* непредубеждённый, беспристра́стный.

**unpremeditated** [ˈʌnprɪˈmedɪteɪtɪd] *a* непреднаме́ренный, неумы́шленный, не обду́манный зара́нее.

**unprepared** [ˈʌnprɪˈpɛəd] *a* 1) неподгото́вленный, негото́вый; 2) без подгото́вки.

**unprepossessed** [ˈʌnˌpriːpəˈzest] = unprejudiced.

**unpresentable** [ˈʌnprɪˈzentəbl] *a* 1) непривлека́тельный; 2) пло́хо воспи́танный, не уме́ющий себя́ вести́.

**unpretending** [ˈʌnprɪˈtendɪŋ] *a* скро́мный, просто́й, есте́ственный, без прете́нзий.

**unpretentious** [ˈʌnprɪˈtenʃəs] = unpretending.

**unpriced** [ʌnˈpraɪst] *a* 1) без определённой, без обозна́ченной цены́; 2) бесце́нный.

**unprincipled** [ʌnˈprɪnsəpld] *a* беспринци́пный; безнра́вственный.

**unprintable** [ʌnˈprɪntəbl] *a* непригодный для печа́ти; непеча́тный.

**unprivileged** [ʌnˈprɪvɪlɪdʒd] *a* не име́ющий привиле́гий, непривилегиро́ванный.

**unprized** [ʌnˈpraɪzd] *a* неоценённый.

**unprocurable** [ˈʌnprəˈkjuərəbl] *a* недосту́пный; тако́й, кото́рого нельзя́ доста́ть.

**unproductive** [ˈʌnprəˈdʌktɪv] *a* непродукти́вный; ~ capital мёртвый капита́л.

**unprofessional** [ˈʌnprəˈfeʃənl] *a* 1) непрофессиона́льный; ~ advice сове́т неспециали́ста; 2) не име́ющий профе́ссии; 3) проти́вный пра́вилам, э́тике да́нной профе́ссии.

**unprofitable** [ʌn'prɔfɪtəbl] *a* 1) не приносящий прибыли, нерентабельный, невыгодный; 2) непромышленный (*о руде*).

**unpromising** ['ʌn'prɔmɪsɪŋ] *a* не обещающий ничего хорошего; не подающий никаких надежд; неутешительный.

**unprompted** ['ʌn'prɔmptɪd] *a* неподсказанный, не внушённый, сделанный по собственному почину.

**unproportional** ['ʌnprə'pɔːʃənl] *a* непропорциональный.

**unprotected** ['ʌnprə'tektɪd] *a* 1) незащищённый; беззащитный; 2) открытый (*о местности*).

**unprovided** ['ʌnprə'vaɪdɪd] *a* лишённый денег *и пр.*; не снабжённый, не обеспеченный (*чем-л.*; with); неготовый (*тж.* ~ for).

**unprovoked** ['ʌnprə'voukt] *a* ничем не вызванный, неспровоцированный.

**unpublished** ['ʌn'pʌblɪʃt] *a* неопубликованный, нейзданный.

**unpunishable** ['ʌn'pʌnɪʃəbl] *a* ненаказуемый.

**unpunished** ['ʌn'pʌnɪʃt] *a* безнаказанный.

**unpuzzle** ['ʌn'pʌzl] *v* разгадать, разрешить.

**unqualified** ['ʌn'kwɔlɪfaɪd] *a* 1) не имеющий права *или* квалификации; неподходящий, негодный (*к чему-л.*); 2) безоговорочный, неограниченный; an ~ refusal решительный отказ; 3) [ʌn'kwɔlɪfaɪd] *разг.* явный, ярко выраженный; an ~ liar отъявленный лгун.

**unquenchable** [ʌn'kwentʃəbl] *a* неутолимый; неугасимый.

**unquestionable** [ʌn'kwestʃənəbl] *a* несомненный, неоспоримый.

**unquestioned** [ʌn'kwestʃənd] *a* 1) не оспариваемый, не вызывающий сомнения; 2) неопрошенный.

**unquestioning** [ʌn'kwestʃənɪŋ] *a* 1) не задающий вопросов; 2) несомненный, полный.

**unquiet** ['ʌn'kwaɪət] 1. *n* беспокойство; 2. *a* 1) беспокойный; 2) взволнованный.

**unquotable** ['ʌn'kwoutəbl] *a* нецензурный.

**unquote** ['ʌn'kwout] *v* закрывать кавычки.

**unquoted** ['ʌn'kwoutɪd] 1. *p. p. от* unquote;
2. *a* неупомянутый, нецитированный.

**unravel** [ʌn'rævəl] *v* 1) распутывать (*нитки и т. п.*); 2) разгадывать, объяснять; to ~ a mystery разгадать тайну.

**unrazored** ['ʌn'reɪzəd] *a амер.* небритый.

**unread** ['ʌn'red] *a* 1) непрочитанный; 2) неначитанный; необразованный, неграмотный.

**unreadable** ['ʌn'riːdəbl] *a* 1) неразборчивый (*о почерке*), неудобочитаемый; 2) скучный, непригодный для чтения.

**unready** ['ʌn'redɪ] *a* 1) неготовый; 2) непроворный, неповоротливый; несообразительный.

**unreal** ['ʌn'rɪəl] *a* 1) ненастоящий, поддельный; 2) нереальный, воображаемый.

**unreality** ['ʌnrɪ'ælɪtɪ] *n* 1) нереальность; 2) что-л. нереальное, воображаемое.

**unrealizable** ['ʌn'rɪəlaɪzəbl] *a* неосуществимый.

**unrealized** ['ʌn'rɪəlaɪzd] *a* неосуществлённый, невыполненный.

**unreason** ['ʌn'riːzn] *n* неразумность, глупость, безумие; абсурдность.

**unreasonable** [ʌn'riːznəbl] *a* 1) неблагоразумный, безрассудный; 2) непомерный, чрезмерный; непомерно высокий (*о цене и т. п.*); an ~ demand необоснованное требование.

**unreasoned** ['ʌn'riːznd] *a* непродуманный; неаргументированный.

**unreciprocated** ['ʌnrɪ'sɪprəkeɪtɪd] *a* не встречающий ответа; невзаимный, без взаимности.

**unreclaimed** ['ʌnrɪ'kleɪmd] *a* 1) не подготовленный для обработки, необработанный (*о земле*); 2) неисправленный; 3) неприручённый; 4) незатребованный.

**unrecognizable** ['ʌn'rekəgnaɪzəbl] *a* неузнаваемый.

**unrecognized** ['ʌn'rekəgnaɪzd] *a* 1) неузнанный; 2) непризнанный.

**unrecorded** ['ʌnrɪ'kɔːdɪd] *a* незафиксированный; незапротоколированный.

**unredeemed** ['ʌnrɪ'diːmd] *a* 1) неисполненный (*об обещании*); 2) невыкупленный (*о закладе*); неоплаченный (*о векселе*); непогашенный (*о платеже*); 3) неискупленный (by).

**unreel** ['ʌn'riːl] *v* разматывать(ся).

**unrefined** ['ʌnrɪ'faɪnd] *a* 1) неочищенный, нерафинированный; 2) грубый; ~ manners грубые манеры.

**unreflecting** ['ʌnrɪ'flektɪŋ] *a* 1) неотражающий (*свет*); 2) легкомысленный; неразмышляющий, бездумный.

**unregistered** ['ʌn'redʒɪstəd] *a* незарегистрированный.

**unregulated** ['ʌn'regjuleɪtɪd] *a* неупорядоченный; не подчиняющийся определённым правилам.

**unrehearsed** ['ʌnrɪ'hɜːst] *a* неожиданный; непредвиденный.

**unrein** ['ʌn'reɪn] *v* 1) отпустить повод, разнуздать; 2) освободить (*от чего-л.*), дать волю.

**unrelated** ['ʌnrɪ'leɪtɪd] *a* несвязанный, не имеющий отношения (to).

**unrelenting** ['ʌnrɪ'lentɪŋ] *a* 1) безжалостный, жестокий; 2) неуменьшающийся, неослабевающий.

**unreliable** ['ʌnrɪ'laɪəbl] *a* ненадёжный.

**unrelieved** ['ʌnrɪ'liːvd] *a* 1) не освобождённый (*от каких-л. обязанностей или обязательств*); 2) не получающий помощи, облегчения; необлегчённый; 3) монотонный; 4) несменённый (*о часовом и т. п.*).

**unremitting** ['ʌnrɪ'mɪtɪŋ] *a* неослабный; беспрестанный; упорный; ~ toil упорный труд.

**unrepeatable** ['ʌnrɪ'piːtəbl] *a* 1) неповторимый; 2) неприличный, нецензурный.

**unrepented** ['ʌnrɪ'pentɪd] *a* нераскаявшийся, нераскаянный.

**unrepresented** [ˈʌnˌreprɪˈzentɪd] *a* непредста́вленный.

**unrequited** [ˈʌnrɪˈkwaɪtɪd] *a* 1) невознаграждённый, неопла́ченный; ~ affections чу́вства, не встреча́ющие о́тклика; 2) неотомщённый.

**unreserve** [ˈʌnrɪˈzəːv] *n* 1) открове́нность; 2) невозде́ржанность.

**unreserved** [ˈʌnrɪˈzəːvd] *a* 1) открове́нный; 2) невозде́ржанный; 3) не ограни́ченный (*какими-л. условиями*); 4) незаброни́рованный, не зака́занный зара́нее.

**unreservedly** [ˌʌnrɪˈzəːvɪdlɪ] *adv* 1) откры́то; открове́нно; 2) безогово́рочно.

**unresolved** [ˈʌnrɪˈzɔlvd] *a* 1) нереши́тельный; 2) не реши́вшийся (*на что-л.*), не приня́вший реше́ния; 3) неразрешённый; my doubts are still ~ мои́ сомне́ния ещё не разрешены́.

**unresponsive** [ˈʌnrɪsˈpɔnsɪv] *a* не реаги́рующий, не отвеча́ющий (*на что-л.*); неотзы́вчивый; невосприи́мчивый.

**unrest** [ʌnˈrest] *n* 1) беспоко́йство, волне́ние; 2) сму́та.

**unresting** [ʌnˈrestɪŋ] *a* неутоми́мый.

**unrestrained** [ˈʌnrɪsˈtreɪnd] *a* несде́ржанный, необу́зданный.

**unrestraint** [ˈʌnrɪsˈtreɪnt] *n* несде́ржанность, необу́зданность; свобо́да.

**unrestricted** [ˈʌnrɪsˈtrɪktɪd] *a* неограни́ченный.

**unrewarded** [ˈʌnrɪˈwɔːdɪd] *a* невознаграждённый.

**unriddle** [ʌnˈrɪdl] *v* разгада́ть, объясни́ть.

**unrig** [ʌnˈrɪg] *v* *мор.* расснаща́ивать; разоружа́ть.

**unrighteous** [ʌnˈraɪtʃəs] 1. *a* 1) нече́стивый; непра́ведный; 2) нече́стный; 3) несправедли́вый; незаслу́женный; 2. *n* (the ~) *pl собир.* нечести́вцы.

**unrighteousness** [ʌnˈraɪtʃəsnɪs] *n* нечести́вость; непра́ведность.

**unrip** [ʌnˈrɪp] *v* распа́рывать; разрыва́ть.

**unripe** [ʌnˈraɪp] *a* неспе́лый; незре́лый.

**unrivalled** [ʌnˈraɪvəld] *a* не име́ющий себе́ ра́вных, непревзойдённый.

**unrobe** [ʌnˈroub] *v* снима́ть одея́ние *или* ма́нтию.

**unroll** [ʌnˈroul] *v* развёртывать (ся).

**unroof** [ʌnˈruːf] *v* сноси́ть кры́шу.

**unroot** [ʌnˈruːt] *v* выкорчёвывать; искореня́ть.

**unround** [ʌnˈraund] *v* *фон.* делабиализи́ровать (*гласный звук*).

**unroyal** [ʌnˈrɔɪəl] *a* некороле́вский; недосто́йный короле́вского са́на.

**unruffled** [ʌnˈrʌfld] *a* 1) гла́дкий (*о пове́рхности, мо́ре и т. п.*); 2) споко́йный, невзволно́ванный.

**unruled** [ʌnˈruːld] *a* 1) неуправля́емый, неконтроли́руемый; 2) нелино́ванный (*о бума́ге*).

**unruly** [ʌnˈruːlɪ] *a* непоко́рный, непослу́шный, бу́йный; ◇ the ~ member *и.утл.* язы́к.

**unsaddle** [ʌnˈsædl] *v* рассёдлывать.

**unsafe** [ʌnˈseɪf] *a* ненадёжный, опа́сный.

**unsaid** [ʌnˈsed] 1. *past u p. p. от* unsay; 2. *a* непроизнесённый, невы́сказанный; things better left ~ то, о чём лу́чше не говори́ть, не упомина́ть.

**unsanitary** [ʌnˈsænɪtərɪ] *a* негигиени́чный, нездоро́вый; антисанита́рный.

**unsatisfactorily** [ʌnˌsætɪsˈfæktərɪlɪ] *adv* неудовлетвори́тельно.

**unsatisfactory** [ʌnˌsætɪsˈfæktərɪ] *a* неудовлетвори́тельный.

**unsatisfied** [ʌnˈsætɪsfaɪd] *a* неудовлетворённый; неуспоко́енный; ~ demand неудовлетворённый спрос.

**unsatisfying** [ʌnˈsætɪsfaɪɪŋ] *a* неудовлетворя́ющий, ненасыща́ющий.

**unsavoury** [ʌnˈseɪvərɪ] *a* 1) невку́сный; 2) непривлека́тельный; отврати́тельный.

**unsay** [ʌnˈseɪ] *v* (unsaid) брать наза́д ска́занное, отрека́ться от свои́х слов.

**unscalable** [ʌnˈskeɪləbl] *a* непристу́пный (*о круто́м подъёме и т. п.*).

**unscathed** [ʌnˈskeɪðd] *a* невреди́мый.

**unschooled** [ʌnˈskuːld] *a* 1) необу́ченный, нео́пытный; 2) недисциплини́рованный.

**unscientific** [ˈʌnˌsaɪənˈtɪfɪk] *a* ненау́чный, антинау́чный.

**unscramble** [ʌnˈskræmbl] *v* 1) разъединя́ть, разлага́ть на составны́е ча́сти; 2) расшифро́вывать (*секре́тное посла́ние и т. п.*).

**unscreened** [ʌnˈskriːnd] *a* 1) не защищённый ши́рмой *или* решёткой; 2) не просе́янный сквозь гро́хот.

**unscrew** [ʌnˈskruː] *v* отви́нчивать (ся); разви́нчивать (ся).

**unscrupulous** [ʌnˈskruːpjuləs] *a* 1) неразбо́рчивый в сре́дствах; нещепети́льный; 2) беспринци́пный; бессо́вестный.

**unseal** [ʌnˈsiːl] *v* распеча́тывать.

**unseam** [ʌnˈsiːm] *v* распа́рывать.

**unsearchable** [ʌnˈsəːtʃəbl] *a* непостижи́мый, таи́нственный.

**unseasonable** [ʌnˈsiːznəbl] *a* 1) не по сезо́ну; 2) несвоевре́менный, неуме́стный.

**unseasoned** [ʌnˈsiːznd] *a* 1) без припра́вы, невку́сный, пре́сный; 2) несозре́вший; невы́держанный.

**unseat** [ʌnˈsiːt] *v* 1) сбро́сить с седла́; ссади́ть со сту́ла *и т. п.*; 2) лиши́ть парла́ментского манда́та.

**unsedentary** [ʌnˈsedntərɪ] 1. *n* неосе́длый, кочево́й наро́д; 2. *a* неосе́длый, кочево́й.

**unseeing** [ʌnˈsiːɪŋ] *a* 1) неви́дящий; слепо́й; 2) ненаблюда́тельный; 3) дове́рчивый.

**unseemly** [ʌnˈsiːmlɪ] *a* неподоба́ющий; непристо́йный.

**unseen** [ʌnˈsiːn] 1. *a* 1) неви́димый; 2); ~ translation перево́д с листа́; 3) неви́данный; 2. *n* (an ~) отры́вок для перево́да с листа́.

**unselfish** [ʌnˈselfɪʃ] *a* бескоры́стный, неэгоисти́чный.

**unsettle** [ʌnˈsetl] *v* 1) наруша́ть распоря́док (*чего-л.*); выбива́ть из колеи́; 2) расстра́ивать (ся).

**unsettled** [ʌnˈsetld] 1. *p. p. от* unsettle; 2. *a* 1) неустро́енный; неустанови́вшийся; the weather is ~ пого́да не установи́-

лась; 2) нерешённый, неопределённый; 3) неоплаченный; 4) необитаемый; 5) *хим.* неотстоявшийся.

**unshackle** ['ʌn'ʃækl] *v* снимать кандалы; *перен.* освобождать.

**unshaded** ['ʌn'ʃeɪdɪd] *a* 1) не защищённый от солнца, без тени; 2) без теней, контурный, линейный (*о рисунке*).

**unshadowed** ['ʌn'ʃædoud] *a* безоблачный, ясный.

**unshakable** [ʌn'ʃeɪkəbl] *a* непоколебимый.

**unshaken** ['ʌn'ʃeɪkən] *a* непоколебленный, твёрдый.

**unshapely** ['ʌn'ʃeɪplɪ] *a* бесформенный, некрасивый.

**unshared** ['ʌn'ʃɛəd] *a* неразделённый (*о чувстве и т. п.*).

**unshaven** ['ʌn'ʃeɪvn] *a* небритый.

**unsheathe** ['ʌn'ʃiːð] *v* вынимать из ножен; to ~ the sword обнажить меч; *перен.* объявить войну.

**unshed** ['ʌn'ʃed] *a* непролитый; ~ tears невыплаканные слёзы.

**unsheltered** ['ʌn'ʃeltəd] *a* 1) неприкрытый, незащищённый; 2) не имеющий приюта, убежища; 3) *ком.*: ~ industries отрасли промышленности, не обеспеченные от конкуренции импорта.

**unshielded** ['ʌn'ʃiːldɪd] *a* незащищённый.

**unship** ['ʌn'ʃɪp] *v* 1) сгружать с корабля; 2) высаживать на берег; 3) убирать, снимать (*вёсла, руль*).

**unshod** ['ʌn'ʃɒd] 1. *past* и *p. p. om* unshoe;
2. *a* 1) неподкованный, раскованный; 2) необутый.

**unshoe** ['ʌn'ʃuː] *v* (unshod) 1) расковать; 2) снимать обувь (*с кого-л.*).

**unshorn** ['ʌn'ʃɔːn] *a* нестриженный; неподстриженный.

**unshrinkable** ['ʌn'ʃrɪŋkəbl] *a* не садящийся при стирке (*о материи*).

**unshrinking** [ʌn'ʃrɪŋkɪŋ] *a* непоколебимый, неустрашимый, твёрдый.

**unshutter** ['ʌn'ʃʌtə] *v* открывать, снимать ставни.

**unsighted** ['ʌn'saɪtɪd] *a* 1) не попавший в поле зрения; 2) не снабжённый прицелом; 3) без прицеливания.

**unsightly** [ʌn'saɪtlɪ] *a* неприглядный; вызывающий отвращение (своим видом); уродливый.

**unsigned** ['ʌn'saɪnd] *a* неподписанный.

**unsized** ['ʌn'saɪzd] *a* непроклеенный (*о бумаге*).

**unskilful** ['ʌn'skɪlfui] *a* 1) неумелый, неискусный; 2) неуклюжий, нескладный, неловкий.

**unskilled** ['ʌn'skɪld] *a* неквалифицированный; ~ labour a) неквалифицированный труд, чёрная работа; б) *собир.* неквалифицированные рабочие; ~ work неумелая работа.

**unsleeping** ['ʌn'sliːpɪŋ] *a* недремлющий, бдительный.

**unsnarl** ['ʌn'snɑːl] *v амер.* распутывать.

**unsociable** [ʌn'souʃəbl] *a* необщительный; сдержанный.

**unsocial** ['ʌn'souʃəl] *a* 1) необщительный; 2) антиобщественный.

**unsold** ['ʌn'sould] *a* непроданный, нераспроданный, залежавшийся (*о товаре*).

**unsolder** ['ʌn'sɔldə] *v* распаять.

**unsolved** ['ʌn'sɔlvd] *a* нерешённый (*о задаче, проблеме*).

**unsophisticated** ['ʌnsə'fɪstɪkeɪtɪd] *a* 1) простой, безыскусственный, естественный; 2) неопытный, простодушный; 3) невинный, чистый.

**unsought** ['ʌn'sɔːt] *a* непрошенный.

**unsound** ['ʌn'saund] *a* 1) нездоровый, больной; болезненный; of ~ mind сумасшедший, душевнобольной; 2) испорченный, гнилой; 3) необоснованный, ошибочный; ~ arguments необоснованные доводы; 4) ненадёжный; 5) неглубокий (*сон*); 6) дефектный.

**unsounded** ['ʌn'saundɪd] *a* неизмеренный (*о глубине*).

**unsown** ['ʌn'soun] *a* незасеянный.

**unsparing** [ʌn'spɛərɪŋ] *a* 1) расточительный, щедрый (of, in); 2) усердный, не щадящий сил; 3) беспощадный.

**unspeakable** [ʌn'spiːkəbl] *a* 1) невыразимый (словами); ~ joy невыразимая радость; 2) очень плохой; ~ manners отвратительные манеры.

**unspent** ['ʌn'spent] *a* 1) неистраченный; нерастраченный; 2) неутомлённый.

**unspoiled, unspoilt** ['ʌn'spɔɪlt] *a* неиспорченный.

**unspoken** ['ʌn'spoukən] *a* невысказанный, невыраженный.

**unsportsmanlike** ['ʌn'spɔːtsmənlaɪk] *a* 1) неспортивный, недостойный спортсмена; не соответствующий законам спорта; 2) непорядочный, нечестный.

**unspotted** ['ʌn'spɒtɪd] *a* незапятнанный, незапачканный.

**unsprung** ['ʌn'sprʌŋ] *a* не имеющий пружин, неподрессоренный.

**unstable** ['ʌn'steɪbl] *a* 1) нетвёрдый; неустойчивый; 2) колеблющийся, изменчивый; 3) *хим.* нестойкий (*о соединении*).

**unstained** ['ʌn'steɪnd] *a* незапятнанный.

**unstamped** ['ʌn'stæmpt] *a* 1) не оплаченный маркой; 2) нештемпелёванный, без штемпеля.

**unstarched** ['ʌn'stɑːtʃt] *a* 1) ненакрахмаленный; 2) податливый; 3) непринуждённый, естественный, без чопорности.

**unstatutable** ['ʌn'stætjutəbl] *a* не дозволенный статутом, уставом.

**unsteady** ['ʌn'stedɪ] *a* 1) неустойчивый, нетвёрдый; шаткий, колеблющийся; 2) непостоянный.

**unstick** ['ʌn'stɪk] *v* (unstuck) отклеивать, отдирать.

**unstirred** ['ʌn'stəːd] *a* невозмутимый.

**unstitch** ['ʌn'stɪtʃ] *v* распарывать (*шов*).

**unstop** ['ʌn'stɒp] *v* 1) освобождать от препятствий; 2) откупоривать.

**unstrained** ['ʌn'streɪnd] *a* 1) непринуждённый; 2) непроцеженный.

**unstrap** ['ʌn'stræp] *v* отстёгивать, развязывать (*ремень и т. п.*).

**unstressed** [ˈʌnˈstrest] *a* 1) безуда́рный (*звук, слог*); 2) ненапряжённый.

**unstring** [ˈʌnˈstrɪŋ] *v* (unstrung) 1) снять или осла́бить стру́ны (*муз. инструме́нта*) *или* тетиву́ (*лу́ка*); 2) распусти́ть (*бу́сы и т. п.*); 3) расша́тывать (*не́рвы*).

**unstrung** [ˈʌnˈstrʌŋ] 1. *past* и *p. p. от* unstring;
2. *a* расша́танный (*о не́рвах*).

**unstuck** [ˈʌnˈstʌk] *past* и *p. p. от* unstick.

**unstudied** [ˈʌnˈstʌdɪd] *a* есте́ственный, непринуждённый.

**unsubmissive** [ˈʌnsəbˈmɪsɪv] *a* непоко́рный, не жела́ющий подчиня́ться.

**unsubstantial** [ˈʌnsəbˈstænʃəl] *a* 1) несуще́ственный; 2) невесо́мый, бестеле́сный, невеще́ственный; 3) нереа́льный; 4) непро́чный; 5) непита́тельный; лёгкий (*о пи́ще*).

**unsuccessful** [ˈʌnsəkˈsesful] *a* несчастли́вый, неуда́чливый; неуда́чный.

**unsuitable** [ˈʌnˈsjuːtəbl] *a* неподходя́щий, неподоба́ющий.

**unsullied** [ˈʌnˈsʌlɪd] *a* незапя́тнанный (*о репута́ции и т. п.*).

**unsung** [ˈʌnˈsʌŋ] *a поэт.* 1) неспе́тый; 2) невоспе́тый.

**unsunned** [ˈʌnˈsʌnd] *a* не освещённый *или* не согре́тый со́лнцем.

**unsure** [ˈʌnˈʃuə] *a* 1) ненадёжный; 2) неопределённый.

**unsurpassable** [ˈʌnsəˈpɑːsəbl] *a* не могу́щий быть превзойдённым.

**unsurpassed** [ˈʌnsəˈpɑːst] *a* непревзойдённый.

**unsusceptible** [ˈʌnsəˈseptəbl] *a* 1) нечувстви́тельный (to); 2) не подве́рженный (*чему́-л.*; of).

**unsuspected** [ˈʌnsəsˈpektɪd] *a* 1) не вызыва́ющий *или* не вы́звавший подозре́ний; незаподо́зренный; 2) неожи́данный, непредви́денный; 3) неожи́данно оказа́вшийся (*кем-л., чем-л.*).

**unsuspecting** [ˈʌnsəsˈpektɪŋ] *a* не подозрева́ющий (of—о).

**unsuspicious** [ˈʌnsəsˈpɪʃəs] *a* 1) неподозрева́ющий; 2) не вызыва́ющий подозре́ний.

**unswathe** [ˈʌnˈsweɪð] *v* распелёнывать; разбинто́вывать.

**unswayed** [ˈʌnˈsweɪd] *a* 1) неуправля́емый; не подчиня́ющийся влия́нию; 2) непредубеждённый.

**unsworn** [ˈʌnˈswɔːn] *a* 1) не да́вший прися́ги; 2) не свя́занный кля́твой.

**unsympathetic** [ˈʌnˌsɪmpəˈθetɪk] *a* 1) несочу́вствующий; чёрствый; 2) несимпати́чный, неприя́тный.

**untack** [ˈʌnˈtæk] *v* отделя́ть; расцепля́ть, отцепля́ть.

**untamable** [ˈʌnˈteɪməbl] *a* не поддаю́щийся прируче́нию; неукроти́мый.

**untangle** [ˈʌnˈtæŋgl] *v* распу́тывать.

**untaught** [ˈʌnˈtɔːt] *a* 1) необу́ченный; неве́жественный; 2) прису́щий, есте́ственный.

**untenable** [ˈʌnˈtenəbl] *a* незащити́мый (*о кре́пости и т. п.*); неприго́дный для оборо́ны; 2) несостоя́тельный (*о мне́нии и т. п.*).

**untenantable** [ˈʌnˈtenəntəbl] *a* него́дный для жилья́; нежило́й.

**unthankful** [ˈʌnˈθæŋkful] *a* неблагода́рный.

**unthinkable** [ʌnˈθɪŋkəbl] *a* 1) невообрази́мый; немы́слимый; 2) *разг.* неправдоподо́бный; невероя́тный.

**unthinking** [ˈʌnˈθɪŋkɪŋ] *a* опроме́тчивый; легкомы́сленный.

**unthread** [ˈʌnˈθred] *v* 1) вы́нуть ни́тку (*из иго́лки*); 2) *перен.* вы́браться из лаби́ринта; распу́тать (*та́йну*).

**unthrifty** [ˈʌnˈθrɪftɪ] *a* небережли́вый, расточи́тельный.

**unthrone** [ˈʌnˈθroun] *v* све́ргнуть с престо́ла.

**untidiness** [ʌnˈtaɪdɪnɪs] *n* неопря́тность, неаккура́тность; беспоря́док.

**untidy** [ʌnˈtaɪdɪ] *a* неопря́тный, неаккура́тный; в беспоря́дке (*о ко́мнате*).

**untie** [ˈʌnˈtaɪ] *v* 1) развя́зывать; 2) освобожда́ть.

**untied** [ˈʌnˈtaɪd] 1. *p. p. от* untie;
2. *a* несвя́занный; развя́занный.

**untight** [ˈʌnˈtaɪt] *a* непло́тный; негермети́ческий.

**until** [ənˈtɪl] = till I.

**untile** [ˈʌnˈtaɪl] *v* снима́ть черепи́цу.

**untimely** [ʌnˈtaɪmlɪ] 1. *a* 1) безвре́менный; преждевре́менный; 2) несвоевре́менный; неуме́стный;
2. *adv* 1) безвре́менно; преждевре́менно; 2) несвоевре́менно; неуме́стно.

**unto** [ˈʌntu] *поэт.* см. to I.

**untold** [ˈʌnˈtould] *a* 1) нерасска́занный; he left the secret ~ он не рассказа́л секре́та, он не раскры́л та́йны; 2) несосчи́танный; бессчётный; ~ wealth несме́тные бога́тства.

**untouchable** [ʌnˈtʌtʃəbl] 1. *a* 1) неприкоснове́нный; 2) неподку́пный (*о полити́ческом де́ятеле*);
2. *n* оди́н из ка́сты неприкаса́емых (*в Инди́и*); the ~s ка́ста неприкаса́емых.

**untoward** [ʌnˈtouəd] *a* 1) неблагоприя́тный, неуда́чный; несча́стный; 2) *уст.* непоко́рный, своенра́вный.

**untrained** [ˈʌnˈtreɪnd] *a* необу́ченный; неподгото́вленный.

**untrammelled** [ʌnˈtræməld] *a* беспрепя́тственный; ~ right неоспори́мое пра́во.

**untransferable** [ˈʌntrænsˈfərəbl] *a* не могу́щий быть пе́реданным, без пра́ва переда́чи.

**untranslatable** [ˈʌntrænsˈleɪtəbl] *a* непереводи́мый.

**untried** [ˈʌnˈtraɪd] *a* 1) непрове́ренный, неиспы́танный; 2) не разбира́вшийся в суде́.

**untrodden** [ˈʌnˈtrɔdn] *a* непрото́птанный, неисхо́женный; забро́шенный, пусты́нный.

**untrue** [ˈʌnˈtruː] *a* 1) неве́рный (*кому́-л.*: to); 2) ло́жный; непра́вильный; 3) несоотве́тствующий; ~ to type не соотве́тствующий образцу́, ти́пу.

**untrustworthy** [ˈʌnˈtrʌst,wəːðɪ] *a* ненадёжный.

**untruth** [ˈʌnˈtruːθ] *n* 1) непра́вда, ложь; to tell an ~ солга́ть; 2) *уст.* неве́рность.

**untuck** [ˈʌnˈtʌk] *v* 1) распуска́ть (*скла́дки*); 2) спуска́ть (*рукава́, подо́л*).

untune ['ʌn'tjuːn] v расстраивать (*муз. инструмент*).

unturned ['ʌn'təːnd] a неперевёрнутый, оставленный на месте; ◇ to leave no stone ~ приложить все старания, испробовать всевозможные средства.

untutored ['ʌn'tjuːtəd] a 1) необученный; грубый, невоспитанный; 2) наивный, простодушный, неискушённый.

untwine ['ʌn'twaɪn] v 1) распутывать(ся); расплетать(ся); 2) отделять(ся).

untwist ['ʌn'twɪst] v раскручивать(ся); расплетать(ся); рассучивать(ся).

unusable ['ʌn'juːzəbl] a неподходящий, непригодный, не могущий быть использованным.

unused a 1) ['ʌn'juːst] непривыкший (to- к *чему-л.*); 2) ['ʌn'juːzd] неиспользованный; неиспользуемый.

unusual [ʌn'juːʒuəl] a 1) необыкновенный; необычный, странный; редкий; 2) замечательный.

unutilized [ʌn'juːtɪlaɪzd] a неиспользованный.

unutterable [ʌn'ʌtərəbl] a 1) непроизносимый; 2) невыразимый; ужасный.

unvalued ['ʌn'væljuːd] a 1) неценимый; 2) *уст.* неоценимый.

unvarnished a 1) ['ʌn'vɑːnɪʃt] нелакированный; 2) [ʌn'vɑːnɪʃt] неприкрашенный; ~ truth голая правда.

unveil [ʌn'veɪl] v 1) снимать покрывало (с *чего-л.*); раскрывать; *перен.* открывать своё лицо; 2) торжественно открывать (*памятник*); 3) открывать (*тайну, планы и т. п.*).

unversed ['ʌn'vəːst] a несведущий, неопытный, неискусный (in—в *чём-л.*).

unvoice ['ʌn'vɔɪs] v *фон.* оглушать.

unvoiced ['ʌn'vɔɪst] a 1) непроизнесённый; 2) *фон.* глухой.

unvote ['ʌn'vout] v отменять повторным голосованием.

unwanted ['ʌn'wɔntɪd] a нежеланный, нежелательный, ненужный, лишний.

unwarned ['ʌn'wɔːnd] a непредупреждённый.

unwarrantable [ʌn'wɔrəntəbl] a недопустимый, ничем не оправданный.

unwarranted ['ʌn'wɔrəntɪd] a негарантированный.

unwary [ʌn'wɛərɪ] a неосторожный, опрометчивый.

unwashed ['ʌn'wɔʃt] a немытый; нестиранный.

unwavering [ʌn'weɪvərɪŋ] a недрогнувший.

unwearied [ʌn'wɪərɪd] = unwearying.

unwearying [ʌn'wɪərɪŋ] a неутомимый; настойчивый.

unweave ['ʌn'wiːv] v (unwove; unwoven) распускать (*ткань*), разоткать; расплетать.

unwed ['ʌn'wed] a невенчанный; холостой.

unwelcome [ʌn'welkəm] a 1) нежеланный, нежелательный; неприятный; 2) непрошенный.

unwell ['ʌn'wel] a нездоров(ый).

unwept ['ʌn'wept] a *поэт.* неоплаканный.

unwholesome ['ʌn'houlsəm] a нездоровый, неполезный, вредный.

unwieldy [ʌn'wiːldɪ] a громоздкий, неуклюжий.

unwilled ['ʌn'wild] a 1) безвольный; 2) неумышленный, ненамеренный.

unwilling ['ʌn'wɪlɪŋ] a несклонный, нерасположенный.

unwillingly [ʌn'wɪlɪŋlɪ] adv неохотно, против желания.

unwind ['ʌn'waɪnd] v (unwound) 1) разматывать(ся); развёртывать; травить (*с помощью лебёдки*); 2) развивать(ся) (*о сюжете*).

unwinking ['ʌn'wɪŋkɪŋ] a 1) немигающий; 2) бдительный.

unwisdom ['ʌn'wɪzdəm] n глупость, неблагоразумие.

unwise ['ʌn'waɪz] a не(благо)разумный.

unwished [ʌn'wɪʃt] a нежеланный (for).

unwitnessed ['ʌn'wɪtnɪst] a 1) незамеченный; 2) не подтверждённый *или* не подписанный свидетелем.

unwitting [ʌn'wɪtɪŋ] a невольный, непреднамеренный, непроизвольный; нечаянный.

unwittingly [ʌn'wɪtɪŋlɪ] adv невольно, непреднамеренно, непроизвольно, нечаянно.

unwonted [ʌn'wountɪd] a непривычный, необычный; редкий.

unworkable ['ʌn'wəkəbl] a неприменимый, негодный для работы.

unworkmanlike ['ʌn'wəkmənlaɪk] a сделанный по-любительски, любительский.

unworldly ['ʌn'wəːldlɪ] a 1) не от мира сего; 2) духовный; несветский.

unworn ['ʌn'wɔn] a неношеный; непоношенный.

unworthy [ʌn'wəːðɪ] a недостойный (*чего-л.*; of).

unwound ['ʌn'waund] past *и* p. p. *от* unwind.

unwove ['ʌn'wouv] past *от* unweave.

unwoven ['ʌn'wouvən] p. p. *от* unweave.

unwrap ['ʌn'ræp] v развёртывать(ся).

unwritten ['ʌn'rɪtn] a 1) неписаный; ~ law неписаный закон; *юр.* обычное право; 2) незаписанный, ненаписанный; 3) чистый (*о странице*).

unyielding [ʌn'jiːldɪŋ] a твёрдый, упорный; неподатливый, несгибаемый.

unyoke ['ʌn'jouk] v 1) снимать ярмо (с *кого-л.*); освобождать от ига; 2) кончать работу.

unyoked ['ʌn'joukt] 1. p. p. *от* unyoke; 2. a не запряжённый в ярмо,

up [ʌp] 1. adv 1) *указывает на нахождение наверху или на более высокое положение* наверху; выше; high up in the air высоко в небе *или* в воздухе; she lives three floors up она живёт тремя этажами выше; 2) *указывает на подъём* наверх, вверх; he went up он пошёл наверх; up and down вверх и вниз; взад и вперёд; [*см. тж.* up and down]; hands up! руки вверх!; 3) *указывает на увеличение, повышение в цене, в чине, в значении и т. п.* выше; the corn is up хлеб подорожал; age 12 up от

12 лет и ста́рше; 4) *указывает на приближение*: a boy came up подошёл ма́льчик; 5) *указывает на близость или сходство*: he is up to his father as a scientist как учёный он не уступа́ет своему́ отцу́; 6) *указывает на переход из горизонтального положения в вертикальное или от состояния покоя к деятельности*: he is up он встал; he was up all night он не спал, был на нога́х всю ночь; 7) *указывает на истечение срока, завершение или результат действия*: Parliament is up се́ссия парла́мента закры́лась; it is all up with him с ним всё поко́нчено; the house burned up дом сгоре́л дотла́; to eat up съесть; to save up скопи́ть; 8) *указывает на совершение действия*: something is up что́-то происхо́дит; что́-то затева́ется; what's up? в чём де́ло?, что случи́лось?; 9) *спорт.* впереди́; he is two points up он на два очка́ впереди́ своего́ проти́вника; ☐ up in а) све́дущий; she is well up in history она́ сильна́ в исто́рии; б) гото́вый; up in arms а) гото́вый к бою, к борьбе́, к сопротивле́нию; β) охва́ченный восста́нием; up to а) *указывает на пригодность, соответствие*: he is not up to this job он не годи́тся для э́той рабо́ты; up to the mark на до́лжной высоте́; в хоро́шем состоя́нии; he is up to a thing or two зна́ний *или* уме́ния ему́ не занима́ть стать; to act up to one's promise поступа́ть согла́сно обеща́нию; исполня́ть обеща́ние; б) *указывает на временной предел*: up to the middle of January до середи́ны января́; в): it's up to you (him *etc.*) to decide (to act *etc.*) реша́ть (действовать *и т. п.*) предстои́т вам (ему́ *и т. п.*); up with..! да здра́вствует..!; ◇ up against smth. лицо́м к лицу́ с чем-л.; to be up and about быть на нога́х, встать, попра́виться по́сле боле́зни; up hill and down dale а) по гора́м, по дола́м; б) не разбира́я доро́ги, куда́ глаза́ глядя́т; в) сломя́ го́лову; to curse up hill and down dale руга́ть на чём свет стои́т; up on one's toes *амер.* жизнера́достный, де́ятельный; в возбужденном состоя́нии;

2. *prep* 1) вверх по, по направле́нию к (исто́чнику); up the river вверх по реке́; up the hill в го́ру; up the steps вверх по ле́стнице; to climb up a tree взобра́ться на де́рево; 2) вдоль по; вглубь; up the street по у́лице; to travel up (the) country е́хать в глубь страны́; 3) про́тив (*течения, ветра и т. п.*); ~ the wind про́тив ве́тра; to row up the stream грести́ про́тив тече́ния;

3. *a* 1) иду́щий, поднима́ющийся вверх; 2) повыша́ющийся; 3) направля́ющийся в кру́пный центр *или* на се́вер (*особ. о поезде*); up train по́езд, иду́щий в Ло́ндон *или* большо́й го́род; 4) шипу́чий (*о напитках*);

4. *n* 1) подъём; ups and downs подъёмы и паде́ния *или* превра́тности судьбы́; 2) успе́х; 3) вздорожа́ние; 4) по́езд, авто́бус *и т. п.*, иду́щий в Ло́ндон, в большо́й го́род *или* на се́вер;

5. *v разг.* 1) поднима́ть; повыша́ть (*цены*); 2) встава́ть.

**up-** [ʌp-] *pref* 1) *в значении* вверх, кве́рху *прибавляется к существительным, обра*зу́я *разные части речи*: up-grade подъём; upland гори́стый; upstairs наве́рх; 2) *прибавляется к глаголам и отглагольным существительным, образуя существительные со значением* рост, подъём, измене́ние состоя́ния *и т. п.*: upheaval сдвиг; переворо́т; upswing улучше́ние; 3) *прибавляется к глаголам, образуя новые глаголы, указывающие на полноту действия*: to uproot вырыва́ть с ко́рнем, выкорчёвывать; to upset опроки́дывать; to upturn переве́ртывать.

**up-and-coming** [ʹʌpəndʹkʌmɪŋ] *a амер.* 1) напо́ристый, предприи́мчивый; 2) осторо́жный, осмотри́тельный; 3) са́мый но́вый, нове́йший; 4) подаю́щий наде́жды, многообеща́ющий.

**up-and-doing** [ʹʌpəndʹduɪŋ] *a* энерги́чный, предприи́мчивый.

**up and down** [ʹʌpənʹdaun] *adv* 1) пря́мо, откры́то; 2) там и сям; [*см. тж.* up I, 2)].

**up-and-down** [ʹʌpənʹdaun] *a* 1) холми́стый; 2) дви́гающийся в обо́их направле́ниях; 3) *амер.* прямо́й, открове́нный.

**upas** [ʹjuːpəs] *n* 1) анча́р; 2) па́губное влия́ние.

**upas-tree** [ʹjuːpəstriː] = upas 1).

**upbear** [ʌpʹbɛə] *v* (upbore; upborne) подде́рживать.

**up-beat** [ʹʌpbiːt] *n муз.* неуда́рный звук в та́кте.

**upbore** [ʌpʹbɔː] *past от* upbear.

**upborne** [ʌpʹbɔːn] *p. p. от* upbear.

**upbraid** [ʌpʹbreɪd] *v* брани́ть, укоря́ть (with, for—за *что-л.*).

**upbringing** [ʹʌpˏbrɪŋɪŋ] *n* воспита́ние.

**upbuild** [ʌpʹbɪld] *v* вы́строить, постро́ить.

**upbuilding** [ʌpʹbɪldɪŋ] 1. *pres. p. от* upbuild;

2. *n* построе́ние; ~ of communism построе́ние коммуни́зма.

**upcast** [ʹʌpkɑːst] 1. *n* 1) *геол.* взброс; 2) *горн.* вентиляцио́нная ша́хта;

2. *a* восходя́щий.

**upchuck** [ʌpʹtʃʌk] *v разг.* рвать, вырыва́ть, страда́ть рво́той.

**up country** [ʌpʹkʌntrɪ] *adv разг.* внутри́ страны́; внутрь страны́.

**up-country** [ʹʌpʹkʌntrɪ] 1. *n* вну́тренние райо́ны страны́;

2. *a* располо́женный внутри́ страны́; вну́тренний.

**up-date** [ʌpʹdeɪt] *v* 1) модернизи́ровать; 2) сообща́ть после́дние но́вости, держа́ть в ку́рсе де́ла!

**updo** [ʹʌpduː] *n* причёска, при кото́рой во́лосы зачёсываются наве́рх.

**up-grade** [ʹʌpʹgreɪd] 1. *n* подъём;

2. *v* 1) переводи́ть на рабо́ту, тре́бующую бо́лее высо́кой квалифика́ции; 2) продава́ть проду́кты ни́зших сорто́в по цене́ вы́сших сорто́в.

**upgrowth** [ʹʌpɡrouθ] *n* 1) рост, разви́тие; 2) расте́ние, тя́нущееся вверх.

**upheaval** [ʌpʹhiːvəl] *n* 1) сдвиг; 2) переворо́т; 3) *геол.* смеще́ние пласто́в.

**upheave** [ʌpʹhiːv] *v* (upheaved [-d], uphove) поднима́ть (ся).

**upheld** [ʌpˈheld] *past и p. p. от* uphold.
**uphill** [ˈʌpˈhil] 1. *adv* в гору;
2. *a* 1) идущий в гору; 2) *перен.* тяжёлый, трудный.
**uphold** [ʌpˈhould] *v* (upheld) 1) поддерживать, защищать; поощрять; to ~ the view придерживаться взгляда; 2) утверждать, подтверждать (*решение и т. п.*).
**upholder** [ʌpˈhouldə] *n* сторонник.
**upholster** [ʌpˈhoulstə] *v* 1) вешать (*портьеры, ковры и т. п.*); 2) обивать (*мебель*; with, in—*чем-л.*).
**upholsterer** [ʌpˈhoulstərə] *n* обойщик; драпировщик.
**upholstery** [ʌpˈhoulstəri] *n* 1) ремесло обойщика *или* драпировщика; обойное дело; 2) обивочный материал, обивка.
**uphove** [ʌpˈhouv] *past и p. p. от* upheave.
**upkeep** [ˈʌpkiːp] *n* 1) содержание; ремонт; 2) стоимость содержания.
**upland** [ˈʌplənd] 1. *n* (*обыкн. pl*) нагорная страна; гористая часть страны;
2. *a* 1) нагорный; 2) отдалённый; лежащий внутри страны.
**uplift** 1. *n* [ˈʌplift] 1) *геол.* взброс; 2) *амер.* духовный подъём;
2. *a* [ˈʌplift] *амер.* возвышенный, приподнятый;
3. *v* [ʌpˈlift] поднимать, возвышать.
**upon** [əˈpɔn] (*полная форма*), əpɔn (*редуцированная форма*)] = on 1; ◇ ~ my Sam *sl.* честное слово.
**upper** [ˈʌpə] 1. *a* 1) верхний; высший; the U. House верхняя палата; the ~ servants старшая прислуга (*дворецкий и т. п.*); ~ storey а) верхний этаж; б) *разг.* «башка», «чердак»; the ~ ten (thousand) верхушка общества; ~ crust а) верхняя корка (*буханки*); б) верхушка общества, аристократия; в) *разг.* голова; шляпа; 2) *горн.* восстающий (*о шпуре*);
2. *n* 1) передок ботинка; 2) *pl* гетры; гамаши; 3) *разг.* верхняя полка (*в вагоне*); 4) верхний зуб; 5) *горн.* восстающий шпур; ◇ to be (down) on one's ~s а) ходить в стоптанных башмаках; б) быть без гроша; быть в безвыходном положении; дойти до точки.
**upper-cut** [ˈʌpəkʌt] *n* апперкот, удар снизу (*в боксе*).
**uppermost** [ˈʌpəmoust] 1. *a* самый верхний; высший;
2. *adv* 1) наверху; 2) прежде всего; I said whatever came ~ я сказал первое, что взбрело на ум.
**upper works** [ˈʌpəˈwəːks] *n pl* надводная часть корабля.
**uppish** [ˈʌpiʃ] *a* чванный, спесивый; наглый.
**uppity** [ˈʌpiti] *n амер.* чванство, спесь; наглость.
**upraise** [ʌpˈreiz] *v* поднимать, воздевать; возвышать.
**upright** 1. *n* [ˈʌprait] 1) подпорка; колонна; стойка; 2) *сокр. от* upright piano;
2. *a* [ʌpˈrait] 1) [ˈʌprait] вертикальный, прямой, отвесный; 2) [ˈʌprait] честный;
3. *adv* [ʌpˈrait] 1) прямо, вертикально, стойком; 2) прямо, честно.

**upright piano** [ˈʌpraitˈpjænou] *n* пианино.
**uprise** [ʌpˈraiz] 1. *n* 1) восход; 2) появление; 3) подъём; 4) = uprising 2;
2. *v* (uprose; uprisen) *поэт.* 1) восставать; 2) подниматься.
**uprisen** [ʌpˈrizn] *p. p. от* uprise 2.
**uprising** [ʌpˈraiziŋ] 1. *pres. p. от* uprise 2;
2. *n* 1) восстание; 2) возникновение; 3) вставание с постели; 4) подъём.
**uproar** [ˈʌprɔː] *n* 1) шум, гам, волнение; 2) взрыв (*смеха*).
**uproarious** [ʌpˈrɔːriəs] *a* шумный, буйный.
**uproot** [ʌpˈruːt] *v* вырывать с корнем; искоренять.
**uprose** [ʌpˈrouz] *past от* uprise.
**upsaddle** [ˈʌpˈsædl] *v южно-афр.* седлать.
**upscuddle** [ˈʌpˌskʌdl] *n амер. диал.* ссора.
**upset** [ʌpˈset] 1. *v* (upset) 1) опрокидывать(ся); 2) расстраивать, нарушать (*порядок и т. п.*); to ~ smb.'s plans расстраивать чьи-л. планы; 3) расстраивать, огорчать, выводить из душевного равновесия; I am ~ я расстроен; 4) нарушать пищеварение; 5) *тех.* расковывать; осаживать;
2. *n* 1) беспорядок, расстройство; 2) ссора; 3) опрокидывание; 4) *тех.* высадка, высаженное изделие;
3. *a*: ~ price низшая отправная цена (*на аукционе*).
**upshot** [ˈʌpʃɔt] *n* 1) развязка, заключение; результат; 2) наиболее существенная часть.
**upside** [ˈʌpsaid] *n* верхняя сторона *или* часть.
**upside-down** [ˈʌpsaidˈdaun] 1. *a* перевёрнутый вверх дном;
2. *adv* вверх дном, в беспорядке.
**upsitting** [ʌpˈsitiŋ] *n уст.* 1) поднимание; 2) *шотл.* безразличие.
**upstage** [ˈʌpˈsteidʒ] 1. *a* 1) относящийся к задней части сцены; 2) *разг.* отсталый; 3) *разг.* робкий; 4) *разг.* чопорный;
2. *adv* в глубине сцены;
3. *v разг.* обходиться высокомерно.
**upstair** [ˈʌpsteə] = upstairs 1, 1) *и* 3.
**upstairs** 1. *adv* [ˈʌpˈsteəz] 1) вверх (по лестнице), наверх; наверху, в верхнем этаже; 2) *ав.* на большой высоте; в воздухе;
2. *n* [ˈʌpsteəz] 1) верхняя часть здания; 2) проживающий в верхнем этаже;
3. *a* [ˈʌpsteəz] находящийся в верхнем этаже, наверху.
**upstander** [ʌpˈstændə] *n диал.* приходский священник.
**upstanding** [ʌpˈstændiŋ] *a* 1) стоячий; стоящий; прямой; вертикальный; 2) честный и прямой.
**upstart** 1. *n* [ˈʌpstaːt] выскочка;
2. *v* [ʌpˈstaːt] 1) вскочить; 2) заставить вскочить, спугнуть.
**upstate** [ˈʌpˈsteit] *n амер.* северная часть штата.
**up-stream** [ˈʌpˈstriːm] 1. *adv* против течения; вверх по течению;
2. *a* плывущий против течения; расположенный вверх по течению.

**upstroke** ['ʌpstrouk] *n* 1) черта, направленная вверх (*в письме, в рукописи*); 2) *тех.* движение (поршня *и т. п.*) вверх.

**upsurge** [ʌp'sə:dʒ] 1. *n* рост, повышение, подъём;
2. *v* подниматься, повышаться.

**upsweep** ['ʌp'swiːp] 1. *n* = updo;
2. *v* зачёсывать, убирать наверх (*волосы*).

**upswing** ['ʌpswɪŋ] *амер.* 1. *n* подъём; улучшение;
2. *v* подниматься; улучшаться.

**uptake** ['ʌpteɪk] *n* 1) поднятие; 2) понимание; to be quick (slow) in the ~ быстро (медленно) уяснить себе положение; быстро (медленно) соображать; 3) *тех.* восходящий дымоход, вертикальный канал.

**upthrow** ['ʌpθrou] *n* 1) бросок вверх; 2) = upheaval 3).

**up-to-date** ['ʌptə'deɪt] *a* современный; стоящий на высоте современных требований; новейший.

**uptown** ['ʌp'taun] 1. *n* верхняя часть города, кварталы, отдалённые от центра; *амер.* жилые кварталы города;
2. *a* расположенный *или* находящийся в верхней части города;
3. *adv* в верхней части города.

**upturn** [ʌp'tə:n] 1. *n* подъём; рост (*цен и т. п.*); улучшение (*условий и т. п.*);
2. *v* перевёртывать.

**upward** ['ʌpwəd] 1. *a* направленный *или* движущийся вверх;
2. *adv* = upwards.

**upwards** ['ʌpwədz] *adv* 1) вверх; to follow the river ~ идти вверх по реке; 2) больше; старше, выше; children of five years and ~ дети пяти лет и старше; □ ~ of свыше.

**uraemia** [juə'riːmjə] *n мед.* уремия.

**Ural-Altaic** ['juərəlæl'teɪɪk] 1. *a* урало-алтайский;
2. *n* урало-алтайская группа языков.

**uranium** [juə'reɪnjəm] *n хим.* 1) уран; 2) *attr.* урановый; ~ pile урановый реактор.

**Uranus** ['juərənəs] *n миф., астр.* Уран.

**urban** ['ə:bən] *a* городской; ~ population городское население.

**urbane** [ə:'beɪn] *a* вежливый; с изысканными манерами.

**urbanity** [ə:'bænɪtɪ] *n* вежливость; изысканность.

**urbanize** ['ə:bənaɪz] *v* 1) делать вежливым; делать более изысканным; 2) превращать в город (*посёлок и т. п.*).

**urchin** ['ə:tʃɪn] *n* 1) мальчишка, пострел; 2) ёж; 3) *уст.* домовой.

**Urdu** [ə:'duː] *n* язык урду.

**urea** ['juərɪə] *n хим.* мочевина.

**ureter** [ju'riːtə] *n анат.* мочеточник.

**urethra** [juə'riːθrə] *n* мочеиспускательный канал.

**urge** [ə:dʒ] 1. *n* толчок, побуждение;
2. *v* 1) понуждать, подгонять (*тж.* ~ on); 2) побуждать, подстрекать; 3) убеждать, настаивать на; to ~ smth. upon smb. убеждать кого-л. в чём-л.; 4) надоедать, твердить одно и то же.

**urgency** ['ə:dʒənsɪ] *n* 1) настоятельность, безотлагательность; a matter of great ~

срочное дело; 2) настойчивость; назойливость.

**urgent** ['ə:dʒənt] *a* 1) срочный, настоятельный; 2) крайне необходимый; to be in ~ need of smth. крайне нуждаться в чём-л.; 3) настойчивый, упорный; назойливый.

**uric** ['juərɪk] *a* мочевой.

**urinal** ['juərɪnl] *n* 1) писсуар; 2) урильник.

**urinary** ['juərɪnərɪ] *a* мочевой.

**urinate** ['juərɪneɪt] *v* мочиться.

**urination** [,juərɪ'neɪʃən] *n* мочеиспускание.

**urine** ['juərɪn] *n* моча.

**urinology** [,juərɪ'nɔlədʒɪ] = urology.

**urn** [ə:n] *n* 1) урна; 2) спиртовой кофейник, чайник *и т. п.*

**urology** [juə'rɔlədʒɪ] *n* урология.

**Ursa** ['ə:sə] *n*: ~ Major (Minor) *астр.* Большая (Малая) Медведица.

**ursine** ['ə:saɪn] *a* медвежий.

**Uruguayan** [,uru'gwaɪən] 1. *a* уругвайский;
2. *n* житель Уругвая.

**us** [ʌs (*полная форма*); əs (*редуцированная форма*)] *pron. pers. косв. п. от* we.

**usable** ['juːzəbl] *a* 1) годный к употреблению; 2) удобный, практичный.

**usage** ['juːzɪdʒ] *n* 1) употребление; 2) обхождение, обращение; harsh ~ грубое обращение; 3) обычай, обыкновение.

**usance** ['juːzəns] *n* установленный торговым обычаем срок платежа по иностранным векселям.

**use** 1. *n* [juːs] 1) употребление; применение; in ~ в употреблении; in daily ~ в частом употреблении; в обиходе; to be out of ~, to fall out of ~ выйти из употребления; 2) (ис)пользование; способность *или* право пользования (*чем-л.*); to have the ~ of smth. пользоваться чем-л.; he put the ~ of his house at my disposal он предложил мне пользоваться своим домом; to lose the ~ of smth. потерять способность пользоваться чем-л.; he lost the ~ of his eyes он ослеп; to make ~ of, to put to ~ использовать, воспользоваться; 3) польза; толк; to be of (no) ~ быть (бес)полезным; is there any ~? стоит ли?; to have no ~ for *разг.* а) не нуждаться в; не использовать; б). презирать, не видеть достоинств в; 4) обыкновение, привычка; ~ and wont обычная практика; 5) ритуал церкви, епархии; 6) *тех.* заготовка, болванка; 7) *юр.* управление имуществом по доверенности; доход от управления имуществом по доверенности;

2. *v* [juːz] 1) употреблять, (вос)пользоваться, применять; to ~ one's brains (*или* one's wits) «шевелить мозгами»; may I ~ your name? могу я на вас сослаться?; 2) использовать, израсходовать; they use 10 tons of coal a month они расходуют 10 тонн угля в месяц; 3) обращаться, обходиться (*с кем-л.*); to ~ smb. like a dog третировать кого-л.; 4) (*тк. past* [*обыкн.* juːst]): I ~d to see him often я часто его встречал; it ~d to be said (бывало) говорили; there ~d to be a house here раньше

здесь стоя́л дом; ☐ ~ up a) израсхо́довать, испо́льзовать; б) истоща́ть; to feel ~d up чу́вствовать себя́ соверше́нно изнурённым.

**used 1.** [ju:zd] *p. p. om* use 2;

**2.** *a* 1) [ju:st] привы́кший; you'll soon get ~ to it вы ско́ро привы́кнете к э́тому; 2) [ju:zd] *амер.* поде́ржанный, ста́рый; 3) [ju:zd] *тех.* отрабо́танный, отрабо́тавший.

**useful** ['ju:sful] *a* 1) поле́зный, приго́д-ный; ~ effect *тех.* поле́зное де́йствие, отда́ча; 2) *sl.* спосо́бный; успе́шный; весь-ма́ похва́льный.

**useless** ['ju:slɪs] *a* 1) бесполе́зный; ни-куда́ не го́дный; 2) *разг.* нездоро́вый, в плохо́м настрое́нии; to feel ~ отврати́тельно чу́вствовать себя́.

**user** ['ju:zə] *n* 1) потреби́тель; 2) употре-бля́ющий (*что-л.*); 3) *юр.* пра́во по́льзо-вания; пра́во да́вности.

**usher** ['ʌʃə] 1. *n* 1) швейца́р; 2) капель-ди́нер; билетёр; 3) при́став (*в суде*); 4) церемонийме́йстер; 5) *амер.* ша́фер, по-ка́зывающий гостя́м их места́ в це́ркви во вре́мя венча́ния; 6) *пренебр.* мла́дший учи-тель;

**2.** *v* 1) проводи́ть; вводи́ть (in); 2) объяв-ля́ть, возвеща́ть (*приход, наступление; тж.* ~ in).

**usherette** [ˌʌʃə'ret] *n* капельди́нерша; билетёрша.

**usquebaugh** ['ʌskwɪbɔː] *n* 1) шотла́ндская или ирла́ндская разнови́дность ви́ски; 2) ирла́ндский напи́ток из коньяка́ с пря́но-стями.

**usual** ['ju:ʒuəl] 1. *a* обыкнове́нный, обы́ч-ный; as ~ как обы́чно; the ~ thing то, что обы́чно при́нято (*говорить, делать*);

**2.** *n* (the ~ ) =, the ~ thing [*см.* 1].

**usually** ['ju:ʒuəlɪ] *adv* обы́чно, обыкно-ве́нно.

**usufruct** ['ju:sjufrʌkt] *лат. n юр.* узу-фру́кт (*право пользования чужой собствен-ностью без причинения ущерба*).

**usufructuary** [ˌju:sju'frʌktjuərɪ] 1. *a* от-нося́щийся к узуфру́кту [*см.* usufruct];

**2.** *n* челове́к, по́льзующийся узуфру́ктом.

**usurer** ['ju:ʒərə] *n* ростовщи́к.

**usurious** [ju:'zjuərɪəs] *a* ростовщи́ческий.

**usurp** [ju:'zə:p] *v* узурпи́ровать, незако́н-но захва́тывать.

**usurpation** [ˌju:zə:'peɪʃən] *n* узурпа́ция, незако́нный захва́т.

**usurper** [ju:'zə:pə] *n* узурпа́тор, захва́тчик.

**usury** ['ju:ʒurɪ] *n* 1) ростовщи́чество; лихои́мство; 2) ростовщи́ческий проце́нт; 3): with ~ с лихво́й.

**utensil** [ju:'tensɪl] *n* посу́да, у́тварь; при-надле́жность; kitchen ~s ку́хонная посу́да; writing ~s пи́сьменные принадле́жности.

**uteri** ['ju:tərai] *pl om* uterus.

**uterine** ['ju:tərain] *a* утро́бный; ~ broth-er единоутро́бный брат.

**uterus** ['ju:tərəs] *n* (*pl* -ri) 1) *анат.* ма́т-ка; 2) утро́ба; чре́во.

**utilitarian** [ˌju:tɪlɪ'teəriən] 1. *a* утили-та́рный;

**2.** *n* (U.) утилитари́ст.

**utilitarianism** [ˌju:tɪlɪ'teəriənɪzəm] *n* *филос.* утилитари́зм.

**utility** [ju:'tɪlɪtɪ] *n* 1) поле́зность; вы́-годность; of no ~ бесполе́зный; 2) *pl* (*тж.* public utilities) коммуна́льные сооруже́-ния, предприя́тия; коммуна́льные услу́ги; 3) *pl амер.* зда́ния, устано́вки; 4) *pl* а́кции предприя́тий обще́ственного по́льзования; 5) *attr.* утилита́рный; 6) *attr.* свя́занный с коммуна́льными услу́гами; ~ magnate *амер.* кру́пный коммерса́нт, капита́л ко-то́рого вло́жен в предприя́тия обще́ствен-ного по́льзования; 7) *attr.* практи́чный, просто́й (*о товарах*).

**utility-man** [ju:'tɪlɪtɪmæn] *n* 1) *театр. sl.* актёр на выходны́х роля́х; 2) ма́стер на все ру́ки.

**utilization** [ˌju:tɪlai'zeɪʃən] *n* испо́льзо-вание, утилиза́ция.

**utilize** ['ju:tɪlaiz] *v* испо́льзовать, утили-зи́ровать.

**utmost** ['ʌtmoust] 1. *a* 1) са́мый отда-лённый; 2) кра́йний, преде́льный; вели-ча́йший; ~ secrecy глубо́кая та́йна; with the ~ pleasure с превели́ким удово́льствием;

**2.** *n* са́мое большо́е, всё возмо́жное; to do one's ~ сде́лать всё возмо́жное.

**Utopia** [ju:'toupjə] *n* уто́пия.

**Utopian** [ju:'toupjən] 1. *a* утопи́ческий;

**2.** *n* утопи́ст.

**utricle** ['ju:trɪkl] *n* *биол.* мешо́чек.

**utter** I ['ʌtə] *v* 1) издава́ть (*звук*); про-износи́ть; 2) выража́ть слова́ми; to ~ a lie солга́ть; 3) пуска́ть в обраще́ние (*особ. фальшивые деньги*); 4) *уст.* раскрыва́ть (*тайну и т. п.*).

**utter** II ['ʌtə] *a* (*превосх. ст.* uttermost) 1) по́лный, соверше́нный, абсолю́тный; кра́йний; ~ refusal категори́ческий отка́з; 2) кра́йний, отъя́вленный; an ~ scoundrel отъя́вленный негодя́й; 3): ~ barrister адво-ка́т, не име́ющий зва́ния King's (*или* Queen's) Counsel; адвока́т, выступа́ющий в суде́, сто́я за барье́ром, отделя́ющим судью́ от подсуди́мых.

**utterance** [ˈʌtərəns] *n* 1) выраже́ние, про-изнесе́ние; he gave ~ to his rage он разра-зи́лся гне́вом; 2) ди́кция; произноше́ние; мане́ра говори́ть; 3) дар сло́ва; 4) изре-че́ние, выска́зывание; public ~ публи́чное заявле́ние.

**utterly** [ˈʌtəlɪ] *adv* кра́йне, чрезвыча́йно; ~ ruined соверше́нно, по́лностью разорён-ный.

**uttermost** [ˈʌtəmoust] 1. *a* 1) *превосх. ст. om* utter II; 2) кра́йний, располо́жен-ный да́льше всех; the ~ ends of earth са́-мые отдалённые райо́ны земли́;

**2.** *n* преде́л, вы́сшая сте́пень (*чего-л.*); he did the ~ of his power он сде́лал всё, что бы́ло в его́ си́лах.

**uvula** ['ju:vjulə] *n* (*pl* -lae) *анат.* язы-чо́к.

**uvulae** ['ju:vjuli:] *pl om* uvula.

**uvular** ['ju:vjulə] *a* язычко́вый.

**uxorious** [ʌk'sɔ:riəs] *a* 1) о́чень любя-щий свою́ жену́; 2) сли́шком послу́шный жене́.

**Uzbek** [uz'bek] 1. *a* узбе́кский;

**2.** *n* 1) узбе́к; узбе́чка; 2) узбе́кский язы́к.

# V

**V, v** [viː] *n* (*pl* Vs, V's [viːz]) 1) 22-я буква англ. алфавита; 2) что-л., имеющее форму буквы V; 3) амер. разг. пятидолларовая бумажка. •

**V-** [viː-] *в сложных словах* 1) означает связанный с победой, относящийся к победе; V-Day День победы; 2) *тех.* V-образный; клиновидный; V-belt клиновой ремень.

**vac** [væk] *разг.* **1.** *n* 1) *сокр. от* vacation 1; 2) *сокр. от* vacuum-cleaner;
**2.** *v* чистить пылесосом.

**vacancy** ['veikənsi] *n* 1) пустота; 2) незанятый, незастроенный участок *или* промежуток; пустое, незанятое место; 3) пробел; пропуск; a ~ in one's knowledge пробел в знаниях; 4) вакансия, свободное место; 5) безучастность; рассеянность; 6) бездеятельность; 7) *амер.* помещение, сдающееся внаём.

**vacant** ['veikənt] *a* 1) пустой, незанятый, свободный; 2) вакантный, незанятый (*о должности*); 3) рассеянный, бессмысленный, безучастный, отсутствующий (*взгляд и т. п.*); 4) бездеятельный; 5) *тех.* холостой (*ход*).

**vacantly** ['veikəntli] *adv* бессмысленно, безучастно, рассеянно.

**vacate** [və'keit] *v* 1) освобождать; покидать, оставлять; 2) упразднять; аннулировать.

**vacation** [və'keiʃən] **1.** *n* 1) оставление; освобождение; 2) каникулы; the long ~ летние каникулы; 3) отпуск; 4) *attr.* отпускной; каникулярный; относящийся к отпуску *или* каникулам; ~ pay оплата отпуска.
**2.** *v амер.* отдыхать, брать отпуск.

**vacationist** [və'keiʃənist] *n амер.* отдыхающий, отпускник.

**vaccinate** ['væksineit] *v мед.* 1) прививать оспу; 2) применять вакцину, вакцинировать, делать прививку.

**vaccination** [,væksi'neiʃən] *n мед.* 1) прививка оспы; 2) вакцинация.

**vaccine** ['væksiːn] *n мед.* 1) вакцина; 2) *attr.* вакцинный; ~ therapy вакцинотерапия.

**vaccinia** [væk'siniə] *n* коровья оспа.

**vacillate** ['væsileit] *v* 1) колебаться; проявлять нерешительность; 2) качаться, колебаться.

**vacillating** ['væsileitiŋ] **1.** *pres. p. от* vacillate;
**2.** *a* колеблющийся; нерешительный.

**vacillation** [,væsi'leiʃən] *n* 1) колебание; непостоянство; 2) шатание.

**vacua** ['vækjuə] *pl от* vacuum.

**vacuity** [væ'kjuːiti] *n* 1) отсутствие мысли; бессодержательность (*взгляда и т. п.*); 2) пустые, бессодержательные слова; «вода»; 3) *уст.* пустота.

**vacuous** ['vækjuəs] *a* 1) пустой (*преим. перен.*); ~ stare бессмысленный взгляд; 2) бездеятельный, праздный.

**vacuum** ['vækjuəm] **1.** *n* (*pl* -s [-z], -cua) 1) *физ.* вакуум, безвоздушное пространство; 2) *разг.* пониженное давление (*по сравнению с атмосферным*); 3) *перен.* пустота; 4) *attr.* вакуумный;
**2.** *v разг.* чистить пылесосом.

**vacuum brake** ['vækjuəm'breik] *n* воздушный тормоз.

**vacuum cleaner** ['vækjuəm'kliːnə] *n* пылесос.

**vacuum fan** ['vækjuəm'fæn] *n тех.* эксгаустер, всасывающий вентилятор.

**vacuum flask** ['vækjuəm'flɑːsk] *n* термос.

**vacuum-gauge** ['vækjuəmgeidʒ] *n* вакуумметр.

**vacuum-pump** ['vækjuəmpʌmp] *n* вакуум-насос.

**vacuum-tube** ['vækjuəmtjuːb] *n радио* электронная лампа, вакуумная лампа.

**vacuum-valve** ['vækjuəmvælv] = vacuum-tube.

**vade-mecum** ['veidi'miːkəm] *лат. n* карманный справочник; путеводитель.

**vagabond** ['vægəbənd] **1.** *n* 1) бродяга; 2) бездельник; мерзавец;
**2.** *a* бродячий;
**3.** *v* скитаться; бродяжничать.

**vagabondage** ['vægəbəndidʒ] *n* 1) бродяжничество; 2) *собир.* бродяги.

**vagabondism** ['vægəbəndizəm] *n* бродяжничество.

**vagabondize** ['vægəbəndaiz] *v* скитаться, бродяжничать.

**vagarious** [və'gɛəriəs] *a* капризный, странный.

**vagary** ['veigəri] *n* каприз, причуда; выходка.

**vagina** [və'dʒainə] *n* (*pl* -nae, -s [-z-]) *анат., бот.* влагалище.

**vaginae** [və'dʒainiː] *pl от* vagina.

**vaginal** [və'dʒainəl] *a анат.* влагалищный.

**vagrancy** ['veigrənsi] *n* 1) бродяжничество; 2) выходка; причуда.

**vagrant** ['veigrənt] **1.** *n* бродяга; празднoшатающийся;
**2.** *a* 1) бродячий; странствующий; 2) изменчивый; блуждающий (*о взгляде и т. п.*).

**vague** [veig] *a* 1) неопределённый, неясный, смутный; ~ hopes смутные надежды; ~ rumours неопределённые слухи; ~ resemblance отдалённое сходство; I have not the ~st notion what to do не имею ни малейшего понятия, что делать; he was very ~ on this point по этому вопросу он не высказал определённого мнения; 2) рассеянный; отсутствующий (*о взгляде и т. п.*).

**vail I** [veil] *n* (*сокр. от* avail) (*обыкн. pl*) *уст.* чаевые; взятка.

**vail II** [veil] *v* 1) *уст., поэт.* склонять (*оружие, знамёна*); 2) уступать; склоняться (to — перед кем-л.); 3) снимать (*шляпу*); 4) наклонять (*голову*); опускать (*глаза*).

**vain** [veɪn] *a* 1) тщётный, напра́сный; ~ efforts напра́сные уси́лия; 2) пусто́й; су́етный; 3) мишу́рный, показно́й; 4) тщесла́вный, по́лный самомне́ния; to be ~ of smth. горди́ться чем-л.; 5) глу́пый; ◊ in ~ напра́сно, тще́тно, всу́е; to take smb.'s name in ~ говори́ть о ком-л. без до́лжного уваже́ния; to take God's name in ~ богоху́льствовать.

**vainglorious** [veɪn'glɔːrɪəs] *a* тщесла́вный; хвастли́вый.

**vainglory** [veɪn'glɔːrɪ] *n* тщесла́вие; хвастли́вость.

**vainly** ['veɪnlɪ] *adv* 1) напра́сно, тще́тно; 2) тщесла́вно.

**vakeel, vakil** [væ'kiːl] *n англо-инд.* 1) представи́тель; 2) посла́нник; 3) адвока́т.

**valance** ['væləns] *n* подзо́р (*у крова́ти*); балдахи́н.

**vale** I [veɪl] *n* 1) *поэт.* дол, доли́на; this ~ of tears (*или* of woe, of misery) «юдо́ль слёз», «юдо́ль печа́ли»; 2) кана́вка для сто́ка воды́.

**vale** II ['veɪlɪ] *лат. ритор.* 1. *n* проща́ние; to say (*или* to take) one's ~ проща́ться;
2. *int* проща́й(те)!

**valediction** [,vælɪ'dɪkʃən] *n* 1) проща́ние; 2) проща́льная речь, проща́льные пожела́ния.

**valedictorian** [,vælɪdɪk'tɔːrɪən] *n амер.* студе́нт-выпускни́к, произнося́щий проща́льную речь.

**valedictory** [,vælɪ'dɪktərɪ] 1. *n* 1) проща́льная речь; 2) проща́льное сло́во, напу́тствие;
2. *a* проща́льный.

**valence** I ['væləns] = valance.

**valence** II ['veɪləns] = valency.

**Valenciennes** [,vælənsɪ'en] *фр. n* валансье́нские кружева́.

**valency** ['veɪlənsɪ] *n хим.* 1) вале́нтность, а́томность; 2) *attr.* вале́нтный; ~ link вале́нтная связь.

**-valent** [-'veɪlənt] *в сло́жных слова́х* -вале́нтный.

**valentine** ['væləntaɪn] *n* 1) возлю́бленный, возлю́бленная (*выбира́емые в шу́тку обы́кн. 14-го февраля́, в день св. Валенти́на*); 2) любо́вное *или* шутли́вое посла́ние, стихи́, посыла́емые в день св. Валенти́на [см. 1)].

**valerian** [və'lɪərɪən] *n* 1) *бот.* валерья́на; 2) валерья́новые ка́пли.

**valerianic** [və,lɪərɪ'ænɪk] *a* валерья́новый.

**valeric** [və'lɪərɪk] = valerianic.

**valet** ['vælɪt] 1. *n* слуга́, камерди́нер;
2. *v* служи́ть камерди́нером.

**valetudinarian** ['vælɪ,tjuːdɪ'nɛərɪən] 1. *a* боле́зненный; мни́тельный;
2. *n* боле́зненный *или* мни́тельный челове́к; челове́к сла́бого здоро́вья. Г

**valetudinarianism** ['vælɪ,tjuːdɪ'nɛərɪənɪzəm] *n* боле́зненность; мни́тельность.

**valetudinary** [,vælɪ'tjuːdɪnərɪ] = valetudinarian.

**Valhalla** [væl'hælə] *n* 1) *сканд. миф.* Валга́лла; 2) пантео́н.

**valiancy** ['væljənsɪ] *n* хра́брость, до́блесть.

**valiant** ['væljənt] 1. *a* 1) хра́брый, до́блестный (*челове́к*); 2) герои́ческий (*посту́пок*);
2. *n* хра́брый челове́к.

**valid** ['vælɪd] *a* 1) *юр.* действи́тельный, име́ющий си́лу; the contract is ~ догово́р в си́ле; the ticket is ~ for a month биле́т действи́телен в тече́ние ме́сяца; 2) ве́ский, обосно́ванный (*до́вод, возраже́ние*); 3) *уст.* кре́пкий, здоро́вый.

**validate** ['vælɪdeɪt] *v* 1) утвержда́ть, ратифици́ровать; 2) объявля́ть действи́тельным, придава́ть зако́нную си́лу.

**validation** [,vælɪ'deɪʃən] *n* утвержде́ние, ратифика́ция.

**validity** [və'lɪdɪtɪ] *n* 1) действи́тельность, зако́нность; 2) ве́скость, обосно́ванность.

**valise** [və'liːz] *n* 1) *амер., уст.* саквоя́ж, чемода́н; 2) *воен.* ра́нец; перемётная сума́.

**Valkyr(ie)** ['vælkɪr(ɪ)] *n сканд. миф.* валькирия.

**valley** ['vælɪ] *n* 1) доли́на; 2) *архит.* ендова́, разжелобо́к; 3) *тех.* жёлоб.

**valor** ['vælə] *амер.* = valour.

**valorize** ['væləraɪz] *v* устана́вливать и подде́рживать определённые це́ны путём госуда́рственных мероприя́тий (*напр., поку́пкой по повы́шенным це́нам, за́ймами и т. п.*).

**valorous** ['vælərəs] *a поэт.* до́блестный.

**valour** ['vælə] *n* до́блесть.

**valuable** ['væljuəbl] 1. *a* 1) це́нный; дорого́й; a ~ picture це́нная карти́на; 2) це́нный, поле́зный; he gave me ~ information он сообщи́л мне це́нные све́дения; 3) *редк.* поддаю́щийся оце́нке;
2. *n* (*обыкн. pl*) це́нные ве́щи; драгоце́нности.

**valuation** [,vælju'eɪʃən] *n* оце́нка (*иму́щества*); to take smb. at his own ~ принима́ть челове́ка за того́, за кого́ он себя́ выдаёт.

**value** ['væljuː] 1. *n* 1) це́нность; of no ~ нестоя́щий, не име́ющий це́нности; to put much (little) ~ upon smth. высоко́ (ни́зко) цени́ть что-л.; 2) сто́имость; цена́; справедли́вое возмеще́ние; they paid him the ~ of his lost property они́ возмести́ли ему́ сто́имость его́ пропа́вшего иму́щества; to get a good ~ for one's money получи́ть сполна́ за свои́ де́ньги; 3) *эк.* сто́имость; surplus ~ приба́вочная сто́имость; exchange ~ мснова́я сто́имость; 4) *муз.* 5) значе́ние (*сло́ва, обеща́ния и т. п.*); 6) *мат.* величина́, значе́ние; 7) *муз.* дли́тельность (*но́ты*); 8) *жив.* сочета́ние све́та и те́ни в карти́не;
2. *v* 1) оце́нивать; 2) дорожи́ть, цени́ть; he ~s himself on his knowledge он горди́тся свои́ми зна́ниями; I do not ~ that a brass farthing ≃ по-мо́ему, э́то гроша́ ло́маного не сто́ит.

**valued** ['væljuːd] 1. *p. p. от* value 2;
2. *a* це́нный; цени́мый; высоко́ оценённый; ~ opinion це́нное мне́ние.

**valueless** ['væljuːlɪs] *a* ничего́ не сто́ящий, беспол́езный.

**valuer** [ˈvæljuə] *n* оце́нщик.
**valuta** [vɑːˈluːtɑ:] *n* валю́та.
**valve** [vælv] **1.** *n* 1) кла́пан, ве́нтиль; золотни́к; 2) ство́рка (*ракови́ны*); ство́рка семенно́й коро́бочки; 3) кла́пан (*се́рдца*); 4) *ра́дио* электро́нная ла́мпа; 5) *муз.* писто́н, ве́нтиль; 6) *attr.* ла́мповый; 7) *attr.* кла́панный;
**2.** *v* 1) подава́ть *или* пита́ть че́рез кла́пан; 2) снабжа́ть кла́паном.
**valved** [vælvd] **1.** *p. p. om* valve 2;
**2.** *a* ство́рчатый, име́ющий кла́паны.
**valve set** [ˈvælvˈset] *n* ра́дио ла́мповый приёмник.
**valvular** [ˈvælvjulə] *a* 1) *мед.*: ~ insufficiency недоста́точность кла́панов се́рдца; 2) кла́панный, открыва́ющийся при по́мощи кла́панов.
**valvule** [ˈvælvjuːl] *n* небольшо́й кла́пан.
**vamoos(e)** [væˈmuːs] *v sl.* уходи́ть, убира́ться; удира́ть.
**vamose** [vəˈmous] = vamoos(e).
**vamp** I [væmp] **1.** *n* 1) передо́к (*боти́нка*); союзка; 2) запла́та; 3) что-л., почи́ненное на ско́рую ру́ку; 4) *муз.* импровизи́рованный аккомпанеме́нт;
**2.** *v* 1) ста́вить но́вый передо́к (*на боти́нок*); 2) чини́ть, лата́ть (*обы́кн.* ~ up); 3) компили́ровать (*тж.* ~ up); 4) *муз.* импровизи́ровать аккомпанеме́нт.
**vamp** II [væmp] *разг.* **1.** *n* авантюри́стка; соблазни́тельница;
**2.** *v* 1) завлека́ть; 2) выма́нивать де́ньги.
**vampire** [ˈvæmpaɪə] *n* 1) вампи́р, упы́рь; 2) вампи́р (*южноамерика́нская лету́чая мышь*); 3) вымога́тель, кровопи́йца; 4) = vamp II, 1; 5) *теа́тр.* люк, «прова́л».
**vampire bat** [ˈvæmpaɪəˈbæt] = vampire 2).
**van** I [væn] *n* (*сокр. om* vanguard) аванга́рд; to be in the ~, to lead the ~ быть впереди́, в аванга́рде.
**van** II [væn] **1.** *n* (*сокр. om* caravan) 1) фурго́н; 2) бага́жный *или* това́рный ваго́н;
**2.** *v* перевози́ть в фурго́не, това́рном ваго́не *и т. п.*
**van** III [væn] *n уст.* 1) ве́ялка; 2) *поэт.* крыло́ пти́цы.
**vanadium** [vəˈneɪdjəm] *n хим.* вана́дий.
**vandal** [ˈvændəl] **1.** *n* 1)ванда́л, ва́рвар; 2) *ист.* ванда́л;
**2.** *a* ва́рварский.
**vandalism** [ˈvændəlɪzəm] *n* вандали́зм, ва́рварство.
**vandalize** [ˈvændəlaɪz] *v* ва́рварски относи́ться к произведе́ниям иску́сства, разруша́ть.
**Vandyke** [vænˈdaɪk] 1) боро́дка кли́ном (*тж.* ~ beard); 2) кружевно́й воротни́к с зубца́ми (*тж.* ~ collar).
**Vandyke brown** [vænˈdaɪkˈbraun] *n* отте́нок тёмно-кори́чневой кра́ски.
**vane** [veɪn] *n* 1) флю́гер; 2) крыло́ (*ветряно́й ме́льницы, вентиля́тора*); ло́пасть (*ви́нта*); лопа́тка (*турби́ны*); стабилиза́тор (*авиабо́мбы*); ползу́н, визи́рка (*на нивели́рной ре́йке*); дио́птр.
**vanguard** [ˈvænɡɑːd] *n воен.* головно́й отря́д, аванга́рд.

**vanilla** [vəˈnɪlə] *n* вани́ль.
**vanillin** [ˈvænɪlɪn] *n хим.* ванили́н.
**vanish** [ˈvænɪʃ] **1.** *v* 1) исчеза́ть, пропада́ть; 2) *мат.* стреми́ться к нулю́;
**2.** *n фон.* скольже́ние.
**vanishing** [ˈvænɪʃɪŋ] **1.** *pres. p. om* vanish 1;
**2.** *a* исчеза́ющий; ~ fraction *мат.* дробь, стремя́щаяся к нулю́.
**vanishing-line** [ˈvænɪʃɪŋlaɪn] *n* ли́ния схо́да (*паралле́льных плоскосте́й*).
**vanishing-point** [ˈvænɪʃɪŋpɔɪnt] *n* то́чка схо́да (*паралле́льных ли́ний*); *перен.* кра́йний преде́л.
**vanity** [ˈvænɪtɪ] *n* 1) суета́, су́етность; тщета́; 2) тщесла́вие; 3) = vanity bag; ◊ V. Fair я́рмарка тщесла́вия.
**vanity bag** [ˈvænɪtɪˈbæɡ] *n* да́мская су́мочка, су́мка.
**vanity box** [ˈvænɪtɪˈbɔks] = vanity bag.
**vanity case** [ˈvænɪtɪˈkeɪs] = vanity bag.
**vanquish** [ˈvæŋkwɪʃ] *v* 1) побежда́ть; покоря́ть; 2) преодолева́ть, подавля́ть (*како́е-л. чу́вство и т. п.*).
**vanquisher** [ˈvæŋkwɪʃə] *n* победи́тель; покори́тель.                 Г
**vantage** [ˈvɑːntɪdʒ] *n* преиму́щество; to have (*или* to hold, to take) smb. at a (*или* the) ~ име́ть преиму́щество пе́ред кем-л.
**vantage-ground** [ˈvɑːntɪdʒɡraund] *n* удо́бная, вы́годная пози́ция, пункт наблюде́ния.
**vantage-point** [ˈvɑːntɪdʒpɔɪnt] = vantage-ground.
**vapid** [ˈvæpɪd] *a* 1) безвку́сный, пре́сный; ~ beer вы́дохшееся пи́во; 2) пло́ский; ску́чный, вя́лый, бессодержа́тельный; ~ conversation пусто́й разгово́р.
**vapidity** [væˈpɪdɪtɪ] *n* безвку́сность *и пр.* [*см.* vapid].
**vapor** [ˈveɪpə] *амер.* = vapour.
**vaporarium** [ˌveɪpəˈrɛərɪəm] = vapour bath.
**vaporescence** [ˌveɪpərˈesns] *n* парообразова́ние.
**vaporization** [ˌveɪpəraɪˈzeɪʃən] *n* испаре́ние; парообразова́ние; выпа́ривание.
**vaporize** [ˈveɪpəraɪz] *v* испаря́ть(ся).
**vaporizer** [ˈveɪpəraɪzə] *n* испари́тель.
**vaporous** [ˈveɪpərəs] *a* 1) парообра́зный; 2) тума́нный; напо́лненный пара́ми; 3) нереа́льный, пусто́й; 4) *уст. мед.* образу́ющий га́зы.
**vapour** [ˈveɪpə] **1.** *n* 1) пар; пары́; 2) тума́н; 3) не́что нереа́льное, химе́ра, фанта́зия; 4) *уст.* пусто́е хвастовство́; 5) *pl уст.* ипохо́ндрия; сплин;
**2.** *v* 1) испаря́ться; 2) болта́ть по́пусту; 3) бахва́литься.
**vapour bath** [ˈveɪpəˈbɑːθ] *n* парова́я ва́нна, парова́я ба́ня.
**vapourish** [ˈveɪpərɪʃ] *a* i) хвастли́вый; 2) страда́ющий ипохо́ндрией.
**vapour trail** [ˈveɪpəˈtreɪl] *n* след самолёта в разре́женном во́здухе.
**vapoury** [ˈveɪpərɪ] *a* 1) тума́нный; затума́ненный; 2) уны́лый; 3) возду́шный; га́зовый (*о мате́рии*).
**varan** [ˈværən] *n зоол.* вара́н.

**Varangian** [vəˈrændʒɪən] *ист.* 1. *a* варя́жский;

2. *n* варя́г.

**variability** [ˌvɛərɪəˈbɪlɪtɪ] *n* изме́нчивость, непостоя́нство.

**variable** [ˈvɛərɪəbl]· 1. *a* 1) изме́нчивый, непостоя́нный; 2) переме́нный (*тж. мат.*); 3) *биол.* отклоня́ющийся от ви́да, ти́па *и т. п.*; име́ющий тенде́нцию к измене́нию; 2. *n* 1) *мат.* переме́нная (величина́); 2) *мор.* ве́тер, меня́ющий направле́ние; 3) *pl мор.* ча́сти океа́на, где нет постоя́нного ве́тра.

**variance** [ˈvɛərɪəns] *n* 1) разногла́сие; размо́лвка; to be at ~ a) расходи́ться во мне́ниях; находи́ться в противоре́чии; on that point we are at ~ в э́том вопро́се на́ши мне́ния расхо́дятся; б) быть в ссо́ре; to set at ~ вызыва́ть конфли́кт, приводи́ть к столкнове́нию; ссо́рить; 2) измене́ние; 3) *биол.* отклоне́ние от ви́да, ти́па *и т. п.*; 4) расхожде́ние, несоотве́тствие.

**variant** [ˈvɛərɪənt] 1. *n* вариа́нт; 2. *a* 1) отли́чный от други́х, ино́й; ~ reading разночте́ние; 2) разли́чный; ~ results разли́чные результа́ты.

**variation** [ˌvɛərɪˈeɪʃən] *n* 1) измене́ние, переме́на; ~s of temperature измене́ния температу́ры; 2) разнови́дность; вариа́нт; 3) отклоне́ние; 4) *мат., муз.* вариа́ция; 5) *эл.* колеба́ние; 6) **склоне́ние магни́тной стре́лки.**

**varicella** [ˌværɪˈselə] *n мед.* ве́тряная о́спа.

**varicoloured** [ˈvɛərɪˌkʌləd] *a* 1) разноцве́тный; 2) разнообра́зный.

**varicose** [ˈværɪkous] *a мед.* расши́ренный, варико́зный (*о вене*).

**varied** [ˈvɛərɪd] 1. *p. p. от* vary;

2. *a* 1) разли́чный; 2) разнообра́зный.

**variegate** [ˈvɛərɪgeɪt] *v* 1) де́лать пёстрым, раскра́шивать в ра́зные цвета́; 2) разнообра́зить.

**variegated** [ˈvɛərɪgeɪtɪd] 1. *p. p. от* variegate;

2. *a* 1) разноцве́тный; пёстрый; 2) разнообра́зный; неоднора́дный, сме́шанный.

**variegation** [ˌvɛərɪˈgeɪʃən] *n* пёстрая раскра́ска.

**variety** [vəˈraɪətɪ] *n* 1) разнообра́зие; 2) многосторо́нность; I was struck by the ~ of his attainments меня́ порази́ла его́ разносторо́нность; 3) ряд, мно́жество; for a ~ of reasons по це́лому ря́ду причи́н; 4) сорт, вид; 5) = variety show; 6) *биол.* разнови́дность; вид.

**variety entertainment** [vəˈraɪətɪˌentəˈteɪnment] = variety show.

**variety show** [vəˈraɪətɪˈʃou] *n* варьете́, эстра́дное представле́ние, эстра́дный конце́рт.

**variform** [ˈvɛərɪfɔːm] *a* име́ющий разли́чные фо́рмы.

**variola** [vəˈraɪələ] *n мед.* о́спа.

**variolate** [ˈvɛərɪəleɪt] *v мед.* привива́ть о́спу.

**variometer** [ˌvɛərɪˈɔmɪtə] *n эл.* варио́метр.

**variorum** [ˌvɛərɪˈɔːrəm] *n* 1) изда́ние с примеча́ниями разли́чных коммента́торов;

2) изда́ние, содержа́щее разли́чные вариа́нты одного́ те́кста.

**various** [ˈvɛərɪəs] 1. *a* 1) разли́чный, ра́зный; 2) (*с сущ. во мн. ч.*) мно́гие, ра́зные; there are ~ reasons for believing so есть ряд основа́ний так ду́мать; 3) разнообра́зный; разносторо́нний;

2. *n разг.* не́которые (ли́ца).

**varlet** [ˈvɑːlɪt] *n* 1) *ист.* прислу́жник, слуга́; 2) *уст.* моше́нник; негодя́й.

**varment, varmint** [ˈvɑːmɪnt] *n* 1) *разг., шутл.* шалопа́й, шалу́н; 2) (the ~) *охот. sl.* лиса́; 3) *диал.* = vermin.

**varnish** [ˈvɑːnɪʃ] 1. *n* 1) лак; 2) гля́нец; 3) лоск, вне́шний налёт; 4) *перен.* прикры́тие, маскиро́вка; 5) *тех.* глазу́рь;

2. *v* 1) лакирова́ть, покрыва́ть ла́ком (*тж.* ~ over); 2) придава́ть лоск; 3) прикрыва́ть, прикра́шивать (*недоста́тки*).

**varnishing-day** [ˈvɑːnɪʃɪŋdeɪ] *n* день накану́не откры́тия вы́ставки (*когда худо́жники мо́гут подпра́вить карти́ны, покры́ть их ла́ком и т. п.*).

**varsity, 'varsity** [ˈvɑːsɪtɪ] *n* (*сокр. от* university) *разг.* 1) университе́т; 2) *attr.* университе́тский; ~ team университе́тская спорти́вная кома́нда.

**vary** [ˈvɛərɪ] *v* 1) меня́ть(ся), изменя́ть(ся); to ~ directly (inversely) as *мат.* изменя́ться пря́мо (обра́тно) пропорциона́льно; 2) ра́зниться; расходи́ться; opinions ~ on this point мне́ния по э́тому вопро́су расхо́дятся; 3) разнообра́зить; 4) *муз.* украша́ть вариа́циями; исполня́ть вариа́ции.

**vascular** [ˈvæskjulə] *a анат.* сосу́дистый; ~ system сосу́дистая систе́ма.

**vase** [vɑːz, *амер.* veis, veiz] *n* ва́за.

**vaseline** [ˈvæsɪliːn] *n* вазели́н.

**vase-painting** [ˈvɑːzˌpeɪntɪŋ] *n* ва́зовая жи́вопись.

**vassal** [ˈvæsəl] *n* 1) *ист.* васса́л; 2) васса́л, зави́симое лицо́; 3) слуга́; 4) *attr.* васса́льный; подчинённый.

**vassalage** [ˈvæsəlɪdʒ] *n* 1) *ист.* васса́льная зави́симость; 2) *перен.* зави́симость, ра́бство.

**vast** [vɑːst] 1. *a* 1) обши́рный, грома́дный; безбре́жный; ~ plains необозри́мые равни́ны; 2) многочи́сленный; 3) *разг.* огро́мный; it makes a ~ difference э́то по́лностью меня́ет де́ло;

2. *n поэт.* просто́р; the ~ of ocean просто́р океа́на.

**vastly** [ˈvɑːstlɪ] *adv* 1) значи́тельно, в значи́тельной сте́пени; 2) *разг.* о́чень, кра́йне; I shall be ~ obliged я бу́ду о́чень благода́рен.

**vasty** [ˈvɑːstɪ] = vast 1.

**vat** [væt] *n* 1) чан, бак, цисте́рна; 2) бо́чка, ка́дка, уша́т; 3) *attr.* кубово́й; ~ colours кубовы́е краси́тели.

**vatic** [ˈvætɪk] *a* проро́ческий.

**Vatican** [ˈvætɪkən] *n* Ватика́н.

**Vaticanism** [ˈvætɪkənɪzəm] *n* до́гмат непогреши́мости па́пы.

**vaticinate** [væˈtɪsɪneɪt] *v ритор.* проро́чествовать, предска́зывать.

**vaticination** [ˌvætɪsɪˈneɪʃən] *n ритор.* проро́чество, предсказа́ние.

**vaudeville** ['voudəvil] *n* 1) водевиль; 2) *амер.* варьете, эстрадное представление.

**vault** I [vɔːlt] 1. *n* 1) свод; the ~ of heaven небесный свод; 2) подвал, погреб, склеп (*со сводом*); wine ~ винный погреб; family ~ фамильный склеп;
2. *v* выводить свод, возводить свод (*над чем-л.*).

**vault** II [vɔːlt] 1. *n* прыжок (*с упором или шестом*);
2. *v* 1) прыгать, перепрыгивать (*особ. опираясь на что-л.*); 2) вольтижировать.

**vaulted** I ['vɔːltɪd] 1. *p. p. от* vault I, 2;
2. *a* сводчатый.

**vaulted** II ['vɔːltɪd] *p. p. от* vault II, 2.

**vaulting** I ['vɔːltɪŋ] 1. *pres. p. от* vault I, 2;
2. *n* 1) возведение свода; 2) свод, своды.

**vaulting** II ['vɔːltɪŋ] 1. *pres. p. от* vault II, 2;
2. *n* прыжки; вольтижировка.

**vaulting-horse** ['vɔːltɪŋhɔːs] *n* козёл, кобыла (*для гимнастики*).

**vaunt** [vɔːnt, *амер.* vɑːnt] 1. *n* хвастовство;
2. *v* 1) хвастаться (of — *чем-л.*); 2) злорадствовать (over — по поводу *чего-л.*); 3) превозносить.

**vavasour** ['vævəsuə] *n ист.* подвассал.

**V-Day** ['viːdeɪ] *n* День победы.

**'ve** [v] *сокр. разг.* = have.

**veal** [viːl] *n* 1) телятина; 2) *attr.* телячий (*о кушанье*).

**vector** ['vektə] 1. *n* 1) *мат.* вектор; 2) носитель болезни, заразы; 3) *attr. мат.* векторный; ~ equation векторное уравнение;
2. *v* направлять, наводить, придавать направление.

**Veda** ['veɪdə] *n:* the ~(s) Веды (*священные книги древних индусов*).

**V-E Day** ['viːˈiːdeɪ] *n* День победы (над Германией во второй мировой войне).

**vedette** [vɪˈdet] *n* 1) конный часовой; кавалерийский пост; 2) дозорное судно (*тж.* ~ boat).

**veer** I [vɪə] 1. *n* перемена направления;
2. *v* 1) менять направление; 2) менять направление, *особ.* по движению часовой стрелки (*о ветре*); the wind ~s aft ветер отходит; 3) *мор.* поворачивать через фордевинд; 4) изменять (*взгляды и т. п.; часто* ~ round).

**veer** II [vɪə] *v мор.* травить (*конец, якорную цепь; тж.* ~ away, ~ out); ~ and haul травить и выбирать.

**veering** I ['vɪərɪŋ] 1. *pres. p. от* veer I, 2;
2. *n* поворот.

**veering** II ['vɪərɪŋ] *pres. p. от* veer II.

**vegetable** ['vedʒɪtəbl] 1. *n* овощ; green ~s зелень, овощи; ◇ to become a mere ~ прозябать, жить растительной жизнью;
2. *a* 1) растительный; ~ physiology физиология растений; ~ oil растительное масло; ~ life а) растительная жизнь; б) *собир.* растения; 2) овощной; ~ dish овощное блюдо.

**vegetal** ['vedʒɪtl] *a* растительный.

**vegetarian** [,vedʒɪˈtɛərɪən] 1. *n* вегетарианец;

2. *a* вегетарианский; ~ restaurant вегетарианский ресторан.

**vegetarianism** [,vedʒɪˈtɛərɪənɪzəm] *n* вегетарианство.

**vegetate** ['vedʒɪteɪt] *v* 1) расти, произрастать; 2) прозябать; жить растительной жизнью.

**vegetation** [,vedʒɪˈteɪʃən] *n* 1) растительность; tropical ~ тропическая растительность; 2) произрастание; 3) прозябание; растительная жизнь; 4) *attr.* вегетационный; ~ period вегетационный период (*растения*).

**vegetative** ['vedʒɪtətɪv] *a* 1) растительный, вегетативный; 2) прозябающий; живущий растительной жизнью.

**vehemence** ['viːɪməns] *n* сила; страстность, горячность.

**vehement** ['viːɪmənt] *a* сильный; неистовый; страстный.

**vehicle** ['viːɪkl] *n* 1) перевозочное средство (*автомобиль, вагон, повозка и т. п.*); 2) летательный аппарат; escape ~, space ~ космический корабль; 3) средство выражения и распространения (*мыслей*); 4) проводник (*звука, света, заразы и т. п.*); 5) растворитель; связующее вещество.

**vehicular** [vɪˈhɪkjulə] *a* 1) перевозочный; 2) автомобильный; ~ transport автогужевой транспорт.

**veil** [veɪl] 1. *n* 1) покрывало; вуаль; чадра; 2) покров, завеса; пелена; to draw (*или* to cast, to throw) a ~ over smth. опустить завесу над чем-л.; обойти молчанием что-л.; 3) предлог; маска; under the ~ of под предлогом, под видом; ◇ to take the ~ постричься в монахини; to pass beyond the ~ умереть;
2. *v* 1) закрывать покрывалом, вуалью; 2) скрывать, прикрывать; маскировать.

**veiling** ['veɪlɪŋ] 1. *pres. p. от* veil 2;
2. *n* 1) вуалирование, прикрывание; 2) материал для вуали.

**vein** [veɪn] *n* 1) вена; кровеносный сосуд; 2) жилка (*листа*); прожилка (*крылышка насекомого*); 3) жилка, склонность; 4) настроение; to be in the ~ for smth. быть в настроении делать что-л.; in the same ~ — в том же духе, в том же роде; 5) *мин.* жила.

**veined** [veɪnd] *a* испещрённый жилками, прожилками.

**veinstone** ['veɪnstoun] *n геол.* руда из жилы, жильная порода.

**veiny** ['veɪnɪ] *a* 1) = veined; 2) жилистый; с напухшими жилами.

**vela** ['viːlə] *pl от* velum.

**velar** ['viːlə] *фон.* 1. *a* велярный, задненёбный;
2. *n* велярный, задненёбный звук.

**velaria** [vɪˈlɛərɪə] *pl от* velarium.

**velarium** [vɪˈlɛərɪəm] *n* (*pl* -ria) навес, тент.

**veld(t)** [velt] *n южно-афр.* степь.

**velleity** [veˈliːɪtɪ] *n* пассивное желание.

**vellum** ['veləm] *n* 1) тонкий пергамент; 2) калька, восковка; 3) *attr.:* ~ paper веленевая бумага; ~ cloth чертёжная калька.

**velocipede** [vɪˈlɔsɪpiːd] *n* 1) трёхколёсный велосипед; 2) дрезина.

**velocity** [vɪ'lɔsɪtɪ] n 1) скóрость; быстротá; initial ~ начáльная скóрость; 2) attr.: ~ gauge mex. тахóметр.

**velodrome** ['viːlədroum] n велодрóм.

**velours** [ve'luə] фр. n 1) велю́р; драп-велю́р; плюш; 2) велю́ровая шля́па; 3) attr. велю́ровый; плю́шевый.

**velum** ['viːləm] .n (pl vela) анат. мя́гкое нёбо.

**velvet** ['velvɪt] 1. n 1) бáрхат (тж. silk ~ ); cotton ~ вельвéт, плис; 2) разг. вы́года, неожи́данный дохóд, вы́игрыш; to be on ~ sl. а) материáльно преуспевáть; б) быть гаранти́рованным от случáйностей и неудáч (особ. в денежных вопросах); 2. a 1) бáрхатный; 2) бархати́стый.

**velveteen** ['velvɪ'tiːn] n вельвети́н.

**velveting** ['velvɪtɪŋ] n собир. издéлия из бáрхата.

**velvety** ['velvɪtɪ] a бархати́стый.

**vena** ['viːnə] n (pl venae) анат. вéна.

**venae** ['viːniː] pl от vena.

**venal** ['viːnl] a продáжный; подкупнóй; коры́стный.

**venality** [viː'nælɪtɪ] n продáжность.

**venation** [viː'neɪʃən] n бот. нервáция, жилковáние.

**vend** [vend] v продавáть; торговáть.

**vendee** [ven'diː] n юр. покупáтель.

**vender** ['vendə] n продавéц; торгóвец; торгóвец, продаю́щий товáр вразнóс.

**vendetta** [ven'detə] um. n вендéтта, крóвная месть.

**vendible** ['vendəbl] 1. a 1) гóдный для продáжи; 2) = venal; 2. n pl товáры для продáжи.

**vending machine** ['vendɪŋmə'ʃiːn] n автомáт (для продажи мелких предметов).

**vendor** ['vendɔ] n 1) юр. продавéц; 2) = vender; 3) = vending machine.

**veneer** [vɪ'nɪə] 1. n 1) шпон; однослóйная фанéра; 2) (кирпи́чная) облицóвка; нару́жный слой; 3) внéшний лоск, налёт (чего-л. показного); 4) attr. фанéрный; 2. v 1) обклéивать фанéрой; 2) покрывáть тóнким слóем (чего-л.); облицóвывать; 3) придавáть внéшний лоск (чему-л.); маскировáть (что-л.).

**venerable** ['venərəbl] a 1) почтéнный; ~ age почтéнный вóзраст; церк. преподóбный (как титул); 3) дрéвний, освящённый векáми.

**venerate** ['venəreɪt] v благоговéть (перед кем-л.), чтить.

**veneration** [,venə'reɪʃən] n благоговéние, почитáние.

**venerator** ['venəreɪtə] n почитáтель.

**venereal** [vɪ'nɪərɪəl] a 1) сладострáстный; 2) мед. венери́ческий.

**venereologist** [vɪ,nɪərɪ'ɔlədʒɪst] n венерóлог.

**venery I** ['venərɪ] n уст. 1) половóе влечéние; 2) половы́е изли́шества; разврáт; распу́щенность.

**venery II** ['venərɪ] n уст. охóта.

**venesection** [,venɪ'sekʃən] n мед. вскры́тие вéны, кровопускáние.

**Venetian** [vɪ'niːʃən] 1. a венециáнский; ~ window венециáнское окнó; ~ blind

подъёмные жалюзи́; ~ mast разноцвéтная мáчта (при оформлении улиц); ~ pearl иску́сственный жéмчуг; 2. n венециáнец; венециáнка.

**Venezuelan** [,vene'zweɪlən] 1. a венесуэ́льский; 2. n жи́тель Венесуэ́лы.

**vengeance** ['vendʒəns] n месть, мщéние; fearful ~ стрáшная месть; to take (или to inflict) ~ on (или upon) smb. отомсти́ть комý-л.; ◇ with a ~ разг. а) здóрово; вовсю́; чрезвычáйно; б) в большóм коли́честве, с лихвóй; в пóлном смы́сле слóва; vengeful ['vendʒful] a мсти́тельный.

**venial** ['viːnjəl] a прости́тельный; a ~ error прости́тельная оши́бка.

**veniality** [,viːnɪ'ælɪtɪ] n прости́тельность.

**venire** [vɪ'nɪriː] n юр. предписáние, вызывáющее прися́жного в суд.

**venison** ['venzn, амер. 'venɪzn] n оленина.

**venom** ['venəm] n 1) яд (животного происхождения, особ. змеиный); 2) злóба, яд.

**venomous** ['venəməs] a 1) ядови́тый; 2) злóбный.

**venose** ['viːnous] a бот. жилковáтый.

**venous** ['viːnəs] a 1) анат. венóзный; 2) = venose.

**vent** [vent] 1. n 1) входнóе или выходнóе отвéрстие; вентиляциóнное отвéрстие; отду́шина; 2) выход; выражéние; to give ~ to one's feelings отвести́ ду́шу, дать выход свои́м чу́вствам; to find ~ найти́ выход; 3) клáпан (духового инструмента); 4) зáдний прохóд (у птиц и т. п.); 5) воен. запáл, запáльное отвéрстие; 6) пóлюсное отвéрстие (парашюта); 2. v 1) сдéлать отвéрстие (в чём-л.); 2) выпускáть (дым и т. п.), испускáть; 3) давáть выход (напр., чувству); изливáть (злобу и т. п.; upon — на кого-л.); выскáзать, вы́разить.

**ventage** ['ventɪdʒ] n 1) отду́шина; 2) клáпан (духового инструмента).

**venter** ['ventə] n 1) анат., зоол. живóт; 2) юр.: by one ~ единоутрóбный.

**vent-hole** ['venthoul] n 1) отду́шина; 2) mex. окнó.

**ventiduct** ['ventɪdʌkt] n вентиляциóнная трубá, отвéрстие.

**ventilate** ['ventɪleɪt] v 1) провéтривать, вентили́ровать; 2) снабжáть клáпаном, отду́шиной; 3) обсуждáть, выясня́ть (вопрос); 4) выскáзывать, доводи́ть до свéдения.

**ventilation** [,ventɪ'leɪʃən] n 1) провéтривание; вентиля́ция; 2) обсуждéние, выяснéние (вопроса).

**ventilator** ['ventɪleɪtə] n вентиля́тор.

**vent-peg** ['ventpeg] n mex. втýлка.

**vent-pipe** ['ventpaɪp] n вытяжнáя трубá.

**ventral** ['ventrəl] a анат., зоол. брюшнóй; ~ fin брюшнóй плавни́к.

**ventricle** ['ventrɪkl] n анат., зоол. желýдочек.

**ventriloquism** [ven'trɪləkwɪzəm] n чревовещáние.

**ventriloquist** [ven'trɪləkwɪst] n чревовещáтель.

**ventriloquize** [ven'trɪləkwaɪz] *v* чревовещать.

**venture** ['ventʃə] **1.** *n* 1) рискованное предприятие; at a ~ наугад; наудачу; to run the ~ рисковать; 2) спекуляция; 3) сумма, подвергаемая риску; ставка; **2.** *v* 1) рисковать (*чем-л.*); ставить на карту; to ~ one's life рисковать жизнью; 2) отважиться, решиться; осмелиться (*тж.* ~ on, ~ upon); he ~d (upon) a remark он позволил себе сделать замечание; ◇ nothing ~, nothing have *посл.* ≈ риск — благородное дело; волков бояться — в лес не ходить.

**venturer** ['ventʃərə] *n* 1) предприниматель, идущий на риск; 2) авантюрист; 3) *ист.* член торговой компании (*особ. XVI—XVII вв.*).

**venturesome** ['ventʃəsəm] *a* 1) смелый; безрассудно храбрый; 2) азартный; идущий на риск; 3) рискованный, опасный.

**venturous** ['ventʃərəs] = venturesome.

**venue** ['venjuː] *n* 1) *юр.* судебный округ, в котором должно слушаться дело; to change the ~ перевести разбор дела в другой округ; 2) *разг.* место сбора, встречи.

**Venus** ['viːnəs] *n миф., астр.* Венера.

**veracious** [ve'reɪʃəs] *a* 1) правдивый; 2) достоверный, верный.

**veracity** [ve'ræsɪtɪ] *n* 1) правдивость; 2) точность, достоверность; 3) правда, правдивое высказывание.

**veranda(h)** [və'rændə] *n* веранда.

**verb** [vəːb] *n* глагол.

**verbal** ['vəːbəl] *a* 1) устный; ~ contract устное соглашение; 2) словесный; his sympathy is only ~ его сочувствие не идёт дальше слов; 3) буквальный; ~ translation буквальный перевод; 4) глагольный; отглагольный; ~ noun отглагольное существительное; 5) *дип.* вербальный.

**verbalism** ['vəːbəlɪzəm] *n* 1) педантизм, буквоедство; 2) пустые слова; 3) многословие.

**verbalist** ['vəːbəlɪst] *n* педант, буквоед.

**verbalize** ['vəːbəlaɪz] *v* 1) быть многословным; 2) выражать словами; 3) *грам.* превращать в глагол (*другую часть речи*).

**verbally** ['vəːbəlɪ] *adv* устно.

**verbatim** [vəː'beɪtɪm] **1.** *n* 1) дословная передача; 2) стенографический отчёт; **2.** *a* дословный; ~ report = 1, 2); **3.** *adv* дословно, слово в слово.

**verbena** [vəː'biːnə] *n бот.* вербена.

**verbiage** ['vəːbɪɪdʒ] *n* 1) многословие; 2) выражение; формулировка.

**verbicide** ['vəːbɪsaɪd] *n шутл.* искажение смысла слова.

**verbify** ['vəːbɪfaɪ] = verbalize.

**verbose** [vəː'bous] *a* многословный.

**verbosity** [vəː'bɔsɪtɪ] *n* многословие.

**verdancy** ['vəːdənsɪ] *n* 1) зелень, зелёный цвет; 2) незрелость, неопытность.

**verdant** ['vəːdənt] *a* 1) зелёный, зеленеющий; 2) неопытный, незрелый, «зелёный».

**verdict** ['vəːdɪkt] *n* 1) вердикт; решение присяжных заседателей; to return (*или* to bring in) a ~ of guilty (not guilty) признать виновным (невиновным); 2) мнение, суждение; my ~ differs from yours моё мнение расходится с вашим.

**verdigris** ['vəːdɪgrɪs] *n* ярь-медянка (*краска*).

**verdure** ['vəːdʒə] *n* 1) зелень; 2) зелёная листва; 3) зелень (*овощи*); 4) свежесть, бодрость.

**verdurous** ['vəːdʒərəs] *a* заросший, поросший зеленью; зелёный и свежий.

**verge** [vəːdʒ] **1.** *n* 1) край; 2) *перен.* грань; on the ~ of на грани; 3) кайма из дёрна вокруг клумбы; 4) *архит.* край крыши у фронтона, стержень колонны; берма; 5) *церк.* жезл, посох. **2.** *v* клониться, приближаться (to, towards — к *чему-л.*); □ ~ on, ~ upon граничить с чем-л.

**verger** ['vəːdʒə] *n* 1) жезлоносец (*в процессиях*); 2) церковный служитель.

**veridical** [ve'rɪdɪkəl] *a* 1) правдивый (*часто ирон.*); 2) соответствующий действительности.

**verifiable** ['verɪfaɪəbl] *a* могущий быть проверенным; могущий быть доказанным.

**verification** [‚verɪfɪ'keɪʃən] *n* 1) проверка; 2) подтверждение (*предсказания, сомнения*).

**verify** ['verɪfaɪ] *v* 1) проверять; 2) подтверждать; 3) исполнять (*обещание*); 4) *юр.* удостоверять (*подлинность*); скреплять (*присягой*).

**verily** ['verɪlɪ] *adv уст.* истинно, поистине.

**verisimilar** [‚verɪ'sɪmɪlə] *a* правдоподобный; вероятный.

**verisimilitude** [‚verɪsɪ'mɪlɪtjuːd] *n* правдоподобие.

**veritable** ['verɪtəbl] *a* настоящий, истинный.

**verity** ['verɪtɪ] *n* 1) истина; правда; истинность; in all ~, *уст.* of a ~ поистине; 2) правдивость.

**verjuice** ['vəːdʒuːs] *n* 1) кислый сок (*незрелых фруктов*); 2) неприветливость; резкость; a look of ~ неприветливый, недовольный взгляд, кислое выражение лица.

**vermeil** ['vəːmeɪl] **1.** *n* 1) *поэт. см.* vermilion 1; 2) позолоченное серебро, бронза; медь; **2.** *a поэт. см.* vermilion 2.

**vermicelli** [‚vəːmɪ'selɪ] *ит. n* вермишель.

**vermicide** ['vəːmɪsaɪd] = vermifuge.

**vermicular** [vəː'mɪkjulə] = vermiform.

**vermiform** ['vəːmɪfɔːm] *a* червеобразный; ~ appendix *анат.* червеобразный отросток.

**vermifuge** ['vəːmɪfjuːdʒ] *n мед.* глистогонное средство.

**vermilion** [və'mɪljən] **1.** *n* 1) киноварь; 2) ярко-красный цвет; **2.** *a* ярко-красный; **3.** *v* 1) красить киноварью; 2) окрашивать в ярко-красный цвет.

**vermin** ['vəːmɪn] *n* 1) *собир.* паразиты (*клопы, вши и т. п.*); 2) *собир. с.-х.* вредители, паразиты; 3) хищное животное; хищная птица; 4) преступный элемент, преступник; 5) *собир.* сброд.

**verminous** ['vəːmɪnəs] *a* 1) кишащий паразитами; 2) передаваемый паразитами; 3) отвратительный; вредный.

**verm(o)uth** ['vəːməθ] *n* вермут.

**vernacular** [vəˈnækjulə] 1. *a* 1) народный; туземный; родной (*о языке*); местный (*о диалекте*); 2) написанный на родном языке *или* диалекте; 3) свойственный данной местности, характерный для данной местности (*о болезни и т. п.*); 4) народный, общеупотребительный (*о названии растения, животного и т. п.* — *в противоположность научному названию*);
2. *n* 1) родной язык; местный диалект; профессиональный жаргон; 2) *шутл.* сильные выражения, брань; 3) народное, общеупотребительное название (*растения и т. п.*).

**vernacularism** [vəˈnækjulərɪzəm] *n* 1) местное слово *или* выражение; 2) употребление местного диалекта.

**vernal** ['vəːnl] *a* 1) весенний; 2) молодой, свежий.

**vernalization** [ˌvəːnəlaɪˈzeɪʃən] *n* яровизация.

**vernation** [vəːˈneɪʃən] *n бот.* листорасположение в почке.

**vernier** ['vəːnjə] *n тех.* нониус, верньер.

**veronal** ['verənl] *n фарм.* веронал.

**Veronese** [verəˈniːz] 1. *a* веронский;
2. *n* веронец, житель Вероны.

**veronica** [vɪˈrɔnɪkə] *n бот.* вероника.

**versatile** ['vəːsətaɪl] *a* 1) многосторонний; гибкий; ~ talent разносторонний талант; ~ mind гибкий ум; 2) непостоянный, изменчивый; 3) *редк.* легко поворачивающийся; 4) *бот., зоол.* подвижный.

**versatility** [ˌvəːsəˈtɪlɪtɪ] *n* многосторонность *и пр.* [*см.* versatile].

**verse** [vəːs] 1. *n* 1) строфа; стих; 2) стихи; поэзия; in ~ or prose в стихах или в прозе; lyrical ~ лирическая поэзия;
2. *v* 1) писать стихи; 2) выражать в стихах.

**versed** I [vəːst] *a* опытный, сведущий (in — в *чём-л.*).

**versed** II [vəːst] *p. p. от* verse 2.

**verse-monger** ['vəːsˌmʌŋgə] *n* рифмоплёт.

**versicle** ['vəːsɪkl] *n церк.* короткий стих (*возглашаемый священником при богослужении*).

**versicoloured** ['vəːsɪˌkʌləd] *a* разноцветный, переливающийся разными цветами, радужный.

**versification** [ˌvəːsɪfɪˈkeɪʃən] *n* 1) стихосложение; просодия; 2) переложение в стихотворную форму.

**versify** ['vəːsɪfaɪ] *v* 1) писать стихи; 2) перелагать на стихи.

**version** ['vəːʃən] *n* 1) версия; вариант; 2) перевод; 3) текст (*перевода или оригинала*); the Russian ~ of the treaty русский текст договора.

**vers libre** ['vɛəˈliːbr] *фр. n прос.* свободный стих.

**verso** ['vəːsou] *лат. n* (*pl* -os [-ouz]) 1) левая страница раскрытой книги; 2) оборотная сторона (*монеты, медали*).

**versus** ['vəːsəs] *лат. prep* 1) (*обыкн. сокр.*

v.) *юр., спорт.* против; Smith v. Robinson дело, возбуждённое Смитом против Робинсона; Lancashire v. Yorkshire матч между командами Ланкашира и Йоркшира; 2) в сравнении с.

**vert** I [vəːt] (*сокр. от* convert *или* pervert) *разг.* 1. *n* обращённый *или* совращённый в другую веру;
2. *v* переходить в другую веру.

**vert** II [vəːt] *n геральд.* зелёный цвет.

**vertebra** ['vəːtɪbrə] *n* (*pl* -rae) 1) позвонок; 2) (the vertebrae) *разг.* позвоночник.

**vertebrae** ['vəːtɪbriː] *pl от* vertebra.

**vertebral** ['vəːtɪbrəl] *a* позвоночный; ~ column позвоночный столб; спинной хребет.

**vertebrate** ['vəːtɪbrɪt] 1. *n* позвоночное животное;
2. *a* позвоночный.

**vertex** ['vəːteks] *n* (*pl* -tices) 1) вершина; ~ of an angle вершина угла; 2) вертекс, макушка головы (*в антропометрии*); 3) *астр.* зенит.

**vertical** ['vəːtɪkəl] 1. *a* 1) вертикальный; 2) отвесный; ◇ ~ union *амер.* производственный профсоюз, охватывающий всех работников, занятых в данной отрасли промышленности;
2. *n* вертикальная линия; перпендикуляр.

**verticel** ['vəːtɪsəl] *n бот.* кольчаторасположенные листья; мутовка.

**vertices** ['vəːtɪsiːz] *pl от* vertex.

**verticil** ['vəːtɪsɪl] = verticel.

**vertiginous** [vəːˈtɪdʒɪnəs] *a* 1) головокружительный; 2) страдающий головокружением; to feel ~ испытывать головокружение; 3) крутящийся, вращающийся; ~ current водоворот.

**vertigo** ['vəːtɪgou] *n* (*pl* -os [-ouz]) головокружение.

**vervain** ['vəːveɪn] *n бот.* вербена.

**verve** [vəːv] *n* 1) живость и яркость (*описания*); сила (*изображения*); 2) индивидуальность художника.

**vervet** ['vəːvet] *n* южноафриканская мартышка.

**very** ['verɪ] 1. *a* 1) истинный, настоящий, сущий; the ~ truth сущая правда; the veriest coward отъявленный трус; 2) *как усиление подчёркивает тождественность, совпадение* самый, тот самый; this ~ day в этот же день; the ~ man I want тот самый человек, который мне нужен; 3) *подчёркивает важность, значительность* самый, сам по себе, даже; his ~ absence is eloquent самое его отсутствие знаменательно; 4) *указывает на предельность, крайнюю степень чего-л.*: a ~ little more чуть-чуть больше.
2. *adv* 1) очень; ~ well отлично; I don't swim ~ well я плаваю довольно скверно; ~ much очень; in a ~ torn condition изорванный, изобранный в клочья; 2) *служит для усиления; часто в сочетании с превосх. ст. прилагательного* самый; it is the ~ best thing you can do это самое лучшее, что вы можете сделать; he came the ~ next day он пришёл на следующий же день; 3) *подчёркивает тождественность или проти-*

воположность: he used the ~ same words as I had он в то́чности повтори́л мои́ слова́; the ~ opposite to what I expected пря́мо противополо́жное тому́, что я ожида́л; ~ much the other way как раз наоборо́т; 4) *подчёркивает близость, принадлежность*: my *etc.*) ~ own моё (его́ *и т. д.*) са́мое бли́зкое, дорого́е; you may keep the book for your ~ own мо́жете оста́вить себе́ э́ту кни́гу в по́лную со́бственность.

**Very light** ['verɪ'laɪt] *n воен.* сигна́льная раке́та.

**vesicant** ['vesɪkənt] **1.** *a* нарывно́й; **2.** *n* боево́е отравля́ющее вещество́ нарывно́го де́йствия.

**vesicate** ['vesɪkeɪt] *v* нарыва́ть.

**vesicle** ['vesɪkl] *n* 1) *анат., биол.* пузырёк; 2) *геол.* по́лость в поро́де *или* минера́ле.

**vesper** ['vespə] *n* 1) (V.) вече́рняя звезда́; 2) *поэт.* ве́чер; 3) *pl церк.* вече́рня; 4) = vesper-bell.

**vesper-bell** ['vespəbel] *n* вече́рний звон.

**vesperian** [ves'pɪərɪən] *a* вече́рний.

**vespertine** ['vespətaɪn] *a* 1) вече́рний; 2) *бот.* распуска́ющийся ве́чером; 3) *зоол.* ночно́й (*о птицах*).

**vespiary** ['vespɪərɪ] *n* оси́ное гнездо́.

**vessel** ['vesl] *n* 1) сосу́д; 2) су́дно, кора́бль; 3) самолёт; ◇ weak ~ а) *библ.* сосу́д скуде́льный; б) ненадёжный челове́к; the weaker ~ *библ.* не́мощнейший сосу́д (*женщина*).

**vest** [vest] **1.** *n* 1) жиле́т; 2) вста́вка спе́реди (*в женском платье*); 3) нате́льная фуфа́йка; 4) *уст., поэт.* оде́жда, наря́д; 5) *церк.* облаче́ние; **2.** *v* 1) облека́ть; to ~ smb. with power облека́ть кого́-л. вла́стью; to ~ rights in a person наделя́ть кого́-л. права́ми; 2) переходи́ть (*об имуществе, наследстве и т. п.*; in); 3) наделя́ть (*имуществом и т. п.*, with); 4) *поэт.* облача́ть(ся).

**Vesta** ['vestə] *n миф.* Ве́ста.

**vesta** ['vestə] *n* восковая́ спи́чка (*тж.* wax ~); fusee ~ не га́снущая на ветру́ спи́чка.

**vestal** ['vestl] **1.** *n* 1) *др.-рим.* веста́лка; 2) де́вственница; 3) мона́хиня; 4) *ирон.* ста́рая де́ва; **2.** *a* 1) де́вственный, целому́дренный; ~ virgin веста́лка; 2) *ирон.* стародеви́ческий.

**vested** ['vestɪd] **1.** *p.p. от* vest 2; **2.** *a* 1) облачённый; 2) зако́нный, принадлежа́щий по пра́ву; ~ rights зако́нные права́; ~ interests а) закреплённые зако́ном иму́щественные права́; б) капиталовложе́ния; в) предпринима́тели.

**vestee** [ves'ti:] = vest 1, 2).

**vester** ['vestə] *редк.* = investor.

**vestiary** ['vestɪərɪ] = vestry 1).

**vestibule** ['vestɪbju:l] *n* 1) вестибю́ль, пере́дняя; 2) *мед.* преддве́рие; 3) *амер. ж.-д.* ваго́нный та́мбур с кры́тым перехо́дом.

**vestibule school** ['vestɪbju:l'sku:l] *n* произво́дственная шко́ла (*при фабрике или заводе*).

**vestibule train** ['vestɪbju:l'treɪn] *n амер.* по́езд с кры́тыми перехо́дами ме́жду ваго́нами.

**vestige** ['vestɪdʒ] *n* 1) след, оста́ток; при́знак; not a ~ of evidence ни мале́йших доказа́тельств *или* ули́к; 2) *редк., поэт.* след ноги́; 3) *биол.* рудимента́рный оста́ток.

**vestigia** [ves'tɪdʒɪə] *pl от* vestigium.

**vestigial** [ves'tɪdʒɪəl] *a* оста́точный, исчеза́ющий; ~ organs *биол.* рудимента́рные о́рганы.

**vestigium** [ves'tɪdʒɪəm] *n* (*pl* -gia) = vestige 1).

**vestment** ['vestmənt] *n* 1) *ритор.* одея́ние, оде́жда; 2) *церк.* облаче́ние, ри́за.

**vest-pocket** ['vest,pɒkɪt] *n* 1) жиле́тный карма́н; 2) *attr.* карма́нный; небольшо́го разме́ра, ма́ленький.

**vestry** ['vestrɪ] *n* 1) *церк.* ри́зница; 2) помеще́ние для моли́твенных и други́х собра́ний; 3) собра́ние налогоплате́льщиков прихо́да (*тж.* common ~, general ~, ordinary ~); select ~ собра́ние представи́телей налогоплате́льщиков прихо́да.

**vestry-clerk** ['vestrɪklɑːk] *n* прихо́дский казначе́й (*избираемый прихожанами*).

**vestryman** ['vestrɪmən] *n* член прихо́дского управле́ния.

**vesture** ['vestʃə] *поэт.* **1.** *n* 1) одея́ние; 2) покро́в; **2.** *v* одева́ть, облача́ть.

**vestured** ['vestʃəd] **1.** *p. p. от* vesture 2; **2.** *a поэт.* 1) оде́тый; 2) покры́тый.

**vet** [vet] *разг.* **1.** *n* 1) *сокр. от* veterinary 1; 2) *амер. сокр. от* veteran 1; **2.** *v* 1) де́лать ветерина́рный осмо́тр; лечи́ть (*животных*); 2) быть ветерина́ром; 3) просма́тривать (*рукопись*); рассма́тривать, иссле́довать; проверя́ть (*прибор*).

**vetch** [vetʃ] *n бот.* ви́ка; горо́шек.

**veteran** ['vetərən] *n* 1) ветера́н; быва́лый солда́т; 2) фронтови́к; уча́стник войны́; 3) *attr.* ста́рый, о́пытный, умудрённый о́пытом; 4) *attr.* дли́тельный, продолжи́тельный.

**veterinarian** [,vetərɪ'nɛərɪən] = veterinary.

**veterinary** ['vetərɪnərɪ] **1.** *n* ветерина́р; **2.** *a* ветерина́рный.

**veto** ['vi:tou] **1.** *n* (*pl* -oes [-ouz]) 1) ве́то, запреще́ние; to put (*или* to set) a ~ on smth. наложи́ть ве́то (*или* запре́т) на что-л.; 2) пра́во ве́то; **2.** *v* налага́ть ве́то (*на что-л.*); запреща́ть.

**vex** [veks] *v* 1) досажда́ть, раздража́ть, серди́ть; how ~ing! кака́я доса́да!; to be ~ed серди́ться; ~ed with (*или* at) smb., smth. серди́тый на кого́-л., что-л.; 2) беспоко́ить, волнова́ть; 3) дразни́ть (*животное*); 4) без конца́ обсужда́ть, дебати́ровать.

**vexation** [vek'seɪʃən] *n* 1) доса́да, раздраже́ние; 2) неприя́тность.

**vexatious** [vek'seɪʃəs] *a* 1) сопряжённый с неприя́тностями; беспоко́йный; 2) доса́дный; 3) *юр.* зате́янный без доста́точных основа́ний и рассчи́танный на то, что́бы замучить тя́жбами (*о процессе*).

**vexed** [vekst] 1. *p.p.* *от* vex;
2. *a* 1) раздосадованный; 2): ~ question (point) спорный, горячо дебатируемый вопрос (пункт).

**via** ['vaɪə] *лат. prep* через.

**viable** ['vaɪəbl] *a* жизнеспособный.

**viaduct** ['vaɪədʌkt] *n* 1) виадук; путепровод; 2) *ж.-д.* мост через долину.

**vial** ['vaɪəl] *n* пузырёк, бутылочка; ◇ to pour out the ~s of wrath on smb. излить свой гнев на кого-л.

**viands** ['vaɪəndz] *n pl ритор.* 1) провизия; 2) яства.

**viatic** [vaɪ'ætɪk] *a* дорожный.

**viaticum** [vaɪ'ætɪkəm] *n* 1) *церк.* причастие, даваемое умирающему; 2) *уст.* деньги *или* провизия на дорогу.

**viator** [vaɪ'eɪtə] *n* путешественник.

**vibrancy** ['vaɪbrənsɪ] = vibration.

**vibrant** ['vaɪbrənt] *a* 1) вибрирующий; 2) резонирующий (*о звуке*); 3) трепещущий (with—от).

**vibrate** [vaɪ'breɪt] *v* 1) вибрировать, дрожать (with—от); 2) качаться, колебаться; 3) трепетать (at—при); 4) звучать (*в ушах, в памяти*); 5) вызывать вибрацию (*в чём-л.*); 6) сомневаться, колебаться, быть в нерешительности.

**vibration** [vaɪ'breɪʃən] *n* вибрация *и пр.* [*см.* vibrate].

**vibrator** [vaɪ'breɪtə] *n тех.* 1) вибратор; 2) прерыватель.

**vibratory** ['vaɪbrətərɪ] *a* 1) вибрирующий; вызывающий вибрацию; 2) колеблющийся, дрожащий.

**vibrio** ['vɪbrɪou] *n* (*pl* -os [-ouz]) *биол.* вибрион.

**viburnum** [vaɪ'bənəm] *n бот.* калина.

**vicar** ['vɪkə] *n* 1) викарий, приходский священник (*не получающий десятины*); 2) заместитель; 3) *поэт.* наместник; ◇ ~ of Bray беспринципный человек; ренегат (*по имени полулегендарного викария XVI в., четыре раза менявшего свою религию*).

**vicarage** ['vɪkərɪdʒ] *n* 1) должность священника; 2) дом священника.

**vicarial** [vaɪ'kɛərɪəl] *a* викарный; пасторский.

**vicarious** [vaɪ'kɛərɪəs] *a* замещающий другого; сделанный за другого; ~ atonement искупление чужой вины.

**vice** I [vaɪs] *n* 1) порок; зло; 2) недостаток (*в характере и т. п.*); 3) норов (*у лошади*); 4) (the V.) *ист.* Порок (*шутовская фигура в моралите*).

**vice** II [vaɪs] 1. *n тех.* тиски, зажимной патрон;
2. *v* сжимать, стискивать; зажимать в тиски (*тж. перен.*).

**vice** III ['vaɪsɪ] *prep* вместо.

**vice** IV [vaɪs] *сокр. разг. от* vice-chancellor, vice-president *и т. п.*

**vice-** ['vaɪs-] *pref* вице-.

**vice-admiral** ['vaɪs'ædmərəl] *n* вице-адмирал.

**vice-chairman** ['vaɪs'tʃɛəmən] *n* заместитель председателя.

**vice-chancellor** ['vaɪs'tʃɑːnsələ] *n* вице-канцлер.

**vice-consul** ['vaɪs'kɔnsəl] *n* вице-консул.

**vicegerent** ['vaɪs'dʒerənt] *n* наместник.

**vice-governor** ['vaɪs'gʌvənə] *n* вице-губернатор.

**vice-minister** ['vaɪs'mɪnɪstə] *n* товарищ *или* заместитель министра.

**vicennial** [vaɪ'senɪəl] *a* 1) двадцатилетний (*срок, период*); 2) происходящий каждые 20 лет.

**vice-president** ['vaɪs'prezɪdənt] *n* вице-президент.

**viceregal** ['vaɪs'riːgəl] *a* вице-королевский.

**vicereine** ['vaɪs'reɪn] *n* супруга вице-короля.

**viceroy** ['vaɪsrɔɪ] *n* вице-король.

**vice squad** ['vaɪs'skwɔd] *n амер.* отделение полиции, занимающееся борьбой с незаконной торговлей спиртными напитками.

**vice versa** ['vaɪsɪ'vəsə] *лат. adv* наоборот; обратно; I dislike him and ~ я не люблю его, и он меня не любит.

**vicinage** ['vɪsɪnɪdʒ] *n поэт.* 1) соседство; 2) окрестности; 3) близость.

**vicinal** ['vɪsɪnəl] *a* местный; соседний.

**vicinity** [vɪ'sɪnɪtɪ] *n* 1) окрестности; округа; район; 2) соседство, близость; in close ~ близко, по соседству; in the ~ of a) поблизости; б) около, приблизительно; (he is) in the ~ of fifty (ему) около пятидесяти.

**vicious** ['vɪʃəs] *a* 1) порочный; 2) ошибочный, неправильный; дефектный; ~ union *мед.* неправильное сращение; 3) злой; злобный (*о взгляде, словах*); 4) норовистый; 5) грязный, загрязнённый (*о воде, воздухе и т. п.*); 6) ужасный; ~ headache ужасная головная боль; ◇ ~ circle порочный круг.

**vicissitude** [vɪ'sɪsɪtjuːd] *n* 1) превратность; the ~s of fate превратности судьбы; 2) *уст.*, *поэт.* перемена, смена; чередование.

**victim** ['vɪktɪm] *n* жертва; to fall a ~ to стать жертвой *кого-л., чего-л.*

**victimization** [ˌvɪktɪmaɪ'zeɪʃən] *n* 1) преследование; 2) увольнение рабочих и служащих за участие в забастовке, в политическом выступлении *и т. п.*

**victimize** ['vɪktɪmaɪz] *v* 1) делать своей жертвой; мучить; 2) обманывать; 3) подвергать преследованию; 4) увольнять рабочих и служащих [*см.* victimization 2)].

**victor** ['vɪktə] *n* 1) победитель; 2) *attr.* победоносный.

**victoria** [vɪk'tɔːrɪə] *n* 1) лёгкий двухместный экипаж; 2) легковая автомашина с откидным верхом.

**Victoria cross** [vɪk'tɔːrɪə'krɔs] *n* крест ордена Виктории (*высшая военная награда в Англии*).

**victoria lily** [vɪk'tɔːrɪə'lɪlɪ] *n бот.* виктория-регия.

**Victorian** [vɪk'tɔːrɪən] 1. *a* 1) викторианский (*относящийся к эпохе королевы Виктории 1837—1901 гг.*); 2) старомодный (*обыкн.* early ~);
2. *n* человек, *особ.* писатель викторианской эпохи.

**victorious** [vɪk'tɔːrɪəs] *a* победоносный.

**victory** ['vɪktərɪ] *n* победа; to gain (*или* to win) a ~ одержать победу (over); ◇ ~ gardens огоро́дцы городски́х жи́телей А́нглии во вре́мя второ́й мирово́й войны́.

**victress** ['vɪktrɪs] *n* победи́тельница.

**victual** ['vɪtl] 1. *n* (*обыкн. pl*) пи́ща, прови́зия;
2. *v* 1) снабжа́ть прови́зией; 2) запаса́ться прови́зией; 3) *разг.* пита́ться.

**victualler** ['vɪtlə] *n* 1) поставщи́к продово́льствия; licensed ~ тракти́рщик, име́ющий пра́во продава́ть спиртны́е напи́тки; 2) *воен., мор.* тра́нспорт с продово́льствием.

**victualling** ['vɪtlɪŋ] 1. *pres. p. om* victual 2;
2. *n* снабже́ние продово́льствием.

**victualling-yard** ['vɪtlɪŋjɑːd] *n* продово́льственный склад (*при доках*).

**vicugna, vicuna** [vɪˈkjuːnjə, vɪˈkjuːnə] *n* 1) *зоол.* виго́нь, вику́нья; 2) шерстяна́я мате́рия (*из шерсти вигони*).

**vide** ['vaɪdɪ] *лат. v itr* смотри́; ~ supra (infra) смотри́ вы́ше (ни́же).

**videlicet** [vɪˈdiːlɪset] *лат. adv* (*сокр.* viz., *обыкн. читается* namely) а и́менно.

**video** ['vɪdəou] 1. *n* телеви́дение;
2. *a* телевизио́нный, свя́занный с телеви́дением; ~ picture изображе́ние на экра́не лучево́й тру́бки.

**vidimus** ['vɪdɪməs] *n* 1) официа́льная прове́рка докуме́нтов; 2) заве́ренная ко́пия.

**vie** [vaɪ] *v* сопе́рничать.

**Viennese** [ˌvɪeˈniːz] 1. *a* ве́нский;
2. *n* (*pl без измен.*) жи́тель Ве́ны.

**Viet-Namese** [ˌvjetnəˈmiːz] 1. *a* вьетна́мский;
2. *n* вьетна́мец; вьетна́мка; the ~ *pl собир.* вьетна́мцы.

**view** [vjuː] 1. *n* 1) вид; a house with a ~ of the sea дом с ви́дом на́ море; 2)по́ле зре́ния, кругозо́р; we came in ~ of the bridge a) мы уви́дели мост; б) нам ста́ло ви́дно с моста́; to burst into (*или* upon) the ~ внеза́пно появи́ться; to pass from smb.'s ~ скры́ться из чьего́-л. по́ля зре́ния; to be in ~ а) быть ви́димым; б) предви́деться; in full ~ of everybody у всех на виду́; to have (*или* to keep) in ~ не теря́ть из виду; име́ть в виду́; in ~ of ввиду́; принима́я во внима́ние; 3) взгляд, мне́ние, то́чка зре́ния; in my ~ по моему́ мне́нию; to form a clear ~ of the situation соста́вить себе́ я́сное представле́ние о положе́нии дел; short ~s недальнови́дность; to take a rose-coloured ~ of smth. смотре́ть сквозь ро́зовые очки́ на что-л.; 4) наме́рение; will this meet your ~s? не противоре́чит ли э́то ва́шим наме́рениям?; to have ~s on smth. име́ть ви́ды на что-л.; with the ~ of, with a ~ to с наме́рением; с це́лью; 5) осмо́тр; to have (*или* to take) a ~ of smth. осмотре́ть что-л.; оп ~ вы́ставленный для обозре́ния; private ~ вы́ставка *или* просмо́тр карти́н (*частной коллекции*); оп the ~ во вре́мя осмо́тра, при осмо́тре; 6) карти́на (*особ.* пейза́ж);
2. *v* 1) осма́тривать; 2) *поэт.* ви́деть; 3) рассма́тривать, смотре́ть на; he ~s the matter in a different light он ина́че смо́трит на э́то.

**view-finder** ['vjuːˌfaɪndə] *n фото* видоиска́тель.

**viewless** ['vjuːlɪs] *a поэт.* 1) неви́димый; 2) слепо́й; 3) не выража́ющий определённой то́чки зре́ния.

**view-point** ['vjuːpɔɪnt] *n* то́чка зре́ния.

**viewy** ['vjuːɪ] *a разг.* 1) чудакова́тый, стра́нный; 2) эффе́ктный, я́ркий; шика́рный.

**vigesimal** [vɪˈdʒesɪməl] *a* разделённый на два́дцать часте́й; состоя́щий из двадцати́ часте́й.

**vigil** ['vɪdʒɪl] *n* 1) бо́дрствование; to keep ~ бо́дрствовать; дежу́рить (*напр., у постели больного*); 2) *церк.* кану́н пра́здника; пост накану́не пра́здника.

**vigilance** ['vɪdʒɪləns] *n* 1) бди́тельность; 2) *мед.* бессо́нница.

**vigilance committee** ['vɪdʒɪlənskəˈmɪtɪ] *n* реакцио́нная организа́ция для распра́вы с прогресси́вными элеме́нтами под ви́дом охра́ны поря́дка и поддержа́ния зако́нности.

**vigilant** ['vɪdʒɪlənt] *a* бди́тельный.

**vigilante gang** [ˌvɪdʒɪˈlæntɪˈgæŋ] = vigilance committee.

**vignette** [vɪˈnjet] *фр.* 1. *n* виньéтка;
2. *v* рисова́ть виньéтки.

**vigogne** [vɪˈgɔːnjə] *n текст.* виго́нь.

**vigor** ['vɪgə] *амер.* = vigour.

**vigorous** ['vɪgərəs] *a* си́льный, энерги́чный; ~ protest энерги́чный проте́ст.

**vigour** ['vɪgə] *n* 1) си́ла, эне́ргия; 2) зако́нность, действи́тельность; a law still in ~ зако́н, ещё сохрани́вший си́лу.

**viking** ['vaɪkɪŋ] *n ист.* ви́кинг.

**vilayet** [vɪˈlɑːjet] *тур. n* вилайе́т.

**vile** [vaɪl] *a* 1) по́длый, ни́зкий; 2) *разг.* отврати́тельный.

**vilification** [ˌvɪlɪfɪˈkeɪʃən] *n* поноше́ние.

**vilify** ['vɪlɪfaɪ] *v* поноси́ть, черни́ть (*кого-л.*).

**vilipend** ['vɪlɪpend] *v* пренебрежи́тельно отзыва́ться (*о ком-л.*); пренебрежи́тельно относи́ться (*к кому-л.*).

**villa** ['vɪlə] *n* ви́лла.

**village** ['vɪlɪdʒ] *n* 1) дере́вня, село́; 2) *собир.* дереве́нские жи́тели; 3) *attr.* дереве́нский.

**villager** ['vɪlɪdʒə] *n* се́льский жи́тель.

**villain** ['vɪlən] *n* 1) злоде́й, негодя́й; ~ of the piece гла́вный злоде́й (*в драме*); 2) *шутл.* хитре́ц, плути́шка; 3) = villein.

**villainage** ['vɪlɪnɪdʒ] = villeinage.

**villainous** ['vɪlənəs] *a* 1) ме́рзкий; отврати́тельный; 2) по́длый; 3) злоде́йский.

**villainy** ['vɪlənɪ] *n* 1) ме́рзость; 2) по́длость; 3) злоде́йство.

**villeggiatura** [vɪˌledʒɪəˈtuərə] *ит. n* 1) пребыва́ние на да́че; 2) да́ча, ви́лла.

**villein** ['vɪlɪn] *n ист.* вилла́н, крепостно́й.

**villeinage** ['vɪlɪnɪdʒ] *n ист.* крепостно́е состоя́ние; крепостна́я зави́симость.

**vim** [vɪm] *n разг.* эне́ргия, си́ла.

**vimba** ['vɪmbə] *n зоол.* рыбе́ц.

**vinaigrette** [ˌvɪneɪˈgret] *n* 1) винегре́т (*тж.* ~ sauce); 2) флако́н с ню́хательной со́лью *или* туале́тным у́ксусом.

**vincible** ['vɪnsɪbl] *a редк.* преодолимый.

**vindicate** ['vɪndɪkeɪt] *v* 1) отстоять (*право и т. п.*); 2) реабилитировать; 3) оправдывать; подтверждать.

**vindication** [ˌvɪndɪ'keɪʃən] *n* 1) защита; 2) реабилитация; 3) оправдание; подтверждение.

**vindicative** ['vɪndɪkətɪv] = vindicatory 1).

**vindicator** ['vɪndɪkeɪtə] *n* защитник, поборник.

**vindicatory** ['vɪndɪkətərɪ] *a* 1) реабилитирующий; защитительный; 2) карательный.

**vindictive** [vɪn'dɪktɪv] *a* 1) мстительный; 2) *редк.* карательный; ~ damages *юр.* штраф.

**vine** [vaɪn] *n* 1) виноградная лоза; 2) стелющееся *или* ползучее растение.

**vinedresser** ['vaɪnˌdresə] *n* виноградарь.

**vinegar** ['vɪnɪgə] *n* 1) уксус; 2) неприятный характер; нелюбезный ответ *и т. п.*; 3) *attr.* уксусный; *перен.* кислый, неприятный.

**vinegary** ['vɪnɪgərɪ] *a* 1) уксусный; 2) кислый, неприятный; ~ smile кислая улыбка.

**vine-prop** ['vaɪnprɒp] *n* шпалера.

**vinery** ['vaɪnərɪ] *n* виноградная теплица.

**vineyard** ['vɪnjəd] *n* виноградник.

**viniculture** ['vɪnɪkʌltʃə] = viticulture.

**vin-ordinaire** ['væŋˌɔːdɪ'nɛə] *фр. n* дешёвое красное вино.

**vinous** ['vaɪnəs] *a* 1) винный; 2) вызванный опьянением; ~ mirth пьяное веселье; 3) винного цвета.

**vintage** ['vɪntɪdʒ] *n* 1) сбор *или* урожай винограда; 2) вино из сбора определённого года; 3) вино (*обыкн.* высшего качества).

**vintager** ['vɪntɪdʒə] *n* сборщик винограда.

**vintner** ['vɪntnə] *n уст.* виноторговец.

**viol** ['vaɪəl] *n уст.* виола (*муз. инструмент*).

**viola** I [vɪ'oulə] *n* альт (*муз. инструмент*).

**viola** II ['vaɪələ] *n бот.* 1) фиалка; 2) фиалковые (*семейство*).

**violaceous** [ˌvaɪou'leɪʃəs] *a* 1) *бот.* фиалковый; 2) фиолетовый.

**violate** ['vaɪəleɪt] *v* 1) нарушать, преступать (*клятву, закон*); to ~ a treaty нарушить договор; 2) осквернять (*могилу и т. п.*); 3) насиловать, применять насилие; вторгаться, врываться; нарушать (*тишину и т. п.*).

**violation** [ˌvaɪə'leɪʃən] *n* нарушение *и пр.* [*см.* violate].

**violator** ['vaɪəleɪtə] *n* нарушитель.

**violence** ['vaɪələns] *n* 1) сила, неистовство; стремительность; 2) насилие; to do ~ to... оскорблять действием, насиловать...; he did ~ to his feelings он действовал вопреки своим убеждениям.

**violent** ['vaɪələnt] *a* 1) неистовый; яростный; ~ efforts отчаянные усилия; he was in a ~ temper он был в ярости; 2) сильный, интенсивный; ~ pain сильная боль; ~ heat ужасная жара; ~ yellow ярко-жёлтый цвет; ~ contrast резкий контраст; 3) насильственный; to resort to ~ means прибегнуть

к насилию; to lay ~ hands on smth. захватить что-л. силой; to die a ~ death умереть насильственной смертью; 4) вспыльчивый, горячий; 5) страстный, горячий; ~ speech страстная речь; 6) искажённый, неправильный; ~ interpretation неправильная интерпретация; ~ assumption невероятное предположение.

**violently** ['vaɪələntlɪ] *adv* сильно, очень; to sneeze ~ громко чихнуть; to run ~ бежать стремительно, бежать без оглядки.

**violet** ['vaɪəlɪt] 1. *n* 1) фиалка; 2) фиолетовый цвет;
2. *a* фиолетовый, тёмно-лиловый.

**violet-wood** ['vaɪəlɪtwud] *n бот.* амарантовое дерево.

**violin** [ˌvaɪə'lɪn] *n* 1) скрипка (*инструмент*); 2) скрипка, скрипач (*в оркестре*).

**violinist** ['vaɪəlɪnɪst] *n* скрипач.

**violoncellist** [ˌvaɪələn'tʃelɪst] *n* виолончелист.

**violoncello** [ˌvaɪələn'tʃelou] *n* (*pl* -os [-ouz]) виолончель.

**viper** ['vaɪpə] *n* 1) гадюка; 2) змея, вероломный человек; to cherish a ~ in one's bosom отогреть змею на груди.

**viperous** ['vaɪpərəs] *a* ядовитый, злобный; ехидный.

**virago** [vɪ'rɑːgou] *n* (*pl* -os, -oes [-ouz]) сварливая женщина.

**viral** ['vaɪərəl] *a* вирусный.

**virgin** ['vɜːdʒɪn] 1. *n* 1) дева, девственница; the V. *библ.* дева Мария; 2) (V.) = Virgo;
2. *a* 1) девичий; 2) девственный; 3) самородный (*о металле*); неразрабатывавшийся (*о месторождении*); 4) нетронутый, чистый, девственный; ~ soil новь, целина; ~ forest девственный лес; 5) не бывший в употреблении; первый; ~ cruise первый рейс; ◇ V. Queen королева Елизавета.

**virginal** I ['vɜːdʒɪnl] *a* девственный; невинный, непорочный.

**virginal** II ['vɜːdʒɪnl] *n ист. муз.* спинет без ножек (*тж.* ~s, pair of ~s).

**Virginia creeper** [və'dʒɪnjə'krɪːpə] *n* дикий виноград (пятилистный).

**virginity** [vɜː'dʒɪnɪtɪ] *n* девственность.

**Virgo** ['vɜːgou] *n* Дева (*созвездие и знак зодиака*).

**viridity** [vɪ'rɪdɪtɪ] *n* 1) зелень; 2) свежесть, живость.

**virile** ['vɪraɪl] *a* 1) возмужалый; зрелый; 2) мужской; 3) мужественный; сильный; ~ mind живой ум; ~ government сильное правительство.

**virility** [vɪ'rɪlɪtɪ] *n* 1) мужество; 2) возмужалость; мужественность; 3) половая зрелость.

**virology** [ˌvaɪə'rɒlədʒɪ] *n* вирусология.

**virtu** [vɜː'tuː] *ит. n* понимание тонкостей искусства; articles of ~ художественные редкости.

**virtual** ['vɜːtjuəl] *a* 1) фактический, не номинальный, действительный; 2) *уст.* эффективный.

**virtually** ['vɜːtjuəlɪ] *adv* фактически; в сущности.

**virtue** ['vɜːtjuː] *n* 1) добродетель; a man of ~ добродетельный человек; 2) достоинство, хорóшее кáчество; 3) сúла, дéйствие; a remedy of great ~ óчень хорошó дéйствующее срéдство; 4) целомýдрие; 5) свóйство; ◇ by (*или* in) ~ of smth. посрéдством чегó-л., благодаря чемý-л.;. в сúлу чегó-л., на основáнии чегó-л.

**virtuosi** [͵vɑ:tjuʹouzi:] *pl от* virtuoso.

**virtuosity** [͵vɑ:tjuʹɔsiti] *n* 1) виртуóзность; 2) понимáние тóнкостей искýсства.

**virtuoso** [͵vɑ:tjuʹouzou] *ит. n* (*pl* -sos [-zouz], -si) 1) виртуóз; 2) знатóк худóжественных рéдкостей; ценúтель искýсства.

**virtuous** [ʹvɑ:tjuəs] *a* 1) добродéтельный; 2) целомýдренный.

**virulence** [ʹviruləns] *n* 1) ядовúтость; сúла, вирулéнтность (*яда*); 2) злóба, злóбность.

**virulent** [ʹvirulənt] *a* 1) ядовúтый; вирулéнтный (*о яде*); 2) опáсный, стрáшный (*о болезни*); 3) злóбный; враждéбный; жестóкий.

**virus** [ʹvaiərəs] *лат. n* 1) вúрус; filterable ~ фильтрýющийся вúрус; 2) *перен.* зарáза, яд; 3) *attr.* вúрусный; ~ warfare бактериологúческая войнá.

**visa** [ʹvi:zə] = visé.

**visage** [ʹvizidʒ] *n лит.* лицó; выражéние лицá, вид.

**-visaged** [ʹvizidʒd] *в сложных словах* -лúцый; dark-~ смуглолúцый; long-~ длиннолúцый.

**visard** [ʹvizəd] = visor.

**vis-à-vis** [ʹvi:zɑ:vi:] *фр.* 1. *n* визавú; 2. *adv* 1) друг прóтив дрýга, напрóтив; 2) в отношéнии, по отношéнию.

**viscera** [ʹvisərə] *лат. n pl* внýтренности.

**visceral** [ʹvisərəl] *a* относящийся к внýтренностям.

**viscerate** [ʹvisəreit] *v* потрошúть.

**viscid** [ʹvisid] = viscous.

**viscidity** [viʹsiditi] = viscosity.

**viscose** [ʹviskous] *n текст.* вискóза.

**viscosity** [visʹkɔsiti] *n* вязкость, лúпкость, клéйкость; тягýчесть.

**viscount** [ʹvaikaunt] *n* викóнт.

**viscountess** [ʹvaikauntis] *n* виконтéсса.

**viscous** [ʹviskəs] *a* вязкий, лúпкий, клéйкий; тягýчий, густóй.

**vise** [vaiz] *амер.* = vice II.

**visé** [ʹvi:zei] 1. *n* вúза; 2. *v* (viséd [-d]; *p. p. тж.* visé'd [-d]) визúровать.

**Vishnu** [ʹviʃnu:] *санскр. n миф.* Вúшну.

**visibility** [͵viziʹbiliti] *n* 1) вúдимость; 2) обзóр.

**visible** [ʹvizəbl] *a* 1) вúдимый; ~ image вúдимое изображéние; 2) явный, очевúдный; without any ~ cause без всякой вúдимой причúны.

**visibly** [ʹvizəbli] *adv* явно, вúдимо, замéтно.

**Visigoth** [ʹvizigɔθ] *n ист.* вестгóт.

**vision** [ʹviʒən] *n* 1) зрéние; beyond our ~ вне нáшего пóля зрéния; 2) проникновéние, проницáтельность, предвúдение; a man of ~ проницáтельный человéк; 3) вид, зрéлище; I had only a momentary ~ of the sea я тóлько на мгновéние увúдел мóре; 4) видéние, мечтá.

**visional** [ʹviʒənl] *a* 1) зрúтельный; 2) воображáемый.

**visionary** [ʹviʒnəri] 1. *a* 1) прúзрачный; воображáемый, фантастúческий; 2) склóнный к галлюцинáциям; 3) мечтáтельный; 4) непрактúчный; 5) не могýщий быть осуществлённым; 2. *n* 1) мечтáтель; 2) визионéр, мúстик; провúдец; 3) непрактúчный человéк; «не от мúра сегó».

**visit** [ʹvizit] 1. *n* 1) посещéние, визúт; to be on a ~ гостúть; to make (*или* to pay) a ~ to smb. навещáть, посещáть когó-л.; 2) *амер. разг.* разговóр; 3) *юр.* осмóтр, досмóтр (*судна нейтральной страны*); 2. *v* 1) навещáть; посещáть; 2) гостúть, быть (*чьим-л.*) гóстем; to ~ at a place гостúть где -л.; to ~ with smb. гостúть у когó-либо; 3) навещáть чáсто, быть постоянным посетúтелем; 4) осмáтривать, инспектúровать; 5) постигáть, поражáть (*о болезни, бедствии и т. п.*); 6) *библ.* карáть; отмщáть (upon—*кому-л.*, with—*чем-л.*); 7) *амер. разг.* поговорúть, поболтáть; to ~ over the telephone поболтáть по телефóну.

**visitable** [ʹvizitəbl] *a* 1) открытый для посетúтелей; 2) привлекáющий (большóе числó) посетúтелей.

**visitant** [ʹvizitənt] 1. *n* 1) *поэт.* гость; высóкий гость; 2) перелётная птúца; 2. *a* посещáющий.

**visitation** [͵viziʹteiʃən] *n* 1) официáльное посещéние; объéзд; 2) *разг.* продолжúтельный визúт; 3) = visit 1, 3); 4) испытáние, кáра; «бóжье наказáние».

**visitatorial** [͵vizitəʹtɔːriəl] *a* инспектúрующий, инспéкторский.

**visitee** [͵viziʹti:] *n* хозяин (*принимающий гостей*).

**visiting** [ʹvizitiŋ] 1. *pres. p. от* visit 2; 2. *a* посещáющий; навещáющий на домý; ~ nurse сестрá пóмощи на домý.

**visiting-book** [ʹvizitiŋbuk] *n* кнúга посетúтелей.

**visiting-card** [ʹvizitiŋkɑ:d] *n* визúтная кáрточка.

**visiting-day** [ʹvizitiŋdei] *n* приёмный день; день приёма гостéй.

**visiting-round** [ʹvizitiŋ͵raund] *n воен.* повéрка часовых.

**visitor** [ʹvizitə] *n* 1) посетúтель, гость; ~s' book кнúга посетúтелей; 2) инспéктор, ревизóр.

**visor** [ʹvaizə] 1. *n* 1) козырёк (*фуражки*); 2) *ист.* забрáло (*шлема*); 3) *перен.* мáска, личúна; 2. *v* маскировáть, скрывáть.

**vista** [ʹvistə] *ит. n* 1) перспектúва, вид (*в конце аллеи, долины и т. п.*); 2) аллéя, прóсека; 3) веренúца воспоминáний; to look back through the ~s of the past оглядываться на далёкое прóшлое; 4) перспектúва, возмóжности, вúды на бýдущее.

**visual** [ʹvizjuəl] *a* 1) зрúтельный; ~ nerve зрúтельный нерв; 2) вúдимый; 3) нагля́дный; ~ aids нагля́дные пособия; ~ instruction нагля́дное обучéние; 4) оптúческий; ~ angle ýгол зрéния, оптúческий ýгол; ~ signal оптúческий сигнáл.

**visualization** [,vɪzjuəlaɪ'zeɪʃən] *n* 1) отчётливый зрительный образ; 2) способность вызывать зрительные образы.

**visualize** ['vɪzjuəlaɪz] *v* 1) отчётливо представлять себе, мысленно видеть; 2) делать видимым.

**vita** ['vaɪtə] *n* короткий автобиографический очерк.

**vita glass** ['vaɪtə'glɑːs] *n* стекло, пропускающее ультрафиолетовые лучи.

**vital** ['vaɪtl] *a* 1) жизненный; ~ functions жизненные отправления; ~ power жизненная энергия; 2) насущный, существенный; a question of ~ importance вопрос первостепенной важности; ~ industries важнейшие отрасли промышленности; 3) энергичный, полный жизни; живой (*о стиле*); 4) гибельный, роковой; ~ wound смертельная рана; 5); ~ statistics статистика рождаемости, смертности, количества браков *и т. п.*

**vitalism** ['vaɪtəlɪzəm] *n* биол. витализм.

**vitality** [vaɪ'tælɪtɪ] *n* 1) жизнеспособность; жизненность; 2) живучесть; 3) энергия, энергичность; 4) живость (*стиля*).

**vitalize** ['vaɪtəlaɪz] *v* оживлять; обновлять.

**vitals** ['vaɪtlz] *n pl* 1) жизненно важные органы; 2) наиболее важные части, центры *и т. п.*; to tear the ~ out of a subject дойти до самой сути предмета.

**vitamin** ['vɪtəmɪn] *n* витамин.

**vitascope** ['vaɪtəskoup] *n* кинопроекционный аппарат.

**vitiate** ['vɪʃɪeɪt] *v* 1) портить; 2) делать недействительным (*контракт, аргумент*).

**vitiation** [,vɪʃɪ'eɪʃən] *n* 1) порча; 2) юр. лишение силы, признание недействительным.

**viticulture** ['vɪtɪkʌltʃə] *n* виноградарство.

**vitiosity** [,vɪʃɪ'ɔsɪtɪ] *n* порочность.

**vitreous** ['vɪtrɪəs] *a* 1) стекловидный; ~ body (*или* humour) анат. стекловидное тело (*в глазу*); ~ silver мин. аргентит; 2) стеклянный.

**vitrifaction** [,vɪtrɪ'fækʃən] *n* превращение в стекло *или* стекловидное вещество.

**vitrification** [,vɪtrɪfɪ'keɪʃən] = vitrifaction.

**vitrify** ['vɪtrɪfaɪ] *v* превращать(ся) в стекло *или* стекловидное вещество.

**vitriol** ['vɪtrɪəl] *n* 1) купорос; blue (green) ~ медный (железный) купорос; 2) купоросное масло (*тж.* oil of ~); 3) язвительность, сарказм.

**vitriolic** [,vɪtrɪ'ɔlɪk] *a* 1) купоросный; 2) резкий, едкий, саркастический.

**vituline** ['vɪtjulɪn] *a* телячий.

**vituperate** [vɪ'tjuːpəreɪt] *v* бранить, поносить.

**vituperation** [vɪ,tjuːpə'reɪʃən] *n* брань, поношение.

**vituperative** [vɪ'tjuːpərətɪv] *a* бранный, ругательный.

**viva I** ['vɪːvə] *ит.* 1. *int* да здравствует!; 2. *n* 1) приветственный возглас; 2) *pl* приветствия.

**viva II** ['vaɪvə] = viva voce.

**vivacious** [vɪ'veɪʃəs] *a* живой, оживлённый.

**vivacity** [vɪ'væsɪtɪ] *n* живость, оживлённость.

**vivaria** [vaɪ'vɛərɪə] *pl от* vivarium.

**vivarium** [vaɪ'vɛərɪəm] *n* (*pl* -ia) 1) садок; 2) виварий.

**viva voce** [vaɪvə'vousɪ] *лат.* 1. *n* устный экзамен;
2. *a* устный; ~ examination устный экзамен;
3. *adv* устно.

**vivers** ['vɪːvəz] *n pl шотл.* пища, продовольствие.

**vivid** ['vɪvɪd] *a* 1) яркий; ясный; a ~ flash of lightning яркая вспышка молнии; 2) живой, яркий; пылкий; ~ imagination пылкое воображение.

**vivify** ['vɪvɪfaɪ] *v* оживлять.

**viviparous** [vɪ'vɪpərəs] *a зоол.* живородящий.

**vivisect** [,vɪvɪ'sekt] *v* подвергать вивисекции.

**vivisection** [,vɪvɪ'sekʃən] *n* вивисекция.

**vixen** ['vɪksn] *n* 1) самка лисицы; 2) сварливая женщина, мегера.

**vixenish** ['vɪksnɪʃ] *a* сварливый.

**vizard** ['vɪzɑːd] *уст.* = visor 1.

**vizi(e)r** [vɪ'zɪə] *n* визирь.

**vizor** ['vaɪzə] = visor 1.

**V-J Day** ['vɪː'dʒeɪ'deɪ] *n* День победы (над Японией во второй мировой войне).

**Vlach** [vlæk] = Wal(l)ach.

**V-mail** ['vɪːmeɪl] *n* 1) военная почта (*для пересылки микрофотописем*); 2) *attr.*: ~ form бланк военного микрофотописьма.

**V-neck** ['vɪːnek] *n* вырез мысом (*в платье*).

**vocable** ['voukəbl] *n* 1) слово (*гл. обр. с его звуковой стороны*); 2) *attr.* произносимый.

**vocabulary** [və'kæbjulərɪ] *n* 1) словарь, список слов (и фраз), расположенных в алфавитном порядке и снабжённых пояснениями; 2) запас слов; 3) словарный состав (*языка*); лексика; словарь (*писателя, группы лиц и т. п.*); 4) *attr.* словарный; ~ entry словарная статья.

**vocal** ['voukəl] *a* 1) голосовой; ~ c(h)ords голосовые связки; ~ organ голос; 2) вокальный; для голоса; 3) звучащий; звучный; наполненный звуками; the woods have become ~ леса огласились пением; 4) обладающий хорошим голосом; 5) устный; 6) красноречивый, высказывающийся (открыто); public opinion has become ~ общественное мнение подняло свой голос; 7) фон. звонкий; гласный.

**vocalic** [vou'kælɪk] *a* гласный; богатый гласными (*о языке, слове*).

**vocalist** ['voukəlɪst] *n* вокалист; певец, певица.

**vocalization** [,voukəlaɪ'zeɪʃən] *n* 1) применение голоса; 2) *фон.* вокализация; озвончение.

**vocalize** ['voukəlaɪz] *v* 1) *фон.* вокализировать; произносить звонко; 2) издавать звуки; 3) петь вокализы; 4) выражать, высказывать.

**vocation** [vou'keiʃən] *n* 1) призва́ние; скло́нность (*заг*—к *чему-л.*); 2) профе́ссия; to mistake one's ~ ошиби́ться в вы́боре профе́ссии.

**vocational** [vou'keiʃənl] *a* профессиона́льный; ~ school реме́сленное учи́лище.

**vocative** ['vɔkətiv] *грам.* 1. *a* зва́тельный;
2. *n* зва́тельный паде́ж.

**voces** ['vousiːz] *pl от* vox.

**vociferate** [vou'sifəreit] *v* крича́ть, горла́нить, ора́ть.

**vociferation** [vou,sifə'reiʃən] *n* крик(и); шум.

**vociferous** [vou'sifərəs] *a* 1) горла́стый; 2) многоголо́сый; 3) гро́мкий, шу́мный; ~ cheers гро́мкие приве́тствия.

**vodka** ['vɔdkə] *рус. n* во́дка.

**vogue** [voug] *n* 1) мо́да; all the ~ после́дний крик мо́ды; in ~ в мо́де; out of ~ не в мо́де; to come into ~ войти́ в мо́ду; 2) популя́рность; to acquire ~ приобрести́ популя́рность.

**voice** [vɔis] 1. *n* 1) го́лос; I did not recognize his ~ я не узна́л его́ го́лоса; to be in good (bad) ~ быть (не) в го́лосе; to teach ~ занима́ться постано́вкой го́лоса; ста́вить го́лос; to lift up one's ~ заговори́ть; 2) го́лос, мне́ние; to give ~ to smth. выража́ть, выска́зывать что-л.; to give one's ~ for smth. подава́ть го́лос, выска́зываться за что-л.; to have a ~ in smth. име́ть пра́во го́лоса в чём-л.; with one ~ единогла́сно; 3) *грам.* зало́г;
2. *v* 1) выража́ть (*слова́ми*); to ~ one's protest вы́разить проте́ст; 2) *фон.* произноси́ть зво́нко, озвонча́ть.

**voiced** [vɔist] 1. *p. p. от* voice 2;
2. *a фон.* зво́нкий.

**-voiced** [-,vɔist] *в сло́жных слова́х* означа́ет обладáющий *таки́м-то* го́лосом; sweet--~ обладáющий прия́тным го́лосом; loud--~ громкоголо́сый.

**voiceless** ['vɔislis] *a* 1) не име́ющий го́лоса, потеря́вший го́лос; 2) безгла́сный, немо́й; 3) безмо́лвный; 4) *фон.* глухо́й.

**void** [vɔid] 1. *n* пустота́; ва́куум;
2. *a* 1) пусто́й, свобо́дный, неза́нятый; 2) лишённый (of — *чего-л.*); 3) беспо́лезный, неэффекти́вный; 4) *юр.* недействи́тельный;
3. *v* 1) опорожня́ть (*кише́чник, мочево́й пузы́рь*); выделя́ть (*мочу́*); 2) *уст.* оставля́ть, покида́ть (*ме́сто*); 3) *юр.* де́лать недействи́тельным, аннули́ровать.

**voile** [vɔil] *n текст.* мусли́н; вуа́ль.

**volant** ['voulənt] *a* 1) *зоол.* лета́ющий; 2) проноси́щийся; бы́стрый, ско́рый.

**volatile** ['vɔlətail] *a* 1) *хим.* лету́чий, бы́стро испаря́ющийся; 2) непостоя́нный; изме́нчивый; неулови́мый.

**volatility** [,vɔlə'tiliti] *n* 1) *хим.* лету́честь; 2) изме́нчивость, непостоя́нство.

**volatilization** [vɔ,lætilai'zeiʃən] *n* улету́чивание.

**volatilize** [vɔ'lætilaiz] *v* улету́чивать(ся); испаря́ть(ся).

**volcanic** [vɔl'kænik] *a* 1) вулкани́ческий; ~ rock вулкани́ческая поро́да; 2) бу́рный (*о хара́ктере и т. п.*).

**volcano** [vɔl'keinou] *n* (*pl* -oes [-ouz]) вулка́н; active ~ де́йствующий вулка́н; dormant ~ безде́йствующий вулка́н; extinct ~ поту́хший вулка́н.

**vole** I [voul] *n* полёвка (*мышь*).

**vole** II [voul] *n карт.* вы́игрыш всех взя́ток; to win the ~ взять все взя́тки; to go the ~ а) рискова́ть всем ра́ди бо́льшого вы́игрыша; б) испыта́ть всё.

**volet** ['vɔlei] *n жив.* крыло́ три́птиха.

**volition** [vou'liʃən] *n* 1) волево́й акт, хоте́ние; he went away by his own ~ он ушёл по со́бственному жела́нию; 2) во́ля.

**volitional** [vou'liʃənəl] *a* волево́й.

**volley** ['vɔli] 1. *n* 1) залп; 2) град, пото́к (*упрёков и т. п.*); 3) приём мяча́ на лету́ (*напр., в те́ннисе*);
2. *v* 1) стреля́ть за́лпами; 2) сы́паться гра́дом; 3) испуска́ть (*кри́ки, жа́лобы; обыкн.* ~ forth, ~ off, ~ out); 4) отбива́ть (*мяч*) на лету́.

**volley-ball** ['vɔlibɔl] *n* волейбо́л.

**volplane** ['vɔlplein] *ав.* 1. *n* плани́рующий полёт; плани́рующий спуск;
2. *v* плани́ровать.

**volt** I [voult] *n* 1) вольт (*при мане́жной е́зде*); 2) уклоне́ние от уда́ра проти́вника (*при фехтова́нии*).

**volt** II [voult] *n эл.* вольт.

**voltage** ['voultidʒ] *n эл.* вольта́ж, напряже́ние.

**voltaic** [vɔl'teiik] *a эл.* гальвани́ческий; ~ arc электри́ческая дуга́.

**Voltairian** [vɔl'tɛəriən] 1. *a* вольте́ровский; вольтерья́нский;
2. *n* вольтерья́нец.

**Voltairianism** [vɔl'tɛəriənizəm] *n* вольтерья́нство.

**Voltairism** [vɔl'tɛərizəm]=Voltairianism.

**voltameter** [vɔl'tæmitə] *n* вольта́метр (*в электрохи́мии*).

**volte-face** ['vɔlt'fɑːs] *фр. n* 1) *воен.* поворо́т круго́м; 2) ре́зкая переме́на (*взгля́дов, поли́тики и т. п.*).

**voltmeter** ['vɔlt,miːtə] *n эл.* вольтме́тр.

**volubility** [,vɔlju'biliti] *n* говорли́вость, разгово́рчивость.

**voluble** ['vɔljubl] *a* 1) говорли́вый, многоречи́вый; речи́стый; 2) вью́щийся (*о расте́нии*).

**volume** ['vɔljum] *n* 1) том, кни́га; 2) *ист.* сви́ток; 3) объём, ма́сса (*како́го-л. вещества́*); 4) (*обыкн. pl*) значи́тельное коли́чество; 5) *поэт.*:~s of smoke клу́бы ды́ма; 6) ёмкость, вмести́тельность; 7) си́ла, полнота́ (*зву́ка*); ~ of sound гро́мкость; 8) *attr.* объёмный, относя́щийся к объёму; ◇ to tell (*или* to speak) ~s говори́ть красноречи́вее вся́ких слов (*о выраже́нии лица́ и т. п.*); быть весьма́ многозначи́тельным.

**volumenometer** [,vɔljumi'nɔmitə] *n* волюмино́метр (*прибо́р для измере́ния объёма твёрдых тел*).

**volumeter** [vɔ'ljuːmitə] *n* волюме́тр (*прибо́р для измере́ния объёма жи́дких и газообᵇ ра́зных тел*).

**volumetric** [,vɔlju'metrik] *a* объёмный; ~ capacity ёмкость; ~ flask *физ.* ме́рная ко́лба.

**voluminous** [və'lju:mɪnəs] *a* 1) многотомный; 2) плодовитый (*о писателе*); 3) объёмистый, массивный; обширный; ~ correspondence обширная переписка.

**voluntarism** ['vɔləntərɪzəm] *n* 1) *филос.* волюнтаризм; 2) = voluntaryism.

**voluntary** ['vɔləntərɪ] 1. *a* 1) добровольный; добровольческий; 2) содержащийся на добровольные взносы; ~ school школа, содержащаяся на добровольные взносы; 3) сознательный, умышленный; ~ waste умышленная порча; 4) *физиол.* произвольный; ~ muscles мышцы произвольных движений;
2. *n* 1) добровольные действия, добровольная работа; 2) сторонник принципа добровольности [*см.* voluntaryism]; 3) доброволец; 4) соло на органе (*в начале или в конце церковной службы*); 5) *редк.* музыкальный номер по выбору исполнителя.

**voluntaryism** ['vɔləntərɪ(ɪ)zəm] *n* 1) принцип добровольности (*согласно которому школы и церковь не должны содержаться за счёт государства*); 2) принцип добровольности (*службы в армии и т. п.*).

**volunteer** [,vɔlən'tɪə] 1. *n* 1) доброволец, волонтёр; 2) *attr.* добровольный, добровольческий; 3) *attr.* растущий самопроизвольно;
2. *v* 1) предлагать (*свою помощь, услуги*); вызваться добровольно (*сделать что-л.*; for); 2) поступить добровольцем на военную службу.

**voluptuary** [və'lʌptjərɪ] *n* сластолюбец.

**voluptuous** [və'lʌptjuəs] *a* чувственный; сластолюбивый, сладострастный.

**volute** [və'lju:t] *n* 1) *архит.* волюта; спираль, завиток; 2) *зоол.* свиток (*моллюск*); 3) *attr.* спиральный.

**volution** [və'lju:ʃən] *n* завиток.

**volvulus** ['vɔlvjuləs] *n* заворот кишок.

**vomica** ['vɔmɪkə] *n мед.* 1) каверна; 2) абсцесс какого-л. внутреннего органа.

**vomit** ['vɔmɪt] 1. *n* 1) рвота; 2) рвотная масса; 3) рвотное (*средство*);
2. *v* 1) страдать рвотой; 2) ~ меня рвёт; 2) извергать; to ~ curses извергать проклятия; the chimneys ~ forth smoke трубы выбрасывают клубы дыма.

**vomiting gas** ['vɔmɪtɪŋ'gæs] *n* рвотный газ, хлорпикрин.

**vomitive** ['vɔmɪtɪv] = vomitory.

**vomitory** ['vɔmɪtərɪ] 1. *n* рвотное (*средство*);
2. *a* рвотный.

**voodoo** ['vu:du:] 1. *n* 1) вера в колдовство; 2) знахарь, шаман; 3) *attr.* колдовской; знахарский; ~ doctor, ~ priest знахарь, шаман;
2. *v* околдовать.

**voracious** [və'reɪʃəs] *a* прожорливый; жадный; ненасытный.

**voracity** [vɔ'ræsɪtɪ] *n* прожорливость.

**vortex** ['vɔ:teks] *n* (*pl* -tices, -texes [-teksɪz]) 1) водоворот; вихрь; 2) *attr.* вихревой; ~ turbine вихревая турбина.

**vortical** ['vɔ:tɪkəl] *a* вихревой; вращательный.

**vortices** ['vɔ:tɪsi:z] *pl om* vortex.

**vorticose** ['vɔ:tɪkous] = vortical.

**votaress** ['voutərɪs] *n* 1) почитательница; сторонница; 2) монахиня.

**votary** ['voutərɪ] *n* 1) почитатель; приверженец, сторонник; 2) монах.

**vote** [vout] 1. *n* 1) голосование; баллотировка; to cast a ~ голосовать; to put to the ~ ставить на голосование; to get out the (*или* a) ~ *амер.* добиться активного участия в голосовании своих предполагаемых сторонников; 2) (избирательный) голос; I gave my ~ to the Communists я голосовал за коммунистов; to count the ~s производить подсчёт голосов; 3) право голоса; to have the ~ иметь право голоса; 4) общее число голосов; голоса; 5) вотум, решение (*принятое большинством*); ~ of no-confidence вотум недоверия; 6) избирательный бюллетень; 7) *уст.* избиратель;
2. *v* 1) голосовать (for—за, against— против); 2) постановлять большинством голосов; 3) признавать; the play was ~d a failure пьеса была признана неудачной; 4) *разг.* предлагать, вносить предложение; I ~ that we go home я за то, чтобы пойти домой; ☐ ~ **down** провалить (*предложение*); ~ **in** избрать голосованием (*куда-л.*); ~ **into**: to ~ smb. into a committee голосованием избрать кого-л. в комиссию; ~ **through** провести путём голосования; to ~ a measure (a bill *etc.*) through провести мероприятие (закон *и т. п.*) голосованием.

**votee** [vou'ti:] *n амер.* кандидат (*на выборах*).

**voteless** ['voutlɪs] *a* не имеющий избирательных прав, лишённый права голоса.

**voter** ['voutə] *n* 1) избиратель; 2) участник голосования.

**voting** ['voutɪŋ] 1. *pres. p. om* vote 2; 2. *n* голосование.

**voting machine** ['voutɪŋmə'ʃi:n] *n* 1) = votometer; 2) *перен.* машина голосования.

**voting-paper** ['voutɪŋ,peɪpə] *n* избирательный бюллетень.

**votive** ['voutɪv] *a* исполненный по обету.

**votometer** [vou'tɔmɪtə] *n* машина для автоматического подсчёта избирательных бюллетеней.

**vouch** [vautʃ] *v* 1) ручаться, поручиться (for); 2) подтверждать.

**voucher** ['vautʃə] *n* 1) поручитель; 2) расписка; оправдательный документ; 3) ручательство.

**vouchsafe** [vautʃ'seɪf] *v* удостаивать; соизволить; he ~d me no answer он не удостоил меня ответом.

**vow** [vau] 1. *n* обет, клятва; to be under a ~ быть связанным клятвой; to make (*или* to take) a ~ дать клятву; to take the ~s постричься в монахи;
2. *v* давать обет, клясться (*в чём-л.*).

**vowel** ['vauəl] *n* гласный (звук).

**vox** [vɔks] *лат. n* (*pl* voces) голос; ~ populi общественное мнение.

**voyage** ['vɔɪdʒ] 1. *n* 1) плавание, морское путешествие; to make a ~ совершить путешествие (*по морю*); 2) полёт, перелёт (*на самолёте*);
2. *v* 1) плавать, путешествовать (*по морю*); 2) летать (*на самолёте*).

**voyager** [ˈvɔɪədʒə] *n* путеше́ственник (*по мо́рю*).

**vug** [vʌg] *n геол.* впа́дина, каве́рна, пусто́та в поро́де, жео́да.

**Vulcan** [ˈvʌlkən] *n миф.* Вулка́н.

**vulcanic** [vʌlˈkænɪk] = volcanic.

**vulcanite** [ˈvʌlkənaɪt] *n* вулканизи́рованная рези́на, эбони́т.

**vulcanization** [ˌvʌlkənaɪˈzeɪʃən] *n* вулканиза́ция (*рези́ны*).

**vulcanize** [ˈvʌlkənaɪz] *v* вулканизи́ровать (*рези́ну*).

**vulgar** [ˈvʌlgə] **1.** *a* 1) гру́бый; вульга́рный; по́шлый; 2) простонаро́дный; плебе́йский; 3) наро́дный, родно́й (*о языке́*); 4) просто́й; ~ fraction проста́я дробь; 5) широко́ распространённый, о́бщий (*об оши́бке и т. п.*);
**2.** *n* (the ~) *уст.* простонаро́дье; чернь.

**vulgarian** [vʌlˈgɛərɪən] *n* 1) вульга́рный, невоспи́танный челове́к; 2) парвеню́, вы́скочка.

**vulgarism** [ˈvʌlgərɪzəm] *n* 1) вульга́рность; 2) вульга́рное выраже́ние; вульгари́зм.

**vulgarity** [vʌlˈgærɪtɪ] *n* вульга́рность.

**vulgarization** [ˌvʌlgəraɪˈzeɪʃən] *n* опошле́ние; вульгариза́ция.

**vulgarize** [ˈvʌlgəraɪz] *v* опошля́ть; вульгаризи́ровать.

**Vulgate** [ˈvʌlgɪt] *n ист.* вульга́та (*лати́нский перево́д би́блии IV в.*).

**vulnerability** [ˌvʌlnərəˈbɪlɪtɪ] *n* уязви́мость; рани́мость.

**vulnerable** [ˈvʌlnərəbl] *a* уязви́мый; рани́мый.

**vulnerary** [ˈvʌlnərərɪ] *a* цели́тельный; ~ plants целе́бные тра́вы.

**vulpicide** [ˈvʌlpɪsaɪd] *n* 1) охо́тник, уби́вший лиси́цу не по пра́вилам охо́ты, без соба́к; 2) охо́та на лиси́цу без го́нчих.

**vulpine** [ˈvʌlpaɪn] *a* 1) ли́сий; 2) хи́трый, кова́рный.

**vulture** [ˈvʌltʃə] *n* 1) гриф (*пти́ца*); king ~ короле́вский гриф; Egyptian ~ стервя́тник; 2) хи́щник.

**vulturous** [ˈvʌltjurəs] *a* хи́щный.

**vulva** [ˈvʌlvə] *n* 1) *анат.* нару́жные же́нские половы́е о́рганы; 2) *зоол.* отве́рстие яйцево́да.

**vying** [ˈvaɪɪŋ] *pres. p. om.* vie.

# W

**W, w** [ˈdʌblju:] *n* (*pl* Ws, W's [ˈdʌblju:z]) 23-я бу́ква англ. алфави́та.

**wabble** [ˈwɔbl] = wobble.

**wabbly** [ˈwɔblɪ] = wobbly.

**wacky** [ˈwækɪ] *a амер. sl.* тро́нутый, ненорма́льный.

**wad** [wɔd] **1.** *n* 1) кусо́к ва́ты, ше́рсти; 2) пыж; 3) *амер. разг.* па́чка бума́жных де́нег; де́ньги;
**2.** *v* 1) набива́ть *или* подбива́ть ва́той; 2) забива́ть пыжо́м.

**wadding** [ˈwɔdɪŋ] **1.** *pres. p. om* wad 2;
**2.** *n* 1) ва́та, шерсть *и т. п.* (*для наби́вки*); 2) наби́вка, подби́вка; 3) подкла́дка.

**waddle** [ˈwɔdl] **1.** *n* похо́дка вперева́лку;
**2.** *v* ходи́ть перева́ливаясь.

**wade** [weɪd] **1.** *n* 1) перехо́д вброд; 2) брод;
**2.** *v* 1) переходи́ть вброд (*тж.* ~ in);
2) пробира́ться, идти́ (*по гря́зи, сне́гу и т. п.*; *тж.* ~ through); 3) преодолева́ть (*что-л. тру́дное, ску́чное; тж.* ~ through); □ ~ in а) набро́ситься; приня́ться за что-л.; б) вступи́ть (*в спор, диску́ссию, борьбу́*); ~ into а) ре́зко критикова́ть; б) = ~ in а); ~ through одоле́ть (*что-л. тру́дное, ску́чное*).

**wader** [ˈweɪdə] *n* 1) боло́тная пти́ца; 2) *pl* боло́тные сапоги́.

**wading bird** [ˈweɪdɪŋˈbə:d] *n* боло́тная пти́ца.

**wafer** [ˈweɪfə] **1.** *n* 1) ва́фля; 2) обла́тка; 3) сургу́чная печа́ть;
**2.** *v* скле́ивать, запеча́тывать обла́ткой.

**waff** [wɔf] *n шотл.* 1) лёгкое движе́ние; 2) сигна́л; 3) за́пах; 4) лёгкий при́ступ; о́бморок; 5) мимолётное виде́ние.

**waffle** [ˈwɔfl] *n* ва́фля.

**waffle-iron** [ˈwɔflˌaɪən] *n* ва́фельница.

**waft** [wɑ:ft] **1.** *n* 1) взмах (*крыла́*); 2) дунове́ние (*ве́тра*); 3) донёсшийся звук; 4) струя́ (*за́паха*); 5) мимолётное ощуще́ние;
**2.** *v* 1) нести́; the leaves were ~ed along by the breeze ве́тер гнал ли́стья; 2) нести́сь (*по во́здуху, по воде́*); 3) доноси́ть; a song was ~ed to our ears до нас донесли́сь зву́ки пе́сни.

**wag** I [wæg] **1.** *n* взмах; киво́к; with a ~ of its (*или* the) tail вильну́в хвосто́м;
**2.** *v* 1) маха́ть; кача́ть(ся); to ~ the tail виля́ть хвосто́м (*о соба́ке*); 2) *разг.* болта́ть, спле́тничать; to set tongues (*или* chins, jaws, beards) ~ging дать по́вод для спле́тен; вы́звать то́лки; 3) кива́ть, де́лать знак; ◇ to ~ one's finger at smb. грози́ть кому́-л. па́льцем; so the world ~s такова́ дела́.

**wag** II [wæg] **1.** *n* 1) шутни́к; 2) *разг.* прогу́льщик; лентя́й; to play (the) ~ прогу́ливать;
**2.** *v* 1) прогу́ливать; 2) *разг.* уходи́ть.

**wage** I [weɪdʒ] *n* (*обыкн. pl*) 1) за́работная пла́та; living ~ прожи́точный ми́нимум; nominal (real) ~s номина́льная (реа́льная) за́работная пла́та; 2) *уст.* возме́здие; 3) *attr.* свя́занный с за́работной пла́той, относя́щийся к за́работной пла́те; ~ scale шкала́ за́работной пла́ты; ~ labour наёмный труд; ◇ Laurence bids ~s ничего́ не хо́чется де́лать, лень одолева́ет.

**wage** II [weɪdʒ] *v* вести́ (*войну́*); боро́ться (*за что-л.*).

**wage-cut** [ˈweɪdʒkʌt] *n* сниже́ние за́работной пла́ты.

**wage-earner** [ˈweɪdʒˌə:nə] *n* 1) наёмный рабо́тник, рабо́чий; 2) тот, кто обеспе́чивает семью́, корми́лец.

**wage-freeze** ['weɪdʒ‚friːz] *n* заморáживание зáработной плáты.

**wage-fund** ['weɪdʒfʌnd] = wages-fund.

**wager** ['weɪdʒə] 1. *n* парú; стáвка; to lay a ~ держáть парú;
2. *v* 1) держáть парú; 2) рисковáть (*чем-л.*).

**wage-rate** ['weɪdʒreɪt] *n* стáвка, тарúф зáработной плáты.

**wages-fund** ['weɪdʒɪzfʌnd] *n* фонд зáработной плáты.

**wage-slavery** ['weɪdʒ‚sleɪvərɪ] *n* подневóльный наёмный труд.

**wage-work** ['weɪdʒwəːk] *n* наёмный труд.

**wage-worker** ['weɪdʒ‚wəːkə] *амер.* = wage-earner 1).

**waggery** ['wægərɪ] *n* 1) шáлость; (грýбая) шýтка; 2) шутлúвость.

**waggish** ['wægɪʃ] *a* 1) шаловлúвый; шутлúвый; 2) забáвный, комúчный.

**waggle** ['wægl] 1. *n* помáхивание; покáчивание;
2. *v* помáхивать; покáчивать(ся).

**waggly** ['wæglɪ] *a* неустóйчивый.

**wag(g)on** ['wægən] 1. *n* 1) колúска; телéжка; повóзка; фургóн; 2) *ж.-д.* вагóн-платфóрма; товáрный вагóн; 3) *разг.* дéтская колúска; 4) (the ~) *амер.* полицéйская карéта; 5) *горн.* вагонéтка; 6) *амер. мор. sl.* корáбль; 7) *амер. ав. sl.* самолёт; ◇ to be on the (water) ~ *sl.* перестáть пить; to hitch one's ~ to 'a star ≅ далекó мéтить; быть одержúмым честолюбúвой мечтóй;
2. *v* перевозúть в фургóне, товáрном вагóне *и т. п.*

**wag(g)oner** ['wægənə] *n* вóзчик.

**wag(g)onette** [‚wægə'net] *n* экипáж с двумя продóльными сидéньями.

**wagon-lit** ['vægɔ:n'liː] *фр. n* спáльный вагóн.

**wagon-train** ['wægən'treɪn] *n* обóз.

**wagtail** ['wægteɪl] *n* трясогýзка.

**waif** [weɪf] *n* 1) никомý не принадлежáщая, брóшенная вещь; 2) заблудúвшееся домáшнее живóтное; 3) бездóмный человéк; беспризóрный ребёнок; ~s and strays а)беспризóрные дéти; б) остáтки, отбрóсы.

**wail** [weɪl] 1. *n* 1) вопль; 2) вой (*ветра*); 3) причитáние;
2. *v* 1) вопúть; выть; 2) причитáть, оплáкивать (over).

**wailful** ['weɪlful] *a* грýстный, печáльный.

**wain** [weɪn] *n* 1) *поэт.* телéга; 2) (the W.) *астр.* Большáя Медвéдица (*тж.* Charles's *или* Arthur's W.).

**wainscot** ['weɪnskət] 1. *n* деревянная стеннáя панéль;
2. *v* обшивáть панéлью.

**wainscoting** ['weɪnskətɪŋ] 1. *pres. p. om* wainscot 2;
2. *n* 1) обшúвка стен панéлью; 2) материáл для обшúвки стен.

**waist** [weɪst] *n* 1) тáлия; 2) перехвáт, сужéние (*у скрúпки и т. п.*); 3) *амер.* корсáж, лиф; дéтский лúфчик; 4) *мор.* шкафýт.

**waist-band** ['weɪstbænd] *n* пóяс.

**waist-belt** ['weɪstbelt] *n* 1) пóяс, кушáк; 2) *воен.* пояснóй ремéнь.

**waistcoat** ['weɪskout] *n* жилéт.

**waistline** ['weɪstlaɪn] *n* тáлия, лúния тáлии; low ~ занúженная тáлия.

**wait** [weɪt] 1. *n* 1) ожидáние; we had a long ~ for the train мы дóлго ждáли пóезда; 2) подстерегáние, засáда; to lay ~ for smb. устрóить комý-л. засáду; to lie in ~ for smb. быть в засáде, выжидáть когó-л.; 3) *pl* толпá «слáвящих Христá» в сочéльник на ýлице;
2. *v* 1) ждать (for); ~ until he comes дождúтесь егó прихóда; don't keep me ~ing не заставляйте меня ждать; 2) прислýживать (за столóм и т. п.; on, upon — комý-л.); быть официáнтом; to ~ at table обслýживать посетúтелей ресторáна, прислýживать за столóм; 3) сопровождáть, сопýтствовать (upon); may success ~ upon youi да сопýтствует вам успéх; 4) *разг.* отклáдывать (*о трапезе*); we shall ~ dinner for you мы подождём вас с обéдом; ☐ ~ off *спорт.* приберегáть сúлы к концý состязáния; ~ on а) являться результáтом чего-л.; б) *уст.* наносúть визúт, являться к комý-л.; ~ up *разг.* не ложúться спать (до *чьего-л.* прихóда; for); ~ upon = ~ on.

**wait-a-bit** ['weɪtə'bɪt] *n разг.* колючий кустáрник.

**wait-and-see** ['weɪtənd'siː] *a:* ~ policy выжидáтельная полúтика.

**waiter** ['weɪtə] *n* 1) официáнт; 2) посетúтель, дожидáющийся приёма и т. п.; 3) поднóс; 4) = dumb-waiter.

**waiting** ['weɪtɪŋ] 1. *pres. p. om* wait 2;
2. *n* ожидáние.

**waiting list** ['weɪtɪŋ'lɪst] *n* спúсок кандидáтов (*на дóлжность, на получéние жилплóщади и т. п.*).

**waiting-room** ['weɪtɪŋrum] *n* 1) приёмная; 2) *ж.-д.* зал ожидáния.

**waitress** ['weɪtrɪs] *n* официáнтка, подавáльщица.

**waive** [weɪv] *v* 1) откáзываться (*от прáва, трéбования; тж. юр.*); 2) врéменно отложúть.

**waiver** ['weɪvə] *n юр.* откáз от прáва, трéбования.

**wake I** [weɪk] 1. *v* (woke, waked [-t]; waked, woken) 1) просыпáться (*тж.* ~ up); 2) будúть (*тж.* ~ up); 3) пробуждáть, возбуждáть (*желáние, подозрéние и т. п.*); to ~ the memories of the past пробудúть воспоминáния; 4) бóдрствовать; 5) опомнúться, очнýться; to ~ from a stupor выйти из забытья, очнýться; 6) осознáть (to); he woke to danger он осознáл опáсность; 7) *ирл.* справлять помúнки (*перед погребéнием*);
2. *n* 1) *поэт.* бóдрствование; 2) (*обыкн. pl*) храмовóй прáздник; 3) *ирл.* помúнки (*перед погребéнием*).

**wake II** [weɪk] *n мор.* кильвáтер; in the ~ of в кильвáтере, по пятáм, по следáм.

**wakeful** ['weɪkful] *a* 1) бóдрствующий; 2) бессóнный; 3) бдúтельный.

**wakeless** ['weɪklɪs] *a* крéпкий, непробýдный (*о сне*).

**waken** ['weɪkən] *v* 1) просыпáться, пробуждáться; 2) будúть, пробуждáть.

**wakening** ['weɪknɪŋ] 1. *pres. p. от* waken; 2. *n* пробужде́ние.
**waking** ['weɪkɪŋ] 1. *pres. p. от* wake I,1; 2. *n* = wakening 2; 3. *a* 1) бо́дрствующий; 2) бди́тельный; недре́млющий.
**wale** [weɪl] 1. *n* 1) полоса́, рубе́ц (*от удара кнутом*); 2) *тех.* отбо́йный брус; 3) *мор.* вельс; 4) *текст.* ру́бчик (*выработ-ка ткани*);
2. *v* 1) полосова́ть (*кнутом*); оставля́ть рубцы́; 2) *текст.* выраба́тывать ткань в ру́бчик.
**Waler** ['weɪlə] *n* название южноавстра-лийской породы лошадей.
**walk** [wɔːk] 1. *n* 1) ходьба́; 2) расстоя́-ние; a mile's ~ from на расстоя́нии ми́ли от; 3) шаг; to go at a ~ идти́ ша́гом; 4) похо́дка; 5) прогу́лка пешко́м; to go for a ~ идти́ гуля́ть; to take a ~ прогуля́ться; to go ~s with children води́ть дете́й гуля́ть; 6) об-хо́д своего́ райо́на (*разносчиком и т. п.*); 7) тропа́, алле́я; (*любимое*) ме́сто для про-гу́лки; 8) огоро́женное ме́сто (*как пастби-ще и т. п.*); 9) *спорт.* состяза́ние в ходь-бе́; ◇ ~ of life, ~ in life обще́ственное по-ложе́ние; заня́тие, профе́ссия.
2. *v* 1) ходи́ть, идти́; 2) идти́ пешко́м; идти́ *или* е́хать ша́гом; ходи́ть по, обходи́ть; I have ~ed the country for many miles round я обошёл всю ме́стность на протяже́-нии мно́гих миль; to ~ a mile пройти́ ми́лю; to ~ the floor ходи́ть взад и вперёд; 3) води́ть; прогу́ливать, проводи́ть (*ло-шадь, собаку и т. п.*); 4) появля́ться (*о при-видениях*); 5) *уст.* вести́ себя́; □ ~ about прогу́ливаться; ~ away a) уходи́ть; to ~ away from smb. обгоня́ть кого́-л. без тру-да́; б) уводи́ть; в) унести́, укра́сть (with); ~ back отка́зываться от (*своих слов, своей позиции и т. п.*); ~ in входи́ть; ~ into a) входи́ть; б) *sl.* набра́сываться на; есть, уплета́ть; ~ off a) уходи́ть; б) уводи́ть; в) унести́, укра́сть (with); г) одержа́ть лёгкую побе́ду (with); д): to ~ smb. off his legs си́льно утоми́ть кого́-л. ходьбо́й, про-гу́лкой; ~ on a) идти́ вперёд; б) продол-жа́ть ходьбу́; в) *театр.* игра́ть роль без слов; ~ out a) выходи́ть; б) *амер.* забасто-ва́ть; в) уха́живать (with—за кем-л.); гуля́ть (with — с кем-л.); ~ over a) без труда́ опереди́ть сопе́р-ников (*на бегах и т. п.*); в) не счита́ться (*с чувствами кого-л. и т. п.*); плохо́ обра-ща́ться; ~ up подойти́ (to—к кому-л.); ◇ to ~ in on smb. огоро́шить, заста́ть врас-пло́х; to ~ out on smb. поки́нуть в беде́; улизну́ть от кого́-л.; to ~ the chalk а) пройти́ пря́мо по проведённой ме́лом черте́ (*в доказа-тельство своей трезвости*); б) вести́ себя́ безупре́чно; to ~ one's chalks *sl.* убежа́ть, удра́ть; уйти́ незаме́тно, не проща́ясь; to ~ on air ≅ ног под собо́й не чу́ять; ликова́ть, ра́доваться; to ~ the hospitals проходи́ть студе́нческую пра́ктику в больни́це; to ~ smb. round обвести́ кого́-л. вокру́г па́льца; to ~ in golden (*или* silver) slippers ≅ ку-па́ться в ро́скоши.

**walkaway** ['wɔːkə,weɪ] *n* лёгкая побе́да (*в состязании*).
**Walker** ['wɔːkə] *int sl.* врёшь!, не мо́-жет быть!
**walker** ['wɔːkə] *n* 1) ходо́к; I am not much of a ~ я плохо́й ходо́к; 2) спортсме́н, зани-ма́ющийся спорти́вной ходьбо́й.
**walkie-lookie** ['wɔːkɪ'lukɪ] *n радио sl.* портати́вный телевизио́нный переда́тчик.
**walkie-talkie** ['wɔːkɪ'tɔːkɪ] *n амер. воен. sl.* портати́вный приёмопереда́тчик.
**walking** ['wɔːkɪŋ] 1. *pres. p. от* walk 2; 2. *n* 1) ходьба́; 2) похо́дка;
3. *a* 1) гуля́ющий; ходя́чий; 2) *тех.* на ша-га́ющем ходу́; ~ excavator шага́ющий эк-скава́тор; ◇ ~ corpse живы́е мо́щи; ~dictionary ходя́чая энциклопе́дия; ~ delegate представи́тель профессиона́льного сою́за; ~ gentleman (lady) *театр.* стати́ст (ста-ти́стка); ~ part роль без слов.
**walking case** ['wɔːkɪŋ'keɪs] *n* ходя́чий больно́й.
**walking-orders** ['wɔːkɪŋ,ɔːdəz] = walking--papers.
**walking-papers** ['wɔːkɪŋ,peɪpəz] *n pl разг.* увольне́ние с рабо́ты; to get the ~ получи́ть докуме́нт об увольне́нии, быть уво́лен-ным.
**walking-race** ['wɔːkɪŋreɪs] *n* соревнова́-ния по спорти́вной ходьбе́.
**walking-stick** ['wɔːkɪŋstɪk] *n* трость.
**walking-ticket** ['wɔːkɪŋ,tɪkɪt] = walking--papers.
**walking-tour** ['wɔːkɪŋtuə] *n* экску́рсия пешко́м.
**walk-on** ['wɔːk'ɔn] = walking part [*см.* walking 3,◇].
**walk-out** ['wɔːk'aut] *n амер.* забасто́вка.
**walk-over** ['wɔːk'ouvə] *n* лёгкая побе́да.
**walk-up** ['wɔːk'ʌp] *n амер. разг.* дом без ли́фта.
**wall** [wɔːl] 1. *n* 1) стена́; a blank ~ глуха́я стена́; 2) сте́нка (*сосуда*); 3) *перен.* барье́р, прегра́да; ~ of partition перегоро́дка, сте-на́; про́пасть; 4) *pl воен.* укрепле́ния; 5) *геол.* бокова́я поро́да; 6) *attr.* стенно́й; ◇ to give smb. the ~ посторони́ться; усту-пи́ть доро́гу, преиму́щество *и т. п.*; to take the ~ of не уступи́ть доро́ги; to go to the ~ потерпе́ть неуда́чу, обанкро́титься; the weakest goes to the ~ *посл.* ≅ сла́бых бьют; to run one's head against a ~ проши-ба́ть лбом сте́ну; пыта́ться сде́лать невоз-мо́жное; to see through (*или* into) the (brick) ~ облада́ть необыча́йной прони-ца́тельностью; with one's back to the ~ в безвы́ходном положе́нии; to push (*или* to drive, to thrust) to the ~ припере́ть к сте́н-ке; поста́вить в безвы́ходное положе́ние; to hang by the ~ не быть в употребле́нии;
2. *v* 1) обноси́ть стено́й; 2) укрепля́ть, стро́ить укрепле́ния; 3) разделя́ть стено́й; □ ~ up заде́лать (*дверь, окно*); замуро́-вывать.
**walla** ['wɔlə] = wallah.
**wallaby** ['wɔləbɪ] *n* кенгуру́ (*малый*); ◇ on the ~ (track) *австрал.* скита́ющийся; безрабо́тный.
**Wal(l)ach** ['wɔlək] *n* вала́х.

**Wal(l)achian** [wɔ'leɪkjən] **1.** *a* вала́шский;

**2.** *n* 1) вала́х; вала́шка; 2) вала́шский диале́кт.

**wallah** ['wɔlə] *n* англо-инд. 1) разг. челове́к, па́рень; 2) слу́жащий, слуга́; 3) хозя́ин.

**wallaroo** [,wɔlə'ruː] *n* кенгуру́ (крупный).

**wallboard** ['wɔːlbɔːd] *n* стр. стенова́я плита́; суха́я штукату́рка.

**wallet** ['wɔlɪt] *n* 1) бума́жник; 2) футля́р, су́мка (для инструментов и т. п.); 3) уст. кото́мка.

**wall-eye** ['wɔːlaɪ] *n* 1) бельмо́; 2) глаз с бельмо́м.

**wall-eyed** ['wɔːlaɪd] *a* 1) с бельмо́м на глазу́; 2) свире́пый (о взгляде); 3) sl. пья́ный.

**wallflower** ['wɔːl,flauə] *n* 1) бот. желтофио́ль (садо́вая); 2) шутл. да́ма, оста́вшаяся без кавале́ра (на балу); 3) мор. sl. кора́бль, не уча́ствующий в опера́ции; кора́бль, до́лго стоя́щий у сте́нки.

**wall game** ['wɔːl'geɪm] *n* спорт. род футбо́ла.

**Walloon** [wɔ'luːn] **1.** *n* 1) валло́н; 2) валло́нский язы́к;

**2.** *a* валло́нский.

**wallop** ['wɔləp] sl. **1.** *n* си́льный уда́р; to land (или to strike) a ~ си́льно уда́рить;

**2.** *v* 1) бить (палкой); 2) тяжело́ ступа́ть, ходи́ть перева́ливаясь (тж. ~ along).

**walloper** ['wɔləpə] *n* разг. не́что огро́мное, грома́дное.

**walloping** ['wɔləpɪŋ] **1.** *pres. p. от* wallop 2;

**2.** *a* sl. большо́й, кру́пный;

**3.** *n* sl. 1) побо́и, взбу́чка, трёпка; 2) по́лное пораже́ние.

**wallow** ['wɔlou] **1.** *n* ме́сто, лу́жа, куда́ прихо́дят валя́ться живо́тные;

**2.** *v* 1) валя́ться; бара́хтаться; 2) передвига́ться тяжело́, неуклю́же; 3) перен. купа́ться; погря́знуть; to ~ in money купа́ться в зо́лоте.

**wall-painting** ['wɔːl,peɪntɪŋ] *n* стенна́я жи́вопись.

**wallpaper** ['wɔːl,peɪpə] *n* 1) обо́и; 2) стенна́я газе́та.

**wall pier** ['wɔːl'pɪə] *n* архит. пиля́стр.

**wall screw** ['wɔːl'skruː] *n* тех. а́нкерный болт.

**Wall Street** ['wɔːl'striːt] *n* Уо́лл-стрит (улица в Нью-Йо́рке, где помещаются биржа и главнейшие банки); перен. америка́нский фина́нсовый капита́л.

**walnut** ['wɔːlnʌt] *n* 1) гре́цкий оре́х; 2) оре́ховое де́рево; 3) древеси́на оре́хового де́рева; 4) attr. оре́ховый; ◇ over the ~s and the wine шутл. во вре́мя послеобе́денной бесе́ды.

**walnut-tree** ['wɔːlnət,triː] = walnut 2).

**Walpurgis-night** [væl'puəgɪs'naɪt] *n* вальпу́ргиева ночь.

**walrus** ['wɔːlrəs] *n* морж.

**waltz** [wɔːls] **1.** *n* вальс;

**2.** *v* 1) вальси́ровать; 2) пляса́ть от ра́дости (тж. ~ in, ~ out, ~ round).

**wamble** ['wɔmbl] *v* диал. 1) пошаты́вать-

ся, идти́ нетвёрдой похо́дкой; 2) перевора́чивать(ся); 3) уст. испы́тывать чу́вство тошноты́.

**wampum** ['wɔmpəm] *n* ожере́лье из ра́ковин (у индейцев).

**wampus** ['wɔmpəs] *n* sl. неприя́тный, несгово́рчивый или глу́пый челове́к.

**wamus** ['wɔməs] *n* амер. жаке́т (вязаный или из грубошёрстной ткани).

**wan** [wɔn] **1.** *a* 1) бле́дный, изнурённый; боле́зненный; 2) се́рый, ту́склый; се́рым;

**2.** *v* 1) изнуря́ть; 2) де́лать ту́склым;

**wand** [wɔnd] *n* 1) прут, па́лочка; 2) дирижёрская па́лочка; 3) волше́бная па́лочка; 4) жезл; уст. скипетр.

**wander** ['wɔndə] **1.** *v* 1) броди́ть; стра́нствовать; 2) блужда́ть (о мыслях, взгляде и т. п.); 3) заблуди́ться; to ~ out of one's way сби́ться с доро́ги; 4) перен. отклоня́ться; to ~ from the point отойти́ (или отклони́ться) от те́мы; 5) стать непосле́довательным, невнима́тельным, рассе́янным; 6) бре́дить (тж. ~ in one's mind); 7) извива́ться (о реке, дороге и т. п.);

**2.** *n* стра́нствие.

**wandering** ['wɔndərɪŋ] **1.** *pres. p. от* wander 1;

**2.** *n* 1) стра́нствие; путеше́ствие; 2) (обыкн. pl) бред, бессвя́зные ре́чи;

**3.** *a* 1) бродя́чий; блужда́ющий; 2) изви́листый (о реке, дороге и т. п.); 3) мед. блужда́ющий; ~ kidney блужда́ющая по́чка.

**wanderlust** ['wɔndəlʌst] *n* любо́вь к путеше́ствиям.

**wanderyear** ['wɔndəjəː] *n* год путеше́ствий (для завершения и усовершенствования образования).

**wane** [weɪn] **1.** *n* 1) убыва́ние; to be on the ~ убыва́ть; быть на уще́рбе (о луне); 2) лес. обзо́л;

**2.** *v* 1) убыва́ть; уменьша́ться; подходи́ть к концу́; ослабева́ть.

**wangle** ['wæŋgl] **1.** *n* хи́трость, обма́н; нече́стная сде́лка;

**2.** *v* разг. 1) доби́ться, вы́просить, ухитри́ться получи́ть; вы́йти из затрудни́тельного положе́ния; 2) влия́ть, заставля́ть, побужда́ть; 3) подтасо́вывать фа́кты, иска́жа́ть.

**want** [wɔnt] **1.** *n* 1) недоста́ток (of—в); for (или from) ~ of smth. из-за недоста́тка, нехва́тки чего́-л.; to be in ~ of smth. нужда́ться в чём-л.; 2) необходи́мость (of—в); 3) (часто pl) потре́бность; жела́ние, жа́жда; my ~s are few мои́ потре́бности невелики́; 4) нужда́, бе́дность;

**2.** *v* 1) хоте́ть, жела́ть; 2) недостава́ть, испы́тывать недоста́ток (в чём-л.); the book ~s two pages at the end в конце́ кни́ги не хвата́ет двух страни́ц; he certainly does not ~ intelligence ума́ ему́ не занима́ть; it ~s ten minutes to four без десяти́ четы́ре; he never ~s for friends у него́ всегда́ мно́го друзе́й; 3) нужда́ться (тж. ~ for); let him ~ for nothing пусть он ни в чём не нужда́ется; 4) тре́бовать; he is ~ed by the police его́ разы́скивает поли́ция; 5) испы́тывать необходи́мость; быть ну́жным, тре́-

боваться; you ~ to see a doctor вам следует пойти к врачу.

**want ad** [ˈwɔntˈæd] *n амер. разг.* объявление (*в газете*) в отделе спроса и предложения.

**wantage** [ˈwɔntɪdʒ] *n* нехватка; недостающее количество.

**wanting** [ˈwɔntɪŋ] 1. *pres. p. от* want 2; 2. *a* 1) нуждающийся; ~ in initiative безынициативный; 2) отсутствующий, недостающий; ~ energy nothing can be done без энергии ничего нельзя сделать; a month ~ two days без двух дней месяц; 3) придурковатый; he seems to be slightly ~ у него, по-моему, не все дома.

**wanton** [ˈwɔntən] 1. *a* 1) резвый; своенравный; 2) буйный (*о росте, развитии и т. п.*); 3) изменчивый, непостоянный (*о ветре и т. п.*); 4) бессмысленный, беспричинный; 5) произвольный, безответственный; 6) экстравагантный; шикарный; 7) распутный;
2. *n* распутница;
3. *v* 1) резвиться; 2) буйно разрастаться; 3) *редк.* расточать.

**wapiti** [ˈwɔpɪtɪ] *n* вапити (*олень*).

**war** [wɔː] 1. *n* 1) война; civil ~ гражданская война; cold ~ холодная война; ideological ~ идеологическая война; ~ of manoeuvre манёвренная война; in the ~ a) на войне; б) во время войны; ~ to the knife война на истребление; борьба не на живот, а на смерть; at ~ в состоянии войны; to carry the ~ into the enemy's country (*или* camp) переносить войну на территорию противника; *перен.* предъявлять встречное обвинение; отвечать обвинением на обвинение; to declare ~ on smb. объявить войну кому-л.; to levy (*или* to make, to wage) ~ on smb. вести войну с кем-л.; council of ~ военный совет; art of ~ военное искусство; the Great Patriotic W. Великая Отечественная война (*1941—1945 гг.*); the Great W., World W. I первая мировая война (*1914—1918 гг.*); World W. II вторая мировая война (*1939—1945 гг.*); 2) борьба; ~ of the elements борьба стихий; ~ between man and nature борьба человека с природой; 3) *attr.* военный; W. Office военное министерство (*в Англии*); ~ seat театр военных действий; on a ~ footing в боевой готовности; ~ effort мобилизация всех сил для обороны страны; ~ loan военный заём;
2. *v уст.* воевать; ☐ ~ down завоевать, покорить.

**warble** [ˈwɔːbl] 1. *n* 1) трель; 2) песнь;
2. *v* издавать трели; петь (*о птицах*).

**warbler** [ˈwɔːblə] *n* певчая птица.

**war-cloud** [ˈwɔːklaud] *n* предвестник войны; предвоенная атмосфера.

**war-cry** [ˈwɔːkraɪ] *n* боевой клич; лозунг.

**ward** [wɔːd] 1. *n* 1) опека; a person in ~ человек, находящийся под опекой; 2) лицо, находящееся под опекой, опекаемый; 3) административный район города; 4) палата (*больничная*); камера (*тюремная*); 5) *уст.* стража; to keep watch and ~ (over) охранять; 6) *уст.* заключение; 7) выступ или выемка (*в бородке ключа и в замке*);

2. *v* 1) отражать, отвращать (*удар, опасность*; *обыкн.* ~ off); 2) помещать в больничную палату; 3) *уст.* охранять.

**warden** [ˈwɔːdn] *n* 1) начальник; директор, ректор (*в некоторых английских колледжах*); 2) губернатор; высокое должностное лицо; 3) начальник тюрьмы; 4) церковный староста; 5) обслуживающее лицо; служитель; 6) *уст.* страж, часовой; ◇ air-raid ~ уполномоченный местной противовоздушной охраны.

**warder** [ˈwɔːdə] *n* 1) тюремщик; 2) *уст.* сторож, стражник; 3) жезл (*эмблема власти*).

**war-dog** [ˈwɔːdɔg] *n* 1) бывалый солдат; 2) *амер.* милитарист.

**Wardour Street English** [ˈwɔːdəstriːtˈɪŋgliʃ] *n* английская речь, уснащённая архаизмами (*по названию лондонской улицы, где находится много антикварных магазинов*).

**wardress** [ˈwɔːdrɪs] *n* тюремщица.

**wardrobe** [ˈwɔːdroub] *n* 1) гардероб (*шкаф*); 2) гардеробная; 3) гардероб, одежда.

**wardrobe mistress** [ˈwɔːdroubˈmɪstrɪs] *n* гардеробщица; кастелянша.

**wardrobe trunk** [ˈwɔːdroubˈtrʌŋk] *n* чемодан-шкаф.

**wardroom** [ˈwɔːdrum] *n* 1) офицерская кают-компания; 2) (the W.) *собир.* офицеры корабля.

**war drum** [ˈwɔːˈdrʌm] *n* призыв к войне; сигнал, возвещающий начало войны.

**wardship** [ˈwɔːdʃɪp] *n* опека.

**ware** I [wɛə] *n* 1) изделия; china ~ фарфор; delft ~ фаянсовая посуда; 2) *pl* товар(ы), продукты производства.

**ware** II [wɛə] 1. *a predic. уст., поэт.* бдительный, осторожный;
2. *v разг.* остерегаться, *особ. irp. охот.* берегись!

**-ware** [-wɛə] *в сложных словах означает* изделие; stoneware глиняная посуда; toiletware кувшины, тазы.

**warehouse** 1. *n* [ˈwɛəhaus] 1) товарный склад; пакгауз; 2) большой магазин; 3) *attr.* складской;
2. *v* [ˈwɛəhauz] помещать в склад; хранить на складе.

**warehouseman** [ˈwɛəhausmən] *n* 1) владелец склада; 2) служащий на складе; 3) оптовый торговец.

**warfare** [ˈwɔːfɛə] *n* 1) война; приёмы ведения войны; guerilla ~ партизанская война; 2) столкновение, борьба.

**war-game** [ˈwɔːgeɪm] *n* военная игра.

**war-hawk** [ˈwɔːhɔːk] *n амер.* воинственно настроенный человек, сторонник развязывания войны.

**war-head** [ˈwɔːhed] *n мор.* боевое зарядное отделение.

**war-horse** [ˈwɔːhɔːs] *n* 1) *уст.* боевой конь; 2) ветеран (*войны*); бывалый, опытный солдат (*политический деятель и т. п.*).

**warily** [ˈwɛərɪlɪ] *adv* осторожно.

**wariness** [ˈwɛərɪnɪs] *n* осторожность.

**warlike** [ˈwɔːlaɪk] *a* 1) воинственный; a ~ gesture бряцание оружием; 2) военный.

**warlock** ['wɔːlɔk] *n уст.* волшéбник, маг, колдýн.

**war-lord** ['wɔːlɔːd] *n* 1) верхóвный главá áрмии; полковóдец; военачáльник; 2) крýпный воéнный промышленник.

**warm** [wɔːm] **1.** *a* 1) тёплый; согрéтый, подогрéтый; *часто* жáркий; ~ corner a) тёплый уголóк; б) жáркий учáсток бóя; to get ~ согрéться; разгорячиться; you are getting ~! горячó! (*т. е. близко к цели — в детской игре*); *перен.* вы на прáвильном пути; 2) тёплый, сохраняющий теплó; 3) горячий, сердéчный (*о приёме, поддержке и т. п.*); ~ heart дóброе сéрдце; 4) разгорячённый; горячий, стрáстный; with wine разгорячённый винóм; in ~ blood сгорячá; в сердцáх; 5) раздражительный; 6) свéжий (*след*); 7) *разг.* зажитóчный, богáтый, хорошó устрóенный; 8) *жив.* тёплый (*о цвете*); ◇ ~ language, ~ words *амер. sl.* брань; ~ work напряжённая *или* опáсная рабóта; to make things ~ for smb. досаждáть комý-л.;

**2.** *n разг.* согревáние; to have a ~ (по-) грéться; I must give the milk a ~ нáдо подогрéть молокó;

**3.** *v* 1) грéть(ся), нагревáть(ся), согревáть(ся) (*тж.* ~ up); 2) разгорячáть(ся), воодушевлять(ся), оживляться (*часто* ~ to, ~ toward); my heart ~s to him я емý сочувствую; to ~ to one's work живо заинтересовáться своéй рабóтой; □ ~ up a) разогревáть(ся), подогревáть(ся); б) воодушевлять(ся); разжигáть; в) *спорт.* разминáться; ◇ to ~ smb.'s jacket *разг.* выпороть, высечь когó-л.

**warm-blooded** ['wɔːm,blʌdɪd] *a* 1) *зоол.* теплокрóвный; 2) горячий (*о темперáменте*).

**warmed-over** ['wɔːmd'ouvə] *a* подогрéтый, разогрéтый; ◇ that is ~ cabbage это стáрая истóрия.

**warmer** ['wɔːmə] *n* 1) грéлка; 2) подогревáтельный *или* нагревáтельный прибóр; ◇ bench ~ безрабóтный, не имéющий пристáнища.

**warm-hearted** ['wɔːm'hɑːtɪd] *a* сердéчный, учáстливый; дóбрый.

**warm-house** ['wɔːmhaus] *n* теплица, оранжерéя.

**warming** ['wɔːmɪŋ] **1.** *pres. p. от* warm 3; **2.** *n* 1) согревáние; подогревáние; 2) *sl.* побóи.

**warming-pan** ['wɔːmɪŋpæn] *n* 1) грéлка (*металлическая, для согревания постели*); 2) врéменный заместитель.

**warming-up** ['wɔːmɪŋ'ʌp] *n* 1) *спорт.* разминка; 2) *тех.* прогревáние.

**warmish** ['wɔːmɪʃ] *a* тепловáтый.

**war-monger** ['wɔː,mʌŋgə] **1.** *n* поджигáтель войны;

**2.** *v* подстрекáть к войнé.

**warmth** [wɔːmθ] *n* 1) теплó; 2) сердéчность; 3) горячность; запáльчивость; 4) лёгкое раздражéние.

**warm-up** ['wɔːm'ʌp] = warming-up.

**warn** [wɔːn] *v* предупреждáть; предостерегáть (of).

**warning** ['wɔːnɪŋ] **1.** *pres. p. от* warn;

**2.** *n* 1) предупреждéние; предостережéние; to give a ~ предупредить; it must be a ~ to you пусть это послýжит вам предостережéнием; 2) знак, признак (*чего-л. предстоящего*); 3) предупреждéние об ухóде *или* увольнéнии с рабóты; to give a month's ~ за мéсяц предупредить об увольнéнии.

**warp** [wɔːp] **1.** *n* 1) основа (*ткани*); 2) коробление; 3) извращённость; непрáвильное, отклоняющееся от нóрмы суждéние *и т. п.*; предубеждéние; 4) *мор.* верповáльный трос *или* пéрлинь; 5) нанóсный ил;

**2.** *v* 1) корóбить(ся), искривляться; деформироваться, перекáшиваться; the table-top has ~ed крышка столá покорóбилась; 2) извращáть, искажáть (*взгляды и т. п.*); to ~ one's whole life исковéркать, испóртить свою жизнь; 3) *мор.* верповáть(ся); 4) удобрять нанóсным илом.

**war-paint** ['wɔːpeɪnt] *n* 1) раскрáска тéла пéред похóдом у североамерикáнских индéйцев; 2) *разг.* парáдный костюм, пóлная боевáя фóрма; 3) *sl.* помáда, румяна *и т. п.*

**war-path** ['wɔːpɑːθ] *n* тропá войны (*поход североамериканских индейцев*); to be on the ~ вести войнý, быть в воинственном настроéнии.

**warper** ['wɔːpə] *n текст.* сновáльщик.

**war-plane** ['wɔːpleɪn] *n* воéнный самолёт.

**war-proof** ['wɔːpruːf] *a* спосóбный выдержать войнý.

**warrant** ['wɔrənt] **1.** *n* 1) óрдер, полномóчие; 2) основáние; правомóчие; оправдáние; 3) *воен.* приказ о производстве в высшее ýнтер-офицéрское звáние;

**2.** *v* 1) опрáвдывать, служить оправдáнием; подтверждáть; 2) ручáться, гарантировать; I'll ~ him a perfectly honest man ручáюсь, что он совершéнно чéстный человéк; the colours of all stuffs ~ed fast прóчность окрáски всех матéрий гарантируется; I'll ~ (you that...) я увéрен (в том, что...); 3) давáть прáво, полномóчия.

**warrantable** ['wɔrəntəbl] *a* закóнный, допустимый.

**warrantee** [,wɔrən'tiː] *n* лицó, получáющее ручáтельство.

**warranter** ['wɔrəntə] = warrantor.

**warrant-officer** ['wɔrənt,ɔfɪsə] *n* 1) *воен.* уóрэнт-офицéр (*промежуточная категория между сержантским и офицерским составом*); 2) *мор.* мичман.

**warrantor** ['wɔrəntɔː] *n* лицó, дающее ручáтельство.

**warranty** ['wɔrənti] *n* 1) основáние; 2) *ком.* гарáнтия; ручáтельство; 3) *attr.* приёмочный; ~ test приёмочное испытáние.

**warren** ['wɔrɪn] *n* 1) учáсток, где вóдятся крóлики; 2) крóличий садóк.

**warring** ['wɔrɪŋ] **1.** *pres. p. от* war 2;

**2.** *a* 1) противоречивый, непримиримый; 2) воюющий.

**warrior** ['wɔrɪə] *n поэт.* вóин; бóец.

**warship** ['wɔːʃɪp] *n* воéнный корáбль.

**wart** [wɔːt] *n* 1) бородáвка; 2) кап, нарóст, наплыв (*на дереве*); ◇ to paint smb.

with his ~s изображáть когó-л. без прикрáс.

**wart-hog** ['wɔːt'hɔg] *n зоол.* бородáвочник.

**war-time** ['wɔːtaɪm] *n* 1) воéнное врéмя; in the ~ во врéмя войны; 2) *attr.* воéнный, свя́занный с войнóй; воéнного врéмени; ~ recollections воспоминáния о войнé.

**warty** ['wɔːtɪ] *a* покрытый бородáвками, бородáвчатый.

**war-whoop** ['wɔːhuːp] *n* воéнный клич америкáнских индéйцев.

**war-worn** ['wɔːwɔːn] *a* опустошённый войнóй; истощённый войнóй.

**wary** ['wɛərɪ] *a* осторóжный.

**was** [wɔz (*полная форма*); wəz (*редуцированная форма*)] *прошéдшее врéмя ед. ч. гл.* to be.

**was-bird** ['wɔzbɜːd] *n sl.* бывший человéк; человéк, утрáтивший свой былые кáчества, отживший свой век.

**wash** [wɔʃ] 1. *n* 1) мытьё; to have a ~ помыться; to give a ~ помыть; 2) стирка; to send clothes to the ~ отдáть бельё в стирку; at the ~ в стирке; 3) *разг.* бельё; to hang out the ~ to dry вывесить бельё сушиться; 4) прибóй; шум прибóя; 5) попýтная струя́, кильвáтер; волнá; 6) помóи; бурдá; жидкий суп, слáбый чай; 7) *разг.* болтовня́; 8) примóчка; туалéтная водá; 9) тóнкий слой (*металла, жидкой крáски*); 10) песóк, грáвий; аллювий; нанóсы; 11) стáрое рýсло (*реки*); 12) золотонóсный песóк; 13) болóто; 14) *ав.* рему́; 15) *attr.* предназнáченный для мытья́; 16) *attr.* стирáющийся, нелиня́ющий; ~ goods нелиня́ющие ткáни; ◇ it'll all come out in the ~ всё образýется;
2. *v* 1) мыть(ся); обмывáть, смывáть, промывáть; стирáть; 2) *перен.* очищáть, обеля́ть; 3) стирáться (*о материи*); не линя́ть (*в стирке*); 4) выдéрживать критику; that theory won't ~ э́та теóрия не выдéрживает критики, э́та теóрия неубедительна; 5) плескáться, омывáть (*берегá*; *тж.* ~ upon); 6) размывáть; 7) нести, сносить (*о водé*); to ~ ashore прибивáть к бéрегу; to ~ overboard смыть зá борт; 8) литься; вливáться, переливáться; 9) окáчивать; flowers ~ed with dew цветы́, омытые росóй; 10) заливáть; покрывáть тóнким слóем; 11) *горн.* обогащáть; 12) промывáть золотонóсный песóк; ⬜ ~ away смывáть; сносить; вымывáть; ~ down а) вымыть; б) смыть, снести; в) запивáть; ~ off смывáть (*тж. перен.*); ~ out а) смывáть(ся) (*тж. перен.*); б) брóсить, махнýть рукóй на что́-л.; в) *амер.* размывáть; г) (*обыкн. p. p.*) лишáть сил, измáтывать; to be ~ed out, to look ~ed out полиня́ть; быть *или* чýвствовать себя́ изможлённым; быть блéдным, чýвствовать утомлéние; д) признáть непригóдным (*к воéнной слýжбе, полёту и т. п.*); ~ up а) умыться; б) мыть посýду; ◇ to ~ one's hands умыть рýки; to ~ one's dirty linen at home ≅ не выносить сóра из избы́; to ~ one's dirty linen in public ≅ выносить сор из избы́; рыться в грязном бельé.

**washable** ['wɔʃəbl] *a* стирáющийся, нелиня́ющий.

**wash-basin** ['wɔʃˌbeɪsn] *n* (умывáльный) таз; умывáльная рáковина.

**wash-board** ['wɔʃbɔːd] *n* 1) стирáльная доскá; 2) *стр.* плинтус; 3) колея́ от колёс (*на . дорóге*).

**wash-boiler** ['wɔʃˌbɔɪlə] *n* бак для кипячéния белья́.

**wash-bowl** ['wɔʃboul] *n* таз.

**wash-day** ['wɔʃdeɪ] *n* день стирки.

**wash-drawing** ['wɔʃˌdrɔːɪŋ] *n* 1) аквaрéль; 2) рисýнок тýшью размывкой.

**washed-out** ['wɔʃt'aut] *a* 1) полиня́вший; 2) *разг.* утомлённый.

**washed-up** ['wɔʃt'ʌp] *a* 1) = washed-out 2); 2) *sl.* кóнченый; отвéргнутый, ненýжный.

**washer** ['wɔʃə] *n* 1) мóйщик; 2) промывáтель, мóйка; 3) стирáльная машина; 4) *тех.* шáйба, проклáдка; 5) *тех.* промывнáя машина.

**washerwoman** ['wɔʃəˌwumən] *n* прáчка.

**wash-hand-basin** ['wɔʃhændˌbeɪsn] *n* (умывáльный) таз.

**wash-hand-stand** ['wɔʃhændˌstænd] = wash-stand.

**wash-house** ['wɔʃhaus] *n* прáчечная.

**washiness** ['wɔʃɪnɪs] *n* 1) водяни́стость; 2) слáбость.

**washing** ['wɔʃɪŋ] 1. *pres. p. om* wash 2; 2. *n* 1) мытьё, стирка; 2) бельё (*для стирки*); 3) обмы́лки; 4) тóнкий слой (*металла, крáски и т. п.*);
3. *a* 1) стирáющийся; 2) употребля́емый для стирки, мóющий; ~ powder стирáльный порошóк.

**washing-day** ['wɔʃɪŋdeɪ] *n* день стирки.

**washing-house** ['wɔʃɪŋhaus] = wash-house.

**washing-machine** ['wɔʃɪŋməˌʃiːn] *n* стирáльная машина.

**washing-stand** ['wɔʃɪŋstænd] = wash-stand.

**washing-up** ['wɔʃɪŋʌp] *n* мытьё посýды.

**wash-leather** ['wɔʃˌleðə] *n* зáмша.

**wash-out** ['wɔʃaut] *n* 1) размы́в; смыв; 2) *sl.* неудáча; 3) *sl.* неудáчник.

**wash-pot** ['wɔʃpɔt] *n уст.* таз для мытья́ посýды.

**wash-room** ['wɔʃrum] *амер.* = lavatory 1).

**wash-stand** ['wɔʃstænd] *n* умывáльник.

**wash-tub** ['wɔʃtʌb] *n* лохáнь для стирки.

**wash-up** ['wɔʃʌp] *n* 1) = washing-up; 2) что-л., выкинутое на бéрег (*волнóй, прибóем и т. п.*).

**washwoman** ['wɔʃˌwumən] *амер.* = washerwoman.

**washy** ['wɔʃɪ] *a* 1) жидкий, водяни́стый; разбáвленный; 2) блéдный, блёклый; 3) слáбый, тóнкий.

**wasp** [wɔsp] *n* осá.

**waspish** ['wɔspɪʃ] *a* 1) язви́тельный, ядови́тый; раздражи́тельный, злой; 2) оси́ный (*о тáлии*).

**wassail** ['wɔseɪl] *уст.* 1. *n* пирýшка, попóйка;
2. *v* пировáть, брáжничать.

**wast** [wɔst (*полная форма*); wəst (*реду-цированная форма*)] *уст.* форма 2 *л. ед. ч. прошедшего времени гл.* to be.

**wastage** ['weistidʒ] *n* изнашивание; по-тери, утечка, усушка.

**waste** [weist] **1.** *n* 1) пустыня; 2) потери; убыль, ущерб, убыток, порча; 3) излиш-няя трата; oil ~ перерасход масла; to run to ~ тратиться попусту; 4) отбросы, от-ходы, угар, обрезки, лом; 5) *юр.* разорение, порча имущества; 6) *горн.* пустая порода; **2.** *a* 1) пустынный, незаселённый; невоз-деланный; опустошённый; ~ land пустырь; to lay ~ опустошать; to lie ~ быть невозде-ланным (*о земле*); 2) лишний, ненужный; ~ effort напрасное усилие; ~ products отходы; ~ paper макулатура; 3) *тех.* отработан-ный, отработавший; ~ steam отработан-ный пар; 4) негодный, бракованный; **3.** *v* 1) расточать (*деньги, энергию и т. п.*); терять (*время*); to ~ words гово-рить на ветер; тратить слова; my joke was ~d upon him он не понял моей шутки; 2) портить; 3) опустошать; 4) изнурять; he was ~d by disease болезнь изнурила его; 5) чахнуть; истощаться, приходить к концу (*тж.* ~ away).

**waste-basket** ['weist,bɑːskit] = waste--paper-basket.

**wasteful** ['weistful] *a* расточительный.

**waste-paper-basket** [weist'peipə,bɑːskit] *n* корзина для (ненужных) бумаг; fit for the ~ никудышный.

**waste-pipe** ['weistpaip] *n* сточная труба.

**waster** ['weistə] *n* 1) расточитель; 2) брак, бракованное изделие; 3) *sl.* никудышный человек.

**wasting** ['weistiŋ] **1.** *pres. p. от* waste 3; **2.** *a* 1) опустошительный; разорительный; ~ war опустощательная война; 2) изнури-тельный.

**wastrel** ['weistrəl] = waster.

**watch** I [wɔtʃ] *n* часы (*карманные, наруч-ные*); by my ~ по моим часам; he set his ~ by mine он поставил свои часы по моим.

**watch** II [wɔtʃ] **1.** *n* 1) внимание; наблю-дение; бдительность; to keep ~ over smth. а) наблюдать за чем-л.; б) сторожить что-л.; to stand upon smb.'s ~ сторожить, караулить кого-л.; to be on the ~ for подкарауливать, поджидать; 2) сторож; *уст.* страж; стража; дозор; night ~ а) ночной сторож; б) *уст.* ночной дозор [*ср. тж.* 3)]; 3) *уст.* бдр-ствование; the night ~ ночное бдение [*ср. тж.* 2)]; to pass as a ~ in the night быть ско-ро забытым; 4) *ист.* стража (*часть ночи*); 5) *мор.* вахта; **2.** *v* 1) наблюдать, следить; to ~ it *sl.* быть осторожным; ~ that he doesn't fall смотри, чтобы он не упал; to ~ one's step а) ступать осторожно; б) действовать осмо-трительно; 2) бодрствовать; 3) кара-улить; сторожить, охранять (*тж.* ~ over); 4) выжидать, ждать (*тж.* ~ for); □ ~ in встречать Новый год; ~ out *амер.* осте-регаться; ~ over охранять; ◊ a ~ed pot never boils ≈ когда ждёшь, время тянется.

**watch-box** ['wɔtʃbɔks] *n* караульная буд-ка.

**watch-case** ['wɔtʃkeis] *n* корпус часов.

**watch-chain** ['wɔtʃtʃein] *n* цепочка для часов.

**watchdog** ['wɔtʃdɔg] *n* сторожевой пёс.

**watcher** ['wɔtʃə] *n* 1) сторож; 2) наблю-датель; 3) *амер.* человек, защищающий интересы кандидата при баллотировке.

**watch-fire** ['wɔtʃ,faiə] *n* бивачный костёр; сигнальный костёр.

**watchful** ['wɔtʃful] *a* бдительный; осто-рожный.

**watch-glass** ['wɔtʃglɑːs] *n* стекло для ча-сов.

**watch-guard** ['wɔtʃgɑːd] *n* цепочка *или* шнурок для часов.

**watch-house** ['wɔtʃhaus] *n* 1) караульное помещение; 2) полицейский участок; по-мещение для предварительного заключения.

**watch-maker** ['wɔtʃ,meikə] *n* часовщик.

**watchman** ['wɔtʃmən] *n* 1) ночной сторож; 2) караульный.

**watch-night** ['wɔtʃnait] *n* 1) ночь под Новый год; 2) *церк.* служба в ночь под Но-вый год.

**watch-pocket** ['wɔtʃ,pɔkit] *n* карман для часов.

**watch-spring** ['wɔtʃspriŋ] *n* часовая пру-жина.

**watch-tower** ['wɔtʃ,tauə] *n* сторожевая башня.

**watchword** ['wɔtʃwəd] *n* 1) пароль; 2) лозунг; призыв, клич.

**water** ['wɔːtə] **1.** *n* 1) вода; by ~ водным путём; to hold ~ не пропускать воду; *перен.* выдерживать критику (*о теории и т. п.*); быть логически последовательным; to make ~ дать течь (*о корабле*) [*ср. тж.* 6)]; ~ bewitched *шутл.* ≈ водичка (*слабый чай и т. п.*); 2) водоём; an ornamental ~ искус-ственное озеро, пруд; 3) (*чаще pl*) воды; *ритор.* море; волны; 4) (*чаще pl*) (мине-ральные) воды; to drink the ~s побывать на водах, пить лечебные воды (*на курорте*); 5) прилив и отлив; 6) слюна; пот; моча; to make ~ мочиться [*ср. тж.* 1)]; red ~ кровавая моча; ~ on the brain водянка мозга; 7) вода (*качество драгоценного кам-ня*); diamond of the first ~ бриллиант чистой воды; genius of the first ~ исключительный талант; 8) *жив. сокр. от* water-colour; ◊ ~s of forgetfulness Лета, забвение, смерть; to draw ~ in a sieve носить воду решетом; in hot ~ в беде; in deep ~s в беде; in low ~ «на мели», близкий к разорению; in smooth ~ преус-певающий; like a fish out of ~ не в своей стихии; as ~ рыба, вынутая из воды; to spend money like ~ сорить деньгами; to shed blood like ~ пролить море крови; **2.** *v* 1) мочить, смачивать; 2) поливать, орошать; снабжать влагой; 3) поить (*жи-вотных*); 4) ходить на водопой; 5) набирать воду (*о корабле и т. п.*); 6) разбавлять (*водой; тж.* ~ down); 7) сглаживать, смяг-чать (*тж.* ~ down); to ~ down the details смягчать подробности; 8) слезиться; по-теть; выделять воду, влагу; it made his mouth ~ у него слюнки потекли; 9) раз-воднять (*об акционерном капитале*); 10) *текст.* муарировать.

**water aerodrome** [′wɔːtə′ɛərədroum] *n* гидроаэродро́м.

**waterage** [′wɔːtərɪdʒ] *n* 1) перево́зка гру́зов по воде́; 2) опла́та за перево́зку гру́зов по воде́.

**water-anchor** [′wɔːtə,æŋkə] *n мор.* плаву́чий я́корь.

**water-bearer** [′wɔːtə,bɛərə] *n* водоно́с.

**water-bearing** [′wɔːtə,bɛərɪŋ] *a* водоно́сный.

**water-bed** [′wɔːtəbed] *n* рези́новый матра́ц, напо́лненный водо́й *(для больны́х)*.

**water-bird** [′wɔːtəbəːd] *n* водяна́я пти́ца.

**water-blister** [′wɔːtə,blɪstə] *n* водяно́й волды́рь.

**water-borne** [′wɔːtəbɔːn] *a* перевози́мый по воде́, мо́рем *(о товарах)*.

**water-bottle** [′wɔːtə,bɔtl] *n* 1) графи́н для воды́; 2) фля́га.

**waterboy** [′wɔːtəbɔɪ] *n амер.* ма́льчик-водоно́с.

**water bus** [′wɔtə′bʌs] *n* речно́й трамва́й.

**water-butt** [′wɔːtəbʌt] *n* бо́чка для дождево́й воды́.

**water-can** [′wɔːtəkæn] *n* ле́йка.

**water-carriage** [′wɔːtə,kærɪdʒ] *n* во́дный тра́нспорт.

**water-carrier** [′wɔːtə,kærɪə] *n* 1) водоно́с; водово́з; 2) водоналивно́е су́дно; 3) (W.) Водоле́й *(созвездие и знак зодиака)*.

**water-cart** [′wɔːtəkaːt] *n* 1) цисте́рна для поли́вки у́лиц; 2) теле́жка водово́за.

**water-closet** [′wɔːtə,klɔzit] *n* убо́рная.

**water-colour** [′wɔːtə,kʌlə] *n* 1) акваре́ль (-ная кра́ска); 2) акваре́ль *(рисунок)*; 3) *attr.* акваре́льный.

**water-colourist** [′wɔːtə,kʌlərist] *n* акварели́ст.

**water-cooled** [′wɔːtəkuːld] *a тех.* с водяны́м охлажде́нием.

**watercourse** [′wɔːtəkɔːs] *n* 1) река́, ре́чка, руче́й; 2) ру́сло.

**water-craft** [′wɔːtəkraːft] *n* 1) су́дно; *собир.* флот; 2) уме́ние управля́ть ло́дкой, пла́вать, ныря́ть.

**watercress** [′wɔːtəkres] *n бот.* кресс водяно́й, жеру́ха.

**water-cure** [′wɔːtəkjuə] *n* водолече́ние.

**water-dog** [′wɔːtədɔg] *n разг.* быва́лый моря́к; хоро́ший плове́ц.

**water-drinker** [′wɔːtə,drɪŋkə] *n* тре́звенник.

**water-drop** [′wɔːtədrɔp] *n* 1) ка́пля воды́; 2) слеза́.

**watered** [′wɔːtəd] 1. *p. p. от* water 2; 2. *a* 1) муа́ровый; 2) разба́вленный *(водой)*.

**water-engine** [′wɔːtə,endʒɪn] *n* 1) водоподъёмная маши́на; 2) пожа́рная маши́на.

**waterfall** [′wɔːtəfɔːl] *n* водопа́д.

**waterfowl** [′wɔːtəfaul] *n (обыкн. собир.)* водяны́е пти́цы.

**water-front** [′wɔːtəfrʌnt] *n* 1) порт; райо́н по́рта; городско́й райо́н, располо́женный на берегу́ *(реки, моря и т. п.)*; 2) бе́рег.

**water-gas** [′wɔːtə′gæs] *n* водяно́й газ.

**water-gate** [′wɔːtəgeit] *n* затво́р *(шлюза)*.

**water-gauge** [′wɔːtəgeidʒ] *n* водоме́р.

**water-glass** [′wɔːtəglaːs] *n* 1) водоме́рное

стекло́; 2) *хим.* раствори́мое стекло́, силика́т на́трия; 3) стекля́нный сосу́д для воды́; ва́за.

**water-gruel** [′wɔːtə,gruəl] *n* ка́ша на воде́.

**water-hammer** [′wɔːtə,hæmə] *n тех.* гидравли́ческий уда́р.

**water-hen** [′wɔːtəhen] *n* 1) водяна́я ку́рочка; камышо́вка; 2) бе́лая шотла́ндская куропа́тка.

**water-ice** [′wɔːtərais] *n* заморо́женная смесь фрукто́вого со́ка и воды́.

**watering** [′wɔːtərɪŋ] 1. *pres. p. от* water 2; 2. *n* 1) поли́вка; 2) разбавле́ние водо́й.

**watering-can** [′wɔːtərɪŋkæn] *n* ле́йка.

**watering-cart** [′wɔːtərɪŋkaːt] = water-cart 1).

**watering-place** [′wɔːtərɪŋpleis] *n* 1) водопо́й; 2) во́ды, куро́рт с минера́льными во́дами; 3) морско́й куро́рт.

**watering-pot** [′wɔːtərɪŋpɔt] = watering-can.

**water-jacket** [′wɔːtə,dʒækit] *n тех.* водяна́я руба́шка.

**waterless** [′wɔːtəlis] *a* безво́дный.

**water-level** [′wɔːtə,levl] *n* 1) у́ровень воды́; у́ровень подпо́чвенной воды́; 2) ватерпа́с.

**water-lily** [′wɔːtə,lili] *n* водяна́я ли́лия; кувши́нка.

**water-line** [′wɔːtəlain] *n мор.* ватерли́ния.

**waterlog** [′wɔːtəlɔg] *v* 1) затопля́ть; 2) забола́чивать; 3) пропи́тывать(ся) водо́й; 4) по́ртиться *(от избытка воды)*.

**waterlogged** [′wɔːtəlɔgd] *a* 1) полузато́пленный; 2) заболо́ченный; 3) пропи́танный водо́й; погружённый в во́ду.

**water-main** [′wɔːtəmein] *n* водопрово́дная магистра́ль.

**waterman** [′wɔːtəmən] *n* 1) ло́дочник, перево́зчик; 2) гребе́ц.

**watermanship** [′wɔːtəmənʃip] *n* уме́ние хорошо́ грести́.

**watermark** [′wɔːtəmaːk] 1. *n* 1) водяно́й знак *(на бумаге)*; 2) отме́тка горизо́нта воды́; 2. *v* де́лать водяны́е зна́ки.

**water-meadow** [′wɔːtə,medou] *n* заливно́й луг.

**water-melon** [′wɔːtə,melən] *n* арбу́з.

**water-meter** [′wɔːtə′miːtə] *n* водоме́р.

**water-mill** [′wɔːtəmil] *n* водяна́я ме́льница.

**water-nymph** [′wɔːtə′nimf] *n* руса́лка; ная́да.

**water-parting** [′wɔːtə,paːtiŋ] *n* водоразде́л.

**water-pillar** [′wɔːtə,pilə] *n ж.-д.* гидравли́ческая коло́нка.

**water-pipe** [′wɔːtəpaip] *n* водопрово́дная труба́.

**water-plane** [′wɔːtəplein] *n* гидропла́н.

**water-point** [′wɔːtəpɔint] *n* пункт водоснабже́ния.

**water polo** [′wɔːtə′poulou] *n спорт.* во́дное по́ло.

**water-power** [′wɔːtə,pauə] *n* 1) гидроэнергия; 2) *attr.* гидросилово́й; ~ engine гидравли́ческий дви́гатель; ~ plant гидроэлектри́ческая ста́нция.

**waterproof** [′wɔːtəpruːf] **1.** *a* водонепроница́емый, непромока́емый;

**2.** *n* непромока́емый плащ;

**3.** *v* придава́ть водонепроница́емость.

**water pump** [′wɔːtə′pʌmp] *n* 1) водяно́й насо́с; 2) *шутл.* глаза́.

**water-ram** [′wɔːtəræm] *n тех.* гидравли́ческий тара́н.

**water-rat** [′wɔːtəræt] *n* 1) водяна́я кры́са; 2) *презр.* моря́к; 3) *sl.* вор (*орудующий на пристанях и т. п.*); 4) *sl.* порто́вый полице́йский.

**water-rate** [′wɔːtəreɪt] *n* тари́ф водоснабже́ния.

**water-repelling** [′wɔːtərɪˌpelɪŋ] = waterproof.

**waterscape** [′wɔːtəskeɪp] *n* морско́й пейза́ж.

**water-seal** [′wɔːtəsiːl] *n тех.* гидравли́ческий затво́р.

**watershed** [′wɔːtəʃed] *n* 1) водоразде́л; 2) *разг.* бассе́йн реки́.

**water-shoot** [′wɔːtəʃuːt] *n* водосто́чная труба́.

**water-sick** [′wɔːtəsɪk] *a* неплодоро́дный из-за сли́шком большо́й вла́жности.

**waterside** [′wɔːtəsaɪd] 1) бе́рег; 2) *attr.* располо́женный на берегу́, проходя́щий по бе́регу.

**water-skin** [′wɔːtəskɪn] *n* ко́жаный мешо́к *или* мех для воды́.

**water-soluble** [′wɔːtəˌsɔljubl] *a* раствори́мый в воде́.

**waterspout** [′wɔːtəspaut] *n* 1) водяно́й смерч; 2) водосто́чная труба́.

**water-supply** [′wɔːtəsəˌplaɪ] *n* водоснабже́ние.

**water system** [′wɔːtə′sɪstɪm] *n* 1) река́ со свои́ми прито́ками; 2) = water-supply.

**water-table** [′wɔːtəteɪbl] *n* 1) архит. сливна́я плита́; 2) у́ровень грунто́вых вод.

**water-tap** [′wɔːtətæp] *n* кран.

**watertight** [′wɔːtətaɪt] *a* 1) водонепроница́емый; гермети́ческий; 2) выде́рживающий кри́тику, вполне́ обосно́ванный (*о теории и т. п.*); 3) не могу́щий быть искажённым, соверше́нно определённый.

**water-tower** [′wɔːtəˌtauə] *n* 1) водона́порная ба́шня; 2) *амер.* огнетуши́тель, применя́емый для туше́ния огня́ на большо́й высоте́.

**water-trough** [′wɔːtətrɔf] *n* пойлка для скота́.

**water-vole** [′wɔːtəvoul] *n* водяна́я кры́са.

**water-wag(g)on** [′wɔːtəˌwægən] *n* пово́зка водово́за; ◊ to be on the ~ возде́рживаться от спиртны́х напи́тков.

**water-wave** [′wɔːtəweɪv] *n* 1) больша́я волна́, вал; 2) холо́дная зави́вка.

**water-way** [′wɔːtəweɪ] *n* 1) во́дный путь; 2) судохо́дное ру́сло, фарва́тер; 3) *мор.* ватервейс; водопрото́к.

**water-wheel** [′wɔːtəwiːl] *n* водяно́е колесо́.

**water-wings** [′wɔːtəwɪŋz] *n* надувно́е приспособле́ние для пла́вания.

**waterworks** [′wɔːtəwəːks] *n pl* (*употр. как sing и как pl*) 1) водопрово́дная ста́н-

ция; водопрово́дные сооруже́ния; 2) во́дные сооруже́ния; фонта́н; ◊ to turn on the ~ *разг.* запла́кать; пролива́ть слёзы.

**watery** [′wɔːtərɪ] *a* 1) водяно́й; мо́крый; 2) водяни́стый, жи́дкий (*о пище*); 3) бессодержа́тельный; 4) предвеща́ющий дождь; 5) по́лный слёз (*о глазах*).

**watt** [wɔt] *n эл.* ватт.

**watt-hour** [′wɔtauə] *n эл.* ватт-ча́с.

**wattle I** [′wɔtl] *n* серёжка (*у птиц*).

**wattle II** [′wɔtl] **1.** *n* 1) прут; плете́нь; 3) *бот.* ака́ция длиннои́стная;

**2.** *v* 1) плести́ (*плетень*); 2) стро́ить из плетня́.

**wattled** [′wɔtld] **1.** *p. p. от* wattle II, 2; **2.** *a* плетёный.

**wattless** [′wɔtlɪs] *a эл.* реакти́вный, «безва́ттный».

**wattmeter** [′wɔtˌmiːtə] *n эл.* ваттме́тр.

**waul** [wɔːl] *v* крича́ть, мяу́кать.

**wave** [weɪv] **1.** *n* 1) волна́; the ~s *поэт.* мо́ре; 2) волна́; вре́менный подъём; a ~ of enthusiasm волна́ энтузиа́зма; 3) колеба́ние; 4) волни́стость, неро́вность; 5) маха́ние, знак (*рукой*); 6) зави́вка; electric ~, permanent ~ шестиме́сячная зави́вка; 7) *воен.* атаку́ющая цепь; 8) *attr.* волново́й; ~ mechanics волнова́я меха́ника.

**2.** *v* 1) развева́ться (*о флагах*), волнова́ться (*о ниве и т. п.*); кача́ться (*о ветках*); 2) ви́ться (*о волосах*); 3) завива́ть (*волосы*); 4) разма́хивать, маха́ть (*рукой, платком*); де́лать знак руко́й; to ~ in farewell, to ~ a farewell помаха́ть руко́й на проща́ние; □ ~ aside подви́нуть в сто́рону; *перен.* не принима́ть (*во внимание и т. п.*); отмахну́ться (*от чего-л.*); ~ away сде́лать (*кому-л.*) знак удали́ться; *перен.* отмахну́ться; не соглаша́ться (*на что-л.*), не принима́ть (*предложения*).

**waved** [weɪvd] **1.** *p. p. от* wave 2; **2.** *a* волни́стый (*о волосах*); завито́й.

**waveguide** [′weɪvgaɪd] *n радио* волново́д.

**wave-length** [′weɪvleŋθ] *n физ.* длина́ волны́.

**wavelet** [′weɪvlɪt] *n* небольша́я волна́.

**waver** [′weɪvə] *v* 1) колеба́ться; 2) дро́гнуть (*о войсках*); 3) колыха́ться (*о пламени*).

**wavy** [′weɪvɪ] *a* 1) волни́стый; 2) колеблющийся; 3) *тех.* рифлёный.

**wax I** [wæks] **1.** *n* 1) воск; mineral ~ минера́льный воск, озокери́т; 2) ушна́я се́ра; 3) *attr.* восково́й; ~ candle восковая свеча́;

**2.** *v* вощи́ть.

**wax II** [wæks] *v* 1) прибыва́ть (*о луне; тж. перен.*); 2) *как глагол-связка* де́латься, станови́ться (*обыкн. шутл.*); to ~ fat растолсте́ть; to ~ angry рассерди́ться; 3) *уст., поэт.* расти́.

**wax III** [wæks] *n sl.* при́ступ гне́ва; я́рость; to be in a ~ быть в бе́шенстве; to get into a ~ взбеси́ться, рассвирепе́ть.

**waxcloth** [′wæksklɔθ] *n* лино́леум.

**waxen** [′wæksən] *a* 1) восково́й; 2) бле́дный, бесцве́тный; 3) вощёный; 4) мя́гкий как воск.

**wax-end** ['wæksend] *n* дра́тва.

**wax-paper** ['wæks,peɪpə] *n* вощёная бума́га.

**waxwork** ['wækswəːk] *n* 1) ле́пка из во́ска; 2) восково́й фигу́ра; муля́ж; 3) *pl* паноптикум.

**waxy** I ['wæksɪ] *a* 1) восково́й; 2) похо́жий на воск; 3) вощёный.

**waxy** II ['wæksɪ] *a sl.* 1) взбешённый; 2) вспы́льчивый.

**way** [weɪ] *n* 1) путь; доро́га; to take one's ~ идти́; уходи́ть; to lead the ~ идти́ впереди́; быть вожако́м, пока́зывать приме́р; to lose one's ~ сби́ться с пути́; back ~ око́льный путь; on the ~ в пути́; to be on one's ~, to go one's ~ уходи́ть, отправля́ться; to be in the ~ а) стоя́ть поперёк доро́ги, меша́ть; б) быть под руко́й; by the ~ а) по доро́ге, по пути́; б) кста́ти, ме́жду про́чим; to get out of smb.'s ~ уйти́ с доро́ги; to make ~ for smb., smth. дать доро́гу, уступи́ть ме́сто кому́-л., чему́-л.; to see one's ~ понима́ть, как на́до де́йствовать; быть в состоя́нии сде́лать что-л.; now I see my ~ тепе́рь я зна́ю, что де́лать; out of the ~ а) не по пути́; в стороне́; б) необыкнове́нный; необы́чный, незауря́дный; he has done nothing out of the ~ он не сде́лал ничего́ из ря́да вон выходя́щего; 2) сторона́, направле́ние; look this ~ посмотри́те сюда́; the other ~ round наоборо́т; 3) рассто́яние; a little ~, *амер. разг.* a little ~s недалеко́; a long ~, *амер. разг.* a long ~s далеко́; 4) движе́ние вперёд; ход; to make one's ~ а) продвига́ться; пробира́ться; б) сде́лать карье́ру, завоева́ть положе́ние в о́бществе (*тж.* to make one's ~ in the world); to make the best of one's ~ идти́ как мо́жно скоре́е, спеши́ть; to have ~ *он* дви́гаться вперёд (*о корабле, автомобиле и т. п.*); under ~ *мор.* на ходу́ (*тж. перен.*); preparations are under ~ де́лаются приготовле́ния; 5) ме́тод, сре́дство, спо́соб; мане́ра; о́браз де́йствия; I will find a ~ to do it я найду́ спо́соб э́то сде́лать; to my ~ of thinking по моему́ мне́нию; one ~ or another так и́ли и́наче; the other ~ и́наче; ~s and means а) пути́ и спо́собы; пути́ и возмо́жности; б) *парл.* пути́ и спо́собы изыска́ния де́нежных средств; to have a ~ with smb. име́ть осо́бый подхо́д к кому́-л., уме́ть убежда́ть кого́-л.; 6) обы́чай, привы́чка; осо́бенность; it is not in his ~ to be communicative общи́тельность не в его́ хара́ктере; to stand in the ancient ~s быть проти́вником всего́ но́вого; 7) о́браз жи́зни; to live in a great (small) ~ жить на широ́кую но́гу (скро́мно); 8) о́бласть, сфе́ра; to be in the retail ~ занима́ться ро́зничной торго́влей; 9) состоя́ние; *sl.* волне́ние; in a bad ~ в плохо́м состоя́нии; she is in a terrible ~ она́ ужа́сно взволно́вана; 10) отноше́ние; bad in every ~ плохо́й во всех отноше́ниях; in a ~ в не́котором отноше́нии; в изве́стном смы́сле; до изве́стной сте́пени; 11) *pl* ста́пель, поло́зья (*для спуска судна на воду*); 12) *тех.* направля́ющие (*станка*); 13) *амер. употр. для усиления*: ~ above свы́ше; ~ ahead далеко́ впереди́; ~ back тому́ наза́д; ~ back

in the nineties ещё в 90-х года́х; ~ behind далеко́ позади́; ◇ ~ out вы́ход из положе́ния; by ~ of а) ра́ди, с це́лью; б) в ви́де, в ка́честве; to give ~ а) подава́ться, уступа́ть; б) поддава́ться, предава́ться (*отчаянию и т. п.*); в) по́ртиться, сдава́ть; г) па́дать в цене́ (*о ценных бумагах*); по two ~s about it а) э́то неизбе́жно; б) об э́том не мо́жет быть двух мне́ний; to put smb. in the ~ of smth. предоста́вить кому́-л. слу́чай, дать возмо́жность сде́лать что-л.; to have one's own ~ доби́ться своего́, настоя́ть на своём; to go the ~ of all flesh (*или* of nature, of all the earth) умере́ть; to go out of one's ~..., to put oneself out of the ~... постара́ться изо всех сил, что́бы оказа́ть по́мощь, соде́йствие друго́му; to put smb. out of the ~ убра́ть кого́-л., уби́ть кого́-л.; to come smb.'s ~ попада́ться, встреча́ться кому́-л. (*на жи́зненном пути́*); the longest ~ round is the shortest ~ home *посл.* ≅ ти́ше е́дешь, да́льше бу́дешь; to have a ~ with oneself облада́ть обая́нием.

**way-bill** ['weɪbɪl] *n* 1) спи́сок пассажи́ров; 2) спи́сок мест, кото́рые предполага́ется посети́ть; 3) накладна́я; путево́й лист.

**wayfarer** ['weɪ,fɛərə] *n* пу́тник.

**wayfaring** ['weɪ,fɛərɪŋ] 1. *n* стра́нствие; 2. *a* стра́нствующий.

**wayfaring-tree** ['weɪ,fɛərɪŋtriː] *n бот.* кали́на гордови́на.

**waygoing** ['weɪ,goʊɪŋ] *n* 1) проща́ние; 2) *attr.* отбыва́ющий.

**waygone** ['weɪgɒn] *редк.* = way-worn.

**waylay** [weɪ'leɪ] *v* подстерега́ть; устра́ивать заса́ду (*на кого́-л.*).

**way-leave** ['weɪliːv] *n* 1) пра́во перево́зки по чужо́й земле́; 2) пра́во полёта над террито́рией.

**way-maker** ['weɪ,meɪkə] *n* пионе́р, первооткрыва́тель.

**way-passenger** ['weɪ,pæsɪndʒə] *n амер.* пассажи́р, садя́щийся *или* выходя́щий на промежу́точной ста́нции.

**wayside** ['weɪsaɪd] 1. *n* 1) придоро́жная полоса́; обо́чина; 2) *pl ж.-д.* полоса́ отчужде́ния.

2. *a* придоро́жный.

**way-station** ['weɪ,steɪʃən] *n амер.* небольша́я промежу́точная ста́нция; полуста́нок.

**way-train** ['weɪtreɪn] *n амер.* по́езд, остана́вливающийся на всех ста́нциях; при́городный по́езд.

**wayward** ['weɪwəd] *a* 1) своенра́вный; капри́зный; 2) изме́нчивый, непостоя́нный.

**way-worn** ['weɪwɔːn] *a* утомлённый (*о путнике*).

**we** [wiː] *pron. pers.* (*косв. п.* us) мы.

**weak** [wiːk] *a* 1) сла́бый; in a ~ moment застигнутый враспло́х; ~ point, ~ spot слабо́е ме́сто; 2) нереши́тельный; слабово́льный; ~ refusal нереши́тельный отка́з; 3) неубеди́тельный; 4) у́мственно отста́лый; глу́пый; 5) сла́бый, водяни́стый; 6) *грам.* сла́бый; 7) *фон.* неуда́рный, редуци́рованный.

**weaken** ['wiːkən] *v* 1) ослабля́ть; 2) слабе́ть; 3) поддава́ться, сдава́ться.

**weak-eyed** ['wiːkaɪd] *a* со слабым (*или* с плохим) зрением.

**weak-headed** ['wiːk‚hedɪd] *a* 1) слабоумный; 2) легко пьянеющий.

**weak-kneed** ['wiːkniːd] *a* 1) слабый на ноги; 2) слабовольный, малодушный.

**weakling** ['wiːklɪŋ] *n* слабый *или* слабовольный человек.

**weakly** ['wiːklɪ] 1. *a* хилый, болезненный; 2. *adv* слабо.

**weak-minded** ['wiːk'maɪndɪd] = weak--headed 1).

**weakness** ['wiːknɪs] *n* 1) слабость; 2) слабость, склонность (for—к чему-л.); 3) слабое место, недостаток; 4) неубедительность, необоснованность.

**weak-spirited** ['wiːk'spɪrɪtɪd] *a* малодушный.

**weal** I [wiːl] *n* благосостояние, благо; for the public (*или* general) ~ для общего блага; in ~ and woe в счастье и в горе.

**weal** II [wiːl] = wale.

**weald** [wiːld] *n* район Южной Англии, в который входят части графств Кент, Суссекс, Суррей, Гемпшир.

**wealth** [welθ] *n* 1) богатство; a man of ~ богатый человек; 2) изобилие; 3) *уст.* благосостояние; 4) (the ~) *собир.* богачи.

**wealthy** ['welθɪ] *a* богатый; состоятельный.

**wean** I [wiːn] *v* 1) отнимать от груди; 2) отучать (from, of, away—от).

**wean** II [wiːn] *n* *шотл.* ребёнок.

**weanling** ['wiːnlɪŋ] *n* ребёнок, недавно отнятый от груди.

**weapon** ['wepən] *n* 1) оружие; *перен.* средство; ~ of mass destruction оружие массового уничтожения; 2) средства самозащиты (*у животных и насекомых*).

**weaponless** ['wepənlɪs] *a* безоружный.

**wear** I [wɛə] 1. *n* 1) ношение, носка (*одежды*); in ~ в носке, в употреблении; this is now in (general) ~ это теперь модно; a dress for summer ~ летнее платье; 2) одежда, платье; men's ~ мужская одежда: working ~ рабочее платье; 3) носка, ноские; there is still much ~ in these shoes эти ботинки ещё будут долго носиться; 4) износ, изнашивание; to show ~ износиться; ~ and tear а) износ; амортизация; изнашивание; б) утомление; ~ and tear of life жизненные передряги;

2. *v* (wore; worn) 1) быть одетым (*во что-л.*); носить (*одежду и т. п.*); to ~ scent душиться; to ~ one's hair parted in the middle носить волосы на прямой пробор; 2) носиться (*о платье*); to ~ well а) хорошо носиться; б) выглядеть моложе своих лет; 3): to ~ a troubled look иметь смущённый *или* взволнованный, озабоченный вид; 4) изнашивать, стирать, протирать; пробивать; размывать; the water has worn a channel вода промыла канаву; to ~ a track across a field протоптать тропинку в поле; 5) утомлять; изнурять; 6) подвигаться, приближаться (*о времени*); the day ~s towards its close день близится к концу; 7) *мор.*: to ~ the ensign (*или* the flag) плавать под флагом; ☐ ~ away а) стирать(ся);

б) медленно тянуться (*о времени*); ~ down а) стирать(ся), изнашивать(ся); б) преодолевать (*сопротивление и т. п.*); ~ off а) стирать(ся); б) смягчаться; проходить; ~ on медленно тянуться (*о времени*); ~ out а) изнашивать(ся); б) истощать(ся) (*о терпении и т. п.*); в) состарить; г) изнурить; ◇ to ~ the King's (*или* the Queen's) coat служить в английской армии; to ~ breeches (*или* *амер.* pants) обладать мужским характером (*о женщине*); верховодить в доме; to ~ one's heart on one's sleeve не (уметь) скрывать своих чувств.

**wear** II [wɛə] *v* (wore) *мор.* делать поворот через фордевинд.

**wear** III [wɪə] = weir.

**wearer** ['wɛərə] *n* владелец (шляпы, пальто *и т. п.*); тот, на ком надето платье, пальто *и т. п.*

**weariful** ['wɪərɪful] *a* скучный, утомительный.

**weariless** ['wɪərɪlɪs] *a* неутомимый.

**weariness** ['wɪərɪnɪs] *n* 1) усталость, утомлённость; 2) утомительность, скука.

**wearing** ['wɛərɪŋ] 1. *pres. p. от* wear I, 2; 2. *a* 1) предназначенный для носки; ~ apparel одежда, платье; 2) утомительный.

**wearisome** ['wɪərɪsəm] *a* 1) утомительный; 2) скучный.

**wearproof** ['wɛəpruːf] *a* износостойкий, медленно срабатывающийся.

**weary** ['wɪərɪ] 1. *a* 1) утомлённый; 2) уставший, потерявший терпение (of—от чего-л.); I am ~ of it мне это надоело; 3) утомительный;

2. *v* 1) утомлять(ся); 2) устать, потерять терпение (of—от чего-л.); ☐ ~ for тосковать о ком-л., о чём-л.; стремиться к чему-л.

**weasel** ['wiːzl] *n* *зоол.* ласка; ◇ to catch a ~ asleep застать врасплох человека, обычно настороженного.

**weather** ['weðə] 1. *n* 1) погода; ~ permitting при условии благоприятной погоды; 2) непогода, шторм; to make good (bad) ~ *мор.* хорошо (плохо) выдерживать шторм (*о корабле*); ◇ in the ~ на улице, на дворе; to make heavy ~ of smth. находить что-л. трудным, утомительным; under the ~ *sl.* а) нездоровый, больной; б) в беде, в затруднительном положении; в) *амер.* выпивший; to have the ~ of а) идти с наветренной стороны; б) иметь преимущество перед;

2. *a* *мор.* наветренный; ◇ to keep one's ~ eye open смотреть в оба; держать ухо востро;

3. *v* 1) выветривать(ся), подвергать(ся) атмосферным влияниям; 2) выдерживать (бурю, натиск, испытание *и т. п.*); 3) *мор.* обходить с наветренной стороны; ☐ ~ on идти с наветренной стороны; ~ out выдерживать (*испытание и т. п.*).

**weather-beaten** ['weðə‚biːtn] *a* 1) повреждённый бурями; 2) обветренный; загорелый; 3) закалённый (*о людях*); 4) видавший виды, потрёпанный.

**weather-board** ['weðəbɔːd] *n* *мор.* планшир.

**weather-bound** ['weðəbaund] *a* задержанный непогодой.

**weather-bureau** ['weðəbjuə,rou] *n* бюро́ пого́ды.

**weather-chart** ['weðətʃɑːt] *n* синопти́ческая ка́рта.

**weather-cloth** ['weðəklɔθ] *n мор.* обве́с; защи́тный брезе́нт.

**weathercock** ['weðəkɔk] *n* 1) флю́гер; 2) непостоя́нный челове́к.

**weathered** ['weðəd] 1. *p. p. от* weather 3; 2. *a* 1) подве́ргшийся атмосфе́рным влия́ниям; 2) *геол.* вы́ветрившийся.

**weather-forecast** ['weðə,fɔːkɑːst] *n* прогно́з пого́ды.

**weather-gauge** ['weðəgeɪdʒ] *n мор.* положе́ние с наве́тренной стороны́; *перен.* преиму́щество; to have the ~ of a) идти́ с наве́тренной стороны́; б) име́ть преиму́щество пе́ред.

**weather-glass** ['weðəglɑːs] *n* баро́метр.

**weathering** ['weðərɪŋ] 1. *pres. p. от* weather 3; 2. *n* 1) *стр.* скос *или* накло́н для сто́ка дождево́й воды́, слив; 2) *геол.* выве́тривание, эро́зия.

**weatherman** ['weðəmən] *n разг.* метеоро́лог.

**weather-map** ['weðəmæp] = weather-chart.

**weather-proof** ['weðəpruːf] *a* защищённый от непого́ды; усто́йчивый про́тив атмосфе́рных влия́ний.

**weather-prophet** ['weðə,prɔfɪt] *n* предска́затель пого́ды.

**weather-report** ['weðəɪ,pɔːt] *n* метеорологи́ческая сво́дка.

**weather-side** ['weðəsaɪd] *n* наве́тренная сторона́; наве́тренный борт (*судна*).

**weather-sign** ['weðəsaɪn] *n* приме́та пого́ды.

**weather-stained** ['weðəsteɪnd] *a* вы́цветший.

**weather-station** ['weðə,steɪʃən] *n* метеорологи́ческая ста́нция.

**weather-vane** ['weðəveɪn] = weathercock 1).

**weatherwear** ['weðəwɛə] *n* защи́тная оде́жда (*на слу́чай дождя́ и т. п.*).

**weather-wise** ['weðəwaɪz] *a* уме́ющий предска́зывать пого́ду.

**weather-worn** ['weðəwɔːn] *a* пострада́вший от непого́ды.

• **weave** [wiːv] *v* (wove; woven) 1) ткать; 2) плести́; вплета́ть; 3) *перен. разг.* плести́, сочиня́ть; 4) сплета́ть(ся), соединя́ть(ся), слива́ть(ся); 5) пока́чиваться, кача́ться; 2. *n* 1) узо́р (*тка́ни*), переплете́ние ни́тей в тка́ни; 2) *attr.* тка́цкий.

**weaver** ['wiːvə] *n* ткач; ткачи́ха.

**weazen(ed)** ['wiːzn(d)] = wizen(ed).

**web** [web] 1. *n* 1) ткань; шту́ка тка́ни; 2) руло́н (*бума́ги*); 3) паути́на; 4) сплете́ние (*лжи, интри́г*); 5) перепо́нка (*у у́тки, летучей мыши и т. п.*); 6) сте́нка (*ба́лки*); ше́йка (*ре́льса*); диск (*колеса́*); полотно́ (*пилы́*); 7) щека́ кривоши́па; 8) перемы́чка, перебо́рка; 2. *v* окружа́ть паути́ной; *перен.* втя́гивать, вовлека́ть.

**webbed** [webd] 1. *p. p. от* web 2; 2. *a* перепо́нчатый.

**webbing** ['webɪŋ] 1. *pres. p. от* web 2; 2. *n* тка́ная ле́нта, тесьма́.

**web-footed** ['web,futɪd] *a* с перепо́нчатыми ла́пами.

**wed** [wed] *v* (wedded [-ɪd], *редк.* wed) 1) выдава́ть за́муж; жени́ть; венча́ть; 2) *уст., ритор.* (*за исключе́нием p. p.*) вступа́ть в брак; 3) сочета́ть, соединя́ть.

**we'd** [wiːd] *сокр. разг.* = we had; we should, we would.

**wedded** ['wedɪd] 1. *p. p. от* wed; 2. *a* 1) супру́жеский; а ~ pair супру́жеская па́ра; 2) пре́данный (*чему́-л.*).

**wedding** ['wedɪŋ] 1. *pres. p. от* wed; 2. *n* 1) сва́дьба; венча́ние, бракосочета́ние; жени́тьба; 2) *attr.* сва́дебный.

**wedding-cake** ['wedɪŋkeɪk] *n* сва́дебный пиро́г.

**wedding-day** ['wedɪŋdeɪ] *n* день сва́дьбы; годовщи́на сва́дьбы.

**wedding-dress** ['wedɪŋdres] *n* подвене́чное пла́тье.

**wedding-favour** ['wedɪŋ,feɪvə] *n* бант ша́фера.

**wedding-ring** ['wedɪŋrɪŋ] *n* обруча́льное кольцо́.

**wedge** [wedʒ] 1. *n* 1) клин; to force a ~, to drive a ~ вбива́ть клин; 2) что-л., име́ющее фо́рму кли́на; 3) *радио* лине́йчатый клин; ◇ the thin end of the ~ ≅ скро́мное, но многообеща́ющее нача́ло; пе́рвый шаг (*к чему́-л.*); 2. *v* 1) закрепля́ть кли́ном; 2) раска́лывать при по́мощи кли́на; □ ~ in вкли́нивать(ся); to ~ oneself in вти́скиваться; ~ off раста́лкивать.

**wedge key** ['wedʒ'kiː] *n* чека́, шпо́нка.

**wedge writing** ['wedʒ'raɪtɪŋ] *n* кли́нопись.

**wedgies** ['wedʒɪz] *n pl* танке́тки (*о́бувь*).

**Wedgwood** ['wedʒwud] *n* ве́джвуд (*фарфо́р и фая́нс англ. фа́брики Ве́джвуд*).

**wedlock** ['wedlɔk] *n* супру́жество; брак.

**Wednesday** ['wenzdɪ] *n* среда́ (*день неде́ли*).

**wee** [wiː] *a шотл.* кро́шечный, ма́ленький; а ~ bit немно́жко.

**weed** I [wiːd] 1. *n* 1) со́рная трава́, сорня́к; 2) (the ~) таба́к; 3) *разг.* сига́ра; 4) то́щий челове́к; 5) кля́ча; ◇ ill ~s grow apace *посл.* дурна́я трава́ в рост идёт; 2. *v* 1) поло́ть; 2) очища́ть; избавля́ть; □ ~ out удаля́ть, вычища́ть; отбира́ть.

**weed** II [wiːd] *n* 1) *pl* вдо́вий тра́ур (*обыкн.* widow's ~s); 2) тра́урная повя́зка, креп.

**weedy** ['wiːdɪ] *a* 1) заро́сший сорняка́ми; 2) расту́щий как со́рная трава́; 3) то́щий, нескла́дный; сла́бый.

**week** [wiːk] *n* 1) неде́ля; in a ~ че́рез неде́лю; в неде́льный срок; this day ~ а) неде́лю тому́ наза́д; б) ро́вно че́рез неде́лю; he came back Saturday ~ в суббо́ту была́ *или* бу́дет неде́ля, как он верну́лся; 2) шесть рабо́чих дней неде́ли; ◇ а ~ of Sundays *разг.* а) семь неде́ль; б) ≅ це́лая ве́чность; ~ in, ~ out беспреры́вно.

**week-day** ['wiːkdeɪ] *n* бу́дний день.

**week-end** ['wiːk'end] 1. *n* вре́мя о́тдыха с суббо́ты до понеде́льника; вечери́нка, устра́иваемая в это вре́мя;

**2.** *v* отдыха́ть (*где-л.*) с суббо́ты до поне-
де́льника.

**week-ender** ['wiːk'endə] *n* уезжа́ющий
отдыха́ть на вре́мя от суббо́ты до понеде́ль-
ника.

**weekly** ['wiːklɪ] **1.** *n* еженеде́льник;
**2.** *a* еженеде́льный; неде́льный;
**3.** *adv* еженеде́льно; раз в неде́лю.

**ween** [wiːn] *v поэт.* 1) ду́мать, полага́ть;
2) наде́яться.

**weep** [wiːp] *v* (wept) 1) пла́кать; 2) опла́-
кивать (for); 3) покрыва́ться ка́плями, выде-
ля́ть вла́гу; □ ~ **away** проплáкать;
~ **out** вы́плакать; to ~ oneself out вы́пла-
каться.

**weeper** ['wiːpə] *n* 1) пла́кса; 2) пла́каль-
щик; 3) тра́урная повя́зка, креп; 4) *pl*
тра́урные бе́лые манже́ты.

**weeping** ['wiːpɪŋ] **1.** *pres. p. om* weep;
**2.** *a* 1) проливáющий слёзы; 2) плаку́-
чий; ~ willow плаку́чая и́ва; 3) *мед.*
мо́кнущий, вла́жный.

**Weeping Cross** ['wiːpɪŋ'krɔs] *n ист.* крест,
у кото́рого моли́лись ка́ющиеся; to come
home by ~ раска́яться.

**weeping eczema** ['wiːpɪŋ'eksɪmə] *n мед.*
мо́кнущая экзе́ма.

**weevil** ['wiːvɪl] *n зоол.* долгоно́сик.

**weevilled** ['wiːvɪld] *a* поражённый долгоно́-
сиком (*о зерне*).

**weevilly** ['wiːvɪlɪ] = weevilled.

**weft** [weft] *n* 1) *текст.* уто́к; 2) *разг.*
ткань.

**weigh** [weɪ] *v* 1) взве́шивать(ся); 2) взве́-
шивать, обду́мывать, оце́нивать; to ~ the
advantages and disadvantages взве́сить все
за и про́тив; to ~ one's words взве́шивать
свои́ слова́, тща́тельно подбира́ть словá;
3) срáвнивать (with, against); 4) ве́сить;
how much do you ~? ско́лько вы ве́сите?;
5) име́ть вес, значе́ние, влия́ть; 6) *мор.*
поднима́ть (я́корь); □ ~ **down** а) отяго-
ща́ть; переве́шивать; б) угнета́ть, тяготи́ть;
~ **in** взве́шиваться до ска́чек (*о жоке́е*);
to ~ in with an argument привести́ реша́ю-
щий до́вод; ~ **out** а) отве́шивать, разве́-
шивать; б) взве́шиваться по́сле ска́чек
(*о жоке́е*); ~ **up** а) поднима́ть (*рычаго́м*);
б) взве́сить и реши́ть; ~ **upon** тяготи́ть;
~ **with** име́ть значе́ние; влия́ть на (*реше́-
ние*).

**weighbridge** ['weɪbrɪdʒ] *n* весы́ с помо́стом;
платфо́рменные весы́.

**weigher** ['weɪə] *n* весовщи́к.

**weighing** ['weɪɪŋ] **1.** *pres. p. om* weigh;
**2.** *n* взве́шивание; ~ in *спорт.* взве́ши-
вание пе́ред соревнова́нием.

**weighing-machine** ['weɪŋmə‚ʃiːn] *n* весы́.

**weight** [weɪt] **1.** *n* 1) вес; to put on ~
толсте́ть, поправля́ться; 2) тя́жесть; груз;
3) бре́мя; 4) влия́ние, значе́ние, ва́жность;
men of ~ влия́тельные лю́ди; an argument
of great ~ убеди́тельный до́вод; 5) си́ла,
тя́жесть; 6) ги́ря; *pl* разнове́с; 7) *спорт.*
ги́ря, шта́нга; ~ lifting подня́тие тя́жестей;
8) *спорт.* весова́я катего́рия; ◇ Weights and
Measures Department Палáта мер и весо́в;
**2.** *v* 1) нагружа́ть; увели́чивать вес;
подве́шивать ги́рю; 2) отягоща́ть, обреме-

ня́ть (with); 3) подме́шивать (*для ве́са*);
4) придава́ть вес, си́лу; □ ~ **down** а) тя-
ну́ть вниз, оття́гивать; б) отягоща́ть (*за-
бо́тами и т. п.*).

**weightless** ['weɪtlɪs] *a* невесо́мый.

**weight lifter** ['weɪt'lɪftə] *n* гиреви́к, штан-
ги́ст.

**weighty** ['weɪtɪ] *a* 1) тяжёлый; 2) обреме-
ни́тельный; 3) ва́жный, ве́ский.

**weir** [wɪə] **1.** *n* плоти́на, запру́да; водо-
сли́в;
**2.** *v* устра́ивать плоти́ну, запру́живать.

**weird** [wɪəd] **1.** *n* 1) судьба́, рок; 2) пред-
знаменова́ние, предсказа́ние;
**2.** *a* 1) роково́й, фата́льный; 2) тайн-
ственный, сверхъесте́ственный; 3) *разг.*
стра́нный, непоня́тный; ◇ the ~ sisters бо-
ги́ни судьбы́.

**Welch** [welʃ] = Welsh.

**welch** [welʃ] = welsh.

**welcome** ['welkəm] **1.** *n* 1) приве́тствие;
2) гостеприи́мство, ра́душный приём; to
give a warm ~ оказа́ть серде́чный приём;
to find a ready ~ быть раду́шно при́нятым;
to wear out (*или* to outstay) smb.'s ~ зло-
употребля́ть чьим-л. гостеприи́мством; оста-
ва́ться до́льше, чем прия́тно хозя́евам;
**2.** *a* 1) жела́нный, прия́тный; 2) *predic.*
охо́тно разреша́емый; (you are) ~ пожáлуйста, не сто́ит благода́рности; he is ~ to
use my library я охо́тно позволя́ю ему́ по́ль-
зоваться мое́й библиоте́кой; to make smb.
~ раду́шно принима́ть кого́-л.;
**3.** *v* 1) приве́тствовать; 2) раду́шно при-
нима́ть; I ~ you to my house рад вас ви́деть
у себя́;
**4.** *int* добро́ пожа́ловать! (*тж.* you are ~!).

**weld** [weld] **1.** *n тех.* 1) сва́рка (*металл-
лов*); 2) сварно́й шов;
**2.** *v* 1) *тех.* сва́ривать(ся); 2) спла́чи-
вать, объединя́ть.

**welder** ['weldə] *n* 1) сва́рщик; 2) сва́роч-
ный агрега́т.

**welding** ['weldɪŋ] **1.** *pres. p. om* weld 2;
**2.** *n тех.* сва́рка; сва́ривание.

**welfare** ['welfɛə] *n* 1) благосостоя́ние,
благоде́нствие; 2) = welfare work.

**welfare centre** ['welfɛə'sentə] *n* организа́-
ция, занима́ющаяся вопро́сами бы́та насе-
ле́ния да́нного райо́на.

**welfare work** ['welfɛə'wəːk] *n* мероприя́-
тия по улучше́нию культу́рно-бытовы́х
усло́вий.

**welkin** ['welkɪn] *n поэт.* не́бо, небе́сный
свод.

**well** I [wel] **1.** *n* 1) родни́к; 2) коло́дец,
водоём; 3) *перен.* исто́чник; 4) ле́стничная
кле́тка; 5) *горн.* сква́жина; отсто́йник,
зумпф;
**2.** *v* хлы́нуть, бить ключо́м (*часто* ~ up,
~ out, ~ forth).

**well** II [wel] **1.** *adv* (better; best) 1) хо-
рошо́; ~ done! здоро́во!; 2) как сле́дует;
хороше́нько; he ought to be ~ punished его́
сле́дует хороше́нько наказа́ть; 3) хорошо́,
разу́мно, пра́вильно; to behave ~ хорошо́
вести́ себя́; you can't ~ refuse to help him
у вас нет доста́точных основа́ний отказа́ть
ему́ в по́мощи; 4) соверше́нно, по́лностью;

he was ~ out of sight он совсе́м исче́з йз виду; 5) о́чень, значи́тельно, далеко́, вполне́; the work is ~ on рабо́та значи́тельно продви́нулась; he is ~ past forty ему́ далеко́ за́ сорок; it may ~ be true о́чень возмо́жно, что э́то ве́рно; ◇ as ~ a) кро́ме того́, вдоба́вок; б) с таки́м же успе́хом; as ~ as так же как, а та́кже; it's just as ~ с ра́вным успе́хом; ну и что же?; ~ enough дово́льно хорошо́; ~ begun is half done *посл.* хоро́шее нача́ло полде́ла откача́ло;

2. *a* (better; best) 1) *predic.* хоро́ший; all is ~ всё в поря́дке, всё прекра́сно; all turned out ~ все око́нчилось хорошо́; to come off ~ хорошо́ сойти́; to be ~ out of smth. сча́стливо отде́латься от чего́-л.; 2) *predic.* здоро́вый; I am quite ~ я соверше́нно здоро́в; 3) *attr. редк.* (*не имеет степеней сравнения*) здоро́вый;

3. *n* добро́; I wish him ~ я жела́ю ему́ добра́; ◇ let ~ alone, *амер.* let ~ enough alone ≅ от добра́ добра́ не и́щут;

4. *int* ну! (*выражает удивление, уступку, согласие, ожидание и т. п.*); ~ and good! хорошо́!, ла́дно!; if you promise that, ~ and good е́сли вы обеща́ете э́то, тогда́ хорошо́; ~, to be sure! вот тебе́ раз!; ~, what next? ну, а что да́льше?; ~, now tell me all about it ну, тепе́рь расскажи́те мне всё об э́том.

**we'll** [wi:l] *сокр. разг.* = we shall; we will.

**well-advised** ['weləd'vaizd] *a* благоразу́мный.

**well-appointed** ['welə'pɔintid] *a* хорошо́ снаряжённый, хорошо́ обору́дованный.

**well-armed** ['wel'ɑ:md] *a* хорошо́ вооружённый.

**well-assorted** ['welə'sɔ:tid] *a* хорошо́ подо́бранный.

**wellaway** ['welə'wei] *int уст.* как жаль!

**well-balanced** ['wel'bælənst] *a* уравнове́шенный, рассуди́тельный.

**well-becoming** ['welbi'kʌmiŋ] *a* подходя́щий, пра́вильный.

**well-behaved** ['welbi'heivd] *a* благонра́вный.

**well-being** ['wel'bi:iŋ] *n* благополу́чие.

**well-boring** ['wel'bɔ:riŋ] *n горн.* буре́ние сква́жин.

**well-born** ['wel'bɔ:n] *a* родови́тый.

**well-bred** ['wel'bred] *a* 1) благовоспи́танный; 2) чистокро́вный (*о животном*).

**well-built** ['wel'bilt] *a* кре́пкий; хорошо́ сложённый.

**well-conducted** ['welkən'dʌktid] *a* воспи́танный, такти́чный.

**well-connected** ['welkə'nektid] *a* с больши́ми свя́зями.

**well-directed** ['weldi'rektid] *a* ме́ткий (*о выстреле и т. п.*); то́чно напра́вленный.

**well-dish** ['wel'diʃ] *n* блю́до с углубле́нием для со́уса.

**well-disposed** ['weldis'pouzd] *a* благожела́тельный, благоскло́нный (to, towards).

**well-doer** ['wel'du:ə] *n* 1) доброде́тельный челове́к; 2) доброжела́тель.

**well-doing** ['wel'du:iŋ] *n* доброде́тельное поведе́ние.

**well-done** ['wel'dʌn] *a* хорошо́ прожа́ренный.

**well-earned** ['wel'ɑ:nd] *a* заслу́женный.

**well-educated** ['wel'edju:keitid] *a* образо́ванный.

**well-favoured** ['wel'feivəd] *a* краси́вый, привлека́тельный.

**well-fed** ['wel'fed] *a* отко́рмленный; то́лстый.

**well-found** ['wel'faund] *a* хорошо́ подгото́вленный; to be ~ in philosophy име́ть соли́дное филосо́фское образова́ние.

**well-founded** ['wel'faundid] = well--grounded.

**well-groomed** ['wel'gru:md] *a* 1) хорошо́ ухо́женный (*о лошади*); 2) вы́холенный.

**well-grounded** ['wel'graundid] *a* обосно́ванный; хорошо́ подгото́вленный.

**well-head** ['welhed] *n* исто́чник.

**well-informed** ['welin'fɔ:md] *a* хорошо́ осведомлённый.

**Wellingtons** ['weliŋtənz] *n pl* 1) сапоги́ с голени́щем, закрыва́ющим спе́реди коле́но (*тж.* Wellington boots); 2) сапоги́ с голени́щем ни́же коле́на (*тж.* half ~).

**well-intentioned** ['welin'tenʃənd] *a* с хоро́шими наме́рениями, де́йствующий из са́мых лу́чших побужде́ний.

**well-judged** ['wel'dʒʌdʒd] *a* во́время, иску́сно *или* такти́чно сде́ланный.

**well-knit** ['wel'nit] *a* 1) кре́пко сколо́ченный; 2) кре́пкого сложе́ния; 3) сплочённый.

**well-known** ['wel'noun] *a* изве́стный, популя́рный.

**well-liking** ['wel'laikiŋ] *a уст.* цвету́щий; упи́танный, то́лстый.

**well-made** ['wel'meid] *a* 1) хорошо́ сложённый; 2) иску́сный; уда́чный в компози́ционном отноше́нии.

**well-mannered** ['wel'mænəd] *a* хорошо́ воспи́танный.

**well-marked** ['wel'mɑ:kt] *a* отчётливый.

**well-meaning** ['wel'mi:niŋ] *a* име́ющий хоро́шие наме́рения.

**well-meant** ['wel'ment] = well-intentioned.

**well-met** ['wel'met] *int уст.* кака́я (прия́тная) встре́ча!

**well-minded** ['wel'maindid] = well-disposed.

**well-natured** ['wel'neitʃəd] = good-natured.

**well-nigh** ['welnai] *adv ритор.* почти́.

**well-off** ['wel'ɔf] *a* 1) состоя́тельный, зажи́точный; 2) хорошо́ снабжённый, обеспе́ченный (for); I am ~ for books я хорошо́ обеспе́чен кни́гами.

**well-oiled** ['wel'ɔild] *a* 1) хорошо́ сма́занный; 2) льсти́вый; 3) *sl.* подвы́пивший.

**well-ordered** ['wel'ɔ:dəd] *a* упоря́доченный.

**well-paid** ['wel'peid] *a* хорошо́ опла́чиваемый.

**well-proportioned** ['welprə'pɔ:ʃənd] *a* пропорциона́льный.

**well-read** ['wel'red] *a* 1) начи́танный; 2) облада́ющий обши́рными зна́ниями в како́й-л. о́бласти (in); he is ~ in English literature он хорошо́ зна́ет англи́йскую литерату́ру.

**well-regulated** ['wel'regjuleɪtɪd] *a* находящийся под надлежащим контролем; урегулированный.

**well-room** ['welrum] *n* бювет.

**well-seeming** ['wel'siːmɪŋ] *a* хороший на вид.

**well-set** ['wel'set] *a* 1) коренастый; 2) правильно пригнанный, крепкий.

**well-set-up** ['wel,set'ʌp] *a* хорошо сложённый.

**well-sinking** ['wel,sɪŋkɪŋ] *n* рытьё колодца; бурение скважины.

**well-spoken** ['wel'spoukən] *a* изысканный в разговоре.

**well-spring** ['welsprɪŋ] = well-head.

**well-tailored** ['wel'teɪləd] *a* 1) хорошо одетый; 2) хорошо сшитый.

**well-thought-of** ['wel'θɔːt,əv] *a* имеющий хорошую репутацию; уважаемый.

**well-thought-out** ['wel,θɔːt'aut] *a* продуманный, обоснованный.

**well-timed** ['wel'taɪmd] *a* своевременный.

**well-to-do** ['weltə'duː] *a* состоятельный, зажиточный.

**well-tried** ['wel'traɪd] *a* испытанный.

**well-trodden** ['wel'trɔdn] *a* проторённый; часто посещаемый; *перен.* избитый.

**well turned** ['wel'təːnd] *a* 1) удачный, удачно выраженный; 2) ловкий.

**well-water** ['wel,wɔːtə] *n* колодезная вода.

**well-wisher** ['wel'wɪʃə] *n* доброжелатель.

**well-wishing** ['wel'wɪʃɪŋ] *a* доброжелательный.

**well-worn** ['wel'wɔːn] *a* поношенный; *перен.* истасканный; избитый.

**Welsh** [welʃ] 1. *a* уэльский, валлийский; ♦ ~ rabbit, ~ rarebit гренки с сыром; 2. *n* 1) (the ~) *pl собир.* валлийцы; 2) валлийский язык.

**welsh** [welʃ] *v* скрыться, не уплатив долга.

**Welshman** ['welʃmən] *n* житель Уэльса, валлиец.

**Welshwoman** ['welʃ,wumən] *n* жительница Уэльса, валлийка.

**welt** [welt] 1. *n* 1) рант (*башмака*); 2) след, рубец (*от удара кнутом*); 3) удар; 4) *тех.* накладка, фальц; обшивка; бордюр; 2. *v* 1) шить на ранту (*обувь*); 2) *разг.* полосовать, бить; 3) обшивать; окаймлять.

**welter** I ['weltə] 1. *n* столпотворение, сумбур; 2. *v* 1) валяться, барахтаться; to ~ in one's blood плавать в луже крови; to ~ in pleasures предаваться удовольствиям; 2) подниматься и опускаться; *перен.* волноваться.

**welter** II ['weltə] *n* 1) = welter-weight; 2) *разг.* тяжёлый удар, тяжёлая вещь *и т. п.*

**welter-race** ['weltəreɪs] *n* скачки, в которых лошади несут добавочный груз.

**welter-weight** ['weltəweɪt] *n* 1) добавочный груз (*на скачках*); 2) боксёр *или* борец полусреднего веса.

**wen** [wen] *n* 1) *мед.* жировая шишка, жировик; 2) *мед.* зоб, разрастание щитовидной железы; 3) большой перенаселённый город; the great ~ Лондон.

**wench** [wenʃ] *n* 1) *уст., шутл.* девушка; молодая женщина (*особ. о крестьянке*); служанка; 2) *уст.* девка (*проститутка*).

**wend** [wend] *v уст.* идти; to ~ one's way держать путь, направляться (to).

**went** [went] *past от* go 1.

**wept** [wept] *past и p. p. от* weep.

**were** [wəː (*полная форма*); wə (*редуцированная форма*)] *прошедшее время мн. ч. гл.* to be.

**we're** [wɪə] *сокр. разг.* = we are.

**weren't** [wəːnt] *сокр. разг.* = were not.

**wer(e)wolf** ['wəːwulf] *n* оборотень.

**Wesleyan** ['wezlɪən] 1. *a* 1) веслианский, методистский; 2) *амер.* относящийся к Wesleyan University в г. Миддлтаун; 2. *n рел.* методист.

**west** [west] 1. *n* 1) запад; *мор.* вест; 2) западный ветер; *мор.* вест; 3) (the W.) *амер.* западные штаты; 2. *a* западный; ~ country а) западная часть страны; б) графства, расположенные к юго-западу от Лондона; 3. *adv* к западу, на запад; ◇ to go ~ умереть, быть убитым.

**West End** ['west'end] *n* Уэст-Энд, западная, аристократическая часть Лондона.

**West-Ender** ['west'endə] *n* житель Уэст-Энда.

**westering** ['westərɪŋ] *a* 1) на закате; 2) направленный на запад.

**westerly** ['westəlɪ] 1. *a* западный; 2. *adv* с запада; на запад; 3. *n pl мор.* западные ветры, весты.

**western** [,'westən] 1. *a* западный; живущий на западе; 2. *n* 1) уроженец запада; 2) член западной церкви; 3) *амер. разг.* ковбойский фильм, ковбойская пьеса, телепередача *и т. п.*

**westerner** ['westənə] *n* уроженец запада (*особ. в США*).

**westernmost** ['westənmoust] *a* самый западный.

**westing** ['westɪŋ] *n мор.* курс на запад.

**westward** ['westwəd] 1. *a* направленный к западу; 2. *adv* на запад; 3. *n* западное направление; западный район.

**westwards** ['westwədz] = westward 2.

**wet** [wet] 1. *a* 1) мокрый, влажный; ~ to the skin, ~ through промокший до нитки; 2) дождливый, сырой; 3) жидкий (*о грязи, смоле*); 4) плаксивый; 5) *амер. sl.* «мокрый», разрешающий *или* стоящий за разрешение продажи спиртных напитков; ~ state штат, в котором разрешена продажа спиртных напитков; 6) *разг.* глупый, несуразный; to talk ~ нести околёсицу; 7) *sl.* пьяный; ~ night попойка.

2. *n* 1) влажность, сырость; 2) дождливая погода; 3) *sl.* выпивка; спиртной напиток; 4) *амер. sl.* сторонник разрешения продажи спиртных напитков.

3. *v* 1) мочить, смачивать, увлажнять; 2) *разг.* вспрыснуть; to ~ a bargain вспрыснуть сделку; to ~ one's whistle промочить горло, выпить; □ ~ out а) промочить; б) промывать, очищать промыванием.

**wetback** ['wet,bæk] *n амер. разг.* сельскохозяйственный рабочий, незаконно приехавший *или* доставленный из Мексики в США.

**wet blanket** ['wet'blæŋkɪt] *n* человек, отравляющий другим удовольствие, радость *и т. п.*

**wetblanket** ['wet,blæŋkɪt] *v* обескураживать, отравлять удовольствие.

**wet bob** ['wet'bɔb] *n* учащийся, занимающийся водным спортом.

**wether** ['weðə] *n* валух, кастрированный баран.

**wet-nurse** ['wetnəːs] *n* кормилица.

**wet-shod** ['wetʃɔd] *a диал.* промочивший ноги.

**wet wash** ['wet'wɔʃ] *n* бельё, возвращённое из прачечной в сыром *или* неглаженном виде.

**we've** [wiːv] *сокр. разг.* = we have.

**whack** [wæk] 1. *n* 1) сильный удар; 2) *разг.* доля, часть; to have one's ~ of smth. получить чего-л. вдоволь; 3) *разг.* попытка, проба; to have a ~ at smth. попробовать, попытаться сделать что-л.; 4) *разг.* исправность; the motor is out of ~ мотор не в порядке;
2. *v* 1) ударять, колотить; 2) *разг.* делить(ся) (*тж.* ~ up).

**whacker** ['wækə] *n разг.* 1) что-л. очень крупное, огромное; 2) наглая ложь.

**whacking** ['wækɪŋ] 1. *pres. p. от* whack 2; 2. *a разг.* огромный.

**whale** I [weɪl] *n* 1) кит; bull ~ кит самец; cow ~ самка кита; 2) *амер. разг.* что-л. огромное, колоссальное, многочисленное *или* очень хорошее; a ~ of a story прекрасный рассказ; 3) *разг.* мастер (своего дела); знаток; мастак; he is a ~ on (*или* at) history он знаток истории; ◇ very like a ~ *ирон.* ну, конечно!, так я и поверил!;
2. *v* (*обыкн. pres. p.*) бить китов.

**whale** II [weɪl] *v амер. разг.* бить, рубить.

**whale-boat** ['weɪlbout] *n* 1) китобойное судно; 2) вельбот.

**whalebone** ['weɪlboun] *n* 1) китовый ус; 2) изделие из китового уса.

**whale-fin** ['weɪlfɪn] = whalebone.

**whale-fishery** ['weɪl,fɪʃ ərɪ] *n* китобойный промысел.

**whaleman** ['weɪlmən] *n* 1) китолов; 2) китобойное судно.

**whale-oil** ['weɪlɔɪl] *n* ворвань.

**whaler** ['weɪlə] *n* 1) китобойное судно; 2) *мор.* вельбот; 3) китолов.

**whaling** I ['weɪlɪŋ] 1. *pres. p. от* whale I, 2;
2. *n* охота на китов;
3. *a разг.* громадный, необыкновенный.

**whaling** II ['weɪlɪŋ] 1. *pres. p. от* whale II; 2. *n амер. разг.* порка.

**whaling-gun** ['weɪlɪŋɡʌn] *n* гарпунная пушка.

**whang** [wæŋ] *разг.* 1. *n* громкий удар;
2. *v* ударять, бить (*в барабан*).

**wharf** [wɔːf] 1. *n* (*pl* -wes, -fs [-fs]) пристань; причал;
2. *v* 1) швартоваться к причалу; 2) складывать на пристани (*товары*).

**wharfage** ['wɔːfɪdʒ] *n* 1) портовая пошлина; 2) *собир.* пристани.

**wharfinger** ['wɔːfɪndʒə] *n* владелец пристани.

**wharves** [wɔːvz] *pl от* warf 1.

**what** [wɔt] *pron* 1) *inter.* какой?, что? сколько?; ~ is it? что это (такое)?; ~ is he? кто он такой? (*по профессии*); ~ about..? что нового о..?, ну как..?; what's his name? как его зовут?; ~ for? зачем?; ~ good is it?, ~ use is it? какая польза от этого?, какой толк в этом?; ~ if..? а что, если..?; ~ manner of? что за?; какой?; ~ next? ну, а дальше что?; ~ of..? = ~ about..?; ~ of it? что из того?, ну, так что ж?; ~ though..? что из того, что..?; ~ are we the better for it all? что нам от того!; 2) *conj.* какой, что, сколько; I don't know ~ she wants я не знаю, что ей нужно; tell me ~ colour that dress is? скажите, какого цвета это платье?; he gave her ~ money he had он дал ей все деньги, какие у него были; I know ~ to do я знаю, что нужно делать; 3) *emph.* какой!; как!; что!; ~ an interesting book it is! какая интересная книга!; ~ a pity it is! как жаль!; ◇ ~ (and) ~ not и так далее; это оклик *или* приветствие; ~ matter? это несущественно!; ~ with вследствие, из-за; ~ gives! что я вижу!; да ну!

**what-d'ye-call-em** ['wɔtdjuˈkɔːləm] *шутл.* как их, бишь, там?

**whate'er** [wɔtˈɛə] *поэт. см.* whatever.

**whatever** [wɔtˈevə] 1. *a* какой бы ни, любой;
2. *pron* 1) *conj.* всё что; что бы ни; I am right, ~ you think я прав, что бы вы там ни думали; 2) *emph.* (*после* any) какой-нибудь; is there any hope ~? есть ли хоть какая-нибудь надежда?

**what-for** ['wɔtfɔː] *n разг.* взбучка, наказание.

**Whatman** ['wɔtmən] *n* ватманская бумага (*тж.* ~ paper).

**what-not** ['wɔtnɔt] *n* 1) этажерка для безделушек; 2) всякая всячина, пустяки, безделушки.

**whatsis** ['wɔtsɪz] *амер. разг.* ну как это (называется).

**whatsoe'er** [,wɔtsouˈɛə] *поэт. см.* whatsoever.

**whatsoever** [,wɔtsouˈevə] эмфатическая форма *от* whatever.

**wheat** [wiːt] *n* пшеница; winter ~ озимая пшеница; summer ~ яровая пшеница; Turkey ~ *уст.* кукуруза, маис.

**wheatear** ['wiːtɪə] *n* каменка обыкновенная (*птица*).

**wheaten** ['wiːtn] *a* пшеничный.

**Wheatstone bridge** ['wiːtstənˈbrɪdʒ] *n эл.* мост(ик) сопротивления.

**wheedle** ['wiːdl] *v* 1) подольщаться; 2) обхаживать; 3) выманивать лестью (out of— у *кого-л.*).

**wheedling** ['wiːdlɪŋ] 1. *pres. p. от* wheedle; 2. *a* льстивый; умеющий уговорить с помощью лести.

**wheel** [wiːl] 1. *n* 1) колесо; колёсико; Geneva ~ *тех.* мальтийский крест; 2) рулевое колесо, штурвал; man at the ~ рулевой;

*перен.* ко́рмчий, руководи́тель; 3) *pl перен.* механи́зм; the ~s of state госуда́рственная маши́на; 4) круже́ние, круг, оборо́т; 5) велосипе́д; 6) пря́лка; 7) гонча́рный круг (*тж.* potter's ~); 8) колесо́ Форту́ны, сча́стье (*тж.* Fortune's ~); 9) припе́в, рефре́н; 10) *воен.* захожде́ние, заёзд; left (right) ~! пра́вое (ле́вое) плечо́ вперёд!; ◇ big ~ ва́жная персо́на; to break on the ~ *ист.* колесова́ть; to break a butterfly (*или* a fly) on the ~ ≅ стреля́ть из пу́шек по воробья́м; to go on ~s идти́ как по ма́слу; to put a spoke into smb.'s ~s ста́вить кому́-л. па́лки в колёса; to put one's shoulder to the ~ энерги́чно взя́ться за рабо́ту; ~s within ~s сло́жная взаимосвя́зь; сло́жное положе́ние;
2. *v* 1) кати́ть, везти́ (*тачку и т. п.*); 2) е́хать на велосипе́де; 3) опи́сывать круги́; 4) повора́чивать(ся); 5) *воен.* заходи́ть *или* заезжа́ть фла́нгом.

**wheel and axle** ['wiːlənd'æksl] *n mex.* во́рот.

**wheel arm** ['wiːl'ɑːm] *n mex.* спи́ца колеса́.

**wheelbarrow** ['wiːl,bærou] *n* та́чка.

**wheel-base** ['wiːlbeɪs] *n mex.* ба́за, расстоя́ние ме́жду осями.

**wheelbox** ['wiːlbɔks] *n мор.* коро́бка штурва́ла.

**wheel chair** ['wiːl'ʧɛə] *n* кре́сло на колёсах (*для инвали́дов*).

**wheeled** [wiːld] 1. *p. p. от* wheel 2;
2. *a* колёсный, име́ющий колёса.

**wheeler** ['wiːlə] *n* 1) коренни́к, коренна́я ло́шадь; 2) = wheelwright; 3) *attr.*: ~ team коренна́я па́ра.

**wheel gauge** ['wiːl'geɪʤ] *n ж.-д.* колея́.

**wheel-horse** ['wiːlhɔːs] = wheeler 1).

**wheel-house** ['wiːlhaus] *n* ру́бка рулево́го.

**wheeling** ['wiːlɪŋ] 1. *pres. p. от* wheel 2;
2. *n* 1) езда́ на велосипе́де; 2) поворо́т; оборо́т.

**wheelman** ['wiːlmən] *n* 1) велосипеди́ст; 2) велосипе́дный ма́стер.

**wheelsman** ['wiːlzmən] *n* рулево́й.

**wheelwright** ['wiːlraɪt] *n* колёсный ма́стер.

**wheeze** [wiːz] 1. *n* 1) тяжёлое дыха́ние, хрип; 2) *театр. sl.* отсебя́тина; 3) трюк, уло́вка; 4) *sl.* шу́тка, остро́та (*особ. ста́рая, изби́тая*);
2. *v* дыша́ть с при́свистом; хрипе́ть; □ ~ out прохрипе́ть.

**wheezy** ['wiːzɪ] *a* страда́ющий оды́шкой, а́стмой; хри́плый.

**whelk I** [welk] *n* волни́стый рожо́к (*моллюск*).

**whelk II** [welk] *n* прыщ.

**whelm** [welm] *v поэт.* залива́ть; поглоща́ть; подавля́ть.

**whelp** [welp] 1. *n* 1) щено́к; детёныш; 2) отро́дье;
2. *v* 1) щени́ться; производи́ть детёнышей; 2) замышля́ть (*что-л. ду́рное*).

**when** [wen] 1. *adv* 1) *inter.* когда́?; 2) *rel.* когда́; during the time ~ you were away во вре́мя ва́шего отсу́тствия; 3) *conj.* когда́; I don't know ~ she will come не зна́ю, когда́ она́ придёт;
2. *cj* 1) когда́, в то вре́мя как, как то́лько, тогда́ как; ~ seated си́дя; ~ speaking говоря́; 2) хотя́, несмотря́ на, тогда́ как; he is reading the book ~ he might be out playing он чита́ет кни́гу, хотя́ мог бы игра́ть во дворе́; 3) е́сли; how can he buy it ~ he has no money? как он мо́жет э́то купи́ть, е́сли у него́ нет де́нег?;
3. *n* вре́мя, да́та; he told me the ~ and the why of it он рассказа́л мне, когда́ и отчего́ э́то произошло́; till ~ can you stay? до како́го вре́мени вы мо́жете оста́ться?

**whence** [wens] 1. *adv. inter.* 1) отку́да? (*обыкн.* from ~); from ~ is he? отку́да он?; 2) как?; каки́м о́бразом?; ~ comes it? как э́то случа́ется?;
2. *cj* отку́да; go back ~ you came возвраща́йтесь туда́, отку́да вы при́были.

**whene'er** [wen'ɛə] *поэт. см.* whenever.

**whenever** [wen'evə] 1. *adv разг.* когда́ же; ~ will you learn? когда́ же ты вы́учишь?;
2. *cj* вся́кий раз когда́; когда́ бы ни; I'll be at home ~ he arrives когда́ бы он ни прие́хал, я бу́ду до́ма.

**whensoever** [,wensou'evə] *эмфати́ческая фо́рма от* whenever.

**where** [wɛə] 1. *adv* 1) *inter.* где?; куда́?; 2) *rel.* где; the place ~ we lived is not far from here ме́сто, где мы жи́ли, недалеко́ отсю́да; 3) *conj.* где; □ ~ from? отку́да?; ~ do you come from? отку́да вы?; ask her ~ she comes from? спроси́ её, отку́да она́; ~ to куда́?; ◇ ~ do I come in? како́е отноше́ние это име́ет ко мне?;
2. *cj* туда́; туда́ куда́; туда́ где; где; send him ~ he will be well taken care of пошли́те его́ туда́, где за ним бу́дет хороший ухо́д;
3. *n* ме́сто происше́ствия; the ~s and whens are important обозначе́ние ме́ста и вре́мени ва́жно.

**whereabouts** 1. *n* ['wɛərəbauts] (приблизи́тельное) местонахожде́ние; can you tell me his ~? мо́жете вы сказа́ть мне, где его́ найти́?;
2. *adv. inter.* ['wɛərə'bauts] где?; о́коло како́го ме́ста?; в каки́х края́х?

**whereas** [wɛər'æz] *cj* 1) тогда́ как; 2) принима́я во внима́ние, поско́льку.

**whereat** [wɛər'æt] *adv* на э́то; зате́м; по́сле э́того; о чём, на что.

**whereby** [wɛə'baɪ] *adv. inter.* о́коло чего́?; посре́дством чего́?

**where'er** [wɛər'ɛə] *поэт. см.* wherever.

**wherefore** ['wɛəfɔː] 1. *adv. inter. поэт.* почему́?, по како́й причи́не?;
2. *n* причи́на.

**wherein** [wɛər'ɪn] *adv. inter. уст.* в чём?

**whereof** [wɛər'ɔv] *adv* 1) из кото́рого; 2) о кото́ром, о чём.

**wheresoe'er** [,wɛəsou'ɛə] *поэт. см.* wheresoever.

**wheresoever** [,wɛəsou'evə] *эмфати́ческая фо́рма от* wherever.

**whereupon** [,wɛərə'pɔn] *adv* по́сле чего́; тогда́.

**wherever** [wɛər'evə] *adv* где бы ни; куда́ бы ни.

**wherewith** [wɛə'wɪθ] *adv уст.* чем.

**wherewithal** ['wɛəwɪðɔːl] *n* необходи́мые сре́дства, де́ньги.

**wherry** ['werɪ] 1. *n* ло́дка, я́лик; ба́рка; 2. *v* управля́ть ло́дкой; перевози́ть на ло́дке.

**whet** [wet] 1. *n* 1) то́чка, пра́вка; 2) сре́дство для возбужде́ния аппети́та; глото́к спиртно́го; 2. *v* 1) точи́ть, пра́вить (*на оселке*); 2) возбужда́ть (*аппетит, желание*).

**whether** ['weðə] 1. *cj* ли; I don't know ~ he is here я не зна́ю, здесь ли он; ◇ ~ or по так и́ли и́наче; во вся́ком слу́чае; 2. *pron уст.* кото́рый (из двух).

**whetstone** ['wetstoun] *n* точи́льный ка́мень.

**whew** [hwuː] *int шутл.* вот так та́к!

**whey** [weɪ] *n* сы́воротка.

**whey-faced** ['weɪ'feɪst] *a уст.* бле́дный (*особ. от страха*).

**which** [wɪtʃ] *pron* 1) *inter.* кото́рый?; како́й?; кто? (*подразумевается выбор*); ~ of you am I to thank? кого́ из вас мне благодари́ть?; ~ way shall we go? в каку́ю сто́рону мы пойдём?; 2) *rel.* каково́й, кото́рый, что; the book ~ you are talking about... кни́га, о кото́рой вы говори́те...; 3) *conj.* кото́рый, како́й; что; I don't know ~ way we must take я не зна́ю, по како́й доро́ге нам на́до е́хать.

**whichever** [wɪtʃ'evə] *pron* 1) *inter.* како́й?; 2) *conj.* како́й уго́дно, како́й бы ни.

**whichsoever** [,wɪtʃsou'evə] *эмфатическая форма от* whichever.

**whicker** ['wɪkə] *v диал.* ржать.

**whiff** I [wɪf] 1. *n* 1) дунове́ние, струя́; 2) дымо́к; 3) сла́бый за́пах; 4) небольша́я сига́ра; 5) *разг.* миг, мгнове́ние; 6) затя́жка (*при курении*); to take a ~ or two затяну́ться разо́к-друго́й; 7) я́лик; 2. *v* 1) ве́ять, слегка́ дуть; 2) пуска́ть клу́бы (*дыма*); попы́хивать.

**wiff** II [wɪf] *n* пло́ская ры́ба (*общее название камбаловых рыб*).

**whiffet** ['wɪfɪt] *n амер. разг.* ничто́жество.

**whiffle** ['wɪfl] *v* 1) дуть сла́бо (*особ. порывами—о ветре*); 2) развева́ть, рассе́ивать; 3) болта́ть; 4) посви́стывать, свисте́ть; 5) *амер.* колеба́ться, быть нереши́тельным; уви́ливать.

**whiffler** ['wɪflə] *n* 1) непостоя́нный челове́к (*во взглядах и т. п.*); 2) болту́н; хвасту́н; 3) ничто́жный челове́к.

**whig** [wɪg] *n ист.* 1) виг; 2) *амер.* сторо́нник восста́ния про́тив англи́йского влады́чества.

**while** [waɪl] 1. *n* вре́мя, промежу́ток вре́мени; a long ~ до́лго; a short ~ недо́лго; for a ~ на вре́мя; in a little ~ ско́ро; once in a ~ вре́мя от вре́мени; the ~ *поэт.* поку́да; в то вре́мя как; 2. *v:* to ~ away проводи́ть (*время*); 3. *cj* 1) пока́, в то вре́мя как; he was drowned ~ bathing во вре́мя купа́ния он утону́л; 2) несмотря́ на то, что; тогда́ как; ~ he is respected, he is not loved хотя́ его́ уважа́ют, его́ не лю́бят.

**whiles** [waɪlz] *cj уст.* пока́, в то вре́мя как.

**whilom** ['waɪləm] 1. *a* бы́вший, пре́жний; 2. *adv уст.* пре́жде, не́когда.

**whilst** [waɪlst] *cj* пока́.

**whim** [wɪm] *n* 1) при́хоть, капри́з; 2) (*конный*) приво́д; во́рот.

**whimper** ['wɪmpə] 1. *n* хны́канье; 2. *v* хны́кать.

**whimsical** ['wɪmzɪkəl] *a* 1) причу́дливый, эксцентри́чный; 2) капри́зный; прихотли́вый.

**whimsicality** [wɪmzɪ'kælɪtɪ] *n* капри́зность; прихотли́вость.

**whimsy** ['wɪmzɪ] 1. *n* при́хоть, причу́да, капри́з; 2. *a* = whimsical.

**whin** I [wɪn] *n бот.* дрок краси́льный.

**whin** II [wɪn] *n геол.* твёрдая компа́ктная поро́да.

**whine** [waɪn] 1. *n* жа́лобный вой; хны́канье; 2. *v* скули́ть, хны́кать.

**whinger** ['wɪŋə] *n* кинжа́л, коро́ткий меч.

**whinny** ['wɪnɪ] 1. *n* ти́хое *или* ра́достное ржа́ние; 2. *v* ти́хо ржать.

**whip** [wɪp] 1. *n* 1) кнут, хлыст; 2) ку́чер; I am no ~ не уме́ю хорошо́ пра́вить; 3) *охот.* выжля́тник; 4) *полит.* парла́ментский организа́тор па́ртии (*в Англии тж.* party~); 5) пове́стка парти́йного организа́тора о необходи́мости прису́тствовать на заседа́нии парла́мента; 6) ко́нный во́рот; *мор.* подъёмный го́рдень; 7) крыло́ ветряно́й ме́льницы; 2. *v* 1) хлеста́ть, сечь; 2) подгоня́ть (*тж.* ~ up); 3) руга́ть; ре́зко критикова́ть; 4) уди́ть ры́бу на му́шку (*тж.* ~ a stream); 5) сбива́ть (*сливки, яйца*); 6) *разг.* поби́ть, победи́ть; превосходи́ть; to ~ creation превзойти́ всех сопе́рников; 7) объединя́ть; 8) поднима́ть груз посре́дством во́рота, го́рдня; 9) заде́лывать коне́ц (*троса*) ма́ркой; 10) сшива́ть че́рез край; 11) пуска́ть (*волчок*); 12) трепа́ться (*о парусе*); □ ~ away а) убежа́ть, уе́хать; б) вы́хватить; ~ in сгоня́ть; объединя́ть; ~ off а) сбро́сить, сдёрнуть; б) убежа́ть; в) вы́гнать пле́тью; ~ on подстёгивать; ~ out а) вы́хватить; б) вы́скочить; убежа́ть; в) выгоня́ть пле́тью; г) произнести́ (*что-л.*) ре́зко и неожи́данно; to ~ out a reply ре́зко отве́тить; ~ round бы́стро поверну́ться; ~ up а) подстёгивать; подгоня́ть; б) взбива́ть; в) расшевели́ть; г) хвата́ть, выхва́тывать; д) привлека́ть (*большую аудиторию, толпу и т. п.*), ◇ ~ into shape *амер. разг.* обучи́ть, «натаска́ть».

**whip-and-derry** ['wɪpən'derɪ] *n* ко́нный во́рот.

**whipcord** ['wɪpkɔːd] *n* бечёвка (*из которой делается плеть*).

**whip hand** ['wɪp'hænd] *n* рука́, держа́щая кнут; *перен.* преиму́щество, контро́ль; to have the ~ of (*или* over) smb. име́ть кого́-л. в по́лном подчине́нии.

**whip handle** ['wɪp'hændl] *n* ру́чка кнута́; *перен.* преиму́щество, контро́ль.

**whiplash** ['wɪplæʃ] *n* реме́нь кнута́; to work under the ~ рабо́тать из-под па́лки.

**whipper-in** ['wɪpər'ɪn] *n* 1) *охот.* выжлятник, доезжачий; 2) = whip 1, 4).

**whipper-snapper** ['wɪpə,snæpə] *n* ничтожество; ничтожный, самонадеянный человек; «мальчишка».

**whippet** ['wɪpɪt] *n* 1) гончая (собака); 2) *воен.* танкетка.

**whipping** ['wɪpɪŋ] 1. *pres. p. от* whip 2; 2. *n* 1) побои; 2) подшивка через край; 3) *тех.* прогиб; провисание.

**whipping-boy** ['wɪpɪŋbɔɪ] *n* козёл отпущения.

**whipping-top** ['wɪpɪŋtɔp] *n* волчок (подстёгиваемый кнутом).

**whippoorwill** ['wɪppuə,wɪl] *n* зоол. козодой жалобный.

**whip-saw** ['wɪpsɔ:] *n* ручная продольная пила.

**whipster** ['wɪpstə] *n* молокосос.

**whipstitch** ['wɪpstɪtʃ] = whip 2, 10).

**whir** [wə:] 1. *n* 1) шум (крыльев, машин); 2) жужжание;
2. *v* 1) вращаться, проноситься, взлетать, вспархивать *и т. п.* с шумом; 2) жужжать.

**whirl** [wə:l] 1. *n* 1) кружение; 2) вихревое движение; вихрь; завихрение; 3) спешка, суматоха; 4) смятение;
2. *v* 1) вертеть(ся); кружить(ся); 2) проноситься; the car ~ed out of sight машина быстро скрылась из виду; 3) быть в смятении; □ ~ away уноситься.

**whirlabout** ['wə:lə'baut] *n* 1) вращение; 2) юла, волчок; 3) *attr.* вращающийся.

**whirligig** ['wə:lɪgɪg] *n* 1) юла, вертушка; 2) карусель; 3) водоворот (событий); быстрая смена; ~ of time превратности судьбы;
2. *a* вихревой.

**whirlpool** ['wə:lpu:l] *n* водоворот.

**whirlwind** ['wə:lwɪnd] *n* 1) вихрь; смерч, ураган; 2) *attr.* вихревой; ураганный.

**whirr** [wə:] = whir.

**whisht** [wɪʃt] *int* (*особ. ирл.*) шш!

**whisk** [wɪsk] 1. *n* 1) веничек; метёлочка; 2) мутовка; 3) короткое быстрое движение;
2. *v* 1) смахивать, сгонять (часто ~ away, ~ off); 2) сбивать (белки и пр.); 3) быстро уносить; 4) быстро удаляться; юркнуть (тж. ~ out); 5) помахивать (хвостом).

**whisker** ['wɪskə] *n* (обыкн. *pl*) 1) бакенбарды; 2) усы (кошки, тигра и т. п.).

**whiskered** ['wɪskəd] *a* 1) с бакенбардами; 2) с усами (о кошке, тигре и т. п.).

**whisky** ['wɪskɪ] *n* виски.

**whisky sour** ['wɪskɪ'sauə] *n* вид коктейля.

**whisper** ['wɪspə] 1. *n* 1) шёпот; to speak in a ~ говорить шёпотом; 2) слух, молва; to give the ~ разг. намекнуть; 3) шорох, шуршание;
2. *v* 1) говорить шёпотом, шептать; 2) сообщать по секрету; шептаться; it is ~ed ходит слух; 3) шелестеть, шуршать.

**whisperer** ['wɪspərə] *n* тайный осведомитель.

**whispering** ['wɪspərɪŋ] 1. *pres. p. от* whisper 2;

2. *n* 1) шёпот; разговор шёпотом; 2) слух.

**whispering campaign** ['wɪspərɪŋkæm'peɪn] *n* распространение ложных слухов про своего противника.

**whisperous** ['wɪspərəs] *a* похожий на шёпот.

**whist** [wɪst] *n карт.* вист.

**whistle** ['wɪsl] 1. *n* 1) свист; 2) свисток; penny ~, tin ~ свистулька; 3) *разг.* горло, гортань; глотка; ◇ to pay for one's ~ дорого платить за свою прихоть;
2. *v* 1) свистеть; давать свисток (как сигнал); 2) насвистывать (мотив и т. п.); 3) проноситься со свистом; a bullet ~d past him мимо него просвистела пуля; ◇ to ~ for smth. тщетно искать или желать чего-л.; to let smb. go ~ не считаться с чьими-л. желаниями; to ~ for a wind выжидать удобного случая.

**whistle stop** ['wɪsl'stɔp] *n* полустанок.

**Whit** [wɪt] *a:* ~ Monday *церк.* духов день.

**whit** [wɪt] *n* капелька, йота; he is not a ~ better ему ничуть не лучше.

**white** [waɪt] 1. *a* 1) белый; ~ heat белое каление; 2) бледный; to turn ~ побледнеть, побелеть; 3) седой; серебристый; 4) прозрачный; бесцветный; 5) невинный, незапятнанный, чистый; 6) безвредный, без злого умысла; ~ lie невинная ложь, святая ложь; 7) *разг.* честный, прямой, благородный; ~ man порядочный человек; 8) белый, реакционный; ◇ to bleed ~ а) обескровить; б) обобрать до нитки, выкачать деньги; ~ light а) дневной свет; б) беспристрастное суждение; ~ night ночь без сна; ~ sheet *уст.* покаянная одежда; to stand in a ~ sheet публично каяться; ~ slave «белая рабыня», проститутка; ~ crow белая ворона, редкость; ~ elephant а) индийский слон; б) *разг.* что-л. обременительное, невыгодное; подарок, от которого не знаешь, как избавиться; ~ squall внезапный шквал (в тропиках);
2. *n* 1) белый цвет; белизна; 2) белая краска, белила; London ~ свинцовые белила; Paris ~ мел для полировки; 3) белый материал; белое платье и т. п.; 4) белок (яйца; тж. ~ of the egg); 5) белок (глаза; тж. ~ of the eye); 6) пробел; 7) бот. заболонь; 8) чистота, непорочность; 9) шахм. белые фигуры; игрок, играющий белыми.

**whitebait** ['waɪtbeɪt] *n* малёк, малявка, снеток.

**white-book** ['waɪt'buk] *n* белая книга.

**white coal** ['waɪt'koul] *n* белый уголь, гидроэнергия.

**white collar** ['waɪt'kɔlə] *n амер.* служащий.

**whited sepulcher** ['waɪtɪd'sepəlkə] *n* лицемер; ханжа.

**white-fish** ['waɪt'fɪʃ] *n* сиг.

**white frost** ['waɪt'frɔst] *n* иней.

**whiteguard** ['waɪtgɑ:d] 1. *n* белогвардеец; 2. *a* белогвардейский.

**Whitehall** ['waɪt'hɔ:l] *n* Уайтхолл (улица в Лондоне, на которой расположены правительственные учреждения); *перен.* английское правительство.

**white-handed** ['waɪt'hændɪd] *a* честный.

**white-headed** ['waɪt'hedɪd] *a* 1) седой; 2) светловолосый.

**white horses** ['waɪt'hɔːsɪz] *n* барашки (*на море*).

**white-hot** ['waɪt'hɔt] *a* раскалённый добела, доведённый до белого каления.

**White House** ['waɪt'haus] *n* Белый дом (*резиденция президента США*).

**white lead** ['waɪt'led] *n* свинцовые белила.

**white-lipped** ['waɪt'lɪpt] *a* с побелевшими (от страха) губами.

**white-livered** ['waɪt,lɪvəd] *a* малодушный, трусливый.

**whiten** ['waɪtn] *v* 1) белить; 2) отбеливать; 3) побелеть; (по)бледнеть.

**whiteness** ['waɪtnɪs] *n* 1) белизна; белый цвет; 2) бледность; 3) чистота, незапятнанность.

**whitening** ['waɪtnɪŋ] 1. *pres. p. от* whiten; 2. *n* 1) мел; 2) беление, побелка.

**white paper** ['waɪt'peɪpə] *n* «белая книга» (*англ. официальное издание*).

**white plague** ['waɪt'pleɪg] *n* туберкулёз (*лёгких*).

**whites** [waɪts] *n pl* 1) белая мука высшего сорта; 2) *мед.* бели.

**white scourge** ['waɪt'skəːdʒ] *n* туберкулёз.

**whitesmith** ['waɪtsmɪθ] *n* жестян(щ)ик; лудильщик.

**whitethorn** ['waɪtθɔːn] *n* боярышник.

**white-throat** ['waɪtθrout] *n* славка (*птица*).

**whitewash** ['waɪtwɔʃ] 1. *n* 1) известковый раствор (*для побелки*); 2) побелка; 3) жидкий крем для лица; 4) реабилитирующие данные, оправдание; 5) *амер. спорт. разг.* «сухая»; 6) *разг.* стакан шерри (*выпитый после других вин*).
2. *v* 1) белить; 2) пытаться реабилитировать, обелить; 3) восстанавливать в правах (*банкрота*); 4) *амер. спорт.* выиграть «всухую».

**white whale** ['waɪt'weɪl] *n* белуга.

**white wing** ['waɪt'wɪŋ] *n* уборщик улиц, носящий белую спецодежду.

**whither** ['wɪðə] *уст.* 1. *adv. inter.* куда?; ~ did they go? куда они отправились?; 2. *cj* куда; go ~ you will идите, куда вам угодно; 3. *n* место назначения.

**whithersoever** [,wɪðəsou'evə] *adv* куда бы ни.

**whiting** I ['waɪtɪŋ] *n* мел (*для побелки*).

**whiting** II ['waɪtɪŋ] *n* мерлан (*рыба*).

**whitish** ['waɪtɪʃ] *a* бел(ес)оватый.

**whitlow** ['wɪtlou] *n мед.* панариций.

**Whitsunday** ['wɪt'sʌndɪ] *n* церк. троицын день.

**Whitsuntide** ['wɪtsntaɪd] *n церк.* неделя после троицына дня (*особ. первые три дня*).

**whittle** ['wɪtl] 1. *n уст.* нож мясника; 2. *v* строгать *или* оттачивать ножом (*дерево*); □ ~ away, ~ down сточить; *перен.* свести на нет; to ~ away the distinction between уничтожать различие между.

**whity-** ['waɪtɪ-] *в сложных словах* беловато-; ~-brown беловато-коричневый.

**whiz(z)** [wɪz] 1. *n* 1) свист, жужжание (*от рассекания воздуха*); 2) *амер. sl.* очень ловкая сделка; 3) *амер. sl.* нечто замечательное; 4) *амер. sl.* быстрый, ловкий человек;
2. *v* свистеть, жужжать, шипеть.

**whizz-bang** ['wɪzbæŋ] *n воен. sl.* снаряд, граната.

**who** [huː] *pron* (*косв. п.* whom) 1) *inter.* кто?; ~ is there? кто там?; whom did you see? кого вы видели?; whom (*или разг.* ~) do you mean? кого вы имеете в виду?; 2) *rel.* который, кто; the man whom you saw... человек, которого вы видели...; 3) *conj.* a) который, кто; do you know ~ has come? знаете ли вы, кто пришёл?; to know ~ is ~ знать, что каждый собой представляет; б) тот, кто; те, кто; ~ breaks pays кто разобьёт, тот заплатит; ◇ W.'S W. *название биографического справочника.*

**whoa** [wou] *int* тпру!

**whodun(n)it** [huː'dʌnɪt] *n sl.* детективный роман, фильм *и т. п.*

**whoe'er** [huː'εə] *поэт. см.* whoever.

**whoever** [huː'evə] *pron. indef.* (*косв. п.* whomever) кто бы ни, который бы ни.

**whole** [houl] 1. *n* 1) целое; on (*или* upon) the ~ в целом, в общем; 2) всё (*часто* of); I cannot tell you the ~ (of it) я не могу сказать вам всего; 3) итог;
2. *a* 1) целый, весь; ~ number целое число; a ~ lot *разг.* много; the ~ world весь мир; to be the ~ show *амер.* играть первую скрипку; with one's ~ heart всем сердцем; ревностно; 2) невредимый, целый; 3) *уст.* здоровый; ~ effect полезное действие; 4) родной, кровный; a ~ brother родной брат; 5) цельный, неснятой (*о молоке*); 6) непросеянный (*о муке*); ◇ to get off with a ~ skin остаться невредимым; ≈ выйти сухим из воды.

**whole-coloured** ['houl'kʌləd] *a* одноцветный.

**whole-hearted** ['houl'hɑːtɪd] *a* искренний, от всего сердца, от всей души.

**whole-hogger** ['houl'hɔgə] *n* прямолинейный, последовательный человек.

**whole-hoofed** ['houl'huːft] *a зоол.* однокопытный.

**whole-length** ['houl'leŋθ] 1. *n* портрет во весь рост;
2. *a* во весь рост.

**whole meal** ['houl'miːl] *n* 1) непросеянная мука; 2) *attr.* сделанный из непросеянной муки; ~ bread хлеб из непросеянной муки.

**wholesale** ['houlseɪl] 1. *n* оптовая торговля; by ~ оптом; в больших количествах;
2. *a* 1) оптовый; ~ dealers оптовые торговцы; ~ prices оптовые цены; 2) массовый, в больших размерах; ~ slaughter резня;
3. *v* вести оптовую торговлю;
4. *adv* оптом; в больших размерах; to sell ~ продавать оптом.

**whole-skinned** ['houl'skɪnd] *a* 1) невредимый; 2) с незапятнанной репутацией.

**wholesome** ['houlsəm] *a* 1) полезный; благотворный; здоровый; 2) *sl.* безопасный.

**whole-souled** ['houl'sould] *a* 1) благородный; искренний; 2) безраздельный.

**wholly** ['houllɪ] *adv* полностью, целиком; I do not ~ agree я не совсем согласен.

**whom** [huːm] *косв. п. от* who.
**whomever** [huːm'evə] *косв. п. от* whoever.
**whomsoever** [ˌhuːmsou'evə] *косв. п. от* whosoever.
**whoop** [huːp] **1.** *n* 1) возглас, восклицание; 2) коклюшный кашель; ◇ not worth a ~ гроша ломаного не стоит; I don't care a ~ мне наплевать;
**2.** *v* 1) кричать, выкрикивать; 2) кашлять; 3) приветствовать радостными возгласами; 4) гикать; ◇ to ~ it (*или* things) up затеять ссору; шуметь, буянить.
**whoopee** ['wupiː] *n sl.* 1) возглас (*восторга и т. п.*); 2) кутёж; гулянка; to make ~ кутить; хорошо проводить время.
**whooping-cough** ['huːpɪŋkɔf] *n* коклюш.
**whop** [wɔp] *v* 1) бить, колотить; 2) одолеть, победить; 3) шлёпнуться; 4) круто повернуть.
**whopper** ['wɔpə] *n разг.* 1) громадина; 2) наглая ложь.
**whopping** ['wɔpɪŋ] **1.** *pres. p. от* whop;
**2.** *n разг.* 1) трёпка; 2) поражение;
**3.** *a разг.* огромный.
**whore** [hɔː] **1.** *n* 1) *уст.* блудница; 2) *груб.* шлюха; проститутка;
**2.** *v уст.* развратничать, распутничать.
**whoredom** ['hɔːdəm] *n* 1) распутство; проституция; 2) идолопоклонство.
**whorehouse** ['hɔːhaus] *n груб.* публичный дом.
**whoreson** ['hɔːsn] *n* 1) незаконнорождённый; 2) *разг.* низкий, подлый человек.
**whorl** [wəːl] *n* 1) кольцо листьев (*вокруг стебля*); мутовка; 2) завиток (*раковины, улитки*); 3) *текст.* ролик веретена.
**whortleberry** ['wəːtlˌberɪ] *n* черника; bog ~ голубика; red ~ брусника.
**whose** [huːz] *pron. poss.* чей, чья, чьё, чьи.
**whosesoever** [ˌhuːzsou'evə] *pron. poss.* чей бы ни.
**whoso** ['huːsou] *уст.* = whoever.
**whosoe'er** [ˌhuːsou'eə] *поэт. см.* whosoever.
**whosoever** [ˌhuːsou'evə] *pron. indef.* (*косв. п.* whomsoever) кто бы ни, который бы ни.
**why** [waɪ] **1.** *adv* 1) *inter.* почему?; ~ so? по какой причине?; на каком основании?; 2) *rel.* почему; I can think of no reason ~ you shouldn't go я не знаю, почему бы вам не пойти; 3) *conj.* почему; I don't know ~ they are late не знаю, почему они опаздывают;
**2.** *int выражает:* 1) *удивление, напр.:* ~, it is Jones! да ведь это Джоунз! 2) *нетерпение, напр.:* ~, of course I do ну конечно, да; 3) *нерешительность, напр.:* ~, yes, I think so как вам сказать? Я думаю, да; 4) *возражение, напр.:* ~, what is the harm? ну так что ж за беда?; 5) *заключение, напр.:* since we did not succeed, ~, we must try again раз мы потерпели неудачу, что ж, надо попытаться снова;
**3.** *n* (*pl* ~s) 1) основание, причина; to go into the ~s and wherefores of it углубляться в причины; 2) загадка, задача.
**wick I** [wɪk] *n* 1) фитиль; 2) тампон.
**wick II** [wɪk] *n в названиях или сложных словах означает* город, посёлок; *напр.*, Hampton W., Warwick.

**wicked** ['wɪkɪd] **1.** *a* 1) злой; нехороший; безнравственный; испорченный; 2) грешный; нечистый; the ~ оne нечистый, дьявол, сатана; 3) озорной, шаловливый (*о ребёнке*); 4) свирепый (*о животном*); 5) вредный, опасный (*о ране, ударе и т. п.*); 6) неприятный, противный (*о запахе и т. п.*);
**2.** *n* (the ~) *pl собир.* нечестивцы.
**wickedness** ['wɪkɪdnɪs] *n* 1) злобность; 2) злая выходка, злой поступок.
**wicker** ['wɪkə] *n* 1) прутья для плетения; 2) плетёная корзинка; 3) *attr.* плетёный; ~ chair плетёный стул; ◇ to be on a good (sticky) ~ быть в выгодном (невыгодном) положении.
**wickered** ['wɪkəd] *a* 1) плетёный; 2) оплетённый прутьями.
**wicker-work** ['wɪkəwəːk] *n* плетение, плетёные изделия.
**wicket** ['wɪkɪt] *n* 1) калитка; 2) турникет; 3) воротца (*в крикете*); 4) задвижное окошко (*в двери*); окошко (*кассы*).
**wicket-keeper** ['wɪkɪtˌkiːpə] *n* игрок, охраняющий воротца (*в крикете*).
**wickiup** ['wɪkɪˌʌp] *n* 1) хижина (*индейцев*); 2) временное укрытие; хибарка.
**wide** [waɪd] **1.** *a* 1) широкий; такой-то ширины; 3 ft. ~ в 3 фута шириной; 3) большой, обширный; просторный; the ~ world весь свет; ~ knowledge обширные знания; 4) широко открытый (*о глазах и т. п.*); 5) далёкий;
**2.** *adv* 1) широко, повсюду (*тж.* far and ~); 2) далеко; ~ apart на большом расстоянии друг от друга; ~ of the truth далеко от истины; 3) мимо цели (*тж.* ~ of the mark); 4) широко; to open the window ~ распахнуть настежь окно.
**wide awake** ['waɪdə'weɪk] *a* 1) бодрствующий; 2) начеку, бдительный; осмотрительный, хитрый.
**wide-awake** ['waɪdəweɪk] *n* широкополая фетровая шляпа.
**wide-eyed** ['waɪd'aɪd] *a* с широко открытыми глазами (*от изумления и т. п.*).
**widely** ['waɪdlɪ] *adv* 1) широко; 2) known широко известный; 2) в большой степени; to differ ~ очень отличаться.
**widen** ['waɪdn] *v* расширять(ся); to ~ one's outlook расширять свой кругозор.
**wide-open** ['waɪd'oupən] *a* 1) широко открытый; 2) *разг.* незащищённый; 3) *амер.* допускающий азартные игры, продажу спиртных напитков и т. п.; ~ town город, в котором разрешена продажа спиртных напитков и азартные игры.
**widespread** ['waɪdspred] *a* широко распространённый.
**widgeon** ['wɪdʒən] *n зоол.* свиязь.
**widish** ['waɪdɪʃ] *a* широковатый.
**widow** ['widou] **1.** *n* 1) вдова; ~'s weeds траурное платье вдовы; 2) *полигр.* висячая строка; ◇ ~'s mite вдовья лепта; скромная доля; ~'s cruse неиссякаемый запас;
**2.** *v* 1) делать вдовой, вдовцом; 2) *поэт.* лишать, отнимать; обездолить.
**widowed** ['widoud] **1.** *past и p. p. от* widow 2;
**2.** *a* овдовевший.

**widower** ['wɪdouə] *n* вдовéц.

**widowhood** ['wɪdouhud] *n* вдовствó.

**width** [wɪdθ] *n* 1) ширинá; широтá; расстоя́ние; 2) полóтнище, полосá; 3) *тех.* пролёт; 4) *горн.* мóщность (*жилы или пласта*).

**widthway** ['wɪdθweɪ] *adv* в ширинý.

**wield** [wiːld] *v* владéть, имéть в рукáх; to ~ the sceptre прáвить госудáрством; to ~ a formidable pen владéть óстрым перóм.

**wieldly** ['wiːldlɪ] *a* легкó управля́емый; послýшный.

**wiener schnitzel** ['wiːnə'ʃnɪtsəl] *нем.* *n* шнúцель.

**wife** [waɪf] *n* (*pl* wives) 1) женá; to take to ~ взять в жёны, женúться; 2) *уст.* жéнщина; old wives' tales бáбьи скáзки; ◇ all the world and his ~ *шутл.* все причисля́ющие себя́ к úзбранному óбществу.

**wifeless** ['waɪflɪs] *a* 1) овдовéвший; 2) холостóй.

**wifelike** ['waɪflaɪk] *a* свóйственный, подобáющий женé.

**wifely** ['waɪflɪ] = wifelike.

**wig** I [wɪg] *n* 1) парúк; 2) *шутл.* вóлосы; ◇ ~s on the green óбщая свáлка, дрáка.

**wig** II [wɪg] *v* *разг.* бранúть; отчúтывать.

**wigeon** ['wɪdʒən] = widgeon.

**wigging** ['wɪgɪŋ] 1. *pres. p. от* wig II; 2. *n разг.* брань; нагоня́й.

**wiggle** ['wɪgl] 1. *n* покáчивание; ёрзание; 2. *v* покáчивать(ся); извивáться, ёрзать.

**wiggle-waggle** ['wɪgl'wægl] = wiggle.

**wight** [waɪt] *n* *шутл.* человéк, существó.

**wigwag** ['wɪgwæg] 1. *n* *воен.*, *мор.* 1) сигнализáция флажкáми; 2) сообщéние, пéреданное флажкáми; 2. *v* сигнализúровать флажкáми, семафóрить.

**wigwam** ['wɪgwæm] *n* 1) вигвáм; 2) *амер. sl.* нáскоро сколóченное помещéние для политúческих собрáний; the W. Тáммани Холл (*организация демократической партии в Нью-Йорке*).

**wild** [waɪld] 1. *a* 1) дúкий; 2) невозделанный; необитáемый; 3) пуглúвый (*о животных, птицах и т. п.*); 4) бýрный, бýйный, необýзданный; беспоря́дочный; ~ fellow повéса; 5) штормовóй, бýрный; 6) бéшеный, неúстовый; óчень рассéрженный, раздражённый; безýмный; исступлённый; to be ~ about smth. быть без умá от чегó-л.; in ~ spirits в возбуждённом состоя́нии; it drives me ~ э́то приводит меня́ в бéшенство; ~ with joy вне себя́ от рáдости; 7) необдýманный, сдéланный наугáд; ~ scheme сумасбрóдный план; ~ shot вы́стрел наугáд; ~ guesses а) дóмыслы; б) смýтные догáдки; 8) *разг.* распýщенный, безнрáвственный; 9) находя́щийся в беспоря́дке, растрёпанный; ~ hair растрёпанные вóлосы; ◇ to run ~ а) зарастáть; б) растú недорóслем, без образовáния; в) вестú разврáтный óбраз жúзни; 2. *adv* наугáд, как попáло; 3. *n* пусты́ня, дúкая мéстность.

**wildcat** ['waɪldkæt] 1. *n* 1) дúкая кóшка; 2) вспы́льчивый, необýзданный человéк;

3) рискóванное предприя́тие; 4) сквáжина, проведённая наугáд;

2. *a* 1) рискóванный, фантастúчный; 2) незакóнный, не соотвéтствующий договóру, несанкционúрованный; ~ strike забастóвка, проведённая рабóчими вопрекú запрещéнию со стороны́ профсою́за; 3) *амер. ж.-д.* идýщий не по расписáнию.

**wildcatter** ['waɪld'kætə] *n* человéк, учáствующий в рискóванных предприя́тиях; человéк, спосóбный на авантю́ры.

**wild-duck** ['waɪld'dʌk] *n* дúкая ýтка, кря́ква.

**wilderness** ['wɪldənɪs] *n* 1) пусты́ня; дúкая мéстность; a voice in the ~ глас вопию́щего в пусты́не; 2) запýщенная часть сáда; 3) мáсса, мнóжество.

**wildfire** ['waɪld,faɪə] *n* грéческий огóнь; to spread like ~ распространя́ться со сверхъестéственной быстротóй.

**wildfowl** ['waɪldfaul] *n* дичь.

**wild-goose** ['waɪld'guːs] *n* дúкий гусь; ◇ ~ chase сумасбрóдная затéя, погóня за недостижúмым, за несбы́точным.

**wilding** ['waɪldɪŋ] *n* *бот.* 1) дичóк; 2) плод дúкой я́блони, грýши *и т. п.*; 3) *attr.* дúкий.

**wild man** ['waɪld'mæn] *n* 1) дикáрь; 2) человéк крáйних убеждéний.

**wild oat(s)** ['waɪld'out(s)] *n* *бот.* овéс пустóй, овсю́г; ◇ to sow one's ~s отдавáться увлечéниям ю́ности; he has sown his ~s он перебесúлся, остепенúлся.

**wile** [waɪl] 1. *n* (*обыкн. pl*) хúтрость, улóвка; обмáн;

2. *v* замáнивать, завлекáть; □ ~ away прия́тно проводúть врéмя, развлекáться.

**wilful** ['wɪlful] *a* 1) упря́мый; своенрáвный, своевóльный; 2) преднамéренный; ~ murder предумы́шленное убúйство.

**will** I [wɪl] 1. *n* 1) вóля; сúла вóли; the ~ to live вóля к жúзни; 2) вóля, твёрдое намéрение; желáние; against one's ~ прóтив вóли; at ~ по желáнию, как угóдно; to have one's ~ добúться своегó; of one's own free ~ по своéй вóле, по сóбственному желáнию; to show good (ill) ~ проявля́ть доброжелáтельство (недоброжелáтельство); with a ~ энергúчно; 3) завещáние; to make (*или* to draw up) one's ~ сдéлать завещáние; ◇ where there is a ~ there is a way ≅ где хотéние, там и умéние; бы́ло бы желáние, а возмóжность найдётся;

2. *v* (willed [-d]) 1) проявля́ть вóлю; велéть, решáть; he who ~s success is half-way to it вóля к успéху есть залóг успéха; 2) заставля́ть, внушáть; to ~ oneself to fall asleep застáвить себя́ заснýть; to ~ oneself into contentment застáвить себя́ быть довóльным; 3) хотéть, желáть; 4) завещáть.

**will** II [wɪl] *v* (would) 1) *вспомогательный глагол; служит для образования будущего времени во 2 и 3 л. ед. и мн. ч.*: he ~ come at two o'clock он придёт в два часá; 2) *в сочетании с другими глаголами выражает привычное действие; часто не переводится*: boys ~ be boys мáльчики—всегдá мáльчики; accidents ~ happen всегдá бывáют несчáстные слýчаи; he ~ smoke his pipe after dinner пóсле обéда он обыкновéнно кýрит трýбку; 3) *модáльный глагóл выражáет*: а) *намéрение, решимость, обещáние* (*особ. в 1 л. ед. и мн. ч.*): I ~ let you know я непремéнно извещý вас; б) *предположéние, вероятность*: you ~ be Mrs. Smith вы, вероятно, миссис Смит.

**-willed** [-wɪld] *в слóжных словáх*: self--willed своевóльный; ill-willed злонамéренный.

**willies** ['wɪlɪz] *n pl* (*обыкн*. the ~) *амер. sl.* нéрвное состоя́ние, нéрвная дрожь; to give the ~ вызывáть нéрвную дрожь.

**willing** ['wɪlɪŋ] 1. *pres. p. от* will I, 1, 2; 2. *a* 1) готóвый (*сдéлать что-л.*); охóтно дéлающий что-л.; 2) добровóльный; ~ help охóтно окáзанная пóмощь; 3) старáтельный; ~ horse послýшная лóшадь.

**willingly** ['wɪlɪŋlɪ] *adv* охóтно, с готóвностью.

**willingness** ['wɪlɪŋnɪs] *n* готóвность.

**will-o'-the-wisp** ['wɪlədwɪsp] *n* 1) блуждáющий огонёк; 2) нéчто обмáнчивое, неуловимое.

**willow** ['wɪlou] *n* 1) ива; 2) битá (*в крикéте*); 3) *текст.* угароочищáющая машина; пылевыколáчивающая машина; ◇ to wear the ~, to sing ~ горевáть по возлюбленному.

**willow-herb** ['wɪlouhəːb] *n бот.* кипрéй узколистный; ивáн-чай, копóрский чай.

**willow-pattern** ['wɪlou͵pætən] *n* 1) трафарéтный китáйский рисýнок на фарфóре; 2) посýда с трафарéтным китáйским рисýнком.

**willowy** ['wɪlouɪ] *a* 1) зарóсший ивняком; 2) гибкий и тóнкий.

**will-power** ['wɪl͵pauə] *n* сила вóли.

**willy-nilly** ['wɪlɪ'nɪlɪ] *adv* вóлей-невóлей.

**willy-willy** ['wɪlɪ'wɪlɪ] *n австрал.* тропический шторм; урагáн, тайфýн; циклóн.

**wilt** I [wɪlt] *уст.* 2-е л. ед. ч. настоя́щего врéмени гл. will II.

**wilt** II [wɪlt] 1. *n* слáбость, вя́лость; 2. *v* 1) вя́нуть, поникáть; 2) (по)губить (*цветы*); 3) слабéть, ослабевáть; 4) теря́ть присýтствие дýха.

**Wilton** ['wɪltən] *n* род пушистого коврá (*тж.* ~ carpet).

**wily** ['waɪlɪ] *a* лукáвый, хитрый; ковáрный.

**wimble** ['wɪmbl] 1. *n* 1) бурáв, сверлó; 2) коловорóт; 2. *v* сверлить.

**wimple** ['wɪmpl] *n* плат, апóстольник (*на голове монáхини*).

**win** [wɪn] 1. *n* выигрыш; побéда (*в игре*); 2. *v* (won) 1) выиграть; победить, одержáть побéду (*тж.* ~ a victory); to ~ the battle выиграть сражéние; to ~ the day, to ~ the field одержáть побéду; to ~ all hearts завоевáть, покорить все сердцá (*или всех*); to ~ by a head опередить на гóлову (*на скáчках*); éле-éле выиграть; to ~ clear, to ~ free с трудóм выпутаться, освободиться; to ~ hands down, to ~ in a canter выиграть с лёгкостью; легкó достигнуть побéды; 2) добирáться, достигáть; to

~ the shore достигнуть бéрега, добрáться до бéрега; 3) добиться; достигнуть; приобрести, получить, заработáть; to ~ consent добиться соглáсия; to ~ one's way пробить себé дорóгу; добиться успéха; to ~ respect добиться уважéния; 4) убедить; you have won me вы меня убедили; 5) добывáть (*рýду*); □ ~ out добиться успéха; ~ over склонить на свою́ стóрону; расположить к себé; ~ through пробиться; преодолéть (*трýдности*); ~ upon завоёвывать (*симпáтию, признáние и т. п.*).

**wince** [wɪns] 1. *n* содрогáние, вздрáгивание; 2. *v* вздрáгивать, мóрщиться (*от боли*).

**wincey** ['wɪnsɪ] *n* прóчная полушерстянáя матéрия, идýщая на ю́бки *и т. п.*

**winch** [wɪntʃ] *тех.* 1. *n* 1) лебёдка, вóрот; 2) изóгнутая рукоя́тка; 2. *v* поднимáть с пóмощью лебёдки.

**Winchester** ['wɪntʃəstə] *n* винчéстер (*род винтóвки*; *тж.* ~ rifle).

**wind** I [wind, *поэт. часто* waind] 1. *n* 1) вéтер; fair (contrary, head, adverse) ~ попýтный (противный) вéтер; high ~, strong ~ сильный вéтер; ~ and weather непогóда; before (*или* down) the ~ по вéтру; in the ~'s eye, in the teeth of the ~ пря́мо прóтив вéтра; close to (*или* near) the ~ *мор.* в крутóй бейдевинд; *перен.* на грáни поря́дочности *или* пристóйности; like the ~ быстро, как вéтер; to take the ~ out of one's sails *мор.* отня́ть вéтер; *перен.* ≅ выбить пóчву из-под ног; постáвить в безвыходное положéние; помешáть; 2) ток вóздуха (*напр., в оргáне*), воздýшная струя́; 3) зáпах, дух; 4) (the ~) духовы́е инструмéнты; 5) дыхáние; to get one's ~ отдыхáться; to lose ~ запыхáться; he has a bad ~ он страдáет одышкой; second ~ *спорт.* вторóе дыхáние; 6) пусты́е словá; болтовня́; his speech was ~ егó речь былá бессодержáтельна; 7) слух; намёк; there is smth. in the ~ а) в вóздухе чтó-то нóсится; б) хóдят какие-то слýхи; to get the ~ of smth. проню́хать, почýять чтó-л.; 8) *мед.* вéтры, гáзы; 9) *тех.* дутьё; ◇ the four ~s стрáны свéта; from the four ~s со всех сторóн; to fling (*или* to cast) to the ~s отбрóсить (*благоразýмие и т. п.*); to get (*или* to take) ~ стать извéстным, распространиться; to get the ~ up *sl.* испугáться; to put the ~ up *sl.* испугáть (*когó-л.*); to raise the ~ добы́ть дéнег; between ~ and water наибóлее уязвимое мéсто; to be in the ~ *sl.* подвы́пить; to catch the ~ in a net ≅ переливáть из пустóго в порóжнее; зря старáться; gone with the ~ исчéзнувший бесслéдно; to hang in the ~ колебáться; to scatter to the ~s а) нанести сокрушительное поражéние; б) промотáть;

2. *v* (winded [-ɪd]) 1) сушить на ветрý; провéтривать; 2) чýять; идти по слéду; 3) застáвить задохнýться; вы́звать оды́шку; I am ~ed by running я задыхáюсь от бéга; 4) дать перевести дух; a brief stop to ~ the horses мáленькая останóвка, чтóбы дать передохнýть лошадя́м; 5) [waind] (*past и p. p. тж.* wound) игрáть, трубить.

**wind** II [waind] **1.** *n* 1) оборо́т; 2) поворо́т; 3) вито́к; извилина;

**2.** *v* (wound) 1) ви́ться, извива́ться; 2) наматывать (ся); обма́тывать (ся), обвива́ть (-ся); мота́ть; she wound her arms round the child она́ заключи́ла ребёнка в свои объя́тия; 3) заводи́ть (*часы; тж.* ~ up); 4) поднима́ть, тяну́ть при по́мощи лебёдки *и т. п.*; 5) верте́ть, повора́чивать; ☐ ~ off разма́тывать (ся); ~ up a) сма́тывать; б) заводи́ть (*часы*); в) подтя́гивать (*дисципли́ну*); г) взви́нчивать; д) конча́ть; е) ула́дить, разреши́ть (*вопрос*); зако́нчить (*прения*); заключи́ть (*выступление*); ◇ to ~ oneself, to ~ one's way вкра́дываться, втира́ться; to ~ round one's little finger обвести́ вокру́г па́льца.

**windage** ['windidʒ] *n* 1) сопротивле́ние во́здуха; 2) снос (*снаряда*) ве́тром; попра́вка на снос ве́тром; 3) надво́дная часть су́дна; 4) конту́зия; 5) *тех.* слабина́ поса́дки, зазо́р.

**windbag** ['windbæg] *n* 1) *разг.* болту́н, пустозво́н; 2) *шутл.* грудна́я кле́тка.

**wind-bound** ['windbaund] *a* заде́ржанный проти́вными ве́трами.

**wind-break** ['windbreik] *n* щит, ветроло́м; дере́вья, поса́женные вдоль доро́ги, железнодоро́жного полотна́ *и т. п.* (*для защи́ты от ве́тра*).

**wind breaker** ['wind'breikə] *n* ветронепроница́емая ку́ртка (*кожаная, меховая и т. п.*).

**wind-channel** ['wind,tʃænl] *n ав.* аэродинами́ческая труба́.

**wind-cone** ['windkoun] *n ав.* ветрово́й ко́нус.

**winder** I ['waində] *n* 1) вью́щееся расте́ние; 2) пружи́на, ключ для заво́да; 3) ступе́нька винтово́й ле́стницы; 4) *текст.* мота́льная маши́на.

**winder** II ['waində] *n* труба́ч.

**winder** III ['waində] *n sl.* си́льный уда́р.

**windfall** ['windfɔl] *n* 1) плод, сби́тый ве́тром; па́данец; 2) ветрова́л, бурело́м; 3) неожи́данное сча́стье; неожи́данная уда́ча.

**windflaw** ['windflɔ] *n* поры́в ве́тра.

**wind-flower** ['wind,flauə] *n бот.* ве́треница; *поэт.* анемо́н (*цветок*).

**wind-ga(u)ge** ['windgeidʒ] *n* 1) анемо́метр, ветроме́р; 2) *воен.* корре́ктор целика́.

**windhover** ['wind,hɔvə] *n* пустельга́ (*птица*).

**winding** I ['waindiŋ] **1.** *pres. p. om* wind II, 2;

**2.** *n* 1) извилина, изги́б, поворо́т; 2) наматывание; 3) *эл.* обмо́тка.

**3.** *a* извилистый; вито́й, спира́льный.

**winding** II ['waindiŋ] *pres. p. om* wind I,2.

**winding-sheet** ['waindiŋʃit] *n* са́ван.

**wind-instrument** ['wind,instrumənt] *n* духово́й инструме́нт.

**wind-jammer** ['wind,dʒæmə] *n разг.* 1) па́русное су́дно; 2) болту́н.

**windlass** ['windləs] *n тех.* бра́шпиль; лебёдка, во́рот.

**windless** ['windlis] *a* безве́тренный; ~ day безве́тренный день.

**windmill** ['winmil] *n* 1) ветряна́я ме́льница; to tilt at ~s сража́ться с ветряны́ми ме́льницами, донкихо́тствовать; 2) *ав. sl.* автожи́р.

**window** ['windou] *n* 1) окно́; 2) *attr.* око́нный; ◇ to have all one's goods in the (front) ~ выставля́ть всё напока́з; быть пове́рхностным.

**window-case** ['windoukeis] *n* витри́на.

**window-dressing** ['windou,dresiŋ] *n* 1) украше́ние витри́н; 2) уме́ние показа́ть това́р лицо́м.

**window-pane** ['windoupein] *n* око́нное стекло́.

**window-shop** ['windouʃɔp] *v* рассма́тривать витри́ны.

**window-sill** ['windousil] *n* подоко́нник.

**windpipe** ['windpaip] *n анат.* дыха́тельное го́рло.

**windrose** ['windrouz] *n* ро́за ветро́в.

**wind-row** ['windrou] *n с.-х.* полоса́ ско́шенного хле́ба, се́на *и т. п.*

**wind-screen** ['windskrin] *n* 1) *авт.* пере́днее стекло́, ветрово́е стекло́; 2) *ав.* козырёк.

**windshield** ['windʃild] *амер.* 1) = wind-screen 1); 2) *attr.*: ~ wiper *авт.* стеклоочисти́тель ветрово́го стекла́, «дво́рник».

**Windsor** ['winzə] *n* 1) дешёвое тёмное туале́тное мы́ло (*тж.* brown ~ soap, ~ soap); 2) = Windsor chair.

**Windsor chair** ['winzə'tʃeə] *n* резно́е деревя́нное кре́сло.

**wind-stick** ['windstik] *n ав. sl.* винт.

**windstorm** ['windstɔm] *n* бу́ря, мете́ль.

**wind-swept** ['windswept] *a* незащищённый от ве́тра.

**wind-up** I ['wind'ʌp] *n* коне́ц, заверше́ние.

**wind-up** II ['wind'ʌp] *n sl.* страх, не́рвное возбужде́ние; to get (*или* to have) the ~ испуга́ться.

**windward** ['windwəd] **1.** *a* наве́тренный; **2.** *adv* с наве́тренной стороны́; **3.** *n* наве́тренная сторона́; ◇ to get to ~ of smb. име́ть преиму́щество пе́ред кем-л.

**windy** ['windi] **1.** *a* 1) ве́треный; ~ day ве́треный день; 2) обдува́емый ве́тром; W. City *амер. г.* Чика́го; 3) пусто́й, несерьёзный; 4) многосло́вный; хвастли́вый; болтли́вый; 5) *sl.* испу́ганный;

**2.** *n амер. sl.* трус.

**wine** [wain] **1.** *n* 1) вино́; green ~, new ~ молодо́е вино́; to take ~ with smb. обме́няться то́стами с кем-л.; in ~ пья́ный, опьяне́вший; 2) *унив.* студе́нческая пиру́шка; 3) тёмно-кра́сный цвет, цвет кра́сного вина́; 4) *attr.* ви́нный; ◇ Adam's ~ *шутл.* вода́; good ~ needs no (ivy) bush ≅ хоро́ший това́р сам себя́ хва́лит;

**2.** *v* 1) пить вино́; 2) угоща́ть, пои́ть вино́м; ~ and dine угоща́ть, по́тчевать.

**winebag** ['wainbæg] *n* 1) бурдю́к, мех для вина́; 2) пья́ница.

**winebibber** ['wain,bibə] *n* пья́ница.

**winebowl** ['wainboul] *n ритор.* ча́ша.

**wine-cellar** ['wain,selə] *n* ви́нный по́греб.

**wine-coloured** ['wain,kʌləd] *a* тёмно-кра́сный; вишнёвый; цве́та кра́сного вина́.

**wine-cooler** ['wain,kuːlə] *n* ведёрко для охлажде́ния вина́.

**winecup** ['wainkʌp] n чаша.

**wineglass** ['wainglɑːs] n бокал; рюмка (как мед. мерка = 4 столовым ложкам).

**wine-grower** ['wain,grouə] n винодел.

**winepress** ['wainpres] n давильный пресс.

**winery** ['wainəri] n винный завод.

**wineskin** ['wainskin] = winebag 1).

**wine-vault** ['wainvɔːlt] n 1) винный погреб; 2) кабачок.

**wing** [wiŋ] 1. n 1) крыло; to add (или to lend) ~s (to) придавать крылья; ускорять; to be on the ~ лететь; разг. переезжать с места на место; путешествовать; to take ~ полететь; взлететь; on the ~s of the wind на крыльях ветра, очень быстро; to clip one's ~s подрезать крылья или крылышки; his ~s are sprouting он не от мира сего; 2) шутл. рука; a touch in the ~ рана в руку; 3) архит. флигель, крыло дома; 4) воен. фланг; 5) авиаполк; амер. авиабригада; 6) pl театр. кулисы; 7) pl нашивка, эмблема (у лётчиков); 8) спорт. крайний нападающий (в хоккее, футболе);
2. v 1) снабжать крыльями; 2) окрылять; ускорять; fear ~ed his steps страх заставил его ускорить шаги; 3) пускать (стрелу); 4) лететь; a bird ~s the sky птица летит в поднебесье; 5) ранить в крыло или руку.

**wing-beat** ['wiŋbiːt] n взмах крыльев.

**wing-case** ['wiŋkeis] n зоол. надкрылье (у жуков и т. п.).

**wing-cell** ['wiŋsel] n ав. коробка крыльев.

**wing chair** ['wiŋ'tʃɛə] n кресло с подушечкой для головы.

**wing-commander** ['wiŋkə,mɑːndə] n подполковник авиации (в Англии).

**winged** [wiŋd] 1. p. p. от wing 2;
2. a 1) крылатый; 2) окрылённый; 3) быстрый.

**wing flap** ['wiŋ'flæp] n ав. закрылок.

**wing-footed** ['wiŋ,futid] a поэт. быстроногий, быстрый.

**wingless** ['wiŋlis] a бескрылый.

**wing-over** ['wiŋ'ouvə] n ав. переворот через крыло, бочка.

**wing-sheath** ['wiŋʃiːθ] = wing-case.

**wing-span** ['wiŋspæn] n ав. размах крыла.

**wing-spread** ['wiŋspred] = wing-span.

**wings test** ['wiŋz'test] n ав. испытание на право получения авиаторского значка.

**wing-stroke** ['wiŋstrouk] = wing-beat.

**wink** [wiŋk] 1. n 1) моргание; 2) подмигивание; to give a ~ подмигнуть, намекнуть; 3) миг; in a ~ в мгновение; ◇ not to sleep a ~, not to get a ~ of sleep не сомкнуть глаз; forty ~s разг. короткий (послеобеденный) сон;
2. v 1) моргать, мигать; 2) мерцать; □ ~ at a) подмигивать кому-л.; б) смотреть сквозь пальцы на что-л.

**winker** ['wiŋkə] n 1 разг. 1) глаз; 2) ресница; 3) pl шоры; 4) pl шутл. очки.

**winking** ['wiŋkiŋ] 1. pres. p. от wink 2;
2. n 1) мигание; моргание; like ~ sl. в мгновение ока, мигом; 2) короткий сон, дремота.

**winkle** ['wiŋkl] n береговичок (моллюск).

**winner** ['winə] n победитель; (первый) призёр.

**winning** ['winiŋ] 1. pres. p. от win 2;

2. n 1) выигрыш, победа; 2) pl выигрыш, выигранные деньги; 3) горн. проходка новой шахты;
3. a 1) выигрывающий, побеждающий; to play a ~ game играть наверняка; перен. действовать наверняка; 2) решающий (об ударе и т. п.); 3) привлекательный, обаятельный; ~ smile обаятельная улыбка.

**winning-post** ['winiŋpoust] n финишный столб.

**winnow** ['winou] v 1) веять (зерно); отвеивать (мякину; тж. ~ out, ~ away, ~ from); 2) перен. отсеивать (тж. ~ out, ~ away); разбирать, проверять; 3) поэт. махать (крыльями).

**winsome** ['winsəm] a 1) привлекательный, обаятельный; 2) весёлый.

**winter** ['wintə] 1. n 1) зима; a hard (или severe) ~ холодная зима; 2) поэт. год; of fifty ~s 50-летний; 3) attr. зимний; 4) attr. озимый;
2. v 1) проводить зиму, зимовать; 2) перезимовать (о растениях); 3) содержать зимой (скот и т. п.).

**winter-crop** ['wintəkrɔp] n с.-х. озимая культура.

**winterer** ['wintərə] n зимовщик.

**wintering** ['wintəriŋ] 1. pres. p. от winter 2;
2. n 1) зимовка; 2) attr. зимующий.

**winterize** ['wintəraiz] v разг. приспосабливать к зимним условиям.

**winterkill** ['wintəkil] v амер. погибать в зимних условиях (о растениях).

**winterly** ['wintəli] = wintry.

**winter quarters** ['wintə'kwɔːtəz] n pl воен. зимние квартиры.

**winter sports** ['wintə'spɔːts] n pl зимний спорт.

**winter-tide** ['wintətaid] n поэт. зима.

**wintry** ['wintri] a 1) зимний; холодный; 2) неприветливый (об улыбке и т. п.).

**winy** ['waini] a винный, имеющий вкус или запах вина.

**winze** [winz] n горн. гезенк, небольшая подземная выработка.

**wipe** [waip] 1. n 1) вытирание; to give a ~ вытереть; 2) разг. носовой платок; 3) sl. удар с размаху;
2. v 1) вытирать, утирать; to ~ one's eyes осушить слёзы; 2) sl. ударить с размаху; замахнуться (at — на кого-л.); □ ~ away, ~ off стирать; вытирать, утирать; ~ out вытирать, стирать; б) смывать (обиду); в) уничтожить (противника и т. п.); ~ up подтирать; ◇ to ~ smb.'s eye sl. a) утереть нос кому-л.; нанести кому-л. полное поражение; б) унизить кого-л.; to ~ off the slate избавиться от всех старых обязательств; to ~ the floor (или the ground) with smb. sl. изничтожить кого-л.; унизить.

**wipe-out** ['waip'aut] n радио поглощение звука.

**wiper** ['waipə] n 1) полотенце; 2) тряпка для вытирания; приспособление для чистки; 3) разг. носовой платок.

**wire** ['waiə] 1. n 1) проволока; провод; 2) телеграф; I'll reply by ~ я отвечу теле-

граммой; let me know by ~ телеграфи́руйте мне; 3) *разг.* телегра́мма; send me a ~ извести́те меня́ телегра́ммой; 4) *attr.* про́волочный; ~ hanger про́волочная ве́шалка для оде́жды; 5) *attr.* телефо́нный; ~ platoon телефо́нный взвод; ◇ to pull the ~s нажима́ть та́йные пружи́ны; влия́ть на ход де́ла; быть скры́тым дви́гателем (*чего-л.*); to give smb. the ~ та́йно предупреди́ть кого́-л.; to be on ~s быть в состоя́нии не́рвного возбужде́ния;
2. *v* 1) свя́зывать *или* скрепля́ть про́волокой; 2) устана́вливать *или* монти́ровать провода́; 3) телеграфи́ровать; 4) *воен.* устра́ивать про́волочные загражде́ния; окружа́ть про́волокой (*тж.* ~ in); □ ~ in *sl.* стара́ться изо все́х сил.
**wire bed** ['waɪə'bed] *n* се́тка (*кровати*).
**wire-cutter** ['waɪə,kʌtə] *n* про́волочные но́жницы; куса́чки.
**wire-dancer** ['waɪə,dɑ:nsə] *n* канатохо́дец.
**wiredrawn** ['waɪədrɔ:n] *a* сли́шком то́нкий (*о различии и т. п.*).
**wire entanglement** ['waɪəɪn'tæŋglmənt] *n* про́волочное загражде́ние.
**wire gauge** ['waɪəgeɪdʒ] *n* кали́бр для про́волоки.
**wire-haired** ['waɪəhɛəd] *a* жесткошёрстный, с жёсткой ше́рстью.
**wire-laid paper** ['waɪəleɪd'peɪpə] *n* бума́га верже́.
**wireless** ['waɪəlɪs] 1. *n* 1) ра́дио; радиоприёмник; by ~ по ра́дио; wired ~ связь несу́щими то́ками; 2) радиогра́мма;
2. *a* 1) беспро́волочный; 2) ра́дио-;
3. *v* передава́ть по ра́дио, посыла́ть радиогра́мму.
**wire mattress** ['waɪə'mætrɪs] = wire bed.
**wirepuller** ['waɪə,pulə] *n* лицо́, держа́щее ни́ти в свои́х рука́х; полити́ческий интрига́н.
**wire stitcher** ['waɪə'stɪtʃə] *n* проволокошве́йная маши́на.
**wire tapping** ['waɪə'tæpɪŋ] *n* перехва́т телефо́нных сообще́ний; подслу́шивание телефо́нных разгово́ров.
**wire-wove** ['waɪəwouv] *a* веле́невая, верже́ (*бумага*).
**wiring** ['waɪərɪŋ] 1. *pres. p. от* wire 2;
2. *n* 1) прокла́дка электри́ческих прово́дов; 2) *эл.* прово́дка; 3) электри́ческая схе́ма; 4) *воен.* про́волочные загражде́ния.
**wiry** ['waɪərɪ] *a* 1) похо́жий на про́волоку, ги́бкий, кре́пкий; 2) жи́листый, выно́сливый; 3) про́волочный.
**wisdom** ['wɪzdəm] *n* му́дрость; all the wits and ~ of the place все ме́стные у́мники; to pour forth ~ изрека́ть сенте́нции.
**wisdom-tooth** ['wɪzdəm-tu:θ] *n* зуб му́дрости; to cut one's wisdom teeth стать благоразу́мным; приобрести́ жи́зненный о́пыт.
**wise I** [waɪz] *a* 1) му́дрый; благоразу́мный; ~ saw посло́вица, погово́рка; 2) осведомлённый, зна́ющий; to put smb. ~ вы́вести кого́-л. из заблужде́ния (about, on); объясни́ть, надоу́мить; to be (*или* to get) ~ to smth. узна́ть, поня́ть что-л.; ◇ ~ after the event ≅ за́дним умо́м кре́пок.

**wise II** [waɪz] *n уст.* о́браз, спо́соб; in no ~ нико́им о́бразом.
**wiseacre** ['waɪz,eɪkə] *n ирон.* мудре́ц, самодово́льный дура́к.
**wise crack** ['waɪzkræk] *n амер. разг.* уда́чное замеча́ние; острота́, саркасти́ческое замеча́ние.
**wise-crack** ['waɪzkræk] *v амер. разг.* остри́ть.
**wise woman** ['waɪz'wumən] *n* 1) колду́нья, ворожея́; зна́харка; 2) повива́льная ба́бка.
**wish** [wɪʃ] 1. *n* 1) жела́ние, пожела́ние; to carry out smb.'s ~es выполня́ть чьи-л. жела́ния; 2) предме́т жела́ния;˜
2. *v* 1) жела́ть; хоте́ть; вы́сказать пожела́ния; I ~ it to be done я хочу́, что́бы э́то бы́ло сде́лано; I ~ you to understand я хочу́, что́бы вы по́няли; I ~ you joy жела́ю вам сча́стья; I ~ I were gone я хоте́л бы, что́бы меня́ здесь не́ было; 2): he ~es well он настро́ен доброжела́тельно; □ ~ for жела́ть, стреми́ться; long ~ed for давно́ жела́нный.
**-wisher** [-,wɪʃə] *в сложных словах означает* жела́ющий (*чего-л.*); well-wisher доброжела́тель.
**wishfull** ['wɪʃful] *a* жела́ющий, жа́ждущий.
**wishing-bone** ['wɪʃɪŋboun] *n* ду́жка (*грудная кость птицы*).
**wishing-cap** ['wɪʃɪŋkæp] *n* волше́бная ша́почка.
**wish-wash** ['wɪʃwɔʃ] *n разг.* 1) бурда́; 2) болтовня́.
**wishy-washy** ['wɪʃɪ,wɔʃɪ] *a разг.* 1) жи́дкий; 2) сла́бый, бле́дный; невырази́тельный.
**wisp** [wɪsp] *n* 1) пучо́к, жгут (*соломы, сена и т. п.*); 2) клочо́к, обры́вок; 3) метёлка.
**wispy** ['wɪspɪ] *a* то́нкий.
**wist** [wɪst] *past и p. p. от* wit 2.
**wistaria** [wɪs'tɛərɪə] *n бот.* глици́ния.
**wistful** ['wɪstful] *a* 1) тоску́ющий, тоскли́вый; 2) заду́мчивый.
**wit** [wɪt] 1. *n* 1) (*часто pl*) ум, ра́зум; he has quick (slow) ~s он сообрази́телен (несообрази́телен); 2) остроу́мие; 3) остря́к; he sets up for a ~ он хо́чет каза́ться остроу́мным; ◇ to be at one's ~'s end стать в тупи́к; не знать, что де́лать; to have (*или* to keep) one's ~s about one a) быть начеку́; б) име́ть живо́й ум; to live by one's ~s ко́е-ка́к извора́чиваться; out of one's ~s обезу́мевший;
2. *v* (*pres.* wot, *past и p. p.* wist) *уст.* знать, ве́дать; ◇ to ~ то́ есть, а и́менно.
**witch** [wɪtʃ] 1. *n* 1) колду́нья; ве́дьма; witches' sabbath ша́баш ведьм; ~'s broom помело́; 2) *уст.* колду́н, зна́харь; 3) *шутл.* чароде́йка.
2. *v поэт.* околдова́ть, обворожи́ть; the ~ing time of night по́лночь.
**witchcraft** ['wɪtʃkrɑ:ft] *n* колдовство́.
**witch-doctor** ['wɪtʃ,dɔktə] *n* колду́н, зна́харь.
**witchery** ['wɪtʃərɪ] *n* 1) = witchcraft; 2) очарова́ние, ча́ры.
**witch-hunt** ['wɪtʃhʌnt] *n* 1) *ист.* охо́та за ве́дьмами; 2) пресле́дование прогресси́вных де́ятелей.

**witenagemot** ['wɪtɪnəgɪ'mout] *n ист.* ви́тенагемот (*англо-саксонский совет старейшин*).

**with** [wɪð] *prep* 1) *указывает на связь, совместность, согласованность во взглядах, пропорциональность* с; he came ~ his brother он пришёл вме́сте с бра́том; to deal ~ smb. име́ть де́ло с кем-л.; to mix ~ the crowd смеша́ться с толпо́й; to grow wiser ~ age станови́ться умне́е с года́ми; I am entirely ~ you in this в э́том вопро́се я с ва́ми по́лностью согла́сен; ~ the sun по часово́й стре́лке, по со́лнцу; 2) *указывает на предмет действия или орудие, с помощью которого совершается действие; передаётся твор. падежом:* to adorn ~ flowers украша́ть цвета́ми; ~ a pencil карандашо́м; to cut ~ a knife ре́зать ножо́м; 3) *указывает на наличие чего-л., характерный признак:* ~ no hat on без шля́пы; ~ blue eyes с голубы́ми глаза́ми; 4) *указывает на обстоятельства, сопутствующие действию:* ~ care с осторо́жностью; ~ thanks с благода́рностью; 5) *указывает на причину* от, из-за; to die ~ pneumonia умере́ть от воспале́ния лёгких; her flat was gay ~ flowers цветы́ оживля́ли её кварти́ру; 6) *указывает на лицо, по отношению к которому совершается действие* у, с(о); it is holiday time ~ us у нас кани́кулы; things are different ~ me со мной де́ло обстои́т ина́че; ~ all his gifts he failed несмотря́ на; ~ all his gifts he failed несмотря́ на все свои́ тала́нты, он не име́л успе́ха; ◇ ~ child бере́менная; away ~ him! вон его́!

**with-** [wɪð-] *pref* *прибавляется к глаголам со значением:* a) назад; to withdraw отдёргивать; б) про́тив; to withstand противостоя́ть, сопротивля́ться *и т. д.*

**withal** [wɪ'ðɔːl] *уст.* 1. *adv* к тому́ же, вдоба́вок; в то же вре́мя; 2. *prep* с(о); the sword he used to defend himself ~ меч, кото́рым он по́льзовался для защи́ты.

**withdraw** [wɪð'drɔː] *v* (withdrew; withdrawn) 1) отдёргивать; to ~ one's hand отдёрнуть ру́ку; 2) брать наза́д; ~! возьми́те наза́д свои́ слова́!; to ~ a boy from school взять ма́льчика из шко́лы; to ~ a privilege лиша́ть привиле́гии; 3) отзыва́ть; 4) изыма́ть (*монету из обращения*); 5) уходи́ть, удаля́ться, ретирова́ться; 6) *воен.* отходи́ть; отводи́ть (*войска*).

**withdrawal** [wɪð'drɔːəl] *n* 1) отдёргивание; 2) взя́тие наза́д; изъя́тие; 3) отозва́ние, уво́д; 4) ухо́д, удале́ние; 5) *воен.* отхо́д; вы́вод войск; ~ from action вы́ход (*или* вы́вод) из бо́я.

**withdrawn** [wɪð'drɔːn] *p. p. от* withdraw.

**'withdrew** [wɪð'druː] *past от* withdraw.

**withe** [wɪθ] *n* (*pl* -thes [-ðs], -ths) и́вовый прут; лоза́.

**wither** ['wɪðə] *v* 1) вя́нуть, со́хнуть; блёкнуть; 2) иссуша́ть, лиша́ть си́лы *или* све́жести; 3) ослабева́ть, уменьша́ться; 4) *обыкн. шутл.* уничтожа́ть; to ~ smb. with a look испепели́ть кого́-л. взгля́дом.

**withers** ['wɪðəz] *n pl* хо́лка (*у лошади*); ◇ my ~ are unwrung э́то меня́ не затра́гивает.

**withheld** [wɪð'held] *past и p. p. от* withhold.

**withhold** [wɪð'hould] *v* (withheld) 1) отка́зывать (*в чём-л.*); to ~ one's consent не дава́ть согла́сия; 2) уде́рживать, остана́вливать; what withheld him from making the attempt? что помеша́ло ему́ сде́лать э́ту попы́тку?; 3) *редк.* уде́рживаться, возде́рживаться; 4) не сообща́ть, ута́ивать; disagreeable facts were withheld from him от него́ скры́ли неприя́тные фа́кты.

**within** [wɪ'ðɪn] 1. *prep* 1) в, в преде́лах; ~ hearing (sight) в преде́лах слы́шимости (ви́димости); is true ~ limits до изве́стной сте́пени ве́рно; to come ~ the terms of reference относи́ться к ве́дению, к компете́нции; to keep ~ the law не выходи́ть из ра́мок зако́на; 2) в, внутри́; ~ the building внутри́ до́ма; hope sprang up ~ him у него́ появи́лась наде́жда; 3) не да́лее (как), не поздне́е; в тече́ние; ~ a year в тече́ние го́да; че́рез год;
2. *adv* внутри́; to stay ~ остава́ться до́ма; is Mrs. Jones ~? до́ма ми́ссис Джо́унз?;
3. *n* вну́тренняя сторона́; the door opens from ~ дверь открыва́ется изнутри́.

**withindoors** [wɪ'ðɪn'dɔːz] *adv уст.* внутри́, в помеще́нии.

**without** [wɪ'ðaut] 1. *prep* 1) без; ~ friends без друзе́й; to do (*или* to go) ~ smth. обходи́ться без чего́-л.; 2) вне, за; things ~ us вне́шний мир; 3) (*перед герундием и отглагольными сущ.*) без того́, что́бы; ~ taking leave не проща́ясь; that goes ~ saying я́сно без слов, само́ собо́й разуме́ется;
2. *adv уст.* вне, снару́жи; listening to the wind ~ прислу́шиваясь к ве́тру на дворе́;
3. *n* нару́жная сторона́; from ~ снару́жи, извне́;
4. *cj уст. разг.* е́сли не; без того́, что́бы.

**withoutdoors** [wɪ'ðaut'dɔːz] *adv уст.* снару́жи.

**withs** [wɪθs] *pl от* withe.

**withstand** [wɪð'stænd] *v* (withstood) 1) противостоя́ть, вы́держать; 2) (*обыкн. поэт.*) сопротивля́ться.

**withstood** [wɪð'stud] *past и p. p. от* withstand.

**withy** ['wɪðɪ] = withe.

**witless** ['wɪtlɪs] *a* безмо́зглый, глу́пый, неразу́мный.

**witling** ['wɪtlɪŋ] *n презр.* остря́к.

**witness** ['wɪtnɪs] 1. *n* 1) свиде́тель (*особ. в суде*); to call to ~ ссыла́ться на; призыва́ть в свиде́тели; 2) очеви́дец; 3) доказа́тельство, свиде́тельство (to, of); to bear ~ to (*или* of) свиде́тельствовать, удостоверя́ть; in ~ of smth. в доказа́тельство чего́-л.;
2. *v* 1) быть свиде́телем (*чего-л.*); ви́деть; Europe ~ed many wars Евро́па не раз была́ аре́ной войн; 2) дава́ть показа́ния (against, for); 3) заверя́ть (*подпись и т. п.*); to ~ a document заве́рить докуме́нт; 4) свиде́тельствовать; служи́тьули́кой, доказа́тельством; 5) обраща́ть осо́бое внима́ние; ~ this comment обрати́те внима́ние на э́то замеча́ние.

**witness-box** ['wɪtnɪsbɔks] *n* ме́сто для свиде́телей (*в суде*).

**witness-stand** ['wɪtnɪsstænd] = witness-box.

**-witted** [-'wıtıd] *в сложных словах означает* обладающий *такими-то* умственными способностями; half-witted слабоумный; quick-witted умный, сообразительный.

**witticism** ['wıtısızəm] *n* острота; шутка.

**wittily** ['wıtılı] *adv* остроумно.

**wittingly** ['wıtıŋlı] *adv* сознательно, умышленно.

**witty** ['wıtı] *a* остроумный.

**wive** [waıv] *v уст.* брать в жёны.

**wivern** ['waıvəːn] *n геральд.* крылатый дракон.

**wives** [waıvz] *pl от* wife.

**wizard** ['wızəd] **1.** *n* 1) колдун, маг, чародей, кудесник, волшебник; the W. of the North *прозвище Вальтера Скотта*; 2) фокусник; 3) *текст.* ремизоподъёмная машина;
2. *a* 1) колдовской; 2) *sl.* великолепный.

**wizardry** ['wızədrı] *n* колдовство.

**wizen(ed)** ['wızn(d)] *a* высохший (*о растении*); сморщенный (*о человеке*).

**wo** [wou] *int* тпру!

**woad** [woud] *n бот.* вайда.

**wo-back** ['wou'bæk] *int* назад!

**wobble** ['wɔbl] **1.** *n* 1) качание; *перен.* колебание; виляние; 2) *авт.* вихляние передних колёс;
2. *v* 1) качаться из стороны в сторону; 2) ковылять; идти шатаясь; *перен.* колебаться; вилять; 3) дрожать (*о голосе, звуке*).

**wobbler** ['wɔblə] *n* 1) неустойчивый человек; 2) *амер. воен. sl.* пехотинец.

**wobbly** ['wɔblı] *a* шаткий, шатающийся.

**Woden** ['woudn] *n миф.* Вотан.

**woe** [wou] *n поэт., шутл.* горе, скорбь; несчастья; ~ is me! горе мне!; ~ be to him!, ~ betide him! будь он проклят!

**woebegone** ['woubı,gɔn] *a* удручённый горем, мрачный.

**woeful** ['wouful] *a* 1) скорбный, горестный; несчастный; 2) очень плохой, жалкий, страшный.

**woesome** ['wousəm] = woeful.

**woke** [wouk] *past от* wake I, 1.

**woken** ['woukən] *p. p. от* wake I, 1.

**wold** [would] *n* 1) пустынное нагорье; пустошь; 2) низина.

**wolf** [wulf] **1.** *n* (*pl* wolves) 1) волк; 2) обжора; 3) жестокий злой человек; 4) *амер. разг.* бабник, волокита; 5) *амер. воен. sl.* старшина (*роты и т. п.*); ◇ to cry ~ поднимать ложную тревогу; to keep the ~ from the door предотвращать голод; бороться с нищетой; to have the ~ in the stomach быть голодным, умирать с голоду;
2. *v* пожирать с жадностью (*часто ~ down*).

**wolf-cub** ['wulfkʌb] *n* 1) волчонок; 2) бойскаут от 8 до 11 лет.

**wolf-dog** ['wulfdɔg] *n* волкодав.

**wolf-hound** ['wulfhaund] *n* овчарка.

**wolfish** ['wulfıʃ] *a* волчий, хищный.

**wolfram** ['wulfrəm] *n* 1) *хим.* вольфрам; 2) = wolframite.

**wolframite** ['wulfrəmaıt] *n мин.* вольфрамит.

**wolf's-claw(s)** ['wulfs,klɔː(z)] *n бот.* плаун.

**wolfskin** ['wulfskın] *n* 1) волчья шкура; 2) что-л., сделанное из волчьих шкур.

**wolverene, wolverine** ['wulvəriːn] *n* 1) *зоол.* росомаха; 2) (W.) *амер. разг.* уроженец штата Мичиган.

**wolves** [wulvz] *pl от* wolf 1.

**woman** ['wumən] *n* (*pl* women) 1) женщина; women's rights женское равноправие; 2) *груб. баба*; 3) женственный мужчина, «баба»; to play the ~ плакать, трусить; 4) (*без артикля*) женщины, женский пол; man born of ~ смертный; 5) (the ~) женственность, женское начало; чисто женское; 6) служанка, уборщица; 7) любовница; 8) *attr.* женский; ~ suffrage избирательные права для женщин.

**woman-hater** ['wumən,heıtə] *n* женоненавистник.

**womanhood** ['wumənhud] *n* 1) женский пол, женщины; 2) женские качества; женская зрелость; 3) женственность.

**womanish** ['wumənıʃ] *a* женоподобный; женский.

**womankind** ['wumən'kaınd] *n собир.* женщины; one's ~ женская половина семьи.

**womanlike** ['wumənlaık] *a* женоподобный; женственный.

**womanly** ['wumənlı] *a* женственный; нежный, мягкий.

**womb** [wuːm] *n* 1) *анат.* матка; 2) чрево; ◇ in the ~ of time в неизвестном будущем.

**wombat** ['wɔmbət] *n зоол.* вомбат.

**women** ['wımın] *pl от* woman.

**womenfolk** ['wımınfouk] *n pl* женщины; one's ~ женская половина семьи.

**won** [wʌn] *past и p. p. от* win 2.

**wonder** ['wʌndə] **1.** *n* 1) удивление, изумление; (it is) no ~ (that) неудивительно (,что); what ~? что удивительного?; for a ~ как это ни странно, каким-то чудом; 2) чудо, диковина; to work ~s творить чудеса; ◇ a nine-days' ~ злоба дня; громкое, но скоро забываемое событие;
2. *v* 1) удивляться (at); 2) интересоваться; желать знать; I ~ who it was интересно знать, кто это мог быть.

**wonderful** ['wʌndəful] *a* удивительный, замечательный.

**wonderland** ['wʌndəlænd] *n* страна чудес.

**wonderment** ['wʌndəmənt] *n* 1) удивление, изумление; 2) нечто удивительное.

**wonder-stricken** ['wʌndə,strıkən] = wonder-struck.

**wonder-struck** ['wʌndə,strʌk] *a* поражённый, изумлённый.

**wonder-work** ['wʌndəwəːk] *n* чудо.

**wonder-worker** ['wʌndə,wəːkə] *n* чудотворец.

**wondrous** ['wʌndrəs] *поэт., ритор.* **1.** *a* удивительный, чудесный;
2. *adv* (*тк. с прил.*) удивительно; ~ kind удивительно добрый.

**wonky** ['wɔŋkı] *a sl.* нетвёрдый на ногах; шаткий, ненадёжный.

**wont** [wount] **1.** *n* обыкновение, привычка; use and ~ установившийся обычай;

**2.** *a predic.* имеющий обыкновение (*c inf.*); as he was ~ to say как он обыкновенно говорил;
**3.** *v* (wont; wont, wonted [-ɪd]) *уст.* иметь обыкновение.

**won't** [wount] *сокр. разг.* = will not.

**wonted** ['wountɪd] **1.** *p. p. om* wont 3; **2.** *a* 1) привычный; 2) *амер.* привыкший к новым условиям; 3) *уст.* обычный.

**woo** [wuː] *v* 1) ухаживать; свататься; 2) добиваться; 3) уговаривать, докучать просьбами.

**wood** [wud] **1.** *n* 1) (*часто pl*) лес; роща; a clearing in the ~s лесная прогалина; поляна; to prune the old ~ away подчищать лес; 2) дерево (*материал*); древесина; лесоматериал; 3) дрова; 4) (the ~) *pl собир.* деревянные духовые инструменты; 5) (the ~) бочка, бочонок (*для вина*); wine from the ~ вино из бочки; 6) *attr.* лесной; ~ lot лесной участок; 7) *attr.* деревянный; ◇ to get (*или* to be) out of the ~ выпутаться из затруднения; быть вне опасности; to go to the ~s быть изгнанным из общества; to saw ~ не принимать активного участия в политической жизни; to take in ~ *амер. sl.* выпить;
**2.** *v* 1) сажать лес; 2) запасаться топливом.

**wood acid** ['wud‚æsɪd] *n* древесный уксус.

**wood alcohol** ['wud‚ælkəhɔl] *n* метиловый *или* древесный спирт.

**woodbind, woodbine** ['wudbaɪnd, 'wudbaɪn] *n* 1) *бот.* жимолость немецкая; 2) дешёвые сигареты; 3) *воен. sl.* английский солдат.

**wood-block** ['wudblɔk] *n* торец.

**woodcock** ['wudkɔk] *n* вальдшнеп.

**woodcraft** ['wudkrɑːft] *n* 1) знание леса, лесной охоты; 2) умение мастерить из дерева.

**woodcut** ['wudkʌt] *n* гравюра на дереве.

**woodcutter** ['wud‚kʌtə] *n* 1) дровосек; 2) гравёр по дереву.

**wood-cutting** ['wud‚kʌtɪŋ] *n* ксилография.

**wooded** ['wudɪd] **1.** *p. p. om* wood 2; **2.** *a* лесистый.

**wooden** ['wudn] *a* 1) деревянный; ~ ware деревянные изделия; ~ walls *уст.* военные корабли; 2) деревянный, безжизненный; 3) топорный (*о слоге*); ◇ ~ head *разг.* дурак; ~ horse a) троянский конь; б) орудие пытки; ~ spoon последнее место (*в состязании*).

**wood-engraver** ['wudɪn‚greɪvə] = woodcutter 2).

**wood-fibre** ['wud‚faɪbə] *n* древесное волокно.

**wood-grouse** ['wudgraus] *n зоол.* глухарь.

**woodland** ['wudlənd] *n* 1) лесистая местность; 2) *attr.* лесной; ~ choir птицы.

**woodless** ['wudlɪs] *a* безлесный.

**wood-louse** ['wudlaus] *n* мокрица.

**woodman** ['wudmən] *n* 1) лесник; 2) лесоруб; 3) лесной житель; 4) охотник.

**wood-nymph** ['wud‚nɪmf] *n миф.* дриада.

**wood paper** ['wud‚peɪpə] *n* бумага из древесной массы.

**woodpecker** ['wud‚pekə] *n* дятел.

**woodpile** ['wudpaɪl] *n* охапка дров.

**woodprint** ['wudprɪnt] = woodcut.

**wood-pulp** ['wudpʌlp] *n* древесная масса, бумажная масса.

**woodruff** ['wudrʌf] *n бот.* ясменник (душистый).

**woodshed** ['wudʃed] *n* сарай для дров.

**woodsman** ['wudzmən] = woodman.

**wood spirit** ['wud‚spɪrɪt] = wood alcohol.

**woodsy** ['wudzɪ] *a амер.* лесной.

**woodward** ['wudwəd] *n* лесничий.

**woodwaste** ['wudweɪst] *n* древесные отходы.

**woodwax(en)** ['wud‚wæks(ən)] *n бот.* дрок красильный.

**wood-wind** ['wudwɪnd] *n* деревянные духовые инструменты.

**wood-wool** ['wudwul] *n тех.* шерсть древесная, стружка.

**woodwork** ['wudwəːk] *n* 1) деревянные изделия; 2) деревянные части (*строения*).

**woodworker** ['wud‚wəːkə] *n* 1) плотник; столяр; токарь по дереву; 2) деревообделочный станок.

**woody** ['wudɪ] *a* 1) лесистый; 2) деревянистый; 3) *редк.* лесной.

**wooer** ['wuːə] *n* поклонник.

**woof** [wuːf] = weft.

**wool** [wul] *n* 1) шерсть; руно; dyed in the ~ окрашенный в пряже; *перен.* сделанный основательно; радикальный; 2) шерстяная пряжа *или* ткань; шерстяные изделия; Berlin ~ шерсть для рукоделия; 3) *шутл.* волосы; ◇ to pull the ~ over smb.'s eyes обманывать, вводить кого-л. в заблуждение; to lose one's ~ рассердиться; to keep one's ~ on сохранять самообладание; all ~ and a yard wide *амер. разг.* настоящий, отличный, заслуживающий доверия.

**-wooled** [-, wuld] *в сложных словах означает* имеющий такую-то шерсть; long--wooled длинношёрстный.

**wool-gathering** ['wul‚gæðərɪŋ] **1.** *n* рассеянность, витание в облаках; **2.** *a* рассеянный.

**woollen** ['wulɪn] **1.** *a* шерстяной; **2.** *n* шерстяная материя (*тж.* ~s).

**woolly** ['wulɪ] **1.** *a* 1) покрытый шерстью; шерстистый; 2) неясный, неразборчивый; 3): ~ painting *жив.* письмо грубым мазком; ~ voice сиплый голос; 4) *амер. разг.* грубый;
**2.** *n* 1) шерстяной свитер; 2) *pl* тёплая одежда, зимнее обмундирование.

**woolly-bear** ['wulɪbeə] *n зоол.* гусеница медведицы.

**woolsack** ['wulsæk] *n* набитая шерстью подушка, на которой сидит председатель (лорд-канцлер) в палате лордов; to reach the ~ стать лордом-канцлером.

**wool-work** ['wulwəːk] *n* вышивка шерстью.

**wop** I [wɔp] *v диал.* = whop.

**wop** II [wɔp] *n презр. прозвище, даваемое американцами иммигрантам из средней или южной Европы, особ. итальянцам.*

**word** [wəːd] 1. *n* 1) слово; ~ for ~ слово в слово; буква́льно; by ~ of mouth у́стно; на слова́х; to hang on smb.'s ~s внима́тельно прислу́шиваться к кому́-л.; in a ~, in one ~ одни́м сло́вом; коро́че говоря́; a man of few ~s немногосло́вный челове́к; play upon ~s игра́ слов; to put in a ~ for smb. замо́лвить за кого́-л. слове́чко; a ~ in one's ear на́ ухо, по секре́ту; to take smb. at his ~ пойма́ть на сло́ве; 2) *(часто pl)* речь, разгово́р; can I have a ~ with you? мне на́до поговори́ть с ва́ми; to have ~s with smb. кру́пно поговори́ть, поссо́риться с кем-л.; warm *(или* hot) ~s брань, кру́пный разгово́р; fair ~s комплиме́нты; 3) замеча́ние; a ~ in (out of) season своевре́менный (несвоевре́менный) сове́т; 4) обеща́ние, слово; to give *(или* to pawn, to pledge) one's ~ обеща́ть; a man of his ~ челове́к слова; upon my ~ че́стное сло́во; to be as good as one's ~ сдержа́ть сло́во; to be better than one's ~ сде́лать бо́льше обе́щанного; 5) весть, изве́стие, сообще́ние; to receive ~ of smb.'s coming получи́ть изве́стие о чьём-л. прие́зде; 6) приказа́ние; ~ of command *воен.* кома́нда; to give *(или* to send) ~ отда́ть распоряже́ние; 7) паро́ль; to give the ~ сказа́ть паро́ль; 8) деви́з; ло́зунг; ◇ sharp's the ~! потора́пливайся!, живе́й!; in so many ~s я́сно, недвусмы́сленно; hard ~s break no bones *посл.* ≅ брань на вороту́ не ви́снет; he hasn't a ~ to throw at a dog а) от него́ сло́ва не добьёшься; б) он и разгова́ривать не жела́ет; a ~ spoken is past recalling *посл.* ≅ сло́во не воробе́й, вы́летит—не пойма́ешь; a ~ to the wise ≅ у́мный с полусло́ва понима́ет;
2. *v* выража́ть слова́ми; подбира́ть выраже́ния; I should ~ it rather differently я сказа́л бы э́то, пожа́луй, ина́че; a beautifully ~ed address прекра́сно соста́вленная речь.

**word-book** ['wəːdbuk] *n* 1) слова́рь; 2) либре́тто *(оперы)*.

**wording** ['wəːdɪŋ] 1. *pres. p. от* word 2; 2. *n* реда́кция, фо́рма выраже́ния, формулиро́вка.

**wordless** ['wəːdlɪs] *a* 1) без слов; молчали́вый; 2) невы́раженный; не могу́щий быть вы́раженным.

**word-painting** ['wəːd,peɪntɪŋ] *n* о́бразное описа́ние.

**word-perfect** ['wəːd'pəːfɪkt] *a* зна́ющий наизу́сть.

**word-play** ['wəːdpleɪ] *n* игра́ слов; каламбу́р.

**word-splitting** ['wəːd,splɪtɪŋ] *n* то́нкое слове́сное разли́чие; софи́стика.

**wordy** ['wəːdɪ] *a* 1) многосло́вный; 2) слове́сный.

**wore** I [wɔː] *past от* wear I, 2.

**wore** II [wɔː] *past и p. p. от* wear II.

**work** [wəːk] 1. *n* 1) рабо́та; труд; заня́тие; де́ло; at ~ за рабо́той; to be at ~ upon smth. быть за́нятым чем-л.; in ~ име́ющий рабо́-

ту; out of ~ безрабо́тный; to set to ~ а) дать рабо́ту, засади́ть за рабо́ту; б) приня́ться за де́ло; 2) де́йствие, посту́пок; dirty ~ по́длость; 3) *pl* обще́ственные рабо́ты *(тж.* public ~s); 4) произведе́ние, сочине́ние, труд; a ~ of art произведе́ние иску́сства; 5) *pl* механи́зм *(особ. часов)*; there is something wrong with the ~s меха́низм не в поря́дке; 6) обрабо́тка; 7) *pl* техни́ческие сооруже́ния; строи́тельные рабо́ты; 8) *(обыкн. pl)* воен. укрепле́ние, укрепле́ния; 9) *pl библ.* дела́, дея́ния; good ~s благочести́вые дела́; 10) рукоде́лие, шитьё, вышива́ние; 11) броже́ние; 12) *физ.* рабо́та; unit of ~ — едини́ца рабо́ты; 13) *attr.* рабо́чий; ~ horse рабо́чая ло́шадь; ◇ all in the day's ~ в поря́дке веще́й; норма́льный; to make short ~ of smth., smth. (бы́стро) разде́латься с чем-л., распра́виться с кем-л.; to make sure ~ with smth. обеспе́чить свой контро́ль над чем-л.; to get the ~s *амер.* ≅ попа́сть в переплёт; to give smb. the ~s *амер.* ≅ взять кого́-л. в оборо́т, в рабо́ту; гру́бо обраща́ться с кем-л.;
2. *v (в некоторых значениях past и p. p.* wrought) 1) рабо́тать, занима́ться (at—чем-л.); to ~ like a horse *(или* a navvy, a nigger, a slave) рабо́тать как вол; 2) рабо́тать, быть специали́стом, рабо́тать в како́й-л. о́бласти; 3) де́йствовать, быть *или* находи́ться в де́йствии; the pump will not ~ насо́с не рабо́тает; 4) де́йствовать, ока́зывать де́йствие; возыме́ть де́йствие (on, upon—на); the medicine did not ~ лека́рство не помогло́; 5) броди́ть *или* вызыва́ть броже́ние; 6) быть в движе́нии; his face ~ed with emotion его́ лицо́ подёргивалось от волне́ния; 7) заслужи́ть; отрабо́тать *(тж.* ~ out); to ~ one's passage отрабо́тать свой прое́зд на парохо́де; 8) пробива́ться, проника́ть, прокла́дывать себе́ доро́гу *(тж.* ~ in, ~ out, ~ through *и т. п.*); the dye ~s its way in кра́ска впи́тывается; to ~ one's way прокла́дывать себе́ доро́гу, пробива́ться; 9) распу́тать, вы́простать *(из чего-л.; обыкн.* ~ loose, ~ free of); 10) приводи́ть в движе́ние *или* де́йствие; управля́ть *(машиной и т. п.)*; вести́ *(предприятие)*; 11) заставля́ть рабо́тать; he ~ed them long hours он заставля́л их до́лго рабо́тать; to ~ to death не дава́ть ни о́тдыха, ни сро́ка; изводи́ть; 12) *(past и p. p. тж.* wrought) причиня́ть, вызыва́ть; to ~ changes вызыва́ть *или* производи́ть измене́ния; to ~ miracles де́лать чудеса́; 13) *(past и p. p. обыкн.* wrought) обраба́тывать; отде́лывать; разраба́тывать; to ~ the soil обраба́тывать по́чву; to ~ a vein разраба́тывать жи́лу; 14) *(past и p. p. обыкн.* wrought) придава́ть определённую фо́рму *или* консисте́нцию; меси́ть; кова́ть; 15) *(past и p. p. часто* wrought) (иску́сственно) приводи́ть себя́ в како́е-л. состоя́ние *(тж.* ~ up; into); to ~ oneself into a rage довести́ себя́ до исступле́ния; 16) вычисля́ть; реша́ть *(пример и т. п.)*; 17) занима́ться рукоде́лием, вышива́ть; 18) испо́льзовать в свои́х це́лях; 19) *разг.* обма́нывать, вы-

могáть, добивáться (*чего-л.*) обмáнным путём; □ ~ against дéйствовать прóтив; ~ away продолжáть рабóтать; ~ for стремúться к *чему-л.*; to ~ for peace борóться за мир; ~ in a) проникáть, проклáдывать себé дорóгу; б) встáвить, ввестú; he ~ed in a few jokes in his speech он встáвил нéсколько шýток в свою речь; в) пригнáть; г) соотвéтствовать; his plans do not ~ in with ours егó плáны расхóдятся с нáшими; ~ off a) освободúться, отдéлаться от *чего-л.*; б) распродáть; в) вымещáть; to ~ off one's bad temper on smb. срывáть своё плохóе настроéние на ком-л.; ~ on продолжáть рабóтать; ~ out a) решáть (*задачу*); б) составлять, выражáться (*в такой-то цифре*); the costs ~ out at £ 50 издéржки составляют 50 фýнтов стéрлингов; в) истощáть; г) разрабáтывать (*план*); составлять (*документ*); подбирáть цифры, цитáты и *т. п.*; д) с трудóм добúться; е) отрабóтать (*долг и т. п.*); ж) быть успéшным, реáльным; the plan ~ed out план оказáлся реáльным; ~ over перерабáтывать; ~ up (*past и p. p. часто wrought*) a) разрабáтывать; б) отдéлывать, придавáть закóнченный вид; в) возбуждáть, вызывáть; to ~ up a rebellion подстрекáть к бýнту; г) дéйствовать на *кого-л.*; д) смéшивать (*составные части*); е) собирáть свéдения (*по какому-л. вопросу*); ж) добивáться, завоёвывать; to ~ up a reputation завоевáть репутáцию; ◇ to ~ one's will поступáть, как вздýмается; дéлать по-свóему; to ~ one's will upon smb. заставлять когó-л. дéлать по-свóему; to ~ against time старáться кóнчить к определённому срóку; to ~ it *sl.* достúгнуть цéли; it won't ~ ≅ э́тот нóмер не пройдёт; э́то не вы́йдет; to ~ up to the curtain *театр.* игрáть «под зáнавес».

**workability** [,wəːkə'bɪlɪtɪ] *n* применúмость; гóдность (к обрабóтке).

**workable** ['wəːkəbl] *a* 1) выполнúмый; осуществúмый; реáльный; 2) применúмый; пригóдный для рабóты.

**workaday** ['wəːkədeɪ] *a* бýдничный; повседнéвный.

**workaway** ['wəːkəweɪ] *n sl.* человéк, отрабáтывающий свой проéзд (*особ. на пароходе*).

**work-bag** ['wəːkbæg] *n* рабóчая сýмка; мешóчек с рукодéлием.

**work-basket** ['wəːk,bɑːskɪt] *n* рабóчая корзúнка (*для швейных принадлежностей*).

**work-book** ['wəːkbuk] *n* 1) конспéкт (*курса лекций и т. п.*); 2) тетрáдь для зáписи произведённой рабóты; 3) сбóрник упражнéний.

**work-box** ['wəːkbɔks] *n* рабóчий я́щик (*для швейных принадлежностей*).

**workday** ['wəːkdeɪ] *n* бýдний день;. рабóчий день.

**worker** ['wəːkə] *n* 1) рабóчий; рабóтник; workers of the world, unite! пролетáрии всех стран, соединяйтесь!; 2) *attr.* рабóчий, трудовóй.

**workhouse** ['wəːkhaus] *n* 1) рабóтный дом; 2) *амер.* исправúтельный дом.

**working** ['wəːkɪŋ] **1.** *pres. p. от* work **2.**

**2.** *n* 1) рабóта, дéйствие; 2) эксплуатáция; разрабóтка; 3) обрабóтка; 4) *pl горн.* вы́работки;

**3.** *a* 1) рабóтающий, рабóчий; ~ woman рабóтница; 2) отведённый для рабóты; ~ hours рабóчее врéмя, рабóчие часы́; 3) дéйствующий, эксплуатациóнный; пригóдный для рабóты; ~ capacity трудоспосóбность; ~ conditions *тех.* эксплуатациóнный режúм; ~ dimensions рабóчие размéры; ~ efficiency производúтельность трудá; 4): ~ capital оборóтный капитáл.

**working class** ['wəːkɪŋ'klɑːs] *n* рабóчий класс.

**working-class** ['wəːkɪŋklɑːs] *a* относя́щийся, принадлежáщий к рабóчему клáссу.

**working day** ['wəːkɪŋ'deɪ] *n* рабóчий день.

**working-day** ['wəːkɪŋdeɪ] *a* бýдничный, повседнéвный; тяжёлый.

**working man** ['wəːkɪŋ'mæn] *n* рабóчий.

**working-out** ['wəːkɪŋ'aut] *n* детáльная разрабóтка (*плана и т. п.*).

**workless** ['wəːklɪs] *a* безрабóтный, без рабóты.

**workman** ['wəːkmən] *n* рабóчий, рабóтник.

**workmanlike** ['wəːkmənlaɪk] *a* искýсный.

**workmanship** ['wəːkmənʃɪp] *n* 1) искýсство, мастерствó; квалификáция; exquisite ~ тóнкое мастерствó; 2) отдéлка (*работы*).

**work-out** ['wəːk'aut] *n амер.* 1) разг. испытáтельный срок; 2) *спорт.* тренирóвка.

**work-people** ['wəːk,piːpl] *n* рабóчий люд.

**work-room** ['wəːkrum] *n* рабóчая кóмната; помещéние для рабóты.

**works** [wəːks] *n pl* (*употр. как sing и как pl*) завóд.

**workshop** ['wəːkʃɔp] *n* 1) мастерскáя; цех; 2) *attr.* цеховóй; ~ committee цеховóй комитéт.

**work-shy** ['wəːkʃaɪ] **1.** *n* лентя́й, бездéльник;

**2.** *a* ленúвый, уклоня́ющийся от рабóты.

**work-table** ['wəːk,teɪbl] *n* рабóчий стóлик.

**workweek** ['wəːkwiːk] *n* рабóчая недéля.

**workwoman** ['wəːk,wumən] *n* рабóтница.

**work-worn** ['wəːk,wɔːn] *a* изнурённый тяжёлым трудóм.

**world** [wəːld] *n* 1) мир, свет; вселéнная; to bring into the ~ произвестú на свет, родúть; to come into the ~ родúться; to begin the ~ вступáть в нóвую жизнь; the Old (New) W. Стáрый (Нóвый) свет; 2) óбщество; the great ~ свéтское óбщество; 3) определённая сфéра дéятельности, мир; the ~ of letters (of sport) литератýрный (спортúвный) мир; 4) мир, цáрство; the animal (vegetable) ~ живóтный (растúтельный) мир; 5) мир, кругозóр; his ~ is a very narrow one егó кругозóр (*или* мирóк) óчень ýзок; 6) мнóжество, кýча; he has had a ~ of troubles у негó бы́ла прóпасть хлопóт; 7) *служит для усиления*: what in the ~ does he mean? что, наконéц, он хóчет сказáть?; a ~ too slúшком; 8) *разг.* мировóй, всемúрный; ~ problems мировы́е проблéмы; ◇ not for the ~ ни за что на свéте; he would give the ~ to know он бы всё óтдал, тóлько бы узнáть; to think the

~ of smb. быть о́чень высо́кого мне́ния о ком-л.; ~ without end на ве́ки ве́чные; for all the ~ like похо́жий во всех отноше́ниях; for all the ~ as if то́чно так, как е́сли бы; how goes the ~ with you? как ва́ши дела́?; to know the ~ име́ть о́пыт; man of the ~ а) челове́к, умудрённый жи́зненным о́пытом; б) све́тский челове́к; the lower ~ преиспо́дняя, ад; to the ~ sl. кра́йне, соверше́нно; so goes (*или* wags) the ~ такова́ жизнь; to come down in the ~ опусти́ться, утра́тить было́е положе́ние; to come up (*или* to rise) in the ~ сде́лать карье́ру.

**worldling** ['wɑːldlɪŋ] *n* челове́к, поглощённый земны́ми интере́сами.

**worldly** ['wɑːldlɪ] *a* 1) мирско́й; земно́й; ~ goods иму́щество, со́бственность; 2) лю́бящий жи́зненные бла́га; 3) о́пытный, иску́шённый; 4) *редк.* све́тский.

**worldly-minded** ['wɑːldlɪ'maɪndɪd] = worldly 2).

**worldly-wise** ['wɑːldlɪ'waɪz] *a* о́пытный, быва́лый, иску́шённый.

**world-old** ['wɑːld'ould] *a* ста́рый как мир.

**world-power** ['wɑːld‚pauə] *n* мирова́я держа́ва.

**world series** ['wɑːld'sɪərɪːz] *n pl амер.* ежего́дный чемпиона́т США по бейсбо́лу.

**world view** ['wɑːld'vjuː] *n* мировоззре́ние.

**world-weary** ['wɑːld'wɪərɪ] *a* уста́вший от жи́зни, пресы́тившийся.

**world-wide** ['wɑːldwaɪd] *a* распространённый по всему́ све́ту; всеми́рно изве́стный, мирово́й; ~ fame всеми́рная изве́стность.

**worm** [wɑːm] **1.** *n* 1) червя́к, червь; глист; 2) ни́зкий челове́к, презре́нная ли́чность; a poor ~ like him тако́е жа́лкое суще́ство, как он; 3) *тех.* червя́к, шнек, бесконе́чный винт; ◊ the ~ of conscience угрызе́ния со́вести; I am a ~ today мне сего́дня не по себе́; to have a ~ in one's tongue ворча́ть, быть сварли́вым; tread on a ~ and he will turn ≈ вся́кому терпе́нию прихо́дит коне́ц;
2. *v* 1) вполза́ть; проника́ть; to ~ oneself into smb.'s confidence вкра́сться в дове́рие к кому́-л.; 2) вы́пытать, разузна́ть; to ~ a secret out of smb. вы́ведать у кого́-л. та́йну; 3) избавля́ть от глисто́в.

**wormeaten** ['wɑːm‚ɪːtn] *a* 1) исто́ченный червя́ми; 2) устаре́лый.

**worm-fishing** ['wɑːm‚fɪʃɪŋ] *n* ры́бная ло́вля на червяка́.

**worm-gear** ['wɑːmgɪə] *n тех.* червя́чная переда́ча.

**worm-pipe** ['wɑːmpaɪp] *n тех.* змееви́к.

**worm-seed** ['wɑːmsɪːd] *n* цитва́рное се́мя.

**worm-wheel** ['wɑːmwɪːl] *n тех.* червя́чное колесо́.

**wormwood** ['wɑːmwud] *n* 1) полы́нь го́рькая; 2) го́речь, исто́чник го́речи; the thought was ~ to him э́та мысль была́ ему́ о́чень горька́.

**wormy** ['wɑːmɪ] *a* 1) черви́вый; 2) уни́женный, смире́нный; 3) по́длый, ни́зкий.

**worn** [wɔːn] *p. p. от* wear I, 2.

**worn-out** ['wɔːn'aut] *a* 1) поно́шенный; изно́шенный; 2) уста́лый, изму́ченный.

**worrier** ['wʌrɪə] *n* беспоко́йный челове́к.

**worriless** ['wʌrɪlɪs] *a* споко́йный, беззабо́тный.

**worrisome** ['wʌrɪsəm] *a* 1) беспоко́йный; 2) причиня́ющий беспоко́йство.

**worrit** ['wʌrɪt] *разг. см.* worry.

**worry** ['wʌrɪ] **1.** *n* 1) беспоко́йство, трево́га; муче́ние; 2) забо́та;
2. *v* 1) надоеда́ть; пристава́ть; 2) му́чить(ся), терза́ть(ся), беспоко́ить(ся); don't let that ~ you пусть э́то не трево́жит вас; 3) беспоко́ить, боле́ть; his wound worries him ра́на беспоко́ит его́; 4) терза́ть (*зуба́ми*; *обыкн. о соба́ке*); □ ~ along продвига́ться, пробива́ться вперёд (*че́рез* все тру́дности).

**worse** [wɑːs] **1.** *a (сравнит. ст. от* bad 1) ху́дший; he is ~ today ему́ сего́дня ху́же; he is none the ~ for it он не пострада́л от э́того; с ним от э́того ничего́ не случи́лось; to be the ~ for wear износи́ться, быть поно́шенным;
2. *adv (сравнит. ст. от* badly) ху́же; сильне́е; none the ~ ничу́ть не ху́же, ещё лу́чше; I like him none the ~ for being outspoken я ещё бо́льше люблю́ его́ за его́ и́скренность;
3. *n* ху́дшее; to go from bad to ~ станови́ться всё ху́же и ху́же; to have the ~ потерпе́ть пораже́ние; to put to the ~ нанести́ пораже́ние; a change (*или* a turn) for the ~ переме́на к ху́дшему; ~ cannot happen ничего́ ху́дшего не мо́жет случи́ться.

**worsen** ['wɑːsn] *v* ухудша́ть(ся).

**worship** ['wɑːʃɪp] **1.** *n* 1) культ; почита́ние; поклоне́ние; 2) богослуже́ние; public (*или* divine) ~ церко́вная слу́жба; place of ~ це́рковь; 3) *уст.* почёт; a man of great ~ челове́к, по́льзующийся больши́м почётом; to win ~ дости́чь сла́вы; 4) *в обраще́нии*: your W. ва́ша ми́лость;
2. *v* 1) поклоня́ться, почита́ть; обожа́ть; 2) быва́ть в це́ркви.

**worshipful** ['wɑːʃɪpful] *a уст.* почте́нный, уважа́емый.

**worst** [wɑːst] **1.** *a (превосх. ст. от* bad 1) наиху́дший;
2. *adv (превосх. ст. от* badly) ху́же всего́;
3. *n* наиху́дшее, са́мое ху́дшее; the ~ of the storm is over бу́ря начина́ет утиха́ть; at (the) ~ в са́мом ху́дшем положе́нии *или* слу́чае; на худо́й коне́ц; if the ~ comes to the ~ е́сли случи́тся са́мое ху́дшее; в са́мом ху́дшем слу́чае; to get the ~ of it потерпе́ть пораже́ние;
4. *v* одержа́ть верх, победи́ть.

**worsted** ['wustɪd] *n* камво́льная, гребённая пря́жа, ткань.

**wort** [wɑːt] *n* расте́ние, трава́.

**worth I** [wɑːθ] **1.** *n* 1) цена́, сто́имость; це́нность, досто́инство; give me a shilling's ~ of stamps да́йте мне ма́рок на ши́ллинг; 2) досто́инства; a man of ~ досто́йный, заслу́живающий уваже́ния челове́к; 3) бога́тство, иму́щество; ◊ to put in one's two cents ~ вы́сказаться;
2. *a predic.* 1) сто́ящий; is ~ nothing ничего́ не сто́ит; little ~ *поэт.* ма́ло сто́ящий; what is it ~? ско́лько э́то сто́ит?;

2) заслуживающий; ~ attention заслуживающий внимания; ~ while, *разг.* ~ it стоящий затраченного времени *или* труда; this play is ~ seeing эту пьесу стоит посмотреть; it is not ~ taking the trouble не стоит того, чтобы беспокоиться; take the story for what it is ~ не принимайте всего на веру в этом рассказе; 3) обладающий (*чем-л.*); he is ~ a hundred thousand dollars он имеет капитал в сто тысяч долларов; ◇ not ~ a button гроша медного не стоит; not ~ powder and shot ≅ овчинка выделки не стоит; for all one is ~ изо всех сил.

**worth** II [wəːθ] *v уст.*: woe (well) ~ the day! будь проклят (благословен) день!

**worthless** ['wəːθlɪs] *a* ничего не стоящий; никчёмный.

**worth-while** ['wəːθ'waɪl] *a* стоящий; ~ experiment интересный опыт; to be ~ иметь смысл.

**worthy** ['wəːðɪ] **1.** *a* 1) достойный; заслуживающий (*of*; *c inf.*); ~ of praise, ~ to be praised достойный похвалы; 2) соответствующий, подобающий; 3) достопочтенный;
**2.** *n* 1) достойный человек; 2) знаменитость; 3) *уст.* герой; 4) *шутл.* человек.

**-worthy** [-,wəːðɪ] *в сложных словах означает* заслуживающий; noteworthy заслуживающий внимания; blameworthy заслуживающий порицания.

**wot** [wɔt] *pres. от* wit 2.

**would** [wud (*полная форма*); wəd, əd, d (*редуцированные формы*)] 1) *вспомогательный глагол; служит для образования будущего в прошедшем во 2 и 3 лице*: he told us he ~ come at two он сказал нам, что придёт в два часа; 2) *вспомогательный глагол; служит для образования условного наклонения*: it ~ be better было бы лучше; 3) *служебный глагол, выражающий привычное действие, относящееся к прошедшему времени*: he ~ stand for hours watching the machine work он, бывало, целыми часами наблюдал за работой машины; 4) *модальный глагол, выражающий*: а) *упорство, настойчивость*: I warned you, but you ~ do it я предостерегал вас, но вы непременно хотели поступить так; б) *желание*: ~ I were a child хотел бы я снова стать ребёнком; come when you ~ приходите, когда захотите; I ~ rather, I ~ just as soon я бы предпочёл; в) *вероятность*: that ~ be his house это, вероятно, его дом; г) *вежливую просьбу*: ~ you help me, please не поможете ли вы мне?

**would-be** ['wudbɪ] **1.** *a* 1) *разг.* претендующий на; с претензией на; мечтающий о; 2) предполагаемый; 3) притворный;
**2.** *adv* притворно.

**wouldn't** ['wudnt] *сокр. разг.*=would not.

**wound** I [wuːnd] **1.** *n* 1) рана; ранение; 2) обида, оскорбление; ущерб; 3) *поэт.* муки любви;
**2.** *v* 1) ранить; 2) причинить боль, задеть; he was ~ed in his deepest affections он был оскорблён в своих лучших чувствах.

**wound** II [waund] *past и p. p. от* wind I, 2, 5).

**wound** III [waund] *past и p. p. от* wind II, 2.

**wove** [wouv] *past от* weave 1.

**woven** ['wouvən] *p. p. от* weave 1.

**wow** [wau] *амер. sl.* **1.** *n* 1) нечто из ряда вон выходящее; 2) *театр.* огромный успех;
**2.** *v* поразить, ошеломить.

**wowser** ['wauzə] *n австрал.* строгий пуританин.

**wrack** [ræk] **1.** *n* 1) остатки кораблекрушения; 2) *уст., поэт.* разорение, разрушение; to go to ~ разрушиться; ~ and ruin полное разорение; 3) водоросль (*выброшенная на берег моря*);
**2.** *v* разрушать (ся).

**wraith** [reɪθ] *n* двойник, дух (*кого-л.*), являющийся незадолго до смерти *или* вскоре после неё.

**wrangle** ['ræŋgl] **1.** *n* пререкания, спор;
**2.** *v* 1) (по)спорить, повздорить; пререкаться; what are they wrangling about? о чём они спорят?; 2) *амер.* пасти стадо верхом на лошади.

**wrangler** ['ræŋglə] *n* 1) крикун, спорщик; 2) студент, особо отличившийся на экзамене по математике (*в Кембриджском университете*); 3) *амер. разг.* ковбой.

**wrap** [ræp] **1.** *n* 1) шаль, платок, меховая пелерина; 2) одеяло, плед; 3) обёртка;
**2.** *v* 1) завёртывать, сворачивать, складывать, закутывать (*часто* ~ up); to ~ oneself тепло одеваться; 2) окутывать, обёртывать (round, about); ~ paper round it оберните это бумагой; □ ~ **over** перекрывать; ~ **up** кутаться; б): ~ped up in погружённый в (*в себя, во что-л.*), занятый *чем-л.*; ~ped up in slumber погружённый в сон.

**wrapper** ['ræpə] *n* 1) халат; капот; 2) обёртка; бандероль; 3) суперобложка; 4) упаковщик.

**wrapping** ['ræpɪŋ] **1.** *pres. p. от* wrap 2;
**2.** *n* (*часто pl*) обёртка; материал, в который (*что-л.*) завёрнуто.

**wrapping-paper** ['ræpɪŋ,peɪpə] *n* обёрточная бумага.

**wrapt** [ræpt] = rapt.

**wrasse** [ræs] *n* губан (*рыба*).

**wrath** [rɔːθ] *n* гнев, ярость; глубокое возмущение.

**wrathful** ['rɔːθful] *a* гневный, рассерженный.

**wreak** [riːk] *v ритор.* давать выход, волю (*чувству*); to ~ vengeance upon one's enemy отомстить врагу.

**wreath** [riːθ, *pl* -ðz] *n* 1) венок, гирлянда; 2) завиток, кольцо (*дыма*).

**wreathe** [riːð] *v* 1) свивать, сплетать (*венки*); 2) обвивать (ся); 3) клубиться (*о дыме*); 4) покрывать; a face ~d in wrinkles лицо, покрытое морщинами; face ~d in smiles лицо, расплывшееся в улыбке.

**wreck** [rek] **1.** *n* 1) крушение, авария; гибель, уничтожение; 2) обломки разбитого судна; остатки кораблекрушения (*выброшенные на берег*); 3) развалина; неудачник; what a ~ of his former self he is! какой он стал развалиной!; 4) крах, крушение (*надежд и т. п.*); 5) *attr.* аварийный; ~

mark *мор.* знак *или* (ве́ха), огражда́ющий (-щая) ме́сто затону́вшего су́дна;

**2.** *v* 1) вы́звать круше́ние, разруше́ние; потопи́ть (*судно*); 2) потерпе́ть круше́ние; 3) ру́хнуть (*о планах, надеждах*); 4) разру́шать (*здоровье и т. п.*).

**wreckage** ['rekɪdʒ] *n* 1) обло́мки круше́ния; 2) = wreck 1, 4).

**wrecked** [rekt] **1.** *p. p. от* wreck 2; **2.** *a* потерпе́вший кораблекруше́ние.

**wrecker** ['rekə] *n* 1) мародёр, *особ.* граби́тель разби́тых судо́в; 2) *полит.* вреди́тель; 3) *амер. ж.-д.* рабо́чий ремо́нтной (авари́йной) брига́ды; 4) маши́на техни́ческой по́мощи.

**wrecking** ['rekɪŋ] **1.** *pres. p. от* wreck 2; **2.** *n* 1) разруше́ние; 2) снесе́ние (*зда́ний*); 3. *a* спаса́тельный; ~ car = wrecker 4).

**Wren** [ren] *n разг.* член же́нской организа́ции обслу́живания вое́нно-морско́го фло́та.

**wren** [ren] *n* крапи́вник (*птица*).

**wrench** [rentʃ] **1.** *n* 1) дёрганье; скру́чивание; 2) вы́вих; to give one's ankle a ~ вы́вихнуть лоды́жку; 3) щемя́щая тоска́, боль (*при разлуке*); 4) искаже́ние (*истины, текста и т. п.*); 5) *тех.* га́ечный ключ; **2.** *v* 1) вывёртывать, вырыва́ть (*тж.* ~ off, ~ away; from, out of); to ~ open взла́мывать; 2) вы́вихнуть; 3) искажа́ть (*факты, истину*).

**wrest** [rest] *v* 1) вырыва́ть (*силой*); вывора́чивать; 2) вырыва́ть (*оружие, победу у врага*); исто́ргнуть (*согласие; from — у кого-л.*); 3) искажа́ть, истолко́вывать непра́вильно (*закон, текст*).

**wrestle** ['resl] **1.** *n* 1) *спорт.* борьба́, схва́тка в борьбе́; 2) упо́рная борьба́ (*с трудностями и т. п.*); **2.** *v* боро́ться; to ~ against (*или* with) temptation (adversity) боро́ться с искуше́нием (бедо́й).

**wrestler** ['reslə] *n спорт.* боре́ц.

**wrestling** ['reslɪŋ] **1.** *pres. p. от* wrestle 2; **2.** *n спорт.* борьба́.

**wretch** [retʃ] *n* 1) несча́стный; poor ~ бедня́га; 2) негодя́й; 3) него́дник.

**wretched** ['retʃɪd] *a* 1) несча́стный; жа́лкий; 2) никуда́ не го́дный, никуды́шный, плохо́й; гну́сный; ~ hovel жа́лкая лачу́га; ~ state of things скве́рное положе́ние веще́й; 3) *разг.* о́чень си́льный, ужа́сный; ~ toothache отча́янная зубна́я боль.

**wrick** [rɪk] **1.** *n* растяже́ние (*мускула*); **2.** *v* растяну́ть (*мускул*).

**wriggle** ['rɪgl] **1.** *n* изги́б, изви́в; **2.** *v* 1) извива́ться (*о черве и т. п.*); изгиба́ться (*тж.* ~ oneself); 2) пробира́ться, продвига́ться вперёд (*тж.* ~ along); 3) виля́ть, уви́ливать; to ~ out of an engagement уклоня́ться от обяза́тельства.

**wriggler** ['rɪglə] *n* 1) личи́нка комара́; 2) челове́к, уви́ливающий от свои́х обяза́тельств.

**wright** [raɪt] *n уст.* ма́стер.

**-wright** [-raɪt] *в сло́жных слова́х:* shipwright кораблестрои́тель; playwright драмату́рг.

**wring** [rɪŋ] **1.** *n* скру́чивание, выжима́ние *и пр.* [*см.* 2];

**2.** *v* (wrung) 1) скру́чивать; to ~ one's hands лома́ть себе́ ру́ки; to ~ smb.'s hand кре́пко сжать, пожа́ть кому́-л. ру́ку; 2) жать (*об обуви*); 3) терза́ть; 4) выжима́ть (*тж.* ~ out); ~ing wet мо́крый, хоть вы́жми; 5) вымога́ть, исто́ргать (*тж.* ~ out; from, out of); to ~ consent прину́дить согласи́ться.

**wringer** ['rɪŋə] *n* 1) маши́на для выжима́ния белья́; 2) выжима́льщик белья́; рабо́чий, управля́ющий маши́ной для выжима́ния белья́.

**wrinkle I** ['rɪŋkl] **1.** *n* морщи́на; скла́дка; **2.** *v* мо́рщить(ся) (*тж.* ~ up).

**wrinkle II** ['rɪŋkl] *n* 1) поле́зный сове́т; намёк; 2) *разг.* иде́я, трюк, но́вшество.

**wrinkly** ['rɪŋklɪ] *a* морщи́нистый, в морщи́нах.

**wrist** [rɪst] *n* 1) запя́стье; 2) *тех.* ца́пфа; 3) *attr.* нару́чный; ~ watch нару́чные часы́.

**wristband** ['rɪstbænd] *n уст.* манжѐта, обшла́г.

**wristlet** ['rɪstlɪt] *n* 1) брасле́т; 2) ремешо́к для часо́в; 3) *attr..* ~ watch ручны́е часы́, часы́-брасле́т.

**wrist-pin** ['rɪstpɪn] *n тех.* ца́пфа.

**writ** [rɪt] **1.** *n* 1) *уст.* писа́ние; Holy W. Свяще́нное писа́ние; 2) *юр.* предписа́ние, пове́стка; to serve ~ on smb. посла́ть кому́-л. суде́бную пове́стку;

**2.** *уст. past и p. p. от* write.

**write** [raɪt] *v* (wrote, *уст.* writ; written; *уст.* writ) 1) писа́ть; to ~ a good (legible) hand име́ть хоро́ший (чёткий) по́черк; to ~ large (small, plain) писа́ть кру́пно (ме́лко, разбо́рчиво); 2) написа́ть, вы́писать; to ~ a cheque вы́писать чек; to ~ an application написа́ть заявле́ние; 3) сочиня́ть (*музыку, рассказы и т. п.*); to ~ for a living быть писа́телем; 4) выража́ть, пока́зывать; fear is written on his face страх напи́сан у него́ на лице́; writ large я́вный, я́сно вы́раженный; 5) печа́тать на маши́нке; диктова́ть на маши́нку; ☐ ~ down а) запи́сывать; б) отзыва́ться (*о ком-л.*) пренебрежи́тельно *или* неодобри́тельно в печа́ти; в) описа́ть, изобража́ть; ~ for быть корреспонде́нтом, сотру́дничать в газе́те; ~ off а) писа́ть с лёгкостью; б) отсыла́ть письмо́; в) спи́сывать со счёта; г) вычёркивать, аннули́ровать (*долг и т. п.*); ~ out переписа́ть; выпи́сывать по́лностью; to ~ out fair написа́ть на́чисто; to ~ oneself out испиcа́ться; ~ up a) подро́бно опи́сывать; б) восхваля́ть в печа́ти; в) зака́нчивать, допи́сывать, доводи́ть до сего́дняшнего дня (*отчёт, дневник*).

**write-in** ['raɪtɪn] *n* систе́ма голосова́ния, при кото́рой голосу́ющий впи́сывает в бюллете́нь и́мя кандида́та.

**write-off** ['raɪtˈɔːf] *n* 1) су́мма, спи́санная со счёта; 2) *разг.* него́дное иму́щество; брак; обло́мки.

**writer** ['raɪtə] *n* 1) писа́тель; а́втор; the present ~ пи́шущий э́ти стро́ки; 2) письмоводи́тель; ~ to the signet прися́жный стря́пчий (*в Шотландии*); ◇ ~'s cramp (*или* palsy) *мед.* писча́я су́дорога.

**write-up** ['raɪt'ʌp] *n sl.* 1) похвáльная статья́; 2) подрóбный газéтный отчёт.

**writhe** [raɪð] *v* кóрчиться (*от бóли*); to ~ with shame мýчиться от стыдá; to ~ under (*или* at) the insult терзáться обúдой.

**writing** ['raɪtɪŋ] 1. *pres. p. от* write; 2. *n* 1) писáние; at the present ~ в то врéмя, когдá пúшутся э́ти стрóки; in ~ в пúсьменной фóрме; to commit to ~ записáть; the ~ on the wall *библ.* письменá на стенé; *перен.* зловéщее предзнаменовáние; ~ down *ком.* списáние сýммы; 2) (литератýрное) произведéние; 3) докумéнт; 4) пóчерк; 5) стиль, фóрма (*литературного произведéния*); 3. *a* пúсчий; для письмá; пúсьменный.

**writing-case** ['raɪtɪŋkeɪs] *n* несессéр для пúсьменных принадлéжностей.

**writing-desk** ['raɪtɪŋdesk] *n* контóрка.

**writing-ink** ['raɪtɪŋ'ɪŋk] *n* чернúла (*в противоположность* printing-ink).

**writing-master** ['raɪtɪŋˌmɑːstə] *n* учúтель чистописáния.

**writing-materials** ['raɪtɪŋməˌtɪərɪəlz] *n pl* пúсьменные принадлéжности.

**writing-pad** ['raɪtɪŋpæd] *n* блокнóт почтóвой бумáги.

**writing-paper** ['raɪtɪŋˌpeɪpə] *n* почтóвая бумáга, пúсчая бумáга.

**writing-table** ['raɪtɪŋˌteɪbl] *n* пúсьменный стол.

**written** ['rɪtn] *p. p. от* write.

**wrong** [rɔŋ] 1. *n* 1) непрáвда; непрáвильность, ошúбочность, заблуждéние; to do ~ заблуждáться, грешúть; to be in the ~ быть непрáвым; 2) зло; несправедлúвость; обúда; to do smb. ~ судúть несправедлúво о ком-л.; to put smb. in the ~ свалúть винý на когó-л.; 3) правонарушéние; 2. *a* 1) непрáвильный, ошúбочный; the whole calculation is ~ весь расчёт невéрен; my watch is ~ мой часы́ невéрны; I can prove you ~ я могý доказáть, что вы непрáвы; to go ~ a) уклонúться от прáвильного путú; согрешúть; опустúться (*морáльно*); б) не вы́йти, не получúться; everything went ~ всё шло не так; 2) дурнóй, несправедлúвый; 3) не тот (котóрый нýжен); несоотвéтствующий; at the ~ time в неподходя́щее врéмя; he took the ~ street он пошёл не по той ýлице; quite the ~ clothes for the hot weather совсéм неподходя́щее плáтье для жáркой погóды; what's ~ with it? a) почемý э́то вам не нрáвится *или* не подхóдит?; б) что же тут такóго?; 4) лéвый, изнáночный (*о сторонé*); ~

side out наизнáнку; 5) неиспрáвный; something is ~ with the motor мотóр неиспрáвен; my liver is ~ у меня́ чтó-то не в поря́дке с пéченью; ◇ to get hold of the ~ end of the stick непрáвильно поня́ть, преврáтно истолковáть (*что-л.*); to get out of bed on the ~ side встать с лéвой ногú; to get off on the ~ foot произвестú плохóе впечатлéние; неудáчно начáть; on the ~ side of 40 зá сорок (лет); to be in the ~ box быть в затруднúтельном *или* лóжном положéнии; ошибáться;

3. *adv* (*ставится в концé*) непрáвильно, невéрно;

4. *v* 1) вредúть; причиня́ть зло, обижáть; 2) быть несправедлúвым (*к комý-л.*); непрáвильно припúсывать дурны́е побуждéния.

**wrongdoer** ['rɔŋˌduə] *n* 1) обúдчик, оскорбúтель; 2) престýпник; правонарушúтель; 3) грéшник.

**wrongdoing** ['rɔŋˌduːɪŋ] *n* 1) преступлéние; правонарушéние; 2) грех; простýпок.

**wrongful** ['rɔŋful] *a* 1) непрáвильный, несправедлúвый; 2) врéдный; 3) незакóнный, престýпный.

**wrong-headed** ['rɔŋˌhedɪd] *a* упóрствующий в заблуждéниях.

**wrong-routed** ['rɔŋˌruːtɪd] *a ж.-д.* проследовавший по непрáвильному маршрýту.

**wrote** [rout] *past от* write.

**wroth** [rouθ] *a predic. поэт., шутл.* разгнéванный.

**wrought** [rɔːt] *past и p. p. от* work 2.

**wrought iron** ['rɔːt'aɪən] *n* свáрочное желéзо, свáрочная сталь.

**wrought-up** ['rɔːt'ʌp] *a* нéрвный, взвúнченный.

**wrung** [rʌŋ] *past и p. p. от* wring 2.

**wry** [raɪ] *a* 1) кривóй, перекóшенный; to make a ~ face (*или* mouth) сдéлать гримáсу (*выражáющую отвращéние*); 2) непрáвильный, противоречúвый; 3) искажённый.

**wryneck** ['raɪnek] *n* 1) вертишéйка (*птúца*); 2) *мед.* кривошéя.

**wych-elm** ['wɪtʃelm] *n* вяз шершáвый *или* гóрный, úльм.

**wye** [waɪ] 1. *n* 1) назвáние бýквы Y; 2) *эл.* звездá; соединéние звездóй; 3) *ж.-д.* поворóтный треугóльник; 2. *a* 1) Y-обрáзный; 2) звездообрáзный.

**Wykehamist** ['wɪkəmɪst] 1. *a* свя́занный с Вúнчестерским коллéджем; 2. *n* воспúтанник Вúнчестерского коллéджа.

**wyvern** ['waɪvəːn] = wivern.

# X

**X, x** [eks] *n* (*pl* Xs, X's ['eksɪz]) 1) 24-я бýква áнгл. алфавúта; 2) что-л., напоминáющее по фóрме бýкву X; 3) *мат.* икс, неизвéстная величинá; *перен.* нéчто тáинственное *или* неизвéстное; 4) *амер. разг.* десятидóлларовый банкнóт; 5) крест; 6) ошúбка.

**Xanthippe** [zæn'θɪpɪ] *n* Ксантúппа; *нарицáт. тж.* злáя, сварлúвая жéнщина.

**xanthous** ['zænθəs] *a* жёлтый.

**X-axis** ['eksˌæksɪs] *n мат.* ось абсцúсс.

**X-bit** ['eksbɪt] *n тех.* крестообрáзная голóвка бýра.

**X-bracing** ['eks,breisɪŋ] *n тех.* крестóвые связи.

**xebec** ['ziːbek] *n* шебéка (*тип парусного судна на Средиземном море*).

**X-engine** ['eks,endʒɪn] *n тех.* двигатель с Х-обрáзным расположéнием цилúндров.

**xenial** ['ziːnɪəl] *a* свя́занный с гостеприúмством, относя́щийся к гостеприúмству; ~ customs закóны гостеприúмства.

**xenogamy** [ziːˈnɔgəmɪ] *n бот.* ксеногáмия, перекрёстное опылéние.

**xenomania** [,zenouˈmeɪnɪə] *n редк.* страсть ко всемý инострáнному.

**xenon** ['zenɔn] *n хим.* ксенóн.

**xerosis** [zɪˈrousɪs] *n мед.* ненормáльная сýхость кóжи *или* слúзистых оболóчек.

**Xerxes** ['zəːksiːz] *n* Ксеркс.

**xiphoid** ['zifɔid] *a анат.* мечевúдный.

**X-line** ['ekslaɪn] *n мат.* ось úксов, ось абсцúсс.

**Xmas** ['krɪsməs] = Christmas.

**X-ray** ['eks'reɪ] 1. *n* 1) (*обыкн. pl*) рентгéновы лучú; 2) *attr.* рентгéновский; ~ therapy рентгенотерапúя; ~ picture рентгéновский снúмок;
2. *v* просвéчивать рентгéновыми лучáми.

**X-ring** ['eksrɪŋ] *n* контрóльный кружóк внутрú деся́тки (*мишени*).

**Xylanthrax** [zaɪˈlænθræks] *n* древéсный ýголь.

**xylograph** ['zaɪləgrɑːf] *n* гравю́ра на дéреве.

**xylographer** [zaɪˈlɔgrəfə] *n* гравёр по дéреву, ксилóграф.

**xylography** [zaɪˈlɔgrəfɪ] *n* ксилогрáфия.

**xylonite** ['zaɪlənaɪt] *n* целлулóид.

**xylophone** ['zaɪləfoun] *n* ксилофóн.

**xyster** ['zɪstə] *n* распáтор, хирургúческий инструмéнт для выскáбливания кóстных полостéй.

# Y

**Y, y** [waɪ] *n* (*pl* Ys, Y's [waɪz]) 1) *25-я буква англ. алфавита;* 2) что-л., напоминáющее по фóрме бýкву Y; 3) *мат.* úгрек, неизвéстная величинá.

**yacht** [jɔt] 1. *n* я́хта;
2. *v* плáвать на я́хте;

**yacht-club** ['jɔtklʌb] *n* яхт-клýб.

**yachting** ['jɔtɪŋ] 1. *pres. p. от* yacht 2;
2. *n* плáвание на я́хте; я́хтенный спорт;
3. *a* я́хтенный.

**yachtsman** ['jɔtsmən] *n* 1) владéлец я́хты; 2) *спорт.* яхтсмéн.

**yaffil, yaffle** ['jæfl] *n* зелёный дя́тел.

**yah** [jɑː] *int* да ну? (*выражает насмешку, презрение*).

**yahoo** [jəˈhuː] *n* 1) иéху [*слово, созданное Свифтом, см.* «*Путешествие Гулливера*»]; 2) отвратúтельное существó, гáдина; 3) *амер.* деревéнщина, мужлáн.

**yak** [jæk] *n зоол.* як.

**Yakut** [jɑːˈkut] *n* 1) якýт; 2) якýтский язы́к.

**Yale lock** ['jeɪlˈlɔk] *n* цилиндрúческий (америкáнский) замóк.

**yam** [jæm] *n бот.* 1) диоскóрея; 2) батáт.

**Yank** [jæŋk] *разг. см.* Yankee.

**yank** [jæŋk] 1. *n* рывóк, дёрганье;
2. *v* налегáть с размáху на рычáг; дёргать.

**Yankee** ['jæŋkɪ] *n* 1) я́нки, америкáнец; 2) урожéнец *или* жúтель Нóвой Áнглии; 3) *attr.* америкáнский.

**yankeefied** ['jæŋkɪfaɪd] *a* обамерикáнившийся.

**yap** [jæp] 1. *n* 1) пронзúтельный лай; тя́вканье; 2) *разг.* болтовня́; 3) *sl.* хулигáн; 4) *sl.* неотёсанный пáрень;
2. *v* 1) пронзúтельно лáять; тя́вкать; 2) *разг.* болтáть.

**yapp** [jæp] *n* мя́гкий кóжаный переплёт.

**yard I** [jɑːd] *n* 1) ярд (= *3 футам, или 914,4 мм*); 2) *мор.* рей.

**yard II** [jɑːd] 1. *n* 1) двор; 2) леснóй склад; 3) *ж.-д.* парк; сортирóвочная стáнция; 4) загóн; 5) (the Y.) = Scotland Yard;
2. *v* загоня́ть (*скотину на двор*).

**yard-arm** ['jɑːdɑːm] *n мор.* нок-рéя.

**yard-bird** ['jɑːdbəd] *n амер. воен. sl.* новобрáнец.

**yardman** ['jɑːdmən] *n ж.-д.* слýжащий депó *или* пáрка.

**yard-master** ['jɑːd,mɑːstə] *n ж.-д.* составúтель поездóв; начáльник пáрковых путéй.

**yardstick** ['jɑːdstɪk] *n* 1) измерúтельная линéйка длинóй в 1 ярд; 2) мéрка; мерúло; критéрий, масштáб; «аршúн».

**yard-wand** ['jɑːdwɔnd] = yardstick 1).

**yarn** [jɑːn] 1. *n* 1) пря́жа; нить; 2) *разг.* рассказ, анекдóт; слух;
2. *v* рассказывать сказки, истóрии; болтáть.

**yarn-beam** ['jɑːnbiːm] *n текст.* ткáцкий навóй.

**yarn-dyed** ['jɑːn,daɪd] *a* крáшенный в пря́же; сдéланный из окрáшенной пря́жи.

**yarovization** [,jɑːrəvɪˈzeɪʃən] *рус. n* яровизáция.

**yarovize** ['jɑːrəvaɪz] *рус. v* яровизúровать.

**yarrow** ['jærou] *n бот.* тысячелúстник обыкновéнный.

**yashmak** ['jæʃmæk] *араб. n* чадрá, паранджá.

**yataghan** ['jætəgən] *тур. n* ятагáн.

**yaw** [jɔː] *n мор., ав.* отклонéние от направлéния движéния, ры́скание.

**yawl I** [jɔːl] *n мор.* ял; иóл.

**yawl II** [jɔːl] *v редк.* кричáть.

**yawn** [jɔːn] 1. *n* 1) зевóта; 2) *тех.* зазóр;
2. *v* 1) зевáть; he ~ed good night зевáя, он пожелáл дóброй нóчи; 2) зия́ть; ◇ to make a person ~ нагнáть сон *или* скýку на когó-л.

**Y-axis** ['waɪ,æksɪs] *n мат.* ось ординáт.

**yclept** [ɪˈklept] *a уст., шутл.* называ́емый, именýемый.

**ye** [jiː, jɪ] *pron. pers. уст., поэт.* = you; ◇ how d'ye do? здравствуйте; как поживаете?

**yea** [jeɪ] *adv уст.* 1) = yes; 2) больше того, даже; I will give you a pound, ~ two pounds я дам вам фунт, даже больше, два фунта стерлингов; 3) действительно?(!), правда?(!).

**yean** [jiːn] *v* ягниться.

**yeanling** ['jiːnlɪŋ] 1. *n* козлёнок; ягнёнок; 2 *a* новорождённый (*особ. о ягнятах и козлятах*).

**year** [jəː] *n* 1) год; ~ by ~ каждый год; ~ in, ~ out из года в год; from ~ to ~, ~ by ~, ~ after ~ с каждым годом; каждый год; год от году; ~s (and ~s) ago очень давно, целую вечность; the ~ of grace год нашей эры; 2) *pl* возраст, годы; he looks young for his ~s он молодо выглядит для своих лет; in ~s пожилой; ◇ in the ~ one очень давно.

**year-book** ['jəːbuk] *n* ежегодник.

**yearling** ['jəːlɪŋ] 1. *n* 1) годовик, годовалое животное; однолетнее дерево; 2) *амер. воен. sl.* призывник; 3) *амер. воен. sl.* второкурсник военного училища; 2. *a* годовалый.

**yearlong** ['jəːlɔŋ] *a* длящийся целый год.

**yearly** ['jəːlɪ] 1. *a* ежегодный; 2. *adv* каждый год; раз в год.

**yearn** [jəːn] *v* 1) томиться, тосковать (for, after—по ком-л., чём-л.); 2) жаждать, стремиться (to, towards—к чему-л.).

**yearning** ['jəːnɪŋ] 1. *pres. p. от* yearn; 2. *n* сильное желание; острая тоска.

**yeast** [jiːst] *n* дрожжи, закваска.

**yeasty** ['jiːstɪ] *a* 1) пенистый; 2) бродящий; 3) пустой (*о словах и т. п.*).

**yelk** [jelk] = yolk.

**yell** [jel] 1. *n* 1) пронзительный крик; 2) *амер.* возгласы одобрения, принятые в каждом колледже (*выкрикиваемые на студенческих спортивных состязаниях*); 2. *v* 1) кричать, вопить; 2) выкрикивать; to ~ out curses выкрикивать проклятия.

**yellow** ['jelou] 1. *a* 1) жёлтый; 2) завистливый, ревнивый, подозрительный (*о взгляде и т. п.*); 3) *разг.* трусливый; ◇ ~ boy *уст.* золотой, золотая монета; the ~ press жёлтая пресса; 2. *n* 1) желтизна, жёлтый цвет; 2) *разг.* трусость; 3. *v* 1) желтеть; 2) желтить.

**yellow amber** ['jelou'æmbə] *n* янтарь.

**yellowback** ['jeloubæk] *n* 1) дешёвый бульварный роман; 2) французский роман (*в жёлтой обложке*).

**yellow-band street** ['jeloubænd'striːt] *n* улица, на которой запрещена стоянка автомашин.

**yellow-bark(ed) oak** ['jelou‚baːk(t)'ouk] *n бот.* дуб бархатистый *или* красильный.

**yellow dog** ['jelou'dɔg] *n амер.* подлый человек, трус; презренная личность.

**yellow-dog contract** ['jeloudɔg'kɔntrækt] *n амер.* обязательство о невступлении в профсоюз, часто навязываемое рабочему при поступлении на работу.

**yellow-dog fund** ['jeloudɔg'fʌnd] *n амер.* суммы, используемые для подкупа.

**yellow fever** ['jelou'fiːvə] *n* жёлтая лихорадка, тропическая лихорадка (*с желтухой*).

**yellow-hammer** ['jelou‚hæmə] *n* овсянка обыкновенная (*птица*).

**yellowish** ['jelouɪʃ] *a* желтоватый.

**yellow Jack** ['jelou'dʒæk] *sl. см.* yellow fever.

**yellow jaundice** ['jelou'dʒɔːndɪs] *n* желтуха.

**yellowness** ['jelounɪs] *n* желтизна.

**yellow soil** ['jelou'sɔɪl] *n* желтозём.

**yellow spot** ['jelou'spɔt] *n анат.* жёлтое пятно.

**yellowy** ['jelouɪ] = yellowish.

**yelp** [jelp] 1. *n* визг; лай; 2. *v* визжать; лаять, тявкать.

**Yemenite** ['jemənaɪt] 1. *a* йеменский; 2. *n* житель Йемена.

**yen** [jen] *n* иена (*денежная единица Японии*).

**yeoman** ['joumən] *n* 1) *ист.* иомен; 2) фермер средней руки, мелкий землевладелец; 3) *амер. мор.* писарь; 4): ~ of signals *мор.* старшина-сигнальщик; ~ of the guard английский дворцовый страж; ◇ ~'s service помощь в нужде.

**yeomanry** ['joumənrɪ] *n* 1) *ист.* сословие иоменов; 2) *ист.* территориальная конница; 3) территориальный танковый, бронеавтомобильный *или* артиллерийский полк.

**yep** [jep] *int амер. разг.* да.

**yes** [jes] 1. *adv* да; 2. *n* утверждение; согласие.

**yes-man** ['jesmæn] *n* подхалим, подпевала.

**yesterday** ['jestədɪ] 1. *adv* вчера; ~ morning вчера утром; the day before ~ позавчера, третьего дня; is but of ~ недавно появился; 2. *n* вчерашний день.

**yester-evening** ['jestər‚iːvnɪŋ] *поэт.* 1. *n* вчерашний вечер; 2. *adv* вчера вечером.

**yesternight** ['jestənaɪt] = yester-evening.

**yester-year** ['jestə‚jəː] *поэт.* 1. *n* прошлый год; 2. *adv* в прошлом году.

**yestreen** [jes'triːn] *шотл.* = yester-evening.

**yet** [jet] 1. *adv* 1) ещё; всё ещё; he has not come — он ещё не пришёл; not ~ ещё не(т); never ~ никогда ещё не; ~ more ещё больше; 2) ещё, кроме того; he has ~ much to say ему ещё многое надо сказать; 3) уже; need you go ~? вам уже надо идти?; 4) даже, даже более; this question is more important ~ этот вопрос даже важнее; he will not accept help nor ~ advice он не примет ни помощи, ни даже совета; 5) до сих пор, когда-либо; as ~ пока, до сих пор; it is the largest specimen ~ found это самый крупный экземпляр из найденных до сих пор; 6) тем не менее, всё же, всё-таки; it is strange and ~ true это странно, но (тем не менее) верно; 2. *cj* однако, всё же, несмотря на это.

**yew** [juː] *n бот.* тис.

**yew-tree** ['juːtriː] = yew.

**Yiddish** ['jɪdɪʃ] *n* новоеврейский язык, йдиш.

**yield** [jiːld] **1.** *n* 1) сбор плодов, урожай; 2) размеры выработки; количество добываемого *или* производимого продукта; выход; 3) *тех.* полезная работа; 4) текучесть металла;
**2.** *v* 1) производить, приносить, давать (*плоды, урожай, доход*); this land ~s poorly эта земля даёт плохой урожай; to ~ no results не давать никаких результатов; 2) уступать; соглашаться (*на что-л.*); to ~ a point сделать уступку (*в споре*); to ~ to the advice последовать совету; to ~ to none не уступать никому (*по красоте, доброте и т. п.*); 3) сдавать(ся); to ~ oneself prisoner сдаться в плен; 4) поддаваться; подаваться; пружинить; the door ~ed to a strong push от сильного толчка дверь подалась; □ ~ up отказываться от.

**yielding** ['jiːldɪŋ] **1.** *pres. p. om* yield 2; **2.** *a* 1) уступчивый, покладистый; 2) мягкий, податливый (*о материале*).

**Y-line** ['waɪlaɪn] *n мат.* ось игреков, ось ординат.

**yodel** ['joudl] **1.** *n* иодель (*манера пения тирольцев*);
**2.** *v* петь фальцётом.

**yog(h)urt** ['jougət] *тур. n* югурт, ягурт (*кислое молоко*).

**yo-heave-ho** ['jouhiːv'hou] = yoho.

**yoho** [jou'hou] *int* ≅ взяли!, дружно! (*возглас матросов при работе*).

**yoke** [jouk] **1.** *n* 1) ярмо; 2) пара запряжённых волов; 3) иго, рабство; to endure the ~ выносить иго; to shake off the ~ сбросить иго; to pass (*или* to come) under the ~ примириться с поражением; 4) *редк.* узы; 5) коромысло; 6) кокётка (*на платье*); 7) парная упряжка; 8) *тех.* скоба; бугель; хомут, обойма; 9) *ав.* штурвальная колонка.
**2.** *v* 1) впрягать в ярмо; 2) *перен.* соединять, сочетать; 3) подходить друг к другу.

**yokefellow** ['jouk,felou] *n* товарищ (*по работе*); супруг(а).

**yokel** ['joukəl] *n* деревенщина.

**yokemate** ['joukmeit] = yokefellow.

**yolk** [jouk] *n* желток.

**yolk-bag** ['joukbæg] *n биол.* желточный мешок (*зародыша*).

**yolk-sac** ['jouksæk] = yolk-bag.

**yon** [jɔn] *уст. диал.* = yonder.

**yonder** ['jɔndə] **1.** *a* вон тот;
**2.** *adv* вон там.

**yore** [jɔː] *n уст.*: of ~ давным-давно; in days of ~ во время оно.

**Yorkist** ['jɔːkɪst] *n ист.* сторонник Йоркской династии.

**Yorkshire** ['jɔːkʃɪə] *n* пирог из взбитого теста, запечённого под куском мяса (*тж.* ~ pudding) [*см. тж. Список географических названий*].

**you** [juː] *pron. pers.* (*косв. n. без измен.*) 1) ты, вы; 2) (*в безличных оборотах*): ~ never can tell *разг.* никогда нельзя сказать, как знать; 3) *уст. см.* yourself; 4) *употр. для усиления восклицания*: you fool! дурак!

**you'd** [juːd] *сокр. разг.* = you had; you would.

**you-know-what** [juː'nou'wɔt] *n эвф. формула, служащая для выражения того, что говорящий считает излишним называть, или чего-л. крайне неприличного.*

**you'll** [juːl] *сокр. разг.* = you will; you shall.

**young** [jʌŋ] **1.** *a* 1) молодой, юный; юношеский; he is ~ for his age он молодо выглядит для своего возраста; ~ man молодой человек (*тж. шутл.*); my ~ man (woman) *разг.* мой возлюбленный (моя возлюбленная); ~ ones дети; звернеыши; 2) новый, недавний; the night is ~ ещё не поздно; 3) неопытный; 4) молодой, младший (*для обозначения двух людей в одной семье, носящих одно и то же имя*); ~ blood а) цветущая юность; б) дёнди, светский молодой человек; Y. Turk *ист.* младотурок;
**2.** *n* (*тж.* the ~) *pl собир.* 1) молодёжь; ~ and old стар и млад; 2) детёныши; ◊ to be with ~ быть супоросой, стельной *и пр.*

**youngish** ['jʌŋɪʃ] *a* молодавый.

**youngling** ['jʌŋlɪŋ] **1.** *n поэт.* 1) ребёнок; детёныш; 2) неопытный человек;
**2.** *a* молодой.

**youngster** ['jʌŋstə] *n* 1) мальчик, юноша; юнец; 2) *амер.* второкурсник военно-морской академии.

**younker** ['jʌŋkə] *n* 1) *уст.* юноша; 2) юнкер (*в Германии*); 3) *разг.* мальчик, ребёнок.

**your** [jɔː] *pron. poss.* (*употр. атрибутивно; ср.* yours) ваш; твой.

**you're** [juə] *сокр. разг.* = you are.

**yours** [jɔːz] *pron. poss.* (*абсолютная форма; не употр. атрибутивно; ср.* your) ваш; твой; this book is ~ эта книга ваша; I saw a friend of ~ я видел вашего друга; you and ~ вы и ваши (родные); ~ truly ваш покорный слуга (*в письме*); ~ of the 7th ваше письмо от 7-го числа.

**yourself** [jɔː'self] *pron* (*pl* yourselves) 1) *refl.* себя, -ся, -сь; себе; have you hurt ~? вы ушиблись?; how's ~? *sl.* как вы поживаете?; 2) *emph.* сам, сами; you told me so ~ вы сами мне это сказали; have you been all by ~ the whole day? вы были одни целый день?; ◊ you are not quite ~ вы не в своей тарелке.

**yourselves** [jɔː'selvz] *pl om* yourself.

**youth** [juːθ] *n* 1) юность; молодость; the fountain of ~ источник молодости; 2) юноша; 3) молодёжь.

**youthful** ['juːθful] *a* 1) юный, молодой; 2) юношеский; 3) новый; ранний; 4) энергичный, живой.

**youth hostel** ['juːθ'hɔstəl] *n* молодёжный туристический лагерь.

**you've** [juːv] *сокр. разг.* = you have.

**yowl** [jaul] **1.** *n* вой;
**2.** *v* выть.

**yperite** ['ɪpəraɪt] *n* иприт.

**Y-shaped** ['waɪ,ʃeɪpt] *a* Y-образный, вилкообразный.

**ytterbium** [ɪ'təːbjəm] *n хим.* иттербий.

**yttrium** ['ɪtrɪəm] *n хим.* иттрий.

yuan [ju:'ɑ:n] *n* юа́нь (*денежная единица Китая*).

yucca ['jʌkə] *n бот.* ю́кка.

yuft [ju:ft] *n* юфть.

Yugoslav(ian) ['ju:gou'slɑ:v(jən)] **1.** *a* югосла́вский;

2. *n* югосла́в(ка).

yule [ju:l] **1.** *n* свя́тки;

2. *v* пра́здновать свя́тки.

yule-log ['ju:l,lɔg] *n* большо́е поле́но, сжига́емое в соче́льник.

yule-tide ['ju:ltaid] = yule l.

# Z

Z, z [zed, *амер.* zi:] *n* (*pl* Zs, Z's [zedz, *амер.* zi:z]) 1) *последняя, 26-я буква англ. алфавита*; 2) что-л., напомина́ющее по фо́рме бу́кву Z; 3) *мат.* зет, неизве́стная величина́.

zany ['zeini] *um. n* 1) *уст.* шут; 2) сумасбро́д, дура́к; фигля́р.

zar(e)eba [zə'ri:bə] *араб. n* колю́чая и́згородь; палиса́д.

Z-bar ['zedbɑ:] *n метал.* зе́товое желе́зо.

Z-Day ['zed,dei] *n* реши́тельный день.

zeal [zi:l] *n* рве́ние, усе́рдие.

zealot ['zelət] *n* фанати́ческий приве́рженец; фана́тик.

zealotry ['zelətri] *n* фанати́зм.

zealous ['zeləs] *a* рья́ный, усе́рдный.

zebra ['zi:brə] *n зоол.* зе́бра.

zebu ['zi:bu:] *n зоол.* зе́бу.

zed [zed] *n название буквы* Z.

zeitgeist ['tsait,gaist] *нем. n* дух вре́мени.

Zelanian [zi'leiniən] *a* новозела́ндский.

zemindar ['zemindɑ:] *n англо-инд.* земе́льный со́бственник.

zenana [ze'nɑ:nə] *n англо-инд.* же́нская полови́на (*в доме*).

Zend [zend] *n* язы́к Аве́сты.

Zend-Avesta [,zendə'vestə] *n* Зендаве́ста.

zenith ['zeniθ] *n* зени́т; at the ~ of one's fame в зени́те сла́вы.

zenithal ['zeniθəl] *a* зени́тный.

zenith-distance ['zeniθ,distəns] *n* зени́тное расстоя́ние.

zeolite ['zi:əlait] *n геол.* цеоли́т.

zephyr ['zefə] *n* 1) за́падный ве́тер; 2) зефи́р, ласка́ющий ветеро́к; 3) род ма́йки; 4) зефи́р (*ткань*); 5) накидка, лёгкая шаль.

Zepp [zep] *сокр. разг. от* Zeppelin.

Zeppelin ['zepəlin] *n* цеппели́н.

zero ['ziərou] *n* (*pl* -os [-ouz]) 1) нуль; ничто́; to reduce to ~ свести́ на нет; 2) нулева́я то́чка; пе́рвая основна́я то́чка температу́рной шкалы́; ~ setting устано́вка прибо́ра на нуль; below ~ ни́же нуля́; ◊ ~ hour а) *воен.* час нача́ла ата́ки, вы́лета, выступле́ния *и т. п.*; б) реши́тельный час.

zero-gravity ['ziərou,græviti] *n* невесо́мость.

zest [zest] **1.** *n* 1) то, что придаёт вкус; пика́нтность; «изю́минка»; to give ~ to smth. придава́ть вкус (*или* пика́нтность, интере́с) чему́-л.; 2) *разг.* интере́с; жар; he entered into the game with ~ он с жа́ром принялся́ игра́ть; 3) *разг.* эне́ргия, жи́вость; 4) скло́нность; 5) *уст.* лимо́нная це́дра;

2. *v* 1) придава́ть эне́ргию; 2) *разг.* придава́ть пика́нтность; придава́ть интере́с.

zeugma ['zju:gmə] *n лингв.* зе́вгма.

Zeus [zju:s] *n миф.* Зевс.

zibet ['zibet] *n* 1) цибе́т; 2) *зоол.* цибе́товая виве́рра.

zigzag ['zigzæg] **1.** *n* зигза́г;

2. *a* зигзагообра́зный;

3. *adv* зигзагообра́зно;

4. *v* де́лать зигза́ги.

zinc [ziŋk] **1.** *n* 1) цинк; 2) *attr.* ци́нковый;

2. *v* оцинко́вывать.

zinciferous [ziŋ'kifərəs] *a* содержа́щий цинк.

zincography [ziŋ'kɔgrəfi] *n* цинкогра́фия.

zing [ziŋ] *sl.* **1.** *n* высо́кий ре́зкий звук;

2. *v* производи́ть высо́кий ре́зкий звук.

zinnia ['zinjə] *n бот.* ци́нния.

Zionism ['zaiənizəm] *n* сиони́зм.

zip [zip] **1.** *n* 1) свист пу́ли; 2) треск разрыва́емой тка́ни; 3) *разг.* эне́ргия, темпера́мент; 4) = zipper 1);

2. *v* 1) застёгивать(ся) на мо́лнию; 2) быть энерги́чным, по́лным эне́ргии; 3) промелькну́ть.

zip-fastener ['zip,fɑ:snə] = zipper 1).

zipper ['zipə] *n* 1) застёжка-мо́лния; 2) боти́нок *или* бот, застёгивающийся на мо́лнию.

zippered ['zipəd] *a* застёгивающийся на мо́лнию.

zippy ['zipi] *a* живо́й, я́ркий, энерги́чный.

zircon ['zə:kɔn] *n мин.* цирко́н.

zirconium [zə:'kounjəm] *n хим.* цирко́ний.

zither ['ziθə] **1.** *n* ци́тра;

2. *v* игра́ть на ци́тре.

zloty ['zlɔti] *n* (*pl* -s [-z]) зло́тый (*денежная единица Польши*).

zodiac ['zoudiæk] *n астр.* зодиа́к.

zodiacal [zou'daiəkəl] *a астр.* зодиака́льный; ~ light зодиака́льный свет.

zoic ['zouik] *a геол.* содержа́щий окамене́лости.

zombi(e) ['zɔmbi] *n* 1) *sl.* ску́чный *или* глу́пый, непривлека́тельный челове́к; 2) *амер. sl.* солда́т предпосле́дней катего́рии; 3) напи́ток из ро́ма, фрукто́вого со́ка с со́довой водо́й.

zone [zoun] **1.** *n* 1) зо́на, по́яс; полоса́; райо́н; temperate ~s уме́ренные пояса́; postal delivery ~ райо́н, обслу́живаемый одни́м отделе́нием свя́зи; 2) *уст., поэт.* по́яс; 3) *attr.* зона́льный; поясно́й; региона́льный; ~ time поясно́е вре́мя;

**2.** *v* 1) опоя́сывать; 2) разделя́ть на зо́ны; 3) устана́вливать зона́льный тари́ф *или* зона́льные це́ны.

**Zoo** [zuː] *n разг.* зоопа́рк, зооса́д; звери́нец.

**zoographer** [zou'ɔgrəfə] *n* зо́ограф.

**zoological** [ˌzouə'lɔdʒikəl] *a* зоологи́ческий; ~ garden(s) зоопа́рк, зооса́д.

**zoologist** [zou'ɔlədʒist] *n* зоо́лог.

**zoology** [zou'ɔlədʒi] *n* зооло́гия.

**zoom** [zuːm] *ав. sl.* **1.** *n* ре́зкий и кратковре́менный подъём на самолёте, «го́рка», «све́чка»;

**2.** *v* ре́зко измени́ть у́гол накло́на траекто́рии вверх, взмыть, ре́зко подня́ться; сде́лать «го́рку» *или* «све́чку».

**zoophyte** ['zouəfait] *n биол.* зоофи́т.

**zoot suit** ['zuːt'sjuːt] *n* костю́м с дли́нным пиджако́м и у́зкими брю́ками.

**zoster** ['zɔstə] *n* опоя́сывающий лиша́й.

**zouave** [zuː'ɑːv] *n воен.* зуа́в.

**zounds** [zaundz] *int уст.* чёрт возьми́!

**Zulu** ['zuːluː] **1.** *a* зулу́сский;

**2.** *n* 1) зулу́с(ка); 2) зулу́сский язы́к.

**zygoma** [zai'goumə] *n (pl* -ata) скулова́я кость.

**zygomata** [zai'goumətə] *pl от* zygoma.

**zymosis** [zai'mousis] *n* 1) броже́ние; 2) зара́зная боле́знь.

**zymotic** [zai'mɔtik] *a* 1) броди́льный; 2) зара́зный; ~ diseases инфекцио́нные боле́зни.

## СПИСОК ИМЕН

**Abel** ['eibəl] Э́йбел.

**Abraham** ['eibrəhæm] А́брахам; Авраа́м.

**Ada** ['eidə] А́да.

**Adalbert** ['ædəlbəːt] Адальбе́рт.

**Adam** ['ædəm] Ада́м.

**Adrian** ['eidriən] Адриа́н.

**Agatha** ['ægəθə] Ага́та.

**Agnes** ['ægnis] Агне́сса.

**Alan** ['ælən] = Allan.

**Albert** ['ælbət] Альбе́рт.

**Alec(k)** ['ælik] *уменьш. от* Alexander; А́лек.

**Alexander** [ˌælig'zɑːndə] Алекса́ндр.

**Alfred** ['ælfrid] Альфре́д.

**Algernon** ['ældʒənən] Э́лджернон.

**Alice** ['ælis] Э́лис; Али́са.

**Allan** ['ælən] Алла́н.

**Aloys** ['ælouis, æ'lɔis] Ало́из.

**Amabel** ['æməbel] Амабе́ль.

**Ambrose** ['æmbrouz] Э́мброуз.

**Amelia** [ə'miːljə] Аме́лия; Эми́лия.

**Amy** ['eimi] *уменьш. от* Amelia; Э́ми.

**Andrew** ['ændruː] Э́ндрю; Андре́й.

**Andromache** [æn'drɔməki] Андрома́ха.

**Andy** ['ændi] *уменьш. от* Andrew; Э́нди.

**Angelica** [æn'dʒelikɑː] Анжели́ка.

**Angelina** [ˌændʒi'liːnə] Ангели́на.

**Ann, Anna** [æn, 'ænə] Эн, Э́нна; А́нна.

**Annabel** ['ænəbel] Э́ннабел.

**Annie** ['æni] *уменьш. от* Ann, Anna; Э́нни.

**Anthony** ['æntəni] Э́нтони; Анто́ний.

**Antoinette** [ˌæntwɑː'net] Антуане́тта.

**Antony** ['æntəni] = Anthony.

**Arabella** [ˌærə'belə] Арабе́лла.

**Archibald** ['ɑːtʃibəld] А́рчиба́льд.

**Archie** ['ɑːtʃi] *уменьш. от* Archibald; А́рч и.

**Arnold** ['ɑːnld] Арно́льд.

**Arthur** ['ɑːθə] Арту́р.

**Aubrey** ['ɔːbri] О́бри.

**August** ['ɔːgʌst] А́вгуст.

**Augustus** [ɔː'gʌstəs] Оге́стес; А́вгуст.

**Aurora** [ɔː'rɔːrə] Авро́ра.

**Austin** ['ɔstin] О́стин.

**Bab** [bæb] *уменьш. от* Barbara; Бэб.

**Baldwin** ['bɔːldwin] Бо́лдуин.

**Barbara** ['bɑːbərə] Ба́рбара; Варва́ра.

**Bart** [bɑːt] *уменьш. от* Bartholomew; Барт.

**Bartholomew** [bɑː'θɔləmjuː] Варфоломе́й.

**Basil** ['bæzl] Бэ́зил; Васи́лий.

**Beatrice, Beatrix** ['biətris, -iks] Беатри́са.

**Beck, Becky** [bek, 'beki] *уменьш. от* Rebecca; Бек, Бе́кки.

**Bel, Bella** [bel, 'belə] *уменьш. от* Isabel, Isabella, Annabel *и* Arabella; Бэл, Бэ́лла.

**Ben** [ben] *уменьш. от* Benjamin; Бен.

**Benedict** ['benidikt] Бенеди́кт.

**Benjamin** ['bendʒəmin] Бенджаме́н; Вениами́н.

**Benny** ['beni] *уменьш. от* Benjamin; Бе́нни.

**Bernard** ['bənəd] Берна́рд.

**Bert, Bertie** [bət, 'bəti] *уменьш. от* Albert, Bertram, Herbert *и* Robert; Берт, Бе́рти.

**Bertram** ['bəːtrəm] Бе́ртра́м.

**Bess, Bessie, Bessy** [bes, 'besi] *уменьш. от* Elisabeth; Бесс, Бе́сси.

**Betsey, Betsy** ['betsi] *уменьш. от* Elisabeth; Бе́тси.

**Betty** ['beti] *уменьш. от* Elisabeth; Бе́тти.

Bex [beks] *уменьш. от* Rebecca; Бекс.

Biddy ['bɪdɪ] *уменьш. от* Bridget; Бидди.

Bill, Billy [bɪl,'bɪlɪ] *уменьш. от* William; Бил, Билли.

Blanch(e) [blɑːnʃ] Бланш.

Bob, Bobbie, Bobby [bɔb, 'bɔbɪ] *уменьш. от* Robert; Боб, Бобби.

Brian ['braɪən] Брайен, Бриан.

Bridget ['brɪdʒɪt] Бриджет, Бригитта.

Candida ['kændɪdə] Кандида.

Carol ['kærəl] Кэрол.

Caroline ['kærəlaɪn] Каролина.

Carrie ['kærɪ] *уменьш. от* Caroline *и* Charlotte; Кэрри.

Caspar ['kæspə] Каспар.

Catherine ['kæθərɪn] Кэтрин; Екатерина.

Cathie ['kæðɪ] *уменьш. от* Catherine; Кэти.

Cecil ['sesl] Сесл.

Cecilia, Cecily [sɪ'sɪljə, 'sɪsɪlɪ, 'sesɪlɪ] Сесилия, Цецилия.

Charles [tʃɑːlz] Чарл(ь)з; Карл.

Charley, Charlie ['tʃɑːlɪ] *уменьш. от* Charles; Чарли.

Charlotte ['ʃɑːlət] Шарлотта.

Chris [krɪs] *уменьш. от* Christian, Christi(a)na, Christine *и* Christopher; Крис.

Christian ['krɪstjən] Кристиан; Христиан.

Christiana [,krɪstɪ'ɑːnə] Кристиана.

Christie ['krɪstɪ] *уменьш. от* Christian; Кристи.

Christina, Christine [krɪs'tiːnə, 'krɪstiːn, krɪs'tiːn] Кристина.

Christopher ['krɪstəfə] Кристофер; Христофор.

Christy ['krɪstɪ] = Christie.

Clara ['klɛərə] Клара.

Clare [klɛə] Клэр.

Clarence ['klærəns] Клэренс, Кларенс.

Claud(e) [klɔːd] Клод.

Claudius ['klɔːdjəs] Клавдий.

Clem [klem] *уменьш. от* Clement; Клем.

Clement ['klemənt] Клемент.

Clementina, Clementine [,klemən'tiːnə, 'kleməntiːn, -taɪn] Клементина.

Clifford ['klɪfəd] Клиффорд.

Clot(h)ilda [klou'tɪldə] Клотильда.

Colette [kɔ'let] *уменьш. от* Nicola; Колетт(а).

Connie ['kɔnɪ] *уменьш. от* Constance; Конни.

Connor ['kɔnə] Коннор.

Constance ['kɔnstəns] Констанс; Констанция.

Cora ['kɔːrə] Кора.

Cordelia [kɔː'diːljə] Корделия.

Cornelia [kɔː'niːljə] Корнелия.

Cornelius [kɔː'niːljəs] Корнелий.

Cyril ['sɪrɪl] Сирил; Кирилл.

Cyrus ['saɪərəs] Сайрес; *ист.* Кир.

Dan [dæn] *уменьш. от* Daniel; Дэн.

Daniel ['dænjəl] Дэниел; *библ.* Даниил.

Dannie ['dænɪ] *уменьш. от* Daniel; Дэнни.

Dave [deɪv] *уменьш. от* David; Дейв.

David ['deɪvɪd] Дэвид; *библ.* Давид.

Davy ['deɪvɪ] *уменьш. от* David; Дэви.

Deborah ['debərə] Дебора.

Den(n)is ['denɪs] Дэнис.

Desmond ['dezmənd] Дэсмонд.

Diana [daɪ'ænə] Диана.

Dick [dɪk] *уменьш. от* Richard; Дик.

Dickie ['dɪkɪ] *уменьш. от* Richard; Дикки.

Dickon ['dɪkən] *уменьш. от* Richard; Дикон.

Dicky ['dɪkɪ] = Dickie.

Dinah ['daɪnə] Дина.

Dob, Dobbin [dɔb, 'dɔbɪn] *уменьш. от* Robert; Доб, Добин.

Doll, Dolly [dɔl, 'dɔlɪ] *уменьш. от* Dorothy; Долл, Долли.

Dolores [də'lourez] Долорес.

Donald ['dɔnld] Дональд.

Dora ['dɔːrə] *уменьш. от* Theodora *и* Dorothy; Дора.

Dorian ['dɔːrɪən] Дориан.

Doris ['dɔrɪs] Дорис.

Dorothy ['dɔrəθɪ] Дороти; Доротея.

Douglas ['dʌgləs] Дуглас.

Ed [ed] *уменьш. от* Edgar, Edmund, Edwad *и* Edwin; Эд.

Eddie, Eddy ['edɪ] *уменьш. от* Edward *и* Edwin; Эдди.

Edgar ['edgə] Эдгар.

Edith ['iːdɪθ] Эдит.

Edmund ['edmənd] Эдмунд.

Edna ['ednə] Эдна.

Edward ['edwəd] Эдвард; Эдуард.

Edwin ['edwɪn] Эдвин.

Eleanor ['elɪnə] Элинор; Элеонора.

Elijah [ɪ'laɪdʒə] Илайджа; *библ.* Илия.

Elinor ['elɪnə] = Eleanor.

Elisabeth, Elizabeth [ɪ'lɪzəbəθ] Элизабет; Елизавета.

Ella ['elə] *уменьш. от* Eleanor; Элла.

Ellen ['elɪn] *уменьш. от* Eleanor; Элин.

Elliot ['eljət] Эллиот.

Elmer ['elmə] Элмер.

Elsie ['elsɪ] *уменьш. от* Elisabeth *и* Alice; Элси.

Elvira [el'vaɪərə] Эльвира.

Em [em] *уменьш. от* Emily; Эм.

Emery ['emərɪ] Эмери.

Emilia [ɪ'mɪlɪə] Эмилия.

Emily ['emɪlɪ] Эмили; Эмилия.

Emm [em] *уменьш. от* Emma; Эмм.

Emma ['emə] Эмма.

Emmanuel [ɪ'mænjuəl] Эмануэль; Иммануил.

Emmie ['emɪ] *уменьш. от* Emma; Эмми.

Emory ['emərɪ] = Emery.

Enoch ['iːnɔk] Инок; *библ.* Енох.

Erasmus [ɪ'ræzməs] Эразм.

Ernest ['əːnɪst] Эрн(е)ст.

Ernie ['əːnɪ] *уменьш. от* Ernest; Эрни.

Essie ['esɪ] *уменьш. от* Esther; Эсси.

Esther ['estə] Эстер; *библ.* Эсфирь.

Ethel ['eθəl] Этель.

Etta ['etə] *уменьш. от* Henrietta; Этта.

Eugene ['juːdʒiːn, juː'dʒiːn] Юджин; Евгений.

Eustace ['juːstəs] Юстас.

Eva, Eve ['iːvə, iːv] Éва.
Evelina, Eveline, Evelyn [,evɪ'liːnɑ:, 'evilɪn, 'iːvlɪn] Эвелина, Эвелин.

Fanny ['fænɪ] *уменьш. от* Frances; Фанни.
Felicia, Felice [fɪ'lɪsɪə, fɪ'liːs] Фелиция.
Felix ['fiːlɪks] Фéликс.
Ferdinand ['fɑːdɪnənd] Фердинанд.
Fidelia [fɪ'diːljə] Фидéлия.
Flo [flou] *уменьш. от* Florence *и* Flora; Фло.
Flora ['flɔːrə] Флóра.
Florence ['flɔrəns] Флóренс.
Flossie ['flɔsɪ] *уменьш. от* Florence; Флóсси.
Floy [flɔɪ] *уменьш. от* Florence; Флой.
Frances ['frɑːnsɪs] Франчéска, Франциска.
Francis ['frɑːnsɪs] Фрáнсис; Францúск; Франц.
Frank [fræŋk] *уменьш. от* Francis; Фрэнк.
Fred, Freddie, Freddy [fred, 'fredɪ] *уменьш. от* Frederic(k); Фрэд, Фрэдди.
Frederic(k) ['fredrɪk] Фредерик; Фрúдрих.
Fr(i)eda ['friːdə] *уменьш. от* Winifred; Фрúда.

Gabriel ['ɡeɪbrɪəl] Габриéль; *библ.* Гаврийл.
Geffrey, Geoffrey ['dʒefrɪ] Джéффри, Джóффри; Гóтфрид.
George [dʒɔːdʒ] Джордж; Гéорг.
Gerald ['dʒerəld] Джéрáльд.
Gertie ['ɡɑːtɪ] *уменьш. от* Gertrude.
Gertrude ['ɡɑːtruːd] Гертрýда.
Gideon ['ɡɪdɪən] Гидеóн.
Gil [ɡɪl] *уменьш. от* Gilbert; Гил.
Gilbert ['ɡɪlbət] Гúльберт.
Gladys ['ɡlædɪs] Глэдис.
Gloria ['ɡlɔːrɪə] Глóрия.
Godfrey ['ɡɔdfrɪ] Гóдфри.
Godwin ['ɡɔdwɪn] Гóдвин.
Gordon ['ɡɔːdn] Гóрдóн.
Grace [ɡreɪs] Грейс.
Graham ['ɡreɪəm] Грéйем, Грэхем.
Gregory ['ɡreɡərɪ] Грéгори.
Greta ['ɡriːtə, 'ɡretə] *уменьш. от* Margaret; Грéта.
Griffith ['ɡrɪfɪθ] Грúффит.
Guy [ɡaɪ] Гай.
Gwendolen ['ɡwendəlɪn] Гвéндолин.

Hadrian ['heɪdrɪən] = Adrian.
Hal [hæl] *уменьш. от* Henry; Хэл.
Hannah ['hænə] = Anna.
Harold ['hærəld] Гáрольд.
Harriet, Harriot ['hærɪət] Генриéтта.
Harry ['hærɪ] Гáрри.
Hatty ['hætɪ] *уменьш. от* Harriet, Harriot; Хéтти.
Helen, Helena ['helɪn, 'helɪnə, he'liːnə] Элéн; Елéна.
Henrietta [,henrɪ'etə] Генриéтта.
Henry ['henrɪ] Гéнри; Гéнрих.
Herbert ['hɑːbət] Гéрберт.
Herman(n) ['hɑːmən] Гéрман.
Hester ['hestə]=Esther.

Hetty ['hetɪ] *уменьш. от* Henrietta *и* Hester; Хéтти.
Hilary ['hɪlərɪ] Хúлари.
Hilda ['hɪldə] Хúльда.
Hope [houp] Хóуп.
Horace, Horatio ['hɔrəs, hɔ'reɪʃɪou] Горáс, Горáцио; Горáций.
Howard ['hauəd] Гóвард.
Hubert ['hjuːbət] Хьюберт.
Hugh, Hugo [hjuː, 'hjuːɡou] Хью, Хьюго.
Humphr(e)y ['hʌmfrɪ] Хáмфри, Гéмфри.

Ida ['aɪdə] Йда.
Ik, Ike [ɪk, aɪk] *уменьш. от* Isaac; Ик, Айк.
Ira ['aɪərə] Áйра.
Irene [aɪ'riːnɪ, 'aɪrɪn] Áйрин, Ирéн; Ирúна.
Isaac ['aɪzək] Áйзек; Исаáк.
Isabel, Isabella ['ɪzəbel, ,ɪzə'belə] Изабéлла.
Isaiah [aɪ'zaɪə] Исáй(я).
Isidore ['ɪzɪdɔː] Исидóра.
Isold(e) [ɪ'zɔld(ə)] Изóльда.
Israel ['ɪzreɪəl] Изрáиль.

Jack [dʒæk] *уменьш. от* John; Джек.
Jacob ['dʒeɪkəb] Джéкоб; *библ.* Иáков.
Jake [dʒeɪk] *уменьш. от* Jacob; Джейк.
James [dʒeɪmz] Джемс; Яков; *библ.* Иáков.
Jane [dʒeɪn] Джейн.
Janet ['dʒænɪt] Джéнет, Жанéт.
Jasper ['dʒæspə] Джáспер.
Jean [dʒiːn] Джин.
Jeff [dʒef] *уменьш. от* Jeffrey; Джефф.
Jeffrey ['dʒefrɪ] Джéффри.
Jem [dʒem] *уменьш. от* James; Джем.
Jemima [dʒɪ'maɪmə] Джемáйма.
Jen, Jennie [dʒen, 'dʒenɪ] *уменьш. от* Janet; Джен, Джéнни.
Jennifer ['dʒenɪfə] Джéнифер.
Jenny ['dʒenɪ] *уменьш. от* Janet; Джéнни.
Jeremiah [dʒerɪ'maɪə] Джéреми; *библ.* Иеремúя.
Jerome [dʒə'roum, 'dʒerəm] Джерóм.
Jerry ['dʒerɪ] Джéрри.
Jess [dʒes] *уменьш. от* Janet; Джесс.
Jessica ['dʒesɪkə] Джéссика.
Jessie, Jessy ['dʒesɪ] *уменьш. от* Janet; Джéсси.
Jim, Jimmy [dʒɪm,'dʒɪmɪ] *уменьш. от* James; Джим.
Jo [dʒou] *уменьш. от* Joseph *и* Josephine; Джо.
Joachim ['jouəkɪm] Иоахúм.
Joan, Joanna [dʒoun, dʒou'ænə] Джоáн, Джоáнна; ~ of Arc *ист.* Жáнна д'Арк.
Job [dʒoub] Джоб; *библ.* Йов.
Jock [dʒɔk] *уменьш. от* John; Джок.
Joe [dʒou] *уменьш. от* Joseph *и* Josephine; Джо.
Joey ['dʒouɪ] *уменьш. от* Joseph; Джо.
John [dʒɔn] Джон; Иоáнн.
Johnny ['dʒɔnɪ] *уменьш. от* John; Джóнни.
Jonathan ['dʒɔnəθən] Джонатáн; *библ.* Ионафáн.
Joseph ['dʒouzɪf] Джóзеф; Йóсиф.

Josephine ['dʒouzɪfɪn] Джо́зефин; Жозефи́на.
Joshua ['dʒɔʃwə] Джо́шуа; *библ.* Иису́с.
Joy [dʒɔɪ] Джой.
Joyce [dʒɔɪs] Джойс.
Jozy ['dʒouzɪ] *уменьш. от* Josephine; Джо́зи.
Judith ['dʒuːdɪθ] Джу́дит; *библ.* Юди́фь.
Judy ['dʒuːdɪ] *уменьш. от* Judith; Джу́ди.
Julia ['dʒuːljə] Джу́лия; Ю́лия.
Julian ['dʒuːljən] Джу́лиан; Юлиа́н.
Juliana [ˌdʒuːlɪˈɑːnə] Юлиа́на.
Juliet ['dʒuːljət] Джулье́тта; Ю́лия.
Julius ['dʒuːljəs] Джу́лиус; Ю́лий.

Kate [keɪt] *уменьш. от* Catherine; Кейт.
Katharine ['kæθərɪn] = Catherine.
Kathleen ['kæθliːn] *уменьш. от* Catherine; Кэ́тлин.
Katie ['keɪtɪ] = Cathie.
Katrine ['kætrɪn] *уменьш. от* Catherine; Кэ́трин.
Keith [kiːθ] Кит.
Kenneth ['kenɪθ] Ке́ннет.
Kit [kɪt] *уменьш. от* Christopher *и* Catherine; Кит.
Kitty ['kɪtɪ] *уменьш. от* Catherine; Ки́тти.

Lambert ['læmbət] Ла́мберт.
Laura ['lɔːrə] Лау́ра.
Laurence ['lɔrəns] Ло́ренс; Лавре́нтий.
Lauretta [lɔːˈretə] *уменьш. от* Laura; Лоре́тта.
Lawrence ['lɔrəns] = Laurence.
Lazarus ['læzərəs] Ла́зарь.
Leila ['liːlə] Ле́йла.
Leo ['liːou] Ле́о.
Leonard ['lenəd] Леона́рд.
Leonora [ˌliːəˈnɔːrə] Леоно́ра, Элеоно́ра.
Leopold ['liəpould] Леопо́льд.
Lesley, Leslie ['lezlɪ] Ле́сли.
Lew, Lewie [luː, 'luːɪ] *уменьш. от* Lewis; Луй.
Lewis ['luːɪs] Лью́ис; Людо́вик.
Lillian ['lɪlɪən] Ли́лиан; Лилиа́на.
Lily ['lɪlɪ] Ли́ли.
Linda ['lɪndə] Ли́нда.
Lionel ['laɪənl] Ла́йонел; Лионе́ль.
Liz, Liza, Lizzie [lɪz, 'liːzə, 'laɪzə, 'lɪzɪ] *уменьш. от* Elisabeth; Лиз, Ли́за, Ли́ззи.
Lola ['loulə] *уменьш. от* Dolores; Ло́ла.
Lolly ['lɔlɪ] *уменьш. от* Laura; Ло́лли.
Lottie ['lɔtɪ] *уменьш. от* Charlotte; Ло́тти.
Louie ['luːɪ] *уменьш. от* Lewis; Луй.
Louis ['luːɪs] = Lewis.
Louisa, Louise [luːˈiːzə, luːˈiːz] Луи́за.
Lucas ['luːkəs] Лу́кас.
Lucy ['luːsɪ] Лю́си.
Luke [luːk] Льюк; *библ.* Лука́.

Mabel ['meɪbəl] Мейбл, Ма́бель.
Madeleine ['mædlɪn] Ма́делейн; Маделина.
Madge [mædʒ] *уменьш. от* Margaret; Мэдж.
Mag [mæg] *уменьш. от* Margaret; Мэг.
Maggie ['mægɪ] *уменьш. от* Margaret; Мэ́гги.

Magnus ['mægnəs] Ма́гнус.
Malkolm ['mælkəm] Ма́лькольм.
Mamie ['meɪmɪ] *уменьш. от* Mary; Ме́йми.
Marcus ['mɑːkəs] Ма́ркус.
Margaret ['mɑːgərɪt] Ма́ргарет; Маргари́та.
Margery ['mɑːdʒərɪ] *уменьш. от* Margaret; Ма́рджери.
Margie ['mɑːdʒɪ] *уменьш. от* Margaret; Ма́рджи.
Maria [məˈraɪə] Мари́я.
Marian ['mɛərɪən] Ма́риен.
Marianne [ˌmɑːrɪˈæn] Мариа́нна.
Marina [məˈriːnə] Мари́на.
Marion ['mɛərɪən] Марио́н.
Marjory ['mɑːdʒərɪ] *уменьш. от* Margaret; Ма́рджори.
Mark [mɑːk] Марк.
Martha ['mɑːθə] Ма́рта.
Martin ['mɑːtɪn] Ма́ртин.
Mary ['mɛərɪ] Мэ́ри; Мари́я.
Mat [mæt] *уменьш. от* Matthew, Matthias, Mat(h)ilda *и* Martha; Мэт.
Mat(h)ilda [məˈtɪldə] Мати́льда.
Matthew, Matthias ['mæθjuː, məˈθaɪəs] Мэ́тью, Ма́тиас; *библ.* Матфе́й.
Matty ['mætɪ] *уменьш. от* Martha *и* Mat(h)ilda; Мэ́тти.
Maud(e) [mɔːd] *уменьш. от* Madeleine *и* Mat(h)ilda; Мод.
Maurice ['mɔrɪs] Мо́рис.
Max [mæks] *уменьш. от* Maximilian; Макс.
Maximilian [ˌmæksɪˈmɪljən] Максимилиа́н.
May [meɪ] *уменьш. от* Mary *и* Margaret; Мэй.
Meg, Meggy [meg, 'megɪ] *уменьш. от* Margaret; Мэг, Мэ́гги.
Mercy ['məːsɪ] Ме́рси.
Meredith ['merədɪθ] Мереди́т.
Michael ['maɪkl] Майкл; Михаи́л.
Micky ['mɪkɪ] *уменьш. от* Michael; Ми́ки.
Mike [maɪk] *уменьш. от* Michael; Майк.
Mildred ['mɪldrɪd] Ми́лдред.
Millie ['mɪlɪ] *уменьш. от* Mildred, Emilia *и* Amelia; Ми́лли.
Mima ['maɪmə] *уменьш. от* Jemima; Ма́йма.
Minna ['mɪnɑː] Ми́нна.
Minnie ['mɪnɪ] *уменьш. от* Minna; Ми́нни.
Mirabel ['mɪrəbel] Ми́рабель.
Miranda [mɪˈrændə] Мира́нда.
Miriam ['mɪrɪəm] Ми́риам.
Moll, Molly [mɔl, 'mɔlɪ] *уменьш. от* Mary; Молл, Мо́лли.
Monica ['mɔnɪkə] Мо́ника.
Montagu(e) ['mɔntəgjuː] Мо́нтегю.
Monty ['mɔntɪ] *уменьш. от* Montagu(e); Мо́нти.
Morgan ['mɔːgən] Мо́рган.
Morris ['mɔrɪs] = Maurice.
Mortimer ['mɔːtɪmə] Мо́ртимер.
Moses ['mouzɪz] Мо́зес; *библ.* Моисе́й.
Muriel ['mjuərɪəl] Мю́риель.

Nance, Nancy [næns, 'nænsɪ] *уменьш. от* Agnes *и* Ann, Anna; Нэнс, Нэ́нси.

**Nannie, Nanny** ['næпı] *уменьш. от* Ann, Anna; Нэ́нни.
**Nat** [næt] *уменьш. от* Nathaniel, Nathan *и* Natalia, Natalie; Нат.
**Natalia, Natalie** [nə'tælıə,'nætəlı] Наталия, Нэ́тали.
**Nathan** ['neıθən] Натан.
**Nathaniel** [nə'θænjəl] Натаниэль.
**Ned, Neddie, Neddy** [ned, 'nedı] *уменьш. от* Edgar, Edmund, Edwin *и* Edward; Нед, Не́дди.
**Nell, Nellie, Nelly** [nel, 'nelı] *уменьш. от* Eleanor *и* Helen, Helena; Нел, Не́лли.
**Net, Nettie, Netty** [net, 'netı] *уменьш. от* Antoinette, Henrietta *и* Janet; Нет, Не́тти.
**Neville** ['nevıl] Не́виль.
**Nicholas** ['nıkələs] Ни́колас; Николай.
**Nick** [nık] *уменьш. от* Nicholas; Ник.
**Nicola** ['nıkələ] Ни́кола.
**Nina, Ninette, Ninon** ['niːnə, niː'net, niː'nɔn] *уменьш. от* Ann, Anna; Ни́на, Нинэ́тта, Нинон.
**Noah** ['nouə] Ной.
**Noel** ['nouəl] Ноэ́ль.
**Noll, Nolly** [nɔl,'nɔlı] *уменьш. от* Olive, Olivia *и* Oliver; Нол, Но́лли.
**Nora** ['nɔːrə] *уменьш. от* Eleanor *и* Leonora; Но́ра.
**Norman** ['nɔːmən] Но́рман.

**Odette** [ou'det] Оде́тта.
**Olive** ['ɔlıv] Оли́вия.
**Oliver** ['ɔlıvə] О́ливер.
**Olivia** [ɔ'lıvıə] Оли́вия.
**Ophelia** [ɔ'fiːljə] Офе́лия.
**Oscar** ['ɔskə] О́скар.
**Osmond, Osmund** ['ɔzmənd] О́смунд.
**Oswald** ['ɔzwəld] О́свальд.
**Ottilia** [ɔ'tılıə] Отти́лия.
**Owen** ['ouın] О́уэн.

**Paddy** ['pædı] *уменьш. от* Patrick *и* Patricia; Пэ́дди.
**Pat** [pæt] *уменьш. от* Patrick, Patricia *и* Martha; Пэт.
**Patricia** [pə'trıʃə] Патри́ция.
**Patrick** ['pætrık] Па́трик.
**Patty** ['pætı] *уменьш. от* Martha *и* Mat(h)ilda; Пэ́тти.
**Paul** [pɔːl] Поль.
**Paula** ['pɔːlə] Па́ула.
**Paulina, Pauline** [pɔː'liːnə, pɔː'liːn] Паули́на; Поли́на.
**Peg, Peggy** [peg, 'pegı] *уменьш. от* Margaret; Пэг, Пэ́гги.
**Pen** [pen] *уменьш. от* Penelope; Пен, Пе́нни.
**Penelope** [pı'neləpı] Пенело́па.
**Penny** ['penı] = Pen.
**Percy** ['pəːsı] Пе́рси.
**Pete** [piːt] *уменьш. от* Peter; Пит.
**Peter** ['piːtə] Пи́тер; Пётр.
**Phil** [fıl] *уменьш. от* Philip; Фил.
**Philip** ['fılıp] Фи́лип; Фили́пп.
**Pip** [pıp] *уменьш. от* Philip; Пип.
**Pius** ['paıəs] Пий.
**Pol, Polly** [pɔl,'pɔlı] *уменьш. от* Mary; Пол, По́лли.
**Portia** ['pɔːʃjə] По́рция.

**Rachel** ['reıtʃəl] Ре́чел; *библ.* Рахи́ль.
**Ralph** [rælf, reıf] Ральф.
**Ranald** ['rænəld] Рэ́нальд.
**Randolph** ['rændɔlf] Ра́ндольф.
**Raphael** ['ræfeıəl,'reıfl] Рафаэ́ль.
**Rasmus** ['ræzməs] *уменьш. от* Erasmus; Ра́смус.
**Ray** [reı] *уменьш. от* Rachel *и* Raymond; Рэй.
**Raymond** ['reımənd] Раймо́нд.
**Rebecca** [rı'bekə] Ребе́кка; *библ.* Реве́кка.
**Reg, Reggie** [redʒ,'redʒı] *уменьш. от* Reginald; Редж, Ре́джи.
**Reginald** ['redʒınld] Ре́джинальд.
**Reynold** ['renld] Ре́йнольд.
**Richard** ['rıtʃəd] Ри́чард.
**Rita** ['riːtə] *уменьш. от* Margaret; Ри́та.
**Rob, Robbie** [rɔb,'rɔbı] *уменьш. от* Robert; Роб, Ро́бби.
**Robert** ['rɔbət] Ро́берт.
**Robin** ['rɔbın] *уменьш. от* Robert; Ро́бин.
**Roddy** ['rɔdı] *уменьш. от* Roderick; Ро́дди.
**Roderick** ['rɔdərık] Ро́дерик.
**Rodney** ['rɔdnı] Ро́дни.
**Roger** ['rɔdʒə] Ро́джер.
**Roland** ['roulənd] Ро́ла́нд.
**Rolf** [rɔlf] Рольф.
**Romeo** ['roumıou] Роме́о.
**Ronald** ['rɔnld] Ро́нальд.
**Rosa** ['rouzə] Ро́за.
**Rosabel, Rosabella** ['rouzəbel, ,rouzə'belə] Ро́забел, Розабе́лла.
**Rosalia, Rosalie** [rou'zeılıə, 'rɔzəlı] Роза́лия, Розали́.
**Rosalind, Rosaline** ['rɔzəlınd, 'rɔzəlaın] Розали́на.
**Rosamond, Rosamund** ['rɔzəmənd] Розаму́нда.
**Rose** [rouz] Ро́уз; Ро́за.
**Rosemary** ['rouzmərı] Розмари́.
**Rowland** ['roulənd] = Roland.
**Roy** [rɔı] Рой.
**Rudolf, Rudolph** ['ruːdɔlf] Ру́дольф.
**Rupert** ['ruːpət] Ру́перт.
**Ruth** [ruːθ] Рут.

**Sadie** ['seıdı] *уменьш. от* Sara(h); Се́йди.
**Sal, Sally** [sæl, 'sælı] *уменьш. от* Sara(h); Сэл, Сэ́лли.
**Salome** [sə'loumı] Саломе́я.
**Sam, Sammy** [sæm, 'sæmı] *уменьш. от* Samuel; Сэм, Сэ́мми.
**Sam(p)son** ['sæm(p)sn] Сэ́мпсон; *библ.* Самсо́н.
**Samuel** ['sæmjuəl] Сэ́мюель; *библ.* Самуи́л.
**Sanders** ['sɑːndəz] *уменьш. от* Alexander; Са́ндерс.
**Sandy** ['sændı] *уменьш. от* Alexander; Сэ́нди.
**Sara(h)** ['sɛərə] Са́ра.
**Saul** [sɔːl] Сау́л.
**Sebastian** [sı'bæstjən] Себа́стиан.
**Septimus** ['septıməs] Се́птимус.

**Sibil, Sibyl, Sibylla** [ˈsɪbɪl, sɪˈbɪlə] Сибилла.
**Sidney** [ˈsɪdnɪ] Сидней.
**Siegfried** [ˈsiɡfriːd] Зигфрид.
**Silas** [ˈsaɪləs] Сайлас.
**Silvester** [sɪlˈvestə] Сильвестр.
**Silvia** [ˈsɪlvɪə] Сильвиа; Сильва.
**Sim** [sɪm] *уменьш. от* Simeon *и* Simon; Сим.
**Simeon** [ˈsɪmɪən] Симеон.
**Simmy** [ˈsɪmɪ] *уменьш. от* Simeon *и* Simon; Симми.
**Simon** [ˈsaɪmən] Саймон.
**Sol, Solly** [sɔl, ˈsɔlɪ] *уменьш. от* Solomon; Сол, Солли.
**Solomon** [ˈsɔləmən] Соломон.
**Sophia** [səˈfaɪə] София.
**Sophie, Sophy** [ˈsoufɪ] *уменьш. от* Sophia; Софи.
**Stanislas, Stanislaus** [ˈstænɪsləs, ˈstænɪslɔːs] Станислав.
**Stanley** [ˈstænlɪ] Стэнли.
**Stella** [ˈstelə] Стелла.
**Stephana, Stephanie** [ˈstefənə, ˈstefəniː] Стефания.
**Stephen** [ˈstiːvn] Стивн; Стефан.
**Steve** [stiːv] *уменьш. от* Stephen; Стив.
**Sue** [sjuː] *уменьш. от* Susan *и* Susanna(h); Сю.
**Susan** [ˈsuːzn] Сюзн; Сюзанна.
**Susanna(h)** [suːˈzænə] Сюзанна.
**Susie, Susy** [ˈsuːzɪ] *уменьш. от* Susan *и* Susanna(h); Сюзи.
**Sylvester** [sɪlˈvestə] = Silvester.
**Sylvia** [ˈsɪlvɪə] = Silvia.

**Ted, Teddy** [ted, ˈtedɪ] *уменьш. от* Theodore; Тед, Тедди.
**Terry** [ˈterɪ] *уменьш. от* T(h)eresa; Терри.
**Tessa** [ˈtesə] *уменьш. от* T(h)eresa; Тесса.
**Theobald** [ˈθɪəbɔːld] Теобальд.
**Theodora** [ˌθɪouˈdɔːrə] Теодора.
**Theodore** [ˈθɪədɔː] Теодор.
**T(h)eresa** [təˈriːzə] Тереза.
**Thom** [tɔm] = Tom.

**Thomas** [ˈtɔməs] Томас; *библ.* Фома.
**Tib, Tibbie** [tɪb, ˈtɪbɪ] *уменьш. от* Isabel, Isabella; Тиб, Тибби.
**Tilda** [ˈtɪldə] *уменьш. от* Mat(h)ilda; Тильда.
**Tilly** [ˈtɪlɪ] *уменьш. от* Mat(h)ilda; Тилли.
**Tim** [tɪm] *уменьш. от* Timothy; Тим.
**Timothy** [ˈtɪməθɪ] Тимоти.
**Tina** [ˈtiːnə] *уменьш. от* Christina; Тина.
**Tobias** [təˈbaɪəs] Тобайес.
**Toby** [ˈtoubɪ] *уменьш. от* Tobias; Тоби.
**Tom** [tɔm] *уменьш. от* Thomas; Том.
**Tommy** [ˈtɔmɪ] *уменьш. от* Thomas; Томми.
**Tony** [ˈtounɪ] *уменьш. от* Anthony, Antony; Тони.
**Tristan** [ˈtrɪstæn] Тристан.
**Trudy** [ˈtruːdɪ] *уменьш. от* Gertrude; Труди.
**Tybalt** [ˈtɪbəlt] Тибальт.

**Valentine** [ˈvæləntaɪn] Валентин.
**Veronica** [vɪˈrɔnɪkə] Вероника.
**Victor** [ˈvɪktə] Виктор.
**Victoria** [vɪkˈtɔːrɪə] Виктория.
**Vincent** [ˈvɪnsənt] Винсент.
**Viola** [ˈvaɪələ] Виола.
**Violet** [ˈvaɪəlɪt] Виолетта.
**Virginia** [vəˈdʒɪnɪə] Виргиния.
**Vivian, Vivien** [ˈvɪvɪən] Вивиан.

**Wallace** [ˈwɔlɪs] Уоллес.
**Walt** [wɔːlt] *уменьш. от* Walter; Уолт.
**Walter** [ˈwɔːltə] Уолтер; Вальтер.
**Wat, Watty** [wɔt, ˈwɔtɪ] *уменьш. от* Walter; Уот, Уотти.
**Wilfred, Wilfrid** [ˈwɪlfrɪd] Уилфред.
**Will** [wɪl] *уменьш. от* William; Уилл.
**William** [ˈwɪljəm] Уильям, Вильям; Вильгельм.
**Willy** [ˈwɪlɪ] *уменьш. от* William; Уилли, Вилли.
**Win** [wɪn] *уменьш. от* Winifred; Уин.
**Winifred** [ˈwɪnɪfrɪd] Уинифред.
**Winnie** [ˈwɪnɪ] *уменьш. от* Winifred; Уинни.

## СПИСОК ГЕОГРАФИЧЕСКИХ НАЗВАНИЙ *

**Abadan** [,æbə'dɑ:n] *г.* Абада́н (*порт в Иране*).
**Aberdeen** [,æbə'di:n] *г.* Аберд́н.
**Abyssinia** [,æbɪ'sɪnjə] Абисси́ния; *см.* Ethiopia.
**Accra** [ə'krɑ:] *г.* А́ккра (*столица Ганы*).
**Addis Ababa** ['ædɪs'æbəbə] *г.* Адди́с-Аб́ба.
**Adelaide** ['ædəlɪd] *г.* Аделайда.
**Aden** ['eɪdn] Аден.
**Adirondack Mts** [,ædɪ'rɔndæk'mauntɪnz] го́ры Адиро́ндак.
**Admiralty Isls** ['ædmərəltɪ'aɪləndz] острова́ Адмиралт́йства.
**Adriatic Sea** [,eɪdrɪ'ætɪk'si:] Адриати́ческое мо́ре.
**Aegean Sea** [i:'ʤi:ən'si:] Эге́йское мо́ре.
**Aetna** ['etnə] = Etna.
**Afghanistan** [æf'gænɪstæn] Афганиста́н.
**Africa** ['æfrɪkə] А́фрика.
**Akkra** [ə'krɑ:] = Accra.
**Alabama** [,ælə'bæmə] Алаб́ма.
**Åland Isls** ['oulɑ:nd'aɪləndz] Ала́ндские острова́.
**Alaska** [ə'læskə] Аля́ска.
**Albania** [æl'beɪnjə] Алба́ния; **People's Republic of Albania** Наро́дная Респу́блика Алба́ния.
**Albany** ['ɔːlbənɪ] *г.* О́лбани.
**Alep(po)** [ə'lep(ou)] *г.* Ал́ппо.
**Aleutian Isls** [ə'luːʃjən'aɪləndz] Алеу́тские острова́.
**Alexandria** [,ælɪg'zɑ:ndrɪə] *г.* Александ́рия.
**Algeria** [æl'ʤɪərɪə] Алжи́р.
**Algiers** [æl'ʤɪəz] *г.* Алжи́р.
**Allegheny Mts** ['ælɪgenɪ'mauntɪnz] Аллеѓнские го́ры.
**Alma-Ata** [,ɑ:lmɑ:ɑ:'tɑ:] *г.* Алма́-Ата́.
**Alps** [ælps] А́льпы.
**Alsace** ['ælsæs] Эльз́с.
**Alsace-Lorraine** ['ælsæslɔ'reɪn] Эльз́с-Лотари́нгия.
**Altai** [æl'taɪ] Алта́й.
**Amazon** ['æməzən] *р.* Амаз́нка.
**America** [ə'merɪkə] Ам́рика.
**Amman** [ə'mɑ:n] *г.* Амм́н (*столица Иордании*).
**Amsterdam** ['æmstə'dæm] *г.* Амстерд́м.
**Amu Darya** [ɑ:'muːdɑːr'jɑ:] *р.* Аму́-Дарья́.
**Amur** [ə'muə] *р.* Аму́р.
**Anatolia** [,ænə'touljə] Анато́лия.

**Andaman Isls** ['ændəmæn'aɪləndz] Анда́манские острова́.
**Andes** ['ændi:z] А́нды.
**Andorra** [æn'dɔrə] Андо́рра.
**Angara** [ʌngʌ'rɑ:] *р.* Ангар́.
**Angora** ['æŋgərə] *см.* Ankara.
**Angus** ['æŋgəs] А́нгус.
**Ankara** ['æŋkərə] *г.* Анкар́.
**An(n)am** ['ænæm] Анн́м.
**Antananarivo** ['æntə,nænə'riːvou] *г.* Тананари́ве.
**Antarctic Continent** {ænt'ɑːktɪk'kɔntɪnənt] Антаркти́да.
**Antilles** [æn'tɪliːz] Анти́льские острова́; **Antilles Greater** Больши́е Анти́льские острова́; **Antilles Lesser** Ма́лые Анти́льские острова́.
**Antrim** ['æntrɪm] Антри́м.
**Antwerp** ['æntwə:p] *г.* Антв́рпен.
**Apennines** ['æpɪnaɪnz] Апенни́ны.
**Appalachian Mts, Appalachians** [,æpə'leɪ-ʧjən'mauntɪnz, ,æpə'leɪʧjənz] Аппала́чские го́ры, Аппал́чи.
**Arabia** [ə'reɪbjə] Ар́вия.
**Arabian Sea** [ə'reɪbjən'si:] Аравийское мо́ре.
**Aral Sea** ['ɑ:rəl'si:] Ара́льское мо́ре.
**Ararat** ['ærəræt] Арар́т.
**Archangel** ['ɑ:k,eɪndʒəl] = Arkhangelsk.
**Arctic Ocean** ['ɑːktɪk'ouʃən] Се́верный Ледови́тый океа́н.
**Argentina** [,ɑ:dʒən'ti:nə] Аргенти́на.
**Argyll(shire)** [ɑ:'gaɪl(ʃɪə)] Арга́йл(шир).
**Arizona** [,ærɪ'zounə] Аризо́на.
**Arkansas** ['ɑ:kənsɔ:] Арканз́с (*река и штат*).
**Arkansas City** [ɑ:'kænzəs'sɪtɪ] *г.* Арканз́с-Си́ти.
**Arkhangelsk** [ʌr'kɑ:ngəlsk]*г.* Арх́нгельск.
**Arlington** ['ɑ:lɪŋtən] *г.* А́рлингтон.
**Armagh** [ɑ:'mɑ:] *г.* Арм́.
**Armenia** [ɑ:'mi:njə] Арм́ния; **Armenian Soviet Socialist Republic** Арм́нская Сов́тская Социалисти́ческая Респу́блика.
**Ascot** ['æskɔt] *г.* Э́скот.
**Ashkhabad** [,ɑ:ʃkɑ:'bɑ:d] *г.* Ашхаб́д.
**Asia** ['eɪʃə] А́зия.
**Asia Minor** ['eɪʃə'maɪnə] Ма́лая А́зия.
**Asmara** [ɑ:z'mɑːrɑ:] *г.* Асм́ара (*столица Эритреи*).
**Assam** ['æsæm] Асс́м.
**Assouan, Aswan** [,æsu'æn] *г.* Ассуа́н.

*Слова Mountain, Mountains, Island, Islands даны в сокращении Mt, Mts, Isl, Isls.

Assyria [ə'sɪrɪə] *ист.* Ассирия.
Astrakhan [,ɑːstrɑː'kæn] *г.* Астрахань.
Asunción [ə,sunsɪ'oun] *г.* Асунсьон (*столица Парагвая*).
Athens ['æθɪnz] *г.* Афины.
Atlanta [ət'læntə] *г.* Атланта.
Atlantic City [ət'læntɪk'sɪtɪ] *г.* Атлантик--Сити.
Atlantic Ocean [ət'læntɪk'ouʃən] Атлантический океан.
Atlas Mts ['ætləs'mauntɪnz] Атласские горы.
Auckland ['ɔːklənd] *г.* Окленд (*порт в Новой Зеландии*).
Austin ['ɔstɪn] *г.* Остин.
Australia [ɔs'treɪljə] Австралия.
Austria ['ɔstrɪə] Австрия.
Avon ['eɪvən] *р.* Эйвон.
Ayr(shire) ['ɛə(ʃɪə) Эр(шир).
Azerbaijan [,ɑːzəbaɪ'dʒɑːn] Азербайджан; Azerbaijan Soviet Socialist Republic Азербайджанская Советская Социалистическая Республика.
Azof, Sea of ['siːəv'ɑːzɔf] = Azov, Sea of.
Azores [ə'zɔːz] Азорские острова.
Azov, Sea of ['siːəv'ɑːzɔv] Азовское море.

Bab el Mandeb ['bæbel'mændeb] Баб--эль-Мандебский пролив.
Babylon ['bæbɪlən] *ист.* Вавилон.
Baffin Bay ['bæfɪn'beɪ] Баффинов залив.
Bag(h)dad [bæg'dæd] *г.* Багдад.
Bahama Isls, Bahamas [bə'hɑːmə'aɪləndz, bə'hɑːməz] Багамские острова.
Bahrain Isls [bə'reɪn'aɪləndz] острова Бахрейн.
Bahrein Isls [bə'reɪn'aɪləndz] = Bahrain Isls.
Baia [bə'ɪə] Байя.
Baikal [baɪ'kɑːl] *оз.* Байкал.
Baku [bɑː'kuː] *г.* Баку.
Balearic Isls [,bælɪ'ærɪk'aɪləndz] Балеарские острова.
Balkan Mts ['bɔːlkən'mauntɪnz] Балканские горы, Балканы.
Balkan Peninsula ['bɔːlkənpɪ'nɪnsjulə] Балканский полуостров.
Baltic Sea ['bɔːltɪk'siː] Балтийское море.
Baltimore ['bɔːltɪmɔː] *г.* Балтимор.
Baluchistan [bə'luːtʃɪstɑːn] Белуджистан.
Bandung ['bɑːnduŋ] *г.* Бандунг.
Bangalore [,bæŋgə'lɔː] *г.* Бангалур.
Bangkok [bæŋ'kɔk] *г.* Бангкок (*столица Таиланда*).
Barbados [bɑː'beɪdouz] *о-в* Барбадос.
Barcelona [,bɑːsɪ'lounə] *г.* Барселона.
Barents Sea ['bɑːrənts'siː] Баренцово море.
Basel, Basle ['bɑːzəl, bɑːl] *г.* Базель.
Basra ['bæzrə] *г.* Басра (*порт в Ираке*).
Basse-Terre [,bɑːs'teə] *г.* Бас-Тер.
Bass Strait ['bæs'streɪt] Бассов пролив.
Batavia [bə'teɪvjə] *г.* Батавия; *см.* Jakarta.
Bath [bɑːθ] *г.* Бат.
Batumi [bɑː'tuːmɪ] *г.* Батуми.
Bavaria [bə'vɛərɪə] Бавария.
Bedford(shire) ['bedfəd(ʃɪə)] Бедфорд (шир).

Beds [bedz] *см.* Bedford(shire).
Beirut [beɪ'ruːt] *г.* Бейрут.
Belfast [bel'fɑːst] *г.* Белфаст.
Belgium ['beldʒəm] Бельгия.
Belgrade [bel'greɪd] *г.* Белград.
Belize [be'liːz] *г.* Белиз.
Bellingshausen Sea ['belɪŋz,hauzn'siː] море Беллингсгаузена.
Benares [bɪ'nɑːrɪz] *г.* Бенарес.
Bengal [beŋ'gɔːl] Бенгалия.
Bengal, Bay of ['beɪəvbeŋ'gɔːl] Бенгальский залив.
Bengasi, Benghazi [ben'gɑːzɪ] *г.* Бенгази.
Bering Sea ['berɪŋ'siː] Берингово море.
Bering Strait ['berɪŋ'streɪt] Берингов пролив.
Berks [bɑːks] *см.* Berkshire.
Berkshire ['bɑːkʃɪə] Беркшир.
Berlin [bəː'lɪn] *г.* Берлин.
Bermuda Isls, Bermudas [bəː'mjuːdə'aɪləndz, bəː'mjuːdəz] Бермудские острова.
Bern(e) [bəːn] *г.* Берн.
Berwick(shire) ['berɪk(ʃɪə)] Берик(шир).
Beyrouth [beɪ'ruːt] = Beirut.
Bikini [bɪ'kiːnɪ] *атолл* Бикини.
Bilbao [bɪl'bɑːou] *г.* Бильбао.
Birmingham ['bəːmɪŋəm] *г.* Бирмингем.
Biscay, Bay of ['beɪəv'bɪskeɪ] Бискайский залив.
Blackpool ['blækpuːl] *г.* Блэкпул.
Black Sea ['blæk'siː] Чёрное море.
Blue Mts ['bluː'mauntɪnz] Голубые горы.
Bogota [,bougə'tɑː] *г.* Богота (*столица Колумбии*).
Bohemia [bou'hiːmjə] Богемия; *см. тж.* в *словаре.*
Bokhara [bou'kɑːrə] = Bukhara.
Bolivia [bə'lɪvɪə] Боливия.
Bombay [bɔm'beɪ] *г.* Бомбей.
Bonn [bɔn] *г.* Бонн.
Bordeaux [bɔː'dou] *г.* Бордо.
Borneo ['bɔːnɪou] *о-в* Борнео.
Bosnia ['bɔznɪə] Босния.
Bosporus ['bɔspərəs] Босфор.
Boston ['bɔstən] *г.* Бостон.
Bothnia, Gulf of ['gʌlfəv'bɔθnɪə] Ботнический залив.
Boulogne [bu'lɔɪn] *г.* Булонь.
Bournemouth ['bɔːnməθ] *г.* Борнмут.
Bradford ['brædfəd] *г.* Брэдфорд.
Brahmaputra [,brɑːmə'puːtrə] *р.* Брахмапутра.
Brazil [brə'zɪl] Бразилия.
Brazzaville ['bræzəvɪl] *г.* Бразавиль.
Brecknock(shire) ['breknɔk(ʃɪə)] Брекнок(шир).
Brecon ['brekən] *см.* Brecknock(shire).
Bremen ['breɪmən] *г.* Бремен.
Bridgeport ['brɪdʒpɔːt] *г.* Бриджпорт.
Bridgetown ['brɪdʒtaun] *г.* Бриджтаун.
Brighton ['braɪtn] *г.* Брайтон.
Brisbane ['brɪzbən] *г.* Брисбен.
Bristol ['brɪstl] *г.* Бристоль.
Britain ['brɪtn] Великобритания (*тж.* Great Britain); Greater Britain Великобритания с колониями, Британская империя; North Britain Шотландия.
British Columbia ['brɪtɪʃkə'lʌmbɪə] Британская Колумбия.

British Honduras ['brɪtɪʃhən'djuərəs] Брита́нский Гондура́с.

Brittany ['brɪtənɪ] Брета́нь.

Bronx [brɒŋks] Бронкс.

Brooklyn ['bruklɪn] Бру́клин.

Bruges [bruːʒ] *г.* Брю́гге.

Brussels ['brʌslz] *г.* Брюссе́ль.

Bucharest ['bjuːkərest] *г.* Бухаре́ст.

Buckingham(shire) ['bʌkɪŋəm(ʃɪə)] Ба́кингем(шир).

Bucks [bʌks] *см.* Buckingham(shire).

Budapest ['bjuːdə'pest] *г.* Будапе́шт.

Buenos Aires ['bwenəs'aɪərɪz] *г.* Буэ́нос--А́йрес.

Buffalo ['bʌfəlou] *г.* Бу́ффало.

Bug [buːg] *p.* Буг.

Bukhara [buːˈkɑːrə] *г.* Бухара́.

Bulgaria [bʌlˈgɛərɪə] Болга́рия; **People's Republic of Bulgaria** Наро́дная Респу́блика Болга́рия.

Burma ['bəːmə] Би́рма.

Bute(shire) ['bjuːt(ʃɪə)] Бьют(шир).

Byelorussia [ˌbjelouˈrʌʃə] Белору́ссия; **Byelorussian Soviet Socialist Republic** Белору́сская Сове́тская Социалисти́ческая Респу́блика.

Byzantium [bɪˈzæntɪəm] *ист.* Византи́я.

Cadiz [kəˈdɪz] *г.* Ка́дис.

Caernarvon(shire) [kɑːˈnɑːvən(ʃɪə)] Карна́рвон(шир).

Cairo ['kaɪərou] *г.* Каи́р.

Caithness ['keɪθnes] Ке́йтнесс.

Calais ['kæleɪ] *г.* Кале́.

Calcutta [kælˈkʌtə] *г.* Калькку́тта.

Caledonia [ˌkælɪˈdounjə] *ист.* Каледо́ния.

California [ˌkælɪˈfɔːnjə] Калифо́рния.

Cambodia [kæmˈboudjə] Камбо́джа.

Cambridge ['keɪmbrɪdʒ] *г.* Ке́мбридж.

Cameroons ['kæməruːnz] Камеру́н.

Canada ['kænədə] Кана́да.

Canary Isls [kəˈnɛərɪˈaɪləndz] Кана́рские острова́.

Canaveral, Cape ['keɪpkəˈnævərəl] мыс Кана́верал.

Canberra ['kænbərə] *г.* Ка́нберра.

Cannes [kæn] *г.* Канн.

Canterbury ['kæntəbərɪ] *г.* Ке́нтербери.

Canton [kænˈtɒn] *г.* Канто́н.

Cape of Good Hope ['keɪpəvˈgudˈhoup] Мыс До́брой Наде́жды.

Cape Province ['keɪpˌprɒvɪns] Ке́йпленд.

Cape Town, Capetown ['keɪptaun] *г.* Ке́йптаун.

Cape Verde Isls ['keɪpˈvəːdˈaɪləndz] острова́ Зелёного Мы́са.

Caracas [kəˈrækəs] *г.* Карака́с (*столица Венесуэ́лы*).

Cardiff ['kɑːdɪf] *г.* Ка́рдифф.

Cardigan(shire) ['kɑːdɪgən(ʃɪə)] Ка́рдиган(шир).

Caribbean Sea [ˌkærɪˈbiːənˈsiː] Кари́бское мо́ре.

Carlisle [kɑːˈlaɪl] *г.* Карла́йл.

Carmarthen(shire) [kəˈmɑːðən(ʃɪə)] Карма́ртен(шир).

Carnarvon(shire) [kəˈnɑːvən(ʃɪə)] = Caernarvon(shire).

Caroline Isls, Carolines ['kærəlaɪn-'aɪləndz, 'kærəlaɪnz] Кароли́нские острова́.

Carpathian Mts, Carpathians [kɑːˈpeɪθjənˈmauntɪnz, kɑːˈpeɪθjənz] Карпа́тские го́ры, Карпа́ты.

Carpentaria, Gulf of ['gʌlfəv,kɑːpənˈtɛərɪə] зали́в Карпента́рия.

Carthage ['kɑːθɪdʒ] *ист.* Карфаге́н.

Cashmere [kæʃˈmɪə]=Kashmir.

Caspian Sea ['kæspɪənˈsiː] Каспи́йское мо́ре.

Caucasus, the ['kɔːkəsəs] Кавка́з.

Celebes [seˈliːbɪz] *о-в* Це́лебес; *см.* Sulawesi.

Central America ['sentrələˈmerɪkə] Центра́льная Аме́рика.

Ceylon [sɪˈlɒn] *о-в* Цейло́н.

Chad, Lake ['leɪkˈtʃæd] о́зеро Чад.

Channel, the ['tʃænl] *см.* English Channel.

Channel Isls ['tʃænlˈaɪləndz] Норма́ндские острова́.

Charleston ['tʃɑːlstən] *г.* Чарлсто́н.

Chatham ['tʃætəm] *г.* Ча́там.

Cheltenham ['tʃeltnəm] *г.* Че́лтнем.

Cherbourg ['ʃəəbuəg] *г.* Шербу́р.

Cheshire ['tʃeʃə] Че́шир.

Chester ['tʃestə] *г.* Че́стер.

Cheviot Hills ['tʃevɪətˈhɪlz] Чевио́тские го́ры.

Chicago [ʃɪˈkɑːgou, tʃɪˈkɑːgou] *г.* Чика́го.

Chile ['tʃɪlɪ] Чи́ли.

China ['tʃaɪnə] Кита́й; **Chinese People's Republic** Кита́йская Наро́дная Респу́блика.

Chios ['kaɪɔs] *о-в* Хи́ос.

Chomolungma [ˌtʃoumouˈluŋmɑː] Джомолу́нгма; *см.* Everest.

Chuckchee See ['tʃuktʃɪˈsiː] Чуко́тское мо́ре.

Chungking [tʃuŋˈkɪŋ] *г.* Чунцзи́н.

Cincinnati [ˌsɪnsɪˈnætɪ] *г.* Цинцинна́ти.

Cirenaica [ˌsaɪərəˈneɪɪkə] = Cyrenaica.

Ciudad Trujillo [sjuːˈðɑːðtruːˈhɪ(l)jou] *г.* Сьюда́д-Трухи́льо (*столица Доминика́нской Респу́блики*).

Cleveland ['kliːvlənd] *г.* Кли́вленд.

Clyde [klaɪd] *p.* Клайд.

Cochin China ['kɒtʃɪnˈtʃaɪnə] *ист.* Кохинхи́на.

Cologne [kəˈloun] *г.* Кёльн.

Colombia [kəˈlɒmbɪə] Колу́мбия (*страна*).

Colombo [kəˈlʌmbou] *г.* Коло́мбо.

Colorado [ˌkɒləˈrɑːdou] Колора́до.

Columbia [kəˈlʌmbɪə] Колу́мбия (*город и река*).

Congo ['kɒŋgou] Ко́нго.

Connecticut [kəˈnetɪkət] Конне́ктикут.

Constantinople [ˌkɒnstæntɪˈnoupl] *ист. г.* Константино́поль.

Constantsa [kɒnˈstɑːntsɑː] *г.* Конста́нца.

Copenhagen [ˌkoupnˈheɪgən] *г.* Копенга́ген.

Corfu [kɔːˈfuː] *о-в* Ко́рфу.

Corinth ['kɒrɪnθ] *г.* Кори́нф.

Cork [kɔːk] *г.* Корк.

Cornwall ['kɔːnwəl] Ко́рнуолл.

Corsica ['kɔːsɪkə] о-в Ко́рсика.
Costa Rica ['kɔstə'riːkə] Ко́ста-Ри́ка.
Coventry ['kɔvəntrɪ] г. Ко́вентри.
Crete [kriːt] о-в Крит.
Crimea, the [kraɪ'mɪə] Крым.
Croatia [krou'eɪʃjə] Хорва́тия.
Cuba ['kjuːbə] Ку́ба.
Cumberland ['kʌmbələnd] Ка́мберленд.
Curaçao [‚kjuərə'sou] Кюрасо́.
Cyclades ['sɪklədiːz] о-ва Цикла́ды.
Cyprus ['saɪprəs] о-в Кипр.
Cyrenaica [‚saɪərə'peɪɪkə] Кирена́ика.
Czechoslovakia ['tʃekouslou'vækɪə] Че-
хослова́кия; Czechoslovak Socialist Republic
Чехослова́цкая Социалисти́ческая Респу́блика

Dakar ['dækə] г. Дака́р.
Dallas ['dæləs] г. Да́ллас.
Damascus [də'mɑːskəs] г. Дама́ск.
Danube ['dænjuːb] р. Дуна́й.
Danzig ['dæntsɪg] г. Да́нциг; см. Gdańsk.
Dardanelles [‚dɑːdə'nelz] Дардане́ллы,
Дардане́лльский проли́в.
Dar es Salaam, Daressalam ['dɑːressə-
lɑːm] г. Да́р-эс-Сала́м.
Dartmouth ['dɑːtməθ] г. Да́ртмут.
Daugava ['dɑːugɑːvɑː] р. Да́угава.
Dead Sea ['ded'siː] Мёртвое мо́ре.
Delaware ['deləwɛə] Де́лавэр.
Delhi ['delɪ] г. Де́ли.
Denbigh(shire) ['denbɪ(ʃɪə)] Де́нби(шир).
Denmark ['denmɑːk] Да́ния.
Denver ['denvə] г. Де́нвер.
Derby(shire) ['dɑːbɪ(ʃɪə)] Де́рби(шир).
Des Moines [dɪ'mɔɪn] г. Де-Мо́йн.
Detroit [də'trɔɪt] г. Детро́йт.
Devon(shire) ['devn(ʃɪə)] Де́вон(шир).
Dieppe [dɪ'ep] г. Дьепп.
District of Columbia ['dɪstrɪktəvkə'lʌm-
bɪə] о́круг Колу́мбия.
Djakarta [dʒɔ'kɑːtə] = Jakarta.
Djibouti [dʒɪ'buːtɪ] = Jibuti.
Djokjakarta [‚dʒɔkjə'kɑːtə] = Jogjakarta.
Dnieper ['dniːpə] р. Днепр.
Dniester ['dniːstə] р. Днестр.
Dodecanese Isls [‚doudɪkə'niːz'aɪləndz]
Додекане́зские острова́.
Dominican Republic [də'mɪnɪkənɪ'pʌb-
lɪk] Доминика́нская Респу́блика.
Don [dɔn] р. Дон.
Donegal ['dɔnɪgɑːl] До́негол.
Dorset(shire) ['dɔːsɪt(ʃɪə)] До́рсет(шир).
Dover ['douvə] г. Дувр.
Dover, Strait of ['streɪtəv'douvə] Па-
-де-Кале́.
Down [daun] Да́ун.
Dublin ['dʌblɪn] г. Ду́блин.
Dudley ['dʌdlɪ] г. Да́дли.
Dumbarton [dʌm'bɑːtn] 1) г. Ду́мбартон;
2) = Dumbartonshire.
Dumbartonshire [dʌm'bɑːtnʃɪə] Ду́мбар-
тоншир.
Dumfries(shire) [dʌm'friːs(ʃɪə)] Да́мфрис
(-шир).
Dunbar [dʌn'bɑː] г. Данба́р.
Dundee [dʌn'diː] г. Да́нди.
Dunkirk [dʌn'kəːk] г. Дюнке́рк.
Durban ['dəːbən] г. Дурба́н.
Durham ['dʌrəm] Да́рем.

East China Sea ['iːst‚tʃaɪnə'siː] Восто́чно-
-Кита́йское мо́ре.
Easter Isl ['iːstər'aɪlənd] о́стров Па́схи.
East Indies ['iːst'ɪndɪz] ист. Ост-И́ндия.
Ecuador [‚ekwə'dɔː] Эквадо́р.
Edinburgh ['edɪnbərə] г. Эдинбу́рг.
Egypt ['iːdʒɪpt] Еги́пет.
Eire ['ɛərə] Эйре; см. Ireland.
Elba ['elbə] о-в Э́льба.
Elbe [elb] р. Э́льба.
Elbrus, Elbruz ['elbruːs] Эльбру́с.
Elgin(shire) ['elgɪn(ʃɪə)] Э́лгин(шир) [см.
тж. Moray].
El Salvador ['el'sælvədɔː] = Salvador.
England ['ɪŋglənd] А́нглия.
English Channel ['ɪŋglɪʃ'tʃænl] Ла-Ма́нш.
Enisei [‚jenɪ'seɪ] = Yenisei.
Entebbe [en'tebə] г. Энте́ббе (столица
Уганды).
Epsom ['epsəm] г. Э́псом.
Erevan [‚erɪ'vɑːn] = Yerevan.
Erie, Lake ['leɪk'ɪərɪ] о́зеро Э́ри.
Eritrea [‚erɪ'trɪə] Эритре́я.
Erivan [‚erɪ'vɑːn] = Yerevan.
Essex ['esɪks] Э́ссекс.
Estonia [es'tounjə] Эсто́ния; Estonian
Soviet Socialist Republic Эсто́нская Сове́т-
ская Социалисти́ческая Респу́блика.
Ethiopia [‚iːθɪ'oupjə] Эфио́пия.
Etna ['etnə] Э́тна.
Eton ['iːtn] г. И́тон.
Euboea [juː'bɪə] о-в Эвбе́я.
Euphrates [juː'freɪtiːz] р. Евфра́т.
Europe ['juərəp] Евро́па.
Everest ['evərest] Эвере́ст.

Fairbanks ['fɛəbæŋks] г. Фе́рбенкс.
Falkland Isls ['fɔːklənd'aɪləndz] Фолк-
ле́ндские острова́.
Faroe Isls, Faroes ['fɛərou'aɪləndz, 'fɛə-
rouz] Фаре́рские острова́.
Fermanagh [fɑː'mænə] Ферма́на.
Fès, Fez [fes, fez] г. Фец.
Fiji Isls [fiː'dʒiː'aɪləndz] острова́ Фи́джи.
Finland ['fɪnlənd] Финля́ндия.
Firth of Forth ['fɑːθəv'fɔːθ] залив Фёрт-
-оф-Фо́рт.
Flint(shire) ['flɪnt(ʃɪə)] Флинт(шир).
Florence ['flɔrəns] г. Флоре́нция.
Florida ['flɔrɪdə] Флори́да.
Folkestone ['foukstən] г. Фо́лкстон.
Foochow [fuː'tʃau] г. Фучжо́у.
Formosa [fɔː'mousə] Формо́за; см. Taiwan.
Forth [fɔːθ] р. Форт.
France [frɑːns] Фра́нция.
Franz Josef Land ['frænts'jouzəf'lænd]
Земля́ Фра́нца Ио́сифа.
Frunze ['fruːnzə] г. Фру́нзе.
Fujiyama ['fuːjɪ'jɑːmɑː] Фудзия́ма.
Fukien ['fuː'kjen] Фудзя́н.

Galápagos Isls [gɑː'lɑːpɑːgəs'aɪləndz]
Галапаго́сские острова́.
Gallipoli [gə'lɪpəlɪ] г. Галли́поли.
Ganges ['gændʒiːz] р. Ганг.
Gary ['gɛərɪ] г. Гэ́ри.
Gdańsk ['gdɑːnjsk] г. Гда́ньск.
Gdynia ['gdɪnjɑː] г. Гды́ня.
Geneva [dʒɪ'niːvə] г. Жене́ва.

Genoa ['dʒenouə] *г.* Гéнуя.
Georgetown ['dʒɔːdʒtaun] *г.* Джóрджтаун.
Georgia I ['dʒɔːdʒjə] Джóрджия (*штат США*).
Georgia II ['dʒɔːdʒjə] Грýзия; Georgian Soviet Socialist Republic Грузи́нская Сове́тская Социалисти́ческая Респýблика.
German Democratic Republic ['dʒəːmən-,demə'krætɪkɪ'pʌblɪk] Герма́нская Демократи́ческая Респýблика.
German Federal Republic ['dʒəːmən'fedərəlrɪ'pʌblɪk] Федерати́вная Респýблика Герма́нии.
Germany ['dʒəːmənɪ] Герма́ния.
Gettysburg ['getɪzbəːg] *г.* Гéттисберг.
Ghana ['gɑːnə] Гáна.
Ghent [gent] *г.* Гент.
Gibraltar [dʒɪ'brɔːltə] Гибралтáр.
Glamorgan(shire) [glə'mɔːgən(ʃɪə)] Гламóрган(шир).
Glasgow ['glɑːsgou] *г.* Глáзго.
Gloucester(shire) ['glɔstə(ʃɪə)] Глóстер (-шир).
Gobi, the ['goubɪ] Гóби.
Gori ['gɔːrɪ] *г.* Гóри.
Gorki ['gɔːkiː] *г.* Гóрький.
Got(h)land ['gɔtlənd ('gɔθlənd)] *о-в* Гóтланд.
Grampian Hills, the Grampians ['græmpjən'hɪlz, 'græmpjənz] Грампиáнские гóры.
Great Bear Lake ['greit'bɛə'leik] Большóе Медвéжье óзеро.
Great Britain ['greit'brɪtn] Великобритáния.
Great Slave Lake ['greit'sleiv'leik] Большóе Невóльничье óзеро.
Great Yarmouth ['greit'jɑːməθ] = Yarmouth.
Greece [griːs] Грéция.
Greenland ['griːnlənd] *о-в* Гренлáндия.
Greenwich ['grɪnɪdʒ] *г.* Грин(в)ич.
Guadalcanal [,gwɑːdəlkə'næl] *о-в* Гвадалканáл.
Guadeloupe [,gwɑːdə'luːp] Гваделýпа.
Guam [gwɔm] *о-в* Гуáм.
Guatemala [,gwætɪ'mɑːlə] Гватемáла.
Guayaquil [,gwaiə'kiːl] *г.* Гваяки́ль.
Guernsey ['gəːnzɪ] *о-в* Гéрнси.
Guiana [gɪ'ɑːnə] Гвиáна.
Guinea ['gɪnɪ] Гвинéя; The Republic of Guinea Гвинéйская Респýблика.

Hague, the [heig] *г.* Гаáга.
Haifa ['haifə] *г.* Хáйфа.
Hainan [hai'næn] *о-в* Хайнáнь.
Haiti ['heiti] Гаи́ти.
Hakodate [,hækou'dɑːtɪ] *г.* Хакодáте.
Halifax ['hælɪfæks] *г.* Гáлифакс.
Hamburg ['hæmbəːg] *г.* Гáмбург.
Hamilton ['hæmɪltən] *г.* Гáмильтон.
Hampshire ['hæmpʃɪə] Гéмпшир.
Hankow [hæn'kau] *г.* Ханькóу.
Hanoi [hæ'nɔi] *г.* Ханóй.
Hants [hænts] *см.* Hampshire.
Harbin [hɑː'bɪn] *г.* Харби́н.
Harrow ['hærou] *г.* Хáрроу.
Harwell ['hɑːwel] *г.* Хáруэлл.
Harwich ['hærɪdʒ] *г.* Хáридж.
Hastings ['heistɪŋz] *г.* Гáстингс.

Havana [hə'vænə] *г.* Гавáна (*столица Кубы*).
Havre [hɑːvr] *г.* Гавр.
Hawaii [hɑː'waiː] Гавáйи (*острова и штат*).
Hawaiian Isls [hɑː'waiiən'ailəndz] Гавáйские островá.
Hebrides ['hebrɪdiːz] Гебри́дские островá.
Hel(i)goland ['hel(i)goulænd] *о-в* Гельголáнд.
Hellas ['helæs] *ист.* Эллáда.
Hellespont ['helɪspɔnt] *ист.* Геллеспóнт.
Helsinki ['helsɪŋkɪ] *г.* Хéльсинки.
Henley(-on-Thames) ['henlɪ(ɔn'temz)] *г.* Хéнлей(-на-Тéмзе).
Herat [he'ræt] *г.* Герáт.
Hereford(shire) ['herɪfəd(ʃɪə)] Хéрефорд (-шир).
Hertford(shire) ['hɑːfəd(ʃɪə)] Хáртфорд (-шир).
Herts [hɑːts] *см.* Hertford(shire).
Herzegovina [,hɛətsəgou'viːnə] Герцегови́на.
Himalaya(s), the [,hɪmə'leiə(z)] Гималáи, Гималáйские гóры.
Hindu Kush ['hɪnduː'kuːʃ] *горы* Гиндукýш.
Hindustan [,hɪndu'stɑːn] Индостáн.
Hiroshima [,hɪrɔ'ʃiːmə] *г.* Хироси́ма.
Holland ['hɔlənd] Голлáндия.
Hollywood ['hɔlɪwud] *г.* Гóлливуд.
Hondo ['hɔndou] = Honshu.
Honduras [hɔn'djuərəs] Гондурáс.
Hong Kong [hɔŋ'kɔŋ] Гонкóнг.
Honolulu [,hɔnə'luːluː] *г.* Гонолýлу.
Honshu ['hɔnʃuː] *о-в* Хонсю́.
Horn, Cape ['keip'hɔn] *мыс* Горн.
Houston ['hjuːstən] *г.* Хью́стон.
Hudson ['hʌdsn] *р.* Гудзóн.
Hudson Bay ['hʌdsn'bei] Гудзóнов зали́в.
Hudson Strait ['hʌdsn'streit] Гудзóнов проли́в.
Hull [hʌl] *г.* Гулль.
Hunan ['huː'nɑːn] Хунáнь.
Hungary ['hʌŋgərɪ] Вéнгрия; Hungarian People's Republic Венгéрская Нарóдная Респýблика.
Huntingdon(shire) ['hʌntɪŋdən(ʃɪə)] Хáнтингдон(шир).
Hunts [hʌnts] *см.* Huntingdon(shire).
Hupeh ['huː'pei] Хубáй.
Huron, Lake ['leik'hjuːərən] *óзеро* Гурóн.
Hwang Ho [hwæŋ'hou] *р.* Хуанхэ́.
Hyderabad ['haidərəbɑːd] Хайдарабáд.

Iceland ['aislənd] Ислáндия.
Idaho ['aidəhou] Айдáхо.
Illinois [,ɪlɪ'nɔɪ, ,ɪlɪ'nɔɪz] Йллинойс.
India ['ɪndjə] Йндия.
Indiana [,ɪndɪ'ænə] Индиáна.
Indian Ocean ['ɪndjən'ouʃən] Инди́йский океáн.
Indonesia [,ɪndou'niːzjə] Индонéзия.
Indus ['ɪndəs] *р.* Инд.
Ionian Sea [ai'ounjən'siː] Иони́ческое мóре.
Iowa ['aiouə] Áйова.
Irak [ɪ'rɑːk] = Iraq.

Iran [ɪˈrɑːn] Ира́н.
Iraq [ɪˈrɑːk] Ира́к; Iraq Republic Ира́кская Респу́блика.
Ireland [ˈaɪələnd] Ирла́ндия.
Irtish [ɪrˈtɪʃ] p. Ирты́ш.
Isfahan [ˈɪsfəhæn] г. Исфаха́н.
Islington [ˈɪzlɪŋtən] г. Ѝслингтон.
Ispahan [ˌɪspəˈhɑːn] = Isfahan.
Israel [ˈɪzreɪəl] Изра́иль.
Istanbul [ˌɪstænˈbuːl] г. Стамбу́л.
Italy [ˈɪtəlɪ] Ита́лия.
Izmir [ɪzˈmɪr] г. Измѝр.

Jacksonville [ˈdʒæksnvɪl] г. Джэ́ксонвилл.
Jaffa [ˈdʒæfə] г. Я́ффа.
Jaipur [dʒaɪˈpuə] г. Джайпу́р.
Jakarta [dʒəˈkɑːtə] г. Джака́рта (столица Индонезии).
Jamaica [dʒəˈmeɪkə] o-в Яма́йка.
Japan [dʒəˈpæn] Япо́ния.
Java [ˈdʒɑːvə] o-в Ява.
Jedda [ˈdʒedə] = Jidda.
Jehol [jəˈhoul] Жехе́.
Jersey [ˈdʒɑːzɪ] o-в Джерси.
Jersey City [ˈdʒɑːzɪˈsɪtɪ] г. Джерси-Сити.
Jerusalem [dʒəˈruːsələm] г. Иерусали́м.
Jibuti [dʒɪˈbuːtɪ] г. Джибути́.
Jidda [ˈdʒɪdə] г. Джи́дда.
Jogjakarta [ˌdʒɔgjəˈkɑːtə] г. Джокьяка́рта.
Johannesburg [dʒouˈhænɪsbəːg] г. Иога́ннесбург.
Jordan [ˈdʒɔːdn] 1) Иорда́ния; 2) p. Иорда́н.
Jugoslavija [ˈjuːgouˈslɑːvjə] = Yugoslavia.
Jutland [ˈdʒʌtlənd] Ютла́ндский полуо́стров.

Kabul [ˈkɔːbl] г. Кабу́л.
Kalahari Desert [ˌkɑːlɑːˈhɑːrɪˈdezət] пусты́ня Калаха́ри.
Kaliningrad [kɑːˈliːnɪŋgrɑːd] г. Калинингра́д.
Kama [ˈkɑːmə] p. Ка́ма.
Kamchatka [kæmˈtʃætkə] n-в Камча́тка.
Kansas [ˈkænzəs] Канза́с.
Kansas City [ˈkænzəsˈsɪtɪ] г. Канза́с-Сити.
Karachi [kəˈrɑːtʃɪ] г. Кара́чи.
Kara Sea [ˈkɑːrɑːˈsiː] Ка́рское мо́ре.
Karlovy Vary [ˈkɑːlouvɪˈvɑːrɪ] г. Ка́рлови-Ва́ри.
Kashgar [ˈkæʃgɑː] г. Кашга́р.
Kashmir [kæʃˈmɪə] Кашми́р.
Katmandu [ˈkɑːtmænˈduː] г. Катманду́ (столица Непала).
Kattegat [ˌkætɪˈgæt] пролив Каттега́т.
Kaunas [ˈkaunəs] г. Ка́унас.
Kazakhstan [ˌkɑːzɑːkˈstɑːn] Казахста́н; Kazakh Soviet Socialist Republic Каза́хская Сове́тская Социалисти́ческая Респу́блика.
Kent [kent] Кент.
Kentucky [kenˈtʌkɪ] Кенту́кки.
Kenya [ˈkiːnjə] Ке́ния.
Kerch [kertʃ] г. Керчь.
Kerry [ˈkerɪ] Ке́рри.

Kharkov [ˈkhɑːrkəf] г. Ха́рьков.
Khart(o)um [kɑːˈtuːm] г. Харту́м.
Kiel [kiːl] г. Киль.
Kiev [ˈkiːev] г. Ки́ев.
Kilimanjaro [ˌkɪlɪmənˈdʒɑːrou] Килиманджа́ро (гора).
Kilkenny [kɪlˈkenɪ] Килке́нни.
Kingston [ˈkɪŋstən] г. Ки́нгстон.
Kioto [kɪˈoutou] = Kyoto.
Kirg(h)izia [kəˈgiːzjə] Кирги́зия; Kirg(h)iz Soviet Socialist Republic Кирги́зская Сове́тская Социалисти́ческая Респу́блика.
Kirin [ˈkiːrɪn] Гири́н.
Kirkcudbright(shire) [kəˈkuːbrɪ (ʃɪə)] Кёрку́бри(шир).
Kishinev [kɪʃɪˈnjɔːv] г. Кишинёв.
Klaipeda [ˈklaɪpɪdə] г. Кла́йпеда.
Klondike [ˈklɔndaɪk] Кло́ндайк.
Kobe [ˈkoubɪ] г. Ко́бе.
Kongo [ˈkɔŋgou] = Congo.
Königsberg [ˈkɑːnɪgzbɛəg] г. Кёнигсберг; см. Kaliningrad.
Korea [kəˈrɪə] Коре́я; Korean People's Democratic Republic Коре́йская Наро́дно-Демократи́ческая Респу́блика.
Kuala Lumpur [ˈkwɑːləˈlumpuə] г. Куа́ла-Лумпу́р (столица Малайской Федерации).
Kuibyshev [ˈkuɪbɪʃev] г. Ку́йбышев.
Kuril(e) Isls [kuˈriːlˈaɪləndz] Кури́льские острова́.
Kyoto [kɪˈoutou] г. Кио́то.

Labrador [ˈlæbrədɔː] n-в Лабрадо́р.
Ladoga [ˈlædəgə] Ла́дожское о́зеро.
Lagos [ˈleɪgɔs] г. Лаго́с.
Lahore [ləˈhɔː] г. Лахо́р.
Lake District [ˈleɪk,dɪstrɪkt] Озёрная о́бласть.
Lanark(shire) [ˈlænək(ʃɪə)] Ла́нарк(шир).
Lancashire [ˈlæŋkəʃɪə] Ла́нкашир.
Lancaster [ˈlæŋkəstə] 1) = Lancashire; 2) г. Ла́нкастер.
Laos [lauz] Лао́с.
La Paz [lɑːˈpæz] г. Ла-Па́с (столица Боливии).
La Plata [lɑːˈplɑːtə] p. Ла-Пла́та.
Laptev Sea [ˈlɑːptevˈsiː] мо́ре Ла́птевых.
Lassa [ˈlæsə] = Lhasa.
Latvia [ˈlætvɪə] Ла́твия; Latvian Soviet Socialist Republic Латви́йская Сове́тская Социалисти́ческая Респу́блика.
Lebanon [ˈlebənən] Лива́н.
Leeds [liːdz] г. Лидс.
Leghorn [ˈlegˈhɔːn] г. Ливо́рно.
Leicester(shire) [ˈlestə(ʃɪə)] Ле́стер(шир).
Leipzig [ˈlaɪpzɪg] г. Ле́йпциг.
Lena [ˈleɪnə] p. Ле́на.
Leningrad [ˈleɪnɪngrɑːd] г. Ленингра́д.
Lenin Peak [ˈlenɪnˈpiːk] Пик Ле́нина.
Leopoldville [ˌleɪoupouldˈviːl] г. Леопо́льдвиль.
Lhasa [ˈlæsə] г. Лха́сса.
Liberia [laɪˈbɪərɪə] Либе́рия.
Libia, Libya [ˈlɪbɪə] Ли́вия.
Liechtenstein [ˈlɪktənʃtaɪn] Лихтенште́йн.
Liége [liˈeɪʒ] г. Льеж.
Lille [liːl] г. Лилль.

**Lima** [ˈliːmə] *г.* Ли́ма (*столица Перу*).
**Lincoln(shire)** [ˈlɪŋkən(ʃɪə)] Ли́нкольн (-шир).
**Lisbon** [ˈlɪzbən] *г.* Лиссабо́н.
**Lithuania** [ˌlɪθjuːˈeɪnjə] Литва́; **Lithuanian Soviet Socialist Republic** Лито́вская Сове́тская Социалисти́ческая Респу́блика.
**Little Rock** [ˈlɪtlˈrɔk] *г.* Ли́тл-Рок.
**Liverpool** [ˈlɪvəpuːl] *г.* Ли́верпул.
**Lofoten Isls** [louˈfoutənˈaɪləndz] Лофо́тенские острова́.
**Loire** [lwɑː] *р.* Луа́ра.
**London** [ˈlʌndən] *г.* Ло́ндон.
**Londonderry** [ˌlʌndənˈderɪ] Ло́ндондерри.
**Lorraine** [lɔˈreɪn] Лотари́нгия.
**Los Angeles** [lɔsˈændʒɪliːz] *г.* Лос-Анже́лос.
**Louisiana** [luːˌiːzɪˈænə] Луизиа́на. ´
**Lucknow** [ˈlʌknau] *г.* Ла́кнау.
**Luxemburg** [ˈlʌksəmbəːg] Люксембу́рг.
**Luzon** [luːˈzɔn] *о-в* Лусо́н.
**Lyons** [ˈlaɪənz] *г.* Лио́н.

**Macao** [məˈkau] Мака́о.
**Macedonia** [ˌmæsɪˈdounjə] Македо́ния.
**Mackenzie** [məˈkenzɪ] *р.* Маке́нзи.
**Madagascar** [ˌmædəˈgæskə] Мадагаска́р.
**Madeira** [məˈdɪərə] *о-в* Маде́йра.
**Madras** [məˈdrɑːs] *г.* Мадра́с.
**Madrid** [məˈdrɪd] *г.* Мадри́д.
**Magellan, Strait of** [ˈstreɪtəvməˈgelən] Магелла́нов проли́в.
**Maine** [meɪn] Мэн (*штат США*).
**Majorca** [məˈdʒɔːkə] *о-в* Майо́рка.
**Makassar Strait** [məˈkæsəˈstreɪt] Макасса́рский проли́в.
**Malacca** [məˈlækə] Мала́кка.
**Malaya** [məˈleɪə] Мала́йя; **Federation of Malaya** Мала́йская Федера́ция.
**Malay Archipelago** [məˈleɪˌɑːkɪˈpelɪgou] Мала́йский архипела́г.
**Malay Peninsula** [məˈleɪpɪˈnɪnsjulə] полуо́стров Мала́кка.
**Malaysia** [məˈleɪʃə] *см.* Malay Archipelago.
**Malta** [ˈmɔːltə] *о-в* Ма́льта.
**Man** [mæn] *о-в* Мэн.
**Managua** [məˈnɑːgwə] *г.* Мана́гуа (*столица Никара́гуа*).
**Manchester** [ˈmæntʃɪstə] *г.* Ма́нчестер.
**Manhattan** [mænˈhætən] Манха́ттан.
**Manila** [məˈnɪlə] *г.* Мани́ла.
**Manitoba** [ˌmænɪˈtoubə] Манито́ба.
**Mannar, Gulf of** [ˈgʌlfəvməˈnɑː] Манна́рский зали́в.
**Margate** [ˈmɑːgɪt] *г.* Ма́ргет.
**Mariana Isls, Marianas** [ˌmɑːrɪˈɑːnɑːˈaɪləndz, ˌmɑːrɪˈɑːnɑːz] Мариа́нские острова́.
**Marmara (Marmora), Sea of** [ˈsiːəvˈmɑːmərə] Мра́морное мо́ре.
**Marne** [mɑːn] *р.* Ма́рна.
**Marquesas Isls** [mɑːˈkeɪsæsˈaɪləndz] Марки́зские острова́.
**Marseilles** [mɑːˈseɪlz] *г.* Марсе́ль.
**Marshall Isls** [ˈmɑːʃəlˈaɪləndz] Марша́лловы острова́.
**Martinique** [ˌmɑːtɪˈniːk] *о-в* Мартини́ка.
**Maryborough** [ˈmɛərɪbərə] *г.* Мэ́риборо.

**Maryland** [ˈmɛərɪlænd] Мэ́риленд.
**Masqat** [ˈmʌskət] = Muscat.
**Massachusetts** [ˌmæsəˈtʃuːsets] Масса́чусетс.
**Mauritius** [məˈrɪʃəs] *о-в* Маври́кий.
**Mecca** [ˈmekə] *г.* Ме́кка.
**Medina** [meˈdiːnə] *г.* Меди́на.
**Mediterranean Sea** [ˌmedɪtəˈreɪnjənˈsiː] Средизе́мное мо́ре.
**Mekong** [meɪˈkɔŋ] *р.* Меко́нг.
**Melanesia** [ˌmeləˈniːzjə] Меланези́я.
**Melbourne** [ˈmelbən] *г.* Ме́льбурн.
**Memphis** [ˈmemfɪs] *г.* Ме́мфис.
**Merioneth(shire)** [ˌmerɪˈɔnɪθ(ʃɪə)] Мерио́нет(шир).
**Mersey** [ˈməːzɪ] *р* Мерсе́й (Ме́рси).
**Mesopotamia** [ˌmesəpəˈteɪmjə] *ист.* Месопота́мия.
**Mexico** [ˈmeksɪkou] Ме́ксика.
**Mexico (City)** [ˈmeksɪkou(ˈsɪtɪ)] *г.* Ме́хико.
**Mexico, Gulf of** [ˈgʌlfəvˈmeksɪkou] Мексика́нский зали́в.
**Miami** [maɪˈæmɪ] *г.* Майа́ми.
**Michigan** [ˈmɪʃɪgən] Ми́чиган.
**Michigan, Lake** [ˈleɪkˈmɪʃɪgən] о́зеро Ми́чиган.
**Middlesex** [ ˈmɪdlseks] Ми́длсекс.
**Midlothian** [mɪdˈlouðjən] Мидло́тиан.
**Midway** [ˈmɪdweɪ] *о-в* Ми́дуэй.
**Milan** [mɪˈlæn] *г.* Мила́н.
**Miletus** [mɪˈliːtəs] *ист. г.* Миле́т.
**Milwaukee** [mɪlˈwɔːkiː] *г.* Милуо́ки.
**Mindanao** [ˌmɪndəˈnɑːou] *о-в* Минда́нао.
**Minneapolis** [ˌmɪnɪˈæpəlɪs] *г.* Миннеа́полис.
**Minnesota** [ˌmɪnɪˈsoutə] Миннесо́та.
**Minorca** [mɪˈnɔːkə] *о-в* Мино́рка.
**Minsk** [mɪnsk] *г.* Минск.
**Mississippi** [ˌmɪsɪˈsɪpɪ] Миссиси́пи (*река и штат*).
**Missouri** [mɪˈzuərɪ] Миссу́ри (*река и штат*).
**Moldavia** [mɔlˈdeɪvjə] Молда́вия; **Moldavian Soviet Socialist Republic** Молда́вская Сове́тская Социалисти́ческая Респу́блика.
**Molucca Isls, Moluccas** [mouˈlʌkəˈaɪləndz, mouˈlʌkəz] Молу́ккские острова́.
**Monaco** [ˈmɔnəkou] Мона́ко.
**Mongolia** [mɔŋˈgouljə] Монго́лия; **Mongolian People's Republic** Монго́льская Наро́дная Респу́блика.
**Monmouth(shire)** [ˈmʌnməθ(ʃɪə)] Мо́нмут(шир).
**Monrovia** [mɔnˈrouvɪə] *г.* Монро́вия (*столица Либерии*).
**Montana** [mɔnˈtænə] Монта́на.
**Mont Blanc** [mɔ̃ːmˈblɑːŋ] Монбла́н.
**Montenegro** [ˌmɔntɪˈniːgrou] Черного́рия.
**Montevideo** [ˌmɔntɪvɪˈdeɪou] *г.* Монтеви́део.
**Montgomery(shire)** [məntˈgʌmərɪ(ʃɪə)] Монтго́мери(шир).
**Montreal** [ˌmɔntrɪˈɔːl] *г.* Монреа́ль.
**Moray** [ˈmʌrɪ] Мари (*см. тж.* Elgin (-shire)].
**Morocco** [məˈrɔkou] Маро́кко.
**Moscow** [ˈmɔskou] *г.* Москва́.
**Mosul** [ˈmousəl] *г.* Мо́сул.

Mozambique [ˌmouzəm'biːk] Мозамбик.
Mukden ['mukdən] г. Мукден.
Munich ['mjuːnik]· г. Мюнхен.
Murmansk ['murmɑːnsk] г. Мурманск.
Murray ['mʌri] р. Мюррей (Марри).
Muscat ['mʌskət] г. Маскат.
Mysore [mai'sɔː] Майсур.

Nagasaki [ˌnægə'sɑːki] г. Нагасаки.
Nairobi [ˌnaiə'roubi] г. Найроби (столица Кении).
Nanking [næn'kiŋ] г. Нанкин.
Naples ['neiplz] г. Неаполь.
Narvik ['nɑːvik] г. Нарвик.
Natal [nə'tæl] Наталь.
Nebraska [ni'bræskə] Небраска.
Neman ['nemən] р. Неман.
Nepal [ni'pɔːl] Непал.
Netherlands ['neðələndz] Нидерланды.
Neva ['neivə] р. Нева.
Nevada [ne'vɑːdə] Невада.
Newark ['njuːək] г. Ньюарк.
Newcastle ['njuːˌkɑːsl] г. Ньюкасл.
New Delhi ['njuː'deli] г. Новый Дели.
Newfoundland [ˌnjuːfənd'lænd] о-в Ньюфаундленд.
New Guinea ['njuː'gini] о-в Новая Гвинея.
New Hampshire ['njuː'hæmpʃiə] Нью-Гемпшир.
New Hebrides ['njuː'hebridiːz] о-ва Новые Гебриды.
New Jersey ['njuː'dʒəːzi] Нью-Джерси.
New Mexico ['njuː'meksikou] Нью-Мексико (штат США).
New Orleans [njuː'ɔːliənz] г. Новый Орлеан.
Newport ['njuːpɔːt] г. Ньюпорт.
New South Wales ['njuːsauθ'weilz] Новый Южный Уэльс (Австралия).
New York ['njuː'jɔːk] Нью-Йорк (город и штат).
New Zealand [njuː'ziːlənd] Новая Зеландия.
Niagara [nai'ægərə] р. Ниагара.
Niagara Falls [nai'ægərə'fɔːlz] Ниагарские водопады.
Nicaragua [ˌnikə'rægjuə] Никарагуа.
Nicosia [ˌnikou'siə] г. Никозия.
Niger ['naidʒə] р. Нигер.
Nigeria [nai'dʒiəriə] Нигерия.
Nile [nail] р. Нил.
Nome [noum] г. Ном.
Norfolk ['nɔːfək] Норфолк.
Normandy ['nɔːməndi] Нормандия.
North America ['nɔːθə'merikə] Северная Америка.
Northampton(shire) [nɔː'θæmptən(ʃiə)] Нортгемптон(шир).
North Cape ['nɔːθ'keip] мыс Нордкап.
North Carolina ['nɔːθˌkærə'lainə] Северная Каролина.
North Dakota ['nɔːθdə'koutə] Северная Дакота.
North Pole ['nɔːθ'poul] Северный полюс.
North Sea ['nɔːθ'siː] Северное море.
Northumberland [nɔː'θʌmbələnd] Нортумберленд.
North-West Territories ['nɔːθ'west'teritə-

riz] Северо-западная территория (в Канаде).
Norway ['nɔːwei] Норвегия.
Norwich I ['nɔridʒ] г. Норидж (в Англии).
Norwich II ['nɔːwitʃ] г. Норвич (в США).
Nottingham(shire) ['nɔtiŋəm(ʃiə)] Ноттингем(шир).
Notts [nɔts] см. Nottingham(shire).
Novosibirsk [ˌnɔvəsi'birsk] г. Новосибирск.
Nuremberg, Nürnberg ['njuːrəmbəːg,'njuːrnberk] г. Нюрнберг.
Nyasaland ['njæsələnd] Ньясаленд.

Oakland ['ouklənd] г. Окленд.
Ob [ɔb] р. Обь.
Oceania [ˌouʃi'einjə] Океания.
Oder ['oudə] р. Одер.
Odessa [ou'desə] г. Одесса.
Ohio [ou'haiou] Огайо.
Oka [ɔ'kɑː] р. Ока.
Okhotsk, Sea of ['siːəvou'kɔtsk] Охотское море.
Okinawa ['ouki'nɑːwɑː] о-в Окинава.
Oklahoma [ˌouklə'houmə] Оклахома.
Olympus [ou'limpəs] Олимп.
Oman [ou'mɑːn] Оман.
Onega [ɔ'njegə] Онежское озеро.
Ontario [ɔn'teəriou] Онтарио.
Ontario, Lake ['leikən'teəriou] озеро Онтарио.
Orange River ['ɔrindʒ'rivə] река Оранжевая.
Oregon ['ɔrigən] Орегон.
Öresund ['ɔːrəsʌn] пролив Эресунн.
Orinoco [ˌɔri'noukou] р. Ориноко.
Orkney Isls, Orkneys ['ɔːkni'ailəndz, ɔːkniz] Оркнейские острова.
Osaka [ou'sɑːkə] г. Осака.
Oslo ['ɔzlou] г. Осло.
Ottawa ['ɔtəwə] г. Оттава.
Oxford ['ɔksfəd] г. Оксфорд.
Oxfordshire ['ɔksfədʃiə] Оксфордшир.

Pacific Ocean [pə'sifik'ouʃən] Тихий океан.
Pakistan [ˌpɑːkis'tɑːn] Пакистан.
Palawan [pɑː'lɑːwɑːn] о-в Палаван.
Palermo [pə'ləːmou] г. Палермо.
Palestine ['pælistain] Палестина.
Pamirs, the [pə'miəz] Памир.
Panama [ˌpænə'mɑː] Панама.
Panama Canal [ˌpænə'mɑːkə'næl] Панамский канал.
Papua ['pæpjuə] Папуа.
Paraguay ['pærəgwai] Парагвай.
Parana [ˌpɑːrɑː'nɑː] р. Парана.
Paris ['pæris] г. Париж.
Pearl Harbo(u)r ['pəːl'hɑːbə]Пирл-Харбор.
Peking [piː'kiŋ] г. Пекин.
Pembroke(shire) ['pembruk(ʃiə)] Пемброк(шир).
Penghu (Chuntao) [peŋ'huː(tʃuːn'tɑːou)] о-ва Пэнхуледао.
Pennsylvania [ˌpensil'veinjə] Пенсильвания.
Persia ['pəːʃə] Персия; см. Iran.
Persian Gulf ['pəːʃən'gʌlf] Персидский залив.

Perth [pəːθ] *г.* Перт.
Perth(shire) ['pəːθ(ʃɪə)] Перт(шир).
Peru [pə'ruː] Перу.
Pescadores [‚peskə'dɔːrɪz] Пескадорские острова; *см.* Penghu (Chuntao).
Peterborough ['piːtəbrə] *г.* Питерборо.
Philadelphia [‚fɪlə'delfjə] *г.* Филадельфия.
Philippine Isls, Philippines ['fɪlɪpɪn'aɪləndz, 'fɪlɪpɪnz] Филиппинские острова, Филиппины.
Phoenicia [fɪ'nɪʃɪə] *ист.* Финикия.
Piraeus [paɪ'riːəs] *г.* Пирей.
Pittsburgh ['pɪtsbəːg] *г.* Питсбург.
Plata, Plate ['plɑːtə, pleɪt] = La Plata.
Ploești [plɔ'jeʃtɪ] *г.* Плоешти.
Plymouth ['plɪməθ] *г.* Плимут.
Pnompenh [nɔm'pen] *г.* Пном-Пень (*столица Камбоджи*).
Poland ['poulənd] Польша; Polish People's Republic Польская Народная Республика.
Polynesia [‚pɔlɪ'niːzjə] Полинезия.
Popocatepetl ['pɔpə‚kætɪ'petl] Попокатепетль.
Port Arthur ['pɑːt'ɑːθə] *г.* Порт-Артур.
Port-au-Prince [‚pɔːtou'prɪns] *г.* Порт-о--Пренс (*столица Гаити*).
Portland ['pɔːtlənd] *г.* Портленд.
Port Moresby ['pɔːt'mɔːzbɪ] *г.* Порт--Морсби.
Port of Spain ['pɔːtəv‚speɪn] *г.* Порт-оф--Спейн.
Port Said [pɔːt'saɪd] *г.* Порт-Сайд.
Portsmouth ['pɔːtsməθ] *г.* Портсмут.
Portugal ['pɔːtjugəl] Португалия.
Prague [prɑːg] *г.* Прага.
Pretoria [prɪ'tɔːrɪə] *г.* Претория (*столица Южно-Африканского Союза*).
Prussia ['prʌʃə] *ист.* Пруссия.
Puerto Rico ['pwɑːtou'riːkou] Пуэрто--Рико.
Punjab [pʌn'dʒɑːb] Пенджаб.
Pyongyang ['pjɑːŋ'jɑːŋ] *г.* Пхеньян.
Pyrenees [‚pɪrə'niːz] Пиренеи.

Quebec [kwɪ'bek] Квебек.
Queensland ['kwiːnzlənd] Квинсленд.
Quezon, City of ['sɪtɪəv'keɪsɔːn] *г.* Кесон--Сити.
Quito ['kiːtou] *г.* Кито (*столица Эквадора*).

Rabat [rə'bɑːt] *г.* Рабат (*столица Марокко*).
Radnor(shire) ['rædnə(ʃɪə)] Раднор(шир).
Rangoon [ræŋ'guːn] *г.* Рангун.
Reading ['redɪŋ] *г.* Рединг.
Recife [rə'siːfə] Ресифе.
Red Sea ['red'siː] Красное море.
Reims [riːmz] *г.* Реймс.
Renfrew(shire) ['renfruː(ʃɪə)] Ренфру (-шир).
Reykjavik ['reɪkjəviːk] *г.* Рейкьявик.
Rhine [raɪn] *р.* Рейн.
Rhode Island [roud'aɪlənd] Род-Айленд.
Rhodes [roudz] *о-в* Родос.
Rhodesia [rou'diːzjə] Родезия.
Rhone [roun] *р.* Рона.
Richmond ['rɪtʃmənd] *г.* Ричмонд.

Riga ['riːgə] *г.* Рига.
Rio de Janeiro ['riːoudədʒə'nɪərou] *г.* Рио-де-Жанейро.
Rio-de-Oro ['riːoudeɪ'ourou] Рио-де-Оро.
Rio Grande ['riːou'grændɪ] *р.* Рио-Гранде.
Riyadh [rɪ'jɑːd] *г.* Эр-Рияд (*столица Саудовской Аравии*).
Rochester ['rɔtʃɪstə] *г.* Рочестер.
Rockies, the ['rɔkɪz] = Rocky Mts.
Rocky Mts ['rɔkɪ'mauntɪnz] Скалистые горы.
Romania [rɔ'meɪnjə] = R(o)umania.
Rome [roum] *г.* Рим.
Ross and Cromarty ['rɔsənd'krɔmətɪ] Росс энд Кромарти.
Rotterdam ['rɔtədæm] *г.* Роттердам.
R(o)umania [ruː'meɪnjə] Румыния; R(o)umanian People's Republic Румынская Народная Республика.
Roxburgh(shire) ['rɔksbərə(ʃɪə)] Роксбро(шир).
Ruhr [ruːr] *р.* Рур.
Russia ['rʌʃə] Россия.
Russian Soviet Federative Socialist Republic ['rʌʃən'souvɪet'fedərətɪv'souʃəlɪstɪ'rʌblɪk] Российская Советская Федеративная Социалистическая Республика.
Rutland(shire) ['rʌtlənd(ʃɪə)] Ратленд (-шир).

Saar [zɑː] *р.* Саар.
Saghalien [‚sægə'liːn] = Sakhalin.
Sahara [sə'hɑːrə] Сахара.
Saigon [saɪ'gɔn] *г.* Сайгон.
Saint Helena ['seɪnthe'liːnə] *о-в* Св. Елены.
Saint Lawrence [seɪnt'lɔːrəns] река Св. Лаврентия.
Saint Louis [seɪnt'luːɪs] *г.* Сент-Луис (*в США*).
Saint-Louis [‚sæŋ'lwiː] *г.* Сен-Луи (*в Африке*).
Saint-Louis Isl [‚sæŋ'lwiː'aɪlənd] остров Сен-Луи.
Sakhalin [‚sækə'liːn] *о-в* Сахалин.
Salisbury ['sɔːlzbərɪ] *г.* Солсбери.
Salonika [sə'lɔnɪkə] *г.* Салоники.
Salop ['sæləp] *см.* Shropshire.
Salt Lake City ['sɔːlt'leɪk'sɪtɪ] *г.* Солт--Лейк-Сити.
Salvador ['sælvədɔː] Сальвадор.
Samoa [sə'mouə] *о-ва* Самоа.
Sana, Sanaa [sɑː'nɑː] *г.* Сана (*столица Йемена*).
San Antonio [‚sænæn'tounɪou] *г.* Сан--Антонио.
Sandhurst ['sændhəːst] *г.* Сандхерст.
San Francisco [‚sænfrən'sɪskou] *г.* Сан--Франциско.
San José [‚sænhɔ'zeɪ] *г.* Сан-Хосе (*столица Коста-Рики*).
San Juan [sæn'(h)wɑːn] *г.* Сан-Хуан (*столица Пуэрто-Рико*).
San Marino [‚sænmə'riːnou] Сан-Марино.
San Salvador [sæn'sælvədɔː] *г.* Сан-Сальвадор.
Santiago [‚sæntɪ'ɑːgou] *г.* Сант-Яго (*столица Чили*).
São Paulo [sauɲ'pauluː] *г.* Сан-Паулу.

Sarawak [sə'rɑːwək] Саравáк.
Sardinia [sɑː'dɪnjə] *о-в* Сардúния.
Saskatchewan [sæs'kætʃɪwɔn] *р.* Саскáчеван.
Saudi Arabia [sɑː'uːdɪə'reɪbjə] Саýдовская Арáвия.
Saxony ['sæksnɪ] Саксóния.
Scarborough ['skɑːbrə] *г.* Скáрборо.
Scheldt [skelt] *р.* Шéльда.
Scotland ['skɔtlənd] Шотлáндия.
Seattle [sɪ'ætl] *г.* Снэ́тл.
Sedan [sɪ'dæn] *г.* Седáн.
Seine [seɪn] *р.* Сéна.
Selkirk(shire) ['selkəːk(ʃɪə)] Сéлкерк (-шир).
Senegal [,senɪ'gɔːl] Сенегáл.
Seoul [soul, seɪ'uːl] *г.* Сеýл.
Serbia ['səːbjə] Сéрбия.
Sevan(g) [se'vɑːn (se'vɑːŋ)] *оз.* Севáн.
Sevastopol [,sevɑːs'tɔpol] *г.* Севастóполь.
Severn ['sevəːn] *р.* Сéверн.
Seville ['sevɪl] *г.* Севúлья.
Shanghai [ʃæŋ'haɪ] *г.* Шанхáй.
Sheffield ['ʃefiːld] *г.* Шéффилд.
Shetland Isls ['ʃetlənd'aɪləndz] Шетлáндские островá.
Shrewsbury ['ʃrouzbərɪ] *г.* Шрýсбери.
Shropshire ['ʃrɔpʃɪə] Шрóпшир.
Siam ['saɪæm] Сиáм; *см.* Thailand.
Siberia [saɪ'bɪərɪə] Сибúрь.
Sicily ['sɪsɪlɪ] *о-в* Сицúлия.
Sierra Leone ['sɪərəlɪ'oun] Сиéрра-Леóне.
Sierra Nevada ['sɪərənɪ'vɑːdə] Сиéрра--Невáда.
Simla ['sɪmlə] *г.* Сúмла.
Singapore [,sɪŋgə'pɔː] *г.* Сингапýр.
Sinkiang ['sɪn'kjɑːŋ] Синцзян.
Skagerrack ['skægəræk] *пролив* Скагеррáк.
Sofia ['soufjə] *г.* Софúя.
Solomon Isls ['sɔləmən'aɪləndz] Соломóновы островá.
Somali(land) [sou'mɑːlɪ(lænd)] Сомалú.
Somerset(shire) ['sʌməsɪt(ʃɪə)] Сóмерсет (-шир).
Sound, the [saund] *пролив* Зунд; *см.* Öresund.
South America ['sauθə'merɪkə] Южная Амéрика.
Southampton [sauθ'æmptən] *г.* Сáутгемптон.
South Carolina ['sauθ,kærə'laɪnə] Южная Каролúна.
South China Sea ['sauθ'tʃaɪnə'siː] Южно--Китáйское мóре.
South Dakota ['sauθdə'koutə] Южная Дакóта.
South Pole ['sauθ'poul] Южный пóлюс.
Spain [speɪn] Испáния.
Spitsbergen ['spɪts,bəːgən] *о-в* Шпúцбéрген.
Stafford(shire) ['stæfəd(ʃɪə)] Стáффорд (-шир).
Stalinabad [,stɑːlɪnɑː'bɑːd] *г.* Сталинабáд.
Stalingrad [stɑːlɪn'grɑːd] *г.* Сталингрáд.
Stalin Peak ['stɑːlɪn'piːk] Пик Стáлина.
Stirling(shire) ['stəːlɪŋ(ʃɪə)] Стéрлинг (-шир).
Stockholm ['stɔkhoum] *г.* Стокгóльм.
Strasbourg ['stræzbəːg] *г.* Стрáсбург.

Stratford-on-Avon ['strætfədən'eɪvən] *г.* Стрáтфорд-на-Эйвоне.
Sucre ['suːkrə] *г.* Сýкре.
Sudan [suː'dɑːn] Судáн.
Suez ['suːɪz] *г.* Суэц.
Suez Canal ['suːɪzkə'næl] Суэцкий канáл.
Suffolk ['sʌfək] Сýффолк.
Sulawesi [,suːlɑː'weɪsɪ] *о-в* Сулавéси.
Sumatra [suː'mɑːtrə] *о-в* Сумáтра.
Superior, Lake ['leɪksjuː'pɪərɪə] óзеро Вéрхнее.
Surrey ['sʌrɪ] Сýррей.
Sussex ['sʌsɪks] Сýссекс.
Sutherland ['sʌðələnd] Сáтерленд.
Sweden ['swiːdn] Швéция.
Switzerland ['swɪtsələnd] Швейцáрия.
Sydney ['sɪdnɪ] *г.* Сиднéй.
Syracuse ['saɪərəkjuːz] *г.* Сиракýзы.
Syr Darya ['sɪrdɑːr'jɑː] *р.* Сыр-Дарья́.
Syria ['sɪrɪə] Сúрия.

Tabriz [tə'briːz] *г.* Тебрúз.
Ta(d)jikistan [tɑː,dʒɪkɪ'stɑːn] Таджикистáн;
Ta(d)jik Soviet Socialist Republic Таджúкская Совéтская Социалистúческая Респýблика.
Tahiti [tɑː'hiːtɪ] *о-в* Таúти.
Taiwan [taɪ'wæn] *о-в* Тайвáнь.
Tallin(n) ['tɑːlɪn] *г.* Тáллин.
Tananarive [,tɑː,nɑː,nɑː'riːv] = Antananarivo.
Tanganyika [,tæŋgə'njiːkə] Танганьúка.
Tangier [tæn'dʒɪə] *г.* Танжéр.
Tashkent [tæʃ'kent] *г.* Ташкéнт.
Tasmania [tæz'meɪnjə] *о-в* Тасмáния.
Tbilisi [tbɪ'liːsɪ] *г.* Тбилúси.
Tegucigalpa [tə,guːsɪ'gɑːlpɑː] *г.* Тегусигáльпа (*столица Гондурáса*).
Teh(e)ran [tɪə'rɑːn] *г.* Тегерáн.
Tel Aviv ['telɑː'viːv] *г.* Тель-Авúв.
Tennessee [,tene'siː] Теннессú.
Texas ['teksəs] Техáс.
Thailand ['taɪlænd] Таилáнд.
Thames [temz] *р.* Тéмза.
Thebes [θiːbz] *г.* Фúвы.
Thermopylae [θəː'mɔpɪliː] Фермопúлы.
Thibet [tɪ'bet] = Tibet.
Thrace [θreɪs] Фрáкия.
Tiber ['taɪbə] *р.* Тибр.
Tibet [tɪ'bet] Тибéт.
Tien Shan ['tɪən'ʃɑːn] Тянь-Шáнь.
Tientsin [tjen'tsɪn] *г.* Тяньцзúнь.
Tierra del Fuego ['tjerədelfuː'eɪgou] *о-в* Óгненная Земля́.
Tigris ['taɪgrɪs] *р.* Тигр.
Timbuktu [,tɪmbʌk'tuː] *г.* Тимбуктý.
Timor [tɪ'mɔː] *о-в* Тимóр.
Tirana [tɪ'rɑːnə] *г.* Тирáна.
Tirol ['tɪrəl] Тирóль.
Tobruch ['toubruk] *г.* Тóбрук.
Togo ['tougou] Тóго.
Tokyo ['toukjou] *г.* Тóкио.
Toledo I [tə'leɪdou] *г.* Толéдо (*в Испáнии*).
Toledo II [tə'liːdou] *г.* Толúдо (*в США*).
Torino [tou'riːnou] = Turin.
Toronto [tə'rɔntou] *г.* Торóнто.
Torquay [tɔː'kiː] *г.* Тóрки.
Torres Strait ['tɔrɪs'streɪt] Торрéсов пролúв.

Tottenham ['tɔtnəm] г. Тóтнем.
Trafalgar, Cape ['keɪptrə'fælgə] мыс Трафальгáр.
Transjordan ['trænz'dʒɔːdn] Трансиордáния; см. Jordan 1).
Transvaal ['trænzvɑːl] Трансваáль.
Transylvania [,trænsɪl'veɪnjə] Трансильвáния.
Trent [trent] p. Трент.
Trieste [tri:'est] г. Триéст.
Trinidad ['trɪnɪdæd] о-в Тринидáд.
Tripoli ['trɪpəlɪ] г. Трúполи.
Troy [trɔɪ] ист. г. Трóя.
Tsushima ['tsuːʃɪmə] о-в Цусúма.
Tunis ['tjuːnɪs] г. Тунúс.
Tunisia [tjuː'nɪzɪə] Тунúс.
Turin [tju'rɪn] г. Турúн.
Turkey ['təːkɪ] Тýрция.
Turkmenistan [,təːk,menɪ'stɑːn] Туркменистáн; Turkmen Soviet Socialist Republic Туркмéнская Совéтская Социалистúческая Респýблика.
Tweed [twiːd] p. Твид.
Twickenham ['twɪknəm] г. Туúкнем.
Tyrol ['tɪrəl] = Tirol.
Tyrone [tɪ'roun] Тирóн.
Tyrrhenian Sea [tɪ'riːnjən'siː] Тиррéнское мóре.

Uganda [juː'gændə] Угáнда.
Ukraine, the [juː'kreɪn] Украúна; Ukrainian Soviet Socialist Republic Украúнская Совéтская Социалистúческая Респýблика.
Ulan Bator ['uːlɑːn'bɑːtɔ] г. Улáн-Бáтор.
Ulianovsk [ul'jɑːnəvsk] = Ulyanovsk.
Ulster ['ʌlstə] Óлстер.
Ulyanovsk [ul'jɑːnəvsk] г. Ульянóвск.
Union of South Africa ['juːnjənəv'sauθ-'æfrɪkə] Южно-Африкáнский Сою́з.
Union of Soviet Socialist Republics ['juːnjənəv'souviet'souʃəlɪstɪ'pʌblɪks] Сою́з Совéтских Социалистúческих Респýблик.
United Arab Republic [juː'nɑɪtɪd'ærəbrɪ'pʌblɪk] Объединённая Арáбская Респýблика.
United Kingdom of Great Britain and Northern Ireland [juː'nɑɪtɪd'kɪŋdəməv'greɪt-'brɪtnənd'nɔːðən'aɪlənd] Соединённое Королéвство Великобритáнии и Сéверной Ирлáндии.
United States of America [juː'nɑɪtɪd-'steɪtsəvə'merɪkə] Соединённые Штáты Амéрики.
Urals, the ['juərəlz] Урáл.
Uruguay ['urugwaɪ] Уругвáй.
Utah ['juːtɑː] Ю́та.
Uzbekistan [uz,beki'stɑːn] Узбекистáн; Uzbek Soviet Socialist Republic Узбéкская Совéтская Социалистúческая Респýблика.

Vaduz [fɑː'duːts] г. Вадýц (столица Лихтенштейна).
Valencia [və'lenʃɪə] Валéнсия.
Valparaiso [,vælpə'raɪzou] г. Вальпарáйсо.
Vancouver [væn'kuːvə] г. Ванкýвер.
Venezuela [,venə'zwiːlə] Венесуэ́ла.
Venice ['venɪs] г. Венéция.

Vermont [vəː'mɔnt] Вермóнт.
Versailles [veə'saɪ] г. Версáль.
Vesuvius [vɪ'suːvjəs] Везýвий.
Vichy ['viːʃiː] г. Вишú.
Victoria [vɪk'tɔːrɪə] г. Виктóрия.
Victoria, Lake ['leɪkvɪk'tɔːrɪə] óзеро Виктóрия.
Vienna [vɪ'enə] г. Вéна.
Vientiane [vjæŋ'tjɑːn] г. Вьентья́н (столица Лаоса).
Viet-Nam ['vjet'nɑːm] Вьетнáм; Democratic Republic of Viet-Nam Демократúческая Респýблика Вьетнáм.
Vilnius, Vilnyus ['vɪlnɪəs] Вúльнюс.
Virginia [və'dʒɪnjə] Виргúния.
Vistula ['vɪstjulə] p. Вúсла.
Vladivostok [,vlædɪvɔ'stɔk] г. Владивостóк.
Volga ['vɔlgə] p. Вóлга.

Wales [weɪlz] Уэ́льс.
Warsaw ['wɔːsɔː] г. Варшáва.
Warwick(shire) ['wɔrɪk(ʃɪə)] Уóрик(шир).
Washington ['wɔʃɪŋtən] Вáшингтóн (город и штат).
Wellington ['welɪŋtən] г. Вéллингтон (столица Новой Зеландии).
Western Isls ['westən'aɪləndz] см. Hebrides.
West Indies ['west'ɪndɪz] Вест-Úндия.
West Point ['west'pɔɪnt] г. Вéст-Пóйнт.
West Virginia ['westvə'dʒɪnjə] Зáпадная Виргúния.
White Sea ['waɪt'siː] Бéлое мóре.
Wight [waɪt] о-в Уáйт.
Wigtown(shire) ['wɪgtən(ʃɪə)] Уúгтон (-шир).
Wilts [wɪlts] см. Wiltshire.
Wiltshire ['wɪltʃɪə] Уúлтшир.
Windsor ['wɪnzə] г. Вúндзор.
Winnipeg ['wɪnɪpeg] г. Вúннипег.
Wisconsin [wɪs'kɔnsɪn] Висконсúн.
Worcester(shire) ['wustə(ʃɪə)] Вýстер (-шир).
Wroclaw ['vrɔːtslɑːv] г. Врóцлав.
Wyoming [waɪ'oumɪŋ] Вайóминг.

Yangtze (Kiang) ['jæntsɪ('kjæŋ)] p. Янцзы́(цзян).
Yarmouth ['jɑːməθ] г. Я́рмут.
Yellow Sea ['jelou'siː] Жёлтое мóре.
Yemen ['jemən] Йéмен.
Yenisei [,jenɪ'seɪ] p. Енисéй.
Yerevan [,jerɪ'vɑːn] г. Еревáн.
Yokohama [,joukə'hɑːmə] г. Йокогáма.
York(shire) ['jɔːk(ʃɪə)] Йóрк(шир).
Ypres [iːpr] г. Ипр.
Yugoslavia ['juːgou'slɑːvjə] Югослáвия; Federal People's Republic of Yugoslavia Федератúвная Нарóдная Респýблика Югослáвия.
Yukon ['juːkɔn] p. Юкóн.

Zambezi [zæm'biːzi] p. Замбéзи.
Zanzibar [,zænzɪ'bɑː] о-в Занзибáр.
Zealand ['ziːlənd] о-в Зелáндия.
Zion ['zaɪən] Сиóн.
Zomba ['zɔmbə] г. Зóмба.
Zurich ['zjuərɪk] г. Цю́рих.

## СПИСОК НАИБОЛЕЕ УПОТРЕБИТЕЛЬНЫХ
## АНГЛИЙСКИХ СОКРАЩЕНИЙ

**a.** about примерно, около, приблизительно.

**a** acre акр (*4047 м²*).

**a** afternoon после полудня, пополудни; днём.

**a** age возраст.

**A** ampere ампер.

**Å** Ångström (unit) *физ.* ангстрем.

**a.** annual ежегодный, годичный.

**AA** anti-aircraft зенитный, зенитно-артиллерийский; противовоздушный.

**AAA** American Anthropological Association Американская антропологическая ассоциация.

**AAA** American Automobile Association Американская автомобильная ассоциация.

**A.A.A.** Amateur Athletic Association of America Американская ассоциация спортсменов-любителей.

**AAAL** American Academy of Arts and Letters Американская академия искусств и литературы.

**AAAS** American Academy of Arts and Sciences Американская академия наук и искусств.

**AAAS** American Association for the Advancement of Science Американская ассоциация содействия развитию науки.

**A.A.C.** anno ante Christum *лат.* до нашей эры.

**AACR** American Association of Cancer Research Американская научно-исследовательская онкологическая ассоциация.

**AADS** American Academy of Dermatology and Syphilology Американская академия кожно-венерических болезней.

**AAN** American Association of Neuropathologists Американская ассоциация невропатологов.

**AANS** American Academy of Neurological Surgery Американская академия нейрохирургии.

**AAOO** American Academy of Ophthalmology and Otolaryngology Американская академия офтальмологии и отоларингологии.

**AAOP** American Academy of Oral Pathology Американская академия стоматопатологии.

**AAOS** American Academy of Orthopaedic Surgery Американская академия ортопедической хирургии.

**AAP** American Academy of Pediatrics Американская академия педиатрии.

**A.A.P.S.S.** American Academy of Political and Social Sciences Американская академия политических и социальных наук.

**A.A.S.** American Astronomical Society Американское астрономическое общество.

**A.A.S.** Australian Academy of Science Австралийская академия наук.

**AAScW** American Association of Scientific Workers Американская ассоциация научных работников.

**AATM** American Academy of Tropical Medicine Американская академия тропической медицины.

**AAUP** American Association of University Professors Американская ассоциация преподавателей университетов.

**AB** air base авиационная база.

**ABC** American Broadcasting Corporation Американская радиовещательная корпорация, Эй-би-си.

**ABCC** Association of British Chambers of Commerce Ассоциация английских торговых палат.

**ABS** American Broadcasting System радиовещательная компания «Американ бродкастинг систем».

**abt** about примерно, около, приблизительно.

**abv.** above выше; более.

**AC** aircraft carrier авианосец.

**AC; ac** alternating current переменный ток.

**AC** alto-cumulus высококучевые облака.

**a.c.** anni currentis *лат.* текущего года.

**AC** Arctic Circle северный полярный круг.

**AC** Atlantic Charter Атлантическая хартия.

**A.C.** Automobile Club автомобильный клуб.

**acct** account счёт; фактура.

**ACESA** Australian Commonwealth Engineering Standards Association Ассоциация технических стандартов Австралийского Союза.

**acft** aircraft 1) самолёт; 2) *attr.* авиационный.

**ackgt** acknowledgement подтверждение; уведомление о получении; расписка.

**A.C.L.S.** American Council of Learned Societies Американский совет научных обществ.

**ACMF** Australian Commonwealth Military Forces вооружённые силы Австралийского Союза.

**acpt** acceptance *ком.* акцепт(ование).

**ACS** American Chemical Society Американское химическое общество.

**ACTU** Arbitration Court of Trade Unions Арбитражный суд (британских) тред-юнионов.

**A.D.** anno Domini *лат.* нашей эры.

**a.d.** ante diem *лат.* до этого дня, до сего числа.

**a/d** on alternate days через день.

**addl** additional дополнительный, добавочный.

**adds** address адрес.

**ADI** American Documentation Institute Американский институт (научной и технической) документации.

**A.D.R.A.** Animal Diseases Research Association (Британская) ассоциация по изучению болезней животных.

**adrm** airdrome аэродром.

**A.D.S.** American Dialect Society Американское диалектологическое общество.

**a.d.s.** autograph document signed *юр.* собственноручно написанный и подписанный документ.

**adsd** addressed адресовано, адресуется.

**adt; advt** advertisement объявление; реклама.

**AE** absolute error абсолютная ошибка.

**AERA** American Educational Research Association Американская научно-исследовательская педагогическая ассоциация.

**AES** American Electrochemical Society Американское электрохимическое общество.

**AES** American Entomological Society Американское энтомологическое общество.

**AES** American Ethnological Society Американское этнологическое общество.

**AESC** American Engineering Standards Committee Американский комитет технических норм и стандартов.

**aesu** absolute electrostatic unit абсолютная электростатическая единица.

**A.E.U.** Amalgamated Engineering Union Объединённый (*профессиональный*) союз машиностроителей (*в Англии*).

**A/F** air freight груз, перевозимый по воздуху.

**a.f.** as follows как указано далее.

**Afft** affidavit *лат. юр.* письменное показание под присягой.

**AFL/CIO** American Federation of Labor/Congress of Industrial Organizations Американская федерация труда и Конгресс производственных профсоюзов, АФТ/КПП.

**AFLS** American Folklore Society Американское общество фольклора.

**afsd** aforesaid вышеупомянутый.

**a.g.b.** any good brand любой коммерческий сорт.

**Agcy** agency агентство; представительство.

**a.g.l.** above ground level над уровнем земли.

**A.G.M.** annual general meeting общее ежегодное собрание.

**agmt** agreement соглашение; договор.

**AGS** American Geographical Society Американское географическое общество.

**agst; agt** against против.

**Agt** agent агент; представитель.

**AGU** American Geophysical Union Американский геофизический союз.

**Ah; ah** ampere-hour ампер-час.

**AHA** American Heart Association Американская кардиологическая ассоциация.

**AHA** American Historical Association Американская историческая ассоциация.

**ahd** ahead вперёд; впереди.

**a.k.a.; aka** also known as известный также как.

**Al.** Alaska Аляска (*штат США*).

**AL** American Legion Американский легион.

**a.l.** attacking line *спорт.* линия нападения.

**a.l.** autograph letter собственноручное письмо.

**Ala** Alabama Алабама (*штат США*).

**Ald.** alderman олдермен (*в Англии—член совета графства или муниципалитета; в США—член городского совета*).

**alky** alkalinity щёлочность.

**ALS** Air Letter Service воздушная почта.

**Alta** Alberta Альберта (*провинция Канады*).

**a.m.** above-mentioned вышеуказанный, вышеупомянутый.

**AM** air mail воздушная почта.

**A-m** ampere-minute ампер-минута.

**A.M.** Associate Member член-корреспондент (*в отличие от действительного члена*).

**AMA** American Medical Association Американская медицинская ассоциация.

**AML** air mail letter письмо воздушной почтой; авиакорреспонденция.

**AMPAS** Academy of Motion Picture Arts and Sciences (Американская) академия киноискусства и кинотехники.

**AMS** American Mathematical Society Американское математическое общество.

**AMS** American Meteorological Society Американское метеорологическое общество.

**AMSL** above mean sea level выше среднего уровня моря.

**amt** amount количество.

**amu** atomic mass unit атомная единица массы.

**AMVETS** American Veterans of World War II Союз американских ветеранов второй мировой войны.

**an; a/n** above-named вышеуказанный, вышепоименованный.

**AN** Army-Navy сухопутный и морской; принятый для сухопутных войск и военно-морского флота.

**ANA** American Nature Association Американское общество натуралистов.

**ANA** American Neurological Association Американская неврологическая ассоциация.

**A.N.R.C.** Australian National Research Council Австралийский национальный научно-исследовательский совет.

**A.N.S.** Academy of Natural Sciences (Американская) академия естественных наук.

**a.n.s.** autograph note signed оригинал документа подписан.

**a.n.wt.** actual net weight реальный вес нетто.

**A.N.Z.A.A.S.** Australian and New Zealand Association for the Advancement of Science Австралийско-новозеландская ассоциация содействия развитию науки.

**ANZUS** Australia, New Zealand, United States Тройственный пакт безопасности между Австралией, Новой Зеландией и США, пакт АНЗЮС.

**a.o.** and others и другие.

**a/or** and/or и/или.

**AOU** American Ornithologists' Union Американское общество орнитологов.

**A.P.** American Patent американский патент.

**a.p.** anno passato *лат.* в прошлом году.

**AP** Associated Press информационное агентство «Ассошиэйтед Пресс».

**A.P.** Atlantic Pact Атлантический пакт.

**A.P.A.** American Philological Association Американская филологическая ассоциация.

**APHA** American Public Health Association Американская ассоциация здравоохранения.

**apl** approval одобрение, утверждение.

**apmt** appointment 1) назначение; 2) место, должность.

**A.P.N.** Atlantic Pact Nations страны-участницы Атлантического пакта.

**Appx** appendix приложение; дополнение.

**APS** American Philosophical Society Американское философское общество.

**APS** American Polar Society Американское общество полярных исследований.

**APTA** American Physical Therapy Association Американская физиотерапевтическая ассоциация.

**aptd** appointed назначенный.

**a.q.** any quantity любое количество.

**A.R.** anno regni *лат.* в год царствования.

**AR** annual return годовой отчёт; годовой обзор.

**a/r** at the rate of a) со скоростью; б) при норме; в) в количестве.

**A.R.A.** American Radio Association Американская радиотехническая ассоциация.

**ARC** American Red Cross Американский Красный Крест.

**arcft** aircraft 1) самолёт; 2) *attr.* авиационный.

**ARd** arterial road главная дорога, основная магистраль.

**A.R.E.A.** American Railway Engineering Association Американская железнодорожная инженерно-техническая ассоциация.

**ARI** Agricultural Research Institute (Американский) научно-исследовательский институт сельского хозяйства.

**A.R.I.C.R.** American-Russian Institute for Cultural Relations Американо-русский институт культурных связей.

**Ariz.** Arizona Аризона (*штат США*).

**Ark.** Arkansas Арканзас (*штат США*).

**A.R.M.** Annual Representative Meeting ежегодное собрание представителей.

**arpt** airport аэропорт.

**ARRC** Association of the Royal Red Cross Ассоциация Английского Красного Креста.

**ARRL** American Radio Relay League Американская лига радиолюбителей-коротковолновиков.

**ARS** American Radium Society Американское общество по изучению радия.

**ARS** American Rocket Society Американское (инженерно-техническое) ракетное общество.

**ARU** American Railway Union Американский (*профессиональный*) союз железнодорожников.

**ARX** American Red Cross Американский Красный Крест.

**a/s** alongside *мор.* вдоль борта; борт о борт.

**A.S.** amicable settlement *юр.* мировая сделка.

**AS** Anglo-Saxon англосаксонский.

**A.S.A.** Acoustical Society of America Американское акустическое общество.

**ASA** American Society of Agronomy Американское агрономическое общество.

**ASA** American Standards Association Американская ассоциация стандартов.

**A.S.A.** Atomic Scientists Association (Британская) ассоциация учёных-атомников.

**ASAE** American Society of Aeronautical Engineers Американское общество авиационных инженеров.

**ASAS** American Society of Agricultural Sciences Американское общество сельскохозяйственных наук.

**ASCAP; Ascap** American Society of Composers, Authors and Publishers Американское общество композиторов, писателей и издателей.

**ASEA** American Society of Engineers and Architects Американское общество инженеров и архитекторов.

**A.S.E.E.** American Society of Engineering Education Американское общество распространения технического образования.

**asf** and so forth и так далее.

**asgd** assigned назначенный; предназначенный.

**asgmt** assignment 1) назначение; 2) *юр.* переуступка (*права собственности*).

**ASIH** American Society of Ichthyologists and Herpetologists Американское общество ихтиологов и герпетологов.

**ASLIB** Association of Special Libraries and Information Bureaux (Британская) ассоциация специальных библиотек и информационных (*библиографических*) бюро.

**ASM** American Society of Metals Американское общество металловедения.

**A.S.M.E.** American Society of Mechanical Engineers Американское общество инженеров-механиков.

**A.S.N.E.** American Society of Naval Engineers Американское общество инженеров-кораблестроителей.

**A.S.P.** American Society of Parasitologists Американское общество паразитологов.

**asp** as soon as possible по возмо́жности скоре́е; при пе́рвой возмо́жности.

**Aspt** aspirant кандида́т (на до́лжность).

**Assn** association о́бщество, ассоциа́ция.

**Assr.** assignor *юр.* лицо́, передаю́щее пра́во со́бственности.

**asst.** assistant ассисте́нт; помо́щник.

**asstd** assorted 1) сортиро́ванный; 2) классифици́рованный.

**AST** Atlantic Standard Time атланти́ческое (нью-йо́ркское) поясно́е вре́мя.

**ASTM** American Society for Testing Materials Америка́нское о́бщество испыта́ния материа́лов.

**ASV** Active Service действи́тельная вое́нная слу́жба.

**A.T.; A/T** American Terms *ком.* америка́нские усло́вия.

**AT; a.t.** apparent time *астр.* и́стинное вре́мя.

**at.ht.** atomic heat а́томная теплоёмкость.

**at.no.** atomic number а́томное число́, а́томный но́мер.

**ats** at the suit *юр.* по и́ску.

**Attn** attention 1) внима́ние; 2) внима́нию *такого-то*; 3) обрати́ть внима́ние!

**Atty** attorney атто́рней (*поверенный, адвокат*).

**at.wt.** atomic weight а́томный вес.

**Å U** Ångström unit *физ.* а́нгстрем.

**A.U.** astronomical unit астрономи́ческая едини́ца.

**AUBC** Association of Universities of the British Commonwealth Ассоциа́ция университе́тов Брита́нского содру́жества на́ций.

**av.; a/v** according to value по сто́имости, согла́сно оце́нке.

**A.V.** acid value *хим.* кисло́тное число́.

**AV** actual velocity действи́тельная ско́рость.

**a.v.** atomic volume а́томный объём.

**AVC** American Veterans' Committee Комите́т америка́нских ветера́нов войны́.

**avdp.** avoirdupois англи́йская систе́ма мер ве́са (*для всех товаров, кроме благородных металлов, драгоценных камней и аптекарских товаров; 1 фунт avdp.=453,59 г*).

**Ave.** avenue авеню́, проспе́кт, у́лица.

**avge** average 1) сре́днее число́; в сре́днем; 2) *ком.* ава́рия (*убытки, причинённые судну, грузу и фрахту*).

**av.l.** average length сре́дняя длина́.

**av.w.** average width сре́дняя ширина́.

**av.wt.** avoirdupois weight *см.* avdp.

**A/W** actual weight факти́ческий вес, и́стинный вес.

**A/W; a/w** along with вме́сте с.

**a.w.** atomic weight а́томный вес.

**AWG** American Wire Gauge америка́нский прово́лочный кали́бр.

**AWL** absent with leave *воен.* нахо́дится в разрешённом о́тпуске.

**AWNL** Australian Women's National League Австрали́йская национа́льная ли́га же́нщин.

**AWOL** absent without leave *воен.* нахо́дится в самово́льной отлу́чке.

**awu** atomic weight unit едини́ца а́томного ве́са

**B. bar** бар (*единица давления*).

**b.** before до, пе́ред.

**b** bel *ак.* бел.

**B.A.** Bachelor of Arts бакала́вр иску́сств

**B.A.** British America брита́нские владе́ния в Аме́рике.

**B.A.A.** British Astronomical Association Брита́нская астрономи́ческая ассоциа́ция

**B.A.A.S.** British Association for the Advancement of Science Брита́нская ассоциа́ция соде́йствия разви́тию нау́ки.

**BAC** British Association of Chemists Брита́нская ассоциа́ция хи́миков.

**BAEC** British Atomic Energy Corporation Брита́нская корпора́ция по а́томной эне́ргии.

**B.A.U.** British Engineering Standard Association Unit едини́ца электри́ческого сопротивле́ния по систе́ме Брита́нской ассоциа́ции станда́ртов (*0,9866 междунаро́дного ома*).

**B.B.** Blue Book Си́няя кни́га (*официа́льный отчёт парламентской комиссии или Тайного совета Англии*).

**BBC** British Broadcasting Corporation Брита́нская радиовеща́тельная корпора́ция, Би-би-си́.

**bbl** barrel 1) бочо́нок, бо́чка; 2) ба́ррель (*мера*).

**BC** basic course основно́й курс.

**B.C.** before Christ до на́шей э́ры.

**BC** birth certificate свиде́тельство о рожде́нии.

**BC** British Columbia Брита́нская Колу́мбия.

**B.C.; b/c** bulk cargo насыпно́й, нава́лочный *или* наливно́й груз; беста́рный груз.

**BCA** British Central Africa брита́нские владе́ния в Центра́льной А́фрике.

**B.C.E.** British Commonwealth and Empire Брита́нское содру́жество на́ций и импе́рия.

**B.C.E.C.C.** British—Central European Chamber of Commerce Пала́та по торго́вле ме́жду Великобрита́нией и стра́нами Центра́льной Евро́пы.

**BCGA** British Cotton Growing Association Брита́нская ассоциа́ция хлопково́дства.

**B/Ch** Bristol Channel Бристо́льский зали́в.

**B.C.I.R.A.** British Cast Iron Research Association Брита́нская нау́чно-иссле́довательская ассоциа́ция по изуче́нию чугуна́.

**bcl** broadcast listener радиослу́шатель.

**B.C.N.** British Commonwealth of Nations Брита́нское содру́жество на́ций.

**BCP** British Communist Party Коммуни́стическая па́ртия Великобрита́нии.

**B.C.S.O.** British Commonwealth Scientific Office Нау́чный центр стран Брита́нского содру́жества.

**B.C.U.R.A.** British Coal Utilization Research Association Брита́нская нау́чно-иссле́довательская ассоциа́ция по испо́льзованию у́гля.

**B.D.** Bachelor of Divinity бакала́вр богосло́вия.

**B.D.** bank draft тра́тта, вы́ставленная ба́нком на друго́й банк.

**b/d** barrels per day (сто́лько-то) ба́ррелей в день.

**B.D.** bills discounted дисконти́рованные *или* учтённые векселя́.

**bd** bond 1) облига́ция; бо́на; 2) долгово́е обяза́тельство; 3) закладна́я.

**b.d.** bone dry абсолю́тно сухо́й.

**bd** bound for... направля́ющийся в... (*о су́дне*).

**b/d** brought down (цена́) сни́жена.

**bd** bundle 1) свя́зка, па́чка, тюк; 2) вя́зка пря́жи (*54840 м*).

**BDC** Berlin Documents Center (Америка́нский) центр изуче́ния и публика́ции доку́ментов госуда́рственных архи́вов ги́тлеровской Герма́нии (*в За́падном Берли́не*).

**bdcst** broadcast радиопереда́ча.

**bdg** building зда́ние, строе́ние.

**B.E.** Bank of England Англи́йский банк.

**B/E** bill of entry *мор.* (тамо́женная) деклара́ция по прихо́ду судо́в.

**B.E.** British Empire Брита́нская импе́рия.

**BEA** British East Africa брита́нские владе́ния в Восто́чной Африке.

**BEA** British Engineers' Association Ассоциа́ция брита́нских инжене́ров.

**BEA; BEAC** British European Airways Corporation Брита́нская корпора́ция европе́йских возду́шных сообще́ний.

**BEDA** British Electrical Development Association Брита́нская ассоциа́ция разви́тия электроте́хники.

**Beds** Bedfordshire Бе́дфордшир (*гра́фство в А́нглии*).

**BEM** British Empire Medal меда́ль Брита́нской импе́рии.

**b.e.m.f.** back electromotive force противоэлектродви́жущая си́ла.

**Benelux** Belgium, Netherland and Luxemburg экономи́ческий и тамо́женный сою́з Бенилю́кс.

**B.E.P.C.** British Electrical Power Convention Брита́нская электроэнергети́ческая конве́нция.

**B.E.R.A.** British Electrical Research Association Брита́нская нау́чно-иссле́довательская электротехни́ческая ассоциа́ция.

**Berks** Berkshire Бе́ркшир (*гра́фство в А́нглии*).

**Berw.** Berwick(shire) Бе́рик(шир) (*гра́фство в Шотла́ндии*).

**BESA** British Engineering Standard Association Брита́нская ассоциа́ция техни́ческих (*машинострои́тельных*) станда́ртов.

**betn** between ме́жду, в промежу́тке.

**B.E.T.R.O.** British Export Trade Research Organization Брита́нская организа́ция по изуче́нию э́кспортной торго́вли.

**Bev** billion electron volts миллиа́рд электроново́льт, Бэв.

**B. Ex.; B/Ex.** bill of exchange перево́дный ве́ксель, тра́тта.

**BF** back face за́дняя сторона́; за́дняя грань.

**b.f.** bona fide *лат.* по со́вести; добросо́вестно; и́скренне, чистосерде́чно.

**B.F.A.S.** British Fine Arts Society Брита́нское о́бщество изобрази́тельных иску́сств.

**B.F.M.I.R.A.** British Food Manufacturing Industries Research Association Брита́нская нау́чно-иссле́довательская ассоциа́ция пищево́й промы́шленности.

**BG** background за́дний план, фон.

**bg** bag мешо́к.

**B.G.** Birmingham Gauge, British Wire Gauge бирминге́мский кали́бр, брита́нский про́волочный кали́бр.

**BG** British Government англи́йское прави́тельство.

**BG** British Guiana Брита́нская Гвиа́на.

**Bhn** Brinell hardness number *физ.* твёрдость по Бринéлю.

**B.H.P.** boiler horsepower котло́вая лошади́ная си́ла.

**B.H.R.A.** British Hydromechanics' Research Association Брита́нская нау́чно-иссле́довательская ассоциа́ция гидромеха́ники.

**BIA** British Ironfounders' Association Брита́нская ассоциа́ция лите́йщиков чугуна́.

**BICERA** British Internal Combustion Engine Research Association Брита́нская нау́чно-иссле́довательская ассоциа́ция по дви́гателям вну́треннего сгора́ния.

**BIDAC** Biddings and Acceptances Committee Комите́т спро́са и предложе́ния (Европе́йского экономи́ческого сове́та).

**B.I.N.C.** British Industries National Council Национа́льный сове́т брита́нской промы́шленности.

**BIS** Bank for International Settlements Банк междунаро́дных расчётов.

**B.I.S.** British Interplanetary Society Брита́нское стратонавти́ческое о́бщество.

**BISRA** British Iron and Steel Research Association Брита́нская нау́чно-иссле́довательская ассоциа́ция чёрной металлу́ргии.

**BK** bacillus Kochii *лат.* ко́ховская па́лочка, туберкулёзная па́лочка.

**bk** back наза́д, обра́тно.

**Bkg** banking 1) произво́дство ба́нковских опера́ций; 2) ба́нковское де́ло.

**bkt** bracket ско́бка.

**B.L.** Bachelor of Law бакала́вр пра́ва.

**bl** bale ки́па, тюк.

**bl** barrel 1) бочо́нок, бо́чка; 2) ба́ррель (*ме́ра*).

**bl** bilateral двусторо́нний.

**B/L** bill of lading тра́нспортная накладна́я, коносаме́нт.

**B.L.A.** bilateral agreement двусторо́ннее соглаше́ние.

**bldg** building зда́ние, строе́ние.

**Blvd** boulevard бульва́р.

**B.M.** Bachelor of Medicine бакала́вр медици́ны.

**bm.** bi-monthly раз в два ме́сяца.

**B.M.** British Museum Брита́нский музе́й.

**B.M.A.** British Medical Association Брита́нская медици́нская ассоциа́ция.

**B.M.N.** British Merchant Navy англи́йский торго́вый флот.

**B.M.T.** British Mean Time британское среднее время.

**B.N.** bank-note банкнот.

**Bn** battalion 1) батальон; 2) *арт.* дивизион.

**bn** between между, в промежутке.

**BNA** British North America британские владения в Северной Америке.

**B.N.B.** British National Bibliography Британская национальная библиография.

**B.N.B.** British North Borneo британские владения на Северном Борнео.

**B.N.F.M. R.A.** British Non-Ferrous Metals Research Association Британская научно-исследовательская ассоциация цветной металлургии.

**b.o.** back order обратный порядок; в обратном порядке.

**BO** Branch Office местное отделение, филиал.

**B.O.; b.o.** buyer's option по выбору (*или* усмотрению) покупателя.

**B.O.A.** British Olympic Association *спорт.* Британская олимпийская ассоциация.

**B.O.A.; B.O.A.C.** British Overseas Airways Corporation Британская корпорация трансокеанских воздушных сообщений.

**BOR; BOR's** British other ranks рядовой и сержантский состав английской армии.

**BOTU** Board of Trade unit киловатт-час.

**BOU** British Ornithologists' Union Британский союз орнитологов.

**BP** barometric pressure барометрическое давление.

**B.P.; bp** birth place место рождения.

**b.p.** boiling point точка кипения, температура кипения.

**B.P.** British Patent британский патент.

**B.P.** British Pharmacopoeia Британская фармакопея.

**B.P.** British Public британский народ.

**B.P.B.I. R.A.** British Paper and Board Industry Research Association Британская научно-исследовательская ассоциация бумажной и картонной промышленности.

**B.Ph.** Bachelor of Philosophy бакалавр философии.

**B.P.M.; b.p.m.** blows per minute (*столько-то*) ударов в минуту.

**B. R.** bank rate учётная ставка банка.

**BR** basic requirements основные требования, требования по стандарту.

**B. R.** book of reference справочник, справочное издание.

**B.R.C.** British Research Council Британский научно-исследовательский совет.

**BRCS** British Red Cross Society Английское общество Красного Креста.

**B. R. R.A.** British Rayon Research Association Британская научно-исследовательская ассоциация искусственного шёлка.

**BRRA** British Refractories Research Association Британская научно-исследовательская ассоциация огнеупоров.

**B.S.; B/S** bill of sale закладная; купчая; корабельная крепость.

**b.s.** both sides с обеих сторон.

**B.S.** British Standard британский стандарт.

**BSA** Bibliographical Society of America Американское библиографическое общество.

**BSA** Boy Scouts of America Бойскауты Америки (*молодёжная организация*).

**BSA** British South Africa британские владения в Южной Африке.

**B.S.C. R.A.** British Steel Castings Research Association Британская научно-исследовательская ассоциация стального литья.

**B.S.D.** British Standard Dimension размер по британскому стандарту.

**BSG** British Standard Gauge британский проволочный калибр.

**BSM** Bronze Star Medal американская медаль «Бронзовая звезда».

**B.S. R.A.** British Shipbuilding Research Association Британская научно-исследовательская ассоциация кораблестроения.

**BSS** British Standard Specification британские стандартные спецификации.

**B.S.S.S.** British Society of Soil Science Британское общество почвоведения.

**BST** British Summer Time английское летнее время.

**b.t.** berth terms *мор.* условия о месте причала; линейные условия (*о погрузке и выгрузке*).

**btto** brutto вес брутто.

**b.t.u.; Btu; BTU** British Thermal Unit британская тепловая единица (*0,252 большой калории*).

**BTUC** British Trade Union Congress Конгресс британских тред-юнионов.

**bu.** bushel бушель (≈ *36,3 л*).

**Bucks** Buckinghamshire Бакингемшир (*графство в Англии*).

**BUP** British United Press информационное агентство «Бритиш Юнайтед Пресс».

**B/V** book value стоимость по торговым книгам.

**BWI** British West Indies Британская Вест-Индия.

**BWT** British Winter Time английское зимнее время.

**C** calorie большая калория, килограмм-калория.

**c** calorie малая калория, грамм-калория.

**c.** carat карат (*200 миллиграммов*).

**C.** centigrade стоградусный (*о температурной шкале Цельсия*).

**c** centimetre сантиметр.

**c** circa *лат.* приблизительно, около.

**c.** curie кюри (*единица радиоактивности*).

**Ca.** Cavan Каван (*графство в Ирландии*).

**C.A.** Central America Центральная Америка.

**C.A.** Court of Appeal апелляционный суд.

**C/A; c.a.** current account текущий счёт.

**C.A.A. R.C.** Commonwealth Advisory Aeronautical Research Council Научно-исследовательский авиационный совет Британского содружества.

**c.a.d.** cash against documents платёж наличными против грузовых документов.

**Cal.** California Калифо́рния (*штат США*).
**Cambs** Cambridgeshire Ке́мбриджшир (*графство в Англии*).
**c & f** cost and freight цена́, включа́ющая сто́имость и фрахт.
**c & i** cost and insurance цена́, включа́ющая сто́имость и расхо́ды по страхова́нию.
**CAR** Canadian Association of Radiologists Кана́дская ассоциа́ция радио́логов.
**Car.** Carlow Ка́рлоу (*графство в Ирландии*).
**Card.** Cardigan(shire) Ка́рдиган(шир) (*графство в Уэльсе*).
**Carm.** Carmarthen(shire) Карма́ртен (-шир) (*графство в Уэльсе*).
**Carn.** Carnarvon(shire) Карна́рвон(шир) (*графство в Уэльсе*).
**cb** centibar центиба́р (*единица давления*).
**CB** confidential book секре́тное изда́ние; изда́ние, не подлежа́щее оглаше́нию.
**CBC** Canadian Broadcasting Corporation Кана́дская радиовеща́тельная корпора́ция.
**cbcm** cubic centimetre куби́ческий сантиме́тр.
**C.B.D.** cash before delivery опла́та (това́ра) до доста́вки.
**C.B.E.L.** Cambridge Bibliography of English Literature Ке́мбриджская библиогра́фия английской литерату́ры.
**cbft** cubic foot куби́ческий фут.
**cbm** cubic metre куби́ческий метр.
**CBR** chemical, biological and radiological хими́ческий, биологи́ческий и радиологи́ческий.
**CBS** Columbia Broadcasting System (Америка́нская) радиовеща́тельная компа́ния «Колу́мбия».
**C.C.** cash credit (ба́нковский) креди́т нали́чными деньга́ми.
**C.C.** Civil Court гражда́нский суд.
**CC** Common Council муниципалите́т.
**c/c** concentric концентри́ческий.
**C.C.** Crown Colony (брита́нская) коло́ния, не име́ющая самоуправле́ния.
**cca** circa *лат.* приблизи́тельно, о́коло.
**CCA** Commission for Conventional Armaments of the United Nations' Security Council Коми́ссия по вооруже́ниям обы́чного ти́па Сове́та Безопа́сности ООН.
**CCC** Central Criminal Court центра́льный суд по уголо́вным дела́м.
**CCC** Customs Co-operation Council Европе́йский тамо́женный сове́т.
**CCIMS** Council for the Co-ordination of International Congresses of Medical Sciences Координацио́нный сове́т по вопро́сам созы́ва междунаро́дных медици́нских нау́чных конгре́ссов.
**cckw** counter-clockwise про́тив (движе́ния) часово́й стре́лки.
**ccm.** cubic centimetre куби́ческий сантиме́тр.
**CCS** Canadian Cancer Society Кана́дское онкологи́ческое о́бщество.
**C.D.** contagious disease инфекцио́нное заболева́ние.
**cdl-ft** candle-foot фут-свеча́ (*единица освещённости*).
**cdm** cubic decimetre куби́ческий дециме́тр.

**CDV** cash debit voucher распи́ска в получе́нии за́йма нали́чными деньга́ми.
**CE** Canada, East Восто́чная Кана́да.
**C.E.** Church of England англика́нская це́рковь.
**C.E.** civil engineer инжене́р-строи́тель.
**CEC** Central Executive Committee Центра́льный исполни́тельный комите́т.
**CEEC** Committee of European Economic Co-operation Комите́т европе́йского экономи́ческого сотру́дничества.
**cemf** counter electromotive force противоэлектродви́жущая си́ла.
**CET** Central European Time центрально-европе́йское вре́мя.
**CF** carriage free фра́нко ме́сто назначе́ния.
**c.f.** centre forward *спорт.* центр нападе́ния.
**c.f.** centrifugal force центробе́жная си́ла.
**cf.** confer сравни́.
**C.F.L.** Canadian Federation of Labour Кана́дская федера́ция труда́.
**CFM; cfm** cubic feet per minute (*столько-то*) куби́ческих фу́тов в мину́ту.
**c.f.o.** cancelling former order в отме́ну предыду́щего прика́за.
**cfs** cubic feet per second (*столько-то*) куби́ческих фу́тов в секу́нду.
**cft** cubic foot куби́ческий фут.
**cg** centigram(me) сантигра́мм.
**cg** centre of gravity центр тя́жести.
**CG; C-G** Consul-General генера́льный ко́нсул.
**CGH** Cape of Good Hope Мыс До́брой Наде́жды.
**CGS** centimetre-gram(me)-second сантиме́тр-грамм-секу́нда (*система едини́ц*).
**c.h.; c-h** candle-hour *эл.* час-свеча́.
**CH** Clearing House расчётная пала́та.
**CH** Custom House тамо́жня.
**chd** chaldron ме́ра у́гля (*1,66 м³*).
**C.H.E.L.** Cambridge History of English Literature Ке́мбриджская исто́рия англи́йской литерату́ры.
**Ches** Cheshire Че́шир (*графство в Англии*).
**Chmn** chairman председа́тель.
**CHU; c. h. u.** centigrade heat unit метри́ческая теплова́я едини́ца.
**C/I; c./i.** certificate of insurance страхово́й сертифика́т, страхово́й по́лис.
**C.I.** Channel Islands Норма́ндские о-ва́.
**c.i.** cubic inch куби́ческий дюйм.
**CIC** Counter Intelligence Corps слу́жба контрразве́дки США.
**cif** cost, insurance, freight цена́, включа́ющая сто́имость, расхо́ды по страхова́нию и фрахт.
**C-in-C** Commander-in-Chief главноко́мандующий.
**CIO** Congress of Industrial Organizations Конгре́сс произво́дственных профсою́зов США, КПП; *см. тж.* AFL/CIO.
**CIOMS** Council for International Organizations of Medical Sciences Сове́т междунаро́дных медици́нских нау́чных организа́ций.
**C.I.T.U.** Council of Irish Trade Unions Сове́т ирла́ндских тред-юнио́нов.
**C.J.** Chief Justice гла́вный судья́.

**ckw** clockwise по часовой стрелке.

**cl** centilitre сантилитр.

**CL** centre line средняя линия, линия центров; ось чертежей.

**CL** centre of lift центр подъёмной силы.

**CLUS** Continental Limits United States границы континентальной части США.

**cm** centimetre сантиметр.

**CM** Corresponding Member член-корреспондент (*научного общества*).

**CM** Court Martial военный суд.

**c.m.** metric carat международный метрический карат (*200 миллиграммов*).

**C.M.A.** Canadian Medical Association Канадская медицинская ассоциация.

**cmm** cubic millimetre кубический миллиметр.

**cm/s** centimetre per second (*столько-то*) сантиметров в секунду.

**C/N** contract note договорная записка; договор.

**CNS** central nervous system центральная нервная система.

**c/o** care of для передачи (*такому-то; надпись на письмах*).

**C/O** cash-order *фин.* 1) тратта, срочная по предъявлении; 2) переводный вексель, оплачиваемый в данной стране.

**Co** company компания (*промышленная, торговая и т. п.*).

**C.o.C.** Chamber of Commerce торговая палата.

**COD** cash on delivery уплата при доставке; наложенный платёж.

**C.O.D.** Concise Oxford Dictionary Краткий Оксфордский словарь английского языка.

**Colo.** Colorado Колорадо (*штат США*).

**COMECON** Council for Mutual Economic Aid Совет взаимной экономической помощи (*стран народной демократии и СССР*).

**Conn.** Connecticut Коннектикут (*штат США*).

**CONUS** Continental United States территория Соединённых Штатов Америки (*без островных владений и подмандатных территорий*).

**Corn.** Cornwall Корнуолл (*графство в Англии*).

**Corpn** corporation корпорация.

**COSEC** Co-ordinating Secretariat of National Unions of Students Координационный секретариат национальных студенческих союзов.

**C.P.** calorific power теплотворная способность; теплопроизводительность.

**cp** candle-power сила света (в свечах).

**C/P** charter-party *мор.* фрахтовый контракт, чартер-партия.

**C.P.** Code of Civil Procedure гражданский процессуальный кодекс.

**CP** Communist Party коммунистическая партия.

**cp.** compare сравни.

**cp** constant potential *эл.* постоянный потенциал.

**C.P.** cost price себестоимость.

**CPA** Communist Party of Australia Коммунистическая партия Австралии.

**C.P.C.** Communist Party Congress съезд коммунистической партии.

**C.P.C.** Communist Party of China Коммунистическая партия Китая, КПК.

**C.P.G.B.** Communist Party of Great Britain Коммунистическая партия Великобритании.

**c.p.h.** candle-power hours количество света в свече-часах.

**CPH** central power house центральная электростанция.

**CPIT** Committee for Promotion of International Trade Комитет содействия международной торговле (*с СССР и странами народной демократии*).

**cps** cycles per second (*столько-то*) циклов в секунду, (*столько-то*) герц.

**CPSU** Communist Party of the Soviet Union Коммунистическая партия Советского Союза, КПСС.

**C.P.U.S.A.** Communist Party of the United States of America Коммунистическая партия США.

**Cr** creditor кредитор.

**C.R.C.** Canadian Red Cross Канадский Красный Крест.

**CRC** Canadian Research Council Канадский научно-исследовательский совет.

**C.R.M.** cash on receipt of merchandise уплата наличными по получении товара

**CrO** circular order циркулярное распоряжение.

**C.S.** capital stock основной капитал.

**CS** Civil Service государственная гражданская служба.

**C.S.A.** Canadian Standards Association Канадская ассоциация стандартов.

**CSFS** Canadian-Soviet Friendship Society Общество канадско-советской дружбы.

**C.S.I.R.O.** Commonwealth Scientific and Industrial Research Organization Организация Британского содружества по научным и промышленным исследованиям.

**C.S.T.** central standard time центральное поясное время (*от 90° до 105° западной долготы*).

**Ct** Connecticut Коннектикут (*штат США*).

**CT** correct time точное время.

**C.T.C.** Cyclists' Touring Club Клуб велосипедного туризма.

**ctl** cental английский квинтал (*мера сыпучих тел=45,36 кг*).

**C.T.U.** centigrade thermal unit метрическая тепловая единица.

**cu.** cubic кубический.

**CV** coulomb-volt *эл.* кулон-вольт.

**C.V.** curriculum vitae *лат.* жизнеописание.

**CW** Canada, West Западная Канада.

**C/W; c.w.** commercial weight торговый вес.

**c.w.o.** cash with order наличный расчёт при выдаче заказа.

**CWS** Committee for Whaling Statistics Международный статистический комитет китобойного промысла.

**CWS** confer with script сравни с текстом.

**C.W.S.** Co-operative Wholesale Society Кооперати́вное о́бщество опто́вой торго́вли.

**CWT** central winter time центра́льное зи́мнее поясно́е вре́мя *(от 95° до 105° за́падной долготы).*

**cwt** hundredweight це́нтнер *(в Англии— 50,8 кг; в США —45,3 кг).*

**Cy** city го́род.

**cy** currency валю́та.

**CYs** cubic yards куби́ческие я́рды.

**CZ** Canal Zone зо́на Пана́мского кана́ла.

**d.** date да́та.

**d.** day 1) день; 2) *attr.* дневно́й.

**d.** denarius *лат.* пе́нни.

**d.** dime (америка́нская моне́та в) 10 це́нтов.

**da.** daughter дочь.

**D/A; d/a** days after acceptance *банк.* (*через столько-то*) дней по́сле акце́пта.

**D/A** documents attached докуме́нты приложены.

**dag.** decagram(me) декагра́мм.

**D.Agr.** Doctor of Agriculture до́ктор сельскохозя́йственных нау́к.

**D.A.H.** disordered action of the heart расстро́йство серде́чной де́ятельности.

**dal** decalitre декали́тр.

**dam** decametre декаме́тр.

**d. & s.** demand and supply спрос и предложе́ние.

**DAR** Daughters of the American Revolution «До́чери америка́нской револю́ции» (*женская организация*).

**das** decastere де́сять кубоме́тров.

**DB; d.b.** day-book дневни́к; журна́л.

**db** decibel *физ.* деци́бел.

**dbl; dble** double двойно́й; па́рный; дубли́рованный.

**D.C.** Diplomatic Corps дипломати́ческий ко́рпус.

**D.C.** direct current постоя́нный ток.

**D.C.** District of Columbia федера́льный о́круг Колу́мбия (*США*).

**dct** document докуме́нт; documental документа́льный.

**d/d** days after date (*через столько-то*) дней от сего́ числа́.

**D/D** demand draft ве́ксель (сро́ком) по предъявле́нии; тра́тта, сро́чная по предъявле́нии.

**D.D.** Doctor of Divinity до́ктор богосло́вия.

**dd** doubled удво́енный; сдво́енный.

**D-day** 1) день призы́ва; 2) *воен.* день «D», день нача́ла опера́ции.

**d.d. in d.** de die in diem *лат.* изо дня в день.

**D.E.** degree of elasticity сте́пень упру́гости.

**dec.; decd** deceased сконча́вшийся, уме́рший.

**Del.** Delaware Де́лавэр (*штат США*).

**Dem.** democrat демокра́т; democratic демократи́ческий.

**Den.** Denbig(shire) Де́нби(шир) (*графство в Уэльсе*).

**Dept** department 1) управле́ние; отде́л;

департа́мент; 2) министе́рство; ве́домство; 3) вое́нный о́круг.

**Derbs.** Derby(shire) Де́рби(шир) (*графство в Англии*).

**detd** determined определённый, устано́вленный.

**d.f.** design formula расчётная фо́рмула.

**d.f.** diversity factor коэффицие́нт разновреме́нности.

**D.F.** double fronted двухфаса́дный; выходя́щий на две у́лицы *или* доро́ги.

**dft** defendant обвиня́емый, подсуди́мый; отве́тчик.

**dft** draft 1) набро́сок; схе́ма, чертёж; 2) прое́кт (*документа*); 3) чек, тра́тта; су́мма, полу́ченная по тра́тте; 4) пополне́ние, ма́ршевая кома́нда; 5) *мор.* оса́дка.

**dg** decigram(me) децигра́мм.

**d.g.** decimal gauge десяти́чный кали́бр.

**dg** degree 1) гра́дус; 2) сте́пень, ранг.

**D.H.** Daily Herald газе́та «Де́йли ге́ральд».

**dH** difference in height ра́зность высо́т.

**DHP** designed horsepower прое́ктная мо́щность.

**di.** diameter диа́метр.

**difce; diff.** difference 1) ра́зница; разли́чие; 2) *мат.* ра́зность.

**dk** dark тёмный.

**dkg** dekagram(me) декагра́мм.

**dkl** dekalitre декали́тр.

**dkm** dekametre декаме́тр.

**dl.** decilitre децили́тр.

**D/L** demand loan заём *или* ссу́да до востре́бования.

**d.l.** description leaf аннота́ция.

**DLa** difference of latitudes *геогр.* ра́зность широ́т.

**D.Lit.; D.Litt.** Doctor of Literature до́ктор литерату́ры.

**D.Lo.** difference of longitudes *геогр.* ра́зность долго́т.

**dm** decimetre дециме́тр.

**DM** Diplomatic Mission дипломати́ческая ми́ссия.

**D.M.** Doctor of Medicine до́ктор медици́ны.

**D.N.G.** Dutch New Guinea голла́ндские владе́ния на Но́вой Гвине́е.

**D/O** delivery order 1) распоряже́ние о вы́даче гру́за (*или* това́ра); 2) товаро-распоряди́тельный докуме́нт; 3) зака́з на поста́вку това́ра.

**D.o.B.; DOB** date of birth да́та рожде́ния.

**Dors.** Dorset(shire) До́рсет(шир) (*графство в Англии*).

**DP** difference of potential *эл.* ра́зность потенциа́лов, напряже́ние.

**DP** displaced person перемещённое лицо́.

**D.P.** Doctor of Philosophy до́ктор филосо́фии.

**d.p.** double-pole *эл.* двухпо́люсный.

**DPE** for the duration of the present emergency на вре́мя чрезвыча́йного положе́ния.

**dr** debtor должни́к, дебито́р.

**Dr** doctor до́ктор; врач.

**dr. ap.** dram apothecaries дра́хма апте́карского ве́са (*0,0355 децилитра*).

**dr. av.** dram avoirdupois дра́хма торго́вого ве́са (1,7718 г).

**DRV** Democratic Republic of Viet-Nam Демократи́ческая Респу́блика Вьетна́м.

**ds** decistere $^1/_{10}$ куби́ческого ме́тра.

**D.S.** document signed докуме́нт, подпи́санный (таким-то).

**Du** duchy ге́рцогство.

**Dumb.** Dumbarton Ду́мбартон (графство в Шотландии).

**Dumf.** Dumfries(shire) Да́мфрис(шир) (графство в Шотландии).

**DV** discharged veteran амер. демобилизо́ванный уча́стник войны́.

**d.w.** daily wages дневна́я за́работная пла́та.

**DW** Daily Worker газе́та «Де́йли уо́ркер».

**d.w.** deadweight тех. 1) вес констру́кции, мёртвый вес; 2) по́лная грузоподъёмность (судна).

**DWT; dwt** deadweight tonnage по́лная грузоподъёмность (судна) в то́ннах.

**dwt** pennyweight пе́нниуэйт (мера веса=1,55 г).

**dz** dozen дю́жина.

**E** East восто́к; eastern восто́чный.

**e** erg физ. эрг (единица работы).

**E** modulus of elasticity физ. мо́дуль упру́гости.

**E.A.** East Africa Восто́чная А́фрика.

**EAES** European Atomic Energy Society Европе́йское соо́бщество по а́томной эне́ргии, Евра́том.

**E.Am.** Encyclopaedia Americana лат. Америка́нская энциклопе́дия.

**E&OE** errors and omissions excepted исключа́я оши́бки и про́пуски.

**E.A.O.N.** except as otherwise noted исключа́я те слу́чаи, когда́ ука́зано ина́че.

**E.B.** Encyclopaedia Britannica лат. Брита́нская энциклопе́дия.

**e.b.b.; EBB** extra best best са́мого высо́кого ка́чества.

**EBU** European Broadcasting Union Европе́йский радиовеща́тельный сою́з.

**E.C.** Executive Committee исполни́тельный комите́т.

**e.c.** exempli causa лат. наприме́р.

**ECAFE** Economic Commission for Asia and the Far East Экономи́ческая коми́ссия ООН для А́зии и Да́льнего Восто́ка, ЭКАДВ.

**E.C.E.** East Coast of England Восто́чное побере́жье А́нглии.

**ECE** Economic Commission for Europe Экономи́ческая коми́ссия ООН для Евро́пы.

**ECG; e.c.g.** electrocardiogram электрокардиогра́мма.

**E.C.I.** East Coast of Ireland Восто́чное побере́жье Ирла́ндии.

**ECI** Extension Course Institute институ́т зао́чного обуче́ния.

**ECLA** Economic Commission for Latin America Экономи́ческая коми́ссия ООН для стран Лати́нской Аме́рики, ЭКЛА.

**ECME** Economic Commission for the Middle East Экономи́ческая коми́ссия ООН для Сре́днего Восто́ка.

**ECNR** European Council for Nuclear Research Европе́йский сове́т по я́дерным иссле́дованиям.

**ECOSOC** Economic and Social Council (of the United Nations) Экономи́ческий и социа́льный сове́т ООН.

**ECSC** European Coal and Steel Community Европе́йское объедине́ние угля́ и ста́ли, ЕОУС.

**E.C.U.K.** East Coast of United Kingdom Восто́чное побере́жье Соединённого Коро́левства.

**ED** existence doubtful существова́ние сомни́тельно.

**EDC** European Defence Community Европе́йское оборони́тельное соо́бщество.

**E.D.D.** English Dialect Dictionary Слова́рь англи́йских диале́ктов.

**edn** edition изда́ние.

**ednl** educational общеобразова́тельный; воспита́тельный.

**E.D.S.** English Dialect Society Англи́йское диалектологи́ческое о́бщество.

**EE** Early English раннеанглийский язы́к.

**E.E.** English ell ме́ра длины́ (114,2 см).

**EE** Envoy Extraordinary чрезвыча́йный посла́нник.

**e.e.** errors excepted 1) исключа́я оши́бки; 2) оши́бки в преде́лах допусти́мости.

**EEC** European Economic Council Европе́йский экономи́ческий сове́т.

**EEG** electroencephalogram электроэнцефалогра́мма.

**EET** East European time восточноевропе́йское поясно́е вре́мя.

**EFC** effective foreign currency свобо́дно обраща́ющаяся (на би́рже) иностра́нная валю́та.

**e.g.** exempli gratia лат. наприме́р.

**EHP** effective horsepower поле́зная мо́щность в лошади́ных си́лах.

**e.h.p.** electric horsepower электри́ческая лошади́ная си́ла.

**E.H.P.h.** electric horsepower hour электри́ческая лошади́ная си́ла/час.

**EHT** extra high tension эл. сверхвысо́кое напряже́ние.

**EL** east longitude геогр. восто́чная долгота́.

**E.L.** East Lothian Ист-Ло́тиан (графство в Шотландии).

**E.L.** elastic limit преде́л упру́гости.

**ELH** English Literary History Исто́рия англи́йской литерату́ры.

**EM** Eastern Mediterranean Восто́чное Средиземномо́рье.

**E-M; e.m.** electromagnetic(al) электромагни́тный.

**E.M.F.; e.m.f.** electromotive force электродви́жущая си́ла.

**EMF** European Monetary Fund Европе́йский валю́тный фонд.

**EMT** European mean time среднеевропе́йское поясно́е вре́мя.

**E.M.U.** electromagnetic unit электромагни́тная едини́ца.

**emu** electromotive unit едини́ца электродви́жущей си́лы.

**E.M.V.** electromagnetic volume электромагни́тная ёмкость.

**e.o.d.** every other day чéрез день, раз в два дня.

**E.O.M.** end of month (following) в концé (слéдующего) мéсяца.

**e.o.m.** every other month чéрез мéсяц, раз в два мéсяца.

**e.o.o.e.** errors or omissions excepted исключáя оши́бки и́ли прóпуски.

**E.P.** express paid срóчность (достáвки) оплáчена.

**EPD** earliest possible date к возмóжно бóлее рáннему срóку.

**e.p.m.** explosions per minute (стóлько-то) взры́вов в мину́ту.

**E.P.T.** Excess Profits Tax налóг на сверхпри́быль.

**EPTA** (United Nations') Expanded Program of Technical Assistance for Economic Development of Under-Developed Countries Расши́ренная прогрáмма ООН по оказáнию техни́ческой пóмощи экономи́чески слаборáзвитым стрáнам.

**EPU** European Payment Union Европéйский платёжный сою́з.

**ERC** English Red Cross Англи́йский Крáсный Крест.

**Esq.; Esqr** Esquire эсквáйр.

**Ess.** Essex Эссéкс (грáфство в Áнглии).

**e.s.u.** electrostatic unit электростати́ческая едини́ца.

**ET** early treatment пéрвая (медици́нская) пóмощь.

**E.T.** English translation англи́йский перевóд.

**Eurovision** Europe—Television Объединённая западноевропéйская телевизиóнная прогрáмма.

**eV; e.v.** electron volt электроновóльт.

**evg** evening вéчер.

**evy** every кáждый.

**exps; exs** expenses расхóды, изде́ржки.

**F** Fahrenheit температу́рная шкалá Фаренгéйта.

**F** farad эл. фарáда.

**f.** fathom морскáя сáжень (182,5 см).

**f.a.c.** fast as can как мóжно скорéе.

**FAI** Fédération Aéronautique Internationale фр. Междунарóдная авиациóнная федерáция, ФАИ.

**FAO** (United Nations') Food and Agricultural Organization Организáция ООН по вопрóсам продовóльствия и сéльского хозя́йства, ФАО.

**faq** fair average quality ком. хорóшее кáчество в срéднем.

**f.a.q.** free alongside quay фрáнко вдоль нáбережной.

**F.A.S.** Federation of American Scientists Федерáция учёных США.

**f.a.s.** free alongside ship фрáнко вдоль бóрта су́дна.

**FASEB** Federation of American Societies for Experimental Biology Америкáнская федерáция экспериментáльной биолóгии.

**F.B.** full back спорт. защи́тник.

**FBI** Federal Bureau of Investigation Федерáльное бюрó расслéдований, ФБР (США)

**F.C.** for cash за нали́чные.

**FCN** Treaty of Friendship, Commerce and Navigation Договóр о дру́жбе, торгóвле и мореплáвании.

**fco** franco фрáнко; свобóдно от расхóдов; бесплáтно.

**fct** forecast предсказáние, прогнóз; предвари́тельный расчёт.

**Fd** field 1) пóле; 2) attr. полевóй, похóдный.

**f.d.** free dispatch бесплáтная пересы́лка.

**FE** Far East Дáльний Востóк.

**FEA** French Equatorial Africa францу́зские владéния в Экваториáльной Áфрике.

**Fedn** federation федерáция.

**Fer; Ferm** Fermanagh Фермáна (грáфство в Сéверной Ирлáндии).

**FET** Far East Time дальневостóчное пояснóе врéмя.

**f.g.a.** free of general average мор. страх. свобóдно от óбщей авáрии.

**F.H.R.** Federal House of Representatives федерáльная палáта представи́телей (в Австрáлии).

**f.i.** free in погру́зка оплáчивается фрахтовáтелем.

**f.i.a.** full interest admitted ком. все услóвия для обеспéчения заинтересóванности соблюдены́.

**FIDE** Fédération Internationale des Échecs фр. Междунарóдная шáхматная федерáция, ФИДЕ.

**FIFA** Fédération Internationale de Football Associations фр. Междунарóдная федерáция футбóльных óбществ.

**f.i.o.** free in and out погру́зка и вы́грузка оплáчиваются фрахтовáтелем, ФИО.

**f.l.** falsa lectio лат. разночтéние.

**Fla.** Florida Флори́да (штат США).

**F.m.** fair merchantable хорóшего торгóвого кáчества.

**fm.** fathom морскáя сáжень (182,5 см).

**F.M.** Foreign Mission инострáнная ми́ссия.

**fm** from из; от; с; по.

**FMS** Federated Malaya States Малáйская федерáция.

**fn** foot-note снóска, примечáние.

**fn.p.** fusion point тóчка плавлéния.

**f.o.b.** free on board фрáнко-борт, ФОБ.

**f.o.c.** free of charge бесплáтно, безвозмéздно.

**f.o.d.** free of damage страх. свобóдно от поврежде́ния.

**f.o.q.** free on the quay фрáнко-нáбережная.

**f.o.r.** free on rail фрáнко-рéльсы, фрáнко желéзная дорóга.

**f.o.s.** free on steamer фрáнко-парохóд.

**f.p.** freezing point тóчка замерзáния.

**F.P.H.; f.p.h.** feet per hour (стóлько-то) фу́тов в час.

**f.p.m.** feet per minute (стóлько-то) фу́тов в мину́ту.

**f.p.s.** feet per second (стóлько-то) фу́тов в секу́нду.

**FRG** Federal Republic of Germany Федерáтивная респу́блика Гермáнии, ФРГ.

**Fritalux** France, Italy and Benelux countries экономи́ческий сою́з Фра́нции, Ита́лии и стран Бенилю́кса.

**F. R. N.** Federation of Rhodesia and Nyasaland Федера́ция Роде́зии и Нья́саленда.

**Frt; Fr't** freight 1) груз; 2) фрахт.

**F. S.** Faraday Society Фараде́евское о́бщество (*в Англии*).

**ft** foot фут; feet фу́ты.

**F.T.L.** force, time, length си́ла, вре́мя, длина́ (*систе́ма еди́ниц*).

**f. v.** folio verso *лат.* на оборо́те (*листа́, страни́цы*).

**F.W.** full weight о́бщий вес, по́лный вес.

**F.X.** foreign exchange иностра́нная валю́та.

**F.Y.I.** for your information для ва́шего све́дения.

**G** gauss га́усс (*едини́ца магни́тной инду́кции*).

**G** gram(me) грамм.

**G** specific gravity уде́льный вес.

**ga** gauge 1) кали́бр; шабло́н; масшта́б; станда́рт; 2) *ж.-д.* ширина́ коле́й.

**G/A** general average *мор. страх.* о́бщая ава́рия.

**Ga.** Georgia Джо́рджия (*штат США*).

**GA** (United Nations') General Assembly Генера́льная Ассамбле́я (ООН).

**GACT** Greenwich apparent civil time и́стинное гражда́нское вре́мя по гри́нвичскому меридиа́ну.

**gal.** gallon галло́н.

**GATT** General Agreement on Tariffs and Trade Генера́льное соглаше́ние по тамо́женным тари́фам и торго́вле (*стран Атланти́ческого сою́за*).

**GB** Great Britain Великобрита́ния.

**GB & I** Great Britain and Ireland Великобрита́ния и Ирла́ндия.

**GC** Geneva Convention Жене́вская Конве́нция (*1864, 1929, 1949 годо́в, регули́рующая положе́ние ра́неных, пле́нных и гражда́нских лиц, захва́ченных вою́ющими сторона́ми*).

**G.C.** Gold Coast Золото́й Бе́рег.

**G.C.** Grand Cross «Большо́й крест» (*вы́сшая сте́пень о́рдена в Англии*).

**g.-cal.** gram(me)-calorie грамм-кало́рия.

**g/cc** grams per cubic centimetre (*сто́лько-то*) гра́ммов на куби́ческий сантиме́тр.

**G.C.D.** great circle distance расстоя́ние по дуге́ большо́го кру́га (*Земли́*).

**g.c.d.** greatest common divisor о́бщий наибо́льший дели́тель.

**g/cu. m.** grams per cubic metre (*сто́лько-то*) гра́ммов на куби́ческий метр.

**Gd** grand большо́й, вели́кий.

**GDR** German Democratic Republic Герма́нская Демократи́ческая Респу́блика, ГДР.

**g.f.** good fair высокока́чественный.

**GFTU** General Federation of Trade Unions Всеобщая федера́ция тред-юнио́нов.

**g.gr.** great gross большо́й гросс (*12 гро́ссов, 1728 штук*).

**GHQ** General Headquarters ста́вка

---

гла́вного кома́ндования; штаб-кварти́ра; общевойсково́й штаб.

**gi** gill ме́ра жи́дкости (*в Англии—0,142 л; в США—0,118 л*).

**GI** Government Issue 1) *attr.* казённого образца́; казённый; вое́нного образца́; 2) *прозвище америка́нского солда́та.*

**GIJ** Government Issue Jane *прозвище же́нщины-военнослу́жащей в США.*

**GL** Great Lakes Вели́кие озёра (*в США*).

**G. L.** ground level у́ровень земли́.

**Glos.** Gloucester(shire) Гло́стер (шир) (*гра́фство в Англии*).

**GM** Gold Medal золота́я меда́ль.

**GM** guided missile управля́емый снаря́д.

**GMT** Greenwich mean time сре́днее вре́мя по гри́нвичскому меридиа́ну.

**g.m.v.** gram(me)-molecular volume грамм-молекуля́рный объём.

**g.m.w.** gram(me)-molecular weight грамм-молекуля́рный вес.

**g.o.b.** good ordinary brand обы́чного хоро́шего ка́чества (*о това́ре*).

**GP** general purpose *attr.* общего назначе́ния, многоцелево́й.

**G.P.** Great Powers вели́кие держа́вы.

**g.p.h.** gallons per hour (*сто́лько-то*) галло́нов в час.

**gph** grams per hour (*сто́лько-то*) гра́ммов в час.

**g.p.m.** gallons per minute (*сто́лько-то*) галло́нов в мину́ту.

**G.P.O.** General Post-Office гла́вное почто́вое управле́ние, гла́вный почта́мт.

**g.p.s.** gallons per second (*сто́лько-то*) галло́нов в секу́нду.

**gps** grams per second (*сто́лько-то*) гра́ммов в секу́нду.

**gr; gro** gross (*12 дю́жин, 144 шту́ки*).

**GRT** gross register tons *мор.* (*сто́лько-то*) реги́стровых тонн или бру́тто-тонн.

**G.S.** grammar-school сре́дняя класси́ческая шко́ла.

**GS** Gulf States шта́ты США, грани́чащие с Мексика́нским зали́вом (*Флори́да, Алаба́ма, Миссиси́пи, Луизиа́на и Теха́с*).

**GSA** Genetics Society of America Америка́нское о́бщество гене́тики.

**G.S.A.** Geological Society of America Америка́нское геологи́ческое о́бщество.

**GSL** Great Salt Lake Большо́е Солёное о́зеро (*в США*).

**g.s.m.** good sound marketable о́чень хо́дкий (*о това́ре*).

**g.s.w.** gross shipping weight вес бру́тто при отпра́вке.

**g.t.** gross ton дли́нная *или* англи́йская то́нна (*1016 кг*).

**g.t.m.** good this month действи́телен в тече́ние э́того ме́сяца.

**g.t.w.** good this week действи́телен в тече́ние э́той неде́ли.

**g.v.** gravimetric volume гравиметри́ческий объём.

**GW** gross weight вес бру́тто, вес това́ра с упако́вкой.

**G.W.P.** Government White Paper «Бе́лая кни́га» (*официа́льное прави́тельственное изда́ние в Англии*).

**H** hardness твёрдость.
**H** henry эл. ге́нри.
**h.** hour час.
**ha** hectare гекта́р.
**h.a.** hoc anno лат. в э́том году́.
**HAC** Hague Arbitration Convention Гаа́гская конве́нция о междунаро́дном арбитра́же.
**Hants** Hampshire Ге́мпшир (графство в Англии).
**Haw.** Hawaii Гава́йи (острова и штат США).
**H.B.** half-back спорт. полузащи́тник.
**H.B.M.** His (Her) Britannic Majesty Его́ (Её) Брита́нское Вели́чество (титул английского короля или королевы).
**H.C.** High Court of Justice Верхо́вный суд (в Англии).
**H.C.; h.c.** honoris causa лат. за заслу́ги (учёная степень, присуждаемая без защиты диссертации)
**HC** House of Commons пала́та о́бщин (в Англии).
**H.D.** hearing distance расстоя́ние слы́шимости.
**HD** Home Defence оборо́на метропо́лии.
**h.e.** hic est лат. то́ есть.
**HE** high explosive взры́вчатое вещество́.
**Herts** Hertford(shire) Ха́ртфорд(шир) (графство в Англии).
**H.E.U.; h.e.u.** hydroelectric unit гидроэлектри́ческая едини́ца.
**hf** half полови́на.
**HF** high frequency высо́кая частота́.
**HF** Home Fleet флот метропо́лии.
**Hfd** Hereford(shire) Х́ерефорд(шир) (графство в Англии).
**H.G.** High German верхненеме́цкий язы́к.
**hhd** hogshead хо́гсхед (мера жидкости: в Англии—286,4 л; в США—238 л).
**HK** Hong Kong Гонко́нг.
**hl.** hectolitre гектоли́тр.
**h.l.** hoc loco лат. в э́том ме́сте.
**HL** House of Lords пала́та ло́рдов (в Англии).
**hm.** hectometre гектоме́тр.
**H.M.G.** His (Her) Majesty's Government прави́тельство Его́ (Её) Вели́чества, прави́тельство Великобрита́нии.
**HMS** His (Her) Majesty's Service «на слу́жбе Его́ (Её) Вели́чества» (обозначение принадлежности к вооружённым силам Великобритании).
**h.m.s.** hours, minutes, seconds часы́, мину́ты, секу́нды.
**H.O.** Head Office гла́вная конто́ра; правле́ние.
**HP; Hp; hp** horsepower лошади́ная си́ла (единица мощности).
**hp.-hr.** horsepower-hour (лошади́ная) си́ла-час.
**HPS** highest possible score наибо́льшее возмо́жное число́ очко́в (в стрелковых и др. спортивных соревнованиях).
**HQ; Hq** headquarters штаб.
**h.r.** half-round полукру́глый.
**hr** hour час.
**HR** House of Representatives пала́та представи́телей (американского конгресса).

**H.R.A.** Honorary Royal Academician почётный член Короле́вской акаде́мии.
**H.R.C.A.** Honorary Royal Cambrian Academician почётный член Уэ́льской короле́вской акаде́мии.
**H.R.S.A.** Honorary Member of the Royal Scottish Academy почётный член Шотла́ндской короле́вской акаде́мии.
**h.s.** hoc sensu лат. в э́том смы́сле.
**ht** heat теплота́.
**H.T.** high treason госуда́рственная изме́на.
**h.t.** hoc tempore лат. в э́то вре́мя.
**hv** heavy тяжёлый.
**h.v.** high voltage высо́кое напряже́ние.
**Hvn** haven га́вань.
**hW** hectowatt гектова́тт.
**hwt** hundredweight це́нтнер (в Англии— 50,8 кг; в США—45,36 кг).

**I.** Idaho Айда́хо (штат США).
**i** inch дюйм.
**Ia** Iowa А́йова (штат США).
**IAAF** International Amateur Athletic Federation Междунаро́дная федера́ция легкоатле́тов-люби́телей.
**IAC** International Air Convention Междунаро́дная авиацио́нная конве́нция.
**IADL** International Association of Democratic Lawyers Междунаро́дная ассоциа́ция юри́стов-демокра́тов, МАЮД.
**IAEL** International Association of Electrical Leagues Междунаро́дное объедине́ние электротехни́ческих о́бществ.
**I.Ae.S.** Institute of Aeronautical Sciences Брита́нский институ́т аэронавигацио́нных нау́к.
**IAES** International Association for the Exchange of Students Междунаро́дная ассоциа́ция по обме́ну студе́нтами.
**IAF** International Aeronautical Federation Междунаро́дная авиацио́нная федера́ция, ФАИ.
**IAF** International Astronautical Federation Междунаро́дная астронавти́ческая федера́ция.
**IAF** International Automobile Federation Междунаро́дная автомоби́льная федера́ция.
**IAFE** International Association of Fairs and Expositions Междунаро́дная ассоциа́ция я́рмарок и вы́ставок.
**IAG** International Association of Geodesy Междунаро́дная геодези́ческая ассоциа́ция.
**IAH** International Association of Hydrology Междунаро́дная гидрологи́ческая ассоциа́ция.
**IAHR** International Association for Hydraulic Research Междунаро́дная нау́чно-иссле́довательская ассоциа́ция гидра́влики.
**IAHS** International Academy of History of Sciences Междунаро́дная акаде́мия исто́рии нау́к.
**IAI** International Africa-Institute Междунаро́дный институ́т изуче́ния А́фрики.
**IAI** International Anthropological Institute Междунаро́дный институ́т антрополо́гии

**IAI** International Automotive Institute Международный автомобильный институт.

**IAL** International Association of Theoretical and Applied Limnology Международная ассоциация теоретической и прикладной лимнологии.

**IAM** International Association of Meteorology Международная метеорологическая ассоциация.

**IAMB** International Association of Microbiologists Международная ассоциация микробиологов.

**IAPA** International Association of Plastic Arts Международная ассоциация деятелей изобразительных искусств.

**IAPO** International Association of Physical Oceanography Международная ассоциация физической океанографии.

**IARU** International Amateur Radio Union Международный союз радиолюбителей.

**IAS** International Association of Seismology Международная сейсмологическая ассоциация.

**IATA** International Air Transport Association Международная ассоциация воздушных сообщений.

**IATME** International Association of Terrestrial Magnetism and Electricity Международная ассоциация по изучению земного магнетизма и электричества.

**IAU** International Association of Universities Международная ассоциация университетов.

**IAU** International Astronomical Union Международный астрономический союз.

**IAUPL** International Association of University Professors and Lecturers Международная ассоциация профессоров и преподавателей университетов.

**IAV** International Association of Vulcanology Международная вулканологическая ассоциация.

**IAW** in accordance with... в соответствии с...

**IAW** International Alliance of Women Международный женский альянс.

**ib.** ibidem лат. там же.

**IBC** illegal boundary crosser нарушитель границы.

**IBM** intercontinental ballistic missile межконтинентальный баллистический снаряд.

**IBRD** International Bank for Reconstruction and Development Международный банк реконструкции и развития.

**i.bu.** imperial bushel имперский бушель (36,36 л).

**IBU** International Broadcasting Union Международный радиовещательный союз.

**IBWM** International Bureau of Weights and Measures Бюро международного комитета мер и весов.

**ICA** International Co-operative Alliance Международный кооперативный альянс, МКА.

**ICA** International Council of Archives Международный архивный совет.

**ICAA** International Confederation of Artists' Associations Международная федерация обществ деятелей искусства.

**ICAO** International Civil Aviation Organization Международная организация гражданской авиации.

**ICC** International Chamber of Commerce Международная торговая палата.

**ICCTU** International Confederation of Christian Trade Unions Международная конфедерация христианских профсоюзов.

**ICES** International Council for the Exploration of the Sea Международный совет по вопросам океанологии.

**ICET** International Council on Education for Teaching Международный совет по вопросам педагогического образования.

**ICF** International Canoeing Federation Международная федерация каноэ-байдарочного спорта.

**ICFTU** International Confederation of Free Trade Unions Международная конфедерация свободных профсоюзов, МКСП.

**ICG** International Congress of Genetics Международный генетический конгресс.

**ICGM** intercontinental guided missile межконтинентальный управляемый снаряд.

**ICHS** International Committee of Historical Sciences Международный комитет исторических наук.

**ICI** International Commission on Illumination Международный светотехнический комитет, МСК.

**ICJ** International Court of Justice Международный суд (в Гааге).

**ICMA** International Congress for Modern Architecture Международный конгресс современной архитектуры.

**ICO** International Comission of Oceanography Международная комиссия по океанографии.

**ICO** International Congress of Otolaryngology Международный конгресс отоларингологов.

**ICOM** International Council of Museums Международный совет по делам музеев.

**ICOS** International Committee of Onomastic Sciences Международный ономатологический комитет.

**ICP** International Candle-Power международная свеча (единица измерения силы света).

**ICPHS** International Council for Philosophy and Humanistic Studies Международный совет по изучению философских и гуманитарных наук.

**ICR** International Congress of Radiology Международный радиологический конгресс.

**ICS** International Chamber of Shipping Международная палата судоходства.

**ICSU** International Council of Scientific Unions Международный совет научных обществ.

**I.C.T.** International Critical Tables международные таблицы физических констант.

**ICW** International Council of Women Международный совет женщин.

**ICWG** International Co-operative Women Guild Международная женская кооперативная гильдия.

**I.C.Z.** Isthmian Canal Zone зóна Панáмского канáла.

**id** idem *лат.* тот же.

**i.d.** inside diameter внýтренний диáметр.

**i.e.** id est *лат.* тó есть.

**I.E.** Indo-European индоевропéйский.

**IEA** International Economic Association Междунарóдная нау́чно-экономи́ческая ассоциáция.

**IEC** International Electrotechnical Commission Междунарóдная электротехни́ческая коми́ссия, МЭК.

**I.E.F.C.** International Emergency Food Council Всеми́рный продовóльственный совéт (*ООН*).

**i.f.** in full 1) пóлный, закóнченный; 2) пóлностью.

**IFALS** International Federation of Arts, Letters and Sciences Междунарóдная федерáция дéятелей иску́сства, литерату́ры и нау́ки.

**IFC** International Fisheries Commission Междунарóдная коми́ссия по рыболóвству.

**IFCTU** International Federation of Christian Trade Unions Междунарóдная федерáция христиáнских профсою́зов.

**IFF** International Fencing Federation Междунарóдная спорти́вная федерáция фехтовáния.

**IFLA** International Federation of Library Associations Междунарóдная федерáция библиотéчных ассоциáций.

**IFMC** International Folk Music Council Междунарóдный совéт по нарóдной му́зыке.

**IFPM** International Federation of Physical Medicine Междунарóдная федерáция физиотерáпии.

**IFTA** International Federation of Teachers' Associations Междунарóдная федерáция учи́тельских сою́зов.

**IFWL** International Federation of Women Lawyers Междунарóдная федерáция жéнщин-юри́стов.

**IFYC** International' Federation of Young Co-operators Междунарóдная федерáция молоды́х коoperáторов.

**I.G.** Indo-Germanic индогермáнский.

**IGF** International Gymnastic Federation Междунарóдная гимнасти́ческая федерáция.

**IGO** Intergovernmental Organization Межправи́тельственная организáция (*ООН*).

**IGS** Imperial General Staff Импéрский генерáльный штаб.

**IGY** International Geophysical Year Междунарóдный геофизи́ческий год.

**I.H.B.** International Hockey Board Междунарóдный комитéт по хоккéю.

**i.h.p.; IHP** indicated horsepower индикáторная лошади́ная си́ла; индикáторная мóщность.

**ILCOP** International Liaison Committee of Organizations for Peace Междунарóдный комитéт свя́зи организáций борьбы́ за мир.

**Ill** Illinois Йллинóйс (*штат США*).

**ILO** International Labour Organization Междунарóдная организáция труда́, МОТ (*ООН*).

**IMC** International Music Council Междунарóдный совéт по вопрóсам му́зыки.

**IMF** International Metalworkers' Federation Междунарóдная (*профсою́зная*) федерáция рабóчих-металли́стов.

**IMF** International Monetary Fund Междунарóдный валю́тный фонд (*ООН*).

**IMU** International Mathematical Union Междунарóдный математи́ческий сою́з.

**Ind** Indiana Индиáна (*штат США*).

**IO** Indian Ocean Инди́йский океáн.

**i.o.** in order в поря́дке.

**IOC** International Olympic Committee Междунарóдный олимпи́йский комитéт.

**IOJ** International Organization of Journalists Междунарóдная организáция журнали́стов, МОЖ.

**IOU** I owe you я вам дóлжен (*фóрма долговóй распи́ски*).

**IPA** International Phonetic Alphabet междунарóдный фонети́ческий алфави́т; междунарóдная фонети́ческая транскри́пция.

**i.p.m.** inches per minute (*стóлько-то*) дю́ймов в мину́ту.

**i.p.s.** inches per second (*стóлько-то*) дю́ймов в секу́нду.

**IPSA** International Political Science Association Междунарóдная ассоциáция обще́ственно-полити́ческих нау́к.

**IPU** International Paleontological Union Междунарóдный палеонтологи́ческий сою́з.

**IPU** Interparliamentary Union Межпарлáментский сою́з.

**i.q.** idem quod *лат.* так же как.

**IRC** International Red Cross Междунарóдное óбщество Крáсного Креста́.

**IRF** International Rowing Federation Междунарóдная федерáция гребнóго спóрта.

**IRO** International Refugee Organization Междунарóдная организáция ООН по делáм бéженцев.

**IRRC** International Rescue and Relief Committee Междунарóдный комитéт ООН по оказáнию пóмощи жéртвам войны́.

**IRU** International Radium Unit междунарóдная едини́ца радиоакти́вности, междунарóдная рáдиевая едини́ца.

**IRU** International Railway Union Всеми́рный железнодорóжный сою́з.

**ISAC** International Scientific Agricultural Council Междунарóдный нау́чный совéт по сéльскому хозя́йству.

**ISC** International Society of Cardiology Междунарóдное óбщество кардиолóгии.

**ISCM** International Society for Contemporary Music Междунарóдное óбщество совремéнной му́зыки.

**ISFA** International Scientific Film Association Междунарóдная ассоциáция нау́чного кино́, МАНК.

**ISM UN** International Students' Movement for the United Nations Междунарóдное студéнческое движéние содéйствия ООН.

**ISSC** International Social Science Council Междунарóдный совéт по изучéнию общéственных нау́к.

**ISSS** International Society of Soil Science Междунарóдное óбщество почвовéдения.

**ISU** International Shooting Union Международный союз стрелкового спорта.

**ISU** International Skating Union Международный союз конькобежцев.

**ITA** International Touring Alliance Международный туристский альянс.

**ITO** International Trade Organization Международная организация торговли (*ООН*).

**ITWF** International Transport Workers' Federation Международная (*профсоюзная*) федерация транспортных рабочих.

**I.U.** international unit международная единица.

**IUA** International Union of Arts Международное объединение деятелей искусства.

**IUAA** International Union of Alpine Associations Международное объединение альпинистских обществ.

**IUAS** International Union of Agricultural Sciences Международный научно-агрономический союз.

**I.U.B.S.** International Union of Biological Sciences Международный научно-биологический союз.

**IUGG** International Union of Geodesy and Geophysics Международный союз геодезии и геофизики.

**IUI** International Union of Interpreters Международный союз (устных) переводчиков.

**IUS** International Union of Students Международный союз студентов, МСС.

**IWSA** International Workers' Sport Association Международная рабочая спортивная ассоциация.

**IYC** International Youth Congress Международный конгресс молодёжи.

**IYRU** International Yacht-Racing Union Международный союз яхт-клубов.

**JA** Judge Advocate военный прокурор.

**JB** John Bull Джон Буль (*прозвище англичан*).

**jc** junction железнодорожный узел; стык шоссейных *или* железных дорог.

**JCS** Joint Chiefs of Staffs Объединённый комитет начальников штабов (*США*).

**J.D.** Jurum Doctor *лат.* доктор права.

**J.P.** Justice of the Peace мировой судья.

**jr** junior младший.

**jr. gr.** junior grade младший разряд.

**jt** joint объединённый, соединённый; совместный, единый.

**jt. au.** joint author соавтор.

°**K** degree Kelvin (*столько-то*) градусов Кельвина (*абсол. температурной шкалы*).

**k; K** kilogram(me) килограмм.

**Kan.; Kans.; Kas.** Kansas Канзас (*штат США*).

**KC; kc.** kilocycle килоцикл.

**kcal** kilocalorie килокалория, большая калория.

**Kc/s** kilocycles per second (*столько-то*) килогерц.

**Ken.** Kentucky Кентукки (*штат США*).

**kev** kilo-electron-volt килоэлектроновольт, кэв.

**K.G.** kilogram gross weight вес брутто в килограммах.

**kg** kilogram(me) килограмм.

**kg p. h.** kilograms per hour (*столько-то*) килограммов в час.

**kg p. m.** kilograms per minute (*столько-то*) килограммов в минуту.

**kg/s** kilograms per second (*столько-то*) килограммов в секунду.

**kHz** kilohertz килогерц.

**Kilk.** Kilkenny Килкенни (*графство в Ирландии*).

**Kin.** Kinross (shire) Кинросс (шир) (*графство в Шотландии*).

**Kinc.** Kincardine (shire) Кинкардин (шир) (*графство в Шотландии*).

**Kirk.** Kirkcudbright (shire) Кёркубри (-шир) (*графство в Шотландии*).

**kl** kilolitre килолитр.

**km.** kilometre километр.

**km p.h.** kilometres per hour (*столько-то*) километров в час.

**km/s** kilometres per second (*столько-то*) километров в секунду.

**K.O.** knock out *спорт.* нокаут.

**kV; kv** kilovolt киловольт.

**kva; KVA** kilovolt-ampere (*столько-то*) киловольт-ампер.

**kW; kw** kilowatt киловатт.

**kwh** kilowatt-hour киловатт-час.

**Ky** Kentucky Кентукки (*штат США*).

**L** lambert ламберт (*единица поверхностной яркости или освещённости*).

**L** league 1) лига (*4,83 км; морская лига—5,56 км*); 2) мера площади (*5760 акров*).

**L.** length длина.

**L** libra *лат.* фунт.

**L** longitude долгота; меридиан.

**L.A.** Legislative Assembly законодательное собрание.

**L.A.** length average средняя длина.

**l.a.** letter of advice авизо, уведомление, извещение.

**L/A** letter of authority письменное полномочие, доверенность.

**L.A.; L/A** lighter than air легче воздуха.

**LA** local authority местные власти, местное управление.

**L.A.** Los Angeles *г.* Лос-Анжелос.

**La.** Louisiana Луизиана (*штат США*).

**Lancs** Lancashire Ланкашир (*графство в Англии*).

**L.A.T.** local apparent time истинное местное время.

**Latd** latitude *геогр.* широта.

**L.A.U.K.** Library Association of the United Kingdom Библиотечная ассоциация Соединённого Королевства.

**L.B.** letter-box почтовый ящик.

**lb.** libra *лат.* фунт.

**L.b.** long(-dated) bill долгосрочный вексель, долгосрочная тратта.

**lb. ap.** pound apothecary фунт аптекарского веса (*373,24 г*).

**lb. av.** pound avoirdupois английский фунт торгового веса (*453,6 г*).

**l.b.s.** lectori benevolo salutem! *лат.* привет благосклонному читателю!

**L.C.** Law Court суд.

**LC; L/C** letter of credit аккредити́в.

**L.C.** Library of Congress Библиоте́ка конгре́сса США.

**l.c.** loco citato *лат.* в приведённом (*или* цити́рованном) ме́сте.

**L.C.** Lower California Ни́жняя Калифо́рния.

**L.C.C.** London County Council Сове́т Ло́ндонского гра́фства.

**l.c.m.** least common multiple о́бщее наиме́ньшее кра́тное.

**L.C's** Low Countries Нидерла́нды.

**l.c.v.** low calorific value ни́зкая теплотво́рная спосо́бность.

**LCWIO** Liaison Committee of Women's International Organizations Комите́т свя́зи междунаро́дных же́нских организа́ций.

**LD** lethal dose смерте́льная до́за.

**L.D.** letter of deposit зало́говое письмо́.

**ldg** lodging жили́ще; кварти́ра.

**Ldn** London *г.* Ло́ндон.

**LE** low explosive ме́дленно горя́щее взры́вчатое вещество́.

**Leics.** Leicester(shire) Ле́йстер (шир) (*графство в Англии*).

**LEY** Liberal European Youth Либера́льная молодёжь Евро́пы (*организация*).

**lf** leaf лист.

**LF** load factor коэффицие́нт нагру́зки.

**Lfd** Longford Ло́нгфорд (*графство в Ирландии*).

**l. ft.** linear foot пого́нный фут (*304,8 мм*).

**lg** large большо́й.

**lg** logarithm логари́фм (*десятичный*).

**L.G.** Low German нижненеме́цкий язы́к.

**lgt; lgth** length длина́.

**lg tn** long ton дли́нная *или* англи́йская то́нна (*1016 кг*).

**L.H.** latent heat *физ.* скры́тая теплота́.

**l./hr.** litre/hour литр/час.

**l.hr.** lumen-hour лю́мен-час.

**l.h.s.** left hand side ле́вая сторона́.

**Li** Lincoln(shire) Ли́нкольн(шир) (*графство в Англии*).

**li.** logarithm integral интегра́льный логари́фм.

**Lim.** Limerick Ли́мерик (*графство в Ирландии*).

**Lincs** Lincoln(shire) Ли́нкольн(шир) (*графство в Англии*).

**l.i.w.** loss in weight поте́ря в ве́се.

**l.l.** load line *мор.* 1) грузова́я ватерли́ния; 2) ли́ния грузово́й ма́рки.

**l.l.** loco laudato *лат.* в упомя́нутом ме́сте.

**LL** longitude and latitude *геогр.* долгота́ и широта́.

**LLR** line of least resistance ли́ния наиме́ньшего сопротивле́ния.

**lm** lumen *физ.* лю́мен.

**ln.** logarithm natural натура́льный логари́фм.

**Lnrk** Lanark(shire) Ла́нарк(шир) (*графство в Шотландии*).

**LO** low ordinary обы́чный низкосо́ртный (*о товаре*).

**L.O.A.** length overall о́бщее протяже́ние, о́бщая длина́.

**Lond.** Londonderry Ло́ндондерри (*графство в Ирландии*).

**LP** Labour Party лейбори́стская па́ртия (*в Англии*).

**LPA** Labor Press Association Ассоциа́ция рабо́чей (*профсоюзной*) печа́ти США.

**LPPC** Labour Progressive Party of Canada Рабо́чая прогресси́вная па́ртия Кана́ды.

**L.R.** Lloyd's Register судово́й реги́стр Лло́йда.

**L-S** language student изуча́ющий иностра́нный язы́к.

**l.s.** left side ле́вая сторона́.

**L.S.** local sunset захо́д со́лнца по ме́стному вре́мени.

**l.s.** long sight *attr.* долгосро́чный (*о счёте или векселе*).

**LSA** Linguistic Society of America Америка́нское лингвисти́ческое о́бщество.

**l.s.d.** librae, solidi, denarii *лат.* фу́нты сте́рлингов, ши́ллинги, пе́нсы.

**LSR** local sunrise восхо́д со́лнца по ме́стному вре́мени.

**L.St.** livre sterling фунт сте́рлингов (*денежная единица*).

**ltd; Ltd; L'td; Lt'd** limited (*компания*) с ограни́ченной отве́тственностью.

**L.U.N.** League of United Nations Ли́га соде́йствия Организа́ции Объединённых На́ций.

**lw.** lightweight *спорт.* лёгкий вес.

**LWOP** leave without pay о́тпуск без сохране́ния содержа́ния.

**lx** lux люкс (*единица измерения освещённости*).

**M** Mach number *физ.* число́ Ма́ха.

**M; m** mass ма́сса.

**M** Maxwell ма́ксвелл (*единица магнитного потока*).

**M.** meridian *геогр.* меридиа́н.

**M.A.** Master of Arts маги́стр иску́сств.

**m.a.** medium altitude сре́дняя высота́.

**M.A.** Middle Ages сре́дние века́.

**mA** milliampere миллиампе́р.

**mÅ** milliångström *физ.* миллиа́нгстрем.

**Ma** Minnesota Миннесо́та (*штат США*).

**MAA** Mathematical Association of America Америка́нская математи́ческая ассоциа́ция.

**MAA** Medieval Academy of America Америка́нская акаде́мия исто́рии средневеко́вья.

**MABP** mean arterial blood pressure сре́днее артериа́льное давле́ние кро́ви.

**Man** Manitoba Манито́ба (*провинция Канады*).

**M.A.S.** milliampere seconds миллиампе́р-секу́нды.

**Mass.** Massachusetts Массачу́сетс (*штат США*).

**Mb** megabar мегаба́р (*единица атмосферного давления*).

**M.B.** Memorandum Book па́мятная кни́жка, спра́вочник.

**mb** millibar миллиба́р (*единица атмосферного давления*).

**M.B.** motor boat мото́рный ка́тер, мото́рная ло́дка.

**M.C.** medical certificate медици́нское свиде́тельство, спра́вка о состоя́нии здоро́вья.

**M.C.** medium capacity 1) сре́дняя ёмкость (*или* вмести́тельность); 2) сре́дняя производи́тельность (*или* мо́щность); сре́дняя грузоподъёмность.

**mc** megacycle мегаци́кл, мегаге́рц.

**MC** Member of Congress член конгре́сса.

**m.c.** mensis currentis *лат.* теку́щего ме́сяца.

**M.C.** metric carat метри́ческий кара́т.

**M.C.** Military Code свод вое́нных зако́нов.

**MC** millicurie милликюри́.

**M.C.C.** Member of the County Council член сове́та гра́фства (*в Англии*).

**MCP** Malayan Communist Party Коммунисти́ческая па́ртия Мала́йи.

**MD** distance in miles расстоя́ние в ми́лях.

**Md** Maryland Мэ́риленд (*штат США*).

**M.D.** maximum demand 1) *эк.* наибо́льший спрос; 2) *тех.* максима́льная нагру́зка.

**Md** median медиа́на.

**md** middle сре́дний.

**M./D.; m. d.** months after date (*через сто́лько-то*) ме́сяцев от сего́ числа́.

**MDAP** Mutual Defense Assistance Program (Америка́нская) програ́мма «взаи́мной вое́нной по́мощи».

**Mddx** Middlesex Ми́длсекс (*графство в Англии*).

**mdse** merchandise това́ры.

**Me** Maine Мэн (*штат США*).

**M.E.** Middle East Сре́дний Восто́к.

**ME** Middle English среднеангли́йский язы́к.

**m.e.** most excellent соверше́нно исключи́тельный, замеча́тельный.

**Mea.** Meath Мит (*графство в Ирландии*).

**MEEC** Middle East Economic Commission экономи́ческая коми́ссия ООН для Сре́днего Восто́ка.

**m.e.h.p.** mean effective horsepower сре́дняя эффекти́вная мо́щность в лошади́ных си́лах.

**memo.** memorandum мемора́ндум, па́мятная запи́ска.

**m.e.p.** mean effective pressure сре́днее эффекти́вное давле́ние.

**Meri.** Merioneth(shire) Мерио́нет(шир) (*графство в Уэльсе*).

**M.E.T.** mean European time среднеевропе́йское вре́мя.

**Mev; m.e.v.** million electron-volt мегаэлектроново́льт.

**MF** medium frequency сре́дняя частота́.

**mf** microfarad *эл.* микрофара́да.

**Mfr.** manufacturer изготови́тель, фабрика́нт.

**MG** machine-gun пулемёт.

**mg** milligram(me) миллигра́мм.

**m.g.d.** million gallons per day (*сто́лько-то*) миллио́нов галло́нов в день.

**mge** message сообще́ние, донесе́ние; телегра́мма.

**Mgr** manager управля́ющий, заве́дующий.

**mh.** millihenry *эл.* миллиге́нри.

**mhl** medium heavy loaded нагру́жено вполови́ну.

**MHR** Member of the House of Representatives член пала́ты представи́телей (*США*).

**mhy; MHY** microhenry *эл.* микроге́нри.

**mi** mile ми́ля.

**Mi.** Mississippi Миссиси́пи (*штат США*).

**mice** microphone микрофо́н.

**Mich** Michigan Ми́чиган (*штат США*).

**Midx** Middlesex Ми́длсекс (*графство в Англии*).

**MIF** Miners' International Federation Междунаро́дная (*профсою́зная*) федера́ция горняко́в.

**mi/hr** miles per hour (*сто́лько-то*) миль в час.

**M.I.P.** Marine Insurance Police по́лис морско́го страхова́ния.

**M.I.P.; m.i.p.** mean indicated pressure сре́днее индика́торное давле́ние.

**MKS** metre-kilogram(me)-second метр-килогра́мм-секу́нда (*систе́ма едини́ц*).

**mkt** market ры́нок; *attr.* ры́ночный.

**Ml** mail по́чта; *attr.* почто́вый.

**ML** mean level сре́дний у́ровень.

**Ml; ml** millilitre миллили́тр.

**ML** my letter (ссыла́ясь на) моё письмо́

**M.L.C.** Member of the Legislative Council член законода́тельного сове́та.

**mm.** matrimony супру́жество, брак.

**mm** millimetre миллиме́тр.

**mM** millimole миллигра́мм-моле́кула.

**M.M.** money market де́нежный ры́нок, валю́тный ры́нок.

**m.m.** mutatis mutandis *лат.* с соотве́тствующими измене́ниями.

**Mm** myriametre де́сять киломе́тров.

**M.M.F.** magnetomotive force магнитодви́жущая си́ла.

**MN** Magnetic North магни́тный се́вер.

**M.N.** Merchant Navy торго́вый (*или* гражда́нский) флот.

**mn** midnight по́лночь.

**mn.** minimum ми́нимум.

**M.O.; m.o.** mail order зака́з (това́ров) по по́чте.

**Mo** Missouri Миссу́ри (*штат США*).

**mo** month ме́сяц; monthly ежеме́сячно; раз в ме́сяц.

**m.o.m.** middle of the month середи́на ме́сяца.

**Mon.** Monmouth(shire) Мо́нмут(шир) (*графство в Англии*).

**Mon.; Mont.** Montana Монта́на (*штат США*).

**Mont.** Montgomery(shire) Монтго́мери (-шир) (*графство в Уэльсе*).

**mos** months ме́сяцы.

**movt** movement (пере)движе́ние.

**mo.wt** molecular weight молекуля́рный вес.

**m.p.** manu propria *лат.* собственнору́чно.

**m. p.** medium pressure сре́днее давле́ние.

**MP** Member of Parliament член парла́мента.

**M.P.** Minister Plenipotentiary полномо́чный мини́стр (*посла́нник*).

**m.p.** months after payment (*через сто́лько-то*) ме́сяцев по́сле платежа́.

**MPA** maximum permissible amount максимáльно допустимое колическтво.

**M.P.C.** Member of Parliament, Canada член парлáмента Канáды.

**m.p.g.** miles per gallon (столько-то) миль на галлóн (горючего).

**m.p.h.** miles per hour (столько-то) миль в час.

**mpm** miles per minute (столько-то) миль в минýту.

**m.p.s.** metres per second (столько-то) мéтров в секýнду.

**M/R** memorandum receipt врéменная квитáнция; врéменный подтверждáющий докумéнт.

**mr** milliroentgen миллирентгéн.

**Mr.; Mr** Mister мистер, господин.

**M. R.** money remittance дéнежный перевóд.

**MR** monthly review ежемéсячный обзóр.

**Mrs.; Mrs** Mistress миссис, госпожá.

**m/s** mail steamer почтóвый парохóд.

**MS** manuscript рýкопись.

**Ms.** Massachusetts Массачýсетс (штат США).

**M.S.** merchant shipping торгóвое судохóдство.

**ms** millisecond миллисекýнда.

**m/s** months after sight (через столько-то) мéсяцев по предъявлéнии.

**M/S; M.S.** motor ship теплохóд.

**M.S.A.** Mineralogical Society of America Америкáнское минералогическое óбщество.

**M.S.L.; m.s.l.** mean sea level срéдний ýровень мóря.

**mt** megaton мегатóнна, миллиóн тонн.

**MT** metric ton метрическая тóнна.

**Mt** mountain 1) горá; 2) attr. гóрный.

**Mth** Meath Мит (графство в Ирландии).

**M.T.L.** mass, time, length мáсса, врéмя, длинá (система единиц).

**MTS** metre-ton-second метр-тóнна-секýнда (система единиц).

**m.v.** market value рыночная стóимость.

**mV** millivolt милливóльт.

**Mx** Middlesex Мидлсекс (графство в Англии).

**M.Y.** motor yacht мотóрная яхта.

**N** navy 1) воéнно-морские силы; 2) attr. воéнно-морскóй.

**N** North сéвер; northern сéверный.

**Na** Nebraska Небрáска (штат США).

**N.A.** net absolutely чистое нéтто; абсолютный вес нéтто.

**N.A.** North America Сéверная Амéрика.

**N.A.** not above не свыше.

**N.A.; n/a** not available не имéется в наличии.

**NAC** North Atlantic Council Совéт Североатлантического союза, Совéт НАТО.

**N.A.P.** Non-Aggression Pact пакт о ненападéнии.

**N.A.R.S.T.** National Association for Research in Science Teaching (Америкáнская) национáльная научно-исслéдовательская ассоциáция педагогических наýк.

**NAS** National Academy of Science (Америкáнская) национáльная акадéмия наýк.

**natl** national национáльный.

**NATO** North Atlantic Treaty Organization Североатлантический союз, НАТО.

**N.B.** New Brunswick Нью-Брáнсуик (провинция Канáды).

**NB** North Britain Сéверная Áнглия.

**NBA** National Boxing Association (Америкáнская) национáльная ассоциáция боксёров.

**n.c.** no change без изменéния.

**N.C.** North Carolina Сéверная Каролина (штат США).

**NCAA** National Collegiate Athletic Association (Америкáнская) национáльная студéнческая спортивная ассоциáция.

**NCO** Non-Commissioned Officer военнослýжащий ýнтер-офицéрского состáва.

**n.c.v.** no commercial value коммéрческой цéнности не имéет.

**n.d.** no date без числá, без дáты.

**ND; N.Dak.** North Dakota Сéверная Дакóта (штат США).

**N.E.** new edition нóвое издáние.

**N.E.** New England Нóвая Áнглия (штаты Мэн, Нью-Гéмпшир, Вермонт, Массачусетс, Род-Айленд, Коннектикут).

**N/E; N.E.** non-effective недействительный; непригóдный.

**N.E.** North-East сéверо-востóк, норд-óст.

**Neb.; Nebr.** Nebraska Небрáска (штат США).

**NEI** not elsewhere indicated нигдé не укáзано; нигдé не упомянуто.

**NES** not elsewhere specified нигдé не уточненó.

**Nev.** Nevada Невáда (штат США).

**N.G.** National Guard Национáльная гвáрдия (США).

**n.g.** new genus биол. нóвый род.

**N.G.** New Granada ист. Нóвая Гренáда (территория бывших владéний Испании в Латинской Амéрике).

**NGO** Non-Governmental Organization неправительственная организáция.

**NGS** National Geographic Society (Америкáнское) национáльное географическое óбщество.

**N.H.** New Hampshire Нью-Гéмпшир (штат США).

**NHP; n.h.p.** nominal horsepower номинáльная мóщность (в лошадиных силах).

**N.I.** Northern Ireland Сéверная Ирлáндия.

**N.J.; N.Jer.** New Jersey Нью-Джéрси (штат США).

**N/K** not known неизвéстный.

**N.L.** net loss чистый убыток.

**N.L.; N.Lat.** north latitude геогр. сéверная широтá.

**NLT** no later than... не пóзже чем...

**NM** National Museum Национáльный музéй (США).

**NM; n.m.** nautical mile морскáя миля.

**N.M.; N. Mex.** New Mexico Нью-Мéксико (штат США).

**NML** no man's land ничéйная земля; полосá территóрии мéжду линиями фронтóв воюющих сторóн.

**NN; n.n.** nomen nescio лат. имя неизвéстно.

**NNE** North-North-East северо-северо-восток.

**NNW** North-North-West северо-северо-запад.

**No.; no.** number 1) номер; 2) число.

**n.o.h.p.** not otherwise herein provided не иначе, чем здесь предусмотрено.

**NOK** next of kin ближайший родственник, член семьи.

**n.o.p.** no otherwise provided for только для указанных целей; только как предусмотрено.

**n.o.r.** no otherwise rated только как предусмотрено тарифом.

**Norf.** Norfolk Норфолк (графство в Англии).

**Northants** Northampton(shire) Нортгемптон(шир) (графство в Англии).

**Northld; Northmb** Northumberland Нортумберленд (графство в Англии).

**n.o.s.** not otherwise stated не иначе, чем указано.

**Notts** Nottingham(shire) Ноттингем(шир) (графство в Англии).

**n.p.** net price цена нетто.

**N.P.; n.p.** non-participating неучаствующий.

**np.** no paging без указания страниц.

**n.p.** no place of publication mentioned место издания не указано.

**n.p.** normal pressure нормальное давление.

**N.P.** not published неизданный, неопубликованный.

**пг** near близко, около, недалеко.

**nr** number 1) номер; 2) число.

**NRA** National Rifle Association (Американская) национальная стрелковая ассоциация.

**N.R.C.** National Research Council (Американский) национальный научно-исследовательский совет.

**n.r.t.** net register tonnage мор. регистровый тоннаж нетто.

**n.s.** near side ближняя сторона.

**N.S.** North Sea Северное море.

**n.s.** not signed не подписано.

**n/s** not sufficient неудовлетворительный, неприемлемый; не соответствующий требованиям.

**N.S.** Nova Scotia Новая Шотландия (провинция Канады).

**n.sp.** new species биол. новый вид.

**NT** net tons чистый вес в тоннах.

**NT** non-tight неплотный, негерметичный.

**NT** normal temperature нормальная температура.

**N.T.** Northern Territory Северная территория (в Австралии).

**nt.wt.** net weight вес нетто, вес товара без упаковки.

**N.U.M.** National Union of Miners Национальный (профессиональный) союз горняков (в Англии).

**N.U.R.** National Union of Railwaymen Национальный (профессиональный) союз железнодорожников (в Англии).

**N.U.S.** National Union of Seamen Национальный (профессиональный) союз моряков (в Англии).

**N.V.** nominal value нарицательная стоимость или цена; номинал.

**N.W.** North Wales Северный Уэльс.

**N.W.** North-West северо-запад, норд-вест.

**NWS** North-Western States Северо-Западные штаты США.

**пх** пох нокс (единица светотехники).

**N.Y.** New York Нью-Йорк (штат США).

**N.Y.C.** New York City г. Нью-Йорк.

**n.y.p.** not yet published ещё не опубликовано.

**N.Z.** New Zealand Новая Зеландия.

**O.** Ohio Огайо (штат США).

**O.** officer 1) офицер; 2) чиновник.

**O.** Ontario Онтарио (провинция Канады).

**O.A.** official account официальный отчёт.

**o/a** our account наш счёт.

**o.a.d.** overall dimensions габаритные (или предельные) размеры.

**O.A.P.** old age pension пенсия по старости.

**OAS** Organization of American States Организация американских государств, ОАГ.

**OB** outside broadcast внешнее радиовещание, зарубёжное радиовещание.

**o/c; o'c** o'clock (во столько-то) часов.

**O.c.** off coast (на таком-то) расстоянии от берега.

**o.c.** on centres (расстояние) между центрами или осями.

**o.c.** outward cargo экспортный груз.

**OCAS** Organization of Central American States Организация государств Центральной Америки.

**OD; O/D** on demand по запросу, по требованию.

**OD** optical density оптическая плотность.

**o.d.** outside diameter внешний (или наружный) диаметр.

**O/D; OD** overdraft превышение кредита.

**OE** Old English древнеанглийский язык.

**o.e.** omissions excepted исключая пропуски.

**OED** Oxford English Dictionary Оксфордский словарь английского языка.

**O.F.** oil fuel жидкое топливо.

**OF** Old French старофранцузский язык.

**OG** ocean-going океанский (пароход).

**O.G.** Olympic Games Олимпийские игры.

**O.G.; o.g.** ordinary goods обычные товары.

**ogn** origin происхождение.

**Oh** ohm эл. ом.

**OHG** Old High German древневерхненемецкий язык.

**O.H.M.S.** on His (Her) Majesty's Service состоящий на королевской (государственной или военной) службе.

**O.H.S.** Oxford Historical Society Оксфордское научно-историческое общество.

**OIr** Old Irish староирландский язык.

**OIt** Old Italian староитальянский язык.

**OJT** on the job training подготовка без отрыва от производства.

**O. K.** okay 1) всё в поря́дке, хорошо́; 2) утверждено́, согласо́вано; 3) пра́вильно, в испра́вности.

**Okla.** Oklahoma Оклахо́ма (*штат США*).

**o/l** our letter на́ше письмо́.

**OLG** Old Low German древненижне-неме́цкий язы́к.

**O.M.; o.m.** old measurement ста́рая систе́ма мер.

**ON** octane number *хим.* окта́новое число́.

**ON** Old Norse древненорве́жский язы́к.

**On** Oregon Орего́н (*штат США*).

**Ont.** Ontario Онта́рио (*прови́нция Кана́ды*).

**O/o** by the order of... по распоряже́нию (*тако́го-то*).

**o/o** our order 1) наш зака́з; 2) наш прика́з.

**OOO** out of order неиспра́вный.

**O.P.** old pattern *attr.* ста́рого образца́.

**O.P.** old price ста́рая цена́.

**op.** opus *лат.* произведе́ние, сочине́ние.

**OP** out of print распро́дано, разошло́сь (*об изда́нии*).

**op. cit.** opus citatum *лат.* цити́руемое произведе́ние.

**O/R** on request по жела́нию, по запро́су.

**o.r.** owner's risk *страх.* на риск владе́льца.

**Ore.; Oreg.** Oregon Орего́н (*штат США*).

**O.R.'s** other ranks рядово́й и сержа́нтский соста́в (*англи́йской а́рмии*).

**ors** others други́е.

**O.S.** Old Saxon древнесаксо́нский язы́к.

**O/S** on sale продаётся, поступи́ло в прода́жу.

**O.S.** on spot 1) в нали́чии, на ме́сте (*о това́ре*); 2) сра́зу, неме́дленно.

**O.S.** ordinary seaman мла́дший матро́с.

**o/s** out of stock отсу́тствующий (в запа́се) на скла́де.

**OSA** Optical Society of America Америка́нское опти́ческое о́бщество.

**O.Sl.** Old Slavic древнеславя́нский язы́к.

**OSRD** Office of Scientific Research and Development (Америка́нское) управле́ние нау́чных иссле́дований и усоверше́нствований.

**OSV** Ocean Station Vessel кора́бль—океа́нская ста́нция.

**O.Sw.; O.Swed.** Old Swedish древнешве́дский язы́к.

**O.T.** off-time свобо́дное (от слу́жбы) вре́мя.

**OT; o/t** old terms ста́рые (*или* пре́жние) усло́вия.

**O.U.** Oxford University Оксфо́рдский университе́т.

**OV; o.v.** overvoltage *эл.* перенапряже́ние.

**OW** one-way односторо́нний; однопу́тный; однолине́йный.

**oz** ounce у́нция (*28, 35 г*).

**PA** Panama Area райо́н Пана́мского кана́ла.

**Pa** Pennsylvania Пенсильва́ния (*штат США*).

**p.a.** per annum *лат.* ежего́дно, в год.

**P.A.** Press Agency аге́нтство печа́ти

**Pa** prima *лат.* первосо́ртный.

**P C** Pan-American Congress Панамери-ка́нский конгре́сс.

**P.&L.** profit and loss при́быль и убы́ток.

**P.A.T.R.A.** Printing and Allied Trades Research Association (Брита́нская) научно-иссле́довательская ассоциа́ция книгопеча́тания и сме́жных произво́дств.

**PAU** Pan-American Union Панамери-ка́нский сою́з.

**p.b.** penalty bench *спорт.* а) скамья́ для удалённых (с по́ля) игроко́в; б) скамья́ для оштрафо́ванных (*при игре́ в хокке́й*).

**PB** Pharmacopoeia Britannica *лат.* Брита́нская фармакопе́я.

**P.B.E.** pocket-book edition изда́ние карма́нного форма́та.

**p.c.** post card почто́вая откры́тка.

**PC** Preparatory Commission подготови́тельная коми́ссия.

**p/c** prices current существу́ющие це́ны, ку́рсы дня.

**P.C.** prime cost себесто́имость.

**P.C.** Privy Council Та́йный сове́т (*в А́нглии*).

**p.c.** pro centum *лат.* проце́нт, на сто.

**p.cbm** per cubic metre (*сто́лько-то*) на куби́ческий метр.

**P.C.C.** Political Consultative Conference (in China) Наро́дный полити́ческий консультати́вный сове́т Кита́я, НПКСК.

**PCGN** Permanent Committee on Geographical Names Постоя́нный (*междунаро́дный*) комите́т по географи́ческим наименова́ниям.

**pcl** parcel 1) паке́т, па́чка; 2) тюк шту́чного гру́за; ме́лкая па́ртия това́ра.

**pct** per cent проце́нт.

**pd** paid упла́чено; опла́ченный.

**P.D.** passeport diplomatique *фр.* дипломати́ческий па́спорт.

**p.d.** per day (*сто́лько-то*) на день, в день.

**P.D.** port dues порто́вые сбо́ры (*или* по́шлины).

**p.e.** par exemple *фр.* наприме́р.

**P.E.** permissible error допусти́мая оши́бка.

**P.E.** photoelectric фотоэлектри́ческий.

**Pemb.** Pembroke(shire) Пе́мбрук(шир) (*гра́фство в Уэ́льсе*).

**P.F.** porto franco *ит.* по́рто-фра́нко; порт беспо́шлинного вво́за и вы́воза.

**p.f.** power factor коэффицие́нт мо́щности.

**p.f.** pro forma *лат.* ра́ди фо́рмы, для соблюде́ния форма́льности.

**PFU** prepared for use гото́во к испо́льзованию, гото́во к употребле́нию.

**pg** page страни́ца.

**PG** Permanent Grade постоя́нное зва́ние.

**P.G.** persona grata *лат.* 1) «персо́на гра́та» — (дипломати́ческий) представи́тель, назначе́ние кото́рого одо́брено пра-ви́тельством, при кото́ром он аккредиту́ется; 2) лицо́, по́льзующееся осо́бым внима́нием *или* занима́ющее осо́бое положе́ние.

**P.G.** Pharmacopoeia Germanica *лат.* Герма́нская фармакопе́я.

**P.G.** postgraduate аспира́нт.

**p.g.t.** per gross ton *мор.* (*столько-то*) на каждую регистровую тонну.

**p.h.** per hour в час.

**P.H.** public health здравоохранение.

**P.I.** Philippine Islands Филиппинские острова.

**P.J.** Presiding Judge председатель суда, главный судья.

**P.L.** patent licence патентное свидетельство.

**p.l.** penalty line *спорт.* штрафная линия.

**Pl.** pole *мера длины* (*5,02 м*).

**P.L.** Public Law гражданское право.

**p./m.** past month прошлый месяц.

**p.m.** per minute в минуту.

**p.m.** post meridiem *лат.* (*во столько-то часов*) пополудни.

**pm.** premium (страховая) премия.

**P.M.** Prime Minister премьер-министр.

**p.m.** pro memoria *лат.* в память; на память.

**pmt** payment платёж.

**P.N.G.** persona non grata *лат.* 1) «персона нон грата»—(дипломатический) представитель, которому отказано в агремане; 2) неприемлемое лицо.

**pnxt** pinxit *лат.* (на)рисовал, написал (*такой-то*).

**P.O.** Pacific Ocean Тихий океан.

**PO** Post Office почтовая контора, почтовое отделение.

**P.O.** Province of Ontario провинция Онтарио (*Канада*).

**P.O.B.** Post-Office Box почтовый (абонементный) ящик.

**P.O.C.** port of call *мор.* порт захода.

**P.O.D.** pay on delivery уплата при доставке; наложенный платёж.

**P.O.O.** post-office order денежный перевод по почте.

**p.o.r.** port of refuge *мор.* порт вынужденного захода, порт-убежище.

**POW** prisoner of war (военно)пленный.

**pp.** pages страницы.

**PP; pp** per paragraph на основании параграфа (*такого-то*).

**P.P.; P.p.** per procuration по доверенности.

**p.p.** post paid пересылка (по почте) оплачена.

**ppd** prepaid оплачено вперёд.

**ppn** precipitation 1) *хим.* осаждение; 2) *метеор.* выпадение осадков.

**ppt** prompt срочный.

**P.Q.** Province of Quebec провинция Квебек (*Канада*).

**pr.** pair пара.

**p.r.** payment received полученный платёж.

**P.R.** People's Republic народная республика.

**P.R.** press release заявление для печати; информационный бюллетень телеграфного *или* газетного агентства.

**Pr.** proceedings труды, записки (*научного общества*).

**P.R.** proportional representation пропорциональное представительство.

**P.R.** Public Resolution решение конгресса США.

**P.R.C.** People's Republic of China Китайская Народная Республика, КНР.

**p.r.n.** pro re nata *лат.* сообразно возникающим обстоятельствам.

**P.S.** post scriptum *лат.* постскриптум, приписка.

**PS** proof stress максимальное напряжение.

**PSA** Photographical Society of America Американское фотографическое общество.

**P.T.** Pacific Time тихоокеанское поясное время.

**pt** part часть, доля.

**pt** pint пинта (*в Англии* — *0,568 л; в США* — *0,473 л*).

**Pt** port 1) порт; 2) *attr.* портовый.

**P.T.** preferential tariff преференциальный таможенный тариф.

**p.t.** pro tempore *лат.* для настоящего времени.

**p.t.o.** please, turn over переверните, пожалуйста; смотрите на обороте.

**P.U.** power unit единица мощности.

**P.U.C.** papers under consideration документы, находящиеся на рассмотрении.

**PUS** Pharmacopoeia of the United States Фармакопея США.

**p.w.** per week в неделю.

**pwt** pennyweight пенниуэйт (*мера веса= 1,55 г*).

**Q.; q.** quantity количество.

**q.** quart кварта (*мера объёма для жидких и сыпучих тел: в Англии* — *1,136 л; в США* — *0,946 л для жидких и 1,101 л для сыпучих тел*).

**q.; Q** quasi *лат.* мнимый; якобы.

**Q** queen королёва.

**Q.; q.** quintal квинтал (*в метрической системе мер* — *100 кг; с Англии* — *50,8 кг; в США* — *45,36 кг*).

**Qbc** Quebec Квебек (*провинция Канады*).

**Qd** Queensland Квинсленд (*штат Австралии*).

**Q.E.D.** quod erat demonstrandum *лат.* что и требовалось доказать.

**Q.E.F.** quod erat faciendum *лат.* что и требовалось сделать.

**Q.E.I.** quod erat inveniendum *лат.* что и требовалось найти.

**Q.F.; qf** quick-firing *attr.* скорострельный.

**Q.-F.** quick-freezing быстрое замораживание (*продуктов*).

**q.l.** quantum libet *лат.* сколько угодно.

**qm** metric quintal метрический квинтал (*100 кг*).

**Q.M.; Qm.** Quartermaster 1) квартирмейстер; 2) *attr.* квартирмейстерский.

**Qn** question вопрос.

**Q.P.** quantum placet *лат.* сколько найдёте нужным *или* полезным.

**Qr.** quarterly поквартально каждые три месяца.

**q.v.** quod vide *лат.* смотри (*там-то*).

**R.; r.** radius радиус.

**r.** read читайте, прочтите.

**R** Réaumur температурная шкала Реомюра.

**R** Rex *лат.* король.

**R.** river река.

**r.** rod мера длины (*4,86 м*).

**R** rood мера площади (*1012 м²*).

**RA** Regular Army регулярные войска; регулярная армия.

**R.A.A.** Royal Academy of Arts Королевская академия изобразительных искусств.

**Rad.** Radnor(shire) Раднор(шир) (*графство в Уэльсе*).

**R.A.D.A.** Royal Academy of Dramatic Arts Королевская академия драматического искусства.

**R.A.F.** Royal Air Force британские военно-воздушные силы.

**R.A.I.** Royal Anthropological Institute Королевский антропологический институт.

**R.A.I.** Royal Archaeological Institute Королевский археологический институт.

**R.a.M.** reports and memoranda доклады и отчёты (*научно-исследовательских обществ*).

**R.A.M.** Royal Academy of Music Королевская академия музыки.

**R.&D.** research and development *attr.* научно-исследовательский.

**R.A.S.** Royal Academy of Science Королевская академия наук.

**R.A.S.** Royal Aeronautical Society Королевское авиационное общество.

**R.A.S.** Royal African Society Королевское общество изучения Африки.

**R.A.S.** Royal Agricultural Society Королевское сельскохозяйственное общество.

**R.A.S.** Royal Asiatic Society Королевское общество изучения Азии.

**R.A.S.** Royal Astronomical Society Королевское астрономическое общество.

**RAUS** Regular Army of the United States регулярная армия США.

**R.B.A.** Royal Society of British Artists Королевское общество английских деятелей искусства.

**r.b.f.** record-breaking form лучшая спортивная форма (*на побитие рекорда*).

**R.B.S.** Royal Botanical Society Королевское ботаническое общество.

**R.B.S.** Royal Society of British Sculptors Королевское общество английских скульпторов.

**r.c.** return cargo обратный груз.

**R.C.** right centre *спорт.* правый центр.

**R.C.A.** Royal Cambrian Academy Уэльская королевская академия.

**R.C.A.S.** Royal Central Asian Society Королевское общество по изучению Центральной Азии.

**rd** read читайте, прочтите.

**RD** refer to drawer обратитесь к выдавшему чек (*отметка банка на неоплаченном чеке*).

**rd** road дорога, путь.

**Rdo; rdo** radio 1) радио; 2) радиосвязь.

**R.E.** real estate недвижимое имущество.

**recd; recd** received получено, принято.

**R.E.S.** Royal Economic Society Королевское экономическое общество.

**rf** reference 1) ссылка; 2) справка.

**r.f.** right field *спорт.* правая половина поля.

**R.G.S.** Royal Geographical Society Королевское географическое общество.

**R.H.** relative humidity относительная влажность.

**R.H.A.** Royal Hibernian Academy Королевская академия наук Северной Ирландии.

**r.h.b.** right half back *спорт.* правый полузащитник.

**RHN** Rockwell hardness number число твёрдости по Роквеллу.

**R.H.S.** Royal Historical Society Королевское историческое общество.

**R.H.S.** Royal Horticultural Society Королевское общество садоводства.

**R.I.** Rhode Island Род-Айленд (*штат США*).

**R.I.** Royal Institute of Painters in Water-Colours Королевский институт акварелистов.

**R.I.A.** Royal Irish Academy Королевская академия Северной Ирландии.

**R.I.B.A.** Royal Institute of British Architects Королевский институт архитекторов.

**R.I.C.** Royal Institute of Chemistry Королевский институт химии.

**R.I.I.A.** Royal Institute of International Affairs Королевский институт международных отношений.

**R/L** radiolocation радиолокация.

**RM** radio message радиограмма.

**R.M.** registered mail заказная почта.

**rm** room комната, помещение.

**R.M.C.** Royal Marine Corps английская морская пехота.

**R.M.P.A.** Royal Medico-Psychological Association Королевская медико-психологическая ассоциация.

**R.M.S.** Royal Meteorological Society Королевское метеорологическое общество.

**R.M.S.** Royal Microscopical Society Королевское общество микроскопии.

**R.M.S.** Royal Society of Miniature Painters Королевское общество художников-миниатюристов.

**R.N.** Royal Navy британский военно-морской флот.

**R.N.S.** Royal Numismatical Society Королевское нумизматическое общество.

**ro** recto *лат. полигр.* правая страница.

**R.P.; R/P** by return of post обратной почтой.

**R.P.** retail price розничная цена.

**R.P.** Rules of Procedure правила (судебной) процедуры.

**RPM; r.p.m.** revolutions per minute (*столько-то*) оборотов в минуту.

**rpr** reprint новое неизменённое издание, перепечатка.

**RPS; r.p.s.** revolutions per second (*столько-то*) оборотов в секунду.

**R.P.S.** Royal Photographical Society Королевское фотографическое общество.

**RRI** Rocket Research Institute (Американский) научно-исследовательский институт ракетной техники.

**RRS** Radiation Research Society (Американское) общество исследования радиоактивных излучений.

**R.S.** radio station радиостанция.

**R.S.A.** Royal Scottish Academy Шотландская королевская академия.

**R.S.A.** Royal Society of Arts Королевское общество изобразительных искусств.

**R.S.G.B.** Radio Society of Great Britain Британское общество радиолюбителей.

**R.S.G.S.** Royal Scottish Geographical Society Шотландское королевское географическое общество.

**R.S.I.** Royal Sanitary Institute Королевский институт санитарии.

**R.S.L.** Royal Society of Literature Королевское литературное общество.

**R.S.M.** Royal Society of Medicine Королевское медицинское общество.

**R.S.S.** Royal Statistical Society Королевское статистическое общество.

**R.S.V.P.** répondez s'il vous plait фр. ответьте, пожалуйста.

**RT** radio-telegraphy радиотелеграфия.

**R.T.** right tackle спорт. правый нападающий (в американском футболе).

**R.T.A.** Reciprocal Trade Agreement торговое соглашение на основе взаимности.

**Rt.Hon.** Right Honourable высокочтимый.

**RTT** radioteletype радиотелетайп.

**R.V.** receipt voucher квитанция, расписка в получении.

**R.W.A.** Royal West of England Academy Королевская академия Западной Англии.

**Rwy; Ry** railway 1) железная дорога; 2) attr. железнодорожный.

**s.** second секунда.

**s.** shilling шиллинг.

**S** South юг; southern южный.

**s.a.** sectional area площадь поперечного сечения.

**s.-a.** semi-annual полугодичный.

**S.A.** semi-automatic полуавтоматический.

**s.a.** sine anno лат. без указания года (издания).

**S.A.** South Africa Южная Африка.

**S.A.A.F.** South African Air Force военно-воздушные силы Южно-Африканского Союза.

**S.A.D.F.** South African Defence Forces вооружённые силы Южно-Африканского Союза.

**S.A.E.** American Society of Automotive Engineers Американское общество автомобильных инженеров.

**s.a.e.l.** sine anno et loco лат. без указания года и места (издания).

**S.Am.** South America Южная Америка.

**s.a.p.** soon as possible как можно раньше.

**Sask.** Saskatchewan Саскачеван (провинция Канады).

**S.Aust.** South Australia Южная Австралия.

**S.B.** Savings Bank сберегательная касса.

**S.B.** short bill краткосрочная тратта.

**S.B.** South Britain Южная Англия.

**SBAC** Society of British Aircraft Constructors Общество британских самолётостроителей.

**Sc.** science наука; scientific научный.

**sc.** scilicet лат. а именно, то есть.

**sc.** scruple скрупул (1,24 г).

**S.C.** Security Council of the United Nations Совет Безопасности ООН.

**s.c.** see copy смотри (прилагаемую) копию.

**SC** South Carolina Южная Каролина (штат США).

**s.c.** standard conditions нормальные условия.

**SC** subcommittee подкомитет.

**S.C.** Suez Canal Суэцкий канал.

**S.C.** Supreme Court Верховный суд.

**s.d.** sailing date дата (или день) отплытия.

**SD** same date того же числа.

**s.d.** several dates различные сроки или даты.

**S/D; sd** sight draft фин. тратта, срочная по предъявлении.

**s.d.** sine die лат. без указания срока или даты; на неопределённый срок.

**SD; S.Dak.** South Dakota Южная Дакота (штат США).

**SE** south-east юго-восток.

**S.E.** Stock Exchange Лондонская фондовая биржа.

**SEA** South-Eastern Asia Юго-Восточная Азия.

**SEATO** South-East Asia Treaty Organization Организация стран Юго-Восточной Азии, СЕАТО.

**sec-ft** second feet футо-секунды.

**SF** San Francisco г. Сан-Франциско.

**SF** sea flood морское течение.

**S.G.; s.g.** specific gravity удельный вес.

**Sh.** Shropshire Шропшир (графство в Англии).

**s.h.** super heavy сверхтяжёлый, большой мощности.

**SHEX** Sundays and holidays excepted не считая воскресных и праздничных дней.

**shpt** shipment 1) отправка; погрузка; 2) груз (судна).

**sh. tn.** short ton короткая тонна (907,2 кг).

**SIDRO** Société Internationale d'Énergie Hydroélectrique фр. Международное гидроэнергетическое общество.

**SITA** Students' International Travel Association Международная ассоциация студенческого туризма.

**SITC** Standard International Trade Classification Международная стандартная торговая классификация.

**Sk** Suffolk Суффолк (графство в Англии).

**S.L.; sl** sea level уровень моря.

**s.l.** sine loco лат. без указания места (издания).

**s.l.** solid line сплошная линия.

**S.L.; S.Lat.** south latitude геогр. южная широта.

**S.M.; s.m.** sea mile морская миля.

**S.M.** stage manager режиссёр.

**S.M.** surface measure мера поверхности.

**SMPTE** Society of Motion Picture and Television Engineers (Американское) общество инженеров кино и телевидения.

**s.n.** sine nomine лат. без (указания) имени или названия.

**SNSE** Society of Nuclear Scientists and Engineers (Американское) общество учёных и инженеров—специалистов по ядерной физике.

**So** South юг; southern южный.

**S.O.** sub-office местное отделение, филиал.

**SOA** speed of advance скорость продвижения, скорость хода.

**S.O.E.D.** Shorter Oxford English Dictionary Сокращённый Оксфордский словарь английского языка.

**Som.; Soms.** Somerset(shire) Сомерсет (-шир) (графство в Англии).

**sp** sample образец.

**s.p.** selling price продажная цена.

**S.P.; s.p.** standard pressure нормальное давление.

**spf** superfine высшего сорта, самого лучшего качества.

**sp.g.; sp.gr.** specific gravity удельный вес.

**sp.v.** specific volume удельный объём.

**spvn** supervision контроль, наблюдение, надзор.

**sq** sequence последовательность.

**sq.** square квадратный.

**Sr** senior старший.

**Sr** sir сэр, господин.

**S.R.** Southern Rhodesia Южная Родезия.

**s.s.** sensu stricto лат. в буквальном смысле.

**S.S.; S/S** steamship пароход.

**S.S.** Sunday School воскресная школа.

**ss.** sworn statement юр. показание под присягой.

**SSA** Seismological Society of America Американское сейсмологическое общество.

**SSSA** Soil Science Society of America Американское общество почвоведения.

**St.** saint святой.

**S.T.** sea transport морской транспорт.

**ST** Standard Time поясное время.

**std** standard стандарт, образец, модель.

**S.T.P.** standard temperature and pressure нормальная температура и давление.

**STZ** South Temperate Zone южная умеренная зона (климатическая).

**S.U.** Soviet Union Советский Союз.

**SUNFED** Special United Nations Fund for Economic Development Специальный фонд ООН для экономического развития.

**Sur.** Surrey Суррей (графство в Англии).

**Suss.** Sussex Суссекс (графство в Англии).

**S.V.** sailing vessel парусное судно.

**S.W.** South Wales Южный Уэльс.

**SW** south-west юго-запад; south-western юго-западный.

**S.W.A.; S.W. Afr.** South-West Africa Юго-Западная Африка.

**S.W.L.** safe working load тех. допускаемая рабочая нагрузка.

**S.W.P.** safe working pressure тех. допускаемое рабочее давление.

**Sx** Sussex Суссекс (графство в Англии).

**Sy** Surrey Суррей (графство в Англии).

**S.Yd.** Scotland Yard Скотленд-Ярд (управление английской полиции и сыскное отделение).

**t.; t/.** temporary временный.

**T** tension напряжение; натяжение.

**T; t.** time время, срок.

**T** tropical тропический.

**t** tun бочка (≅1100 л).

**T.A.** telegraphic address телеграфный адрес.

**T.A.** Territorial Army территориальная армия.

**t.a.** time of arrival время прибытия.

**TA** (United Nations) Technical Assistance Техническая помощь ООН слаборазвитым странам.

**TAA** Technical Assistance Administration (of the United Nations) Администрация технической помощи ООН слаборазвитым странам.

**T.A.A.** Trade Agreement Act закон о торговых соглашениях.

**TAC** Technical Assistance Committee (of the Economic and Social Council of the United Nations) Комитет Экономического и Социального Совета ООН по оказанию технической помощи слаборазвитым странам.

**TAP** Technical Assistance Program (of the United Nations) Программа технической помощи ООН слаборазвитым странам.

**Tass; TASS** Telegraph Agency of the Soviet Union Телеграфное агентство Советского Союза, ТАСС.

**t.a.w.** twice a week два раза в неделю.

**T.B.** Tourist Bureau туристское бюро.

**TB; Tb; t.b.** tubercle bacillus туберкулёзная палочка; tuberculosis туберкулёз.

**tbs.** tablespoon столовая ложка.

**TC; t.c.** temperature coefficient температурный коэффициент.

**T.C.** Tennis Club теннисный клуб.

**Tc; tc.** tierce бочка (≅190,83 л).

**TC** Trusteeship Council (of the United Nations) Совет по опеке ООН.

**TCC** (United Nations') Transport and Communication Commission Комиссия ООН по транспорту и связи.

**T.D.** theoretically dry абсолютно сухой.

**TD; t.d.** time and date время и (календарное) число.

**T.D.** total depth общая глубина.

**tda** today 1) сегодня; 2) attr. сегодняшний.

**TDS** time-distance-speed время-расстояние-скорость.

**TDS** turbin-driven steamer пароход с турбинными машинами, турбопароход.

**tdw** tons dead weight полная грузоподъёмность в тоннах.

**telg** telegram телеграмма.

**Tenn.** Tennessee Теннесси (штат США).

**Tex.** Texas Техас (штат США).

**t.f.** till forbidden впредь до воспрещения.

**TFN** till further notice до получения дальнейших указаний.

**t.h.i.** time handed in время вручения.

**thou** thousand тысяча.

**thr; thro; thru** through через, сквозь.

**T.H.S.;** ths total heating surface общая поверхность нагрева.

**T.I.** technical information техническая информация; технические данные.

**T.I.** time interval промежуток времени; следование с промежутком во времени.

**Tip.** Tipperary Типперэри (графство в Ирландии).

**T.J.** turbo-jet турбореактивный.

**TKO** technical knock-out спорт. технический нокаут.

**TL** time length продолжительность.

**t.l.** total loss 1) общая сумма убытков; 2) страх. полная гибель (судна).

**TM** ton-miles (столько-то) тонна-миль.

**T.M.** trade mark торговый знак, фабричная марка.

**TM** true mean (value) фактическая средняя (ценность).

**TML** Three Mile Limit трёхмильная пограничная зона, зона территориальных вод.

**T.N.** Technical Notes техническое примечание, техническое указание.

**tn** ton тонна.

**TN** true North геогр. истинный север.

**TO** Telegraph Office телеграфное отделение, телеграфная контора.

**T/O** transoceanic трансокеанский.

**t.o.** turn over переверни(те); смотри(те) на обороте.

**togr** together вместе; совместно.

**T.O.P.** turn over, please переверни(те), пожалуйста; смотри(те) на обороте.

**t.p.** title-page титульный лист.

**TP** turning point поворотная точка, поворотный пункт.

**T.P.H.** tons per hour (столько-то) тонн в час.

**T.P.R.; t.p.r.** temperature, pulse, respiration температура, пульс, дыхание.

**tr** tare тара; вес тары.

**tr** there там; туда.

**T.R.** true range истинная дальность.

**t.s.** tensile strength прочность на разрыв или на растяжение; разрывающее усилие.

**ts** this этот.

**T.S.** this side эта сторона; на этой стороне.

**t.s.** till sale (впредь) до продажи.

**TS** top secret совершенно секретно.

**T.S.M.** twin-screw motor ship двухвинтовой теплоход.

**tsp.** tea-spoon чайная ложка.

**T.S.S.** twin-screw steamer двухвинтовой пароход.

**T.T.** technical terms технические условия.

**T.T.** telegraphic transfer денежный перевод по телеграфу.

**tts** that is то есть.

**T.U.** thermal unit тепловая единица (0,252 кг/кал).

**T.U.** toxic unit токсическая единица.

**T.U.** trade union тред-юнион; профессиональный союз.

**T.U.A.C.** Trades Union Advisory Committee Консультативный комитет (британских) тред-юнионов.

**T.U.C.** Trades Union Congress Конгрёсс (британских) тред-юнионов.

**T.U.C.G.C.** Trades Union Congress General Council Генеральный совет Конгрёсса (британских) тред-юнионов.

**TUIAFW** Trade Unions' International Federation of Agricultural and Forestry Workers Международная федерация профсоюзов рабочих сельского и лесного хозяйства.

**T.V.** tank vessel танкер, наливное судно.

**TV** television 1) телевидение; 2) attr. телевизионный.

**T.V.** terminal velocity предельная (или конечная) скорость, критическая скорость.

**T.W.** total weight общий вес.

**TWU** Transport Workers' Union (of America) Профессиональный союз транспортных рабочих Америки.

**TWUA** Textile Workers' Union of America Профессиональный союз рабочих американской текстильной промышленности.

**Tx.** Texas Техас (штат США).

**Tyr.** Tyrone Тирон (графство в Ирландии).

**U.** Utah Юта (штат США).

**UAAC; UAC** Un-American Activities Committee Комиссия по расследованию антиамериканской деятельности (при конгрессе США).

**UAR** United Arab Republic Объединённая Арабская Республика, ОАР.

**UATI** Union des Associations Techniques Internationales фр. Объединение международных технических ассоциаций (при ЮНЕСКО).

**U.C.** University College университетский колледж (факультет).

**UCI** Union Cycliste Internationale фр. Международный союз велосипедного спорта.

**U.D.C.** Universal Decimal Classification всеобщая десятичная классификация.

**UDT** under-deck tonnage мор. подпалубный тоннаж.

**UERMWA** United Electrical, Radio and Machine Workers of America Объединение рабочих электро-, радио- и машиностроительной промышленности Америки (профсоюз).

**UFN** until further notice впредь до получения дальнейших сообщений или указаний.

**UGCCW** United Gas, Coke and Chemical Workers (of America) Объединение рабочих газовой, коксовой и химической промышленности Америки (профсоюз).

**UHF** ultrahigh frequency радио ультравысокая частота, УВЧ.

**u.i.** ut infra лат. как указано ниже.

**U.K.** United Kingdom Соединённое Королевство.

**u.m.** undermentioned нижеследующий; нижепоименованный.

**um.** unmarried неженатый, холостой; незамужняя.

**UMW; UMWA** United Mine Workers

of America Объединéние горноworkers горнорабóчих Амéрики (*профсоюз*).

**UN** United Nations Объединённые Нáции.

**UNA** United Nations Association Ассоциáция содéйствия ООН.

**UNAEC** United Nations Atomic Energy Commission Комиссия ООН по áтомной энéргии.

**UNCh** United Nations Charter Устáв ООН.

**U.N.C.I.O.** United Nations Conference on International Organizations Конферéнция ООН по вопрóсам междунарóдных организáций.

**UNDC** United Nations Disarmament Commission Комиссия ООН по разоружéнию.

**UNEPTA** United Nations' Expanded Program of Technical Assistance for Economic Development of Under-Developed Countries Расширенная прогрáмма ООН по оказáнию технической пóмощи экономически слаборáзвитым стрáнам.

**UNESCO** United Nations Educational, Scientific and Cultural Organization Организáция ООН по вопрóсам просвещéния, наýки и культýры, ЮНЕСКО.

**UNFAO** United Nations Food and Agricultural Organization Организáция ООН по вопрóсам продовóльствия и сéльского хозяйства, ФАО.

**UNGA** United Nations' General Assembly Генерáльная Ассамблéя ООН.

**UNIC** United Nations Information Centre Информациóнный центр ООН.

**UNICEF** United Nations International Children's Emergency Fund Фонд ООН пóмощи дéтям.

**UNIS** United Nations Information Service Информациóнная слýжба ООН.

unm undermentioned нижеслéдующий; нижепоименóванный.

**UNMC** United Nations Monetary Conference Валютное совещáние ООН.

**UNO** United Nations Organization Организáция Объединённых Нáций, ООН.

**UNPA** United Nations Postal Administration Почтóвая администрáция ООН.

**UNSC** United Nations Security Council Совéт Безопáсности ООН.

**UNSCC** United Nations Standards Coordinating Committee Координациóнный комитéт ООН по вопрóсам стандартизáции.

**UPU** Universal Postal Union Всемирный почтóвый союз.

**US** United States (of America) Соединённые Штáты (Амéрики).

u.s. ut supra *лат.* как скáзано выше.

**USA** United States Army сухопýтные силы США.

**USA** United States of America Соединённые Штáты Амéрики.

**USAF** United States Air Force воéнно-воздýшные силы США.

**U.S.Afr.** Union of South Africa Южно-Африкáнский Союз.

**U.S.B.S.** United States Bureau of Standards Бюрó стандáртов США.

**USC** United States Congress Конгрéсс США.

**USN** United States Navy воéнно-морские силы США.

**USP** United States Pharmacopoeia Фармакопéя США.

**USS** United States Standard америкáнский стандáрт.

**U.S.S.R.** Union of Soviet Socialist Republics Союз Совéтских Социалистических Респýблик, СССР.

**USW, USWA** United Steel Workers of America Объединéние рабóчих сталелитéйной промышленности Амéрики (*профсоюз*).

u.t. usual terms обычные (торгóвые) услóвия.

**Ut.** Utah Юта (*штат США*).

**U.T.O.** Universal Tourist Organization Всемирная туристская организáция.

**UTW; UTWA** United Textile Workers of America Объединéние рабóчих текстильной промышленности Амéрики (*профсоюз*).

**U/W** underwriter 1) страхóвщик; 2) гарáнт размещéния (*займа, ценных бумаг*).

**V** velocity скóрость.

v verse стих; стихотвóрная строкá.

v. versus *лат.* прóтив.

v. vide *лат.* смотри.

**V;** v volt *эл.* вольт; voltage напряжéние (*в вóльтах*).

**V** volume 1) объём; 2) том; 3) сила звýка; грóмкость.

**Va.** Virginia Виргиния (*штат США*).

**VA; va** volt-ampere вольт-ампéр.

vbl verbal словéсный; ýстный.

**VC** valuable cargo цéнный груз.

**V.C.** Vice-Chairman заместитель председáтеля.

**V.C.** Vice-Chancellor вице-кáнцлер.

**VC** volt-coulomb вольт-кулóн.

v.d. various dates различные (календáрные) дáты.

**VE-Day** Victory in Europe Day День побéды в Еврóпе.

**Ver.; Verm.** Vermont Вермóнт (*штат США*).

v.f. very fair прекрáсный, благоприятный.

**V.F.** viscosity factor коэффициéнт вязкости.

v.g. very good óчень хорошó.

**VHF** very high frequency *радио* óчень высóкая частотá.

viz. videlicet *лат.* тó есть; а именно.

v.l. vertical line вертикáльная линия; отвéс.

**VLF; v.l.f.** very low frequency *радио* óчень низкая частотá.

**VM** voltmeter вольтмéтр.

**V.O.** very old 1) óчень стáрый; старинный; 2) выдержанный (*о вине*).

**VOA** Voice of America правительственное радиовещáние США «Гóлос Амéрики».

v.p. various pagination различная нумерáция страниц.

**V.P.** Vice-President вице-президéнт.

**Vr** voucher 1) расписка; оправдáтельный докумéнт; 2) поручитель

**vs** versus *лат.* про́тив.
**v.s.** very slow о́чень ме́дленно, ти́хо.
**v.s.** vide supra *лат.* смотри́ вы́ше.
**VSW** very short waves ультракоро́ткие во́лны.
**V.T.** vacuum tube электро́нная ла́мпа, радиола́мпа.
**Vt** Vermont Вермо́нт *(штат США)*.
**VTO** vertical take-off *ав.* вертика́льный взлёт.
**vu** volume unit объёмная едини́ца.
**vv.** verses стихи́; стихотво́рные стро́ки.
**V.V.** vice versa *лат.* наоборо́т.
**vw** very weak о́чень сла́бый.

**W.** Wales Уэльс.
**W** war 1) война́; 2) *attr.* вое́нный; вое́нного вре́мени.
**W; w** watt ватт.
**W; w** week неде́ля; weekly еженеде́льный.
**N; w** weight вес.
**W** West за́пад; western за́падный.
**W.A.** West Africa За́падная А́фрика.
**W.A.** width average сре́дняя ширина́.
**WAC; Wac** Women's Army Corps же́нская вспомога́тельная слу́жба а́рмии США.
**w.a.f.** with all faults со все́ми оши́бками.
**WAPOR** World Association for Public Opinion Research Всеми́рная ассоциа́ция изуче́ния обще́ственного мне́ния.
**War.; Warw.; Warws.** Warwickshire Уо́рикшир *(графство в Англии)*.
**W.A.S.** Washington Academy of Sciences Вашингто́нская акаде́мия нау́к.
**Wash. D.C.** Washington, District of Columbia *г.* Вашингто́н, федера́льный о́круг Колу́мбия.
**WASU** West African Students' Union Сою́з студе́нтов За́падной А́фрики.
**WATA** World Association of Travel Agencies Всеми́рная ассоциа́ция бюро́ путеше́ствий.
**W. Aus.; W. Aust.** Western Australia За́падная Австра́лия.
**WAY** World Assembly of Youth Всеми́рная ассамбле́я молодёжи.
**W.B.; W/B; wb.** way-bill тра́нспортная накладна́я.
**WB** Weather Bureau бюро́ пого́ды.
**W.B.** West Britain За́падная А́нглия.
**WBI** will be issued бу́дет вы́пущено в обраще́ние; бу́дет и́здано.
**w/c** week commencing... неде́ля, начина́ющаяся с *(такого-то)* числа́.
**W.C.; w/c** without charge без опла́ты; без накладны́х расхо́дов.
**W.C.E.; W.C. Engl.** West Coast of England За́падная побере́жье А́нглии.
**WCOTP** World Confederation of Organizations of the Teaching Profession Всеми́рная федера́ция учи́тельских *(профессиона́льных)* сою́зов.
**wd** warranted гаранти́рованный.
**W.D.** Western Desert За́падная пусты́ня *(в Се́верной А́фрике)*.
**w/e** week ending... неде́ля, зака́нчивающаяся *(такого-то)* числа́.
**w.e.f.** with effect from... действи́тельно с *(такого-то вре́мени)*.

**Westmd** Westmorland Уэ́стморленд *(графство в Англии)*.
**WEU** Western European Union Западноевропе́йский Сою́з.
**Wex.** Wexford Уэ́ксфорд *(графство в Ирландии)*.
**W/F** weather forecast прогно́з пого́ды.
**WFDY** World Federation of Democratic Youth Всеми́рная федера́ция демократи́ческой молодёжи, ВФДМ.
**WFEA** World Federation of Educational Associations Всеми́рная федера́ция просвети́тельных ассоциа́ций.
**WFSW** World Federation of Scientific Workers Всеми́рная федера́ция нау́чных рабо́тников.
**WFTU** World Federation of Trade Unions Всеми́рная федера́ция профсою́зов, ВФП.
**WFUNA** World Federation of United Nations Associations Всеми́рная федера́ция ассоциа́ций соде́йствия ООН.
**w.g.** weight guaranteed гаранти́рованный вес.
**W.G.; W.Ger.** Western Germany За́падная Герма́ния.
**W.G.T.** Western Greenwich Time за́падное гри́нвичское вре́мя.
**WH; W.-h.** watt-hour ватт-ча́с.
**WH** White House Бе́лый дом *(резиденция президента США)*.
**WHO** World Health Organization (of the United Nations) Всеми́рная организа́ция ООН по вопро́сам здравоохране́ния.
**w.i.** when issued по вы́ходе *или* изда́нии *(книги)*.
**wi.** with с, вме́сте, совме́стно.
**WIAA** Women's International Association of Aeronautics Междунаро́дная же́нская авиацио́нная ассоциа́ция *(спортивная)*.
**Wick.** Wicklow Уи́клоу *(графство в Ирландии)*.
**WIDF** Women's International Democratic Federation Междунаро́дная демократи́ческая федера́ция же́нщин, МДФЖ.
**WILPF** Women's International League for Peace and Freedom Междунаро́дная же́нская ли́га борьбы́ за мир и свобо́ду.
**Wilts** Wiltshire Уи́лтшир *(графство в Англии)*.
**w.i.m.c.** whom it may concern всем, к кому́ э́то отно́сится, кого́ э́то каса́ется.
**Wis.; Wisc.** Wisconsin Виско́нсин *(штат США)*.
**wk** week неде́ля.
**W/K; wk** well-known (хорошо́) изве́стный; изу́ченный.
**W.K.** West Kent За́падный Кент.
**Wks** works сочине́ния.
**W.L.; w.l.** water-line *мор.* ватер-ли́ния.
**W.L.; W/L; w.l.; w/l** wave length *радио* длина́ волны́.
**W.L.** West Lancashire За́падный Ла́нкашир.
**W.L.; W. long.** west longitude *геогр.* за́падная долгота́.
**W.M.** weather map метеорологи́ческая ка́рта, синопти́ческая ка́рта.
**WMA** World Medical Association Всеми́рная медици́нская ассоциа́ция.

**wmk** watermark отметка уровня (*или* горизонта) воды.

**WMM** World Movement of Mothers Всемирное движение матерей (*организация*).

**WMO** World Meteorological Organization Всемирная метеорологическая организация.

**w.o.** without без.

**wo** woman 1) женщина; 2) *attr.* женский.

**Wo.** Worcester(shire) Вустер(шир) (*графство в Англии*).

**WOMAN** World Organization of Mothers of All Nations Всемирная организация матерей.

**wp.** waterproof водонепроницаемый, непромокаемый.

**W.P.** without prejudice *юр.* без предубеждения.

**WP; wp** working pressure рабочее давление.

**W.P.B.** waste paper basket в корзину для бумаги (*помета о непригодности рукописи*).

**WPC** World Peace Council Всемирный Совет Мира, ВСМ.

**WPC** World Power Conference Всемирная энергетическая конференция.

**W/R** warehouse receipt складская расписка, квитанция о приёме (товара) на склад.

**W R** weather report сводка погоды.

**W.R.** West Riding Западный Райдинг.

**WS** water supply водоснабжение.

**W.S.** wireless station радиостанция.

**W.S.C.** White Sea Canal Беломорско-Балтийский канал.

**W.T.** watertight водонепроницаемый.

**WT** water transportation водные перевозки.

**WTAA** World Trade Alliance Association (Британская) ассоциация международной торговли.

**wt.h.p.** weight horsepower мощность на единицу веса.

**WTO** World Trade Organization (of the United Nations) Организация ООН по международной торговле.

**WUS** World University Service Всемирная организация помощи студенчеству.

**W.Va.** West Virginia Западная Виргиния (*штат США*).

**WVF** World Veterans Federation Всемирная федерация ветеранов войны.

**W/W; w/w** warehouse warrant складское свидетельство (*о принятии товара на хранение*), складской варрант.

**WW I** World War I первая мировая война.

**WW II** World War II вторая мировая война.

**Wy; Wyo** Wyoming Вайоминг (*штат США*).

**X.C.; x.c.; x-cp** ex coupon без купона (*на получение очередного дивиденда*).

**XD; X-d; x-d; x div.** ex dividend без дивиденда (*о продаваемой акции*).

**X.ex.** cross-examination *юр.* перекрёстный допрос.

**X.H.; X.h.; X.hvy** extra heavy особо тяжёлый.

**X.I.; x.i.; x.in.; x.int.** ex interest без (начисления) процентов.

**xll** extra light loaded особо малонагруженный.

**xls** crystals кристаллы.

**XMD** excused from military duty освобождён от военной службы.

**x.n.** ex new не новый.

**Xnty** Christianity христианство.

**XOS** extra outsize особо большой размер (*об одежде*).

**x'over** cross over перечёркивать *или* кроссировать (*о чеке*).

**xpr** ex privileges без привилегий.

**xr** ex rights без (приобретения) прав.

**X-rays** рентгеновские лучи.

**Xrds** cross-roads перекрёсток (*дорог*).

**X.S.; X.s.** extra strong особо крепкий, особо прочный.

**XWt** experimental weight экспериментальный вес.

**X.X.H.; X.X.h.** double extra heavy сверхтяжёлый.

**X.X.S.; X.X.s.** double extra strong сверхпрочный.

**y.** yard ярд (*91,44 см*).

**Y.** year год; yearly годичный.

**YB** year-book ежегодник.

**Y.C.L.** Young Communist League Коммунистический Союз Молодёжи.

**yd** yard ярд (*91,44 см*).

**Yeo.; Yeom.** yeomanry йомены.

**YMCA** Young Men's Christian Association Христианская ассоциация молодых людей.

**Y.M.C.U.** Young Men's Christian Union Объединение христианских союзов молодых людей.

**Y.O.** yearly output годовая производительность; годовая добыча.

**y.o.** year old годичный; годовалый.

**yr** year год; yearly годичный.

**Yr** your ваш.

**YS** young soldier новобранец, молодой солдат.

**Yt** yacht яхта.

**Yu** Yukon Юкон (*река и территория в Канаде*).

**YWCA** Young Women's Christian Association Христианская ассоциация женской молодёжи.

**ZD** zenith distance зенитное расстояние.

**Z.G.** Zoological Garden зоопарк, зоосад.

**Z.S.T.** Zone Standard Time поясное стандартное время.